R.N. Champlin, Ph.D.
O ANTIGO TESTAMENTO INTERPRETADO

Versículo por Versículo

VOLUME 2

Nova edição
revisada – 2018
Inclui hebraico

DEUTERONÔMIO / JOSUÉ
JUÍZES / RUTE / 1SAMUEL
2SAMUEL / 1REIS

Av. Jacinto Júlio, 27 • São Paulo, SP
Cep 04815-160 • Tel: (11) 5668-5668
www.hagnos.com.br | editorial@hagnos.com.br

Copyright © 2001, 2018 por Editora Hagnos

Copyright do texto hebraico: *Biblia Hebraica Stuttgartensia*, editada por Karl Elliger e Wilhelm Rudolph, primeira edição revisada, editada por Adrian Scheker © 1977 e 1977 por Deutsche Bibelgesellschaft, Stutgard. Usado com permissão.

2ª edição: maio de 2018
2ª reimpressão: janeiro de 2024

REVISÃO
Andrea Filatro
Ângela Maria Stanchi Sinézio
Priscila Porcher
Caio Peres

DIAGRAMAÇÃO
Sonia Peticov

CAPA
Maquinaria Studio

Editor
Aldo Menezes

COORDENADOR DE PRODUÇÃO
Mauro Terrengui

IMPRESSÃO E ACABAMENTO
Imprensa da Fé

As opiniões, as interpretações e os conceitos emitidos nesta obra são de responsabilidade do autor e não refletem necessariamente o ponto de vista da Hagnos.

Todos os direitos desta edição reservados à

EDITORA HAGNOS LTDA.
Rua Geraldo Flausino Gomes, 42, conj. 41
CEP 04575-060 — São Paulo, SP
Tel.: (11) 5990-3308

E-mail: hagnos@hagnos.com.br
Home page: www.hagnos.com.br

Editora associada à:

Dados Internacionais de Catalogação na Publicação (CIP)
(Câmara Brasileira do Livro, SP, Brasil)

Champlin, Russell Norman, 1933-2018

O Antigo Testamento interpretado versículo por versículo. Volume 2: Deuteronômio, Josué, Juízes, Rute, 1Samuel, 2Samuel, 1Reis / Russell Norman Champlin. 2 ed. — São Paulo: Hagnos, 2018.

Bibliografia

ISBN 85-88234-16-5

1. Bíblia AT - Crítica e interpretação
I Título.

00-2004 CDD-221.6

Índice para catálogo sistemático:
1. Antigo Testamento: Interpretação e crítica 221.6

DEUTERONÔMIO

O Livro da Repetição da Lei

> *Ouve, Israel, o Senhor nosso Deus é o único Senhor. Amarás, pois, o Senhor teu Deus de todo o teu coração, de toda a tua alma, e de toda a tua força.*
>
> Deuteronômio 6.4,5

34 | Capítulos
959 | Versículos

INTRODUÇÃO

Deuteronômio é o último livro do Pentateuco, completando assim os cinco primeiros livros da Bíblia tradicionalmente atribuídos a Moisés. seu nome foi obtido da Septuaginta, através de uma tradução inacurada de Dt 17.18, o qual corretamente traduzido daria "Esta é a cópia (ou repetição) da lei". "Deuteronômio" é a forma portuguesa da palavra grega "segunda lei". É evidente que o livro não é uma *segunda lei* distinta da lei dada no Sinai, todavia o título não é totalmente inapropriado, pois o livro inclui, entre outros assuntos, uma repetição ou reformulação de grande parte das leis. O nome hebraico do livro é *'Elleh haddevarim*, "Estas são as palavras", ou simplesmente *Devarim*, "Palavras". A tradição judaica intitula o livro de Deuteronômio de *Mishneh Torah*, que significa repetição ou "cópia da lei" (Dt 17.18).

ESBOÇO

I. Composição
II. Propósito
III. Conteúdo
IV. Seção Legal
V. A Importância do Livro
VI. Bibliografia

I. COMPOSIÇÃO

1. *Autoria*. Há mais polêmica em relação à autoria e à data de Deuteronômio do que em relação a qualquer outro livro do Pentateuco. A maior variedade de opinião encontra-se especialmente entre os que se opõem à autoria mosaica.

a. *Ponto de Vista Conservativo*. Os que apoiam o ponto de vista conservativo da autoria mosaica de Deuteronômio baseiam-se em declarações bíblicas e na tradição judaico-cristã que estava em pleno acordo com relação à autoria deste livro até antes do advento do criticismo. Os argumentos mais fortes em favor da autoria mosaica do livro são as reivindicações do próprio livro, a saber: Dt 31.8-13 e 31.24,26. Dt 31.9 diz: "Esta lei escreveu-a Moisés e a deu aos sacerdotes...", e 31.24 diz: "Tendo Moisés acabado de escrever integralmente as palavras desta lei num livro..." Os escritores do NT atribuíam a autoria do Pentateuco a Moisés, e Mt 19.8 indica a posição de Cristo especificamente em relação ao livro de Deuteronômio. Para os que acreditam na plena inspiração das Escrituras, estes versículos são evidências enfáticas da autoria mosaica de Deuteronômio. Os fatos de que o uso da primeira pessoa predomina e de que Moisés é mencionado por mais de quarenta vezes no livro também são apresentados como provas de que ele escreveu Deuteronômio. O relato da morte de Moisés não apresenta problema, pois explica-se que os capítulos 31-34 foram adicionados depois de sua morte. Alguns afirmam que Moisés escreveu os capítulos que constituem a legislação (12-20), e os capítulos 1-12 e 27-30, embora de sua autoria, foram adicionados posteriormente.

Quanto aos capítulos 31-34, sugerem-se Eleazar e Josué como possíveis autores. Ambos foram amigos de Moisés e portanto pessoas apropriadas para fazer seu panegírico. Josué se tornou o sucessor de Moisés, e alguns supõem que o que atualmente é o apêndice de Deuteronômio tenha sido uma vez o início do livro de Josué. É particularmente interessante observar que as expressões "Moisés, servo do Senhor" e "Moisés, homem de Deus" não aparecem nos capítulos precedentes nem nos outros livros do Pentateuco. Por outro lado, a expressão "Moisés, servo do Senhor" ocorre várias vezes no livro de Josué, fato que fortalece a probabilidade de que Josué fora o responsável pela composição do apêndice.

b. *Ponto de Vista Crítico*. Os críticos consideram improvável que Moisés tenha escrito Deuteronômio e mantêm que o livro foi composto por um profeta anônimo que escreveu segundo as noções de Moisés. A despeito de não apoiarem a teoria da autoria mosaica do livro, os críticos declaram que Deuteronômio pode ser qualificado como um livro mosaico, pois toda a lei judia se originou na tradição básica dos tempos em que Moisés era o líder do povo.

Segundo a teoria documentária de Wellhausen, o *Código Deuteronômico*, ou *D*, é o documento básico deste livro. O documento *D* (Dt 12-26) foi publicado em 621 a.C. quando Hilkiah o encontrou no templo durante o reinado de Josias (2Rs 22). Acreditava-se que o documento *D* havia sido composto no tempo de sua "descoberta" (por Hilkiah) com o fraudulento propósito de promover reformas religiosas. Atualmente esta teoria tem sido abandonada por falta de evidências.

Deuteronômio sumariza, de diversas maneiras, as doutrinas dos grandes profetas do século VIII a.C., que também pregaram a absoluta soberania de Deus, seu relacionamento especial com Israel e a consequente condenação da idolatria. De fato, Deuteronômio representa Moisés dando uma nova interpretação da lei (para a vida em Canaã) no momento em que Israel fazia a transição de um estilo de vida nômade para um permanente. Dessa maneira, o Código Deuteronômico demonstra a adaptação da velha lei às condições de vida posteriores.

A forma exata do documento encontrado no tempo do rei Josias tem sido objeto de muita polêmica. É evidente que o atual livro de Deuteronômio é resultado da compilação de porções independentes. O mistério da questão consiste em descobrir quando essas porções foram compiladas. Considerando que a leitura da Lei atemorizou Josias (2Rs 22.11-13), o documento continha pelo menos algumas maldições como as do capítulo 28. É também importante observar que o documento encontrado compeliu Josias a renovar o pacto entre Jeová e a nação de Israel. Isso indicaria que o documento tinha a forma familiar de um tratado e não era muito diferente do atual livro de Deuteronômio, que reflete claramente a estrutura dos antigos tratados ou pactos.

Alguns críticos acreditam que Deuteronômio é uma súmula da doutrina preservada da Samaria depois de sua queda em 721 a.C. Mesmo os que defendem Jerusalém como o local de origem do livro, mantêm que sua composição se deu no século VIII a.C. E. Robertson, defendendo uma posição mais conservativa, sugere que o livro tenha sido compilado (a partir de material mosaico) por Samuel. Em resumo, a origem e a data de Deuteronômio constituem um dos mais controversiais problemas para os críticos bíblicos. Nada de concreto tem sido concluído a esse respeito até o presente momento.

2. *Estrutura*. A estrutura básica de Deuteronômio reflete claramente a forma dos antigos tratados ou pactos. O livro (delineado quase exclusivamente na forma de discursos) apresenta primeiramente uma introdução exortatória com alusões históricas, a seguir as leis e finalmente as bênçãos e maldições condicionadas à obediência das estipulações.

O livro de Deuteronômio é dotado de vigoroso estilo oratório, mesmo em se tratando da apresentação das leis. Apesar de bastante peculiar, este estilo reflete alguma influência da literatura profética. Tendências retóricas e preocupações com o culto e com a religião interior lembram as pregações dos sacerdotes e levitas.

II. PROPÓSITO

O livro compreende uma série de discursos proferidos por Moisés. O primeiro desses, considerado uma adição secundária ao livro, relata a viagem de Horebe à Terra Prometida e enfatiza a conquista da Transjordânia. O segundo é o mais importante do livro — contém primeiramente uma exortação de como o indivíduo deve entregar-se de todo o coração ao Deus do Pacto, e em seguida apresenta as leis desse Pacto. O terceiro discurso consiste em um apelo por fidelidade. O livro termina com um apêndice histórico contendo a narrativa dos últimos atos e palavras de Moisés. (Ver a seção a seguir para maiores detalhes).

O propósito de Deuteronômio é persuadir o povo à entrega total ao Deus de Israel, o que significa amá-lo de todo o coração, de toda a alma e de toda a força (Dt 6.5). Dessa maneira, o livro enfatiza a completa união com Jeová, através da qual o povo deve adorar somente a ele, e de modo apropriado.

III. CONTEÚDO

A. Primeiro Discurso de Moisés (1.1—4.43)
1. Sumário da história de Israel no deserto (2.1—3.29)
   a. Introdução (1.1-18)
   b. O fracasso em Cades (1.19-46)
   c. As perambulações e os conflitos no deserto (2.1—3.29)
2. Moisés exorta o povo à obediência (4.1-43)

B. Segundo Discurso de Moisés (4.44—26.19)
1. Repetição da lei com advertências e exortações (4.44—11.32)
   a. Introdução (4.44-49)
   b. Repetição dos Dez Mandamentos (5.1-33)
   c. O fim da lei é a obediência (6.1-25)
   d. Ordenada a destruição dos cananeus e seus ídolos (7.1-26)
   e. Advertências e exortações (8.1—11.32)
2. A legislação que Moisés apresentou ao povo (12.1—26.19)
   a. Condições de bênção na terra (12.1-32)
   b. Castigo dos falsos profetas e idólatras (13.1-18)
   c. Animais limpos e imundos (14.1-29)
   d. O ano da remissão (15.1-23)
   e. As três festas: Páscoa, Pentecoste e Tabernáculos (16.1-17)
   f. Os oficiais e seus deveres (16.18-22)
   g. Castigos da idolatria, obediência à autoridade, eleição e deveres de um rei (17.1-20)
   h. Os sacerdotes, as práticas proibidas e a promessa de um profeta (18.1-22)
   i. As cidades de refúgio (19.1-21)
   j. As leis da guerra (20.1-20)
   k. Regulamentos gerais (21.1— 26.19)
3. Sumário de profecias sobre a história de Israel e a segunda vinda de Cristo (27.1—28.68)
   a. As pedras da lei no monte Ebal (27.1-10)
   b. A cerimônia litúrgica (27.11-26)
   c. As bênçãos proferidas no monte Gerizim (28.1-14)
   d. Maldições que serão lançadas na terra (28.15-68)

C. Terceiro Discurso de Moisés: o Pacto Palestino (29.1—30.20)
1. Introdução (29.1-29)
2. Declaração do pacto (30.1-10)
3. Advertência final (30.11-20)

D. Apêndice Histórico (31.1—34.12)
1. Últimas palavras de Moisés e nomeação de Josué (31.1-30)
   a. Últimos conselhos de Moisés aos sacerdotes, aos levitas e a Josué (31.1-13)
   b. Comissão divina a Moisés e Josué: Avisos acerca da apostasia (31.14-23)
   c. Moisés instrui os levitas (31.24-30)
2. Último canto e exortação de Moisés (32.1-47)
3. Moisés vê a Terra Prometida (32.48-52)
4. Moisés abençoa as tribos (33.1-29)
5. Morte e sepultamento de Moisés (34.1-12)

IV. SEÇÃO LEGAL
Os capítulos 5—11, introduzindo a seção legal, apresentam os Dez Mandamentos, tratando de modo especial o primeiro mandamento. Os capítulos seguintes expõem as leis que podem ser consideradas nas categorias cerimonial, civil e criminal. Seguindo estas categorias, estão as leis mistas concernentes à família e propriedade.

As leis cerimoniais referem-se a lugar de adoração (12.1-28); idolatria (12.29—13.18; 16.21—17.7); alimentos puros e impuros (14.1-21); dízimos (14.22-29); remissão (15.1-18); santificação do primogênito (15.19-23); e festas sagradas (16.1-17).

As leis civis tratam de nomeação dos juízes (16.18-20; 17.8-13); eleição de um rei (17.14-20); regulamentações referentes aos direitos e rendimentos dos sacerdotes e levitas (18.1-8); e regras concernentes aos profetas (18.9-22).

As leis criminais referem-se ao homicida, às cidades de refúgio (19.1-14); ao falso testemunho (19.15-21); à conduta na guerra (20.1-20); à expiação por uma morte cujo autor é desconhecido (21.1-9); e aos crimes puníveis por enforcamento (21.22,23).

As leis mistas abrangem uma variedade de assuntos, tais como casamento com uma mulher cativa (21.10-14); direito de primogenitura (21.15-17); filhos desobedientes (21.18-21); benevolência para com os animais (22.1-4, 6-8); proibições de várias misturas (22.4,9-11); cordas torcidas nas vestimentas (22.12); punição de impureza (22.13-29); expulsão da congregação (23.1-9); rito de purificação no acampamento militar (23.10-15); escravos fugidos (23.16,17); prostituição, usura e votos (23.18-24); ato de recasar depois do divórcio (24.1-4); isenção do recém-casado de servir na guerra (24.5); penhor (24.6, 10-13,17,18); ladrão (24.7); lepra (24.8,9); salários (24.14,15); pais e filhos (24.16); tratamento de estranhos, órfãos e viúvas (24.17-22); castigo excessivo (25.1-3); o boi de arado (25.4); levirato (25.5-10); estupro (25.11,12); pesos e medidas (25.13-16); e destruição de Amaleque (25.17-19). Os capítulos 26 e 27 apresentam uma aplicação didática dessas leis.

Outra classificação das leis contidas nos capítulos 12-26 pode ser feita com base no significado de três palavras-chaves, a saber, juízos, estatutos e mandamentos. O juízo é definido como uma regra ou lei estipulada por uma autoridade ou estabelecida por costumes antigos, pela qual o juiz deve guiar-se na solução de certos casos (juízos de Êx 21). O estatuto é definido como uma regra permanente de conduta que difere do juízo no sentido de que não requer um juiz físico no quadro, mas somente a consciência do indivíduo perante Deus. A distinção entre juízo e estatuto está delineada em 1Rs 6.12, onde Salomão é encorajado a andar nos estatutos de Deus e a "executar" os seus juízos. Exemplos típicos de estatutos são as leis referentes às instituições religiosas, festas (Dt 16.1-17), oferendas ou leis de justiça, purificação etc. Em relação à palavra "mandamento", seu significado comum é convenientemente limitado aqui para os propósitos da presente classificação: significa não uma ordem de obrigação permanente, mas uma que pode ser cumprida de uma vez por todas. (Exemplos: a destruição dos santuários pagãos, a nomeação dos juízes e o estabelecimento das cidades de refúgio).

V. A IMPORTÂNCIA DO LIVRO
Os escritos posteriores da história de Israel do Antigo e do Novo Testamento testificam a grande influência que o livro de Deuteronômio exerceu em seus autores. Nos livros de Josué, Juízes, 1 e 2Samuel e 1 e 2Reis encontram-se numerosas referências reveladoras de que Deuteronômio era conhecido e observado na época. Entre as muitas referências que ilustram a observância das leis de Deuteronômio, encontra-se Js 8.27, que relata o fato de que, quando Ai foi capturada, "tão somente os israelitas saquearam para si o gado e os despojos da cidade" (Dt 20.14). Outro detalhe que indica a observância da lei de Deuteronômio é o fato de que o corpo do rei da cidade de Ai foi retirado da árvore em que havia sido enforcado antes do cair da noite (cf. Js 8.29; 10.26 e 27 com Dt 21.23).

Os profetas do século VIII a.C. também refletem familiaridade com o livro. As seguintes passagens são alguns exemplos da influência de Deuteronômio nos escritos de Oseias e Amós:

Oseias	Deuteronômio	Amós
4.4	17.12	3.2
5.10	19.14	2.7-8
8.13 e 9.3	28.68	
11.3	1.31 e 32.10	
	7.6 e 9.12	
	24.12-15 e 23.17	

No NT há igualmente algumas citações e várias referências ao livro de Deuteronômio. Em Hb 10.28 as palavras de Dt 17.6 são citadas como "a lei de Moisés". Paulo citou Dt 27.26 e 21.23 em Gl 3.10,13, adicionando a introdução "está escrito". Semelhantemente, Paulo citou partes do Decálogo em Rm 7.7; 13.9; Ef 6.2. Jesus também citou Deuteronômio em várias ocasiões, a saber: Mt 4.1-11; 22.38; Lc 4.1-13; Mc 7.9-12; 10.5 e 10.17-19.

VI. BIBLIOGRAFIA
AM E IB ID MAN UNZ

Ao Leitor
Na *Introdução* ao livro anterior, Números, abordo questões como autoria, fontes informativas, composição, conteúdo e propósitos, a seção legal e a importância do livro. Para maior proveito, o leitor deve dedicar algum tempo a esses tópicos, que lhe conferirão compreensão sobre a natureza geral do livro. É o que agora recomendo também, no caso deste quinto livro do Pentateuco, o Deuteronômio.

Título
Deuteronômio. Este título é explicado no primeiro parágrafo da *Introdução* ao livro.

Fontes Informativas

Além dos materiais apresentados na introdução ao livro, ver também, no *Dicionário*, o artigo intitulado *J,E,D,P.(S.)*. Este livro tem sido atribuído pelos críticos à fonte informativa *D*, com algumas porções atribuídas a outras fontes, desconhecidas, além de a alguns comentários editoriais.

Essa *cópia da lei* é uma repetição de muitas coisas encontradas nos demais livros do *Pentateuco* (ver sobre este título no *Dicionário*). A cópia é uma "repetição", mas com características próprias. Ver as notas em Dt 17.18 quanto à origem do título em português, derivado da Septuaginta. Representa uma renovação, bem como uma confirmação do Pacto Mosaico. Ver no *Dicionário* o artigo chamado *Pactos*. Algumas das coisas que foram assim *copiadas* na verdade foram modificadas com alguma elaboração e interpretação, de tal modo que o livro serve de suplemento à legislação mosaica.

Localização

No final do livro de Números, Israel aparece acampado nas planícies de Moabe, prestes a invadir a Terra Prometida. *Deuteronômio*, pois, é uma espécie de discurso de despedida de Moisés. ele narra de novo os poderosos feitos de Yahweh e adverte solenemente contra a desobediência e a distorção dos preceitos do Senhor. A terra de Canaã haveria de apresentar muitas e novas tentações, e somente um povo fortemente alicerçado sobre a legislação mosaica poderia enfrentar com sucesso essas tentações. Moisés requereu lealdade ao pacto como a única salvaguarda da nação, em sua integridade e destino.

Discursos

O livro consiste em três discursos de Moisés: Dt 1.6—4.40; caps. 5—28; caps. 29 e 30. Os capítulos 31—34 prosseguem a narrativa que fora interrompida no final do livro de Números.

Ensinos Distintos

A adoração a Yahweh haveria de ser centralizada em um único lugar, e, paralelamente, os santuários pagãos seriam totalmente destruídos (cap. 12). Jerusalém seria o centro da adoração a Yahweh. Os críticos modernos supõem que essa parte do livro seja história autêntica, e não previsões históricas, pelo que datam o livro como se tivesse sido escrito após a construção do templo de Jerusalém. Os estudiosos conservadores, por sua vez, veem nessa circunstância antecipação e profecia. Alguns identificam Deuteronômio com o "Livro da Lei", cujo achado impulsionou Josias às suas reformas religiosas, em 621 a.C. (2Rs 22 e 23). Os críticos supõem que o livro repouse sobre tradições antigas, mas que sua data seja de compilação relativamente recente. Se assim de fato sucedeu, então, fundamentalmente, Deuteronômio seria uma redescoberta e uma reinterpretação dos ensinos de Moisés, à luz de acontecimentos históricos posteriores e de uma nova compreensão desses ensinos. Os conservadores veem nisso tudo um avanço, embora procurem preservar a data da escrita do livro nos dias de Moisés, considerando esse profeta seu autor.

Citações de Deuteronômio no Novo Testamento

- Mateus: 4.4 (Dt 8.3); 4.7 (Dt 6.16); 4.10 (Dt 6.13); 5.31 (Dt 24.1); 5.48 (Dt 18.13); 18:16 (Dt 19.15); 19.7 (Dt 24.1); 22.24 (Dt 25.5); 22.37 (Dt 6.5); 24.24 (Dt 13.1)
- Marcos: 10.4 (Dt 24.1); 12.19 (Dt 25.5); 12.29 ss. (Dt 6.4 ss); 12.32 (Dt 4.35; 6.4); 12.33 (Dt 6.5); 13.22 (Dt 13.1); 13.27 (Dt 30.4)
- Lucas: 4.4 (Dt 8.3); 4.8 (Dt 6.13); 4.12 (Dt 6.16); 10.27 (Deu 6.5); 18.20 (Dt 5.16, 20); 20.28 (Dt 25.5)
- Atos: 3.22 (Dt 18.15 ss.); 5.30 (Dt 21.22 ss.); 7.5 (Dt 2.5); 7.14 ss. (Dt 10.22); 7.37 (Dt 18.15,18); 7.45 (Dt 32.49); 10.34 (Dt 10.17); 10.39 (Dt 21.22 ss.); 13.18 (Dt 1.31); 13.19 (Dt 7.1); 20.32 (Dt 33.3 ss.); 26.18 (Dt 33.3 ss.)
- Romanos: 7.7 (Dt 5.18,21); 10.6-9 (Dt 30.12 ss.); 10.19 (Dt 32.21); 11.8 (Dt 9.4); 11.11 (Dt 32.21); 12.19 (Dt 32.35); 13.9 (Dt 5.17 ss., 21); 15.10 (Dt 32.43)
- 1Coríntios: 5.13 (Dt 22.24); 8.4 (Dt 6.4); 9.9 (Dt 25.4); 10.20 (Dt 32.17); 10.22 (Dt 32.21)
- 2Coríntios: 13.1 (Dt 19.15)
- Gálatas: 3.10 (Dt 27.26); 3.13 (Dt 21.23)
- Efésios: 1.16 (Dt 33.3 ss.); 6.2 ss. (Dt 5.16)
- Filipenses: 2.15 (Dt 32.5)
- 2Tessalonicenses: 2.13 (Dt 33.12)
- 1Timóteo: 5.18 (Dt 25.4); 5.19 (Dt 19.15)
- Tito: 2.14 (Dt 14.2)
- Hebreus: 1.6 (Dt 32.43); 10.28 (Dt 17.6); 10.30 (Dt 32.35 ss.); 12.15 (Dt 29.18); 12.18 ss. (Dt 4.11); 12.19 (Dt 4.12); 12.21 (Dt 9.19); 12.29 (Dt 4.24); 13.5 (Dt 31.6,8
- Tiago: 2.11 (Dt 5.17 ss.); 5.4 (Dt 24.15,17); 5.7 (Dt 11.14)
- Apocalipse: 6.10 (Dt 32.43); 9.14 (Dt 1.7); 9.20 (Dt 32.17); 15.3 (Dt 32.4); 15.4 (Dt 32.4); 16.5 (Dt 32.4); 16.12 (Dt 1.7); 17.14 (Dt 10.17); 18.20 (Dt 32.43); 19.2 (Dt 32.43); 19.16 (Dt 10.17); 22.18 ss. (Dt 4.2)

"O Deuteronômio consiste nos conselhos de despedida de Moisés, entregues ao povo de Israel em face de sua iminente entrada na terra que lhes fora prometida em pacto. Contém um sumário das perambulações de Israel pelo deserto, importante porque desdobra os juízos morais de Deus sobre aqueles eventos, repete o Decálogo a uma geração que havia crescido no deserto, fornece orientações quanto à conduta de Israel na Terra Prometida e contém o Pacto Palestino (Dt 30.1-9). O livro transpira a severidade da lei mosaica. Palavras-chaves: 'Não (algum verbo ou alocução verbal)' (ver Dt 11.26-28)".

"Importa observar que, se a Terra Prometida foi dada incondicionalmente a Abraão e aos seus descendentes, como parte do Pacto Abraâmico (Gn 13.15 e 15.7), foi debaixo do Pacto Palestino, que era condicional (ver Dt 28.1—30.20), que o povo de Israel entrou na terra de Canaã, sob as ordens de Josué. Tendo violado as condições desse último pacto, a nação de Israel foi primeiramente derrotada (1Rs 12), para em seguida ser mandada ao primeiro exílio (2Rs 17.1-18; 24.1; 25.11). Mas aquele mesmo pacto promete, incondicionalmente, restauração nacional a Israel, o que ainda está por se cumprir (Gn 15.18)" (*Scofield Reference Bible*, Introdução).

EXPOSIÇÃO

CAPÍTULO UM

PRIMEIRO DISCURSO DE MOISÉS (1.1—4.43)

SUMÁRIO DA HISTÓRIA DE ISRAEL NO DESERTO (1.1—3.29)

INTRODUÇÃO (1.1-18)

"*Revisão Histórica*. Moisés passou em revista eventos desde a partida do Sinai (Horebe), para mostrar que o Senhor havia guiado de forma maravilhosa o seu povo, pelo deserto. Os vss. 1-5 servem de introdução ao primeiro discurso de Moisés" (*Oxford Annotated Bible*, comentando sobre Dt 1.1). Ver as notas introdutórias anteriores, que falam sobre os três discursos de Moisés, contidos no livro.

Isso posto, Deuteronômio é uma espécie de discurso final de Moisés, entregue ao povo de Israel na tentativa de garantir a lealdade e o cumprimento do Pacto Mosaico por parte deles.

■ **1.1**

אֵ֣לֶּה הַדְּבָרִ֗ים אֲשֶׁ֨ר דִּבֶּ֤ר מֹשֶׁה֙ אֶל־כָּל־יִשְׂרָאֵ֔ל
בְּעֵ֖בֶר הַיַּרְדֵּ֑ן בַּמִּדְבָּ֡ר בָּֽעֲרָבָה֩ מ֨וֹל ס֜וּף בֵּֽין־פָּארָ֧ן
וּבֵֽין־תֹּ֛פֶל וְלָבָ֥ן וַחֲצֵרֹ֖ת וְדִ֥י זָהָֽב׃

São estas as palavras que Moisés falou. Moisés era o porta-voz de Deus diante dos israelitas. A expressão "disse Deus", ou algum paralelo, é de ocorrência frequente no Pentateuco. Ver as notas a respeito em Lv 1.1 e 4.1. Também serve para introduzir novas seções de material, além de fazer-nos lembrar da doutrina da inspiração divina da Bíblia. Ver no *Dicionário* o artigo chamado *Revelação (Inspiração)*. As palavras de Moisés não representavam um documento legal sem vida, mas tinham por intuito oferecer direção para uma vida espiritual vital. suas palavras visavam instruir um povo tendente ao desvio, especialmente ao terem de enfrentar muitas novas tentações na terra de Canaã.

Inclinado a desviar-me, Senhor, eu me sinto,
Inclinado a deixar o Deus a quem amo.
Eis meu coração, toma-o e sela-o,
Sela-o para a tua corte,
lá no alto.

Robert Robinson

Dalém do Jordão. Ou seja, a Transjordânia, o lado oriental daquele rio, onde Israel estava acampado e de onde estava prestes a desfechar a invasão. Ver no *Dicionário* o artigo intitulado *Transjordânia*. Essa frase liga o Deuteronômio ao livro de Números, que terminara narrando como o povo de Israel estava naquela banda do rio, pronto para lançar o ataque. Ver Nm 33.48; 36.13.

A maioria dos lugares mencionados neste versículo já tinha sido mencionada no livro de Números, e o leitor encontrará comentários ali ou no *Dicionário*.

Jordão. Ver a respeito no *Dicionário*.
Arabá. Ver a respeito no *Dicionário*.
Sufe. Essa palavra ocorre somente neste versículo em toda a Bíblia, dentro da frase "mar de Sufe" (isto é, "mar de canas"). Esse mar é de localização incerta, sabendo-se apenas que foi ali que Moisés expôs a lei de Deus diante do povo de Israel. A associação desse mar com Parã, Hazerote, Arabá, o vale do Jordão e o mar Morto, que se prolonga para o sul na direção do Golfo de Ácaba, sugere que a sua identificação com o Golfo de Ácaba deve estar certa. Essa tem sido a interpretação de algumas versões, como é o caso da King James Version, em inglês. Muitos intérpretes modernos diziam que deveria ser identificado com o *Golfo de Ácaba*, um dos braços do mar Vermelho.

Parã. Ver sobre *El-Parã*, em Gn 14.6.
Tôfel. No hebraico, "pilão", "almofariz". Este nome só é mencionado nas palavras de abertura do livro de Deuteronômio (1.1), entre outros quatro nomes de cidades, como o local onde Moisés dirigiu um grande discurso aos ouvidos do povo de Israel. Essa localidade tem sido identificada com a moderna *Tafile*, uma aldeia a cerca de 24 quilômetros a sudeste do mar Morto, em um fértil vale por onde passa a estrada de Queraque a Petra. Nada mais se sabe, porém, sobre esta localidade.

Labã. Este lugar tem sido identificado como a mesma *Libna*, de Nm 33.20. Há um detalhado verbete a respeito do local no *Dicionário*.

Hazerote. Ver as notas sobre este lugar em Nm 11.35.
Di-Zaabe. Há um detalhado artigo sobre este lugar no *Dicionário*. Alguns o identificam com Mina al Dhabab ou com Me-Zaabe (Gn 36.39).

"A rota inteira entre Parã, à esquerda, e aquelas cinco localidades, à direita, fizeram parte da primeira marcha de Israel, desde o Sinai até Cades-Barneia. Levou-os até o deserto de Zim, e encontra-os, nestes versículos (Dt 1.1,2), naquele lugar" (Ellicott, *in loc*.).

■ **1.2**

אַחַד עָשָׂר יוֹם מֵחֹרֵב דֶּרֶךְ הַר־שֵׂעִיר עַד קָדֵשׁ
בַּרְנֵעַ:

Horebe. Ver a respeito no *Dicionário*.
Seir. Ver a respeito no *Dicionário*.
Cades-Barneia. Ver a respeito no *Dicionário*. As referências a essa localidade servem dois propósitos: 1. Situam a revelação divina dentro da história, mediante localizações geográficas. 2. Mostram que foram necessários apenas onze dias para fazer a viagem, mas que a incredulidade manifestada por Israel, na fronteira, fez Israel voltar ao deserto e ali internar-se pelo espaço de quarenta anos. E assim, quando Moisés proferiu este discurso, quarenta anos mais tarde, ele os levou de volta àquela oportunidade que eles haviam desperdiçado. E isso foi uma demonstração da graça de Deus.

Eu, oportunidade, chego uma vez diante de cada porta!
Se estás dormindo, acorda! Se estás comendo, de pé!
Vou-me embora. É a hora do destino.

John James Ingalls

Em apenas onze dias, os israelitas estiveram à beira de possuir sua Terra Prometida, sua herança, mas o coração deles tremeu quando viram os gigantes da terra (Nm 13.33), e assim fracassaram. A tarefa pareceu-lhes por demais perigosa e difícil. E isso lhes custou muito tempo (quarenta anos) e muito sofrimento. Pela graça de Deus, todavia, foram levados de volta à oportunidade perdida, visto que a vontade de Deus estava envolvida em tudo aquilo.

Horebe era um dos picos do Sinai, onde a lei foi dada, ou então o nome geral da serra da qual o Sinai fazia parte. Para quem partisse dali, a fronteira da Terra Prometida não ficava distante. Moisés, símbolo da lei, não podia fazê-los penetrar na Terra Prometida. Mas Josué, tipo de Jesus, foi capaz de fazê-lo, pois essa foi a sua missão, tal como a missão de Jesus é a de conduzir-nos à pátria celeste.

A lei acena com a promessa da vida, embora ela mesma não possa dar vida. *Onze dias* indica o *tempo de jornada*, e não o tempo real que Israel precisou para percorrer a distância entre os dois lugares, visto que sabemos que eles estiveram acampados em Quibrote-Taavá por um mês inteiro, e em Hazerote por sete dias.

■ **1.3**

וַיְהִי בְּאַרְבָּעִים שָׁנָה בְּעַשְׁתֵּי־עָשָׂר חֹדֶשׁ בְּאֶחָד
לַחֹדֶשׁ דִּבֶּר מֹשֶׁה אֶל־בְּנֵי יִשְׂרָאֵל כְּכֹל אֲשֶׁר צִוָּה
יְהוָה אֹתוֹ אֲלֵהֶם:

Este versículo estabelece um patético contraste com o versículo anterior. Se eram necessários apenas onze dias de jornada para que alguém chegasse à fronteira da Terra Prometida, Israel teve de retroceder para o deserto, onde ficou vagueando por quase quarenta anos. Essa oportunidade estava sendo agora renovada, no décimo primeiro mês (*shebet*, correspondente aos nossos janeiro-fevereiro). Foi então que Moisés deu início ao seu primeiro discurso, no qual, por assim dizer, repetiu a lei. Ver as notas de introdução antes de Dt 1.1, bem como a Introdução ao livro, quanto a detalhes completos. O Deuteronômio contém três discursos de Moisés, nos quais ele deu suas instruções finais a um povo com uma constante tendência ao desvio. Ver especialmente a segunda seção da *Introdução*, intitulada *Conteúdo e Propósito*.

"Foi feita uma advertência implícita: Não vos mostreis lentos em confiar em vosso Deus novamente. Infelizmente, Israel nunca deu ouvidos atentos a esse aviso. Conforme Estêvão frisou séculos mais tarde (ver At 7.39,51), os israelitas sempre *se mostraram* lentos em crer em Deus" (Jack S. Deere, *in loc*.). Mas, afinal, essa é a história de toda a humanidade, com a exceção de apenas alguns poucos.

O ano *quadragésimo*, em certo sentido, foi um ano triste para Israel. No primeiro mês daquele ano, Miriã morreu (Nm 20); no primeiro dia do quinto mês, Arão morreu (Nm 33.38). E perto do fim daquele mesmo ano, Moisés morreu (Dt 34).

■ **1.4**

אַחֲרֵי הַכֹּתוֹ אֵת סִיחֹן מֶלֶךְ הָאֱמֹרִי אֲשֶׁר יוֹשֵׁב
בְּחֶשְׁבּוֹן וְאֵת עוֹג מֶלֶךְ הַבָּשָׁן אֲשֶׁר־יוֹשֵׁב בְּעַשְׁתָּרֹת
בְּאֶדְרֶעִי:

Aqui o autor completa as suas notas históricas e geográficas, no tocante ao pano de fundo do livro, e os discursos que Moisés estava prestes a proferir, referindo-se à completa derrota dos dois reis que tinham feito oposição aos filhos de Israel, segundo se lê em Nm 21.21-35, repetindo a crônica de Dt 2.26—3.11. Todos os nomes aqui referidos são comentados em Números ou no *Dicionário*. Antes do décimo primeiro mês do ano, não somente Seom e Ogue, mas também os cinco príncipes midianitas, que eram duques de Seom e habitavam na região (Js 13.21), foram mortos. Essas vitórias infundiram coragem nos israelitas, que assim se animaram a prosseguir.

"Ter uma tarefa imediata a fazer, saber o que fazer, em um dado momento, é ganhar metade da batalha" (Henry H. Shires, *in loc*.). É conforme diz o Livro de Oração Comum, dos anglicanos: "... percebe e sabe quais coisas eles devem fazer, e também que eles têm a graça e o poder para cumprir sua tarefa com fidelidade".

■ **1.5**

בְּעֵבֶר הַיַּרְדֵּן בְּאֶרֶץ מוֹאָב הוֹאִיל מֹשֶׁה בֵּאֵר
אֶת־הַתּוֹרָה הַזֹּאת לֵאמֹר:

Além do Jordão. Está claramente em foco a *Transjordânia* (ver a respeito no *Dicionário*). O autor estava do lado oposto do rio, mas olhava para o lado ocidental, que passaria a ser conquistado. As tribos de Gade e Rúben, além da meia tribo de Manassés, já tinham recebido seus territórios, no lado oriental do Jordão (ver Nm 32). E então começaram a ajudar as outras tribos a conquistar o lado ocidental do rio, que era a condição que Moisés requerera deles, para que pudessem ficar com a Transjordânia.

Foi no lado oriental que Moisés deu início ao seu primeiro discurso. O livro de Deuteronômio é, essencialmente, a repetição da lei que servia para instruir o povo de Israel quanto a todos os seus deveres e privilégios, encorajando-os a cumprir o seu destino.

■ 1.6

יְהוָה אֱלֹהֵינוּ דִּבֶּר אֵלֵינוּ בְּחֹרֵב לֵאמֹר רַב־לָכֶם
שֶׁבֶת בָּהָר הַזֶּה׃

Nosso Deus nos falou. Deus tinha dado ordem para os israelitas partirem do Sinai. Eles tinham estado ali um ano menos dez dias, considerando-se que tinham chegado no primeiro dia do terceiro mês, depois de terem partido do Egito, e só deixaram o local no vigésimo dia do segundo mês, no segundo ano (ver Êx 19.1; Nm 10.11). Foi durante esse período de permanência no Sinai que o tabernáculo foi construído, armado e o seu culto foi estabelecido, dando aos filhos de Israel a base de sua fé religiosa durante muitos séculos que se seguiriam.

Tipologia. O povo de Israel ficou muito tempo debaixo da lei. Mas chegou o tempo de passar adiante, para a graça do sistema cristão. "É bom para as pessoas que elas não permaneçam por muito tempo debaixo da lei e de seus terrores, mas sejam dirigidas ao monte Sião; ver Hebreus 12.18-24" (John Gill, *in loc.*).

Nosso Deus. Essa expressão é reiterada por cinquenta vezes no Antigo Testamento, conforme escreveu uma de minhas fontes, Jack S. Deere. No hebraico temos a expressão *Yahweh-Elohim*, o Eterno-poderoso. Ver no *Dicionário* o artigo intitulado *Deus, Nomes Bíblicos de*, onde esses e outros nomes divinos são discutidos.

O poder divino dera aos israelitas a lei; mas também ordenara que eles conquistassem a Terra Prometida. A verdade sempre é revelada de modo progressivo. A descoberta da verdade é uma aventura, e não um depósito conferido de uma vez para sempre. Uma característica literária do Deuteronômio, que os críticos atribuem a uma fonte informativa que chamam de D, é o uso dos pronomes possessivos *nosso, teu e vosso* para indicar Deus. Isso serve para enfatizar a proximidade da relação que um homem pode ter com o seu Deus. Deus não é uma figura distante. ele está profundamente interessado na vida dos homens. Ver na *Enciclopédia de Bíblia, Teologia e Filosofia*, os artigos chamados *Deísmo e Teísmo*. O teísmo ensina que Deus criou e habita em sua criação (inerência), punindo e recompensando. O deísmo, por sua vez, ensina que houve alguma força criativa, pessoal ou impessoal, mas que abandonou em seguida a sua criação (transcendência), deixando-a aos cuidados de leis naturais. A revelação bíblica, entretanto, mostra que é o teísmo que está com a razão.

■ 1.7

פְּנוּ וּסְעוּ לָכֶם וּבֹאוּ הַר הָאֱמֹרִי וְאֶל־כָּל־שְׁכֵנָיו
בָּעֲרָבָה בָהָר וּבַשְּׁפֵלָה וּבַנֶּגֶב וּבְחוֹף הַיָּם אֶרֶץ
הַכְּנַעֲנִי וְהַלְּבָנוֹן עַד־הַנָּהָר הַגָּדֹל נְהַר־פְּרָת׃

Israel se tinha mudado para as planícies de Moabe. Os moabitas tinham perdido grande parte de seu território para os amorreus. Ver os artigos sobre ambos esses povos no *Dicionário*. Este versículo fornece-nos uma descrição geral dos *limites* do território a ser conquistado. Cf. Dt 11.24 e Êx 23.31. Uma das principais provisões do *Pacto Abraâmico* era a Terra Prometida. Ver as notas sobre esse pacto, onde dou as dimensões da Terra Prometida, em Gn 15.18. O capítulo 34 de Números mostra, em detalhes, as fronteiras *ideais* da Terra Prometida, cujo território teve boa parte nunca conquistada. O livro de Gênesis inicia a fronteira sul-oriental no Nilo (Gn 15.18), mas o livro de Números inicia essa fronteira no ribeiro do Egito, a boa distância mais para oriente, como quem segue na direção oeste. Ver as notas em Nm 34.5. Neste texto, a fronteira norte não é claramente definida.

Região montanhosa dos amorreus. Algumas versões dizem aqui "monte Hor", mas isso envolve um equívoco, pois é claro que não se trata do monte referido em Nm 34.7,8. O monte Hor ficava na fronteira com Edom. Ver no *Dicionário* o artigo *Hor, monte*. A região montanhosa aqui referida deve ter sido um pico dos montes do Líbano, embora alguns estudiosos a situem um tanto mais ao sul. Meu artigo descreve ambas as regiões.

Arabá. Ver o artigo detalhado a respeito no *Dicionário*.
Neguebe. Ver o artigo detalhado a respeito no *Dicionário*.
Eufrates. Ver no *Dicionário* os artigos chamados *Eufrates* e *Líbano*.

Muitos dos povos naqueles territórios remotos algumas vezes eram sujeitados ao pagamento de tributos, embora nunca tivessem sido realmente conquistados.

"A fronteira sul estendia-se até a região montanhosa dos amorreus; a sua fronteira *ocidental* era formada pelo mar Mediterrâneo; a sua fronteira norte era o Líbano; e a fronteira *oriental* chegava às margens ocidentais do rio Eufrates, até onde Salomão reinou. Ver 1Rs 4.21" (Adam Clark, *in loc.*).

■ 1.8

רְאֵה נָתַתִּי לִפְנֵיכֶם אֶת־הָאָרֶץ בֹּאוּ וּרְשׁוּ אֶת־הָאָרֶץ
אֲשֶׁר נִשְׁבַּע יְהוָה לַאֲבֹתֵיכֶם לְאַבְרָהָם לְיִצְחָק
וּלְיַעֲקֹב לָתֵת לָהֶם וּלְזַרְעָם אַחֲרֵיהֶם׃

Moisés lembrou aos filhos de Israel de seus *deveres* e *privilégios*. De acordo com o Pacto Abraâmico, a Terra Prometida fazia parte da herança dada por Deus. Essa promessa fora transmitida aos outros patriarcas — Isaque e Jacó — e agora estava sendo conferida aos israelitas de várias gerações posteriores. Logo, era privilégio e dever deles tomar conta do território prometido. Eles tinham direito a ele, e, pela graça de Deus, tinham o *poder* de assim fazer. Ver Gn 15.18, quanto ao *Pacto Abraâmico*. Ver também Gn 12.1-7; 13.14-17 e 15.18, quanto às antigas promessas feitas por Yahweh a Abraão. O Pacto Abraâmico recebe grande ênfase e é repetido, nem sempre de maneira completa, por *dezesseis* vezes. Há referências que mostram isso, nas notas sobre Gn 15.18. "A promessa divina feita a Abraão, repetida a Isaque e Jacó, juntamente com os estágios sucessivos de seu cumprimento, é um tema básico do hexateuco" (G. Ernest Wright, *in loc.*). Quanto ao Novo Testamento, ver At 7.5 e Hb 11.16. Naturalmente, o cumprimento maior do Pacto Abraâmico, em um sentido espiritual, foi efetuado por Cristo, o Filho de Abraão, que universalizou seus conceitos, reunindo todos os povos debaixo de suas provisões. Ver Gl 3.16-20.

Os três patriarcas — Abraão, Isaque e Jacó — são mencionados juntos por sete vezes em Deuteronômio (ver 1.8; 6.10; 9.5,27; 29.13; 30.20; 34.4). A ênfase sobre a Terra Prometida é constante no Deuteronômio. A menção à Terra Prometida repete-se por quase duzentas vezes nesse livro.

■ 1.9

וָאֹמַר אֲלֵכֶם בָּעֵת הַהִוא לֵאמֹר לֹא־אוּכַל לְבַדִּי
שְׂאֵת אֶתְכֶם׃

Eu vos disse. A maior parte do Deuteronômio consiste em uma revisão de coisas já narradas nos livros de Êxodo, Levítico e Números; mas agora esse material é repetido sob a forma de três discursos de despedida de Moisés ao povo de Israel, pouco antes de terem invadido o território e fixado residência ali. Este versículo retoma os dois temas anteriores, a saber: 1. O conselho de Jetro (Êx 18) para que Moisés pudesse desincumbir-se melhor de seus deveres, visto que estava sobrecarregado de trabalho. 2. Maior alívio ainda que lhe fora dado, pela nomeação dos setenta anciãos. Esses homens receberam dons, tais como a profecia, para auxiliarem a Moisés em sua tarefa. Não somos informados, contudo, sobre até que ponto foram seguidos os conselhos de Jetro. Mas os setenta anciãos (Nm 11.16) tornaram-se parte importante na política governamental de Israel. Sem dúvida, esses anciãos podiam nomear subordinados, juízes etc. a fim de implementar sua autoridade por todo o Israel. Isso tirou dos ombros de Moisés grande sobrecarga. Cf. a nomeação dos setenta, por parte de Jesus, a fim de ajudá-lo no cumprimento de sua missão (Lc 10). Ver Nm 11.14, um versículo virtualmente idêntico a este. Os vss. 9-18 são um relato composto que combina materiais que já tínhamos visto em Nm 11.14-17 e Êx 18.13-27.

■ 1.10,11

יְהוָ֛ה אֱלֹהֵיכֶ֖ם הִרְבָּ֣ה אֶתְכֶ֑ם וְהִנְּכֶ֣ם הַיּ֔וֹם כְּכוֹכְבֵ֥י הַשָּׁמַ֖יִם לָרֹֽב׃

יְהוָ֞ה אֱלֹהֵ֣י אֲבֽוֹתֵכֶ֗ם יֹסֵ֧ף עֲלֵיכֶ֛ם כָּכֶ֖ם אֶ֣לֶף פְּעָמִ֑ים וִיבָרֵ֣ךְ אֶתְכֶ֔ם כַּאֲשֶׁ֖ר דִּבֶּ֥ר לָכֶֽם׃

Vosso Deus vos tem multiplicado. Eis aí outra provisão do *Pacto Abraâmico* (Gn 15.5; 22.17; 26.4; Êx 32.13). Isso requeria grande número de auxiliares. Controlar o povo de Israel tornara-se tarefa impossível para Moisés sozinho. Quanto às estatísticas do primeiro e do segundo censo, que ilustram essa multiplicação, ver Nm 1.2. Israel tinha agora mais de seiscentos mil homens de vinte anos de idade ou mais, capazes de entrar em guerra, o que indica que a população total não podia ser menor do que três milhões de pessoas.

Como as estrelas dos céus. Uma expressão de uso frequente para aludir à multiplicação extraordinária do povo de Israel. Outra expressão usada para indicar essa multiplicação é "como a areia do mar". Ver Gn 22.17; 32.12.

O Senhor vosso Deus. No hebraico, *Yahweh-Elohim,* que usualmente aparece com algum pronome pessoal possessivo, como "nosso" ou "vosso", por mais de trezentas vezes no Deuteronômio, sendo assim uma característica literária do autor deste livro, que os críticos atribuem à fonte D. Ver no *Dicionário* o artigo chamado *J.E.D.P.(S.),* quanto à teoria das fontes múltiplas do Pentateuco. "Senhor nosso Deus" aparece cerca de cinquenta vezes, e "Senhor vosso Deus", por cerca de 250 vezes. Deus é assim personalizado. ele não é uma figura distante. Quanto a notas completas sobre essa conclusão, ver os comentários no vs. 6 deste capítulo. Moisés fez uma declaração enfática sob a forma de uma bênção, pedindo que Yahweh aumentasse mais e mais o número dos filhos de Israel, o que seria um sinal de orientação e bênção divina. Ver sobre a *intercessão* de Moisés, bem como sobre o poder dessa intercessão, em Nm 16.45. Ver no *Dicionário* os verbetes chamados *Oração* e *Intercessão*.

■ 1.12

אֵיכָ֥ה אֶשָּׂ֖א לְבַדִּ֑י טָרְחֲכֶ֥ם וּמַֽשַּׂאֲכֶ֖ם וְרִֽיבְכֶֽם׃

Como suportaria eu sozinho...? Ao considerar a grande multiplicação do povo de Israel, Moisés sentiu-se incapaz de carregar sozinho as cargas de liderança e administração. Era mister a nomeação de outros que o ajudassem. Este versículo repete a mensagem dos vss. 9 e 10; e os versículos que se seguem mostram como o dilema foi equacionado. Cf. Êx 18.13-27. Os homens escolhidos ajudariam a estabelecer e promover a justiça na terra de Canaã, e não somente a manter as coisas em boa ordem. Israel seria um povo santo e distinto, diferente dos antigos habitantes da região. Os escolhidos seriam instrumentos que levariam o povo de Israel a lembrar, aprender e pôr em prática a legislação mosaica. Eles efetuariam a missão de Moisés, tal como a Igreja leva avante a missão de Jesus.

■ 1.13

הָב֣וּ לָ֠כֶם אֲנָשִׁ֨ים חֲכָמִ֧ים וּנְבֹנִ֛ים וִידֻעִ֖ים לְשִׁבְטֵיכֶ֑ם וַאֲשִׂימֵ֖ם בְּרָאשֵׁיכֶֽם׃

Tomai-vos homens sábios. O vs. 15 nos mostra o *modus operandi* da questão. Não lhes competia meramente governar, mas também governar bem, julgar corretamente e promover a espiritualidade, mediante a guarda de todas as provisões da lei dada por Deus. Eles seriam juízes e mestres, no sentido civil e no sentido religioso. A conquista não visava apenas a possessão de um território, mas também que este fosse habitado por um povo diferente, que representasse um avanço espiritual. Não podiam ser apenas homens dotados de autoridade; também tinham de ser homens honestos e íntegros, além de dotados de sabedoria espiritual. Cf. Êx 18.21. Era mister que fossem homens tementes a Deus, que não aceitassem suborno ao julgarem os casos. Cf. considerações similares na nomeação dos primeiros líderes cristãos (At 6.3). Os vss. 13-15 deste capítulo são bastante parecidos com os do capítulo 18 de Êxodo, que sem dúvida devem ter-lhes servido de fonte, ou, ao menos, de uma das fontes.

■ 1.14

וַתַּעֲנ֖וּ אֹתִ֑י וַתֹּ֣אמְר֔וּ טֽוֹב־הַדָּבָ֥ר אֲשֶׁר־דִּבַּ֖רְתָּ לַעֲשֽׂוֹת׃

É bom. O povo concordou plenamente com Moisés, em seus atos e intenções, reconhecendo que tudo contribuía para o bem deles. Moisés não era um líder egocêntrico, mas buscava a prosperidade de todos. ele se tinha dedicado ao seu povo, em uma atitude muito rara entre os políticos!

■ 1.15

וָאֶקַּ֞ח אֶת־רָאשֵׁ֣י שִׁבְטֵיכֶ֗ם אֲנָשִׁ֤ים חֲכָמִים֙ וִֽידֻעִ֔ים וָאֶתֵּ֥ן אֹתָ֛ם רָאשִׁ֖ים עֲלֵיכֶ֑ם שָׂרֵ֨י אֲלָפִ֜ים וְשָׂרֵ֣י מֵא֗וֹת וְשָׂרֵ֤י חֲמִשִּׁים֙ וְשָׂרֵ֣י עֲשָׂרֹ֔ת וְשֹׁטְרִ֖ים לְשִׁבְטֵיכֶֽם׃

E os fiz cabeças sobre vós. Os homens escolhidos eram líderes sábios e justos. O "rei-filósofo" postulado por Platão não somente deveria ser o homem mais poderoso e experiente no governo, mas também o mais sábio e bom. Deveria ter sido treinado e condicionado para que essa fosse a grande tarefa de sua vida. Esse é o espírito refletido neste texto. Estamos acostumados a equiparar dinheiro com poder, pois é isso que geralmente sucede neste mundo. Mas a Bíblia equipara bondade com poder, uma rara combinação entre os homens.

A Ordem:
1. *Yahweh.* O comandante-em-chefe, fonte originária de todo poder e sabedoria.
2. *Moisés* (mais tarde, Josué e Eleazar, filho de Arão) era o mediador, o próximo na ordem de comando.
3. *Os sacerdotes*. Esses eram líderes espirituais dotados de discernimento espiritual e de revelação, por meio do *Urim* e do *Tumim*. Ver a respeito no *Dicionário*.
4. *Os príncipes*. Eles eram doze ao todo, cada qual sobre uma tribo de Israel. Eram os anciãos principais, homens de grande distinção e experiência.
5. *Os quiliarcas*. Ou capitães de mil, subordinados aos príncipes e responsáveis diante deles, bem como seus executivos principais.
6. *Os centuriões*. Eram os capitães de cem, responsáveis diante dos quiliarcas, e seus principais executivos.
7. *Os tribunos*. Eram os capitães de cinquenta, e responsáveis diante dos centuriões, e seus principais executivos.
8. *Os decuriões*. Eram os capitães de dez, responsáveis diante dos tribunos, e seus principais executivos.
9. *Os oficiais*. Eram pessoas usadas para cumprir tarefas, labores ou missões específicas.

"Todos esses derivavam a sua autoridade da parte de Deus, mas estavam sujeitos e prestavam conta uns aos outros. Ver as notas sobre isso no segundo capítulo de Números" (Adam Clark, *in loc.*).

Cf. Êx 18.21-25, virtualmente idêntico a este trecho.

■ 1.16,17

וָאֲצַוֶּה֙ אֶת־שֹׁפְטֵיכֶ֔ם בָּעֵ֥ת הַהִ֖וא לֵאמֹ֑ר שָׁמֹ֤עַ בֵּין־אֲחֵיכֶם֙ וּשְׁפַטְתֶּ֣ם צֶ֔דֶק בֵּֽין־אִ֥ישׁ וּבֵין־אָחִ֖יו וּבֵ֥ין גֵּרֽוֹ׃

לֹֽא־תַכִּ֨ירוּ פָנִ֜ים בַּמִּשְׁפָּ֗ט כַּקָּטֹ֤ן כַּגָּדֹל֙ תִּשְׁמָע֔וּן לֹ֤א תָג֙וּרוּ֙ מִפְּנֵי־אִ֔ישׁ כִּ֥י הַמִּשְׁפָּ֖ט לֵאלֹהִ֣ים ה֑וּא וְהַדָּבָר֙ אֲשֶׁ֣ר יִקְשֶׁ֣ה מִכֶּ֔ם תַּקְרִב֥וּן אֵלַ֖י וּשְׁמַעְתִּֽיו׃

Estes versículos refletem Nm 18.21,22, embora sob forma compacta. Temos aqui uma expressão proverbial sobre a justiça nos julgamentos. Um juiz não podia temer o rosto de ninguém. Em outras palavras, cabia-lhe ser imparcial. Não podia temer o que outros lhe fizessem se executasse a justiça contra os poderosos. Não podia considerar o poder do dinheiro. Devia exercer sua autoridade sem levar em conta o poder daqueles sobre os quais exercia autoridade. Alguns povos antigos levavam as pessoas diante dos juízes com a cabeça coberta por um capuz, para que elas não pudessem ser reconhecidas. Em Israel, os acusados eram apresentados de rosto à mostra, mas para os juízes isso nada significaria. Se algum juiz achasse um caso difícil demais para ser julgado, então recorria a Moisés. Se o caso parecesse difícil demais para Moisés, este consultaria a Yahweh, recebendo iluminação direta da parte dele. O Pentateuco registra *quatro* vezes durante as quais Moisés não se sentiu capaz de tomar uma decisão sem primeiro consultar a Yahweh. Ver as notas a respeito em Nm 27.5. Assim, o próprio grande Moisés, às vezes, precisava receber uma iluminação *direta*, quando os problemas parecessem difíceis demais para ele. Quanto mais nós precisamos dessa iluminação!. Oh, Senhor, concede-nos tal graça! Ver no *Dicionário* o verbete chamado *Vontade de Deus, como Descobri-la*. Algumas vezes, a iluminação é imprescindível. Ver no *Dicionário* o artigo intitulado *Iluminação*.

O estrangeiro. É provável que esteja aqui em pauta o estrangeiro residente, que se tornara um hebreu quanto à fé religiosa. Mas as leis da justiça eram aplicáveis a qualquer pessoa que estivesse de passagem pela Terra Prometida.

Deus, Fonte de Todo Juízo Justo. O julgamento pertence a Deus, e essa *razão teológica* é frisada aqui para reforçar a ordem de que se fizesse justiça estrita e honesta. A questão de não se ter respeito humano aparece dentro do contexto divino. O rosto de Deus é que precisamos temer, e seu rosto requer de nós que usemos de justiça, sem importar se estão envolvidos grandes ou pequenos, ricos ou pobres, poderosos ou impotentes. As carrancas e ameaças dos homens não fazem um homem tremer, quando ele teme a Deus, como é mister. Pois Deus, afinal, é quem resolve todas as questões e julga até mesmo os juízes. Os juízes operam como representantes de Deus e devem executar a vontade dele. Deus não faz acepção de pessoas. (Ver 2Sm 14.14; Rm 2.11.)

■ 1.18

וָאֲצַוֶּ֥ה אֶתְכֶ֖ם בָּעֵ֣ת הַהִ֑וא אֵ֥ת כָּל־הַדְּבָרִ֖ים אֲשֶׁ֥ר תַּעֲשֽׂוּן׃

Naquele tempo. Ou seja, depois que o povo de Israel partiu de Horebe, quando caminhava do Sinai até Cades-Barneia. As instruções dadas nos discursos de Moisés (a essência mesmo do livro de Deuteronômio) reiteravam preceitos dados anteriormente (nos livros de Êxodo, Levítico e Números), conforme sugere este versículo. Ao mesmo tempo, também podem ser uma referência à revelação da lei dada no Sinai – o Decálogo –, visto que essa legislação continha, em espírito, todas as ordens menores. Ver no *Dicionário* os verbetes chamados *Decálogo* e *Dez Mandamentos*. Julgamentos imparciais eram esperados da parte de homens espirituais, e os juízes tinham de ser homens espirituais. Cf. Pv 18.5; 24.23.

O FRACASSO EM CADES (1.19-46)

Esta seção dá continuação ao primeiro discurso de Moisés. ele falou sobre o fracasso de Israel, por causa da falta de fé, em Cades-Barneia. Foi esse um grande incidente na história de Israel, que dali por diante serviu de exemplo negativo, ou seja, de como não se devia agir. Essa falha de Israel custou-lhe quarenta anos de tempo precioso, tendo também resultado no assustador castigo de que nenhum homem, da geração original que partiu do Egito, teve permissão de entrar na Terra Prometida, com as exceções únicas de Calebe e Josué, os dois espias que trouxeram um relatório positivo e corajoso, e exortaram os israelitas para que invadissem imediatamente a terra de Canaã.

Os capítulos 13 e 14 de Números, bem como Nm 21.1-3, nos dão os principais incidentes pesquisados nesta seção, pelo que o livro de *Deuteronômio*, em consonância com o seu título, repete material que já havia sido ventilado em Êxodo, Levítico e Números. O interesse central desta seção não é dar um relato completo da história envolvida, mas destacar as razões morais e espirituais daquela falha, a saber, o medo e a dúvida, a falta de coragem e a falta de fé. "O mais sutil perigo que a nação eleita teve de enfrentar não foi algum *inimigo exterior*, mas a própria dúvida quanto à graciosa orientação divina e à sua intenção de cumprir as suas promessas" (G. Ernest Wright, *in loc.*). Não podemos manter-nos neutros na inquirição espiritual. Decisões precisam ser tomadas. Deus livrou Israel do Egito com um propósito em mira, e não apenas para melhorar o padrão de vida deles.

Cades-Barneia assinalou o primeiro teste real de Israel no caminho para o seu elevado destino. Nesse primeiro teste, Israel falhou miseravelmente. Mas a graça de Deus forneceu aos israelitas uma segunda oportunidade. Outro teste foi o da lealdade ao Senhor, uma vez que eles estivessem instalados na Terra Prometida. Esse teste também reprovou os filhos de Israel. Mas o retorno, terminado o exílio babilônico, por um fragmento da nação, foi uma renovação de oportunidade para os israelitas. Deus espera que aprendamos com base nos nossos erros, sabendo assim mudar de curso. Moisés destacou lições morais e espirituais para Israel, com base naquele primeiro grave erro, para mudar a conduta deles.

■ 1.19

וַנִּסַּ֣ע מֵחֹרֵ֗ב וַנֵּ֡לֶךְ אֵ֣ת כָּל־הַמִּדְבָּ֣ר הַגָּד֣וֹל וְהַנּוֹרָ֣א הַה֗וּא אֲשֶׁ֤ר רְאִיתֶם֙ דֶּ֣רֶךְ הַ֣ר הָאֱמֹרִ֔י כַּאֲשֶׁ֥ר צִוָּ֛ה יְהוָ֥ה אֱלֹהֵ֖ינוּ אֹתָ֑נוּ וַנָּבֹ֕א עַ֖ד קָדֵ֥שׁ בַּרְנֵֽעַ׃

Partimos de Horebe. Ver a respeito no *Dicionário*. É provável que Horebe fosse uma cadeia montanhosa da qual fazia parte o Sinai. Ver no *Dicionário* o artigo intitulado *Sinai*. Israel partiu do lugar da outorga da lei e seguiu caminho através do deserto, tendo chegado à região montanhosa dos amorreus. Está em pauta o deserto de Parã. Ver sobre El-Parã, em Gn 14.6. Eles atravessaram esse deserto e chegaram à região montanhosa, ou seja, às colinas do deserto onde os amorreus se tinham apossado do território. O trajeto entre Sinai e Cades-Barneia era de cerca de 160 quilômetros. Era um deserto estéril, em sua maior parte. Ver *Êxodo* (o Evento) quanto a ilustrações sobre a rota seguida. Ver também o artigo *Amorreus*, no *Dicionário*.

Chegamos a Cades-Barneia. Ver sobre essa localidade no *Dicionário*. Israel ficou cerca de um mês em Quibrote-Taavá, onde os filhos de Israel desejaram comer carne, e então estiveram por sete dias em Hazerote, lugares esses que não são mencionados neste sumário. Em seguida, chegaram a Cades-Barneia. Em Hazerote, Miriã foi ferida com uma enfermidade cutânea (*sara'at*), por causa de sua rebeldia. Ver Nm 11.34 ss. e o cap. 12.

■ 1.20

וָאֹמַ֖ר אֲלֵכֶ֑ם בָּאתֶם֙ עַד־הַ֣ר הָאֱמֹרִ֔י אֲשֶׁר־יְהוָ֥ה אֱלֹהֵ֖ינוּ נֹתֵ֥ן לָֽנוּ׃

Amorreus. Eles formavam uma das sete nações que habitavam na região e tinham de ser expulsas. Talvez o nome indique todos os habitantes da terra, conforme se vê em Gn 15.16; 20.19; Js 3.10 e Am 2.9. A *taça da iniquidade* daqueles povos agora estava cheia (ver Gn 15.16), e eles mereciam ser expulsos. Essa fora uma promessa feita por Deus a Abraão. Mas a posse da terra não poderia ocorrer enquanto o cronógrafo de Deus não levasse a história à condição apropriada para o evento. Agora o tempo havia chegado. Os espias foram enviados. Uma visão foi efetuada; e Israel acabou ficando com aquele território. A lista de nações a serem expulsas aparece em Êx 33.2. A referência específica deste versículo não é a parte sul da terra de Canaã. Era por ali que Israel deveria ter entrado no território, mas dali nada resultou. Em primeiro lugar, houve uma recusa de permissão; e, em segundo lugar, um esforço infrutífero fracassou miseravelmente (ver Nm 14.39 ss.). Os críticos supõem que essa tenha sido a razão real pela qual Israel teve de voltar ao deserto: fracasso em uma tentativa inicial de invasão. Mas a razão espiritual é que os filhos de Israel tinham perdido sua oportunidade por motivo de incredulidade.

■ 1.21

רְאֵ֠ה נָתַ֨ן יְהוָ֧ה אֱלֹהֶ֛יךָ לְפָנֶ֖יךָ אֶת־הָאָ֑רֶץ עֲלֵ֣ה רֵ֗שׁ כַּאֲשֶׁר֩ דִּבֶּ֨ר יְהוָ֜ה אֱלֹהֵ֤י אֲבֹתֶ֙יךָ֙ לָ֔ךְ אַל־תִּירָ֖א וְאַל־תֵּחָֽת׃

Uma das características literárias do autor do Pentateuco é a repetição. Assim, uma vez mais, há pensamentos reiterados que já tínhamos visto por várias outras vezes. A ordem de Yahweh era invadir e tomar conta da terra que havia sido dada por decreto divino aos pais da nação, mediante o Pacto Abraâmico. Ver o vs. 8, que contém toda a essência deste versículo, onde também aparecem referências a outras passagens sobre o mesmo assunto. Quando a ordem foi dada originalmente, houve uma falha na fé e na coragem, o que foi reforçado pelo relatório negativo de dez espias, que assim se mostraram infiéis (vss. 22 ss.). Os gigantes da terra deixaram-nos assustados (Nm 13.33), e não houve encorajamento que pudesse espantar seus temores. E assim o povo de Israel acabou retrocedendo para o deserto, onde ficou vagueando por quase quarenta anos.

Deus de teus pais. A saber, Yahweh, o Deus de Abraão, Isaque e Jacó, que estava por trás da invasão. Ver sobre isso no vs. 8 deste capítulo. "Senhor nosso Deus" é uma expressão que aparece em Deuteronômio por cinquenta vezes. Ver sobre isso nas notas do vs. 6 deste capítulo.

■ 1.22

וַתִּקְרְבוּן אֵלַי כֻּלְּכֶם וַתֹּאמְרוּ נִשְׁלְחָה אֲנָשִׁים לְפָנֵינוּ וְיַחְפְּרוּ־לָנוּ אֶת־הָאָרֶץ וְיָשִׁבוּ אֹתָנוּ דָּבָר אֶת־הַדֶּרֶךְ אֲשֶׁר נַעֲלֶה־בָּהּ וְאֵת הֶעָרִים אֲשֶׁר נָבֹא אֲלֵיהֶן:

Mandemos homens adiante de nós. O envio dos espias, na verdade, não visava decidir se eles deveriam ou não entrar na terra. A invasão já tinha sido ordenada por Deus. O alvo era planejar a invasão e encorajá-la. O relato é narrado com abundância de detalhes no capítulo 13 de Números. O propósito era descobrir "a melhor maneira de entrar, o caminho mais fácil e acessível, onde os passos fossem mais abertos e menos perigosos... qual seria a maneira mais apropriada de atacar as cidades e subjugá-las" (John Gill, *in loc.*).

O trecho de Números 13.1 mostra-nos que a ordem de Yahweh era que eles obedecessem e fossem encorajados a entrar em ação. O vs. 33 deste capítulo mostra que Deus prometeu que iria à frente deles. seus passos tinham sido ordenados pelo Senhor (Sl 37.23).

■ 1.23

וַיִּיטַב בְּעֵינַי הַדָּבָר וָאֶקַּח מִכֶּם שְׁנֵים עָשָׂר אֲנָשִׁים אִישׁ אֶחָד לַשָּׁבֶט:

Isto me pareceu bem. O versículo anterior aponta para a iniciativa de entrar na terra de Canaã, e este versículo afirma que essa ideia foi "agradável" a Yahweh. Mas é Deus quem põe no coração dos homens o desejo de obedecer. Assim, ele nos guia, e nós seguimos. Algumas vezes, chegamos a pensar que estamos cumprindo nossa própria vontade, mas a vontade do Senhor está por trás dos atos dos homens espirituais. Os israelitas julgavam que estavam sendo sábios, prudentes e expeditos; mas quaisquer qualidades positivas que neles havia tinham sido inspiradas por Deus. O resultado desses pensamentos foi a escolha dos doze espias, não meramente para ver quão boa era a Terra Prometida, mas para planejar maneiras de invadi-la. Nunca se debateu se deveria ser feita ou não a invasão, mas somente como e quando. Assim, os vss. 22 e 23 deste capítulo mostram-nos que Israel agiu, no começo, com fé e entusiasmo, mas logo esses elementos cederam lugar ao desespero e à inércia.

■ 1.24

וַיִּפְנוּ וַיַּעֲלוּ הָהָרָה וַיָּבֹאוּ עַד־נַחַל אֶשְׁכֹּל וַיְרַגְּלוּ אֹתָהּ:

Vale de Escol. Ver as notas em Nm 13.23 ss., quanto à essência deste versículo. Esse vale foi assim chamado por causa do cacho de uvas que os espias trouxeram dali, como sinal da abundância e da frutificação da Terra Prometida. Esse vale ficava localizado perto de Hebrom (ver Nm 13.22,23). Até hoje aquela região é famosa por suas uvas. Ver o artigo chamado *Escol* no *Dicionário*.

■ 1.25

וַיִּקְחוּ בְיָדָם מִפְּרִי הָאָרֶץ וַיּוֹרִדוּ אֵלֵינוּ וַיָּשִׁבוּ אֹתָנוּ דָבָר וַיֹּאמְרוּ טוֹבָה הָאָרֶץ אֲשֶׁר־יְהוָה אֱלֹהֵינוּ נֹתֵן לָנוּ:

Os espias colheram impressões e frutos da terra. Os frutos representavam certa variedade: uvas, figos, romãs etc. (ver Nm 13.23). Todas as evidências demonstravam que a terra era "boa", uma frase usada por dez vezes no Deuteronômio: 1.25,35; 3.25; 4.21,22; 6.18; 8.7,10; 9.6 e 11.17. O Targum de Jonathan limita o bom relatório e a demonstração das boas qualidades da terra a Calebe e Josué; mas Jarchi afirma corretamente que todos os espias deram um relatório favorável quanto à terra propriamente dita, embora dez deles não tivessem concordado em que seria aconselhável atacar os habitantes da terra. Da terra fluíam leite e mel (ver Nm 13.27).

■ 1.26

וְלֹא אֲבִיתֶם לַעֲלֹת וַתַּמְרוּ אֶת־פִּי יְהוָה אֱלֹהֵיכֶם:

Vós não quisestes subir. Os israelitas falharam por motivo de falta de fé e de coragem. Disso resultou que eles retrocederam da fronteira com a Terra Prometida e se rebelaram. Recusaram-se a avançar. Os dois espias fiéis tinham dito: "Subamos imediatamente e possuamos a terra". Mas os demais espias, temendo o tamanho das cidades fortificadas, bem como os ferozes gigantes que nelas habitavam, disseram: "Não, pois os cananeus são mais fortes do que nós". A história toda é relatada em Nm 13.31 ss. Assim, aquela geração dos filhos de Israel falhou à beira da maior oportunidade que lhes havia sido dada. Para aquela geração, a oportunidade nunca mais foi renovada, embora fosse repetida em favor da geração seguinte.

■ 1.27

וַתֵּרָגְנוּ בְאָהֳלֵיכֶם וַתֹּאמְרוּ בְּשִׂנְאַת יְהוָה אֹתָנוּ הוֹצִיאָנוּ מֵאֶרֶץ מִצְרָיִם לָתֵת אֹתָנוּ בְּיַד הָאֱמֹרִי לְהַשְׁמִידֵנוּ:

Murmurastes. Um dos temas constantes do Pentateuco é o das "murmurações" dos filhos de Israel. Ver as notas sobre isso em Nm 14.18 até Nm 21.5, onde listo onze dessas murmurações ao todo. Este versículo incorpora elementos de Nm 14.1,2. Conforme eles calcularam, Yahweh os "odiava", tendo-os libertado do Egito somente para deixá-los cair prisioneiros dos amorreus (aqui mencionados como representantes de todos os habitantes da terra de Canaã). Este versículo mostra-nos até que ponto o medo e a incredulidade puderam distorcer os pensamentos deles. Eles atribuíram o grande milagre do livramento da servidão egípcia a um propósito sinistro, a saber, a destruição deles mais tarde, como se Yahweh fosse algum tirano irracional que se deleitasse com os sofrimentos deles. Mas o que eles consideraram ser atos de ódio, na realidade eram atos de amor, conforme vemos em Dt 4.37. Este versículo mostra-se mais drástico ao exprimir a atitude de incredulidade dos filhos de Israel, do que o faz seu paralelo, Nm 14.3.

■ 1.28

אָנָה אֲנַחְנוּ עֹלִים אַחֵינוּ הֵמַסּוּ אֶת־לְבָבֵנוּ לֵאמֹר עַם גָּדוֹל וָרָם מִמֶּנּוּ עָרִים גְּדֹלֹת וּבְצוּרֹת בַּשָּׁמָיִם וְגַם־בְּנֵי עֲנָקִים רָאִינוּ שָׁם:

Nossos irmãos fizeram. Os dez espias incrédulos apresentaram toda sorte de razões para seu temor, mas não conseguiam prever a vitória que estava tão próxima. Os habitantes cananeus da terra eram gigantescos (ver Nm 13.31-33); as suas cidades eram fortificadas, com muralhas que chegavam aos céus; os temidos filhos de Anaque, gigantes notórios por sua crueldade e grande força física estavam ali (ver Nm 13.33), pelo que os israelitas viam a si mesmos como se fossem meros gafanhotos em comparação a eles. A incredulidade sempre apresenta as suas razões para enevoam a fé e nos furtam a vitória. Pergunta-nos um antigo hino: "Como esperar grande galardão se agora evitamos a luta?" Sem conflito não pode haver vitória. Ter fé, por muitas vezes, consiste em *ignorar* as *razões* que nos convidam a não nos arriscarmos. A fé é a vitória que vence o mundo (ver 1Jo 5.4).

"Por sua covardia, o povo rebelou-se e murmurou contra o Senhor (Êx 15.24; 16.2; 17.3). Isso ilustra como o pecado deliberado e desafiador corrompe a nossa visão de Deus... Israel havia raciocinado de maneira similar no deserto (Êx 16.3; 17.3). A descrição deles sobre os cananeus (mais fortes e mais altos do que nós) revela que eles pensavam que a tarefa era impossível tanto para eles mesmos quanto para Deus" (Jack S. Deere, *in loc.*).

Essa atitude negativa fez o coração dos israelitas "desesperar" (ver Js 14.8). Cf. Nm 13.28, que é o paralelo essencial do versículo à nossa frente.

■ 1.29

וַיֹּאמַר אֲלֵכֶם לֹא־תַעַרְצוּן וְלֹא־תִירְאוּן מֵהֶם׃

Não vos espanteis, nem os temais. Essa parte do discurso de Moisés não ficou registrada no paralelo do capítulo 14 de Números. Ali, consternados, Moisés e Arão caíram de bruços. Uma derrota total tinha arruinado o dia. Mas vemos aqui Moisés tentando reverter a situação, por meio de palavras encorajadoras, que não tiveram efeito algum, pois os filhos de Israel pareciam um bando de homens mortos, tremendo de medo, sem nenhuma reação favorável diante de palavras encorajadoras.

■ 1.30

יְהוָה אֱלֹהֵיכֶם הַהֹלֵךְ לִפְנֵיכֶם הוּא יִלָּחֵם לָכֶם כְּכֹל אֲשֶׁר עָשָׂה אִתְּכֶם בְּמִצְרַיִם לְעֵינֵיכֶם׃

Vosso Deus, que vai adiante de vós. É provável que tenhamos aqui uma alusão ao fato de que Israel era conduzido, durante a noite, por uma coluna de fogo, e durante o dia, por uma coluna de nuvem. Ver no *Dicionário* o verbete intitulado *Coluna de Fogo e de Nuvem*. Ver Êx 13.21,22. Eram maneiras concretas, óbvias e eficazes de liderar. Esse método nunca falhou. Yahweh não haveria de decepcionar agora a Israel, na fronteira da terra de Canaã.

ele pelejará por vós. As palavras encorajadoras de Moisés incluíam como a *providência de Deus* (ver a esse respeito no *Dicionário*) sempre havia tido cuidado com eles; eles sempre tinham conseguido obter a vitória em batalha. Conforme diz um hino, "Por todo o caminho receberam forças". Yahweh tinha vencido ao Faraó da maneira mais espetacular, tal como fora capaz de derrotar inimigos similares em Canaã. É como diz outro hino: "Já fizemos isso, e podemos fazê-lo outra vez". Aos olhos do povo de Israel, contudo, os filhos de Anaque pareciam mais formidáveis do que o Faraó, o que era um absurdo. Naquela época, o Egito era a maior potência militar, dotado da civilização mais avançada; mas Yahweh havia derrotado os egípcios. O Targum de Onkelos declara que a Palavra de Deus combateria pelos israelitas. ele tinha dito uma palavra, e mundos haviam sido enviados ao espaço. Essa mesma palavra resolveria o pequeno problema dos filhos de Israel, na fronteira da terra de Canaã. Yahweh poderia proferir uma palavra e solucionar todos os problemas deles. ele poderia proferir, e assim o faria. O Senhor só estava pedindo um ato de iniciativa da parte dos filhos de Israel. Eles só precisavam cruzar a fronteira e marchar, pois a Palavra de Deus estaria com eles. Oh, Senhor, concede-nos tal graça!

No Egito. Isso lembrava os israelitas da série de milagres que Deus tinha realizado, mediante as pragas que tinham resultado no livramento de Israel. Ver Êx 7.14 e o gráfico que ilustra as dez pragas, os propósitos delas, o seu *modus operandi* e os seus resultados.

■ 1.31

וּבַמִּדְבָּר אֲשֶׁר רָאִיתָ אֲשֶׁר נְשָׂאֲךָ יְהוָה אֱלֹהֶיךָ כַּאֲשֶׁר יִשָּׂא־אִישׁ אֶת־בְּנוֹ בְּכָל־הַדֶּרֶךְ אֲשֶׁר הֲלַכְתֶּם עַד־בֹּאֲכֶם עַד־הַמָּקוֹם הַזֶּה׃

No deserto. Os milagres de Deus tinham continuado. As colunas de nuvem e de fogo guiaram os israelitas no deserto; houve milagres de preservação da vida em uma terra seca e estéril; houve também milagres de suprimento de alimentos e de água potável. Yahweh carregou os filhos de Israel ao longo do caminho, como um filho querido, pois o amor de Deus manifestava-se em favor deles o tempo todo (Dt 4.37). Ver Êx 4.22,23, quanto a Israel como filho de Deus. Nesse versículo alicerçou-se a mais elaborada declaração de Estêvão, em At 13.18: "... e suportou-lhes os maus costumes por cerca de quarenta anos no deserto".

■ 1.32

וּבַדָּבָר הַזֶּה אֵינְכֶם מַאֲמִינִם בַּיהוָה אֱלֹהֵיכֶם׃

Mas nem por isso crestes. A incredulidade deles era irracional, pois não cedia diante de nenhum acúmulo de evidência. A incredulidade deles era do tipo invencível, que não se dissolvia diante de nenhuma demonstração de amor. "Eles não confiaram no Senhor seu Deus, o que agravava a sua incredulidade; e isso foi a causa de não terem podido entrar na boa terra (Hb 3.19)" (John Gill, *in loc.*).

"Mas as pessoas de nossos dias precisam ser advertidas. A vacilação perversa, aqui exibida, não é apanágio dos israelitas. Tiago precisou avisar seus leitores crentes, os quais, após a crucificação e a ressurreição do Senhor Jesus, não tinham jamais tido motivos para duvidar do amor e do poder de Deus — pelo que não deveriam aproximar-se de seu Deus com um espírito hesitante (Tg 1.5-8)" (Jack S. Deere, *in loc.*).

■ 1.33

הַהֹלֵךְ לִפְנֵיכֶם בַּדֶּרֶךְ לָתוּר לָכֶם מָקוֹם לַחֲנֹתְכֶם בָּאֵשׁ לַיְלָה לַרְאֹתְכֶם בַּדֶּרֶךְ אֲשֶׁר תֵּלְכוּ־בָהּ וּבֶעָנָן יוֹמָם׃

De noite... e de dia. Os israelitas nunca estiveram sem orientação no deserto. Yahweh ia sempre à frente deles, usando a *coluna de fogo e nuvem* (ver no *Dicionário* o artigo com esse título). Ver Êx 13.21,22 quanto ao relato. O texto no livro de Êxodo diz: "... para os guiar pelo caminho".

"De outra sorte (sem esses meios de orientação), não teriam podido encontrar seu caminho nas noites escuras, quando algumas vezes caminhavam, em um deserto sem trilhas, sem veredas marcadas, sem caminho e sem estrada" (John Gill, *in loc.*). O fogo fazia a noite tornar-se como dia, e a nuvem protegia-os do sol no deserto durante a canícula das horas do dia. Coisa alguma faltava, exceto a fé deles. Cf. Nm 10.33, que diz respeito ao transporte da *arca da aliança* (ver sobre isso no *Dicionário*). Por isso Jesus ensinou, no tocante à nossa peregrinação na terra: "Pois vou preparar-vos lugar" (Jo 14.2). Jesus foi o nosso precursor, que entrou à nossa frente no Santo dos Santos, levando-nos assim até a presença de Deus (Hb 6.20). Ver Nm 9.15-23, quanto à coluna orientadora, descrita com maiores detalhes.

ele me conduz, ó bendito pensamento!
Palavras carregadas de consolo celeste!
Tudo quanto faço, tudo quanto sou,
A mão de Deus é que me conduz.

Joseph H. Gilmore, *in loc*

■ 1.34,35

וַיִּשְׁמַע יְהוָה אֶת־קוֹל דִּבְרֵיכֶם וַיִּקְצֹף וַיִּשָּׁבַע לֵאמֹר׃
אִם־יִרְאֶה אִישׁ בָּאֲנָשִׁים הָאֵלֶּה הַדּוֹר הָרָע הַזֶּה אֵת הָאָרֶץ הַטּוֹבָה אֲשֶׁר נִשְׁבַּעְתִּי לָתֵת לַאֲבֹתֵיכֶם׃

O Senhor... indignou-se. Deus foi provocado à ira pela incredulidade e murmuração dos filhos de Israel, que eles acumularam apesar da bondade e da orientação divina que lhes tinham sido conferidas. E Deus jurou que aquela geração de modo algum entraria no seu descanso (Sl 95.11; Hb 3.11). Eles se tinham desviado *em seus corações*, conforme lemos no texto da epístola aos Hebreus. Ver Nm 14.22,28, quanto a versículos paralelos. A Terra Prometida havia sido dada aos antepassados dos israelitas no *Pacto Abraâmico*. Pertencia àqueles rebeldes por serem eles descendentes dos patriarcas, mas eles não quiseram tomar posse da bênção. Afastaram-se do amor de Deus somente para terem de enfrentar a sua ira. "O pecado impediu Israel de entrar na terra de Canaã, tornando-os uns rebelados. Não foi a violação da lei, mas a violação da confiança que os derrotou" (G. Ernest Wright, *in loc.*). A "geração potencialmente bendita e vitoriosa" tornou-se a "geração má" e rebelde. Eles perderam aquela oportunidade, porquanto a incredulidade os tornara surdos para as razões de Deus. Se "a ocasião faz o ladrão", conforme diz um provérbio antigo, a ocasião foi furtada de Israel por causa do seu pecado, que foi o ladrão que os atacou, nas fronteiras da Terra Prometida. Esse ladrão furtou-lhes as possessões que lhes pertenciam por direito.

■ 1.36

זוּלָתִי כָּלֵב בֶּן־יְפֻנֶּה הוּא יִרְאֶנָּה וְלוֹ־אֶתֵּן אֶת־הָאָרֶץ אֲשֶׁר דָּרַךְ־בָּהּ וּלְבָנָיו יַעַן אֲשֶׁר מִלֵּא אַחֲרֵי יְהוָה׃

Calebe. ele era um homem de fé, trouxe um relatório positivo e exortou os israelitas a iniciar imediatamente a invasão da terra de Canaã. Ver Nm 14.30, quanto ao trecho paralelo, bem como as notas ali, que também se aplicam aqui. Ver o artigo detalhado sobre ele no *Dicionário*. "Calebe aparece aqui como a única exceção entre o povo. Josué, como substituto de Moisés, a exceção entre os *líderes reconhecidos*, é nomeado em separado" (Ellicott, *in loc.*). Ver o vs. 38, quanto a Josué. Calebe, a exceção, entrou na Terra Prometida e foi galardoado com a sua herança por sua porção na terra (Js 14.13-15; 15.13,14). Ele "perseverou" em seguir ao Senhor, conforme lemos em Nm 14.24. *Hebrom* foi a possessão de Calebe, uma das melhores porções da Terra Prometida, conforme lemos no livro de Josué. A fé não consiste apenas em assentir diante de alguma doutrina. Antes, consiste na confiança no Senhor, e o seu resultado é *obedecer* a ele. Ver na *Enciclopédia de Bíblia, Teologia e Filosofia* o verbete intitulado *Fé*. Calebe mostrou ser um homem de fé no meio de um povo incrédulo.

■ 1.37

גַּם־בִּי הִתְאַנַּף יְהוָה בִּגְלַלְכֶם לֵאמֹר גַּם־אַתָּה לֹא־תָבֹא שָׁם׃

Contra mim se indignou o Senhor. O pecado de Moisés consistiu em ferir a rocha, em uma explosão de ira, quando lhe foi dito que somente falasse com ela. Mas isso não é dito aqui, mas somente que Yahweh ficara indignado com ele, por *culpa* do povo de Israel. Eles provocaram Moisés à ira, levando-o a cometer esse erro. Mas há um bom número de interpretações sobre qual teria sido, exatamente, o pecado de Moisés. Há notas sobre a questão em Nm 20.12. Cf. Dt 32.50-52. O versículo que ora consideramos adiciona outra interpretação, uma razão bem mais profunda que teria impedido Moisés de entrar na Terra Prometida. Em outras palavras, ele foi sujeitado à ira divina por causa de Israel, por ter *levado sobre ele os pecados deles*, como seu representante, tão íntima era a sua associação com a nação de Israel. "Foi-lhe negado o seu sonho como uma carga vicária que foi posta sobre ele, não devido a algum pecado pessoal dele, mas por causa do pecado de seu povo (cf. Dt 3.26; 4.21)" (G. Ernest Wright, *in loc.*).

Tipologia. A ideia aqui tentada, de que Moisés levou vicariamente sobre si os pecados de Israel, não foi devidamente exposta. Mas contém o germe do conceito central do Servo Sofredor, de Isaías 53, e da missão expiatória de Cristo. Ver Jo 1.29 e as notas sobre esse versículo no *Novo Testamento Interpretado*. A lei não pode conduzir-nos à Terra Prometida (a salvação); Moisés foi o próprio agente por meio de quem a lei veio e foi instituída, pelo que não pôde entrar na Terra Prometida. Josué, figura simbólica de Jesus, foi quem completou essa tarefa.

Lição Moral. "O pecado inevitavelmente atrai a punição. Essa punição é aqui retratada como a reação de um Deus indignado. Contudo, o pronunciamento divino, longe de ser petulante e caprichoso, repousa sobre todas aquelas leis universais que foram estabelecidas desde que Deus criou o universo" (Henry H. Shires, *in loc.*).

Um *Deus* irado é uma figura metafórica baseada no *antropopatismo* e no *antropomorfismo*. Ver sobre ambos os títulos no *Dicionário*.

■ 1.38

יְהוֹשֻׁעַ בִּן־נוּן הָעֹמֵד לְפָנֶיךָ הוּא יָבֹא שָׁמָּה אֹתוֹ חַזֵּק כִּי־הוּא יַנְחִלֶנָּה אֶת־יִשְׂרָאֵל׃

Josué. ele foi a provisão de Deus para terminar a tarefa da conquista da Terra Prometida, do mesmo modo que Cristo tomou nossa fé religiosa, fazendo-a passar da lei para a fé e a graça, propiciando assim o nosso acesso a Deus. Ver no *Dicionário* o verbete intitulado *Acesso*. Cristo, pois, foi o Novo Legislador, propiciando a aplicação da lei do amor no evangelho. Cf. Êx 24.13; 33.11. Josué não foi alguma medida dependente para a missão de Moisés. Não foi um pensamento posterior. Mas foi uma extensão da missão mosaica, trazendo uma dimensão que o próprio Moisés não foi capaz de cumprir; e assim tornou-se um tipo de Cristo. O artigo sobre ele, no *Dicionário*, explica com detalhes como ele foi tal tipo. Ver a seção IX, *Tipologia*, no artigo sobre *Josué* (Livro), que aborda detalhes sobre a questão dos tipos simbólicos.

■ 1.39

וְטַפְּכֶם אֲשֶׁר אֲמַרְתֶּם לָבַז יִהְיֶה וּבְנֵיכֶם אֲשֶׁר לֹא־יָדְעוּ הַיּוֹם טוֹב וָרָע הֵמָּה יָבֹאוּ שָׁמָּה וְלָהֶם אֶתְּנֶנָּה וְהֵם יִירָשׁוּהָ׃

E vossos meninos. A antiga geração de israelitas demonstrara pena por suas crianças, quando olharam para os gigantes da terra de Canaã, uma das razões que os levaram a evitar a invasão. Ver Nm 14.3, que tem notas que se aplicam aqui. Mas os próprios meninos que os homens da geração anterior quiseram poupar, para que não se tornassem uma "presa", seriam os que agora se mostrariam vitoriosos e possuiriam a Terra Prometida. Aqueles meninos "não tinham conhecimento do bem e do mal" e não participaram da má decisão tomada na fronteira da Terra Prometida, pelo que o pecado de seus pais não podia servir-lhes de empecilho agora. Tudo havia acontecido 38 anos antes; e agora Moisés relembrava atitudes da geração mais antiga, explicando por qual razão tinham voltado a internar-se no deserto.

"Os israelitas parece que apenas usaram suas crianças como uma desculpa para não tentarem entrar na Terra Prometida. Este versículo é importante porque revela mais que a racionalização própria da incredulidade, pois Deus parece reconhecer uma chamada 'idade da responsabilidade' nas crianças" (Jack S. Deere, *in loc.*). Todavia, isso é ver demais no texto, que não pode conter tão importante conceito. Provi um artigo detalhado sobre o assunto no *Dicionário*, intitulado *Infantes, Morte e Salvação dos*, que o leitor deveria consultar.

■ 1.40

וְאַתֶּם פְּנוּ לָכֶם וּסְעוּ הַמִּדְבָּרָה דֶּרֶךְ יַם־סוּף׃

Virai-vos, e parti para o deserto. Isso fala sobre uma oportunidade perdida. Ver Nm 14.25 ss. quanto ao assunto. O trecho de Nm 14.28 mostra que o julgamento a que eles foram submetidos foi justo. O vs. 29 daquele capítulo mostra que todos os israelitas de 20 anos ou mais morreriam no deserto. O vs. 31 mostra que os próprios que a geração mais velha pensou que se tornariam presas dos cananeus, seriam os que agora entrariam na posse da Terra Prometida, o que forma um paralelo ao versículo anterior deste texto. A passagem de Nm 14.33 indica que os quarenta anos de perambulação pelo deserto fizeram parte da maldição.

O covarde considera-se cauteloso.

Publilius Syrus

Um homem sábio faz mais oportunidades que aquelas que encontra.

Francis Bacon

Bato uma vez em cada portão!
Se você estiver dormindo, desperte!
Se você estiver comendo, levante-se!
Vou-me embora. É a hora do destino.

John James Ingalls

Jarchi informa-nos que o *deserto* ficava ao lado do mar Vermelho, ao sul do monte Seir, e dividido entre o mar Vermelho e aquele monte, pelo que seguiram paralelamente ao mar.

O trecho de Hb 3.16-19 contém uma aplicação neotestamentária deste texto. Os cadáveres da geração anterior ficaram espalhados pelo deserto, em um triste lembrete das consequências da descrença no poder de Deus, e da recusa de obedecer às ordens do Senhor.

■ 1.41

וַתַּעֲנוּ וַתֹּאמְרוּ אֵלַי חָטָאנוּ לַיהוָה אֲנַחְנוּ נַעֲלֶה וְנִלְחַמְנוּ כְּכֹל אֲשֶׁר־צִוָּנוּ יְהוָה אֱלֹהֵינוּ וַתַּחְגְּרוּ אִישׁ אֶת־כְּלֵי מִלְחַמְתּוֹ וַתָּהִינוּ לַעֲלֹת הָהָרָה׃

Então respondestes. Mas fizeram-no tarde demais. Reconheceram seu pecado e quiseram efetuar a invasão. Mas, como já dissemos, era tarde demais. A glória do Senhor já se tinha afastado deles. O poder se fora. Ver a história a respeito e as notas em Nm 14.40 ss.

O Senhor nosso Deus. Essa expressão reflete uma característica literária do autor de Deuteronômio, que para os críticos tem origem na fonte informativa *D*. Ver no *Dicionário* o artigo *J.E.D.P.(S.)*, quanto à teoria da fonte múltipla do Pentateuco. Essa expressão é usada por cinquenta vezes no livro de Deuteronômio. Senhor Deus (no hebraico, *Yahweh-Elohim*), acompanhado de pronomes possessivos, como "nosso" ou "vosso" etc., é expressão usada por mais de trezentas vezes no Deuteronômio. Ver as notas a respeito em Lv 1.1 e 4.1.

Icabode (essa palavra hebraica significa "a glória do Senhor partiu") foi termo escrito na testa dos homens daquela geração. Mas nem mesmo assim quiseram ouvir. Rebelaram-se novamente, em sua "arrogância" e "temeridade", tentando cumprir uma tarefa impossível, acerca da qual tinham sido proibidos (vs. 43).

"Foi apenas uma mudança da covardia para a presunção, e não da incredulidade para a fé" (Ellicott, *in loc.*).

■ 1.42

וַיֹּאמֶר יְהוָה אֵלַי אֱמֹר לָהֶם לֹא תַעֲלוּ וְלֹא־תִלָּחֲמוּ
כִּי אֵינֶנִּי בְּקִרְבְּכֶם וְלֹא תִּנָּגְפוּ לִפְנֵי אֹיְבֵיכֶם:

Não subais nem pelejeis. A ordem tinha sido clara. Agora a oportunidade se tinha afastado. Não era mais possível nenhuma invasão. O poder de Deus se havia afastado. A insistência só poderia resultar em desastre. Ver Nm 14.41,42, quanto ao paralelo, cujas notas expositivas também se aplicam aqui. Parte do cumprimento da vontade de Deus consiste em cumprirmos quando ela tiver de ser feita. Algumas vezes, a graça divina renova a oportunidade algum tempo mais tarde; porém de outras vezes nunca mais há nova oportunidade. Ver no *Dicionário* o artigo intitulado *Vontade de Deus, como Descobri-la*. As circunstâncias que ora consideramos ensinam-nos que, para realizarmos uma grande tarefa, precisamos da direção e do poder dados por Deus. A obediência garante essas coisas para nós; mas a desobediência as remove, e então o cumprimento da tarefa torna-se impossível.

OPORTUNIDADE

Porém vós virai-vos, e parti para o deserto, pelo caminho do mar Vermelho.
Deuteronômio 1.40

O covarde considera-se cauteloso.
Publilius Syrus

Há uma maré nos negócios dos homens que, levada durante a inundação, leva para a fortuna.
William Shakespeare

Aquele que aproveita o momento certo é o homem certo.
Goethe

Bato uma vez em cada portão!
Se você estiver dormindo, desperte!
Se você estiver comendo, levante-se!
Vou-me embora. É a hora do destino.
John James Ingalls

- Deus é o Deus da segunda chance.
- Um dos maiores temas de Deuteronômio é que a bondade de Deus foi demonstrada vez após vez, apesar das falhas e rebeliões do povo.

Quatro coisas jamais retornam:
A palavra falada
A flecha atirada
O tempo passado
A oportunidade desperdiçada.
Omar Ibn

■ 1.43

וָאֲדַבֵּר אֲלֵיכֶם וְלֹא שְׁמַעְתֶּם וַתַּמְרוּ אֶת־פִּי יְהוָה
וַתָּזִדוּ וַתַּעֲלוּ הָהָרָה:

Assim vos falei, e não escutastes. Pareceu bom que agora o povo de Israel estivesse pronto a obedecer. Mas a oportunidade fora perdida. E, assim, aquilo que parecia uma atitude de obediência, na verdade era pura presunção. Tentariam realizar, contando só com seu próprio poder, uma tarefa que requeria a ajuda divina. A incredulidade deles agora tornara-se rebeldia, outra faceta do caráter pecaminoso deles. Ver Nm 14.45, quanto a detalhes sobre a situação que é deixada de fora deste sumário. O trecho de Dt 14.44 supre a última frase deste versículo. Tentar fazer aquilo que já deveriam ter feito tornou-se agora uma forma de *rebeldia*. Yahweh jamais abençoaria essa atitude. O homem pecaminoso é muito inconstante. Ver sobre isso em Tg 1.6. As ondas do mar jogam o homem inconstante para um lado e para outro, pois lhe falta um propósito firme. E ele realiza bem pouco.

■ 1.44

וַיֵּצֵא הָאֱמֹרִי הַיֹּשֵׁב בָּהָר הַהוּא לִקְרַאתְכֶם וַיִּרְדְּפוּ
אֶתְכֶם כַּאֲשֶׁר תַּעֲשֶׂינָה הַדְּבֹרִים וַיַּכְּתוּ אֶתְכֶם בְּשֵׂעִיר
עַד־חָרְמָה:

Ver Nm 14.45, que é o paralelo, e onde as notas expositivas são dadas. O termo *amorreus* (ver a respeito no *Dicionário*) algumas vezes foi usado para indicar todos os habitantes da terra de Canaã. Havia sete pequenas nações vassalas naquele território. Ver sobre essa mesma informação em Êx 3.2, como também em Dt 7.1.

Como fazem as abelhas. Esses insetos, quando ficam irados, atacam em massa e infligem *muitos* ferimentos. Cf. Êx 23.28-30 (que usa as "vespas" como os insetos atacantes). Ver também Dt 7.20 e Js 24.12. As abelhas falam sobre números irresistíveis, ataque feroz e inúmeros ferimentos. A versão siríaca diz aqui "abelhas que foram espantadas com fumaça". É sabido que a fumaça deixa as abelhas agitadas e iradas. Vários autores antigos ampliam a "metáfora da abelha", conforme fizeram Aristóteles (*Hist. Animal*, 1.9, c. 40); Ovídio (*de Remed. Amor*. 1.1.4.85); Plínio (*Hist. Nat*. 1.11 caps. 16 e 18). As humildes abelhas não são assim tão humildes quando atacam em grupo uma pessoa. Assim fariam os amorreus, que predominariam sobre Israel, perseguindo-os e destruindo-os, se chegassem a lançar seu ataque temerário.

O relato presente deixa de fora a ausência da arca da aliança, mencionada em Nm 14.44. Yahweh ia à frente do povo de Israel em batalha, mas somente se a arca da aliança fosse, e nunca de outra maneira. A arca representava a presença de Yahweh entre o seu povo.

■ 1.45

וַתָּשֻׁבוּ וַתִּבְכּוּ לִפְנֵי יְהוָה וְלֹא־שָׁמַע יְהוָה בְּקֹלְכֶם
וְלֹא הֶאֱזִין אֲלֵיכֶם:

Chorastes. Os poucos que não foram mortos voltaram chorando para o acampamento de Israel. A rebeldia deles (vs.43) resultou no desastre que Moisés tinha predito. O trecho paralelo, no capítulo 14 de Números, deixa de fora esse comentário. A tristeza seguiu-se ao desastre, porquanto a ordem de Yahweh não fora atendida. Assim, Israel tinha ouvidos surdos, não dando atenção às instruções que lhe eram dadas, e fracassava continuamente, por isso mesmo. *Aquela* geração não pôde entrar na Terra Prometida.

Perante o Senhor. É provável que esteja em pauta o tabernáculo, onde se manifestava a presença do Senhor. Yahweh não ouviu as lamentações deles, nem os consolou. É impossível pensar que, na ocasião, pediram a ajuda divina para fazerem outra tentativa, embora alguns estudiosos assim entendam o texto. Talvez tenham rogado que o Senhor não os enviasse de novo ao deserto, mas, se foi isso que eles pediram e Yahweh recusou-se a atender, então a surdez divina equiparou-se à surdez do povo de Israel. A justiça foi assim servida. As carcaças dos rebeldes haveriam de ficar no deserto, e somente Calebe e Josué teriam permissão de entrar na Terra Prometida. Ver Nm 14.32.

1.46

וַתֵּשְׁבוּ בְקָדֵשׁ יָמִים רַבִּים כַּיָּמִים אֲשֶׁר יְשַׁבְתֶּם:

Em Cades. *Cades-Barneia* (ver a respeito no *Dicionário*). Os israelitas ficaram ali por muitos dias. Jarchi calculou que ali permaneceram por dezenove anos. Maimônides fala em dezoito anos (*Morch Nevochin*, par. 3, cap. 50). Mas o texto talvez indique somente que eles ficaram ali por um bom número de dias, para então se internarem de novo no deserto, de onde retornariam bem mais tarde.

"Com essas palavras, é registrada a passagem de toda uma geração, dentro do tempo (cf. Dt 2.7,14)" (G. Ernest Wright, *in loc.*). Alguns intérpretes dividem os 38 anos de perambulações em dois períodos de dezenove anos dezenove anos: em Cades-Barneia; e dezenove anos em perambulações pelo deserto.

CAPÍTULO DOIS

AS PERAMBULAÇÕES E OS CONFLITOS NO DESERTO (2.1—3.29)

Achamos aqui a descrição da jornada através da *Transjordânia* (ver a respeito no *Dicionário*). A parte ocidental perdera-se por quase quarenta anos, e o povo de Israel estava no lado oriental do rio Jordão, acampado diante de Cades-Barneia. Em breve retrocederiam para o deserto. Eles viajaram pela rota que levava ao Golfo de Ácaba. A rota referida em Nm 33.43, ao que tudo indica, seguia para o norte, atravessando entre Edom e Moabe. De outro modo, seria difícil explicar a presença de Punon (moderna Feinân) durante a jornada. Mas o Deuteronômio parece seguir a indicação de Nm 21.4. A primeira é atribuída à fonte informativa *P (S)* pelos críticos, ao passo que a segunda é atribuída a *E*. Não há como reconciliar de modo satisfatório os resultados, pelo que permanecemos ignorantes quanto à rota exata seguida por Israel.

2.1

וַנֵּפֶן וַנִּסַּע הַמִּדְבָּרָה דֶּרֶךְ יַם־סוּף כַּאֲשֶׁר דִּבֶּר יְהוָה אֵלָי וַנָּסָב אֶת־הַר־שֵׂעִיר יָמִים רַבִּים: ס

Caminho do mar Vermelho. Ver sobre isso no *Dicionário*.

Como o Senhor me havia dito. Uma expressão de uso frequente no Pentateuco, principalmente nos livros de Êxodo, Levítico e Números, mas menos em Deuteronômio. Alude à inspiração divina da Bíblia; e naqueles outros três livros serve também para introduzir novos materiais. Ver as notas a respeito em Lv 1.1 e 4.1. As palavras servem aqui de consolo, visto que foram dirigidas a Moisés, que continuava a liderar aquela geração rebelde. Eles tinham sofrido tremenda derrota na fronteira da Terra Prometida (capítulo primeiro), mas a graça divina continuava atuando; e os propósitos de Deus em Israel continuariam sendo cumpridos, embora com um adiamento de quase quarenta anos.

A montanha de Seir. Ver a respeito no *Dicionário*.

"... na direção do Golfo de Ácaba, na direção sul" (Ellicott, *in loc.*). Ver a *Introdução* a este capítulo, anteriormente.

Embora rebeldes e derrotados, Israel continuou marchando, e Yahweh, por sua graça, conduziu-os pelo caminho. Haveria uma nova batalha, do que sobreviria a vitória; mas isso só aconteceria 38 anos mais tarde, e por meio dos filhos daquela geração rebelada.

2.2,3

וַיֹּאמֶר יְהוָה אֵלַי לֵאמֹר: ס

רַב־לָכֶם סֹב אֶת־הָהָר הַזֶּה פְּנוּ לָכֶם צָפֹנָה:

Virai-vos para o norte. Terminado o prazo do castigo devido à incredulidade na borda da terra de Canaã, onde os israelitas ficaram gravitando em torno da montanha de Seir (Horebe), finalmente Israel recebeu ordens para fazer a segunda tentativa. "Essa ordem, ao que tudo indica, parece ter sido expedida quando estavam a caminho de Cades-Barneia pela segunda vez, no início do quadragésimo ano (Nm 20.1)" (Ellicott, *in loc.*). A ordem agitou todo o acampamento de Israel.

Era chegado o momento de avançar. Algumas vezes, Deus deixa-se prender a algum acidente geográfico, porque não temos mais "campo de atividade nesta região", conforme escreveu Paulo em Rm 15.23. A vontade de Deus algumas vezes realiza-se através de movimentos. O fracasso de Israel não indicou um fracasso final. Assim sendo, Deus fez com que eles se movessem na direção de uma nova oportunidade. Foi daquele acampamento que Moisés enviou mensageiros ao rei de Edom, pedindo-lhe permissão para passar pelo seu território. A razão para esse movimento para o norte, ao que tudo indica, era para que Israel não tivesse de forçar caminho, lutando contra os amorreus. Assim, foi mister que os israelitas tivessem um *eisodus* (entrada), ao atravessarem o rio Jordão, para entrarem na terra de Canaã, tal como tinham tido um *êxodo* (saída) miraculoso do Egito.

"... para o norte, vindos da fronteira sul de Edom, na direção da terra de Canaã, que ficava mais para o norte. Depois de ter partido de Eziom-Geber foi que Israel chegara a Cades, de onde enviaram mensageiros ao rei de Edom" (John Gill, *in loc.*).

2.4,5

וְאֶת־הָעָם צַו לֵאמֹר אַתֶּם עֹבְרִים בִּגְבוּל אֲחֵיכֶם בְּנֵי־עֵשָׂו הַיֹּשְׁבִים בְּשֵׂעִיר וְיִירְאוּ מִכֶּם וְנִשְׁמַרְתֶּם מְאֹד:

אַל־תִּתְגָּרוּ בָם כִּי לֹא־אֶתֵּן לָכֶם מֵאַרְצָם עַד מִדְרַךְ כַּף־רָגֶל כִּי־יְרֻשָּׁה לְעֵשָׂו נָתַתִּי אֶת־הַר שֵׂעִיר:

Os filhos de Esaú. Aquele território de Seir havia sido dado a Esaú e seus descendentes, como possessão, onde o seu povo já estivera por longo tempo. Cf. Gn 36.8,9. Mas, embora os idumeus estivessem receosos dos israelitas, isso não significa que não procurariam defender-se. A ordem de Yahweh era que os israelitas evitassem qualquer tipo de combate. Aquele território não pertencia à herança de Israel, visto que já tinha sido dado a Esaú e seus descendentes, conforme vemos na referência no livro de Gênesis. E Yahweh não mudou sua maneira de pensar. Ver no *Dicionário* o verbete intitulado *Esaú*. Havia bem poucas chuvas naquela área (apenas cerca de doze centímetros por ano). Um grande número de pessoas que atravessasse a região produziria falta de água, e muitos, sem dúvida, estariam dispostos a lutar por causa da falta de água. Que Edom haveria de temer Israel tinha sido profetizado no cântico de Moisés (ver Êx 15.16). Cf. este texto com Nm 20.14-21. Conforme as coisas acabaram sucedendo, Edom recusou-se a deixar os israelitas passarem (Nm 20.21). Os israelitas eram estrangeiros e seminômades. Os ismaelitas eram príncipes com cidades e fortificações; os idumeus eram duques e reis. Contudo, apesar de sua aparente desvantagem, Israel era temido, embora isso não lhes tivesse garantido uma passagem livre pelo território de Edom. Futuramente, Edom acabaria sendo dominado por Israel (Zc 14.4; Nm 24.18; Ob 19), mas ainda não havia chegado o tempo para isso. Ver Js 24.4.

"O fato de os israelitas terem-se voltado para o norte indicava que a eles estava sendo dada uma segunda oportunidade. A palavra do Senhor (em outra ocasião) veio a Jonas pela segunda vez (Jn 3.1). Após a negação de Pedro, Jesus lhe disse: 'Pastoreia as minhas ovelhas' (Jo 21.16). E à mulher apanhada em adultério, Jesus lhe disse: 'Vai, e não peques mais' (Jo 8.11). E assim também, Deus disse a Israel: 'Virai-vos para o norte.'" (Jack S. Deere, *in loc.*).

Deus é o Deus de uma Segunda Oportunidade. Até mesmo com os perdidos é assim que Deus age, embora seja melhor falarmos de uma única grande oportunidade, em vez de pensarmos que esta vida terrena é uma oportunidade, e que a vida pós-túmulo é outra. A missão remidora de Cristo envolve o próprio hades (ver 1Pe 3.18—4.6). Ver na *Enciclopédia de Bíblia, Teologia e Filosofia* o artigo chamado *Descida de Cristo ao Hades*, quanto a descrições completas sobre essa sua missão salvadora.

2.6

אֹכֶל תִּשְׁבְּרוּ מֵאִתָּם בַּכֶּסֶף וַאֲכַלְתֶּם וְגַם־מַיִם תִּכְרוּ מֵאִתָּם בַּכֶּסֶף וּשְׁתִיתֶם:

Comprareis deles. Os filhos de Israel, enquanto estivessem passando pelas terras de Edom, deveriam pagar por tudo. Não deveriam esperar hospitalidade gratuita. A água era escassa, conforme foi observado na exposição sobre os vss. 4 e 5 deste capítulo. A própria água precisava ser comprada. Era difícil obter alimentos no deserto. E Israel também tinha de pagar pela comida consumida ali. Israel havia perambulado por um deserto vazio por quarenta anos; mas nada lhes havia faltado, embora tivessem passado por várias crises no tocante a água e alimentos. Yahweh estava com eles, pelo que o suprimento de água e comida lhes estava garantido.

"Um dos grandes temas de Deuteronômio é o de que a bondade de Deus, demonstrada por muitas e muitas vezes, jamais falharia; e essa bondade, exibida no interesse divino pelo bem-estar físico e espiritual deles, significa apenas que Deus ama os homens" (*John Gill*, *in loc.*). Ver no *Dicionário* o artigo chamado *Providência de Deus*.

A providência de Deus nos conduz em meio à *prosperidade*, e assim acabamos chegando à *vitória*.

> Há uma maré nos negócios dos homens que, levada durante a inundação, leva para a fortuna.
> Shakespeare

■ 2.7

כִּי יְהוָה אֱלֹהֶיךָ בֵּרַכְךָ בְּכֹל מַעֲשֵׂה יָדֶךָ יָדַע לֶכְתְּךָ אֶת־הַמִּדְבָּר הַגָּדֹל הַזֶּה זֶה אַרְבָּעִים שָׁנָה יְהוָה אֱלֹהֶיךָ עִמָּךְ לֹא חָסַרְתָּ דָּבָר׃

Cousa nenhuma te faltou.

*Deus pode fazer-vos abundar em toda graça,
a fim de que, tendo sempre, em tudo,
ampla suficiência, superabundeis em toda boa obra.*
2Coríntios 9.8

O homem espiritual reconhece todas essas coisas.

"Os cuidados protetores do Senhor e o seu suprimento, naquele vasto deserto, pelo espaço de quarenta anos (vs. 7), também motivou-os para que obedecessem suas instruções imediatas" (Jack S. Deere, *in loc.*).

■ 2.8

וַנַּעֲבֹר מֵאֵת אַחֵינוּ בְנֵי־עֵשָׂו הַיֹּשְׁבִים בְּשֵׂעִיר מִדֶּרֶךְ הָעֲרָבָה מֵאֵילַת וּמֵעֶצְיֹן גָּבֶר ס וַנֵּפֶן וַנַּעֲבֹר דֶּרֶךְ מִדְבַּר מוֹאָב׃

Passamos, pois. É curioso que, nesta recapitulação do relato detalhado do capítulo 20 de Números, sobre Edom e sua recusa de permitir a passagem de Israel por suas terras, coisa alguma seja dita quanto a isso. Os críticos supõem que duas fontes informativas separadas tenham estado envolvidas, o que explicaria a omissão neste sumário. Seja como for, a rota a partir de Seir, depois que os edomitas não permitiram a passagem dos israelitas, passou a apontar para o *sul*, na direção de Eziom-Geber. Essa localidade ficava situada no alto do Golfo de Ácaba. Elate ficava a poucos quilômetros mais a sudeste de Eziom-Geber.

Tendo tomado essa rota, na direção norte, e tendo dado a volta em torno do território de Edom, eles chegaram ao país de Moabe. Ver no *Dicionário* o artigo chamado *Êxodo (o Evento)*, quanto aos possíveis pontos de parada das vagueações de Israel, e a sua marcha final na direção da terra de Canaã. Ver também ali artigos intitulados *Seir*, *Arabá*, *Elate* e *Eziom-Geber*.

Alguns intérpretes insistem em que Elate e Eziom-Geber não eram duas cidades distintas, mas apenas dois nomes para um mesmo lugar. Sem importar como tenha sido, o lugar era um porto de mar do Golfo de Ácaba. seu nome mais antigo era Eziom-Geber. Tem sido identificada com o Tell el-Kheleifeh, que os arqueólogos têm examinado detidamente.

O caminho do deserto de Moabe. Ver a esse respeito no *Dicionário*. "... o deserto que ficava defronte de Moabe, na direção do nascer do sol, para leste (Nm 21.11)" (John Gill, *in loc.*).

■ 2.9

וַיֹּאמֶר יְהוָה אֵלַי אַל־תָּצַר אֶת־מוֹאָב וְאַל־תִּתְגָּר בָּם מִלְחָמָה כִּי לֹא־אֶתֵּן לְךָ מֵאַרְצוֹ יְרֻשָּׁה כִּי לִבְנֵי־לוֹט נָתַתִּי אֶת־עָר יְרֻשָּׁה׃

Não molestes a Moabe. Os moabitas, a exemplo dos edomitas, tinham recebido suas terras por decreto divino. Israel não podia conquistar militarmente aquelas regiões. A vontade de Deus é universal, envolvendo todos os povos. Nenhum povo pode violar essa vontade, mesmo que seja mais favorecido do que outros. Israel não podia perturbar a vontade divina no tocante aos territórios das nações. Ademais, a medida dos pecados dos idumeus e dos moabitas ainda não estava cheia, como era o caso dos amorreus e de outros habitantes daquela região em geral (ver Gn 15.16). Mas uma vez cheia essa medida, então caberia a Davi conquistar aquelas terras (ver 2Sm 8.2). Por igual modo, uma vez cheia a taça da iniquidade de Israel, coube à Assíria e à Babilônia fazer a justiça, e o povo de Israel foi removido de seu território. Ver no *Dicionário* o verbete intitulado *Cativeiros*. Esses eventos, porém, ainda estavam por trás do horizonte, e nada tinham que ver com as circunstâncias dos dias de Moisés.

Ló era sobrinho de Abraão, e aos seus descendentes foram dadas as terras ocupadas pelos moabitas (ver Gn 19.37). O homem Moabe tinha sido filho da filha mais velha de Ló, o progenitor dos moabitas (Gn 19.30-37). Ele viveu em torno de 2055 a.C.

Ar. No hebraico, provavelmente, "cidade". Há um artigo detalhado sobre esse lugar no *Dicionário*. Ar era a principal cidade de Moabe (Nm 21.28; Dt 2.18,29), perto do rio Arnom (Nm 21.13-15); ficava localizada a oeste do mar Morto. Talvez a moderna El-Misna ocupe o local da cidade antiga.

■ 2.10

הָאֵמִים לְפָנִים יָשְׁבוּ בָהּ עַם גָּדוֹל וְרַב וָרָם כָּעֲנָקִים׃

Até mesmo muitos eruditos conservadores concordam que os vss. 10-12 são uma inserção de algum editor posterior, embora os críticos suponham que o Pentateuco inteiro não tenha sido escrito nos dias de Moisés, nem por ele, como composição literária baseada em muitas fontes informativas. Os vss. 10-12 e 20-23 são anotações antigas acerca dos aborígenes da região. Eles eram chamados "emins", "refains" ou "enaquins", ou seja, "gigantes" (vss. 11 e 20). Os primeiros foram comparados aos "enaquins" (ver Dt 1.28; Nm 13.22; Js 11.21-23 e 15.14). Havia gigantes que residiam em torno da região de Hebrom. "Anaque" era um antigo e autêntico nome tribal, confirmado nos textos de execração do Egito, que datam da primeira parte do segundo milênio a.C. As tradições sobre gigantes são comuns na literatura antiga, e sem dúvida algumas dessas tradições são precisas, embora essas antigas histórias sempre envolvam algum elemento mítico. "O primeiro versículo indica que a inserção ocorreu depois da conquista inicial da Terra Prometida. Notas editoriais que figuram no Pentateuco não prejudicam em nada a doutrina da inspiração da Bíblia... A inspiração refere-se ao produto final, e não à maneira da escrita... O Espírito Santo supervisionou a obra dos editores, conforme fez com as pesquisas históricas efetuadas por Lucas (ver Lc 1.1-4)" (Jack S. Deere, *in loc.*). Este autor expressou assim a sua fé acerca de um dos aspectos possíveis da inspiração da Bíblia. Ver no *Dicionário* o artigo chamado *Revelação*. Os críticos simplesmente pensam que o autor ou compilador revelou o fato sobre o qual escreveu, após a terra de Canaã haver sido conquistada, e não nos dias de Moisés e pelo próprio Moisés.

Emins. Ver sobre esse povo nas notas acerca de Gn 14.5.

Enaquins. Ver no *Dicionário* o artigo *Anaque (Anaquins)*. Cf. Nm 13.22,23.

■ 2.11

רְפָאִים יֵחָשְׁבוּ אַף־הֵם כָּעֲנָקִים וְהַמֹּאָבִים יִקְרְאוּ לָהֶם אֵמִים׃

Também eles foram considerados. O autor sacro identificou as raças de gigantes, associando umas às outras, embora não saibamos dizer se originalmente eram descendentes de um mesmo progenitor comum.

Refains. Ver no *Dicionário* o verbete chamado *Refains*, onde há informações completas a respeito. A palavra é de origem incerta, embora pareça significar "gigantes". Ao que parece, entre outras raças de estatura imensa, eram raças aborígenes da área da Transjordânia, na Palestina. Ver também Dt 3.11. Esses povos estavam racialmente ligados a Anaque (ver Dt 2.21). Eram numerosos (Gn 14.5; 15.20; Dt 2.20; 3.11,13; Js 12.4; 13.12; 17.15; 1Cr 2 a 4). O trecho de Nm 13.33 mostra-nos que, devido ao temor diante de tais gigantes, os filhos de Israel tiveram de retroceder para o deserto, tendo perdido a coragem de entrar em luta.

■ 2.12

וּבְשֵׂעִיר יָשְׁבוּ הַחֹרִים לְפָנִים וּבְנֵי עֵשָׂו יִירָשׁוּם
וַיַּשְׁמִידוּם מִפְּנֵיהֶם וַיֵּשְׁבוּ תַּחְתָּם כַּאֲשֶׁר עָשָׂה יִשְׂרָאֵל
לְאֶרֶץ יְרֻשָּׁתוֹ אֲשֶׁר־נָתַן יְהוָה לָהֶם׃

Os horeus. Ver no *Dicionário* o artigo detalhado sobre esse povo. Eles já habitavam na terra antes dos moabitas, embora não se saiba desde quando. Os idumeus haviam tomado suas terras e os tinham destruído, conforme Israel também acabou fazendo aos habitantes da Palestina. O autor (ou editor) agora revela que ele estava escrevendo após a conquista da Terra Prometida. Ver comentários sobre esse aparente anacronismo nas notas sobre o versículo 10 deste capítulo. Alguns eruditos conservadores admitem que houve aqui uma "adição", embora não aceitem a ideia de que o próprio autor escreveu após a conquista. Outros falam em uma "profecia" sobre o evento; mas esse argumento deixa a desejar. Os vss. 10-12 deste capítulo não esclarecem "quanto tempo" depois isso sucedeu, pelo que não podemos determinar nenhuma data com base nessa anotação editorial. Ver sobre a questão da data nos artigos sobre o *Pentateuco*, bem como sobre cada um dos cinco livros separados dessa coleção. Ver também, no *Dicionário*, o artigo chamado *J.E.D.P.(S.)*.

Uma Lição Moral. Os moabitas foram capazes de derrotar os gigantes. Mas o povo de Israel, mesmo com a promessa especial de ajuda por parte de Yahweh, desanimou e acabou tendo de retroceder para o deserto.

■ 2.13

עַתָּה קֻמוּ וְעִבְרוּ לָכֶם אֶת־נַחַל זָרֶד וַנַּעֲבֹר אֶת־נַחַל זָרֶד׃

Ribeiro de Zerede. Ver a respeito no *Dicionário*. Ver acerca do vale de Zerede, em Nm 21.12. Algumas traduções dizem aqui "vale de Zerede". Parece que o original hebraico é capaz de permitir ambas as traduções. Talvez houvesse tanto um ribeiro quanto um vale. Se realmente se tratava de um ribeiro, não se pode identificá-lo. Vários riachos despejam suas águas no lado oriental do mar Morto, ao sul do Arnom. O Zerede, mui provavelmente, era um desses. Ou então, conforme dizem alguns, era um tributário do rio Arnom. O ribeiro ou vale de Zerede era uma linha fronteiriça entre Moabe e Edom. O restante dos detalhes é apresentado naquele artigo do *Dicionário*.

O autor poupou-nos de uma descrição detalhada de todo o percurso seguido por Israel, em suas aventuras pelo deserto, e simplesmente nos contou que, entre Cades-Barneia e Zerede, passaram-se cerca de quarenta anos (vs. 14).

■ 2.14

וְהַיָּמִים אֲשֶׁר־הָלַכְנוּ מִקָּדֵשׁ בַּרְנֵעַ עַד אֲשֶׁר־עָבַרְנוּ
אֶת־נַחַל זֶרֶד שְׁלֹשִׁים וּשְׁמֹנֶה שָׁנָה עַד־תֹּם כָּל־הַדּוֹר
אַנְשֵׁי הַמִּלְחָמָה מִקֶּרֶב הַמַּחֲנֶה כַּאֲשֶׁר נִשְׁבַּע יְהוָה
לָהֶם׃

O tempo que caminhamos. O longo período de 38 anos em que o povo de Israel ficou perambulando pelo deserto deu a Yahweh oportunidade de fazer perecer toda aquela antiga geração. Todos morreram ali, exceto Calebe e Josué. Ver Nm 14.21,23,29,30, quanto ao juramento feito por Yahweh de que eles pereceriam, bem como a declaração de que, de fato, pereceram.

Esse tempo é calculado desde o envio dos espias de Cades-Barneia (Nm 32.8) até quando os filhos de Israel chegaram ao vale ou ribeiro de Zerede. Aqueles que tinham de 20 anos para baixo foram isentados da maldição e puderam entrar na Terra Prometida. Ver Nm 32.11. Mas houve também dois homens que foram exceções, por causa de sua fidelidade e relatório positivo, como também por haverem exortado os israelitas a invadir a terra, a saber, Calebe e Josué. Ver Nm 14.21,23,30.

■ 2.15

וְגַם יַד־יְהוָה הָיְתָה בָּם לְהֻמָּם מִקֶּרֶב הַמַּחֲנֶה עַד
תֻּמָּם׃

Também foi contra eles a mão do Senhor. Uma das características do autor do Pentateuco é a repetição, um fenômeno que também aparece neste versículo. Essa repetição fortalece o conteúdo do versículo anterior. De fato, de modo certo e absoluto, aqueles rebeldes, a geração antiga, pereceram no deserto, por causa de sua falta de fé na fronteira. Eles caíram; foram consumidos; pereceram no deserto.

Diante de ti puseste as nossas iniquidades,
e sob a luz do teu rosto os nossos pecados ocultos.
Pois todos os nossos dias se passam na tua ira,
acabam-se os nossos anos como um breve pensamento.
Salmo 90.8,9

Nada menos de 24 mil israelitas tombaram nas planícies de Moabe. Mais 14.700 caíram no incidente que envolveu Coré. Pragas, enfermidades e morte por idade avançada, tudo cooperou para eliminar todos os homens daquela geração, com a exceção única de Calebe e Josué. Ver Nm 16.49 e 25.9.

■ 2.16

וַיְהִי כַאֲשֶׁר־תַּמּוּ כָּל־אַנְשֵׁי הַמִּלְחָמָה לָמוּת מִקֶּרֶב
הָעָם׃ ס

Pela morte. A palavra-chave acerca daquela geração rebelde era esta: morte. Todos eles foram consumidos. Até mesmo os que ainda estavam aptos para ir à guerra faleceram, mediante enfermidades consumidoras, juízos divinos de um tipo ou de outro, ou por morte natural, devido à idade avançada. Israel não pôde entrar na Terra Prometida enquanto não houve uma purificação completa entre o povo de Israel. Uma vez que isso sucedeu, então foi baixada ordem, da parte de Yahweh, de Israel cessar suas perambulações, o que deu à geração mais jovem de israelitas a oportunidade que a geração mais antiga não recebeu.

■ 2.17

וַיְדַבֵּר יְהוָה אֵלַי לֵאמֹר׃

O Senhor me falou. Temos aqui uma expressão de uso constante no Pentateuco, empregada para dar novos materiais, mas que também nos faz lembrar da inspiração divina da Bíblia. Ver as notas a respeito em Lv 1.1 e 4.1. Essa mensagem foi dada a Moisés, mediador entre Yahweh e o povo de Israel, a fim de transmiti-la ao povo. Ver as *oito fórmulas de comunicação*, anotadas em Lv 17.2. A palavra de Yahweh impeliu o povo, conferindo-lhes a segunda oportunidade de apossar-se da Terra Prometida.

■ 2.18

אַתָּה עֹבֵר הַיּוֹם אֶת־גְּבוּל מוֹאָב אֶת־עָר׃

Passarás por Ar. A travessia ocorreu no rio Arnom, que corria ao lado da cidade de Ar (vs. 9). Eles tiveram de caminhar ao longo da fronteira, visto que não lhes foi permitido entrar em território de Moabe. E a mensagem veio naquele mesmo dia em que deveriam obedecer.

■ 2.19

וְקָרַבְתָּ מוּל בְּנֵי עַמּוֹן אַל־תְּצֻרֵם וְאַל־תִּתְגָּר בָּם כִּי
לֹא־אֶתֵּן מֵאֶרֶץ בְּנֵי־עַמּוֹן לְךָ יְרֻשָּׁה כִּי לִבְנֵי־לוֹט
נְתַתִּיהָ יְרֻשָּׁה׃

O ribeiro de Zerede (vs. 13) era a fronteira entre Moabe e Edom. Os filhos de Israel não podiam atacar nem a esses dois povos nem aos filhos de Amom. Aquelas terras pertenciam aos descendentes de Ló, e isso por decreto divino. Seom, o rei dos amorreus, havia conquistado parte do território dos moabitas; e essa parte foi tomada pelos filhos de Israel, passando a ser território da tribo de Gade. As tribos de Gade, Rúben e a meia tribo de Manassés tomaram a terra da *Transjordânia* (ver a respeito no *Dicionário*). Ver Nm 32, quanto ao relato. Ver Gn 19.36-38 quanto aos filhos de Amom, os quais, à semelhança dos moabitas, eram descendentes de Ló. Ver também 2Cr 20.1 e Sf 2.8. Ver no *Dicionário* o artigo chamado *Amorreus*.

■ **2.20**

אֶרֶץ־רְפָאִים תֵּחָשֵׁב אַף־הִוא רְפָאִים יָשְׁבוּ־בָהּ לְפָנִים וְהָעַמֹּנִים יִקְרְאוּ לָהֶם זַמְזֻמִּים׃

"Os versículos 20-23 formam outra inserção editorial (cf. os vss. 10-12). A destruição dos refains, também chamados zanzumins, por parte dos amonitas, e dos horeus, por parte dos descendentes de Esaú, são acontecimentos atribuídos, em última análise, a Deus. Pois, conforme escreveu Paulo muito depois, foi ele quem estabeleceu os tempos e os limites de todos os povos da terra (At 17.26)" (Jack S. Deere, *in loc.*).

Refains. Ver os comentários sobre o vs. 11 deste capítulo a respeito deles.

Zanzumins. Há um artigo detalhado sobre eles, com esse título, no *Dicionário*. No hebraico, o nome significa "poderosos" ou "vigorosos". Esse era o nome que os amorreus davam aos "refains". A palavra aparece somente aqui, em Dt 2.20. O que se sabe sobre eles aparece naquele artigo. Os refains também foram mencionados em textos econômicos ugaríticos de Ras Shamra. Ver sobre os zuzins (Gn 14.5), que talvez se refiram ao mesmo povo. Mas vários eruditos oferecem fortes razões para não aceitarmos essa identificação. Ver no *Dicionário* o artigo chamado *Zuzins*.

■ **2.21**

עַם גָּדוֹל וְרַב וָרָם כָּעֲנָקִים וַיַּשְׁמִידֵם יְהוָה מִפְּנֵיהֶם וַיִּירָשֻׁם וַיֵּשְׁבוּ תַחְתָּם׃

Povo grande, numeroso, e alto. Os refains eram uma das raças de gigantes, mas os amorreus conseguiram destruir a raça e conquistar a terra deles. Ver o vs. 12, onde é dita a mesma coisa sobre os filhos de Esaú. Israel desanimou diante dos gigantes, mas os filhos de Esaú e os amorreus prevaleceram. Yahweh poderia ter dado ao povo de Israel a vitória; mas faltou fé aos israelitas. Yahweh recebeu o crédito pela destruição daqueles gigantes, conforme afirmei no vs. 20, mediante uma citação. Ver as notas ali.

■ **2.22**

כַּאֲשֶׁר עָשָׂה לִבְנֵי עֵשָׂו הַיֹּשְׁבִים בְּשֵׂעִיר אֲשֶׁר הִשְׁמִיד אֶת־הַחֹרִי מִפְּנֵיהֶם וַיִּירָשֻׁם וַיֵּשְׁבוּ תַחְתָּם עַד הַיּוֹם הַזֶּה׃

Este versículo alude diretamente ao vs. 12 deste capítulo, comparando os dois casos, e pergunta-nos (sem dizer isso diretamente): "Por que Israel não obteve sucesso quando povos menores tiveram êxito?" E então ouvimos o eco de textos passados, e a resposta é "rebeldia e incredulidade". "Se os filhos de Ló, Ismael e Esaú, que eram apenas gentios, embora descendentes de Abraão, foram capazes de desapossar aquelas raças de homens gigantescos, quanto mais os filhos de Israel teriam podido desapossar os cananeus, sob a orientação pessoal de Yahweh" (Ellicott, *in loc.*).

■ **2.23**

וְהָעַוִּים הַיֹּשְׁבִים בַּחֲצֵרִים עַד־עַזָּה כַּפְתֹּרִים הַיֹּצְאִים מִכַּפְתּוֹר הִשְׁמִידֻם וַיֵּשְׁבוּ תַחְתָּם׃

Caftor. Ver Gn 10.14. Muitos estudiosos pensam que Caftor é a mesma ilha de Creta. Outras identificações, contudo, têm sido sugeridas. E isso representa um quebra-cabeça.

Os aveus. Ver sobre eles no *Dicionário*. A capital original deles era Ava (no hebraico, "ruína") (ver 2Rs 17.24). Ver no *Dicionário* sobre *Ava* e *Iva*. Era uma cidade assíria. Mas este versículo refere-se à conquista da planície costeira por parte dos chamados "povos do mar", que provavelmente haviam-se originado em Creta e tinham-se instalado nas costas da Palestina, algum tempo antes de 1200 a.C. Ver Gn 10.2-5. Povos tinham-se mudado de seus locais originais de habitação e entrado em conflito, por causa dessa troca de territórios. Os aveus do texto presente parecem ter sido um povo diferente daqueles do mesmo nome, na Assíria; e provavelmente eram habitantes originais das cidades costeiras.

Os aveus viviam tão para oeste quanto Gaza e foram destruídos por outro povo, a saber, os caftorins, provavelmente um antigo nome dado aos filisteus. Eles tinham vindo de Caftor, outro nome de Creta. Dessa maneira, o autor sagrado ilustrou como uma raça foi capaz de destruir outra e conquistar suas terras. Por que Israel fracassou? Ademais, visto que isso estava acontecendo na história com regularidade, Israel foi encorajado por Moisés a "imitar" esse exemplo e dar prosseguimento à invasão.

■ **2.24**

קוּמוּ סְּעוּ וְעִבְרוּ אֶת־נַחַל אַרְנֹן רְאֵה נָתַתִּי בְיָדְךָ אֶת־סִיחֹן מֶלֶךְ־חֶשְׁבּוֹן הָאֱמֹרִי וְאֶת־אַרְצוֹ הָחֵל רָשׁ וְהִתְגָּר בּוֹ מִלְחָמָה׃

Ribeiro de Arnom. Ver a esse respeito no *Dicionário*. A vitória de Israel sobre Seom, o amorreu, rei de Hesbom, é contada em Nm 21.21 ss. Os detalhes não são repetidos aqui. Israel enviou mensageiros pedindo para passar pela terra dele. Mas ele não deu permissão e ainda forçou batalha, e Israel obteve vitória total. Isso serviu de encorajamento para os filhos de Israel entrarem na Terra Prometida. Hesbom era a capital daquela área, conforme se vê no *Dicionário*. O território a partir do Arnom para o norte, até o ribeiro do Jaboque, tinha sido tomado à força por Seom, dos moabitas. E assim, Israel, por sua vez, tomou dele aquele território.

■ **2.25**

הַיּוֹם הַזֶּה אָחֵל תֵּת פַּחְדְּךָ וְיִרְאָתְךָ עַל־פְּנֵי הָעַמִּים תַּחַת כָּל־הַשָּׁמָיִם אֲשֶׁר יִשְׁמְעוּן שִׁמְעֲךָ וְרָגְזוּ וְחָלוּ מִפָּנֶיךָ׃

Hoje começarei a meter o terror e o medo. Essas eram as condições psicológicas de que o povo de Israel precisava para fazer outras conquistas. Todos os povos da região ouviriam falar no avanço dos israelitas e ficariam aterrorizados, caindo em angústia. Israel, por sua vez, obteria a confiança e a segurança mental que não tinha exibido por ocasião da primeira tentativa de invasão, quase quatro décadas atrás. A derrota sofrida na fronteira seria substituída por uma vitória geral. Cf. este versículo com Êx 15.15,16. Os habitantes de Canaã haveriam de tremer e angustiar-se, diante do avanço de Israel.

Povos que estão debaixo de todo o céu. A menção é às sete nações que deveriam ser expulsas da Terra Prometida. Quanto à identidade desses povos, ver as notas em Êx 33.2 e Dt 7.1. Ver Êx 15.15; 23.27; Nm 22.3; Js 2.9,11,24; 5.1 e 9.24, quanto a versículos paralelos a este.

■ **2.26**

וָאֶשְׁלַח מַלְאָכִים מִמִּדְבַּר קְדֵמוֹת אֶל־סִיחוֹן מֶלֶךְ חֶשְׁבּוֹן דִּבְרֵי שָׁלוֹם לֵאמֹר׃

Então mandei mensageiros. Este envio de mensageiros a Seom é narrado em Nm 21.21, pelo que os detalhes não são repetidos aqui.

deserto de Quedemote. No hebraico, esse nome significa "regiões orientais". No Antigo Testamento, figura como um deserto e como uma cidade. Ficava em uma região do deserto leste do território de Rúben, perto do rio Arnom, referido somente neste versículo. A cidade foi entregue aos levitas, citada em Js 13.18; 21.37; 1Cr 6.79. Foi dali que Moisés enviou mensageiros a Seom, rei de Hesbom, em um tom pacífico, para solicitar passagem através de seu país. Quando da conquista da Terra Prometida, a cidade foi entregue à tribo de Rúben, cabendo aos levitas meraritas. Tem sido identificada com a moderna Qasr ez Za'feran, cerca de treze quilômetros a nordeste de Dibom.

Com palavras de paz. Israel tinha muita guerra pela frente. Algumas batalhas que fossem evitadas seriam o ideal. Mas Seom, em seu temor e arrogância, forçou a questão para outro rumo.

■ 2.27,28

אֶעְבְּרָה בְאַרְצֶךָ בַּדֶּרֶךְ בַּדֶּרֶךְ אֵלֵךְ לֹא אָסוּר יָמִין וּשְׂמֹאול׃

אֹכֶל בַּכֶּסֶף תַּשְׁבִּרֵנִי וְאָכַלְתִּי וּמַיִם בַּכֶּסֶף תִּתֶּן־לִי וְשָׁתִיתִי רַק אֶעְבְּרָה בְרַגְלָי׃

Estes dois versículos são paralelos a Nm 21.22. Adicionam que Israel estava disposto a pagar por alimentos, e não somente pela água. Israel poderia ter enriquecido Seom um pouco. Eles não furtariam nada dos vinhedos nem das plantações, nem atacariam pessoa ou coisa alguma.

Deixa-me passar a pé. Ver Nm 20.19 quanto a essa expressão. Israel não atravessaria o território de Seom como se fosse um exército invasor, com cavalos e equipamento militar à mostra, mas somente como um cortejo de pessoas, a pé.

Assim, esta seção de Dt 2.26-37 descreve o começo das conquistas militares de Israel, algo que deveria ter ocorrido há cerca de quarenta anos. Deus é o Deus da *segunda oportunidade*. Quanto a isso, ver Dt 2.4,5.

■ 2.29

כַּאֲשֶׁר עָשׂוּ־לִי בְּנֵי עֵשָׂו הַיֹּשְׁבִים בְּשֵׂעִיר וְהַמּוֹאָבִים הַיֹּשְׁבִים בְּעָר עַד אֲשֶׁר־אֶעֱבֹר אֶת־הַיַּרְדֵּן אֶל־הָאָרֶץ אֲשֶׁר־יְהוָה אֱלֹהֵינוּ נֹתֵן לָנוּ׃

Como fizeram comigo os filhos de Esaú. Quanto a essas palavras, Jarchi observou que não estava em pauta a questão de passar pela terra deles, pois nenhum deles permitiu isso, mas tão somente comprar comida e bebida; pois embora os idumeus, no começo, pareçam não ter atendido ao pedido, mais tarde acederam" (John Gill, *in loc.*).

Ar. Ver a respeito no *Dicionário*. Ar e Seir falam sobre a área inteira de Edom e Moabe.

Até que eu passe o Jordão. Israel deixaria Seom e sua gente em paz, em sua região da *Transjordânia* (ver a respeito no *Dicionário*), e passaria diretamente para o lado ocidental do rio Jordão. Seom não era objeto planejado de ataque, mas é evidente que ele não se deixou convencer quanto a isso, por parte dos mensageiros; ou então apenas queria uma boa luta, conforme faz a maioria dos homens arrogantes.

■ 2.30

וְלֹא אָבָה סִיחֹן מֶלֶךְ חֶשְׁבּוֹן הַעֲבִרֵנוּ בּוֹ כִּי־הִקְשָׁה יְהוָה אֱלֹהֶיךָ אֶת־רוּחוֹ וְאִמֵּץ אֶת־לְבָבוֹ לְמַעַן תִּתּוֹ בְיָדְךָ כַּיּוֹם הַזֶּה׃ ס

O Senhor teu Deus endurecera o seu espírito. Seom endureceu seu coração, e Deus endureceu o coração de Seom. Desse modo, a vontade divina e a humana cooperaram. Mas como isso sucede, sem que a vontade humana seja destruída, não sabemos explicar. No livro de Êxodo lemos que o Faraó endureceu seu coração, e que Deus endureceu o coração do Faraó. Ver Êx 4.21; 7.3,13,14; 8.15,32; 9.12; 1Sm 6.6. O endurecimento aqui referido, naturalmente, nada tem que ver com a salvação. Mas no nono capítulo de Romanos a questão toma esse rumo. Isso nos envolve nas questões da predestinação e da reprovação. Ver na *Enciclopédia de Bíblia, Teologia e Filosofia* os artigos intitulados *Predestinação* e *Livre-arbítrio* e também *Reprovação*. Ver também *Determinismo* e *Livre-arbítrio*. Ambas as doutrinas figuram na Bíblia e as teologias *unilaterais* enfatizam um ou outro dos lados da questão, mas negando os seus opostos. Os homens pensam que precisam explicar e reconciliar tudo, mas há coisas que são irreconciliáveis entre si. Se pudéssemos explicar tudo, teríamos uma *humanologia*, e não uma *teologia*. Ver também, na *Enciclopédia*, o artigo intitulado *Soberania de Deus*. E o artigo *Mistério da Vontade de Deus*, no *Dicionário*, ensina que o amor de Deus é que escreverá o capítulo final da história humana, e a predestinação está por trás da missão salvadora do Logos. Portanto, destacamos mais ainda a doutrina da predestinação! Não precisamos temê-la.

O coração de Seom foi endurecido para que Israel tivesse de combater e vencer, e assim obter forças e confiança quanto às muitas batalhas que ainda teria de enfrentar. Aquela *pequena* vitória lhes infundiu a coragem de que precisavam para atirar-se à batalha *maior*.

Cf. este versículo presente com Nm 21.23. Aquele texto deixa de fora a teologia deste versículo, e nada diz sobre o ato de Yahweh.

■ 2.31

וַיֹּאמֶר יְהוָה אֵלַי רְאֵה הַחִלֹּתִי תֵּת לְפָנֶיךָ אֶת־סִיחֹן וְאֶת־אַרְצוֹ הָחֵל רָשׁ לָרֶשֶׁת אֶת־אַרְצוֹ׃

Tenho começado a dar-te Seom. Uma pequena possessão na Transjordânia seria o prelúdio de uma possessão maior, na parte oeste do rio Jordão. Ambas as coisas seriam atos de Yahweh. Muitos povos antigos, embora essencialmente selvagens, eram inspirados pela ideia de que seus deuses e forças espirituais os conduziam, dando-lhes suas terras, permitindo-lhes conquistar terras alheias etc. Os escritos de Homero, que nos falam sobre as antigas guerras dos gregos, estão repletos de referências religiosas, sacrifícios, oblações etc. Isso não significa que a história de Israel não fosse dirigida por Deus, nem que outros povos fossem dirigidos por ele. Mas as matanças nos impressionam muito; e atribuí-las ao supremo poder de Deus parece ficar muito abaixo da compreensão cristã. Seja como for, Deus acha-se definitivamente na história. Ver na *Enciclopédia de Bíblia, Teologia e Filosofia* o artigo chamado *Filosofia da História*. Os hebreus apresentavam claramente uma filosofia da história, no Antigo Testamento. E há muitas outras filosofias da história.

■ 2.32

וַיֵּצֵא סִיחֹן לִקְרָאתֵנוּ הוּא וְכָל־עַמּוֹ לַמִּלְחָמָה יָהְצָה׃

Ver Nm 21.23, um trecho diretamente paralelo a este versículo. As notas dadas ali aplicam-se também aqui.

■ 2.33,34

וַיִּתְּנֵהוּ יְהוָה אֱלֹהֵינוּ לְפָנֵינוּ וַנַּךְ אֹתוֹ וְאֶת־בָּנָו וְאֶת־כָּל־עַמּוֹ׃

וַנִּלְכֹּד אֶת־כָּל־עָרָיו בָּעֵת הַהִוא וַנַּחֲרֵם אֶת־כָּל־עִיר מְתִם וְהַנָּשִׁים וְהַטָּף לֹא הִשְׁאַרְנוּ שָׂרִיד׃

Estes dois versículos são diretamente paralelos de Nm 21.24,25, exceto pelo fato de que aqueles versículos dão indicações geográficas que este versículo não fornece. Ademais, estes versículos adicionam a agonizadora informação da matança de mulheres e crianças, uma clara política humana de terra arrasada. O propósito era eliminar uma raça — genocídio. Só assim poderia haver paz à terra, sem temor de retaliação. Essa atitude era comum nas guerras antigas. Esses atos faziam parte de uma *guerra santa*. Cf. Dt 20.10-18, onde as descrições são muito parecidas. As mulheres eram incorporadas na sociedade, e as crianças eram criadas como se fossem hebreias, embora não fossem descendentes de Abraão.

O Banimento. Às vezes, era proibido destruir absolutamente tudo. E o que sobrasse era dedicado como sacrifício a Yahweh. Assim, aquela gente tornou-se o sacrifício oferecido ao Senhor, como se fosse um holocausto. "Uma guerra, de acordo com esse ponto de vista religioso, torna-se, se possível, ainda mais feroz do que as guerras comuns. O zelo mórbido que leva a destruir um inimigo recebe a sanção divina" (Henry H. Shires, *in loc.*). Os amorreus eram uma das sete nações *destinadas à destruição*.

■ 2.35

רַק הַבְּהֵמָה בָּזַזְנוּ לָנוּ וּשְׁלַל הֶעָרִים אֲשֶׁר לָכָדְנוּ׃

Tomamos por presa o gado. Os animais foram poupados e passaram a fazer parte das propriedades dos hebreus. Esse gado serviria para alimento e para os sacrifícios. Visto que eram irracionais e não estavam envolvidos na idolatria pagã ou nas práticas religiosas, eram aceitáveis para tal uso. Não eram moralmente corruptos, como o eram os seres humanos.

O despojo. Estão em foco meros objetos, como dinheiro, metais preciosos, joias, utensílios domésticos, instrumentos agrícolas etc.

■ 2.36

מֵעֲרֹעֵ֡ר אֲשֶׁר֩ עַל־שְׂפַת־נַ֨חַל אַרְנֹ֜ן וְהָעִ֨יר אֲשֶׁ֤ר בַּנַּ֨חַל֙ וְעַד־הַגִּלְעָ֔ד לֹ֤א הָֽיְתָה֙ קִרְיָ֔ה אֲשֶׁ֥ר שָׂגְבָ֖ה מִמֶּ֑נּוּ אֶת־הַכֹּ֕ל נָתַ֛ן יְהוָ֥ה אֱלֹהֵ֖ינוּ לְפָנֵֽינוּ׃

A *pequena vitória* não foi assim tão pequena; um certo número de cidades foi capturado e ocupado. Cf. Nm 21.25.

Aroer. No hebraico, "desnuda". Esse foi o nome de várias cidades do Antigo Testamento. Ver a respeito no *Dicionário*. A Aroer deste versículo é a primeira da lista. Ficava às margens do ribeiro de Arnom, pelo que se situava na fronteira sul do território dado às tribos de Rúben e Gade (Js 12.2; 13.9). É mencionada na vigésima sexta linha da chamada *Pedra Moabita* (ver a respeito no *Dicionário*).

Gileade. Ver a respeito no *Dicionário*. Por toda aquela região, nenhuma cidade escapou da destruição. Agora a região já fazia parte do território de Israel na Transjordânia. Essa parte do país pertencia às tribos de Rúben, Gade e à meia tribo de Manassés (ver Nm 32). Gileade pertencia a Ogue, o rei de Basã. Ver Nm 21.33 ss., quanto à sua derrota definitiva, e a possessão de suas terras pelos filhos de Israel.

Yahweh-Elohim recebeu o crédito pela vitória dos israelitas. E os povos conquistados foram oferecidos a ele à guisa de *holocausto*.

■ 2.37

רַ֣ק אֶל־אֶ֤רֶץ בְּנֵֽי־עַמּוֹן֙ לֹ֣א קָרָ֔בְתָּ כָּל־יַ֖ד נַ֣חַל יַבֹּ֑ק וְעָרֵ֣י הָהָ֔ר וְכֹ֥ל אֲשֶׁר־צִוָּ֖ה יְהוָ֥ה אֱלֹהֵֽינוּ׃

Somente à terra... nem a lugar algum que nos proibira o Senhor nosso Deus. Estas tinham sido as restrições. Israel destruiu o que foi oferecido a Yahweh em sacrifício, mas não mais. O território dos filhos de Amom foi poupado. Ver no *Dicionário* o verbete chamado *Amom*. Esse território estendia-se até o ribeiro do Jaboque (ver a respeito no *Dicionário*), e não foi invadido, tal como sucedeu à região montanhosa em redor. Houve assim lugares "proibidos" para os israelitas, em suas conquistas. O Jaboque formava a fronteira ocidental dos amonitas (ver Dt 3.16). Israel não penetrou no interior do país onde estavam as montanhas, nem as suas cidades foram atacadas.

"Mas embora os moabitas e os amonitas tivessem sido assim poupados, eles pagaram o bem com o mal, porquanto lutaram contra os israelitas e expulsaram a alguns deles de suas possessões (ver Jz 11.4,5; 2Cr 20.1), e cometeram algumas crueldades chocantes. Ver Am 1.13. Por isso, o Senhor baixou um estatuto proibindo a entrada de qualquer indivíduo dessas duas nações na congregação de Israel, até sua décima geração. Ver Dt 23.3-6" (Adam Clarke, *in loc.*).

CAPÍTULO TRÊS

A seção geral, iniciada em Dt 2.1, prossegue aqui. Ver as notas naquele ponto. Dt 2.26—3.11 é trecho que descreve o primeiro êxito na conquista da Terra Prometida, pelo que temos uma breve descrição das primeiras vitórias de Israel, a começar pela *Transjordânia* (ver a respeito no *Dicionário*). Os reinos de Seom e de Ogue caíram diante de Israel (ver Nm 21.21-35). Este terceiro capítulo do livro continua relatando as conquistas, incluindo a vitória sobre Ogue (ver Nm 21.33 ss.). Ogue dominava o território desde Basã e a parte norte de Gileade.

■ 3.1

וַנֵּ֣פֶן וַנַּ֔עַל דֶּ֖רֶךְ הַבָּשָׁ֑ן וַיֵּצֵ֣א ע֣וֹג מֶֽלֶךְ־הַבָּשָׁ֡ן לִקְרָאתֵ֜נוּ ה֧וּא וְכָל־עַמּ֛וֹ לַמִּלְחָמָ֖ה אֶדְרֶֽעִי׃

Este versículo tem paralelo em Nm 21.33, onde dou as notas expositivas. Os lugares mencionados ali são aqui repetidos. As notas mostram onde as referências podem ser encontradas, onde também apresentamos comentários.

■ 3.2

וַיֹּ֨אמֶר יְהוָ֤ה אֵלַי֙ אַל־תִּירָ֣א אֹת֔וֹ כִּ֣י בְיָדְךָ֞ נָתַ֧תִּי אֹת֛וֹ וְאֶת־כָּל־עַמּ֖וֹ וְאֶת־אַרְצ֑וֹ וְעָשִׂ֣יתָ לּ֔וֹ כַּאֲשֶׁ֣ר עָשִׂ֗יתָ לְסִיחֹן֙ מֶ֣לֶךְ הָֽאֱמֹרִ֔י אֲשֶׁ֥ר יוֹשֵׁ֖ב בְּחֶשְׁבּֽוֹן׃

Este versículo é paralelo de Nm 21.34, onde há notas expositivas.

■ 3.3

וַיִּתֵּן֩ יְהוָ֨ה אֱלֹהֵ֜ינוּ בְּיָדֵ֗נוּ גַּ֛ם אֶת־ע֥וֹג מֶֽלֶךְ־הַבָּשָׁ֖ן וְאֶת־כָּל־עַמּ֑וֹ וַנַּכֵּ֕הוּ עַד־בִּלְתִּ֥י הִשְׁאִֽיר־ל֖וֹ שָׂרִֽיד׃

Este versículo é paralelo de Nm 21.35. Não houve *sobreviventes* (Números); não ficou nenhum sobrevivente (Deuteronômio).

■ 3.4

וַנִּלְכֹּ֤ד אֶת־כָּל־עָרָיו֙ בָּעֵ֣ת הַהִ֔וא לֹ֤א הָֽיְתָה֙ קִרְיָ֔ה אֲשֶׁ֥ר לֹא־לָקַ֖חְנוּ מֵֽאִתָּ֑ם שִׁשִּׁ֣ים עִ֗יר כָּל־חֶ֤בֶל אַרְגֹּב֙ מַמְלֶ֥כֶת ע֖וֹג בַּבָּשָֽׁן׃

Este versículo ajunta informações ao relato do capítulo 21 de Números. Todas as sessenta cidades de Ogue foram capturadas, o que mostra que a conquista foi de vulto, uma grande realização. A área, de acordo com os padrões modernos, não era grande, mas o fato de que ali havia sessenta cidades mostra que era densamente povoada.

Argobe. No hebraico, "pedregosa". Ver o artigo sobre esse lugar no *Dicionário*. O termo aponta ou para Basã, em geral, ou para um lugar dentro dessa área. Ficava localizada a leste do lago de Genezaré (Galileia), e foi dada como possessão à meia tribo de Manassés (Dt 3.4,13,14; 1Rs 4.13; 2Rs 15.25). Ficava em um platô elevado, uma espécie de ilha de terra, com cerca de 54 km x 32 km de extensão. No evangelho de Lucas, é chamada de *Traconites* (ver Lc 3.1). Ver detalhes completos no artigo acima referido.

■ 3.5

כָּל־אֵ֜לֶּה עָרִ֧ים בְּצֻר֛וֹת חוֹמָ֥ה גְבֹהָ֖ה דְּלָתַ֣יִם וּבְרִ֑יחַ לְבַ֛ד מֵעָרֵ֥י הַפְּרָזִ֖י הַרְבֵּ֥ה מְאֹֽד׃

Todas estas cidades eram fortificadas. As *sessenta cidades* (vs. 4) eram todas dotadas de muralhas e fortificações. E também havia outras cidades, sem muralhas protetoras. Israel conseguiu dominar ambos os tipos de cidades.

Conquistar devemos, quando nossa causa é justa;
Este é o nosso lema: "Confiamos em Deus".

Francis Scott Key

Ver Nm 13.28 e Dt 1.28, quanto às cidades da terra de Canaã. Ver no *Dicionário* o artigo chamado *Cidade*.

■ 3.6,7

וַנַּחֲרֵ֣ם אוֹתָ֔ם כַּאֲשֶׁ֣ר עָשִׂ֔ינוּ לְסִיחֹ֖ן מֶ֣לֶךְ חֶשְׁבּ֑וֹן הַחֲרֵם֙ כָּל־עִ֣יר מְתִ֔ם הַנָּשִׁ֖ים וְהַטָּֽף׃
וְכָל־הַבְּהֵמָ֛ה וּשְׁלַ֥ל הֶעָרִ֖ים בַּזּ֥וֹנוּ לָֽנוּ׃

Destruímo-las totalmente. Os súditos de Ogue, com suas cidades, seu país e sua população, sofreram a mesma absoluta destruição que havia atingido o rei Seom. Mas os israelitas pouparam animais e objetos inanimados, em ambos os casos. Estes dois versículos são uma duplicata virtual do trecho de Dt 2.33-35. Tal como sucedeu a Seom, eles foram oferecidos à guisa de sacrifício (no hebraico, *herem*) a Deus. Ver nesses versículos notas que também se aplicam aqui. A guerra santa requeria aniquilamento absoluto e sem misericórdia. As cidades foram preservadas intactas, para serem usadas pelos israelitas; mas os seus habitantes pereceram da face da terra. Assim sendo, as tribos de Rúben, Gade e a meia tribo de Manassés (ver Nm 32), entraram em uma riqueza relativa imediata, por terem ficado com tudo quanto Seom e Ogue tinham conseguido acumular através dos anos.

■ 3.8

וַנִּקַּח בָּעֵת הַהִוא אֶת־הָאָרֶץ מִיַּד שְׁנֵי מַלְכֵי הָאֱמֹרִי אֲשֶׁר בְּעֵבֶר הַיַּרְדֵּן מִנַּחַל אַרְנֹן עַד־הַר חֶרְמוֹן׃

Que estavam dalém do Jordão. Ou seja, na parte oriental do país. O texto foi escrito, no hebraico, dessa perspectiva, ou seja, o autor estava na *Transjordânia* (ver a respeito no *Dicionário*). Essas terras ficaram com Rúben, Gade e a meia tribo de Manassés, mas Números 32 afirma que nem por isso aquelas duas tribos e meia foram dispensadas de participar da invasão do lado ocidental da Terra Prometida. Eles deixaram esposas, filhos e cerca de metade de suas forças militares para guardar as cidades que tinham acabado de ocupar; e então os demais juntaram-se a seus irmãos, a fim de combater na conquista da parte ocidental do rio Jordão.

O rio Arnom dividia as terras dos moabitas das terras dos filhos de Amom (ver Nm 21.13), e Hermom era uma montanha de Gileade, que terminava onde começava o Líbano, e formava a fronteira norte do país.

Hermom. Ver no *Dicionário* o artigo detalhado que há ali sobre este lugar.

■ 3.9

צִידֹנִים יִקְרְאוּ לְחֶרְמוֹן שִׂרְיֹן וְהָאֱמֹרִי יִקְרְאוּ־לוֹ שְׂנִיר׃

Sidônios. Ver no *Dicionário* o verbete chamado *Sidom*. Os sidônios chamavam Hermom de "Siriom". Essa palavra hebraica significa "recoberta (de neve)". Os fenícios de Sidom tinham dado esse nome ao monte Hermom. No paralelo poético do Sl 29.6, Siriom aparece em associação com o Líbano. Idêntica associação ocorre no material proveniente de Ugarite: "O Líbano e as suas árvores, o Siriom, o mais precioso de seus cedros" (Baal e Anate, 6.20,21). A ocorrência desse termo, como um paralelo da cadeia do Líbano, sugere que esse nome denominava toda a cadeia do Antilíbano. Ver também sobre *Siom* no *Dicionário*.

Senir. Há dúvidas sobre o significado desse nome, embora pareça querer dizer "pico". Outros preferem "monte elevado". A palavra hebraica aparece por quatro vezes: aqui e em 1Cr 5.23, Ct 4.8 e Ez 27.5. No acádico, a palavra aparece com a forma de *saniru*; no árabe, *sanirun*. Esse era o nome que os amorreus davam ao monte Hermom, segundo se vê aqui em Dt 3.9. Houve época em que esse apelativo era empregado para indicar porções mais extensas do Antilíbano, conforme talvez se veja em Ez 27.5. Não obstante, o uso do hebraico também distingue entre o monte Hermom e o monte Senir (Ct 4.8), e também entre aquele e os montes de Baal-Hermom (1Cr 5.23). Muitos estudiosos têm-se inclinado a pensar que picos individuais dos três cumes do monte Hermom foram assim chamados, em tempos posteriores.

■ 3.10

כֹּל עָרֵי הַמִּישֹׁר וְכָל־הַגִּלְעָד וְכָל־הַבָּשָׁן עַד־סַלְכָה וְאֶדְרֶעִי עָרֵי מַמְלֶכֶת עוֹג בַּבָּשָׁן׃

Este versículo descreve quão *completa* foi a conquista, que incluiu todas as cidades mencionadas, a saber, *sessenta*, conforme somos informados no quarto versículo deste capítulo. As cidades de Gileade e de Basã foram varridas de modo absoluto, chegando até Salcá.

Salcá. No *Dicionário* há um artigo detalhado sobre esta localidade. Ela definia o extremo oriental de Basã (aqui e em Js 12.5 e 13.11). Ao que parece, ficou com a meia tribo de Manassés, na divisão do território. O nome, no hebraico, significa "andar" ou "andando".

Edrei. Ver a respeito no *Dicionário*. No hebraico, significa "forte" ou "terra semeada". Ao que parece, a moderna aldeia de Der'a, no sul da Síria, assinala o local antigo. Ver detalhes naquele artigo.

■ 3.11

כִּי רַק־עוֹג מֶלֶךְ הַבָּשָׁן נִשְׁאַר מִיֶּתֶר הָרְפָאִים הִנֵּה עַרְשׂוֹ עֶרֶשׂ בַּרְזֶל הֲלֹה הִוא בְּרַבַּת בְּנֵי עַמּוֹן תֵּשַׁע אַמּוֹת אָרְכָּהּ וְאַרְבַּע אַמּוֹת רָחְבָּהּ בְּאַמַּת־אִישׁ׃

Ogue, o rei de Basã. O gigante tinha uma cama gigantesca, com cerca de quatro metros de comprimento e dois metros de largura. Eu mesmo tenho uma cama grande, denominada *king-size*, que pode ser comprada comumente nos Estados Unidos da América. Um homem alto sabe como é difícil dormir em camas feitas para pessoas relativamente baixas. Meu tio era homem muito alto, e fez a sua própria cama, para que não tivesse de dormir na transversal. Minha cama tem mais de dois metros de comprimento; mas a cama de Ogue tinha esse tanto de largura, e o dobro disso quanto ao comprimento. A gigantesca cama de Ogue era feita de ferro, por razões óbvias. Uma cama de madeira não aguentaria o peso do gigante.

A gigantesca cama tornou-se peça de museu, guardada em Rabá, um lugar pertencente aos filhos de Amom. Alguns eruditos pensam que o que está em foco aqui era um sarcófago (caixão de defunto); mas os sarcófagos eram feitos de pedra. Naturalmente, alguém poderia fazer um sarcófago de ferro. Algumas vezes, camas, ou outras peças de mobiliário, tornam-se peças de museu. Eu mesmo vi a cama de Joseph Smith em um museu, em Salt Lake City, Estado americano de Utah. ele era considerado um profeta pelos mórmons. Ver acerca dele na *Enciclopédia de Bíblia, Teologia e Filosofia*. Na sua maioria, contudo, as camas são apenas móveis benditos, onde descansamos à noite, para podermos voltar descansados ao trabalho, no dia seguinte. Poucas coisas são tão excelentes como uma boa cama!

Os *gigantes* foram sendo aniquilados aos poucos por vários povos, como os filhos de Esaú (2.12) e os filhos de Amom (2.19,20). Então veio Israel e acabou com os que ainda restavam dentre eles. Por isso ficou escrito que Ogue era o último dos gigantes. Uma vez morto, sua cama foi levada para admiração de Rabá.

Diodorus Siculus conta a curiosa história de que Alexandre, o Grande, ordenou que se fizessem camas com quase três metros de comprimento, a fim de que os gregos fossem temidos como gigantes (*Bibliothec.* 1.17, par. 563). O poder de Alexandre, porém, era tão grande que ele dificilmente precisaria lançar mão de um truque psicológico como esse. Maimônides observou que a cama de um homem usualmente tem uma terça parte a mais que o comprimento de uma pessoa. Se aplicarmos isso a Ogue, então ele devia ter cerca de três metros de altura! (*Moreh Nevochim*, par. 2, c. 47).

Rabá. Há um artigo detalhado sobre esta cidade no *Dicionário*, a qual tem sido muito iluminada pela arqueologia. Esse nome significa "grande", "populosa". Amã, capital atual da Jordânia, assinala o local antigo. Essa parece ser a *única* cidade amonita que foi mencionada na Bíblia. Fica cerca de 35 quilômetros a leste do rio Jordão.

■ 3.12,13

וְאֶת־הָאָרֶץ הַזֹּאת יָרַשְׁנוּ בָּעֵת הַהִוא מֵעֲרֹעֵר אֲשֶׁר־עַל־נַחַל אַרְנֹן וַחֲצִי הַר־הַגִּלְעָד וְעָרָיו נָתַתִּי לָרֻאוּבֵנִי וְלַגָּדִי׃

וְיֶתֶר הַגִּלְעָד וְכָל־הַבָּשָׁן מַמְלֶכֶת עוֹג נָתַתִּי לַחֲצִי שֵׁבֶט הַמְנַשֶּׁה כֹּל חֶבֶל הָאַרְגֹּב לְכָל־הַבָּשָׁן הַהוּא יִקָּרֵא אֶרֶץ רְפָאִים׃

Estes versículos sumariam os lugares mencionados antes, pertencentes à *Transjordânia* (ver a esse respeito no *Dicionário*), que os israelitas tomaram dos moabitas e dos amorreus, seus habitantes primitivos, para então darem às tribos de Rúben, Gade e à meia tribo de Manassés. Ver o capítulo 32 de Números sobre como eles pediram o território e este lhes foi concedido, sob a condição de ajudarem na invasão do "outro lado" do rio Jordão, a parte ocidental. Ver também o capítulo 13 do livro de Josué, quanto a outros detalhes sobre a distribuição da terra. "As tribos de Rúben e Gade receberam os territórios pertencentes ao reino de Seom, entre os ribeiros do Arnom e do Jaboque. A meia tribo de Manassés, da qual o clã de Maquir era o principal, recebeu o território de Ogue, ao norte do Jaboque. O vale deste ribeiro, depois de correr na direção leste, volta-se para o sul, fazendo uma grande curva. Essa seção norte-sul formava a fronteira dos amonitas (vs. 16)" (G. Ernest Wright, *in loc.*).

Moisés *distribuiu* as terras conquistadas, mas sempre sob a orientação de Yahweh. A porção ocidental seria dividida por sortes, primeiro por tribos, e então entre as famílias dessas tribos. Ver sobre isso em Nm 26.55,56; 33.54 e 34.13.

Rúben recebeu aquelas terras que antes tinham pertencido aos moabitas (de Arnom a Hesbom). Gade recebeu a metade sul de Gileade, de Hesbom ao ribeiro do Jaboque. Com a meia tribo de Manassés, ficou a parte norte de Gileade, bem como Basã, que ficava precisamente a leste do lago ou mar da Galileia. Ver Js 11.2.

■ 3.14

יָאִיר בֶּן־מְנַשֶּׁה לָקַח אֶת־כָּל־חֶבֶל אַרְגֹּב עַד־גְּבוּל הַגְּשׁוּרִי וְהַמַּעֲכָתִי וַיִּקְרָא אֹתָם עַל־שְׁמוֹ אֶת־הַבָּשָׁן חַוֺּת יָאִיר עַד הַיּוֹם הַזֶּה׃

Jair. No *Dicionário* há um artigo detalhado sobre esse nome. ele era cabeça de um clã da tribo de Manassés. O termo hebraico significa "iluminador" ou "Yahweh ilumina". Quatro pessoas são chamadas por esse nome no Antigo Testamento. O Jair deste texto, o filho de Segube, descendente de Manassés, é o primeiro nome que aparece naquela lista. A região de Gileade tinha 23 aldeias (ver Nm 32.41; Js 13.30; 1Cr 2.22; 1Rs 4.13). Ver também, no *Dicionário*, o artigo chamado *Havote-Jair*.

Argobe. Ver a respeito no *Dicionário* e no quarto versículo deste capítulo.

Gesuritas. Ver no *Dicionário* o artigo detalhado intitulado *Gesur, Gesuritas*. O nome Gesur parece significar "ponte". Gesur era um país que ficava na margem oriental do rio Jordão, e os gesuritas eram um povo que habitava perto do Sinai. O país pertencia à Síria, contíguo à fronteira norte de Israel. Ver sob *Habitantes*, no artigo referido acima. Eles formavam um pequeno reino da área maior chamada Síria.

Maacatitas. Ver sobre este povo no *Dicionário*. Eles formavam outro pequeno reino da Síria. Faziam fronteira com Argobe. A área central ocupada por esse povo era onde ficavam as nascentes do rio Jordão. Os gesuritas ocupavam uma área ligeiramente a leste. Ver 2Sm 20.14,15. A terra dos maacatitas tinha pertencido a Ogue. Ver os vss. 12 ss.

Havote-Jair. Ver a respeito no *Dicionário* e as notas expositivas em Nm 32.41.

■ 3.15

וּלְמָכִיר נָתַתִּי אֶת־הַגִּלְעָד׃

Gileade. Ver a respeito no *Dicionário*. Este território ficou com os maacatitas. Cf. Nm 32.40. Maquir era filho de Manassés, e seus descendentes, que formavam a meia tribo que ficou no lado oriental do rio Jordão, receberam este território. Metade da região de Gileade ficou com os rubenitas e os gaditas (vs. 12). O trecho de Nm 32.34-40 informa-nos que esse território foi conquistado pela subtribo de Manassés.

■ 3.16

וְלָראוּבֵנִי וְלַגָּדִי נָתַתִּי מִן־הַגִּלְעָד וְעַד־נַחַל אַרְנֹן תּוֹךְ הַנַּחַל וּגְבֻל וְעַד יַבֹּק הַנַּחַל גְּבוּל בְּנֵי עַמּוֹן׃

O autor sagrado voltou aqui a dar-nos detalhes sobre as terras alocadas a Rúben e a Gade, na Transjordânia, depois de ter-nos fornecido alguns detalhes no vs. 12 deste capítulo. As terras aqui mencionadas, de acordo com os padrões modernos, eram de pouca extensão, mas eram lugares prósperos, com boa água, e excelentes para a criação de gado. Também dispunham de muitas cidades, das quais os membros daquelas duas tribos simplesmente se apossaram. Ver Js 12.2 e Dt 2.37. As circunstâncias dessa distribuição de terras foram descritas no capítulo 32 de Números. Essas tribos desejaram o lugar fértil para seu gado, e receberam-no sob a condição de ajudarem seus irmãos a conquistar o lado ocidental do rio Jordão, o que cumpriram com fidelidade. Ver Js 22.1-4 quanto à promessa cumprida e a bênção que isso produziu.

■ 3.17

וְהָעֲרָבָה וְהַיַּרְדֵּן וּגְבֻל מִכִּנֶּרֶת וְעַד יָם הָעֲרָבָה יָם הַמֶּלַח תַּחַת אַשְׁדֹּת הַפִּסְגָּה מִזְרָחָה׃

Como também. Outras terras que eles receberam são aqui mencionadas. Esse território incluía a parte oriental do vale do Jordão, ou Arabá. Estendia-se desde o lago da Galileia e daí para o sul, até o mar Morto. Ver Mt 14.34 quanto ao nome Quinerete, uma denominação alternativa para o lago ou mar da Galileia. Esse nome, no hebraico, significa "harpa" ou "com forma de harpa". O nome designava uma cidade (Js 19.35) e um mar (Nm 34.11; Dt 3.17; Js 11.12; 12.3 etc.). Provavelmente, o termo deriva-se de um antigo nome cananeu, já existente quando da invasão da Terra Prometida. O lago da Galileia, olhado de cima, parece-se com o contorno de uma harpa.

Faldas de Pisga. Ver também 4.49. Os Targuns dizem: "fontes de Pisga". Ver no *Dicionário* o artigo intitulado *Pisga*. Nossa versão portuguesa acompanha a versão inglesa RSV, apontando para o sopé de colinas. Essas colinas ficavam na parte oriental do território em questão.

■ 3.18

וָאֲצַו אֶתְכֶם בָּעֵת הַהִוא לֵאמֹר יְהוָה אֱלֹהֵיכֶם נָתַן לָכֶם אֶת־הָאָרֶץ הַזֹּאת לְרִשְׁתָּהּ חֲלוּצִים תַּעַבְרוּ לִפְנֵי אֲחֵיכֶם בְּנֵי־יִשְׂרָאֵל כָּל־בְּנֵי־חָיִל׃

A região fértil foi dada às tribos de Rúben e Gade, e à meia tribo de Manassés, sob a condição de que eles ajudassem as outras tribos na invasão da parte ocidental da Terra Prometida. Ver Nm 32.29,30, especificamente quanto à condição imposta, e o capítulo 32 inteiro quanto à história completa. O trecho de Js 22.1-4 informa-nos sobre o cumprimento fiel dessa promessa. Seom e Ogue já haviam sido derrotados. Os habitantes da região tinham sido aniquilados, e essas cidades foram ocupadas pelas tribos mencionadas. Assim, mudaram-se para uma riqueza imediatamente, falando comparativamente. Mas isso não lhes conferiu descanso, pois tiveram de ajudar no conflito total que se seguiu. Ver Js 4.13,14.

■ 3.19

רַק נְשֵׁיכֶם וְטַפְּכֶם וּמִקְנֵכֶם יָדַעְתִּי כִּי־מִקְנֶה רַב לָכֶם יֵשְׁבוּ בְּעָרֵיכֶם אֲשֶׁר נָתַתִּי לָכֶם׃

Vossas mulheres, e vossas crianças. Essas ficaram nos novos territórios conquistados, sem dúvida sob a guarda de homens armados, para defendê-las. Os demais homens ajudaram a conquistar a parte ocidental do país. Ver Nm 32.24-42, quanto ao trecho paralelo a este, e cujas notas também aplicam-se aqui. Ver também Js 1.12 ss.

■ 3.20

עַד אֲשֶׁר־יָנִיחַ יְהוָה לַאֲחֵיכֶם כָּכֶם וְיָרְשׁוּ גַם־הֵם אֶת־הָאָרֶץ אֲשֶׁר יְהוָה אֱלֹהֵיכֶם נֹתֵן לָהֶם בְּעֵבֶר הַיַּרְדֵּן וְשַׁבְתֶּם אִישׁ לִירֻשָּׁתוֹ אֲשֶׁר נָתַתִּי לָכֶם׃

Dê descanso. Ou seja, até que a porção oeste da Palestina tivesse sido conquistada. Isso daria descanso aos invasores, para voltassem a um estilo normal de vida. Até então, as tribos de Rúben, Gade e a meia tribo de Manassés teriam de continuar combatendo.

"Descanso para seus inimigos, e habitações para ali residirem tranquilamente. Por isso mesmo, a terra de Canaã foi chamada de 'descanso' e 'herança' (Dt 12.9), como tipo simbólico do descanso que espera pelo povo de Deus" (John Gill, *in loc.*). Ver Hb 3.11,18; 4.1,3,11, quanto à aplicação neotestamentária desse conceito.

Voltareis cada qual à sua possessão, que vos dei. Por meio da vontade de Yahweh, mediante o Pacto Abraâmico, que tinha como uma de suas provisões a posse da Terra Santa por parte do povo de Israel. Ver as notas em Gn 15.18, quanto a esse pacto. "Todo o crédito, quanto ao resultado final, não cabe aos homens, mas a Deus... Foi o poder de Deus que lhes deu a Transjordânia" (G. Ernest Wright, *in loc.*).

■ 3.21,22

וְאֶת־יְהוֹשׁוּעַ צִוֵּיתִי בָּעֵת הַהִוא לֵאמֹר עֵינֶיךָ הָרֹאֹת אֵת כָּל־אֲשֶׁר עָשָׂה יְהוָה אֱלֹהֵיכֶם לִשְׁנֵי הַמְּלָכִים הָאֵלֶּה כֵּן־יַעֲשֶׂה יְהוָה לְכָל־הַמַּמְלָכוֹת אֲשֶׁר אַתָּה עֹבֵר שָׁמָּה׃

לֹא תִּירָאוּם כִּי יְהוָה אֱלֹהֵיכֶם הוּא הַנִּלְחָם לָכֶם׃ ס

Assim fará o Senhor a todos os reinos. O sucesso dos filhos de Israel na Transjordânia fora espetacular. Josué tinha observado isso. Foi-lhe assegurado que, na qualidade de novo líder, ele poderia esperar o mesmo tipo de ajuda divina na invasão da parte ocidental do país. O que tinha sucedido estava prestes a ser repetido, pelo que Josué foi encorajado a deixar de lado todo temor. Somente o poder de Deus poderia explicar uma derrota tão rápida de Seom e Ogue. E os reis vassalos do ocidente não se mostrariam mais eficazes contra Israel. Portanto, qualquer temor estava fora de cogitação. O poder de Deus já se havia manifestado; e não diminuiria, acompanhando Israel e Josué. As *antigas* vitórias eram garantias das *novas vitórias*. A intervenção divina no oriente repetir-se-ia no ocidente. Oh, Senhor, concede-nos tal graça!

Os povos que ocupavam a parte ocidental do rio Jordão contavam com números, tamanho físico e forças, sem falar nas suas cidades fortificadas e em sua disposição selvagem. Formavam um inimigo formidável, mas não contra Yahweh.

Yahweh combateria pelos israelitas. Ver essa promessa repetida em Dt 1.30; 2.24,25,31,33,36; 3.2,3 e 20.4. A guerra santa dependia do Poder Santo.

Meus olhos têm visto a glória da vinda do Senhor,
ele pisa a vindima onde as uvas da ira foram guardadas;
ele desfechou o relâmpago fatal de sua terrível espada;
sua verdade está marchando. Glória!
Glória! Aleluia!
sua verdade está marchando.

Julio Ward Howe

A única coisa que precisamos temer é o próprio medo.
Franklin Delano Roosevelt

MOISÉS TENTA REVERTER O JUÍZO DE YAHWEH (3.23-29)

■ 3.23

וָאֶתְחַנַּן אֶל־יְהוָה בָּעֵת הַהִוא לֵאמֹר׃

De repente vemos Moisés, entusiasmado diante de todas as promessas de Yahweh acerca da conquista do ocidente, anelante para reverter o juízo que caiu sobre ele por causa da questão da água que saiu da rocha. Ver Nm 20.12 quanto a notas que explicam no que consistiu exatamente o pecado de Moisés. O livro de Deuteronômio adiciona um discernimento mais profundo. Moisés, por estar identificado com o rebelde povo de Israel, teve de levar vicariamente a culpa deles; e, por essa razão, não pôde entrar na Terra Prometida. Esse é um discernimento que fala sobre Moisés como tipo da lei, que pode conduzir até Cristo, mas que não pode realizar a obra de Cristo, ou seja, a salvação, simbolizada pela entrada na Terra Prometida. Já pudemos ver esse discernimento em Dt 1.37, cujas notas também se aplicam aqui.

A intercessão de Moisés quase obtivera êxito, poderosa como tinha sido. Ver Nm 16.45 quanto a isso. Mas quando orou em proveito próprio, nada aconteceu. Não porque sua oração tivesse sido fraca, mas porque não poderia reverter a decisão de Yahweh, já que *não fazia* parte da vontade de Deus que ele entrasse na Terra Prometida. Ver no *Dicionário* os artigos intitulados *Oração* e *Intercessão*.

Moisés tinha iniciado a obra. Mas não pôde vê-la terminada enquanto vivo no corpo. Josué terminou a obra da conquista com grande sucesso, pelo que Moisés teve essa consolação. Ademais, em espírito, não tenho dúvida, ele viu o sucesso final daquilo que havia iniciado, fazia tanto tempo, no Egito.

■ 3.24

אֲדֹנָי יְהוִה אַתָּה הַחִלּוֹתָ לְהַרְאוֹת אֶת־עַבְדְּךָ אֶת־גָּדְלְךָ וְאֶת־יָדְךָ הַחֲזָקָה אֲשֶׁר מִי־אֵל בַּשָּׁמַיִם וּבָאָרֶץ אֲשֶׁר־יַעֲשֶׂה כְמַעֲשֶׂיךָ וְכִגְבוּרֹתֶךָ׃

Que Deus há nos céus ou na terra...? Moisés atribuiu a Deus todos os feitos que tinham ocorrido. O Deus Todo-poderoso estivera presente em tudo. Ninguém poderia ter livrado Israel da escravidão no Egito. Ninguém poderia ter fornecido o necessário para cerca de quatro milhões de pessoas em um deserto, pelo espaço de quarenta anos. O poder divino estivera sempre presente. A grandeza e o poder tinham sido amplamente demonstrados. A realização era grandiosa demais para ter sido um empreendimento meramente humano. Tinha sido um feito divino. Yahweh destacava-se acima de quaisquer deuses imaginários. Nenhum homem poderia ter feito o que foi feito, e nem alguma outra divindade; Yahweh (o Eterno) e El (o poderoso) é que tinha feito tudo aquilo.

"... houve aquelas instâncias admiráveis de poder divino, que impôs juízos contra homens ímpios, reis e reinos; que livrou o seu povo desses ímpios; que permitiu que Israel entrasse na posse deles e de seus reinos; essas eram as obras admiráveis que Moisés tinha em mira" (John Gill, *in loc.*).

"Em contraste com os deuses das religiões naturais dos pagãos, o Deus de Israel é ímpar, pois seus atos poderosos testificam que ele é o Senhor da história" (*Oxford Annotated Bible*, comentando sobre este versículo).

O fio cortante do argumento de Moisés foi: "Se tu, ó Yahweh, fizeste tudo isso, seria coisa de somenos permitir-me entrar na Terra Prometida!"

■ 3.25

אֶעְבְּרָה־נָּא וְאֶרְאֶה אֶת־הָאָרֶץ הַטּוֹבָה אֲשֶׁר בְּעֵבֶר הַיַּרְדֵּן הָהָר הַטּוֹב הַזֶּה וְהַלְּבָנֹן׃

Rogo-te que me deixes passar. Isso Deus faria se aplicasse o mesmo grande poder que trouxera Israel aonde o povo se achava no momento (vs. 24). O Deus que tinha feito o maior, sem dúvida poderia fazer o menor. Moisés queria entrar, e não apenas ver ou ouvir sobre a *boa terra* que Deus havia prometido a Abraão.

Esta boa terra. Era uma terra que manava leite e mel, uma terra excelente (ver Dt 8.7,8; Êx 3.8,17; 13.5; 33.3; Lv 20.24; Nm 13.27; 14.8; 16.13; Dt 6.3; 11.9; Js 5.6).

"Ao que parece, Moisés não percebeu que poderia buscar as obras de Yahweh e a sua glória, ainda mais claramente, no outro mundo" (Ellicott, *in loc.*).

Que está dalém do Jordão. O autor sacro falava da perspectiva da Transjordânia. Moisés pensou que permitir a entrada dele na Terra Prometida seria um feito pequeno em relação com os seus feitos grandiosos. Mas até mesmo um feito pequeno não pode suceder, quando não está de acordo com a vontade de Deus.

Líbano. Ver a respeito no *Dicionário*. Ver o versículo seguinte.

■ 3.26

וַיִּתְעַבֵּר יְהוָה בִּי לְמַעַנְכֶם וְלֹא שָׁמַע אֵלָי וַיֹּאמֶר יְהוָה אֵלַי רַב־לָךְ אַל־תּוֹסֶף דַּבֵּר אֵלַי עוֹד בַּדָּבָר הַזֶּה׃

O Senhor indignou-se muito. Yahweh não gostou do pedido de Moisés, por mais eloquente e lógico que tivesse parecido. Temos aqui reflexos do *antropomorfismo* e do *antropopatismo*. Ver o *Dicionário* quanto a esses vocábulos. Conferimos a Deus as nossas próprias qualidades, atributos e emoções, quando tentamos descrever Deus, por faltar-nos melhor maneira de fazê-lo.

Foi "por amor a Israel" que a Moisés não foi permitido atravessar o rio Jordão e entrar na Terra Prometida. Ver Nm 20.12 quanto à natureza do pecado de Moisés, devido ao qual não lhe foi permitido fazer essa travessia. Quanto a um *discernimento mais profundo* no livro de Deuteronômio, ver 1.37 e 3.23, cujas notas expositivas também aplicam-se aqui.

Basta. Moisés havia recebido uma grande comissão e tinha cumprido bem a sua missão. Mas sua comissão e missão não incluíam a entrada na Terra Prometida. sua identificação com a geração rebelde era completa; e eles tiveram de arcar com as consequências. E isso também fazia parte de sua missão. Dessarte, Moisés seria sábio se não tornasse a referir-se ao assunto, e Yahweh ordenou-lhe que não tocasse mais no tema. Moisés precisara sofrer de modo vicário, da mesma forma que Cristo, o novo Moisés, foi o nosso substituto. ele precisou sofrer com paciência. Ver o capítulo 53 de Isaías, quanto a uma excelente afirmação desse princípio no Antigo Testamento.

Moisés e Elias, em uma ocasião posterior, e em espírito, estiveram com Jesus na Terra Prometida, tendo sido testemunhas da transfiguração de Jesus. Ver o capítulo 17 de Mateus. Essa era a vontade de Deus, e não foi alguma coisa sem importância.

■ 3.27

עֲלֵ֨ה ׀ רֹ֣אשׁ הַפִּסְגָּ֗ה וְשָׂ֥א עֵינֶ֛יךָ יָ֧מָּה וְצָפֹ֛נָה וְתֵימָ֥נָה וּמִזְרָ֖חָה וּרְאֵ֣ה בְעֵינֶ֑יךָ כִּי־לֹ֥א תַעֲבֹ֖ר אֶת־הַיַּרְדֵּ֥ן הַזֶּֽה׃

Cume de Pisga. Ver no *Dicionário* o artigo detalhado sobre esse lugar. Ou Pisga e o monte Nebo eram o mesmo monte, ou eram picos de uma mesma serra, não distantes um do outro. Esse nome, no hebraico, significa "cume", "ponta", "pico". Há muitas referências bíblicas a esse lugar, que tem seus usos metafóricos, coisas essas que são abordadas no artigo mencionado.

Dali Moisés Pôde Olhar em Todas as Direções. "Para todos os quatro pontos do céu, para todos os quatro quadrantes e fronteiras da terra de Canaã, vendo, com os seus próprios olhos, a extensão da terra de Canaã, sobretudo o Líbano, que ficava ao norte, o monte que ele tanto tinha desejado ver (vs. 25). Moisés, embora velho, era dotado de vista penetrante, e não é improvável que sua visão tenha recebido maior acuidade e tenha sido ajudada, nessa ocasião" (John Gill, *in loc.*).

> Doce hora de oração, doce hora de oração,
> Que eu tenha tua consolação, até que
> Da altura excelsa do monte Pisga
> Eu veja meu lar e alce voo.
> Essa veste de carne deixarei e me erguerei
> Para apossar-me do prêmio eterno.
>
> W. W. Walford

O *Neguebe*, o sul da Palestina, não é mencionado, mas devemos entender aqui que ele viu a Terra Prometida inteira. Se Moisés não foi capaz de ver absolutamente tudo, de onde se encontrava, ele viu o bastante para poder dizer: "Vi a terra que Deus prometeu a Abraão com os meus próprios olhos. Permite que teu servo parta em paz". Podemos estar certos de que aquele foi um momento extremamente emocionante para Moisés.

■ 3.28

וְצַ֥ו אֶת־יְהוֹשֻׁ֖עַ וְחַזְּקֵ֣הוּ וְאַמְּצֵ֑הוּ כִּי־ה֣וּא יַעֲבֹ֗ר לִפְנֵי֙ הָעָ֣ם הַזֶּ֔ה וְהוּא֙ יַנְחִ֣יל אוֹתָ֔ם אֶת־הָאָ֖רֶץ אֲשֶׁ֥ר תִּרְאֶֽה׃

Dá ordens... anima-o e fortalece-o. Em breve Josué haveria de tornar-se o homem da hora fatal. A Moisés foi dito que fizesse por Josué todo o possível. ele precisaria de forças e de coragem para completar a missão de Moisés, a qual era, ao mesmo tempo, a sua própria missão especial. Moisés contemplou a Terra Prometida; e Josué guiaria o povo de Israel até ela, tornando-se assim um tipo de Cristo, o qual nos conduz à pátria celeste, a saber, à salvação eterna. Ver no *Dicionário* o artigo *Josué (Livro)*, que nos mostra que ele foi um tipo de Cristo, na seção IX, *Tipologia*. Ver também *Josué (Pessoas)*, ponto 1. Ver ainda Ef 1.11.

"... a perspectiva do tempo lança sobre Moisés um manto de glória, pois ele compartilhou da sorte de seu povo e aceitou graciosamente a vontade de Deus" (Henry S. Shires, *in loc.*).

■ 3.29

וַנֵּ֣שֶׁב בַּגָּ֔יְא מ֖וּל בֵּ֥ית פְּעֽוֹר׃ פ

Defronte de Bete-Peor. Há um detalhado artigo sobre esta localidade no *Dicionário*. Esse nome significa "casa de Peor", ou seja, "casa da abertura". Peor também pode significar "abismo". Talvez Moisés tenha sido sepultado nessa área (Dt 34.6). Era uma cidade moabita que podia ser vista facilmente do cume de Pisga. Ver outros detalhes naquele artigo. Também havia um deus pagão chamado Peor. E ali existia um santuário em honra a ele. Ver no *Dicionário* o verbete chamado Deuses *Falsos*.

"Este versículo encerra a recapitulação da jornada de Israel desde Horebe (Dt 1.6) até as margens do rio Jordão, com o que terminou esse primeiro discurso de Moisés. O restante, contido no quarto capítulo de Deuteronômio, é a parte prática do discurso, que agora começa" (Ellicott, *in loc.*).

CAPÍTULO QUATRO

MOISÉS EXORTA O POVO À OBEDIÊNCIA (4.1-43)

O primeiro discurso de Moisés aproximava-se agora do seu final. Prossegue até o vs. 40 deste capítulo. A palavra, agora (vs. 1), indica uma introdução à conclusão. O primeiro discurso, até este ponto, fez uma revisão da história de Israel, deixando o povo de Deus na fronteira da Terra Prometida. Mas doravante o discurso prossegue, salientando questões práticas vitais para a fé e a vida dos hebreus, coisas essas ilustradas pela história de Israel. Temos nisso uma demonstração e teologia bíblica com base na própria tradição mosaica, onde a história e a praticabilidade foram mescladas a fim de exortar o povo de Deus. Tanto a história quanto a praticabilidade repousam sobre a revelação e a vontade de Deus. Foi ordenado que se mantivesse a mensagem intacta, sem nenhuma adição ou subtração (vs. 2), porquanto nela há vida (vs. 1). A presença da lei de Deus, no meio de Israel, distinguia esse povo de todos os demais. A revelação divina foi uma obra produzida em meio ao processo histórico.

"O recital anterior daquilo que o Senhor tinha feito pelo seu povo serviu de base ao apelo de Moisés no tocante a uma obediência fiel" (*Oxford Annotated Bible,* comentando sobre o primeiro versículo deste capítulo). "Obediência" é a sua palavra-chave. É aí que reside a vida.

■ 4.1

וְעַתָּ֣ה יִשְׂרָאֵ֗ל שְׁמַ֤ע אֶל־הַֽחֻקִּים֙ וְאֶל־הַמִּשְׁפָּטִ֔ים אֲשֶׁ֧ר אָֽנֹכִ֛י מְלַמֵּ֥ד אֶתְכֶ֖ם לַעֲשׂ֑וֹת לְמַ֣עַן תִּֽחְי֗וּ וּבָאתֶם֙ וִֽירִשְׁתֶּ֣ם אֶת־הָאָ֔רֶץ אֲשֶׁ֧ר יְהוָ֛ה אֱלֹהֵ֥י אֲבֹתֵיכֶ֖ם נֹתֵ֥ן לָכֶֽם׃

Agora, pois. Essas palavras introduzem a seção prática do primeiro discurso de Moisés. ele aplicou, moral e espiritualmente, os eventos e experiências históricos pelos quais Israel passara. (Ver a introdução a este capítulo quanto ao plano desta seção prática, que se estende até o quadragésimo versículo deste capítulo.)

Ouve os estatutos e os juízos. Já havia sido transmitida a grande massa da legislação mosaica, e Israel contava com muitas experiências que serviam de ilustrações para a vida prática. Leis e estatutos seriam "perpétuos", ou seja, "para todas as gerações". Ver Êx 29.42; 31.16; Lv 3.17 e 16.29 quanto a esses conceitos.

Que eu vos ensino. Israel tinha visto milagres, mas coisa alguma pode substituir a instrução. Moisés era o legislador, mas também foi o maior mestre de Israel, depois de Jesus Cristo. As leis eram muitas e complexas, e somente um povo bem instruído seria capaz de pô-las em prática da maneira correta. Ver na *Enciclopédia de Bíblia, Teologia e Filosofia* o verbete chamado *Ensino*.

Para que vivais. O Pentateuco não expõe nenhum quadro claro sobre a alma imortal, que sobrevive à morte biológica e que será julgada no "além". O Pentateuco nunca ameaça os desobedientes com o juízo condenatório após a morte, nem promete vida eterna para além-túmulo para os obedientes. Esses são fatos bem conhecidos aos teólogos históricos. Há somente indícios quanto à existência da alma, na doutrina da criação à imagem de Deus (Gn 1.26,27) e nos diálogos entre os espíritos (Nm 16.22; 27.16). Somente quando chegamos ao Novo Testamento é que essa doutrina fica realmente clara. Ver no *Dicionário* o artigo chamado *Julgamento de Deus dos Homens Perdidos*. E na *Enciclopédia de Bíblia, Teologia e Filosofia*, ver o artigo *Imortalidade*.

A teologia posterior dos hebreus aplicava este versículo à vida além-túmulo. Mas o que Moisés quis dizer foi "uma vida boa na Terra Prometida que estava prestes a ser conquistada". Israel deveria esforçar-se nessa direção, não falhando diante da fronteira, conforme seus pais tinham feito quarenta anos antes. Muitas provisões da legislação mosaica requeriam a *morte* para os culpados de desobediência.

Juízos. Estão em foco regras de conduta, estatutos, leis ou decisões transmitidas pelos juízes, embora talvez não devamos distinguir tanto entre os diversos termos usados na Bíblia quanto a essa questão.

Paulo deixou claro que a vida eterna não pode derivar-se da lei (ver Gl 3.21). Mas isso foi alguma coisa que o judaísmo geral nunca conseguiu compreender. Ver na *Enciclopédia de Bíblia, Teologia e Filosofia* o artigo chamado *Vida Eterna*.

■ **4.2**

לֹא תֹסִפוּ עַל־הַדָּבָר אֲשֶׁר אָנֹכִי מְצַוֶּה אֶתְכֶם וְלֹא תִגְרְעוּ מִמֶּנּוּ לִשְׁמֹר אֶת־מִצְוֹת יְהוָה אֱלֹהֵיכֶם אֲשֶׁר אָנֹכִי מְצַוֶּה אֶתְכֶם׃

Os mandamentos do Senhor vosso Deus. Yahweh era a fonte da legislação mosaica, razão pela qual nenhum homem deveria ousar adicionar ou diminuir nada daquela revelação, como, de resto, da Bíblia toda. Algo parecido com isso é dito no fim do Apocalipse (22.18,19). Cf. Pv 30.5,6; Mt 5.18,19. Este versículo, entretanto, não é contra a doutrina da revelação progressiva, porquanto aparece no começo mesmo do processo revelatório. Ver no *Dicionário* o artigo *Revelação*.

"Israel não deveria adicionar coisa alguma à revelação bíblica, pois isso diminuiria o seu poder, conforme faziam os fariseus e fazem os cristãos legalistas. E nem Israel deveria subtrair coisa alguma da revelação, para que esta se acomodasse assim à sua fraqueza e voluntariedade" (Jack S. Deere, *in loc.*).

■ **4.3**

עֵינֵיכֶם הָרֹאֹת אֵת אֲשֶׁר־עָשָׂה יְהוָה בְּבַעַל פְּעוֹר כִּי כָל־הָאִישׁ אֲשֶׁר הָלַךְ אַחֲרֵי בַעַל־פְּעוֹר הִשְׁמִידוֹ יְהוָה אֱלֹהֶיךָ מִקִּרְבֶּךָ׃

O que o Senhor fez por causa de Baal-Peor. Aqui Moisés relembra aos filhos de Israel uma ilustração prática de como as más associações os tinham levado a desobedecer aos claros mandamentos do Senhor. A história mesma lhes ensinava uma lição vital. Israel tinha caído na idolatria e na lassidão moral por meio das tentações apresentadas pelas mulheres pagãs moabitas. A crônica aparece no capítulo 25 de Números, sendo mencionada no Novo Testamento em 1Co 10.6-8,11.

Vosso Deus consumiu do vosso meio. O ato dos israelitas atraiu contra eles um imediato e severo julgamento divino. Morreram 24 mil pessoas em resultado de uma praga (ver Nm 25.9). Ver no *Dicionário* o artigo *Baal-Peor*, quanto ao relato inteiro e suas implicações. Ver também ali os artigos chamados *Idolatria* e *Adultério*.

■ **4.4**

וְאַתֶּם הַדְּבֵקִים בַּיהוָה אֱלֹהֵיכֶם חַיִּים כֻּלְּכֶם הַיּוֹם׃

Vós, que permanecestes fiéis. A lição óbvia era sobre a fidelidade aos mandamentos de Yahweh, o que poderia ter impedido esses atos e o devido castigo, conferindo vida na Terra Prometida aos fiéis e obedientes.

"A existência nacional estava em jogo: Deus, que dera existência à nação e dera ao seu povo a Terra Prometida, haveria de destruir a nação se ela desafiasse o seu senhorio. De fato, a única reivindicação que Israel tinha para ser reconhecida neste mundo, sua única sabedoria e compreensão, jazia no fato de que era possuidora da lei de Deus (vs. 6)" (G. Ernest Wright, *in loc.*).

Mais tarde, Israel enfrentou os midianitas e derrotou-os definitivamente, não tendo perdido um único homem no embate (ver Nm 31.49). Assim aconteceu por estarem em estado de obediência.

■ **4.5**

רְאֵה לִמַּדְתִּי אֶתְכֶם חֻקִּים וּמִשְׁפָּטִים כַּאֲשֶׁר צִוַּנִי יְהוָה אֱלֹהָי לַעֲשׂוֹת כֵּן בְּקֶרֶב הָאָרֶץ אֲשֶׁר אַתֶּם בָּאִים שָׁמָּה לְרִשְׁתָּהּ׃

Estatutos e juízos. Ver o primeiro versículo deste capítulo. Essas leis tinham sido baixadas não somente para o tempo das vagueações pelo deserto, mas como padrões de conduta, uma vez que chegassem à Terra Prometida. A vida e a prosperidade de Israel dependeriam de como eles utilizariam e observariam essas leis. A vida residia na obediência; a morte, na desobediência. Como é claro, no fim, Israel foi expulso da Terra Prometida, tal como tinham sido expulsos os seus habitantes anteriores, e exatamente por motivo de desobediência à lei. Ver no *Dicionário* o artigo chamado *Cativeiro (Cativeiros)*. Um dos propósitos da lei era livrar Israel dos golpes mortíferos da idolatria, os quais os povos pagãos tinham sofrido; conferir-lhes uma vida plena, vida em retidão e espiritualidade, e não na degradação. Os vss. 5-8 falam sobre o caráter ímpar de Israel entre as nações, precisamente por disporem da *lei de Yahweh*. Sem dúvida, Israel não se distinguia pelas suas ciências, artes, riquezas materiais ou poder militar. Mas eles eram o povo da lei de Deus.

■ **4.6**

וּשְׁמַרְתֶּם וַעֲשִׂיתֶם כִּי הִוא חָכְמַתְכֶם וּבִינַתְכֶם לְעֵינֵי הָעַמִּים אֲשֶׁר יִשְׁמְעוּן אֵת כָּל־הַחֻקִּים הָאֵלֶּה וְאָמְרוּ רַק עַם־חָכָם וְנָבוֹן הַגּוֹי הַגָּדוֹל הַזֶּה׃

Perante os olhos dos povos. Israel seria uma grande nação, reconhecida como tal entre as demais nações. Uma nação de povo sábio e entendido, não nas artes e nas ciências (em cujos campos ficavam muito a desejar, em comparação com outros povos antigos), mas no campo da sabedoria espiritual, por possuírem as leis de Yahweh. A sabedoria deles provinha de Deus, porquanto foi dada mediante revelação, e não em resultado de sua erudição e filosofia. Quanto aos empreendimentos intelectuais, os israelitas perdiam feio em relação a outras nações. A força deles jazia no conhecimento da bondade e do amor e nos valores espirituais, por causa da lei mosaica. Eles dispunham destas vantagens: 1. Proximidade de Deus, o qual nunca os abandonava e lhes revelava muitas coisas de valor moral e religioso. 2. Eles tinham sido separados das demais nações. A legislação que lhes tinha sido entregue veio a tornar-se parte vital de nosso Antigo Testamento, um *monumento imortal* da literatura, prova absoluta da superioridade deles nos campos da sabedoria e do entendimento. Que outros povos tivessem tecnologia; eles tinham sabedoria espiritual. A sabedoria dos filhos de Israel também é demonstrada pelo fato de muitas outras nações, antigas e modernas, terem tomado por empréstimo muito da sua literatura. A cultura cristã tem um de seus alicerces na literatura religiosa dos hebreus. Ver no *Dicionário* o verbete intitulado *Citações do Novo Testamento*, cuja esmagadora maioria é do Antigo Testamento. Portanto, a cultura espiritual tem sido transmitida ao longo de linhas literárias tomadas por empréstimo, embora, como é óbvio, o Novo Testamento tenha adicionado à revelação muita coisa inédita, embora mesmo assim seja uma *continuação* das revelações divinas dadas ao povo de Israel. O Antigo Testamento foi traduzido para o grego (ver no *Dicionário* o artigo chamado *Septuaginta*). E isso em muito fomentou a propagação da sabedoria divina dada aos judeus.

■ **4.7**

כִּי מִי־גוֹי גָּדוֹל אֲשֶׁר־לוֹ אֱלֹהִים קְרֹבִים אֵלָיו כַּיהוָה אֱלֹהֵינוּ בְּכָל־קָרְאֵנוּ אֵלָיו׃

Que grande nação há...? Ver no *Dicionário* o artigo intitulado *Misticismo*. A presença de Deus com o povo de Israel distinguia-o de todos os demais povos da terra. Yahweh fazia-se disponível para ouvir e responder às orações deles. Ver no *Dicionário* os verbetes *Oração* e *Intercessão*. Esses privilégios distinguiam os filhos de Israel de todos os outros povos. Eles eram especialistas na fé e na prática religiosa, e isso lhes conferia uma sabedoria e um entendimento superior. Não eram muito numerosos, nem se destacavam quanto aos feitos materiais. sua matemática era primitiva, nunca erigiram grandes monumentos, e a sua vida agrícola era essencialmente pobre e inadequada. Mas eram grandes quanto às realidades espirituais. Eles tinham o tabernáculo, muito bem planejado, para promover sua fé da maneira mais enérgica e meticulosa. seu ritual era rico em tipos e símbolos espirituais, que apontavam para um maior cumprimento na pessoa de Cristo. O Antigo Testamento continua o Novo Testamento em cerne. Cf. Jr 23.23 e Sl 144.18. Eles eram o povo do *Pacto Abraâmico*, que tem tido efeitos a longo prazo no decorrer da história, e prosseguirá pelo futuro adentro, até a eternidade. Ver sobre esse pacto em Gn 15.18 e suas notas expositivas. Ali o Messias foi previsto e prometido; e em Cristo as suas provisões recebem uma aplicação universal, abarcando *todos* os povos (Gl 3.28,29). A salvação da alma é o seu maior extrato. Ver no *Dicionário* o verbete chamado *Salvação*. Logo, Israel tornou-se um instrumento universal para o bem espiritual de toda a humanidade.

AS DISTINÇÕES DE ISRAEL

Caracterização	Referências
1. Aqueles que eram mantidos firmemente por Yahweh-Elohim (o Deus Eterno e Todo-poderoso).	Dt 4.4
2. Os não tocados pelo julgamento divino sobre a idolatria.	Dt 4.3
3. Aqueles que receberam a lei, o grande fator de distinção de Israel.	Dt 4.5
4. Aqueles que obedeceram à lei.	Dt 4.5
5. Aqueles que possuíam a terra para um lar, dado às pessoas que se distinguiam.	Dt 5.5
6. Aqueles que possuíam os pactos.	Gn 15; Êx 19
7. Aqueles que tinham sabedoria e compreensão que impressionariam as nações pagãs.	Dt 28—30; Dt 4.6
8. A nação da presença de Deus.	Dt 4.7
9. A nação, o objeto da oração respondida.	Dt 4.7
10. Uma nação de justiça.	Dt 4.8

Agora, pois, ó Israel, ouve os estatutos e os juízos que eu vos ensino, para os cumprirdes, para que vivais, e entreis e possuais a terra que o Senhor, Deus de vossos pais, vos dá.

Deuteronômio 4.1

A vida (temporal) era prometida através da Lei. Essa, o judaísmo posterior transformou em vida eterna.

Guardai-os, pois, e cumpri-os, porque isto será a vossa sabedoria e o vosso entendimento perante os olhos dos povos que, ouvindo estes estatutos, dirão: Certamente este grande povo é gente sábia e entendida.

Deuteronômio 4.6

■ 4.8

וּמִי גּוֹי גָּדוֹל אֲשֶׁר־לוֹ חֻקִּים וּמִשְׁפָּטִים צַדִּיקִם כְּכֹל
הַתּוֹרָה הַזֹּאת אֲשֶׁר אָנֹכִי נֹתֵן לִפְנֵיכֶם הַיּוֹם׃

Tão justos como toda esta lei que eu hoje vos proponho? Este versículo atua como uma espécie de *sumário* das ideias enunciadas antes dos vss. 5-7. Nenhuma outra nação poderia receber as descrições encontradas aqui. Portanto, temos uma importante pergunta retórica: "Que grande nação há?" Sim, nenhuma outra nação da terra tinha sido engrandecida com *esse* tipo de grandeza. E essa grandeza estava baseada sobre a possessão da *lei*. A lei de Israel repousava sobre a revelação, retidão e a própria vontade de Deus. Deus ofereceu a Israel um profundo discernimento quanto a tudo isso, por intermédio da missão de Moisés. A despeito de todas as suas falhas, a religião revelada a Israel representou um imenso *avanço* espiritual.

Que eu hoje vos proponho. Alguns estudiosos parecem olvidar-se do fato de que a lei de Moisés, com todos os seus preceitos, juízos e estatutos, não tinha sido revelada a outro povo qualquer, antes daquele "dia". Foi uma autêntica revelação, e não uma rememoração de princípios dados anteriormente. Isso empresta um colorido todo especial a certas questões teológicas que falam sobre origens de princípios religiosos e espirituais. A lei não somente não havia sido dada ainda a nenhum outro povo da terra, como nem mesmo tinha sido dada aos próprios patriarcas do povo escolhido. É sobre isso que Paulo teve considerações em Gálatas e outros escritos seus, como quando diz: "... a lei, que veio quatrocentos e trinta anos (depois de Abraão)". A lei foi dada a Israel, como parte do Pacto Mosaico (ver a respeito no *Dicionário*). E também teve o seu período de vigência, conforme Jesus ensinou: "A lei e os profetas duraram até João Batista" (Lc 16.16a). E agora, o que está vigorando, foi o próprio Senhor Jesus que arrematou: "... desde esse tempo, vem sendo anunciado o evangelho do reino de Deus" (Lc 16.16b).

■ 4.9

רַק הִשָּׁמֶר לְךָ וּשְׁמֹר נַפְשְׁךָ מְאֹד פֶּן־תִּשְׁכַּח
אֶת־הַדְּבָרִים אֲשֶׁר־רָאוּ עֵינֶיךָ וּפֶן־יָסוּרוּ
מִלְּבָבְךָ כֹּל יְמֵי חַיֶּיךָ וְהוֹדַעְתָּם לְבָנֶיךָ וְלִבְנֵי
בָנֶיךָ׃

Tão somente guarda-te. Os vss. 9-14 apresentam um segundo *incidente* ilustrativo: a revelação dada em Horebe (Sinai), dos Dez Mandamentos, o núcleo da lei. Esse *fato histórico* produziu o avanço de Israel nos campos da sabedoria e do entendimento. Isso posto, Deus estava operando através do processo histórico. Ver no *Dicionário* os artigos chamados *Horebe*, *Sinai* e *Dez Mandamentos*.

Esse avanço dependia diretamente das instruções dadas através de Moisés, a lei, os preceitos que faziam de Israel um povo distinto. O conhecimento estava concentrado na lei, e tinha de ser ensinado (vs. 1), mas esse conhecimento precisava ser aplicado à vida diária das pessoas. Era mister o uso de *diligência* nessa aplicação.

As palavras "guarda bem a tua alma" têm sido interpretadas na teologia posterior dos hebreus como "cuida de teus interesses espirituais". Mas não foi isso que Moisés quis dar a entender ao usar o termo hebraico *nephesh*. Os teólogos históricos têm mostrado que essa palavra nunca foi usada no Antigo Testamento para indicar a porção imaterial do homem, que sobrevive à morte biológica. O que Moisés estava dizendo era: "Dedica toda a tua vida, todo o teu coração, a essa questão da guarda da lei. Assim deve expressar-se a tua vida".

E os farás saber a teus filhos. Isso aponta para a necessidade crítica de os pais transmitirem a seus filhos a mensagem espiritual. O profeta *Baha Ullah* ensinava que a pior coisa que um pai pode fazer, o pior erro que ele pode cometer, é conhecer os ensinos mas não transmiti-los a seus filhos. Antes de tudo, um pai deve três coisas a seus filhos: exemplo, exemplo e exemplo. Além disso, ele precisa transmitir-lhes seu conhecimento espiritual. Na sociedade hebraica, alguma profissão também era transmitida de pai para filho, de modo que tanto os aspectos espirituais quanto os econômicos recebiam a devida atenção.

A *lei* era complexa e intrincada. Somente um ensino adequado podia servir de preservação e transmissão. A casta sacerdotal era uma casta de professores, que não somente realizavam ritos religiosos. O próprio Antigo Testamento é um livro de instruções, como de resto a Bíblia inteira. O ensino começava no lar. Mais tarde, passava para as escolas. Ver na *Enciclopédia de Bíblia, Teologia e Filosofia* o artigo chamado *Educação*. E no *Dicionário* ver o verbete intitulado *Educação no Antigo Testamento*.

O livro de Deuteronômio frisa os deveres dos sacerdotes; mas também dos pais, que deveriam ser os sumos sacerdotes de suas próprias células familiares. Ver também Dt 6.7,20; 11.19; 31.13 e 32.46.

■ 4.10

יוֹם אֲשֶׁר עָמַדְתָּ לִפְנֵי יְהוָה אֱלֹהֶיךָ בְּחֹרֵב בֶּאֱמֹר
יְהוָה אֵלַי הַקְהֶל־לִי אֶת־הָעָם וְאַשְׁמִעֵם אֶת־דְּבָרָי
אֲשֶׁר יִלְמְדוּן לְיִרְאָה אֹתִי כָּל־הַיָּמִים אֲשֶׁר הֵם חַיִּים
עַל־הָאֲדָמָה וְאֶת־בְּנֵיהֶם יְלַמֵּדוּן׃

Não te esqueças. Cf. Dt 4.9,23,31; 6.12; 8.11,14,19; 9.7 e 25.19.

Em Horebe. Trata-se do mesmo Sinai (ver a respeito no *Dicionário*). A mensagem viera da parte de Yahweh e fora dada a Moisés.

As minhas palavras. Aqui significam os *Dez Mandamentos* (ver a respeito no *Dicionário*). Esses Dez Mandamentos tornaram-se a base da legislação mosaica, bem como as primeiras leis morais e espirituais, confirmando coisas que já tinham sido reveladas a Abraão, embora de maneira mais organizada. Ver o capítulo 5 de Deuteronômio, bem como o capítulo 20 de Êxodo. A revelação dada no Sinai-Horebe é descrita com detalhes nos capítulos 19 e 20 do livro de Êxodo.

Talvez seja uma verdade, conforme disse Ellicott (*in loc.*): "A congregação de Israel data do Sinai, da mesma maneira que a Igreja de Cristo data do Pentecoste". É notável que a outorga da lei ocorreu cinquenta dias após o êxodo (a Páscoa), da mesma forma que o Pentecoste cristão teve lugar cinquenta dias após a ressurreição de Cristo. Ver o terceiro capítulo de 2Coríntios. *Comunidades* foram formadas, dedicadas às suas respectivas revelações. Ver Êx 19.17 quanto a como o Antigo Testamento gravitou em torno de Moisés. E é sabido que o Novo Testamento gravita em torno de Jesus Cristo.

"Não se pode exagerar a significação da palavra revelada de Deus, pois a demanda mais fundamental feita por Deus ao homem é: 'Que queres que eu faça?' Somente em resposta a essa pergunta é que a vontade do homem pode achar emancipação, sua vereda pode ser iluminada, e sua vida pode encontrar *propósito*" (Henry H. Shires, *in loc.*).

■ 4.11

וַתִּקְרְבוּן וַתַּעַמְדוּן תַּחַת הָהָר וְהָהָר בֹּעֵר בָּאֵשׁ
עַד־לֵב הַשָּׁמַיִם חֹשֶׁךְ עָנָן וַעֲרָפֶל׃

Essas descrições das circunstâncias que acompanharam a outorga da lei repetem as informações de Êx 19.18, mas ali também lemos sobre terremotos. Aqui é adicionada a ideia de trevas espessas. Ver a exposição disso no texto de Êxodo, a qual também tem aplicação aqui. O ponto dessas descrições é mostrar o *terror* e a *grandeza* que acompanharam a outorga da lei. O poder e a glória de Yahweh estavam ali. Por conseguinte, a *mensagem* transmitida precisava ser ouvida de forma absoluta. Nuvens espessas e fumaça explicariam as trevas, um acompanhamento comum das erupções vulcânicas. Ver o comentário do Novo Testamento a respeito, em Hb 12.18. Ali a obscuridade à lei é sugerida pelas trevas, que assim convidaram à *iluminação maior* da missão de Cristo. O evangelho de Cristo foi conferido em meio a festas, e não em um ambiente aterrorizante, conforme nos mostra o trecho de Hb 12.22. Além disso, esse texto espiritualiza a questão. A vida eterna é oferecida no evangelho, ao passo que a lei administrava a morte (Gl 4.24,25; Hb 12.18-24).

■ 4.12

וַיְדַבֵּר יְהוָה אֲלֵיכֶם מִתּוֹךְ הָאֵשׁ קוֹל דְּבָרִים אַתֶּם
שֹׁמְעִים וּתְמוּנָה אֵינְכֶם רֹאִים זוּלָתִי קוֹל׃

A voz das palavras ouvistes. A Israel foi permitido ouvir a voz de Yahweh, embora eles não tivessem visto nenhum formato ou manifestação física. A presença de Deus propriamente dita lhes foi ocultada. Por isso mesmo, a maior presença e a graça de Deus, em seu Filho, não foram claramente percebidas por meio da lei. Foi mister a missão de Cristo para que houvesse esse benefício maior. Moisés, por outra parte, viu a presença de Deus (Êx 33.11,23). Isso não contradiz os dizeres de Jo 1.18, pois qualquer manifestação de Deus, por maior que seja, é dada de acordo com um *modus operandi* controlado daquilo que o homem pode suportar ver, não sendo a essência direta de Deus. Quanto à maior revelação divina em Cristo, ver Jo 1.4,14,17,18. O versículo nono daquele mesmo capítulo alude à universalidade de Cristo, enquanto a missão de Moisés se limitava ao povo de Israel. Ver o vs. 15 deste capítulo, que repete as afirmações deste versículo.

■ 4.13

וַיַּגֵּד לָכֶם אֶת־בְּרִיתוֹ אֲשֶׁר צִוָּה אֶתְכֶם לַעֲשׂוֹת
עֲשֶׂרֶת הַדְּבָרִים וַיִּכְתְּבֵם עַל־שְׁנֵי לֻחוֹת אֲבָנִים׃

A sua aliança. Está em pauta o Pacto Mosaico, cujo âmago são os Dez Mandamentos. Ver o artigo geral intitulado *Pactos*, que inclui o Pacto Mosaico. Ver também a descrição detalhada sobre o *Pacto Mosaico*, nas notas de introdução ao capítulo 19 do livro de Êxodo.

Os Dez Mandamentos. Ver o artigo no *Dicionário* com esse título, bem como as notas adicionais sobre o capítulo vinte do livro de Êxodo. Os Dez Mandamentos foram repetidos em Dt 5.6-21.

E os escreveu. Yahweh escreveu sobre as tábuas de pedra com o seu próprio dedo. O trecho de Êx 31.18 fala sobre isso em um sentido metafórico. Ver Dt 9.10; Sl 8.3 e Lc 11.20. Ver no *Dicionário* o verbete chamado *Antropomorfismo*. Por meio dessa expressão, o texto reivindica uma inspiração divina direta para a lei.

Em duas tábuas de pedra. Aqui, "pedra" provavelmente indica "mármore", visto que esse material era e continua sendo comum no Sinai, embora o Targum de Jonathan diga safira. Alguns estudiosos supõem que ambas as tábuas contivessem todos os Dez Mandamentos, repetidos; mas outros opinam que havia Dez Mandamentos em cada uma das tábuas. A prática oriental de duplicar todos os mandamentos importantes fala em favor de duas tábuas com os Dez Mandamentos em cada uma. Ver as notas sobre Êx 32.16 quanto a outras ideias sobre as duas tábuas da lei.

■ 4.14

וְאֹתִי צִוָּה יְהוָה בָּעֵת הַהִוא לְלַמֵּד אֶתְכֶם חֻקִּים
וּמִשְׁפָּטִים לַעֲשֹׂתְכֶם אֹתָם בָּאָרֶץ אֲשֶׁר אַתֶּם עֹבְרִים
שָׁמָּה לְרִשְׁתָּהּ׃

A repetição é uma das características literárias do Pentateuco. Uma vez mais temos essencialmente as mesmas coisas ditas neste versículo que já haviam sido ditas em Dt 4.1 e 5, cujas notas também se aplicam aqui. O autor acabara de lembrar ao povo de Israel sobre os Dez Mandamentos, base da legislação mosaica e do Pacto Mosaico (vss. 10-13), como também sobre a necessidade de os pais transmitirem esse conhecimento aos filhos (vs. 9). A Terra Prometida só podia ser tomada, e então retida, se Israel se mostrasse digno, uma dignidade obtida mediante a obediência à lei. Ademais, a *vida* vem por meio desse método, de acordo com o ponto de vista do autor, mas ele estava falando sobre uma *boa vida na Terra Prometida*. Ver as notas sobre o primeiro versículo deste capítulo, quanto a isso. Os habitantes anteriores da terra foram expulsos porque a taça da iniquidade deles se tinha enchido (ver Gn 15.16). E a mesma coisa sucedeu a Israel, tempos depois. Ver no *Dicionário* o artigo *Cativeiro (Cativeiros)*. Assim sendo, as advertências feitas neste capítulo eram vitais e verazes. A "obediência" era a chave para tudo.

> Nenhuma sombra pode elevar-se,
> Nenhuma nuvem no firmamento,
> Mas seu sorriso de pronto
> A espanta para longe!
> Nenhuma dúvida nem temor,
> Nenhum gemido nem lágrima,
> Podem permanecer,
> Quando confiamos e obedecemos.
>
> J. H. Sammis

OS PERIGOS DA IDOLATRIA (4.15-31)

▪ 4.15

וְנִשְׁמַרְתֶּ֥ם מְאֹ֖ד לְנַפְשֹׁתֵיכֶ֑ם כִּ֣י לֹ֤א רְאִיתֶם֙
כָּל־תְּמוּנָ֔ה בְּי֗וֹם דִּבֶּ֨ר יְהוָ֧ה אֲלֵיכֶ֛ם בְּחֹרֵ֖ב
מִתּ֥וֹךְ הָאֵֽשׁ׃

Novamente, temos uma repetição. Quanto às ideias constantes neste versículo, ver Dt 4.6,9,11,12. Havia fogo por toda parte; a fumaça ocultava a presença de Yahweh, mas a voz da instrução soou claramente e a mensagem foi entregue de modo distinto. Uma obediência absoluta era exigida. Yahweh dera revelação e iluminação, e a revelação fora escrita e preservada. Não havia desculpa possível para a desobediência. A *idolatria* era a pior forma possível de desobediência, conforme os versículos seguintes enfatizam. Fazia parte da principal característica da adoração pagã que formas visíveis tinham de ser vistas, antes que o culto pudesse ser efetuado. E a idolatria moderna acompanha o mesmo método. A adoração a Yahweh, entretanto, não se alicerça sobre nenhuma forma visível. Deus está acima de tudo isso.

"Todas as nações contavam com suas divindades visíveis" (Ellicott, *in loc.*). Mas isso equivale a humanizar a fé religiosa. A legislação mosaica conferiu-nos um discernimento quanto a essa questão que até mesmo segmentos inteiros da cristandade se recusam teimosamente a reconhecer.

▪ 4.16

פֶּן־תַּשְׁחִת֗וּן וַעֲשִׂיתֶ֥ם לָכֶ֛ם פֶּ֖סֶל תְּמוּנַ֣ת כָּל־סָ֑מֶל
תַּבְנִ֥ית זָכָ֖ר א֥וֹ נְקֵבָֽה׃

Imagem esculpida na forma de ídolo. O fabrico de imagens, para efeito de adoração ou veneração, é aqui considerado um fator "corruptor" dos seres humanos. Pois desvia a mente das pessoas da presença invisível de Deus e rebaixa a ideia de como é a deidade. Nenhuma imagem esculpida ou fundida deveria ser feita. Este mandamento estava incorporado nos Dez Mandamentos, como o segundo deles. Ver Êx 20.4. Esse versículo é abrangente e proíbe tudo quanto é proibido neste texto, ou seja, *qualquer* tipo de imagem, de ser humano, de animal (terrestre ou aquático). Também não poderia haver adoração às estrelas, ao sol ou à lua. Estava proibida qualquer coisa que tendesse por desviar a mente dos homens da presença invisível de Deus. Ver no *Dicionário* o artigo geral intitulado *Idolatria*. Cf. Rm 1.23. O vs. 20 daquele capítulo faz soar a mesma nota: Deus é o Invisível; ele se faz conhecer através da natureza e da revelação. Por conseguinte, é uma estupidez reduzir o culto religioso ao uso, à adoração ou à veneração de imagens feitas por mãos humanas.

Semelhança de homem ou de mulher. Estão em foco os deuses e as deusas, adorados através de imagens que representam figuras masculinas ou femininas. Ver no *Dicionário* o artigo *Deuses Falsos* quanto a ilustrações completas. Divindades do gênero feminino incluíam aquelas de Baal-Peor, Juno, Diana, Vênus, Afrodite, espalhadas no mundo ocidental pelos gregos e pelos romanos. E algumas das divindades masculinas incluíam Baal, Júpiter, Marte, Hércules, Zeus, Mercúrio etc. Os egípcios veneravam divindades como Osíris e Ísis, uma masculina e outra feminina.

▪ 4.17

תַּבְנִ֕ית כָּל־בְּהֵמָ֖ה אֲשֶׁ֣ר בָּאָ֑רֶץ תַּבְנִית֙ כָּל־צִפּ֣וֹר כָּנָ֔ף
אֲשֶׁ֥ר תָּע֖וּף בַּשָּׁמָֽיִם׃

Havia um sem-número de formas que eram dadas às divindades imaginárias. Paulo queixou-se disso amargamente, quando estava em Atenas. Ver At 7.16 ss. Todavia, ali também encontrou um altar ao "deus desconhecido", e procurou usar essa circunstância para ensinar alguma coisa sobre o verdadeiro Deus, o qual, para os habitantes de Atenas, era realmente *desconhecido*.

A idolatria *chegou ao absurdo* de se adorar meras figuras de animais, como o boi sagrado do Egito. Ver no *Dicionário* o artigo intitulado *Ápis*. Ver também Êx 32.4 e suas notas expositivas, quanto a detalhes. Os egípcios chegaram a ter um besouro sagrado, o *escaravelho*. Os tebanos adoravam o carneiro; os mendesianos, o bode. O gavião e um pássaro chamado íbis eram adorados pelos egípcios. Muitos povos antigos adoravam a serpente. Macacos, cães e gatos chegaram a ser adorados nas práticas idolátricas. Adam Clark informa-nos que até mesmo cebolas e alhos eram reverenciados! Minhas notas sobre Êx 20.4 ampliam o assunto, bem como o artigo chamado *Idolatria*. Mas o trecho de Êx 20.4 tem a *tripla* proibição: coisa alguma do céu, da terra ou do mar podia ser reduzida a um objeto de adoração.

A idolatria está em todos nós. Apesar de rirmos e zombarmos dessas formas grosseiras de idolatria, contudo, dentro de cada pessoa há algum ídolo que ameaça a adoração somente a Deus, debilitando nossa vida espiritual. Algumas de nossas formas de idolatria são tão crassas como aquelas adotadas pelos antigos povos pagãos. Existem ídolos que afetam a mente ou a ambição. Alguns fazem dos prazeres o seu deus; outros preferem idolatrar o dinheiro, a fama, vantagens de todas as formas, ou mesmo algum outro ser humano. Também há astros do cinema, estrelas do mundo dos esportes, dos entretenimentos etc. que se tornam ídolos ridículos, até mesmo para os mais esclarecidos. Mas, acima de tudo, adoramos a nós mesmos.

▪ 4.18

תַּבְנִ֕ית כָּל־רֹמֵ֖שׂ בָּאֲדָמָ֑ה תַּבְנִ֛ית כָּל־דָּגָ֥ה
אֲשֶׁר־בַּמַּ֖יִם מִתַּ֥חַת לָאָֽרֶץ׃

Uma das três esferas da existência onde os homens vão buscar sua inspiração no fabrico de ídolos é a terra; e outra dessas esferas é o mar. Este versículo proíbe essas formas de idolatria. Paulo menciona que até répteis eram reverenciados pelos idólatras de seus dias (ver Rm 1.23). Ver esse versículo no *Novo Testamento Interpretado*, quanto a notas expositivas completas. A serpente era um objeto comum de adoração, como também o crocodilo e o hipopótamo, os quais eram adorados pelos egípcios. Dagã e Derceto eram adorados debaixo das figuras de peixes, pelos fenícios. As três esferas: as aves do céu, os animais da terra e os peixes do mar.

▪ 4.19

וּפֶן־תִּשָּׂ֨א עֵינֶ֜יךָ הַשָּׁמַ֗יְמָה וְֽרָאִ֜יתָ אֶת־הַשֶּׁ֣מֶשׁ
וְאֶת־הַיָּרֵ֗חַ וְאֶת־הַכּ֣וֹכָבִ֔ים כֹּ֖ל צְבָ֣א הַשָּׁמַ֑יִם
וְנִדַּחְתָּ֛ וְהִשְׁתַּחֲוִ֥יתָ לָהֶ֖ם וַעֲבַדְתָּ֑ם אֲשֶׁ֨ר
חָלַ֜ק יְהוָ֤ה אֱלֹהֶ֨יךָ֙ אֹתָ֔ם לְכֹל֙ הָֽעַמִּ֔ים תַּ֖חַת
כָּל־הַשָּׁמָֽיִם׃

O trecho de Êx 20.4 proíbe a adoração a qualquer objeto representado como existente no céu, como o sol, a lua e as estrelas. Talvez essa tenha sido a mais antiga forma de idolatria, e também a mais universal. A natureza inteira foi *criada* por Deus, não tendo por finalidade substituir Deus, por mais impressionantes que pareçam o céu e muitas outras coisas deste mundo terrestre. O *monoteísmo* é um excelente discernimento espiritual que foi dado aos hebreus. Contudo, até mesmo em nossos dias, há segmentos da cristandade que têm deturpado esse conceito. Ver no *Dicionário* o verbete intitulado *Monoteísmo*.

"A adoração a divindades astrais também era comum no antigo Oriente. O sol era adorado como o deus Rá ou Aten, no Egito. E na terra de Canaã, que agora os israelitas estavam prestes a invadir, a adoração aos astros também era comum (para exemplificar, a cidade de Jericó era dedicada à adoração do deus-lua). Os filhos de Israel não podiam permitir ser atraídos (vs. 19) pela adoração aos corpos celestes (ver Dt 17.2-5), que Deus tinha provido para todas as nações da terra" (Jack S. Deere, *in loc.*).

teu Deus repartiu a todos os povos. Alguns estudiosos veem aqui um tipo de referência astrológica. Deus teria criado as luminárias para ajudar os homens, e não somente para lhes fornecer luz. Mas é altamente improvável que o autor sagrado tenha dito qualquer coisa de positivo em favor da *astrologia* (ver a esse respeito no *Dicionário*). Na idolatria havia o envolvimento de alguma forma de astrologia, embora não seus aspectos mais sérios, que mais tarde vieram a formar a ciência da astronomia (ver a esse respeito no *Dicionário*). Talvez o autor só se estivesse referindo à ordem divina nos céus, que os homens deveriam admirar, que os marinheiros que singram os mares usam para se nortear, ou como inspirações que nos mostram quão grandiosa é a criação divina, e, portanto, quão grande *ele* mesmo deve ser. "Os céus proclamam a glória de Deus, e o firmamento anuncia as obras das suas mãos" (Sl 19.1). Mui provavelmente, essa é a ideia que está por trás do presente versículo, com sua referência um tanto vaga.

4.20

הִשָּׁמְרוּ לָכֶם פֶּן־תִּשְׁכְּחוּ אֶת־בְּרִית יְהוָה אֱלֹהֵיכֶם

Mas o Senhor vos tomou. Israel tornou-se uma nação *distinta*, altamente favorecida por Deus, acima de outras nações. Enquanto outras nações afundavam-se na idolatria, Israel foi libertado do Egito e trazido para a Terra Prometida, para que vivesse separada como uma nação santa, favorecida pela posse da legislação mosaica, dotada de uma fé religiosa distinta. Ver Dt 4.6 quanto a isso. Israel ficava aquém de outras nações nos campos das artes, da ciência e da tecnologia, mas ultrapassava a todas as nações quanto à revelação espiritual e à sabedoria. Israel foi liberado da tola idolatria que degradava outros povos.

O fato de que Israel foi "tirado do Egito" é mencionado por nada menos de vinte vezes em Deuteronômio. No Egito, Israel foi reduzido aos terrores de uma fornalha de fundir ferro, que indica uma extrema opressão. Porém, uma vez tirada daquela fornalha, a nação veio a tornar-se herdeira de uma nova terra, como possessão ímpar de Deus. Ver Dt 9.26; Sl 28.9; 33.12; 68.9; 78.72; 79.1; 94.14; Jl 2.17; 3.2; Mq 7.14,18.

O povo de Israel, uma vez libertado do Egito, precisava deixar para trás a idolatria egípcia, como algo indigno de sua nova condição de povo libertado. Quanto a algumas referências no Deuteronômio à libertação do Egito, ver Dt 1.27; 4.34,37; 5.6; 8.14; 9.7,12; 13.5; 16.1; 20.1; 23.4; 24.9; 25.17; 26.8. Ver notas especiais em Nm 23.22.

Para que lhe sejais povo de herança. Isso fazia parte do *Pacto Abraâmico* (ver Gn 15.18 quanto a notas a respeito desse pacto).

4.21

וַיהוָה הִתְאַנֶּף־בִּי עַל־דִּבְרֵיכֶם וַיִּשָּׁבַע לְבִלְתִּי עָבְרִי אֶת־הַיַּרְדֵּן וּלְבִלְתִּי־בֹא אֶל־הָאָרֶץ הַטּוֹבָה אֲשֶׁר יְהוָה אֱלֹהֶיךָ נֹתֵן לְךָ נַחֲלָה׃

Moisés identificou-se de tal maneira com aquela geração rebelde mais velha que se recusara a entrar na Terra Prometida e tomar posse dela, que sofreu vicariamente pelos pecados do povo. A ele não foi permitido entrar na Terra Prometida. Forneci notas expositivas sobre o pecado de Moisés em Nm 2.12 e 20.12. Mas Dt 1.37; 3.26 e este versículo dão um discernimento mais profundo, sobre o qual comentei nos versículos alistados. Moisés e Cristo levaram ambos os pecados de seu povo. Ver a *tipologia* envolvida em Dt 1.37.

Moisés tentou reverter a sentença e a proibição divina, mas Yahweh negou o pedido dele de entrar na Terra Prometida (ver Dt 3.24 ss.). Mas essa foi uma daquelas poucas vezes em que as orações de Moisés não alcançaram o seu objetivo. A *indignação* de Yahweh, por causa da insistência de Moisés, foi mencionada em Dt 3.26.

4.22

כִּי אָנֹכִי מֵת בָּאָרֶץ הַזֹּאת אֵינֶנִּי עֹבֵר אֶת־הַיַּרְדֵּן וְאַתֶּם עֹבְרִים וִירִשְׁתֶּם אֶת־הָאָרֶץ הַטּוֹבָה הַזֹּאת׃

Eu morrerei neste lugar. Juntamente com a geração mais velha, Moisés tinha de *morrer*, no lado oriental da Terra Prometida, na Transjordânia (sobre a qual ver o *Dicionário*). Mas Josué, sucessor de Moisés, completaria a missão por ele iniciada. Essa era a vontade de Yahweh quanto aos dois, e coisa alguma poderia perturbar esse plano. Ver Dt 3.26 quanto a comentários sobre esses conceitos.

Aquela boa terra. Ou seja, na terra de Moabe, em uma montanha, foi onde Moisés morreu; e foi em um vale dessa terra que ele foi sepultado (Dt 32.50; 34.5,6). Ninguém sabia onde ele havia sido sepultado, mas Yahweh estava com ele. O homem espiritual não morre sozinho. Ver no *Dicionário* os artigos chamados *Morte* e *Alma*; e na *Enciclopédia de Bíblia, Teologia e Filosofia*, ver *Imortalidade* (que consiste em vários artigos).

4.23

הִשָּׁמְרוּ לָכֶם פֶּן־תִּשְׁכְּחוּ אֶת־בְּרִית יְהוָה אֱלֹהֵיכֶם אֲשֶׁר כָּרַת עִמָּכֶם וַעֲשִׂיתֶם לָכֶם פֶּסֶל תְּמוּנַת כֹּל אֲשֶׁר צִוְּךָ יְהוָה אֱלֹהֶיךָ׃

A repetição é uma das características literárias do autor do Pentateuco. Este versículo reitera os itens dos vss. 15 e 16, e aplica-se especialmente à questão de "dar ouvidos" à proibição acerca da "idolatria" (vss. 16 ss.). Atua como uma espécie de sumário da seção anterior, iniciada no vs. 15 deste capítulo.

A mesma linha de pensamento aparece no derradeiro apelo de Paulo a Timóteo: "... cumpre cabalmente o teu ministério" (2Tm 4.5), que Paulo recomendou quando estava prestes a sair desta vida terrena (vs. 6).

4.24

כִּי יְהוָה אֱלֹהֶיךָ אֵשׁ אֹכְלָה הוּא אֵל קַנָּא׃ פ

teu Deus é fogo que consome. Essas palavras constituem uma ameaça. Se Israel falhasse, não cumprindo os mandamentos de Moisés, envolvendo-se na idolatria que a lei proibia tão clara e vigorosamente, então teria de enfrentar um Deus que é fogo que consome; e isso seria pior do que a fornalha do Egito (vs. 20). Cf. Dt 5.9; 6.15; Êx 34.14. A última dessas referências nos dá notas completas sobre o "Deus zeloso", que não repito aqui. Deus não permitiria nenhum *rival*. A ideia de coexistência estava eliminada; o ecletismo foi proibido; os ídolos tinham de ser destruídos; os bosques idólatras de todos aqueles lugares tinham de ser incendiados. A natureza de Deus requeria tal coisa, pois somente ele é deidade. A idolatria é um insulto para a *deidade*. Ver no *Dicionário* os artigos chamados *Antropomorfismo* e *Antropopatismo*. Ver a aplicação neotestamentária deste versículo, em Hb 12.29. Ali as palavras são usadas para reforçar a lição do Pentecoste, e não a lição do Sinai.

No Sinai houve fogo e fumaça, mas os israelitas estavam proibidos de ver a terrível presença de Deus. Porém, o homem que persistisse na idolatria teria de enfrentar o fogo divino, que seria a sua destruição total.

CONSEQUÊNCIAS DRÁSTICAS DA DESOBEDIÊNCIA E DA IDOLATRIA (4.25-31)

4.25

כִּי־תוֹלִיד בָּנִים וּבְנֵי בָנִים וְנוֹשַׁנְתֶּם בָּאָרֶץ וְהִשְׁחַתֶּם וַעֲשִׂיתֶם פֶּסֶל תְּמוּנַת כֹּל וַעֲשִׂיתֶם הָרַע בְּעֵינֵי יְהוָה־אֱלֹהֶיךָ לְהַכְעִיסוֹ׃

E vos corromperdes. O poder corruptor da idolatria é novamente mencionado. Ver o vs. 16 deste capítulo.

Para o provocar à ira. As advertências foram suficientemente claras, mas os homens têm um jeito de ignorar todas as ameaças. Entrar na Terra Prometida não era um privilégio permanente para Israel, tal como não tinha sido para os habitantes originais da região (Gn 15.16). Os israelitas poderiam ser expulsos, e realmente assim aconteceria, se adotassem as práticas idólatras dos antigos habitantes da terra de Canaã.

Israel foi chamado para ser uma nação mais sábia e dotada de compreensão. A lei lhes dava essas qualidades, separando-os de outras nações (ver Dt 4.5,6). Uma violação dessa confiança neles depositada, e os resultados seriam desastrosos. Yahweh invocou os céus, aquelas coisas fixas e eternas de sua criação, para serem testemunhas contra um povo que se mostrasse infiel e inconstante (vs. 26). Israel poderia perecer totalmente, conforme já havia sucedido a outras nações, se deixasse de obedecer à lei e, especificamente, àquela porção que proibia qualquer forma de idolatria. Israel não tinha uma condição fixa, como é o caso das estrelas do firmamento. Poderia ser removido da Terra Prometida.

"Essa reação apaixonada contra a idolatria, em qualquer de suas formas, e essa ênfase sobre o supernaturalismo, como uma característica da religião, semearam a semente de tudo quanto há de *melhor* no judaísmo e no cristianismo. Por esses meios, o judaísmo e o cristianismo foram capazes de anular o materialismo, bem como todas as teorias que limitam a Deus. Por causa do mesmo motivo, ambas as fés têm escapado de outros perigos que afetam a muitas das outras religiões. Esses meios não dão ao homem uma importância exagerada. Diferente de alguns cultos modernos, não colocam o homem ao lado do trono do universo" (Henry H. Shires, *in loc.*).

"A pena exata pela idolatria ficou bem clara: ... a morte da nação" (G. Ernest Wright, *in loc.*).

■ 4.26

הַעִידֹתִי בָכֶם הַיּוֹם אֶת־הַשָּׁמַיִם וְאֶת־הָאָרֶץ
כִּי־אָבֹד תֹּאבֵדוּן מַהֵר מֵעַל הָאָרֶץ אֲשֶׁר אַתֶּם
עֹבְרִים אֶת־הַיַּרְדֵּן שָׁמָּה לְרִשְׁתָּהּ לֹא־תַאֲרִיכֻן
יָמִים עָלֶיהָ כִּי הִשָּׁמֵד תִּשָּׁמֵדוּן:

Os *céus* que declaram a glória e o poder de Deus (Sl 19.1) são fixos e eternos, pelo que, metaforicamente falando, servem de testemunhas contra as pessoas inconstantes e vacilantes. Diferentemente dos céus, porém, os desobedientes seriam expulsos da terra, tal como sucedeu aos habitantes anteriores da terra de Canaã. A coisa mais gloriosa que existe, naturalmente muito depois de Deus, é a sua vasta criação celestial. Por isso, Yahweh jurou pelos céus. Ver no *Dicionário* o artigo chamado *Juramentos*. Naturalmente, a expressão é antropomórfica. Ver no *Dicionário* o artigo intitulado *Antropomorfismo*.

Os pagãos adoravam as luminárias dos céus (vs. 19); mas Deus, o Criador dos céus, está tão acima que chegou a usá-los como mera base de um juramento.

A invocação dos céus, em juramentos, sempre foi um ato dos mais solenes, empregado universalmente entre os povos. Ver o juramento na *Eneida* de Virgílio (liv. 12, vs. 176 ss.). A grande fonte do dia (o sol) também foi chamado para servir de testemunha do juramento divino. Quanto aos *juramentos divinos*, cf. Gn 26.3; Êx 6.8; Nm 14.16; Dt 1.8. O livro de Deuteronômio tem cerca de vinte exemplos de juramentos feitos por Deus acerca da terra de Israel. Ver Hb 3.11,18. Em Hb 3.11 Deus aparece jurando por si mesmo. Meu artigo sobre *Juramentos*, seção II, examina especificamente essa questão dos *juramentos de Deus*. Ali aparecem referências tanto do Antigo quanto do Novo Testamentos.

■ 4.27

וְהֵפִיץ יְהוָה אֶתְכֶם בָּעַמִּים וְנִשְׁאַרְתֶּם מְתֵי מִסְפָּר
בַּגּוֹיִם אֲשֶׁר יְנַהֵג יְהוָה אֶתְכֶם שָׁמָּה:

"Os vss. 27-29 aludem ao exílio de populações conquistadas, uma norma usada efetivamente pelos assírios e pelos babilônios" (*Oxford Annotated Bible*, comentando sobre este versículo). Ver no *Dicionário* o verbete chamado *Cativeiro (Cativeiros)*.

... vos espalhará entre os povos. Primeiramente houve o *cativeiro assírio*, em cerca de 721 a.C. Depois houve o *cativeiro babilônio*, em cerca de 597 a.C. O primeiro desses cativeiros envolveu dez das tribos, a nação do norte, *Israel*. E o segundo envolveu Judá, a parte do sul da nação. Ofereci, no *Dicionário*, artigos detalhados sobre ambos os cativeiros. E ambos foram juízos divinos contra Israel, que se tinha tornado um povo idólatra e ímpio, tendo rejeitado o Pacto Mosaico com seus atos voluntariosos. Em face disso, Yahweh removeu-os da Terra Prometida, tal como havia removido seus habitantes cananeus, por causa dos mesmos pecados.

Anacronismo? Os críticos veem neste versículo uma prova da data tardia do Pentateuco, supondo que este tivesse sido escrito pelo menos depois que o cativeiro assírio já havia ocorrido. Os eruditos conservadores, todavia, preferem pensar nisso como uma *predição* profética. Ver o problema da autoria do Pentateuco na introdução a cada livro que faz parte da coleção, no *Dicionário*, no artigo intitulado *Pentateuco*.

O cumprimento maior dessa ameaça e profecia ocorreu no ano de 132 d.C., quando o imperador Adriano esvaziou a Palestina de judeus, enviando-os para outras nações, naquilo que veio a ser chamado de Cativeiro Babilônico, o qual perdurou até o ano de 1948. O artigo chamado *Cativeiro (Cativeiros)* descreve isso. A rejeição do Messias foi o pecado capital de Israel, tendo produzido o mais longo e terrível de todos os cativeiros. "Veio para o que era seu, e os seus não o receberam" (Jo 1.11).

Mas os poucos judeus e os gentios que o receberam foram elevados à altíssima posição de "filhos de Deus" (Jo 1.12).

■ 4.28

וַעֲבַדְתֶּם־שָׁם אֱלֹהִים מַעֲשֵׂה יְדֵי אָדָם עֵץ וָאֶבֶן אֲשֶׁר
לֹא־יִרְאוּן וְלֹא יִשְׁמְעוּן וְלֹא יֹאכְלוּן וְלֹא יְרִיחֻן:

Lá servireis a deuses que são obra de mãos de homens. O pior pecado de Israel, que causou os cativeiros, foi a idolatria (ver sobre isso no *Dicionário*), que o autor já tinha afirmado com detalhes nos vss. 15-18. ele somente adicionou aqui a informação óbvia de que os ídolos que eles faziam eram objetos materiais, destituídos de qualquer inteligência, os quais, longe de serem deuses, nem ao menos eram capazes de ter os sentidos e as percepções humanas, como vista, audição e olfato, e não podiam nem ao menos comer, como o faria qualquer infante humano. Em outras palavras, eram divindades imaginárias, fraudes totais, incapazes de fazer as coisas mais simples de que os seres humanos são capazes, quanto menos coisas que atribuiríamos a uma divindade.

■ 4.29

וּבִקַּשְׁתֶּם מִשָּׁם אֶת־יְהוָה אֱלֹהֶיךָ וּמָצָאתָ כִּי תִדְרְשֶׁנּוּ
בְּכָל־לְבָבְךָ וּבְכָל־נַפְשֶׁךָ:

Buscarás ao Senhor teu Deus, e o acharás. A profecia de cativeiro não era absoluta. Poderia ser revertida. Isso aconteceria se houvesse *arrependimento* genuíno (ver a respeito no *Dicionário*). Alguns acontecimentos futuros são fixos, como a vinda do Messias. Mas há outros que são apenas *potenciais*. Israel, porém, insistia em provocar eventos potenciais terríveis, inevitáveis mesmo, por causa de sua contínua idolatria e iniquidade. Muitas profecias são baseadas em considerações de causa e efeito, ou seja, dependem da lei da colheita segundo a semeadura. Ver no *Dicionário* o artigo chamado *Lei Moral da Colheita Segundo a Semeadura*. Se houver uma mudança na semeadura, haverá uma mudança correspondente na reação divina. "O Senhor é misericordioso".

> Vinde, almas oprimidas pelo pecado,
> O Senhor é misericordioso;
> E ele sem dúvida vos dará descanso,
> Se confiardes em sua palavra.
>
> J. H. Stockton

Cf. os vss. 29-31 com os pronunciamentos mais detalhados de Dt 30.1-5. A *morte nacional* de Israel poderia ser revertida se houvesse reversão de semeadura.

■ 4.30,31

בַּצַּר לְךָ וּמְצָאוּךָ כֹּל הַדְּבָרִים הָאֵלֶּה בְּאַחֲרִית
הַיָּמִים וְשַׁבְתָּ עַד־יְהוָה אֱלֹהֶיךָ וְשָׁמַעְתָּ בְּקֹלוֹ:

כִּי אֵל רַחוּם יְהוָה אֱלֹהֶיךָ לֹא יַרְפְּךָ וְלֹא יַשְׁחִיתֶךָ
וְלֹא יִשְׁכַּח אֶת־בְּרִית אֲבֹתֶיךָ אֲשֶׁר נִשְׁבַּע לָהֶם:

Nos últimos dias. Quanto a essa expressão, "últimos dias", há uma boa variedade de interpretações.

1. Após o *cativeiro babilônico*, um remanescente de Judá teria retornado à Terra Prometida para dar continuidade à história de Israel. Mas dez das tribos perderam-se para sempre entre as nações gentílicas.

2. Há aqui uma *declaração geral*, que não se refere a nenhum evento (futuro) histórico. A lei de Deus requer uma colheita segundo a semeadura, em termos correspondentes, embora com o tempero da *misericórdia*, porquanto não existe tal coisa como justiça nua. Assim, em *qualquer situação* em que tenha havido julgamento, este pode ser revertido naqueles "últimos dias", após o lapso. Por isso mesmo, disse G. Ernest Wright (*in loc.*): "Não devemos pensar haver um sentido escatológico, conforme se vê nos escritos dos profetas. Mas devemos entender a expressão em um sentido apenas relativo, 'no futuro'".

3. Mas há aqueles que veem aqui uma expressão rigidamente escatológica, supondo estar em pauta a volta do *cativeiro romano*, aquele que parece estar chegando ao fim em nossos próprios dias, o recolhimento de Israel dentre as nações, e o restabelecimento de Israel como nação, que começou em 1948 e certamente prosseguirá pelo século XXI.
4. Outros pensam que a profecia se estende à era do reino, quando Israel se tornará cabeça das nações, quando começar um novo ciclo espiritual. Ver no *Dicionário* o artigo chamado *Milênio*. Comentou como segue Jack S. Deere (*in loc.*): "A referência final é ao tempo quando o Senhor Jesus Cristo retornar à Terra para estabelecer seu reino de mil anos (ver Rm 20.4). Naquele tempo, arrependido, Israel haverá, finalmente, de buscar o Senhor... buscando-o de todo o coração e alma, e então ser-lhe-á obediente".

O *Deus misericordioso* não se esquece; ele não destrói por fim; ele não se esquece de seu povo; ele observa as condições que ele mesmo estabeleceu no Pacto Abraâmico (ver as notas em Gn 15.18). O território prometido a Abraão e seus descendentes finalmente veio a pertencer ao povo de Israel, e será herança eterna de um Israel obediente, que vier a receber o seu Messias. Foi Deus quem jurou, ou seja, aquilo que foi condicionado acabará tornando-se uma realidade; mas, para tanto, Israel terá de finalmente *cumprir* todas as condições impostas.

Os Juízos de Deus são Remediais. Todos os juízos de Deus, por mais severos e necessários que sejam, são *remediais*, e não meramente retributivos. O texto presente ensina-nos esse princípio. A cruz de Cristo foi um juízo terrível, mas abre as portas da vida para todos os pecadores, em toda a parte, em todos os séculos. Até o juízo dos perdidos será remedial, pois finalmente eles serão levados a uma restauração (que não será a mesma coisa que a redenção). Ver isso nas notas sobre Ef 1.10 e 1Pe 4.6, bem como, no *Dicionário*, os artigos intitulados *Mistério da Vontade de Deus* e *Julgamento de Deus dos Homens Perdidos*. E na *Enciclopédia de Bíblia, Teologia e Filosofia*, ver o verbete *Missão Universal do Logos (Cristo)*. O amor de Deus escreverá a história final de Israel e de todos os homens. Os julgamentos divinos são dedos de sua mão amorosa. Ver no *Dicionário* os artigos intitulados *Amor* e *Misericórdia*. Não há nenhuma contradição entre o juízo e o amor. O julgamento é amor em ação, e Deus faz certas coisas, através do julgamento, que não poderia fazer de nenhum outro modo.

Israel compartilha do Pacto do Novo Testamento (ver a respeito na *Enciclopédia de Bíblia, Teologia e Filosofia*), e não apenas dos pactos Abraâmico e Mosaico. Portanto, sua posição futura diante de Deus está garantida. De fato, aqueles pactos antigos terão sua plena fruição no Pacto do Novo Testamento. Ver no *Dicionário* o verbete *Pactos*.

■ **4.32**

כִּי שְׁאַל־נָא לְיָמִים רִאשֹׁנִים אֲשֶׁר־הָיוּ לְפָנֶיךָ
לְמִן־הַיּוֹם אֲשֶׁר בָּרָא אֱלֹהִים ׀ אָדָם עַל־הָאָרֶץ
וּלְמִקְצֵה הַשָּׁמַיִם וְעַד־קְצֵה הַשָּׁמָיִם הֲנִהְיָה כַּדָּבָר
הַגָּדוֹל הַזֶּה אוֹ הֲנִשְׁמַע כָּמֹהוּ׃

Pergunta aos tempos passados. As grandes obras de Deus, no passado, garantem um futuro brilhante para Israel. Deus realizou uma obra singular em Israel. "Faze inquirição e consulta os anais dos tempos antigos, das eras remotas, desde o dia em que Deus criou o homem sobre a terra; acompanha tudo de volta até a criação... perscruta de uma à outra extremidade dos céus; cruza todas as nações e examina os seus registros históricos, em ambos os hemisférios" (John Gill, *in loc.*). E verás que em parte alguma Deus fez o que ele já fez em favor de Israel. Cf. Dt 4.6. Outras nações têm sido abençoadas, mas Israel tem desfrutado de intervenções divinas diretas. sua revelação ímpar a Israel visava a tornar o seu nome conhecido universalmente: ele é o Senhor; ele é Deus. E Israel deveria tornar-se seu agente, visando ao bem de todas as nações, o canal das bênçãos divinas para todos os povos. Isso assumiu uma forma suprema em Cristo, o filho de Abraão.

"... os dons e a vocação de Deus são irrevogáveis" (Rm 11.29). Assim afirmou o apóstolo Paulo. ele não haveria de tomar uma nação para si mesmo, de maneira toda especial, somente para abandoná-la, quando a situação se azedasse. Pois, ainda que isso aconteça, Deus haverá de transformar essas circunstâncias, tornando-as novamente favoráveis. "Moisés provou a veracidade do que ele disse aqui mediante muitas cenas de pecado e perigo, todas as quais foram desviadas por meio de sua intercessão. Ver especialmente Nm 14.11-21; e cf. 1Sm 12.22" (Ellicott, *in loc.*).

■ **4.33**

הֲשָׁמַע עָם קוֹל אֱלֹהִים מְדַבֵּר מִתּוֹךְ־הָאֵשׁ
כַּאֲשֶׁר־שָׁמַעְתָּ אַתָּה וַיֶּחִי׃

Algum povo ouviu falar a voz de algum deus...? Um incidente especial do poder e da revelação de Deus serve aqui para ilustrar o princípio geral afirmado no versículo anterior. A presença de Yahweh desceu ao Sinai e ali manifestou-se, e todo o povo de Israel foi testemunha, embora eles não tivessem visto alguma forma de Deus, mas apenas ouvido a sua voz. A lei foi outorgada dessa maneira: mediante uma intervenção divina. Ver os vss. 11-14 deste capítulo, e também os capítulos 19 e 20 de Êxodo e Êx 33.11,23. Ver o comentário neotestamentário a esse respeito em Hb 12.18-24. A Israel foram concedidas elevadíssimas e genuínas experiências místicas, envolvendo a presença de Yahweh. Ver no *Dicionário* o artigo chamado *Misticismo*.

■ **4.34**

אוֹ ׀ הֲנִסָּה אֱלֹהִים לָבוֹא לָקַחַת לוֹ גוֹי מִקֶּרֶב גּוֹי
בְּמַסֹּת בְּאֹתֹת וּבְמוֹפְתִים וּבְמִלְחָמָה וּבְיָד חֲזָקָה
וּבִזְרוֹעַ נְטוּיָה וּבְמוֹרָאִים גְּדֹלִים כְּכֹל אֲשֶׁר־עָשָׂה
לָכֶם יְהוָה אֱלֹהֵיכֶם בְּמִצְרַיִם לְעֵינֶיךָ׃

Tomar para si um povo do meio de outro povo. Israel foi arrancado da servidão aos egípcios, que na época eram a nação mais poderosa da terra. Isso serve de outro exemplo da declaração geral do vs. 32 deste capítulo. Quanto ao poder de Yahweh, que livrou Israel, ver as notas expositivas em Nm 23.22, como também sobre esse mui repetido tema (mais de vinte vezes, somente no livro de Deuteronômio), em Dt 4.20.

Essa, bem como outras intervenções divinas, sucedeu em Israel para ensinar-lhes que *Yahweh* é Deus, não havendo outro deus além dele (vss. 35,39). Confiar em Yahweh teria sido a *chave* para o sucesso de Israel na vida, "na terra" (vs. 40). E isso perduraria "para todo o sempre", conforme lemos naquele versículo.

Com provas. Estão em pauta as perseguições movidas pelos egípcios. Os filhos de Israel tiveram de aprender muitas lições difíceis. No hebraico temos a palavra *massoth*, "prova", "tentação". Muitas coisas aconteceram para submeter Israel a teste, incluindo-se nisso as perambulações pelo deserto, durante quase quatro décadas.

Com sinais. No hebraico, *othoth*, de *athah*, "aproximar-se". Está em pauta a providência especial, como também os milagres envolvidos nas dez pragas do Egito, que tiveram o efeito de libertar Israel. Ver Dt 6.22; 7.19; 26.8; 29.3.

Com milagres. No hebraico, *mophethim*, de *yapthath*, "persuadir". Estão em pauta sinais miraculosos. Ver Êx 7.9; 11.9,10. Vários milagres estiveram envolvidos nas dez pragas do Egito. Ver no *Dicionário* o artigo chamado *Pragas do Egito*, onde se oferece um estudo bem completo a respeito. Ver também Êx 7.14 e suas notas expositivas acerca das *Dez Pragas*, onde ofereci um gráfico ilustrativo, além de outros informes detalhados que não aparecem naquele artigo.

Com peleja. No hebraico, *milchmah*, "encontro hostil". Os filhos de Israel obtiveram a vitória sobre os egípcios, embora não tivessem tido de lançar-se em uma guerra autêntica. Depois venceram os amalequitas, e então os reis Seom e Ogue. Ver os capítulos 21 e 23 de Números. E doravante Israel teria de empenhar-se em muitas batalhas. Mas Yahweh combateria por eles (Dt 3.22).

Com mão poderosa. No hebraico, *yad chazakah*, ou seja, uma mão poderosa o bastante para aplicar golpes mortíferos contra o inimigo, prestando assim ajuda a Israel. Estão em foco os poderes especiais de Yahweh.

Com braço estendido. No hebraico, *zeroa netuyah*. Isso aponta para o poder de Deus, que efetuou uma série de operações e intervenções em favor de Israel. O poder de Deus haveria de manifestar-se em favor de seu povo, tal como um homem estende o braço para fazer alguma coisa. Essas obras incluíam juízos e milagres em favor de Israel. Ver Dt 5.15; 7.19; 11.2; Sl 136.12; Ez 20.33,34.

Com grandes espantos. No hebraico, *moriam gedolim*. Estão em pauta terrores como aqueles das dez pragas do Egito, ou a passagem a pé enxuto pelo mar Vermelho, quando Israel escapou, mas os egípcios morreram afogados nas águas. Ver Êx 14.24,25.

Aos vossos olhos? Conforme diz um hino, "não é segredo o que Deus pode fazer".

> Quando Israel escapou da servidão,
> Jazia diante deles um mar;
> O Senhor estendeu a sua mão,
> E as águas Israel pôde atravessar.
>
> H. J. Zelley

Oh, Senhor, concede-nos tal graça!

■ 4.35

אַתָּה הָרְאֵתָ לָדַעַת כִּי יְהוָה הוּא הָאֱלֹהִים אֵין עוֹד מִלְּבַדּוֹ:

Para que soubesses que o Senhor é Deus. Eis aí a razão de tudo. Estava assim provado, acima de qualquer dúvida, que Yahweh é Deus. Não há outro deus além dele; não há poder divino além do dele. ele é a fonte de toda vida e de toda bondade (vss. 38-40). Cf. Êx 20.3. A idolatria é, portanto, um absurdo, visto que só há uma fonte de poder, vida e bondade — Deus.

"ele é o único Deus vivo e verdadeiro; e não existe outro. Essa frase, ou similar, foi usada com frequência pelo profeta Isaías, a fim de expressar este grande artigo de fé" (John Gill, *in loc.*). Cf. Is 43.9-13; 44.6; 45.5,6,22. Ver no *Dicionário* o verbete chamado *Monoteísmo*.

■ 4.36

מִן־הַשָּׁמַיִם הִשְׁמִיעֲךָ אֶת־קֹלוֹ לְיַסְּרֶךָּ וְעַל־הָאָרֶץ הֶרְאֲךָ אֶת־אִשּׁוֹ הַגְּדוֹלָה וּדְבָרָיו שָׁמַעְתָּ מִתּוֹךְ הָאֵשׁ:

Para te ensinar. Yahweh manifestara a sua presença no Sinai. O povo de Israel ouviu a sua voz e viu as chamas, e ficou assustado. Ver Êx 19.16-20. Ver também os vss. 12 e 33 deste capítulo. *Somente o povo de Israel* teve o privilégio de receber essas manifestações divinas. E isso o obrigava a mostrar lealdade e obediência ao Senhor.

"Sublinhando tudo isso, há outro importante discernimento na teologia do livro de Deuteronômio. Apesar de toda a sua grandiosidade, Yahweh continuava sendo o exclusivo Deus de Israel. Foi um profeta posterior que ouviu o Senhor dizendo: 'Fui buscado dos que não perguntavam por mim; fui achado daqueles que não me buscavam; a um povo que não se chamava do meu nome eu disse: Eis-me aqui, eis-me aqui" (Is 65.1)" (Henry H. Shires, *in loc.*). Cristo, como é óbvio, universalizou o acesso a Deus, mesmo porque "Deus amou o mundo" (Jo 3.16).

■ 4.37

וְתַחַת כִּי אָהַב אֶת־אֲבֹתֶיךָ וַיִּבְחַר בְּזַרְעוֹ אַחֲרָיו וַיּוֹצִאֲךָ בְּפָנָיו בְּכֹחוֹ הַגָּדֹל מִמִּצְרָיִם:

Amou teus pais. Um excelente discernimento. Deus amou os antepassados do povo de Israel; e isso quer dizer que ele estava disposto a amar e ajudar os israelitas. O Pacto Abraâmico não visava ao benefício somente de Abraão. Mas era para todos os patriarcas e toda a sua descendência. O *amor* de Deus achava-se à base de tudo, porquanto o amor é o poder que se agita por baixo da bondade e do suprimento. Assim também o amor de Deus estava por trás da missão de Cristo (Jo 3.16). Ver no *Dicionário* o verbete chamado *Amor*.

> O amor concede em um momento
> O que o trabalho não poderia
> Obter em uma era.
>
> Goethe

O amor de Deus inspirou e garantiu a execução da missão tridimensional do Logos. ele ministrou e ministra na terra, no hades e nos céus para ser tudo para todos — afinal —.

Russell N. Champlin

> Amor divino, tão grande e admirável,
> Profundo e poderoso, puro e sublime;
> Vindo do próprio coração de Jesus,
> O mesmo através das eras do tempo.
>
> Fred Blom

O grande poder de Deus manifesta-se em seu amor, e não mediante atos destrutivos. Mas a verdade é que até os atos destrutivos de Deus são agentes do seu amor.

■ 4.38

לְהוֹרִישׁ גּוֹיִם גְּדֹלִים וַעֲצֻמִים מִמְּךָ מִפָּנֶיךָ לַהֲבִיאֲךָ לָתֶת־לְךָ אֶת־אַרְצָם נַחֲלָה כַּיּוֹם הַזֶּה:

Nações maiores e mais poderosas do que tu. O grande poder de Deus, que atua através do seu amor, expeliu as nações ímpias da terra de Canaã, que Deus havia prometido a Abraão; e também fez o povo de Israel entrar na Terra Prometida, em cumprimento às promessas divinas feitas aos patriarcas. Ver Êx 33.2 e Dt 7.1 quanto às sete nações expelidas de Canaã. Essas nações eram mais poderosas do que Israel (ver Nm 13.31); mas, apesar disso, Israel entrou na posse de sua herança (ver Dt 4.21). *Gigantes* tombaram diante do propósito de Deus (ver Dt 2.20 ss., 36; 3.3 ss., especialmente o vs. 11).

■ 4.39

וְיָדַעְתָּ הַיּוֹם וַהֲשֵׁבֹתָ אֶל־לְבָבֶךָ כִּי יְהוָה הוּא הָאֱלֹהִים בַּשָּׁמַיִם מִמַּעַל וְעַל־הָאָרֶץ מִתָּחַת אֵין עוֹד:

Só o Senhor é Deus. Este versículo repete a mensagem do vs. 35 deste capítulo. As notas dadas ali aplicam-se também aqui. O Deus único e verdadeiro, Yahweh, foi aquele que tirou os filhos de Israel do Egito, e agora os introduziria na Terra Prometida. Não há outro Deus, nos céus ou na terra. A *idolatria* (denunciada de modo enfático nos vss. 15-19) é um absurdo à luz da fé na existência de um único Deus. Ver no *Dicionário* os artigos chamados *Deuses Falsos* e *Monoteísmo*.

"Considera isto... não caias nas noções politeístas sobre a deidade. A maneira como Deus tratou com vários povos, como os egípcios, os moabitas, os amonitas, os edomitas, os amorreus, como também com os israelitas e cananeus, mostra ser ele o Senhor de todos" (Ellicott, *in loc.*). Cf. Is 44.8.

Em cima no céu, e embaixo na terra. "ele é o Criador e proprietário de tudo. Sendo ele o Senhor de todos, faz com todos conforme melhor lhe parecer. Um é seu trono; outro é o estrado de seus pés... Os habitantes da terra são suas criaturas e estão debaixo de sua autoridade" (John Gill, *in loc.*).

■ 4.40

וְשָׁמַרְתָּ אֶת־חֻקָּיו וְאֶת־מִצְוֹתָיו אֲשֶׁר אָנֹכִי מְצַוְּךָ הַיּוֹם אֲשֶׁר יִיטַב לְךָ וּלְבָנֶיךָ אַחֲרֶיךָ וּלְמַעַן תַּאֲרִיךְ יָמִים עַל־הָאֲדָמָה אֲשֶׁר יְהוָה אֱלֹהֶיךָ נֹתֵן לְךָ כָּל־הַיָּמִים:
פ

Guarda, pois. A lei era suprema, por ser a lei do único e verdadeiro Deus. A obediência à lei produzia a vida, um item repetido aqui e comentado longamente nas notas sobre o primeiro versículo deste capítulo.

"A ideia de que a retidão prolonga a vida e o pecado a encurta é um ensino comum no Antigo Testamento. Cf. Pv 3.1,2,16; 10.27" (Jack S. Deere, *in loc.*).

ESCOLHA DAS CIDADES DE REFÚGIO (4.41-43)

■ 4.41

אָז יַבְדִּיל מֹשֶׁה שָׁלֹשׁ עָרִים בְּעֵבֶר הַיַּרְדֵּן מִזְרְחָה שָׁמֶשׁ:

Esta breve seção é um apêndice que foi adicionado ao primeiro discurso de Moisés, iniciado no primeiro capítulo. Serve para separar o primeiro discurso do segundo. Ver a explicação sobre as cidades de refúgio, em Dt 19.1-13, bem como o artigo sobre elas no *Dicionário*. Moisés separou três cidades em cada um dos lados do rio Jordão. Na parte dalém do Jordão foram: Bezer, Ramote e Golã. O autor sagrado voltaria a discutir sobre a importância das cidades de refúgio em Dt 19.1-13. Já vimos essa questão ser apresentada em Êx 21.12,13 e Nm 35.6-28, cujas notas expositivas também aplicam-se aqui. Ver também o capítulo 20 de Josué.

Ver o *mapa* existente nas notas sobre Nm 3.1, quanto às *seis cidades de refúgio*, dispersas pelo território de Israel a fim de facilitar a fuga de pessoas acusadas de homicídio involuntário.

Este versículo mostra-nos que a ordem para essa provisão veio da parte de Moisés, mas sempre fica entendido que ele agia apenas como mediador da vontade de Yahweh, pelo que a provisão se tornou parte da legislação mosaica. Lemos em Êx 21 e em Nm 35 que *Yahweh* era quem falava, como também no capítulo 19 de Deuteronômio.

■ 4.42

לָנֻס שָׁמָּה רוֹצֵחַ אֲשֶׁר יִרְצַח אֶת־רֵעֵהוּ בִּבְלִי־
דַעַת וְהוּא לֹא־שֹׂנֵא לוֹ מִתְּמוֹל שִׁלְשֹׁם וְנָס
אֶל־אַחַת מִן־הֶעָרִים הָאֵל וָחָי׃

Este versículo repete as informações dadas em Nm 35.11,15,22, bem como o seu contexto geral, que o leitor deveria consultar. Não teria havido ódio, nem má vontade, nem premeditação. Tudo fora um mero acidente. Um assassino intencional fugiria para alguma cidade de refúgio, mas seu julgamento acabaria trazendo à tona a sua culpa. Toda pessoa que fugisse para uma dessas cidades tinha de enfrentar um julgamento, ou então no lugar onde o crime tivesse sido cometido, ou mesmo em ambos os lugares, conforme asseguram alguns intérpretes. Ver Nm 35.24,25.

■ 4.43

אֶת־בֶּצֶר בַּמִּדְבָּר בְּאֶרֶץ הַמִּישֹׁר לָרֻאוּבֵנִי וְאֶת־
רָאמֹת בַּגִּלְעָד לַגָּדִי וְאֶת־גּוֹלָן בַּבָּשָׁן לַמְנַשִּׁי׃

Três cidades de refúgio foram designadas na parte oriental do rio Jordão. Eis seus nomes e características:

Bezer. No hebraico, "forte" ou "minério", de ouro ou de prata. No Antigo Testamento, é nome de uma pessoa e de uma cidade: 1. Um filho de Zofa, da casa de Aser (1Cr 7.37). 2. Uma cidade dos levitas, na região de Rúben (aqui e em Js 21.36 e 1Cr 6.78). Tornou-se uma das seis cidades de refúgio em Israel. De acordo com a pedra de Mesa, a cidade ficava situada no território de Moabe. Talvez fosse a mesma *Bozra* de Moabe, em distinção à Bozra dos edomitas. De acordo com a Septuaginta, em Jr 48.24, aparece com o nome de Bosar. Foi uma das cidades fortificadas pelo rei Mesa, em cerca de 830 a.C., e talvez deva ser identificada com a moderna *Umm el 'Amad*, a nordeste de Medega e a leste do monte Nebo.

Ramote. Ver o artigo detalhado sobre esta localidade no *Dicionário*. Ver também sobre *Ramote-Gileade*. Essa cidade ficava localizada no território de Gade.

Golã. Ver o artigo detalhado sobre este lugar no *Dicionário*. Servia de cidade de refúgio no território da meia tribo de Manassés. As cidades estavam localizadas de tal maneira que facilitassem a fuga de um homem acusado de homicídio. Quem fosse culpado de matar involuntariamente a outrem sofria exílio. Tinha de permanecer na cidade de refúgio até que morresse o sumo sacerdote. Mas se abandonasse a proteção da cidade de refúgio, estaria sujeito à ação do vingador do sangue (ver a esse respeito no *Dicionário*).

SEGUNDO DISCURSO DE MOISÉS (4.44—26.19)

REPETIÇÃO DA LEI COM ADVERTÊNCIAS E EXORTAÇÕES (4.44—11.32)

INTRODUÇÃO (4.44-49)

Esta minúscula seção serve para introduzir o segundo discurso de Moisés, havendo *três* discursos no Deuteronômio. Esses discursos foram a própria substância do livro. Estes versículos são mais como uma segunda introdução ao livro inteiro. Alguns eruditos pensam que a seção que se segue era o livro original, o qual, posteriormente, sofreu várias adições, e assim aumentou de volume. Estes versículos fixam o lugar exato do discurso de despedida de Moisés, de acordo com Dt 1.3-5, mas com maior clareza.

■ 4.44

וְזֹאת הַתּוֹרָה אֲשֶׁר־שָׂם מֹשֶׁה לִפְנֵי בְּנֵי יִשְׂרָאֵל׃

Esta é a lei. Deuteronômio é a *repetição* da legislação mosaica, outorgada ao longo dos livros de Êxodo, Levítico e Números. Não é uma "segunda lei", conforme diz o título da Septuaginta (de onde se deriva a palavra *Deuteronômio*), mas uma repetição daquilo que já havia sido dado, com algumas adições e alterações.

Yahweh Dera a Lei. Moisés fora o seu mediador. E Israel foi quem a recebeu, como um guia completo de orientação na vida. O termo hebraico correspondente é *torah*, que significa "instrução". Ver no *Dicionário* o artigo chamado *Torá*. O povo de Israel só poderia viver (ver as notas sobre Dt 4.1) e prosperar se obedecesse a todas as estipulações da lei. Moisés, em seus três discursos, expôs de novo, diante de Israel, todas as questões da lei, de tal modo que a geração que deveria possuir a Terra Prometida estivesse preparada, moral e espiritualmente, para viver ali e prosperar. De outra sorte, eles perderiam suas terras e seriam expulsos dali, tal como tinha acontecido aos habitantes primitivos. Ver Dt 4.27 sobre essa questão.

■ 4.45

אֵלֶּה הָעֵדֹת וְהַחֻקִּים וְהַמִּשְׁפָּטִים אֲשֶׁר דִּבֶּר מֹשֶׁה
אֶל־בְּנֵי יִשְׂרָאֵל בְּצֵאתָם מִמִּצְרָיִם׃

Testemunhos... estatutos... juízos. O autor sacro usou esses três termos para comentar sobre as *palavras* de Moisés (1.1). São três modos diferentes de aludir às numerosas leis, morais, cerimoniais e judiciais, que seriam ventiladas no segundo discurso de Moisés. Cf. Dt 6.17,20. Os *Dez Mandamentos*, como é claro (Dt 5.7 ss.; Êx 20), eram a base de todo desenvolvimento da legislação mosaica. Talvez esses sejam os *testemunhos*, à base dos quais outras leis foram desenvolvidas. Mas é precário tentar descobrir distinções entre esses três vocábulos. Representam antes um acúmulo de termos que exprimem a *multiplicidade* dos preceitos, costumes, ritos, cerimônias etc. da legislação mosaica.

■ 4.46

בְּעֵבֶר הַיַּרְדֵּן בַּגַּיְא מוּל בֵּית פְּעוֹר בְּאֶרֶץ סִיחֹן מֶלֶךְ
הָאֱמֹרִי אֲשֶׁר יוֹשֵׁב בְּחֶשְׁבּוֹן אֲשֶׁר הִכָּה מֹשֶׁה וּבְנֵי
יִשְׂרָאֵל בְּצֵאתָם מִמִּצְרָיִם׃

Além do Jordão. Ou seja, na *Transjordânia* (ver a respeito no *Dicionário*), o lado *oriental*, visto que o texto foi escrito antes da invasão do lado ocidental do território. Em Dt 1.1 lemos sobre "dalém do Jordão", que veio a tornar-se a expressão comum para o lado ocidental, que precisava ser conquistado.

Bete-Peor. Ver Dt 3.29, que é um paralelo direto a esta parte do presente versículo.

Seom. Ver a respeito dele no *Dicionário*. ele era rei dos amorreus, que havia tomado certos territórios dos moabitas, somente para acabar perdendo-os para Israel. suas terras tornaram-se possessão das tribos que ficaram na parte oriental do rio Jordão, a saber, Gade, Rúben e a meia tribo de Manassés.

Israel tinha saído do Egito e, três meses mais tarde (Êx 19.1) recebeu a lei, que em breve foi expandida e tornou-se uma vasta legislação. O Sinai (ver no *Dicionário*) foi o local da revelação divina. E agora, quarenta anos mais tarde, a lei foi repetida diante do povo de Israel, nos três discursos de Moisés que constituem o livro de Deuteronômio, a *repetição* da lei. Ver Dt 1.3 quanto à repetição da lei e seu elemento tempo.

Hesbom. Ver a respeito desse lugar no *Dicionário*. O povo de Israel recebeu a vitória sobre Seom, como prelibação das maiores vitórias que obteria no ocidente. Ver o capítulo 21 de Números quanto ao incidente.

4.47

וַיִּירְשׁ֣וּ אֶת־אַרְצ֗וֹ וְאֶת־אֶ֙רֶץ֙ ע֣וֹג מֶֽלֶךְ־הַבָּשָׁ֔ן שְׁנֵי֙ מַלְכֵ֣י הָאֱמֹרִ֔י אֲשֶׁ֖ר בְּעֵ֣בֶר הַיַּרְדֵּ֑ן מִזְרַ֖ח שָֽׁמֶשׁ׃

Ogue. Ver sobre ele no *Dicionário*, e Nm 21.33 ss., quanto ao relato. Este trecho repete o terceiro capítulo do Deuteronômio. A vitória sobre aquele homem, o último dos gigantes (Dt 3.11), deu a Israel um poderoso incentivo para invadir a parte ocidental do país. Diante das derrotas de Seom e Ogue, Israel veio a possuir a Transjordânia, e as terras dali foram entregues às tribos de Gade, Rúben e à meia tribo de Manassés. Ver o capítulo 32 de Números quanto à história. O que Israel tinha feito àqueles *dois reis dos amorreus* (ver a respeito no *Dicionário*), o mesmo seria feito por eles a todos os cananeus, e viriam a dominar todo o território a oeste do rio Jordão, por igual modo.

4.48

מֵעֲרֹעֵ֞ר אֲשֶׁ֨ר עַל־שְׂפַת־נַ֧חַל אַרְנֹ֛ן וְעַד־הַ֥ר שִׂיאֹ֖ן ה֥וּא חֶרְמֽוֹן׃

Ver Dt 3.36, que é um paralelo direto deste versículo. Todos os lugares aqui mencionados também aparecem ali, exceto o monte Siom, que é apenas outro nome dado para o monte Hermom. Ver Dt 3.9 quanto ao nome *Siriom*, além de alguns outros nomes que os antigos davam ao monte Hermom. É evidente que o monte Siom, aqui referido, nada tem que ver com o monte Sião de Jerusalém. A Septuaginta diz aqui Seon. Os Targuns chamam-no de "o monte de neve". Ver as notas sobre Dt 3.9. Ver no *Dicionário* o artigo intitulado *Hermom*.

4.49

וְכָל־הָ֨עֲרָבָ֜ה עֵ֤בֶר הַיַּרְדֵּן֙ מִזְרָ֔חָה וְעַ֖ד יָ֣ם הָעֲרָבָ֑ה תַּ֖חַת אַשְׁדֹּ֥ת הַפִּסְגָּֽה׃ פ

Até ao mar do Arabá, pelas faldas de Pisga. O povo de Israel habitou assim por todas as planícies de Moabe, preparando-se para invadir a parte ocidental. O trecho de Dt 3.17 nos dá algumas localizações, e as notas que ali aparecem também se aplicam aqui.

CAPÍTULO CINCO

REPETIÇÃO DOS DEZ MANDAMENTOS (5.1-33)

"Este capítulo contém a recapitulação do próprio decálogo, bem como as circunstâncias de sua outorga. A repetição dos *Dez Mandamentos* é o verdadeiro começo do Deuteronômio, tal como o primeiro discurso é o começo da própria lei" (Ellicott, *in loc.*).

O trecho de Dt 5.1—11.32 tem o propósito de apresentar uma série de exortações acerca do pacto firmado entre Deus e Israel, na legislação mosaica. Ver em Êx 19.1 sobre o *Pacto Mosaico*, em suas notas de introdução. Ver no *Dicionário* o artigo geral chamado *Pactos*. Com base nesses materiais, seguem-se as leis dos capítulos 12 a 26, que expandem as ideias básicas. Ver sobre o pacto estabelecido em Horebe (Sinai), em Êx 19-24. Foi revelada a vontade divina, e Israel ficou na obrigação de pôr todas as coisas em prática, a fim de que pudesse viver na terra que estava prestes a ser-lhe entregue (ver Dt 4.1).

"Os capítulos 6 a 11 contêm um grupo de calorosas e vigorosas exortações, com um único propósito em mira, ou seja, que a nação permanecesse totalmente fiel e leal, em obediência ao pacto firmado com Yahweh, sem a menor transigência diante do paganismo, sem um único traço de justiça própria, e sem nenhuma tendência para exaltar o seu próprio poder e autossuficiência, em meio às riquezas de uma terra que era um presente de Deus para eles" (G. Ernest Wright, *in loc.*). Aquilo que é dito aqui descreve bem as expectativas de Yahweh por toda a legislação mosaica.

Um santo temor foi instilado em Israel, porquanto questões de vida e morte estavam em jogo. Não obstante, todo israelita deveria amar a Deus. Ver Dt 5.29; 6.2,13,24; 8.6; 11.1,13,22.

O autor sagrado apresentou o seu material sem nenhuma coerência aparente, pois esse material cobre muitos mandamentos e muitas circunstâncias. É impossível distinguir fontes informativas separadas, quanto a este segundo discurso de Moisés.

5.1

וַיִּקְרָ֣א מֹשֶׁה֮ אֶל־כָּל־יִשְׂרָאֵל֒ וַיֹּ֣אמֶר אֲלֵהֶ֔ם שְׁמַ֣ע יִשְׂרָאֵ֗ל אֶת־הַחֻקִּים֙ וְאֶת־הַמִּשְׁפָּטִ֔ים אֲשֶׁ֧ר אָנֹכִ֛י דֹּבֵ֥ר בְּאָזְנֵיכֶ֖ם הַיּ֑וֹם וּלְמַדְתֶּ֣ם אֹתָ֔ם וּשְׁמַרְתֶּ֖ם לַעֲשֹׂתָֽם׃

Chamou Moisés a todo o Israel. Yahweh era a fonte de todas as informações dadas, e Moisés foi o mediador entre Deus e os israelitas. ele transmitia as mensagens que lhes iam sendo dadas. Algumas vezes, as mensagens eram endereçadas a Arão (ou, mais tarde, ao filho deste, Eleazar), ou aos sacerdotes, ou ao povo todo. Havia oito fórmulas de comunicação, conforme se vê nas notas sobre Lv 17.2.

Os estatutos e juízos. Isso reproduz o que fora dito em Dt 4.1, no tocante à primeira introdução, prefixada ao primeiro discurso. Ver as notas ali. Ver também a expressão mais completa em Dt 4.45, que adiciona a palavra "testemunhos". A variedade de materiais, dados sob a lei, dentro da legislação mosaica, é assim referida mediante um acúmulo de termos. Dt 1.1 diz apenas "palavras que Moisés falou". Era uma repetição da lei que já havia sido dada, nos capítulos 19 e 21 do livro de Êxodo, o que explica o título deste livro. O termo grego *deuteronomos* significa "segunda lei"; mas Deuteronômio, na realidade, é uma *repetição* da lei.

Que hoje vos falo aos ouvidos. Os israelitas deveriam cumprir o seu dever, e a mente de todos os israelitas deveria obedecer aos mandamentos que estavam prestes a ser repetidos aos ouvidos deles.

O autor sagrado dá uma elaborada introdução (vss. 1-6) aos Dez Mandamentos (vss. 7 ss.). Ao repetir os mandamentos, Moisés forneceu as bases do Pacto Mosaico, como ele foi feito, onde foi estabelecido, e qual o seu significado. Ver a *introdução* a este capítulo quanto ao conteúdo geral e o significado do segundo discurso de Moisés, que começa neste ponto.

5.2

יְהוָ֣ה אֱלֹהֵ֔ינוּ כָּרַ֥ת עִמָּ֛נוּ בְּרִ֖ית בְּחֹרֵֽב׃

Fez aliança conosco em Horebe. Ver no *Dicionário* os verbetes intitulados *Sinai* e *Horebe*. Ver também acerca do Pacto Mosaico nas notas de introdução ao capítulo 19 de Êxodo; e, no *Dicionário*, ver o artigo chamado *Pactos*. Esse pacto caracterizava-se pela nova fé que estava surgindo em Israel, com sua legislação e declaração espiritual. Cristo, o Novo Legislador, trouxe o Novo Pacto. Ver na *Enciclopédia de Bíblia, Teologia e Filosofia* o verbete chamado *Novo Testamento (Pacto)*.

O *pacto firmado em Horebe* foi mencionado como meio de introduzir os *Dez Mandamentos*, que formam o cerne mesmo daquele pacto. O pacto é aqui renovado com a nova geração de israelitas, que estava prestes a entrar na Terra Prometida, pois a geração anterior havia morrido no deserto, excetuando apenas Calebe e Josué. Ver Dt 1.35-39 e 2.14 quanto a essa informação.

5.3

לֹ֣א אֶת־אֲבֹתֵ֔ינוּ כָּרַ֥ת יְהוָ֖ה אֶת־הַבְּרִ֣ית הַזֹּ֑את כִּ֣י אִתָּ֗נוּ אֲנַ֨חְנוּ אֵ֥לֶּה פֹ֛ה הַיּ֖וֹם כֻּלָּ֥נוּ חַיִּֽים׃

E, sim, conosco. Na verdade, Deus fizera seu pacto com a geração anterior; mas eles o anularam, com sua incredulidade, quando chegaram à fronteira mas recusaram-se a entrar na Terra Prometida. Portanto, o pacto estava sendo *renovado* com a nova geração, e isso de maneira permanente. Os trechos de Êx 19 e 24.7,8 certamente indicam que o pacto foi firmado com a geração anterior, mas agora o autor sacro fala em termos de renovação e efetividade.

Não é mister dizer, conforme fizeram Jarchi e Aben Ezra, "não com eles somente", que por certo não foi o que o autor sagrado quis dizer. O pacto foi "renovado", conforme diz John Gill, *in loc*. O autor simplesmente desconsiderou a "geração perdida".

"Toda adoração bíblica tem, em seu centro, esse elemento de *memória histórica, participação e identificação*" (G. Ernest Wright, *in loc.*).

5.4

פָּנִ֣ים ׀ בְּפָנִ֗ים דִּבֶּ֨ר יְהוָ֧ה עִמָּכֶ֛ם בָּהָ֖ר מִתּ֥וֹךְ הָאֵֽשׁ׃

Face a face falou o Senhor. Fica assim frisada a íntima comunhão e comunicação que havia entre Moisés e Yahweh, em contraste com outros profetas, que tinham de depender de visões e sonhos, com frequência dados de forma *enigmática*. Moisés foi mais do que um mero profeta. ele foi o grande mediador do Antigo Testamento, tal como Cristo foi o mediador do Novo Testamento. Ver Êx 33.11, quanto à mesma expressão, bem como suas notas, que também se aplicam aqui. O trecho de Êx 33.18-23 sublinha a grande experiência mística que Moisés tinha, bem como o *modus operandi* de suas revelações. Ver Nm 12.6-8 quanto ao modo inferior de revelação que era dado aos outros profetas, ou seja, em sonhos, declarações simbólicas e enigmas. Yahweh falava com Moisés "boca a boca" e "claramente", conforme aprendemos em Nm 12.8. Ver no *Dicionário* o artigo *Misticismo*.

A despeito de tudo isso, Moisés era apenas um "servo" na casa de Deus. Nestes últimos dias, entretanto, Deus fala conosco por intermédio de seu próprio *Filho* (ver Hb 3.2,5).

■ 5.5

אָנֹכִי עֹמֵד בֵּין־יְהוָה וּבֵינֵיכֶם בָּעֵת הַהִוא לְהַגִּיד לָכֶם אֶת־דְּבַר יְהוָה כִּי יְרֵאתֶם מִפְּנֵי הָאֵשׁ וְלֹא־עֲלִיתֶם בָּהָר לֵאמֹר׃ ס

Entre o Senhor e vós. Isso aponta não somente para a posição de um intermediário, mas Moisés precisava proteger Israel da glória de Yahweh, que eles não podiam suportar. O fogo que tomou conta do monte deixara-os aterrorizados. A presença divina poderia tê-los consumido. Ver Êx 19.18 ss. quanto à descrição de terror que a outorga da lei envolveu. Contrastar isso com a maneira gentil em que veio a revelação cristã, através do bebê deitado na manjedoura, porque não havia lugar para ele na estalagem (ver Lc 2.7).

OS DEZ MANDAMENTOS (5.6-21)

Compare esta repetição do *Decálogo* com a sua apresentação em Êx 20.2-17. Há certas diferenças secundárias, adições ou modificações. "Com base na posição deles, aqui e no livro de Êxodo, fica claro que os Dez Mandamentos eram considerados um sumário adequado da lei inteira. Aparecem sob a forma de um discurso direto de Deus à nação (de Israel)" (G. Ernest Wright, *in loc.*).

Os mandamentos foram dados a um povo que já havia sido libertado do Egito, e que em breve entraria na Terra Prometida, onde poderia colocá-los em prática, como aquilo que distinguiria os novos habitantes da Terra Prometida dos habitantes cananeus. Ver Dt 4.34,35 quanto ao caráter distinto de Israel. Ver nas notas sobre Êx 20.17 quanto a um gráfico que apresenta *a maneira pela qual Jesus tratou* da lei mosaica, e ao seu discernimento muito superior quanto ao significado dos Dez Mandamentos.

■ 5.6

אָנֹכִי יְהוָה אֱלֹהֶיךָ אֲשֶׁר הוֹצֵאתִיךָ מֵאֶרֶץ מִצְרַיִם מִבֵּית עֲבָדִים׃

Eu sou o Senhor, teu Deus. Temos aqui uma frase frequente no Pentateuco, que anotei com detalhes em Lv 18.30. Essa expressão usa os nomes divinos *Yahweh* e *Elohim*. Em outras palavras, o Eterno é o Todo-poderoso, tendo efetuado o livramento de Israel do Egito. Esse é, igualmente, um tema constante do Pentateuco, depois do livro de Gênesis. Foi o poder de Yahweh que fez isso. Ver Nm 23.22. Em Deuteronômio, essa questão do livramento de Israel do Egito é reiterada por cerca de vinte vezes. Ver as notas sobre isso em Dt 4.20. Isso nos permite entender que Israel passou a pertencer a Yahweh, tendo sido remido por ele; e que era, por sua vez, *responsável* diante do Senhor, mormente por guardar a legislação mosaica.

Ver no *Dicionário* o artigo intitulado *Dez Mandamentos*, bem como a introdução ao capítulo 20 do livro de Êxodo. Deixo aqui de fora muitos detalhes, porque ali o leitor já recebera essas informações.

Tradicionalmente falando, sempre temos dez *palavras* ou Dez *Mandamentos*, embora haja mais de dez injunções. Cf. Dt 4.13 e 10.4. Mas os intérpretes não conseguem concordar sobre como se chega a esse número de dez. As Dez Palavras foram transmitidas aos israelitas por meio de Moisés, ou diretamente a eles, da parte de Yahweh (Êx 20.21).

"Os Dez Mandamentos, a *epítome* dos deveres do homem diante de Deus e diante de seus semelhantes" (*Oxford Annotated Bible*, comentando sobre Êx 20.1).

Os mandamentos foram dados como uma regra de *vida* (Dt 4.1), mas Paulo parece ter pensado que Moisés exagerou no poder desses mandamentos. Ver as notas do versículo mencionado neste parágrafo, quanto a amplas explanações.

■ 5.7

לֹא יִהְיֶה־לְךָ אֱלֹהִים אֲחֵרִים עַל־פָּנָי׃

Esta é uma duplicata de Êx 20.3, cujas notas também se aplicam aqui.

Esse primeiro mandamento respalda o *monoteísmo* (ver a respeito no *Dicionário*), servindo de base para toda a legislação mosaica. Para Israel, o monoteísmo não era apenas a crença de que só existe um Deus, mas também uma lealdade quase fanática ao único Deus, com a determinação de cumprir toda a sua vontade, começando pela obediência aos seus mandamentos. Os povos vizinhos de Israel dispunham de um número incrível de divindades imaginárias, deuses e deusas que eram péssimos quanto ao suposto mau exemplo que davam a seus adeptos.

■ 5.8

לֹא־תַעֲשֶׂה־לְךָ פֶסֶל כָּל־תְּמוּנָה אֲשֶׁר בַּשָּׁמַיִם מִמַּעַל וַאֲשֶׁר בָּאָרֶץ מִתָּחַת וַאֲשֶׁר בַּמַּיִם מִתַּחַת לָאָרֶץ׃

Este versículo é uma duplicata de Êx 20.4, cujas notas se aplicam também aqui. Este segundo mandamento reforça o primeiro. Há um só Deus. E, paralelamente, deve ser rigorosamente evitada qualquer forma de *idolatria* (ver a respeito no *Dicionário*). Foram terminantemente proibidos tanto a *feitura* quanto o *uso* de imagens de escultura, uma lição que até a moderna cristandade tem ignorado. Não obstante, todos nós somos culpados de certas formas de idolatria. Nossos *ídolos* às vezes são os prazeres, a fama, o dinheiro, a auto-exaltação etc. Alguns intérpretes, contudo, pensam que este versículo também faz parte do primeiro mandamento.

Tal como toda a exposição sobre esta passagem, meus comentários são breves porque explanações mais detalhadas já foram dadas no vigésimo capítulo de Êxodo, as quais os leitores devem examinar continuamente. Cf. Dt 4.23-29 quanto a uma severa repreensão contra a idolatria, e onde apresentei ideias adicionais sobre o assunto.

■ 5.9

לֹא־תִשְׁתַּחֲוֶה לָהֶם וְלֹא תָעָבְדֵם כִּי אָנֹכִי יְהוָה אֱלֹהֶיךָ אֵל קַנָּא פֹּקֵד עֲוֹן אָבֹת עַל־בָּנִים וְעַל־שִׁלֵּשִׁים וְעַל־רִבֵּעִים לְשֹׂנְאָי׃

Este versículo é uma duplicata de Êx 20.5, cujas notas também são aplicáveis aqui. Continua a afirmação sobre o segundo mandamento. Somente Yahweh deveria ser adorado (ver Êx 34.14; Dt 6.15; 32.1,21; Js 24.19). "Toda forma de idolatria aponta para a degradação da imagem divina no homem" (Ellicott, *in loc.*). Ver Gn 1.26,27 quanto ao fato de que o homem foi criado à imagem de Deus. Quanto a Yahweh como um Deus zeloso, cf. Dt 4.24; 32.16.

Daqueles que me aborrecem. Pais que odeiam a Deus com frequência produzem filhos que, até a terceira e a quarta geração, também odeiam a Deus (cf. Êx 20.5; 34.6,7). Os rebeldes idólatras são pintados como "odiadores de Deus", palavras duras, realmente. Aqueles que amam as imagens de escultura são retratados como odiadores de Deus, posto ser ele o único verdadeiro objeto de nossa adoração.

■ 5.10

וְעֹשֶׂה חֶסֶד לַאֲלָפִים לְאֹהֲבַי וּלְשֹׁמְרֵי מִצְוֹתוֹ ס

Este versículo é uma duplicata de Êx 20.6, cujas notas expositivas também se aplicam aqui. Continua a afirmação do segundo mandamento. A misericórdia de Deus confere *vida* abundante. Ver Dt 4.1 e 5.33 quanto à lei como uma medida doadora de vida, e como Paulo julgou que foi exagerado o valor da lei. Qual seja o *intuito* da lei, foi exatamente o que criou a diferença fundamental entre o judaísmo e o cristianismo.

■ 5.11

לֹא תִשָּׂא אֶת־שֵׁם־יְהוָה אֱלֹהֶיךָ לַשָּׁוְא כִּי לֹא יְנַקֶּה
יְהוָה אֵת אֲשֶׁר־יִשָּׂא אֶת־שְׁמוֹ לַשָּׁוְא׃ ס

Este versículo é uma duplicata de Êx 20.7, cujas notas expositivas também se aplicam aqui. Esse terceiro mandamento volta-se contra o uso trivial do nome divino, algo que muitos cristãos até hoje também não aprenderam, o que ilustrei nos comentários sobre o livro de Êxodo. Listei seis possíveis abusos contra o nome divino, no livro de Êxodo. Um israelita piedoso nem ao menos proferia o nome divino, a fim de que não o usasse erroneamente. Ver na *Enciclopédia de Bíblia, Teologia e Filosofia* o verbete chamado *Linguagem, Uso Apropriado de*. O original hebraico dá aqui a entender "elevar (o nome divino)" ou "vincular inutilidade (a nome divino)".

■ 5.12

שָׁמוֹר אֶת־יוֹם הַשַּׁבָּת לְקַדְּשׁוֹ כַּאֲשֶׁר צִוְּךָ יְהוָה
אֱלֹהֶיךָ׃

Este versículo é virtualmente o mesmo que o de Êx 20.8, cujas notas também se aplicam aqui. Este quarto mandamento revestia-se de importância especial por ser o *próprio sinal* do Pacto Mosaico, o sábado, tal como a circuncisão era o sinal do Pacto Abraâmico. Ver o *Pacto Mosaico* nas notas introdutórias ao capítulo 19 de Êxodo. Ver Êx 31.13 ss., que ensina isso. Ver no *Dicionário* o artigo chamado *Sábado*. Contrastar com isso, na *Enciclopédia de Bíblia, Teologia e Filosofia*, o artigo *Domingo, Dia do Senhor*. Ver também Êx 20.11; 23.12. O sábado era um tipo do descanso espiritual em Cristo (ver Hb 4.1,3-5,8-11), a saber, a *salvação eterna* (ver a respeito no *Dicionário*).

■ 5.13,14

שֵׁשֶׁת יָמִים תַּעֲבֹד וְעָשִׂיתָ כָּל־מְלַאכְתֶּךָ׃
וְיוֹם הַשְּׁבִיעִי שַׁבָּת לַיהוָה אֱלֹהֶיךָ לֹא תַעֲשֶׂה
כָל־מְלָאכָה אַתָּה וּבִנְךָ־וּבִתֶּךָ וְעַבְדְּךָ־וַאֲמָתֶךָ
וְשׁוֹרְךָ וַחֲמֹרְךָ וְכָל־בְּהֶמְתֶּךָ וְגֵרְךָ אֲשֶׁר בִּשְׁעָרֶיךָ
לְמַעַן יָנוּחַ עַבְדְּךָ וַאֲמָתְךָ כָּמוֹךָ׃

Esses versículos são virtuais duplicatas de Êx 20.9,10, cujas notas expositivas também têm aplicação aqui. Prossegue aqui a afirmação sobre o quarto mandamento.

"A observância do sábado, por parte de Israel, servia de testemunho de sua crença em um Deus pessoal e transcendental, o Criador do mundo" (Jack S. Deere, *in loc.*). Era uma espécie de participação no ato divino, imitando o que Deus fez no tocante ao trabalho e ao descanso. O descanso criava uma oportunidade de atividade e reflexão espiritual. Essa crença e prática (a guarda do sábado) não tinha igual no Oriente Próximo e Médio, um item singular da legislação mosaica, o sinal do pacto firmado entre Yahweh e Israel.

■ 5.15

וְזָכַרְתָּ כִּי־עֶבֶד הָיִיתָ בְּאֶרֶץ מִצְרַיִם וַיֹּצִאֲךָ יְהוָה
אֱלֹהֶיךָ מִשָּׁם בְּיָד חֲזָקָה וּבִזְרֹעַ נְטוּיָה עַל־כֵּן צִוְּךָ
יְהוָה אֱלֹהֶיךָ לַעֲשׂוֹת אֶת־יוֹם הַשַּׁבָּת׃ ס

Porque te lembrarás. Este versículo não tem paralelo no livro de Êxodo. É aqui adicionada outra razão para a observância do sábado. A observância do sábado era uma espécie de repetição do espírito da observância da Páscoa, da mesma maneira que a Ceia do Senhor nos faz relembrar de sua morte e ressurreição. No Egito, Israel só tinha *trabalho* forçado a fazer. Mas Deus lhes deu descanso quando os livrou daquele país. Assim também, a salvação em Cristo nos outorga descanso espiritual.

O trecho de Êx 20.11 elabora de forma diferente a ilustração sobre a guarda do sábado, a saber, o fato de que, por ocasião da criação, Deus trabalhou por seis dias e então descansou da criação, no sétimo dia. Este texto, porém, não inclui essa elaboração.

Naturalmente, o mandamento sobre o sábado não é repetido no Novo Testamento; mas os trechos de Rm 14.5,6 e Cl 2.16,17 quase certamente mostram que o crente não está sob a obrigação de observar o sábado. Esse era o sinal do Pacto Mosaico, o qual foi anulado pelo Novo Pacto, sob o qual vivemos. O artigo *Sábado*, no *Dicionário*, aborda essa questão.

Ver Nm 23.22 quanto ao poder de Yahweh que tirou Israel do Egito. Ver também Dt 4.20, sobre como esse ato de Yahweh é mencionado por cerca de vinte vezes neste livro, onde recebe várias aplicações.

■ 5.16

כַּבֵּד אֶת־אָבִיךָ וְאֶת־אִמֶּךָ כַּאֲשֶׁר צִוְּךָ יְהוָה אֱלֹהֶיךָ
לְמַעַן יַאֲרִיכֻן יָמֶיךָ וּלְמַעַן יִיטַב לָךְ עַל הָאֲדָמָה
אֲשֶׁר־יְהוָה אֱלֹהֶיךָ נֹתֵן לָךְ׃ ס

Este versículo é paralelo a Êx 20.12, cujas notas também são aplicáveis aqui. Este quinto mandamento trata da relação do homem com seus semelhantes, tal como o quarto mandamento aborda as relações do homem com Deus. De fato, os últimos *seis* mandamentos tratam das relações do homem com seus semelhantes. No Novo Testamento, essa questão é abordada no trecho de Ef 6.1-3.

"Honrar pai e mãe significa valorizá-los como preciosos. Os filhos que vivem num lar exprimem isso mostrando-se *obedientes* a seus pais. Esse mandamento era crítico quanto à existência da nação" (Jack S. Deere, *in loc.*).

Para que se prolonguem os teus dias. Cf. Dt 4.40; 5.33; 6.2; 25.15; 32.47. A vida dependia da obediência, mas Paulo não entendia que a *vida eterna* viesse por meio da lei. Ver Dt 4.1 quanto a notas sobre isso, bem como detalhes sobre esse mandamento em Êx 20.12.

■ 5.17

לֹא תִּרְצָח׃ ס

Este versículo é paralelo de Êx 20.13, cujas notas também são aplicáveis aqui. Este sexto mandamento refere-se ao homicídio intencional. O homicídio involuntário tinha a provisão das cidades de refúgio (ver no *Dicionário* e em Êx 21.12; Lv 24.17; Ez 18.20). Outras maneiras de tirar a vida, como durante uma guerra, não eram cobertas pela proibição deste mandamento. Ver detalhes em Êx 20.13 e também no *Dicionário*, no artigo chamado *Homicídio*. Em todos os casos, os comentários sobre o capítulo 20 de Êxodo incluem o crime maior, de acordo com a compreensão espiritual dos mandamentos, vistos à luz do Novo Testamento. Ver também no *Dicionário* o artigo *Punição Capital*, e, na *Enciclopédia de Bíblia, Teologia e Filosofia*, ver o verbete *Eutanásia*. E também, no *Novo Testamento Interpretado*, o trecho de Mateus 5.21,22 e suas notas expositivas.

Visto que o homem foi criado à *imagem de Deus* (ver Gn 1.26,27), somente Deus tem o poder de tirar uma vida. O caráter ímpar do homem requer respeito pela sua forma de vida.

■ 5.18

וְלֹא תִּנְאָף׃ ס

Este versículo tem paralelo em Êx 20.14, cujas notas expositivas também se aplicam aqui. Este sétimo mandamento tem sido usado para ensinar contra toda a variedade de pecados, pensamentos, atos e intenções sexuais. O trecho de Mt 5.27 ss. fornece-nos a expansão da questão dada por Jesus, de acordo com uma compreensão espiritual mais profunda. Ver no *Dicionário* os artigos chamados *Adultério* e *Dez Mandamentos*, a respeito deste e de todos os outros nove mandamentos. Os hebreus compreendiam o adultério como a sedução da mulher de outro homem, mas esse mandamento também adverte contra a ditadura dos apetites do corpo.

■ 5.19

וְלֹא תִּגְנֹב׃ ס

Este versículo é paralelo de Êx 20.15, cujas notas aplicam-se também aqui. Fala sobre o respeito à propriedade privada. Ver no *Dicionário* o verbete intitulado *Roubo*. Este oitavo mandamento era um elemento protetor da sociedade, bem como do caos que ocorre por causa de atos de homens ímpios e desarrazoados. A *generosidade* é o oposto do furto e deve servir de diretriz na vida dos homens. A medida de um homem é a sua generosidade, outro nome para o *Amor* (ver a esse respeito no *Dicionário*).

■ 5.20

וְלֹא־תַעֲנֶה בְרֵעֲךָ עֵד שָׁוְא׃ ס

Este versículo é paralelo de Êx 20.16, cujas notas se aplicam aqui também. O nono mandamento tinha por intuito proteger os sistemas judiciais, que devem estar alicerçados sobre a honestidade e um julgamento verdadeiro. Mas esse mandamento também tem um aspecto geral, mostrando-se contra a inverdade de toda sorte, pública ou particular. Ver no *Dicionário* o artigo chamado *Mentir (Mentiroso)*.

A *calúnia* ou difamação do caráter de outrem certamente também foi proibida pelo espírito deste mandamento.

> Um bom nome, em homem ou mulher,
> É a joia preciosa de sua alma.
> Quem furta minha bolsa furta lixo...
> Mas quem furta o meu bom nome
> Furta-me daquilo que não o enriquece,
> Mas que de fato me empobrece.
>
> Shakespeare

■ 5.21

וְלֹא תַחְמֹד אֵשֶׁת רֵעֶךָ ס וְלֹא תִתְאַוֶּה בֵּית רֵעֶךָ שָׂדֵהוּ וְעַבְדּוֹ וַאֲמָתוֹ שׁוֹרוֹ וַחֲמֹרוֹ וְכֹל אֲשֶׁר לְרֵעֶךָ׃ ס

Este versículo tem paralelo em Êx 20.17, cujas notas também têm aplicação aqui. Esse décimo mandamento proíbe toda forma de cobiça envolvendo pessoas, propriedades ou objetos. O homem que cobiça não consegue pôr-se de pé. ele sempre precisa das possessões e realizações alheias para sentir-se uma pessoa completa. ele *arrebata* aquilo que pertence a outrem, pelo que ele não trabalhou nem se esforçou por adquirir, que não faz parte de sua própria pessoa. Este mandamento trata das emoções e motivações interiores que, finalmente, *resultam* em atos externos como o furto, o adultério, a calúnia, a fraude etc. Ver a exposição de Jesus quanto ao sexto e ao sétimo mandamento, que abordam os motivos e desejos do íntimo, e não meramente os atos externos (ver Mt. 5.21,22). O décimo mandamento, pois, está no limiar da perspectiva do Novo Testamento, ou seja, mais do ponto de vista das qualidades humanas de caráter do que daquilo que o homem faz. O artigo do *Dicionário*, chamado *Dez Mandamentos*, desenvolve esse tema. Ver também no *Dicionário* o verbete *Lei, Função da*.

Nas notas expositivas sobre Êx 20.17, ofereço um gráfico que ilustra como Jesus manuseou a lei mosaica.

■ 5.22

אֶת־הַדְּבָרִים הָאֵלֶּה דִּבֶּר יְהוָה אֶל־כָּל־קְהַלְכֶם בָּהָר מִתּוֹךְ הָאֵשׁ הֶעָנָן וְהָעֲרָפֶל קוֹל גָּדוֹל וְלֹא יָסָף וַיִּכְתְּבֵם עַל־שְׁנֵי לֻחֹת אֲבָנִים וַיִּתְּנֵם אֵלָי׃

Estas palavras falou o Senhor. Este versículo expõe um *sumário* das circunstâncias da outorga da lei, repetindo ainda elementos que já tinham sido vistos por várias vezes. É essencialmente paralelo a Êx 20.18-21, cujas notas devem ser consultadas. Aqui, porém, a afirmação é mais ampla, incorporando outros elementos. Ambos os comentários sobre o sumário ensinam que a lei foi dada por uma revelação divina direta, e não pela compilação de raciocínios humanos. O resto da lei veio através da mediação de Moisés, com base nos Dez Mandamentos originais, em seu espírito e implicação.

Tendo-as escrito em duas tábuas de pedra. Essa declaração repete o que já tínhamos lido em Dt 4.13, onde se comenta a questão. Ver também as notas sobre Êx 32.16 quanto às *duas tábuas*.

Deu-mas a mim. Moisés era o mediador entre Yahweh e o povo de Israel, aquele que era responsável pela transmissão da mensagem ao povo, e por ensinar os israelitas sobre a vontade do Senhor. ele foi o mediador do Pacto da Lei (ver a introdução ao capítulo 19 de Êxodo), da mesma forma que Jesus Cristo, o segundo, mas maior do que Moisés, foi o agente do Novo Testamento. Ver na *Enciclopédia de Bíblia, Teologia e Filosofia* o verbete intitulado *Novo Testamento (Pacto)*. Moisés era *servo* na casa de Deus, mas Cristo é o próprio *Filho*, herdeiro da casa.

Cf. este versículo com Gl 3.18; 1Tm 2.5; Hb 8.6; 9.15; 12.24.

■ 5.23

וַיְהִי כְּשָׁמְעֲכֶם אֶת־הַקּוֹל מִתּוֹךְ הַחֹשֶׁךְ וְהָהָר בֹּעֵר בָּאֵשׁ וַתִּקְרְבוּן אֵלַי כָּל־רָאשֵׁי שִׁבְטֵיכֶם וְזִקְנֵיכֶם׃

...vos achegastes a mim. Cf. Êx 20.21, que é um trecho regularmente paralelo. O trecho de Êx 19.16-18 contém outros elementos que também estão aqui presentes. As notas dadas nas duas referências do livro de Êxodo também se aplicam aqui. Esses versículos tendem por ensinar quão terrível é a presença de Yahweh, o que explica o temor e o respeito que ele exige da parte dos homens. Tudo isso foi revelado e se tornou *obrigatório*.

"O temor... de Israel, diante da presença próxima de Yahweh, refletiu o sentimento de todos os judeus, no período em que foi escrito o Deuteronômio. A teofania no Sinai, quando da outorga da lei, tinha sido uma provação aterrorizante. O povo anelou por retirar-se para uma distância segura, deixando que Moisés terminasse sozinho a transação" (Henry S. Shires, *in loc.*). Era uma crença comum dos hebreus que o fato de se aproximar-se muito da presença de Deus era uma experiência fatal. Cf. Gn 32.30.

■ 5.24

וַתֹּאמְרוּ הֵן הֶרְאָנוּ יְהוָה אֱלֹהֵינוּ אֶת־כְּבֹדוֹ וְאֶת־גָּדְלוֹ וְאֶת־קֹלוֹ שָׁמַעְנוּ מִתּוֹךְ הָאֵשׁ הַיּוֹם הַזֶּה רָאִינוּ כִּי־יְדַבֵּר אֱלֹהִים אֶת־הָאָדָם וָחָי׃

Hoje vimos. Cf. 2Co 3.7-11, onde o Novo Testamento comenta as circunstâncias descritas aqui. Um dos resultados desse poder e glória foi que a presença de Deus foi ocultada, em vez de ser revelada, tornando necessária a revelação mais profunda de Deus em Cristo. Ver Jo 1.18 e 2Co 3.6,15 ss., mas também o capítulo *inteiro*.

O Deus Vivo. Entre outras coisas, a experiência de Israel no Sinai revelou a verdade da real existência do Deus Vivo. Ver no *Dicionário* os artigos chamados *Deus* e *Atributos de Deus*. Dispomos de provas filosóficas e teológicas da existência de Deus e de sua revelação. Mas crer na existência de Deus não é suficiente. Essa crença precisa transformar a alma. É possível alguém ser um ateu prático, ou seja, alguém que acredita na existência de Deus, mas não permite que essa crença faça nenhuma diferença prática em sua vida. As experiências místicas de Israel no Sinai fizeram a diferença entre a crença e a prática. Ver no *Dicionário* o artigo intitulado *Misticismo*.

Espiritual significa ter santo temor, respeito, ajoelhar-se espiritualmente diante da presença de Deus, e também estar instruído nas verdades espirituais e pô-las em prática. Ver Fp 2.10.

■ 5.25

וְעַתָּה לָמָּה נָמוּת כִּי תֹאכְלֵנוּ הָאֵשׁ הַגְּדֹלָה הַזֹּאת אִם־יֹסְפִים אֲנַחְנוּ לִשְׁמֹעַ אֶת־קוֹל יְהוָה אֱלֹהֵינוּ עוֹד וָמָתְנוּ׃

Por que Devemos Morrer? Ou seja, por que chegar perto demais da presença divina? Moisés pôde *aproximar-se* do Senhor; mas Israel ficou distante, trêmulo. Em Cristo, somos aproximados de Deus, em vez de sermos tangidos para longe. Ver no *Dicionário* o artigo chamado *Acesso*.

"O temor instintivo da morte, despertado pela presença divina, e especialmente em face da declaração da lei divina, presta um testemunho eloquente sobre a verdade de que o homem foi criado para trazer estampada em si a semelhança divina e para viver uma vida santa" (Ellicott, *in loc.*).

■ 5.26

כִּי מִי כָל־בָּשָׂר אֲשֶׁר שָׁמַע קוֹל אֱלֹהִים חַיִּים מְדַבֵּר
מִתּוֹךְ־הָאֵשׁ כָּמֹנוּ וַיֶּחִי׃

Que tenha ouvido a voz do Deus vivo... e permanecido vivo? Este versículo deve ser comparado com a experiência de Jacó, em Gn 32.3. Ver também Êx 3.2,4 quanto a como Moisés aproximou-se da presença de Deus e do fogo. A crença comum dos hebreus era de que tal experiência seria fatal.

No Sinai. O povo de Israel ouviu ali a mensagem de Yahweh. Por igual modo, no Pentecoste cristão, ouvir a mensagem era a grande necessidade. Ambos os eventos foram exibições da graça e do poder divinos; ambos tinham coisas importantes a comunicar em prol da espiritualidade humana.

Os persas tinham uma tradição similar a respeito de Zoroastro, o qual "tendo sido arrebatado ao céu, não viu Deus, mas *ouviu-o* falar com ele de dentro das chamas" (*Hist. Relig. Vet. Pers.* cap. 8, pág. 160, de Hyde).

■ 5.27

קְרַב אַתָּה וּשֲׁמָע אֵת כָּל־אֲשֶׁר יֹאמַר יְהוָה אֱלֹהֵינוּ
וְאַתְּ תְּדַבֵּר אֵלֵינוּ אֵת כָּל־אֲשֶׁר יְדַבֵּר יְהוָה אֱלֹהֵינוּ
אֵלֶיךָ וְשָׁמַעְנוּ וְעָשִׂינוּ׃

Chega-te, e ouve tudo. A Moisés foi ordenado que se aproximasse da presença de Deus e do fogo, a fim de receber a mensagem divina. Os israelitas delegaram de bom grado a Moisés essa obra de mediação. Yahweh, o Eterno, era também Elohim, o Todo-poderoso. Ver no *Dicionário* o artigo chamado *Deus, Nomes Bíblicos de*, quanto a esclarecimentos sobre os nomes de Deus. O povo de Israel queria ouvir a mensagem de Deus, mas não estava preparado para o seu *modus operandi* da revelação. Moisés, porém, homem espiritualmente muito mais evoluído, foi aproximar-se muito mais de Deus. Assim acontece sempre. Todos nos achamos em variegados graus de crescimento espiritual, e isso resulta em vários graus de acesso a Deus. Cf. este versículo com Êx 20.19 e 24.3-7, onde é apresentada uma cena bastante parecida.

■ 5.28

וַיִּשְׁמַע יְהוָה אֶת־קוֹל דִּבְרֵיכֶם בְּדַבֶּרְכֶם אֵלָי וַיֹּאמֶר
יְהוָה אֵלַי שָׁמַעְתִּי אֶת־קוֹל דִּבְרֵי הָעָם הַזֶּה אֲשֶׁר
דִּבְּרוּ אֵלֶיךָ הֵיטִיבוּ כָּל־אֲשֶׁר דִּבֵּרוּ׃

Em tudo falaram eles bem. Yahweh agradou-se do desejo de Israel de *ouvir*, e, presumivelmente, de *obedecer* à mensagem que viesse a ser-lhes comunicada. Eles guardariam todos os Dez Mandamentos. Pelo menos essa era a sua intenção, quando rogaram que Moisés se aproximasse de Yahweh e recebesse a mensagem *em lugar deles*. Ver Dt 18.16 ss. quanto a um comentário e expansão posterior sobre a ideia contida neste versículo. *Ouvir e obedecer* incluíam receber a mensagem do Messias, o Moisés maior. Quase todos os intérpretes consideram que o capítulo 18 de Deuteronômio é uma profecia messiânica. Assim, a obediência à lei de Moisés era uma obediência preliminar ao evangelho. Somente o livro de Deuteronômio registra esse aspecto dos acontecimentos ao pé do monte Sinai.

■ 5.29

מִי־יִתֵּן וְהָיָה לְבָבָם זֶה לָהֶם לְיִרְאָה אֹתִי וְלִשְׁמֹר
אֶת־כָּל־מִצְוֹתַי כָּל־הַיָּמִים לְמַעַן יִיטַב לָהֶם
וְלִבְנֵיהֶם לְעֹלָם׃

Quem dera que eles tivessem tal coração. O desejo de Yahweh é realmente notável. ele ficou satisfeito diante do desejo por eles expresso de ouvir e obedecer, e agora expressou um forte anelo de que eles pusessem em ação as suas boas intenções. Se assim fizessem, *viveriam* (ver Dt 4.1 e 5.33). A lei foi instaurada e outorgada para ser obedecida, para que assim os israelitas tivessem vida; e não apenas para ser conhecida e admirada.

Nunca poderemos provar os deleites de sua vontade,
Até depositarmos tudo sobre o altar.
Pois o favor que ele mostra e a alegria que ele dá
Estão reservados para os que confiam e obedecem.

J. H. Sammis

Aben Ezra observou, com toda a razão, que neste ponto as Escrituras falam na linguagem própria das crianças, para todos podermos compreendê-las. E essa linguagem atribui desejos, esperanças e decisões da vontade ao Ser divino. Ver no *Dicionário* os artigos chamados *Antropomorfismo* e *Antropopatismo*.

"O clímax da reverência é a *obediência* direta a Deus. No vs. 29 chegamos a abordar um problema que tem perseguido os líderes religiosos de todas as épocas. Esvai-se o momento de exaltação. Aquilo que parecia impossível em meio à *firme resolução*, torna-se tragicamente verdadeiro: os mandamentos de Deus são esquecidos. Se o povo de Israel não tivesse falhado, nem o Deuteronômio nem a maior parte do Antigo Testamento teriam sido escritos. Pois o Antigo Testamento, em sua essência, é uma repetida convocação para Israel *lembrar-se*" (Henry H. Shires, *in loc.*).

■ 5.30

לֵךְ אֱמֹר לָהֶם שׁוּבוּ לָכֶם לְאָהֳלֵיכֶם׃

Quando Moisés os convocou, eles tinham deixado as suas tendas e tinham-se aproximado do sopé do monte Sinai. Ali a lei estava sendo outorgada, e o povo contemplou a glória de Yahweh, tendo ouvido sua voz e suas ordens. Posteriormente, foram enviados de volta às suas tendas, por ordem do Senhor, e assim a vida voltou à normalidade. *Lembrar-se-iam* eles do que tinham visto? *Obedeceriam* eles à voz de Deus? Entrementes, Moisés ficou na presença de Yahweh, a fim de receber as tábuas da lei.

■ 5.31

וְאַתָּה פֹּה עֲמֹד עִמָּדִי וַאֲדַבְּרָה אֵלֶיךָ אֵת כָּל־הַמִּצְוָה
וְהַחֻקִּים וְהַמִּשְׁפָּטִים אֲשֶׁר תְּלַמְּדֵם וְעָשׂוּ בָאָרֶץ אֲשֶׁר
אָנֹכִי נֹתֵן לָהֶם לְרִשְׁתָּהּ׃

Fica-te aqui comigo. O povo foi mandado embora, mas Moisés permaneceu a fim de cumprir a sua missão de receber a lei. ele era o mediador não somente para receber a lei, mas também para ensiná-la. Um grande acúmulo de material foi adicionado aos Dez Mandamentos originais. Seria mister toda uma classe *sacerdotal* para instruir devidamente aquele povo. Não lhes seria possível obedecer sem receberem *instrução*, conforme sempre acontece na fé religiosa. As duas grandes colunas da espiritualidade são o *amor* e o *conhecimento*. O conhecimento é impossível sem a instrução. Os livros ajudam tanto aos mestres quanto aos alunos. Alguns homens ensinam; outros aprendem. O processo deve ser contínuo, se tiver de ser eficiente. Ver no *Dicionário* os artigos chamados *Educação no Antigo Testamento* e *Educação e Moralidade*. E, na Enciclopédia de Bíblia, Teologia e Filosofia, ver o verbete *Ensino*. Parte da Grande Comissão, dada pelo Senhor Jesus à sua Igreja, é "ensinar", conforme fica claro em Mt 28.20.

■ 5.32

וּשְׁמַרְתֶּם לַעֲשׂוֹת כַּאֲשֶׁר צִוָּה יְהוָה אֱלֹהֵיכֶם אֶתְכֶם
לֹא תָסֻרוּ יָמִין וּשְׂמֹאל׃

Cuidareis em fazerdes. Aos filhos de Israel foi ordenada uma observância estrita de toda a lei. Não poderia haver nenhuma tentativa de desvio. De outra sorte, o povo de Israel seria devorado na terra pelos seus adversários morais, embora tivessem obtido a vitória nas batalhas militares. A vitória mais difícil sempre será aquela que é *interior*, onde há ou não há uma espiritualidade adequada. Consideremos o trecho de Is 30.21: "Quando te desviares para a direita e quando te desviares para a esquerda, os teus ouvidos ouvirão atrás de ti uma palavra, dizendo: Este é o caminho, andai por ele".

Oh, Senhor, concede-nos tal graça!

Não vos desviareis. Em breve Israel haveria de tomar conta da Terra Prometida. Ali chegando, enfrentaria muitas tentações, sobretudo aquelas referentes à idolatria e aos variegados pecados dos habitantes anteriores do território, remanescentes dos quais haveriam de ficar para trás. Israel seria capaz de resistir a novas tentações e provações? A instrução bíblica haveria de ajudá-los a serem aprovados no teste. A lei protegeria Israel de todos os aspectos do paganismo; mas os israelitas permitiriam que a lei os protegesse?

5.33

בְּכָל־הַדֶּ֗רֶךְ אֲשֶׁ֨ר צִוָּ֜ה יְהוָ֧ה אֱלֹהֵיכֶ֛ם אֶתְכֶ֖ם תֵּלֵ֑כוּ לְמַ֤עַן תִּֽחְיוּן֙ וְט֣וֹב לָכֶ֔ם וְהַאֲרַכְתֶּ֣ם יָמִ֔ים בָּאָ֖רֶץ אֲשֶׁ֥ר תִּֽירָשֽׁוּן׃

Andareis em todo o caminho. A obediência importava em vida. E essa obediência à *lei* era o tipo de obediência que Deus requeria. Este é um dos versículos mais largamente conhecidos de todo o livro de Deuteronômio. Nos séculos que se seguiram, os intérpretes judeus postularam que a *vida eterna* era resultado da obediência à lei; e essa passou a ser a grande pedra fundamental do judaísmo posterior. Dizer que Israel não tinha um sistema de salvação por meio de obras é ignorar tudo quanto os rabinos chegaram a ensinar. Quando este versículo foi escrito, estavam em pauta a *vida física* e o bem-estar diário, na Terra Prometida, visto que o Pentateuco não apresenta nenhum quadro claro sobre a alma que sobrevive à morte física, e que encontra, no além-túmulo, ou uma existência bem-aventurada ou um juízo severo. O Pentateuco também não ameaça os desobedientes à lei com o juízo eterno, tal como não promete a vida eterna aos obedientes. Todavia, há indícios acerca da realidade da alma, como na doutrina da criação do homem segundo a imagem de Deus (ver Gn 1.26,27), e no fato de que ali se fala sobre o Deus dos espíritos (ver Nm 16.22; 27.16). Todavia, ficou reservado ao Novo Testamento desenvolver esses indícios em doutrinas e dogmas. Paulo, com as revelações divinas que recebeu, aprendeu a abandonar a noção da lei mosaica como doadora de vida eterna, o que se vê claramente em Gl 3.21.

Peço que o leitor examine as notas sobre Dt 4.1, quanto a maiores detalhes e referências a artigos que aumentam nosso conhecimento acerca daquilo que fica sugerido neste versículo.

"Quanto a este mui importante versículo, podemos observar que uma longa vida na terra é uma grande bênção, se é que estamos vivendo para Deus, porquanto é somente na vida, exclusivamente enquanto ela perdura, que nos podemos preparar para a glória eterna" (Adam Clark, *in loc.*). Naturalmente, o irmão Clark, tendo sido um metodista, não tinha visão acerca de como Cristo abriu o hades como um campo missionário (1Pe 3.18—4.6). No hades também é possível adquirir vida em Cristo. Ver na *Enciclopédia de Bíblia, Teologia e Filosofia,* o verbete intitulado *Descida de Cristo ao Hades.*

Quanto ao desejo de uma longa vida, ver as notas expositivas sobre Gn 5.21. É *melhor* ter uma vida boa do que ter uma vida longa. Mas o *melhor de tudo* é ter uma vida ao mesmo tempo boa e longa.

Os escritos judaicos, típicos do judaísmo posterior, aplicam este versículo à vida eterna. Ver Moreh Nevochim, par. 3, cap. 27, par. 418.

CAPÍTULO SEIS

O FIM DA LEI É A OBEDIÊNCIA (6.1-25)

Se alguém *ama a Deus*, então cumprirá os mandamentos, uma prova desse amor. Por conseguinte, os capítulos sexto a décimo primeiro de Deuteronômio podem ser vistos como uma expressão daquele grande mandamento que diz: "Amarás, pois, o Senhor teu Deus de todo o teu coração, de toda a tua alma, e de toda a tua força" (Dt 6.5). Jesus referiu-se a esse princípio quando apresentou a sua lei superior (ver Jo 14.21).

O autor sagrado aborda aqui a questão de um *mandamento*: deveres morais impulsionados pelo amor. Pouco antes, contudo, ele havia tratado de estatutos e juízos (Dt 5.31). Estes são aplicáveis a todas as situações práticas que os israelitas tinham de enfrentar na vida diária, como aplicações práticas dos mandamentos.

6.1

וְזֹ֣את הַמִּצְוָ֗ה הַֽחֻקִּים֙ וְהַמִּשְׁפָּטִ֔ים אֲשֶׁ֥ר צִוָּ֛ה יְהוָ֥ה אֱלֹהֵיכֶ֖ם לְלַמֵּ֣ד אֶתְכֶ֑ם לַעֲשׂ֣וֹת בָּאָ֔רֶץ אֲשֶׁ֥ר אַתֶּ֛ם עֹבְרִ֥ים שָׁ֖מָּה לְרִשְׁתָּֽהּ׃

Mandamentos... estatutos... juízos. Temos aqui a tríplice designação da legislação mosaica, conforme já tínhamos visto em Dt 5.31. Estatutos e juízos figuram como que formando um par em Dt 4.1,5,8,14,45 e 5.1. E Dt 6.20 reitera essa tripla designação. Ver as notas a respeito em Dt 5.31. Talvez não devamos estabelecer distinções muito nítidas entre esses três termos, pois parecem ser apenas uma referência múltipla aos muitos preceitos baixados por Moisés. Alguns estudiosos têm sugerido que os "mandamentos" são os Dez Mandamentos, e os outros dois vocábulos apontam para desenvolvimentos e ampliações posteriores do núcleo original da lei. O que fica claro, contudo, é que está em pauta a complexa legislação mosaica, referida por meio de vários termos. Toda essa grande complexidade precisava ser ensinada (Dt 5.31), conhecida e observada (5.31-33), para que então houvesse vida (4.1 e 5.33).

... se te ensinassem. A ideia de instrução é reiterada aqui. Ver Dt 5.31 quanto a notas expositivas completas e referências a artigos importantes sobre esse assunto.

Para que os cumprisses na terra. Ou seja, na Terra Prometida, dada a Israel por meio do Pacto Abraâmico (ver as notas a respeito em Gn 15.18). Os três discursos de Moisés (que perfazem o volume maior de Deuteronômio) exortavam o povo de Israel para que obedecesse à lei, como meio de conquista e de vida boa e longa na Terra Prometida. Os filhos de Israel precisavam instruir à geração mais jovem quanto aos seus deveres na Terra Prometida. Por motivo de desobediência, a geração anterior havia perecido no deserto, com as exceções únicas de Calebe e Josué (ver Dt 1.34 ss.).

Se os israelitas viessem a desobedecer à lei, mesmo quando já estivessem ocupando a Terra Prometida, então seriam expulsos dali (ver Dt 4.27 ss.).

6.2

לְמַ֨עַן תִּירָ֜א אֶת־יְהוָ֣ה אֱלֹהֶ֗יךָ לִ֠שְׁמֹר אֶת־כָּל־חֻקֹּתָ֤יו וּמִצְוֺתָיו֙ אֲשֶׁ֣ר אָנֹכִ֣י מְצַוֶּ֔ךָ אַתָּה֙ וּבִנְךָ֣ וּבֶן־בִּנְךָ֔ כֹּ֖ל יְמֵ֣י חַיֶּ֑יךָ וּלְמַ֖עַן יַאֲרִכֻ֥ן יָמֶֽיךָ׃

Outra Repetição. Uma das características literárias do autor do Pentateuco é a repetição. Assim, temos aqui elementos que já havíamos encontrado por diversas outras vezes. Quanto ao temor piedoso que os israelitas deveriam ter, ver Dt 5.29. A lei destinava-se a todas as "gerações" dos filhos de Israel (ver Êx 29.42; 31.16). Esses estatutos eram "perpétuos" (Êx 29.42; 31.16; Lv 3.17 e 16.29). Os hebreus não antecipavam um fim para o seu sistema religioso. Mas ele terminou, e isso serviu de instrumento para o começo do cristianismo. Todos os sistemas terminam e assim tornam-se instrumentos de avanço. Essa evolução é que é "perpétua". A epístola aos Hebreus mostra como e por qual motivo o Antigo Pacto terminou, a fim de que o Novo Pacto pudesse tomar o lugar daquele e percorrer o seu próprio curso.

E que teus dias sejam prolongados. Longa vida física e bem-estar material foram prometidos aos hebreus obedientes. A lei era a senhora de toda existência e vida prática. Essa parte do versículo reitera ideias encontradas em Dt 4.1 e 5.33, onde ofereço ricas notas expositivas. Ver também Dt 4.26,40 e 5.16. Quanto ao desejo de uma vida longa, ver Gn 5.2.

6.3

וְשָׁמַעְתָּ֤ יִשְׂרָאֵל֙ וְשָׁמַרְתָּ֣ לַעֲשׂ֔וֹת אֲשֶׁר֙ יִיטַ֣ב לְךָ֔ וַאֲשֶׁ֥ר תִּרְבּ֖וּן מְאֹ֑ד כַּאֲשֶׁר֩ דִּבֶּ֨ר יְהוָ֜ה אֱלֹהֵ֤י אֲבֹתֶ֙יךָ֙ לָ֔ךְ אֶ֛רֶץ זָבַ֥ת חָלָ֖ב וּדְבָֽשׁ׃ פ

Ouve, pois, ó Israel. Moisés estava desempenhando o seu papel de instrutor. sua mensagem, transmitida da parte de Yahweh, precisava ser *ouvida* de modo correto, ou seja, com o intuito de *obedecer*. A obediência, uma vez mais, aparece como fonte de todo bem-estar e longa vida. Parte dessa longa vida seria a *multiplicação*, de tal modo que Israel viesse a tornar-se uma grande nação, ocupando toda a Terra Prometida.

Terra que mana leite e mel. Uma expressão comum que descreve as riquezas e a fertilidade da Terra Prometida. Ver as notas a esse respeito em Êx 3.8 e Nm 13.27, onde a exposição inclui uma lista de referências a respeito.

O Senhor Deus. No hebraico, *Yahweh-Elohim*, o Eterno e Todo-poderoso. Ver no *Dicionário* o artigo chamado *Deus, Nomes Bíblicos de*, bem como os artigos separados *Yahweh* e *Elohim*. Ver Lv 18.30 e suas notas expositivas, quanto à expressão "Eu sou o Senhor teu Deus", que emprega os mesmos nomes divinos.

"Uma nota caracteristicamente deuteronômica: uma obediência reverente resultaria nas bênçãos divinas de uma longa vida, fertilidade e bem-estar material (ver Dt 5.33; 6.18,19). Desse modo, seriam cumpridas as promessas feitas aos pais (Gn 12.1-7; Êx 3.16,17)" (*Oxford Annotated Bible*, comentando sobre este versículo).

Palavras-chaves: Ensinar; ouvir; compreender; observar; cumprir; viver longamente; prosperar e bem-estar. Todas essas palavras-chaves foram incorporadas na dispensação da lei. Ver no *Dicionário* o artigo chamado *Dispensação (Dispensacionalismo)*.

A LEI DA COLHEITA SEGUNDO A SEMEADURA

Andareis em todo o caminho que vos manda o Senhor vosso Deus, para que vivais, bem vos suceda, e prolongueis os dias na terra que haveis de possuir.

Deuteronômio 5.33

CEIFA

Não vos enganeis: de Deus não se zomba; pois aquilo que o homem semear, isso também ceifará.

Gálatas 6.7

Semeai um pensamento e colhei um ato.
Semeai um ato e colhei um hábito.
Semeai um hábito e colhei um caráter.
Semeai um caráter e colhei um destino.

Prof. Huston Smith

■ **6.4**

שְׁמַע יִשְׂרָאֵל יְהוָה אֱלֹהֵינוּ יְהוָה אֶחָד׃

Temos aqui a introdução ao maior de todos os mandamentos, o amor (vs. 5).

Consideremos estes pontos: 1. *Dar ouvidos*. 2. *Israel* deveria ouvir e obedecer. O mandamento fora dado ao povo de Deus, àqueles que tinham sido libertados do Egito, aos quais fora entregue a Terra Prometida, que fazia parte do Pacto Abraâmico. 3. Monoteísmo, não somente para ser crido, mas também para ser aplicado. O único Deus verdadeiro requer obediência. A idolatria é terminantemente proibida. Ver sobre esse assunto no *Dicionário*. 4. Os *direitos* do Criador, o qual é Yahweh e Elohim (ver, acerca disso, as notas sobre o versículo anterior).

O *monoteísmo* (ver a respeito no *Dicionário*) forma a base do pronunciamento original da lei (ver Êx 20.3,4). Mas não devemos entender isso como mera crença na existência de um único Deus, ou que a divindade existe sob a forma de uma única unidade. Pois também envolve a obediência estrita à lei que foi dada pelo Deus único.

O original hebraico, que tem sido sujeitado a várias traduções, é: *Yahweh, nosso Deus, Yahweh, um. Eis algumas das traduções:*
O Senhor nosso Deus é um Senhor.
O Senhor nosso Deus, o Senhor é um só.
O Senhor é nosso Deus, o Senhor é um.
O Senhor é nosso Deus, somente o Senhor.
O Senhor, nosso Deus, é o único Senhor.

Fica em dúvida qual a melhor maneira de traduzir o original hebraico. Mas o intuito do original hebraico é perfeitamente claro. Só existe um Deus; e ele é nosso Senhor e dono; ele nos deu a sua lei; e ela deve ser obedecida. Isso rejeita peremptoriamente a idolatria. O Deus único requer o cumprimento da *lei do amor*, que sumaria a lei toda em uma única declaração, precisamente o quinto versículo deste capítulo.

"O objeto da atenção exclusiva, do afeto e da adoração de Israel não é difuso, mas compacto e único. Está em foco algum panteão de divindades, cada uma das quais possuidora de uma personalidade dotada da desconcertante capacidade de ser dividida por devotos e santuários rivais, impedindo que a atenção do adorador se concentre sobre um único objeto. A atenção de Israel, porém, não podia ser dividida; antes, confinava-se ao Ser único e bem definido, cujo nome é Yahweh" (G. Ernest Wright, *in loc.*).

O único Senhor. Não muitos deuses; mas essa expressão também enfatiza as ideias de *exclusividade* e de *soberania*. Esse único Deus precisa ser obedecido; ele é o doador e Senhor de toda vida.

O Shema. Este versículo, que na íntegra lê: "Ouve, Israel, o Senhor nosso Deus é o único Senhor", tem sido assim chamado. Esse vocábulo hebraico é o verbo no imperativo: "Ouve". O versículo contém a *confissão* fundamental e simplificada do judaísmo, da qual tudo mais depende. Os deuses do Oriente Próximo e Médio eram muitos, imorais, brutais, imprevisíveis, jamais agindo em harmonia com *outras divindades*. Todas essas noções eram repelidas por Israel. No judaísmo bíblico, pois, a fé religiosa avançara, devido ao seu monoteísmo *aplicado*, não sendo apenas um monoteísmo teórico.

■ **6.5**

וְאָהַבְתָּ אֵת יְהוָה אֱלֹהֶיךָ בְּכָל־לְבָבְךָ וּבְכָל־נַפְשְׁךָ וּבְכָל־מְאֹדֶךָ׃

O Primeiro e Maior dos Mandamentos. Não há que duvidar de que Deuteronômio, neste ponto, fez avançar nosso entendimento sobre o que está em pauta no monoteísmo, além de nos ter dado melhor compreensão acerca da própria natureza de Deus. A lei inteira é sumariada na Lei do Amor, que se aplica, antes de tudo, a Deus, e, em segundo lugar, aos nossos semelhantes. Paulo resalta isso em Rm 13.8 ss. Os críticos pensam que Deuteronômio foi escrito muito depois dos dias de Moisés; e parte do argumento deles está alicerçado sobre esse avanço conceptual, visto que os Dez Mandamentos originais não tinham o amor como a sua síntese. E assim, eles sentem que esse *discernimento* é fruto de uma época posterior. Ver no *Dicionário* o artigo intitulado *J.E.D.P.(S.)*, quanto à discussão sobre a teoria das fontes múltiplas do Pentateuco, onde datas presumíveis são dadas quanto aos vários níveis ou fontes originárias.

O Senhor Jesus citou este trecho do Deuteronômio em seu sumário da natureza e da nossa obrigação diante da lei. E logo em seguida acrescentou o *segundo* maior mandamento: que amemos ao próximo como amamos a nós mesmos. Ver Mt 22.37-40. No tocante a esses dois mandamentos, disse ele: "Destes dois mandamentos dependem toda a lei e os profetas". Com isso concordam quase todas as religiões e filosofias. Esse é um conceito que, para todos os efeitos práticos, é único que obteve aceitação *universal* como ensino espiritual. Ver no *Dicionário* o artigo detalhado chamado *Amor*, que ilustra a questão e enumera citações e poemas ilustrativos. Cf. Mt 19.19; Gl 5.14; Tg 2.8.

Os rabinos gostavam de sumariar ensinos em seus *aforismos*. Aquele que temos aqui tornou-se muito importante no judaísmo posterior. Aboth (1.1,2 e 2.9) contém uma discussão sobre o mais importante dos mandamentos. A melhor resposta para essa discussão é aquela que temos no presente texto. Aqueles que se têm dado ao trabalho de investigar dizem-nos que o judaísmo incorporou 613 mandamentos de Moisés. Davi, por sua vez, reduziu o número deles a onze mandamentos fundamentais (ver Sl 15.2-5); Isaías falou em seis (ver Is 33.15). Tiago sumariou a verdadeira religião (ver Tg 1.27). Lv 19.18 já havia fornecido a Jesus o segundo maior mandamento. E o rabino Akiba apontou para esse segundo maior mandamento como a fruição mesma da lei.

"Esse é o primeiro mandamento. Tal como os marinheiros encontram a sua posição por meio do firmamento e descobrem que estão somente quando estão viajando, a nossa relação com os semelhantes torna-se um caos, exceto quando primeiramente amamos a Deus" (Butrick, sobre Mt 22.38). Ver minha exposição sobre Mt 22.37 ss. no *Novo Testamento Interpretado*.

"O homem não pode amar a Deus conforme ama a outro ser humano. O amor a Deus envolve santo temor e reverência (vs. 13), e exprime-se por meio daquela lealdade devotada e singela de onde se deriva um serviço obediente e de todo o coração. O amor a Deus, desacompanhado da obediência, não é amor (1Jo 4.7-21)" (G. Ernest Wright, *in loc.*).

"Acima do decálogo brilha o... Shema. Para os judeus, esse é o próprio símbolo da fé. O culto nas sinagogas tem início com sua recitação. Deve ser proferido duas vezes a cada dia; escrito sobre pergaminho; usado nos filactérios; inscrito nas vergas das portas. Originou-se no impulso de distinguir Yahweh de Baal e das divindades astrais, tornou-se o ponto de concentração do monoteísmo em todos os lugares, primeiramente para os judeus... então para os cristãos... e, finalmente, para os islamitas. O valor intrínseco do Shema foi ampliado muitas vezes quando Jesus fez dele o mandamento supremo" (Henry H. Shires, *in loc.*).

Uma Grande Curiosidade. Por qual motivo as denominações cristãs, em suas declarações de fé, regularmente omitem qualquer referência a essa lei tão primordial? A razão disso é que traçam suas declarações de fé com base no espírito exclusivista e de ódio por tudo quanto delas difere. Assim, é uma incongruência mencionar o amor, quando essas outras atitudes negativas residem no coração do indivíduo.

Coração. A porção mais interior do ser; a sede das emoções; a vida interior.

Alma. A totalidade do homem, o homem completo.

Força. Todas as potencialidades do homem, aplicadas ao amor a Deus e ao próximo; o verdadeiro exercício da espiritualidade, com propósito e determinação.

Esses *três vocábulos* indicam tudo quanto somos, temos e podemos expressar.

O amor concede em um momento
O que o trabalho dificilmente obtém em uma era.

Goethe

A VIDA DE ACORDO COM A LEI

Para que temas o Senhor teu Deus, e guardes todos os seus estatutos e mandamentos, que eu te ordeno, tu, e teu filho, e o filho de teu filho, todos os dias de tua vida; e que teus dias sejam prolongados.

Deuteronômio 6.2

No Pentateuco, a vida é interpretada como uma longa vida física, de bem-estar e prosperidade na Terra Prometida. Foi apenas nos Salmos e Profetas que a alma eterna entrou na teologia dos hebreus.

A VIDA ATRAVÉS DA GRAÇA

Porque pela graça sois salvos, mediante a fé; e isto não vem de vós, é dom de Deus; não de obras, para que ninguém se glorie.

Efésios 2.8,9

Pois, para este fim foi o evangelho pregado também a mortos, para que, mesmo julgados na carne segundo os homens, vivam no espírito segundo Deus.

1Pedro 4.6

■ **6.6**

וְהָי֞וּ הַדְּבָרִ֣ים הָאֵ֗לֶּה אֲשֶׁ֨ר אָנֹכִ֧י מְצַוְּךָ֛ הַיּ֖וֹם עַל־לְבָבֶֽךָ׃

Estas palavras. Ou seja, toda a legislação mosaica (vs. 1), e isso sumariado e posto em prática através da Lei do Amor (vs. 5). A lei cai por terra quando não é acolhida no coração do ser humano. Pois do coração manam as intenções, as resoluções nobres e a força para cumprir a lei. O versículo anterior nos fornece três vocábulos, "coração", "alma" e "força". E agora o autor sagrado sumaria tudo com a palavra "coração". A obediência espiritual é uma questão do coração, e não apenas da mente. Cf. Dt 11.18 e Jr 31.33, onde achamos pensamentos similares.

Encha-me com tua plenitude, ó Senhor,
Até que meu coração transborde;
De pensamentos de fogo e de palavra brilhante,
Para falar de teu amor; para mostrar
teu louvor.

Frances R. Havergal

O Targum de Jonathan diz aqui de modo pitoresco: "Nas tábuas do coração", da mesma forma que a lei mosaica fora inscrita em tábuas de pedra (Dt 4.13). Cf. 2Co 3.3.

AMOR

O Preceito Dourado de Deuteronômio

O amor é a única lei universal. Todas as outras leis justas, de alguma maneira, expressam isso. Romanos 13.8 ss.

Ouve, Israel, o Senhor nosso Deus é o único Senhor. Amarás, pois, o Senhor teu Deus de todo o teu coração, de toda a tua alma e de toda a tua força.

Deuteronômio 6.4,5

E Jesus adicionou:

Amarás o teu próximo como a ti mesmo.

Mateus 19.19; 22.39

Destes dois mandamentos dependem toda a lei e os profetas.

Mateus 22.40

*Se pudéssemos encher de tinta os mares,
E cobrir os céus de pergaminho;
Se todos os pedúnculos fossem penas
E todos os homens, escribas profissionais –
Escrever o amor de Deus acima,
Ressecaria os oceanos,
E não haveria rolo para conter tudo,
Estendido que fosse de céu a céu!*

*O amor de Deus, quão rico e puro,
Quão sem medida e forte!
Perdurará para sempre.*

F. M. Lehman

*O amor de Deus escreverá o último capítulo da história humana.
O julgamento é um dedo da mão amorosa de Deus e um instrumento restaurador do seu amor.*

*Limites de pedra não podem conter o amor. E o que o amor pode fazer, isso o amor
Ousa fazer.*

Shakespeare

■ **6.7**

וְשִׁנַּנְתָּ֣ם לְבָנֶ֔יךָ וְדִבַּרְתָּ֖ בָּ֑ם בְּשִׁבְתְּךָ֤ בְּבֵיתֶ֙ךָ֙ וּבְלֶכְתְּךָ֣ בַדֶּ֔רֶךְ וּֽבְשָׁכְבְּךָ֖ וּבְקוּמֶֽךָ׃

Tu as inculcarás a teus filhos. As crenças religiosas que têm mostrado interesse em cumprir este mandamento organizam escolas, cursos e catecismos, que são coisas boas, mas por muitas vezes acabam falhando. A letra sempre ameaça o espírito. Os melhores mestres das crianças são os pais que praticam o que ensinam a seus filhos. Há três coisas que um pai ou mãe devem a seus filhos: exemplo, exemplo e exemplo. Sem isso, muitos anos de instrução religiosa formal redundam em fracasso.

O profeta Baha Ullah disse, com toda a verdade, que o pior erro que um pai pode cometer é conhecer algum ensinamento, mas não o transmitir a seus filhos. Existe tal coisa como um "crente-casulo", ou seja, um crente que foi criado e educado somente na igreja, tal como a larva de um inseto é guardada em seu casulo fechado. Trata-se de uma espécie de "virtude infantil enclausurada". Uma vez que a larva emerge do casulo, um mundo hostil logo a consome. E também há aquelas *corrupções internas* que nenhum acúmulo de educação formal é capaz de eliminar. Isso posto, a educação de uma criança precisa ser multifacetada, envolvendo instrução formal, exemplo vivo e muita oração. Ver no *Dicionário* os artigos *Educação no Antigo Testamento* e *Educação e Moralidade*. Ver na *Enciclopédia de Bíblia, Teologia e Filosofia* o artigo detalhado intitulado *Ensino*.

Um Ensino Completo. A instrução deve ser levada a efeito no lar; quando caminhamos ou viajamos; quando nos deitamos para dormir; quando nos levantamos para começar um novo dia, conforme nos diz o texto. Eu mesmo ensinei disciplinas *seculares*, por algum tempo, em uma escola judaica. Essa escola (em Chicago) dedica três horas a estudar disciplinas seculares, pela manhã, e três horas para estudos religiosos, à tarde. Mas quero informar a meu leitor que aquele foi um dos grupos de crianças mais difíceis de controlar que já conheci. Elas "colavam" nas provas, e eram mais difíceis de controlar do que os grupos gentios para quem já ensinei. No entanto, o filho do rabino, um de meus alunos, era um modelo de comportamento, além de destacar-se como líder intelectual. Na verdade, ele era um estudante modelo em todas as coisas, dotado de poderoso intelecto. A espiritualidade não se origina somente nos bancos escolares. Na verdade, é uma inquirição que dura a vida inteira. E nessa inquirição a escola desempenha somente um papel parcial.

■ 6.8

וּקְשַׁרְתָּם לְאוֹת עַל־יָדֶךָ וְהָיוּ לְטֹטָפֹת בֵּין עֵינֶיךָ׃

Também as atarás como sinal. Lembretes perpétuos deveriam ser empregados para ajudar na instrução, tanto de crianças quanto de adultos. Breves porções da lei eram postas em pequenas caixas, sobre a mão e sobre a testa. Este versículo talvez reflita uma prática posterior que foi formalizada nos chamados *filactérios*. Ver a respeito deles na *Enciclopédia de Bíblia, Teologia e Filosofia*. Antes dessa formalização, provavelmente os hebreus faziam era atar um pedaço de pergaminho em torno do pulso ou da testa, o qual continha um trecho da lei.

Esta passagem deve ser comparada com Dt 11.21 e Êx 13.1-16. A porção escrita amarrada à mão e à testa era, muito provavelmente, o Shema (ver o vs. 5 deste capítulo), pelo menos na maioria dos casos. Ver o texto de Mt 23.5 no *Novo Testamento Interpretado*.

■ 6.9

וּכְתַבְתָּם עַל־מְזוּזֹת בֵּיתֶךָ וּבִשְׁעָרֶיךָ׃ ס

E as escreverás. Lembretes perpétuos também eram atados aos umbrais das portas e aos portões, para que ninguém pudesse entrar ou sair sem vê-los. O Targum de Jonathan descreve a prática usada em um tempo posterior. Pedaços de pergaminho com porções da lei eram fixados em três lugares: no dormitório; no umbral da porta; e no portão, no seu lado direito. A isso judeus chamam de *Mezuzah*. As palavras ali escritas eram o Shema, embora outras porções também pudessem ser usadas. A prática incluía tocar e beijar esses lembretes. Tais coisas, para os supersticiosos e outras pessoas como eles, funcionavam como amuletos e encantamentos, e toda espécie de poder era atrelada a eles. De fato, isso foi desenvolvendo certa variedade de idolatria, embora, presumivelmente, Yahweh fosse honrado por tal prática. É possível alguém usar de lembretes por toda parte, mas ter a lei inscrita no coração é coisa totalmente diferente.

■ 6.10,11

וְהָיָה כִּי יְבִיאֲךָ יְהוָה אֱלֹהֶיךָ אֶל־הָאָרֶץ אֲשֶׁר נִשְׁבַּע לַאֲבֹתֶיךָ לְאַבְרָהָם לְיִצְחָק וּלְיַעֲקֹב לָתֶת לָךְ עָרִים גְּדֹלֹת וְטֹבֹת אֲשֶׁר לֹא־בָנִיתָ׃

וּבָתִּים מְלֵאִים כָּל־טוּב אֲשֶׁר לֹא־מִלֵּאתָ וּבֹרֹת חֲצוּבִים אֲשֶׁר לֹא־חָצַבְתָּ כְּרָמִים וְזֵיתִים אֲשֶׁר לֹא־נָטָעְתָּ וְאָכַלְתָּ וְשָׂבָעְתָּ׃

Quão Humanos São Esses Dois Versículos! Israel estava prestes a entrar na possessão da Terra Prometida, com todas as suas riquezas. Eles podiam conquistar cidades inteiras, com suas casas, utensílios, objetos de valor etc. Os hebreus matavam as pessoas, mas ficavam com os seus bens. De uma hora para outra, enriqueceriam. Haviam vagueado pelo deserto, onde tinham somente seus animais e alguns poucos objetos de uso pessoal. De repente, se tornariam ricos, tendo ficado com as riquezas de outras pessoas. A tendência deles seria esquecer Yahweh, que lhes tinha dado tudo. Os lembretes que haviam atado por toda parte já não conseguiriam falar ao coração deles. Sim, quando acumulamos coisas, podemos esquecer-nos da própria origem da vida. Os valores são distorcidos; e quase todas as pessoas caem nessa armadilha. Elas podem tornar-se preguiçosas e indulgentes. Poços já estavam cavados; vinhas e plantações já existiam; pomares de oliveiras estavam produzindo abundantemente. À semelhança dos crentes de Laodiceia, os israelitas estavam enriquecidos, e não precisavam de coisa alguma. Não eram nem frios nem quentes, mas mornos (ver Ap 3.15 ss.). Eles provavelmente tinham mais do que a maioria dos egípcios. E como eles tinham admirado as riquezas do Egito! Yahweh era Deus para tempos de dificuldade. Mas agora os israelitas provavelmente não precisavam mais dele, pois viviam em meio à abundância e ao lazer.

■ 6.12

הִשָּׁמֶר לְךָ פֶּן־תִּשְׁכַּח אֶת־יְהוָה אֲשֶׁר הוֹצִיאֲךָ מֵאֶרֶץ מִצְרַיִם מִבֵּית עֲבָדִים׃

Guarda-te, para que não esqueças o Senhor. A religião, na opinião de muitos, é algo que só serve para períodos tensos e de ameaça de morte. Mas o homem indulgente geralmente não tem lugar nem tempo para Deus. ele concorda que "Deus existe", mas não faz disso parte de sua vida diária. Antes, é um ateu prático, embora um teísta teórico. ele concorda que Deus faz intervenção na história (ver no *Dicionário* acerca do *Teísmo*), mas não se interessa nem um pouco sobre como Deus intervém em sua própria vida.

"Foi no auge de sua prosperidade pessoal que Davi cometeu seus grandes atos de infidelidade (1Sm 11)" (Jack S. Deere, *in loc.*).

Senhor Deus dos Exércitos — fica conosco
para não te esquecermos — para não
te esquecermos!

Rudyard Kipling

Israel estava pesadamente endividado com Yahweh, em termos de gratidão, mas em seu estado de abundância, isso poderia ser facilmente esquecido. "A grande dívida só poderia ser saldada se reverenciassem e servissem a Yahweh" (Henry H. Shires, *in loc.*). Uma casa repleta de coisas boas pode significar um coração vazio. O lazer pode resultar em indiferença espiritual.

Da casa da servidão. O fato de que Yahweh tirou o povo de Israel da servidão no Egito é um tema constante do Deuteronômio, e sempre tem aplicação de gratidão e fidelidade. Ver Nm 23.22 e Dt 4.20, quanto a notas expositivas completas. O tema ocorre por cerca de vinte vezes neste livro.

O trecho de Pv 30.7-9 pede que a bênção de Deus não seja dada nem nas riquezas nem na pobreza. Não nas riquezas, para que o homem não fique cheio de si nem de coisas, chegando assim a negar a Deus; nem isento de pobreza, a fim de que o homem não tenha de roubar.

A passagem de 2Co 9.8 ensina que a prosperidade financeira deve ser um meio para "abundarmos" em "toda boa obra". Em outras palavras, o dinheiro deve ser posto a funcionar mediante boas obras, não por meio de luxos e de auto-indulgência. Esse tipo de riqueza é muito desejável. Mas somente o homem espiritual tem a capacidade de usar o dinheiro dessa maneira. A maioria das pessoas que têm dinheiro vive ocupada em servir a si mesma.

■ 6.13

אֶת־יְהוָה אֱלֹהֶיךָ תִּירָא וְאֹתוֹ תַעֲבֹד וּבִשְׁמוֹ תִּשָּׁבֵעַ׃

Este versículo nos faz retroceder até Dt 5.29, cujas notas também se aplicam aqui. Ver também Dt 5.31-33. Temer e servir já tinham sido mencionados. Mas agora este versículo também menciona *jurar* em nome de Yahweh. Em outras palavras, o nome do Senhor deveria predominar em qualquer acordo, juramento ou pacto. Objetos próprios da idolatria não serviriam para isso, nem a natureza, nem as estrelas. Yahweh deve ser o apelo final de um homem, em qualquer situação da vida. Deus é quem nos confere bem-estar e prosperidade, aquele que liberta da casa da servidão (vss. 11,12). O amor mistura-se com o temor e produz a espiritualidade. Ver no *Dicionário* o verbete intitulado *Juramentos*.

Jesus citou este versículo (ver Mt 4.10), por meio do qual afastou os ataques de Satanás.

Jurar por Yahweh era uma maneira de mostrar temor e reverência a Yahweh. Esses juramentos eram solenes e precisavam ser cumpridos.

■ 6.14

לֹא תֵלְכוּן אַחֲרֵי אֱלֹהִים אֲחֵרִים מֵאֱלֹהֵי הָעַמִּים אֲשֶׁר סְבִיבוֹתֵיכֶם׃

A *repetição* é uma característica constante do autor do Pentateuco. Aqui, uma vez mais, temos outra advertência contra a idolatria. Ver o artigo sobre esse assunto no *Dicionário*; e também Dt 4.27 ss. quanto a uma extensa passagem que trata do mesmo assunto. Os vss. 4 e 5 deste capítulo nos fornecem a base teológica para rejeitarmos a idolatria, a saber, que só existe um Deus. Ver no *Dicionário* estes dois artigos: *Monoteísmo* e *Deuses Falsos*.

Nenhum dos deuses dos povos. Israel estava preparado para expulsar sete nações da Palestina. Ver a lista dessas nações, com notas, em Êx 33.2 e cf. Dt 7.1. Mas os remanescentes dessas nações estariam presentes, para tentar Israel à idolatria. E, de fato, foi exatamente isso que sucedeu até que Israel mesmo foi expulso da Terra Prometida por meio dos cativeiros. Ver no *Dicionário* o verbete chamado *Cativeiro (Cativeiros)*.

■ 6.15

כִּי אֵל קַנָּא יְהוָה אֱלֹהֶיךָ בְּקִרְבֶּךָ פֶּן־יֶחֱרֶה אַף־יְהוָה אֱלֹהֶיךָ בָּךְ וְהִשְׁמִידְךָ מֵעַל פְּנֵי הָאֲדָמָה׃ ס

Os Três Elementos: 1. O *zelo* de Yahweh. Ver as notas sobre esse ponto em Êx 20.5, que também foi escrito dentro do contexto da idolatria. 2. A *ira* de Yahweh, que se choca contra pecadores rebeldes e habituais. Foi por sua ira que a Terra Prometida foi deixada à disposição do povo de Israel, para que a ocupasse, porquanto o "cálice da iniquidade" dos cananeus estava cheio. Ver a respeito disso nas notas sobre Gn 15.16. Ver no *Dicionário* o verbete chamado *Ira de Deus*. 3. A *destruição* de Yahweh, que feriu as nações que antes ocupavam a Terra Prometida, e faria a mesma coisa com Israel, quando esta se mostrasse rebelde e idólatra, por meio dos cativeiros. Naturalmente, essas expressões refletem o *antropomorfismo* e o *antropopatismo*, que aparecem no *Dicionário*. Por falta de um método melhor, atribuímos a Deus certas qualidades que vemos em nós mesmos, supondo que ele deva ser algo parecido conosco, visto que o homem foi criado à sua imagem (ver Gn 1.26,27).

"Em Deus, o zelo e a ira são funções de seu senhorio, amor e graça, pois indicam a sua atividade constante contra aquilo que ele não permite. Todos esses quatro atributos são antropomorfismos... Entretanto, é claro que o amor e a graça são os atributos mais primários porquanto a ira e o zelo, em última análise, operam *por causa da graça*" (G. Ernest Wright, *in loc.*). Temos aí um excelente discernimento do dr. Wright. Eu mesmo com frequência tenho dito que a ira e o juízo são dedos da mão amorosa de Deus. Em outras palavras, são conceitos sinônimos, pois o juízo é o amor em ação, visando realizar algo, visto que nenhuma outra coisa poderia realizar o que Deus resolve restaurar, e não meramente prejudicar. ele prejudica a fim de restaurar, e não a fim de esmigalhar. Ver no *Dicionário* o artigo *Julgamento de Deus dos Homens Perdidos*, e no *Novo Testamento Interpretado*, examinar as notas sobre 1Pe 4.6, onde esse tema é desenvolvido. Ver também, na *Enciclopédia de Bíblia, Teologia e Filosofia*, o verbete *Missão Universal do Logos (Cristo)*. Sem dúvida Orígenes estava com razão ao dizer que ensinar o julgamento divino somente como uma retribuição, e não também como um meio de restauração, é rebaixar-se e aceitar uma teologia inferior. Ver no *Dicionário* o artigo intitulado *Amor*.

■ 6.16

לֹא תְנַסּוּ אֶת־יְהוָה אֱלֹהֵיכֶם כַּאֲשֶׁר נִסִּיתֶם בַּמַּסָּה׃

Não tentarás o Senhor teu Deus. É uma estupidez e uma temeridade submeter Deus a teste, para ver se ele cumpre as suas ameaças contra o mal. A lei da colheita segundo a semeadura forçosamente precisa funcionar, visto que a única alternativa para isso é o caos, e Deus não pode tolerar isso. Ver no *Dicionário* o verbete intitulado *Lei Moral da Colheita Segundo a Semeadura*.

Massá. Ver no *Dicionário* os verbetes intitulados *Massá* e *Meribá*. Esses dois nomes locativos significam "teste e contenção". Esses nomes aludem a uma localidade perto de *Refidim*, onde os israelitas fizeram alto, após terem saído do Egito, depois que partiram do deserto de Zim. Ali não encontraram água e murmuraram contra Moisés, e estiveram quase a apedrejá-lo. Moisés feriu a rocha e jorrou água. Ver a narrativa em Êx 17.1-7, bem como amplos detalhes no artigo mencionado, juntamente com referências aos lugares em questão, em outros textos.

O Targum de Jonathan alude às *dez* tentações a que os israelitas submeteram Yahweh a teste. Ver as notas de introdução ao capítulo 11 de Números, como também Nm 14.22, onde alisto essas tentações e onde são mencionadas onze. Cf. Dt 9.22; 33.8. O povo de Israel forçou Yahweh a baixar julgamento, devido à estupidez dele. E isso haveria de acontecer de novo, quando dos *cativeiros*.

■ 6.17

שָׁמוֹר תִּשְׁמְרוּן אֶת־מִצְוֹת יְהוָה אֱלֹהֵיכֶם וְעֵדֹתָיו וְחֻקָּיו אֲשֶׁר צִוָּךְ׃

Mandamentos... testemunhos... estatutos. Essa tríplice designação, que aponta para a variedade de elementos da legislação mosaica, retorna aqui. Ver as notas sobre esses mandamentos, testemunhos e estatutos em Dt 6.1, onde há referências que mostram outras ocorrências dessa terminologia. Este versículo é idêntico, em sua substância, às notas dadas ali, que também se aplicam aqui. Ver também Dt 5.31 e suas notas expositivas. E ver ainda Dt 6.3, quanto a ideias adicionais.

■ 6.18

וְעָשִׂיתָ הַיָּשָׁר וְהַטּוֹב בְּעֵינֵי יְהוָה לְמַעַן יִיטַב לָךְ וּבָאתָ וְיָרַשְׁתָּ אֶת־הָאָרֶץ הַטֹּבָה אֲשֶׁר־נִשְׁבַּע יְהוָה לַאֲבֹתֶיךָ׃

A *repetição* é uma característica constante do autor do Pentateuco. Neste versículo são reiterados, uma vez mais, os elementos que já tínhamos visto por várias vezes. A *obediência* era algo absolutamente necessário para a entrada na Terra Prometida e para o bem-estar dos israelitas ali. A própria continuação da vida dependia dessa obediência. Ver Dt 4.1; 5.33 e 6.1,2.

"Não havia como duvidar de que o povo de Israel atravessaria o rio Jordão. Mas até que ponto seria completada a conquista da terra de Canaã, e dentro de qual prazo, tudo dependia da fidelidade deles aos decretos divinos. Mas que isso foi adiado devido à desobediência deles fica claro em Jz 2.20-23" (Ellicott, *in loc.*).

■ 6.19

לַהֲדֹף אֶת־כָּל־אֹיְבֶיךָ מִפָּנֶיךָ כַּאֲשֶׁר דִּבֶּר יְהוָה׃ ס

Lançando fora a todos os teus inimigos. Israel tinha uma incrível tarefa a realizar — expelir não somente uma, mas sete nações, cada qual mais forte do que eles. Ver Dt 7.1. A tarefa estava muito acima das possibilidades dos hebreus. Para tanto, fazia-se necessária a *intervenção* divina. E isso seria uma realidade se eles fossem obedientes à vontade do Senhor. Sempre se manifestaria a graça de Deus para compensar a inadequação deles, porquanto o Senhor lembra-se que somos apenas poeira (ver Sl 103.14). Oh, Senhor, concede-nos tal graça!

Como o Senhor tem dito. Deus falou de antemão, enviando Israel à frente, para realizar a tremenda tarefa. Ver Êx 23.27-32. Deus prometeu que enviaria vespas à frente deles, para preparar-lhes o caminho, levando-os a ser bem-sucedidos em seu divino empreendimento. Precisamos da intervenção do Senhor para enviar vespas diante de nós. ele nos convida: "Andai pelo caminho". Algumas vezes, porém, esse caminho está muito adiante de nós. E então de novo recebemos a ajuda divina, que abre diante de nós a nossa vereda. Sempre nos surpreendemos diante disso; mas o homem espiritual sabe muitas coisas.

A História de Policarpo Nos Serve de Inspiração. Em seu martírio, quando foi executado na fogueira, Policarpo não tentou a Deus. Mas seguiu seu caminho em triunfo, dizendo: "Tenho-o servido por 86 anos. E por que haveria de negá-lo agora?" Cada homem tem de passar por seu próprio teste e enfrentar sua própria carga. A obediência, condicionada ao amor, resolve todos os nossos problemas.

> A coragem é aquela virtude que defende a causa da razão.
>
> Cícero

> Com frequência, a prova da coragem não é morrer, mas continuar vivendo.
>
> Vittorio Alfieri

> *Sê forte e corajoso...*
>
> Josué 1.6

■ 6.20

כִּי־יִשְׁאָלְךָ בִנְךָ מָחָר לֵאמֹר מָה הָעֵדֹת וְהַחֻקִּים וְהַמִּשְׁפָּטִים אֲשֶׁר צִוָּה יְהוָה אֱלֹהֵינוּ אֶתְכֶם׃

Que significam...? Neste versículo temos o significado da lei. Uma vez mais nos deparamos com a *tripla designação* que aponta para a legislação mosaica, conforme se vê nas notas sobre Dt 5.31; 6.1,3 e 17. Os descendentes daqueles homens corajosos que conquistaram a Terra Prometida haveriam de indagar qual o *significado* da lei. Um dos significados conspícuos (ou resultados da obediência a ela) é que o bem é conferido àqueles que andam de acordo com o caminho da lei (vs. 24). Os filhos e netos haveriam de habitar na Terra Prometida porque seus pais tinham tido a coragem de obedecer aos mandamentos de Yahweh, o qual lhes dera a terra pátria. Os antigos construíam a história inteira da intervenção de Yahweh em favor de Israel, a começar pelo livramento da servidão no Egito. Ver os vss. 21 ss. A sequência inteira de acontecimentos estava relacionada à possessão e obediência à lei, o que tornava os hebreus uma nação distinta e sábia (ver Dt 4.33 ss.). Os antigos diriam quão admirável era eles terem recebido a lei, a revelação de Yahweh (ver Dt 5.25 ss.). Na obediência à lei estavam a vida e o bem-estar (ver Dt 5.33; 6.1,2,18).

Isso posto, aqueles *estatutos perpétuos* seriam transmitidos a *todas as gerações* (ver Êx 29.42; 31.16; Lv 3.17; 16.29).

■ 6.21

וְאָמַרְתָּ לְבִנְךָ עֲבָדִים הָיִינוּ לְפַרְעֹה בְּמִצְרָיִם וַיֹּצִיאֵנוּ יְהוָה מִמִּצְרַיִם בְּיָד חֲזָקָה׃

Então dirás a teu filho. Contar a história era um fator importante. Yahweh tinha feito grandes coisas em favor do povo que recebera a lei. O livramento da servidão ao Egito é um tema constante no livro de Deuteronômio, onde figura por cerca de vinte vezes. Ver as notas acerca disso em Nm 23.22 e Dt 4.20.

"Uma vez mais, Moisés relembrou a seus ouvintes da necessidade crucial de transmitirem os valores do pacto aos seus filhos. A situação aqui apresentada (vss. 20-25) ilustra de modo concreto a ordem que consta nos vss. 6-9. Moisés vislumbrava uma pátria onde a Palavra de Deus seria discutida abertamente como parte das atividades da vida diária" (Jack S. Deere, *in loc.*).

Com poderosa mão. Ou seja, tudo se devia a uma intervenção do poder divino, algo que estava muito acima das possibilidades do povo de Israel. Ver Êx 32.11; Dt 3.24; 4.34; 5.1; 7.8; 9.26; 11.2 e 26.8. Ver também as notas sobre Nm 23.22, quanto ao poder que Yahweh aplicou em prol do povo de Israel.

■ 6.22

וַיִּתֵּן יְהוָה אוֹתֹת וּמֹפְתִים גְּדֹלִים וְרָעִים בְּמִצְרַיִם בְּפַרְעֹה וּבְכָל־בֵּיתוֹ לְעֵינֵינוּ׃

Sinais e maravilhas. Houve prodígios envolvidos nas *dez pragas*, no Egito (ver as notas em Êx 7.14). Ver também o detalhado artigo existente no *Dicionário*, chamado *Pragas do Egito*. Também houve a intervenção no mar Vermelho, a provisão de todas as necessidades do povo de Israel, nas suas perambulações de quase quatro décadas pelo deserto. Ver a expressão "os meus sinais e as minhas maravilhas", em Êx 7.3 e Dt 4.34. Essa expressão é novamente usada em Dt 7.19; 26.8 e 34.11.

De Quais Maneiras Deus Age?
1. O livramento necessário da servidão aos egípcios (comentado em Dt 4.20).
2. As obras prodigiosas, os sinais e as maravilhas que tornaram possível tudo quanto aconteceu (ver Dt 6.22 e as referências dadas anteriormente).
3. A lei estava presente para garantir vida longa e prosperidade (Dt 5.33 e 6.24).
4. Obedecer e temer a Deus eram as chaves para tão estrondoso sucesso (Dt 4.10; 6.13,24).

■ 6.23

וְאוֹתָנוּ הוֹצִיא מִשָּׁם לְמַעַן הָבִיא אֹתָנוּ לָתֶת לָנוּ אֶת־הָאָרֶץ אֲשֶׁר נִשְׁבַּע לַאֲבֹתֵינוּ׃

Mais Repetição. Essa é uma característica literária constante do autor sagrado do Pentateuco. Os filhos de Israel foram libertados do Egito com o propósito de lhes serem dadas as terras que haviam sido prometidas no Pacto Abraâmico (ver as notas a respeito em Gn 15.18). Esse pacto tinha por condição a obediência. Por outra parte, Yahweh tratou com os israelitas de tal modo que ficou garantido que eles obedeceriam a essa condição, e assim as promessas teriam cumprimento. Os pais tinham por dever ensinar a seus filhos todos os princípios da lei mosaica.

Aos hebreus não foi ensinado apenas um corpo de doutrinas, conforme muitos religiosos hoje aprendem nos seus catecismos. Mas foi-lhes contada a "velha, velha história", uma lição objetiva histórica do que acontece quando um povo tem as leis de Deus e obedece a elas. Foram-lhes ensinadas as lições da redenção, da orientação, dos atos graciosos e das intervenções de Deus. A lei de Deus não servia de carga penal, mas tinha por finalidade ajudar o povo de Israel a atingir verdadeiras bênçãos materiais e espirituais.

> Conta-me a velha, velha história
> De coisas invisíveis, mas de valor;
> De Jesus e a sua glória,
> De Jesus e o seu amor.
>
> Kate Hankey

> Conta-me a história de Jesus,
> Grava em mim cada palavra!
> Conta-me a história mui preciosa,
> E mais doce que já se ouviu.
>
> Fanny J. Crosby

■ 6.24

וַיְצַוֵּנוּ יְהוָה לַעֲשׂוֹת אֶת־כָּל־הַחֻקִּים הָאֵלֶּה לְיִרְאָה אֶת־יְהוָה אֱלֹהֵינוּ לְטוֹב לָנוּ כָּל־הַיָּמִים לְחַיֹּתֵנוּ כְּהַיּוֹם הַזֶּה׃

Todos estes estatutos. Ou seja, todos os mandamentos, estatutos e juízos (6.1), a completa legislação mosaica, que fazia de Israel um povo distinto e sábio (Dt 4.33 ss.). A geração mais jovem dos filhos de Israel precisava tomar conhecimento dessas coisas. Nisso residia a vida. Yahweh merecia esse temor e reverência, bem como absoluta obediência (ver Dt 4.10; 5.29; 6.3,13). Quanto à vida como decorrência da observância da lei, ver Dt 5.33 e 6.2. Ver também Dt 4.1.

"Em certo sentido, a religião começa de novo com toda criança que nasce neste mundo. Os valores morais e espirituais do gênero humano nunca são transmitidos de modo automático. Para a maioria dos homens, a religião primeiramente deriva-se de alguma autoridade, e somente *mais* tarde é sondada pela razão e pela experiência. A primeira e mais duradoura autoridade eficaz é a de um pai. Quando uma criança indaga: 'Qual é a significação...?' ela seguirá com escolha inteligente ou *decisão resoluta*, somente se seus pais tiverem conhecido e valorizado, eles mesmos, essa significação" (Henry H. Shires, *in loc.*).

Cf. Sl 34.9,10. "A guarda da lei de Yahweh, por parte de Israel, como uma nação que habitava a terra que lhes fora dada, era a causa final de sua existência nacional. Esse fato fundamental nunca deve ser esquecido" (Ellicott, *in loc.*).

■ 6.25

וּצְדָקָה תִּהְיֶה־לָּנוּ כִּי־נִשְׁמֹר לַעֲשׂוֹת אֶת־כָּל־הַמִּצְוָה הַזֹּאת לִפְנֵי יְהוָה אֱלֹהֵינוּ כַּאֲשֶׁר צִוָּנוּ׃ ס

Será por nós justiça. A retidão de Israel não era algum item de feitura humana. Havia o poder divino por trás dela. Fora proporcionada a eles por revelação divina e estava preservada nas Sagradas Escrituras; tinha sido implantada no coração deles. Essa retidão, baseada na guarda da lei, dava vida e bem-estar. Mas essa retidão torna-se nossa quando nos apropriamos da provisão divina. É dessa forma que cooperam a vontade divina e a vontade humana.

O judaísmo posterior interpretava essa retidão como: "Ela será lançada em nossa conta no mundo vindouro". Logo, eles insuflavam a vida eterna nessa questão, posto que de maneira indevida, conforme Paulo nos mostrou em suas epístolas. Ver Rm 3.21: "Mas agora, sem lei, se manifestou a justiça de Deus..."

Essa justiça, derivada da observância da lei, tinha de estar condicionada ao amor (vs. 5), pois é o amor que sintetiza e dá impulso à lei. Paulo descobriu a lei superior do amor de Cristo, expressa em sua missão salvadora, que suplantou o tipo de noções que os israelitas posteriores injetaram na legislação mosaica. Ver Gl 3.21 e seu contexto geral.

CAPÍTULO SETE

ORDENADA A DESTRUIÇÃO DOS CANANEUS E SEUS ÍDOLOS (7.1-26)

Neste ponto, o autor sacro justifica a violência que estava prestes a ocorrer. Yahweh assim tinha ordenado. A taça da iniquidade dos habitantes cananeus da Terra Prometida (as sete nações, ver Êx 33.2 e Dt 7.1) finalmente estava cheia, tal como Yahweh havia dito a Abraão que finalmente aconteceria (ver Gn 15.16). Quando isso, por fim, sucedesse, aqueles ímpios idólatras haveriam de perder sua vida e suas terras. Israel tomaria conta da Terra Prometida; mas, com o tempo, sofreria o mesmo castigo, e pelas mesmas razões. Resultado? Os cativeiros. Ver no *Dicionário* o verbete chamado *Cativeiro (Cativeiros)*.

Foi dado um sumário das responsabilidades de Israel no tocante à lei — a obediência e a dedicação ao Yahwismo. Agora a atenção de Israel voltava-se para a questão da possessão da terra, onde princípios justos deveriam ser postos em ação. Moisés destacou três assuntos principais: 1. Os pagãos que moravam na terra de Canaã e a destruição deles, determinada por Yahweh (vss. 1-5). 2. A razão para a posição favorecida de Israel (vss. 6-16). 3. O poder de Deus que espanta o temor e encoraja os homens para as tarefas dadas pelo Senhor (vss. 17-26).

A guerra santa estava baseada em um temor justificado de que as nações corrompidas, que então habitavam na Terra Prometida, poderiam infectar Israel e reduzir essa nação a outro povo pagão e idólatra. Esse temor era justificado; esse temor previa exatamente o que acabou acontecendo.

■ 7.1

כִּי יְבִיאֲךָ יְהוָה אֱלֹהֶיךָ אֶל־הָאָרֶץ אֲשֶׁר־אַתָּה בָא־שָׁמָּה לְרִשְׁתָּהּ וְנָשַׁל גּוֹיִם־רַבִּים מִפָּנֶיךָ הַחִתִּי וְהַגִּרְגָּשִׁי וְהָאֱמֹרִי וְהַכְּנַעֲנִי וְהַפְּרִזִּי וְהַחִוִּי וְהַיְבוּסִי שִׁבְעָה גוֹיִם רַבִּים וַעֲצוּמִים מִמֶּךָּ׃

Muitas nações. Eram, ao todo, sete nações, mais poderosas do que Israel, que tinham de ser expulsas, antes que a terra fosse ocupada com sucesso pelos hebreus. Há uma lista dessas nações, com comentários, nas notas sobre Êx 33.2. Ver a esse respeito no *Dicionário*.

Não repito aqui detalhes. O trecho de Êx 3.17 lista seis dessas nações, deixando de fora os *girgaseus*, os quais, tal como se dava com os heteus, os amorreus e os jebuseus, descendiam de Canaã (ver Gn 10.15,16). Ver Êx 3.7 quanto a ideias adicionais. Algumas vezes, o vocábulo cananeus representa todos os povos que viviam na terra de Canaã, como também o termo amorreus, em Gn 15.16. Não *fosse a intervenção de Yahweh* nas batalhas, e a tarefa seria simplesmente impossível. Mas as Escrituras mostram que, devido à sua intervenção, a tarefa foi devidamente cumprida.

"Quanto ao número eles eram superiores, e também mais vigorosos fisicamente, alguns deles dotados de estatura gigantesca. Nos dias de Abraão havia dez dessas nações, mas três delas tinham sido absorvidas pelas demais, a saber, os queneus, os queneseus e os refains" (John Gill, *in loc.*).

■ 7.2

וּנְתָנָם יְהוָה אֱלֹהֶיךָ לְפָנֶיךָ וְהִכִּיתָם הַחֲרֵם תַּחֲרִים אֹתָם לֹא־תִכְרֹת לָהֶם בְּרִית וְלֹא תְחָנֵּם׃

Totalmente as destruirás; não farás com elas aliança; nem terás piedade delas. Essas eram ordens terríveis. Foi determinado um completo *aniquilamento*.

A Justificação da Matança. Consideremos estes pontos:

1. Os povos, em sua grande iniquidade, já tinham sido sentenciados por Deus (ver Gn 15.16; Dt 9.4,5). Deus pode estar por trás das guerras santas e dos desastres naturais que destroem os povos.
2. A depravação moral precisa colher seus maus resultados, em consonância com a *Lei Moral da Colheita Segundo a Semeadura* (ver a respeito no *Dicionário*). Referências literárias e a arqueologia têm demonstrado a grande iniquidade dos povos que foram expulsos por Israel.
3. A maioria daqueles povos tinha-se apossado daqueles territórios mediante invasões armadas, e viviam em constantes guerras entre si, com o resultado de suas fronteiras viverem sendo alteradas com ganhos e perdas de terras. Portanto, o que estava acontecendo com Israel não constituía nenhuma novidade.
4. Esses povos mostravam-se hostis a Deus (Dt 7.10). Mas, se eles se arrependessem, teriam suas terras. A prova de que não se tinham arrependido é que foram expulsos dali.
5. Aquelas nações eram como um câncer moral que acabaria contaminando Israel, se permanecessem residindo no território. A história subsequente mostra que isso aconteceu com Israel, que finalmente foi removido da Terra Prometida, mediante os cativeiros. Ver Dt 20.17,18; Nm 33.55; Js 23.12,13, quanto à maldade contaminadora daqueles povos.
6. Ideias falsas têm sido apresentadas, como aquela que diz que as crianças cananeias na verdade foram beneficiadas por haverem sido mortas, visto que isso aconteceu antes de terem atingido a idade da responsabilidade, o que significa que a alma delas foi salva. Ver no *Dicionário* o artigo *Infantes, Morte e Salvação dos*, que examina esse problema. A "idade da responsabilidade" não é uma doutrina bíblica, nem temos aí um bom raciocínio, conforme o citado artigo demonstra.
7. Uma ideia melhor consiste em dizer que Cristo teve uma missão salvadora no hades, que ocorre após a morte biológica das pessoas, oferecendo-lhes uma segunda oportunidade de serem salvas (1Pe 3.1). Ver na *Enciclopédia de Bíblia, Teologia e Filosofia* o verbete chamado *Descida de Cristo ao Hades*.

Os críticos, por outra parte, supõem que todos esses raciocínios sirvam apenas para desculpar Israel quanto à sua brutalidade e matanças, e que nunca poderemos justificar nenhuma matança em massa. Ver no *Dicionário* o verbete chamado *Guerra*, e, na *Enciclopédia de Bíblia, Teologia e Filosofia*, o artigo intitulado *Critérios de uma Guerra Justa*.

■ 7.3

וְלֹא תִתְחַתֵּן בָּם בִּתְּךָ לֹא־תִתֵּן לִבְנוֹ וּבִתּוֹ לֹא־תִקַּח לִבְנֶךָ׃

Nem contrairás matrimônio. Os israelitas não podiam mesclar-se com os cananeus. Paulo advertiu contra o poder corruptor de um jugo desigual (ver 2Co 6.14 ss.), tendo falado sobre o fato de que um pouco de fermento leveda a massa inteira (ver 1Co 5.6). Os cananeus estavam sendo julgados por causa da sua iniquidade. Casamentos mistos não somente corromperiam o povo de Israel, mas também encerrariam os israelitas em um mesmo pacote com os pagãos, e em breve o juízo divino aniquilaria as massas, Israel inclusive. Com a passagem dos séculos, os israelitas foram proibidos até de manter relações sociais com os povos pagãos, e não somente de celebrar casamentos mistos. Esse foi o motivo da sobrevivência do judaísmo em um mundo hostil. A fé espiritual deles fluiu rápida e profundamente, por estar confinada dentro de corredores estreitos.

O *Targum de Jonathan* afirma que aquele que se casava com um pagão casava-se com seus ídolos; e quase sempre assim acontecia. A relação matrimonial exerce grande poder para elevar moralmente ou para degradar. Quanto à ideia de *jugo desigual*, ver o artigo chamado *Separação do Crente*, em seu ponto quarto, na *Enciclopédia de Bíblia, Teologia e Filosofia*.

■ **7.4**

כִּי־יָסִיר אֶת־בִּנְךָ מֵאַחֲרַי וְעָבְדוּ אֱלֹהִים אֲחֵרִים וְחָרָה אַף־יְהוָה בָּכֶם וְהִשְׁמִידְךָ מַהֵר׃

Elas fariam desviar teus filhos de mim. Uma das maneiras mais eficazes de promover a *idolatria* (ver no *Dicionário*) consistia em casamentos mistos com povos idólatras. Não demorou muito tempo, depois que essa proibição foi baixada, para que Israel recebesse um notável exemplo disso, com uma praga subsequente que matou 24 mil pessoas (ver o capítulo 25 de Números). Não havia nenhuma razão para supor que as coisas seriam diferentes disso, meramente porque Israel se tinha mudado da Transjordânia para a parte ocidental da Palestina. Conforme declarou Sêneca, eles podiam ter passado por uma *mudança de ambiente, mas não mudança de coração*. Também houve o exemplo posterior de Salomão, o qual, embora tenha sido o homem mais sábio dos homens, não foi capaz de resistir à corrupção introduzida em sua vida pelas suas muitas esposas, incluindo a idolatria. Ver 1Rs 11.1-3, bem como o décimo primeiro ponto do artigo sobre *Salomão*, no *Dicionário*, quanto a completos detalhes.

■ **7.5**

כִּי־אִם־כֹּה תַעֲשׂוּ לָהֶם מִזְבְּחֹתֵיהֶם תִּתֹּצוּ וּמַצֵּבֹתָם תְּשַׁבֵּרוּ וַאֲשֵׁירֵהֶם תְּגַדֵּעוּן וּפְסִילֵיהֶם תִּשְׂרְפוּן בָּאֵשׁ׃

Derrubareis os seus altares. Todos os vestígios da idolatria precisavam ser eliminados: 1. Primeiro, os próprios idólatras; 2. então os seus altares (ver no *Dicionário* o verbete intitulado *Altar*). 3. A destruição completa das imagens, para que algum israelita não fosse tentado a continuar as práticas idólatras em segredo. Muitos deuses pagãos eram conhecidos por suas imagens. Ver no *Dicionário* o artigo *Deuses Falsos*. Algum hebreu insensato poderia querer invocar algum ídolo, se fosse dotado de coração supersticioso. Maomé destruiu de modo sistemático as imagens, enquanto suas tropas avançavam em suas conquistas, como meio de impor sua forma de fé monoteísta. 4. Depois os bosques sagrados nos lugares altos tiveram de ser derrubados. Ver no *Dicionário* o artigo chamado *Lugares Altos*. 5. Finalmente, todas as *imagens de escultura* foram obliteradas. Eram ídolos esculpidos na pedra ou em metais, em vez de serem fundidos em moldes, feitos de metal.

Imagens de escultura. Há também menção a *colunas* e *postes-ídolos*. Alguns desses objetos eram feitos de madeira, outros de pedra, e outros de metais. Cf. Dt 12.3 e Êx 23.24. Ver também Êx 34.11-15 e Dt 12.2,3.

Todos os objetos dessa natureza eram destruídos a fogo. Yahweh era honrado mediante tais obliterações. O termo hebraico usado no segundo versículo deste capítulo, que indica tal destruição, é *hrm*, a "maldição" ou "banimento", que indicava algo devotado a ser destruído como holocausto a Yahweh. Ver os atos de Davi, em 1Cr 14.12 e também Is 37.19.

■ **7.6**

כִּי עַם קָדוֹשׁ אַתָּה לַיהוָה אֱלֹהֶיךָ בְּךָ בָּחַר יְהוָה אֱלֹהֶיךָ לִהְיוֹת לוֹ לְעַם סְגֻלָּה מִכֹּל הָעַמִּים אֲשֶׁר עַל־פְּנֵי הָאֲדָמָה׃ ס

Porque tu és povo santo ao Senhor. Este versículo repete essencialmente a mensagem de Dt 4.6. Israel foi separado como um povo especial para Deus, dotado de sabedoria superior, por meio da lei. A grandeza espiritual de Israel derivava-se diretamente de suas ligações leais com Yahweh. Os filhos de Israel nunca tiveram destaque nas artes, nas ciências, na técnica; mas eram possuidores de uma sabedoria espiritual sem sucedâneo. Israel tornou-se o instrumento para o avanço da causa espiritual entre as nações; e essa instrumentalidade teve *fruição* na vinda do Messias, para quem as Escrituras e instituições de Israel apontavam.

O seu povo próprio. Algumas versões dizem aqui "povo especial". Ver Dt 14.2; 26.18; Sl 135.4; Ml 3.17. Cf. Êx 19.5 quanto a Israel como "possessão" de Deus. A tradução em Ml 3.17 é "joias", de acordo com algumas traduções. Nossa versão portuguesa diz "particular tesouro". Sim, o povo de Israel representa as "joias entesouradas" de Yahweh. Ver 1Pe 2.9 quanto ao uso que o Novo Testamento faz deste versículo: "povo de propriedade exclusiva de Deus".

GUERRA SANTA

E o Senhor teu Deus as tiver dado diante de ti, para as ferir, totalmente as destruirás; não farás com elas aliança, nem terás piedade delas.
Derrubareis os seus altares, quebrareis as suas colunas, cortareis os seus postes-ídolos, e queimareis a fogo as suas imagens de escultura.

Deuteronômio 7.2,5

O COMANDANTE SANGUINÁRIO

Não é mau. Que toquem.
Que os canhões estrondem
E os aviões bombardeiem,
Proferindo suas prodigiosas blasfêmias.
Não é mau, é chegado o tempo.
A maior violência ainda é o comandante para
Gerar valores neste mundo.
Quem se lembraria o rosto de Helena,
Se lhe faltasse o terrível halo de lanças?
***
Não choreis, deixai-os tocar,
A velha violência não é antiga demais
Para não gerar novos valores.

Robinson Jeffers

■ **7.7**

לֹא מֵרֻבְּכֶם מִכָּל־הָעַמִּים חָשַׁק יְהוָה בָּכֶם וַיִּבְחַר בָּכֶם כִּי־אַתֶּם הַמְעַט מִכָּל־הָעַמִּים׃

Não vos teve o Senhor afeição. O autor sacro explica aqui as razões pelas quais Deus escolhera Israel: 1. Não por serem mais numerosos ou mais poderosos do que outros povos; 2. mas por causa do amor de Deus que o Senhor nutria por eles, devido à vontade soberana e à graça de Deus; 3. por causa do *juramento* que Yahweh havia jurado a seus antepassados, que tinham sido escolhidos como veículos de uma nação nova, melhor e separada (vs. 8). 4. por causa do *Pacto Abraâmico* (ver as notas a respeito em Gn 15.18), segundo se vê também no nono versículo deste capítulo; 5. e, finalmente, por causa da *obediência* às suas leis, por parte dos antepassados, e, conforme Deus esperava, também por aquela geração e as próximas, o que os tornaria um povo distinto de outras nações.

A graça da eleição manifestou-se na escolha do povo de Israel, segundo aprendemos no capítulo 9 de Romanos. A vontade soberana de Deus achava-se presente, visando a propósitos especiais. Israel haveria de tornar-se um instrumento da vontade divina, tendo em mira o bem de todos os povos. Isso se daria especialmente no caso de Jesus, Filho de Davi, filho de Abraão. Todas as nações e povos participariam, desse modo, desse propósito espiritual. E assim, em um sentido muito importante, todas as nações foram escolhidas em Israel, pois "Deus amou o mundo de tal maneira" (Jo 3.16). Em consequência, a escolha de Deus foi, ao mesmo tempo, *sábia e benévola*, e isso em um sentido universal. Deus escolheu as coisas fracas (ver 1Co 1.26-31).

O primeiro versículo deste capítulo já tinha enfatizado que as sete nações da terra de Canaã eram mais numerosas e poderosas do que Israel. Mas Deus não estava interessado em números e em poder físico.

■ 7.8

כִּי מֵאַהֲבַת יְהוָה אֶתְכֶם וּמִשָּׁמְרוֹ אֶת־הַשְּׁבֻעָה אֲשֶׁר
נִשְׁבַּע לַאֲבֹתֵיכֶם הוֹצִיא יְהוָה אֶתְכֶם בְּיָד חֲזָקָה
וַיִּפְדְּךָ מִבֵּית עֲבָדִים מִיַּד פַּרְעֹה מֶלֶךְ־מִצְרָיִם׃

Porque o Senhor vos amava. Essa é a maior força que existe à face da Terra, e o amor divino é irresistível. Ver sobre esse assunto no *Dicionário*, como também as notas adicionais em Dt 6.5, onde aos israelitas foi ordenado que amassem seus semelhantes como Deus ama. Deus "amou o mundo de tal maneira", mas antes de tudo amou a Israel, para que os hebreus se tornassem o instrumento de sua graça. O amor expressa-se em sua atitude de doação, e não se altera quando o objeto amado muda. Os propósitos de Deus, em seu amor, não sofrem variação; de outro modo, o seu propósito quanto a Israel teria falhado, muito antes da vinda do Messias. "Em última análise, esse amor divino é um mistério, visto não ser motivado por nenhum fator de excelência naquela nação" (Jack S. Deere, *in loc.*). No que toca ao *juramento* de Deus, ver Gn 26.3; 50.24; Êx 13.5; Nm 14.6; Dt 1.8; 8.18.

> Amor divino, maior que todo amor,
> Alegria celeste, que à
> Terra desceu.
> Fixo em nós com infinito ardor;
> Que a tua misericórdia incandesceu.
>
> Charles Wesley

Resultado Prático do Amor e do Juramento Divino. Israel, antes escravizado no Egito, foi libertado, um tema repisado por cerca de vinte vezes no Deuteronômio. Ver as notas sobre isso em Dt 4.20. Outro fato foi a outorga da Terra Prometida a eles. E, finalmente, o fato de que se tornaram uma nação privilegiada acima de todos os demais povos da terra.

■ 7.9

וְיָדַעְתָּ כִּי־יְהוָה אֱלֹהֶיךָ הוּא הָאֱלֹהִים הָאֵל הַנֶּאֱמָן
שֹׁמֵר הַבְּרִית וְהַחֶסֶד לְאֹהֲבָיו וּלְשֹׁמְרֵי מִצְוֹתוֹ
לְאֶלֶף דּוֹר׃

Deus... que guarda a aliança e a misericórdia. Deus havia jurado fidelidade ao Pacto que firmara com Abraão e com todos os pais da nação de Israel. Agora esse amor era protestado a Moisés e a Josué. Todavia, o pacto estava condicionado à obediência e ao amor de Israel a Yahweh (6.5). Essas condições, contudo, tiveram cumprimento porque o próprio Yahweh havia arranjado as circunstâncias e os poderes que permitiram o seu cumprimento. O próprio dom trazia embutido em si os *meios* que levariam a seu cumprimento. Haveria disciplina e espiritualidade suficientes para que todas as condições fossem satisfeitas. Diz um antigo hino: "ele me guiou e me seguiu". É o que também sucede ao crente do Novo Testamento, conforme Pedro esclarece em 2Pe 1.3: "... pelo seu divino poder nos têm sido doadas todas as cousas que conduzem à vida e à piedade..." Desse modo, a vontade divina e a vontade humana cooperam uma com a outra.

Guarda. No hebraico temos a palavra *hesedh*, um termo que aponta para as *obrigações* que fazem parte do pacto. Israel quebrou a lei; eles anularam o pacto em várias oportunidades; mas o propósito divino ficou de pé, e, finalmente, o Messias coroou o Pacto com a graça, o poder e a universalidade (ver o terceiro capítulo de Gálatas).

A *obediência* está condicionada pelo amor. Quem ama obedece verdadeira e continuamente. O senso de dever nunca é suficiente para tanto. Deve haver aquela motivação interior criada pelo amor, se o senso de dever tiver de mostrar-se *eficaz*. O amor é uma qualidade espiritual, cultivada pelo Espírito Santo (Gl 5.22). O amor sempre encabeça as listas de virtudes espirituais do apóstolo Paulo. O amor resulta em crescimento espiritual, havendo meios que encorajam e coroam esse crescimento. Ver no *Dicionário* o artigo chamado *Desenvolvimento Espiritual, Meios do*. Aquele que não cultiva o amor continua preso aos seus ódios caprichosos. O ódio, mesmo que seja tolo e caprichoso, pode ser causa de muita confusão e destruição. Mas o amor edifica.

Até mil gerações. Em outras palavras, "para sempre". Ver Êx 29.42 e 31.16, quanto à expressão "por vossas gerações". Ver acerca dos estatutos perpétuos nas notas sobre Êx 20.6; 29.42; 31.16; Lv 3.17 e 17.29.

■ 7.10

וּמְשַׁלֵּם לְשֹׂנְאָיו אֶל־פָּנָיו לְהַאֲבִידוֹ לֹא יְאַחֵר לְשֹׂנְאוֹ
אֶל־פָּנָיו יְשַׁלֶּם־לוֹ׃

E dá o pago diretamente aos que o odeiam. Aqueles que pagam a Deus o bem com o mal recebem juízo divino, em consonância com o tema desta passagem, o que resulta em uma devastadora destruição. O ódio destrói "diretamente", ou seja, de modo direto e óbvio, de forma que nenhum homem poderia duvidar de que o poder de Deus era a causa da destruição.

O *ódio* é uma poderosa força negativa. Aqueles que mexem com os casos de possessão demoníaca dizem-nos que tal possessão é quase impossível se no coração da vítima não houver o ódio, o qual cria condições favoráveis para a sua ocorrência. Aquele que odeia torna-se autodestrutivo, porquanto a *fonte* do ódio é logo a sua primeira vítima. Nesta passagem, o ódio assume a forma de negligência e rejeição voluntária do amor e da obediência, em relação ao amor de Deus e à própria pessoa de Yahweh. Os Targuns explicam que a expressão hebraica traduzida aqui por "diretamente" significa, entre outras coisas, "dentro daquela mesma geração". Em outras palavras, o ódio produz uma destruição "imediata". Ver no *Dicionário* os artigos chamados *Ódio* e *Odium Theologicum*, que é aquela variedade de ódio que obtém acesso ao coração do homem supostamente espiritual, e que o leva a atos destrutivos dentro da própria Igreja. Esse tipo de ódio é mascarado para que pareça uma "defesa da fé".

■ 7.11

וְשָׁמַרְתָּ אֶת־הַמִּצְוָה וְאֶת־הַחֻקִּים וְאֶת־הַמִּשְׁפָּטִים
אֲשֶׁר אָנֹכִי מְצַוְּךָ הַיּוֹם לַעֲשׂוֹתָם׃ פ

A *repetição* fazia parte integrante do estilo literário do autor sagrado, pelo que este versículo repete coisas que já tínhamos visto antes. A *tripla* designação da lei de Moisés é aqui repetida: mandamentos, estatutos e juízos. Ver as notas a esse respeito em Dt 6.1, onde há referências a outros lugares onde ocorre essa mesma designação. Este versículo nos relembra do fato óbvio, mas vital, de que não bastam o conhecimento e o ensino, é mister que a instrução seja posta *em prática*. Ver Tg 2.14 ss. quanto a um extenso comentário sobre esse princípio espiritual.

■ 7.12

וְהָיָה עֵקֶב תִּשְׁמְעוּן אֵת הַמִּשְׁפָּטִים הָאֵלֶּה וּשְׁמַרְתֶּם
וַעֲשִׂיתֶם אֹתָם וְשָׁמַר יְהוָה אֱלֹהֶיךָ לְךָ אֶת־הַבְּרִית
וְאֶת־הַחֶסֶד אֲשֶׁר נִשְׁבַּע לַאֲבֹתֶיךָ׃

Neste versículo são repetidas as *condições* do pacto. Israel precisava corresponder ao amor de Yahweh com amor (ver Dt 6.5). Diante do precioso dom da lei, Israel deveria reagir favoravelmente com sua obediência. Israel precisava reagir conforme Abraão tinha feito, se quisesse *beneficiar-se* das promessas de Deus. Não bastava que alguém fosse descendente físico de Abraão. Era mister que esse alguém também fosse um descendente *espiritual* de Abraão. João Batista frisou esse fato em Lc 3.8. Paulo reitera a questão em Romanos, nos seus capítulos 2 e 11. Até uma pedra podia ser transformada em um filho físico de Abraão. Mas uma obra fiel é obra eterna do Espírito Santo.

Este versículo sumaria a essência dos versículos 12 a 16. A *obediência* exibe o amor relativo ao pacto, tornando esse pacto uma realidade. Deus não podia abandonar o seu pacto, firmado com os pais (vss. 8 e 13 deste capítulo), mas os participantes do pacto deveriam cultivar o seu relacionamento com Deus mediante o poder divino.

■ 7.13,14

וַאֲהֵבְךָ וּבֵרַכְךָ וְהִרְבֶּךָ וּבֵרַךְ פְּרִי־בִטְנְךָ
וּפְרִי־אַדְמָתְךָ דְּגָנְךָ וְתִירֹשְׁךָ וְיִצְהָרֶךָ
שְׁגַר־אֲלָפֶיךָ וְעַשְׁתְּרֹת צֹאנֶךָ עַל הָאֲדָמָה
אֲשֶׁר־נִשְׁבַּע לַאֲבֹתֶיךָ לָתֶת לָךְ׃

בָּרוּךְ תִּהְיֶה מִכָּל־הָעַמִּים לֹא־יִהְיֶה בְךָ עָקָר
וַעֲקָרָה וּבִבְהֶמְתֶּךָ׃

Bendito serás mais do que todos os povos. Temos aqui uma múltipla descrição das bênçãos dadas aos obedientes, aqueles que são amados por Yahweh e que o amam (ver Dt 6.5). Mas as bênçãos prometidas são todas elas bênçãos espirituais, necessárias para a vida física de Israel, depois de os hebreus terem entrado na Terra Prometida. Assim, temos aqui promessas como a da multiplicação dos filhos de Israel, tornando-se eles um povo numeroso e poderoso, pois os filhos eram considerados uma herança dada por Deus (Sl 127.3-5). Também haveria grande sucesso em todas as atividades *agrícolas*, para sustento da vida física do povo; coisas boas seriam providas para todos; haveria muito êxito na *criação de gado*; os animais se multiplicariam e seriam saudáveis. E não haveria esterilidade entre as mulheres e o gado em Israel.

É conspícua, por sua ausência, qualquer menção à bênção *superior* da vida eterna, para além-túmulo. O Pentateuco não expõe nenhuma doutrina da imortalidade da alma, que foi produto do desenvolvimento do judaísmo posterior, a começar no período dos Salmos e dos Profetas. No Pentateuco só há indícios da doutrina da alma em raros momentos, como no ensino de que o homem foi criado à imagem de Deus (ver Gn 1.26,27), ou quando se lê que Deus é o Deus dos espíritos (em Nm 16.22 — nossa versão portuguesa, porém, oculta isso ao traduzir por "Deus, Autor e Conservador de toda vida"). Tais indícios, porém, somente mais tarde vieram a desenvolver-se em doutrinas mais explícitas, e somente no Novo Testamento elas atingem um estágio realmente claro. Ver no *Dicionário* o artigo chamado *Alma*, e, na *Enciclopédia de Bíblia, Teologia e Filosofia*, ver o verbete intitulado *Imortalidade*.

■ 7.15

וְהֵסִיר יְהוָה מִמְּךָ כָּל־חֹלִי וְכָל־מַדְוֵי מִצְרַיִם
הָרָעִים אֲשֶׁר יָדַעְתָּ לֹא יְשִׂימָם בָּךְ וּנְתָנָם
בְּכָל־שֹׂנְאֶיךָ׃

Afastará de ti toda enfermidade. Uma bênção adicional para os que obedeciam aos preceitos da lei era a isenção de enfermidades físicas, como aquelas que eram comuns no Egito. Ver Dt 11.8-25 quanto a uma declaração bíblica mais elaborada sobre as muitas bênçãos que uma obediente nação de Israel haveria de desfrutar.

"ele é quem... sara todas as tuas enfermidades" (Sl 103.3). Os remédios ajudam na cura das doenças do corpo, sendo esse um dos dons de Deus aos homens. Uma injeção de penicilina pode curar quase instantaneamente certos casos de infecção, quando nossas fracas orações produzem pouco ou nenhum resultado. Mas *algumas vezes* Deus intervém, provendo curas miraculosas, no nível do espírito ou do corpo físico. Ver na *Enciclopédia de Bíblia, Teologia e Filosofia* os artigos intitulados *Cura* e *Curas pela Fé*. Deus espera que os homens pesquisem e façam descobertas relativas à cura. Isso faz parte do desenvolvimento da humanidade. Toda forma de conhecimento legítimo tem a sua importância, e o homem deve buscar esse tipo de conhecimento. Se Deus realizasse milagres a cada instância, isso furtaria o homem de parte de seu desenvolvimento necessário. É mais importante que desenvolvamos nossas capacidades e nosso conhecimento do que sermos aliviados instantaneamente de alguma dor de cabeça produzida pela sinusite. Mas os *infantes* espirituais pensam que precisam de milagres divinos para resolver qualquer pequena dificuldade. Na maior parte das vezes, contudo, Deus nos permite resolver os nossos próprios problemas, mediante nossos esforços pessoais, porquanto desse modo podemos crescer. Um infante espiritual goza de muita excitação emocional, mas é deficiente quanto ao desenvolvimento espiritual. Cumpre-nos adicionar o conhecimento à nossa fé, bem como cultivar as virtudes (ver 2Pe 1.5). Por outro lado, é lindo ver como, ocasionalmente, Deus faz intervenção, produzindo curas físicas e restaurando a saúde dos enfermos.

Lembro-me de certa cena ocorrida em Manaus, Amazonas, quando alguns missionários evangélicos puseram-se a orar em voz alta e fervorosa, em favor da cura de uma missionária em cuja cabeça tinham aparecido furúnculos muito dolorosos. Mas os furúnculos continuaram a crescer. Então os mesmos missionários chamaram outra missionária, que também era *enfermeira*. Ela aplicou na doente algumas injeções de penicilina, e os furúnculos desapareceram quase imediatamente, ou, como se poderia dizer, miraculosamente. Foi uma lição que nunca pude esquecer. Deus estava naquelas injeções. Deus acha-se no conhecimento legítimo. O homem precisa crescer, e não meramente ser entretido por milagres.

Curiosamente, uma das enfermidades do Egito eram os furúnculos (ver Êx 15.26 quanto a um versículo parecido com este).

■ 7.16

וְאָכַלְתָּ אֶת־כָּל־הָעַמִּים אֲשֶׁר יְהוָה אֱלֹהֶיךָ נֹתֵן לָךְ
לֹא־תָחֹס עֵינְךָ עֲלֵיהֶם וְלֹא תַעֲבֹד אֶת־אֱלֹהֵיהֶם
כִּי־מוֹקֵשׁ הוּא לָךְ׃ ס

A *repetição* é uma das características literárias do autor sagrado do Pentateuco. Temos aqui uma repetição de elementos que já vimos por várias vezes. Israel deveria "consumir" os habitantes cananeus da Terra Prometida, isto é, "destruir totalmente" (ver o segundo versículo deste capítulo). Também não deveria haver "piedade" para com aquelas antigas populações, ninguém deveria ser poupado, e os israelitas foram proibidos de entrar em acordos com elas (vss. 2-4). Antes, Israel deveria destruir todos os vestígios de idolatria (vs. 5), para que nada disso viesse a tornar-se "armadilhas" para eles. Cf. Êx 34.12-14. E o resultado dessas medidas seria uma bênção plena para Israel (vss. 13-15).

■ 7.17

כִּי תֹאמַר בִּלְבָבְךָ רַבִּים הַגּוֹיִם הָאֵלֶּה מִמֶּנִּי אֵיכָה
אוּכַל לְהוֹרִישָׁם׃

Se disseres no teu coração. As emoções e as intenções da alma poderiam florescer sob a forma de covardia. Eles poderiam temer, tal como fizera a geração anterior de hebreus, que as mulheres e as crianças viessem a tornar-se presas dos gigantes (ver Nm 14.3).

Como poderei desapossá-las? O temor poderia fazer o povo estacar de novo nas fronteiras da Terra Prometida, conforme a geração anterior tinha feito, quarenta anos antes. Disso resultaria outro lamentável recuo. O primeiro desses incidentes é relatado em Nm 13.33 e 14.1 ss. Os filhos de Israel agora tinham de concentrar sua atenção no poder de Yahweh, em vez de olharem para suas próprias debilidades. Havia sete nações na terra de Canaã, que eram mais numerosas e mais fortes do que eles, esperando por uma aventura militar (ver Dt 7.1).

■ 7.18,19

לֹא תִירָא מֵהֶם זָכֹר תִּזְכֹּר אֵת אֲשֶׁר־עָשָׂה יְהוָה
אֱלֹהֶיךָ לְפַרְעֹה וּלְכָל־מִצְרָיִם׃

הַמַּסֹּת הַגְּדֹלֹת אֲשֶׁר־רָאוּ עֵינֶיךָ וְהָאֹתֹת וְהַמֹּפְתִים
וְהַיָּד הַחֲזָקָה וְהַזְּרֹעַ הַנְּטוּיָה אֲשֶׁר הוֹצִאֲךָ יְהוָה
אֱלֹהֶיךָ כֵּן־יַעֲשֶׂה יְהוָה אֱלֹהֶיךָ לְכָל־הָעַמִּים
אֲשֶׁר־אַתָּה יָרֵא מִפְּנֵיהֶם׃

Lembrar-te-ás do que o Senhor teu Deus fez. Na época, o Egito era a maior potência militar do mundo. E, no entanto, o Senhor derrotara os egípcios. Os habitantes da terra de Canaã, embora formassem sete nações, não constituíam um obstáculo maior do que o Egito, diante do poder de Yahweh. Ver Nm 23.22 sobre como o poder de Deus arrancara o povo de Israel da servidão, no Egito. Esse é um tema bastante reiterado neste livro. Ver Dt 4.20 e suas notas expositivas.

No Egito, Israel encontrava-se cativo e não dispunha de exército organizado. Desde então suas defesas militares se tinham aprimorado imensamente. Eles já tinham obtido diversos triunfos militares na Transjordânia. De fato, as tribos de Rúben e Gade e a meia tribo de Manassés já possuíam aquela parte oriental do rio Jordão que seria parte integrante da herança territorial de Israel. Ver o capítulo 32 de Números quanto a essa questão. Se a parte *oriental* havia sido conquistada pelos hebreus, sem dúvida outro tanto sucederia com a parte *ocidental* (ver Dt 6.22 e suas notas expositivas). A poderosa *mão de Deus* movera-se em favor dos filhos de Israel (ver Dt 6.21), o *braço estendido* de Yahweh (ver Êx 6.6; Dt 4.34 e 5.15) tinha feito intervenção e dado a vitória a Israel. Os mesmos poderes divinos que haviam atuado no passado eram agora postos à disposição dos israelitas, garantindo-lhes a vitória em todas as suas investidas. Yahweh não tinha alterado os seus propósitos nem o seu poder havia diminuído.

■ **7.20**

וְגַם אֶת־הַצִּרְעָה יְשַׁלַּח יְהוָה אֱלֹהֶיךָ בָּם עַד־אֲבֹד הַנִּשְׁאָרִים וְהַנִּסְתָּרִים מִפָּנֶיךָ:

Vespões. Talvez devamos entender isto metaforicamente. O fato é que os inimigos de Israel *temeriam* se ouvissem falar no avanço dos israelitas, e ficariam perturbados. O inseto aqui em pauta é parecido com a vespa, mas com o dobro do tamanho, muito agressivo e venenoso. Ver Êx 23.28 e Js 24.12. Os intérpretes judeus sugerem aqui toda espécie de ideia: vespas literais, temor, confusão mental diante dos adversários, enfermidades várias ou desastres naturais. Quanto ao *temor* que os adversários teriam de Israel, ver Êx 15.15; Nm 22.3; Js 2.9-11; 5.1 e 9.24. O inimigo fugiria em debandada, e os que ficassem para trás tentariam esconder-se dos soldados israelitas.

■ **7.21**

לֹא תַעֲרֹץ מִפְּנֵיהֶם כִּי־יְהוָה אֱלֹהֶיךָ בְּקִרְבֶּךָ אֵל גָּדוֹל וְנוֹרָא:

Não te espantes diante deles. Pelo contrário, o inimigo é que temeria e fugiria em confusão. Assim sendo, seria impróprio aos vencedores ficar com medo. Yahweh, o Eterno, que também é Elohim, o Todo-poderoso, mostrar-se-ia "grande e temível" para os adversários de Israel, um poder grande e destruidor. ele "combateria" por eles, conforme a promessa de Dt 1.30. O resultado da batalha estava garantido de antemão, porque Deus tinha tomado todas as providências necessárias. Tudo quanto Israel precisava fazer era avançar, confiando nas promessas do Senhor, efetuando o esforço que se fizesse mister para estar no lugar certo, no tempo certo. Oh, Senhor, concede-nos tal graça!

■ **7.22**

וְנָשַׁל יְהוָה אֱלֹהֶיךָ אֶת־הַגּוֹיִם הָאֵל מִפָּנֶיךָ מְעַט מְעָט לֹא תוּכַל כַּלֹּתָם מַהֵר פֶּן־תִּרְבֶּה עָלֶיךָ חַיַּת הַשָּׂדֶה:

Deus lançará fora estas nações. Os israelitas conquistariam os povos cananeus pouco a pouco, entrando na posse da Terra Prometida apenas gradualmente. Eles avançariam, conquistariam e se apossariam, repetindo o mesmo processo. O trecho de Jz 2.20-23 lamenta uma conquista feita apenas parcialmente, atribuindo-a à desobediência dos hebreus. Somente nos dias de Davi completou-se a conquista, e mesmo assim ainda ficaram faltando alguns territórios que tinham sido prometidos a Abraão. Até hoje, Israel nunca entrou na posse total das terras que Deus lhes deu, até o rio do Egito (o rio Nilo), nem mesmo até o ribeiro do Egito, mais ao norte. Ver Gn 15.18 e Nm 34.5. Cf. Êx 23.29,30. O texto diz que a conquista não se processaria no espaço de um ano. Em ambos os textos, é mencionado o problema dos animais ferozes. Uma terra desolada, espaçosa demais para um número relativamente pequeno de habitantes, serviria somente para encorajar a multiplicação de feras; e isso criaria uma espécie diferente de ameaça ao bem-estar dos filhos de Israel. O Targum de Jonathan fala sobre como as feras vinham devorar as carcaças dos adversários de Israel, o que deve ter servido para atiçar a selvageria dessas feras. Alguns estudiosos calculam que a conquista da Terra Prometida se tenha prolongado por sete anos. Os críticos, por sua vez, supõem que tenha havido várias ondas de invasão, durante um considerável período de tempo, ideia essa que serve somente para reduzir o conteúdo miraculoso da conquista. Seja como for, a expulsão dos adversários de Israel dependia do decreto divino. Cada nação perderia seu respectivo território quando o tempo estivesse maduro, e não antes.

■ **7.23,24**

וּנְתָנָם יְהוָה אֱלֹהֶיךָ לְפָנֶיךָ וְהָמָם מְהוּמָה גְדֹלָה עַד הִשָּׁמְדָם:

וְנָתַן מַלְכֵיהֶם בְּיָדֶךָ וְהַאֲבַדְתָּ אֶת־שְׁמָם מִתַּחַת הַשָּׁמָיִם לֹא־יִתְיַצֵּב אִישׁ בְּפָנֶיךָ עַד הִשְׁמִדְךָ אֹתָם:

Os seus reis. "Esses reis eram numerosos, pois, embora houvesse apenas sete nações cananeias, havia muitos reis, ou seja, nada menos de 31, segundo se vê em Js 12.9-24" (John Gill, *in loc.*). A *liderança* dos povos cananeus seria aniquilada, e isso facilitaria imensamente a conquista.

Até que os destruas. Um aniquilamento completo dos inimigos de Israel era a ordem do dia. Estava em curso uma guerra santa, determinada por Yahweh. Ver as razões para isso nas notas sobre Dt 7.2, onde são apresentados sete motivos. A conquista seria gradual, mas com resultados devastadores. O capítulo 12 do livro de Josué fornece-nos uma ilustração do *modus operandi* da conquista. Ver Js 1.5 quanto a um versículo igual a este. Tudo quanto fora predito teve cabal cumprimento.

■ **7.25**

פְּסִילֵי אֱלֹהֵיהֶם תִּשְׂרְפוּן בָּאֵשׁ לֹא־תַחְמֹד כֶּסֶף וְזָהָב עֲלֵיהֶם וְלָקַחְתָּ לָךְ פֶּן תִּוָּקֵשׁ בּוֹ כִּי תוֹעֲבַת יְהוָה אֱלֹהֶיךָ הוּא:

As imagens de escultura. A idolatria precisava ser obliterada, conforme vemos com maiores detalhes em Dt 7.5, cujas notas expositivas devem ser consultadas. Visto que Israel usualmente se apossava das coisas (embora todas as pessoas fossem mortas, ver Nm 31.50 ss.), alguns estudiosos creem que o ouro e a prata aqui mencionados fossem os metais usados para adornar os ídolos, ou mesmo o material de que esses ídolos tinham sido fabricados, o que vedava tais metais para uso de Israel. Mas há aqueles que pensam estar em pauta o pecado de cobiça de Acã (ver o capítulo 7 do livro de Josué). Ver no *Dicionário* o verbete chamado *Ganância*. Quanto aos metais relacionados à feitura de ídolos, ver Ez 16.16-18 e Jr 10.9. Por isso mesmo, John Gill (*in loc.*) comentou: "(Estavam banidos) não somente os ídolos propriamente ditos, que tinham tomado o lugar de Deus, e que, portanto, diminuíam sua honra e glória, mas também o ouro e a prata de que eram formados, que haviam sido consagrados a um uso idólatra e supersticioso. Até mesmo a apropriação desse metal, para uso de algum homem, seria uma abominação".

■ **7.26**

וְלֹא־תָבִיא תוֹעֵבָה אֶל־בֵּיתֶךָ וְהָיִיתָ חֵרֶם כָּמֹהוּ שַׁקֵּץ תְּשַׁקְּצֶנּוּ וְתַעֵב תְּתַעֲבֶנּוּ כִּי־חֵרֶם הוּא: פ

Não meterás, pois, cousa abominável em tua casa. Qualquer forma e vestígio de idolatria era uma coisa maldita. Qualquer metal ou outro adorno relacionado à idolatria era uma abominação. Por essa razão, nenhum israelita podia tomar dessas coisas para sua posse, como se fizesse parte de seus despojos. O termo "abominação" é usado com frequência na Bíblia como sinônimo de idolatria. O Targum de Jonathan também interpreta esse adjetivo, "abominável", como menção a algum ídolo. Essas coisas tinham sido amaldiçoadas por Yahweh, e o indivíduo que ousasse introduzir um ídolo em sua residência sofreria a mesma maldição.

De todo a detestarás. Isso por tratar-se de um agente poluidor, que merecia apenas a maior aversão. Na qualidade de coisa maldita, um ídolo só podia ser devotado à destruição, e o indivíduo que trouxesse tal objeto para sua casa só mereceria compartilhar dessa destruição. Cf. Dt 7.5. Ver também Dt 6.14,15. Yahweh é um Deus zeloso que não admite nenhuma espécie de competição. Todo rival constitui um abuso espiritual. O temível *herem*, a maldição divina, pesava sobre qualquer forma de idolatria. Todo objeto dessa natureza tinha de ser destruído. Todos os objetos assim tornavam-se um *holocausto* oferecido a Yahweh. Cf. Js 6.21. Ver também Ap 21.8.

CAPÍTULO OITO

ADVERTÊNCIAS E EXORTAÇÕES (8.1—11.32)

Moisés ilustrou o seu *segundo discurso* com lições extraídas do passado (Dt 8.1—10.11). Deus cuidara de seu povo durante as rigorosas vagueações pelo deserto (8.1-10), e esses cuidados prosseguiriam, agora que eles de novo enfrentavam um grande conflito. Em meio ao sucesso, convinha que eles evitassem o orgulho que leva à auto-glorificação, pois todo poder vem da parte de Yahweh (8.11-20). A liderança dada por Yahweh é que garantia todo o sucesso, e não os esforços humanos (9.1-6). Israel sempre mostrara ser um povo rebelde, e precisava fugir dessa atitude de rebeldia (9.7-23). Toda rebeldia, porém, sempre tivera seu merecido castigo, pelo que toda rebeldia devia ser evitada, a qualquer custo (9.24-29). Moisés tomou todas as providências para que os filhos de Israel não fossem ignorantes quanto a tudo isso. A história era uma grande mestra. Moisés apelou para a *memória* deles.

"Moisés avisou o povo que o sucesso que obteriam na terra de Canaã haveria de tentá-los a esquecer-se da lição do deserto, e que deveriam depender totalmente da misericórdia divina" (*Oxford Annotated Bible*, comentando sobre este versículo).

■ 8.1

כָּל־הַמִּצְוָ֗ה אֲשֶׁ֨ר אָנֹכִ֧י מְצַוְּךָ֛ הַיּ֖וֹם תִּשְׁמְר֣וּן לַעֲשׂ֑וֹת לְמַ֨עַן תִּֽחְי֜וּן וּרְבִיתֶ֗ם וּבָאתֶם֙ וִֽירִשְׁתֶּ֣ם אֶת־הָאָ֔רֶץ אֲשֶׁר־נִשְׁבַּ֥ע יְהוָ֖ה לַאֲבֹתֵיכֶֽם׃

"Este versículo introdutório lembrou os israelitas, uma vez mais, que os dons da vida e da fertilidade não tinham sido dados automaticamente aos que criam, mas eram subprodutos da obediência. As experiências no deserto tinham por desígnio produzir tanto a obediência quanto a fé no povo de Israel. Aos hebreus foi recomendado que tivessem cuidado e seguissem todo mandato emanado de Deus" (Jack S. Deere, *in loc.*).

Todos os mandamentos. Ou seja, a legislação mosaica inteira, com seus mandamentos, estatutos e juízos. Ver a *tríplice* designação dada à lei em Dt 6.1. Esperava-se que a lei transmitisse vida e bem-estar. Ver as notas sobre isso em Dt 4.1; 5.33 e 6.2. Os mandamentos "foram repetidos por muitas e muitas vezes, a fim de impressionar a mente dos filhos de Israel, como também destacar sua importância e necessidade" (John Gill, *in loc.*).

São reiteradas aqui as questões relativas à vida, à multiplicação e à possessão do território. Ver sobre isso nas notas em Deu.7.13, mais elaborada em suas descrições, embora a essência seja idêntica à que temos aqui.

Que o Senhor prometeu. Quanto ao juramento divino, garantindo para Israel a possessão da Terra Prometida, ver também Dt 7.13 e suas notas. A provisão de uma terra pátria era uma das maiores provisões do Pacto Abraâmico. As notas a respeito aparecem em Gn 15.18.

Sob juramento. Esse juramento tinha garantido o eventual cumprimento da promessa acerca da Terra Prometida. Ver sobre essa questão do juramento divino nas notas de Dt 4.26. Há cerca de vinte instâncias desse juramento divino somente no livro de Deuteronômio. Ver no *Dicionário* o verbete intitulado *Juramentos*. Ver o sumário das *recomendações* feitas por Moisés em Dt 10.12-22 e 11.22. O encargo propriamente dito é comentado em Dt 6.4-19. Esse encargo foi dado, em sua essência, mediante a *lei*.

■ 8.2

וְזָכַרְתָּ֣ אֶת־כָּל־הַדֶּ֗רֶךְ אֲשֶׁ֨ר הֹלִֽיכֲךָ֜ יְהוָ֧ה אֱלֹהֶ֛יךָ זֶ֛ה אַרְבָּעִ֥ים שָׁנָ֖ה בַּמִּדְבָּ֑ר לְמַ֨עַן עַנֹּֽתְךָ֜ לְנַסֹּֽתְךָ֗ לָדַ֜עַת אֶת־אֲשֶׁ֧ר בִּֽלְבָבְךָ֛ הֲתִשְׁמֹ֥ר מִצְוֹתָ֖יו אִם־לֹֽא׃

Recordar-te-ás. As *lições* dos quarenta anos de perambulações não podiam ser lançadas no olvido. Aqueles tinham sido anos rigorosos, que por muitas vezes impuseram necessidades e tensões; mas muitas lições preciosas haviam sido aprendidas pelos hebreus. Tinham sido tempos de provação, para ver se Israel *obedeceria* ou não a Yahweh. Houve momentos em que os israelitas foram humilhados, mas para o seu próprio bem. Cf. Dt 1.34-39; 2.7,14; 5.3; 11.2-7 e 2Cr 32.31.

"A natureza transitória de todas as resoluções e impressões meramente humanas acerca do bem demonstra ao homem, quando este chega a reconhecer a si mesmo, qual é o poder e a paciência de seu Redentor, bem como qual o *custo moral* da redenção. A transitoriedade e a debilidade humana são notavelmente ilustradas pela história relatada no Êxodo" (Ellicott, *in loc.*).

■ 8.3

וַֽיְעַנְּךָ֮ וַיַּרְעִבֶךָ֒ וַיַּֽאֲכִֽלְךָ֤ אֶת־הַמָּן֙ אֲשֶׁ֣ר לֹא־יָדַ֔עְתָּ וְלֹ֥א יָדְע֖וּן אֲבֹתֶ֑יךָ לְמַ֣עַן הוֹדִֽיעֲךָ֗ כִּ֠י לֹ֣א עַל־הַלֶּ֤חֶם לְבַדּוֹ֙ יִחְיֶ֣ה הָֽאָדָ֔ם כִּ֛י עַל־כָּל־מוֹצָ֥א פִֽי־יְהוָ֖ה יִחְיֶ֥ה הָאָדָֽם׃

ele te humilhou. O maná (ver a respeito no *Dicionário*) pode ter parecido delicioso para os hebreus, no começo; mas, visto que era seu alimento constante e principal, não demorou a tornar-se *enjoativo*. O fato de que eles tiveram de continuar comendo um alimento enjoativo foi uma experiência humilhante. A humildade é uma qualidade espiritual que dificilmente se vê, e é muito difícil instilá-la nos seres humanos. Ver no *Dicionário* o artigo chamado *Humildade*.

A *lição espiritual* ensinada pelo maná era que o homem não pode achar satisfação nas coisas terrenas, incluindo-se nisso os alimentos, pois ele também precisa viver pela Palavra de Deus, ou seja, alimentar-se espiritualmente. Como é óbvio, o autor sagrado referiu-se aqui à lei inteira, com seus mandamentos, estatutos e juízos (ver as notas sobre isso em Dt 6.1).

O *alimento* material é um dom de Deus, representando todas as demais bênçãos materiais, concedidas todas elas pela providência divina. Mas essas bênçãos materiais não bastam para a vida humana. É mister alimentar também o homem em sua dimensão espiritual; pois de outra sorte ficará verdadeiramente faminto.

"O interesse especial despertado por essas palavras deriva-se do uso que nosso Senhor fez delas na hora da tentação. ele também foi conduzido a jejuar por *quarenta dias* (um dia para cada ano das vagueações dos filhos de Israel pelo deserto), em que ele se alimentou da Palavra de Deus. No fim daquele período, o diabo propôs que ele criasse o seu próprio pão. Mas Jesus já havia aprendido a lição que Israel demorou tanto a aprender. Assim, mesmo quando Deus Pai permitiu que Jesus padecesse fome, ainda assim, o Senhor recusou-se a viver por sua própria palavra, mas preferiu a Palavra do Pai. 'E então vieram anjos, que o serviam'" (Ellicott, *in loc.*). Ver o relato em Mt 4.1 ss., e a referência específica feita aqui por Moisés, ao trecho de Dt 8.3, no versículo seguinte a este.

Que tu não conheceste. Em outras palavras, o povo de Israel nunca entendeu realmente no que consistia o maná, razão por que o chamou de "maná", que é a transliteração para a pergunta, feita em hebraico, para "que é isto?" Ver Êx 16.15 e também Nm 11.7,8.

"O homem espiritual vive a sua vida espiritual dependendo de Cristo, a Palavra de Deus, o pão do céu, e dependendo do evangelho e suas verdades" (John Gill, *in loc.*).

■ 8.4

שִׂמְלָ֨תְךָ֜ לֹ֤א בָֽלְתָה֙ מֵֽעָלֶ֔יךָ וְרַגְלְךָ֖ לֹ֣א בָצֵ֑קָה זֶ֖ה אַרְבָּעִ֥ים שָׁנָֽה׃

Nunca envelheceu a tua veste... nestes quarenta anos. A *provisão miraculosa* incluiu o corpo físico e as vestes. Israel foi posto sob circunstâncias e provações especiais, mas a providência divina mostrou estar à altura da crise. Ver no *Dicionário* o artigo intitulado *Providência de Deus*.

"As dificuldades enfrentadas no deserto não foram um exemplo da ira de Deus, mas de sua disciplina providencial" (G. Ernest Wright, *in loc.*).

A intenção do autor sacro foi falar sobre os eventos miraculosos, que incluíram coisas surpreendentes como os pés que não incharam, apesar de que isso seria apenas o normal, pois andavam sobre um terreno quente e seco; por igual modo, as vestes dos filhos de Israel deveriam ter apodrecido, mas assim não sucedeu. Todavia, alguns intérpretes nada mais veem aqui senão calçados e vestes muito bem-feitos, e de excelente material, que aguentaram todo o desgaste de quarenta anos de perambulações pelo deserto! Essa habilidade dos fabricantes garantiu que não houvesse roupas e sapatos rotos, nem pés inchados entre os israelitas no deserto! Não há que duvidar de que não foi esse o intuito do autor sagrado. É que os críticos buscam eliminar da Bíblia todo vestígio de fator miraculoso, e pensam que qualquer menção a esse fator é apenas mito. Por outro lado, os milagres podem fazer coisas deveras surpreendentes. Ver no *Dicionário* o artigo chamado *Milagres*.

Tipologia. Nossas vestes são símbolos de nossa retidão, nossas vestes espirituais que ganhamos por meio da missão redentora de Cristo. Os pés representam o cumprimento de nossa missão espiritual. Logo, Deus cuida de nossas necessidades materiais e espirituais. A providência divina é perfeita.

■ 8.5

וְיָדַעְתָּ עִם־לְבָבֶךָ כִּי כַּאֲשֶׁר יְיַסֵּר אִישׁ אֶת־בְּנוֹ יְהוָה אֱלֹהֶיךָ מְיַסְּרֶךָּ׃

Assim te disciplina o Senhor. O *sofrimento* é aqui interpretado não como a retribuição da ira de Deus, mas como um meio de disciplina e correção de nosso Pai, visando ao bem dos crentes sofredores, porquanto somos seus filhos. Cf. Os 11; Hb 12.3-11. O sofrimento humilha os orgulhosos, para que possam obter virtudes espirituais. Os próprios juízos de Deus, acerca dos perdidos, são remediais. Ver no *Dicionário* o artigo chamado *Julgamento de Deus dos Homens Perdidos*, quanto a comentários sobre esse conceito, como também 1Pe 4.6 e suas notas expositivas no *Novo Testamento Interpretado*. O julgamento é apenas um dedo da mão amorosa de Deus. Esse juízo visa ao bem dos castigados, e não meramente efetuar retribuição.

"As narrativas sobre as durezas sofridas no deserto visavam a mostrar que Deus usa a adversidade como uma disciplina. Assim como um pai resiste ao filho que enveda por caminhos que o pai sabe serem perigosos, assim Deus resiste ao desvio espiritual" (Henry H. Shires, *in loc.*). Ver também Pv 13.24.

■ 8.6

וְשָׁמַרְתָּ אֶת־מִצְוֹת יְהוָה אֱלֹהֶיךָ לָלֶכֶת בִּדְרָכָיו וּלְיִרְאָה אֹתוֹ׃

Conforme nos ensina Paulo em Rm 2.4, a bondade de Deus nos conduz ao arrependimento.

> Quão grande devedor sou à graça,
> Diariamente constrangido a tanto!
> Que tua bondade, como algemas,
> Prenda meu coração vagabundo, a ti!
>
> Robert Robinson

Houve muitos milagres positivos no meio do povo de Israel, que serviram de provas do amor de Deus. Pois essa disciplina e essas dificuldades redundavam no bem dos hebreus. A conclusão lógica é: *Portanto, guardai os mandamentos* do bondoso Deus, que tudo faz com vistas ao nosso benefício.

Para andares nos seus caminhos. Uma metáfora natural acerca da conduta diária. O ato de andar é uma série de quedas para a frente interrompidas. Por muitas vezes erramos; mas Deus nos corrige em sua misericórdia. Ver no *Dicionário* o detalhado artigo intitulado *Andar*, onde essa metáfora é desenvolvida.

E o temeres. No Novo Testamento temos a ideia paralela da "reverência" a Deus. Mas no Antigo Testamento devemos pensar mesmo no temor genuíno diante do Deus Todo-poderoso, que algumas vezes agia com ira, a fim de corrigir o seu povo antigo. Cf. Êx 18.21; Lv 19.14; Dt 4.10 e 6.2,13,24. "... o temor de ofendê-lo, em afeto reverente a ele, conforme os filhos devem a seu pai" (John Gill, *in loc.*).

■ 8.7

כִּי יְהוָה אֱלֹהֶיךָ מְבִיאֲךָ אֶל־אֶרֶץ טוֹבָה אֶרֶץ נַחֲלֵי מָיִם עֲיָנֹת וּתְהֹמֹת יֹצְאִים בַּבִּקְעָה וּבָהָר׃

... te faz entrar numa boa terra. A Terra Prometida é descrita como terra que manava *leite e mel* (ver Êx 3.8 e Nm 13.27). Neste ponto, há menção ao abundante suprimento de água. Embora boa parte do território fosse desértico, havia água adequada para todos. A Transjordânia era especialmente privilegiada quanto a isso. A água é indispensável para a vida, pelo que a água representa a própria vida. Ver no *Dicionário* o artigo intitulado *Água*, o qual descreve o suprimento de água da Palestina, além de mostrar os usos metafóricos desse vocábulo na Bíblia.

De ribeiros de águas, de fontes, de mananciais profundos. Assim sucedia no caso do rio Jordão e seus tributários, como o Jaboque, o Quisom, o Dedronk Chrith e outros; ou no caso de fontes, como Siloé, Geom, Tam, os banhos de Tiberíades e outros. E isso sem falar em poços e mananciais. Meu artigo chamado *Água* ilustra essa questão.

Quando os israelitas entraram na Terra Prometida, havia cerca de quatro milhões deles. Um bom suprimento de água era crítico para a sustentação deles em vida, como também para seus animais e para sua agricultura. Ver Nm 1.46 e suas notas quanto a estimativas populacionais, com base nos mais de seiscentos mil homens, de 20 anos para cima, preparados para entrar na guerra, se necessário fosse.

■ 8.8

אֶרֶץ חִטָּה וּשְׂעֹרָה וְגֶפֶן וּתְאֵנָה וְרִמּוֹן אֶרֶץ־זֵית שֶׁמֶן וּדְבָשׁ׃

Este e os dois versículos seguintes mostram que a Terra Prometida era conducente a uma boa atividade agrícola, podendo produzir vários tipos de cereais, de frutas e de outros alimentos necessários. "Ali havia duas colheitas anuais, a da cevada, que começava no tempo da Páscoa, e a do trigo, que começava no período da festa de Pentecoste. Exemplos dessa abundância podem ser observados nas vastas quantidades consumidas nos dias de Salomão, em sua corte, bem como na distribuição anual que ele mandava para Hirão, no Líbano (ver 1Rs 4.22,28; 5.11; 2Cr 2.10). Sim, a Terra Prometida produzia uma tão grande quantidade de trigo que não somente seus habitantes eram bem supridos, mas também havia exportação para outros países, que os negociantes de Israel e de Judá comerciavam no mercado de Tiro (ver Ez 27.17 e At 12.20)" (John Gill, *in loc.*).

Esse mesmo autor batista apresenta uma extensa nota com citações de antigos escritores judeus, que ilustram a abundância de frutas, e não somente de cereais. Ver Nm 13.23 quanto às uvas. Israel enviava azeite ao Egito (*Echa Rabbati*, fol. 59.3). E também exportava mel natural e mel manufaturado (Plínio, *Hist. Nat.* 1.23 cap. 4). Josefo descreveu a grande produção obtida de certa variedade de palmeiras (*Guerras dos Judeus*, 1.4 cap. 8, sec. 2). Adam Clarke (*in loc.*) devotou quase duas páginas (de colunas duplas) somente a este versículo, ilustrando a veracidade da abundância atribuída à Terra Prometida.

Por Que Havia Tanta Abundância? Porque Yahweh abençoara o povo de Israel com uma terra farta, visto que tinha prometido isso a Abraão. Ver sobre o *Pacto Abraâmico* em Gn 15.18 e suas notas. Mas a condição para o usufruto de toda essa abundância era a *obediência* (vss. 6 e 11 deste capítulo). Um Israel desobediente perdeu toda essa fartura quando de seus cativeiros. Ver no *Dicionário* o artigo chamado *Cativeiro (Cativeiros)*.

"Ao Senhor pertence a terra e tudo o que nela se contém, o mundo e os que nele habitam" (Sl 24.1).

■ 8.9

אֶרֶץ אֲשֶׁר לֹא בְמִסְכֵּנֻת תֹּאכַל־בָּהּ לֶחֶם לֹא־תֶחְסַר כֹּל בָּהּ אֶרֶץ אֲשֶׁר אֲבָנֶיהָ בַרְזֶל וּמֵהֲרָרֶיהָ תַּחְצֹב נְחֹשֶׁת׃

Ferro... cobre... Temos aí menção aos minerais. Em sua terra, nada faltaria a Israel. O suprimento alimentar era abundante, e outro tanto se dava no caso dos minerais. Quanto a ilustrações, ver no *Dicionário* estes três verbetes: *Mina, Mineração; Minas* e *Minas do Rei Salomão*.

"O minério que contém esses dois metais acha-se na rocha abaixo da profunda camada de pedra calcária. Essa pedra calcária aparece na Arabá, ao sul do mar Morto, onde têm sido descobertas antigas minas e fundições de cobre" (G. Ernest Wright, *in loc.*, que alude ao livro de Nelson Glueck, *The Other Side of Jordan*). Ver no *Dicionário* os verbetes intitulados *Ferro* e *Cobre*, onde há completas explicações.

■ 8.10

וְאָכַלְתָּ וְשָׂבָעְתָּ וּבֵרַכְתָּ אֶת־יְהוָה אֱלֹהֶיךָ עַל־הָאָרֶץ הַטֹּבָה אֲשֶׁר נָתַן־לָךְ׃

Louvarás ao Senhor teu Deus. Isso em face do suprimento alimentar e mineral abundante, em reconhecimento à bondade de Yahweh. Deus é aqui reconhecido como a fonte de todos os bons e perfeitos dons (ver Tg 1.17). Diz um antigo hino: "Gotas de misericórdia pingam à nossa volta, mas pedimos chuvas fortes". Que a fonte originária de toda a bênção seja louvada.

> *Deus pode fazer-nos abundar em toda graça a fim de que, tendo sempre, em tudo, ampla suficiência, superabundeis em toda boa obra.*
>
> 2Coríntios 9.8

"Foi proibido a todo homem desfrutar de qualquer das benesses deste mundo sem manifestar ação de graças; todo aquele que deixa de fazer assim é um transgressor" (Talmude, *Berachoth*, par. 35a).

Os agradecimentos às refeições, na sociedade judaica, estribam-se neste versículo. Daí, o costume passou para a Igreja cristã.

■ 8.11

הִשָּׁמֶר לְךָ פֶּן־תִּשְׁכַּח אֶת־יְהוָה אֱלֹהֶיךָ לְבִלְתִּי שְׁמֹר מִצְוֹתָיו וּמִשְׁפָּטָיו וְחֻקֹּתָיו אֲשֶׁר אָנֹכִי מְצַוְּךָ הַיּוֹם׃

Guarda-te não te esqueças. A bondade de Deus nos conduz ao arrependimento (ver Rm 2.4). seu suprimento abundante impele-nos a cumprir toda boa obra. A abundância material com frequência leva os homens a esquecer Deus e a depender de si mesmos, um dos grandes temas da epístola de Tiago, em seu quinto capítulo. Jesus tomou o tema dos perigos possíveis das riquezas, e chegou mesmo a aventar a grande dificuldade de um homem rico entrar no reino de Deus (ver Mt 19.24). Isso posto, se a *abundância material* visa criar no coração humano uma atitude de agradecimento, impelindo-o ao serviço espiritual, os abusos do homem por muitas vezes derrotam esse bom propósito.

As riquezas materiais, no dizer do autor sacro, não cabem aos homens por direito automático. Antes, são presentes de Deus. Aqueles que abusam delas arriscam-se a enfrentar problemas lamentáveis. O dinheiro pode ser uma força que tende para a destruição, se não for devidamente buscado e usado.

Na mente do autor sacro, o perigo representado pelo abuso quanto às bênçãos materiais é algo muito sério. ele prossegue nesse tom até o fim do versículo 18 deste capítulo.

■ 8.12,13

פֶּן־תֹּאכַל וְשָׂבָעְתָּ וּבָתִּים טוֹבִים תִּבְנֶה וְיָשָׁבְתָּ׃

וּבְקָרְךָ וְצֹאנְךָ יִרְבְּיֻן וְכֶסֶף וְזָהָב יִרְבֶּה־לָּךְ וְכֹל אֲשֶׁר־לְךָ יִרְבֶּה׃

Depois de teres comido e estiveres farto. Isso pode apontar para um coração vazio no que tange às riquezas espirituais. "Boas casas" poderiam fazer os israelitas esquecer-se das tendas nas quais tinham morado no deserto, como se eles mesmos tivessem produzido essa mudança. Se assim sucedesse, acabariam esquecendo-se de Deus. E poderiam esquecer que o corpo físico, a "casa" da alma, pode desintegrar-se com grande facilidade, por ocasião da morte; e assim teriam de aprender a dura lição de que tudo quanto é material reveste-se de mui pouco valor.

As riquezas materiais se multiplicariam; seus rebanhos se multiplicariam; amealhariam ouro e prata; se tornariam ricos e diriam: "Não preciso de cousa alguma" (Ap 3.17). Mas não reconheceriam que eram "pobres, miseráveis, dignos de comiseração, cegos e nus", em um sentido espiritual. Ver no *Dicionário* o verbete intitulado *Riquezas*.

"A tendência das possessões materiais é inculcar uma atitude materialista. De forma insidiosa, o dinheiro acaba parecendo ser o fator mais poderoso para quem queira obter as coisas boas da vida. O indivíduo pode aprender a depender das riquezas materiais, e não de Deus, quanto à sua segurança, contentamento, poder e paz. A filosofia daí resultante reverte de modo drástico os tais valores que estão no coração do universo" (Henry H. Shires, *in loc.*).

"... o perigo da prosperidade" (*Oxford Annotated Bible*, comentando sobre o versículo 11 deste capítulo).

■ 8.14

וְרָם לְבָבֶךָ וְשָׁכַחְתָּ אֶת־יְהוָה אֱלֹהֶיךָ הַמּוֹצִיאֲךָ מֵאֶרֶץ מִצְרַיִם מִבֵּית עֲבָדִים׃

Se eleve o teu coração e te esqueças do Senhor. Orgulho e esquecimento de Deus. Os tempos difíceis seriam coisa do passado; a prosperidade tornara-se a regra da vida. Mas o coração se corrompera: o homem ficara orgulhoso, alienado de Deus, pensando somente em si mesmo. Essa descrição nos faz lembrar daquilo que Paulo disse sobre os incrédulos (ver Rm 1.21). De fato, os hebreus, que desenvolviam atitudes tipicamente pagãs, ao tornarem-se autossuficientes, não eram melhores que os pagãos; e isso com menores desculpas possíveis, visto que tinham testemunhado as poderosas obras de Deus no Egito e no deserto, bem como as abundantes provisões divinas na Terra Prometida. Em lugar de dizerem: "Isto procede do Senhor, e é maravilhoso aos nossos olhos" (Sl 118.23), eles prefeririam dizer: "Vejam o que eu mesmo fiz. Não é maravilhoso?"

> *Exorta aos ricos do presente século que não sejam orgulhosos, nem depositem a sua esperança na instabilidade da riqueza, mas em Deus que tudo nos proporciona ricamente para nosso aprazimento.*
>
> 1Timóteo 6.17

O *poder de Yahweh* havia tirado Israel do *Egito*, conforme se lê e foi comentado em Nm 23.22. Esse é um tema comum do livro de Deuteronômio, mencionado por cerca de vinte vezes. Ver as notas sobre Dt 4.20.

■ 8.15

הַמּוֹלִיכֲךָ בַּמִּדְבָּר הַגָּדֹל וְהַנּוֹרָא נָחָשׁ שָׂרָף וְעַקְרָב וְצִמָּאוֹן אֲשֶׁר אֵין־מָיִם הַמּוֹצִיא לְךָ מַיִם מִצּוּר הַחַלָּמִישׁ׃

Aquele grande e terrível deserto. Os rigores das vagueações pelo deserto poderiam ser esquecidos se os hebreus se sentassem confortavelmente em suas casas, desfrutando suas riquezas e seus acepipes. No entanto, *Yahweh* é quem lhes havia dado tanto sucesso, por todas as perambulações pelo deserto, e então lhes dera uma terra tão rica e abundante. No deserto havia perigos de serpentes e escorpiões; e também de falta de alimentos e de água. Mas, devido à provisão divina, tudo isso tinha sido vencido. Porém seria fácil que os hebreus, uma vez instalados e abastados na Terra Prometida, viessem a esquecer-se do passado, supondo tolamente que eles é que tivessem produzido aquela grande melhoria.

Somente neste versículo temos menção a escorpiões, em todo o Antigo Testamento. Mas podemos estar certos de que no deserto havia grande quantidade deles. A dor provocada por uma picada de escorpião às vezes é tão excruciante que somente a injeção de anestésico diretamente em cima de punctura pode fazer passar essa dor. E algumas espécies de escorpião podem matar uma pessoa, sobretudo no caso de crianças. Ver no *Dicionário* o verbete intitulado *Serpentes (Serpentes Venenosas e Serpentes Abrasadoras)*.

8.16

הַמַּאֲכִלְךָ מָן בַּמִּדְבָּר אֲשֶׁר לֹא־יָדְעוּן אֲבֹתֶיךָ לְמַעַן
עַנֹּתְךָ וּלְמַעַן נַסֹּתֶךָ לְהֵיטִבְךָ בְּאַחֲרִיתֶךָ׃

Este versículo é essencialmente igual ao terceiro versículo deste capítulo, cujas notas também têm aplicação aqui. Essa misteriosa substância, o *maná* (ver a respeito no *Dicionário*), tornava-se saborosa no começo, mas com o tempo tornou-se enjoativa, e os israelitas queixaram-se disso. O maná foi dado a fim de humilhá-los; e, no entanto, era altamente alimentício. A humilhação, pois, visava a *abençoar* a Israel; pois todo indivíduo humilhado no tempo certo será exaltado pela poderosa mão de Deus, conforme nos diz Pedro (em 1Pe 5.6). Ninguém pode servir, ao mesmo tempo, a Deus e às riquezas (ver Lc 16.13). Os pobres são bem-aventurados (ver Lc 6.20); mas os ricos encontram dificuldades para entrar no Reino de Deus (ver Lc 18.25). Há muitos instrumentos de humilhação usados por Deus. E o maná tipifica esses instrumentos. Ver no *Dicionário* o artigo intitulado *Humildade*. A história do maná é relatada no capítulo 16 do livro de Êxodo.

8.17,18

וְאָמַרְתָּ בִּלְבָבֶךָ כֹּחִי וְעֹצֶם יָדִי עָשָׂה לִי אֶת־הַחַיִל
הַזֶּה׃

וְזָכַרְתָּ אֶת־יְהוָה אֱלֹהֶיךָ כִּי הוּא הַנֹּתֵן לְךָ כֹּחַ
לַעֲשׂוֹת חָיִל לְמַעַן הָקִים אֶת־בְּרִיתוֹ אֲשֶׁר־נִשְׁבַּע
לַאֲבֹתֶיךָ כַּיּוֹם הַזֶּה׃ פ

Os orgulhosos costumam pensar: "Meu poder e capacidade é que me deram todas as coisas que tenho". Tais ideias procedem de um coração que já foi corrompido pela abastança material. Um homem assim não leva em conta a história de Israel e suas leis (vss. 11 ss.). No caso de um antigo hebreu orgulhoso, ele estava em Israel, mas o paganismo havia entrado nele. ele vivia em vícios, e os vícios viviam *nele*. ele fizera de si mesmo um pequeno deus, e se esquecera do Deus de Israel. No entanto, é a bênção divina que nos enriquece. Ver Sl 127.2; Pv 10.22; Ec 9.11; 1Cr 29.12.

Yahweh se tinha mostrado generoso com Abraão, mas foi-lhe negada a Terra Prometida, embora esta fizesse parte do pacto estabelecido por Deus com ele. No entanto, ela foi entregue (com toda a sua abundância) aos descendentes de Abraão (ver os vss. 7-9 deste capítulo). Agora, o perigo que os ameaçava era que eles abusassem da graça divina, proferindo o absurdo de que eles tinham conquistado tudo aquilo com suas próprias forças e virtudes. O fato era que a Terra Prometida, que eles tinham recebido, era uma das provisões do Pacto Abraâmico, e não algo que eles merecessem pessoalmente. Yahweh estava por trás das bênçãos do pacto, e ele é quem merecia ser exaltado, e não os beneficiários do pacto.

"... a lição ensinada no deserto: todos os aspectos da vida são dons de Deus, e coisa alguma é possível ao homem à parte dele (vs. 18)" (Jack S. Deere, *in loc.*).

8.19

וְהָיָה אִם־שָׁכֹחַ תִּשְׁכַּח אֶת־יְהוָה אֱלֹהֶיךָ וְהָלַכְתָּ
אַחֲרֵי אֱלֹהִים אֲחֵרִים וַעֲבַדְתָּם וְהִשְׁתַּחֲוִיתָ לָהֶם
הַעִדֹתִי בָכֶם הַיּוֹם כִּי אָבֹד תֹּאבֵדוּן׃

Se te esqueceres do Senhor. A *idolatria* seria outro subproduto da vida abastada; e isso só produziria desastre. Neste livro de Deuteronômio são constantes as advertências a respeito da idolatria (ver a esse respeito no *Dicionário*). Ver, por exemplo, Dt 4.28; 5.7; 6.14; 7.4,16,25; 11.16; 17.3 etc. Ver também Êx 20.3,4 quanto ao *segundo mandamento*, o qual proibia qualquer forma de idolatria. A idolatria traria, como consequência, a perda da Terra Prometida. Quando dos seus cativeiros, Israel perdeu a Terra Prometida. Ver no *Dicionário* os verbetes intitulados *Cativeiro (Cativeiros)* e *Dez Mandamentos*.

8.20

כַּגּוֹיִם אֲשֶׁר יְהוָה מַאֲבִיד מִפְּנֵיכֶם כֵּן תֹּאבֵדוּן עֵקֶב
לֹא תִשְׁמְעוּן בְּקוֹל יְהוָה אֱלֹהֵיכֶם׃ פ

Assim perecereis. A destruição da nação de Israel seria o resultado da idolatria. Esta, por sua vez, procederia de um coração orgulhoso, esquecido de Deus e de todas as bênçãos divinas, incluindo a bênção da possessão da Terra Prometida. As nações expulsas de Canaã, pelos hebreus, foram expulsas em razão de sua idolatria e iniquidade em geral (ver Gn 15.16). Ver Dt 7.2 quanto aos diversos motivos pelos quais os cananeus foram aniquilados. Mas um povo de Israel desobediente e rebelde sofreria idêntico castigo, nos seus cativeiros. Ver no *Dicionário* os verbetes chamados *Cativeiro Assírio* e *Cativeiro Babilônico*.

"Uma advertência insistente, solene e assustadora. Ninguém pode esquecer-se de Deus e permanecer na neutralidade. Esquecer-se de Deus significa que tal indivíduo começa a adorar a deuses falsos. Se a nação de Israel chegasse a cometer tal pecado, então teria havido contravenção do significado inteiro de sua existência e eleição, e não poderia haver maiores razões para ela esperar a vida do que outros povos que tinham sido destruídos antes dela" (G. Ernest Wright, *in loc.*).

CAPÍTULO NOVE

A seção geral iniciada em Dt 8.1 e as notas dadas ali aplicam-se também aqui. Os versículos à nossa frente dão continuação às advertências e às exortações. O trecho de Dt 9.1-6 salienta a importante lição de que Israel fora abençoado pela misericórdia e pela graça divina, e também pela relação do pacto entre Yahweh e essa nação, e não em razão da justiça própria ou do poder do povo de Israel.

Prossegue o conceito de guerra santa. Cf. Dt 1.19-33; 3.18-22; 7.1-26; 20.1-20; 21.10-14; 23.9-14; 24.5; 26.17-19; 31.3-8. Parte dessa ideologia é que Yahweh era o Deus da história e da retidão, e parte de seus direitos consistia em estabelecer e remover nações, mediante os meios necessários da destruição e da bênção. O ensino do Antigo Testamento é que a destruição do mal, por parte de Deus, não compromete a sua bondade. Assim sendo, temos ali um equilíbrio entre a ira e a bondade. Ver as notas sobre Dt 6.15, quanto ao excelente discernimento de que o juízo divino é, na realidade, um agente da bondade de Deus. seu propósito é abençoar, finalmente, a despeito de sua severidade.

Israel desenvolveu uma *filosofia da história* segundo a qual o poder de Deus dirige essa história com intervenções constantes. Temos aí um reflexo do *teísmo* (ver a respeito no *Dicionário*). Deus criou e continua fazendo intervenção em sua criação, a fim de guiar, julgar e abençoar. Contrastar isso com o *deísmo* (ver a respeito no *Dicionário*). Na *Enciclopédia de Bíblia, Teologia e Filosofia,* ver o artigo intitulado *Filosofia da História*.

9.1

שְׁמַע יִשְׂרָאֵל אַתָּה עֹבֵר הַיּוֹם אֶת־הַיַּרְדֵּן לָבֹא
לָרֶשֶׁת גּוֹיִם גְּדֹלִים וַעֲצֻמִים מִמֶּךָּ עָרִים גְּדֹלֹת
וּבְצֻרֹת בַּשָּׁמָיִם׃

Este versículo é virtualmente igual a Dt 7.1. Ali, sete nações são alistadas, as quais Israel deveria expulsar mediante total destruição. Aqui são mencionadas as *fortificações* das cidades daquelas nações, detalhe esse deixado de fora em Dt 7.1. A *guerra santa* deveria ser desfechada sem tardança. Ver a introdução a este capítulo sobre essa questão. O povo de Israel, a princípio, ficou assustado diante dos gigantes que habitavam na terra, com suas cidades fortificadas. Ver Nm 13.26-14.4. No entanto, ainda recentemente haviam obtido tremendas vitórias sobre os reinos de Seom e Ogue, na Transjordânia (Dt 2.26-3.11), e isso lhes dava uma vantagem psicológica. As sete nações já tinham ouvido sobre o avanço de Israel e estavam temerosas, pelo que tinham uma desvantagem psicológica. Ver o segundo capítulo de Deuteronômio.

Ouve. Dá atenção ao mandamento de Yahweh, que era o Senhor da Guerra. Chegara o tempo de entrar na possessão da Terra Prometida que Deus havia dado a Abraão, a fim de que os seus descendentes tivessem um território pátrio. Cf. este versículo com Js 5.13,14. Ver a metáfora militar usada por Paulo em Ef 6.11 ss.

Tu passas, hoje, o Jordão. "Não precisamente naquele mesmo dia, mas pouco tempo depois; pois foi no primeiro dia do décimo primeiro mês que Moisés começou a repetir as leis (Dt 1.3). E foi somente no décimo dia do primeiro mês do ano seguinte que o povo atravessou o Jordão (Js 4.19), ou seja, cerca de dois meses depois disso" (John Gill, *in loc.*).

■ 9.2

עַם־גָּד֥וֹל וָרָ֖ם בְּנֵ֣י עֲנָקִ֑ים אֲשֶׁ֨ר אַתָּ֤ה יָדַ֙עְתָּ֙ וְאַתָּ֣ה שָׁמַ֔עְתָּ מִ֣י יִתְיַצֵּ֔ב לִפְנֵ֖י בְּנֵ֥י עֲנָֽק׃

Filhos dos enaquins. Os vários clãs de gigantes pareciam ser os adversários mais formidáveis dos hebreus, tendo-os feito tremer no passado. Os israelitas sentiam-se como se fossem gafanhotos ao lado dos gigantes (Nm 13.33). Mas agora tudo isso havia mudado. Ver as notas em Nm 13.31,33 e Dt 1.28; 2.11,20; 3.11,13 bem como o artigo do *Dicionário* intitulado *Anaque (Anaquim)*. Outras nações tinham conseguido derrotar os gigantes (ver Dt 2.20-23), e não havia razão pela qual Israel, com a ajuda de Yahweh, que lutava pelos hebreus, não pudesse derrotá-los também.

■ 9.3

וְיָדַעְתָּ֣ הַיּ֗וֹם כִּי֩ יְהוָ֨ה אֱלֹהֶ֜יךָ הֽוּא־הָעֹבֵ֤ר לְפָנֶ֙יךָ֙ אֵ֣שׁ אֹֽכְלָ֔ה ה֧וּא יַשְׁמִידֵ֛ם וְה֥וּא יַכְנִיעֵ֖ם לְפָנֶ֑יךָ וְהֽוֹרַשְׁתָּ֤ם וְהַֽאֲבַדְתָּם֙ מַהֵ֔ר כַּאֲשֶׁ֛ר דִּבֶּ֥ר יְהוָ֖ה לָֽךְ׃

teu Deus é que passa adiante de ti. Yahweh garantia a vitória. Embora os cananeus incluíssem povos gigantescos e tivessem a terrível reputação de ser muito habilidosos na guerra, brutais e sem misericórdia, estavam condenados por causa de seus pecados e haveriam de render-se quase sem luta diante do avanço dos israelitas. O cronograma de Deus para as nações daquela área agora requeria uma mudança: o seu cálice de iniquidade finalmente estava cheio (Gn 15.16). "O cavalo prepara-se para o dia da batalha, mas a vitória vem do Senhor" (Pv 21.31). Paulo referiu-se a como Deus controla as fronteiras e os tempos determinados para os povos (ver At 17.26). Ver a exposição sobre esse versículo no *Novo Testamento Interpretado*. Ver sobre a *guerra santa* na introdução a este capítulo e também consulte *Critérios de uma Guerra Justa*, na *Enciclopédia de Bíblia, Teologia e Filosofia*.

Deus vinha conduzindo o povo de Israel com a coluna de fogo à noite e com a nuvem de dia. Ver no *Dicionário* o verbete intitulado *Coluna de Fogo e de Nuvem*. Talvez o autor sacro estivesse pensando em algum sinal divino específico, que mostrasse que o Senhor seguia à frente de seu povo, ou talvez estivesse falando em um sentido metafórico, embora indicando a real presença de Deus com eles. Ver Dt 4.24 e cf. Hb 12.29.

■ 9.4,5

אַל־תֹּאמַ֣ר בִּלְבָבְךָ֗ בַּהֲדֹ֣ף יְהוָה֩ אֱלֹהֶ֨יךָ אֹתָ֥ם ׀ מִלְּפָנֶיךָ֮ לֵאמֹר֒ בְּצִדְקָתִי֙ הֱבִיאַ֣נִי יְהוָ֔ה לָרֶ֖שֶׁת אֶת־הָאָ֣רֶץ הַזֹּ֑את וּבְרִשְׁעַת֙ הַגּוֹיִ֣ם הָאֵ֔לֶּה יְהוָ֖ה מוֹרִישָׁ֥ם מִפָּנֶֽיךָ׃

לֹ֣א בְצִדְקָתְךָ֗ וּבְיֹ֙שֶׁר֙ לְבָ֣בְךָ֔ אַתָּ֥ה בָ֖א לָרֶ֣שֶׁת אֶת־אַרְצָ֑ם כִּ֞י בְּרִשְׁעַ֣ת ׀ הַגּוֹיִ֣ם הָאֵ֗לֶּה יְהוָ֤ה אֱלֹהֶ֙יךָ֙ מוֹרִישָׁ֣ם מִפָּנֶ֔יךָ וּלְמַ֜עַן הָקִ֣ים אֶת־הַדָּבָ֗ר אֲשֶׁ֨ר נִשְׁבַּ֤ע יְהוָה֙ לַאֲבֹתֶ֔יךָ לְאַבְרָהָ֥ם לְיִצְחָ֖ק וּֽלְיַעֲקֹֽב׃

Não digas no teu coração. Israel mostrara ser uma *nação rebelde* no deserto. Eles não estavam colecionando condecorações por seu bom comportamento. Antes, o que sucedia era que a *iniquidade dos adversários* de Israel se tornara insuportável para Deus. Assim também havia acontecido no caso do dilúvio (ver Gn 6.5 ss.). O trecho de Gn 15.16 havia predito o dia em que a taça da iniquidade dos cananeus se encheria, quando então eles seriam expulsos da terra de Canaã. Os descendentes de Abraão tinham de esperar pelo cronograma de Deus acerca dos cananeus, conforme já comentei no terceiro versículo deste capítulo. Pois as fronteiras e os tempos da habitação de qualquer povo são estabelecidos pela vontade divina, embora sempre haja fatores humanos que cooperem com a vontade divina. A vontade divina controla a vontade humana sem destruí-la, embora não saibamos dizer como isso sucede. Ver no *Dicionário* os artigos chamados *Determinismo (Predestinação)* e *Predestinação (Livre-arbítrio)*.

Três Razões para a Vitória de Israel:
1. A iniquidade de seus inimigos (vss. 4,5).
2. O cumprimento do Pacto Abraâmico requeria que Canaã passasse para a possessão dos descendentes dos patriarcas hebreus (ver Dt 1.8 e Gn 15.13-21).
3. Em certo sentido, a Terra Prometida foi dada mediante a pura graça de Deus, visto que Israel era um povo teimoso, que não reagia bem a Deus e que por muitas vezes mostrou ser rebelde (Dt 9.6,7,13; 10.16; 31.27).

Em face dessas razões, era uma estupidez Israel manifestar uma atitude de justiça própria e dizer: "Invadimos a Terra Prometida e dali expulsamos os cananeus, pois éramos melhores do que eles e merecíamos habitar nessa terra". Pelo contrário, eles deviam agradecimentos a Abraão e aos outros dois patriarcas, Isaque e Jacó, e também deviam agradecimentos à fonte de todas as bênçãos, o Senhor Deus. Ver Tg 1.17.

Tipologia. A salvação é conferida por causa das promessas de Deus, em Cristo. E ela é dada a um povo desmerecedor. Os remidos entram na posse da promessa espiritual devido à pura graça divina. Ver Ef 2.8,9 e Cl 1.12,13.

■ 9.6

וְיָדַעְתָּ֗ כִּ֠י לֹ֤א בְצִדְקָֽתְךָ֙ יְהוָ֣ה אֱלֹהֶ֗יךָ נֹתֵ֨ן לְךָ֜ אֶת־הָאָ֧רֶץ הַטּוֹבָ֛ה הַזֹּ֖את לְרִשְׁתָּ֑הּ כִּ֥י עַם־קְשֵׁה־עֹ֖רֶף אָֽתָּה׃

Não é por causa da tua justiça. As declarações deste versículo reforçam aquelas dos dois versículos anteriores, fazendo os filhos de Israel relembrar a sua *notável rebeldia*, e não alguma alegada retidão.

Povo de dura cerviz. Ver o detalhado artigo sobre essa questão no *Dicionário*. Aquele verbete dá as informações e as referências envolvidas com suas devidas aplicações. A expressão *dura cerviz* é uma tradução literal, uma expressão que não é nativa da língua portuguesa, embora seja entendida universalmente devido ao relato do Antigo Testamento. O Novo Testamento (grego; ver At 7.51) também aproveitou literalmente essa expressão. Israel *merecia* ser destruído (ver os vss. 13 e 14 deste capítulo), mas a graça divina prevalecia por causa dos pais da nação, e a fim de que o propósito de Deus prevalecesse. Ver as *três razões* pelas quais Israel obteria a vitória, nas notas sobre os versículos 4,5 acima.

"... refratários e indisciplinados, como uma novilha que não estivesse acostumada com o jugo, o qual pesava sobre as suas costas e lhe repuxava o pescoço. Assim também os israelitas eram indóceis e perversos, desobedientes aos mandamentos de Deus" (John Gill, *in loc.*). A expressão "dura cerviz" indica que o pescoço ficava tenso, pois seus músculos eram usados para resistir a alguma outra força. Trata-se da mesma ideia de um coração duro, com seu intuito contrário e com sua atitude de rebeldia (ver Ez 3.7). Ver Ez 20.5-8 e suas notas quanto à habitual obstinação dos israelitas.

■ 9.7

זְכֹר֙ אַל־תִּשְׁכַּ֔ח אֵ֧ת אֲשֶׁר־הִקְצַ֛פְתָּ אֶת־יְהוָ֥ה אֱלֹהֶ֖יךָ בַּמִּדְבָּ֑ר לְמִן־הַיּ֞וֹם אֲשֶׁר־יָצָ֣אתָ ׀ מֵאֶ֣רֶץ מִצְרַ֗יִם עַד־בֹּֽאֲכֶם֙ עַד־הַמָּק֣וֹם הַזֶּ֔ה מַמְרִ֥ים הֱיִיתֶ֖ם עִם־יְהוָֽה׃

Muito provocastes à ira o Senhor. Os israelitas eram extremamente rebeldes. O autor sagrado mostra-se enfático aqui. Nem ao menos ele conseguiu lembrar-se de homens bons como Calebe e Josué. Os hebreus se tinham mostrado rebeldes no *dia-a-dia*, desde que haviam saído do Egito até terem chegado na Transjordânia. Durante todos aqueles quarenta anos de perambulação, eles nunca deixaram de lado sua rebeldia e suas murmurações. Ver sobre as murmurações de Israel na introdução ao capítulo 11 de Números; e sobre os onze incidentes dessa atitude rebelde, nas notas sobre Nm 14.2; 16.41 ss.; 20.2 e 21.5. Portanto, somente por causa da misericórdia e da graça de Deus é que aqueles homens puderam atravessar o rio Jordão a fim de conquistar o território dos vários povos cananeus que ali habitavam. Tudo isso é muito humano, pois sem essa misericórdia todos nós seríamos igualmente consumidos (Lm 3.22).

Os trechos de Dt 9.7-11 e 9.22-10.11 apresentam uma bem formulada demonstração de um povo dotado de dura cerviz. O sétimo versículo deste capítulo introduz tudo isso, ao dizer: "Lembrai-vos, e não vos esqueçais..." Exortações dessa ordem ilustram quão *absurdo* era que Israel viesse a supor que a Terra Prometida lhes fora dada por serem eles merecedores dessa bênção.

■ 9.8

וּבְחֹרֵב הִקְצַפְתֶּם אֶת־יְהוָה וַיִּתְאַנַּף יְהוָה בָּכֶם לְהַשְׁמִיד אֶתְכֶם:

Este e os dois versículos seguintes fazem-nos lembrar da narrativa de Êx 24.12-18; 31.18; 32-34, cujas notas expositivas também se aplicam aqui. O incidente do bezerro de ouro foi a mais séria infração de *idolatria* de toda a história de Israel. E alguns intérpretes supõem que os israelitas nunca deixariam de pagar pelo que aconteceu naquela oportunidade. Ver no *Dicionário* o verbete chamado *Bezerro de Ouro*.

Em Horebe. Trata-se do mesmo monte também chamado "Sinai" (ver Dt 1.2 e, no *Dicionário*, os dois artigos assim intitulados). O autor sagrado inicia aqui um longo parágrafo, contando, de forma livre, o que havia acontecido. Yahweh se havia irado diante das atitudes dos filhos de Israel, e somente a poderosa intercessão de Moisés havia impedido que Deus os destruísse. Temos aqui expressões antropomórficas e antropopáticas. Ver no *Dicionário* os artigos chamados *Antropomorfismo* e *Antropopatismo*.

Tão lamentáveis incidentes tiveram lugar "na frente mesmo do monte no qual a lei foi outorgada; *ali mesmo*, a lei foi violada de maneira flagrante" (Ellicott, *in loc.*).

■ 9.9

בַּעֲלֹתִי הָהָרָה לָקַחַת לוּחֹת הָאֲבָנִים לוּחֹת הַבְּרִית אֲשֶׁר־כָּרַת יְהוָה עִמָּכֶם וָאֵשֵׁב בָּהָר אַרְבָּעִים יוֹם וְאַרְבָּעִים לַיְלָה לֶחֶם לֹא אָכַלְתִּי וּמַיִם לֹא שָׁתִיתִי:

Este versículo inicia um breve sumário dos eventos que ocorreram no monte Sinai, quando Moisés ali subiu para receber as duas tábuas de pedra da lei, enquanto o povo de Israel se mantinha distante, à base do monte. O autor sacro lembrou o povo acerca da glória e dos terrores daquele evento. No entanto, em meio a tanto resplendor divino, visto que Moisés se demorou no monte um pouco mais do que os hebreus julgavam ser conveniente, eles reverteram à forma mais crassa de idolatria, tendo Arão cooperado para o triste incidente. Ver o capítulo 32 de Êxodo quanto ao próprio incidente.

"Enquanto Moisés jejuava por quarenta dias e noites no monte Horebe (Sinai; ver Dt 1.2), e ali estivesse completamente dependente de Deus, os israelitas *festejavam*. Enquanto Moisés recebia as duas tábuas de pedra da lei, inscritas pelo próprio dedo de Deus (Dt 9.9,11 e Êx 31.18), o povo violava vários dos mandamentos da lei, ao adorar o bezerro de ouro (ver Êx 32.6)" (Jack S. Deere, *in loc.*). Ver Êx 24.7,18; 32.1 e 34.8, quanto aos vários detalhes repetidos neste versículo.

■ 9.10

וַיִּתֵּן יְהוָה אֵלַי אֶת־שְׁנֵי לוּחֹת הָאֲבָנִים כְּתֻבִים בְּאֶצְבַּע אֱלֹהִים וַעֲלֵיהֶם כְּכָל־הַדְּבָרִים אֲשֶׁר דִּבֶּר יְהוָה עִמָּכֶם בָּהָר מִתּוֹךְ הָאֵשׁ בְּיוֹם הַקָּהָל:

As duas tábuas de pedra. Ver Êx 24.12; 31.18; 32.15,16 e Dt 4.1; 5.22, quanto a notas expositivas completas sobre o assunto.

Escritas com o dedo de Deus. Ver Êx 31.18 e 32.16. É reivindicada, em favor da lei e de todo o seu desdobramento em mandamentos, estatutos e juízos, a revelação divina mais direta. Ver, no *Dicionário*, o verbete intitulado *Revelação*.

■ 9.11

וַיְהִי מִקֵּץ אַרְבָּעִים יוֹם וְאַרְבָּעִים לָיְלָה נָתַן יְהוָה אֵלַי אֶת־שְׁנֵי לֻחֹת הָאֲבָנִים לֻחוֹת הַבְּרִית:

Quarenta dias e quarenta noites. Esse é um número significativo na Bíblia. Ver a respeito no *Dicionário*, como também o verbete geral chamado *Número (Numeral, Numerologia)*.

Mas, enquanto a lei mosaica estava sendo dada — o *segundo mandamento*, que proíbe a idolatria —, estava sendo fabricado o bezerro de ouro, com a conivência de Arão!

O Senhor me deu as duas tábuas. Isso só aconteceu no fim dos quarenta dias de jejum. A tradição espiritual atribui grande valor ao exercício do jejum, sobretudo quando o crente está enfrentando algum problema difícil de resolver, embora também quando esteja procurando desenvolver-se espiritualmente. Ver no *Dicionário* o artigo chamado *Jejum*.

■ 9.12

וַיֹּאמֶר יְהוָה אֵלַי קוּם רֵד מַהֵר מִזֶּה כִּי שִׁחֵת עַמְּךָ אֲשֶׁר הוֹצֵאתָ מִמִּצְרָיִם סָרוּ מַהֵר מִן־הַדֶּרֶךְ אֲשֶׁר צִוִּיתִם עָשׂוּ לָהֶם מַסֵּכָה:

Levanta-te, desce depressa daqui. A ordem de Yahweh foi dada em meio a um tom de alarme. Um absurdo inacreditável estava sendo praticado no sopé do monte Sinai. Um bezerro de ouro estava sendo moldado, e o povo de Israel o estava adorando. O pecado contra o qual a lei mais bradava estava sendo posto em prática pelos filhos de Israel. O capítulo 32 de Êxodo conta, com detalhes, a história que o autor sumariou aqui de modo tão abreviado. Somente a intercessão de Moisés poupou o povo de destruição súbita e em massa. Ver Nm 16.45 quanto ao poder da intercessão de Moisés, bem como os artigos *Intercessão* e *Oração*, no *Dicionário*.

■ 9.13

וַיֹּאמֶר יְהוָה אֵלַי לֵאמֹר רָאִיתִי אֶת־הָעָם הַזֶּה וְהִנֵּה עַם־קְשֵׁה־עֹרֶף הוּא:

Atentei para este povo. O *olho de Deus* contemplou a lamentável idolatria, e uma vez mais Yahweh afirmou o fato de que ele estava tratando com um povo de *dura cerviz*, conforme já vimos no nono versículo deste capítulo, onde há notas expositivas a respeito. Era patente que eles não se dispunham a submeter-se ao jugo da lei, mesmo que isso fosse para o bem deles, a fim de que *vivessem* (Dt 4.1; ver também 5.33). A queixa do Senhor foi feita diante de Moisés, o qual era inocente dos pecados do povo. ele seria poupado, mas os israelitas seriam totalmente destruídos, conforme era a intenção de Deus (vs. 14).

■ 9.14

הֶרֶף מִמֶּנִּי וְאַשְׁמִידֵם וְאֶמְחֶה אֶת־שְׁמָם מִתַּחַת הַשָּׁמָיִם וְאֶעֱשֶׂה אוֹתְךָ לְגוֹי־עָצוּם וָרָב מִמֶּנּוּ:

Este versículo é essencialmente igual ao trecho de Êx 32.10, onde são dadas notas expositivas. O plano divino haveria de prosseguir, mas com uma nação diferente, descendente de Moisés, e assim o Pacto Abraâmico continuaria por meio dele. Mas Moisés não gostou do plano e apelou para uma intercessão heroica em favor de seu povo pecador. E a sua intercessão surtiu efeito (ver o vs. 18). Ver acerca do poder da intercessão de Moisés em Nm 16.45.

■ 9.15

וָאֵפֶן וָאֵרֵד מִן־הָהָר וְהָהָר בֹּעֵר בָּאֵשׁ וּשְׁנֵי לֻחֹת הַבְּרִית עַל שְׁתֵּי יָדָי:

E desci do monte. Isso Moisés fez, trazendo as duas tábuas de pedra da lei. Assim, a legislação mosaica estava prestes a tornar-se o próprio coração da nação de Israel, a sua grande contribuição para a civilização. Este versículo é quase igual ao de Êx 32.15, cujas notas expositivas também se aplicam aqui. Quanto às *duas tábuas*, ver Êx 24.12; 31.18; 32.15,16; Dt 4.1; 5.2, onde há notas expositivas abundantes.

9.16

וָאֵ֗רֶא וְהִנֵּ֤ה חֲטָאתֶם֙ לַיהוָ֣ה אֱלֹֽהֵיכֶ֔ם עֲשִׂיתֶ֣ם לָכֶ֔ם עֵ֖גֶל מַסֵּכָ֑ה סַרְתֶּ֣ם מַהֵ֔ר מִן־הַדֶּ֕רֶךְ אֲשֶׁר־צִוָּ֥ה יְהוָ֖ה אֶתְכֶֽם׃

Cedo vos desviastes do caminho. Uma crassa idolatria foi contemplada por Moisés, quando ele chegou ao pé do monte. O segundo mandamento da lei, que proíbe qualquer atividade dessa ordem, estava sendo violado, ainda que o povo de Israel estivesse acostumado, desde muito antes, com o *monoteísmo* (ver a esse respeito no *Dicionário*). Ver as notas em Êx 20.3,4, bem como, no *Dicionário*, o verbete intitulado *Idolatria*. Cf. Êx 32.8, que forma um paralelo direto com este versículo. Ver também Êx 32.19 e o vs. 12 deste capítulo. Ver no *Dicionário* o artigo detalhado intitulado *Bezerro de Ouro*.

9.17

וָאֶתְפֹּשׂ֙ בִּשְׁנֵ֣י הַלֻּחֹ֔ת וָֽאַשְׁלִכֵ֔ם מֵעַ֖ל שְׁתֵּ֣י יָדָ֑י וָאֲשַׁבְּרֵ֖ם לְעֵינֵיכֶֽם׃

E as quebrei ante os vossos olhos. A quebra das duas tábuas da lei é relatada em Êx 32.19, cujas notas devem ser consultadas.

"Nada existe na experiência humana que seja tão entristecedor como a rapidez com que uma boa resolução e uma boa impressão são apagadas do coração do homem" (Ellicott, *in loc.*).

Os filhos de Israel haviam quebrado a fé e a aliança com Yahweh, ao agirem como meros pagãos, e a quebra das duas tábuas de pedra simbolizou precisamente isso. Ver sobre o *Pacto Mosaico* nas notas introdutórias ao capítulo 19 do Êxodo. Esse pacto estava condicionado à *obediência* à lei de Moisés.

9.18,19

וָֽאֶתְנַפַּל֩ לִפְנֵ֨י יְהוָ֜ה כָּרִאשֹׁנָ֗ה אַרְבָּעִ֥ים יוֹם֙ וְאַרְבָּעִ֣ים לַ֔יְלָה לֶ֚חֶם לֹ֣א אָכַ֔לְתִּי וּמַ֖יִם לֹ֣א שָׁתִ֑יתִי עַ֤ל כָּל־חַטַּאתְכֶם֙ אֲשֶׁ֣ר חֲטָאתֶ֔ם לַעֲשׂ֥וֹת הָרַ֛ע בְּעֵינֵ֥י יְהוָ֖ה לְהַכְעִיסֽוֹ׃

כִּ֣י יָגֹ֗רְתִּי מִפְּנֵ֤י הָאַף֙ וְהַ֣חֵמָ֔ה אֲשֶׁ֨ר קָצַ֧ף יְהוָ֛ה עֲלֵיכֶ֖ם לְהַשְׁמִ֣יד אֶתְכֶ֑ם וַיִּשְׁמַ֤ע יְהוָה֙ אֵלַ֔י גַּ֖ם בַּפַּ֥עַם הַהִֽוא׃

Prostrado estive perante o Senhor. Moisés passou em jejum outros quarenta dias e quarenta noites, procurando reverter a destruição total do povo rebelde que Yahweh tencionava. Ver no *Dicionário* os artigos chamados *Quarenta* e *Número (Numeral, Numerologia)*, quanto a notáveis períodos espirituais que envolveram o número quarenta. Ver o vs. 11 quanto ao *primeiro* período de quarenta dias e noites de jejum, referente à outorga da lei. Ver também, no *Dicionário*, o artigo chamado *Jejum*. "Nos dias do Antigo Testamento, era normal que as pessoas jejuassem em tempos de arrependimento (Jz 20.26; 2Sm 12.16; 1Rs 21.27; Ne 1.4). O jejum feito por Moisés demonstra o quanto ele se sentia unido ao povo, bem como o horror que ele sentira por causa do pecado deles. A maldade deles tinha provocado Deus à ira (Dt 9.18-20)" (Jack S. Deere, *in loc.*).

Moisés intercedeu em favor de Israel antes de ter descido do monte, no quadragésimo dia (Êx 32.11-15). Agora ele iria passar quarenta dias e quarenta noites em oração e jejum, na tentativa de reverter o desastre.

Ficou de Novo Provada a Eficácia da Intercessão de Moisés. Ver Nm 16.4 quanto a notas sobre essa questão. Somente em *uma ocasião* as suas orações falharam, e isso sucedeu quando ele pediu que, apesar do seu pecado e de sua estrita unidade com aquela geração rebelde, Deus lhe permitisse entrar na Terra Prometida. Isso não lhe foi concedido, e a sugestão chegou a deixar Yahweh indignado. Ver Dt 3.23 ss. Cf. Nm 20.12 e Dt 1.37. O pecado de Moisés é comentado em Nm 20.12; Dt 1.37; 3.23,26; 4.21. Ver no *Dicionário* os verbetes intitulados *Intercessão e Oração*. Quanto ao conteúdo das orações de Moisés, ver os vss. 26-29 deste capítulo.

Tipologia. Moisés simbolizava Cristo como nosso intercessor, cujas orações são sempre eficazes. Ver no *Dicionário* o artigo *Intercessão*, III. E no *Novo Testamento Interpretado* consultar os trechos de Rm 8.34 e Jo 14.16,17.

9.20

וּֽבְאַהֲרֹ֗ן הִתְאַנַּ֧ף יְהוָ֛ה מְאֹ֖ד לְהַשְׁמִיד֑וֹ וָֽאֶתְפַּלֵּ֛ל גַּם־בְּעַ֥ד אַהֲרֹ֖ן בָּעֵ֥ת הַהִֽוא׃

Temos aqui a única menção, em todo o Antigo Testamento, de uma intercessão de Moisés em favor de Arão, seu irmão, por motivo de seu envolvimento no incidente do bezerro de ouro. Talvez Arão não concordasse em seu coração com a adoração ao bezerro de ouro, mas era culpado de não ter feito frente à idolatria naquela hora crítica em que o paganismo florescera no coração dos hebreus. Também é possível que ele tenha agido por motivo de desgosto e decepção devido à insensatez dos israelitas. "Vós, idiotas, eis aqui o vosso deus!" Ainda assim, ele se tornou culpado de não ter tido uma liderança decisiva em um tão grande momento de crise. "Os comentadores judeus atribuem a perda dos dois filhos de Arão (Lv 10.1,2) em parte à ira de Deus, naquela ocasião" (Ellicott, *in loc.*). Como é óbvio, as orações de Moisés por seu irmão também prevaleceram diante do Senhor, mas Arão acabou perdendo dois de seus quatro filhos.

9.21

וְֽאֶת־חַטַּאתְכֶ֞ם אֲשֶׁר־עֲשִׂיתֶ֣ם אֶת־הָעֵ֗גֶל לָקַחְתִּי֮ וָאֶשְׂרֹ֣ף אֹת֣וֹ בָּאֵשׁ֒ וָאֶכֹּ֨ת אֹת֤וֹ טָחוֹן֙ הֵיטֵ֔ב עַ֥ד אֲשֶׁר־דַּ֖ק לְעָפָ֑ר וָאַשְׁלִךְ֙ אֶת־עֲפָר֔וֹ אֶל־הַנַּ֖חַל הַיֹּרֵ֥ד מִן־הָהָֽר׃

Até que se desfez em pó. A destruição total do bezerro de ouro, após o que Israel teve de beber o ouro pulverizado, misturado com água, foi uma maneira enfática de mostrar consternação, bem como a futilidade da idolatria. O bezerro de ouro terminou na água bebida pelos seus adoradores! Ver Êx 32.20 quanto à história, da qual apenas parte ficou registrada neste texto. Isso posto, o fato de que a imagem foi totalmente destruída por Moisés foi como se tivesse sido dito: "Isto é o que Israel merece: perecer totalmente, junto com a sua imagem".

9.22

וּבְתַבְעֵרָה֙ וּבְמַסָּ֔ה וּבְקִבְרֹ֖ת הַֽתַּאֲוָ֑ה מַקְצִפִ֥ים הֱיִיתֶ֖ם אֶת־יְהוָֽה׃

Provocastes muito a ira do Senhor. Essas provocações foram relatadas em Êx 17.1-7; Nm 11.1-3 e 11.31-34. Ver as onze murmurações dos hebreus nas notas sobre Nm 21.5. Ver também Nm 14.18 e as notas introdutórias ao capítulo 11 de Números, quanto a maiores detalhes. A frequência dessas murmurações tornou-se tão constante, que aquela ficou conhecida como "a geração rebelde", a epítome mesma da rebeldia. Em Massá, eles murmuraram por causa da água. Isso aconteceu antes de terem chegado ao monte Sinai. Em Taberá eles se queixaram acerca dos rigores das perambulações pelo deserto. Isso sucedeu depois de terem chegado ao monte Sinai. Taberá e Quibrote-Taavá parecem ser dois nomes de uma só localidade. A ordem dessas murmurações ocorreu conforme o texto diz. Mas, se Taberá e Quibrote-Taavá eram dois lugares diferentes, então é provável que Israel não tenha estacionado no primeiro desses locais.

9.23

וּבִשְׁלֹ֨חַ יְהוָ֜ה אֶתְכֶ֗ם מִקָּדֵ֤שׁ בַּרְנֵ֙עַ֙ לֵאמֹ֔ר עֲל֣וּ וּרְשׁ֣וּ אֶת־הָאָ֔רֶץ אֲשֶׁ֥ר נָתַ֖תִּי לָכֶ֑ם וַתַּמְר֗וּ אֶת־פִּ֤י יְהוָה֙ אֱלֹ֣הֵיכֶ֔ם וְלֹ֥א הֶאֱמַנְתֶּ֖ם ל֑וֹ וְלֹ֥א שְׁמַעְתֶּ֖ם בְּקֹלֽוֹ׃

A rebelião ocorrida em Cades-Barneia (ver a respeito no *Dicionário*) teve a distinção de ser aquela em que Israel selou a sua condenação. Foi ali que eles cometeram o erro fatal de recusar-se a entrar na Terra Prometida. Eles fracassaram na fronteira e tiveram de retroceder para o deserto, onde ficaram vagueando por mais quarenta anos. Todos os homens de 20 anos para cima, daquela geração, excetuando Calebe e Josué, que trouxeram um bom relatório e tinham recomendado que se fizesse uma invasão imediata, pereceram durante aqueles quarenta anos. Ver o relato a respeito nos capítulos 13 e 14 de Números.

O hebraico diz aqui, literalmente, que eles se rebelaram "contra a boca de Yahweh", ou seja, contra a sua palavra e os seus mandamentos. Isso eles fizeram por motivo de incredulidade; não deram crédito aos espias; julgaram-se incapazes de derrotar os gigantes que habitavam naquele território (Nm 13.32; 14.2), pensando que acabariam tornando-se presas daqueles povos ferozes. Não confiaram no poder de Yahweh para dar-lhes a Terra Prometida, apesar das dificuldades óbvias da empreitada.

Ver 1Co 10.1-12, quanto à aplicação neotestamentária que contém uma advertência a qualquer pessoa que se considera iluminada ou espiritual. Qualquer pessoa pode falhar conforme Israel falhou, quando há a mesma incredulidade no coração. Cf. Dt 1.19-21, onde a história é recontada.

■ 9.24

מַמְרִים הֱיִיתֶם עִם־יְהוָה מִיּוֹם דַּעְתִּי אֶתְכֶם׃

Desde o dia em que vos conheci. A rebeldia de Israel era uma constante desde o começo até o fim, desde o Egito até as fronteiras da Terra Prometida. Eles se tinham mostrado consistente e constantemente rebeldes, e assim perderam a sua herança espiritual e material. Cf. Êx 2.11-14 e 7.25, onde algo similar é asseverado. Ver também Êx 5.20,21; Nm 14.22 e 21.5, onde são mencionados onze rebeldias e murmurações do povo de Israel.

Não obstante, de acordo com as palavras de Balaão, Yahweh "não viu iniquidade em Jacó, nem contemplou desventura em Israel" (Nm 23.21), porquanto Deus estava usando de sua graça por amor a Abraão, a quem e a cujos descendentes o Senhor havia prometido a Terra Prometida. Para tanto, bastaria que os israelitas tivessem tido a coragem de desfechar a invasão. Yahweh teria combatido por eles, a despeito de sua miserável história de rebeldia e fracasso.

■ 9.25

וָאֶתְנַפַּל לִפְנֵי יְהוָה אֵת אַרְבָּעִים הַיּוֹם וְאֶת־אַרְבָּעִים הַלַּיְלָה אֲשֶׁר הִתְנַפָּלְתִּי כִּי־אָמַר יְהוָה לְהַשְׁמִיד אֶתְכֶם׃

Este versículo duplica, virtualmente, o vs. 18 deste capítulo, onde são dadas notas expositivas. Yahweh haveria de destruir aquela geração patética, tal como havia destruído o ídolo deles, fazendo-os ingerir o pó pulverizado e misturado com água. Mas a intercessão de Moisés foi poderosa o bastante para afastar a ameaçadora mão de Deus. Aqui, Moisés referia-se à primeira vez em que esteve em jejum, diante do Senhor, por quarenta dias e quarenta noites. Moisés repetiu o ato por uma razão diferente. Algumas versões dizem aqui algo como "no princípio", mas os melhores manuscritos mostram que essas palavras não fazem parte genuína do texto original, tal como vemos também em nossa versão portuguesa.

■ 9.26

וָאֶתְפַּלֵּל אֶל־יְהוָה וָאֹמַר אֲדֹנָי יְהוִה אַל־תַּשְׁחֵת עַמְּךָ וְנַחֲלָתְךָ אֲשֶׁר פָּדִיתָ בְּגָדְלֶךָ אֲשֶׁר־הוֹצֵאתָ מִמִּצְרַיִם בְּיָד חֲזָקָה׃

Este versículo sumaria a essência da intercessão de Moisés durante o período de quarenta dias de jejum. Porém, o que lemos aqui não concorda com o trecho de Êx 23.32, embora concorde melhor com os vss. 11-13 deste capítulo, que foram proferidos por Moisés *antes* de Israel haver chegado ao monte Sinai. O autor não sentiu necessidade de recontar a história em termos exatos, mas deu a essência do *tipo* de coisas que Moisés disse na ocasião da provocação.

Elementos:

1. Israel era o *povo de Yahweh*, pelo que, apesar de suas falhas, merecia alguma consideração. Israel foi chamado de "filho" de Yahweh (Êx 4.22,23).
2. Israel era a *herança de Yahweh*, porque fora escolhida em Abraão, mediante uma aliança (o Pacto Abraâmico) firmada com ele e seus descendentes. A lei fazia de Israel um povo distinto e mais sábio (Gn 15.18; Dt 4.6-8). Essa herança não deveria ser aniquilada.
3. Israel era um povo *remido*, que é a mensagem essencial do livro de Êxodo. Ver sobre o poder de Yahweh, que tirou Israel do Egito, em Nm 23.22. O fato do livramento de Israel do Egito é mencionado por cerca de vinte vezes no livro de Deuteronômio, com notas em Dt 4.20. A redenção visava a um propósito que não poderia ser desfeito em destruição em um momento de ira.
4. A redenção foi efetuada pelo poder de Yahweh, por sua *mão poderosa*, o que é especificamente referido em Êx 32.11; Dt 3.24; 4.34; 5.15; 6.21; 7.8,19. Ver também Dt 11.2; 26.8 e 34.12. O poder remidor não pode ser reduzido a um poder destruidor.

■ 9.27

זְכֹר לַעֲבָדֶיךָ לְאַבְרָהָם לְיִצְחָק וּלְיַעֲקֹב אַל־תֵּפֶן אֶל־קְשִׁי הָעָם הַזֶּה וְאֶל־רִשְׁעוֹ וְאֶל־חַטָּאתוֹ׃

Este versículo inclui mais dois elementos da intercessão de Moisés, a serem adicionados à lista dada no versículo anterior, a saber:

5. Israel era um *povo em pacto com Deus*. Ver acerca do Pacto Abraâmico em Gn 15.18. Yahweh ofereceu para fazer de Moisés uma nova nação, visto que ele era descendente de Abraão, o pacto teria continuação nele. Mas Moisés rejeitou essa proposta. Ver sobre isso o trecho de Dt 9.14. Mas Moisés continuou a interceder pelo povo com o qual se tinha identificado completamente.
6. É melhor *perdoar e remir* um povo rebelde do que destruí-lo. E assim, Moisés rogou que Yahweh aplicasse amor, e não ira; remediasse, e não destruísse. Dessa forma, Yahweh não teria de fazer vista grossa para com os pecados deles, e, sim, o que poderia fazer deles se tivesse de continuar a aplicar os seus poderes divinos corretivos. Essa é a própria essência da filosofia da redenção. Jesus veio a fim de salvar os pecadores, e não para conduzir os justos ao reino de Deus (ver 1Tm 1.15). Portanto, o apelo de Moisés estava em consonância com a própria essência da redenção, e não contra ela. Ver Êx 32.13, onde encontramos a mesma mensagem que achamos aqui.

■ 9.28

פֶּן־יֹאמְרוּ הָאָרֶץ אֲשֶׁר הוֹצֵאתָנוּ מִשָּׁם מִבְּלִי יְכֹלֶת יְהוָה לַהֲבִיאָם אֶל־הָאָרֶץ אֲשֶׁר־דִּבֶּר לָהֶם וּמִשִּׂנְאָתוֹ אוֹתָם הוֹצִיאָם לַהֲמִתָם בַּמִּדְבָּר׃

Este versículo acrescenta mais duas razões pelas quais Israel não deveria ser destruído, por causa de sua idolatria e rebeldia, aumentando o número de itens dados nos vss. 26 e 27.

7. O poder de Yahweh seria insuficiente para cumprir a tarefa? O Deus Todo-poderoso não seria Todo-poderoso, afinal, e o povo habitante daquele território poderia zombar dele? ele tinha prometido aquele território a Israel. Mas se não pudesse cumprir a sua promessa, o povo de Israel haveria de perecer no deserto. Um atributo essencial de verdadeira deidade seria assim negado pelos inimigos de Israel. Ver no *Dicionário* o artigo intitulado *Atributos de Deus*.
8. Yahweh, embora tivesse chamado Israel de seu filho, e embora aparentemente amasse ternamente a esse filho, acabaria aparecendo como alguém que odiava. Isso também nega um atributo essencial de Deus, ou seja, o seu amor, seu mais notável atributo, o único atributo que figura como expressão do caráter de Deus: "Deus é amor" (1Jo 4.8). Ver no *Dicionário* os artigos chamados *Amor* e *Ódio*. Essa parte do versículo duplica o trecho de Êx 32.12, onde uma má intenção foi atribuída (potencialmente) a Yahweh. O Senhor teria trazido os filhos de Israel do Egito até ali, a fim de "matá-los no deserto", conforme diriam os adversários de Israel. ele teria agido impulsionado pelo ódio, e não pelo amor; seria este o pensamento por trás desse raciocínio.

■ 9.29

וְהֵם עַמְּךָ וְנַחֲלָתֶךָ אֲשֶׁר הוֹצֵאתָ בְּכֹחֲךָ הַגָּדֹל וּבִזְרֹעֲךָ הַנְּטוּיָה׃ פ

Sumário. Ver os vss. 26-28, quanto aos *oito elementos distintos* da oração de intercessão de Moisés, que tinha por intuito livrar Israel da destruição que eles mereciam. Este versículo repete três desses elementos: Israel era o povo de Yahweh (vs. 26, primeiro elemento); Israel era a herança de Yahweh (vs. 26, segundo elemento). O poder de Yahweh é que tinha efetuado a redenção de Israel da servidão egípcia, e agora esse poder voltar-se-ia contra o povo de Israel, a fim de destruí-lo (vs. 26, terceiro elemento).

"Estes versículos registram uma das orações modelo do Antigo Testamento. A menção aos quarenta dias e às quarenta noites relembra o jejum de Moisés (vs. 18), indicando a sua sinceridade, bem como a sua compreensão acerca da gravidade da situação. Moisés estava totalmente preocupado com a glória e a reputação de Deus sobre a terra" (Jack S. Deere, *in loc.*).

CAPÍTULO DEZ

Este capítulo dá continuação à seção iniciada em Dt 8.1. Os comentários dados ali também se aplicam aqui. Os vss. 1-10 deste décimo capítulo continuam especificamente e, de modo completo, a narrativa iniciada em Dt 9.8. "sua função não é mais demorar-se sobre a rebeldia do povo, como uma advertência contra a justiça própria, mas simplesmente refrescar a memória histórica deles acerca da liderança divina e completar a história que já havia começado" (G. Ernest Wright, *in loc.*).

A aceitação da intercessão de Moisés (Dt 9.26 ss.) é agora registrada nos vss. 1-10. As primitivas tábuas de pedra da lei haviam sido destruídas (9.17), pelo que Yahweh forneceu outras tábuas da lei. Dessa forma, o *Pacto Mosaico* (ver a introdução ao capítulo 19 do livro de Êxodo) não foi anulado.

■ 10.1

בָּעֵת הַהִוא אָמַר יְהוָה אֵלַי פְּסָל־לְךָ שְׁנֵי־לוּחֹת אֲבָנִים כָּרִאשֹׁנִים וַעֲלֵה אֵלַי הָהָרָה וְעָשִׂיתָ לְּךָ אֲרוֹן עֵץ׃

Naquele tempo me disse o Senhor. Moisés teria de lavrar duas tábuas de pedra, nas quais a lei teria de ser escrita de novo, visto que as primeiras haviam sido destruídas (9.17). "Estes versículos (1-3) repousam sobre uma antiga tradição que diz que Moisés fez a arca e pôs dentro dela as tábuas de pedra (1Rs 8.9; Êx 24.15-18)" (*Oxford Annotated Bible*, comentando sobre este versículo). Foi reivindicada a revelação divina para as segundas tábuas da lei, tal como se dera com as primeiras. Ver no *Dicionário* o verbete intitulado *Revelação*. O fato de a lei ter sido reescrita foi uma afirmação de que a intercessão de Moisés não falhou. Ver Nm 16.45 e suas notas quanto ao poder da intercessão de Moisés; e ver o artigo chamado *Intercessão*, no *Dicionário*. Visto que as suas orações se mostraram eficazes, o *Pacto Mosaico* permaneceu intacto. Ver as notas sobre isso na introdução ao capítulo 19 do livro de Êxodo.

Faze uma arca de madeira. Ver no *Dicionário* o artigo detalhado chamado *Arca da Aliança*. A arca era um dos itens que havia no tabernáculo (ver a respeito no *Dicionário*), em torno do qual tudo o mais recebia significado. Era ali que Yahweh manifestava a sua presença.

Ver Êx 34.1-4 quanto às novas tábuas de pedra. Ver Êx 25.10 quanto à ordem original para o fabrico da arca. Alguns intérpretes judeus supunham que tivessem sido feitas duas arcas: uma para ficar no tabernáculo, e outra para ser levada por Israel em tempos de guerra. Porém, não há nenhuma evidência sólida em favor dessa assertiva. Jarchi e Rashi promoveram a noção de duas arcas.

■ 10.2

וְאֶכְתֹּב עַל־הַלֻּחֹת אֶת־הַדְּבָרִים אֲשֶׁר הָיוּ עַל־הַלֻּחֹת הָרִאשֹׁנִים אֲשֶׁר שִׁבַּרְתָּ וְשַׂמְתָּם בָּאָרוֹן׃

As palavras que estavam nas primeiras. A renovação era importante, e isso porque o povo tinha chegado à beira da destruição, e porque o Pacto Mosaico parecia ter sido anulado quando as duas primeiras tábuas de pedra foram quebradas. Quão humano é tudo isso! Por quantas vezes temos de passar por tempos de renovação, quando antigas decisões e intenções já se debilitaram e quando o *fracasso* nos ameaça! A presença de Deus nos é devolvida. Precisamos contar com um lugar, tanto quanto com condições de efetuar a nossa inquirição espiritual.

Tipologia. As primeiras tábuas de pedra haviam sido destruídas. Novas tábuas de pedra eram agora necessárias, da mesma maneira que foi mister avançar de Moisés até Cristo, a *maior* renovação e o *maior* avanço.

As tábuas originais eram divinas; e as segundas tábuas, por igual modo. As tábuas originais foram inscritas por Yahweh; e as segundas, por igual modo. O mesmo poder espiritual e a mesma graça prosseguiam. As segundas tábuas não eram inferiores às primeiras.

O trecho de 2Co 3.3 confere-nos uma aplicação neotestamentária do presente versículo (e seus paralelos): as tábuas de pedra eram tipos das "tábuas de carne do coração", que é o lugar correto onde deve ser gravada devidamente a mensagem de Deus. É o Espírito de Deus quem inscreve no *coração* do homem, fazendo contraste com as tábuas de *pedra* do Antigo Testamento. A mensagem escrita sobre a pedra falhou por causa da debilidade espiritual dos seres humanos; mas a mensagem escrita no coração do homem obtém sucesso, porquanto o Espírito é o poder do sucesso. A letra mata, mas o Espírito vivifica (ver 2Co 3.6).

■ 10.3

וָאַעַשׂ אֲרוֹן עֲצֵי שִׁטִּים וָאֶפְסֹל שְׁנֵי־לֻחֹת אֲבָנִים כָּרִאשֹׁנִים וָאַעַל הָהָרָה וּשְׁנֵי הַלֻּחֹת בְּיָדִי׃

Ver Êx 25.10 ss. quanto ao relato do fabrico da arca. Cf. 1Rs 8.9 e Êx 24.15-18. Quando lemos que Moisés fez a arca, isso significa que ele recebeu direções para confeccioná-la. Mas a obra literal foi feita em conexão com a construção do tabernáculo (ver Êx 37.1-5; 40.20,21). O construtor real da arca foi Bezaleel. Ela foi feita de madeira de acácia e colocada no Santo dos Santos (ver Êx 5.22), onde a presença de Yahweh vinha ao encontro de Moisés e do Sumo Sacerdote, que ministrava ali uma vez por ano. Ver no *Dicionário* o detalhado artigo intitulado *Arca da Aliança*.

■ 10.4

וַיִּכְתֹּב עַל־הַלֻּחֹת כַּמִּכְתָּב הָרִאשׁוֹן אֵת עֲשֶׂרֶת הַדְּבָרִים אֲשֶׁר דִּבֶּר יְהוָה אֲלֵיכֶם בָּהָר מִתּוֹךְ הָאֵשׁ בְּיוֹם הַקָּהָל וַיִּתְּנֵם יְהוָה אֵלָי׃

A *repetição* era uma das características literárias do autor do Pentateuco, pelo que temos aqui vários itens mencionados que já tínhamos visto antes por algumas vezes. As antigas tábuas de pedra da lei haviam sido quebradas (9.17); e agora, eram substituídas por novas (ver Êx 34.1-4). Os *Dez Mandamentos* (ver a esse respeito no *Dicionário*) foram assim *devolvidos* a Israel. Terríveis e temíveis manifestações tinham acompanhado a outorga original da lei (ver Êx 19.12 ss.), sendo de se presumir que o mesmo ocorreu quando da segunda outorga da lei, conforme fica entendido em Êx 34.3.

No dia da congregação. Temos aqui uma menção ao fato de que Israel se reuniu ao pé do monte Sinai, a fim de *testificar* acerca da doação da lei. Ver Êx 19.7 ss.

■ 10.5

וָאֵפֶן וָאֵרֵד מִן־הָהָר וָאָשִׂם אֶת־הַלֻּחֹת בָּאָרוֹן אֲשֶׁר עָשִׂיתִי וַיִּהְיוּ שָׁם כַּאֲשֶׁר צִוַּנִי יְהוָה׃

O fato de que as novas tábuas de pedra foram postas dentro da arca também é referido em Êx 40.3. O "testemunho", ou seja, as tábuas da lei, achavam-se ali quando o tabernáculo foi erigido e posto em uso. Ver 1Rs 8.9.

■ 10.6

וּבְנֵי יִשְׂרָאֵל נָסְעוּ מִבְּאֵרֹת בְּנֵי־יַעֲקָן מוֹסֵרָה שָׁם מֵת אַהֲרֹן וַיִּקָּבֵר שָׁם וַיְכַהֵן אֶלְעָזָר בְּנוֹ תַּחְתָּיו׃

Os *vss.* 6-9 evidentemente são uma inserção editorial, que talvez represente um fragmento de um antigo itinerário, talvez citado de uma fonte original separada do resto da narrativa deste décimo capítulo. Cf. Nm 33.30-38, onde os locais mencionados aparecem em uma ordem diferente, que os críticos atribuem à fonte informativa P(S). Ver no *Dicionário* o artigo intitulado *J.E.D.P.(S.)*, quanto à teoria das fontes múltiplas do Pentateuco.

Esta minúscula seção apresenta dois problemas: 1. Há um itinerário diferente daquele apresentado nos capítulos 20, 21 e 33 de Números. 2. Situa a morte de Arão perto de Moserá, e não no monte Hor, próximo à fronteira com Edom (Nm 33.38). Apesar de não haver maneira certa de resolver as dificuldades, uma das abordagens consiste em supormos que o itinerário realmente tenha sido diferente, e que Israel revisitou certos lugares em uma segunda jornada através da região. Além disso, supõe-se que Moserá fosse um distrito onde ficava localizado o monte Hor. Os críticos chamam essas reconciliações de *ad hoc*, ou seja, "inventadas", para resolver algum problema, e não verdadeiras informações que solucionam alguma questão. Supõem eles que simplesmente tenhamos uma pequena porção das informações que chegaram até nós da parte de alguma fonte informativa separada, e que esta continha alguma discrepância quando comparada com outras fontes informativas. Minha opinião pessoal é que a questão não se reveste de importância, e que somente os céticos, que anseiam por encontrar problemas na Bíblia, lançam sombras sobre ela, ou então os ultraconservadores, que pensam que devem buscar harmonia a qualquer preço. Somente esses ficam perturbados diante dessa e de outras questões similares.

Beerote-Bene-Jaacá. Ver as notas detalhadas sobre esse local no *Dicionário*. Esse nome significa "poços dos filhos de Jaacá". Provavelmente ficava no vale de Arabá. Alguns eruditos pensam que uma certa Bene-Jaacá é uma localidade diferente daquela que temos neste versículo. Talvez a moderna *Birein* assinale o local antigo. Esta fica ao norte de Cades-Barneia. Os outros lugares mencionados neste versículo ainda não foram identificados.

Moserá. Ver no *Dicionário* o artigo chamado *Moserote (Moserá)*, quanto a detalhes completos. Meu artigo ali entra nas alegadas discrepâncias do texto com sugestões para solucioná-las. Ver também a *introdução* a esta seção, quanto aos problemas do texto, quando comparado com o seu paralelo no livro de Números.

Eleazar. Ver sobre esse homem no *Dicionário*. Na qualidade de filho de Arão, ele tomou seu lugar como Sumo Sacerdote, por ocasião da morte de Arão, pelo que foi o segundo sumo sacerdote da história de Israel. ele era o terceiro filho de Arão. Ver Nm 20.28.

■ 10.7

מִשָּׁם נָסְעוּ הַגֻּדְגֹּדָה וּמִן־הַגֻּדְגֹּדָה יָטְבָתָה אֶרֶץ נַחֲלֵי מָיִם׃

Gudgodá. No hebraico, "incisão", "perfuração". Os israelitas estiveram nesse local, as circunvizinhanças de Cades-Barneia, quando vagueavam pelo deserto, antes de conquistarem a Terra Prometida. Sob essa forma o nome aparece por duas vezes aqui em Dt 10.7. Em Nm 33.33 o nome do mesmo lugar aparece como Hor-Gidgade, que, ao que parece, significa "caverna de Gidgade". Os eruditos sugerem que ficava perto do wadi Hadahid. É possível que a diferença de grafia se deva, principalmente, a sinais vocálicos, escolhidos pelos massoretas.

Jotbatá. Ver sobre esse lugar em Nm 33.33. Aben Ezra identificou esse lugar com o povo em Beer (ver Nm 21.16). Seja como for, havia ali muita água para um povo sedento e para os seus animais domésticos.

■ 10.8

בָּעֵת הַהִוא הִבְדִּיל יְהוָה אֶת־שֵׁבֶט הַלֵּוִי לָשֵׂאת אֶת־אֲרוֹן בְּרִית־יְהוָה לַעֲמֹד לִפְנֵי יְהוָה לְשָׁרְתוֹ וּלְבָרֵךְ בִּשְׁמוֹ עַד הַיּוֹם הַזֶּה׃

Separou a tribo de Levi. Os levitas tornaram-se uma casta sacerdotal. Talvez essa nota se refira à morte de Arão: foi por esse tempo que ocorreu a separação da casta sacerdotal. Ou então nesse tempo que os filhos de Israel chegaram a Jotbatá. Mas os vss. 6 e 7 podem ser uma inserção editorial; e, nesse caso, é impossível localizar o elemento tempo deste versículo com qualquer coisa que tenha sido dita no versículo anterior. Em algum ponto das perambulações dos israelitas por aquela região foi que Levi deixou de ser uma tribo "secular". Cf. Nm 1.47 ss. O número tradicional das doze tribos foi conseguido não contando nem Levi nem José, mas dividindo este último em Manassés e Efraim, tribos que se derivavam dos dois filhos de José. Assim sendo, dez tribos descendiam diretamente dos filhos de Jacó, e duas tribos descendiam dos dois filhos de José. Esses dois filhos de José foram adotados por Jacó como seus próprios filhos, pelo que também eram considerados filhos de Jacó, e não seus netos. Ver o capítulo 48 do livro de *Gênesis* quanto à cerimônia de adoção por parte do grande patriarca.

Os deveres dos levitas estavam relacionados a todos os objetos e funções sagrados do tabernáculo, e incluíam o transporte da arca quando Israel estava em movimento.

Até ao dia de hoje. Em outras palavras, suas funções sacerdotais continuaram ininterruptas, até o tempo em que o livro de Deuteronômio foi escrito. Eles não receberam uma incumbência meramente temporária.

"'Por esse mesmo tempo', ou seja, no Sinai, depois da segunda descida de Moisés do monte, pelo tempo da morte de Arão" (Ellicott, *in loc.*). Ver no *Dicionário* o artigo chamado *Sacerdotes*.

■ 10.9

עַל־כֵּן לֹא־הָיָה לְלֵוִי חֵלֶק וְנַחֲלָה עִם־אֶחָיו יְהוָה הוּא נַחֲלָתוֹ כַּאֲשֶׁר דִּבֶּר יְהוָה אֱלֹהֶיךָ לוֹ׃

Não tem parte nem herança. A casta sacerdotal não tinha herança sob a forma de território, conforme acontecia às outras tribos. No entanto, certo número de cidades lhes foi dado com uma pequena porção de território circundante. Essas cidades estavam espalhadas por todo o território de Israel. Ver o gráfico que ilustra isso em Nm 35.1. A herança dos levitas era o próprio Yahweh e os seus labores espirituais. Ver Nm 1.47 ss. Ver também Dt 18.1-8, onde a questão é reiterada com maiores detalhes. *Yahweh* era a herança deles (vs. 2). Quanto à descrição dos labores dos levitas, ver Êx 28 e 29 e Lv 8. Ver no *Dicionário* o verbete intitulado *Deus, Nomes Bíblicos de*. Desse modo, Deus garantiu que a bênção dos levitas, em sua situação e trabalho, era uma herança de maior valor do que a herança das demais tribos. Os Targuns de Onkelos e de Jonathan explicam isso como "os dons que o Senhor lhes deu eram a herança deles". Cf. Nm 18.20,21.

■ 10.10

וְאָנֹכִי עָמַדְתִּי בָהָר כַּיָּמִים הָרִאשֹׁנִים אַרְבָּעִים יוֹם וְאַרְבָּעִים לָיְלָה וַיִּשְׁמַע יְהוָה אֵלַי גַּם בַּפַּעַם הַהִוא לֹא־אָבָה יְהוָה הַשְׁחִיתֶךָ׃

A *repetição* é uma caraterística literária do autor do Pentateuco, pelo que achamos aqui, uma vez mais, os elementos que já pudemos encontrar antes por diversas vezes. Somos lembrados da *primeira vez* em que Moisés esteve no monte Sinai para receber a lei, quando ele jejuou por quarenta dias e quarenta noites, em preparação para o evento. Ver Êx 34.28 quanto à narrativa. Ver também Dt 9.9 ss. A *segunda sessão* de quarenta dias e quarenta noites, que foi a intercessão de Moisés para impedir o aniquilamento do povo de Israel, por causa do bezerro de ouro, está registrada em Dt 9.18 ss. e 9.25 ss. Ver no *Dicionário* o artigo chamado *Número (Numeral, Numerologia)*.

■ 10.11

וַיֹּאמֶר יְהוָה אֵלַי קוּם לֵךְ לְמַסַּע לִפְנֵי הָעָם וְיָבֹאוּ וְיִירְשׁוּ אֶת־הָאָרֶץ אֲשֶׁר־נִשְׁבַּעְתִּי לַאֲבֹתָם לָתֵת לָהֶם׃ פ

Levanta-te, põe-te a caminho. Temos aqui a ordem de entrar na Terra Prometida e possuí-la, visto que foi dada aos patriarcas, de acordo com o Pacto Abraâmico. Logo, aqui são reiteradas antigas informações. Os filhos de Israel tinham errado e se tinham rebelado, mas a marcha prosseguiu, porque a conquista da Terra Prometida era *inevitável*. Ver Êx 32.34 e 33.1. Esse último versículo é uma virtual duplicação deste versículo, pelo que as notas dadas ali aplicam-se também aqui.

"*A Verdade Reiterada*". Esta exaltada passagem (Dt 10.11—11.7), de natureza quase toda ela hortativa, na verdade é a chave para o inteiro livro de Deuteronômio. O autor sacro buscava persuadir o povo a obedecer, com base na *história* do que tinha acontecido. "O método deuteronômio" sempre foi primeiramente reafirmar a lei mosaica, e então fazer pesar sobre o povo todo o poder da história das bênçãos conferidas por um Deus inexprimivelmente bondoso; e, finalmente, repetir a lição por muitas e muitas vezes" (Henry S. Shires, *in loc.*).

OS REQUISITOS DE YAHWEH (10.12-22)

■ 10.12

וְעַתָּה֙ יִשְׂרָאֵ֔ל מָ֚ה יְהוָ֣ה אֱלֹהֶ֔יךָ שֹׁאֵ֖ל מֵעִמָּ֑ךְ כִּ֣י אִם־לְ֠יִרְאָה אֶת־יְהוָ֨ה אֱלֹהֶ֜יךָ לָלֶ֤כֶת בְּכָל־דְּרָכָיו֙ וּלְאַהֲבָ֣ה אֹת֔וֹ וְלַֽעֲבֹד֙ אֶת־יְהוָ֣ה אֱלֹהֶ֔יךָ בְּכָל־לְבָבְךָ֖ וּבְכָל־נַפְשֶֽׁךָ׃

Que é que o Senhor requer de ti? Em uma narrativa contínua, o autor alistou muitos requisitos, muitos mandamentos, todos eles com base na lei. Essa lei era a base do *Pacto Mosaico* (ver as notas na introdução ao capítulo 19 do livro de Êxodo).

"Nesses versículos, uma série de homilias, iniciadas no sexto capítulo, atinge aqui o seu clímax, tal como a pesquisa dos capítulos primeiro a quarto atingiram o seu ponto culminante em 4.32-40. A totalidade da exortação deuteronômia é aqui poderosamente sumariada. Os vss. 12 e 13 repetem as exigências totais que Deus impôs ao seu povo" (G. Ernest Wright, *in loc.*). O restante das exortações constantes neste capítulo dependem da exortação básica e introdutória dos vss. 12 e 13. Cf. o "requer de ti" deste versículo do "pede de ti" de Miqueias 6.8.

Os Cinco Requisitos Básicos da Lei:
Essa é a essência mesma do intuito da lei, que formava a base do *Pacto Mosaico*.
1. *Temer a Yahweh-Elohim*, o Deus Eterno e Todo-poderoso. Os contextos em que encontramos esse mandamento vão além da reverência a que alguns intérpretes reduzem a questão. O Deus de Israel estava pronto para destruir os desobedientes, conforme fez em várias outras ocasiões. Por conseguinte, um temor genuíno é indispensável para que alguém se relacione com êxito com o Senhor. O temor ao Senhor é o princípio da sabedoria (ver Pv 1.7).

    Temor Santo. Deus é o seu objeto (Is 29.13). Deus é o seu autor (Jr 32.39,40). As Escrituras nos ajudam a compreender esse temor (Pv 2.3-5). Requer que o homem de Deus rejeite o mal (Pv 8.13). É um tesouro para os santos (Pv 15.16). Esse temor é requerido da parte de todos os homens espirituais (Dt 13.4; Sl 22.23; Ec 12.13; 1Pe 2.17). É dotado de poder santificador (Sl 19.7-9), da santidade de Deus (Ap 15.4), de sua grandeza (Dt 10.12), de seu perdão (Sl 130.4). Todos esses são elementos inspiradores do temor santo. Esse temor deve ser uma característica de todos os santos (Ml 3.16), bem como uma fonte de alegria para eles (Sl 2.11).

2. *Andar nos Caminhos de Yahweh*, aplicando todas as leis dadas em total obediência. Ver no *Dicionário* a metáfora do *Andar*.
3. *Amor.* Essa é a base de todos os atos realmente espirituais e de toda conduta cristã. É a essência mesma da lei, conforme Paulo nos diz em Rm 13.9 ss. Jesus fez o maior dos mandamentos, ou seja, o amor a Deus. E o segundo mandamento é o amor ao próximo. Ver sobre isso em Mt 22.37-39. Essa declaração de Jesus foi *emprestada* diretamente de Dt 6.5, cujas notas expositivas aplicam-se aqui também. Ver no *Dicionário* o verbete intitulado *Amor*. Minhas notas detalhadas incluem ilustrações e poemas.
4. *Serviço.* Este é o cumprimento prático da lei do amor. E, no contexto da lei, indicava o cumprimento de todos os deveres cerimoniais do tabernáculo, como os sacrifícios, os ritos etc. Mas essa palavra também indica atos de amor e misericórdia e a prática das boas obras. Ver no *Dicionário* o artigo detalhado intitulado *Boas Obras*.

    O modo de servir deve ser de todo o coração, ilimitado e intenso, a saber, de todo coração e alma, tal como nos é ordenado amar a Deus desse modo (ver Dt 6.5). A *espiritualidade* deve envolver todos os aspectos da vida, e não meramente algo adicionado a ela. Essa é uma lição que só pode ser aprendida pelos homens mais espirituais. Todas as outras coisas dependem da espiritualidade.

■ 10.13

לִשְׁמֹ֞ר אֶת־מִצְוֺ֤ת יְהוָה֙ וְאֶת־חֻקֹּתָ֔יו אֲשֶׁ֛ר אָנֹכִ֥י מְצַוְּךָ֖ הַיּ֑וֹם לְט֖וֹב לָֽךְ׃

Este versículo dá prosseguimento à lista de requisitos essenciais da lei, lista essa iniciada no versículo anterior.

5. *A Guarda dos Mandamentos.* Requer-se, *em primeiro lugar*, o conhecimento necessário para o cumprimento desses mandamentos, pois a legislação mosaica era complexa e muito exigente. Em *segundo lugar*, o cumprimento desse dever requeria ensino constante por parte da casta sacerdotal. Em *terceiro lugar*, o cumprimento apropriado dos mandamentos requeria obediência plena por parte de todos quantos recebessem o ensino. Os *Dez Mandamentos* (ver a respeito no *Dicionário*) formavam o núcleo da lei, que foi seguido então por inúmeros preceitos e ritos. A vida foi prometida aos obedientes. Ver Dt 4.1; 5.33 e 6.2, quanto ao conceito da lei como transmissora de vida.

Os mandamentos... os seus estatutos. Em outros textos achamos a adição dos "juízos". Esses eram termos que apontavam para a multidão de preceitos e ritos requeridos pela lei mosaica. Quanto à *tripla* designação da lei, ver as notas sobre Dt 6.1.

■ 10.14

הֵ֚ן לַיהוָ֣ה אֱלֹהֶ֔יךָ הַשָּׁמַ֖יִם וּשְׁמֵ֣י הַשָּׁמָ֑יִם הָאָ֖רֶץ וְכָל־אֲשֶׁר־בָּֽהּ׃

A Grandeza de Deus. Esse era o poder por trás de todos os mandamentos de Deus. ele é o Criador de todas as coisas; ele é o proprietário de tudo; ele é a fonte de toda vida e existência. Logo, ele tem o direito de requerer tudo da parte de todo homem, em consonância com a sua vontade.

Os céus e os céus dos céus. Não há como estar certo dos tipos de divisões que o autor sagrado concebia quanto aos céus. Haveria os céus atmosféricos; os céus estelados; e os céus da habitação de Deus. O autor estava pensando sobre a complexidade das *obras superiores* de Deus. Cf. 1Rs 8.27; Ne 9.6; Sl 68.33; 148.4; Jo 14.2; 2Co 12.1-4 e Ef 4.10. O judaísmo posterior inventou o conceito dos *sete céus*, que Paulo parece ter apoiado, ao mencionar o terceiro céu (ver 2Co 12.2). Ver sobre esse versículo no *Novo Testamento Interpretado*.

Por Que Devemos Amar a Deus? Porque ele é a origem de todas as coisas, incluindo a própria vida (Tg 1.17). Por causa de seus atos de salvação; por ser ele o dono de todo o universo e o sustentador de todas as coisas. O povo de Israel foi eleito pelo Deus único e Todo-poderoso, pelo que tinha a responsabilidade de viver de acordo com os mandamentos e requisitos divinos. Cf. Sl 115.15,16. Aquele que dá é amado. Deus deu e continua dando tudo. Por isso mesmo, ele é o grande objeto de nosso amor. O amor funciona por meio de uma obediência prática.

■ 10.15

רַ֧ק בַּאֲבֹתֶ֛יךָ חָשַׁ֥ק יְהוָ֖ה לְאַהֲבָ֣ה אוֹתָ֑ם וַיִּבְחַ֞ר בְּזַרְעָ֣ם אַחֲרֵיהֶ֗ם בָּכֶ֛ם מִכָּל־הָעַמִּ֖ים כַּיּ֥וֹם הַזֶּֽה׃

O Senhor se afeiçoou a teus pais. A eleição dos patriarcas estava alicerçada no amor de Deus; os patriarcas foram eleitos e, assim, seus descendentes também foram escolhidos. Ver as notas sobre o *Pacto Abraâmico* em Gn 15.18 e, no *Dicionário*, ver o artigo geral chamado *Pactos*. Ver também o artigo intitulado *Eleição*. Se a eleição se alicerçou sobre o amor, assim o nosso amor deve corresponder ao amor divino (ver Dt 6.5).

Escolheu de todos os povos. A lei fez com que Israel se tornasse um povo distinto, mais sábio do que os demais povos. Ver sobre isso em Dt 4.6-8. Esse povo distinguido deveria prestar uma obediência distinta.

■ 10.16

וּמַלְתֶּ֕ם אֵ֖ת עָרְלַ֣ת לְבַבְכֶ֑ם וְעָ֨רְפְּכֶ֔ם לֹ֥א תַקְשׁ֖וּ עֽוֹד׃

Circuncidai, pois, o vosso coração. A circuncisão do coração é um tema que Paulo ventilou em Rm 2.28,29. Indica a obediência à lei, de todo coração, os atos de um homem espiritual, em contraste com o oferecimento superficial de sacrifícios, somente porque a pessoa tinha o dever de assim fazer. Aponta para a liberdade de toda forma de idolatria, de mescla com a verdadeira adoração ao único Deus (vs. 17, o segundo mandamento; Êx 20.3,4). Destaca a remoção da corrupção do coração e da vida, tal como o prepúcio era removido por ocasião da circuncisão literal. Ver no *Dicionário* o verbete intitulado *Circuncisão*, quanto ao ato e quanto ao seu significado metafórico. A circuncisão era o sinal mesmo do Pacto Abraâmico (ver Gn 17), da mesma forma que a guarda do sábado era o sinal do Pacto Mosaico (ver Êx 31.12 ss.). Ver no *Dicionário* o verbete *Sábado*. Indicava a remoção de todo mal e a possessão entesourada de todo o bem. Cf. Dt 30.6 e Jr 4.4. A *purificação* da alma é a sua expressão espiritual. Ver no *Dicionário* o verbete chamado *Santificação*.

Não mais endureçais a vossa cerviz. Ver o artigo sobre esse assunto no *Dicionário*, bem como os trechos de Êx 32.9 e Dt 9.6,13,24. O coração circuncidado elimina a dura cerviz. Ambas as coisas são metáforas que exprimem a necessidade da *santidade*. Ver no *Dicionário* o artigo chamado *Justiça*. Cf. Lv 24.41 e Jr 9.26. Os "lábios incircuncisos", conforme dizem algumas versões em Êx 6.12,30 e Jr 6.10, indicam o fato de que os pagãos eram incircuncisos, e que Israel se tornava incircunciso quando agia à moda dos pagãos.

■ 10.17

כִּי יְהוָה אֱלֹהֵיכֶם הוּא אֱלֹהֵי הָאֱלֹהִים וַאֲדֹנֵי הָאֲדֹנִים הָאֵל הַגָּדֹל הַגִּבֹּר וְהַנּוֹרָא אֲשֶׁר לֹא־יִשָּׂא פָנִים וְלֹא יִקַּח שֹׁחַד׃

Yahweh-Elohim é o Deus dos deuses e o único verdadeiro Deus, e não o Senhor de deuses secundários ou inferiores, conforme alguns interpretam. Ver no *Dicionário* o artigo intitulado *Monoteísmo*; e, contra a idolatria, ver sobre o *segundo mandamento*, comentado em Êx 20.3,4.

O único verdadeiro Deus é grande (o que é ampliado no vs. 14 deste capítulo). Ele também é terrível e deve ser *temido* (o que é ampliado no vs. 12, primeiro ponto). Ele é o Todo-poderoso, o que é inerente a seus nomes de *El* e *Elohim* (forma plural); ele não tem respeito humano, ou seja, não favorece uma pessoa em prejuízo de outra; não aceita suborno, conforme costumam fazer os homens; mas requer a mesma obediência e a mesma justiça da parte de todos os homens. Nessa conexão, ver Jó 36.18,19. Isso posto, o autor sacro *acumulou* títulos e descrições de Deus, a fim de enfatizar o seu caráter ímpar, a sua soberania, a sua supremacia sobre todos os demais poderes do universo. E daí advém a *necessidade* que temos de amá-lo e de lhe sermos obedientes.

O autor sagrado tomou por empréstimo uma expressão própria do politeísmo, "Deus dos deuses", embora isso não indique nenhuma ideia de pluralidade de deuses. O autor sagrado deu à expressão um sentido monoteísta, em consonância com a teologia do yahwismo.

■ 10.18

עֹשֶׂה מִשְׁפַּט יָתוֹם וְאַלְמָנָה וְאֹהֵב גֵּר לָתֶת לוֹ לֶחֶם וְשִׂמְלָה׃

Justiça para Além das Fronteiras da comunidade de Israel era uma das melhores percepções da lei. Quanto mais amplo for o escopo de nosso amor, mais próximos estaremos vivendo do fogo divino central. Os homens gostam de fechar as portas e as janelas da casa do conhecimento. O amor abre as janelas, e um conhecimento crescente abre as portas. Gradualmente, o judaísmo percebeu a *universalidade* de Yahweh e, por sua vez, a universalidade dos melhores conceitos da lei e de suas exigências.

As classes pouco privilegiadas incluíam as viúvas, os órfãos e os estrangeiros, os quais ou viviam em Israel como imigrantes, ou apenas estavam passando pelo país. A correta compreensão da lei demandava justiça para todos, sem nenhuma distinção.

O termo hebraico *ger* (estrangeiro) usualmente era reservado para indicar um estrangeiro que houvesse deixado sua terra natal e tivesse fixado residência em Israel. Mas de outras vezes a palavra reveste-se de um sentido mais amplo. Essa gente acabava convertendo-se a Yahweh, e eram judeus quanto à sua fé religiosa, embora não fossem, racialmente, pertencentes ao mundo hebreu. Uma pessoa assim estava sujeita a ser perseguida ou a ser ignorada. Dos estrangeiros esperava-se que observassem a lei e acompanhassem o culto do tabernáculo. Ver Dt 16.11,14; 26.11; 29.10,11; 31.12 quanto a leis que regulamentavam o tratamento que devia ser dado aos poucos privilegiados. Cf. também Dt 24.17-22. A redenção divina é imparcial e confere bem-estar a todos.

Deus ama tais pessoas. Esse é o âmago do versículo. E essa é uma excelente universalização da lei do amor, nos seus primórdios. Ver Dt 6.5 quanto à lei do amor, que envolve tanto a Deus quanto aos nossos semelhantes. Ver no *Dicionário* o artigo geral a respeito do *Amor*.

■ 10.19

וַאֲהַבְתֶּם אֶת־הַגֵּר כִּי־גֵרִים הֱיִיתֶם בְּאֶרֶץ מִצְרָיִם׃

Fostes estrangeiros na terra do Egito. Houve tempo em que Israel era uma minoria racial, em terra estrangeira, tratado com constante hostilidade. A memória daquele período crítico da história daria aos hebreus o discernimento necessário acerca do *porquê* do tratamento justo aos estrangeiros que viessem viver entre eles. Cf. Lv 34. O trecho de Lv 19.18 também tem como centro a lei do amor ao próximo. Ver Dt 15.1-18 e 22.1-4 quanto a aplicações práticas da lei do amor fraternal. Temos aqui o segundo mais importante mandamento, o primeiro sendo o amor a Deus, a base de todos os atos morais.

■ 10.20

אֶת־יְהוָה אֱלֹהֶיךָ תִּירָא אֹתוֹ תַעֲבֹד וּבוֹ תִדְבָּק וּבִשְׁמוֹ תִּשָּׁבֵעַ׃

Este versículo é similar aos vss. 12 e 13 deste capítulo, pois os conceitos ali contidos servem de luzes orientadoras quanto a toda conduta, conforme é descrito com detalhes nesta passagem. O *temor* piedoso é repetido (ver o vs. 12); a ideia de "servir", com base nesse mesmo versículo. "Te chegarás" é uma ideia nova, dando a entender uma lealdade vigorosa e entusiasmada a Deus e à sua lei. Cf. Dt 11.22; 13.4; 30.20, onde a ideia é repetida. Achegar-se a Deus seria o final de qualquer tentação a respeito da idolatria.

Pelo seu nome jurarás. Para que tivessem validade, todos os julgamentos tinham de ser feitos em nome de Deus, tendo Yahweh como testemunha. Essas palavras referem-se a juramentos pessoais religiosos, ou então a promessas e resoluções. Cf. Dt 6.13, onde comentei sobre a questão. Ver no *Dicionário* o artigo intitulado *Juramentos*.

■ 10.21

הוּא תְהִלָּתְךָ וְהוּא אֱלֹהֶיךָ אֲשֶׁר־עָשָׂה אִתְּךָ אֶת־הַגְּדֹלֹת וְאֶת־הַנּוֹרָאֹת הָאֵלֶּה אֲשֶׁר רָאוּ עֵינֶיךָ׃

Ele é o teu louvor. Essa é a base de todo louvor. Deus é o alvo de todo esse louvor. Yahweh merece o louvor de todas as suas criaturas inteligentes, porquanto ele é a fonte de toda vida e bem-estar (Tg 1.17). Seus dons são espirituais e temporais, e a vida é abençoada por meio deles. Cf. Jr 17.14. "É uma honra eterna, para qualquer alma, estar em situação de amizade com Deus" (Adam Clarke, *in loc.*).

> Fonte, tu, de toda bênção,
> Vem o canto me inspirar.
> Dons de Deus que nunca cessam,
> Quero em alto som louvar.
>
> Robert Robinson

Ver no *Dicionário* o detalhado artigo chamado *Louvor*.

Deus é aquele que opera sinais e maravilhas (Dt 4.34; 6.22; 7.19), bem como grandes e terríveis coisas, como juízos sobre os inimigos e milagres de provisão. O povo de Israel foi libertado do Egito mediante uma série de milagres, e dali foi conduzido a um deserto seco, mas nunca lhe faltou coisa alguma. Foram-lhe dadas grandes vitórias, como aquelas sobre Seom e Ogue. Ver Sl 106.22 e 136.10-21.

10.22

בְּשִׁבְעִים נֶפֶשׁ יָרְדוּ אֲבֹתֶיךָ מִצְרָיְמָה וְעַתָּה שָׂמְךָ יְהוָה אֱלֹהֶיךָ כְּכוֹכְבֵי הַשָּׁמַיִם לָרֹב׃

Setenta almas. Setenta pessoas da família de Jacó desceram ao Egito, quando a fome, na Palestina, forçou-os a sair dali. Algumas traduções dizem 75. Ver At 7.14,15, no *Novo Testamento Interpretado*, quanto a um estudo completo sobre a questão, a qual não se reveste de uma importância capital, exceto para os críticos, que pretendem lançar uma sombra de dúvidas sobre a Bíblia, ou para os ultraconservadores, que requerem harmonia a qualquer preço.

De Modestos Começos até a Grandeza. De tão breves começos, e habitando em uma terra hostil, Israel aumentou para seiscentos mil homens de mais de 20 anos de idade, capazes de servir ao exército. Isso quer dizer que a população total dos hebreus deve ter sido entre três e quatro milhões de pessoas. Multiplicaram-se tanto que se tornaram como as estrelas do céu e como as areias do mar, em consonância com as promessas dadas a Abraão e confirmadas pelo Pacto Abraâmico (ver Gn 15.18). Ver Nm 1.46 quanto a esses dados estatísticos. Ver Nm 1.2 quanto a uma comparação entre os *dois recenseamentos* que houve.

A *lição* dada pelo versículo é que a grandeza de Deus ia sendo crescentemente reconhecida. A bênção divina florescia em Israel porque essa nação estava sendo preparada para ser um instrumento especial de comunicação da mensagem divina, que culminaria no Messias, o Filho Maior de Abraão.

Como as estrelas dos céus em multidão. Ver as notas a esse respeito em Gn 15.5; 22.17 e 26.4.

CAPÍTULO ONZE

O capítulo à nossa frente faz parte da seção iniciada em Dt 8.1, onde devem ser consultadas as notas de introdução. Continuamos aqui com a ênfase sobre a *relação entre a obediência e a possessão*. Tudo começa pelo amor, no terreno espiritual. O autor sacro apelou para ilustrações históricas para que a sua lição se tornasse mais vívida. Visto que o povo de Israel tinha contemplado tão grandes obras, realizadas pelo Deus de amor (vs. 7), deveria seguir-se, naturalmente, o amor (vs. 8). Na obediência assim prestada, a Terra Prometida seria possuída, e então usada da maneira correta. A vida seria uma consequência da obediência (vs. 9). A Terra Prometida era muito boa, mas só permaneceria como tal se os israelitas continuassem na obediência. Não havia como exagerar a importância da lei diante de Israel. A lei mosaica era tudo para eles. *Todas as bênçãos*, temporais e espirituais, dependiam da lei.

Ver Dt 6.5 quanto ao primeiro e ao segundo mandamentos, cujo cumprimento é a essência da lei, bem como a raiz de onde se origina toda fruição relativa ao povo de Israel.

11.1

וְאָהַבְתָּ אֵת יְהוָה אֱלֹהֶיךָ וְשָׁמַרְתָּ מִשְׁמַרְתּוֹ וְחֻקֹּתָיו וּמִשְׁפָּטָיו וּמִצְוֹתָיו כָּל־הַיָּמִים׃

Preceitos... estatutos... juízos... mandamentos. Os três primeiros desses quatro termos são empregados em outros trechos para indicar a multiplicidade da lei e suas aplicações, como em Dt 6.1. "Mandamentos" parece ser aqui um somatório dos três primeiros termos. A tripla designação é comum, mas algumas vezes apenas um ou dois dos três elementos se fazem presentes. O trecho de Dt 8.1 diz apenas "mandamentos", embora a exortação à obediência seja idêntica. Neste ponto, a obediência aparece como dependente do amor, conforme também foi dito em Dt 6.5, onde o leitor deve ver as notas expositivas. Ver no *Dicionário* o artigo chamado *Deus, Nomes Bíblicos de*.

"Uma vez mais, Moisés deu ênfase especial à *inseparabilidade* do amor e da obediência (cf. Dt 6.5,6; 7.9; 10.12,13; 11.13,22; 19.9; 30.6,8,16,20). O teste ácido do amor de um israelita a Deus era ser-lhe obediente (cf. Jo 14.15)" (Jack S. Deere, *in loc.*). A *obediência* era medida em termos de cumprimento de todas as condições da lei, com base na motivação do amor. Somente assim se conseguiria uma obediência *duradoura*. Todos os outros motivos falham, afinal de contas.

11.2

וִידַעְתֶּם הַיּוֹם כִּי לֹא אֶת־בְּנֵיכֶם אֲשֶׁר לֹא־יָדְעוּ וַאֲשֶׁר לֹא־רָאוּ אֶת־מוּסַר יְהוָה אֱלֹהֵיכֶם אֶת־גָּדְלוֹ אֶת־יָדוֹ הַחֲזָקָה וּזְרֹעוֹ הַנְּטוּיָה׃

Considerai hoje. Israel era um povo bem informado. Moisés não estava falando a um povo mal instruído. Eles tanto tinham visto quanto tinham experimentado o poder e a provisão de Yahweh. A experiência passada deveria ajudar a obediência presente. O tabernáculo tinha sido erigido; as circunstâncias da vida tinham servido de ilustrações; os milagres divinos tinham agido como lições objetivas. *Três* descrições de Yahweh e seus atos foram dadas: 1. sua *grandeza* inerente. Um dos atributos de Deus é a sua onipotência. Ver no *Dicionário* o artigo *Atributos de Deus*. seu poder nunca se ausenta, um poder que mana de seu próprio ser. 2. sua *mão poderosa*. Ver sobre isso em Dt 3.24; 4.34; 5.15; 6.21; 9.26; 34.12. 3. seu *braço estendido*. Quanto a isso ver Êx 6.6; Dt 4.34; 5.15; 7.19; 9.29; 11.2; 26.8. Essas duas expressões apontam para incidentes em que o poder e as intervenções de Yahweh foram efetuadas. Naturalmente, são expressões antropomórficas. Ver no *Dicionário* o verbete chamado *Antropomorfismo*.

11.3

וְאֶת־אֹתֹתָיו וְאֶת־מַעֲשָׂיו אֲשֶׁר עָשָׂה בְּתוֹךְ מִצְרָיִם לְפַרְעֹה מֶלֶךְ־מִצְרַיִם וּלְכָל־אַרְצוֹ׃

Os seus sinais, as suas obras. Os milagres e os prodígios feitos no Egito foram lições objetivas da intervenção divina, mostrando como Deus usa a sua mão poderosa e o seu braço estendido. Ver Êx 7.14 (notas introdutórias) quanto às *Dez Pragas* do Egito, que ilustra a questão, incluindo os elementos miraculosos. Ver também o verbete *Milagres*. Cada um daqueles milagres derrotou alguma divindade egípcia específica. Em outras palavras, esses milagres também derrotaram a idolatria.

Faraó. Ver a respeito no *Dicionário*. Há especulações sobre qual dos Faraós teria estado envolvido nos acontecimentos do êxodo de Israel do Egito.

11.4

וַאֲשֶׁר עָשָׂה לְחֵיל מִצְרַיִם לְסוּסָיו וּלְרִכְבּוֹ אֲשֶׁר הֵצִיף אֶת־מֵי יַם־סוּף עַל־פְּנֵיהֶם בְּרָדְפָם אַחֲרֵיכֶם וַיְאַבְּדֵם יְהוָה עַד הַיּוֹם הַזֶּה׃

mar Vermelho. Melhor ainda, "mar de Juncos". Essa foi uma ocasião memorável na qual a poderosa mão de Deus e o seu braço estendido fizeram intervenção em favor de Israel. A maioria dos estudiosos concorda que está aqui em pauta o mar de Juncos, e não o mar Vermelho, ou seja, um dos lagos de água doce posicionados acima do braço do mar Vermelho que se dirige para o norte. "O mar de juncos de papiros" (Jack S. Deere, *in loc.*). Ver notas expositivas completas sobre o que significava esse mar em Êx 13.18. Ver também Êx 14.22.

A intervenção divina, no mar de Juncos, tornou-se, para todas as épocas, uma ilustração histórica do poder divino, e sempre apresenta a possibilidade da intervenção divina. Sempre serviu de motivação para a obediência ao Deus da redenção. A ruína duradoura do Egito, que significou a libertação de Israel, só podia ser explicada por uma intervenção divina. Ver, em Dt 4.20, como o poder de Yahweh tirou Israel do Egito, um tema mencionado por cerca de vinte vezes em Deuteronômio.

11.5

וַאֲשֶׁר עָשָׂה לָכֶם בַּמִּדְבָּר עַד־בֹּאֲכֶם עַד־הַמָּקוֹם הַזֶּה׃

Temos aqui uma declaração geral do autor acerca de todos os atos poderosos de Yahweh e de sua provisão no deserto, tudo o que servia de outra motivação para que eles *obedecessem* ao seu *Benfeitor*. O poder e as provisões de Deus servem de fator constante na vida diária do crente, não apenas de exibições de ocasional dramaticidade divina. Embora os filhos de Israel se tivessem rebelado por cerca de onze vezes (ver as notas em Nm 14.18 e 21.5), ainda assim a graça do Senhor seguiu-os e abençoou-os.

> Até aqui teu poder me abençoou,
> E por certo continuará a guiar-me;
> Eu gostava de escolher o meu caminho,
> Mas, agora, guia-me daqui por diante.
>
> John H. Newton

■ 11.6

וַאֲשֶׁ֨ר עָשָׂ֜ה לְדָתָ֣ן וְלַאֲבִירָ֗ם בְּנֵ֣י אֱלִיאָב֮ בֶּן־רְאוּבֵן֒ אֲשֶׁ֣ר פָּצְתָ֣ה הָאָ֣רֶץ אֶת־פִּ֗יהָ וַתִּבְלָעֵ֥ם וְאֶת־בָּתֵּיהֶ֖ם וְאֶת־אָהֳלֵיהֶ֑ם וְאֵ֤ת כָּל־הַיְקוּם֙ אֲשֶׁ֣ר בְּרַגְלֵיהֶ֔ם בְּקֶ֖רֶב כָּל־יִשְׂרָאֵֽל׃

E ainda o que fez. Juízos de natureza miraculosa faziam parte das intervenções de Yahweh, visto que somente um povo purificado e obediente poderia possuir a Terra Prometida e obter sucesso ali. O autor nos faz lembrar dos casos de Datã e Abirão. Esses homens, juntamente com Coré, encabeçaram uma rebelião contra a autoridade de Moisés e sofreram consequências fatais. A história é contada longamente em Nm 16.30-33. A terra os engoliu vivos, e isso pôs fim à rebelião. Se Yahweh não tivesse dado fim àqueles homens iníquos, ele teria de dar fim ao povo inteiro de Israel. Mas do modo como as coisas sucederam, o câncer foi removido e o corpo foi salvo. Ver Nm 16.45, quanto ao juízo generalizado que foi ameaçado. Um grande fogo divino seguiu-se à abertura da terra e eliminou outro grupo de rebeldes, antes que pudessem escapar. E então seguiu-se uma praga que destruiu catorze mil pessoas, sem dúvida, aqueles que tinham dado apoio ao movimento rebelde. Ver Nm 16.41 ss. E ver sobre a revolta de Coré em Nm 16.1-11.

■ 11.7,8

כִּ֤י עֵֽינֵיכֶם֙ הָֽרֹאֹ֔ת אֶת־כָּל־מַעֲשֵׂ֥ה יְהוָ֖ה הַגָּדֹ֑ל אֲשֶׁ֖ר עָשָֽׂה׃

וּשְׁמַרְתֶּם֙ אֶת־כָּל־הַמִּצְוָ֔ה אֲשֶׁ֧ר אָנֹכִ֛י מְצַוְּךָ֖ הַיּ֑וֹם לְמַ֣עַן תֶּחֶזְק֗וּ וּבָאתֶם֙ וִֽירִשְׁתֶּ֣ם אֶת־הָאָ֔רֶץ אֲשֶׁ֥ר אַתֶּ֛ם עֹבְרִ֥ים שָׁ֖מָּה לְרִשְׁתָּֽהּ׃

Os vossos olhos são os que viram. Moisés dirigia-se àqueles que tinham visto os grandes eventos referidos, os quais, portanto, não tinham desculpas. A tendência de gerações sucessivas é dizer: "Tudo isso foi apenas um mito!" Mas a geração que vira tudo *sabia*. Com base nesse conhecimento, eles tiveram de agir em obediência à lei, pois, de outra sorte, eles não teriam entrado na posse da Terra Prometida, tornando-se impossível permanecer ali. Tudo dependia da obediência à lei, um tema que é muito reiterado no Pentateuco. A Terra Prometida foi dada divinamente dentro do Pacto Abraâmico (ver Gn 15.18). Os primitivos habitantes dali seriam expulsos pelo decreto divino (Gn 15.16); mas tudo dependia da obediência. Ver Dt 6.1; 8.1 e 11.1, quanto a essa ênfase, que agora retorna, mostrando qual era a condição para a possessão da Terra Prometida, a saber, a obediência à lei.

"A promessa divina não era automática, isto é, não dependia somente de questões como descendência e desejo nacional. A eleição, com suas bênçãos consequentes, dependia da aceitação da nação de sua responsabilidade, o que, por sua vez, repousava sobre a revelação da lei de Deus" (G. Ernest Wright, *in loc.*).

■ 11.9

וּלְמַ֨עַן תַּאֲרִ֤יכוּ יָמִים֙ עַל־הָ֣אֲדָמָ֔ה אֲשֶׁר֩ נִשְׁבַּ֨ע יְהוָ֤ה לַאֲבֹֽתֵיכֶם֙ לָתֵ֣ת לָהֶ֔ם וּלְזַרְעָ֑ם אֶ֛רֶץ זָבַ֥ת חָלָ֖ב וּדְבָֽשׁ׃ ס

Para que prolongueis os dias na terra. Na estimativa do autor sacro, a *vida* seria dada mediante a observância da lei. Está em pauta, contudo, a vida física, na Terra Prometida, uma vida terrena abençoada. Não há aqui nenhum intuito de falar sobre a vida além-túmulo, ainda que a teologia judaica posterior tenha interpretado a questão como se ela apontasse tanto para uma vida física próspera quanto para a salvação no mundo por vir. Essa questão foi anotada com detalhes em Dt 4.1, com comentários adicionais em Dt 5.33 e 6.2, pelo que não entro mais em detalhes aqui. Ver no *Dicionário* os verbetes intitulados *Vida* e *Salvação*.

A Terra Prometida foi dada a Abraão e seus descendentes, mediante um juramento divino. Ver, no *Dicionário*, sobre *Pactos*; sobre o *Pacto Abraâmico*, em Gn 15.18; e sobre o *Pacto Mosaico*, nas notas introdutórias ao capítulo 19 do livro de Êxodo.

Terra que mana leite e mel. Essa é uma expressão bastante comum para falar sobre os suprimentos naturais abundantes da Terra Prometida. Ver as notas a respeito em Êx 3.8 e Nm 13.27. "... abunda de todas as coisas boas, cujos frutos são como leite e doces como o mel" (Targum de Jonathan).

■ 11.10

כִּ֣י הָאָ֗רֶץ אֲשֶׁ֨ר אַתָּ֤ה בָא־שָׁ֙מָּה֙ לְרִשְׁתָּ֔הּ לֹ֣א כְאֶ֤רֶץ מִצְרַ֙יִם֙ הִ֔וא אֲשֶׁ֥ר יְצָאתֶ֖ם מִשָּׁ֑ם אֲשֶׁ֤ר תִּזְרַע֙ אֶֽת־זַרְעֲךָ֔ וְהִשְׁקִ֥יתָ בְרַגְלְךָ֖ כְּגַ֥ן הַיָּרָֽק׃

Não é como a terra do Egito. O Egito era mais seco do que a terra de Canaã, pois dependia de irrigação para ser produtivo. Mas em Canaã havia um suprimento mais natural de chuvas, excetuando as áreas desérticas. Yahweh é que havia dado à terra de Canaã um contínuo suprimento de chuva para a sustentação da vida. "O vale do rio Nilo tinha de ser irrigado pelo esforço humano. A Palestina, entretanto, dependia de um regime sazonal de chuvas. Essa diferença foi mencionada a fim de mostrar como Israel dependia do Senhor, aquele que dá ou retém a chuva (ver Am 4.7-9)" (*Oxford Annotated Bible*, comentando sobre o vs. 10).

Com o pé. Em outras palavras, o processo de irrigação usualmente era árduo. O povo tinha de transportar água do rio Nilo para os seus campos. Como é óbvio, eles usavam animais nesse trabalho, embora se tratasse de um "trabalho feito com os pés", ao passo que a chuva, na região da terra de Canaã, era uma obra divina. Alguns estudiosos têm imaginado máquinas impulsionadas pelos pés, usadas para efeito de irrigação; mas não há nenhuma evidência quanto a isso. Eram empregadas valetas, mas o processo era laborioso. A "terra de Gósen", região onde Israel tinha vivido no Egito, era a melhor região do país (ver Gn 47.6), mas Rashi informa-nos que nem mesmo a terra de Gósen era tão boa quanto a terra de Canaã.

■ 11.11

וְהָאָ֗רֶץ אֲשֶׁ֨ר אַתֶּ֜ם עֹבְרִ֥ים שָׁ֙מָּה֙ לְרִשְׁתָּ֔הּ אֶ֥רֶץ הָרִ֖ים וּבְקָעֹ֑ת לִמְטַ֥ר הַשָּׁמַ֖יִם תִּשְׁתֶּה־מָּֽיִם׃

Da chuva dos céus beberá as águas. A terra de Canaã dispunha de colinas e vales. Não era uma terra plana que se estendesse ao longo de um rio, como era a planície do rio Nilo. Em Canaã havia fontes e rios, e uma abundante chuva sazonal, excetuando as áreas desérticas, onde não se tentava praticar a agricultura. "Em Canaã, havia muitas colinas e montes, como aqueles em redor de Jerusalém, do Carmelo, do Tabor, do Líbano etc. Ali há vales e planícies, como o vale de Jezreel etc. Essa variedade tornava deleitável todo aquele território. A fertilidade da Palestina dependia das chuvas dadas por Yahweh, além do que Israel tinha de mostrar-se cauteloso quanto a manter uma bênção divina constante, por meio de sua obediência à lei.

"Enquanto dormes em teu leito, o Santo, bendito seja o seu nome, irriga tanto as tuas terras altas quanto as tuas terras baixas" (Ellicott, *in loc.*, citando um autor judeu que ele não identificou).

■ 11.12

אֶ֕רֶץ אֲשֶׁר־יְהוָ֥ה אֱלֹהֶ֖יךָ דֹּרֵ֣שׁ אֹתָ֑הּ תָּמִ֗יד עֵינֵ֤י יְהוָ֤ה אֱלֹהֶ֙יךָ֙ בָּ֔הּ מֵֽרֵשִׁית֙ הַשָּׁנָ֔ה וְעַ֖ד אַחֲרִ֥ית שָׁנָֽה׃ ס

Havia dois períodos de chuvas consideráveis. Um deles durante o outono, chamado de chuva "temporã", correspondente aos nossos meses de setembro-outubro; e outro durante a primavera, chamado de chuva "serôdia", correspondente aos nossos meses de março-abril. Cf. Jl 2.23. Se essas chuvas falhassem, seguia-se um desastre total, pelo que os israelitas dependiam totalmente delas. As chuvas temporãs, ou primeiras chuvas, punham fim ao calor e à seca do verão. E as chuvas serôdias, ou últimas chuvas, chegavam no começo do ano. E isso emprestava grande equilíbrio às condições atmosféricas. Ver dois artigos, no *Dicionário*, que ilustram este texto: *Chuva* e *Chuvas Anteriores e Posteriores*.

■ 11.13

וְהָיָ֗ה אִם־שָׁמֹ֤עַ תִּשְׁמְעוּ֙ אֶל־מִצְוֺתַ֔י אֲשֶׁ֧ר אָנֹכִ֛י מְצַוֶּ֥ה אֶתְכֶ֖ם הַיּ֑וֹם לְאַהֲבָ֞ה אֶת־יְהוָ֤ה אֱלֹֽהֵיכֶם֙ וּלְעָבְד֔וֹ בְּכָל־לְבַבְכֶ֖ם וּבְכָל־נַפְשְׁכֶֽם׃

Se diligentemente obedecerdes. As chuvas dependiam da obediência à lei, por parte dos filhos de Israel. O modo dessa obediência, e suas características, repete a expressão que figura em Dt 6.5 e 10.12,13, cujas notas expositivas também se aplicam a este texto. Os apelos feitos no Deuteronômio são urgentes e expressivos. A obediência precisa estar alicerçada sobre o amor, sendo este o maior de todos os mandamentos. Uma observância *diligente* tinha de fluir da lei, com o acompanhamento do *serviço*, que se estende a todas as particularidades ordenadas na lei, com seu culto e suas demandas morais.

Yahweh é visto como aquele que controla a natureza. Temos aí a posição do *teísmo* (ver a respeito no *Dicionário*), em contraste com o *deísmo* (ver também no *Dicionário*). A primeira posição parte do pressuposto de que há um poder pessoal criador, e que esse poder permanece ao lado dos homens, abençoando ou castigando, tudo na dependência da obediência. O deísmo, por sua vez, pressupõe um poder criador (pessoal ou impessoal), mas supõe que esse poder tinha abandonado a sua criação, deixando tudo ao sabor das leis naturais. O teísmo admite a intervenção divina; mas não o deísmo.

■ 11.14

וְנָתַתִּ֧י מְטַֽר־אַרְצְכֶ֛ם בְּעִתּ֖וֹ יוֹרֶ֣ה וּמַלְק֑וֹשׁ וְאָסַפְתָּ֣ דְגָנֶ֔ךָ וְתִֽירֹשְׁךָ֖ וְיִצְהָרֶֽךָ׃

Darei as chuvas. As *vitais* primeiras e últimas chuvas dependiam da vontade de Yahweh; e a vontade dele, por sua parte, dependia da obediência humana. Se Israel se voltasse para a idolatria (ver a respeito no *Dicionário*), então perderia as chuvas enviadas por Yahweh. Com isso, a prosperidade cessaria e a necessidade surgiria. A seca sempre foi considerada uma arma na mão de Deus para castigar os homens desobedientes. Ver no *Dicionário* o artigo intitulado *Seca*. As leis da natureza não permitiam nenhuma independência da parte de Israel em relação a Yahweh, porquanto Deus era visto como aquele que controla as leis da natureza.

"Deus não pode ser um prisioneiro, incapaz de afetar diretamente o próprio mundo que ele criou! Cumpre-nos supor que, em resposta à oração, as leis que ele mesmo determinou possam ser efetivadas" (Henry S. Shires, *in loc.*).

As religiões têm crido, *universalmente*, na intervenção divina acerca da chuva, e em muitas culturas há orações especiais com o intuito de atrair a chuva. Os índios americanos hopi até hoje continuam os seus ritos que atrairiam as chuvas. A misericórdia de Deus envia a chuva sobre todos (Mt 5.45), mas há momentos em que Deus precisa fazer intervenção.

As populações dependentes da terra e das forças da natureza sentem-se especialmente agradecidas por suas colheitas, e isso é celebrado com coração grato. Todos nós dependemos igualmente do Senhor, embora essa dependência possa ser expressa de diferentes maneiras.

"A colheita dos frutos da terra ocorria em ocasiões diferentes. A colheita da cevada ocorria primeiro, e então vinha a colheita do trigo; e, depois disso, a vindima e a colheita das azeitonas. Por meio das chuvas certas, em seu devido período do ano, todas essas colheitas faziam-se possíveis" (John Gill, *in loc.*). Apesar de haver uma providência geral, que cuida de todas as coisas, há também uma providência especial e particular de Deus. Ver no *Dicionário* o artigo intitulado *Providência de Deus*. Naturalmente, a providência faz parte do conceito do teísmo. Ver os comentários sobre o versículo anterior.

■ 11.15

וְנָתַתִּ֛י עֵ֥שֶׂב בְּשָׂדְךָ֖ לִבְהֶמְתֶּ֑ךָ וְאָכַלְתָּ֖ וְשָׂבָֽעְתָּ׃

Darei erva. O gado também dependia da ajuda direta de Yahweh; e, por sua vez, os homens dependiam de seus animais domesticados, quanto a alimentos e quanto a sacrifícios de animais.

"O argumento do Deuteronômio, de que a obediência leal a Deus é a condição da higidez nacional e da possessão da Terra Prometida, não é afetado pelas dúvidas modernas" (G. Ernest Wright, *in loc.*). Cf. este versículo com Sl 114.13,14 e Zc 10.1.

■ 11.16

הִשָּֽׁמְר֣וּ לָכֶ֔ם פֶּ֥ן יִפְתֶּ֖ה לְבַבְכֶ֑ם וְסַרְתֶּ֗ם וַעֲבַדְתֶּם֙ אֱלֹהִ֣ים אֲחֵרִ֔ים וְהִשְׁתַּחֲוִיתֶ֖ם לָהֶֽם׃

Sirvais a outros deuses. A idolatria é mencionada vezes sem conta. Esse era o grande inimigo de Israel, bem como a origem de males intermináveis. O *segundo mandamento* (Êx 20.3,4) condenava elaboradamente a idolatria. A idolatria era capaz de fazer parar as chuvas vitais. Israel era facilmente enganado pelos povos vizinhos e por si mesmo, e com frequência caía nessa armadilha. E o resultado era sempre desastroso. Finalmente, os filhos de Israel foram expulsos da Terra Prometida e levados para o cativeiro, por causa do pecado da idolatria com suas várias ramificações. Ver no *Dicionário* o artigo chamado *Cativeiro* (*Cativeiros*). O coração humano vive aberto para as más influências, devido à sua corrupção interna. Esses dois fatores cooperam juntamente para causar dor e tristeza.

Muitos deuses adorados na terra de Canaã estavam ligados a cultos de fertilidade. Havia deuses da reprodução humana, da fertilidade da terra, dos cereais, do azeite, das chuvas e de tudo quanto se pode imaginar. O autor sacro, pois, chama a atenção dos filhos de Israel para que não dessem atenção às várias manifestações do paganismo. A fertilidade, seja ela humana, animal ou vegetal, pertence a Yahweh. A fim de prosperar, Israel precisou ser diferente das nações pagãs ao seu redor. Ver Dt 4.6 ss. quanto a isso.

■ 11.17

וְחָרָ֨ה אַף־יְהוָ֜ה בָּכֶ֗ם וְעָצַ֤ר אֶת־הַשָּׁמַ֙יִם֙ וְלֹֽא־יִהְיֶ֣ה מָטָ֔ר וְהָ֣אֲדָמָ֔ה לֹ֥א תִתֵּ֖ן אֶת־יְבוּלָ֑הּ וַאֲבַדְתֶּ֣ם מְהֵרָ֗ה מֵעַל֙ הָאָ֣רֶץ הַטֹּבָ֔ה אֲשֶׁ֥ר יְהוָ֖ה נֹתֵ֥ן לָכֶֽם׃

Que a ira do Senhor se acenda. A ira de Yahweh estava pronta para entrar em ação. Quando observava Israel agindo como os pagãos, imitando suas múltiplas formas de idolatria, a ira de Deus entrava em ação. Um efeito imediato seria a suspensão das chuvas. Diante disso, havia um desastre total, pois Israel não dispunha de nenhum grande rio, como o Nilo, de que pudesse depender. A idolatria era precisamente o que provocava mais a ira de Deus. Os céus entesouram as chuvas; mas Deus não abria as janelas do céu para abençoar a um povo rebelde. "A chave para as chuvas é uma das chaves que os judeus dizem que o Senhor conserva em sua própria mão, e que ele abre e ninguém fecha, ou que ele fecha e ninguém abre. Ver Dt 28.12 e Ml 3.10" (John Gill, *in loc.*). A essência dessa citação encontra-se no *Targum de Jonathan*, em seus comentários sobre Dt 28.12.

É irônico que Israel, ao tentar garantir a chuva adorando aos deuses cananeus, provocava a ira de Deus e assim fazia estancar as chuvas!

■ 11.18

וְשַׂמְתֶּם֙ אֶת־דְּבָרַ֣י אֵ֔לֶּה עַל־לְבַבְכֶ֖ם וְעַֽל־נַפְשְׁכֶ֑ם וּקְשַׁרְתֶּ֨ם אֹתָ֤ם לְאוֹת֙ עַל־יֶדְכֶ֔ם וְהָי֥וּ לְטוֹטָפֹ֖ת בֵּ֥ין עֵינֵיכֶֽם׃

Os vss. 18-20 repetem, com leves variações, o texto de Dt 6.6-9, cujas notas devem ser consultadas. Total atenção era necessária para desviar a ira de Yahweh. Meios físicos eram usados como lembretes. Havia os filactérios usados entre os olhos, com porções das Escrituras dentro deles. As *palavras* de Yahweh eram assim vinculadas ao coração e à alma, para que não fossem esquecidas, mas cumpridas com o máximo de precisão. O trecho de Dt 6.8 fala em como essas palavras eram atadas às mãos e às frontes dos filhos de Israel, como sinais.

Notas completas são dadas no texto paralelo. E adiciona que os filhos seriam objetos especiais desse ensino. Um israelita crescia saturado com a lei, e a sua disposição seria continuar, na idade adulta, os padrões firmados na meninice e na adolescência.

Os *comentadores judeus*, em sua tristeza, ao considerar a história de Israel, observaram que Israel, quando estava cativo, na *ocasião* lembrava-se de tudo quanto Moisés lhes orientava fazer. Os desastres serviam como meios eficazes de lembrança.

Somente quando permitiam que Yahweh saturasse a mente e a alma deles, entrando em todas as áreas de sua vida, podia Israel escapar de poderes sedutores, externos e internos, os quais, de outra sorte, os levariam à ruína. A antevisão é prenhe de dúvidas e de rebeldia, mas a visão acerca do passado é precisa.

11.19

וְלִמַּדְתֶּ֥ם אֹתָ֛ם אֶת־בְּנֵיכֶ֖ם לְדַבֵּ֣ר בָּ֑ם בְּשִׁבְתְּךָ֤ בְּבֵיתֶ֙ךָ֙ וּבְלֶכְתְּךָ֣ בַדֶּ֔רֶךְ וּֽבְשָׁכְבְּךָ֖ וּבְקוּמֶֽךָ׃

Este versículo é paralelo do trecho de Dt 6.7. O ensino devia começar cedo; as *crianças* deviam ser condicionadas a obedecer. A educação secular começava, por exigência da lei, quando uma criança estava com 5 anos de idade. Mas muitos pais nunca dão início à educação espiritual de uma criança. Não admira, pois, que entre nós haja tanta gente carnal, tanta corrupção, tantas bobagens e desvios entre a população adulta. Ver o paralelo (Dt 6.7) quanto a notas completas, visto que este versículo é quase uma duplicação daquele.

Nossos filhos, a nossa mais preciosa possessão, não podem ser negligenciados. A pior parte de qualquer caso de negligência é o aspecto espiritual, porque, afinal, um ser humano é uma alma eterna. seu corpo é apenas um veículo.

11.20

וּכְתַבְתָּ֛ם עַל־מְזוּז֥וֹת בֵּיתֶ֖ךָ וּבִשְׁעָרֶֽיךָ׃

Este versículo tem paralelo em Dt 6.9, cujas notas devem ser consultadas.

"O mesmo princípio aplica-se hoje aos crentes. A dedicação tanto a conhecer quanto a obedecer às Escrituras impede que os crentes se dediquem a formas contemporâneas de adoração falsa (ver 1Tm 3.1-9; 2Tm 3.14-17). Foi por isso que Paulo exortou os crentes a deixar que a Palavra de Cristo habitasse neles ricamente" (Jack S. Deere, *in loc.*).

11.21

לְמַ֨עַן יִרְבּ֤וּ יְמֵיכֶם֙ וִימֵ֣י בְנֵיכֶ֔ם עַ֚ל הָֽאֲדָמָ֔ה אֲשֶׁ֨ר נִשְׁבַּ֧ע יְהוָ֛ה לַאֲבֹתֵיכֶ֖ם לָתֵ֣ת לָהֶ֑ם כִּימֵ֥י הַשָּׁמַ֖יִם עַל־הָאָֽרֶץ׃ ס

Para que se multipliquem os vossos dias. É novamente prometida a vida por meio da obediência à lei; mas agora para todos os hebreus, adultos e crianças igualmente. Ver notas completas sobre esse tema muito repetido em Dt 4.1; 5.33 e 6.2. Vimos de novo esse conceito no nono versículo deste capítulo. Novamente é dito que essa vida é potencialmente vivida na terra que Deus jurou dar aos patriarcas, de acordo com o Pacto Abraâmico, que também repete as declarações constantes no nono versículo deste capítulo, e onde a questão é comentada.

"Uma vida longa é algo muito desejável, e é prometida àqueles que obedecem e guardam a lei. Ver Dt 30.19,20 e Sl 91.16" (John Gill, *in loc.*). Quanto à desejabilidade de uma longa vida, ver Gn 5.21.

Tão numerosos como os dias do céu. Está em pauta uma possessão *eterna*. Tal como os céus estão *sempre acima* da terra, fixados por decreto divino, assim também os efeitos do Pacto Abraâmico deveriam continuar a abençoar aos obedientes que participassem daquele pacto.

11.22

כִּי֩ אִם־שָׁמֹ֨ר תִּשְׁמְר֜וּן אֶת־כָּל־הַמִּצְוָ֣ה הַזֹּ֗את אֲשֶׁ֧ר אָנֹכִ֛י מְצַוֶּ֥ה אֶתְכֶ֖ם לַעֲשֹׂתָ֑הּ לְאַהֲבָ֞ה אֶת־יְהוָ֤ה אֱלֹהֵיכֶם֙ לָלֶ֣כֶת בְּכָל־דְּרָכָ֔יו וּלְדָבְקָה־בֽוֹ׃

Uma *característica literária* do Pentateuco, do qual o Deuteronômio compartilha, é a repetição. Temos aqui, nos vss. 22-25, a repetição das condições para uma invasão e possessão bem-sucedida da Terra Prometida. Ver uma declaração elaborada sobre isso em Dt 9.1-6. Tudo dependia dos seguintes pontos: 1. *Amar a Deus* (Dt 6.5); 2. *guardar* os seus mandamentos; 3. *andar* nos seus caminhos; 4. *apegar-se* ao Senhor. Esses são elementos que foram dados em Dt 10.12,13, onde fiz comentários detalhados. O texto de Dt 9.1 ss. mostra que havia outros fatores incluídos na questão, a saber, o Pacto Abraâmico, que tinha de ser cumprido, e a graça de Deus que fez esse pacto ser cumprido, mesmo no caso de um povo rebelde, cuja retidão não podia fazer cumprir o pacto, visto que, de fato, era um povo rebelde (9.6).

11.23

וְהוֹרִ֨ישׁ יְהוָ֜ה אֶת־כָּל־הַגּוֹיִ֥ם הָאֵ֛לֶּה מִלִּפְנֵיכֶ֑ם וִֽירִשְׁתֶּ֣ם גּוֹיִ֔ם גְּדֹלִ֥ים וַעֲצֻמִ֖ים מִכֶּֽם׃

O Senhor desapossará. Se os israelitas cumprissem as condições do pacto, mediante a obediência, então Yahweh *lutaria* por eles (Dt 1.30; 3.22; 20.4), garantindo-lhes sucesso absoluto. As sete nações pagãs seriam expulsas da terra de Canaã. Ver sobre essas nações em Êx 33.2 e Dt 7.1. Esta última referência deixa claro que aquelas nações eram mais poderosas do que Israel, pelo que somente uma intervenção divina seria capaz de expulsá-las dali. Ver também Dt 9.1-6, que elabora essas questões e cujas notas também se aplicam aqui. Eles teriam de enfrentar *gigantes*. Todo homem espiritual enfrenta aquele tempo em que se defronta com forças grandes demais para ele, que o derrotariam em seus propósitos. É então que ele precisa apelar para a ajuda divina. Algumas vezes é mister que Deus *intervenha* em nossa vida, para que possamos fazer o que é certo, no tempo oportuno, com o resultado de que a nossa missão avança como é devido. Oh, Senhor, concede-nos tal graça!

11.24

כָּל־הַמָּק֗וֹם אֲשֶׁ֨ר תִּדְרֹ֧ךְ כַּֽף־רַגְלְכֶ֛ם בּ֖וֹ לָכֶ֣ם יִהְיֶ֑ה מִן־הַמִּדְבָּ֨ר וְהַלְּבָנ֜וֹן מִן־הַנָּהָ֣ר נְהַר־פְּרָ֗ת וְעַד֙ הַיָּ֣ם הָֽאַחֲר֔וֹן יִהְיֶ֖ה גְּבֻלְכֶֽם׃

Meus comentários sobre o *Pacto Abraâmico*, em Gn 15.18, dão as dimensões da Terra Prometida, que também aparecem em parte neste versículo. O ensino é que *toda* aquela terra seria de Israel, onde seus pés a palmilhariam, ou seja, haveriam de *possuí-la*. A cena deste versículo tem sido repetida nos tempos modernos: Israel, em sua aflição, tem reunido multidões que se põem a caminhar pela terra, buscando uma reafirmação daquela antiga e divina intervenção que se faz necessária para que a terra seja possuída em paz e com vitória sobre os adversários.

Desde o rio. O primeiro rio, aqui mencionado, provavelmente é uma referência ao "ribeiro do Egito" (não o Nilo), o wadi el 'Arish, sobre o qual comentei em Nm 34.5. Mas o Nilo, como fronteira oriental, parece estar em foco em Gn 15.18, onde foi proferido o Pacto Abraâmico. O outro rio mencionado neste versículo é identificado como o Eufrates. Esse rio formava outra fronteira ideal da Terra Prometida. Seja como for, as dimensões dadas aqui foram essencialmente atingidas por Davi. Ver 1Rs 4.21. O trecho de Js 1.3,4 repete as palavras deste versículo.

11.25

לֹא־יִתְיַצֵּ֥ב אִ֖ישׁ בִּפְנֵיכֶ֑ם פַּחְדְּכֶ֨ם וּמֽוֹרַאֲכֶ֜ם יִתֵּ֣ן ׀ יְהוָ֣ה אֱלֹֽהֵיכֶ֗ם עַל־פְּנֵ֤י כָל־הָאָ֙רֶץ֙ אֲשֶׁ֣ר תִּדְרְכוּ־בָ֔הּ כַּאֲשֶׁ֖ר דִּבֶּ֥ר לָכֶֽם׃ ס

Ninguém vos poderá resistir. A vitória estava garantida pelo poder e pela presença de Yahweh, que venceria toda força superior, fortificações e gigantes. Ver sobre isso em Dt 7.1. As *sete* nações que ocupavam a terra de Canaã, embora humana e logicamente em posição vantajosa, divinamente falando estavam em desvantagem. O *medo* haveria de perturbá-las. Yahweh-Elohim (os nomes divinos que figuram neste versículo), ou seja, o Eterno e Todo-poderoso, daria a vantagem a Israel, porquanto um propósito divino estava em operação. Ver no *Dicionário* o artigo chamado *Deus, Nomes Bíblicos de.* Ver Js 2.9-11 quanto ao *temor* prometido que teve cumprimento. Cf. Êx 15.16,17; Dt 2.25; 28.10; Js 5.1, que são passagens paralelas.

A ESCOLHA: A BÊNÇÃO OU A MALDIÇÃO (11.26-32)

■ 11.26

רְאֵה אָנֹכִי נֹתֵן לִפְנֵיכֶם הַיּוֹם בְּרָכָה וּקְלָלָה׃

Esta breve subseção apresenta-nos uma das passagens mais bem conhecidas deste livro. A neutralidade é impossível quando estão em foco as causas divinas. O povo de Israel mostrou-se negativo quanto à ocasião anterior, quando chegou às fronteiras da Terra Prometida, e teve de retroceder para o deserto por quarenta anos. Houve uma segunda oportunidade, porém. Uma ação positiva e afirmativa precisava caracterizá-los. Eles não podiam ter outra atitude negativa, e nem mesmo podiam ser neutros, pois então as consequências seriam drásticas. Essa circunstância traz até nós, vividamente, uma vida real, nas circunstâncias diárias, que podemos enfrentar por muitas ocasiões. Há necessidade de convicção e de decisão correta. Os maus obreiros sempre se mostram intensos e apaixonados por sua causa má. Mas os bons por muitas vezes não exibem a mesma intensidade de propósitos.

Há tristeza na indecisão.

Cícero

Esta breve seção funciona como uma espécie de conclusão à incumbência de Moisés para que Israel avançasse e conquistasse a Terra Prometida. Avançar era prosseguir para a bênção; retroceder era ter de enfrentar a maldição divina. A neutralidade estava excluída. "A escolha positiva em favor ou contra Deus é fundamental para a experiência cristã" (Henry H. Shires, *in loc.*). "A opção não é entre Deus e uma vida agnóstica e sem ele; mas é entre Deus e outros deuses (vs. 28)" (G. Ernest Wright, *in loc.*).

Jesus ensinou que o homem que não é *em favor dele* é contra ele (Mc 9.40). Há dois caminhos, ou mesmo, algumas vezes, muitos caminhos. A tarefa do Espírito de Deus é mostrar-nos o *caminho*.

■ 11.27

אֶת־הַבְּרָכָה אֲשֶׁר תִּשְׁמְעוּ אֶל־מִצְוֹת יְהוָה אֱלֹהֵיכֶם אֲשֶׁר אָנֹכִי מְצַוֶּה אֶתְכֶם הַיּוֹם׃

A bênção. De acordo com a mentalidade do Pacto Mosaico (ver as notas a respeito no capítulo 19 de Êxodo), a lei era tudo. Era o código de toda a vida, o padrão de fé e de prática. Ver no *Dicionário* o artigo chamado *Dez Mandamentos*. O Pentateuco frisa repetidamente o ensino de que a fonte de todo o bem era a lei. A própria vida, bem como a vida abundante, gira em torno dela. Ver as notas sobre isso em Dt 4.1; 5.33 e 6.2. Cf. Tg 1.17, onde o próprio Deus aparece como essa fonte. No Novo Testamento, Cristo toma o lugar da lei. ele é a água, o pão da vida, o cabeça do Novo Testamento. Ver na *Enciclopédia de Bíblia, Teologia e Filosofia* o verbete intitulado *Novo Testamento (Pacto)*. Ver Dt 30.15-19 quanto a uma repetição e expansão do texto presente.

■ 11.28

וְהַקְּלָלָה אִם־לֹא תִשְׁמְעוּ אֶל־מִצְוֹת יְהוָה אֱלֹהֵיכֶם וְסַרְתֶּם מִן־הַדֶּרֶךְ אֲשֶׁר אָנֹכִי מְצַוֶּה אֶתְכֶם הַיּוֹם לָלֶכֶת אַחֲרֵי אֱלֹהִים אֲחֵרִים אֲשֶׁר לֹא־יְדַעְתֶּם׃ ס

A *ordem para avançar* foi tão divina e enfática que se desviar dela resultaria em seguir *outros deuses*, ou seja, voltar à idolatria (ver a esse respeito no *Dicionário*). Aquele que se dedicasse a Yahweh avançaria e lutaria pela conquista da Terra Prometida. Nenhum homem profano recuaria de novo ao chegar à fronteira. O sucesso estava garantido por meio da obediência. Os deuses pagãos eram inúteis, fatores desconhecidos em Israel. Eles nada representavam nem tinham feito coisa alguma; mas aquelas não-entidades capturariam a atenção dos israelitas insensatos.

"Se a bondade divina não o tivesse impedido, eles seriam amaldiçoados em corpo e em sua situação; em tigela de massa e nos mantimentos de boca; em rebanhos de gado vacum e ovino; dentro e fora das portas; nas cidades e nos campos; em sua saída e em sua entrada; neste mundo e no mundo vindouro" (John Gill, *in loc.*). Ver Dt 28.15-20, a passagem de onde Gill extraiu as suas ideias. Ver também Dt 29.20.

O céu não ajuda o homem que não age.

Sófocles

■ 11.29

וְהָיָה כִּי יְבִיאֲךָ יְהוָה אֱלֹהֶיךָ אֶל־הָאָרֶץ אֲשֶׁר־אַתָּה בָא־שָׁמָּה לְרִשְׁתָּהּ וְנָתַתָּה אֶת־הַבְּרָכָה עַל־הַר גְּרִזִים וְאֶת־הַקְּלָלָה עַל־הַר עֵיבָל׃

Cf. os vss. 29 e 30 com o capítulo 27, onde são dados os detalhes. Aquele que viajasse a partir das planícies de Moabe (Dt 34.1) poderia ver facilmente os dois montes à distância. Diante da cena, os israelitas necessariamente teriam de fazer uma escolha. Um dos montes representava a bênção, e o outro, a maldição. Um era frutífero, e o outro, estéril. A "maldição", referida com detalhes no capítulo 27, envolvia toda espécie de atos de desobediência à lei. O mero intuito de não entrar nem tomar posse da Terra Prometida já era negligenciar os mandamentos de Yahweh, que tinha dado a lei. Não entrar na terra significaria voltar à idolatria (vs. 28).

Uma *cerimônia de pacto* foi assim determinada. Entre os dois montes eles resolveriam se obedeceriam ou não ao Pacto Mosaico e a tudo quanto ele representaria. Essa cerimônia, posteriormente, foi efetuada sob as ordens de Josué, conforme lemos, com detalhes, no capítulo 27 de Deuteronômio.

■ 11.30

הֲלֹא־הֵמָּה בְּעֵבֶר הַיַּרְדֵּן אַחֲרֵי דֶּרֶךְ מְבוֹא הַשֶּׁמֶשׁ בְּאֶרֶץ הַכְּנַעֲנִי הַיֹּשֵׁב בָּעֲרָבָה מוּל הַגִּלְגָּל אֵצֶל אֵלוֹנֵי מֹרֶה׃

Além do Jordão. Ou seja, a Transjordânia (ver a respeito no *Dicionário*). O sol se punha naquela direção, para quem estava do lado oposto do Jordão. E ao desaparecer atrás do horizonte, o sol desaparecia entre os dois montes em questão, ambos os quais recebem atenção destacada em artigos detalhados no *Dicionário*.

Defronte de Gilgal. Essas palavras são obscuras, tendo causado problemas para os intérpretes. "Uma frase difícil de entender, visto que imediatamente pensamos sobre a Gilgal que ficava próxima de Jericó (Js 4.19). Este lado, porém, é longe demais dos montes Ebal e Gerizim para que a frase faça sentido claro. Mas pode estar em pauta uma outra Gilgal, perto de Siquém" (G. Ernest Wright, *in loc.*).

Disse John Gill (*in loc.*): "Não aquela Gilgal... perto de Jericó, a qual, nos dias de Moisés, não era conhecida por esse nome, mas outra Gilgal, conforme observou o dr. Lightfoot, que pensa estar em foco a Galileia". As planícies de Moré ficavam perto de Siquém (Gn 12.6); e Gerizim ficava nas proximidades. Ver Jz 9.6,7. Existe um vale entre os dois montes. Nos tempos de Moisés, Gerizim dispunha de fontes e pomares, e Ebal era um montão de terra seca e rochas.

Se interpretarmos a preposição hebraica correspondente, conforme faz nossa versão portuguesa, "defronte de Gilgal", ou mesmo "além de Gilgal", então talvez o versículo faça algum sentido, sem termos de apelar para a suposição de "outra Gilgal".

Junto aos carvalhais de Moré. Está em pauta um bosque de carvalhos, existente perto de Siquém (Gn 12.6; 35.4; Js 24.26; Jz 9.6). Ali os hebreus tinham erigido um santuário. Ver as notas sobre Gn 12.7, quanto a detalhes sobre esse lugar e seus propósitos.

■ 11.31

כִּי אַתֶּם עֹבְרִים אֶת־הַיַּרְדֵּן לָבֹא לָרֶשֶׁת אֶת־הָאָרֶץ אֲשֶׁר־יְהוָה אֱלֹהֵיכֶם נֹתֵן לָכֶם וִירִשְׁתֶּם אֹתָהּ וִישַׁבְתֶּם־בָּהּ׃

Yahweh Tinha Dado a Lei. E também dera a ordem específica de invadir a Terra Prometida. Ali Israel seria abençoado e obedeceria à lei, evitando a idolatria (vs. 28). Logo, havia um *imperativo* divino para que avançassem. Na Terra Prometida, o Pacto Abraâmico estaria no processo de cumprimento. Se Israel voltasse de novo ao deserto, esse pacto estaria ameaçado.

■ 11.32

וּשְׁמַרְתֶּם לַעֲשׂוֹת אֵת כָּל־הַחֻקִּים וְאֶת־הַמִּשְׁפָּטִים
אֲשֶׁר אָנֹכִי נֹתֵן לִפְנֵיכֶם הַיּוֹם׃

O lembrete para que fossem cumpridas *todas* as leis dadas na legislação mosaica sumaria esta seção. "Termina aqui a primeira porção da exposição do decálogo — aquela porção que mostra a relação do povo tirado do Egito por parte de Yahweh. Os capítulos seguintes mostram as leis que deveriam vigorar no território de Israel: Em primeiro lugar, como sede da adoração a Yahweh; em segundo lugar, como sede do reino de Deus; em terceiro lugar, como a esfera de operações de certas regras de conduta, com o intuito de formar um caráter distinto no povo" (Ellicott, *in loc.*).

"Uma vez mais, Moisés enfatizou que a história de Israel seria determinada por seu relacionamento ético com o Senhor" (Jack S. Deere, *in loc.*).

CAPÍTULO DOZE

A LEGISLAÇÃO QUE MOISÉS APRESENTOU AO POVO (12.1—26.19)

CONDIÇÕES DE BÊNÇÃO NA TERRA (12.1-32)

Temos aqui a continuação do segundo discurso de Moisés, iniciado em Dt 4.44 e que se estende até Dt 26.19. Essa é a segunda parte do segundo discurso. Um sumário, que começa em Dt 27.1, assinala a terceira parte. O terceiro discurso começa em Dt 29.1.

"A maioria dos leitores do livro interrompe os seus estudos neste ponto, porque as leis que se seguem parecem secas e estéreis, sem valor para a vida moderna. Isso, porém, é uma visão superficial do material escrito. É verdade que essas leis visavam ao governo de uma pequena nação agrária, em um estágio inicial de civilização; não podem ser aceitas com seus detalhes por outro povo, de uma época diferente. Todavia, diante da fé do pacto, exposta nos capítulos quinto a décimo primeiro, reveste-se de interesse e importância ver como as várias leis, de origem heterogênea, foram dadas e como serviram de motivações da fé. Deuteronômio não se interessa em dar uma mera lista de leis; sua preocupação primária é a exposição e a motivação à obediência" (G. Ernest Wright, *in loc.*).

A seção que temos à nossa frente não é uma repetição exaustiva de material similar, dado nos livros de Êxodo e Levítico. Os pontos principais são repetidos; e a história, com a ajuda da instrução, serve de motivação para essa obediência. Era ensinada certa *qualidade de vida*, e não apenas uma longa lista de leis. As leis que se seguem tinham em mente a Terra Prometida. Israel, quando estivesse habitando na Terra Prometida, teria de agir e viver de determinada maneira. Os hebreus formariam uma nação distinta.

■ 12.1

אֵלֶּה הַחֻקִּים וְהַמִּשְׁפָּטִים אֲשֶׁר תִּשְׁמְרוּן לַעֲשׂוֹת
בָּאָרֶץ אֲשֶׁר נָתַן יְהוָה אֱלֹהֵי אֲבֹתֶיךָ לְךָ לְרִשְׁתָּהּ
כָּל־הַיָּמִים אֲשֶׁר־אַתֶּם חַיִּים עַל־הָאֲדָמָה׃

Os estatutos e os juízos. Com frequência temos a tripla designação da lei: mandamentos, estatutos e juízos. Ver as notas sobre isso, com supostas diferenças de significado, em Êx 19.1, em suas notas introdutórias. Ver também Dt 6.1. Por vezes, a palavra isolada, "mandamentos", aponta para a total complexidade das leis. Mas de outras vezes, temos duas designações, conforme se dá com este versículo.

"*O Valor da Lei.* A porção legal estrita do Deuteronômio (caps. 12—26, 28) empresta ao livro o seu caráter. Contendo provisões novas e antigas, esse código de leis especiais retém grande parte da linguagem dos códigos mais antigos. Contudo, respira um novo espírito e incorpora os avanços religiosos e os discernimentos proféticos dos séculos que se tinham passado desde Moisés" (Henry S. Shires, *in loc.*).

Todos os dias que viverdes sobre a terra. Viver na Terra Prometida não era algo que pudesse ser feito sem que se exibisse um caráter específico. Esse caráter devia ser ornado pela obediência à lei. A vida seria adquirida mediante a obediência à lei (ver Dt 4.1; 5.33 e 6.3). E essa vida diária formava um tipo de existência, e não meramente uma longa vida biológica. Cf. 1Rs 8.40.

■ 12.2

אַבֵּד תְּאַבְּדוּן אֶת־כָּל־הַמְּקֹמוֹת אֲשֶׁר עָבְדוּ־שָׁם
הַגּוֹיִם אֲשֶׁר אַתֶּם יֹרְשִׁים אֹתָם אֶת־אֱלֹהֵיהֶם עַל־
הֶהָרִים הָרָמִים וְעַל־הַגְּבָעוֹת וְתַחַת כָּל־עֵץ רַעֲנָן׃

Destruireis por completo. O Senhor exigiu o *total aniquilamento* de todo vestígio de idolatria que ficasse das sete nações que habitavam a Terra Prometida. Já vimos ordens dessa natureza. Ver Dt 7.5,25; Êx 23.24 e 34.13. A coexistência pacífica, apesar de ser um belo princípio, não funcionaria na Terra Prometida. Eventualmente, isso só significaria a absorção de Israel no tipo de cultura já existente no território. A *coisa nova* que Yahweh estava preparando não traria nada de coisa antiga, que deixara de existir. O yahwismo, com o seu monoteísmo (ver a esse respeito no *Dicionário*), falharia, a menos que novos princípios fossem firmados. O monoteísmo não consiste somente em crer na existência de um único Deus. Também inclui a total lealdade ao único Deus, em um sistema de fé religiosa inteiramente diferente. Ver no *Dicionário* o verbete intitulado *Idolatria*.

Ver no *Dicionário* o verbete chamado *Lugares Altos*, quanto aos santuários, os bosques etc. onde os pagãos costumavam estabelecer os seus centros de adoração. Cf. Jr 2.20 e 3.6. As árvores proviam sombra; e era nesses lugares agradáveis que eram estabelecidas práticas idólatras. "Dificilmente havia alguma divindade à qual não tenha sido devotada alguma árvore, como o carvalho a Júpiter, o laurel a Apolo, a hera a Baco, a oliveira a Minerva e a murta a Vênus. Ver Jr 2.20 e 3.6" (John Gill, *in loc.*).

"As árvores frondosas eram significativas para a adoração cananeia às divindades da fertilidade" (Jack S. Deere, *in loc.*).

■ 12.3

וְנִתַּצְתֶּם אֶת־מִזְבְּחֹתָם וְשִׁבַּרְתֶּם אֶת־מַצֵּבֹתָם
וַאֲשֵׁרֵיהֶם תִּשְׂרְפוּן בָּאֵשׁ וּפְסִילֵי אֱלֹהֵיהֶם תְּגַדֵּעוּן
וְאִבַּדְתֶּם אֶת־שְׁמָם מִן־הַמָּקוֹם הַהוּא׃

Deitareis abaixo os seus altares. A idolatria pagã formava uma organização muito complexa, em que praticamente qualquer coisa se tornava objeto de adoração: objetos físicos, animais e astros celestes. Ver no *Dicionário* os artigos *Idolatria* e *Deuses Falsos*.

Altares. Ver a esse respeito no *Dicionário*. Os "bosques" são os mesmos "lugares altos" (vs. 1).

Colunas. "Essas eram grandes pedras postas na vertical, evidentemente associadas aos altares de todo santuário cananeu. Não se sabe com certeza qual o seu significado, embora não seja improvável que fossem símbolos do rei dos deuses de Canaã, Baal. Os *aserins* eram símbolos da deusa mãe dos cananeus, Aserá, provavelmente sob a forma de uma árvore, de uma coluna ou de um bosque, objetos esses capazes de ser destruídos a fogo... Quase todos os deuses pagãos tinham significados simbólicos, comumente usados nos santuários" (G. Ernest Wright, *in loc.*).

Postes-ídolos. Ver no *Dicionário* o artigo detalhado com esse nome. Cf. Gn 28.18,22; 31.13.

Imagens esculpidas. Ver no *Dicionário* o artigo chamado *Imagem de Escultura*. Havia grande variedade de ídolos. Alguns ídolos eram feitos como se fossem esculturas; mas outros eram feitos em formas, e o material usado era metal fundido, as "imagens de fundição".

■ 12.4,5

לֹא־תַעֲשׂוּן כֵּן לַיהוָה אֱלֹהֵיכֶם׃

כִּי אִם־אֶל־הַמָּקוֹם אֲשֶׁר־יִבְחַר יְהוָה אֱלֹהֵיכֶם
מִכָּל־שִׁבְטֵיכֶם לָשׂוּם אֶת־שְׁמוֹ שָׁם לְשִׁכְנוֹ תִדְרְשׁוּ
וּבָאתָ שָּׁמָּה׃

Buscareis o lugar. Haveria um lugar central para a adoração a Yahweh, que haveria de tomar o lugar de toda a multiplicidade dos centros de adoração pagã. Esse lugar seria preservado de todo dano, ao passo que os santuários pagãos seriam completamente destruídos. Nenhuma dependência do templo, que seria o lugar de adoração dos judeus, poderia ser destruída. A casa de Yahweh deveria permanecer isenta de qualquer tipo de assédio, em contraste com os centros de adoração pagã.

Outra interpretação deste versículo é que Yahweh não deveria ser servido como o eram os deuses pagãos, nos lugares altos, mediante o uso de ídolos, por meio de árvores, bosques ou colunas.

O trecho de Êx 20.24 pressupõe que houvesse muitos santuários para a adoração a Yahweh, mas que esses acabariam por estar centralizados em Jerusalém, no templo, como o único ponto de culto público para o povo de Israel. Durante o período dos juízes, o santuário único ficava em Silo. Mas depois que este foi destruído pelos filisteus, Davi erigiu um novo tabernáculo, em Jerusalém. O templo de Salomão (ver a esse respeito no *Dicionário*) tomou o lugar desse tabernáculo.

O *quinto versículo* deste capítulo enfatiza o processo de unificação. O *tabernáculo* era o local de culto antigo. Este foi eventualmente substituído pelo templo, em Jerusalém. A ordem poderia ser mais bem preservada no desenvolvimento do yahwismo se houvesse uma adoração centralizada. A adoração privada foi submetida a restrições. O santuário central exaltaria o nome divino, Yahweh, e esse nome sagrado substituiria a todos os outros nomes. Ver no *Dicionário* o artigo chamado *Deus, Nomes Bíblicos de*.

Ver Êx 33.7-11, quanto ao começo do processo de unificação, um *lugar* que se tornou o centro da adoração e onde se manifestava a *presença* de Deus.

Unidade. Um só lugar simbolizava estas verdades: 1. *A unidade de Deus*, um só Deus, o monoteísmo. 2. *A pureza de adoração*, pois todos tinham de ajustar-se a um só modo de adorar. 3. *A unidade política e espiritual* do povo de Israel. O santuário tornou-se o centro de todas as atividades religiosas da teocracia.

■ 12.6

וַהֲבֵאתֶ֣ם שָׁ֗מָּה עֹלֹתֵיכֶם֙ וְזִבְחֵיכֶ֔ם וְאֵת֙ מַעְשְׂרֹ֣תֵיכֶ֔ם וְאֵ֖ת תְּרוּמַ֣ת יֶדְכֶ֑ם וְנִדְרֵיכֶם֙ וְנִדְבֹ֣תֵיכֶ֔ם וּבְכֹרֹ֥ת בְּקַרְכֶ֖ם וְצֹאנְכֶֽם׃

A esse lugar fareis chegar os vossos holocaustos. O lugar central de adoração encerraria toda forma de culto bíblico veterotestamentário. O autor sagrado nos fornece os modos principais de adoração como ofertas, dízimos, votos, ofertas voluntárias, ou seja, os meios para efetuar o culto no tabernáculo. Toda atividade semelhante estaria limitada ao santuário central. Mediante essa prática, a unidade explicada no versículo anterior seria mantida, e a idolatria seria evitada.

Escrituras. Oferendas: ofertas pacíficas (Lv 7.12-15; 22.29,30); ofertas de votos (Lv 7.16,17; 22.18-23); ofertas voluntárias (Lv 7.16,17; 22.18-23); dízimos (Lv 27.30-32; Dt 14.28); primogênitos como sacrifícios (Dt 15.19-23).

Verbetes. Ver no *Dicionário* os seguintes verbetes: 1. *Sacrifícios.* 2. *Sacrifícios e Ofertas.* 3. *Votos.* 4. *Primogênitos.* 5. *Libação.* Ver os cinco tipos de animais que podiam ser sacrificados, em Lv 1.14-16. Quanto a tipos de oferendas, ver Lv 7.37.

Muitas leis governavam o culto dos hebreus; e a obediência a essas leis produzia a uniformidade.

■ 12.7

וַאֲכַלְתֶּם־שָׁ֗ם לִפְנֵי֙ יְהוָ֣ה אֱלֹהֵיכֶ֔ם וּשְׂמַחְתֶּ֗ם בְּכֹל֙ מִשְׁלַ֣ח יֶדְכֶ֔ם אַתֶּ֖ם וּבָתֵּיכֶ֑ם אֲשֶׁ֥ר בֵּרַכְךָ֖ יְהוָ֥ה אֱלֹהֶֽיךָ׃

Lá comereis perante o Senhor. Quase todas as *oferendas* proviam alimento para banquetes, pelo que as festas comunais estavam associadas ao sistema sacrificial. Somente os holocaustos requeriam que o animal fosse consumido no fogo. De outro modo, apenas certas partes eram queimadas como porções de Yahweh. O sangue e a gordura eram sempre dedicados a Yahweh. O sangue era vertido, e a gordura era queimada. Ver as leis relativas ao sangue e à gordura em Lv 3.17. Todas essas oferendas queimadas soltavam um aroma agradável a Yahweh. Ver sobre isso os trechos de Lv 1.9 e Êx 29.18. Assim, Yahweh festejava juntamente com o seu povo. Quanto às oito porções que ficavam com os sacerdotes, ver Lv 6.26; 7.11-27,28-38; Nm 18.9; Dt 12.17,18. Os membros masculinos que traziam os sacrifícios compartilhavam das festividades. Algumas vezes famílias inteiras compartilhavam desses banquetes, incluindo mulheres e até mesmo escravos (usualmente estrangeiros). Ver Dt 16.11 quanto a essa participação geral.

E vos alegrareis. A alegria fazia parte dos ritos judaicos. Ver sobre isso os trechos de Dt 12.12,18; 14.26; 16.11,14,15. Israel era um povo de cânticos e danças, o que ocorria até mesmo nos recintos do tabernáculo.

■ 12.8

לֹ֣א תַעֲשׂ֔וּן כְּ֠כֹל אֲשֶׁ֨ר אֲנַ֧חְנוּ עֹשִׂ֛ים פֹּ֖ה הַיּ֑וֹם אִ֖ישׁ כָּל־הַיָּשָׁ֥ר בְּעֵינָֽיו׃

Cada qual tudo o que bem parece aos seus olhos. Havia ficado no passado a diversidade de santuários e a multiplicidade de costumes religiosos. Houve tempo em que cada qual agia conforme melhor lhe parecia. Mas agora Deus controlaria tudo com o seu olho, regulando a adoração central e produzindo unidade, conforme ficou anotado no quinto versículo deste capítulo.

"Durante o período da confederação tribal, peregrinações eram feitas a Silo (Js 18.1; 1Sm 1.3-28); sob a liderança de Davi, Jerusalém tornou-se o santuário central de Israel (2Sm 6). Durante todo esse período as peregrinações ao santuário não excluíam os sacrifícios em nenhum altar do território (Gn 12.7; 1Sm 10.8; 1Rs 3.2-4). Mas a atual lei, mais restrita, que exigia apenas um lugar de adoração sacrificial, foi a base da grande reforma efetuada pelo rei Josias (2Rs 22 e 23)" (*Oxford Annotated Bible*, comentando sobre o quarto versículo deste capítulo).

■ 12.9

כִּ֥י לֹא־בָאתֶ֖ם עַד־עָ֑תָּה אֶל־הַמְּנוּחָה֙ וְאֶל־הַֽנַּחֲלָ֔ה אֲשֶׁר־יְהוָ֥ה אֱלֹהֶ֖יךָ נֹתֵ֥ן לָֽךְ׃

No descanso e na herança. Israel estava prestes a entrar na Terra Prometida. Ali descansariam, depois de terem passado por todas as provações e de terem conquistado um território pátrio. Ali teriam entrado na posse de sua herança, de acordo com o Pacto Abraâmico (ver as notas em Gn 15.18). O evento produziria uma nova nação, em que uma nova unidade seria formada no tocante ao culto. Esse culto tinha de ser centralizado na capital, a saber, Jerusalém. Isso emprestaria unidade à nação, mediante uma adoração unificada.

Descanso e herança seriam um único pacote de bênção. Ver isso em Sl 95.11; 132.8,14 (Sião); Is 11.10; Hb 4.1,3,5,8,9.

"Nenhuma outra localidade, fora de Jerusalém, teria servido... O propósito primário da centralização era estabelecer a unidade do próprio Yahweh, bem como a unidade da adoração... (o culto e a lei) apresentavam a convicção de que só pode haver uma verdade final, e somente uma vida religiosa" (Henry S. Shires, *in loc.*).

Tipologia. O descanso acha-se na herança da vida eterna em Cristo, o qual é o verdadeiro Unificador. Ver Ef 4.4 ss., quanto às *sete unidades* que fazem parte da fé cristã.

■ 12.10

וַעֲבַרְתֶּם֙ אֶת־הַיַּרְדֵּ֔ן וִֽישַׁבְתֶּ֖ם בָּאָ֑רֶץ אֲשֶׁר־יְהוָ֣ה אֱלֹהֵיכֶ֔ם מַנְחִ֣יל אֶתְכֶ֑ם וְהֵנִ֨יחַ לָכֶ֧ם מִכָּל־אֹיְבֵיכֶ֛ם מִסָּבִ֖יב וִישַׁבְתֶּם־בֶּֽטַח׃

Terra que vos fará herdar o Senhor. Idealmente, a conquista da Terra Prometida traria descanso em face de um constante conflito que tinha caracterizado a vida na Palestina. Israel habitaria ali em segurança, em descanso e em unidade. E então poderiam ser implementados os ideais de unidade na adoração. As coisas, porém, nunca chegaram a atingir essa forma ideal, embora fosse o alvo que o autor sagrado tinha em mente. Somente Salomão chegou a gozar de paz verdadeira, mas mesmo assim por pouco tempo.

O território de Canaã foi subjugado e dividido entre as tribos de Israel (Js 22.14), mas não ocorreu o total aniquilamento das sete nações cananeias. Algum tempo mais tarde, o próprio povo de Israel dividiu-se em duas nações que se hostilizavam mutuamente, Israel, ao norte, e Judá, ao sul, e os ataques desfechados por outros povos eram uma ameaça constante.

12.11

וְהָיָה הַמָּקוֹם אֲשֶׁר־יִבְחַר יְהוָה אֱלֹהֵיכֶם בּוֹ לְשַׁכֵּן שְׁמוֹ שָׁם שָׁמָּה תָבִיאוּ אֵת כָּל־אֲשֶׁר אָנֹכִי מְצַוֶּה אֶתְכֶם עוֹלֹתֵיכֶם וְזִבְחֵיכֶם מַעְשְׂרֹתֵיכֶם וּתְרֻמַת יֶדְכֶם וְכֹל מִבְחַר נִדְרֵיכֶם אֲשֶׁר תִּדְּרוּ לַיהוָה:

A esse lugar fareis chegar tudo o que vos ordeno. O sumário exposto neste versículo nos faz recuar aos vss. 6 e 7 deste capítulo. Yahweh escolheu a Terra Prometida; Yahweh escolheu a forma de adoração; Yahweh centralizou tudo; ele estabeleceu o culto em suas formas complexas. Mas tudo se tornaria *uma só coisa*, tudo dirigido a *um único lugar*. O melhor da natureza humana agraciaria essa unidade (ver Ml 1.14).

12.12

וּשְׂמַחְתֶּם לִפְנֵי יְהוָה אֱלֹהֵיכֶם אַתֶּם וּבְנֵיכֶם וּבְנֹתֵיכֶם וְעַבְדֵיכֶם וְאַמְהֹתֵיכֶם וְהַלֵּוִי אֲשֶׁר בְּשַׁעֲרֵיכֶם כִּי אֵין לוֹ חֵלֶק וְנַחֲלָה אִתְּכֶם:

Haveria uma adoração comunal, uma festividade comunal e um regozijo geral. Ver as notas sobre o sétimo versículo deste capítulo, onde são comentados os conceitos deste versículo.

O levita. Os levitas eram autoridades religiosas que encabeçavam a adoração unificada, da mesma forma que serviam ao tabernáculo. Dentre os levitas saíram os sacerdotes, que trabalhavam dentro do próprio tabernáculo. Ver no *Dicionário* os artigos chamados *Levitas* e *Sacerdotes e Levitas*. A tribo de Levi veio a tornar-se uma casta sacerdotal de Israel (Dt 10.8,9; Nm 1.47 ss.). Também serviam de mestres e guias.

12.13

הִשָּׁמֶר לְךָ פֶּן־תַּעֲלֶה עֹלֹתֶיךָ בְּכָל־מָקוֹם אֲשֶׁר תִּרְאֶה:

Em todo lugar que vires. Muitos altares haviam sido eliminados, e os que tinham sido permitidos não funcionavam mais. Ver as notas sobre o oitavo versículo deste capítulo, que também se aplicam aqui. Os israelitas faziam o que era certo aos seus próprios olhos, mas agora o olho de Yahweh determinaria tudo (vs. 8). A provisão de multiplicidade em Êx 20.24 estava anulada. Uma mudança de ordem tinha ocorrido. A centralização e a unidade ajudariam a impedir tanto a desordem quanto a idolatria. O controle das instituições pertencentes a Yahweh seria assim facilitado.

12.14

כִּי אִם־בַּמָּקוֹם אֲשֶׁר־יִבְחַר יְהוָה בְּאַחַד שְׁבָטֶיךָ שָׁם תַּעֲלֶה עֹלֹתֶיךָ וְשָׁם תַּעֲשֶׂה כֹּל אֲשֶׁר אָנֹכִי מְצַוֶּךָּ:

No lugar que o Senhor escolher. O autor sacro escreveu como se não soubesse no território de qual tribo ficaria o lugar centralizado de adoração. Ver o quinto versículo deste capítulo. Mas Yahweh sabia, e em breve tornaria conhecido que Jerusalém, que fazia parte da tribo de Judá, seria o lugar escolhido. A habitação de Deus ficava no céu, mas ele teria um lugar para manifestar a sua presença na Terra (ver 1Rs 8.27). Deus é, ao mesmo tempo, transcendente e imanente, e ambas essas ideias são elementos de sua natureza, mediante as quais ele se faz conhecido. Ver no *Dicionário* o artigo *Atributos de Deus*. Ver o artigo geral sobre *Deus*.

A futura escolha de Deus seria o coração dos seres humanos, onde o Messias haveria de construir seu templo (Ef 2).

12.15

רַק בְּכָל־אַוַּת נַפְשְׁךָ תִּזְבַּח וְאָכַלְתָּ בָשָׂר כְּבִרְכַּת יְהוָה אֱלֹהֶיךָ אֲשֶׁר נָתַן־לְךָ בְּכָל־שְׁעָרֶיךָ הַטָּמֵא וְהַטָּהוֹר יֹאכְלֶנּוּ כַּצְּבִי וְכָאַיָּל:

"Agora que os sacrifícios só podiam ser oferecidos no santuário central, uma distinção foi traçada entre os sacrifícios e a matança de animais para alimentação humana, o que modificou a legislação anterior (ver Lv 17.1-9). Quando os filhos de Israel comiam carne em alguma cidade, não precisavam observar as leis da purificação cerimonial (Lv 7.19-21), pois carne de gado podia ser considerada pertencente à mesma categoria que caça, como corço ou veado. Todavia, a antiga proibição contra a ingestão de sangue devia ser mantida (vss. 23,24; ver Gn 9.3,4; Lv 17.10,11)" (*Oxford Annotated Bible*, comentando sobre o vs. 15). Ver no *Dicionário* o artigo detalhado intitulado *Limpo e Imundo*.

Devemos lembrar que, anteriormente, a matança e o sacrifício de animais eram atos intimamente relacionados, de modo a serem praticamente uma mesma coisa. O termo hebraico *zabbah* significa tanto uma coisa quanto a outra. Mas comer carne em casa deixara de ser uma coisa sagrada o que explica a mudança de atitude. Os *cinco animais* que podiam ser sacrificados anteriormente limitavam-se somente aos ritos religiosos. Agora tudo isso fora liberado para o consumo geral. Nos tempos do tabernáculo, esses cinco animais só eram sacrificados no tabernáculo. Ver Lv 1.14-16 quanto aos animais especiais (sacerdotais).

O que era proibido era o sacrifício dos cinco animais como ritos religiosos, em qualquer lugar, exceto no santuário central.

Note Bem. Este versículo não indica que animais imundos pudessem ser ingeridos; mas somente que um banquete em casa não requeria que as pessoas só comessem alguma carne de animal na condição de pureza.

12.16

רַק הַדָּם לֹא תֹאכֵלוּ עַל־הָאָרֶץ תִּשְׁפְּכֶנּוּ כַּמָּיִם:

Tão somente o sangue não comerás. As leis sobre o sangue foram mantidas. Ver Lv 3.17. O sangue e a gordura dos animais sacrificados ficavam com Yahweh, nos ritos sobre o altar. Mas se algum animal fosse comido em uma casa, não havia nisso nenhuma significação religiosa. Contudo, o sangue não podia ser consumido pelos seres humanos. O sangue tinha de ser vertido ao chão, provavelmente como um tributo a Yahweh, como fonte de toda vida (pois os israelitas concebiam que a vida está no sangue; ver Lv 17.11). Mas esse tributo não transformava a matança e a ingestão particular de animais em um rito religioso. Ver ideias adicionais no versículo 23 deste capítulo.

Tipologia. A sacralidade do sangue nos faz lembrar do sangue de Cristo. Ver no *Dicionário* o artigo geral chamado *Sangue*; e, na *Enciclopédia de Bíblia, Teologia e Filosofia*, o artigo *Expiação pelo Sangue de Cristo*.

12.17

לֹא־תוּכַל לֶאֱכֹל בִּשְׁעָרֶיךָ מַעְשַׂר דְּגָנְךָ וְתִירֹשְׁךָ וְיִצְהָרֶךָ וּבְכֹרֹת בְּקָרְךָ וְצֹאנֶךָ וְכָל־נְדָרֶיךָ אֲשֶׁר תִּדֹּר וְנִדְבֹתֶיךָ וּתְרוּמַת יָדֶךָ:

Não poderás comer o dízimo do teu cereal. A lei do dízimo também foi mantida. Os animais, anteriormente reservados para sacrifício, não podiam ser comidos em casa. Com base nisso, não devemos inferir que houve um afrouxamento de leis, de tal modo que o dízimo acabou sendo eliminado. Ver no *Dicionário* o artigo *Dízimo*.

"Pela segunda vez (cf. os vss. 12 e 13), Moisés advertiu o povo de que qualquer coisa que tencionasse ser usada na adoração ao Senhor só podia ser ingerida no local futuro do santuário central" (Jack S. Deere, *in loc.*).

É provável que a referência aqui seja ao segundo dízimo, regulamentado em Dt 14.22-29. Ver também Dt 26.12.

12.18

כִּי אִם־לִפְנֵי יְהוָה אֱלֹהֶיךָ תֹּאכְלֶנּוּ בַּמָּקוֹם אֲשֶׁר יִבְחַר יְהוָה אֱלֹהֶיךָ בּוֹ אַתָּה וּבִנְךָ וּבִתֶּךָ וְעַבְדְּךָ וַאֲמָתֶךָ וְהַלֵּוִי אֲשֶׁר בִּשְׁעָרֶיךָ וְשָׂמַחְתָּ לִפְנֵי יְהוָה אֱלֹהֶיךָ בְּכֹל מִשְׁלַח יָדֶךָ:

Cf. o vs. 12 quanto à lista daqueles que podiam participar do banquete. As *refeições sagradas*, que incluíam a participação nas coisas dizimadas, só podiam ocorrer no santuário central.

A *alegria* é novamente enfatizada como parte da adoração sagrada. Ver o vs. 12. A adoração era um período de regozijo. "... alegrando-se com os seus familiares e os seus amigos, com os levitas e com os pobres, expressando sua gratidão a Deus e às suas bênçãos sobre os seus labores" (John Gill, *in loc.*).

Os *levitas* viviam dos dízimos, e as provisões tinham de ser contínuas, enquanto aquela ex-tribo continuasse funcionando como a casta sacerdotal. Ver no *Dicionário* o artigo chamado *Levitas*. "Os levitas tiveram essa provisão, em Israel, até que Jeroboão e seus filhos expulsaram-nos, com o que eles migraram para o reino de Judá (2Cr 11.13,14)" (Ellicott, *in loc.*).

12.19

הִשָּׁ֣מֶר לְךָ֔ פֶּֽן־תַּעֲזֹ֖ב אֶת־הַלֵּוִ֑י כָּל־יָמֶ֖יךָ עַל־אַדְמָתֶֽךָ׃ ס

Os *levitas* não tinham nenhuma herança na terra (Nm 1.47 ss.), embora tivessem suas cidades e as terras adjacentes. Ver Nm 35.1 quanto a ilustrações. Os levitas dependiam dos dízimos para o seu sustento. O autor sacro ansiava por seus direitos serem reconhecidos e perpetuados. "Àqueles que se devotassem ao serviço de Deus, ministrando a salvação à alma dos homens, certamente deveriam ser fornecidas, pelo menos, as coisas necessárias à vida" (Adam Clark, *in loc.*). Ver 1Co 9.7 ss. quanto a essa lei que foi transferida para o Novo Testamento.

12.20

כִּֽי־יַרְחִ֣יב יְהוָה֩ אֱלֹהֶ֨יךָ אֶֽת־גְּבֻלְךָ֜ כַּאֲשֶׁ֣ר דִּבֶּר־לָ֗ךְ וְאָמַרְתָּ֙ אֹכְלָ֣ה בָשָׂ֔ר כִּֽי־תְאַוֶּ֥ה נַפְשְׁךָ֖ לֶאֱכֹ֣ל בָּשָׂ֑ר בְּכָל־אַוַּ֥ת נַפְשְׁךָ֖ תֹּאכַ֥ל בָּשָֽׂר׃

Quando o Senhor teu Deus alargar o teu território. O território de Israel estava prestes a ser "alargado", ainda que, na verdade, estivesse prestes a ser "adquirido". Essa era a herança que fazia parte do Pacto Abraâmico. Ver Gn 15.18. Essa herança foi provida pela promessa de Yahweh, que jurara dá-la a Abraão e a seus descendentes (ver Dt 1.8). Parte da abundância da Terra Prometida consistia na liberdade de comer carne em casa, até mesmo animais oferecidos em sacrifício, contanto que nenhum rito religioso estivesse envolvido. Os ritos tinham de ser realizados somente no santuário central. O autor repetiu a informação que já havia sido dada no versículo 15 deste capítulo.

A terra de Canaã provia boas terras de pastagem, onde os animais domesticados podiam multiplicar-se. Israel, assim sendo, teria muita carne para comer. O tempo de escassez no deserto havia terminado. Uma nova era estava começando, caracterizada pela abundância alimentar.

12.21

כִּֽי־יִרְחַ֨ק מִמְּךָ֜ הַמָּק֗וֹם אֲשֶׁ֨ר יִבְחַ֜ר יְהוָ֣ה אֱלֹהֶיךָ֮ לָשׂ֣וּם שְׁמ֣וֹ שָׁם֒ וְזָבַחְתָּ֞ מִבְּקָרְךָ֣ וּמִצֹּֽאנְךָ֗ אֲשֶׁ֨ר נָתַ֤ן יְהוָה֙ לְךָ֔ כַּאֲשֶׁ֖ר צִוִּיתִ֑ךָ וְאָֽכַלְתָּ֙ בִּשְׁעָרֶ֔יךָ בְּכֹ֖ל אַוַּ֥ת נַפְשֶֽׁךָ׃

Se estiver longe de ti. Temos aqui o problema da distância. No deserto, era possível que todo banquete com animais sacrificados ocorresse no tabernáculo. Mas, uma vez que a Terra Prometida fora ocupada, as tribos se espalhariam por todo um espaçoso território. Portanto, comer animais anteriormente reservados a sacrifícios seria permitido nas "casas". Ademais, outros animais limpos também serviriam para o consumo humano (vs. 22), e isso podia ocorrer em qualquer lugar. Mas nenhum sacrifício religioso poderia ser consumido nesses banquetes. Isso já era uma questão particular.

12.22

אַ֗ךְ כַּאֲשֶׁ֨ר יֵאָכֵ֤ל אֶֽת־הַצְּבִי֙ וְאֶת־הָ֣אַיָּ֔ל כֵּ֖ן תֹּאכְלֶ֑נּוּ הַטָּמֵא֙ וְהַטָּה֔וֹר יַחְדָּ֖ו יֹאכְלֶֽנּוּ׃

Este versículo repete o versículo 15 deste capítulo. Este versículo não indica que animais imundos pudessem ser ingeridos, mas que banquetes privados, efetuados nas casas, não requeriam a observância das leis sobre animais limpos e imundos, no tocante aos próprios participantes. Os vss. 20-25 atuam como uma expansão e repetição dos vss. 15 e 16, e modificam as regras dadas em Lv 23.2.

12.23

רַ֣ק חֲזַ֗ק לְבִלְתִּי֙ אֲכֹ֣ל הַדָּ֔ם כִּ֥י הַדָּ֖ם ה֣וּא הַנָּ֑פֶשׁ וְלֹא־תֹאכַ֥ל הַנֶּ֖פֶשׁ עִם־הַבָּשָֽׂר׃

Este versículo reitera a informação dada no versículo 16 deste capítulo, mas também adiciona a razão para a proibição quanto à ingestão de sangue, a saber, é a vida da carne (ver Lv 17.11). Ver o trecho de Lv 3.17 quanto às leis sobre o sangue e a gordura, que presta completa informação sobre a natureza da proibição. Ver também, no *Dicionário*, o artigo detalhado intitulado *Sangue*. Atribuímos à alma as propriedades transmissoras de vida, bem como a capacidade de sustentar a vida física de seu veículo. Aquilo que atribuímos à alma, os antigos hebreus atribuíam ao sangue, o qual, para eles, era algo misterioso e sagrado. Ver as notas sobre Gn 9.4.

12.24

לֹ֖א תֹּאכְלֶ֑נּוּ עַל־הָאָ֥רֶץ תִּשְׁפְּכֶ֖נּוּ כַּמָּֽיִם׃

Ver o versículo 16 deste capítulo quanto a explanações. O sangue não podia ser ingerido. Tinha de ser derramado no chão como um tributo a Yahweh, o Doador da vida. Mas isso, apesar de ser um ato de reverência, não deveria ser considerado um rito religioso, pois os ritos religiosos só podiam ocorrer no santuário central. O chão absorvia o sangue, e nenhum homem podia alimentar-se de sangue. Antes, era devolvido a Yahweh, que o tinha dado.

12.25

לֹ֖א תֹּאכְלֶ֑נּוּ לְמַ֨עַן יִיטַ֤ב לְךָ֙ וּלְבָנֶ֣יךָ אַחֲרֶ֔יךָ כִּֽי־תַעֲשֶׂ֥ה הַיָּשָׁ֖ר בְּעֵינֵ֥י יְהוָֽה׃

Não o comerás. *A Ameaça.* Desconsiderar a lei acerca do sangue podia ser perigoso não só para o indivíduo desobediente, mas também para os seus filhos, o que ilustra a seriedade dessa proibição. Yahweh julgaria o indivíduo rebelde que desconsiderasse as leis sagradas. Tal pessoa sofreria um acidente, uma doença, a morte súbita ou alguma outra coisa terrível. O trecho de Lv 7.27 ameaça o ofensor com a pena de morte, e isso ou mediante procedimento judicial, ou mediante um ato divino.

12.26

רַ֧ק קָֽדָשֶׁ֛יךָ אֲשֶׁר־יִהְי֥וּ לְךָ֖ וּנְדָרֶ֑יךָ תִּשָּׂ֣א וּבָ֔אתָ אֶל־הַמָּק֖וֹם אֲשֶׁר־יִבְחַ֥ר יְהוָֽה׃

Tomarás o que houveres consagrado. Os *ritos sagrados* estavam reservados para o santuário central. Esses ritos não eram permitidos nos lares ou em santuários privados. As palavras "o que houveres consagrado" podem apontar para as "primícias" que atuariam como sacrifícios (ver Lv 28.26); ou então a expressão deve ser entendida em sentido geral, incluindo todos os materiais usados nesses ritos. As "ofertas votivas" incluiriam ou holocaustos ou ofertas pacíficas. Ver no *Dicionário* o artigo intitulado *Voto*. Os Targuns de Onkelos e de Jonathan chamam as coisas santas, deste versículo, de dízimos; mas Aben Ezra diz que se tratava dos holocaustos e das ofertas pacíficas dos filhos de Israel. Ver o versículo 17 deste capítulo. Provavelmente, ambas as coisas devam ser entendidas por esse termo geral.

Virás ao lugar que o Senhor escolher. Ver a explicação no quinto versículo deste capítulo. Jerusalém, que ficava dentro do território da tribo de Judá, seria escolhida como lugar do santuário central.

12.27

וְעָשִׂ֤יתָ עֹלֹתֶ֙יךָ֙ הַבָּשָׂ֣ר וְהַדָּ֔ם עַל־מִזְבַּ֖ח יְהוָ֣ה אֱלֹהֶ֑יךָ וְדַם־זְבָחֶ֗יךָ יִשָּׁפֵךְ֙ עַל־מִזְבַּח֙ יְהוָ֣ה אֱלֹהֶ֔יךָ וְהַבָּשָׂ֖ר תֹּאכֵֽל׃

Este versículo mostra, em uma breve declaração, o *modus operandi* dos sacrifícios, repetindo especificamente a lei do sangue. Tudo era oferecido a Yahweh. Ademais, a gordura também era dele, embora isso não seja afirmado aqui. Ver Lv 3.17 quanto às leis sobre o sangue e a gordura. O resto era usado nas festividades comunais (conforme vimos nos vss. 12 e 18 deste capítulo). Ver no *Dicionário* o artigo geral chamado *Sacrifícios e Ofertas*. As "ofertas pacíficas" eram as únicas de que participavam tanto os adoradores quanto os sacerdotes, pelo que havia então uma refeição comunal, da qual Yahweh era um convidado especial, ficando ele com o sangue e a gordura.

■ 12.28

שְׁמֹ֣ר וְשָׁמַעְתָּ֗ אֵ֚ת כָּל־הַדְּבָרִ֣ים הָאֵ֔לֶּה אֲשֶׁ֥ר אָנֹכִ֖י
מְצַוֶּ֑ךָּ לְמַעַן֩ יִיטַ֨ב לְךָ֜ וּלְבָנֶ֤יךָ אַחֲרֶ֙יךָ֙ עַד־עוֹלָ֔ם כִּ֤י
תַעֲשֶׂה֙ הַטּ֣וֹב וְהַיָּשָׁ֔ר בְּעֵינֵ֖י יְהוָ֥ה אֱלֹהֶֽיךָ׃ ס

Guarda e cumpre todas estas palavras. Temos aqui um sumário das leis baixadas acerca dos sacrifícios que compunham parte dos estatutos e juízos (vs. 1) que Israel tinha obrigação de cumprir. O autor sacro havia salientado as instruções concernentes ao *santuário central* que seria eventualmente estabelecido em Jerusalém (vs. 5). Ele tinha mostrado que, uma vez que fosse instituído esse lugar central, então os cinco animais sacrificais (ver as notas em Lv 1.14-16) poderiam ser mortos para serem comidos comumente em casa. Mas qualquer rito religioso ou sacrifício precisava ser efetuado no santuário central (vss. 8 e ss.). Nos tempos anteriores, cada homem seguia o seu próprio impulso, mas doravante o olho de Yahweh iria abrindo o caminho para a adoração unificada, em um lugar específico (vss. 9-11).

Alguns eruditos pensam que este versículo introduz a seção que se segue, contra a idolatria; mas parece melhor vê-lo como uma conclusão do que foi dado antes. Era bastante comum que o autor sagrado concluísse as suas seções com admoestações em prol da obediência. Ver Dt 12.13,19 quanto a exemplos disso, com paralelos em Dt 1.1,30, em espírito.

A ARMADILHA DA IDOLATRIA (12.29-32)

Esta seção atua como uma espécie de preâmbulo das advertências contra os falsos profetas, que queriam promover a idolatria, os deuses estranhos e as religiões importadas do estrangeiro, tudo o que tem começo em Dt 13.1. O segundo mandamento, que proíbe a idolatria (ver Êx 20.3,4), é o mais continuamente enfatizado neste livro. A idolatria era a fonte de águas amargosas, a fonte de onde manavam tantos outros males. Os homens espirituais precisam ter suas prioridades em boa ordem. "Yahweh somente" era a base de toda fé religiosa em Israel, o *sine qua non* da vida diária. O autor combatia a adoração sincretista. Yahweh deveria ser adorado da maneira ordenada, e não em imitação a ritos pagãos. sua fé não podia ser um avanço e uma graduação sobre outras: deveria ser singular e tratada como tal. Qualquer coisa que divergisse disso seria uma *abominação*.

■ 12.29

כִּֽי־יַכְרִית֩ יְהוָ֨ה אֱלֹהֶ֜יךָ אֶת־הַגּוֹיִ֗ם אֲשֶׁ֨ר אַתָּ֥ה
בָא־שָׁ֛מָּה לָרֶ֥שֶׁת אוֹתָ֖ם מִפָּנֶ֑יךָ וְיָרַשְׁתָּ֣ אֹתָ֔ם וְיָשַׁבְתָּ֖
בְּאַרְצָֽם׃

As nações. As sete nações cananeias (ver Êx 33.2; Dt 7.1) que foram expelidas da terra de Canaã tinham enchido a sua taça de iniquidade (ver Gn 15.16). A idolatria tinha sido o principal pecado dessas nações. Seria fatal para os israelitas se eles seguissem esse miserável exemplo, pois isso os levaria à expulsão da Terra Prometida, com a passagem do tempo. De fato, foi isso que sucedeu, por ocasião dos cativeiros. Ver no *Dicionário* os artigos chamados *Cativeiro (Cativeiros)* e *Idolatria*.

■ 12.30

הִשָּׁ֣מֶר לְךָ֗ פֶּן־תִּנָּקֵשׁ֙ אַחֲרֵיהֶ֔ם אַחֲרֵ֖י הִשָּׁמְדָ֣ם מִפָּנֶ֑יךָ
וּפֶן־תִּדְרֹ֨שׁ לֵֽאלֹהֵיהֶ֜ם לֵאמֹ֗ר אֵיכָ֨ה יַעַבְד֜וּ הַגּוֹיִ֤ם
הָאֵ֙לֶּה֙ אֶת־אֱלֹ֣הֵיהֶ֔ם וְאֶעֱשֶׂה־כֵּ֖ן גַּם־אָֽנִי׃

Guarda-te. Temos aqui um aviso contra certa armadilha. O pior de todos os males para Israel seria a idolatria. O *segundo mandamento* proibia todas as formas de idolatria. Ver as notas detalhadas em Êx 20.3,4. As sete nações cananeias deveriam ser eliminadas, pois seus cultos pagãos e seu mau exemplo debilitariam e então destruiriam a nação de Israel. A corrupção interior do povo poderia ser facilmente atiçada até as chamas. Aqueles que quiserem ser seduzidos logo encontrarão sedutores. A história de Israel revela um povo que desejava ser seduzido.

Que te não enlaces. No hebraico temos aqui o termo *moquesh*, "laço", ou outro dispositivo para apanhar animais. Esse vocábulo também pode significar gancho ou qualquer tipo de armadilha. Israel seria presa fácil diante das nações pagãs. Assim como um animal era apanhado em uma armadilha, a fim de ser morto, também a idolatria seria fatal para Israel.

Como imitá-las. Israel estava proibido de pesquisar a idolatria. A curiosidade de Israel faria os filhos de Israel procurar conhecer a idolatria pagã. Mas a própria curiosidade estava proibida. Nenhum hebreu deveria pesquisar o assunto. A imitação seguiria a pesquisa. Yahweh conhecia o tipo de povo que ele estava procurando controlar. Ver no *Dicionário* o artigo intitulado *Monoteísmo*.

■ 12.31

לֹא־תַעֲשֶׂ֣ה כֵ֔ן לַיהוָ֖ה אֱלֹהֶ֑יךָ כִּי֩ כָל־תּוֹעֲבַ֨ת
יְהוָ֜ה אֲשֶׁ֣ר שָׂנֵ֗א עָשׂוּ֙ לֵאלֹ֣הֵיהֶ֔ם כִּ֣י גַ֤ם אֶת־בְּנֵיהֶם֙
וְאֶת־בְּנֹ֣תֵיהֶ֔ם יִשְׂרְפ֥וּ בָאֵ֖שׁ לֵאלֹהֵיהֶֽם׃

Tudo o que é abominável ao Senhor. "Abominação" é uma palavra hebraica comum que serve de sinônimo de idolatria. É provável que esteja aqui em mente a prostituição sagrada, cujas sacerdotisas praticavam o sexo com os clientes que pagavam dinheiro para sustento do culto. Todavia, não devemos limitar a referência a isso. O termo hebraico é *to'ebah*, qualquer coisa que "desgosta" ou é "abominável", apontando especificamente para a idolatria, com suas muitas ramificações. Ver Dt 23.17,18 e suas notas expositivas quanto à prostituição cultual. Todavia, o aspecto mais repelente envolvido na idolatria era o sacrifício de crianças. Quanto a referências sobre essa questão, na qual o povo de Israel se envolveu, ver Dt 18.10; 2Rs 16.3; 17.17; 21.6; Jr 7.31; 19.5; 32.35. Ver no *Dicionário* o verbete intitulado *Moleque (Moloque)*, quanto a descrições completas sobre essa prática, e como Israel a acatou. O fato de que tão tremendos males estavam associados à idolatria deveria ter agido como um aviso absoluto contra a idolatria; mas Israel mostrava-se fraco e enfermiço, e acabou vítima dessa abominação. Salomão edificou um lugar alto para a adoração a Moleque, no monte das Oliveiras (1Rs 11.7), conforme fizeram outros reis de Israel (ver 2Cr 28.3 e 2Rs 21.6).

■ 12.32

אֵ֣ת כָּל־הַדָּבָ֗ר אֲשֶׁ֤ר אָנֹכִי֙ מְצַוֶּ֣ה אֶתְכֶ֔ם אֹת֣וֹ תִשְׁמְר֖וּ
לַעֲשׂ֑וֹת לֹא־תֹסֵ֣ף עָלָ֔יו וְלֹ֥א תִגְרַ֖ע מִמֶּֽנּוּ׃ פ

Outro sumário encerra esta seção. Todos os sumários estão alicerçados sobre a obediência ao que acabara de ser afirmado. Cf. Dt 2.13,19,28.

No original hebraico do Antigo Testamento, este versículo introduz a seção que se segue, em vez de concluir a seção anterior. Nesse caso, este versículo é como Dt 8.1 e 11.1 em sua função.

Nada lhe acrescentarás nem diminuirás. Isso porque a palavra era de Yahweh, não estando sujeita a revisões e interferências humanas. Ver Pv 30.6 e Ap 22.18,19 quanto a notas similares.

CAPÍTULO TREZE

CASTIGO DOS FALSOS PROFETAS E IDÓLATRAS (13.1-18)

A *idolatria* era o inimigo de número um, que haveria de destruir os propósitos de Deus em relação ao povo de Israel. Os filhos de Israel, pois, tinham de resguardar-se particularmente dos líderes idólatras. Havia muitos sonhadores que viviam percorrendo a nação, procurando fazer Israel quebrar o segundo mandamento (ver Êx 20.3,4). O autor sagrado apresentou três modos de acordo com os quais provavelmente a tentação à idolatria se apresentaria, a saber: 1. Através dos falsos profetas (vss. 1-5). 2. Através de entes amados ou parentes (vss. 6-11), que seriam apanhados no laço da idolatria e então enlaçariam outros. 3. Através de elementos revolucionários, que poderiam ser bem-sucedidos na liderança de cidades inteiras ou comunidades, desviando-as para a idolatria (vss. 12-18).

A pena de morte deveria ser aplicada contra os ofensores, de tal modo que a comunidade fosse mantida livre dessa maldição, a qual, eventualmente, poderia matar a própria nação de Israel (vss. 5 e 15). Ver no *Dicionário* o artigo chamado *Punição Capital*. Cf. Dt 17.7 com a razão para tanta severidade. Um meio radical seria necessário para eliminar o câncer da idolatria. Outros pecados que deveriam ser punidos com a pena de morte eram a recusa de obedecer às ordens baixadas pelo tribunal supremo (Dt 17.12); homicídio premeditado (19.11-13); filhos rebeldes e empedernidos (21.18-21); certas ofensas sexuais (22.21-24); sequestro e venda de algum israelita como escravo (24.7).

■ 13.1

כִּי־יָקוּם בְּקִרְבְּךָ נָבִיא אוֹ חֹלֵם חֲלוֹם וְנָתַן אֵלֶיךָ אוֹת אוֹ מוֹפֵת׃

Quando profeta. Ver no *Dicionário* o artigo geral intitulado *Profecia, Profetas e o Dom da Profecia*. O teísmo (ver sobre isso no *Dicionário*) pressupõe que Deus existe e tem contato permanente com a sua criação. ele revela a sua vontade; ele recompensa ou castiga. Deus tem os seus intermediários, os profetas. suas palavras algumas vezes são reduzidas (por seus discípulos) em livros sacros. Esses livros são propagados e protegidos por uma organização, a Igreja visível. Mas nem todos os profetas que surgem no mundo são autênticos, e nem todas as mensagens proféticas são autênticas. Alguns profetas chegam mesmo a ser dirigidos por demônios. Ver no *Dicionário* os artigos intitulados *Falsos Profetas* e *Deuses Falsos*.

Credenciais. Os profetas falsos têm as suas credenciais: visões, sonhos e milagres. Há artigos no *Dicionário* sobre essas três manifestações. Mas enquanto essas coisas são também empregadas pelos profetas autênticos, existem sonhos, visões e prodígios da mentira. O miraculoso nunca serve de prova da autenticidade da mensagem, embora as pessoas, ingenuamente, continuem a pensar desse modo. Existem milagres sobrenaturais e milagres naturais; existem prodígios divinos e diabólicos. Ver a declaração de Jesus em Mt 7.15. Alguns profetas falsos chegam a promover cultos ou movimentos cristãos. Alguns deles chegam a falar elogiosamente acerca de Jesus. Mas podemos conhecê-los pelos seus frutos. A vida deles precisa ter sido transformada por sua doutrina, em harmonia com os ideais espirituais da vida cristã. A maioria dos profetas falsos engana a si mesma. Eles se imaginam verdadeiros e pensam que sua doutrina é sã.

Os *mágicos do Faraó* foram capazes de reproduzir alguns dos milagres efetuados por Moisés; mas isso não autenticava a idolatria egípcia. O miraculoso sempre acompanhou a fé religiosa, em todas as culturas. Ver no *Dicionário* o verbete intitulado *Milagres*. Quanto à obra positiva de Deus, ao realizar milagres por meio de seus profetas, ver Dt 18.9-22.

■ 13.2

וּבָא הָאוֹת וְהַמּוֹפֵת אֲשֶׁר־דִּבֶּר אֵלֶיךָ לֵאמֹר נֵלְכָה אַחֲרֵי אֱלֹהִים אֲחֵרִים אֲשֶׁר לֹא־יְדַעְתָּם וְנָעָבְדֵם׃

E suceder o tal sinal ou prodígio. O uso de algum milagre *fraudulento* serviria de meio para o falso profeta desviar outras pessoas para o seu culto religioso idólatra. E os enganados em breve se olvidariam de suas raízes na fé histórica dos hebreus. Abandonariam os Pactos Abraâmico e Mosaico, e anulariam o seu relacionamento com Yahweh. Ver Gn 15.18 e a introdução ao capítulo 19 do Êxodo, quanto a esses pactos. As experiências místicas são comuns a todas as culturas. O misticismo pode ser verdadeiro ou falso; pode ser divino ou humano. Ver no *Dicionário* o artigo intitulado *Misticismo*. O misticismo é a base de todas as fés religiosas, porquanto a mensagem começa pela visão, alguma forma de experiência mística. A revelação é uma subcategoria do misticismo. Ver no *Dicionário* sobre esse assunto. Mas o misticismo, por si mesmo, não é prova de autenticidade. Nem sempre Deus é a fonte da revelação. Cf. 2Ts 2.9-12.

"Essa lei deixa claro que um sinal ou maravilha (ver Êx 3.11,12) não é, por si mesmo, uma prova de que Deus falou, pois Deus pode dar a um profeta falso o poder de realizar prodígios a fim de testar a fé do povo (cf. Dt 8.2). Um milagre não é significativo a menos que crie fé no Deus que era conhecido pelo povo de Israel (vss. 6-13), em sua experiência histórica" (*Oxford Annotated Bible*, comentando sobre o vs. 1).

■ 13.3

לֹא תִשְׁמַע אֶל־דִּבְרֵי הַנָּבִיא הַהוּא אוֹ אֶל־חוֹלֵם הַחֲלוֹם הַהוּא כִּי מְנַסֶּה יְהוָה אֱלֹהֵיכֶם אֶתְכֶם לָדַעַת הֲיִשְׁכֶם אֹהֲבִים אֶת־יְהוָה אֱלֹהֵיכֶם בְּכָל־לְבַבְכֶם וּבְכָל־נַפְשְׁכֶם׃

Não ouvirás as palavras desse profeta ou sonhador. A *origem* de um milagre pode ser: 1. Humana. O homem possui energias capazes de fazer toda espécie de maravilhas, sem apelar para Deus ou para os demônios. Ver na *Enciclopédia de Bíblia, Teologia e Filosofia* o artigo chamado *Parapsicologia*. 2. Demoníaca. É óbvio que poderes espirituais malignos podem fazer prodígios. Ver na mesma *Enciclopédia* o verbete intitulado *Demônio, Demonologia*. 3. Divina. O texto assevera que Deus pode fazer até mesmo um profeta falso exibir o poder de realizar um milagre, a fim de testar o seu povo, levando-o a crescer, em lugar de cair vítima de truques.

"A experiência com as verdades contidas na Palavra de Deus é a única coisa capaz de preservar um homem do deísmo ou da religião falsa. Mas aqueles que não se apegam a essas verdades tornam-se presas dos pretensos profetas e sonhadores de sonhos" (Adam Clark, *in loc.*).

■ 13.4

אַחֲרֵי יְהוָה אֱלֹהֵיכֶם תֵּלֵכוּ וְאֹתוֹ תִירָאוּ וְאֶת־מִצְוֹתָיו תִּשְׁמֹרוּ וּבְקֹלוֹ תִשְׁמָעוּ וְאֹתוֹ תַעֲבֹדוּ וּבוֹ תִדְבָּקוּן׃

Andareis após o Senhor vosso Deus. Em contraste com o homem iludido, que cai na armadilha dos falsos profetas, está o homem firmemente baseado na Palavra de Deus (no caso dos israelitas, na legislação mosaica), dotado de discernimento para ver a falsidade de qualquer coisa que procure atrair os homens para qualquer variedade de idolatria. Tal homem não se deixará enganar pela excitação provocada pelos milagres. Antes, ouvirá a voz do Senhor, aquela registrada em documentos escritos, produzidos mediante um milagre divino, ou expressa individualmente mediante autênticas manifestações espirituais, sob a forma de dons do Espírito. O homem obediente caminhará por um caminho reto, em consonância com a Palavra que proíbe a idolatria desde o segundo mandamento da lei (ver Êx 20.3,4). Ver Dt 10.12 quanto ao temor do homem espiritual a Yahweh, incluindo a sua conduta; seu amor ao Senhor e seu serviço a Deus. O versículo treze daquele capítulo acrescenta a observância dos mandamentos do Senhor. O homem espiritual está assim equipado para rejeitar as reivindicações espirituais, os milagres fraudulentos e malignos, a voz aliciadora dos sonhadores.

"Tal como se vê no caso dos mágicos da corte do Faraó (Êx 7.11,12), não podemos duvidar que os falsos profetas são capazes de realizar sinais que pretendem demonstrar, ostensivamente, a sua autoridade. Mas esses sinais não devem ser cridos, porquanto levam somente à apostasia, ao afastamento para longe do verdadeiro Deus" (Henry H. Shires, *in loc.*).

■ 13.5

וְהַנָּבִיא הַהוּא אוֹ חֹלֵם הַחֲלוֹם הַהוּא יוּמָת כִּי דִבֶּר־סָרָה עַל־יְהוָה אֱלֹהֵיכֶם הַמּוֹצִיא אֶתְכֶם מֵאֶרֶץ מִצְרַיִם וְהַפֹּדְךָ מִבֵּית עֲבָדִים לְהַדִּיחֲךָ מִן־הַדֶּרֶךְ אֲשֶׁר צִוְּךָ יְהוָה אֱלֹהֶיךָ לָלֶכֶת בָּהּ וּבִעַרְתָּ הָרָע מִקִּרְבֶּךָ׃

Será morto. Os falsos profetas e sonhadores pretenderiam desmanchar o que Yahweh havia feito em prol de Israel, ao redimir o seu povo do Egito; ao conduzi-lo pelo deserto; ao dar-lhe a Terra Prometida; ao conceder-lhe ali um guia seguro de conduta. E os falsos profetas fariam isso para que o yahwismo se tornasse um culto falso e idólatra. Tal indivíduo deveria ser executado, provavelmente por apedrejamento. Ver no *Dicionário* os verbetes *Apedrejamento* e *Punição Capital*. Visto que tal indivíduo iludira, julgando que estava cumprindo uma missão divina, sua execução seria a única maneira eficaz de pôr ponto final à sua carreira deletéria. Elias tomou sobre si mesmo a tarefa de executar os falsos profetas, à margem do rio Quisom (1Rs 18.40). Mas este texto mui provavelmente está falando sobre execução imposta pelas autoridades religiosas, em acordo com as práticas recomendadas na lei. O mal tinha de ser expurgado, conforme somos ensinados por nove vezes neste livro (ver aqui e Dt 17.7,12; 19.19; 21.21; 22.21,22,24 e 24.7).

■ 13.6

כִּי יְסִיתְךָ אָחִיךָ בֶן־אִמֶּךָ אוֹ־בִנְךָ אוֹ־בִתְּךָ אוֹ
אֵשֶׁת חֵיקֶךָ אוֹ רֵעֲךָ אֲשֶׁר כְּנַפְשְׁךָ בַּסֵּתֶר לֵאמֹר
נֵלְכָה וְנַעַבְדָה אֱלֹהִים אֲחֵרִים אֲשֶׁר לֹא יָדַעְתָּ אַתָּה
וַאֲבֹתֶיךָ׃

...te incitar em segredo. Um homem podia fazer desviar para a idolatria de *três maneiras*, conforme se vê nesta passagem. Ver sobre isso na introdução a este capítulo, em seu segundo parágrafo. O segundo desses modos pode ser um ente querido, um parente próximo que, tendo sido iludido, quisesse transmitir o veneno da idolatria para outro membro da família. Uma ação drástica era esperada em tais casos. O ofensor não deveria ser protegido; nem a questão podia ser mantida em segredo. Tal homem precisava ser executado, tal e qual um falso profeta (ver o décimo versículo deste capítulo). Isso era feito por apedrejamento. Este versículo alista os mais íntimos laços de família, incluindo os membros imediatos da família, e até mesmo *amigos íntimos*, sem nenhum parentesco de sangue. Temos aqui relações íntimas. Essas relações poderiam azedar, tornando-se prejudiciais, através do arqui-inimigo, a *idolatria*. O parente teria de passar pela dolorosa mas necessária experiência de atirar a primeira pedra (vs. 9), mostrando assim uma lealdade inflexível a Yahweh, acima de qualquer relacionamento entre um e outro.

Em segredo. Um falso profeta anunciaria publicamente as suas doutrinas falsas, escudado em seus milagres enganadores. Mas um membro de uma família, ou amigo íntimo, agiria secretamente. Traria ídolos ao interior da casa; levaria algum membro de sua família a um local de culto idólatra. Mas tentaria manter tudo isso em segredo, longe do conhecimento da comunidade em geral, porque esta não aprovaria o que ele estava fazendo.

Cf. Mt 10.37. O amor a Deus precisa ultrapassar o amor à família. Usualmente, como é claro, não há nenhuma contradição ou competição, e amar e servir à própria família é amar a Deus. Nenhum sucesso pode contrabalançar o fracasso no lar, e princípios religiosos autênticos devem ser ensinados ali, tendo em vista a honra de Deus e a prestação de serviço aos homens.

■ 13.7

מֵאֱלֹהֵי הָעַמִּים אֲשֶׁר סְבִיבֹתֵיכֶם הַקְּרֹבִים אֵלֶיךָ אוֹ
הָרְחֹקִים מִמֶּךָּ מִקְצֵה הָאָרֶץ וְעַד־קְצֵה הָאָרֶץ׃

Desde uma até a outra extremidade da terra. Um membro idólatra desviador de uma família talvez quisesse introduzir deuses desconhecidos a Abraão, Isaque e Jacó, levando os seus parentes a abandonar as raízes espirituais dos hebreus. Os idumeus, os moabitas, os amonitas, os fenícios e as populações restantes das sete nações que tinham ocupado originalmente a terra de Canaã dispunham de intermináveis panteões capazes de satisfazer a toda disposição e circunstância na vida. Haveria um forte apelo à adoração a essas coisas que podem ser vistas, em lugar de um Deus invisível e aparentemente distante, conhecido somente mediante tipos e símbolos. Poderia haver tentativas de introdução de divindades adoradas em lugares distantes, como a Babilônia, o Egito ou a Pérsia. O povo de Israel acabaria sucumbindo debaixo de idolatrias próximas e distantes, perdendo assim a sua identidade como uma nação espiritual distinta. Ver Dt 4.5,7,8, quanto ao caráter distinto de Israel, que ficaria assim anulado. O povo de Israel só era grande na sua literatura e na sua fé religiosa. Ficava muito aquém de outras nações nos campos das ciências, das artes e das armadilhas da civilização. Mas a idolatria anularia a única característica distinta do povo de Israel.

■ 13.8,9

לֹא־תֹאבֶה לוֹ וְלֹא תִשְׁמַע אֵלָיו וְלֹא־תָחוֹס עֵינְךָ עָלָיו
וְלֹא־תַחְמֹל וְלֹא־תְכַסֶּה עָלָיו׃

כִּי הָרֹג תַּהַרְגֶנּוּ יָדְךָ תִּהְיֶה־בּוֹ בָרִאשׁוֹנָה לַהֲמִיתוֹ
וְיַד כָּל־הָעָם בָּאַחֲרֹנָה׃

Não o pouparás. Um *ofensor* que trouxesse deuses estrangeiros para o seio da família não mereceria compaixão. Não deveria ser ocultado; não deveria ser favorecido nem perdoado. Antes, deveria ser executado por apedrejamento. Os membros de sua própria família deveriam ser os primeiros a lançar-lhe pedras, para mostrar seu desprazer com o membro da família que praticara tal abominação. E então o resto da comunidade deveria terminar com ele, sem nenhuma misericórdia. Remorsos de último minuto sem dúvida seriam expressos pelo homem, em seu desespero, mas os seus clamores por misericórdia não deveriam ser ouvidos. "Os mandamentos de Deus deveriam sobrepujar sentimentos e experiências humanas. A pessoa tentada por um desviado deveria desmascarar (denunciar) seu ente querido, e, de fato, ser a *primeira* a lançar-lhe pedra. Cf. Zc 13.3. Ao lançar a primeira pedra, o acusador estava testificando a verdade de seu testemunho contra o culpado. A participação do resto da comunidade mostrava então a sua lealdade ao Senhor e a sua resoluta hostilidade contra qualquer coisa que os pudesse atrair para longe do Senhor" (Jack S. Deere, *in loc.*).

■ 13.10

וּסְקַלְתּוֹ בָאֲבָנִים וָמֵת כִּי בִקֵּשׁ לְהַדִּיחֲךָ מֵעַל יְהוָה
אֱלֹהֶיךָ הַמּוֹצִיאֲךָ מֵאֶרֶץ מִצְרַיִם מִבֵּית עֲבָדִים׃

Apedrejá-lo-ás até que morra. Ver no *Dicionário* o artigo detalhado sobre *Apedrejamento*. "A pena aqui indicada, bem como em Dt 1.5, é o apedrejamento até a morte, executado por toda a comunidade (cf. a execução de Nabote, 1Rs 21.13; de Estêvão, At 7.58; e a tentativa de execução de Paulo (At 14.19). Essa medida drástica serviria de aviso quanto a outras pessoas (ver Dt 17.13; 19.20 e 21.21)" (Henry H. Shires, *in loc.*).

Yahweh Agia em Favor de Israel. O fato de que o Senhor livrara o povo de Israel da servidão ao Egito é reiterado por cerca de vinte vezes no livro de Deuteronômio. Ver as notas a esse respeito em Dt 4.20. Os *deuses* dos pagãos nada podiam fazer e nunca tinham feito coisa alguma. Era claro a quem os pagãos sentiam que *deviam* lealdade. O homem que trouxesse a idolatria ao acampamento de Israel quereria desviar o povo da fonte de toda ajuda e bem-estar.

■ 13.11

וְכָל־יִשְׂרָאֵל יִשְׁמְעוּ וְיִרָאוּן וְלֹא־יוֹסִפוּ לַעֲשׂוֹת כַּדָּבָר
הָרָע הַזֶּה בְּקִרְבֶּךָ׃ ס

Todo Israel ouvirá e temerá. O medo serviria de aviso. É melhor temer e fazer o bem do que ter a permissão de praticar males que prejudicam o próximo. Não devemos reduzir o *temor* a *Yahweh*, no Antigo Testamento, a uma mera *confiança reverente*, conforme alguns o definem de maneira inadequada. O Pentateuco está repleto de ameaças de morte contra os malfeitores, contendo muitas histórias de punição drástica, de pragas e matanças, atribuídas à ira de Yahweh. Portanto, temor significa temor. Ver Dt 10.12,13 quanto ao temor, à conduta reta, ao amor, ao serviço e à observância da lei, que eram deveres dos hebreus. Notemos que o *temor* encabeça a lista das virtudes. Esse é o princípio da sabedoria (ver Pv 1.7).

■ 13.12

כִּי־תִשְׁמַע בְּאַחַת עָרֶיךָ אֲשֶׁר יְהוָה אֱלֹהֶיךָ נֹתֵן לְךָ
לָשֶׁבֶת שָׁם לֵאמֹר׃

Ouvires dizer. Esta passagem alista três fontes possíveis de tentação à idolatria: 1. os falsos profetas (vss. 1-5); 2. um membro da família ou um amigo chegado (vss. 6-11); 3. algum revolucionário que induziria cidades e comunidades à idolatria (vss. 12 ss.).

Yahweh tinha dado ao povo de Israel as suas cidades. Muitas delas haviam sido simplesmente tomadas de seus primitivos ocupantes. E outras tinham sido edificadas pelos próprios filhos de Israel. Todas aquelas cidades tinham sido presenteadas por Yahweh. Ver Tg 1.17. As cidades conquistadas dos cananeus sem dúvida estavam cheias de artefatos de idolatria, alguns dos quais podem ter escapado à destruição. Alguns poucos indivíduos cananeus, que não foram eliminados, estariam dando prosseguimento à sua idolatria. E alguns hebreus insensatos, mediante tais influências, ou mesmo sem elas, dariam início a práticas idólatras como uma espécie de empreendimento comunitário. Uma cidade inteira, assim sendo, poderia cair na apostasia.

Espalhar-se-ia, então, o rumor de que uma cidade inteira se tinha corrompido. E isso requereria ação imediata para extirpar o câncer.

■ 13.13

יָצְא֞וּ אֲנָשִׁ֤ים בְּנֵֽי־בְלִיַּ֨עַל֙ מִקִּרְבֶּ֔ךָ וַיַּדִּ֛יחוּ אֶת־יֹשְׁבֵ֥י עִירָ֖ם לֵאמֹ֑ר נֵלְכָ֗ה וְנַֽעַבְדָ֛ה אֱלֹהִ֥ים אֲחֵרִ֖ים אֲשֶׁ֥ר לֹֽא־יְדַעְתֶּֽם׃

Homens malignos saíram do meio de ti. Os *revolucionários* que desviavam cidades inteiras para longe de Yahweh eram, na verdade, filhos de Belial, conforme se lê aqui em algumas traduções. Outras versões, mais coerentes com o original hebraico, como é o caso de nossa versão portuguesa, dizem "homens malignos". O termo "Belial" significa "iniquidade", podendo indicar aqui um nome próprio. Ver sobre esse termo no *Dicionário,* quanto a completas explanações.

As palavras "saíram do meio de ti" não indicam mudança de lugar, mas de espírito. Eram apóstatas de Israel, que se inclinavam por propagar suas falsas doutrinas. Aqueles apóstatas introduziam doutrinas novas e desviadoras, que sempre exerceram forte fascínio sobre as massas populares. Os seres humanos tendem a ficar cansados dos caminhos antigos, e buscam caminhos novos por amor à excitação, e isso tanto no campo religioso como em outra atividade humana qualquer.

O intérprete judeu Rashi explicou as palavras "sirvamos a outros deuses" como se quisessem dizer "destruamos o jugo de Yahweh", como a característica principal de tais indivíduos, sentido esse que ele encontrou no adjetivo hebraico que nossa versão portuguesa e outros traduzem como "malignos".

■ 13.14

וְדָרַשְׁתָּ֥ וְחָקַרְתָּ֖ וְשָׁאַלְתָּ֣ הֵיטֵ֑ב וְהִנֵּ֤ה אֱמֶת֙ נָכ֣וֹן הַדָּבָ֔ר נֶעֶשְׂתָ֛ה הַתּוֹעֵבָ֥ה הַזֹּ֖את בְּקִרְבֶּֽךָ׃

Então inquirirás. Meros rumores eram inaceitáveis. Yahweh requeria investigação que confirmasse ou negasse os rumores que se tinham espalhado. Uma cidade inteira estaria prestes a ser executada, tal como um único homem poderia ser executado pelo mesmo pecado. Assim sendo, era uma questão séria, que requeria investigação acurada, para que se não cometesse alguma grande injustiça.

A *investigação,* porém, poderia trazer a lume uma *abominação,* ou seja, alguma prática idólatra flagrante. Uma cidade ou comunidade inteira de Israel se tinha desviado para o paganismo, e isso bem no meio da nação que estava promovendo o yahwismo! Os anciãos encabeçariam a investigação, e muitas testemunhas seriam ouvidas. Não se poderia cometer nenhuma injustiça. O termo hebraico aqui traduzido por "abominação" é *to'ebhah,* que sempre envolve o sentido de algo extrema e totalmente desagradável diante de Deus. "Essa é a palavra mais forte do Antigo Testamento para exprimir alguma coisa impura, imunda, sem santidade" (cf. Dt 7.25,26; 14.3; 17.1,4; 18.9; 20.18)" (G. Ernest Wright, *in loc.*).

■ 13.15

הַכֵּ֣ה תַכֶּ֗ה אֶת־יֹֽשְׁבֵ֛י הָעִ֥יר הַהִ֖וא לְפִי־חָ֑רֶב הַחֲרֵ֨ם אֹתָ֧הּ וְאֶת־כָּל־אֲשֶׁר־בָּ֛הּ וְאֶת־בְּהֶמְתָּ֖הּ לְפִי־חָֽרֶב׃

Destruindo-a completamente... até os animais. Os habitantes da cidade culpada de idolatria seriam exterminados, e até os animais domesticados não seriam deixados com vida. A cidade se tornaria, dessa forma, um holocausto oferecido a Yahweh. Seria tratada como uma cidade pagã, cujos habitantes tivessem perdido o direito de viver, e cujo lugar teria de ser entregue a outros. Cf. Jz 20.48.

O *haram* (ver o vs. 17), ou seja, a maldição divina teria caído sobre a localidade. Ver Dt 7.26 e Js 6.21. Tal comunidade seria separada para servir de holocausto, dedicada como oferta queimada a Yahweh. Cf. Dt 20.10-18. A destruição deveria ser tão drástica que até mesmo os objetos físicos do lugar, como as casas etc. deveriam ser totalmente nivelados (ver o versículo seguinte).

■ 13.16

וְאֶת־כָּל־שְׁלָלָ֗הּ תִּקְבֹּץ֮ אֶל־תּ֣וֹךְ רְחֹבָהּ֒ וְשָׂרַפְתָּ֣ בָאֵ֗שׁ אֶת־הָעִיר֙ וְאֶת־כָּל־שְׁלָלָ֔הּ כָּלִ֖יל לַיהוָ֣ה אֱלֹהֶ֑יךָ וְהָיְתָה֙ תֵּ֣ל עוֹלָ֔ם לֹ֥א תִבָּנֶ֖ה עֽוֹד׃

A cidade e todo o seu despojo queimarás. A cidade inteira precisava ser incendiada. Nenhum despojo dali podia ser aproveitado. O fogo consumiria tudo: pessoas, animais e objetos materiais. O extermínio seria decretado sobre o lugar; uma maldição divina teria caído sobre o local; e tudo seria oferecido como holocausto dedicado a Yahweh. O que sobrasse seria apenas um montão de cinzas fumegantes. Ademais, tal cidade não poderia mais ser reconstruída, da mesma forma que um holocausto não pode ser restaurado à vida. "Todas as riquezas e bens materiais de seus habitantes, suas casas, seus bens, seus utensílios, suas mercadorias, suas ferramentas de comércio e de indústria, e tudo quanto se possa nomear, tudo tinha de ser aniquilado" (John Gill, *in loc.*).

A destruição completa eliminaria motivos ulteriores que porventura tivessem os atacantes. Alguns indivíduos perversos poderiam querer destruir um lugar a fim de dali obter despojos e riquezas materiais. Mas isso não era permitido, pois o intuito de destruir uma cidade que tivesse descambado para a idolatria não podia ser misturado com motivos de autopromoção.

■ 13.17

וְלֹֽא־יִדְבַּ֧ק בְּיָדְךָ֛ מְא֖וּמָה מִן־הַחֵ֑רֶם לְמַעַן֩ יָשׁ֨וּב יְהוָ֜ה מֵחֲר֣וֹן אַפּ֗וֹ וְנָֽתַן־לְךָ֤ רַחֲמִים֙ וְרִֽחַמְךָ֣ וְהִרְבֶּ֔ךָ כַּאֲשֶׁ֥ר נִשְׁבַּ֖ע לַאֲבֹתֶֽיךָ׃

Também nada do que for condenado. A versão inglesa diz aqui "nada das coisas devotadas", indicando as coisas amaldiçoadas, o haram. Pelo contrário, tudo deveria ser dedicado ao completo aniquilamento como um holocausto oferecido a Deus. Em um holocausto ou oferta queimada, nada deveria sobrar inteiro. Coisa alguma era guardada para o sacerdote oficiante. Assim também, no caso em pauta, todas as coisas existentes naquela cidade tinham de ser consumidas a fogo. Nenhuma única coisa podia ser guardada como despojo.

Aqueles que se recusassem a cumprir essa ordem se tornariam objetos da ira de Yahweh. Mas os que obedecessem seriam abençoados e se multiplicariam, o que fazia parte das provisões do Pacto Abraâmico. Ver sobre isso em Gn 15.18. Cf. Nm 14.23; Dt 1.8,34,35; 4.31; 8.1,18; 9.5; 10.11; 11.9; 26.3; 34.4, quanto ao *juramento divino* acerca do pacto que era a fonte das bênçãos dadas a Israel.

■ 13.18

כִּ֣י תִשְׁמַ֗ע בְּקוֹל֙ יְהוָ֣ה אֱלֹהֶ֔יךָ לִשְׁמֹר֙ אֶת־כָּל־מִצְוֺתָ֔יו אֲשֶׁ֛ר אָנֹכִ֥י מְצַוְּךָ֖ הַיּ֑וֹם לַעֲשׂוֹת֙ הַיָּשָׁ֔ר בְּעֵינֵ֖י יְהוָ֥ה אֱלֹהֶֽיךָ׃ ס

Uma vez mais temos um *sumário de obediência* no final de uma seção. A obediência é sempre à lei e às suas provisões; e a obediência é sempre benéfica. A obediência ajusta-se às coisas aprovadas pelo olho divino. Cf. Dt 12.8 ss. Israel não ficou entregue à liberdade pessoal quanto à fé religiosa. Uma pessoa não podia fazer o que parecesse certo aos seus olhos. O olho de Yahweh é que era a norma, e isso manifestava-se na revelação dada por ele na lei. O segundo mandamento da lei (ver Êx 20.3,4) proibia qualquer tipo de idolatria. A pena de morte ameaçava os ofensores, individual ou coletivamente.

A fórmula dada aqui tem sido aplicada algures. Serve como *cabeçalho* de algum capítulo, segundo se vê em Dt 4.1; 8.1; 11.1 e 12.32.

A *história subsequente* mostrou que Israel não teve o devido cuidado para cumprir os mandamentos da seção anterior. Havia pouca disciplina. Cidades inteiras caíram na idolatria, e, de fato, até a própria nação tornou-se idólatra. Os cativeiros foram a reação de Yahweh a essa situação. Israel caiu diante de potências estrangeiras e sofreu a maldição divina, o *haram*. Ver no *Dicionário* o artigo chamado *Cativeiro (Cativeiros)*.

CAPÍTULO CATORZE

ANIMAIS LIMPOS E IMUNDOS (14.1-29)

OUTRAS FORMAS DE PAGANISMO: RITOS PAGÃOS DE LAMENTAÇÃO PELOS MORTOS (14.1,2)

Prosseguiu o discurso de Moisés, atacando várias questões específicas que caracterizavam os pagãos. Os dois primeiros versículos deste capítulo abordam a questão dos ritos pagãos de lamentação que Israel tinha de evitar. Os vss. 3-21 tratam da questão dos animais limpos e imundos. E este capítulo termina regulamentando a questão dos dízimos. Moisés falou com Israel considerando-os filhos de Yahweh, por causa do relacionamento especial deles com o Pai celeste. Esse conceito, naturalmente, foi transferido para o Novo Testamento, onde foi ampliado. Ver no *Dicionário* o artigo chamado *Filhos de Deus*. Esses filhos tinham de distinguir-se de outros povos. Ver Dt 4.5-8 quanto ao caráter distinto de Israel.

■ **14.1**

בָּנִים אַתֶּם לַיהוָה אֱלֹהֵיכֶם לֹא תִתְגֹּדְדוּ וְלֹא־תָשִׂימוּ קָרְחָה בֵּין עֵינֵיכֶם לָמֵת׃ פ

Filhos sois do Senhor. Os israelitas eram filhos de Yahweh, distintos de outras nações. Ver Dt 4.5-8 e a introdução a este capítulo. Assim sendo, era mister evitar as práticas dos pagãos. Entre esses costumes havia a automutilação em períodos de lamentação. As referências literárias e a arqueologia têm demonstrado que mutilações do corpo e o ato de rapar a cabeça eram ritos comuns relacionados à lamentação pelos mortos, na antiguidade, envolvendo muitas culturas. Isso é frequentemente mencionado como um costume que terminou por caracterizar, ocasionalmente, a Israel, devido às influências do paganismo. Ver Is 3.24; 15.2; Jr 16.6; 41.5; 47.5; Ez 7.18; Am 8.10; Mq 1.16. Os trechos de Lv 19.28 e 21.5 oferecem paralelos ao que aparece no Pentateuco. A legislação mosaica ensinava o respeito pelo corpo, embora o corpo ainda não tivesse sido elevado, naquele tempo, à condição de veículo de uma alma imortal. Todos os costumes que envolviam um desfiguramento desnatural do corpo eram estranhos para a lei e a prática dos hebreus. Os sacerdotes levíticos deveriam ter um corpo perfeito. Os hebreus precisavam conservar seus corpos livres de todo tipo de contaminação. Todas as elaboradas cerimônias de purificação procuravam conservar limpo o corpo físico, e cerimonialmente capaz para a adoração.

Nem sobre a testa fareis calva. Isso era feito mediante o ato de rapar. Provavelmente incluía a parte frontal da cabeça, e não toda ela, embora também existisse essa segunda prática. A rapagem da parte frontal da cabeça incluía as sobrancelhas. Cf. Jr 16.6,7. Os sacerdotes egípcios rapavam as suas sobrancelhas em honra a Ísis (Ambrósio, *Epístola* 1.4.c,30, par. 259), mas isso era um ato sacerdotal, e não estava ligado à lamentação pelos mortos.

■ **14.2**

כִּי עַם קָדוֹשׁ אַתָּה לַיהוָה אֱלֹהֶיךָ וּבְךָ בָּחַר יְהוָה לִהְיוֹת לוֹ לְעַם סְגֻלָּה מִכֹּל הָעַמִּים אֲשֶׁר עַל־פְּנֵי הָאֲדָמָה׃ ס

Razões para a Rejeição a Tais Atos. 1. Os filhos de Yahweh diferiam dos pagãos e não deviam identificar-se com eles em seus costumes (vs. 1). Isso incluía o respeito pelo corpo, conforme demonstrei na exposição sobre o versículo anterior. 2. Israel devia ser uma nação *santa*; isso fazia parte de seu caráter distinto. Era uma *profanação* mutilar o corpo que Deus deu, o veículo da vida (segundo se lê neste versículo). 3. O povo de Israel fora *escolhido*, eleito e separado de todas as outras nações e de seus costumes pagãos (este versículo).

É significativo que coisa alguma seja dita aqui a respeito da alma. Embora no Pentateuco haja indícios da doutrina da alma, sob forma germinal (Deus criou o homem à sua imagem; Gn 1.26,27; ele é o Criador dos *espíritos*; Nm 16.22; 27.16), coisa alguma é dita contra a lamentação excessiva, visto que a pessoa sobrevive para além da morte biológica. Mas Paulo, ao proibir a lamentação exagerada, apelou para o argumento da imortalidade da alma (ver 1Ts 4.13-18). A doutrina da alma já existia nas religiões e filosofias orientais. Mas dentro da tradição judaico-cristã ela só começou a ser formulada, embora ainda sob forma primitiva, nos Salmos e nos Profetas, e só veio a receber maiores detalhes nos livros literários dos judeus produzidos entre o Antigo e o Novo Testamento; e então adquiriu maior substância ainda nas páginas do Novo Testamento.

ENSINOS SOBRE ANIMAIS LIMPOS E IMUNDOS (14.3-21)

Israel, na qualidade de uma nação distinta, também tinha de mostrar-se distinta quanto a questões dietéticas. Eles deviam comer certos alimentos e evitar outros. Isso fazia parte da sua santidade (vs. 21). Portanto, a santidade era, principalmente, uma questão de externalidades. O mesmo motivo reaparece em Lv 11.2-23,45 e 20.25,26.

Esta passagem é geralmente paralela ao trecho de Lv 11.2-23, embora haja diferenças quanto ao número e à natureza, indicando que as duas passagens procedem de fontes informativas distintas. Talvez o texto de Deuteronômio represente um estágio posterior da tradição que tratava sobre tais questões. Ver no *Dicionário* o verbete chamado *J.E.D.P.(S.)*, quanto à teoria das fontes informativas múltiplas do Pentateuco.

Neste ponto não ofereço muitos detalhes sobre a questão, sobre os motivos para as proibições etc., visto que meu artigo no *Dicionário*, chamado *Limpo e Imundo*, é bastante detalhado.

Ver a introdução ao capítulo 11 de Levítico, bem como os comentários sobre todo aquele capítulo, que oferece outros detalhes importantes para o estudo da passagem à nossa frente.

Contudo, *ao que já foi dito*, quero acrescentar aqui alguns comentários:

1. *Razões higiênicas* podem justificar algumas proibições, quanto às restrições atinentes às aves de rapina. Quem haveria de querer comer um urubu, depois de este animal ter comido uma ratazana morta? Todavia, essa não era a razão principal. Jesus disse que todos os alimentos são limpos (ver Mc 7.14-23 e cf. At 10.9-23).
2. Alguns animais estavam ligados à *idolatria pagã*, outros eram considerados divinos etc., pelo que não deveriam ser usados na alimentação humana. Mas esse argumento, embora tenha algum peso, não explica por que alguns animais, igualmente associados ao paganismo, foram permitidos na dieta dos filhos de Israel.
3. Talvez alguns animais tivessem *sentido simbólico*, agora perdido para nós, o que não permitiria que fossem usados na alimentação dos hebreus. Uma ovelha talvez fosse considerada limpa por ter um bom simbolismo; mas uma águia, uma ave de rapina, talvez tivesse um mau simbolismo.
4. As instruções seriam *arbitrárias*, ilustrado a vontade soberana de Yahweh, que esperava que o seu povo obedecesse à sua palavra, mesmo quando ela não fizesse sentido para eles. Admitida essa razão, então a obediência seria testada até mesmo através da arbitrariedade.
5. *Razões desconhecidas*. A questão fica sem explicação, e as nossas especulações nem por isso nos aproximam mais da verdade dos fatos.

■ **14.3**

לֹא תֹאכַל כָּל־תּוֹעֵבָה׃

Cousa alguma abominável. Ou seja, animais imundos, após o que se segue uma longa lista. A *santidade* de Israel não permitia tal consumo (vs. 21). Ver as *razões* propostas para as proibições, no versículo anterior. A mesma palavra forte aqui usada reaparece em Dt 13.14, ou seja, *to'ebhah*. As notas dali aplicam-se aqui. O uso desse termo, neste versículo, ilustra quão *repulsiva* era a ingestão da carne de certos animais para a mente hebreia, embora o autor sacro não se tenha dado ao trabalho de dizer-nos por qual motivo. "Limpo e imundo" tinham em vista motivos rituais e cerimoniais, embora devamos estar certos de que havia razões *morais* envolvidas, apesar da ausência de qualquer explicação. Aquilo que era impróprio para a alimentação foi revestido de um *tabu religioso*. Comer da carne de tais animais era considerado uma iniquidade, algo perigoso, moral e espiritualmente falando, embora não se saiba dizer por quê. A ingestão da carne de certos animais proibidos é, de fato, higienicamente perigosa, sendo provável que os hebreus, por observação, tivessem consciência disso. Mas não era essa a razão das proibições.

■ 14.4

זֹאת הַבְּהֵמָה אֲשֶׁר תֹּאכֵלוּ שׁוֹר שֵׂה כְשָׂבִים וְשֵׂה עִזִּים:

O boi, a ovelha, a cabra. A lista de animais limpos, cuja carne podia ser consumida, incluía esses três, que também eram usados nos sacrifícios oferecidos por Israel. Nos dias do tabernáculo, podiam ser sacrificados somente no santuário e consumidos somente em conexão com o culto sagrado. Em tempos posteriores, contudo, tornou-se possível comer a carne desses animais nas casas. Mas se fossem comidos fora do santuário central (a saber, o templo de Jerusalém), então não podiam participar de nenhum ato religioso. Todos esses atos estavam reservados ao lugar central de adoração. Quanto a essa questão, ver Dt 12.1-31. O versículo 15 daquele capítulo mostra-nos que comer em um sentido não sacrificial era permitido, mesmo que estivessem envolvidos aqueles animais antes limitados aos sacrifícios religiosos. Quanto aos cinco animais que podiam ser usados nos sacrifícios, ver Lv 1.14-16. Ver também os artigos separados sobre os três animais no *Dicionário*.

■ 14.5

אַיָּל וּצְבִי וְיַחְמוּר וְאַקּוֹ וְדִישֹׁן וּתְאוֹ וָזָמֶר:

É incerta a *identidade* de alguns animais que fazem parte dessa lista (ver os vss. 3-18). Mas as características que os tornavam limpos ou imundos são bastante claras. Ver no *Dicionário* o artigo chamado de *Limpo e Imundo*, quanto a detalhes. Este versículo *identifica* sete animais que não serviam para os sacrifícios, mas podiam ser consumidos na alimentação dos israelitas. Ver as notas sobre o segundo versículo, quanto às *razões* da rejeição de outros animais, o que é ampliado no artigo mencionado. Todos os animais citados na lista merecem artigos separados no *Dicionário*. Ver informações sobre cada um deles nas notas do capítulo 11 de Levítico.

"Admite-se universalmente que a carne desses animais é a mais saudável e nutritiva. Eles ingeriam os melhores vegetais, e, sendo dotados de vários estômagos, o seu alimento era bem preparado... Quanto aos animais que ruminam, ver Levítico 11.3" (Adam Clark, *in loc.*).

■ 14.6-8

וְכָל־בְּהֵמָה מַפְרֶסֶת פַּרְסָה וְשֹׁסַעַת שֶׁסַע שְׁתֵּי פְרָסוֹת מַעֲלַת גֵּרָה בַּבְּהֵמָה אֹתָהּ תֹּאכֵלוּ:

אַךְ אֶת־זֶה לֹא תֹאכְלוּ מִמַּעֲלֵי הַגֵּרָה וּמִמַּפְרִיסֵי הַפַּרְסָה הַשְּׁסוּעָה אֶת־הַגָּמָל וְאֶת־הָאַרְנֶבֶת וְאֶת־הַשָּׁפָן כִּי־מַעֲלֵה גֵרָה הֵמָּה וּפַרְסָה לֹא הִפְרִיסוּ טְמֵאִים הֵם לָכֶם: ס

Esses três versículos duplicam a informação dada em Lv 11.3-8, que não repito aqui. Todos os animais aqui listados recebem artigos separados no *Dicionário*. Sem dúvida, essas listas são apenas *representativas*, e não exaustivas, razão pela qual o autor sagrado deu ilustrações sobre os tipos de animais que podiam ser comidos ou não.

■ 14.9,10

אֶת־זֶה תֹּאכְלוּ מִכֹּל אֲשֶׁר בַּמָּיִם כֹּל אֲשֶׁר־לוֹ סְנַפִּיר וְקַשְׂקֶשֶׂת תֹּאכֵלוּ:

וְכֹל אֲשֶׁר אֵין־לוֹ סְנַפִּיר וְקַשְׂקֶשֶׂת לֹא תֹאכֵלוּ טָמֵא הוּא לָכֶם: ס

Estes versículos têm paralelo no trecho de Lv 11.9-12, cujas notas também se aplicam aqui.

■ 14.11

כָּל־צִפּוֹר טְהֹרָה תֹּאכֵלוּ:

Toda ave limpa comereis. *Duas espécies* de aves limpas eram usadas com propósitos de sacrifício. Ver Lv 1.14-16. Serviam como alimento quanto a propósitos gerais, mas, se fossem usados fora do santuário central (ou seja, o templo de Jerusalém), então não podiam ser empregados em nenhum tipo de ato religioso. A breve declaração deste versículo não perturba a lista de aves limpas. *Maimônides* informou-nos que todas essas aves eram consideradas limpas, não tendo sido especificamente proibidas (*Hilchot, Maacolot. Asurot*, cap. 1, sec. 14). Ver Lv 11.13-20 quanto ao paralelo. Com uma única exceção, as aves aqui alistadas são as mesmas que figuram no livro de Levítico. Uma vez mais, a lista não é exaustiva, mas apenas representativa. O açor é a ave incluída aqui, mas não figura no livro de Levítico. Ver o vs. 13.

As *aves limpas*, de acordo com o Targum de Jonathan, eram aquelas que tinham papo, não tinham penas, e tinham uma garra supérflua, não sendo aves de rapina.

■ 14.12

וְזֶה אֲשֶׁר לֹא־תֹאכְלוּ מֵהֶם הַנֶּשֶׁר וְהַפֶּרֶס וְהָעָזְנִיָּה:

Quanto às *características* das aves imundas, de acordo com a interpretação que prevalecia à época do segundo templo, ver Lv 11.13. Esse versículo contém uma lista paralela das mesmas aves. Os comentários dados ali também aplicam-se aqui. Cada uma das aves mencionadas recebe um artigo separado no *Dicionário*.

■ 14.13

וְהָרָאָה וְאֶת־הָאַיָּה וְהַדַּיָּה לְמִינָהּ:

O açor. Essa é a única ave da lista que também não se acha no livro de Levítico. Há um detalhado artigo sobre ela no *Dicionário*. O açor era um tipo de abutre. As aves aqui mencionadas comiam carniça, pelo que ficavam fora da dieta dos filhos de Israel. As traduções não se mostram cuidadosas na distinção das espécies, pelo que o resultado é alguma confusão de nomes. Além disso, outras aves ainda não foram identificadas com absoluta certeza.

■ 14.14

וְאֵת כָּל־עֹרֵב לְמִינוֹ:

Este versículo é uma duplicação de Lv 11.15. Ver os nomes no *Dicionário*.

■ 14.15

וְאֵת בַּת הַיַּעֲנָה וְאֶת־הַתַּחְמָס וְאֶת־הַשַּׁחַף וְאֶת־הַנֵּץ לְמִינֵהוּ:

Ver Lv 11.16,17. Ver a respeito no *Dicionário*.

■ 14.16

אֶת־הַכּוֹס וְאֶת־הַיַּנְשׁוּף וְהַתִּנְשָׁמֶת:

Ver Lv 11.17,18, bem como os respectivos artigos no *Dicionário*.

■ 14.17

וְהַקָּאָת וְאֶת־הָרָחָמָה וְאֶת־הַשָּׁלָךְ:

Ver Lv 11.18,19 quanto a notas e também os nomes no *Dicionário*.

■ 14.18

וְהַחֲסִידָה וְהָאֲנָפָה לְמִינָהּ וְהַדּוּכִיפַת וְהָעֲטַלֵּף:

Ver Lv 11.19 quanto a notas e também os nomes no *Dicionário*.

14.19

וְכֹל שֶׁרֶץ הָעוֹף טָמֵא הוּא לָכֶם לֹא יֵאָכֵלוּ׃

Todo inseto que voa... não se comerá. Em um sentido genérico, o autor sagrado fala sobre os tipos de *insetos* que não podiam ser consumidos, embora não tenha feito referência aos insetos permitidos, deixando-nos relembrar as suas instruções anteriores. Ou então, talvez, na fonte informativa envolvida aqui, simplesmente foram omitidas as espécies comestíveis. O trecho paralelo é o de Lv 11.20-23, onde as notas deveriam ser consultadas.

Somente um tipo de inseto é mencionado no livro de Levítico que podia ser comido, ou seja, o *gafanhoto*. O paralelo apresenta as características desse animal comestível, de tal modo que nenhum equívoco viesse a ser cometido. E até mesmo no paralelo, o autor nos poupa de uma longa lista de insetos comestíveis, visto que somente uma espécie podia ser consumida. Os intérpretes têm quebrado a cabeça quanto à *razão dessa* única exceção. Quando olho para um gafanhoto, esse inseto me parece tão repelente quanto qualquer outro. Mas quando os antigos viam um gafanhoto, começavam a preparar suas frigideiras para frigi-lo. O gosto de certas pessoas não tem explicação razoável. Em Lv 11.21, mostro como a questão era encarada nos dias do segundo templo, e quais características deveria ter um inseto para ser comestível.

14.20

כָּל־עוֹף טָהוֹר תֹּאכֵלוּ׃

Este versículo repete o versículo 11 deste capítulo, cujas notas devem ser consultadas. Os intérpretes judeus inseriam aqui a locusta, como se ela fosse uma ave que pudesse ser comida, levando em conta o paralelo de Lv 11.22. Ao que tudo indica, a palavra pode ter esse significado. O termo hebraico, *'owph*, usualmente indica algo coberto com penas. Mas, visto que essa palavra pode indicar "asas", alguns intérpretes julgam que podemos incluir a locusta. Seja como for, a palavra é genérica para indicar aves. Mas o *Theological Wordbook of the Old Testament* (Moody Press) inclui insetos sob esse vocábulo.

14.21

לֹא תֹאכְלוּ כָל־נְבֵלָה לַגֵּר אֲשֶׁר־בִּשְׁעָרֶיךָ תִּתְּנֶנָּה וַאֲכָלָהּ אוֹ מָכֹר לְנָכְרִי כִּי עַם קָדוֹשׁ אַתָּה לַיהוָה אֱלֹהֶיךָ לֹא־תְבַשֵּׁל גְּדִי בַּחֲלֵב אִמּוֹ׃ פ

Não comereis nenhum animal que morreu por si. Todo animal que morresse por si mesmo era *imundo*, pelo que não podia ser consumido pelos israelitas, não por causa da doença que talvez tivesse matado o animal, mas porque a mente dos hebreus abominava carcaças. Ver essa lei explicada em Lv 17.15. Quer um animal tivesse morrido por causa de alguma enfermidade, quer por mero acidente, o animal não tinha sido submetido à drenagem apropriada de sangue. E o homem que comesse da carcaça seria culpado de ter ingerido sangue. E se ingerisse de tal carne, sem ter conhecimento do que acontecera, então ficava imundo e precisava passar pelos ritos de purificação. Os hebreus, todavia, não tinham de sofrer perda financeira. Eles poderiam vender o animal a um gentio, ou, se fossem generosos, poderiam doá-lo.

Quanto à lei contra ferver um cabrito no leite de sua mãe, ver Êx 23.19 e 34.26, onde a questão é explicada com detalhes. "No politeísmo da terra de Canaã e da Mesopotâmia, era uma prática aceita sacrificar um animal cozinhando-o no leite. A lei aqui (entre outras coisas) é uma rejeição dos costumes pagãos, pois a legislação mosaica evitava que esses costumes fossem imitados. Essa foi a base da separação entre a carne e o leite do judaísmo posterior" (G. Ernest Wright, *in loc.*).

Alguns têm objetado à moralidade de vender o animal a algum estrangeiro, sob a hipótese de que isso os *prejudicaria*. Contudo, devemos lembrar que os hebreus eram aqui religiosamente orientados, e não por que tivessem receio de apanhar alguma doença, por falta de higiene. Um estrangeiro não sofreria nenhum dano por comer tal carne, visto que ele não estava praticando o yahwismo, de acordo com o modo sacramental de pensar.

SOBRE OS DÍZIMOS (14.22-29)

14.22

עַשֵּׂר תְּעַשֵּׂר אֵת כָּל־תְּבוּאַת זַרְעֶךָ הַיֹּצֵא הַשָּׂדֶה שָׁנָה שָׁנָה׃

Certamente darás os dízimos. Ver o artigo detalhado sobre a questão dos *dízimos* no *Dicionário*. Deus, na qualidade de proprietário da terra, tinha o direito à sua parte na produção agrícola. Aos levitas era dado um dízimo, e então os sacerdotes recebiam o dízimo desses dízimos. A festa da colheita ou festa das Semanas (Pentecoste) era um tempo em que eram apresentadas oferendas no santuário central de Jerusalém (ver Dt 16.9-12). Era a ocasião da segunda das três peregrinações anuais que todo israelita precisava fazer ao lugar central de adoração, em Jerusalém. Ver Dt 16.16; Êx 23.17 e 34.22,23. As oferendas eram feitas das primícias da produção agrícola e dos primogênitos dos animais (Dt 15.19,20).

"O Talmude e os intérpretes judeus em geral concordam quanto à ideia de que os dízimos mencionados aqui e no vs. 28 (e também em Dt 26.12-15) são todos a mesma coisa, ou seja, o *segundo dízimo*, algo inteiramente distinto dos dízimos ordinários atribuídos aos levitas para o seu sustento, em Nm 18.21, e que era novamente dizimado para benefício dos sacerdotes (Nm 18.26)" (Ellicott, *in loc.*). O dízimo referido em Números é chamado de *primeiro dízimo*. Não era considerado sagrado; mas o *segundo dízimo* é chamado de "coisa santa", por ser dedicado aos sacerdotes ministrantes.

"Os israelitas deveriam tomar parte dos dízimos levados ao santuário central, e comê-lo ali, 'diante do Senhor'. Ou então esse pode ser o segundo dízimo, uma décima parte dos noventa por cento restantes, parte do que era para ser comido no santuário, enquanto o resto era dado aos levitas que ali serviam (cf. Dt 14.27" (Jack S. Deere, *in loc.*). Se aceitarmos a explicação de Deere, teremos então três dízimos: o dos levitas; o dos sacerdotes; e o dízimo comido por aquele que desse o dízimo, em uma refeição comunal. A cerimônia reconhecia Yahweh como a fonte de todas as coisas boas (ver Tg 1.17), e o povo agradecido era um povo separado para Yahweh. O segundo dízimo, de acordo com Deere, na verdade seria o terceiro, visto que o segundo era extraído dos dez por cento dados aos levitas, para ser dado aos sacerdotes.

14.23

וְאָכַלְתָּ לִפְנֵי יְהוָה אֱלֹהֶיךָ בַּמָּקוֹם אֲשֶׁר־יִבְחַר לְשַׁכֵּן שְׁמוֹ שָׁם מַעְשַׂר דְּגָנְךָ תִּירֹשְׁךָ וְיִצְהָרֶךָ וּבְכֹרֹת בְּקָרְךָ וְצֹאנֶךָ לְמַעַן תִּלְמַד לְיִרְאָה אֶת־יְהוָה אֱלֹהֶיךָ כָּל־הַיָּמִים׃

No lugar que escolher para ali fazer habitar o seu nome. O lugar escolhido foi o santuário central, em Jerusalém, que se tornou o único local para onde eram levadas as oferendas. Ver Dt 12.5 a esse respeito. Também era ali que o santo dízimo precisava tornar-se uma refeição comunal. Logo, era uma coisa consagrada, que se tornava parte do ritual do templo. Compunha-se de produtos do solo e dos primogênitos dos animais que podiam ser sacrificados. O ato reconhecia os cuidados e a generosidade de Yahweh, bem como a dependência do povo à providência divina. Ver no *Dicionário* o artigo intitulado *Providência de Deus*.

A realização apropriada dos ritos ordenados tinha por intuito instilar reverência no povo que havia sido separado para Yahweh. Este versículo utiliza uma palavra forte, temer, pois, se o Senhor retivesse o seu suprimento, haveria fome. Ver sobre esse temor, e outros elementos que faziam parte da mentalidade e dos atos do povo separado para Deus, em Dt 10.12,13.

"Isso era feito durante dois anos, mas nos anos terceiro e sexto, havia um arranjo diferente (ver o vs. 28). No sétimo ano, que era um ano sabático, provavelmente não havia dízimos, visto que naquele ano não havia colheita. O produto da terra era para todos, e cada qual tinha de comer como melhor lhe parecesse" (Ellicott, *in loc.*).

14.24,25

וְכִי־יִרְבֶּה מִמְּךָ הַדֶּרֶךְ כִּי לֹא תוּכַל שְׂאֵתוֹ כִּי־יִרְחַק מִמְּךָ הַמָּקוֹם אֲשֶׁר יִבְחַר יְהוָה אֱלֹהֶיךָ לָשׂוּם שְׁמוֹ שָׁם כִּי יְבָרֶכְךָ יְהוָה אֱלֹהֶיךָ:

וְנָתַתָּה בַּכָּסֶף וְצַרְתָּ הַכֶּסֶף בְּיָדְךָ וְהָלַכְתָּ אֶל־הַמָּקוֹם אֲשֶׁר יִבְחַר יְהוָה אֱלֹהֶיךָ בּוֹ:

E vai ao lugar que o Senhor teu Deus escolher. O *local central* de adoração criava o "problema de transporte". Os animais e a produção agrícola criavam problemas de logística. Nesse caso, o homem não ficava isento de pagar os dízimos, mas pagava o equivalente em dinheiro. Esse dinheiro era usado para comprar os itens próprios para os dízimos em Jerusalém; e, dessa maneira, os deveres seriam cumpridos. O dinheiro não consistia em moedas, conforme as conhecemos, mas pesos em metais preciosos. Um homem precisava de uma *sacolinha* para levar os metais, e isso ele amarrava à sua mão, a fim de fazer a sua jornada até o santuário. Ver no *Dicionário* o artigo geral chamado *Dinheiro*.

Leva o dinheiro na tua mão. Alguns estudiosos interpretam que isso significava fazer marcas sobre os metais. Maimônides pensava que isso significava "fazer moedas" (*In Mishna Maaser Sheni*, c. 11, sec. 2). Mas essa parece ser uma interpretação anacrônica.

14.26

וְנָתַתָּה הַכֶּסֶף בְּכֹל אֲשֶׁר־תְּאַוֶּה נַפְשְׁךָ בַּבָּקָר וּבַצֹּאן וּבַיַּיִן וּבַשֵּׁכָר וּבְכֹל אֲשֶׁר תִּשְׁאָלְךָ נַפְשֶׁךָ וְאָכַלְתָּ שָּׁם לִפְנֵי יְהוָה אֱלֹהֶיךָ וְשָׂמַחְתָּ אַתָּה וּבֵיתֶךָ:

Esse dinheiro dá-lo-ás. Por ocasião da chegada no santuário central, o templo de Jerusalém, o homem podia comprar os animais e vegetais apropriados, cumprindo assim a lei do dízimo. A refeição comunal envolvia festividades, que incluíam a ingestão de vinho. É baldado pensar que esse vinho era apenas suco de uva, não-fermentado, e, portanto, não-alcoólico, pois ainda não havia tal coisa naqueles tempos. Os hebreus eram um povo de cânticos e danças. Naturalmente, vinhos aos quais não se adicionava álcool nunca chegavam a mais de oito por cento da fermentação natural, embora essa taxa alcoólica fosse capaz de deixar uma pessoa embriagada. A palavra hebraica aqui chamada "vinho", ou seja, *shekkar*, era usada para indicar bebida intoxicante. Ver no *Dicionário* os seguintes artigos: *Vinho, Vinha; Bebida, Beber* e também *Bebida Forte*. Estudos científicos têm demonstrado que o álcool, ao correr na corrente sanguínea, mata células do cérebro. Por outra parte, essas pesquisas também demonstram que o vinho, em quantidades moderadas, pode prolongar a vida por diversos anos. Portanto, a palavra que cabe aqui é *moderação*, sobre cuja ideia provi um artigo detalhado no *Dicionário*.

14.27

וְהַלֵּוִי אֲשֶׁר־בִּשְׁעָרֶיךָ לֹא תַעַזְבֶנּוּ כִּי אֵין לוֹ חֵלֶק וְנַחֲלָה עִמָּךְ: ס

Não desampararás ao levita. Em todas as festividades, utilizando os dízimos especiais (ver o vs. 22), os levitas não deveriam ser esquecidos. Em primeiro lugar, o *primeiro dízimo* sustentava a eles e ao seu ministério sagrado. Em segundo lugar, poderíamos sugerir aqui que os levitas participavam das festas mencionadas nesta passagem, recebendo alguma coisa extra.

O trecho de Nm 1.47 ss. mostra que os levitas se tinham tornado uma casta sacerdotal, e não continuaram sendo uma tribo, pelo que não receberam herança sob a forma de terras. Eles receberam algumas cidades com certa área circundante, e ali se ocupavam da agricultura e criação de gado. Mas os levitas tornaram-se uma casta relativamente pobre, que dependia dos dízimos pagos pelas outras tribos. Ver no *Dicionário* o artigo chamado *Levitas*. Jarchi (*in loc.*) pensa que este versículo se refere ao primeiro dízimo; mas John Gill (*in loc.*), embora concordando com isso, provavelmente esteja certo, ao dizer: "... tomai-o (o levita) para participar *desse* entretenimento, pois ele não tinha parte nem herança com as outras tribos, nas terras (ver 12.12)".

14.28

מִקְצֵה שָׁלֹשׁ שָׁנִים תּוֹצִיא אֶת־כָּל־מַעְשַׂר תְּבוּאָתְךָ בַּשָּׁנָה הַהִוא וְהִנַּחְתָּ בִּשְׁעָרֶיךָ:

Ao fim de cada três anos. "A cada três anos, o segundo dízimo (ver os vss. 22-27) não era levado ao santuário, mas era usado para sustento dos levitas, bem como dos membros menos afortunados da sociedade" (Jack S. Deere, *in loc.*). Mas Aben Ezra chamou esse de *terceiro* dízimo, o qual não anulava o segundo. Por isso afirma Tobias 1.7 especificamente: "Dei o terceiro dízimo para reparar o templo". E o mesmo livro diz que esses dízimos eram dedicados aos órfãos e às viúvas. Mas outras autoridades judaicas pensam que a referência é ao segundo dízimo, o qual, no terceiro ano, era distribuído de modo diferente do que se fizera nos dois anos anteriores. Por isso mesmo disse John Gill (*in loc.*): "... nos dois primeiros anos depois do ano sabático (os dízimos) eram levados a Jerusalém, sob a forma de dinheiro, com o qual se compravam provisões para serem comidas ali; mas no terceiro e no sexto anos depois do ano sabático, depois de terem separado o primeiro dízimo, eles separavam outro dízimo do que tinha restado, e o distribuíam entre os pobres". E então ele continuou como segue: "Depois de terem separado o primeiro dízimo, todos os anos, eles separavam o segundo dízimo (Dt 14.22); e no terceiro e no sexto anos, eles separavam o dízimo para os pobres, em lugar do segundo; e isso era feito, não no fim do terceiro ano, mas conforme Aben Ezra interpretava, no começo". (Essa provisão não era levada para o santuário, mas era deixada nas cidades, para uso dos pobres, viúvas, estrangeiros etc, nos lugares onde viviam). Como é claro, as autoridades não concordam quanto à natureza exata desse dízimo, se era o mesmo adicional ou não em relação ao segundo, ou se simplesmente era um dízimo diferente do segundo.

14.29

וּבָא הַלֵּוִי כִּי אֵין־לוֹ חֵלֶק וְנַחֲלָה עִמָּךְ וְהַגֵּר וְהַיָּתוֹם וְהָאַלְמָנָה אֲשֶׁר בִּשְׁעָרֶיךָ וְאָכְלוּ וְשָׂבֵעוּ לְמַעַן יְבָרֶכְךָ יְהוָה אֱלֹהֶיךָ בְּכָל־מַעֲשֵׂה יָדְךָ אֲשֶׁר תַּעֲשֶׂה: ס

Este versículo repete a mensagem essencial do versículo anterior. Os beneficiários dos dízimos são mencionados de novo; os pobres viviam com os outros (dentro de seus portões), mas podiam passar fome, a menos que os membros mais abastados da sociedade pusessem em prática a lei do amor. Era importante para Yahweh que aquela gente pobre visse satisfeitas as suas necessidades, recebendo ao menos o necessário para as suas necessidades básicas. Se isso tivesse cumprimento, então o próprio Yahweh fazia intervenção e abençoava o doador, fazendo prosperar todas as suas obras. Isso acrescentava um importante detalhe. O homem generoso não somente gozaria de prosperidade financeira, mas também lograria sucesso em tudo quanto se propusesse fazer. Em outras palavras, ele teria muito dinheiro e muito sucesso. Ser bom é um bom negócio. A obediência às leis é um ponto destacado no livro de Deuteronômio. Um aspecto importante da obediência consiste em obedecer à superior lei do amor. O homem que atinge esse alvo aprendeu a mais importante lição da vida.

Os Beneficiários. Esses eram os hebreus pobres, como os órfãos e as viúvas, e também os estrangeiros residentes, e, naturalmente, os levitas. Aquele que preparasse provisões para essas pessoas seria abençoado por Yahweh, porquanto estava cumprindo a lei do amor, a mais importante de todas as leis (ver Dt 6.5 e Mt 19.19). Ver no *Dicionário* o artigo intitulado *Amor*. O segredo da abundância eterna consiste em doar, pois, quando doamos, recebemos. Deus multiplica os bens daqueles que dão. Eu mesmo tenho tido a oportunidade de observar essa lei em operação, em muitas ocasiões, e espero continuar vendo esse fenômeno muitas vezes mais. A *generosidade* é a medida espiritual de um homem, o que é apenas outro nome para o amor. Cf. Dt 15.4-6, onde é reiterada a lei da doação-recebimento.

"Os dizimistas com frequência reconhecem que o autor do Deuteronômio estava certo, que a bênção divina *segue* o dizimista em seus feitos (vs. 29). O pão lançado sobre as águas tem uma maneira interessante de retornar (Ec 11.1). As próprias qualidades de espírito que a doação generosa desenvolve certamente conduzem a uma maior utilidade, e, por conseguinte, a uma maior recompensa" (Henry H. Shires, *in loc.*).

CAPÍTULO QUINZE

O ANO DA REMISSÃO (15.1-23)

"*O Ano da Soltura*. Em Êx 23.10,11, o ano sabático visava beneficiar os pobres; em Lv 25.1-7 lemos sobre um ano sem plantio, para descanso da terra. Aqui (Dt 15), lemos sobre um tempo para a remissão das dívidas" (*Oxford Annotated Bible*, comentando sobre este versículo). Este capítulo dá continuação ao princípio da generosidade e do interesse pelos menos afortunados, o que é enfatizado em Dt 14.22-29, quanto à questão dos dízimos. O autor sacro mostrou-se sensível para com o sofrimento e as necessidades dos seres humanos. Devemos enfrentar essas questões com várias formas de *generosidade*. Somente neste texto lemos que o ano sabático incluía o cancelamento das dívidas. A lei é expressa em Dt 15.1, e os vss. 2-11 a explicam. Este capítulo incorpora duas formas de generosidade: o perdão das dívidas (vss. 1-11) e a soltura da escravidão (vss. 12-18). Novamente, a obediência às leis de Yahweh, incluindo aquela a respeito da generosidade, aparece como condição para as suas bênçãos. Yahweh, a fonte de toda sorte de prosperidade, abençoa àquele que dá com abundância, e galardoa com sucesso tudo quanto ele faz. Ver essa declaração em Dt 14.29. Esses são excelentes discernimentos espirituais, que todas as religiões e filosofias ampliam, pois isso constitui, na prática, o único ponto de acordo que se pode achar em todos os sistemas.

Mas este texto ultrapassa o mero perdão das dívidas. Também está em pauta uma caridade franca, segundo os vss. 7 ss., sem dúvida, indicam. A pobreza requer generosidade que ultrapasse a mera liberação de empréstimos.

■ 15.1

מִקֵּץ שֶׁבַע־שָׁנִים תַּעֲשֶׂה שְׁמִטָּה׃

Ao fim de cada sete anos. Cada sétimo ano era o ano sabático. Provi um artigo detalhado sobre essa questão no *Dicionário*, intitulado Ano Sabático.

Farás remissão. Ou seja, as dívidas eram perdoadas (vss. 1-11). Ver a introdução ao capítulo, que menciona as várias passagens do Pentateuco que abordam o tema do ano sabático, com suas várias características e provisões. As dívidas eram perdoadas no final dos sete anos, conforme Maimônides esclareceu (*Hilchot Shemitta e Yobel*, cap. 9, sec. 4).

■ 15.2

וְזֶה דְּבַר הַשְּׁמִטָּה שָׁמוֹט כָּל־בַּעַל מַשֵּׁה יָדוֹ אֲשֶׁר יַשֶּׁה בְּרֵעֵהוּ לֹא־יִגֹּשׂ אֶת־רֵעֵהוּ וְאֶת־אָחִיו כִּי־קָרָא שְׁמִטָּה לַיהוָה׃

Os vss. 2-11 deste capítulo explicam a natureza da lei da remissão, que este versículo determina. Os eruditos não têm chegado a um acordo se a provisão deste versículo significa que o empréstimo, anteriormente contraído, seria totalmente eliminado no ano sabático, ou se somente a parcela que deveria ser paga no sétimo ano é que era dispensada. Se assim fosse, então isso significaria que o restante da dívida deveria ser paga após o sétimo ano. Ou então, o versículo quer dizer que a dívida não era perdoada de modo algum, nem em parte nem por inteiro, mas era *suspensa* até um prazo posterior. E isso assim se daria porque no sétimo ano não se permitia nenhuma atividade agrícola, pelo que as pessoas, *naquele* ano, não tinham como saldar suas dívidas.

Em favor do *perdão total* das dívidas, daquele montante que ainda não tivesse sido pago até ao sétimo ano, apresentamos os seguintes argumentos:

1. A *generosidade* requerida, a começar em Dt 14.22, parece favorecer o cancelamento total da dívida.
2. O paralelo de Dt 15.9-11 fala mais em favor da ideia de cancelamento do que em favor da ideia de suspensão.
3. Isso também concorda mais com o espírito do ano do Jubileu, quando os escravos eram deixados em liberdade absoluta e incondicional, e também retornavam a seus antigos proprietários as propriedades da família, de forma incondicional (ver Lv 25.8-17).
4. Cancelamento, e não suspensão de dívidas, estava em pauta, para impedir a pobreza (ver Dt 15.4,11).
5. Israel prosperou de forma extraordinária na Terra Prometida, e essa grande prosperidade expressar-se-ia sob a forma de cancelamento, e não de mera suspensão das dívidas.

Os intérpretes judeus, via de regra, supõem que a lei em foco fosse *radical*, determinando o cancelamento das dívidas, e não mera facilidade de pagamento do saldo devedor.

Tipologia. Em Cristo, nossos pecados foram cancelados de maneira absoluta, e esses pecados nos tornavam devedores. Ver no *Dicionário* o artigo intitulado *Perdão*. Ver Mt 6.12; Lc 7.41,42.

■ 15.3

אֶת־הַנָּכְרִי תִּגֹּשׂ וַאֲשֶׁר יִהְיֶה לְךָ אֶת־אָחִיךָ תַּשְׁמֵט יָדֶךָ׃

Do estranho podes exigi-lo. Um estrangeiro, que entrara na Terra Prometida para ganhar dinheiro, podia fazê-lo. O comércio não era uma atividade proibida. Porém, se chegasse a contrair uma dívida, tinha de pagá-la. Essa lei visava somente os "irmãos hebreus". Em Cristo, contudo, não existe tal coisa como cidadão nativo e estrangeiro, pois todos estão em pé de igualdade e podem beneficiar-se igualmente. Ver Ef 2.11 ss. e Gl 3.26 ss. A expiação pelo sangue de Cristo é oferecida a todos, em todo este grande mundo (1Jo 2.3). Portanto, o evangelho é mais generoso do que a lei mosaica, e aprofunda-se até as dívidas da alma, e não somente às dívidas em dinheiro. Contudo, alguns homens limitam ridiculamente a missão de Cristo somente aos eleitos, sem dúvida uma grande perversão.

Lamento que, neste texto, o grande expositor inglês, John Gill, faz a *tipologia* aplicar-se somente aos eleitos, não permitindo assim que a generosa provisão de Deus se estenda a todos aqueles por quem Cristo morreu (ver Jo 3.16).

O termo hebraico para "estranho" é *nokhri*, que alguns afirmam significar alguém que esteja de passagem em um país, como um negociante-viajante, e não o *ger*, que fixava residência permanente em Israel. É de presumir que um ger participasse da lei da remissão. Essa lei não foi baixada para beneficiar os negociantes, mas para aliviar as pressões da pobreza; e assim, se um *ger* chegasse a padecer necessidades, beneficiar-se-ia da generosa provisão de Deus.

■ 15.4

אֶפֶס כִּי לֹא יִהְיֶה־בְּךָ אֶבְיוֹן כִּי־בָרֵךְ יְבָרֶכְךָ יְהוָה בָּאָרֶץ אֲשֶׁר יְהוָה אֱלֹהֶיךָ נֹתֵן־לְךָ נַחֲלָה לְרִשְׁתָּהּ׃

Não haja pobre. Em outras palavras, em Israel não haveria pobreza abjeta, em que pessoas não teriam o bastante para comer. Eles gastariam todos os seus recursos pagando a dívida, e não teriam o que restasse para pagar por alimento. Isso concorda com o espírito dos dízimos, conforme temos visto em Dt 14.22 ss. Havia abundante provisão para os membros menos afortunados da sociedade. Isso posto, a irresponsabilidade não estava sendo promovida. O homem que tivesse dívidas precisava observar seus acordos, saldando essas dívidas ao longo do tempo. Mas, no fim do sétimo ano, o restante de sua dívida seria cancelado. O texto reconhece que algumas pessoas enfrentariam reversões, "má sorte", enfermidades e obstáculos inesperados, capazes de interferir com o ganho de dinheiro. Além disso, há pessoas com defeitos genéticos realmente incapazes de ganhar a própria vida, os esmoleres, que têm de depender da caridade pública.

Se cuidarmos dessas pessoas necessitadas, mostrando-nos generosos com elas, então Yahweh cuidará de nós, conforme vemos dito enfaticamente em Dt 14.29, onde as notas oferecidas também se aplicam aqui. A primeira provisão foi a do próprio território; e então, na Terra Prometida, o dinheiro fluiria caudaloso como o rio Amazonas, para benefício dos generosos. Não que o trecho de Dt 14.29 também não prometa sucesso em todos os empreendimentos, e não meramente um retorno sob a forma de dinheiro.

Lemos no livro de Atos (4.34) que prevalecia a graça divina; mas ninguém padecia necessidade premente. E o versículo 11 deste capítulo ensina-nos a verdade quando supõe que chegará um tempo em que a pobreza será totalmente eliminada, a despeito das provisões divinas.

Visto que os pobres só desaparecerão de vez nos novos céus e na nova terra, a generosidade também nunca deve cessar.

■ 15.5

רַ֚ק אִם־שָׁמ֣וֹעַ תִּשְׁמַ֔ע בְּק֖וֹל יְהוָ֣ה אֱלֹהֶ֑יךָ לִשְׁמֹ֤ר לַעֲשׂוֹת֙ אֶת־כָּל־הַמִּצְוָ֣ה הַזֹּ֔את אֲשֶׁ֛ר אָנֹכִ֥י מְצַוְּךָ֖ הַיּֽוֹם׃

Se apenas ouvires atentamente a voz do Senhor. Temos aqui uma *convocação à obediência*. A legislação mosaica envolvia preceitos intermináveis e intrincados, que, não obstante, precisavam ser obedecidos. Era mister que houvesse um especialista para conhecer e observar tantos preceitos. Entre esses preceitos havia aquelas leis humanitárias cujo intuito era aliviar a pressão da pobreza. Assim é que a epístola de Tiago, no Novo Testamento, toma esse tema que diz que a nossa espiritualidade deve incluir o alívio das necessidades humanas, porquanto isso faz parte inerente da espiritualidade autêntica. Ver o segundo capítulo de Tiago. Esse capítulo chama a lei de amor de "a lei real", ou seja, a lei a ser seguida pelos reis espirituais (vs. 8). A *religião pura* busca aliviar o sofrimento dos órfãos e das viúvas (Tg 1.27). E esses sempre foram grandes temas do judaísmo. Ver no *Dicionário* o verbete intitulado *Amor*.

■ 15.6

כִּֽי־יְהוָ֤ה אֱלֹהֶ֙יךָ֙ בֵּֽרַכְךָ֔ כַּאֲשֶׁ֖ר דִּבֶּר־לָ֑ךְ וְהַֽעֲבַטְתָּ֞ גּוֹיִ֣ם רַבִּ֗ים וְאַתָּה֙ לֹ֣א תַעֲבֹ֔ט וּמָֽשַׁלְתָּ֙ בְּגוֹיִ֣ם רַבִּ֔ים וּבְךָ֖ לֹ֥א יִמְשֹֽׁלוּ׃ ס

Emprestarás a muitas nações. A *prosperidade* de Israel seria tão notável que os hebreus não cuidariam somente dos pobres da Terra Prometida, mas também socorreriam a outros povos. Israel estaria na vantajosa posição de emprestar a outros povos, sem nenhuma necessidade de tomar empréstimos. Em outras palavras, a generosidade particular floresceria sob a forma de prosperidade nacional. Uma moderna ilustração de tal experiência é o caso dos Estados Unidos da América. No fim da Segunda Guerra Mundial, esse país, embora contando com apenas a décima parte da população do mundo, concentrava nove décimos do dinheiro do mundo! Uma razão óbvia dessa prosperidade era (e é) o programa missionário das igrejas evangélicas americanas. Servir ao Senhor é cortejar as riquezas materiais, inclusive.

A *promessa* feita a Israel envolvia a soberania nacional. Israel não seria sujeitado a tributos ou ao domínio estrangeiro se não se esquecesse de cumprir a lei do amor. Mas um Israel mesquinho veria tropas estrangeiras a assaltar as suas fronteiras. Porém, uma generosa nação de Israel exerceria controle financeiro sobre outras nações.

"A chave para o problema da pobreza jaz em um serviço a Deus prestado sem reservas. Reconhecer que todos são criaturas de um mesmo Criador, e agir de conformidade com os ditames da misericórdia, equivale a não deixar espaço para a pobreza. A necessidade humana não é mera questão de sistemas e leis justos, mas uma questão de misericórdia e benignidade" (Henry H. Shires, *in loc.*).

■ 15.7

כִּֽי־יִהְיֶה֩ בְךָ֨ אֶבְי֜וֹן מֵאַחַ֤ד אַחֶ֙יךָ֙ בְּאַחַ֣ד שְׁעָרֶ֔יךָ בְּאַ֨רְצְךָ֔ אֲשֶׁר־יְהוָ֥ה אֱלֹהֶ֖יךָ נֹתֵ֣ן לָ֑ךְ לֹ֧א תְאַמֵּ֣ץ אֶת־לְבָבְךָ֗ וְלֹ֤א תִקְפֹּץ֙ אֶת־יָ֣דְךָ֔ מֵאָחִ֖יךָ הָאֶבְיֽוֹן׃

A *provisão* do perdão das dívidas era apenas *uma* das obras de caridade. Esta passagem contempla outros atos de caridade que aliviam a necessidade humana. O pagamento de dízimos (ver Dt 14.22 ss.) era um modo de doar a outras pessoas. É de presumir que um homem que visse outro em necessidade, simplesmente doasse algo ao necessitado, não limitando seus atos de amor às provisões específicas da lei. De modo geral, um hebreu poderia aplicar o espírito de amor e sentir-se livre para agir conforme seu coração o orientasse.

O *coração duro*, por outra parte, impediria a generosidade. Mas o homem espiritual sempre seria dotado de um coração terno. Os sofrimentos do próximo seriam os seus próprios sofrimentos. ele se sentiria inspirado a aliviar a necessidade alheia, mediante a obsessão da generosidade. E, por sua vez, Yahweh mostrar-se-ia generoso para com ele.

■ 15.8

כִּֽי־פָתֹ֧חַ תִּפְתַּ֛ח אֶת־יָדְךָ֖ ל֑וֹ וְהַעֲבֵט֙ תַּעֲבִיטֶ֔נּוּ דֵּ֚י מַחְסֹר֔וֹ אֲשֶׁ֥ר יֶחְסַ֖ר לֽוֹ׃

... Lhe abrirás de todo a tua mão. A *generosidade* é a medida de um homem. sua mão vive *aberta*, e seu coração é terno e disposto a dar. Desse modo, os famintos recebem tudo de que precisam. "Notemos como a exposição do autor penetra dentro da vontade e dos sentimentos dos credores. Ser obediente, e, assim sendo, receber as bênçãos prometidas por Deus, requer mais do que a mera aceitação da letra da lei. Somente um espírito livre e voluntário pode evitar o pecado quando o pobre solicita ajuda. Cf. 2Coríntios 9.7" (G. Ernest Wright, *in loc.*). "Os afetos se punham em movimento e uma mente disposta inclinava-se por dar com generosidade" (John Gill, *in loc.*).

E lhe emprestarás. Essa frase talvez signifique que um homem orgulhoso geralmente se recuse a dar um presente, ou seja, se recuse a emprestar a outrem. Nesse caso, emprestemos dinheiro ao necessitado. E, mais tarde, esqueçamos completamente que o próximo nos deve o empréstimo, fazendo com que o empréstimo se torne uma doação.

A quem dá liberalmente, ainda se lhe acrescenta mais e mais, ao que retém mais do que é justo, ser-lhe-á em pura perda.
Provérbios 11.24

■ 15.9

הִשָּׁ֣מֶר לְךָ֡ פֶּן־יִהְיֶ֣ה דָבָר֩ עִם־לְבָבְךָ֨ בְלִיַּ֜עַל לֵאמֹ֗ר קָֽרְבָ֣ה שְׁנַֽת־הַשֶּׁבַע֮ שְׁנַ֣ת הַשְּׁמִטָּה֒ וְרָעָ֣ה עֵֽינְךָ֗ בְּאָחִ֙יךָ֙ הָֽאֶבְי֔וֹן וְלֹ֥א תִתֵּ֖ן ל֑וֹ וְקָרָ֤א עָלֶ֙יךָ֙ אֶל־יְהוָ֔ה וְהָיָ֥ה בְךָ֖ חֵֽטְא׃

Não haja pensamento vil no teu coração. A *opressão* é o programa do homem de mão fechada. Muitos israelitas agiam assim, pensando no ano da remissão. Eles encontrariam meios de explorar tanto antes quanto durante aquele ano, para garantir que obteriam vantagens sobre as pessoas a quem estivessem explorando. O credor teria um coração de *Belial*, conforme alguns traduzem este texto. "Teria um coração 'indigno' e 'insubmisso'" (John Gill, *in loc.*), ignorando os mandamentos de Yahweh. Esse tal teria "olhos malignos", fixados sobre a pessoa que lhe devesse algum dinheiro, oprimindo-a de tal modo que ela clamaria a Yahweh, pedindo misericórdia.

■ 15.10

נָת֤וֹן תִּתֵּן֙ ל֔וֹ וְלֹא־יֵרַ֥ע לְבָבְךָ֖ בְּתִתְּךָ֣ ל֑וֹ כִּ֞י בִּגְלַ֣ל ׀ הַדָּבָ֣ר הַזֶּ֗ה יְבָרֶכְךָ֙ יְהוָ֣ה אֱלֹהֶ֔יךָ בְּכָֽל־מַעֲשֶׂ֔ךָ וּבְכֹ֖ל מִשְׁלַ֥ח יָדֶֽךָ׃

Livremente lhe darás. Quem doasse algo não deveria fazê-lo a contragosto, sem um espírito generoso. Até mesmo um homem ganancioso poderia consolar-se diante da ideia de que, se estava dando, receberia recompensa da parte de Yahweh, conforme é dito enfaticamente nos vss. 4 e 6. Cf. as bênçãos prometidas aos dizimistas (Dt 14.22 ss.).

Deus ama a quem dá com alegria.
2Coríntios 9.7

Escreveu Jarchi que se deveria doar algo ao homem em necessidade, "mesmo que ele peça por cem vezes". Quem doa é alguém liberal e livre, pois é assim que Deus trata conosco. Cf. Pv 11.24,25; Is 23.18; 2Co 9.6-9. Ver também Mt 6.3.

Mais bem-aventurado é dar do que receber.
Atos 20.35

15.11

כִּי לֹא־יֶחְדַּל אֶבְיוֹן מִקֶּרֶב הָאָרֶץ עַל־כֵּן אָנֹכִי
מְצַוְּךָ לֵאמֹר פָּתֹחַ תִּפְתַּח אֶת־יָדְךָ לְאָחִיךָ לַעֲנִיֶּךָ
וּלְאֶבְיֹנְךָ בְּאַרְצֶךָ: ס

Nunca deixará de haver pobres na Terra. A pobreza é uma realidade permanente. Às vezes, por falta de oportunidade; também há defeitos genéticos que fazem a pessoa tornar-se incapaz; e não devemos esquecer a preguiça que às vezes é inerente. Todos esses fatores garantem a algumas pessoas não prosperarem financeiramente, apesar dos programas governamentais de bem-estar social e das suas boas intenções. É conforme alguém já disse: "É preciso primeiro tirar a favela do coração de um homem, antes de tirar o homem da favela". Yahweh, reconhecendo a perpetuidade da pobreza, exortou mais ainda os abastados a que se mostrassem liberais para com os necessitados. Neste mundo, jamais chegará o tempo em que a generosidade será uma virtude obsoleta. Cf. Mc 14.7, onde Jesus fez uma observação similar. Sempre teremos conosco os pobres, os quais nunca possuem muito, mas mesmo assim conseguem sobreviver. Mas também haverá *necessidade* daqueles que passam fome. Este versículo reconhece a existência de ambas essas classes de pobres.

A ESCRAVIDÃO E AS DÍVIDAS (15.12-18)

A pobreza produzia escravos, mesmo entre os hebreus. A prática da escravidão não era proibida, mas era regulamentada mediante certos princípios humanitários. Um indivíduo hebreu, depois de ter servido como escravo por seis anos, era deixado em liberdade, quando da chegada do ano sabático. Além disso, tal pessoa não podia ser despedida de mãos vazias. Teria de haver algo com que a pessoa pudesse iniciar uma nova tentativa na vida. Ver os paralelos em Êx 21.2-11 e Lv 25.39-55. Cf. Jr 34.8-16. Os críticos supõem que houvesse várias fontes de materiais sobre a questão, que o autor-editor teria usado. Ver no *Dicionário* o artigo chamado *J.E.D.P.(S.)* quanto à teoria das fontes múltiplas do Pentateuco.

Sob circunstâncias ótimas, que nem sempre eram conseguidas, os israelitas que se tornassem escravos eram tratados como membros da família à qual servissem, não sendo nem sobrecarregados nem oprimidos. Mas nem sempre se obtinham condições ótimas no estado de escravatura. Ver no *Dicionário* o artigo intitulado *Escravo, Escravidão*.

15.12

כִּי־יִמָּכֵר לְךָ אָחִיךָ הָעִבְרִי אוֹ הָעִבְרִיָּה וַעֲבָדְךָ שֵׁשׁ
שָׁנִים וּבַשָּׁנָה הַשְּׁבִיעִת תְּשַׁלְּחֶנּוּ חָפְשִׁי מֵעִמָּךְ:

... te for vendido. Uma criança podia ser vendida como escrava por seu próprio pai. E um adulto podia até mesmo vender a si mesmo como escravo, usualmente com a finalidade de pagar dívidas, ou a fim de prover um lugar onde morar e comer, quando ele e sua família ficassem reduzidos a condições extremas. Ver Êx 21.2 quanto ao paralelo, cujas notas expositivas também se aplicam aqui. Ver as várias razões pelas quais um hebreu podia tornar-se escravo de outro hebreu, dentro da exposição sobre Êx 21.2. Um hebreu, contudo, não podia ser vendido como escravo para um estrangeiro, embora isso acontecesse ocasionalmente, na prática, apesar de contrário aos dispositivos da legislação mosaica.

O *sétimo ano*, neste caso, não correspondia, necessariamente, ao ano da remissão das dívidas. Aqui a alusão é ao sétimo ano da servidão de um hebreu. Seis anos da vida de um homem eram assinalados como o período máximo em que um hebreu podia servir como escravo. Na Babilônia, um nativo só podia servir cerca da metade desse tempo; mas de modo geral as leis dos hebreus eram mais humanitárias do que na maioria das sociedades do mundo antigo.

15.13,14

וְכִי־תְשַׁלְּחֶנּוּ חָפְשִׁי מֵעִמָּךְ לֹא תְשַׁלְּחֶנּוּ רֵיקָם:
הַעֲנֵיק תַּעֲנִיק לוֹ מִצֹּאנְךָ וּמִגָּרְנְךָ וּמִיִּקְבֶךָ אֲשֶׁר
בֵּרַכְךָ יְהוָה אֱלֹהֶיךָ תִּתֶּן־לוֹ:

Quando de ti o despedires. O homem liberado da escravidão tinha de ser liberado com um suprimento suficiente para possibilitar-lhe um novo começo, sem as agruras da necessidade. O seu senhor era um homem abastado, e isso porque Yahweh assim lho permitira ser. Logo, cumpria-lhe dividir generosamente com o ex-escravo, por ser Yahweh a fonte de todas as coisas boas. Ver Tg 1.17.

Esse suprimento incluía animais, cereal e vinho, coisas básicas em uma sociedade agrícola. O ex-escravo já tinha sofrido o bastante. Agora tinha o direito de tentar um novo começo, mais razoável. O paralelo, em Êx 21.2 ss., menciona outras provisões relativas à família do homem, que o tivesse acompanhado em seu período de servidão.

Tipologia. O pecador que é liberado da servidão ao pecado, por meio de Cristo, é equipado com bênçãos espirituais e materiais, de tal modo que possa ter um novo começo em sua nova vida.

15.15

וְזָכַרְתָּ כִּי עֶבֶד הָיִיתָ בְּאֶרֶץ מִצְרַיִם וַיִּפְדְּךָ יְהוָה
אֱלֹהֶיךָ עַל־כֵּן אָנֹכִי מְצַוְּךָ אֶת־הַדָּבָר הַזֶּה הַיּוֹם:

Lembrar-te-ás de que foste servo. O *povo de Israel*, em sua inteireza, estivera escravizado. Os filhos de Israel tinham sofrido opressão e necessidade. Mas Yahweh havia livrado (redimido) Israel dessa sorte deplorável. Israel deveria seguir o exemplo divino. Êxodo é o livro da redenção, um símbolo de redenção em Cristo. Ver no *Dicionário* o verbete intitulado *Redenção*.

Jarchi (*in loc.*) lembra-nos de que Israel saiu da servidão ao Egito sobrecarregado de coisas doadas pelos egípcios, incluindo joias, prata, ouro e um grande *despojo*. Alguns supõem que tudo isso, na verdade, formasse um *despojo*, e não apenas doações feitas pelos egípcios. Seja como for, Israel saiu do Egito abundantemente suprido de bens materiais. Esse modelo deveria agora ser seguido, na alforria dos escravos hebreus. Ver Êx 12.35 ss.

15.16

וְהָיָה כִּי־יֹאמַר אֵלֶיךָ לֹא אֵצֵא מֵעִמָּךְ כִּי אֲהֵבְךָ
וְאֶת־בֵּיתֶךָ כִּי־טוֹב לוֹ עִמָּךְ:

Não sairei de ti. Temos aqui o caso de um escravo voluntário. É incrível, mas até mesmo prisioneiros, que se acostumaram à vida de prisão, preferem ficar presos, em lugar de ir embora. Assim também, entre os hebreus, um escravo bem tratado podia preferir continuar como escravo. Nesse caso, ele se tornava um escravo permanente, sendo marcado na orelha com uma sovela, sinal que indicava a permanência de seu estado. A história da escravidão, nos Estados Unidos da América, indica que havia tal coisa ali, mesmo quando a emancipação foi declarada. A diferença era que a lei não permitia a continuação do estado de escravatura. Os ex-escravos, pois, tornavam-se empregados. Na maioria dos casos, porém, a condição de vida não ficara muito diferente, exceto pelo fato de que o ex-escravo estava livre para ir embora a qualquer momento que quisesse.

15.17

וְלָקַחְתָּ אֶת־הַמַּרְצֵעַ וְנָתַתָּה בְאָזְנוֹ וּבַדֶּלֶת וְהָיָה לְךָ
עֶבֶד עוֹלָם וְאַף לַאֲמָתְךָ תַּעֲשֶׂה־כֵּן:

O paralelo dos vss. 16 e 17 deste capítulo no livro de Êxodo contém comentários que também se aplicam aqui. O ato de furar o lóbulo da orelha de uma pessoa, com uma sovela, era sinal de que a pessoa se tinha dedicado como escravo permanente. A "serva" referida neste versículo seria ou a mulher que o homem levara consigo para tornar-se escrava com ele, ou uma mulher que ele tinha adquirido como esposa, quando era escravo. Mas a mulher também poderia ser uma filha vendida à escravidão, por parte de seu pai. Presumivelmente, tal mulher também poderia escolher ficar. Mas se ela se fosse, então teria direitos iguais a um homem que recebesse a sua liberdade. O trecho de Êx 21.7 fornece detalhes sobre a questão que não são dados neste texto. Ao que parece, as mulheres apanhadas em furto não eram reduzidas à escravidão, conforme acontecia aos homens (ver sobre Êx 21.2), pelo que é provável que as mulheres mencionadas neste texto fossem membros da família do homem que se tinha deixado escravizar para sempre, ou então pessoas vendidas independentemente, mas não por razões criminosas.

15.18

לֹא־יִקְשֶׁ֣ה בְעֵינֶ֗ךָ בְּשַׁלֵּֽחֲךָ֨ אֹת֤וֹ חָפְשִׁי֙ מֵֽעִמָּ֔ךְ כִּ֗י מִשְׁנֶה֙ שְׂכַ֣ר שָׂכִ֔יר עֲבָֽדְךָ֖ שֵׁ֣שׁ שָׁנִ֑ים וּבֵֽרַכְךָ֙ יְהוָ֣ה אֱלֹהֶ֔יךָ בְּכֹ֖ל אֲשֶׁ֥ר תַּעֲשֶֽׂה׃ פ

Por metade do salário do jornaleiro. A escravidão era um bom negócio para o proprietário de escravos. Um escravo lhe custava apenas a metade do que ele teria de gastar com um empregado. Por essa razão, ele não deveria lamentar quando chegasse o tempo da remissão. Antes, deveria enviar forro o escravo, liberalmente e com boa atitude. O trecho de Jr 34.8-16 mostra-nos que havia muito abuso contra os escravos, pelo que aquilo que é recomendado neste texto com frequência eram apenas ideais que nunca tinham cumprimento.

Um homem que tratasse bem um seu escravo, dando-lhe a liberdade ao chegar o tempo certo e fornecendo-lhe o necessário para se equilibrar-se na vida, poderia esperar pela bênção de Yahweh, conforme já foi dito por várias vezes antes desta. Ver os vss. 4 e 10 deste mesmo capítulo. Cf. as leis do dízimo em Dt 14.29.

"... as leis demonstram que a primeira preocupação na história, em torno da condição dos escravos, e a primeira tomada de consciência foram acerca do erro envolvido no controle completo que alguém exerce sobre o destino de outra pessoa. É verdade que o privilégio da liberdade era estendido somente aos cidadãos hebreus; mas até mesmo isso foi um primeiro passo que ninguém mais havia tomado antes. Essa provisão revolucionária ilustra o poder do conhecimento que os hebreus tinham da natureza e do propósito de Deus, conforme é inferido no evento do Êxodo, exercido sobre a ética e os códigos legais da comunidade" (G. Ernest Wright, *in loc.*).

OFERENDAS FEITAS DOS REBANHOS (15.19-23)

As *leis paralelas* àquelas desta seção podem ser achadas em Êx 13.11-16; 22.29-30; Lv 27.26,27; Nm 18.15-18. As leis do Êxodo, conforme pensam os críticos, pertencem às fontes informativas *J* e *E* do Pentateuco. E as leis que aparecem em Levítico e Números pertencem à fonte informativa *P(S)*. E a lei do presente texto é atribuída por eles à fonte informativa *D*. Ver no *Dicionário* o artigo chamado *J.E.D.P.(S.)* quanto à teoria das fontes informativas múltiplas do Pentateuco.

Os filhotes primogênitos machos dos animais pertenciam a Yahweh e ao culto do tabernáculo (o segundo templo), como também destinavam-se ao sustento dos sacerdotes e levitas. Nos dias do templo, esses animais eram levados ao santuário central e comidos em um banquete sagrado, presumivelmente por ocasião da Páscoa ou do Pentecoste, quando todos os homens de Israel tinham de visitar a cidade de Jerusalém. Animais com algum defeito podiam ser comidos em casa. Mas aqueles levados ao santuário central não podiam ter nenhum defeito (vs. 17), um padrão seguido em todos os sacrifícios. Quanto a isso, ver Lv 22.20. Ver também Lv 27.26.

15.19

כָּל־הַבְּכ֣וֹר אֲשֶׁר֩ יִוָּלֵ֨ד בִּבְקָרְךָ֤ וּבְצֹֽאנְךָ֙ הַזָּכָ֔ר תַּקְדִּ֖ישׁ לַיהוָ֣ה אֱלֹהֶ֑יךָ לֹ֤א תַעֲבֹד֙ בִּבְכֹ֣ר שׁוֹרֶ֔ךָ וְלֹ֥א תָגֹ֖ז בְּכ֥וֹר צֹאנֶֽךָ׃

Ver a introdução à seção, anteriormente. O dono dos rebanhos não era o verdadeiro proprietário dos filhotes primogênitos. Esses primogênitos pertenciam a Yahweh. Não podiam ser postos a trabalhar nas fazendas; e, no caso de ovelhas, elas não podiam ser tosquiadas. Antes, tinham de ser levadas ao santuário central; e qualquer benefício ou riqueza que esses animais representassem, ia tudo para Yahweh e para os sacerdotes. Mas o "proprietário" dos animais participava da refeição comunal, uma vez que os devidos sacrifícios tivessem sido feitos, quando o sangue e a gordura já tivessem sido oferecidos a Yahweh sobre o altar (ver as notas em Lv 3.17). O texto de Nm 18.17 adiciona as "cabras" no tocante às leis que temos aqui. Ver Êx 13.2,12,13 quanto a outras versões dessas leis, onde são dadas notas adicionais.

15.20

לִפְנֵי֩ יְהוָ֨ה אֱלֹהֶ֤יךָ תֹאכֲלֶ֨נּוּ֙ שָׁנָ֣ה בְשָׁנָ֔ה בַּמָּק֖וֹם אֲשֶׁר־יִבְחַ֣ר יְהוָ֑ה אַתָּ֖ה וּבֵיתֶֽךָ׃

Comê-lo-ás... tu e a tua casa. O indivíduo que trouxesse os animais ao santuário tinha o direito de participar da refeição comunal, e seus familiares dela participavam. É de presumir que as ocasiões envolvidas fossem a Páscoa e a festa de Pentecoste, embora este texto não determine tal coisa.

De ano em ano. Presume-se que isso ocorresse durante uma das festividades anuais. Ver Dt 16.16. "Parece, pelo Talmude, que os dízimos e as ofertas poderiam ser apresentadas em qualquer uma das três grandes festas anuais" (Ellicott, *in loc.*). Ver o artigo geral no *Dicionário*, intitulado *Festas (Festividades) Judaicas*. A Páscoa, o Pentecoste e o Tabernáculo eram as três festas nacionais que requeriam a presença física dos israelitas do sexo masculino.

No lugar. Ou seja, no santuário central, que tinha tomado o lugar de todos os demais altares e lugares santos. Quanto a isso, ver Dt 12.5. Quanto à "família" que participaria da refeição comunal, ver Dt 12.17,18. Alguns comentadores pensam aqui na "casa do sacerdote", mas isso não parece ajustar-se ao presente texto.

"*Vss. 19 e 20*. A antiga lei do sacrifício dos filhotes primogênitos (Êx 13.2) foi adaptada de acordo com as exigências do santuário central (12.15-28)" (*Oxford Annotated Bible*, comentando sobre o versículo anterior).

15.21

וְכִֽי־יִהְיֶ֨ה ב֜וֹ מ֗וּם פִּסֵּ֨חַ֙ א֣וֹ עִוֵּ֔ר כֹּ֖ל מ֣וּם רָ֑ע לֹ֣א תִזְבָּחֶ֔נּוּ לַיהוָ֖ה אֱלֹהֶֽיךָ׃

Havendo nele algum defeito. A regra que proibia qualquer defeito em um animal oferecido, quanto a todos os sacrifícios oferecidos no santuário, está aqui em pauta. Este versículo tem certo número de paralelos. Anotei a questão em Lv 22.20. Um animal imperfeito podia ser comido em casa, como se fosse um animal de caça (Dt 12.15; 14.4,5), mas não em alguma cerimônia religiosa de qualquer tipo. O sangue do animal tinha de ser vertido no chão, e jamais utilizado como alimento. Ver o trecho de Lv 3.17, quanto às leis sobre o sangue e a gordura. Cf. Lv 22.19-24 e Ml 1.14.

15.22

בִּשְׁעָרֶ֖יךָ תֹּאכֲלֶ֑נּוּ הַטָּמֵ֤א וְהַטָּהוֹר֙ יַחְדָּ֔ו כַּצְּבִ֖י וְכָאַיָּֽל׃

Como do corço ou do veado. Havia certo número de animais limpos que podiam ser comidos e que nunca eram usados nos sacrifícios. Ver Lv 1.14-16, quanto aos *cinco* animais que podiam ser usados nos sacrifícios. Um animal imperfeito, pelo que não podia ser sacrificado, tornava-se como um animal limpo; podia ser consumido como alimento por uma família, mas não podia ser oferecido em nenhum sacrifício. Comer algo em casa não requeria que a pessoa estivesse cerimonialmente limpa para tal propósito. Essa era também uma regra do santuário e das festividades naquele lugar. Ver no *Dicionário* o artigo chamado *Limpo e Imundo*. Cf. Dt 12.15,22.

15.23

רַ֥ק אֶת־דָּמ֖וֹ לֹ֣א תֹאכֵ֑ל עַל־הָאָ֥רֶץ תִּשְׁפְּכֶ֖נּוּ כַּמָּֽיִם׃ פ

O seu sangue não comerás. O *sangue* nunca era permitido como alimento entre os israelitas. No santuário, o sangue era derramado à base do altar, e assim era dedicado a Yahweh. Em casa, o sangue era derramado no chão, em honra a Yahweh, a fonte de toda vida, embora não como parte de um sacrifício formal. Ver Dt 12.16,23,24 quanto àquelas regras e quanto a comentários mais detalhados a respeito.

CAPÍTULO DEZESSEIS

AS TRÊS FESTAS: PÁSCOA, PENTECOSTE E TABERNÁCULOS (16.1-17)

A repetição é uma das características literárias do autor-editor do Pentateuco. Por isso mesmo neste ponto, uma vez mais, encontramos regras repetidas acerca das três principais festividades anuais dos hebreus. Ver no *Dicionário* o artigo geral intitulado *Festas*

(Festividades) Judaicas, onde são descritas as três festividades mencionadas neste capítulo.

O versículo 16 deste capítulo mostra-nos que os membros do sexo masculino de Israel tinham por dever religioso fazer-se presentes a essas três festividades, no lugar central de adoração, Jerusalém, onde também Salomão terminou por construir o templo. Todos os demais santuários tornaram-se ilegais. Os homens levavam até ali os seus familiares, sempre que isso era possível (ver At 2.9-11). Essas festividades eram maneiras pelas quais a nação de Israel manifestava sua devoção e unidade em torno da fé religiosa em Yahweh. seu intuito era serem de experiências jubilosas, e as bênçãos de Yahweh eram prometidas aos participantes. Ver Dt 16.11,14,15 e cf. Dt 12.7,12,18 e 14.26, quanto a detalhes semelhantes.

A narrativa do livro de Deuteronômio é apenas uma breve revisão dos acontecimentos. As três festas anuais, para os hebreus, eram *haggim*, o que pode ser comparado com o *haj* dos islamitas, as peregrinações anuais a Meca. A primeira dessas festas, a Páscoa, como também a terceira, a festa dos Tabernáculos, estavam ligadas ao êxodo e vieram a tornar-se comemorações históricas. E a segunda, que era a festa das Semanas, da Colheita ou das Primícias (ver Êx 23.16; 34.22), efetuava-se em honra ao proprietário divino da terra, a quem os hebreus davam uma oferta, de acordo com a medida de suas bênçãos, na colheita daquele ano" (G. Ernest Wright, *in loc.*).

Os primórdios ou indícios prévios dessas festividades formalizadas já existiam nas celebrações da época da colheita, e alguns de seus elementos foram incorporados nas festas formalizadas.

"*Deuteronômio 16.1-1*. O calendário festivo (Êx 23.14-17; 34.18-24; Lv 23; Nm 28-29). A festa da Páscoa e dos Pães Asmos (Êx 12.1-27; 13.3-10; 23.15,18; 34.18,25; Lv 23.5-8; Nm 28.16-25)" (*Oxford Annotated Bible*, comentando sobre o primeiro versículo deste capítulo).

■ 16.1

שָׁמוֹר֙ אֶת־חֹ֣דֶשׁ הָאָבִ֔יב וְעָשִׂ֣יתָ פֶּ֔סַח לַיהוָ֖ה אֱלֹהֶ֑יךָ
כִּ֞י בְּחֹ֣דֶשׁ הָאָבִ֗יב הוֹצִ֨יאֲךָ֜ יְהוָ֧ה אֱלֹהֶ֛יךָ מִמִּצְרַ֖יִם
לָֽיְלָה׃

Guarda o mês de abibe. Quanto ao trecho paralelo, ver Êx 12.2-27. O mês de *abibe* tornou-se o primeiro mês do calendário religioso, pelo que a festa da Páscoa era uma espécie de celebração de Ano Novo. Era nessa data, em um sentido bem real, que Israel renascia. A Páscoa era celebrada no décimo quarto dia do mês de abibe (nossos março-abril). O Anjo do Senhor *passou por sobre* Israel, mas tirou a vida de todos os primogênitos do Egito. O povo de Israel foi livrado da servidão dos egípcios, visto que essa foi a última e mais terrível das pragas que caíram sobre o Egito, forçando o Faraó a deixar os filhos de Israel sair do país. Ver, quanto a detalhes completos, no *Dicionário*, o artigo geral intitulado *Festas (Festividades) Judaicas*, bem como o verbete chamado *Dez Pragas do Egito*. E nas notas sobre Êx 7.14 apresento um gráfico ilustrativo.

Ver o tema do livramento de Israel do domínio *egípcio* por parte do Senhor. Esse tema é repetido no livro de Deuteronômio por cerca de vinte vezes (ver principalmente Dt 4.20). O poder de Deus é um poder remidor. Ver no *Dicionário* o artigo intitulado *Redenção*, onde são apresentadas tipologias.

De noite. A permissão do Faraó para que Israel deixasse o Egito foi dada à noite, embora Israel só tenha iniciado o êxodo no dia seguinte. Ver Nm 33.3,4. Ver também Êx 12.12,29-31,42.

■ 16.2

וְזָבַחְתָּ֥ פֶּ֛סַח לַיהוָ֥ה אֱלֹהֶ֖יךָ צֹ֣אן וּבָקָ֑ר בַּמָּקוֹם֙
אֲשֶׁר־יִבְחַ֣ר יְהוָ֔ה לְשַׁכֵּ֥ן שְׁמ֖וֹ שָֽׁם׃

A *Páscoa*, observada anualmente por Israel, durante toda a sua marcha pelo deserto, agora estava sendo transferida para o santuário central, em Jerusalém. Logicamente, isso foi feito por antecipação, mas acabou ocorrendo na realidade.

Yahweh-Elohim baixou as ordens acerca da festividade original, determinando a sua transferência. E o único Deus (o Eterno Todo-poderoso, de acordo com os nomes usados) foi honrado dessa maneira. Ver no *Dicionário* os artigos intitulados *Deus, Nomes Bíblicos de; Yahweh e Elohim*.

Os animais que podiam ser sacrificados vinham dos rebanhos: touros e carneiros. Ver Nm 28.19,24. Quanto às *cinco* espécies de animais que podiam ser sacrificadas, ver Lv 1.14-16. Cf. 2Cr 30.21-24; 35.7-9. O animal apropriado para os sacrifícios era o carneiro; posteriormente, porém, outros animais passaram a ser incluídos. O touro não substituiu o carneiro conforme alguns têm pensado. O Targum de Jonathan distingue entre tipos de oferendas. O animal original era o carneiro. Outras oferendas chegaram a acompanhar o original, extraídas dos rebanhos, especialmente no caso das *ofertas pacíficas*.

No lugar. Ou seja, no local central de adoração que veio a substituir todos os demais santuários: o templo de Jerusalém. Quanto a essa "escolha", feita por Yahweh, ver Dt 12.5.

■ 16.3

לֹא־תֹאכַ֤ל עָלָיו֙ חָמֵ֔ץ שִׁבְעַ֥ת יָמִ֛ים תֹּֽאכַל־עָלָ֥יו מַצּ֖וֹת
לֶ֣חֶם עֹ֑נִי כִּ֣י בְחִפָּז֗וֹן יָצָ֙אתָ֙ מֵאֶ֣רֶץ מִצְרַ֔יִם לְמַ֣עַן
תִּזְכֹּר֙ אֶת־י֣וֹם צֵֽאתְךָ֔ מֵאֶ֣רֶץ מִצְרַ֔יִם כֹּ֖ל יְמֵ֥י חַיֶּֽיךָ׃

A *circunstância* que ditava que não se deveria comer pão levedado acabou florescendo como uma festa separada, a dos *Pães Asmos*. Alguns estudiosos supõem que essa festa já existisse, e acabou historicamente associada à festa da Páscoa. Ver no *Dicionário* o artigo detalhado chamado *Pães Asmos*. Ver o trecho paralelo de Êx 12.15-20 e 13.3-7, quanto a maiores informações.

O povo de Israel, ao sair apressadamente do Egito, não foi capaz de fermentar a sua massa, o que mostra a conexão e as circunstâncias históricas. Mediante as celebrações anuais, Israel relembrar-se-ia de como Yahweh os tirara do nada para a redenção, na Terra Prometida. A festa da Páscoa/Pães Asmos nunca deveria ser esquecida. Servia de memorial permanente do poder divino, que os tinha libertado. Ação de graças e fidelidade eram atitudes requeridas da parte do povo israelita, nessas comemorações.

A festa da Páscoa e a festa dos Pães Asmos, embora originalmente fossem duas festas separadas, acabaram unificadas em uma só. Ver Lc 2.41; 22.7; At 12.3,4; Jo 19.14.

Pão de aflição. Assim chamado por causa de sua associação com os terrores sofridos por Israel no Egito. Esse pão era insosso, tal como as experiências dos filhos de Israel no Egito tinham sido sem atrativos. Esse pão fazia-os lembrar-se da servidão e das privações pelas quais tinham passado.

■ 16.4

וְלֹא־יֵרָאֶ֨ה לְךָ֥ שְׂאֹ֛ר בְּכָל־גְּבֻלְךָ֖ שִׁבְעַ֣ת יָמִ֑ים
וְלֹא־יָלִ֣ין מִן־הַבָּשָׂ֗ר אֲשֶׁ֨ר תִּזְבַּ֥ח בָּעֶ֛רֶב בַּיּ֥וֹם
הָרִאשׁ֖וֹן לַבֹּֽקֶר׃

As *regras* dadas aqui têm seu paralelo em Êx 12.15,19 e 13.7, cujas notas devem ser consultadas. Toda carne que não fosse consumida tinha de ser queimada no fogo na manhã seguinte. Era totalmente obliterada pelas razões que apresento na exposição sobre Êx 12.10. A queima dos fragmentos completava o sacrifício. Tendo feito isso, então podiam prosseguir em sua jornada com as bênçãos de Yahweh. Fragmentos que fossem trazidos com eles deixariam o sacrifício incompleto, profanando-o com circunstâncias desfavoráveis. Ninguém poderia preparar uma merenda feita com aquela carne santa.

■ 16.5

לֹ֥א תוּכַ֖ל לִזְבֹּ֣חַ אֶת־הַפָּ֑סַח בְּאַחַ֥ד שְׁעָרֶ֖יךָ
אֲשֶׁר־יְהוָ֥ה אֱלֹהֶ֖יךָ נֹתֵ֥ן לָֽךְ׃

O *lugar central* de adoração, o templo de Jerusalém, pôs fim a todos os demais santuários. Logo, seria um sacrilégio realizar qualquer forma de sacrifício, exceto no templo. Ver Dt 12.5 quanto a isso e quanto às razões que explicavam as mudanças.

Yahweh tinha dado a Terra Prometida aos hebreus. Uma vez ali, o Senhor escolheu um lugar para ser cultuado. Esse lugar substituiu todos os demais lugares de culto. A nação deveria ser unificada em torno do centro único de adoração. A Páscoa, até então, tinha sido observada em lares individuais, que atuavam como pequenos santuários. Mas a nova ordem de coisas eliminava tudo isso. Ver Dt 12.15; 14.23; 16.2,11; 26.1,15.

16.6

כִּי אִם־אֶל־הַמָּקוֹם אֲשֶׁר־יִבְחַר יְהוָה אֱלֹהֶיךָ לְשַׁכֵּן שְׁמוֹ שָׁם תִּזְבַּח אֶת־הַפֶּסַח בָּעָרֶב כְּבוֹא הַשֶּׁמֶשׁ מוֹעֵד צֵאתְךָ מִמִּצְרָיִם׃

Senão no lugar que o Senhor teu Deus escolher. Este versículo repete a ideia do santuário centralizado que comentei no versículo anterior, e onde são dadas referências paralelas no tocante àquela instituição histórica.

À tarde, ao pôr do sol. Ou seja, entre as duas tardes. Em outras palavras, o animal era sacrificado antes do pôr do sol, mas a própria festa era noturna. O Targum de Jonathan diz: "... e à tardinha, por ocasião do pôr do sol, comereis do mesmo até o meio da noite". Ver Êx 12.6 quanto ao trecho paralelo.

O sacrifício, em um sentido bem real, marca o começo da saída dos filhos de Israel do Egito, embora a ordem do Faraó quanto à saída tenha sido dada no momento mesmo em que a redenção começou.

16.7

וּבִשַּׁלְתָּ וְאָכַלְתָּ בַּמָּקוֹם אֲשֶׁר יִבְחַר יְהוָה אֱלֹהֶיךָ בּוֹ וּפָנִיתָ בַבֹּקֶר וְהָלַכְתָּ לְאֹהָלֶיךָ׃

Então a cozerás. Assim diz o termo hebraico, que os críticos atribuem à fonte informativa D. Mas a fonte informativa P(S) diz "assarás". Ver Êx 12.9. Talvez o autor tenha usado aqui a palavra em um sentido frouxo, "cozinhar". Isso não entraria em contradição com a ordem original, mas os intérpretes debatem entre si por causa da questão. Era proibido cozinhar o cordeiro sacrificial (Êx 12.8,9). Alguns supõem que outras oferendas, que vieram a acompanhar o ato de assar o cordeiro, fossem cozidas; mas não há como solucionar com qualquer grau de certeza esse problema nem mesmo é importante acharmos uma solução para ele. Algumas traduções dizem simplesmente "assar", e assim solucionam aligeiradamente o problema.

No lugar que o Senhor teu Deus escolher. Esse lugar, originalmente, era a residência de cada hebreu; mas terminou sendo o santuário central, conforme comentei no versículo 5 deste capítulo, com referências. Quando entrou em vigor o único lugar de sacrifício, o povo passou a reunir-se ali; e, depois, cada qual voltava para o seu lar. O povo não retornava às suas tendas enquanto a cerimônia inteira não tivesse terminado. Ver 1Rs 8.66; 2Cr 7.10. Diz o Targum de Jonathan: "e te voltarás pela manhã, depois de terminada a festa, e irás para as cidades". Jarchi diz que eles poderiam esperar até o segundo dia.

16.8

שֵׁשֶׁת יָמִים תֹּאכַל מַצּוֹת וּבַיּוֹם הַשְּׁבִיעִי עֲצֶרֶת לַיהוָה אֱלֹהֶיךָ לֹא תַעֲשֶׂה מְלָאכָה׃ ס

Seis dias comerás pães asmos. Essa festividade prolongava-se por seis dias, e o sétimo dia era um sábado santo em que havia uma assembleia solene. Em outros trechos é ordenado que o pão asmo deveria ser comido por sete dias (ver Êx 12.15,19; 13.6,7). Alguns eruditos tentam harmonizar a questão, supondo que o ato de comer continuasse no sétimo dia, e que esse dia também fosse um sábado santo, um dia de solene convocação. Mas outros supõem que, em uma época posterior, houvesse algumas diferenças quanto ao *modus operandi* da festa. As diferenças podem sugerir desenvolvimentos históricos.

Nenhuma obra farás. Isso era típico quanto aos dias de sábado, bem como no tocante a todas as festas que incluíam algum sábado especial no seu fim. Ver no *Dicionário* o verbete intitulado *Sábado*, que discute sobre a regra da suspensão de todo trabalho. Ver Êx 12.16 e Gn 2.2,3. O sábado regular tornou-se o próprio sinal do Pacto Mosaico (ver as notas nos comentários de introdução do capítulo 19 de Êxodo). Mas em Cristo descansamos, e assim não temos mais necessidade alguma de dias especiais. Cf. Êx 31.13 ss.

FESTA DA COLHEITA (DAS SEMANAS; PENTECOSTE) (16.9-12)

16.9

שִׁבְעָה שָׁבֻעֹת תִּסְפָּר־לָךְ מֵהָחֵל חֶרְמֵשׁ בַּקָּמָה תָּחֵל לִסְפֹּר שִׁבְעָה שָׁבֻעוֹת׃

A festa de Pentecoste, que se tornou tão familiar no cristianismo, visto que foi em um dia dessa festa que começou o ministério especial do Espírito Santo, é o seu nome grego, adquirido entre os judeus nos tempos helenistas. Na Palestina, a cevada amadurece no mês de abril, ao passo que a colheita do trigo só vem mais tarde. A festa de Pentecoste, originalmente, ocorria no tempo da colheita da cevada, e parece ter sido uma festa de colheita. Veio a ser associada à outorga da lei, cinquenta dias após a festa da Páscoa. Assim também, no cristianismo, veio a ser associada à descida do Espírito Santo, cinquenta dias após a ressurreição de Cristo. Quanto à festa das Semanas, ver o décimo versículo deste capítulo, e também Êx 34.22. Quanto à festa da Colheita, ver Êx 23.16. Quanto ao dia das Primícias, ver Nm 28.26, e cf. Êx 23.16 e 34.22. Quanto ao cálculo do tempo envolvido, ver Lv 23.15,16. Visto que era celebrada no quinquagésimo dia após o começo da colheita, veio a tornar-se conhecida como Pentecoste. Ver sobre esse termo no *Dicionário*, onde ofereço um artigo detalhado. Ver também sobre *Festas (Festividades) Judaicas*, onde são acrescentados detalhes. É de presumir-se que, originalmente, sete semanas (cinquenta dias) tenham sido fixadas, para que uma colheita pudesse ser completada antes da celebração. O tempo da colheita, na Terra Prometida, variava de acordo com as várias regiões, pois quanto menor fosse a temperatura média, mais tardia se fazia a colheita. Os meses envolvidos eram correspondentes aos nossos março-abril (começo), ao fim de maio ou começo de junho (fim). O termo Pentecoste está baseado na palavra grega para "cinquenta", usada na Septuaginta, em Lv 23.16.

16.10

וְעָשִׂיתָ חַג שָׁבֻעוֹת לַיהוָה אֱלֹהֶיךָ מִסַּת נִדְבַת יָדְךָ אֲשֶׁר תִּתֵּן כַּאֲשֶׁר יְבָרֶכְךָ יְהוָה אֱלֹהֶיךָ׃

O sentido deste versículo é mais bem esclarecido no versículo 17. Os hebreus foram instruídos a dar uma oferta voluntária de acordo com a medida em que Yahweh lhes tivesse dado a colheita. Não foi fixada nenhuma porcentagem específica, mas esperava-se a liberalidade. Cf. Dt 15.14. Talvez Paulo tivesse em mente este versículo, ao afirmar qual o padrão cristão quanto às dádivas (1Co 16.2). As doações devem ser de acordo com a prosperidade de cada um; e entendemos que toda prosperidade é conferida pelo Senhor (ver Tg 1.17). Dentro do contexto cristão, uma porcentagem de menos de dez por cento é uma proporção pequena.

Ofertas voluntárias. No hebraico, *missah*, termo usado somente aqui em todo o Antigo Testamento. A ideia é a de uma oferenda suficiente ou proporcional. Mas a porção apropriada foi deixada a cargo da consciência iluminada de cada um. Cf. Êx 34.20. Os vss. 16 e 17 fazem essa ordem aplicar-se a todas as três festas.

Os *sacrifícios* oferecidos nessa ocasião eram dois pães a serem movidos diante do Senhor, sete cordeiros, um touro jovem e dois carneiros como oferta queimada, juntamente com as ofertas de cereal e de libações. Ver Lv 23.17-19. *Além de tudo isso*, havia as ofertas voluntárias.

16.11

וְשָׂמַחְתָּ לִפְנֵי יְהוָה אֱלֹהֶיךָ אַתָּה וּבִנְךָ וּבִתֶּךָ וְעַבְדְּךָ וַאֲמָתֶךָ וְהַלֵּוִי אֲשֶׁר בִּשְׁעָרֶיךָ וְהַגֵּר וְהַיָּתוֹם וְהָאַלְמָנָה אֲשֶׁר בְּקִרְבֶּךָ בַּמָּקוֹם אֲשֶׁר יִבְחַר יְהוָה אֱלֹהֶיךָ לְשַׁכֵּן שְׁמוֹ שָׁם׃

Alegrar-te-ás. As celebrações deviam ser assinaladas pelo *regozijo*, um elemento frequentemente enfatizado em conexão com o sistema de sacrifícios. Os sacrifícios eram ocasiões de júbilo. Yahweh se mostrara generoso, dando aos israelitas motivos para se sentirem felizes com as provisões que tinham recebido. Ver Dt 12.7 quanto à alegria envolvida.

Um Tempo de Generosidade. Yahweh é generoso; e os beneficiários de sua generosidade também precisam ser generosos. As riquezas deveriam ser postas a circular, em vez de serem apenas acumuladas. Escravos, mulheres, crianças e órfãos, como também os levitas, seriam todos beneficiados. Essas eram, geralmente, as pessoas dependentes naquela sociedade. Sempre será melhor dar do que receber (At 20.35); mas as experiências da vida permitem que experimentemos ambos os lados dessa moeda. Cf. este versículo e a lista de seus beneficiários com Dt 14.21; 16.14; 24.19-21.

Tipologia. O Espírito Santo foi dado no Pentecoste cristão, cinquenta dias após a morte do Senhor Jesus; e ele propagou as riquezas espirituais entre todos. Ver o segundo capítulo do livro de Atos. O próprio Espírito Santo é a mais liberal provisão divina para o seu povo, visto que dele nos chegam todos os dons e promessas, sendo ele o agente de tudo quanto nos é oferecido pela missão de Cristo.

■ 16.12

וְזָכַרְתָּ֕ כִּי־עֶ֥בֶד הָיִ֖יתָ בְּמִצְרָ֑יִם וְשָׁמַרְתָּ֣ וְעָשִׂ֔יתָ
אֶת־הַֽחֻקִּ֖ים הָאֵֽלֶּה׃ פ

Lembrar-te-ás de que foste servo. Temos aí a grande *motivação* do povo de Israel. Yahweh interessa-se pelo bem-estar dos homens. ele demonstrou isso ao libertar Israel da servidão no Egito, um tema repetido por cerca de vinte vezes no Deuteronômio. Quanto a isso, ver as notas em Dt 4.20. Israel sofrera perseguições e privações quando estava no Egito. Mas Yahweh foi generoso e propiciou um escape, e, em seguida, um território pátrio, a saber, a herança estipulada dentro do Pacto Abraâmico (ver as notas a respeito em Gn 15.18). Essas bênçãos deveriam atuar como motivos para o povo de Israel mostrar-se generoso com os membros menos afortunados e dependentes da sociedade, como aqueles alistados no versículo anterior. Cf. Dt 15.15, onde encontramos uma declaração similar.

Estes estatutos. Leis bem claras e definidas foram dadas para governar as festividades descritas neste capítulo; e esses regulamentos requeriam generosidade, e não mera aderência às leis referentes aos sacrifícios.

Tipologia. "Coisa alguma encoraja tanto a realização de boas obras como a consideração de nossa espiritual e eterna redenção por meio de Cristo (1Co 6.19,20; Tt 2.14; 1Pe 1.18 ss.)" (John Gill, *in loc.*).

A FESTA DOS TABERNÁCULOS (16.13-15)

Ver no *Dicionário* os artigos intitulados *Tabernáculos* e *Festas (Festividades) Judaicas*, quanto a informações completas sobre essa festa. Os trechos de Êx 23.16 e 34.22 retratam essa festa como uma assembleia e peregrinação. Devia ser celebrada no fim do ano, ou seja, durante o outono, em consonância com o antigo calendário agrícola. Em Lv 23.33-43 essa festa é chamada de *tabernáculos*. O tempo de sua celebração era do décimo quinto ao vigésimo primeiro dia do sétimo mês do calendário religioso. Era uma festividade de *ação de graças* de outono. As tendas nas quais Israel residia temporariamente, a fim de relembrar os rigores da experiência no deserto, eram feitas com ramos e folhagem (ver Lv 23.40). E assim, pelo menos durante aquela semana, eles se humilhavam. Isso os ajudava a considerar a generosidade de Yahweh, que os tirara da condição de penúria e necessidade. O mês de tishri (nossos setembro-outubro) era o mês dessa observância (ver Lv 23.34,39). Essa festa era uma das três festividades (Páscoa, Pentecoste e Tabernáculos) que requeriam peregrinações de todos os varões israelitas até ao santuário central, em Jerusalém. Se possível, as famílias também deveriam ir, pelo que a comunidade inteira acabava envolvida.

Deveria ser uma ocasião jubilosa, conforme vemos nos versículos 14 e 15 deste capítulo. Os hebreus alegravam-se na provisão de Yahweh; e também se alegravam ao compartilhar uns com os outros. A medida de um homem é a sua *generosidade*. Ver no *Dicionário* o artigo *Amor*.

■ 16.13

חַ֧ג הַסֻּכֹּ֛ת תַּעֲשֶׂ֥ה לְךָ֖ שִׁבְעַ֣ת יָמִ֑ים בְּאָ֨סְפְּךָ֔ מִֽגָּרְנְךָ֖
וּמִיִּקְבֶֽךָ׃

Por sete dias. Essa festa dava a Israel a oportunidade de expressar alegria e ação de graças. Uma sociedade agrícola podia dedicar tempo a celebrações. As pessoas não precisavam ir ao trabalho todos os dias, em certos períodos do ano. Ver Lv 23.33-43 quanto a uma completa descrição das atividades próprias dessa festa.

"A colheita da cevada começava na Páscoa, e a colheita do trigo, no Pentecoste. Antes do começo da festa dos Tabernáculos, terminavam a vindima e a colheita das azeitonas, pelo que todos os outros frutos de verão já estavam colhidos" (John Gill, *in loc.*). Assim sendo, todo o povo de Israel aproveitava o tempo para regozijar-se diante da abundância que a vontade de Deus tinha provido para eles. Oh, Senhor, concede-nos tal graça!

■ 16.14

וְשָׂמַחְתָּ֖ בְּחַגֶּ֑ךָ אַתָּ֨ה וּבִנְךָ֤ וּבִתֶּ֙ךָ֙ וְעַבְדְּךָ֣ וַאֲמָתֶ֔ךָ
וְהַלֵּוִ֗י וְהַגֵּ֛ר וְהַיָּת֥וֹם וְהָאַלְמָנָ֖ה אֲשֶׁ֥ר בִּשְׁעָרֶֽיךָ׃

Alegrar-te-ás. Essa nota é repetida. Ver Dt 12.7 e 16.11. Essas festividades eram ocasiões alegres, e não meras realizações de dever, de mistura com sacrifícios. Disse-me um amigo judeu: "Os hebreus eram um povo de vinho e de canção". O Targum de Jonathan alude aos instrumentos musicais empregados nessas ocasiões, como o pífaro e a trombeta. Ver no *Dicionário* o artigo chamado *Música, Instrumentos Musicais*. Cf. Lv 23.42,43. Israel celebrava seu livramento da servidão egípcia e lembrava seus anos de perambulação no deserto habitando temporariamente em tendas. Agora estavam habitando na Terra Prometida, em boas residências.

■ 16.15

שִׁבְעַ֣ת יָמִ֗ים תָּחֹג֙ לַיהוָ֣ה אֱלֹהֶ֔יךָ בַּמָּק֖וֹם אֲשֶׁר־יִבְחַ֣ר
יְהוָ֑ה כִּ֣י יְבָרֶכְךָ֞ יְהוָ֣ה אֱלֹהֶ֗יךָ בְּכֹ֤ל תְּבוּאָֽתְךָ֙ וּבְכֹל֙
מַעֲשֵׂ֣ה יָדֶ֔יךָ וְהָיִ֖יתָ אַ֥ךְ שָׂמֵֽחַ׃

Sete dias celebrarás. Essa ideia é repetida (ver o vs. 13), como também a ideia da alegria (ver o vs. 14). A virtude da *generosidade* fazia parte do quadro, visto que assim todos os necessitados recebiam cuidados (vs. 14), que se juntavam às festividades. Isso repete elementos que já tinham aparecido no versículo 11 deste capítulo. Ninguém ficava de fora. Ninguém ficava faminto.

Aben Ezra menciona a prosperidade de que eles gozaram em tempos posteriores, e que não envolvia apenas produtos agrícolas. Os negociantes também prosperavam; os negócios corriam bem; o comércio florescia; artes e ocupações de toda variedade atraíam muito dinheiro. Todos, pois, faziam uma pausa para se alegrar em meio à abundância.

Havia um oitavo dia, mencionado em Lv 23.36 e Nm 29.35, mas sete dias são mencionados em Lv 23.3 e Nm 29.32. O oitavo dia era tratado como uma parte do todo, e podia ser mencionado como tal, ou podia ser mencionado separadamente, como uma espécie de fim de festividades.

SUMÁRIO: AS PEREGRINAÇÕES ANUAIS (16.16,17)

■ 16.16

שָׁל֣וֹשׁ פְּעָמִ֣ים ׀ בַּשָּׁנָ֡ה יֵרָאֶ֨ה כָל־זְכוּרְךָ֜ אֶת־פְּנֵ֣י ׀
יְהוָ֣ה אֱלֹהֶ֗יךָ בַּמָּקוֹם֙ אֲשֶׁ֣ר יִבְחָ֔ר בְּחַ֧ג הַמַּצּ֛וֹת וּבְחַ֥ג
הַשָּׁבֻע֖וֹת וּבְחַ֣ג הַסֻּכּ֑וֹת וְלֹ֧א יֵרָאֶ֛ה אֶת־פְּנֵ֥י יְהוָ֖ה
רֵיקָֽם׃

Cf. Êx 23.17 e 34.23. Deuteronômio simplesmente repete a antiga lei, mas agora ela é aplicada às peregrinações até o santuário central, em Jerusalém, o lugar escolhido por Yahweh (ver Dt 12.5).

"... todos tinham a obrigação de comparecer, exceto os surdos, os cegos, os alienados mentais, as crianças... as mulheres, os servos, os não-livres, os aleijados, os enfermos e os idosos que não podiam suster-se de pé" (*Mishn. Chagigah.* cap. 1, sec. 1).

A observação de que ninguém deveria ir de mãos vazias refere-se à obrigação de realizar os sacrifícios apropriados e levar as oferendas voluntárias adequadas. Quanto a isso, ver o décimo versículo deste capítulo. O vs. 17 repete a questão. As mãos tinham de estar cheias, e não vazias, naquelas ocasiões (as *três festas*).

■ 16.17

אִישׁ כְּמַתְּנַת יָדוֹ כְּבִרְכַּת יְהוָה אֱלֹהֶיךָ אֲשֶׁר נָתַן־לָךְ: ס

Cada um oferecerá na proporção em que puder dar. Estão em pauta as *ofertas voluntárias*, a respeito das quais anotei nos versículos 10 e 11 deste capítulo. A quantidade a ser doada não foi fixada em lei, mas o homem sábio mostra-se generoso.

OS OFICIAIS E SEUS DEVERES (16.18-22)

No que tange ao período antigo do judaísmo, não dispomos de muita informação no tocante ao sistema judicial de Israel. Supomos que o sistema incluísse os príncipes das tribos, os anciãos, os chefes dos conselhos locais, os oficiais subordinados, os escribas e os escrivães. Não somos informados acerca de como eles eram escolhidos; mas deve ter havido alguma espécie de consentimento local por parte do povo envolvido. Retratar a época de Moisés é fácil. ele era o porta-voz de Yahweh; Arão, o sumo sacerdote, era a mão direita de Moisés; os sacerdotes cuidavam do culto no tabernáculo. Príncipes tribais encabeçavam os conselhos dos anciãos. Mas não fica claro como isso se desenvolveu no período que se seguiu de imediato. A lei sempre foi a base da legislação de Israel. Ver Dt 1.15-18 e cf. Êx 18.13-27 quanto ao período antigo. Neste texto encontramos duas categorias, os *juízes e os oficiais*, provavelmente termos genéricos para um sistema que não foi descrito com detalhes. Talvez os juízes fossem os cabeças dos conselhos locais de anciãos. Nesse caso, os oficiais seriam os funcionários secundários, encarregados de certa diversidade de funções.

■ 16.18

שֹׁפְטִים וְשֹׁטְרִים תִּתֶּן־לְךָ בְּכָל־שְׁעָרֶיךָ אֲשֶׁר יְהוָה אֱלֹהֶיךָ נֹתֵן לְךָ לִשְׁבָטֶיךָ וְשָׁפְטוּ אֶת־הָעָם מִשְׁפַּט־צֶדֶק:

A nação de Israel inteira deveria dispor de juízes e oficiais. A fonte de toda autoridade era Yahweh. Era ele quem apontava os dirigentes, embora não sejamos informados sobre como as ordens divinas eram transmitidas. Algum tipo de assentimento popular deve ter estado envolvido. "Os juízes nomeados em cada cidade provavelmente eram membros do conselho de anciãos da cidade (os anciãos funcionavam como um corpo judicial; cf. Dt 19.12)" (Jack S. Deere, *in loc.*). Os *oficiais* provavelmente eram subordinados àqueles, funcionando como escrivães ou secretários, e ocupando certa variedade de tarefas secundárias, efetuadas com autoridade. Com a passagem do tempo, uma corte suprema, o *Sinédrio* (ver a esse respeito no *Dicionário*), foi-se desenvolvendo. Os juízes precisavam ser bem treinados na lei mosaica, conhecidos por sua sabedoria e santidade, homens de sólidos conhecimentos. Alguns deles eram aptos nas artes e nas ciências, embora isso não fosse um dos pontos fortes dos israelitas.

Maimônides (*Sanhedrin*, cap. 10) fornece-nos uma descrição apenas bosquejada de tempos posteriores: havia o grande Sinédrio, composto por 71 homens, que se reuniam no santuário central; dois tribunais de 23 homens, um que se reunia à entrada do átrio e o outro à entrada da casa. E em cada cidade com 120 habitantes ou mais, 23 juízes eram nomeados como oficiais locais, que operavam como um sinédrio secundário. Nas aldeias com 120 habitantes ou menos, três juízes eram nomeados para manter a ordem e legislar de acordo com os ditames da lei mosaica.

■ 16.19

לֹא־תַטֶּה מִשְׁפָּט לֹא תַכִּיר פָּנִים וְלֹא־תִקַּח שֹׁחַד כִּי הַשֹּׁחַד יְעַוֵּר עֵינֵי חֲכָמִים וִיסַלֵּף דִּבְרֵי צַדִּיקִם:

Havia *três diretrizes* que deviam ser observadas por todos os juízes:

1. *A justiça não podia ser pervertida.* A lei precisava ser seguida estritamente, sendo aplicada a todos, sem nenhuma distinção. Os juízes precisavam conhecer a lei de modo perfeito, seguindo-a de perto.

2. *Nenhuma parcialidade* podia ser demonstrada, capaz de favorecer ricos e poderosos e injustiçar a fracos e pobres. As circunstâncias externas precisavam ser ignoradas. Amizades e relações de família não podiam interferir em nenhum julgamento. Conforme escreveu Jarchi, as sentenças tinham de ser baixadas "sem favor ou afeto".

3. *Subornos eram considerados uma desgraça*, e não podiam fazer parte dos processos legais. As peitas *cegam* a justiça, conforme diz o texto. Até os sábios se deixam perverter pelo suborno. Causas justas ficam assim anuladas, ao passo que causas injustas podem acabar prevalecendo. Os judeus costumavam dizer que, se um juiz aceitasse subornos, o poder divino não o deixaria morrer sem que primeiro ficasse cego, para que a sua condição física se equiparasse assim com a negridão de seus atos. Lemos assim na *Mish. Peah.*, cap. 8, sec. 9. Quanto ao trecho paralelo a este, mas que é um tanto mais elaborado, ver Êx 23.6-9.

■ 16.20

צֶדֶק צֶדֶק תִּרְדֹּף לְמַעַן תִּחְיֶה וְיָרַשְׁתָּ אֶת־הָאָרֶץ אֲשֶׁר־יְהוָה אֱלֹהֶיךָ נֹתֵן לָךְ: ס

A justiça seguirás, somente a justiça. Temos aqui o princípio fundamental. A lei está sempre ao lado daquilo que é correto. Guardar a lei como indivíduo particular, ou então como juiz administrador da justiça, era algo que *conferia vida*. Sobre como a lei é uma fonte de vida, ver as notas sobre Dt 4.1; 5.33 e 6.2.

"A justiça estrita, e nada mais" (John Gill, *in loc.*). A continuação do povo de Israel, na Terra Prometida, dependia disso. Os primitivos habitantes da região tinham sido expulsos dali por motivo das suas iniquidades (ver Gn 15.16). Outro tanto poderia suceder a Israel, o que, de fato, acabou sucedendo. Ver no *Dicionário* o artigo chamado *Cativeiro (Cativeiros)*. Parte do poder doador de vida da lei deveria continuar para preservar e abençoar a Israel, em sua existência na Terra Prometida.

ALGUMAS LEIS PERTINENTES À ADORAÇÃO (16.21—17.7)

Encontramos aqui um conjunto de leis miscelâneas que não têm relação com o contexto. Mas estão ligadas à seção de Dt 12.1—14.21. Podemos afirmar que essas leis faziam parte da responsabilidade dos juízes que figuram na seção anterior, e isso envolve uma verdade reconhecida pelos estudiosos. A seção proíbe qualquer tipo de sincretismo. O yahwismo precisava ser mantido puro, sem a administração de misturas com conceitos pagãos, exportados pelos povos vizinhos de Israel.

■ 16.21

לֹא־תִטַּע לְךָ אֲשֵׁרָה כָּל־עֵץ אֵצֶל מִזְבַּח יְהוָה אֱלֹהֶיךָ אֲשֶׁר תַּעֲשֶׂה־לָּךְ: ס

Não estabelecerás poste-ídolo. Em outras palavras, uma árvore ou coluna *asherah*, representação da deusa Aserá, deusa da fertilidade e consorte de Baal. Alguns, em seu sincretismo, levantavam esses símbolos pagãos perto do altar de Yahweh, o que era uma abominação aos olhos do autor sagrado, e com toda a razão. O termo hebraico *asherah* também significa bosque, pois os pagãos usavam tais lugares para ali efetivarem o seu culto idólatra, como também era o caso dos chamados *lugares altos* (ver a respeito no *Dicionário*). Cf. Dt 7.5 e Êx 34.13. Os israelitas não podiam tolerar a continuação de nenhuma instalação religiosa dos povos cananeus.

■ 16.22

וְלֹא־תָקִים לְךָ מַצֵּבָה אֲשֶׁר שָׂנֵא יְהוָה אֱלֹהֶיךָ: ס

Nem levantarás coluna. Algumas versões dizem aqui *imagens* em geral. Mas outras versões mostram-se mais específicas: *colunas pagãs*. Eram pedras sagradas, postas de pé, que simbolizavam a fertilidade masculina. Ver Dt 7.2; 12.3 e Êx 34.14 quanto a maiores informações. O autor estava aludindo a tipos específicos de idolatria; mas ele queria que entendêssemos qualquer manifestação da idolatria. Ver no *Dicionário* o verbete intitulado *Idolatria*, bem como Êx 20.3,4 e suas notas expositivas, a respeito do segundo mandamento.

CAPÍTULO DEZESSETE

CASTIGO DA IDOLATRIA, OBEDIÊNCIA À AUTORIDADE, ELEIÇÃO E DEVERES DE UM REI (17.1-20)

Este texto faz parte da seção iniciada em Dt 16.21, ou seja, leis miscelâneas, essencialmente desligadas do contexto, mas vinculadas ao material que figura em Dt 12.1—14.21. Ver os comentários referentes ao versículo 21 do capítulo 16. Toda idolatria devia ser evitada (ver Dt 16.21,22), e uma adoração pura, aos moldes da legislação mosaica, deveria ser mantida. Desse modo, prosperaria o yahwismo, embora os israelitas vivessem cercados por povos pagãos. Isso era imprescindível para que Israel pudesse florescer na Terra Prometida.

■ 17.1

לֹא־תִזְבַּח לַיהוָה אֱלֹהֶיךָ שׁוֹר וָשֶׂה אֲשֶׁר יִהְיֶה בוֹ
מוּם כֹּל דָּבָר רָע כִּי תוֹעֲבַת יְהוָה אֱלֹהֶיךָ הוּא: ס

Não sacrificarás ao Senhor teu Deus. Temos neste versículo uma *lei geral* que se aplicava a todos os sacrifícios de animais. Dt 15.1 aplica essa regra, com algumas particularidades. Ver também Lv 22.17-25 e Ml 1.8. Apresentei notas expositivas detalhadas em Lv 22.20. Ver igualmente Lv 4.3; Êx 12.5 e 29.1. Era um insulto trazer até o altar de Yahweh um animal defeituoso ou doente. O indivíduo que ousasse fazer tal coisa seria "amaldiçoado", conforme lemos em Ml 1.14.

■ 17.2

כִּי־יִמָּצֵא בְקִרְבְּךָ בְּאַחַד שְׁעָרֶיךָ אֲשֶׁר־יְהוָה אֱלֹהֶיךָ
נֹתֵן לָךְ אִישׁ אוֹ־אִשָּׁה אֲשֶׁר יַעֲשֶׂה אֶת־הָרַע בְּעֵינֵי
יְהוָה־אֱלֹהֶיךָ לַעֲבֹר בְּרִיתוֹ:

Que proceda mal. A primeira declaração é geral. Está em vista qualquer desobediência à lei de Moisés. Tal desobediência seria um tipo de rebeldia dentro do acampamento de Israel. A maldade praticada seria uma violação do *Pacto Mosaico* (ver as notas na introdução ao capítulo 19 de Êxodo). E isso, por sua vez, seria uma violação do *Pacto Abraâmico* (ver as notas em Gn 15.18). Ver também, no *Dicionário*, o artigo geral sobre *Pactos*. Naturalmente, o pecado principal em vista é a *idolatria*, conforme vemos nos versículos seguintes.

Transgredindo a sua aliança. Os vss. 2-7 demonstram que a pena imposta contra a prática da idolatria era a mesma imposta a quem encorajasse outros a praticá-la (ver o capítulo 13 de Deuteronômio). A pena era sempre a punição capital.

■ 17.3

וַיֵּלֶךְ וַיַּעֲבֹד אֱלֹהִים אֲחֵרִים וַיִּשְׁתַּחוּ לָהֶם וְלַשֶּׁמֶשׁ
אוֹ לַיָּרֵחַ אוֹ לְכָל־צְבָא הַשָּׁמַיִם אֲשֶׁר לֹא־צִוִּיתִי:

Cf. Dt 12.32—13.18, onde encontramos o ultimato contra a *idolatria*, que esta passagem (vss. 3-7) relata de modo mais abreviado. Este terceiro versículo condena a adoração ao Sol, à Lua e às estrelas dos pagãos, advertindo Israel contra qualquer tipo de veneração dessa natureza. Este versículo tem paralelo em Dt 4.1, onde forneci abundantes notas que se aplicam aqui também. É uma distorção adorar a criatura em lugar do Criador, conforme Paulo nos lembrou em Romanos 1.20 ss. Os teólogos históricos dizem-nos que a adoração às divindades astrais foi pesadamente introduzida em Israel nos séculos VIII e VII a.C., embora já houvesse vestígios disso desde tempos mais antigos.

"Esta seção (vss. 2-7) difere levemente da terceira seção, do capítulo 13. Ali, a pena é dirigida contra os mestres idólatras, sem importar se fossem profetas, indivíduos particulares ou comunidades em Israel. Neste ponto, a pena de morte é baixada contra todo indivíduo, homem ou mulher, que fosse achado culpado do ato de adorar qualquer outro 'deus' além de Yahweh. Encontramos vestígios dessa lei no pacto feito durante o reinado de Asa (2Cr 15.13)" (Ellicott, *in loc.*).

Cf. a mensagem do livro de Jó, que alude a essa forma de idolatria como negação do Deus soberano (Jó 31.26-28). Ver também 2Rs 21.3; 23.4 e Is 1.12.

■ 17.4

וְהֻגַּד־לְךָ וְשָׁמָעְתָּ וְדָרַשְׁתָּ הֵיטֵב וְהִנֵּה אֱמֶת נָכוֹן
הַדָּבָר נֶעֶשְׂתָה הַתּוֹעֵבָה הַזֹּאת בְּיִשְׂרָאֵל:

Então indagarás bem. Era mister fazer investigação. Nenhuma pessoa podia ser condenada à morte sem a devida investigação e sem que houvesse testemunhas idôneas. Ver os paralelos em Dt 13.12-14 e 19.15 ss., que enfatizam a necessidade de investigar e achar provas. As notas ali aplicam-se também aqui. Era mister que houvesse pelo menos duas testemunhas oculares (ver o vs. 6 deste capítulo).

Abominação em Israel. Está em pauta qualquer pecado perverso, bizarro. Mas a verdade é que a idolatria é considerada sempre por esse prisma na Bíblia. Ver as notas sobre Dt 13.14. As notas dadas ali fornecem-nos várias referências quanto ao uso desse vocábulo.

■ 17.5

וְהוֹצֵאתָ אֶת־הָאִישׁ הַהוּא אוֹ אֶת־הָאִשָּׁה הַהִוא אֲשֶׁר
עָשׂוּ אֶת־הַדָּבָר הָרַע הַזֶּה אֶל־שְׁעָרֶיךָ אֶת־הָאִישׁ אוֹ
אֶת־הָאִשָּׁה וּסְקַלְתָּם בָּאֲבָנִים וָמֵתוּ:

Então levarás o homem ou a mulher. Se a denúncia fosse verdadeira, então tanto os que praticavam como os que promoviam a idolatria tinham de ser levados às portas da cidade e apedrejados até morrerem. Ver no *Dicionário* o verbete intitulado *Apedrejamento*. Os intérpretes diferem quanto ao sentido da palavra aqui traduzida como "portas". Seriam as portas do Sinédrio, onde tivera lugar o julgamento. Outros pensam que seriam as portas da própria casa do indivíduo, onde também ele tinha praticado a idolatria (conforme Jarchi). Mas também se interpretava como as portas da cidade. Ou se um homem vivesse em um lugar dominado pela idolatria, então o réu era executado na porta do Sinédrio, onde Israel exercia jurisdição. A execução era pública, a fim de mostrar que nenhuma pessoa, homem ou mulher, estava isenta da severidade da lei, que havia sido quebrada em meio a tão grande rebeldia.

■ 17.6

עַל־פִּי שְׁנַיִם עֵדִים אוֹ שְׁלֹשָׁה עֵדִים יוּמַת הַמֵּת לֹא
יוּמַת עַל־פִּי עֵד אֶחָד:

Por depoimento de duas ou três testemunhas. As testemunhas tinham de ser, no mínimo, duas, ou idealmente três ou mais. A investigação feita (vs. 4) descobriria as testemunhas apropriadas. Nenhum homem podia ser executado sem a investigação e as testemunhas aptas que fossem descobertas. Nenhum caso podia ser resolvido se houvesse uma única testemunha, pois esta, por várias razões, poderia estar mentindo sobre a questão. Ver a proibição contra uma única testemunha, em Dt 19.15. O trecho de Dt 19.16 reconhece que testemunhas falsas poderiam apresentar-se, dispostas a querer destruir um rival ou um inimigo, por razões particulares. Os juízes deveriam inquirir as testemunhas para garantir a veracidade de seu depoimento. Os próprios juízes deveriam fazer investigações diligentes (Dt 9.18). O homem que prestasse falso testemunho seria executado, e assim receberia o tratamento que tentara impor ao homem inocente (ver Dt 19.19). Isso faria todo o povo de Israel *temer*, e possíveis falsas testemunhas hesitariam em agir (Dt 19.20). Ver no *Dicionário* o artigo chamado *Punição Capital*.

■ 17.7

יַד הָעֵדִים תִּהְיֶה־בּוֹ בָרִאשֹׁנָה לַהֲמִיתוֹ וְיַד כָּל־הָעָם
בָּאַחֲרֹנָה וּבִעַרְתָּ הָרָע מִקִּרְבֶּךָ: פ

A mão das testemunhas. Ou seja, as testemunhas seriam as primeiras pessoas a lançar pedra, iniciando assim o processo de apedrejamento. Portanto, as testemunhas precisavam ser muito sérias quanto à questão, pois ajudariam a matar os idólatras, ao tomar a iniciativa na execução. A *comunidade inteira*, talvez por meio de representantes, tomaria parte na execução a fim de demonstrar, daquela maneira terrível, o *repúdio* à idolatria em Israel, e não somente por parte de alguns cidadãos. A idolatria era um mal que precisava ser *expurgado* de forma definitiva em Israel. Ver Dt 13.5.

Assim eliminarás o mal do meio de ti. No hebraico, literalmente, temos aqui a ideia de "consumir", uma palavra cuja raiz significa "queimar". Essa palavra, *taberah*, um derivativo, significa "queimar". A palavra aqui usada, *ba'ar*, quer dizer "acender", "lançar fogo a", ou seja, consumir alguma coisa a fogo.

A CORTE SUPREMA (17.8-13)

Ver o trecho de Dt 16.18 ss. quanto aos juízes e oficiais, elementos importantes do sistema judicial no antigo Israel. Mostro ali como se desenvolveu esse sistema, e como vários sinédrios vieram à existência, incluindo o Grande Sinédrio e o Sinédrio Secundário. Cf. Dt 1.17.

"Moisés fez provisão para a atuação de juízes futuros na Terra Prometida, similar àquilo que foi provido para juízes no tempo das vagueações pelo deserto (ver Dt 1.17). Se algum juiz sentisse que um caso era difícil por demais para ele decidir, ele poderia levar a questão a um tribunal central, que consistiria de sacerdotes e do juiz oficiante, o qual seria estabelecido no local central do santuário central... As decisões desse tribunal superior não teriam apelação" (Jack S. Deere, *in loc.*).

Esta passagem é uma continuação lógica do trecho de Dt 16.18-20. Propiciava um avanço legislativo, pois criava um tipo de Corte Suprema, o primeiro Grande Sinédrio, composto de sacerdotes levitas e de juízes leigos (cf. Dt 19.17).

"De conformidade com 2Crônicas 19.5-11, Josafá, rei de Judá, durante a segunda metade do século IX a.C., instituiu uma reforma no judiciário de Israel, estabelecendo um tribunal em Jerusalém que baixasse os julgamentos do Senhor. Esse tribunal compunha-se de levitas, sacerdotes e oficiais leigos. O sumo sacerdote era o presidente desse tribunal, quando se tratava de questões eclesiásticas, e um leigo era o presidente em todas as questões seculares (ou seja, quanto às questões do rei). A natureza desse tribunal fundado por Josafá correspondia precisamente àquilo que tinha recomendado o livro de Deuteronômio" (G. Ernest Wright, *in loc.*). Não sabemos dizer quão de perto esse modelo foi seguido na nação do norte, Israel, visto que Josafá era rei da nação do sul, Judá.

■ 17.8

כִּי יִפָּלֵא מִמְּךָ דָבָר לַמִּשְׁפָּט בֵּין־דָּם ׀ לְדָם בֵּין־דִּין
לְדִין וּבֵין נֶגַע לָנֶגַע דִּבְרֵי רִיבֹת בִּשְׁעָרֶיךָ וְקַמְתָּ
וְעָלִיתָ אֶל־הַמָּקוֹם אֲשֶׁר יִבְחַר יְהוָה אֱלֹהֶיךָ בּוֹ:

Quando alguma cousa te for difícil demais em juízo. As causas por demais difíceis para algum juiz local podiam ser levadas à apreciação do tribunal central de Jerusalém, conforme ficou descrito na introdução a esta seção. É dada aqui uma lista representativa de casos que poderiam estar envolvidos: homicídio, direitos legais, injúrias e ofensas ocorridas por motivo de assaltos e furtos. Os *homicídios*, ou seja, "entre caso e caso de homicídio", o assassinato propositado, e não homicídio involuntário (ver Dt 19.1-13; Êx 21.12-14). Os casos entre "demanda e demanda", ou seja, atos de ludíbrio e de desfalque ou extravio (ver Êx 22.1-15). Também havia casos "de violência", como sequestros etc. (ver Êx 21.18-34). Todos os atos de tal natureza produziam *controvérsias* insolúveis, acompanhadas de intermináveis acusações e contra-acusações. Um juiz local sentir-se-ia avassalado diante de casos assim, e teria de submetê-los à apreciação do Tribunal Supremo, em Jerusalém. Cf. Dt 16.18-20.

■ 17.9

וּבָאתָ אֶל־הַכֹּהֲנִים הַלְוִיִּם וְאֶל־הַשֹּׁפֵט אֲשֶׁר יִהְיֶה
בַּיָּמִים הָהֵם וְדָרַשְׁתָּ וְהִגִּידוּ לְךָ אֵת דְּבַר הַמִּשְׁפָּט:

E te anunciarão a sentença do juízo. A decisão cabia, nos casos de apelação, ao tribunal central. Ver os detalhes da composição do Tribunal Supremo, nas notas introdutórias a esta seção, antes dos comentários sobre o versículo anterior. Cf. o presente versículo com Nm 27.15-21. O último parágrafo daquelas notas diz-nos exatamente de que maneira o rei Josafá implementou as ordens dadas nesta passagem. O *juiz*, neste caso, é uma alusão ao Sumo Sacerdote. Além dele, lemos sobre os levitas e os sacerdotes, bem como de um leigo, o qual só passou a atuar em tempos futuros, talvez sem nenhuma antecipação neste texto. Alguns eruditos veem na palavra *juiz* aqueles que seriam nomeados, os juízes referidos no livro de Juízes. Mas outros estudiosos pensam que o autor estava olhando para o que ocorria no santuário central, onde o Sumo Sacerdote atuava como presidente. Até aquele tempo, um "juiz" seria alguém como Josué, que tomou diretamente o lugar de Moisés, no comando supremo. Diferentes períodos da história tiveram diferentes expressões acerca das leis gerais, outorgadas aqui.

A *Oxford Annotated Bible* emite a seguinte opinião sobre este versículo: "Os sacerdotes levitas eram aqueles que operavam no santuário em distinção aos levitas das cidades. O juiz talvez fosse o principal juiz leigo (ver Dt 19.17). Um dos sacerdotes (vs. 12) era o principal juiz eclesiástico. O tribunal estabelecido por Josafá compunha-se de juízes leigos e clericais (2Cr 19.5-11)".

■ 17.10

וְעָשִׂיתָ עַל־פִּי הַדָּבָר אֲשֶׁר יַגִּידוּ לְךָ מִן־הַמָּקוֹם
הַהוּא אֲשֶׁר יִבְחַר יְהוָה וְשָׁמַרְתָּ לַעֲשׂוֹת כְּכֹל אֲשֶׁר
יוֹרוּךָ:

O mandado da palavra que te anunciarem. A decisão final vinha da parte do Tribunal Supremo. E então o juiz, bem como todos os envolvidos, estavam absolutamente obrigados a obedecer à decisão baixada por aquela corte. Não havia apelos diante dessa decisão superior. Os juízes locais tanto precisavam acatar as decisões do tribunal superior como tinham de executá-las. Não lhes era dado repensar a questão por sua própria conta, chegando assim a uma decisão diferente.

■ 17.11

עַל־פִּי הַתּוֹרָה אֲשֶׁר יוֹרוּךָ וְעַל־הַמִּשְׁפָּט
אֲשֶׁר־יֹאמְרוּ לְךָ תַּעֲשֶׂה לֹא תָסוּר מִן־הַדָּבָר
אֲשֶׁר־יַגִּידוּ לְךָ יָמִין וּשְׂמֹאל:

Segundo o mandado da lei que te ensinarem. Este versículo reforça a ordem baixada no versículo anterior. Note o leitor as várias funções da ordem dada. O tribunal superior: 1. baixava uma ordem; 2. provia uma decisão; 3. pronunciava-se. A reação que se exigia da parte de um juiz local era: 1. não desviar-se do que lhe fora ordenado fazer; 2. cumprir a ordem. Se esse juiz local não obedecesse, seria executado (vs. 12).

■ 17.12

וְהָאִישׁ אֲשֶׁר־יַעֲשֶׂה בְזָדוֹן לְבִלְתִּי שְׁמֹעַ אֶל־הַכֹּהֵן
הָעֹמֵד לְשָׁרֶת שָׁם אֶת־יְהוָה אֱלֹהֶיךָ אוֹ אֶל־הַשֹּׁפֵט
וּמֵת הָאִישׁ הַהוּא וּבִעַרְתָּ הָרָע מִיִּשְׂרָאֵל:

O homem, pois. A alusão é ao juiz local, que havia submetido uma decisão difícil à consideração do supremo tribunal. ele tinha a obrigação de executar a ordem superior. É de presumir-se que aqueles que estivessem envolvidos com ele também precisariam seguir a decisão. Mas, se recusassem-se a obedecer, ou tivessem o poder de distorcer a concretização da sentença, também seriam executados. Mas não parece ser essa a consideração deste versículo.

Os sacerdotes que tomavam a decisão faziam-no no lugar de Yahweh, e estavam revestidos de sua autoridade, pelo que era crime sério não obedecer. O *sacerdote* (talvez o sumo sacerdote) tomava sobre si mesmo a necessidade de baixar a decisão, em um sentido oficial, para os juízes locais. Ele agia "para servir ao Senhor", pelo que recebia sua sabedoria para que soubesse o que fazer, além de que tinha recebido autoridade para executar a decisão, com base na autoridade divina.

Juiz. Provavelmente está em pauta o juiz do tribunal supremo, que baixara ordens a um juiz local. Mas alguns estudiosos pensam estar aqui em foco o juiz local, cujas ordens, embora baixadas, não tivessem sido cumpridas. Aqueles que se rebelassem contra a autoridade superior seriam executados. A primeira ideia, porém, mais provavelmente é a correta. Ainda outros estudiosos pensam que a palavra deva ser compreendida no plural: os juízes do tribunal supremo.

Eliminarás o mal de Israel. Ver sobre isso no sétimo versículo deste capítulo. Haveria um *expurgo por meio do fogo* — esse é o sentido da expressão metafórica.

17.13

וְכָל־הָעָם יִשְׁמְעוּ וְיִרָאוּ וְלֹא יְזִידוּן עוֹד: ס

Neste versículo vemos a *severidade da lei*. Não se hesitava em executar até mesmo um juiz local, que não cumprisse o que se tinha considerado reto. Essa execução agiria como uma medida preventiva, capaz de fazer todo o povo de Israel *temer*. Em Israel, a justiça era imediata e terrível. Isso pode ser contrastado com nossos sistemas modernos, que podem envolver anos para que um simples caso de homicídio seja julgado. "Isso fazia o império da justiça tornar-se dotado de máxima importância na Terra Prometida, ajudando a impedir a anarquia" (Jack S. Deere, *in loc.*).

E jamais se ensoberbeça. No hebraico, essa palavra é *zadown*, que significa "de maneira arrogante", "de maneira orgulhosa". A medida disciplinar *humilharia* os homens e os faria temer.

REGRAS PARA OS REIS (17.14-20)

O *governo de Israel* como uma teocracia, e sua organização como uma confederação de tribos, inaugurada em Siquém (ver Js 24), eram estranhos ao conceito de reinado. As nações em volta é que tinham o reinado como modo de governo. Ver Jz 8.22,23 quanto à rejeição do governo por reinado em Israel. Os reis reivindicam autoridade absoluta e isso detrataria a autoridade de Yahweh (ver 1Sm 8.4-22). Mas por motivo de segurança nacional, Israel sentiu-se forçado eventualmente a mudar suas ideias. Os ataques contínuos de adversários militarmente mais poderosos tornaram aconselhável, de acordo com a mentalidade popular, centralizar a autoridade civil na forma de reinado, mediante a qual foi facilitada a formação de um exército permanente, composto por elementos de todas as tribos.

O resultado desse tipo de governo foi que um homem ficava forte demais, e os seus vícios chegavam a caracterizar um povo inteiro. Naqueles dias, tal como hoje, a idolatria era um mal constante. Se o próprio rei fosse um idólatra, ou, pelo menos, se fosse negligente no combate à idolatria, que poderia fazer o povo? Vozes contrárias, geralmente dos profetas, eram abafadas.

A *passagem à nossa frente* é a única, em todo o Pentateuco, que trata da questão de um rei, o que serve de indicação do fato de que as formas básicas da legislação dos israelitas já estavam estabelecidas, em sua essência, antes mesmo do início da monarquia. Deus fez uma concessão ao povo de Israel, quanto ao seu desejo de ter um rei. Mas isso não fazia parte da ordem original. O modo anterior de governo, composto por sacerdotes e juízes, não dispunha da centralização necessária para defender uma nação unida, o que, até certo ponto, explica o desejo de mudança na forma de governo. O livro de Juízes mostra-nos que essa forma de governo caiu em desastre por causa das iniquidades tanto dos juízes quanto do próprio povo. Por essa razão, um novo sistema foi eventualmente formado, mas também acabou caindo em desastre.

17.14

כִּי־תָבֹא אֶל־הָאָרֶץ אֲשֶׁר יְהוָה אֱלֹהֶיךָ נֹתֵן לָךְ וִירִשְׁתָּהּ וְיָשַׁבְתָּה בָּהּ וְאָמַרְתָּ אָשִׂימָה עָלַי מֶלֶךְ כְּכָל־הַגּוֹיִם אֲשֶׁר סְבִיבֹתָי:

Quando entrares na terra. Este versículo salta por cima de todo o período dos Juízes, contemplando o futuro, quando seria eventualmente estabelecida outra forma de governo, a saber, a monarquia. O período dos Juízes cobriu cerca de trezentos anos; e durante esse tempo ocorreram sete apostasias e sete servidões a sete nações pagãs. O livro de Juízes fala em cerca de treze homens que foram levantados para soerguer Israel em um período de declínio e desunião, que começou depois da morte de Josué. Esse livro retrata essencialmente um quadro de miséria e fracasso, com algum ocasional lampejo de luz de vitória.

Os críticos supõem que esta seção acerca de reis em Israel seja anacrônica, e que tenha sido redigida já dentro do tempo da monarquia, talvez até como uma apologia, e não centenas de anos antes, como uma profecia do que acabaria por acontecer, muito adiante, no futuro.

Em certo sentido, esta seção assemelha-se à exposição platônica do rei-filósofo, o monarca ideal concebido por Platão.

A promessa de um rei futuro foi dada pelo próprio Yahweh, e neste versículo nada podemos perceber que seja contrário à aspiração de uma monarquia. Alguns intérpretes supõem que houvesse dois partidos em Israel, um a favor e outro contra a monarquia, e que esta seção é uma espécie de apologia dos favoráveis à monarquia. A promessa de Yahweh serviria de base da filosofia deles. Mas outros retrucam que essa promessa foi firmada como uma concessão, e não como "a melhor coisa a ser feita em Israel". Essa é uma tentativa de reconciliar os dois partidos, e talvez baldada. "Os judeus consideraram isso como uma ordem para que fosse estabelecido um rei sobre eles; ao passo que era apenas uma permissão, caso eles desejassem um rei e resolvessem que teriam um monarca, conforme Deus previra o que fariam" (John Gill, *in loc.*).

Tipologia. O rei ideal servia de tipo de Cristo, o Rei dos reis.

17.15

שׂוֹם תָּשִׂים עָלֶיךָ מֶלֶךְ אֲשֶׁר יִבְחַר יְהוָה אֱלֹהֶיךָ בּוֹ מִקֶּרֶב אַחֶיךָ תָּשִׂים עָלֶיךָ מֶלֶךְ לֹא תוּכַל לָתֵת עָלֶיךָ אִישׁ נָכְרִי אֲשֶׁר לֹא־אָחִיךָ הוּא:

Eis as qualificações do rei ideal, em Israel:

1. ele teria de ser escolhido por Yahweh. Tal como em todas as coisas que sucediam em Israel, supunha-se que um rei haveria de guiá-los corretamente. A escolha, eventualmente, recairia sobre a família de Davi, por meio de quem a monarquia prosseguiria, até o surgimento do Rei-Messias.
2. ele teria de ser um hebreu nato, e não um estrangeiro. Teria de ser um irmão que guardasse no coração os melhores interesses da nação, não permitindo a imposição de potências estrangeiras sobre a Terra Prometida. Cf. os vss. 14,15 deste capítulo com 1Sm 8.5-9,19,20. O rei teria de ter sido criado em Israel, alguém que conhecesse e praticasse as tradições do povo desde a infância e que, presumivelmente, fosse homem bem versado na fé de Israel. Seria um líder espiritual e religioso de um povo distinto, razão pela qual tinha de ser um deles.

17.16

רַק לֹא־יַרְבֶּה־לּוֹ סוּסִים וְלֹא־יָשִׁיב אֶת־הָעָם מִצְרַיְמָה לְמַעַן הַרְבּוֹת סוּס וַיהוָה אָמַר לָכֶם לֹא תֹסִפוּן לָשׁוּב בַּדֶּרֶךְ הַזֶּה עוֹד:

Prosseguem aqui as qualificações de um futuro rei ideal de Israel:

3. ele não deveria multiplicar cavalos. Vários reis de Israel e Judá desobedeceram a essa regra, preferindo imitar os monarcas pagãos. O exército de um rei em Israel teria de ser formado por infantes, e não por cavaleiros, com seus cavalos e carros de combate, e suas máquinas de guerra. Isso faria automaticamente o exército de Israel ser mais fraco que o exército de outras nações. Mas parece que era precisamente isso que o Senhor queria. Um Israel militarmente mais fraco teria de depender mais de Yahweh. Depender de Yahweh era mais importante do que ter um exército superior, de acordo com o ponto de vista do autor sagrado. Cf. os vss. 16,17 com 1Sm 8.11-18. Essa referência adverte contra as muitas exigências impostas por um rei: seu exército, que gastaria muitos recursos da nação, a corte luxuosa do rei e a drenagem contínua dos recursos naturais e humanos da nação.
4. Não era permitida nenhuma volta ao Egito. Isso fatalmente sucederia se o rei multiplicasse cavalos. Pois ele teria de obter muitos deles no Egito. Em breve estaria buscando o favor do Faraó e firmando alianças com ele. Destarte, Israel acabaria ficando em uma situação de dependência econômica, em substituição à servidão física em que estivera no passado. O retorno ao Egito incluiria outras coisas, além dos cavalos: armamentos, comércio e troca de hábitos culturais estariam incluídos, tudo contra os ditames da vontade expressa de Yahweh.

17.17

וְלֹא יַרְבֶּה־לּוֹ נָשִׁים וְלֹא יָסוּר לְבָבוֹ וְכֶסֶף וְזָהָב לֹא יַרְבֶּה־לּוֹ מְאֹד:

Prosseguem aqui as qualificações recomendadas a um futuro rei de Israel:
5. *Contra uma poligamia exagerada*. O caso de Salomão talvez estivesse na mira do autor sagrado (se a ideia dos críticos estiver certa), o qual atribuiu esta seção ao período de monarquia, e não a um tempo mais de trezentos anos antes. Talvez a regra tivesse certo aspecto sexual. Não é bom, moral ou espiritualmente, que um homem tenha muitas mulheres. Mas a principal questão que essa regra procurava evitar era o antigo tema da idolatria. Muitas esposas significariam muitas influências; e muitas influências incluiriam algumas que levariam à prática da idolatria, que fosse praticada pelas mulheres do rei. Foi precisamente isso que aconteceu no caso de Salomão. Ver Ne 13.26 quanto a um comentário sobre o erro de Salomão. Ver também 1Rs 11.3,4. Havia uma noção comum, entre os intérpretes judeus, de que a um rei deveriam ser permitidas dezoito mulheres, mas não mais do que isso (Maimônides, Hilchot Melachim, sec. 2; Talmude Bab. Sanhedrin, fol. 21.1; Targuns de Jonathan e de Jarchi, sobre este texto). A cristianização do texto, fazendo o versículo combater qualquer forma de poligamia, é anacrônica e absurda. Em Israel, a filosofia de um homem e uma mulher formava um princípio solidamente firmado. Contudo, a ideia de muitas mulheres para um homem parece atrativa para muitos.
6. *Não deveriam os reis juntar ouro e prata*. Israel esperava que seus reis fossem homens ricos e poderosos. Mas certos limites teriam de ser observados. O rei deveria cuidar de importantes questões nacionais. ele não poderia ficar juntando riquezas materiais conforme fazem os ricos. O ideal judaico era que os bens do rei deveriam ser suficientes para todas as despesas de sua corte, incluindo salários dos servos, atendentes etc.; o bastante para a manutenção da adoração sagrada, efetuada no templo; o suficiente para manter uma vida confortável, e também para fazer guerra. Todavia, um rei de Israel não deveria usar de exagero no tocante à questão das riquezas pessoais e da amplidão de seu tesouro pessoal. A essência dessa ideia foi dada por Maimônides em *Hilchot Melachim*, cap. 3, sec. 4. Cf. Pv 30.8,9.

■ **17.18**

וְהָיָה כְשִׁבְתּוֹ עַל כִּסֵּא מַמְלַכְתּוֹ וְכָתַב לוֹ אֶת־מִשְׁנֵה
הַתּוֹרָה הַזֹּאת עַל־סֵפֶר מִלִּפְנֵי הַכֹּהֲנִים הַלְוִיִּם׃

Prosseguem aqui as qualificações recomendadas da parte dos reis de Israel:
7. *Instrução nas Escrituras*. Um rei de Israel deveria dispor a toda hora de uma cópia das leis acerca do rei ideal, lendo-a com frequência e seguindo-a bem de perto. Também deveria tornar-se profundo conhecedor da legislação mosaica, a fim de que pudesse ser um homem espiritual, e deveria ser praticante de sua fé, a fim de servir de exemplo para Israel. Alguns pensam que as palavras "desta lei" se referem ao livro de Deuteronômio, uma repetição da lei, que poderia equipar o monarca no conhecimento dos requisitos divinos, a fim de contribuir para a implementação de tudo quanto se esperava de qualquer cidadão hebreu, sobretudo de um líder do povo de Israel.

A menção aos sacerdotes e levitas sugere que eles custodiavam os escritos sacros, podendo agir como bibliotecários do rei. Talvez a passagem relativa aos reis tenha sido uma adição do editor ao livro original. Ver 2Rs 22 e 23. Um livro da lei foi *achado* nos tempos de Josias, livro esse que se tornou a base da reforma religiosa por ele instituída. Isso significa que os sacerdotes e levitas falhavam vez por outra em seu papel de guardiães dos livros sagrados.

Este versículo mostra-nos que o rei, embora fosse civil, deveria receber orientação religiosa. Os livros sagrados deveriam fazer parte da vida diária de um monarca hebreu. Havia líderes religiosos que poderiam garantir tal resultado. Talvez tenhamos aqui os primórdios do rabinado, conforme alguns supõem. Os rabinos estudavam minuciosamente a lei, em sua inteireza, e faziam provisões elaboradas tendentes à sua observância quanto a todas as facetas da vida.

■ **17.19**

וְהָיְתָה עִמּוֹ וְקָרָא בוֹ כָּל־יְמֵי חַיָּיו לְמַעַן יִלְמַד
לְיִרְאָה אֶת־יְהוָה אֱלֹהָיו לִשְׁמֹר אֶת־כָּל־דִּבְרֵי
הַתּוֹרָה הַזֹּאת וְאֶת־הַחֻקִּים הָאֵלֶּה לַעֲשֹׂתָם׃

Prosseguem neste versículo os requisitos impostos aos reis de Israel:
8. *Leitura e estudo diário das Escrituras*. O rei também era um discípulo, um aprendiz. Era mister que ele aprendesse a temer a Yahweh; pois ele teria de aprender a guardar todos os mandamentos, com todas as suas complicações. Ver a tripla designação da lei, nas notas sobre Dt 6.1. Os monarcas de Israel deviam ser versados nos mandamentos, nos estatutos e nos juízos da lei; e só podiam tornar-se eficientes quanto a isso mediante um esforço concentrado de estudo e aplicação.

Ver Dt 10.12,13 quanto aos deveres de todos os membros da comunidade de Israel: 1. Temor. 2. Reta conduta. 3. Amor. 4. Prestação de serviços. 5. Guarda dos mandamentos.

■ **17.20**

לְבִלְתִּי רוּם־לְבָבוֹ מֵאֶחָיו וּלְבִלְתִּי סוּר מִן־הַמִּצְוָה
יָמִין וּשְׂמֹאול לְמַעַן יַאֲרִיךְ יָמִים עַל־מַמְלַכְתּוֹ הוּא
וּבָנָיו בְּקֶרֶב יִשְׂרָאֵל׃ ס

Terminam aqui as exigências relativas às virtudes que deveriam exibir os monarcas de Israel:
9. *Humildade*. Embora fosse um monarca, um rei de Israel seria mantido em atitude de humildade por meio do estudo e da prática dos princípios da lei, tanto diante de Yahweh como diante de seus súditos. Se ele *amasse* conforme lhe tinha sido ordenado (ver Dt 6.5), não perseguiria nem abusaria de ninguém. Se ele servisse, não exigiria tanto em ser servido. Se ele *temesse*, não procuraria prejudicar a outras pessoas. Se ele *obedecesse*, não teria de ser repreendido pelos profetas e sacerdotes, a fim de que voltasse à prática da conduta correta. E também não se desviaria nem para a direita nem para a esquerda quanto às práticas idólatras, nem entraria em alianças ilegais com potências estrangeiras.

De sorte que prolongue os dias no seu reino. Uma promessa feita aos monarcas de Israel. Pessoalmente, o rei teria vida longa e prosperidade, e, por sua vez, assim também sucederia aos seus familiares e aos seus súditos. Trata-se da mesma promessa geral dada a todos quantos obedecessem à lei. Ver o conceito da vida mediante a obediência à lei, comentada nos trechos de Dt 4.1; 5.33 e 6.2.

E seus filhos. Essas palavras indicam que a monarquia israelita seria *hereditária*, o que se viu, eventualmente, na família de Davi. O Rei-Messias veio dessa linhagem, tendo sido esse o cumprimento mais pleno dessa promessa.

Cf. esta passagem com a referência a "príncipes" (reis futuros da restaurada linhagem de Davi), em Ez 45.7-9.

CAPÍTULO DEZOITO

OS SACERDOTES, AS PRÁTICAS PROIBIDAS E A PROMESSA DE UM PROFETA (18.1-22)

Os vss. 1-8 tratam de regras concernentes aos sacerdotes e aos levitas. Nem os sacerdotes, que vinham dentre os levitas, nem a própria tribo de Levi, que se tinha tornado uma casta sacerdotal, receberam herança alguma sob a forma de territórios. A herança deles era o próprio Yahweh; a maior espiritualidade que teriam, na qualidade de líderes religiosos, era o culto no templo central, em Jerusalém. Em outras palavras, a herança deles era de natureza espiritual, e não material. Os sacerdotes e os levitas deveriam ser sustentados pelas demais tribos, mediante dízimos e ofertas. Ver Dt 12.12 ss. Uma vez na Terra Prometida, receberam cidades e as áreas imediatamente adjacentes a elas, onde podiam ocupar-se na criação de gado e na agricultura (ver as notas em Nm 35.1, com um gráfico ilustrativo). Ver Nm 1.47 quanto à lei da não-herança no tocante aos levitas.

Quarenta e oito cidades foram separadas para eles (ver Nm 35.1-8; Js 21.1-42). Ver as provisões para os sacerdotes e levitas, ordenadas em Dt 14.28,29 e 16.10,11. Ver no *Dicionário* os artigos gerais chamados *Levitas* e *Sacerdotes e Levitas*.

18.1

לֹא־יִהְיֶה לַכֹּהֲנִים הַלְוִיִּם כָּל־שֵׁבֶט לֵוִי חֵלֶק וְנַחֲלָה עִם־יִשְׂרָאֵל אִשֵּׁי יְהוָה וְנַחֲלָתוֹ יֹאכֵלוּן׃

A *introdução geral* a este capítulo presta informações que cobrem todos os itens deste versículo. "Essa lei aplica-se a toda a tribo de Levi (ver Êx 28.1-5), ou seja, aos levitas que oficiavam no santuário central ("os sacerdotes, filhos de Levi", Dt 21.5), bem como àqueles que operavam como mestres nas cidades (ver Dt 12.18,19; 14.27-29). Desse modo, o livro de Deuteronômio adiciona outra qualificação à legislação cabível aos sacerdotes, que tinha sido anteriormente distinguida somente entre os levitas aarônicos que oficiavam diante do altar e outros levitas que eram meros assistentes no santuário (ver Nm 18)" (*Oxford Annotated Bible*, comentando sobre este versículo). As provisões acerca deles são mencionadas em Dt 14.28,29 e 16.10,11.

18.2

וְנַחֲלָה לֹא־יִהְיֶה־לּוֹ בְּקֶרֶב אֶחָיו יְהוָה הוּא נַחֲלָתוֹ כַּאֲשֶׁר דִּבֶּר־לוֹ׃ ס

Não terão herança no meio de seus irmãos. Ver Nm 1.47 ss. e o artigo geral, no *Dicionário*, sobre *Levitas*. Em lugar de uma herança material, eles tinham uma herança espiritual: o próprio Yahweh e daí o culto sagrado, primeiro no tabernáculo e, mais tarde, no templo de Jerusalém. Ademais, eles tinham deveres nas cidades, os quais incluíam um ministério de ensino. Também dispunham de 48 cidades, com suas áreas adjacentes, que usavam na agricultura e na criação de gado. Mas o grosso do sustento deles vinha dos dízimos e das ofertas. (Ver Nm 35.1-8 e Js 21.1-42). É verdade (embora seja curioso) que os levitas, nas passagens que tratam de provisões, eram classificados juntamente com os pobres, pois eram comparativamente puros e dependentes do resto do povo de Israel, quanto ao seu sustento. Esse princípio passou para o ministério cristão, com frequência com o acompanhamento do "efeito da pobreza". Ver 1Co 9.8 ss.

Ver Nm 18.20 quanto a um versículo paralelo aos vss. 1 e 2 deste capítulo, onde também são oferecidos outros comentários úteis. Ver também os vss. 21 ss. daquele capítulo quanto aos dízimos e outras provisões.

18.3

וְזֶה יִהְיֶה מִשְׁפַּט הַכֹּהֲנִים מֵאֵת הָעָם מֵאֵת זֹבְחֵי הַזֶּבַח אִם־שׁוֹר אִם־שֶׂה וְנָתַן לַכֹּהֵן הַזְּרֹעַ וְהַלְּחָיַיִם וְהַקֵּבָה׃

Os vss. 3,4 revisam a parte dos sacrifícios e das primícias que compunham parte do sustento dos sacerdotes. Os holocaustos (ver a respeito no *Dicionário*) requeriam que os animais oferecidos fossem totalmente consumidos a fogo. Mas havia outras oferendas cujas partes era permitido que os sacerdotes consumissem. Mas o sangue e a gordura sempre eram sacrificados sobre o altar de bronze (ver Lv 3.17). Ver Lv 3; 7.28-36 e Nm 18.18,19 quanto a regulamentos acerca das porções dadas ao ministério. A oferta de comunhão (Lv 3) era a oferenda mais comumente feita, incluindo porções oferecidas a Deus, bem como aos sacerdotes e ao povo em geral.

A espádua, as queixadas e o bucho. O ombro era sempre o direito, conforme também acontecia a outros povos em Canaã. Isso ficou comprovado mediante a descoberta de um templo cananeu da era do Bronze Posterior, em Laquis, associado a uma valeta repleta de ossos exclusivamente do ombro direito.

Este versículo acrescenta as *queixadas e o bucho*, detalhes nunca mencionados algures como porções que cabiam aos sacerdotes. As queixadas talvez incluíssem a cabeça inteira, ao passo que o bucho incluiria os intestinos e o estômago, elementos muito prezados pelos antigos na alimentação. Aristófanes, em *Equites*, ato 1, sec. 3, par. 307, refere-se ao bucho como um *alimento delicioso*. Jarchi e Aben Ezra disseram que a *cabeça inteira* era dada aos sacerdotes.

18.4

רֵאשִׁית דְּגָנְךָ תִּירֹשְׁךָ וְיִצְהָרֶךָ וְרֵאשִׁית גֵּז צֹאנְךָ תִּתֶּן־לוֹ׃

As primícias. Ver Êx 22.29. Os levitas também recebiam uma parcela dos produtos agrícolas produzidos na terra. Eles recebiam dízimos sob a forma de cevada, trigo, uvas e azeitonas, e, presumivelmente, também de outros produtos agrícolas. Ademais havia as ofertas de cereal, das quais eles também recebiam uma parte, uma vez que fossem oferecidas a Yahweh. Quanto aos vários tipos de ofertas, ver Lv 7.37. Ver as notas sobre as ofertas de cereais, em Lv 6.14-18, com detalhes adicionais em Lv 2.1-16. Ver no *Dicionário* o artigo geral intitulado *Sacrifícios e Ofertas*. Sob III D.2.b, apresentei notas sobre as *ofertas de cereais*. Ver também o verbete chamado *Primícias*.

O *couro* dos animais também ficava com os sacerdotes, para o fabrico de vestes e outros produtos úteis. A maioria dos intérpretes, entretanto, neste ponto, compreende a frase como "as primícias da lã", ou seja, os sacerdotes recebiam parte da lã que era tosquiada das ovelhas. Com essa lã eram feitas peças do vestuário. Se essa é, realmente, a referência, então temos aqui o único lugar onde esse item é mencionado em todo o Pentateuco.

18.5

כִּי בוֹ בָּחַר יְהוָה אֱלֹהֶיךָ מִכָּל־שְׁבָטֶיךָ לַעֲמֹד לְשָׁרֵת בְּשֵׁם־יְהוָה הוּא וּבָנָיו כָּל־הַיָּמִים׃ ס

Porque o Senhor teu Deus o escolheu. Essa era a *razão* do tratamento conferido aos sacerdotes, servos de Deus que mereciam ser sustentados pelos membros das demais tribos de Israel. Os sacerdotes tinham uma missão divina a cumprir e precisavam da ajuda dos outros para poderem desempenhar o seu papel. Outrossim, os sacerdotes serviam a todos os demais israelitas no campo religioso, pelo que mereciam o que recebiam. A tribo de Levi foi separada exatamente com esse propósito, pelo que esse serviço passava, perpetuamente, de pai para filho. Os levitas não deveriam ser esquecidos (ver Dt 14.27). Quem deles negligenciasse acabaria sendo esquecido, conforme vemos naquele versículo. O Novo Testamento ampliou esse conceito sacerdotal, para que todos os crentes fossem incluídos (ver 1Pe 2.9), embora isso não queira dizer que um ministério distinto deva ser eliminado entre os crentes. Até hoje há ministros do evangelho, que vivem do seu ministério.

Em Cristo, porém, terminou o antigo sacerdócio levítico. Ver Hb 7.11-19. Cristo incorporou em si mesmo todas as funções dos sacerdotes, e, de fato, todas as sombras projetadas pela dispensação legal. Cristo tornou-se o Sumo Sacerdote do Novo Pacto. Ver Hb 2.17,18; 4.14—5.10; 6.9—7.28. E todo crente passa a fazer parte dessa família sacerdotal (ver Hb 2.10-13).

18.6,7

וְכִי־יָבֹא הַלֵּוִי מֵאַחַד שְׁעָרֶיךָ מִכָּל־יִשְׂרָאֵל אֲשֶׁר־הוּא גָּר שָׁם וּבָא בְּכָל־אַוַּת נַפְשׁוֹ אֶל־הַמָּקוֹם אֲשֶׁר־יִבְחַר יְהוָה׃

וְשֵׁרֵת בְּשֵׁם יְהוָה אֱלֹהָיו כְּכָל־אֶחָיו הַלְוִיִּם הָעֹמְדִים שָׁם לִפְנֵי יְהוָה׃

"Vss. 6-8. Os levitas que residiam nas cidades, cujo papel anterior fora mudado devido à centralização da adoração, podiam participar dos cultos do santuário central. Essa provisão, porém, mostrou ser impraticável nos tempos de Josias (2Rs 23.8,9)" (*Oxford Annotated Bible*, comentando sobre o versículo sexto deste capítulo). Aqueles que quisessem cooperar com os sacerdotes no santuário central tinham todo o direito de assim o fazer. Ali, não seria um sacerdote, mas desempenharia algum papel de assistente (ver 1Cr 23.28-32).

18.8

חֵלֶק כְּחֵלֶק יֹאכֵלוּ לְבַד מִמְכָּרָיו עַל־הָאָבוֹת׃ ס

Os levitas que viessem de uma das cidades dos levitas (48 ao todo), a fim de servirem no santuário central, tinham o direito de receber o mesmo apoio de qualquer outro levita que ali já estivesse administrando. Isso seria verdade, mesmo que tivesse recebido dinheiro com a venda das possessões de sua família (cf. Lv 25.32-34), antes de ter-se mudado para Jerusalém. Apesar de sua fonte de renda particular, ainda assim tinha o direito de receber sustento regular como um levita. Os levitas não recebiam herança, mas podiam comprar casas e campos, e possuíam bens pessoais de grande valor. Nos tempos de Eleazar e Itamar, havia apenas oito turnos de levitas, que se revezavam no serviço prestado. Mas nos dias de Davi, havia 24 desses turnos. Ver Lc 1.8. "Esses sacerdotes do interior podiam participar de todos os sacrifícios da festa, excetuando os que pertencessem ao turno que estivesse operando naquela semana" (John Gill, *in loc.*).

Não se aparte do mandamento, nem para a direita nem para a esquerda; de sorte que prolongue os dias no seu reino, ele e seus filhos no meio de Israel.

Deuteronômio 17.20

Ouve, Israel, o Senhor nosso Deus, é o único Senhor. Amarás, pois, o Senhor teu Deus de todo o teu coração, de toda a tua alma, e de toda a tua força.

Deuteronômio 6.4,5

ODE AO DEVER

Filho severo da Voz de Deus!
O Dever! Se a esse nome tu amas,
Que és uma luz que guia, uma vara
Que castiga a quem erra, e reprovas;
Tu, que és vitória e lei,
Quando se atiçam os terrores vazios;
Das vãs tentações tu libertas;
E acalmas a contenda cansativa e a débil humanidade!
A uma função mais humilde, Poder tremendo!
Eu conclamo; eu mesmo me entrego
À tua orientação, nesta hora;
Oh, que minhas fraquezas tenham fim!
Dá para mim, sábio e humilhado,
O espírito da abnegação;
Dá-me razão da confiança;
E na luz da verdade, eu, teu escravo, deixa-me viver!

William Wordsworth

REGRAS ATINENTES AOS PROFETAS E AO CULTO (18.9-22)

Um *verdadeiro profeta* não se envolvia em cultos alternativos que fizessem mistura com o yahwismo. Deus tornava a sua vontade conhecida não meramente através dos Livros Sacros, mas também através das experiências místicas, como as visões e os sonhos, bem como através de certos métodos de adivinhação. Israel tinha métodos próprios e aprovados de adivinhação, conforme se vê no artigo do *Dicionário* sobre esse assunto. Os próprios apóstolos cristãos lançaram sortes para escolher um discípulo que substituísse a Judas Iscariotes no apostolado, usando certa forma de adivinhação. Ver At 1.15 ss. Isso posto, o princípio de adivinhação não era tido como errado em si mesmo, contanto que não envolvesse práticas pagãs, nem algum aspecto de algum culto alternativo, idólatra. E, naturalmente, havia formas de adivinhação que eram vedadas por serem más e perigosas em si mesmas.

O *politeísmo* estribava-se em uma série complexa e inumerável de superstições e práticas mágicas. As massas populares deleitavam-se nessas coisas. A mágica pagã aparece na Bíblia como uma abominação. Tinha suas formas variegadas de culto que ameaçavam o yahwismo, pois sempre envolviam práticas idólatras. Mediante o uso das artes mágicas, os homens procuravam manipular seus deuses, forçando-os a conceder-lhes favores. Os *sacrifícios infantis* visavam honrar os deuses falsos; mas também eram usados como meios de predizer ou manipular o futuro, além de tentarem criar circunstâncias favoráveis quanto ao presente.

■ 18.9

כִּי אַתָּה בָּא אֶל־הָאָרֶץ אֲשֶׁר־יְהוָה אֱלֹהֶיךָ נֹתֵן לָךְ לֹא־תִלְמַד לַעֲשׂוֹת כְּתוֹעֲבֹת הַגּוֹיִם הָהֵם:

Quando entrares na terra. Uma vez que os hebreus entrassem na Terra Prometida, que era a herança concedida a Abraão e seus descendentes por meio do Pacto Abraâmico (ver as notas a respeito em Gn 15.18), encontrariam uma incrível teia de cultos pagãos. O homem, dotado de mente curiosa, examinaria tais coisas e terminaria praticando algumas delas, provavelmente fazendo um sincretismo com o yahwismo. E isso terminaria em uma mescla abominável de ideias religiosas. O termo "abominação", anotado em Dt 13.14, era usado com frequência como sinônimo de "idolatria". Ver o artigo geral sobre esse assunto no *Dicionário*.

"A dependência a essas práticas indicava uma falha paralela na entrega confiante da própria vida ao Senhor. Aqueles que conhecem bem o ocultismo e a possessão demoníaca rapidamente chegam a ponto de pôr em prática as coisas mencionadas nos versículos 9 a 14 deste capítulo, e isso tem levado muitos à servidão aos demônios" (Jack S. Deere, *in loc.*).

Não devemos confundir as ciências psíquicas legítimas, como a *parapsicologia*, com o ocultismo. É tão legítimo pesquisar a natureza psíquica do homem como o é pesquisar a biologia. Ver na *Enciclopédia de Bíblia, Teologia e Filosofia* o verbete chamado *Parapsicologia*, quanto a distinções que precisam ser feitas entre essas duas coisas. O homem é uma psique (uma alma), e a antropologia filosófica interessa-se pelo estudo, teológico e científico, da natureza espiritual do homem. Isso nada tem que ver com o ocultismo, ainda que certas pessoas, ignorando a questão, chamem de ocultismo tudo aquilo que não entendem.

■ 18.10

לֹא־יִמָּצֵא בְךָ מַעֲבִיר בְּנוֹ־וּבִתּוֹ בָּאֵשׁ קֹסֵם קְסָמִים מְעוֹנֵן וּמְנַחֵשׁ וּמְכַשֵּׁף:

O seu filho ou a sua filha. Está aqui em destaque o *sacrifício infantil*. Ver no *Dicionário* o artigo detalhado intitulado *Moleque, Moloque*. Cf. Dt 12.29-31, onde dou informações adicionais. Havia práticas drásticas que visavam a agradar os deuses e obter favores tanto para o presente quanto para o futuro. Ver também Lv 18.21; 2Rs 16.3; 21.6; Jr 7.31; 19.5; 32.35.

Adivinhação. Ver o *Dicionário* quanto a esse título. Israel praticava certas formas aprovadas de adivinhação, que não envolviam nenhuma idolatria. Mas os mesmos modos, se envolvessem ideias próprias da idolatria, já se tornavam abominações, pois serviam às divindades pagãs e procuravam sua orientação e favor. O termo hebraico correspondente, *qasam*, significa "dividir", ou seja, examinar e interpretar presságios que dividiriam o falso do verdadeiro, o "sim" do "não". Cf. Js 13.22; 1Sm 6.2; 28.8; 2Rs 17.17; Is 3.2; 4.25; Jr 27.9; Ez 13.6,9; Mq 3.6,7,11 e Zc 10.2. Ver no *Dicionário* o artigo intitulado *Magia e Feitiçaria*.

Observadores dos Tempos. A nossa versão portuguesa diz "prognosticador", ou seja, aqueles que tentavam predizer o futuro por meio de métodos pagãos e idólatras. Sabemos, mediante o estudo dos sonhos, que o conhecimento prévio é comum para a mente humana. Temos entre trinta e cinquenta sonhos a cada noite, e todo o nosso futuro, com aquilo que é ou não é importante, acha-se ali retratado. Os sonhos como que lembram à pessoa qual seja o seu futuro. Logo, tentar prever o futuro não é um erro em si mesmo. Os profetas hebreus previam o futuro. O que a Bíblia condena é a manipulação de meios pagãos, aquelas coisas e aqueles modos que tendiam por levar as pessoas à idolatria e tinham por intuito dar um vislumbre do futuro. Em outras palavras, o *conhecimento prévio idólatra* é o que a lei mosaica condenava. Cf. Lv 19.26. O mais provável é que a *astrologia* (ver a respeito no *Dicionário*) também estivesse debaixo dessa condenação.

Agoureiro. Algumas versões dizem aqui "encantador". Cf. Gn 44.5. Talvez devamos pensar aqui no encantador de serpentes. Vários intérpretes falaram sobre o sistema complexo de "presságios" que os pagãos observavam em conexão com essa questão. Muitas coisas eram reduzidas a "presságios" ou "sinais", e esse sistema era mesclado com toda a forma de superstições. Ver no *Dicionário* os artigos intitulados *Encantador* e *Encantamento*. O termo hebraico envolvido é *menachesh*, que transmite a ideia de "olhar atentamente".

Feiticeiro. Ver no *Dicionário* o artigo intitulado *Magia e Feitiçaria*. No hebraico temos o termo *yiddeoni*, um "sábio", ou seja, alguém que, por meio de encantamentos, procura realizar os seus desejos.

■ 18.11

וְחֹבֵ֖ר חָ֑בֶר וְשֹׁאֵ֥ל אוֹב֙ וְיִדְּעֹנִ֔י וְדֹרֵ֖שׁ אֶל־הַמֵּתִֽים׃

Encantador. Ver no *Dicionário* os artigos chamados *Encantador* e *Encantamento*. No hebraico temos os vocábulos *chober* e *chaber*, que indicam alguém que lança sortes e encantamentos. O sentido literal significa "dar nós", fornecendo a ideia de alguém que amarra outras pessoas por meio de suas artes mágicas ou murmúrios.

Necromante. Ver no *Dicionário* o verbete assim chamado, bem como as notas expositivas sobre Lv 19.31.

Mágico. No hebraico, *mechashshep*, ou seja, aquele que usava drogas, ervas, perfumes etc., nas suas artes mágicas. Algumas traduções dizem aqui "feiticeiro". Está em pauta a mágica praticada por meio de encantamentos e drogas. Ver no *Dicionário* o artigo chamado *Magia e Feitiçaria*.

É preciso observar a distinção entre o necromante e o "médium", ou aquele que tratava com os espíritos familiares. Ambos podiam consultar os mortos, de tal modo que os termos podiam ser usados como sinônimos. Os espíritos humanos de pessoas mortas não eram os únicos alvos dessas práticas. No mundo dos espíritos há muitos habitantes, e podem ser feitos contatos com vários tipos de seres. Algumas vezes isso acontece de forma espontânea. E até as pessoas mais espirituais às vezes recebem a visita do espírito de algum amigo ou ente querido que já morreu. O que é aqui condenado é a "tentativa propositada" de entrar em tais contatos, tentando obter informações da parte de tais seres. Isso estava envolvido nos ritos pagãos e na adoração idólatra. Ver na *Enciclopédia de Bíblia, Teologia e Filosofia* o artigo chamado *Espiritismo*. Nossas formas religiosas devem ir mais alto do que o mero contato com os espíritos dos mortos, ainda que algumas vezes, espontaneamente, isso possa acontecer.

Sobrevivência Diante da Morte Biológica. Por outro lado, a menção à consulta aos espíritos, neste versículo, provavelmente demonstra que o autor sagrado cria na vida pós-túmulo, onde a alma dos homens mortos continua vivendo. Mas isso já não é uma doutrina do Pentateuco, embora haja alguns indícios ao longo do caminho. O homem foi criado segundo a imagem de Deus (ver Gn 1.26,27), e isso inclui a espiritualidade do ser humano, mostrando que este não é apenas matéria. Além disso, Deus é chamado de Deus dos espíritos, em Nm 16.22 e 27.16. Parece que havia uma crença primitiva e ainda indefinida que não tinha muito que ver com a ministração da fé religiosa. O Pentateuco nunca ameaça os desobedientes com o castigo após a morte; nem promete a vida eterna aos obedientes, após a morte. Essas doutrinas começaram a desenvolver-se somente nos Salmos e nos Profetas, e continuaram seu desenvolvimento durante o período intertestamentário de quatrocentos anos. Depois reapareceram nos livros apócrifos e pseudepígrafos. E, finalmente, já no Novo Testamento, é que nos foram dadas melhores definições a respeito. Ver no *Dicionário* os verbetes chamados *Imortalidade* e *Alma*. Na *Enciclopédia de Bíblia, Teologia e Filosofia* há vários artigos que versam sobre o tema da Imortalidade, incluindo estudos do ponto de vista científico.

■ 18.12

כִּֽי־תוֹעֲבַ֥ת יְהוָ֖ה כָּל־עֹ֣שֵׂה אֵ֑לֶּה וּבִגְלַל֙ הַתּוֹעֵבֹ֣ת הָאֵ֔לֶּה יְהוָ֣ה אֱלֹהֶ֔יךָ מוֹרִ֥ישׁ אוֹתָ֖ם מִפָּנֶֽיךָ׃

Abominação ao Senhor. Todas as formas de culto, mencionadas anteriormente e misturadas com práticas idólatras, eram "abomináveis" aos olhos de Deus. Ver sobre o termo *abominação* as notas em Dt 13.14. Todas essas práticas afastavam os homens para longe de Deus. Os sistemas que usavam de sincretismo do yahwismo com práticas pagãs e idólatras eram prejudiciais. As sete nações cananeias que tinham habitado na terra de Canaã foram expulsas dali por causa da multiplicidade de seus pecados (ver Gn 15.16). E outro tanto sucederia a Israel, se eles imitassem as práticas pagãs dos cananeus. E isso, de fato, acabou acontecendo, nos cativeiros. Ver no *Dicionário* o artigo intitulado *Cativeiro (Cativeiros)*. Ver Lv 18.24-28 quanto a algo similar, embora haja alusão a um conjunto diferente de pecados. Ver a lista das nações cananeias que foram expulsas do território, em Êx 33.2 e Dt 7.1.

■ 18.13

תָּמִ֣ים תִּֽהְיֶ֔ה עִ֖ם יְהוָ֥ה אֱלֹהֶֽיךָ׃ ס

Perfeito serás. A perfeição na fé em Yahweh não permitiria que os hebreus tivessem uma fé sincretista. A legislação mosaica representava um avanço, e este não podia ser anulado por meio de misturas com ideias pagãs de qualquer sorte. Ver as várias características que os homens espirituais precisam ter, nas notas sobre Dt 10.12,13. Todas essas características giram em torno da lei mosaica.

■ 18.14

כִּ֣י ׀ הַגּוֹיִ֣ם הָאֵ֗לֶּה אֲשֶׁ֤ר אַתָּה֙ יוֹרֵ֣שׁ אוֹתָ֔ם אֶל־מְעֹנְנִ֥ים וְאֶל־קֹסְמִ֖ים יִשְׁמָ֑עוּ וְאַתָּ֗ה לֹ֣א כֵ֔ן נָ֥תַן לְךָ֖ יְהוָ֥ה אֱלֹהֶֽיךָ׃

Estas nações. As sete nações cananeias precisavam ser expelidas da terra de Canaã, porquanto tinham praticado abominações aos olhos de Deus, das quais o autor sacro repetiu apenas duas, que são representativas, ou seja, "prognosticadores" e "adivinhadores". Se os hebreus seguissem o mau exemplo dado pelos cananeus, então compartilhariam da sorte deles. Yahweh-Elohim (o Eterno Todo-poderoso; ver no *Dicionário* o artigo chamado *Deus, Nomes Bíblicos de*) tinha proibido quaisquer atos de iniciação pagã e de sincretismo religioso. Como é claro, isso visava ao benefício de seu povo, e não ao prejuízo deles, e não tinha por alvo meramente restringir a liberdade de expressão dos israelitas. E qualquer coisa que estivesse em falta na fé deles seria suprida pelo futuro *Profeta*, alguém semelhante a Moisés, que viria aperfeiçoar a fé (ver o versículo seguinte).

OS PROFETAS E A PROFECIA (18.15-22)

A *instituição original* dos profetas e da profecia pode ser traçada a partir de Horebe (monte Sinai) e de Moisés, que não era apenas sonhador de sonhos, mas alguém com quem Yahweh falava face a face (ver Dt 34.10). Por meio dele, Yahweh falava também ao povo de Israel face a face (Dt 5.4). A passagem à nossa frente é a única, em todo o Pentateuco, que estabelece a profecia como uma *instituição*. "A profecia, tal como outras instituições dos israelitas, estava baseada em um incidente histórico, que serviu como precedente de todo o costume subsequente" (G. Ernest Wright, *in loc.*).

Profecias Messiânicas. Muitos estudiosos interpretam aqui "o Profeta" como Cristo, o segundo Moisés, o qual inauguraria um novo sistema, tal como Moisés inaugurara o antigo sistema. Mas há quem pense que devemos entender qualquer profeta que se seguiria a Moisés, dentro da tradição profética agora estabelecida, que imitaria a Moisés, o cabeça da fraternidade dos profetas. Mas haveria um Profeta divinamente impulsionado, como Moisés o tinha sido, e assim a vontade de Deus se tornaria conhecida. Não haveria necessidade de os hebreus apelarem para os artifícios dos pagãos, alistados nos versículos 10 e 11 deste capítulo, ou seja, adivinhações, encantamentos, invocação de espíritos do mundo dos mortos etc., para que pudessem conhecer a vontade de Deus. Antes, a vontade de Deus seria dada através da tradição profética, adicionada à lei.

"O Último Profeta, semelhante a Moisés (ver Dt 18.15,18), é Jesus Cristo, aquele que proferiu as palavras de Deus e proveu libertação espiritual ao seu povo. Nem mesmo Josué poderia ser comparado a Moisés, pois 'nunca mais se levantou em Israel profeta algum como Moisés' (Dt 34.10)" (Jack S. Deere, *in loc.*). Ver os comentários do Novo Testamento a esse respeito, em At 3.22,23 e Jo 1.21. Cf. Gn 49.10-12 e Nm 24.17-19 quanto a outras claras predições messiânicas.

■ 18.15

נָבִ֨יא מִקִּרְבְּךָ֤ מֵאַחֶ֙יךָ֙ כָּמֹ֔נִי יָקִ֥ים לְךָ֖ יְהוָ֣ה אֱלֹהֶ֑יךָ אֵלָ֖יו תִּשְׁמָעֽוּן׃

O Senhor teu Deus te suscitará. Temos aqui alusão à *origem divina* da chamada do grande Profeta. Esse Profeta daria continuidade à linha profética mosaica, e não lhe faria oposição. ele sairia dentre Israel, porquanto seria um hebreu nativo. Requereria a atenção do povo de Israel, tal e qual fez Moisés.

Os intérpretes judeus pensaram em vários candidatos: Josué, Jeremias ou Davi; ou mesmo a *linhagem profética* que daria continuação ao yahwismo. Alguns intérpretes evangélicos modernos não pensam estar em pauta a visão messiânica; mas outros opinam em favor dessa visão. Favorável a essa visão messiânica destaca-se o fator da *singularidade* de Moisés e do Profeta que viria. Ver Dt 34.10-12 e cf. Jo 6.14; At 3.22 e 7.37. Ver também Mt 17.5.

Semelhante a mim. Ou seja, dotado de um ministério pleno, que ultrapassasse o ministério dos profetas comuns, porquanto ele seria profeta, mediador, rei, cabeça de todo um povo remido, mediador do Novo Pacto, o qual é superior ao Antigo Pacto...

■ **18.16**

כְּכֹל אֲשֶׁר־שָׁאַלְתָּ מֵעִם יְהוָה אֱלֹהֶיךָ בְּחֹרֵב בְּיוֹם הַקָּהָל לֵאמֹר לֹא אֹסֵף לִשְׁמֹעַ אֶת־קוֹל יְהוָה אֱלֹהָי וְאֶת־הָאֵשׁ הַגְּדֹלָה הַזֹּאת לֹא־אֶרְאֶה עוֹד וְלֹא אָמוּת׃

Para que não morra. O povo de Israel tinha ficado *amedrontado* no Sinai, e queria ter uma folga diante de Moisés e seus terrores. E Yahweh lhes proporcionou a petição. O Sinai e seus terrores não se repetiriam. Mas nem por isso cessariam os movimentos do Espírito de Deus. Muito pelo contrário, haveria um movimento ainda maior de Deus, embora desacompanhado dos terrores. Ver Hb 12.18 ss.

"O cristianismo está para sempre atrelado àquela revelação divina que começou entre o povo hebreu e culminou na vida e no ministério do Homem de Nazaré... Nenhuma teologia ou cristologia pode ser veraz se se desprender de suas amarras históricas" (Henry H. Shires, *in loc.*).

Moisés é considerado a fonte originária da profecia bem como o protótipo de todos os verdadeiros profetas (cf. Dt 34.10,11).

■ **18.17**

וַיֹּאמֶר יְהוָה אֵלָי הֵיטִיבוּ אֲשֶׁר דִּבֵּרוּ׃

Falaram bem. Os israelitas tinham falado com sabedoria porque Yahweh não tinha intenção de repetir as cenas aterrorizantes do Sinai. A tradição profética daria continuidade aos poderes e à essência transformadora, mas sem o acompanhamento de fumaça e fogo. Ver Dt 5.28 quanto à promessa dos hebreus de que eles obedeceriam à mensagem transmitida em meio a cenas espantosas. Os hebreus tinham ouvido essa mensagem e prometido obedecer; assim sendo, "falaram bem". Se fossem mesmo obedientes, então o Messias adicionaria uma nova dimensão à fé deles. Cf. este e o versículo anterior ao trecho de Dt 5.23-31. Este texto repete a essência daquela passagem. Os filhos de Israel não queriam ver a repetição daquela cena dantesca; Israel prometeu guardar os mandamentos baixados naquela ocasião temível.

■ **18.18**

נָבִיא אָקִים לָהֶם מִקֶּרֶב אֲחֵיהֶם כָּמוֹךָ וְנָתַתִּי דְבָרַי בְּפִיו וְדִבֶּר אֲלֵיהֶם אֵת כָּל־אֲשֶׁר אֲצַוֶּנּוּ׃

Suscitar-lhes-ei um profeta. Este versículo reitera o versículo 15 deste capítulo, com algumas adições. Algumas versões dizem aqui "Profeta", com inicial maiúscula, o que já injeta na tradução uma interpretação messiânica. Mas outras dizem "profeta", com inicial minúscula, dando a entender menos do que o Messias. ele viria dentre os hebreus. Jesus, o Cristo, pertencente à linhagem de Davi, cumpriu esse aspecto da profecia. Ver as genealogias de Cristo em Mt 1.1-17 e Lc 3.23-38. Yahweh seria a fonte de sua inspiração, dando-lhe as palavras que ele proferiria, tal como tinha sido a fonte inspiradora de Moisés. O Segundo Moisés seria maior do que o primeiro, e entregaria ao povo a Nova Lei, tal como Moisés havia dado a Antiga Lei.

Em cuja boca porei as minhas palavras. Cf. Jr 1.9; 5.14; 20.8,9. Um profeta fala em nome do Deus Altíssimo. É por isso que os profetas dizem: "Assim diz o Senhor". O autor sacro contrastou aqui a mensagem divinamente inspirada com a mensagem falsa dos observadores dos astros, dos adivinhos, dos feiticeiros etc., sobre os quais lemos em Dt 18.10 ss. A mensagem divinamente inspirada reveste-se de autoridade, mas não a mensagem dos falsos profetas. A mensagem divina promove o yahwismo; a mensagem falsa promove a idolatria.

■ **18.19**

וְהָיָה הָאִישׁ אֲשֶׁר לֹא־יִשְׁמַע אֶל־דְּבָרַי אֲשֶׁר יְדַבֵּר בִּשְׁמִי אָנֹכִי אֶדְרֹשׁ מֵעִמּוֹ׃

Disso lhe pedirei contas. Os ouvintes da palavra de Deus têm responsabilidade. O gênio criativo requer a atenção dos homens. Ninguém pode ignorar o Cristo e a sua missão. Os homens têm de fazer uma escolha. E nisso está envolvida uma responsabilidade pessoal. Se a mensagem divina for rejeitada, ou mesmo negligenciada, haverá o juízo divino correspondente, porquanto a mensagem vem de Yahweh, e não da vontade de algum profeta.

> *Tende cuidado, não recuseis ao que fala. Pois se não escaparam aqueles que recusaram ouvir quem divinamente os advertia sobre a Terra, muito menos nós, os que nos desviamos daquele que dos céus nos adverte.*
>
> Hebreus 12.25

Cf. Jo 5.43; 7.16 e Lc 19.27,44. O Targum de Jonathan diz aqui: "dele eu requererei a minha palavra, ou me vingarei dele".

■ **18.20**

אַךְ הַנָּבִיא אֲשֶׁר יָזִיד לְדַבֵּר דָּבָר בִּשְׁמִי אֵת אֲשֶׁר לֹא־צִוִּיתִיו לְדַבֵּר וַאֲשֶׁר יְדַבֵּר בְּשֵׁם אֱלֹהִים אֲחֵרִים וּמֵת הַנָּבִיא הַהוּא׃

Porém, o profeta que presumir de falar. Os profetas falsos ansiavam por falar em nome de Yahweh, embora não tivessem recebido dele nenhuma mensagem. É provável que o autor sacro estivesse pensando no trecho de Dt 18.10 ss. Os sábios, os encantadores etc. procuravam criar uma mensagem divina, composta por uma mescla de ideias religiosas pagãs com ideias bíblicas, e então apresentavam essa mensagem como se representasse a vontade e o mandamento de Yahweh. Mas o Senhor havia estabelecido uma tradição profética autêntica, começando pela missão de Moisés. E dela ninguém pode desviar-se, se quiser ser profeta legítimo. Os profetas falsos, que se desviassem dessa linha mosaica, deveriam ser executados. E isso poderia ocorrer pelo poder divino, através de alguma enfermidade ou acidente. Ou então pela punição capital (legal), como o apedrejamento. A Israel cabia executar os profetas falsos. Ver no *Dicionário* o artigo intitulado *Falsos Profetas*.

Um *verdadeiro profeta* segue a tradição de Moisés, mostrando-se adversário figadal de qualquer forma de idolatria. Mas os profetas falsos induzem à idolatria. Ver sobre a profecia falsa em Jr 23.9-32 e o capítulo 13 de Ezequiel. Nem sempre é fácil distinguir entre o verdadeiro e o falso. O autor sagrado apresenta as "credenciais históricas" como um sinal distinto. Era mister que fossem seguidas as antigas tradições mosaicas. Outro teste era o da idolatria. Nenhum profeta autêntico jamais haveria de promover a idolatria. Ver as notas sobre os versículos 21 e 22 deste capítulo. Um profeta falso poderia ser morto por apedrejamento ou à espada (Targum de Jonathan), embora a maioria dos intérpretes prefira pensar aqui em execução por estrangulamento, mediante o garrote (*Mishna Sanhedrin*, cap. 10, sec. 1; *Bartenora*, sec. 5, e *Jarchi, in loc.*).

■ **18.21,22**

וְכִי תֹאמַר בִּלְבָבֶךָ אֵיכָה נֵדַע אֶת־הַדָּבָר אֲשֶׁר לֹא־דִבְּרוֹ יְהוָה׃

אֲשֶׁר יְדַבֵּר הַנָּבִיא בְּשֵׁם יְהוָה וְלֹא־יִהְיֶה הַדָּבָר וְלֹא יָבוֹא הוּא הַדָּבָר אֲשֶׁר לֹא־דִבְּרוֹ יְהוָה בְּזָדוֹן דִּבְּרוֹ הַנָּבִיא לֹא תָגוּר מִמֶּנּוּ׃ ס

Como conhecerei a palavra que o Senhor não falou? Temos aqui algumas instruções sobre como submeter a teste os profetas. Um israelita perguntaria em seu coração: "Este homem é um verdadeiro profeta, ou não?" Então, com base nessa pergunta hipotética, o autor sagrado apresenta-nos vários testes, nos seis pontos seguintes:

1. Um profeta verdadeiro precisava seguir a tradição mosaica (vss. 15 e 18).
2. Tinha de ser um hebreu (vss. 15 e 18).
3. Como tal, não podia anunciar uma mensagem que misturasse elementos do yahwismo e da idolatria pagã (vss. 10 ss.).
4. ele seguia a linhagem da *tradição profética*, iniciada por Moisés. Assim sendo, não seria um sábio, um encantador, um prognosticador etc. (vss. 10 ss.). Pelo contrário, seria um tradicionalista quanto às suas profecias, e não um inovador.
5. Jesus ensinou uma *regra*: "Pelos seus frutos os conhecereis" (Mt 7.16). O homem que estivesse seguindo a linha traçada por Moisés falaria de acordo com os mandamentos de Yahweh e teria uma conduta condizente, obedecendo ao Senhor, e não aos deuses falsos. ele mesmo obedeceria aos mandamentos do Senhor. Seria um homem espiritual de acordo com os moldes mosaicos.
6. As suas *profecias* sobre o futuro (uma das funções do ofício profético) teriam cumprimento. Fica entendido que, se essas profecias não tivessem cumprimento, então aquele seria um profeta falso, que tinha falado com presunção, arrogância e orgulho, sem a autorização de Yahweh. Tal homem *não devia ser temido*, posto que se apresentasse como se fosse uma grande figura.

Cf. Dt 13.1 ss. Existem falsos profetas e sonhadores, os quais precisam ser testados e rejeitados. Pois fazem os homens desviar-se do reto caminho do Senhor (Dt 13.4). Esses profetas falsos precisam ser executados, de acordo com a lei (ver Dt 13.5). Ver também Jr 18.7-10; 28; Jr 23.9-32; 1Rs 22.26-28 e o capítulo 13 do livro de Ezequiel.

"Essas palavras sumariam o problema perene da nação de Israel sobre como distinguir entre os verdadeiros porta-vozes de Deus e o grande número de indivíduos que falavam falsidades em seu nome" (G. Ernest Wright, *in loc.*).

CAPÍTULO DEZENOVE

AS CIDADES DE REFÚGIO (19.1-21)

Temos aqui uma nova seção que incorpora certa variedade de leis que não seguem nenhuma ordem de apresentação especial. Há leis sobre o homicídio (vss. 1-13), sobre o furto (vs. 14) e sobre o falso testemunho (vss. 15-21). O livro de Deuteronômio é uma *repetição* da lei mosaica. Temos aqui materiais que foram desenvolvidos em outros lugares, mas que agora são reiterados quer para efeito de ênfase, quer, talvez, por ocasião de alguma fonte informativa diferente.

■ 19.1

כִּי־יַכְרִית יְהוָה אֱלֹהֶיךָ אֶת־הַגּוֹיִם אֲשֶׁר יְהוָה אֱלֹהֶיךָ נֹתֵן לְךָ אֶת־אַרְצָם וִירִשְׁתָּם וְיָשַׁבְתָּ בְעָרֵיהֶם וּבְבָתֵּיהֶם:

Quando o Senhor teu Deus. Encontramos aqui algumas condições de vida na Terra Prometida. O autor sagrado considerava as condições futuras que haveria na Terra Prometida, depois que fosse conquistada pelo povo de Israel. Certas leis teriam de prevalecer a fim de evitar o caos. O território tinha sido dado como herança a Abraão e seus descendentes, através do Pacto Abraâmico (ver as notas de sumário em Gn 15.18). Tendo sido dada assim, essa herança precisava ser conservada em sua dignidade. Somente a legislação mosaica poderia garantir essa dignidade. As sete nações cananeias que foram expelidas dali (ver as notas em Êx 33.2 e Dt 7.1) não observavam a vontade de Yahweh, sendo essa a verdadeira razão pela qual tinham sido expelidas (ver Gn 15.16). Israel precisava ser uma nação distinta (ver Dt 4.4-8). Israel distinguia-se porque possuía e praticava a lei. Isso tornava a nação mais sábia. Essa sabedoria era aplicável a vários pontos particulares, conforme salienta este capítulo.

■ 19.2

שָׁלוֹשׁ עָרִים תַּבְדִּיל לָךְ בְּתוֹךְ אַרְצְךָ אֲשֶׁר יְהוָה אֱלֹהֶיךָ נֹתֵן לְךָ לְרִשְׁתָּהּ:

Três cidades separarás. Era mister distinguir o *homicídio voluntário do homicídio involuntário*. Mas, mesmo que um homem tivesse tirado a vida de outro por puro acidente, sem nenhuma malícia, deveria ir para o exílio, em uma das chamadas "cidades de refúgio". E somente quando o sumo sacerdote vigente morresse é que ele poderia transitar livremente na sociedade, conforme fazia antes do trágico incidente. Este versículo menciona as três cidades de refúgio que foram determinadas na Transjordânia, a fim de acolher os que matassem alguém de modo acidental. Ver Dt 4.41-43 quanto aos regulamentos a respeito. Mais três cidades, estas no lado ocidental do rio Jordão, também tinham sido marcadas com o mesmo propósito, segundo vemos em Nm 35.9-34. Destarte, o total das cidades de refúgio era seis. Apresentei nas notas sobre Nm 35.1 um gráfico que ilustra a localização dessas seis cidades. Quanto a detalhes completos sobre essa questão, ver o artigo detalhado do *Dicionário*, intitulado Cidades de Refúgio.

As *seis cidades de refúgio* representavam uma provisão legal para limitar a ação do vingador do sangue, o qual, de acordo com a lei, tinha a permissão de matar àquele que tivesse matado um seu parente. O capítulo 35 de Números conta a história inteira. Ver no *Dicionário* o artigo chamado *Vingador do Sangue*, no que tange a detalhes. Quando Israel deixou de ser uma sociedade nômade para tornar-se uma sociedade agrícola, certas leis precisaram sofrer uma revisão. E aqui temos um desses casos. Os vingadores do sangue precisavam ser *limitados* em sua ação.

■ 19.3

תָּכִין לְךָ הַדֶּרֶךְ וְשִׁלַּשְׁתָּ אֶת־גְּבוּל אַרְצְךָ אֲשֶׁר יַנְחִילְךָ יְהוָה אֱלֹהֶיךָ וְהָיָה לָנוּס שָׁמָּה כָּל־רֹצֵחַ:

Preparar-te-ás o caminho. As seis cidades precisavam ser devidamente preparadas. As estradas que conduzissem a elas teriam de ser claramente demarcadas, para facilitar a fuga dos que tivessem cometido homicídio involuntário. Como é óbvio, muitos assassinos tentariam também fugir para as cidades de refúgio. Mas todos os casos precisavam ser julgados, com o depoimento de testemunhas habilitadas, para que fosse determinada a verdade em cada caso individual. Ver Nm 35.12,24. "Miklot! Miklot!", isto é, "Refúgio! Refúgio!", estava escrito nessas estradas que conduziam às cidades de refúgio, e cada encruzilhada também tinha essa indicação.

As *seis cidades* (três na Transjordânia e três do outro lado do Jordão, no lado ocidental do país) estavam distribuídas pelo país de maneira bastante razoável, para que o réu pudesse fugir para a cidade mais próxima de onde ele se encontrava, e assim tivesse uma boa chance de escapar do vingador do sangue.

Havia provisões para manter em bom estado essas estradas (*Mishna Shekalim*, cap. 1, sec. 1). Essas estradas eram construídas bastante largas e sem muitos obstáculos. O capítulo 20 do livro de Josué registra a implementação da ordem acerca das seis cidades de refúgio.

■ 19.4

וְזֶה דְּבַר הָרֹצֵחַ אֲשֶׁר־יָנוּס שָׁמָּה וָחָי אֲשֶׁר יַכֶּה אֶת־רֵעֵהוּ בִּבְלִי־דַעַת וְהוּא לֹא־שֹׂנֵא לוֹ מִתְּמֹל שִׁלְשֹׁם:

Aquele que sem o querer ferir o seu próximo. O "homicídio involuntário" podia ocorrer por ignorância ou acidente, sem que houvesse ódio entre o réu e a vítima. O trecho de Nm 35.16-20 nos dá indicações sobre um homicídio voluntário; e os vss. 22,23 nos mostram o que se deveria reputar como *homicídio involuntário*. Em todos os casos, era mister que houvesse um julgamento justo, que determinasse o que, realmente, tinha sido cometido (ver Nm 35.12,24). O homicídio involuntário normalmente ocorria sem que houvesse nenhum precedente de ódio entre as pessoas envolvidas. Ocorria devido a algum acidente, envolvendo amigos, conhecidos e até acidentes de trabalho.

■ 19.5

וַאֲשֶׁר יָבֹא אֶת־רֵעֵהוּ בַיַּעַר לַחְטֹב עֵצִים וְנִדְּחָה יָדוֹ בַגַּרְזֶן לִכְרֹת הָעֵץ וְנָשַׁל הַבַּרְזֶל מִן־הָעֵץ וּמָצָא אֶת־רֵעֵהוּ וָמֵת הוּא יָנוּס אֶל־אַחַת הֶעָרִים־הָאֵלֶּה וָחָי:

E atingir o seu próximo. Este versículo fornece-nos um breve exemplo de como poderia ocorrer um homicídio involuntário. Trata-se de um acidente de trabalho. O ferro de um machado escapulira de seu cabo. Houve então uma tragédia, mas não em resultado de planejamento ou ódio. O homem que matara seu próximo poderia ser culpado ou não de negligência. A negligência óbvia era punida por meio da morte, em alguns casos. Ver Êx 21.29. Cf. Nm 35.2,23, onde são descritas outras ocorrências possíveis de homicídio involuntário.

Juntar lenha em um bosque era direito de todos os cidadãos de Israel. Dois homens tinham saído para buscar lenha. Então houve um acidente. O causador poderia ser acusado de homicídio. A fim de evitar o vingador do sangue, ele precisava fugir imediatamente para a cidade de refúgio mais próxima. Ali, o julgamento estabeleceria a sua inocência e o vingador do sangue não poderia atingi-lo.

■ **19.6**

פֶּן־יִרְדֹּף גֹּאֵל הַדָּם אַחֲרֵי הָרֹצֵחַ כִּי־יֵחַם לְבָבוֹ וְהִשִּׂיגוֹ כִּי־יִרְבֶּה הַדֶּרֶךְ וְהִכָּהוּ נָפֶשׁ וְלוֹ אֵין מִשְׁפַּט־מָוֶת כִּי לֹא שֹׂנֵא הוּא לוֹ מִתְּמוֹל שִׁלְשֹׁם׃

O vingador do sangue. Este perseguiria o homem que tivesse matado acidentalmente um seu parente. O vingador do sangue tinha não somente o direito, mas até mesmo o *dever* de assim o fazer, visto que se tratava de uma antiga lei, que dizia respeito aos homicidas. O vingador do sangue era o executor oficialmente nomeado. Ninguém tinha o direito legal de tentar impedi-lo em sua ação. Portanto, o réu *tinha de fugir*, mesmo que tivesse matado outrem por puro acidente. Ver no *Dicionário* o artigo chamado *Vingador do Sangue*, quanto a completos detalhes a respeito dessa antiga lei e costume.

Essa lei buscava fazer *justiça*. Por isso é que tinham sido estabelecidas cidades de refúgio. A justiça da época não se assemelhava à justiça moderna, que é muito lenta. Visto que um homicida involuntário era *exilado* por causa de seu "crime", sua vida não podia ser-lhe tirada. Mas seus familiares ficavam para trás, algumas vezes durante muitos anos. Isso envolvia uma separação cruel. Naturalmente, há leis melhores que a das cidades de refúgio. Ao menos, porém, essa lei representava uma melhoria em relação ao conceito do vingador do sangue. Ver as notas sobre o quarto versículo deste capítulo.

■ **19.7**

עַל־כֵּן אָנֹכִי מְצַוְּךָ לֵאמֹר שָׁלֹשׁ עָרִים תַּבְדִּיל לָךְ׃ ס

Três cidades. Ou seja, além daquelas três cidades que já tinham sido estabelecidas na Transjordânia, visto que o caso que estava sendo descrito teria ocorrido no território além do Jordão, ou seja, na parte ocidental do país (ver o primeiro versículo deste capítulo). Três dessas cidades já haviam sido estabelecidas na Transjordânia (ver Dt 4.41-43). O capítulo 35 do livro de Números cita somente um total de seis cidades, e com isso concorda o capítulo 20 de Números. Alguns pensam que, no nono versículo deste capítulo, fica entendido que haveria um total de nove cidades de refúgio; mas isso é contra tudo quanto dizem as tradições a respeito.

■ **19.8**

וְאִם־יַרְחִיב יְהוָה אֱלֹהֶיךָ אֶת־גְּבֻלְךָ כַּאֲשֶׁר נִשְׁבַּע לַאֲבֹתֶיךָ וְנָתַן לְךָ אֶת־כָּל־הָאָרֶץ אֲשֶׁר דִּבֶּר לָתֵת לַאֲבֹתֶיךָ׃

Se o Senhor teu Deus dilatar os seus limites. Isso poderia ocorrer quando a conquista do território prometido tivesse terminado. Então os filhos de Israel precisariam de seis cidades, e não apenas de três. Este versículo leva-nos de volta ao primeiro versículo deste capítulo, cujas notas se aplicam também aqui. Israel aproveitaria, para isso, cidades e lares já prontos, com uma grande área ao redor, dedicada à agricultura e à criação de gado. Na "terra de Abraão" era mister resguardar a boa ordem; e parte dessa ordem era a provisão em favor daqueles que tivessem cometido homicídio involuntário. Quanto às dimensões da Terra Prometida, ver no *Dicionário* o artigo intitulado *Pacto Abraâmico*, bem como as notas expositivas em Gn 15.18. Quanto às promessas feitas aos *patriarcas*, ver Gn 15.18,19; 26.3,4; 28.13,14.

■ **19.9**

כִּי־תִשְׁמֹר אֶת־כָּל־הַמִּצְוָה הַזֹּאת לַעֲשֹׂתָהּ אֲשֶׁר אָנֹכִי מְצַוְּךָ הַיּוֹם לְאַהֲבָה אֶת־יְהוָה אֱלֹהֶיךָ וְלָלֶכֶת בִּדְרָכָיו כָּל־הַיָּמִים וְיָסַפְתָּ לְךָ עוֹד שָׁלֹשׁ עָרִים עַל הַשָּׁלֹשׁ הָאֵלֶּה׃

Acrescentarás outras três cidades além destas três. Se este versículo for entendido conforme está escrito, sem levarmos em conta o trecho de Dt 4.41-43, então pode dar a impressão, pelo menos para alguns, que um total de *nove* cidades de refúgio tinha sido ordenado. Isto porque as seis cidades de refúgio deste versículo parecem referir-se àquelas do lado ocidental do rio Jordão. Ou então o autor sacro presumiu que nos lembraríamos da provisão anterior, referindo-se frouxamente às três cidades *anteriores*, além de mais três. John Gill explicou que *nove* cidades ao todo foram realmente determinadas, e que esse é o sentido claro do versículo que ora comentamos. Porém, eventualmente apenas *seis* cidades acabaram sendo designadas. Dessarte, *seis* foi o número real delas, embora o número ideal fosse *nove*, um total jamais atingido.

Há um curioso comentário de Maimônides (*Hilchot Rotzeach*, cap. 8, sec. 4), que alude a *mais* três cidades de refúgio, que seriam acrescentadas nos dias do Messias.

Tipologia. Os intérpretes cristãos, e até mesmo alguns judeus, conforme já vimos, veem algo de messiânico nessa questão das cidades de refúgio. Jesus, o Salvador, veio para ser o refúgio das almas fugitivas do mundo inteiro (ver Jo 3.16), para ser a propiciação pelos pecados de todos os homens (ver 1Jo 2.2). Ver no *Dicionário* o artigo chamado *Cidades de Refúgio*, onde essa tipologia é desenvolvida.

O Resultado do Amor. Ver Dt 6.5, quanto à Lei do Amor, primeiramente a Yahweh, e então àqueles que são seus filhos. A provisão das cidades de refúgio era uma das manifestações dessa lei. Ver no *Dicionário* o verbete intitulado *Amor*. O amor provê certa maneira de *andar*, certa conduta. Fazer provisão para os casos de homicídio involuntário era, pois, parte de um andar justo. Cf. Jr 32.39,40.

Restauração Final. Alguns intérpretes judeus viam nesta passagem uma promessa de restauração futura, quando Israel, tendo fugido para lugares de refúgio, seria restaurado por um ato do amor divino. Ver Dn 12.12 e Ap 12.13-16. Além disso, a adição de mais três cidades, alcançando assim um total de nove, era interpretada como dependente da conquista eventual de todo o território que Deus tinha prometido a Abraão, embora esse alvo nunca tenha sido atingido. Se mais terras fossem acrescentadas, então mais três cidades de refúgio teriam sido adicionadas. Isso significaria que o Pacto Abraâmico, finalmente, teria tido plena concretização. Israel não antecipava o fim da instituição das cidades de refúgio, e assim criou várias doutrinas paralelas em redor da questão.

ASSASSINATO (19.10-13)

■ **19.10**

וְלֹא יִשָּׁפֵךְ דָּם נָקִי בְּקֶרֶב אַרְצְךָ אֲשֶׁר יְהוָה אֱלֹהֶיךָ נֹתֵן לְךָ נַחֲלָה וְהָיָה עָלֶיךָ דָּמִים׃ ס

Para que o sangue inocente se não derrame. O autor volta agora a sua atenção para incidentes de assassinato real. E assim segue aqui o padrão do capítulo 35 do livro de Números, onde há regras acerca tanto do homicídio involuntário quanto do assassinato real. Ver Nm 35.16 ss. quanto a casos de assassinato, e como esses casos poderiam acontecer, além de sinais típicos. Se um vingador do sangue chegasse a matar um homicida involuntário, isso seria assassinato. Mas o autor sacro também preocupou-se com outros tipos. O "sangue inocente" seria derramado, e esse seria o caso se o vingador do sangue chegasse a realizar o seu papel, antes que o réu tivesse tido tempo de chegar a uma das cidades de refúgio. A provisão das cidades de refúgio, pois, visava justamente impedir que isso sucedesse. "Sangue inocente" também podia ser derramado por outras formas de assassinato, e esse sangue poluiria a Terra Prometida. Israel acabaria tornando-se culpado de sangue, e os juízos de Yahweh sem dúvida sobreviriam. Portanto, foram providos asilos, a fim de que a culpa de sangue fosse reduzida ao máximo possível.

19.11

וְכִי־יִהְיֶה אִישׁ שֹׂנֵא לְרֵעֵהוּ וְאָרַב לוֹ וְקָם עָלָיו
וְהִכָּהוּ נֶפֶשׁ וָמֵת וְנָס אֶל־אַחַת הֶעָרִים הָאֵל׃

Alguém que aborrece a seu próximo, e lhe arma ciladas. Este versículo encerra um *breve sumário* de assassinato real, e como isso poderia chegar a ocorrer. Cf. Nm 35.16-21 quanto a um sumário um pouco mais extenso de possíveis casos e tipos de assassinato. Este versículo é grosso modo um paralelo da afirmação constante em Nm 35.20.

O comentário de Rashi sobre este versículo é instrutivo: "Mediante o ódio, ele vem e se põe à espreita. Assim, torna-se verdade que, quando um homem transgride um dos mandamentos mais leves, ele pavimenta o caminho para transgredir algum mandamento mais importante. Logo, depois de quebrar o mandamento que diz 'Não odiarás', ele acaba cometendo assassinato". Temos aí a verdade das palavras de João, que disse: "Todo aquele que odeia a seu irmão é assassino" (1Jo 3.15).

19.12

וְשָׁלְחוּ זִקְנֵי עִירוֹ וְלָקְחוּ אֹתוֹ מִשָּׁם וְנָתְנוּ אֹתוֹ בְּיַד
גֹּאֵל הַדָּם וָמֵת׃

Enviarão a tirá-lo dali. Um homem que tivesse morto a outro, mediante assassinato real ou mediante homicídio involuntário, precisava fugir do vingador do sangue, indo para alguma cidade de refúgio. Mas a história não terminava aí. Era mister que passasse por um julgamento, com a presença de testemunhas idôneas, a fim de que a justiça fosse servida. Este versículo tem paralelo no trecho de Nm 35.12,24,25. Porém, mesmo que viesse a ser declarado inocente (era um homicida involuntário, e não um assassino real), ainda assim teria de permanecer na cidade de refúgio onde se tinha abrigado até a morte do sumo sacerdote vigente. Em outras palavras, ele ficaria em seu *exílio*. Isso posto, é claro que um homicídio involuntário era considerado um crime, embora de menor gravidade do que um assassinato real. Meus comentários sobre o livro de Números fornecem detalhes sobre o julgamento (o qual poderia ocorrer tanto na cidade de refúgio como na cidade onde o réu morava), pelo que esses detalhes não reaparecem aqui. Mas o indivíduo considerado culpado seria entregue às mãos do vingador do sangue, e a execução privada teria lugar.

19.13

לֹא־תָחוֹס עֵינְךָ עָלָיו וּבִעַרְתָּ דַם־הַנָּקִי מִיִּשְׂרָאֵל
וְטוֹב לָךְ׃ ס

Não olharás com piedade. Se um homem fosse considerado culpado de *assassinato real*, não se podia usar de piedade para com ele. E ao que parece, as antigas leis de Israel não dispunham de provisão para penas secundárias, em face de circunstâncias mitigadoras. Permitir que a culpa do sangue continuasse em Israel era tido como algo que poluiria o território inteiro, e não apenas um indivíduo. E a Terra Prometida teria de ser purificada mediante a execução do assassino, uma atitude totalmente diversa daquilo que se vê na grande maioria dos países modernos, onde qualquer tipo de crime atroz é tolerado, havendo pouco ou nenhum castigo.

"A guarda da lei era a maneira de impedir que o território ficasse contaminado. A punição capital era necessária em casos específicos a fim de expurgar o mal do meio da nação. Cf. Dt 12.32—13.18" (G. Ernest Wright, *in loc.*). Ver especialmente o trecho de Nm 35.33,34 quanto ao paralelo atinente ao derramamento de sangue inocente, que poluiria a terra.

FURTO DE PROPRIEDADES ALHEIAS (19.14)

19.14

לֹא תַסִּיג גְּבוּל רֵעֲךָ אֲשֶׁר גָּבְלוּ רִאשֹׁנִים בְּנַחֲלָתְךָ
אֲשֶׁר תִּנְחַל בָּאָרֶץ אֲשֶׁר יְהוָה אֱלֹהֶיךָ נֹתֵן לְךָ
לְרִשְׁתָּהּ׃ ס

Não mudes os marcos do teu próximo. Este versículo isolado traz à nossa atenção uma antiga lei que protegia a propriedade privada. A mudança dos marcos, em proveito próprio, ampliando assim o terreno de quem cometia esse crime, prejudicava o próximo, que assim perderia algum território. Isso era algo estritamente proibido. Ver também Is 5.8; Js 5.10; Jó 24.2; Pv 22.28 e 23.10.

Que os antigos fixaram. Muito provavelmente uma referência ao loteamento original de terras às famílias de Israel, ou seja, o estabelecimento da herança que cabia a cada família de Israel, quando a Terra Prometida foi dividida, após a conquista. Ver Js 18.1-10. Notemos como o autor sacro esqueceu, momentaneamente, que ele estava apresentando o seu material como predição do que iria acontecer (ver Dt 19.1). Mas agora ele olhava de volta para os "tempos antigos", quando o território havia sido dividido. Foi como se ele tivesse dito: "Essas divisões originais precisam ser respeitadas". Os estudiosos conservadores, que requerem harmonia a qualquer preço, pensam que observações como a deste versículo são adições escribais posteriores.

A literatura *extrabíblica* alude à prática da mudança de marcos, o que era equivalente ao furto de terras. Nos escritos de Tibullus, lemos: "Reverencia cada pedra antiga, adornada de flores: elas limitam os campos ou apontam para os caminhos duvidosos" (Eleg. lib. i. E.l. vs. 11). Juvenal referiu-se ao safado que o estava vexando ao mudar de posição os *marcos sagrados* dos seus limites (Sat. xvi. vs. 36).

SOBRE O FALSO TESTEMUNHO (19.15-21)

19.15

לֹא־יָקוּם עֵד אֶחָד בְּאִישׁ לְכָל־עָוֹן וּלְכָל־חַטָּאת
בְּכָל־חֵטְא אֲשֶׁר יֶחֱטָא עַל־פִּי שְׁנֵי עֵדִים אוֹ עַל־פִּי
שְׁלֹשָׁה־עֵדִים יָקוּם דָּבָר׃

Pelo depoimento de duas ou três testemunhas. Esse múltiplo testemunho concorria para a *preservação da justiça*. A lei mosaica era severa, e por muitas vezes requeria a punição capital, devido a crimes que na cultura moderna não seriam castigados tão severamente. Uma testemunha falsa poderia tentar eliminar um adversário prestando um testemunho falso: "Meu vizinho estava adorando um ídolo!" A fim de impedir tão ultrajante conduta, pois, foi estabelecida a lei das "duas ou mais testemunhas". Desse modo o perjúrio, embora não fosse eliminado de todo, pelo menos era grandemente reduzido. Já vimos essa lei em Dt 17.6. As notas oferecidas ali aplicam-se também aqui. O depoimento de testemunhas precisava ser *investigado*. Os juízes e os tribunais locais não deveriam aceitar passivamente os caprichos desonestos dos homens. Juízes inquiririam as testemunhas. E as testemunhas falsas deveriam ser executadas (Dt 19.19). Isso lançaria o temor no coração de todos, dificultando o pecado de perjúrio.

"O uso veraz da língua, ao evitar a todo o transe a calúnia e a acusação falsa, é um dos princípios centrais da ética bíblica, sendo esse pecado condenado no nono mandamento da lei. Aqui esse princípio foi expresso em linguagem leal, para uso nos tribunais (cf. Êx 23.1; Lv 19.11-18)" (G. Ernest Wright, *in loc.*).

As *testemunhas* não podiam prestar seu testemunho por meio de cartas, nem podiam enviar representantes. Era mister que comparecessem pessoalmente, a fim de serem inquiridas pelos juízes. E se houvesse o envolvimento de algum idioma estrangeiro, não podia haver um intérprete entre as testemunhas e os juízes. As testemunhas tinham de encarar os juízes. Cf. Nm 35.30.

19.16

כִּי־יָקוּם עֵד־חָמָס בְּאִישׁ לַעֲנוֹת בּוֹ סָרָה׃

Quando se levantar testemunha falsa. É de presumir-se que os casos complicados fossem submetidos à apreciação da Corte Suprema, que funcionava no santuário central, em Jerusalém. Ver Dt 17.18 ss. O *lugar* determinado por Yahweh como o santuário central também abrigaria o Tribunal Superior, que julgaria os casos mais difíceis. Israel dispunha de severas leis de retaliação, como olho por olho e dente por dente (vs. 21), e isso precisava ser regulamentado com medidas extremas, mediante investigação e depoimento de testemunhas oculares, para que houvesse sempre julgamentos justos. Leis severas exigiam uma justiça estrita.

■ **19.17**

וְעָמְדוּ שְׁנֵי־הָאֲנָשִׁים אֲשֶׁר־לָהֶם הָרִיב לִפְנֵי יְהוָה לִפְנֵי הַכֹּהֲנִים וְהַשֹּׁפְטִים אֲשֶׁר יִהְיוּ בַּיָּמִים הָהֵם׃

Então os dois homens. É provável que tenhamos aqui a *descrição* daqueles entre os quais tivesse surgido alguma pendência, no santuário central; mas, se um concílio local estivesse envolvido, então deveriam prevalecer as mesmas regras de justiça. Ver sobre os *sacerdotes e juízes* em Dt 17.8-13, onde o santuário central está em pauta. O vocábulo no singular, "juiz", que ali aparece (vs. 9), talvez seja uma referência ao sumo sacerdote, que era o juiz supremo em Israel. A passagem de Dt 17.8-13 aborda a Corte Suprema, e nas notas expositivas a respeito, dou informações acerca dos oficiais que operavam ali, bem como dos tribunais secundários. Ver também Dt 16.18 ss. Nesse versículo 18 dou informações específicas sobre a estrutura dos antigos tribunais de Israel.

Homens. Mulheres não podiam servir de testemunhas. Ver *Bartenora*, sec. 5. Esse mesmo documento antigo assevera que tanto as testemunhas quanto os acusados tinham de dar e ouvir o testemunho estando *de pé*.

Perante o Senhor. Assim foi dito porque o tribunal e suas regras de ação tinham sido estabelecidos por ordem divina. Deus era o observador silente que acompanhava o processo inteiro de justiça, e a sua presença inspiraria os juízes a impor uma justiça estrita.

O *comparecimento pessoal* era uma necessidade. Ninguém podia escrever uma carta ou enviar um seu representante. Ver o fim dos comentários sobre o versículo décimo quinto deste capítulo.

Diante dos sacerdotes e dos juízes. Ver as explicações a respeito nas notas sobre Dt 16.18.

■ **19.18**

וְדָרְשׁוּ הַשֹּׁפְטִים הֵיטֵב וְהִנֵּה עֵד־שֶׁקֶר הָעֵד שֶׁקֶר עָנָה בְאָחִיו׃

Os juízes indagarão bem. Investigações criteriosas faziam parte do dever dos tribunais em Israel. Ninguém podia mostrar-se frívolo nessas ocasiões. Com frequência, a punição capital era o fim do julgamento. O Targum de Jonathan refere a um exame e interrogatório completo das testemunhas. Ver Dt 17.4 quanto à expressão "indagarás bem". Ver também Dt 13.12-14 e 17.9. O trecho enfatiza a questão. Não se permitia testemunho por "ouvir dizer" em Israel.

■ **19.19**

וַעֲשִׂיתֶם לוֹ כַּאֲשֶׁר זָמַם לַעֲשׂוֹת לְאָחִיו וּבִעַרְתָּ הָרָע מִקִּרְבֶּךָ׃

Assim exterminarás o mal do meio de ti. O próprio Yahweh cuidaria para que os tribunais de justiça de seu povo não falhassem. Se alguma testemunha falsa fosse descoberta pelas investigações, então tal indivíduo sofreria *exatamente o castigo* que tinha esperado infligir sobre seu vizinho ou conhecido inocente.

A questão era levada "perante o Senhor" (vs. 17), porquanto era o tribunal do Senhor e os juízes do Senhor que estavam julgando o caso. sua presença, invisível mas real, seria garantia absoluta da justiça.

O *castigo* poderia tomar a forma de uma multa, de açoites, da perda de um dos membros do corpo, ou então de execução por apedrejamento, estrangulamento, execução na fogueira ou morte à espada. As testemunhas falsas seriam sujeitadas a uma dessas punições, sem importar qual delas tivesse sido planejada para o homem falsamente acusado.

■ **19.20**

וְהַנִּשְׁאָרִים יִשְׁמְעוּ וְיִרָאוּ וְלֹא־יֹסִפוּ לַעֲשׂוֹת עוֹד כַּדָּבָר הָרָע הַזֶּה בְּקִרְבֶּךָ׃

... o ouçam e temam. Aqueles que sobrevivessem ao incidente (como a família do homem que tinha cometido perjúrio), bem como a população em geral, que ouvisse falar sobre o caso, *temeriam*, desencorajando o crime de perjúrio. E embora isso não eliminasse o *mal* das testemunhas falsas, essa prática odiosa ficaria grandemente reduzida.

■ **19.21**

וְלֹא תָחוֹס עֵינֶךָ נֶפֶשׁ בְּנֶפֶשׁ עַיִן בְּעַיִן שֵׁן בְּשֵׁן יָד בְּיָד רֶגֶל בְּרָגֶל׃ ס

Não olharás com piedade. A severidade da lei tinha de prevalecer, a fim de que a justiça fosse eficaz. A lei era posta em vigor no espírito de "olho por olho e dente por dente", ou seja, retaliação segundo a gravidade do crime. Essa é a chamada *lex talionis* (ver a respeito no *Dicionário*). Ver Êx 21.24,25 quanto a uma expressão mais pormenorizada dessa lei. As notas oferecidas ali também aplicam-se aqui. Ver igualmente Lv 24.17-22. Essa lei tanto limitava a vingança quanto a exigia, e isso em termos precisos. Em tempos posteriores, as mutilações foram proibidas como uma forma de justiça, sobretudo no caso de acidentes que tivessem resultado em alguma mutilação. Ver Dt 25.11,12 quanto à lei em sua forma original. O escravo que perdesse um olho recebia sua liberdade (ver Êx 21.26). Jesus não permitiu a aplicação dessas leis sobre uma base pessoal (ver Mt 5.38-42).

Punição Capital. As pessoas que não concordam hodiernamente com esses princípios legais salientam que os crimes sérios não são diminuídos diante da punição capital. Mas se isso exprime uma verdade ou não, não podemos olvidar que também há uma lei ou justiça da vingança justa. Alguns crimes merecem a pena de morte, sem importar se a mesma reduz ou não a taxa de criminalidade. Ver no *Dicionário* o artigo chamado *Punição Capital*.

CAPÍTULO VINTE

AS LEIS DA GUERRA (20.1-20)

Paralelos desta passagem encontram-se em Dt 2.24—3.11; 7.1-11; 21.10-14; 23.9-14; 24.5 e 25.17-19. A contínua repetição desse tema mostra quanta importância se dava a ele no tempo em que o povo de Israel conquistou a Terra Prometida. Uma guerra santa ocorre quando Deus está por trás dela e determina as regras que a governarão. Deuteronômio é o livro da repetição da lei, e esse caráter continua nesta passagem, a qual, entretanto, apresenta algum material novo, que não pode ser encontrado no resto do Pentateuco.

■ **20.1**

כִּי־תֵצֵא לַמִּלְחָמָה עַל־אֹיְבֶיךָ וְרָאִיתָ סוּס וָרֶכֶב עַם רַב מִמְּךָ לֹא תִירָא מֵהֶם כִּי־יְהוָה אֱלֹהֶיךָ עִמָּךְ הַמַּעַלְךָ מֵאֶרֶץ מִצְרָיִם׃

O Senhor teu Deus... está contigo. O mesmo Deus Yahweh que tinha tirado o povo de Israel do Egito (um tema reiterado por cerca de vinte vezes no Deuteronômio: ver as notas em Dt 4.20) dar-lhes-ia a vitória na Terra Prometida, sobre forças militares superiores. Um rei em Israel não deveria multiplicar cavalos (ver Dt 17.16), o que significa que o exército de Israel, essencialmente composto de infantes, seria inferior aos exércitos dos povos que empregavam cavalos e carros de combate. A lição é que os filhos de Israel deviam depender de Yahweh. As batalhas deles não seriam determinadas somente pelas forças em armas (ver Is 31.1-3; Os 14.3). Ver Dt 2.24 ss., onde Israel viu-se forçado a combater pela primeira vez, como preparação para a conquista da Terra Prometida em geral. Ver Dt 7.1, onde as sete nações cananeias, que deveriam ser expelidas da terra de Canaã, tinham forças militares superiores às de Israel. Mas Yahweh é que as feriria (ver o versículo seguinte). Cf. também Dt 21.10-14; 23.9-14 e 26.17 ss.

Yahweh-Elohim, o Eterno Todo-poderoso, garantiria o sucesso na guerra. Ver no *Dicionário* o artigo intitulado *Deus, Nomes Bíblicos de*.

"A premissa de uma guerra santa, arraigada nas antigas experiências no deserto, provia a base da compreensão do Deuteronômio sobre a conquista (Dt 2.33-35; 3.3-7,18,22; 7.1-5; 11.22-25)" (*Oxford Annotated Bible*, comentando sobre este versículo).

Os habitantes da terra de Canaã tinham perdido o direito ao seu território, por motivo de iniquidade (ver Gn 15.16). Agora, chegava a vez dos israelitas. Mas Israel, eventualmente, também haveria de perder a Terra Prometida, e pela mesma razão. Ver no *Dicionário* o verbete chamado *Cativeiro (Cativeiros)*.

■ 20.2

וְהָיָה כְּקָרָבְכֶם אֶל־הַמִּלְחָמָה וְנִגַּשׁ הַכֹּהֵן וְדִבֶּר אֶל־הָעָם׃

O sacerdote. A classe sacerdotal de Israel desempenhara um papel primordial nas batalhas, embora não brandisse nem lança nem espada. Um sacerdote proclamaria formalmente a abertura das hostilidades e avançaria à frente do exército. "Durante a guerra dos Macabeus, os judeus reviveram a antiga ideologia da guerra santa, conforme ficamos sabendo pelo rolo do mar Morto, intitulado 'Guerra Entre os Filhos da Luz e os Filhos das Trevas'. Nesse documento também ficou escrita uma regra que dizia que o sacerdote principal dirigiria a palavra ao exército, no começo da batalha, onde as palavras da proclamação diferem um tanto das palavras do livro de Deuteronômio" (G. Ernest Wright, *in loc.*). A arca da aliança era transportada até o campo da batalha, porque ela representava a presença de Yahweh com o exército de Israel (ver Js 6.13 ss. e 1Sm 4.3 ss.).

■ 20.3,4

וְאָמַר אֲלֵהֶם שְׁמַע יִשְׂרָאֵל אַתֶּם קְרֵבִים הַיּוֹם לַמִּלְחָמָה עַל־אֹיְבֵיכֶם אַל־יֵרַךְ לְבַבְכֶם אַל־תִּירְאוּ וְאַל־תַּחְפְּזוּ וְאַל־תַּעַרְצוּ מִפְּנֵיהֶם׃

כִּי יְהוָה אֱלֹהֵיכֶם הַהֹלֵךְ עִמָּכֶם לְהִלָּחֵם לָכֶם עִם־אֹיְבֵיכֶם לְהוֹשִׁיעַ אֶתְכֶם׃

Não tenhais medo, não tremais. Não havia mesmo razão para temor e tremor, porque era Yahweh quem ia à frente dos soldados israelitas, conferindo-lhes proteção e vitória. Novamente encontramos o nome *Yahweh-Elohim*, conforme se vira no primeiro versículo deste capítulo. Ver o artigo sobre os nomes divinos, ali mencionado. "A falta de confiança na capacidade de Deus de lutar por eles (Dt 1.30; 3.22) afetaria a força de vontade deles, pelo que se desanimariam" (Jack S. Deere, *in loc.*). A premissa de uma guerra santa é que não era pela habilidade humana, empreendimento e força dos homens que se determinava o resultado de uma batalha, e, sim, por meio da presença de Yahweh. Ver o quinto capítulo do livro de Juízes. O choque dos escudos, os gritos de guerra, o sonido das trombetas, os gemidos de dor, sons esses que costumam acompanhar as batalhas antigas, lançariam o pânico em todos aqueles que duvidassem da palavra do sacerdote.

ISENTOS DA GUERRA (20.5-9)

■ 20.5

וְדִבְּרוּ הַשֹּׁטְרִים אֶל־הָעָם לֵאמֹר מִי־הָאִישׁ אֲשֶׁר בָּנָה בַיִת־חָדָשׁ וְלֹא חֲנָכוֹ יֵלֵךְ וְיָשֹׁב לְבֵיתוֹ פֶּן־יָמוּת בַּמִּלְחָמָה וְאִישׁ אַחֵר יַחְנְכֶנּוּ׃

Os oficiais falarão ao povo. Os oficiais do exército separariam certos homens que ficariam dispensados do serviço militar, pelo menos durante algum tempo. Este versículo fornece-nos a *primeira regra*: um homem que tivesse construído uma casa, mas ainda não tivesse residido nela, não precisava entrar na batalha. O Targum de Jonathan ajunta que a palavra aqui traduzida por "consagrou" quer dizer que ele ainda não tinha completado a casa. Talvez esteja em pauta a afixação da mezuzah ou escrito bíblico sobre as vergas da porta. Ver Dt 11.20 quanto a explicações a esse respeito. Partes da lei eram inscritas e ali afixadas. E assim a casa seria dedicada para que se morasse nela. Jarchi interpreta esse versículo como se apontasse para o começo da moradia em uma nova casa. Josefo, por seu lado, afirmou que o homem ainda não teria vivido na casa por um ano inteiro (*Antiq.* 1.4, cap. 8, sec. 41). Melech fala de uma festa que era efetuada a fim de consagrar uma casa, para que começasse a servir de residência. Antes de tudo, era comida uma refeição dedicatória no interior da casa, e então a família podia mudar-se. Não seria justo um homem construir uma casa, correr para a guerra, ser morto em batalha e deixar sua esposa e seus familiares vivendo ali. Essa regra refletia certa medida de misericórdia. Assim também, por três anos um homem não podia comer das uvas de uma vinha nova.

■ 20.6

וּמִי־הָאִישׁ אֲשֶׁר־נָטַע כֶּרֶם וְלֹא חִלְּלוֹ יֵלֵךְ וְיָשֹׁב לְבֵיתוֹ פֶּן־יָמוּת בַּמִּלְחָמָה וְאִישׁ אַחֵר יְחַלְּלֶנּוּ׃

Qual o homem que plantou uma vinha...? Temos aqui a *segunda regra*. Quem tivesse plantado uma vinha, mas nunca tivesse experimentado de suas uvas, estava isento de ir à guerra. Isso também era uma certa medida de misericórdia, estética em seu caráter. Haveria algo de estranho em outras pessoas comerem e beberem da vinha daquele homem, o qual nunca tirara proveito dela, embora ele a tivesse plantado e a tivesse cultivado. Durante três anos não se podia comer de uma vinha nova. E então, o fruto do quarto ano era dedicado a Yahweh. Portanto, somente as uvas do quinto ano de produção eram consumidas pelo dono da vinha. Um homem, depois de ter esperado por todo esse tempo, a fim de extrair benefício de sua vinha, podia ficar naquele quinto ano isento dos deveres militares. Ver Lv 19.23 ss. Havia festas que celebravam o começo do consumo das uvas, tal como no caso de casas (ver o versículo anterior). E o homem em foco tinha de estar presente para participar das celebrações.

■ 20.7

וּמִי־הָאִישׁ אֲשֶׁר־אֵרַשׂ אִשָּׁה וְלֹא לְקָחָהּ יֵלֵךְ וְיָשֹׁב לְבֵיתוֹ פֶּן־יָמוּת בַּמִּלְחָמָה וְאִישׁ אַחֵר יִקָּחֶנָּה׃

Qual o homem que está desposado...? Temos aqui a *terceira regra*. Era importante para um hebreu ter posteridade e herança para deixar para os seus descendentes. ele precisava contar com um herdeiro que desse prosseguimento à sua linhagem. Mas, se ele morresse logo após ter contraído matrimônio, como poderia gerar filhos? Isso deitaria por terra esses importantes propósitos sociais. Um homem já noivo não podia ir à guerra, pois arriscava-se a deixar sua futura esposa como uma viúva. Ademais, era-lhe conferido o direito de desfrutar de um casamento recente, sem ter de enfrentar os empecilhos da guerra. Não seria correto que outro homem ficasse com a noiva dele, enquanto seus ossos jazessem a secar no sepulcro. Tal homem estava isento do serviço militar pelo espaço de um ano (ver Dt 24.5). Mesmo que estivesse em guerra, Israel não deveria perturbar as "coisas novas" sobre as quais sua sociedade estava sendo perpetrada e avançava. Por conseguinte, casas novas, vinhas e esposas tinham precedência sobre as guerras, as quais, afinal de contas, eram contínuas. Os homens isentos de uma guerra logo teriam oportunidade de participar de outra, quando outros israelitas estariam começando coisas novas, por sua vez. A guerra não tinha prioridade total sobre as questões domésticas. As consequências da desobediência incluiriam sofrer as próprias coisas evitadas neste versículo. Ver Dt 28.30 e seu contexto.

Homero (*Ilíada*, l.ii. vs. 100) descreveu com eloquência o caso de Protesilau, o qual, por causa da guerra foi obrigado a abandonar sua esposa e uma casa por terminar. sua sorte miserável foi ter sido morto antes que pudesse voltar para casa.

■ 20.8

וְיָסְפוּ הַשֹּׁטְרִים לְדַבֵּר אֶל־הָעָם וְאָמְרוּ מִי־הָאִישׁ הַיָּרֵא וְרַךְ הַלֵּבָב יֵלֵךְ וְיָשֹׁב לְבֵיתוֹ וְלֹא יִמַּס אֶת־לְבַב אֶחָיו כִּלְבָבוֹ׃

Qual o homem medroso...? Essa é a *quarta regra*. Aqueles que se mostrassem tão tímidos que seriam inúteis na guerra também eram isentados de servir no exército. Talvez fossem chamados de covardes; talvez não. Mas a presença deles no campo de batalha serviria apenas de empecilho. Temos um exemplo da aplicação desta quarta regra em Jz 7.3. O exército de Gideão viu-se reduzido de 32 mil para dez mil homens, quando os temerosos foram mandados de volta para casa. Mais de dois terços de seu exército voltaram para casa, por motivo de medo!

A *covardia* era reputada um problema espiritual, visto que o indivíduo medroso não confiava em Yahweh como deveria. Uma guerra santa deveria ser desfechada com um grupo de homens seletos e corajosos, e não por homens debilitados pelo medo, pois isso só complicaria as coisas por ocasião de entrarem em ação. Yahweh conduziria um bando menor ao sucesso na guerra, ao passo que um grupo maior de soldados, cheios de problemas, não permitiria que a batalha se desenrolasse a contento. Deserções, no meio de uma batalha, criariam muito mais problemas do que se o número de soldados fosse menor, mas nenhum deles desertasse. A vitória era um problema de Yahweh, visto que uma *guerra santa* estaria sendo travada.

■ 20.9

וְהָיָ֗ה כְּכַלֹּ֤ת הַשֹּֽׁטְרִים֙ לְדַבֵּ֣ר אֶל־הָעָ֔ם וּפָקְד֛וּ שָׂרֵ֥י צְבָא֖וֹת בְּרֹ֥אשׁ הָעָֽם׃ ס

Designarão os capitães. Uma vez feita a seleção dos soldados, e depois de o sacerdote haver completado as suas instruções, o palco estava armado para a organização das tropas em companhias ou divisões. Capitães encabeçariam as divisões. Entre os deveres dos comandantes, destacava-se o de não permitir novas deserções. E agora, qualquer um que tentasse desertar teria decepadas as suas pernas (*Mishna Sotah*, sec. 6). Porém, é possível que essa regra tenha pertencido a um período posterior. Não somos informados sobre o número de homens em cada companhia. Mas podemos supor que isso dependesse do tamanho do exército e da ocasião envolvida. Em 1Sm 17.18 achamos companhias de mil homens cada, sendo presumível que sobre cada uma dessas unidades houvesse um capitão.

O CERCO DE UMA CIDADE (20.10-18)

Ver as notas de introdução no começo deste capítulo vigésimo, no que concerne a comentários sobre uma guerra santa, e sobre paralelos em outros trechos do Pentateuco. Aqui são descritos *dois casos* de cidades que estariam sendo cercadas. As cidades distantes, fora da Palestina (vss. 1-15), seriam tratadas com mais liberalidade. seus habitantes poderiam ser reduzidos a pagar tributo; tratados poderiam ser feitos com essas cidades etc. Mas uma severidade extrema poderia ser aplicada se houvesse resistência. Em um *segundo caso* (vss. 16-18), haveria uma cidade dentro das fronteiras da Palestina, a Terra Prometida. Nesses casos, a palavra de ordem era destruição absoluta. Isso evitaria qualquer retaliação, bem como problemas futuros, como idolatria por infecção, contra-ataques etc. Essas cidades eram oferecidas em holocausto a Yahweh, sendo totalmente consumidas a fogo. Nem mesmo despojos eram aproveitáveis nessas localidades. No sétimo capítulo do livro de Josué, a história de Acã prové um exemplo de cidade do segundo tipo. O termo hebraico para holocausto, ou seja, uma destruição absoluta, é *hrm*, um termo especial que indica guerra santa. A cidade assim oferecida a Yahweh tornava-se um tabu santo, um holocausto cujo destino era ser totalmente consumido a fogo. Não era permitida nenhuma modalidade de sincretismo religioso.

■ 20.10

כִּֽי־תִקְרַ֣ב אֶל־עִ֔יר לְהִלָּחֵ֖ם עָלֶ֑יהָ וְקָרָ֥אתָ אֵלֶ֖יהָ לְשָׁלֽוֹם׃

Oferecer-lhe-ás a paz. O versículo 15 deste capítulo mostra-nos que está em pauta uma *cidade distante*, que não pertence às "cidades destes povos", ou seja, das sete nações cananeias que habitavam na Palestina e que tiveram de ser expelidas dali. Ver Êx 33.2 e Dt 7.1. No caso de uma dessas cidades distantes, os filhos de Israel podiam propor condições de paz, além de outras coisas, descritas nos versículos seguintes. Uma cidade assim distante não poderia contaminar Israel com sua idolatria, servindo de fator ameaçador em suas fronteiras.

"Não conforme fizeram os filhos de Dã, que massacraram os habitantes de Laís, sem o menor aviso (ver Jz 18.7,28). Mesmo nas guerras dirigidas por Josué, houve cidades que foram poupadas pelos israelitas (Js 11.13)" (Ellicott, *in loc.*).

■ 20.11

וְהָיָה֙ אִם־שָׁל֣וֹם תַּֽעַנְךָ֔ וּפָתְחָ֖ה לָ֑ךְ וְהָיָ֞ה כָּל־הָעָ֣ם הַנִּמְצָא־בָ֗הּ יִֽהְי֥וּ לְךָ֛ לָמַ֖ס וַעֲבָדֽוּךָ׃

Será sujeito a trabalhos forçados. O *oferecimento de paz* incluía tornar a cidade conquistada um vassalo, sujeita a pagar tributos a Israel. Mas podia viver em paz. É provável que *alguns* dos habitantes de tais cidades fossem reduzidos a escravidão, o que fica subentendido nas últimas palavras deste versículo, "e te servirá". Quanto a isso, ver o nono capítulo do livro de Josué. Ver também 2Rs 3.4 quanto ao tributo imposto a lugares assim. Os moabitas, os sírios e os edomitas tornaram-se servos de Davi (ver 2Sm 8.2,6,14).

■ 20.12

וְאִם־לֹ֤א תַשְׁלִים֙ עִמָּ֔ךְ וְעָשְׂתָ֥ה עִמְּךָ֖ מִלְחָמָ֑ה וְצַרְתָּ֖ עָלֶֽיהָ׃

Então a sitiarás. Caso uma cidade distante oferecesse resistência, não aceitando as condições de paz propostas por Israel, mencionadas no versículo anterior, então a cidade seria cercada, e isso com toda a severidade. Tal cidade seria tratada com quase tanta severidade quanto uma cidade que estivesse dentro das fronteiras da Palestina. Ver Nm 31.7 ss. quanto a um exemplo do que acontecia em casos assim. Regras posteriores ditavam que essas cidades seriam cercadas por três lados. O quarto lado era deixado aberto, a fim de que quem quisesse deixar a cidade pudesse fazê-lo apressadamente, reduzindo assim o esforço dos israelitas para conquistar a cidade.

■ 20.13,14

וּנְתָנָ֛הּ יְהוָ֥ה אֱלֹהֶ֖יךָ בְּיָדֶ֑ךָ וְהִכִּיתָ֥ אֶת־כָּל־זְכוּרָ֖הּ לְפִי־חָֽרֶב׃

רַ֣ק הַ֠נָּשִׁים וְהַטַּ֨ף וְהַבְּהֵמָ֜ה וְכֹל֩ אֲשֶׁ֨ר יִהְיֶ֥ה בָעִ֛יר כָּל־שְׁלָלָ֖הּ תָּבֹ֣ז לָ֑ךְ וְאָֽכַלְתָּ֙ אֶת־שְׁלַ֣ל אֹיְבֶ֔יךָ אֲשֶׁ֥ר נָתַ֛ן יְהוָ֥ה אֱלֹהֶ֖יךָ לָֽךְ׃

Todos os do sexo masculino. Os habitantes masculinos da cidade distante que resistisse a Israel eram executados; mas as mulheres e crianças eram incorporadas em Israel, e tudo quanto tinham podia servir de despojos. Mulheres, crianças, animais domesticados, ouro, prata, mercadorias, utensílios domésticos, ferramentas agrícolas e de comércio – isso tudo serviria para aumentar as riquezas materiais e o poder de Israel, tornando-o mais forte como nação. As mulheres e as crianças da cidade conquistada seriam treinadas nos caminhos da fé dos hebreus e da legislação mosaica.

■ 20.15

כֵּ֤ן תַּעֲשֶׂה֙ לְכָל־הֶ֣עָרִ֔ים הָרְחֹקֹ֥ת מִמְּךָ֖ מְאֹ֑ד אֲשֶׁ֛ר לֹא־מֵעָרֵ֥י הַגּוֹיִֽם־הָאֵ֖לֶּה הֵֽנָּה׃

Todas as cidades que estiverem mui longe de ti. Este versículo, que vem no fim da discussão, define quais cidades deveriam ser tratadas com alguma dose de misericórdia. A saber, as cidades distantes, que não pertenciam a nenhuma das sete nações cananeias que habitavam na Palestina, conforme expliquei nos comentários sobre o versículo 15. Povos como os moabitas, os edomitas, os amonitas e os sírios estariam incluídos nessa classificação. Ver 2Sm 8.2,6,14.

■ 20.16,17

רַ֗ק מֵעָרֵ֤י הָֽעַמִּים֙ הָאֵ֔לֶּה אֲשֶׁר֙ יְהוָ֣ה אֱלֹהֶ֔יךָ נֹתֵ֥ן לְךָ֖ נַחֲלָ֑ה לֹ֥א תְחַיֶּ֖ה כָּל־נְשָׁמָֽה׃

כִּֽי־הַחֲרֵ֣ם תַּחֲרִימֵ֗ם הַחִתִּ֤י וְהָֽאֱמֹרִי֙ הַכְּנַעֲנִ֣י וְהַפְּרִזִּ֔י הַחִוִּ֖י וְהַיְבוּסִ֑י כַּאֲשֶׁ֥ר צִוְּךָ֖ יְהוָ֥ה אֱלֹהֶֽיךָ׃

Porém, das cidades destas nações. Os versículos 16 a 18 deste capítulo mostram as cidades do segundo tipo, que deveriam ser cercadas, a saber, aquelas que ficavam dentro das fronteiras da Palestina, as sete nações cananeias que precisavam ser expelidas dali. No versículo 17 temos uma lista que inclui seis das sete nações. A nação que foi omitida é a dos *gigaseus*. Mas a lista de Dt 7.1 inclui todas as sete nações; e a lista de Êx 23.23 faz a mesma omissão. É provável que não tenha havido nenhum motivo especial para essa omissão. As listas simplesmente variavam um pouco. Ver Êx 33.2 e Dt 7.1 quanto a uma exposição acerca dessas sete nações. Quase todos esses nomes aparecem como verbetes no *Dicionário*.

O *hrm*, também conhecido como banimento, tabu, ou holocausto a Yahweh, era para ser aplicado a tais povos. Se nada restasse deles, então não poderiam contaminar o povo de Deus com a idolatria e os seus costumes pagãos. E nem poderiam, recuperando suas forças, fazer mais tarde um contra-ataque.

Certa Medida de Misericórdia. Jarchi e outros intérpretes judeus dizem que exceções a uma matança total poderiam ocorrer se as pessoas se arrependessem, abandonando suas práticas idólatras e convertendo-se à fé dos hebreus. As condições impostas pelos filhos de Israel incluíam estes pontos: 1. Que renunciassem à sua idolatria. 2. Que se sujeitassem à lei e à fé de Israel. 3. Que pagassem um tributo anual. O trecho de 2Cr 8.7 mostra que representantes dessas nações foram poupados, embora tivessem de pagar tributo e se tornassem vassalos de Israel. E isso sucedeu nos dias de Salomão. E assim ele não se sentiu na obrigação de efetuar aniquilamento total dessas nações.

A ordem baixada quanto a esse modo de proceder provinha do próprio *Yahweh-Elohim*, por quem a guerra santa tinha sido decretada. Ver no *Dicionário* o artigo intitulado *Deus, Nomes Bíblicos de*.

■ 20.18

לְמַעַן אֲשֶׁר לֹא־יְלַמְּדוּ אֶתְכֶם לַעֲשׂוֹת כְּכֹל תּוֹעֲבֹתָם אֲשֶׁר עָשׂוּ לֵאלֹהֵיהֶם וַחֲטָאתֶם לַיהוָה אֱלֹהֵיכֶם: ס

Para que não vos ensinem a fazer. A razão principal para o aniquilamento total dos pagãos era impedir que suas práticas pagãs fossem absorvidas pelos novos habitantes. Ver no *Dicionário* o verbete intitulado *Idolatria*, como também as notas sobre o segundo mandamento, em Êx 20.3,4. Ver Gn 15.16, no que concerne à predição, associada ao Pacto Abraâmico, sobre a necessidade de limpar a terra de seus antigos habitantes, porquanto a taça de iniquidade deles estava agora cheia. E o povo de Israel também seria exilado da Terra Prometida quando sua taça de iniquidade se enchesse. Ver no *Dicionário* o artigo intitulado *Cativeiro (Cativeiros)*.

As suas abominações. No hebraico temos aqui um termo muito forte, usualmente empregado para descrever a idolatria. Dei notas expositivas a respeito em Dt 13.14.

O mesmo *Yahweh-Elohim* que baixara a ordem de iniciar a guerra santa ficaria ofendido se o povo de Israel fosse contaminado com as práticas idólatras das nações cananeias. O Senhor seria forçado a agir contra Israel, caso eles fossem contaminados pela idolatria dos cananeus. Portanto, essa doença espiritual precisava ser obliterada. Ver Sl 106.34-42. Esse texto descreve os péssimos resultados se as ordens de Yahweh não fossem cumpridas conforme fora exigido. Cf. Lv 18.24-28 e 20.23 quanto às abominações dos povos pagãos.

ACERCA DAS ÁRVORES (20.19,20)

■ 20.19,20

כִּי־תָצוּר אֶל־עִיר יָמִים רַבִּים לְהִלָּחֵם עָלֶיהָ לְתָפְשָׂהּ לֹא־תַשְׁחִית אֶת־עֵצָהּ לִנְדֹּחַ עָלָיו גַּרְזֶן כִּי מִמֶּנּוּ תֹאכֵל וְאֹתוֹ לֹא תִכְרֹת כִּי הָאָדָם עֵץ הַשָּׂדֶה לָבֹא מִפָּנֶיךָ בַּמָּצוֹר:

רַק עֵץ אֲשֶׁר־תֵּדַע כִּי־לֹא־עֵץ מַאֲכָל הוּא אֹתוֹ תַשְׁחִית וְכָרָתָּ וּבָנִיתָ מָצוֹר עַל־הָעִיר אֲשֶׁר־הִוא עֹשָׂה עִמְּךָ מִלְחָמָה עַד רִדְתָּהּ: פ

Temos aqui uma breve seção parentética, vinculada às ordens divinas acerca das cidades a serem assediadas pelos israelitas (vss. 10-18 deste capítulo). Era tradicional que os exércitos antigos arrasassem a área a ser invadida, desnudando-a de toda a sua vegetação. A madeira das árvores geralmente era usada para efeitos de aquecimento, para cozinhar os alimentos e para construir máquinas de assédio. Assim, por razão de pura crueldade, a população de uma cidade cercada era privada de uma de suas fontes de alimentação e construção.

Uma *provisão humanitária* é determinada aqui. As árvores produtoras de alimentos não podiam ser cortadas, nem como ato de ódio nem como ato de crueldade, e nem para prover madeira para fabricar instrumentos de guerra ou baluartes. As árvores são *fontes de vida* e devem ser respeitadas. Ademais, depois que Israel tivesse conquistado aquelas regiões, haveria de precisar daquelas árvores. Essa é uma sabedoria antiga, que nos tempos modernos continua sendo negligenciada por muitos, por causa da ganância e maldade dos homens. A guerra devia ser desfechada contra os homens, e não contra as árvores, o que é uma ironia, sem dúvida alguma.

"A destruição de árvores em torno de Jerusalém foi uma característica notável da guerra contra os romanos" (Ellicott, *in loc.*). No território pertencente a Israel havia muitas flores antigas, que hoje em dia desapareceram inteiramente, ficando a terra desnuda. Práticas dessa ordem exibem desrespeito para com a criação divina.

Tipologia. As árvores da retidão, das qualidades morais e espirituais não devem ser destruídas. Essa é a plantação cultivada pelo Senhor, e deve ser respeitada. Ver Mt 3.10; 15.13 e Is 60.13.

"É uma crueldade diabólica adicionar, às misérias da guerra, os horrores da fome. Mas é o que acontece onde as árvores do campo são derrubadas, os diques são quebrados para alagar a terra, as vilas são incendiadas e as colheitas são estragadas de propósito. Quão execrável é a guerra! Esse é o elemento subversivo de todas as caridades da vida" (Adam Clark, *in loc.*).

CAPÍTULO VINTE E UM

REGULAMENTOS GERAIS (21.1—26.19)

EXPIAÇÃO POR HOMICÍDIOS NÃO SOLUCIONADOS (21.1-9)

Em Israel, como é lógico, nem todos os homicidas eram apanhados e executados, tal como acontece nas sociedades modernas. A lei mosaica mostrava-se muito sensível diante do perigo de a terra ser poluída por meio de sangue inocente. Por isso mesmo, foi instituído um ritual de purificação, para impedir a poluição da terra, visto que uma vez poluída, a terra ficava sujeita à maldição de Yahweh. Ver Dt 19.10,13 quanto ao poder poluidor do sangue inocente, que ameaçava o bem-estar até da nação inteira. Fazia parte da responsabilidade da comunidade impedir o desprazer de Yahweh e buscar fazer expiação por todos os crimes cometidos, mesmo que o assassino nunca chegasse a ser apanhado. Mas a justiça divina haveria de apanhá-lo, mais cedo ou mais tarde, pois Yahweh sabia tudo sobre a questão e não permitiria que terminasse sem o reparo apropriado. Ver no *Dicionário* o verbete *Reparação (Restituição)*. Yahweh cuidaria da reparação. O homem deveria cuidar da expiação.

Na Inglaterra, no século XIX, eram passadas multas aos distritos onde tivessem ocorrido homicídios não resolvidos, a fim de que os oficiais locais envidassem todos os esforços possíveis no solucionamento dos crimes.

Nos casos de "crimes secretos", uma só testemunha ocular era suficiente para levar às barras dos tribunais o culpado.

■ 21.1

כִּי־יִמָּצֵא חָלָל בָּאֲדָמָה אֲשֶׁר יְהוָה אֱלֹהֶיךָ נֹתֵן לְךָ לְרִשְׁתָּהּ נֹפֵל בַּשָּׂדֶה לֹא נוֹדַע מִי הִכָּהוּ:

Se achar alguém morto. Uma pessoa assaltada era achada morta no campo. Talvez alguma discussão tivesse acontecido, e o resultado fora um assassinato. Ou então talvez houvesse uma antiga desavença, e o assassino tivesse planejado e executado o seu plano, no momento apropriado. Este versículo fala em "campo", onde a vítima fora encontrada. Mas isso é apenas um exemplo. Mas como é claro, também seria possível que um cadáver fosse encontrado a flutuar à superfície de um lago, pendurado em uma árvore etc. Mas as regras a serem obedecidas eram sempre as mesmas. O que não mudava era que o homem tinha sido assassinado; ninguém tinha visto o ato; nenhuma investigação tinha descoberto o culpado. Portanto, o homicídio não fora resolvido; a terra estava poluída com sangue inocente, e agora precisava ser purificada. Ver a introdução a este capítulo, que fornece informações gerais a respeito de questões dessa natureza.

21.2

וְיָצְא֥וּ זְקֵנֶ֖יךָ וְשֹׁפְטֶ֑יךָ וּמָדְד֕וּ אֶל־הֶ֣עָרִ֔ים אֲשֶׁ֖ר סְבִיבֹ֥ת הֶחָלָֽל׃

Medirão a distância até às cidades. Os oficiais locais, anciãos e juízes, incluindo os sacerdotes e os governantes seculares, seriam chamados ao local do crime. O primeiro dever deles seria determinar qual cidade ficava mais próxima do local do crime. *Naquele lugar*, pois, seria efetuada a expiação apropriada. Alguns intérpretes judeus pensavam que esses anciãos e juízes viriam do Grande Sinédrio, em Jerusalém, que investigariam, antes de todos, a questão, e então entregariam o caso aos cuidados das autoridades locais (ver o versículo seguinte). A Mishna (*Sotah*, cap. 9, sec. 2) diz-nos que três representantes do Grande Sinédrio eram enviados para fazer investigações. E outros supõem que os oficiais em pauta fossem aqueles da cidade mais próxima do local do crime, mas que então, se se descobrisse que havia alguma cidade ainda mais próxima, o processo era transferido para esta última (conforme pensava Aben Ezra). Talvez, *ambos* os tipos de investigação acabassem ocorrendo. Todavia, as cidades que ficavam distantes de Jerusalém cuidavam sozinhas dos casos, pois seria impraticável enviar pessoal de Jerusalém, por causa das grandes distâncias envolvidas. Os trechos de Dt 17.18 e 21.5 falam dos atos do santuário central, o que, provavelmente, incluía o dever da passagem presente, pelo menos nos casos onde isso fosse possível.

21.3

וְהָיָ֣ה הָעִ֔יר הַקְּרֹבָ֖ה אֶל־הֶחָלָ֑ל וְלָקְח֡וּ זִקְנֵי֩ הָעִ֨יר הַהִ֜וא עֶגְלַ֣ת בָּקָ֗ר אֲשֶׁ֤ר לֹֽא־עֻבַּד֙ בָּ֔הּ אֲשֶׁ֥ר לֹא־מָשְׁכָ֖ה בְּעֹֽל׃

Tomarão uma novilha da manada. Esse animal nunca deveria ter sido sujeitado a jugo. ele seria morto, pois o homem também fora morto, pelo que o abate do animal identificaria os dois, um com o outro. O sangue da novilha era derramado, e, mediante uma espécie de ato vicário, a terra era purificada do sangue inocente da vítima assassinada, que estava poluindo a terra. Todo homem presente declararia a sua inocência quanto ao assassinato que tinha sido cometido. Yahweh cuidaria então do assassino, para que ele não escapasse incólume. Mas o ritual declararia inocência diante de Yahweh, rogando-lhe assim que não julgasse a terra por causa do sangue inocente que fora violentamente derramado. Nenhum crime é uma questão individual. Polui a comunidade inteira, pelo que toda a comunidade deveria cuidar da questão.

A quebra do pescoço da novilha simbolizava o fato de que o crime merecia a pena capital; mas era a novilha que sofria por isso. Assim sendo, era feita a justiça, pelo menos até onde era possível ao homem manipular a questão. O resto era deixado aos cuidados de Yahweh, o qual, sabedor de quem praticara o crime, providenciaria para que o culpado viesse a sofrer um acidente, apanhasse uma doença fatal etc.

21.4

וְהוֹרִ֡דוּ זִקְנֵי֩ הָעִ֨יר הַהִ֜וא אֶת־הָעֶגְלָ֗ה אֶל־נַ֣חַל אֵיתָ֔ן אֲשֶׁ֛ר לֹא־יֵעָבֵ֥ד בּ֖וֹ וְלֹ֣א יִזָּרֵ֑עַ וְעָֽרְפוּ־שָׁ֥ם אֶת־הָעֶגְלָ֖ה בַּנָּֽחַל׃

A trarão a um vale. Um vale estéril, não cultivado, era o lugar apropriado para a novilha ser abatida. A novilha não se tinha multiplicado; o vale era infrutífero; o assassino não havia permitido que sua vítima vivesse uma vida frutífera: tudo era estéril. Talvez seja esse o simbolismo envolvido. E o vale simbolizava como uma terra poderia tornar-se estéril se os habitantes de uma região não se resguardassem devidamente contra o crime, deixando que a terra ficasse poluída.

Tipologia. Jesus Cristo veio ao mundo estéril a fim de que este produzisse fruto, o que não poderia ter acontecido de outra maneira. A novilha inocente, que não tivera tempo de dar prosseguimento à vida, simbolizava o inocente Jesus, o qual, mediante sua morte na cruz, purificou a terra de sua culpa.

21.5

וְנִגְּשׁ֣וּ הַכֹּהֲנִים֮ בְּנֵ֣י לֵוִי֒ כִּ֣י בָ֗ם בָּחַ֞ר יְהוָ֤ה אֱלֹהֶ֙יךָ֙ לְשָׁ֣רְת֔וֹ וּלְבָרֵ֖ךְ בְּשֵׁ֣ם יְהוָ֑ה וְעַל־פִּיהֶ֥ם יִהְיֶ֖ה כָּל־רִ֥יב וְכָל־נָֽגַע׃

Os sacerdotes, filhos de Levi. Os levitas (ver a respeito no *Dicionário*) convocados por Yahweh oficiariam todas essas cerimônias sagradas. A bênção seria derramada sobre o povo por meio deles, e Israel continuaria sendo abençoado, pois a culpa pelo sangue teria sido obliterada pelo ritual. Eles tinham o poder, conferido divinamente, para resolver disputas, controvérsias e situações complicadas. E dentro de seus deveres estava a questão de solucionar o problema da polução da terra. Isso havia resultado de controvérsias, golpes e ferimentos, após o que o assassino tinha conseguido fugir, sem ser identificado. Mas Yahweh cuidaria disso.

"Esse ritual, até certo ponto, é similar àquele retratado em Nm 19.2-10 (cf. também Lv 14.4-7). Nesse caso, o animal sacrificado tomara o lugar do criminoso (ver Lv 1.4). Os sacerdotes, filhos de Levi, ou seja, os sacerdotes levitas do santuário central, e não os levitas que residissem na cidade (ver Dt 18.1), oficiariam" (*Oxford Annotated Bible*, comentando sobre os versículos 4 e 5 deste capítulo). Ver também Dt 17.8-11.

21.6

וְכֹ֗ל זִקְנֵי֙ הָעִ֣יר הַהִ֔וא הַקְּרֹבִ֖ים אֶל־הֶחָלָ֑ל יִרְחֲצוּ֙ אֶת־יְדֵיהֶ֔ם עַל־הָעֶגְלָ֖ה הָעֲרוּפָ֥ה בַנָּֽחַל׃

Os anciãos desta cidade. Ou seja, aqueles que viviam na cidade mais próxima do local do crime. Esses lavariam suas mãos por sobre a novilha, depois que ela tivesse sido decapitada. E isso simbolizava a inocência, tanto deles quanto de toda a terra, livrando-a assim da culpa pelo sangue. Ver Sl 26.6 e Mt 27.24. Algumas fontes informativas judaicas fornecem-nos uma descrição da cena do ritual, o qual ocorria perto de uma corrente de água. A água usada para a lavagem continuava seu curso, e o sangue do sacrifício era levado para longe. Alguns intérpretes cristãos veem aqui um símbolo do sangue de Cristo, o qual purifica a terra. Ver no *Dicionário* os artigos chamados *Sangue, Expiação e Expiação pelo Sangue*. E na *Enciclopédia de Bíblia, Teologia e Filosofia*, ver o verbete intitulado *Expiação pelo Sangue de Cristo*.

21.7

וְעָנ֖וּ וְאָמְר֑וּ יָדֵ֗ינוּ לֹ֤א שָֽׁפְכוּ֙ אֶת־הַדָּ֣ם הַזֶּ֔ה וְעֵינֵ֖ינוּ לֹ֥א רָאֽוּ׃

As nossas mãos não derramaram este sangue. Aqueles que tivessem efetuado o rito determinado não haviam derramado sangue inocente. Por conseguinte, estavam inocentes em todos os aspectos. Eles não estavam protegendo o assassino desconhecido. E assim, a nação toda estava inocentada por Deus, excetuando, como é claro, o assassino que tinha escapado à detenção. E agora, Yahweh teria de fazer justiça diretamente com o culpado. O ritual confirmava a inocência do povo através das palavras ditas pelos anciãos da cidade, e a terra ficava livre da culpa pelo sangue. O ato de sacrifício da novilha, acompanhado pelas palavras dos anciãos, efetuava a expiação. E Yahweh não retaliaria contra Israel por causa da culpa pelo sangue inocente. Os anciãos incorporavam em si mesmos, simbolicamente, todo o povo de Israel. E todos eram assim beneficiados.

21.8

כַּפֵּר֩ לְעַמְּךָ֨ יִשְׂרָאֵ֤ל אֲשֶׁר־פָּדִ֙יתָ֙ יְהוָ֔ה וְאַל־תִּתֵּן֙ דָּ֣ם נָקִ֔י בְּקֶ֖רֶב עַמְּךָ֣ יִשְׂרָאֵ֑ל וְנִכַּפֵּ֥ר לָהֶ֖ם הַדָּֽם׃

Sê propício ao teu povo Israel. Os anciãos precisavam clamar a Deus, pedindo *misericórdia*, pois, se a terra ficasse poluída pela culpa pelo sangue inocente, certamente Yahweh haveria de descarregar um juízo severo contra toda a nação. Ver o trecho de Dt 19.10,13 quanto ao poder poluidor de sangue inocente derramado, capaz de ameaçar de juízo divino a nação de Israel inteira. Logo, fazia parte das responsabilidades da comunidade e dos sacerdotes impedir que Yahweh descarregasse sua justa ira contra o povo. A expiação tinha de ser feita com esse propósito.

Os Targuns de Onkelos e Jonathan deduzem que essas palavras eram proferidas pelos sacerdotes. Mas outros intérpretes preferiram supor que eram ditas pelos anciãos da cidade mais próxima. Nossa versão portuguesa opta por esta segunda posição. Fosse como fosse, o fato é que orações intensas eram feitas, implorando pela misericórdia divina. Um ponto interessante é que fontes informativas judaicas deixam claro que, se o assassino, até então não identificado, chegasse a ser descoberto depois daqueles ritos, ainda assim seria executado (ver Mishna *Hilchot Rotzeach*, cap. 9, sec. 7).

21.9

וְאַתָּה תְּבַעֵר הַדָּם הַנָּקִי מִקִּרְבֶּךָ כִּי־תַעֲשֶׂה הַיָּשָׁר בְּעֵינֵי יְהוָה: ס

Assim eliminarás a culpa pelo sangue inocente. Este versículo é um *sumário*. Agindo assim, o povo de Israel "eliminaria" toda culpa pelo sangue de seu território, e Yahweh não imporia juízo, apesar do fato de que o assassino tinha conseguido escapar, pelo menos até onde os homens podiam fazer alguma coisa. Yahweh cuidaria do resto, impondo uma justiça privada contra o culpado, contanto que os filhos de Israel cumprissem os ritos determinados. Alguns estudiosos criticam o rito, como se ele envolvesse artes mágicas. É verdade que todos os ritos podem ser assim empregados, mas parece que os israelitas agiam por puro espírito de obediência, como uma purificação *simbólica*. Yahweh é apresentado como quem respeita *símbolos*, quando os homens nada têm de mais sólido para lhe oferecer.

TRATAMENTO A MULHERES CATIVAS (21.10-14)

Uma *guerra santa* produzia grande número de mulheres viúvas, pois seus maridos teriam morrido em batalha. Isso era o caso especial em guerras efetuadas contra cidades que ficavam *fora* das fronteiras da Palestina. Ver Dt 20.10-18 e, particularmente, os vss. 10-15 desse capítulo, que abordam tais lugares. A ordem baixada por Yahweh era a de que todos os homens da cidade conquistada fossem mortos, mas os filhos de Israel poderiam ficar com as mulheres, as crianças, os animais domésticos e todas as riquezas materiais (vs. 14). Mas as cidades que ficavam dentro das fronteiras da Palestina simplesmente tinham todos os seus habitantes mortos, em uma terrível obliteração (vs. 16). E assim, enquanto as árvores eram poupadas, as pessoas não o eram (vss. 19,20). A seção à nossa frente regulamentava a questão das mulheres capturadas em batalha. Como é óbvio, elas seriam incorporadas à vida sexual e aos casamentos da comunidade israelita, tornando-se pessoas que seguiam a fé dos hebreus, tal como sucederia a seus filhos. Era mister que houvesse regras divinas para guiar o procedimento a ser seguido quanto a tais questões.

21.10

כִּי־תֵצֵא לַמִּלְחָמָה עַל־אֹיְבֶיךָ וּנְתָנוֹ יְהוָה אֱלֹהֶיךָ בְּיָדֶךָ וְשָׁבִיתָ שִׁבְיוֹ:

Quando saíres à peleja. Yahweh tinha ordenado a guerra santa, e ele mesmo tinha conferido a vitória. *Prisioneiros de guerra* eram feitos. Mas esses prisioneiros seriam somente mulheres e crianças. Israel não podia tomar homens cativos, nem mesmo com o propósito de reduzi-los à servidão, o que era uma prática comum no mundo antigo.

21.11

וְרָאִיתָ בַּשִּׁבְיָה אֵשֶׁת יְפַת־תֹּאַר וְחָשַׁקְתָּ בָהּ וְלָקַחְתָּ לְךָ לְאִשָּׁה:

Uma mulher formosa. Os homens de Israel estavam proibidos de casar-se com mulheres cananeias, ou de qualquer das sete nações que haviam ocupado a Palestina antes deles (ver Dt 20.16-18). Dessa maneira, pois, impedia-se a adoção de costumes pagãos, incluindo a prática da idolatria. Mas mulheres de outras nações, como moabitas, sírias e edomitas, eram aceitáveis para efeito de matrimônio, contanto que fossem incorporadas à comunidade hebreia e adotassem a fé em Yahweh. Ver Dt 7.1,3,4 quanto a outras proibições contra os filhos de Israel casarem-se com mulheres nativas da Palestina. Naturalmente, havia inúmeras exceções, pois Israel nunca seguia a essas regras de forma muito obediente.

Mulheres Bonitas. Entre as pessoas cativas de guerra, haveria pelo menos algumas mulheres bonitas. Visto que a poligamia era a regra vigente, tanto homens solteiros quanto casados estariam cobiçando tais mulheres. O homem que quisesse ficar com uma mulher teria de contrair *matrimônio* com ela. Não eram permitidas a violação e a promiscuidade, embora, novamente, houvesse muitas exceções. O povo de Israel não obedecia rigidamente às suas próprias regras de conduta.

21.12,13

וַהֲבֵאתָהּ אֶל־תּוֹךְ בֵּיתֶךָ וְגִלְּחָה אֶת־רֹאשָׁהּ וְעָשְׂתָה אֶת־צִפָּרְנֶיהָ:

וְהֵסִירָה אֶת־שִׂמְלַת שִׁבְיָהּ מֵעָלֶיהָ וְיָשְׁבָה בְּבֵיתֶךָ וּבָכְתָה אֶת־אָבִיהָ וְאֶת־אִמָּהּ יֶרַח יָמִים וְאַחַר כֵּן תָּבוֹא אֵלֶיהָ וּבְעַלְתָּהּ וְהָיְתָה לְךָ לְאִשָּׁה:

Preparação para o Casamento:
1. A mulher cativa, desejada como esposa, era escolhida, e, sem dúvida, havia barganhas entre os homens, bem como disputa, pelas realmente belas. O texto não nos mostra como essas disputas eram resolvidas. Fosse como fosse, um homem escolhia e adquiria uma mulher.
2. A mulher tinha sua cabeça *rapada*, e suas unhas eram *aparadas*. Isso simbolizava "a perda da antiga vida e identificação". Para a mulher, isso representava uma "humilhação", pois os cabelos longos eram muito prezados no Oriente Próximo e Médio. Tais coisas também serviam de preparações psicológicas para a *nova identidade*. Alguns intérpretes falam em *estragar a beleza* da mulher. sua beleza antiga tinha terminado; e agora haveria de adquirir uma nova beleza, pertencente exclusivamente a seu marido. sua nova identidade incluía instruções quanto ao yahwismo, abandono da idolatria e adoção da legislação e dos ritos mosaicos.
3. As *vestes antigas* da mulher eram jogadas fora, talvez até queimadas, o que servia como outro símbolo de que ela estava abandonando sua vida antiga. Então ela recebia roupas novas, símbolo da nova vida que ela estava adotando. Muitos intérpretes judeus supõem que muitas mulheres vestiam-se com seus melhores trajes, a fim de atrair a atenção de seus captores, para que assim tivessem melhores chances, embora seus maridos tivessem sido mortos em batalha.
4. A mulher ficava *encerrada* na casa de seu futuro marido. Um casamento estava prestes a ocorrer, e assim não deveria ficar vagueando e tentando seduzir outros homens. Outrossim, podemos imaginar que ela também estava sendo *protegida*. Nem todo homem lá fora estaria interessado em casamento. Sem dúvida havia muitos estupros secretos de mulheres cativas. Alguns escritores antigos chegaram a falar do direito que tinha um soldado a uma mulher estrangeira, por *uma vez*, sem que isso arcasse com nenhuma responsabilidade. (Assim lemos em *Hilchot Melachim*, cap. 8, sec. 2.)
5. A permanência da mulher na casa de seu futuro marido perdurava por um mês. Esse era um período de *preparação* para o casamento, conforme ficou sugerido nos pontos anteriores, embora também fosse um período de *luto* quanto aos entes amados que ela tivesse perdido na guerra. Presumivelmente, esse seria tempo suficiente para ela esquecer-se do passado. Um mês era o tempo usual para lamentar os mortos (Nm 20.29 e Dt 34.8).

Se todas essas condições fossem preenchidas, o homem então poderia casar-se com a mulher cativa. Porém, se o homem mudasse de ideia durante esse período, não estava obrigado a prosseguir até a cerimônia do casamento. E mesmo que tivesse chegado a casar-se com a mulher, não tinha obrigação de continuar casado com ela, sem importar as razões que pudesse ter para deixá-la (vs. 14).

21.14

וְהָיָה אִם־לֹא חָפַצְתָּ בָּהּ וְשִׁלַּחְתָּהּ לְנַפְשָׁהּ וּמָכֹר
לֹא־תִמְכְּרֶנָּה בַּכָּסֶף לֹא־תִתְעַמֵּר בָּהּ תַּחַת אֲשֶׁר
עִנִּיתָהּ: ס

E, se não te agradares dela. Este versículo dá a entender que o casamento tinha ocorrido, mas, após algum tempo (que não foi determinado), o homem poderia dissolver a união. ele não tinha nenhuma obrigação de continuar casado com a mulher, nem havia condições para ele desfazer o laço. O homem simplesmente tinha mudado de ideia. Porém, se chegasse a dissolver o casamento, não poderia vendê-la como escrava para outro homem. Portanto, temos aqui um jogo de leis relativamente humanas, pelo menos superior às práticas pagãs, no tocante ao casamento com mulheres cativas. Alguns estudiosos pensam que a mudança de ideia do homem deveria ter ocorrido "antes" da consumação do matrimônio. É possível que isso reflita a verdade do caso, mas a outra ideia parece mais correta, pelo que desfruta do apoio da maioria dos comentadores judeus. Uma vez dissolvido o casamento, a mulher estava livre e podia continuar a sua vida, talvez até casando-se de novo, se assim preferisse fazer.

LEIS SOBRE A POLIGAMIA E AS HERANÇAS (21.15-17)

Maomé permitiu que seus adeptos tivessem até cinco mulheres, mas exigiu que fossem tratadas com igualdade. Alguém já observou que isso, na realidade, é uma lei em favor da monogamia, visto que é impossível alguém cumprir essa condição de igualdade de tratamento. A breve seção que passamos a comentar pressupõe que a poligamia resultasse em um tratamento diferenciado dado às esposas, pois uma seria amada e as demais desprezadas. E os filhos nascidos das mulheres mais favorecidas também tenderiam por receber um tratamento diferenciado. As regras que se seguem, pois, visavam a impedir esse *tipo* de discriminação. As regras como que diziam, na realidade: "Trata tuas mulheres de modo diferente, se assim quiseres; mas trata teus filhos sob condições iguais, obedecendo às leis regulares das heranças". Assim, o tratamento conferido às mulheres era diferenciado; mas os filhos eram todos tratados da mesma maneira, obedecendo às leis regulares relativas às heranças. Um filho primogênito continuaria sendo o filho primogênito, recebendo dupla porção da herança, mesmo que não fosse filho da esposa favorita.

21.15

כִּי־תִהְיֶיןָ לְאִישׁ שְׁתֵּי נָשִׁים הָאַחַת אֲהוּבָה וְהָאַחַת
שְׂנוּאָה וְיָלְדוּ־לוֹ בָנִים הָאֲהוּבָה וְהַשְּׂנוּאָה וְהָיָה הַבֵּן
הַבְּכוֹר לַשְּׂנִיאָה:

Uma a quem ama, e outra a quem aborrece. O ideal original, quanto ao casamento, era o da monogamia. Mas a poligamia acabou sendo a prática generalizada. Ver no *Dicionário* os artigos chamados *Monogamia* e *Poligamia*. A poligamia, contudo, apesar de suas desvantagens, contava com normas que buscavam proteger os direitos das mulheres. Assim, uma segunda mulher seria melhor do que uma mulher só, reduzida a um objeto de prazer sexual, sem o envolvimento nem de responsabilidades nem de direitos. Todas as sociedades, na prática, são polígamas, mas sem os direitos conferidos pela instituição do casamento monogâmico. Assim sendo, embora Jesus tenha mostrado o *ideal* (ver Mt 19.4,5), a sociedade judaica há muito se tinha tornado polígamica. Essa condição, como é lógico, produz os seus próprios problemas, e sempre haverá, de acordo com esse sistema, alguma primeira, segunda ou terceira esposa que é negligenciada e serve de alvo de abusos. A natureza humana corrompe tudo.

Este versículo fala sobre uma esposa amada, e outra, desprezada. As pessoas e as circunstâncias mudam. Uma esposa querida pode vir a tornar-se um entrave e um objeto desprezado. Além disso, um indivíduo pode casar-se com uma pessoa que, realmente, não lhe seja compatível. Não é para admirar que, dentro do casamento poligâmico, haja tantas diferenças de tratamento conferido às esposas. Brigham Young, um grande pioneiro americano, líder dos mórmons, tinha nada menos que 32 esposas, de acordo com a contagem de alguns estudiosos, ou dezenove, de acordo com outros cálculos. A maioria delas ficava em uma espécie de edifício longo, com muitos quartos (dormitórios), que era chamado e continua sendo conhecido como "a casa das abelhas". Até hoje essa construção pode ser vista no centro de Salt Lake City, no Estado americano de Utah. No entanto, ele tinha uma esposa favorita, que vivia em uma casa separada, em um lugar diferente da cidade. E somos informados de que ele passava em companhia dela a maior parte do tempo.

Poderia facilmente acontecer, conforme vemos neste versículo, que o filho primogênito de um homem tivesse nascido de uma esposa desprezada ou negligenciada. E isso criava um problema de herança. O texto que ora comentamos requer uma adesão estrita às leis da primogenitura. Ver no *Dicionário* o verbete chamado *Primogênito*.

21.16,17

וְהָיָה בְּיוֹם הַנְחִילוֹ אֶת־בָּנָיו אֵת אֲשֶׁר־יִהְיֶה לוֹ לֹא
יוּכַל לְבַכֵּר אֶת־בֶּן־הָאֲהוּבָה עַל־פְּנֵי בֶן־הַשְּׂנוּאָה
הַבְּכֹר:

כִּי אֶת־הַבְּכֹר בֶּן־הַשְּׂנוּאָה יַכִּיר לָתֶת לוֹ פִּי שְׁנַיִם
בְּכֹל אֲשֶׁר־יִמָּצֵא לוֹ כִּי־הוּא רֵאשִׁית אֹנוֹ לוֹ מִשְׁפַּט
הַבְּכֹרָה: ס

No dia em que fizer herdar a seus filhos. Provavelmente era *doloroso* um homem ter de dar uma herança *menor* a um filho da esposa "amada". Podemos supor que esse filho fosse também o favorito. Além disso, um filho da mulher que era aborrecida por seu marido teria menos prestígio, se é que também não fosse aborrecido, como o era a sua mãe. Mas a lei da primogenitura determinava que a um filho primogênito fosse dada *dupla* porção da herança. Todavia, a lei como que preceituava: "Que o pai sofra a sua dor. O que ele não pode fazer é desviar-se das normas baixadas pela legislação mosaica. A lei protegia os direitos de um filho primogênito, e não permitia que sentimentos e complicações matrimoniais interviessem, alterando ou diminuindo esses direitos. Quanto à dupla porção determinada para um filho primogênito, ver o primeiro dos dois pontos do artigo referido. É verdade que o direito de primogenitura podia ser transferido (ver Gn 21.1-21; 25.31,32). Mas este texto não aborda esse aspecto da questão, nem provê espaço para tanto. Disse Jacó a José: "Dou-te de mais que a teus irmãos um declive montanhoso, o qual tomei da mão dos amorreus com a minha espada e com o meu arco" (Gn 48.22). Cf. 2Rs 2.9.

Cumpre-nos lembrar que deveres mais pesados recaíam sobre um filho primogênito. Ademais, ele era o primeiro produto do vigor físico de um homem, pelo que, pelo menos simbolicamente, estava acima de outros filhos. Textos como a Mishna *Bava Bathra*, cap. 8, sec. 5, exibem uma adesão radical à lei da dupla porção que era direito dos filhos primogênitos.

Tipologia. Jesus, o Cristo, é o Filho primogênito do Pai, o primeiro em uma longa linha de filhos amados. Ver a terceira seção do artigo do *Dicionário*, intitulado *Primogênito*, quanto a esse tipo simbólico.

"Na antiguidade acreditava-se que os direitos de um filho primogênito eram inalienáveis (ver Gn 25.29-34). Essa lei situava esse direito acima de qualquer preferência ou rivalidade no seio da família" (*Oxford Annotated Bible*, comentando sobre o versículo 16 deste capítulo).

UM FILHO DESOBEDIENTE E REBELDE (21.18-23)

Os *estudos no campo da genética* têm demonstrado, quando um filho se torna um homem de bem, seus pais deveriam receber *menos* crédito por isso do que geralmente recebem. E, quando um filho se torna um homem errado, seus pais deveriam ser considerados menos culpados do que geralmente sucede. Grandes são as questões envolvidas nisso de genética racial e familiar, que nem sempre o treinamento familiar, por melhor que seja, consegue alterar. Um indivíduo traz consigo uma tremenda bagagem, que é a herança da raça, e não meramente de seus pais. Essa herança inclui até mesmo atitudes morais; e, se essas atitudes forem perversas, todo o treinamento dado pelos pais pode não surtir grande efeito contrário. Naturalmente, há de ser levado em conta o poder de Deus, mas também há o fator do livre-arbítrio humano, que Deus permite que opere, a fim de que o desenvolvimento espiritual seja algo *genuíno*, e não somente uma *imposição* robotizada.

Os estudos sobre a criminalidade têm mostrado, mui *definidamente*, que existe aquilo que tem sido chamado de *mente criminosa*. É provável também que estejam envolvidos defeitos genéticos em tudo isso. Aqueles que acreditam em reencarnação supõem que uma genética defeituosa possa ser *criação* de vidas passadas. Mas sem importar esse conceito, o fato é que uma pessoa chega a este mundo com suas qualidades essenciais, boas e más. O desenvolvimento espiritual pode transformar e aprimorar; mas o mais comum é que a *antiga bagagem genética* acabe predominando na vida. Assim sendo, apesar de ser sempre consternador para um homem bom ter um filho mau, ao qual procura treinar quanto aos caminhos espirituais, o homem bom deveria relembrar que seu filho é também produto do gênero humano, e que o gênero humano está caído no pecado. Existem muitos defeitos espirituais na raça humana que, com frequência, acabam neutralizando todo e qualquer treinamento recebido no lar. Gêmeos separados por ocasião do nascimento e criados por famílias diferentes, e em diferentes áreas geográficas, a despeito de tudo isso, acabam vivendo vidas notadamente semelhantes. Eles chegam mesmo a comprar automóveis da mesma cor, a casar-se com cônjuges do mesmo nome, e seus filhos recebem nomes idênticos. Há mistérios envolvidos nesses casos, e dispomos de evidências para crermos que qualquer pessoa (mesmo que não tenha nascido como um gêmeo) está envolvida no mesmo tipo de "programação", com base na genética, na memória racial etc.

Israel era governado por leis estritas e até mesmo brutais que governavam a conduta dos filhos. Mas devemos lembrar que a comunidade e a unidade da nação também estavam envolvidas, e que havia aquela toda-poderosa obsessão com a "lei", a base mesma da unidade nacional. Um filho rebelde, portanto, representava uma ameaça a essa unidade, e essa ameaça precisava ser removida antes que tal filho semeasse a desarmonia entre outras pessoas.

■ 21.18

כִּי־יִהְיֶה לְאִישׁ בֵּן סוֹרֵר וּמוֹרֶה אֵינֶנּוּ שֹׁמֵעַ בְּקוֹל אָבִיו וּבְקוֹל אִמּוֹ וְיִסְּרוּ אֹתוֹ וְלֹא יִשְׁמַע אֲלֵיהֶם׃

Um filho contumaz e rebelde. Um *filho rebelde* não ouve nem obedece. A autoridade paterna é como nada para ele, e as palavras gentis de sua mãe caem em ouvidos surdos. ele se mostra rebelde, duro e teimoso. Coisa alguma é capaz de mudar-lhe o rumo. Também inclina-se por cumprir desejos perversos, e planeja cometer desordens. Tal jovem já nasceu com uma espécie de mente criminosa. As pessoas assim são diferentes mesmo quando ainda bem pequenas. suas diferenças não são produzidas pelo meio ambiente, nem por maus exemplos ou por um treinamento errado. Elas são simplesmente malfazejas, desde o começo, continuamente inclinadas para o mal. Nós, da Igreja, com frequência nos temos esquecido dessa possibilidade; e assim, quando um filho começa a praticar o que é errado, costumamos dizer: "Oh, se ao menos eu tivesse feito de modo diferente isto ou aquilo!" Mas embora nessas observações haja o reflexo de alguma verdade, na maior parte das vezes, a despeito do que fizemos ou poderíamos ter feito, o jovem ou a jovem simplesmente é mesmo ruim. A mente criminosa chega mesmo a encontrar satisfação se for apanhada em flagrante. Isso provê a oportunidade de aplicar sua esperteza e astúcia, a fim de mitigar ou mesmo eliminar algum castigo sério. Para um jovem assim tendente para o mal, o crime pode ser divertido e excitante, tornando-se uma *maneira interessante* de viver.

Um dos piores criminosos de toda a história do crime, nos Estados Unidos da América, era filho de um piedoso ancião dos Irmãos de Plymouth. ele matava e mutilava as suas vítimas, e sua consciência parecia inteiramente apagada. E, no entanto, fora criado em um lar evangélico muito ordeiro, e todas as semanas frequentava os cultos, várias vezes por semana. Tenho ficado boquiaberto ao observar, em meus próprios dias, quantos filhos de pastores evangélicos têm terminado seus dias na prisão, por causa de crimes sérios.

■ 21.19

וְתָפְשׂוּ בוֹ אָבִיו וְאִמּוֹ וְהוֹצִיאוּ אֹתוֹ אֶל־זִקְנֵי עִירוֹ וְאֶל־שַׁעַר מְקֹמוֹ׃

Pegarão nele seu pai e sua mãe. O jovem tornara-se *culpado* de extrema violação do quinto mandamento: "Honra a teu pai e a tua mãe" (Êx 20.12). E isso apesar de todas as advertências e tentativas de disciplina. De acordo com os ditames da legislação mosaica, agora só havia um curso de ação possível para os pais do jovem: execução oficial por apedrejamento.

"No livro do Pacto, um filho que ferisse ou amaldiçoasse a seus pais era condenado a receber a pena de morte (ver Êx 21.15,17; Lv 20.9). E, de acordo com a antiga lista de maldições, citada no capítulo 27 do Deuteronômio, um filho que ameaçasse pai ou mãe, de maneira frívola, era maldito (Dt 27.16). Na passagem à nossa frente, um filho completamente empedernido e inútil tinha de ser executado. Isso não era feito pelos próprios pais do jovem, mas pela comunidade, após uma decisão judicial tomada pelos anciãos da cidade. Dessa forma, a comunidade expurgava-se de uma chaga que era uma fonte de maldade" (G. Ernest Wright, *in loc.*).

À sua porta. Onde eram efetuados os julgamentos formais, de forma pública, para que houvesse um exemplo que fizesse outros filhos temer. Cf. Dt 22.15; Js 20.4; Jó 29.7. A lei era administrada naquele lugar conspícuo da cidade.

■ 21.20

וְאָמְרוּ אֶל־זִקְנֵי עִירוֹ בְּנֵנוּ זֶה סוֹרֵר וּמֹרֶה אֵינֶנּוּ שֹׁמֵעַ בְּקֹלֵנוּ זוֹלֵל וְסֹבֵא׃

Este nosso filho é rebelde e contumaz. As primeiras *testemunhas* contra o jovem rebelde eram os seus próprios pais. Provavelmente havia outras testemunhas, porquanto nenhuma execução poderia ocorrer sem que houvesse uma investigação completa. Cf. Dt 19.15. Tudo tinha de ser confirmado por, pelo menos, duas testemunhas. *Investigações* precisavam acompanhar qualquer caso que pudesse resultar em punição capital (19.18). Ver também Dt 17.4 e 9. A passagem de Dt 13.12-14 enfatiza as mesmas coisas. Não se permitia testemunho por *ter ouvido dizer*, em qualquer dos tribunais de Israel. O trecho de Dt 19.17 alude ao fato de que tudo era feito "perante o Senhor". Yahweh é quem havia estabelecido a ordem a ser seguida pelos tribunais de Israel. Se um homem tivesse de atuar como um ancião ou juiz, então tinha de agir como representante do Senhor.

A conduta do jovem mostrava ser *condenável* quanto a vários aspectos. ele era desobediente; ria-se das instruções dadas por seus pais; vivia entre festas e era viciado no alcoolismo; não trabalhava; e em tudo mostrava ser um sujeito indigno, uma desgraça para a sociedade. Cf. Pv 23.20. A Mishna *Sanhedrin*, cap. 8, sec. 3, amplia os crimes de um filho assim, e mostra que ele se deixara envolver em crimes públicos como o furto, a invasão de residências etc.

■ 21.21

וּרְגָמֻהוּ כָּל־אַנְשֵׁי עִירוֹ בָאֲבָנִים וָמֵת וּבִעַרְתָּ הָרָע מִקִּרְבֶּךָ וְכָל־יִשְׂרָאֵל יִשְׁמְעוּ וְיִרָאוּ׃ ס

O apedrejarão, até que morra. Uma vez que o julgamento desvendara a culpa do jovem, o passo seguinte consistia na execução capital por apedrejamento. Ver no *Dicionário* o artigo chamado *Apedrejamento*. O apedrejamento era feito por "todos os homens", ou seja, por um grupo representativo bastante numeroso. Era uma coisa terrível, nunca mencionada como algo que realmente aconteceu em Israel, pelo menos durante os tempos do Antigo Testamento. Assim sendo, presume-se que aquilo que é descrito neste texto não fosse um acontecimento corriqueiro.

O *Targum de Jonathan* informa-nos que um filho, ao enfrentar tão drástica punição, tinha a oportunidade de arrepender-se, recebendo assim uma segunda chance. Caso aceitasse o oferecimento, não seria executado, mas apenas receberia algumas chibatadas. Mas mesmo assim somente se seus pais falassem em seu favor, no momento mais crítico. Caso assim não fizessem os seus pais, a execução teria lugar. Rashi observou que é melhor que um homem tenha a sua vida cortada do que continuar a viver e multiplicar mais ainda os seus crimes, pelo que a execução, em tais casos, seria um favor! Talvez haja alguma terrível verdade por trás de um parecer assim.

O *temor* espalhar-se-ia por todo o território de Israel, quando o povo ouvisse que houvera a execução capital de um filho rebelde, e isso agiria como preventivo e purificação.

21.22

וְכִי־יִהְיֶה בְאִישׁ חֵטְא מִשְׁפַּט־מָוֶת וְהוּמָת וְתָלִיתָ אֹתוֹ עַל־עֵץ׃

Assim eliminarás o mal do meio de ti. A nota de *sumário*, que constitui este versículo, generaliza a questão. Mas também havia *outras razões* pelas quais um homem podia ser executado em Israel. Um filho rebelde não era a única pessoa que merecia ser eliminada dentre os vivos. Um criminoso qualquer, uma vez morto (mediante apedrejamento, à espada, estrangulado, na fogueira — que eram métodos comuns de execução), era então pendurado em uma árvore. O *enforcamento* não era um dos métodos de execução em Israel. Ver no *Dicionário* os verbetes intitulados *Enforcamento* e *Crimes e Castigos*. Alguns eruditos creem que devemos pensar aqui em crucificação, mas não é isso que está aqui em vista. Pendurar o cadáver de uma pessoa em uma árvore servia para expor seu corpo à desgraça pública, que se supunha funcionar como uma medida preventiva, capaz de diminuir a taxa de criminalidade na terra. Enforcamento autêntico só é mencionado em toda a Bíblia no livro de Ester (5.14; 6.4 etc.). Mas há aqueles que pensam que o que está aqui em pauta não é bem o enforcamento, e, sim, a *empalação*. Paulo, em Gl 3.13, alude a esta passagem e refere-se à crucificação, mas a sua referência é bastante frouxa, não tendo por propósito servir de paralelo a nenhum modo de execução usado no Antigo Testamento.

Tipologia. A morte expiatória de Cristo é ensinada em Gl 3.13 e seu contexto, onde também há uma alusão a esta passagem de Deuteronômio. "Cristo, uma vez sob a maldição divina, foi capaz de redimir-nos da maldição da lei" (Jack S. Deere, *in loc.*). Ver no *Dicionário* o artigo chamado *Expiação*.

21.23

לֹא־תָלִין נִבְלָתוֹ עַל־הָעֵץ כִּי־קָבוֹר תִּקְבְּרֶנּוּ בַּיּוֹם הַהוּא כִּי־קִלְלַת אֱלֹהִים תָּלוּי וְלֹא תְטַמֵּא אֶת־אַדְמָתְךָ אֲשֶׁר יְהוָה אֱלֹהֶיךָ נֹתֵן לְךָ נַחֲלָה׃ ס

seu cadáver não permanecerá no madeiro durante a noite. O corpo de uma pessoa executada era pendurado em uma árvore, onde ficava exposto ao opróbrio. Mas não podia ficar ali durante a noite, até o dia seguinte. O corpo precisava ser sepultado no mesmo dia em que tivera lugar a execução, a fim de que a terra não viesse a ficar cerimonialmente *imunda*. Ver no *Dicionário* o verbete intitulado *Limpo e Imundo*. Cf. Js 8.29; 10.26,27; 1Sm 31.10; 2Sm 4.12. "Ninguém peca sozinho. O que uma pessoa faz envolve outras pessoas do seu grupo, que participa da vergonha de suas más ações" (Henry H. Shires, *in loc.*). Ficar pendurado em uma árvore era reservado aos piores criminosos. A comunidade inteira entrava em desgraça por causa de tais indivíduos. Estes não eram sepultados no sepulcro da família, mas em lugares especiais, providos pelo Sinédrio. Havia um lugar para aqueles que fossem apedrejados ou mortos na fogueira; e outro para aqueles que fossem mortos à espada ou por estrangulamento (*Sanhedrin*, cap. 6, sec. 5). Pelo menos assim ditavam os costumes de uma época posterior.

Os criminosos eram pessoas *amaldiçoadas por Deus*. E isso sublinha a enormidade de seus pecados. Adam Clark, comentando (*in loc.*), expressou choque diante da enormidade de todo e qualquer pecado.

Coisa alguma é dita aqui sobre o destino da alma e sobre seu castigo após a morte biológica. Essa doutrina só veio a ser desenvolvida mais tarde, sobretudo no judaísmo do período intermediário de quatrocentos anos, entre o Antigo e o Novo Testamento; e, mais ainda, já dentro do cristianismo. Ver no *Dicionário* o artigo intitulado *Julgamento de Deus dos Homens Perdidos*.

A *Terra Prometida* fora concedida ao povo de Israel como uma herança, ou seja, como parte integrante das provisões do *Pacto Abraâmico* (ver as notas a respeito em Gn 15.18). Isso posto, o território de Israel era sagrado e não podia sofrer contaminação: em primeiro lugar, se um criminoso que merecesse a punição capital acabasse não sendo executado; e, em segundo lugar, se o seu corpo fosse deixado pendurado em uma árvore até a manhã do dia seguinte. Qualquer crime era uma questão que envolvia toda a comunidade, não sendo meramente uma questão individual.

CAPÍTULO VINTE E DOIS

REGRAS GERAIS (22.1-30)

As *leis miscelâneas* continuam no capítulo à nossa frente. Estão em foco leis atinentes ao relacionamento de uma pessoa com seu próximo. Mas também há um apelo em relação à misericórdia para com os animais (vss. 6 e 7). Em seguida, aparecem várias leis sobre o princípio da separação (vss. 9-12). Leis sobre a pureza e a propriedade sexual figuram nos vss. 13-30, e com isso se encerra este capítulo. Por conseguinte, encontramos um grupo de preceitos éticos, que abordam grande variedade de assuntos, os quais estão vinculados uns aos outros frouxamente, sem nenhuma conexão evidente. Temos aí leis que dizem respeito à decência e às atitudes corretas, quanto aos seres humanos e quanto aos animais irracionais. Essas leis eram incomuns nas legislações do mundo antigo. A lei do amor jaz à base de considerações dessa ordem, e essa é a lei que sempre devemos aprender a observar, embora nunca a observemos como realmente deveríamos. Ver no *Dicionário* o verbete intitulado *Amor*.

22.1

לֹא־תִרְאֶה אֶת־שׁוֹר אָחִיךָ אוֹ אֶת־שֵׂיוֹ נִדָּחִים וְהִתְעַלַּמְתָּ מֵהֶם הָשֵׁב תְּשִׁיבֵם לְאָחִיךָ׃

Restituí-los-ás sem falta. É recomendado aqui o *respeito* pela *propriedade alheia*. Os animais domesticados formavam uma importante parcela das riquezas e do bem-estar de um homem. Esses animais proviam alimentos e material para confecção de vestuário. Os animais que se perdessem pertenciam ao "irmão" que os tivesse perdido. Não podiam ficar com quem os achasse. O "irmão" deveria ser informado sobre a localização dos animais desgarrados. Se o proprietário não fosse conhecido pelo homem que tivesse achado os animais, este deveria cuidar deles, até que seu dono, o "irmão", viesse procurá-los. É presumível que, em tais casos, o homem que cuidasse dos animais receberia, no mínimo, alguma espécie de recompensa, que cobrisse as despesas que tivera. Essa lei concordava com a lei geral do "amor ao próximo" (ver Lv 19.18). Ver também Mt 7.12. Os animais desgarrados, outrossim, mesmo não fizessem parte do acervo do homem que estivesse cuidando deles, tinham de ser "protegidos", e deveriam ser devolvidos ao legítimo proprietário.

Esse tipo de atitude e de atos deve ser contrastado com o que costuma acontecer, por exemplo, em alguma estrada brasileira, quando um caminhão carregado sofre acidente. As pessoas que veem a ocorrência sentem-se livres para assaltar o caminhão e levar o que bem entenderem! E assim o proprietário, além de perder o caminhão, também perde a mercadoria.

O versículo que ora comentamos ensina uma atitude básica, e não meramente um ato isolado. Um homem deve interessar-se pelo que contribui para o bem-estar de seus semelhantes; e então *agir* de uma forma que garanta isso. Não deve desviar os olhos para outro lado, deixando que os animais do próximo se extraviem e provoquem prejuízo ao proprietário.

Cf. Êx 23.45, onde achamos algo similar. Mas o texto presente adiciona uma motivação interior de amor, como aquilo que leva um homem a agir de modo correto.

O original hebraico parece dar a entender que o extravio foi causado pelo ato violento de algum animal. Nesse caso, quem achasse os animais alheios precisava protegê-los de algum possível ataque. O termo aqui traduzido por "extraviado" pode ser traduzido por "afugentado".

22.2

וְאִם־לֹא קָרוֹב אָחִיךָ אֵלֶיךָ וְלֹא יְדַעְתּוֹ וַאֲסַפְתּוֹ אֶל־תּוֹךְ בֵּיתֶךָ וְהָיָה עִמְּךָ עַד דְּרֹשׁ אָחִיךָ אֹתוֹ וַהֲשֵׁבֹתוֹ לוֹ׃

Se teu irmão não for teu vizinho. Se o animal pertencesse a um homem desconhecido para quem o achasse perdido, então, por ter misericórdia do animal e em espírito de amor ao próximo, deveria cuidar do animal e fazer investigação para poder devolvê-lo ao legítimo proprietário. Ver Is 58.7. Um "irmão" era um concidadão de Israel. Esse tratamento reflete um avanço na teologia de Israel. Nas páginas do Novo Testamento, um irmão é um ser humano qualquer, além de ser outro crente, pois todos foram criados por Deus, e, em Jesus Cristo, todos podem ser regenerados, quando então a fraternidade assume um sentido espiritual. Ver Lv 19.18, que diz: "Amarás o teu próximo como a ti mesmo". Cf. Mt 7.12.

Os Targuns exortavam um homem a cuidar bem de animais extraviados. Se seu proprietário não fosse localizado, nem pudesse achar seus animais, então estes se tornavam propriedade de quem os tivesse achado (Pagninus, Montanus). Se o animal costumava fugir, então o amor requeria que fosse devolvido por cem vezes se necessário (Maimônides, *Mishna Sanhedrin*, cap. 6, sec. 4).

■ 22.3

וְכֵן תַּעֲשֶׂה לַחֲמֹרוֹ וְכֵן תַּעֲשֶׂה לְשִׂמְלָתוֹ וְכֵן תַּעֲשֶׂה לְכָל־אֲבֵדַת אָחִיךָ אֲשֶׁר־תֹּאבַד מִמֶּנּוּ וּמְצָאתָהּ לֹא תוּכַל לְהִתְעַלֵּם: ס

Assim também farás. A *mesma regra* que se aplicava a um touro extraviado (versículo anterior) aplicava-se a qualquer outro animal domesticado ou a qualquer tipo de propriedade que alguém perdesse, incluindo vestes, dinheiro etc. Esta passagem ensina-nos que somos guardiães de nosso próximo. Ver no *Dicionário* o artigo chamado *Amor*. Estes versículos ensinam que nos devemos sentir "envolvidos" nas necessidades alheias, mormente quando o próximo tiver sofrido algum tipo de prejuízo. Cf. Tg 2.15,16 e 1Jo 3.17, que ensinam a "envolver-nos". Cf. o envolvimento do bom samaritano (Lc 10.31,32), que ilustra este texto.

"Uma gentileza calorosa e interessada pelo próximo é o fruto da verdadeira religião, sendo algo básico ao caráter cristão. Felicidade e egoísmo não conseguem deitar-se juntos no mesmo leito. Somente aquele que perde a própria vida os encontra" (Henry H. Shires, *in loc.*). As muitas ramificações da lei do amor aparecem no capítulo 13 de 1Coríntios, e essa é a "*constituição*" do aspecto da fé cristã.

■ 22.4

לֹא־תִרְאֶה אֶת־חֲמוֹר אָחִיךָ אוֹ שׁוֹרוֹ נֹפְלִים בַּדֶּרֶךְ וְהִתְעַלַּמְתָּ מֵהֶם הָקֵם תָּקִים עִמּוֹ: ס

Sem falta o ajudarás a levantá-lo. *Outra manifestação* de amor fraternal consistia em ajudar um homem quando um seu animal sofresse qualquer tipo de acidente. "O texto requer uma ajuda ativa e franca, ao mesmo tempo que proíbe a inatividade. Portanto, para cumprir esse dever requer-se mais que a lei" (G. Ernest Wright, *in loc.*). Da mesma maneira que um jumento podia cair sob o peso de uma carga, e que um "irmão" tinha de ajudar nessa situação, assim também pode acontecer a qualquer homem que caia sob qualquer carga, quando então precisa ser ajudado por um seu "irmão". Ver o trecho de Êx 23.4,5 quanto a uma situação similar, com a diferença de que ali é recomendado amor até mesmo a um inimigo. Esse texto coloca-nos dentro do contexto do Novo Testamento, pois lemos ali Cristo dizer: "Amai os vossos inimigos..." (Mt 5.44). Jesus ensinou que devemos amar os nossos inimigos, e, no entanto, quase nem podemos tolerar nossos vizinhos. Isso demonstra apenas que somos infantes quanto à espiritualidade, visto que o amor é a própria comprovação do novo nascimento e da espiritualidade (ver 1Jo 4.7 ss.).

CONTRA O TRAVESTISMO (22.5)

■ 22.5

לֹא־יִהְיֶה כְלִי־גֶבֶר עַל־אִשָּׁה וְלֹא־יִלְבַּשׁ גֶּבֶר שִׂמְלַת אִשָּׁה כִּי תוֹעֲבַת יְהוָה אֱלֹהֶיךָ כָּל־עֹשֵׂה אֵלֶּה: פ

Quando eu era jovem, este versículo era muito discutido nas igrejas evangélicas. Os radicais (entre os quais me punha) desprezavam o uso de qualquer item do vestuário que sugerisse que um homem ou uma mulher estavam vestindo algo próprio do sexo oposto. Jack S. Deere (*in loc.*) exibe o espírito de nossos sentimentos ao dizer: "A adoção de vestes próprias do sexo oposto era proibida porque obscurecia a distinção dos sexos, e assim violava um aspecto essencial da ordem criada da vida (Gn 1.27)". Talvez, nos dias do Antigo Testamento, a prática do travestismo estivesse associada ao homossexualismo, conforme acontece hoje em dia, em alguns *poucos casos*. Aqueles que se opunham a nós (quando eu era jovem), os radicais, ressaltavam que, em muitas ocasiões, uma mulher mostra-se mais modesta em seus trajes se estiver usando calças compridas do que quando está usando um vestido. Além disso, destacavam que calças femininas são talhadas para o corpo feminino, pelo que não são roupas masculinas. Porém, eu nunca fiquei impressionado diante de tais argumentos. Atualmente, a questão simplesmente morreu, e *talvez* meu antigo radicalismo fosse apenas uma manifestação de legalismo de minha parte.

Nossos oponentes também salientavam que este versículo de Deuteronômio acha-se no Antigo Testamento, e não estamos mais sob as leis mosaicas. Esse argumento para mim parecia ter bastante peso. Mesmo assim, até hoje prefiro que as mulheres crentes usem vestidos; mas tenho de admitir que um vestido é mais sexualmente apelativo do que calças compridas, pelo que, se uma mulher quiser parecer menos atrativa, sexualmente falando, que ela passe a usar calças compridas. Não será isso um ponto em favor do uso de calças compridas por parte das mulheres? Além disso, consideremos que uma mulher com seus longos cabelos soltos, que use um vestido longo e bem talhado, fica muito mais atrativa, sexualmente, e assim será mais cobiçada do que uma mulher que use cabelos curtos e calças compridas. Assim, se você quiser *reduzir a concupiscência*, recomende que as mulheres cortem curto os cabelos e usem calças compridas. Mas é isso o que elas andam fazendo, afinal. O que posso afirmar é que o fato de as mulheres usarem cabelos curtos e vestirem calças compridas pode aliviar muitas tensões.

John Gill (*in loc.*) ilustrou este texto mostrando-nos como os deuses e as deusas pagãos, bem como os povos gentílicos, estavam envolvidos em travestismo. Onkelos costumava proibir, mediante o uso deste texto, que as mulheres usassem armaduras. E outro tanto fazia Josefo (*Antiq.* 1.4, cap. 8, sec. 43). Adam Clark disse que um homem de nome Clódio (pertencente à alta sociedade romana) vestia-se como se fosse uma mulher, a fim de que pudesse mover-se mais livremente entre as mulheres, nos tempos de festividades. Porém, quando acabou sendo desmascarado, foi severamente repreendido.

TRATAMENTO BONDOSO PARA COM OS ANIMAIS (22.6)

■ 22.6

כִּי יִקָּרֵא קַן־צִפּוֹר לְפָנֶיךָ בַּדֶּרֶךְ בְּכָל־עֵץ אוֹ עַל־הָאָרֶץ אֶפְרֹחִים אוֹ בֵיצִים וְהָאֵם רֹבֶצֶת עַל־הָאֶפְרֹחִים אוֹ עַל־הַבֵּיצִים לֹא־תִקַּח הָאֵם עַל־הַבָּנִים:

Algum ninho de ave. Os animais servem para consumo na alimentação humana. Mas a lei impunha certas restrições. É entristecedor pensar em uma ave a chocar seus ovos ou a proteger seus filhotes, para subitamente serem arrebatados dali e transformados em alimento. Seria muito mais correto que um homem buscasse outro alimento.

Quanto a mim, não tenho dúvidas de que os versículos 6 e 7 deste capítulo exibem amor até mesmo pelos animais, exigindo que os respeitemos. Matar a fim de comer é uma contingência da condição humana; e mesmo que algumas pessoas julguem isso uma prática insensível, ela é quase universal. Talvez o hinduísmo esteja com a razão quanto a esse particular. O trecho de Jn 4.11 quase certamente mostra que Deus se interessa pela vida animal, e Mt 10.29 é até enfático quanto a isso. A desumanidade do homem contra o homem tem sido e continua sendo um grande escândalo do ponto de vista espiritual; mas a crueldade do homem contra os animais também é escandalosa.

Alguns interpretam os versículos que estamos discutindo ligando-os não ao sentimento de compaixão, e, sim, à necessidade de "proteger o suprimento alimentar". Os animais em desenvolvimento deviam ter a permissão de crescer e multiplicar-se, pois assim haveria maior abundância de alimentos. Mas essa parece ser uma interpretação bastante superficial de um versículo bíblico.

22.7

שַׁלֵּחַ תְּשַׁלַּח֙ אֶת־הָאֵ֔ם וְאֶת־הַבָּנִ֖ים תִּֽקַּֽח־לָ֑ךְ לְמַ֙עַן֙ יִ֣יטַב לָ֔ךְ וְהַאֲרַכְתָּ֖ יָמִֽים׃ ס

Para que... prolongues os teus dias. Uma *longa vida* foi prometida aos que obedecessem a esta minúscula seção. A longa vida é, de fato, prometida aos que obedecessem à lei (ver Dt 4.1; 5.33; 6.2). Longa vida é prometida aos filhos obedientes e reverentes a seus pais (ver Êx 20.12; Ef 6.2). Longa vida era prometida aos que não maltratassem as aves e, por via de consequência, os animais (este texto). Encontramos algo similar em Focílides, Poema Nouthet., vs. 80: "De um ninho não tires todas as aves; poupa a vida da mãe delas; ela produzirá outra ninhada". Vida longa também foi prometida aos que cultivassem a honestidade em seus negócios (Dt 25.15).

"A intenção dessa lei era ensinar uma atitude humanitária, compaixão e piedade por outra pessoa, além de proibir a crueldade, a cobiça e outros vícios semelhantes, e também instruir quanto à doutrina da providência de Deus, o qual respeita as aves. E é possível que nosso Senhor tivesse em vista essa lei, em Lc 12.6" (John Gill, *in loc.*).

CONSTRUINDO CASAS SEGURAS (22.8)

22.8

כִּ֤י תִבְנֶה֙ בַּ֣יִת חָדָ֔שׁ וְעָשִׂ֥יתָ מַעֲקֶ֖ה לְגַגֶּ֑ךָ וְלֹֽא־תָשִׂ֤ים דָּמִים֙ בְּבֵיתֶ֔ךָ כִּֽי־יִפֹּ֥ל הַנֹּפֵ֖ל מִמֶּֽנּוּ׃ ס

Quando edificares uma casa nova. Essa norma só pode ser encontrada aqui, em toda a Bíblia. Parte do código referente às construções era impedir quedas e ferimentos ou mesmo mortes de pessoas que caíssem do telhado plano das casas. As casas antigas, pelo menos antes dos períodos bizantino e árabe, na Palestina, eram construídas com telhados planos, e as pessoas subiam sobre ele à tardinha, onde se punham a meditar, orar etc. Portanto, se não houvesse algo que impedisse tal coisa, as quedas dali eram frequentes. Bastava a adição de um parapeito para impedir isso. Tratava-se de uma parede baixa, em torno das beiradas do telhado, que impedia que as pessoas rolassem do telhado de uma casa abaixo. Jarchi chamou essa construção de *cerca*.

Cf. este versículo com 1Sm 9.25,26 e 2Sm 11.2. No Novo Testamento, ver Mt 10.27; 24.17 e At 10.9. O espírito deste versículo também era aplicado a outros perigos, como a necessidade de tapar um poço a fim de que uma criança, ou mesmo um adulto, não chegasse a cair ali, por acidente. (Assim escreveu Maimônides, em *Hilchot Rotzeach*, cap. 11, sec. 4.)

LEIS DA SEPARAÇÃO: NADA DE COMBINAÇÕES INCOMUNS (22.9-11)

22.9

לֹא־תִזְרַ֥ע כַּרְמְךָ֖ כִּלְאָ֑יִם פֶּן־תִּקְדַּ֗שׁ הַֽמְלֵאָ֤ה הַזֶּ֙רַע֙ אֲשֶׁ֣ר תִּזְרָ֔ע וּתְבוּאַ֖ת הַכָּֽרֶם׃ ס

Não semearás a tua vinha. Era mister manter a *pureza* das espécies. As distinções na natureza precisavam ser reverentemente observadas pelos hebreus. Cf. Lv 19.19. É provável que Israel pensasse que a ordem criada por Deus requeria a preservação das espécies. Portanto, havia entre eles a mesma atitude ecológica que anda tanto em voga em nossos dias. Toda espécie de mescla produzia a "degeneração", conforme lemos neste versículo. Quanto a maiores detalhes, ver meus comentários sobre Lv 19.19. Metaforicamente falando, este versículo ilustra a lei da separação moral, o que também comentei no texto de Lv 19.19. Cf. o quinto versículo deste capítulo.

22.10

לֹֽא־תַחֲרֹ֥שׁ בְּשֽׁוֹר־וּבַחֲמֹ֖ר יַחְדָּֽו׃ ס

O *cruzamento* de espécies produz híbridos monstruosos ou estéreis. As distinções estabelecidas por Deus entre as espécies não devem ser violadas de modo nenhum e em nenhum grau, pois nem ao menos um jumento (um animal imundo) podia ser atrelado ao mesmo jugo com um boi (um animal limpo, que podia ser oferecido em sacrifício).

Ver a aplicação moral disso em 2Co 6.14. "O limpo e o imundo não podiam arar juntos a terra santa de Yahweh" (Ellicott, *in loc.*). Ver na *Enciclopédia de Bíblia, Teologia e Filosofia* o artigo chamado *Separação do Crente*.

É possível que razões *práticas* estivessem envolvidas na proibição constante neste versículo, pois, como o touro é animal de muito maior força que o jumento, poderia haver uma tração desigual, o que seria uma inconveniência (assim pensava Aben Ezra). Mas podemos estar certos de que a proibição era considerada também uma questão moral e espiritual, e não apenas uma questão prática. Plínio (*Hist. Natural* 1.1, cap. 5) diz-nos que tanto jumentos quanto bois eram usados para puxar o arado, mas nunca juntos. Os africanos usavam cavalos e jumentos, mas nunca bois (conforme disse Leão Africano, *Descriptio Africae* 1.2. par. 104).

22.11

לֹ֤א תִלְבַּשׁ֙ שַֽׁעַטְנֵ֔ז צֶ֥מֶר וּפִשְׁתִּ֖ים יַחְדָּֽו׃ ס

Não te vestirás. Esta proibição tem paralelo em Lv 19.19, cujas notas expositivas devem ser consultadas. Cf. Ez 44.17,18. A lei proibia que se costurassem juntos dois tipos de tecido, também que se usassem dois tipos diferentes de fio em um mesmo tecido. Mas usar dois tipos diversos de roupa, ao mesmo tempo, era algo permitido, contanto que não fossem costuradas uma peça à outra. Os sacerdotes usavam, ao mesmo tempo, peças de roupa feitas umas de linho e outras de lã, mas como peças separadas, e não costuradas uma à outra.

22.12

גְּדִלִ֖ים תַּעֲשֶׂה־לָּ֑ךְ עַל־אַרְבַּ֛ע כַּנְפ֥וֹת כְּסוּתְךָ֖ אֲשֶׁ֥ר תְּכַסֶּה־בָּֽהּ׃ ס

Farás borlas. Quanto à lei das *borlas* ou *fímbrias*, ver Nm 15.37-41, onde a questão é examinada com detalhes. E, quanto a maiores detalhes ainda, ver no *Dicionário* o artigo chamado *Borlas*. "Até mesmo as vestes do povo de Deus precisavam ser distintas. Sem importar se comessem, bebessem ou fizessem qualquer outra coisa, deviam fazer tudo para a glória de Deus. Essas leis tinham um lado simbólico e até sanitário, visando tanto ao bem-estar físico quanto ao treinamento espiritual do povo de Deus" (Ellicott, *in loc.*).

LEIS ATINENTES À CONDUTA SEXUAL (22.13-30)

O *sexo é uma força poderosa,* além de ser gerador de problemas. E isso tanto no passado quanto no presente. Esta seção apresenta *seis leis* que proíbem relações sexuais desnaturais ou impróprias. E todas essas regras são apresentadas com um *se*, embora possamos ter certeza de que todas as coisas que foram proibidas estavam acontecendo. Ver no *Dicionário* o artigo detalhado intitulado *Sexo*.

A lei incluía regras que encorajavam a pureza sexual pré-marital e protegiam uma esposa que fosse acusada falsamente. Um marido inescrupuloso poderia criar um caso contra a sua esposa, simplesmente a fim de livrar-se dela, uma vez que ela caísse em desfavor, ou a fim de recuperar o preço original que ele tinha pago ao pai da jovem, como parte das negociações em torno do casamento. Para evitar toda confusão, era mister guardar e apresentar evidências da virgindade da jovem.

22.13

כִּֽי־יִקַּ֥ח אִ֖ישׁ אִשָּׁ֑ה וּבָ֥א אֵלֶ֖יהָ וּשְׂנֵאָֽהּ׃

Este versículo dá a entender que a mulher era virgem quando se casou; que seu marido, após algum tempo, veio a *odiá-la*; que ele passou a difamá-la para desvencilhar-se dela ou para recuperar o dinheiro que tinha pago por ela. Sinais palpáveis da virgindade dela tinham de ser guardados, a fim de que, em alguma ocasião futura, acusações falsas pudessem ser rebatidas. Nesse caso, o homem seria severamente castigado em face de seus atos vergonhosos e suas acusações falsas.

22.14

וְשָׂ֥ם לָהּ֙ עֲלִילֹ֣ת דְּבָרִ֔ים וְהוֹצִ֥יא עָלֶ֖יהָ שֵׁ֣ם רָ֑ע וְאָמַ֗ר אֶת־הָאִשָּׁ֤ה הַזֹּאת֙ לָקַ֔חְתִּי וָאֶקְרַ֣ב אֵלֶ֔יהָ וְלֹא־מָצָ֥אתִי לָ֖הּ בְּתוּלִֽים׃

E lhe atribuir atos vergonhosos. Este versículo dá mostras de ganância e amargura por parte do marido. O divórcio era permitido, mas tinham de ser seguidas certas regras. Ver no *Dicionário* o verbete chamado *Divórcio*. Além disso, a poligamia (ver a respeito no *Dicionário*) era uma prática comum. Assim era prática comum um homem obter uma ou mais mulheres, sem ter de desfazer-se da primeira. Isso posto, só podemos supor que o homem descrito aqui fora dominado pelo rancor e quisesse prejudicar sua mulher, e talvez também recuperar o dinheiro que pagara por ela. Por isso mesmo fez acusações falsas contra ela, dizendo que, ao casar-se, descobriu que ela não era mais virgem (o que, se fosse verdade, automaticamente poderia facilitar-lhe o divórcio e possibilitar a devolução de todo dinheiro pago por ela).

Tais acusações tinham de ser feitas diante do tribunal apropriado. Essas acusações não podiam ser divulgadas, mas um homem sem escrúpulos não haveria de querer obedecer a quaisquer regras. Maimônides conta-nos como tal homem tinha de investigar e obter provas sobre como sua esposa havia perdido a virgindade antes do casamento, para então apresentar evidências ao tribunal (ver *Hilchot Naarah Betulah*, cap. 3, sec. 6). Fica entendido que a mulher, fosse ela inocente ou não, haveria de negar as acusações. O homem não podia apresentar somente suas afirmações, mas precisava também mostrar provas. Mas outro tanto teria de fazer a mulher. Alguém tinha de apresentar provas razoáveis do que estava dizendo.

Se o *homem* perdesse sua causa, seria espancado e teria de pagar uma multa (vss. 18 e 19); e, se a *mulher* fosse a perdedora, ela seria executada (vs. 21). E assim, um padrão duplo de justiça acompanhava o caso, do começo ao fim.

■ **22.15**

וְלָקַח אֲבִי הַנַּעַר וְאִמָּהּ וְהוֹצִיאוּ אֶת־בְּתוּלֵי הַנַּעַר אֶל־זִקְנֵי הָעִיר הַשָּׁעְרָה׃

Então o pai da moça e sua mãe. Os progenitores da mulher precisavam intervir na questão, apresentando os sinais da virgindade dela ao casar-se, a saber, panos manchados de sangue, no momento em que seu hímen fora rompido por ocasião do primeiro contato sexual. Podemos imaginar que a própria mulher preservasse tais paninhos, e talvez ela mesma os entregasse a seu pai a fim de que os guardasse em segurança, para o caso de seu marido, mais tarde, fazer acusações contra ela.

Os panos tinham de ser apresentados publicamente no tribunal, e os anciãos decidiriam quanto à questão. Maimônides adiantou que o Grande Sinédrio, composto por 23 membros, tinha a obrigação de julgar o caso, visto que a situação envolvia uma possível execução capital (*Hilchot Naarah Betulah*, cap. 3, sec. 3).

Em alguns casos, a injustiça poderia ser o resultado. Em outros, a mulher culpada acabaria escapando, porquanto os meios de prova eram realmente precários, e nenhuma mulher culpada haveria de confessar seu delito.

■ **22.16**

וְאָמַר אֲבִי הַנַּעַר אֶל־הַזְּקֵנִים אֶת־בִּתִּי נָתַתִּי לָאִישׁ הַזֶּה לְאִשָּׁה וַיִּשְׂנָאֶהָ׃

O pai da moça dirá. ele agiria como advogado de defesa de sua filha. ele afirmaria a inocência dela, apresentando todas as evidências que estivessem ao seu dispor, incluindo panos manchados de sangue. E também alegaria que o verdadeiro motivo das acusações do marido seria ódio contra ela, e não atividades sexuais pré-maritais por parte dela.

A mãe da jovem não prestava testemunho, nem contra nem a favor, pois às mulheres era vedado falar publicamente, diante de juízes. Cf. o trecho de 1Co 14.34, onde vemos que essa atitude passou para o Novo Testamento. E se o pai da jovem tivesse morrido ou estivesse incapacitado para defendê-la, então o tribunal nomeava algum membro masculino da família, que fosse parente próximo, a fim de defendê-la. Os cânones judaicos também salientavam que a mãe de uma jovem não podia dar sua filha em casamento, se o pai dela estivesse vivo. Isso era prerrogativa do pai (*Mishna Sotah*, cap. 3, sec. 8).

■ **22.17**

וְהִנֵּה־הוּא שָׂם עֲלִילֹת דְּבָרִים לֵאמֹר לֹא־מָצָאתִי לְבִתְּךָ בְּתוּלִים וְאֵלֶּה בְּתוּלֵי בִתִּי וּפָרְשׂוּ הַשִּׂמְלָה לִפְנֵי זִקְנֵי הָעִיר׃

O *pai* apresentaria a defesa de sua filha da melhor maneira possível, finalizando com a apresentação dos panos manchados de sangue. Naquele tempo não havia testes de DNA para provar que os panos continham o sangue da mulher em foco. O pai dela com facilidade poderia preparar de antemão tais panos. E os juízes tinham de aceitar ou rejeitar os argumentos dele, procurando aplicar a intuição e a sabedoria prática. O *modus operandi* do caso, como é óbvio, estava sujeito a fraude. Nenhum pai haveria de querer apresentar-se no tribunal sem um pano manchado, independentemente de sua natureza e origem. Também podiam ser apresentadas testemunhas, como a escrava ou criada que teria visto os panos manchados de sangue, pouco depois da consumação do casamento. Amigos da noiva e do noivo também podiam prestar seu testemunho. Tais pessoas, por motivo de segurança, poderiam ter sido chamadas para ver os tais panos, pouco depois da consumação do casamento, a fim de que, em alguma ocasião futura, pudessem ser convocadas como testemunhas.

"Registros históricos de várias culturas do antigo Oriente Próximo e Médio referem-se a esse tipo de evidência, sendo dada a público" (Jack S. Deere, *in loc.*). Adam Clarke assevera que, em seus dias (século XVIII), tais costumes continuavam prevalecendo entre os povos árabes. A lei judaica posterior parece ter exigido provas mais positivas de virgindade. Matronas examinavam a mulher antes da consumação do matrimônio, e então davam testemunho sobre a virgindade da jovem. Elas seriam testemunhas valiosas; mas essas leis já pertenciam a um tempo posterior ao desse texto. (Assim diz o Talmude, *T. Bab. Cetubot*, fol. 46.1.)

■ **22.18**

וְלָקְחוּ זִקְנֵי הָעִיר־הַהִוא אֶת־הָאִישׁ וְיִסְּרוּ אֹתוֹ׃

Tomarão o homem, e o açoitarão. Este versículo supõe que o tribunal tivesse dado parecer favorável à mulher. Os juízes tinham chegado à conclusão de que o homem havia trazido falsas testemunhas e, de fato, agira motivado pelo ódio, tal e qual o pai da jovem tinha afirmado (ver o vs. 16). O homem era severamente espancado, mas não executado. Assim afirmaram Jarchi e o Talmude (*T. Bab. Cetubot*, fol. 5, 46.1). Em tempos posteriores, o homem culpado recebia, como castigo, quarenta chicotadas, menos uma (Targuns de Onkelos e de Jonathan). E também precisava pagar uma multa (vs. 19).

■ **22.19**

וְעָנְשׁוּ אֹתוֹ מֵאָה כֶסֶף וְנָתְנוּ לַאֲבִי הַנַּעֲרָה כִּי הוֹצִיא שֵׁם רָע עַל בְּתוּלַת יִשְׂרָאֵל וְלוֹ־תִהְיֶה לְאִשָּׁה לֹא־יוּכַל לְשַׁלְּחָהּ כָּל־יָמָיו׃ ס

A *multa* consistia em cem siclos de prata, e tinha de ser paga ao pai da mulher. Há notas completas sobre o valor do siclo (que variava de época para época), no artigo intitulado *Dinheiro*, seção II, e em *Pesos e Medidas*, IV.c, ambos verbetes do *Dicionário*. Ver as notas adicionais em Êx 30.13 e Lv 27.25. Um *siclo* era a quantia em dinheiro que um trabalhador comum podia esperar receber no espaço de um mês. Por conseguinte, a multa referida neste versículo, calculada sobre essa base, era realmente pesada, forçando o homem a ter mais cautela antes de fazer acusações falsas contra sua mulher.

Depois disso, o homem não podia divorciar-se da mulher, por toda a sua vida. Dessarte, ele recebia um tríplice castigo por causa de sua falsa acusação: 1. ele era espancado, o que envolvia opróbrio público, tal como tinha causado sofrimentos morais à sua mulher. 2. ele tinha de pagar uma multa. 3. ele tinha de continuar convivendo com uma mulher a quem odiava.

O vs. 29 deste capítulo parece indicar que o preço usual pago por uma noiva era de cinquenta siclos. Nesse caso, a multa valia o dobro desse preço.

■ 22.20

וְאִם־אֱמֶת הָיָה הַדָּבָר הַזֶּה לֹא־נִמְצְאוּ בְתוּלִים לַנַּעֲרָ

Porém, se isto for verdade. Se as evidências indicassem que o *homem* estava dizendo a verdade, então as coisas ficariam muito perigosas para a mulher. A defesa do pai da jovem teria falhado, e ele não dispunha de panos manchados de sangue como evidência. sua defesa se reduziria a uma apologia verbal e meramente circunstancial. ele teria perdido a causa. O tribunal tinha-se convencido da culpa da mulher. Em uma época posterior, o Sinédrio fazia suas próprias investigações (assim disse Maimônides, *Hilchot Ishot*, cap. 11, sec. 12), mas o texto presente não dá a entender isso, no tocante ao tempo descrito. E o caso seria determinado de pronto, e isso com base nos testemunhos e evidências que tinham sido expostos.

■ 22.21

וְהוֹצִיאוּ אֶת־הַנַּעֲרָ אֶל־פֶּתַח בֵּית־אָבִיהָ וּסְקָלוּהָ אַנְשֵׁי עִירָהּ בָּאֲבָנִים וָמֵתָה כִּי־עָשְׂתָה נְבָלָה בְּיִשְׂרָאֵל לִזְנוֹת בֵּית אָבִיהָ וּבִעַרְתָּ הָרָע מִקִּרְבֶּךָ: ס

Então a levarão à porta. A justiça era feita imediatamente. A mulher "culpada" era levada até a porta da casa de seu pai e era ali apedrejada até morrer, pelos representantes da cidade. Desse modo, ficava eliminado o mal "do meio de ti". E as demais mulheres jovens aprenderiam que uma mulher precisava seguir virgem para as suas núpcias, para que não lhe sobreviesse tão terrível castigo. Ver no *Dicionário* o artigo intitulado *Apedrejamento*. A morte por apedrejamento era a execução usual infligida em casos de adultério; em outras oportunidades, porém, era usado o estrangulamento. E se a jovem envolvida fosse a filha de um sacerdote, então o castigo era morte na fogueira (ver Lv 20.10; 21.9). Simples fornicação (pecados sexuais antes do casamento) não eram punidos por meio da execução. O adultério era considerado um crime contra a comunidade inteira; e por esse motivo é que os representantes da cidade serviam de executores. Ver no *Dicionário* o artigo chamado *Adultério*. Cf. a natureza pública do pecado referido nos versículos 22 e 24 deste capítulo, e ver também Dt 13.5.

"Os códigos legais dos hebreus esperavam mais da parte das mulheres do que da parte dos homens, e as penas impostas às mulheres eram correspondentemente mais severas. A mulher era considerada uma propriedade sobre quem o pai e, em seguida, o marido, exerciam direito... Contudo, em certo sentido, o corpo humano era considerado como algo sagrado. Homens e mulheres são santos por serem filhos de Deus, que é santo" (Henry H. Shires, *in loc.*).

■ 22.22

כִּי־יִמָּצֵא אִישׁ שֹׁכֵב עִם־אִשָּׁה בְעֻלַת־בַּעַל וּמֵתוּ גַּם־שְׁנֵיהֶם הָאִישׁ הַשֹּׁכֵב עִם־הָאִשָּׁה וְהָאִשָּׁה וּבִעַרְתָּ הָרָע מִיִּשְׂרָאֵל: ס

Os vss. 13-30 deste capítulo apresentam seis leis referentes à conduta sexual dos filhos de Israel. Neste versículo é mencionado o segundo desses pecados: o *adultério simples*. Ver no *Dicionário* o artigo intitulado *Adultério*. Esse pecado era castigado mediante execução. Ver Lv 18.20; 20.10; Jo 8.3-11. O adultério é uma quebra do sétimo *mandamento*; ver as notas em Êx 20.14, onde são expostas muitas ideias atinentes. Tal como no versículo anterior a este, fica aqui salientado que o adultério constituía um pecado público. Logo, a execução também pública eliminava tal tipo de pecado do meio da comunidade.

Na *Mesopotâmia*, a execução era feita amarrando-se o casal culpado um ao outro e lançando ambos à água, para que morressem afogados (*Código de Hamurabi*, lei 129), embora não tenham restado registros históricos de tal tipo de execução. A falta de evidências, porém, não era um argumento final. Em Israel, por sua vez, a forma de execução usual era o apedrejamento, embora os rabinos também tenham mencionado o estrangulamento, o qual, contudo, pode ter sido praticado em alguma época posterior a Moisés.

"No cristianismo, o ideal da castidade chegou a seu ponto culminante. A *concupiscência* torna-se um pecado tão grave quanto o próprio pecado externo (ver Mt 5.27,28). O corpo do crente é o templo do Espírito Santo. O matrimônio foi instituído por Deus, e chega mesmo a simbolizar a união mística entre Cristo e a sua Igreja" (Henry H. Shires, *in loc.*).

■ 22.23

כִּי יִהְיֶה נַעֲרָ בְתוּלָה מְאֹרָשָׂה לְאִישׁ וּמְצָאָהּ אִישׁ בָּעִיר וְשָׁכַב עִמָּהּ:

E um homem a achar na cidade. Os vss. 13-30 deste capítulo apresentam *seis leis* acerca da conduta sexual. Temos aqui a *terceira* dessas leis. Uma jovem, *prometida* ou *noiva* de um homem, embora o casamento não se tivesse ainda consumado, era tratada em Israel como mulher casada, visto que já *pertencia* ao homem, de conformidade com a lei mosaica. Assim, se tal mulher mantivesse contato sexual com outro homem, isso seria classificado como adultério. O versículo dá a entender que o caso não tinha sido de estupro, mas, antes, que a mulher havia consentido com o ato. Nesse caso, os versículos 23 e 24 deste capítulo são iguais ao versículo 22, e a mulher e o homem eram apedrejados, tal como se viu no caso anterior. O *estupro* é descrito nos vss. 23-25 deste capítulo; mas essa já é uma situação totalmente diferente.

Obtenção de uma Esposa. Três modos eram empregados: 1. Pagando certa importância em dinheiro à mulher. 2. Assinando um documento diante de testemunhas. 3. Fazendo sexo com a mulher, com o consentimento dela. Essa terceira maneira era válida, embora não fosse muito aprovada em Israel (*Mishna. Kiddushin*, cap. 1, sec. 1).

■ 22.24

וְהוֹצֵאתֶם אֶת־שְׁנֵיהֶם אֶל־שַׁעַר הָעִיר הַהִוא וּסְקַלְתֶּם אֹתָם בָּאֲבָנִים וָמֵתוּ אֶת־הַנַּעֲרָ עַל־דְּבַר אֲשֶׁר לֹא־צָעֲקָה בָעִיר וְאֶת־הָאִישׁ עַל־דְּבַר אֲשֶׁר־עִנָּה אֶת־אֵשֶׁת רֵעֵהוּ וּבִעַרְתָּ הָרָע מִקִּרְבֶּךָ: ס

Então trareis ambos à porta. Visto que tanto o homem quanto a mulher estiveram envolvidos no ato de adultério, e visto que o adultério era um crime público, seriam executados publicamente, por apedrejamento. Casos legais eram resolvidos nos portões da cidade, onde também eram efetuadas outras importantes negociações. As execuções ali feitas eram uma questão pública, e representantes da comunidade participavam do lançamento de pedras. Desse modo, o mal era eliminado da comunidade, em Israel, o que também é dito quanto aos versículos 21 e 22. Se uma mulher fosse assaltada sexualmente, sem dúvida protestaria em altos brados, para atrair a atenção de outras pessoas. Na cidade (ver o versículo seguinte), seus gritos presumivelmente seriam ouvidos. Mas se o ataque ocorresse no campo (ver o versículo 27), então o provável é que ninguém a ouviria. Em tal caso, ela deveria ser considerada inocente, e o que tivesse sido cometido estava consumado.

■ 22.25

וְאִם־בַּשָּׂדֶה יִמְצָא הָאִישׁ אֶת־הַנַּעֲרָ הַמְאֹרָשָׂה וְהֶחֱזִיק־בָּהּ הָאִישׁ וְשָׁכַב עִמָּהּ וּמֵת הָאִישׁ אֲשֶׁר־שָׁכַב עִמָּהּ לְבַדּוֹ:

Os vss. 13-30 deste capítulo *apresentam seis leis* concernentes à conduta sexual dos filhos de Israel. Os versículos 25 a 27 descrevem o caso de estupro de uma mulher que estava noiva, o que, sem dúvida, cobre o caso de uma mulher casada que foi estuprada, pois ambas as situações eram legalmente idênticas. Um campo era considerado um lugar onde, mais provavelmente, ocorreria um caso de estupro, pois, em uma *cidade* (vs. 23), outras pessoas poderiam ouvir os gritos de socorro e acudir a mulher. Mas, no campo, a mulher poderia gritar à vontade, que ninguém a ouviria, e o ato de violação acabaria sendo consumado. O homem que fizesse tal coisa deveria ser executado, presumivelmente por meio de apedrejamento, tal como foi ordenado nos outros casos em foco (vss. 21 e 24). "O estupro era considerado um crime tão sério quanto o assassinato, razão pela qual era *punido com a morte*" (Jack S. Deere, *in loc.*). Adam Clarke informa-nos que em seus dias (século XVIII), na Inglaterra, esse crime também era punido com a morte.

■ 22.26,27

וְלַנַּעֲרָ לֹא־תַעֲשֶׂה דָבָר אֵין לַנַּעֲרָ חֵטְא מָוֶת כִּי
כַּאֲשֶׁר יָקוּם אִישׁ עַל־רֵעֵהוּ וּרְצָחוֹ נֶפֶשׁ כֵּן הַדָּבָר
הַזֶּה:

כִּי בַשָּׂדֶה מְצָאָהּ צָעֲקָה הַנַּעֲרָ הַמְאֹרָשָׂה וְאֵין מוֹשִׁיעַ
לָהּ: ס

A *mulher violentada* não era considerada culpada, presumindo-se que ela tivesse feito tudo ao seu alcance para evitar o estuprador, e pelo menos tivesse gritado por socorro. Ela era uma *vítima*, tal como uma pessoa assassinada, não sendo culpada de crime algum. Este versículo classifica o estupro juntamente com o homicídio voluntário.

O Targum de Jonathan informa-nos que um homem podia divorciar-se de sua mulher que tivesse sido estuprada, sem a necessidade de nenhuma indagação. O noivo ou marido dela tinha esse direito.

"Privar uma mulher de sua castidade é como tirar a vida de um ser humano. Com base nessa passagem, Maimônides conclui que as impurezas sexuais, os incestos e os adultérios são idênticos ao homicídio" (John Gill, *in loc.*). Ver Maimônides (*Hilchot Yesode Hattorah*, cap. 5, sec. 10).

■ 22.28

כִּי־יִמְצָא אִישׁ נַעֲרָ בְתוּלָה אֲשֶׁר לֹא־אֹרָשָׂה וּתְפָשָׂהּ
וְשָׁכַב עִמָּהּ וְנִמְצָאוּ:

Os vss. 13-30 deste capítulo apresentam *seis leis* concernentes à conduta sexual dos hebreus. Temos aqui a *quinta* dessas leis. Este versículo e o seguinte descrevem o caso de estupro de uma *virgem* que não estivesse noiva de nenhum homem. Em outras palavras, é mencionado aqui o caso de violação sexual de uma jovem solteira, que também era virgem. Se ela não fosse virgem, podemos presumir que nenhuma pena especial estivesse ligada ao estupro. Se isso não for verdade, então temos de concluir que o autor sagrado deixou em branco a *maioria* dos casos de estupro, supondo-se que muitas das jovens solteiras estupradas já não fossem virgens quando da ocorrência do ato. Naturalmente, estou falando do ponto de vista dos tempos modernos. A maioria das vítimas de estupro, em nossos dias, já perdeu a virgindade faz algum tempo. Nos dias do Antigo Testamento, porém, esperava-se sempre que uma jovem solteira também fosse virgem. E assim, de fato, acontecia, na maioria dos casos.

Isso posto, o texto à nossa frente não projeta nenhuma luz quanto ao que os hebreus pensavam sobre o estupro de jovens solteiras que não eram virgens. Sem dúvida, casos assim envolveriam algum tipo de crime. Mas, se assim acontecia, eles não nos disseram o que pensavam a respeito. É possível que tais casos fossem tão raros em Israel que não atraíam nenhuma atenção da parte dos juízes.

■ 22.29

וְנָתַן הָאִישׁ הַשֹּׁכֵב עִמָּהּ לַאֲבִי הַנַּעֲרָ חֲמִשִּׁים כָּסֶף
וְלוֹ־תִהְיֶה לְאִשָּׁה תַּחַת אֲשֶׁר עִנָּהּ לֹא־יוּכַל שַׁלְּחָהּ
כָּל־יָמָיו: ס

O homem que se deitou com ela. Está em pauta uma jovem virgem, que também não era noiva. O homem que a possuísse teria de fazer três coisas: 1. Pagaria ao pai da jovem uma multa de cinquenta siclos, que evidentemente era o preço de compra de uma esposa. 2. Casaria com a jovem, sem importar se queria fazê-lo ou não. 3. Jamais teria o direito de divorciar-se dela. A multa imposta era bem pesada, visto que os trabalhadores comuns ganhavam apenas um siclo por mês de trabalho. Portanto, a multa representava mais de quatro anos de trabalho. Ver o versículo 19 deste capítulo quanto a comentários e referências sobre o valor do siclo. Cf. Êx 22.16,17. Essa passagem adiciona circunstâncias possíveis, em que o pai da jovem não permitisse que ela se casasse com o homem. Em tais casos, apenas a multa era imposta.

Sedução? Alguns estudiosos pensam que está aqui em pauta um caso de *sedução*, e não exatamente de estupro, pensando que ele não a possuíra à força e, sim, mostrando-se sedutor, com promessa de casamento etc., ou seja, os métodos usualmente utilizados pelos homens para seduzir as mulheres. Mas a simples leitura do texto dá a entender que houve violência. Contudo, o trecho paralelo de Êx 22.16,17 parece aludir a algum caso de sedução, e não de estupro. Por conseguinte, talvez ambos os casos fossem solucionados de uma só maneira.

A multa de cinquenta siclos valia quase o dobro do preço de um escravo (ver Êx 21.32). As leis assírias (Código A 55) indicavam que tais casos eram tratados da mesma maneira, embora a multa valesse *três vezes* mais do que o custo da compra de uma esposa.

■ 22.30

לֹא־יִקַּח אִישׁ אֶת־אֵשֶׁת אָבִיו וְלֹא יְגַלֶּה כְּנַף אָבִיו: ס

Os vss. 13-30 deste capítulo apresentam *seis leis* a respeito da conduta sexual dos filhos de Israel. Temos aqui a *sexta* e *última* dessas leis. O incesto com a própria mãe é proibido. Alguns eruditos creem que tal incesto teria ocorrido quando a mulher era casada com o pai do homem. Outros pensam que o que aqui foi proibido é o casamento com a própria madrasta, depois que o pai do homem já tivesse morrido. Aben Ezra interpretou este versículo estritamente, dizendo que ele proíbe qualquer homem de casar-se com uma mulher que seu pai tivesse deflorado. Jarchi interpretou-o como se o versículo falasse de uma tia que quisesse casar-se com outro irmão (de seu marido), se este já tivesse morrido, em consonância com a *lei do levirato* (ver a respeito no *Dicionário*). Tal mulher não podia casar-se com o filho do homem que antes tivesse sido seu marido.

Comparar com Dt 27.20. Essa passagem é um mandamento diretamente dirigido contra o incesto com a madrasta. Ver também Lv 18.8 e 20.11, que aborda o mesmo caso. Os capítulos 18 e 20 de Levítico tratam exaustivamente de formas variadas de incesto e prescrevem punições. Ver o gráfico que apresentei na introdução ao capítulo 18 de Levítico, que alista os tipos condenados e as penas impostas aos ofensores. Este versículo não menciona nenhum tipo de penalidade, mas a legislação mosaica era bem clara sobre a questão. O incesto era uma ofensa capital.

É curioso que este texto se reporta a apenas um tipo de incesto. Por isso mesmo, alguns eruditos supõem que este versículo atue como um *memorando* breve de todas as leis afins, sem entrar em detalhes. Deuteronômio é a *repetição da lei*. Mas é patente que fontes informativas diferentes foram usadas, mas não foram empregadas por outros livros do Pentateuco, sendo possível que o caso isolado, aqui mencionado, não fosse um caso representativo, mas apenas um fragmento de tal legislação, vinculado às outras *cinco leis* mencionadas nos vss. 13-30 deste capítulo.

Nos dias de vigência da poligamia, um homem podia casar-se com várias mulheres jovens. Quando morresse, seus filhos poderiam interessar-se em casar-se com elas. É provável que, sob a alegação de querer quebrar essa lei, Adonias tenha sido executado por ordem de Salomão, quando quis casar-se com a jovem Abisague, a última concubina de Davi (ver 1Rs 2.13-25). Assim sendo, se a referência primária do presente versículo parece ser ao incesto com a própria madrasta, enquanto o pai do homem ainda estava vivo, a outra aplicação parece ter sido comum entre os intérpretes judeus.

CAPÍTULO VINTE E TRÊS

OS EXCLUÍDOS DA CONGREGAÇÃO (23.1-8)

Esta *seção geral*, iniciada em Dt 21.1, cujas notas devem ser consultadas, tem prosseguimento aqui. Agora encontramos *quatro leis* acerca de como alguém podia ou não ser membro da congregação de Israel, a saber, na comunidade organizada, que se reunia oficialmente com vários propósitos de adorar e cultuar. A certas pessoas era vedado o acesso a qualquer assembleia dessa natureza. As leis do Antigo Testamento eram estritas e não admitiam exceções. A fé cristã eliminou tais leis, atribuindo *dignidade* espiritual diretamente ao indivíduo, sem dependência de defeitos físicos, erros cometidos pelos pais etc. Em Israel, porém, esse conceito de dignidade era uma questão comunal. Parentes indignos produziam uma prole indigna. Uma deformação física, capaz de assinalar um homem, tornava-o indigno de participar da adoração pública ou de atuar como sacerdote. Pessoas de determinadas raças, que se tinham tornado conhecidas como prejudiciais ao povo de Israel, também ficavam excluídas.

■ 23.1

לֹא־יָבֹא פְצוּעַ־דַּכָּא וּכְרוּת שָׁפְכָה בִּקְהַל יְהוָה: ס

Aquele a quem forem trilhados os testículos. Um "emasculado" não podia participar da adoração comunal. Alguns intérpretes pensam que o homem se *automutilara*, pois em Israel havia fortes sentimentos contra essa prática. Mutilações dessa ordem geralmente estavam ligadas à idolatria pagã, a qual por muitas vezes requeria que as pessoas se mutilassem a fim de se tornarem adoradores dignos de alguma divindade. A atitude dos israelitas era precisamente a oposta. O homem foi criado por Deus conforme ele é. Aquele que mutilasse propositadamente a criação de Deus pecava contra o seu Criador. E mesmo que um homem tivesse sofrido emasculação por mero acidente, ainda assim era penalizado com a mesma exclusão, por ser um homem não natural, uma entidade contrária ao dom criativo de Deus.

"Eunucos que serviam como cortesãos ou como oficiais dos templos eram comuns no mundo antigo, e as monarquias de Israel e Judá introduziram-nos, imitando os povos vizinhos (ver 2Rs 9.32; Jr 29.2; 34.19; 38.7 e 41.16). Contudo, em Israel havia a consciência de que Deus não se agradava de um Senhor que se sentia honrado com mutilações físicas de qualquer natureza. No entanto, foi um profeta de Israel, do século VI a.C., que disse que a misericórdia de Deus se estenderia até os eunucos que observassem o seu pacto, de tal modo que receberiam um lugar e um nome, na família de Deus, com maior dignidade do que o nome de filhos de filhas (ver Is 56.4,5; cf. At 8.27,28)" (G. Ernest Wright, *in loc.*).

■ 23.2

לֹא־יָבֹא מַמְזֵר בִּקְהַל יְהוָה גַּם דּוֹר עֲשִׂירִי לֹא־יָבֹא לוֹ בִּקְהַל יְהוָה: ס

Nenhum bastardo. O termo hebraico correspondente é *manzer*, e é usado em toda a Bíblia somente aqui e em Zc 9.6. Esse termo tem causado debates entre os eruditos. Jack S. Deere (*in loc.*) traduziu-o como "nascido de um casamento proibido". Talvez estivesse em foco um casamento com um pagão. A prole produzida por uniões mistas não era aceitável como participante dos cultos públicos de Israel. Muitos intérpretes, sem embargo, pensam que estão em foco filhos ilegítimos, sem importar se estivessem envolvidas ou não mães pagãs. Outros intérpretes supõem que estejam em pauta filhos de relações incestuosas, ou filhos de prostitutas cultuais. O trecho de Jz 11.1-7 mostra-nos que havia filhos ilegítimos em Israel, cujos pais eram ambos hebreus, a despeito da licença que se dava à poligamia e das leis estritas que se aplicavam à mulher. O judaísmo posterior não permitia que um filho ilegítimo fosse circuncidado, pelo que também não faria parte do pacto abraâmico. E além disso, tal pessoa não se podia casar com um indivíduo que seguisse a religião judaica.

A lei canônica da Igreja Católica Romana proíbe os filhos ilegítimos de receberem ordens menores sem autorização do bispo. E também eles não podem ser admitidos às santas ordens, exceto por autorização do próprio papa. Na Igreja Anglicana, não podem ser admitidos às santas ordens, exceto por autorização do soberano ou do arcebispo. As igrejas evangélicas, por sua vez, ignoram essa proibição do Antigo Testamento, harmonizando-se muito mais com a graça de Deus e com o espírito do evangelho, embora isso se distancie das atitudes refletidas no Antigo Testamento. Muitos dos mais notáveis ministros do evangelho nasceram como filhos ilegítimos. A condição deles, na verdade, não exerce nenhum efeito sobre sua eficiência e espiritualidade. Em Israel, porém, uma das razões desse conceito era a proteção da herança das famílias.

O Problema no Brasil. A *Folha de S. Paulo*, em julho de 1993, informou que mais de 30% de todos os nascimentos ocorridos em nosso país envolvem mães solteiras. Sendo esse o caso, se não houvesse regras concernentes à dignidade de tais crianças, nem a sociedade nem a Igreja brasileiras poderiam funcionar muito bem. A Nova Constituição brasileira, outorgada em 1988, proíbe qualquer tipo de discriminação contra qualquer criança brasileira, sem importar a situação de seu nascimento, como filho ilegítimo, incestuoso etc. Diante da lei, são todos brasileiros e todos iguais.

"Os filhos, havidos ou não da relação do casamento, ou por adoção, terão os mesmos direitos e qualificações, proibidas quaisquer designações discriminatórias relativas à filiação" (artigo 227, parágrafo 6º da Nova Constituição de 1988).

Essa provisão humanitária projeta luz sobre aquela lamentável antiga lei judaica, que não somente lançava no ostracismo o indivíduo, mas também os seus descendentes até a décima geração.

■ 23.3-5

לֹא־יָבֹא עַמּוֹנִי וּמוֹאָבִי בִּקְהַל יְהוָה גַּם דּוֹר עֲשִׂירִי
לֹא־יָבֹא לָהֶם בִּקְהַל יְהוָה עַד־עוֹלָם:
עַל־דְּבַר אֲשֶׁר לֹא־קִדְּמוּ אֶתְכֶם בַּלֶּחֶם וּבַמַּיִם
בַּדֶּרֶךְ בְּצֵאתְכֶם מִמִּצְרָיִם וַאֲשֶׁר שָׂכַר עָלֶיךָ
אֶת־בִּלְעָם בֶּן־בְּעוֹר מִפְּתוֹר אֲרַם נַהֲרַיִם
לְקַלְלֶךָּ:
וְלֹא־אָבָה יְהוָה אֱלֹהֶיךָ לִשְׁמֹעַ אֶל־בִּלְעָם וַיַּהֲפֹךְ
יְהוָה אֱלֹהֶיךָ לְּךָ אֶת־הַקְּלָלָה לִבְרָכָה כִּי אֲהֵבְךָ
יְהוָה אֱלֹהֶיךָ:

Nenhum amonita, nem moabita. Certas raças estrangeiras não podiam participar da comunidade de Israel. Havia hostilidades tradicionais entre Israel e seus vizinhos, mas alguns povos se tinham tornado ofensores especiais, pelo que jamais poderiam participar de cultos públicos, mesmo que se tivessem convertido ao yahwismo. Os dois povos aqui mencionados tinham procurado impedir os esforços iniciais de Israel para entrar e conquistar a Terra Prometida, que havia sido dada como herança a Abraão, de acordo com o Pacto Abraâmico (ver as notas em Gn 15.18). Nenhuma outra coisa é dita acerca da hostilidade dos amonitas contra Israel, quando o povo de Deus passava pela Transjordânia (ver a respeito no *Dicionário*), e alguns críticos pensam que essa nota acerca deles não procedia, realmente, dos dias de Moisés, mas, antes, refletia sentimentos provocados por hostilidades posteriores. Mas acerca disso é impossível colher provas, pois a Bíblia não tece nenhum comentário sobre o assunto. Logo, parece melhor aceitar este texto conforme está escrito. Quanto às hostilidades entre Israel e os moabitas, na Transjordânia, ver os capítulos 21 e 22 do livro de Números. Cf. Dt 2.9-25. Os moabitas tinham-se recusado a dar-lhes ao menos pão e água. E, por meio de Balaque, os moabitas contrataram Balaão para que viesse e amaldiçoasse a Israel (ver Nm 22.2-30). Assim, essas eram ofensas acerca das quais Yahweh recomendou aos israelitas nunca se esquecerem, pois os moabitas tinham agido diametralmente contra a vontade e o propósito divino.

A *décima* geração era a mesma coisa que para *sempre*, de um ponto de vista frouxo de falar. Mas alguns intérpretes pensam que *para sempre* indica uma proibição absoluta, que nunca deixaria de vigorar. Essa lei continuava vigente nos dias de Neemias, muito mais do que dez gerações após a época do Deuteronômio. Ver Ne 13.1.

Yahweh tinha tirado o povo de Israel da servidão no Egito, um tema repetido por cerca de vinte vezes no livro de Deuteronômio. Ver notas expositivas sobre isso em Dt 4.20. O que estava operando era o propósito divino, embora houvesse pessoas interessadas em bloqueá-lo. O mesmo poder que tinha tirado Israel do Egito agora excluía certas nações de futuros benefícios derivados da fé dos hebreus.

"O tratamento de Rute, entretanto, por parte de Boaz, juntamente com outros israelitas da região de Belém, demonstra o fato de que essa lei não tivera nunca o propósito de excluir um moabita que viesse a dizer: 'O teu povo é o meu povo, o teu Deus é o meu Deus' (Rt 1.16). Parece que Isaías expôs uma interpretação similar (ver Is 66.3,6-8)" (Jack S. Deere, *in loc.*).

■ 23.6

לֹא־תִדְרֹשׁ שְׁלֹמָם וְטֹבָתָם כָּל־יָמֶיךָ לְעוֹלָם: ס

Não lhe procurarás nem paz nem bem. Os israelitas não podiam buscar entrar em relação de aliança com os moabitas, na tentativa de fomentar a prosperidade deles, como algum acordo comercial, ou coisa semelhante. Todavia, estes versículos não ordenavam aos filhos de Israel que abrissem hostilidades e fizessem guerra contra os moabitas; mas tão somente que se olvidassem deles. Contudo, Davi demonstrou boa vontade para com Hanum, o amonita, embora só tivesse recebido má vontade, em troca de seus esforços (ver 2Sm 10.2). E se alguma guerra fosse iniciada entre os israelitas e os moabitas ou amonitas, nenhum tratado de paz deveria ser buscado. Cf. Dt 20.10.

■ 23.7

לֹא־תְתַעֵב אֲדֹמִי כִּי אָחִיךָ הוּא ס לֹא־תְתַעֵב מִצְרִי
כִּי־גֵר הָיִיתָ בְאַרְצוֹ׃

Não aborrecerás. Outros povos estrangeiros, contudo, não precisariam ser tratados com igual dureza e negligência. Nem os idumeus nem os egípcios deveriam ser desprezados. Israel já se tinha misturado com esses povos de modo significativo, e seria praticamente impossível separar os israelitas desses povos, de forma significativa. Quanto a outros (descendentes desses povos que vivessem em Israel), só podiam entrar na adoração pública após a *terceira* geração. Os edomitas eram um povo irmão dos israelitas, visto serem descendentes de Esaú, irmão gêmeo de Jacó. Os egípcios, embora tivessem sido senhores de seus escravos israelitas, pelo menos não os tinham aniquilado, quando isso estava ao alcance deles. Portanto, alguma consideração deveria ser dada aos egípcios. Quanto à linhagem dos idumeus, ver Gn 36.40-43. O trato de José com o Egito tinha sido positivo (ver Gn 37—50). Assim sendo, havia ali algo de positivo no tocante aos filhos que nascessem de casamentos entre hebreus e egípcios, que chegassem a fazer parte da congregação de Israel.

Rashi, ao comentar sobre esta passagem, opinou que os moabitas eram os piores inimigos, por terem levado os israelitas ao pecado, ameaçando assim o bem-estar espiritual deles, ao passo que os outros povos apenas tinham ferido os corpos dos israelitas, em guerras e entreveros rápidos. No entanto, fazer a questão do bem-estar da alma entrar no quadro parece anacrônico em relação aos tempos de Moisés.

Pode-se supor, neste texto, que os edomitas e egípcios que fossem aceitos se tivessem convertido ao yahwismo. Assim lemos no Targum de Jonathan. Naturalmente, isso exprime uma verdade, visto que a questão em foco era quais estrangeiros teriam direito a acesso à adoração pública em Israel.

■ 23.8

בָּנִים אֲשֶׁר־יִוָּלְדוּ לָהֶם דּוֹר שְׁלִישִׁי יָבֹא לָהֶם בִּקְהַל
יְהוָה׃ ס

Os filhos que lhes nascerem na terceira geração. Isso significa que mulheres egípcias e idumeias haviam sido incorporadas à comunidade de Israel, e tinham descendentes que viviam em território hebreu. É possível que entre os israelitas também houvesse alguns homens egípcios e idumeus, que se tinham casado com mulheres hebreias. seus filhos eram cidadãos de segunda classe, não se duvide disso; mas após a terceira geração poderiam ser totalmente absorvidos, e as distinções cairiam por terra. E então passariam a fazer parte natural da comunidade, atingindo a situação de cidadãos de primeira classe. Hostilidades posteriores, que chegaram a ser bastante amargas, não impediram que essa lei continuasse vigente. Forte amargura foi despertada mais tarde ainda, contra Edom, por causa de certas atrocidades dos idumeus. Ver Sl 137.7-9; Is 6; Jr 49.7-22; Ez 25.12-14 e o livro de Obadias.

É provável que a *terceira geração* diga respeito ao tempo em que os descendentes de uma união entre um hebreu e um estrangeiro chegassem à sua terceira geração, e não três gerações depois que essa lei foi declarada pela primeira vez.

SUPLEMENTO A REGRAS SOBRE UMA GUERRA SANTA (23.9-14)

As *leis* aqui apresentadas, quanto à sua natureza, pertencem ao material que se acha no capítulo 20 de Deuteronômio. Ver Dt 20.1-20 acerca de como os filhos de Israel deveriam desfechar uma guerra santa. "A pureza cerimonial era requerida porque o Senhor Deus andava no meio do acampamento dos israelitas" (*Oxford Annotated Bible*, comentando sobre este versículo). Assim como os vss. 1-8 deste capítulo abordam a necessidade de manter a pureza no campo religioso, também os vss. 9-14 tratam da pureza nos campos de batalha.

■ 23.9

כִּי־תֵצֵא מַחֲנֶה עַל־אֹיְבֶיךָ וְנִשְׁמַרְתָּ מִכֹּל דָּבָר רָע׃

Te guardarás de toda cousa má. Está em pauta qualquer coisa capaz de contaminar moral ou cerimonialmente um homem. O Targum de Jonathan especificou adoração a alguma divindade estrangeira (idolatria), assalto sexual, derramamento de sangue inocente, homicídio e toda uma lista de coisas que os soldados tradicionalmente fazem quando saem para matar o inimigo. Homens que se atiram afoitos, dispostos a matar, não podem ser controlados com facilidade. A legislação mosaica, no entanto, procurou controlar a questão. Os vss. 10 ss. deste capítulo mostram que a pureza cerimonial também era uma questão importante. Um soldado de Israel não deveria entrar em batalha se estivesse cerimonialmente imundo, e as casernas, mesmo quando não estivesse havendo alguma guerra, poderiam ficar cerimonialmente imundas mediante atos iníquos.

■ 23.10

כִּי־יִהְיֶה בְךָ אִישׁ אֲשֶׁר לֹא־יִהְיֶה טָהוֹר מִקְּרֵה־לָיְלָה
וְיָצָא אֶל־מִחוּץ לַמַּחֲנֶה לֹא יָבֹא אֶל־תּוֹךְ הַמַּחֲנֶה׃

Se houver entre vós alguém. Se algum soldado tivesse alguma emissão noturna de sêmen, ou estivesse doente de gonorreia, não deveria sair a combater, pois estava imundo. Essa lei corresponde à de Lv 15.1-16, onde ofereci notas detalhadas. Este versículo alude especificamente às emissões naturais de sêmen, embora não haja razões para excluirmos emissões patológicas. As leis que se aplicavam a todos os homens de Israel não deixavam de vigorar no exército acampado.

■ 23.11

וְהָיָה לִפְנוֹת־עֶרֶב יִרְחַץ בַּמָּיִם וּכְבֹא הַשֶּׁמֶשׁ יָבֹא
אֶל־תּוֹךְ הַמַּחֲנֶה׃

Posto o sol. Um soldado cerimonialmente imundo lavava-se e, terminado o dia (para os judeus, o dia não começava à meia-noite, como entre nós, mas às 18 horas), podia voltar ao acampamento, reassumindo sua vida normal como soldado. Precisava seguir as lei normais que diziam respeito a tais questões. Os militares não estavam sujeitos a nenhum conjunto distinto de leis. Por isso, tinham de tomar o conhecido banho cerimonial, com imersão de corpo inteiro. E então tinham de esperar pelo fim da tarde, quando, conforme observamos acima, começava um novo dia. E então estariam livres de sua impureza cerimonial. Ver as notas sobre o *banho cerimonial* em Lv 14.8; 15.6; 17.15; Nm 8.7; 19.7,19. Havia certa variedade de usos no tocante a várias formas de imundícia cerimonial adquirida. A cerimônia da lavagem incluía as vestes do indivíduo. Ver Lv 15.16,17. Maimônides queixou-se sobre a desordem moral e física, bem como sobre a imundícia reinante nos acampamentos militares (*Moreh Nevochim*, par. 3, cap. 41).

■ 23.12

וְיָד תִּהְיֶה לְךָ מִחוּץ לַמַּחֲנֶה וְיָצָאתָ שָּׁמָּה חוּץ׃

Haverá um lugar fora do acampamento. Este curioso e breve versículo contém um eufemismo. O autor referia-se a um homem que quisesse "fazer suas necessidades" (eis outro eufemismo). Os soldados não podiam usar o acampamento como latrina, onde pudessem aliviar o ventre ou urinar. Tinham de sair do acampamento, até um lugar separado e designado para isso. E, quando se tratava de excrementos humanos, tinham de fazer como fazem os gatos: precisavam enterrar suas fezes.

■ 23.13

וְיָתֵד תִּהְיֶה לְךָ עַל־אֲזֵנֶךָ וְהָיָה בְּשִׁבְתְּךָ חוּץ
וְחָפַרְתָּה בָהּ וְשַׁבְתָּ וְכִסִּיתָ אֶת־צֵאָתֶךָ׃

Dentre as tuas armas terás um pau. Esse pau era usado como se fosse uma pá, usada para fazer pequenos buracos no chão, onde eram postos os excrementos, que eram então cobertos com terra. Esse pau, de acordo com John Gill, ficava atado à espada do soldado, que ficava pendurada em uma espécie de cinta que lhe enrolava a cintura. Josefo, general judeu da época dos apóstolos, diz-nos que os essênios seguiam prática semelhante e tinham uma pá especial com que cavavam no chão um buraco com cerca de trinta centímetros de profundidade. Todo membro admitido à comunidade recebia uma pá com esse propósito. (Ver *Guerras dos Judeus* 1.2, cap. 8, sec. 9.) Maimônides ajuntou que essas provisões eram feitas para evitar "ruindades, imundícies e impurezas" e para que os homens se distinguissem dos animais ferozes (*Moreh. Nevochim*, par. 3, cap. 41). Qualquer homem que não seguisse essas normas era considerado cerimonialmente imundo, e provavelmente tinha de sujeitar-se à lavagem cerimonial (ver o versículo 11 deste capítulo).

■ 23.14

כִּי יְהוָה אֱלֹהֶיךָ מִתְהַלֵּךְ בְּקֶרֶב מַחֲנֶךָ לְהַצִּילְךָ
וְלָתֵת אֹיְבֶיךָ לְפָנֶיךָ וְהָיָה מַחֲנֶיךָ קָדוֹשׁ וְלֹא־יִרְאֶה
בְךָ עֶרְוַת דָּבָר וְשָׁב מֵאַחֲרֶיךָ׃ ס

O Senhor teu Deus anda no meio do teu acampamento. O motivo dessas regras (a começar pelo nono versículo) era preservar a decência comum e a higiene, para evitar os excessos que geralmente são vistos entre os soldados, e preservar a pureza cerimonial. E a *razão teológica* era que Yahweh também se fazia presente no acampamento dos soldados, da mesma forma que se fazia presente em meio à congregação geral do povo de Israel. A presença do Senhor requeria o respeito devido. Se os soldados de Israel quisessem lograr sucesso em batalha, tinham de seguir as normas de Yahweh, incluindo aquelas relativas à higiene e à conduta apropriada na guerra. A pureza de Deus era a razão que exigia que o acampamento dos soldados de Israel também fosse puro.

Paulo apresentou um raciocínio similar, ao escrever o trecho de 2Co 6.16—7.1. A presença de Deus deve fazer uma grande diferença em nossas atitudes e em nossa conduta. É possível que ele tenha tomado por empréstimo as palavras deste versículo em sua aplicação.

Maimônides aplicou esse texto especialmente à questão dos *pecados se-xuais*, tão comuns entre homens acampados (*Moreh Nevochim*, par. 3, cap. 41). Mas o texto é mais amplo do que isso.

VÁRIAS LEIS (23.15—25.19)

Começa neste ponto uma longa passagem que contém leis miscelâneas, mas sem nenhum tipo de conexão entre si. *Vinte* diferentes leis são desfiadas, as quais enumerarei conforme for avançando na exposição. A maior parte dessas leis conta com paralelos em outras porções do Pentateuco; mas existem algumas poucas que são inéditas, como também são apresentados alguns detalhes novos. Lembremo-nos de que o livro de Deuteronômio consiste, essencialmente, em uma repetição da lei, conforme seu próprio nome indica. Mas também há algum material novo, provavelmente extraído de outras fontes informativas, que não foi empregado ou não estava disponível quando foram escritos os demais livros do Pentateuco.

■ 23.15,16

לֹא־תַסְגִּיר עֶבֶד אֶל־אֲדֹנָיו אֲשֶׁר־יִנָּצֵל אֵלֶיךָ מֵעִם
אֲדֹנָיו׃

עִמְּךָ יֵשֵׁב בְּקִרְבְּךָ בַּמָּקוֹם אֲשֶׁר־יִבְחַר בְּאַחַד
שְׁעָרֶיךָ בַּטּוֹב לוֹ לֹא תּוֹנֶנּוּ׃ ס

Temos aqui a *primeira* daquelas vinte leis que ocupam Dt 23.15—25.19. Os escravos fugidos não deviam ser devolvidos a seus senhores. Estão aqui em foco escravos de poderes estrangeiros, e não escravos hebreus, os quais estavam sujeitos a um conjunto especial de regras. A ordem para que os israelitas não devolvessem um escravo fugido contrastava com a prática aceita no Oriente Próximo e Médio. Sem dúvida, essa lei estava fundamentada sobre razões humanitárias. Um escravo fugido provavelmente estava fugindo da brutalidade e da crueldade. Mas em Israel um escravo desses podia encontrar refúgio e um tratamento bondoso.

Os fracos e os oprimidos precisavam ser bem tratados em Israel, conforme aprendemos no capítulo 15 de Deuteronômio e em Êx 24.14,15. Isso poderia ser contrastado com o famoso Código de Hamurabi, que decretava a execução de qualquer indivíduo que oferecesse guarida a um escravo fugido. Estes versículos podem servir de evidência de consciência perturbada, na mente dos hebreus, acerca da escravatura. Alguma misericórdia foi injetada nessa instituição, entre os hebreus, embora eles nunca a tivessem abandonado de todo. Mas os próprios cristãos primitivos também não se desfizeram dessa instituição. Ver no *Dicionário* o artigo *Escravo, Escravidão*. "Para um crente devidamente iluminado, naturalmente, a escravatura é um pecado dos mais negros" (Henry H. Shires, *in loc.*). Mas foram necessários muitos séculos para que se fizessem sentir os efeitos dessa iluminação.

Os intérpretes judeus mostraram-se unânimes ao indicarem aqui que esse escravo seria um estrangeiro (conforme dizem os Targuns em geral e Maimônides —*Hilchot Abadim*, cap. 8, sec. 11; Aben Ezra e Jarchi).

A legislação sobre a escravatura aparece em Êx 21; Lv 25 e Dt 15. Hebreus eram vendidos a outros hebreus, como escravos, sob certas circunstâncias. Ver Êx 21.16 e Dt 24.7. Ver também Êx 21.7; Ne 5.5; 2Rs 4.4; Lv 25.39,47; Dt 15.12-17.

■ 23.17,18

לֹא־תִהְיֶה קְדֵשָׁה מִבְּנוֹת יִשְׂרָאֵל וְלֹא־יִהְיֶה קָדֵשׁ
מִבְּנֵי יִשְׂרָאֵל׃

לֹא־תָבִיא אֶתְנַן זוֹנָה וּמְחִיר כֶּלֶב בֵּית יְהוָה אֱלֹהֶיךָ
לְכָל־נֶדֶר כִּי תוֹעֲבַת יְהוָה אֱלֹהֶיךָ גַּם־שְׁנֵיהֶם׃

Temos aqui a *segunda* das vinte leis apresentadas em Dt 23.15—25.19. Essa seção apresenta uma série de regras desconexas entre si, mas que vieram a fazer parte do livro de Deuteronômio, o livro da repetição da lei. Ver o primeiro parágrafo das notas sobre o versículo 15 deste capítulo.

Leis contra a Prostituição e a Sodomia. Estes versículos, sem dúvida, têm um sentido geral, tornando ilegítima *especialmente* a chamada prostituição sagrada, por meio da qual os cultos religiosos dos pagãos eram promovidos e sustentados financeiramente. É interessante que as palavras hebraicas aqui empregadas, e que algumas traduções ou versões dizem *prostituta* e *sodomita*, a saber, *qedeshah* e *qadhesh*, derivavam-se da palavra hebraica que significa "ser santo". Fica entendido que essa santificação ou separação era para algum deus, do qual as pessoas agiam como servos. A prostituição cultual era uma prática comum das religiões do Oriente Próximo e Médio; mas era estritamente proibida no tocante ao yahwismo. Nenhum israelita podia participar daquilo que era considerado uma *abominação*. A palavra "sodomita", usada no versículo 18, no original hebraico é *keleb*, "cão", provavelmente servia tanto a homens como a mulheres, e sem dúvida a bissexuais em muitos casos. O templo de Jerusalém, onde toda a fé dos hebreus se centralizava, precisava estar livre de todas essas práticas abomináveis. No Novo Testamento, Fp 3.2 e Ap 22.15 parecem referir-se aos prostitutos cultuais, ou a indivíduos sexualmente depravados, pelo menos, mas nem todos os comentadores concordam com essa interpretação.

São igualmente abomináveis. Esse adjetivo era frequentemente aplicado às práticas idólatras, bem como à prostituição moral. Ver as notas sobre essa palavra em Dt 13.14. Coisas detestáveis, ou abominações, eram a idolatria, com ou sem o acompanhamento da prostituição sagrada; os animais defeituosos oferecidos em sacrifício; e a desonestidade. Ver Dt 7.25,26; 12.31; 13.14; 14.3; 17.1,4; 18.9,12; 20.18; 24.4; 27.15; 29.17 e 32.16.

Estrabão informou que o templo dedicado a Vênus, em Corinto, contava com mais de mil homens e mulheres que eram prostitutos e prostitutas sagradas (*Geogr.* 1.8, par. 261). E condições similares existiam em muitos outros lugares. Ver 2Rs 23.7.

Cf. este versículo com 1Rs 14.24; 15.12; 2Rs 23.7; Am 2.7, que mostram que houve israelitas que participaram ativamente de tais abominações.

23.19,20

לֹא־תַשִּׁיךְ לְאָחִיךָ נֶשֶׁךְ כֶּסֶף נֶשֶׁךְ אֹכֶל נֶשֶׁךְ
כָּל־דָּבָר אֲשֶׁר יִשָּׁךְ׃

לַנָּכְרִי תַשִּׁיךְ וּלְאָחִיךָ לֹא תַשִּׁיךְ לְמַעַן יְבָרֶכְךָ
יְהוָה אֱלֹהֶיךָ בְּכֹל מִשְׁלַח יָדֶךָ עַל־הָאָרֶץ
אֲשֶׁר־אַתָּה בָא־שָׁמָּה לְרִשְׁתָּהּ׃ ס

Temos aqui a *terceira* das vinte leis miscelâneas desta seção (Dt 23.15—25.19). Ver as notas sobre a seção no versículo 15 deste capítulo. Esta lei, como aquelas dos vss. 15,16 e 17,18, distinguia o povo de Israel das nações pagãs, pelo que não havia um tratamento igual. Dinheiro emprestado a um concidadão hebreu, que era irmão de fé no yahwismo, não podia ser emprestado a juros. Mas, em empréstimo a gentios, poderia haver a cobrança de juros. Devemos entender que a maioria dos empréstimos, em Israel, servia ao propósito de aliviar algum tipo de necessidade, pelo que era uma obra de *caridade* fraternal. Não se deve cobrar juros de um ato de caridade. Mas os empréstimos feitos a um pagão seriam relacionados ao comércio internacional e isso já era uma questão de *negócios*, e não de caridade.

"Durante a Idade Média, quando aos judeus, em alguns países, era negado o direito de possuir terras, essa lei permitia-lhes ingressar na atividade bancária" (G. Ernest Wright, *in loc.*).

Emprestar dinheiro sem cobrar juros era um ato de amor, um ato provocado pela promessa de bênção feita por Yahweh. É como alguém disse: "Não se pode dar demais a Deus". Ver no *Dicionário* o artigo chamado *Amor*. Naturalmente, dar é melhor do que emprestar, e o ato do empréstimo sem dúvida deve ser acompanhado pelo ato da devolução, de acordo com a lei da colheita segundo a semeadura. Ver no *Dicionário* o verbete intitulado *Lei Moral da Colheita Segundo a Semeadura*.

Ver as passagens paralelas de Êx 22.25 e Lv 25.35-37. Ver na *Enciclopédia de Bíblia, Teologia e Filosofia* o artigo chamado *Liberalidade e Generosidade*, bem como anotações nas passagens paralelas.

Mais bem-aventurado é dar que receber.
Atos 20.35

A coisa mais importante em qualquer relacionamento
não é aquilo que dali retiramos, mas o que podemos dar.
Eleanor Roosevelt

Deus é o grande Doador (Jo 3.16). De acordo com o Novo Pacto, um irmão é qualquer ser humano (Lc 10.25 ss.). Ver Tg 1.17 quanto à fonte originária de todas as coisas boas, a saber, o próprio Deus, o qual pode dar através de outras pessoas.

23.21

כִּי־תִדֹּר נֶדֶר לַיהוָה אֱלֹהֶיךָ לֹא תְאַחֵר לְשַׁלְּמוֹ כִּי־
דָרֹשׁ יִדְרְשֶׁנּוּ יְהוָה אֱלֹהֶיךָ מֵעִמָּךְ וְהָיָה בְךָ חֵטְא׃

Os vss. 21-23 deste capítulo apresentam a *quarta* das vinte leis miscelâneas apresentadas no trecho de Dt 23.15—25.19. Crentes piedosos, ou aqueles que estivessem carentes, necessitados de receber alguma coisa da parte de Deus, fariam votos para receber o que queriam. Esse ato de devoção e necessidade precisava ser regulamentado. Os votos tinham de ser feitos com toda a seriedade, evitando qualquer frivolidade ou hesitação. Eram tomados diante de Yahweh-Elohim, o Eterno Todo-poderoso, da parte de quem nos chegam todas as bênçãos (ver Tg 1.17). O poder de Deus requer dos homens que, uma vez feitos votos, eles sejam cumpridos, pois de outro modo entra a frivolidade, que só serve para debilitar a fé religiosa. Deus não fez promessas frívolas, nem devem tomar votos frívolos aqueles que o adoram.

Ver o paralelo em Nm 30.1-15, quanto a um prolongado estudo sobre a questão dos votos. Ver também o capítulo 27 de Levítico, que aborda demoradamente a questão.

Os *votos*, de acordo com costumes de tempos posteriores, eram cumpridos antes ou durante o tempo das três grandes festividades anuais, a saber, a Páscoa, o Pentecoste e os Tabernáculos (acerca das quais ver o *Dicionário*). Ver 1Sm 1.21 e Ec 5.4. Ver no *Dicionário* o artigo chamado *Voto*.

23.22

וְכִי תֶחְדַּל לִנְדֹּר לֹא־יִהְיֶה בְךָ חֵטְא׃

Abstendo-te de fazer o voto. Os votos eram recomendados como parte da prática espiritual, mas não eram requeridos. Eram expressões voluntárias. Ninguém era obrigado a tomar votos; mas se alguém fizesse um voto, tinha a obrigação de cumpri-lo, e o mais prontamente possível.

"No alto de um penhasco, acima do mar, em Marselha, há uma igreja repleta de modelos de embarcações e artigos semelhantes. Esses objetos representam o pagamento de promessas feitas pelos marinheiros, em tempos de perigo, estando eles no mar" (Henry H. Shires, *in loc.*). Todos nós, em um tempo ou outro, temos feito promessas a Deus: "Se fizeres isto para mim, eu farei isto ou aquilo". Não há nenhum mal nessa prática, mas devemos agir sempre com honestidade. Conforme dizia a minha mãe: "Algumas vezes podemos barganhar com Deus, mas de outras vezes, não". Em Israel, votos eram feitos em conjunção com as ofertas voluntárias e através deles eram sustentados os cultos sagrados, juntamente com outras provisões. Talvez um homem precisasse de cura; talvez precisasse de uma boa colheita; uma mulher talvez quisesse um bom marido com quem casar-se. Os votos eram feitos tendo em vista a obtenção de coisas dessa natureza.

23.23

מוֹצָא שְׂפָתֶיךָ תִּשְׁמֹר וְעָשִׂיתָ כַּאֲשֶׁר נָדַרְתָּ לַיהוָה
אֱלֹהֶיךָ נְדָבָה אֲשֶׁר דִּבַּרְתָּ בְּפִיךָ׃ ס

O que proferiram os teus lábios, isso guardarás. Um voto, uma vez proferido, tornava-se absolutamente obrigatório. Ver Pv 20.25; Ec 5.4,5. "Aben Ezra observou que todo voto é como uma oferta voluntária, embora nem toda oferta voluntária seja um voto. O Targum de Jonathan enumerou várias maneiras pelas quais um homem podia pagar por uma bênção obtida através de um voto: ofertas pelo pecado; ofertas pela culpa; holocaustos; oblações de coisas santas; libações; presentes feitos para o santuário; e esmolas dadas aos pobres" (John Gill, *in loc.*). Dessas e, sem dúvida, de outras maneiras também, um homem podia pagar uma graça recebida em face de algum voto ou promessa que tivesse feito.

23.24,25

כִּי תָבֹא בְּכֶרֶם רֵעֶךָ וְאָכַלְתָּ עֲנָבִים כְּנַפְשְׁךָ שָׂבְעֶךָ
וְאֶל־כֶּלְיְךָ לֹא תִתֵּן׃ ס

כִּי תָבֹא בְּקָמַת רֵעֶךָ וְקָטַפְתָּ מְלִילֹת בְּיָדֶךָ וְחֶרְמֵשׁ
לֹא תָנִיף עַל קָמַת רֵעֶךָ׃ ס

Temos aqui a *quinta* das vinte leis apresentadas na seção de Dt 23.15—25.19. Ver as notas de introdução a esta seção, em Dt 23.15.

Um homem que estivesse atravessando o vinhedo ou as plantações de cereais de um vizinho poderia satisfazer seu apetite do momento, colhendo algumas poucas uvas ou algumas mãos-cheias de cereal. No entanto, não poderia levar um vaso e colher, nem poderia levar consigo uma foice para fazer uma pequena colheita. Esse já seria um ato ilícito de colheita. Mas o primeiro caso seria um ato bastante banal, que não prejudicaria a economia de seu vizinho. Nos dias de Jesus, os fariseus entraram em choque com o espírito dessa lei, quando transformaram uma mera prova de trigo em uma colheita, ou seja, um trabalho proibido em dia de sábado. Ver Mt 12.1-8. Essa lei não permitia que um homem tirasse vantagem de seu vizinho. Outras provisões, de natureza similar ou de natureza cariosa, podiam ser feitas. Ver Dt 24.19-22.

Yahweh é quem tinha dado àquele vizinho suas uvas e seus cereais, pelo que era obrigado a compartilhar dos frutos da terra com outras pessoas. Mas outros só podiam compartilhar de sua produção agrícola de maneira limitada, e isso a fim de evitar abusos da parte de indivíduos preguiçosos, que não se dispusessem a trabalhar semeando e colhendo.

Os *Targuns* dos judeus, em geral, interpretam essa lei como aplicável ao *trabalhador* que atuasse em um vinhedo ou em campos de cereais. Enquanto estivesse trabalhando, podia arrancar algo e comer com moderação. Mas a simples leitura da lei não subentende nenhuma estrita limitação. Josefo tinha uma melhor compreensão sobre tudo isso, incluindo até viajantes que poderiam ficar com um pouco da produção pertencente a outrem (*Antiq.* 1.4, cap. 8, sec. 21).

CAPÍTULO VINTE E QUATRO

Este capítulo dá continuação à lista de *vinte* leis miscelâneas que tem começo em Dt 23.15 e termina em Dt 25.19. Ver Dt 23.15 quanto a uma breve introdução a essa seção.

Os versículos 1-4 deste capítulo abordam questões como o divórcio e um novo casamento, constituindo a sexta das vinte leis que ocupam esta seção.

■ 24.1

כִּי־יִקַּח אִישׁ אִשָּׁה וּבְעָלָהּ וְהָיָה אִם־לֹא תִמְצָא־חֵן בְּעֵינָיו כִּי־מָצָא בָהּ עֶרְוַת דָּבָר וְכָתַב לָהּ סֵפֶר כְּרִיתֻת וְנָתַן בְּיָדָהּ וְשִׁלְּחָהּ מִבֵּיתוֹ׃

Se um homem tomar uma mulher. No *Dicionário* foi examinado, de forma exaustiva, o assunto abordado neste artigo (ver *Divórcio* e *Divórcio, Carta (Termo) de*, quanto a completas informações). Achamos aqui "um antigo caso real que tratava de novo casamento após o divórcio. Quem tomava a iniciativa do divórcio era o homem, embora ele não pudesse agir sem seguir um processo legal, incluindo a formulação de uma carta de divórcio (ver Jr 2.2,3), que dissesse o motivo" (*Oxford Annotated Bible*, comentando sobre este versículo). A prática de divórcio e novo casamento era comum no antigo Oriente Próximo e Médio, incluindo Israel. *Jesus*, porém, afirmou que essa lei era uma concessão, por causa da dureza dos corações, que tinham perdido de vista o propósito original e a santidade do casamento. Quanto a isso ver Mt 19.8 ss. Jesus limitou as causas do divórcio ao adultério, mas as palavras usadas neste texto, "por ter ele achado cousa indecente nela", foram interpretadas das mais diversas maneiras pelos intérpretes rabínicos. De fato, a natureza vaga dessa afirmação permitia que um homem se divorciasse de sua esposa quase por *qualquer* motivo, até mesmo por "ter queimado seus biscoitos da primeira refeição", conforme disse um intérprete. Visto que o adultério requeria a pena de morte, a "cousa indecente" deste versículo não pode referir-se a isso. Ver Dt 22.22, quanto à execução de uma mulher adúltera. E também não pode estar em pauta o homem descobrir que a mulher tinha tido sexo pré-marital, visto que isso também requeria execução (Dt 22.20,21). Portanto, alguma coisa menos grave estava em pauta; e os homens tiravam proveito desse fato para que coisas *até de somenos importância* se tornassem razões legais para o divórcio.

O *divórcio* era um costume milenar, e não podemos achar nenhum trecho do Antigo Testamento que o tenha instituído. A passagem que ora comentamos simplesmente regulamentava um costume já existente. E essa regulamentação era: um homem só podia divorciar-se se tivesse uma *boa* causa (embora essa causa tenha sido deixada indefinida). Era-lhe mister apresentar seu caso diante de um oficial público; um documento legal tinha de acompanhar o processo, determinando as razões, as condições etc. Talvez essas formalidades envolvessem algum tempo e dinheiro, o que atuaria como um fraco aviso contra divórcios precipitados. A monogamia era a ordem original desde a criação (Gn 1 e 2). O divórcio é algo repugnante para Deus (Ml 2.14,15).

Os *Targuns* interpretam as palavras "cousa indecente" de várias maneiras: desonestidade; maneiras sem polidez; algum tipo de impureza cerimonial persistente etc. A escola rabínica de Hilel interpretava isso de forma liberal, incluindo até a "queima de algum alimento"; comida salgada demais; negligência quanto aos deveres domésticos. Akiba dizia que era suficiente que um homem achasse uma mulher "mais bonita" para que ele pudesse divorciar-se de sua esposa. Se a mulher deixasse de usar o véu em público; se se ocupasse de atos tolos em público; se tomasse um banho em lugar público, onde homens a pudessem observar; se tivesse um odor corporal desagradável; se flertasse com outros homens; se tivesse mau hálito; se tivesse sinais cutâneos pelo corpo... Quase *qualquer* razão era suficiente para que o pedido de divórcio fosse atendido. Não há que duvidar, Israel era uma sociedade patriarcal.

■ 24.2

וְיָצְאָה מִבֵּיתוֹ וְהָלְכָה וְהָיְתָה לְאִישׁ־אַחֵר׃

Regras acerca do Divórcio. Essas regras permitiam que a mulher, uma vez divorciada do primeiro marido, se casasse novamente. O divórcio era a *dissolução* do casamento, como se este nunca tivesse ocorrido. Havia apenas uma restrição: a mulher não podia casar-se de novo com o mesmo marido, se seu segundo casamento também fracassasse. Os ensinamentos de Jesus mostram-se muito mais estritos. Para ele, uma mulher divorciada não poderia casar-se de novo enquanto seu marido continuasse vivo. Se ela viesse a casar-se de novo antes da morte do marido, estaria cometendo adultério. Ver Mt 5.31,32 e a exposição sobre esses versículos no *Novo Testamento Interpretado*. Alguns intérpretes dizem que temos aí um ideal que nunca foi realmente posto em prática na sociedade humana. Meu artigo do *Dicionário*, intitulado *Divórcio*, entra em todos os aspectos dessa questão.

■ 24.3

וּשְׂנֵאָהּ הָאִישׁ הָאַחֲרוֹן וְכָתַב לָהּ סֵפֶר כְּרִיתֻת וְנָתַן בְּיָדָהּ וְשִׁלְּחָהּ מִבֵּיתוֹ אוֹ כִי יָמוּת הָאִישׁ הָאַחֲרוֹן אֲשֶׁר־לְקָחָהּ לוֹ לְאִשָּׁה׃

Ou se este último homem... vier a morrer. Uma grande falta de sorte no casamento, sem dúvida! Ela fora desprezada pelo marido, casara-se de novo, mas somente para ser desprezada de novo. E todo o processo se repetia, seguindo as mesmas regras aqui determinadas. Ou então a morte do segundo marido deixara a mulher novamente descasada. Nesse caso, ela poderia casar-se pela terceira vez, contanto que não fosse com o seu *primeiro marido*. E as razões dessa proibição figuram no versículo seguinte. Todavia, poderia casar-se com um terceiro homem.

■ 24.4

לֹא־יוּכַל בַּעְלָהּ הָרִאשׁוֹן אֲשֶׁר־שִׁלְּחָהּ לָשׁוּב לְקַחְתָּהּ לִהְיוֹת לוֹ לְאִשָּׁה אַחֲרֵי אֲשֶׁר הֻטַּמָּאָה כִּי־תוֹעֵבָה הִוא לִפְנֵי יְהוָה וְלֹא תַחֲטִיא אֶת־הָאָרֶץ אֲשֶׁר יְהוָה אֱלֹהֶיךָ נֹתֵן לְךָ נַחֲלָה׃ ס

Depois que foi contaminada. Este texto não dá a entender que a mulher havia cometido adultério. A possibilidade do divórcio, segundo a legislação mosaica, dificilmente pode ser entendida como se permitisse o adultério. Mas o fato de ter-se casado com outro homem tinha *contaminado* a mulher. Ela se havia tornado uma mulher de segunda classe, que tinha passado de um homem para outro, mesmo que esse passar de mão em mão fosse permitido por lei. O texto subentende certo desgosto com o sexo, especialmente com o *segundo caso de sexo*. Cf. Dt 23.10 e seus paralelos. O sêmen masculino tornava *imundos* tanto o homem quanto a mulher, mesmo que os dois estivessem ligados pelos laços do matrimônio. Um banho cerimonial (ver as notas a respeito em Lv 14.8; 15.16; 17.15; Nm 8.7; 19.7,19) tinha de ocorrer após cada ato sexual, embora tal banho fosse deixado para o dia seguinte, quando era mais conveniente. Ver Dt 15.18. Fica assim patente que se um banho cerimonial tinha de ocorrer até mesmo no caso de um primeiro e único matrimônio, quanto mais quando uma mulher ficava contaminada caso se casasse de novo, após ter-se divorciado. Se tais coisas eram permitidas, a mente hebreia via algo de sujo e contaminador na questão, mesmo que a mulher nunca chegasse a adulterar. Cf. Jr 3.1. Jesus fazia um segundo casamento tornar-se adultério caso o primeiro marido de uma mulher ainda não tivesse morrido. Logo Jesus levava a questão muito mais além do que o fazia a antiga mentalidade dos hebreus. Ver Mt 5.31,32.

Mulheres que se Divorciavam de seus Maridos? Isso jamais foi permitido na sociedade dos hebreus. Em tempos posteriores, entretanto, uma mulher dispunha de recursos para forçar o marido a divorciar-se dela. E assim ela acabava obtendo o mesmo resultado.

Contaminação e Pecado. Se uma mulher voltasse a seu primeiro marido, depois de ter sido esposa de um segundo homem, isso constituiria pecado, e de natureza tal que contaminava a terra inteira, pelo que devia ser evitado a todo custo. A terra era a herança que Yahweh tinha dado a Abraão e seus descendentes, por meio do Pacto Abraâmico (sobre o qual ver as notas em Gn 15.18). A Terra Prometida era santa porque havia sido dada por Deus, o Santo, e não devia ser contaminada por meio de atos imprudentes e pecaminosos. A ideia é que esse pecado feminino era algo *comunal*, pois ninguém peca sozinho.

Abominação. O autor sacro usou esse vocábulo forte para indicar tanto a idolatria quanto o adultério espiritual. Ver as notas sobre essa palavra em Dt 13.14 e 23.18, onde damos uma lista de referências.

■ 24.5

כִּי־יִקַּח אִישׁ אִשָּׁה חֲדָשָׁה לֹא יֵצֵא בַּצָּבָא וְלֹא־יַעֲבֹר
עָלָיו לְכָל־דָּבָר נָקִי יִהְיֶה לְבֵיתוֹ שָׁנָה אֶחָת וְשִׂמַּח
אֶת־אִשְׁתּוֹ אֲשֶׁר־לָקָח: ס

Achamos aqui a *sétima* das vinte leis miscelâneas dadas em Dt 23.15 a 25.19. O assunto desta lei são os *novos casamentos*, e a legislação fazia parte dos regulamentos acerca das *guerras santas*. Ver Dt 10.1-20 quanto às leis gerais. Dt 20.7 é o trecho paralelo, onde também ofereço notas expositivas. A um homem devia ser dada a oportunidade de ter um herdeiro e de ter posteridade. sua vida não deveria ser cortada no começo de seu casamento.

■ 24.6

לֹא־יַחֲבֹל רֵחַיִם וָרָכֶב כִּי־נֶפֶשׁ הוּא חֹבֵל: ס

As mós ambas. Temos aqui a *oitava* das vinte leis miscelâneas dadas na seção de Dt 23.15—25.19. Ver uma breve introdução a esta seção em Dt 23.15. Essa lei foi baixada especialmente a fim de proteger os pobres e não tem paralelo em todo o restante da Bíblia. A mó ou moinho era um importante item na sobrevivência de uma pessoa, e não podia servir de garantia em nenhum acordo. Uma mó consistia de uma pedra inferior, fixa, e de uma pedra superior, móvel, as quais, em seu atrito, moíam o cereal, transformando-o em farinha. A mó era um equipamento doméstico indispensável, pois o pão diário dela dependia. Cf. os vss. 10-13 e Dt 22.1-22 quanto a outras leis humanitárias. As dívidas não podiam ter como garantia de pagamento algo tão vital para a vida diária como um moinho. Ver no *Dicionário* o artigo intitulado *Moinho*. O amor deve prevalecer nas relações sociais, e o Pentateuco encerra muitas leis humanitárias. Ver no *Dicionário* o verbete *Amor*.

■ 24.7

כִּי־יִמָּצֵא אִישׁ גֹּנֵב נֶפֶשׁ מֵאֶחָיו מִבְּנֵי יִשְׂרָאֵל
וְהִתְעַמֶּר־בּוֹ וּמְכָרוֹ וּמֵת הַגַּנָּב הַהוּא וּבִעַרְתָּ הָרָע
מִקִּרְבֶּךָ:

Neste versículo encontramos a *nona* das vinte leis miscelâneas da passagem de Dt 23.15—25.19. Ver a breve introdução a esta seção em Dt 23.15. O assunto desta lei é o *sequestro* de uma pessoa com o intuito de vendê-la como escravo. Os sequestros eram um crime bastante comum no antigo Oriente Próximo e Médio, o que é confirmado pelas referências literárias antigas, como os códigos legais da Mesopotâmia e do império hitita. A lei de Moisés proibia que se tratasse as pessoas de forma cruel e tirânica (ver Dt 21.14). Talvez o sequestro tivesse por finalidade usar o sequestrado como escravo, ou vendê-lo como tal. O fato é que, sem importar qual o motivo por trás de um sequestro, os sequestradores eram punidos com a pena capital. Era necessário *expurgar* o mal em Israel, mediante a ameaça e o uso da punição capital. Ver Dt 15.12-18 quanto a regulamentos concernentes à escravatura, envolvendo hebreus. E ver no *Dicionário* o artigo intitulado *Escravo, Escravidão*.

Ver a mesma lei no trecho de Êx 21.16. Se uma pessoa sequestrada fosse encontrada sob o poder de um homem, este teria de ser executado. Portanto, a lei era muito severa quanto à questão dos sequestros. Ver Dt 13.5 quanto à necessidade de eliminar ou expurgar o mal em Israel. Essa expressão ocorre por nove vezes no livro de Deuteronômio.

Morte por estrangulamento era a maneira usual de execução utilizada no caso de sequestros (ver o Targum de Jonathan e Maimônides, *Hilchot Genibah*, cap. 9, sec. 1).

■ 24.8,9

הִשָּׁמֶר בְּנֶגַע־הַצָּרַעַת לִשְׁמֹר מְאֹד וְלַעֲשׂוֹת כְּכֹל
אֲשֶׁר־יוֹרוּ אֶתְכֶם הַכֹּהֲנִים הַלְוִיִּם כַּאֲשֶׁר צִוִּיתִם
תִּשְׁמְרוּ לַעֲשׂוֹת: ס

זָכוֹר אֵת אֲשֶׁר־עָשָׂה יְהוָה אֱלֹהֶיךָ לְמִרְיָם בַּדֶּרֶךְ
בְּצֵאתְכֶם מִמִּצְרָיִם: ס

Temos aqui a *décima* dentre as vinte leis apresentadas na seção de Dt 23.15—25.19. Ver uma breve introdução a essa seção em Dt 23.15. Havia uma elaborada legislação referente às *doenças cutâneas*, que as traduções e versões, erroneamente, traduziram por *lepra*, seguindo o exemplo equivocado da Septuaginta. As leis concernentes à sara'at sem dúvida detectavam, aqui e ali, algum verdadeiro caso de lepra, pois os sintomas oferecidos descrevem uma grande variedade de enfermidades cutâneas. Ofereci notas expositivas completas sobre a questão nos capítulos 13 e 14 de Levítico. Ver principalmente a introdução ao capítulo 13, onde alisto as possíveis enfermidades cobertas por aquela legislação. A legislação mosaica era inadequada tanto quanto à compreensão dos problemas médicos quanto à compreensão espiritual. *Muitas* pessoas foram assim isoladas por causa de doenças genericamente chamadas de sara'at, e tinham de sair do acampamento de Israel (ver Lv 13.46), embora não apresentassem nenhuma ameaça a outras pessoas, pois tinham afecções não-infecciosas, e não a lepra. Mas o avanço tanto da medicina quanto da teologia tem ajudado a anular as inadequações da legislação mosaica, nos planos material e espiritual.

Este texto não repete a legislação, mas tão somente exorta o povo de Israel a obedecer a tudo quanto foi ordenado acerca das enfermidades em pauta. Então o vs. 9 é uma *ameaça*, pois assevera que todos quantos negligenciassem essa legislação terminariam sendo julgados com a própria sara'at, tal como acontecera com Miriã, irmã de Moisés. Este versículo faz-nos lembrar da história registrada em Nm 12.10-15. O fato de que a própria irmã de Moisés foi castigada com essa afecção serviu de advertência de que ninguém estava isento da regra do isolamento. Um homem rico não poderia subornar oficiais e continuar habitando no acampamento, embora tivesse apanhado a sara'at.

■ 24.10

כִּי־תַשֶּׁה בְרֵעֲךָ מַשַּׁאת מְאוּמָה לֹא־תָבֹא אֶל־בֵּיתוֹ
לַעֲבֹט עֲבֹטוֹ:

Os vss. 10-13 nos apresentam a *décima primeira* das vinte leis miscelâneas oferecidas na seção de Dt 23.15—25.19. Ver uma breve introdução nas notas sobre Dt 23.15. Esta décima primeira lei diz respeito aos empréstimos garantidos mediante algum *penhor*. O motivo desta lei era humanitário, evitando humilhação e dano dos pobres. Já vimos que os empréstimos a juros não eram permitidos no caso de irmãos hebreus (ver Dt 23.19,20). Mas podia haver alguma espécie de *garantia*, capaz de servir de penhor de que o empréstimo seria pago. Um penhor teria de ser algo de valor equivalente. A santidade do lar era assim preservada. Nenhum homem, ao receber de volta o seu empréstimo, podia entrar na casa de seu devedor e arrebatar-lhe o empréstimo, em atitude violenta e arrogante. Mas tinha de esperar que o devedor trouxesse o que quer que ele pudesse pagar. Dessa maneira, o devedor não era humilhado. O penhor usualmente consistia em alguma peça de vestuário, instrumento agrícola, joia, utensílio de cozinha etc. Os cânones judaicos dizem-nos que a questão inteira é governada pelo conhecimento e pela atuação das autoridades legais, como o Sinédrio (*Mishna Bava Metzia*, cap. 9, sec. 13).

■ 24.11

בַּחוּץ תַּעֲמֹד וְהָאִישׁ אֲשֶׁר אַתָּה נֹשֶׁה בוֹ יוֹצִיא אֵלֶיךָ
אֶת־הַעֲבוֹט הַחוּצָה:

Ficarás do lado de fora. O credor que viesse buscar um penhor, visto que a dívida não havia sido paga, precisava manter-se a certa distância do devedor, sem perturbar a sua residência. O devedor é que traria para fora o item que serviria de penhor; e assim era preservada a sua dignidade, embora ele tivesse de ficar um pouco mais pobre ao entregar o penhor e, depois, ao pagar a sua dívida. Se um homem tivesse licença para entrar na casa de um seu devedor, acabaria escolhendo as *melhores coisas* da casa, mormente se não tivesse havido um acordo sobre qual seria, exatamente, o penhor.

24.12,13

וְאִם־אִישׁ עָנִי הוּא לֹא תִשְׁכַּב בַּעֲבֹטוֹ׃

הָשֵׁב תָּשִׁיב לוֹ אֶת־הַעֲבוֹט כְּבֹא הַשֶּׁמֶשׁ וְשָׁכַב בְּשַׂלְמָתוֹ וּבֵרֲכֶךָּ וּלְךָ תִּהְיֶה צְדָקָה לִפְנֵי יְהוָה אֱלֹהֶיךָ׃ ס

Em se pondo o sol. Se o penhor fosse algo necessário para o *sono noturno*, como uma capa (que atuava como um cobertor), era mister devolvê-lo antes de chegar a noite. Uma peça de vestuário, como uma capa, agia como um cobertor durante a noite, ou então como roupa durante o dia. Ver Êx 22.26,27 quanto a essa legislação. A outra parte da questão (vss. 10 e 11) acha-se exclusivamente aqui. A capa era necessária para manter o corpo aquecido à noite. Era mister devolvê-la antes da chegada da noite, para que pudesse ser utilizada pelo homem pobre. É difícil entender qual uso poderia ter para um homem uma capa que deveria ser devolvida à tardinha: tê-la durante o dia, mas ser obrigado a devolvê-la a seu dono antes de anoitecer. Essa condição, por si mesma, seria um fator de desencorajamento para alguém querer tal tipo de penhor da parte de um devedor. Por outro lado, quem aceitasse uma capa assim como penhor poderia exercer pressão para que o devedor pagasse a sua dívida o mais prontamente possível. E talvez por isso mesmo uma capa também servisse de penhor. Ver Jó 22.5. Essa situação legal exibe uma fagulha de amor para com o próximo. Pelo menos o devedor não ficava privado daquilo que era essencial à sua própria subsistência. Agir com amor garantia a bênção de Yahweh. O amor é a base de toda a *retidão*.

24.14,15

לֹא־תַעֲשֹׁק שָׂכִיר עָנִי וְאֶבְיוֹן מֵאַחֶיךָ אוֹ מִגֵּרְךָ אֲשֶׁר בְּאַרְצְךָ בִּשְׁעָרֶיךָ׃

בְּיוֹמוֹ תִתֵּן שְׂכָרוֹ וְלֹא־תָבוֹא עָלָיו הַשֶּׁמֶשׁ כִּי עָנִי הוּא וְאֵלָיו הוּא נֹשֵׂא אֶת־נַפְשׁוֹ וְלֹא־יִקְרָא עָלֶיךָ אֶל־יְהוָה וְהָיָה בְךָ חֵטְא׃ ס

Temos aqui a *décima segunda* das vinte leis miscelâneas constantes na seção de Dt 23.15—25.19. Ver uma breve introdução a essa seção nas notas sobre Dt 23.15. Essa lei visava à proteção de um trabalhador diarista, fosse ele hebreu ou estrangeiro. Um trabalhador assim não podia ser oprimido mediante salários injustos ou através de condições de trabalho difíceis demais. Era mister que ele fosse pago dia-a-dia, situação essa que mostra que estamos tratando com pobres que eram diaristas. Os *pobres fixam o seu coração* no pouco que ganham, esperando ansiosamente pelo dia do pagamento. Para os pobres de Israel, cada dia era um pequeno dia de pagamento; e embora ele recebesse pouco a cada dia, sua vida e a de seus familiares dependiam desse pequeno pagamento. Por essa razão, não se podia deixar o sol pôr-se no horizonte sem pagar ao diarista o seu salário. Mas se um diarista não recebesse sua paga, clamaria ao Senhor para que ele julgasse qualquer injustiça, e Yahweh sem dúvida cuidaria para que esse *pecado* do empregador recebesse seu justo castigo, mediante alguma praga, enfermidade, acidente etc. Cf. este texto com Lv 19.13, que é um paralelo direto. Ver também Êx 2.23 e 3.9. O povo de Israel foi oprimido no Egito. Os empregadores israelitas não tinham permissão de imitar os opressores egípcios. Ver também Dt 15.1-18 e 22.1-12, onde são protegidos os direitos dos fracos. Ver também Tg 5.4, que parece ter sido trecho escrito em nossos próprios dias, por tanta injustiça social.

24.16

לֹא־יוּמְתוּ אָבוֹת עַל־בָּנִים וּבָנִים לֹא־יוּמְתוּ עַל־אָבוֹת אִישׁ בְּחֶטְאוֹ יוּמָתוּ׃ ס

Cada qual será morto pelo seu pecado. Temos aqui a *décima terceira* das vinte leis apresentadas na seção de Dt 23.15—25.19. Há uma pequena seção de introdução em Dt 23.15. O *Código de Hamurabi* (lei 230) permitia a morte vicária de um filho por seu pai, ou de um pai por seu filho, embora não tenha sido encontrada nenhuma alusão literária que mostre que essa lei tivesse sido alguma vez cumprida. Mas a legislação mosaica proibia qualquer prática semelhante. Em certo sentido espiritual, os pecados de um pai poderiam contaminar seus filhos, e o castigo divino poderia sobrevir por esse motivo. Ver Dt 5.9 quanto a esse princípio, além de várias interpretações a respeito. O senso de responsabilidade era muito despertado em Israel, e a responsabilidade comunal sempre ficava implícita na responsabilidade pessoal. Apesar disso, nenhuma punição capital, em Israel, podia ser transferida de uma pessoa para outra. Ver Dt 21.1-9 e suas notas expositivas quanto à responsabilidade comunal.

Uma das aplicações da lei era tentar controlar as desavenças entre as tribos nômades, em face das quais toda uma família, ou mesmo um clã inteiro, poderiam ser aniquilados, por causa de uma infração de um de seus membros. Houve casos assim em Israel (ver Js 7.24,25 e 2Sm 21.1-9). Em Israel, em algumas poucas ocasiões, o pecado de um homem resultou na morte de toda a sua família, e a ordem para tal execução foi baixada pelas autoridades. Esta lei tinha por finalidade controlar a matança coletiva, por causa dos erros de um único homem. Ver 2Rs 14.6, onde a clemência de Amazias foi elogiada quando ele obedeceu ao princípio ideal desta lei.

"Esta lei modifica a antiga crença de que a culpa afetava todo um grupo social, especialmente uma família (ver Nm 16.31-33; Js 7.24,25; 1Sm 21.1-9)" (*Oxford Annotated Bible*, comentando sobre o presente versículo).

Outra aplicação era que o testemunho de um pai contra seu filho, ou de um filho contra seu pai, não era aceitável, em casos que envolvessem punição capital. Outras testemunhas *idôneas* tinham de ser encontradas (conforme diz o Targum de Jonathan). Nesse caso, o trecho de Dt 21.18 ss. não apresenta nenhuma exceção.

24.17,18

לֹא תַטֶּה מִשְׁפַּט גֵּר יָתוֹם וְלֹא תַחֲבֹל בֶּגֶד אַלְמָנָה׃

וְזָכַרְתָּ כִּי עֶבֶד הָיִיתָ בְּמִצְרַיִם וַיִּפְדְּךָ יְהוָה אֱלֹהֶיךָ מִשָּׁם עַל־כֵּן אָנֹכִי מְצַוְּךָ לַעֲשׂוֹת אֶת־הַדָּבָר הַזֶּה׃ ס

Não perverterás o direito. Temos aqui a *décima quarta* das vinte leis miscelâneas contidas na seção de Dt 23.15—25.19. Essa lei requeria um tratamento equitativo e humanitário para os estrangeiros, os órfãos e as viúvas. As famílias que não contassem com um membro masculino adulto facilmente eram oprimidas nos tribunais e na vida pública. Logo, a legislação procurava prevenir tal coisa. Outrossim, havia uma eterna tendência de fazer dos estrangeiros uma classe secundária de cidadãos. Estes versículos são paralelos ou similares a vários outros trechos do Pentateuco. Ver Dt 10.18; 14.29; 16.11,14; Êx 22.21,22; 23.6-9; Lv 19.33,34. A razão para o bom tratamento é a mesma que aquela dada no versículo 22 deste capítulo e em Dt 15.15, a saber, que Israel também tinha sido estrangeiro no Egito. Lembremo-nos de que aquela experiência deveria ser uma inspiração para que os filhos de Israel tratassem bem aos outros que estivessem desprotegidos, sujeitos à opressão, por estarem muito longe de sua terra natal. *Yahweh-Elohim* tinha redimido Israel da opressão, pelo que os remidos deviam ter cuidado para não oprimir outras pessoas, mas antes, estender a elas a proteção e a bênção com que haviam sido brindados pelo Eterno Todo-poderoso. Ver no *Dicionário* o artigo chamado *Deus, Nomes Bíblicos de*.

"Em sua preocupação com indivíduos carentes, tanto viúvas quanto órfãos, esta passagem concorda plenamente com um elevado espírito de humanidade, com sua ênfase sobre a justiça, que se acha em outros trechos deste capítulo" (Henry H. Shires, *in loc.*).

Algumas vezes os anjos foram entretidos por homens como se fossem estrangeiros (ver Hb 13.2). Aqueles que assim ajudam os estrangeiros fazem o mesmo pelo Senhor (Mt 25.35), porquanto Jesus está ligado à humanidade inteira. A solidariedade humana é uma forma de cumprimento da lei do amor. Ver no *Dicionário* o artigo intitulado *Amor*. O amor tanto é o maior de todos os mandamentos como também é prova do novo nascimento e da espiritualidade (1Jo 4.7 ss.). O amor é o cumprimento da lei (Rm 13.8 ss.).

A lei concernente a não ficar alguém com uma capa alheia, como penhor, até o dia seguinte, a fim de beneficiar os pobres (ver os versículos 12 e 13 deste capítulo), agora era estendida para incluir as viúvas. Todos os pobres em espírito, pobres quanto aos bens materiais e humildes em suas atitudes, compartilhavam do mesmo interesse da parte de Yahweh. Outras possessões, como os animais domesticados de alguém, também não poderiam ser arrancadas dos pobres. Ver Jó 24.3.

24.19

כִּי תִקְצֹר קְצִירְךָ בְשָׂדֶךָ וְשָׁכַחְתָּ עֹמֶר בַּשָּׂדֶה לֹא
תָשׁוּב לְקַחְתּוֹ לַגֵּר לַיָּתוֹם וְלָאַלְמָנָה יִהְיֶה לְמַעַן
יְבָרֶכְךָ יְהוָה אֱלֹהֶיךָ בְּכֹל מַעֲשֵׂה יָדֶיךָ׃

Poderíamos encarar este e os três versículos seguintes como uma lei distinta, ou então como se estivessem outorgando detalhes da lei geral, asseverada nos versículos 17 e 18 deste capítulo. Quanto a mim, penso que estamos diante de uma extensão da lei já afirmada, visto que faz provisão quanto às necessidades das mesmas classes: os estrangeiros, os órfãos e as viúvas. O direito de rebuscar incluía as classes mais pobres. Cf. Lv 19.9,10; 23.22. Esse direito era uma das maneiras pelas quais o povo de Israel cuidava da pobreza abjeta, quando as pessoas nem ao menos tinham o que comer. Assim sendo, Rute teve permissão de rebuscar no campo de Boaz (segundo capítulo do livro de Rute). Destarte, os pobres não se veriam reduzidos à contingência de esmolar, visto que aquilo pelo que poderiam implorar já estava à espera deles nos campos. Essa lei, conforme expressa em Lv 19.9,10, provia que se deixasse *propositadamente* um pouco de grãos de cereal no campo, não sendo isso feito por mero acidente (conforme também este texto subentende). A passagem de Lv 23.22 repete esse ato *propositado*. Nesses trechos, ofereço notas expositivas completas sobre a questão.

24.20

כִּי תַחְבֹּט זֵיתְךָ לֹא תְפָאֵר אַחֲרֶיךָ לַגֵּר לַיָּתוֹם
וְלָאַלְמָנָה יִהְיֶה׃ ס

Quando sacudires a tua oliveira. As azeitonas também não deveriam ser colhidas da oliveira até o último fruto. Uma porção era deixada para ser aproveitada pelas classes pobres e pouco privilegiadas. São de novo mencionadas as mesmas *três classes*. Desse modo, os pobres podiam gozar de alguma variedade em sua dieta, devido a essas leis humanitárias.

24.21

כִּי תִבְצֹר כַּרְמְךָ לֹא תְעוֹלֵל אַחֲרֶיךָ לַגֵּר לַיָּתוֹם
וְלָאַלְמָנָה יִהְיֶה׃

Quando vindimares a tua vinha. A uva também estava sujeita ao ato de rebuscar. Novamente, as mesmas três classes são mencionadas como tendo o direito de tirar proveito dessa lei. A colheita das azeitonas e das uvas ocorria mais ou menos ao mesmo tempo, ou seja, um pouco depois da colheita do trigo, ou no fim de nosso mês de junho ou no começo de nosso mês de julho. "Essas leis foram baixadas a fim de beneficiar os pobres, com o propósito de mostrar para com eles misericórdia e gentileza, e para que também pudessem participar de todos os frutos da terra" (John Gill, *in loc.*).

Tipologia. A provisão espiritual e material que temos em Cristo é ampla e variegada. "Deus pode fazer-vos abundar em toda graça, a fim de que, tendo sempre, em tudo, ampla suficiência, superabundeis em toda boa obra" (2Co 9.8). Oh, Senhor, concede-nos tal graça!

> *Pois conheceis a graça de nosso Senhor Jesus Cristo,*
> *que, sendo rico, se fez pobre por amor de vós,*
> *para que pela sua pobreza vos*
> *tornásseis ricos.*
>
> 2Coríntios 8.9

24.22

וְזָכַרְתָּ כִּי עֶבֶד הָיִיתָ בְּאֶרֶץ מִצְרָיִם עַל־כֵּן אָנֹכִי
מְצַוְּךָ לַעֲשׂוֹת אֶת־הַדָּבָר הַזֶּה׃ ס

Lembrar-te-ás. Um dos *motivos* para os israelitas viverem a lei do amor era que Yahweh se tinha mostrado gracioso para com eles, quando estavam sendo oprimidos no Egito. A generosidade dele servia de exemplo a ser seguido. Este versículo repete o versículo 18 deste capítulo, que já havia afirmado a razão de serem bem tratadas aquelas três classes de pessoas: os estrangeiros, as viúvas e os órfãos. Ver na *Enciclopédia de Bíblia, Teologia e Filosofia* o artigo intitulado *Liberalidade e Generosidade*. Ver também Dt 15.15 quanto à mesma declaração.

CAPÍTULO VINTE E CINCO

Este capítulo *dá prosseguimento* à listagem das vinte leis miscelâneas que constituem a seção de Dt 23.15—25.19. Há uma breve introdução a essa seção nas notas sobre Dt 23.15.

Achamos aqui a *décima quinta* das vinte leis miscelâneas que constituem esta seção. O propósito dessa lei era impor certas restrições judiciais sobre as punições corporais. Se um homem tivesse de ser açoitado, não poderia ser sujeitado a um castigo que o levasse à beira da morte. Ficava machucado, mas não a ponto de sua vida ser colocada em perigo.

25.1

כִּי־יִהְיֶה רִיב בֵּין אֲנָשִׁים וְנִגְּשׁוּ אֶל־הַמִּשְׁפָּט וּשְׁפָטוּם
וְהִצְדִּיקוּ אֶת־הַצַּדִּיק וְהִרְשִׁיעוּ אֶת־הָרָשָׁע׃

Em havendo contenda entre alguns. Temos aqui qualquer questão de disputa que não pudesse ser resolvida sobre uma base privada, que tinha de ser levada a juízo pelos tribunais apropriados: o Sinédrio local, e então, se o caso fosse difícil demais para um tribunal local, o Grande Sinédrio, em Jerusalém. Ver Dt 17.8 quanto a essa informação. Os tribunais locais compunham-se de 23 membros; e o tribunal central, de 71 membros. As aldeias pequenas podiam ter um tribunal de até um mínimo de três juízes, e um número menor do que isso não era permitido. Esses tribunais tinham a palavra final em qualquer caso que decidissem. Eles decidiam sobre quem tinha e quem não tinha a razão; e também executavam as sentenças que tivessem sido determinadas. Mas o que decidissem precisava ser regulado pelo bom senso. Ninguém podia ser morto mediante um castigo de açoites.

25.2

וְהָיָה אִם־בִּן הַכּוֹת הָרָשָׁע וְהִפִּילוֹ הַשֹּׁפֵט וְהִכָּהוּ
לְפָנָיו כְּדֵי רִשְׁעָתוֹ בְּמִסְפָּר׃

Se o culpado merecer açoites. O indivíduo que fosse declarado culpado de alguma ofensa que não fosse punida mediante a execução era castigado pela pena secundária dos açoites. Esse homem era, pois, humilhado. Tinha de deitar-se defronte do juiz que ditara a sentença e era açoitado no local, na mesma hora. A justiça era aplicada sem tardança.

Maimônides (*Hilchot Sanhedrin*, cap. 19, sec. 1) referiu-se a 207 tipos de ofensas em face das quais um homem merecia ser açoitado, embora não recebesse a punição capital. Todas essas ofensas envolviam alguma forma de infração da lei, incluindo muitas que não são referidas diretamente, mas apenas por analogia.

Muitos antigos tribunais já administravam açoites, uma vez detido o réu; e as referências literárias mostram que esses açoites por muitas vezes resultavam na morte do acusado. De acordo com a lei de Moisés, entretanto, essa era uma questão que recebia um colorido humanitário. Ver Jr 20.2; 37.14; Mc 14.65; At 16.22,23. A lei dos hebreus requeria que primeiro houvesse um julgamento, e então um número circunscrito de açoites (ver o versículo seguinte).

25.3

אַרְבָּעִים יַכֶּנּוּ לֹא יֹסִיף פֶּן־יֹסִיף לְהַכֹּתוֹ עַל־אֵלֶּה
מַכָּה רַבָּה וְנִקְלָה אָחִיךָ לְעֵינֶיךָ׃ ס

Quarenta açoites lhe fará dar, não mais. A *limitação* de um castigo judicial de 39 chibatadas vinha de tempos antigos e fazia parte da legislação de vários povos antigos. Adam Clark menciona que essa prática veio da China. Eram utilizados látegos e varas de bambu. Ver no *Dicionário* o artigo chamado *Açoite* quanto a informações gerais que incluem a maneira como os golpes eram aplicados. Naquele artigo, dou certo número de referências literárias sobre a questão. O direito romano não permitia que um cidadão romano sofresse a desgraça dos açoites em público (ver At 22.25), mas não isentava não romanos e escravos (ver At 22.24). O Código de Hamurabi (lei 202) permitia até sessenta chibatadas. Leis assírias posteriores permitiam entre quarenta e cinquenta chibatadas. Este versículo fala que, entre os israelitas, o número era limitado a quarenta. Mais tarde ainda, esse número foi reduzido para 39 (ver 2Co 11.24). Desse modo, evitava-se uma excessiva crueldade nesse castigo de açoites.

Sabe-se que, mais tarde, o castigo de açoites era infligido nas sinagogas. E enquanto era aplicado, lia-se o trecho de Deuteronômio (28.38 e 59), além de algumas outras passagens.

teu irmão não fique aviltado. Em outras palavras, um homem açoitado não podia sofrer humilhação absoluta. E o Targum de Jonathan interpreta isso como: "a fim de que ele corra o perigo de perder a vida, e teu irmão seja envilecido". Destarte, a pessoa *vil* poderia ser aquele que ordenara o espancamento, ou aquele que o tivesse administrado; pois o homem castigado quase morrera, o que constituía um castigo que ia além do permitido pela lei. Outra interpretação é que o homem espancado se tornaria vil porque, tendo morrido, seu corpo se decomporia. Nesse caso, a alusão quase certa é ao homem que fora espancado. Ninguém deveria ser tratado como se fora um animal. O homem castigado era um "irmão" que tinha caído em erro, e não deveria ser excessivamente punido.

■ 25.4

לֹא־תַחְסֹם שׁוֹר בְּדִישׁוֹ׃ ס

Não atarás a boca ao boi, quando debulha. Temos aqui a *décima sexta* das vinte leis que aparecem na seção de Dt 23.15—25.19. Ver uma breve introdução a essa seção em Dt 23.15.

A lei requeria respeito e interesse humanitário pelos animais. Um boi que estivesse pisando o grão deveria ter permissão de comê-lo, pelo que era proibido atar-lhe a boca. Desse modo, a lei mosaica continha bondade para com os animais. Já que um animal ajudava ao homem a obter seu cereal, então também merecia ficar com parte do alimento. Paulo utilizou-se desse versículo em 1Co 9.9, para ensinar que o ministro do evangelho que trabalhasse em um labor espiritual deveria receber justa paga, porque merecia ser sustentado. E Paulo ajuntou que Deus não dissera isso somente para benefício dos animais, mas também para nosso aprendizado. E os intérpretes têm-se debatido com essa declaração paulina, pois o Antigo Testamento deixa claro que essa lei reflete, claramente, o interesse de Deus pelos animais. Ver a mesma coisa em Jn 4.11. No que toca à declaração de Paulo, ver a passagem de 1Co 9.9 no *Novo Testamento Interpretado*.

Maimônides lista várias maneiras pelas quais os povos gentílicos impediam que os bois e outros animais comessem enquanto trabalhavam: pondo um espinho na boca do animal; usando focinheiras; espalhando coberturas sobre o cereal (*Hilchot Shecirut*, cap. 13, sec. 3). Ver 1Tm 5.17,18 quanto a outro uso neotestamentário desta passagem. Ver Dt 22.6,7 e Pv 12.10, trechos que também ensinam que devemos tratar os animais com brandura.

■ 25.5

כִּי־יֵשְׁבוּ אַחִים יַחְדָּו וּמֵת אַחַד מֵהֶם וּבֵן אֵין־לוֹ
לֹא־תִהְיֶה אֵשֶׁת־הַמֵּת הַחוּצָה לְאִישׁ זָר יְבָמָהּ יָבֹא
עָלֶיהָ וּלְקָחָהּ לוֹ לְאִשָּׁה וְיִבְּמָהּ׃

Este e os cinco versículos seguintes apresentam a décima sétima das vinte leis que aparecem na seção de Dt 23.15—25.19. Ver uma breve introdução a essa seção em Dt 23.15. Trata-se de uma repetição do chamado casamento levirato. Ver no *Dicionário* o artigo detalhado sobre essa questão, chamado *Matrimônio Levirato*. Se se casar com duas irmãs (estando ambas vivas) era uma forma de incesto, proibida pela lei (ver Lv 18.18), contudo, uma mulher deveria casar-se com *um segundo irmão*, se seu marido (um dos irmãos) tivesse morrido antes de haver gerado filhos. O propósito do casamento, no antigo povo de Israel, não era cumprir fantasias românticas, mas promover a família e uma linhagem de herança, pois a família era a unidade social basilar. Era muito importante que a linhagem herdeira tivesse continuação (ver o sexto versículo deste capítulo), para que o nome de um homem não fosse obliterado. Meu artigo sobre o assunto é detalhado, pelo que não ofereço aqui um estudo completo.

Não se casará com outro estranho. A viúva, nesse caso, não podia casar-se com um homem *fora da família* de seu falecido marido. "Estranho" pode significar "estrangeiro", mas não é o que está em pauta aqui. A mulher nem ao menos podia casar-se com um homem da mesma tribo de seu falecido marido, mas tinha de confinar-se à família a que pertencia o marido morto. Essa lei, naturalmente, forçava a poligamia (ver a respeito no *Dicionário*), pois um irmão do morto provavelmente já tinha sua própria mulher, ou mesmo mais de uma. Casar-se com uma cunhada divorciada ou enviuvada era proibido. Ver o *gráfico* existente nas notas de introdução ao capítulo 18 de Levítico, quanto a um estudo detalhado sobre o pecado de incesto; e ver também o verbete sobre esse assunto no *Dicionário*. O casamento levirato, por conseguinte, formava uma exceção ao espírito das leis sobre o incesto.

A obrigação de cunhado. Essa era uma obrigação dos laços do casamento, tanto a fim de prover um herdeiro que desse continuação ao nome da família como para preservar a herança da família sob a forma de terras, que vinha continuando desde que a Terra Prometida fora lotada (ver os capítulos 21 a 23 de Josué). Se um homem morresse sem deixar descendentes, então seu irmão tinha de assumir essa *obrigação*.

O novo casamento, porém, não poderia ocorrer enquanto não se escoassem três meses após a morte do irmão falecido (ver *Yebamot*, cap. 4, sec. 10).

■ 25.6

וְהָיָה הַבְּכוֹר אֲשֶׁר תֵּלֵד יָקוּם עַל־שֵׁם אָחִיו הַמֵּת
וְלֹא־יִמָּחֶה שְׁמוֹ מִיִּשְׂרָאֵל׃

Será sucessor do nome do seu irmão falecido. Parece que este versículo indica que o filho primogênito do casamento levirato teria o mesmo nome de seu tio falecido, ao mesmo tempo em que seria considerado legalmente filho do falecido, levando avante a sua linhagem e herança. Dessa maneira, as promessas divinas, dentro do Pacto Abraâmico, tornavam-se reais para o falecido. sua linhagem continuaria e sua herança permaneceria dentro de sua linhagem. Ver as notas sobre o *Pacto Abraâmico* em Gn 15.18. Ver também Gn 15.18-21; 17.19; 22.17; 28.13,14 e 35.12. Um homem falecido participava da vida de Israel através de seu filho legal, embora, biologicamente falando, fosse seu sobrinho.

Tipologia. Alguns intérpretes veem aqui um indício do fato de que Jesus, que morreu biologicamente sem deixar descendentes, ainda assim obteve muitos irmãos e filhos, em um sentido espiritual. Portanto, ele não foi deixado sem a sua própria família. E esses seus familiares tornaram-se herdeiros de tudo quanto a missão remidora de Cristo proveu para eles. Ver no *Dicionário* o artigo intitulado *Herança*. Ver também o último parágrafo quanto às implicações tipológicas.

"Visto que, de acordo com a maneira antiga de pensar, o nome de um homem era o portador de sua pessoa, então um pai vivia em seu filho (Gn 48.15,16)" (*Oxford Annotated Bible*, comentando sobre este versículo).

"Sublinhando tudo isso, há uma verdade perfeitamente real. Tal como seu progenitor, o judaísmo, o cristianismo originou-se como a religião de uma comunidade... a vida cristã genuína não pode ocorrer no isolamento... antes, o grupo, em comunhão com Deus, é fundamental" (Henry R. Shires, *in loc.*).

■ 25.7

וְאִם־לֹא יַחְפֹּץ הָאִישׁ לָקַחַת אֶת־יְבִמְתּוֹ וְעָלְתָה
יְבִמְתּוֹ הַשַּׁעְרָה אֶל־הַזְּקֵנִים וְאָמְרָה מֵאֵין יְבָמִי
לְהָקִים לְאָחִיו שֵׁם בְּיִשְׂרָאֵל לֹא אָבָה יַבְּמִי׃

Se o homem não quiser tomar sua cunhada. Se um homem não quisesse cumprir seu papel, dentro das regras do casamento levirato, isso resultaria para ele em uma profunda humilhação, conforme vemos neste e nos três versículos seguintes. Mas havia a compreensão tácita de que, se o homem simplesmente não tolerasse ficar com sua cunhada viúva, então seria melhor não forçá-lo a fazê-lo. Mas um processo legal era necessário para que houvesse tal dispensa de obrigação. Pois não se tratava de um ato individual e unilateral. Onã (ver Gn 38.9), como é óbvio, não recebeu tal oportunidade de dispensa. Podemos, pois, presumir, que a legislação se desenvolveu com a passagem do tempo. Mais e mais homens recusavam casar-se com suas cunhadas viúvas; e assim, finalmente, foi adicionado um dispositivo legal que cuidasse de tais casos. Posteriormente, tornou-se usual que um homem não assumisse a sua responsabilidade; e assim a lei do levirato gradualmente caiu em desuso.

A mulher ofendida é que tinha de apresentar a questão diante de um tribunal. O único recurso que lhe restava era humilhar publicamente o seu cunhado, na esperança de que essa humilhação o seguisse sob a forma de má reputação. Nenhuma multa era baixada. O mero ato de humilhação desobrigava o homem. Tal como acontecera com Tamar (ver o capítulo 38 de Gênesis), a mulher é que precisava tomar a iniciativa. Mas também é provável que muitas mulheres preferissem manter-se na reserva, quando viam as atitudes hostis de seus cunhados.

■ 25.8

וְקָרְאוּ־לוֹ זִקְנֵי־עִירוֹ וְדִבְּרוּ אֵלָיו וְעָמַד וְאָמַר לֹא חָפַצְתִּי לְקַחְתָּהּ׃

Os anciãos da sua cidade devem chamá-lo. Fica entendido que a mulher tinha apresentado *queixa*, em vista do que o tribunal chamara o homem rebelde. A tarefa dos juízes consistia em tentar convencê-lo a cumprir sua obrigação. Todavia, ele tinha o direito legal de continuar a recusar-se. Uma humilhação pública valia a pena, se ele realmente quisesse desvencilhar-se "daquela mulher"! Maimônides informa-nos que, em alguns casos, o tribunal reconhecia a sabedoria mostrada pelo homem, e até aconselhava-o a continuar em sua recusa, como quando havia alguma enfermidade envolvida, ou então quando o homem fosse idoso e a mulher fosse jovem, ou exatamente o contrário (ver *Yebum Vachalitzah*, cap. 4, sec. 1). Na maior parte das vezes, entretanto, o tribunal procurava promover o casamento levirato.

■ 25.9

וְנִגְּשָׁה יְבִמְתּוֹ אֵלָיו לְעֵינֵי הַזְּקֵנִים וְחָלְצָה נַעֲלוֹ מֵעַל רַגְלוֹ וְיָרְקָה בְּפָנָיו וְעָנְתָה וְאָמְרָה כָּכָה יֵעָשֶׂה לָאִישׁ אֲשֶׁר לֹא־יִבְנֶה אֶת־בֵּית אָחִיו׃

Temos Aqui o Ato Humilhador Propriamente Dito. Consistia em descalçar o homem de uma de suas sandálias e cuspir-lhe no rosto, ao mesmo tempo em que se proferia uma maldição, que passaria a ser uma espécie de opróbrio pelo resto da vida dele. Leão de Modens (*Mish. Yebamot*, cap. 4, sec. 6) informa-nos que a sandália tirada era do *pé direito* do homem. Esse ato era, aparentemente, um ato simbólico que reduzia o homem a ser um cidadão de segunda classe, pois os escravos andavam descalços. Ver o trecho de Rute 4.7,8, quanto à cerimônia da sandália, ainda que, no caso de Rute, não estivesse em foco uma situação de casamento levirato, e sim, o caso de um goel, ou seja, um parente remidor da propriedade da mulher.

Alguns estudiosos pensam que a sandália retirada servia de sinal de *poder*, pois o calçado ajudava um homem a andar e trabalhar sem ferir os pés. Remover a sandália, portanto, simbolizaria o ato de debilitar o homem, embora a outra interpretação pareça melhor.

E lhe cuspirá no rosto. Esse símbolo é inequívoco. A cunhada rejeitada estava *desprezando* e humilhando publicamente o homem que se negara a cumprir sua obrigação, e proferia uma maldição que acompanharia o homem por toda a vida dele. "... como se fosse um sinal de opróbrio e desgraça" (John Gill, *in loc.*). O temor diante de tais coisas, presumivelmente, levaria o homem a cumprir sua obrigação social, pois do contrário ele se tornava um homem *estigmatizado*. A força motivadora, por conseguinte, era a *pressão social*.

■ 25.10

וְנִקְרָא שְׁמוֹ בְּיִשְׂרָאֵל בֵּית חֲלוּץ הַנָּעַל׃ ס

A casa do descalçado. É de presumir que a comunidade inteira se lembraria de que ele era o homem cuja sandália fora retirada, e esse estigma haveria de acompanhá-lo pelo resto de sua vida. Porém, é apenas razoável pensarmos que, pelo menos entre os homens, o homem rebelde acabasse ganhando prestígio, por ter tido a coragem de rejeitar "aquela mulher". Em tempos posteriores, as palavras de maldição eram proferidas por três vezes, para efeito de ênfase. O homem era lançado em opróbrio público, mas ficava desobrigado do casamento levirato, e isso poderia parecer a ele compensador. Ainda mais tarde, ao homem se dava um documento que lhe permitia casar-se com quem bem quisesse, visto que estava desobrigado do casamento levirato, pois, de outro modo, o que fizera poderia atuar como um impedimento. Um sumo sacerdote estava isento dessa lei, afinal (ver Lv 21.14), tal como os reis de Israel (ver *Mish. Sanhedrin*, cap. 2, sec. 2), pelo que aquele homem se tinha aliado a boa companhia.

■ 25.11,12

כִּי־יִנָּצוּ אֲנָשִׁים יַחְדָּו אִישׁ וְאָחִיו וְקָרְבָה אֵשֶׁת הָאֶחָד לְהַצִּיל אֶת־אִישָׁהּ מִיַּד מַכֵּהוּ וְשָׁלְחָה יָדָהּ וְהֶחֱזִיקָה בִּמְבֻשָׁיו׃

וְקַצֹּתָה אֶת־כַּפָּהּ לֹא תָחוֹס עֵינֶךָ׃ ס

Quando brigarem dois homens. Estes dois versículos nos fornecem a *décima oitava* das vinte leis que figuram na seção de Dt 23.15—25.19. Ver uma introdução a essa seção em Dt 22.15. A lei mosaica também procurava regulamentar as brigas. Conforme alguém já disse: "Os homens brigam por aquilo que é certo e também para se divertir". Sempre haverá brigas. A legislação mosaica procurava regulamentar certos tipos de brigas. Cf. Êx 21.22, onde achamos algo similar. As notas dali se aplicam também aqui. No texto de Êxodo, quem acabou ferida foi uma mulher grávida, e talvez até o seu feto. Mas aqui, uma mulher, procurando defender o seu marido, machucaria os órgãos sexuais de outro homem. Atualmente, as mulheres estão aprendendo a defender-se de ataques masculinos, por meio de chutes nos testículos, deixando-os completamente sem ação.

Em uma briga simples (não no caso de uma tentativa de estupro), uma mulher israelita não podia defender seu marido desse modo. Se ela assim o fizesse, perderia a mão. Temos aqui o único caso de punição por meio de mutilação, em toda a lei mosaica, ainda que, no Oriente Próximo e Médio, essa fosse uma pena comum. De acordo com a lei dos assírios, um homem que ousasse beijar uma mulher na rua (não sendo ela sua esposa), teria seus lábios decepados com uma espada. Aquela antiga lei que diz "olho por olho, dente por dente" (Dt 19.21) reflete uma época mais antiga, quando as mutilações eram um castigo frequente. Israel, porém, logo abandonou esse tipo de filosofia judicial. Ver Êx 21.24,25 quanto a uma expressão mais elaborada da lei da retaliação, ou *lex talionis*. Ver no *Dicionário* o verbete com esse nome. É significativo que essa lei fosse aplicada no caso de uma mulher que estivesse defendendo seu marido, e então ela e seu feto fossem feridos.

A *proibição* que consta nestes versículos talvez tenha algo que ver com o respeito pela fonte da vida, representada pelos órgãos genitais. Porém, também é muito provável que estivesse envolvido o medo por parte dos homens de serem atacados nessa área mais vulnerável do corpo; e, para agravar ainda mais a situação, é que tal ataque seria desfechado por *uma mulher*. Não é muito provável que o autor sagrado estivesse preocupado com a *modéstia* da mulher, conforme alguns intérpretes têm opinado.

Não a olharás com piedade. Era realmente excruciante agarrar a mulher e decepar-lhe a mão; mas a lei assim o exigia; nenhum sentimento de piedade poderia impedir a mutilação. Essas leis nos parecem incompreensíveis. Cf. Dt 13.8; 19.13,21 quanto a declarações similares. Em tempos posteriores, porém, era cobrada alguma *multa*, pois as mutilações haviam sido totalmente descontinuadas.

■ 25.13

לֹא־יִהְיֶה לְךָ בְּכִיסְךָ אֶבֶן וָאָבֶן גְּדוֹלָה וּקְטַנָּה׃ ס

Não terás pesos diversos. Encontramos neste e nos três versículos seguintes a *décima nona* das vinte leis miscelâneas que figuram na seção de Dt 23.15—25.19. Ver uma introdução a essa seção em Dt 23.15. Nas transações comerciais era preciso que houvesse *pesos* e *medidas* justos. Ver na *Enciclopédia de Bíblia, Filosofia e Teologia* o verbete intitulado *Honestidade*. Um homem desonesto seria privado de suas riquezas por parte de Yahweh. ele só obteria vantagens pecuniárias, a fim de perdê-las mais tarde. O décimo quinto versículo deste capítulo promete vida longa ao homem honesto.

Uma *honestidade a toda prova* era recomendada no tocante a todas as negociações e comércio, tanto quanto em todos os processos judiciais (Dt 16.18-20). O paralelo direto deste trecho acha-se em Lv 19.35,36. As notas expositivas oferecidas ali aplicam-se também aqui.

Um grande e um pequeno. Um negociante tinha uma bolsa onde havia pesos (geralmente feitos de pedra ou de metal), que eram usados nas transações. Porém, alguns comerciantes mostravam-se desonestos porque tinham pesos bem calibrados, e outros nem tanto, para que assim pudessem enganar quem com eles negociassem. Um negociante desonesto vendia usando o peso menor, e comprava usando o peso maior. Talvez estejam em foco transações em que esses pesos é que determinavam o valor dos produtos. Ver também Pv 11.1; 16.11; 20.10,23; Am 8.5; Mq 6.11; Os 12.7, quanto à menção a "balanças". Ver no *Dicionário* o artigo intitulado *Balanças*.

■ 25.14

לֹא־יִהְיֶה לְךָ בְּבֵיתְךָ אֵיפָה וְאֵיפָה גְּדוֹלָה וּקְטַנָּה׃

Efa. O efa era, essencialmente, uma medida usada para o caso de cereais. O valor de capacidade do efa difere na opinião dos intérpretes, e provavelmente também de uma época para outra. Era, ao que tudo indica, uma medida de origem egípcia. Valia dez ômeres (ver Êx 16.36), ou seja, mais ou menos o equivalente a dez quilogramas. Ver no *Dicionário* o artigo chamado *Pesos e Medidas,* em sua seção VII. Há alguns estudiosos que lhe atribuem um valor de até dezenove quilogramas. Essa medida é mencionada por cerca de 36 vezes no Antigo Testamento.

Um negociante desonesto, que dispusesse de dois tamanhos de efa, enganava tanto os que dele comprassem quanto os que para ele vendessem. Com o efa maior, ele comprava. E com o efa menor, vendia.

■ 25.15

אֶבֶן שְׁלֵמָה וָצֶדֶק יִהְיֶה־לָּךְ אֵיפָה שְׁלֵמָה וָצֶדֶק
יִהְיֶה־לָּךְ לְמַעַן יַאֲרִיכוּ יָמֶיךָ עַל הָאֲדָמָה אֲשֶׁר־יְהוָה
אֱלֹהֶיךָ נֹתֵן לָךְ׃

Para que se prolonguem os teus dias na terra. Em contraste com um homem desonesto, um homem honesto usava corretos pesos (vs. 13) e medidas (vs. 14). E viveria mais tempo do que um homem desonesto. Alguma enfermidade arrebataria anos de vida do homem desonesto, mostrando-lhe assim que, nesta vida, há coisas mais importantes do que o dinheiro. Uma longa vida física era uma promessa padrão a todos quantos, em Israel, observassem os mandamentos da lei. Ver as notas sobre isso em Dt 4.1; 5.33 e 6.2. Não há, nessa promessa, nenhum indício de vida eterna, conforme explicam, detalhadamente, as notas expositivas sobre essas referências. Havia algumas promessas específicas de longa vida física para os que obedecessem a certos mandamentos específicos, como honrar pai e mãe (Dt 5.16) e conferir um tratamento misericordioso para com as aves (Dt 22.6,7). A promessa deste versículo era recompensa aos que se mostrassem honestos em seus negócios.

■ 25.16

כִּי תוֹעֲבַת יְהוָה אֱלֹהֶיךָ כָּל־עֹשֵׂה אֵלֶּה כֹּל עֹשֵׂה עָוֶל׃ פ

É abominação ao Senhor. Aos olhos de Deus, a desonestidade nos negócios é uma "abominação". Uma vigorosa palavra hebraica acha-se por trás dessa tradução, e com frequência era usada para indicar a idolatria, equivalente ao adultério espiritual. Ver as notas sobre esse vocábulo em Dt 13.14 e 23.18. Foi o próprio *Yahweh-Elohim*, o Eterno e Todo-poderoso, quem ordenara que houvesse honestidade em todas as transações comerciais. Ver no *Dicionário* o artigo *Deus, Nomes Bíblicos de*. Yahweh é justo. E aqueles que seguissem o yahwismo precisavam ser justos. Uma balança enganosa era uma abominação aos olhos de Yahweh. Ver Am 8.4-8. A injustiça tende a perpetuar a pobreza, pelo que os mais beneficiados por pesos e medidas justos eram os pobres.

■ 25.17

זָכוֹר אֵת אֲשֶׁר־עָשָׂה לְךָ עֲמָלֵק בַּדֶּרֶךְ בְּצֵאתְכֶם
מִמִּצְרָיִם׃

Lembra-te do que te fez Amaleque. Temos aqui (Dt 25.17-19) a *vigésima* e última das *vinte* leis miscelâneas que constituem a seção de Dt 23.15—25.19. Ver uma breve introdução a essa seção nas notas sobre Dt 23.15. Essa lei consistia em uma maldição absoluta contra os amalequitas, requerendo que Israel exterminasse a raça inteira dos filhos de Amaleque.

Alguns intérpretes, como Henry B. Shires (*in loc*.), salientam como leis e ódios dessa natureza, voltados contra povos estrangeiros, são absolutamente contraditórios à fé cristã. Jesus ensinou-nos a amar nossos inimigos e tratar bem aqueles que nos tiverem ofendido (ver Mt 5.44). Apesar disso, outros intérpretes supõem que essa maldição fizesse parte necessária da história de Israel, e acham motivos para defender a questão.

Essa maldição só veio a surtir efeito muito mais tarde, em sua íntegra. Mais de quatrocentos anos depois, Davi derrotou os amalequitas (ver 2Sm 1.1); mais trezentos anos se passaram até Ezequias ter cumprido finalmente a tarefa (ver 1Cr 4.41-43). Ver no *Dicionário* no artigo chamado *Amalequitas*.

Quando saías do Egito. Somente duas batalhas específicas contra os amalequitas ficaram registradas no Pentateuco (ver Êx 17.8-16; Nm 14.39-45). Mas o trecho que estamos comentando dá a entender outros choques armados, além daqueles incidentes que foram historiados. Os filhos de Amaleque atacaram os filhos de Israel sem terem sido provocados, quando Israel estava exausto e enfermiço. Outras batalhas foram registradas, em 1Sm 14.48; 15; 27.8,9; 28.18; 30.1-20; 2Sm 8.12; 1Cr 4.43. Os amalequitas, assim sendo, foram submetidos ao método do *holocausto* de uma guerra santa (ver Dt 20.16-18), em vez do tratamento mais brando que podia ser administrado aos adversários em tempos de guerra (ver Dt 20.10-15).

■ 25.18

אֲשֶׁר קָרְךָ בַּדֶּרֶךְ וַיְזַנֵּב בְּךָ כָּל־הַנֶּחֱשָׁלִים אַחֲרֶיךָ
וְאַתָּה עָיֵף וְיָגֵעַ וְלֹא יָרֵא אֱלֹהִים׃

Atacou na retaguarda todos os desfalecidos. O *crime* dos amalequitas foi especialmente *cruel* porque eles atacaram sem terem sido provocados, e tiraram vantagem daqueles que compunham a retaguarda do acampamento de Israel em movimento, massacrando os enfermos, desfalecidos e cansados, que iam ficando para trás. Tendo, pois, massacrado, os amalequitas deveriam ser massacrados igualmente. Ver no *Dicionário* o artigo intitulado *Lei Moral da Colheita Segundo a Semeadura*. Em vez de socorrer os exaustos israelitas, eles apelaram para o massacre.

Eles não temiam a Deus, sendo esse o motivo pelo qual fizeram o que fizeram. *Temor de Deus* era uma daquelas qualidades espirituais básicas que a lei requeria do povo de Israel. Ver Dt 10.12.

■ 25.19

וְהָיָה בְּהָנִיחַ יְהוָה אֱלֹהֶיךָ לְךָ מִכָּל־אֹיְבֶיךָ מִסָּבִיב
בָּאָרֶץ אֲשֶׁר יְהוָה־אֱלֹהֶיךָ נֹתֵן לְךָ נַחֲלָה לְרִשְׁתָּהּ
תִּמְחֶה אֶת־זֵכֶר עֲמָלֵק מִתַּחַת הַשָּׁמָיִם לֹא תִּשְׁכָּח׃ פ

Apagarás a memória de Amaleque. A despeito de todas as *oposições e matanças*, finalmente a Terra Prometida seria possuída. Isso concordava com a promessa do Pacto Abraâmico (ver as notas a respeito em Gn 15.18). Depois que tivesse ocorrido a conquista da Terra Prometida (ver Js 21—23), então Israel *descansaria* de suas guerras. Porém, uma vez que eles pudessem descansar e tivessem juntado as forças necessárias para a tarefa, deveriam iniciar uma guerra sem tréguas e sem misericórdia contra os amalequitas, exterminando-os totalmente. Vimos no versículo 17 que Israel foi exortado a "lembrar-se" da crueldade dos amalequitas. E, no presente versículo, os israelitas recebem ordem para revidar contra os amalequitas conforme eles tinham feito. Visto que os amalequitas não tinham mostrado misericórdia, agora não receberiam misericórdia. O rei Ezequias foi quem terminou por levar a bom termo essa maldição contra Amaleque (1Cr 4.41-43).

Ellicott (*in loc.*) salientou que essa maldição ocorreu através de vários estágios: por Josué (Êx 7.14); por Baraque e Gideão (Jz 5.14; 6.3; 7.12); por Saul e Samuel (1Sm 15); por Davi (1Sm 27.8,9; 30.17); pelos simeonitas (1Cr 4.42,43); por Ester, que exterminou os agagitas da casa de Hamã.

O Targum de Jonathan projeta essa maldição até os próprios tempos messiânicos, ao dizer: "... mesmo nos dias do rei Messias, isso não será esquecido".

CAPÍTULO VINTE E SEIS

CONCLUSÃO (26.1-19)

Este capítulo conclui as muitas leis que o autor sacro tinha começado a apresentar no capítulo 12 desse livro. E depois vem uma nova seção, que começa no capítulo 27. Duas cerimônias (acompanhadas por confissões) são aqui apresentadas: 1. aquela da apresentação das primícias (26.1-11), e 2. aquela a ser recitada no santuário central ao terceiro ano, o "ano dos dízimos" (26.13-15). A primeira *confessa* os atos de salvação e graça, que tiraram Israel da servidão no Egito. E a segunda *produz* uma solene afirmação de obediência às leis atinentes aos dízimos, incluindo uma oração de pedido pelas bênçãos abundantes de Deus. Os versículos 16-19 concluem este capítulo com exortações acerca da obediência que deveria caracterizar um povo especial para Deus.

Os dois ritos descritos neste capítulo tinham o propósito de celebrar a transição pela qual Israel passou, de um povo nômade para uma comunidade agrícola fixa à terra, o que se tornou possível na Terra Prometida, mediante as grandes bênçãos de Yahweh.

■ **26.1**

וְהָיָה֙ כִּֽי־תָב֣וֹא אֶל־הָאָ֔רֶץ אֲשֶׁר֙ יְהוָ֣ה אֱלֹהֶ֔יךָ נֹתֵ֥ן לְךָ֖ נַחֲלָ֑ה וִֽירִשְׁתָּ֖הּ וְיָשַׁ֥בְתָּ בָּֽהּ׃

Ao entrares na terra. A época certa da prática dos dois ritos (ver a introdução a este capítulo) é projetada para aquele tempo em que Israel já tivesse completado a conquista da Terra Prometida, loteando-a entre as suas tribos (Js 21—23). A herança que fazia parte do Pacto Abraâmico (ver Gn 15.18) se tornaria uma realidade, e Israel celebraria a sua transição da vida nômade para uma comunidade agrícola fixa à terra. Nessa *nova comunidade*, pois, os ritos e as leis do yahwismo seriam promovidos, e daí resultariam muitas bênçãos divinas.

■ **26.2**

וְלָקַחְתָּ֞ מֵרֵאשִׁ֣ית ׀ כָּל־פְּרִ֣י הָאֲדָמָ֗ה אֲשֶׁ֨ר תָּבִ֧יא מֵֽאַרְצְךָ֛ אֲשֶׁ֨ר יְהוָ֧ה אֱלֹהֶ֛יךָ נֹתֵ֥ן לָ֖ךְ וְשַׂמְתָּ֣ בַטֶּ֑נֶא וְהָֽלַכְתָּ֙ אֶל־הַמָּק֔וֹם אֲשֶׁ֤ר יִבְחַר֙ יְהוָ֣ה אֱלֹהֶ֔יךָ לְשַׁכֵּ֥ן שְׁמ֖וֹ שָֽׁם׃

Tomarás das primícias. Ver no *Dicionário* o verbete *Primícias*. O *santuário central* seria o lugar das oferendas e dos ritos religiosos. O santuário de Jerusalém substituiria todos os demais, e assim o yahwismo seria unificado. Ver Dt 12.5 quanto a essa questão.

"Essa oblação das primícias diferia do molho de primeiros frutos, da colheita da cevada, durante o período da Páscoa, e também diferia dos dois pães de trigo, movidos diante do Senhor durante a época do Pentecoste; e, igualmente, dos bolos das primícias da massa. Ver Lv 23.10,17; Nm 15.20,21. Essa oblação era apenas de *uma espécie*; mas aquelas eram de várias espécies... os *sete tipos* aqui chamados de 'fruto do solo', mencionados em Dt 8.8. E tudo isso nos ensina que compete a nós honrar a Deus por meio das primícias de nossa produção, e devemos mostrar-nos agradecidos por tudo quanto possuímos" (John Gill, *in loc.*).

■ **26.3,4**

וּבָאתָ֙ אֶל־הַכֹּהֵ֔ן אֲשֶׁ֥ר יִהְיֶ֖ה בַּיָּמִ֣ים הָהֵ֑ם וְאָמַרְתָּ֣ אֵלָ֗יו הִגַּ֤דְתִּי הַיּוֹם֙ לַיהוָ֣ה אֱלֹהֶ֔יךָ כִּי־בָ֙אתִי֙ אֶל־הָאָ֔רֶץ אֲשֶׁ֨ר נִשְׁבַּ֧ע יְהוָ֛ה לַאֲבֹתֵ֖ינוּ לָ֥תֶת לָֽנוּ׃

וְלָקַ֧ח הַכֹּהֵ֛ן הַטֶּ֖נֶא מִיָּדֶ֑ךָ וְהִ֨נִּיח֔וֹ לִפְנֵ֕י מִזְבַּ֖ח יְהוָ֥ה אֱלֹהֶֽיךָ׃

Hoje declaro ao Senhor teu Deus. Esse rito *comemorava* a vitória. O povo de Israel, finalmente, tinha entrado na Terra Prometida e ganho a herança que fora prometida a Abraão. Os sacerdotes oficiantes (alguns falam aqui no sumo sacerdote) do santuário central receberiam a oferenda das primícias, uma oferta de ação de graças. O sacerdote proferiria palavras de bênção e agradecimento, e então poria o cesto de primícias perante o Senhor, diante do altar. Mas, antes de depositá-lo ali, o sacerdote moveria o cesto, com a ajuda do ofertante, as mãos do sacerdote por baixo das mãos deste último, ambos realizando o movimento. Esse movimento era feito na direção dos quatro cantos da terra, em reconhecimento do domínio universal de Yahweh e de suas bênçãos sobre a terra inteira. O cesto era posto sobre o altar de bronze, o altar dos sacrifícios, porque, na verdade, o rito era uma espécie de sacrifício. Ver as notas de introdução ao trecho de Êx 21.1, quanto a um gráfico que ilustra a planta baixa do tabernáculo, e que veio a ser incorporada ao esquema do templo de Jerusalém.

■ **26.5**

וְעָנִ֨יתָ וְאָמַרְתָּ֜ לִפְנֵ֣י ׀ יְהוָ֣ה אֱלֹהֶ֗יךָ אֲרַמִּי֙ אֹבֵ֣ד אָבִ֔י וַיֵּ֣רֶד מִצְרַ֔יְמָה וַיָּ֥גָר שָׁ֖ם בִּמְתֵ֣י מְעָ֑ט וַֽיְהִי־שָׁ֕ם לְג֥וֹי גָּד֖וֹל עָצ֥וּם וָרָֽב׃

Então testificarás perante o Senhor teu Deus. A história inicial de Israel era relembrada nessa declaração. Jacó é aqui referido como "arameu, prestes a perecer". Quando ele desceu ao Egito, era apenas um nômade e estrangeiro, em terra pertencente a outros. Jacó e seus familiares passaram precariamente como estrangeiros. No entanto, tão grande fora a bênção dada por Yahweh que, ali no Egito, e sob circunstâncias tão adversas, foi-se formando uma grande nação. Começando com setenta pessoas, saíram do Egito cerca de quatro milhões, visto que havia nada menos de seiscentos mil homens, de 20 anos para cima, que podiam atuar como soldados (ver Nm 1.46).

Um Antigo Credo. Os vss. 5 e 10 deste capítulo contêm um antigo credo de Israel, recitado a fim de que o povo se lembrasse de seu humilde passado, e de como Yahweh os havia abençoado tanto, tornando-os uma nação numerosa e poderosa. Os dois principais eventos que deviam ser lembrados eram o êxodo do Egito e a conquista da terra de Canaã, eventos-chaves do triunfo dos israelitas. As primícias eram oferecidas em comemoração a tudo quanto havia acontecido. A recitação do credo fazia parte do segundo aspecto do ritual, celebrando o poder e a fidelidade de Yahweh.

Podemos relembrar a história de Abraão, que era natural de Ur, da Caldeia, e jornadeou até Harã, uma cidade dos arameus, na alta Mesopotâmia (ver Gn 11.28-32). Abraão entrou na terra de Canaã, mas Jacó, em tempo de fome, partiu dali para o Egito. No Egito, Jacó viveu somente por mais dezessete anos, mas o pequeno remanescente de setenta pessoas logo se multiplicou, tornando-se uma grande multidão. E o Senhor, no deserto, organizou-os para que se tornassem uma nação.

"A confissão, aqui, juntamente com aquela de Dt 6.20-25, compõe um pequeno credo histórico" (G. Ernest Wright, *in loc.*).

■ **26.6**

וַיָּרֵ֧עוּ אֹתָ֛נוּ הַמִּצְרִ֖ים וַיְעַנּ֑וּנוּ וַיִּתְּנ֥וּ עָלֵ֖ינוּ עֲבֹדָ֥ה קָשָֽׁה׃

Os egípcios nos maltrataram e afligiram. Os egípcios apertaram os filhos de Israel, transformando a vida deles em uma grande miséria, pois chegou o dia em que os Faraós não mais se lembravam de José e de seus notáveis serviços em favor do Egito. Assim, os filhos de Israel foram reduzidos à escravidão, no Egito, e o quadro parecia tornar-se totalmente destituído de esperança. Parecia que, em vez de possuírem o território que tinha sido prometido a Abraão, eles continuariam para sempre no Egito, como escravos, até serem absorvidos por aquela nação camita. Mas os planos de Yahweh eram o contrário de tudo isso, e o negro capítulo da servidão foi revertido da maneira mais espetacular. Ver Êx 1.9-22; 2.25; 3.9 e 6.5,6, que são fontes dessa confissão sobre a qual estamos comentando.

■ 26.7

וַנִּצְעַק אֶל־יְהוָה אֱלֹהֵי אֲבֹתֵינוּ וַיִּשְׁמַע יְהוָה אֶת־קֹלֵנוּ וַיַּרְא אֶת־עָנְיֵנוּ וְאֶת־עֲמָלֵנוּ וְאֶת־לַחֲצֵנוּ׃

Clamamos ao Senhor. Sentindo-se impotentes para se libertarem, os descendentes de Jacó clamaram a Yahweh-Elohim, o *Eterno Todo-poderoso*. Ver no *Dicionário* o verbete chamado *Deus, Nomes Bíblicos de*. Ver Êx 2.23 quanto ao incidente histórico do clamor a Yahweh. Ver Êx 2.25 e 3.7,8 quanto ao modo como Yahweh atendeu a esse clamor.

■ 26.8

וַיּוֹצִאֵנוּ יְהוָה מִמִּצְרַיִם בְּיָד חֲזָקָה וּבִזְרֹעַ נְטוּיָה וּבְמֹרָא גָּדֹל וּבְאֹתוֹת וּבְמֹפְתִים׃

E nos tirou do Egito com poderosa mão. Este versículo recapitula o poder de Yahweh, exercido no livramento dos filhos de Israel. Cf. Dt 4.34 e 9.26 acerca do "braço estendido", ou seja, os atos de poderosa intervenção divina, em favor do povo de Israel; e cf. Dt 4.34; 6.22; 7.19 e 29.3 quanto aos muitos *sinais, milagres e maravilhas* que o Senhor realizou em prol de Israel. O fato de que Deus tirou o povo de Israel da servidão no Egito, mostrando-lhe seu poder e graça, é um tema frequente no livro de Deuteronômio, onde reaparece por cerca de vinte vezes. Quanto a isso, ver as notas expositivas sobre Dt 4.20. Ver também as notas sobre Nm 23.22, que dizem respeito a esse mesmo tema. Era por todas essas coisas que agora Israel agradecia ao Senhor, por ocasião da oblação das primícias. Ver no *Dicionário* o verbete intitulado *Pragas do Egito*, bem como um gráfico que as ilustra, nas notas sobre Êx 7.14. Essas pragas figuram entre os sinais e milagres mencionados neste versículo.

■ 26.9

וַיְבִאֵנוּ אֶל־הַמָּקוֹם הַזֶּה וַיִּתֶּן־לָנוּ אֶת־הָאָרֶץ הַזֹּאת אֶרֶץ זָבַת חָלָב וּדְבָשׁ׃

E nos trouxe a este lugar. Yahweh tirara os israelitas do Egito e então os introduzira na Terra Prometida. Esta era uma terra de abundância, que manava "leite e mel". Quanto a notas completas sobre essa expressão, ver Êx 3.8 e Nm 13.27. Yahweh "fez reverter a história de Israel", mostrando-lhes coisas grandes e poderosas "que não sabiam" (ver Jr 33.3). "O verdadeiro teste da religião é, de fato, sua capacidade de satisfazer necessidades individuais" (Henry S. Shires, *in loc.*).

■ 26.10

וְעַתָּה הִנֵּה הֵבֵאתִי אֶת־רֵאשִׁית פְּרִי הָאֲדָמָה אֲשֶׁר־נָתַתָּה לִּי יְהוָה וְהִנַּחְתּוֹ לִפְנֵי יְהוָה אֱלֹהֶיךָ וְהִשְׁתַּחֲוִיתָ לִפְנֵי יְהוָה אֱלֹהֶיךָ׃

Eis que agora trago as primícias. Em face de *tudo* quanto Yahweh tinha feito, os adoradores israelitas punham sobre o altar (vs. 4), mediante o ofício dos sacerdotes, as primícias de sua colheita. Essas primícias tornavam-se parte do sustento dos sacerdotes, uma vez que a porção pertencente a Yahweh fosse oferecida na cerimônia. Ver os versículos 3 e 4 deste capítulo, quanto a esse ritual. Agradecemos a Deus porque até mesmo os rios de ventanias mais difíceis terminam desaguando seguramente no mar. O destino determinado por Deus incorpora todos os seres humanos. Quanto a Israel, Deus levou-os ao triunfo. Ver no *Dicionário* o artigo chamado *Gratidão*.

A gratidão é um sinal das almas nobres.

Esopo

A terra nada produz de pior do que um homem ingrato.

Ausônio

■ 26.11

וְשָׂמַחְתָּ בְכָל־הַטּוֹב אֲשֶׁר נָתַן־לְךָ יְהוָה אֱלֹהֶיךָ וּלְבֵיתֶךָ אַתָּה וְהַלֵּוִי וְהַגֵּר אֲשֶׁר בְּקִרְבֶּךָ׃ ס

Alegrar-te-ás por todo o bem. Às ações de graças era adicionado o *regozijo*. Ver Dt 12.7 quanto a notas detalhadas sobre a alegria. O regozijo fazia parte integrante desses ritos. Cf. Dt 12.7,12,18; 14.26; 16.11,14,15. Israel era um povo caracterizado pelos cânticos e pela dança, e isso dentro do próprio recinto do templo de Jerusalém.

O regozijo era universal, visto que Israel se alegrava, juntamente com todos os estrangeiros que porventura estivessem residindo entre eles. Os levitas, que viviam dos dízimos e das ofertas do povo, eram beneficiados diretamente pelas oferendas das primícias, pelo que tinham razões especiais para se regozijar. Ver Dt 12.11,12 e 16.10,11 quanto às refeições comunais e ao regozijo de todos os membros da comunidade.

"Os levitas não tinham herança sob a forma de terras, mas também se regozijavam. Os estrangeiros não tinham pátria, mas sentiam que os israelitas eram como amigos e pais" (Adam Clarke, *in loc.*).

A felicidade é, ao mesmo tempo, a melhor,
a mais nobre e a mais agradável das coisas.

Aristóteles

A suprema felicidade na vida é a convicção de que somos amados.

Victor Hugo

CONFISSÃO PELO USO DO DÍZIMO DO TERCEIRO ANO (26.12-15)

O trecho paralelo desses dízimos é Dt 14.28,29, onde também oferecemos uma exposição. Nestes quatro versículos encontramos a liturgia a ser seguida no ano dos dízimos. "Os adoradores testificavam que tinham separado uma *porção sagrada* (os dízimos), na cidade onde residiam, de acordo com a ordenança de Dt 14.28,29" (*Oxford Annotated Bible*, comentando sobre o versículo 12 deste capítulo). Essa pode ter sido uma oferenda feita uma vez só, após os primeiros três anos da presença de Israel na Terra Prometida, conforme supõe Jack S. Deere (*in loc.*).

■ 26.12

כִּי תְכַלֶּה לַעְשֵׂר אֶת־כָּל־מַעְשַׂר תְּבוּאָתְךָ בַּשָּׁנָה הַשְּׁלִישִׁת שְׁנַת הַמַּעֲשֵׂר וְנָתַתָּה לַלֵּוִי לַגֵּר לַיָּתוֹם וְלָאַלְמָנָה וְאָכְלוּ בִשְׁעָרֶיךָ וְשָׂבֵעוּ׃

Então os darás ao levita. Os dízimos tinham propósitos humanitários, visto que os produtos eram usados para aliviar as necessidades de grupos pouco privilegiados, como os órfãos, os estrangeiros e as viúvas. Naturalmente, os levitas, que não tinham recebido herança sob a forma de terras, ficavam com a parte que lhes cabia nos dízimos. Maimônides asseverava que esses dízimos eram dados na época da Páscoa (*Mishn. Maaser Sheni*, cap. 5, sc. 6), isto é, no primeiro, no quarto e no sétimo ano da Páscoa — ou ano sabático.

"A cada ano era pago um dízimo aos levitas; e, além disso, um *segundo* dízimo, que era levado a Jerusalém, e era ali consumido; e, a cada três anos, os dízimos eram comidos em casa, cada qual em sua própria cidade, em companhia dos levitas, dos pobres e dos estrangeiros. Esses dízimos eram chamados de *dízimos dos pobres*. Era considerado que não se completava enquanto não chegasse a Páscoa do ano seguinte, conforme disseram os escritores judeus (*Mish. Maaser Sheni*, cap. 5, sec. 6), Maimônides e Bartenora" (John Gill, *in loc.*).

No ano terceiro. Isto é, no terceiro ano dos sete anos depois do ano sabático.

Dentro das tuas cidades. Ou seja, cada qual na cidade onde residia, e não no santuário central.

■ 26.13

וְאָמַרְתָּ לִפְנֵי יְהוָה אֱלֹהֶיךָ בִּעַרְתִּי הַקֹּדֶשׁ מִן־הַבַּיִת וְגַם נְתַתִּיו לַלֵּוִי וְלַגֵּר לַיָּתוֹם וְלָאַלְמָנָה כְּכָל־מִצְוָתְךָ אֲשֶׁר צִוִּיתָנִי לֹא־עָבַרְתִּי מִמִּצְוֺתֶיךָ וְלֹא שָׁכָחְתִּי׃

Tirei o que é consagrado de minha casa. Os dízimos *dos pobres* eram apresentados juntamente com esse breve discurso, parte de uma liturgia que estava atrelada à questão. O mandamento tinha sido dado para ser lembrado e obedecido, e a declaração a ser feita mencionava cuidadosamente esses fatos. As palavras "perante o Senhor" significam, usualmente, "no tabernáculo" ou "no templo" de Jerusalém, onde ficava o altar do Senhor. Aqui, entretanto, ao que parece a expressão indica "em honra a Yahweh, sob as suas vistas". A porção sagrada eram os dízimos dedicados a Yahweh e ao seu culto. Um israelita declarava formalmente a sua obediência, e que havia cumprido suas obrigações acerca dos dízimos dos pobres.

Essa declaração consistia em *três elementos*: 1. Uma afirmação positiva de obediência (vs. 13). 2. Uma declaração negativa de coisas que o indivíduo não tinha feito (vs. 14). 3. Uma oração solicitando bênçãos (vs. 15).

Alguns eruditos supõem que as palavras "perante o Senhor" sejam uma alusão ao santuário central, em Jerusalém, em consonância com o uso das mesmas em Dt 14.23; 15.20 e 16.11,16. Nesse caso, o rito aqui mencionado vinha depois que o homem tivesse testificado sua obediência ao dar o dízimo dos pobres, mas não acompanhava a outorga de dízimos em sua própria cidade.

■ **26.14**

לֹא־אָכַלְתִּי בְאֹנִי מִמֶּנּוּ וְלֹא־בִעַרְתִּי מִמֶּנּוּ בְּטָמֵא
וְלֹא־נָתַתִּי מִמֶּנּוּ לְמֵת שָׁמַעְתִּי בְּקוֹל יְהוָה אֱלֹהָי
עָשִׂיתִי כְּכֹל אֲשֶׁר צִוִּיתָנִי׃

Dos dízimos não comi... nada tirei... nem deles dei. Temos aqui a declaração negativa. O homem havia dado, voluntária e entusiasmadamente, para os pobres. E também havia evitado certas coisas prejudiciais. O consumo dos produtos que faziam parte dos dízimos não ocorria em período de lamentação, pois isso os teria tornado imundos. Nenhum contato com os mortos acompanhava a questão. Ver Nm 19.11-16 e Os 9.4. Nem parcela alguma desses dízimos era uma oferta feita *em favor dos mortos*, ou seja, para ser usada em cerimônia fúnebre, nem posta no túmulo de alguém, atos esses associados a antigos costumes fúnebres. Antes, o dízimo dos pobres tinha obedecido a todos os mandamentos de Yahweh, tendo uma única finalidade: a de beneficiar os pobres.

Oferendas aos Espíritos dos Mortos? Alguns intérpretes supõem que, na antiga nação de Israel, tal como em países pagãos, fossem feitas oferendas aos espíritos dos mortos. Naturalmente, esse costume prossegue até hoje entre povos primitivos. A maioria dos intérpretes, entretanto, afirma que tal costume nunca existiu em Israel.

As oferendas aos mortos faziam parte da idolatria pagã. O que um homem israelita estava realmente afirmando é que ele não havia misturado nenhuma de suas oferendas com outras finalidades, ou seja, seus dízimos eram puros, cerimonialmente limpos. Cf. 1Co 10.27,28, onde se faz alusão ao oferecimento de carne aos ídolos.

■ **26.15**

הַשְׁקִיפָה מִמְּעוֹן קָדְשְׁךָ מִן־הַשָּׁמַיִם וּבָרֵךְ אֶת־עַמְּךָ
אֶת־יִשְׂרָאֵל וְאֵת הָאֲדָמָה אֲשֶׁר נָתַתָּה לָנוּ כַּאֲשֶׁר
נִשְׁבַּעְתָּ לַאֲבֹתֵינוּ אֶרֶץ זָבַת חָלָב וּדְבָשׁ׃ ס

Olha desde a tua santa habitação. "Cria-se que o palácio de Deus ficava no céu e que ele podia olhar para baixo (cf. 1Rs 8.30; 2Cr 30.27; Jr 25.30; Zc 2.13 e Sl 68.4)" (G. Ernest Wright, *in loc.*). Esse tipo de linguagem aparece desde bem cedo no Pentateuco. Ver Gn 11.4,5, onde ofereci notas expositivas sobre esse ponto. Ver no *Dicionário* o verbete chamado *Céu*.

"Deus é tão transcendental que habita no céu; mas, ao mesmo tempo, acha-se tão perto de seu povo que ouve suas orações, feitas sobre a Terra" (Jack S. Deere, *in loc.*).

E abençoa o teu povo, a Israel. Temos aqui a *bênção*, que era a *terceira porção da afirmação*. Ver os três elementos nas notas sobre o versículo 13 deste capítulo. Tal como o homem abençoava os pobres por meio de seus dízimos, assim também pedia que Yahweh se mostrasse gracioso para com todo o povo de Israel, conferindo bênçãos abundantes por toda a Terra Prometida, que eles tinham conquistado. Isso havia sido prometido a Abraão e aos patriarcas, dentro do Pacto Abraâmico (ver as notas a respeito em Gn 15.18). A Terra Prometida era rica e fértil, produzia *leite e mel*. Ver sobre essa expressão em Êx 3.8 e Nm 13.27.

EXORTAÇÕES FINAIS (26.16-19)

Agora o *autor sagrado* completa a sua apresentação das muitas leis iniciadas no capítulo 12 do Deuteronômio. Estes quatro versículos, entretanto, servem de conclusão apropriada da exposição inteira, que aparece em Dt 4.44—26.19 e constitui o *segundo discurso* de Moisés. Ver as notas em Dt 4.44 quanto a uma introdução a esta seção. Ver também as notas introdutórias a Dt 5.1, onde realmente tem começo o segundo discurso. O livro de Deuteronômio consiste, essencialmente, em três discursos de Moisés, que repetem a lei mosaica. O *terceiro* desses discursos inicia-se em Dt 29.1. E entre o segundo e o terceiro discurso, há uma espécie de sumário das profecias sobre a história de Israel. As exortações finais repetem as responsabilidades dos israelitas, impostas pela legislação mosaica. Israel deveria *consagrar-se*, sem reservas, ao cumprimento de toda essa legislação. Israel havia aceitado e confirmado suas responsabilidades e obrigações diante do pacto, e Yahweh, por sua vez, tinha-se comprometido a exaltar o povo de Israel acima de todas as nações da terra.

■ **26.16**

הַיּוֹם הַזֶּה יְהוָה אֱלֹהֶיךָ מְצַוְּךָ לַעֲשׂוֹת אֶת־הַחֻקִּים
הָאֵלֶּה וְאֶת־הַמִּשְׁפָּטִים וְשָׁמַרְתָּ וְעָשִׂיתָ אוֹתָם
בְּכָל־לְבָבְךָ וּבְכָל־נַפְשֶׁךָ׃

Hoje. Devemos pensar aqui no *dia original* em que Moisés discursou, como também em cada *dia subsequente* em que foi determinada a cerimônia dos dízimos dos pobres (vss. 12-15); ou, então, em *qualquer dia* em que foram proferidos os mandamentos da lei. Mas há estudiosos que preferem pensar no "dia final", em que todos os mandamentos já tinham sido postos sob forma escrita. Sem embargo, Jarchi observou sabiamente que *todo dia* é um bom dia para proferir, ouvir e observar a lei. E Rashi ajuntou a isso: "Todos os dias esses mandamentos serão considerados novos perante os teus olhos, como se naquele mesmo dia os tivesses recebido".

Estes estatutos e juízos. Uma maneira compacta de falar sobre toda a legislação mosaica. Ver os comentários sobre Dt 6.1 quanto à *tripla* designação da lei, cujas notas cobrem as ideias constantes deste versículo e onde também se fala em estatutos e juízos.

De todo o teu coração e de toda a tua alma. Assim deveria ser o *modus operandi* da obediência. Ver essa enfática afirmação que é dada e anotada em Dt 6.5, e onde "e de toda a tua força" são palavras acrescentadas ao que lemos aqui.

■ **26.17**

אֶת־יְהוָה הֶאֱמַרְתָּ הַיּוֹם לִהְיוֹת לְךָ לֵאלֹהִים וְלָלֶכֶת
בִּדְרָכָיו וְלִשְׁמֹר חֻקָּיו וּמִצְוֺתָיו וּמִשְׁפָּטָיו וְלִשְׁמֹעַ
בְּקֹלוֹ׃

Declarar. Ou seja, "prometer". Os israelitas puseram-se sob juramento acerca da guarda da lei. Declararam solenemente a sua intenção quanto à observância da lei. E, no entanto, o quanto ficaram aquém de sua promessa! Os israelitas haviam aceitado formalmente o Pacto Mosaico, com todos os seus intermináveis preceitos, mostrando-se entusiasmados quanto a toda essa questão. Porém, a debilidade humana deturpou a questão inteira, e Israel, finalmente, foi para o cativeiro, por causa de sua desobediência. Ver no *Dicionário* o artigo chamado *Cativeiro (Cativeiros)*.

Os seus estatutos, e os seus mandamentos, e os seus juízos. Outra *tripla* designação da lei, fazendo referência a cada mandamento, a cada aplicação por analogia e a cada ordenança ou rito que poderiam estar vinculados à lei e ao seu conteúdo. Os filhos de Israel deviam obedecer a *todas* essas coisas com o máximo de empenho, porque elas exprimiam a voz de Yahweh, ou seja, a sua vontade revelada. O *andar* ou conduta dos hebreus devia ser conforme os mandamentos do Senhor. Ver as notas em Dt 10.12 quanto à necessidade que Israel tinha de *temer, andar, amar, servir e guardar (os mandamentos)*. A *tríplice* designação da lei aparece em Dt 6.1, embora com uma ordem de apresentação diferente. Ver as notas sobre aquele versículo.

■ 26.18

וַיהוָה הֶאֱמִירְךָ הַיּוֹם לִהְיוֹת לוֹ לְעַם סְגֻלָּה כַּאֲשֶׁר דִּבֶּר־לָךְ וְלִשְׁמֹר כָּל־מִצְוֺתָיו׃

Hoje. O dia em que foi feita aquela solene e formal promessa. Naquele mesmo dia, Yahweh declarou que o povo de Israel era uma nação especial e separada de todas as demais nações. A lei tinha feito a nação de Israel; essa era a sua grande característica *distinta*. Ver Dt 4.5 ss. quanto a uma declaração mais longa sobre o caráter distinto de Israel. Eles formavam um povo dotado de sabedoria, compreensão e justiça; e tudo porque a lei mosaica lhes tinha sido dada. Israel era agora o "povo próprio" de Deus (ver Dt 7.6; 14.2; Sl 135.4; Ml 3.17).

Tipologia. Tal como sucedeu a Israel, porém ainda mais claramente, a Igreja é o povo escolhido e separado de Deus, pois ela incorpora remidos provenientes de todas as nações, formando uma universal comunidade de redimidos. Ver Gl 3.28,29 e Ef 2.11 ss.

■ 26.19

וּלְתִתְּךָ עֶלְיוֹן עַל כָּל־הַגּוֹיִם אֲשֶׁר עָשָׂה לִתְהִלָּה וּלְשֵׁם וּלְתִפְאָרֶת וְלִהְיֹתְךָ עַם־קָדֹשׁ לַיהוָה אֱלֹהֶיךָ כַּאֲשֶׁר דִּבֵּר׃ ס

Sobre todas as nações. Ver Dt 4.5 ss. e 28.1. "Através da desobediência e da rebeldia, geração após geração, Israel tem perdido o seu direito a ser a nação exaltada acima de todas as nações. Mas Isaías deixou escrito que a rebeldia de Israel não prosseguirá para sempre, porquanto Deus haverá de levantar uma última geração de israelitas fiéis, na era futura da bênção (ver Is 60–62). Essa era é comumente chamada pelo nome de milênio" (Jack S. Deere, *in loc.*). Ver no *Dicionário* o verbete chamado *Milênio*.

A obediência ressaltada neste versículo, como é óbvio, envolve mais do que algum dever legal. Antes, repousa sobre o alicerce de um relacionamento pessoal da comunidade e do indivíduo com Yahweh. Trata-se do mesmo tipo de atitude espiritual que floresce tão nitidamente nas páginas do Novo Testamento. Cf. Dt 7.6,7. O senso de dever faria parte do caráter das pessoas, e não seria apenas obediência habitual.

Essa obediência haveria de tornar os israelitas *superiores* aos outros povos aos quais faltaria essa obediência, mas também os tornaria *mais santos* do que outros povos, aos quais não tivessem sido conferidas as mesmas oportunidades. Por conseguinte, Israel haveria de tornar-se um instrumento para a propagação da espiritualidade.

CAPÍTULO VINTE E SETE

O livro de Deuteronômio compõe-se essencialmente de três discursos de Moisés, e o livro atua como uma repetição da lei, embora esses discursos adicionem algumas novas leis e alguns detalhes intercalados entre o segundo e o terceiro discurso. O terceiro discurso começa em Dt 29.1 e termina em 30.20. O capítulo interrompe a narrativa e fala de Moisés na terceira pessoa do singular. Os críticos, por isso mesmo, pensam que essa porção do livro foi introduzida por um escriba posterior, de forma um tanto canhestra. Ver no *Dicionário* o artigo chamado *J.E.D.P.(S.)*, quanto à teoria das fontes informativas múltiplas do Pentateuco. Temos aqui uma *cerimônia de renovação do pacto*, que ocorreu em Siquém. Essa cidade ficava ao pé do monte Ebal, cerca de 56 quilômetros ao norte de Jerusalém. Foi ali que o Senhor apareceu pela primeira vez a Abraão, onde também o patriarca erigiu seu primeiro altar em honra a Yahweh (ver Gn 12.6,7). Os samaritanos, até o dia de hoje, reputam o local como um lugar sagrado. Josué também edificou ali um altar, aumentando assim a importância do lugar. Ver Js 8.30 ss. Posteriormente, Jerusalém veio a tornar-se o santuário central da nação, e todos os demais santuários caíram em desuso relativo.

Essa *cerimônia* comemorou a fidelidade de Deus, por haver trazido Israel até a Terra Prometida, e a escrita da lei mosaica, naquele lugar, simbolizou a missão da nação de Israel na terra de Canaã, onde a palavra de Yahweh deveria dominar.

SUMÁRIO DE PROFECIAS SOBRE A HISTÓRIA DE ISRAEL E A SEGUNDA VINDA DE CRISTO (27.1—28.68)

AS PEDRAS DA LEI NO MONTE EBAL (27.1-10)

■ 27.1

וַיְצַו מֹשֶׁה וְזִקְנֵי יִשְׂרָאֵל אֶת־הָעָם לֵאמֹר שָׁמֹר אֶת־כָּל־הַמִּצְוָה אֲשֶׁר אָנֹכִי מְצַוֶּה אֶתְכֶם הַיּוֹם׃

As *ordens* para que a lei fosse obedecida são inúmeras no livro de Deuteronômio. Aqui, uma vez mais, o escritor sacro nos lembra de algo. Moisés e os anciãos frisaram essa necessidade, pois em breve, sob uma nova liderança, Israel haveria de conquistar o território. O Pacto Mosaico, pois, precisava ser *renovado*. Ver o artigo chamado *Pacto Mosaico*, nas notas de introdução ao capítulo 19 de Êxodo. Cf. este versículo com Dt 5.1, que é praticamente idêntico e também atua como declaração inicial de uma nova seção do livro. Este versículo, provavelmente, visa a introduzir os capítulos 27 e 28.

Os anciãos. Eles eram *setenta*, e eram tidos como os principais líderes da nação de Israel. Ver Êx 24.1. Ver também Êx 3.16; 4.29; 12.21; 17.5; 18.12 e 19.7.

■ 27.2

וְהָיָה בַּיּוֹם אֲשֶׁר תַּעַבְרוּ אֶת־הַיַּרְדֵּן אֶל־הָאָרֶץ אֲשֶׁר־יְהוָה אֱלֹהֶיךָ נֹתֵן לָךְ וַהֲקֵמֹתָ לְךָ אֲבָנִים גְּדֹלוֹת וְשַׂדְתָּ אֹתָם בַּשִּׂיד׃

O povo de Israel estava na fronteira da terra de Canaã, preparado para invadi-la. A Transjordânia (ver a respeito no *Dicionário*) já tinha sido conquistada (ver Nm 32.29 ss.; Dt 3.12 ss.). Bastar-lhes-ia agora *atravessar* o rio Jordão para se encontrarem no lado ocidental. Uma vez que assim o fizessem, deveriam colocar grandes pedras, caiá-las, e escrever sobre elas a lei, provavelmente os Dez Mandamentos (ver a respeito no *Dicionário*). Isso serviria de compromisso de que, quando entrassem na terra que lhes fora dada por herança, através de Abraão e do Pacto Abraâmico (ver Gn 15.18), eles cumpririam toda a lei. Ver Dt 26.17 quanto à tripla designação da lei, com notas adicionais em Dt 6.1.

"Um altar cerimonial seria posto em algum lugar central, no monte Ebal, para celebrar a conquista. Inscrições lapidares ou paredes rochosas eram comuns. Há inscrições dessa natureza sobre rochas diante do mar, na boca do rio Dogue, na Síria. E, mesmo que a escrita fosse feita sobre a caiadura, ainda assim o monumento de Ebal proferia um lembrete constante da ordem que fora dada" (Henry S. Shires, *in loc.*). A arqueologia e a literatura antiga testificam que escrever sobre rochas caiadas era uma prática comum no Egito.

■ 27.3

וְכָתַבְתָּ עֲלֵיהֶן אֶת־כָּל־דִּבְרֵי הַתּוֹרָה הַזֹּאת בְּעָבְרֶךָ לְמַעַן אֲשֶׁר תָּבֹא אֶל־הָאָרֶץ אֲשֶׁר־יְהוָה אֱלֹהֶיךָ נֹתֵן לְךָ אֶרֶץ זָבַת חָלָב וּדְבַשׁ כַּאֲשֶׁר דִּבֶּר יְהוָה אֱלֹהֵי־אֲבֹתֶיךָ לָךְ׃

Todas as palavras desta lei. Provavelmente os Dez Mandamentos, a essência da lei. Ver o capítulo 20 de Êxodo, bem como o artigo chamado *Dez Mandamentos*, no *Dicionário*. A prosperidade e a qualidade de vida de Israel na Terra Prometida dependeriam da obediência à lei mosaica. O território era próspero, uma terra que manava "leite e mel" (ver as notas a respeito em Êx 3.8 e Nm 13.27). Mas o povo de Israel não prosperaria nem mesmo naquela terra fértil, a menos que se distinguisse na obediência à lei. Ver Dt 26.18,19 quanto a esse caráter distinto que os filhos de Israel deveriam ter.

"O *direito* de Israel à Terra Prometida dependia de manterem a lei de Yahweh como a lei de sua terra. Quanto ao cumprimento desse preceito, ver Js 8.32-35... a lei foi estabelecida sobre o monte Ebal logo em seguida à captura de Ai, sem que se esperasse pelo término da conquista" (Ellicott, *in loc.*).

Bênçãos e Maldições. Ver os vss. 15 ss. quanto a uma longa lista. Alguns estudiosos, como Josefo (*Antiq*. 1.4 c.8, sec. 44), supõem que essas bênçãos e maldições tenham sido escritas sobre pedras caiadas. Mas nesse caso, foram necessárias muitas rochas e muita caiadura!

Yahweh-Elohim (o *Eterno Todo-Poderoso*) tinha feito a promessa, portanto pelo lado de Deus, ela estava garantida. Mas havia condições que os israelitas teriam de cumprir. Ver no *Dicionário* o verbete intitulado *Deus, Nomes Bíblicos de*. Cf. Êx 3.18.

■ 27.4

וְהָיָה בְּעָבְרְכֶם אֶת־הַיַּרְדֵּן תָּקִימוּ אֶת־הָאֲבָנִים
הָאֵלֶּה אֲשֶׁר אָנֹכִי מְצַוֶּה אֶתְכֶם הַיּוֹם בְּהַר עֵיבָל
וְשַׂדְתָּ אוֹתָם בַּשִּׂיד׃

Quando houveres passado o Jordão. Ou seja, vindos da Transjordânia, eles atravessariam para o lado ocidental. Foi ali, a cerca de 56 quilômetros de Jerusalém, no monte Ebal, que as pedras deveriam ser levantadas, caiadas e inscritas, conforme já vimos no segundo versículo deste capítulo. Ver no *Dicionário* o artigo chamado *monte Ebal*. O Pentateuco Samaritano, porém, diz *Gerizim* em lugar de Ebal. Gerizim era outro pico montanhoso que ficava nas proximidades. Mas alguns estudiosos pensam que os judeus trocaram o texto para dizer Ebal, visto que Gerizim veio a tornar-se o lugar onde os samaritanos costumavam adorar. Mas a verdade é que a corrupção do texto pode ter ocorrido justamente do modo contrário. Ver no *Dicionário* o artigo *Gerizim*. Este monte era fértil e bem regado, ao passo que o Ebal era estéril. O Ebal ficava perto de Siquém. Mas a verdade é que entre os dois montes havia um espaço de apenas oito quilômetros, enquanto a cidade de Siquém ficava entre os dois. Ver a introdução a este capítulo. Os samaritanos, séculos mais tarde, edificaram o seu templo em Gerizim, e eles podem ter alterado o texto neste ponto, para emprestar maior prestígio ao seu santuário.

■ 27.5

וּבָנִיתָ שָּׁם מִזְבֵּחַ לַיהוָה אֱלֹהֶיךָ מִזְבַּח אֲבָנִים
לֹא־תָנִיף עֲלֵיהֶם בַּרְזֶל׃

Ali edificarás um altar. Mas as pedras que o formariam não seriam aquelas que foram caiadas e inscritas. Ver Js 8.30 quanto ao cumprimento dessas ordens. Essas pedras deviam ser deixadas ao natural. Não se podia trabalhar com elas com instrumento de ferro. Não se podia escrever sobre elas, nem alterá-las em sentido secundário. Talvez isso visasse a evitar quaisquer conexões com a idolatria. Ao que parece, os arqueólogos encontraram exatamente esse altar. Ver no *Dicionário* o verbete *Altar de Josué*, bem como o artigo geral chamado *Altar*.

Foi em Siquém, à base do monte Ebal, que Deus apareceu a Abraão. Assim sendo, aquele já era um local sagrado. Ver Gn 12.6,7. Abraão tinha edificado ali um altar. Ver Êx 20.25 quanto ao altar ao natural. Os instrumentos poluiriam a simplicidade, e Yahweh ama a simplicidade. O altar deveria ser apenas uma pilha de pedras, sem nenhum adorno como chifres, escadas etc.

■ 27.6,7

אֲבָנִים שְׁלֵמוֹת תִּבְנֶה אֶת־מִזְבַּח יְהוָה אֱלֹהֶיךָ
וְהַעֲלִיתָ עָלָיו עוֹלֹת לַיהוָה אֱלֹהֶיךָ׃
וְזָבַחְתָּ שְׁלָמִים וְאָכַלְתָּ שָּׁם וְשָׂמַחְתָּ לִפְנֵי יְהוָה
אֱלֹהֶיךָ׃

De pedras toscas. Israel já contava com uma longa história de holocaustos e de ofertas pacíficas. Essas tradições estavam firmemente estabelecidas. E agora elas seriam transferidas para o lado ocidental do rio Jordão; e isso, por assim dizer, daria início à adoração a Yahweh naquele território. Yahweh-Elohim (o *Eterno Todo-Poderoso*) ficaria satisfeito diante daqueles ritos de iniciação e fortaleceria o povo de Israel para a invasão. As *ofertas pacíficas*, que também eram conhecidas como *ofertas de comunhão*, proviam uma refeição para os participantes, onde Yahweh era o convidado de honra. Essa refeição comunal era de ação de graças e de alegria, devido à provisão feita pela *intervenção divina* em favor de Israel. Oh, Senhor, concede-nos tal graça!

Ver o *gráfico* que ilustra o sistema de sacrifícios de Israel, antes da exposição sobre Lv 1.1. Ver Lv 7.37 quanto a uma lista dos vários tipos de ofertas e sacrifícios, bem como as referências sobre eles, no Pentateuco.

Tipologia. Cristo, em sua morte expiatória, incorporou em um único sacrifício todos os símbolos e significados do sistema de sacrifícios do Antigo Testamento. A epístola aos Hebreus, no Novo Testamento, é uma extensa explicação sobre isso. Ver Hb 10.12 ss., bem como o artigo chamado *Expiação*, no *Dicionário*.

■ 27.8

וְכָתַבְתָּ עַל־הָאֲבָנִים אֶת־כָּל־דִּבְרֵי הַתּוֹרָה הַזֹּאת
בַּאֵר הֵיטֵב׃ ס

Escreverás mui distintamente. Parte da *cerimônia* consistia na inscrição da lei sobre pedras caiadas, conforme já vimos nos vss. 2 e 4 deste capítulo. As inscrições seriam feitas sobre pedras caiadas, mas não sobre as pedras formadoras do altar. A Mishnah (Sotah cap. 7, sec. 5) diz que as pedras inscritas seriam as mesmas do altar, mas esse comentário sem dúvida labora em erro. Isso teria poluído a simplicidade do altar. As lendas judaicas dizem que as pedras foram inscritas em *setenta* idiomas diferentes! E é essa a sua interpretação das palavras "mui distintamente". Isso faria a questão toda ser uma espécie de Pentecoste do Antigo Testamento, mas tais adornos são fantasiosos. O certo é que essa cerimônia frisou o papel supremo da lei, dentro da história de Israel, uma vez que os filhos de Israel viessem a possuir a Terra Prometida. Sem isso, eles nada seriam.

■ 27.9

וַיְדַבֵּר מֹשֶׁה וְהַכֹּהֲנִים הַלְוִיִּם אֶל כָּל־יִשְׂרָאֵל
לֵאמֹר הַסְכֵּת וּשְׁמַע יִשְׂרָאֵל הַיּוֹם הַזֶּה נִהְיֵיתָ לְעָם
לַיהוָה אֱלֹהֶיךָ׃

Guarda silêncio e ouve, ó Israel! Aquele era um tempo para Israel aprender. Moisés e seus ajudantes sacerdotais tiraram proveito da oportunidade das instruções sobre o levantamento do altar a fim de ensinar ao povo o sentido e a importância da obediência à lei.

Hoje. Naquele dia, de uma maneira toda especial, os filhos de Israel tornaram-se o povo de Deus. Em breve eles entrariam na posse da Terra Prometida e cumpririam a promessa da herança que tinha sido feita a Abraão. A cerimônia daria início à possessão da terra, dedicando-a a Yahweh, por parte de seu povo especial. Ver no *Dicionário* os artigos intitulados *Sacerdotes e Levitas* e também *Levitas*.

Os participantes da *cerimônia do pacto* se tornariam, dali por diante, a Nação de Israel, dentro de sua Terra Prometida. Ver Dt 4.5 ss. quanto a uma declaração enfática acerca do caráter ímpar de Israel como nação, e cf. Dt 26.18,19. Ver Dt 27.1, onde os que falaram foram Moisés e os anciãos. Essas palavras foram proferidas nas planícies de Moabe, antes do começo da invasão, e tiveram de ser repetidas no monte Ebal, o que fez parte da cerimônia da renovação do pacto. Ver o primeiro versículo deste capítulo.

■ 27.10

וְשָׁמַעְתָּ בְּקוֹל יְהוָה אֱלֹהֶיךָ וְעָשִׂיתָ אֶת־מִצְוֹתָו
וְאֶת־חֻקָּיו אֲשֶׁר אָנֹכִי מְצַוְּךָ הַיּוֹם׃ ס

Senhor teu Deus. No hebraico, *Yahweh-Elohim* (o *Eterno Todo-Poderoso*), por intermédio de Moisés fez a sua vontade tornar-se conhecida mediante a sua voz, vontade essa então transmitida à casta sacerdotal e concretizada por meio da lei escrita. A revelação envolve responsabilidade, porque é dada aos homens como uma dádiva, que precisa ser acolhida com ações de graças orais e sob a forma de vida diária.

A CERIMÔNIA LITÚRGICA (27.11-26)

A cerimônia que teve lugar em Siquém foi um evento comunal de grande importância. Seis das tribos deveriam postar-se sobre o monte

Ebal, e seis sobre o monte Gerizim, estando os dois montes separados por cerca de oito quilômetros um do outro. Os levitas deveriam ficar entre eles, lendo as porções apropriadas da lei, que passaria agora a servir de constituição da nova nação que estava tomando posse de seu território pátrio. Um grupo de levitas foi escolhido para fazer a leitura, mas todos estariam presentes a fim de prestar testemunho da importância da ocasião. A cerimônia envolveu bênçãos e maldições, tudo alicerçado nas exigências da lei. O trecho de Dt 11.29 e 30 parece dar a entender que as bênçãos seriam lidas no monte Gerizim, e que as maldições seriam lidas no monte Ebal. Não sabemos dizer exatamente como isso teve cumprimento, embora a essência do evento seja simples. O monte Gerizim era um local fértil e bem regado, pelo que era o ponto mais apropriado para a leitura das bênçãos. Em contraste, o monte Ebal era estéril, pelo que era o ponto mais apropriado para a leitura das maldições. Os dois montes simbolizavam a necessidade de ser feita uma *escolha*, e a lei informava como os israelitas deveriam fazê-la, o que deveriam valorizar e o que deveriam rejeitar.

27.11,12

וַיְצַו מֹשֶׁה אֶת־הָעָם בַּיּוֹם הַהוּא לֵאמֹר:
אֵלֶּה יַעַמְדוּ לְבָרֵךְ אֶת־הָעָם עַל־הַר גְּרִזִים
בְּעָבְרְכֶם אֶת־הַיַּרְדֵּן שִׁמְעוֹן וְלֵוִי וִיהוּדָה וְיִשָּׂשכָר
וְיוֹסֵף וּבִנְיָמִן:

Moisés deu ordem. A ordem fora dada por Yahweh a Moisés. E ele, na qualidade de mediador do pacto, transmitiu a mensagem ao povo de Israel. Sobre como Yahweh falava com Moisés, ver as notas sobre Lv 1.1 e 4.1. Ver as fórmulas de introdução, bem como as fórmulas mediante as quais as mensagens divinas eram transmitidas, em Lv 17.2. Neste caso, Moisés dirigiu-se ao povo diretamente.

Sobre o monte Gerizim. As seis tribos que deveriam ficar sobre o monte Gerizim, ou então, à sua base, descendiam das duas esposas de Jacó, Lia e Raquel. As bênçãos deveriam ser pronunciadas de onde essas tribos se posicionassem. Talvez o autor tenha exaltado os descendentes das duas esposas de Jacó, mediante o fato de que as bênçãos foram proferidas onde seus descendentes se postaram. Quando alguém se colocava de costas para o mar Grande (o Mediterrâneo), o monte Gerizim ficava à sua direita, ao passo que o monte Ebal ficava à sua esquerda (de acordo com Josefo, *Antiq*. 1.4, cap. 8, sec. 44), sendo essa outra circunstância que sugere que as bênçãos tenham sido proferidas no monte Gerizim. As esposas de Jacó, Lia e Raquel, eram mulheres livres, mas as concubinas de Jacó (vs. 13) tinham sido escravas. Portanto, temos aqui três fatores que sugerem que foi apropriado o monte Gerizim ter sido o ponto de onde se proferiram as bênçãos: 1. *esposas* estavam envolvidas, mediante os seus descendentes; 2. o monte Gerizim ficava ao lado *direito*; e 3. estavam envolvidos descendentes das mulheres *livres*.

Tipologia. As bênçãos espirituais são proporcionadas àqueles que são libertados em Cristo (ver Jo 8.36).

27.13

וְאֵלֶּה יַעַמְדוּ עַל־הַקְּלָלָה בְּהַר עֵיבָל רְאוּבֵן גָּד
וְאָשֵׁר וּזְבוּלֻן דָּן וְנַפְתָּלִי:

Sobre o monte Ebal. Das seis tribos que ficaram sobre esse outro monte, *quatro* delas descendiam das duas concubinas de Jacó, Bila e Zilpa, que tinham sido criadas de Lia e Raquel. Além dessas quatro tribos, havia as tribos de Rúben e de Zebulom. Rúben se tinha desgraçado mediante seu ato de violência sexual e incesto, razão pela qual perdera o direito à primogenitura (ver Gn 29.3,4 e 32.22). Quanto aos descendentes de Zebulom, filho mais novo de Lia, a única razão que podemos ver no fato de sua tribo ter ficado no monte Ebal é que ele era o filho mais novo. Seja como for, o monte Ebal era um lugar estéril, coberto de rochas e cactos. Por isso mesmo, foi apropriado que ali se proferissem as maldições. Conforme já destacamos, os dois montes eram símbolos de *escolha*, ao passo que os levitas selecionados para isso ficaram entre os dois montes, para fazer as declarações respectivas. Contudo os demais levitas ficaram perto do monte Gerizim (ver Dt 27.12).

As *maldições* aparecem no restante deste capítulo 27. Mas as bênçãos figuram no capítulo 28. As duas coisas nos dizem que aquilo que a lei produz na vida dos seres humanos depende de como os seus preceitos foram recebidos, com obediência ou com desobediência.

27.14

וְעָנוּ הַלְוִיִּם וְאָמְרוּ אֶל־כָּל־אִישׁ יִשְׂרָאֵל קוֹל רָם: ס

Os levitas testificarão. Um grupo seleto de levitas, provavelmente todos sacerdotes, foi escolhido para fazer os pronunciamentos. Os demais levitas ficaram sobre o monte Gerizim ou à sua base. Não somos informados sobre como cerca de quatro milhões de pessoas conseguiram ouvir aqueles que falavam. De alguma maneira, as palavras foram transmitidas de mais perto para mais longe.

O restante deste capítulo 27 alista doze maldições. E o trecho de Dt 28.3-6 contém seis bênçãos, ao passo que Dt 28.16-19 contém seis maldições, perfazendo o total de doze, mas onde coisas diferentes nos são transmitidas. Alguns estudiosos supõem que o capítulo 28 de Deuteronômio reflita a cerimônia mais antiga, e as informações dadas neste capítulo 27 (as maldições) sejam um adorno posterior, dando maior ênfase ao lado negativo da questão.

A Natureza das Maldições. Oito das doze maldições referem-se a violações dos Dez Mandamentos. No vs. 15 (segundo mandamento); no vs. 16 (quinto mandamento); vs. 17 (oitavo mandamento); vss. 20,22,23 (sétimo mandamento); vss. 24 e 25 (sexto mandamento). Cf. Dt 5.8-10, 16, 19 e 17. Não há nenhum tema comum nessas maldições, mas tão somente são frisadas algumas das principais violações da legislação mosaica. Assim, as maldições dos *oito versículos* (15-17,20,22-25) repousam diretamente na lei. As outras *quatro* maldições derivam-se do espírito da lei, conforme se vê no vs. 18 (acerca de tratar os cegos com respeito — amar ao próximo como a si mesmo); no vs. 19 (tratamento bondoso para com os pouco privilegiados — o mesmo conceito com outra aplicação); no vs. 21 (perversões sexuais como a bestialidade — uma extensão da lei sobre a conduta sexual); no vs. 26 (um mandamento geral quanto à obediência à lei, através de uma maldição contra aqueles que não obedecessem).

27.15

אָרוּר הָאִישׁ אֲשֶׁר יַעֲשֶׂה פֶסֶל וּמַסֵּכָה תּוֹעֲבַת יְהוָה
מַעֲשֵׂה יְדֵי חָרָשׁ וְשָׂם בַּסָּתֶר וְעָנוּ כָל־הָעָם וְאָמְרוּ
אָמֵן: ס

Maldito o homem que fizer imagem de escultura. *A primeira maldição* estava estribada no *segundo mandamento*. Ver Êx 20.3,4 e Dt 5.8-10. Ver no *Dicionário* os artigos intitulados *Dez Mandamentos* e *Idolatria*. A quebra de alguns dos Dez Mandamentos redundava em execução judicial, o que se via no caso do segundo mandamento. Também ficava entendido que aquele que quebrasse esses mandamentos sofreria reversões, enfermidades, pragas, perdas financeiras, e não teria uma vida longa. Era dessa forma que atuavam as maldições lançadas por Yahweh. "Aquele que os quebrasse ficava sob maldição, e também sujeito à ira e à indignação de seu Criador e Juiz" (Adam Clark, *in loc.*).

"Os levitas que presidiam liam uma maldição, e a congregação, em *resposta*, dizia 'Amém', reconhecendo assim a desaprovação divina expressa em cada uma das doze maldições (correspondentes *às doze tribos*), pois o povo estava aceitando solenemente, sobre si mesmo, as *responsabilidades do pacto* (ver Jr 11.3). As doze maldições eram leis muito antigas, as quais, com a exceção das duas últimas, têm algum paralelo em outros códigos do Pentateuco" (*Oxford Annotated Bible, in loc.*).

E a puser em lugar oculto. O culpado, a fim de evitar ser detectado como adorador de um ídolo, escondia a imagem em algum santuário particular, não em sua casa, onde fatalmente acabaria sendo visto, e certamente não perto do tabernáculo ou do templo! Era um homem de lealdade dividida. Publicamente, ele adorava a Yahweh; mas secretamente tinha algum outro objeto de sua atenção, o que descreve bem a astúcia humana!

27.16

אָרוּר מַקְלֶה אָבִיו וְאִמּוֹ וְאָמַר כָּל־הָעָם אָמֵן: ס

Maldito aquele que desprezar a seu pai ou sua mãe. *A segunda maldição* repetia os requisitos do *quinto mandamento*. Ver

Êx 20.12 e Dt 5.16 quanto a notas completas a respeito. Aquele que não honrasse os seus progenitores perderia a *vida longa* que estava atrelada, como promessa, aos que obedecessem a esse mandamento; e também sofreria alguma praga, enfermidade, reversão financeira e desaprovação por parte da comunidade. Ver Pv 30.17. A execução era requerida por parte dos violadores, em casos sérios (ver Lv 20.9). O povo, em harmonia com a sabedoria e a necessidade desse mandamento, e também com a maldição imposta aos desobedientes, diria "Amém". Esse termo hebraico significava algo como "assim seja", "por certo", "em verdade" etc. Essa resposta significa que eles estavam assumindo as responsabilidades do *Pacto Mosaico* (ver os comentários nas notas de introdução ao capítulo 19 de Êxodo).

■ 27.17

אָר֗וּר מַסִּ֛יג גְּב֥וּל רֵעֵ֖הוּ וְאָמַ֥ר כָּל־הָעָ֖ם אָמֵֽן׃ ס

Maldito aquele que mudar os marcos do seu próximo. A *terceira maldição* estava baseada, por analogia, no *oitavo mandamento*, que proíbe o furto. Ver Êx 20.15 e Dt 5.19. Ver um paralelo direto em Dt 19.14, onde há notas detalhadas. A divisão da terra de Canaã tinha conferido a cada família determinada porção de terras. Era questão séria alguém alterar, de modo fraudulento, a localização de um marco, pois isso violava o espírito da herança que vinha desde Abraão, a todos os seus descendentes. Ver sobre o *Pacto Abraâmico* em Gn 15.18. Disse Jarchi, *in loc.*, que, através da alteração de marcos, um homem estava "furtando propriedade". O povo, reconhecendo a sabedoria e a necessidade dessa maldição, bem como a malignidade do ato, respondia com o necessário "amém".

■ 27.18

אָר֗וּר מַשְׁגֶּ֥ה עִוֵּ֖ר בַּדָּ֑רֶךְ וְאָמַ֥ר כָּל־הָעָ֖ם אָמֵֽן׃ ס

Maldito aquele que fizer o cego errar o caminho. A *quarta maldição* não tem nenhum paralelo direto nos Dez Mandamentos, mas por analogia repousa sobre um tratamento justo e respeitoso para com o próximo, refletindo os mandamentos *nono e décimo* (ver Êx 20.16 e 17). Mas há um paralelo direto com Lv 19.14, onde há notas detalhadas a respeito. Rashi fornece-nos uma aplicação metafórica desses mandamentos: "Aquele que está no escuro acerca de qualquer questão, quando alguém o *ludibria*, quando algum mau conselho". Mas a literal é a interpretação primária. Muitas pessoas zombam dos cegos e dos surdos. Diz o Targum de Jonathan: "Fazer um viajante desviar-se do caminho, pois ele é como um *cego*". Isso dá outra aplicação à lei. O segundo maior mandamento, conforme ensinou Jesus (ver Mt 19.19), consiste em amar o próximo como a nós mesmos; e o espírito da lei incorpora a questão neste versículo.

■ 27.19

אָר֗וּר מַטֶּ֛ה מִשְׁפַּ֥ט גֵּר־יָת֖וֹם וְאַלְמָנָ֑ה וְאָמַ֥ר כָּל־הָעָ֖ם אָמֵֽן׃ ס

Maldito aquele que perverter o direito do estrangeiro. A *quinta maldição* não tem nenhum paralelo direto nos Dez Mandamentos, mas repousa sobre a analogia com um tratamento justo e respeitoso do próximo, ou seja, os mandamentos *nono e décimo* (ver Êx 20.16 e 17). Tal como a *quarta maldição*, também está embutida no segundo maior mandamento de Jesus, em Mt 19.19. Ver esse versículo anotado no *Novo Testamento Interpretado*. Muito se ensina em Deuteronômio acerca de um justo tratamento das classes mais pobres e menos privilegiadas, como os estrangeiros, os órfãos e as viúvas, referidos neste versículo. Cf. Dt 10.18; 19.21 e 24.17, onde há notas expositivas detalhadas a esse respeito. Deveria haver provisões em favor dos pobres; e atos fraudulentos no tocante a eles eram proibidos. É fácil oprimir os fracos. A lei visava a fortalecer as pessoas necessitadas, procurando protegê-las dos opressores. Uma bênção especial de Yahweh foi prometida aos que ajudassem os pobres; e a maldição divina garantia que a pobreza alcançaria os opressores.

■ 27.20

אָר֗וּר שֹׁכֵב֙ עִם־אֵ֣שֶׁת אָבִ֔יו כִּ֥י גִלָּ֖ה כְּנַ֣ף אָבִ֑יו וְאָמַ֥ר כָּל־הָעָ֖ם אָמֵֽן׃ ס

Maldito aquele que se deitar com a madrasta. A *sexta maldição* também não conta com paralelo direto nos Dez Mandamentos, mas depende, por analogia, do *sétimo* mandamento, contra o adultério. Ver Êx 20.14. Ver no *Dicionário* os artigos chamados *Adultério* e *Incesto*. E acerca das várias formas de incesto e seus castigos, ver a introdução ao capítulo 18 do livro de Levítico. A maior parte dos crimes de incesto recebia alguma forma de punição por execução pública. No Brasil atual, cerca de 30% dos crimes de natureza sexual são perpetrados por um membro de uma família contra outro da mesma família, onde as crianças usualmente são as vítimas.

Diferentes interpretações do crime aqui envolvido têm sido oferecidas. É provável que atos sexuais com madrastas sejam aqui especificamente proibidos, sem importar se o pai do culpado já tivesse morrido ou não. Casar-se com a própria madrasta era proibido. Também está em pauta o sexo ilícito com uma concubina do próprio pai, como se deu com Rúben (ver Gn 35.22). Ademais, a concubina de um homem não podia tornar-se esposa de um filho daquele homem, quer este ainda estivesse vivo, quer já tivesse morrido. Ver o paralelo direto em Dt 22.30, onde são dadas ideias adicionais. Cf. Lv 18.8 e 20.11. Salomão mandou executar seu meio-irmão, Adonias, por ter este pedido como esposa uma ex-concubina de Davi (ver 1Rs 2.13-15).

■ 27.21

אָר֗וּר שֹׁכֵ֖ב עִם־כָּל־בְּהֵמָ֑ה וְאָמַ֥ר כָּל־הָעָ֖ם אָמֵֽן׃ ס

Maldito aquele que se ajuntar com animal. A *sétima maldição* volta-se contra a *bestialidade* (ver Êx 22.19; Lv 18.23 e 20.15,16). Não há nenhuma ligação direta com um dos Dez Mandamentos, mas reflete as proibições constantes em qualquer código hígido de conduta sexual, conforme se vê no *sétimo* mandamento. Ver no *Dicionário* o artigo detalhado intitulado *Bestialidade*. Esse crime é surpreendentemente comum nas áreas rurais. Embora usualmente praticado em secreto, Yahweh, que o proibiu, haveria de punir abertamente o culpado. Trata-se de um ato "chocante e abominável para a natureza humana" (John Gill, *in loc.*).

■ 27.22

אָר֗וּר שֹׁכֵב֙ עִם־אֲחֹת֔וֹ בַּת־אָבִ֖יו א֣וֹ בַת־אִמּ֑וֹ וְאָמַ֥ר כָּל־הָעָ֖ם אָמֵֽן׃ ס

Maldito aquele que se deitar com sua irmã. A *oitava maldição* também não tem paralelo direto com nenhum dos Dez Mandamentos, mas toda perversão sexual repousa, por analogia, sobre o *sétimo* mandamento, que sem dúvida proibia todo tipo de imoralidade sexual. A lei mosaica proibia o incesto de um homem com sua irmã, sem importar se ela fosse irmã somente por parte do pai, por parte da mãe, ou por parte de ambos. Ver o paralelo direto em Lv 18.9, bem como o gráfico que ilustra várias formas de incesto, nas notas introdutórias àquele capítulo. E o povo de Israel disse "amém", mostrando que "detestava tal imundícia" (John Gill, *in loc.*).

■ 27.23

אָר֗וּר שֹׁכֵ֖ב עִם־חֹתַנְתּ֑וֹ וְאָמַ֥ר כָּל־הָעָ֖ם אָמֵֽן׃ ס

Maldito aquele que se deitar com sua sogra. A *nona maldição*. Essa também não tem nenhum paralelo direto nos Dez Mandamentos; mas, sendo uma perversão sexual, repousa, por analogia, no *sétimo* mandamento, que proibia qualquer tipo de imoralidade. O sexo ilícito com a própria sogra também é proibido em Lv 20.14, onde há notas detalhadas sobre a questão. E o povo respondeu com um "amém", pois "abominava tal tipo de incesto" (John Gill, *in loc.*).

Esse tipo de incesto era punido na *fogueira*, e não através de apedrejamento, que era o método usual de punição em casos semelhantes. No gráfico que ofereço na introdução ao capítulo 18 de Levítico, apresentei os métodos de execução e outros tipos de castigo aplicados aos que cometessem qualquer forma de pecado incestuoso.

■ 27.24

אָר֗וּר מַכֵּ֥ה רֵעֵ֖הוּ בַּסָּ֑תֶר וְאָמַ֥ר כָּל־הָעָ֖ם אָמֵֽן׃ ס

Maldito aquele que ferir ao seu próximo em oculto. A *décima maldição* repete a proibição do *sexto* mandamento, contra o homicídio (Ver Êx 20.13 e Dt 5.17). Temos aqui o caso de alguém que matava seu próximo "em oculto". Se o culpado viesse a ser descoberto, seria executado. Em caso contrário, a ira de Yahweh garantiria que a maldição teria cumprimento. O culpado sofreria algum acidente, enfermidade ou morte prematura. O Targum de Jonathan confere a este versículo uma interpretação metafórica, pois fala de matar com a língua, mediante bisbilhotice ou calúnia. Minhas notas sobre Êx 20.13 incluem e ilustram essa questão. Por analogia, também podemos incluir aqui as acusações falsas (cobertas pelo oitavo mandamento).

■ **27.25**

אָרוּר לֹקֵחַ שֹׁחַד לְהַכּוֹת נֶפֶשׁ דָּם נָקִי וְאָמַר
כָּל־הָעָם אָמֵן: ס

Maldito aquele que aceitar suborno para matar pessoa inocente. *A décima primeira maldição* reitera a proibição do *sexto* mandamento contra o homicídio. Ver Êx 20.13 e Dt 5.17. Neste caso, o homicida seria um *assassino profissional*, o qual deveria ser considerado tão culpado quanto o mandante do crime. No entanto, o trecho não diz especificamente que o mandante do crime também deveria ser executado; mas isso, como é óbvio, fica entendido. Incluído no caso seria um *juiz* que recebesse dinheiro de alguém para condenar a uma pessoa inocente, de tal modo que esta viesse a ser executada, mediante uma acusação falsa. E o povo de Israel respondeu com um "amém", mostrando estar contra "tão detestável crime" (John Gill, *in loc.*).

■ **27.26**

אָרוּר אֲשֶׁר לֹא־יָקִים אֶת־דִּבְרֵי הַתּוֹרָה־הַזֹּאת
לַעֲשׂוֹת אוֹתָם וְאָמַר כָּל־הָעָם אָמֵן: פ

Maldito aquele que não confirmar as palavras desta lei. *A décima segunda maldição.* Essa maldição repete todas as proibições que figuram nos Dez Mandamentos, pois é a somatória de todas as coisas que estavam amaldiçoadas por Yahweh. A lei inteira deveria ser obedecida, e o indivíduo que negligenciasse ao menos um dos mandamentos da lei ficava sob a maldição divina. O culpado sofria alguma enfermidade, praga, reversão econômica ou teria a sua vida cortada prematuramente. Paulo citou este versículo em Gl 3.10, tentando provar que era impossível uma obediência total à lei, encarecendo assim a necessidade do sistema da graça divina para a salvação. O povo disse "amém" diante da proposição de obediência total e, no entanto, nunca conseguiu realizar essa obediência plena. A provisão divina, pois, precisou ir além das boas intenções e dos atos humanos. A *décima segunda maldição* ilustra o fato de que Deus requer uma reação de todo coração à lei, por parte daqueles que estão a ela sujeitos. Essa sujeição à lei é que fazia de Israel uma nação distinta. Mas a vida eterna é dada através de outro caminho (ver Rm 3.24,25; Ef 2.8-10). Ver no *Dicionário* o artigo intitulado *Expiação*.

"Cristo nos resgatou da maldição da lei, fazendo-se ele próprio maldição em nosso lugar, porque está escrito: Maldito todo aquele que for pendurado em madeiro" (Gl 3.13).

CAPÍTULO VINTE E OITO

AS BÊNÇÃOS PROFERIDAS NO MONTE GERIZIM (28.1-14)

A *seção de Deuteronômio* 27.11-26 arma o palco para o material apresentado no capítulo 28 deste livro. As *doze* tribos tinham sido separadas em dois grupos de seis tribos cada: seis ficaram no sopé do monte Ebal, e seis ficaram no sopé do monte Gerizim. Um grupo escolhido de levitas ficou a meia distância entre os dois montes para ler as maldições e as bênçãos relacionadas à desobediência ou à obediência à lei. O trecho de Dt 27.15 fornece-nos uma lista de doze maldições. Mas agora, no capítulo 28, figuram seis bênçãos, seguidas por *seis* maldições adicionais (vss. 16-19).

Alguns eruditos supõem que este capítulo 28 reflita a cerimônia mais antiga que confirmava o relacionamento do pacto entre o povo de Israel e Yahweh, ao passo que o capítulo 27 teria sido um adorno posteriormente adicionado. Todavia, o estilo religioso e literário do Oriente Próximo e Médio enfatiza mais as maldições e os aspectos negativos do que as bênçãos e os aspectos positivos. Jack S. Deere, *in loc.*, sugeriu que a ênfase maior sobre os aspectos negativos tinha por finalidade "prever o fracasso eventual de Israel sob o Pacto Mosaico". Ver nas notas de introdução ao capítulo 19 de Êxodo sobre o Pacto Mosaico (do qual os capítulos 27 e 28 de Deuteronômio fazem parte).

Esses termos do Deuteronômio, *bênçãos e maldições,* referem-se à aprovação ou desaprovação divina quanto à conduta do povo de Israel no tocante à obediência exigida por Yahweh. "Desobedecer ao Senhor Deus era trair a própria vida, conforme Israel a compreendia. Em consequência, a *opção* dá-se entre a vida e a morte, pois a bênção importa em vida, ao passo que a maldição, em morte" (G. Ernest Wright, *in loc.*). O livro de Deuteronômio tem por intuito apresentar a palavra revelada por Yahweh, que mostra o que realmente *importa* na vida — e essa importância reside nas palavras *bênção e maldição*.

■ **28.1**

וְהָיָה אִם־שָׁמוֹעַ תִּשְׁמַע בְּקוֹל יְהוָה אֱלֹהֶיךָ לִשְׁמֹר
לַעֲשׂוֹת אֶת־כָּל־מִצְוֹתָיו אֲשֶׁר אָנֹכִי מְצַוְּךָ הַיּוֹם וּנְתָנְךָ
יְהוָה אֱלֹהֶיךָ עֶלְיוֹן עַל כָּל־גּוֹיֵי הָאָרֶץ:

Este capítulo 28 de Deuteronômio forma a conclusão do *segundo discurso* de Moisés. Moisés convocou o povo de Israel para uma obediência resoluta a tudo quanto lhes fora revelado por Yahweh. O fato de que Israel possuía a lei mosaica e obedecia a ela tornava-o uma nação distinta, conforme já pudemos ver. E o trecho de Dt 26.19, além de outros, comprova isso. Ver Dt 27.1 quanto a uma chamada similar à obediência. A passagem de Dt 5.1 introduz uma repetição dos Dez Mandamentos, e serve de outro versículo paralelo. Ver Dt 10.12 quanto à chamada para as seguintes particularidades: 1. O temor ao Senhor; 2. a necessidade de andar em seu caminho; 3. o amor ao Senhor; 4. o serviço que deve ser prestado ao Senhor; e 5. a observância dos mandamentos do Senhor.

Deus te exaltará sobre todas as nações. Literalmente, o verbo "exaltar" significa aqui "tornar-te-á a altíssima dentre as nações". Como é claro, essa promessa utiliza-se de um dos nomes de Deus — "Deus Altíssimo" — conforme também se vê em Dt 26.19. Cf. Ap 3.12, sobre como o nome divino será inscrito sobre os vencedores.

■ **28.2**

וּבָאוּ עָלֶיךָ כָּל־הַבְּרָכוֹת הָאֵלֶּה וְהִשִּׂיגֻךָ כִּי תִשְׁמַע
בְּקוֹל יְהוָה אֱלֹהֶיךָ:

Todas estas bênçãos. Os versículos que se seguem alistam seis bênçãos específicas, que seriam dadas aos obedientes à lei. Então seguem-se *seis maldições* (vss. 16 ss.). Cf. as doze maldições que ocorrem em Dt 27.15 ss. A legislação mosaica era a base de todas as bênçãos e maldições prometidas a Israel, o centro mesmo da vida da nação, a sua norma única.

"O âmago desta seção é a citação de uma antiga série de seis bênçãos, nos vss. 3-6 deste capítulo. O restante é uma homilia deuteronômica com base nessas bênçãos (cf. Dt 7.12-24; 11.13-25)" (G. Ernest Wright, *in loc.*).

A *providência de Deus* dirige todas as coisas. Ver sobre esse título no *Dicionário*. A lista apresenta bênçãos temporais, tão somente. No Pentateuco ainda não aparece nenhum conceito claro de vida eterna, que só começa a surgir nos Salmos e nos Profetas. A lei oferecia um tipo de *vida* que é comentado em Dt 1.1; 5.33 e 6.2.

As bênçãos decorrentes da obediência "alcançariam" o povo de Israel. No hebraico, literalmente, temos aí "vos sobrevirão". O trecho de Zc 1.6 também envolve o verbo "alcançar", referindo-se às demandas da lei mosaica, que estavam sendo negligenciadas pelos filhos de Israel.

■ **28.3**

בָּרוּךְ אַתָּה בָּעִיר וּבָרוּךְ אַתָּה בַּשָּׂדֶה:

Bendito serás. *A primeira e a segunda bênção* falavam em prosperidade e bem-estar, que os obedientes à lei podiam esperar receber, sem importar se vivessem em alguma cidade ou nos campos. Em outras palavras, a bênção divina, sob a forma de prosperidade, alcançaria o homem obediente, sem importar se ele fosse citadino ou campesino. O *comerciante* que vivesse em uma cidade, ou o *agricultor* que vivesse no campo, ambos haveriam de prosperar — haveria tanto um comércio próspero quanto campos férteis; haveria vida isenta de enfermidades, de pragas e de cataclismos naturais. Os animais domesticados se multiplicariam, saudáveis. A seca não destruiria as plantações. Os inimigos não atacariam a nação, infundindo terror e causando prejuízos. Seria conforme disse Sócrates: "Nenhum mal pode alcançar um homem bom". As seis bênçãos cobrem todos os aspectos da vida de uma pessoa, quanto à esfera física.

"O valor religioso permanente deste capítulo jaz em sua doutrina das consequências derivadas, mui naturalmente dos atos morais corretos ou errados. As *consequências* que são aqui esboçadas são de natureza quase exclusivamente material, o que é insuficiente do ponto de vista do cristianismo. Pois as bênçãos mais preciosas são aquelas de caráter espiritual. Por semelhante modo, as consequências espirituais são mais significativas do que as materiais" (Henry H. Shires, *in loc.*).

■ 28.4

בָּרוּךְ פְּרִי־בִטְנְךָ וּפְרִי אַדְמָתְךָ וּפְרִי בְהֶמְתֶּךָ שְׁגַר אֲלָפֶיךָ וְעַשְׁתְּרֹת צֹאנֶךָ:

Bendito o fruto. A terceira *bênção* refere-se a diversos tipos de *fruto*, indicando a "reprodução" tanto humana como animal, como também a "produção" agrícola. Poderes reprodutivos, a origem da *continuação da vida*, portanto, seriam outorgados aos obedientes. A obediência à lei produz vida longa (ver Dt 4.1; 5.33; 6.2), mas também a *multiplicação* da vida. Ver o Sl 144.12-14 quanto a versículos bem parecidos com este. Ver também que os filhos são uma herança do Senhor (Sl 127.3-5). No tocante a filhos, o lema dos hebreus era "quanto mais forem, mais alegres ficaremos". Por isso mesmo, a esterilidade era considerada resultante de uma maldição de Deus, usualmente tida como um castigo por motivo de pecados secretos.

O POVO DOS PACTOS CASTIGADO

Comparações entre Amós, Levítico, Deuteronômio e 1Reis

Castigos	Amós	Levítico	Deuteronômio	1Reis
Fome	4.6	26.26,29	28.17,48	8.37
Seca	4.7,8	26.19	28.22-24,28	8.35
Doenças de plantas	4.9	26.20	28.18,22, 30, 39,40	8.37
Gafanhoto	4.9	—	28.38,42	8.37
Pragas	4.10	26.16,25	28.21,22,27, 35,59-61	8.37
Derrota militar	4.10	26.17,25, 33,36-39	28.25,26, 49-52	8.33
Devastação	4.11	26.31-35	29.23-28	—

Pacto. Entre outras formas de linguagem antropomórfica nas Escrituras, encontramos o termo *pacto*. A palavra é usada para designar a maneira de Deus tratar com o homem e entrar em aliança com ele. Os pactos trouxeram as promessas de Deus para um povo obediente às suas condições morais. Evitar idolatria era sempre a primeira exigência, mas muitas infrações morais quebravam os pactos. O povo dos pactos era, idealmente, um povo distinto dos demais.

OS PACTOS E AS PROMESSAS

UMA GRANDE NAÇÃO DENTRO DE SUA PRÓPRIA TERRA (Pacto Abraâmico)

Naquele mesmo dia fez o Senhor aliança com Abrão, dizendo: À tua descendência dei esta terra, desde o rio do Egito até o grande rio Eufrates.

Gênesis 15.18

A LEI FOI DADA COMO O GUIA DA VIDA AOS OBEDIENTES (Pacto Mosaico)

Agora, pois, ó Israel, ouve os estatutos e os juízos que eu vos ensino, para os cumprirdes, para que vivais...

Deuteronômio 4.1

CONQUISTA DA TERRA DA PALESTINA, O LAR DO POVO (Pacto Palestino)

Se atentamente ouvires a voz do Senhor teu Deus, tendo cuidado de guardar todos os seus mandamentos que hoje te ordeno, o Senhor teu Deus te exaltará sobre todas as nações da terra.

Deuteronômio 28.1

A PERPETUIDADE DA FAMÍLIA E DO REINO DE DAVI, CUMPRIDA EM GRAU MAIOR EM CRISTO, O FILHO DE DAVI (Pacto Davídico)

Este edificará uma casa ao meu nome, e eu estabelecerei para sempre o trono do seu reino.

2Samuel 7.13

■ 28.5

בָּרוּךְ טַנְאֲךָ וּמִשְׁאַרְתֶּךָ:

Bendito o teu cesto. Essa *quarta bênção* garantia a abundância de *víveres*. "Deus pode fazer-vos abundar em toda graça, a fim de que, tendo sempre, em tudo, ampla suficiência, superabundeis em toda boa obra" (2Co 9.8).

Comentou John Gill (*in loc.*): "... qualquer cesto em que pusessem suas provisões de boca, para uso presente, nunca ficaria vazio... e o que restasse seria guardado em depósitos, celeiros e armazéns, para uso futuro, ou em lugares próprios para guardar as sementes".

Cesto. Cestos eram usados na colheita das azeitonas e outras frutas.

Amassadeira. No hebraico temos a palavra *mishereth*, que indica um vaso onde a massa era batida, o que explica a tradução portuguesa. Algumas traduções, contudo, dizem aqui "armazém", o que envolve um erro de tradução. O versículo falava sobre a prosperidade que haveria em cada lar hebreu, e não na nação como um todo, embora isso também fosse verdade. A "cesta" e a "amassadeira", combinadas, falavam de uma extraordinária prosperidade. Um povo de Israel obediente jamais sofreria escassez de alimentos.

■ 28.6

בָּרוּךְ אַתָּה בְּבֹאֶךָ וּבָרוּךְ אַתָּה בְּצֵאתֶךָ:

Bendito serás. Essa *quinta* bênção refere-se a atividades efetuadas "dentro" e "fora" de casa. Em outras palavras, ao chegar em casa, os hebreus encontrariam uma família feliz, que tinha passado o dia livre de acidentes, ou de atos de homens ímpios e desvairados, ou de qualquer acontecimento funesto.

E ao "sair" de casa, a fim de ocupar-se nos afazeres da agricultura, do comércio, ou por ter de fazer alguma viagem, um hebreu obediente sentir-se-ia abençoado. *Todas as atividades* efetuadas fora de casa seriam prósperas. Os intérpretes judeus de tempos posteriores interpretaram isso como a "saída" de um homem desta vida terrena. E isso, por sua vez, seria a maior aproximação que teríamos, no Pentateuco, de uma promessa de existência venturosa no pós-túmulo. Assim sendo, o ato de "entrar" pode indicar a entrada na vida. Nesse caso, o ato de "sair" poderia indicar a morte, conforme opinavam os intérpretes posteriores entre os judeus. Portanto, ficaria entendido que, desde o nascimento até o falecimento, os hebreus obedientes levariam uma existência feliz e próspera na Terra Prometida.

"Assim, vossa partida deste mundo será como a vossa entrada no mesmo: sem pecado", comentou Rashi. E Adam Clark (*in loc.*), partindo desse comentário, esclareceu que os judeus, via de regra, não acreditavam em um pecado original. Realmente, foi Paulo quem *introduziu* essa doutrina na Bíblia, embora ele tivesse usado circunstâncias veterotestamentárias, em ensino sobre "os dois Adões", no quinto capítulo de sua epístola aos Romanos.

"A felicidade humana deriva-se da obediência aos mandamentos do Senhor" (Jack S. Deere, *in loc.*).

■ 28.7

יִתֵּן יְהוָה אֶת־אֹיְבֶיךָ הַקָּמִים עָלֶיךָ נִגָּפִים לְפָנֶיךָ בְּדֶרֶךְ אֶחָד יֵצְאוּ אֵלֶיךָ וּבְשִׁבְעָה דְרָכִים יָנוּסוּ לְפָנֶיךָ׃

O Senhor fará que. Tendo proferido as seis bênçãos específicas (e antes de dar início a outras seis maldições, além daquelas de Dt 27.15 ss.), o autor sacro apresenta uma espécie de homilia baseada nessas seis bênçãos. E as *seis maldições* adicionais começam no versículo 16 deste capítulo. Até Dt 28.15, portanto, temos uma expansão das seis bênçãos adicionadas neste capítulo.

Derrotados na tua presença os inimigos. Os adversários de Israel, sempre ansiosos por assediar e prejudicar, seriam derrotados em todos os seus maus desígnios e precisariam fugir por "sete caminhos", ou seja, de modo absoluto. Isso posto, além de ser abençoado, o povo de Israel seria *protegido* em suas "entradas" e "saídas" (a *sexta* e última bênção do sexto versículo deste capítulo).

"A fim de que as admiráveis e multifacetadas bênçãos divinas fossem sentidas, bem como intelectualmente compreendidas, o autor juntou sentença a sentença, cada qual com sua própria alusão específica" (G. Ernest Wright, *in loc.*).

São aqui destacadas *três áreas* da aplicação das bênçãos de Deus. Primeira área: O sétimo versículo refere-se à bênção que Israel teria entre as *nações*. Segunda área: Essa dizia respeito aos *empreendimentos* agrícolas (vss. 8, 11,12a; cf. o vs. 4). Terceira área: Dizia respeito à *reputação de Israel* (vs. 10; cf. 2.25; 11.25 e 26.19).

Quanto à *fuga* dos inimigos de Israel, ver passagens como Jz 7.21,22 e 2Rs 7.7. Os adversários de Israel viriam contra os israelitas formando um *bloco*, mas seriam dispersos em todas as direções. Esse fator faria aumentar a reputação de Israel como o invencível povo de Yahweh.

■ 28.8

יְצַו יְהוָה אִתְּךָ אֶת־הַבְּרָכָה בַּאֲסָמֶיךָ וּבְכֹל מִשְׁלַח יָדֶךָ וּבֵרַכְךָ בָּאָרֶץ אֲשֶׁר־יְהוָה אֱלֹהֶיךָ נֹתֵן לָךְ׃

O Senhor determinará. Aqui o autor sagrado reforçou certos aspectos das bênçãos que já haviam sido proferidas. Os *celeiros* do povo de Israel viveriam cheios (cf. o vs. 5, que aponta para a quarta bênção). Toda obra dos israelitas obedientes prosperaria. Temos aqui uma declaração geral, que cobre todas as bênçãos proferidas até este ponto. Aqueles que "entrassem" prosperariam e achariam segurança (*quinta* bênção; vs. 6). E aqueles que "saíssem" achariam prosperidade (*sexta* bênção; vs. 6). De modo geral, os israelitas seriam abençoados na Terra Prometida, que Deus lhes havia dado como herança, em consonância com o *Pacto Abraâmico* (ver Gn 15.18). Israel permaneceria no seu território se fosse obediente ao Senhor.

Cf. Pv 3.9,10. Aqueles que *honrassem o Senhor* com os seus "bens" (sob a forma de dízimos e ofertas) teriam seus celeiros sempre cheios, e suas adegas só faltariam rebentar de tanto vinho.

Uma vida longa na terra era uma das bênçãos prometidas pela lei. Por isso mesmo lemos em Dt 5.33: "... para que vivais, bem vos suceda, e prolongueis os dias na terra que haveis de possuir". (Ver também Dt 4.1 e 6.2.) É claro que isso também promete a permanência de Israel na Terra Prometida, e não somente vida longa para os israelitas, como indivíduos.

"Tudo, nos campos espiritual e temporal, viria através dos mandamentos imediatos de Deus" (Adam Clark, *in loc.*). Oh, Senhor, concede-nos tal graça!

■ 28.9

יְקִימְךָ יְהוָה לוֹ לְעַם קָדוֹשׁ כַּאֲשֶׁר נִשְׁבַּע־לָךְ כִּי תִשְׁמֹר אֶת־מִצְוֹת יְהוָה אֱלֹהֶיךָ וְהָלַכְתָּ בִּדְרָכָיו׃

O Senhor te constituirá para si em povo santo. Se o povo de Israel se mostrasse obediente, seria abençoado entre as demais nações. Antes de tudo, por ser protegido dos maus desígnios de outros povos (vs. 7). Em segundo lugar, seriam separados como o povo especial de Yahweh (este versículo). Eles seriam uma nação santa, contrastando assim com as nações idólatras ao redor. Ver notas completas sobre isso em Dt 26.19, onde também são dadas outras referências que contêm declarações similares, com notas expositivas mais detalhadas.

Yahweh haveria de *conservar* os israelitas em uma posição privilegiada entre os povos. Alguns estudiosos têm interpretado isso metaforicamente, como se estivesse em pauta a questão da ressurreição dentre os mortos. É possível, mas não com o sentido literal da passagem. Por outro lado, os israelitas desobedientes perderiam todas essas bênçãos e acabariam indo para o cativeiro, sendo expulsos da Terra Prometida, conforme havia acontecido aos habitantes cananeus originais. Ver no *Dicionário* o artigo intitulado *Cativeiro (Cativeiros)*.

E andares nos seus caminhos. Ver acerca disso em Dt 10.12 e suas notas, onde também há menção ao temor, ao amor, ao serviço e à proteção divina, como fatores que entram na obediência prestada por Israel ao Senhor.

■ 28.10

וְרָאוּ כָּל־עַמֵּי הָאָרֶץ כִּי שֵׁם יְהוָה נִקְרָא עָלֶיךָ וְיָרְאוּ מִמֶּךָּ׃

E todos os povos da terra verão. O autor sagrado continuava falando sobre a exaltação e a reputação de Israel entre as nações do mundo, a primeira das três esferas das bênçãos que atingiriam os hebreus. Ver as notas no oitavo versículo deste capítulo quanto a essas esferas ou áreas. Ver o versículo nono quanto à ideia geral e à referência a outros trechos que emitem ideias semelhantes, com notas expositivas detalhadas.

Terão medo de ti. As nações hostis, observando como Deus estava abençoando a seu povo, temeriam e suspenderiam sua belicosidade contra Israel, e Israel encontraria paz. Quanto a esse aspecto da promessa divina, cf. Dt 11.25 e Jr 33.9.

■ 28.11

וְהוֹתִרְךָ יְהוָה לְטוֹבָה בִּפְרִי בִטְנְךָ וּבִפְרִי בְהֶמְתְּךָ וּבִפְרִי אַדְמָתֶךָ עַל הָאֲדָמָה אֲשֶׁר נִשְׁבַּע יְהוָה לַאֲבֹתֶיךָ לָתֶת לָךְ׃

O Senhor te dará abundância de bens. Este versículo reitera essencialmente as promessas da *terceira bênção*, ou seja, ricos poderes reprodutores por parte dos seres humanos e dos animais. Ver as notas no quarto versículo deste capítulo. A repetição das bênçãos é aqui prefaciada por uma promessa de grande prosperidade material no comércio e na agricultura, o que havia sido coberto pela *primeira* e *segunda* das bênçãos, e foi anotado no terceiro versículo deste capítulo. Cf. Jr 33.9.

■ 28.12

יִפְתַּח יְהוָה לְךָ אֶת־אוֹצָרוֹ הַטּוֹב אֶת־הַשָּׁמַיִם לָתֵת מְטַר־אַרְצְךָ בְּעִתּוֹ וּלְבָרֵךְ אֵת כָּל־מַעֲשֵׂה יָדֶךָ וְהִלְוִיתָ גּוֹיִם רַבִּים וְאַתָּה לֹא תִלְוֶה׃

O Senhor te abrirá o seu bom tesouro. Temos aqui uma expressão poética, definida em seguida como chuvas suficientes, a fonte de toda forma de vida, e terras férteis para o plantio. As *estações* do ano trariam as chuvas esperadas, e a semeadura e a colheita seguir-se-iam em um curso ininterrupto. Além disso, o tesouro de Yahweh também incluiria *bênçãos gerais* em todas as atividades da vida, cobertas pela *quinta e pela sexta bênção*, referidas no sexto versículo deste capítulo.

Yahweh brande as chaves dos tesouros. O banco celestial dispõe de recursos ilimitados, e ao homem bom é prometida uma partilha nesses recursos. Assim como Yahweh é infinitamente rico, também ao homem obediente é conferida grande abundância de bênçãos. Alguém já sumariou que a *evidência* da espiritualidade, no Antigo Testamento, é a "prosperidade material", ao passo que, no Novo Testamento, é a "adversidade". Temos aí um parecer verdadeiro; mas devemos lembrar-nos de que a Igreja nem sempre agonizou na adversidade, simplesmente por ser espiritual. O trecho de 2Co 9.8 sem dúvida concorda com o conceito aqui emitido pelo Antigo Testamento. É muito melhor prosperar materialmente do que viver na pobreza. Quando estamos avançando pelo caminho do Senhor, tudo quanto precisamos fazer, para não sofrer necessidades, é pedir. O Senhor anela por dar-nos todas as coisas boas. Cf. este versículo com Jó 38.22; Sl 37.5 e Ml 3.10. Ver no *Dicionário* dois artigos: *Chuva* e *Chuvas Anteriores e Posteriores*.

De acordo com a teologia judaica posterior, as *chaves* da prosperidade de Israel consistiam em três aspectos: 1. As chuvas; 2. os nascimentos; e 3. a ressurreição dentre os mortos.

Emprestarás a muitas gentes. A prosperidade do povo de Israel seria tão grande que Israel comerciaria com outras nações, emprestando-lhes dinheiro e bens materiais, em vez de pedir-lhes emprestado. As nações desobedientes são sujeitas a *pedir emprestado*. Israel gozaria de colheitas abundantes, para assim poder vender cereal a outras nações, ou então para trocar seu cereal com outros produtos necessários, mas sempre a partir de uma posição de *superioridade*. Ver Ez 27.17. Entre os israelitas, as riquezas materiais fluíam tão abundantemente como as águas correm no rio Amazonas. As riquezas enchiam o território de Israel até suas fronteiras, e eles as trocavam por outras mercadorias vindas de grandes distâncias. A obediência era a chave de tudo.

> Quando andamos com o Senhor,
> À luz de sua Palavra,
> Quanta glória que ele derrama sobre nós.
> Quando cumprimos a sua vontade,
> ele habita conosco,
> E com todos que confiam e obedecem.
>
> J. H. Sammise

■ 28.13

וּנְתָנְךָ֨ יְהוָ֤ה לְרֹאשׁ֙ וְלֹ֣א לְזָנָ֔ב וְהָיִ֨יתָ֙ רַ֣ק לְמַ֔עְלָה וְלֹ֥א תִהְיֶ֖ה לְמָ֑טָּה כִּֽי־תִשְׁמַ֞ע אֶל־מִצְוֺ֣ת ׀ יְהוָ֣ה אֱלֹהֶ֗יךָ אֲשֶׁ֨ר אָנֹכִ֧י מְצַוְּךָ֛ הַיּ֖וֹם לִשְׁמֹ֥ר וְלַעֲשֽׂוֹת׃

O Senhor te porá por cabeça. Este versículo repete a mensagem de Dt 4.5 ss.; 26.19 e 28.1. Mas agora é empregada a metáfora que envolve um animal. Um animal tem cabeça, corpo e cauda, partes essas que servem para indicar importância e prioridade relativa. Israel estava destinado a tornar-se a cabeça das nações. Mas visto que, por sua desobediência, Israel foi expulso da Terra Prometida, essa posição de prioridade foi transferida para o período do milênio (ver a respeito no *Dicionário*). Entrementes, a partir dos cativeiros (ver a respeito no *Dicionário*), Israel passou a ser a cauda das nações, o que explica a dispersão e as perseguições a que o antigo povo de Deus tem sido sujeitado. "... a cabeça significa hegemonia; a cauda representa povos que ficam em sujeição; ou, então, a cabeça são aqueles que são honrados e em alta estima, e a cauda são aqueles que vivem humildes e aviltados. Ver Is 14.14,15" (John Gill, *in loc.*).

■ 28.14

וְלֹ֣א תָס֗וּר מִכָּל־הַדְּבָרִים֙ אֲשֶׁ֨ר אָנֹכִ֜י מְצַוֶּ֥ה אֶתְכֶ֛ם הַיּ֖וֹם יָמִ֣ין וּשְׂמֹ֑אול לָלֶ֗כֶת אַחֲרֵ֛י אֱלֹהִ֥ים אֲחֵרִ֖ים לְעָבְדָֽם׃ ס

Não te desviarás. O cumprimento dessas profecias divinas a Israel dependia de eles não se desviarem do reto caminho que o Senhor lhes determinara, nem para a direita nem para a esquerda. Os filhos de Israel tinham de manter uma obediência estrita à lei, o tema mais enfatizado neste livro de Deuteronômio. A pior forma de desvio reaparece aqui, a saber, a *idolatria*. Ver sobre esse assunto no *Dicionário*. O conceito de que "a obediência gera a obediência, e o desvio gera todo tipo de pecados", é um tema comum no Pentateuco, além de ser um bom princípio moral, comprovado pela experiência humana. Ver Ap 22.11, que repousa exatamente sobre este conceito: aquele que é imundo continuará aumentando em sua imundícia; e aquele que é justo continuará aumentando em sua retidão.

MALDIÇÕES QUE SERÃO LANÇADAS NA TERRA — SEIS MALDIÇÕES ADICIONAIS (28.15-68)

Condições que Trariam Castigo contra Israel. Ver Dt 27.15 ss. quanto às *doze* maldições que atrairiam o castigo contra os israelitas que desobedecessem à lei. E agora o autor sagrado nos apresenta mais *seis* maldições. Alguns estudiosos supõem que o documento original tivesse apenas seis bênçãos e seis maldições, no capítulo 28, e que o capítulo anterior, com suas doze maldições, teria sido algum suplemento posterior, colocado antes do texto original. A introdução a este capítulo aborda esse e outros problemas. Seja como for, os dois vocábulos, *bênçãos e maldições*, falam acerca da aprovação ou desaprovação de Deus, dependendo tudo da obediência ou desobediência de Israel. As bênçãos e maldições *sintetizam* o que pode acontecer a um homem, uma vez que ele se sujeite à lei. Literalmente, porém, está em foco a nação de Israel, que se comprometera com Deus no Pacto Mosaico.

Seja como for, as seis bênçãos e as seis maldições deste capítulo refletem elementos do antigo pacto de Siquém. O monte Gerizim (onde tinham sido proferidas as bênçãos) simboliza a escolha da obediência, ao passo que o monte Ebal (onde tinham sido proferidas as maldições) simboliza a escolha da desobediência. Ver Dt 27.11-26.

"As *quatro* maldições dos vss. 6-19 são o contrário exato das quatro bênçãos citadas nos vss. 3-6 (embora a segunda e a terceira sejam revertidas, ao mesmo tempo em que as palavras 'as crias das tuas vacas e das tuas ovelhas', no quarto versículo, não são incluídas no vs. 18)" (Jack S. Deere, *in loc.*).

■ 28.15

וְהָיָ֗ה אִם־לֹ֤א תִשְׁמַע֙ בְּק֣וֹל יְהוָ֣ה אֱלֹהֶ֔יךָ לִשְׁמֹ֤ר לַעֲשׂוֹת֙ אֶת־כָּל־מִצְוֺתָ֣יו וְחֻקֹּתָ֔יו אֲשֶׁ֛ר אָנֹכִ֥י מְצַוְּךָ֖ הַיּ֑וֹם וּבָ֤אוּ עָלֶ֙יךָ֙ כָּל־הַקְּלָל֣וֹת הָאֵ֔לֶּה וְהִשִּׂיגֽוּךָ׃

Se não deres ouvidos à voz do Senhor teu Deus. As *maldições* foram introduzidas como a antítese das bênçãos, pois a ideia de "não obedecer" contrasta com a ideia de "obedecer". Cada uma das seis maldições, é o contrário de cada uma das seis bênçãos.

Platão, em seu diálogo intitulado *Górgias*, apresentou um assustador mas veraz princípio espiritual: A pior coisa que pode acontecer a um homem é que ele chegue a cometer um erro, mas não venha a sofrer nenhum castigo por isso. É assim que se corrompe a alma de um homem, o que o torna permanentemente corrupto. Foi por isso que Platão também disse: "Um homem fica pior se não for castigado, do que se o for". Temos aí outro excelente discernimento: a punição deve ser conforme o erro cometido, servindo de medida de expiação, e não meramente de retribuição, com o que concorda plenamente o trecho de 1Pe 4.6. E isso inclui até mesmo o caso daquele castigo que segue os homens até o próprio hades.

■ 28.16

אָר֥וּר אַתָּ֖ה בָּעִ֑יר וְאָר֥וּר אַתָּ֖ה בַּשָּׂדֶֽה׃

Maldito serás. A *primeira maldição* é o oposto preciso da *primeira bênção*. O mal recairia sobre um habitante de cidade (vs. 3) que se mostrasse desobediente para com a lei, tal como a bênção recairia sobre um habitante de cidade que se mostrasse obediente. Neste mesmo versículo temos a *segunda maldição*, que sobreviria ao habitante dos interiores do país, nos mesmos termos que se vê no caso da primeira maldição. As notas sobre o terceiro versículo também têm aplicação aqui.

"Daqui até o fim do versículo 19, as maldições são enfileiradas em uma forma contrária às bênçãos referidas nos vss. 3-6; se

JULGAMENTOS DIVINOS QUE ISRAEL/JUDÁ DEVE SOFRER
PARALELOS ENTRE LAMENTAÇÕES E DEUTERONÔMIO

(ISRAEL) Essência dos Julgamentos	Lamentações	Deuteronômio
Judá (Israel) espalhado entre as nações não encontrará paz nem segurança.	1.3	28.65
Judá (Israel) será o escravo de forças estrangeiras e a cauda das nações.	1.5	28.44
seus filhos e filhas serão cativos em nações pagãs.	1.5	28.32
Em fraqueza fugirão ante o perseguidor e serão absolutamente derrotados. As defesas falharão e os soldados fugirão em sete direções em total confusão.	1.6	28.25
Os jovens serão levados e feitos escravos. Os pais os perderão para sempre.	1.18	28.41
O povo de Judá (Israel) será objeto de canções zombadoras, escárnio e desprezo.	2.15	28.37
Mães, no seu desespero, comerão os próprios filhos para não morrer de fome.	2.20	28.53
O pecado, especialmente o da idolatria, cobrará um alto preço em sofrimento.		
Jovens e velhos morrerão juntos na poeira das ruas. O inimigo não respeitará idade nem sexo.	2.21	28.50
Mães, com as próprias mãos, cozinharão seus filhos. As mais gentis esconderão seus filhos para comê-los depois do ataque do inimigo. As esposas não mais respeitarão seus maridos, mas se tornarão animais selvagens.	4.10	28.56,57
A herança de Israel dada no Pacto Abraâmico passará às mãos dos estrangeiros selvagens. O judeu construirá uma casa, mas nunca morará nela. As propriedades ficarão à disposição dos invasores e seus filhos.	5.2	28.30
Perseguidos, os judeus não encontrarão paz no exílio. A espada os seguirá até lá e continuará a matança. O pecado cobrará um alto preço dos desobedientes.	5.5	28.65
Os sofrimentos no exílio serão variados e severos. A fome fará a pele dos cativos queimar como se estivesse sujeita a um forno.	5.10	28.48
Mulheres casadas e virgens serão estupradas nas ruas de Sião. Uma mulher prometida a um judeu nunca se tornará esposa dele, mas cairá vítima de um soldado impiedoso.	5.11	28.30
Os velhos não serão respeitados e não receberão misericórdia. Cairão vítimas das mesmas brutalidades.	5.12	28.50
O monte Sião se tornará uma pilha de entulho e animais selvagens farão dele seu lugar de assombração. Os muitos e radicais pecados de Judá (Israel) exigirão múltiplos e radicais castigos, servindo de agentes de restauração para o remanescente que sobreviver.	5.18	28.26

observarmos o significado daquelas bênçãos, facilmente captaremos o sentido das maldições, pois as bênçãos fazem contraste direto com as maldições" (John Gill, *in loc.*).

Devemos notar que as bênçãos prometem a vida pós-túmulo, em alguma existência futura em um lugar celestial; mas as maldições não ameaçam com nenhum tipo de juízo eterno e consciente. Essas doutrinas começaram a desenvolver-se, dentro das tradições judaicas, a partir dos Salmos e dos Profetas. Então, ainda dentro dos dias da vigência do antigo pacto, essas doutrinas tiveram seu maior desenvolvimento dentro dos livros pseudepígrafos. Há um artigo sobre esses livros na *Enciclopédia de Bíblia, Teologia e Filosofia*. Ver os comentários a respeito em Gn 1.26,27 e Dt 4.1.

■ 28.17

אָר֥וּר טַנְאֲךָ֖ וּמִשְׁאַרְתֶּֽךָ׃

Maldito o teu cesto e a tua amassadeira. Temos aí a *terceira maldição*. Da mesma maneira que um israelita obediente teria abundância de víveres em sua casa, um israelita desobediente sofreria escassez de provisões de boca. Assim posto, esta terceira maldição é a antítese da quarta bênção. A teologia dos hebreus não imaginava coisa alguma como fora ou além das exigências da lei, nem que pudesse acontecer alguma coisa a um homem que não estivesse diretamente relacionada à lei.

■ 28.18

אָר֥וּר פְּרִֽי־בִטְנְךָ֖ וּפְרִ֣י אַדְמָתֶ֑ךָ שְׁגַ֥ר אֲלָפֶ֖יךָ
וְעַשְׁתְּרֹ֥ת צֹאנֶֽךָ׃

Maldito o fruto. A *quarta maldição* é a antítese da quarta bênção (vs. 4). Um israelita obediente veria uma prole abundante, bem como a multiplicação de seus rebanhos e uma produção agrícola abundante. Mas um israelita desobediente experimentaria precisamente o contrário. Ver as notas sobre o quarto versículo deste capítulo.

"Nenhuma divindade abstrata pode incendiar um coração. Para tanto faz-se mister um Deus vivo e que realmente reaja diante das ações humanas. 'Não se vendem dois pardais por um asse? e nenhum deles cairá em terra sem o consentimento de vosso Pai. E quanto a vós outros, até os cabelos todos da cabeça estão contados" (Mt 10.29,30) (Henry S. Shires, *in loc.*). Este texto ensina-nos acerca das bênçãos e das maldições divinas, porquanto elas estão vitalmente envolvidas na existência humana. Ver no *Dicionário* o verbete intitulado *Teísmo*, que o nosso texto ilustra.

■ 28.19

אָר֥וּר אַתָּ֖ה בְּבֹאֶ֑ךָ וְאָר֥וּר אַתָּ֖ה בְּצֵאתֶֽךָ׃

Maldito serás. As maldições de números *cinco* e *seis* são a antítese da quinta e da sexta bênção (vs. 6), cujas anotações devem ser consultadas.

OS JUÍZOS DE YAHWEH (28.20-68)

Esses *juízos* têm uma natureza homilética, sendo expansões didáticas das *maldições*. Admira-nos que o autor sagrado tenha concedido muito maior espaço, nos capítulos 27 e 28, às maldições do que às bênçãos. Todavia, esse modo de apresentação estava de acordo com documentos similares provenientes do antigo Oriente Próximo e Médio. Psicologicamente falando, qualquer mestre moral mostrar-se-á muito mais preocupado com as coisas ruins que podem acontecer do que com as boas. Isso porque a natureza pervertida dos seres humanos empurra-os, de forma consistente, na direção errada. Somente a graça e o poder de Deus podem fazer um homem andar na direção contrária de suas tendências naturais.

Além disso, devemos pensar que a lei era o ministério da "condenação" (ver 2Co 3.9), pelo que foi apenas natural que nas bênçãos e maldições tivesse sido mais elaborado o fator negativo do que o positivo.

Não obstante, cada *juízo* aqui proferido tinha por finalidade fazer Israel desviar-se da desobediência e da destruição, pelo que esses juízos eram potencialmente benéficos em sua natureza.

Esses juízos divinos são em número de *onze*, aos quais acompanharemos até o fim deste capítulo 28.

O FRACASSO EM TUDO (28.20)

■ 28.20

יְשַׁלַּח יְהוָה ׀ בְּךָ אֶת־הַמְּאֵרָה אֶת־הַמְּהוּמָה
וְאֶת־הַמִּגְעֶרֶת בְּכָל־מִשְׁלַח יָדְךָ אֲשֶׁר תַּעֲשֶׂה עַד
הִשָּׁמֶדְךָ וְעַד־אֲבָדְךָ מַהֵר מִפְּנֵי רֹעַ מַעֲלָלֶיךָ
אֲשֶׁר עֲזַבְתָּנִי:

1. *Primeiro Juízo*. As más ações sem dúvida resultam em desastre seguro, o que é descrito enfaticamente neste versículo. *Tudo* quanto Israel tentasse fazer seria reduzido a nada, além do que haveria ataques de inimigos, escassez de alimentos, fracasso nas colheitas e desastres naturais. A maldade seria eles terem *abandonado* a Yahweh, e, por consequência, ele também os abandonaria a todos os tipos de males. As predições deste versículo cumpriram-se sobretudo nos cativeiros, quando o povo de Israel foi reduzido a praticamente nada, e os raros sobreviventes foram levados para o exílio. Ver no *Dicionário* o artigo chamado *Cativeiro (Cativeiros)*. Cf. este texto com 1Sm 5.9 e 14.20. Cf. 2Rs 22.11 ss. quanto a possíveis efeitos que a leitura de passagens bíblicas como essas tiveram sobre o rei Josias.

"Deficiência, ansiedade e fracasso em *todos* os empreendimentos" (Ellicott, *in loc.*). "Juízos contínuos assinalam o desprazer divino" (Adam Clark, *in loc.*).

John Gill, *in loc.*, referiu-se às "correções da providência", captando assim, corretamente, o espírito dessa passagem.

A PESTILÊNCIA (28.21,22)

■ 28.21,22

יַדְבֵּק יְהוָה בְּךָ אֶת־הַדָּבֶר עַד כַּלֹּתוֹ אֹתְךָ מֵעַל
הָאֲדָמָה אֲשֶׁר־אַתָּה בָא־שָׁמָּה לְרִשְׁתָּהּ:
יַכְּכָה יְהוָה בַּשַּׁחֶפֶת וּבַקַּדַּחַת וּבַדַּלֶּקֶת וּבַחַרְחֻר
וּבַחֶרֶב וּבַשִּׁדָּפוֹן וּבַיֵּרָקוֹן וּרְדָפוּךָ עַד אָבְדֶךָ:

2. *Segundo Juízo*. O autor sagrado multiplicou generalidades de enfermidades nos homens, nos animais e nas plantas; mas também mostrou que essas coisas seriam tão violentas que acabariam removendo o povo de Israel da Terra Prometida, de forma absoluta. Através desses meios, Yahweh interviria pessoalmente na vida de um povo pecaminoso e idólatra. Algumas enfermidades se tornariam crônicas e incuráveis. Outras produziriam mortes repentinas. Os animais e a vegetação também sofreriam as suas próprias pragas, tornando insuportável a vida para o povo de Israel. Não são mencionadas as enfermidades exatas, mas os sintomas cobrem uma larga gama de males físicos. As plantas ressecariam e apanhariam o míldio ou a ferrugem. Haveria um calor insuportável, resultante da seca. Ver o trecho de Ez 14.19-21 quanto às quatro pragas que atingiram Jerusalém. Quanto a enfermidades consumidoras, que dilapidam o corpo físico, e quanto às febres, cf. Lv 26.16. Ver Am 4.9 quanto ao "crestamento" e à "ferrugem". A passagem de 1Rs 8.37 fornece uma lista parcialmente paralela destes versículos.

Secura. Várias traduções dizem aqui "espada". Para muitos comentadores, isso parece uma incongruência, pois a espada não pertence à categoria dos desastres naturais. No hebraico, a palavra aqui usada é *chereb*, que pode significar vários instrumentos cortantes, como a espada, o machado, a faca ou outro qualquer. A *Revised Standard Version* diz aqui "seca". Parece que nossa versão portuguesa acompanhou essa opinião. A New International Version segue pelo mesmo caminho. Mas não sabemos dizer a razão da escolha dessa tradução.

A sequidão (falta de umidade no ar, que é muito prejudicial à saúde, e, no Brasil, afeta, por exemplo, cidades como Brasília, em certos períodos do ano), em Israel, podia ser causada pela seca ou pela ação do *vento oriental* (ver as notas expositivas a respeito em Gn 41.6).

A SECA (28.23,24)

■ 28.23,24

וְהָיוּ שָׁמֶיךָ אֲשֶׁר עַל־רֹאשְׁךָ נְחֹשֶׁת וְהָאָרֶץ
אֲשֶׁר־תַּחְתֶּיךָ בַּרְזֶל:
יִתֵּן יְהוָה אֶת־מְטַר אַרְצְךָ אָבָק וְעָפָר מִן־הַשָּׁמַיִם
יֵרֵד עָלֶיךָ עַד הִשָּׁמְדָךְ:

3. *Terceiro Juízo*. A Terra Prometida era muito fértil, a ponto de ter sido apelidada de terra que "mana leite e mel" (ver as notas a respeito em Êx 3.8 e Nm 13.27). Mas os juízos divinos, ao alterarem as condições climáticas, poderiam transformar toda aquela região em um deserto poeirento. Ver no *Dicionário* o artigo detalhado chamado *Seca*. O arsenal de Yahweh incluía desastres naturais. Em lugar das fertilizantes nuvens de chuvas, o firmamento se tornaria duro como o bronze, ao passo que a terra se tornaria ressecada e sólida como o ferro. Tudo quanto porventura chegasse a brotar morreria por falta de água, e a produção agrícola cessaria de todo. Daí resultaria, de forma inevitável, a fome. Ver no *Dicionário* o artigo intitulado *Fome*. Isso aconteceria porque Israel teria entrado em um estado de esterilidade espiritual; e a Terra Prometida teria acompanhado essa condição. Ver no *Dicionário* o artigo chamado *deserto*. O solo seria pulverizado sob a forma de poeira fina, pelo ar superaquecido, e a poeira, em lugar da chuva, cairia do firmamento.

A DERROTA MILITAR (28.25,26)

■ 28.25,26

יִתֶּנְךָ יְהוָה ׀ נִגָּף לִפְנֵי אֹיְבֶיךָ בְּדֶרֶךְ אֶחָד תֵּצֵא אֵלָיו
וּבְשִׁבְעָה דְרָכִים תָּנוּס לְפָנָיו וְהָיִיתָ לְזַעֲוָה לְכֹל
מַמְלְכוֹת הָאָרֶץ:
וְהָיְתָה נִבְלָתְךָ לְמַאֲכָל לְכָל־עוֹף הַשָּׁמַיִם וּלְבֶהֱמַת
הָאָרֶץ וְאֵין מַחֲרִיד:

4. *Quarto Juízo*. Contra um desobediente povo de Israel levantar-se-iam Yahweh, a natureza e até mesmo outras nações. O aniquilamento ficaria, dessa forma, garantido. Essas devastações ocorreram essencialmente nos dois cativeiros, no assírio e no babilônico. Ver no *Dicionário* o artigo *Cativeiro (Cativeiros)*. Israel sairia à guerra unido, mas acabaria fugindo por *sete* direções diferentes, ou seja, totalmente derrotado. O terceiro cativeiro (que em certo sentido prossegue até hoje) foi o romano. O imperador Adriano (132 d.C.) esvaziou a Terra Prometida de seus habitantes judeus, e somente em nossos próprios dias (maio de 1948) um remanescente começou a voltar, organizando-se no que é hoje o Estado de Israel, ocupando de novo a terra pátria que havia sido prometida a Abraão e seus descendentes. Isso posto, os terrores aqui ameaçados têm tido cumprimento da maneira mais cabal e espantosa. Não obstante, a identidade dos judeus tem sido preservada ao longo de dezenove séculos, pelo que agora eles estão novamente existindo como nação independente. Mas quem restaurará definitivamente a sorte de Israel, transformando-o na "cabeça" das nações, será o Senhor Jesus. Perguntaram-lhe os seus

apóstolos: "Senhor, será este o tempo em que restaures o reino a Israel?" (At 1.6).

O sétimo versículo deste capítulo fala sobre como os inimigos de Israel seriam dispersos em sete direções, se ousassem atacá-los. Mas, se os filhos de Israel se mostrassem desobedientes, eles é que seriam postos em fuga vergonhosa. Assim, a obediência traria as condições retratadas no sétimo versículo, e a desobediência, as condições refletidas nos versículos 25 e 26. E a derrota de Israel seria tão definitiva que ninguém restaria vivo para sepultar os mortos, que se tornariam então pasto dos animais ferozes. De acordo com a mentalidade do povo hebreu, essa era uma das piores desgraças que poderiam acontecer a um ser humano. Mas outros povos compartilhavam desse sentimento. Os gregos criam que a alma do homem não pode descansar se o seu cadáver jaz insepulto. Os inimigos de Israel, por sua vez, não se dariam ao trabalho de sepultar os corpos dos filhos de Israel.

ENFERMIDADES E PERSEGUIÇÃO (28.27-29)

■ 28.27-29

יַכְּכָ֨ה יְהוָ֜ה בִּשְׁחִ֤ין מִצְרַ֨יִם֙ וּבָעֳפָלִ֔ים וּבַגָּרָ֖ב וּבֶחָ֑רֶס אֲשֶׁ֥ר לֹא־תוּכַ֖ל לְהֵרָפֵֽא׃

יַכְּכָ֣ה יְהוָ֔ה בְּשִׁגָּע֖וֹן וּבְעִוָּר֑וֹן וּבְתִמְה֖וֹן לֵבָֽב׃

וְהָיִ֜יתָ מְמַשֵּׁ֣שׁ בַּֽצָּהֳרַ֗יִם כַּאֲשֶׁ֨ר יְמַשֵּׁ֤שׁ הָעִוֵּר֙ בָּאֲפֵלָ֔ה וְלֹ֥א תַצְלִ֖יחַ אֶת־דְּרָכֶ֑יךָ וְהָיִ֜יתָ אַ֣ךְ עָשׁ֧וּק וְגָז֛וּל כָּל־הַיָּמִ֖ים וְאֵ֥ין מוֹשִֽׁיעַ׃

5. *Quinto Juízo*. As pragas do Egito, que tinham devastado aquele país, alcançariam um desobediente povo de Israel. Ver no *Dicionário* o artigo chamado *Pragas do Egito*, como também um gráfico ilustrativo, com algumas notas adicionais, em Êx 7.14.

Úlceras. Ver Êx 9.9 e suas notas expositivas quanto a esse tipo de praga.

Tumores. Na verdade hemorroidas (ver 1Sm 5.9, onde se usou o mesmo termo hebraico, *ophel*).

Sarna. A Revised Standard Version diz aqui "escorbuto", uma afecção cutânea causada pela deficiência em vitamina C. Mas considerando a época em que esse trecho foi escrito, devemos pensar em alguma afecção cutânea geral, e não somente nessa deficiência vitamínica.

Prurido. Isso causava coceiras e grande desconforto. O autor sagrado, contudo, não estava procurando frisar enfermidades específicas. Cf. Lv 21.20 e 22.22. Enfermidades dessa natureza tornavam as pessoas imundas, incapacitadas para a adoração em público.

De que não possas curar-te. Remédios caseiros de nada adiantariam, mesmo que em outras ocasiões tivessem produzido efeito. Yahweh seria a origem dessas enfermidades impostas por castigo, pelo que se apegariam de forma permanente a um povo desobediente.

Loucura. Ver no *Dicionário* o artigo geral intitulado *Enfermidades na Bíblia*, que inclui os desequilíbrios mentais. Até hoje não se sabe muito sobre essas condições; e os antigos ignoravam totalmente as suas causas. Mentalmente debilitados, os israelitas ficariam incapacitados de efetuar qualquer tarefa que exigisse cooperação mútua.

Cegueira. Tanto literal quanto figurada. Afecções oculares destruiriam a visão de muitos israelitas. E os demais ficariam espiritualmente cegos. Alguns estudiosos preferem pensar que essa cegueira afetaria a mente, concordando com o item seguinte.

Perturbação do espírito. Algumas versões dizem aqui "espanto". A Revised Standard Version diz "confusão mental", em consonância com o tema do versículo. Os juízos divinos deixariam os castigados impossibilitados de pensar correta e logicamente.

Apalparás ao meio-dia. Conforme faz uma pessoa cega, se não tiver ajuda de outrem. Assim, às apalpadelas, qualquer tarefa lhes pareceria extremamente problemática. E nada conseguiriam levar a bom termo. E em lugar de serem ajudados, outros apenas se aproveitariam da condição deles para oprimi-los. Adam Clarke, de seu ponto de vista histórico (século XIX), referiu-se ao modo como os israelitas, por quase 1.800 anos, vinham apalpando seu caminho, ao mesmo tempo em que eram maltratados, porquanto "ainda não haviam percebido o resplendor da luz que tinham recebido, que os cercava, pois haviam rejeitado o seu próprio Messias, o que era a causa de todas as suas calamidades".

É com essa ideia que termina este versículo, "serás oprimido e roubado todos os teus dias; e ninguém haverá que te salve". Rejeitar o Senhor Jesus traz consequências quase inacreditáveis!

INCRÍVEIS AFLIÇÕES (28.30-35)

■ 28.30-35

אִשָּׁ֣ה תְאָרֵ֗שׂ וְאִ֤ישׁ אַחֵר֙ יִשְׁגָּלֶ֔נָּה בַּ֥יִת תִּבְנֶ֖ה וְלֹא־תֵשֵׁ֣ב בּ֑וֹ כֶּ֥רֶם תִּטַּ֖ע וְלֹ֥א תְחַלְּלֶֽנּוּ׃

שׁוֹרְךָ֞ טָב֣וּחַ לְעֵינֶ֗יךָ וְלֹ֤א תֹאכַל֙ מִמֶּ֔נּוּ חֲמֹֽרְךָ֙ גָּז֣וּל מִלְּפָנֶ֔יךָ וְלֹ֥א יָשׁ֖וּב לָ֑ךְ צֹֽאנְךָ֙ נְתֻנ֣וֹת לְאֹיְבֶ֔יךָ וְאֵ֥ין לְךָ֖ מוֹשִֽׁיעַ׃

בָּנֶ֨יךָ וּבְנֹתֶ֜יךָ נְתֻנִ֨ים לְעַ֤ם אַחֵר֙ וְעֵינֶ֣יךָ רֹא֔וֹת וְכָל֥וֹת אֲלֵיהֶ֖ם כָּל־הַיּ֑וֹם וְאֵ֥ין לְאֵ֖ל יָדֶֽךָ׃

פְּרִ֤י אַדְמָֽתְךָ֙ וְכָל־יְגִ֣יעֲךָ֔ יֹאכַ֥ל עַ֖ם אֲשֶׁ֣ר לֹא־יָדָ֑עְתָּ וְהָיִ֗יתָ רַ֛ק עָשׁ֥וּק וְרָצ֖וּץ כָּל־הַיָּמִֽים׃

וְהָיִ֖יתָ מְשֻׁגָּ֑ע מִמַּרְאֵ֥ה עֵינֶ֖יךָ אֲשֶׁ֥ר תִּרְאֶֽה׃

יַכְּכָ֨ה יְהוָ֜ה בִּשְׁחִ֣ין רָ֗ע עַל־הַבִּרְכַּ֨יִם֙ וְעַל־הַשֹּׁקַ֔יִם אֲשֶׁ֥ר לֹא־תוּכַ֖ל לְהֵרָפֵ֑א מִכַּ֥ף רַגְלְךָ֖ וְעַ֥ד קָדְקֳדֶֽךָ׃

6. *Sexto Juízo*. "As aflições aqui descritas resultariam da derrota na guerra. As isenções militares, mencionadas em Dt 20.5-7, seriam revertidas, uma vez que o Senhor retirasse a sua proteção. Os filhos e o gado perder-se-iam para sempre (vss. 31 e 32). Exércitos estrangeiros colheriam os benefícios do árduo trabalho dos agricultores (vs. 33). Perdas tão devastadoras produziriam a insanidade (vs. 34), sem falar em dolorosas 'úlceras malignas' (vs. 35; cf. o vs. 27)" (Jack S. Deere, *in loc.*).

Desposar-te-ás... edificarás... plantarás. As condições favoráveis, prometidas em Dt 20.5-7, seriam anuladas, uma após outra, no caso dos desobedientes a Yahweh. Ver as notas expositivas daqueles versículos. Um soldado israelita, que antes estaria dispensado do serviço militar, a fim de iniciar sua vida de homem casado, de construir sua casa e de plantar sua vinha, agora teria de seguir para o campo de batalha, e ali seria morto. E outro homem ficaria com sua mulher e com os seus bens materiais. E isso poria fim a todos os sonhos do israelita desobediente.

Boi... jumento... ovelhas. Os animais domésticos dos israelitas desobedientes seriam roubados diante dos seus olhos. Isso parece indicar pilhagens e saques, um dos resultados da guerra, para quem sai perdedor. Dessa sorte, os israelitas desobedientes seriam sujeitados a muitas atrocidades, e isso dentro de sua própria Terra Prometida, que eles teriam mostrado ser incapazes de defender.

Teus filhos e tuas filhas. A prole dos israelitas desobedientes não seria considerada melhor do que meros animais domésticos. Muitos desses filhos seriam mortos; outros seriam levados como escravos. E assim famílias seriam dispersadas para sempre, sob as mais agonizantes circunstâncias. E os pais desses filhos seriam consumidos de tristeza e saudades, sabendo que seus filhos estavam sendo sujeitados aos mais cruéis abusos, por parte de estrangeiros sem misericórdia.

John Gill (*in loc.*) registrou um incidente ocorrido em fins do século XV e começos do século XVI que atingiu os judeus e ilustra o nosso texto: "Por meio de um edito da coroa portuguesa, os filhos dos judeus foram transportados para ilhas desabitadas. E quando, por ordem do rei, eles embarcaram nas naus que haveriam de transportá-los, o historiador judeu disse que houve, por parte das mulheres judias, grandes lamentações por seus filhos; mas ninguém teve compaixão deles, nem foram eles consolados, e ninguém os ajudou" (com referência ao Shebet Judah, *Hist. Jud.*, sec. 5, pág. 332).

tua mão nada poderá fazer. Uma das piores coisas seria o senso de impotência diante de tantas desgraças. Sem Yahweh, os israelitas teriam de reconhecer que eles nada eram.

O fruto da tua terra. Os exércitos invasores apossar-se-iam de toda a produção agrícola, que tanto trabalho havia dado aos israelitas, e estes perderiam tudo. Os invasores ficariam bem providos de alimentos, ao passo que os próprios agricultores e o povo israelita em geral passariam fome. Dessarte, os israelitas desobedientes sofreriam toda sorte de opressão e desgraça. Cf. as profecias em Jr 5.17. Ver também o versículo 29 deste capítulo quanto a predições similares.

E te enlouquecerás. Desgraças tão generalizadas deixariam os israelitas desobedientes em estado de torpor mental, ao contemplarem tantas devastações. "... chocantes acontecimentos ... calamidades espantosas, opressões e perseguições" (John Gill, *in loc.*), o qual relatou, em conexão com este versículo, outro incidente moderno de perseguições contra os judeus, que teve lugar na Alemanha, nestes termos: "Na Alemanha, na ira e desvario deles, os judeus incendiaram uma cidade, e eles mesmos pereceram dentro dela. Naquele mesmo país, ao serem convocados por um edito para mudarem de religião, eles concordaram em reunir-se em certo edifício, onde se mataram mutuamente. Os pais primeiramente mataram seus filhos; então os maridos mataram suas mulheres; e então passaram a matar-se uns aos outros. Finalmente, restou um único homem, o qual se suicidou" (Shebet Judah, *Hist. Jud.*, sec. 234-236, partes 214-217).

O Senhor te ferirá com úlceras. As ulcerações afetariam o corpo inteiro de suas vítimas, como um sinal especial da ira do próprio Yahweh contra os israelitas desobedientes. Não haveria como obter cura para tais úlceras, e os corpos sofreriam sem nenhuma mitigação. Cf. o versículo 27 deste capítulo. Ver Ez 7.17 e 21.7, onde lemos: "Todas as mãos se afrouxam, todo espírito se angustia e todos os joelhos se desfarão em água".

EXÍLIO (28.36,37)

■ 28.36,37

יוֹלֵךְ יְהוָה אֹתְךָ וְאֶת־מַלְכְּךָ אֲשֶׁר תָּקִים עָלֶיךָ אֶל־גּוֹי אֲשֶׁר לֹא־יָדַעְתָּ אַתָּה וַאֲבֹתֶיךָ וְעָבַדְתָּ שָּׁם אֱלֹהִים אֲחֵרִים עֵץ וָאָבֶן:

וְהָיִיתָ לְשַׁמָּה לְמָשָׁל וְלִשְׁנִינָה בְּכֹל הָעַמִּים אֲשֶׁר־יְנַהֶגְךָ יְהוָה שָׁמָּה:

7. *Sétimo Juízo.* Visto que Israel recusar-se-ia a servir ao Deus vivo e verdadeiro, o próprio Israel seria levado à força para terras estrangeiras, onde serviria a deuses estrangeiros que são ídolos sem vida. Ver no *Dicionário* os artigos intitulados *Cativeiro (Cativeiros)*; *Cativeiro Assírio* e *Cativeiro Babilônico*. Esses três artigos ilustram graficamente o cumprimento das profecias constantes nestes dois versículos. O pior e mais longo de todos os exílios tem sido o chamado exílio romano, que começou em 132 d.C., nos tempos do imperador Adriano. O povo de Israel foi expulso da Terra Prometida, proibido de ali voltar, e ficou "fora" até o nosso próprio século XX, quando então (em 1948) teve início uma restauração preliminar, que continua em processo. De fato, o restaurador de Israel será o Senhor Jesus, quando ele voltar ao mundo (ver At 1.6).

Em lugar de ser uma nação distinguida, distinta e exaltada, conforme a vontade de Deus determinou para eles (ver Dt 26.19 e outras referências, dadas nas notas sobre aquele versículo), Israel passaria a ser um sinônimo de reversão, de tragédia, de devastação, de fracasso, de "cauda" (ver o vs. 37 deste capítulo). Israel "se tornaria a nação mais repulsiva da terra" (Jack S. Deere, *in loc.*).

Israel seria ridiculizado e zombado por seus inimigos, tornando-se o centro de intermináveis piadas de mau gosto. Essa descrição é a *antítese* do décimo versículo. Cf. Jr 24.9, um paralelo direto com o versículo 37.

Felizmente para Israel, as Escrituras profetizam apenas três grandes cativeiros, antes do retorno do Senhor Jesus. E o último desses evidentemente está chegando ao fim. Isso nos permite prever que o Senhor Jesus não demora muito a voltar, e ele reverterá totalmente, por sua misericórdia e graça, a sorte de Israel (ver Dt 30.3; Sl 14.7; Jr 30.18; Ez 16.53; Jl 3.1; Sf 2.7 etc.).

FRUSTRAÇÃO GERAL (28.38-44)

■ 28.38-44

38 זֶרַע רַב תּוֹצִיא הַשָּׂדֶה וּמְעַט תֶּאֱסֹף כִּי יַחְסְלֶנּוּ הָאַרְבֶּה:

39 כְּרָמִים תִּטַּע וְעָבָדְתָּ וְיַיִן לֹא־תִשְׁתֶּה וְלֹא תֶאֱגֹר כִּי תֹאכְלֶנּוּ הַתֹּלָעַת:

40 זֵיתִים יִהְיוּ לְךָ בְּכָל־גְּבוּלֶךָ וְשֶׁמֶן לֹא תָסוּךְ כִּי יִשַּׁל זֵיתֶךָ:

41 בָּנִים וּבָנוֹת תּוֹלִיד וְלֹא־יִהְיוּ לָךְ כִּי יֵלְכוּ בַּשֶּׁבִי:

42 כָּל־עֵצְךָ וּפְרִי אַדְמָתֶךָ יְיָרֵשׁ הַצְּלָצַל:

43 הַגֵּר אֲשֶׁר בְּקִרְבְּךָ יַעֲלֶה עָלֶיךָ מַעְלָה מָּעְלָה וְאַתָּה תֵרֵד מַטָּה מָּטָּה:

44 הוּא יַלְוְךָ וְאַתָּה לֹא תַלְוֶנּוּ הוּא יִהְיֶה לְרֹאשׁ וְאַתָּה תִּהְיֶה לְזָנָב:

8. *Oitavo Juízo.* Para começar, haveria falha agrícola e ruína econômica. Um trabalho árduo produziria pouquíssimo resultado permanente. Toda esperança de boa colheita terminaria em amargo desapontamento. Pragas destruiriam os resultados almejados. As vinhas não produziriam ou seriam saqueadas. E não haveria filhos que pudessem ajudar seus pais em meio a toda a perda sofrida, porquanto eles teriam sido levados para o estrangeiro (vs. 32).

Muita Semente, Pouca Colheita. Ou as sementes não nasceriam, ou as plantações seriam devoradas pelos gafanhotos. Ver no *Dicionário* o verbete intitulado *Praga de Gafanhotos.* Cf. Ag 1.9 e Jl 1.4 quanto a ameaças similares. Temos aí uma antítese às promessas do versículo 11, dirigidas aos israelitas obedientes.

Pragas Atingiriam os Vinhedos. As parreiras seriam plantadas e cuidadas, mas somente para que vermes as destruíssem. Plínio, o antigo naturalista, falou sobre vários tipos de vermes que seriam fatais às vinhas e às próprias uvas (*Hist. Natural* 1.17, cap. 28). Israel, desobediente a Yahweh, contaria com muitos vermes, mas com poucas uvas. Desse modo, os vermes obedeceriam ao soberano Yahweh, ao passo que os israelitas ser-lhe-iam desobedientes.

Azeite Extremamente Escasso. Haveria oliveiras espalhadas por todo o território de Israel, mas a produção de azeitonas e de azeite seria tão pequena que não haveria o suficiente nem mesmo para o uso nas cerimônias de unção. Cf. Dt 8.8. A oliveira era uma das riquezas da Terra Prometida, tal como o leite e o mel (ver as notas em Êx 3.8 e Nm 13.27). Mas a desobediência poria fim a tudo. A safra da azeitona abortaria estando ainda o fruto verde, nas árvores; e o que assim não se perdesse ficaria estragado pelo vento e pela seca, além de ser reduzido a nada pelas enfermidades, como a ferrugem. Cf. Am 4.9 e Hc 3.17.

Cativeiro para os Filhos. Essa terrível ameaça é aqui repetida. Ver o versículo 32 deste capítulo. Talvez a experiência mais agonizante que um pai ou mãe podem experimentar seja a de ser separado à *força* de seus filhos, mediante sequestros, tragédia ou morte. Durante a Segunda Guerra Mundial, muitos pais ingleses enviaram seus filhos para o território dos Estados Unidos da América, para que estivessem livres dos horrores da guerra. Mas até mesmo essa forma de separação, quando os pais britânicos sabiam que seus filhos estariam em segurança, foi muito dolorosa para eles. Ver o versículo 37 e suas notas expositivas, quanto ao juízo do exílio, e onde aparecem referências a artigos que descrevem os vários cativeiros que Israel tem *sofrido*.

Nova Ameaça de Cativeiro para os Filhos. O versículo 42 repete a ameaça do vs. 38, cujas notas devem ser consultadas. Toda a vegetação do país sofreria devastação, impossibilitando a continuação de qualquer tipo de vida. Cf. Êx 10.15. Israel sofreria a mesma triste sorte que tinha atingido antes o Egito. Ver também Jl 2.5.

Estrangeiros Exaltados, Naturais do País, Humilhados. Embora o destino determinado por Deus para Israel era que a nação fosse exaltada, a desobediência reverteria a situação. Nessa reversão, estrangeiros bárbaros e idólatras obteriam a hegemonia, anulando as promessas (ver Dt 26.19) feitas ao povo escolhido. No Egito, Yahweh havia protegido os filhos de Israel das dez pragas (ver no *Dicionário* o verbete intitulado *Pragas do Egito*). Não obstante, se fosse desobediente, Israel sofreria a mesma ira que os egípcios tinham sofrido, uma *irônica reversão*.

Tu mais e mais descerás. No dizer de John Gill (*in loc.*): "Sob a forma de grande sujeição, como vassalo e escravo; ver Sl 106.41,42. E isso tornou-se mais patente ainda quando os romanos reduziram à servidão a nação de Israel, tendo mandado muitos judeus para trabalhar nas minas do Egito".

Dependência Econômica. O vss. 44 é a antítese dos vss. 12 e 13 deste capítulo, que falam sobre os benefícios outorgados aos obedientes. As notas expositivas dadas ali aplicam-se aqui. Por outra parte, os estrangeiros e os *saqueadores* seriam os beneficiados e exaltados, ao passo que um desobediente povo de Israel seria reduzido a "cauda".

MALDIÇÕES COLETIVAS DE JUÍZO GERAL (28.45-48)

■ 28.45-48

45 וּבָאוּ עָלֶיךָ כָּל־הַקְּלָלוֹת הָאֵלֶּה וּרְדָפוּךָ וְהִשִּׂיגוּךָ עַד הִשָּׁמְדָךְ כִּי־לֹא שָׁמַעְתָּ בְּקוֹל יְהוָה אֱלֹהֶיךָ לִשְׁמֹר מִצְוֹתָיו וְחֻקֹּתָיו אֲשֶׁר צִוָּךְ:

46 וְהָיוּ בְךָ לְאוֹת וּלְמוֹפֵת וּבְזַרְעֲךָ עַד־עוֹלָם:

47 תַּחַת אֲשֶׁר לֹא־עָבַדְתָּ אֶת־יְהוָה אֱלֹהֶיךָ בְּשִׂמְחָה וּבְטוּב לֵבָב מֵרֹב כֹּל:

48 וְעָבַדְתָּ אֶת־אֹיְבֶיךָ אֲשֶׁר יְשַׁלְּחֶנּוּ יְהוָה בָּךְ בְּרָעָב וּבְצָמָא וּבְעֵירֹם וּבְחֹסֶר כֹּל וְנָתַן עֹל בַּרְזֶל עַל־צַוָּארֶךָ עַד הִשְׁמִידוֹ אֹתָךְ:

9. *Nono Juízo.* Encontramos aqui um sumário de maldições anteriores, formando a nona seção desta passagem. Mas além da reiteração das maldições anteriores, também são providas razões para elas.

Todas estas maldições virão sobre ti. A alusão é às doze maldições do capítulo 27, como também às seis maldições do capítulo 28, as quais são explicadas com maiores detalhes nos oito *juízos* antecedentes. O autor sagrado parte aqui da certeza de que as coisas preditas haveriam de ter lugar. Os críticos supõem que esta passagem seja de origem tardia, refletindo mais a história do que a profecia. O autor descontinua o "se". Israel, embora estivesse prestes a atravessar o rio e tomar posse da Terra Prometida, estava destinado a fracassar, ir para o cativeiro e sofrer inúmeras catástrofes.

Razão. Desobediência. A convocação à *obediência*, que aparece e se repete em Dt 5.1; 6.1; 8.1; 10.12,13; 11.1; 12.1; 27.1 e 28.1, não seria atendida. *Escolhas* erradas seriam feitas (ver Dt 27.12,13); Israel ficaria sujeito às maldições do monte Ebal, em lugar das bênçãos do monte Gerizim — porquanto esses dois montes simbolizavam as duas escolhas possíveis.

Ver a *tripla* designação da lei, em Dt 6.1. Duas dessas designações — "mandamentos" e "estatutos" são reiteradas no versículo 45.

tua descendência para sempre. Os *mandamentos* e os *estatutos*, que deveriam ser agentes de vida (ver Dt 4.1; 5.33 e 6.2 e suas respectivas notas expositivas) se tornariam sinais de maldição e de morte, bem como das devastações que perseguiriam os filhos de Israel por todas as suas gerações. As *maldições* provenientes da desobediência também serviriam de sinais e maravilhas, embora com resultados negativos, e não positivos, conforme usualmente são os sinais e os prodígios miraculosos.

As maldições deixariam atônitas as sucessivas gerações de israelitas, e isso por motivo de consternação. Estão aqui em foco, acima de tudo, os cativeiros. Ver no *Dicionário* o artigo intitulado *Cativeiro (Cativeiros)*. Finalmente, seria vista uma "coisa nova", ou seja, a restauração de Israel. Ver Is 45.17,18 e Rm 11.25,26. Essa coisa nova resultaria, pelo menos em parte, dos terríveis juízos divinos, juízos esses que não seriam meramente retributivos, porquanto também teriam um aspecto remediador.

Ingratidão no Serviço ao Senhor. O versículo 47 mostra que a *desobediência anularia o serviço* prestado por Israel ao Senhor. Eles serviriam, mas de má vontade e sem alegria. A *abundância*, que eles poderiam ter recebido, ficaria assim perdida. Israel, em lugar disso, seria sujeitado a potências estrangeiras e seria dispersado, fugindo em sete direções diferentes (vs. 25).

Serviço Forçado a Estrangeiros. Os israelitas haveriam de recusar-se a servir a Yahweh de bom grado, e, em consequência, seriam forçados a servir a estrangeiros. Os seus dominadores haveriam de furtar-lhes as coisas mais básicas da vida, de tal modo que, em nudez, haveriam de padecer fome e sede. Um jugo de ferro seria posto em torno de seus pescoços, de tal modo que, como animais irracionais, eles seriam maltratados e reduzidos à escravidão. O resultado disso tudo é que a nação de Israel seria destruída. Estão em pauta os cativeiros e os seus rigores. Cf. Jr 28.14 quanto ao *jugo de ferro*. Os jugos ou cangas eram feitos de madeira. Aqueles feitos de ferro seriam mais pesados e mais opressivos ainda. Ninguém fazia cangas de ferro para os seus animais; mas Israel seria reduzido a uma posição inferior à dos animais irracionais, quando a Assíria e a Babilônia dominassem o antigo povo de Deus. Mas o *jugo romano* foi o mais severo e prolongado de todos, de tal modo que, somente em nosso século XX (maio de 1948), formou-se novamente a nação de Israel como um Estado devidamente organizado. O imperador romano, Adriano (em 132 d.C.), esvaziou a Terra Prometida de judeus, de onde foram dispersos entre todas as nações da terra, para sofrerem, geração após geração, um cativeiro que já se prolonga por mais de dezenove séculos.

Alguém poderia indagar: "Mas a formação do moderno Estado de Israel, em 1948, não fez terminar o terceiro e mais longo e terrível dos cativeiros de Israel?" Não. O que ocorreu em 1948 é que apenas uma porcentagem do povo judeu espalhado pelo mundo começou a voltar ao seu antigo território pátrio. As profecias bíblicas dão conta de que Israel ainda terá de enfrentar a pior de todas as opressões, aquela da "tribulação de Jacó" (ver Jr 30.7 e seus paralelos), quando então, no dizer do profeta Zacarias, Deus ajuntará "todas as nações para a peleja contra Jerusalém; e a cidade será tomada, e as casas serão saqueadas, e as mulheres forçadas; metade da cidade sairá para o cativeiro, mas o restante do povo não será expulso da cidade" (Zc 14.2). E então, o mesmo profeta diz que o Senhor virá em socorro de seu povo: "Naquele dia estarão os seus pés sobre o monte das Oliveiras..." (Zc 14.4). E o Senhor, presente de novo na terra, agirá como o Restaurador. E daí por diante, nunca mais Israel sofrerá maldição. Antes, tendo-se convertido, passará a obedecer ao Senhor. E então, para Israel, haverá somente bênçãos, por toda a eternidade!

"E assim todo o Israel será salvo, como está escrito: Virá de Sião o Libertador, ele apartará de Jacó as impiedades" (Rm 11.26).

CIDADES CERCADAS POR EXÉRCITOS INIMIGOS (28.49-55)

■ 28.49-55

49 יִשָּׂא יְהוָה עָלֶיךָ גּוֹי מֵרָחוֹק מִקְצֵה הָאָרֶץ כַּאֲשֶׁר יִדְאֶה הַנָּשֶׁר גּוֹי אֲשֶׁר לֹא־תִשְׁמַע לְשֹׁנוֹ:

50 גּוֹי עַז פָּנִים אֲשֶׁר לֹא־יִשָּׂא פָנִים לְזָקֵן וְנַעַר לֹא יָחֹן:

51 וְאָכַל פְּרִי בְהֶמְתְּךָ וּפְרִי־אַדְמָתְךָ עַד הִשָּׁמְדָךְ אֲשֶׁר לֹא־יַשְׁאִיר לְךָ דָּגָן תִּירוֹשׁ וְיִצְהָר שְׁגַר אֲלָפֶיךָ וְעַשְׁתְּרֹת צֹאנֶךָ עַד הַאֲבִידוֹ אֹתָךְ:

52 וְהֵצַר לְךָ בְּכָל־שְׁעָרֶיךָ עַד רֶדֶת חֹמֹתֶיךָ הַגְּבֹהוֹת וְהַבְּצֻרוֹת אֲשֶׁר אַתָּה בֹּטֵחַ בָּהֵן בְּכָל־אַרְצֶךָ וְהֵצַר לְךָ בְּכָל־שְׁעָרֶיךָ בְּכָל־אַרְצְךָ אֲשֶׁר נָתַן יְהוָה אֱלֹהֶיךָ לָךְ:

53 וְאָכַלְתָּ֣ פְרִֽי־בִטְנְךָ֗ בְּשַׂ֤ר בָּנֶ֙יךָ֙ וּבְנֹתֶ֔יךָ אֲשֶׁ֥ר
נָֽתַן־לְךָ֖ יְהוָ֣ה אֱלֹהֶ֑יךָ בְּמָצוֹר֙ וּבְמָצ֔וֹק אֲשֶׁר־יָצִ֥יק
לְךָ֖ אֹיְבֶֽךָ׃

54 הָאִישׁ֙ הָרַ֣ךְ בְּךָ֔ וְהֶעָנֹ֖ג מְאֹ֑ד תֵּרַ֨ע עֵינ֤וֹ בְאָחִיו֙
וּבְאֵ֣שֶׁת חֵיק֔וֹ וּבְיֶ֥תֶר בָּנָ֖יו אֲשֶׁ֥ר יוֹתִֽיר׃

55 מִתֵּ֣ת ׀ לְאַחַ֣ד מֵהֶ֗ם מִבְּשַׂ֤ר בָּנָיו֙ אֲשֶׁ֣ר יֹאכֵ֔ל מִבְּלִ֥י
הִשְׁאִֽיר־ל֖וֹ כֹּ֑ל בְּמָצוֹר֙ וּבְמָצ֔וֹק אֲשֶׁ֨ר יָצִ֥יק לְךָ֛ אֹיִבְךָ֖
בְּכָל־שְׁעָרֶֽיךָ׃

10. *Décimo Juízo*. Talvez pareça, a qualquer pessoa sensata, que nada de mais horroroso poderia acontecer ao povo de Israel, como maldição divina. No entanto, o autor sacro, ao revelar o décimo e o décimo primeiro juízo divino, que ele começa a descrever no versículo 49, ultrapassou a todas as predições anteriores, quanto ao seu horror. Essas duas maldições finais poderiam ser sumariadas por meio de duas palavras: *cerco* e *exílio*. Israel haveria de chegar ao fim! Que poderia ser pior? Somente uma notável intervenção divina, qual seja, o do segundo advento de Cristo, será capaz de modificar esse quadro, conforme vimos nos poucos parágrafos anteriormente. Mas tudo isso faz parte de nossa antecipação, pois a revelação feita por Moisés, por enquanto, ainda é de entrar no cativeiro babilônico, algo distante no futuro, do ângulo do autor sagrado.

O Senhor levantará contra ti uma nação. A maioria dos eruditos concorda que a nação aqui referida é a antiga *Babilônia* da época de Nabucodonosor. Outros opinam que a referência é aqui um tanto frouxa, de tal modo que, embora a frase tenha sido posta no singular, "uma nação", estariam em pauta tanto a Assíria quanto a Babilônia.

Os críticos, por sua vez, supõem que toda essa seção tenha sido escrita como *história*, e não como profecia, pois reflete o que aconteceu durante o cerco de Jerusalém e outras cidades de Judá por parte das tropas babilônicas, com o consequente cativeiro do reino do sul, Judá (ano de 597 a.C.). A Assíria, a Babilônia ou mesmo ambas (a Assíria ficava ao norte e a Babilônia ao sul; e ambas formam atualmente o Iraque) eram comparadas a uma *águia* destruidora. Em Hc 1.6 e 8 a Babilônia também é assim simbolizada. Sendo uma ave de rapina, a águia desce súbita e ferozmente sobre sua presa, sem misericórdia. O símbolo do império romano também era a *águia*, embora esse quarto e último império da profecia bíblica não esteja em pauta aqui. Ver no *Dicionário* os artigos intitulados *Cativeiro Assírio*; *Cativeiro Babilônico* e *Cativeiro (Cativeiros)*.

Cuja língua não entenderás. Algum idioma estrangeiro, como o idioma falado na Assíria e na Babilônia, mas por certo não o latim (conforme alguns têm sugerido). Este trecho bíblico não está falando sobre a *incapacidade* dos judeus de aprenderem algum outro idioma, além do hebraico, conforme alguns intérpretes, tolamente, têm sugerido. O que está em pauta é que, de súbito, chegaria um povo estrangeiro que ocuparia a Terra Prometida e destruiria suas cidades, e a comunicação verbal entre vencedores e vencidos seria dificultada pela barreira do idioma. A situação inteira, pois, seria totalmente *estranha* para Israel.

Manassés Ben Israel (1604-1657), judeu marrano nascido em Portugal, mas que viveu na Inglaterra, interpretava este versículo como se estivesse falando sobre Roma (*De Termino Vitae*, 1.3, sec. 3, par. 129), mas ele falou olhando para trás, e não do ponto de vista de uma predição feita nos dias de Moisés. O Talmude fez sugestões similares, e essa ideia acabou tornando-se parte dos escritos judaicos desde então.

Ataque de uma Nação Feroz. Essa feroz nação atacante (provavelmente a Babilônia) não teria dó de ninguém dentre os israelitas, nem de adultos, nem de crianças, nem de anciãos. E os que escapassem com vida seriam levados para o cativeiro, onde seriam forçados a aceitar a idolatria. Cf. 2Cr 27.17, que diz algo parecido. Ver também Lm 5.12, quanto aos terríveis sofrimentos impostos aos príncipes e anciãos do povo de Israel. Comentando sobre o versículo 50, alguns judeus de nomeada também pensavam que a nação em pauta seria Roma (ver Josefo, *De Bello Jud.*, 1. 3. cap. 7).

Destruição de Todos os Recursos Materiais de Israel. Tudo quanto fosse vital para a existência de Israel seria consumido pelos exércitos de ocupação da nação invasora. Como é óbvio, isso é típico dos exércitos invasores, que têm de sobreviver dos recursos do território invadido, sem nenhuma preocupação com as necessidades presentes e futuras da nação conquistada. Os animais domesticados e a agricultura eram o âmago do sustento de Israel. Mas tanto uma quanto a outra coisa seriam destruídas. E o resultado disso seria a destruição da própria nação de Israel.

Cerco de Todas as Cidades de Israel. No vs. 52 lemos que Israel seria assediado em todas as suas cidades. As muralhas protetoras das cidades seriam derrubadas, e as cidades fortes seriam niveladas. Israel perderia tudo aquilo em que confiava. Os hebreus perderiam o próprio território que lhes tinha sido dado como herança, por força do Pacto Abraâmico (ver as notas em Gn 15.18). Israel deixaria de existir como nação organizada.

"Os judeus contavam com várias cidades bem muradas e fortificadas, além da própria Jerusalém; e nelas eles punham a sua confiança. Mas todas essas cidades sucumbiram" (John Gill, *in loc.*). Cf. este versículo com 2Rs 17.5 (em foco a nação do norte, Israel), e também com 2Rs 25.10 (em foco a nação do sul, Judá). Ver Jr 34.7 quanto ao cerco e à destruição de cidades muradas, por parte das tropas de Nabucodonosor.

Canibalismo. No vs. 53 encontramos o cúmulo dos absurdos que aconteceriam a Israel. Os pais, destituídos de todas as provisões de boca e de toda esperança, devorariam os seus próprios filhinhos, um crime inominável de mentes ensandecidas. Cf. Lv 26.27-29 e Jr 19.9.

"Essa maldição teve cumprimento literal quando os assírios cercaram a cidade de Samaria (ver 2Rs 6.24-29), e também quando os babilônios assediaram a cidade de Jerusalém (ver Lm 2.20 e 4.10). Esse foi um dos mais horrendos exemplos da profundidade de perversão a que os homens podem ser levados quando desobedecem a Deus" (Jack S. Deere, *in loc.*). Josefo ajunta a isso que a mesma coisa aconteceu quando Jerusalém foi cercada e tomada pelos romanos (*De Bello Jud.*, 1.6. cap. 3, sec. 4). E Shebet Judah, *Hist. Jud.*, par. 326, informa-nos que, em outra ocasião de profunda angústia, os judeus chegaram a vender seus filhos em troca de pão.

Perversões da Natureza Humana. Isso se tornaria um fenômeno tão intensificado que, quando a sobrevivência estivesse em perigo, um homem normalmente dotado de terno coração acabaria fazendo o mal contra seu próprio irmão, contra sua esposa, e nem mesmo de seus filhos teria piedade. Um homem nem ao menos daria um pedaço de pão para seu irmão ou para sua esposa, mas, antes, devoraria sozinho o que restasse de comida. E, então, com o coração resolvido a praticar qualquer erro, devoraria seus próprios filhinhos.

Josefo forneceu-nos uma citação que se ajusta bem à situação aqui retratada: "... em toda casa onde houvesse qualquer coisa que pudesse servir de alimento, havia um conflito; e os mais caros amigos brigavam um contra o outro, arrancando uns dos outros as menores partículas de alimentos" (*De Bello Jud.*, 1. 6. cap. 3, sec. 3).

Essa horrenda descrição prolonga-se pelos versículos 54 a 57.

No vs. 55 é previsto como um indivíduo ensandecido pela miséria haveria de comer seu próprio filhinho, negando qualquer pedaço do corpinho a outra pessoa da família.

Josefo comentou que, por ocasião do cerco de Jerusalém pelos romanos, os judeus comeram cães, gatos, animais de qualquer espécie e até o estrume de animais, incluindo objetos feitos de couro, como cintos e escudos (*De Bello Jud.*, 1.6, cap. 3, sec. 3). Isso pode parecer um exagero para alguns, mas na família deste tradutor houve um caso parecido. Soldados do exército brasileiro, durante a guerra do Paraguai, cercados pelo inimigo, tiveram de cozinhar demoradamente objetos de couro, incluindo as botas dos soldados, para comê-los, a fim de não morrerem de fome. Uma tia minha, Ana Bentes Valverde, contou-me que um irmão da mãe dela foi um dos soldados brasileiros que tiveram de comer as próprias botas, no Paraguai. Os paraguaios, em fuga, deixavam para trás uma condição de "terra arrasada".

"Chocante e desnatural" (John Gill, *in loc.*). "Eles comeriam alguns de seus próprios filhos, recusando-se a compartilhar da carne dos filhos mortos com outros filhos, que ainda sobrevivessem" (Ellicott, *in loc.*).

O vs. 55 alude a um homem tão enlouquecido pela fome e pelo terror que chegaria a praticar indizíveis atos de barbárie. Os versículos 56 e 57, por sua vez, mostram como certas mães, geralmente tão solícitas quanto às necessidades de seus filhos, transformar-se-iam em nada menos que feras predadoras. Uma mulher naturalmente gentil, sempre tão temerosa que qualquer coisa de ruim acontecesse com seus filhos, a ponto de não deixar no chão algum alimento a ser ingerido por seus filhos, acabaria sendo a grande inimiga de seus próprios familiares, como a devoradora de sua prole. Josefo contou a história de uma mulher judia chamada Maria, que tomou um seu filhinho, ao qual ainda dava de mamar, para matá-lo e cozinhá-lo, tudo *secretamente*, o que foi um dos crimes horrorosos daqueles dias arrepiantes. Ela comeu parte das carnes do bebê e guardou o resto para uma futura refeição. Aos soldados romanos, que entraram na casa dela e exigiram comida, ela deu uma parte que ainda restava da criança, já cozida. E os calejados soldados romanos, que tinham acabado de vir das ruas, onde tinham matado pessoas e violentado mulheres, ficaram horrorizados com o que viram (*De Bello Jud.*, I.6, cap. 3, sec. 4).

EXTINÇÃO DE ISRAEL POR MEIO DO EXÍLIO E DA FOME (28.56-68)

56 הָרַכָּ֨ה בְךָ֜ וְהָעֲנֻגָּ֗ה אֲשֶׁ֨ר לֹא־נִסְּתָ֤ה כַף־רַגְלָהּ֙ הַצֵּ֣ג עַל־הָאָ֔רֶץ מֵהִתְעַנֵּ֖ג וּמֵרֹ֑ךְ תֵּרַ֤ע עֵינָהּ֙ בְּאִ֣ישׁ חֵיקָ֔הּ וּבִבְנָ֖הּ וּבְבִתָּֽהּ׃

57 וּֽבְשִׁלְיָתָ֞הּ הַיּוֹצֵ֣ת ׀ מִבֵּ֣ין רַגְלֶ֗יהָ וּבְבָנֶ֙יהָ֙ אֲשֶׁ֣ר תֵּלֵ֔ד כִּֽי־תֹאכְלֵ֥ם בְּחֹֽסֶר־כֹּ֖ל בַּסָּ֑תֶר בְּמָצוֹר֙ וּבְמָצ֔וֹק אֲשֶׁ֨ר יָצִ֥יק לְךָ֛ אֹיִבְךָ֖ בִּשְׁעָרֶֽיךָ׃

58 אִם־לֹ֨א תִשְׁמֹ֜ר לַעֲשׂ֗וֹת אֶת־כָּל־דִּבְרֵי֙ הַתּוֹרָ֣ה הַזֹּ֔את הַכְּתוּבִ֖ים בַּסֵּ֣פֶר הַזֶּ֑ה לְ֠יִרְאָה אֶת־הַשֵּׁ֞ם הַנִּכְבָּ֤ד וְהַנּוֹרָא֙ הַזֶּ֔ה אֵ֖ת יְהוָ֥ה אֱלֹהֶֽיךָ׃

59 וְהִפְלָ֤א יְהוָה֙ אֶת־מַכֹּ֣תְךָ֔ וְאֵ֖ת מַכּ֣וֹת זַרְעֶ֑ךָ מַכּ֤וֹת גְּדֹלֹת֙ וְנֶ֣אֱמָנ֔וֹת וָחֳלָיִ֥ם רָעִ֖ים וְנֶאֱמָנִֽים׃

60 וְהֵשִׁ֣יב בְּךָ֗ אֵ֚ת כָּל־מַדְוֵ֣ה מִצְרַ֔יִם אֲשֶׁ֥ר יָגֹ֖רְתָּ מִפְּנֵיהֶ֑ם וְדָבְק֖וּ בָּֽךְ׃

61 גַּ֤ם כָּל־חֳלִי֙ וְכָל־מַכָּ֔ה אֲשֶׁר֙ לֹ֣א כָת֔וּב בְּסֵ֖פֶר הַתּוֹרָ֣ה הַזֹּ֑את יַעְלֵ֤ם יְהוָה֙ עָלֶ֔יךָ עַ֖ד הִשָּׁמְדָֽךְ׃

62 וְנִשְׁאַרְתֶּם֙ בִּמְתֵ֣י מְעָ֔ט תַּ֚חַת אֲשֶׁ֣ר הֱיִיתֶ֔ם כְּכוֹכְבֵ֥י הַשָּׁמַ֖יִם לָרֹ֑ב כִּי־לֹ֣א שָׁמַ֔עְתָּ בְּק֖וֹל יְהוָ֥ה אֱלֹהֶֽיךָ׃

63 וְהָיָ֡ה כַּאֲשֶׁר־שָׂ֣שׂ יְהוָ֣ה עֲלֵיכֶ֗ם לְהֵיטִ֣יב אֶתְכֶם֮ וּלְהַרְבּ֣וֹת אֶתְכֶם֒ כֵּ֣ן יָשִׂ֤ישׂ יְהוָה֙ עֲלֵיכֶ֔ם לְהַאֲבִ֥יד אֶתְכֶ֖ם וּלְהַשְׁמִ֣יד אֶתְכֶ֑ם וְנִסַּחְתֶּם֙ מֵעַ֣ל הָֽאֲדָמָ֔ה אֲשֶׁר־אַתָּ֥ה בָא־שָׁ֖מָּה לְרִשְׁתָּֽהּ׃

64 וֶהֱפִֽיצְךָ֤ יְהוָה֙ בְּכָל־הָ֣עַמִּ֔ים מִקְצֵ֥ה הָאָ֖רֶץ וְעַד־קְצֵ֣ה הָאָ֑רֶץ וְעָבַ֨דְתָּ שָּׁ֜ם אֱלֹהִ֣ים אֲחֵרִ֗ים אֲשֶׁ֧ר לֹא־יָדַ֛עְתָּ אַתָּ֥ה וַאֲבֹתֶ֖יךָ עֵ֥ץ וָאָֽבֶן׃

65 וּבַגּוֹיִ֤ם הָהֵם֙ לֹ֣א תַרְגִּ֔יעַ וְלֹא־יִהְיֶ֥ה מָנ֖וֹחַ לְכַף־רַגְלֶ֑ךָ וְנָתַן֩ יְהוָ֨ה לְךָ֥ שָׁם֙ לֵ֣ב רַגָּ֔ז וְכִלְי֥וֹן עֵינַ֖יִם וְדַאֲב֥וֹן נָֽפֶשׁ׃

66 וְהָי֣וּ חַיֶּ֔יךָ תְּלֻאִ֥ים לְךָ֖ מִנֶּ֑גֶד וּפָֽחַדְתָּ֙ לַ֣יְלָה וְיוֹמָ֔ם וְלֹ֥א תַאֲמִ֖ין בְּחַיֶּֽיךָ׃

67 בַּבֹּ֤קֶר תֹּאמַר֙ מִֽי־יִתֵּ֣ן עֶ֔רֶב וּבָעֶ֥רֶב תֹּאמַ֖ר מִֽי־יִתֵּ֣ן בֹּ֑קֶר מִפַּ֤חַד לְבָֽבְךָ֙ אֲשֶׁ֣ר תִּפְחָ֔ד וּמִמַּרְאֵ֥ה עֵינֶ֖יךָ אֲשֶׁ֥ר תִּרְאֶֽה׃

68 וֶהֱשִֽׁיבְךָ֨ יְהוָ֥ה ׀ מִצְרַיִם֮ בָּאֳנִיּוֹת֒ בַּדֶּ֙רֶךְ֙ אֲשֶׁ֣ר אָמַ֣רְתִּֽי לְךָ֔ לֹא־תֹסִ֥יף ע֖וֹד לִרְאֹתָ֑הּ וְהִתְמַכַּרְתֶּ֨ם שָׁ֧ם לְאֹיְבֶ֛יךָ לַעֲבָדִ֥ים וְלִשְׁפָח֖וֹת וְאֵ֥ין קֹנֶֽה׃ ס

11. Décimo Primeiro Juízo. Todas as bênçãos antes prometidas a Israel seriam anuladas e transmutadas em maldições. Israel havia escapado das pragas e enfermidades do Egito (ver Dt 7.15; 28.27,35; Êx 15.26), mas sofreria coisas similares no exílio, com seus resultados inevitáveis.

"O desastre foi aqui interpretado como se tivesse havido um retorno à servidão no Egito, porém mais patético do que aquele" (*Oxford Annotated Bible*, comentando sobre o vs. 68 deste capítulo).

Se não tiveres cuidado de guardar todas as palavras desta lei. O autor sagrado dá prosseguimento à horrenda descrição dos desastres que sobreviriam aos israelitas desobedientes, que não dessem ouvidos aos muitos avisos que deles requeriam a obediência. Ver nas notas sobre os vss. 45 e 48 uma lista de referências a respeito, após o título *Razão*.

O temor do Senhor é o princípio da sabedoria (ver Pv 1.7). Quanto aos apelos de Yahweh para que o povo de Israel o temesse, ver Dt 4.10; 5.29; 6.2,13,14; 8.6; 10.12,20; 13.4,11; 14.23; 17.19 e 31.12,13. O nome divino, neste ponto, é Yahweh-Elohim, o Eterno Todo-poderoso. Ver no *Dicionário* o artigo chamado *Deus, Nomes Bíblicos de*. O texto não alude somente a uma "confiança reverente", conforme diz uma interpretação cristianizada, e, sim, a um verdadeiro temor daquele grande e destrutivo poder que prometeu dar fim a todos os desobedientes. Cf. Dt 10.12, onde ofereci notas expositivas adicionais sobre a questão.

Pragas e Doenças Terríveis. As enfermidades e as pestilências se multiplicariam de maneira assustadora, até se tornarem "terríveis", ou, conforme diz a Revised Standard Version, "aflições extraordinárias". Comentou a respeito John Gill (*in loc.*): "... visíveis, notáveis, aterrorizantes, espantosas". Outrossim, essa situação se tornaria um fenômeno grave e "duradouro". Ellicott observou o fato de que esses sofrimentos, entre os judeus, continuavam até a sua própria época (século XIX); e mesmo agora não há sinal de que esses sofrimentos estejam diminuindo de intensidade. Basta que nos lembremos dos seis milhões de judeus europeus que pereceram às mãos de Hitler, e dos muitos outros milhões que têm sido perseguidos nos países comunistas. E as profecias bíblicas ameaçam com coisas ainda piores, como as angústias da época da ainda futura Grande Tribulação, até que, finalmente, Israel venha a converter-se e a ser restaurado (ver Rm 11.26).

Metaforicamente, um Retorno ao Egito. O vs. 60 mostra que os castigos devidos à desobediência levariam os filhos de Israel a cair em condições como aquelas do período da servidão no Egito. O *poder de Yahweh* tinha protegido os hebreus das *pragas do Egito* (sobre as quais ver, com esse título, no *Dicionário*). Mas Israel, tendo-se removido do poder protetor de Yahweh, acabaria caindo em pragas que fariam com que, espiritualmente falando, voltassem ao antigo Egito. Israel, quando estava no Egito, tinha *temido* as pragas, embora não tivessem razão para temor. Mas agora, sob o décimo primeiro juízo divino, aquilo que tanto temiam lhes sobreviria. Ver Jó 3.25. Visto não terem temor a Yahweh (ver o vs. 58), os israelitas seriam forçados a temer as pragas e as adversidades mandadas por Yahweh.

O versículo 60 deve ser contrastado com o trecho de Êx 15.26, que fala de livramento da doença, através da obediência aos mandamentos da lei. Ver também Dt 7.15 e 28.27.

Incluídas Doenças Não Mencionadas na Bíblia. Até mesmo enfermidades nunca mencionadas na legislação mosaica apareceriam em cena entre os filhos de Israel, enfermidades incuráveis que os dizimariam. Quanto às enfermidades descritas na Bíblia, ver no *Dicionário* o verbete chamado *Enfermidades da Bíblia*. "Qualquer tipo de mazela e doença que se pudesse nomear ou imaginar, poder-se-ia esperar que surgisse entre os filhos de Israel, por motivo da desobediência deles" (John Gill, *in loc.*).

Diminuição do Número dos Israelitas. A promessa de bênção que Deus fizera aos filhos de Israel era a de que eles se multiplicariam como as estrelas do céu. Ver Gn 15.5; 22.17,35; Êx 25.26. Essa era uma das provisões do *Pacto Abraâmico* (ver as notas em Gn 15.18). A desobediência, entretanto, haveria de anular tal promessa, de sorte que os filhos de Israel se tornariam poucos em número. E até mesmo esses viveriam adoentados, sob o temor constante de seus inimigos. Restavam bem poucos hebreus quando Nabucodonosor transportou um restante para a Babilônia. E mesmo esses eram pertencentes às classes mais humildes, como cultivadores de uva ou agricultores (ver Jr 39.10 e 52.16). O cativeiro romano, por sua vez, foi precedido por uma matança em massa, de tal modo que chegou a faltar madeira no país, para o fabrico de cruzes, nas quais milhares e milhares de israelitas foram crucificados. E os que foram dispersos pelos países estrangeiros eram comparativamente poucos em número. Josefo (*De Bello Jud.*, 1.6. cap. 9, sec. 3) diz que um milhão e cem mil judeus pereceram no cerco de Jerusalém. Outros 97 mil tornaram-se prisioneiros de guerra. Um total de 1.240.490 judeus foram mortos por toda a Palestina.

Reversão na Atitude de Deus para com Israel. No vs. 63 aprendemos que antes Yahweh se alegrava por cumprir as promessas do Pacto Abraâmico, incluindo o fator da notável multiplicação do número dos filhos de Israel. Mas, quando eles caíssem na desobediência, o Senhor teria como prazer destruí-los. Yahweh se alegrara quando tirara o seu povo do Egito, levando-os ao deserto e então conferindo-lhes a Terra Prometida. Mas tudo isso acabaria azedando, por motivo da desobediência deles. A tragédia da tristeza culminaria nos cativeiros: o primeiro, por meio dos assírios; o segundo, por meio dos babilônios; mas o cativeiro romano, o terceiro, foi o mais terrível, o qual até hoje se arrasta. Os hebreus foram "arrancados" da Terra Prometida como se faz com uma planta que enfermou; e foram expulsos de sua própria terra. Ver o vs. 49 deste capítulo quanto a referências, no *Dicionário*, aos vários artigos que ali existem e que explicam os cativeiros de Israel.

Dispersão por Todo o Mundo. Anteriormente, as palavras-chaves tinham sido: *tirar* (do Egito); *guiar* (pelo deserto); *introduzir* (na Terra Prometida). Mas na *desobediência*, as palavras-chaves seriam: *rejeitar* (como povo a ser abençoado); *arrancar* (da Terra Prometida); *dispersar* (pelo mundo inteiro). Essas seriam as temíveis consequências dos cativeiros: Israel deixaria de existir como nação organizada. E como resultado espiritual os israelitas seriam vencidos pelas crenças próprias da idolatria, em todos os lugares por onde fossem espalhados, o que significa que perderiam tanto o seu território pátrio quanto o seu próprio Deus. Visto que os filhos de Israel tivessem trocado o Deus vivo por meras imagens feitas por dedos humanos, de madeira, de metal ou de pedra, recusando-se a servir a Yahweh, por isso mesmo se tornariam escravizados a crenças absurdas e insensatas.

Em seus dias (século XVIII), comentou Adam Clark (*in loc.*): "Quão literalmente tudo isso se tem cumprido! O povo judeu tem sido disperso por todos os países do mundo". E assim continuará sendo, até que o relógio das profecias bíblicas comece a tiquetaquear novamente, e a restauração de Israel se torne uma realidade palpável." Ver Rm 11.26.

Sem Descanso em Todos os Lugares. Israel descansou na Terra Prometida, que lhes fora dada por Deus, por cerca de setecentos anos, onde viveram em relativa paz, embora tivesse havido tribulações, guerras e disputas, tanto internas quanto externas. Mas a invasão e o cativeiro assírio reduziram a nação do norte, Israel, a nada. E a invasão e o cativeiro babilônico, menos de duzentos anos mais tarde, reduziram a nada a nação do sul, Judá. Realmente, foram *medonhas* as consequências da *desobediência*. E os poucos que restaram ficaram de coração trêmulo, vivendo sempre no temor de que fossem atingidos por outro golpe da mão castigadora de Deus. "Eles não tinham onde repousar; não tinham residência fixa; passaram a viver obrigados a mudar-se de lugar para lugar, ao sabor de editos cruéis de monarcas estrangeiros; perseguidos por taxas pesadas e impostos exorbitantes" (John Gill, *in loc.*). "Viviam em meio à ansiedade, ao desespero e em suspense constante, temendo por sua própria vida (Dt 28.65,66)" (Jack S. Deere, *in loc.*). Os olhos dos israelitas viam somente tribulação por toda parte, sujeitados a um temor constante, que provocava neles uma deplorável depressão mental.

Olhos mortiços e desmaio de alma. "Sempre esperando uma salvação que não chega" (Rashi). "Por quantos séculos os judeus têm orado para que chegue a festa 'no próximo ano, em Jerusalém!'. Contudo, essa expectativa vai sendo adiada de cada vez" (Ellicott, *in loc.*). Sem embargo, na segunda metade do século XX, a esperança do povo judeu começou a ter cumprimento, pelo menos em parte. Pois algumas festividades judaicas têm ocorrido em Jerusalém!

Ameaça Constante à Vida Física. Se houvesse uma constante na existência dos israelitas desobedientes, essa constância seria a insegurança quanto à continuação da vida. O inimigo que os estivesse dominando no cativeiro permitiria que eles continuassem vivos? Judeus estariam perecendo por todos os lados. Alguma alma conseguiria sobreviver? A vida praticamente não prosseguiria, e mesmo essa existência precária estaria sempre sob a ameaça de *extinção*. Os dias e as noites os judeus passariam em um estado de quase pânico.

Uma Ansiedade Excruciante. Este seria um fator debilitante na vida dos israelitas desobedientes. O único bem que teriam ao amanhecer o dia seria o de talvez conseguirem chegar até o começo da noite. E o único bem que teriam ao anoitecer seria o de talvez conseguirem chegar até o começo do dia. Há uma canção popular que diz, em uma de suas linhas: "Oh, Senhor, ajuda-me durante a noite". Um sentimento parecido com o que teriam os hebreus desobedientes. "... por muitas vezes contemplando cenas temíveis... cruéis torturas... e assim seus corações temiam e tremiam, pois talvez fossem os próximos a ser atingidos pelo sofrimento" (John Gill, *in loc.*). "Ontem à noite anelávamos por esta nova manhã; mas hoje a tribulação está pior do que ontem; e cada hora adiciona algum novo horror à maldição" (Ellicott, *in loc.*). Esse autor se referia às palavras do Talmude que descrevem os padecimentos dos judeus.

Retorno Literal ao Egito. No último versículo deste capítulo (vs. 68), vemos que, mediante uma irônica reviravolta do destino, os israelitas acabariam voltando em navios ao Egito, revertendo assim o êxodo. Quando essa maldição teve cumprimento, aqueles que tinham vencido os filhos de Israel venderam alguns deles como escravos, aos egípcios. Contudo, alguns intérpretes veem aqui um retorno voluntário e metafórico ao Egito, como se eles tivessem preferido voltar ao Egito do que sofrer todo o impacto do domínio dos assírios e babilônios. Os registros históricos, todavia, mostram que os romanos de fato venderam israelitas ao Egito, tendo-os transportado em navios para aquele lugar. Manassés Ben Israel (*De Termino Vitae*, 1.3, sec. 3, pars. 131 e 132) descreveu a questão, uma absurda galhofa do destino. Não dispomos de registros históricos de judeus sendo vendidos para o Egito pelos babilônios; mas há abundância de evidências de que os romanos assim o fizeram. Hegesipo (*De Excidio Urb. Hieros.*, 1.5, cap. 47, par. 645) deixou escrito que havia nos mercados de escravos muitos judeus esperando ser vendidos e transportados para o Egito; mas que poucos estavam interessados em comprá-los. Os romanos não queriam ter escravos judeus, visto que os tinham em tão baixa conta. Preços absurdamente baixos eram obtidos pelos escravos judeus. Lembremo-nos de que o próprio Senhor Jesus foi vendido por meras trinta peças de prata (Mt 26.15).

Yahweh libertara os filhos de Israel da servidão egípcia, um tema repetido por cerca de vinte vezes no livro de Deuteronômio. Ver quanto a isso as notas em Dt 4.20. No entanto, o Senhor Deus foi forçado a enviar os judeus de volta ao Egito, mediante as perseguições movidas pelos adversários e vencedores dos judeus, embora houvesse uma promessa de que eles nunca mais veriam o caminho de volta ao Egito. Mas é que a desobediência desencadeada pela incredulidade reverteria todas as promessas divinas de bênção, exatamente para a situação contrária.

Todavia, conforme dito anteriormente, os compradores interessados em escravos judeus seriam raros. Isso significa que até a própria escravidão no Egito seria negada a boa parte dos israelitas desobedientes, pois sem dúvida eles estavam destinados a algo ainda pior.

"Os próprios romanos pensavam ser um opróbrio um deles ter um escravo judeu, tão desprezíveis tinham-se tornado os judeus, aos olhos de toda a humanidade. Quando Jerusalém foi tomada por Tito, muitos dos cativos, aqueles com mais de 17 anos de idade, foram enviados para o Egito como escravos. Assim disse Josefo (*Antiq.* xii. caps.1 e 2; *Guerras dos Judeus*, vi. c. 9, c. 2)" (Adam Clark, *in loc.*).

CAPÍTULO VINTE E NOVE

TERCEIRO DISCURSO DE MOISÉS: O PACTO PALESTINO (29.1—30.20)

INTRODUÇÃO (29.1-29)

O livro de Deuteronômio é, essencialmente, o registro escrito de *três discursos* de Moisés, que repetiam os pontos essenciais da lei mosaica. E o *terceiro* desses discursos aqui tem início como uma espécie de suplemento dos capítulos 5—28 do livro. Por trás dos materiais dos capítulos finais do livro, certamente há uma *cerimônia de pacto*, onde as palavras dão mostras de que contêm expressões litúrgicas, como se essas palavras tivessem sido usadas, ou, pelo menos, como se fossem a base da liturgia usada em cerimônias. As exortações expõem os *requisitos divinos* que fazem parte do Pacto Palestino. O trecho de Dt 31.9-13 revela-nos que os ritos eram assim solenizados a cada sétimo ano, por ocasião da peregrinação do outono ao santuário central da nação, ou seja, em Jerusalém.

O primeiro parágrafo recapitula os poderosos feitos de Yahweh, ao dirigir "O povo de Israel desde o monte Horebe até as margens do rio Jordão. Esse é o pano de fundo do pacto" (Henry H. Shires, *in loc.*).

Os capítulos que se seguem não acrescentam novas provisões ao pacto firmado em Horebe, mas tão somente recapitulam a questão e a matéria histórica que nos tinham sido dadas até o capítulo 29.

O Pacto Palestino

Esse é o sexto dos pactos. Há um total de *oito pactos*, a saber: 1. *Edênico* (Gn 1.28); 2. *Adâmico* (Gn 3.15); 3. *Noaico* (Gn 9.1); 4. *Abraâmico* (Gn 15.18); 5. *Mosaico* (Êxodo 19.1 ss.); 6. *Palestino* (Dt 29.1 ss.); 7. *Davídico* (2Sm 7.16); 8. *Novo* (Hb 8.8).

Provisões do Pacto Palestino:
1. As condições sob as quais o povo de Israel deveria adentrar, possuir e reter a Terra Prometida são aqui estipuladas. O Pacto Abraâmico incluía uma provisão para Israel ter um território pátrio (ver Gn 15.18). E o Pacto Palestino confirmou e condicionou essa provisão.
2. A dispersão seria o castigo dos desobedientes (Dt 28.63-68).
3. No futuro, Israel haveria de arrepender-se (Dt 30.2).
4. A volta de Yahweh, a fim de abençoar a seu povo, reverteria todas as condições adversas (Dt 30.3; Am 9.9-14; At 15.14-17).
5. Os israelitas seriam restaurados à Terra Prometida (Dt 30.5; Is 11.11,12; Jr 23.3-8; Ez 37.21-25).
6. Haveria a conversão nacional de Israel (Dt 30.6; Rm 11.26,27).
7. Os opressores de Israel seriam julgados (Dt 30.7; Is 14.1,2; Jl 3.1-8; Mt 25.31-46).
8. A nação de Israel desfrutaria de prosperidade sem precedentes (Dt 30.9; Am 9.11-14).

■ 29.1

אֵלֶּה דִבְרֵי הַבְּרִית אֲשֶׁר־צִוָּה יְהוָה אֶת־מֹשֶׁה לִכְרֹת אֶת־בְּנֵי יִשְׂרָאֵל בְּאֶרֶץ מוֹאָב מִלְּבַד הַבְּרִית אֲשֶׁר־כָּרַת אִתָּם בְּחֹרֵב׃ פ

São estas as palavras da aliança. No original hebraico, este versículo constitui a conclusão do capítulo 28 de Deuteronômio, ao passo que várias versões o utilizam como introdução do *terceiro* discurso de Moisés. Ver as notas de introdução a este capítulo, quanto aos três discursos de Moisés e como foram usados. Se o seu propósito realmente era o servir de final do capítulo 28, então serve de excelente conclusão da seção de Dt 5—28, ou seja, o *segundo* discurso de Moisés. Seja como for, estamos tratando aqui de explicações e esclarecimentos do Pacto Palestino, dado anteriormente. O autor sagrado leva-nos de volta ao monte Horebe (Sinai) e nos faz lembrar a lei que foi baixada ali. Ver sobre o Pacto Mosaico, na introdução ao capítulo 19 de Êxodo. O trecho de Dt 29.2—30.20 faz a recapitulação das provisões do Pacto, sem adicionar materiais novos, embora certos materiais sejam mais detalhados. Ver o capítulo 26 de Levítico, quanto ao pano de fundo histórico do Pacto. Ver também os capítulos 1—3 de Deuteronômio, onde isso é repetido.

A reiteração do Pacto, neste ponto, ensina-nos que, apesar das maldições que figuram nos capítulos 27 e 28 de Deuteronômio, nada poderá impedir, finalmente, o avanço dos pactos firmados por Deus, os quais, a longo termo, são *irrevogáveis*.

■ 29.2

וַיִּקְרָא מֹשֶׁה אֶל־כָּל־יִשְׂרָאֵל וַיֹּאמֶר אֲלֵהֶם אַתֶּם רְאִיתֶם אֵת כָּל־אֲשֶׁר עָשָׂה יְהוָה לְעֵינֵיכֶם בְּאֶרֶץ מִצְרַיִם לְפַרְעֹה וּלְכָל־עֲבָדָיו וּלְכָל־אַרְצוֹ׃

Chamou Moisés a todo o Israel, e disse-lhes. Todos os *pactos dos hebreus* estavam alicerçados sobre acontecimentos históricos. Assim sendo, os versículos 2-9 deste capítulo relembram-nos como Yahweh tinha livrado o povo de Israel, e cuidado dele, estabelecendo-o como uma nação em pacto com ele. "Tal como em outros discursos, o pacto está alicerçado sobre um recital dos poderosos atos do Senhor (cf. Êx 19.3-6; Js 24.1-13)" (*Oxford Annotated Bible*, comentando sobre este versículo). O trecho dos capítulos 1—3 de Deuteronômio apresenta uma extensa revisão da história passada de Israel, com o propósito de mostrar como Yahweh havia conduzido o seu povo até o lugar onde agora estavam, e como o faria entrar na Terra Prometida. Cf. Dt 8.1-5, que é passagem bastante parecida com revisão constante nestes versículos (2-9).

Tendes visto tudo. Testemunhas oculares estavam ouvindo o discurso, pelo que poderiam acompanhar com facilidade a mensagem proferida por Moisés. Eles *tinham visto* tudo quanto Deus havia feito em favor de Israel, até aquele ponto dentro da história; e, assim sendo, deveriam estar preparados para cumprir todas as exigências feitas pelo Senhor.

■ 29.3

הַמַּסּוֹת הַגְּדֹלֹת אֲשֶׁר רָאוּ עֵינֶיךָ הָאֹתֹת וְהַמֹּפְתִים הַגְּדֹלִים הָהֵם׃

As grandes provas. A alusão é aos sofrimentos do povo de Israel no Egito, quando ali viviam como escravos. Também houve aquelas intervenções divinas sob a forma das *pragas do Egito* (ver a respeito no *Dicionário*, e também em Êx 7.14, onde ofereço um gráfico ilustrativo). Cf. Êx 18.3-6 e Js 24.2-13. Os capítulos 1—3 de Deuteronômio oferecem um relato completo das provações passadas e das glórias conferidas por Yahweh ao povo de Israel.

AS BÊNÇÃOS E PRAGAS DE YAHWEH

Bênçãos

- Prosperidade no comércio (Dt 28.3)
- Alimento diário (Dt 28.4)
- Ausência de fome na terra (Dt 28.5)
- Vitórias militares supernaturais (Dt 38.7)
- Colheitas de grande riqueza (Dt 28.8)
- Sucesso em todas as atividades (Dt 28.8)
- Israel estabelecido como povo sagrado de Yahweh (Dt 28.9)
- Israel, maravilha perante as nações (Dt 28.10)
- Prosperidade na agricultura e domesticação de animais (Dt 28.11)
- Chuva abundante em uma terra sedenta (Dt 28.12)
- Nunca há necessidade de tomar emprestado (Dt 28.12)
- Poder de dar ou emprestar a outros (Dt 28.12)
- Líder das nações (Dt 28.13)

Pragas

- Destruição de todo tipo (Dt 28.20)
- Doenças (Dt 28.21,22)
- Secas (Dt 28.23,24)
- Derrotas em batalhas (Dt 28.26)
- Doenças físicas e mentais (Dt 28.27-29)
- Opressão e roubo (Dt 28.30-35)
- Exílio (Dt 28.36,37)
- Perda das colheitas e fome (Dt 28.38-42)
- Aquelas causadas pela desobediência (Dt 28.45-48)
- Cidades dominadas, destruídas (Dt 28.49-52)
- Destruição de toda a nação (Dt 28.58-68)

Conspícua no Pentateuco é a ausência de qualquer ameaça de julgamento eterno, ou de julgamento além do túmulo. Também ausente está qualquer promessa de vida eterna para aqueles que praticam o bem. Essas doutrinas começaram a aparecer na teologia hebraica na época dos Salmos e dos Profetas. Elas foram desenvolvidas ainda mais nos livros pseudepígrafos e apócrifos.

Até a época do Novo Testamento, essas doutrinas se tornaram parte padrão da teologia hebraico-cristã.
Abençoados são aqueles a quem Deus dá justiça (Rm 4.6-9).
Abençoados são aqueles que morrem no Senhor (Ap 14.13).
Abençoados são aqueles que acreditam (Gl 3.9).
Abençoados são aqueles que participam na primeira ressurreição (Ap 20.6).

29.4

וְלֹא־נָתַן יְהוָה לָכֶם לֵב לָדַעַת וְעֵינַיִם לִרְאוֹת וְאָזְנַיִם לִשְׁמֹעַ עַד הַיּוֹם הַזֶּה׃

O Senhor não vos deu coração. Cf. Dt 6.5. O coração é aqui percebido como o órgão da compreensão e da vontade. Israel não tinha olhos espirituais adequados para perceber o significado de tudo quanto Yahweh estava fazendo. Visto que a teologia dos hebreus era fraca quanto a causas secundárias, eles viam essa falta de entendimento e de discernimento espiritual como causada por alguma debilidade na provisão divina, embora, em outras ocasiões, seja enfatizada a responsabilidade humana. Ver no *Dicionário* os artigos chamados *Predestinação* e *Livre-arbítrio*. Escreveu Calvino, aqui: "Os homens mostrar-se-ão sempre cegos, mesmo sob a luz mais brilhante, enquanto não forem iluminados por Deus". E isso também exprime uma visão parcial da questão. O segundo capítulo de Romanos fala sobre a iluminação dada pela natureza, a qual é suficiente para que o homem possa entender os requisitos básicos da moral e da espiritualidade que Deus requer. Assim sendo, Adam Clark (*in loc.*) mostra o outro lado da moeda, ou seja, o lado da responsabilidade humana: "Não que *Deus* não tenha dado a eles todos os meios do conhecimento ou não os tivesse ajudado com sua graça e com o seu Espírito, fatores necessários; mas é que *eles* não fizeram um *uso fiel* das vantagens que haviam recebido". Cf. Dt 5.29: "Quem dera que eles tivessem tal coração que me temessem, e guardassem em todo o tempo todos os meus mandamentos, para que bem lhes fosse a eles e a seus filhos para sempre!"

Henry S. Shires (*in loc.*) oferece-nos observações instrutivas: "À luz do cristianismo, não podemos supor que Deus reteve, deliberadamente a compreensão espiritual... Parte da dificuldade, para os primeiros autores bíblicos, jazia no fato de que eles pensavam que só Deus era a origem de toda ação, mas não pensavam no diabo nem em outra criatura qualquer como agentes secundários. Logo, eles atribuíam a Deus tanto o bem quanto o mal. Escritores sacros posteriores, a despeito de uma teodiceia mais aprimorada, conservaram as frases consagradas pelo uso".

"A desobediência e rebeldia dela [a nação de Israel] originava-se de uma atitude mental que não podia entender plenamente as implicações da obra salvadora de Deus" (Jack S. Deere, *in loc.*). Cf. o uso feito por Paulo dessa passagem, em Rm 11.8. Ver também Pv 20.12. Todas as coisas procedem de Deus (ver Tg 1.17), mas ao homem é dada uma *graça geral*, que também vem de Deus, a capacidade de compreender as realidades espirituais. Em outras palavras, a *iluminação já está presente*, pois faz parte da provisão divina para todos os homens. Mas falha diante da perversidade dos seres humanos.

29.5

וָאוֹלֵךְ אֶתְכֶם אַרְבָּעִים שָׁנָה בַּמִּדְבָּר לֹא־בָלוּ שַׂלְמֹתֵיכֶם מֵעֲלֵיכֶם וְנַעַלְךָ לֹא־בָלְתָה מֵעַל רַגְלֶךָ׃

Quarenta anos vos conduzi pelo deserto. As *provisões especiais*, durante os quarenta anos de perambulação pelo deserto, incluíram até milagres. Assim, o elemento miraculoso acompanhou Israel do começo ao fim. Isso deveria tê-los inspirado à obediência e à coragem espiritual. Cf. Dt 8.4, um paralelo direto deste versículo. Deus provê aquilo que para o homem é difícil ou mesmo impossível de obter. O resto ele deixa para nós desenvolvermos, usando nossas capacidades e habilidades, embora essas também nos tenham sido conferidas pela graça geral de Deus. Nas andanças pelo deserto, roupas e sapatos não podiam ser obtidos por meio do comércio. Por isso, a objetos dessa natureza foi conferido pelo Senhor um grande *poder de permanência*.

29.6

לֶחֶם לֹא אֲכַלְתֶּם וְיַיִן וְשֵׁכָר לֹא שְׁתִיתֶם לְמַעַן תֵּדְעוּ כִּי אֲנִי יְהוָה אֱלֹהֵיכֶם׃

Pão não comestes... não bebestes... Se não tinham pão comum para comer, receberam o miraculoso *maná* (ver no *Dicionário* a respeito). Ver também Dt 8.3. O maná, pois, foi outro item produzido pela intervenção divina. Os filhos de Israel também não tiveram vinho nem bebidas alcoólicas, mas receberam uma *bebida miraculosa*, a água saída da rocha, com a qual Moisés falara e na qual até batera. Ver Êx 17.6; Nm 20.8,10,11 e Dt 8.15. Cf. o uso neotestamentário, onde Jesus Cristo é a Rocha (ver 1Co 10.4).

29.7

וַתָּבֹאוּ אֶל־הַמָּקוֹם הַזֶּה וַיֵּצֵא סִיחֹן מֶלֶךְ־חֶשְׁבּוֹן וְעוֹג מֶלֶךְ־הַבָּשָׁן לִקְרָאתֵנוּ לַמִּלְחָמָה וַנַּכֵּם׃

Quando viestes a este lugar. Ou seja, as planícies de Moabe, de onde Israel lançou a sua invasão da região a ocidente do rio Jordão. Cf. Dt 3.1-17, onde a história é contada com detalhes. Ver também Nm 21.13,20 e Dt 2.26. Os dois reis que tinham feito oposição a Israel não declararam guerra ao mesmo tempo, ainda que, sem as passagens paralelas, este versículo possa dar a impressão de que assim tenha sido. Ambos foram mortos e seus exércitos foram aniquilados. E essas tinham sido apenas *vitórias preliminares*, que concederam a Israel a coragem de prosseguir. Oh, Senhor, concede-nos tal graça! Ver Nm 21.23-25, que narra a história dessas vitórias.

29.8

וַנִּקַּח אֶת־אַרְצָם וַנִּתְּנָהּ לְנַחֲלָה לָראוּבֵנִי וְלַגָּדִי וְלַחֲצִי שֵׁבֶט הַמְנַשִּׁי׃

Tomamos-lhes a terra. Os *rubenitas*, os *gaditas* e a *meia tribo de Manassés* tinham preferido ficar com as terras a leste do rio Jordão, a *Transjordânia* (ver a respeito no *Dicionário*). Sua petição lhes fora concedida, mas sob a condição de que ajudassem na invasão da parte ocidental do território. O trecho de Dt 3.1-17 conta-nos a história inteira. O capítulo 22 de Josué conta-nos que aquelas duas tribos e meia cumpriram a promessa que fizeram, e, em recompensa, ficaram com os territórios que tinham pertencido aos reis mencionados no versículo sétimo deste capítulo, ou seja, a Transjordânia inteira.

29.9

וּשְׁמַרְתֶּם אֶת־דִּבְרֵי הַבְּרִית הַזֹּאת וַעֲשִׂיתֶם אֹתָם לְמַעַן תַּשְׂכִּילוּ אֵת כָּל־אֲשֶׁר תַּעֲשׂוּן׃ פ

Guardai, pois, as palavras desta aliança. O *Pacto Palestino* é comentado na introdução a este capítulo. Ver sobre o *Pacto de Moisés*, na introdução ao capítulo 19 do livro de Êxodo. Quando o povo de Israel foi introduzido na Terra Prometida, tendo recebido inúmeras vitórias, obrigou-se a guardar toda a lei, que era a base do pacto. Foram a lei e a obediência à lei que tornaram Israel um povo distinto (ver Dt 26.19 e referências).

Para que prospereis. Estão em pauta uma vida pessoal longa e boa, com muitas bênçãos temporais, desfrutando da Terra Prometida como seu território pátrio. Ver Dt 4.1; 5.33 e 6.2, quanto aos poderes doadores da vida, pertinentes à lei. Cf. 2Co 9.8. Recebemos a *prosperidade* a fim de que possamos abundar em toda boa obra, e não apenas para nosso aprazimento pessoal. Cf. Js 1.8 e Sl 1.3. Ver também Is 52.13.

29.10

אַתֶּם נִצָּבִים הַיּוֹם כֻּלְּכֶם לִפְנֵי יְהוָה אֱלֹהֵיכֶם רָאשֵׁיכֶם שִׁבְטֵיכֶם זִקְנֵיכֶם וְשֹׁטְרֵיכֶם כֹּל אִישׁ יִשְׂרָאֵל׃

Hoje. Isso é dito por quatro vezes (aqui e nos vss. 12, 13 e 15). Aquele era um dia importante, que simplesmente não deveria ser esquecido.

Todos perante o Senhor vosso Deus. A inauguração do pacto (vs. 12) trouxera Yahweh até a *presença de Israel*, de tal modo que eles também estavam perante o Senhor. Naquele lugar privilegiado e solene, deveriam fazer o seu voto de obediência. Phillips Brooks declarou que a *obediência* é a disciplina por meio da qual cresce a fé, sendo também o órgão da compreensão espiritual. "Visto que um pacto implica duas partes interessadas, por isso mesmo Deus aparece como quem estava presente, ao mesmo tempo em que os israelitas, com todos os seus familiares, idosos e jovens, estavam diante dele" (Adam Clark, *in loc.*).

"*Vss. 10-15*. Uma solene declaração do propósito da assembleia, para ser entendida não somente como uma reconstituição tradicional do que sucedeu em Moabe, mas como uma declaração a ser usada em toda a assembleia subsequente do pacto. A nação inteira, com seus líderes, mulheres, crianças, passantes e estrangeiros estavam reunidos naquela assembleia, a fim de entrarem em relação com o pacto que Deus tinha estabelecido com eles, como seu povo, de acordo com a sua promessa" (G. Ernest Wright, *in loc.*). Aben Ezra interpretou essas palavras, "todos perante o Senhor", como se quisessem dizer *perante a arca do Senhor*, onde Yahweh se manifestava.

Vossos anciãos. Os setenta, mas também os representantes de todas as tribos, os principais chefes, os líderes civis, os oficiais. Ver sobre os *anciãos* em Êx 24.1,9 e Nm 11.16. Ver Êx 5.6 e Nm 11.16, quanto aos *oficiais*.

■ 29.11

טַפְּכֶם נְשֵׁיכֶם וְגֵרְךָ אֲשֶׁר בְּקֶרֶב מַחֲנֶיךָ מֵחֹטֵב עֵצֶיךָ עַד שֹׁאֵב מֵימֶיךָ:

Todo o povo de Israel havia sido convocado para a solenidade, desde os velhos até as crianças, e pessoas de todas as ocupações sociais. Nem mesmo as mulheres e as crianças foram dispensadas. Foi assim também que disse Pedro: "Pois para vós outros é a promessa, para vossos filhos, e para todos os que ainda estão longe, isto é, para todos quantos o Senhor nosso Deus chamar" (At 2.39). Ver também Gn 17.7,12,13 quanto à mesma ênfase quanto a toda a comunidade, incluindo os *escravos* (vs. 12).

Desde o vosso rachador de lenha até ao vosso tirador de água. Ou seja, pessoas que exercem ocupações humildes, como ilustração da universalidade do pacto. Ninguém foi deixado de fora, como também ninguém estava isento da obrigação de obedecer à lei mosaica. Os anciãos e os rachadores de lenha estavam em pé de igualdade diante dos olhos de Yahweh.

■ 29.12

לְעָבְרְךָ בִּבְרִית יְהוָה אֱלֹהֶיךָ וּבְאָלָתוֹ אֲשֶׁר יְהוָה אֱלֹהֶיךָ כֹּרֵת עִמְּךָ הַיּוֹם:

Para que entres na aliança do Senhor teu Deus. Cf. Dt 26.16-19. O Pacto Palestino e o pacto feito com Moisés eram extensões lógicas e naturais do Pacto Abraâmico (ver as notas a respeito em Gn 15.18). Todos os seis pactos (ver as notas na introdução a este capítulo) fazem parte da evolução espiritual do relacionamento entre Deus e os homens.

A entrada na aliança, conforme Jarchi e Aben Ezra interpretavam aqui, talvez tenha ocorrido mediante a passagem entre as metades de um animal sacrificado (ver Jr 34.18). Ver também Gn 15.17,18.

No seu juramento. Um *juramento* foi proferido, como promessa e confirmação de obrigação de obediência à lei, sobre a qual repousava todo pacto que envolvesse os judeus, até que o Senhor Jesus Cristo veio prover um caminho melhor.

Yahweh-Elohim era a outra parte interessada do pacto, ou seja, o Eterno Todo-Poderoso. Ver no *Dicionário* o verbete intitulado *Deus, Nomes Bíblicos de*.

O *Pacto Palestino* era diferente do pacto de Moisés (ver Êx 19), embora tenha sido uma consequência natural e dependente dele. Esse pacto governava o modo como Israel viveria na Terra Prometida e também as promessas vinculadas à obediência, assim como as maldições vinculadas à desobediência (capítulos 27 e 28).

Ver as notas de introdução ao capítulo 27, quanto aos *oito pactos*, bem como detalhes sobre o Pacto Palestino, o sexto dentre os oito pactos.

Elementos da Cerimônia:

1. As duas partes interessadas juntaram-se com o propósito de firmar o pacto.
2. Eles concordaram no tocante às condições de uma amizade permanente e de cooperação e respeito mútuos.
3. Eles declararam seus solenes propósitos e deveres.
4. Foi efetuado um sacrifício para solenizar a ocasião.
5. O animal foi sacrificado e separado em pedaços. Duas bandas foram preparadas, a separação sendo feita ao longo da espinha dorsal. Foi deixado um espaço entre as partes para permitir a passagem das duas partes interessadas do pacto.
6. As partes contratantes passaram entre as bandas, o que dava a entender que ambas aceitavam as condições do pacto.
7. Ambas fizeram um juramento de confirmação. Ver Jr 34.18,19; Gn 15.18; Êx 19.45 e Lv 26.

■ 29.13

לְמַעַן הָקִים־אֹתְךָ הַיּוֹם לוֹ לְעָם וְהוּא יִהְיֶה־לְּךָ לֵאלֹהִים כַּאֲשֶׁר דִּבֶּר־לָךְ וְכַאֲשֶׁר נִשְׁבַּע לַאֲבֹתֶיךָ לְאַבְרָהָם לְיִצְחָק וּלְיַעֲקֹב:

Como jurou a teus pais, Abraão, Isaque e Jacó. Todos os *pactos* de Israel têm sua origem em Abraão, o progenitor da raça, e todos esses pactos estavam relacionados ao Pacto Abraâmico, como continuação natural. Ver as notas sobre esse pacto em Gn 15.18. Os patriarcas Isaque e Jacó foram os continuadores do Pacto Abraâmico. Ver Jr 32.38 e Dt 26.17,18; 28.9. Quanto ao envolvimento de Isaque e Jacó, ver Dt 1.8; 6.10; 9.5,27; 30.20 e 34.4.

■ 29.14

וְלֹא אִתְּכֶם לְבַדְּכֶם אָנֹכִי כֹּרֵת אֶת־הַבְּרִית הַזֹּאת וְאֶת־הָאָלָה הַזֹּאת:

Não é somente convosco. Ou seja, com aquela geração presente. A nação inteira, incluindo todas as gerações, estava envolvida, algo que já havia sido dito, de certa maneira, nos versículos 10 e 11 deste capítulo. Moisés era o mediador entre Yahweh e o povo de Israel; mas seu ofício e seus privilégios só existiam para que ele fosse o agente por meio do qual as bênçãos de Deus seriam dadas a Israel. A missão de Moisés visava ao benefício da comunidade, e não meramente seu próprio benefício. Alguns eruditos creem que Deus estava falando diretamente com Moisés, mas Aben Ezra pensa que estava em pauta toda a nação de Israel. O pacto envolvia todas as gerações de Israel, e não meramente aquela dos dias de Moisés.

■ 29.15

כִּי אֶת־אֲשֶׁר יֶשְׁנוֹ פֹּה עִמָּנוּ עֹמֵד הַיּוֹם לִפְנֵי יְהוָה אֱלֹהֵינוּ וְאֵת אֲשֶׁר אֵינֶנּוּ פֹּה עִמָּנוּ הַיּוֹם:

Também com aquele que não está aqui hoje conosco. O pacto não foi firmado somente com Moisés, nem somente com aquela geração de israelitas; pois era um pacto universal e com todas as gerações dos filhos de Israel. "... também com gerações que ainda não tinham nascido" (Rashi). "Portanto, a obediência daquela geração presente exerceu grande efeito sobre os que ainda não tinham nascido" (Jack S. Deere, *in loc.*). "... todas as gerações futuras" (Jarchi). Ademais, para todos aqueles que não se fizeram presentes à cerimônia, que tiveram de ficar em sua tenda por causa de enfermidade ou outra razão qualquer" (assim pensava John Gill, *in loc.*).

A DESOBEDIÊNCIA SERIA PUNIDA (29.16-29)

■ 29.16

כִּי־אַתֶּם יְדַעְתֶּם אֵת אֲשֶׁר־יָשַׁבְנוּ בְּאֶרֶץ מִצְרָיִם וְאֵת אֲשֶׁר־עָבַרְנוּ בְּקֶרֶב הַגּוֹיִם אֲשֶׁר עֲבַרְתֶּם:

Sabeis como habitamos na terra do Egito. A mente do autor sacro retrocedeu para revisar a história sobre a qual ele estava falando desde o vs. 2. O povo de Israel foi conduzido *através* de todas aquelas nações que poderiam tê-los contaminado com a idolatria e com formas variegadas de paganismo, ficando assim anulado o caráter distinto de Israel. Isso tornaria impossível para eles tornar-se o povo em relação de pacto com Yahweh. Mas a *providência de Deus* (ver a respeito no *Dicionário*) salvara-os de tudo isso. Ver Dt 26.19 e suas notas expositivas, quanto ao caráter *distinto* do povo de Israel.

Assim, pois, os vss. 16 a 26 deste capítulo falam sobre o castigo por motivo de desobediência, o único fator que tinha o poder de anular o pacto.

Israel tinha estado no Egito por cerca de duzentos anos, tempo mais do que suficiente para pôr fim ao povo de Israel por meio da absorção e da sujeição permanente. Mas a providência divina não permitira tal acontecimento. O propósito de Deus continuara a operar mesmo no *Egito*.

Os israelitas tinham passado por meio de povos como os idumeus, os amonitas, os moabitas e os midianitas; e esse contato poderia ter sido para eles o fim, mediante massacre ou má influência. Mas a providência de Deus não permitiu que isso acontecesse. Cf. este e o versículo seguinte com Ez 20.7,8,18.

■ 29.17

וַתִּרְאוּ אֶת־שִׁקּוּצֵיהֶם וְאֵת גִּלֻּלֵיהֶם עֵץ וָאֶבֶן כֶּסֶף וְזָהָב אֲשֶׁר עִמָּהֶם׃

As suas abominações e os seus ídolos. No hebraico, o termo "abominações" é muito vigoroso, expressando desgosto diante da *idolatria* pagã. Ver as notas expositivas sobre Dt 13.14 e 23.18. O Egito e as nações com quem Israel travou contato, antes de entrar na Terra Prometida, apresentavam uma ameaça de contaminação que poderia anular o pacto. Ver no *Dicionário* o artigo chamado *Idolatria*. Ver 1Rs 11.5,7. "*Abominações* porque assim parecem as práticas pagãs aos olhos de Deus, e assim deveriam ser diante dos olhos dos homens. O termo usado aqui no hebraico, para indicar 'ídolos' significa lixo, pelo que poderíamos traduzi-lo por deuses-de-lixo, como era o caso do besouro adorado pelos egípcios" (John Gill, *in loc.*).

O autor sagrado enumerou os vários tipos de materiais dos quais os ídolos eram fabricados, com um tom de desgosto. A tais coisas o conceito de divindade poderia ser reduzido? Cf. Êx 20.4. Ver também Dt 5.8. O trecho de Dt 4.28 menciona os materiais brutos, a pedra e a madeira, com os quais os ídolos costumavam ser confeccionados.

■ 29.18

פֶּן־יֵשׁ בָּכֶם אִישׁ אוֹ־אִשָּׁה אוֹ מִשְׁפָּחָה אוֹ־שֵׁבֶט אֲשֶׁר לְבָבוֹ פֹנֶה הַיּוֹם מֵעִם יְהוָה אֱלֹהֵינוּ לָלֶכֶת לַעֲבֹד אֶת־אֱלֹהֵי הַגּוֹיִם הָהֵם פֶּן־יֵשׁ בָּכֶם שֹׁרֶשׁ פֹּרֶה רֹאשׁ וְלַעֲנָה׃

Cujo coração hoje se desvie do Senhor nosso Deus. O pacto tinha sido estabelecido com a comunidade inteira de Israel (vss. 10 e 11); e, por semelhante modo, a idolatria tinha de ser evitada por essa mesma comunidade. Ver no *Dicionário* o verbete intitulado *Dez Mandamentos*, quanto a comentários sobre cada um dos mandamentos, incluindo o *segundo*, que proíbe a idolatria. A idolatria, neste versículo, é chamada de "raiz que produz erva venenosa e amarga". Parece que está em pauta o *absinto*, cuja polpa era conhecida por seu gosto extremamente amargo, associado a algum veneno. Ver Am 5.7; 6.12; Jr 9.15 e 23.15. "Foi-lhes recomendado que fossem extremamente vigilantes contra esse pecado, quando entrassem na terra de Canaã, onde haveriam de enfrentar novas tentações à idolatria" (Jack S. Deere, *in loc.*). Ver no *Dicionário* o artigo chamado *Absinto*, que fornece detalhes completos sobre as plantas assim chamadas, e quais os seus significados simbólicos. Cf. Hb 12.15, que parece fazer alusão ao presente versículo.

■ 29.19

וְהָיָה בְּשָׁמְעוֹ אֶת־דִּבְרֵי הָאָלָה הַזֹּאת וְהִתְבָּרֵךְ בִּלְבָבוֹ לֵאמֹר שָׁלוֹם יִהְיֶה־לִּי כִּי בִּשְׁרִרוּת לִבִּי אֵלֵךְ לְמַעַן סְפוֹת הָרָוָה אֶת־הַצְּמֵאָה׃

Ninguém que. O indivíduo *amaldiçoado* por Yahweh, por não haver dado atenção às suas advertências, que, no entanto, se julgasse bendito, em seu íntimo, assegurando a si mesmo que, apesar de sua rebeldia, seria capaz de viver em *paz*, não se deixasse enganar. Tal indivíduo estaria pensando que as maldições proferidas nos capítulos 27 e 28 não teriam efeito contra ele, embora fosse manifestamente desobediente às condições do pacto. O andar de tal homem não seguiria pelos caminhos de Yahweh (ver Dt 10.12), mas de acordo com a *teimosia* de seu próprio coração. Ele se teria tornado um "deus" para si mesmo, e estaria dominado por ideias de autossuficiência. sua arrogância, pois, haveria de conduzi-lo à miséria. Este versículo utiliza-se de uma metáfora do seco e do *molhado*, a fim de exprimir o resultado de suas ações. Aqueles que fossem molhados seriam os homens *bons e férteis*, que procurariam fazer o melhor, seriam arrebatados juntamente com os que fossem secos, ou seja, os *maus e inférteis*. Uma *destruição comunal* seguir-se-ia a atitudes e atos idólatras. As maldições que figuram nos capítulos 27 e 28 de Deuteronômio sobreviriam à nação inteira. "A *comunidade* tinha a responsabilidade de desarraigar a infecção venenosa da idolatria, a fim de que as pessoas *molhadas* (férteis e hígidas) não fossem varridas juntamente com as *secas* (cap. 13)" (*Oxford Annotated Bible*, comentando sobre o versículo 18).

A versão inglesa King James diz aqui como a nossa versão portuguesa, "para acrescentar à sede a bebedice", que é uma metáfora do alcoólatra, que vai bebendo mais e mais, até estar totalmente embriagado. Seguindo os Targuns de Onkelos e de Jonathan, essa é uma metáfora de "adicionar pecado a pecado". O resultado de acrescentar pecado a pecado seria a concretização das *maldições*.

■ 29.20

לֹא־יֹאבֶה יְהוָה סְלֹחַ לוֹ כִּי אָז יֶעְשַׁן אַף־יְהוָה וְקִנְאָתוֹ בָּאִישׁ הַהוּא וְרָבְצָה בּוֹ כָּל־הָאָלָה הַכְּתוּבָה בַּסֵּפֶר הַזֶּה וּמָחָה יְהוָה אֶת־שְׁמוֹ מִתַּחַת הַשָּׁמָיִם׃

O Senhor não lhe quererá perdoar. De Deus não se zomba, conforme ficou sugerido nos dois versículos anteriores. Os desobedientes seriam feridos em sua ira e zelo. suas armas seriam as maldições que constam nos capítulos 27 e 28. O resultado disso é que o nome de um homem seria assim apagado. Em outras palavras, deixaria de existir. Não há aqui nenhum ensino sobre um livro da vida que tenha em mira a vida eterna, uma doutrina que surgiu primeiramente nos Salmos, nos Profetas e nos livros pseudepígrafos, e terminou sendo consagrada no Novo Testamento. Ver sobre Gn 1.26 e 27 quanto a esse fato. Isso deve ser contrastado com a promessa de vida feita aos que guardassem a lei (ver Dt 4.1; 5.33; 6.2, onde fica claro qual era o tipo de vida ali prometido; cf. Sl 69.28 e Ap 3.5, onde coisas semelhantes foram ditas). Quanto a Yahweh como um Deus zeloso, ver Êx 4.14. O autor sagrado lançou mão de uma linguagem antropomórfica por falta absoluta de melhor maneira de falar. Ver no *Dicionário* o artigo chamado *Antropomorfismo*.

Fumegará a ira. Uma ira incandescente, capaz de produzir fumaça, tal como o monte Sinai emitiu fogo e fumaça, por ocasião da outorga da lei mosaica. Ver Êx 19.18.

■ 29.21

וְהִבְדִּילוֹ יְהוָה לְרָעָה מִכֹּל שִׁבְטֵי יִשְׂרָאֵל כְּכֹל אָלוֹת הַבְּרִית הַכְּתוּבָה בְּסֵפֶר הַתּוֹרָה הַזֶּה׃

O Senhor o separará. O *juízo divino* encontraria o indivíduo culpado e o distinguiria dos outros, fazendo recair sobre ele as maldições dos capítulos 27 e 28. Ninguém peca sozinho, e ninguém peca sem receber a devida retribuição. Ver no *Dicionário* o verbete chamado *Lei Moral da Colheita Segundo a Semeadura*. A *paz* de que o indivíduo se julgaria possuidor (vs. 19) terminaria em terror. O pecado de um indivíduo, uma vez que se expanda, propague e produza o seu veneno, pode levar ao desastre uma população inteira. Consideremos o caso de Adolf Hitler! Os malfeitores serão freados em sua loucura por meio da ira divina. Ver no *Dicionário* o artigo chamado *Ira de Deus*. Cf. Jr 15.4. O rei Manassés levou à ruína todo o reino de Judá. Ver também 1Rs 14.15,16 quanto aos pecados de Jeroboão, os quais afligiram toda a sua nação. Aquele homem "pecou e fez Israel pecar".

29.22

וְאָמַ֞ר הַדּ֣וֹר הָאַחֲר֗וֹן בְּנֵיכֶם֙ אֲשֶׁ֣ר יָק֣וּמוּ מֵאַחֲרֵיכֶ֔ם וְהַ֨נָּכְרִ֔י אֲשֶׁ֥ר יָבֹ֖א מֵאֶ֣רֶץ רְחוֹקָ֑ה וְ֠רָאוּ אֶת־מַכּ֞וֹת הָאָ֤רֶץ הַהִוא֙ וְאֶת־תַּ֣חֲלֻאֶ֔יהָ אֲשֶׁר־חִלָּ֥ה יְהוָ֖ה בָּֽהּ׃

Então dirá a geração vindoura. Aquilo que um indivíduo rebelde forçasse a acontecer (vs. 21) ficaria claro para a geração seguinte, que se admiraria do caso. Ficaria claro até mesmo para os estrangeiros que visitassem o lugar onde tivesse caído o juízo divino. Esses veriam as devastações produzidas através das maldições constantes nos capítulos 27 e 28. Os versículos 23 a 28 deste capítulo mostram o que a geração seguinte haveria de dizer, ao ver as cenas de devastação produzidas pelas maldições divinas. Está em foco, acima de tudo, a esteira resultante da passagem dos cativeiros. Ver no *Dicionário* o artigo intitulado *Cativeiro (Cativeiros)*. As calamidades seriam tão severas que se assemelhariam àquelas que destruíram Sodoma e Gomorra (vs. 23). Cf. Dt 28.22,27,35.

29.23

גָּפְרִ֣ית וָמֶלַח֮ שְׂרֵפָ֣ה כָל־אַרְצָהּ֒ לֹ֤א תִזָּרַע֙ וְלֹ֣א תַצְמִ֔חַ וְלֹֽא־יַעֲלֶ֥ה בָ֖הּ כָּל־עֵ֑שֶׂב כְּמַהְפֵּכַ֞ת סְדֹ֤ם וַעֲמֹרָה֙ אַדְמָ֣ה וּצְבֹיִ֔ם אֲשֶׁר֙ הָפַ֣ךְ יְהוָ֔ה בְּאַפּ֖וֹ וּבַחֲמָתֽוֹ׃

Terra abrasada com enxofre e sal. A Terra Prometida, por causa da desobediência dos israelitas, seria amaldiçoada. "Temos aqui um quadro da profunda simpatia da própria Terra com os propósitos de Deus. Quando um homem expele Deus de sua vida, padece toda a criação em redor. O outro lado do quadro foi retratado pelas palavras proféticas que descrevem a terra quando do glorioso dia do Senhor, com uma produtividade mil vezes mais que o normal (ver Am 9.11-15; Is 35.6-10 e Jl 3.18). Paulo, ao contemplar toda a frutificação da redenção efetuada por Cristo, tocou nesse mesmo tema, ao dizer: '... a própria criação será redimida do cativeiro da corrupção, para a liberdade da glória dos filhos de Deus' (Rm 8.21)" (Henry S. Shires, *in loc.*).

A Terra Prometida seria desolada como o foram as cidades de Sodoma e Gomorra (Gn 19). Mas o povo haveria de saber por qual motivo. A nação de Israel teria esquecido seu pacto com Yahweh e se teria voltado para deuses pagãos. "Seria isso uma descrição do mesmo país, acerca do qual ficou escrito, em Dt 8.7: 'boa terra, terra de ribeiros de águas, de fontes, de mananciais profundos, que saem dos vales e das montanhas; terra de trigo e cevada, de vides, figueiras e romãzeiras; terra de oliveiras, de azeite e mel' (ver também 11.12)" (Ellicott, *in loc.*).

De Admá e de Zeboim. Essas duas cidades estavam compactuadas com Sodoma e Gomorra, e sofreram a mesma sorte. Admá era uma das cidades da planície cuja destruição não ficou registrada no relato sobre Sodoma e Gomorra (Gn 19). Este texto e a passagem de Os 11.8 usam essas duas cidades, aqui mencionadas, como uma advertência para que Israel não caísse no pecado. Admá foi mencionada como uma das cinco cidades atacadas pelos quatro reis vindos do oriente (ver Gn 14.1-17). Seu rei chamava-se Sinabe. Parece que ela ficava situada no vale de Sidim, ou talvez no vale a leste do rio Jordão, no território que veio a pertencer à tribo de Benjamim. Ver no *Dicionário* o verbete chamado *Zeboim*.

29.24

וְאָֽמְרוּ֙ כָּל־הַגּוֹיִ֔ם עַל־מֶ֨ה עָשָׂ֧ה יְהוָ֛ה כָּ֖כָה לָאָ֣רֶץ הַזֹּ֑את מֶ֥ה חֳרִ֛י הָאַ֥ף הַגָּד֖וֹל הַזֶּֽה׃

Todas as nações dirão. Os versículos 24 até 28 mostram-nos o que os povos diriam acerca da devastada Terra Prometida, uma vez que as maldições divinas (constantes nos capítulos 27 e 28 de Deuteronômio) a tivessem reduzido a nada. Antes ela era a terra que manava lei e mel (ver as notas a esse respeito em Êx 3.8 e Nm 13.27); mas depois das maldições seria como as cidades desoladas da campina, quando a ira de Deus as destruiu (ver vs. 23).

Qual foi a causa do furor de tamanha ira? Literalmente falando, fora a ira divina, a mesma ira que tinha extinto as cidades de Sodoma e Gomorra. Cf. Jr 5.19. "Qual a razão que levaria Deus a uma ira tão feroz que a aniquilara de modo tão completo?" (John Gill, *in loc.*).

29.25

וְאָ֣מְר֔וּ עַ֚ל אֲשֶׁ֣ר עָֽזְב֔וּ אֶת־בְּרִ֥ית יְהוָ֖ה אֱלֹהֵ֣י אֲבֹתָ֑ם אֲשֶׁר֙ כָּרַ֣ת עִמָּ֔ם בְּהוֹצִיא֥וֹ אֹתָ֖ם מֵאֶ֥רֶץ מִצְרָֽיִם׃

Porque desprezaram a aliança. Os pactos Mosaico e Palestino (ver as introduções a Êx 19 e Dt 29) teriam sido violados por um rebelde povo de Israel. Eles haviam tido tudo em suas mãos, mas jogaram fora todas as suas bênçãos. Os pactos firmados com o povo de Israel, todos eles derivados do Pacto Abraâmico (ver as notas em Gn 15.18), que haviam chegado até eles por intermédio dos patriarcas, tinham sido desprezados. Yahweh tinha livrado os filhos de Israel da servidão, no Egito (ver as notas a respeito em Dt 4.20), e tinha feito deles uma nação distinta (Dt 26.19); mas nenhum privilégio recebido conseguira dar-lhes um coração agradecido. Cf. Dt 11.1-25; 26.32; 28.1-68. E assim, aconteceria que a terra, da qual manavam leite e mel, se tornaria uma terra abrasada com enxofre e sal. Os israelitas teriam recebido grande cornucópia de privilégio e vantagens. Mas teriam desprezado todas essas bênçãos ao se voltarem para ídolos inúteis, feitos de madeira, pedra e metal (vs. 17). Ver também Jr 2.11.

29.26

וַיֵּלְכ֗וּ וַיַּֽעַבְדוּ֙ אֱלֹהִ֣ים אֲחֵרִ֔ים וַיִּֽשְׁתַּחֲו֖וּ לָהֶ֑ם אֱלֹהִים֙ אֲשֶׁ֣ר לֹֽא־יְדָע֔וּם וְלֹ֥א חָלַ֖ק לָהֶֽם׃

Deuses que não conheceram. A idolatria de Israel seria agravada porquanto estariam imitando os pagãos, dotados de pequena luz. Os filhos de Israel, pois, teriam cerrado os próprios olhos para a luz e enevoado a própria mente. Deixando-se contaminar pela influência pagã, eles estariam imitando modelos inferiores, desprezando assim a revelação que lhes havia sido dada pelo Senhor, acerca do monoteísmo (ver no *Dicionário* o verbete chamado *Monoteísmo*).

Aos povos pagãos haviam sido "designados" os deuses falsos, representados palpavelmente por meio de ídolos, como se essa fosse a *herança* deles. Em troca de coisas assim vãs, produtos da imaginação distorcida de seus homens, Israel teria desistido da sua herança, sob a forma da Terra Prometida e de um correto relacionamento com Deus, por meio da legislação mosaica. Cf. 1Rs 11.33; 12.29; 2Rs 16.4 e 21.3.

29.27

וַיִּֽחַר־אַ֥ף יְהוָ֖ה בָּאָ֣רֶץ הַהִ֑וא לְהָבִ֤יא עָלֶ֨יהָ֙ אֶת־כָּל־הַקְּלָלָ֔ה הַכְּתוּבָ֖ה בַּסֵּ֥פֶר הַזֶּֽה׃

Trazendo sobre ela toda a maldição. Israel, ao abandonar a sua própria herança, conferida por intermédio de Abraão e dos demais patriarcas, preferira estupidamente a herança dos pagãos, a saber, a insensata idolatria. Por isso mesmo, Deus haveria de amaldiçoá-los. O resultado seria o brasume da ira do Senhor, que reduziria a terra deles a uma terra arrasada, tal como sucedera a Sodoma e Gomorra (vs. 23). O *modus operandi* dessa redução seria a aplicação das maldições alistadas nos capítulos 27 e 28 do livro de Deuteronômio. Ver também Dn 9.11.

29.28

וַיִּתְּשֵׁ֤ם יְהוָה֙ מֵעַ֣ל אַדְמָתָ֔ם בְּאַ֥ף וּבְחֵמָ֖ה וּבְקֶ֣צֶף גָּד֑וֹל וַיַּשְׁלִכֵ֛ם אֶל־אֶ֥רֶץ אַחֶ֖רֶת כַּיּ֥וֹם הַזֶּֽה׃

O Senhor os arrancou de sua terra. Yahweh é quem os plantara na Terra Prometida. A nação de Israel vinha sendo cultivada por Deus, e a obediência à lei é que os nutria ali, garantindo-lhes assim uma longa e próspera existência (ver Dt 4.1; 5.33; 6.2). No entanto, em sua ira, Yahweh os arrancaria e os lançaria no fogo. Quando isso sucedeu, os filhos de Israel foram para o cativeiro. Primeiramente, para a Assíria; décadas mais tarde, para a Babilônia; e, finalmente, através dos romanos, foram dispersos pelo mundo inteiro. Ver no *Dicionário* o artigo intitulado *Cativeiro (Cativeiros)*. Quanto à ira e à indignação do Senhor, ver as notas expositivas sobre Dt 6.10-15. Eles se tinham recusado a prestar honrarias a Yahweh e à sua lei, e assim terminaram por prostrar-se diante de estrangeiros, cuja língua não conseguiam compreender (ver Dt 28.49).

■ **29.29**

הַנִּסְתָּרֹת לַיהוָה אֱלֹהֵינוּ וְהַנִּגְלֹת לָנוּ וּלְבָנֵינוּ עַד־עוֹלָם לַעֲשׂוֹת אֶת־כָּל־דִּבְרֵי הַתּוֹרָה הַזֹּאת: ס

As cousas encobertas. "Ou seja, o futuro, e tudo quanto Deus não revelou nas Escrituras. Em nosso conhecimento limitado, não podemos conhecê-las sem ajuda divina. Contudo, foi-nos revelado o suficiente, por meio dos diversos pactos, que nos capacita agora a *viver*. Cumpre-nos fazer o que devemos enquanto é dia, pois a noite se aproxima, e ela pertence somente a Deus. Este versículo sem dúvida mostra-se muito eficaz como resposta, quando usado em certos pontos da cerimônia do pacto" (G. Ernest Wright, *in loc.*).

Outras Interpretações das Coisas Encobertas. Há quatro outras interpretações acerca dessas coisas, a saber:
1. Seriam as vãs imaginações do coração maligno de um idólatra secreto (vs. 19). Essa era a opinião de Rashi.
2. Seriam todas as coisas pertinentes à espiritualidade e ao bem-estar da alma, que Deus compartilha somente com os obedientes.
3. "Seria aquilo que Deus achou por bem revelar; e o que ele revelou mostra, essencialmente, como o homem pode obter bem-estar; e essa revelação não visava somente ao tempo presente, nem somente a uma geração, mas também a todas as gerações subsequentes. E as coisas que Deus não revelou não dizem respeito ao homem, mas somente a Deus, pelo que não devemos inquirir sobre elas" (Adam Clark, *in loc.*).
4. "Coisas pertinentes ao povo de Israel e à maneira de Deus tratar com eles, providencialmente falando, e, especialmente, a sua rejeição final por Deus, com o que Paulo concordou (ver Rm 11.33)" (John Gill, *in loc.*).

Parte das coisas secretas de Deus foi revelada ao povo de Israel, a saber, especificamente aquelas coisas que fazem parte dos pactos e da legislação mosaica. Isso era tudo quanto eles precisavam saber e possuir, para a vida e a sua existência diária como povo separado para Deus dentre todos os povos da Terra. Porém, os filhos de Israel desprezaram até mesmo isso e acabaram atolando-se na idolatria pagã. E, por esse motivo tão insensato, perderam os seus privilégios.

CAPÍTULO TRINTA

DECLARAÇÃO DO PACTO (30.1-10)

Na introdução ao capítulo 29, apresentei a natureza e as condições do *Pacto Palestino*, onde também mencionei os outros sete pactos que aparecem na Bíblia. Ver também no *Dicionário* o artigo intitulado *Pactos*. A obediência à lei de Moisés era a condição fundamental para o cumprimento do pacto. Um povo de Israel desobediente perderia todas as bênçãos, até o tempo da restauração de tudo quanto os profetas disseram (ver At 3.21 e Rm 11.26,27). Debilitando-se na Babilônia, a nação do sul (Judá) haveria de arrepender-se, um remanescente seria restaurado, e o pacto seria renovado. Porém, esta passagem volve os olhos para o tempo, ainda futuro, da restauração da qual Pedro e Paulo falam no livro de Atos e na epístola aos Romanos. O arrependimento nacional, a conversão e a restauração eram uma certeza, pertencente ao quadro profético vaticinador, mas primeiramente Israel teria de sofrer por causa de sua estupidez.

"Esta passagem pressupõe que Israel já estivesse no exílio e antecipa o tempo em que o Senhor haveria de restaurar o seu povo" (*Oxford Annotated Bible*, comentando sobre o primeiro versículo deste capítulo).

■ **30.1**

וְהָיָה כִי־יָבֹאוּ עָלֶיךָ כָּל־הַדְּבָרִים הָאֵלֶּה הַבְּרָכָה וְהַקְּלָלָה אֲשֶׁר נָתַתִּי לְפָנֶיךָ וַהֲשֵׁבֹתָ אֶל־לְבָבֶךָ בְּכָל־הַגּוֹיִם אֲשֶׁר הִדִּיחֲךָ יְהוָה אֱלֹהֶיךָ שָׁמָּה:

A bênção e a maldição. A saber, as dezoito maldições e as seis bênçãos arroladas nos capítulos 27 e 28 de Deuteronômio. As maldições eram armas com as quais Deus puniria um povo desobediente, que assim perderia as suas bênçãos e iria para o cativeiro. Uma vez no cativeiro, haveria de lembrar-se das instruções que o Senhor lhe havia dado, bem como as advertências e as promessas, as bênçãos e as maldições, e, *tendo chegado a esse ponto*, perceberia a importância e a inevitabilidade tanto das bênçãos quanto das maldições. Com base nessa percepção, brotaria alguma sabedoria que haveria de reverter o estado deplorável da nação. Em suas mentes ficaria bem claro que há uma lei moral da colheita correspondente à semeadura. Ver no *Dicionário* o artigo intitulado *Lei Moral da Colheita Segundo a Semeadura*. Portanto, até as próprias maldições têm algum *propósito restaurador*. Quanto a esse conceito, ver 1Pe 4.6 no *Novo Testamento Interpretado*.

■ **30.2,3**

וְשַׁבְתָּ עַד־יְהוָה אֱלֹהֶיךָ וְשָׁמַעְתָּ בְקֹלוֹ כְּכֹל אֲשֶׁר־אָנֹכִי מְצַוְּךָ הַיּוֹם אַתָּה וּבָנֶיךָ בְּכָל־לְבָבְךָ וּבְכָל־נַפְשֶׁךָ:

וְשָׁב יְהוָה אֱלֹהֶיךָ אֶת־שְׁבוּתְךָ וְרִחֲמֶךָ וְשָׁב וְקִבֶּצְךָ מִכָּל־הָעַמִּים אֲשֶׁר הֱפִיצְךָ יְהוָה אֱלֹהֶיךָ שָׁמָּה:

E tornares ao Senhor teu Deus... e deres ouvido. O "retorno" refere-se ao arrependimento. E o "dar ouvidos" indica cumprir todas as exigências da lei mosaica. Algumas vezes é mister retroceder e refazer o passado, anulando assim as maldições atraídas pela desobediência, para que dali por diante haja um futuro mais brilhante. Os intérpretes evangélicos, considerando o cumprimento futuro do *Pacto Palestino*, veem uma reversão da rejeição de Cristo por parte do povo judeu (ver Jo 1.11,12).

Dessa maneira, terá cumprimento o trecho de Rm 11.26,27, onde há uma provisão a longo prazo do Pacto Palestino. Podemos pensar que isso terá lugar no início do *milênio* (ver a respeito no *Dicionário*). "O retorno ao Senhor equivale ao arrependimento, o que envolve o abandono de lealdades indignas (idolatria) e o voltar-se para Deus de todo o coração (Dt 6.4,5)" (*Oxford Annotated Bible*, comentando sobre o segundo versículo deste capítulo). Ver também Ne 1.9.

...te ajuntará de novo de todos os povos. O *recolhimento* dos filhos de Israel (vs. 3), de todos os povos para onde foram dispersos, seria o resultado do arrependimento e do dar ouvidos ao Senhor. Assim chegará ao fim o terceiro e mais longo dos cativeiros. As dez tribos não voltaram do cativeiro assírio. Um pequeno remanescente de Judá, Benjamim e parte de Levi, que tinha ido para o exílio, na Babilônia, voltou dali. Mas temos aqui a garantia de que *todo o Israel* voltará, terminado o cativeiro romano, um processo que vemos em começo de realização em nossos próprios dias, do que é prova a formação do moderno Estado de Israel (1948). Ver no *Dicionário* o verbete chamado *Restauração de Israel*. Maimônides compreendia o terceiro versículo deste capítulo como alusivo ao cativeiro atual (o romano), e a restauração futura da nação de Israel, o que, durante muitos séculos, tem sido a esperança de Israel. Isso, finalmente, se tornará uma realidade, mas não sem que primeiro ocorra o segundo advento de Cristo (Maimônides, *Hilchot Melachim*, cap. 11, sec. 1).

"O arrependimento de Israel seria *insuficiente*, por si mesmo, para reverter os efeitos das maldições recebidas, porquanto continuariam debaixo da dominação estrangeira. Logo, em resposta ao seu arrependimento, o próprio Deus fará *intervenção*, recolherá de novo Israel [em seu território nacional], e assim restaurá-lo-á à sua terra" (Jack S. Deere, *in loc.*). Cf. Is 27.12.

"... de todos os povos. Sem dúvida essas palavras referem-se a um cativeiro mais extenso do que aquele que eles sofreram por parte da Babilônia" (Adam Clark, *in loc.*).

30.4

אִם־יִהְיֶה נִדַּחֲךָ בִּקְצֵה הַשָּׁמָיִם מִשָּׁם יְקַבֶּצְךָ יְהוָה אֱלֹהֶיךָ וּמִשָּׁם יִקָּחֶךָ׃

Ainda que os teus desterrados estejam... céus. Por mais longe que tenham ido os filhos de Israel, em suas perambulações no exílio romano, eles haverão de voltar. Não há lugar tão remoto que algum judeu venha a escapar da atenção de Yahweh, uma vez que Israel se arrependa. Ver no *Dicionário* o artigo intitulado *Arrependimento*. A expressão "a extremidade dos céus" indica os lugares remotos da terra. Isso posto, todos os judeus retornarão à Terra Prometida, onde seu pacto com o Senhor será renovado. O Targum de Jonathan vê aqui uma profecia messiânica: "Dali ele te fará voltar, pelas mãos do Rei Messias". Ver Mt 24.31.

30.5

וֶהֱבִיאֲךָ יְהוָה אֱלֹהֶיךָ אֶל־הָאָרֶץ אֲשֶׁר־יָרְשׁוּ אֲבֹתֶיךָ וִירִשְׁתָּהּ וְהֵיטִבְךָ וְהִרְבְּךָ מֵאֲבֹתֶיךָ׃

Te introduzirá na terra que teus pais possuíram. Os judeus haverão de retornar à Terra Prometida. Ali os filhos de Israel multiplicar-se-ão e prosperarão, e ultrapassarão a toda prosperidade e bem-aventurança que seus antepassados conheceram. Quando isso suceder, terão seu cumprimento cabal os Pactos Abraâmico e Palestino. "Os judeus, ao se converterem, nos últimos dias, voltarão novamente à terra da Judeia e a possuirão. Esse é o sentido de muitas passagens das Escrituras. Ver, entre outras, Jr 30.18; Ez 28.25,26; 37.21,22,25; Zc 10.10" (John Gill, *in loc.*). John Gill, grande comentador da Bíblia, um batista inglês que viveu no século XVIII, percebia claramente essa questão escatológica, embora não contasse com nenhuma evidência comprobatória de sua asserção, exceto a iluminação da fé. Quanto a nós, contamos com uma notável evidência comprobatória, qual seja, a formação do moderno Estado de Israel (1948), o que nos mostra que essas predições bíblicas estão prestes a ter cumprimento cabal, o que sucederá por ocasião da volta do Senhor Jesus à Terra.

Fé

Oh, mundo, não escolheste a melhor parte;
Não é sábio ser apenas sábio,
E fechar os olhos para a visão interior,
Mas é sabedoria acreditar no coração.
Colombo achou um mundo, e não tinha mapa,
Salvo o da fé, decifrado nas estrelas.

George Santayana

"Os profetas deixaram claro que essa grande restauração de Israel à sua terra não terá lugar senão por ocasião do segundo advento do Messias, ou seja, no início do reino milenar de Cristo à face da terra (ver Is 59.20—62.12). Cf. os ensinos de Jesus sobre o recolhimento dos judeus, em Mt 24.31; Mc 13.27. Então terá começo um período de notável prosperidade material e espiritual, maior do que tudo quanto os povos já puderam experimentar (ver Dt 30.5)" (Jack S. Deere, *in loc.*). Ver na *Enciclopédia de Bíblia, Teologia e Filosofia* o artigo chamado *Parousia*.

30.6

וּמָל יְהוָה אֱלֹהֶיךָ אֶת־לְבָבְךָ וְאֶת־לְבַב זַרְעֶךָ לְאַהֲבָה אֶת־יְהוָה אֱלֹהֶיךָ בְּכָל־לְבָבְךָ וּבְכָל־נַפְשְׁךָ לְמַעַן חַיֶּיךָ׃

teu Deus circuncidará o teu coração. Cf. Dt 10.16, onde aparece a mesma metáfora. Ali, porém, o povo de Israel é convocado a efetuar essa *operação espiritual*, ao passo que, neste versículo, *Yahweh-Elohim* é o agente. Ver no *Dicionário* o verbete chamado *Deus, Nomes Bíblicos de*. Está em pauta o Eterno Todo-poderoso, o único que tem o poder de efetuar tal operação, eminentemente espiritual. Ver no *Dicionário* o artigo geral chamado *Circuncisão*, quanto a todas as implicações e ensinos metafóricos. Paulo, em Rm 2.28,29, refere-se à *circuncisão do coração*, ou seja, a remoção de todo pecado e corrupção, com a semeadura de todas as qualidades cristãs, que devem ser então desenvolvidas. Deus é quem opera essa mudança, que torna possível aos homens viver a lei do amor, abandonando, por outra parte, as corrupções próprias do pecado.

Em Dt 10.16 ofereci notas expositivas completas sobre a natureza da *circuncisão do coração*, razão pela qual não as reitero aqui.

Amar a Deus de toda a alma e de todo o coração é algo que resulta da circuncisão espiritual. Isso repete as ideias de Dt 6.5, onde são dadas notas expositivas completas. Ver no *Dicionário* o artigo intitulado *Amor*. O amor é a base de toda verdadeira espiritualidade. É a prova mesma do novo nascimento e de uma espiritualidade genuína (ver 1Jo 4.7 ss.).

O PACTO PALESTINO

Propósitos

Israel foi preparado para a terra e a terra foi preparada para Israel. A posse da terra foi condicionada à obediência. Os possuidores da terra foram condicionados à obediência perpétua à lei. Os desobedientes seriam dispersados. Profeticamente, o pacto garantiu a restauração futura, ensinando a obediência a Israel. Os opressores de Israel tinham de ser punidos por sua oposição para que o plano não falhasse. A prosperidade nacional tornaria Israel uma mestra das nações.

Continuidade

Todos os pactos vieram da mesma origem. Eles formaram uma união, dando continuidade aos propósitos divinos em Israel e nas nações. O Pacto Palestino foi o *sexto* de um total de oito pactos.

O PACTO ABRAÂMICO

(ver as anotações em Gn 15.18)

Tinha entre suas promessas principais a provisão de uma terra especial para Israel. Aquela nação não podia continuar a existir como um bando de nômades no deserto. Sem uma terra adequada, a nação logo se desintegraria. Assim, Yahweh fez com o povo um pacto suplementar que cuidava da provisão de um território. Josué foi levantado por Yahweh para ser o instrumento da conquista.

30.7

וְנָתַן יְהוָה אֱלֹהֶיךָ אֵת כָּל־הָאָלוֹת הָאֵלֶּה עַל־אֹיְבֶיךָ וְעַל־שֹׂנְאֶיךָ אֲשֶׁר רְדָפוּךָ׃

Porá todas estas maldições sobre os teus inimigos. As maldições continuariam pesando sobre os desobedientes. Mas, devido ao arrependimento de Israel, os desobedientes seriam os inimigos de Israel, que passariam a ser as nações amaldiçoadas. A maldição descarregada contra os inimigos de Israel acrescentaria bênçãos aos hebreus, visto que todas as maquinações do mal seriam derrotadas. Porém, uma vez que Israel se tiver arrependido, as condições serão revertidas, de tal maneira que os inimigos de Israel é que serão amaldiçoados. E esses povos inimigos de Israel merecerão claramente essa punição.

30.8

וְאַתָּה תָשׁוּב וְשָׁמַעְתָּ בְּקוֹל יְהוָה וְעָשִׂיתָ אֶת־כָּל־מִצְוֹתָיו אֲשֶׁר אָנֹכִי מְצַוְּךָ הַיּוֹם׃

De novo, pois, darás ouvidos à voz do Senhor. Uma *completa obediência* haverá de notabilizar de novo a nação de Israel. Então Israel será, realmente, o povo *distinto* que Deus planejou (ver Dt 26.19). Essa obediência completa só podemos esperar da parte de Israel quando de sua futura conversão nacional ao Senhor Jesus Cristo. Então haverá uma obediência fundamentada sobre princípios espirituais. O Espírito Santo tomará o lugar da lei, escrevendo-a sobre tábuas do coração (e não mais sobre meras tábuas de pedra), e a espiritualidade se tornará uma *realidade* entre os filhos de Israel. Paulo abandonou de vez a noção de que a vida vem mediante a observância da lei (ver Gl 3.21 e seu contexto). Mas tentar ver isso claramente ensinado no Pentateuco é um anacronismo. No Pentateuco havia a ideia de que a vida vem mediante a obediência à lei (ver Dt 4.1; 5.22 e 6.2). Paulo, entre os seus conterrâneos, tornou-se um arqui-herege, por causa de sua posição no tocante ao intuito e às operações da lei. Quanto a alguns pontos vitais, o Novo Testamento é verdadeiramente *diferente* do Antigo Testamento.

30.9

וְהוֹתִירְךָ֩ יְהוָ֨ה אֱלֹהֶ֜יךָ בְּכֹ֣ל ׀ מַעֲשֵׂ֣ה יָדֶ֗ךָ בִּפְרִ֨י בִטְנְךָ֜ וּבִפְרִ֧י בְהֶמְתְּךָ֛ וּבִפְרִ֥י אַדְמָתְךָ֖ לְטֹבָ֑ה כִּ֣י ׀ יָשׁ֣וּב יְהוָ֗ה לָשׂ֤וּשׂ עָלֶ֨יךָ֙ לְט֔וֹב כַּאֲשֶׁר־שָׂ֖שׂ עַל־אֲבֹתֶֽיךָ׃

teu Deus te dará abundância em toda obra das tuas mãos. A *vida* e a *prosperidade* haverão de proceder da observância da lei. Temos visto essas declarações nas seis bênçãos que figuram em Dt 28.3-6. Este versículo é um paralelo direto de Dt 28.4,5, ou seja, a *terceira* e a *quarta* bênção. Ver as notas expositivas sobre aqueles versículos. Nos dias de Davi e de Salomão, essas bênçãos tiveram cumprimento parcial. Mas o cumprimento cabal e definitivo está esperando pelo milênio (ver a respeito no *Dicionário*).

"Toda a prosperidade aqui mencionada (cf. Dt 28.4) desceria sobre Israel porque, sob o Novo Pacto, as nações, finalmente, serão capacitadas a obedecer de todo o coração ao Senhor (cf. "de todo o teu coração e de toda a tua alma", em Dt 6.5 e 30.6)" (Jack S. Deere, *in loc.*).

Todas as nações verão essa obra grandiosa e saberão que Yahweh a efetuou e, assim, a temerão, porque essa obra envolverá um grande poder. *Todas as nações* também terão visto as maldições atuando na Terra Prometida (ver Dt 29.24 ss.), ficando assim admiradas. Dessa forma, a maldição transmuta-se em bênção, através da obediência à lei. Ver Dt 28.10.

30.10

כִּ֣י תִשְׁמַ֗ע בְּקוֹל֙ יְהוָ֣ה אֱלֹהֶ֔יךָ לִשְׁמֹ֤ר מִצְוֹתָיו֙ וְחֻקֹּתָ֔יו הַכְּתוּבָ֕ה בְּסֵ֖פֶר הַתּוֹרָ֣ה הַזֶּ֑ה כִּ֤י תָשׁוּב֙ אֶל־יְהוָ֣ה אֱלֹהֶ֔יךָ בְּכָל־לְבָבְךָ֖ וּבְכָל־נַפְשֶֽׁךָ׃ פ

Se deres ouvidos à voz do Senhor. Este versículo sumaria a seção anterior mediante outra chamada à completa *obediência*. Ver Nm 1.54 sobre como o autor sagrado costumava fazer seus sumários no tocante à obediência, a fim de encerrar as seções escritas. Uma *esperada obediência futura* está em pauta neste versículo.

A obediência precisa ser *absoluta*, derivada do *coração e da alma*, um tema que já havia aparecido antes em Dt 6.5 como no sexto versículo deste capítulo, onde dou notas expositivas.

"Mais do que talvez em qualquer outra passagem da Bíblia, este versículo tem mantido viva a esperança do povo judeu quanto a um retorno final à sua Terra Prometida. Sob o ímpeto do movimento sionista, começa a ter cumprimento a esperança do restabelecimento de Israel em seu próprio antigo território. Por certo, esse movimento nacionalista envolve a muitos judeus que não mais seguem a antiga fé dos israelitas. Contudo, é a chama espiritual dos fiéis que tem mantido intacto o disperso povo judeu, levando de volta à Palestina tantos deles" (Henry H. Shires, *in loc.*).

ADVERTÊNCIA FINAL (30.11-20)

A PROXIMIDADE DA PALAVRA (30.11-14)

O autor sacro deixou claro, nesta seção, que aquilo que estava sendo pedido de Israel não era difícil demais de se atender. O *mandamento* não era algo distante e estranho, impossível de ser compreendido. Muito pelo contrário, era algo bem próximo, que já estava no coração deles (vs. 14). Paulo, mediante adaptação e acomodação, aplicou esta seção à justiça baseada sobre a fé (ver Rm 10.8 ss.). Talvez ele se sentisse justificado nesse ato (mas certamente repudiado com vigor pelos judeus), porque a verdadeira retidão nos é proporcionada através do sistema da graça-fé, sistema para cuja direção apontavam as instituições do Antigo Testamento, incluindo a lei. Cristo, em sua retidão, incorporou os ideais da lei, conferindo-os a nós. Mas ele fez isso por meio do seu Espírito vivo, e não através da letra morta da lei em tábuas de pedra. Entretanto, podemos afagar a certeza de que o autor de Deuteronômio acreditava que a plena obediência à lei era possível para todo o povo escolhido, e que a obediência era uma medida transmissora de vida (ver Dt 4.1; 5.33 e 6.2).

30.11

כִּ֚י הַמִּצְוָ֣ה הַזֹּ֔את אֲשֶׁ֛ר אָנֹכִ֥י מְצַוְּךָ֖ הַיּ֑וֹם לֹא־נִפְלֵ֥את הִוא֙ מִמְּךָ֔ וְלֹ֥א רְחֹקָ֖ה הִֽוא׃

Não é demasiado difícil, nem está longe de ti. "O pacto requerido não estava acima do alcance ou da compreensão dos homens. O pacto foi graciosamente revelado (Dt 29.29), e estava operando no serviço da renovação do pacto (29.1)" (*Oxford Annotated Bible*, comentando sobre este versículo). Essa afirmação do livro de Deuteronômio deve ser contrastada com aquela feita pelo apóstolo Pedro: "Agora, pois, por que tentais a Deus, pondo sobre a cerviz dos discípulos um jugo que nem nossos pais puderam suportar, nem nós?" (At 15.10).

O texto hebraico diz aqui, literalmente, "por demais maravilhoso para vós", embora as traduções geralmente tenham dito aqui "oculto para vós". Não se tratava de uma questão de doutrinas arcanas, dadas somente a alguns poucos iniciados e sábios. Não era uma doutrina que pertencesse aos que estavam distantes e inacessíveis. Bem pelo contrário, era a legislação mosaica, tão claramente escrita e explicada pelos sacerdotes levitas. Outras traduções dizem aqui: "difícil". A lei não era misteriosa, oculta, difícil por demais. Isso posto, a obediência absoluta era algo *razoável* a ser esperado da parte do povo de Israel.

30.12

לֹ֥א בַשָּׁמַ֖יִם הִ֑וא לֵאמֹ֗ר מִ֣י יַעֲלֶה־לָּ֤נוּ הַשָּׁמַ֨יְמָה֙ וְיִקָּחֶ֣הָ לָּ֔נוּ וְיַשְׁמִעֵ֥נוּ אֹתָ֖הּ וְנַעֲשֶֽׂנָּה׃

Não está nos céus. Os antigos hebreus faziam um conceito do céu que, naturalmente, era compartilhado por muitos povos antigos. Assemelha-se às nossas expressões modernas, como: "Lá no alto, onde Deus habita". E também: "Lá embaixo, onde reside o mal". Nos dias em que foi escrito o Pentateuco, ainda não se havia desenvolvido a doutrina das "forças demoníacas, lá embaixo". De fato, esse aspecto da teologia só surgiu no horizonte dos hebreus na época do período intertestamentário, ou seja, em certos livros religiosos e outros que vieram à tona dentro do hiato de quatrocentos anos que houve entre o Antigo e o Novo Testamento. Os estudiosos sabem que as chamas do inferno foram acesas no livro de 1Enoque, um dos livros pseudepígrafos. Ver no *Dicionário* o verbete chamado *Céu*, bem como as notas expositivas sobre Gn 11.4, quanto a informações adicionais.

Céus. Nas Escrituras, esse é o lugar onde Deus habita. Era considerado um lugar distante, remoto, inacessível e misterioso. O autor de Deuteronômio queria que os seus leitores soubessem que a *Palavra*, que requeria obediência, não estava escondida em algum lugar remoto como o céu. Na realidade, já tinha sido revelada por Yahweh, posta sob forma escrita, e estava agora ao alcance dos filhos de Israel. Por conseguinte, não havia desculpas para eles não obedecerem ao que era tão claro e acessível. Cf. a aplicação das palavras por parte de Paulo, em Rm 10.6,7, onde ele as aplica à *justiça* que vem por meio da fé, e não à lei.

30.13

וְלֹֽא־מֵעֵ֥בֶר לַיָּ֖ם הִ֑וא לֵאמֹ֗ר מִ֣י יַעֲבָר־לָ֜נוּ אֶל־עֵ֤בֶר הַיָּם֙ וְיִקָּחֶ֣הָ לָּ֔נוּ וְיַשְׁמִעֵ֥נוּ אֹתָ֖הּ וְנַעֲשֶֽׂנָּה׃

Nem está além do mar. Nenhuma nação estrangeira, de além-mar, era possuidora da lei, de modo que fosse mister fazer uma viagem transoceânica a fim de obter a Palavra de Deus. Eles não careciam de missionários. A Palavra de Deus fora revelada no monte Sinai e na planície de Moabe, onde se encontravam os filhos de Israel, naquele preciso instante. Paulo alterou essa porção, em sua citação da passagem, "para levantar a Cristo dentre os mortos". Paulo referiu-se ao *hades*, onde Cristo desceu, enquanto morto, para cumprir sua missão de misericórdia naquele lugar (ver 1Pe 3.18—4.6). Todavia, o Senhor Jesus não continuou no hades, mas prosseguiu sua missão nos lugares celestiais. A modificação da citação, feita por Paulo, tinha por finalidade adaptar a missão de Cristo às sugestões da passagem que ora comentamos, o que significa que ele não seguiu servilmente o texto sagrado.

■ 30.14

כִּי־קָר֤וֹב אֵלֶ֙יךָ֙ הַדָּבָ֣ר מְאֹ֔ד בְּפִ֥יךָ וּבִֽלְבָבְךָ֖
לַעֲשֹׂתֽוֹ׃ ס

Esta palavra está mui perto de ti. A Palavra estava tão perto deles que até já estava na *boca deles*. Todo israelita já estava falando sobre a lei e vivendo-a diariamente. E também estava no coração deles, ou seja, em suas emoções e em suas almas. A revelação divina tinha sido feita; e lhes estava sendo ensinada incessantemente, ouvida e praticada. Eles tinham tudo quanto era mister.

"Nós estamos cercados por mistérios, e o pleno conhecimento das coisas está acima de nossa capacidade de apreensão. No entanto, Deus se apresentou a si mesmo (Dt 4.7) e à sua Palavra a nós. Podemos ter vida mediante a fé e mediante a obediência leal ao seu pacto, embora nosso conhecimento seja limitado pela nossa finitude. Cada um de nós precisa compreender o universo a fim de obter a salvação prometida. Ela é gratuitamente oferecida agora no pacto" (G. Ernest Wright, *in loc.*).

Fatos. 1. A Palavra de Deus não é esotérica, oculta, misteriosa. 2. O homem é capaz de recebê-la, porquanto é capacitado para isso pela graça divina. 3. Deus não nos pede o impossível.

A LEI REQUER QUE SE FAÇA UMA ESCOLHA (30.15-20)

■ 30.15

רְאֵ֨ה נָתַ֤תִּי לְפָנֶ֙יךָ֙ הַיּ֔וֹם אֶת־הַֽחַיִּ֖ים וְאֶת־הַטּ֑וֹב
וְאֶת־הַמָּ֖וֶת וְאֶת־הָרָֽע׃

Essa escolha precisa ser feita entre a vida e a morte; mas a nós cumpre lembrar o fato de que estão em vista a vida física, com suas bênçãos e maldições; sua brevidade, devido aos juízos divinos, ou sua maior duração, por causa das bênçãos divinas. Não estão em pauta nem a vida eterna (como bênção) nem a condenação eterna (como maldição). As doutrinas que dizem respeito à salvação da alma só tiveram início, dentro da teologia dos hebreus, na época dos Salmos e dos Profetas, e não se desenvolveram grande coisa senão já no período intermediário entre o Antigo e o Novo Testamento, nos livros apócrifos e pseudepígrafos.

"*Uma Decisão Inescapável.* Uma vez mais, Israel foi exortado a tomar uma decisão séria e deliberada, enquanto a vida inteira de uma nação ficava dependendo da vida por meio da obediência, ou da destruição mediante a desobediência" (Henry S. Shires, *in loc.*).

O Livre-arbítrio. Todo esse texto seria um escárnio a menos que o livre-arbítrio humano, a capacidade de fazer escolhas reais, fosse uma realidade. Ver no *Dicionário* os verbetes chamados *Livre-arbítrio* e *Predestinação*. Ver Dt 4.1; 5.33 e 6.2 quanto aos poderes transmissores de vida da lei mosaica, e cf. Is 1.19,20.

As atividades dos intérpretes evangélicos, que tratam das questões da *justificação* e da *redenção espiritual*, diante de textos como este, são inteiramente fúteis e anacrônicas. Esses textos *têm-se tornado* textos de prova em favor do legalismo, ou seja, da justificação pelas obras; mas não havia tal coisa na teologia dos dias de Moisés. Encontrar passagens contrárias a isso, no Pentateuco, na tentativa de mostrar que Moisés ensinou a justificação pela fé (como em Gn 15.6), é algo tão ridículo que nem merece comentário. O que Moisés revelou é uma coisa; e o que Paulo revelou é algo totalmente diferente.

■ 30.16

אֲשֶׁ֨ר אָנֹכִ֣י מְצַוְּךָ֮ הַיּוֹם֒ לְאַהֲבָ֞ה אֶת־יְהוָ֤ה אֱלֹהֶ֙יךָ֙
לָלֶ֣כֶת בִּדְרָכָ֔יו וְלִשְׁמֹ֛ר מִצְוֹתָ֥יו וְחֻקֹּתָ֖יו וּמִשְׁפָּטָ֑יו
וְחָיִ֣יתָ וְרָבִ֔יתָ וּבֵֽרַכְךָ֙ יְהוָ֣ה אֱלֹהֶ֔יךָ בָּאָ֕רֶץ אֲשֶׁר־אַתָּ֥ה
בָא־שָׁ֖מָּה לְרִשְׁתָּֽהּ׃

Os seus mandamentos, e os seus estatutos, e os seus juízos. Uma vez mais, a tríplice designação da lei é empregada (ver Dt 6.1, onde procuro encontrar as distinções entre essas três designações). A *lei inteira* era obrigatória, sem importar se estavam em foco princípios morais ou regras que diziam respeito a ritos e cerimônias. O que o povo de Israel chegasse a fazer com a lei determinaria como eles prosperariam ou como enfrentariam a desgraça, em sua própria Terra Prometida. Eles poderiam viver bem, multiplicar-se e gozar de prosperidade; ou poderiam diminuir em número, ser atacados por pragas, enfermidades e invasões por parte de adversários. Por igual modo, nos nossos dias, a tarefa interminável de um ministro do evangelho é exortar sua gente a escolher o bem, convencendo todos os seres humanos de que simplesmente não há neutralidade na vida espiritual. Ter alguém uma *fé genuína* é ter uma fé sempre envolvida na *escolha* do bem e na rejeição do mal.

■ 30.17

וְאִם־יִפְנֶ֥ה לְבָבְךָ֖ וְלֹ֣א תִשְׁמָ֑ע וְנִדַּחְתָּ֗ וְהִֽשְׁתַּחֲוִ֛יתָ
לֵאלֹהִ֥ים אֲחֵרִ֖ים וַעֲבַדְתָּֽם׃

Porém, se o teu coração se desviar. Este versículo faz o contraste com o ideal expresso no versículo anterior. Em lugar de andar retamente e ouvir e observar a lei, Israel poderia preferir "desviar-se", "não ouvir" e acabar adorando a outros deuses, e cometer o pior de todos os pecados, o da *idolatria* (ver a respeito no *Dicionário*). Para vergonha eterna do povo de Israel, foi exatamente essa ridícula alternativa que eles preferiram, perdendo assim o seu direito à posse da Terra Prometida. Os cativeiros descarregaram contra eles os castigos necessários. A escolha final, no caso de todos os seres humanos, é aquela que deve ser feita entre Deus e os ídolos. A natureza dos ídolos muda. Podem deixar de ser feitos de madeira, de metais ou de pedra. Mas sempre haverá ídolos que arrastem os homens para longe da espiritualidade.

"Tal desafio criou um momento muito crítico nas antigas cerimônias da renovação do pacto (ver Dt 26.6,17; Js 24.14,15)" (*Oxford Annotated Bible*, comentando sobre este versículo 17).

■ 30.18

הִגַּ֤דְתִּי לָכֶם֙ הַיּ֔וֹם כִּ֥י אָבֹ֖ד תֹּאבֵד֑וּן לֹא־תַאֲרִיכֻ֤ן
יָמִים֙ עַל־הָ֣אֲדָמָ֔ה אֲשֶׁ֨ר אַתָּ֤ה עֹבֵר֙ אֶת־הַיַּרְדֵּ֔ן לָב֥וֹא
שָׁ֖מָּה לְרִשְׁתָּֽהּ׃

Não permanecerás longo tempo na terra. Os desobedientes não viveriam por longo tempo na Terra Prometida, e o tempo em que ali ficassem seria repleto de sofrimentos. E finalmente pereceriam, visto que tinham preferido o caminho da desobediência e da morte. Cf. Dt 4.26. "A vida deles seria cortada pela morte, ou através da espada, ou da fome, ou da pestilência, ou seriam levados em cativeiro" (John Gill, *in loc.*). Note o leitor que não há aqui nenhuma ameaça de perdição eterna para os desobedientes, e nenhuma promessa de vida eterna para os obedientes. Dentro do Pentateuco, todas as questões giravam em torno da *terra*. A teologia posterior dos judeus foi que introduziu itens como a alma e a vida pós-túmulo. Ver Gn 1.26,27 quanto a notas que dizem respeito a essas questões.

■ 30.19

הַעִידֹ֨תִי בָכֶ֣ם הַיּוֹם֮ אֶת־הַשָּׁמַ֣יִם וְאֶת־הָאָרֶץ֒ הַחַיִּ֤ים
וְהַמָּ֙וֶת֙ נָתַ֣תִּי לְפָנֶ֔יךָ הַבְּרָכָ֖ה וְהַקְּלָלָ֑ה וּבָֽחַרְתָּ֙ בַּֽחַיִּ֔ים
לְמַ֥עַן תִּחְיֶ֖ה אַתָּ֥ה וְזַרְעֶֽךָ׃

Tomo hoje por testemunhas. Moisés falava dos céus e de seus poderes sobrenaturais, como também de qualquer poder da terra que quisesse colaborar, como testemunhas das condições do Pacto Palestino. O céu e a terra também acompanhariam a *escolha* que os filhos de Israel fizessem, entre obedecer e desobedecer, conforme era requerido por aquele pacto. Uma vez mais, é afirmado que a escolha envolveria Israel na bênção e na vida, ou na maldição e na morte. Outrossim, a escolha que fizessem teria efeitos a longo prazo, afetando a vida de seus descendentes e o próprio futuro da nação. Esse fator acrescentava solenidade à escolha. Eles poriam em ação os elementos do desenvolvimento da nação que seria sentido através de toda a sua história. Isso é assim porque ninguém peca sozinho, como também ninguém é bom sozinho. Embora isso seja verdade, em certo sentido um homem é uma ilha, mas em outro sentido ninguém é uma ilha.

30.20

לְאַהֲבָה אֶת־יְהוָה אֱלֹהֶיךָ לִשְׁמֹעַ בְּקֹלוֹ וּלְדָבְקָה־בוֹ כִּי הוּא חַיֶּיךָ וְאֹרֶךְ יָמֶיךָ לָשֶׁבֶת עַל־הָאֲדָמָה אֲשֶׁר נִשְׁבַּע יְהוָה לַאֲבֹתֶיךָ לְאַבְרָהָם לְיִצְחָק וּלְיַעֲקֹב לָתֵת לָהֶם: פ

Disto depende a tua vida. São três palavras-chaves: 1. amor; 2. obedecer; e 3. apegar-se. E o resultado disso seria que eles habitariam na Terra Prometida. Esses três vocábulos têm a ver com a qualidade da espiritualidade deles, e, naturalmente, com a sua boa escolha (vss. 5-19). O amor é a própria essência da lei, conforme aprendemos em Dt 6.5, onde o conceito é comentado, e são dadas referências similares (inclusive no Novo Testamento).

A obediência é o tema principal do livro de Deuteronômio, o qual se repete com certa frequência. Ver, como exemplos, os trechos de Dt 11.27,28; 13.4; 21.18,20; 27.10; 28.62; 30.3,8,20. O apego consiste em uma determinação resoluta e tenaz. O homem espiritual deve levar adiante a sua carreira, buscando cumprir os seus propósitos, através de uma conduta bem regulada.

Para que habites na terra. Permanecer na Terra Prometida, em meio à prosperidade, e em uma longa vida, seria o resultado natural e a recompensa por terem agido bem quanto a outras coisas. Cf. as palavras-chaves de Dt 10.12,13: temor, conduta, amor, serviço, guardar.

A possessão da Terra Prometida, que ocorrera através dos pais da nação, e que tinha sido dada como herança aos seus descendentes, agora era um acontecimento iminente. Porém, a continuação da prosperidade dependia da obediência de cada geração. Quanto ao território conferido através do Pacto Abraâmico, ver também Dt 1.8; 6.10; 9.5; 29.13; 30.20 e 34.4.

CAPÍTULO TRINTA E UM

APÊNDICE HISTÓRICO (31.1—34.12)

ÚLTIMAS PALAVRAS DE MOISÉS E NOMEAÇÃO DE JOSUÉ (31.1-30)

ÚLTIMOS CONSELHOS DE MOISÉS AOS SACERDOTES, AOS LEVITAS E A JOSUÉ (31.1-13)

Vemos aqui que houve a transição de Moisés para Josué, a fim de que ficasse garantida a continuação do pacto. "Certas características desta seção (Dt 31—34) também podiam ser encontradas nos tratados de vassalagem do antigo Oriente: o depósito do documento do tratado em um lugar sagrado (Dt 31.24-26); a provisão acerca da leitura futura do pacto, além de outras cerimônias apropriadas (31.9-13)" (Jack S. Deere, *in loc.*).

Moisés havia chegado ao final de sua missão, pelo que informou o povo de Israel de que haveria mudança de liderança. Josué havia sido escolhido por Yahweh a fim de levar a efeito o propósito divino acerca de Israel. Aquele era um tempo de tomar resoluções fortes e certas, a fim de que nenhuma mudança radical viesse a perturbar o plano. O próprio Yahweh iria entre eles e adiante deles. Cf. Js 1.6-9.

"O conteúdo destes quatro capítulos (31 a 34) parece ter uma natureza heterogênea, podendo ser mais bem descrito como uma série de apêndices, dentre os quais os principais são os dois poemas dos capítulos 32 e 33" (G. Ernest Wright, *in loc.*).

31.1

וַיֵּלֶךְ מֹשֶׁה וַיְדַבֵּר אֶת־הַדְּבָרִים הָאֵלֶּה אֶל־כָּל־יִשְׂרָאֵל:

Passou Moisés a falar. Tal como no caso de Dt 29.1, este versículo tem sido considerado a conclusão do que foi dado antes, ou introdução do material que aparece em seguida. A Septuaginta trata este versículo como a conclusão do capítulo 30; mas as traduções, de modo geral, tratam-no como a introdução ao capítulo 31. Moisés, pois, dá prosseguimento ao seu *terceiro discurso*, levando-o à sua conclusão, por meio de suas palavras de despedida (vss. 1-8).

As tradições judaicas imaginam a cena em que Moisés foi diante de cada tribo, separadamente, a fim de entregar suas instruções finais. Seja como for, *todo o povo de Israel* ouviu a outorga da mensagem, sem importar quais métodos tenham sido empregados.

31.2

וַיֹּאמֶר אֲלֵהֶם בֶּן־מֵאָה וְעֶשְׂרִים שָׁנָה אָנֹכִי הַיּוֹם לֹא־אוּכַל עוֹד לָצֵאת וְלָבוֹא וַיהוָה אָמַר אֵלַי לֹא תַעֲבֹר אֶת־הַיַּרְדֵּן הַזֶּה:

O trecho de Deuteronômio 34.7 também nos fornece a idade de Moisés, por ocasião de sua morte. ele viveu por três vezes quarenta anos. Alguns estudiosos pensam que devemos considerar isso como termos gerais; sua vida se teria prolongado por três gerações de quarenta anos, e também passando por três fases distintas. Isso também exprime verdades, mas não há razão nenhuma para duvidarmos de que ele realmente atingiu essa idade. Ver a introdução ao livro de Êxodo, imediatamente antes da exposição de um gráfico que apresenta as idades comparadas dos antediluvianos, dos patriarcas e daqueles que viveram durante a era do reino. De Adão a Noé, as idades ficavam na faixa entre os novecentos e os mil anos; de Noé a Abraão, entre os duzentos e os seiscentos anos; e os patriarcas viveram entre os cem e os duzentos anos. Durante a era do reino, entrou em efeito a média de setenta anos. Portanto, a idade de Moisés comparava-se com a idade dos mais jovens entre os patriarcas.

Moisés Não Pôde Entrar em Canaã. Ver a história sobre isso em Nm 20.1-13. Cf. Dt 3.27. E ver Nm 20.12 quanto às diversas razões pelas quais ele foi barrado. É provável que os trechos de Dt 1.37 e 3.23 nos forneçam a maior de todas as razões. Ver as notas expositivas sobre esses trechos. Foi "por causa de Israel", mais do que por sua própria culpa, que a Moisés foi negada a permissão de entrar na Terra Prometida. Em outras palavras, a identificação de Moisés com o povo de Israel era tão profunda que ele precisou compartilhar da sorte da geração mais velha, rebelde.

Tipologia. Moisés, um tipo da lei, não poderia mesmo introduzir o povo de Israel na Terra Prometida, mas chegou somente até a fronteira. Porém Cristo, o segundo Moisés, por meio do sistema da graça-fé, foi capaz de assim o fazer. A Terra Prometida simboliza a salvação. Vemos, pois, que mesmo dentro desse simbolismo, a salvação não ocorre por meio da obediência à lei mosaica, mas mediante a graça de Deus em Jesus Cristo.

"Não Moisés e a sua lei, ou a obediência a ela, mas Jesus e a sua retidão é que podem introduzir o povo na Canaã celestial" (John Gill, *in loc.*).

Moisés Expressou Aqui a sua Fraqueza. ele não podia mais entrar e sair com facilidade, ou seja, cumprir os seus deveres, por causa de um corpo debilitado pela idade. Não obstante, o trecho de Dt 31.1-7 refere-se ao contínuo vigor físico e até juvenil de Moisés. Todavia, devemos entender isso de uma maneira comparativa. Em comparação com outros, ele continuava juvenil para a sua idade. Mas no tocante às tarefas cansativas que tinha de realizar, então, sim, ele era idoso demais.

31.3

יְהוָה אֱלֹהֶיךָ הוּא עֹבֵר לְפָנֶיךָ הוּא־יַשְׁמִיד אֶת־הַגּוֹיִם הָאֵלֶּה מִלְּפָנֶיךָ וִירִשְׁתָּם יְהוֹשֻׁעַ הוּא עֹבֵר לְפָנֶיךָ כַּאֲשֶׁר דִּבֶּר יְהוָה:

O Senhor teu Deus passará diante de ti. Yahweh tinha prometido que seguiria diante do povo de Israel à Terra Prometida, preparando o caminho, e então acompanharia os hebreus na conquista militar. Cf. essa informação com o que se lê em Dt 1.37,38; 3.18-28 e 7.17-26, onde são ditas as mesmas coisas e onde as notas expositivas devem ser consultadas.

Josué já havia sido nomeado como o sucessor de Moisés. Josué não seria um grande profeta como Moisés, o qual conheceu a Yahweh face a face; mas seria um excelente instrumento para a missão de introduzir Israel na Terra Prometida, apto como general e um excelente líder. Ver sobre ele no *Dicionário*. A missão de Josué era diferente da de Moisés, embora fosse uma missão necessária, que confirmava e ampliava o poder e a missão de Moisés. Os dois faziam parte da mesma equipe, e não competiam um com o outro.

"O programa de Deus para a nação de Israel não dependia de nenhum líder humano. Dependia somente do poder de Deus, para que fossem cumpridas as promessas do pacto" (Jack S. Deere, *in loc.*).

Destruirá estas nações. Sete povos diferentes tinham de ser destruídos. Ver as notas expositivas a esse respeito em Êx 33.2 e Dt 7.1. Esses povos eram mais numerosos e mais poderosos do que Israel, mas faltava-lhes a ajuda divina, pelo que sucumbiram diante de um poder militar inferior. Quanto a isso, ver Nm 13.31 e Dt 7.1.

■ **31.4**

וְעָשָׂה יְהוָה לָהֶם כַּאֲשֶׁר עָשָׂה לְסִיחוֹן וּלְעוֹג מַלְכֵי הָאֱמֹרִי וּלְאַרְצָם אֲשֶׁר הִשְׁמִיד אֹתָם׃

Como fez a Seom e a Ogue. A derrota desses dois monarcas ficou registrada no capítulo 21 do livro de Números. As vitórias sobre esses dois reis tinham sido apenas *vitórias preliminares*, que tinham servido para infundir coragem aos israelitas, ajudando-os a atirar-se no cumprimento de um tremendo labor. Yahweh afirmou especificamente que o resto da campanha militar obteria um resultado similar, pelo que aquelas vitórias se tornaram lições objetivas, como garantias de vitórias ainda maiores que viriam em seguida. A mudança de liderança não seria prejudicial para os filhos de Israel. Afinal de contas, a realização era de Yahweh, e não dos homens.

■ **31.5**

וּנְתָנָם יְהוָה לִפְנֵיכֶם וַעֲשִׂיתֶם לָהֶם כְּכָל־הַמִּצְוָה אֲשֶׁר צִוִּיתִי אֶתְכֶם׃

Quando, pois, o Senhor vos entregar estes povos. Israel teria de efetuar uma *longa campanha militar* a fim de obliterar totalmente aqueles povos. Essa tarefa só terminou nos dias de Davi e Salomão. Quanto ao modo de proceder na guerra santa, ver Dt 7.1-5. Os inimigos de Israel tornaram-se no temido *hrm*, palavra hebraica que indica um sacrifício totalmente devotado a Yahweh, como holocausto. Cf. Dt 20.10-18, onde achamos algumas modificações que permitiam que mulheres e animais domesticados fossem poupados, ao passo que todos os homens deveriam ser destruídos. Mas ali estão em pauta cidades distantes, isto é, aquelas para bem além das fronteiras da Terra Prometida, e não no âmbito da Terra Prometida. Todas as cidades dentro dessas fronteiras estavam agora sob o *hrm*, de acordo com o que nenhum ser vivo podia ser poupado, embora as casas pudessem ser ocupadas. Certas maneiras de agir tinham sido *determinadas* por Yahweh, pelo que ele foi retratado como o general do exército de Israel. Por isso mesmo, a guerra era considerada santa.

■ **31.6**

חִזְקוּ וְאִמְצוּ אַל־תִּירְאוּ וְאַל־תַּעַרְצוּ מִפְּנֵיהֶם כִּי יְהוָה אֱלֹהֶיךָ הוּא הַהֹלֵךְ עִמָּךְ לֹא יַרְפְּךָ וְלֹא יַעַזְבֶךָּ׃ פ

Não vos deixará nem vos desamparará. A promessa de Yahweh era suficiente para aliviar os temores dos israelitas. Era impossível pensar que Yahweh falhasse ou abandonasse o seu povo. Assim sendo, Moisés não tinha razões para temer pelo sucesso do labor futuro, por motivo de mudança de liderança, que estava ocorrendo naquele momento crítico. Cf. o encorajamento dado por Yahweh, naquele momento histórico, com outros incidentes similares, em Êx 4.21 e 9.15. Ver Dt 1.21,29 quanto a paralelos diretos. Parece que o apóstolo Paulo se utilizou das palavras deste versículo em 1Co 16.13, onde ele exorta os seus discípulos a serem heróis espirituais na batalha espiritual.

■ **31.7**

וַיִּקְרָא מֹשֶׁה לִיהוֹשֻׁעַ וַיֹּאמֶר אֵלָיו לְעֵינֵי כָל־יִשְׂרָאֵל חֲזַק וֶאֱמָץ כִּי אַתָּה תָּבוֹא אֶת־הָעָם הַזֶּה אֶל־הָאָרֶץ

אֲשֶׁר נִשְׁבַּע יְהוָה לַאֲבֹתָם לָתֵת לָהֶם וְאַתָּה תַּנְחִילֶנָּה אוֹתָם׃

Chamou Moisés a Josué. Moisés transmitiu a mensagem divina de encorajamento a seu sucessor, Josué. E deu-lhe uma comissão que o orientaria em sua tarefa. O objetivo era entrar na posse da herança que por direito divino cabia aos filhos de Israel, resultante da promessa de Yahweh a Abraão. Ver sobre o *Pacto Abraâmico* em Gn 15.18, que incluía a promessa da Terra Prometida. Assim foi que Josué levou avante a tradição sagrada de liderança que vinha desde Abraão e servia ao mesmo Deus. Estando ele dentro daquela augusta tradição, Josué nada tinha para temer.

"Moisés preparou Josué para a gigantesca tarefa que havia à frente. Foi por idênticas razões que Jesus preparou os seus apóstolos. Todos aqueles cuja vida fica envolvida na sua tarefa se esforçarão para prover uma liderança adequada aos seus continuadores, pois a grande preocupação de um líder religioso deve ser a sucessão de homens piedosos que haverão de segui-lo" (Henry H. Shires, *in loc.*). Cf. Js 1.5, onde Josué repetiu essas palavras de encorajamento a outros líderes.

"Nessas palavras, Moisés entregou formalmente a incumbência de dirigir o povo de Israel a Josué, que deveria liderá-los na travessia do Jordão e além" (Ellicott, *in loc.*).

■ **31.8**

וַיהוָה הוּא הַהֹלֵךְ לְפָנֶיךָ הוּא יִהְיֶה עִמָּךְ לֹא יַרְפְּךָ וְלֹא יַעַזְבֶךָּ לֹא תִירָא וְלֹא תֵחָת׃

O Senhor é quem vai adiante de ti. Este versículo repete os elementos vistos nos dois versículos anteriores. Israel enfrentaria adversários muito mais fortes, mas não precisaria ficar *desencorajado*, porquanto um poder mais do que adequado tinha sido posto à disposição deles para cumprirem a contento a sua missão.

O crente precisa confiar na presença fortalecedora de Deus. Assim também Josué foi instruído a esperar *grandes coisas* da parte de Yahweh. O homem que esteja empenhado em cumprir a sua missão pode esperar receber um grande sucesso.

Coisa alguma é tão bem-sucedida como o sucesso.
Lord Illingworth

Requeimar sempre com essa chama que mais se parece com uma gema; manter esse profundo êxtase, isso é ser bem-sucedido na vida.
Walter Pater

O verdadeiro sucesso consiste no labor.
Robert Louis Stevenson

CERIMÔNIA DO SÉTIMO ANO DO PACTO (31.9-13)

As tradições judaicas afirmam que Moisés entregou a lei aos sacerdotes levíticos. Ver Dt 12.18 e 18.1-8. Os anciãos também foram encarregados da guarda da lei. Tornou-se costumeiro que, nas cerimônias formais, a lei fosse lida por eles, a cada ano sabático (ver Dt 15.1-11). Isso ocorria durante a terceira peregrinação anual, por ocasião do outono, a saber, na época da festa dos Tabernáculos. Isso deveria ocorrer no lugar escolhido, ou seja, em Jerusalém, que se tornaria o santuário central, em substituição a todos os diversos locais, mais antigos. Desse modo, cada geração sucessiva era informada das tradições da nação de Israel, a fim de poder participar. Isso posto, uma cerimônia especial e formal (com base em textos do livro de Deuteronômio) era efetuada a cada sete anos, sob a liderança dos sacerdotes, no templo, e sob a liderança dos anciãos de cada uma das tribos. Que essa cerimônia era anteriormente efetuada em Siquém torna-se evidente com base no trecho de Dt 27.1-26.

A arqueologia tem comprovado o fato de que os tratados de vassalagem, no antigo Oriente Próximo, continham provisões para que esses tratados escritos fossem lidos publicamente, a fim de que o povo fosse instruído quanto às suas estipulações. A leitura pública da lei (provavelmente uma referência a porções ou à totalidade do livro de Deuteronômio) ficava ao encargo dos sacerdotes. Pessoas comuns nem podiam ler nem estavam mesmo em condições econômicas de possuir uma cópia das Escrituras. A leitura das Escrituras provia de uma maneira de transmitir informações entre os israelitas. Ademais, a leitura das Escrituras em determinadas épocas do ano envolvia uma boa disciplina, pois as pessoas tinham de deixar seus lares e ir a Jerusalém para atender às cerimônias solenes. Ao fazerem tal viagem, eles como que repetiam o êxodo do Egito.

"Em cada ano do *livramento*, ou ano sabático (ver Dt 15.1-11), a lei deuteronômica deveria ser lida no santuário central, durante a festa dos Tabernáculos (ver Dt 16.13-16). Nessa oportunidade, uma cerimônia de renovação de pacto tinha lugar, conforme é de presumir-se" (*Oxford Annotated Bible*, comentando sobre o nono versículo deste capítulo).

31.9

וַיִּכְתֹּב מֹשֶׁה אֶת־הַתּוֹרָה הַזֹּאת וַיִּתְּנָהּ אֶל־הַכֹּהֲנִים בְּנֵי לֵוִי הַנֹּשְׂאִים אֶת־אֲרוֹן בְּרִית יְהוָה וְאֶל־כָּל־זִקְנֵי יִשְׂרָאֵל׃

Esta lei escreveu-a Moisés. Está aqui em pauta o livro de Deuteronômio, a repetição da lei. É provável que a referência não inclua o Pentateuco inteiro (os cinco livros de Moisés), pelo que este versículo não tem sido aceito, por alguns estudiosos, como confirmação do fato da autoria mosaica dessa coletânea. Ver no *Dicionário* o artigo chamado *Pentateuco*, bem como cada um dos seus cinco livros sob o título *Autoria*, quanto a uma discussão sobre essa questão.

Os leitores da lei eram os sacerdotes que atuavam no santuário central, ou seja, em Jerusalém. Isso fazia parte das obrigações deles. Os sacerdotes levíticos tinham um ministério de ensino. Pouquíssimas pessoas, naqueles tempos, sabiam ler, e praticamente nenhum particular possuía uma cópia das Escrituras. Daí a necessidade das leituras públicas das Escrituras. Somos relembrados de que os sacerdotes, descendentes de Levi, eram os que transportavam a arca de um lugar para outro, no deserto. Era ali que Yahweh manifestava a sua presença. Somente indivíduos especialmente qualificados podiam ocupar-se daquele mister. E os indivíduos devidamente qualificados eram justamente os que faziam a leitura pública das Escrituras. Ver no *Dicionário* os artigos intitulados *Levitas* e *Sacerdotes e Levitas*. De acordo com as tradições judaicas, Moisés transmitira a lei aos sacerdotes e aos anciãos do povo (Dt 12.12 e 18.1-8). Ver Nm 4.5-15 e 10.21 quanto a como a arca era transportada pelos levitas coatitas. Algumas vezes, entretanto, a arca era transportada por outros sacerdotes (ver Js 3.13-17; 6.6 e 1Sm 4.4).

As lendas judaicas dão conta de que Moisés preparou treze cópias da lei, uma para cada uma das doze tribos, e outra para ser deixada na arca, como salvaguarda, e também por medida de segurança caso houvesse alguma corrupção ou fraude em outras cópias da lei, por parte de pessoas não autorizadas (conforme lemos em *Ebarim Rabba*, sec. 9, fol. 244.2). Sempre havia ali uma edição original, com a qual cópias subsequentes poderiam ser comparadas.

31.10

וַיְצַו מֹשֶׁה אוֹתָם לֵאמֹר מִקֵּץ שֶׁבַע שָׁנִים בְּמֹעֵד שְׁנַת הַשְּׁמִטָּה בְּחַג הַסֻּכּוֹת׃

Ao fim de cada sete anos. O tempo e o lugar da leitura do livro de Deuteronômio ficaram claros. Isso teria lugar no fim do ano sabático (ver Dt 15.1-11); e durante o período da terceira peregrinação nacional, a festa dos Tabernáculos. Seria uma cerimônia formal de renovação de pacto, e não apenas parte da rotina da leitura pública das Escrituras, que, segundo supomos, fazia parte do ministério de ensino dos sacerdotes. Ver Dt 16.13-16, sobre essa festa; e, no *Dicionário*, ver o artigo chamado *Tabernáculo, Festa dos*.

Jarchi afirmou que a leitura era feita no primeiro ano dos anos sabáticos; mas Aben Ezra, com maior razão, asseverou que isso sucedia no começo do sétimo ano. A festa dos Tabernáculos ocorria no mês de *tisri*, o começo do ano civil. Ver o cumprimento dessa estipulação em Js 8.34,35. Cf. Ne 8. O tratado talmúdico *Sotah* (par. 41) informa-nos que o livro lido nessa oportunidade era Deuteronômio.

31.11

בְּבוֹא כָל־יִשְׂרָאֵל לֵרָאוֹת אֶת־פְּנֵי יְהוָה אֱלֹהֶיךָ בַּמָּקוֹם אֲשֶׁר יִבְחָר תִּקְרָא אֶת־הַתּוֹרָה הַזֹּאת נֶגֶד כָּל־יִשְׂרָאֵל בְּאָזְנֵיהֶם׃

Quando todo o Israel. Na realidade, somente os varões tinham obrigação de fazer essa viagem, embora suas famílias com frequência os acompanhassem. Não sabemos dizer com qual precisão foi guardada essa estipulação. Só há registro de sua observância em 2Cr 17.7, cerca de 530 anos mais tarde. Nenhum registro bíblico alude ao cumprimento dessa cerimônia de renovação do pacto e de leitura das Escrituras, na ocasião, durante muitos séculos. Nada sabemos sobre o que aconteceu entre os dias de Josué (Js 8.30) e os dias de Josafá (2Cr 17.7). A próxima leitura a ser mencionada só teve lugar nos tempos de Josias (2Cr 34.30), ou seja, mais 280 anos depois. Os registros históricos mostram que sacerdotes, o sumo sacerdote e até mesmo alguns soberanos fizeram essa leitura. Sotah 1.1 diz-nos que o rei Agripa também fez a leitura de Deuteronômio, quando foi tomado por profunda emoção.

No lugar que este escolher, lerás esta lei. "Este", aqui, é o Senhor. O lugar escolhido foi o santuário central, em Jerusalém, que acabou substituindo os santuários mais antigos, espalhados em vários lugares do país. O santuário central unificou Israel em torno de uma única prática religiosa. No livro de Deuteronômio, esse lugar aparece sempre de maneira profética, sem nunca ser definido, ao passo que Jerusalém nunca é mencionada. Ver as notas sobre Dt 12.5, onde essa questão é introduzida, e ver ali as notas expositivas. Os críticos naturalmente veem no texto sagrado um anacronismo, supondo que o livro de Deuteronômio tenha sido escrito somente depois do estabelecimento do santuário central de Jerusalém.

31.12

הַקְהֵל אֶת־הָעָם הָאֲנָשִׁים וְהַנָּשִׁים וְהַטַּף וְגֵרְךָ אֲשֶׁר בִּשְׁעָרֶיךָ לְמַעַן יִשְׁמְעוּ וּלְמַעַן יִלְמְדוּ וְיָרְאוּ אֶת־יְהוָה אֱלֹהֵיכֶם וְשָׁמְרוּ לַעֲשׂוֹת אֶת־כָּל־דִּבְרֵי הַתּוֹרָה הַזֹּאת׃

Para que ouçam e aprendam. A leitura das Escrituras tinha um *propósito didático*, o de infundir o temor e a decisão de observar, em todos os cidadãos de Israel, incluindo as mulheres e as crianças. Era mister que temessem a Yahweh, o outorgador da lei mosaica, e então a observassem. Quanto ao *temor a Deus*, ver Dt 10.12 e 28.58. Ver sobre as qualidades e os deveres espirituais do *amor*, da *obediência* e do *apego*, em Dt 30.20; e acerca do *temor*, do *andar*, do *amor*, do *serviço* e da *observância*, em Dt 10.12,13. Notemos como, dessa forma, as *crianças* ficavam sujeitas a essa influência benéfica. Além disso, os estrangeiros residentes no país também eram instruídos. O Targum de Jonathan diz que todos tinham o dever de amar e honrar a lei, exaltando-a e renunciando à idolatria. Encontramos aqui a expressão "Senhor vosso Deus". Por conseguinte, o Eterno Todo-poderoso é que tinha estabelecido as exigências aqui referidas. Ver no *Dicionário* o artigo chamado *Deus, Nomes Bíblicos de*.

31.13

וּבְנֵיהֶם אֲשֶׁר לֹא־יָדְעוּ יִשְׁמְעוּ וְלָמְדוּ לְיִרְאָה אֶת־יְהוָה אֱלֹהֵיכֶם כָּל־הַיָּמִים אֲשֶׁר אַתֶּם חַיִּים עַל־הָאֲדָמָה אֲשֶׁר אַתֶּם עֹבְרִים אֶת־הַיַּרְדֵּן שָׁמָּה לְרִשְׁתָּהּ׃ פ

Aprendam a temer ao Senhor vosso Deus. Este versículo reitera as ideias do versículo anterior, embora salientando que era necessário que as *crianças* também recebessem a Palavra. O coração dos filhos deveria ser conquistado desde bem cedo, e o memorial especial do pacto seria uma excelente maneira de alcançar esse alvo. Ver no *Dicionário* o verbete chamado *Educação no Antigo Testamento*. Os filhos, "que não a soubessem" (isto é, que não tivessem ainda conhecimento da lei), conforme diz o texto sagrado, se mostrariam especialmente receptivos, porquanto não teriam de desfazer as falsidades e os absurdos da idolatria e de outros elementos deletérios do paganismo. Chegaria assim o dia em que os filhos herdariam a Terra Prometida de seus pais, e a *continuidade* da ocupação da Terra Prometida estaria garantida, mediante uma educação religiosa dada desde tenra idade.

COMISSÃO DIVINA A MOISÉS E JOSUÉ: AVISOS ACERCA DA APOSTASIA (31.14-23)

Estes versículos dão prosseguimento ao trecho de Dt 31.2-8, ou talvez formem um paralelo proveniente de alguma fonte informativa diferente, que agora o autor sagrado injetava no texto, um tanto quanto fora de sua ordem lógica. Alguns estudiosos da alta crítica sugerem que a fonte informativa foi a fonte E. Ver no *Dicionário* o artigo chamado *J.E.D.P.(S.)* quanto à teoria das fontes múltiplas do Pentateuco. A expressão "tenda da congregação", conforme eles argumentam, é uma designação do tabernáculo, que aparece nas fontes informativas *J* e *E*. Ver Êx 27.21 e 29.42.

■ 31.14

וַיֹּאמֶר יְהוָה אֶל־מֹשֶׁה הֵן קָרְבוּ יָמֶיךָ לָמוּת קְרָא אֶת־יְהוֹשֻׁעַ וְהִתְיַצְּבוּ בְּאֹהֶל מוֹעֵד וַאֲצַוֶּנּוּ וַיֵּלֶךְ מֹשֶׁה וִיהוֹשֻׁעַ וַיִּתְיַצְּבוּ בְּאֹהֶל מוֹעֵד:

Eis que os teus dias são chegados. Era tempo de Moisés ser recolhido ao Senhor e de Josué dar continuação à obra divina em Israel. "Estes dois versículos (14 e 15) estão vinculados à antiga tradição literária de Êx 33.7-11" (*Oxford Annotated Bible*, comentando sobre este versículo). Ver a respeito do comissionamento de Josué naquele ponto.

"O comissionamento formal de *Josué* é mencionado tanto aqui quanto no fim desta seção (vs. 23), o que prové uma moldura para a predição divina da futura rebeldia de Israel (vss. 15-22). E isso, por sua vez, serviu de extensa introdução para o Cântico de Moisés (Dt 31.30—32.43). Se a comissão de Josué, por parte de Moisés, tinha sido uma função *pública* (ver Dt 31.7,8), esta foi feita *em particular*, pois somente Moisés e Josué compareceram diante de Yahweh, na tenda da congregação" (Jack S. Deere, *in loc.*).

"O que Moisés já havia feito diante de Israel (vss. 1-8) foi agora *ratificado* por Yahweh, Josué e Moisés apenas" (Ellicott, *in loc.*). As lendas judaicas elaboram esse incidente dizendo que Moisés foi desde o acampamento de Israel, onde ele se encontrava, até o acampamento de *shechinah* (a glória esplendorosa de Deus), caminhou ao *lado esquerdo* de Josué, e, ao entrarem no tabernáculo, a coluna de nuvem desceu e separou os dois (*Bartenora em Mishna Megillah*, cap. 1, sec. 3).

■ 31.15

וַיֵּרָא יְהוָה בָּאֹהֶל בְּעַמּוּד עָנָן וַיַּעֲמֹד עַמּוּד הֶעָנָן עַל־פֶּתַח הָאֹהֶל: ס

Então o Senhor apareceu ali na coluna de nuvem. Yahweh, prestes a comissionar Josué, apareceu na coluna de nuvem, a qual pairou por sobre a entrada do tabernáculo. Logo, devemos entender que Josué, prestes a dar início à sua missão, fê-lo por meio de uma poderosa experiência mística. Ver no *Dicionário* os artigos intitulados *Misticismo* e *Colunas de Fogo e de Nuvem*.

A glória esplendorosa de Deus, como se fosse um envelope refulgente, circundava e ocultava o seu ser; e, no entanto, ali estava a representação da presença do Senhor, pois ele se encontrava presente de uma maneira que Josué podia ver a sua manifestação, recebendo uma elevada mensagem, embora sem correr nenhum perigo físico.

A cena foi similar àquela descrita em Nm 20.25-28, quando Arão e Eleazar subiram no monte Hor por ocasião da transferência de sacerdócio; e também similar à cena que envolveu Elias e Eliseu, quando este último recebeu o dobro do Espírito do primeiro (ver 2Rs 2). Ver Êx 33.9 quanto à aparência de Yahweh na nuvem sobre o tabernáculo.

■ 31.16

וַיֹּאמֶר יְהוָה אֶל־מֹשֶׁה הִנְּךָ שֹׁכֵב עִם־אֲבֹתֶיךָ וְקָם הָעָם הַזֶּה וְזָנָה אַחֲרֵי אֱלֹהֵי נֵכַר־הָאָרֶץ אֲשֶׁר הוּא בָא־שָׁמָּה בְּקִרְבּוֹ וַעֲזָבַנִי וְהֵפֵר אֶת־בְּרִיתִי אֲשֶׁר כָּרַתִּי אִתּוֹ:

Este povo. *Temos Aqui uma Horrenda Predição.* Embora Josué garantisse o sucesso de sua missão, a profecia a longo prazo, sobre Israel na Terra Prometida, foi patética. A despeito de todas as obras de Yahweh, os filhos de Israel fracassariam na sua terra, voltar-se-iam para a idolatria e para as práticas pagãs dos povos vizinhos, e misturar-se-iam com os povos que eram os primitivos habitantes do território. Violariam assim, reiteradamente, o segundo mandamento (ver Êx 20.4). Ver no *Dicionário* os artigos chamados *Idolatria* e *Dez Mandamentos*. Com tal conduta, os filhos de Israel quebrariam os pactos mosaico e palestino. Ver a introdução ao capítulo 19 de Êxodo, quanto ao Pacto Mosaico; e a introdução ao capítulo 29 de Deuteronômio quanto ao pacto palestino.

E se prostituirá. A comparação da idolatria à prostituição é uma ideia comum do Antigo Testamento. O livro de Oseias desenvolve essa noção, fazendo Israel parecer a esposa infiel de Yahweh. Cf. Sl 106.35-39. Quanto à quebra do pacto, cf. Jr 31.32.

■ 31.17

וְחָרָה אַפִּי בוֹ בַיּוֹם־הַהוּא וַעֲזַבְתִּים וְהִסְתַּרְתִּי פָנַי מֵהֶם וְהָיָה לֶאֱכֹל וּמְצָאֻהוּ רָעוֹת רַבּוֹת וְצָרוֹת וְאָמַר בַּיּוֹם הַהוּא הֲלֹא עַל כִּי־אֵין אֱלֹהַי בְּקִרְבִּי מְצָאוּנִי הָרָעוֹת הָאֵלֶּה:

A minha ira se acenderá contra eles. Os capítulos 27 e 28 de Deuteronômio fornecem-nos um total de *dezoito maldições* (e de seis bênçãos); e a essência das ameaças dos vss. 17 e 18 deste capítulo repete essas maldições. Era mister fazer uma *escolha* entre as maldições do monte Ebal e as bênçãos do monte Gerizim. Ver a figura em Dt 27.12,13. Os resultados diretos da escolha errada seriam a perda do favor divino, retratada como se Yahweh ocultasse deles o seu rosto. Toda forma de males e tribulações haveria de devorar e atribular aos desobedientes, quando se descarregassem sobre eles as *dezoito maldições*. Deus não mais se faria presente entre eles, embora o templo e seu culto continuassem presentes. Cf. a mensagem geral dos capítulos 27 e 28, quanto aos detalhes.

■ 31.18

וְאָנֹכִי הַסְתֵּר אַסְתִּיר פָּנַי בַּיּוֹם הַהוּא עַל כָּל־הָרָעָה אֲשֶׁר עָשָׂה כִּי פָנָה אֶל־אֱלֹהִים אֲחֵרִים:

Esconderei, pois, certamente, o meu rosto. As maldições prosseguem aqui com a reiteração da retirada da presença de Yahweh (ele esconderia deles o seu rosto) e a menção de muitos males, igualmente uma reiteração do que se lê no versículo anterior. Calamidades sem-número haveriam de atingi-los, por terem-se voltado para a idolatria.

Ocultar o rosto ou virar o rosto significa "retirar a aprovação e a proteção" (Adam Clark, *in loc.*). O Senhor ocultaria o seu rosto "como se não estivesse vendo a aflição deles" (Rashi, *in loc.*).

■ 31.19

וְעַתָּה כִּתְבוּ לָכֶם אֶת־הַשִּׁירָה הַזֹּאת וְלַמְּדָהּ אֶת־בְּנֵי־יִשְׂרָאֵל שִׂימָהּ בְּפִיהֶם לְמַעַן תִּהְיֶה־לִּי הַשִּׁירָה הַזֹּאת לְעֵד בִּבְנֵי יִשְׂרָאֵל:

Escreverei para vós outros este cântico. "A Moisés foi ordenado que compusesse um *cântico*, o qual serviria de *testemunho* contra os filhos de Israel, quando se voltassem para outros deuses. Esse cântico se encontra no capítulo 32" (*Oxford Annotated Bible*, comentando sobre este versículo).

"As primeiras companhias de profetas sem dúvida alguma eram cantores e repentistas (ver 1Sm 10.5,6; 19.20-24); e isso explana sua notável influência sobre Saul. E se eles ensinavam os salmos ao povo, conforme os aprenderam sob Samuel e Davi — mormente os salmos históricos, como os de números 78, 105 e 106, então essas composições musicadas seriam uma maneira muito eficaz de espalhar o conhecimento de Deus em Israel" (Ellicott, *in loc.*).

Até mesmo as composições em forma de prosa algumas vezes eram cantadas. A história contada por Heródoto está dividida em nove livros, cada qual em honra a uma das nove musas, porquanto, na antiguidade, tais livros eram cantados. Os contos épicos de Homero também eram cantados. Cícero diz-nos que os romanos entoavam louvores a seus deuses e heróis. A música, portanto, servia de eficaz instrumento didático, em uma época em que tão poucas pessoas sabiam ler, e um número menor ainda possuía livros. Ver no *Dicionário* o artigo intitulado *Música, Instrumentos Musicais*.

■ 31.20

כִּי־אֲבִיאֶנּוּ אֶל־הָאֲדָמָה ׀ אֲשֶׁר־נִשְׁבַּעְתִּי לַאֲבֹתָיו זָבַת
חָלָב וּדְבַשׁ וְאָכַל וְשָׂבַע וְדָשֵׁן וּפָנָה אֶל־אֱלֹהִים
אֲחֵרִים וַעֲבָדוּם וְנִאֲצוּנִי וְהֵפֵר אֶת־בְּרִיתִי׃

Tendo ele comido, e se fartado e engordado. A prosperidade material levaria à fartura; e a fartura levaria a indulgências próprias do paganismo, incluindo a idolatria. É aqui repetido o fato de que Yahweh tirara Israel da servidão no Egito, um grande ato de amor que deveria ter inspirado os israelitas à obediência. Esse tema ocorre por cerca de vinte vezes no livro de Deuteronômio. Ver as notas a esse respeito em Dt 4.20.

Depois do êxodo, foi exibido outro grande ato de amor. O território que havia sido prometido a Abraão, como parte do Pacto Abraâmico (ver as notas a respeito em Gn 15.18), foi entregue ao povo de Israel, por meio de uma invasão bem-sucedida que exigiu o poder de Deus para tornar-se realidade. A Terra Prometida era rica e fértil. Ver sobre a expressão descritiva, "terra que mana leite e mel", em Êx 3.8 e Nm 13.27. Ver também Dt 6.3; 11.9; 26.9,15 e 27.3.

Mas, a despeito de vantagens tão patentes, os filhos de Israel, segundo foi predito pelo Senhor, haveriam de quebrar o seu pacto com Deus, correndo após ídolos ridículos e participando de cultos pagãos. Isso haveria de diminuir drasticamente a prosperidade deles, já que passariam muito tempo ocupados nas práticas tolas do paganismo.

■ 31.21

וְהָיָה כִּי־תִמְצֶאןָ אֹתוֹ רָעוֹת רַבּוֹת וְצָרוֹת וְעָנְתָה
הַשִּׁירָה הַזֹּאת לְפָנָיו לְעֵד כִּי לֹא תִשָּׁכַח מִפִּי זַרְעוֹ
כִּי יָדַעְתִּי אֶת־יִצְרוֹ אֲשֶׁר הוּא עֹשֶׂה הַיּוֹם בְּטֶרֶם
אֲבִיאֶנּוּ אֶל־הָאָרֶץ אֲשֶׁר נִשְׁבָּעְתִּי׃

Este cântico responderá contra ele. O cântico serviria de testemunha contra os filhos de Israel. O cântico, que ocupa o trecho de Dt 32.1-43, tinha uma função didática. Esse ensino seria uma contratestemunha, contando a história de como o povo de Israel tinha agido erroneamente, apesar de todas as bênçãos com que havia sido abençoado por Yahweh. Até os nossos próprios dias, esse cântico é uma das peças favoritas da literatura mundial. Revelou-nos Rashi: "Temos aqui uma promessa, feita a Israel, de que a lei não seria totalmente esquecida pelos seus descendentes".

Em meio aos muitos males e tribulações dos hebreus, as palavras desse cântico subiriam à mente deles, dizendo-lhes *por qual motivo* estariam sofrendo.

Conheço os desígnios que hoje estão formulando. Estão em pauta as "más imaginações" e planos que provinham de um coração e de uma mente pervertidos. Esses desígnios já vinham sendo formulados antes mesmo da entrada na Terra Prometida. E quando os filhos de Israel ali chegaram, esses desígnios frutificaram sob a forma de más ações. A mesma palavra hebraica aqui traduzida por "desígnios" também fora empregada em Gn 6.5 e 8.21. Essas são passagens que nos instruem quanto ao significado tencionado por este versículo. A imaginação dos homens é "continuamente má", desde "a juventude", conforme os versículos do livro de Gênesis afirmam.

■ 31.22

וַיִּכְתֹּב מֹשֶׁה אֶת־הַשִּׁירָה הַזֹּאת בַּיּוֹם הַהוּא וַיְלַמְּדָהּ
אֶת־בְּנֵי יִשְׂרָאֵל׃

Moisés naquele mesmo dia escreveu este cântico. A letra do cântico foi composta por Moisés. E imediatamente serviu ao seu propósito: ensinar o povo. Conforme Josefo (*Antiq*. 1.4. cap. 8, sec. 41) reconheceu, Moisés escreveu por inspiração divina. Os hebreus precisavam de uma testemunha, embora já tivesse sido predito que, eventualmente, eles se afastariam do Senhor. "... instruiu-os quanto ao sentido do cântico; dirigindo-se a eles com frequência, a fim de que o guardassem na memória e meditassem a respeito, pois era uma composição divina de profunda importância" (John Gill, *in loc*.).

■ 31.23

וַיְצַו אֶת־יְהוֹשֻׁעַ בִּן־נוּן וַיֹּאמֶר חֲזַק וֶאֱמָץ כִּי אַתָּה
תָּבִיא אֶת־בְּנֵי יִשְׂרָאֵל אֶל־הָאָרֶץ אֲשֶׁר־נִשְׁבַּעְתִּי לָהֶם
וְאָנֹכִי אֶהְיֶה עִמָּךְ׃

Ordenou o Senhor a Josué. Antes dessa ocasião, tanto Yahweh (vss.14 ss.) quanto Moisés (vss. 7 ss.) haviam dado a Josué esse solene encargo. Talvez ambos apareçam como quem tinha dado a incumbência a Josué. Josué lograria êxito em sua missão militar, mas ninguém seria capaz de fazer o povo de Israel obedecer à lei de Yahweh. *Esse aspecto da questão* estava fadado ao fracasso.

A incumbência requeria que Josué exercesse coragem e confiança. Os elementos essenciais do sétimo versículo deste capítulo são repetidos aqui. Ver as notas expositivas ali quanto a detalhes. A coragem exercida garantiria que Israel continuasse na possessão da Terra Prometida como sua herança. Porém, depois de terem entrado nela e prosperado materialmente, eles abandonariam a obediência que os tornava um *povo distinto*. Quanto a isso, ver as notas em Dt 26.19.

Sê forte e corajoso. Cf. Js 1.2,6.

Ver o que é certo mas não agir de conformidade demonstra falta de coragem.

Confúcio

O covarde considera-se cauteloso.

Publílio Siro

Quando todos os incentivos para continuar a viver se vão, o covarde arrasta-se para a morte, mas o corajoso continua a viver.

George Sewell

MOISÉS INSTRUI OS LEVITAS (31.24-30)

■ 31.24

וַיְהִי ׀ כְּכַלּוֹת מֹשֶׁה לִכְתֹּב אֶת־דִּבְרֵי הַתּוֹרָה־הַזֹּאת
עַל־סֵפֶר עַד תֻּמָּם׃

Tendo Moisés acabado de escrever. Uma vez mais, tal como no nono versículo deste capítulo, a composição do Deuteronômio é atribuída a Moisés. Ver os artigos acerca do Pentateuco e acerca de cada um de seus cinco livros, quanto ao problema da autoria mosaica da coletânea. Moisés começou e terminou a escrita desses livros. ele deixou um registro permanente que sobrevive para nossa leitura até os dias de hoje. Esse registro é, essencialmente, uma convocação para os israelitas obedecerem à legislação mosaica, e assim guardarem os pactos abraâmico, mosaico e palestino. O registro foi feito para forçar Israel a fazer a *escolha* entre a adoração e o serviço a Yahweh (o monoteísmo) e as formas de adoração pagã (politeísmo e idolatria). (Ver Dt 27.12,13, bem como as notas sobre o versículo 17 deste capítulo.)

■ 31.25,26

וַיְצַו מֹשֶׁה אֶת־הַלְוִיִּם נֹשְׂאֵי אֲרוֹן בְּרִית־יְהוָה לֵאמֹר׃

לָקֹחַ אֵת סֵפֶר הַתּוֹרָה הַזֶּה וְשַׂמְתֶּם אֹתוֹ מִצַּד אֲרוֹן
בְּרִית־יְהוָה אֱלֹהֵיכֶם וְהָיָה־שָׁם בְּךָ לְעֵד׃

Tomai este livro da lei. As tradições judaicas dizem que Moisés entregou a lei aos cuidados dos sacerdotes levíticos (ver Dt 12.12; 18.1-8; e também 15.1-11 e 31.9-13). O livro de Deuteronômio devia ser posto "ao lado da arca da aliança" (vs. 26). Naquela estratégica posição, a lei passaria a servir de testemunho contínuo, ou de bênção ou de maldição, tudo dependendo de como fosse obedecida ou desobedecida pelos hebreus. De acordo com as tradições judaicas, a única coisa que ficou dentro da arca eram as palavras do *decálogo* (ver Êx 25.16; 1Rs 8.9).

O Targum de Jonathan informa-nos que o livro de Deuteronômio foi posto em sua própria caixa, no lado direito da arca. Outros escritores antigos afirmaram que ela ficava dentro da arca. Jarchi diz-nos que os antigos estavam divididos quanto a essa informação (*Talmude Bab. Bava Bathra*, fol. 4.1.2).

■ 31.27

כִּי אָנֹכִי יָדַעְתִּי אֶת־מֶרְיְךָ וְאֶת־עָרְפְּךָ הַקָּשֶׁה הֵן בְּעוֹדֶנִּי חַי עִמָּכֶם הַיּוֹם מַמְרִים הֱיִתֶם עִם־יְהוָֹה וְאַף כִּי־אַחֲרֵי מוֹתִי׃

Conheço a tua rebeldia. Conforme já pudemos ver com frequência, aquela era uma geração rebelde. Moisés nunca se olvidou disso. ele já tinha sido testemunha da perversidade deles por várias ocasiões, e não esperava que as coisas agora fossem diferentes. Contudo, era sua responsabilidade ensinar; e o seu cântico (capítulo 32 de Deuteronômio) seria um dos instrumentos para tanto.

A tua dura cerviz. Temos aí uma frequente metáfora do Antigo Testamento, usada para descrever um povo rebelde. Apresentei notas sobre isso em Êx 32.9, onde mostrei por quantas vezes essa expressão figura. Quanto ao livro de Deuteronômio, ver Dt 9.6,13 e 10.16. Essa metáfora é transferida para o Novo Testamento, em At 7.51.

O povo de Israel era dotado de uma natureza rebelde, da qual muitas ações se originaram ao longo do caminho. Ver Dt 11.7-24. E, mesmo após a morte de Moisés, continuariam a ser rebeldes, e, finalmente, haveriam de tornar-se *totalmente corruptos* (ver Dt 4.16 e 9.12), principalmente por causa dos efeitos deletérios da idolatria.

■ 31.28

הַקְהִילוּ אֵלַי אֶת־כָּל־זִקְנֵי שִׁבְטֵיכֶם וְשֹׁטְרֵיכֶם וַאֲדַבְּרָה בְאָזְנֵיהֶם אֵת הַדְּבָרִים הָאֵלֶּה וְאָעִידָה בָּם אֶת־הַשָּׁמַיִם וְאֶת־הָאָרֶץ׃

Ajuntai perante mim. Representantes de Israel (anciãos e oficiais) foram convocados para ouvir *essas palavras*, provavelmente uma referência ao cântico do capítulo 32, e não à leitura da lei. Esses representantes incluiriam todos os líderes, religiosos e civis, conforme podem significar os termos "anciãos" e "oficiais". *O céu e a terra* foram chamados como testemunhas, conforme já pudemos ver em Dt 30.19. Talvez o autor sagrado estivesse aludindo aos *poderes vivos,* humanos e sobrenaturais, que residem naquelas esferas, ou então ele pode ter personalizado a criação material, como se ela fosse composta de seres sensíveis. Seja como for, ele solenizou a mensagem ao invocar as maravilhas criadas por Deus como testemunhas de condenação contra um povo desobediente. Moisés, pois, tornou-se assim um demandante contra o povo de Israel, em antecipação à desobediência deles. Por semelhante modo, Josué deu ordens similares aos anciãos de Israel, no encerrar de sua vida (capítulo 23 de Josué).

■ 31.29

כִּי יָדַעְתִּי אַחֲרֵי מוֹתִי כִּי־הַשְׁחֵת תַּשְׁחִתוּן וְסַרְתֶּם מִן־הַדֶּרֶךְ אֲשֶׁר צִוִּיתִי אֶתְכֶם וְקָרָאת אֶתְכֶם הָרָעָה בְּאַחֲרִית הַיָּמִים כִּי־תַעֲשׂוּ אֶת־הָרַע בְּעֵינֵי יְהוָֹה לְהַכְעִיסוֹ בְּמַעֲשֵׂה יְדֵיכֶם׃

Sei que depois da minha morte. Os críticos veem aqui história, e não profecia. Para eles, toda essa passagem teria sido escrita depois do cativeiro babilônico. Mas os eruditos conservadores veem aqui o fenômeno da profecia, por intermédio do qual Moisés foi capaz de ver através dos corredores do tempo, séculos depois dele, contemplando os cativeiros que haveriam de sobrevir a um povo rebelde e desobediente. ele também viu os "últimos dias", quando os dois reinos — o do norte, Israel, e o do sul, Judá — iriam para os seus respectivos exílios, o assírio e o babilônico, notáveis manifestações históricas da ira divina contra um Israel desobediente e incrédulo.

Nos últimos dias. Uma expressão profética que ocorre, pela primeira vez, em Gn 49.1. Cf. Nm 24.14 e Dt 4.30. Nesta última referência, são dadas as várias interpretações a respeito. O elemento *tempo,* da expressão, varia de acordo com seus usos diferentes. Ver no *Dicionário* o artigo chamado *Último Tempo (Últimos Tempos).*

■ 31.30

וַיְדַבֵּר מֹשֶׁה בְּאָזְנֵי כָּל־קְהַל יִשְׂרָאֵל אֶת־דִּבְרֵי הַשִּׁירָה הַזֹּאת עַד תֻּמָּם׃ פ

Então Moisés pronunciou integralmente. Este versículo tanto conclui as advertências anteriores quanto serve de introdução ao Cântico de Moisés (Dt 32.1-43). Esse cântico, sem dúvida alguma musicado, serviu de auxílio didático para um povo que, grosso modo, não sabia ler nem tinha coisa alguma para ler. O cântico começa e termina mencionando o êxodo de Israel do Egito. O cântico que aparece no capítulo 15 do livro de Êxodo também é usualmente chamado por esse mesmo nome. Talvez o trecho de Ap 15.3,4 se refira ao primeiro desses dois cânticos. Contudo, o trecho de Dt 32.3,4 é muito parecido com Ap 15.3, pelo que talvez ambos os cânticos estejam em pauta naquela passagem.

CAPÍTULO TRINTA E DOIS

ÚLTIMO CÂNTICO E EXORTAÇÃO DE MOISÉS (32.1-47)

Os *críticos* pensam que esse cântico data da época da monarquia de Israel. "Este salmo, que contrasta a fidelidade de Deus com a infidelidade de Israel, é uma interpretação da fé mosaica, e não uma composição do próprio Moisés. Provavelmente data de algum tempo durante a monarquia de Israel" (*Oxford Annotated Bible,* comentando sobre Dt 31.30). Mas os estudiosos *conservadores* aceitam a situação histórica do cântico (entregue nas planícies de Moabe, antes da invasão da parte ocidental da Terra Prometida) como válida. A linguagem posterior em que o cântico está expresso pode ser devida à adaptação histórica da sua linguagem, e não porque a própria composição seja tardia.

O cântico interpreta a história à luz dos lapsos morais de Israel, que tiveram lugar por causa da natureza rebelde daquela nação, por todo o desenrolar de sua história, conforme Moisés havia predito (ver Dt 31.29). Ele *sabia* que as coisas acabariam muito azedas, porquanto Israel não corresponderia ao seu caráter histórico ímpar (ver Dt 26.19 e suas notas expositivas). Mas, embora o cântico prediga a humilhação e o desastre da nação, a composição também vê longe, futuro adentro, para indicar o triunfo eventual de Israel, embora em um futuro remoto. Ver os vss. 36 e 43 deste capítulo.

"Um pensamento exaltado busca as mais belas expressões. Os poetas da Grécia, da Índia, da Inglaterra, da Alemanha e da Itália têm-se valido de seus escritores clássicos como motivo inspirador; e outro tanto é verdade no tocante à Bíblia. Aqui, dentro do arcabouço da história de Israel, um poema didático, composto por uma mão antiga, retrata o poder da palavra falada em despertar um povo abatido para uma nova vida e um renovado esforço.

> Goteje a minha doutrina como a chuva, destile a minha palavra como o orvalho; como chuvisco sobre a selva.

Encontramos nesse poema o autêntico espírito profético. Implícita em cada página dos escritos proféticos, acha-se a convicção de que um ser humano não pode afundar tanto que a Palavra de Deus não seja capaz de alcançá-lo. Por conseguinte, o pregador é a mais importante profissão de qualquer época. ele mexe com os valores sem os quais nenhuma verdadeira civilização é capaz de existir" (Henry H. Shires, *in loc.*).

■ 32.1

הַאֲזִינוּ הַשָּׁמַיִם וַאֲדַבֵּרָה וְתִשְׁמַע הָאָרֶץ אִמְרֵי־פִי׃

Inclinai os ouvidos. Assim como os céus e a terra foram chamados para serem testemunhas das severas advertências contra a apostasia (ver Dt 30.19 e 31.28), também agora o autor sacro exorta aquelas testemunhas para ouvir o seu cântico e testificar a respeito dele, criando um toque solene que caísse sobre ouvidos receptivos em

Israel. Cf. também Dt 4.26; 31.28; Is 1.2; Mq 6.2. Céus e terra seriam, ao mesmo tempo, testemunhas contra Israel e auditores das advertências solenes que constam do cântico. "Esse cântico é prefaciado e introduzido de maneira grandiosa e pomposa, invocando os céus e a terra para prestarem atenção" (John Gill, *in loc.*). Talvez estejam em foco os habitantes daquelas vastas esferas, embora a criação material também possa estar em pauta. Ou então, melhor ainda, a expressão seja poética, não devendo ser entendida de nenhuma maneira determinada. Ver o trecho de Is 1.2, que é quase idêntico a este versículo. Uma coisa aqui tencionada é que essas *testemunhas* são permanentes e augustas, pelo que o homem, apequenado em seu estado terreno temporário, precisa dar *ouvidos*.

■ 32.2

יַעֲרֹף כַּמָּטָר לִקְחִי תִּזַּל כַּטַּל אִמְרָתִי כִּשְׂעִירִם
עֲלֵי־דֶשֶׁא וְכִרְבִיבִים עֲלֵי־עֵשֶׂב׃

Goteje a minha doutrina. Literalmente, "minha doutrina" é "minha tomada", ou seja, algo *recebido*, para então ser transmitido a outras pessoas. Cf. Pv 1.5 e 4.2. O ensino de Moisés era como uma chuva gentil, ou como o orvalho que se ergue do solo e o rega. Há um poder *refrigerador* na chuva, pelo que o autor sacro esperava que a sua doutrina refrigerasse e regenerasse um povo rebelde, um solo ressecado, espiritualmente falando. Cf. a declaração feita por Jesus: "O meu ensino não é meu, e, sim, daquele que me enviou".

Aben Ezra referiu-se a estas palavras como expressão do desejo de que a doutrina falada descesse sobre os homens como a chuva, penetrando em seu coração seco e duro, a fim de produzir um bom efeito, da mesma maneira que o solo, regado pela chuva, produz fruto abundante.

Homero disse algo similar na Ilíada (III. vs. 221):

> Mas quando ele fala, que elocução flui!
> Suave como flocos de neve que descem.

O Estilo. Os hebreus tinham versos com quatro linhas, cada qual composta por duas cláusulas, a segunda das quais, em cada caso, é um *paralelismo* que reforça o pensamento expresso na primeira. Esse paralelismo não é apenas de ideias, mas também de linguagem. Havia o mesmo ritmo ou cadência nas cláusulas, cada qual com três acentos.

■ 32.3

כִּי שֵׁם יְהוָה אֶקְרָא הָבוּ גֹדֶל לֵאלֹהֵינוּ׃

Proclamarei o nome do Senhor. O cântico, apesar de ser uma tremenda advertência para o povo de Israel, bem como uma predição da derrota devastadora que seria seguida por uma vitória muito distante, antes de tudo exprime a *grandiosidade de Deus*, deixando claro que a sua publicação e a sua recitação em público tinham por alvo, antes de mais nada, exaltar o nome do Senhor.

> Tal como o galeirão se aninha em terreno pantanoso...
> Eis que farei meu ninho na grandiosidade de Deus;
> Voarei na grandeza de Deus como voa o galeirão,
> Na liberdade que há entre o pântano e os céus;
> Como o galeirão se agarra a raízes, no pântano,
> De todo o coração, me segurarei na grandeza de Deus.
>
> Sidney Lanier

"A mais arrebatadora realidade a que a mente humana pode corresponder é a grandeza de Deus... Deus é maior do que o universo que ele criou, e não está limitado pela finitude das coisas que ele fez" (Henry H. Shires, *in loc.*).

Esperamos grandes coisas da parte da grandeza de Deus, visto que ele é o nosso Pai celeste. O cântico faz contraste entre a grandiosidade de Deus e a *debilidade* e vacilação de Israel. A grandiosidade de Deus é que haverá de obter o triunfo final, redigindo o derradeiro capítulo da história da humanidade.

■ 32.4

הַצּוּר תָּמִים פָּעֳלוֹ כִּי כָל־דְּרָכָיו מִשְׁפָּט אֵל אֱמוּנָה
וְאֵין עָוֶל צַדִּיק וְיָשָׁר הוּא׃

Eis a Rocha! O autor sacro passa agora em revista alguns princípios atribuídos a Deus, que são a causa mesma de sua grandeza. ele é constante, reto, a fonte de todo amor; ele é a rocha, imutável, da qual podemos depender por toda a eternidade; ele é dotado de santidade perfeita, daquela retidão que haverá de prevalecer no fim, apesar da corrupção e das infidelidades dos homens. O homem pode perder tudo, mas a grandeza de Deus lhe devolve todas as coisas, uma vez que o seu poder o tenha transformado; e sem dúvida o transformará. Ver no *Dicionário* o artigo *Mistério da Vontade de Deus*, quanto ao *modus operandi* daquele triunfo final. Ver também, ali, o verbete chamado *Atributos de Deus*. Dessarte, a integridade de Deus é contrastada com a perversidade do homem. Essa integridade não perde jamais o seu poder, e o poder divino, e não a perversão dos homens, haverá de escrever o último capítulo da história humana.

Rocha. Ver no *Dicionário* o artigo chamado *Rocha Espiritual*. O Novo Testamento ensina peremptoriamente que a Rocha é Cristo (ver 1Co 10.4). Cf. o uso que se faz do termo no Antigo Testamento, em Dt 32.15,18; 2Sm 22.2,3; Sl 18.2; Hc 1.12. Deus é estável, permanente, Todo-poderoso. E isso faz um violento contraste com os deuses de madeira, de pedra e de metal. ele não é imoral e caprichoso como os deuses imaginários do Oriente Próximo. ele é fiel (Dt 7.9) e nunca pratica o mal. ele é sempre o grande Benfeitor (Tg 1.17). Da Rocha é que fluía a água da vida. sua lei transmitia vida (Dt 4.1; 5.33; 6.22). O artigo *Rocha Espiritual* explica as metáforas envolvidas.

■ 32.5

שִׁחֵת לוֹ לֹא בָּנָיו מוּמָם דּוֹר עִקֵּשׁ וּפְתַלְתֹּל׃

Procederam corruptamente contra ele. Em contraste diametralmente oposto com a grandiosidade e os admiráveis atributos de Deus, temos o homem e as suas corrupções, manchado e contaminado pelo pecado, sempre perverso e distorcido. "seu povo se tornara tão maligno que já não trazia nenhuma semelhança de família com seu Pai. Quase poderíamos considerar que eles só sabiam praticar a malignidade" (Jack S. Deere, *in loc.*).

Jesus lançou mão da expressão que se vê neste versículo, "Ó geração incrédula e perversa!", em Mt 17.17. Cf At 2.40.

■ 32.6

הֲ־לַיהוָה תִּגְמְלוּ־זֹאת עַם נָבָל וְלֹא חָכָם הֲלוֹא־הוּא
אָבִיךָ קָּנֶךָ הוּא עָשְׂךָ וַיְכֹנְנֶךָ׃

Não é ele teu pai...? Yahweh era tanto o *Pai* da redenção, que chamou seu *filho* para fora do Egito (ver Êx 4.22), como também o *Criador*, que criou o homem e lhe deu existência e vida, estabelecendo-o em uma vida boa e em meio ao bem-estar. Em outras palavras, o homem deve tudo a Deus (ver Tg 1.17). Esse Pai e Criador, pois, deve ser *contrastado* com um filho infiel, insensato e vacilante. O filho mostrou ser duplamente insensato e corrupto (ver Dt 31.29), desprezando a graça de Deus, negando a sua própria filiação e esquecendo-se do poder que o fizera ser o que era. Israel fora transformado em uma nação distinta dentre todos os povos, por meio da lei mosaica (ver Dt 26.19); e, no entanto, por sua insensatez e desobediência, perdeu essa elevadíssima posição.

Certa feita ouvi um professor de Escola Dominical afirmar: "A carga mais pesada que um pai precisa carregar é um filho rebelde".

■ 32.7

זְכֹר יְמוֹת עוֹלָם בִּינוּ שְׁנוֹת דּוֹר־וָדוֹר שְׁאַל אָבִיךָ
וְיַגֵּדְךָ זְקֵנֶיךָ וְיֹאמְרוּ לָךְ׃

Lembra-te dos dias da antiguidade. Os versículos 7 a 14 deste capítulo recitam os feitos salvadores de Deus, dentro da história de Israel. Esses atos divinos são uma demonstração de poder e de amor divino, os quais, no entanto, o povo de Israel ansiava por negligenciar e perder. "Lembra-te dos dias da antiguidade" é a mesma coisa que dizer: "Na história há sabedoria e instrução". O desafio para Israel *lembrar-se e arrepender-se* figura por nada menos de quinze vezes no livro de Deuteronômio. A primeira instância ocorre em Dt 4.10, e a última ocorre neste versículo. Ver também Dt 5.15; 7.18; 8.2,18; 9.7,27; 15.15; 16.3,12; 24.9,18,22; e 25.17. Cf. Ap 2.5 e 3.3.

O homem caído precisa lembrar seu estado anterior, melhor que o atual, buscando assim a restauração. O pecador precisa relembrar a palavra que ele tem *recebido*, retornando assim aos seus primeiros princípios.

Aos teus anciãos. Os homens de idade avançada, por estarem mais versados na história de Israel, eram capazes de levar a geração pervertida a lembrar o que Yahweh já tinha feito pela nação de Israel, por um maior período de tempo. Essa memória, pois, tinha por finalidade obter resultados saudáveis.

32.8

בְּהַנְחֵל עֶלְיוֹן גּוֹיִם בְּהַפְרִידוֹ בְּנֵי אָדָם יַצֵּב גְּבֻלֹת עַמִּים לְמִסְפַּר בְּנֵי יִשְׂרָאֵל׃

Quando o Altíssimo distribuía. No hebraico, esse nome divino é um composto de *qadash* + *'elyown*, ou seja, santificado + supremo. Portanto, está em pauta o poder divino, ao mesmo tempo o mais santo e o mais exaltado: Santidade Suprema. Ver no *Dicionário* o verbete intitulado *Deus, Nomes Bíblicos*.

A Divisão das Nações. Alguns estudiosos pensam que a alusão, neste ponto, é à divisão das nações, terminado o dilúvio, quando os homens começaram a espalhar-se por toda a face do globo terrestre. Mas outros pensam estar em pauta a divisão ocorrida por causa da torre de Babel (capítulos 10 e 11 do livro de Gênesis). De um número relativamente pequeno de nações, eventualmente se originaram todos os povos que há na terra. Ver no *Dicionário* o verbete chamado *Nações*, onde há uma Tabela das Nações. Ver Gn 10.1-32 e 1Cr 1.4-23. Temos ali a propagação pós-diluviana das nações, apressada pelo incidente da torre de Babel.

O autor sagrado assegurou-nos que a divisão das nações ocorreu sob a direção e mediante o poder do Altíssimo, o qual é, ao mesmo tempo, o mais santo e o mais exaltado de todos os seres, em contraste com os ídolos de pedra, de madeira ou metal. Paulo ofereceu-nos o mesmo ensino, em At 17.26. Ora, foi dentre todas essas muitas nações que Israel foi escolhido e transformado em uma nação de propriedade particular do Senhor (Dt 26.19). Portanto, eles agora tinham o dever de viver à altura dessa elevada posição e desse notável privilégio. Israel tornou-se assim a herança especial de Yahweh, conforme vemos no nono versículo deste capítulo.

Segundo o número dos filhos de Israel. A Septuaginta (tradução do Antigo Testamento do hebraico para o grego, que foi terminada em cerca de 200 a.C.) diz aqui "segundo o número dos anjos de Deus". Alguns eruditos pensam que isso reflete o texto original, mais tarde alterado pelos massoretas e outros. De acordo com essa interpretação, portanto, temos aqui anjos, seres designados por Deus para dividir as nações e conferir-lhes suas fronteiras. Entretanto, Israel não era responsável diante de seres criados, como o são os anjos; pelo contrário, era agente do Deus Altíssimo na terra.

É uma doutrina oriental comum que os anjos exercem poder e autoridade sobre as nações, como seus guias, da mesma maneira que os indivíduos teriam guardiães angelicais. Ver no *Dicionário* o artigo intitulado *Anjo da Guarda*.

32.9

כִּי חֵלֶק יְהוָה עַמּוֹ יַעֲקֹב חֶבֶל נַחֲלָתוֹ׃

Jacó é a parte da sua herança. Israel tornara-se uma nação distinta (ver Dt 26.19) por haver recebido a lei mosaica. Israel, por haver sido separado como instrumento da revelação de Yahweh, também era a *herança* do Senhor.

Israel, a herança do Senhor, recebeu a Terra Prometida como sua herança. Foi assim que se formou a nação de Israel, passando a servir de veículo da mensagem profética e de fonte originadora do Messias, o qual universalizou a mensagem, sob a forma do evangelho do Novo Testamento (ver Gl 3.27,28). Nessa universalização, pois, todas as nações da terra são acolhidas por Deus em pé de igualdade. O caráter distinto de Israel pavimentou o caminho para a concretização dessa bênção. Todos os homens espirituais tornam-se assim filhos de Abraão (Gl 3.29). Ver também Dt 4.20 e 9.26,29 quanto a outros versículos da Bíblia que ensinam que o povo de Israel é a *herança de Yahweh*. Ver no *Dicionário* o verbete chamado *Mistério da Vontade de Deus*, quanto às dimensões da missão do Messias.

32.10

יִמְצָאֵהוּ בְּאֶרֶץ מִדְבָּר וּבְתֹהוּ יְלֵל יְשִׁמֹן יְסֹבְבֶנְהוּ יְבוֹנְנֵהוּ יִצְּרֶנְהוּ כְּאִישׁוֹן עֵינוֹ׃

Achou-o numa terra deserta. Ellicott (*in loc.*) supunha que a declaração de que Deus achou o povo de Israel em uma terra deserta fosse uma expressão poética da "primeira revelação divina de si mesmo ao homem". Cf. Gn 16.7, que pode ser realmente trecho entendido com esse sentido, visto que Hagar recebeu uma revelação naquele lugar onde Deus a *encontrou*. Por semelhante modo, Jacó foi encontrado por Deus em Betel, onde também lhe revelou a sua verdade. Ver igualmente Os 12.4 e Gn 28.16.

Terra deserta. Provavelmente a referência primária é ao Egito, onde Deus visitou o povo de Israel, ali escravizado. O Egito representa aquele deserto espiritual onde ventos fortes e ameaçadores uivam o tempo todo. Para Israel, era um lugar estéril. Alguns pensam que o deserto alude aos quarenta anos de perambulação por lugares desolados (ver Dt 8.2). Yahweh, pois, esteve ali com seu filho, tendo-lhe ensinado muitas lições preciosas ao longo do caminho. Ezequiel chamou o Egito de deserto (ver Ez 20.36). O trecho de Os 9.10 refere-se a como Yahweh descobriu Israel no deserto de suas vagueações. Por conseguinte, a expressão constante neste versículo talvez seja ampla o bastante para cobrir ambas as ideias.

Como a menina dos seus olhos. Em outras palavras, Israel era precioso diante do Senhor, merecedor de proteção por causa de sua fragilidade; favorito, muito querido, tal como um homem valoriza sua visão, quase mais do que qualquer outra coisa. "... cuidando deles da maneira mais terna; a menina dos olhos é uma abertura que permite que os raios de luz cheguem à retina, a câmara onde são formadas as imagens vindas de fora" (John Gill, *in loc.*). Quanto a outras referências bíblicas à menina dos olhos, ver Sl 17.8; Pv 7.2; Lm 2.18; Zc 2.8.

32.11

כְּנֶשֶׁר יָעִיר קִנּוֹ עַל־גּוֹזָלָיו יְרַחֵף יִפְרֹשׂ כְּנָפָיו יִקָּחֵהוּ יִשָּׂאֵהוּ עַל־אֶבְרָתוֹ׃

Como a águia desperta a sua ninhada. O simbolismo da águia envolve um terno cuidado, pois a mãe ocupa todo o seu tempo cuidando da prole, protegendo, provendo e guardando. Jarchi diz-nos que a águia-mãe é *misericordiosa* para com os filhotes, pois não invade abruptamente o ninho, mas, antes, faz algum barulho para alertá-los quanto à sua presença. "A metáfora da águia refere-se aos cuidados paternais de Deus, que se mostra sábio e amoroso. Uma águia precisa forçar seus filhotes para fora do ninho, se tiverem de aprender a voar" (Jack S. Deere, *in loc.*). Mas o filhote, ao sair do ninho, despenca no ar, incapaz ainda de voar na primeira tentativa. Então a mãe sai ao seu encalço e apara o filhote no ar. Assim também Yahweh cuidava de seu povo fraco e inclinado ao erro. Deus está sempre presente a fim de "amparar-nos", se necessário for. É então que aprendemos a utilizar as nossas asas; e então podemos cumprir nossas missões. E mesmo assim o Senhor não se afasta para longe, pronto sempre a intervir, se precisarmos disso. Cf. Lc 13.34, onde Jesus usou a metáfora da galinha, outra ave que cuida muito da segurança de seus pintinhos. Ver igualmente Jó 39.27-30, onde a águia é elogiada como objeto da providência divina.

"[A águia] abre as asas a fim de ensinar seus filhotes a voar, mas também para ampará-los, quando se cansam... A águia, devido ao seu extraordinário afeto, carrega os filhotes nas costas, quando eles ficam cansados. A mesma figura simbólica é usada em Êx 19.4" (Adam Clark, *in loc.*). Cf. Ap 12.14.

32.12

יְהוָה בָּדָד יַנְחֶנּוּ וְאֵין עִמּוֹ אֵל נֵכָר׃

Assim só o Senhor o guiou. Yahweh, como se fosse uma águia, guiou seus filhos por aqueles lugares difíceis, tanto no Egito quanto no ermo. Assim como as pequenas águias se vão fortalecendo, com a ajuda de sua mãe, assim também Israel foi fortalecido e se tornou uma nação distinta. Ninguém mais guiou o povo de Israel além de Yahweh. Por isso mesmo é um absurdo que Israel quisesse seguir a ídolos de madeira, pedra ou metal. É como se a pequena águia quisesse proteção da parte de algum pedaço de madeira ou metal ou da parte de uma pedra. O Egito estava repleto de deuses sem vida, inúteis. Israel não poderia nem ao menos pensar em pedir ajuda de algum mero ídolo. Antes, Yahweh havia ajudado Israel e destruído os ídolos do Egito, os adversários de Israel.

Yahweh tinha guiado Israel "... para fora do Egito, indo adiante deles em uma coluna de fogo ou em uma coluna de nuvem" (John Gill, *in loc.*).

■ 32.13

יַרְכִּבֵ֙הוּ֙ עַל־בָּ֣מֳתֵי אָ֔רֶץ וַיֹּאכַ֖ל תְּנוּבֹ֣ת שָׂדָ֑י וַיֵּנִקֵ֤הוּ דְבַשׁ֙ מִסֶּ֔לַע וְשֶׁ֖מֶן מֵחַלְמִ֥ישׁ צֽוּר׃

ele o fez cavalgar sobre os altos da terra. Em outras palavras, Deus tomou providências especiais e deu a vitória ao povo de Israel, primeiramente no deserto, mediante provisões miraculosas de água, alimentos e preservação de objetos de uso pessoal; e, mais tarde, na própria Terra Prometida, conferindo-lhes o triunfo sobre todos os adversários e sobre todas as circunstâncias. Israel veio assim a desfrutar a abundância natural da Terra Prometida (vss. 13 e 14). Os filhos de Israel extrairiam mel das rochas e azeite da pederneira, dando a entender que sua prosperidade e sucesso seriam tão grandes que isso poderia ser extraído até mesmo de situações e circunstâncias *impossíveis*.

"Todos os verbos acham-se aqui no tempo futuro, porquanto temos uma profecia da prosperidade que os hebreus possuiriam na Terra Prometida. Os israelitas haveriam de 'cavalgar' — exultando — sobre lugares altos, sobre os montes e as colinas da Terra Prometida, onde lhes fora prometido o mais elevado grau de prosperidade. Mesmo nas regiões pedregosas do país eles encontrariam fertilidade, devido às bênçãos especiais de Deus" (Adam Clark, *in loc.*).

O Targum de Jonathan alude aos "altos da terra" como se fossem cidades fortificadas, com suas elevadas muralhas e torres, sobre as quais o povo de Israel teria triunfado quando da invasão da terra de Canaã. Os estudiosos que apreciam as *tipologias* veem nessas palavras uma predição, a longo prazo, da missão universal de Cristo, o qual proveria uma pátria celeste para o seu povo crente.

■ 32.14

חֶמְאַ֨ת בָּקָ֜ר וַחֲלֵ֣ב צֹ֗אן עִם־חֵ֨לֶב כָּרִ֤ים וְאֵילִים֙ בְּנֵֽי־בָשָׁ֣ן וְעַתּוּדִ֔ים עִם־חֵ֖לֶב כִּלְי֣וֹת חִטָּ֑ה וְדַם־עֵנָ֖ב תִּשְׁתֶּה־חָֽמֶר׃

Coalhada... leite... gordura. A abundância e a alta qualidade dos produtos da Terra Prometida serviriam de ilustração da bênção especial de Yahweh ao seu povo. O Senhor era o pastor deles, e cuidaria para que nada lhes faltasse. Tendo assim plena abundância, quanto a todas as necessidades da vida, eles deveriam abundar em toda boa obra (ver 2Co 9.8). As vacas produziriam leite abundante e gordo, e, assim sendo, haveria muita manteiga. Haveria a gordura dos carneiros. A gordura era considerada um acepipe, e, nos sacrifícios, era queimada para Deus, não podendo ser utilizada pelos sacerdotes oficiantes. Ver acerca das leis sobre o sangue e a gordura, nas notas expositivas detalhadas de Lv 3.17. A carne de carneiro era o alimento padronizado dos hebreus; e, na Terra Prometida, eles possuiriam grandes rebanhos ovinos. As leis originais acerca dos *cinco animais usados nos sacrifícios* (ver Lv 1.14-16 quanto a uma completa discussão a respeito da questão) não permitiam que esses animais fossem abatidos para a alimentação geral do povo. Mas quando a nação de Israel prosperou, e os rebanhos de gado miúdo se multiplicaram, então esses animais passaram a ser usados livremente na dieta diária dos israelitas. A cabra também era um animal que podia ser usado nos sacrifícios, embora tanto sua carne como o seu leite fossem igualmente usados na alimentação. Mais tarde, até mesmo a gordura dos rins passou a ser permitida na alimentação dos hebreus, embora originalmente isso tivesse sido vedado, estando reservada, juntamente com o sangue, para o culto a Yahweh. Ademais, havia grande abundância de produtos agrícolas, muitíssimo cereal, como a cevada e o trigo, além de outros, e a uva era muito procurada para o fabrico do vinho, tudo o que contribuía para a prosperidade de Israel, um povo alegre, afeito aos cânticos e às danças.

O autor sagrado, mediante sua extensa descrição, dá assim a entender que ao povo de Israel não faltava nenhuma coisa boa. A Terra Prometida era, de fato, terra de "leite e mel" (ver as notas a esse respeito em Êx 3.8; Nm 13.27 e Dt 6.3). Jarchi aplica as descrições aqui encontradas ao tempo de Salomão, quando Israel atingiu o clímax de sua prosperidade material, em meio a grande paz e segurança. "Ainsworth observou, com muita propriedade, que aprendemos aqui que haveria alimento para os bebês quanto para os adultos, como leite e manteiga para os primeiros quanto carne e vinho para os últimos" (John Gill, *in loc.*). E então John Gill passou a espiritualizar o texto, que simbolicamente falaria das bênçãos riquíssimas de que dispomos em Cristo Jesus.

■ 32.15

וַיִּשְׁמַ֤ן יְשֻׁרוּן֙ וַיִּבְעָ֔ט שָׁמַ֖נְתָּ עָבִ֣יתָ כָּשִׂ֑יתָ וַיִּטֹּשׁ֙ אֱל֣וֹהַּ עָשָׂ֔הוּ וַיְנַבֵּ֖ל צ֥וּר יְשֻׁעָתֽוֹ׃

Engordando-se o meu amado deu coices. No original hebraico, em lugar de "meu amado", temos o nome próprio "Jesurum". O termo hebraico significa "reto", mas sem dúvida dito em um sentido sarcástico e irônico, pois os filhos de Israel estavam longe de ser um povo justo e reto. A suposta nação "reta" tinha engordado, devido à sua boa alimentação e vida amena. Mas somente para tornar-se um animal rebelde, gordo e forte, que atacava o seu próprio dono.

O termo *Jesurum* reaparece em Dt 33.5,26. A suposta nação "reta" é retratada como um animal doméstico rotundo, que acabou tornando-se selvagem, a ponto de dar coices em seu proprietário, em um ato rebelde e insensato. Ver Is 44.2, onde esse nome torna a aparecer. Nossa versão portuguesa diz aqui "amado", considerando esse vocábulo um adjetivo, e não um nome próprio. Dessarte, grande parte do drama que envolveria Israel se perde para o leitor da Bíblia em português.

Coices. Como um animal saudável, gordo e vigoroso, mas que, sem reconhecer seu dono, pagava o bem com o mal.

Desprezou a Rocha da sua salvação. Ver as notas sobre Dt 32.4 quanto a uma completa descrição do significado desse nome divino Rocha. O povo de Israel haveria de subestimar o Todo-poderoso, o seu estável Protetor, do qual mana a água da vida e em quem está a *salvação*. Quando este texto foi escrito, a salvação eterna da alma ainda não tinha chegado ao horizonte da revelação bíblica e, por conseguinte, à teologia dos hebreus, pelo que compreendemos aqui a segurança e a proteção de Israel na Terra Prometida, coisas essas necessárias à prosperidade e ao bem-estar dos hebreus. Assim também a lei conferia vida (ver Dt 4.1; 5.33; 6.22); mas somente mais tarde a teologia dos hebreus indicou que essa vida representava a vida eterna, já nos Salmos e nos Profetas.

Cristo, na qualidade de Rocha rejeitada pelos edificadores, veio a tornar-se a pedra de esquina, dentro do edifício espiritual do qual Deus é o construtor. Ver Mt 21.42.

■ 32.16

יַקְנִאֻ֖הוּ בְּזָרִ֑ים בְּתוֹעֵבֹ֖ת יַכְעִיסֻֽהוּ׃

Com deuses estranhos o provocaram a zelos. A *idolatria*, o sempre presente e poderoso adversário da adoração a Yahweh, nunca deixou de seduzir ao povo de Israel. Foi por motivo de idolatria que os israelitas finalmente tropeçaram e se quebraram, nos seus três cativeiros. Ver no *Dicionário* os artigos intitulados *Cativeiro (Cativeiros); Idolatria* e *Dez Mandamentos*. O segundo dos Dez Mandamentos proibia o fabrico de qualquer tipo de ídolo. Ver Êx 20.4. O *monoteísmo* (ver a respeito no *Dicionário*) é o âmago do primeiro mandamento (ver Êx 20.3).

Zelos. Deus aparece por muitas vezes nas Escrituras como Deus zeloso (ver Dt 4.24; 5.9; 6.15; 32.21).

Abominações. Essa é a tradução de um vocábulo hebraico muito forte, sobre o qual já comentei em Dt 13.14 e 23.18.

■ 32.17

יִזְבְּח֗וּ לַשֵּׁדִים֙ לֹ֣א אֱלֹ֔הַ אֱלֹהִ֖ים לֹ֣א יְדָע֑וּם חֲדָשִׁים֙ מִקָּרֹ֣ב בָּ֔אוּ לֹ֥א שְׂעָר֖וּם אֲבֹתֵיכֶֽם׃

Sacrifícios ofereceram aos demônios. Temos aqui uma tradução equivocada e anacrônica, pois, quando esse texto foi redigido, a *demonologia* ainda não fazia parte da teologia dos hebreus. Essa é uma das razões pelas quais aquela teologia era fraca quanto a causas secundárias, tendendo por atribuir a Deus todos os acontecimentos, bons ou maus, como se Deus fosse a causa única de tudo. Mas se a teologia dos hebreus já contasse com um capítulo sobre a demonologia, então as coisas e os acontecimentos maus teriam sido atribuídos a esses agentes negativos, e não a Deus. Uma melhor tradução seria *divindades*. O termo hebraico correspondente é *shedhim*, o qual figura somente aqui e no Sl 10.37. Esse vocábulo é evidentemente tomado por empréstimo do acádico e refere-se a seres divinos subordinados, um termo que descreve o *politeísmo*, e não o *demonismo*.

O próprio versículo à nossa frente testifica quanto à exatidão dessa interpretação. As *divindades* têm como paralelo as palavras "deuses" e "novos deuses", ou seja, aqueles que os israelitas encontraram ao entrar na Terra Prometida e por cuja adoração deixaram-se seduzir. Por conseguinte, temos aqui não uma advertência que os demônios (no sentido que emprestamos a essa palavra) estejam por trás da adoração a deuses falsos. Isso até que pode ser verdade, e, provavelmente, é o sentido tencionado por Paulo, no uso que fez deste versículo, em 1Co 11.20. Mas ver isso nesse texto, sem dúvida, é um *anacronismo*.

Os *pais* da nação não conheciam nem temiam a esses novos deuses, mas seus descendentes logo seriam presas deles, abandonando assim ao único verdadeiro Deus, Yahweh. Ver na *Enciclopédia de Bíblia, Teologia e Filosofia* o artigo detalhado intitulado *Demônio, Demonologia*.

■ 32.18

צוּר יְלָדְךָ תֶּשִׁי וַתִּשְׁכַּח אֵל מְחֹלְלֶךָ:

Neste versículo, o autor sagrado mescla as suas metáforas, fazendo aqui com que a *Rocha*, de onde manavam as águas vivas, se tornasse um agente gerador, o Pai. O filho tinha escoiceado (vs. 15) a seu Pai benévolo, zombando dele e desprezando-o.

Yahweh era a fonte mesma da vida; e, no entanto, a rebelde nação de Israel foi capaz de esquecer-se disso e de correr após aqueles que não eram deuses. Quanto à *Rocha*, ver as notas em Dt 32.4, onde há outras referências que nos permitem fazer um estudo completo. "Eles não o reconheceram quando ele veio e cumpriu as vozes dos profetas... não se recordaram de sua pessoa, de seus ofícios, de suas obras, de seus benefícios e de sua grande salvação" (John Gill, *in loc.*), referindo-se ao cumprimento do ideal e da missão espiritual em Cristo. Cf. Sl 90.2.

"Visto que somente o indivíduo mais perverso pode esquecer-se do amor de seu pai e de sua mãe, é óbvio que o povo de Israel estava corrompido" (Jack S. Deere, *in loc.*).

■ 32.19

וַיַּרְא יְהוָה וַיִּנְאָץ מִכַּעַס בָּנָיו וּבְנֹתָיו:

Viu isto o Senhor. A *provocação humana*, com sua insistência na prática do pecado, levou Yahweh a abominar o seu próprio povo, a sua própria herança (vs. 9). Os que foram assim abominados eram os próprios filhos e filhas de Yahweh, o que demonstra a profundeza da apostasia. Cf. Jr 14.21. Uma das piores cargas que um pai precisa suportar é um filho rebelde, o qual, embora ouça os seus ensinos, não vive de acordo com eles. "Veio para o que era seu, e os seus não o receberam" (Jo 1.11). O cântico de Moisés retrata o mesmo tipo de situação que houve nos dias do Senhor Jesus Cristo, quando os judeus desprezaram a missão de Cristo e exigiram a sua morte. Yahweh, pois, haveria de entregar seus próprios filhos e filhas ao cativeiro, porquanto não mais mereciam reter a herança que tinham recebido.

■ 32.20

וַיֹּאמֶר אַסְתִּירָה פָנַי מֵהֶם אֶרְאֶה מָה אַחֲרִיתָם כִּי דוֹר תַּהְפֻּכֹת הֵמָּה בָּנִים לֹא־אֵמֻן בָּם:

Esconderei deles o meu rosto. Esse ato indica uma retirada ativa da bênção e da proteção divina. Ver o trecho de Dt 31.17,18 quanto às notas ali existentes, relativas a essa mesma metáfora. "Esconder o rosto é uma figura bíblica comum que indica a decisão divina de retirar o seu favor e enviar o castigo" (G. Ernest Wright, *in loc.*).

São raça de perversidade. Isso por terem eles negligenciado a sua oportunidade e saído à cata de falsos deuses e da idolatria, um dos temas constantes do livro de Deuteronômio. Em certo sentido, "quando Deus é esquecido, ele também esquece", e o homem é abandonado às consequências naturais de seus atos. Em seguida, vem um juízo divino ativo, que vai adiante do que as circunstâncias naturais podem produzir. Mas esse *esquecimento é remediador*, e não meramente retributivo, visto que até o julgamento no hades é remediador. Ver os comentários do *Novo Testamento Interpretado* sobre 1Pe 4.6 quanto a esse conceito. Há certas coisas que Deus pode fazer melhor *através do julgamento* do que por qualquer outro meio.

Filhos em quem não há lealdade. Os israelitas mostraram-se volúveis e inconstantes como as ondas do mar, sempre prontos a absorver a idolatria pagã, anelantes por desertar de suas raízes. "Era impossível depender deles" (Ellicott, *in loc.*).

> Superficiais meio crentes de credos casuais,
> Mas que nunca sentiram no íntimo nem desejaram,
> Cujo discernimento nunca produziu fruto nas ações,
> Cujas vagas resoluções nunca foram cumpridas;
> Para quem, cada ano que passa
> É um novo começo, mas gera novos desapontamentos,
> Que hesitam e titubeiam por toda a vida,
> E que perdem amanhã o terreno conquistado ontem.
>
> Matthew Arnold

■ 32.21

הֵם קִנְאוּנִי בְלֹא־אֵל כִּעֲסוּנִי בְּהַבְלֵיהֶם וַאֲנִי אַקְנִיאֵם בְּלֹא־עָם בְּגוֹי נָבָל אַכְעִיסֵם:

A zelos me provocaram. Os filhos de Israel promoveram a sua idolatria, e com isso provocaram à ira o *Deus zeloso*. Quanto a Yahweh como um Deus zeloso, ver Dt 4.24; 5.9; 6.15; 32.21. seus ídolos eram abomináveis (ver as notas em Dt 13.14 e 23.18). Neste texto os ídolos são chamados de "aquilo que não é Deus", meras vaidades, coisas vazias.

A Assíria e a Babilônia, que espiritualmente falando eram como um "zero", portanto, nações indignas de menção, eram como "aquele que não é povo". Isso se assemelhava aos não deuses adorados pelo povo de Israel, no lugar do verdadeiro Deus vivo.

Paulo empregou este versículo aplicando-o aos gentios, os quais, embora fossem um não povo, seriam chamados finalmente por Deus, por causa da apostasia de Israel. Ver Rm 10.19. E foi por essa razão que Isaías disse que Deus seria achado por aqueles que não o estivessem procurando (Is 23.13).

■ 32.22

כִּי־אֵשׁ קָדְחָה בְאַפִּי וַתִּיקַד עַד־שְׁאוֹל תַּחְתִּית וַתֹּאכַל אֶרֶץ וִיבֻלָהּ וַתְּלַהֵט מוֹסְדֵי הָרִים:

Porque um fogo se acendeu no meu furor. A ira de Deus é aqui assemelhada a uma *chama*. E essa metáfora, finalmente, tornou-se comum para indicar o julgamento dos perdidos, no além-túmulo. Esse desenvolvimento doutrinário, contudo, ainda estava longe, e só veio a ser expresso por meio de palavras no livro de 1Enoque, onde as chamas do inferno, por assim dizer, foram acesas pela primeira vez. Esse é um dos livros pseudepígrafos. Não há nenhum indício, neste texto, de um castigo para o além-túmulo, uma doutrina que ainda não havia sido revelada no Pentateuco.

Até ao mais profundo do inferno. A palavra aqui traduzida por "inferno" é *sheol (seol)*. A tradução "inferno" é um anacronismo. Ver no *Dicionário* o artigo chamado *Seol*. Nos seus primórdios, a teologia dos hebreus entendia essa palavra hebraica como indicativa somente da sepultura ou da morte. Posteriormente, contudo, veio a indicar um lugar de espíritos de mortos partidos deste mundo, mas que não seriam verdadeiras entidades humanas, porém apenas fragmentos de energia, sem sentidos, sem memória e sem consciência. No estágio seguinte de desenvolvimento, o seol tornou-se um lugar dos espíritos humanos que se iam deste mundo; e então o seol aparece dividido em dois compartimentos, um bom e o outro ruim. Esse é o estágio da doutrina, conforme ela é refletida no capítulo 16 do evangelho de Lucas.

Neste texto, entretanto, está em pauta a *morte*, causada por algum juízo divino severo. O termo grego correspondente, *hades*, foi usado no Novo Testamento, até porque a doutrina grega seguia o mesmo padrão da doutrina dos hebreus. Ver no *Dicionário* o artigo chamado *Hades*. Cf. Gn 37.35.

"O poeta concebeu os alicerces da terra ruindo sob o povo por causa da ira divina. De acordo com as crenças antigas, os *fundamentos dos montes*, que dariam apoio ao firmamento, desciam até o oceano subterrâneo (ver Sl 46.2,3). E o seol (ver Gn 37.35) era um compartimento subterrâneo" (*Oxford Annotated Bible*, comentando sobre este versículo).

Os trechos de 2Sm 12.23 e Sl 115.17 exibem algum avanço quanto à doutrina do seol ou hades. Alguns críticos supõem que o livro de Deuteronômio tenha sido escrito em uma época tardia o bastante para incorporar aquele desenvolvimento, e no presente texto achamos uma alusão ao lugar dos espíritos de mortos que se foram deste mundo para um lugar onde as chamas de Yahweh penetrariam e dissolveriam todas as coisas.

■ 32.23

אֶסְפֶּה עָלֵימוֹ רָעוֹת חִצַּי אֲכַלֶּה־בָּם׃

Amontoarei males sobre eles. Devemos pensar aqui em pragas, enfermidades, seca, ataques por parte de exércitos adversários e, finalmente, cativeiro. O juízo divino seria manifestado de variadas maneiras sobre um povo desviado. Yahweh se tornaria, por assim dizer, um arqueiro, a atirar flechas em todas as direções. E os filhos de Israel, antes de se recuperarem totalmente da perfuração de uma flecha, quando começavam a descansar, seriam atingidos por outra flechada. O texto ensina-nos que juízos divinos devastadores e reiterados reduziriam Israel a nada. E, realmente, o registro histórico mostra-nos que assim tem sucedido. Ver a metáfora das flechas, em Lm 2.4. Ver também Ez 14.21. Cf. Jó 6.4; Sl 8.2,3; 91.5; 2Sm 22.14,15.

Homero (*Ilíada*, II.1. ve. 43) comparou o julgamento dos deuses com *dardos envenenados*. "seu coração inclinava-se a ferir o coração grego; ao mover-se este, ferozes, suas pontas de prata ressoavam... Ele retesava seu arco mortífero, e assoviando, lá vinham voando os dardos emplumados".

■ 32.24

מְזֵי רָעָב וּלְחֻמֵי רֶשֶׁף וְקֶטֶב מְרִירִי וְשֶׁן־בְּהֵמוֹת אֲשַׁלַּח־בָּם עִם־חֲמַת זֹחֲלֵי עָפָר׃

Este versículo anuncia as muitas formas que assumiriam as flechas de Yahweh, pois muitos males assolariam o povo de Israel, tudo contribuindo para aumentar mais e mais o terror.

Fome. A fome sempre foi uma das armas usadas por Yahweh ofendido. Ver no *Dicionário* o artigo chamado *Fome*. Israel dependia muito das chuvas sazonais; e se o firmamento negasse seus aguaceiros, a seca tornava-se inevitável. E a seca, por sua vez, trazia a fome em sua esteira.

Febre. Algumas versões dão a entender aqui um "calor abrasador". Caso identifiquemos aqui um mal-estar no corpo físico das pessoas, então devemos pensar em alguma enfermidade infecciosa.

Peste violenta. Em uma época anterior à medicina científica, uma das piores desgraças que podia sobrevir a um povo era alguma peste. Quando isso acontecia, um número muito grande de pessoas sucumbia. Como ilustração, podemos pensar na peste bubônica, que matou milhões de pessoas na Europa e em vários outros lugares do mundo durante a Idade Média. Ou podemos pensar no cólera, que tem dizimado a Índia, a China e até países europeus, africanos e americanos de maneira cruel. Enquanto traduzo este trecho dos comentários sobre Deuteronômio, o mundo está estarrecido diante da matança provocada pelo cólera entre os ruandenses — em média, está morrendo uma pessoa por minuto, e as autoridades médicas dizem que a peste ainda não atingiu o seu ponto culminante. "A flecha do Senhor voava durante o dia, a pestilência avançava no meio das trevas, e a destruição despovoava a terra ao meio-dia" (John Gill, *in loc.*, referindo-se ao Sl 31.5,6).

Dentes de feras. Com a diminuição da população humana, as feras se multiplicavam, destruindo não somente rebanhos inteiros, mas até mesmo muitas pessoas. A própria natureza, assim sendo, se voltaria contra uma geração perversa. Alguns estudiosos pensam que o autor sagrado, ao falar em "feras", estivesse pensando nos "inimigos de Israel", que se voltariam contra eles, como aves de rapina ou animais ferozes.

Ardente peçonha de serpentes. As serpentes se multiplicariam inoculando seu veneno em muitas pessoas, provocando muitas mortes e misérias, castigando assim um povo rebelde e contradizente. O Targum de Jonathan pensa que as "feras" e as "serpentes" devam ser entendidas metaforicamente, aplicando esses termos aos gregos; e outros estudiosos aplicam tais descrições aos romanos. Mas essas interpretações, apesar de aplicações legítimas, são anacrônicas.

■ 32.25

מִחוּץ תְּשַׁכֶּל־חֶרֶב וּמֵחֲדָרִים אֵימָה גַּם־בָּחוּר גַּם־בְּתוּלָה יוֹנֵק עִם־אִישׁ שֵׂיבָה׃

Fora devastará a espada, em casa, o pavor. A impotente nação de Israel sofreria ataques de inimigos sem misericórdia, e a própria natureza, na Terra Prometida, o lar temporário deles, haveria de esbofeteá-los com os males descritos no versículo anterior. De modo literal, virtualmente nada foi deixado em Israel, depois que os assírios e os babilônios desfecharam os seus ataques e levaram para o exílio tanto a nação do norte, Israel, quanto a nação do sul, Judá. E o que sobrou e lentamente se multiplicou, os romanos aniquilaram, no século II d.C. (132 d.C.). O castigo tem sido tão severo que somente em nossa própria época (1948), os judeus conseguiram organizar-se em uma nação, no moderno Estado de Israel, embora a maioria dos judeus continue fora da Palestina, não crendo inteiramente no sucesso da causa defendida pelo sionismo.

Tanto ao jovem como à virgem. Essa era a parcela da população de Israel que mais tinha razões para continuar vivendo, e dela dependia o futuro da nação. Essa parcela sofreria o golpe mais severo, e poucos sobreviveriam. A mãe que estivesse amamentando seu bebê não seria poupada, nem o seu bebê. O homem de idade avançada, com cabelos brancos, agora fraco e dependente, também seria morto pelos inimigos, ou sucumbiria diante de alguma praga mortífera. Ninguém, de idade alguma, fosse homem, fosse mulher, seria poupado, morrendo até mesmo civis desarmados. O jovem não seria poupado, e suas forças físicas de nada lhe serviriam como defesa. Nem mesmo a donzela, em toda a sua beleza feminina, poderia salvar a própria vida! E nem pessoas encanecidas pelo peso da idade seriam alvo de misericórdia.

■ 32.26

אָמַרְתִּי אַפְאֵיהֶם אַשְׁבִּיתָה מֵאֱנוֹשׁ זִכְרָם׃

Por todos os cantos os espalharei. O golpe final de todas as desgraças que atingiriam os filhos de Israel seriam os cativeiros. Ver no *Dicionário* o artigo chamado *Cativeiro (Cativeiros)*. O que porventura sobrou de Israel foi humilhado e escravizado. Todas as famílias foram divididas, e a maioria dos membros dessas famílias pereceu.

Cantos. Por onde quer que corressem, a fim de se esconderem, seriam descobertos. Os filhos de Israel seriam dispersos de tal maneira que não haveria país onde eles não pudessem ser encontrados. Contudo, alguns estudiosos pensam que temos aqui uma expressão metafórica, como se quisesse dizer: "Eu os encantoarei, empurrando-os para os cantos, para os lugares ocultos, para qualquer lugar onde possam encontrar refúgio, mas por onde quer que vão, serão perseguidos e mortos".

Desapareceria toda a memória dos filhos de Israel dispersos, tal como sucedeu aos amalequitas, aos moabitas, aos midianitas, aos edomitas, aos caldeus e a outras nações antigas, que não mais existem, de tal modo que agora só são conhecidos nos livros. "Se Israel foi poupado no exílio, isso não se deveu a nenhum mérito deles mesmos" (G. Ernest Wright, *in loc.*).

■ 32.27

לוּלֵי כַּעַס אוֹיֵב אָגוּר פֶּן־יְנַכְּרוּ צָרֵימוֹ פֶּן־יֹאמְרוּ יָדֵינוּ רָמָה וְלֹא יְהוָה פָּעַל כָּל־זֹאת׃

A nossa mão tem prevalecido. Assim diriam as nações, referindo-se ao que acontecera ao povo de Israel. Tais palavras seriam inspiradas pela soberba. Não fora por isso, Deus teria permitido a extinção da nação de Israel. Para evitar tal coisa, Deus não permitiria que as nações pagãs tivessem motivo para jactar-se do que tinham feito contra o alegado povo de Deus. Deus, pois, não permitiria essa vitória final do inimigo. Deus permitiria que os israelitas fossem severamente punidos, mas não totalmente destruídos.

Os *inimigos de Israel diriam:* "Nós efetuamos essa destruição. Não foi o Deus de Israel que fez isso". Yahweh, pois, jamais permitiria que os gentios se jactassem dessa maneira. O julgamento era de Deus, e as nações gentílicas tinham sido apenas instrumentos do castigo divino. Mas o plano de Deus era que Israel sobreviveria e seria restaurado, algum dia futuro. Aquilo que Deus faz, fá-lo para cumprir os seus próprios propósitos, e não a fim de agradar a nações desobedientes. Israel seria poupado no exílio, mas isso não por causa de seus próprios méritos.

"Tito, ao tomar Jerusalém, ficou tão impressionado diante da capacidade de resistência da cidade que reconheceu que, se Deus não a tivesse entregue em suas mãos, os exércitos romanos jamais a teriam conquistado" (Adam Clark, *in loc.*).

■ 32.28

כִּי־גוֹי אֹבַד עֵצוֹת הֵמָּה וְאֵין בָּהֶם תְּבוּנָה:

Meu povo é gente falta de conselhos. Israel conseguiu ignorar a *gloriosa história* que Yahweh estava produzindo. Também tinha preferido não aprender as lições que a história tinha para ensinar-lhes. E nem os julgamentos divinos preliminares exerceram algum efeito de dissuasão. Eles formavam uma nação *destituída de entendimento*. O sexto versículo deste capítulo ilustra essa falta de entendimento por parte de um povo *insensato*. Israel, imitando as nações pagãs, adotou também a ignorância pagã, tornando-se um povo igual aos descritos no primeiro capítulo da epístola aos Romanos, que haveriam de sentir o peso da mão castigadora de Deus. "Deus, prevendo toda a insensatez, falta de conselho e de compreensão... preservou um remanescente dos judeus como uma admoestação permanente para eles" (John Gill, *in loc.*). E o próprio remanescente vivo seria um opróbrio, porquanto os sobreviventes diriam: "Vede a qual estado lamentável a nossa insensatez nos levou". Não obstante, o pequeno número de sobreviventes também teria uma mensagem positiva: "Deus nos poupou e nos preservou como uma nação, não permitindo que as não-nações triunfassem afinal". E assim, finalmente, os israelitas começariam a ter alguma compreensão do que a história deles tencionava ensinar.

■ 32.29

לוּ חָכְמוּ יַשְׂכִּילוּ זֹאת יָבִינוּ לְאַחֲרִיתָם:

Oxalá fossem eles sábios! O poeta sacro desejava que Israel tivesse *sabedoria*, a fim de que considerassem o que, finalmente, lhes sucederia, ou seja, qual seria o *fim* deles. Essa expressão tem sido de várias formas interpretada, a saber:

1. A *sabedoria* haveria de ajudá-los a evitar os *cativeiros* e a destruição resultante.
2. Ou então esse *fim* seria a restauração, pois entenderiam que a grande graça de Deus ainda haveria de restaurá-los, apesar de toda a sua rebeldia, ajudando-os a arrepender-se, em consonância com o sentimento expresso em Rm 2.4: "Ou desprezas a riqueza da sua bondade, e tolerância, e longanimidade, ignorando que a bondade de Deus é que te conduz ao arrependimento?"
3. Alguns veem nisso uma *promessa messiânica*, ou seja, a restauração de Israel na era do reino, em harmonia com a predição profética de Rm 11.26,27.
4. Outra maneira de ver aqui uma *promessa messiânica* é pensar nos dias de Jesus, o Cristo, o filho de Abraão, que surgiria em cena através da nação de Israel — um grande privilégio, sem dúvida. Assim, se os filhos de Israel tivessem sabedoria para perceber a sua *distinção* (Dt 26.19), então haveriam de conduzir-se de maneira piedosa.

Na verdade, a referência é um tanto vaga. Mas se considerarmos o seu contexto, provavelmente a primeira dessas quatro posições é aquela que o autor sagrado tinha em mente. Isso posto, parece que John Deere (*in loc.*) estava com a razão, ao dizer: "... o fim catastrófico ao qual a rebeldia deles os estava levando". O livre-arbítrio de Israel, se agisse escudado na sabedoria, poderia ter evitado tudo isso. Ver no *Dicionário* o verbete chamado *Livre-arbítrio*.

■ 32.30,31

אֵיכָה יִרְדֹּף אֶחָד אֶלֶף וּשְׁנַיִם יָנִיסוּ רְבָבָה אִם־לֹא
כִּי־צוּרָם מְכָרָם וַיהוָה הִסְגִּירָם:

כִּי לֹא כְצוּרֵנוּ צוּרָם וְאֹיְבֵינוּ פְּלִילִים:

A rocha deles não é como a nossa Rocha. Esse "deles" aponta para os inimigos de Israel. Embora Israel tivesse forças armadas inferiores, ainda assim, visto que contavam com a proteção de Yahweh, um israelita seria capaz de perseguir a mil, e dois israelitas seriam capazes de pôr em fuga a dez mil.

Nossa Rocha. Ver as notas em Dt 32.4 quanto a esse nome divino. Os possíveis invasores pagãos tinham lá as suas "rochas", ou deuses, mas em nada se comparavam com o Todo-poderoso. Todos os povos antigos que entraram em contato com os israelitas, enquanto eles usufruíam as bênçãos divinas, tiveram de reconhecer que o poder irresistível de Israel residia em Yahweh, que estava com eles (ver Êx 14.25 e Nm 23.8-12). E neste ponto, o cântico de Moisés também reconhece esse fato.

■ 32.32

כִּי־מִגֶּפֶן סְדֹם גַּפְנָם וּמִשַּׁדְמֹת עֲמֹרָה עֲנָבֵמוֹ
עִנְּבֵי־רוֹשׁ אַשְׁכְּלֹת מְרֹרֹת לָמוֹ:

Porque a sua vinha. Está em pauta a vinha dos filhos de Israel. Para os antigos povos do Oriente Próximo e Médio, a vinha era um símbolo de prosperidade material e de alegria. Assim, em Israel, o vinho, fabricado a partir das uvas, fazia parte integrante da vida diária dos hebreus, pelo que em todas as terras de plantio a vinha se fazia presente. No entanto, a vinha cultivada pelos hebreus era como a vinha dos sodomitas, que os levara à completa destruição. Ver no *Dicionário* o artigo chamado *Fruto*, quanto a uma metáfora agrícola, e cf. Gl 5.19-22. Cf. Os 10.1: "Israel é vide luxuriante". Mas logo em seguida o profeta indica que a grande produtividade da vida de Israel consistia na multiplicação dos objetos de idolatria. O vinho de Israel era azedo e venenoso, e seus frutos eram mortíferos.

A maioria dos intérpretes pensa, contudo, que a vinha representa os *inimigos de Israel*, e que Yahweh fez Israel sorver de seu vinho, produzido à base de suas uvas venenosas. Israel entrou em uma terra que manava leite e mel (ver as notas a respeito em Êx 3.8; Nm 13.27; Dt 6.3), mas acabou bebendo o vinho estonteador da idolatria de seus inimigos, um vinho venenoso, que levou à destruição da antiga nação hebreia.

É evidente que o autor sagrado misturou um pouco as suas metáforas, fazendo as uvas dos inimigos de Israel tornar-se o veneno de serpentes. Sodoma e Gomorra, externamente, eram belas cidades; mas a sua população vivia contaminada por pecados abomináveis. Israel, pois, preferiria imitar essas cidades da campina, em lugar de desfrutar a terra que manava lei e mel.

■ 32.33

חֲמַת תַּנִּינִם יֵינָם וְרֹאשׁ פְּתָנִים אַכְזָר:

seu vinho é ardente veneno de répteis. Este versículo desenvolve um pouco mais a metáfora do versículo anterior. As uvas infundiam alegria aos povos, mas as uvas de Sodoma, que Israel preferiria beber, eram amargosas e venenosas, tanto quanto a peçonha de répteis. Israel, pois, poderia desfrutar alegria, mas teria preferido uma profunda tristeza. As uvas de Sodoma pareciam atrativas pelo lado de fora, mas ao serem abertas estavam cheias de um *líquido venenoso*, como se tivesse sido extraído de serpentes venenosas.

Alguns intérpretes veem na palavra "répteis" uma alusão a *dragões* terrestres ou marítimos. Plínio asseverou que esses animais não eram peçonhentos (ver *Hist. Natural* 1.10, cap. 72), mas outros antigos temiam esses animais mitológicos, por causa de suas mordidas venenosas, e chegavam até a recomendar antídotos contra a peçonha inoculada (ver Aristóteles, *Hist. Animal*, 1.8, cap. 4).

O autor do livro de Deuteronômio sem dúvida não se preocupava nem um pouco com dragões, a menos que os considerasse símbolos de alguma coisa maligna, a fim de dar maior vigor à sua advertência. O termo "víboras", usado no fim deste versículo, é um paralelo de "répteis". O mais certo é que devemos pensar em diferentes espécies de serpentes venenosas. O termo hebraico correspondente, neste caso, é *tanniym*, e usualmente refere-se a algum tipo de animal marítimo, como a serpente do mar. E outros chegam a pensar na baleia. Mas "serpente" é a tradução mais equilibrada.

■ 32.34

הֲלֹא־הוּא כָּמֻס עִמָּדִי חָתֻם בְּאוֹצְרֹתָי׃

Não está isto guardado comigo...? O autor sacro referiu-se ao líquido venenoso das uvas cultivadas em Sodoma como se fosse um tesouro maligno e fatal, algo *guardado* para que Israel bebesse em algum dia futuro. Os vinhos de melhor qualidade são depositados em tonéis nas adegas, por muito tempo, sendo ali guardados como verdadeiros tesouros. Assim também, o vinho de Israel estava guardado, maturando, embora fosse um vinho venenoso e mortífero. "O fruto mau do inimigo, agente de Deus, não estava esquecido; antes, estava guardado nas adegas de Deus" (G. Ernest Wright, *in loc.*). Temos aí uma maneira irônica de o poeta expressar-se, mas o bandear-se de Israel era igualmente um ato absurdo.

Alguns intérpretes pensam que as palavras deste versículo devem ser conectadas com o versículo seguinte, e não com o versículo anterior. Nesse caso, o sentido é que aquilo que viesse a acontecer ao povo de Israel estava predestinado e guardado na casa do tesouro de Deus dos acontecimentos potenciais. Algum dia, os israelitas desobedientes teriam de abrir as adegas do vinho que tivessem cultivado com suas más ações, recebendo assim a sorte que haviam plantado e cultivado com tanto empenho.

Os Targuns interpretam as más obras como representações simbólicas dos castigos divinos, levados a efeito pelos adversários de Israel, obras essas que estavam entesouradas, aguardando somente o dia próprio em que seriam derramadas sobre a cabeça dos filhos de Israel.

"A justiça divina, por assim dizer, estava sendo guardada para vingar o desvio de Israel, que desobedeceria ao pacto divino; mas o *tempo* e a *maneira* em que isso aconteceria estavam entesourados por Deus, conhecidos somente por ele" (Adam Clark, *in loc.*).

■ 32.35

לִי נָקָם וְשִׁלֵּם לְעֵת תָּמוּט רַגְלָם כִּי קָרוֹב יוֹם אֵידָם וְחָשׁ עֲתִדֹת לָמוֹ׃

A mim me pertence a vingança, a retribuição. Yahweh, a própria fonte da vida, também é a fonte de juízos severos, que devem sobrevir aos ímpios e desobedientes. Neste versículo, pois, os juízos divinos são encarados como se fossem uma "vingança" divina, como uma "retribuição". Mas em muitas passagens das Escrituras, o castigo divino também é visto como remediador, e não apenas retributivo, pois será mediante terríveis castigos que Deus levará Israel, finalmente, à restauração. Todos os julgamentos de Deus têm uma função restauradora. Ver esse conceito no *Novo Testamento Interpretado*, em 1Pe 4.6.

O povo de Israel imaginava tolamente que estava seguro e em terreno firme, apesar de sua negligência em obedecer ao Senhor. Mas aproximava-se rapidamente o dia em que seu pé escorregaria, e a nação sofreria uma *queda* terrível e *fatal*.

Quando resvalar o seu pé. Embora tenhamos no parágrafo anterior a interpretação mais comum dessas palavras, há intérpretes que pensam estar em foco os adversários de Israel. "O seu pé... as referências são aos inimigos de Israel, os quais serão condenados" (*Oxford Annotated Bible*, comentando sobre este versículo).

Que Deus haverá de vingar-se dos inimigos de Israel, é um sentimento por muitas vezes reiterado nas Escrituras. Cf. Ez 5.13 e Is 1.25, onde encontramos sentimentos similares.

Paulo tomou por empréstimo parte deste versículo, citando-o em Rm 12.19 para frisar o ensino bíblico de que a vingança pertence inteiramente a Deus, e não ao homem, excetuando, naturalmente, os casos que envolvem as instituições legalmente constituídas que agem como representantes de Deus para castigo dos malfeitores, segundo aprendemos no capítulo 13 de Romanos. G. Ernest Wright salientou que o termo hebraico aqui traduzido por "vingança" também pode significar "salvar" (ver Is 6.12). Assim sendo, nos juízos divinos há aspectos tanto de retribuição quanto de salvação, o que corresponde ao ensino bíblico expresso claramente em vários trechos. Ver também Hb 10.30, onde este versículo também é citado. Além disso, a vingança envolve o julgamento divino contra os opressores, a vindicação favorável aos oprimidos, segundo se aprende no versículo seguinte.

"A vingança cabe exclusivamente à Pessoa divina, e não a alguma divindade pagã chamada Sorte ou Vingança (ver At 28.4); e, por igual modo, essa capacidade não pertence a Satanás e a seus anjos maus nem a um indivíduo particular" (John Gill, *in loc.*).

■ 32.36

כִּי־יָדִין יְהוָה עַמּוֹ וְעַל־עֲבָדָיו יִתְנֶחָם כִּי יִרְאֶה כִּי־אָזְלַת יָד וְאֶפֶס עָצוּר וְעָזוּב׃

Porque o Senhor fará justiça ao seu povo. Este versículo combina a retribuição e a graça divina que o vocábulo hebraico dá a entender. O juízo divino será severo; porém, uma vez efetuado o seu trabalho, o mesmo juízo provocará ternos sentimentos da parte de Yahweh, pelo que ele correrá em auxílio de seu povo ferido. Ambos os atos são necessários para curar indivíduos rebeldes.

Alguns intérpretes enxergam o juízo de Deus contra os inimigos de Israel, no versículo 35; e a restauração de Israel (depois de também ter sido julgada), no presente versículo.

> Quando a ajuda alheia falha, e o consolo foge,
> Ajudador dos impotentes, ó fica comigo.
>
> H. F. Lyth

Se no vs. 35 está mesmo em pauta o julgamento que sobrevirá aos inimigos de Israel, então está correta a tradução "o Senhor fará justiça ao seu povo", conforme diz a nossa versão portuguesa. Todavia, há traduções que dizem aqui "o Senhor julgará o seu povo". Nesse último caso, Israel é visto como objeto tanto do julgamento quanto da misericórdia do Senhor.

■ 32.37

וְאָמַר אֵי אֱלֹהֵימוֹ צוּר חָסָיוּ בוֹ׃

Onde estão os seus deuses? Este versículo sem dúvida aponta para a admiração dos israelitas, uma vez restaurados, ao ponderarem a sorte final dos pagãos, com suas divindades falsas. Os pagãos tinham querido imitar a Rocha de Israel (ver Dt 32.4). Mas essas falsas divindades de nada tinham adiantado, chegado o momento da crise. Todo julgamento contra os inimigos de Israel, pois, é visto como proveniente da Rocha de Israel, porquanto nele reside todo o poder de tirar vingança (ver o versículo 35 deste capítulo). Por outro lado, Israel, por haver apelado para os deuses falsos dos pagãos, igualmente teria sido julgado por causa desse pecado. Isso posto, esta passagem, do começo ao fim, admite um sentido duplo. Ver o versículo 17 deste capítulo. Alguns intérpretes incluem aqui o ensino dos Targuns, que pensam que está em foco, neste versículo, uma expressão de admiração dos pagãos, em zombaria contra Israel, quando o povo de Deus estivesse sendo castigado por seus adversários, em vez de atribuírem tal ato a Deus.

■ 32.38

אֲשֶׁר חֵלֶב זְבָחֵימוֹ יֹאכֵלוּ יִשְׁתּוּ יֵין נְסִיכָם יָקוּמוּ וְיַעְזְרֻכֶם יְהִי עֲלֵיכֶם סִתְרָה׃

Levantem-se eles e vos ajudem. De conformidade com a interpretação, temos aqui um motejo da parte dos israelitas, a respeito de seus adversários, ou vice-versa, dos pagãos a respeito do povo de Israel. No primeiro caso, devemos pensar aqui que os pagãos teriam imitado o culto de Israel, com seus holocaustos, com a gordura dos animais abatidos e com as libações (os pagãos costumavam misturar vinho com sangue, nessas libações). Em outras palavras, os pagãos fariam tudo quanto era mister no culto religioso; porém, chegado o momento da crise, as divindades pagãs nada conseguiriam fazer para livrar seus adoradores. Cf. Jz 10.14, onde há uma declaração parecida. No caso em que pagãos estivessem acusando de Israel por não ter podido livrar-se de seus adversários, então cabe aqui o comentário de Jack S. Deere (*in loc.*): "Com ironia, Moisés convocou Israel para pedir ajuda de seus falsos deuses, sabendo, naturalmente, que as falsas divindades nada poderiam fazer para ajudar os israelitas".

■ 32.39

רְאוּ ׀ עַתָּה כִּי אֲנִי אֲנִי הוּא וְאֵין אֱלֹהִים עִמָּדִי אֲנִי אָמִית וַאֲחַיֶּה מָחַצְתִּי וַאֲנִי אֶרְפָּא וְאֵין מִיָּדִי מַצִּיל׃

Eu sou, Eu somente, e mais nenhum Deus além de mim. Neste passo bíblico, Yahweh declara que só existe um Deus, não havendo além dele nenhum Deus, nem igual nem inferior a ele. Incidentalmente, isso derruba por terra as afirmações das chamadas Testemunhas de Jeová, as quais, não querendo reconhecer a deidade plena do Senhor Jesus Cristo, veem-se forçadas a postular dois deuses: um superior, o Pai, e outro inferior, o Filho. Porém, visto que não existem dois deuses, mas um só, ou Jesus Cristo é o verdadeiro Deus, ou não é Deus coisa nenhuma. Mas que ele é Deus e que se declarou como tal é indiscutível. Isso transparece, para exemplificar, em uma passagem joanina: "Por isso, pois, os judeus ainda mais procuravam matá-lo, porque não somente violava o sábado, mas também dizia que Deus era seu próprio Pai, fazendo-se igual a Deus" (Jo 5.18).

Este versículo encerra uma das mais enfáticas declarações de monoteísmo (ver a respeito no *Dicionário*). E, por implicação, também encerra uma forte declaração contra qualquer forma de *idolatria* (ver a respeito no *Dicionário*). O monoteísmo, conforme veio a ser finalmente desenvolvido no Novo Testamento, mas sempre com bases sólidas no Antigo Testamento, indica que Deus é uma unidade coletiva (no hebraico, *echad*), ou seja, a deidade poderia ser comparada a qualquer unidade coletiva, como um "exército", um "povo", uma "igreja", onde a unidade não exclui a individualidade de cada membro da coletividade. Assim, a *humanidade* é uma só, embora composta de todos os seres humanos que já viveram, estão vivos ou ainda viverão. E a *deidade* também é uma só, embora composta de Pai, Filho e Espírito Santo. Podemos dizer que essa revelação do Novo Testamento é a grande característica da revelação dada pelo Novo Pacto, acerca do Ser divino. O Senhor nos deu o nome inteiro de Deus.

Sendo ele o único Deus, ele é quem inflige dores e as sara entre o seu povo. ele mata e ele vivifica, em consonância com a necessidade do caso; mas sempre tendo em mira a restauração eventual dos disciplinados. De outra sorte, ele não seria o Deus de amor (ver 1Jo 4.8).

O julgamento é um dedo da amorosa mão de Deus. De fato, esse juízo é *sinônimo* do amor. Temos aí uma profunda verdade espiritual, que a maioria dos religiosos ainda não chegou a compreender. O julgamento divino é severo apenas o bastante para efetuar a *restauração* daquele que estiver sendo disciplinado. Portanto, que venha o julgamento divino!

As Obras de Deus São Incansáveis. Ninguém pode deter a mão de Deus, quando o Senhor resolve punir a um homem. Mas isso também é um fator positivo. Platão declarou que a pior coisa que pode acontecer a uma pessoa é ela fazer algo de errado, mas não sofrer por esse motivo. Se prevalecer a impunidade, a alma se corrompe.

ele é o Eu Sou Imutável. Ver as notas em Êx 3.14 e o artigo no *Dicionário, Eu Sou de Deus*.

■ 32.40

כִּי־אֶשָּׂא אֶל־שָׁמַיִם יָדִי וְאָמַרְתִּי חַי אָנֹכִי לְעֹלָם׃

Levanto a minha mão aos céus. Ver o gesto do juramento anotado em Gn 14.22; Êx 6.8; Ne 9.15; Sl 106.26 e Ez 20.5. O *juramento* divino é invencível e imutável. Yahweh fez o juramento por sua própria vida como o Deus verdadeiro, Todo-poderoso e eterno. sua vida e seu poder garantem a realização do decreto. O *julgamento* dos inimigos de Israel será sangrento e merecido. A vida de Deus é *necessária* e *independente*; a vida de todos os outros seres é transitória e dependente. Somente Deus não pode não existir. Os inimigos de Israel sendo destruídos, a nação se levantará como o cabeça das nações, na sua restauração dos últimos dias.

Compare-se este versículo com Ap 10.1-5; Jr 4.2 e Nm 14.21,28. Os anjos juram pelo único Deus vivo: "... jurou por aquele que vive pelos séculos dos séculos".

■ 32.41

אִם־שַׁנּוֹתִי בְּרַק חַרְבִּי וְתֹאחֵז בְּמִשְׁפָּט יָדִי אָשִׁיב נָקָם לְצָרָי וְלִמְשַׂנְאַי אֲשַׁלֵּם׃

... minha espada reluzente... O autor ilustra o ataque da ira de Yahweh, empregando uma metáfora militar. A espada do Senhor, atacando como relâmpago, lampeja a cada golpe. A figura fala de poder, rapidez, irresistibilidade e fatalidade. A *mão* poderosa do Senhor controla a matança sangrenta, manipulando os instrumentos de destruição. Ver *mão* de Yahweh, em Dt 9.26 e Sl 81.14. Ver *mão direita*, em Sl 20.6, e *braço* em Sl 77.15; 89.10 e 98.1.

Compare-se este versículo com a espada de justiça que procede da boca de Cristo, Ap 19.15,21: sua palavra é toda-poderosa e nivela tudo. O Senhor executa os inimigos de Israel: Ez 14.21; 2Ts 2.8; Ap 13.10; 15.1; 17.8; 18.8; 19.5,20,21.

> Meus olhos têm visto a glória da vinda do Senhor;
> Está pisando a vindima onde as uvas de ira estão estocadas;
> Soltou o relâmpago temível de sua espada rápida e terrível;
> sua verdade continua marchando.
>
> Julia Ward Howe

■ 32.42

אַשְׁכִּיר חִצַּי מִדָּם וְחַרְבִּי תֹּאכַל בָּשָׂר מִדַּם חָלָל וְשִׁבְיָה מֵרֹאשׁ פַּרְעוֹת אוֹיֵב׃

As armas de Yahweh, suas flechas e espada, liquidam os inimigos de Israel facilmente. A destruição vem súbita e irremediavelmente. O Império Assírio caiu em um único dia. O Império Babilônico, outrora tão poderoso e cruel, terminou subitamente. Ver *flechas* de Yahweh no vs. 23, e sua *espada*, nos vss. 25 e 41. Compare-se este versículo com Is caps. 59 e 63, onde existem descrições semelhantes da ira de Deus.

Metáforas Misturadas. O poeta mistura suas metáforas fazendo as flechas se embriagarem bebendo o sangue do inimigo. Daí, a espada, como um animal feroz, *devora* os homens. Compare-se com Is 66.16. O julgamento começa pela casa do Senhor, mas não termina ali (Ez 9.6). Ver *espada sangrenta* anotada em Is 34.5.

Cabeças cabeludas do inimigo, assim trazem a RSV e a Atualizada. Os golpes da matança começaram aplicando ferimentos pesados na cabeça. Os soldados tinham cabelo longo, como a maioria dos homens do Oriente Próximo antigo, menos, naturalmente, os egípcios, que tinham algum sentimento contra cabelo. Adam Clarke, *in loc.*, diz "cabeças nuas", isto é, *sem capacetes*, pois haviam sido destruídos pelos golpes pesados, que deixaram as cabeças dos soldados sem proteção. O Targum (comentário dos rabinos) e a Septuaginta trazem: os "poderosos" (os generais) do exército do inimigo caíram primeiro, facilitando o prosseguimento da matança. O hebraico do versículo não é muito claro.

■ 32.43

הַרְנִינוּ גוֹיִם עַמּוֹ כִּי דַם־עֲבָדָיו יִקּוֹם וְנָקָם יָשִׁיב לְצָרָיו וְכִפֶּר אַדְמָתוֹ עַמּוֹ׃ פ

Os Resultados da Vitória de Yahweh:

1. Homens justos e piedosos se regozijarão vendo a ira de Deus justificando Israel e vingando seus inimigos.
2. A devastação dos inimigos de Israel preparará o palco para aquela nação subir como o cabeça das nações, cumprindo a profecia de Rm 11.26.
3. Todas as nações louvarão Yahweh, primeiro, porque ele terá feito bem em julgar, e segundo, porque seus julgamentos sempre têm um efeito restaurador. As nações terminarão louvando Yahweh, como o Israel o faz, tornando-se uma comunidade internacional restaurada pela graça de Deus.

4. *Haverá expiação.* Atos de vingança, julgamento e misericórdia andam de mãos dadas, produzindo expiação dos pecados dos judeus para que recebam o favor divino. Todos os instrumentos das operações de Deus devem ser louvados. *Expiação,* no hebraico, *kipper,* é uma palavra do sistema de sacrifícios. A culpa de Israel será expiada pelo *julgamento* que passará golpes divinos diretos e indiretos (através dos ataques de nações vizinhas). Julgamento e misericórdia são coparticipantes da expiação, sendo que todos os julgamentos de Deus são remediadores, não meramente retributivos. Ver *Expiação* no *Dicionário.* Em pauta, aqui, não está a salvação da alma, uma doutrina que entrou no judaísmo em data posterior, mas, sim, o favor divino sobre Israel na sua terra e na sua restauração terrestre. Os *pecados nacionais* serão "cobertos", para que a bênção de Yahweh possa fluir.
5. Alguns intérpretes veem, aqui, uma profecia messiânica que se aplicará ao Israel dos últimos dias. Compare-se com Rm 11.26,27:

> ... todo o Israel será salvo como está escrito:
> Virá de Sião o Libertador; ele apartará de
> Jacó as impiedades...

COMENTÁRIO EDITORIAL (32.44-47)

32.44

וַיָּבֹא מֹשֶׁה וַיְדַבֵּר אֶת־כָּל־דִּבְרֵי הַשִּׁירָה־הַזֹּאת
בְּאָזְנֵי הָעָם הוּא וְהוֹשֵׁעַ בִּן־נוּן׃

Os vss. 44-47 parecem ser um comentário editorial para fornecer uma conclusão apropriada ao poema. Comparem-se com 31.16-22,28,29. Alguns críticos supõem que 31.16-22 e 32.44 formem uma unidade e 31.28,29 e 32.45-47, outra. Neste caso, um redator perturbou a ordem original do texto. A *Oxford Annotated Bible* faz o vs. 44 concluir 31.16-29. De qualquer maneira, a *Canção de Moisés* (32.1-43) terminou no vs. 43, e o que se segue é mero comentário.

Vs. 44. Moisés escreveu a *Canção* e a entregou para todos em Israel, mas especialmente a Josué, seu sucessor. Apresentou na *Canção* muitas instruções, avisos, ameaças, mas também muitas promessas. As palavras foram pronunciadas no Tabernáculo ou para cada tribo individualmente. Certamente, a mensagem foi efetivamente comunicada, qualquer que fosse o *modus operandi* da comunicação.

Josué. A palavra hebraica é *Hoshea,* empregada aqui, como também em Nm 13.16. Ver a discussão sobre o nome nesse versículo. Ver também o artigo *Josué,* no *Dicionário,* onde há uma explicação dos *dois* nomes do homem.

32.45

וַיְכַל מֹשֶׁה לְדַבֵּר אֶת־כָּל־הַדְּבָרִים הָאֵלֶּה
אֶל־כָּל־יִשְׂרָאֵל׃

A instrução vital é apresentada em forma poética. A poesia era um instrumento de comunicação e instrução entre alguns povos da antiguidade. Ver a introdução ao cap. 32. Moisés confiou na sua *Canção* para impressionar o coração do povo. Este versículo destaca a importância do *Ensino* (ver no *Dicionário*).

32.46

וַיֹּאמֶר אֲלֵהֶם שִׂימוּ לְבַבְכֶם לְכָל־הַדְּבָרִים אֲשֶׁר
אָנֹכִי מֵעִיד בָּכֶם הַיּוֹם אֲשֶׁר תְּצַוֻּם אֶת־בְּנֵיכֶם לִשְׁמֹר
לַעֲשׂוֹת אֶת־כָּל־דִּבְרֵי הַתּוֹרָה הַזֹּאת׃

Tanto os ouvintes daquele tempo como os seus descendentes deviam prestar atenção às instruções para obedecê-las, *agindo* de acordo com as *exigências* da lei. O tema de *Obediência* é o mais repetido do livro. Obedecer significou *viver* (Dt 4.1; 5.33; 6.2); desobedecer significou morrer (Dt 11.27,28; 13.4; 21.18,20; 27.10; 28.62; 30.3,8,20). Ver a exigência de *observar* os ensinamentos e mandamentos em: 5.32; 6.3,25; 8.1; 11.32; 12.1,28,32; 15.6; 16.1,12,13; 17.10; 24.8; 28.1,13,15,58; 32.36. Ver o artigo detalhado *Obediência,* no *Dicionário.* Ver, também, *Educação* e *Ensino,* na *Enciclopédia de Bíblia, Teologia e Filosofia.* Compare-se este versículo com Ez. 40.4.

32.47

כִּי לֹא־דָבָר רֵק הוּא מִכֶּם כִּי־הוּא חַיֵּיכֶם וּבַדָּבָר
הַזֶּה תַּאֲרִיכוּ יָמִים עַל־הָאֲדָמָה אֲשֶׁר אַתֶּם עֹבְרִים
אֶת־הַיַּרְדֵּן שָׁמָּה לְרִשְׁתָּהּ׃ פ

Obedecer é viver; o tema se repete neste versículo. O judaísmo posterior aplicou tais ensinamentos à vida eterna, à salvação da alma além do sepulcro, mas a aplicação no Pentateuco é à vida terrestre, uma vida física longa e próspera na Terra Prometida, como o presente versículo afirma:

> ... por essa mesma palavra prolongareis os dias
> na terra a qual, passando o Jordão, ides a possuir.

A alma imaterial e sua salvação começaram a entrar no Antigo Testamento nos Salmos e Profetas. Estas doutrinas foram mais desenvolvidas nos livros apócrifos e pseudepígrafos e, ainda mais, no Novo Testamento. Obviamente, esses ensinos fizeram parte de outros sistemas de teologia e filosofia, muitos séculos antes de sua entrada no judaísmo. De qualquer maneira, no judaísmo posterior, a *fonte da vida eterna* tornou-se em *obediência* à lei de Moisés. O apóstolo Paulo viu futilidade nesse conceito (Gl 3.21) e correu para Cristo e seu evangelho pleno de graça e fé. Mesmo assim, as diversas denominações cristãs continuam discutindo a teologia envolvida, à moda de Atos cap. 15.

"... sua existência, prosperidade e longevidade (compare-se com 5.16; 6.2; 11.9; 25.15) dependeram da sua obediência aos mandamentos de Deus" (Jack S. Deere, *in loc.*).

MOISÉS VÊ A TERRA PROMETIDA (32.48-52)

Os vss. 48-52 relatam outro aviso que Yahweh deu a Moisés sobre sua morte iminente. Parece que este trecho foi emprestado de Nm 27.12-14, com uma leve expansão. Os críticos afirmam que *P* foi a fonte literária. Ver *J.E.D.P.(S.)* no *Dicionário,* para as alegadas fontes do Pentateuco. Ver também Nm 20.10-13 e Dt 31.14 ss.

32.48,49

וַיְדַבֵּר יְהוָה אֶל־מֹשֶׁה בְּעֶצֶם הַיּוֹם הַזֶּה לֵאמֹר׃
עֲלֵה אֶל־הַר הָעֲבָרִים הַזֶּה הַר־נְבוֹ אֲשֶׁר
בְּאֶרֶץ מוֹאָב אֲשֶׁר עַל־פְּנֵי יְרֵחוֹ וּרְאֵה
אֶת־אֶרֶץ כְּנַעַן אֲשֶׁר אֲנִי נֹתֵן לִבְנֵי יִשְׂרָאֵל
לַאֲחֻזָּה׃

"Yahweh falou" é uma maneira comum que o escritor usou para introduzir novas seções no Pentateuco. Esta expressão é menos usada em Deuteronômio do que nos outros livros dessa coleção que inspirou os críticos a afirmar que Deuteronômio foi escrito por outro autor. Obviamente, eles têm outras razões para acreditar nessa tese, como está explicado no artigo sobre *J.E.D.P.(S). D* representa *Deuteronômio* como tendo sido escrito por um autor diferente. Ver as anotações, *Yahweh falou,* em Lv 1.1 e 4.1. Esta expressão lembra a inspiração divina dos livros.

Abarim. Ver este termo no *Dicionário.* Fala de uma extensão montanhosa da qual *Nebo* era (é) um pico proeminente. *Pisga* (também no *Dicionário*) é outro nome para Nebo ou outro pico não distante. Este pico (ou picos) se localizava perto da extremidade norte do mar Morto. Desse lugar, Moisés foi capaz de ver uma parte da Terra Prometida, na qual não pôde entrar por causa de seu *pecado.* Ver sobre esta infração em Nm 20.12; Dt 1.37; 3.23,26 e 4.21.

A terra foi dada como *possessão* e *herança* para Israel, sendo que o Pacto Abraâmico (ver notas em Gn 15.18) incluiu a promessa de um território adequado para aquele povo. Compare-se este versículo com Nm 27.12, onde a história é apresentada. Ver também Nm 20.10-13.

Tipologia. Moisés representou a *lei* que falou da herança, mas não podia entregá-la ao povo. *Josué* (seu sucessor) representa Cristo, que cumpriu a promessa da herança, dando acesso à Terra Prometida, oferecendo salvação no país celestial.

32.50

וּמֻ֗ת בָּהָ֞ר אֲשֶׁ֤ר אַתָּה֙ עֹלֶ֣ה שָׁ֔מָּה וְהֵאָסֵ֖ף
אֶל־עַמֶּ֑יךָ כַּאֲשֶׁר־מֵ֞ת אַהֲרֹ֤ן אָחִ֙יךָ֙ בְּהֹ֣ר
הָהָ֔ר וַיֵּאָ֖סֶף אֶל־עַמָּֽיו׃

O destino imediato de Moisés era a morte biológica, e como todos os outros, foi recolhido *ao seu povo*. Segundo a mentalidade cristã, isto significaria ir "para os céus" e ter uma reunião com as almas queridas já nesse lugar. Mas esta interpretação é anacrônica aqui, pertencendo a uma época bem posterior. No Pentateuco, significa simplesmente morrer e se ajuntar às multidões que já partiram. Ver "... se recolheu ao seu povo", em Gn 25.8,17; 29.22; 35.29; 49.29,33; Nm 20.24,26; 27.13. Compare-se com a morte de Aarão no monte *Hor*, em Nm 20.22-29 e 33.37-39. Ver sobre esse monte no *Dicionário*. Era (é) um pico da região montanhosa da Arábia Pétrea, localizado nos confins da Idumeia, que fazia parte da cadeia de Seir ou Edom. Josefo localizou-o perto da cidade de Petra (*Ant.* 4.4.7).

Lendas Judaicas. Certas lendas conferem a Moisés um arrebatamento como o de Elias, mas histórias piedosas de escribas posteriores raramente relatam fatos históricos.

32.51

עַ֣ל אֲשֶׁר֩ מְעַלְתֶּ֨ם בִּ֜י בְּת֣וֹךְ בְּנֵ֣י יִשְׂרָאֵ֗ל בְּמֵֽי־מְרִיבַ֛ת
קָדֵ֥שׁ מִדְבַּר־צִ֖ן עַ֚ל אֲשֶׁ֣ר לֹֽא־קִדַּשְׁתֶּ֣ם אוֹתִ֔י בְּת֖וֹךְ
בְּנֵ֥י יִשְׂרָאֵֽל׃

Prevaricaste contra mim. Os eruditos não concordam sobre a natureza exata do pecado que não permitiu a Moisés entrar na Terra Prometida. Ver uma discussão detalhada do problema em Nm 20.12; Dt 1.37; 3.23,26 e 4.21. Cada referência apresenta detalhes adicionais e todas juntas esclarecem o problema. A *identificação* de Moisés com a velha geração rebelde não lhe permitiu acompanhar a nova geração na sua conquista da Terra. Assim, a nossa identificação com Cristo nos leva a um destino superior. Ver *Tipologia*, no vs. 49.

A fé religiosa deve ser a preocupação principal dos homens e brincar com isto sempre traz resultados desastrosos. Aprendemos lições através de desastres e reversos, mas, frequentemente, poderíamos ter aprendido de uma maneira mais fácil e confortável. Assim, é sempre verdadeiro que o Mt 6.33 diz:

> Buscai, pois, em primeiro lugar, o seu reino e a sua justiça,
> e todas estas coisas vos serão acrescentadas.

32.52

כִּ֥י מִנֶּ֖גֶד תִּרְאֶ֣ה אֶת־הָאָ֑רֶץ וְשָׁ֙מָּה֙ לֹ֣א תָב֔וֹא
אֶל־הָאָ֕רֶץ אֲשֶׁר־אֲנִ֥י נֹתֵ֖ן לִבְנֵ֥י יִשְׂרָאֵֽל׃ פ

Verás a terra defronte de ti, porém não entrarás nela. A oportunidade de ver (mas não a de entrar) na terra era um tipo de prêmio de consolação para um perdedor. A posição histórica que Moisés manteve com a velha dispensação não lhe permitiu entrar na terra como líder da nova fase da história de Israel. "ele viu a Terra Prometida à distância e acreditou nas promessas, mas não participou delas (ver Hb 11.13)... A terra de Canaã foi um dom de Deus a Israel, que não podia ser administrado através de Moisés, apesar de ter sido ele quem deu a lei ao povo. Josué, um tipo de Cristo, administrando uma nova vida, não obtida pelas obras da lei, cumpriu as promessas" (John Gill, *in loc.*).

Como é glorioso partir desta vida física com os olhos fixos numa vida superior de imortalidade, que se realizará nas regiões celestiais. Moisés, completando sua tarefa, terminou a sua vida física, mas ainda continua vivo nas esferas da vida sem-fim.

> Ó, que sem um gemido demorado,
> Possa dar boas-vindas ao mundo que vem!
> Abandonando este corpo, a tarefa completa,
> E triunfantemente segurar a coroa eterna.
>
> Russell Champlin

CAPÍTULO TRINTA E TRÊS

MOISÉS ABENÇOA AS TRIBOS (33.1-29)

O primeiro versículo nos oferece uma introdução em forma de *prosa*, mas logo em seguida Moisés prorrompe de novo (tal como no capítulo 32) em um *poema* instrutivo. Era costume um pai proferir suas bênçãos sobre os filhos por ocasião de seu falecimento. Ver as bênçãos de Jacó, no capítulo 49 de Gênesis. Assim também Moisés, um dos pais de Israel, abençoou a seus filhos, que estavam prestes a lançar-se a uma parte importante e perigosa de sua carreira como nação. Moisés era o líder espiritual da nação de Israel, na qualidade de líder do êxodo e de mediador dos pactos Sinaítico e Palestino (anotados, respectivamente, no capítulo 19 de Êxodo e na introdução ao capítulo 29 de Deuteronômio).

"Levi é com frequência omitido nas listas das tribos, no Antigo Testamento. Aqui, a tribo de Simeão, que mais tarde foi absorvida por Judá (ver Js 19.1-9), é que foi omitida" (Jack S. Deere, *in loc.*).

Este capítulo 33 apresenta alguns problemas de interpretação, por causa de suas expressões poéticas, de algumas palavras raras e de vários problemas textuais; mas a exposição que se segue procura extrair a verdadeira essência dos presentes versículos. Os críticos veem nas palavras raras, em construções sintáticas incomuns e em um estilo informativo diferente, uma fonte evidentemente diferente para este capítulo, supondo que algum editor o tenha adicionado neste ponto, pois teria visto certa propriedade nisso como parte da conclusão do livro. Assim, G. Ernest Wright sugeriu que "as palavras de Moisés são apresentadas por meio de um antigo poema de autoria desconhecida". A bênção consiste em uma série de bênçãos para as várias tribos de Israel, com a exceção da tribo de Simeão (vss. 6-25). Essa bênção é introduzida através de uma confissão sobre a grandeza de Yahweh, conforme é conhecida por seus atos poderosos (vss. 2-5), e conclui (vss. 26-29) com uma declaração jubilosa de louvor a Deus, que tanto fizera em favor de seu povo... A forma métrica dominante do poema, tal como o *cântico* do capítulo 32, é a forma *bicolon*, ou seja, uma linha com duas cláusulas paralelas, que contém três acentos ou ritmos em cada cláusula. Mas há certo número de formas *tricolon*, entretanto (vss. 2, 13 e 26). A reconstituição do poema é realmente difícil, pois é mister fazer a tentativa de recuperar a ortografia original. Se a versão inglesa Revised Standard Version representa uma grande melhoria em relação à King James Version, o leitor faria bem em examinar os detalhes no mais recente estudo a respeito, feito por Cross e Freedman.

A INTRODUÇÃO PROSAICA (33.1)

33.1

וְזֹ֣את הַבְּרָכָ֗ה אֲשֶׁ֨ר בֵּרַ֥ךְ מֹשֶׁ֛ה אִ֥ישׁ הָאֱלֹהִ֖ים אֶת־בְּנֵ֣י
יִשְׂרָאֵ֑ל לִפְנֵ֖י מוֹתֽוֹ׃

Moisés. Sendo ele o pai espiritual de Israel (ver a introdução a este capítulo, anteriormente), ele recitou outro poema (cf. o capítulo 32). O novo poema é uma bênção proferida sobre Israel, visto que o pai da nação estava prestes a partir e, conforme era costumeiro na antiguidade, ele oferecia agora a bênção sobre seus filhos.

Onkelos chamou Moisés, neste ponto, de "profeta", dando a entender assim que a sua bênção foi um anúncio *profético*. Por igual modo, Aben Ezra observou que Moisés abençoara a Israel no espírito da profecia.

Homem de Deus. Um título que aparece pela primeira vez na Bíblia. sua contraparte normal é outra expressão, mais familiar, "servo de Yahweh" (ver Dt 34.5). Moisés era *homem de Deus* em face da grande missão que recebera, de tirar Israel do Egito e levá-lo em segurança até as fronteiras da Terra Prometida.

O POEMA PROPRIAMENTE DITO (33.2-5)

33.2

וַיֹּאמַ֗ר יְהוָ֞ה מִסִּינַ֥י בָּא֙ וְזָרַ֤ח מִשֵּׂעִיר֙ לָ֔מוֹ הוֹפִ֙יעַ֙
מֵהַ֣ר פָּארָ֔ן וְאָתָ֖ה מֵרִבְבֹ֣ת קֹ֑דֶשׁ מִֽימִינ֕וֹ אֵ֥שׁ דָּ֖ת לָֽמוֹ׃

Os vss. 2-5 representam a introdução à bênção. Essa introdução consiste em uma recitação da grandeza de Yahweh, ilustrando-a através de seus atos conhecidos, dos quais Israel tinha sido testemunha. O poema faz-nos lembrar, antes de mais nada, do aparecimento de Yahweh no monte Sinai, onde a lei foi dada. A lei dera a Israel a sua característica distinta como nação (ver Dt 26.19). Todos os nomes próprios que figuram neste versículo recebem artigos no *Dicionário*. Se tomarmos as palavras dos vss. 2-5 e então adicionarmos a elas as dos vss. 26-29, teremos quase uma completa composição escrita em louvor a Yahweh, que manifestou o seu poder e a sua graça através de uma série de atos históricos, diante dos olhos de todo o povo de Israel. Yahweh é aqui retratado como o Sol Nascente, que fez brilhar seus raios gloriosos sobre todo o seu antigo povo, conferindo-lhe vida e bênção. Juntamente com ele, vieram miríades do exército celestial, adorando-o e obedecendo às suas ordens.

O fogo da lei. Ou então, conforme dizem outras traduções, "a lei de fogo", visto que a lei foi dada em meio a fogo e fumaça, a relâmpagos e terror. Ver Êx 19.16-19; 24.15-18 e Dt 5.26.

O poema pressupõe que os hebreus já estivessem residindo na Terra Prometida, o que os eruditos conservadores chamam de visão profética, ao passo que os críticos preferem pensar que o autor do poema falou de uma posição de historiador. Esses críticos datam o poema a partir do início da monarquia, embora admitam que ele contém informações antigas, que refletem condições tribais ainda em seus primórdios.

■ **33.3**

אַף חֹבֵב עַמִּים כָּל־קְדֹשָׁיו בְּיָדֶךָ וְהֵם תֻּכּוּ לְרַגְלֶךָ יִשָּׂא מִדַּבְּרֹתֶיךָ:

Todos os santos estão em tua mão;
Eles se prostram aos teus pés;
Eles cumprem as tuas decisões.

Temos aí a reconstituição feita por Cross e Freedman, "A Bênção de Moisés", *Journal of Biblical Literature*, lxvii, 1948, págs. 191-210. A referência parece ser paralela ao segundo versículo: estão em pauta as hostes celestes, e o *povo amado* recebe os benefícios do ministério dessas hostes. Algumas traduções e intérpretes pensam que esses "santos" são os israelitas, sentados aos pés do Senhor, esperando por suas palavras de instrução. A ideia anterior, porém, parece preferível. Muitos antigos intérpretes judeus compreendiam que Israel é o sujeito do poema. Os intérpretes modernos, por sua vez, estão divididos quanto à questão. O fato é que está em pauta o ministério dos anjos. Ver no *Dicionário* o artigo chamado *Anjo*. Ver At 7.38,53; Gl 3.19 e Hb 1.12, quanto ao ministério dos anjos na mediação da lei.

■ **33.4**

תּוֹרָה צִוָּה־לָנוּ מֹשֶׁה מוֹרָשָׁה קְהִלַּת יַעֲקֹב:

Moisés nos prescreveu a lei. A lei era para Israel o que o evangelho é para a Igreja. A lei é que fazia Israel ser um povo distinto (ver Dt 26.19 e suas notas expositivas). Se a lei fosse obedecida, ela transmitiria vida e bem-estar, conforme se vê em Dt 4.1; 5.33 e 6.2. A lei é dada mediante uma tripla designação, segundo se vê em Dt 6.1 e suas notas. Os estatutos, os juízos e os mandamentos da lei eram tudo que Israel precisava quanto à sua doutrina e prática diária.

A lei foi dada através de Moisés, mas a graça e a verdade vieram por meio de Jesus Cristo (ver Jo 1.17; 7.19,23; 8.5). O tema supremo do livro de Deuteronômio é a *obediência* à lei mosaica. Ver as notas a respeito em Dt 32.46, onde há muitas outras referências sobre a questão.

Os vss. 4 e 5 deste capítulo são difíceis de reconstituir, pelo que muitos eruditos concordam que alguma coisa se perdeu no processo de transcrição. É por esse motivo que traduções e interpretações diferem quanto a alguns aspectos, no tocante a esses dois versículos.

A lei era uma *herança*, um legado, o código preciso da família de Abraão, uma herança que foi desenvolvida por intermédio de Moisés.

"Para que os hebreus se tornassem uma nação, era mister que houvesse um povo comum (vs. 5), uma constituição comum (vs. 4) e um território pátrio comum. O período passado no Egito moldou os descendentes de Jacó em um único povo, e a outorga da lei, no monte Sinai, conferiu-lhes uma constituição comum" (Jack S. Deere, *in loc.*).

■ **33.5**

וַיְהִי בִישֻׁרוּן מֶלֶךְ בְּהִתְאַסֵּף רָאשֵׁי עָם יַחַד שִׁבְטֵי יִשְׂרָאֵל:

seu povo amado. O original hebraico diz "Jesurum", em lugar dessas três palavras. A palavra reaparece em Dt 33.26, onde temos, em nossa versão portuguesa, "amado". Algumas versões portuguesas, em lugar de "amado", dizem "reto" ou "justo". Yahweh era o verdadeiro rei de Israel. E os governantes, os sacerdotes e outros oficiais eram seus subordinados e auxiliares. Este versículo celebra a organização da nação de Israel, por parte de Yahweh, antes que eles contassem com um rei que lhes conferisse unidade nacional, ou seja, durante os quarenta anos de perambulação pelo deserto. E foi durante esse período que Yahweh lhes deu a constituição, a saber, a *lei* (ver o versículo quarto). Israel já se tinha tornado uma nação, sob a liderança do rei Yahweh, como medida preparatória para a conquista da Terra Prometida como nação. Foi assim que, pouco a pouco, as provisões e promessas do Pacto Abraâmico (ver as notas a respeito em Gn 15.18) foram sendo cumpridas.

O trecho de 1Sm 8.7 observa que a nomeação de um rei humano — no caso, Saul — foi uma rejeição ao reinado de Yahweh.

A BÊNÇÃO DE RÚBEN (33.6)

■ **33.6**

יְחִי רְאוּבֵן וְאַל־יָמֹת וִיהִי מְתָיו מִסְפָּר: ס

Viva Rúben, e não morra. Neste sexto versículo, começam as bênçãos específicas sobre as tribos. O pai espiritual de Israel, Moisés, proferiu essas bênçãos, porquanto estava prestes a partir deste mundo, deixando para trás os seus filhos. A bênção paterna, pois, começa aqui a ser proferida. Fazia parte das crenças antigas que essas bênçãos eram proféticas, e aquilo que fosse dito envolvia um poder especial, que faria a bênção tornar-se realidade no futuro. Ver Gn 27.4 e suas notas quanto ao alegado poder das palavras finais de um homem moribundo, constituíssem elas uma bênção ou uma maldição. Ofereço ali várias referências que ilustram a questão.

A bênção dada a Rúben envolvia a vida. O número dos membros dessa tribo diminuiu dramaticamente, e por volta do século X a.C., estava essencialmente extinta. Jacó havia advertido que a tribo de Rúben não seria "a mais excelente" (ver Gn 49.4). Isso por ter violentado Bila, uma das quatro mulheres de Jacó. Ver Gn 35.22 quanto ao incidente. Alguns tradutores e intérpretes traduzem este versículo como: "Que o seu número seja pequeno", como se a maldição persistisse e até aumentasse de intensidade; mas não é assim que pensa a maioria dos intérpretes. John Gill (*in loc.*) informa-nos que o texto hebraico do versículo pode ser traduzido dessa maneira alternativa. E, se isso é verdade, talvez tenhamos aqui uma maldição, e não uma bênção.

Rashi oferecia uma interpretação metafórica: "Que ele viva neste mundo e não morra no outro mundo", e isso apesar de seus erros. Rúben não foi cortado, mas foi deserdado (ver 1Cr 5.1).

A BÊNÇÃO DE JUDÁ (33.7)

■ **33.7**

וְזֹאת לִיהוּדָה וַיֹּאמַר שְׁמַע יְהוָה קוֹל יְהוּדָה וְאֶל־עַמּוֹ תְּבִיאֶנּוּ יָדָיו רָב לוֹ וְעֵזֶר מִצָּרָיו תִּהְיֶה: ס

Ouve, ó Senhor, a voz de Judá. Yahweh haveria de ouvir as orações de Judá, não permitindo que seus inimigos o destruíssem, apesar de tempos de crise e de aflição. Os críticos atribuem esse pedido como um reflexo das aflições que Judá sofreu sob os filisteus, no século XI a.C.

A solicitação é no sentido de que as orações de Judá tivessem uma eficácia especial diante de Yahweh. Rashi forneceu uma lista das muitas orações feitas pelos descendentes de Judá, e como Yahweh as ouvia e lhes respondia: as orações de Davi e Salomão; as orações de Asa e Josafá; as orações de Ezequias; as orações de Manassés e de Neemias. Todas essas orações foram "a voz de Judá".

Também é extremamente significativo que Jesus, o Cristo, veio da tribo de Judá, sendo ele o instrumento escolhido para a redenção e a restauração universais. Ademais, *somente Judá* sobreviveu aos cativeiros assírio, babilônico e romano. Os judeus atuais são descendentes da tribo de Judá, com algumas raras exceções. Nas sinagogas, os judeus consideram-se descendentes de Judá, ou de Benjamim ou de Levi, nos casos em que sabem pertencer a uma dessas três tribos. Os descendentes das outras tribos dizem apenas que são descendentes de "Israel", o que significa que não sabem determinar de qual tribo descendem. Este tradutor é descendente de Judá. O nome original de minha família ancestral era Ruah, "vento". Mais tarde, o nome da família se tornou Ruah-Bentes. E, finalmente, Bentes.

"Judá significa profissão, confissão, louvor etc. Essa tribo era formada por gente dedicada à oração e ao louvor, conforme devem ser todos os seres humanos piedosos" (John Gill, *in loc.*).

Peleja por ele. Nossa versão portuguesa, seguindo a Revised Standard Version, apela para que as mãos de Yahweh lutassem por Judá. Há traduções que dão a entender que as mãos seriam da própria tribo de Judá. No primeiro caso, isso quer dizer que Deus protegeria de forma especial os descendentes de Judá, em tempos de tensão e dificuldades. No segundo caso, isso significa que eles seriam suficientes para se defender de seus inimigos. "Essa bênção diz, essencialmente, que Judá obteria sucesso militar, com a ajuda de Deus" (Jack S. Deere, *in loc.*).

A BÊNÇÃO DE LEVI (33.8-11)

■ 33.8

וּלְלֵוִי אָמַר תֻּמֶּיךָ וְאוּרֶיךָ לְאִישׁ חֲסִידֶךָ אֲשֶׁר נִסִּיתוֹ בְּמַסָּה תְּרִיבֵהוּ עַל־מֵי מְרִיבָה׃

No *Dicionário* há artigos sobre todos os nomes próprios que figuram neste versículo. Ver também o verbete intitulado *Urim* e *Tumim*. Há muitas opiniões sobre o que seriam esses objetos, e qual tipo de *adivinhação* (ver a respeito no *Dicionário*) estaria envolvido. O mais provável é que fossem dados ou pedrinhas sagradas, lançadas para determinar questões. De acordo com outros eruditos, seriam pedras polidas usadas para provocar um reflexo luminoso que ajudava o sumo sacerdote a entrar em transe, colhendo então impressões psíquicas e espirituais. Essas pedras eram transportadas na estola sacerdotal do sumo sacerdote. Ver Êx 28.30; Lv 8.8; 1Sm 14.41,42; 23.6-13. Quanto a *Massá* e *Meribá*, ver Dt 6.16; 9.22 e 32.51. Foi naquele lugar que o povo de Israel se rebelou, mas coisa alguma é dita, na narrativa de Êx 17.1-7, acerca de como os homens da tribo de Levi demonstraram ali a sua lealdade a Yahweh, contrastando com as demais tribos.

A referência é obscura, e a ortografia e a métrica dos vss. 8-10 diferem do resto do poema, impedindo assim um elevado grau de precisão na interpretação das linhas. Este versículo parece fornecer-nos uma razão que levou a tribo de Levi a ser favorecida como a tribo sacerdotal: essa tribo foi fiel quando as outras se rebelaram. Ver a aplicação desses versículos, feita por Paulo, em 1Co 10.8-12. "Ao que parece, o sacerdócio levítico teve origem em Cades, ou seja, em Massá e Meribá (Êx 17.1-7; Nm 20.2-13)" (*Oxford Annotated Bible*, comentando sobre este versículo).

■ 33.9

הָאֹמֵר לְאָבִיו וּלְאִמּוֹ לֹא רְאִיתִיו וְאֶת־אֶחָיו לֹא הִכִּיר וְאֶת־בָּנָו לֹא יָדָע כִּי שָׁמְרוּ אִמְרָתֶךָ וּבְרִיתְךָ יִנְצֹרוּ׃

Pois guardou a tua palavra. Este versículo tem recebido várias interpretações, a saber:
1. Levi era a tribo que julgava as demais tribos. Como juízes, eles se mostraram sempre imparciais, não favorecendo nem pai, nem mãe, nem filhos, mas sempre tomando decisões justas. Isso ocorreu, pela primeira vez, no caso do bezerro de ouro, quando a tribo de Levi permaneceu fiel ao Senhor (ver Êx 32.25-29). Eles administravam corretamente o juízo de Deus.
2. Eles mostravam uma lealdade especial ao pacto, sem levar em conta os desejos ou as extravagâncias das demais tribos.
3. Os sacerdotes não se contaminavam no tocante aos requisitos da lei mosaica que requeriam purificação cerimonial, como na questão de não poderem tocar em cadáveres (ver Lv 21.11).
4. Eles eram totalmente consagrados ao serviço que prestavam (ver Lv 10.2-7). Eles contrastavam com os membros das demais tribos,

que chegaram a hesitar em diversas oportunidades. Quanto a isso, prefiguravam Cristo, o nosso Sumo Sacerdote eterno.

Mas *este versículo* acrescenta mais uma razão para os levitas terem sido escolhidos como a tribo sacerdotal: eles observavam todas as palavras de Yahweh e guardavam o pacto com ele. Em outras palavras, acima de todas as demais tribos de Israel, eles se deixaram envolver na lei e nos preceitos de Yahweh, demonstrando grande grau de fidelidade e dedicação.

Foi por isso mesmo que essa tribo não recebeu nenhuma herança material, sob a forma de território, mas o próprio *Yahweh* tornou-se a herança deles, de uma maneira como as outras tribos não tinham. Quanto a esse conceito, ver Dt 10.9. A tribo de Levi seria uma tribo especialmente religiosa e espiritual.

■ 33.10

יוֹרוּ מִשְׁפָּטֶיךָ לְיַעֲקֹב וְתוֹרָתְךָ לְיִשְׂרָאֵל יָשִׂימוּ קְטוֹרָה בְּאַפֶּךָ וְכָלִיל עַל־מִזְבְּחֶךָ׃

Ensinou os teus juízos a Jacó. Quando os levitas se tornaram uma casta sacerdotal, deixaram de ser uma tribo (ver Nm 1.47 ss.). Presumivelmente, isso teria diminuído o número das tribos de doze para onze. José, porém, não dispunha de uma tribo chamada por seu nome, reduzindo o número de tribos para dez. Todavia, José teve dois filhos, de quem descendiam duas tribos — a de Efraim e a de Manassés. Assim restaurava-se para doze o número das tribos do povo de Israel.

Na qualidade de *casta sacerdotal*, os levitas tornaram-se mestres, incumbidos da responsabilidade de ajudar o povo de Israel a conhecer e compreender todo o complexo da legislação mosaica, incluindo aquelas coisas que governavam o culto a Yahweh. Eles estavam envolvidos em todas as funções do tabernáculo e, posteriormente, do templo de Jerusalém, tudo quanto dizia respeito a sacrifícios, oferecimento do incenso etc.

Ver Ml 2.5,6 e suas notas expositivas quanto a ideias que suplementam este versículo. Ver a aplicação que o Novo Testamento faz desse fato, em Ap 8.3,4. Jesus Cristo é, ao mesmo tempo, o altar, o sacrifício e o sumo sacerdote. Ver no *Dicionário* os artigos intitulados *Levitas* e *Sacerdotes e Levitas*.

■ 33.11

בָּרֵךְ יְהוָה חֵילוֹ וּפֹעַל יָדָיו תִּרְצֶה מְחַץ מָתְנַיִם קָמָיו וּמְשַׂנְאָיו מִן־יְקוּמוּן׃ ס

Abençoa o seu poder, ó Senhor. O poeta sacro invoca aqui a Yahweh, para que abençoasse e protegesse de modo especial aos levitas, derrotando todos os seus adversários. A identidade dos inimigos de Levi é deixada vaga. Vários intérpretes judeus, por isso mesmo, têm procurado encontrar incidentes históricos de perseguição contra essa tribo. Rashi salientou o trecho de 1Macabeus 2.1, os incidentes que envolveram Antíoco Epifânio, e outras perturbações similares. Os Macabeus (hasmoneanos) pertenciam a essa tribo, e todas as suas dificuldades com inimigos estrangeiros servem para ilustrar o texto, embora seja uma tolice pensar que o poeta sagrado tivesse em mente incidentes como esses. John Gill (*in loc.*) salientou todos os acontecimentos que envolveram Coré, Datã e Abirão, porquanto tais incidentes poderiam ter corrompido a adoração a Yahweh, se aquelas figuras tivessem conseguido prevalecer em seus intuitos.

Os *tipologistas* pensam que o Messias está aqui em mira. Os seus inimigos, aqueles que atacassem a ele e à fé espiritual por ele ensinada, seriam severamente punidos por Deus.

A BÊNÇÃO DE BENJAMIM (33.12)

■ 33.12

לְבִנְיָמִן אָמַר יְדִיד יְהוָה יִשְׁכֹּן לָבֶטַח עָלָיו חֹפֵף עָלָיו כָּל־הַיּוֹם וּבֵין כְּתֵפָיו שָׁכֵן׃ ס

Cross e Freedman, na reconstituição que fizeram deste poema (ver também os comentários sobre o terceiro versículo deste capítulo), escreveram:

O amado de Yahweh acampou-se seguro;
O Exaltado paira por sobre ele,
E ele arma suas tendas entre
seus ombros.

O *tema da segurança* percorre todo este poema. O povo de Israel estava habitando entre povos hostis, e sempre havia alguém por perto, tentando atacar, destruir e matar. Só Yahweh era capaz de garantir a segurança da jovem nação. G. Ernest Wright sugeriu que este versículo reflete a época em que Silo tinha sido destruída, quando o santuário central se achava no território pertencente a Benjamim, ou em Nobe (durante o reinado de Saul e a primeira parte do reinado de Davi), ou em Jerusalém, nos dias do tabernáculo de Davi ou nos dias do templo de Salomão.

Habitará seguro com ele. O mais certo é que isso se refira ao fato de que as tendas de Benjamim seriam protegidas por Yahweh.

Nos seus braços. Se isso for interpretado conforme a reconstituição feita por Cross e Freedman, "entre seus ombros", então talvez tenhamos aí uma alusão à região montanhosa do território de Benjamim.

Quanto à posição de Benjamim como filho mais jovem e especialmente amado por Jacó, ver Gn 44.20 e suas notas expositivas. No *Dicionário* há artigos separados sobre cada um dos filhos de Jacó e suas respectivas tribos.

"Geralmente concorda-se que essa bênção aponta para o local que Yahweh escolheria, dentre todas as tribos de Israel, para fazer ali habitar o seu nome, ou seja, Jerusalém, que ficava no território da tribo de Benjamim" (Ellicott, *in loc.*).

Comentou John Gill (*in loc.*): "... ombros de Benjamim, ou seja, o templo onde o Senhor habitava, construído no monte Moriá, na tribo de Benjamim, na porção de maior altitude do país... Assim também Cristo habita entre o seu povo, servindo-lhes de Cabeça, enquanto eles lhe servem de ombros, onde jazia o governo e os cuidados por eles (ver Is 9.6). No Talmude (*Tal. Bab. Zebachim*, fol. 118.2), essa passagem é aplicada aos dias do Messias".

A BÊNÇÃO DE JOSÉ (33.13-17)

33.13

וּלְיוֹסֵף אָמַר מְבֹרֶכֶת יְהֹוָה אַרְצוֹ מִמֶּגֶד שָׁמַיִם מִטָּל
וּמִתְּהוֹם רֹבֶצֶת תָּחַת׃

Com o que é mais excelente dos céus. Talvez tenhamos aqui uma declaração metafórica que aponta para "todas as bênçãos espirituais", simbolizadas pelo orvalho abundante que aparecia sobre o solo e pelas chuvas que caíam do firmamento. Ver Tg 1.17.

Das profundezas. Quiçá uma alusão ao suprimento de águas freáticas, que chegavam à superfície sob a forma de fontes, mananciais e ribeiros. Desse modo, os descendentes de José seriam abençoados, de alguma maneira, tanto "do alto" quanto "das profundezas". Os comentadores judeus sempre se referiram à grande fertilidade das terras conferidas aos descendentes de José, ou seja, os territórios de Gileade e Basã, que ficaram com os descendentes de Manassés, e os campos de Samaria, que couberam aos descendentes de Efraim, ambas regiões extremamente frutíferas e dotadas de abundante suprimento de água. Assim foi que Jarchi observou: "Na herança de todas as tribos, não houve terras tão ricas em todas as coisas boas quanto as terras de José".

Para descrever as bênçãos das tribos de José (Efraim e Manassés), o filho favorito de Jacó, o poeta sacro precisou de maior espaço. Assim, os vss. 13-17 deste capítulo constituem a mais longa das bênçãos no poema. Cf. as bênçãos de Gn 49.25,26, que talvez venham de uma mesma fonte informativa. As imagens mentais personificam as forças da natureza, e era comum na poesia da terra de Canaã. O versículo 13, que é um *tricolon*, contém essas personificações. As "profundezas" assemelham-se a um monstro subterrâneo, que surpreendia as pessoas com águas abundantes, quando estas chegavam à superfície do solo. Cf. Ct 4.15; Is 12.3 e Jl 3.18, que incluem metáforas de cunho espiritual.

33.14

וּמִמֶּגֶד תְּבוּאֹת שָׁמֶשׁ וּמִמֶּגֶד גֶּרֶשׁ יְרָחִים׃

O que é mais excelente daquilo que o sol amadurece. As colheitas amadurecem em diferentes estações do ano. O sol e a lua, os maiores luzeiros do firmamento, são retratados aqui como os astros que regulam as estações do ano; e o poeta sagrado personificou esses poderes naturais. Assim, o sol e a lua garantiriam que os descendentes de José seriam duplamente abençoados. Jarchi observou que "as terras de José eram abundantemente banhadas pela luz solar, sendo adocicadas pelos seus frutos". Os tipologistas veem nisso a pessoa de Cristo, o Sol.

Alguns antigos hebreus, ao que tudo indica, pensavam que a lua ajuda nas colheitas, com seu frescor e umidade, e alguns de seus escritores salientaram especialmente que os pepinos, as cabaças, as cebolas etc. seriam aprimoradas em suas qualidades mediante a ação da lua. Plínio salientou que toda espécie de cereal medra melhor durante a lua cheia (*Hist. Natural* 1.18 cap. 30). O sol, como é óbvio, é necessário para a existência de qualquer forma de vida. Há alguma evidência sobre a influência da lua sobre as plantações, embora eu não concorde muito com as ideias dos antigos a respeito desse satélite da terra.

33.15

וּמֵרֹאשׁ הַרְרֵי־קֶדֶם וּמִמֶּגֶד גִּבְעוֹת עוֹלָם׃

Mais excelente... e mais excelente. O poeta sacro pôs em paralelo as expressões "montes antigos" e "outeiros eternos". Cf. Gn 49.26; Hc 3.6. Há alguma evidência de que a poesia antiga dos cananeus foi a originadora dessa metáfora. Os descendentes de José, portanto, aninhar-se-iam em paz e em meio à grande abundância de víveres, da qualidade mais excelente, à sombra das montanhas eternas. Os mórmons dizem algo similar acerca de Salt Lake City, considerada a encruzilhada do Ocidente, e que habita à sombra das colinas eternas (uma referência às Montanhas Rochosas). Nunca consigo ouvir essas palavras sem sentir imensas saudades, visto que nessa cidade nasci e cresci.

Os "outeiros eternos" existem desde o começo do mundo, servindo como retrato dos cuidados eternos de Deus pela sua criação. Na vida espiritual também há o toque da eternidade. As coisas passageiras mudam, mas tudo quanto é precioso permanece, embora talvez com alguma alteração. Cf. Pv 8.22; Is 44.10; 2Tm 1.9 e Ef 1.3, quanto a aplicações espirituais dos "outeiros eternos".

É patente que estão em pauta os montes de Gileade. Essa região ficou sob a posse da meia tribo de Manassés. Havia ali metais e minerais preciosos, que serviram para aumentar as riquezas materiais do povo. Além disso, havia ali madeira em abundância, outra forma de bem material útil nas construções e no fabrico de móveis e veículos.

33.16

וּמִמֶּגֶד אֶרֶץ וּמְלֹאָהּ וּרְצוֹן שֹׁכְנִי סְנֶה תָּבוֹאתָה
לְרֹאשׁ יוֹסֵף וּלְקָדְקֹד נְזִיר אֶחָיו׃

Que tudo isto venha sobre a cabeça de José. As bênçãos aos descendentes de José viriam do alto, de baixo, dos montes. E isso quer dizer que eles receberiam as coisas mais preciosas da terra. Os intérpretes batem a cabeça quanto à frase "da benevolência daquele que apareceu na sarça". Cross e Freedman interpretaram isso como a aparição do Senhor por ocasião da outorga da lei, no monte Sinai. Isso significa que a abundância material prometida aos descendentes de José também vinha da parte de Yahweh (ver Tg 1.17). Mas outros intérpretes veem aqui uma referência ao aparecimento de Yahweh na sarça ardente, a Moisés, no começo do seu ministério. Ver Êx 3.2. Os tipologistas, por sua vez, preferem pensar em Cristo manifestando-se à humanidade.

As tribos descendentes de José, durante algum tempo, chegaram a ser mais fortes que a tribo de Judá, embora isso não tenha perdurado. Sobre a "cabeça" de José, desceram muitas bênçãos distintas, fazendo de Efraim e Manassés tribos muito importantes em Israel. O trecho de Gn 49.26 contém um paralelo semelhante. Ali aparecem outras ideias e detalhes. Bênçãos extraordinárias pousariam sobre a cabeça de José como se fossem uma coroa. Na metáfora foram incluídos os montes que havia no território da meia tribo de Manassés.

33.17

בְּכוֹר שׁוֹרוֹ הָדָר לוֹ וְקַרְנֵי רְאֵם קַרְנָיו בָּהֶם עַמִּים יְנַגַּח יַחְדָּו אַפְסֵי־אָרֶץ וְהֵם רִבְבוֹת אֶפְרַיִם וְהֵם אַלְפֵי מְנַשֶּׁה: ס

A imponência do primogênito do seu touro... um boi selvagem. Grande multiplicação de animais domesticados fazia parte da herança que Yahweh estava dando aos descendentes de José. Esse animal, o "touro", chegou a servir de símbolo do poder militar dos descendentes de José, com seus muitos soldados. José, pois, é simbolicamente retratado aqui como um poderoso touro, que chifrava os touros de outros povos, sem que ninguém pudesse impedi-lo. Visto que foram referidos tanto o "touro" quanto o "boi selvagem", alguns intérpretes pensam que devemos pensar aqui nas duas tribos de Efraim e de Manassés.

"Manassés foi o filho primogênito de José, e Efraim foi seu filho menor. Eles formavam as duas tribos maiores do reino do norte, Israel. Embora Manassés fosse o irmão mais velho, Jacó dera a primeira bênção a Efraim, o irmão mais novo (ver Gn 48.17-20). Foi por esse motivo que Moisés mencionou Efraim em primeiro lugar, pondo a seu crédito dez milhares, ao passo que creditou apenas milhares a Manassés" (Jack S. Deere, *in loc.*).

AS BÊNÇÃOS DE ZEBULOM E ISSACAR (33.18,19)

33.18

וְלִזְבוּלֻן אָמַר שְׂמַח זְבוּלֻן בְּצֵאתֶךָ וְיִשָּׂשכָר בְּאֹהָלֶיךָ:

Os membros da tribo de Zebulom deveriam alegrar-se diante do fato de que disporiam dos recursos alimentares do mar. Presume-se que estejam em pauta tanto o mar Mediterrâneo quanto o lago da Galileia. Esse é o sentido que alguns estudiosos veem nas palavras "nas tuas saídas" (ver também o vs. 19 deste capítulo).

"Na verdade, o território de Zebulom não chegava às margens do mar Mediterrâneo, de acordo com as fronteiras definidas no trecho de Js 19.10-16. Mas há outras evidências que sugerem que, em algum tempo mais antigo, assim acontecia (cf. Gn 49.13, e a presença dos dois locais na lista de Js 19.15)" (G. Ernest Wright, *in loc.*).

A passagem de Gn 49.13 refere-se à "praia dos mares", de onde os membros da tribo de Zebulom seriam capazes de extrair alimentos e riquezas. "... em suas saídas ao mar, a fim de negociar, de traficar com navios estrangeiros, porquanto [Zebulom] seria uma tribo marítima" (John Gill, *in loc.*).

Em contraste com Zebulom, *Issacar* permaneceria em casa, em suas tendas, e prosperaria na agricultura e na criação de gado. Os homens da tribo de Issacar, visto que ficavam em casa, tornaram-se conhecidos como eruditos, profundos estudiosos da lei. Ver 1Cr 12.32.

"O caráter aguerrido do primeiro desses dois, e a sabedoria mais profunda do segundo, são ilustrados em Jz 5.18 e 1Cr 12.32,33. Cf. as bênçãos de Jacó a Issacar, em Gn 49.14,15" (Ellicott, *in loc.*).

33.19

עַמִּים הַר־יִקְרָאוּ שָׁם יִזְבְּחוּ זִבְחֵי־צֶדֶק כִּי שֶׁפַע יַמִּים יִינָקוּ וּשְׂפוּנֵי טְמוּנֵי חוֹל: ס

Os dois. Essas duas tribos prosperariam às suas maneiras respectivas; mas, quanto à espiritualidade, ambas teriam muita coisa em comum. Levariam avante, montanhosamente, o culto a Yahweh e convidariam outros aos seus retiros montanhosos e locais de adoração. Talvez esteja em foco o monte Tabor, situado na fronteira dos territórios das duas tribos, embora a referência também seja geral. Ver no *Dicionário* o verbete chamado *monte Tabor*. Talvez esteja em pauta o monte *Moriá*. Ver o *Dicionário* quanto a esse monte. Ver também 2Cr 30.11,18.

Chuparão a abundância dos mares. Quanto a comentários sobre esse aspecto da bênção, ver as notas sobre o versículo anterior.

Tesouros escondidos da areia. Os intérpretes debatem-se quanto a essa parte do presente versículo. Alguns deles, fazendo a ligação entre o mar e as areias, creem que, novamente, a alusão é às costas marítimas. Outros pensam em vários minerais extraídos da areia, como o ouro, a prata, as pérolas, os corais etc. Ainda outros imaginam o vidro, pois este é feito, principalmente, a partir da areia. Outra opinião é que estão em foco os mariscos, que serviam tanto como alimento como no fabrico de corantes, como o *murex*, à base do qual era extraído o famoso corante *púrpura*. E ainda outros dizem que a expressão simplesmente se refere às vantagens derivadas da navegação e do comércio, sem entrar em detalhes se o simbolismo foi interpretado literalmente.

A BÊNÇÃO DE GADE (33.20,21)

33.20

וּלְגָד אָמַר בָּרוּךְ מַרְחִיב גָּד כְּלָבִיא שָׁכֵן וְטָרַף זְרוֹעַ אַף־קָדְקֹד:

Dilatar. Não há certeza sobre o que significa aqui esse verbo. Talvez expansão de território e de poderio militar. Mas Cross e Freedman simplesmente interpretam o verbo como *"aumentar o território"*.

Gade, o qual habita como a leoa. Os registros históricos demonstram que Gade era a tribo mais poderosa da Transjordânia (ver a respeito no *Dicionário*).

Despedaça o braço e alto da cabeça. É evidente que a construção portuguesa está ligeiramente truncada, pois deveria ser "despedaça o braço e o alto da cabeça". Quando uma leoa ataca a presa, morde-a à altura das têmporas. Isso importa em uma metáfora militar. Gade ocupou a Transjordânia, mas seus soldados ajudaram as outras tribos a conquistar a parte ocidental da Terra Prometida (ver o capítulo 32 de Números). Alguns pensam que a *luta valente* da leoa alude à ajuda que os homens da tribo de Gade deram às outras tribos na conquista do ocidente. Ver Js 22.1-6. Ver também 1Cr 12.8, quanto a onze gaditas cujos "rostos eram como os de leões".

33.21

וַיַּרְא רֵאשִׁית לוֹ כִּי־שָׁם חֶלְקַת מְחֹקֵק סָפוּן וַיֵּתֵא רָאשֵׁי עָם צִדְקַת יְהוָה עָשָׂה וּמִשְׁפָּטָיו עִם־יִשְׂרָאֵל: ס

E se proveu da melhor parte. A leoa, por assim dizer, proveu-se da *melhor parte* do território da Terra Prometida, a Transjordânia. Essa região ficou fazendo parte da herança de Gade, de Rúben e da meia tribo de Manassés, antes da conquista da parte ocidental da Terra Prometida. Ver o relato em Nm 32.1-5. E então os gaditas apossaram-se da "porção do chefe", isto é, foram ao outro lado do Jordão ajudar na conquista daquela parte da terra de Canaã. Foi assim que os gaditas executaram "a justiça do Senhor", ou seja, mantiveram a palavra de que ajudariam as outras tribos na conquista da Terra Prometida, segundo o relato do capítulo 32 de Números. O trecho de Josué 22 registra o cumprimento da promessa, bem como as honrarias recebidas por aquelas duas tribos e meia, incluindo o território da Transjordânia, como sua herança.

A BÊNÇÃO DE DÃ (33.22)

33.22

וּלְדָן אָמַר דָּן גּוּר אַרְיֵה יְזַנֵּק מִן־הַבָּשָׁן:

Dã é leãozinho. Os vss. 22-24 deste capítulo fornecem-nos as bênçãos proferidas sobre as três tribos mais ao norte, situadas na Galileia. Dã é retratado como um leãozinho vigoroso. ele já havia migrado desde sua anterior posição ao norte de Judá, até a base do monte Hermom, conforme aprendemos no capítulo 18 do livro de Juízes.

Saltará de Basã. Antigos intérpretes judeus diziam que a região de Basã abundava em leões, que viviam atrás de presas. De acordo com essa tradução, talvez caiba aqui a ideia de que o território que coube a Dã (de acordo com Js 19.47) não era suficiente para eles, pelo que saíram de suas fronteiras para conquistar mais territórios. Ver também Jz 18.27,28. Entretanto, há traduções e versões que dizem aqui "serpente", em lugar de Basã. Nesse caso, embora fosse um leãozinho valente, os danitas fugiriam diante da serpente venenosa. Ver Gn 49.17, onde Dã é chamado de "serpente". Reconhecidamente, a interpretação do versículo tem seus problemas.

A BÊNÇÃO DE NAFTALI (33.23)

33.23

וּלְנַפְתָּלִי אָמַר נַפְתָּלִי שְׂבַע רָצוֹן וּמָלֵא בִּרְכַּת יְהוָה יָם וְדָרוֹם יְרָשָׁה: ס

Possuirá o lago e o sul. Na verdade, a Naftali coube, por sorte, os territórios ao redor do lago (ou mar) da Galileia, bem como o território ao sul desse mar. Alguns preferem pensar em "ocidente", em lugar de "lago"; mas esta última palavra concorda realmente com o texto original.

A tribo de Naftali recebeu favores especiais de Yahweh e teve uma vida próspera. Jesus desenvolveu grande parte de seu ministério nas terras de Zebulom e Naftali, na área em torno do mar da Galileia. Por isso mesmo, alguns tipologistas veem o ministério de Cristo predito neste versículo, visto que são aqui mencionadas as bênçãos especiais de Yahweh. Apesar de que pode estar em vista a fertilidade especial do território, Adam Clark (*in loc.*) comentou como segue: "A luz do glorioso evangelho de Cristo resplandeceu fortemente ali. Ver Mt 4.13,15,16. A residência principal do Senhor Jesus ficava em Cafarnaum, no território de Naftali (ver Mt 11.1; Mc 2.1). E essa cidade, mediante o fato de que Jesus ali residia principalmente, bem como por causa dos grandes milagres que ali ocorreram, aparece aqui como cidade exaltada até os céus (ver Mt 11.23)".

Estrabão chegou a descrever a fertilidade da região de Naftali (ver *Geogr.* 1.16, pág. 521).

A BÊNÇÃO DE ASER (33.24,25)

33.24

וּלְאָשֵׁר אָמַר בָּרוּךְ מִבָּנִים אָשֵׁר יְהִי רְצוּי אֶחָיו וְטֹבֵל בַּשֶּׁמֶן רַגְלוֹ:

Banhe em azeite o seu pé. "Aser, cujo território ficava ao sul da Fenícia, seria uma tribo poderosa e próspera" (*Oxford Annotated Bible*, comentando sobre este versículo). O nome Aser significa *feliz* ou *abençoado*, e o nome cumpriu as suas expectativas. Essa prosperidade era tão grande que a tribo haveria de banhar seus pés em azeite (ver a respeito no *Dicionário*). Sem dúvida, tal ato seria uma ação extravagante, mas perfeitamente possível para a próspera tribo de Aser.

A ideia de ferrolhos feitos de ferro e de bronze, que aparecem no versículo seguinte, ao que parece, refere-se à unidade e ao poder militar de Aser. Essa tribo, forte e próspera como era, negociava com todas as outras, e assim ia enriquecendo mais e mais. A tribo vivia em paz com seus vizinhos, e assim desfrutava uma vida amena e próspera. Todavia, no dizer de Ellicott (*in loc.*): "Sobre nenhuma outra tribo tão pouca coisa ficou registrada na história. As vidas mais felizes às vezes são as menos movimentadas" (Ellicott, *in loc.*).

33.25

בַּרְזֶל וּנְחֹשֶׁת מִנְעָלֶיךָ וּכְיָמֶיךָ דָּבְאֶךָ:

Sejam de ferro e de bronze os teus ferrolhos. O território de Aser tinha grande abundância de metais, e isso fazia parte de suas riquezas. Ademais, o uso desses metais ajudava a tribo a tornar-se militarmente poderosa. Empédocles (*Laert.* em Vi. Emp. 1.8, pág. 613), segundo corria a notícia, usava sandálias de ferro; e alguns eruditos supõem que Aser fabricasse seus calçados de metais diversos. Mas a referência mais provável é aos calçados dos soldados. Jarchi, Kimchi e Ben Meleque referiram-se aos metais citados como símbolos das poderosas fortificações que havia no território de Aser, um dos fatores que conferia paz àquela tribo. "A tribo vivia cercada por muralhas de bronze e ferro, e os portões de suas cidades eram fechados com ferrolhos e trancas de ferro e bronze" (John Gill, *in loc.*).

Visto que o texto hebraico original é um tanto incerto, algumas traduções dizem "trancas" onde outras dizem "calçados".

Como os teus dias durará a tua paz. Multidões de pessoas espirituais, através dos séculos, têm achado consolo nessa declaração. Parece justo pensarmos aqui que a cada homem é dado o *número certo* de dias, a fim de *cumprir* o seu propósito na vida; e também que, para cada dia, como para todos os dias considerados em seu conjunto, o indivíduo receberá *forças suficientes*. Isso, por sua vez, significa que um homem bom não poderá ser cortado em seus dias antes do tempo certo, e nem a debilidade física poderá destruir os propósitos e o destino de sua vida. Oh, Senhor, concede-nos tal graça! Mas também vemos o que pode acontecer com um homem bom. Ocorre um derrame cerebral, e ele fica sujeito ao leito por dez anos, impotente, sem nada poder fazer. Ou então, tal homem sofre um acidente sem sentido e fica debilitado e inútil para o resto da vida. Devemos deixar tudo entregue à sabedoria de Deus, para explicar casos dessa natureza. Ver o artigo intitulado *Problema do Mal* na *Enciclopédia de Bíblia, Teologia e Filosofia*. Um versículo paralelo é o de Rm 8.28, onde lemos: "... todas as cousas cooperam para o bem daqueles que amam a Deus..."

As autoridades judaicas fornecem-nos declarações como as seguintes: "Tuas forças, na idade avançada, serão como as forças que tinhas na tua juventude", em consonância com Sl 103.5. Ou então: "Tuas forças serão renovadas como as da águia". Ou mesmo: "Conforme passaste os teus dias, fazendo a vontade do Senhor, assim serão as tuas forças". A ideia, conforme a Vulgata Latina e os Targuns em geral dizem: Tuas forças serão tão grandes em tua velhice quanto o eram na tua juventude. Cf. 2Co 10.13; 1Co 4.16; 12.9,10, trechos esses que cristianizam o conceito.

CONCLUSÃO (33.26-29)

33.26

אֵין כָּאֵל יְשֻׁרוּן רֹכֵב שָׁמַיִם בְעֶזְרֶךָ וּבְגַאֲוָתוֹ שְׁחָקִים:

Os vss. 26-29 deste capítulo nos oferecem a conclusão do poema de Moisés, onde, tal como na introdução, *todas as tribos* são consideradas juntas como um povo, que receberia o favor especial de Yahweh. "Os vss. 26 e 27 atribuem toda a honra e glória ao Deus de Israel, o qual, por ocasião da conquista, expulsara o inimigo. O resultado foi que Israel encontrou segurança em uma terra de abundância (vs. 2)" (G. Ernest Wright, *in loc.*).

Ó amado. No original hebraico, "Jesurum". Ofereci notas detalhadas sobre esse nome, um título conferido a Israel, em Dt 32.15. Ver também o quinto versículo deste capítulo. As traduções geralmente dizem aqui "reto" ou "justo". Israel foi assim chamado apesar de seus muitos lapsos, porquanto o propósito de Deus operava entre os hebreus.

A figura metafórica de Yahweh a dirigir uma carruagem que cruzava os céus era comum, provavelmente tomada por empréstimo da poesia cananeia. Ver Sl 18.10; 68.33; Is 19.1; Ez 1. A figura indica poder e glória supremos, algo totalmente "diferente" do comum. Deus é eterno, de eternidade a eternidade: o Antigo de dias, Soberano em seu governo, que ajuda o seu povo e derrota os seus inimigos. Cf. Sl 63.4,33,34.

33.27

מְעֹנָה אֱלֹהֵי קֶדֶם וּמִתַּחַת זְרֹעֹת עוֹלָם וַיְגָרֶשׁ מִפָּנֶיךָ אוֹיֵב וַיֹּאמֶר הַשְׁמֵד:

O Deus eterno é a tua habitação, e por baixo de ti estende os braços eternos. Uma inspirada e elevada descrição de Deus, repetida por milhões de vezes em sermões e lições, uma das declarações mais brilhantes e de maior efeito do livro todo de Deuteronômio.

O poeta descreveu Deus como um Pai que gentilmente ampara com o seu braço um filho, a fim de protegê-lo e confortá-lo. Qualquer pai ou mãe sabe o que significa essa declaração. Nesse ato manifesta-se o amor paternal, mediante consolo e proteção. Essas palavras serviram de inspiração a um de nossos hinos mais eloquentes:

Que comunhão, que alegria divina!
Amparado pelos braços eternos;
Que bênção e que paz me pertencem!
Amparado pelos braços eternos.
...
O que eu tiver de temer, ou de recear,
Amparado pelos braços eternos;
Tenho bendita paz, com meu Senhor tão perto,
Amparado pelos braços eternos.

E. A. Hoffman

Em 1949, em uma estação de trens em Salt Lake City, quando eu me despedia de meu irmão que partia para a Escola Bíblica, podíamos ouvir, a pouca distância, a voz de jovens que cantavam de modo tão suave e belo: "Que comunhão, que alegria divina! Amparado pelos braços eternos". Meu irmão foi perguntar a alguns circunstantes quem eram aqueles jovens que cantavam, e foi informado que eram alguns missionários mórmons que estavam partindo para o estrangeiro. Junto com eles estavam os seus familiares, com suas lágrimas e ansiedades; e todos sentiam que estavam amparados pelos braços eternos.

Por muitas vezes, desde então, tenho relembrado aquela cena, embora tudo tenha acontecido há mais de quarenta anos. E por várias vezes, enquanto dirijo o meu automóvel, lembro-me da cena e começo a entoar: "Que comunhão, que alegria divina! Amparado pelos braços eternos".

Os *adversários* daqueles que seriam assim amparados sem dúvida haveriam de falhar em seu intento. O poder divino haveria de fazê-los avançar, pois nenhum mal poderia sobrevir a Israel. A terra de Canaã fora aberta pelo poder de Deus, e todos os obstáculos desvaneceram. Oh, Senhor, concede-nos tal graça!

■ 33.28

וַיִּשְׁכֹּן יִשְׂרָאֵל בֶּטַח בָּדָד עֵין יַעֲקֹב אֶל־אֶרֶץ דָּגָן
וְתִירוֹשׁ אַף־שָׁמָיו יַעַרְפוּ טָל׃

Israel, pois, habitará seguro. Uma vez que os hebreus conquistassem a Terra Prometida, sob a proteção dos braços amparadores de Yahweh, Israel descansaria em segurança, à beira das fontes de Jacó; a fertilidade do solo lhes garantiria colheitas abundantes; chuvas na proporção certa desceriam para regar o solo; o orvalho umedeceria a terra e a vinha fluiria como flui o rio Amazonas, satisfazendo a um povo feliz.

"A segurança de uma nação não jaz em seus recursos naturais, e, sim, em suas forças espirituais, no reconhecimento de que as suas vantagens materiais são dádivas de Deus. Sem a fé, a mais rica das nações será sempre vulnerável; dotada de fé, qualquer nação, em última análise, será invencível" (Henry H. Shires, *in loc.*).

O Israel espiritual, pois, habita no Deus eterno, sua mansão segura e sua alegria perene.

■ 33.29

אַשְׁרֶיךָ יִשְׂרָאֵל מִי כָמוֹךָ עַם נוֹשַׁע בַּיהוָה מָגֵן
עֶזְרֶךָ וַאֲשֶׁר־חֶרֶב גַּאֲוָתֶךָ וְיִכָּחֲשׁוּ אֹיְבֶיךָ לָךְ וְאַתָּה
עַל־בָּמוֹתֵימוֹ תִדְרֹךְ׃ ס

Feliz és tu, ó Israel! O caráter distinto da nação de Israel fazia dela um povo *feliz*, porquanto a felicidade pode ser definida como possuir a lei e obedecer a ela. Ver as notas expositivas em Dt 4.5 ss. e 28.1 quanto a esse caráter distinto de Israel e as razões para tanto. Israel era um povo salvo, que fora libertado da servidão aos egípcios (um tema repetido por vinte vezes neste livro; ver as notas sobre Dt 4.20). Ademais, os israelitas tinham sido libertados do paganismo e de suas práticas idólatras. Todavia, não está aqui em pauta a *vida eterna*, mesmo porque essa doutrina só começou a ser mencionada, dentro da fé dos hebreus, bem mais tarde. Os intérpretes judeus posteriores e os cristãos, como é óbvio, chegaram a dar esse sentido a este texto, mas isso constitui um *anacronismo*. Yahweh, com a sua espada de guerra e o seu escudo protetor, fez e preservou o povo salvo na Terra Prometida. Os inimigos seriam humilhados e teriam de aproximar-se proferindo louvores falsos, se quisessem achar favor. Os *lugares altos* (ver a respeito no *Dicionário*), ou seja, os santuários idólatras nas colinas e nos bosques ali plantados, seriam derrubados pelos filhos de Israel, os quais haveriam de obliterar a idolatria.

Os seus altos. Alguns estudiosos pensam que os "altos" referidos neste versículo apontam para as fortificações dos povos cananeus que seriam destruídas pelas forças superiores de Israel. Ver as notas sobre Dt 32.13, quanto a isso. Mas os Targuns aceitam metaforicamente essa cláusula, e pensam que os lugares altos seriam os pescoços dos reis cananeus derrotados. Ver Js 10.24. De modo geral, este versículo fala sobre a *invencibilidade* do povo de Israel.

A ideia é que os inimigos do conquistador se apressariam a se lançar aos pés de Israel, afirmando sempre terem sido seus amigos. Ver 2Sm 19.18.

CAPÍTULO TRINTA E QUATRO

MORTE E SEPULTAMENTO DE MOISÉS (34.1-12)

"Este capítulo reinicia a história desde o fim do livro de Números, depois do discurso deuteronômico de Moisés ao povo de Israel. Estão envolvidas aqui duas tradições acerca do lugar onde Moisés teria morrido: o *monte Nebo*, na Transjordânia, a leste da cidade de Jericó; e o *monte Pisga*, um pico que existe na mesma serra montanhosa, ligeiramente para oeste. Daquela grande altura, Moisés olhou para o norte, na direção do mar da Galileia (área que ficou com as tribos de Dã e Naftali); para o ocidente, na direção do mar Grande (ou Mediterrâneo); para o sul, na direção do Neguebe (deserto sul de Judá); e na direção do vale do rio Jordão, até Zoar (localizada no extremo sul do mar Morto; ver Gn 14.2). Yahweh sepultou secretamente o corpo de Moisés. Cf. Nm 27.18-23. Quanto ao parecer de que Moisés foi o maior de todos os profetas de Israel, cf. Dt 18.15-22; Nm 12.6-8; Os 12.13" (*Oxford Annotated Bible*, em comentário que cobre todas as ideias constantes neste capítulo).

É provável que essa conclusão, que sem dúvida não foi escrita por Moisés, tenha sido extraída da edição editorada do livro, feita por algum sacerdote. Os críticos identificam essa autoria com *J.* e *E.* Ver no *Dicionário* o verbete intitulado *J.E.D.P.(S.)*, quanto à teoria das fontes informativas múltiplas do Pentateuco. O editor do livro de Deuteronômio, presumivelmente, tomou essa fonte informativa e a adaptou, a fim de formar o seu livro. Alguns críticos veem nesta conclusão alguns toques da fonte informativa *P*, conforme se vê em Dt 34.1a, 5b e os vss. 7-9.

■ 34.1

וַיַּעַל מֹשֶׁה מֵעַרְבֹת מוֹאָב אֶל־הַר נְבוֹ רֹאשׁ הַפִּסְגָּה
אֲשֶׁר עַל־פְּנֵי יְרֵחוֹ וַיַּרְאֵהוּ יְהוָה אֶת־כָּל־הָאָרֶץ
אֶת־הַגִּלְעָד עַד־דָּן׃

Então subiu Moisés das campinas de Moabe. Era nessa planície que o povo de Israel estava acampado, preparado para invadir a terra de Canaã. A narrativa, abandonada no fim do livro de Números, reinicia-se aqui, uma vez terminados os discursos deuteronômicos (que constituem essencialmente o livro) de Moisés. Ver Nm 36.13, último versículo do livro de Números, onde lemos que o povo de Israel estava nas campinas de Moabe. Isso posto, Moisés deixou o acampamento e partiu na direção do monte (Nebo ou Pisga), que dava de frente para a cidade de Jericó. Todos os nomes próprios que aparecem neste versículo são anotados no *Dicionário*. É óbvio que os dois montes ou picos mencionados não são um só; mas os intérpretes, a fim de evitar a ideia de discrepância, ou a fim de evitar afirmar que o editor incluiu duas tradições diversas em seu livro, deram a entender que Pisga deve ter sido um pico da serra que se estendia desde o monte Nebo, de tal modo que o local podia ser chamado Nebo ou Pisga.

Fosse como fosse, daquele elevado pico, Yahweh mostrou a Moisés toda a Terra Prometida, apontando-lhe trechos, em diversas direções. Alguns estudiosos, procurando envolver a Terra Prometida *inteira* nessa contemplação feita por Moisés, supõem que ele tenha tido uma *visão sobrenatural*, havendo observado, literalmente, *tudo*. Mas essa é uma interpretação tão exageradamente literal que chega a ser desonesta.

A narrativa começa dizendo que Moisés olhou na direção leste, para então, acompanhando um movimento anti-horário, mencionar áreas em cada uma das outras direções do compasso, ou seja, norte, oeste e sul.

Quem Teria Sido o Autor da Conclusão do Livro? As tradições judaicas apontam para nomes como Josué, os setenta anciãos ou Esdras. Mas é inútil toda tentativa que fizermos para determinar quem teria sido esse autor. Algum editor que desconhecemos fez essa adição, ou, conforme alguns dizem, esse editor foi o mesmo que compilou o livro inteiro, incorporando materiais escritos deixados por Moisés.

O hino em inglês, *Sweet Hour of Prayer*, contém um verso baseado nas circunstâncias deste versículo, cuja tradução reproduzimos aqui:

Doce hora de oração, doce hora de oração,
Que eu possa compartilhar de teu consolo,
Até que da grande altura do monte Pisga,
Eu veja meu lar e alce voo.
Deixarei esta capa de carne, e me elevarei,
Para apossar-me de meu
eterno galardão.

W. W. Walford

■ 34.2

וְאֵת כָּל־נַפְתָּלִי וְאֶת־אֶרֶץ אֶפְרַיִם וּמְנַשֶּׁה וְאֵת
כָּל־אֶרֶץ יְהוּדָה עַד הַיָּם הָאַחֲרוֹן׃

Todos os nomes próprios que figuram neste versículo são comentados no *Dicionário*. Moisés começou a ver a Terra Prometida olhando para o leste, e então, seguindo o movimento anti-horário, foi contemplando aquelas partes da Terra Prometida que ficavam nas direções gerais norte, oeste, sul, na ordem dos territórios mencionados, isto é, Naftali, Manassés e Judá.

Até ao mar ocidental. Temos aí o mar Mediterrâneo. Ver no *Dicionário* o artigo chamado *Grande mar*. A partir de onde Moisés se achava, esse mar ficava nas direções noroeste, oeste e sudoeste da Terra Prometida. Moisés não poderia ter visto o Mediterrâneo se estivesse no monte Nebo; mas o autor não se incomodou com esse detalhe. No entanto, é inútil falar em visão *sobrenatural* nessa oportunidade.

■ 34.3

וְאֶת־הַנֶּגֶב וְאֶת־הַכִּכָּר בִּקְעַת יְרֵחוֹ עִיר הַתְּמָרִים
עַד־צֹעַר׃

Ao olhar na direção sul, Moisés poderia ter visto as cidades de Jericó e Zoar, nomes locativos que aparecem no *Dicionário*. Ver Gn 14.2; 19.22,23. Zoar, muito provavelmente, ficava localizada na extremidade sul do mar Morto, em um trecho atualmente coberto pela água. Das cinco cidades da planície, Zoar era a que ficava mais ao sul, conforme lemos em Gn 14.2. O "Neguebe" é a mesma coisa que dizer "sul". Ver no *Dicionário* o verbete intitulado *Neguebe*. Este era o deserto que ocupava a porção sul do território de Judá.

Cidade das palmeiras. Temos aí uma marca distinta de Jericó, confirmada por Plínio (*Hist. Natural* 1.5, cap. 14) e por Diodoro Sículo (*Biblioteca* 1.2, par. 132). Estrabão ajuntou a isso que Jericó ficava situada em uma planície circundada por montes, e nela havia muitas palmeiras (*Geografia*, 1.16, par. 525). Ver no *Dicionário* o artigo chamado *Palmeira*. Era dessa árvore que se extraíam o bálsamo e outros produtos de valor (ver *Josefo, Guerras dos Judeus*, I.1, cap. 18, sec. 5).

■ 34.4

וַיֹּאמֶר יְהוָה אֵלָיו זֹאת הָאָרֶץ אֲשֶׁר נִשְׁבַּעְתִּי
לְאַבְרָהָם לְיִצְחָק וּלְיַעֲקֹב לֵאמֹר לְזַרְעֲךָ אֶתְּנֶנָּה
הֶרְאִיתִיךָ בְעֵינֶיךָ וְשָׁמָּה לֹא תַעֲבֹר׃

Esta é a terra. Em outras palavras, toda a Palestina, o território que Yahweh havia prometido dar a Abraão e aos demais patriarcas, Isaque e Jacó, e que agora era entregue aos descendentes deles. Essa era uma das provisões do *Pacto Abraâmico* (ver notas em Gn 15.18).

Moisés Pôde Contemplar a Terra, Mas Não Pôde Entrar Nela. Isso por ser ele o símbolo da lei, ao passo que Josué, que liderou os hebreus na invasão da Terra Prometida, foi símbolo de Jesus e do sistema da graça-fé, do Novo Testamento. Quanto às *razões* pelas quais Moisés não teve permissão de entrar na Terra Prometida, ver as notas detalhadas em Nm 20.12; Dt 1.37; 3.23,26 e 4.21. Essas notas oferecem os tipos envolvidos. Ver a terra foi uma espécie de consolação para um perdedor.

A Terra Prometida havia sido assegurada a Abraão (Gn 15.18), a Isaque (Gn 26.3), a Jacó (Gn 28.13) e, daí por diante, ao povo hebreu.

■ 34.5

וַיָּמָת שָׁם מֹשֶׁה עֶבֶד־יְהוָה בְּאֶרֶץ מוֹאָב עַל־פִּי יְהוָה׃

Assim morreu ali Moisés. Por ocasião de sua morte, Moisés estava com 120 anos de idade. Ver Dt 31.2 e 34.7. ele passou por três períodos distintos de quarenta anos cada: missão especial: quarenta anos no Egito; quarenta anos no interior do deserto, em Midiã; e quarenta anos em perambulações pelo deserto, junto com o povo de Israel. Ver no *Dicionário* os verbetes chamados *Quarenta* e *Número (Numeral, Numerologia)*. Neste último artigo, damos os sentidos dos números que aparecem na Bíblia, especificamente o número quarenta. Ver também os artigos *Morte* e *Mortos, Estado dos*. O texto à nossa frente nada diz sobre a vida além-túmulo, pois esta foi uma doutrina que só começou a fazer parte da fé dos hebreus nos dias dos Salmos e dos Profetas, mas esperou até o período intertestamentário, ou seja, o período de quatrocentos anos entre o Antigo e o Novo Testamentos nos livros apócrifos e pseudepígrafos.

Teólogos judeus posteriores, pois, devem ter injetado essa crença no texto que ora examinamos, e alguns deles chegaram a conferir a Moisés uma ascensão ou arrebatamento (como sucedeu a Elias), contra a clara afirmativa de que Moisés *morreu*.

Mas sabemos que Moisés estava sendo *amparado pelos braços eternos* (ver Dt 33.27), e agora Moisés é um espírito desincorporado, que continua vivo.

Segundo a palavra do Senhor. Ou seja, em harmonia com a predição divina, que não havia sido dita muito tempo antes (ver Dt 31.2). Essa declaração também pode significar que a morte de Moisés não ocorreu por motivo de idade avançada, enfermidade ou acidente, e, sim, de acordo com a palavra que fora dita pelo Senhor, fazendo com que a alma de Moisés saísse de seu corpo e deixasse o corpo físico a fim de ser sepultado. Seja como for, o fato é que a morte de Moisés ocorreu de acordo com a vontade de Deus, sendo que o momento, o lugar e as circunstâncias haviam sido todos determinados por Deus.

■ 34.6

וַיִּקְבֹּר אֹתוֹ בַגַּיְ בְּאֶרֶץ מוֹאָב מוּל בֵּית פְּעוֹר
וְלֹא־יָדַע אִישׁ אֶת־קְבֻרָתוֹ עַד הַיּוֹם הַזֶּה׃

Este o sepultou num vale. A frase também tem sido traduzida na voz passiva: "Este foi sepultado em um vale". As tradições judaicas indicam que *Yahweh* se fez presente ao sepultamento de Moisés. O trecho de Jd 9 pode significar que foi o arcanjo *Miguel* que sepultou o corpo de Moisés. Esse versículo representa um empréstimo feito da tradição dos livros pseudepígrafos. Dou completas informações sobre essa questão no *Novo Testamento Interpretado, in loc*.

O autor sacro fornece-nos o local *aproximado* do sepultamento de Moisés, em algum ponto do território de Moabe, no vale defronte de Bete-Peor (ver a respeito no *Dicionário*). Foi ali que os israelitas acamparam, quando Moisés lhes deu as instruções e as bênçãos que ficaram registradas nos capítulos 5 a 22 de Deuteronômio. Ver especificamente Dt 3.29 e 4.46.

Moisés viveu uma vida especial, e foi-lhe conferido um sepultamento especial. E podemos ter certeza de que ele ocupa um lugar especial no céu.

■ 34.7

וּמֹשֶׁה בֶּן־מֵאָה וְעֶשְׂרִים שָׁנָה בְּמֹתוֹ לֹא־כָהֲתָה עֵינוֹ
וְלֹא־נָס לֵחֹה׃

Tinha Moisés a idade de cento e vinte anos. Este versículo reitera a informação que já nos havia sido dada em Dt 31.2. Moisés morreu com 120 anos de idade. Ver minhas notas, no quinto versículo deste capítulo, quanto aos três ciclos de *quarenta anos* da vida de Moisés. Embora estivesse com tão avançada idade, Moisés não morreu devido aos efeitos de um corpo físico desgastado; nem morreu por motivo de enfermidade. De alguma forma, a sua juventude foi preservada até o fim, *comparativamente falando*. Ver Dt 31.2 e suas notas expositivas quanto ao fato de que Moisés estava "sentindo a sua idade", não sendo mais capaz de fazer o que sempre havia feito. Não obstante, ele se encontrava em um notável estado de saúde.

Nem se lhe abateu o vigor. No hebraico, a palavra traduzida aqui por "vigor" aparece somente neste versículo, embora termos cognatos, em outros trechos, possam ser traduzidos por "frescor", "umidade" etc., sempre usados acerca de madeiras ou de árvores. Ver Gn 30.37; Nm 6.3; Ez 17.24. Essa palavra também é usada para indicar cordas verdes, ou seja, não-ressecadas, conforme se vê no caso da corda com que Sansão foi amarrado (ver Jz 16.7,8). Até mesmo a visão deficiente, que aflige a maioria das pessoas de idade avançada, não constituía problema para Moisés, até o fim de sua vida, um detalhe que nos assegura suas boas condições gerais de saúde.

Por conseguinte, ocorreu com Moisés aquilo que foi dito como uma bênção especial: "... como os teus dias, durará a tua paz" (Dt 33.25).

■ 34.8

וַיִּבְכּוּ בְנֵי יִשְׂרָאֵל אֶת־מֹשֶׁה בְּעַרְבֹת מוֹאָב שְׁלֹשִׁים יוֹם וַיִּתְּמוּ יְמֵי בְכִי אֵבֶל מֹשֶׁה׃

Prantearam a Moisés por trinta dias. Seguiu-se um período de luto e de lamentações por Moisés, durante trinta dias, do qual participou todo o povo de Israel. Ver no *Dicionário* o verbete intitulado *Sepultamento, Costumes de*. O período de trinta dias de lamentações por um morto estava de acordo com os costumes da época. Ver Gn 50.10 e Nm 20.29. Moisés tinha morrido e desaparecido. Ao que tudo indicava, ele havia "terminado". E no entanto, séculos mais tarde, ele foi capaz de aparecer, juntamente com Elias, por ocasião da transfiguração do Senhor Jesus (Mt 17.1-3). Achamos nesse fato o triunfo do espírito. Ver no *Dicionário* o artigo chamado *Alma*; e, na *Enciclopédia de Bíblia, Teologia e Filosofia,* a seção chamada *Imortalidade* (vários artigos).

As tradições judaicas procuram ornamentar a narrativa, dizendo-nos que esse período começou no mês de nisã (equivalente ao nosso mês de março), ao oitavo dia; no nono dia, eles prepararam o seu equipamento para começar a marcha; no décimo dia eles atravessaram o rio Jordão; e no décimo sexto dia o maná deixou de cair, e assim o povo de Israel entrou em uma nova fase de sua existência. Detalhes como esses podem ser interessantes, mas não têm nenhum valor histórico.

■ 34.9

וִיהוֹשֻׁעַ בִּן־נוּן מָלֵא רוּחַ חָכְמָה כִּי־סָמַךְ מֹשֶׁה אֶת־יָדָיו עָלָיו וַיִּשְׁמְעוּ אֵלָיו בְּנֵי־יִשְׂרָאֵל וַיַּעֲשׂוּ כַּאֲשֶׁר צִוָּה יְהוָה אֶת־מֹשֶׁה׃

Josué, filho de Num. O novo líder haveria de levar Israel até o interior da Terra Prometida. Josué (ver a respeito no *Dicionário*) era um tipo de Cristo. ele tinha sido preparado e ordenado para a sua missão, mediante a imposição de mãos. Israel tornou-se responsabilidade de Josué, tal como tinha sido responsabilidade de Moisés, espírito de sabedoria. Ver Êx 28.3; Is 11.2; Ef 1.17 quanto ao dom da sabedoria, que confere ao indivíduo uma mente e um espírito dotados de capacidade, vivacidade e espiritualidade. Ver no *Dicionário* o verbete intitulado *Sabedoria*. Trata-se de mais do que acúmulo de conhecimentos. Antes, envolve discernimento e familiaridade no uso do conhecimento, ocasionalmente indo além de qualquer fundo de ciência, por meio da ajuda divina direta. Josué tornou-se um líder carismático, tal como Moisés o havia sido. Quanto à ordenação de Josué, ver Nm 27.18-23. Ver Js 1.16-18 quanto à autoridade que Josué passou a exercer sobre a nação de Israel.

■ 34.10

וְלֹא־קָם נָבִיא עוֹד בְּיִשְׂרָאֵל כְּמֹשֶׁה אֲשֶׁר יְדָעוֹ יְהוָה פָּנִים אֶל־פָּנִים׃

Nunca mais se levantou em Israel profeta algum como Moisés. Os versículos finais do livro de Deuteronômio (vss. 10-12) apresentam a avaliação do autor quanto à vida e à missão de Moisés. No tocante à envergadura espiritual, nenhum outro profeta de Israel chegou a comparar-se a Moisés como líder carismático. Quanto a Moisés como o maior dos profetas de Israel, cf. Dt 18.15-22 e Nm 12.6-8. Ver também Dt 11.24-30 e Os 12.13. A tradição judaica tem confirmado sempre essa avaliação.

Parte da grandeza de Moisés, e, na verdade, o fundamento dessa grandeza, estava no fato de que ele conhecia Yahweh *face a face*, e não meramente através de sonhos, visões e visitas angelicais, embora, sem dúvida, também tivesse participado dessas coisas. Ver Nm 12.6-8 quanto a como os poderes de Moisés ultrapassavam os poderes de todos os demais profetas, que dependiam de sonhos ou visões. Com Moisés, Yahweh falava *boca a boca*, ou seja, em diálogo íntimo. Ver no *Dicionário* o artigo intitulado *Misticismo*. Ver também Êx 33.11. O trecho de Êx 33.23 registra que Moisés teve a permissão de ver Yahweh pelas costas. Isso significa que ele contemplou o Senhor de uma maneira que ninguém, antes ou depois, chegou a fazer. Naturalmente, a linguagem aí é antropológica, pois Deus é espírito (ver Jo 4.24).

De conformidade com as tradições judaicas, somente o Messias viria a ser maior do que Moisés (*Tanchuma in Yalkut*, acerca de Is 52.13). Maimônides listou as qualidades especiais de Moisés, em confronto com outros profetas (*Hilchot Teshuvah*, cap. 9, sec. 2), demorando-se principalmente sobre a qualidade superior de suas experiências místicas com Yahweh.

■ 34.11

לְכָל־הָאֹתֹת וְהַמּוֹפְתִים אֲשֶׁר שְׁלָחוֹ יְהוָה לַעֲשׂוֹת בְּאֶרֶץ מִצְרָיִם לְפַרְעֹה וּלְכָל־עֲבָדָיו וּלְכָל־אַרְצוֹ׃

No tocante a todos os sinais e maravilhas. A começar pelos prodígios realizados no Egito, ou seja, as Dez Pragas. Ver o gráfico ilustrativo a esse respeito, nas notas sobre Êx 7.14. Ver também, no *Dicionário*, o artigo intitulado *Pragas do Egito*. Em seguida, Moisés operou vários prodígios durante as perambulações pelo deserto, como quando bateu na rocha e a água esguichou (ver Êx 17.6). Ben Israel atribuiu 76 milagres a Moisés, mas somente 74 a todos os outros profetas combinados. Ver Maimônides (*Yesode Hatorah*, secs. 6-9).

"Moisés introduziu uma nova era na história do povo de Deus, a era da lei. Os israelitas ficaram esperando que Deus levantasse outro profeta, semelhante a Moisés (Dt 18.15). Desse modo, o livro termina com uma nota profética" (Jack S. Deere, *in loc.*).

"Moisés foi mais do que um profeta. ele foi o porta-voz de Deus, embora também tivesse sido o grande líder carismático dos israelitas, em tudo quanto foi feito por esse povo. Por conseguinte, ele combinou em si mesmo todos os ofícios de profeta, sacerdote, governante e juiz que houve em Israel. Contudo, o mais importante de todos os papéis que ele desempenhou foi o de intérprete da vontade e dos propósitos de Deus. Nesse sentido, foi a maior de todas as figuras de Israel, alguém que, mui provavelmente, serviu de inspiração e modelo do Servo Sofredor do segundo Isaías" (G. Ernest Wright, *in loc.*).

■ 34.12

וּלְכֹל הַיָּד הַחֲזָקָה וּלְכֹל הַמּוֹרָא הַגָּדוֹל אֲשֶׁר עָשָׂה מֹשֶׁה לְעֵינֵי כָּל־יִשְׂרָאֵל׃

Todas as obras de sua poderosa mão. Moisés estendeu sua mão, e o mar dividiu-se em dois. Tornou a estender a mão, e o mar uniu-se de novo. Ver Êx 14.21 ss. ele ergueu a mão, com seu cajado, e as pragas do Egito foram ocorrendo. sua presença lança um *terror* entre os egípcios, e, quando ele recebeu os mandamentos da lei, isso foi acompanhado por manifestações assustadoras. Ver Êx 19.16; 20.18-20. Tais coisas serviram de vívidas ilustrações do poder espiritual de Moisés, de seu favor diante de Yahweh e de sua grandeza. Ver Sl 78.12,49-51; 115.3.

"O livro de Deuteronômio termina com uma apropriada avaliação do homem a quem esse livro atribui tantas coisas. O discernimento espiritual de Moisés era mais profundo, conforme somos informados, e o seu conhecimento de Deus era maior do que o de todos aqueles que vieram depois dele (vs. 10). Essas palavras foram uma declaração restringida e sóbria, cuja verdade se torna ainda mais evidente para nós, de uma perspectiva de três mil anos mais tarde. A grandeza de Moisés não jazia somente em seu nobre caráter, mas igualmente em suas estonteantes realizações humanas. ele, e não Abraão ou Jacó, foi aquele que fez de sua gente uma nação... Deus usou-o, conforme nunca mais usaria a ninguém, até os dias de Jesus, especialmente como um instrumento da revelação" (Henry H. Shires, *in loc.*).

Assim sendo, a história de Moisés foi uma *história bem-sucedida*, preservada para que todos a considerassem, através dos séculos.

Sucesso. "Obteve sucesso quem viveu bem, quem riu com frequência e quem amou muito; quem obteve o respeito de homens inteligentes e o amor das criancinhas; quem preencheu o seu lugar e realizou a sua tarefa, quer se trate de uma papoula aprimorada, quer de um perfeito poema, ou quer de uma alma liberta; a quem nunca faltou apreciação pelas belezas terrenas, e quem não deixou de expressá-la; quem buscou o melhor que há nos outros, quem deu o melhor que possuía; aquele cuja vida foi uma inspiração e cuja memória é uma bênção" (Robert Louis Stevenson).

Ó Capitão, meu Capitão, nossa temível viagem terminou,
O navio atravessou cada escolho,
O prêmio que buscávamos foi conquistado,
O porto está próximo, já ouço os sinos.
E todo o povo exulta.
                                    Walt Whitman

JOSUÉ

O Livro que Descreve a Conquista da Terra

> *Não to mandei eu? Sê forte e corajoso; não temas, nem te espantes, porque o Senhor teu Deus é contigo por onde quer que andares.*
>
> Josué 1.9

24	Capítulos
658	Versículos

INTRODUÇÃO

Ver o artigo separado sobre *Josué (Pessoa)*, onde se discute o sentido do nome pessoal Josué.

ESBOÇO

   I. Caracterização Geral
   II. Pano de Fundo Histórico
   III. Autoria e Data
   IV. Destino e Propósito
   V. Canonicidade; Texto; Traduções
   VI. Problemas Especiais
   VII. Problemas Arqueológicos
   VIII. Teologia Distintiva do Livro
   IX. Tipologia
   X. Esboço do Conteúdo
   XI. Bibliografia

I. CARACTERIZAÇÃO GERAL

Josué é um dos livros históricos do Antigo Testamento, incluído entre *os Profetas Anteriores*, dentro do cânon hebreu. Outras vezes, é agrupado juntamente com os primeiros cinco livros da Bíblia, o Pentateuco, formando então o *Hexateuco*. Muitos eruditos creem que esses seis livros formam uma unidade, por estarem alicerçados sobre fontes comuns de informação. O livro de Josué contém a narração da invasão da Terra Prometida pelo povo de Israel, com o resultado de que a maior parte da Palestina foi conquistada e colonizada pelas doze tribos de Israel. Os caps. 1—12 de Josué contam a invasão; os caps. 13—21 relatam a divisão da terra entre as doze tribos; e os caps. 22—24 nos dão os atos e discursos finais de Josué.

Josué foi o sucessor de Moisés. As tradições judaicas dão-nos como o autor do livro que tem seu nome (*Baba Bathra* 14v). Muitos eruditos, porém, supõem que narrativas anteriores tenham sido entremeadas, formando uma obra composta, mediante o trabalho de um ou mais editores posteriores. Em sua forma atual, muitos acreditam ser um produto essencial da escola deuteronômica de historiadores, também chamada fonte informativa *D*. Material tradicional mais antigo, proveniente das fontes *J* e *E*, também teria sido entretecido na narrativa. Ver no *Dicionário* o artigo sobre *J.E.D.P.(S)* quanto a uma completa discussão sobre essas supostas fontes informativas. Cada uma das fontes também é examinada separadamente, sob cada uma dessas quatro letras.

A posição padrão acerca da conquista da Terra Prometida é que ela foi executada por Israel como nação unificada, e não pelo esforço de tribos separadas, em diferentes épocas. Além disso, a conquista é considerada como tendo sido um sucesso imediato. Esse, pelo menos, é o quadro apresentado pelo livro de Josué, não havendo fatores históricos contrários a essa opinião geral. Um grande número de descobertas arqueológicas confirma a exatidão geral do livro de Josué. Naturalmente, os capítulos 15—17 de Josué, como também o trecho de Juízes 1—2, exibem falhas, algumas das quais só foram corrigidas com a passagem dos séculos, enquanto outras só puderam ser remediadas plenamente nos dias de Davi e Salomão. Estamos falando de falhas na conquista da Terra Prometida, e não no relato histórico dos livros de Josué e Juízes.

A autoria do livro, sem importar se de Josué ou de alguma outra pessoa, que teria agido como historiador, é essencialmente a autoria de um único escritor. Não obstante, à semelhança de qualquer historiador, ele contou com várias fontes históricas. Talvez as teorias envolvidas no conceito do *J. E. D. P. (S)* (ver a respeito no *Dicionário*) consigam explicar a questão de modo genuíno. Seja como for, Josué pertence ao grandioso corpo de literatura judaica que inclui livros como Deuteronômio, Josué, Juízes, 1 e 2Samuel, e 1 e 2Reis. Essa coletânea narra a história do povo de Israel desde Moisés até a queda de Jerusalém, em 587 a.C. O escritor escreveu do ponto de vista do código deuteronômico (ver Dt 4.44–30.20), o qual incorporou corajosamente logo no início de seu livro. Juntamente com a narrativa, pois, ele teria incorporado a ideia de *D*, que mostra que as vitórias e a prosperidade de Israel sempre dependeram da obediência espiritual às exigências da lei divina. Esse conceito dominou o judaísmo desde então. Em consequência, a história da conquista da terra tornou-se uma espécie de alegoria sobre como um homem espiritual, ou uma nação espiritual, pode realizar grandes coisas e cumprir significativo destino, uma vez que as condições espirituais para tanto sejam observadas.

Alguns datam o livro na época do próprio Josué, cerca de 1440 a.C. Outros, porém, pensam que o livro só foi escrito após o cativeiro babilônico. Os estudiosos liberais parecem sempre preferir uma data mais recente. Todavia, podemos admitir que o livro recebeu alguma contribuição editorial, após o retorno do exílio babilônico. Ver uma completa discussão sobre o problema da data do livro, na terceira seção deste artigo.

Uso Proposto de Fontes Informativas:

1. *D*. Temos aí o uso de matéria já existente, oral e/ou escrita. A história geral de Josué, além do propósito teológico de ilustrar como um homem (ou uma nação) espiritual pode obter sucesso, é questão bem destacada.

2. Nos caps. 13—21 de Josué, o historiador *D* continua a empregar várias listas que relacionavam as fronteiras das tribos, tendo descrito, de modo generalizado, como se deu a distribuição de terras. Essas listas não pertenciam às novas divisões políticas e gerenciais criadas por Salomão, conforme alguns estudiosos têm erroneamente pensado (ver 1Rs 4.7-19). Todavia, há quem acredite que a questão das cidades de refúgio e das cidades dos levitas, nos capítulos 20 e 21, refletem uma época posterior, talvez tão tarde quanto o século X a.C.

3. Outros estudiosos supõem que os itens pertencentes às fontes informativas *J* e *E* tenham sido entretecidos nos primeiros doze capítulos do livro. Nesse caso, os editores posteriores de *J* e *E* talvez tenham reescrito certas porções do livro. Essa teoria, contudo, não conta com grande acolhida por parte dos eruditos mais recentes.

4. Alguns estudiosos veem *P* nas listas das tribos e das terras que lhes foram alocadas (conforme se vê em Js 15.20-62). Porém, com igual propriedade, esse tipo de material poderia ser atribuído a *D*. Ver detalhes sobre a questão da fonte informativa *D* na seção *VI.1, Problemas Especiais*.

Embora o livro de Josué conte sua história do ponto de vista teológico, não há razão para duvidarmos da historicidade essencial de sua narrativa.

"Após longos anos de vagueação pelo deserto, finalmente foi dada permissão aos israelitas para que conquistassem a Terra Prometida. A história de Josué é a história da conquista da Palestina. Tal como quase todos os relatos sobre batalhas, não é uma história agradável. E muitos sentem — sem dúvida, com razão — que o Deus de Josué estava infinitamente distante do Deus de Jesus. Nesse livro, o Deus de Israel parece uma deidade puramente nacional, um Deus das batalhas, cujo poder se manifestaria, principalmente, no desfechamento de guerras santas" (*Introduction to Joshua*, RSV, edição comentada, Oxford).

O conceito de Deus elaborado pelos homens foi melhorando com o desdobramento gradual da revelação divina; e é fácil aos homens atribuir a Deus as suas próprias atrocidades. Isso não significa, porém, que Deus esteja ausente ou inativo, mas tão somente que é precário atribuir a ele tudo quanto fazemos, ou as maneiras pelas quais o fazemos.

II. PANO DE FUNDO HISTÓRICO

a. Os patriarcas estiveram jornadeando na terra de Canaã, durante a Idade do Bronze Média (2100 – 1550 a.C.). Abraão chegou em Siquém e Betel (Gn 12) em cerca de 2000 a.C. Desde então, os genitores da nação de Israel passaram a viver na Palestina ou no Egito.

b. Vem, então, o relato sobre *José*, que foi vendido ao Egito. Ele acabou assumindo a segunda posição de maior mando no Egito (cerca de 1991 – 1785 a.C.), durante o tempo da 12ª dinastia egípcia. Esse ponto, porém, é muito disputado pelos estudiosos. Alguns eruditos preferem pensar que José governou o Egito durante a época dos intrusos semitas, os reis hicsos. Nesse caso, o período de José foi cerca de 1750 a.C. ou mesmo mais tarde. E o rei que não conhecera a José pode ter sido o primeiro rei que se elevou ao trono do Egito, depois da expulsão dos hicsos (Êx 1.8), não pertencendo à raça semita. Quanto a maiores informações sobre essas conjecturas, ver o artigo sobre *José*, seção IV, *Cronologia*. Se a data posterior para a carreira de José estava correta, então ele deve ter falecido em cerca de 1570 a.C.

c. *O Cativeiro de Israel no Egito*. Os descendentes de Jacó, pois, após José, foram escravizados no Egito, visto que, então, José tornou-se um fator desconhecido ali. O cativeiro no Egito parece ter durado entre 200 e 300 anos.

d. *O Êxodo*. A data desse grande evento também é intensamente debatida pelos intépretes. Alguns pensam que ele ocorreu em cerca de 1445 a.C., ou seja, cerca de 500 anos antes de Salomão ter erigido o templo de Jerusalém. Mas há quem pense que o êxodo ocorreu na 19ª dinastia egípcia (135 – 1200 a.C.). Ver no *Dicionário* os artigos sobre *Cronologia* e *Êxodo*. Seja como for, Moisés foi levantado pelo Senhor, com o proposto de pôr fim ao cativeiro de Israel no Egito.

e. Vieram, então, os *quarenta anos de vagueação de Israel* pelo deserto, que atuaram como uma espécie de resfriamento e período de planejamento, um tempo de preparação para a conquista da Terra Prometida. Em parte, foi uma espécie de retorno à pátria, uma renovação dos antigos modos de viver. Parece que, a essa altura dos acontecimentos, as doze tribos de Israel já estavam bem formadas, podendo ser distinguidas claramente uma das outras, e assim elas entraram na Terra Prometida. Josué e seus exércitos encontraram o país dividido em muitas pequenas cidades-estados, sempre se hostilizando mutuamente, mas unindo-se quando tinham de combater contra algum intruso comum. As cartas de *Tell el-Amarna* (ver a respeito no *Dicionário*) fornecem-nos esse tipo de quadro, em concordância com os detalhes que encontramos no livro de Josué.

f. *Josué* é livro que relata como Israel invadiu a terra de Canaã, apossou-se dela (com várias falhas, deixando que muitos nativos continuassem no território), e então dividiu o país em regiões, cada qual pertencendo a uma tribo. Quanta coisa precisou ser corrigida mais tarde, e se as conquistas consumiram um tempo mais dilatado do que aquilo que nos é dito (pois pode ter havido uma espécie de condensação das narrativas), não sabemos dizê-lo. No entanto, podemos confiar na mensagem geral que ali nos é exposta, sem nos preocuparmos muito com detalhes cronológicos.

III. AUTORIA E DATA

1. Josué como Autor

Se aceitarmos Josué como o autor do livro que leva seu nome, conforme assevera uma antiga tradição cristã, então a data atribuída ao livro pode variar entre c. de 1400 e 1200 a.C., ou um pouco mais, conforme sugerimos nas especulações sob o ponto II, que tratam do pano de fundo histórico do livro. Entretanto, quase todos os eruditos modernos acreditam que o livro, na verdade, é uma obra anônima. Nesse caso, um autor desconhecido o compilou em alguma data após a conquista da Palestina ser fato inteiramente consumado. Nesse caso, a questão seria: *Quão mais tarde* o livro de Josué foi escrito, depois da conquista de Canaã? As próprias fontes históricas, sem dúvida, são anteriores à escrita do livro, por algum tempo. A maioria dos eruditos liberais parte do pressuposto de que o livro foi escrito ou algum tempo antes, ou bem pouco tempo depois do cativeiro babilônico (586 a.C.). Estão envolvidos nesse ponto problemas como autoria e fontes, conforme se vê na teoria *J.E.D.P.(S.)* (ver a respeito no *Dicionário*), sobre o que discutimos na seção VI, *Problemas Especiais*, ponto primeiro (onde se examina a fonte informativa *D*, considerada por alguns a principal fonte informativa do livro de Josué). Alguns pensam que os capítulos 1 e 2 de Josué se apoiaram na fonte *E*; que a maior parte dos capítulos 1—12 está alicerçada em *D*; e, então, em alguns trechos desses capítulos transparecem informes derivados da fonte *S*. A fonte informativa *J*, por sua vez, seria vista em Js 5.13,14; 9.6 e 17.14-18. Adições baseadas em *D*, que não representam grande volume, são vistas em 1.1-18; 10.17-43; 11.10–12.24; 21.43–22.6 e no cap. 23. Esse tipo de análise, porém, é rejeitado por outros críticos, para nada dizermos sobre os eruditos conservadores. Também têm sido sugeridas as mais arbitrárias divisões para o livro. A teoria mais simples a que se chegou é que é inútil tentar deslindar tão grande complexidade de fontes informativas, embora a fonte *D* seja a mais pesadamente envolvida no livro. Por essa razão é que o livro de Josué tem sido chamado de "inteiramente deuteronômico" em sua natureza.

2. Um Autor Antigo Desconhecido?

Mesmo que se suponha ter sido desconhecido o autor do livro de Josué, é bastante provável que ele tenha incorporado material antiquíssimo que remontava à época do próprio Josué, ou de alguém intimamente ligado a ele. Josué ordenou que se fizesse por escrito uma descrição do território (Js 18.9). Ele poderia ter escrito pessoalmente as palavras do pacto renovado, com vários estatutos e ordenanças para o povo de Israel, no livro da lei de Deus, em Siquém (Js 24.25,26). Talvez ele também tenha escrito pessoalmente o juramento acerca de Jericó e a maldição que sobreviria a qualquer reconstrutor futuro daquela cidade. Comparar Js 6.26 com 1Rs 16.34. Além disso, devemos observar que 1Rs 16.34 diz que a maldição foi proferida pelo Senhor, "por intermédio de Josué, filho de Num". E isso pode indicar que uma forma escrita da maldição foi redigida pelo próprio Josué. Naturalmente, Josué não pode ter sido o autor final do livro. Pois Js 24.29,30 registra a sua morte, o que evidencia a atividade de algum editor ou autor posterior. O Talmude afirma que Eleazar, o sumo sacerdote, adicionou esse apêndice, e que o seu filho, Fineias, acrescentou o último versículo (Js 24.33), a fim de dar o toque final ao livro (*Baba Bathra* 14b-15).

3. As Narrativas de Testemunhas Oculares

O material mais antigo deve ter incorporado algum relato de *testemunhas oculares* diretas. O trecho de Js 5.1 diz que o Senhor bloqueou o rio Jordão "até que passamos". O pronome "nós" é empregado em Js 5.6, embora não apareça em nossa versão portuguesa, que prefere usar a terceira pessoa do plural. Alguns itens indicam condições anteriores a Davi, como o fato de que os cananeus ainda estavam na posse de Gezer (Js 16.10, cf. 1Rs 9.16). Saul massacrou muitos gibeonitas e queria destruir todos eles (2Sm 21.1-9). Nos dias de Josué, Sidom (e não Tiro) era a principal cidade fenícia, situação que só foi revertida bem mais tarde. Ver Js 11.8; 13.6 e 19.28. Os cananeus dominavam a Palestina nos dias de Josué. Mais tarde, os filisteus é que tiveram essa distinção. O território que Josué queria tomar era essencialmente cananeu (Js 13.2-4). Depois de 1200 a.C., os filisteus entraram armados na planície costeira da Palestina, conforme informam os registros egípcios de Ramsés III. Esses dados históricos mostram que há material antiquíssimo no livro de Josué, embora não nos revelem quando eles foram incorporados nem quando o livro foi publicado pelo próprio Josué ou outro autor.

4. Um Autor Sacerdotal?

O sacerdote Fineias pode ter sido o autor de certas partes do livro de Josué. Ele era filho e sucessor de Eleazar, o sumo sacerdote, e foi uma das colunas de Israel, naquele tempo (Nm 25.7-13). Ele, e não Josué, foi a figura mais proeminente na solução das disputas em torno do altar erigido pelas duas tribos e meia que preferiram residir na parte oriental do vale do Jordão (Js 22.10-34). Ou, então, algum sacerdote associado a Fineias poderia ter feito contribuições para o livro. Isso tem sido sugerido por alguns, *devido* ao interesse todo especial que se dá, no livro de Josué, às *cidades de refúgio* (ver a respeito no *Dicionário*; ver também Js 20.7, 21.13), bem como as questões atinentes às 48 cidades dos levitas (Js 21.11-13). Há uma longa lista das fronteiras e cidades de Judá (Js 15.1-63), o que pode indicar que ali ficava o território dos sacerdotes envolvidos. Outras fronteiras e terras são citadas apenas de passagem. Ver os caps. 16 e 17. Tais especulações, entretanto, são curiosas e podem refletir a verdade da questão, mas é difícil julgar tais coisas.

5. Dependência Literária

Seja como for, o autor sagrado parece ter dependido dos livros de Números e Deuteronômio quanto a algum de seu material, que

Josué pode ter utilizado, se é que, realmente, *Moisés* escreveu o Pentateuco. Porém, se temos nisso, igualmente, um produto das fontes informativas *J.E.D.P.(S.)* (ver a respeito no *Dicionário*), então teremos voltado a uma data posterior para o *Hexateuco* (ver também no *Dicionário*) inteiro. Seja como for, visto que o livro de Josué, embora traga o seu nome, não afirme quem teria sido o seu autor (pelo que é uma obra anônima), isso significa que não podemos dizer que é teste de ortodoxia alguém afirmar ou negar a autoria do livro a Josué, filho de Num. Outrossim, nem sempre a palavra *ortodoxia* é sinônimo de *veracidade*. *Tradições*, e não fatos, compõem uma boa porção daquilo que, em teologia, se tem chamado de *ortodoxia*. A isso sinto-me na obrigação de adicionar que as disputas sobre questões como essas pouco ou nada têm que ver com a espiritualidade, pois essas questões não são cruciais e em nada afetam a fé de quem quer que seja. Ao mesmo tempo, se quisermos entender as situações históricas dos livros que formam a Bíblia, é bom que as examinemos, evitando atitudes hostis para com aqueles que de nós discordem.

IV. DESTINO E PROPÓSITO

Duas características distinguiam o antigo povo de Israel: a) a preocupação com a história, b) a preocupação com o material religioso escrito, que agisse como guia nas crenças e na conduta. As palavras de Moisés (o Pentateuco) foram postas sob forma escrita desde o começo, como testemunho escrito sobre o relacionamento entre Yahweh e o povo de Israel. A esses escritos mosaicos foram adicionados os registros das vitórias de Israel na conquista da terra de Canaã, o que envolve significados tanto históricos quanto teológicos. O livro de Josué foi escrito tendo em vista a edificação moral e espiritual do povo de Israel, como parte de sua herança histórica e religiosa. As Escrituras eram lidas diante do povo, e a substância delas era explicada por sacerdotes eruditos. Provavelmente, poucas pessoas sabiam ler, e as poucas que podiam fazê-lo não tinham obras manuscritas. Os manuscritos existentes tornaram-se um dos principais tesouros da nação, sendo guardados ciosamente pelos sacerdotes. O trecho de Ne 8.9 reflete esse costume de fazer leituras bíblicas em público, o que, segundo supomos, é um costume antiquíssimo em Israel. Historicamente falando, o intuito do livro de Josué é dar continuação à história sagrada da nação de Israel. Essa história é sagrada porque, segundo a crença de Israel, o processo histórico daquele povo era controlado por forças divinas. E, naturalmente, concordamos com isso. Portanto, para Israel a história era um aspecto importante da teologia. A mensagem do livro de Deuteronômio, de que Israel seria abençoado enquanto obedecesse a Deus, mas amaldiçoado quando fosse desobediente ao Senhor, é o conceito mais central da teologia histórica do livro de Josué.

O registro sagrado tinha por finalidade instruir e inspirar o povo de Israel em sua inquirição espiritual e em sua expressão como nação escolhida pelo Senhor, a fim de que pudesse cumprir seus propósitos especiais e seu destino ímpar no mundo. Nos livros proféticos posteriores do Antigo Testamento, encontramos a exortação, dirigida a Israel, para que voltasse a aderir ao Pacto Mosaico (ver Ne 9.30; Zc 7.8-12). Portanto, o respeito pelas raízes era tido como a chave para a correta conduta. Deus é capaz de cumprir todas as suas promessas (ver Js 21.45), mas ele precisa encontrar uma reação favorável por parte de seu povo, que assim preencha as condições divinamente impostas. Deus envolve-se diretamente na história da humanidade, e até nos menores detalhes (ver no *Dicionário* sobre o *Teísmo*, em contraste com o *Deísmo*). Isso é absolutamente ilustrado no Antigo Testamento. Consideremos, só para exemplificar, o incidente em que Acã esteve envolvido. Ele cometeu um erro, e a comunidade inteira sofreu por causa desse erro (ver Js 7.1,18-20,24 e 11.1-15). A história era muito importante nos escritos sagrados dos hebreus. Mas essa história nunca foi escrita somente com finalidades históricas. As lições morais e religiosas estão sempre na base de todos os escritos históricos dos hebreus.

"O livro de Josué demonstra a fidelidade de Deus às suas promessas, a qual guiou Israel até a terra de Canaã, conforme também os tirara do Egito (Gn 15.18 e Js 1.2-6). A narrativa da conquista é altamente seletiva e abreviada. Os acontecimentos enumerados foram considerados suficientes para servir aos propósitos que os autores sagrados tinham em mente" (UN).

V. CANONICIDADE; TEXTO; TRADUÇÕES

1. Canonicidade. O livro de Josué era classificado na coletânea de livros sagrados dos hebreus como parte dos *Profetas Anteriores*. Esses informes cobrem o período histórico que vai da conquista da Terra Prometida ao exílio babilônico. É isso o que encontramos nos livros de Josué, Juízes, 1 e 2Samuel, e 1 e 2Reis. Naturalmente, a porção mais fundamental desse cânon são os cinco livros de Moisés, o *Pentateuco* (ver a respeito no *Dicionário*). Todavia, a história teológica de Israel começa no livro de Deuteronômio, mas como parte integrante do Pentateuco. Josué dá continuidade a esse relato e, pelo menos em parte, depende dele.

Alguns eruditos supõem que a fonte informativa *D* seja a mais saliente no livro de Josué e no livro de Deuteronômio, razão pela qual haveria tão íntima vinculação entre eles. Josefo falava sobre os Cinco Livros, distinguindo-os dos treze livros proféticos que vinham em seguida. O tempo atribuído por Josefo a esses treze livros era da morte de Moisés até o reinado de Artaxerxes. Ver *Contra Ápion* 1.7,8. Apesar de muitos estudiosos considerarem a suposta unidade de seis livros (o hexateuco) uma teoria inventada (porquanto nem os judeus nem os samaritanos reuniram assim esses seis livros), torna-se claro que Josué demonstra certa dependência ao livro de Deuteronômio. Ver a seção VI, *Problemas Especiais*, primeiro ponto. O livro de Josué fornece uma apropriada conclusão para o Pentateuco. As condições adversas ali relatadas, quando Israel estava cativo no Egito, são inteiramente revertidas na Terra Prometida, restaurando assim as esperanças dos tempos patriarcais. Por isso mesmo, a canonicidade do livro de Josué era comumente aceita em Israel, embora os samaritanos, e, posteriormente, os saduceus, reconhecessem somente a autoridade dos cinco livros de Moisés, o Pentateuco. Josué, porém, obteve posição sólida no cânon reconhecido pelos fariseus. E essa era a posição mais popular e aceita entre o povo de Israel. E a primitiva igreja cristã, concordando com a maneira farisaica de pensar acerca dessas questões canônicas, aceitava o cânon do Antigo Testamento inteiro (o cânon Palestino, como era chamado). Na igreja antiga também foram aceitos livros que faziam parte do cânon chamado *Alexandrino* (ver a respeito no *Dicionário*), que incluía vários dos livros apócrifos. Ver também o artigo *Livros Apócrifos*, quanto a uma discussão sobre problemas canônicos relativos a esses livros, e o verbete intitulado *Hexateuco*, quanto a pormenores, e onde também listamos as objeções levantadas contra essa teoria.

2. Texto. O texto hebraico do livro de Josué é essencialmente puro. Alguns poucos e óbvios erros escribais penetraram no texto — e foram perpetuados pelo texto massorético. Ver no *Dicionário* o artigo sobre a *Massorah*. Entre os manuscritos achados em *Qumran* (ver no *Dicionário* sobre *Khirbet Qumran*), popularmente chamados *Manuscritos do mar Morto*, havia fragmentos do livro de Josué. A Septuaginta mostra ser uma boa tradução do texto hebraico do livro de Josué, o que também é demonstrado no que concerne ao restante do Antigo Testamento. Algumas vezes, porém, a Septuaginta exibe um texto superior aos manuscritos massoréticos típicos. Tal fenômeno, porém, deve ser averiguado individualmente, visto que nenhuma declaração geral envolve todos os casos possíveis. Ver no *Dicionário* o artigo separado sobre *mar Morto, Manuscritos*.

3. Traduções. No parágrafo anterior, vimos a importância da tradução da Septuaginta, no caso do livro de Josué. A tradução da Septuaginta não difere do texto hebraico em nenhum sentido apreciável. No entanto, é fraca quanto à tradução dos nomes geográficos, pelo que os nomes hebraicos (transliterados, e não traduzidos) quase sempre são preferidos. Há versões mais longas e mais breves da Septuaginta do livro de Josué. Os escribas tendem muito mais a alongar os livros do que abreviá-los, visto que os comentários escribais aumentam o texto. As primeiras versões latinas baseavam-se quase inteiramente na Septuaginta, e não no texto hebraico. A versão de Jerônimo, porém, foi feita diretamente do hebraico. As traduções modernas dependem essencialmente do texto massorético, embora os textos críticos tenham a vantagem de contar com a evidência representada pelas versões, mormente a Septuaginta.

VI. PROBLEMAS ESPECIAIS

1. Fontes Informativas. Deve-se pensar na teoria *J.E.D.P.(S.)* (ver a respeito no *Dicionário*) e, especialmente, na relação entre *D* (ver também no *Dicionário*) e Josué. Sob as seções I e III. 4 e 5, damos as informações essenciais sobre as fontes propostas para o livro de Josué. Temos visto que, exceutuando a fonte informativa *D*, as teorias que cercam a questão são bastante incertas e até mesmo contraditórias. Que o livro de Josué é deuteronômico, é fato que se pode demonstrar até com certa facilidade.

Josué em Relação a Números e a Deuteronômio:
1. Comissão de Josué. Cf. Js 1.1-9 com Dt 31.
2. Extensão das promessas. Cf. Js 1.3,4 com Dt 11.24.
3. Informações sobre as tribos orientais. Cf. Js 1.12-15 com Nm 32 e Dt 3.18 ss.
4. Ebal. Cf. Js 8.30-35 com Dt 27.
5. Conquistas na Transjordânia. Cf. Js 12.1-6 com Nm 21.21-35 e Dt 2 e 3; 4.45-49.
6. Divisão da Terra Prometida. Cf Js 13.6,7 com Nm 24.7 e Dt 1.38.
7. Fixação na Transjordânia. Cf. Js 13.8-14 com Nm 32.33-42 e Dt 2.32 ss.
8. Josué e Eleazar. Cf. Js 14.1 com Nm 34.7 e Dt 1.28-36.
9. A herança de Calebe. Cf Js 14.6 ss. com Nm 14.24 e Dt 1.28-36.
10. A fronteira sul. Cf. Js 15.1-4 com Nm 34.3-5.
11. As filhas de Zelofeade. Cf. Js 17.3-6 com Nm 27.1-11.
12. Comissão sobre o alocamento de terras. Cf. Js 18.4-10 com Nm 34.17 ss.
13. Cidades de refúgio. Cf. Js 22 com Nm 35.9 ss. e Dt 19.1-13.
14. As cidades dos levitas. Cf. Js 21 com Nm 35.2-8.

Alguns intérpretes têm chegado ao extremo de propor uma história deuteronômica, na qual Josué aparece como o segundo livro dessa história. Outros estudiosos repelem terminantemente a teoria que diz que houve uma fonte informativa comum para os livros de Deuteronômio e Josué, supondo que somente em certo número de casos tenha havido material paralelo de diferentes autores. Os desacordos entre os críticos têm fortalecido a causa dos conservadores, que relutam em considerar que aquela teoria é necessária, visto que seu intuito consiste em tentar demonstrar uma data posterior para o Pentateuco e para o livro de Josué, a fim de que nem Moisés nem Josué sejam autores dos livros que lhes são atribuídos. Além disso, alguns eruditos preferem manter o Pentateuco como uma unidade separada para estudos, sem se envolver nas controvertidas teorias que circundam a ideia do *Hexateuco* (ver a respeito no *Dicionário*).

Parece-me que somente um erudito do Antigo Testamento e do idioma hebraico muito profundo poderia fazer um juízo inteligente sobre essas questões. Com base no que tenho lido, eu diria o seguinte: A teoria do *J.E.D.P.(S)* (ver a respeito no *Dicionário*), considerada como um todo, não parece explicar as fontes informativas do livro de Josué. Mas a fonte informativa *D* parece figurar fortemente nesse livro. Alguns críticos dizem que o livro de Josué tem um estilo deuteronômico, mas outros negam tal estilo. Pelo menos a teologia deuteronômica se evidencia no livro de Josué: se alguém obedecer à lei de Deus, prosperará, e isso envolve tanto indivíduos quanto nações.

2. O Tratamento Dado aos Cananeus. Como todas as narrativas sobre guerras, o relato de Josué é bastante brutal e selvagem. Não apenas os estudiosos modernos, mas também os antigos intérpretes cristãos tiveram dificuldades em explicar a questão.

Podemos atribuir a Deus toda aquela matança, tantas coisas feitas das maneiras mais violentas? Deus é realmente o Deus dos Exércitos? Não há uma diferença muito grande entre o Deus retratado no livro de Josué e o Deus retratado no Novo Testamento, que se manifestou em Jesus Cristo?

Em defesa da visão de Deus no livro de Josué, temos argumentos que dizem que a ira divina contra o pecado é parte necessária da teologia. Às vezes, os homens chegam a extremos de maldades que merecem um tratamento muito severo. Além disso, há intérpretes que assumem a posição extremada do *voluntarismo* (ver a respeito no *Dicionário*), ensinando que aquilo que Deus quer é correto, sem importar a nossa atitude para com a questão. Essa posição se parece muito com a antiga teoria grega, que dizia: "O poder é direto". Mas essa teoria deveria ser rejeitada com base em uma revelação mais iluminada sobre a natureza de Deus. Sabemos que os cananeus eram excessivamente malignos (ver Lv 18.21-24), e também que existe tal coisa como contaminação pelo mau exemplo (ver Dt 7.1-5). Sabemos que a religião dos cananeus era tremendamente imoral (o que tem sido demonstrado pelas escavações arqueológicas em *Ras Shamra*). O principal deus dos cananeus, *El*, era uma espécie de Zeus brutal e imoral. seu filho, *Baal* (ver a respeito no *Dicionário*), também não servia de bom exemplo para homens piedosos. Ao admitir tudo isso, indagamos até que ponto podemos fazer uma comparação entre Yahweh por um lado, e El e Baal, por outro. Outrossim, não podemos evitar reconhecer que as representações de Yahweh, no Antigo Testamento, em certos trechos não se diferenciam grandemente das representações de El, na literatura antiga não-bíblica. Além disso, tanto *El* quanto *Yahweh* são nomes compartilhados pelas culturas dos assírios, dos babilônios e dos hebreus. Não admira, pois, que elas também compartilhassem ideias religiosas, e não meramente nomes divinos. De fato, sabemos que havia essa herança comum de ideias. Até hoje, os homens se deleitam em culpar Deus de tudo quanto eles pensam e fazem; e até mesmo homens bons recorrem a esse estratagema. Pessoalmente, tenho cuidado com o uso de nomes divinos, relutando em juntar a palavra "Senhor" a tudo quanto penso ou faço. Em contraste, há pessoas que vivem dizendo: "O Senhor me disse isto", "O Senhor levou-me a fazer isto ou aquilo". O "Senhor", pois, quase se tornou um bichinho de estimação envolvido pelas pessoas em todas as coisas tolas que elas pensam ou fazem, como a escolha da cor do automóvel ou o lugar a ser visitado nas próximas férias. E assim os homens envolvem o nome de Deus em coisas que o Senhor não está nem um pouco interessado, por serem extremamente triviais.

Alguns problemas no Antigo Testamento não são nada triviais. Em primeiro lugar, eu gostaria de frisar que a própria revelação bíblica é algo progressivo, não sendo de admirar que as ideias dos homens acerca de Deus se aprimorem, à medida que eles se espiritualizam e se tornam capazes de ter uma concepção mais nítida da deidade. É inútil imaginar que Josué se encontrava no mesmo nível de compreensão de Jesus ou dos vários autores do Novo Testamento, quando eles falavam a respeito de Deus. Sabemos que, por muitas vezes, não menos que os gregos e muitos outros povos, Israel agiu como qualquer tribo selvagem e saqueadora. Como poderíamos negar esse fato? A história fala por si mesma!

Consideramos o Caso de Davi. A época de Davi deve ter sido mais iluminada que os dias de Josué. No entanto, quando Davi fugia de Saul e se refugiava em Ziclague, que lhe fora dada como residência por Aquis, rei de Gate, ele iniciou uma série de ataques de terror e matanças nas áreas circunvizinhas. Por que ele agiu assim? O trecho de 1Sm 27.10 ss. revela o motivo, ele fazia isso para impressionar a Aquis, dando a ideia de que estava atacando à sua própria gente, quando, na verdade, atacava inimigos de Israel. 1Sm 17.9 diz que ele a ninguém deixava vivo, nem homem, nem mulher, nem animal. Aquis aceitou a mentira, supondo assim que Davi se alienara totalmente de Israel, pelo que seria seu servo (de Aquis) para sempre.

As palavras de Jesus por certo devem ter um peso decisivo em qualquer discussão desse tipo. Quando os seus discípulos quiseram invocar fogo do céu para consumir os samaritanos, que tinham negado hospitalidade a Jesus e seu grupo, imitando assim uma figura nada menor que Elias, Jesus os repreendeu e declarou: "Vós não sabeis de que espírito sois. Pois o Filho do homem não veio para destruir as almas dos homens, mas para salvá-las" (Lc 9.51-56). A ignorância e a falta de maturidade espiritual continuam afirmando que não há diferença entre as atitudes refletidas no Antigo Testamento e aquelas refletidas no Novo Testamento, no tocante à pessoa de Deus. Mas o que ganharíamos com a hipótese de que as ideias dos homens não melhoram, à medida que eles são iluminados e sua espiritualidade se desenvolve? Poderíamos asseverar que não há diferença entre o Antigo e o Novo Testamento sobre uma questão tão importante quanto a natureza de Deus? Deus não mudou, mas nossa compreensão sobre a natureza divina certamente melhorou.

A ira de Deus é uma realidade, mas apenas é um dedo de sua amorosa mão. Ele julga os homens a fim de melhorá-los. O juízo divino é remediador, e não apenas retributivo. Ver no *Dicionário* os artigos denominados *Ira de Deus* e *Ira*. Ver 1Pe 4.6 quanto à natureza remediadora do julgamento divino. Notemos que, na passagem petrina, os perdidos estão em foco. A cruz do Calvário foi um julgamento, mas também serve de medida do amor que Deus tem pelos homens perdidos.

Conclusão. Temos de admitir o propósito de Deus atuante através da entrada dos patriarcas hebreus na Palestina, segundo o registro de Gênesis. Também devemos reconhecer que o propósito de Deus se manifestou no cativeiro egípcio. Outrossim, seria ridículo dizer que Deus não estava com Moisés, nem realizou uma obra grandiosa, tirando Israel do Egito. Além disso, dentro do plano de Deus, era necessário que Israel, uma vez mais, ocupasse a Palestina, a fim de preparar o caminho para o Messias e para os futuros desenvolvimentos espirituais, em escala mundial. Porém, quase não podemos desculpar a maneira como a conquista da Terra Prometida foi efetuada, com excessos de brutalidade. Em tempos menos selvagens, Deus poderia ter feito a mesma coisa de maneira diferente, sem tanto morticínio. Mas, se tribos e nações selvagens começarem a lutar, então teremos um registro como aquele do livro de Josué. Isso não significa, todavia, que tais atos concordavam com a natureza de Deus, mas somente que essas coisas naturalmente ocorreram em face do tipo de material humano com o qual Deus teve de tratar, diante do primitivismo e da violência dos tempos em que aqueles acontecimentos se deram. Em outras palavras, usa-se o material de que se dispõe, mas isso não significa que aquilo que é feito reflete a natureza e os ideais divinos.

O Testemunho do Livro de Jonas. O livro de Jonas é o João 3.16 do Antigo Testamento. Jonas foi enviado para salvação de um povo pagão, e o verso final do seu livro mostra-nos que Deus estava interessado até na vida dos animais, para nada dizermos sobre os seres humanos. Acresça-se a isso o próprio trecho de Jo 3.16, no Novo Testamento. Deus enviou o seu Filho amado para salvar os pecadores e não para destruí-los. A destruição física faz parte do programa de purificação de Deus, mas as matanças violentas e excessivas que acontecem por ocasião das guerras dificilmente se coadunam com a natureza de Deus.

3. **O Longo Dia de Josué** (Js 10.13). A palavra de ordem de Josué realmente fez o sol parar? Ver no *Dicionário* o artigo separado sobre esse assunto, intitulado *Bete-Horom, Batalha de (O Dia Longo de Josué)*.

4. **O Represamento das Águas do Jordão** (Js 4.15 ss.). Temos aí uma divisão, em miniatura, das águas do mar Vermelho, uma reiteração daquele prodígio. Houve, realmente, uma intervenção divina, que fez com que as águas do rio se avolumassem, ou um deslizamento de terras, convenientemente, ocorreu no momento crucial?

VII. PROBLEMAS ARQUEOLÓGICOS

As evidências arqueológicas que nos podem ajudar a respeito do livro de Josué permanecem incertas. Quanto a Jericó, sabemos que no local foram erguidas diversas cidades com esse nome. Alguns arqueólogos, como Kathleen M. Kenyon, acreditam possuir provas de que ali não havia nenhuma habitação na Idade do Bronze Média (1550 a 1400 a.C.). As evidências acerca da Idade do Bronze Posterior foram apagadas. Túmulos e outros itens testificam acerca da ocupação do lugar na Idade do Bronze Posterior II, pertencente ao século XIV a.C. Essa evidência pode favorecer uma data mais remota para a composição do livro de Josué, embora as questões atinentes a isso permaneçam incertas.

Ai até hoje não foi localidade identificada com certeza. As ruínas de et-Tell, 3 km e pouco a leste-sudeste de Betel, têm sido consideradas um local possível, mas as escavações no local não provam que ele tenha sido ocupado durante as Idades do Bronze Médio e Posterior, quando devemos datar o livro de Josué. Restos de fortificação foram encontrados, pertencentes a um período ainda mais antigo (cerca de 2900–2500 a.C.), da Idade do Bronze Anterior, ou de um período mais recente (cerca de 1200 a 1000 a.C.), de tal modo que a Ai dos dias de Josué ainda não foi descoberta pelos arqueólogos. Ver Js 8.1-29. Outras escavações, feitas nas vizinhanças de Khirbet Haiyan e em Khirbet Khudriya não produziram nenhuma prova de ocupação humana que corresponda à época de Josué. Talvez Ai fosse apenas um posto militar avançado, e não uma cidade, o que poderia explicar a ausência de evidências arqueológicas correspondentes aos dias de Josué. Outros supõem que, nos capítulos 7 e 8 de Josué, esteja em pauta a destruição de Betel, e não de Ai. E as dúvidas que cercam a verdadeira data do livro de Josué apenas se somam às incertezas que circundam toda a questão. Ver no *Dicionário* os artigos separados sobre *Jericó* e *Ai*.

VIII. TEOLOGIA DISTINTIVA DO LIVRO

1. O problema da matança dos cananeus, pelos israelitas, foi abordado na seção VI. 2. Isso nos envolve na visão de Deus dada pelo livro de Josué.
2. O livro de Josué certamente apresenta-nos uma grande fé no destino determinado por Deus. Enfrentando grandes forças contrárias, Israel entrou em uma terra que era desconhecida para aquela geração, e mesmo assim venceu. Eles creram que Deus era quem ordenava sua vida e obras. E assim cumpriram, com sucesso, os propósitos que lhes foram atribuídos.
3. O tema do *teísmo* (ver a respeito no *Dicionário*) é bem destacado. É Deus quem controla a história humana e nela intervém. Ele não é uma figura distante, divorciada de sua criação, conforme prega o *deísmo* (ver também no *Dicionário*).
4. A fidelidade de Deus ao seu pacto é um dos temas dominantes. Ver no *Dicionário* o artigo sobre *Pactos*. Cf. Dt 7.7 e 9.5,6.
5. O *monoteísmo* (ver a respeito no *Dicionário*) é ilustrado no livro especialmente através da determinação de extirpar o povo e a religião dos cananeus. Cf. Gn 15.16; Êx 20.2-6; Dt 7
6. A necessidade de um discipulado autêntico e resoluto é o tema geral do livro de Josué; sem isso, a conquista da Terra Prometida teria sido impossível.
7. Vários tipos simbólicos podem ser encontrados no livro de Josué. Ver a seção IX, quanto a isso.

IX. TIPOLOGIA

1. *Tipos Cristológicos*. "Estas cousas lhes sobrevieram como exemplos, e foram escritas para advertência nossa..." (1Co 10.11). O trecho de Hb 4.1-11 usa o relato da conquista da terra de Canaã para ilustrar como entramos no descanso de Deus, ou seja, na vida eterna, que é a grande Terra Prometida. Josué não deu ao povo final e verdadeiro descanso (Hb 4.8), pelo que resta um descanso espiritual (vs. 9). Compete a nós buscar esse estado bem-aventurado (vs. 11). A desobediência e a dureza de coração são nossos inimigos. Moisés (representante da lei) não foi capaz de conduzir o povo de Israel até o interior da Terra Prometida. Josué (representante de Cristo e da graça divinal) foi quem conseguiu fazer isso. Como é sabido, *Josué* foi um tipo de Jesus, o Cristo. E Cristo é o comandante que vence a batalha, lutando juntamente com seu povo, com seu exército. No sentido cristão, Jesus, o Cristo (cujo nome é o equivalente neotestamentário de Josué, Salvador) é quem provê um lar na Terra Prometida celestial, providenciando descanso para nós, após as vitórias espirituais que obtivermos neste mundo.
2. *Lutas e Vitórias Espirituais*. A vida de todo homem espiritual e sério é uma luta em busca da vitória, e cada vitória é uma espécie de conquista da Terra Prometida.
3. A experiência da redenção é prefigurada pelo fato de que o povo de Israel foi batizado em Moisés, na nuvem e no mar (1Co 10.2). Os homens obtêm posição espiritual quando o Espírito os imerge no corpo de Cristo (1Co 12.13; Ef 1.3; Rm 6.2,3). Essa posição espiritual consiste na união com Cristo e na participação na redenção que há em seu sangue.
4. A travessia do Jordão é uma figura simbólica da morte física, através da qual chegamos à vida plenamente espiritual.
5. A terra de Canaã pode tipificar nosso encontro com os adversários espirituais e nossa subsequente vitória sobre eles; ou, então, pode apontar para o céu, os mundos da luz, visto que esses mundos celestes são equivalentes à Terra Prometida.

6. Os vários povos inimigos, em torno da Terra Prometida, como os cananeus, os fariseus, os heveus etc., aludem aos nossos adversários espirituais, aos quais precisamos vencer (Ef 6.12).
7. As *cidades de refúgio* (Js 20). Há segurança espiritual em Cristo, abrigando-nos do pecado e seus efeitos.
8. A *divulgação do território* (Js 13.1—21.45). Em nossa herança espiritual há variedade e abundância. Vale a pena perseguir a santidade. Há abundância espiritual para todos, em nossa herança eterna.

X. ESBOÇO DO CONTEÚDO

A. A Conquista de Canaã (1.1—12.24)
   1. Preparação (1.1—5.12)
     a. Josué é comissionado (1.1-9)
     b. Josué dá orientações (1.10-18)
     c. Os espias são enviados (2.1-24)
     d. A travessia do rio Jordão (3.1—5.1)
     e. O povo é circuncidado em Gilgal (5.2—12)
   2. Várias Campanhas Militares (5.13—12.24)
     a. Jericó e Ai são capturadas (5.13—8.29)
     b. Um altar é erigido no monte Ebal (8.30-35)
     c. O logro dos gibeonitas (9.1-27)
     d. Conquista do sul de Canaã (10.1-43)
     e. A campanha no norte de Canaã (11.1-15)
     f. Sumário das conquistas (11.16—12.24)

B. Fixação de Israel na Terra de Canaã (13.1—24.33)
   1. Josué recebe instruções (13.1-7)
   2. As tribos orientais recebem sua herança (13.8-33)
   3. As tribos ocidentais recebem sua herança (14.1—19.51)
   4. As cidades de refúgio (20.1-9)
   5. Designação das cidades de Levi (21.1-45)

C. Consagração do Povo Escolhido (22.1—24.28)
   1. Concórdia com as tribos orientais (22.1-34)
   2. Admoestações finais de Josué aos líderes (23.1-16)
   3. Um pacto nacional estabelecido em Siquém (24.1-28)

D. Epílogos: Morte de Josué e Conduta Subsequente de Israel (24.29-33)

XI. BIBLIOGRAFIA
AH ALB AM BRI IB ROW ROW (1950) YAD YO

Ao Leitor
A compreensão do livro de Josué será grandemente auxiliada mediante a leitura da introdução ao livro. São abordadas questões como caracterização geral, pano de fundo histórico, autoria e data, destinatários e propósito, canonicidade, problemas especiais, problemas arqueológicos, teologia do livro, tipologia. Ver também no *Dicionário* o verbete chamado *Josué (Pessoa)*, primeiro ponto, quanto a informações sobre Josué, o herói do livro.

"Em um sentido espiritual, o livro de Josué é como a epístola aos Efésios do Antigo Testamento. Os 'lugares celestiais' da epístola aos Efésios são, para o crente, aquilo que a terra de Canaã era para os israelitas — um lugar de vitória, pelo que também não é somente um tipo do céu, mas também um lugar de vitória, e bênção através do poder divino (ver Js 21.43-45; Ef 1.3)" (*Scofield Reference Bible*, em sua introdução ao livro).

Os Livros Históricos. Embora todos os livros que fazem parte do Antigo Testamento contenham alguma história, os chamados Livros Históricos consistem, essencialmente, em história. Esses livros históricos são em números de doze, a saber: Josué, Juízes, Rute, 1 e 2Samuel, 1 e 2Reis, 1 e 2Crônicas, Esdras, Neemias e Ester. Depois deles aparecem os chamados Livros de Sabedoria e, finalmente, os Livros Proféticos. Para os hebreus, a história era uma questão muito importante; e muitas de suas proposições teológicas estavam alicerçadas sobre os eventos históricos. Grande quantidade de evidências arqueológicas confirmam a exatidão dos escritos históricos dos hebreus.

"A narrativa dos Livros Históricos é a história da ascensão e queda da comunidade de Israel, ao passo que os profetas predisseram a restauração e a glória futura daquele povo, nos dias do Rei Messias" (*Scofield Reference Bible*, em sua introdução ao livro de Josué).

Podemos dividir a história de Israel em sete períodos distintos, a saber:
1. De Abraão ao Êxodo (Gn 12—Êx 22).
2. Do Êxodo à morte de Josué (Êxodo, Josué).
3. O período dos juízes, da morte de Josué ao chamado de Saul (Jz 1.1—1Sm 10.24).
4. O período dos reis, de Saul aos cativeiros (1Sm 11.1—2Rs 17.6).
5. Os cativeiros (Ester e as porções históricas de Daniel).
6. O período da comunidade restaurada de Israel, sob a hegemonia gentílica, o fim dos setenta anos de exílio na Babilônia, o retorno do remanescente, até 70 d.C., quando os romanos destruíram Jerusalém. Então começou o cativeiro romano, em 132 d.C., através de Adriano. Esse cativeiro estendeu-se até o século XX, e está começando a ser revertido (em maio de 1948, teve início o Estado de Israel).
7. A era futura do reino, no milênio (livros proféticos).

Tempo Coberto pelo Livro de Josué. Se seguirmos de modo estrito a cronologia do livro de Josué, este cobre somente cerca de 26 anos. Os críticos, entretanto, opinam que o livro representa uma condensação dos acontecimentos, tendo a conquista da Terra Prometida sido prolongada por maior número de anos do que o livro de Josué nos dá a impressão. Além disso talvez a invasão tenha ocorrido mediante ondas de hebreus invasores, e não em uma única campanha geral.

O Hexateuco. Ver a respeito no *Dicionário*. Muitos eruditos acreditam que o livro de Josué pertence aos primeiros cinco livros da Bíblia, compartilhando das mesmas fontes informativas múltiplas que se veem no caso do Pentateuco. Isso formaria o Hexateuco. O artigo com esse título no *Dicionário* apresenta argumentos completos a respeito.

Título do Livro. No texto hebraico, o livro é intitulado *Yehosua*, nome hebraico do herói do livro. Significa "Yahweh é salvação" ou "Yahweh salva". Josué foi o salvador do povo de Israel, no sentido de que lhes deu a Terra Prometida, da mesma maneira que Cristo nos proporciona a pátria celeste.

A Ordem dos Livros Históricos. A maioria das traduções modernas segue o exemplo da Septuaginta, dando ao livro de Josué o primeiro lugar no arranjo dos livros históricos. Em contraste, a Bíblia hebreia tem a seguinte divisão geral: a Lei; os Profetas; os Escritos. E o livro de Josué, de acordo com esse arranjo da Bíblia em hebraico, encabeça a segunda dessas seções, ou seja, os Profetas. Por sua vez, os Profetas estão divididos em Profetas Anteriores e Profetas Posteriores. Os Profetas Anteriores incluem os livros de Josué a 2Reis, mas sem o livro de Rute; e os Profetas Posteriores incluem os livros de Isaías a Malaquias, mas sem os livros de Lamentações e Daniel. Os Escritos, por sua parte, incluem, nesta ordem, os livros de Salmos, Jó, Provérbios, Cantares de Salomão, Rute, Eclesiastes, Lamentações, Ester, Daniel, Esdras, Neemias e 1 e 2Crônicas.

Os estudiosos têm feito indagações sobre a razão de o livro de Josué estar à testa dos livros proféticos, dentro da disposição da Bíblia em hebraico, mas não conseguem chegar a uma resposta convincente. É possível que a vida de Josué tenha ilustrado os princípios pregados pelos profetas, ou que ele mesmo tenha sido um profeta, mas isso é insuficiente para colocar o livro de Josué no começo dos livros dos Profetas. Josué é um livro histórico, razão pela qual o arranjo adotado pela Septuaginta, e daí pelas traduções modernas, certamente é melhor do que aquele que aparece na Bíblia em hebraico.

Citações de Josué no Novo Testamento
• *Atos*: 7.16 (Js 24.32); 13.19 (Js 14.1)
• *Hebreus*: 13.5 (Js 1.5)
• *Apocalipse*: 15.3 ss. (Js 14.7)

EXPOSIÇÃO

CAPÍTULO UM

A CONQUISTA DA TERRA DE CANAÃ (1.1—12.24)

PREPARAÇÃO (1.1—5.12)

JOSUÉ É COMISSIONADO (1.1-9)

O capítulo 34 do livro de Deuteronômio apresenta-nos a informação acerca da morte de Moisés. Os trechos de Nm 27.15-23 e Dt 31.14,15,23 já nos haviam falado a respeito da comissão e da missão de Josué, e também acerca de como ele havia substituído a Moisés, tornando-se o novo líder de Israel, aquele que conduziu os hebreus à Terra Prometida. Josué foi chamado de "servidor de Moisés" (vs. 1), um título que já lhe havia sido aplicado em Êx 24.13 e Nm 11.28. Aqui no começo do livro, esse título significa "representante" de Moisés, não apontando para nenhum ministério litúrgico e sacerdotal.

Os capítulos 1—12 do livro narram como Israel conquistou a parte ocidental da Palestina. A parte oriental do território já havia sido tomada e atribuída às tribos de Rúben, Gade e à meia tribo de Manassés. Ver Nm 34.14,15, onde as notas expositivas também contêm outras referências a esse fato. As duas tribos e meia que já se tinham apossado da parte oriental da terra de Canaã haviam prometido ajudar as outras tribos na conquista da parte ocidental, depois que isso lhes fora ordenado. Ver Nm 32.31 ss. O capítulo 22 do livro de Josué mostra-nos que eles cumpriram a palavra que tinham empenhado. E o primeiro capítulo do livro de Josué conta como Josué assumiu o comando e como fez preparativos para a conquista militar. Os capítulos 2—11 ilustram como Israel obteve sucesso, sempre condicionado à obediência a Yahweh, às suas leis e às suas normas.

A Josué Foi Dada Longa Vida. Isso a fim de que ele pudesse cumprir a sua missão. Ele pertencia à tribo de Efraim (ver Nm 13.8) e viveu até aos 110 anos de idade.

■ 1.1

וַיְהִי אַחֲרֵי מוֹת מֹשֶׁה עֶבֶד יְהוָה וַיֹּאמֶר יְהוָה אֶל־יְהוֹשֻׁעַ בִּן־נוּן מְשָׁרֵת מֹשֶׁה לֵאמֹר׃

Sucedeu depois da morte de Moisés. Ver as informações dadas em Nm 27.15-23 e Dt 31.14,15,23, bem como a introdução à presente seção, quanto a todas as circunstâncias que cercaram o fato de que Josué se tornou o novo líder de Israel. Na verdade, desde há muito ele se tinha tornado "servo" de Moisés. Ver também Êx 24.13; 33.11 e Nm 11.28 quanto a esse título. Agora, Josué tornara-se o novo servo especial de Yahweh, pelo que é chamado por esse título em todo o livro de Josué.

"Josué foi compelido a enfrentar uma responsabilidade inesperada. Moisés tinha morrido, e a tarefa continuava inacabada. O obreiro de Deus havia morrido; mas a obra de Deus tinha prosseguimento. É impossível que o mundo estanque; e prevalece a admoestação feita por Jesus: 'Segue-me, e deixa aos mortos o sepultar os seus próprios mortos' (Mt 8.22)" (John Bright, *in loc.*).

"O propósito do livro de Josué é outorgar-nos uma narrativa oficial do cumprimento histórico da promessa que o Senhor fizera aos patriarcas, de que daria ao povo de Israel a terra de Canaã, mediante uma guerra santa" (Donald K. Campbell, *in loc.*). Essa era uma das provisões do Pacto Abraâmico, sobre o qual ver as notas em Gn 15.18.

■ 1.2

מֹשֶׁה עַבְדִּי מֵת וְעַתָּה קוּם עֲבֹר אֶת־הַיַּרְדֵּן הַזֶּה אַתָּה וְכָל־הָעָם הַזֶּה אֶל־הָאָרֶץ אֲשֶׁר אָנֹכִי נֹתֵן לָהֶם לִבְנֵי יִשְׂרָאֵל׃

Passa este Jordão. O povo de Israel encontrava-se na margem oriental do rio Jordão, na Transjordânia (ver a respeito no *Dicionário*). As tribos de Rúben e Gade, e a meia tribo de Manassés, já haviam conquistado os seus respectivos territórios (Nm 34.14,15). Aquelas tribos haviam prometido ajudar na conquista do restante da Terra Prometida (ver Nm 32.31 ss.). E o capítulo 22 de Josué mostra-nos que eles cumpriram a promessa que fizeram. O território inteiro agora não demoraria muito até ser conquistado, cumprindo assim o Pacto Abraâmico. Uma nação especial haveria de desenvolver-se (ver Dt 26.19); e essa nação deveria ter uma pátria. E o Messias, cuja vinda ainda estava longe, esperava vir por intermédio dessa nação, para universalizar a mensagem espiritual (ver Ef 1 e 2).

A População de Israel. Nessa época, os filhos de Israel eram cerca de quatro milhões de pessoas. Havia cerca de seiscentos mil jovens com idade de ir à guerra (ver Nm 1.46). Assim sendo, a tarefa de conduzir aquela massa de gente e conquistá-la revestia-se de magna importância e requeria um líder especial e bem preparado. "A morte de Moisés proveu o sinal para o começo da invasão, visto que a ele fora proibido encabeçá-la (ver Nm 20.12). A geração que havia participado do êxodo, quarenta anos antes, agora tinha morrido. O rio Jordão era a fronteira oriental natural da terra de Canaã" (*Oxford Annotated Bible*, comentando sobre o primeiro versículo deste capítulo).

Moisés foi denominado servo do Senhor (ver Js 1.1,13,15; cf. Êx 14.31). Josué, pois, recebeu esse título como agente especial de Yahweh (ver Js 24.29). A terra pertence a Yahweh (ver Sl 24.1), e ele confere territórios aos povos, conforme desejar fazê-lo, determinando fronteiras e o período de permanência dos povos em seus respectivos territórios (ver Gn 15.16; At 17.26).

■ 1.3

כָּל־מָקוֹם אֲשֶׁר תִּדְרֹךְ כַּף־רַגְלְכֶם בּוֹ לָכֶם נְתַתִּיו כַּאֲשֶׁר דִּבַּרְתִּי אֶל־מֹשֶׁה׃

Todo lugar que pisar a planta do vosso pé. A Terra Prometida só podia ser possuída mediante o próprio ato da conquista. As sete nações cananeias que ocupavam a Palestina não haveriam de querer migrar em massa. O trecho de Dt 11.24 é um paralelo direto a este, onde já pudemos ver informações a respeito. Ver as notas expositivas ali existentes. O versículo seguinte estabelece os limites da Terra Prometida. Ali obtemos uma valiosa lição espiritual. Precisamos de coragem para agir; para tomar conhecimento; para persistir na missão que recebemos. Deus nos outorga os dons naturais e a inspiração que se fazem necessários para tanto. E nós precisamos agir, usando o nosso próprio equipamento. Em tempos de tensão, o Senhor nos provê alguma intervenção divina, a fim de ajudar-nos nas coisas que estão fora de nosso alcance.

Moisés, por assim dizer, passou a tocha para Josué, a fim de que este pudesse levar a bom termo a missão que o primeiro havia começado:

> A ti, com mãos trêmulas, lanço a tocha. Deves erguê-la bem alto!
>
> John McCrae

■ 1.4

מֵהַמִּדְבָּר וְהַלְּבָנוֹן הַזֶּה וְעַד־הַנָּהָר הַגָּדוֹל נְהַר־פְּרָת כֹּל אֶרֶץ הַחִתִּים וְעַד־הַיָּם הַגָּדוֹל מְבוֹא הַשָּׁמֶשׁ יִהְיֶה גְּבוּלְכֶם׃

Desde... até... será o vosso termo. Este versículo é um paralelo direto de Dt 11.24, onde aparecem as notas expositivas. O versículo menciona, em adição, somente as palavras "toda a terra dos heteus". Aqui, esse adjetivo pátrio representa todas as sete nações cananeias, que precisavam ser expulsas. Quanto a essas nações, ver as notas expositivas sobre Êx 33.2 e Dt 7.1. Ver no *Dicionário* o artigo intitulado *Hititas*. Os hititas ou heteus residiam antes na parte norte da Síria, o que significa que era a parte norte da Terra Prometida que precisava ser conquistada. Assim sendo, temos: o deserto — o sul e o oriente; o Líbano — o noroeste; a terra dos heteus — o norte; e o mar Grande (Mediterrâneo) — o ocidente. As dimensões dadas em Gn 15.18 ampliam o território dado a Israel tanto para oeste quanto o rio Nilo, o rio do Egito; mas isso nunca ocorreu, nem foi repetido nas descrições posteriores. Ver sobre o ribeiro do Egito nas notas sobre Nm 34.5 e Js 15.4,47, quanto a outra proposta fronteira sul-oriental. Ver no *Dicionário* o verbete intitulado *Ribeiro do Egito*.

1.5

לֹא־יִתְיַצֵּב אִישׁ לְפָנֶיךָ כֹּל יְמֵי חַיֶּיךָ כַּאֲשֶׁר הָיִיתִי
עִם־מֹשֶׁה אֶהְיֶה עִמָּךְ לֹא אַרְפְּךָ וְלֹא אֶעֶזְבֶךָּ׃

Não te deixarei nem te desampararei. Este versículo é um paralelo direto de Dt 11.25, cujas notas expositivas devem ser consultadas. O povo de Israel estava prestes a atacar uma força superior (ver Dt 7.1, que lista as sete nações que os hebreus deveriam expelir). Portanto, somente a presença e o poder de Yahweh com eles possibilitaria o feito. O poder de Deus estivera com Moisés, capacitando-o a levar a bom termo uma missão que, de outra sorte, era praticamente impossível. E, agora, a mesma coisa aconteceria com Josué, sucessor de Moisés.

Quando Deus chama a um homem para alguma grande responsabilidade, ele lhe concede, antes de mais nada, uma grande visão. E quando esse homem começa a fazer o que lhe foi determinado, então recebe poder para realizar tal obra. Ele precisa agir (vs. 3). Os olhos são abertos para que tal indivíduo possa ver o que precisa ser feito; e as mãos são fortalecidas para isso.

O inimigo vivia em cidades fortificadas (ver Nm 13.28,29). Grande parte do território da Terra Prometida era montanhosa, pelo que as manobras das tropas seriam difíceis. Não obstante, a palavra de Yahweh jamais falharia (Js 1.9). "Deus jamais desiste das suas promessas" (Donald K. Campbell, *in loc.*). Ver o trecho de Hb 13.5 quanto a uma repetição e à aplicação cristã de uma parte do presente versículo.

1.6

חֲזַק וֶאֱמָץ כִּי אַתָּה תַּנְחִיל אֶת־הָעָם הַזֶּה אֶת־הָאָרֶץ
אֲשֶׁר־נִשְׁבַּעְתִּי לַאֲבוֹתָם לָתֵת לָהֶם׃

Sê forte e corajoso. Este versículo é um paralelo direto de Dt 31.7, onde aparecem idênticas exortação e encorajamento, que tinham sido dadas a Moisés. Ver as notas expositivas ali existentes, quanto a detalhes. Os vss. 7, 9 e 18 deste capítulo repetem essas palavras. O poder de Deus é maior do que as tarefas que precisamos efetuar. Nele não existe tal coisa como falta de poder. O poder precisa ser canalizado. Josué, pois, haveria de ter forças e coragem, e isso com base na promessa de Deus, sendo essas as três palavras-chaves deste versículo. O resultado seria que os israelitas entrariam na posse da Terra Prometida. Ver o Pacto Abraâmico, em Gn 15.18 quanto a essa provisão, entre muitas outras. O propósito divino foi passando de Abraão, através dos patriarcas, através de Moisés, e agora tinha chegado a repousar sobre Josué, para aquele momento crítico. O propósito divino era firme; e Deus escolhera agentes humanos para que esse propósito fluísse devidamente. Cf. Gn 13.1-17; 15.18-21; 17.7,8; 22.16-18 (Abraão recebeu essa promessa); Gn 26.3-5 (Isaque recebeu a mesma promessa); Gn 28.13 e 35.12 (Jacó recebeu a mesma promessa); e, finalmente, Êx 6.8 (a nação inteira de Israel recebeu a mesma promessa). Josué precisava desempenhar um papel estratégico. E ele não fracassaria, visto que fazia parte de uma equipe invencível.

1.7

רַק חֲזַק וֶאֱמַץ מְאֹד לִשְׁמֹר לַעֲשׂוֹת כְּכָל־הַתּוֹרָה
אֲשֶׁר צִוְּךָ מֹשֶׁה עַבְדִּי אַל־תָּסוּר מִמֶּנּוּ יָמִין וּשְׂמֹאול
לְמַעַן תַּשְׂכִּיל בְּכֹל אֲשֶׁר תֵּלֵךְ׃

Tão somente sê forte e mui corajoso. Uma vez mais, o Senhor encorajou Josué (ver os vss. 6, 9 e 18; cf. Dt 31.7), sendo aqui informado de que a observância da lei lhe daria as forças necessárias para cumprir sua tarefa, porque Yahweh, que baixara a lei, estaria ao seu lado. Um Josué desobediente, entretanto, não chegaria a lugar nenhum quanto à difícil tarefa que tinha recebido. A obediência à lei, sem dúvida alguma, é o grande tema dos livros desde Êxodo até Josué. Ver as notas quanto a essa particularidade, em Dt 32.46. A promessa da vitória na conquista da Terra Prometida era condicional. Nenhuma missão divina dada aos homens é incondicional. O crente precisa estar preparado, agir e levar avante a sua tarefa. A geração mais antiga de israelitas tinha chegado até a fronteira da Terra Prometida, mas não pôde entrar. Moisés, tão intimamente ligado àquela geração, também foi proibido de entrar ali. A desobediência fizera-se presente, desqualificando aquela geração dos filhos de Israel e o próprio Moisés. Ver no *Dicionário* o artigo chamado *Providência de Deus*.

Para que sejas bem-sucedido. Não quanto ao aspecto econômico ou sob a forma de propriedades, mas em sua missão, para que a levasse a bom termo. A lei prometia vida e prosperidade (Dt 4.1; 5.33; 6.2).

1.8

לֹא־יָמוּשׁ סֵפֶר הַתּוֹרָה הַזֶּה מִפִּיךָ וְהָגִיתָ בּוֹ יוֹמָם
וָלַיְלָה לְמַעַן תִּשְׁמֹר לַעֲשׂוֹת כְּכָל־הַכָּתוּב בּוֹ כִּי־אָז
תַּצְלִיחַ אֶת־דְּרָכֶךָ וְאָז תַּשְׂכִּיל׃

Não cesses de falar deste livro da lei. Este oitavo versículo reforça a mensagem do anterior, ou seja, a absoluta necessidade de obediência à lei, que é o principal tema dos livros desde Êxodo até Josué, bem como o grande lema do judaísmo através dos séculos. O *modus operandi* dessa obediência é descrito neste versículo:

1. A palavra da lei precisava estar na boca de Josué, sempre pronta para ser dita; porquanto era mister comunicá-la a outras pessoas. Cf. Dt 6.7.
2. Josué precisava meditar sobre a lei, para conhecer bem o seu conteúdo, saturando o seu coração com a mensagem da lei. Digamos que seria uma meditação transformadora. Cf. Sl 1.2; 119.97.
3. Josué tinha de observar todos os aspectos da lei, tanto as suas provisões morais quanto as suas provisões cerimoniais, cuidando para que o povo de Deus também não se esquecesse de tal observância. Cf. Nm 1.54; Dt 32.46; Ed 7.10 e Tg 1.22-25.

Josué era um homem de tendências militares; mas, para que a sua tarefa militar desse certo, ele precisaria ser também um homem espiritual.

"Israel precisava apegar-se à lei por meio da lealdade; deveria falar sobre ela; meditar sobre ela; ensiná-la continuamente. Cf. Dt 5.29-33 e 6.4-9. Somente então essa nação poderia ter esperança de obter a vitória" (John Bright, *in loc.*).

1.9

הֲלוֹא צִוִּיתִיךָ חֲזַק וֶאֱמָץ אַל־תַּעֲרֹץ וְאַל־תֵּחָת כִּי
עִמְּךָ יְהוָה אֱלֹהֶיךָ בְּכֹל אֲשֶׁר תֵּלֵךְ׃ פ

Sê forte e corajoso; não temas, nem te espantes. Uma vez mais, temos a ordem divina para Josué mostrar-se enérgico e corajoso, ao que agora é acrescentada a necessidade de não temer nem desanimar, porque a presença e o poder de Yahweh estavam ali, para ajudá-lo na conquista. Cf. os vss. 6, 7 e 18 deste capítulo com Dt 31.7, onde o mesmo tipo de encorajamento é dado a Moisés. Não deveria haver hesitação ou indecisão por parte do líder. Um verdadeiro líder dedica-se inteiramente à sua tarefa. Ele desvencilha-se de qualquer senso de temor e frustração. E sabe que todas as coisas são possíveis para Deus (ver Mc 9.23).

Do que Dependia o Sucesso? Da infalível presença de Yahweh. Isso em nada minimizava a dificuldade da tarefa, que estava começando a ser executada, mas encorajava Josué a acreditar que a tarefa estava dentro dos limites do possível. Josué precisava enfrentar gigantes, mas Yahweh era muito maior do que esses inimigos. Sete nações cananeias, capazes de infundir medo, haveriam de fazer oposição ao ataque orientado por Josué. Ver Dt 7.1,2. Mas Yahweh seria o verdadeiro Comandante-em-chefe. Todos nós, crentes, também precisamos enfrentar nossas "sete nações cananeias", que se opõem a nós. Mas a nossa tarefa é aventurosa, e o Senhor é a fonte de poder para cumprirmos a nossa tarefa.

As promessas, o poder e a presença de Deus estão conosco. Crentes de todas as eras têm sido encorajados mediante as mesmas três garantias que Deus dá. Ver no *Dicionário* o artigo intitulado *Providência de Deus*. "E eis que estou convosco todos os dias até à consumação do século" (Mt 28.20).

"O símbolo da providência divina não é uma linha reta, e, sim, um círculo, sem começo e sem fim, e que prossegue para todo o sempre. Amparando-nos sempre, acham-se os braços protetores de Deus (ver Dt 33.27). Nunca avançamos sozinhos em nosso caminho espiritual, neste mundo. Rostos podem mudar; condições podem mudar, mas

Deus é o mesmo ontem, hoje e para sempre... As tarefas tornam-se impossíveis quando Deus é deixado do lado de fora, mas, quando os homens vivem na consciência da sua presença, não existem impossíveis" (Joseph R. Sizzo, *in loc.*).

JOSUÉ DÁ ORIENTAÇÕES (1.10-18)
Para a travessia do rio Jordão, houve preparações prévias (vss. 10 e 11). Ordens apropriadas foram baixadas; auxiliares apropriados foram nomeados e instruídos. O povo de Israel precisaria de provisões; os soldados de Israel precisavam ter suas armas sempre prontas. Teve início a grande tarefa. Era chegado o tempo de Yahweh provar aos filhos de Israel a validade de todas as promessas que tinha começado a fazer a Abraão, dentro do Pacto Abraâmico (ver as notas expositivas em Gn 15.18).

■ 1.10

וַיְצַו יְהוֹשֻׁעַ אֶת־שֹׁטְרֵי הָעָם לֵאמֹר׃

Então deu ordem Josué. Tendo recebido sua comissão e sua autoridade (ver Dt 34.9), e diante da morte de Moisés (ver Dt 34.6,7), Josué expediu ordens para o povo pôr-se em movimento. Então ele nomeou oficiais, ou seja, subordinados, conferindo-lhes posições e tarefas que envolviam responsabilidade. Ninguém pode fazer sozinho nenhuma grande tarefa. Sempre haverá aqueles que apoiam e compartilham o trabalho e a vitória. O momento da verdade tinha chegado. E Josué, que vinha sendo preparado para a sua tarefa por toda a vida, mostrou estar à altura de tão sublime responsabilidade.

O termo hebraico aqui traduzido por "príncipes" significa, literalmente, escriba; mas é claro que eles não eram escribas na acepção comum do termo. Antes, eram uma espécie de capatazes ou subchefes. Ver Js 8.33; Dt 16.19 e 20.5,9. Em Êx 5.6,10, essa mesma palavra foi traduzida em nossa versão portuguesa por "superintendentes". Neste ponto, entretanto, o vocábulo significa, especificamente, subcomandantes do exército. Israel entrou na Terra Prometida como se fosse um exército. Ver Ef 6.12 ss. quanto à metáfora militar.

■ 1.11

עִבְרוּ בְּקֶרֶב הַמַּחֲנֶה וְצַוּוּ אֶת־הָעָם לֵאמֹר הָכִינוּ לָכֶם צֵידָה כִּי בְּעוֹד שְׁלֹשֶׁת יָמִים אַתֶּם עֹבְרִים אֶת־הַיַּרְדֵּן הַזֶּה לָבוֹא לָרֶשֶׁת אֶת־הָאָרֶץ אֲשֶׁר יְהוָה אֱלֹהֵיכֶם נֹתֵן לָכֶם לְרִשְׁתָּהּ׃ ס

Passai pelo meio do arraial, e ordenai ao povo. Aos oficiais foi determinado que saíssem entre todas as tribos, baixando ordens para que os filhos de Israel se preparassem para a marcha invasora. Haveria necessidade de alimentos, em grande abundância; os soldados teriam de preparar as suas armas; deveria haver provisões para os enfermos, para as crianças e para os debilitados. A nação inteira ia avançar, e dificilmente haveria condições favoráveis aos filhos de Israel para a luta. A tarefa era realmente espantosa. Ideais exaltados são inúteis, e até podem ser perigosos, a menos que sejam devidamente aplicados. Josué foi o grande aplicador do ideal da conquista da Terra Prometida, naquele momento. Ele era o homem de visão, que estava à altura do desafio que lhe fora lançado por Deus. Todos os filhos de Israel estavam correndo perigo, mas por trás deles estavam os braços amparadores e eternos de Yahweh (Dt 33.27). Era chegado o tempo de todos os povos da terra terem conhecimento do poder da mão de Yahweh, o Todo-poderoso (Js 4.24). Foi dado somente o prazo de três dias para todos se prepararem. Tinha chegado o momento da verdade, e qualquer demora seria contraproducente. Talvez a maior das provisões do Pacto Abraâmico, a possessão da Terra Prometida, estivesse em jogo.

"Uma vez que seja dada a visão espiritual a alguém, tal pessoa deve entrar em ação, se é que esse alguém tiver de ser digno. A nós foi ordenado não que vivêssemos em nossas visões, mas de acordo com elas" (Joseph R. Sizzo, *in loc.*).

■ 1.12,13

וְלָראוּבֵנִי וְלַגָּדִי וְלַחֲצִי שֵׁבֶט הַמְנַשֶּׁה אָמַר יְהוֹשֻׁעַ לֵאמֹר׃

זָכוֹר אֶת־הַדָּבָר אֲשֶׁר צִוָּה אֶתְכֶם מֹשֶׁה עֶבֶד־יְהוָה לֵאמֹר יְהוָה אֱלֹהֵיכֶם מֵנִיחַ לָכֶם וְנָתַן לָכֶם אֶת־הָאָרֶץ הַזֹּאת׃

Falou Josué. As tribos de Rúben e Gade e a meia tribo de Manassés tinham conquistado e agora já estavam na posse das terras a leste do rio Jordão, ou seja, a *Transjordânia* (ver a respeito no *Dicionário*). Moisés tinha concordado em conceder a eles aquelas terras, sob a condição de que, em seguida, ajudassem as demais tribos a conquistar a parte oeste da Palestina. Ver Nm 34.14,15 quanto à narrativa. Aquelas duas tribos e meia tinham concordado em lutar ao lado das outras tribos, na conquista da parte ocidental da Terra Prometida. Ver Nm 32.31 ss. O trecho de Josué 22 relata que eles cumpriram a sua promessa, e foram galardoados por esse motivo. "Sem o peso de suas famílias e de suas possessões materiais (que tinham ficado na Transjordânia), eles se encontravam em posição de liderar o avanço" (John Bright, *in loc.*). Cf. Dt 3.12-20.

■ 1.14

נְשֵׁיכֶם טַפְּכֶם וּמִקְנֵיכֶם יֵשְׁבוּ בָּאָרֶץ אֲשֶׁר נָתַן לָכֶם מֹשֶׁה בְּעֵבֶר הַיַּרְדֵּן וְאַתֶּם תַּעַבְרוּ חֲמֻשִׁים לִפְנֵי אֲחֵיכֶם כֹּל גִּבּוֹרֵי הַחַיִל וַעֲזַרְתֶּם אוֹתָם׃

Vossas mulheres, vossos meninos e vosso gado. Este versículo é um paralelo direto do trecho de Nm 32.16,17,26,27, cujas notas devem ser consultadas. Com seus entes amados em segurança na Transjordânia, eles estavam em boas condições psicológicas para encabeçar a invasão. Outrossim, o caso deles (eles já haviam obtido sucesso) haveria de inspirar outros quanto a maiores conquistas. "Eram homens dedicados, separados, sem a sobrecarga de qualquer dos entraves da vida, sob a forma de famílias ou bens materiais" (Joseph R. Sizoo, *in loc.*).

"Josué não se valeu de todos eles, mas somente de uma pequena e seleta companhia de homens fortes e valentes. Dentre 130 mil homens, somente quarenta mil foram, conforme se vê em Js 4.13" (John Gill, *in loc.*). Ver Nm 1.2 quanto a cifras do primeiro e do segundo recenseamento.

■ 1.15

עַד אֲשֶׁר־יָנִיחַ יְהוָה לַאֲחֵיכֶם כָּכֶם וְיָרְשׁוּ גַם־הֵמָּה אֶת־הָאָרֶץ אֲשֶׁר־יְהוָה אֱלֹהֵיכֶם נֹתֵן לָהֶם וְשַׁבְתֶּם לְאֶרֶץ יְרֻשַּׁתְכֶם וִירִשְׁתֶּם אוֹתָהּ אֲשֶׁר נָתַן לָכֶם מֹשֶׁה עֶבֶד יְהוָה בְּעֵבֶר הַיַּרְדֵּן מִזְרַח הַשָּׁמֶשׁ׃

Então tornareis à terra da vossa herança. A promessa das duas tribos, Rúben, Gade, e da meia tribo de Manassés, foi recompensada com uma contrapromessa. Uma vez terminada a tarefa, as coisas reverteriam à normalidade. Os homens dessas duas tribos e meia retornariam, e tudo voltaria ao normal na Transjordânia. Ver Josué 22, quanto ao cumprimento tanto dessa promessa quanto de sua contrapromessa.

Desta banda do Jordão, para o nascente do sol. Ou seja, para o oriente, pois o rio Jordão era um divisor natural do território da Terra Prometida, em bandas leste e oeste. Ver sobre *a Transjordânia* no *Dicionário*.

■ 1.16

וַיַּעֲנוּ אֶת־יְהוֹשֻׁעַ לֵאמֹר כֹּל אֲשֶׁר־צִוִּיתָנוּ נַעֲשֶׂה וְאֶל־כָּל־אֲשֶׁר תִּשְׁלָחֵנוּ נֵלֵךְ׃

Tudo quanto nos ordenaste faremos. Todos os mandamentos seriam obedecidos, e eles iriam onde fossem enviados. Orientação e obediência produziriam o resultado. A promessa não estava sujeita a limites, e a recompensa que se seguiu foi deveras abundante (ver Js 22). Assim agindo, aquelas tribos reconheceram que Josué recebera uma missão da parte do Senhor. A obediência a Josué era, ao mesmo tempo, obediência a Yahweh.

O hino evangélico *Crer e Observar* tomou por empréstimo ideias deste versículo:

Em Jesus confiar, sua lei observar,
Oh! que gozo, que bênção, que paz!
Satisfeitos guardar tudo quanto ordenar
Alegria perene nos traz.

J. H. Sammis

Ver Dt 32.46 quanto à ênfase sobre a obediência, no Pentateuco.

1.17

כֹּל אֲשֶׁר־שָׁמַעְנוּ אֶל־מֹשֶׁה כֵּן נִשְׁמַע אֵלֶיךָ רַק יִהְיֶה
יְהוָה אֱלֹהֶיךָ עִמָּךְ כַּאֲשֶׁר הָיָה עִם־מֹשֶׁה:

Assim obedeceremos a ti. Josué, sucessor de Moisés, reteve a sua autoridade divina. Ambos os líderes derivavam sua autoridade da parte de Yahweh. Aquele que baixara as ordens foi Yahweh-Elohim (o Eterno Todo-poderoso), ficando assim garantido o sucesso. Ver no *Dicionário* o artigo chamado *Deus, Nomes Bíblicos de*. As duas tribos e meia da Transjordânia buscavam evidências: Yahweh teria de ser o orientador de Josué, tal como tinha sido o orientador de Moisés. Mas os homens daquelas tribos, diante de evidências desse fato, foram levados a uma obediência total.

1.18

כָּל־אִישׁ אֲשֶׁר־יַמְרֶה אֶת־פִּיךָ וְלֹא־יִשְׁמַע אֶת־דְּבָרֶיךָ
לְכֹל אֲשֶׁר־תְּצַוֶּנּוּ יוּמָת רַק חֲזַק וֶאֱמָץ: פ

Todo homem que se rebelar... será morto: tão somente sê forte e corajoso. Isso demonstra quão séria era a questão. E, para destacar ainda mais essa seriedade, os representantes das duas tribos e meia exortaram Josué à mesma coragem que Yahweh havia encarecido (vss. 6 e 7). Ver Dt 31.7, quanto ao paralelo direto onde Moisés foi exortado a demonstrar fortaleza e coragem.

"Isso reflete uma das mais tenazes características da psicologia do povo de Israel. Os primeiros filhos de Israel só seguiam ao líder sobre quem repousasse o Espírito do Senhor. Ações bem-sucedidas serviam de evidência desse dom divino. Os israelitas, pois, prometeram obedecer a Josué, mas somente se ele mostrasse ser o homem que Deus havia designado" (John Bright, *in loc.*).

CAPÍTULO DOIS

OS ESPIAS SÃO ENVIADOS (2.1-24)

Visto que a Terra Prometida devia ser espiada com o propósito de sua conquista, Josué enviou dois homens para cumprirem essa tarefa. A meretriz Raabe ocultou-os e ajudou-os na sua tarefa. Por sua vez, foi-lhe conferida a promessa de favor e segurança entre os israelitas, para ela mesma e para seus familiares. O temor a Yahweh, que se espalhara por toda aquela região, havia preparado o caminho para a conquista, por causa dos primeiros sucessos militares de Israel (vs. 9). Isso posto, o poder divino já havia começado os preparativos para a guerra santa de conquista. Quanto a passagens e notas expositivas que abordam a questão da guerra santa, ver Dt 7.1. Ver Js 7.2 quanto a notas sobre matança justificada. A guerra santa estava alicerçada sobre o temor de que os povos corruptos que então habitavam a Terra Prometida poderiam infectar Israel, reduzindo-o apenas a mais uma nação idólatra e pagã. E esse temor estava bem fundamentado, porquanto foi exatamente isso que sucedeu, afinal.

A Taça de Iniquidade Tinha de Ficar Cheia. As sete nações cananeias ainda não tinham enchido sua taça de iniquidade (ver Dt 7.1 e Gn 15.16); mas, quando isso acontecesse, o juízo divino cairia sobre elas. Cf. Dt 9.4,5. As cidades que existiam fora das fronteiras da Terra Prometida seriam tratadas de forma um tanto menos violenta (ver Dt 20.10-18).

A Vitória de Israel Estava Garantida. Mas havia uma condição para isso, a obediência a Yahweh, por parte dos hebreus. Os capítulos 2 a 11 de Josué ilustram como os israelitas obedientes foram vencedores sobre os seus inimigos. O temor a Yahweh paralisou os adversários dos israelitas, e isso serviu de tremenda ajuda na conquista da Terra Prometida, pois ali havia povos mais poderosos e muito mais numerosos do que Israel (ver Dt 7.1).

Um dos resultados do episódio registrado neste capítulo foi que Salmom se casou com Raabe, o que fez dela uma das antepassadas de Jesus, o Cristo (ver Mt 1.5). Ver no *Dicionário* o artigo detalhado chamado *Raabe*. Raabe é novamente mencionada no Novo Testamento, em Hb 11.31, onde ela é citada entre aqueles que agiram impulsionados por uma fé especial.

2.1

וַיִּשְׁלַח יְהוֹשֻׁעַ־בִּן־נוּן מִן־הַשִּׁטִּים שְׁנַיִם־אֲנָשִׁים
מְרַגְּלִים חֶרֶשׁ לֵאמֹר לְכוּ רְאוּ אֶת־הָאָרֶץ
וְאֶת־יְרִיחוֹ וַיֵּלְכוּ וַיָּבֹאוּ בֵּית־אִשָּׁה זוֹנָה וּשְׁמָהּ
רָחָב וַיִּשְׁכְּבוּ־שָׁמָּה:

De Sitim. Ver no *Dicionário* acerca dessa cidade. O local tem sido identificado com um lugar moderno, de nome Tell el-Hammam, ao pé dos montes na extremidade oriental do vale do rio Jordão, a pouco mais de onze quilômetros desse rio, defronte de Jericó. A cidade de *Jericó* (ver no *Dicionário* o verbete com esse nome, quanto a informações completas) é o moderno Tell es-Sultan, a pouca distância noroeste da cidade moderna, também chamada Jericó. A antiga Jericó era a principal cidadela do vale do Jordão, dominando os passos que davam para as terras altas centrais. A queda de Jericó haveria de ajudar imensamente o povo de Israel na continuação da conquista militar. Assim sendo, os dois espias saíram para efetuar uma missão absolutamente secreta, abrindo o caminho para o ataque contra a cidade.

Os espias esconderam-se na casa da meretriz Raabe, que ficava situada sobre as muralhas da cidade. Sendo ela uma prostituta, vivia recebendo homens em casa, e, assim sendo, a chegada dos espias ali não levantou nenhuma suspeita. Mas a despeito desse suposto disfarce, os espias começaram a ser caçados, embora a busca não tenha logrado sucesso. Talvez as autoridades de Jericó esperassem algum ato de sondagem da parte dos filhos de Israel, que estavam avançando, e, assim, tinham montado vigilância constante. Não somos informados na Bíblia por qual motivo os espias selecionaram a casa de Raabe. Alguns estudiosos sugerem que a *providência de Deus* (ver a respeito no *Dicionário*) cuidou para que eles se encaminhassem na direção preestabelecida pelo Senhor. Que uma meretriz tenha sido a pessoa escolhida, em Jericó, para ajudar na conquista, foi um evento realmente estranho. Mas, afinal, "Deus opera de maneiras misteriosas, para realizar suas maravilhas" (William Cowper).

Disse Hannah Cowley: "Que é uma mulher? Apenas um dos equívocos agradáveis da natureza". Sem dúvida, uma prostituta é um equívoco moral. Mas Deus contrabalançou todos esses fatores negativos, e fez os seus propósitos dependerem dela, pelo menos quanto a certo aspecto da questão.

2.2

וַיֵּאָמַר לְמֶלֶךְ יְרִיחוֹ לֵאמֹר הִנֵּה אֲנָשִׁים בָּאוּ הֵנָּה
הַלַּיְלָה מִבְּנֵי יִשְׂרָאֵל לַחְפֹּר אֶת־הָאָרֶץ:

Então se deu notícia ao rei de Jericó. O fato de que os dois espias foram vistos na cidade mostra que sua população se achava em estado de alerta, esperando algum ato nefasto da parte dos israelitas, que já se aproximavam. O rei da cidade, pois, foi devidamente informado e, no momento seguinte enviou um grupo de buscas. É difícil supor que o rei fosse informado cada vez que algum homem entrasse na casa de Raabe! Alguns estudiosos creem que os dois espias entraram na casa de Raabe para participarem dos serviços por ela prestados, e que, por pura sorte, encontraram um coração favorável à missão que tinham vindo realizar; mas o próprio texto sagrado não nos fornece indício quanto a isso; e usualmente a Bíblia mostra-se muito franca quando se trata de revelar as fraquezas e esquisitices dos seres humanos. O homem que governava Jericó, sem dúvida um duque cananeu comum, deve ter obtido seu posto de mando através da violência e da força bruta, e mandaria torturar os dois espias, fazendo-os confessar a sua missão, para em seguida executá-los, se tivesse conseguido detectá-los. A terra de Canaã, naquela época, não formava uma unidade política, estando dividida em muitas pequenas e independentes cidades-estados.

Outros eruditos sugerem que Raabe tivesse uma espécie de estalagem-lupanar, pelo que os dois espias tão somente haviam chegado ali

O MUNDO EM RELAÇÃO À PALESTINA
Observações:

Nesta representação, o mundo Mediterrâneo (a área na qual ocorrem os episódios bíblicos e a de seis impérios mundiais com quem Israel fazia tratados e negócios) está demarcado por um retângulo. Como fica demonstrado no mapa, a Palestina é, de fato, uma parte muito pequena do mundo.

Somente 29% da superfície terrestre é de terra firme. Essa extensão territorial ocupa aproximadamente 91.560.000 km². A Palestina ocupa apenas 16.000 km², ou 1/5700.

A maior massa da terra é aquela compreendida pela Europa, Ásia e África. Segue-se o continente americano (América do Norte, Central e do Sul), com uma área um pouco menor que a da África. A Antártica ocupa 9% da massa terrestre e a Austrália, 5%.

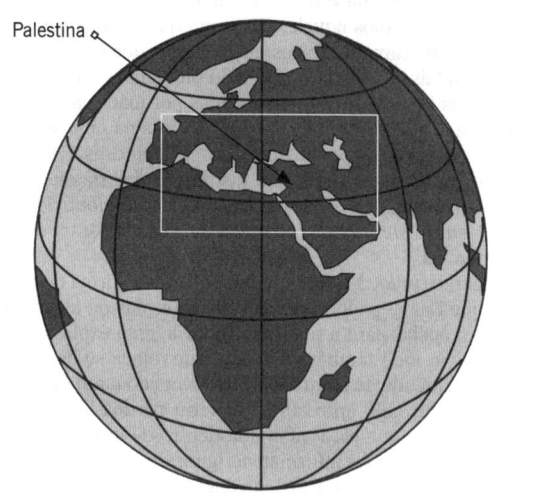

MASSAS DE TERRA DO MUNDO E A PALESTINA
Observações:

A extensão territorial terrestre total é de aproximadamente 91.560.000 km², um total de somente 29% da área da terra. A Palestina ocupa 16 mil km² do total territorial, algo representado acima por um pequeno retângulo.

As massas de terra são: 1. Europa-Ásia-África (57%). 2. América do Norte e do Sul, que ocupam uma área pouco menor do que a última. 3. Antártica, centralizando o Polo Sul (9%). 4. Austrália (5%).

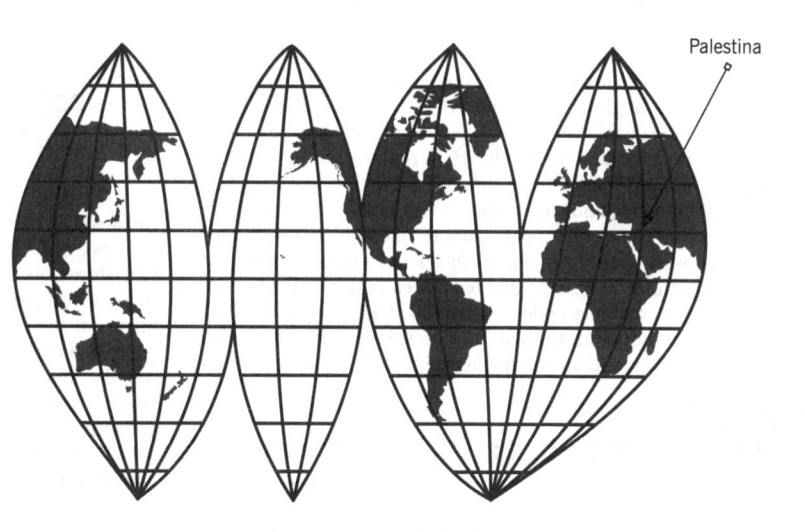

---

a fim de se instalar na cidade. Prostitutas e estalajadeiras, sem dúvida, eram chamadas por um mesmo nome. Sabemos que as estalagens antigas viviam infestadas por ladrões e prostitutas. "Entre os antigos, mulheres geralmente dirigiam casas de 'entretenimento'. Assim disse Heródoto (*Euterp.* cap. xxv; Diodoro Sículo, lib. 1, s. 8; cap. xxvii)" (Adam Clarke, *in loc.*). Uma estalagem, não há que duvidar, seria um lugar natural onde dois espias buscassem obter informações, e talvez tenha sido por esse motivo que eles acabaram na casa de Raabe.

■ 2.3

וַיִּשְׁלַח֙ מֶ֣לֶךְ יְרִיח֔וֹ אֶל־רָחָ֖ב לֵאמֹ֑ר ה֤וֹצִיאִי הָאֲנָשִׁ֤ים הַבָּאִים֙ אֵלַ֔יִךְ אֲשֶׁר־בָּ֖אוּ לְבֵיתֵ֑ךְ כִּ֛י לַחְפֹּ֥ר אֶת־כָּל־הָאָ֖רֶץ בָּֽאוּ׃

Faze sair os homens que vieram a ti. Este versículo dá a entender que o grupo de busca não invadiu abruptamente a casa de Raabe. Isso concorda com o tratamento respeitoso que os antigos davam aos lares particulares, mesmo que fossem de meretrizes. Essa pequena mostra de cortesia oriental deu a Raabe tempo suficiente para esconder os espias. Os agentes do rei tinham visto os dois israelitas entrar na casa, portanto eles sabiam que os israelitas estavam ali. Não havia como negar o fato. De alguma maneira, que o texto não nos explica, aqueles agentes também sabiam por qual motivo os israelitas tinham chegado: a saber, como espias, para ajudar na invasão da Terra Prometida. Alguns intérpretes argumentam que Raabe era apenas uma estalajadeira, e não uma prostituta, e que a palavra que a caracteriza deveria ser assim traduzida. De outra sorte, como prossegue o raciocínio, a casa teria sido violentamente invadida, e isso sem a menor demora. Mas esse raciocínio parece pouco abalizado.

■ 2.4

וַתִּקַּ֧ח הָֽאִשָּׁ֛ה אֶת־שְׁנֵ֥י הָאֲנָשִׁ֖ים וַֽתִּצְפְּנ֑וֹ וַתֹּ֣אמֶר ׀ כֵּ֗ן בָּ֤אוּ אֵלַי֙ הָֽאֲנָשִׁ֔ים וְלֹ֥א יָדַ֖עְתִּי מֵאַ֥יִן הֵֽמָּה׃

A mulher, porém, havia tomado e escondido os dois homens; e disse. Tendo ocultado os dois espias, impelida pelo temor a Yahweh (vs. 9), Raabe ocultou a presença deles por meio de uma mentira: "De fato, os homens estiveram aqui, mas eu não sabia de onde tinham vindo. Vão agora mesmo atrás deles!" E assim, com uma inverdade, ela salvou duas vidas e tornou-se uma das heroínas da fé (ver Hb 11.31). Os filósofos falam a respeito de mentiras não morais, ou seja, inverdades que podem ser boas, e não más, mesmo porque não há problemas morais associados a elas. Conta-se a história de um padre católico romano que se viu envolvido com espiões aliados, que trabalhavam contra Hitler, durante a Segunda Guerra Mundial. Quando foi indagado acerca do envolvimento, ele contou toda a verdade! Os espiões foram identificados e executados! Isso significa que o padre disse uma má verdade, quando poderia ter dito uma boa mentira! Também temos aqueles casos em que os médicos dizem a pacientes psicologicamente fracos que o câncer que os aflige, ou outras doenças fatais, é um mero resfriado ou alguma outra patologia inocente. Essas inverdades são justificadas porquanto aliviam a dor e a ansiedade dos seres humanos. São mentiras não morais. Assim, apesar de o caso parecer poderoso, "algumas mentiras são boas, ou, pelo menos, indiferentes", isso não justifica a maioria das inverdades, as quais são malignas e prejudiciais. Ver no *Dicionário* o artigo intitulado *Mentir (Mentiroso)*, quanto a uma tirada contra o tipo negativo de mentira.

Adam Clarke (*in loc.*) fazia objeção a qualquer forma de mentira, sugerindo que Raabe poderia ter salvado os espias de alguma outra maneira, sem apelar para a mentira. Todavia, essa explicação é forçada. Ellicott (*in loc.*) também defendia que nunca se deve proferir nenhuma modalidade de mentira, tendo chamado o ato de Raabe de pecaminoso. John Gill, entretanto, preferiu perdoá-la por ter dito uma mentira, visto que ela fora criada dentro de uma cultura pagã. Diversas de minhas fontes informativas ignoram o problema assim levantado. Quanto a mim, estou ao lado dos filósofos acerca da questão.

■ 2.5

וַיְהִי הַשַּׁעַר לִסְגּוֹר בַּחֹשֶׁךְ וְהָאֲנָשִׁים יָצָאוּ לֹא יָדַעְתִּי אָנָה הָלְכוּ הָאֲנָשִׁים רִדְפוּ מַהֵר אַחֲרֵיהֶם כִּי תַשִּׂיגוּם׃

Ide após eles depressa. Raabe desenvolveu um pouco mais a sua mentira, com a finalidade de livrar-se dos agentes do rei rápida e definitivamente. Ela fingiu absoluta inocência e, com a facilidade tipicamente feminina de falar de forma rápida e inteligente, enganou-os completamente. Ninguém pode falar tão prontamente e com tanta habilidade como uma mulher que esteja em dificuldades! Pesquisas científicas demonstram que as mulheres têm um domínio natural e genético sobre a linguagem, que os homens não têm, ao passo que o homem exibe maior vantagem quanto às questões matemáticas.

Raabe admitiu prontamente que os dois estranhos tinham vindo à casa dela; mas como ela poderia saber da identidade e da missão deles? Francamente! John Gill (*in loc.*) consolava-se diante do fato de que Deus a havia perdoado daquelas mentiras!

■ 2.6

וְהִיא הֶעֱלָתַם הַגָּגָה וַתִּטְמְנֵם בְּפִשְׁתֵּי הָעֵץ הָעֲרֻכוֹת לָהּ עַל־הַגָּג׃

Ela, porém, os fizera subir ao eirado. Raabe havia estendido sobre o telhado plano de sua casa algumas canas de linho. Lembrando-se disso, tomou os dois homens e escondeu-os entre as canas de linho. Dessa forma, a providência de Deus havia operado quanto a pequenas coisas, para que contribuíssem para grandes propósitos. O linho estava ali a fim de ressecar ao sol. Essas canas teriam cerca de um metro de comprimento cada uma, sendo portanto suficientes para servir de esconderijo. Uma vez secas, as canas de linho perdiam sua casca, e então as fibras soltas eram usadas para fabricar fios de linho. O calendário de Gezer (século X a.C.) menciona o processo. Ver no *Dicionário* o artigo chamado *Linho*. Plínio (*História Natural* 1. 19. cap. 1) contou quais eram os processos de colheita e secadura do linho. Os telhados planos das casas palestinas eram ideais para esse processo de secadura, porquanto ali fazia grande calor. Ver Dt 22.8. Alguns intérpretes, considerando Raabe uma estalajadeira, salientam esse labor como prova de ser ela uma mulher virtuosa e laboriosa; mas esse argumento não parece bem fundamentado. O linho e a cevada eram colheitas do começo do ano agrícola (ver Êx 11.31), que se passava no primeiro mês (ver Js 4.19), pelo que devia estar correndo o mês de nisã (março-abril, segundo nosso calendário).

■ 2.7

וְהָאֲנָשִׁים רָדְפוּ אַחֲרֵיהֶם דֶּרֶךְ הַיַּרְדֵּן עַל הַמַּעְבְּרוֹת וְהַשַּׁעַר סָגָרוּ אַחֲרֵי כַּאֲשֶׁר יָצְאוּ הָרֹדְפִים אַחֲרֵיהֶם׃

Foram-se aqueles homens após os espias. A vida de Raabe mostrou ser útil. Os agentes do rei foram-se atrás de meras sombras, ao mesmo tempo que os espias israelitas continuavam em segurança na casa de Raabe. Na ausência de perseguidores, os espias tiveram muito tempo para se preparar para a fuga. Dessa maneira, foram libertados da boca do leão, e puderam cumprir a sua missão de espionagem.

Aos vaus do Jordão. Ou seja, aos lugares onde se podia atravessar o rio a pé, com facilidade, na suposição de que os espias de Israel pudessem ser encontrados ali, mais provavelmente, já que o povo de Israel estava acampado do lado oposto do rio, preparado para a travessia do lado ocidental do território da Terra Prometida. Ver Gn 32.10.

Fechou-se a porta. O mais provável é que estejam em pauta os portões da cidade. As autoridades de Jericó não queriam mais a visita de espias noturnos, e talvez tivessem pensado que, assim fazendo, poderiam impedir a fuga dos espias israelitas, se, porventura, eles ainda estivessem no interior da cidade.

■ 2.8

וְהֵמָּה טֶרֶם יִשְׁכָּבוּן וְהִיא עָלְתָה עֲלֵיהֶם עַל־הַגָּג׃

Foi ela ter com eles ao eirado. Raabe apressou-se a ir falar com os espias de Israel, que estavam ainda escondidos, a fim de contar-lhes o que havia acontecido, antes que eles pegassem no sono, entre as canas de linho (assim opinaram Kimchi e Abarbinel). O perigo ainda não havia passado de todo; mas a providência de Deus estava trabalhando em favor dos espias. Ocorreu, em seguida, uma conversação verdadeiramente notável.

■ 2.9

וַתֹּאמֶר אֶל־הָאֲנָשִׁים יָדַעְתִּי כִּי־נָתַן יְהוָה לָכֶם אֶת־הָאָרֶץ וְכִי־נָפְלָה אֵימַתְכֶם עָלֵינוּ וְכִי נָמֹגוּ כָּל־יֹשְׁבֵי הָאָרֶץ מִפְּנֵיכֶם׃

Bem sei. A fama de Yahweh já havia chegado a Jericó antes mesmo dos espias, tornando-se ele conhecido e temido por todos os seus moradores. As sete nações cananeias (ver Êx 15.15; 33.2 e Dt 7.1), embora numérica e militarmente mais poderosas que Israel, estavam prestes a ser expulsas da terra de Canaã (ver Gn 15.16). Yahweh é quem determina os tempos e as fronteiras dos povos, e é prerrogativa sua alterar isso. Ver At 17.26. A fim de facilitar a mudança, o terror havia sobrevindo àqueles povos militarmente superiores a Israel, permitindo que os hebreus, embora militarmente mais fracos, avançassem. Ver Êx 23.27 e Dt 2.25 quanto ao terror que havia avançado à frente do povo de Israel, o que servia de ferramenta psicológica nas mãos do Senhor, a fim de purificar a Terra Prometida.

■ 2.10

כִּי שָׁמַעְנוּ אֵת אֲשֶׁר־הוֹבִישׁ יְהוָה אֶת־מֵי יַם־סוּף מִפְּנֵיכֶם בְּצֵאתְכֶם מִמִּצְרָיִם וַאֲשֶׁר עֲשִׂיתֶם לִשְׁנֵי מַלְכֵי הָאֱמֹרִי אֲשֶׁר בְּעֵבֶר הַיַּרְדֵּן לְסִיחֹן וּלְעוֹג אֲשֶׁר הֶחֱרַמְתֶּם אוֹתָם׃

Porque temos ouvido que. A fama de Yahweh tinha chegado aos ouvidos dos habitantes de Jericó. Raabe tinha consciência do que estava sucedendo. A história da travessia do mar Vermelho tinha-se tornado matéria de conhecimento geral. Ver sobre o mar de Juncos, em Êx 13.18 e suas notas expositivas. Esse é o mar aqui referido, e não o mar Vermelho, que fica um tanto mais ao sul. Ver o capítulo 14 do livro de Êxodo quanto à narrativa. O livramento de Israel do Egito é um tema comum nos livros do Êxodo até Josué, inclusive. No livro de Deuteronômio, esse fato é mencionado por nada menos de vinte vezes. Ver as notas expositivas a esse respeito em Dt 4.20. Ademais, a facilidade com que Israel conquistara o lado oriental da terra de Canaã (ver no *Dicionário* o verbete denominado *Transjordânia*) também havia contribuído para chamar a atenção dos povos que ocupavam a margem ocidental do rio Jordão, levando-os a temer. Quanto a essa história, ver Nm 21.21-35 e suas notas expositivas.

"Agora, o mesmo Deus estava fechando sobre eles, e eles sabiam que não poderiam sair-se vencedores" (Donald K. Campbell, *in loc.*). Cf. Js 4.24. Todos os povos da terra tinham chegado a conhecer a mão de Yahweh, reconhecendo que ele é poderoso.

2.11

וַנִּשְׁמַע וַיִּמַּס לְבָבֵנוּ וְלֹא־קָמָה עוֹד רוּחַ בְּאִישׁ מִפְּנֵיכֶם כִּי יְהוָה אֱלֹהֵיכֶם הוּא אֱלֹהִים בַּשָּׁמַיִם מִמַּעַל וְעַל־הָאָרֶץ מִתָּחַת׃

Ouvindo isto, desmaiou-nos o coração. Os cananeus perderam a coragem, dando a guerra por perdida, antes mesmo que Israel tivesse penetrado no lado ocidental da Terra Prometida. Os cananeus reconheceram que estava acontecendo algo de sobrenatural, entendendo assim que Yahweh-Elohim (o Eterno Todo-poderoso) é o verdadeiro Deus, aquele que habita nos céus, e lá de cima controla a terra cá embaixo. Isso não significa, contudo, que eles tenham deixado de crer em outros deuses; mas tão somente que eles percebiam que Yahweh era o Deus do momento, um Deus irresistível. Ver no *Dicionário* os artigos chamados *Deus, Nomes Bíblicos de*, e *Céu*. E ver o conceito que os antigos faziam do céu, em Gn 11.4.

A Fé de Raabe. A fé dessa mulher cananeia foi comemorada em Hb 11.31, e alguns estudiosos pensam estar em foco a fé salvadora, mas isso parece cristianizar o texto de uma maneira exagerada. Notemos que o texto está posto na primeira pessoa do plural, "nós". Muitos cananeus compartilhavam das convicções que Raabe havia desenvolvido, embora dificilmente isso signifique que esses cananeus tivessem recebido a forma de fé que conduz à salvação. Outrossim, em essência eles tinham crido que Yahweh era uma tremenda força destruidora e, de algum modo, era o principal dentre as divindades celestes. Havia luz a respeito da deidade, e essa luz estava aumentando. Em todas as épocas, essa luz vem crescendo, porquanto isso faz parte do avanço do conhecimento, bem como é um passo fundamental da evolução espiritual.

2.12,13

וְעַתָּה הִשָּׁבְעוּ־נָא לִי בַּיהוָה כִּי־עָשִׂיתִי עִמָּכֶם חָסֶד וַעֲשִׂיתֶם גַּם־אַתֶּם עִם־בֵּית אָבִי חֶסֶד וּנְתַתֶּם לִי אוֹת אֱמֶת׃

וְהַחֲיִתֶם אֶת־אָבִי וְאֶת־אִמִּי וְאֶת־אַחַי וְאֶת־אַחְיוֹתַי וְאֵת כָּל־אֲשֶׁר לָהֶם וְהִצַּלְתֶּם אֶת־נַפְשֹׁתֵינוּ מִמָּוֶת׃

Agora, pois, jurai-me, vos peço. Tendo confessado a sua crença em Yahweh, Raabe rogou que os espias de Israel jurassem por Yahweh que os israelitas não aniquilariam a ela e à sua parentela. Ver no *Dicionário* o verbete intitulado *Juramentos*. Ela os tinha recebido com bondade, e isso requeria uma bondade correspondente da parte deles. A essência dessa bondade retribuída seria que Raabe e toda a sua família mais próxima seriam poupadas da morte, porquanto ela sabia que a guerra santa (ver Dt 7.1-5) exigiria uma matança completa, incluindo mulheres e crianças. E para certificar-se de que os espias de Israel tinham compreendido bem o pedido que lhes fizera, ela passou a enumerar cada membro de sua família que deveria ser poupado (vs. 13).

Um sinal certo. Essas palavras revestem-se de dois sentidos possíveis, a saber: 1. um juramento; 2. o fato de que cada membro da família de Raabe seria poupado, o que seria um sinal abençoado de bondade retribuída.

"Raabe demonstrou a sua fé não somente ao proteger os espias de Israel (ver Hb 11.31 e Tg 2.25), mas também ao mostrar preocupação com a segurança de seus familiares" (Donald K. Campbell, *in loc.*, o qual também destacou que Raabe solicitou que ela mesma e seus familiares se tornassem seguidores de Yahweh, para que servissem ao único e verdadeiro Deus; todavia, parece que isso é ler a mais do que está escrito no texto sagrado).

2.14

וַיֹּאמְרוּ לָהּ הָאֲנָשִׁים נַפְשֵׁנוּ תַחְתֵּיכֶם לָמוּת אִם לֹא תַגִּידוּ אֶת־דְּבָרֵנוּ זֶה וְהָיָה בְּתֵת־יְהוָה לָנוּ אֶת־הָאָרֶץ וְעָשִׂינוּ עִמָּךְ חֶסֶד וֶאֱמֶת׃

A nossa vida responderá pela vossa. Raabe acabara de entrar em um acordo com os espias, e eles concordaram prontamente com as condições sugeridas por ela. Era uma questão de "vida por vida", em que "a vida deles respondia pela vida dela e de seus familiares". Esta era uma transação séria, visto que Raabe estava traindo a seus concidadãos, entregando-os nas mãos dos inimigos e tornando-se, desse modo, uma agente da morte de muitos cananeus. Os homens desprezam os traidores, mas aqueles que ajudam as nossas causas são considerados heróis, pois com frequência arriscam a sua vida na empreitada.

Alguns intérpretes julgam que o pacto firmado entre Raabe e os espias de Israel significa que eles perderiam a própria vida se algum mal viesse a atingir Raabe e os seus familiares. Assim, se outros israelitas viessem a tirar a vida de Raabe e de seus familiares, os espias se adiantariam e diriam em protesto veemente: "Matai-nos também. Quebrastes o nosso acordo solene".

2.15

וַתּוֹרִדֵם בַּחֶבֶל בְּעַד הַחַלּוֹן כִּי בֵיתָהּ בְּקִיר הַחוֹמָה וּבַחוֹמָה הִיא יוֹשָׁבֶת׃

Ela então os fez descer por uma corda pela janela. Foi muito conveniente que a casa de Raabe tivesse sido construída sobre a muralha de Jericó. Uma janela dava para o lado de fora, permitindo assim livre acesso para fora da cidade. A arqueologia tem demonstrado o que está em pauta neste texto. "A derradeira cidade cananeia de Jericó era circundada por duas muralhas, havendo um espaço entre elas de cerca de quatro metros e meio. A muralha interna era bem mais forte do que a externa. Por causa da falta de espaço dentro da cidade (afinal, Jericó dificilmente ocuparia uma área de trinta mil metros quadrados), muitas casas eram edificadas entre as duas muralhas, apoiadas sobre vigas de madeira, que iam de uma à outra muralha, ou mediante pequenas paredes de tijolos que ligavam as duas muralhas. A casa de Raabe era uma dessas construções. A janela da casa dela, pois, olhava para fora da muralha externa" (John Bright, *in loc.*).

Um cordão feito de fio de escarlata (vs. 18) foi usado para dar aos espias acesso ao lado de fora. A *providência de Deus* (ver a respeito no *Dicionário*), portanto, empregou coisas pequenas, mas necessárias para levar todo o incidente a uma conclusão feliz.

Jarchi supunha que esse cordão fosse o mesmo que Raabe costumava usar para permitir acesso, para dentro e para fora, à sua casa. Marcial (*Epigram*. 1. 3. Ep. 62) conta como as prostitutas costumavam usar as muralhas a fim de se exibirem, chamando homens às suas casas. Aquilo que costumava ser empregado para um mau uso de súbito passou a ser usado para um fim nobre.

2.16

וַתֹּאמֶר לָהֶם הָהָרָה לֵּכוּ פֶּן־יִפְגְּעוּ בָכֶם הָרֹדְפִים וְנַחְבֵּתֶם שָׁמָּה שְׁלֹשֶׁת יָמִים עַד שׁוֹב הָרֹדְפִים וְאַחַר תֵּלְכוּ לְדַרְכְּכֶם׃

Ide-vos ao monte. Raabe deu aos dois espias alguns bons conselhos práticos. Ela estava no comando da situação. O monte Quarantania ficava nas proximidades de Jericó, e ali os espias encontrariam um bom lugar de esconderijo. Estrabão (*Geografia* 1.16, par. 525) informou-nos que a cidade era cercada por colinas e elevações.

Dentro de três dias, os agentes do rei de Jericó haveriam de cansar-se da busca e desistiriam. Então os espias estariam em segurança, voltariam à companhia de sua gente, e os planos para a invasão poderiam prosseguir. Jarchi e Kimchi supunham que o Espírito de Deus tenha inspirado Raabe a dar aos espias esses conselhos. "Os montes entre Jerusalém e Jericó por muitas vezes serviram de refúgio para indivíduos de caráter pior do que os dois espias enviados por Josué (ver Lc 10.30)" (Ellicott, *in loc.*).

2.17

וַיֹּאמְרוּ אֵלֶיהָ הָאֲנָשִׁים נְקִיִּם אֲנַחְנוּ מִשְּׁבֻעָתֵךְ הַזֶּה אֲשֶׁר הִשְׁבַּעְתָּנוּ׃

Ao partirem, os dois espias de Israel asseguraram a Raabe que eles cumpririam a sua parte no acordo e no juramento que tinham feito, e que, por isso mesmo, estariam inocentes se algum erro ocorresse no tocante à questão. Eles haveriam de "cumprir a sua obrigação".

2.18

הִנֵּ֣ה אֲנַ֣חְנוּ בָאִ֣ים בָּאָ֑רֶץ אֶת־תִּקְוַ֞ת חוּט֩ הַשָּׁנִ֨י
הַזֶּ֜ה תִּקְשְׁרִ֗י בַּֽחַלּוֹן֙ אֲשֶׁ֣ר הוֹרַדְתֵּ֣נוּ ב֔וֹ וְאֶת־אָבִ֨יךְ
וְאֶת־אִמֵּ֜ךְ וְאֶת־אַחַ֗יִךְ וְאֵת֙ כָּל־בֵּ֣ית אָבִ֔יךְ תַּאַסְפִ֥י
אֵלַ֖יִךְ הַבָּֽיְתָה׃

Se... não atares este cordão de fio de escarlata. A mesma corda vermelha usada para permitir que os espias de Israel escapassem para a liberdade teria de ser afixada à janela exterior da casa de Raabe, para que aquela casa não fosse invadida quando os soldados hebreus atacassem a cidade. Destarte, aquilo que tinha servido de meio de escape para os dois espias hebreus também haveria de servir de meio de escape para Raabe e sua família. A Raabe cabia a responsabilidade de reunir naquela casa todos os seus familiares, porquanto, em caso de guerra santa (ver as notas expositivas a respeito, em Dt 7.1-5), exigia-se o aniquilamento absoluto de toda pessoa e até dos animais domesticados que houvesse dentro de uma cidade atacada. Isso quer dizer que, se algum dos membros da família de Raabe resolvesse vaguear para fora daquela casa, esse tal não seria poupado. Também é curioso que aquele meio de acesso, por onde os clientes de Raabe costumavam entrar e sair da casa (ver as notas sobre o versículo 15 deste capítulo), agora fosse usado como salva-vidas. É provável que o cordão tivesse sido feito de tiras de linho costuradas umas às outras.

Tipologia. Alguns intérpretes têm visto nesse cordão um símbolo do sangue de Cristo, que provê salvação para todos os pecadores. Ver no *Dicionário* os artigos intitulados *Expiação* e *Expiação pelo Sangue de Jesus.*

2.19

וְהָיָ֡ה כֹּ֣ל אֲשֶׁר־יֵצֵא֩ מִדַּלְתֵ֨י בֵיתֵ֧ךְ ׀ הַח֛וּצָה דָּמ֥וֹ
בְרֹאשׁ֖וֹ וַאֲנַ֣חְנוּ נְקִיִּ֑ם וְ֠כֹל אֲשֶׁ֨ר יִֽהְיֶ֤ה אִתָּךְ֙ בַּבַּ֔יִת דָּמ֣וֹ
בְרֹאשֵׁ֔נוּ אִם־יָ֖ד תִּֽהְיֶה־בּֽוֹ׃

Qualquer que sair para fora da porta da tua casa. Só podia ser garantida a segurança para cada um dos membros da família de Raabe, se eles permanecessem dentro da casa dela, segundo fora combinado. Os espias de Israel não quiseram assumir nenhuma responsabilidade por quem se mostrasse negligente. Mas, se alguma pessoa da família de Raabe, que se mantivesse dentro da casa dela, chegasse a ser morta, então os espias assumiriam responsabilidade por tal perda de vida.

Este versículo garante que a guerra santa contra Jericó seria tão eficiente em seus propósitos que nenhum habitante de Jericó escaparia com vida, excetuando aqueles que se mantivessem no interior da casa de Raabe. Não haveria prisioneiros de guerra, nem mesmo as mulheres seriam poupadas. Nem um bebê que fosse poderia ser poupado. Até mesmo as vacas, as ovelhas, os porcos e os cavalos seriam abatidos.

Cumprimento das Promessas. "Qualquer pessoa pode fazer uma promessa; mas cumpri-la ao pé da letra, em conclusão bem-sucedida, revela o verdadeiro valor da vida" (Joseph R. Sizoo, *in loc.*).

2.20

וְאִם־תַּגִּ֖ידִי אֶת־דְּבָרֵ֣נוּ זֶ֑ה וְהָיִ֣ינוּ נְקִיִּ֔ם מִשְּׁבֻעָתֵ֖ךְ
אֲשֶׁ֥ר הִשְׁבַּעְתָּֽנוּ׃

Se tu denunciares esta nossa missão, seremos desobrigados do teu juramento. Teria de haver silêncio total quanto ao acordo entre Raabe e os dois espias. E isso porque, se Raabe abrisse a boca, então os habitantes de Jericó se preparariam para a defesa, e se perderiam muitas vidas hebreias. Os espias, pois, considerariam Raabe responsável por isso. Aquela foi uma ocasião em que a mulher teria de guardar segredo! Qualquer maledicência era, para ela, um tabu.

Muito maior é o número daqueles que "pensam pouco e falam muito" (John Dryden).

2.21

וַתֹּ֕אמֶר כְּדִבְרֵיכֶ֖ם כֶּן־ה֑וּא וַֽתְּשַׁלְּחֵ֖ם וַיֵּלֵ֑כוּ וַתִּקְשֹׁ֛ר
אֶת־תִּקְוַ֥ת הַשָּׁנִ֖י בַּחַלּֽוֹן׃

E ela disse. O pacto foi confirmado por Raabe, e o cordão escarlata foi pendurado na janela externa da casa. Os espias hebreus haviam cumprido a sua missão; Raabe e seus familiares seriam os únicos sobreviventes da primeira invasão de Israel contra uma cidade localizada no lado ocidental do rio Jordão. A porta da casa de Raabe era o único lugar seguro de toda aquela cidade. Cf. Gn 7.16, quanto à porta da arca de Noé; e Êx 12.23, quanto às portas marcadas pelo sangue do cordeiro pascal; e também Jo 10.9, onde o Senhor Jesus nos é apresentado como a Porta.

2.22

וַיֵּלְכוּ֙ וַיָּבֹ֣אוּ הָהָ֔רָה וַיֵּ֥שְׁבוּ שָׁ֖ם שְׁלֹ֣שֶׁת
יָמִ֑ים עַד־שָׁ֣בוּ הָרֹדְפִ֑ים וַיְבַקְשׁ֧וּ הָרֹדְפִ֛ים
בְּכָל־הַדֶּ֖רֶךְ וְלֹ֥א מָצָֽאוּ׃

Foram-se, pois, e chegaram ao monte. Seguindo os conselhos de Raabe (ver o vs. 16 deste capítulo), os dois espias permaneceram por três dias nas colinas próximas, enquanto os agentes do rei da cidade procuravam por eles nos vaus do rio Jordão (vs. 7). O grupo de busca procurou pelos espias de Israel por toda a parte, mas não os encontrou. A providência divina cuidara disso.

As colinas de pedra calcária ficavam a uma distância de apenas oitocentos metros das muralhas de Jericó. Algumas dessas colinas chegavam a quinhentos metros de altitude, com muitas cavernas onde os dois homens poderiam esconder-se durante três dias.

E ali ficaram três dias. Esse prazo pode representar os dias em que a missão dos dois espias se iniciou em Jericó, ou os dias em que eles ficaram escondidos nos montes, após terem escapado de Jericó. Seja como for, a missão foi breve, mas eficaz. Eles contavam agora com todas as informações de que precisavam para ajudar na invasão da cidade.

2.23

וַיָּשֻׁ֜בוּ שְׁנֵ֤י הָֽאֲנָשִׁים֙ וַיֵּרְד֣וּ מֵהָהָ֔ר וַיַּעַבְר֖וּ וַיָּבֹ֑אוּ
אֶל־יְהוֹשֻׁ֣עַ בִּן־נ֑וּן וַיְסַ֨פְּרוּ־ל֔וֹ אֵ֥ת כָּל־הַמֹּצְא֖וֹת
אוֹתָֽם׃

Assim os dois homens voltaram. A fuga foi bem-sucedida. Eles deixaram as montanhas e passaram para o lado ocidental do rio Jordão. E, ao encontrar Josué, deram-lhe notícia do resultado da sua missão. Quanto ao elemento tempo, comentou Kimchi: "... três dias depois de terem sido enviados, que foi o segundo dia dos três dias mencionados por Josué, quando ele disse: 'dentro de três dias'" (ver sobre Js 1.11). Eles chegaram à presença de Josué em Sitim, de onde ele continuou (ver Js 2.1).

2.24

וַיֹּאמְר֜וּ אֶל־יְהוֹשֻׁ֗עַ כִּֽי־נָתַ֧ן יְהוָ֛ה בְּיָדֵ֖נוּ
אֶת־כָּל־הָאָ֑רֶץ וְגַם־נָמֹ֛גוּ כָּל־יֹשְׁבֵ֥י הָאָ֖רֶץ
מִפָּנֵֽינוּ׃ ס

Certamente o Senhor nos deu toda esta terra. Yahweh estivera com os dois espias, arranjando todas as circunstâncias e conferindo-lhes proteção. Eles estavam certos de que entrariam na posse da Terra Prometida, porque a providência divina mostrara-se favorável, tornando um sucesso a sua missão. Os habitantes originais da terra de Canaã estavam em más condições psicológicas, pois esperavam e temiam pelo pior (vs. 9). Em breve, teria cumprimento a principal provisão do Pacto Abraâmico (ver as notas a respeito em Gn 15.18). Israel, um povo com cerca de quatro milhões de pessoas (ver Nm 1.46 e suas notas expositivas), logo teria seu território pátrio.

Este segundo capítulo do livro de Josué ilustra o cumprimento da promessa feita em Js 1.5,9. Isso deve ser contrastado com o relatório negativo dado pelos doze espias originais que tinham sido enviados cerca de quarenta anos antes. Aquele relatório negativo manteve o povo de Israel a vaguear pelo deserto durante quatro décadas. Mas este relatório mandou-os, triunfalmente, à Terra Prometida. Ver Nm 13.31 quanto à narrativa.

CAPÍTULO TRÊS

A TRAVESSIA DO RIO JORDÃO (3.1—5.1)

Finalmente, Israel chegou à beira do rio Jordão. Estava começando uma nova era, e as perambulações pelo deserto tinham terminado. Moisés estava morto, e seu corpo fora sepultado no outro lado do Jordão, acompanhando na morte aquela geração anterior desobediente. Josué era o novo líder do povo de Israel, e ele haveria de conduzi-los ao seu território nacional. A arca foi transportada em meio a grande expectativa. Haveria uma travessia miraculosa do rio, quando a providência divina intensificaria os seus efeitos. Yahweh estava ali para lutar em favor de seu povo. Embora fosse época de cheia, devido às chuvas próprias da primavera, as águas do rio Jordão seriam mantidas distantes, e haveria um milagre similar ao que houve no *mar de Juncos* (ver a esse respeito no *Dicionário*).

Josué avançou, sem ter ideia de como faria atravessar o rio aquela multidão de quatro milhões de pessoas, estando o Jordão em tempo de cheia (vs. 15). Havia uma imensa massa de pessoas, de animais e de bagagens. Seria um teste muito difícil para a providência divina. Mas Josué não hesitou.

■ 3.1

וַיַּשְׁכֵּם יְהוֹשֻׁעַ בַּבֹּקֶר וַיִּסְעוּ מֵהַשִּׁטִּים וַיָּבֹאוּ עַד־הַיַּרְדֵּן הוּא וְכָל־בְּנֵי יִשְׂרָאֵל וַיָּלִנוּ שָׁם טֶרֶם יַעֲבֹרוּ:

Levantou-se, pois, Josué, de madrugada. A aventura começou bem cedo pela manhã. As pessoas e os animais afastaram-se de Sitim e aproximaram-se do rio Jordão. Isso significa que eles percorreram quase doze quilômetros, uma boa caminhada matutina. Ver no *Dicionário* o artigo chamado *Sitim*, bem como as notas em Js 2.1. É possível que, na antiguidade, o local antigo fosse o mesmo que Abel Sitim, mencionado em Nm 33.49.

Por conseguinte, poderíamos afirmar que Sitim foi o último estágio das perambulações do povo de Israel pelo deserto. Ver Nm 33.2. A marcha de Sitim às margens do rio Jordão foi a primeira fase do novo dia, bem como a primeira etapa dirigida por Josué. Moisés tinha sido o líder do êxodo. Mas Josué era agora o líder do eisodus, "entrada". Corria o nono dia do mês de nisã (março-abril), visto que a travessia para o outro lado do Jordão haveria de ocorrer no décimo dia daquele mês (Js 3.4,5; 4.19).

■ 3.2

וַיְהִי מִקְצֵה שְׁלֹשֶׁת יָמִים וַיַּעַבְרוּ הַשֹּׁטְרִים בְּקֶרֶב הַמַּחֲנֶה:

Os oficiais passaram pelo meio do arraial. Instruções foram dadas ao povo de Israel, para que a marcha tivesse início. Os oficiais poderiam ser auxiliares de Josué, embora o mais provável é que fossem oficiais do exército, visto que Israel estava avançando como uma unidade militar. Ver Js 1.10,11. Os oficiais já tinham estado por toda parte, entre as tribos, determinando que o povo se preparasse. A palavra traduzida aqui como "oficiais" é comentada nas notas sobre Js 1.10. O transporte do alimento para tão grande número de pessoas já seria um imenso problema, para não mencionar os problemas envolvidos na batalha propriamente dita.

■ 3.3

וַיְצַוּוּ אֶת־הָעָם לֵאמֹר כִּרְאוֹתְכֶם אֵת אֲרוֹן בְּרִית־יְהוָה אֱלֹהֵיכֶם וְהַכֹּהֲנִים הַלְוִיִּם נֹשְׂאִים אֹתוֹ וְאַתֶּם תִּסְעוּ מִמְּקוֹמְכֶם וַהֲלַכְתֶּם אַחֲרָיו:

Quando virdes a arca da aliança. Esse item principal do tabernáculo (e, mais tarde, do templo de Jerusalém) era o lugar específico onde se manifestava a presença de Yahweh. A arca era transportada à frente do povo porquanto simbolizava a presença e a ajuda de Yahweh na batalha. Ver no *Dicionário* o verbete denominado *Arca da Aliança*, quanto a informações completas. Era costumeiro que os levitas fizessem o transporte da arca da aliança, pois eles constituíam a casta sacerdotal de Israel, que cuidava das questões atinentes ao culto e ao transporte de todo o material do tabernáculo, quando o povo de Israel se punha em movimento. Neste versículo é dito que os sacerdotes fizeram o transporte dessa peça do tabernáculo, embora a tarefa usualmente fosse dada aos levitas coatitas. Em três ocasiões, a Bíblia diz-nos que os sacerdotes fizeram o transporte da arca: 1. aqui; 2. quando eles circundaram Jericó (ver Js 6.9); 3. quando a arca foi transportada para o interior do templo de Salomão (ver 1Rs 8.6). Não são mencionados nem o tabernáculo nem o seu equipamento, mas cumpre-nos compreender a presença de ambos. Ver também Nm 10.35,36 e 1Sm 4.6-9, acerca de como a arca da aliança sempre acompanhava o exército de Israel às batalhas. Ver o sétimo capítulo de Números quanto ao transporte do tabernáculo e de todos os seus móveis e utensílios pelo deserto. Em vez de as tropas de elite seguirem à frente do povo, foi a arca da aliança, porque os israelitas tinham iniciado uma guerra santa, e a batalha, em última análise, dependia de Yahweh, e não do poder militar. Ver sobre a guerra santa em Dt 7.1-5 e 20.10-18.

■ 3.4

אַךְ רָחוֹק יִהְיֶה בֵּינֵיכֶם וּבֵינוֹ כְּאַלְפַּיִם אַמָּה בַּמִּדָּה אַל־תִּקְרְבוּ אֵלָיו לְמַעַן אֲשֶׁר־תֵּדְעוּ אֶת־הַדֶּרֶךְ אֲשֶׁר תֵּלְכוּ־בָהּ כִּי לֹא עֲבַרְתֶּם בַּדֶּרֶךְ מִתְּמוֹל שִׁלְשׁוֹם: ס

Haja a distância de cerca de dois mil côvados entre vós e ela [a arca]. A arca da aliança ia à frente dos filhos de Israel cerca de um quilômetro. No versículo anterior, lemos que a arca da aliança também ia à frente das tropas. Dessa forma, o símbolo tornou-se evidente: Yahweh ia à frente de todas as atividades de seu povo; o poder de Yahweh se manifestava; a presença de Yahweh era uma realidade. Esses fatores conferiam a vitória a Israel em tempos de crise. A arca da aliança atuava como um guia para os hebreus. Os filhos de Israel nunca antes tinham passado por ali. Os sacerdotes haviam recebido instruções da parte de Yahweh, e os espias tinham dado informações sobre o caminho, pelo que também atuavam como batedores, à frente dos demais. Um novo dia e uma nova orientação tinham começado, em lugar de tudo quanto antes havia acontecido. Dentro da arca estavam os mandamentos, sob a forma das tábuas da lei. A obediência a Yahweh, a observância desses mandamentos, faziam Israel tornar-se um povo distinto e vitorioso (ver as notas expositivas em Dt 26.19).

Tipologia. Josué, tipo de Jesus Cristo, liderava o povo de Israel. Cristo Jesus é o líder do novo Israel, formado por todos os convertidos, judeus ou gentios. O evangelho de Cristo tomou o lugar da lei mosaica. Da mesma maneira que Josué tomou o lugar de Moisés, assim também substituiu toda a antiga legislação mosaica (ver o terceiro capítulo da epístola aos Gálatas).

Razões para a Distância entre a Arca da Aliança e o Povo. 1. Por motivo de reverência, o povo não podia aproximar-se muito da arca. 2. Todo o povo precisava ver a arca, pelo que era mister guardar distância. Vendo-a, eles eram capazes de segui-la. 3. A arca era símbolo da presença e do poder de Yahweh, pelo que tinha de seguir bem à frente de qualquer força militar.

■ 3.5

וַיֹּאמֶר יְהוֹשֻׁעַ אֶל־הָעָם הִתְקַדָּשׁוּ כִּי מָחָר יַעֲשֶׂה יְהוָה בְּקִרְבְּכֶם נִפְלָאוֹת:

Santificai-vos. Defronte dos filhos de Israel estava o rio Jordão, transbordando devido às chuvaradas de primavera. O rio representava uma formidável barreira ao sucesso. Mas Josué já sabia, em seu coração, que algum grande ato miraculoso de Yahweh salvaria o dia; e, a fim de encorajar o povo de Israel, isso se tornaria conhecido. O povo de Israel, contudo, precisava antes santificar-se, para que houvesse alguma grande intervenção divina. Eles teriam de purificar-se cerimonialmente. Era mister que cada indivíduo se purificasse, a fim de poder aproximar-se do Ser divino (ver Js 7.13), pois o Senhor estava prestes a manifestar-se às margens do rio Jordão. De acordo com a nossa maneira de pensar, diríamos que uma ordem mais apropriada teria sido: "Preparai vossas armas para a batalha". Contudo, em uma guerra santa, o que mais interessava era a presença de Yahweh. Assim sendo, os israelitas precisavam preparar-se para a presença de Yahweh.

Este versículo deve ser confrontado com Êx 19.10-13, onde foram baixadas ordens idênticas, posto que a lei mosaica estava às vésperas de ser dada, outra ocasião em que a presença de Yahweh esteve em evidência. Josué, pois, instruiu o povo a esperar por um milagre, porque somente um prodígio poderia satisfazer as necessidades daquele dia. Ver no *Dicionário* o verbete intitulado *Milagre*.

Não somos informados nas Escrituras a respeito de exatamente como a purificação teria de ocorrer, mas o mais provável é que tenha sido empregado o método usado em Êx 19.10-14. O povo precisava lavar as suas vestes e tomar o banho cerimonial (ver as notas a respeito em Lv 14.8; 15.16; 17.15; Nm 8.7 e 19.7,19).

■ 3.6

וַיֹּאמֶר יְהוֹשֻׁעַ אֶל־הַכֹּהֲנִים לֵאמֹר שְׂאוּ אֶת־אֲרוֹן הַבְּרִית וְעִבְרוּ לִפְנֵי הָעָם וַיִּשְׂאוּ אֶת־אֲרוֹן הַבְּרִית וַיֵּלְכוּ לִפְנֵי הָעָם׃ ס

Levantai a arca da aliança. Aqui se repete virtualmente a mensagem do terceiro versículo, onde aparecem notas expositivas. A ordem foi executada. O melhor *modus operandi* foi empregado, a fim de garantir o pleno êxito da invasão.

"Em todas as marchas anteriores do povo de Israel, a arca era transportada bem no centro do imenso acampamento. Ver o esquema usado, no final do segundo capítulo do livro de Números. Agora, porém, a arca deveria ser transportada à frente do exército, seguindo adiante do povo, e isso a uma respeitável distância... a fim de que todo o acampamento pudesse vê-la e deixar-se guiar por ela" (Adam Clarke, *in loc.*).

■ 3.7

וַיֹּאמֶר יְהוָה אֶל־יְהוֹשֻׁעַ הַיּוֹם הַזֶּה אָחֵל גַּדֶּלְךָ בְּעֵינֵי כָל־יִשְׂרָאֵל אֲשֶׁר יֵדְעוּן כִּי כַּאֲשֶׁר הָיִיתִי עִם־מֹשֶׁה אֶהְיֶה עִמָּךְ׃

Hoje começarei a engrandecer-te. O prodígio que ocorreria seria versátil em seus resultados: 1. confirmaria, diante de todo o Israel, a autoridade divina de Josué; 2. magnificaria a grandeza de Yahweh, e assim fortaleceria a fé do povo de Israel no Senhor; 3. mostraria que a autoridade de Moisés tinha continuado na pessoa de Josué, o que vale dizer que o propósito divino teria prosseguimento, apesar da morte do grande líder, Moisés; 4. em certos sentidos, Josué era inferior a Moisés, mas Josué era o homem de Deus para aquele momento, servindo ao Senhor como instrumento muito especial (este versículo amplia as ideias que figuram em Js 1.5,17); 5. O fato de que Josué foi capaz de prever o prodígio que estava prestes a ocorrer demonstrou que o espírito da profecia estava com ele, tal como havia sucedido no caso de Moisés.

■ 3.8

וְאַתָּה תְּצַוֶּה אֶת־הַכֹּהֲנִים נֹשְׂאֵי אֲרוֹן־הַבְּרִית לֵאמֹר כְּבֹאֲכֶם עַד־קְצֵה מֵי הַיַּרְדֵּן בַּיַּרְדֵּן תַּעֲמֹדוּ׃ פ

Tu, pois, ordenarás aos sacerdotes... Essa ordem foi baixada, e os sacerdotes que transportavam a arca saíram na frente de todos. Chegando à beira do rio Jordão, entretanto, eles deveriam fazer alto nas águas rasas do rio, e o milagre ocorreria. A água pararia de correr, e o povo de Israel seria capaz de fazer a travessia, conforme este capítulo nos informa que aconteceu. As águas do rio se acumulariam, formando um amontoado (vs. 13) e duplicando assim o milagre ocorrido no mar de Juncos (ver a respeito no *Dicionário*). A visão admirável das águas acumuladas convenceria até o mais cético dos homens de que Yahweh era mesmo poderoso, de que Yahweh estava presente, de que Yahweh tinha agido e de que Josué era o seu embaixador. Terminada a travessia, os filhos de Israel, de fato, reverenciaram a Josué (ver Js 4.14), reconhecendo que Deus estava com ele (ver Js 3.7; cf. 1.5,9).

■ 3.9

וַיֹּאמֶר יְהוֹשֻׁעַ אֶל־בְּנֵי יִשְׂרָאֵל גֹּשׁוּ הֵנָּה וְשִׁמְעוּ אֶת־דִּבְרֵי יְהוָה אֱלֹהֵיכֶם׃

Chegai-vos para cá, e ouvi as palavras do Senhor. Antes de prosseguirem, Josué teve ainda uma importante instrução para dar ao povo de Israel. Por esse motivo, convocou uma assembleia geral para dirigir as suas palavras. suas palavras, conforme este versículo afiança, eram palavras de Yahweh, porquanto o propósito divino estava operando em todos os eventos. Isso posto, vemos que Josué havia substituído a Moisés como porta-voz de Deus. Ver sobre a expressão, o Senhor falou, tão comum nos livros de Êxodo e de Levítico, comentada em Lv 1.1 e 4.1. Moisés, anteriormente, transmitia os recados divinos. Agora, Josué havia assumido esse ofício, tornando-se o novo mediador.

Tipologia. Josué, um tipo de Cristo, tornou-se o novo porta-voz e mediador, e assim também, de maneira mais ampla ainda, Cristo nos trouxe a completa revelação de Deus, conforme nos é ensinado em Hb 1.2. A revelação final de Deus nos foi dada mediante o Filho, ao passo que, antes da vinda do Senhor Jesus ao mundo, muitos veículos humanos já tinham sido usados.

■ 3.10

וַיֹּאמֶר יְהוֹשֻׁעַ בְּזֹאת תֵּדְעוּן כִּי אֵל חַי בְּקִרְבְּכֶם וְהוֹרֵשׁ יוֹרִישׁ מִפְּנֵיכֶם אֶת־הַכְּנַעֲנִי וְאֶת־הַחִתִּי וְאֶת־הַחִוִּי וְאֶת־הַפְּרִזִּי וְאֶת־הַגִּרְגָּשִׁי וְהָאֱמֹרִי וְהַיְבוּסִי׃

Nisto conhecereis que o Deus vivo está no meio de vós. Este versículo é um paralelo direto do trecho de Dt 7.1. As sete nações cananeias que seriam expulsas são ventiladas nas notas sobre Êx 33.2, onde é enfatizado que aquelas nações eram militarmente superiores ao povo de Israel. Isso posto, era mister que o poder de Deus estivesse atuando em favor de Israel, porquanto, de outra sorte, a invasão jamais poderia ocorrer. Mas, visto que Yahweh estava à testa de seu povo, isso garantia o sucesso da empreitada. Quanto ao "Deus vivo", ver Dt 5.26 e Os 1.10, bem como as notas expositivas ali existentes. Outros deuses eram apenas ídolos sem vida, sem poder de fazer coisa alguma.

Um Conceito Básico do Verdadeiro Deus. Deus mostra-se atuante na história, provando o seu poder através dos seus atos, tanto sobre a natureza quanto acerca das atividades dos homens. Ver o capítulo 41 de Isaías, onde essa questão é abordada e enfatizada. Deus é pessoal e é ativo. Ele torna-se conhecido por meio daquilo que faz, visto ser ele o mistério supremo. Ver na *Enciclopédia de Bíblia, Teologia e Filosofia* o verbete intitulado *Mysterium Tremendum*. Moisés estava morto, mas Yahweh estava vivo, a fim de cumprir a causa para a qual tinha nomeado Moisés, para dar início ao cumprimento das promessas que faziam parte do Pacto Abraâmico (ver a esse respeito nas notas expositivas sobre Gn 15.18).

■ 3.11

הִנֵּה אֲרוֹן הַבְּרִית אֲדוֹן כָּל־הָאָרֶץ עֹבֵר לִפְנֵיכֶם בַּיַּרְדֵּן׃

Eis que a arca da aliança do Senhor. Este versículo repete o que já vimos e comentamos nos vss. 6 e 8 deste capítulo. A presença simbolizada pela arca era a presença de Yahweh-Elohim, o Senhor de toda a terra. Ele é o Eterno Todo-poderoso. Ver no *Dicionário* o verbete intitulado *Deus, Nomes Bíblicos de*.

"Deus não se mantém distante das esperanças e aspirações das pessoas... O poder de controlar e dirigir as forças da natureza e de moldar a história segundo os seus padrões é característica própria do Deus dos hebreus. Assim agindo, ele demonstra, acima de qualquer sombra de dúvida, que ele é Deus" (Joseph R. Sizoo, *in loc.*). Ver no *Dicionário* o artigo chamado *Teísmo*. Esse termo significa que Deus está em seu mundo, que ele faz intervenção entre os homens, que ele galardoa ou castiga. O *deísmo* (ver a respeito no *Dicionário*), por sua vez, é um termo que expressa ideias opostas. Deus, ou algum poder, pessoal ou impessoal, realmente existe, mas vive divorciado de sua criação, tendo-a abandonado às leis naturais, que dirigem todas as coisas. Quanto ao "Senhor de toda a terra", cf. Sl 97.5.

3.12

וְעַתָּ֗ה קְח֤וּ לָכֶם֙ שְׁנֵ֣י עָשָׂ֣ר אִ֔ישׁ מִשִּׁבְטֵ֖י יִשְׂרָאֵ֑ל אִישׁ־אֶחָ֥ד אִישׁ־אֶחָ֖ד לַשָּֽׁבֶט׃

Tomai, pois, agora, doze homens das tribos de Israel. Ver Js 4.2-4 quanto ao serviço que os doze homens aqui referidos deveriam realizar. Cada um deles deveria trazer uma pedra, a fim de que, uma vez cruzado o rio Jordão, eles preparassem com elas um monumento. Eles ergueriam uma simples pilha, que, embora simples, seria revestida de profunda significação. Quando algum israelita perguntasse sobre o significado daquela pilha de pedras, explicar-se-ia como Deus operara um tremendo milagre por ocasião da travessia do rio Jordão. Ver Js 4.2-9 quanto à narrativa.

Um de cada tribo. Como seria conseguido esse total de doze? Levi agora não era mais considerada uma tribo, pois fora nomeada por Deus como a casta sacerdotal de Israel, restando assim somente onze tribos. Mas José não contava com nenhuma tribo com seu nome. E isso reduzia o número das tribos para dez. Contudo, José tinha dois filhos, Efraim e Manassés, os quais vieram a tornar-se, cada qual, o cabeça de uma das tribos de Israel, restaurando assim o número de tribos para doze.

3.13

וְהָיָ֡ה כְּנ֣וֹחַ כַּפּ֣וֹת רַגְלֵ֣י הַכֹּהֲנִ֡ים נֹשְׂאֵי֩ אֲר֨וֹן יְהוָ֜ה אֲד֤וֹן כָּל־הָאָ֙רֶץ֙ בְּמֵ֣י הַיַּרְדֵּ֔ן מֵ֤י הַיַּרְדֵּן֙ יִכָּ֣רֵת֔וּן הַמַּ֥יִם הַיֹּרְדִ֖ים מִלְמָ֑עְלָה וְיַעַמְד֖וּ נֵ֥ד אֶחָֽד׃

Porque há de acontecer que... Quando as plantas dos pés dos sacerdotes que transportavam a arca pousassem sobre as águas do rio, imediatamente pararia o fluxo de águas que vinham de cima, amontoando-se até que passassem todos os quatro milhões de israelitas, com seus animais e suas cargas. Desse modo, seria reproduzido o milagre do mar de Juncos, que acompanhou o êxodo de Israel do Egito, daí resultando um eisodus ou "entrada". Destarte, Moisés liderou o "êxodo", ou "saída", e Josué liderou o "eisodus", ou "entrada". Isso, pois, dava continuidade ao plano eterno de Yahweh. Ver os capítulos 12 a 19 do livro de Êxodo, quanto à "saída" dos filhos de Israel do Egito, bem como no *Dicionário* o artigo chamado *Êxodo (o Evento)* quanto a descrições completas.

Josué antevu que alguma coisa de espetacular estava formando-se e logo aconteceria (vs. 5). E agora, por divina inspiração, ele descreveu, em termos exatos, o que estava prestes a ocorrer. sua autoridade da parte de Yahweh ficaria assim comprovada, e o restante dos eventos se desenrolaria sem nenhum entrave.

3.14

וַיְהִ֗י בִּנְסֹ֤עַ הָעָם֙ מֵאָ֣הֳלֵיהֶ֔ם לַעֲבֹ֖ר אֶת־הַיַּרְדֵּ֑ן וְהַכֹּהֲנִ֗ים נֹֽשְׂאֵ֛י הָאָר֥וֹן הַבְּרִ֖ית לִפְנֵ֥י הָעָֽם׃

Tendo partido o povo das suas tendas. O que fora previsto por Josué realmente sucedeu. Os sacerdotes seguiram à frente, transportando a arca da aliança, conforme fora determinado. E o povo, em número aproximado de quatro milhões de pessoas, acompanhou a arca. A multidão dos israelitas acompanhou a arca a uma respeitável distância de cerca de um quilômetro (ver o quarto versículo deste capítulo e suas notas expositivas). O eisodus estava em andamento. A Terra Prometida estava ali, diante dos filhos de Israel, a fim de ser conquistada. Uma das grandes provisões do Pacto Abraâmico (ver as notas expositivas a respeito em Gn 15.18), a posse da Terra Prometida, estava tendo cumprimento. Israel agora contaria com seu próprio território pátrio.

Das suas tendas. O tempo das perambulações de Israel pelo deserto tinha ficado para trás. Israel levantou acampamento, pela última vez, fora da Terra Prometida. Em breve, eles teriam casas, e não meras tendas.

3.15

וּכְב֞וֹא נֹשְׂאֵ֤י הָאָרוֹן֙ עַד־הַיַּרְדֵּ֔ן וְרַגְלֵ֤י הַכֹּֽהֲנִים֙ נֹשְׂאֵ֣י הָאָר֔וֹן נִטְבְּל֖וּ בִּקְצֵ֣ה הַמָּ֑יִם וְהַיַּרְדֵּ֗ן מָלֵא֙ עַל־כָּל־גְּדוֹתָ֔יו כֹּ֖ל יְמֵ֥י קָצִֽיר׃

Conforme fora ordenado, os sacerdotes aproximaram-se do rio cujas águas estavam transbordando. seus pés tocaram na água do rio. Durante o tempo da colheita, o rio transbordava, pois suas águas eram tantas que elas não podiam ser contidas dentro de seu próprio leito. No vale semitropical do rio Jordão, esse fenômeno ocorre durante o mês de abril. As neves que se vão dissolvendo, diante do aumento da temperatura na região do Líbano, causam a maior parte da enchente. Durante esse período, o rio Jordão não pode ser vadeado por meios naturais. E isso explica a necessidade de uma prodigiosa intervenção divina.

A "sega" aqui referida é a colheita da cevada no primeiro mês do ano, nisã (correspondente a nosso março-abril). Ver Js 4.19 quanto a designações sazonais. A enchente do rio Jordão usualmente continuava por todo o tempo dessa colheita. E isso significa que, do ponto de vista natural, Israel tentou o seu eisodus, ou "entrada" na Terra Prometida, na época errada do ano. Do ponto de vista divino, sem embargo, tudo ocorreu no tempo certo, dentro da agenda divina, porque a ocasião oferecia uma oportunidade de o poder divino ser demonstrado, fortalecendo-se assim a fé de Israel no Senhor Deus.

3.16

וַיַּעַמְד֡וּ הַמַּיִם֩ הַיֹּרְדִ֨ים מִלְמַ֜עְלָה קָ֣מוּ נֵד־אֶחָ֗ד הַרְחֵ֙ק מְאֹ֜ד בָּאָדָ֤ם הָעִיר֙ אֲשֶׁר֙ מִצַּ֣ד צָֽרְתָ֔ן וְהַיֹּרְדִ֗ים עַ֣ל יָ֧ם הָעֲרָבָ֛ה יָם־הַמֶּ֖לַח תַּ֣מּוּ נִכְרָ֑תוּ וְהָעָ֥ם עָבְר֖וּ נֶ֥גֶד יְרִיחֽוֹ׃

Pararam-se as águas, que vinham de cima. Conforme tinha sido predito, quando os pés dos sacerdotes tocaram nas águas inundantes do rio Jordão, ocorreu o milagre antecipado. As águas que vinham de cima pararam de fluir e começaram a avolumar-se. Os críticos liberais aproximam-se desse texto com profundo cinismo, e listam essa narrativa entre os mitos e as lendas dos judeus. Mas outros estudiosos imaginam alguma catástrofe natural, como um terremoto, que poderia ter feito parar ou desviar o fluxo das águas do rio, por meio de algum deslizamento de terras, e isso por tempo suficiente para Israel atravessar em seco o leito do rio. Os estudiosos conservadores, por sua parte, retêm o elemento divino, e não percebem nenhum problema com esse milagre, para eles, causado pelo poder de Deus. Ver no *Dicionário* o artigo intitulado *Milagres*.

Mui longe da cidade de Adão. Essa cidade ficava a alguma distância a leste do rio Jordão, diante ou abaixo da qual cessou o fluxo das águas daquele rio, permitindo a passagem dos israelitas. Ficava localizada onde deságua, no Jordão, o segundo maior rio da Transjordânia, o Jaboque. Esse nome também se encontra na inscrição de Faraó Sisaque, onde ele descreve as suas invasões da Palestina, no quinto ano do Roboão, filho de Salomão. Essa inscrição foi preservada no templo de Amom, em Carnaque. O nome moderno do lugar é Tell Ed-Damiyeh, que assinala o local antigo. O nome dessa antiga cidade, Adão (vermelho), provavelmente deriva-se da cor do solo da região.

Zaretã. Também encontramos esse nome locativo em 1Rs 4.12 e 7.46. Era uma cidade existente no lado oriental do vale do Jordão, próxima a Adão, nas vizinhanças do lugar onde o rio Jordão foi miraculosamente represado nos dias de Josué. Quanto a descrições completas, ver no *Dicionário* o artigo detalhado denominado *Zaretã*. O local tem sido hodiernamente identificado com o Tell es-Sa'idiyeh, cerca de dezenove quilômetros a jusante de Adão, seguindo-se pelo rio Jordão acima, em suas margens orientais, ou seja, no mesmo lado de Adão.

mar da Arabá, que é o mar Salgado. Esses são outros dois nomes dados ao *mar Morto* (a respeito do qual ver o *Dicionário*). Esse mar consiste em cerca de 29% de sal, e sua superfície fica a 394 metros abaixo do nível do mar. "Arabá" significa "ermo", "deserto". Ver o artigo detalhado chamado *Arabá*, no *Dicionário*. Esse nome é aplicado ao desolado território que circunda Jericó (ver Js 4.10; 2Rs 25.5; Jr 39.5) e refere-se ao deserto de Moabe. Quanto ao mar Morto, chamado igualmente de mar de Arabá, ver Js 12.3; Dt 4.49 e 2Rs 14.25. Quanto a outros usos do apelativo, ver no *Dicionário* o verbete intitulado *Arabá*.

Paradas Históricas do Rio Jordão. No terremoto ocorrido a 8 de dezembro de 1267, as terras altas do rio Jordão entraram em colapso, perto de Tel ed-Damiyeh, o que represou as águas do rio pelo espaço de cerca de dez horas. A 11 de julho de 1927, houve outro terremoto,

Levantou-se, pois, Josué de madrugada, e, tendo ele e todos os filhos de Israel partido de Sitim, vieram até ao Jordão e pousaram ali antes que passassem.
Josué 3.1

O rio Jordão, *Smith's Bible Dictionary*.

A palavra hebraica *hah-yordane*, "o Jordão", significa *aquele que desce*. O rio desce rapidamente de nível desde suas cabeceiras até o mar Morto.

O rio Jordão nasce nos montes do Antilíbano, a oeste do monte Hermom. Dirige-se para o sul, passando pelo mar da Galileia e, finalmente, deságua no mar Morto.

naquela mesma área geral, represando as suas águas pelo período de 21 horas. Essas paradas não ocorreram, entretanto, durante algum período de cheia do Jordão. Por esse e outros motivos, alguns eruditos pensam que a história do eisodus foi apenas outra ocasião em que algum terremoto ocorreu, pelo que, se houve algum milagre envolvido, esse diz respeito ao elemento tempo, e não a algum acontecimento físico propriamente dito. Como é óbvio, a descrição do texto não se ajusta a um acontecimento natural, e os estudiosos conservadores dependem dessas descrições para defender uma intervenção divina especial, e não algum terremoto em tempo oportuno.

■ **3.17**

וַיַּעַמְדוּ הַכֹּהֲנִים נֹשְׂאֵי הָאָרוֹן בְּרִית־יְהוָה בֶּחָרָבָה בְּתוֹךְ הַיַּרְדֵּן הָכֵן וְכָל־יִשְׂרָאֵל עֹבְרִים בֶּחָרָבָה עַד אֲשֶׁר־תַּמּוּ כָּל־הַגּוֹי לַעֲבֹר אֶת־הַיַּרְדֵּן׃

Todo o Israel passou a pé enxuto, atravessando o Jordão. Primeiramente os sacerdotes que transportavam a arca avançaram até o meio do rio, agora enxuto. Em seguida, passou cada homem, mulher, criança e até os animais domesticados, e toda a bagagem do povo. É mediante tais descrições que o autor sacro enfatizou a grandeza do acontecimento. Essa era a maravilha que Josué havia predito que ocorreria (ver o vs. 5 deste capítulo).

Tipologia. Está em pauta a entrada na pátria celeste, por meio dos ofícios e das missões de Cristo. Assim sendo, a travessia do rio Jordão pode simbolizar a entrada na vida eterna, mediante a morte biológica. Mas também pode estar em pauta o avanço de um nível de espiritualidade para o nível mais alto subsequente, se considerarmos a vida cristã da perspectiva de uma evolução progressiva. E pode até retratar a entrada na guerra espiritual (ver Ef 6.12 ss.). Em um sentido geral, essa narrativa ilustra graficamente o fato de que, ocasionalmente, torna-se fundamental alguma intervenção divina, caso seja necessário um progresso espiritual, ou caso algum propósito especial na vida tenha de tornar-se realidade. É como alguém já disse: "O fim dos recursos humanos é a oportunidade de Deus". O Todo-poderoso nunca é apanhado de surpresa, e os seus recursos sempre estão à altura de qualquer crise, mesmo quando as forças humanas já se exauriram.

CAPÍTULO QUATRO

Este capítulo dá continuação à seção geral iniciada em Js 3.1, onde apresentei as notas de introdução à presente seção.

A HISTÓRIA DAS DOZE PEDRAS (4.1-9)

O que sucedeu então foi uma ocorrência memorável, pelo que a questão foi celebrada por meio de um memorial, uma pilha de pedras, que forçaria muitas pessoas a perguntar: "Que significam essas pedras?" A pergunta daria aos versados na história de Israel a oportunidade de recontar a história gloriosa de como as águas do rio Jordão pararam, permitindo que Israel desse o primeiro passo em território da Terra Prometida. Ver o terceiro capítulo de Josué quanto à história de como as águas do rio Jordão foram paradas, a fim de que o povo de Israel pudesse fazer a travessia do rio a pé enxuto, dando assim início à invasão. Ver Js 3.17 quanto à tipologia envolvida no evento. As doze pedras, cada qual trazida por um membro das doze tribos de Israel (ver Js 3.12), tiradas do leito seco do rio, serviriam de testemunho universal do evento, redundando na honra de Yahweh diante de todos, devido à intervenção divina naquelas horas críticas. Oh, Senhor, concede-nos tal graça!

■ 4.1

וַיְהִי כַּאֲשֶׁר־תַּמּוּ כָל־הַגּוֹי לַעֲבוֹר אֶת־הַיַּרְדֵּן פ
וַיֹּאמֶר יְהוָה אֶל־יְהוֹשֻׁעַ לֵאמֹר׃

Tendo, pois, todo o povo passado o Jordão. A travessia do rio tinha envolvido aproximadamente quatro milhões de pessoas, juntamente com seus animais domésticos e sua bagagem. Então Yahweh ordenou que fosse levantado o memorial para servir de lembrete histórico do poder e da intervenção de Deus, em favor do povo de Israel. Era importante que Israel não se olvidasse do grande milagre ocorrido no rio Jordão. A fé dos filhos de Israel seria fortalecida mediante a lembrança do fato.

■ 4.2

קְחוּ לָכֶם מִן־הָעָם שְׁנֵים עָשָׂר אֲנָשִׁים אִישׁ־אֶחָד
אִישׁ־אֶחָד מִשָּׁבֶט׃

Doze homens. Cada homem representava uma das tribos de Israel. Quanto às doze tribos e como esse número foi conseguido, através de várias vicissitudes históricas, ver as notas sobre Js 3.12. Dessa forma, cada uma das tribos contribuiu com sua própria pedra, visto que todo o povo de Israel tinha sido testemunha de um tremendo prodígio sobre a natureza.

■ 4.3

וְצַוּוּ אוֹתָם לֵאמֹר שְׂאוּ־לָכֶם מִזֶּה מִתּוֹךְ הַיַּרְדֵּן
מִמַּצַּב רַגְלֵי הַכֹּהֲנִים הָכִין שְׁתֵּים־עֶשְׂרֵה אֲבָנִים
וְהַעֲבַרְתֶּם אוֹתָם עִמָּכֶם וְהִנַּחְתֶּם אוֹתָם בַּמָּלוֹן
אֲשֶׁר־תָּלִינוּ בוֹ הַלָּיְלָה׃ ס

Dois Memoriais Feitos de Pedras. Este versículo informa-nos que as doze pedras deveriam ser "transportadas" pelos israelitas até onde eles se instalassem. O versículo 19 deste capítulo sem dúvida identifica Gilgal como o lugar onde Israel se alojou, pelo que foi ali que esse memorial foi erguido. Mas o nono versículo fala em uma pilha de pedras, erigida no leito então seco do próprio rio Jordão. Uma vez que as águas do rio baixassem, aquela pilha de pedras se tornaria visível, servindo de lembrete do milagre que ali havia ocorrido.

Os críticos supõem que tenhamos aqui a mescla de duas fontes informativas, cada qual com uma versão diferente de um único acontecimento, e que havia algumas discrepâncias entre os dois relatos, mormente no tocante à localização do memorial de pedras. Os eruditos conservadores, por sua vez, creem somente que houve dois memoriais feitos de pedras e colocados em locais diferentes. Ver as notas de introdução a este capítulo, quanto ao significado desses dois memoriais.

Importava Nunca Esquecer o Prodígio. O povo de Israel jamais deveria olvidar o milagre ocorrido no rio Jordão, da mesma forma que não deveria esquecer-se do prodígio ocorrido no mar Vermelho. Um desses prodígios estava associado ao êxodo (saída), e o outro ao eisodus (entrada); mas ambos apontavam para o mesmo poder de Yahweh, que tinha beneficiado Israel, tornando esse povo uma nação, instalada em seu próprio território nacional.

■ 4.4

וַיִּקְרָא יְהוֹשֻׁעַ אֶל־שְׁנֵים הֶעָשָׂר אִישׁ אֲשֶׁר הֵכִין מִבְּנֵי
יִשְׂרָאֵל אִישׁ־אֶחָד אִישׁ־אֶחָד מִשָּׁבֶט׃

Chamou, pois, Josué. Este versículo reitera a informação dada no segundo versículo, cujas notas devem ser consultadas. Ver Js 3.12, que antecipa o acontecimento e a participação de doze homens, cada qual representando uma das doze tribos de Israel. Este versículo introduz as instruções dadas por Josué a respeito dos dois memoriais feitos de pedras.

■ 4.5

וַיֹּאמֶר לָהֶם יְהוֹשֻׁעַ עִבְרוּ לִפְנֵי אֲרוֹן יְהוָה
אֱלֹהֵיכֶם אֶל־תּוֹךְ הַיַּרְדֵּן וְהָרִימוּ לָכֶם אִישׁ אֶבֶן
אַחַת עַל־שִׁכְמוֹ לְמִסְפַּר שִׁבְטֵי בְנֵי־יִשְׂרָאֵל׃

Cada um levante sobre o ombro uma pedra. Ordenou-se que doze pedras fossem carregadas. O oitavo versículo deste capítulo informa-nos que as pedras foram tiradas do leito do rio, algo que o presente versículo não nos informa. O primeiro versículo deste capítulo dá-nos a impressão de que essas ordens foram dadas após a travessia, ao passo que este versículo pode dar a entender que isso ocorreu antes da travessia. Pequenas discrepâncias como essa não exercem efeito adverso sobre a historicidade do relato. Os críticos atribuem isso à alegada junção de duas narrativas separadas de um mesmo evento, um suposto acontecimento que eles chamam de "tradições entretecidas". John Gill, *in loc.*, explica que primeiramente eles atravessaram o Jordão, depois voltaram para apanhar as pedras, reconciliando entre si os versículos 1 e 5 deste capítulo.

■ 4.6

לְמַעַן תִּהְיֶה זֹאת אוֹת בְּקִרְבְּכֶם כִּי־יִשְׁאָלוּן בְּנֵיכֶם
מָחָר לֵאמֹר מָה הָאֲבָנִים הָאֵלֶּה לָכֶם׃

Para que isto seja por sinal entre vós. Para os filhos de Israel das gerações subsequentes, um sinal era algo importante, posto que a fé dos hebreus estava alicerçada sobre acontecimentos especiais, nos quais Yahweh tinha agido de alguma maneira especial e conspícua. Isso posto, sempre houve alguma confirmação histórica da fé nas páginas do Antigo Testamento. No caso do êxodo fora dado o milagre especial da travessia prodigiosa do mar de Juncos (ver as notas sobre Êx 13.18). E no caso presente do eisodus, estava sendo dado o milagre especial da travessia do rio Jordão a pé enxuto.

Os filhos veriam aqueles monumentos, um no leito do rio Jordão, quando suas águas estivessem na vazante, e o outro em Gilgal (vs. 19), e fariam indagações a respeito. E isso forneceria oportunidade para os israelitas mais velhos narrarem o acontecido como uma lição sobre o poder e o favor de Yahweh, mostrando de que forma o povo de Israel se transformara em uma nação, com seu próprio território nacional, por causa de fatores como esses, entre muitos outros, que provavam a mão interventora de Deus.

■ 4.7

וַאֲמַרְתֶּם לָהֶם אֲשֶׁר נִכְרְתוּ מֵימֵי הַיַּרְדֵּן מִפְּנֵי
אֲרוֹן בְּרִית־יְהוָה בְּעָבְרוֹ בַּיַּרְדֵּן נִכְרְתוּ מֵי
הַיַּרְדֵּן וְהָיוּ הָאֲבָנִים הָאֵלֶּה לְזִכָּרוֹן לִבְנֵי יִשְׂרָאֵל
עַד־עוֹלָם׃

Então lhes direis que as águas do Jordão foram cortadas. Tinha sido um claríssimo ato de intervenção divina, pois começara e terminara precisamente a tempo de Israel atravessar o rio a pé enxuto, o que deve ter acontecido durante um período de algumas horas. Quatro milhões de pessoas tiveram de atravessar o rio, com seus animais domesticados e suas cargas. Ver Js 3.16 quanto à narrativa bíblica e quanto a explicações naturais para o evento, conforme alguns estudiosos têm concebido, sob o título *Paradas Históricas do Rio Jordão*.

Este versículo e o anterior têm como paralelos os vss. 21-24, uma repetição que segue assim uma característica literária do autor-editor do Pentateuco. As águas do rio Jordão pararam por causa da presença da *arca da aliança* (ver a respeito no *Dicionário*), porquanto era ali que Yahweh manifestava a sua presença.

4.8

וַיַּעֲשׂוּ־כֵן בְּנֵי־יִשְׂרָאֵל כַּאֲשֶׁר צִוָּה יְהוֹשֻׁעַ וַיִּשְׂאוּ שְׁתֵּי־עֶשְׂרֵה אֲבָנִים מִתּוֹךְ הַיַּרְדֵּן כַּאֲשֶׁר דִּבֶּר יְהוָה אֶל־יְהוֹשֻׁעַ לְמִסְפַּר שִׁבְטֵי בְנֵי־יִשְׂרָאֵל וַיַּעֲבִרוּם עִמָּם אֶל־הַמָּלוֹן וַיַּנִּחוּם שָׁם׃

Fizeram, pois, os filhos de Israel. A nação hebreia obedeceu às ordens divinas, transmitidas através de Josué. Essa obediência é um dos grandes temas do Pentateuco. Ver as notas expositivas sobre Nm 1.54. Os mandamentos que ficaram registrados nos vss. 1-3 deste capítulo foram seguidos à risca. E o versículo 19 conta como eles se alojaram em Gilgal, terminada a travessia do Jordão. Ali foi erguido outro memorial feito de pedras. O nono versículo informa-nos sobre o segundo memorial. Assim também, "pela graça de Deus estamos onde estamos". As intervenções de Deus são patentes e afetam nossa vida. Josefo informou-nos que Gilgal ficava a quase dez quilômetros distante do Jordão (*Antiq.* 1.5, cap. 1, sec. 4).

4.9

וּשְׁתֵּים עֶשְׂרֵה אֲבָנִים הֵקִים יְהוֹשֻׁעַ בְּתוֹךְ הַיַּרְדֵּן תַּחַת מַצַּב רַגְלֵי הַכֹּהֲנִים נֹשְׂאֵי אֲרוֹן הַבְּרִית וַיִּהְיוּ שָׁם עַד הַיּוֹם הַזֶּה׃

Levantou Josué doze pedras no meio do Jordão. Esse primeiro dos dois monumentos de pedras a ser erguido ficou no meio do Jordão. Apareceria à vista de todos sempre que o Jordão estivesse em período de seca, pelo que serviria de lembrete periódico e contínuo do milagre ocorrido com as águas do rio Jordão. Ver as notas em Js 4.3 quanto aos dois monumentos de pedras.

A Septuaginta e a Vulgata Latina traduzem aqui por "doze outras pedras", o que é mais uma interpretação do que uma tradução propriamente dita. Esses monumentos foram levantados "a fim de que se perpetuasse a memória daquele notável evento. Por igual modo, Alexandre, o Grande, erigiu doze altares nas fronteiras da Índia, às margens do rio Craxes, em comemoração aos seus feitos militares (*Arrian. Expoed. Alex.* 1.5; Curtius, 1.9, sec. 3)" (John Gill, *in loc.*).

E ali estão até ao dia de hoje. O autor sagrado conta-nos que, em seus próprios dias, as pedras monumentais continuavam no lugar onde tinham sido depositadas, a mando do Senhor. O livro de Josué foi escrito por um autor desconhecido. Ver a introdução ao livro de Josué quanto a uma discussão detalhada a respeito de sua autoria.

4.10

וְהַכֹּהֲנִים נֹשְׂאֵי הָאָרוֹן עֹמְדִים בְּתוֹךְ הַיַּרְדֵּן עַד תֹּם כָּל־הַדָּבָר אֲשֶׁר־צִוָּה יְהוָה אֶת־יְהוֹשֻׁעַ לְדַבֵּר אֶל־הָעָם כְּכֹל אֲשֶׁר־צִוָּה מֹשֶׁה אֶת־יְהוֹשֻׁעַ וַיְמַהֲרוּ הָעָם וַיַּעֲבֹרוּ׃

Até que se cumpriu tudo quanto o Senhor, por intermédio de Moisés, ordenara a Josué falasse ao povo. Ao que parece, este versículo quer dizer que os sacerdotes que transportavam a arca permaneceram de pé, no meio do rio Jordão, até que todos os demais israelitas atravessassem o rio (de acordo com as ordens que tinham sido baixadas). Somente depois que todos os filhos de Israel estavam em segurança, do outro lado do rio, os sacerdotes deixaram a sua posição.

A questão de que "Moisés" dera ordens a Josué (ou lhe teria dado orientações) para a travessia do rio encontra-se somente aqui. Para alguns estudiosos, isso deixa o texto sagrado um tanto confuso. Presume-se que tenha havido algum discurso breve de Moisés que ficou registrado somente aqui, de passagem. O trecho de Dt 31.7 ss. menciona o fato de que Moisés previu a entrada na terra, por parte de Israel; mas ali não se faz alusão específica à travessia do Jordão. A cláusula que menciona Moisés é omitida pela Septuaginta, e isso poderia representar o original. Nesse caso, o texto hebraico, conforme nos foi transmitido, contém uma glosa antiga, que, de maneira inepta, foi também inserida nas cópias subsequentes.

4.11

וַיְהִי כַּאֲשֶׁר־תַּם כָּל־הָעָם לַעֲבוֹר וַיַּעֲבֹר אֲרוֹן־יְהוָה וְהַכֹּהֲנִים לִפְנֵי הָעָם׃

Tendo passado todo o povo. Depois da passagem em segurança daquela imensa multidão de quatro milhões de pessoas (ver as notas expositivas sobre Nm 1.46), então os sacerdotes que carregavam a arca também acabaram de atravessar o rio, pois se tinham postado no meio dele fazia algumas horas. Eles tinham mostrado o caminho à frente de todos, a uma distância dos demais israelitas de cerca de um quilômetro (ver Js 3.4). E isso tinha provido uma liderança confiável.

Ordem dos Acontecimentos. 1. Os sacerdotes tinham encabeçado o avanço, mas então pararam no meio do rio Jordão; 2. os homens armados das duas tribos e meia transjordanianas (Rúben, Gade e a meia tribo de Manassés), que constituíam a vanguarda da multidão do povo de Israel, também passaram; 3. atravessaram em seguida todas as pessoas das demais tribos de Israel; 4. os sacerdotes que carregavam a arca também saíram do leito do rio, onde se tinham postado durante toda a travessia; 5. o fluxo do rio Jordão foi reiniciado.

A Arca da Aliança Permanecera em Exibição. Isso como que dizia ao povo hebreu: "Observai. Esta é uma realização de Yahweh, vosso líder invisível".

4.12

וַיַּעַבְרוּ בְּנֵי־רְאוּבֵן וּבְנֵי־גָד וַחֲצִי שֵׁבֶט הַמְנַשֶּׁה חֲמֻשִׁים לִפְנֵי בְּנֵי יִשְׂרָאֵל כַּאֲשֶׁר דִּבֶּר אֲלֵיהֶם מֹשֶׁה׃

Os filhos de Rúben, e os filhos de Gade, e a meia tribo de Manassés. Embora os homens armados dessas duas tribos e meia já se tivessem apossado da *Transjordânia* (ver no *Dicionário* o artigo com esse nome), eles também atravessaram o rio, porquanto haviam prometido a seus irmãos que os ajudariam na conquista da parte ocidental da Terra Prometida. Ver Nm 34.14,15. A passagem de Nm 32.31 ss. informa-nos que eles mesmos se comprometeram a ajudar na invasão da banda oeste do território. E o capítulo 22 de Josué mostra-nos que eles cumpriram a promessa, e foram recompensados pelo Senhor por esse motivo. suas esposas e seus filhos ficaram em segurança na Transjordânia, embora um bom número de homens tivesse permanecido ali, a fim de proteger sua gente e suas propriedades. Um grupo seleto (ver o vs. 13), de homens vigorosos, pertencentes àquelas duas tribos e meia, formava a tropa de choque ou vanguarda do exército israelita em avanço. "Os homens das tribos transjordanianas, sem o entrave de bagagens e de familiares, lideraram na travessia (cf. Js 1.12-18 e Nm 32.20-27)" (John Bright, *in loc.*).

4.13

כְּאַרְבָּעִים אֶלֶף חֲלוּצֵי הַצָּבָא עָבְרוּ לִפְנֵי יְהוָה לַמִּלְחָמָה אֶל עַרְבוֹת יְרִיחוֹ׃ ס

Uns quarenta mil homens de guerra. Esse era o número dos soldados que faziam parte das tropas de choque ou de vanguarda, pertencentes às duas tribos e meia que ficaram com a Transjordânia (Rúben, Gade e a meia tribo de Manassés). Ver os recenseamentos de Nm 1.2. Rúben contava com mais de quarenta mil jovens aptos para o serviço militar; Gade também dispunha de mais de quarenta mil; e Manassés, de mais de trinta mil. Isso, pois, significa que os quarenta mil soldados aqui mencionados formavam um grupo seleto de homens especialmente vigorosos e devidamente treinados. Os demais setenta mil tinham ficado na Transjordânia para defender as terras recém-adquiridas naquele território.

4.14

בַּיּוֹם הַהוּא גִּדַּל יְהוָה אֶת־יְהוֹשֻׁעַ בְּעֵינֵי כָּל־יִשְׂרָאֵל וַיִּרְאוּ אֹתוֹ כַּאֲשֶׁר יָרְאוּ אֶת־מֹשֶׁה כָּל־יְמֵי חַיָּיו׃ פ

Naquele dia o Senhor engrandeceu a Josué. Aquilo que havia sido predito em Js 1.5,17 e 3.7 agora se tornara uma realidade. Ver as notas expositivas sobre aqueles versículos. A autoridade de Josué foi estabelecida e, por assim dizer, ele pôde calçar os sapatos de Moisés, o que não foi um feito nada fácil. Cf. Êx 14.31, que diz algo similar a respeito da autoridade de Moisés, obtida mediante eventos miraculosos e demonstrações especiais do poder de Yahweh. Josué passou a ser tanto reverenciado quanto temido. Ninguém haveria de rebelar-se contra ele, porquanto ele era o homem de Deus, que haveria de introduzir o povo de Israel com sucesso na Terra Prometida. Dessa maneira, seria estabelecida uma nação que se transformaria em instrumento especial das grandes obras de Deus (ver Dt 26.19).

■ 4.15

וַיֹּאמֶר יְהוָה אֶל־יְהוֹשֻׁעַ לֵאמֹר׃

Disse... o Senhor. Essa expressão é comentada em Lv 1.1 e 4.1. Foi usada no livro de Levítico a fim de introduzir novas seções; mas essa utilização não se repete no livro de Josué. Seja como for, fala de inspiração e orientação da parte do Senhor. Cada passo era abençoado pelo Senhor, contanto que os israelitas se mantivessem em atitude de obediência. O povo inteiro de Israel havia cruzado o rio Jordão, de acordo com as ordens dadas no versículo 11 deste capítulo. Enquanto o povo atravessava, os sacerdotes que estavam transportando a arca mantiveram-se no meio do leito seco do rio. Mas quando receberam ordens para atravessarem também o rio, a correnteza prosseguiu o seu fluxo (vs. 18).

■ 4.16,17

צַוֵּה אֶת־הַכֹּהֲנִים נֹשְׂאֵי אֲרוֹן הָעֵדוּת וְיַעֲלוּ מִן־הַיַּרְדֵּן׃

וַיְצַו יְהוֹשֻׁעַ אֶת־הַכֹּהֲנִים לֵאמֹר עֲלוּ מִן־הַיַּרְדֵּן׃

Dá ordem aos sacerdotes. Era chegado o momento de prosseguir. O propósito da travessia do Jordão tinha sido cumprido. Aos sacerdotes foi ordenado que subissem do leito seco do Jordão. A arca da aliança, uma vez mais, seguiria à frente do povo de Israel. O versículo 11 deste capítulo ou antecipa aquilo que nos é dito aqui, ou teve por base uma fonte informativa diferente, dando a entender que os sacerdotes saíram do leito seco do rio sem ter recebido nenhuma orientação da parte de Josué. Ver as notas sobre o terceiro versículo deste capítulo, quanto à possível teoria das duas fontes informativas de um único evento. A arca da aliança continuou conspícua por toda a narrativa. As notas sobre o próximo versículo comentam esse fato.

"Observe o leitor que a remoção dos sacerdotes e da arca da aliança, de onde se encontravam, no leito seco do Jordão, torna-se assunto de uma seção distinta, tratada como se fosse um evento diferente... Não nos é permitido esquecer por quais meios as águas do rio Jordão foram represadas e controladas" (Ellicott, *in loc.*).

■ 4.18

וַיְהִי בַּעֲלוֹת הַכֹּהֲנִים נֹשְׂאֵי אֲרוֹן בְּרִית־יְהוָה מִתּוֹךְ הַיַּרְדֵּן נִתְּקוּ כַּפּוֹת רַגְלֵי הַכֹּהֲנִים אֶל הֶחָרָבָה וַיָּשֻׁבוּ מֵי־הַיַּרְדֵּן לִמְקוֹמָם וַיֵּלְכוּ כִתְמוֹל־שִׁלְשׁוֹם עַל־כָּל־גְּדוֹתָיו׃

Ao subirem do meio do Jordão. Assim como o toque da planta dos pés dos sacerdotes tinha feito cessar o fluxo das águas do rio Jordão (ver Js 3.15,16), quando os pés deles deixaram de estar em contato com o leito seco do rio, as águas do Jordão começaram a fluir de novo. Por conseguinte, um mesmo milagre teve dois estágios distintos.

"A arca da aliança estava à vista de todos. Os homens, com frequência, atiram-se a tarefas difíceis, que parecem condenadas ao fracasso. Mas, se tiverem uma vívida consciência de Deus, poderão avançar sem nenhum temor. Nos nossos dias de frustração e temor, bem podemos fortalecer-nos com a confiante certeza, expressa no Sl 46.7: 'O Senhor dos Exércitos está conosco; o Deus de Jacó é o nosso refúgio. (Sela)'" (Joseph R. Sizoo, *in loc.*).

"Tudo isso foi realizado pela influência soberana daquele Deus cuja presença era representada pela arca da aliança" (Adam Clarke, *in loc.*). "Agora, não havia como retornar. Tinha começado um novo e excitante capítulo na história do povo hebreu" (Donald K. Campbell, *in loc.*).

■ 4.19

וְהָעָם עָלוּ מִן־הַיַּרְדֵּן בֶּעָשׂוֹר לַחֹדֶשׁ הָרִאשׁוֹן וַיַּחֲנוּ בַּגִּלְגָּל בִּקְצֵה מִזְרַח יְרִיחוֹ׃

No dia dez do primeiro mês. O primeiro mês do calendário religioso era o abibe (também chamado nisã), correspondente aos nossos março-abril. No décimo dia daquele mês, pois, teve início uma nova vida. A longamente antecipada travessia do Jordão, que inaugurou a conquista da Terra Prometida, estava produzindo acontecimentos revolucionários; e as provisões do Pacto Abraâmico (ver as notas a respeito em Gn 15.18) estavam avançando. Agora o povo de Israel se tornaria uma nação, dotada de seu próprio território nacional, pois haviam terminado as perambulações pelo deserto. O calendário religioso começava naquele mês porque naquele mês Israel tinha saído do Egito. Ver Êx 12.2,3. No décimo dia daquele mês, no dia de sua saída do Egito, o povo de Israel observou a primeira *páscoa* (ver a respeito no *Dicionário*). Aquele dia e sua observância é que tinham emprestado a Israel a sua união nacional.

Acamparam-se em Gilgal. Ver no *Dicionário* o artigo detalhado sobre esse local. Ficava na fronteira oriental do território de Jericó, e tem sido tentativamente identificado com Khirbet en-Netheleh, cerca de cinco quilômetros a sudeste da antiga cidade de Jericó. Um poço, de nome Birket Juljulieh, preserva até hoje o nome da cidade antiga.

"Exatamente quarenta anos antes, no décimo dia do primeiro mês (ver Êx 12.4,5), tinha-lhes sido ordenado tomar 'um cordeiro para cada família', a fim de que observassem a páscoa. Os quarenta anos do êxodo agora estavam terminados, e eles haviam ultrapassado a última barreira que impedia a entrada na Terra Prometida" (Ellicott, *in loc.*).

Gilgal tornou-se um importante santuário do povo hebreu. Foi ali que Saul foi coroado como primeiro rei da nação (ver 1Sm 11.15). seu segundo rei, Davi, também foi nomeado em Gilgal e também foi ali que os súditos rebeldes reconciliaram-se com ele (ver 2Sm 19.15,40).

■ 4.20

וְאֵת שְׁתֵּים עֶשְׂרֵה הָאֲבָנִים הָאֵלֶּה אֲשֶׁר לָקְחוּ מִן־הַיַּרְדֵּן הֵקִים יְהוֹשֻׁעַ בַּגִּלְגָּל׃

As doze pedras. Temos aí o que aconteceu às doze pedras retiradas do leito seco do Jordão, que se tornaram o segundo memorial. Destarte, um dos memoriais podia ser visto no meio do rio, quando suas águas baixavam, e o segundo foi erguido em Gilgal, que se transformou em um santuário de Israel. Ver o nono versículo deste capítulo acerca de como o autor do livro de Josué tinha visto, pessoalmente, o primeiro memorial no leito do rio Jordão.

> Não envelhecerão, como sucede a nós, que crescemos;
> A idade não os desgastará e nem os anos os condenarão.
> De cada vez que o sol descer, ou pela manhã,
> Nós haveremos de lembrar-nos deles.
>
> Laurence Robert Bickersteth

Tipologia. Alguns estudiosos enxergam, nessas doze pedras, um tipo dos doze apóstolos, que seriam pedras fundamentais da Igreja cristã (ver Ef 2.20-22). Nelas, os filhos de Israel se lembrariam de suas raízes.

■ 4.21

וַיֹּאמֶר אֶל־בְּנֵי יִשְׂרָאֵל לֵאמֹר אֲשֶׁר יִשְׁאָלוּן בְּנֵיכֶם מָחָר אֶת־אֲבוֹתָם לֵאמֹר מָה הָאֲבָנִים הָאֵלֶּה׃

Que significam estas pedras? Essa seria a pergunta que os filhos fariam a seus pais. Cf. o vs. 6, onde temos a mesma indagação. A resposta foi dada no vs. 7, paralelo aos versículos 22 a 24 deste capítulo. A resposta consistiria em cinco pontos, a saber: 1. As pedras serviam de memorial dos poderosos feitos de Yahweh, lembrando as sucessivas gerações dos filhos de Israel sobre esses feitos, uma vez que estivessem na Terra Prometida, e sobre quanto deveriam ser gratos (vs. 7). 2. Aquilo relembrava o milagre da travessia do Jordão a pé enxuto, visto que as águas ficaram represadas de certo ponto para cima; tinha sido um ato da providência divina (ver sobre *Providência de Deus* no *Dicionário*) (vs. 22). 3. Tinha sido um ato de Yahweh, pois ele é Yahweh-Elohim (ver no *Dicionário* o verbete intitulado *Deus, Nomes Bíblicos de*) (v.23). 4. Esse milagre era comparável ao milagre ocorrido no mar de Juncos (ver a respeito no *Dicionário*), que aconteceu por ocasião do êxodo (saída), ao passo que no Jordão ocorrera o eisodus (entrada) (vs. 23). 5. Esse prodígio serviria de lembrete universal do Deus único e vivo, de tal modo que todas as nações poderiam observar os atos de Yahweh, a fim de temê-lo e obedecer-lhe, abandonando as suas muitas formas de idolatria.

■ 4.22

וְהוֹדַעְתֶּם אֶת־בְּנֵיכֶם לֵאמֹר בַּיַּבָּשָׁה עָבַר יִשְׂרָאֵל אֶת־הַיַּרְדֵּן הַזֶּה׃

Israel passou em seco este Jordão. Tinha sido feita a pergunta: "Que significam estas pedras?" (vss. 6 e 21). Ver o sumário da resposta nas notas sobre o versículo anterior. O primeiro fator é que havia uma barreira à entrada na Terra Prometida, constituída pelo rio em período de enchente. Mas Deus fizera o rio secar, represando as águas logo acima do ponto da travessia, o que permitiu a Israel entrar na terra que lhe pertencia por promessa divina. Quanto a como isso foi efetuado, ver Js 3.16 e suas notas expositivas. A educação religiosa, desde o começo, comunicaria fatos fundamentais aos israelitas das gerações futuras. Yahweh tinha efetuado várias intervenções significativas na história, incluindo o milagre do represamento das águas do rio Jordão. Ver no *Dicionário* o verbete chamado *Educação no Antigo Testamento*; e, na *Enciclopédia de Bíblia, Teologia* e *Filosofia*, ver o artigo denominado *Ensino*.

Um pai deve três coisas a seus filhos: exemplo, exemplo, exemplo. "Os filhos têm maior necessidade de modelos do que de críticos" (Joseph Joubert).

Os pais hebreus tinham a responsabilidade de ensinar a seus filhos a fé do yahwismo. Ver Dt 6.4-7, cujas notas ilustram o texto presente. Os levitas serviam de mestres especiais em Israel, mas o pai e a mãe de uma criança precisavam dar início ao processo de ensino, mediante a educação doméstica.

■ 4.23

אֲשֶׁר־הוֹבִישׁ יְהוָה אֱלֹהֵיכֶם אֶת־מֵי הַיַּרְדֵּן מִפְּנֵיכֶם עַד־עָבְרְכֶם כַּאֲשֶׁר עָשָׂה יְהוָה אֱלֹהֵיכֶם לְיַם־סוּף אֲשֶׁר־הוֹבִישׁ מִפָּנֵינוּ עַד־עָבְרֵנוּ׃

O Senhor vosso Deus. Yahweh-Elohim era o poder real por trás do milagre que seria comemorado. Ele é o Eterno Todo-poderoso. Ver no *Dicionário* o artigo chamado *Deus, Nomes Bíblicos de*. Os filhos precisavam conhecer os acontecimentos históricos que ilustravam o poder de Yahweh, e que tinham feito a nação de Israel ser o que ela era. Israel tornara-se uma nação distinta por causa de sua lei e de sua história, que incluía muitas intervenções divinas. Ver as notas sobre Dt 26.19 quanto ao caráter distinto de Israel. Uma daquelas intervenções divinas fora a travessia, a pé enxuto, do mar de Juncos, assim que o povo de Israel fugiu do Egito, onde tinha sido escravizado. Isso ocorreu, estrategicamente, por ocasião do êxodo. Ver no *Dicionário* o artigo denominado *Êxodo (o Evento)*; e ver sobre mar de Juncos em Êx 13.18. Esses incidentes nos ensinam a verdade do *Teísmo* (ver a respeito no *Dicionário*), que dá a entender que Deus não somente existe e criou todas as coisas, mas também intervém na história humana, orientando ou punindo. O *deísmo* (ver também no *Dicionário*), por sua vez, ensina que, embora possa haver uma força criadora (pessoal ou impessoal), esse poder abandonou a sua criação, deixando-a entregue às leis da natureza, não se fazendo presente na criação. É como se essa força tivesse dado corda num relógio para em seguida abandoná-lo, deixando-o funcionar sozinho. Ver o sumário de respostas para a pergunta "Que significam estas pedras?" no versículo 21 deste capítulo.

■ 4.24

לְמַעַן דַּעַת כָּל־עַמֵּי הָאָרֶץ אֶת־יַד יְהוָה כִּי חֲזָקָה הִיא לְמַעַן יְרָאתֶם אֶת־יְהוָה אֱלֹהֵיכֶם כָּל־הַיָּמִים׃ ס

Para que todos os povos da terra. A lição não se destinava somente ao povo de Israel, mas a toda a humanidade. Todas as nações do mundo que tomassem conhecimento de como Israel obtivera seu território pátrio haveriam de temer a Yahweh, encorajando-se a abandonar a idolatria e a obedecer a ele. Essa universalização, porém, só veio a ocorrer realmente na Igreja cristã (ver Gl 3.23 ss.; Ef 2.17 ss.).

"Dessa maneira, Deus provou que ele é o único verdadeiro Deus, mediante seus poderosos atos na história" (John Bright, *in loc.*). As doze pedras, por conseguinte, tornaram-se um grande sinal do intuito universal de Deus para a humanidade.

O Temor a Deus. Esse é um dos grandes temas do Pentateuco. Ver as notas expositivas em Dt 10.12 e 28.58, onde são oferecidas várias outras referências sobre o assunto. Deus é o objeto desse temor (ver Is 8.14). O conhecimento desse temor nos é dado por meio das Escrituras (ver Pv 2.3-5). Esse temor é uma fonte de vida (ver Pv 14.27). Ele motiva o indivíduo à santificação (ver Ap 15.4), à bondade (1Sm 12.24), ao perdão (ver Sl 130.4). Esse temor é ilustrado pelas admiráveis obras de Deus (ver Js 4.23,24). Além disso, é uma das características dos santos (ver Ml 3.16) e um ingrediente necessário na adoração a Deus (Sl 5.7), no serviço que prestamos a ele (ver Sl 2.11; Hb 12.28). E, finalmente, devemos ensinar o temor a Deus aos nossos semelhantes (ver Sl 34.11).

CAPÍTULO CINCO

O primeiro versículo do quinto capítulo na realidade conclui o quarto capítulo. Após isso, temos três incidentes que ocorreram antes do assalto contra Jericó.

■ 5.1

וַיְהִי כִשְׁמֹעַ כָּל־מַלְכֵי הָאֱמֹרִי אֲשֶׁר בְּעֵבֶר הַיַּרְדֵּן יָמָּה וְכָל־מַלְכֵי הַכְּנַעֲנִי אֲשֶׁר עַל־הַיָּם אֵת אֲשֶׁר־הוֹבִישׁ יְהוָה אֶת־מֵי הַיַּרְדֵּן מִפְּנֵי בְּנֵי־יִשְׂרָאֵל עַד־עָבְרֵנוּ וַיִּמַּס לְבָבָם וְלֹא־הָיָה בָם עוֹד רוּחַ מִפְּנֵי בְּנֵי־יִשְׂרָאֵל׃ ס

Este versículo dá prosseguimento às ideias apresentadas em Js 2.9-11. Ver também Js 1.1-9. O propósito de Deus avançava incansavelmente, e todos os adversários sofreriam pânico diante do desdobramento desse propósito. A parada das águas do rio Jordão, um fato deveras notável, um milagre que ocorreu à borda do território ocidental da Terra Prometida, tornou-se um acontecimento conhecido por todos, demonstrando que Israel estava avançando com a ajuda do poder divino, o que significa que era invencível. O trecho de At 4.24 enfatiza os efeitos universais do prodígio. O efeito imediato era uma invasão facilitada.

Antes da invasão, três coisas precisavam ser feitas, conforme mostro nas notas expositivas sobre o segundo versículo deste capítulo.

Todos os reis dos amorreus. Este versículo não se dá ao trabalho de mencionar por nome todas as sete nações (ver Dt 7.1), mas refere-se somente àquele povo que recebeu o primeiro impacto da invasão, como representante de todos os povos que habitavam a parte ocidental do território a ser conquistado. O autor sagrado referiu-se aqui aos reis da parte ocidental, ou seja, no lado oeste do rio Jordão, visto que o lado oriental já havia sido conquistado. Duas tribos e meia (Rúben, Gade e metade da tribo de Manassés) já se tinham estabelecido ali. Ver no *Dicionário* o artigo chamado *Transjordânia*. Ver também Js 4.12.

Reis dos amorreus... reis dos cananeus. Os amorreus representavam a parte ocidental da Terra Prometida; os cananeus representavam os povos que habitavam em uma faixa de terra contígua ao mar Morto. Desse modo, todas as sete nações foram cobertas com apenas dois nomes, todas as quais tinham de ser expulsas da terra de Canaã (ver Dt 7.1).

E não houve mais alento neles. Psicologicamente, aqueles povos já tinham desistido de guerrear, dando-se por derrotados diante dos vitoriosos filhos de Israel, que avançavam escudados no poder de Yahweh.

O POVO É CIRCUNCIDADO EM GILGAL (5.2-12)

Israel Estava Avançando. A massa de quatro milhões de pessoas tinha atravessado o rio Jordão. Implementos de guerra foram preparados. Ver o trecho de Nm 1.46 quanto aos mais de seiscentos mil jovens aptos para a guerra. Havendo assim tantos jovens, sem dúvida havia pelo menos quatro milhões de pessoas em todas as doze tribos de Israel. Toda aquela gente, pois, avançou como se fora um exército. Vitórias preliminares já haviam sido obtidas na Transjordânia, e agora a parte ocidental do território estava começando a ser invadida. O moral do povo de Israel era alto, ao passo que o moral do inimigo (as sete nações cananeias, que deviam ser expulsas; ver Dt 7.1) estava realmente baixo. O pânico tomara conta daqueles povos, facilitando assim a conquista por parte de Israel.

■ 5.2

בָּעֵת הַהִיא אָמַר יְהוָה אֶל־יְהוֹשֻׁעַ עֲשֵׂה לְךָ חַרְבוֹת צֻרִים וְשׁוּב מֹל אֶת־בְּנֵי־יִשְׂרָאֵל שֵׁנִית׃

Faze facas de pederneira. Nos dias de Moisés e Josué, o povo de Israel já estava usando alguns metais, como o bronze (mas ainda não o ferro), pelo que instrumentos de pedra já haviam sido substituídos por instrumentos de metal, para todos os efeitos práticos. Mas o conservantismo religioso determinava que facas de pederneira fossem usadas na cerimônia de circuncisão, aqui em foco, porque assim se havia praticado a circuncisão como sinal do Pacto Abraâmico, um costume que vinha sendo preservado desde muito tempo antes da invasão da terra de Canaã. Ver Êx 4.25. Ver no *Dicionário* o verbete intitulado *Faca*.

Adam Clarke, *in loc.*, ilustrou o uso das facas feitas de pederneira. Ovídio, *Fast.* livro iv, vs. 237, deixou registrado um incidente de circuncisão através de uma faca de pederneira. Outras operações também eram efetuadas mediante tais facas. Ver Juvenal (*Sat.* vi. vs. 513).

Passa de novo a circuncidar os filhos de Israel. Antes da invasão, três coisas precisavam ser feitas, a saber: 1. A renovação da circuncisão, sinal do Pacto Abraâmico. Ver as informações sobre esse pacto nas notas sobre Gn 15.18. Ver Gn 17.9 ss. quanto à circuncisão como o sinal do Pacto Abraâmico. A guarda do sábado era o sinal do Pacto Mosaico (ver Êx 31.13 ss.). 2. A páscoa precisava ser celebrada, unindo assim a invasão da terra de Canaã com a libertação da opressão egípcia (vs. 10). 3. Também deveria haver a apropriação do produto agrícola da terra (vss. 11 e 12). Quando isso sucedeu, cessou o milagre do maná. O maná foi substituído pela dieta mais variegada da Terra Prometida. Uma nova provisão acompanharia o novo dia da possessão da Terra Prometida.

A Circuncisão. Provi um detalhado artigo sobre esse assunto no *Dicionário*. Israel, que estava prestes a entrar na posse da Terra Prometida, receberia uma das grandes provisões do Pacto Abraâmico. Isso posto, o sinal daquele pacto tinha de ser renovado. O texto supõe que muitos homens, provavelmente a maioria, se tenham mostrado negligentes quanto a esse pormenor, mas somente um povo de Israel devidamente circuncidado receberia, da parte de Yahweh, proteção e poder necessários para a invasão. Entre outras coisas, a circuncisão era um rito que possibilitava a admissão dos cidadãos masculinos à comunidade de Israel.

■ 5.3

וַיַּעַשׂ־לוֹ יְהוֹשֻׁעַ חַרְבוֹת צֻרִים וַיָּמָל אֶת־בְּנֵי יִשְׂרָאֵל אֶל־גִּבְעַת הָעֲרָלוֹת׃

Então Josué fez. Ao obedecer à ordem de Yahweh, Josué incapacitou temporariamente todo o seu exército, tanto por ter de manufaturar as facas de pederneira como por ter de efetuar uma circuncisão em massa dos homens de Israel. Foi uma operação grandiosa, porquanto podemos supor que a maioria dos homens e dos meninos de Israel ainda não houvesse sido circuncidada até aquele dia. Assim, naquela noite, e em várias outras ainda, praticamente a população masculina inteira foi deitar-se incapacitada para qualquer ação!

Em Gibeate-Aralote. Temos aí a transliteração do hebraico, que significa "colina dos prepúcios", o que, de acordo com algumas traduções, aparece traduzido, e não transliterado, e como se fosse um nome locativo. O local onde foram deixados os prepúcios ficava perto de Gilgal. É provável que circuncisões, como parte do culto religioso dos hebreus, tenham continuado a ser efetuadas ali, visto que Gilgal veio a tornar-se um santuário religioso.

Alguns intérpretes interpretam a "colina" como alusão ao grande acúmulo de prepúcios assim produzido. As autoridades judaicas dizem-nos que os prepúcios foram cobertos com terra, pelo que se formou um montão considerável (ver *Pirke Eliezer*, cap. 29). Ou, então, haveria alguma colina próxima de Gilgal, que foi usada para ali serem enterrados os prepúcios, embora essa ideia nos pareça menos provável.

■ 5.4,5

וְזֶה הַדָּבָר אֲשֶׁר־מָל יְהוֹשֻׁעַ כָּל־הָעָם הַיֹּצֵא מִמִּצְרַיִם הַזְּכָרִים כֹּל אַנְשֵׁי הַמִּלְחָמָה מֵתוּ בַמִּדְבָּר בַּדֶּרֶךְ בְּצֵאתָם מִמִּצְרָיִם׃

כִּי־מֻלִים הָיוּ כָּל־הָעָם הַיֹּצְאִים וְכָל־הָעָם הַיִּלֹּדִים בַּמִּדְבָּר בַּדֶּרֶךְ בְּצֵאתָם מִמִּצְרַיִם לֹא־מָלוּ׃

Foi esta a razão por que Josué os circuncidou. Os intérpretes têm ficado perplexos diante dessa explicação para a circuncisão em massa que houve. Eis o que eles têm dito:

1. Toda a geração antiga, que havia saído do Egito, já tinha morrido no deserto, mas seus filhos nunca haviam sido circuncidados, pelo que o rito tinha de ser efetuado antes de poderem entrar na Terra Prometida. A Septuaginta omite as palavras "de novo", que figuram no segundo versículo deste capítulo; e isso reforça essa interpretação. Para aquela nova geração, essa foi a primeira circuncisão. (Ver Nm 20.1-13; 27.14; e Dt 32.51).
2. Se retivermos as palavras "de novo", poderíamos argumentar que aquela foi a primeira circuncisão para a nova geração, mas de novo, se levarmos em consideração o povo de Israel como um todo, incluindo a geração anterior. Essa expressão, pois, estaria destacando a unidade nacional do povo de Israel.
3. O rito nacional da circuncisão foi posto em prática, na ocasião presente, pela primeira vez, ao passo que as palavras "de novo" aludiriam aos tempos antigos em que o rito tinha sido praticado. Isso parece dar a entender que o rito havia sido descontinuado de modo geral, e que somente agora, no caso da nação inteira, tudo voltava a ser novamente posto em prática.
4. O texto estaria se referindo à circuncisão da maioria dos homens de Israel, ao passo que outros, daquela geração, já haviam sido circuncidados. E isso explicaria as palavras "de novo".

A explicação dada pelo próprio autor sacro, neste versículo quinto, confirma a segunda dessas quatro interpretações. Assim, os judeus dizem que, por causa das aflições e das condições irregulares durante o período das vagueações pelo deserto, esse principal dos ritos hebreus havia sido omitido (ver *Pirke Eliezer*, cap. 29). Mas agora que eles estavam entrando na Terra Prometida, ou seja, que estavam recebendo sua herança sob a forma de um território pátrio, graças ao Pacto Abraâmico, o sinal desse pacto (a circuncisão) precisou ser instituído oficialmente para toda a nova nação.

■ 5.6

כִּי אַרְבָּעִים שָׁנָה הָלְכוּ בְנֵי־יִשְׂרָאֵל בַּמִּדְבָּר עַד־תֹּם כָּל־הַגּוֹי אַנְשֵׁי הַמִּלְחָמָה הַיֹּצְאִים מִמִּצְרַיִם אֲשֶׁר לֹא־שָׁמְעוּ בְּקוֹל יְהוָה אֲשֶׁר נִשְׁבַּע יְהוָה לָהֶם לְבִלְתִּי הַרְאוֹתָם אֶת־הָאָרֶץ אֲשֶׁר נִשְׁבַּע יְהוָה לַאֲבוֹתָם לָתֶת לָנוּ אֶרֶץ זָבַת חָלָב וּדְבָשׁ׃

Quarenta anos andaram os filhos de Israel pelo deserto. A geração anterior de israelitas tinha saído do Egito. Mas como se havia mostrado, por tantas vezes, um povo rebelde e desobediente, inclinado à apostasia, aquela geração não tivera permissão de ser admitida à Terra Prometida. Nos capítulos 13 e 14 de Números, bem como no trecho de Dt 1.19-46, lê-se a história das razões pelas quais aquela geração não pôde entrar na Terra Prometida. Moisés, visto estar tão intimamente vinculado à geração anterior, e por causa de algum pecado pessoal que cometeu, também não recebeu permissão para entrar. Quanto a esse último aspecto ver Nm 20.12; Dt 1.37; 3.23-26 e 4.1. A desobediência aos mandamentos da lei foi a essência desse fracasso.

Embora estivessem circuncidados na carne, os homens da geração de Moisés não tinham coração e lábios circuncidados (ver Êx 6.12; Lv 26.41; Rm 2.25). Cf. Nm 14.23,24. Ver também Hb 3.11,18, que apresenta a aplicação neotestamentária da história aos que professam a fé cristã.

■ 5.7

וְאֶת־בְּנֵיהֶם הֵקִים תַּחְתָּם אֹתָם מָל יְהוֹשֻׁעַ כִּי־עֲרֵלִים הָיוּ כִּי לֹא־מָלוּ אוֹתָם בַּדָּרֶךְ׃

Porque os não circuncidaram no caminho. Este versículo reitera as informações que nos são dadas nos vss. 4 e 5. A geração mais antiga havia sido circuncidada no Egito; mas a segunda geração não tinha sido circuncidada durante as perambulações pelo deserto. Daí, a necessidade de fazê-lo agora.

■ 5.8

וַיְהִי כַּאֲשֶׁר־תַּמּוּ כָל־הַגּוֹי לְהִמּוֹל וַיֵּשְׁבוּ תַחְתָּם בַּמַּחֲנֶה עַד חֲיוֹתָם׃ פ

Ficaram no seu lugar no arraial, até que sararam. Uma vez realizado o rito, eles não tiveram de marchar enquanto todos não sararam. A cronologia fornecida (ver Js 4.19 e 5.10) sugere que tenha havido três dias para a cura. O capítulo 34 de Gênesis mostra que vários dias são necessários para que sarem dos ferimentos causados pela operação da circuncisão. Mas algumas autoridades judaicas falaram em somente um dia (*Annales. Vet. Test.*, par. 38), supondo que os hebreus se tenham posto em marcha, novamente, no décimo primeiro dia. Ver Js 4.19. E no décimo quarto dia, eles observaram a páscoa (ver Js 5.10).

■ 5.9

וַיֹּאמֶר יְהוָה אֶל־יְהוֹשֻׁעַ הַיּוֹם גַּלּוֹתִי אֶת־חֶרְפַּת מִצְרַיִם מֵעֲלֵיכֶם וַיִּקְרָא שֵׁם הַמָּקוֹם הַהוּא גִּלְגָּל עַד הַיּוֹם הַזֶּה׃

Hoje revolvi de sobre vós. O verbo "revolver" sugere Gilgal, nome esse derivado de uma raiz que significa "revolver", "rolar", o que quer dizer que temos aqui um jogo de palavras. A aproximação do povo de Israel foi "revolvida" naquele lugar, ou seja, Israel "rolou" até ali. Presume-se, pois, que Gilgal tenha recebido seu nome pela circunstância da nova circuncisão, que "fez rolar" o opróbrio de Israel. Porém, outra compreensão possível dessa raiz vem da ideia de um círculo, ou seja, do "círculo de pedras" que foi erigido naquele lugar, a fim de comemorar o milagre ocorrido no rio Jordão. Ver Js 4.20, que sugere essa etimologia.

O opróbrio do Egito. Várias interpretações têm sido dadas ao termo "opróbrio", a saber:

1. O opróbrio teria sido lançado pelos egípcios sobre os hebreus, por não lhes darem tempo de circuncidarem seus filhos. O rito da circuncisão, entre os egípcios, era permitido somente no caso de sacerdotes e de nobres. "O fato de ficarem sem circuncisão fez com que eles se tornassem como os egípcios incircuncisos. Os hebreus consideravam a todos os incircuncisos como se estivessem em um estado da mais grosseira impureza" (Adam Clarke, *in loc.*).

2. Ou, então, o opróbrio deles, que não tinha sido removido, era a servidão dos hebreus no Egito. Porém, a nova geração de israelitas, recém-circuncidada, tornava-se uma nação distinta, prestes a tomar posse de seu território nacional.

3. Ou, finalmente, o opróbrio era sua condição aviltada em geral, de serem um não-povo no Egito, que não possuía território pátrio, nem identidade nacional, nem direitos civis. Isso passava agora a ser contrastado com a nova nação, na qual eles estavam sendo rapidamente transformados.

■ 5.10

וַיַּחֲנוּ בְנֵי־יִשְׂרָאֵל בַּגִּלְגָּל וַיַּעֲשׂוּ אֶת־הַפֶּסַח בְּאַרְבָּעָה עָשָׂר יוֹם לַחֹדֶשׁ בָּעֶרֶב בְּעַרְבוֹת יְרִיחוֹ׃

Estando, pois, os filhos de Israel acampados em Gilgal. Os varões israelitas estavam sarando da circuncisão a que tinham sido submetidos. Passaram-se três dias. E então, no décimo quarto dia, eles observaram a *páscoa* (ver a respeito no *Dicionário*). Aquela era a segunda vez em que eles celebravam a páscoa, antes de estarem preparados para atacar os adversários no lado ocidental do rio Jordão. Ver as notas de introdução a este quinto capítulo. A páscoa comemorava como os filhos de Israel tinham sido libertados da servidão aos egípcios. Agora, quarenta anos mais tarde, a cerimônia foi repetida, a fim de celebrar a entrada deles na Terra Prometida. Ver Js 4.19 e 5.10 quanto a notas cronológicas.

A comemoração da páscoa, no décimo quarto dia do primeiro mês, por conseguinte, introduzia Israel em seu Novo Dia. E também assinalou o fim da história do maná, iniciado no capítulo 16 do livro de Êxodo. Cf. com o versículo 12 deste capítulo e com Êx 16.35.

"Sem a circuncisão, eles não estariam qualificados para participar desse importantíssimo evento (a páscoa). Ver Êx 12.43,44,48. É deveras interessante que os filhos de Israel chegaram a atravessar o rio Jordão justamente a tempo de celebrar a páscoa, no décimo quarto dia do mês (ver Êx 12.2,6). O cronograma de Deus é sempre preciso" (Donald K. Campbell, *in loc.*).

Até este ponto, na Bíblia, temos um registro de três páscoas, a saber: 1. Imediatamente depois que foram libertados do Egito (Êx 12.1-28). 2. A celebração no monte Sinai, imediatamente antes de os israelitas se porem em marcha, na direção da terra de Canaã (Nm 9.1-5). 3. A celebração do texto presente, uma espécie de prelúdio da invasão da parte ocidental da Terra Prometida. O fato de que essas três celebrações ficaram registradas sugere que a páscoa não tenha sido observada durante os quarenta anos de perambulações pelo deserto. A recente travessia do rio Jordão foi muito semelhante à travessia do mar Vermelho, ou melhor, do mar de Juncos. A primeira travessia esteve associada ao êxodo, ou "saída", ao passo que a segunda esteve associada ao eisodus, ou "entrada". Isso posto, os dois grandes eventos requereram a celebração da páscoa. Ao participar da nova celebração da páscoa, Israel estava revivendo o antigo milagre.

■ 5.11,12

וַיֹּאכְלוּ מֵעֲבוּר הָאָרֶץ מִמָּחֳרַת הַפֶּסַח מַצּוֹת וְקָלוּי בְּעֶצֶם הַיּוֹם הַזֶּה׃

וַיִּשְׁבֹּת הַמָּן מִמָּחֳרָת בְּאָכְלָם מֵעֲבוּר הָאָרֶץ וְלֹא־הָיָה עוֹד לִבְנֵי יִשְׂרָאֵל מָן וַיֹּאכְלוּ מִתְּבוּאַת אֶרֶץ כְּנַעַן בַּשָּׁנָה הַהִיא׃ ס

Pães asmos e grãos tostados comeram nesse mesmo dia. Houve uma celebração separada, a qual, provavelmente, tinha sido originalmente uma festa de colheita, mas que veio a ser vinculada à páscoa, de tal modo que essas duas festas terminaram por ser celebradas como se fossem uma única celebração. Ver no *Dicionário* o artigo intitulado *Pães Asmos*, quanto a descrições completas dessa festividade. O cereal para fabrico dos pães asmos foi colhido da Terra Prometida. Um novo dia de provisão havia chegado. Esse novo dia pôs fim ao dia antigo, em que o maná era a provisão alimentar divina para Israel (vs. 12). Ver Êx 12.19,20 quanto à festa original dos pães asmos.

Era tempo da colheita, pelo que Israel celebrou sua primeira festa da colheita na Terra Prometida (ver Js 3.15). Durante quarenta anos, o maná descera como uma miraculosa provisão divina. Mas, havendo uma provisão nova e natural, cessou o milagre, tão súbita e misteriosamente como havia começado. Oh, Senhor, concede-nos tal graça!

Tipologia. O maná simbolizava a provisão da lei, o dia antigo. Mas a provisão alimentar colhida da própria Terra Prometida simbolizava os benefícios que Cristo nos proporciona em sua missão terrena. A segunda dessas provisões é nova, e é melhor. Ou, por outro lado, o maná simbolizava a provisão de Deus para aquele tempo; e o cereal colhido agora na Terra Prometida simbolizava as suas provisões para os nossos próprios dias. Seja como for, Cristo é o pão da vida (ver Jo 6.35). Ver na *Enciclopédia de Bíblia, Teologia e Filosofia* o verbete chamado *Pão da Vida, Jesus como.*

"A coincidência é por demais notável para ser negligenciada. O Cristo ressurrecto foi quem tomou o lugar do maná... Ele é o verdadeiro pão do céu" (Ellicott, *in loc.*).

Este texto ensina-nos, de modo enfático, a *Providência de Deus* (ver a respeito no *Dicionário*), em qualquer época; e cada época tem sua provisão apropriada, em consonância com os propósitos e com a cronologia de Deus. Ver no *Dicionário* o artigo intitulado *Pão*.

VÁRIAS CAMPANHAS MILITARES (5.13—12.24)

JERICÓ E AI SÃO CAPTURADAS (5.13—8.29)

■ 5.13

וַיְהִ֗י בִּֽהְי֣וֹת יְהוֹשֻׁעַ֮ בִּירִיחוֹ֒ וַיִּשָּׂ֤א עֵינָיו֙ וַיַּ֔רְא
וְהִנֵּה־אִישׁ֙ עֹמֵ֣ד לְנֶגְדּ֔וֹ וְחַרְבּ֥וֹ שְׁלוּפָ֖ה בְּיָד֑וֹ וַיֵּ֨לֶךְ
יְהוֹשֻׁ֤עַ אֵלָיו֙ וַיֹּ֣אמֶר ל֔וֹ הֲלָ֥נוּ אַתָּ֖ה אִם־לְצָרֵֽינוּ׃

Estando Josué ao pé de Jericó, levantou os olhos, e olhou. Os vss. 13 a 15 deste capítulo fornecem-nos o terceiro incidente que precisou ocorrer antes de Israel poder prosseguir na invasão da Terra Prometida. Ver as notas de introdução a este quinto capítulo. Embora Josué tivesse sido comissionado por Yahweh e por Moisés, tendo-se tornado o indisputado líder dos hebreus, bem como o homem escolhido por Deus para dirigir a invasão da parte ocidental da Terra Prometida, ele ainda precisava passar por uma poderosíssima experiência mística, que o preparou ainda mais para a sua grande missão. Ver no *Dicionário* o artigo chamado *Misticismo*. Josué, a exemplo de Moisés, antes dele, precisou ter um encontro transformador com o Anjo do Senhor, que muitos estudiosos aceitam como a manifestação veterotestamentária do Logos.

Um homem. O varão estava diante de Josué, com uma espada desembainhada. Cf. isso com Nm 22.23,31 e 1Cr 21.16. Metaforicamente, Deus convoca os seus anjos como se fossem estrelas, a fim de cumprirem as suas ordens (ver Is 40.26). Os anjos invisíveis lutam em favor da causa divina, sem importar onde e em que época. (Ver 2Rs 6.17; Gn 32.1,2.) Esse anjo, que apareceu em forma de um homem, não é identificado com Yahweh, mas há uma evidente vinculação entre Yahweh e o seu Anjo. Ver Jz 6.11-18.

Josué, a princípio, chegou a confundir o "homem" com um possível inimigo, e perguntou-lhe de imediato ao lado de quem o homem estava. Ele deve ter ficado aliviado e transbordante de júbilo ao ouvir que o homem era o "príncipe do exército do Senhor", e que estava ali para comandar as tropas de Israel, conforme se lê no versículo seguinte.

A identificação desse anjo não nos é dada; mas os intérpretes judeus apontam, de modo quase unânime, para Miguel, o príncipe especial de Israel (Bereshit Rabba, sec. 97, fol. 84.2; Machmanides, *in loc.*). Ver o artigo geral no *Dicionário*, intitulado *Anjos*. Naquele artigo comento sobre os arcanjos. Ver na *Enciclopédia de Bíblia, Teologia e Filosofia* o verbete denominado *Miguel, Arcanjo*.

"Este texto serve de nobre ilustração da verdade de que, na grande causa de Deus sobre a terra, os seus líderes, ainda que pareçam supremos e solitários, na verdade são guiados. Há uma Rocha que é mais alta do que eles; seus ombros, embora largos, não precisam levar sozinhos a tremenda carga da responsabilidade. O senso do sobrenatural está presente, guiando-os e protegendo-os" (Joseph R. Sizoo, *in loc.*). Cf. Eliseu e seu servo, em Dotã, em 2Rs 6.13 ss. Tem sido noticiado que em Mons, na França, durante a Primeira Grande Guerra, houve uma manifestação angelical especial. No *Dicionário*, no artigo *Anjos*, ponto VIII, há um parágrafo sobre o erro da desmitização, no tocante aos anjos. Quanto a notas sobre os arcanjos, ver o artigo chamado *Rafael* no *Dicionário*. Cf. esta visão com aquela que Moisés teve, em Horebe, no terceiro capítulo do livro de Êxodo.

■ 5.14

וַיֹּ֜אמֶר לֹ֗א כִּ֛י אֲנִ֥י שַׂר־צְבָֽא־יְהוָ֖ה עַתָּ֣ה בָ֑אתִי וַיִּפֹּל֩
יְהוֹשֻׁ֨עַ אֶל־פָּנָ֥יו אַ֙רְצָה֙ וַיִּשְׁתָּ֔חוּ וַיֹּ֣אמֶר ל֔וֹ מָ֥ה אֲדֹנִ֖י
מְדַבֵּ֥ר אֶל־עַבְדּֽוֹ׃

Sou príncipe do exército do Senhor. De acordo com uma metáfora militar, conforme alguns dizem, ou conforme os antigos concebiam as coisas, Yahweh era o General e dispunha de seus comandantes. Ora, uma guerra santa estava prestes a ocorrer. Quanto a esse assunto, ver Dt 7.1-5 e 20.10-18. Os anjos invisíveis lutam pela causa da guerra santa; ou, de acordo ainda com outra metáfora, os exércitos celestiais são lançados contra os inimigos de Yahweh (ver Is 40.26). Quanto a como os anjos invisíveis participam das guerras dos homens, ver também 2Rs 6.17 e Gn 32.1,2. Ver Êx 7.4 e 12.41, que são trechos paralelos quase diretos desse versículo. As notas expositivas que ali aparecem também se aplicam aqui. Quanto a algo parecido nas páginas do Novo Testamento, ver Hb 2.10 e Ap 19.11,14. Ver a metáfora militar de Ef 6.10 ss., que dá um aspecto cristão a essa questão. Cf. Ap 19.10 e 22.8,9. Jesus, estando no jardim do Getsêmani, usou essa metáfora, conforme lemos em Mt 26.53. Em Hb 1.14, os anjos aparecem como espíritos ministradores, havendo ocasiões em que o ministério deles se reveste de caráter militar.

Adoração. Ver no *Dicionário* o artigo chamado *Adoração*. Reconhecendo a presença divina, através do anjo, um elevado comandante enviado da parte de Yahweh, Josué prostrou-se por terra em adoração. É esse fato que leva alguns estudiosos a declarar, sem rebuços, que o anjo que apareceu a Josué era o Anjo do Senhor, o Logos, que, ao encarnar-se, chamou-se Jesus Cristo. É evidente que, nas Escrituras, os anjos nunca aceitam adoração da parte dos homens, nem mesmo como representantes diretos de Deus. Na Bíblia, nunca se adora à criatura, mas sempre ao Criador. Portanto, a experiência mística de Josué foi do mais elevado calibre espiritual, inspirando-o ao mais profundo respeito e reverência. Ele teve uma visão do Cristo, antes de sua encarnação. O fato de que Jesus aceitava adoração mostra-nos que ele não pertencia ao gênero das criaturas, mas era o próprio Criador, o "verdadeiro Deus", no dizer de 1Jo 5.20.

■ 5.15

וַיֹּ֩אמֶר֩ שַׂר־צְבָ֨א יְהוָ֜ה אֶל־יְהוֹשֻׁ֗עַ שַׁל־נַֽעַלְךָ֙ מֵעַ֣ל
רַגְלֶ֔ךָ כִּ֣י הַמָּק֗וֹם אֲשֶׁ֥ר אַתָּ֛ה עֹמֵ֥ד עָלָ֖יו קֹ֣דֶשׁ ה֑וּא
וַיַּ֥עַשׂ יְהוֹשֻׁ֖עַ כֵּֽן׃

Descalça as sandálias de teus pés. O momento era sagrado, requerendo a remoção das sandálias como sinal de reverência. Este versículo forma um paralelo direto com a experiência de Moisés, registrada em Êx 3.5. Essa experiência foi repleta de poder e significação. A Josué foi prometida a vitória na invasão, visto que o próprio céu haveria de sustentar Israel. A conquista seria inevitável, mas Josué precisava ser devidamente preparado, para saber como liderar os filhos de Israel. Josué era o comandante terreno de Israel, mas havia alguém mais elevado do que ele, que governava e comandava desde o céu, o Filho de Deus, Yahweh, de quem era a batalha. Josué tinha uma grande responsabilidade; mas ele não precisava carregá-la sozinho.

> Brada o grito de guerra! O inimigo está perto;
> Levanta bem alto o pendão do Senhor;
> Veste tua armadura, firma-te sobre os teus pés,
> Apoia tua causa sobre sua santa Palavra.
>
> W. F. Sherwin

CAPÍTULO SEIS

JERICÓ É DESTRUÍDA (6.1-27)

A queda de Jericó (ver a respeito no *Dicionário*) foi a primeira grande vitória que Israel obteve na parte ocidental da Terra Prometida. A parte oriental, ou seja, a *Transjordânia* (ver a respeito no *Dicionário*) já havia sido conquistada e ocupada pelas duas tribos e meia (Rúben, Gade e a meia tribo de Manassés). Ver Nm 32.31 ss. e 34.14,15 quanto à narrativa. Uma parcela apreciável dos homens de guerra dessas tribos, homens selecionados, ajudaram seus irmãos das demais tribos a conquistar os territórios a ocidente do rio Jordão, porquanto cumpriram a promessa que tinham feito (ver Js 22).

Que as muralhas de Jericó realmente caíram chatas, para fora, é confirmado pela arqueologia (ver as notas expositivas sobre os vss. 20 e 21 deste capítulo). Meu artigo a respeito de Jericó passa em revista a informação dada ali. Se o povo de Israel tivesse de conquistar a região montanhosa da parte ocidental da Terra Prometida, então Jericó precisava ser conquistada antes de mais nada. A cidade de Ai era outra fortaleza que não podia ser deixada incólume. Uma vez dominadas as cidades de Jericó e de Ai, Israel poderia dominar toda a região montanhosa do território, bem como a área inteira ao redor. Em seguida viria a guerra ao sul e ao norte, porquanto o oriente e o ocidente da Terra Prometida já tinham sido subjugados.

■ 6.1

וִירִיחוֹ סֹגֶרֶת וּמְסֻגֶּרֶת מִפְּנֵי בְּנֵי יִשְׂרָאֵל אֵין יוֹצֵא וְאֵין בָּא: ס

Ora Jericó estava rigorosamente fechada. A cidade já era uma fortaleza. E agora se fechara dentro de suas próprias muralhas, isolando-se de todo contato com o exterior. Ninguém podia entrar ou sair da cidade, a fim de dificultar ao máximo a conquista por parte dos filhos de Israel. A defesa da cidade era tão absoluta que somente a perda de um grande número de vidas poderia resultar na conquista da cidade fortificada. Em face disso, o Senhor estabeleceu um plano divino para a tomada da cidade. O povo de Israel, ao seguir esse plano divino, teve a sua vitória imensamente facilitada. Os Targuns dizem-nos que os portões de Jericó eram fortificados com barras de ferro e de bronze.

■ 6.2

וַיֹּאמֶר יְהוָה אֶל־יְהוֹשֻׁעַ רְאֵה נָתַתִּי בְיָדְךָ אֶת־יְרִיחוֹ וְאֶת־מַלְכָּהּ גִּבּוֹרֵי הֶחָיִל:

Olha, entreguei na tua mão a Jericó. A promessa de Yahweh foi absoluta e incondicional. Em breve Jericó haveria de cair diante de Israel, por causa de uma intervenção divina direta, que Deus proveria. E isso, por sua vez, inspiraria Israel a continuar lutando. Tratados de paz estavam vedados (ver Dt 7.3); todo e qualquer vestígio de idolatria teria de ser obliterado (ver Dt 7.4). Também não haveria sobreviventes (ver Dt 7.3), pois nem mesmo mulheres e crianças poderiam ser poupadas. Todavia, no caso de cidades conquistadas fora dos limites da Palestina (fora das fronteiras de Israel), mulheres e crianças poderiam ser poupadas (ver Dt 20.14). Mas dentro das fronteiras de Israel, coisa nenhuma deveria ser deixada com vida (ver Dt 20.16). Quanto à guerra santa, ver as notas expositivas sobre Dt 7.1-6 e 20.10-18.

Jericó tinha um forte rei vassalo e homens valentes, que em si mesmos eram matadores experimentados e brutais; mas todos haveriam de perecer no ataque desfechado pelos filhos de Israel.

■ 6.3,4

וְסַבֹּתֶם אֶת־הָעִיר כֹּל אַנְשֵׁי הַמִּלְחָמָה הַקֵּיף אֶת־הָעִיר פַּעַם אֶחָת כֹּה תַעֲשֶׂה שֵׁשֶׁת יָמִים:

וְשִׁבְעָה כֹהֲנִים יִשְׂאוּ שִׁבְעָה שׁוֹפְרוֹת הַיּוֹבְלִים לִפְנֵי הָאָרוֹן וּבַיּוֹם הַשְּׁבִיעִי תָּסֹבּוּ אֶת־הָעִיר שֶׁבַע פְּעָמִים וְהַכֹּהֲנִים יִתְקְעוּ בַּשּׁוֹפָרוֹת:

Vós, pois, todos os homens de guerra. Nestes dois versículos encontramos as recomendações divinas quanto ao modo de proceder durante a guerra contra Jericó. Conforme sabe qualquer criança que frequenta a Escola Dominical, os guerreiros israelitas deveriam rodear a cidade uma vez por dia, durante seis dias. Seriam liderados por sete sacerdotes, transportando a arca da aliança, a qual representava a presença e o poder de Yahweh. Ao que tudo indica, a marcha em redor da cidade, naqueles seis dias, deveria ser feita em silêncio. Somente no sétimo dia, quando a cidade tivesse sido rodeada por sete vezes, é que os sacerdotes tocariam as suas trombetas. Os habitantes de Jericó observariam de dentro de suas muralhas a marcha dos filhos de Israel, e o terror, que já tinha deixado abalado o povo inteiro da cidade (ver Js 2.9), haveria de aumentar a cada nova marcha, na sucessão dos dias. Embora esse terror não fosse derrubar as muralhas, uma vez que elas caíssem, os habitantes estariam tão aterrorizados que seriam uma presa fácil.

Sete sacerdotes... sete trombetas... no sétimo dia ... sete vezes. O número "sete", o número da perfeição divina e de ciclos completos, sem dúvida é muito significativo aqui. Ver no *Dicionário* o verbete intitulado *Número (Numeral; Numerologia)*, quanto a explicações mais amplas. Este versículo contém quatro setes.

Os Israelitas Usaram o Plano Divino. Eles não usaram aríetes, nem escadas de escalar, nem outra espécie de artifício. O divino plano de ação pode ter parecido uma tolice para os homens; mas a verdade é que aqueles quatro setes tiveram um efeito tremendo. Havia poder ali, porquanto o número sete simbolizava a presença e a intervenção de Yahweh.

As Trombetas. Esses instrumentos eram usados para convocar Israel para as festividades sagradas; e essa circunstância adicionava mais um ponto ao elemento divino, como se a guerra santa, que estivesse sendo efetuada, fosse uma oferenda (ou holocausto) agradável ao Senhor. As trombetas convocariam Israel para oferecer o sacrifício obliterador. Ver no *Dicionário* o artigo intitulado *Trombeta*. Essas trombetas eram feitas de chifres de carneiro, e não de metal, como se dá no caso das trombetas modernas.

O quarto versículo deste capítulo dá a impressão de que somente no sétimo dia as trombetas foram tocadas; mas o oitavo versículo diz-nos que a cada um dos sete dias foram sopradas as trombetas, quando se circundava a cidade. Todavia, as pessoas se mantinham em silêncio absoluto (vs. 10), e só usaram da própria voz no sétimo dia.

■ 6.5

וְהָיָה בִּמְשֹׁךְ בְּקֶרֶן הַיּוֹבֵל בְּשָׁמְעֲכֶם אֶת־קוֹל הַשּׁוֹפָר יָרִיעוּ כָל־הָעָם תְּרוּעָה גְדוֹלָה וְנָפְלָה חוֹמַת הָעִיר תַּחְתֶּיהָ וְעָלוּ הָעָם אִישׁ נֶגְדּוֹ:

Tocando-se longamente a trombeta... todo o povo gritará com grande grito. Por meio desses dois grandes sons — o toque das sete trombetas e a gritaria dos guerreiros — as muralhas de Jericó haveriam de ruir, pelo menos aparentemente. É verdade que sons intensos podem produzir grandes destruições, se os objetos ao redor vibrarem na mesma frequência que aquele som. Até uma grande ponte pode ser derrubada com o som certo, que crie a ressonância exata. Alguns eruditos supõem que algo semelhante tenha acontecido. Os críticos referem-se ao relato somente como outro mito ou exagero na assertiva. Os eruditos conservadores, por sua vez, optam pelo fenômeno de um som capaz de destruir alguma coisa, embora direcionado por Deus, nesse caso; ou, então, supõem que o som meramente tenha acompanhado o ato divino, o milagre, o qual, na verdade, fez as muralhas de Jericó tombar por terra. Ver sobre os vss. 20 e 21, quanto à confirmação arqueológica de que as muralhas de Jericó, verdadeiramente, caíram chatas sobre o solo. Ver no *Dicionário* o artigo intitulado *Milagres*.

"Com demasiada frequência, tendemos por pensar no mundo como se ele fosse governado por leis naturais, de maneira independente de Deus. Mas talvez o antigo conceito dos hebreus esteja mais próximo da verdade, no sentido de que o mundo é uma esfera na qual Deus pode agir diretamente a qualquer tempo, e no qual ele realmente age" (Joseph R. Sizoo, *in loc.*). A primeira atitude, aquela que crê que somente as leis naturais governam tudo, concorda com o *deísmo*; e a segunda delas, que concebe que Deus atua o tempo todo, até mesmo através de suas leis naturais, concorda com o *teísmo*. Ver sobre esses dois termos no *Dicionário*.

Uma vez que as muralhas jaziam derrubadas no chão, elas já não protegiam os habitantes de Jericó, nem ofereciam resistência aos invasores israelitas. E todo guerreiro de Israel então foi capaz de invadir a cidade, "cada qual em frente de si". Desse modo, os israelitas puderam entrar na cidade.

As fábulas judaicas dizem que as muralhas de Jericó foram engolidas pelos abismos que se formaram debaixo dos seus alicerces, conforme tinha sucedido antes a Coré e seus apoiadores (ver Nm 16.32,33).

■ 6.6

וַיִּקְרָא יְהוֹשֻׁעַ בִּן־נוּן אֶל־הַכֹּהֲנִים וַיֹּאמֶר אֲלֵהֶם שְׂאוּ אֶת־אֲרוֹן הַבְּרִית וְשִׁבְעָה כֹהֲנִים יִשְׂאוּ שִׁבְעָה שׁוֹפְרוֹת יוֹבְלִים לִפְנֵי אֲרוֹן יְהוָה:

Então Josué, filho de Num. O que tinha sido ordenado é agora repetido, mostrando como tudo começou a ser executado. Josué deu ordens para que os quatro "setes" se fizessem presentes. A vanguarda, mui provavelmente, era formada por representantes das tribos de Rúben e Gade e pela meia tribo de Manassés; seguiam atrás os sete sacerdotes que transportavam a arca (vs. 8), a qual ia à frente, porque manifestava a presença do Senhor. Normalmente, cabia aos levitas transportar a arca. Porém, em uma guerra santa, os sacerdotes, descendentes diretos de Arão, eram os encarregados dessa tarefa. Os varais foram postos nas argolas da arca, e ela foi carregada pelos sacerdotes por esse intermédio. Ver Êx 25.14 e Nm 7.9. Ver o trecho de Js 3.3 e suas notas expositivas quanto ao dever que os levitas tinham de transportar a arca e todo o equipamento do tabernáculo quando o povo de Israel se punha em movimento.

■ 6.7,8

וַיֹּאמְרוּ אֶל־הָעָם עִבְרוּ וְסֹבּוּ אֶת־הָעִיר וְהֶחָלוּץ יַעֲבֹר לִפְנֵי אֲרוֹן יְהוָה:

וַיְהִי כֶּאֱמֹר יְהוֹשֻׁעַ אֶל־הָעָם וְשִׁבְעָה הַכֹּהֲנִים נֹשְׂאִים שִׁבְעָה שׁוֹפְרוֹת הַיּוֹבְלִים לִפְנֵי יְהוָה עָבְרוּ וְתָקְעוּ בַּשּׁוֹפָרוֹת וַאֲרוֹן בְּרִית יְהוָה הֹלֵךְ אַחֲרֵיהֶם:

E disse ao povo. Josué transmitia ao povo as ordens dadas por Yahweh, tal e qual Moisés fizera antes dele. De acordo com as normas ditadas pelo Senhor a Josué, a arca saiu à frente de todos. As marchas diárias começaram e, naquele primeiro dia, a cidade foi rodeada por uma vez. Os sacerdotes avançavam tocando as trombetas. O quarto versículo deste capítulo dá a impressão de que os sacerdotes só tocaram as trombetas no sétimo dia, mas o oitavo versículo mostra que as trombetas foram tocadas a cada dia, enquanto a cidade estava sendo rodeada.

A Ordem de Marcha:

1. A guarda armada marchava com os pendões tribais. Talvez a vanguarda fosse formada por homens das tribos de Rúben e de Gade e da meia tribo de Manassés (ver Js 4.12). Ver também Js 1.4 e 4.13 quanto aos quarenta mil homens armados dessas duas tribos e meia, que tinham vindo ajudar as demais tribos na conquista da parte ocidental da Terra Prometida.
2. Os sete sacerdotes, que carregavam a arca e tocavam suas respectivas trombetas.
3. Após os sacerdotes e a arca, vinha a retaguarda (vs. 9).

■ 6.9

וְהֶחָלוּץ הֹלֵךְ לִפְנֵי הַכֹּהֲנִים תֹּקְעֵי הַשּׁוֹפָרוֹת וְהַמְאַסֵּף הֹלֵךְ אַחֲרֵי הָאָרוֹן הָלוֹךְ וְתָקוֹעַ בַּשּׁוֹפָרוֹת:

A retaguarda seguia após a arca. Talvez a retaguarda fosse formada pela tribo de Dã, visto que, nas perambulações pelo deserto, essa era a tribo que ocupava a última posição. Ver Nm 2.31. Por isso mesmo, os Targuns situam os homens armados da tribo de Dã nessa posição. Entretanto, John Gill opinou que homens desarmados é que ocupavam a retaguarda. Todavia, convém não esquecer que temos aqui um plano de batalha, e não um mero cortejo, o que significa que não havia homens desarmados nessa marcha. "... o sentido é que a retaguarda era idêntica à vanguarda... somente os sacerdotes tocavam as trombetas (vs. 4), ao passo que os demais homens (vs. 10) tinham de permanecer em estrito silêncio" (John Bright, *in loc.*).

■ 6.10

וְאֶת־הָעָם צִוָּה יְהוֹשֻׁעַ לֵאמֹר לֹא תָרִיעוּ וְלֹא־תַשְׁמִיעוּ אֶת־קוֹלְכֶם וְלֹא־יֵצֵא מִפִּיכֶם דָּבָר עַד יוֹם אָמְרִי אֲלֵיכֶם הָרִיעוּ וַהֲרִיעֹתֶם:

Porém ao povo ordenara Josué. A procissão só fazia ruído por meio das trombetas sagradas. Era como se fossem a voz de Yahweh. Ao povo cabia ficar em silêncio total, pois a voz de Deus é que daria a vitória a Israel. "Vem o nosso Deus, e não guarda silêncio" (Sl 50.3; ver também 1Ts 4.16). No sétimo dia de marcha, entretanto, o povo todo começaria a gritar, acompanhando o sonido das trombetas; e, com essa união de propósitos e de sons, as muralhas de Jericó haveriam de ruir. Deus, em seus propósitos, utiliza-se dos homens, mas não se limita a eles. O silêncio guardado pelo povo adicionava solenidade e mistério a todo o modo de proceder, lançando o terror no coração dos habitantes de Jericó (Js 2.9).

"Aquela estranha parada dirigia-se na direção de Jericó, para então rodeá-la, como se fora uma serpente. Na época, a cidade de Jericó ocupava uma área de cerca de quarenta mil metros quadrados (200 x 200 metros), e eram necessários menos de trinta minutos para circundar a cidade" (Donald K. Campbell, *in loc.*).

■ 6.11

וַיַּסֵּב אֲרוֹן־יְהוָה אֶת־הָעִיר הַקֵּף פַּעַם אֶחָת וַיָּבֹאוּ הַמַּחֲנֶה וַיָּלִינוּ בַּמַּחֲנֶה: פ

A arca do Senhor rodeou a cidade. O primeiro circuito fora completado. Então os israelitas voltaram a seu acampamento e descansaram até o dia seguinte, quando o mesmo procedimento haveria de ser repetido. Os cananeus, não há que duvidar, antecipavam um ataque imediato, mas respiraram aliviados quando os soldados israelitas se retiraram. Mas certamente a repetição do ato, dia após dia, deixou-os extremamente nervosos e temerosos. Uma vez que as muralhas vieram abaixo, eles deveriam estar com os nervos à flor da pele, tornando-se presas fáceis.

■ 6.12-14

וַיַּשְׁכֵּם יְהוֹשֻׁעַ בַּבֹּקֶר וַיִּשְׂאוּ הַכֹּהֲנִים אֶת־אֲרוֹן יְהוָה:

וְשִׁבְעָה הַכֹּהֲנִים נֹשְׂאִים שִׁבְעָה שׁוֹפְרוֹת הַיֹּבְלִים לִפְנֵי אֲרוֹן יְהוָה הֹלְכִים הָלוֹךְ וְתָקְעוּ בַּשּׁוֹפָרוֹת וְהֶחָלוּץ הֹלֵךְ לִפְנֵיהֶם וְהַמְאַסֵּף הֹלֵךְ אַחֲרֵי אֲרוֹן יְהוָה הוֹלֵךְ וְתָקוֹעַ בַּשּׁוֹפָרוֹת:

וַיָּסֹבּוּ אֶת־הָעִיר בַּיּוֹם הַשֵּׁנִי פַּעַם אַחַת וַיָּשֻׁבוּ הַמַּחֲנֶה כֹּה עָשׂוּ שֵׁשֶׁת יָמִים:

Levantando-se Josué de madrugada. Laboriosamente, o autor sagrado repetiu suas descrições. Aquilo que ocorreu no primeiro dia foi repetido por mais cinco dias. Somente no sétimo dia o padrão mudou (vs. 15). A marcha começava a cada dia cedo pela manhã; e, visto que as distâncias não eram grandes, essa atividade ocupava somente as horas matutinas. A cada dia aumentava a tensão dos cananeus, que não sabiam o que esperar em seguida. Estes três versículos repetem as informações dadas nos vss. 4-11. "Nenhuma fortaleza havia sido jamais conquistada por meio daquele método. A estranha estratégia provavelmente foi dada para testar a fé de Josué. Mas ele não fez perguntas; antes, confiou e obedeceu. E tal modo de proceder também teve por finalidade testar a obediência de Israel à vontade do Senhor... Nunca antes, e raramente depois desse evento histórico, subiu tão alto o termômetro que aquilatava a fé de Israel" (Donald K. Campbell, *in loc.*).

■ 6.15

וַיְהִי בַּיּוֹם הַשְּׁבִיעִי וַיַּשְׁכִּמוּ כַּעֲלוֹת הַשַּׁחַר וַיָּסֹבּוּ אֶת־הָעִיר כַּמִּשְׁפָּט הַזֶּה שֶׁבַע פְּעָמִים רַק בַּיּוֹם הַהוּא סָבְבוּ אֶת־הָעִיר שֶׁבַע פְּעָמִים:

No sétimo dia. Em vez de rodearem a cidade por uma vez, conforme tinham feito nos seis dias anteriores, os filhos de Israel circundaram Jericó por sete vezes. Ver as notas no terceiro versículo quanto aos quatro "setes". Os soldados israelitas iniciaram seu trabalho cedo pela manhã. As horas matutinas são sempre as melhores para cuidar de tarefas difíceis. As instruções dadas nos versículos 4 e 5 foram agora cumpridas. Ver a ordem de marcha dada no sétimo versículo. As tradições judaicas dizem-nos que esse sétimo dia foi um sábado. Isso significa que Israel efetuou uma guerra santa naquele dia, tendo-se tornado culpada, se é que essa tradição diz a verdade. Cf. Mt 12.3-8.

6.16

וַיְהִי֙ בַּפַּ֣עַם הַשְּׁבִיעִ֔ית תָּקְע֥וּ הַכֹּהֲנִ֖ים בַּשּׁוֹפָר֑וֹת וַיֹּ֨אמֶר יְהוֹשֻׁ֜עַ אֶל־הָעָ֗ם הָרִ֕יעוּ כִּֽי־נָתַ֧ן יְהוָ֛ה לָכֶ֖ם אֶת־הָעִֽיר׃

Gritai; porque o Senhor vos entregou a cidade. Agora, o toque das trombetas recebeu a ajuda da gritaria dos homens de guerra. E assim as muralhas de Jericó ruíram por terra, achatando-se contra o solo (ver as notas no vs. 20 quanto a informes arqueológicos sobre essa questão, quanto a especulações sobre as causas, naturais ou divinas, ou ambas as coisas). O grito foi de vitória, porquanto era uma afirmação de que Yahweh tinha entregado a cidade de Jericó para Israel. É como se a cidade tivesse sido dada em holocausto, em oferenda queimada a Yahweh.

6.17

וְהָיְתָ֨ה הָעִ֥יר חֵ֛רֶם הִ֥יא וְכָל־אֲשֶׁר־בָּ֖הּ לַֽיהוָ֑ה רַ֣ק רָחָ֣ב הַזּוֹנָ֗ה תִּֽחְיֶ֞ה הִ֚יא וְכָל־אֲשֶׁ֣ר אִתָּ֣הּ בַּבַּ֔יִת כִּ֣י הֶחְבְּאַ֔תָה אֶת־הַמַּלְאָכִ֖ים אֲשֶׁ֥ר שָׁלָֽחְנוּ׃

Porém, a cidade será condenada. No hebraico, temos o verbo *herem*, literalmente, "devotada". A cidade fora devotada a Yahweh, para sua completa destruição (conforme os versículos seguintes indicam). Era uma oferta queimada, ou um holocausto (ver a respeito no *Dicionário*) consagrado a Yahweh. Isso fazia parte importante da guerra santa. Nenhuma criatura viva poderia sobreviver, excetuando as pessoas que se tinham refugiado na casa de Raabe. *Herem* era alguma coisa, pessoa ou comunidade irrevogavelmente consagrada à deidade (ver Lv 27.28,29; Êx 22.20). No presente caso, entretanto, a dedicação consistia na destruição absoluta, tal como um holocausto era totalmente consumido nas chamas do altar de Yahweh. Ver o vs. 21 quanto à natureza absoluta dessa obliteração. Nesses casos, nem ao menos se podia ficar com os despojos, por parte de pessoas particulares. Tudo tinha de ser entregue ao tesouro do tabernáculo (ver o versículo seguinte).

6.18,19

וְרַק־אַתֶּ֣ם שִׁמְר֣וּ מִן־הַחֵ֗רֶם פֶּֽן־תַּחֲרִ֨ימוּ֙ וּלְקַחְתֶּ֣ם מִן־הַחֵ֔רֶם וְשַׂמְתֶּ֞ם אֶת־מַחֲנֵ֧ה יִשְׂרָאֵ֛ל לְחֵ֖רֶם וַעֲכַרְתֶּ֥ם אוֹתֽוֹ׃

וְכֹ֣ל ׀ כֶּ֣סֶף וְזָהָ֗ב וּכְלֵ֤י נְחֹ֙שֶׁת֙ וּבַרְזֶ֔ל קֹ֥דֶשׁ ה֖וּא לַֽיהוָ֑ה אוֹצַ֥ר יְהוָ֖ה יָבֽוֹא׃

Guardai-vos das cousas condenadas. Sob circunstâncias normais, os soldados podiam ficar com muitas coisas como despojos, ou seja, uma espécie de salário ganho pelos serviços prestados. Em uma guerra santa, contudo, até mesmo isso tinha de ser dedicado a Yahweh (ver Dt 7.1-5; 20.10-18). Conforme lemos no versículo 19, tudo era entregue ao "tesouro" do Senhor. As casas e terras, não obstante, seriam tomadas pelos invasores, pelo que eles teriam cidades prontas de antemão. Todavia, a cidade de Jericó seria totalmente obliterada e deixada sem ocupantes, visto que sobre ela fora proferida uma maldição (ver o vs. 26 deste capítulo).

Se algum soldado israelita ousasse apropriar-se de qualquer bem para si mesmo, automaticamente se tornaria parte do *herem*, e teria de ser executado. Se alguém assim o fizesse abertamente, seria executado pelos homens; caso o fizesse secretamente, então Yahweh cuidaria para que algum acidente ou enfermidade o eliminasse. Aquele que tocasse em alguma coisa "dedicada" também ficava "dedicado", ou seja, marcado para a obliteração (ver Js 7.11-13). Ver Dt 20.16 e 1Sm 15.3, passagens que ilustram esse princípio.

O vs. 24 deste capítulo mostra-nos que todos os metais preciosos, bem como os objetos manufaturados com base nesses metais, terminaram entregues para benefício do tabernáculo. Esses objetos seriam limpos e abençoados, e passariam a ser usados para pagar as despesas do culto, e para sustento do sacerdócio. Cf. Nm 31.22,23,54, onde algo semelhante foi feito com os despojos tomados dos midianitas.

Na Índia, os brahmins (aqueles que pertencem à casta sacerdotal) recebem metais preciosos de qualquer das outras castas, sem importar quão baixa uma casta possa ser. Porém, o fato de os sacerdotes receberem alimentos ou vestes da parte de outras castas é considerado uma grande degradação.

6.20

וַיָּ֣רַע הָעָ֔ם וַֽיִּתְקְע֖וּ בַּשֹּֽׁפָר֑וֹת וַיְהִי֩ כִשְׁמֹ֨עַ הָעָ֜ם אֶת־ק֣וֹל הַשּׁוֹפָ֗ר וַיָּרִ֤יעוּ הָעָם֙ תְּרוּעָ֣ה גְדוֹלָ֔ה וַתִּפֹּ֨ל הַֽחוֹמָ֜ה תַּחְתֶּ֗יהָ וַיַּ֨עַל הָעָ֤ם הָעִ֙ירָה֙ אִ֣ישׁ נֶגְדּ֔וֹ וַֽיִּלְכְּד֖וּ אֶת־הָעִֽיר׃

Ruíram as muralhas. O som combinado das trombetas com os gritos dos homens de guerra resultou na destruição das muralhas de Jericó. As muralhas não foram engolidas por abismos que se teriam formado por baixo de seus fundamentos, conforme imaginaram alguns intérpretes judeus (ver as notas sobre o vs. 5 deste capítulo). A arqueologia tem demonstrado que a Jericó dos dias de Josué (perto da moderna cidade que tem esse nome) tinha uma muralha dupla (ver as notas em Js 2.15). A muralha externa caiu principalmente colina abaixo, ao passo que a muralha interior, que era mais forte que a outra, ruiu dentro do espaço que havia entre as duas muralhas.

Explicações sobre a Queda das Muralhas:

1. Algum terremoto extremamente oportuno teria sido a causa do nivelamento das muralhas de Jericó, mais ou menos como sucedera por ocasião das águas do rio Jordão (ver sobre isso nas notas de Js 3.16). Se algum milagre esteve envolvido, somente o elemento tempo foi miraculoso. Os céticos veem aqui que o povo de Israel apenas teve muita sorte, pois, quando eles estavam prestes a aproximar-se da cidade (tendo tudo sido adredemente planejado), um terremoto facilitou as coisas. Para esses céticos, todo o resto do relato é apenas invenção bem imaginada. Para esses críticos, o mesmo terremoto que explica o "milagre" do rio Jordão também derrubou as muralhas de Jericó, facilitando assim a conquista.

2. Ou, então, o acontecimento deveu-se a um incidente muito incomum de ressonância, produzido pelo sonido das trombetas e pelos gritos dos soldados de Israel. Sabemos que certos sons, por meio da ressonância, podem ter grande poder destrutivo. Aquilo que ocorreu em Jericó, pois, de acordo com essa segunda explicação, seria um notável incidente histórico que ilustra esse raro fenômeno. Alguns céticos, críticos e até estudiosos conservadores têm aceitado essa teoria.

3. A maioria dos eruditos conservadores veem em tudo isso uma intervenção divina, que não pode ser explicada simplesmente como um mito ou como um acontecimento natural. O povo cumpriu o seu papel, seguindo as ordens dadas por Josué, mas o colapso das muralhas requereu o poder de Yahweh. Ver as notas em Js 6.5, quanto a uma explicação de natureza sobrenatural, que dá apoio à ideia do teísmo, e não do deísmo.

"A verdade central, neste ponto, é que as vitórias espirituais são obtidas mediante e sobre princípios totalmente tolos e inadequados, de acordo com a sabedoria dos homens (ver 1Co 1.17-29; 2Co 10.3-5)" (*Scofield Reference Bible*, comentando sobre o vs. 5 deste capítulo).

Tipologia. A missão remidora de Cristo também haverá de vencer, afinal, todos os obstáculos, efetuando uma vitória universal de redenção e restauração de todas as coisas, conforme lemos em Ef 1.9,10. Ver no *Dicionário* o artigo intitulado *Mistério da Vontade de Deus*.

6.21

וַֽיַּחֲרִ֙ימוּ֙ אֶת־כָּל־אֲשֶׁ֣ר בָּעִ֔יר מֵאִישׁ֙ וְעַד־אִשָּׁ֔ה מִנַּ֖עַר וְעַד־זָקֵ֑ן וְעַ֨ד שׁ֥וֹר וָשֶׂ֛ה וַחֲמ֖וֹר לְפִי־חָֽרֶב׃

Destruíram totalmente ao fio da espada. A obliteração total de todas as coisas vivas, humanas ou animais, fazia parte da natureza mesma do *herem*. Ver as notas sobre o versículo 17 deste capítulo. Ver em Dt 7.1-5 e 20.10-18 a questão da guerra santa, que requeria essa obliteração. Nem mesmo coisas físicas valiosas podiam ser retidas para uso particular. Todas as coisas de valor foram encaminhadas ao tesouro do tabernáculo (ver o vs. 19). Dessa maneira, oferecia-se a Yahweh uma espécie de holocausto, uma dedicação completa ao Senhor.

As guerras prosseguem, cada vez mais devastadoras, e nós contemplamos tudo com horror. Este texto ilustra o quanto os hebreus temiam o poder contaminador do pecado. Da mesma maneira que não se pode deixar que um tumor canceroso continue no corpo, para não se espalhar para outras partes do organismo, assim também o pecado precisa ser obliterado, se quisermos libertar-nos de seu poder. Os deuses estrangeiros, a idolatria, representavam um perigo mortífero para Israel, e o registro histórico mostra que tal contaminação foi dominando lentamente o povo hebreu inteiro. O resultado disso foram os cativeiros, visto que os israelitas acabaram tão corrompidos quanto os seus vizinhos. Ver no *Dicionário* o verbete chamado *Cativeiro (Cativeiros)*. Cf. isso com as instruções de Jesus de arrancarmos o próprio olho, se este se tornar ofensivo para nós (ver Mt 5.29,30). O pecado, portanto, requer uma operação radical de extirpação.

A Taça da Iniquidade. As sete nações pagãs que tinham ocupado a terra de Canaã agora já haviam enchido sua taça de iniquidade. Por isso mesmo, aqueles povos seriam destruídos e perderiam seus territórios. Ver Gn 15.16 e suas notas expositivas. Aqueles territórios só podiam ser dados ao povo de Israel quando essa taça de iniquidade estivesse repleta. Deus é quem determina os limites de um povo, bem como o período de tempo em que esse povo ocupa o seu território (ver também At 17.26). E quando o cálice da iniquidade de Israel se encheu, eles também tiveram a mesma triste sorte de perder a Terra Prometida. Mas o propósito de Deus, que atuava por intermédio de Abraão, garantirá a restauração final do povo de Israel (ver Rm 11.26,27).

■ **6.22**

וְלִשְׁנַיִם הָאֲנָשִׁים הַמְרַגְּלִים אֶת־הָאָרֶץ אָמַר יְהוֹשֻׁעַ
בֹּאוּ בֵּית־הָאִשָּׁה הַזּוֹנָה וְהוֹצִיאוּ מִשָּׁם אֶת־הָאִשָּׁה
וְאֶת־כָּל־אֲשֶׁר־לָהּ כַּאֲשֶׁר נִשְׁבַּעְתֶּם לָהּ׃

Entrai na casa da mulher prostituta, e tirai-a de lá. Raabe e seus familiares foram poupados, conforme os dois espias de Israel haviam prometido. Ver Js 2.14-20. Ver também o versículo 25 deste capítulo, que expande a questão. Raabe e sua gente acabaram absorvidas em Israel, mediante casamento. Raabe tornou-se uma das ancestrais de Jesus (ver Mt 1.5; e também Hb 11.31 e Tg 2.25, que são comentários do Novo Testamento a respeito dela). Ver no *Dicionário* o artigo chamado *Raabe*, quanto a descrições completas.

Não somos informados a respeito de como a casa de Raabe, construída sobre as muralhas de Jericó (na verdade, erguida entre as duas muralhas, a mais externa, a mais interna; ver Js 2.15), não sofreu total destruição quando ruíram as muralhas de Jericó (vs. 20). É possível que uma pequena seção das muralhas tivesse sido deixada intacta, o que adicionou um toque a mais a um prodígio que já fora notável.

■ **6.23**

וַיָּבֹאוּ הַנְּעָרִים הַמְרַגְּלִים וַיֹּצִיאוּ אֶת־רָחָב וְאֶת־אָבִיהָ
וְאֶת־אִמָּהּ וְאֶת־אַחֶיהָ וְאֶת־כָּל־אֲשֶׁר־לָהּ וְאֵת כָּל־
מִשְׁפְּחוֹתֶיהָ הוֹצִיאוּ וַיַּנִּיחוּם מִחוּץ לְמַחֲנֵה יִשְׂרָאֵל׃

E tiraram a Raabe. Antes que os destroços da cidade fossem incendiados, completando assim o holocausto, Raabe e sua família foram tiradas do meio de uma Jericó arrasada. Ver as notas sobre o versículo anterior. Raabe e seus familiares ficaram "acampados fora do arraial de Israel", pois, embora poupados, a presença deles teria corrompido Israel em sentido moral e cerimonial. O acampamento de Israel era "santo", e nenhuma pessoa "imunda" podia ali entrar (ver Dt 23.14; Nm 5.3; 31.19). É provável que, estritamente falando, Raabe e seus familiares também estivessem debaixo do *herem* (ver o versículo 17 deste capítulo), até que ritos de purificação os livrassem da maldição. Kimchi afirma que eles foram considerados impuros enquanto não se tornaram prosélitos e renunciaram à sua idolatria e às suas práticas pagãs.

O vs. 25 deste capítulo mostra-nos que Raabe e seus familiares foram finalmente recebidos na comunidade de Israel, mas o texto não nos diz a qual processo eles tiveram de sujeitar-se para que isso se tornasse uma realidade. Em algum ponto do caminho, houve o casamento de Raabe com Salmom, da tribo de Judá, mediante o qual ela se tornou uma das ancestrais do Senhor Jesus, no tocante à carne (ver Mt 1.5).

■ **6.24**

וְהָעִיר שָׂרְפוּ בָאֵשׁ וְכָל־אֲשֶׁר־בָּהּ רַק הַכֶּסֶף וְהַזָּהָב
וּכְלֵי הַנְּחֹשֶׁת וְהַבַּרְזֶל נָתְנוּ אוֹצַר בֵּית־יְהוָה׃

A cidade e tudo quanto havia nela queimaram-no a fogo. Todas as coisas vivas, homens e animais (vs. 21), foram consumidas pelo fogo, restando uma cidade totalmente sem habitantes (vs. 26). Os metais preciosos e qualquer vaso ou instrumento com eles feito foram entregues ao tesouro do tabernáculo. Antes de tais objetos serem postos em uso, entretanto, tiveram de ser purificados; se isso não acontecesse, eles poderiam ser vendidos. De qualquer modo, tais coisas tornaram-se propriedades dos sacerdotes, podendo ser usadas para ajudar a financiar o culto sagrado de Yahweh. Cf. com o versículo 19 deste capítulo.

■ **6.25**

וְאֶת־רָחָב הַזּוֹנָה וְאֶת־בֵּית אָבִיהָ וְאֶת־כָּל־אֲשֶׁר־לָהּ
הֶחֱיָה יְהוֹשֻׁעַ וַתֵּשֶׁב בְּקֶרֶב יִשְׂרָאֵל עַד הַיּוֹם הַזֶּה
כִּי הֶחְבִּיאָה אֶת־הַמַּלְאָכִים אֲשֶׁר־שָׁלַח יְהוֹשֻׁעַ לְרַגֵּל
אֶת־יְרִיחוֹ׃ פ

Josué conservou com vida a prostituta Raabe. Ela e seus familiares foram poupados de fazer parte do holocausto, e não porque Josué se casou com ela, conforme disseram alguns comentaristas judeus, erroneamente. Josefo supunha que Josué tenha dado a Raabe e sua gente "campos, uma casa e honrarias" (*Antiq.* 1.5, cap. 1, sec. 7). Como já vimos, Raabe casou-se com Salmom (ver Mt 1.5) e assim tornou-se uma das antepassadas de Jesus. A casa dela foi salva, como também, provavelmente, os animais domesticados que ela possuía.

Até o dia de hoje. O autor sacro, para nós desconhecido, ao tempo em que escreveu o livro de Josué, sabia que Raabe continuava vivendo perto de Jericó (ou em algum outro lugar, no território de Israel). Ela prosperou, devido à ajuda prestada a Israel em um tempo de crise. A expressão parece indicar uma data antiga da escrita do livro, pelo menos dentro do período de vida de Raabe. Os críticos, entretanto, supõem que essas palavras nada mais signifiquem do que o fato de o autor-editor, sem importar quem tenha sido, incorporou essa informação de alguma fonte informativa mais antiga. Ou então essa informação significa que os descendentes de Raabe continuavam conhecidos, podendo ser identificados quando o livro de Josué foi escrito: "Até o dia de hoje quer dizer que os descendentes de Raabe continuavam vivos em Jericó no tempo do escritor sagrado. A frase é uma fórmula fixa nas narrativas que explicam fatos curiosos, nomes e instituições de dias posteriores (cf. Js 4.9; 7.26; 8.28; 9.27)" (*Oxford Annotated Bible*, comentando sobre este versículo).

■ **6.26**

וַיַּשְׁבַּע יְהוֹשֻׁעַ בָּעֵת הַהִיא לֵאמֹר אָרוּר הָאִישׁ לִפְנֵי
יְהוָה אֲשֶׁר יָקוּם וּבָנָה אֶת־הָעִיר הַזֹּאת אֶת־יְרִיחוֹ
בִּבְכֹרוֹ יְיַסְּדֶנָּה וּבִצְעִירוֹ יַצִּיב דְּלָתֶיהָ׃

Maldito... o homem que... reedificar esta cidade de Jericó. Usualmente, as cidades conquistadas (uma vez aniquilados os seus habitantes) eram invadidas e possuídas, de tal modo que os invasores contavam com habitações já prontas. Mas no caso de Jericó absolutamente nada havia sobrado da cidade. Josué amaldiçoou a qualquer homem que tentasse reedificar a cidade. A moderna cidade de Jericó não foi reconstruída no local antigo, embora não fique distante. A maldição impunha a pena de morte sobre o filho mais velho e sobre o filho mais novo do homem que tentasse reconstruir aquela área. Talvez o pequeno traço de poesia envolvido, ao mencionar aqueles dois filhos, simplesmente signifique "e todos os filhos", desde o mais velho até o mais novo, os quais morreriam por causa de alguma enfermidade, de algum acidente, ou na guerra etc. Isso posto, a família do reconstrutor de Jericó sofreria de mortes prematuras.

O trecho de 1Rs 16.34 informa-nos que essa maldição sobreveio a Hiel, de Betel, onde a Septuaginta, mediante uma glosa, destaca este versículo. A arqueologia demonstra que a cidade de Jericó, na realidade, ficou em ruínas completas até o século IX a.C. Outras referências à cidade provavelmente dizem respeito aos lugares edificados nas proximidades, embora não no preciso antigo local. Ver Js 18.21 e 2Sm 10.5.

O milagre da destruição de Jericó seria mais bem relembrado se Jericó permanecesse em escombros. Nenhuma cidade construída no mesmo lugar poderia vir à existência, a fim de que o povo de Israel não se esquecesse do que Yahweh tinha feito em favor de seu povo, para dar início à invasão da parte ocidental da Terra Prometida.

■ 6.27

וַיְהִי יְהוָה אֶת־יְהוֹשֻׁעַ וַיְהִי שָׁמְעוֹ בְּכָל־הָאָרֶץ׃

Assim era o Senhor com Josué. Yahweh fizera-se amigo de Josué, tal como se fizera amigo de Moisés. Por isso mesmo, a fama de Josué se propalava por toda parte; e os habitantes originais da terra de Canaã estremeciam de medo. A conquista era inevitável. "A queda de Jericó aumentou mais ainda a fama de Josué, bem como o terror no coração dos habitantes cananeus do território (ver Js 1.1-9; 2.9-11; 4.14; 5.1)" (John Bright, *in loc.*). A vitória fora dada aos israelitas, por causa da sua obediência aos mandamentos e às leis de Yahweh (ver Js 1.6-9).

CAPÍTULO SETE

DERROTA DE ISRAEL EM AI (7.1-26)

A campanha contra a cidade de Ai ficou registrada em Js 7.1—8.29. O ataque original contra Ai não foi bem-sucedido. Por incrível que pareça, o povo de Israel foi derrotado, a despeito de tudo quanto já havia acontecido. A causa dessa derrota foi a desobediência. Alguém tinha desobedecido às condições do *herem*, ou seja, a destruição total de um lugar, como holocausto oferecido a Yahweh, além da proibição de serem tomados quaisquer despojos. Ver as notas expositivas sobre isso em Js 6.17. Todas as coisas vivas tinham de ser mortas. No caso de Jericó, até mesmo as edificações foram niveladas ao chão, e os escombros ficaram desabitados e sujeitos a uma maldição (ver Js 6.26). Somente os metais preciosos, e os objetos feitos com esses metais, puderam ser aproveitados, mas também estes foram dados a Yahweh, como parte do *herem*, sendo incorporados ao tesouro do tabernáculo (ver Js 6.24).

Acã tinha ficado com certos objetos, como despojos, embora estes pertencessem exclusivamente a Yahweh. Ele pôs em prática algo extremamente tolo, e isso foi fatal, porquanto ele e seus familiares foram executados. Observe o leitor o que se lê no primeiro versículo deste capítulo: "Prevaricaram os filhos de Israel". A solidariedade comunitária significava que um pecado cometido por algum de seus membros era imputado a todos os membros. Foi exatamente por esse motivo que o exército de Israel sofreu derrota em Ai. Era mister remover o pecado, antes que a conquista da Terra Prometida pudesse prosseguir. O autor sagrado ocupa dois capítulos do livro para contar-nos o incidente, o que mostra quão importante foi essa questão aos olhos dele.

A cidade de *Ai* (ver a respeito no *Dicionário*) era menor e menos protegida do que Jericó, pelo que deveria ser conquistada com maior facilidade. Ficava na junção estratégica de duas rotas naturais que subiam de Jericó para a região montanhosa em redor de Betel. Era mister que fosse conquistada, a fim de que o povo de Israel pudesse dominar a parte ocidental da Terra Prometida. A parte oriental já havia sido tomada pelas duas tribos e meia (Rúben, Gade e a meia tribo de Manassés). Essa parte oriental era a *Transjordânia* (ver a respeito no *Dicionário*). Ver Nm 32.31 ss. e 34.14,15 quanto à vitória obtida na parte oriental. Uma vez subjugada a porção ocidental, então a campanha de conquista se estenderia primeiro para o sul e, mais tarde, para o norte.

Usualmente, a cidade de Ai é identificada com et-Tell, um cômoro a pouco menos de dois quilômetros e meio a leste de Betel. Mas a arqueologia demonstra que et-Tell foi completamente destruída em cerca de 2200 a.C., ou seja, aproximadamente novecentos anos antes de Josué, e nunca mais foi reconstruída.

Soluções Propostas para o Problema:

1. Ai não é a mesma et-Tell que os arqueólogos têm escavado, e eles continuam a procurar o local antigo de Ai. Algumas escavações têm sido efetuadas em Khirbet Nisya, na esperança de encontrar a antiga Ai. Esse é um lugar próximo da antiga et-Tell.
2. Os críticos argumentam que elementos fictícios foram adicionados à narrativa da conquista, e a batalha em Ai foi uma invenção para abrir espaço à lição moral que circunda o relato.
3. Ou, então, anos depois que o relato foi escrito, o local ficou incerto, e uma identificação errada foi feita com a antiga cidade de Ai.
4. Ou, ainda, Israel, ao entrar na área da antiga cidade de Ai, foi atacado por tropas de alguma cidade circunvizinha (como Betel). Os habitantes de Betel defenderam as ruínas de Ai contra os israelitas. Porém, a passagem à nossa frente retrata Ai como uma cidade murada e habitada.
5. W. F. Albright ("Israelit Conquest of Canaan in the Light of Archaeology", págs. 11-23) talvez seja o estudioso que tenha proposto a melhor explicação. Ai foi destruída em 2200 a.C.; seus habitantes mudaram-se para um local a dois quilômetros e meio de distância e edificaram Betel. As escavações demonstram que, de fato, ela foi construída cerca desse tempo. Os capítulos sétimo e oitavo do livro de Josué, por conseguinte, registram a batalha contra Betel, embora a chamem de Ai, por causa da transferência de sua população antiga para Betel, pelo que, em certo sentido, Betel era Ai. O trecho de Jz 1.22-26 fornece-nos o relato original (onde Betel está em foco). Esse relato foi mais tarde incorporado no livro de Josué, em seus atuais capítulos 7 e 8, e Ai tornou-se o nome do lugar conquistado.

■ 7.1

וַיִּמְעֲלוּ בְנֵי־יִשְׂרָאֵל מַעַל בַּחֵרֶם וַיִּקַּח עָכָן בֶּן־כַּרְמִי בֶן־זַבְדִּי בֶן־זֶרַח לְמַטֵּה יְהוּדָה מִן־הַחֵרֶם וַיִּחַר־אַף יְהוָה בִּבְנֵי יִשְׂרָאֵל׃

Prevaricaram os filhos de Israel. A solidariedade comunitária fez com que o pecado de Acã fosse atribuído a todo o povo de Israel. O pecado de Acã foi ter quebrado as regras da guerra santa (ver Dt 7.1-5 e 20.10-18), e não ter observado os requisitos próprio do *herem* (ver as notas a respeito em Js 6.17), que requeriam a obliteração total de todos os seres vivos, fossem eles homens ou animais. No caso de Jericó, as próprias casas foram destruídas. Contudo, os metais preciosos, bem como os objetos feitos desses metais, foram preservados, mas tão somente a fim de serem entregues ao tesouro do tabernáculo (Js 6.24). No entanto, Acã tomou objetos do despojo e escondeu-os em sua tenda. Foi um crime muito sério, que resultou na execução dele próprio e de seus familiares. Ver as notas de introdução ao sétimo capítulo, quanto a detalhes a esse respeito e ao problema arqueológico com o nome da cidade de Ai, que circunda essa questão.

Acã, filho de Carmi. Ver no *Dicionário* o artigo detalhado sobre ele. Era descendente de Carmi, de Zabdi, de Zera. Ver no *Dicionário* os artigos sobre esses homens, quanto ao pouco que sabemos a respeito deles. Eles faziam parte de um subclã da tribo de Judá. O trecho de 1Cr 2.6,7 diz Zimri, em lugar de Zabdi. E naquele texto temos a forma Acar, em lugar de Acã. Por trás dessa forma modificada do nome, temos a palavra hebraica que significa "tribulação". A Septuaginta usa "Acar" até mesmo aqui, no sétimo capítulo do livro de Josué. Ver Js 7.25, onde se diz que Acã "conturbou" aos seus irmãos israelitas. A consequência foi que Yahweh "conturbou" Acã, ordenando que ele fosse apedrejado, para então ser queimado na fogueira (vs. 25 deste capítulo).

■ 7.2

וַיִּשְׁלַח יְהוֹשֻׁעַ אֲנָשִׁים מִירִיחוֹ הָעַי אֲשֶׁר עִם־בֵּית אָוֶן מִקֶּדֶם לְבֵית־אֵל וַיֹּאמֶר אֲלֵיהֶם לֵאמֹר עֲלוּ וְרַגְּלוּ אֶת־הָאָרֶץ וַיַּעֲלוּ הָאֲנָשִׁים וַיְרַגְּלוּ אֶת־הָעָי׃

Enviando, pois, Josué, de Jericó, alguns homens a Ai. Josué enviou espias à área de Ai, conforme tinha feito no caso de Jericó (segundo capítulo de Josué). A área de Ai é mencionada por associação com *Bete-Áven* e *Betel*. Ver no *Dicionário* comentários completos quanto a ambas as localidades. Alguns estudiosos pensam que os dois nomes designam uma só cidade, como se a primeira fosse uma alcunha aplicada a Betel. Porém, tanto este versículo quanto 1Sm 13.5 quase certamente indicam alguma outra aldeia, próxima de Betel. As localizações dadas apontam quase com absoluta certeza para a antiga *et-Tell*, a Ai destruída em 2200 a.C. Quanto ao problema que isso cria, ver as notas de introdução a este capítulo, sob o título: "Soluções Propostas Para o Problema". Todavia, Bete-Áven é um nome que, no hebraico, significa "casa da iniquidade", o que alguns eruditos supõem ter sido uma adaptação do nome original, "Beton", mudança feita por razões morais. Seja como for, Bete-Áven tornou-se posteriormente um apelido de Betel (Os 10.5). Na presente narrativa, entretanto, esse nome aponta para uma aldeia separada.

■ 7.3

וַיָּשֻׁבוּ אֶל־יְהוֹשֻׁעַ וַיֹּאמְרוּ אֵלָיו אַל־יַעַל כָּל־הָעָם כְּאַלְפַּיִם אִישׁ אוֹ כִּשְׁלֹשֶׁת אֲלָפִים אִישׁ יַעֲלוּ וְיַכּוּ אֶת־הָעָי אַל־תְּיַגַּע־שָׁמָּה אֶת־כָּל־הָעָם כִּי מְעַט הֵמָּה׃

Porque são poucos os inimigos. A cidade de Ai, embora ocupasse uma posição estratégica, não era uma grande fortaleza, como se dava com Jericó. Isso posto, ao retornarem os espias enviados por Josué, recomendaram que fosse enviada uma força reduzida até Ai, a qual, supostamente, podia ser conquistada com facilidade. Não há que duvidar, a informação dada pelos espias estava essencialmente correta, pois eles não sabiam do pecado que havia arruinado a expedição inteira. Foi mais do que mera autoconfiança exagerada que levou os israelitas à derrota. A bênção e a presença de Yahweh tinham sido removidas por causa da desobediência diante das regras do *herem* (ver Js 6.17 e suas notas expositivas).

Todavia, a informação de que Ai contava com poucos habitantes estava equivocada. Essa cidade tinha uma população total de doze mil pessoas, e contava com cerca de seis mil homens (ver Js 8.25), pelo que os dois ou três mil soldados israelitas que os espias recomendaram para a luta contra Ai eram um número pequeno demais. As coisas correram erradas desde o começo. Há dias em que coisa alguma dá certo. Mais tarde, Josué ordenou um ataque com a força armada inteira de Israel, na segunda tentativa (ver Js 8.1).

■ 7.4,5

וַיַּעֲלוּ מִן־הָעָם שָׁמָּה כִּשְׁלֹשֶׁת אֲלָפִים אִישׁ וַיָּנֻסוּ לִפְנֵי אַנְשֵׁי הָעָי׃

וַיַּכּוּ מֵהֶם אַנְשֵׁי הָעַי כִּשְׁלֹשִׁים וְשִׁשָּׁה אִישׁ וַיִּרְדְּפוּם לִפְנֵי הַשַּׁעַר עַד־הַשְּׁבָרִים וַיַּכּוּם בַּמּוֹרָד וַיִּמַּס לְבַב־הָעָם וַיְהִי לְמָיִם׃

Os quais fugiram diante dos homens de Ai. Ao chegar às fronteiras da Terra Prometida, o povo de Israel conquistou a Transjordânia com facilidade (ver Nm 32.31 ss.; 34.14,15). Jericó também foi vencida facilmente, por meio de um milagre. A conquista de Ai deveria ter sido ainda mais fácil. Porém, não demorou muito e os três mil israelitas armados que para ali foram enviados, para aquela "batalha fácil", estavam voltando para o acampamento de Israel. Chegara a vez de Israel fugir de medo, os corações tomados pelo terror (quinto versículo). Essa derrota custou apenas 36 vidas na escaramuça que houve; mas o restante do quinto versículo dá a entender que houve uma matança considerável de israelitas.

Até às pedreiras. Várias traduções e versões dizem aqui Sebarim, considerando "as pedreiras" como um nome locativo. É verdade que esse vocábulo hebraico pode significar "pedreiras". Se realmente se tratava de um lugarejo, então fica perto de Ai, mais ou menos a meio caminho entre Ai e Jericó. O sentido da raiz da palavra é "quebrar", o que pode apontar para uma pedreira ou para um lugar onde se fabricavam tijolos. Mas se se trata de um nome próprio, então o lugar até hoje não foi identificado.

Os Targuns apresentam uma interpretação diferente, dizendo "até que suas linhas foram rompidas", dando a entender que as tropas de Israel é que foram "quebradas durante a luta, e não algum lugar onde rochas eram partidas.

Israel Assustou-se? Os adversários de Israel é que tinham todos os motivos para temer e tremer (ver Js 1.1-9; 2.9-11; 4.14; 5.1). Agora chegara a vez de os israelitas se angustiarem, por causa de um pecado que era a causa de toda aquela derrota. Poderia Josué reparar tão grande dano? Poderia prosseguir a invasão, ou o povo de Israel seria derrotado de forma permanente, por forças superiores? (Ver Dt 7.1).

■ 7.6

וַיִּקְרַע יְהוֹשֻׁעַ שִׂמְלֹתָיו וַיִּפֹּל עַל־פָּנָיו אַרְצָה לִפְנֵי אֲרוֹן יְהוָה עַד־הָעֶרֶב הוּא וְזִקְנֵי יִשְׂרָאֵל וַיַּעֲלוּ עָפָר עַל־רֹאשָׁם׃

Então Josué rasgou as suas vestes. Josué, completamente consternado por uma incrível derrota, mostrou todos os sinais orientais típicos de tristeza e lamentação: rasgou as suas roupas. Quanto a isso, ver no *Dicionário* o artigo chamado *Vestimentas, Rasgar das*. Josué caiu de bruços, defronte da arca da aliança, a qual deveria ter dado a vitória a Israel. Quanto ao gesto de Josué, ver Gn 17.3; Lv 9.24; Nm 16.4,45; Dt 9.18. Esse gesto também poderia indicar extrema reverência e temor diante da presença de Deus. Josué e os anciãos "deitaram pó sobre as suas cabeças", o que foi outro sinal de consternação. Ver Jó 2.12; 1Sm 4.12 e 2Sm 1.2, quanto a esse gesto. Ver no *Dicionário* o artigo intitulado *Pó*, onde os seus sentidos simbólicos são debatidos. Ver também Gn 37.34 e 44.11,12.

■ 7.7

וַיֹּאמֶר יְהוֹשֻׁעַ אֲהָהּ אֲדֹנָי יְהוִה לָמָה הֵעֲבַרְתָּ הַעֲבִיר אֶת־הָעָם הַזֶּה אֶת־הַיַּרְדֵּן לָתֵת אֹתָנוּ בְּיַד הָאֱמֹרִי לְהַאֲבִידֵנוּ וְלוּ הוֹאַלְנוּ וַנֵּשֶׁב בְּעֵבֶר הַיַּרְדֵּן׃

Disse Josué: Ah! Senhor Deus. O queixume de Josué pareceu-se com as murmurações dos israelitas, os quais, no deserto, desejaram ardentemente as panelas de carne do Egito (ver Êx 14.11,12; Nm 14.2,3). Moisés também tinha falado de forma semelhante (ver Nm 11.1-15). "A Josué deve ter parecido que o pânico estabelecido no coração dos habitantes cananeus, mediante os poderosos atos de Yahweh e pelas vitórias militares de Israel (ver Js 2.9-11; 4.24; 5.1 e 6.27), agora se havia dissolvido" (John Bright, *in loc.*). Israel, como uma nação, poderia ser obliterado por uma força superior, pondo fim súbito a todo o sonho de conquista da Terra Prometida.

Anos antes, o povo de Israel tinha anelado por retornar ao Egito (ver Êx 14.11,12). E Josué anelou por voltar à Transjordânia, onde tudo tinha corrido bem, e onde as tribos de Rúben e Gade, e a meia tribo de Manassés, já tinham fixado domínio.

"Com quanta facilidade perdemos o nosso senso de perspectiva, quando o infortúnio bate à nossa porta. Uma derrota às vezes leva as pessoas a abandonar a sua fé em Deus, precisamente quando elas mais necessitam de fé" (Joseph R. *Sizoo, in loc.*).

"Parece aqui que Josué culpou Deus pela derrota, sem ao menos considerar que a causa da derrota poderia ser alguma outra coisa" (Donald K. Campbell, *in loc.*).

Até mesmo Yahweh-Elohim, o Eterno Todo-poderoso (nomes divinos que Josué usou em seu apelo), pareceu não poder oferecer consolo naqueles momentos. Ver no *Dicionário* o verbete intitulado *Deus, Nomes Bíblicos de*.

■ 7.8

בִּי אֲדֹנָי מָה אֹמַר אַחֲרֵי אֲשֶׁר הָפַךְ יִשְׂרָאֵל עֹרֶף לִפְנֵי אֹיְבָיו׃

Ah! Senhor! que direi? O habilidoso comandante militar, que tinha cavalgado tão alto, foi humilhado ao ver Israel fugindo diante de seus adversários. O que ele poderia dizer diante disso? Quaisquer palavras ficariam aquém da gravidade da situação. Em uma atitude derrotista, ele viu a continuação desse padrão, conjuntura na qual Israel seria completamente derrotado e expulso da Terra Prometida, que deveria conquistar. Tudo isso porque Josué não antecipou o verdadeiro problema, que não era falta de habilidade militar ou de planejamento. A causa era "pecado no acampamento". Josué queria encontrar alguma coisa para dizer naquele momento de crise, para o consolo dele mesmo e do povo de Israel, mas nada achou que fosse digno de ser dito. Por conseguinte, queixou-se diante de Yahweh, enviando para o alto uma oração amarga.

■ 7.9

וְיִשְׁמְעוּ הַכְּנַעֲנִי וְכֹל יֹשְׁבֵי הָאָרֶץ וְנָסַבּוּ עָלֵינוּ
וְהִכְרִיתוּ אֶת־שְׁמֵנוּ מִן־הָאָרֶץ וּמַה־תַּעֲשֵׂה לְשִׁמְךָ
הַגָּדוֹל׃ ס

Ouvindo isto os cananeus e todos os moradores da terra. Todas as sete nações cananeias (ver Êx 33.2 e Dt 7.1) ouviriam as notícias sobre a derrota de Israel em batalha, diante da cidade de Ai, e então ririam, zombariam e recuperariam a autoconfiança; e ficariam à espera de poder massacrar o inimigo comum, Israel. O nome do povo de Israel seria apagado da face da terra, e o nome de Yahweh seria blasfemado.

Que farás ao teu grande nome? O nome de Deus, no Antigo Testamento (e mesmo os nomes dos homens), não era apenas alguma designação verbal. Antes, envolvia a totalidade do caráter e dos atributos de Deus (ou da pessoa). Cf. Nm 14.15,16 e Dt 9.28. Foi por esse motivo que Josué rogou que Deus "salvasse o seu nome" de tão grande ridículo e impotência. Ver também o Sl 83.4, que é um paralelo direto deste versículo.

■ 7.10

וַיֹּאמֶר יְהוָה אֶל־יְהוֹשֻׁעַ קֻם לָךְ לָמָּה זֶּה אַתָּה נֹפֵל
עַל־פָּנֶיךָ׃

Então disse o Senhor a Josué. Yahweh respondeu a Josué, trazendo uma iluminação vital para explicar o problema. Em primeiro lugar, Josué estava desperdiçando seu tempo enquanto orava de rosto em terra. O que ele precisava fazer era agir. A situação requeria aquilo que costumamos chamar de providência imediata, porquanto a oração e a ação não podem prosperar se não ocorrerem simultaneamente. "Deus nunca fica satisfeito diante de um espírito lamuriento. Ele deseja que os homens se aproximem dele sem nenhum receio. A oração de Josué, no versículo anterior, traía o senso de frustração, o que sempre envolve uma perda de autorrespeito. Deus não aceita esse tipo de abordagem de nossa parte. Jamais é ocasião para desespero, pois ele não se retira nunca da frente de batalha. As rédeas do mando não escapuliram de suas mãos. Deus é quem diz a última palavra" (Joseph R. Sizoo, *in loc.*). A causa daquela derrota militar estava em Israel, e não na provisão divina.

■ 7.11

חָטָא יִשְׂרָאֵל וְגַם עָבְרוּ אֶת־בְּרִיתִי אֲשֶׁר צִוִּיתִי אוֹתָם
וְגַם לָקְחוּ מִן־הַחֵרֶם וְגַם גָּנְבוּ וְגַם כִּחֲשׁוּ וְגַם שָׂמוּ
בִכְלֵיהֶם׃

Israel pecou. A providência de Deus (ver a respeito no *Dicionário*) continuava a mesma; o poder militar de Israel continuava intacto; Josué continuava dotado das ideias certas para desfechar a guerra santa. Mas o pecado havia frustrado momentaneamente o empreendimento inteiro. O sucesso dependia da obediência absoluta. Um indivíduo havia falhado, descumprindo as condições da guerra santa (ver Dt 7.1-5; 20.10-18), e não havia levado avante o *herem* (ver Js 6.17). Somente os metais preciosos (ver Js 6.24) podiam ser salvos da destruição total; mas mesmo assim teriam de reverter para o tesouro do tabernáculo, a fim de serem empregados no culto a Yahweh. No entanto, alguém tinha tomado algo dos despojos em proveito próprio, para então encobrir toda a sua ação com engano e fingimento.

Um único homem havia pecado, mas isso tornara culpada a comunidade inteira de Israel, conforme aprendemos em Js 7.1, onde as notas expositivas devem ser consultadas quanto ao motivo dessa situação. A Terra Prometida pertence à comunidade de Israel como uma herança derivada de Abraão (pois isso fazia parte do Pacto Abraâmico, anotado em Gn 15.18). Sem embargo, as regras precisavam ser obedecidas, e as normas referentes à guerra santa faziam parte de como a herança sob a forma da Terra Prometida deveria ser recebida. Um indivíduo tornara sua propriedade particular aquilo que pertencia a Yahweh. E isso constituía um crime sério. Isso fala a nós, indiretamente, sobre a mordomia e a responsabilidade envolvida nessa mordomia. Ver no *Dicionário* o verbete intitulado *Mordomo*.

Violaram a minha aliança. Ou seja, o pacto firmado no monte Sinai, o Pacto Mosaico, que requeria obediência absoluta a tudo quanto Yahweh determinasse. Ver as notas de introdução ao capítulo 19 do livro de Êxodo, quanto a esse pacto. Ver também Êx 24.7, quanto à obediência absoluta exigida da parte dos filhos de Israel. O ato de Acã quebrou o mandamento contra o furto (ver Êx 20.15), um ato tanto mais sério porque o homem havia furtado algo do próprio Yahweh. O indivíduo culpado também havia violado o Pacto Palestínico. Ver sobre esse pacto na introdução ao capítulo 29 do livro de Deuteronômio. Ver no *Dicionário* o artigo intitulado *Obediência*, bem como as notas expositivas a respeito em Dt 32.46.

■ 7.12

וְלֹא יֻכְלוּ בְּנֵי יִשְׂרָאֵל לָקוּם לִפְנֵי אֹיְבֵיהֶם עֹרֶף יִפְנוּ
לִפְנֵי אֹיְבֵיהֶם כִּי הָיוּ לְחֵרֶם לֹא אוֹסִיף לִהְיוֹת עִמָּכֶם
אִם־לֹא תַשְׁמִידוּ הַחֵרֶם מִקִּרְבְּכֶם׃

Israel se fizera condenado. A própria nação de Israel foi posta sob o *herem* de Deus (ver Js 6.17), pelo menos enquanto a questão do pecado não fosse corrigida. Acã, ao tocar em uma coisa *herem*, tornou-se ele mesmo *herem*, pelo que foi destruído sem misericórdia. Toda a sua família também foi executada. Somente então a comunidade de Israel estaria livre para novamente enfrentar e derrotar os seus inimigos. Vivemos em um mundo completamente contrário à vontade de Deus. Quando nos tornamos contrários a ele, caímos do favor divino, e então qualquer coisa pode acontecer. Algumas coisas fracassam porque Deus não permite que elas logrem êxito. Usualmente o pecado está escondido em algum ponto. Acã sabia qual era o risco de quebrar as regras da guerra santa, mas a sua cobiça fê-lo enganar-se a si mesmo, pensando que poderia ficar com os objetos devotados a Deus e continuar sem ser descoberto. Uma das qualidades nefastas do pecado é que ele nos engana e nos faz enganar nossos semelhantes.

■ 7.13

קֻם קַדֵּשׁ אֶת־הָעָם וְאָמַרְתָּ הִתְקַדְּשׁוּ לְמָחָר כִּי כֹה
אָמַר יְהוָה אֱלֹהֵי יִשְׂרָאֵל חֵרֶם בְּקִרְבְּךָ יִשְׂרָאֵל
לֹא תוּכַל לָקוּם לִפְנֵי אֹיְבֶיךָ עַד־הֲסִירְכֶם הַחֵרֶם
מִקִּרְבְּכֶם׃

Santifica o povo. O próprio povo de Israel tinha de preparar-se, provavelmente para que as sortes sagradas revelassem o culpado. Seriam efetuados rituais, talvez incluindo o banho cerimonial (ver Lv 14.8,16; 15.16; 17.15; Nm 8.7,9; 19.7). É possível que tenham sido feitas orações de lamentação, votos e outros ritos. Josefo (*Antiq.* 1.5, cap. 1, sec. 10) informa-nos que a busca se realizou mediante o lançamento das sortes sagradas. Ver no *Dicionário* o verbete chamado *Sortes*. Provavelmente, ele está com a razão. Alguns sugerem que tenham sido usados o Urim e o Tumim, mas isso é menos provável. Seja como for, sem importar qual método tenha sido usado para detectar o ofensor, a busca teve êxito, porquanto o conhecimento, a orientação e o poder de Yahweh foram convocados para dar vitória à busca. Ver At 1.26 quanto a um uso de sortes nas páginas do Novo Testamento.

■ 7.14

וְנִקְרַבְתֶּם בַּבֹּקֶר לְשִׁבְטֵיכֶם וְהָיָה הַשֵּׁבֶט
אֲשֶׁר־יִלְכְּדֶנּוּ יְהוָה יִקְרַב לַמִּשְׁפָּחוֹת
וְהַמִּשְׁפָּחָה אֲשֶׁר־יִלְכְּדֶנָּה יְהוָה תִּקְרַב לַבָּתִּים
וְהַבַּיִת אֲשֶׁר יִלְכְּדֶנּוּ יְהוָה יִקְרַב לַגְּבָרִים׃

Pela manhã, pois, vos chegareis. A tarefa de detecção era imensa, visto que tinha de ser aplicada a todas as tribos e a todas as famílias dentro das tribos. A busca seria metódica e incansável. Precisava ser completa. Ninguém deixaria de ser investigado pela sorte sagrada. Não sabemos como a ação funcionou. Cf. Pv 16.33. O trecho de At 1.26 informa-nos que os apóstolos resolveram uma importante questão, quando tiveram de escolher outro apóstolo em substituição a Judas Iscariotes, mediante o lançamento de sortes. Ver no *Dicionário* o artigo intitulado *Adivinhação*. Cf. também Lv 16.8; Sl 22.18; Pv 18.18 quanto ao uso de sortes para decidir questões.

Este versículo, incidentalmente, fornece-nos discernimento quanto à organização de Israel. A unidade maior era a nação como um todo; em seguida, vinham as doze tribos; então vinham grandes grupos de famílias; finalmente, havia as casas ou famílias individuais.

"Deve ter sido uma provação terrível... O Juiz de toda a terra estava passando julgamento" (Ellicott, *in loc.*).

Talvez diferentes líderes das tribos tenham lançado suas próprias sortes. O *modus operandi* não foi explicado, mas o versículo 16 deste capítulo dá a entender que Josué acompanhou ou realizou pessoalmente o processo inteiro, e somente um jogo de sortes foi empregado.

■ 7.15

וְהָיָה הַנִּלְכָּד בַּחֵרֶם יִשָּׂרֵף בָּאֵשׁ אֹתוֹ
וְאֶת־כָּל־אֲשֶׁר־לוֹ כִּי עָבַר אֶת־בְּרִית יְהוָה
וְכִי־עָשָׂה נְבָלָה בְּיִשְׂרָאֵל׃

Aquele que for achado com a cousa condenada. O culpado, que fatalmente seria descoberto, seria queimado na fogueira, um dos modos de execução em Israel. Ver a introdução ao capítulo 18 de Levítico quanto aos vários modos de execução em Israel. O apedrejamento era o método mais comum, mas o estrangulamento, a espada e a fogueira também eram empregados. O indivíduo culpado, todos os seus familiares e todos os seus bens seriam queimados, por ter ele ficado com algo que era *herem*. Em outras palavras, o culpado, seus familiares e todos os seus pertences sofreriam o *herem* (ver Js 16.17). Cf. Dt 13.15,16. Alguns estudiosos sugerem que o executado não era "queimado vivo". Primeiramente o indivíduo era executado por apedrejamento, e então seu corpo era queimado na fogueira. Há registros históricos em favor desse modo de proceder, e o versículo 25 confirma isso.

O culpado havia transgredido o pacto (ver as notas sobre o versículo 11 deste capítulo), tendo-se mostrado um louco em Israel, por haver prejudicado a comunidade inteira. Em um momento de cobiça, Acã tinha feito algo que ele sabia ser uma insensatez potencialmente fatal. Ele fez o papel de tolo. Todos os pecados que quebravam a lei eram considerados atos tolos em Israel. Mas algumas vezes, um homem exagerava.

■ 7.16

וַיַּשְׁכֵּם יְהוֹשֻׁעַ בַּבֹּקֶר וַיַּקְרֵב אֶת־יִשְׂרָאֵל לִשְׁבָטָיו
וַיִּלָּכֵד שֵׁבֶט יְהוּדָה׃

E caiu a sorte sobre a tribo de Judá. A busca começou cedo pela manhã, devendo perscrutar tribo após tribo. Ao que parece, Judá foi a primeira das tribos a ser sondada. O versículo dá a entender que Josué dirigiu pessoalmente a questão, e talvez apenas um jogo de sortes tenha sido utilizado. Yahweh dirigiu a mente de Josué para fazer essa escolha. Isso poupou muito tempo. O versículo dá a entender que foi necessário investigar somente a tribo de Judá.

"Não foi algo resultante de mera sorte; antes, era a direção dada pela providência divina" (Donald K. Campbell, *in loc.*).

Acã pertencia à tribo de Judá. "Sabei que o vosso pecado vos há de achar" (Nm 32.23). Nesse caso, a detecção foi mais fácil do que poderia parecer, visto que a primeira tribo a ser investigada foi a tribo de Judá.

■ 7.17

וַיַּקְרֵב אֶת־מִשְׁפַּחַת יְהוּדָה וַיִּלְכֹּד אֵת מִשְׁפַּחַת
הַזַּרְחִי וַיַּקְרֵב אֶת־מִשְׁפַּחַת הַזַּרְחִי לַגְּבָרִים וַיִּלָּכֵד
זַבְדִּי׃

Caiu sobre a família dos zeraítas. Uma grande subunidade, a tribo de Judá, foi a primeira a ser submetida à investigação. Então foi detectada uma grande família, ou subtribo, que foi submetida à prova. Isso separaria o clã ao qual pertencia o ofensor. Então foi investigada a família específica do clã; e, em seguida, dentro daquela família, o indivíduo específico haveria de ser descoberto. Por essa altura, a busca passou a ser "homem a homem".

Os Zeraítas. Duas antigas famílias de Israel eram chamadas por esse nome coletivo, a saber: 1. Uma família de Simeão (ver Nm 26.13); 2. Uma família da tribo de Judá (ver Nm 26.20). Acã (Js 7.18) e dois dos poderosos guerreiros de Davi pertenciam a essa família de Judá (ver 1Cr 27.11 e 13). Ver também, no *Dicionário*, o artigo intitulado *Zerá*, pontos 3 e 4.

Zabdi. Foi descoberto que esse homem, avô de Acã, estava associado ao ofensor. Ver o primeiro versículo deste capítulo. O trecho de 1Cr 2.6,7 diz Zimri em lugar de Zabdi, e algumas traduções dizem aqui Zimri em lugar de Zabdi.

■ 7.18

וַיַּקְרֵב אֶת־בֵּיתוֹ לַגְּבָרִים וַיִּלָּכֵד עָכָן בֶּן־כַּרְמִי
בֶן־זַבְדִּי בֶן־זֶרַח לְמַטֵּה יְהוּדָה׃

Caiu sobre Acã, filho de Carmi, filho de Zabdi, filho de Zera, da tribo de Judá. A busca se afunilou, descendo de Zabdi para Carmi, o pai de Acã (ver as notas sobre o primeiro versículo deste capítulo). Não nos é dito que a sorte caiu sobre Acã, mas isso fica entendido, porquanto, no versículo 19, Josué chamou Acã para confessar o seu pecado e encerrar o processo.

Alguns intérpretes sugerem que, se Acã tivesse confessado logo o seu pecado, poderia ter sido perdoado e sua vida poderia ter sido salva, conforme, séculos mais tarde, aconteceu com Davi (ver Sl 32.1-5; 51.1-12). Mas não há nenhum informe bíblico quanto a essa especulação. Uma vez adotado o *herem*, era requerido que o ofensor fosse imolado. O culpado precisava morrer, por causa do crime que havia cometido. Joseph Smith, o fundador dos mórmons, certamente estava com a razão ao dizer que alguns pecados requerem a morte do ofensor. Só a execução faz justiça. Ver no *Dicionário* o artigo intitulado *Punição Capital*, onde essa espécie de raciocínio é ventilada. O perdão dos pecados é outra coisa. O pecado sempre poderá ser perdoado, mas isso não significa que possamos evitar as suas consequências. Uma vez perdoada, a alma sai livre, mas drásticos efeitos temporais deste mundo não podem ser evitados.

■ 7.19

וַיֹּאמֶר יְהוֹשֻׁעַ אֶל־עָכָן בְּנִי שִׂים־נָא כָבוֹד לַיהוָה
אֱלֹהֵי יִשְׂרָאֵל וְתֶן־לוֹ תוֹדָה וְהַגֶּד־נָא לִי מֶה עָשִׂיתָ
אַל־תְּכַחֵד מִמֶּנִּי׃

Disse Josué a Acã. O culpado tinha sido detectado. Josué tratou-o com humanidade, chamando-o até de "filho". Isso encorajou Acã a confessar e a glorificar a Yahweh, o Deus da verdade. Josué tratou Acã com humanidade, mas a execução era inevitável, e Acã, sem dúvida, tinha consciência disso.

Yahweh-Elohim requeria a confissão, e que assim ele fosse glorificado. Agora, o Eterno Todo-poderoso precisava ser vindicado. Não havia remédio diante da situação, senão executar a punição capital. Ver no *Dicionário* o artigo chamado *Deus, Nomes Bíblicos de*. Era mister prestar "louvores" a Yahweh, por ser ele santo e onisciente, o que trouxe à luz toda aquela amarga questão. Agora, o povo de Israel estava restaurado ao seu antigo poder, tendo Acã sido executado. Foi uma questão de louvor, horripilante louvor, mas louvor. O pecado foi considerado primariamente em seu aspecto comunal, conforme já vimos nas notas sobre o primeiro versículo. Ver no *Dicionário* o artigo intitulado *Confessar, Confissão*. A Misnah (*Senhedrin*, cap. 6, sec. 2) promete "uma parte no mundo vindouro" ao confessor. Mas isso não estava previsto na maneira de pensar dos dias de Josué, e é anacrônico aplicar tal conceito a este texto.

■ 7.20

וַיַּעַן עָכָן אֶת־יְהוֹשֻׁעַ וַיֹּאמַר אָמְנָה אָנֹכִי חָטָאתִי
לַיהוָה אֱלֹהֵי יִשְׂרָאֵל וְכָזֹאת וְכָזֹאת עָשִׂיתִי׃

Verdadeiramente pequei contra o Senhor. Diante das evidências, mas não antes, Acã fez plena confissão, reconhecendo que tinha cometido um pecado, principalmente contra Yahweh-Elohim, aquele que tinha baixado ordens estritas acerca da conduta durante a guerra santa.

Alguns intérpretes opinam que Acã escapou à punição eterna por causa de sua confissão, embora tenha sido executado. Todavia, isso é ler aquilo que o texto não contém, mediante a aplicação de um anacronismo tipicamente cristão. O erro por ele cometido custou a vida de muitos soldados de Israel. Parece que ele não sentiu nenhum remorso enquanto não foi detectado. Tinha obtido para si mesmo alguma coisa, mas com um custo tremendo para outras pessoas, sendo assim que, usualmente, opera o egoísmo.

■ 7.21

וָאֵרֶא בַשָּׁלָל אַדֶּרֶת שִׁנְעָר אַחַת טוֹבָה וּמָאתַיִם
שְׁקָלִים כֶּסֶף וּלְשׁוֹן זָהָב אֶחָד חֲמִשִּׁים שְׁקָלִים
מִשְׁקָלוֹ וָאֶחְמְדֵם וָאֶקָּחֵם וְהִנָּם טְמוּנִים בָּאָרֶץ בְּתוֹךְ
הָאָהֳלִי וְהַכֶּסֶף תַּחְתֶּיהָ:

Quando vi... cobicei-os e tomei-os. Nesses três verbos encontramos os três passos do pecado de Acã, a saber: 1. Ele viu algo proibido. 2. Ele cobiçou os objetos. 3. Ele tomou os objetos para si mesmo. Eva deu os mesmos três passos (ver Gn 3.6), tal como também aconteceu a Davi, no caso de Bate-Seba (ver 2Sm 11.2-4).

Os Despojos:

a. Uma boa capa babilônica. Era um objeto importado, de excelente aparência, sem dúvida um artigo de luxo. A capa, no dizer de outras traduções e versões, vinha de Sinear, um antigo nome da Babilônia. Mas outras versões (como a nossa versão portuguesa) dizem apenas "da Babilônia" ou "babilônica". Ver Gn 10.10 e 11.2. As cartas de Tell el-Amarna mostram a grande influência exercida pela Babilônia sobre a Palestina, nos tempos antigos. Ver no *Dicionário* o verbete intitulado *Tell el-Amarna*. Plínio (*Hist. Natural* 1.8, cap. 48) diz-nos que a Babilônia era famosa por sua manufatura de tecidos de ótima qualidade. Catão era um homem modesto, mas recebeu, como herança, uma bela veste de fabricação babilônica. Ao recebê-la, vendeu-a imediatamente, a fim de não ser acusado de ostentação, conforme nos informou Plutarco (In *Vita Catonis*). As vestes reais babilônicas algumas vezes eram entretecidas com fios de ouro ou de prata. Essas vestes eram itens de grande prestígio, sendo usadas somente pelos ricaços. Ver no *Dicionário* o artigo intitulado *Vestimenta* (Vestes).

b. Uma boa soma em dinheiro, em um total de duzentos siclos de prata. Ver no *Dicionário* os verbetes intitulados *Dinheiro, II* e *Pesos e Medidas*, IV. c. Quanto a informações adicionais, ver as notas expositivas sobre os trechos de Êx 30.13 e Lv 27.25. Não há como calcular qual seria o valor de compra dessa importância, embora saibamos que um siclo representava o salário mensal de um agricultor. Portanto, teríamos aqui o equivalente a quase dezessete anos de trabalho de um assalariado. Não sabemos onde foi que Acã achou tanto dinheiro, mas ele deve ter encontrado tudo isso na casa do prefeito da cidade que, presumivelmente, era um homem rico, guardando tanto dinheiro em seu tesouro particular.

c. Uma barra de ouro. Kimchi e Abarbinel chamaram essa peça de lingueta, porquanto teria o formato de uma língua. Mas outros estudiosos supõem estar em foco uma barra de ouro, sem nenhum formato definido. O peso da barra era de cinquenta siclos, e teria mais ou menos o mesmo valor dos duzentos siclos de prata. Naturalmente, não devemos pensar em dinheiro cunhado, porquanto as moedas só vieram à existência por volta do século VII a.C.

Acã Poderia Ter-se Aposentado! O valor total dos despojos de que ele se apropriou poderia ter-lhe conferido uma boa aposentadoria, se falarmos de acordo com a linguagem moderna! Entretanto, conforme a regra santa, a capa babilônica deveria ter sido destruída, e a prata e o ouro deveriam ter sido entregues ao tesouro do tabernáculo, para financiar o culto a Yahweh (ver Js 6.19,24). Acã era um violador do tabernáculo, um ladrão de seu tesouro.

■ 7.22

וַיִּשְׁלַח יְהוֹשֻׁעַ מַלְאָכִים וַיָּרֻצוּ הָאֹהֱלָה וְהִנֵּה טְמוּנָה
בְּאָהֳלוֹ וְהַכֶּסֶף תַּחְתֶּיהָ:

Então Josué enviou mensageiros. Os homens correram até a tenda de Acã e acharam os objetos anteriormente citados ocultos em um buraco feito na terra, tal como Acã dissera que os encontrariam. Aqueles valores deram testemunho contra o homem que tinha agora apenas algumas horas ou mesmo alguns minutos de vida. O pecado de Acã se havia expandido, tendo afetado até mesmo o santuário. E agora ele haveria de colher o amargo fruto de seus atos errados (ver Rm 6.23 e Tg 1.15), a morte por execução.

■ 7.23

וַיִּקָּחוּם מִתּוֹךְ הָאֹהֶל וַיְבִאוּם אֶל־יְהוֹשֻׁעַ וְאֶל כָּל־בְּנֵי
יִשְׂרָאֵל וַיַּצִּקֻם לִפְנֵי יְהוָה:

E as colocaram perante o Senhor. As coisas encontradas na tenda de Acã foram trazidas para servir de espetáculo comprovador do crime, de modo que todos as vissem. Era o julgamento de Acã. Os metais preciosos também foram depositados diante do Senhor, a quem pertenciam, pelo que a restauração estava sendo realizada. Esses artigos todos haviam sido "dedicados" ao Senhor. Ver a esse respeito em Js 6.17.

■ 7.24

וַיִּקַּח יְהוֹשֻׁעַ אֶת־עָכָן בֶּן־זֶרַח וְאֶת־הַכֶּסֶף
וְאֶת־הָאַדֶּרֶת וְאֶת־לְשׁוֹן הַזָּהָב וְאֶת־בָּנָיו
וְאֶת־בְּנֹתָיו וְאֶת־שׁוֹרוֹ וְאֶת־חֲמֹרוֹ וְאֶת־צֹאנוֹ
וְאֶת־אָהֳלוֹ וְאֶת־כָּל־אֲשֶׁר־לוֹ וְכָל־יִשְׂרָאֵל עִמּוֹ
וַיַּעֲלוּ אֹתָם עֵמֶק עָכוֹר:

Tudo quanto tinha. A família inteira de Acã, seus animais domesticados, todos os seus bens, tudo quanto ele possuía foi levado ao vale de Acor para a execução, como um holocausto oferecido a Yahweh, o *herem* que estava prestes a ser realizado.

Levaram-nos ao vale de Acor. Esse locativo significa "tribulação". Era um vale entre Jericó e Ai, que recebeu esse nome por causa da derrota dos israelitas acarretada pelo pecado de Acã (ver Js 7.24). Ver no *Dicionário* o artigo chamado *Acã*. O local é atualmente identificado com o wadi Daber e com o wadi Mulelik. O nome desse vale tornou-se proverbial. Oseias acrescenta: "E lhe darei dali, as suas vinhas, e o vale de Acor por porta de esperança" (Os 2.15). Essas palavras indicam que a disciplina e o juízo podem resultar em esperança.

O nome "Acor" foi dado aqui em antecipação ao nome que seria dado ao lugar, devido ao fato de que Acã havia conturbado Israel, razão pela qual ele mesmo foi "conturbado" ao máximo, por meio de sua execução (vs. 25).

■ 7.25

וַיֹּאמֶר יְהוֹשֻׁעַ מֶה עֲכַרְתָּנוּ יַעְכָּרְךָ יְהוָה בַּיּוֹם הַזֶּה
וַיִּרְגְּמוּ אֹתוֹ כָל־יִשְׂרָאֵל אֶבֶן וַיִּשְׂרְפוּ אֹתָם בָּאֵשׁ
וַיִּסְקְלוּ אֹתָם בָּאֲבָנִים:

Por que nos conturbaste? O nome Acor significa "conturbação" ou "tribulação". O pecado de Acã havia perturbado Israel, e o preço pago foi a perda de muitas vidas e uma amarga e desnecessária derrota. Por conseguinte, Acã seria perturbado por sua própria execução, ordenada por Yahweh, que havia estabelecido as regras da guerra santa (ver Dt 7.1-5 e 20.10-18) e do *herem* (ver Js 6.17). Por isso mesmo, o lugar da execução de Acã e de tudo quanto lhe pertencia tornou-se conhecido como "tribulação".

A Execução. Esta se dava por *apedrejamento* (ver a respeito no *Dicionário*). Ato contínuo, o corpo era queimado na fogueira. Ver também no *Dicionário* o verbete chamado *Punição Capital*. Pessoas inocentes morreram juntamente com Acã, ou seja, seus filhos. É possível que sua mulher estivesse no conluio com ele, tendo-o encorajado a não revelar prontamente o seu erro; mas é difícil imaginar que seus filhos, sobretudo se ainda fossem pequenos, tiveram alguma coisa que ver com tal pecado. Não deveríamos tentar considerar as crianças de Acã culpadas, conforme fazem alguns intérpretes, ao salientar o trecho de Dt 24.16, que afirma que os filhos não devem sofrer pelos erros de seus pais, nem os pais devem sofrer pelos erros de seus filhos. O que esteve envolvido no caso é que o caráter determinante do *herem* tinha de ser cumprido. Sem dúvida, a capa babilônica foi queimada, e os metais preciosos (a prata e o ouro) foram entregues ao tesouro do tabernáculo (ver Js 6.24), embora isso não seja especificamente declarado. Dessa forma, o *herem* (ver Js 6.17) foi devidamente executado. E, visto que este versículo não diz francamente que a esposa e os filhos de Acã foram também executados, alguns intérpretes opinam que o versículo 24 significa que eles apenas serviram de testemunhas da execução, mas foram poupados da morte. Porém, dificilmente essa interpretação consegue prevalecer diante de uma exegese séria da passagem.

■ 7.26

וַיָּקִ֨ימוּ עָלָ֜יו גַּל־אֲבָנִ֣ים גָּד֗וֹל עַ֚ד הַיּ֣וֹם הַזֶּ֔ה וַיָּ֥שָׁב יְהוָ֖ה מֵחֲר֣וֹן אַפּ֑וֹ עַל־כֵּ֠ן קָרָ֞א שֵׁ֣ם הַמָּק֤וֹם הַהוּא֙ עֵ֣מֶק עָכ֔וֹר עַ֖ד הַיּ֥וֹם הַזֶּֽה׃ פ

Um Memorial Perene. Um montão de pedras foi erigido no local da execução de Acã, para lembrar a qualquer israelita: "Se violardes as ordens de Yahweh quanto à guerra santa, isto é o que também pode acontecer convosco!"

Uma vez efetuada a execução, e uma vez que os metais preciosos foram encaminhados ao tesouro do tabernáculo, cessou a ira de Yahweh. Temos nisso um *antropopatismo* (ver a respeito no *Dicionário*), onde emoções humanas são atribuídas à deidade. O antropopatismo é uma subcategoria do antropomorfismo (a atribuição, a Deus, de características humanas). Visto que passara a ira de Deus e que o erro havia sido corrigido, agora a guerra santa poderia prosseguir com sucesso. E é exatamente sobre isso que nos conta o capítulo oitavo. O próprio nome do vale onde tudo ocorreu, "Acor" (tribulação), também serviu de lembrete do incidente. Em Os 2.15, a "tribulação" torna-se uma "porta de esperança", porquanto a punição tem um valor remediador, e não somente um valor de vindicação, como se dá com todos os juízos divinos. Porém, é um anacronismo pensarmos aqui que a alma de Acã foi salva, porque ele confessou o seu pecado (ver os vss. 20 e 21), apelando para passagens como 1Co 5.5.

Até ao dia de hoje. O memorial esteve naquele lugar durante longo tempo. O autor sagrado tinha conhecimento do local, sendo provável até que o tenha visto. Porém, não nos informou há quanto tempo o memorial já se achava ali.

"Deus revela-se não somente através de milagres que atuam sobre a natureza, mas também por meio de juízos contra indivíduos e contra nações. Quando a humanidade aprenderá essa lição?" (Joseph R. Sizoo, *in loc.*).

CAPÍTULO OITO

DERROTA DE AI (8.1-35)

O capítulo 7 de Josué conta a derrota de Israel em sua primeira tentativa de capturar a cidade de Ai, por que isso aconteceu, e como a condição foi remediada mediante a execução de Acã, que se tinha apropriado de certas peças dos despojos, em vez de ter obedecido às regras da guerra santa (ver Dt 7.1-5; 20.10-18) e do *herem* (ver Js 6.17), que havia sido requerido. De acordo com esses dois princípios, deveria haver a completa destruição de tudo quanto pertencesse ao inimigo, ou seja, as pessoas, os animais e os bens materiais, excetuando os metais preciosos, que reverteriam para o tesouro do tabernáculo (ver Js 6.19,24). O oitavo capítulo, pois, reinicia a narrativa da guerra santa contra Ai. Nessa segunda tentativa, isso foi feito com pleno sucesso, visto que a presença de Yahweh garantiu que tudo corresse favoravelmente a Israel.

Israel Recuperou o seu Impulso Inicial. A conquista da parte ocidental da Terra Prometida agora continuaria. A parte oriental (a *Transjordânia;* ver a respeito no *Dicionário*) da Terra Prometida já havia sido tomada. Ver sobre isso em Nm 32.31 ss. e 34.14,15. As tribos de Rúben e Gade e a meia tribo de Manassés já haviam ocupado esse território oriental. Agora toda a atenção dos filhos de Israel voltava-se para o lado ocidental. Jericó fora a primeira cidade desse lado a ser tomada. Uma vez conquistado o ocidente, a invasão seria dirigida para o sul e, mais tarde, para o norte. Ai, embora fosse uma cidade menos fortificada do que Jericó, era estrategicamente muito bem posicionada, pois ficava na junção de duas rotas naturais que subiam de Jericó para as terras montanhosas ao redor de Betel.

■ 8.1

וַיֹּ֨אמֶר יְהוָ֜ה אֶל־יְהוֹשֻׁ֗עַ אַל־תִּירָ֣א וְאַל־תֵּחָת֒ קַ֣ח עִמְּךָ֗ אֵ֚ת כָּל־עַ֣ם הַמִּלְחָמָ֔ה וְק֖וּם עֲלֵ֣ה הָעָ֑י רְאֵ֣ה ׀ נָתַ֣תִּי בְיָדְךָ֗ אֶת־מֶ֤לֶךְ הָעַי֙ וְאֶת־עַמּ֔וֹ וְאֶת־עִיר֖וֹ וְאֶת־אַרְצֽוֹ׃

Não temas, não te atemorizes. Quanto a uma mensagem divina de encorajamento, ver também Js 1.6,7,9,18. As condições que tinham causado a derrota dos israelitas diante de Ai haviam sido revertidas mediante a execução de Acã. (Ver as notas de introdução a este capítulo.) A batalha era de Yahweh, o que seria o suficiente para garantir o sucesso da empreitada.

Toma contigo toda a gente de guerra. O ataque contra Ai deveria ser tão rigoroso quanto o que ocorreu no caso de Jericó. A força reduzida de três mil homens armados (ver Js 7.3) tinha-se revelado uma excessiva dose de autoconfiança. Agora, porém, Josué não deveria assumir nenhum risco, mas, antes, teria de esmigalhar o adversário com todas as suas forças.

A lição moral que daqui derivamos é que, embora o Senhor nos garanta o sucesso, temos de fazer tudo quanto estiver ao nosso alcance para realizar a contento a parte que nos cabe. Devemos cumprir nossa missão com o máximo de esforço, e não apenas comedidamente. Quando Cartago derrotou inesperadamente os romanos, o senado romano esteve a pique de assinar termos de paz. Mas um idoso senador levantou-se e declarou: "Roma não vai à batalha, mas vai à guerra!" E com isso ele quis dizer que não deviam ser aplicadas medidas secundárias. Somente uma vitória completa era aceitável para os romanos.

■ 8.2

וְעָשִׂ֨יתָ לָעַ֜י וּלְמַלְכָּ֗הּ כַּאֲשֶׁ֨ר עָשִׂ֤יתָ לִֽירִיחוֹ֙ וּלְמַלְכָּ֔הּ רַק־שְׁלָלָ֥הּ וּבְהֶמְתָּ֖הּ תָּבֹ֣זּוּ לָכֶ֑ם שִׂים־לְךָ֥ אֹרֵ֛ב לָעִ֖יר מֵאַחֲרֶֽיהָ׃

Farás a Ai e a seu rei. No caso dessa cidade, foi permitido que os filhos de Israel relaxassem as regras da guerra santa, porquanto poderiam ficar com os despojos da cidade. Por causa de despojos assim, no caso de Jericó, é que Acã tinha sido morto. Não sabemos dizer por qual razão houve o relaxamento das regras da guerra santa. Talvez tenha sido apenas uma medida de liberalidade, a fim de animar os soldados. Estes seriam regiamente pagos por terem derrotado a cidade de Ai. Os soldados também poderiam ficar com o gado que houvesse ali. A vitória sobre essa cidade renderia ricos dividendos para os soldados israelitas. Portanto, temos aqui uma tremenda ironia, difícil de explicar. Se Acã tivesse contido a sua cobiça, é bem possível que os soldados de Israel tivessem recebido a permissão de tomar despojos de Jericó. A vereda da obediência é sempre o melhor caminho. Ver no *Dicionário* o verbete denominado *Obediência,* bem como as notas expositivas sobre Dt 32.46. Quanto à expressão guerra santa, ver Dt 7.1-5 e 20.10-18. Quanto à palavra *herem,* um termo hebraico que indica a total destruição de alguma coisa ou de alguma pessoa ou animal, em holocausto a Yahweh, ver Js 6.17. Em Ai, os despojos foram entregues aos soldados israelitas; mas os habitantes da cidade, homens, mulheres e crianças, foram condenados à execução. Esse era o *herem* que deveria ser pago a Yahweh. A população inteira da cidade de Ai, a saber, doze mil pessoas, foi totalmente obliterada (ver o versículo 25 deste capítulo). Não escapou um único habitante dessa cidade (vs. 26).

■ 8.3

וַיָּ֣קָם יְהוֹשֻׁ֗עַ וְכָל־עַ֤ם הַמִּלְחָמָה֙ לַעֲל֣וֹת הָעָ֔י וַיִּבְחַ֣ר יְהוֹשֻׁ֡עַ שְׁלֹשִׁ֣ים אֶ֩לֶף֩ אִ֨ישׁ גִּבּוֹרֵ֧י הַחַ֛יִל וַיִּשְׁלָחֵ֖ם לָֽיְלָה׃

Então Josué se levantou. Ele e todos os homens de guerra traçaram o plano de batalha contra Ai. Foi armada uma emboscada. O inimigo seria enganado e sairia à caça de um Israel que supostamente estaria em fuga, somente para encontrar a morte na emboscada armada desde a noite. Com esse propósito, Josué escolheu trinta mil homens! Isso pode ser comparado ao número exíguo de três mil homens que se tinham lançado no primeiro choque, e acabaram fugindo diante dos homens de Ai, em Js 7.3.

Os homens que armariam a emboscada foram enviados durante a noite. No dizer de John Gill (*in loc.*): "Deveriam pôr-se de emboscada por trás da cidade de Ai; quando os homens de Ai saíssem em perseguição do outro corpo do exército de Israel, que se apresentaria de peito aberto, então os homens da emboscada deveriam tomá-la e incendiá-la. E assim os homens de Ai seriam derrotados". Exatamente como foram executados os planos de batalha, é algo que tem deixado perplexos aos intérpretes. John Gill também opinou a esse respeito. O versículo 12 deste capítulo fala em somente cinco mil homens de Israel postos em emboscada. Como reconciliar isso com os trinta mil homens referidos neste terceiro versículo, é algo difícil de conseguir. Jarchi e Kimchi falaram em outra emboscada. Os críticos, por sua vez, supõem que a história se tenha derivado de duas fontes informativas que continham números diferentes. Alguns críticos textuais pensam que o número "trinta mil" é excessivamente grande, e propõem um erro original, dizendo que os trinta mil deveriam ser cinco mil, conforme se lê no versículo 12. Ver outras ideias a respeito nas notas sobre o versículo 12. Talvez os trinta mil fossem três mil, pois na notação numérica dos hebreus, esses números podiam ser facilmente confundidos, visto que não havia ainda algarismos, e letras representavam quantidades.

Outros intérpretes pensam em três contingentes de soldados israelitas, a saber: 1. Os trinta mil soldados, formando uma unidade-emboscada, por trás da cidade (no lado do ocidente). A esses caberia a tarefa de destruir a cidade, uma vez que seus habitantes, iludidos, saíssem em perseguição às tropas de Israel que pretensamente estariam fugindo (vss. 3 e 4). 2. Um segundo grupo formaria um chamariz, atrás do qual os homens de Ai sairiam em perseguição (vss. 5,10 e 11). 3. O terceiro grupo seria outra tropa de emboscada, de cinco mil homens, que cortaria quaisquer reforços possíveis vindos de Betel (vss. 12 e 13). Mas se o relato à nossa frente se origina de duas fontes informativas, que continham números e detalhes diversos, então é impossível determinar com precisão o que sucedeu. Seja como for, sem importar exatamente como as coisas se tenham desenrolado, o plano de batalha revelou-se eficaz.

■ 8.4

וַיְצַו אֹתָם לֵאמֹר רְאוּ אַתֶּם אֹרְבִים לָעִיר מֵאַחֲרֵי הָעִיר אַל־תַּרְחִיקוּ מִן־הָעִיר מְאֹד וִהְיִיתֶם כֻּלְּכֶם נְכֹנִים:

Por trás dela. Ou seja, a ocidente da cidade de Ai. Ver as notas sobre o versículo anterior, quanto aos propostos planos de batalha, e como esse grupo de trinta mil homens formava um dos três contingentes de soldados de Israel, de acordo com certos intérpretes. Ao que parece, a tarefa desse grupo de trinta mil homens era obliterar completamente a cidade, depois que seus defensores partissem à caça de um exército de Israel que supostamente estaria em fuga (esse "exército" formaria um segundo grupo de soldados israelitas).

■ 8.5

וַאֲנִי וְכָל־הָעָם אֲשֶׁר אִתִּי נִקְרַב אֶל־הָעִיר וְהָיָה כִּי־יֵצְאוּ לִקְרָאתֵנוּ כַּאֲשֶׁר בָּרִאשֹׁנָה וְנַסְנוּ לִפְנֵיהֶם:

Porém eu e todo o povo que está comigo. O segundo contingente de soldados israelitas seria comandado pelo próprio Josué. O número desse segundo contingente não é declarado, mas teria de ser suficiente para atrair a atenção dos homens armados de Ai. Esses homens de Ai se atirariam contra Josué e seus homens, que fingiriam estar iniciando a fuga. Correndo em perseguição a Josué e seus homens, eles abandonariam a cidade com poucos defensores. Então os trinta mil homens emboscados efetuariam a destruição da cidade e a incendiariam. Ver as notas sobre o terceiro versículo deste capítulo, quanto aos planos de batalha, conforme entendem alguns intérpretes. Ver os versículos 10 e 11 deste capítulo quanto às ações do segundo contingente, encabeçado por Josué. Esse contingente repetiria mais ou menos o que se fizera no primeiro ataque contra Ai, quando os atacantes não se tinham dividido em três segmentos. Ver Js 7.4,5. Assim, ao que parece, tal como no primeiro caso, um numeroso grupo de soldados israelitas simplesmente se aproximaria de Ai, sem fazer grande coisa. Mas havia outros dois contingentes de soldados israelitas, acerca dos quais Ai nada sabia, e que os apanhariam de surpresa.

■ 8.6

וְיָצְאוּ אַחֲרֵינוּ עַד הַתִּיקֵנוּ אוֹתָם מִן־הָעִיר כִּי יֹאמְרוּ נָסִים לְפָנֵינוּ כַּאֲשֶׁר בָּרִאשֹׁנָה וְנַסְנוּ לִפְנֵיהֶם:

Deixemo-los, pois, sair atrás de nós. A reação natural dos defensores de Ai seria perseguir aquele exército que, ao que tudo pareceria, depois de ter avançado até perto da cidade, havia resolvido recuar, como se a debilidade do primeiro ataque contra Ai se estivesse duplicando, conforme se lê no sétimo capítulo de Josué. Os versículos 14 em diante deste capítulo explicam como tudo aconteceu segundo havia sido planejado.

■ 8.7,8

וְאַתֶּם תָּקֻמוּ מֵהָאוֹרֵב וְהוֹרַשְׁתֶּם אֶת־הָעִיר וּנְתָנָהּ יְהוָה אֱלֹהֵיכֶם בְּיֶדְכֶם:

וְהָיָה כְּתָפְשְׂכֶם אֶת־הָעִיר תַּצִּיתוּ אֶת־הָעִיר בָּאֵשׁ כִּדְבַר יְהוָה תַּעֲשׂוּ רְאוּ צִוִּיתִי אֶתְכֶם:

Havendo vós tomado a cidade, por-lhe-eis fogo. O contingente de Israel posto de emboscada, composto pelos trinta mil homens (vss. 3 e 4) ou pelos cinco mil homens (vs. 12), apanharia os perseguidores de surpresa, tomando a cidade que tinha sido abandonada por seus defensores. E assim, enquanto os defensores de Ai estivessem perseguindo o corpo armado chamariz de Israel, comandado por Josué, quando olhassem para trás, veriam, consternados, que a sua cidade tinha sido incendiada. Eles saberiam assim que todos os seus entes queridos, mulheres e crianças, estavam mortos, pois a última coisa que poderia acontecer é que os soldados de Israel tivessem misericórdia deles.

A Batalha Era de Yahweh. Uma vez mais foi enfaticamente asseverado que Yahweh tinha baixado as suas ordens; a batalha era dele, e as suas ordens de comando precisavam ser seguidas à risca. A vitória que seria assim obtida seria dele. Ver sobre guerra santa (guerra dirigida pelo poder e pelo planejamento do Senhor), em Dt 7.1-5 e 20.10-18.

■ 8.9

וַיִּשְׁלָחֵם יְהוֹשֻׁעַ וַיֵּלְכוּ אֶל־הַמַּאְרָב וַיֵּשְׁבוּ בֵּין בֵּית־אֵל וּבֵין הָעַי מִיָּם לָעָי וַיָּלֶן יְהוֹשֻׁעַ בַּלַּיְלָה הַהוּא בְּתוֹךְ הָעָם:

Eles se foram à emboscada; e ficaram entre Betel e Ai, ao ocidente de Ai. No quarto versículo deste capítulo lemos que a emboscada deveria ficar "por trás" da cidade; e agora é dito que essa posição ficava no ocidente. Os homens enviados por Josué como uma emboscada aproximaram-se da cidade vindos do oriente; então acabaram estacionados a oeste da cidade. Isso era entre Betel e Ai. Ali permaneceram a noite inteira, esperando pelo "ataque" comandado por Josué, vindo da parte do oriente. Mas esse ataque era apenas um chamariz, e não um ataque verdadeiro.

Os intérpretes, entretanto, não conseguem concordar se a tropa posta de emboscada consistia nos trinta mil homens, ou se devemos pensar nos cinco mil homens referidos no versículo 12 deste capítulo. Todo esse problema é discutido nas notas expositivas sobre o terceiro versículo. Os críticos, por sua parte, pensam que duas fontes informativas da narrativa foram entrelaçadas, pelo que não concordam em todos os seus detalhes. Mas outros, conforme já pudemos mostrar, pensam em três contingentes diferentes de soldados de Israel — um grupo-chamariz, e dois grupos postos de emboscada. Também destaquei isso nas notas expositivas sobre o terceiro versículo deste capítulo. Ver os vss. 2, 3, 7, 12, 19 e 21 quanto à emboscada, que consistiria em um ou dois contingentes.

■ 8.10

וַיַּשְׁכֵּם יְהוֹשֻׁעַ בַּבֹּקֶר וַיִּפְקֹד אֶת־הָעָם וַיַּעַל הוּא
וְזִקְנֵי יִשְׂרָאֵל לִפְנֵי הָעָם הָעָי:

Levantou-se Josué de madrugada. Josué contou os seus homens, que ele encabeçaria como uma tropa chamariz, fingindo um "ataque" frontal contra a cidade de Ai. Não somos informados nas Escrituras sobre quantos seriam esses homens.

Os anciãos de Israel. O mais provável é que esses não fossem autoridades civis, e, sim, oficiais militares. O acampamento dos filhos de Israel ficava em Gilgal, pelo que a marcha, provavelmente, teve início ali. Ver Js 4.19; 5.9 e 9.6. Isso ficava a cerca de oito quilômetros a nordeste de Jericó. Mas Ai ficava a cerca de 36 quilômetros a oeste de Gilgal. Isso posto, o grupo do exército de Israel, comandado diretamente por Josué, pouco precisou marchar, pelo que iniciaram essa marcha pela manhã.

■ 8.11

וְכָל־הָעָם הַמִּלְחָמָה אֲשֶׁר אִתּוֹ עָלוּ וַיִּגְּשׁוּ וַיָּבֹאוּ נֶגֶד
הָעִיר וַיַּחֲנוּ מִצְּפוֹן לָעַי וְהַגַּי בֵּינוֹ וּבֵין־הָעָי:

E vieram defronte da cidade. O grupo comandado diretamente por Josué aproximou-se da cidade de Ai. Eles pararam em uma profunda ravina situada entre duas colinas; e foi ali que se acamparam. Os rabinos chamam esse lugar de Halacá. O inimigo, entrincheirado em Ai, podia olhar para o acampamento desse grupo de soldados, que, postado em nível bem mais baixo do que a cidade, seria mais facilmente identificado como um chamariz para as atenções dos defensores de Ai.

■ 8.12

וַיִּקַּח כַּחֲמֵשֶׁת אֲלָפִים אִישׁ וַיָּשֶׂם אוֹתָם אֹרֵב בֵּין
בֵּית־אֵל וּבֵין הָעַי מִיָּם לָעִיר:

Tomou também uns cinco mil homens. Um terceiro grupo armado, com cinco mil homens, também foi estacionado a oeste da cidade de Ai, presumivelmente com o propósito de deter qualquer tentativa de escape na direção de Betel. Se esse raciocínio está correto, então o exército defensor de Ai de súbito viu-se frente a frente com dois contingentes armados de Israel, no campo, ao mesmo tempo que um terceiro contingente estava ocupado a destruir, matar e despojar a cidade que os homens de Ai tinham abandonado a fim de perseguir o contingente dirigido por Josué. Todavia, alguns estudiosos pensam que o grupo de cinco mil homens era o mesmo grupo de trinta mil homens referidos no terceiro versículo deste capítulo, supondo que tivesse havido um erro de numeração, perpetrado por copistas, em algum manuscrito muito antigo. Ver sobre essas questões nos comentários do terceiro versículo.

Devemos observar que tanto os trinta mil quanto os cinco mil homens de Israel estavam estacionados a ocidente de Ai. Isso poderia sugerir que eles formassem um único grupo, embora não necessariamente. Jarchi e Kimchi, entretanto, pensam que esse grupo, referido neste versículo, representa um terceiro contingente de tropas israelitas, e também que eles estavam estacionados mais perto da cidade do que os trinta mil homens. A Septuaginta (tradução do Antigo Testamento hebraico para o grego, terminada em cerca de 200 a.C.) afirma que a força principal estava a leste da cidade; mas isso parece ir contra toda a estratégia de Josué.

■ 8.13

וַיָּשִׂימוּ הָעָם אֶת־כָּל־הַמַּחֲנֶה אֲשֶׁר מִצְּפוֹן לָעִיר
וְאֶת־עֲקֵבוֹ מִיָּם לָעִיר וַיֵּלֶךְ יְהוֹשֻׁעַ בַּלַּיְלָה הַהוּא
בְּתוֹךְ הָעֵמֶק:

E foi Josué aquela noite até ao meio do vale. Josué e seus homens exibiram-se à vista das forças defensoras de Ai e, mediante esse ato, como que disseram: "Venham apanhar-me!", açulando o adversário. A reação dos defensores de Ai foi imediata. O chamariz deu certo. O inimigo pôs-se a perseguir Josué e seus homens, correndo assim para dentro da emboscada que tinha sido armada contra eles. Josué e suas tropas deixaram a ravina profunda e foram para um lugar mais amplo e mais exposto do vale.

■ 8.14

וַיְהִי כִּרְאוֹת מֶלֶךְ־הָעַי וַיְמַהֲרוּ וַיַּשְׁכִּימוּ וַיֵּצְאוּ
אַנְשֵׁי־הָעִיר לִקְרַאת־יִשְׂרָאֵל לַמִּלְחָמָה הוּא
וְכָל־עַמּוֹ לַמּוֹעֵד לִפְנֵי הָעֲרָבָה וְהוּא לֹא יָדַע
כִּי־אֹרֵב לוֹ מֵאַחֲרֵי הָעִיר:

ele não sabia achar-se contra ele uma emboscada atrás da cidade. O rei-general da cidade de Ai viu Josué e suas tropas no vale e atirou-se contra eles, no afã de liquidar o maior número possível do inimigo. Levou consigo uma considerável força armada, deixando apenas um pequeno contingente para guardar a cidade. Desse modo, Ai não foi capaz de resistir aos trinta mil homens de Israel que, de súbito, desceram contra ela, vindos de outra direção. Todos os habitantes humanos foram mortos, sem uma única exceção. Mas os animais domesticados e os bens materiais foram tomados como despojos pelos soldados de Israel, que assim receberam um bom "salário", por sua tarefa de matança. Ver Js 8.2 quanto à permissão para os homens de Israel tomarem despojos, contra a ordem que governara o ataque inicial contra a cidade (ver Js 7).

■ 8.15

וַיִּנָּגְעוּ יְהוֹשֻׁעַ וְכָל־יִשְׂרָאֵל לִפְנֵיהֶם וַיָּנֻסוּ דֶּרֶךְ
הַמִּדְבָּר:

... se houveram como feridos diante deles. De acordo com o combinado, Josué e suas tropas fingiram-se derrotados, fazendo o rei de Ai acreditar que isso era um fato. "Fugiram pelo caminho do deserto. Não está em pauta algum deserto estéril, pois, de acordo com Kimchi e Ben Meleque, era um lugar de pasto para o gado, embora talvez uma continuação do deserto de Bete-Áven (18.12)" (John Gill, *in loc.*). Epifânio (*Cont. Her.* 1, vol. 2) ajuntou que tanto o deserto de Betel quanto o deserto de Efraim ficavam perto de Jericó.

■ 8.16

וַיִּזָּעֲקוּ כָּל־הָעָם אֲשֶׁר בָּעִיר לִרְדֹּף אַחֲרֵיהֶם וַיִּרְדְּפוּ
אַחֲרֵי יְהוֹשֻׁעַ וַיִּנָּתְקוּ מִן־הָעִיר:

Todo o povo. O termo "todo", aqui usado, deve ser entendido comparativamente. O rei-general de Ai deixou na sua cidade poucos homens para a sua defesa. Ou, então, em seu entusiasmo para aniquilar com o inimigo, ele, de fato, talvez tenha levado consigo todos os seus homens de guerra. E assim, a cidade ficou sem nenhuma proteção. O rei de Ai não queria assumir nenhum risco, porquanto viu um grande exército estacionado diante da cidade, no vale. Ele calculou mal as forças adversárias, e isso constituiu um erro fatal.

■ 8.17

וְלֹא־נִשְׁאַר אִישׁ בָּעַי וּבֵית אֵל אֲשֶׁר לֹא־יָצְאוּ אַחֲרֵי
יִשְׂרָאֵל וַיַּעַזְבוּ אֶת־הָעִיר פְּתוּחָה וַיִּרְדְּפוּ אַחֲרֵי
יִשְׂרָאֵל: פ

Nem um só homem ficou em Ai. Essa afirmação é enfática. Essas palavras querem dizer que não ficou soldado de Ai que não tivesse saído em perseguição a Josué e suas tropas. Os idosos e os enfermos, naturalmente, não saíram à caça dos israelitas. Portanto, ficaram em Ai as mulheres, as crianças e homens incapazes de defender a cidade. Eram "alvos fáceis". E logo trinta mil bem-treinados soldados israelitas estavam a aniquilá-los violentamente, enquanto os soldados de Ai estavam no vale, sofrendo a mesma sorte.

Nem em Betel. Essas palavras não aparecem na Septuaginta, e alguns críticos textuais supõem que isso represente o texto original. Entretanto, podemos admitir que essas palavras foram apagadas por copistas posteriores, perplexos diante do fato de se acharem no texto, pois Betel não era o alvo do ataque. John Gill (*in loc.*), entretanto, falava em uma confederação formada por Ai e Betel, contra Israel. Esses dois lugares ficavam afastados um do outro somente três quilômetros, e isso favoreceria uma confederação. Nesse caso, é estranho que o livro de Josué nada diga sobre a destruição de Betel, nessa oportunidade, o que teria sido um resultado natural de tal confederação. Josué, sem dúvida, achava-se em condição de também conquistar Betel, se todos os seus defensores a tivessem deixado, somente para serem mortos juntamente com os homens de Ai, no vale.

O rei-general de Ai, em sua pressa para dizimar Israel, chegou a deixar abertos os portões da cidade. E isso facilitou mais ainda o subsequente aniquilamento dos habitantes impotentes que ali ficaram.

Betel. Ver a respeito no *Dicionário*. Visto que essa cidade é aqui mencionada, isso talvez confirme a teoria de alguns intérpretes de que Betel e Ai fossem um único lugar. Ai tinha sido deixada em ruínas, desde cerca de 2200 a.C., e nunca mais foi reconstruída; os seus habitantes, conforme tudo faz crer, foram-se para Betel. Ou então, conforme alguns estudiosos supõem, eles construíram uma nova cidade de Ai, que a arqueologia ainda não pôde encontrar. Ou ainda, talvez, o intuito do autor sacro seja dizer-nos que soldados de Betel vieram ajudar os homens de Ai, na ocasião sobre a qual estamos tratando.

■ 8.18

וַיֹּאמֶר יְהוָה אֶל־יְהוֹשֻׁעַ נְטֵה בַּכִּידוֹן אֲשֶׁר־בְּיָדְךָ אֶל־הָעַי כִּי בְיָדְךָ אֶתְּנֶנָּה וַיֵּט יְהוֹשֻׁעַ בַּכִּידוֹן אֲשֶׁר־בְּיָדוֹ אֶל־הָעִיר:

Estende a lança que tens na mão. O gesto de obliteração. Yahweh ordenou que Josué fizesse um ato semelhante àquele de Moisés, ao levantar a vara por ocasião da travessia do mar de Juncos (ver a respeito no *Dicionário*). Josué estendeu sua lança na direção de Ai, e assim tornou-a *herem* (ver Js 6.17) a Yahweh, ou seja, algo dedicado em holocausto. Cf. também Êx 17.8-16. Esse gesto indicava uma maldição divina, absolutamente fatal para todos os habitantes da cidade. O cálice da iniquidade daquele povo estava repleto, afinal (ver Gn 15.16), e o território passava agora para as mãos de um povo diferente.

É Deus que determina às nações as suas fronteiras nacionais, bem como o tempo em que os povos ocuparão seus respectivos territórios (ver At 17.26). O dia de Ai havia terminado, abrupta e violentamente. E havia começado o dia de Israel, embora tivesse de terminar, por igual modo, nos cativeiros; e isso, pela mesma razão: a iniquidade. Ver no *Dicionário* o verbete intitulado *Cativeiro* (*Cativeiros*).

Alguns estudiosos supõem que a lança de Josué tivesse alguma espécie de pendão, ou coisa parecida, e que o gesto feito por Josué foi um sinal para os trinta mil israelitas emboscados lançarem o seu ataque. Assim explicaram a questão tanto Abarbinel quanto Ben Meleque.

■ 8.19

וְהָאוֹרֵב קָם מְהֵרָה מִמְּקוֹמוֹ וַיָּרוּצוּ כִּנְטוֹת יָדוֹ וַיָּבֹאוּ הָעִיר וַיִּלְכְּדוּהָ וַיְמַהֲרוּ וַיַּצִּיתוּ אֶת־הָעִיר בָּאֵשׁ:

Então a emboscada se levantou. Os trinta mil homens emboscados de Israel se haviam ocultado no lado ocidental da cidade de Ai. Entendendo o gesto de Josué (ver o versículo anterior) como uma ordem de ataque, eles saíram de seus esconderijos e desfecharam o ataque. Começou prontamente a missão de matar e incendiar da qual estavam encarregados. Encontraram Ai sem defesa, e ofereceram a cidade como um holocausto a Yahweh. O toque final consistiu em incendiar tudo quanto havia na cidade. O fogo e a fumaça serviram de sinal, a Josué, de que se obtivera total triunfo contra a cidade, e isso, por sua vez, significava que a batalha no vale tinha de começar, a fim de completar a matança do dia. Foi o fogo do Senhor (ver as notas sobre o versículo oitavo deste capítulo), porque por sua ordem houve tal destruição de vidas e de coisas materiais.

■ 8.20

וַיִּפְנוּ אַנְשֵׁי הָעַי אַחֲרֵיהֶם וַיִּרְאוּ וְהִנֵּה עָלָה עֲשַׁן הָעִיר הַשָּׁמַיְמָה וְלֹא־הָיָה בָהֶם יָדַיִם לָנוּס הֵנָּה וָהֵנָּה וְהָעָם הַנָּס הַמִּדְבָּר נֶהְפַּךְ אֶל־הָרוֹדֵף:

Virando-se os homens de Ai para trás. Os supostos fugitivos repentinamente transformaram-se em atacantes. Nada nos é dito sobre as ações dos cinco mil homens adicionais de Israel (vs. 12), mas os intérpretes costumam falar sobre um movimento de pinça ocorrido no vale, supondo que os homens armados de Ai tivessem sido apanhados entre duas forças de Israel. Eles olhavam, desesperados, para o fumo que subia de sua cidade incendiada, sabendo perfeitamente que todos os seres humanos da cidade tinham sido mortos, e que nenhum deles havia sobrevivido. E, logo em seguida, tiveram de enfrentar seu próprio desespero pessoal no vale. Entrementes, o incêndio despertou o júbilo por parte dos homens de Israel. Outra grande vitória tinha sido obtida. A guerra santa mostrou-se um grande sucesso, tal como havia sucedido com Jericó. A parte ocidental da Terra Prometida estava praticamente conquistada.

■ 8.21,22

וִיהוֹשֻׁעַ וְכָל־יִשְׂרָאֵל רָאוּ כִּי־לָכַד הָאֹרֵב אֶת־הָעִיר וְכִי עָלָה עֲשַׁן הָעִיר וַיָּשֻׁבוּ וַיַּכּוּ אֶת־אַנְשֵׁי הָעָי:

וְאֵלֶּה יָצְאוּ מִן־הָעִיר לִקְרָאתָם וַיִּהְיוּ לְיִשְׂרָאֵל בַּתָּוֶךְ אֵלֶּה מִזֶּה וְאֵלֶּה מִזֶּה וַיַּכּוּ אוֹתָם עַד־בִּלְתִּי הִשְׁאִיר־לוֹ שָׂרִיד וּפָלִיט:

Vendo Josué e todo o Israel. O vale fronteiro a Ai tornou-se um palco de matança, quando Josué e seus homens voltaram-se e atacaram os soldados de Ai. E estes, já havendo perdido praticamente tudo, provavelmente nem tiveram ânimo para oferecer maior resistência. As tropas de Israel que haviam destruído a cidade nada mais tinham de fazer, pelo que uma boa parte delas também deve ter-se lançado ao vale, a fim de ajudar Josué a terminar com o exército de Ai. Todavia, nada nos é dito sobre a participação possível dos cinco mil homens de Israel, referidos no versículo 12 deste capítulo, o que pode servir de fator favorável à interpretação de que o grupo emboscado de cinco mil homens e o grupo emboscado de trinta mil homens formavam um só contingente, talvez dividido em dois corpos, por uma pequena distância um do outro. Ver as notas expositivas sobre o terceiro versículo deste capítulo, quanto a tais especulações.

■ 8.23

וְאֶת־מֶלֶךְ הָעַי תָּפְשׂוּ חָי וַיַּקְרִבוּ אֹתוֹ אֶל־יְהוֹשֻׁעַ:

Ao rei de Ai tomaram vivo. O rei-general de Ai foi poupado na batalha e foi levado com vida à presença de Josué. seu destino, que se consumaria algumas horas mais tarde, foi ser enforcado e pendurado em uma árvore, até o entardecer. Foi um fim especialmente brutal, servindo de emblema da vitória de Israel, de modo que todos os israelitas se regozijassem diante da cena sangrenta (vs. 29). "Pouparam-no, mas somente para reservar para ele uma morte ainda mais vergonhosa" (John Gill, *in loc.*).

Alguns intérpretes têm retrocedido diante da descrição, não conseguindo reconciliar o Deus de amor com cenas de carnificina dessa ordem. O Novo Testamento, porém, vem em nosso socorro.

■ 8.24

וַיְהִי כְּכַלּוֹת יִשְׂרָאֵל לַהֲרֹג אֶת־כָּל־יֹשְׁבֵי הָעַי בַּשָּׂדֶה בַּמִּדְבָּר אֲשֶׁר רְדָפוּם בּוֹ וַיִּפְּלוּ כֻלָּם לְפִי־חֶרֶב עַד־תֻּמָּם וַיָּשֻׁבוּ כָל־יִשְׂרָאֵל הָעַי וַיַּכּוּ אֹתָהּ לְפִי־חָרֶב:

Todo o Israel voltou a Ai e a passaram ao fio da espada. Isso depois de terem sido mortos todos os homens de Ai que foram encontrados "no campo e no deserto". Foi uma operação de "limpeza". Todos os habitantes de Ai receberam o mesmo tratamento — mulheres, crianças e pessoas de idade —, todos foram executados. A guerra santa era guerra de extermínio.

■ 8.25

וַיְהִי כָל־הַנֹּפְלִים בַּיּוֹם הַהוּא מֵאִישׁ וְעַד־אִשָּׁה שְׁנֵים עָשָׂר אָלֶף כֹּל אַנְשֵׁי הָעָי:

Foram doze mil. A contagem dos corpos mostrou que a população completa de Ai consistia em doze mil pessoas. E nenhum único indivíduo foi deixado com vida, excetuando, momentaneamente, o rei-general da cidade. Mas logo ele receberia a mesma sorte de todos os seus súditos, conforme já vimos, e ainda veremos no vs. 29, onde a informação a respeito dele é reiterada, com alguns detalhes.

Não somos informados nas Escrituras a respeito de quantos homens Israel perdeu; mas foram tão poucos, sem dúvida, que esse detalhe não foi digno de ser mencionado. Doze mil pessoas, como havia em Ai, era uma população relativamente pequena, e isso é confirmado pela palavra de Js 7.3: "porque são poucos os inimigos".

■ 8.26

וִיהוֹשֻׁעַ לֹא־הֵשִׁיב יָדוֹ אֲשֶׁר נָטָה בַּכִּידוֹן עַד אֲשֶׁר הֶחֱרִים אֵת כָּל־יֹשְׁבֵי הָעָי:

Porque Josué não retirou a mão. Não houve nenhum sinal de misericórdia. Não foram feitos prisioneiros de guerra. A "espada de Josué" continuou cortando e decepando, até que nenhum ser humano de Ai restou com vida. Este versículo fornece uma breve, mas arrepiante descrição daquilo que o versículo anterior aponta somente como dado estatístico. Cf. a matança efetuada por ordem de Moisés, em Êx 17.12,13.

■ 8.27

רַק הַבְּהֵמָה וּשְׁלַל הָעִיר הַהִיא בָּזְזוּ לָהֶם יִשְׂרָאֵל כִּדְבַר יְהוָה אֲשֶׁר צִוָּה אֶת־יְהוֹשֻׁעַ:

Saquearam... o gado e os despojos. Este versículo repete as informações dadas em Js 8.2. Foi permitido aos soldados israelitas tomar despojos. Eles tinham feito um bom trabalho naquele dia, e mereciam receber um salário. Isso era contrário às regras normais que prevaleciam nas guerras santas (ver Dt 7.1-5), sendo medida permitida somente para cidades que ficavam fora das fronteiras de Israel (ver Dt 10.10-18). Não sabemos dizer por que foi aberta essa exceção. Por esse motivo, Yahweh recebeu um *herem* reduzido (ver Js 6.17). Mas este versículo deixa claro que o próprio Yahweh permitiu a exceção, contentando-se com um *herem* reduzido. Acã tinha sido executado por haver tomado despojos. Se ele não tivesse sido apressado, compartilharia dos despojos por ocasião do segundo ataque contra Ai.

■ 8.28

וַיִּשְׂרֹף יְהוֹשֻׁעַ אֶת־הָעָי וַיְשִׂימֶהָ תֵּל־עוֹלָם שְׁמָמָה עַד הַיּוֹם הַזֶּה:

A um montão, a ruínas até ao dia de hoje. Temos aqui o perene montão. A palavra aqui usada, no original hebraico, é *tell*, que significa, tecnicamente, na arqueologia, um cômoro, uma colina feita pelo homem, no espaço de gerações sucessivas, onde ele habita, e onde algumas descobertas têm sido feitas. Essa disciplina informa-nos que, em cerca de 2200 a.C. (antes da época de Josué, por conseguinte), Ai já era um montão de escombros. Os arqueólogos, por isso mesmo, continuam em busca da outra Ai, que deve situar-se em algum lugar das vizinhanças. Alguns eruditos afirmam que está em pauta a cidade de Betel, neste texto, visto que os habitantes originais se mudaram para Betel, após a destruição da Ai original. Quanto a detalhes sobre essas questões, ver as notas de introdução ao capítulo 7 do livro de Josué, onde ofereci várias soluções que têm sido propostas pelos estudiosos.

Ai Nunca Mais Seria Edificada. Isso a exemplo de Jericó. E também fica assim ilustrado o poder de Yahweh de reduzir tudo a mero *herem*. Quando o autor sagrado escreveu a narrativa, tinha consciência do cômoro ali existente, sendo provável que o tenha visto pessoalmente.

Ai era chamada de "ruína" (Ha'ai, ou seja, Ai). Onde doze mil seres humanos tinham vivido, amado e cultivado suas esperanças, restavam agora escombros poeirentos, com ossos por baixo.

■ 8.29

וְאֶת־מֶלֶךְ הָעַי תָּלָה עַל־הָעֵץ עַד־עֵת הָעָרֶב וּכְבוֹא הַשֶּׁמֶשׁ צִוָּה יְהוֹשֻׁעַ וַיֹּרִידוּ אֶת־נִבְלָתוֹ מִן־הָעֵץ וַיַּשְׁלִיכוּ אוֹתָהּ אֶל־פֶּתַח שַׁעַר הָעִיר וַיָּקִימוּ עָלָיו גַּל־אֲבָנִים גָּדוֹל עַד הַיּוֹם הַזֶּה: פ

Ao rei de Ai. Ao rei-general de Ai estava reservada uma morte vergonhosa. Não somos informados sobre como ele foi morto; mas o mais provável é que ele tenha sido assassinado à espada. Ato contínuo, seu cadáver foi pendurado em uma árvore, para ser sujeitado ao ridículo. É como se o cadáver transmitisse esta mensagem: "Eis o que acontece ao homem que se opõe a Israel". Ver os trechos de Js 10.26 e Dt 21.22 quanto a essa prática antiga. A lei de Dt 21.23 proibia que um cadáver ficasse exposto para além do fim do dia, o que, entre os judeus, dava-se às 18 horas, de acordo com o costume moderno. Mas isso representava uma lei posterior. É provável que, originalmente, um cadáver ficasse exposto até apodrecer (ver 2Sm 21.9). No caso presente, o corpo do rei de Ai foi tirado da árvore antes do cair da noite, sendo lançado ao que fora a entrada de Ai, e sepultado sob uma pilha de pedras, formando assim mais um memorial de pedras. A Septuaginta diz aqui "em uma cova", mas por certo essa é uma informação incorreta. O autor sagrado tinha conhecimento da pilha de pedras, e talvez até a tenha visto. Cf. os outros memoriais feitos de pilhas de pedras, em Js 4.3,9 e 7.26. Cada incidente memorável era assim assinalado, a fim de perpetuar o acontecido para as gerações seguintes. Ver Js 4.6,21.

"Essa forma de sepultamento era outra maldição, uma sequela apropriada ao fato de o indivíduo ter sido pendurado em uma árvore" (Ellicott, *in loc.*).

"Entre os romanos, a árvore onde um criminoso fosse enforcado era chamada de arbor infeliz, ou *lignum infelix*, isto é, árvore ou lenho infeliz.

UM ALTAR É ERIGIDO NO MONTE EBAL (8.30-35)

■ 8.30,31

אָז יִבְנֶה יְהוֹשֻׁעַ מִזְבֵּחַ לַיהוָה אֱלֹהֵי יִשְׂרָאֵל בְּהַר עֵיבָל:

כַּאֲשֶׁר צִוָּה מֹשֶׁה עֶבֶד־יְהוָה אֶת־בְּנֵי יִשְׂרָאֵל כַּכָּתוּב בְּסֵפֶר תּוֹרַת מֹשֶׁה מִזְבַּח אֲבָנִים שְׁלֵמוֹת אֲשֶׁר לֹא־הֵנִיף עֲלֵיהֶן בַּרְזֶל וַיַּעֲלוּ עָלָיו עֹלוֹת לַיהוָה וַיִּזְבְּחוּ שְׁלָמִים:

Então Josué edificou um altar. Há fortes evidências de que os arqueólogos encontraram esse preciso altar recentemente. Há um artigo sobre o assunto no *Dicionário*, intitulado Altar de Josué. Além destes dois versículos, ver também Dt 27.5. As instruções baixadas em Dt 11.29,30 e 27.2-8,11-14 foram agora cumpridas, conforme os versículos 30-35 deste capítulo nos dizem. Segue-se uma lista de bênçãos e maldições. Embora não tenha sido usado o vocábulo, a cerimônia representou uma ratificação do pacto (cf. Js 24.19-27 e Êx 23.3-8). Os vss. 30-35 deste capítulo têm como paralelo o trecho de Js 24.1-28.

No monte Ebal. Ver a respeito no *Dicionário*. Hodiernamente, esse monte chama-se Jebel Eslamiyeh e se ergue bem ao norte de Nablus. O Pentateuco Samaritano, em Dt 27.4, diz Gerizim, em lugar de Ebal, mas essa foi uma modificação feita a fim de propagar a noção dos samaritanos de que o monte Gerizim era o lugar santo, perpetuamente. Em nossos dias, o monte Gerizim é chamado Jebel et-Tor, e fica defronte do monte Ebal. O altar ali erigido era feito de pedras não lavradas (ver Dt 27.5,6; Êx 20.25,26). Tornou-se um lugar de oferendas feitas a Yahweh e, provavelmente, permaneceu um santuário por muito tempo em seguida. Era um altar de ação de graças e de adoração. Mediante a ajuda conferida por Yahweh, Israel muito havia avançado, desde que saíra do Egito, e agora estava começando a apossar-se da Terra Prometida.

Josué Guiou Israel em uma Peregrinação Espiritual. Essa peregrinação teve início antes de a conquista da Terra Prometida ter prosseguimento, porque assim ditavam as ordens emanadas através de Moisés (ver Dt 27.1-8). Os filhos de Israel, com tudo quanto possuíam, deixaram Gilgal e encaminharam-se na direção norte, pelo vale do rio Jordão, até ao monte Ebal, que fica perto de Siquém. A marcha cobriu uma distância de cerca de 48 quilômetros. Foi uma marcha pacífica, pois, por enquanto, nenhuma batalha fora ferida. O que Josué fez pode ter parecido uma tolice, pela ótica da arte militar; mas foi espiritualmente proveitoso.

Sobre ele ofereceram holocaustos. Ver Lv 1.3-17 e, quanto a notas ainda mais expandidas, ver Lv 6.9-13.

Apresentei um gráfico ilustrativo dos muitos tipos de oferendas que havia no sistema levítico, nas páginas imediatamente anteriores à exposição sobre Lv 1.1

Os Falsos Deuses dos Cananeus. As divindades imaginárias de Jericó e de Ai tinham caído juntamente com os seus adoradores idólatras, e agora o yahwismo estava fazendo significativos avanços na Terra Prometida. A nação de Israel proclamava publicamente a sua fé em Yahweh através desses sacrifícios e oferendas.

■ 8.32

וַיִּכְתָּב־שָׁם עַל־הָאֲבָנִים אֵת מִשְׁנֵה תּוֹרַת מֹשֶׁה אֲשֶׁר כָּתַב לִפְנֵי בְּנֵי יִשְׂרָאֵל׃

Escreveu ali em pedras uma cópia da lei. Laboriosamente, Josué inscreveu a lei mosaica (provavelmente os *Dez Mandamentos*) sobre pedras, enquanto Israel contemplava a tudo, de modo aprovador. Era a lei que fazia Israel tornar-se uma nação distinta. Ver as notas expositivas sobre Dt 26.19. Ver no *Dicionário* o artigo chamado *Obediência*, como também Dt 32.46 e suas notas expositivas.

Poder-se-ia entender, com base no presente versículo, que a inscrição da lei foi feita sobre o próprio altar de pedras, mas o trecho de Dt 27.1-4 refere-se a pedras empilhadas especialmente com o propósito de receber a inscrição. Além dos Dez Mandamentos (ver a respeito no *Dicionário*), é provável que também tenham sido inscritas as bênçãos e as maldições (que aparecem em seguida), naquelas pedras (conforme afirmou Ben Gersom).

"Os arqueólogos têm descoberto colunas ou estelas com inscrições similares, entre 1,80 m e 2,40 m de altura, em vários pontos do Oriente Próximo e Médio. E a inscrição de Behistun, no Irã, tem três vezes o tamanho do livro de Deuteronômio" (Donald K. Campbell, *in loc.*).

■ 8.33

וְכָל־יִשְׂרָאֵל וּזְקֵנָיו וְשֹׁטְרִים וְשֹׁפְטָיו עֹמְדִים מִזֶּה וּמִזֶּה לָאָרוֹן נֶגֶד הַכֹּהֲנִים הַלְוִיִּם נֹשְׂאֵי אֲרוֹן בְּרִית־יְהוָה כַּגֵּר כָּאֶזְרָח חֶצְיוֹ אֶל־מוּל הַר־גְּרִזִים וְהַחֶצְיוֹ אֶל־מוּל הַר־עֵיבָל כַּאֲשֶׁר צִוָּה מֹשֶׁה עֶבֶד־יְהוָה לְבָרֵךְ אֶת־הָעָם יִשְׂרָאֵל בָּרִאשֹׁנָה׃

Monte Gerizim... Monte Ebal. Eram dois picos gêmeos, e a localização deles oferecia um modo fácil de separar o povo de Israel em dois grupos, imitando o que Moisés tinha feito em uma ocasião anterior. Ver Dt 27.12. O propósito da cerimônia era ilustrar de maneira gráfica as bênçãos (por uma parte) e as maldições (por outra parte). Os hebreus estariam sempre entre essas duas possibilidades, tudo dependendo de como se comportassem diante da lei de Moisés: em obediência ou em desobediência.

No monte Gerizim reuniram-se as tribos de Simeão, Levi, Judá, Issacar, José (Efraim e Manassés) e Benjamim.

No monte Ebal, por sua vez, reuniram-se as tribos de Rúben, Gade, Aser, Zebulom, Dã e Naftali. Ver as notas expositivas sobre Dt 27.12,13.

■ 8.34

וְאַחֲרֵי־כֵן קָרָא אֶת־כָּל־דִּבְרֵי הַתּוֹרָה הַבְּרָכָה וְהַקְּלָלָה כְּכָל־הַכָּתוּב בְּסֵפֶר הַתּוֹרָה׃

Depois leu todas as palavras da lei. É provável que isso aluda às bênçãos e às maldições listadas por extenso em Dt 27.12-26, porquanto a cerimônia anterior, presidida por Moisés, agora estava sendo repetida. Podemos supor, igualmente, que houvesse outra ratificação dos pactos Mosaico e Palestino. Quanto a esses dois pactos ver, respectivamente, a introdução ao capítulo 19 do livro de Êxodo e a introdução ao capítulo 29 de Deuteronômio. Tanto as bênçãos como as maldições dependiam totalmente da lei mosaica, sendo análogas a mandamentos específicos, de natureza positiva ou negativa.

■ 8.35

לֹא־הָיָה דָבָר מִכֹּל אֲשֶׁר־צִוָּה מֹשֶׁה אֲשֶׁר לֹא־קָרָא יְהוֹשֻׁעַ נֶגֶד כָּל־קְהַל יִשְׂרָאֵל וְהַנָּשִׁים וְהַטַּף וְהַגֵּר הַהֹלֵךְ בְּקִרְבָּם׃ פ

Para toda a congregação de Israel. A comunidade inteira de Israel fez-se presente, incluindo as mulheres, as crianças e até os estrangeiros que se tinham convertido ao yahwismo. Josué não se esqueceu de coisa alguma, e não negligenciou nenhum dos preceitos ordenados por Moisés. Cf. Êx 24.7, onde somos informados que Moisés "tomou o livro da aliança, e o leu".

Não obstante, "é trágico que as afirmações daquelas horas momentosas tenham sido olvidadas tão rapidamente" (Donald K. Campbell, *in loc.*).

CAPÍTULO NOVE

O LOGRO DOS GIBEONITAS (9.1-27)

Os gibeonitas, tendo pleno conhecimento da potência militar em que Israel se havia transformado, procuraram salvar a própria pele mediante um tratado. Eles fingiram ter vindo de um país distante, e assim conseguiram enganar os filhos de Israel. Quando o golpe astucioso foi descoberto, Israel viu-se forçado a honrar o acordo firmado. O resultado foi que os gibeonitas não foram destruídos, mas apenas reduzidos à servidão, tendo de ocupar-se dos trabalhos braçais mais humildes. Posteriormente, porém, muitos gibeonitas tornaram-se servos do templo, em Jerusalém. Ver 2Sm 21.2. Assim sendo, embora Israel não tenha podido efetuar todas as determinações da guerra santa (ver as notas a respeito em Dt 7.1-5 e 20.10-18), eles se beneficiaram do trabalho gratuito prestado pelos gibeonitas. As circunstâncias não chegaram a impedir a conquista da Terra Prometida, que era a questão que realmente estava em jogo.

A Campanha do Sul. Antes mesmo do começo da invasão da parte ocidental da Terra Prometida (à margem direita do Jordão), já havia sido tomada a parte *oriental*, ou seja, a Transjordânia (ver a respeito no *Dicionário*), pelas tribos de Rúben, Gade e a meia tribo de Manassés. Ver Nm 32.31 ss. e 34.14,15 quanto à história. Então a atenção de Israel voltou-se para o *ocidente*. Cruzando o rio Jordão, Israel conquistou Jericó e Ai. Sem dúvida alguma, outros lugares foram conquistados no ocidente, os quais o autor sagrado não se importou em mencionar. Ver a destruição das cidades de Jericó e Ai nos capítulos 5—8 do livro de Josué. Agora, a atenção de Israel voltou-se para a região sul da Terra Prometida. Os capítulos 9 e 10 descrevem a campanha militar do sul. O capítulo 9 refere-se à circunstância do pecado cometido com os gibeonitas, enquanto o capítulo 10 apresenta detalhes concernentes a algumas das batalhas efetuadas na região sul da Terra Prometida.

Muitos intérpretes supõem que aquilo que aconteceu no tocante a Gibeom não tenha sido mesmo o melhor que poderia ter sucedido, pois o melhor teria sido a guerra santa. Parte dessa interpretação é a suposição de que a nação de Israel, tendo alcançado grandes vitórias, não estivesse atenta, mas deveria ser esperta o bastante para evitar a aliança. A grande questão é por que eles acharam necessário honrar o pacto feito com os gibeonitas, visto que este tinha sido forçado sobre eles por meio de um logro.

■ 9.1

וַיְהִי כִשְׁמֹעַ כָּל־הַמְּלָכִים אֲשֶׁר בְּעֵבֶר הַיַּרְדֵּן בָּהָר וּבַשְּׁפֵלָה וּבְכֹל חוֹף הַיָּם הַגָּדוֹל אֶל־מוּל הַלְּבָנוֹן הַחִתִּי וְהָאֱמֹרִי הַכְּנַעֲנִי הַפְּרִזִּי הַחִוִּי וְהַיְבוּסִי׃

Ouvindo isto todos os reis, que estavam daquém do Jordão. A resistência generalizada ao avanço de Israel, da parte de vários pequenos reis, incluiu os povos aqui mencionados; e sobre cada um deles há artigos no *Dicionário*. Nada menos que *sete nações* tinham de ser expulsas do território da terra de Canaã. Ver os comentários em Êx 33.2 e Dt 7.1. A lista que figura neste versículo corresponde à relação de Dt 7.1, embora sejam omitidos os girgaseus. As autoridades judaicas supõem que essa omissão se deva à natureza insignificante dos *girgaseus*, que eram poucos em número. Alguns manuscritos da Septuaginta adicionam o nome desse povo, mas isso é apenas uma glosa.

"Os reis *daquém*, ou seja, da parte 'ocidental' (ver 5.1) do Jordão, foram agrupados de acordo com as áreas geográficas que compreendem a maior parte da Palestina: *a região montanhosa* (ou seja, a serra montanhosa central); as *terras baixas* (ou seja, a Sefelá; ver Js 10.40); e a *planície costeira*, que se estendia para o norte, chegando até o Líbano" (John Bright, *in loc.*).

As *causas más* têm uma maneira toda especial de atrair certa *unidade de propósitos* que lhes confere uma aura de respeitabilidade, e até de razão. Com frequência, as causas boas são deixadas em estado de desorganização. Foi por esse motivo que poderosas confederações de povos cananeus se formaram tanto no sul quanto no norte da Terra Prometida, na tentativa de impedir o avanço dos hebreus.

■ 9.2

וַיִּתְקַבְּצוּ יַחְדָּו לְהִלָּחֵם עִם־יְהוֹשֻׁעַ וְעִם־יִשְׂרָאֵל פֶּה אֶחָד: פ

... se ajuntaram eles de comum acordo. Temos aí a *unidade em torno da perversão; unidade em torno do poder; unidade em torno de certos propósitos*. A resistência organizada, por parte de seus adversários, custou a Israel muitas vidas, e chegou até a impossibilitar o completo cumprimento da conquista da Terra Prometida. Somente durante o reinado de Salomão todo o território prometido a Israel passou para o seu controle. Há certa solidariedade em torno das causas más. Embora antes tivessem sido inimigos figadais, Pilatos e Herodes tornaram-se amigos a fim de se oporem a Jesus e às suas reivindicações (ver Lc 23.12).

■ 9.3

וְיֹשְׁבֵי גִבְעוֹן שָׁמְעוּ אֵת אֲשֶׁר עָשָׂה יְהוֹשֻׁעַ לִירִיחוֹ וְלָעָי:

Os moradores de Gibeom. Os versículos 13 a 15 deste capítulo informam-nos que os *gibeonitas* não tomaram parte na aliança de resistência a Israel, mas preferiram uma abordagem diferente para o problema. Eles enganaram Israel e assim conseguiram assinar um pacto com o povo de Deus. Ver as notas de introdução ao presente capítulo. Emissários, disfarçados de modo a parecerem ter vindo de um país distante, fizeram uma viagem até Gilgal, com engano no coração. A cidade de Gibeom, modernamente *ej-Jib*, fica a apenas dez quilômetros a noroeste de Jerusalém, e a cerca de onze quilômetros a sudoeste de Ai.

Gibeom. Ver o artigo detalhado sobre essa localidade no *Dicionário*. Também apresento ali um detalhado artigo sobre os *Gibeonitas*. Gibeom tornou-se conhecida como uma importante cidade (ver Js 10.2), sendo cabeça de uma pequena confederação que incorporava várias cidades circunvizinhas (Js 9.17). Na divisão do território, essa área tornou-se propriedade de Benjamim (ver Js 18.25) e mais tarde foi entregue aos sacerdotes (ver Js 21.17). Os gibeonitas eram parte dos heveus, conforme somos informados no versículo 7 deste capítulo.

■ 9.4

וַיַּעֲשׂוּ גַם־הֵמָּה בְּעָרְמָה וַיֵּלְכוּ וַיִּצְטַיָּרוּ וַיִּקְחוּ שַׂקִּים בָּלִים לַחֲמוֹרֵיהֶם וְנֹאדוֹת יַיִן בָּלִים וּמְבֻקָּעִים וּמְצֹרָרִים:

Usaram de estratagema. O grande engano. Os gibeonitas apresentavam um terrível aspecto; todo o equipamento deles estava desgastado, velho e sujo; seus odres de água estavam estragados. Eles formavam um triste espetáculo, e pareciam ter caminhado por centenas de quilômetros a fim de entrevistarem Josué e fazerem com ele um pacto, em vez de terem de enfrentar os horrores de uma guerra santa (comentada em Dt 7.1-5 e 20.10-18). Aquela foi uma ocasião em que um mau aspecto serviu de grande ajuda. Os gibeonitas foram salvos por causa de sua aparência tão digna de comiseração. "Por muitas vezes, aqueles que são motivados pelos seus próprios interesses usam máscaras e disfarces realmente estranhos. Jesus referiu-se a esses como lobos vestidos em peles de ovelhas. Não podemos confiar na aparência das pessoas e das coisas. Nem sempre podemos julgar a partir da aparência" (Joseph R. Sizoo, *in loc.*). Carl Jung ensinou que a maioria das pessoas usa, de contínuo, uma máscara, a qual esconde quem realmente elas são. A *persona* que vemos não é a verdadeira pessoa. Usualmente, o próprio indivíduo engana a si mesmo, e somente através dos sonhos, das visões e de outras experiências místicas é que a pessoa descobre o seu próprio "eu". O homem identifica-se com a sua "máscara", perdendo de vista a sua própria personalidade. Ele se tornou um ator dentro de um sonho, e não mais uma pessoa genuína, dotada de discernimento espiritual.

■ 9.5

וּנְעָלוֹת בָּלוֹת וּמְטֻלָּאוֹת בְּרַגְלֵיהֶם וּשְׂלָמוֹת בָּלוֹת עֲלֵיהֶם וְכֹל לֶחֶם צֵידָם יָבֵשׁ הָיָה נִקֻּדִים:

Sandálias velhas... roupas velhas... O disfarce era, realmente, elaborado. Eles chegaram em trapos, em frangalhos. E as provisões de boca que traziam estavam praticamente estragadas. O caminho da maldade é esperto e astuto. É conforme alguém já disse: "Satanás chega com um belo terno e com gravata branca". Algumas vezes, os assaltantes das ruas vestem-se bem, para poderem enganar melhor as suas vítimas, as quais apanham descuidadas. No caso dos gibeonitas, entretanto, o ato foi exatamente o oposto. O velho e o estragado serviram de artifícios para enganar.

■ 9.6

וַיֵּלְכוּ אֶל־יְהוֹשֻׁעַ אֶל־הַמַּחֲנֶה הַגִּלְגָּל וַיֹּאמְרוּ אֵלָיו וְאֶל־אִישׁ יִשְׂרָאֵל מֵאֶרֶץ רְחוֹקָה בָּאנוּ וְעַתָּה כִּרְתוּ־לָנוּ בְרִית:

Chegamos duma terra distante. Os lugares fora das fronteiras da Palestina não eram alvos da guerra santa movida por parte de Israel, e os hebreus tinham permissão de entrar em acordos de paz com esses povos. Ver Dt 20.15,16. Parece que o texto sagrado nos está dizendo que os gibeonitas sabiam dessa permissão e dela tiraram proveito. Eles apresentaram-se como indivíduos que chegaram de um lugar remoto, mas a verdade é que tinham caminhado somente cerca de dez quilômetros! No começo, o ardil ainda deu motivos de suspeita (vss. 7 e 8), mas o drama muito astuto acabou convencendo Josué (vs. 15).

■ 9.7

וַיֹּאמְרוּ אִישׁ־יִשְׂרָאֵל אֶל־הַחִוִּי אוּלַי בְּקִרְבִּי אַתָּה יוֹשֵׁב וְאֵיךְ אֶכְרָת־לְךָ בְרִית:

Heveus. Ver sobre esse povo em Gn 10.17 e suas notas expositivas. O presente versículo revela-nos que os gibeonitas pertenciam a esse grupo étnico. Josué até suspeitou estar sendo ludibriado, tendo-os reconhecido como um dos povos do território, que "habitavam" entre os demais; mas os gibeonitas foram capazes de anular essa impressão original e correta, com uma contínua argumentação.

Os gibeonitas, na verdade, eram descendentes remotos de Canaã, filho de Cão (ver Gn 10.17). Talvez os heveus também fossem horeus. Em Gn 36.2, Zibeão é chamado de "heveu", mas em Gn 36.20 é chamado de "horeu". É possível que esses dois povos fossem aparentados próximos.

Porventura habitais no meio de nós. Vemos aqui que os israelitas já estavam falando na Terra Prometida como pertencente a eles, e também como se os povos cananeus é que habitassem "entre eles". Os israelitas tinham sido proibidos pelo Senhor de entrar em pacto com qualquer dos cananeus que habitassem a Terra Prometida (ver Dt 7.2).

■ 9.8

וַיֹּאמְרוּ אֶל־יְהוֹשֻׁעַ עֲבָדֶיךָ אֲנָחְנוּ וַיֹּאמֶר אֲלֵהֶם יְהוֹשֻׁעַ מִי אַתֶּם וּמֵאַיִן תָּבֹאוּ:

Quem sois vós? Donde vindes? Josué exigiu que eles se identificassem, dizendo também de onde tinham vindo. As mentiras que se seguiram, porém, convenceram-no de modo contrário à sua impressão original e à sua intuição (ver o vs. 7). Os gibeonitas atuaram "em meio a grande humildade mental" (John Gill, *in loc.*), mesmo porque corriam perigo de vida. Estavam prestes a tornar-se escravos; mas preferiam isso a ter de enfrentar a guerra santa. "Homens bons com frequência são apanhados pela astúcia do mal" (Joseph R. Sizoo, *in loc.*). Os gibeonitas falaram habilmente, com uma mistura de verdades, mentiras e hipocrisias.

■ 9.9

וַיֹּאמְר֣וּ אֵלָ֗יו מֵאֶ֨רֶץ רְחוֹקָ֤ה מְאֹד֙ בָּ֣אוּ עֲבָדֶ֔יךָ לְשֵׁ֖ם יְהוָ֣ה אֱלֹהֶ֑יךָ כִּֽי־שָׁמַ֣עְנוּ שָׁמְע֔וֹ וְאֵ֛ת כָּל־אֲשֶׁ֥ר עָשָׂ֖ה בְּמִצְרָֽיִם׃

Teus servos vieram duma terra mui distante. Os gibeonitas mantiveram a sua astuciosa armadilha, tentando tocar em um ponto sensível de Josué, mediante uma menção favorável a *Yahweh-Elohim*, o Eterno Todo-poderoso. Ver no *Dicionário* o artigo denominado *Deus, Nomes Bíblicos de*. Naturalmente, em última análise, eles terminaram realizando trabalhos braçais no templo e até se converteram ao yahwismo. Os versículos 9 e 10 contêm alguma verdade, que os gibeonitas misturaram com inverdades, pois estavam agindo de forma hipócrita. Na verdade, eles tinham ouvido falar sobre as vitórias de Israel, e sem dúvida estavam impressionados pelos atos de Yahweh, a quem essas vitórias eram atribuídas. O Pentateuco Samaritano dá a entender que os gibeonitas prometeram adotar a adoração a Yahweh e servi-lo.

Quanto às obras (milagres) de Yahweh no Egito, ver no *Dicionário* o verbete intitulado *Pragas do Egito*, bem como o *gráfico ilustrativo* sobre a questão, nas notas introdutórias a Êx 7.14.

■ 9.10

וְאֵ֣ת ׀ כָּל־אֲשֶׁ֣ר עָשָׂ֗ה לִשְׁנֵי֙ מַלְכֵ֣י הָאֱמֹרִ֔י אֲשֶׁ֖ר בְּעֵ֣בֶר הַיַּרְדֵּ֑ן לְסִיחוֹן֙ מֶ֣לֶךְ חֶשְׁבּ֔וֹן וּלְע֥וֹג מֶֽלֶךְ־הַבָּשָׁ֖ן אֲשֶׁ֥ר בְּעַשְׁתָּרֽוֹת׃

E tudo quanto fez. Talvez seja interessante observar que os gibeonitas só se referiram aos atos já distantes de Yahweh e às primeiras vitórias de Israel, a saber, aqueles no Egito e na Transjordânia, como as derrotas impostas aos reis Seom e Ogue. Ver Nm 21.21-25, quanto a essa informação. As vitórias recentes de Israel sobre Jericó e Ai não foram mencionadas. Um povo proveniente de um "país distante" não poderia ter conhecimento da *história recente*.

■ 9.11,12

וַיֹּאמְר֣וּ אֵלֵ֡ינוּ זְקֵינֵינוּ֩ וְכָל־יֹשְׁבֵ֨י אַרְצֵ֜נוּ לֵאמֹ֗ר קְח֨וּ בְיֶדְכֶ֤ם צֵידָה֙ לַדֶּ֔רֶךְ וּלְכ֖וּ לִקְרָאתָ֑ם וַאֲמַרְתֶּ֣ם אֲלֵיהֶ֗ם עַבְדֵיכֶ֛ם אֲנַ֖חְנוּ וְעַתָּ֥ה כִּרְתוּ־לָ֖נוּ בְרִֽית׃
זֶ֣ה ׀ לַחְמֵ֗נוּ חָ֞ם הִצְטַיַּ֤דְנוּ אֹתוֹ֙ מִבָּ֣תֵּ֔ינוּ בְּי֥וֹם צֵאתֵ֖נוּ לָלֶ֣כֶת אֲלֵיכֶ֑ם וְעַתָּה֙ הִנֵּ֣ה יָבֵ֔שׁ וְהָיָ֖ה נִקֻּדִֽים׃

Nossos anciãos e todos os moradores da nossa terra. De acordo com os gibeonitas, os sábios dentre eles lhes tinham dado bons conselhos, orientando-os quanto ao que deveriam fazer. Eles tinham viajado desde um lugar tão remoto que suas sandálias estavam estragadas e suas roupas estavam rotas; mas mesmo assim não tinham desistido de sua "nobre missão". Ao partirem, seu pão estava quentinho, mas agora estava embolorado e ressequido.

Aqueles grandes mentirosos inventaram toda a sua história, dispostos a enganar qualquer um, com suas falsas evidências. Os embaixadores gibeonitas eram realmente indivíduos pragmáticos. O que funciona é a verdade, e a verdade que interessava aos gibeonitas era escapar da guerra de extermínio movida pelos israelitas contra os habitantes da terra de Canaã.

■ 9.13

וְאֵ֨לֶּה נֹאד֤וֹת הַיַּ֙יִן֙ אֲשֶׁ֣ר מִלֵּ֔אנוּ חֲדָשִׁ֖ים וְהִנֵּ֣ה הִתְבַּקָּ֑עוּ וְאֵ֤לֶּה שַׂלְמוֹתֵ֙ינוּ֙ וּנְעָלֵ֔ינוּ בָּל֕וּ מֵרֹ֥ב הַדֶּ֖רֶךְ מְאֹֽד׃

Por causa do mui longo caminho. A fraude continuava. Os gibeonitas disseram que, ao partirem de sua terra, tinham vinho e odres de água — mas, agora, que todos vissem quão dilapidados estavam! Ver no *Dicionário* o artigo chamado *Odres*. As sandálias, as vestes e os odres tinham-se estragado por causa da longa jornada (imaginária). Conforme eles contaram a sua história e a aparência deles confirmava, Josué e seus conselheiros foram completamente enganados.

■ 9.14

וַיִּקְח֥וּ הָֽאֲנָשִׁ֖ים מִצֵּידָ֑ם וְאֶת־פִּ֥י יְהוָ֖ה לֹ֥א שָׁאָֽלוּ׃

E não pediram conselho ao Senhor. O logro foi tão bem aplicado (como aqueles pães estavam embolorados!) que Josué nem ao menos pensou em consultar a Yahweh. Este versículo, pois, importa em uma condenação: Josué, neste ponto, deixou de exercer a sabedoria e o discernimento que Deus lhe tinha dado. Se tivesse sido consultado, Yahweh teria revelado a fraude com facilidade. Mas Josué não testou os espíritos (ver 1Jo 4.1). Ele confiou em sua própria sabedoria, em um momento crítico, e deixou de consultar a sabedoria superior. "Temos uma estranha maneira de sucumbir diante dos elogios, mesmo que fingidos. A vaidade espiritual é um perigoso inimigo da fé religiosa" (Joseph R. Sizoo, *in loc.*).

Como Poderia Ter Sido a Consulta? Através das *sortes* (ver a respeito no *Dicionário*), conforme se vê em Js 7.13 e At 2.26. Ou poderiam ter sido usados o *Urim* e o *Tumim* (ver a respeito no *Dicionário*).

■ 9.15

וַיַּ֨עַשׂ לָהֶ֤ם יְהוֹשֻׁ֙עַ֙ שָׁל֔וֹם וַיִּכְרֹ֥ת לָהֶ֛ם בְּרִ֖ית לְחַיּוֹתָ֑ם וַיִּשָּׁבְע֣וּ לָהֶ֔ם נְשִׂיאֵ֖י הָעֵדָֽה׃

Fez com eles a aliança de lhes conservar a vida. Esse foi o triste resultado do engano, mesmo porque Josué e seus homens deixaram de consultar o Senhor Deus. Josué acabou firmando um acordo com os habitantes de Gibeom, embora a guerra santa proibisse tal coisa (ver as notas em Dt 7.1-5). Ver, mais especificamente, Dt 7.2. O poder contaminador do paganismo é tão grande que Yahweh não estava aceitando riscos de ter entre os filhos de Israel remanescentes das antigas nações, por causa de sua capacidade de corromper Israel. Todavia, o resultado não foi assim tão ruim. Os gibeonitas acabaram escravos, primeiramente a serviço do tabernáculo e, mais tarde, a serviço do templo. Tornaram-se prosélitos e foram incorporados à comunidade de Israel; e também foram forçados a executar, por muitos séculos, tarefas que os israelitas não queriam desempenhar. A sujeição deles mostrou-se tão completa que nunca constituíram um problema militar. Portanto, o resultado final não foi assim *tão* negativo.

O mais provável é que o tratado entre Israel e Gibeom tenha sido celebrado mediante uma refeição comunal. Ver Gn 31.54 e Êx 18.2. Sem dúvida, foram oferecidos sacrifícios, e o sangue foi derramado diante de Yahweh (ver Gn 15.10). Foi feito um *juramento*, considerado sagrado e inviolável. Por esse motivo, mesmo depois de o logro haver sido descoberto, o pacto não foi anulado.

■ 9.16

וַיְהִ֗י מִקְצֵה֙ שְׁלֹ֣שֶׁת יָמִ֔ים אַחֲרֵ֖י אֲשֶׁר־כָּרְת֣וּ לָהֶ֖ם בְּרִ֑ית וַיִּשְׁמְע֗וּ כִּֽי־קְרֹבִ֥ים הֵם֙ אֵלָ֔יו וּבְקִרְבּ֖וֹ הֵ֥ם יֹשְׁבִֽים׃

Ouviram que eram seus vizinhos, e que moravam no meio deles. Três dias mais tarde, alguém disse que aqueles homens, com quem os israelitas tinham entrado em acordo, eram habitantes da cidade próxima de Gibeom, que distava apenas dez quilômetros de onde os israelitas se encontravam. Não somos informados sobre como a notícia foi passada a Israel, mas isso era inevitável, pois a verdade não podia ser ocultada por muito tempo. Foi enviada uma expedição de emissários israelitas até onde os gibeonitas tinham suas cidades, a fim de confirmar ou negar a notícia que lhes havia sido dada (vs. 17).

■ 9.17

וַיִּסְע֣וּ בְנֵֽי־יִשְׂרָאֵ֗ל וַיָּבֹ֛אוּ אֶל־עָרֵיהֶ֖ם בַּיּ֣וֹם הַשְּׁלִישִׁ֑י וְעָרֵיהֶם֙ גִּבְע֣וֹן וְהַכְּפִירָ֔ה וּבְאֵר֖וֹת וְקִרְיַ֥ת יְעָרִֽים׃

Gibeom, Quefira, Beerote e Quiriate-Jearim. Essas eram as quatro cidades dos gibeonitas. "O lábio veraz permanece para sempre, mas a língua mentirosa, apenas um momento" (Pv 12.19). Todas as inverdades, mais cedo ou mais tarde, acabam sendo descobertas. Mas Josué precisava ter certeza acerca dos fatos. Isso posto, enviou alguns homens de confiança para fazer uma investigação no local. Os filhos de Israel tinham sido informados de que Gibeom e suas três cidades-satélites estavam envolvidas no logro, pelo que os emissários foram enviados até ali.

Quatro Cidades. Eram as cidades que formavam a pequena confederação dos gibeonitas, as quais talvez contassem com cinquenta mil habitantes, no máximo.

Gibeom. Ver *no Dicionário* acerca dessa cidade.

Quefira. Uma das cidades dos gibeonitas que foi entregue à tribo de Benjamim (ver Js 9.17 e 18.26). Parece ter sido uma vila dos heveus. A cidade continuava a existir após o cativeiro babilônico (ver Ed 2.25 e Ne 7.29). Estava localizada no lugar atualmente chamado de Khirbet el-Keireh, cerca de três quilômetros ao norte de Quiriate el Inabe, na estrada que vai de Jerusalém a Jope, cerca de treze quilômetros a oeste-noroeste de Jerusalém.

Beerote. Ver no *Dicionário* o verbete intitulado *Beerote-Bene--Jaacã.*

Quiriate-Jearim. Ver no *Dicionário* o detalhado artigo sobre essa localidade.

Era impossível encobrir para sempre o esquema astucioso dos gibeonitas. Em poucos dias, tudo foi desmascarado. E então Israel precisou tirar o melhor proveito possível da situação.

As três primeiras cidades foram atribuídas à tribo de Benjamim, por ocasião da divisão da Terra Prometida, ao passo que Quiriate--Jearim ficou com a tribo de Judá (ver Js 15.60 e 18.25,26).

"O fato de que a porção maior do território dos gibeonitas ficou com a tribo de Benjamim explica por qual motivo Saul foi tentado a confiscar as possessões deles, com o propósito de suprir seus seguidores com campos e vinhedos (ver 1Sm 22.7). Parece que ele efetuou os seus propósitos, pelo menos no tocante a Beerote (ver 2Sm 4.2,3). Gibeom tornou-se uma das cidades entregues aos sacerdotes (Js 21.17) e também um dos principais lugares de adoração e sede do tabernáculo (tal como Quiriate-Jearim foi sede da arca), em tempos posteriores. Ver 1Sm 6.21; 7.1; 1Cr 20.29; 2Cr 1.3-6. O fato de que os gibeonitas dedicaram-se ao serviço do santuário pode explicar isso, pelo menos em parte. Em *Gibeom,* Salomão pediu e recebeu a sabedoria que Josué e Israel, na presente ocasião, não solicitaram" (Ellicott, *in loc.*).

■ **9.18,19**

וְלֹא הִכּוּם בְּנֵי יִשְׂרָאֵל כִּי־נִשְׁבְּעוּ לָהֶם נְשִׂיאֵי הָעֵדָה בַּיהוָה אֱלֹהֵי יִשְׂרָאֵל וַיִּלֹּנוּ כָל־הָעֵדָה עַל־הַנְּשִׂיאִים׃

וַיֹּאמְרוּ כָל־הַנְּשִׂיאִים אֶל־כָּל־הָעֵדָה אֲנַחְנוּ נִשְׁבַּעְנוּ לָהֶם בַּיהוָה אֱלֹהֵי יִשְׂרָאֵל וְעַתָּה לֹא נוּכַל לִנְגֹּעַ בָּהֶם׃

Os filhos de Israel não os feriram. Embora Israel ansiasse por cumprir as determinações impostas pela guerra santa e por aniquilar os gibeonitas, os hebreus não atacaram nenhuma das quatro cidades dos gibeonitas, por causa do juramento e do tratado firmado com eles. Os juramentos eram considerados sagrados e invioláveis, e Israel honrou essa prática. Foi assim que Israel restringiu a possível violência, limitando-se a murmurar contra os seus próprios líderes. Dessa vez, contudo, como uma exceção, Israel tinha razão, e seus líderes estavam errados. Ver a introdução ao capítulo 11 de Números, bem como Nm 14.22 e suas notas expositivas, quanto às murmurações de Israel, onde há certo número de incidentes históricos que foram listados e ventilados.

A Natureza Sagrada dos Juramentos. A sacralidade de um juramento neste caso tornou-se ainda mais patente, devido ao fato de que ele tinha sido feito diante de Yahweh, confirmado por um sacrifício que lhe foi oferecido. Os guerreiros de Israel, por conseguinte, estavam impedidos de tocar nos gibeonitas. Os filhos de Israel simplesmente tinham de tirar o melhor proveito possível da situação em que se achavam. Uma situação pior seria provocar a ira do Senhor, mediante a violação do acordo com os gibeonitas e a violação do juramento feito (vs. 20). Cf. Sl 15.4. De acordo com a mentalidade moderna, qualquer juramento arrancado por meio de engodo automaticamente torna-se nulo e sem valor, mas não era assim que os antigos hebreus viam a questão.

"Saul, quatrocentos anos mais tarde, julgou que ele mesmo e os israelitas estavam desobrigados do compromisso assumido, e, em consequência, oprimiu e destruiu os gibeonitas. Não obstante, foi punido como violador de um juramento e de um pacto dos mais solenes. Ver 2Sm 21.2-9 e Ez 17.18,19" (Adam Clarke, *in loc.*).

■ **9.20**

זֹאת נַעֲשֶׂה לָהֶם וְהַחֲיֵה אוֹתָם וְלֹא־יִהְיֶה עָלֵינוּ קֶצֶף עַל־הַשְּׁבוּעָה אֲשֶׁר־נִשְׁבַּעְנוּ לָהֶם׃

Conservar-lhes-emos a vida. Essa foi a decisão dos príncipes de Israel e de todo o povo israelita. A servidão, pois, tomou o lugar do aniquilamento. Dessa maneira, Israel cumpriu essencialmente o seu propósito. Os gibeonitas não tinham como oferecer resistência militar a Israel, e suas cidades foram totalmente absorvidas pelo yahwismo. Ver no *Dicionário* o verbete chamado *Escravo, Escravidão.* Ver o versículo 23 deste capítulo quanto à escravidão a que os gibeonitas foram sujeitados. A ira de Yahweh, no caso, não recaiu sobre Israel por eles terem escravizado um povo que os tinha enganado, mas acabou sobrevindo quando, nos dias de Saul, eles quebraram um juramento arrancado de modo pretenso! Não há dúvidar que a moralidade tem mudado através dos anos, para melhor, pelo menos no tocante a algumas questões. A violação do pacto e do juramento por parte de Saul, cerca de quatrocentos anos mais tarde, produziu a fome (ver 2Sm 21.1-14), mas a escravidão não produziu nenhuma retaliação divina. Deus, contudo, tem motivos que o coração humano desconhece, embora, às vezes, nos deixem perplexos!

■ **9.21**

וַיֹּאמְרוּ אֲלֵיהֶם הַנְּשִׂיאִים יִחְיוּ וַיִּהְיוּ חֹטְבֵי עֵצִים וְשֹׁאֲבֵי־מַיִם לְכָל־הָעֵדָה כַּאֲשֶׁר דִּבְּרוּ לָהֶם הַנְּשִׂיאִים׃

Rachadores de lenha e tiradores de água. Embora os gibeonitas tivessem sido forçados a cumprir tais tarefas, essas expressões eram proverbiais para indicar os tipos de tarefas mais laboriosas e humilhantes possíveis. Este versículo alude à péssima instituição humana que é a *escravidão.* "A fim de impedir que a idolatria dos gibeonitas viesse a contaminar a religião de Israel, o trabalho deles seria efetuado em conexão com o tabernáculo, onde estariam expostos à adoração ao único e verdadeiro Deus" (Donald K. Campbell, *in loc.*). Ver o versículo 23 quanto à localização onde os gibeonitas prestariam seu serviço. Naturalmente, havia um grande número deles, para ocuparem-se somente nesse tipo de labor. Os gibeonitas, portanto, tornaram-se escravos em geral, e sem dúvida também tiveram de trabalhar nos campos, como agricultores. As autoridades judaicas dizem que eles se tornaram prosélitos do judaísmo, mesmo nos dias de Josué. Ver 1Cr 9.2, e também Maimônides e Bartenora, em *Misnah Kiddushin,* cap. 4, primeira seção.

■ **9.22,23**

וַיִּקְרָא לָהֶם יְהוֹשֻׁעַ וַיְדַבֵּר אֲלֵיהֶם לֵאמֹר לָמָּה רִמִּיתֶם אֹתָנוּ לֵאמֹר רְחוֹקִים אֲנַחְנוּ מִכֶּם מְאֹד וְאַתֶּם בְּקִרְבֵּנוּ יֹשְׁבִים׃

וְעַתָּה אֲרוּרִים אַתֶּם וְלֹא־יִכָּרֵת מִכֶּם עֶבֶד וְחֹטְבֵי עֵצִים וְשֹׁאֲבֵי־מַיִם לְבֵית אֱלֹהָי׃

Por que nos enganastes...? O logro pespegado pelos gibeonitas não poderia ficar sem o devido castigo, embora tivesse salvado a vida deles. Josué deixou claro para os gibeonitas que eles não escapariam da punição. Era mister que pagassem por seus pecados. Tinham escapado da morte somente para serem reduzidos a meros escravos. Outrossim, essa condição seria permanente. Temos aí, uma vez mais, a veracidade daquela declaração bíblica: "... o vosso pecado vos há de achar" (Nm 32.23). O esquema astucioso dos gibeonitas terminou em desastre, que os acompanhou por muitos séculos e por muitas gerações, pelo que o castigo deles foi, pelo menos, comensurável com o crime de logro que cometeram.

Essa narrativa encerra certo ponto curioso. Aquilo que os gibeonitas mais desejavam obter, além da mera sobrevivência, era a liberdade da maldição imposta pelo domínio de Israel. Mas eles acabaram caindo sob essa maldição, perdendo a sua liberdade e sendo reduzidos à escravidão.

Mas, de outro ângulo, a maldição transformou-se em uma *bênção*. Foi em favor dos gibeonitas que Yahweh operou um grande milagre (ver Js 10.10-14). O tabernáculo acabou sendo erigido em Gibeom (ver 2Cr 1.3). E também, muito mais tarde, alguns deles ajudaram Neemias a reconstruir as muralhas de Jerusalém (ver Ne 3.7). É dessas maneiras que opera a graça de Deus. O pecado, mesmo perdoado, persegue o pecador com as suas consequências naturais; mas a graça divina reverte as coisas e produz vitórias, afinal. Oh, Senhor, concede-nos tal graça!

> Devedor à tua graça
> Cada dia e hora sou;
> teu desvelo sempre faça
> Com que eu ame a ti, Senhor.
> Eis minha alma vacilante:
> Toma-a, prende-a com amor,
> Para que ela, a todo instante,
> Glorifique a ti, Senhor.
>
> Robert Robinson

■ **9.24**

וַיַּעֲנוּ אֶת־יְהוֹשֻׁעַ וַיֹּאמְרוּ כִּי הֻגֵּד הֻגַּד לַעֲבָדֶיךָ אֵת אֲשֶׁר צִוָּה יְהוָה אֱלֹהֶיךָ אֶת־מֹשֶׁה עַבְדּוֹ לָתֵת לָכֶם אֶת־כָּל־הָאָרֶץ וּלְהַשְׁמִיד אֶת־כָּל־יֹשְׁבֵי הָאָרֶץ מִפְּנֵיכֶם וַנִּירָא מְאֹד לְנַפְשֹׁתֵינוּ מִפְּנֵיכֶם וַנַּעֲשֵׂה אֶת־הַדָּבָר הַזֶּה׃

Tememos muito por nossas vidas... e fizemos assim. Temos neste versículo a apologia apresentada pelos gibeonitas. Eles possuíam somente *um argumento*. Os israelitas estavam destruindo a tudo e a todos. Assim sendo, os gibeonitas julgaram coisa de somenos se mentissem, contanto que salvassem a própria vida. Mesmo sabendo que, assim fazendo, se tornariam escravos perpétuos, isso em nada alterou a conduta deles. Um homem pode dizer que a liberdade é mais preciosa do que a própria vida. "Dai-me liberdade ou dai-me a morte!" Mas, chegado o momento de sofrer uma morte violenta, quase todos os seres humanos preferem a escravidão à morte.

"... foi o medo de perder a própria vida, que é o maior bem de qualquer ser humano. Foi o princípio de autopreservação que os pôs a planejar e a usar de engano" (John Gill, *in loc.*). "A autopreservação, a mais poderosa lei da natureza, ditara-lhes aquelas medidas" (Adam Clarke, *in loc.*).

> Ninguém é totalmente livre. O indivíduo ou é escravo das riquezas, ou da fortuna, ou das leis, ou de outras pessoas, que o impedem de agir de acordo com a sua própria vontade.
>
> Eurípedes

> Aqueles que negam a liberdade a seus semelhantes não merecem ser livres.
>
> Abraham Lincoln

■ **9.25**

וְעַתָּה הִנְנוּ בְיָדֶךָ כַּטּוֹב וְכַיָּשָׁר בְּעֵינֶיךָ לַעֲשׂוֹת לָנוּ עֲשֵׂה׃

Eis que estamos na tua mão. Temos aqui uma autêntica expressão de desespero. Os gibeonitas lançaram-se aos cuidados misericordiosos de Josué. Foi uma rendição incondicional. "Eles esperavam justiça, em face do logro que tinham pespegado; mas também aspiravam por misericórdia" (Adam Clarke, *in loc.*).

■ **9.26**

וַיַּעַשׂ לָהֶם כֵּן וַיַּצֵּל אוֹתָם מִיַּד בְּנֵי־יִשְׂרָאֵל וְלֹא הֲרָגוּם׃

Assim lhes fez. Josué estabeleceu o seu acordo de justiça e misericórdia com os gibeonitas, dando voto contrário àqueles que preferiam a usual solução violenta (a guerra santa). Esses tinham murmurado contra seu líder, em uma das poucas vezes, ou mesmo, na única vez em que os murmuradores estiveram mais próximos da vontade de Yahweh do que os líderes do povo (ver as notas expositivas sobre o vs. 18 deste capítulo).

■ **9.27**

וַיִּתְּנֵם יְהוֹשֻׁעַ בַּיּוֹם הַהוּא חֹטְבֵי עֵצִים וְשֹׁאֲבֵי מַיִם לָעֵדָה וּלְמִזְבַּח יְהוָה עַד־הַיּוֹם הַזֶּה אֶל־הַמָּקוֹם אֲשֶׁר יִבְחָר׃ פ

Nesse dia Josué os fez. Os gibeonitas foram reduzidos à servidão, por parte de Josué, conforme já vimos no versículo 23 deste capítulo, onde a questão foi comentada. Este versículo também repete o elemento daquele versículo, o qual nos informa que eles receberam a tarefa de servir ao "altar do Senhor". Naturalmente, sendo os gibeonitas apenas cerca de cinquenta mil pessoas, eles tiveram de ser empregados em vários tipos de trabalho, por toda aquela região, e não meramente no santuário.

Para o altar do Senhor. De acordo com a suposição de muitos eruditos, estaria em pauta o templo de Jerusalém. Mas isso significaria que a data da escrita do livro de Josué é tardia. É melhor pensarmos aqui no tabernáculo, conforme supõe um bom número de estudiosos. John Bright (*in loc.*) pensa que essa expressão aponta para um *anacronismo*, porquanto parece que o autor injetou, nos dias de Josué, a existência do templo de Jerusalém, o qual, contudo, não surgiu senão cerca de quinhentos anos depois dos dias de Josué. Se o livro de Josué foi compilado por algum autor desconhecido, que viveu em uma data posterior, então não há razão para supormos que ele não tenha incorporado algum material antigo, que remontasse aos tempos de Josué. Ver a introdução ao livro de Josué.

No lugar que Deus escolhesse. Ou seja, a casa de Deus, que, nos dias de Josué, ainda haveria de ser construída em Jerusalém, como santuário central da nação, quando outros santuários seriam considerados obsoletos. Ver sobre essa expressão em Dt 12.11,14.

Parece que, por fim, os gibeonitas foram totalmente absorvidos pelo povo de Israel (ver Ne 3.7 e 7.25).

Eles se tornaram *netinins*, indivíduos entregues aos levitas para fazerem qualquer trabalho braçal a ser realizado no templo de Jerusalém. Ver esse termo também usado em Ed 2.28; 8.20 e Ne 7.46-60. O termo acabou indicando, por semelhante modo, pessoas reduzidas à escravidão, como, por exemplo, os prisioneiros de guerra e a *comunidade escravizada* em Israel. Ver no *Dicionário* o verbete intitulado *Escravo, Escravidão*.

CAPÍTULO DEZ

CONQUISTA DO SUL DE CANAÃ (10.1-43)

Antes mesmo de ter atravessado o rio Jordão, Israel já havia conquistado a parte oriental da Terra Prometida, chamada Transjordânia, que ficou com as tribos de Rúben, Gade e a meia tribo de Manassés, dentre as quais cerca de quarenta mil homens cruzaram o rio para ajudar a seus irmãos de outras tribos na parte ocidental da terra de Canaã. Ato contínuo, Israel atravessou o rio Jordão, conquistando em seguida as cidades de Jericó e Ai, ambas no lado ocidental da Terra Prometida. Muitos outros lugarejos capturados não foram mencionados no relato bíblico. Mas a atenção foi concentrada totalmente na direção *sul*, que é o assunto deste décimo capítulo do livro de Josué. O capítulo 11 de Josué apresenta-nos a conquista do norte da Terra Prometida. Por conseguinte, temos nesses capítulos as conquistas militares em forma de esboço: do leste, do oeste, do sul e do norte. Ver Nm 32.31 ss. e 34.14,15 quanto à conquista da Transjordânia (ver sobre essa região no *Dicionário*). Todo o nono capítulo do livro de

Josué tinha abordado a campanha da conquista da parte ocidental da Terra Prometida.

A descrição da campanha no sul faz um bom sentido, geograficamente falando. A campanha partiu de Bete-Horom (vs. 10), na direção sul, até Sefelá. Então alude à série de campanhas contra as principais fortalezas da Sefelá, ou seja, Libna, Eglom e Laquis, que ficavam situadas no eixo geral norte-sul. Então a batalha foi levada para o coração das terras do sul, a Hebrom e a Debir. As descrições são contrárias à teoria que diz que o território não foi tomado mediante uma conquista militar específica, e, sim, através de uma infiltração gradual.

Josué derrotou *cinco* pequenos reinados vassalos: 1. Eglom. 2. Laquis. 3. Hebrom. 4. Jarmute. 5. Jerusalém. Ver o quinto versículo deste capítulo, quanto a uma ilustração a respeito.

■ 10.1

וַיְהִי כִשְׁמֹעַ אֲדֹנִי־צֶדֶק מֶלֶךְ יְרוּשָׁלַםִ כִּי־לָכַד
יְהוֹשֻׁעַ אֶת־הָעַי וַיַּחֲרִימָהּ כַּאֲשֶׁר עָשָׂה לִירִיחוֹ
וּלְמַלְכָּהּ כֵּן־עָשָׂה לָעַי וּלְמַלְכָּהּ וְכִי הִשְׁלִימוּ יֹשְׁבֵי
גִבְעוֹן אֶת־יִשְׂרָאֵל וַיִּהְיוּ בְּקִרְבָּם׃

Adoni-Zedeque, rei de Jerusalém. Começamos a ver aqui como esses cinco reis vassalos resistiram a Israel. A narrativa ocupa o capítulo inteiro. Israel, ao obedecer a Yahweh, tornou-se uma força invencível, mas isso não significa que o povo de Deus não tenha encontrado resistência. As vitórias são obtidas sobre os obstáculos, sendo raro recebermos algo de forma absolutamente gratuita. As vitórias conquistadas com dificuldades levam-nos a crescer, e esse é o objetivo da luta toda.

> Sou um autêntico trabalhador; como daquilo que ganho; visto-me com o meu salário; não devo a ninguém o ódio; não invejo a felicidade alheia; alegro-me diante do bem de outros homens.
>
> Shakespeare

> Não existe verdadeira riqueza senão o labor de um homem.
>
> Shelley

> *Porque digno é o trabalhador do seu salário.*
>
> Lucas 10.7

Adoni-Zedeque. No *Dicionário* há um artigo detalhado sobre esse homem. Ele foi um dos reis cananeus de Jerusalém, na época em que Israel conquistou a cidade, sendo um dos cinco reis daquela região que precisavam ser eliminados. Ver a ilustração nas notas sobre o quinto versículo deste capítulo. seu nome significa "meu senhor (deus) é retidão". Mas *Zedeque* parece ter sido um nome divino. Filo de Biblos menciona uma divindade cananeia secundária, com esse nome. *Melquisedeque* significa "meu rei é Zedeque". Este relato tem paralelo em Jz 1.4-7, onde o rei é chamado pelo nome de "Adoni-Zedeque", e é essa a forma do nome que a Septuaginta também estampa no presente versículo.

Esse rei tinha ouvido falar da longa série de vitórias que Israel havia obtido no ocidente, em Jericó e em Ai, bem como acerca do tratado firmado com os gibeonitas. O espantoso sucesso dos hebreus punha em perigo a sua própria posição, motivo pelo qual ele entrou em aliança com quatro outros reis da região, na tentativa de adiar o inevitável. A cronologia foi por volta de 1450 a.C.

■ 10.2

וַיִּירְאוּ מְאֹד כִּי עִיר גְּדוֹלָה גִּבְעוֹן כְּאַחַת עָרֵי
הַמַּמְלָכָה וְכִי הִיא גְדוֹלָה מִן־הָעַי וְכָל־אֲנָשֶׁיהָ
גִּבֹּרִים׃

Temeu muito. Os *gibeonitas* seriam aliados naturais dos cinco reis, mas a ajuda deles perdera-se devido à sua "traiçoeira" aliança com Israel. Isso adicionou forças a Israel e diminuiu a potência de Jerusalém. Sucede que Gibeom era lugar mais forte ainda do que Ai, além do que contava com três cidades-satélites, a saber: Quefira, Beerote e Quiriate-Jearim (ver Js 9.17). Teria sido tremendamente útil contar com essas cidades fortificadas, agora que Israel estava avançando na direção sul. Isso posto, o primeiro objetivo do rei de Jerusalém, em sua aliança com os outros quatro reis amorreus, era conter os gibeonitas. *Gibeom* ficava a cerca de dezesseis quilômetros de Jerusalém; e essa proximidade adicionava outro adversário a uma situação que já era intolerável. O rei de Jerusalém, pois, queria consolidar a área, em oposição a Israel.

■ 10.3

וַיִּשְׁלַח אֲדֹנִי־צֶדֶק מֶלֶךְ יְרוּשָׁלַםִ אֶל־הוֹהָם
מֶלֶךְ־חֶבְרוֹן וְאֶל־פִּרְאָם מֶלֶךְ־יַרְמוּת וְאֶל־יָפִיעַ
מֶלֶךְ־לָכִישׁ וְאֶל־דְּבִיר מֶלֶךְ־עֶגְלוֹן לֵאמֹר׃

Enviou mensageiros. Adoni-Zedeque enviou embaixadores aos outros quatro reis amorreus da região, cujos nomes aparecem neste versículo, a fim de formarem uma aliança que visava a autoproteção. O primeiro objetivo deles seria "derrotar" Gibeom e eliminar a ameaça que agora era representada pelos gibeonitas. E os gibeonitas sobreviventes poderiam ser forçados a ajudar os outros cananeus em campanhas futuras.

Hoão. No hebraico, "elevado", "exaltado". Esse era o nome do rei de Hebrom. É interessante notar que, em Js 10.33, Horão aparece como rei de Gezer. Ou temos aqui menção de um só homem, que era rei de duas cidades; ou então são mencionados, neste capítulo do livro de Josué, dois homens com o mesmo nome. O Horão de Gezer saiu em socorro de Laquis, quando Josué estava cercando essa cidade; contudo foi derrotado e morto (ver Js 10.33). Antes disso, ele tomou parte na campanha contra Gibeom e foi derrotado, juntamente com os demais membros da aliança formada pelos cinco reis cananeus.

Hebrom. Horão era o rei cananeu dessa cidade-fortaleza, quando da conquista da parte sul da Terra Prometida, pelos israelitas comandados por Josué. Há um artigo detalhado sobre essa cidade no *Dicionário*.

Pirão. Esse nome significa "selvagem" ou "itinerante", e podemos ter certeza de que ele fazia jus ao significado do seu nome. Mas dessa vez sua selvageria fracassou redondamente. Era um dos membros da aliança de cinco reis cananeus, que tentaram assim resistir à invasão de Israel, na parte sul da Terra Prometida. Juntamente com os demais reis, ele foi derrotado em sua tentativa de dominar Gibeom, que tinha estabelecido aliança com Israel. A cidade-fortaleza que ele dominava chamava-se Jarmute, uma cidade-estado que ficava situada a sudoeste de Jerusalém.

Jarmute. Há um artigo detalhado sobre essa localidade no *Dicionário*.

Jafia. Esse nome significa "que ele (Deus) faça brilhar". Ele era rei de Laquis, que fazia parte da aliança das cinco cidades-fortalezas dos cananeus. Essa aliança procurava primeiramente reconquistar Gibeom, que estabelecera um tratado de não-agressão com Israel, e, em seguida, resistir, de modo geral, à invasão da região por parte dos israelitas. sua aliança foi derrotada, e ele foi morto. Nada sabemos a seu respeito, exceto aquilo que pode ser deduzido da história à nossa frente.

Laquis. Ver no *Dicionário* quanto a várias cidades assim chamadas. No hebraico, esse nome significa "santuário" ou "lugar de um oráculo". Laquis era aliada de Eglom, uma das cidades em aliança de cinco reis, que tentaram impedir o avanço militar de Israel sobre a parte sul da Terra Prometida. Essa aliança fracassou quanto à sua tentativa de recuperar Gibeom, e todos os cinco reis envolvidos perderam a vida. Ver outros comentários no *Dicionário*, sob o verbete assim intitulado, em seu terceiro ponto.

Eglom. Ver no *Dicionário* o artigo detalhado sobre essa localidade. A confederação de cinco reis representava as cidades mais poderosas na parte sul da Palestina, pelo que a sua derrota era absolutamente essencial aos propósitos de Israel. Dentre elas, Hebrom era a mais importante e a mais estratégica. Os outros três lugares ficavam mais distantes de Jerusalém, portanto eram também menos estratégicos.

■ 10.4

עֲלוּ־אֵלַי וְעִזְרֻנִי וְנַכֶּה אֶת־גִּבְעוֹן כִּי־הִשְׁלִימָה
אֶת־יְהוֹשֻׁעַ וְאֶת־בְּנֵי יִשְׂרָאֵל׃

Subi a mim, e ajudai-me. Essa foi a convocação feita por Adoni-Zedeque aos outros quatro reis da aliança cananeia, para se lançarem à tentativa de ferir Gibeom, que ficava a cerca de dezesseis quilômetros de Jerusalém. Isso quebraria a aliança entre Israel e Gibeom e restauraria a cidade e suas três cidades-satélites ao poder dos cananeus. Os sobreviventes seriam forçados a lutar pela aliança, e, desse modo, seria oferecida resistência maior contra Israel. As cidades em derredor temeriam a aliança, ao mesmo tempo que não temeriam tanto a Israel, aumentando assim a capacidade de resistência.

■ **10.5**

וַיֵּאָסְפ֞וּ וַיַּעֲל֗וּ חֲמֵ֣שֶׁת ׀ מַלְכֵ֣י הָאֱמֹרִ֡י מֶ֣לֶךְ יְרוּשָׁלִַ֡ם מֶֽלֶךְ־חֶבְר֩וֹן מֶֽלֶךְ־יַרְמ֨וּת מֶֽלֶךְ־לָכִ֜ישׁ מֶֽלֶךְ־עֶגְל֗וֹן הֵ֚ם וְכָל־מַ֣חֲנֵיהֶ֔ם וַֽיַּחֲנוּ֙ עַל־גִּבְע֔וֹן וַיִּֽלָּחֲמ֖וּ עָלֶֽיהָ׃

E se acamparam junto a Gibeom e pelejaram contra ela. Os nomes das cidades que estavam em aliança contra Israel são aqui repetidos. Ver as notas sobre o terceiro versículo deste capítulo. Eles aceitaram o convite e deram início à batalha contra Gibeom, que tinha entrado em aliança de não-agressão com Israel. Se essa campanha dos cinco reis tivesse logrado êxito, então a resistência a Israel poderia até levar os hebreus à derrota. Esses reis eram *amorreus*, ou seja, de tribos cananeias que habitavam a região montanhosa. Ver Gn 14.13-16 e o verbete chamado *Amorreus*, no *Dicionário*. O distrito que se espraiava ao sul de Jerusalém, uma região montanhosa, era onde eles habitavam. Ver Gn 15.16 sobre como a taça da iniquidade dos amorreus tinha de ficar cheia, antes que eles pudessem ser expulsos da Terra Prometida. Ali, o termo "amorreus" representa todos os habitantes da Palestina, o território prometido como herança a Abraão e seus descendentes. Josué estava agora conquistando essa herança. Ver em At 17.26 que é Deus quem dá a um povo as suas fronteiras, bem como o tempo em que ele pode habitar naquele território.

■ **10.6**

וַיִּשְׁלְח֣וּ אַנְשֵׁי֩ גִבְע֨וֹן אֶל־יְהוֹשֻׁ֜עַ אֶל־הַֽמַּחֲנֶ֣ה הַגִּלְגָּ֗לָה לֵאמֹר֙ אַל־תֶּ֣רֶף יָדֶ֔יךָ מֵֽעֲבָדֶ֑יךָ עֲלֵ֧ה אֵלֵ֛ינוּ מְהֵרָ֖ה וְהוֹשִׁ֣יעָה לָּ֣נוּ וְעָזְרֵ֑נוּ כִּ֚י נִקְבְּצ֣וּ אֵלֵ֔ינוּ כָּל־מַלְכֵ֥י הָאֱמֹרִ֖י יֹשְׁבֵ֥י הָהָֽר׃

Os homens de Gibeom mandaram dizer a Josué. Os gibeonitas tinham-se tornado escravos de Israel, e com todos os direitos apelaram para Josué vir defendê-los do ataque dos cinco reis amorreus em aliança. Era de magno interesse para Josué prestar essa ajuda a Gibeom, porquanto esta e suas cidades-satélites eram muito importantes para que Israel obtivesse o controle de toda a parte ocidental da Terra Prometida. Isso posto, nem foi preciso que os gibeonitas apresentassem bons argumentos. A urgência da situação foi suficiente para convencer Josué. Israel tinha estabelecido um pacto juramentado com os gibeonitas, não obedecendo assim às regras da guerra santa no caso do trato com Gibeom. Além disso, o juramento prestado era considerado sagrado e inviolável, e não somente protegia Gibeom da própria nação de Israel, mas também de todos quantos atacassem a cidade. Portanto, Josué não ficou sentado em seu lugar, permitindo que os cananeus se destruíssem mutuamente. Ver os comentários em Js 9.18,19 quanto à natureza sagrada de um juramento, sobretudo diante do fato de que o incidente fora efetuado *na presença de Yahweh*.

Quanto à *guerra santa*, ver Dt 7.1-5 e 20.10-18 e suas respectivas notas expositivas. Ver sobre o *herem* em Js 6.17. Ver no nono capítulo quanto à maneira ludibriadora mediante a qual os gibeonitas conseguiram assinar um tratado de não-agressão com Josué, embora os habitantes de Gibeom estivessem devotados ao total aniquilamento, mediante guerra santa.

■ **10.7**

וַיַּ֧עַל יְהוֹשֻׁ֛עַ מִן־הַגִּלְגָּ֖ל ה֣וּא וְכָל־עַ֧ם הַמִּלְחָמָ֛ה עִמּ֖וֹ וְכֹ֥ל גִּבּוֹרֵ֥י הֶחָֽיִל׃ פ

Subiu Josué de Gilgal. O povo de Israel estava acampado em Gilgal, tendo feito desse lugar o seu quartel-general durante algum tempo, enquanto lançava campanhas militares na direção sul da Terra Prometida. Ver no *Dicionário* sobre essa localidade. Ver o trecho de Js 4.19 quanto ao acampamento de Israel naquela cidade.

Daquele local, portanto, Josué, com a ajuda de um seleto grupo de oficiais militares, marchou até Gibeom. A reação de Josué diante do ataque da aliança dos cinco reis amorreus contra Gibeom foi imediata, pois estava em jogo o futuro não somente da própria Gibeom, mas até da permanência de Israel na Terra Prometida.

Com base nas circunstâncias desse ataque, alguns eruditos supõem que o que realmente tenha sucedido foi que Israel, Gibeom e seus satélites fizeram um pacto de proteção mútua, e a história do logro pespegado pelos gibeonitas foi apenas uma maneira de justificar Israel de haver relaxado quanto às normas da guerra santa. Nada existe, entretanto, nos fatos históricos, capaz de fornecer apoio a essa suposição. A vitória das tropas israelitas em Gibeom era algo que se revestia de importância especial, pois nesse caso os hebreus quebrariam a espinha dos cinco reis amorreus com um único golpe, e não apenas um de cada vez, conforme vinha acontecendo até aquele ponto. Essa vitória coletiva quase garantiria o sucesso da campanha militar em toda a parte *ocidental* da Terra Prometida.

■ **10.8**

וַיֹּ֨אמֶר יְהוָ֤ה אֶל־יְהוֹשֻׁ֙עַ֙ אַל־תִּירָ֣א מֵהֶ֔ם כִּ֥י בְיָדְךָ֖ נְתַתִּ֑ים לֹֽא־יַעֲמֹ֥ד אִ֛ישׁ מֵהֶ֖ם בְּפָנֶֽיךָ׃

Disse o Senhor a Josué. Houve novo encorajamento da parte de Yahweh a Josué, fortalecendo-o para a batalha. Cf. outros incidentes em Js 1.9 e 8.1. Podemos supor que alguma forma de experiência mística tenha trazido a presença de Deus até Josué, capacitando-o a entrar na luta e animando-o por saber que tinha recebido uma visita da parte de Yahweh. Ver no *Dicionário* o artigo intitulado *Misticismo*, e cf. a visão que Josué recebeu do Anjo do Senhor, em Js 5.13 ss. Yahweh estava com Josué, tal e qual estivera antes com Moisés (ver Js 1.17).

■ **10.9**

וַיָּבֹ֧א אֲלֵיהֶ֛ם יְהוֹשֻׁ֖עַ פִּתְאֹ֑ם כָּל־הַלַּ֕יְלָה עָלָ֖ה מִן־הַגִּלְגָּֽל׃

Josué lhes sobreveio de repente. Uma marcha de noite inteira trouxe Josué e suas tropas desde Gilgal até Gibeom. Ele fez uma marcha forçada durante a noite, e caiu, *de súbito*, sobre os amorreus, surpreendendo-os totalmente. A marcha cobriu cerca de quarenta quilômetros, uma marcha apressada para ser feita durante a noite, atravessando território difícil. O exército de Israel deve ter chegado bastante fatigado. Somente Yahweh poderia ter-lhes dado forças para enfrentarem um adversário poderoso. Mas o esforço e o sacrifício foram recompensados por uma vitória rápida e total. A marcha de Gilgal a Gibeom foi feita "subindo o tempo todo" (Ellicott, *in loc.*), que assim descreveu a natureza árdua daquela marcha. Porém, conforme diz um antigo hino: "Como ganharíamos um grande galardão, se agora evitássemos a luta?"

■ **10.10**

וַיְהֻמֵּ֤ם יְהוָה֙ לִפְנֵ֣י יִשְׂרָאֵ֔ל וַיַּכֵּ֥ם מַכָּֽה־גְדוֹלָ֖ה בְּגִבְע֑וֹן וַֽיִּרְדְּפֵ֗ם דֶּ֚רֶךְ מַעֲלֵ֣ה בֵית־חוֹרֹ֔ן וַיַּכֵּ֥ם עַד־עֲזֵקָ֖ה וְעַד־מַקֵּדָֽה׃

E os feriu com grande matança em Gibeom. O aniquilamento do inimigo amorreu se deu em Gibeom, e os israelitas puderam perseguir as tropas cananeias através das três cidades mencionadas neste versículo. No *Dicionário* há artigos sobre todas as três cidades. A perseguição levou os israelitas a avançar na direção do *ocidente*, como quem vai para a costa marítima. A Bete-Horon superior (modernamente Beit 'Ur el-Foza) jaz no alto de uma descida, a cerca de oito quilômetros a noroeste de Gibeom. A Bete-Horon inferior (moderna Beit 'Ur et-Tahta) ficava três quilômetros mais adiante, porém cerca de 210 metros em nível mais baixo. Dali, a perseguição dirigiu-se na direção sul, passando pela Sefelá, ou seja, as *terras baixas* entre as terras altas centrais da Palestina e o mar Mediterrâneo. É possível que esse nome visasse incluir a planície marítima, mas usualmente a referência é à região de colinas baixas, entre a planície e a serra central, mais elevada. Ali estavam as cidades estratégicas de Laquis, Debir, Libna e Bete-Semes. A perseguição, em seguida, estendeu-se até Azeca (modernamente, Tell ez-Zakariyeh), cerca de 27 quilômetros a sudoeste de Bete-Horon. O local de Maquedá é desconhecido, mas provavelmente ficava na parte norte da Sefelá (cf. 5.6 e 15.41). A perseguição ampliou-se por um total de cerca de 48 quilômetros.

■ 10.11

וַיְהִ֞י בְּנֻסָ֣ם ׀ מִפְּנֵ֣י יִשְׂרָאֵ֗ל הֵ֞ם בְּמוֹרַ֣ד בֵּית־חוֹרֹן֙
וַֽיהוָ֡ה הִשְׁלִ֣יךְ עֲלֵיהֶ֣ם אֲבָנִ֣ים גְּדֹלוֹת֩ מִן־הַשָּׁמַ֨יִם
עַד־עֲזֵקָ֖ה וַיָּמֻ֑תוּ רַבִּ֗ים אֲשֶׁר־מֵ֙תוּ֙ בְּאַבְנֵ֣י הַבָּרָ֔ד
מֵאֲשֶׁ֥ר הָרְג֛וּ בְּנֵ֥י יִשְׂרָאֵ֖ל בֶּחָֽרֶב׃ ס

Fez o Senhor cair do céu sobre eles grandes pedras. Isso foi um terror adicional, um castigo divino sob a forma de tremenda saraiva, que atingiu os amorreus do alto para baixo. E esse terror divino matou mais inimigos do que as espadas dos israelitas. Ver no *Dicionário* o verbete chamado *Saraiva*. As saraivadas eram um dos modos pelos quais o Senhor costumava castigar os ímpios. Esse método de castigo divino sempre aparece na literatura apocalíptica. Destarte, uma intervenção divina acompanhou aquela batalha, garantindo não somente o bom êxito das armas de Israel, mas também o aniquilamento do inimigo, a fim de que nunca mais viesse a perturbar aos filhos de Israel. Ver Jó 28.22,23; Êx 9.19,25 (uma das dez pragas do Egito), e Ap 16.21, quanto a outras instâncias. Ver, no *Dicionário*, o artigo chamado *Pragas do Egito*, onde aparecem outros exemplos notáveis de intervenção divina.

Em outras culturas antigas, as saraivadas também eram vistas como atos divinos, conforme se vê em Lívio (Livro 1, par. 17), que se refere ao tempo em que o rei Túlio Hostílio conquistou os sabinos. Cipião foi ajudado em sua vitória contra Cartago, por uma saraivada (Livro 30, cap. 30). Mela (*De Orbis Situ*, 1.2, cap. 5) atribui a Júpiter o crédito por tal manifestação, que ajudou Hércules quando ele combatia com os filhos de Netuno.

■ 10.12

אָ֣ז יְדַבֵּ֤ר יְהוֹשֻׁ֙עַ֙ לַֽיהוָ֔ה בְּי֗וֹם תֵּ֤ת יְהוָה֙ אֶת־הָ֣אֱמֹרִ֔י
לִפְנֵ֖י בְּנֵ֣י יִשְׂרָאֵ֑ל וַיֹּ֣אמֶר ׀ לְעֵינֵ֣י יִשְׂרָאֵ֗ל שֶׁ֚מֶשׁ בְּגִבְע֣וֹן
דּ֔וֹם וְיָרֵ֖חַ בְּעֵ֥מֶק אַיָּלֽוֹן׃

O Longo Dia de Josué. Foi então que ocorreu uma intervenção divina ainda maior, que fez "parar" o sol no firmamento, a fim de que Josué dispusesse de tempo suficiente para completar a sua vitória, garantindo assim a conquista da parte sul da Terra Prometida. Não ofereço aqui extensas notas expositivas sobre a questão, incluindo as diversas explicações para tão notável fenômeno, porque faço isso no detalhado artigo chamado *Astronomia*, quinto ponto, intitulado "A Astronomia e Alguns Itens Interessantes na Bíblia". O longo dia de Josué foi discutido sob (a letra) b., naquela lista. Ver também, no mesmo *Dicionário*, o artigo chamado *Bete-Horom, Batalha de (O Longo Dia de Josué)*.

Aijalom. Há um detalhado artigo sobre essa localidade no *Dicionário*.

■ 10.13

וַיִּדֹּ֣ם הַשֶּׁ֗מֶשׁ וְיָרֵ֙חַ֙ עָמָ֔ד עַד־יִקֹּ֥ם גּ֖וֹי אֹיְבָ֑יו הֲלֹא־הִ֣יא
כְתוּבָ֗ה עַל־סֵ֣פֶר הַיָּשָׁ֔ר וַיַּעֲמֹ֤ד הַשֶּׁ֙מֶשׁ֙ בַּחֲצִ֣י הַשָּׁמַ֔יִם
וְלֹא־אָ֥ץ לָב֖וֹא כְּי֥וֹם תָּמִֽים׃

E o sol se deteve, e a lua parou. Ver as notas sobre o versículo anterior, que se referem a dois artigos, existentes no *Dicionário*, com amplas explicações e interpretações sobre o *longo dia de Josué*.

Não está isto escrito no livro dos Justos? Na primitiva versão portuguesa de João Ferreira de Almeida, temos aqui o título "Livro do Reto". No hebraico, temos o título *Jashar*, que significa "o reto", e que algumas versões, por meio de transliteração, retiveram. Esse livro antigo é novamente mencionado em 2Sm 1.18. Ao que parece, era parte de uma coletânea de contos de heróis, poemas, hinos etc. Contava a respeito de homens piedosos, membros autênticos da teocracia, que realizaram grandes feitos, envolvidos em miraculosas intervenções divinas. A alusão a esse volume, no livro de Josué, sugere que este tenha sido escrito sob a forma de paralelismos poéticos, um estilo típico da poesia dos hebreus. O trecho de 2Sm 1.18 é uma elegia sobre Saul e Jônatas. É provável que esse livro tenha perecido durante os cativeiros, e que, tirando as duas referências bíblicas a ele, não dispomos de nenhuma informação certa a esse respeito. As antigas tentativas judaicas de identificá-lo com livros conhecidos do Antigo Testamento, como Gênesis, Juízes, o livro da Lei etc., como é óbvio, são incorretas.

O Sol e a Lua. Essas eram duas das principais divindades cananeias, pelo que o prodígio efetuado por Deus, que envolveu esses dois astros, deve ter sido algo muito significativo tanto para Israel quanto para os cinco reis amorreus. Dessa forma, Yahweh demonstrou o seu poder superior àquelas divindades. Yahweh-Elohim, conforme ficou óbvio, estava lutando em favor de Israel. Foi mesmo uma intervenção dramática.

Yahweh Fez o Sol e a Lua Parar no Firmamento. Sabemos que é a terra que gira em torno do sol, resultando daí os anos, e em torno de si mesma, resultando daí os dias, e que não é o sol que gira em torno da terra. Josué, porém, falou em sentido comum e popular, de acordo com o conhecimento astronômico disponível em sua época. Naturalmente, em sua maneira de dizer há um erro científico, mas isso nada tem que ver com a fé, mesmo porque até hoje, popularmente, falamos conforme Josué falou, ou seja, de acordo com as aparências. Somente os céticos, os radicais e os fundamentalistas extremados encontram algum problema nessa parte da narrativa bíblica.

■ 10.14

וְלֹ֨א הָיָ֜ה כַּיּ֤וֹם הַהוּא֙ לְפָנָ֣יו וְאַחֲרָ֔יו לִשְׁמֹ֥עַ יְהוָ֖ה
בְּק֣וֹל אִ֑ישׁ כִּ֣י יְהוָ֔ה נִלְחָ֖ם לְיִשְׂרָאֵֽל׃ פ

Não houve dia semelhante a este. Lutando em favor de Israel, Yahweh efetuou um milagre singular, o qual nunca antes fora visto, e nem mesmo depois. Ver sobre como Yahweh prometeu que lutaria em prol de Israel, em Êx 14.14; Dt 1.30; 3.22; 20.4; Js 10.8,42; 23.3.

Mudanças dos Polos. Isso tem ocorrido ocasionalmente na história da terra. Essa ação interrompe a sequência natural do tempo, produzindo dia súbito ou noite súbita, enregelando lugares que antes eram tórridos, ou trazendo grande calor a locais antes frígidos; também são produzidos grandes movimentos da crosta terrestre, com terremotos e maremotos realmente gigantescos, submersão de vastas áreas continentais ou imersão de outras submersas. Portanto, não é exatamente acurado, do ponto de vista científico, dizer que o que aconteceu naquele dia da batalha de Bete-Horom nunca antes havia sucedido. Mas sem dúvida o autor sagrado quis dizer que, até onde ia a memória do gênero humano, jamais havia acontecido tal coisa. Naturalmente, o longo dia de Josué não precisa ter sido causado por uma mudança dos polos, mas temos nisso apenas uma teoria, acerca da qual comentei nos artigos referidos nas notas sobre o versículo 12 deste capítulo. Ver no *Dicionário* o artigo chamado *Polos, Mudança dos*.

As perturbações cósmicas sempre farão parte das intervenções divinas do fim dos tempos, conforme o livro de Apocalipse ilustra com abundância.

■ 10.15

וַיָּ֤שָׁב יְהוֹשֻׁ֙עַ֙ וְכָל־יִשְׂרָאֵ֣ל עִמּ֔וֹ אֶל־הַֽמַּחֲנֶ֖ה הַגִּלְגָּֽלָה׃

Voltou Josué... a Gilgal. A inserção deste versículo, neste ponto, não tem sentido, com o que concorda a maioria dos intérpretes. Todavia, a volta a Gilgal se ajustaria bem no versículo 43. Josué continuou a perseguir os reis até a caverna de Maquedá (vs. 16). Ele não retornou todo o caminho até Gilgal, um trajeto de cerca de oitenta quilômetros, bem no meio da perseguição ao inimigo, e antes mesmo da execução ou eliminação dos reis naquela caverna. Grande parte da batalha continuou, mesmo depois da caverna ter sido tapada, para que os reis amorreus ali morressem.

Talvez este versículo antecipe a volta, mas sua inserção aqui é mesmo fora de propósito. A Septuaginta não inclui este versículo. O versículo não está no lugar apropriado, ou, então, é supérfluo, visto que essa mesma ideia é expressa no versículo 43 do mesmo capítulo.

■ 10.16-18

וַיָּנֻ֕סוּ חֲמֵ֖שֶׁת הַמְּלָכִ֣ים הָאֵ֑לֶּה וַיֵּחָבְא֥וּ בַמְּעָרָ֖ה בְּמַקֵּדָֽה׃

וַיֻּגַּ֖ד לִיהוֹשֻׁ֣עַ לֵאמֹ֑ר נִמְצְאוּ֙ חֲמֵ֣שֶׁת הַמְּלָכִ֔ים נֶחְבְּאִ֥ים בַּמְּעָרָ֖ה בְּמַקֵּדָֽה׃

וַיֹּ֣אמֶר יְהוֹשֻׁ֔עַ גֹּ֛לּוּ אֲבָנִ֥ים גְּדֹל֖וֹת אֶל־פִּ֣י הַמְּעָרָ֑ה וְהַפְקִ֧ידוּ עָלֶ֛יהָ אֲנָשִׁ֖ים לְשָׁמְרָֽם׃

Numa cova em Maquedá. Não há nenhuma certeza quanto à localização da cova de Maquedá. Ver no *Dicionário* o artigo sobre esse local. Seja como for, havia por ali uma caverna que servia de conveniente esconderijo. E os reis amorreus apressaram-se a esconder-se ali, na esperança de escapar à detecção. Mas aquele foi um dia muito ruim. Eles acabaram descobertos dentro da cova, a qual foi tapada por meio de "grandes pedras" para que ninguém pudesse escapar. Sem dúvida, muito procuraram por uma saída. Mais tarde foram retirados dali, somente para serem executados: crueldade e brutalidade. Sem embargo, eram essas as palavras que dominavam o relacionamento entre os seres humanos naquela época.

Alguns soldados israelitas tinham notado que os reis se haviam escondido na cova e deram notícias disso a Josué. Ele não hesitou nem demonstrou misericórdia. Ordenou que a cova fosse selada por meio de grandes pedras, e até destacou para ali sentinelas, a fim de certificar-se de que os reis ali presos não teriam como escapar (vs. 18). Mais tarde, os reis amorreus seriam removidos da cova e executados.

■ 10.19

וְאַתֶּם֙ אַֽל־תַּעֲמֹ֔דוּ רִדְפוּ֙ אַחֲרֵ֣י אֹֽיְבֵיכֶ֔ם וְזִנַּבְתֶּ֖ם אוֹתָ֑ם אַֽל־תִּתְּנ֗וּם לָבוֹא֙ אֶל־עָ֣רֵיהֶ֔ם כִּ֧י נְתָנָ֛ם יְהוָ֥ה אֱלֹהֵיכֶ֖ם בְּיֶדְכֶֽם׃

Matai os que vão ficando para trás. Enquanto alguns poucos homens armados ficaram guardando a entrada da caverna, os demais soldados de Israel saíram à caça do inimigo, matando a todos quantos pudessem encontrar ao longo do caminho. Não tiveram misericórdia de ninguém. Os perseguidos não tiveram permissão para entrar em cidade alguma para se refugiar; todos foram executados, até o último homem. *Yahweh-Elohim* (o Eterno Todo-poderoso; ver no *Dicionário* o verbete intitulado *Deus, Nomes Bíblicos de*) estava presente, garantindo o aniquilamento absoluto dos exércitos cananeus do sul, a fim de que o território logo se tornasse possessão de Israel, para lhes servir de território nacional.

De conformidade com o Pentateuco Samaritano, o grito de batalha era: "Deus é forte na batalha; Deus é o seu nome".

Ver sobre a *guerra santa* nas notas expositivas de Dt 7.1-5 e 20.10-18.

■ 10.20

וַיְהִי֩ כְּכַלּ֨וֹת יְהוֹשֻׁ֜עַ וּבְנֵ֣י יִשְׂרָאֵ֗ל לְהַכּוֹתָ֛ם מַכָּ֥ה גְדוֹלָֽה־מְאֹ֖ד עַד־תֻּמָּ֑ם וְהַשְּׂרִידִים֙ שָׂרְד֣וּ מֵהֶ֔ם וַיָּבֹ֖אוּ אֶל־עָרֵ֥י הַמִּבְצָֽר׃

Tendo Josué e os filhos de Israel acabado de os ferir. A *guerra santa* tinha alcançado seu propósito e cumprido a sua obrigação. *Virtualmente todos* os soldados amorreus foram mortos. Apenas alguns deles foram capazes de entrar em alguma cidade, onde se refugiaram, engrossando as tropas que ofereceriam ainda alguma resistência. Isso posto, o trabalho não foi absolutamente completo, mas quase tão completo que os poucos que conseguiram escapar não ofereciam nenhum problema para a causa real de Israel. Posteriormente, seriam destruídas as cidades onde esses poucos amorreus se refugiaram, pelo que até esses poucos acabaram perecendo, conforme o restante do capítulo deixa claro.

■ 10.21

וַיָּשֻׁ֨בוּ כָל־הָעָ֧ם אֶל־הַמַּחֲנֶ֛ה אֶל־יְהוֹשֻׁ֖עַ מַקֵּדָ֣ה בְּשָׁל֑וֹם לֹֽא־חָרַ֞ץ לִבְנֵ֧י יִשְׂרָאֵ֛ל לְאִ֖ישׁ אֶת־לְשֹׁנֽוֹ׃

Não havendo ninguém que movesse a sua língua contra os filhos de Israel. Todos os israelitas que tinham saído para efetuar a campanha de "limpeza" retornaram em segurança. Os sobreviventes da cidade (Maquedá) não ousavam dizer coisa alguma contra os filhos de Israel, temendo também acabar executados. Este versículo não explica como ainda houve sobreviventes. Talvez tenha sido feita alguma exceção quanto às regras da guerra santa, como se deu no caso da cidade de Ai, onde o Senhor permitiu que os israelitas tomassem despojos (ver Js 8.27). Naquele caso, entretanto, nenhum ser humano restara com vida. Talvez a execução absoluta de todos tenha ocorrido em seguida, embora isso não nos seja dito na Bíblia.

O trecho de Êx 11.7 encerra uma expressão similar. Lemos ali que "nem ainda um cão rosnar". Todas as línguas, pois, foram silenciadas mediante o terror, conforme também diz este versículo: "não havendo ninguém que movesse a sua língua contra os filhos de Israel".

■ 10.22

וַיֹּ֣אמֶר יְהוֹשֻׁ֔עַ פִּתְח֖וּ אֶת־פִּ֣י הַמְּעָרָ֑ה וְהוֹצִ֣יאוּ אֵלַ֗י אֶת־חֲמֵ֛שֶׁת הַמְּלָכִ֥ים הָאֵ֖לֶּה מִן־הַמְּעָרָֽה׃

Abri a boca da cova. Josué ordenou que a caverna onde os reis amorreus se tinham escondido fosse aberta, e que aqueles reis fossem tirados dali, a fim de serem executados de modo doloroso e desgraçado. Em primeiro lugar, eles seriam humilhados; então seriam feridos por inúmeras vezes; e então seriam executados, talvez por meio de um grande espancamento. Depois seus cadáveres seriam pendurados em árvores, onde ficariam em exposição até o pôr do sol. Aí seriam novamente lançados na cova, que lhes serviria de sepulcro permanente. Essa era a crueldade quase inacreditável da guerra santa. Não é de admirar que os filhos de Israel fossem temidos por outros povos.

■ 10.23

וַיַּעֲשׂוּ כֵ֔ן וַיֹּצִ֣יאוּ אֵלָ֗יו אֶת־חֲמֵ֛שֶׁת הַמְּלָכִ֥ים הָאֵ֖לֶּה מִן־הַמְּעָרָ֑ה אֵ֣ת ׀ מֶ֣לֶךְ יְרוּשָׁלִַ֗ם אֶת־מֶ֤לֶךְ חֶבְרוֹן֙ אֶת־מֶ֣לֶךְ יַרְמ֔וּת אֶת־מֶ֥לֶךְ לָכִ֖ישׁ אֶת־מֶ֥לֶךְ עֶגְלֽוֹן׃

Fizeram, pois, assim. Foram tirados da cova os reis das cinco cidades mencionadas no quinto versículo deste capítulo, cidades essas cujos nomes são repetidos aqui. Ver as notas expositivas sobre o versículo 5 deste capítulo.

■ 10.24

וַ֠יְהִי כְּהוֹצִיאָ֞ם אֶת־הַמְּלָכִ֣ים הָאֵלֶּה֮ אֶל־יְהוֹשֻׁעַ֒ וַיִּקְרָ֨א יְהוֹשֻׁ֜עַ אֶל־כָּל־אִ֣ישׁ יִשְׂרָאֵ֗ל וַיֹּ֛אמֶר אֶל־קְצִינֵ֞י אַנְשֵׁ֤י הַמִּלְחָמָה֙ הֶהָלְכ֣וּא אִתּ֔וֹ קִרְב֕וּ שִׂ֚ימוּ אֶת־רַגְלֵיכֶ֔ם עַֽל־צַוְּארֵ֖י הַמְּלָכִ֣ים הָאֵ֑לֶּה וַֽיִּקְרְב֔וּ וַיָּשִׂ֥ימוּ אֶת־רַגְלֵיהֶ֖ם עַל־צַוְּארֵיהֶֽם׃

Ponde o vosso pé sobre o pescoço destes reis. A humilhante cerimônia foi efetuada pelos capitães do povo de Israel, que agira em atitude de quem subjugava. Esse ato simbólico tem sido abundantemente ilustrado pela arqueologia, pois era comum aos povos do Oriente Próximo e Médio, como os egípcios, os assírios etc. Cf. 2Sm 22.39-41; 1Rs 5.3; Is 51.23. O ato como que dizia: "É assim que fazemos aos que se nos opõem. Todos eles são humilhados e sujeitados por nós". Os capitães de Israel deviam não somente observar o ato, mas também dele participar, instilando essa lição na mente de todos os povos em derredor. Yahweh receberia o crédito pelo poder que eles tinham tido de sujeitar os seus adversários, visto que a guerra santa estava sendo dirigida pela deidade, de acordo com a crença dos filhos de Israel. Ver Dt 33.29 quanto à sujeição dos habitantes da Palestina aos filhos de Israel.

10.25

וַיֹּאמֶר אֲלֵיהֶם יְהוֹשֻׁעַ אַל־תִּירְאוּ וְאַל־תֵּחָתּוּ חִזְקוּ
וְאִמְצוּ כִּי כָכָה יַעֲשֶׂה יְהוָה לְכָל־אֹיְבֵיכֶם אֲשֶׁר אַתֶּם
נִלְחָמִים אוֹתָם:

Não temais, nem vos atemorizeis. Essas palavras foram ditas por Josué, como encorajamento aos capitães do exército de Israel. Cf. Js 1.9 e 8.1 ("sê forte e corajoso"), e também Js 1.6,7,9 ("tão somente sê forte e muito corajoso").

10.26

וַיַּכֵּם יְהוֹשֻׁעַ אַחֲרֵי־כֵן וַיְמִיתֵם וַיִּתְלֵם עַל חֲמִשָּׁה
עֵצִים וַיִּהְיוּ תְּלוּיִם עַל־הָעֵצִים עַד־הָעָרֶב:

Josué, ferindo-os, os matou. A execução dos cinco reis amorreus deu-se, ao que parece, mediante espancamento, o que provoca hemorragias internas; e também podemos imaginar que suas cabeças tenham sido esmagadas mediante muitos golpes. O resultado final, sem dúvida, foram corpos esfacelados e deformados. Em seguida, os cadáveres foram pendurados em árvores, para ficarem expostos às intempéries, de modo que todos pudessem ver o que sucederia a quem ousasse opor-se a Israel. Ato similar já havia sido executado em Js 8.29, onde também ofereço comentários a respeito, conforme foi o destino final do rei da cidade de Ai.

10.27

וַיְהִי לְעֵת בּוֹא הַשֶּׁמֶשׁ צִוָּה יְהוֹשֻׁעַ וַיֹּרִידוּם מֵעַל
הָעֵצִים וַיַּשְׁלִכֻם אֶל־הַמְּעָרָה אֲשֶׁר נֶחְבְּאוּ־שָׁם וַיָּשִׂמוּ
אֲבָנִים גְּדֹלוֹת עַל־פִּי הַמְּעָרָה עַד־עֶצֶם הַיּוֹם הַזֶּה: פ

E lançaram-nos na cova. O rei de Ai foi sepultado debaixo de um imenso monte de pedras, na porta de entrada de Ai, o que se tornou um memorial do evento. Por igual modo, os cinco reis amorreus foram sepultados na cova atulhada de pedras, o que também serviu de memorial. Por muitas vezes, em ocasiões distintas, pilhas de pedras foram assim transformadas em memoriais. Esses memoriais feitos de pedra são mencionados em Js 4.3,9; 7.26; 8.29 e no presente versículo. O autor sagrado ainda podia contemplar essas pilhas de pedras, em seus próprios dias. O trecho de Js 9.27, na opinião de muitos intérpretes, mostra que o livro de Josué foi escrito quando a "casa do Senhor", o templo de Jerusalém, já havia sido construído, tendo-se tornado o santuário central da nação. Mas outros estudiosos supõem que devamos pensar aqui no tabernáculo (uma interpretação impossível, porquanto o santuário não foi o lugar que Deus escolheu para ser um novo santuário), ou que um editor posterior tenha acrescentado uma nota de rodapé acerca do monte de pedras, em algum tempo posterior. Ver na introdução ao livro de Josué sobre a questão de autoria e data do livro de Josué.

Os reis amorreus, longe de receberem um sepultamento condigno, foram assim cobertos de pedras, o que lhes serviu de humilhação final. As notícias que haveriam de espalhar-se, acerca de tais acontecimentos, confeririam a Israel uma vantagem psicológica sobre os seus inimigos.

10.28

וְאֶת־מַקֵּדָה לָכַד יְהוֹשֻׁעַ בַּיּוֹם הַהוּא וַיַּכֶּהָ לְפִי־חֶרֶב
וְאֶת־מַלְכָּהּ הֶחֱרִם אוֹתָם וְאֶת־כָּל־הַנֶּפֶשׁ אֲשֶׁר־בָּהּ
לֹא הִשְׁאִיר שָׂרִיד וַיַּעַשׂ לְמֶלֶךְ מַקֵּדָה כַּאֲשֶׁר עָשָׂה
לְמֶלֶךְ יְרִיחוֹ:

Nesse mesmo dia tomou Josué a Maquedá. Agora é narrado o final da batalha contra Maquedá. No versículo 21 deste capítulo, podemos compreender que ainda restaram ali alguns poucos sobreviventes, e que, em terror, ninguém ousava mover a língua, queixando-se do que os israelitas tinham feito. E esse grande medo dos cananeus estava plenamente justificado. A *guerra santa* (ver Dt 7.1-5; 20.10-18) requeria matança total. Nenhum ser humano de uma cidade votada à destruição, fosse homem, mulher ou criança, tinha permissão de continuar vivendo. Somos lembrados, no fim deste versículo, que o destino dos habitantes de Maquedá foi exatamente o mesmo que o destino final dos habitantes de Jericó: aniquilamento absoluto. Não se podia permitir que restasse alguma contaminação pagã para infectar Israel e destruir seu caráter *distintivo*. Ver Dt 4.4-8; Lv 3.17 e 16.29.

10.29

וַיַּעֲבֹר יְהוֹשֻׁעַ וְכָל־יִשְׂרָאֵל עִמּוֹ מִמַּקֵּדָה לִבְנָה
וַיִּלָּחֶם עִם־לִבְנָה:

Passou de Maquedá a Libna, e pelejou contra ela. Josué e todo o povo armado de Israel passaram a combater contra outra cidade, Libna. Isso começa a descrever uma série de triunfos militares de Israel que reduziu a nada as principais cidades fortificadas da Sefelá (ver Js 10.10). Essas cidades guardavam o acesso às terras altas. As cidades mencionadas achavam-se em uma sequência mais ou menos na direção norte-sul, acompanhando a mesma rota que Nabucodonosor, séculos mais tarde, percorreu, a fim de atacar o povo de Israel, imediatamente antes do cativeiro babilônico.

Libna. Ver o verbete detalhado sobre essa localidade no *Dicionário*. Finalmente, essa cidade passou para o território que coube à tribo de Judá (ver Js 15.42). Senaqueribe sitiou essa cidade, depois de ter combatido contra Laquis. Ver 2Rs 19.8 e Is 37.8.

Sumário. "Libna (atual Tell es-Safi) distava pouco menos de nove quilômetros para oeste de Azeca e guardava o vale de Elá (Tell Bornat), a pouca distância ao sul daquela outra cidade. Laquis é o mesmo Tell ed-Duweir, cerca de dezesseis quilômetros ao sul de Libna, ao pé de outro vale que conduzia ao caminho para Hebrom, ao passo que Eglom (Tell el-Hesi) ficava cerca de onze quilômetros a sudoeste de Laquis, no mesmo extremo de sopés de colinas que se adentravam na planície costeira. O relato da campanha é estereotipado, pois quase não são fornecidos detalhes. Nesse caso, as cidades, com a sua população, estavam debaixo do *herem*, embora as palavras 'destruiu-os totalmente' sejam usadas somente no caso de Maquedá (vs. 28) e de Eglom (vs. 34)" (John Bright, *in loc.*). Ver acerca do *herem* nas notas expositivas sobre Js 6.17.

10.30

וַיִּתֵּן יְהוָה גַּם־אוֹתָהּ בְּיַד יִשְׂרָאֵל וְאֶת־מַלְכָּהּ וַיַּכֶּהָ
לְפִי־חֶרֶב וְאֶת־כָּל־הַנֶּפֶשׁ אֲשֶׁר־בָּהּ לֹא־הִשְׁאִיר בָּהּ
שָׂרִיד וַיַּעַשׂ לְמַלְכָּהּ כַּאֲשֶׁר עָשָׂה לְמֶלֶךְ יְרִיחוֹ: ס

Fez ao seu rei, como fizera ao rei de Jericó. Uma vez mais, *Jericó* foi usada como fator de comparação: Libna e seus habitantes, sujeitados à destruição absoluta do *herem* (ver Js 6.17), pereceram totalmente, conforme tinha acontecido a Jericó e seus habitantes. Israel deu prosseguimento à sua guerra santa (ver Dt 7.1-5; 20.10-18), que requeria que nenhum único habitante das cidades atacadas continuasse vivo. Eram indivíduos que haviam praticado pecados abomináveis, e a ira divina, finalmente, tinha posto fim a todos. Ver Dt 7.1,2 e Gn 15.16.

10.31,32

וַיַּעֲבֹר יְהוֹשֻׁעַ וְכָל־יִשְׂרָאֵל עִמּוֹ מִלִּבְנָה לָכִישָׁה וַיִּחַן
עָלֶיהָ וַיִּלָּחֶם בָּהּ:

וַיִּתֵּן יְהוָה אֶת־לָכִישׁ בְּיַד יִשְׂרָאֵל וַיִּלְכְּדָהּ בַּיּוֹם
הַשֵּׁנִי וַיַּכֶּהָ לְפִי־חֶרֶב וְאֶת־כָּל־הַנֶּפֶשׁ אֲשֶׁר־בָּהּ כְּכֹל
אֲשֶׁר־עָשָׂה לְלִבְנָה: פ

Passou de Libna a Laquis. Prossegue a *descrição estereotipada*: o que aconteceu em Jericó, aconteceu também em Libna; e o que aconteceu em Libna, aconteceu também em Laquis. O *herem* acabou com eles todos; a *guerra santa* destruiu todas as vidas.

Laquis. Ver no *Dicionário* o artigo detalhado que há sobre esse lugar. Cf. com as invasões posteriores do lugar, quando Israel exercia controle: 2Rs 18.3; 19.8; 2Cr 32.9; Jr 24.7. Todas as informações de que dispomos sobre a cidade mostram que ela era uma fortaleza.

O rei de Laquis era um dos *cinco* reis amorreus que tinham sido mortos (vss. 23 e 27). Isso posto, os vss. 28-43 oferecem "um sumário das conquistas de Josué na região sul da Terra Prometida. Após a derrota dos cinco reis, Israel não teve dificuldade para subjugar a totalidade do sul da Palestina. Os vss. 40-42 mostram quão completa foi a vitória" (*Oxford Annotated Bible*, comentando sobre o versículo 28 deste capítulo).

■ 10.33

אָז עָלָה הֹרָם מֶלֶךְ גֶּזֶר לַעְזֹר אֶת־לָכִישׁ וַיַּכֵּהוּ יְהוֹשֻׁעַ וְאֶת־עַמּוֹ עַד־בִּלְתִּי הִשְׁאִיר־לוֹ שָׂרִיד׃

Então Horão, rei de Gezer. Querendo mostrar-se heroico, Horão tentou reverter a situação em Laquis, mas acabou sendo obliterado, de tal modo que ele e toda a sua gente terminaram aniquilados, a ponto de nenhum de seus súditos ter sobrevivido para contar a história do terror.

O nome Horão significa "elevado", "exaltado". Ele saiu em socorro de Laquis, quando Josué cercava essa cidade, mas foi derrotado e morto. Há um artigo detalhado sobre essa cidade-estado, *Gezer*, no *Dicionário*. A cidade ficava a cerca de 48 quilômetros de Laquis, pelo que Horão deve ter feito um grande esforço na tentativa de defendê-la. Gezer era uma fortaleza muito bem fortificada, e Josué não conseguiu expelir dali os cananeus. Ver Js 16.5,10; Jz 1.29. Entretanto, eles foram forçados a pagar tributo, o que foi uma espécie de vitória secundária para Israel. Os levitas ficaram com a cidade como parte de sua herança.

Este versículo descreve a matança do exército de Gezer (aquela parte que tinha sido enviada para ajudar Laquis a defender-se, embora não os defensores da própria cidade de Gezer).

■ 10.34,35

וַיַּעֲבֹר יְהוֹשֻׁעַ וְכָל־יִשְׂרָאֵל עִמּוֹ מִלָּכִישׁ עֶגְלֹנָה וַיַּחֲנוּ עָלֶיהָ וַיִּלָּחֲמוּ עָלֶיהָ׃

וַיִּלְכְּדוּהָ בַּיּוֹם הַהוּא וַיַּכּוּהָ לְפִי־חֶרֶב וְאֵת כָּל־הַנֶּפֶשׁ אֲשֶׁר־בָּהּ בַּיּוֹם הַהוּא הֶחֱרִים כְּכֹל אֲשֶׁר־עָשָׂה לְלָכִישׁ׃ פ

Passou de Laquis a Eglom. Depois de Laquis, ocorreu o aniquilamento total de *Eglom* (ver a respeito no *Dicionário*). A descrição padronizada continua aqui: o que sucedeu a Jericó, sucedeu a Libna; e o mesmo ocorreu nos casos de Laquis e de Eglom.

Eglom. Ficava aproximadamente treze quilômetros a sudoeste de Laquis e a cerca de 64 quilômetros de Jerusalém. Isso significa que toda aquela área estava agora subjugada por Israel, pois a campanha no sul da Terra Prometida era efetuada de maneira metódica. O rei de Eglom representava um dos cinco reis amorreus que já tinham sido executados (ver os versículos 23 e 27 deste capítulo).

■ 10.36,37

וַיַּעַל יְהוֹשֻׁעַ וְכָל־יִשְׂרָאֵל עִמּוֹ מֵעֶגְלוֹנָה חֶבְרוֹנָה וַיִּלָּחֲמוּ עָלֶיהָ׃

וַיִּלְכְּדוּהָ וַיַּכּוּהָ לְפִי־חֶרֶב וְאֶת־מַלְכָּהּ וְאֶת־כָּל־עָרֶיהָ וְאֶת־כָּל־הַנֶּפֶשׁ אֲשֶׁר־בָּהּ לֹא־הִשְׁאִיר שָׂרִיד כְּכֹל אֲשֶׁר־עָשָׂה לְעֶגְלוֹן וַיַּחֲרֵם אוֹתָהּ וְאֶת־כָּל־הַנֶּפֶשׁ אֲשֶׁר־בָּהּ׃ ס

Subiu de Eglom a Hebrom. Continua a *descrição estereotipada*, narrando agora o que sucedeu a todos os lugares mencionados antes (o terror que sobreviera a Jericó é repetido por diversas vezes), como também o que sucedeu no caso de *Hebrom*. O rei daquele lugar já havia sido executado, sendo ele um dos *cinco* reis que se tinham escondido na cova de Maquedá, para então serem tirados dali e espancados até a morte. Depois de mortos, eles foram selados na cova, mediante grandes pedras. Ver os vss. 23 e 27 deste capítulo. Ver no *Dicionário* o artigo chamado *Hebrom*. Nenhum único ser humano

teve permissão de continuar vivo. O *herem* era, simplesmente, sem misericórdia (ver Js 6.17). A *guerra santa* estava sendo levada às suas últimas consequências (ver Dt 7.1-5; 20.10-18).

"Uma vez liquidada a fortaleza que havia no sopé das colinas, Josué levou as suas forças até o cerne das terras altas do sul, conquistando e destruindo suas duas principais cidades, Hebrom (el-Khalil), cerca de 21 quilômetros ao sul de Jerusalém, e Debir (Tell Beit Mirsim), a cerca de dezenove quilômetros para oeste, a sudoeste de Hebrom" (John Bright, *in loc.*).

De forma aparentemente incongruente, o versículo 37 deste capítulo menciona *o rei*. Visto que ele não foi morto nessa ocasião, a Septuaginta deixa o informe de lado. Ou, talvez, devamos entender que um rei *substituto* foi então executado, ao passo que o rei original da cidade era um dos *cinco* reis que já haviam sido mencionados. É provável que a descrição estereotipada, de uma maneira descuidada, tenha deixado ali o rei. Também há outras narrativas sobre a destruição de Hebrom e de Debir. Ver Js 14.13-15; 15.13,14; Jz 1.9,10, quanto a Hebrom; e Js 15.15,19 e Jz 11.11-15, quanto a Debir.

■ 10.38,39

וַיָּשָׁב יְהוֹשֻׁעַ וְכָל־יִשְׂרָאֵל עִמּוֹ דְּבִרָה וַיִּלָּחֶם עָלֶיהָ׃

וַיִּלְכְּדָהּ וְאֶת־מַלְכָּהּ וְאֶת־כָּל־עָרֶיהָ וַיַּכּוּם לְפִי־חֶרֶב וַיַּחֲרִימוּ אֶת־כָּל־נֶפֶשׁ אֲשֶׁר־בָּהּ לֹא הִשְׁאִיר שָׂרִיד כַּאֲשֶׁר עָשָׂה לְחֶבְרוֹן כֵּן־עָשָׂה לִדְבִרָה וּלְמַלְכָּהּ וְכַאֲשֶׁר עָשָׂה לְלִבְנָה וּלְמַלְכָּהּ׃

Voltou a Debir, e pelejou contra ela. A descrição estereotipada tem prosseguimento. O que tinha sucedido a Jericó, a Libna, a Laquis, a Eglom e a Hebrom, também acabou acontecendo a Debir. Ver no *Dicionário* o artigo intitulado *Debir*. seu rei já havia sido executado, juntamente com os outros quatro reis amorreus, segundo vimos anteriormente. Ver os vss. 23 e 27 deste capítulo. Mas aqui esse rei é novamente mencionado, ou mediante uma inclusão descuidada na descrição estereotipada, ou porque havia um rei substituto que tinha começado a governar a cidade.

Nenhuma menção é feita sobre a destruição de Jarmute e de Jerusalém. Talvez porque, nessa ocasião, isso não tenha ocorrido, ou porque o autor sagrado quis dar a entender que as cidades de todos os cinco reis (ver os vss. 3 e 22) deveriam ser concebidas como já destruídas, conforme os leitores facilmente podem lembrar-se. O fato foi que uma total subjugação só ocorreu nos dias de Davi.

Uma ilha de paganismo permaneceu naquela área, resistindo à completa destruição, até que esse enclave foi finalmente eliminado por Davi (ver 2Sm 5.7).

■ 10.40,41

וַיַּכֵּה יְהוֹשֻׁעַ אֶת־כָּל־הָאָרֶץ הָהָר וְהַנֶּגֶב וְהַשְּׁפֵלָה וְהָאֲשֵׁדוֹת וְאֵת כָּל־מַלְכֵיהֶם לֹא הִשְׁאִיר שָׂרִיד וְאֵת כָּל־הַנְּשָׁמָה הֶחֱרִים כַּאֲשֶׁר צִוָּה יְהוָה אֱלֹהֵי יִשְׂרָאֵל׃

וַיַּכֵּם יְהוֹשֻׁעַ מִקָּדֵשׁ בַּרְנֵעַ וְעַד־עַזָּה וְאֵת כָּל־אֶרֶץ גֹּשֶׁן וְעַד־גִּבְעוֹן׃

Assim feriu Josué toda aquela terra. Os dois versículos sintetizam a campanha militar de Israel no sul da Palestina. Terminada a campanha, já estavam nas mãos dos israelitas o leste (a Transjordânia), o ocidente (Jericó, Ai e, presumivelmente, outras cidades) e o sul (todo o décimo capítulo do livro de Josué, agora sumariado). Restava dominar somente a parte norte da Terra Prometida.

A região montanhosa. Refere-se às terras altas da Judeia, como também às colinas de Efraim. Ver Dt 1.7, onde essa área é mencionada como parte da Terra Prometida a ser conquistada.

O Neguebe. Essa área é descrita de forma detalhada no artigo a respeito, no *Dicionário*. A estepe semiárida que se estende pelo deserto adentro, na direção sul, está aqui em pauta. Algumas traduções dizem simplesmente "o sul", o que aparece de vez em quando como designação da região (ver Gn 12.9; 13.14; 24.62; Nm 13.17). Está em foco a parte sul do território de Judá.

As campinas. Em outras palavras, a Sefelá (ver Js 10.10), ou seja, os sopés das colinas que ficavam entre as terras altas e a planície costeira.

As descidas das águas. Talvez estejam em pauta as vertentes orientais que levam ao mar Morto. Ver também Js 12.3,8 e 13.20. A palavra hebraica aqui envolvida pode significar "descidas" ou "fontes"; as traduções escolhem uma ou outra, ou então uma combinação de ambas.

Todos Esses Territórios Foram Conquistados. seus reis foram todos subjugados, pois a guerra santa se tinha mostrado extremamente eficiente quanto a seus resultados (ver Dt 7.1-5); e o *herem* (ver Js 6.17) tinha feito de tudo um gigantesco holocausto. Israel não haveria de contaminar-se com a idolatria reinante naquelas regiões.

Feriu-os Josué desde Cades-Barneia até Gaza. O autor sacro dá-nos agora os *limites gerais* da campanha, ou seja, desde *Cades-Barneia* até *Gaza*, que ficava cerca de sessenta quilômetros a oeste de Hebrom. Se alguém caminhasse do sul para o norte, isto é, de Cades-Barneia a Gaza, percorreria nada menos de 113 quilômetros, em uma direção quase rigidamente sul-norte. Cades-Barneia ficava no Neguebe.

Toda a terra de Gósen até Gibeom. Naturalmente, essa Gósen não é aquela que ficava no Egito. Antes, era uma região indeterminada no sul da Palestina. Mediante o uso desse vocábulo, o autor saltou sobre a extensão mais sulista da conquista militar, e então indicou Gibeom como o ponto norte até onde ia esse limite. Gósen ficava localizada entre Gaza e Gibeom. Ver no *Dicionário* sobre Gósen, em seu segundo ponto. Havia também uma cidade com esse nome, próxima de Debir, que é comentada sobre o terceiro ponto daquele artigo. Ver ainda Js 15.51 quanto àquele lugar. Talvez a cidade tenha emprestado seu nome à área em geral.

■ 10.42

וְאֵת כָּל־הַמְּלָכִים הָאֵלֶּה וְאֶת־אַרְצָם לָכַד יְהוֹשֻׁעַ פַּעַם אֶחָת כִּי יְהוָה אֱלֹהֵי יִשְׂרָאֵל נִלְחָם לְיִשְׂרָאֵל׃

Tomou Josué todos estes reis e as suas terras. Essas grandes e rápidas vitórias foram possíveis somente porque Yahweh havia traçado o plano da conquista e tinha garantido o sucesso dos filhos de Israel. Josué foi o instrumento usado nesse plano, e a sua obediência possibilitou tudo aquilo. Ver no *Dicionário* e nas notas expositivas de Dt 32.46 comentários sobre a questão da *obediência*.

Quanto ao conceito de que Yahweh *combatia* por Israel, na qualidade de Comandante-em-chefe invisível do exército hebreu, ver Êx 14.14; Dt 1.30; 3.22; 20.4; Js 23.3.

■ 10.43

וַיָּשָׁב יְהוֹשֻׁעַ וְכָל־יִשְׂרָאֵל עִמּוֹ אֶל־הַמַּחֲנֶה הַגִּלְגָּלָה׃ פ

Voltou ao arraial, em Gilgal. Josué e sua gente voltaram para o lugar de onde tinham partido, após uma magnífica campanha. Ele e todos os seus homens descansaram no acampamento, em Gilgal. Ver Js 4.19 quanto ao acampamento estabelecido ali pelo povo de Israel. Os civis de Israel, bem como o tabernáculo, que era o centro da adoração dos hebreus, estavam nesse acampamento.

"Sem dúvida nenhuma, Josué e o povo de Israel com ele louvaram e agradeceram publicamente a Deus, devido às vitórias singulares que tinham obtido sobre os cananeus" (John Gill, *in loc.*).

Isso posto, Israel estava perto de conquistar a totalidade da Terra Prometida, o território nacional que fazia parte da herança prometida como parte do Pacto Abraâmico (ver a respeito desse pacto em Gn 15.18).

Kipling, o poeta, foi inspirado a falar sobre a campanha do sul da Palestina efetuada por Israel, nos seguintes versos:

> O tumulto e os gritos cessam —
> Os capitães e o rei se vão embora —
> Mas permanece o teu antigo sacrifício,
> Bem como o coração humilde e contrito.
> Senhor Deus dos Exércitos, sê conosco,
> Para não esquecermos, para não esquecermos.

CAPÍTULO ONZE

A CAMPANHA NO NORTE DE CANAÃ (11.1-15)

O *povo de Israel* já havia conquistado a parte *oriental* (a Transjordânia; ver a respeito no *Dicionário*, bem como Nm 32.31 ss.; 34.14,15). As tribos de Rúben e de Gade e a meia tribo de Manassés tinham ficado com aquelas terras, e então ajudariam na invasão da parte *ocidental* da Terra Prometida. Essa parte da Palestina fora conquistada. Jericó e Ai eram fortalezas existentes nessa área, e foram completamente destruídas. O relato a respeito é dado em Josué 6—8. É provável que outras cidades da mesma área tenham sido conquistadas, embora não tenham sido mencionadas por nome.

Em seguida, a campanha voltara-se na direção *sul*, onde grande número de cidades foi destruído. O décimo capítulo conta-nos a história, e os versículos 40 e 41 fornecem-nos um *sumário* das atividades militares que ali ocorreram.

Este *capítulo 11* narra como Israel conquistou a parte norte da Terra Prometida. O trecho de Js 11.16—12.24 fornece-nos um sumário da conquista total da Terra Prometida, e isso nos leva ao próximo passo, ou seja, à divisão do território conquistado entre as doze tribos (ver Josué 13—24).

Vários reis da parte norte da Palestina, alarmados diante da notícia da rápida conquista da terra de Canaã, formaram uma coligação. Josué enfrentou essa liga em uma batalha, e obteve rápidas e decisivas vitórias. A *guerra santa* limpou toda aquela área por meio do *herem* ou holocausto, porquanto tudo foi oferecido como sacrifício a Yahweh. Ver sobre esses temas em Dt 7.1-5 e Js 6.17.

A aptidão militar de Josué era simplesmente impressionante. Ele estava sempre na ofensiva, utilizando-se do elemento surpresa, conforme fez contra os reis amorreus, em Gibeom (ver Js 10.9), e também contra os vários reis, junto às águas de Merom (11.7), ou conforme fez contra Ai, quando se utilizou de um grande artifício. Ele perseguia sem quartel a inimigos postos em fuga, aplicando contra eles o *herem* (ver Js 6.17 e suas notas expositivas), de modo que os adversários, uma vez derrotados, não podiam mais recuperar-se.

■ 11.1

וַיְהִי כִּשְׁמֹעַ יָבִין מֶלֶךְ־חָצוֹר וַיִּשְׁלַח אֶל־יוֹבָב מֶלֶךְ מָדוֹן וְאֶל־מֶלֶךְ שִׁמְרוֹן וְאֶל־מֶלֶךְ אַכְשָׁף׃

Tendo Jabim, rei de Hazor, ouvido isto. "O padrão literário seguido no capítulo 11 é diferente do que se vê nos capítulos anteriores. Os reis do norte da Palestina formaram uma aliança, mobilizando as suas tropas e estabelecendo um ponto de concentração no centro mais estratégico do território. Esses vários grupos de inimigos pouco tinham em comum uns com os outros... A única coisa de que compartilhavam era a má vontade, pois desconfiavam uns dos outros. Sem embargo, diante de um adversário comum, eles puseram de lado as suas diferenças, reuniram os seus recursos e apresentaram uma frente unida. Um perigo comum geralmente serve para forjar alianças curiosas. Planejando vencer, um Stalin e um Hitler geralmente chegam a algum acordo... Esse tipo de amizade, alicerçada sobre o temor, é totalmente isento de lealdade, e nunca perdura" (Joseph R. Sizoo, *in loc.*).

Jabim. Ver o artigo detalhado sobre esse homem no *Dicionário*. Jabim foi um rei cananeu cujas forças foram derrotadas por Débora e Baraque, e alguns eruditos supõem que a história deste capítulo e aquela do quarto capítulo de Juízes sejam paralelas, derivadas de uma mesma fonte informativa, embora com suas próprias distorções. Entretanto, o quarto capítulo de Juízes conta a história da derrota de Sísera, e não de Jabim, sendo provável que, na história do quarto capítulo de Juízes, Jabim tenha sido introduzido como uma personagem secundária. Eventos distintos aparecem em Josué 11 e em Juízes 4. Por isso mesmo, muitos intérpretes supõem que tenha havido *dois homens* com o mesmo nome, Jabim.

Hazor. Ver o artigo detalhado sobre essa cidade no *Dicionário*. Modernamente é conhecida como Tell el-Qedah, a cerca de cinco quilômetros do lago Hulé (Meron), também chamado Semeronitis, na Alta Galileia. Ver completos detalhes quanto a isso no artigo existente no *Dicionário*, chamado *Águas de Merom*.

Jobabe. Ver a respeito desse homem no *Dicionário*.

Madom. Ver a respeito dessa cidade no *Dicionário*. Essa era uma cidade real dos cananeus, no norte da Palestina (Galileia). Tem sido identificada com Qarn Hattin, a noroeste de Tiberíades.

Sinrom. Ver sobre esse nome no *Dicionário*, em seu segundo ponto. Algumas traduções (como a nossa versão portuguesa) dão a entender que esse era o nome de um dos reis daquela área; porém o mais provável é que esteja em pauta uma cidade. Nesse caso, o rei de Sinrom não teria sido chamado por nome. Sinrom era uma cidade que coube à tribo de Zebulom (ver Js 19.15), perto de Belém. Ver as notas expositivas em Gn 14.2.

Acsafe. Tal como no caso de Sinrom, temos aqui não um rei (conforme nossa versão portuguesa dá a entender) e, sim, uma cidade. Essa localidade talvez ficasse no sítio do moderno Tell Kisan, a sudeste de Acre, na planície costeira. Ver no *Dicionário* o verbete intitulado *Acsafe*, quanto a maiores detalhes.

■ 11.2

וְאֶל־הַמְּלָכִים אֲשֶׁר מִצָּפוֹן בָּהָר וּבָעֲרָבָה נֶגֶב כִּנֲרוֹת וּבַשְּׁפֵלָה וּבְנָפוֹת דּוֹר מִיָּם:

E aos reis, que estavam ao norte... Vários reis são aqui aludidos, mas sem especificar seus nomes, os quais se aliaram contra Israel. suas localizações geográficas, contudo, são fornecidas de modo geral.

Na região montanhosa. Temos aí uma referência ao Líbano e ao Antilíbano, com outras serras próximas, de acordo com Josefo (*Antiq.* 1.5, cap. 1, sec. 11), ou, talvez, estejam em vista as terras altas da Galileia, uma região que já não fica tão para o norte.

Na Arabá. Ver sobre esse lugar no *Dicionário*. Neste ponto, presume-se, está em foco o vale do rio Jordão, que corria do mar da Galileia para o sul.

Quinerete. Esse era o nome antigo do *mar da Galileia* (ver a respeito no *Dicionário*).

Nas planícies. Ou seja, na *Sefelá* (ver as notas expositivas em Js 10.10).

Nos planaltos de Dor. Dor ficava situada nas costas do mar Mediterrâneo, cerca de 24 quilômetros ao sul da cidade de Haifa. As *costas de Dor* talvez signifiquem as planícies costeiras ao sul do monte Carmelo, de cujas planícies Dor era a cidade mais importante. Ver 1Rs 4.11. Quanto a maiores detalhes, ver o verbete intitulado *Dor (Cidade)*, no *Dicionário*.

■ 11.3

הַכְּנַעֲנִי מִמִּזְרָח וּמִיָּם וְהָאֱמֹרִי וְהַחִתִּי וְהַפְּרִזִּי וְהַיְבוּסִי בָּהָר וְהַחִוִּי תַּחַת חֶרְמוֹן בְּאֶרֶץ הַמִּצְפָּה:

Aos cananeus do oriente e do ocidente. Este versículo confere-nos dimensões adicionais da aliança feita contra Israel, através da menção de vários inimigos antigos que habitavam na terra de Canaã, todos os quais são comentados no *Dicionário*. Ver também sobre as sete nações que teriam de ser expulsas da Terra Prometida, em Êx 33.2 e Dt 7.1, onde aparecem notas expositivas adicionais sobre cada um de seus nomes.

Mispa. Ver sobre essa localidade no *Dicionário*. Vários lugares eram assim chamados, nos dias do Antigo Testamento. A Mispa do presente texto aparece ali sob o quarto ponto. Ficava no extremo norte da Galileia, e seus principais habitantes eram os heveus. Mas o local exato da cidade é desconhecido.

■ 11.4

וַיֵּצְאוּ הֵם וְכָל־מַחֲנֵיהֶם עִמָּם עַם־רָב כַּחוֹל אֲשֶׁר עַל־שְׂפַת־הַיָּם לָרֹב וְסוּס וָרֶכֶב רַב־מְאֹד:

Muito povo, em multidão. O texto enfatiza quão *maciça* era a oposição a Israel. A vitória, portanto, só podia ser obtida mediante ousadia, coragem e, principalmente, fé em Yahweh. Josué era o homem certo para aquela contingência.

Como a areia. Temos aqui uma expressão proverbial para denotar qualquer grande número que os homens desistissem de contar. A expressão foi usada por várias vezes para referir-se ao grande número dos filhos de Israel, em resultado das bênçãos decorrentes do Pacto Abraâmico. Ver Gn 22.17 e 32.12.

Muitos cavalos, carros de combate e instrumentos de guerra foram adicionados ao terror que as tropas inimigas representavam. Josefo (*Antiq.* 1.5, cap. 1, sec. 18) disse que o número do exército combinado do inimigo era de trezentos mil infantes, dez mil cavalos, trinta mil carros de combate — mas não sabemos quão exatas são as cifras por ele referidas. Se, porventura, esses números estavam corretos, então sem dúvida esse era o maior exército que se tinha concentrado até aquele momento da história de Israel. Os intérpretes, contudo, duvidam de que os reis-vassalos do norte da Palestina pudessem reunir um exército assim tão numeroso. Por outro lado, Israel dispunha de seiscentos mil homens em idade de ir à guerra e com capacidade física para tanto (ver Nm 1.46). Por conseguinte, essas cifras, dadas por Josefo, parecem perfeitamente possíveis.

■ 11.5

וַיִּוָּעֲדוּ כֹּל הַמְּלָכִים הָאֵלֶּה וַיָּבֹאוּ וַיַּחֲנוּ יַחְדָּו אֶל־מֵי מֵרוֹם לְהִלָּחֵם עִם־יִשְׂרָאֵל: פ

Junto às águas de Merom. Ver a respeito no *Dicionário*. Alguns estudiosos têm identificado essas águas com o wadi Meron, que flui das terras elevadas da Alta Galileia na direção sul, para o ângulo noroeste do mar da Galileia. Ver outras identificações possíveis no *Dicionário*. Alguns eruditos têm pensado no lago Hulé, também chamado de *Semeronitis*, a uma distância aproximada de 32 quilômetros ao norte do mar da Galileia.

O Ponto de Concentração dos Exércitos Coligados. Isso ocorreu em uma planície perto daquele lago. Israel teve de enfrentar ali um poderosíssimo exército (ver as notas sobre o versículo anterior). Se tivesse de haver sucesso, seria necessária outra intervenção divina.

■ 11.6

וַיֹּאמֶר יְהוָה אֶל־יְהוֹשֻׁעַ אַל־תִּירָא מִפְּנֵיהֶם כִּי־מָחָר כָּעֵת הַזֹּאת אָנֹכִי נֹתֵן אֶת־כֻּלָּם חֲלָלִים לִפְנֵי יִשְׂרָאֵל אֶת־סוּסֵיהֶם תְּעַקֵּר וְאֶת־מַרְכְּבֹתֵיהֶם תִּשְׂרֹף בָּאֵשׁ:

Não temas diante deles. Uma vez mais Yahweh exortou Josué a que tivesse coragem. Cf. Js 1.9,18 e 10.25. Yahweh lutaria por Israel (ver as notas a esse respeito em Êx 14.14; Dt 1.30; 3.22; 20.13; Js 10.8,14,42 e 23.3). As palavras encorajadoras também declararam o tempo em que a vitória seria obtida, ou seja, no dia seguinte, pelo que a ajuda de Yahweh se daria prontamente. O *herem* (ver Js 6.17), uma vez mais, seria a ordem do dia. O equipamento superior dos adversários não evitaria a sua derrota. seus cavalos seriam jarretados e seus carros de combate seriam queimados a fogo. O nono versículo deste capítulo indica que a promessa divina teve cabal cumprimento, e a vitória foi obtida por Israel, conforme afirmara a predição divina. Josefo (*Antiq.* 1.5, cap. 1, sec. 18) informa-nos que aquela grande multidão *aterrorizou* tanto a Josué quanto a todo o povo de Israel, e que, por esse motivo, Yahweh precisou intervir, mediante uma promessa especial.

Os *cavalos* deveriam ser jarretados, e não capturados e utilizados, porquanto Israel não deveria multiplicar cavalos (ver Dt 17.16). John Gill supunha que os carros de combate também não pudessem ser tomados e utilizados, a fim de que o povo de Israel continuasse a depender exclusivamente de Yahweh para obter suas vitórias.

■ 11.7

וַיָּבֹא יְהוֹשֻׁעַ וְכָל־עַם הַמִּלְחָמָה עִמּוֹ עֲלֵיהֶם עַל־מֵי מֵרוֹם פִּתְאֹם וַיִּפְּלוּ בָּהֶם:

Josué, e todos os homens de guerra... os atacaram. Não nos são fornecidos detalhes sobre a batalha, exceto pelo fato de que Josué conseguiu desfechar um eficaz *ataque surpresa*. Isso deve ser contrastado com o oitavo capítulo deste livro, onde há um relato elaborado sobre o artifício e o chamariz usados por Josué a fim de destruir Ai e seu exército. Devemos compreender que a capacidade militar de Josué era impressionante, conforme descrevi no último parágrafo da introdução a este capítulo.

11.8

וַיִּתְּנֵ֣ם יְהוָה֮ בְּיַד־יִשְׂרָאֵל֒ וַיַּכּוּם֙ וַֽיִּרְדְּפ֔וּם עַד־צִיד֣וֹן
רַבָּ֗ה וְעַד֙ מִשְׂרְפ֣וֹת מַ֔יִם וְעַד־בִּקְעַ֥ת מִצְפֶּ֖ה מִזְרָ֑חָה
וַיַּכֻּ֕ם עַד־בִּלְתִּ֥י הִשְׁאִֽיר־לָהֶ֖ם שָׂרִֽיד׃

E os feriram, e os perseguiram. O sucesso inicial foi seguido por outra grande perseguição e matança. Eram ações de "limpeza" que visavam aniquilar totalmente a um exército, deixando as cidades sem defesa diante do exército atacante de Israel, para outra tremenda matança de civis. Ninguém deveria ficar com vida, porquanto aquela era uma *guerra santa* (ver Dt 7.1-5). Nessa oportunidade, o inimigo foi perseguido na direção oeste, até a costa marítima.

Até à grande Sidom. Ver Gn 10.15 e suas notas expositivas, quanto a essa cidade. Esse era o porto fenício que ficava a quase 65 quilômetros para o norte, ainda que, no presente texto, é provável que esteja em pauta somente a fronteira da Fenícia.

Misrefote-Maim. Ver sobre essa cidade no *Dicionário*. Tal localidade tem sido identificada, por alguns estudiosos, com Kirbet el-Musheirefeh, imediatamente ao sul do ponto do promontório conhecido como "Escada de Tiro" (Ras en-Naqura). Mas outros eruditos afirmam que está em pauta a cidade de *Sarepta* (ver a respeito no *Dicionário*), que também tem sido identificada com Misrefote-Maim. Ou, então, 'Ain Meshrfi assinala o local antigo, uma região de fontes termais, perto de Ras en-Naqura. Esse lugar ficava a oeste do lago Hulé (ou Semeronitis), a cerca de cinquenta quilômetros dali.

Vale de Mispa. Ver a respeito desse vale no *Dicionário*, bem como no terceiro versículo deste capítulo. A perseguição também seguiu na direção nordeste, como quem vai para o monte Hermom.

11.9

וַיַּ֤עַשׂ לָהֶם֙ יְהוֹשֻׁ֔עַ כַּאֲשֶׁ֥ר אָֽמַר־ל֖וֹ יְהוָ֑ה אֶת־סוּסֵיהֶ֣ם
עִקֵּ֔ר וְאֶת־מַרְכְּבֹתֵיהֶ֖ם שָׂרַ֥ף בָּאֵֽשׁ׃ ס

Fez-lhes Josué como o Senhor lhe dissera. Josué cumpriu as ordens dadas pelo Senhor, não ficando com os cavalos, a fim de usá--los em ocasiões futuras, e destruindo os carros de combate que lhe teriam fornecido um equipamento superior para batalhas futuras. Ver o sexto versículo deste capítulo, onde já comentei sobre o assunto. Os cavalos foram inutilizados para as lidas da guerra. Provavelmente os cavalos foram mortos, pois de que adiantaria tantos cavalos aleijados? Talvez os cavalos fossem primeiramente jarretados e, depois, abatidos. O ato como que dizia: "Não temos nenhuma utilidade para estes animais, na guerra. Yahweh é suficiente para nós". Ver o Sl 20.7 quanto ao espírito da ordem baixada por Yahweh. Tempos mais tarde, a tribo de Judá utilizou-se de cavalos de guerra. Ver 2Rs 23.11. E bem sabemos que Salomão multiplicou cavalos.

11.10

וַיָּ֨שָׁב יְהוֹשֻׁ֜עַ בָּעֵ֤ת הַהִיא֙ וַיִּלְכֹּ֣ד אֶת־חָצ֔וֹר
וְאֶת־מַלְכָּ֖הּ הִכָּ֣ה בֶחָ֑רֶב כִּֽי־חָצ֣וֹר לְפָנִ֔ים הִ֖יא
רֹ֥אשׁ כָּל־הַמַּמְלָכ֖וֹת הָאֵֽלֶּה׃

Tomou a Hazor e feriu à espada ao seu rei. Esse rei tinha sido a cabeça pensante por trás da formação da coligação de cidades cananeias do norte da Palestina contrárias a Israel. Ver os vss. 1-3 deste capítulo. Portanto, foi apenas próprio que Josué, tendo derrotado os exércitos cananeus coligados, no campo de batalha, tivesse agora voltado a sua ira contra o principal chefe da coligação. Ele havia sido o principal responsável pelas dificuldades enfrentadas ultimamente pelos hebreus. Ver no *Dicionário* o artigo chamado *Hazor*, quanto a comentários adicionais, no primeiro versículo deste capítulo.

"ele foi destacado para receber um castigo especial, provavelmente porque a sua cidade era, em muito, a maior cidade da antiga Palestina, cobrindo uma área de quase cem mil metros quadrados, ou seja, uma cidade comparável a Megido (ver o vs. 14) ou a Jericó (ver o vs. 8). Ocupando uma posição tão estratégica, Hazor dominou vários ramos de uma antiga artéria que ia do Egito à Síria, e daí até à Assíria e a Babilônia. Essa localização de Hazor, à margem de uma importante rota comercial, contribuía para o enriquecimento cada vez maior da cidade. Por isso, somente Hazor, entre todas as cidades do norte da Palestina, foi conquistada e incendiada" (Donald K. Campbell, *in loc.*). É possível que as demais cidades da região tivessem sido deixadas intactas, uma medida que relaxava as normas que a guerra santa impunha, a fim de que o povo de Israel, que estava chegando à Terra Prometida, tivesse cidades prontas para serem habitadas.

11.11

וַ֠יַּכּוּ אֶת־כָּל־הַנֶּ֨פֶשׁ אֲשֶׁר־בָּ֤הּ לְפִי־חֶ֨רֶב֙ הַֽחֲרֵ֔ם לֹ֥א
נוֹתַ֖ר כָּל־נְשָׁמָ֑ה וְאֶת־חָצ֖וֹר שָׂרַ֥ף בָּאֵֽשׁ׃

Ninguém sobreviveu; e a Hazor queimou com fogo. Tanto a *guerra santa* quanto o *herem* (ver Dt 7.1-5 e Js 6.17, respectivamente, quanto a explicações sobre esses termos) reduziram Hazor a nada; e, naturalmente, o rei que havia encabeçado o conluio contra Israel foi executado. Jericó e Ai tinham sido incendiadas; e Hazor recebeu tratamento idêntico. Em um período posterior, porém, Hazor foi reconstruída, de maeira que lemos que, na época da profetisa Débora, o lugar era habitado por cananeus e até tinha o seu próprio exército (ver Jz 4.2).

11.12,13

וְֽאֶת־כָּל־עָרֵ֣י הַמְּלָכִֽים־הָ֠אֵלֶּה וְֽאֶת־כָּל־מַלְכֵיהֶ֞ם
לָכַ֧ד יְהוֹשֻׁ֛עַ וַיַּכֵּ֥ם לְפִי־חֶ֖רֶב הֶחֱרִ֣ים אוֹתָ֑ם כַּאֲשֶׁ֣ר
צִוָּ֔ה מֹשֶׁ֖ה עֶ֥בֶד יְהוָֽה׃

רַ֣ק כָּל־הֶעָרִ֗ים הָעֹֽמְדוֹת֙ עַל־תִּלָּ֔ם לֹ֥א שְׂרָפָ֖ם
יִשְׂרָאֵ֑ל זוּלָתִ֛י אֶת־חָצ֥וֹר לְבַדָּ֖הּ שָׂרַ֥ף יְהוֹשֻֽׁעַ׃

Josué tomou todas as cidades desses reis. As demais cidades dos reis que tinham entrado em aliança com o rei de Hazor, apesar de terem sua gente toda passada a fio da espada, não foram incendiadas, presumivelmente a fim de conceder a Israel cidades prontas para serem habitadas. Os mandamentos que Moisés havia recebido da parte de Yahweh, por conseguinte, foram cumpridos, pelo menos no tocante à "guerra santa", conforme se vê em Dt 7.1,2.

Há uma tradição judaica que nos informa que o fato de essas outras cidades "não terem sido incendiadas" também fez parte de um mandamento baixado por Yahweh (*Bereshit Rabba*, sec. 8, fol. 71.1). Usualmente, porém, essas tradições se baseiam em especulações, a fim de justificar ou explicar coisas que, porventura, estivessem acontecendo.

As cidades que estavam sobre os outeiros. Algumas traduções ou versões dizem aqui algo como "as cidades que se mantiveram com suas próprias forças". Mas o mais provável é que devamos mesmo pensar em "cômoros". O termo hebraico é *tell*, palavra essa que, tecnicamente, veio a significar um "cômoro", uma elevação artificial criada pelo homem, devido a sucessivas construções, formando camadas em um único lugar, no decurso de muitas gerações. Atualmente, esses "cômoros" são investigados pela arqueologia. A referência, neste versículo, é a cidades construídas nesses lugares mais altos que o terreno em redor, e transformadas em fortalezas. Ver Js 8.28; Dt 13.16; Jr 30.18. As cidades elevadas sobre áreas elevadas, como as colinas, podiam ser mais facilmente defendidas, servindo de locais naturais para a construção de cidades-fortalezas. Não devemos pensar em "cômoros" amontoados especificamente para essa finalidade.

11.14

וְ֠כֹל שְׁלַ֞ל הֶעָרִ֤ים הָאֵ֨לֶּה֙ וְהַבְּהֵמָ֔ה בָּזְז֥וּ לָהֶ֖ם
בְּנֵ֣י יִשְׂרָאֵ֑ל רַ֣ק אֶת־כָּל־הָאָדָ֞ם הִכּ֣וּ לְפִי־חֶ֗רֶב
עַד־הִשְׁמִדָם֙ אוֹתָ֔ם לֹ֥א הִשְׁאִ֖ירוּ כָּל־נְשָׁמָֽה׃

E todos os despojos destas cidades. Uma vez mais, foi permitido que os soldados de Israel tomassem despojos. Todavia, nenhum habitante daquelas cidades teve permissão de permanecer com vida. Os despojos incluíam animais domesticados, bens domésticos, metais preciosos, instrumentos agrícolas e as próprias edificações. Todos os instrumentos usados na idolatria, entretanto, tinham de ser destruídos (ver Dt 7.25); mas coisas que não estivessem ligadas às práticas idólatras podiam ser usadas livremente. Cf. Js 8.27; 22.8.

11.15

כַּאֲשֶׁר צִוָּה יְהוָה אֶת־מֹשֶׁה עַבְדּוֹ כֵּן־צִוָּה מֹשֶׁה
אֶת־יְהוֹשֻׁעַ וְכֵן עָשָׂה יְהוֹשֻׁעַ לֹא־הֵסִיר דָּבָר מִכֹּל
אֲשֶׁר־צִוָּה יְהוָה אֶת־מֹשֶׁה:

Como ordenara o Senhor a Moisés, seu servo. A *guerra santa*, determinada por Yahweh primeiramente a Moisés, e, depois, a Josué, foi levada a efeito com zelo e precisão. Todas as coisas destruídas foram consagradas a Yahweh como um holocausto, sendo isso a aplicação do *herem*. Ver Dt 7.1-5 e Js 6.17 quanto a essas medidas. Isso posto, o sucesso só foi obtido mediante uma obediência incondicional a Yahweh (ver Js 1.3-9). Obediência plena resultava em admiráveis vitórias; e nisso temos uma grande lição espiritual, que se origina de toda aquela matança. Ver Êx 24.11-13; Nm 17.19; 33.52; Dt 7.1-5; 31.7 quanto a várias ordens emanadas da parte de Yahweh.

SUMÁRIO DAS CONQUISTAS (11.16—12.24)

Uma vez terminada com sucesso a *campanha do norte* da Palestina, então toda a Terra Prometida passou para as mãos do povo de Israel. Os versículos 16 e 17 deste capítulo mencionam áreas conquistadas por toda a Palestina. O versículo 23, por sua vez, mostra-nos que *toda* a Terra Prometida fora conquistada; e, em seguida, ela foi dividida entre as doze tribos. Mas não devemos considerar que a conquista de "toda esta terra" (vss. 16 e 23) precisa ser entendida em um sentido absoluto. O trecho de Js 13.2-6 mostra-nos que Israel não conseguiu conquistar absolutamente todo o território que lhe havia sido prometido. Além disso, a passagem de Js 13.1,7 informa-nos que a distribuição do território entre as tribos foi adiada por bastante tempo, o que sugere dificuldades e possíveis derrotas em campo de batalha. Isso posto, a conquista de "toda esta terra" é uma simplificação da questão, embora suficiente para que Israel exercesse domínio sobre seu território nacional.

O passo bíblico de Js 11.16-23 fornece-nos uma revisão das áreas geográficas que foram conquistadas. O capítulo 12 de Josué, por sua vez, lista os nomes dos reis amorreus derrotados. A vitória foi grande, apesar de alguns lapsos e de tarefas que não chegaram a ser completadas. Mas as fronteiras de Israel foram assim expandidas de leste para oeste, e do sul para o norte, de acordo com a sequência dos lances da conquista.

11.16

וַיִּקַּח יְהוֹשֻׁעַ אֶת־כָּל־הָאָרֶץ הַזֹּאת הָהָר וְאֶת־כָּל־
הַנֶּגֶב וְאֵת כָּל־אֶרֶץ הַגֹּשֶׁן וְאֶת־הַשְּׁפֵלָה וְאֶת־הָעֲרָבָה
וְאֶת־הַר יִשְׂרָאֵל וּשְׁפֵלָתֹה:

Tomou, pois, Josué toda aquela terra. Está em pauta a Palestina, a Terra Prometida, o território pátrio de Israel, aquele território que foi dado como herança a Abraão e seus descendentes, de acordo com o Pacto Abraâmico (ver as notas a respeito em Gn 15.18).

A região montanhosa. Está em destaque, principalmente, o território conferido à tribo de Judá. Cf. Js 10.40. Essa região foi conquistada por ocasião da campanha do sul da Palestina, descrita no décimo capítulo do livro de Josué.

Todo o Neguebe. O Neguebe era a região semiárida ao sul do território ocupado pela tribo de Judá, conforme se vê no artigo com esse nome, no *Dicionário*. Ver também Js 10.40, onde ofereço notas expositivas adicionais. Outras traduções, contudo, dizem aqui "toda a região sul", mesmo porque o Neguebe era o extremo sul da Terra Prometida.

A terra de Gósen. Ver as notas em Js 10.41. Essa região também foi conquistada por Israel durante a campanha militar no sul.

As planícies. As terras baixas (ver Js 10.40), também conhecidas como a *Sefelá* (ver Js 10.10).

A Arabá. Ver a respeito no *Dicionário*. O termo aponta para o vale do rio Jordão, embora tenha sido usado aqui talvez para indicar, de modo geral, toda a fenda ocupada pelo rio Jordão e pelo mar Morto.

A região montanhosa de Israel. Devemos pensar aqui na área de terras elevadas que ficaram com a tribo de Efraim, ou então as porções central e sulista da terra, também cobertas em Js 10.40.

Com suas planícies. Ou, uma vez mais, a *Sefelá* (ver acima e também Js 10.10), ou a área em torno de Jerusalém. Ver Ez 17.23; 20.40. Mas alguns estudiosos preferem pensar nas colinas de Samaria e nos vales circundantes.

11.17

מִן־הָהָר הֶחָלָק הָעוֹלֶה שֵׂעִיר וְעַד־בַּעַל גָּד בְּבִקְעַת
הַלְּבָנוֹן תַּחַת הַר־חֶרְמוֹן וְאֵת כָּל־מַלְכֵיהֶם לָכַד
וַיַּכֵּם וַיְמִיתֵם:

Desde o monte Halaque (Heleque). Temos aí o extremo sul da região mencionada. Talvez esteja em foco o Jebel Halaq, cerca de 43 quilômetros ao sul de Berseba. Ver no *Dicionário* o artigo intitulado *Heleque, monte*. Esse monte ficava quase 65 quilômetros a sudoeste do extremo sul do mar Morto.

Que sobe a Seir. Ver no *Dicionário* o verbete intitulado *Seir*. Esse termo usualmente aponta para a serra montanhosa de Edom, mas aqui, talvez, se limite à extensão do território idumeu a oeste de Arabá, que se estende até o deserto de Zim. Quando se fala em Seir, ainda estamos na região sul da Terra Prometida.

Até Baal-Gade. Agora, já estamos na região *norte* da Terra Prometida. É provável que esteja em vista o vale existente a oeste do monte Hermom. O intuito do autor sagrado, no uso que fez de seus termos gerais, foi o de incluir aqui toda a parte ocidental da Palestina, excetuando apenas a planície costeira e a planície de Jezreel. Ver no *Dicionário* o artigo denominado *Baal-Gade*. Todavia, esse termo também pode aplicar-se a uma cidade que havia no vale do Líbano, perto do monte Hermom. Ver também Js 12.7 e 13.5. A localização exata de Baal-Gade é desconhecida para nós.

Ao pé do monte Hermom. Ver a respeito desse monte no *Dicionário*.

Todos os reis cananeus e seus exércitos, das áreas que são descritas neste versículo, em termos geográficos gerais, foram destruídos em resultado da *guerra santa*, e todas essas populações foram consagradas a Yahweh, mediante o *herem* (a consagração de coisas, animais e pessoas a Deus, como um holocausto.

Conclui-se que, apesar de nem todo o território prometido a Israel ter sido conquistado, visto que restaram bolsões de resistência até os dias de Davi, a época dos cananeus, na Terra Prometida, havia terminado (ver Gn 15.16); e, por outro lado, a época de Israel tinha raiado. O sumário apresentado pelo autor sacro não incluiu as campanhas do leste e do oeste, mas ele nos faz lembrar essas campanhas. No capítulo 12 do livro de Josué, na listagem dos reis derrotados, o autor sagrado nos apresenta uma descrição mais exata da conquista total. Além disso, os versículos restantes deste capítulo incluem outras regiões não mencionadas no sumário dos versículos 16 e 17.

11.18

יָמִים רַבִּים עָשָׂה יְהוֹשֻׁעַ אֶת־כָּל־הַמְּלָכִים הָאֵלֶּה
מִלְחָמָה:

Por muito tempo Josué fez guerra. Lendo o livro de Josué, até este ponto, temos a impressão de que as vitórias de Israel ocorreram súbita e facilmente, excetuando a derrota isolada diante da cidade de Ai, que precisou ser corrigida mediante um segundo ataque. Mas o autor sagrado informa-nos, neste versículo, que ele deixara de relatar os lances mais difíceis — os momentos em que a conquista, efetuada por Israel, sofreu retrocessos e derrotas. Ver Js 13.1 ss. As vitórias obtidas tinham consumido um longo tempo, algo sobre o que jamais teríamos pensado, se este versículo não nos informasse. Josefo (*Antiq.* 1.5, cap. 1, sec. 19) adicionou que Israel precisou de *sete anos* para conquistar a Terra Prometida.

"O período de subjugação completa cobriu *muito tempo*. Não foi algo conseguido de um dia para o outro, e nem mesmo em um ano... O cumprimento de qualquer objetivo não somente custa muito, mas também requer grande paciência. A coragem é algo essencial, mas a paciência e a perseverança também são essenciais" (Joseph R. Sizoo, *in loc.*).

Que Dizem os Críticos? Estes pensam que a conquista da Terra Prometida realmente requereu muito, muito tempo, tendo ocorrido por meio de ondas, e não através de um único esforço conjunto. E, conforme eles também supõem, parte do território foi ganho mediante a simples saída das primitivas populações que ocupavam esta ou aquela região, e não somente por meio da guerra. Ver Js 14.10.

11.19

לֹא־הָיְתָה עִיר אֲשֶׁר הִשְׁלִימָה אֶל־בְּנֵי יִשְׂרָאֵל בִּלְתִּי הַחִוִּי יֹשְׁבֵי גִבְעוֹן אֶת־הַכֹּל לָקְחוּ בַמִּלְחָמָה׃

Não houve cidade que fizesse paz com os filhos de Israel... por meio de guerra as tomaram todas. Este versículo abre uma única exceção a isso, Gibeom, a qual estabeleceu um acordo de não-agressão com Israel, e isso por meio de um logro... Na verdade, a guerra santa proibia qualquer tipo de tratado de paz entre Israel e as nações cananeias dentro das fronteiras da Terra Prometida. Os cananeus dali deveriam ser completamente obliterados, para que não restassem chances de infecção paganizadora que ameaçasse Israel. Ver Dt 7.2 quanto à ordem divina contra tais acordos de paz. Josué abriu uma exceção nessa regra, a saber, com os gibeonitas, porquanto foi enganado por eles, e não porque quisesse desobedecer propositadamente às ordens de Yahweh. Ver o capítulo 9 de Josué quanto à história do logro pespegado pelos gibeonitas em cima do povo de Israel.

Gibeom contava com três cidades-satélites. Todos os habitantes das quatro cidades foram reduzidos à servidão, até que, finalmente, foram absorvidos pela nação de Israel. Ver a introdução ao capítulo 9 de Josué quanto a uma síntese sobre as relações entre Gibeom e Israel. Ver também o artigo chamado *Gibeom*, no *Dicionário*. Israel prestou um juramento, na presença de Yahweh, por ocasião do estabelecimento do tratado de paz com Gibeom. Os juramentos eram considerados sagrados e invioláveis, por parte dos filhos de Israel. Assim sendo, embora enganados, os filhos de Israel não puderam fazer guerra aos gibeonitas. Ver no *Dicionário* o verbete intitulado *Heveus*.

11.20

כִּי מֵאֵת יְהוָה הָיְתָה לְחַזֵּק אֶת־לִבָּם לִקְרַאת הַמִּלְחָמָה אֶת־יִשְׂרָאֵל לְמַעַן הַחֲרִימָם לְבִלְתִּי הֱיוֹת־לָהֶם תְּחִנָּה כִּי לְמַעַן הַשְׁמִידָם כַּאֲשֶׁר צִוָּה יְהוָה אֶת־מֹשֶׁה׃ ס

Do Senhor vinha o endurecimento dos seus corações. Yahweh endureceu o coração dos adversários de Israel, tal e qual tinha feito no caso de Faraó. Ver Êx 4.21 e 8.15 como exemplos. Esse propósito divino *garantia* o começo das hostilidades, mediante a *guerra santa*. Yahweh não estava interessado somente na vitória de Israel. Ele requeria o aniquilamento daquelas populações idólatras, que já haviam enchido a sua taça de iniquidade. Era a "solução final" de Yahweh. Nenhuma área infecciosa deveria sobreviver. Esse ideal, contudo, não foi inteiramente atingido, conforme se lê em Js 13.1 ss. Mas foi realizado o suficiente para garantir um território pátrio para o povo de Israel. Foi Davi quem terminou a tarefa. E, alguns séculos depois desse grande rei de Israel, as *corrupções internas* de Israel e sua tendência para a idolatria finalmente causaram os cativeiros (primeiro ao assírio, e depois o babilônico), quando a própria nação de Israel viu-se privada de seu território nacional. Por conseguinte, os cativeiros de Israel tiveram a mesma causa básica da expulsão dos povos cananeus da Terra Prometida. Ver as notas expositivas sobre Gn 15.16. Uma vez cheia a taça da iniquidade, isso requer medidas drásticas da parte de Deus. Ver no *Dicionário* o artigo intitulado *Cativeiro (Cativeiros)*.

A ordem de destruição completa foi dada, primeiramente, através de Moisés (ver Dt 7.1,2) e, mais tarde, através de Josué (ver Js 1).

11.21

וַיָּבֹא יְהוֹשֻׁעַ בָּעֵת הַהִיא וַיַּכְרֵת אֶת־הָעֲנָקִים מִן־הָהָר מִן־חֶבְרוֹן מִן־דְּבִר מִן־עֲנָב וּמִכֹּל הַר יְהוּדָה וּמִכֹּל הַר יִשְׂרָאֵל עִם־עָרֵיהֶם הֶחֱרִימָם יְהוֹשֻׁעַ׃

Veio Josué, e eliminou os enaquins. Encontramos aqui menção à destruição dos gigantes que habitavam na Terra Prometida. Ver no *Dicionário* o verbete intitulado *Anaque (Anaquim)*, que é um artigo detalhado sobre essa raça de gigantes. Como estamos vendo, nossa versão portuguesa estampa as formas variantes desses nomes, Enaque e enaquins. Esses gigantes eram motivo de uma das grandes preocupações dos filhos de Israel: "Quem poderá resistir aos filhos de Anaque?" (Dt 9.2), tinham eles perguntado. Ver também Dt 1.28 e 2.10,21. Essa raça era constituída por homens de gigantesca estatura, poderosos e habilidosos na guerra. Também eram brutais e destituídos de misericórdia. Josué via neles um obstáculo especial na conquista da Terra Prometida; mas o texto que estamos comentando, no fim deste capítulo, mostra-nos que o poder de Yahweh não se deixa entravar por nenhuma forma de obstáculo, mesmo quando se trata de enfrentar uma raça de gigantes. A destruição dos enaquins constituiu um importante aspecto da vitória total de Israel, que garantiu, afinal, a posse total da Terra Prometida por parte dos hebreus (ver o vs. 23). Ver também Js 14.12; 15.13; Nm 13.22,28,33.

Todas as áreas geográficas aqui mencionadas, como lugares onde os gigantes habitavam, recebem artigos específicos no *Dicionário*. Somos informados nas Escrituras que os enaquins eram, essencialmente, habitantes das regiões montanhosas. Era ali que eles tinham suas fortalezas e suas imensas muralhas. O trecho de Js 10.36-39 relata a conquista das cidades de Hebrom e de Debir, mas não menciona a presença de gigantes enaquins.

Anabe. Essa cidade ficava a menos de seis quilômetros de Debir, mais para o sul, pois os gigantes tinham expandido até ali o seu território. Entretanto, várias cidades filisteias das costas marítimas haviam conseguido escapar ao domínio israelita; e ali existiam gigantes, nos tempos de Josué, que não foram destruídos. Nos dias de Davi, Golias, um descendente dos enaquins, apresentou-se para desafiar o povo de Israel. Mas Davi o matou (ver 1Sm 17).

"A morte de Sesai, Aimã e Talmai, os três filhos de Anaque, chefe dos enaquins, ficou registrada no trecho de Jz 1.10" (Ellicott, *in loc.*).

11.22

לֹא־נוֹתַר עֲנָקִים בְּאֶרֶץ בְּנֵי יִשְׂרָאֵל רַק בְּעַזָּה בְגַת וּבְאַשְׁדּוֹד נִשְׁאָרוּ׃

Somente em Gaza, em Gate e em Asdode alguns [enaquins] subsistiram. Nenhum dos enaquins continuou vivo nos territórios conquistados por Israel. Mas Israel não conseguiu derrotar todas as cidades costeiras dos filisteus, e essa circunstância permitiu que certo número de gigantes escapasse com vida naqueles lugares. O trecho de Js 13.1 ss. fornece-nos maiores informações sobre o fracasso de Israel em conquistar a totalidade absoluta da Terra Prometida. Uma de minhas fontes informativas fala sobre o fracasso de Israel quanto a certos lugares, atribuindo esse fracasso a uma "infeliz superintendência". Na verdade, porém, Israel não dispunha de forças suficientes para desfechar uma guerra de extermínio total. A tarefa ficou suspensa até os dias de Davi. Os lugares mencionados neste versículo recebem artigos específicos no *Dicionário*. O gigante Golias era de uma dessas três cidades filisteias, a saber, *Gate* (ver 1Sm 17 e 2Sm 22).

11.23

וַיִּקַּח יְהוֹשֻׁעַ אֶת־כָּל־הָאָרֶץ כְּכֹל אֲשֶׁר דִּבֶּר יְהוָה אֶל־מֹשֶׁה וַיִּתְּנָהּ יְהוֹשֻׁעַ לְנַחֲלָה לְיִשְׂרָאֵל כְּמַחְלְקֹתָם לְשִׁבְטֵיהֶם וְהָאָרֶץ שָׁקְטָה מִמִּלְחָמָה׃ פ

Tomou Josué toda esta terra. O autor sagrado tinha acabado de dizer (no versículo anterior) que Israel não tomara absolutamente toda a Terra Prometida, nos dias de Josué, e que era obrigação dos hebreus fazê-lo.

O trecho de Js 13.1 ss. fornece-nos mais alguns pormenores sobre os fracassos de Israel na conquista da Terra Prometida. Em um sentido geral, entretanto, era correto dizer que todo o território tinha sido subjugado. Embora tenham restado alguns bolsões de resistência aos israelitas, e esses bolsões permanecessem por vários séculos, isso não impediu que Israel dividisse a Terra Prometida entre as doze tribos. O autor sacro, pois, simplificou a questão. Ele tinha plena consciência dos fracassos e das limitações de Israel, mas esses pontos negativos não eram fatais para a causa do povo de Deus. Na verdade, Israel obteve a sua herança sob a forma de terras, que lhe foram prometidas dentro do Pacto Abraâmico (ver as notas expositivas a respeito em Gn 15.18). Cf. Js 23.4,5.

Yahweh Prometera a Moisés a Terra Prometida para Israel. Ver Dt 11-23-25. Esse juramento estava agora virtualmente cumprido. Antes mesmo disso, fora feita a promessa a Abraão de que seus descendentes herdariam a Terra Prometida, e esse era um aspecto importante do pacto firmado com aquele patriarca. O Messias viria ao mundo por intermédio da nação de Israel, e isso em seu território nacional. Isso significa que propósitos anteriores tiveram o seu cumprimento no evento da conquista da Terra Prometida. Ato contínuo, o Messias universalizou o plano e chamou seres humanos dentre todas as nações da terra para fazerem parte da comunidade que goza da graça divina e da salvação eterna. Ver no *Dicionário* o artigo chamado *Mistério da Vontade de Deus*, bem como as notas expositivas sobre Ef 1.9,10 no *Novo Testamento Interpretado*.

Os capítulos 13 a 22 do livro de Josué conferem-nos detalhes completos sobre como o território da Terra Prometida foi dividido entre as tribos de Israel. Embora certas porções daquele território não tenham sido dominadas, a Terra Prometida, de modo geral, foi conquistada. Somente depois do cumprimento desse propósito divino é que a terra "repousou da guerra", uma declaração reiterada em Js 14.15.

Tipologia. Josué foi um tipo de Jesus Cristo. Da mesma maneira que Josué foi capaz de conquistar a Terra Prometida, por semelhante modo Cristo ofereceu uma plena e universal salvação, congraçando todas as nações da terra no aprisco de sua graça. Ver Ef 1.9,10 e Gl 3.26 ss. Ver também o trecho de Hb 4.8, quanto a Josué como um tipo de Cristo, ou seja, como aquele que *nos dá descanso*. O artigo do *Dicionário*, intitulado *Josué*, inclui essa questão dos tipos simbólicos.

CAPÍTULO DOZE

Nesta seção do livro de Josué, temos a conclusão da história da conquista da Terra Prometida, mediante um sumário geral dos acontecimentos. Além do sumário que já foi apresentado (ver Js 11.16-23), o autor sacro nos fornece agora um catálogo detalhado dos reis cananeus que foram derrotados pelas tropas de Israel. Logo, este capítulo 12 de Josué expõe o cumprimento das *expectativas* expressas no primeiro capítulo. O sumário arrola as principais batalhas, mas deixa de lado os retrocessos e as derrotas (os quais, contudo, ficam implícitos em Js 13.1 ss.). Mas também, não há que duvidar, deixa de mencionar muitas vitórias de Israel que nunca foram citadas. Josué não dispunha de um exército numeroso o bastante para conquistar absolutamente todos os lugares, sendo provável que esperasse que cada tribo terminasse a conquista em seu próprio território, depois que tivesse reunido forças suficientes.

Sequência da Conquista. A conquista havia começado pela parte *oriental* da Terra Prometida (a Transjordânia), narrada nos capítulos 2 e 3 de Deuteronômio. Em seguida houve a conquista do *ocidente* (cidades de Jericó e Ai), contada nos capítulos 7 e 8 de Josué. Então foi conquistada a parte *sul* (ver o capítulo 10 de Josué). E, finalmente, o *norte* da Terra Prometida (ver o capítulo 11 de Josué).

12.1

וְאֵ֣לֶּה ׀ מַלְכֵ֣י הָאָ֗רֶץ אֲשֶׁ֨ר הִכּ֤וּ בְנֵֽי־יִשְׂרָאֵל֙ וַיִּֽרְשׁ֣וּ אֶת־אַרְצָ֔ם בְּעֵ֥בֶר הַיַּרְדֵּ֖ן מִזְרְחָ֣ה הַשָּׁ֑מֶשׁ מִנַּ֤חַל אַרְנוֹן֙ עַד־הַ֣ר חֶרְמ֔וֹן וְכָל־הָעֲרָבָ֖ה מִזְרָֽחָה׃

São estes os reis da terra... dalém do Jordão. Está em destaque a parte *oriental* da Terra Prometida, que tinha o rio Jordão como divisória entre leste e oeste. A sequência da conquista, conforme já vimos na introdução a este capítulo, em *"Sequência da Conquista"*, começou pelo oriente, passou para o ocidente, depois para o sul e, finalmente, tomou conta do norte da Terra Prometida.

Agora, o autor sagrado inicia o *sumário* das conquistas de Israel por meio de um catálogo dos reis cananeus que foram derrotados e mortos. Ver no *Dicionário* o verbete intitulado *Transjordânia*. O primeiro versículo do presente capítulo delineia a área da Transjordânia que Israel havia conquistado. "... desde o vale do Arnom, que flui para o mar Morto, vindo do oriente, mais ou menos a meio de seu curso (no sul), até o monte Hermom (no norte); e incluindo também a Arabá, para o oriente (ou seja, o vale do rio Jordão, no lado oriental daquele rio)" (John Bright, *in loc.*).

De conformidade com os padrões modernos, a distância entre os pontos extremos da conquista não era muito grande. Seom tinha governado sobre um território que, do norte para o sul, cobria, no máximo, 150 quilômetros. Ogue, por sua vez, tinha governado sobre uma área que se estendia para o norte da fronteira de Seom, por cerca de, no máximo, cem quilômetros. Ver Nm 21.21-35 e Dt 2.24—3.17.

"O riacho do Arnom servia de fronteira de Moabe (entre eles e os amorreus; ver Nm 21.13); e dali até o monte Hermom, um monte contíguo à cadeia do Líbano, jazia o país dos dois reis dos amorreus (ver Dt 3.8,9); a planície a leste era conhecida como planície de Moabe, que ficava no lado oriental do rio Jordão" (John Gill, *in loc.*).

12.2

סִיחוֹן֙ מֶ֣לֶךְ הָאֱמֹרִ֔י הַיּוֹשֵׁ֖ב בְּחֶשְׁבּ֑וֹן מֹשֵׁ֡ל מֵעֲרוֹעֵ֡ר אֲשֶׁר֩ עַל־שְׂפַת־נַ֨חַל אַרְנ֜וֹן וְת֤וֹךְ הַנַּ֙חַל֙ וַחֲצִ֣י הַגִּלְעָ֔ד וְעַד֙ יַבֹּ֣ק הַנַּ֔חַל גְּב֖וּל בְּנֵ֥י עַמּֽוֹן׃

Seom, rei dos amorreus. O autor sagrado começa mencionando aqui os dois reis amorreus que dominavam a Transjordânia. Essa descrição acompanha este e os quatro versículos seguintes. Os reis tiveram um fim muito triste. Já pudemos ver quase todo o material apresentado, daqui ao fim do capítulo 12, em passagens bíblicas anteriores, nos livros de Deuteronômio e de Josué. Por isso mesmo, falamos mais em *referências* a notas expositivas já oferecidas, do que comentamos a respeito desses lances históricos.

Todas as áreas geográficas e respectivas cidades mencionadas neste versículo receberam artigos no *Dicionário*. O trecho de Nm 21.2 é um paralelo direto deste versículo, e as notas dadas ali adicionam algum detalhe ao que aqui se diz. O sumário está alicerçado sobre os capítulos 2 e 3 de Deuteronômio, que também oferecem detalhes sobre a questão. Quanto a um sumário, ver os dois artigos, *Seom* e *Ogue*, no *Dicionário*.

12.3

וְהָעֲרָבָה֩ עַד־יָ֨ם כִּנְר֜וֹת מִזְרָ֗חָה וְ֠עַד יָ֣ם הָעֲרָבָ֤ה יָם־הַמֶּ֙לַח֙ מִזְרָ֔חָה דֶּ֖רֶךְ בֵּ֣ית הַיְשִׁמ֑וֹת וּמִ֨תֵּימָ֔ן תַּ֖חַת אַשְׁדּ֥וֹת הַפִּסְגָּֽה׃

Todas as áreas geográficas e suas cidades referidas neste versículo foram comentadas no *Dicionário*. Ver também Nm 33.49 e Dt 3.17.

Bete-Jesimote. Esta cidade ficava localizada nas proximidades do mar Morto, nas planícies de Moabe.

Ardote-Pisga. Esta cidade ficava no sopé do monte Pisga. O nome da cidade significa "fontes de Pisga", por causa das águas abundantes que desciam daquele monte e regavam toda aquela região.

12.4

וּגְבֻ֗ל ע֚וֹג מֶ֣לֶךְ הַבָּשָׁ֔ן מִיֶּ֖תֶר הָרְפָאִ֑ים הַיּוֹשֵׁ֥ב בְּעַשְׁתָּר֖וֹת וּבְאֶדְרֶֽעִי׃

Ogue, rei de Basã. Ver sobre este rei no *Dicionário*. As três cidades aqui mencionadas, Basã, Astarote e Edrei, também recebem artigos separados no *Dicionário*. Ogue era um gigante, como se vê pelas dimensões de sua cama de ferro, o que nos deixa admirados. Ver Dt 3.11; Nm 21.33; 32.33; Dt 4.47 e 31.4. O livro de Deuteronômio diz-nos que esse homem governava *muitas* cidades. O trecho de Dt 3.4 menciona nada menos de sessenta cidades!

Que havia ficado dos refains. Ver sobre esta raça de gigantes no *Dicionário*. Dt 2.11,12 ajunta que esses gigantes eram numerosos. A arqueologia tem encontrado algumas estruturas imensas que, evidentemente, foram construídas por essa raça de gigantes.

■ 12.5

וּמֹשֵׁל בְּהַר חֶרְמוֹן וּבְסַלְכָה וּבְכָל־הַבָּשָׁן
עַד־גְּבוּל הַגְּשׁוּרִי וְהַמַּעֲכָתִי וַחֲצִי הַגִּלְעָד
גְּבוּל סִיחוֹן מֶלֶךְ־חֶשְׁבּוֹן:

Todas as áreas geográficas e cidades que figuram neste versículo recebem artigos no *Dicionário*. *Salcá* era uma cidade que pertencia ao reino de Ogue, conforme lemos em Dt 3.10. *Basã* era uma região famosa por suas pastagens, por seu gado nédio, por suas águas e carvalhos abundantes, com frequência mencionados no Antigo Testamento como um dos artigos exportados por aquela região.

Termo dos gesuritas e dos maacatitas. Temos aí duas populações que os filhos de Israel não puderam expulsar. (Ver no *Dicionário* os verbetes intitulados *Gesur, Gesuritas* e *Maacatitas*.) Quanto a outras informações sobre eles, ver as notas sobre Js 13.13. Quando o autor sagrado escreveu o livro de Josué, eles continuavam em seu antigo domicílio. Ver a introdução ao livro de Josué no tocante a questões sobre autoria e data.

Metade da região de Gileade pertencia a Seom, e a outra metade pertencia a Ogue. Os reinos desses dois homens uniam-se em *Hesbom* (ver a respeito no *Dicionário*).

■ 12.6

מֹשֶׁה עֶבֶד־יְהוָה וּבְנֵי יִשְׂרָאֵל הִכּוּם וַיִּתְּנָהּ מֹשֶׁה
עֶבֶד־יְהוָה יְרֻשָּׁה לָרֻאוּבֵנִי וְלַגָּדִי וְלַחֲצִי שֵׁבֶט
הַמְנַשֶּׁה: ס

Moisés... e os filhos de Israel feriram a estes. Esses dois monarcas, Seom e Ogue, foram derrotados mediante o poder de Yahweh, através de Josué; e o resultado foi que nos territórios deles instalaram-se as tribos de Rúben, de Gade e a meia tribo de Manassés. Por conseguinte, antes mesmo da conquista da parte ocidental da Terra Prometida, a sua parte *oriental* já tinha sido não somente conquistada, mas até mesmo ocupada por Israel. Ver o capítulo 32 do livro de Números quanto à narrativa sobre esses eventos. Ver também Dt 3.12-20. Esse território foi entregue àquelas duas tribos e meia, sob a promessa de que um forte contingente (foram cerca de quarenta mil homens) ajudasse seus irmãos na conquista da porção ocidental da Terra Prometida, bem como de todo o resto da Palestina. Ver Nm 32.20 ss. E a promessa foi mantida, conforme aprendemos no capítulo 22 do livro de Josué. Dessa forma a Transjordânia tornou-se uma possessão oficial daquelas duas tribos e meia mencionadas anteriormente.

GUERRA SANTA

Todas as coisas vivas, homens, mulheres, crianças e animais, deviam ser aniquiladas. Nenhuma presa de guerra podia ser levada. As cidades deviam ser queimadas como um holocausto para Yahweh.

E o Senhor teu Deus as tiver dado diante de ti,
para as ferir, totalmente as destruirás;
não farás com elas aliança, nem terás piedade delas.
Deuteronômio 7.2

■ 12.7,8

וְאֵלֶּה מַלְכֵי הָאָרֶץ אֲשֶׁר הִכָּה יְהוֹשֻׁעַ וּבְנֵי יִשְׂרָאֵל
בְּעֵבֶר הַיַּרְדֵּן יָמָּה מִבַּעַל גָּד בְּבִקְעַת הַלְּבָנוֹן
וְעַד־הָהָר הֶחָלָק הָעֹלֶה שֵׂעִירָה וַיִּתְּנָהּ יְהוֹשֻׁעַ
לְשִׁבְטֵי יִשְׂרָאֵל יְרֻשָּׁה כְּמַחְלְקֹתָם:

בָּהָר וּבַשְּׁפֵלָה וּבָעֲרָבָה וּבָאֲשֵׁדוֹת וּבַמִּדְבָּר וּבַנֶּגֶב
הַחִתִּי הָאֱמֹרִי וְהַכְּנַעֲנִי הַפְּרִזִּי הַחִוִּי וְהַיְבוּסִי: פ

O Catálogo dos Reis Derrotados por Israel. Já podemos ver um sumário da conquista da Transjordânia por parte dos hebreus, bem como da queda dos dois reis dali, Seom e Ogue (vss. 1-6 deste capítulo). Agora, o autor sacro passou a apresentar os nomes das cidades cujos reis tinham sido derrotados. Esta seção começa passando em revista os lugares conquistados no *ocidente* e no *sul* (vss. 9-16), em um total de *dezesseis* cidades. Em seguida, ele diz os nomes das cidades da porção *norte* da Terra Prometida cujos reis foram derrotados (vss. 17-24), em um total de *quinze*. Portanto, o número dessas cidades aumenta para 31. Em um território tão pequeno havia tamanho número de reis. O território media apenas cerca de 250 quilômetros, no máximo, na direção norte-sul, e um terço disso na direção oeste-leste. Isso significa que a Transjordânia era bem menor que o nosso Estado de São Paulo. Isso posto, se falarmos em termos de cidades-estados e de reis-vassalos, estaremos oferecendo uma descrição bastante acurada. É admirável saber quanta guerra e quantas perturbações tão pequena faixa de terra tem atraído através dos séculos. Até hoje, aquela minúscula região continua constituindo uma das áreas mais problemáticas do planeta.

Ver no *Dicionário* os dois verbetes denominados *Tribos, Localização das* e *Tribo (Tribos de Israel)*.

Independência das Cidades-Estados. Essencialmente, as cidades conquistadas por Israel na Transjordânia eram politicamente independentes umas das outras. Lemos a respeito de duas alianças que foram formadas entre essas cidades, na tentativa de obstar o avanço das tropas conquistadoras de Israel. Essas coligações foram aquela encabeçada pelo rei de Jerusalém (ver Js 10.1-5) e aquela presidida pelo rei de Hazor (ver Js 11.1-5). A falta de unidade dos habitantes primitivos da terra de Canaã foi um fator que facilitou o avanço do povo de Israel.

Henry T. Seel aludiu à importância dessa conquista, levando em conta os seus efeitos a longo prazo: "Nunca houve uma guerra mais importante por causa de uma causa mais importante. A batalha de Waterloo decidiu a sorte da Europa, mas essa série de refregas, na antiga e distante terra de Canaã, decidiu a sorte do mundo" (*Bible Study in Period*).

Material Literário Apresentado. Quase todas as cidades conquistadas que aparecem na lista que se segue já haviam sido mencionadas nas narrativas bíblicas anteriores. Todavia, são aqui adicionadas algumas delas sobre as quais nada antes tínhamos ouvido. As que já haviam sido mencionadas não recebem aqui novos comentários. Portanto, dou apenas referências às exposições que já haviam sido feitas. Mas as cidades que nunca antes tinham sido mencionadas recebem comentários nas notas expositivas a seguir.

Informes Topográficos. Esses informes, dados nos versículos 7 e 8 deste capítulo, são os mesmos que já tinham figurado em Js 10.40 e 11.16,17, onde o leitor deve consultar as notas expositivas. Os *povos* derrotados e aniquilados são os mesmos que aparecem em Êx 33.2 e Dt 7.1, excetuando o fato de que os *girgaseus* não são mencionados. A razão disso é que eles, para todos os efeitos práticos, estavam extintos, e o autor sagrado, provavelmente, não se quis dar ao trabalho de mencioná-los, por causa de sua insignificância.

No deserto. Esse detalhe geográfico não tinha sido mencionado nos trechos paralelos, conforme podemos ver anteriormente. Estão em foco os desertos que há na região sul e leste da Palestina, uma grande área territorial que não foi claramente caracterizada. Esse território não é distinguido de Arabá e Neguebe com clareza.

■ 12.9-13

9 מֶלֶךְ יְרִיחוֹ אֶחָד מֶלֶךְ הָעַי אֲשֶׁר־מִצַּד בֵּית־אֵל
אֶחָד:

10 מֶלֶךְ יְרוּשָׁלִַם אֶחָד מֶלֶךְ חֶבְרוֹן אֶחָד:

11 מֶלֶךְ יַרְמוּת אֶחָד מֶלֶךְ לָכִישׁ אֶחָד:

12 מֶלֶךְ עֶגְלוֹן אֶחָד מֶלֶךְ גֶּזֶר אֶחָד:

13 מֶלֶךְ דְּבִר אֶחָד מֶלֶךְ גֶּדֶר אֶחָד:

Todos os lugares mencionados nestes cinco versículos (cujos respectivos reis foram mortos) são repetições de coisas que já haviam sido

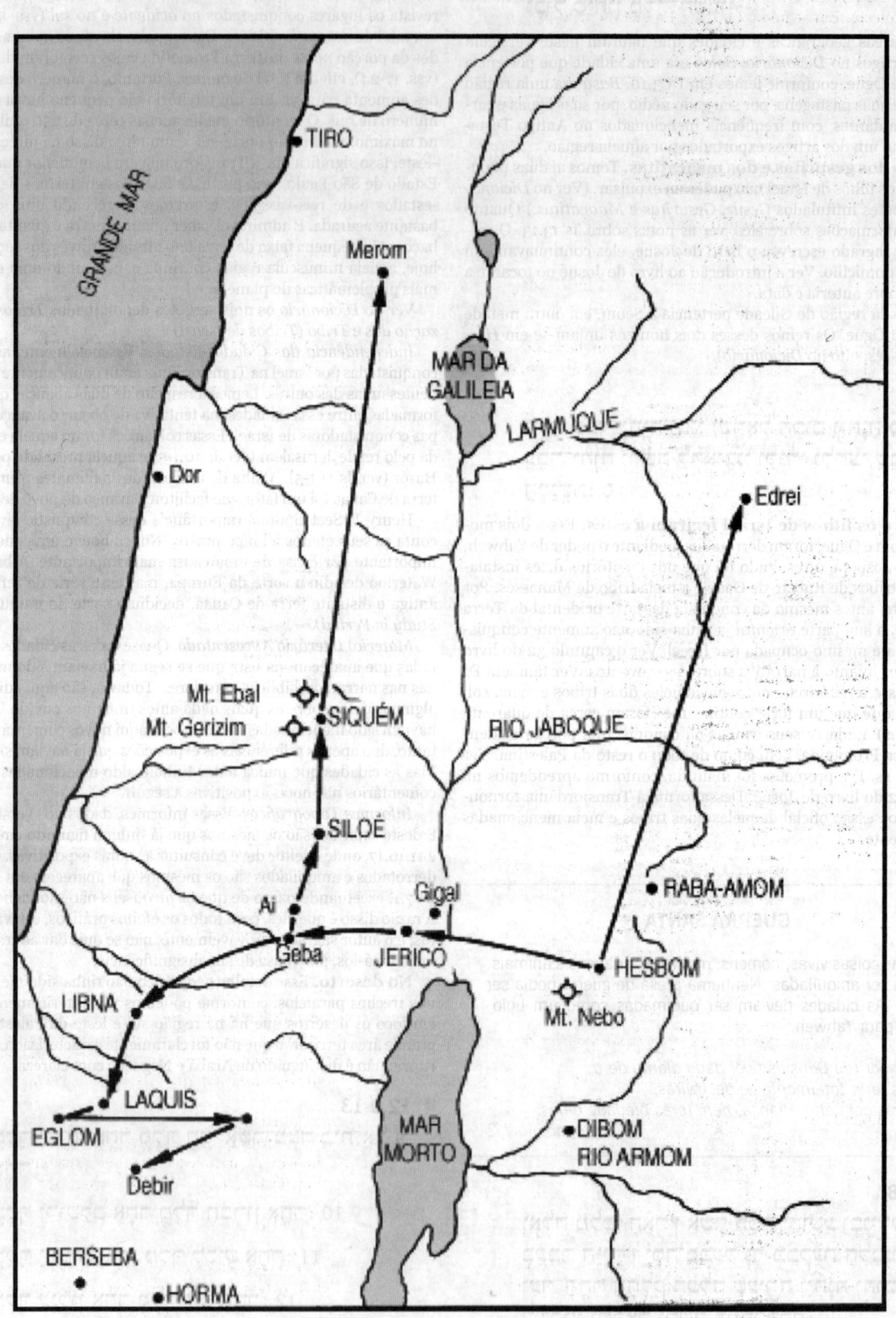

CONQUISTA DE CANAÃ

ditas nos capítulos 2—10 do livro de Josué, e aparecem na mesma ordem em que figuram nas passagens anteriores, com a exceção única de Geder (vs. 13). A lista começa por Jericó e Ai, que ficavam na porção *ocidental* da Terra Prometida. É provável que outras localidades (como Betel) tenham sido conquistadas como parte dessa invasão da porção leste. Em seguida, a lista volta sua atenção para o *sul* da Palestina.

Todos os nomes próprios que figuram aqui recebem artigos separados no *Dicionário*. Supro referências cruzadas que orientam o leitor a respeito de onde as diversas conquistas já haviam sido mencionadas no texto sagrado.

No vs. 9:
Jericó (cap. 6).
Ai (caps. 7 e 8).
Betel (7.2 e 8.9; ver também o vs. 16 deste capítulo).

No vs. 10:
Jerusalém. O rei dessa cidade chamava-se Adoni-Zedeque. Encabeçou uma aliança de cinco reis contra Israel. Ver Js 10.1,26. Somente duas coligações dessa natureza foram formadas. A grande independência das cidades-estados dos amorreus facilitou a vitória de Israel. Ver os comentários sobre o vs. 7 deste capítulo, que ampliam a questão.
Hebrom. O rei dessa cidade chamava-se Hoão, e foi um dos cinco reis coligados contra Israel. Ver Js 10.3.

No vs. 11:
Jarmute. O rei dessa cidade chamava-se Pirão, e também foi membro da coligação de cinco reis, encabeçados pelo rei de Jerusalém. Ver Js 10.3.
Laquis. O rei dessa cidade chamava-se Jafia, e também foi um dos reis formadores da aliança de cinco reis. Ver Js 10.3.

No vs. 12:
Eglom. O rei desse lugar chamava-se Debir, e também foi membro da coligação de cinco reis contra Israel. Ver Js 10.3.
Gezer. O rei dessa cidade chamava-se Horão. Ele tentou socorrer (inutilmente) a cidade de Laquis. Ver Js 10.33.

No vs. 13:
Debir. Essa cidade tem sido identificada com Quiriate-Sefer. Ver Js 10.38 e suas notas expositivas.
Geder. Não há nenhuma menção a essa cidade na narrativa anterior da invasão da Terra Prometida, por parte de Israel. Ver no *Dicionário* o artigo *Geder*. Era uma das cidades reais dos cananeus, mencionada somente em Js 12.13. Ficava perto de Debir, na planície de Judá.

■ **12.14-16**

מֶלֶךְ חָרְמָה אֶחָד מֶלֶךְ עֲרָד אֶחָד:

מֶלֶךְ לִבְנָה אֶחָד מֶלֶךְ עֲדֻלָּם אֶחָד:

מֶלֶךְ מַקֵּדָה אֶחָד מֶלֶךְ בֵּית־אֵל אֶחָד:

A narrativa bíblica continua mencionando cidades e reis da parte sul da Terra Prometida. Alguns dos nomes que aparecem nestes três versículos têm paralelos no capítulo 10 do livro de Josué, mas também há adições extraídas de fontes informativas desconhecidas.

No vs. 14:
Hormá. Cf. Nm 14.45; 21.2,3 e Jz 1.17.
Arade. Cf. Nm 21.2; 33.40 e Jz 1.16.

No vs. 15:
Libna. Essa cidade foi conquistada por Israel ao mesmo tempo que Maquedá e Debir. Ver Js 10.29 e 30.
Adulão. Ver o artigo no *Dicionário* que versa sobre essa cidade, bem como Js 15.35. Ver também Gn 38.1 e 1Sm 22.1. Ficava localizada nas planícies pertencentes à tribo de Judá.

No vs. 16:
Maquedá. Ver Js 10.16. Foi nas proximidades dessa cidade que os cinco reis coligados se ocultaram em uma cova, onde acabaram sepultados para sempre.
Betel. Ver Js 7.2 e 8.17. Ficava bem perto de Ai, embora tivesse seu próprio rei-vassalo. A narrativa que se segue não diz especificamente que esse lugar foi tomado juntamente com Ai, embora tal possibilidade fique ali sugerida.

■ **12.17-24**

מֶלֶךְ תַּפּוּחַ אֶחָד מֶלֶךְ חֵפֶר אֶחָד: 17

מֶלֶךְ אֲפֵק אֶחָד מֶלֶךְ לַשָּׁרוֹן אֶחָד: 18

מֶלֶךְ מָדוֹן אֶחָד מֶלֶךְ חָצוֹר אֶחָד: 19

מֶלֶךְ שִׁמְרוֹן מְראוֹן אֶחָד מֶלֶךְ אַכְשָׁף אֶחָד: 20

מֶלֶךְ תַּעְנַךְ אֶחָד מֶלֶךְ מְגִדּוֹ אֶחָד: 21

מֶלֶךְ קֶדֶשׁ אֶחָד מֶלֶךְ־יָקְנֳעָם לַכַּרְמֶל אֶחָד: 22

מֶלֶךְ דּוֹר לְנָפַת דּוֹר אֶחָד מֶלֶךְ־גּוֹיִם לְגִלְגָּל 23
אֶחָד:

מֶלֶךְ תִּרְצָה אֶחָד כָּל־מְלָכִים שְׁלֹשִׁים וְאֶחָד: פ 24

Daqui até o fim do capítulo, a narrativa prossegue contando as vitórias obtidas nas regiões central e norte da Palestina. Ver o versículo 10 deste capítulo, onde damos uma introdução ao catálogo dos reis, e onde há informações úteis. Quinze nomes são listados; e isso, adicionado aos dezesseis nomes que até ali tinham sido dados (vss. 7-15), fornece o total de 31 nomes. A maior parte desses nomes tem paralelos no material anteriormente apresentado no livro de Josué, que trata da invasão da terra de Canaã por parte de Israel; mas aqui também são dados alguns nomes novos, derivados de uma ou mais fontes desconhecidas.

No vs. 17:
Tapua. Esta cidade não havia sido mencionada na narrativa anterior sobre a invasão. Ver sobre ela no *Dicionário*. Um homem e duas cidades são assim chamados, nas páginas da Bíblia. A Tapua deste versículo era uma das cidades que ficavam na região ocidental do rio Jordão. Evidentemente, situava-se entre Betel e Hefer. Alguns estudiosos a têm identificado com o lugar mencionado em Js 15.34; 16.8 e 17.8, assinalado pela moderna localidade de Sheikh Abu Zarad.
Hefer. Nas páginas do Antigo Testamento, esse nome é dado a três pessoas e a uma cidade. Ver a respeito no *Dicionário*. A localização dessa cidade é desconhecida hoje em dia, mas presumivelmente ficava perto de Betel e de Tapua.

No vs. 18:
Afeque. Ver Js 13.4. Ficava na fronteira dos amorreus, mas a localização dessa cidade é disputada pelos estudiosos. Quatro cidades foram assim denominadas nos dias do Antigo Testamento. Ver o artigo no *Dicionário*, com esse nome. Essa cidade ficava na planície de Sarom.
Lasarom. Algumas traduções, em lugar de Afeque e de Lasarom, dizem "Afeque em Sarom", como se estivesse em pauta não uma cidade, mas, sim, uma área geográfica. É por essa ótica que a Septuaginta vê a questão. Ver no *Dicionário* o verbete chamado *Lasarom*, para maiores explicações.

No vs. 19:
Madom. O nome do rei dessa cidade era Jobabe. Ver Js 11.1.
Hazor. Ver Js 11.1. O nome do rei dessa cidade era Jabim.

No vs. 20:
Sinrom-Merom. Ver Js 11.1.
Acsafe. Ver Js 11.1.

No vs. 21:

Taanaque. Ver Js 17.1, bem como o artigo assim intitulado no *Dicionário*. Essa cidade é mencionada por sete vezes no Antigo Testamento, e o artigo existente no *Dicionário*, a respeito dela, é detalhado. Ficava situada no flanco sul do vale de Jezreel.

Megido. Ver o detalhado artigo sobre essa cidade no *Dicionário*. Essa localidade tem sido palco de muitas atividades arqueológicas. A cidade ficava em uma colina diante da planície de Esdrelom, na parte norte da Palestina.

No vs. 22:

Quedes. Ver Js 19.37 e 20.7, bem como o artigo a respeito no *Dicionário*. Esta cidade ficava situada na Alta Galileia, no monte Naftali, a cerca de 6,5 quilômetros de Sefete, mais ou menos à mesma distância de Cafarnaum, e a cerca de 32 quilômetros de Tiro.

Jocneão do Carmelo. Essa cidade (ver a respeito no *Dicionário*), conforme seu próprio nome indica, não distava muito do monte Carmelo. Ver Js 21.34, quanto ao relato de sua captura.

No vs. 23:

Dor. Ver Js 11.2. O texto sagrado diz que Dor ficava em Nafate-Dor, ou seja, na "costa marítima de Dor". Esta cidade jaz na costa do mar Mediterrâneo, aproximadamente 24 quilômetros ao sul do porto de Haifa.

Gilgal. Não era o mesmo lugar onde Josué e o povo de Israel tinham acampado antes de invadir a porção ocidental da Terra Prometida, pois aquela outra Gilgal ficava na Transjordânia. Alguns estudiosos dizem aqui "Galileia". Cf. Is 9.1. Mas parece que, realmente, uma cidade chamada Gilgal está aqui em pauta, talvez sendo a moderna Juljuleh, a cerca de 6,5 quilômetros de Afeque. Ver no *Dicionário* o verbete intitulado *Gilgal, c. A Gilgal da Galileia*.

No vs. 24:

Tirza. No Antigo Testamento, esse é o nome de uma mulher e de uma cidade. Ver a respeito no *Dicionário*. A cidade estava situada na parte norte do monte Efraim, no alto da descida do wadi *Farah*, que se precipita para o leste, na direção do vale do rio Jordão.

Ao todo trinta e um reis. O autor sagrado acabava assim de completar a sua lista e informa-nos agora que tinham sido tomadas 31 cidades, cada qual com seu rei, as quais foram destruídas pelos filhos de Israel. Todos os habitantes dessas 31 cidades foram executados, mas a maioria das cidades propriamente ditas foi preservada, a fim de que o povo de Israel contasse com cidades e aldeias prontas para acolhê-los, equipadas com instrumentos de trabalho e certas melhorias da civilização. Ver o sétimo versículo deste capítulo, em suas notas expositivas, onde há uma introdução a esta seção, que encerra algumas informações úteis.

Aquela região estava repleta de pequenos reis vassalos, cada qual com sua própria pequena cidade-estado.

Paralelos Antigos. "A Grã-Bretanha, nos tempos antigos, dividia-se em muitos reinos. Nos dias dos saxões, estava dividida em sete reinos, razão pela qual era conhecida como Heptarquia Saxônica. Quando Júlio César entrou nas ilhas pela primeira vez, encontrou quatro reis somente no Kent... A Gália antiga também estava muito dividida... Na Alemanha há remanescentes de muitos reinos antigos" (Adam Clarke, *in loc.*). Estrabão (*Geografia* 1.16, pág. 519) informa-nos acerca de muitas pequenas cidades-estados na Fenícia e na terra de Canaã.

CAPÍTULO TREZE

FIXAÇÃO DE ISRAEL NA TERRA DE CANAÃ (13.1—24.33)

JOSUÉ RECEBE INSTRUÇÕES (13.1-7)

A seção que ora começamos a comentar forma a segunda grande divisão do livro de Josué. Pela época em que a conquista da Terra Prometida havia sido concluída, Josué já era um homem idoso. No entanto, restava-lhe ainda a difícil tarefa de dividir o território conquistado entre as doze tribos de Israel, em obediência às ordens de Yahweh.

Ver o mapa ilustrativo que acompanha, o qual auxilia nossa compreensão quanto aos resultados dessa divisão territorial entre as tribos de Israel, com as cidades que vieram a fazer parte de cada uma das tribos. A maioria das cidades assim conquistadas não sofreu destruição, embora os seus habitantes tivessem sido passados ao fio da espada. Isso significa que Israel ocupou um território que já contava com muitas cidades preparadas para acolher os seus novos moradores. Mas novas cidades foram construídas, sendo provável que alguns dos nomes dados, até o fim do livro de Josué, reflitam tempos posteriores. Ver na introdução ao livro acerca das questões de *autoria e data*. Ver no *Dicionário* os verbetes denominados *Tribos, Localização das* e *Tribo (Tribos) de Israel*.

Doravante, cada soldado israelita era um administrador de suas propriedades, e, visto que as habilidades deles eram variadas, foi possível que desempenhassem a contento suas novas responsabilidades. Embora, conforme têm dito alguns comentadores, "a maior parte desta longa seção se assemelhe a um título de propriedade", contudo são dadas informações valiosas sobre a localização das cidades. Outrossim, temos aqui uma narrativa que mostra, com detalhes, como teve cumprimento o *Pacto Abraâmico* (ver as notas expositivas a respeito em Gn 15.18). Esse pacto prometia um território nacional que os hebreus haveriam de obter como uma herança conferida por Yahweh. O território conquistado já estava ricamente suprido de cidades, pelo que as provisões do Pacto Abraâmico foram amplamente cumpridas.

A Herança Muito Custou a Israel. Após séculos de *escravidão* no Egito, após quarenta anos de duras *perambulações* pelo deserto e após um longo e sangrento conflito contra povos cananeus mais numerosos e mais fortes do que Israel, finalmente os hebreus tinham entrado na posse de seu próprio território nacional. Não há dúvida de que os dias da alocação de territórios foram dias felizes para os filhos de Israel. Os frutos de nossos labores são abundantes e doces, quando andamos com o Senhor, sob a luz de sua Palavra.

13.1

וִיהוֹשֻׁעַ זָקֵן בָּא בַּיָּמִים וַיֹּאמֶר יְהוָה אֵלָיו אַתָּה זָקַנְתָּה בָּאתָ בַיָּמִים וְהָאָרֶץ נִשְׁאֲרָה הַרְבֵּה־מְאֹד לְרִשְׁתָּהּ׃

Era Josué, porém, já idoso. Depois de tantas lutas, embora com conquistas bem-sucedidas, e apesar de que, de maneira geral, a Terra Prometida já tivesse passado para as mãos dos hebreus, havia ainda muitos bolsões de resistência. Até este ponto do relato bíblico, a impressão que poderíamos ter era de que Israel sempre lograra vitórias rápidas, completas, de surpresa. Mas este versículo informa-nos que, embora Josué já fosse um homem idoso e tivesse cumprido bem a sua missão, ainda havia *muita terra a ser conquistada*. O autor sagrado tinha pleno conhecimento de que a tarefa da conquista ainda não havia sido absolutamente completada. Cf. o vs. 13 deste capítulo, e também Js 15.63; 16.10; 17.12.

Os intérpretes calculam que, por esse tempo, Josué deveria ser um homem com cerca de 100 anos de idade. Josué viveu até os 110 anos de idade. Os intérpretes judeus disseram que foram necessários sete anos para dividir a Terra Prometida, e que Josué não continuou vivo por muito tempo depois desse empreendimento. Ver Js 24.29, quanto à idade dele por ocasião de sua morte. Josué, o guerreiro, tornou-se Josué, o administrador, na fase final de sua missão.

13.2

זֹאת הָאָרֶץ הַנִּשְׁאָרֶת כָּל־גְּלִילוֹת הַפְּלִשְׁתִּים וְכָל־הַגְּשׁוּרִי׃

Esta é a terra ainda não conquistada. Essas palavras nos apanham de surpresa, pois ficamos pasmos diante da extensão da *tarefa por terminar*. Os vss. 2-6 e 13 deste capítulo fornecem um sumário do que ainda faltava fazer. Nisso há uma importante lição espiritual. Não importa o quanto um homem tenha feito, nem quão bem ele tenha cumprido a sua tarefa, sempre haverá muito para ser feito, porquanto o trabalho de um homem nunca termina. A alma, em algum outro lugar, terá de prosseguir, naquela mesma obra ou em outras, da mesma forma que as obras de Deus nunca cessam.

DISTRIBUIÇÃO DA TERRA ENTRE AS DOZE TRIBOS

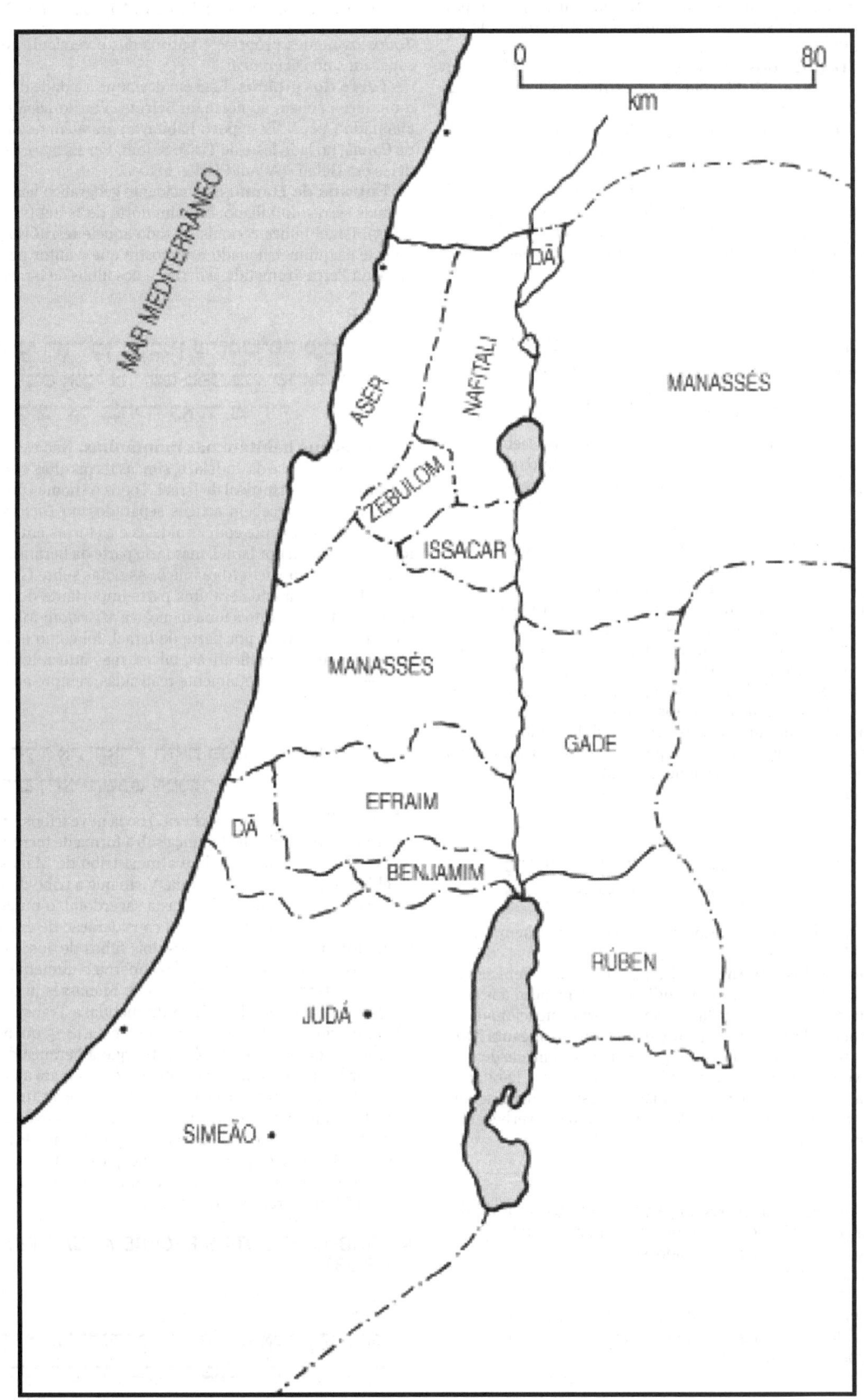

"Porções da Palestina ocidental, que ainda não estavam debaixo do controle dos israelitas, foram listadas, mais ou menos do sul para o norte: os filisteus, com suas cinco cidades, todas elas na planície costeira do sul (vs. 3)" (John Bright, *in loc.*). Cf. Gn 21.32 quanto a comentários sobre os filisteus. E, no *Dicionário*, ver o verbete chamado *Filisteus, Filístia*.

Todas as regiões dos filisteus. "... Suas fronteiras chegavam até as margens do mar Mediterrâneo, na extremidade sudoeste da terra de Canaã..." (John Gill, *in loc.*).

E toda a Gesur. "... era a principal cidade pertencente aos filisteus, e estava na Síria, conforme se dizia (ver 2Sm 15.8); nos tempos de Davi, era governada por um rei (ver 2Sm 3.3); e parece que nunca chegou a ser transferida para a possessão dos israelitas" (John Gill, *in loc.*). Ver no *Dicionário* o artigo detalhado *Gesur, Gesuritas*. Esse território já pertencia à Síria, contíguo à fronteira norte de Israel, no lado oriental do rio Jordão, entre o monte Hermom, Maaca e Basã (ver Dt 3.13,14; Js 12.5).

■ **13.3**

מִן־הַשִּׁיחוֹר אֲשֶׁר עַל־פְּנֵי מִצְרַיִם וְעַד גְּבוּל עֶקְרוֹן צָפוֹנָה לַכְּנַעֲנִי תֵּחָשֵׁב חֲמֵשֶׁת סַרְנֵי פְלִשְׁתִּים הָעַזָּתִי וְהָאַשְׁדּוֹדִי הָאֶשְׁקְלוֹנִי הַגִּתִּי וְהָעֶקְרוֹנִי וְהָעַוִּים׃

Todos os nomes próprios que figuram neste versículo recebem artigos separados no *Dicionário*. São destacadas aqui as cinco principais cidades-estados e suas populações, virtualmente de origem filisteia. Todas essas cidades ficavam na planície costeira no sudoeste da Terra Prometida.

Sior. Ver o verbete detalhado sobre este acidente geográfico, no *Dicionário*. Geralmente o nome é aplicado ao rio Nilo, porém o mais provável é que esteja em pauta aqui o *ribeiro do Egito* (ver a respeito no *Dicionário*), ou seja, o *wadi el-'Arish*. Esse ribeiro ficava muito mais perto da Palestina do que o Nilo, e, para quem estivesse na extremidade sul do mar Morto, ficava quase na direção oeste (pois desaguava no mar Mediterrâneo), cerca de oitenta quilômetros a sudoeste de Gaza. O termo hebraico *sior* significa "turvo", "lamacento".

"*Os Cinco Príncipes Filisteus*. Essas dinastias eram famosas nas Escrituras, por causa de suas guerras bem-sucedidas contra os israelitas, servindo-lhes de açoite quase perpétuo" (Adam Clarke, *in loc.*). As cinco cidades filisteias aparecem no fim deste versículo: Gaza, Asdode, Ascalom, Gate e Ecrom.

■ **13.4**

מִתֵּימָן כָּל־אֶרֶץ הַכְּנַעֲנִי וּמְעָרָה אֲשֶׁר לַצִּידֹנִים עַד־אֲפֵקָה עַד גְּבוּל הָאֱמֹרִי׃

Todos os nomes próprios e pátrios deste versículo recebem artigos separados no *Dicionário*.

Toda a terra dos cananeus. Fica aqui incluída a Fenícia (ver a respeito no *Dicionário*), conforme indicado pela menção aos sidônios. A cidade de Afeque, aqui listada, não é a mesma mencionada em Js 12.18 ou aquela de Js 19.30. É provável que esteja em pauta *Afqa*, a leste de Gebal. Esse território nunca passou para o controle de Israel. Algumas vezes, o termo "amorreus" significa todos os habitantes primitivos da Palestina (ver Gn 15.16), mas aqui está em pauta a faixa de terra restrita que eles ocupavam. Ver no *Dicionário* o verbete chamado *Amorreus*, 2. *Lugar*.

Uma das principais provisões do pacto abraâmico era a promessa da possessão de uma terra especial para Isarel. Sem sua terra, os israelitas teriam sido somente outra tribo de nômades no deserto.

Naquele mesmo dia, fez o Senhor aliança com Abraão dizendo: À tua descendência dei esta terra, desde o rio do Egito até ao grande rio Eufrates.

Gênesis 15.18

Ver as anotações sobre este pacto em Gn 15.18, e no artigo intitulado *Pactos*, no *Dicionário*.

■ **13.5**

וְהָאָרֶץ הַגִּבְלִי וְכָל־הַלְּבָנוֹן מִזְרַח הַשֶּׁמֶשׁ מִבַּעַל גָּד תַּחַת הַר־חֶרְמוֹן עַד לְבוֹא חֲמָת׃

Todos os nomes próprios e pátrios deste versículo recebem artigos separados no *Dicionário*.

Terra dos gibleus. Está em destaque a cidade de *Gebal* (Biblos), a moderna Jebeil, ao norte de Beirute. Ver no *Dicionário* o verbete chamado *Gebal*. "Esse povo habitava para além dos limites da terra de Canaã, no lado leste de Tiro e Sidom. Ver Ez 27.9; Sl 83.7. A capital deles era Gebal" (Adam Clarke, *in loc.*).

Entrada de Hamá. Esse acidente geográfico ficava no vale entre as duas serras do Líbano, o limite norte de Israel (ver 1Rs 8.65; 2Rs 14.25). Israel nunca conquistou todo aquele território; mas o fato de que ele é aqui mencionado nos mostra que o autor pensava que fazia parte da Terra Prometida, a herança dos filhos de Israel. Ver Nm 34.8.

■ **13.6**

כָּל־יֹשְׁבֵי הָהָר מִן־הַלְּבָנוֹן עַד־מִשְׂרְפֹת מַיִם כָּל־צִידֹנִים אָנֹכִי אוֹרִישֵׁם מִפְּנֵי בְּנֵי יִשְׂרָאֵל רַק הַפִּלֶהָ לְיִשְׂרָאֵל בְּנַחֲלָה כַּאֲשֶׁר צִוִּיתִיךָ׃

Todos os que habitam nas montanhas. Não está aqui em foco a região montanhosa da Judeia, e, sim, as terras altas em torno do Líbano, a fronteira norte ideal de Israel. Todos os nomes próprios e pátrios deste versículo recebem artigos separados no *Dicionário*. A cidade de Sidom, juntamente com as aldeias e as terras em derredor, nunca fora conquistada por Israel, mas fazia parte da herança *ideal* de Israel, de acordo com o Pacto Abraâmico. As notas sobre Gn 15.18 mostram que a Terra Prometida era uma parte importante do Pacto Abraâmico. Ver Js 11.17 quanto a uma menção a *Misrefote-Maim*. A conquista da Terra Prometida, por parte de Israel, foi como a maior parte das obras humanas: significativas, talvez, mas nunca terminadas, nunca completadas, nunca totalmente realizadas, sempre aquém do ideal.

■ **13.7**

וְעַתָּה חַלֵּק אֶת־הָאָרֶץ הַזֹּאת בְּנַחֲלָה לְתִשְׁעַת הַשְּׁבָטִים וַחֲצִי הַשֵּׁבֶט הַמְנַשֶּׁה׃

Distribui, pois, agora, a terra. Havia nove tribos e meia que ainda não tinham recebido sua herança sob a forma de territórios, porquanto as tribos de Rúben, Gade e a meia tribo de Manassés já haviam recebido terras na Transjordânia. Visto que a tribo de Levi tinha sido nomeada pelo Senhor como a casta sacerdotal, o número original de doze tribos foi obtido mediante a consideração de que os descendentes de Efraim e de Manassés (os dois filhos de José) passaram a ser contados como duas tribos. Isso recuperou o número de doze tribos.

Rúben, Gade e metade da tribo de Manassés já tinham recebido terras na parte oriental da Terra Prometida, a Transjordânia, ou seja, a leste do rio Jordão. Ver Nm 32.31 ss. e 34.14,15 quanto ao relato. O capítulo 22 do livro de Josué mostra que a herança dessas tribos na Transjordânia foi confirmada, visto que eles tinham ajudado as demais tribos de Israel na conquista do ocidente, conforme tinham dito que fariam. Portanto, faltava distribuir terras entre as nove tribos e meia que ainda não haviam recebido a sua herança. Ver no *Dicionário* o artigo chamado *Manassés*, quanto ao fato de que essa tribo acabou dividida: uma parte ficou na Transjordânia e outra parte foi para o lado ocidental do rio Jordão, recebendo terras ali.

AS TRIBOS ORIENTAIS RECEBEM SUA HERANÇA (13.8-33)

■ **13.8**

עִמּוֹ הָרֻאוּבֵנִי וְהַגָּדִי לָקְחוּ נַחֲלָתָם אֲשֶׁר נָתַן לָהֶם מֹשֶׁה בְּעֵבֶר הַיַּרְדֵּן מִזְרָחָה כַּאֲשֶׁר נָתַן לָהֶם מֹשֶׁה עֶבֶד יְהוָה׃

Os versículos 8—13 deste capítulo recontam a história das duas tribos de Rúben e Gade e da meia tribo de Manassés, que receberam sua herança no lado oriental do rio Jordão, chamado *Transjordânia* (ver a respeito no *Dicionário*). Uma pesquisa na área da Transjordânia aparece nos versículos 9 a 12. Cf. Js 12.1-5. Ver Nm 32.31 ss. e 34.14,15. O capítulo 22 de Josué informa-nos que a herança dessas duas tribos e meia foi confirmada na Transjordânia.

■ 13.9

מֵעֲרוֹעֵ֡ר אֲשֶׁר֩ עַל־שְׂפַת־נַ֨חַל אַרְנ֜וֹן וְהָעִ֨יר אֲשֶׁ֧ר בְּתוֹךְ־הַנַּ֛חַל וְכָל־הַמִּישֹׁ֥ר מֵידְבָ֖א עַד־דִּיבֽוֹן׃

Começando com Aroer. Os vss. 9 a 12 deste capítulo brindam-nos com uma espécie de esboço das dimensões do território a leste do rio Jordão herdado pelas tribos de Rúben e Gade e pela meia tribo de Manassés. Todos os nomes próprios que aqui aparecem recebem artigos separados no *Dicionário*. Ver Nm 21.13 e 30 quanto a outras menções aos lugares referidos neste versículo. O paralelo direto dos vss. 9 a 12 é Js 12.1-6, cujas notas expositivas devem ser examinadas.

■ 13.10

וְכֹ֗ל עָרֵי֙ סִיחוֹן֙ מֶ֣לֶךְ הָאֱמֹרִ֔י אֲשֶׁ֥ר מָלַ֖ךְ בְּחֶשְׁבּ֑וֹן עַד־גְּב֖וּל בְּנֵ֥י עַמּֽוֹן׃

Cf. Js 12.2, que é trecho paralelo a este versículo. Ver também Nm 21.26.

■ 13.11

וְהַגִּלְעָ֞ד וּגְב֧וּל הַגְּשׁוּרִ֣י וְהַמַּעֲכָתִ֗י וְכֹ֖ל הַ֣ר חֶרְמ֑וֹן וְכָל־הַבָּשָׁ֖ן עַד־סַלְכָֽה׃

Todos os nomes próprios deste versículo recebem artigos separados no *Dicionário*. Ver Js 12.5, o paralelo direto deste versículo, cujos comentários também têm aplicação aqui. Ver ainda Dt 3.9,10 e 4.48.

■ 13.12

כָּל־מַמְלְכ֥וּת עוֹג֙ בַּבָּשָׁ֔ן אֲשֶׁר־מָלַ֥ךְ בְּעַשְׁתָּר֖וֹת וּבְאֶדְרֶ֑עִי ה֤וּא נִשְׁאַר֙ מִיֶּ֣תֶר הָרְפָאִ֔ים וַיַּכֵּ֥ם מֹשֶׁ֖ה וַיֹּרִשֵֽׁם׃

Este versículo tem paralelo em Js 12.4, cujas notas expositivas são aplicáveis aqui.

Que ficou do resto dos gigantes. Ver no *Dicionário* o artigo intitulado *Refains*.

■ 13.13

וְלֹ֤א הוֹרִ֙ישׁוּ֙ בְּנֵ֣י יִשְׂרָאֵ֔ל אֶת־הַגְּשׁוּרִ֖י וְאֶת־הַמַּעֲכָתִ֑י וַיֵּ֨שֶׁב גְּשׁ֤וּר וּמַֽעֲכָת֙ בְּקֶ֣רֶב יִשְׂרָאֵ֔ל עַ֖ד הַיּ֥וֹם הַזֶּֽה׃

Gesur e Maacate permaneceram no meio de Israel. Ver no *Dicionário* os artigos denominados *Gesur* e *Maacate*. Esses eram estados arameus a leste e a nordeste do mar da Galileia. O trecho de 2Sm 3.3 conta que Absalão, um dos filhos de Davi, era filho da filha do rei de Gesur. Esses estados, embora não tivessem sido obliterados por Israel, mais tarde foram sujeitados ao pagamento de tributo. Já vimos esses povos mencionados em Js 12.5, onde aparecem notas expositivas adicionais.

LEVI NÃO RECEBEU TERRITÓRIO (13.14)

■ 13.14

רַ֚ק לְשֵׁ֣בֶט הַלֵּוִ֔י לֹ֥א נָתַ֖ן נַחֲלָ֑ה אִשֵּׁ֨י יְהוָ֜ה אֱלֹהֵ֤י יִשְׂרָאֵל֙ ה֣וּא נַחֲלָת֔וֹ כַּאֲשֶׁ֖ר דִּבֶּר־לֽוֹ׃ ס

À tribo de Levi não deu herança. Não devemos olvidar que a tribo de Levi foi transformada em casta sacerdotal de Israel, deixando assim de ser uma tribo. Mas embora não tivesse recebido herança sob a forma de terras, foi-lhe dada uma herança superior, a do serviço sacerdotal. O próprio Yahweh era a herança deles. Cf. o vs. 33 e também Js 14.3,4 e 18.7. Os levitas receberam 48 cidades com terras de pastagem em redor, onde se ocupavam de uma limitada agricultura e da criação de gado (ver Js 14.4 e 21.41). Moisés já tinha dirigido muitos arranjos, conforme ficamos sabendo em Nm 35.1-5. O trecho de Nm 18.20 já havia informado que o próprio Yahweh seria a herança dos levitas, e o culto divino, ao encargo deles, era o seu principal privilégio. No entanto, eles não ficaram absolutamente destituídos de terras. As ofertas trazidas pelas outras tribos compensariam a falta de terras. Ver o vs. 33 deste capítulo, que repete as ideias deste versículo.

As ofertas queimadas. Ver Êx 29.18; Lv 1.9 e Dt 18.1. A Septuaginta omite essas palavras.

O TERRITÓRIO DE RÚBEN (13.15-23)

■ 13.15

וַיִּתֵּ֣ן מֹשֶׁ֔ה לְמַטֵּ֥ה בְנֵֽי־רְאוּבֵ֖ן לְמִשְׁפְּחֹתָֽם׃

Os vss. 15-23 relatam quais foram as áreas e cidades entregues à tribo de Rúben como herança. Josué é o livro da Bíblia que contém o maior número de nomes próprios. Todos esses nomes aparecem no *Dicionário*, excetuando os poucos que são comentados *in loc.*, onde são mencionados. Os mapas na introdução a este capítulo devem ser consultados para que o leitor tenha uma boa ideia da localização dos acidentes geográficos. No *Dicionário*, ver o artigo intitulado *Rúben*.

Dimensões do Território de Rúben. A fronteira *sul* era formada pelo vale do ribeiro do Arnon (cf. Js 12.1). Esse vale assinalava a fronteira norte dos moabitas. As terras próximas de Hesbom marcavam a fronteira *norte* de Rúben. A fronteira *oeste* era o rio Jordão (vs. 23) e o mar Morto. Mas a lista não traça a fronteira *leste*, que foi deixada indefinida, pelo menos até onde diz respeito ao livro de Josué.

Moisés foi quem deu esse trecho da Transjordânia à tribo de Rúben, porquanto eles tinham feito uma petição especial a esse respeito. Era uma região rica em pastagens, a principal razão pela qual os homens da tribo de Rúben a quiseram, pois eram criadores de gado. Ver o capítulo 32 de Números quanto ao relato histórico.

■ 13.16

וַיְהִ֨י לָהֶ֜ם הַגְּב֗וּל מֵעֲרוֹעֵ֡ר אֲשֶׁר֩ עַל־שְׂפַת־נַ֨חַל אַרְנ֜וֹן וְהָעִ֨יר אֲשֶׁ֧ר בְּתוֹךְ־הַנַּ֛חַל וְכָל־הַמִּישֹׁ֖ר עַל־מֵידְבָֽא׃

Este versículo repete informações que já haviam sido dadas em vários outros trechos bíblicos. Ver o nono versículo deste capítulo, e cf. Nm 21.13,30 e Js 12.2, que lhe são paralelos. Esses lugares formavam a fronteira *sul* do território de Rúben. Ver suas posições no mapa dado na introdução a este capítulo.

■ 13.17

חֶשְׁבּ֥וֹן וְכָל־עָרֶ֖יהָ אֲשֶׁ֣ר בַּמִּישֹׁ֑ר דִּיבוֹן֙ וּבָמ֣וֹת בַּ֔עַל וּבֵ֖ית בַּ֥עַל מְעֽוֹן׃

Todos os nomes próprios que aparecem neste versículo recebem artigos separados no *Dicionário*. Ver Nm 21.20 e 22.41 quanto a menções anteriores a esses lugares. Ver também Nm 32.38. Esses lugares formavam a fronteira *norte* do território de Rúben.

■ 13.18

וְיַ֥הְצָה וּקְדֵמֹ֖ת וּמֵפָֽעַת׃

As três cidades mencionadas neste versículo merecem artigos separados no *Dicionário*. Elas ficavam mais para leste, mas é provável que não formassem nenhuma fronteira distinta do território de Rúben, pelo que tal fronteira fica indefinida. É provável que a tribo de Rúben nunca tenha tido uma fronteira leste demarcada.

■ 13.19

וְקִרְיָתַ֣יִם וְשִׂבְמָ֔ה וְצֶ֥רֶת הַשַּׁ֖חַר בְּהַ֥ר הָעֵֽמֶק׃

As três cidades mencionadas aqui também recebem artigos separados no *Dicionário*. Ver o mapa na introdução a este capítulo, quanto às posições geográficas das tribos.

Monte do vale. Podem estar em pauta os montes Nebo, Pisga e Abarim; mas Josefo (*Antiq.* 1.13, cap. 15, sec. 4) alude ao monte Zara, que ele mencionou juntamente com Hesbom, Medeba e outras cidades dos moabitas.

■ **13.20**

וּבֵית פְּעוֹר וְאַשְׁדּוֹת הַפִּסְגָּה וּבֵית הַיְשִׁמוֹת׃

As duas cidades e as faldas do monte Pisga, aqui mencionadas, são descritas em artigos separados no *Dicionário*. Ver suas posições no mapa que há no início deste capítulo. Cf. Dt 3.17,29 e Nm 33.49, onde esses lugares também são mencionados.

■ **13.21**

וְכֹל עָרֵי הַמִּישֹׁר וְכָל־מַמְלְכוּת סִיחוֹן מֶלֶךְ הָאֱמֹרִי אֲשֶׁר מָלַךְ בְּחֶשְׁבּוֹן אֲשֶׁר הִכָּה מֹשֶׁה אֹתוֹ וְאֶת־נְשִׂיאֵי מִדְיָן אֶת־אֱוִי וְאֶת־רֶקֶם וְאֶת־צוּר וְאֶת־חוּר וְאֶת־רֶבַע נְסִיכֵי סִיחוֹן יֹשְׁבֵי הָאָרֶץ׃

Todos os nomes próprios mencionados neste versículo recebem artigos separados no *Dicionário*, ou em Nm 31.8, trecho paralelo a este versículo.

O reino inteiro de Seom foi dado à tribo de Rúben. Mas uma parte desse território ficou com Gade, conforme aprendemos no versículo 27 deste capítulo. Os reis-vassalos ou príncipes da região, cujos nomes são listados aqui, foram derrotados ainda nos dias de Moisés, e os seus territórios foram entregues às tribos de Rúben e Gade. Esses príncipes foram derrotados depois da derrota infligida a Seom. Ver Nm 31.8, que também fala nesses nomes. Ver as notas naquele lugar, quanto a informações adicionais.

■ **13.22**

וְאֶת־בִּלְעָם בֶּן־בְּעוֹר הַקּוֹסֵם הָרְגוּ בְנֵי־יִשְׂרָאֵל בַּחֶרֶב אֶל־חַלְלֵיהֶם׃

Balaão, filho de Beor, o adivinho. Ver no *Dicionário* o verbete intitulado *Balaão*, quanto a uma revisão da história inteira desse homem. Balaão preferiu andar em más companhias e acabou sendo executado entre eles. Ver também, no *Dicionário*, o artigo chamado *Beor*. O trecho de Nm 31.8 registra a morte de Balaão, juntamente com os príncipes mencionados.

O adivinho. Ver no *Dicionário* o artigo intitulado *Adivinhação*. No livro de Números, a narrativa nada fala a respeito de adivinhação da parte de Balaão, mas somente em profecia e conselhos; contudo, as tradições posteriores fizeram dele uma espécie de profeta falso. As passagens de Nm 22.8 e 23.23, no entanto, dão a entender que ele era um vidente.

■ **13.23**

וַיְהִי גְּבוּל בְּנֵי רְאוּבֵן הַיַּרְדֵּן וּגְבוּל זֹאת נַחֲלַת בְּנֵי־רְאוּבֵן לְמִשְׁפְּחֹתָם הֶעָרִים וְחַצְרֵיהֶן׃ פ

A fronteira dos filhos de Rúben é o Jordão. Tanto um trecho do rio Jordão quanto parte do mar Morto formavam a fronteira *ocidental* do território de Rúben. Ver o *Dicionário* quanto a esses lugares, e consultar o mapa que há na introdução a este capítulo. As terras ganhas formavam uma herança, segundo se lê nas alocações às várias tribos, pois a Terra Prometida foi dada a Israel por meio do Pacto Abraâmico (ver as notas a respeito em Gn 15.18). Ver no *Dicionário* o artigo intitulado *Herdeiro*, no tocante ao *tipo espiritual*.

O TERRITÓRIO DE GADE (13.24-28)

■ **13.24**

וַיִּתֵּן מֹשֶׁה לְמַטֵּה־גָד לִבְנֵי־גָד לְמִשְׁפְּחֹתָם׃

Deu Moisés a herança à tribo de Gade. O território dessa tribo ficava em *Gileade* (ver a respeito no *Dicionário*), que eram as terras altas da Transjordânia. Essas terras altas estendiam-se para o norte e para o sul do ribeiro do Jaboque. A fronteira sul de Gade era contígua à fronteira de Rúben, presumivelmente juntamente com o *wadi Hesban* (ver o artigo intitulado *Hesbom*, no *Dicionário*, bem como o vs. 17 deste capítulo). A tribo de Gade ficou com metade do território que pertencia aos amonitas. Israel não declarou guerra diretamente contra os amonitas, mas, visto que Seom era o governante de todo aquele território, e que ele foi derrotado por Israel, aquelas terras também ficaram com o povo de Israel. Ver Dt 2.19,37; Jz 11.12-28. A fronteira leste de Gade ficava perto de Aroer, próxima de Rabá, a Rabate-Amom, capital dos filhos de Amom. Esse local é assinalado pela moderna cidade de Amã. O versículo 26 deste capítulo tem uma lista de cidades que ficavam nas terras altas orientais. O versículo 27 lista lugares que ficavam no vale do rio Jordão e menciona uma faixa de terras que corria para o norte, até o mar da Galileia. Tal como no caso da tribo de Rúben, nenhuma informação precisa é dada quanto às fronteiras exatas de Gade, sendo possível que não houvesse antigamente fronteiras tão definidas quanto se veem nos dias modernos.

Fronteiras Inseguras. Visto que as tribos de Rúben e Gade não tinham fronteiras bem definidas para o leste, nem havia fortificações por ali, elas estavam sujeitas a constantes ataques vindos daquela direção. Invasões foram lançadas pelos moabitas, pelos cananeus, pelos arameus, pelos midianitas, pelos amalequitas e, finalmente e principalmente, pelos assírios. Por esse motivo as tribos de Rúben e Gade, bem como a meia tribo de Manassés, na Transjordânia, foram as primeiras a serem levadas em cativeiro. Ver 1Cr 5.26, bem como, no *Dicionário*, o verbete intitulado *Cativeiro (Cativeiros)*.

Fontes Informativas. Todos os nomes próprios que figuram nos vss. 24-28 deste capítulo recebem artigos separados no *Dicionário* e/ou em outros trechos, onde foram mencionados. Ver também o mapa apresentado na introdução a este capítulo, quanto a localizações precisas. Todavia, algumas localizações permanecem inexatas.

Ver a introdução dada anteriormente à seção de informações gerais sobre o território de Gade. O autor sagrado uma vez mais repete sua declaração de que as terras foram distribuídas como uma herança entre as tribos de Israel. Elas faziam parte das estipulações do *Pacto Abraâmico*, estabelecido com Abraão, o pai de todos os israelitas. Ver as notas expositivas sobre Gn 15.18 quanto a esse pacto.

Tipologia. Conforme acontece por todo o texto sagrado, somos lembrados de que, em Cristo, o cabeça da Nova Raça, temos uma herança espiritual. Ver no *Dicionário* o artigo chamado *Herdeiro*, quanto a um desenvolvimento desse tipo simbólico e desse tema.

■ **13.25**

וַיְהִי לָהֶם הַגְּבוּל יַעְזֵר וְכָל־עָרֵי הַגִּלְעָד וַחֲצִי אֶרֶץ בְּנֵי עַמּוֹן עַד־עֲרוֹעֵר אֲשֶׁר עַל־פְּנֵי רַבָּה׃

Ver os nomes próprios no *Dicionário*, bem como as localizações envolvidas no mapa fornecido na introdução a este capítulo. Ver a introdução à seção, no vs. 24, quanto a informações gerais sobre o território conferido à tribo de Gade. Ver no *Dicionário* o verbete denominado *Gade*.

Jazer. Esta cidade assinalava a fronteira sul da tribo de Gade. Ver Nm 21.32. Antes, tinha sido uma cidade dos moabitas.

Metade de Gileade (ver a respeito no *Dicionário*) tinha sido dada à tribo de Gade e à meia tribo de Manassés, conforme aprendemos no versículo 31 deste capítulo.

Metade das terras de Amom também foi dada à tribo de Gade. Embora aos israelitas tivesse sido vedado tomar terras dos filhos de Amom (ver Dt 2.37), contudo essa parte (conquistada de Seom, rei dos amorreus) foi dada como possessão aos filhos de Israel.

Aroer. Era uma ex-cidade moabita, situada às margens do rio Arnon (vs. 9). Ver o detalhado artigo sobre essa cidade no *Dicionário*, em seu segundo ponto. A fronteira leste de Gade era Aroer. Todavia, não se tratava da mesma cidade de Aroer que havia no território de Rúben.

■ **13.26**

וּמֵחֶשְׁבּוֹן עַד־רָמַת הַמִּצְפֶּה וּבְטֹנִים וּמִמַּחֲנַיִם עַד־גְּבוּל לִדְבִר׃

Todos os nomes próprios deste versículo recebem artigos separados no *Dicionário*. "Essa era a fronteira deles, do sul para o norte, e assim descreve a fronteira *leste* deles, que começava em Hesbom (atribuída à tribo de Rúben, no versículo 8)" (John Gill, *in loc.*).

Até ao termo de Debir. Esta Debir é diferente da Debir que pertencia à tribo de Judá, mencionada em Js 15.15. A Septuaginta apresenta aqui a grafia Daibon. Em Nm 32.34 e 33.45, essa mesma cidade é chamada de Dibom-Gade. Ver o segundo ponto do artigo chamado *Debir*, no *Dicionário*, quanto à cidade aqui mencionada.

■ **13.27**

וּבָעֵמֶק בֵּית הָרָם וּבֵית נִמְרָה וְסֻכּוֹת וְצָפוֹן יֶתֶר
מַמְלְכוּת סִיחוֹן מֶלֶךְ חֶשְׁבּוֹן הַיַּרְדֵּן וּגְבֻל עַד־קְצֵה
יָם־כִּנֶּרֶת עֵבֶר הַיַּרְדֵּן מִזְרָחָה׃

Todos os nomes próprios mencionados neste versículo recebem artigos separados no *Dicionário*. Ver os mapas na introdução a este capítulo, quanto às posições das localidades. Nem todos os lugares citados já foram localizados, e por esse motivo os mapas não os incluem. E os artigos que oferecemos procuram localizar esses lugares apenas de maneira aproximada.

■ **13.28**

זֹאת נַחֲלַת בְּנֵי־גָד לְמִשְׁפְּחֹתָם הֶעָרִים וְחַצְרֵיהֶם׃

Esta é a herança dos filhos de Gade. Os versículos anteriores (24-27) dão os nomes das cidades que a tribo de Gade veio a possuir. A maioria delas, se não mesmo todas, eram cidades tomadas de povos expulsos ou aniquilados. O autor sagrado enfatiza uma vez mais que esse território foi dado como uma herança, derivada do Pacto Abraâmico (ver as notas a respeito em Gn 15.18). Ver no *Dicionário* o verbete chamado *Herdeiro*, quanto ao tipo espiritual envolvido. O Pacto Abraâmico apontava para um desenvolvimento espiritual maior, quando indivíduos de todas as nações se tornariam herança de Deus, um dos grandes temas do Novo Testamento. Ver Ef 1.9,10 e 2.11 ss. Indivíduos de todas as nações se tornarão a herança de Deus, e todas as nações haverão de compartilhar da herança espiritual que há em Cristo (ver Rm 8.15-17).

TERRITÓRIO DA MEIA TRIBO DE MANASSÉS (13.29-33)

Não dispomos do registro de nenhum pedido, por parte da meia tribo de Manassés, para ficar com uma porção da Transjordânia (o território a leste do rio Jordão). As tribos de Rúben e Gade, sim, solicitaram especificamente aquele território. Ver o capítulo 32 de Números. É possível que Moisés tenha tomado a decisão de também localizar ali a meia tribo de Manassés, por causa de seu grande número. A outra metade dessa tribo atravessou o rio Jordão e acabou situando-se entre as tribos de Issacar e de Efraim. O artigo do *Dicionário*, chamado *Manassés*, informa-nos melhor sobre esses eventos.

O território da meia tribo de Manassés (localizado na Transjordânia) ficava ao norte e a leste do território de Gade, tocando neste último em Maanaim (vs. 26) no sul, e, presumivelmente, situado a leste, ao longo do vale do rio Jordão (vs. 27). A meia tribo de Manassés também recebeu metade do território de Gileade, a saber, uma porção ao sul do rio Iarmuque, bem como toda a Basã, a leste e a nordeste do mar da Galileia.

Todos os nomes próprios desta seção recebem artigos separados no *Dicionário*; e o mapa dado na introdução a este capítulo apresenta informações sobre essas localidades. Todavia, quando há incerteza sobre a localização de algum acidente geográfico, os artigos apresentam somente informações aproximadas.

■ **13.29**

וַיִּתֵּן מֹשֶׁה לַחֲצִי שֵׁבֶט מְנַשֶּׁה וַיְהִי לַחֲצִי מַטֵּה
בְנֵי־מְנַשֶּׁה לְמִשְׁפְּחוֹתָם׃

Deu também Moisés herança à meia tribo de Manassés. Quanto aos detalhes gerais, ver a introdução anterior. A herança é novamente vinculada à questão da distribuição do território entre as tribos. Quanto a isso, ver os comentários sobre o vs. 28 deste capítulo. A herança de Israel, por meio do Pacto Abraâmico, prefigurava nossa herança em Cristo, que envolve indivíduos de todas as nações.

■ **13.30**

וַיְהִי גְבוּלָם מִמַּחֲנַיִם כָּל־הַבָּשָׁן כָּל־מַמְלְכוּת
עוֹג מֶלֶךְ־הַבָּשָׁן וְכָל־חַוֹּת יָאִיר אֲשֶׁר בַּבָּשָׁן
שִׁשִּׁים עִיר׃

A fronteira *sul* da meia tribo de Manassés era assinalada por *Maanaim* (ver a respeito no *Dicionário*). Era até Maanaim que se ampliava o território da tribo de Gade. E as terras de Manassés ficavam ao norte e a leste das terras de Gade. O território de Basã ficava no extremo norte das terras de Manassés, conforme podemos ver no mapa. Ogue tinha sido o rei daquela região, e ela lhe foi arrancada pelas tropas israelitas. Ver no *Dicionário* o artigo chamado *Ogue*, quanto a maiores detalhes. Havia *sessenta cidades* naquela região, e os manassitas orientais ficaram com todas elas. Ver no *Dicionário* o artigo chamado *Jair*. Ver também sobre *Havote-Jair*, em Nm 32.41, onde são oferecidas ideias adicionais, pois as mesmas cidades estão em vista. E ver ainda 1Cr 2.22 e Dt 3.4,14.

■ **13.31**

וַחֲצִי הַגִּלְעָד וְעַשְׁתָּרוֹת וְאֶדְרֶעִי עָרֵי מַמְלְכוּת
עוֹג בַּבָּשָׁן לִבְנֵי מָכִיר בֶּן־מְנַשֶּׁה לַחֲצִי בְנֵי־מָכִיר
לְמִשְׁפְּחוֹתָם׃

Todos os nomes próprios que aparecem neste versículo recebem artigos separados no *Dicionário*. Metade do território de Gileade ficou com Manassés, e metade com Gade (ver o vs. 25 deste capítulo).

Maquir. Ele é o único filho mencionado de Manassés, sendo possível que, realmente, tenha sido seu único filho. Por isso mesmo, o nome Maquir às vezes substitui o nome Manassés. Ver no *Dicionário* o verbete intitulado *Maquir*. Metade de seus descendentes obteve porções de terras na Transjordânia. A outra metade cruzou o rio Jordão e ficou com um trecho de terrenos entre as tribos de Issacar e Efraim, fazendo frente para o mar Grande ou Mediterrâneo, que lhe servia de limite ocidental.

Parte Oriental de Manassés. Essa parte da tribo, que ficou na Transjordânia, também descendia de Maquir. (Cf. Js 17.1-6; Nm 32.39,40; Dt 3.15.) Nm 26.29-32 traça todos os indivíduos de Manassés a Maquir; e Js 5.14 diz que ele é o progenitor dos manassitas *ocidentais*, igualmente.

■ **13.32**

אֵלֶּה אֲשֶׁר־נִחַל מֹשֶׁה בְּעַרְבוֹת מוֹאָב מֵעֵבֶר לְיַרְדֵּן
יְרִיחוֹ מִזְרָחָה׃ ס

São estas as heranças que Moisés repartiu. Este versículo sumaria a questão da distribuição de terras na Transjordânia, entre as tribos de Rúben e Gade e a meia tribo de Manassés. Esse é o assunto tratado no trecho de Js 13.8-13. Ver no *Dicionário* o artigo chamado *Transjordânia*. Tendo provido informações detalhadas sobre a parte oriental da Terra Prometida, o autor sagrado sentiu-se à vontade para descrever como foram distribuídas as terras a ocidente do rio Jordão, entre nove tribos e meia de Israel. Essas descrições são longas, ampliando-se até o capítulo 24 do livro.

■ **13.33**

וּלְשֵׁבֶט הַלֵּוִי לֹא־נָתַן מֹשֶׁה נַחֲלָה יְהוָה אֱלֹהֵי
יִשְׂרָאֵל הוּא נַחֲלָתָם כַּאֲשֶׁר דִּבֶּר לָהֶם׃

À tribo de Levi Moisés não deu herança. Este versículo repete informações que já tinham sido dadas no versículo 14. A tribo de Levi não recebeu terras como herança, pois a sua herança era Yahweh e o culto divino. Ver as notas expositivas dadas em Js 13.14, que também têm aplicação aqui. O capítulo 21 do livro de Josué fornece-nos longas descrições das cidades (e terras adjacentes) que os levitas receberam, bem como informações sobre a posição deles no meio de seus irmãos, em Israel. Ver também, no *Dicionário*, o verbete intitulado *Levi*. As cidades conferidas aos levitas ficaram espalhadas por todo o território da Terra Prometida.

DISTRIBUIÇÃO DAS CIDADES ENTRE AS TRIBOS

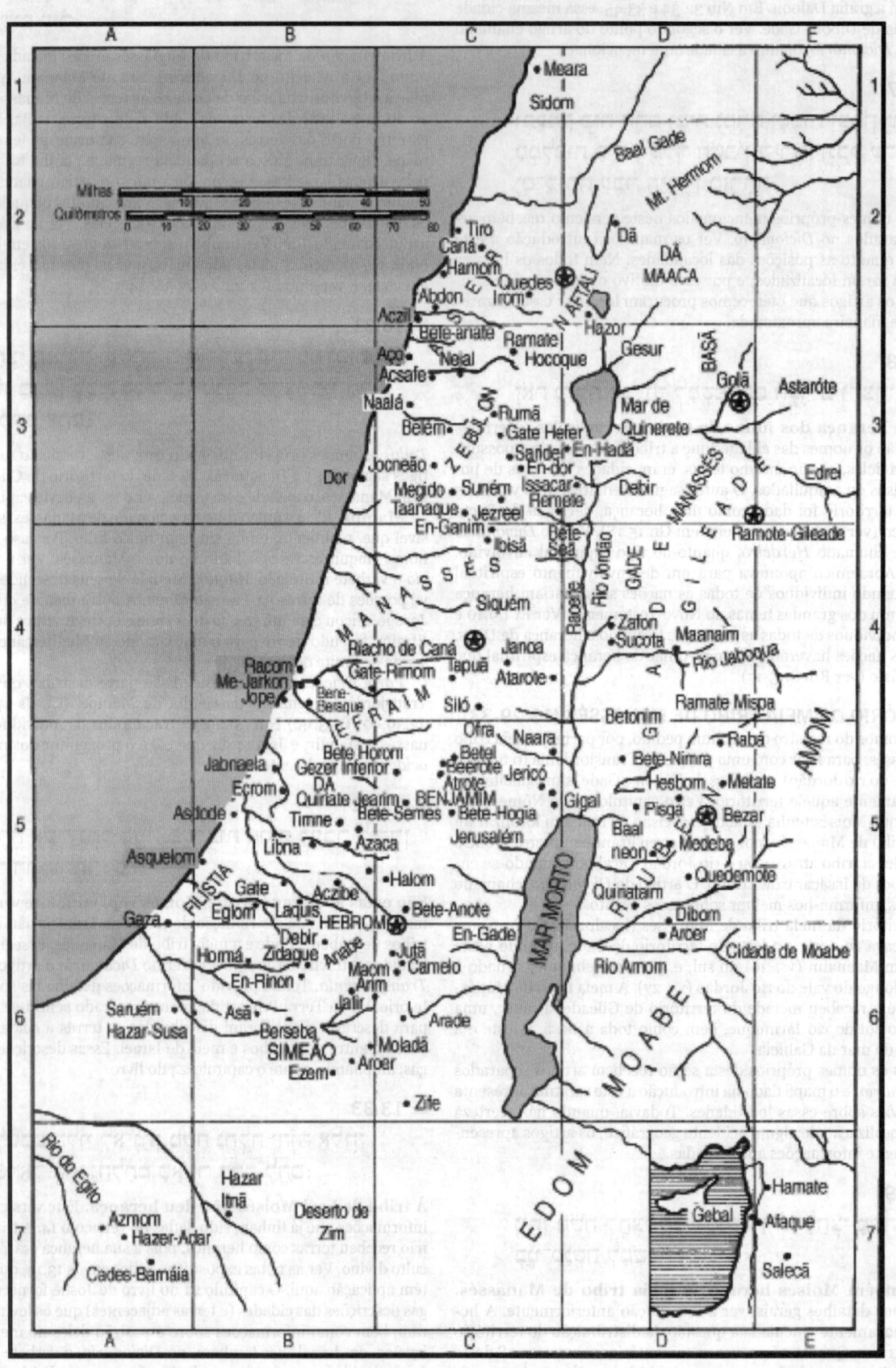

CHAVE

Aco C3	Betonim D5	Hermom, mt. D2	Naalá C3
Acsafe C3	Bezor D5	Hesbom D5	Naara C5
Aczibe B5	Cades-Barneia A7	Holom C5	Naftali CD2,3
Aczil C2	Caná C2	Hormá B6	Neial C3
Adulom B5	Carmelo C6	Hucoque C3	Pisga, mt. D5
Afeque D7	Cidade de	Ibleã C4	Quedes C2
Amom E4,5	Moabe D6	Irom C2	Quedemote D5
Anabe B6	Dã D2	Issacar C3	Quiriataim D5
Arade C6	Debir B6; D3	Jabneel B5	Quiriate-Jearim C5
Arim B6	deserto de Zim B7	Jaboque, rio D4	Rabá D5
Aroer B6; D6	Dibom D5	Jair D3	Racate C4
Arnom, rio D6	Dor B3	Janoa C4	Racom B4
Asã B6	Ecrom B5	Jatir B6	Ramate C3
Asdode B5	Edom CD7	Jericó C5	Ramate Mispa D4
Aser C2; C3	Edrei E3	Jerusalém C5	Ramote-Gileade
Asquelom B5	Efraim BC4,5	Jezreel C3	DE3
Astarote E3	En-Dor C3	Jocneão C3	Remete C3
Atarote C4	En-Gedi C6	Jope B4	Riacho de Caná
Atrote C5	En-Hadã D3	Jordão, rio D4,5	BC4
Azeca B5	En-Rinon B6	Judá BC5,6	Rio (Ribeiro) do
Azmom A7	Ezem B6	Jutá C6	Egito A7
Baal Gade D2	Filístia B5	Laquis B5	Rúben D5
Baal-Neon D5	Gade D4	Libna B5	Rumã C3
Basã D3	Gate B5	Maaca D2	Salecã E7
Beerote C5	Gate-Hefer C3	Maanaim D4	Saride C3
Belém C3	Gate-Rimom B4	Manassés D3	Saruém A6
Bene-Beraque B4	Gaza A6	Manassés BC4	Sidom C1
Benjamim C5	Gesur D3	Maom C6	Siló C4
Berseba B6	Gezer B5	mar de	Simeão B6
Bete-Anote C5	Gileade D3,4	Quinerete D3	Siquém C4
Bete Hogla C5	Gilgal C5	mar Mediterrâneo	Sucote D4
Bete-Horom	Golã D3 A7	A-C1-6	Suném C3
Inferior C5	Hamate E7	mar Morto CD5,6	Taanaque C3
Bete-Horom	Hamom C2	Meara C1	Tapua C4
Superior C5	Hazar-Adar A7	Medeba D5	Timna B5
Bete-Nimra D5	Hazar-Itnã B7	Mefate D5	Tiro C2
Bete-Seã C4	Hazar-Susa A6	Megido C3	Ziclaque B6
Bete-Semes C5	Hazor D2	Me-Jarcon B4	Zife C6
Betel C5	Hebrom C6	Moabe D6	Zafom D4

CAPÍTULO CATORZE

AS TRIBOS OCIDENTAIS RECEBEM SUA HERANÇA (14.1—19.51)

Os versículos 1—5 fornecem-nos uma introdução e uma explicação sobre como foram distribuídas as terras às nove tribos e meia, na parte ocidental da Palestina. As outras duas tribos e meia (Rúben, Gade e a meia tribo de Manassés) já haviam recebido terras na parte oriental da Terra Prometida, chamada Transjordânia. Ver o capítulo anterior quanto às descrições daqueles territórios alocados às duas tribos e meia.

As tradicionais *doze tribos* foram calculadas de acordo com a informação dada em Js 13.7, que não repito aqui. Levi, por sua vez, tornara-se a casta sacerdotal de Israel, pelo que deixou de ser uma tribo dotada de terras, visto que a sua herança veio a ser o próprio Yahweh e o culto divino. Mas aquela casta recebeu 48 cidades com suas terras adjacentes (ver Js 13.14 e capítulo 21).

Calebe. Esse fiel membro da tribo de Judá foi o primeiro a receber a sua herança na parte ocidental da Palestina (ver Js 14.6-15). A questão foi descrita extensamente, por causa de sua espetacular história de lealdade ao Senhor, embora somente a cidade de Hebrom estivesse envolvida no relato.

As Sortes (ver a respeito no *Dicionário*). Esse meio, presumivelmente, foi usado na alocação das terras (ver Js 14.2; 18.8 e 19.51). "De acordo com as tradições judaicas, o nome de uma tribo era tirado de uma urna, ao mesmo tempo que as linhas fronteiriças de seu território eram tiradas de outra urna... Mas não era o puro acaso que decidia a localização de uma tribo. Deus superintendia o processo todo (cf. Pv 16.33). As desigualdades de atribuições que surgiram, e que chegaram a causar algumas tensões e ciúmes entre as tribos, deveriam ser aceitas como parte do propósito divino, e não como algo arbitrário e injusto" (Donald K. Campbell, *in loc.*). Ver no *Dicionário* os artigos intitulados *Tribos, Localização das* e *Tribo (Tribos de Israel)*.

■ 14.1

וְאֵ֗לֶּה אֲשֶׁר־נָחֲל֛וּ בְנֵי־יִשְׂרָאֵ֖ל בְּאֶ֣רֶץ כְּנָ֑עַן אֲשֶׁ֨ר נִחֲל֜וּ אוֹתָ֗ם אֶלְעָזָ֤ר הַכֹּהֵן֙ וִיהוֹשֻׁ֣עַ בִּן־נ֔וּן וְרָאשֵׁ֛י אֲב֥וֹת הַמַּטּ֖וֹת לִבְנֵ֥י יִשְׂרָאֵֽל׃

São estas as heranças. Ver a introdução a este capítulo quanto à mensagem nele contida. As *heranças* já haviam sido distribuídas entre as tribos de Rúben, Gade e a meia tribo de Manassés, a leste do rio Jordão, na Transjordânia. O relato é registrado longamente no capítulo 13 de Josué. E agora, neste capítulo 14, continua-se a história da distribuição da herança entre as nove tribos e meia que ficaram com terras a ocidente do rio Jordão (ver Js 13.7 quanto a uma explicação numérica). Ver Js 13.28 no que tange à ideia de que o território conquistado era uma herança, por meio do Pacto Abraâmico (ver notas expositivas a respeito em Gn 15.18).

Eleazar, o sacerdote. Ver o verbete acerca dele no *Dicionário*; e ver também o artigo chamado *Adivinhação*. Eleazar era filho de Arão, e ficou com o ofício sumo sacerdotal depois da morte de seu pai. Ver Dt 10.6 e Nm 34.16-29. A última dessas duas referências diz respeito à participação de Eleazar na alocação de terras.

"Dez príncipes, um de cada tribo, juntamente com Eleazar e Josué, foram nomeados pelo Senhor para essa tarefa (de alocação de terras), sete anos antes que tivessem entrado na terra de Canaã" (John Gill, *in loc.*).

A Missão de Josué. 1. Substituir Moisés e introduzir o povo de Israel na Terra Prometida. 2. Levar avante a conquista da terra de Canaã. 3. Dividir as terras conquistadas entre as tribos de Israel.

■ 14.2

בְּגוֹרַ֖ל נַחֲלָתָ֑ם כַּאֲשֶׁ֨ר צִוָּ֤ה יְהוָה֙ בְּיַד־מֹשֶׁ֔ה לְתִשְׁעַ֥ת הַמַּטּ֖וֹת וַחֲצִ֥י הַמַּטֶּֽה׃

Por sorte da sua herança. Ver no *Dicionário* os verbetes chamados *Sortes* e *Adivinhação*. Ver Js 18.8. Quanto a um possível método usado nessa transação, ver o último parágrafo da introdução a este capítulo, sob o subtítulo *As Sortes*. Fica entendido que Yahweh seria o poder orientador capaz de fazer as sortes cair onde deveriam. As nove tribos e meia (ver Js 13.7 quanto a uma explicação sobre o cálculo desse número) estavam prestes a receber suas heranças. As tribos orientais (da Transjordânia) já tinham passado por idêntico processo. Se Levi tivesse permanecido como uma tribo, e não como a casta sacerdotal de Israel; e se José também tivesse uma tribo com seu nome, e, igualmente, os seus dois filhos, Efraim e Manassés, então teria havido um total de catorze tribos. Mas José não tinha uma tribo com o seu nome, e Levi não recebeu um território tribal, por ser a casta sacerdotal (Js 21). Portanto, se tirarmos José e Levi, teremos as doze tribos tradicionais.

Tipologia. Quanto à tipologia de nossa herança em Cristo, ver os comentários sobre Js 13.28. Quanto ao fato de que Moisés recebeu ordens para dirigir a questão da distribuição de terras, ver Nm 26.55,56.

■ 14.3

כִּֽי־נָתַ֨ן מֹשֶׁ֜ה נַחֲלַ֨ת שְׁנֵ֤י הַמַּטּוֹת֙ וַחֲצִ֣י הַמַּטֶּ֔ה מֵעֵ֖בֶר לַיַּרְדֵּ֑ן וְלַ֨לְוִיִּ֔ם לֹֽא־נָתַ֥ן נַחֲלָ֖ה בְּתוֹכָֽם׃

Às duas tribos e meia já dera Moisés herança. Este versículo passa em revista dois fatos mencionados por várias vezes antes: 1. Rúben, Gade e a meia tribo de Manassés já haviam recebido suas respectivas heranças na Transjordânia. O capítulo 13 de Josué contém uma detalhada descrição de como isso foi efetuado. 2. Levi tinha deixado de ser uma tribo com terras tribais para ser a classe sacerdotal de Israel. Por isso, os levitas não receberam terras como herança. Antes, Yahweh e o culto divino eram a herança deles. Contudo, eles receberam 48 cidades, e terras adjacentes, distribuídas por todo o território de Israel. Há comentários sobre essa questão em Js 13.14,33. E o capítulo 21 de Josué fornece-nos descrições detalhadas sobre a herança dos levitas e sua posição em Israel. Os levitas também recebiam ofertas da parte das outras tribos, ficando assim garantido o seu sustento. Esse princípio foi transferido para o Novo Testamento. Aqueles que ministram o evangelho devem viver do evangelho (ver 1Co 9.9-11).

■ 14.4

כִּֽי־הָי֤וּ בְנֵֽי־יוֹסֵף֙ שְׁנֵ֣י מַטּ֔וֹת מְנַשֶּׁ֖ה וְאֶפְרָ֑יִם וְלֹֽא־נָתְנוּ֩ חֵ֨לֶק לַלְוִיִּ֜ם בָּאָ֗רֶץ כִּ֤י אִם־עָרִים֙ לָשֶׁ֔בֶת וּמִגְרְשֵׁיהֶ֕ם לְמִקְנֵיהֶ֖ם וּלְקִנְיָנָֽם׃

Porque os filhos de José foram duas tribos. O autor sagrado agora explica como foi que as *nove tribos* e meia foram envolvidas na distribuição de terras na parte ocidental da Terra Prometida. Não havia uma tribo de José. Mas dele se derivaram duas tribos: a de Efraim e a de Manassés. Levi, por sua vez, não formava uma tribo com seu território, ainda que os levitas tivessem recebido 48 cidades e terras adjacentes, espalhadas por todo o território de Israel. Isso era suficiente para que eles tivessem uma agricultura limitada e pudessem criar algum gado, mas o que faltasse para suas necessidades era suprido pelas ofertas das demais tribos. As heranças tribais beneficiaram doze tribos. Esse número foi alcançado da maneira sugerida neste versículo, a qual descrevi com maiores detalhes nas notas expositivas sobre Js 13.7 e 14.2.

"Rúben (filho primogênito de Jacó) havia perdido o direito de primogenitura, o qual foi dado a José, que recebeu dupla porção (na pessoa de seus dois filhos), um privilégio do filho primogênito. Desse modo, o número de *doze tribos* foi mantido, na divisão da Terra Prometida, embora os levitas não tivessem recebido o seu próprio território" (John Gill, *in loc.*). Ver Gn 48.5,6 quanto à bênção de Jacó aos dois filhos de José. Rúben perdera seu direito de primogenitura por haver violado Bila, uma das duas concubinas de Jacó. Ver esse relato em Gn 35.22 e 49.4.

■ 14.5

כַּאֲשֶׁ֨ר צִוָּ֤ה יְהוָה֙ אֶת־מֹשֶׁ֔ה כֵּ֥ן עָשׂ֖וּ בְּנֵ֣י יִשְׂרָאֵ֑ל וַֽיַּחְלְק֖וּ אֶת־הָאָֽרֶץ׃ פ

Como o Senhor ordenara a Moisés. As ordens emanavam de Yahweh. Primeiramente, através de Moisés; e, depois, através de

Josué (vs. 1). Israel, pois, cumpriu as ordens, de modo que a alocação das terras foi feita de forma apropriada e no tempo aprazado. Ver Nm 1.54 quanto a como Israel obedeceu ao que Yahweh determinou. Os príncipes das tribos ajudaram no cumprimento da tarefa, conforme lemos no primeiro versículo deste capítulo. Os intérpretes judeus informam-nos que foram necessários sete anos para efetuar a tarefa da distribuição das terras. Josué não continuou vivo por muito mais tempo, após o cumprimento dessa tarefa, e essa foi a fase derradeira de sua missão.

O FIEL CALEBE RECEBE SUA HERANÇA (14.6-15)

■ 14.6

וַיִּגְּשׁוּ בְנֵי־יְהוּדָה אֶל־יְהוֹשֻׁעַ בַּגִּלְגָּל וַיֹּאמֶר
אֵלָיו כָּלֵב בֶּן־יְפֻנֶּה הַקְּנִזִּי אַתָּה יָדַעְתָּ אֶת־
הַדָּבָר אֲשֶׁר־דִּבֶּר יְהוָה אֶל־מֹשֶׁה אִישׁ־
הָאֱלֹהִים עַל אֹדוֹתַי וְעַל אֹדוֹתֶיךָ בְּקָדֵשׁ
בַּרְנֵעַ׃

Chegaram os filhos de Judá a Josué. O autor sagrado usa um bom espaço (nove versículos) para contar como Calebe recebeu Hebrom como sua herança. É deveras notável que tanto espaço tenha sido dedicado a dizer-nos qual a sorte que coube a um único homem. No entanto, Calebe foi um indivíduo realmente especial, conforme nos mostram o relato do capítulo 13 do livro de Números, e também esta passagem. O artigo chamado *Calebe*, no *Dicionário*, fornece informações completas sobre a sua linhagem, pessoa e realizações. Ele era um quenezeu (ver Gn 15.19 e suas notas expositivas quanto a informações a respeito). Os quenezeus formavam um dos clãs dos idumeus (Gn 36.11; Js 15.17). Não obstante, a sua linhagem também retrocede até Judá (ver Nm 13.6 e 34.19), e foi em meio a esta tribo que Calebe recebeu a sua herança pessoal. Isso nos mostra como certos indivíduos de outros grupos, como os edomitas (descendentes de Edom), acabaram absorvidos e identificados com Israel. Houve milhares de casos parecidos com o de Calebe.

Calebe e Josué. O Senhor Deus tinha agora recompensado com heranças, sob a forma de terras, a esses dois antigos e fiéis espias. Em primeiro lugar, somente os dois entraram na Terra Prometida, pois os outros dez espias pereceram no deserto. Na verdade, toda uma geração anterior havia morrido no deserto. Em Cades-Barneia (ver no *Dicionário*), Calebe e Josué receberam promessas de uma graça especial. Todavia, nenhuma palavra específica havia sido dada de que Calebe receberia Hebrom (ver Nm 14.24; Dt 1.36). No entanto, algumas outras promessas foram feitas, embora não tivessem sido registradas, ficando apenas subentendidas.

"É digno de nota que os dois espias que Moisés tinha enviado foram privilegiados. Calebe recebeu sua herança *primeiro*; então Josué e todo o resto de Israel (ver Js 19.49)" (Ellicott, *in loc.*). Naturalmente, Ellicott está aludindo às heranças no lado ocidental da Terra Prometida, porquanto, como já vimos, Rúben, Gade e a meia tribo de Manassés já haviam recebido, antes disso, a Transjordânia, no lado oriental da Terra Prometida.

■ 14.7

בֶּן־אַרְבָּעִים שָׁנָה אָנֹכִי בִּשְׁלֹחַ מֹשֶׁה עֶבֶד־יְהוָה
אֹתִי מִקָּדֵשׁ בַּרְנֵעַ לְרַגֵּל אֶת־הָאָרֶץ וָאָשֵׁב אֹתוֹ דָּבָר
כַּאֲשֶׁר עִם־לְבָבִי׃

Tinha eu quarenta anos. Essas palavras foram ditas por Calebe. Ele relembra que tinha 40 anos de idade quando foi enviado como espia, de Cades-Barneia, para examinar a Terra Prometida. Calebe ficou perambulando pelo deserto, juntamente com o resto do povo de Israel, por outros 38 anos. Em seguida, houve a conquista da Terra Prometida, que perdurou por mais 7 anos. Agora, conforme nos informa o décimo versículo deste capítulo, Calebe estava com 85 anos. Era, portanto, um homem idoso. Chegara o tempo certo de receber sua recompensa, por causa da *atitude de fé* que ele tivera, trazendo de volta da Terra Prometida um relatório positivo, consentâneo com a vontade de Yahweh. Ver Nm 13.26.

> *Portanto, meus amados irmãos, sede firmes, inabaláveis, e sempre abundantes na obra do Senhor, sabendo que, no Senhor, o vosso trabalho não é vão.*
>
> 1Coríntios 15.58

Se combinarmos este versículo com o décimo, obteremos 85 anos, desde o nascimento de Calebe até este momento, na narrativa. O cálculo assim possibilitado nos fornece o seguinte resultado:

Idade de Calebe ao servir como espia =	40 anos
Tempo das perambulações pelo deserto =	38 anos
Conquista da Terra Prometida =	7 anos
TOTAL	**85 anos**

O trecho de Dt 1.36 dá-nos a promessa específica, feita a Calebe, acerca de sua herança. A recompensa teve como causa a sua *obediência* a Yahweh, pois ele seguiu os mandamentos do Senhor. Ver no *Dicionário* os artigos chamados *Obediência* e *Fé*. Os textos que abordam a pessoa de Calebe transmitem-nos a impressão de uma obediência entusiasmada e de uma positiva e obediente ação.

■ 14.8

וְאַחַי אֲשֶׁר עָלוּ עִמִּי הִמְסִיו אֶת־לֵב הָעָם וְאָנֹכִי
מִלֵּאתִי אַחֲרֵי יְהוָה אֱלֹהָי׃

Desesperaram o povo. Isso Calebe atribuiu aos outros dez espias que com ele e Josué também tinham sido enviados. Os dez espias tinham trazido de volta um relatório desencorajador, ao falarem nos filhos de Anaque e em dificuldades insuperáveis. O relatório *desanimou* o coração dos filhos de Israel. Isso posto, a entusiasmada obediência de Calebe tornou-se ainda mais notória por fazer tão grande contraste com a desobediência e o negativismo covarde daqueles dez espias. Somente Calebe e Josué apresentaram um relatório positivo, porquanto confiaram em Yahweh. No dizer de John Gill (*in loc.*), os espias desobedientes "... desencorajaram o povo, enchendo-os de temor e afundando no desânimo os seus espíritos... e eles se tornaram fracos como a água, e nenhuma força restou neles, pois perderam a esperança de possuir a terra que lhes fora prometida". A atitude de obediência e fé de Calebe proveu um violento contraste com a atitude daqueles espias. Ver Nm 14.24.

■ 14.9

וַיִּשָּׁבַע מֹשֶׁה בַּיּוֹם הַהוּא לֵאמֹר אִם־לֹא הָאָרֶץ
אֲשֶׁר דָּרְכָה רַגְלְךָ בָּהּ לְךָ תִהְיֶה לְנַחֲלָה וּלְבָנֶיךָ
עַד־עוֹלָם כִּי מִלֵּאתָ אַחֲרֵי יְהוָה אֱלֹהָי׃

Moisés naquele dia jurou, dizendo. Diante da obediência de Calebe, a reação favorável de Yahweh foi imediata, manifestando-se através de Moisés. Os pés de Calebe tinham caminhado pela boa Terra Prometida, e, algum dia, parte dela seria de Calebe. Este tinha posto em movimento a lei da colheita segundo a semeadura, e haveria de colher com abundância. Ver no *Dicionário* o verbete denominado *Lei Moral da Colheita Segundo a Semeadura*. Hebrom não é mencionada diretamente, mas é de presumir-se que esteja em vista neste versículo. Ver Dt 1.36 quanto à promessa de que Calebe *possuiria* por onde tivesse caminhado. Ver também Dt 11.24.

■ 14.10

וְעַתָּה הִנֵּה הֶחֱיָה יְהוָה אוֹתִי כַּאֲשֶׁר דִּבֵּר זֶה
אַרְבָּעִים וְחָמֵשׁ שָׁנָה מֵאָז דִּבֶּר יְהוָה אֶת־הַדָּבָר הַזֶּה
אֶל־מֹשֶׁה אֲשֶׁר־הָלַךְ יִשְׂרָאֵל בַּמִּדְבָּר וְעַתָּה הִנֵּה
אָנֹכִי הַיּוֹם בֶּן־חָמֵשׁ וּשְׁמוֹנִים שָׁנָה׃

O Senhor me conservou em vida, como prometeu. Calebe estava agora com 85 anos. Portanto, era um homem idoso, e chegara o tempo de receber sua recompensa sob a forma de terras. Tinha semeado corretamente, e estava colhendo bênçãos. Yahweh garantiu-lhe a vida, enquanto a sua missão não se completasse e até que viesse a receber a sua recompensa. Oh, Senhor, concede-nos tal graça! Calebe já tinha vivido pelo menos quinze anos mais do que a média bíblica, visto que sua missão também se estendeu por mais do que geralmente o Senhor determina para os seres humanos.

"Em torno desse homem há algo de sugestivo e excelente, que incluiu até mesmo os seus direitos. A vida tem os seus próprios direitos. Um homem não deveria hesitar em reivindicar aquelas coisas que, mediante a providência de Deus, lhe tiverem sido prometidas. No Apocalipse lemos: 'para que lhes assista o direito à árvore da vida' (22.14)" (Joseph R. Sizoo, *in loc.*).

Yahweh Manteve Calebe em Vida. Isso até chegar o tempo determinado de sua partida deste mundo. Deus é a fonte originária de toda a vida, e é ele quem a garante.

"Devido à liderança de Calebe contra os espias e o povo incrédulo, Deus o destacou para ser abençoado, prometendo-lhe uma recompensa especial (ver Nm 14.24; Dt 1.36)" (Donald K. Campbell, *in loc.*).

■ 14.11

עוֹדֶ֨נִּי הַיּ֜וֹם חָזָ֗ק כַּֽאֲשֶׁר֙ בְּי֣וֹם שְׁלֹ֣חַ אוֹתִי֙ מֹשֶׁ֔ה כְּכֹחִ֥י אָ֖ז וּכְכֹ֣חִי עָ֑תָּה לַמִּלְחָמָ֖ה וְלָצֵ֥את וְלָבֽוֹא׃

Estou forte ainda hoje. As energias vitais de Calebe tinham sido mantidas ao nível de seus 40 anos de idade, um verdadeiro milagre. Uma vez terminada a sua missão, ele começaria a murchar, mas não antes. Calebe desfrutava da *graça sustentadora* de Yahweh, mais ou menos como sucedera no caso de Moisés. Ver Dt 34.7. "Como os teus dias durará a tua paz" (Dt 33.25).

"... hígido quanto à mente, à compreensão, ao bom juízo e à memória, além de um corpo saudável, forte e robusto, tal como há mais de quatro décadas. Foi uma admirável instância dos cuidados que a providência divina tivera acerca dele" (John Gill, *in loc.*). Ver no *Dicionário* o verbete chamado *Providência de Deus*.

■ 14.12

וְעַתָּ֗ה תְּנָה־לִּ֞י אֶת־הָהָ֤ר הַזֶּה֙ אֲשֶׁר־דִּבֶּ֣ר יְהוָ֔ה בַּיּ֖וֹם הַה֑וּא כִּ֣י אַתָּ֣ה שָׁמַ֡עְתָּ בַיּוֹם֩ הַה֨וּא כִּֽי־עֲנָקִ֥ים שָׁ֛ם וְעָרִ֥ים גְּדֹל֖וֹת בְּצֻר֑וֹת אוּלַ֤י יְהוָה֙ אוֹתִ֔י וְהֽוֹרַשְׁתִּ֕ים כַּאֲשֶׁ֖ר דִּבֶּ֥ר יְהוָֽה׃

Agora, pois, dá-me este monte. Isso em resultado de sua fidelidade e de seus labores anteriores. É como se Calebe tivesse dito: "Por causa de minha obediência e zelo, no cumprimento de minha tarefa, dá-me agora este monte". Isso lhe havia sido prometido por Yahweh, "naquele dia", fazia 45 anos. Naquele monte havia gigantes que pareciam assustadores para todo o povo de Israel; mas foi esse o lugar que Calebe desejou ter como sua herança. O que era um terror para Israel foi um deleite para Calebe. Ver no *Dicionário* o artigo denominado *Anaque (Anaquim)*. Nossa versão portuguesa também grafou a forma *enaquins*. Aqueles gigantes tinham construído cidades fortificadas, e Calebe queria *tais cidades*. Ele queria a parte do leão, mesmo porque se tinha conduzido como um leão. Ver Js 11.21,22 quanto aos *enaquins*. Nesses dois versículos, aprendemos que foram Calebe e seus homens que libertaram aquela região dos gigantes, pelo que era apenas justo que ele recebesse a área como sua herança sob a forma de terras.

As Pessoas Idosas e seu Contentamento. Os idosos usualmente contentam-se em falar sobre suas antigas conquistas e vitórias, em uma vida quieta, a "relembrar" o passado. Calebe, fazendo contraste com isso, em sua idade avançada, ansiava por dar início a uma nova conquista, aliás, a mais difícil de toda a sua vida terrena. Ele se sentia capaz para mais uma grande batalha. Yahweh lhe tinha dado forças e disposição mental para tanto. Oh, Senhor, concede-nos tal graça! O lugar estava repleto daqueles ferozes gigantes, protegidos por trás de suas maciças muralhas e quase inexpugnáveis fortificações. Somente a graça divina poderia capacitar Calebe a cumprir o seu propósito e tomar conta de sua herança.

> Misericórdia havia muita, e a graça era livre...
> Oh, o grande abismo que Deus fez transpor...
> William R. Newell

Que Deus nos fortaleça para desbravar o nosso caminho! Um número muito grande de pessoas se desgasta em preocupações e ansiedades. O poder de Deus, entretanto, proporcionou a Calebe perspectivas diferentes.

■ 14.13

וַֽיְבָרְכֵ֖הוּ יְהוֹשֻׁ֑עַ וַיִּתֵּ֧ן אֶת־חֶבְר֛וֹן לְכָלֵ֥ב בֶּן־יְפֻנֶּ֖ה לְנַחֲלָֽה׃

E deu a Calebe... Hebrom em herança. A herança que Calebe almejava era a cidade de Hebrom (ver a respeito no *Dicionário*). E ele recebeu a sua herança, juntamente com o resto da tribo de Judá. Aquela área apresentava grandes dificuldades, embora também fosse uma excelente opção para viver e trabalhar, uma vez eliminadas tais dificuldades. Hebrom tornou-se uma cidade de refúgio, pertencente aos levitas; mas o texto ensina-nos que Calebe e seus familiares viviam ali. Os levitas não habitavam, com exclusividade, as cidades que lhes foram dadas, embora tais cidades ficassem sob a sua jurisdição. É desnecessário supormos que somente as áreas "em redor de Hebrom" é que couberam a Calebe, como se apenas os levitas tivessem o direito de ocupar a cidade propriamente dita. Ver Js 21.11,12 quanto ao fato de que Hebrom se tornou uma das cidades dos levitas. Em tempos posteriores, várias cidades reivindicavam a linhagem calebita (ver 1Cr 2.50-55), pois parece que os seus descendentes espalharam-se pelas cercanias de Hebrom.

■ 14.14

עַל־כֵּ֣ן הָיְתָֽה־חֶ֠בְרוֹן לְכָלֵ֨ב בֶּן־יְפֻנֶּ֤ה הַקְּנִזִּי֙ לְנַחֲלָ֔ה עַ֖ד הַיּ֣וֹם הַזֶּ֑ה יַ֚עַן אֲשֶׁ֣ר מִלֵּ֔א אַחֲרֵ֕י יְהוָ֖ה אֱלֹהֵ֥י יִשְׂרָאֵֽל׃

Em herança até ao dia de hoje. Uma expressão usada por várias vezes pelo autor sagrado. Não se sabe com certeza quem foi o autor do livro, e o tempo em que ele foi escrito também está sujeito a disputas. Ver na introdução ao livro de Josué as notas sobre a autoria e a data. Cf. Js 4.9; 5.9; 7.26; 8.28,29; 9.27; 13.13. Em tempos posteriores, certo número de cidades dizia-se pertencente à linhagem de Calebe (ver 1Cr 2.50-55).

Yahweh-Elohim, ou seja, o Eterno Todo-poderoso, dera a Calebe a sua herança. Ver no *Dicionário* o verbete intitulado *Deus, Nomes Bíblicos de*.

Calebe solicitou e recebeu oficialmente, por ordem de Josué, a terra em redor de Hebrom, conforme ele queria. Dessa maneira, seus serviços, prestados a toda a nação de Israel, foram reconhecidos como um débito de gratidão.

Tipologia. Nossa herança espiritual é dada por intermédio de Cristo, para aqueles que pertencem à sua família (ver Ef 1.9,10; 2.11 ss. e Gl 3.21 ss.). Ver os comentários sobre Js 13.28. Abraão tornou-se o pai de muitas nações, onde quer que se encontrem homens espirituais, regenerados. Estes não se encontram apenas em Israel, porquanto a missão de Cristo se universalizou, no sentido de que homens e mulheres de todas as nações estarão remidos diante dele, no céu. Isso significa que o Pacto da Graça se estendeu a todos os povos (ver Gl 3.29). Ver no *Dicionário* o verbete denominado *Herdeiro*, que inclui notas sobre a nossa herança espiritual.

■ 14.15

וְשֵׁ֨ם חֶבְר֤וֹן לְפָנִים֙ קִרְיַ֣ת אַרְבַּ֔ע הָאָדָ֧ם הַגָּד֛וֹל בָּעֲנָקִ֖ים ה֑וּא וְהָאָ֥רֶץ שָׁקְטָ֖ה מִמִּלְחָמָֽה׃ פ

O nome de Hebrom era Quiriate-Arba. No hebraico, *arba* significa "quatro". O nome todo da cidade, nos tempos mais antigos, significava "tetrápolis". E Hebrom significava "confederação". Não há certeza se houve alguma antiga aliança original que deu à cidade o seu nome, com o sentido de "quatro cidades"; e, se realmente assim sucedeu, quais quatro cidades se teriam confederado. Mas sabe-se que houve um homem, de nome *Arba*, um dos gigantes da raça dos *enaquins*, associado à cidade em tempos remotos. Podemos imaginar que aquela cidade era a cidade-mãe dos gigantes. Cf. Js 15.13 e 21.11. A Septuaginta expande o texto para dizer-nos que essa era a cidade-mãe dos gigantes. Ver no *Dicionário* o artigo chamado *Anaque (Anaquim).*

As tradições judaicas ajuntam que "dos quatro" era uma referência ao sepultamento que teria havido ali de Adão, Eva, Abraão e Sara. Outras tradições dão-nos os nomes das quatro grandes personagens vinculadas ao lugar. Mas todas essas coisas são meras especulações, e nada adicionam ao nosso conhecimento.

O fato de que Calebe precisou combater os gigantes, a fim de tomar posse de sua herança, aumentou em muito o seu prestígio. Parecia que nenhum obstáculo era grande demais para ele. Ele venceu e obteve sucesso final, e assim tornou-se um herói nacional em Israel.

E a terra repousou da guerra. Cf. Js 11.23, onde ocorre a mesma expressão e onde ela é comentada. Os capítulos 13 a 22 do livro de Josué conferem-nos completos detalhes sobre como a terra foi dividida entre as doze tribos. Uma vez terminado esse trabalho, veio o descanso, ou seja, estabeleceu-se a paz. Há notícias de que foram necessários nada menos de sete anos para que a conquista da Terra Santa se completasse; e então mais cinco anos para dividi-la. O trecho de Js 15.4 informa-nos sobre as batalhas bem-sucedidas de Calebe contra os gigantes.

CAPÍTULO QUINZE

Este capítulo dá prosseguimento à seção iniciada no capítulo 13, cujas notas expositivas também se aplicam aqui, no tocante à introdução. Ver também a introdução ao capítulo 14. O capítulo 13 conta como as tribos do leste (Rúben, Gade e a meia tribo de Manassés) receberam suas respectivas heranças. E os capítulos 14 e 15 relatam a mesma coisa no que concerne às tribos ocidentais. E este capítulo 15 dá continuação a essas informações, mostrando-nos no que consistia a herança da tribo de Judá.

Os vss. 1-12 apresentam esse material e, então, nos vss. 13-19, há mais alguma informação a respeito da herança de Calebe, visto que esta fazia parte da herança da tribo de Judá. Os vss. 20-63 listam todas as cidades de Judá, de acordo com os seus distritos. Alguns eruditos supõem que essa pequena peça de informação tenha sido extraída de um registro oficial das subdivisões do reino de Judá, talvez composto nos dias do rei Josias.

"Tendo sido atendido o pedido de Calebe, Josué retornou à tarefa de dividir o território a oeste do rio Jordão, entre as nove tribos e meia de Israel". Quanto a essa expressão, ver Js 13.7 e 14.4. Quanto ao *modus operandi* da divisão da Terra Prometida, ver as notas em Js 14.2.

15.1

וַיְהִי הַגּוֹרָל לְמַטֵּה בְּנֵי יְהוּדָה לְמִשְׁפְּחֹתָם אֶל־גְּבוּל אֱדוֹם מִדְבַּר־צִן נֶגְבָּה מִקְצֵה תֵימָן׃

A sorte da tribo dos filhos de Judá. A tribo de Judá, que era a mais numerosa e poderosa das tribos de Israel naqueles dias, foi a primeira a receber herança na parte *ocidental* da Terra Prometida. Quanto a informações gerais sobre a alocação das terras, no oriente e no ocidente, ver as introduções aos capítulos 13 e 14. O capítulo 13 narra a divisão havida na parte oriental; e os capítulos 14 a 19 contam a mesma coisa quanto ao lado ocidental da Terra Prometida.

"A *fronteira sul* de Judá começava na extremidade sul do mar Morto e dali seguia para sudoeste, até um ponto ao sul de Cades-Barneia, cerca de 88 quilômetros ao sul de Berseba, passando daí pelo sul da subida de Acrabim, um passo que levava de Arabá, como quem vai para o norte, na direção de Berseba. De Cades-Barneia, passava pela parte mais elevada do ribeiro do Egito (ver Js 13.3), e daí seguia, na direção noroeste, até o mar Mediterrâneo. A fronteira de Israel com Edom era o deserto de Zim" (John Bright, *in loc.*).

Fontes Informativas. Todos os nomes próprios que aparecem aqui recebem comentários no *Dicionário*. Algumas localizações são desconhecidas, mas os artigos dados no *Dicionário* ainda assim nos fornecem opiniões educadas.

A tribo de Judá ocupava a porção mais sulista do território da Terra Prometida. Ver Js 14.2 quanto a como as divisões do território foram feitas por meio de *sortes*.

O território alocado à tribo de Judá foi dividido entre os clãs, presumivelmente também por sortes, ou, então, meramente, pela palavra de Josué, depois que ele tomou conselho com os chefes desses clãs.

Judá era da tribo de onde viria e veio o Messias (ver Gn 49.10; Mt 1.1,3; Lc 3.23-33). Ver no *Dicionário* os artigos intitulados *Judá; Tribo (Tribos de Israel)* e *Tribos, Localização das.*

15.2

וַיְהִי לָהֶם גְּבוּל נֶגֶב מִקְצֵה יָם הַמֶּלַח מִן־הַלָּשֹׁן הַפֹּנֶה נֶגְבָּה׃

Foi o seu termo ao sul. A fronteira sul corria da extremidade da língua sul do mar Morto, talvez um promontório rochoso que se erguia diretamente do mar. A explicação bíblica, contudo, não nos fornece nenhuma informação indiscutível. Alguns pensam que está em pauta um trecho de terra que avançava mar adentro, e que podia ser facilmente identificado, parecendo-se um tanto com uma língua, e que formava uma espécie de baía.

15.3

וְיָצָא אֶל־מִנֶּגֶב לְמַעֲלֵה עַקְרַבִּים וְעָבַר צִנָה וְעָלָה מִנֶּגֶב לְקָדֵשׁ בַּרְנֵעַ וְעָבַר חֶצְרוֹן וְעָלָה אַדָּרָה וְנָסַב הַקַּרְקָעָה׃

Até à subida de Acrabim. Ver Nm 34.4. Os outros nomes próprios que figuram neste versículo são comentados no *Dicionário*.

15.4

וְעָבַר עַצְמוֹנָה וְיָצָא נַחַל מִצְרַיִם וְהָיָה תֹצְאוֹת הַגְּבוּל יָמָּה זֶה־יִהְיֶה לָכֶם גְּבוּל נֶגֶב׃

Passa por Hezrom. Ver sobre essa cidade no *Dicionário* e nas notas de Gn 46.9,12.

Sai ao ribeiro do Egito. Há um artigo sobre esse fluxo de água no *Dicionário*. O rio Nilo também poderia estar em vista, porém o mais provável é que esteja em foco o wadi el-Arish. Esse ribeiro deságua no mar Mediterrâneo, à cerca de meio caminho entre o canal de Suez e Gaza. Ver sobre Js 13.3, onde lhe é aplicado o nome de **Sior.**

15.5

וּגְבוּל קֵדְמָה יָם הַמֶּלַח עַד־קְצֵה הַיַּרְדֵּן וּגְבוּל לִפְאַת צָפוֹנָה מִלְּשׁוֹן הַיָּם מִקְצֵה הַיַּרְדֵּן׃

O termo, porém, para o oriente. A fronteira oeste da Terra Prometida era a orla marítima do Mediterrâneo. A "foz do Jordão" significa aquele ponto onde esse rio termina e despeja suas águas no mar Morto.

E o termo para o norte. Essa fronteira começava na boca do Jordão e corria na direção noroeste para um ponto um pouco ao sul de Jericó, e então virava abruptamente para o sul, para o vale de Acor (cf. Js 7.24-26; ver também o vs. 7 deste capítulo).

Baía do mar. Neste caso, indica aquele lugar onde o Jordão desaguava no mar Morto. "... essa fronteira norte de Judá começava onde a fronteira oriental terminava, na baía ou enseada do mar Morto, no ponto onde o rio Jordão desaguava" (John Gill, *in loc.*). O mapa existente no início do capítulo 13 de Josué nos ajuda a visualizar o que os versículos à nossa frente explicam.

15.6

וְעָלָה הַגְּבוּל בֵּית חָגְלָה וְעָבַר מִצְּפוֹן לְבֵית הָעֲרָבָה וְעָלָה הַגְּבוּל אֶבֶן בֹּהַן בֶּן־רְאוּבֵן׃

Termo que sobe até Bete-Hogla. Consulte o *Dicionário* e o mapa no início do capítulo 13, quanto a informações sobre os locais citados.

Pedra de Boã. Talvez fosse um marco de sepultura ou pedra memorial, que marcava o sepultamento de um homem, em memória à sua vida. Ou poderia ser alguma espécie de marco de propriedade, assinalando a fronteira entre as tribos de Judá e Benjamim (ver Js 18.17).

15.7

וְעָלָה הַגְּבוּל ׀ דְּבִרָה מֵעֵמֶק עָכוֹר וְצָפוֹנָה פֹּנֶה אֶל־הַגִּלְגָּל אֲשֶׁר־נֹכַח לְמַעֲלֵה אֲדֻמִּים אֲשֶׁר מִנֶּגֶב לַנָּחַל וְעָבַר הַגְּבוּל אֶל־מֵי־עֵין שֶׁמֶשׁ וְהָיוּ תֹצְאֹתָיו אֶל־עֵין רֹגֵל׃

Subindo ainda este termo a Debir. A fronteira norte ia desde aquele wadi a Debir (moderna Toghret ed-Debr), e então seguia, aproximadamente, a linha da moderna autoestrada que vai de Jerusalém a Jericó, na direção de Jerusalém, cuja cidade ultrapassa pelo sul, no vale de Hinom. Todos os nomes próprios que figuram neste versículo aparecem no *Dicionário*, e os acidentes geográficos podem ser localizados no mapa dado na introdução ao capítulo 13.

Rumo a Gilgal. Não se trata da mesma cidade que aparece em Js 4.19. O nome Gelilote aparece em Js 18.17, talvez incorretamente.

15.8

וְעָלָה הַגְּבוּל גֵּי בֶן־הִנֹּם אֶל־כֶּתֶף הַיְבוּסִי מִנֶּגֶב הִיא יְרוּשָׁלָ͏ִם וְעָלָה הַגְּבוּל אֶל־רֹאשׁ הָהָר אֲשֶׁר עַל־פְּנֵי גֵי־הִנֹּם יָמָּה אֲשֶׁר בִּקְצֵה עֵמֶק־רְפָאִים צָפֹנָה׃

Deste ponto sobe pelo vale do filho de Hinom. Consulte o *Dicionário* e o mapa no início do capítulo 13, quanto aos lugares citados e suas respectivas posições.

Jebuseus do sul. Ver no *Dicionário* o artigo chamado *Jebuseus*, quanto a informações sobre a antiga cidade de Jerusalém.

Vale dos refains. Ver no *Dicionário* a respeito desse clã de gigantes que habitava naquela área. Ver também o verbete chamado *Anaque (Anaquim)*. Ver ainda Gn 6.4; 14.5; Dt 2.11.

15.9

וְתָאַר הַגְּבוּל מֵרֹאשׁ הָהָר אֶל־מַעְיַן מֵי נֶפְתּוֹחַ וְיָצָא אֶל־עָרֵי הַר־עֶפְרוֹן וְתָאַר הַגְּבוּל בַּעֲלָה הִיא קִרְיַת יְעָרִים׃

Então vai o termo desde o cume do monte. A referência é ao monte Moriá.

Das águas de Neftoa. Essas águas concentravam-se ao pé do monte Moriá. De Quiriate-Jearim a fronteira leste e sudoeste ia na direção de Bete-Semes, perto da boca do wadi es-Sarar (Soreque), onde há uma moderna estrada de ferro. Ver no *Dicionário* os artigos sobre todos esses nomes próprios locativos, bem como o mapa no início do capítulo 13 de Josué.

15.10

וְנָסַב הַגְּבוּל מִבַּעֲלָה יָמָּה אֶל־הַר שֵׂעִיר וְעָבַר אֶל־כֶּתֶף הַר־יְעָרִים מִצָּפוֹנָה הִיא כְסָלוֹן וְיָרַד בֵּית־שֶׁמֶשׁ וְעָבַר תִּמְנָה׃

Então dá volta o termo desde. Informações sobre os lugares mencionados neste versículo podem ser obtidas mediante a consulta ao *Dicionário* e ao mapa apresentado no início do capítulo 13.

15.11

וְיָצָא הַגְּבוּל אֶל־כֶּתֶף עֶקְרוֹן צָפוֹנָה וְתָאַר הַגְּבוּל שִׁכְּרוֹנָה וְעָבַר הַר־הַבַּעֲלָה וְיָצָא יַבְנְאֵל וְהָיוּ תֹּצְאוֹת הַגְּבוּל יָמָּה׃

Segue mais ainda o termo. Informações sobre todos os lugares mencionados neste versículo aparecem no *Dicionário* e no mapa apresentado no início do capítulo 13.

15.12

וּגְבוּל יָם הַיָּמָּה הַגָּדוֹל וּגְבוּל זֶה גְּבוּל בְּנֵי־יְהוּדָה סָבִיב לְמִשְׁפְּחֹתָם׃

O termo, porém, da banda do ocidente. A fronteira oeste do território de Judá era o mar Mediterrâneo. O trecho de Js 13.2,3 informou-nos que grande parte desse território não chegou a ser conquistada pelos israelitas. Tais áreas só foram dominadas pelos filhos de Israel nos dias de Davi. Porém, falando em um sentido idealista, somos informados de que toda essa região já estava nas mãos de Israel. "A fronteira ia desde Jabneel até o ribeiro do Egito, onde terminava a fronteira sul (vs. 4)" (John Gill, *in loc.*).

A tribo de Judá recebeu o seu território mediante o lançamento de sortes (ver Js 14.2). Ver também Js 13.6. O território que coube a cada uma das doze tribos foi subdividido entre seus vários clãs, presumivelmente à vontade dos cabeças de cada tribo.

CALEBE E OTNIEL FICAM COM SUAS TERRAS (15.13-19)

O autor sacro, ao reconhecer a importante contribuição de Calebe à causa de Israel, conferiu-lhe um tratamento especial, dentro da narrativa da divisão das terras. O trecho de Js 14.6-15 contém um longo elogio a Calebe, informando-nos como Hebrom e suas cercanias lhe tornaram possessão dele. Ver a introdução a essa seção em Js 14.6. Agora o autor sagrado volta a falar sobre Calebe, dizendo-nos como ele tomou possessão de fato de sua herança. Esse relato foi inserido antes de começarem a ser enumeradas as cidades de Judá. A posição especial de Calebe, dentro da narrativa, mostra-nos que ele se tinha tornado um herói nacional. Naturalmente, a cidade de Hebrom estava dentro do território de Judá, e Calebe, embora estrangeiro, pois era edomita, acabou totalmente integrado em Israel, tornando-se parte da tribo de Judá.

"O registro descreve como aquele corajoso guerreiro reivindicou e ampliou essa herança (após a morte de Josué), ajudado por um bravo sobrinho, *Otniel*, que se tornou seu genro (cf. Jz 1.13; 10.15,20). Mais tarde, Otniel tornou-se um dos juízes de Israel (Jz 3.9-11)" (Donald K. Campbell, *in loc.*).

15.13

וּלְכָלֵב בֶּן־יְפֻנֶּה נָתַן חֵלֶק בְּתוֹךְ בְּנֵי־יְהוּדָה אֶל־פִּי יְהוָה לִיהוֹשֻׁעַ אֶת־קִרְיַת אַרְבַּע אֲבִי הָעֲנָק הִיא חֶבְרוֹן׃

A Calebe, filho de Jefoné. Ver o artigo detalhado sobre *Calebe* no *Dicionário*, que narra a história inteira. Calebe tornou-se membro da tribo de Judá, embora fosse edomita de nascimento. Ele era um *quenezeu* (ver a respeito no *Dicionário*). Os quenezeus eram um povo estrangeiro em relação a Israel (ver Gn 15.10). Os *horeus* e os *idumeus* (ou edomitas) (ver no *Dicionário*) aparecem na genealogia de Calebe. Talvez esse homem tenha sido um descendente remoto de *Esaú*, progenitor dos *idumeus*. Seja como for, era um imigrante que se mostrou digno de fazer parte do povo de Israel, tendo sido honrado por esse motivo.

Ver os vários *nomes próprios* que figuram neste versículo, no *Dicionário*, e cf. Js 14.15, onde são dadas notas adicionais.

15.14

וַיֹּרֶשׁ מִשָּׁם כָּלֵב אֶת־שְׁלוֹשָׁה בְּנֵי הָעֲנָק אֶת־שֵׁשַׁי וְאֶת־אֲחִימַן וְאֶת־תַּלְמַי יְלִידֵי הָעֲנָק׃

Os três filhos de Enaque. Ver no *Dicionário* tanto o verbete intitulado *Anaque (Anaquim)* quanto os artigos separados sobre os filhos desse gigante: Sesai, Aimã e Talmai. Na Bíblia portuguesa, dependendo das versões, o nome desse progenitor de gigantes é grafado como Anaque ou como Enaque. Cf. Js 14.6-14. Esses três filhos de Enaque também são citados em Nm 13.22 e Jz 1.10,20. Parece que seus nomes eram de origem aramaica (cf. 2Sm 3.3; 1Cr 9.17 e Ed 10.40).

Calebe teve de enfrentar sua tarefa mais difícil, já com 85 anos de idade, na época final de sua vida, contra os gigantes enaquins. Os vss. 14-19 deste capítulo são quase idênticos ao trecho de Jz 1.11-15.

15.15

וַיַּעַל מִשָּׁם אֶל־יֹשְׁבֵי דְּבִר וְשֵׁם־דְּבִר לְפָנִים קִרְיַת־סֵפֶר׃

Subiu aos habitantes de Debir. Debir era nome de um homem e de duas cidades, nas páginas do Antigo Testamento. Ver no *Dicionário* o artigo com esse nome, em seu primeiro ponto, o qual indica a cidade de Judá que tinha esse nome. A passagem de Js 13.26 menciona um lugar chamado Debir, em Gileade, na Transjordânia. Cf. Js 10.38,39. O nome mais antigo de Debir era Quiriate-Sefer, que significa "cidade dos livros" ou "cidade-arquivo". Talvez isso signifique que os cananeus tivessem ali um oráculo público. Mas os Targuns dizem-nos que era ali que aquela gente guardava seus registros públicos. Não sabemos, entretanto, quão precisa é essa informação. Outros eruditos sugerem que a cidade dispunha de uma famosa biblioteca, pois ela seria uma espécie de centro acadêmico. Na verdade, ninguém sabe, com certeza, por qual motivo ela era assim chamada.

■ 15.16

וַיֹּ֣אמֶר כָּלֵ֔ב אֲשֶׁר־יַכֶּ֥ה אֶת־קִרְיַת־סֵ֖פֶר וּלְכָדָ֑הּ
וְנָתַ֥תִּי ל֛וֹ אֶת־עַכְסָ֥ה בִתִּ֖י לְאִשָּֽׁה׃

A quem derrotar a Quiriate-Sefer. Ver no *Dicionário* sobre essa cidade, dentro do artigo intitulado *Debir*. Ver as notas sobre o versículo anterior, onde esse nome é explicado.

Minha filha Acsa. No hebraico, esse nome significa "amuleto". A filha de Calebe foi oferecida em casamento a qualquer que liderasse um ataque bem-sucedido contra a cidade de Debir e assim a tomasse. Foi Otniel, sobrinho de Calebe, quem conquistou a cidade. Todavia, o termo "irmão", que aparece neste versículo, é tomado por alguns estudiosos como se significasse que ele era da mesma tribo de Judá, pelo que não teria nenhum parentesco de sangue com Calebe. Todavia, a ordem de palavras, conforme se vê em nossa versão portuguesa, proíbe tal interpretação; antes, elas dão a entender que Otniel era mesmo sobrinho de Calebe.

Quando Acsa estava sendo conduzida ao seu futuro lar, com as cerimônias usuais, ela desmontou de seu jumento e implorou que seu pai lhe doasse fontes de água nas terras que seriam suas como dote. Um pedido, naquele instante, seria muito difícil de repelir; e ela obteve o que desejava. E assim, Acsa recebeu várias fontes, situadas perto de Debir (ver Js 15.16-19 e Jz 1.9-15).

■ 15.17

וַֽיִּלְכְּדָ֛הּ עָתְנִיאֵ֥ל בֶּן־קְנַ֖ז אֲחִ֣י כָלֵ֑ב וַיִּתֶּן־ל֛וֹ
אֶת־עַכְסָ֥ה בִתּ֖וֹ לְאִשָּֽׁה׃

Tomou-a, pois, Otniel. Ver no *Dicionário* o verbete chamado *Otniel*. Esse homem poderia ter sido, realmente, sobrinho de Calebe, embora alguns estudiosos compreendam o vocábulo "irmão", que aparece no versículo anterior, como indicação de que ele era apenas um aparentado, em sentido geral. Assim, também, as palavras deste versículo, "Quenaz, irmão de Calebe", poderiam apenas indicar que ele era um *quenezeu*, membro da mesma raça estrangeira que Calebe.

O incidente pode refletir um casamento entre dois clãs dos quenezeus, o de Calebe e o de Otniel. Por outra parte, os costumes da época teriam permitido o casamento de dois primos (no caso de Otniel ter sido, deveras, sobrinho de Calebe). É verdade que tal tipo de casamento era proibido pela legislação mosaica (ver Lv 18.14); mas essas leis não foram sempre observadas à risca, apesar das ameaças de execução que as acompanhavam.

Filhas Oferecidas pelos Pais? O costume não era tão raro assim em Israel. Saul prometeu sua filha em casamento ao homem que conseguisse matar o gigante Golias (ver 1Sm 17.25). Isso posto, as donzelas tornavam-se prêmios oferecidos aos heróis militares.

■ 15.18,19

וַיְהִ֣י בְּבוֹאָ֗הּ וַתְּסִיתֵ֙הוּ֙ לִשְׁא֤וֹל מֵֽאֵת־אָבִ֙יהָ֙ שָׂדֶ֔ה
וַתִּצְנַ֖ח מֵעַ֣ל הַחֲמ֑וֹר וַיֹּֽאמֶר־לָ֥הּ כָּלֵ֖ב מַה־לָּֽךְ׃

וַתֹּ֜אמֶר תְּנָה־לִּ֣י בְרָכָ֗ה כִּ֣י אֶ֤רֶץ הַנֶּ֙גֶב֙ נְתַתָּ֔נִי וְנָתַ֥תָּה
לִ֖י גֻּלֹּ֣ת מָ֑יִם וַיִּתֶּן־לָ֗הּ אֵ֚ת גֻּלֹּ֣ת עִלִּיּ֔וֹת וְאֵ֖ת גֻּלֹּ֥ת
תַּחְתִּיּֽוֹת׃ פ

Insistiu com ele para que pedisse um campo. Acsa tirou vantagem das emoções da vitória e das celebrações de seu casamento, a fim de exortar seu marido a pedir de Calebe um campo, o qual seria valioso para aumentar as riquezas da família que se estava formando. O texto bíblico não deixa claro se Otniel fez o pedido primeiro, e então Acsa o reiterou, ou se ela mesma fez o pedido no momento aprazado, deixando de lado o seu marido. Sem importar como tenha acontecido, foi ela quem falou com Calebe sobre fontes de água. Naquele momento de exultação, nenhum pai teria recusado o pedido à sua filha, pelo que lhe foram doadas tanto as "fontes superiores" quanto as "fontes inferiores". E assim Acsa foi-se feliz para seu lar, bem equipada para enfrentar a sua nova vida. Naquelas terras semiáridas, a água era vital, pois devemos lembrar que isso sucedeu no Neguebe semidesértico, extremo sul do território de Judá. Ver no *Dicionário* o artigo chamado *Neguebe*.

Os *Targuns* adicionam a isso que Acsa caiu humildemente aos pés de seu pai, o qual a ergueu e indagou o que ela queria. Como é óbvio, ela estava naquela postura a fim de solicitar alguma bênção especial, algum pedido valioso.

Fontes superiores... fontes inferiores. Em outras palavras, ali havia fontes abundantes, tanto nas terras mais elevadas quanto nas terras mais baixas. Assim, o pedido de Acsa foi atendido prontamente.

Deus pode fazer-vos abundar em toda graça, a fim de que, tendo sempre, em tudo, ampla suficiência, superabundeis em toda boa obra

2Coríntios 9.8

LISTA DAS CIDADES DE JUDÁ (15.20-63)

■ 15.20-62

20: זֹ֣את נַחֲלַ֞ת מַטֵּ֧ה בְנֵי־יְהוּדָ֛ה לְמִשְׁפְּחֹתָֽם׃

21 וַיִּֽהְי֣וּ הֶעָרִ֗ים מִקְצֵה֙ לְמַטֵּ֣ה בְנֵֽי־יְהוּדָ֔ה אֶל־גְּב֥וּל
אֱד֖וֹם בַּנֶּ֑גְבָּה קַבְצְאֵ֥ל וְעֵ֖דֶר וְיָגֽוּר׃

22: וְקִינָ֥ה וְדִֽימוֹנָ֖ה וְעַדְעָדָֽה׃

23: וְקֶ֥דֶשׁ וְחָצ֖וֹר וְיִתְנָֽן׃

24: זִ֥יף וָטֶ֖לֶם וּבְעָלֽוֹת׃

25: וְחָצ֤וֹר ׀ חֲדַתָּה֙ וּקְרִיּ֔וֹת חֶצְר֖וֹן הִ֥יא חָצֽוֹר׃

26: אֲמָ֥ם וּשְׁמַ֖ע וּמוֹלָדָֽה׃

27: וַחֲצַ֥ר גַּדָּ֛ה וְחֶשְׁמ֖וֹן וּבֵ֥ית פָּֽלֶט׃

28: וַחֲצַ֥ר שׁוּעָ֛ל וּבְאֵ֥ר שֶׁ֖בַע וּבִזְיוֹתְיָֽה׃

29: בַּעֲלָ֥ה וְעִיִּ֖ים וָעָֽצֶם׃

30: וְאֶלְתּוֹלַ֥ד וּכְסִ֖יל וְחָרְמָֽה׃

31: וְצִֽקְלַ֥ג וּמַדְמַנָּ֖ה וְסַנְסַנָּֽה׃

32 וּלְבָא֥וֹת וְשִׁלְחִ֖ים וְעַ֣יִן וְרִמּ֑וֹן כָּל־עָרִ֛ים עֶשְׂרִ֥ים
וָתֵ֖שַׁע וְחַצְרֵיהֶֽן׃ ס

33: בַּשְּׁפֵלָ֑ה אֶשְׁתָּא֥וֹל וְצָרְעָ֖ה וְאַשְׁנָֽה׃

34: וְזָנ֙וֹחַ֙ וְעֵ֣ין גַּנִּ֔ים תַּפּ֖וּחַ וְהָעֵינָֽם׃

35: יַרְמוּת֙ וַעֲדֻלָּ֔ם שׂוֹכֹ֖ה וַעֲזֵקָֽה׃

36 וְשַׁעֲרַ֙יִם֙ וַעֲדִיתַ֔יִם וְהַגְּדֵרָ֖ה וּגְדֵרֹתָ֑יִם עָרִ֥ים
אַרְבַּֽע־עֶשְׂרֵ֖ה וְחַצְרֵיהֶֽן׃

37: צְנָ֥ן וַחֲדָשָׁ֖ה וּמִגְדַּל־גָּֽד׃

38: וְדִלְעָ֥ן וְהַמִּצְפֶּ֖ה וְיָקְתְאֵֽל׃

39: לָכִישׁ וּבָצְקַת וְעֶגְלוֹן

40: וְכַבּוֹן וְלַחְמָס וְכִתְלִישׁ

41 וּגְדֵרוֹת בֵּית־דָּגוֹן וְנַעֲמָה וּמַקֵּדָה עָרִים
שֵׁשׁ־עֶשְׂרֵה וְחַצְרֵיהֶן: ס

42: לִבְנָה וָעֶתֶר וְעָשָׁן

43: וְיִפְתָּח וְאַשְׁנָה וּנְצִיב

44: וּקְעִילָה וְאַכְזִיב וּמָרֵאשָׁה עָרִים תֵּשַׁע וְחַצְרֵיהֶן

45: עֶקְרוֹן וּבְנֹתֶיהָ וַחֲצֵרֶיהָ

46: מֵעֶקְרוֹן וָיָמָּה כֹּל אֲשֶׁר־עַל־יַד אַשְׁדּוֹד וְחַצְרֵיהֶן

47 אַשְׁדּוֹד בְּנוֹתֶיהָ וַחֲצֵרֶיהָ עַזָּה בְּנוֹתֶיהָ וַחֲצֵרֶיהָ
עַד־נַחַל מִצְרָיִם וְהַיָּם הַגְּבוֹל וּגְבוּל: ס

48: וּבָהָר שָׁמִיר וְיַתִּיר וְשׂוֹכֹה

49: וְדַנָּה וְקִרְיַת־סַנָּה הִיא דְבִר

50: וַעֲנָב וְאֶשְׁתְּמֹה וְעָנִים

51: וְגֹשֶׁן וְחֹלֹן וְגִלֹה עָרִים אַחַת־עֶשְׂרֵה וְחַצְרֵיהֶן

52: אֲרַב וְרוּמָה וְאֶשְׁעָן

53: וְיָנִים וּבֵית־תַּפּוּחַ וַאֲפֵקָה

54 וְחֻמְטָה וְקִרְיַת אַרְבַּע הִיא חֶבְרוֹן וְצִיעֹר עָרִים
תֵּשַׁע וְחַצְרֵיהֶן: ס

55: מָעוֹן כַּרְמֶל וָזִיף וְיוּטָּה

56: וְיִזְרְעֶאל וְיָקְדְעָם וְזָנוֹחַ

57: הַקַּיִן גִּבְעָה וְתִמְנָה עָרִים עֶשֶׂר וְחַצְרֵיהֶן

58: חַלְחוּל בֵּית־צוּר וּגְדוֹר

59: וּמַעֲרָת וּבֵית־עֲנוֹת וְאֶלְתְּקֹן עָרִים שֵׁשׁ וְחַצְרֵיהֶן

60 קִרְיַת־בַּעַל הִיא קִרְיַת יְעָרִים וְהָרַבָּה עָרִים
שְׁתַּיִם וְחַצְרֵיהֶן: ס

61: בַּמִּדְבָּר בֵּית הָעֲרָבָה מִדִּין וּסְכָכָה

62 וְהַנִּבְשָׁן וְעִיר־הַמֶּלַח וְעֵין גֶּדִי עָרִים שֵׁשׁ
וְחַצְרֵיהֶן:

O capítulo 15 do livro de Josué é o capítulo da Bíblia que conta com o maior número de nomes próprios. Diante de nós está a relação das cidades de Judá. Naturalmente, estamos falando em termos de algumas poucas cidades propriamente ditas, pois a maioria delas consistia em pequenas aldeias. Somente um número comparativamente pequeno desses lugarejos aparece nos mapas bíblicos, devido ao fato de que as localizações específicas da maioria deles se perderam. Mas o texto bíblico dá-nos amplas informações sobre as *áreas em geral* onde as aldeias listadas existiram na antiguidade. Também há quatro regiões geográficas mencionadas, as quais incluem doze distritos, conforme se vê nas notas expositivas a seguir.

Todos os nomes próprios dados contam com artigos no *Dicionário*, com a exceção de seis deles, que alistei e comentei no último parágrafo desta introdução.

As Quatro Áreas Geográficas de Judá:

1. Vinte e nove cidades, além de suas aldeias, no *sul*, ou seja, no *Neguebe* (ver a respeito no *Dicionário*) — vss. 21-32.
2. Quarenta e duas cidades, além de suas aldeias, nos sopés das colinas ocidentais, ou seja, na *Sefelá* (ver as notas em Js 10.10) — vss. 33-47.
3. Trinta e oito cidades, além de suas aldeias, na região montanhosa — vss. 48-60.
4. Seis cidades no deserto da Judeia, esparsamente povoado, que vai diminuindo de altitude quanto mais se chega perto do mar Morto — vss. 61 e 62.

N. B. — No vs. 32 deste capítulo é dito que as cidades do Neguebe eram 29; mas de fato, 36 cidades são listadas nos vss. 21-32. Talvez isso seja explicado pela observação de que *sete* dessas cidades da lista foram posteriormente entregues à tribo de Simeão, a saber: Moladá, Hazar-Sual, Berseba, Azém, Eltolada, Hormá e Ziclague.

Ao que tudo indica, Judá ocupou essas 115 cidades com poucas dificuldades, a menos que o autor sagrado tenha exagerado quanto à facilidade da conquista, conforme poderíamos supor através das informações dadas no início do capítulo 13. Muito tempo se gastou na conquista, e muitas áreas não foram conquistadas, realmente. Mas a mera leitura das narrativas não nos dá essa ideia.

No vs. 63 deste capítulo encontramos um bolsão de resistência à conquista, que se arrastou por longo tempo. Isto se aplica à própria cidade de Jerusalém, onde habitavam os jebuseus. Ver no *Dicionário* o verbete intitulado *Jebuseus*.

Os Doze Distritos de Judá:

Na *Bíblia hebraica*, o material desta seção (vss. 21-63) é dividido em onze partes, pois descreve onze distritos e lista as suas respectivas cidades. Mas a Septuaginta adicionou um distrito após o vs. 59. Essa lista é suplementada em Js 18.21-28, que menciona as cidades da tribo de Benjamim; em Js 19.2-9, que cita as cidades da tribo de Simeão; e em Js 19.40-46, que arrola as cidades de Dã. Todas essas tribos faziam parte da *grande Judá* e foram finalmente governadas sob a mesma monarquia.

Os Distritos:

1. Um distrito no *extremo sul*, perto de Berseba. Ver o ponto primeiro, sob as quatro áreas geográficas. Vinte e nove (ou 36?) cidades pertenciam a essa área — vss. 21-32.
2. As terras baixas (*Sefelá*; ver o ponto segundo, sob as quatro áreas geográficas). Essa área contava com *catorze* cidades, mas a lista contém *quinze* cidades. A Septuaginta diz aqui "seus apriscos", em lugar de *Gederotaim* (vs. 36), eliminando-a como uma cidade; mas essa "correção" é duvidosa — vss. 33-36.
3. O sul da Sefelá, mais ou menos a meio caminho entre os distritos um e dois. Quase todos os lugares pertencentes a esse distrito são desconhecidos — vss. 37-41.
4. A parte da Sefelá que jazia entre os distritos um e dois. seu centro ficava cerca de 23 quilômetros a noroeste de Hebrom. As cidades de Eter e Asã, aqui listadas, aparecem como pertencentes à tribo de Simeão, em Js 19.7 — vss. 42-44.
5. A planície costeira até o ribeiro do Egito (cf. Js 13.2-6). Esse distrito compunha-se de cidades filisteias que Davi finalmente conquistou para Israel. Mas nos dias de Josué pertencia ao povo de Deus apenas em um sentido ideal — vss. 45-47.
6. Esse distrito fazia limites com o primeiro distrito, ao norte, e a oeste entre os distritos primeiro e terceiro. Debir era uma de suas cidades mais importantes — vss. 48-51.
7. O centro das terras altas do sul, ao norte do sexto distrito e a leste dos distritos terceiro e quarto. seu centro era Hebrom — vss. 52-54.
8. Uma faixa de terra na beira oriental das terras altas da Judeia, ao sul de Hebrom. Essa área fazia limites, no sul, com o primeiro distrito, e a oeste, com o sétimo distrito — vss. 55-57.
9. Esse distrito ficava escarranchado sobre a serra norte de Hebrom. seu centro era Bete-Zur, a cerca de 6,5 quilômetros ao norte de Hebrom — vss. 58 e 59.
10. Neste ponto, a Septuaginta acrescenta outro distrito, que teria onze cidades, mas que não aparece na Bíblia hebraica. As mais importantes dessas cidades eram Tecoa, Peor, Etã, Querem, Galim,

Beter e Manaate. Não sabemos com base em que autoridade esse distrito foi adicionado na Septuaginta, nem se apareceria em manuscritos mais antigos da Bíblia hebraica do que os manuscritos que possuímos.

11. Esse distrito jaz na fronteira norte de Judá. As cidades listadas também aparecem como se fossem pertencentes à tribo de Benjamim, em Js 18.25-28. Ver sob o quarto ponto das notas sobre as quatro áreas geográficas de Judá, no texto sagrado, anteriormente, quanto a uma circunstância similar que envolveu outras cidades. Talvez, em tempos posteriores, essas cidades tenham terminado com a tribo de Benjamim. A área envolvida foi, essencialmente, a metade ocidental do território da tribo de Benjamim — vs. 60.
12. A descida oriental dos territórios de Judá e Benjamim. As cidades listadas em Js 18.21-24 também pertenciam àquela área geográfica. Estendia-se desde a fronteira de Efraim, pelo menos até tão ao sul quanto En-Gedi, que ficava a meio caminho, como quem vai para o mar Morto — vss. 61 e 62.

■ 15.63

וְאֶת־הַיְבוּסִי יוֹשְׁבֵי יְרוּשָׁלַם לֹא־יוּכְלוּ בְנֵי־יְהוּדָה
לְהוֹרִישָׁם וַיֵּשֶׁב הַיְבוּסִי אֶת־בְּנֵי יְהוּדָה בִּירוּשָׁלַם
עַד הַיּוֹם הַזֶּה: פ

Não puderam, porém. Na conquista da Terra Prometida, houve uma grande exceção. Jerusalém não foi dominada. Essa cidade era contada como se pertencesse à tribo de Benjamim (vs. 8; 18.28; Jz 1.21). Somente 550 anos mais tarde foi que Davi conseguiu capturá-la (ver 2Sm 5.6-10). Quando o autor sagrado escreveu seu livro de Josué, em algum tempo que não foi determinado, a cidade estava dividida entre os israelitas e os jebuseus. É possível que Israel, talvez desde tempos anteriores, ocupasse o que é agora a Jerusalém metropolitana, embora a fortaleza de Sião continuasse resistindo a todas as tentativas de invasão, até os tempos de Davi. Talvez parte da área que veio a tornar-se a grande cidade de Jerusalém pertencesse a Judá, ao passo que outra parte pertencesse a Benjamim, o que explicaria a aparente contradição. Ver no *Dicionário* o artigo chamado *Jebuseus*.

Na introdução ao livro de Josué, ver sobre *autoria e data*. O versículo em questão indica que a data da escrita do livro foi anterior à monarquia. Por outra parte, conforme os críticos salientam, a escrita do livro (que poderia ter ocorrido dentro da fase monárquica de Israel) pode ter incorporado materiais mais antigos, incluindo informes como esses que temos neste versículo.

Todas as cidades listadas nos vss. 21-62 recebem artigos separados no *Dicionário*, com a exceção única das seguintes seis cidades:

Itnã (vs. 23). Era uma das cidades da região sul do território de Judá, que pertencia ao *primeiro distrito* (ver anteriormente). Essa cidade não tem sido identificada com nenhum sítio moderno. O nome, no hebraico, significa "extensa".

Amã (vs. 26). Uma cidade do sul de Judá (também pertencente ao *primeiro distrito*, comentado anteriormente). Ao que tudo indica, tornou-se parte de uma faixa de terra outorgada, mais tarde, à tribo de Simeão (ver Js 19.1-9). Parece que o nome, no hebraico, quer dizer "lugar de colheita".

Lebaote (vs. 32). Trata-se da mesma cidade algures chamada de Bete-Lebaote, comentada no *Dicionário* com este segundo título. No hebraico, o nome significa "casa da leoa".

Zorá (vs. 33). Este lugar, como é evidente, foi primeiro dado a Judá, mas posteriormente acabou nas mãos dos danitas. Ver Js 19.41; Jz 18.2. Ali Sansão nasceu e também foi sepultado (ver Jz 13.2-25; 16.31). Tempos mais tarde, foi fortificada por Reoboão, filho de Salomão (ver 2Cr 11.10). Ficava na falha montanhosa que dava frente para Soreque, e pertencia ao *segundo distrito*, comentado anteriormente. Esse nome, no hebraico, significa "ferroada", "açoite" ou "vespa".

Hadasa (vs. 37). Esta era uma cidade que ficava no vale do território de Judá (no *terceiro distrito*, comentado anteriormente). Ficava entre a região montanhosa de Judá e a fronteira entre Judá e a Filístia. Este nome, no hebraico, quer dizer "nova".

Estemo (vs. 50). Também era conhecida como *Estemoa*. Era uma cidade nos montes de Judá (pertencente ao *sexto distrito*, comentado anteriormente). Depois, foi cedida aos sacerdotes levitas (ver Js 21.14; 1Cr 14.17,19). Davi, vitorioso em batalha, mandou despojos para essa cidade. Ela tem sido identificada com a moderna aldeia de *Semua*, ligeiramente ao sul de Hebrom. Muitas ruínas ali existentes têm sido investigadas pelos arqueólogos. O nome, no hebraico, significa "obediência". No *Dicionário* ela deve ser procurada mediante o seu outro nome, *Estemoa*.

CAPÍTULO DEZESSEIS

O *livro de Josué* está dividido em *quatro* seções principais, a saber: A. A conquista do território. B. A divisão do território entre as *doze tribos*. C. A consagração do povo escolhido. D. Epílogo.

Este capítulo 16 dá continuidade ao terceiro ponto da seção B. Aqui o autor relata como as tribos *ocidentais* receberam seus respectivos territórios. O capítulo 16 conta, especificamente, como foi a herança de Efraim. E os capítulos 16 e 17 narram as heranças de Efraim e da meia tribo de Manassés que foram para o lado ocidental da Terra Prometida. José não originou uma "tribo de José". Mas seus dois filhos, Manassés e Efraim, tiveram tribos com seus nomes. Quando José mandou trazer seu pai, Jacó, para o Egito, este adotou aqueles seus dois netos, pelo que eles receberam o direito de tornar-se cabeças de tribos em Israel. Ver o capítulo 48 do livro de Gênesis quanto a essa informação. Se Levi tivesse continuado sendo uma tribo, e não se tivesse tornado a casta sacerdotal de Israel, e se José (e seus dois filhos) tivessem sido chefes de tribos, então teria havido um total de catorze tribos. Mas Levi deixou de ser uma tribo, e nenhuma tribo recebeu o nome de "tribo de José". Daí resultaram as doze tribos tradicionais de Israel. Ver no *Dicionário* os artigos intitulados *Tribos, Localização das* e *Tribo (Tribos de Israel)*.

O capítulo 13 deste livro de Josué conta como as tribos de Rúben e Gade, bem como a meia tribo de Manassés, preferiram ficar com terras a oriente do rio Jordão, no território chamado Transjordânia. E, começando pelo capítulo 14, temos a narrativa de como a parte ocidental da Terra Prometida foi distribuída.

O povo de Israel chegou a ter o seu próprio território nacional em face de um dispositivo do *Pacto Abraâmico* (ver as notas a respeito em Gn 15.18). A seção B do livro de Josué presta-nos a informação de que essa promessa teve cumprimento.

Todos os nomes próprios que figuram neste capítulo recebem artigos separados no *Dicionário*, e peço ao leitor para examinar esses artigos ali. Todavia, muitas cidades e aldeias ainda não foram identificadas até hoje, pelo que a sua localização exata é desconhecida. E os mapas bíblicos não apresentam esses lugares.

Grosso modo, pode-se dizer que a tribo de Efraim e a meia tribo ocidental de Manassés receberam herança nas terras altas centrais da Palestina.

TERRITÓRIOS E CIDADES DE EFRAIM (16.1-10)

■ 16.1

וַיֵּצֵא הַגּוֹרָל לִבְנֵי יוֹסֵף מִיַּרְדֵּן יְרִיחוֹ לְמֵי יְרִיחוֹ
מִזְרָחָה הַמִּדְבָּר עֹלֶה מִירִיחוֹ בָּהָר בֵּית־אֵל:

O território que, em sorte, caiu aos filhos de José. "A poderosa casa de *José*, composta pelas tribos de Efraim e Manassés, herdou o rico território central da terra de Canaã. Visto que José manteve em vida, no Egito, toda a família patriarcal, durante a grande fome, o patriarca Jacó ordenou que os dois filhos de José, Efraim e Manassés, viessem a ser fundadores e cabeças de tribos, juntamente com seus tios (ver Gn 48.5). Os territórios que eles herdaram, em Canaã, quanto a muitos aspectos, eram os mais belos e férteis da Terra Prometida" (Donald K. Campbell, *in loc.*).

As Duas Fontes Informativas:
1. O *Dicionário* apresenta artigos sobre *todos* os nomes próprios que figuram neste capítulo 16.
2. Os *mapas* que aparecem na introdução ao capítulo 13 de Josué mostram a localização das tribos e dos lugarejos antigos que já foram determinados pela arqueologia ou por outros estudiosos. Os artigos referidos no ponto primeiro também dão informações

sobre as localizações dos demais pontos, embora, algumas vezes, meras especulações estejam envolvidas. Portanto, nos versículos seguintes, não repito, em sua maior parte, referências a fontes informativas.

Sortes. Era esse o método mediante o qual as terras conquistadas por Israel foram distribuídas entre as doze tribos. Ver Js 13.6; 14.2 e 15.1. Quanto a um possível *modus operandi* da distribuição, ver o último parágrafo da introdução ao capítulo 14 de Josué.

Cf. o versículo segundo deste capítulo com Js 18.12,13, que descreve a fronteira norte do território de Benjamim. Há aí dificuldades textuais e geográficas que os eruditos ainda não conseguiram equacionar inteiramente. Alguns deles opinam que as palavras "de Betel sai para Luz" envolvem algum erro de transcrição, pois Betel e Luz eram dois nomes de uma única cidade. Isso posto, deve haver algum erro original, mais provavelmente causado por um copista antigo.

John Gill *(in loc.)* explicou, entretanto, que, se Betel acabou sendo identificada com Luz, originalmente elas formavam duas cidades separadas, embora a pequena distância uma da outra. Betel, de acordo com a explanação desse comentarista, eram os campos adjacentes a Luz (ver Gn 38.11,19). Mesmo assim é difícil entender em que isso nos ajuda a digerir os dois nomes, que designam locais que virtualmente estão em uma mesma área geográfica. Seja como for, Betel ficava na fronteira *sul* da tribo de Efraim, perto da fronteira *norte* de Benjamim. A passagem de Js 18.12,13 descreve essa fronteira, e, por isso mesmo, fornece anotações a respeito da fronteira *sul* de Efraim, visto que o território de Benjamim ficava ao sul do território de Efraim. O local de *Atarote* é incerto; mas, conforme se presume, assinalava a fronteira sul de Efraim, pelo menos em algum ponto. Mas não devemos pensar na Atarote que pertencia à tribo de Rúben.

■ 16.2,3

וְיָצָא מִבֵּית־אֵל לוּזָה וְעָבַר אֶל־גְּבוּל הָאַרְכִּי עֲטָרוֹת׃

וְיָרַד־יָמָּה אֶל־גְּבוּל הַיַּפְלֵטִי עַד גְּבוּל בֵּית־חוֹרֹן תַּחְתּוֹן וְעַד־גָּזֶר וְהָיוּ תֹצְאֹתָיו יָמָּה׃

E desce rumo ao ocidente. A descrição move-se na direção oeste, mencionando os principais lugares ao longo do caminho. Presumivelmente, estamos avançando ao longo da fronteira sul e encaminhando-nos na direção do mar Mediterrâneo, conforme lemos no fim deste versículo. As palavras "de baixo" (em relação a Bete-Horom) distinguem-na de outra Bete-Horom, que ficava na região elevada (região norte ou oriental; ver o quinto versículo deste capítulo). Ao que parece, as duas localidades do mesmo nome não ficavam distantes uma da outra. O *Dicionário* informa-nos o que se sabe a respeito dessas duas cidades com o mesmo nome.

■ 16.4

וַיִּנְחֲלוּ בְנֵי־יוֹסֵף מְנַשֶּׁה וְאֶפְרָיִם׃

Os filhos de José, Manassés e Efraim. O filho mais novo de José, Efraim, multiplicou-se e tornou-se uma tribo, porquanto ele e seu irmão, Manassés, tinham sido adotados por Jacó, o qual autorizou que cada um desses seus dois netos viesse a ser um chefe de tribo (ver Gn 48). Foi dessa maneira que tanto Manassés quanto Efraim, embora tendo nascido ambos no Egito, vieram a fazer parte da comunidade de Israel, com todos os seus descendentes.

Conforme já vimos, o lançamento de *sortes* (ver a respeito no *Dicionário* e nas notas expositivas sobre Js 13.6; 14.2 e 15.1) é que determinou quais territórios conquistados ficaram com esta ou aquela tribo. Tal como sucedeu no caso de Efraim, outro tanto sucedeu no caso de Manassés. Mas o território que coube a Manassés só é descrito adiante, no capítulo 17 do livro de Josué.

■ 16.5

וַיְהִי גְּבוּל בְּנֵי־אֶפְרַיִם לְמִשְׁפְּחֹתָם וַיְהִי גְּבוּל נַחֲלָתָם מִזְרָחָה עַטְרוֹת אַדָּר עַד־בֵּית חוֹרֹן עֶלְיוֹן׃

Foi o termo da herança dos filhos de Efraim, segundo as suas famílias. Esta última palavra, "famílias", lembra-nos que as tribos foram subdivididas em clãs, e os clãs, por sua vez, foram subdivididos em famílias. Cada clã e cada família obtiveram a sua própria terra, o que significa que todas as pessoas, em Israel, eram proprietárias de terras. Não somos informados na Bíblia como essas subdivisões se realizaram. Talvez tenham ocorrido também por meio do lançamento de sortes; porém o mais provável é que os anciãos de Israel tenham dado herança a cada clã e a cada família. Fica entendido, do começo ao fim, que a sabedoria e a seleção de Yahweh estiveram por trás de todo o processo de distribuição de territórios.

A fronteira oriental de Efraim era formada por Atarote-Adar, perto de Bete-Horom (do norte, mais para o oriente). O nome Atarote significa "coroas", ao passo que Adar quer dizer "escura", "enevoada". Esta Atarote-Adar e a Atarote referida no segundo versículo deste capítulo são a mesma cidade, a qual ficava na fronteira nordeste do território de Efraim.

■ 16.6,7

וְיָצָא הַגְּבוּל הַיָּמָּה הַמִּכְמְתָת מִצָּפוֹן וְנָסַב הַגְּבוּל מִזְרָחָה תַּאֲנַת שִׁלֹה וְעָבַר אוֹתוֹ מִמִּזְרַח יָנוֹחָה׃

וְיָרַד מִיָּנוֹחָה עֲטָרוֹת וְנַעֲרָתָה וּפָגַע בִּירִיחוֹ וְיָצָא הַיַּרְדֵּן׃

E vai o termo para o mar. Estes dois versículos traçam tanto a fronteira norte quanto a fronteira leste.

Micmetá. Ficava na fronteira norte de Efraim, onde seu território estava contíguo ao território de Manassés. Situava-se no lado ocidental do rio Jordão (ver Js 17.7). Na atualidade, essa cidade é conhecida como Khirbet Juleijil. Em seguida, a descrição bíblica segue para o oriente, o que prossegue no versículo 7.

Taanate-Siló (atualmente Khirbet Ta'anah el-Foqa) situava-se cerca de onze quilômetros a sudeste de Siquém (no território de Manassés, como quem vai para o norte). Depois a fronteira descia para o sul, seguindo a beirada do vale do rio Jordão e chegando até Jericó (que ficava à beira do território de Benjamim). Naturalmente, a Atarote referida no versículo 7 não é a mesma Atarote dos vss. 2 e 5. Ao longo do caminho, um viajante encontraria as cidades de Janoa e Naarate. A primeira é conhecida, mas a segunda só pode ser tentativamente identificada. No *Dicionário*, os artigos sobre essas duas cidades expõem o que se sabe a respeito delas.

■ 16.8

מִתַּפּוּחַ יֵלֵךְ הַגְּבוּל יָמָּה נַחַל קָנָה וְהָיוּ תֹצְאֹתָיו הַיָּמָּה זֹאת נַחֲלַת מַטֵּה בְנֵי־אֶפְרַיִם לְמִשְׁפְּחֹתָם׃

De Tapua vai o termo para o ocidente. Aqui, o autor sacro retorna à fronteira norte e alude a algumas poucas das cidades ali existentes. Tapua ficava cerca de treze quilômetros a oeste da Janoa que é referida no sexto versículo deste capítulo. Dali, passamos para o ribeiro de Caná, hodiernamente o wadi Qanah, a oeste de Tapua, a cerca de 36 quilômetros, e levemente para o norte. E a partir dali, a fronteira seguia na direção do mar Mediterrâneo, passando ao norte da cidade de Jope.

■ 16.9

וְהֶעָרִים הַמִּבְדָּלוֹת לִבְנֵי אֶפְרַיִם בְּתוֹךְ נַחֲלַת בְּנֵי־מְנַשֶּׁה כָּל־הֶעָרִים וְחַצְרֵיהֶן׃

Mais as cidades que se separaram para os filhos de Efraim. Visto que a tribo de Efraim era muito mais numerosa que a meia tribo ocidental de Manassés, além das terras que lhe couberam por sorte, descritas anteriormente, de conformidade com as suas fronteiras, recebeu várias cidades que ficavam dentro do território que coube a Manassés. É provável que a linha fronteiriça nem sempre fosse bem nítida, em todo o seu comprimento. Cf. Js 17.10,11.

16.10

וְלֹא הוֹרִישׁוּ אֶת־הַכְּנַעֲנִי הַיּוֹשֵׁב בְּגָזֶר וַיֵּשֶׁב הַכְּנַעֲנִי בְּקֶרֶב אֶפְרַיִם עַד־הַיּוֹם הַזֶּה וַיְהִי לְמַס־עֹבֵד: פ

Não expulsaram aos cananeus. Temos neste versículo, uma vez mais, o lembrete de que Israel não obteve sucesso absoluto na conquista da Terra Prometida. Também houve fracassos. Uma leitura comum do livro de Josué pode dar-nos a impressão de que as vitórias de Israel foram sempre rápidas, indisputadas e completas. Sem embargo, o trecho de Js 13.2 ss. informa-nos que houve vários fracassos, vitórias parciais e dificuldades. Além disso, um longo período de tempo esteve envolvido na conquista dos territórios, talvez nada menos de sete anos, conforme as tradições judaicas nos informam. Ver o trecho de Js 14.10, que indica que houve, no mínimo, cinco anos de conflitos. O décimo versículo deste capítulo informa-nos a respeito dos cananeus, que continuaram a viver entre os efraimitas, ainda que, naqueles dias, e quando o autor sacro escreveu o seu livro, esses cananeus tivessem de pagar tributos aos filhos de Israel. Os cananeus estavam concentrados perto da fronteira sul. Posteriormente, os povos não conquistados causaram muitas tristezas a Israel. Somente nos dias de Davi a área foi totalmente tomada dos cananeus (ver 2Sm 5.24; 1Cr 14.16). Quanto à história de *Gezer*, ver no *Dicionário* o artigo sobre esse lugar. Cf. Js 15.63 e Jz 1.29.

CAPÍTULO DEZESSETE

Ver as notas introdutórias ao capítulo 16 de Josué quanto a informações que também têm aplicação aqui. Os capítulos 16 e 17 falam sobre as terras entregues à tribo de Efraim e à meia tribo ocidental de Manassés. Ver as introduções aos capítulos 13, 14 e 15 de Josué, quanto a ideias que também se aplicam aqui. A seção geral à qual pertence este capítulo 17 começa em Js 14.1. *Todos* os nomes próprios que aparecem neste capítulo recebem artigos separados no *Dicionário*.

TERRITÓRIOS E CIDADES DE MANASSÉS (17.1-18)

"Os descendentes de Maquir, primogênito de Manassés, estabeleceram-se na Transjordânia (vss. 1 e 2). Os outros herdeiros estabeleceram-se na terra de Canaã propriamente dita, tendo recebido seu território ao norte do território de Efraim, que também se estendia desde o rio Jordão ao mar Mediterrâneo (vss. 7-10)" (Donald K. Campbell, *in loc.*). Ver no *Dicionário* o verbete intitulado *Manassés*, quanto a completas explicações.

17.1

וַיְהִי הַגּוֹרָל לְמַטֵּה מְנַשֶּׁה כִּי־הוּא בְּכוֹר יוֹסֵף לְמָכִיר בְּכוֹר מְנַשֶּׁה אֲבִי הַגִּלְעָד כִּי הוּא הָיָה אִישׁ מִלְחָמָה וַיְהִי־לוֹ הַגִּלְעָד וְהַבָּשָׁן:

Teve a Gileade e Basã. O capítulo 13 de Josué conta-nos como se estabeleceu na Transjordânia a meia tribo de Manassés, juntamente com as tribos de Rúben e de Gade. Ver no *Dicionário* os artigos denominados *Tribos, Localização das* e *Tribo (Tribos) de Israel*. Ver Nm 24.14,15 e 32.31 ss. sobre como essas duas tribos e meia solicitaram e receberam as terras a oriente do rio Jordão. Elas tiveram de prometer que ajudariam seus irmãos na invasão da parte ocidental da Terra Prometida. O fato de que cumpriram a promessa é demonstrado pela informação dada no capítulo 22 de Josué. O trecho de Js 13.8-13 reconta a história de como essas duas tribos e meia receberam sua herança na Transjordânia.

Gileade. Esse homem era filho de Maquir. Todos os seis clãs de Manassés (vs. 2) descendiam de Gileade (ver Nm 26.28-34; cf. 1Cr 7.14-19).

17.2

וַיְהִי לִבְנֵי מְנַשֶּׁה הַנּוֹתָרִים לְמִשְׁפְּחֹתָם לִבְנֵי אֲבִיעֶזֶר וְלִבְנֵי־חֵלֶק וְלִבְנֵי אַשְׂרִיאֵל וְלִבְנֵי־שֶׁכֶם וְלִבְנֵי־חֵפֶר וְלִבְנֵי שְׁמִידָע אֵלֶּה בְּנֵי מְנַשֶּׁה בֶּן־יוֹסֵף הַזְּכָרִים לְמִשְׁפְּחֹתָם:

Sortes. Ver sobre essa questão no *Dicionário* e em Js 13.6; 14.2 e 15.1. Sobre como esse modo de divisão de terras foi efetuado (de acordo com as tradições judaicas), ver o último parágrafo da introdução ao capítulo 14.

Os mais filhos de Manassés. Este versículo lista os progenitores dos seis clãs de Manassés, todos eles descendentes de *Gileade*. Há um artigo separado, no *Dicionário*, sobre cada um deles. *Todos* os nomes próprios que figuram neste capítulo recebem artigos separados no *Dicionário*.

Siquém. "É digno de nota que, de acordo com os limites de Efraim e Manassés, descritos no capítulo 16, a cidade de Siquém parece que ficava dentro das fronteiras de Manassés; mas da mesma maneira que as 'cidades separadas' de Efraim estavam dentro da herança de Manassés (ver Js 16.9), assim também se deu com Siquém, que foi a primeira metrópole de Israel na Palestina" (Ellicott, *in loc.*). É evidente que nem sempre os limites foram exatos e fixos, porque havia certa variação de fronteiras entre as tribos de Israel.

Ver as famílias desses clãs mencionadas em Nm 26.30-32. Somente os membros masculinos das tribos herdavam terras, a menos que não houvesse herdeiros masculinos. Nesse último caso, as mulheres podiam ser herdeiras, contanto que se casassem dentro de suas próprias tribos. Ver Nm 26.33 ss.; 27.1 ss.; 36.2 ss.

17.3,4

וְלִצְלָפְחָד בֶּן־חֵפֶר בֶּן־גִּלְעָד בֶּן־מָכִיר בֶּן־מְנַשֶּׁה לֹא־הָיוּ לוֹ בָּנִים כִּי אִם־בָּנוֹת וְאֵלֶּה שְׁמוֹת בְּנֹתָיו מַחְלָה וְנֹעָה חָגְלָה מִלְכָּה וְתִרְצָה:

וַתִּקְרַבְנָה לִפְנֵי אֶלְעָזָר הַכֹּהֵן וְלִפְנֵי יְהוֹשֻׁעַ בִּן־נוּן וְלִפְנֵי הַנְּשִׂיאִים לֵאמֹר יְהוָה צִוָּה אֶת־מֹשֶׁה לָתֶת־לָנוּ נַחֲלָה בְּתוֹךְ אַחֵינוּ וַיִּתֵּן לָהֶם אֶל־פִּי יְהוָה נַחֲלָה בְּתוֹךְ אֲחֵי אֲבִיהֶן:

Zelofeade. Quanto à crônica acerca de Zelofeade, ver o artigo sobre ele no *Dicionário*, como também os comentários adicionais em Nm 26.33; 27.1 ss. e 36.2 ss. Zelofeade não tinha filhos, e suas filhas apelaram, procurando tornar-se herdeiras de seu pai. Poderiam filhas herdar propriedades pertencentes à família, se não houvesse herdeiros do sexo masculino? A decisão transmitida por Moisés foi que poderiam, contanto que se casassem com homens de sua própria tribo, para que se evitasse qualquer confusão concernente a heranças da família, heranças essas sempre limitadas às respectivas tribos. Cada um dos nomes próprios que aparece aqui são repetições dos textos mencionados no livro de Números, e cada um desses nomes merece um artigo no *Dicionário*, ou, *in loc.*, nos textos que contam as histórias.

Zelofeade era bisneto de Manassés. A cena que temos aqui avança quanto ao tempo. Originalmente, foi Moisés quem tomou aquela decisão. Mas, agora que Israel estava na posse da Terra Prometida, as ordens de Moisés tinham de ser cumpridas. Assim sendo, Josué e Eleazar (filho de Arão) confirmaram a diretriz dada por Moisés, a fim de que a decisão dele fosse cumprida. Esse incidente mostra certa preocupação com os direitos das mulheres de Israel, em uma época em que os direitos femininos não eram muito respeitados.

17.5

וַיִּפְּלוּ חַבְלֵי־מְנַשֶּׁה עֲשָׂרָה לְבַד מֵאֶרֶץ הַגִּלְעָד וְהַבָּשָׁן אֲשֶׁר מֵעֵבֶר לַיַּרְדֵּן:

Couberam a Manassés dez quinhões. Ou seja, cinco para Gileade (vs. 2) e cinco para as filhas de Zelofeade. Visto que havia *seis* filhos e *cinco* filhas entre os quais a divisão de terras precisava ser feita, parece que deveria haver *onze* quinhões. Mas Zelofeade, filho de Hefer, deixara cinco filhas em seu lugar. Nem ele nem seu pai, Hefer, aparecem como quem morrera no deserto, durante as perambulações. O resultado foi que restavam cinco filhos e cinco filhas, que receberam heranças.

17.6

כִּי בְּנוֹת מְנַשֶּׁה נָחֲלוּ נַחֲלָה בְּתוֹךְ בָּנָיו וְאֶרֶץ הַגִּלְעָד הָיְתָה לִבְנֵי־מְנַשֶּׁה הַנּוֹתָרִים:

Os outros filhos de Manassés tiveram a terra de Gileade. O autor sagrado lembra-nos que ele estava falando sobre aquela metade da tribo de Manassés que recebeu herança na parte ocidental da Terra Prometida, ao passo que a outra metade tinha ficado na Transjordânia. O mapa apresentado na introdução ao capítulo 13 de Josué mostra como foi a divisão do território conquistado, ajudando-nos a visualizar o que é transmitido nos capítulos 13 a 19.

■ **17.7**

וַיְהִ֨י גְב֤וּל־מְנַשֶּׁה֙ מֵֽאָשֵׁ֔ר הַֽמִּכְמְתָ֖ת אֲשֶׁ֣ר עַל־פְּנֵ֣י שְׁכֶ֑ם וְהָלַ֤ךְ הַגְּבוּל֙ אֶל־הַיָּמִ֔ין אֶל־יֹשְׁבֵ֖י עֵ֥ין תַּפּֽוּחַ׃

O termo de Manassés foi desde. Cf. Js 16.6-8 quanto à fronteira que Manassés compartilhava com Efraim.

En-Tapua. Essa cidade ficava cerca de treze quilômetros a sudeste de Micmetá, o que significa que a descrição se move para leste, na direção do mar Morto.

■ **17.8**

לִמְנַשֶּׁ֕ה הָיְתָ֖ה אֶ֣רֶץ תַּפּ֑וּחַ וְתַפּ֛וּחַ אֶל־גְּב֥וּל מְנַשֶּׁ֖ה לִבְנֵ֥י אֶפְרָֽיִם׃

Ainda que situada no termo de Manassés, era dos filhos de Efraim. Nem sempre os limites eram claros, pelo que as cidades fronteiriças podiam pertencer a uma ou outra tribo. Assim sendo, se Tapua, estritamente falando, ficava no território de Manassés, na verdade era habitada por gente da tribo de Efraim.

■ **17.9**

וְיָרַ֣ד הַגְּבוּל֩ נַ֨חַל קָנָ֜ה נֶ֣גְבָּה לַנַּ֗חַל עָרִ֤ים הָאֵ֙לֶּה֙ לְאֶפְרַ֔יִם בְּת֖וֹךְ עָרֵ֣י מְנַשֶּׁ֑ה וּגְב֤וּל מְנַשֶּׁה֙ מִצְּפ֣וֹן לַנַּ֔חַל וַיְהִ֥י תֹצְאֹתָ֖יו הַיָּֽמָּה׃

Então desce o termo ao ribeiro de Caná. Micmetá ficava às margens do ribeiro de Caná (ver Js 16.8 quanto a notas expositivas). Esse wadi seguia para oeste, na direção do mar Mediterrâneo, onde desaguava acima de Jope. Desse modo, pois, eram formadas a fronteira sul de Manassés e a fronteira norte de Efraim. As cidades anteriormente mencionadas, Aser, Micmetá, En-Tapua e Tapua, embora ficassem todas no território de Manassés, eram habitadas por gente de Efraim. Sendo ambas descendentes de José, essas duas tribos parecem ter mantido uma solidariedade especial, pelo que certa mistura na ocupação de suas cidades não criava nenhum problema.

■ **17.10**

נֶ֣גְבָּה לְאֶפְרַ֗יִם וְצָפ֙וֹנָה֙ לִמְנַשֶּׁ֔ה וַיְהִ֥י הַיָּ֖ם גְּבוּל֑וֹ וּבְאָשֵׁר֙ יִפְגְּע֣וּן מִצָּפ֔וֹן וּבְיִשָּׂשכָ֖ר מִמִּזְרָֽח׃

Efraim ao sul, Manassés ao norte. Está sendo descrita uma fronteira comum, tal como também se vê nos versículos anteriores. A fronteira *norte* de Manassés era o limite com a tribo de Aser (cf. Js 19.24-31) e com a tribo de Issacar (cf. 19.17-23). Essa fronteira norte foi descrita em termos bastante inexatos. De fato, foi somente subentendida, visto que nenhuma cidade específica que a formava chega a ser mencionada.

■ **17.11,12**

וַיְהִ֨י לִמְנַשֶּׁ֜ה בְּיִשָּׂשכָ֣ר וּבְאָשֵׁ֗ר בֵּית־שְׁאָ֣ן וּבְנוֹתֶ֡יהָ וְיִבְלְעָ֣ם וּבְנוֹתֶיהָ֩ וְֽאֶת־יֹשְׁבֵ֨י דֹ֤אר וּבְנוֹתֶ֙יהָ֙ וְיֹשְׁבֵ֤י עֵֽין־דֹּר֙ וּבְנֹתֶ֔יהָ וְיֹשְׁבֵ֥י תַעְנַ֖ךְ וּבְנֹתֶ֑יהָ וְיֹשְׁבֵ֥י מְגִדּ֛וֹ וּבְנוֹתֶ֖יהָ שְׁלֹ֥שֶׁת הַנָּֽפֶת׃

וְלֹ֤א יָכְלוּ֙ בְּנֵ֣י מְנַשֶּׁ֔ה לְהוֹרִ֖ישׁ אֶת־הֶעָרִ֣ים הָאֵ֑לֶּה וַיּ֙וֹאֶל֙ הַֽכְּנַעֲנִ֔י לָשֶׁ֖בֶת בָּאָ֥רֶץ הַזֹּֽאת׃

Em Issacar e em Aser tinha Manassés. Temos aqui a descrição de mais algumas fronteiras imprecisas. Assim como a tribo de Efraim tinha certas cidades que ficavam dentro das fronteiras de Manassés (ver Js 16.9 e 17.9), assim também Manassés tinha certas cidades dentro das fronteiras de Issacar e de Aser. O autor sagrado fornece-nos uma lista de todos esses lugares, que aparecem em artigos separados no *Dicionário*. A consulta aos *mapas* oferecidos na introdução ao capítulo 13 do livro de Josué provê ao leitor certa noção sobre localizações. Parece que os lugares mencionados eram fortalezas cananeias, e talvez Manassés, como a tribo mais forte, tenha recebido esses lugares para servirem de defesas estratégicas. Era responsabilidade da tribo de Manassés conquistar esses lugares, mas o que os manassitas impuseram foi uma política de pagamento de tributos; isso, contudo, acabou produzindo frutos amargos, posteriormente. Ver Js 13.1 ss. quanto a lugares que não foram conquistados, e ver notas adicionais sobre o problema, em Js 16.10. E a tribo de Efraim também seguiu a mesma política de meias-medidas, conforme demonstra a referência no capítulo 16 de Josué.

■ **17.13**

וַיְהִ֕י כִּ֥י חָזְק֖וּ בְּנֵ֣י יִשְׂרָאֵ֑ל וַיִּתְּנ֥וּ אֶת־הַֽכְּנַעֲנִ֖י לָמַ֥ס וְהוֹרֵ֖שׁ לֹ֥א הוֹרִישֽׁוֹ׃ ס

Sujeitaram aos cananeus a trabalhos forçados. Mas sujeitar essas populações a trabalhos forçados (ver o vs. 12) não foi tarefa fácil, pois somente quando os israelitas se fortaleceram isso se tornou possível. Os tratados ou acordos só são firmados após muito derramamento de sangue. Israel deve ter concordado em suspender as hostilidades, mas exigiu dinheiro para que a matança cessasse. Os ideais da guerra santa, por conseguinte, não foram cumpridos na íntegra. Ver as notas sobre a *guerra santa* em Dt 7.1-5 e 20.10-18.

■ **17.14**

וַֽיְדַבְּרוּ֙ בְּנֵ֣י יוֹסֵ֔ף אֶת־יְהוֹשֻׁ֖עַ לֵאמֹ֑ר מַדּוּעַ֩ נָתַ֨תָּה לִּ֜י נַחֲלָ֗ה גּוֹרָ֤ל אֶחָד֙ וְחֶ֣בֶל אֶחָ֔ד וַאֲנִ֣י עַם־רָ֔ב עַ֥ד אֲשֶׁר־עַד־כֹּ֖ה בֵּֽרְכַ֥נִי יְהוָֽה׃

O povo dos filhos de José. As tribos de Efraim e Manassés tinham populações numerosas, e queixaram-se, diante de Josué, acerca dos territórios relativamente apertados que tinham recebido. Os recenseamentos (ver Nm 1.2) mostram-nos que Manassés contava com 53.700 homens capazes de ir à guerra, ao passo que Efraim dispunha de 32.500 homens nas mesmas condições. Assim sendo, apesar de não estarem entre as menores tribos, também não estavam entre as maiores. Judá dispunha de 76.500 homens, e Dã tinha 64.500 homens. Mas devemos supor que as terras de que dispunham fossem relativamente pouco espaçosas, deixando-os com menos liberdade para movimentação. A solução encontrada por Josué (ver os versículos seguintes) foi fazê-los entrar nas áreas cobertas de florestas, derrubar árvores e assim expandir suas terras utilizáveis. Ali, eles teriam de enfrentar gigantes, mas isso não deveria constituir um problema insuperável, pois os gigantes eram pouco numerosos.

O Senhor até aqui me tem abençoado? Pode-se perceber certa amargura de espírito por trás dessas palavras. É como se eles tivessem dito: "É verdade que o Senhor nos tem abençoado até aqui. Mas vejam a situação em que nos encontramos!" A bênção divina, sob a forma de herança de terras, não estava à altura das bênçãos anteriores, e a situação precisava ser remediada.

Que Contraste! Quão diferentes foram as orgulhosas palavras dos efraimitas em relação aos feitos heroicos de Josué, que era o verdadeiro herói da tribo de Efraim. A grandeza de Josué era comprovada mediante atos, e não mediante meras palavras. Um grande segmento da porção central da Palestina consistia em florestas fechadas. Logo, os efraimitas tinham de entrar naquela região, derrubar árvores e, assim, obter mais espaço.

■ **17.15**

וַיֹּ֤אמֶר אֲלֵיהֶם֙ יְהוֹשֻׁ֔עַ אִם־עַם־רַ֣ב אַתָּ֔ה עֲלֵ֥ה לְךָ֖ הַיַּ֑עְרָה וּבֵרֵאתָ֤ לְךָ֙ שָׁ֔ם בְּאֶ֥רֶץ הַפְּרִזִּ֖י וְהָרְפָאִ֑ים כִּֽי־אָ֥ץ לְךָ֖ הַר־אֶפְרָֽיִם׃

Se és grande povo. Josué respondeu com certa ironia, equivalente a "abre espaço para ti mesmo; usa tuas forças e para de queixumes".

Essa foi a essência do que Josué disse a seus conterrâneos de tribo. Falar era fraco e barato. Somente ação vigorosa poderia remediar a situação. A região dos *ferezeus* deveria ser conquistada, e parte da floresta ali existente precisava ser derrubada. Ver no *Dicionário* o artigo chamado *Perezeus (Fereseus)*. Ver as sete nações que Israel supostamente deveria expulsar da Terra Prometida, em Êx 33.2 e Dt 7.1.

Os *refains* que habitavam nas florestas a serem derrubadas complicavam o problema, visto que eram uma das raças de gigantes. As florestas do monte Efraim também poderiam ser derrubadas. Há evidências de que aquela área era densamente arborizada e esparsamente povoada, nos dias da conquista da Terra Prometida. Alguns intérpretes supõem que aquela fosse a área que o autor sagrado tinha especificamente em vista. Ver no *Dicionário* o artigo chamado *Efraim, Região Montanhosa de*.

"Josué envergonhou os efraimitas por causa do temor e frustração deles, exortando-os a fazer o ataque. As questões realmente importantes, seja como for, serão resolvidas pela orientação e pelo poder de Deus, e não por meio de cavalos e carros de combate" (Joseph R. Sizoo, *in loc.*).

Os efraimitas foram exortados a *cavar* o seu próprio futuro. A maioria dos eventos não é destinada, e mesmo os acontecimentos destinados são efetuados em cooperação com a alma humana, em harmonia com o seu destino. Visto que o futuro é essencialmente plástico, isso significa que ele pode ser formado por nossos próprios esforços, e que é nesse ponto que entra o livre-arbítrio humano. Ver no *Dicionário* o artigo chamado *Livre-arbítrio*.

■ 17.16

וַיֹּאמְרוּ בְּנֵי יוֹסֵף לֹא־יִמָּצֵא לָנוּ הָהָר וְרֶכֶב בַּרְזֶל בְּכָל־הַכְּנַעֲנִי הַיֹּשֵׁב בְּאֶרֶץ־הָעֵמֶק לַאֲשֶׁר בְּבֵית־שְׁאָן וּבְנוֹתֶיהָ וְלַאֲשֶׁר בְּעֵמֶק יִזְרְעֶאל׃

A região montanhosa não nos basta. A alusão aqui é ao monte Efraim e às áreas adjacentes. Ver no *Dicionário* o verbete denominado *Efraim, Região Montanhosa de*.

Todos os cananeus... têm carros de ferro. Implementos de guerra, feitos de ferro, complicavam bastante o problema enfrentado pelos descendentes de José. Israel não criava cavalos nem fabricava carros de combate. Ver no *Dicionário* o artigo chamado *Carruagem*. Os carros de combate dos cananeus eram feitos de madeira, mas fortalecidos com ferro. A arqueologia demonstra que os carros de combate dos cananeus tinham lâminas de ferro nos seus lados ou em seus eixos, de tal modo que, passando entre as forças inimigas, muitos homens eram literalmente cortados ao meio, ou tinham as pernas decepadas. Esses carros de combate eram usados, apropositadamente, para atingir os soldados que combatiam a pé, da mesma maneira que as lâminas de um cortador de grama. Jabim dispunha de novecentos desses carros de combate (ver Jz 4.3).

■ 17.17

וַיֹּאמֶר יְהוֹשֻׁעַ אֶל־בֵּית יוֹסֵף לְאֶפְרַיִם וְלִמְנַשֶּׁה לֵאמֹר עַם־רַב אַתָּה וְכֹחַ גָּדוֹל לָךְ לֹא־יִהְיֶה לְךָ גּוֹרָל אֶחָד׃

Falou Josué à casa de José. Josué dirigiu-se aos efraimitas e manassitas, vergastando-lhes o *orgulho*. Visto que eles eram numerosos e valentes, deveriam ser capazes de resolver seus problemas, sem receber terras fora de seus territórios originais. A solução estava ao alcance deles, mas para tanto era mister coragem e trabalho, combinação essa que resolve a maior parte de nossos problemas, sem a necessidade de uma intervenção divina. Quando as coisas fogem de nosso controle, então Deus entra em cena e intervém. De outro modo, espera-se que usemos nossos dons naturais, o conhecimento adquirido e a nossa experiência em todas as vicissitudes da vida. As *sortes* (ver a respeito no *Dicionário* e em Js 13.6, o último parágrafo da introdução ao capítulo 14, e também os trechos de Js 14.2 e 15.1) haviam determinado os territórios deles; e agora, se trabalhassem dentro de seus limites, poderiam aprimorar suas condições de vida. Poderiam *usar melhor* o que já haviam recebido, uma lição que todos nós precisamos aprender. Essa é uma das razões pelas quais quase todas as pessoas são submetidas às limitações de certas necessidades e requisitos, a fim de que possam cumprir o seu destino. Dentro dessas limitações, contudo, temos muito espaço para agir. E até mesmo as nossas *limitações* nos são impostas em concordância com a alma, para que ela possa cumprir seu destino. Assim sendo, em um sentido verdadeiro, até mesmo os limites resultam das escolhas da alma, em harmonia com o poder divino.

■ 17.18

כִּי הַר יִהְיֶה־לָּךְ כִּי־יַעַר הוּא וּבֵרֵאתוֹ וְהָיָה לְךָ תֹּצְאֹתָיו כִּי־תוֹרִישׁ אֶת־הַכְּנַעֲנִי כִּי רֶכֶב בַּרְזֶל לוֹ כִּי חָזָק הוּא׃ פ

A região montanhosa será tua. Está em pauta a mesma "região montanhosa" do versículo 16 deste capítulo, o monte Efraim, uma área densamente arborizada, que deveria ser aberta para que houvesse maior espaço para os efraimitas e manassitas habitarem, terem uma boa agricultura e criarem gado. Alguns intérpretes supõem que essa seja a região referida no texto, mas outros preferem pensar em outra região, embora também na região montanhosa. Ver o versículo 15 deste capítulo. Ver o vs. 16 quanto ao artigo sobre aquela área, que nos dá informações pormenorizadas.

"Maior é aquele que está em vós do que aquele que está no mundo" (1Jo 4.4). Cf. 2Rs 6.16,17.

CAPÍTULO DEZOITO

A *seção geral* a que pertence o capítulo 18 do livro de Josué começa em Js 14.1. Ver as notas de introdução dadas ali. *Todos* os nomes próprios que figuram neste capítulo recebem artigos separados no *Dicionário*; e os mapas apresentados no início do capítulo 13 de Josué fornecem noções sobre a localização das cidades e demais acidentes geográficos.

Os versículos 1—10 dizem que as *sete tribos* restantes de Israel, que ainda não tinham entrado na posse de seus territórios, mostravam-se *preguiçosas* e precisavam de encorajamento. O trabalho de pesquisa e de lançamento de sortes tinha de continuar. Ver no *Dicionário* o artigo intitulado *Sortes*, bem como Js 13.6. Ver ainda o último parágrafo da introdução ao capítulo 14, bem como os trechos de Js 14.1 e 15.1 e suas notas expositivas quanto ao uso do lançamento de sortes no que diz respeito à distribuição dos territórios às doze tribos de Israel. O capítulo 14 fornece-nos o *modus operandi* da questão, de acordo com as tradições judaicas.

Nomes Próprios. Em todo o Antigo Testamento, Josué é o livro que contém o maior número de nomes próprios. Todos os nomes próprios que figuram no capítulo 18 deste livro mereceram artigos separados no *Dicionário*, excetuando o nome da cidade de *Avim*, no versículo 23.

Ver no *Dicionário* os artigos chamados *Tribo (Tribos) de Israel* e *Tribos, Localização das*.

As primeiras alocações de terras ocorreram em Gilgal. Agora a cena muda para Silo, onde um santuário foi estabelecido, antes de ter sido estabelecido o santuário central de Jerusalém. Ver as notas sobre Js 14.6 quanto às primeiras alocações de terras. Silo continuou sendo a sede do tabernáculo e da arca, até que esta foi tomada pelos filisteus, em cerca de 1105 a.C. Ver o quarto capítulo de 1Samuel. Os filisteus destruíram aquele antigo santuário de Silo, e as evidências arqueológicas consubstanciam esse fato.

■ 18.1

וַיִּקָּהֲלוּ כָּל־עֲדַת בְּנֵי־יִשְׂרָאֵל שִׁלֹה וַיַּשְׁכִּינוּ שָׁם אֶת־אֹהֶל מוֹעֵד וְהָאָרֶץ נִכְבְּשָׁה לִפְנֵיהֶם׃

Em Silo. Ver informações completas sobre essa localidade, bem como sobre as atividades de Israel ali, no *Dicionário*. Ficava nas terras altas centrais da Palestina, e foi o principal santuário de Israel no começo de sua história como nação organizada. Ver Jz 18.1 e 1Sm 4.3,4. Quando Jerusalém se tornou o santuário exclusivo e centralizado, todos os demais santuários perderam a sua função.

Antes de ter sido feita a divisão do território entre as *sete tribos* restantes, os israelitas mudaram-se em massa de Gilgal para Silo, que ficava cerca de 35 quilômetros mais para noroeste, levando-os do vale do Jordão para a região montanhosa. Talvez essa mudança de local tenha tido o propósito de conferir ao tabernáculo e seu culto uma localização mais centralizada. Os israelitas foram assim relembrados da centralidade daquela instituição, porquanto o sucesso vem de Yahweh, e não de cavalos, lanças e carros de combate. *Sete* tribos ainda estavam sem território, e, ao que tudo indica, estavam ficando cansadas de tanto combater, pelo que se teriam contentado em continuar com a sua vida de seminomadismo. O novo centro de adoração também servia de fator psicológico em prol da renovação e da concretização final da conquista da Terra Prometida.

Silo ficava a cerca de 48 quilômetros mais para o norte, e levemente a leste de Jerusalém. Isso significa que, quando Jerusalém se tornasse o santuário central, este não ficaria distante do mais antigo. Silo ficava no território da tribo de Efraim.

■ 18.2

וַיִּוָּתְרוּ֙ בִּבְנֵ֣י יִשְׂרָאֵ֔ל אֲשֶׁ֥ר לֹֽא־חָלְק֖וּ אֶת־נַֽחֲלָתָ֑ם שִׁבְעָ֖ה שְׁבָטִֽים׃

Dentre os filhos de Israel ficaram sete tribos. *Cinco* das tribos já haviam recebido a sua *herança*, de acordo com as provisões do Pacto Abraâmico (ver as notas em Gn 15.18). Essas tribos eram Rúben, Gade e a meia tribo de Manassés, na Transjordânia (ver o capítulo 13 de Josué); Judá (ver o capítulo 15) e Efraim (ver o capítulo 16). Esse último capítulo também registra como a outra meia tribo de Manassés recebeu a sua herança na parte ocidental do rio Jordão. E as sete tribos que ainda precisavam receber a sua herança, sob a forma de terras, eram: Benjamim, Simeão, Zebulom, Issacar, Aser, Naftali e Dã. Até o fim do capítulo 19 de Josué, pois, encontramos o relato dessa alocação final de terras entre as tribos restantes.

■ 18.3

וַיֹּ֤אמֶר יְהוֹשֻׁ֙עַ֙ אֶל־בְּנֵ֣י יִשְׂרָאֵ֔ל עַד־אָ֙נָה֙ אַתֶּ֣ם מִתְרַפִּ֔ים לָבוֹא֙ לָרֶ֣שֶׁת אֶת־הָאָ֔רֶץ אֲשֶׁר֙ נָתַ֣ן לָכֶ֔ם יְהוָ֖ה אֱלֹהֵ֥י אֲבוֹתֵיכֶֽם׃

Até quando sereis remissos...? As cinco tribos que já estavam instaladas em seus respectivos territórios sentiam-se felizes. Mas as sete que ainda não tinham terras estavam ficando cansadas de tanto batalhar, e se teriam contentado em permanecer em um precário seminomadismo. Josué, pois, indagou delas até quando se contentariam com essa situação. E isso, por sua vez, dá a entender que um tempo considerável se tinha passado. As autoridades judaicas dizem-nos que a conquista exigiu nada menos que sete anos. O trecho de Js 13.1 ss. mostra-nos que muita terra nunca chegou a ser conquistada, o que continuou até os dias de Davi. Ver também Js 16.10 e 17.11 quanto a essas falhas de Israel. A guerra santa, que requeria a extinção absoluta das populações cananeias nativas, não teve cumprimento cabal. Ver as notas expositivas sobre esse tipo de guerra em Dt 7.1-5 e 20.10-18.

A procrastinação é a ladra do tempo.

Edward Young

"É muito fácil ficarmos exaustos diante da luta. Quando os homens se ocupam de algum grande empreendimento, uma vez que o tenham iniciado, o mais provável é que se contentem com o pequeno avanço que conseguiram fazer... Ganhar uma batalha não é a mesma coisa que vencer em uma campanha. A todas as gerações cansadas da guerra, deve-se fazer soar aquele aviso constante: *não fiquem pelo meio do caminho!*" (Joseph R. Sizoo, *in loc.*).

■ 18.4

הָב֥וּ לָכֶ֛ם שְׁלֹשָׁ֥ה אֲנָשִׁ֖ים לַשָּׁ֑בֶט וְאֶשְׁלָחֵ֗ם וְיָקֻ֜מוּ וְיִתְהַלְּכ֥וּ בָאָ֛רֶץ וְיִכְתְּב֥וּ אוֹתָ֛הּ לְפִ֥י נַֽחֲלָתָ֖ם וְיָבֹ֥אוּ אֵלָֽי׃

De cada tribo escolhei três homens. Uma nova pesquisa no território ocidental da Terra Prometida, feita por três homens de cada tribo, que averiguasse o que tinha sido feito, injetaria sangue novo no projeto e faria as chamas originais aumentarem. A pesquisa topográfica tomaria algum tempo. Josefo (*Antiq.* 1.5, cap. 1, sec. 21) revelou que aqueles 21 homens eram conhecedores da matemática e da geometria. Talvez tivessem trazido essa ciência do Egito, por meio de seus pais. Os filhos, pois, puseram em ação esse conhecimento. *Conhecer* é poder, e produz coisas admiráveis.

Na verdade, o conhecimento é aquilo que,
após a virtude, eleva um homem acima de outro.

Joseph Addison

Conhecer é poder.

Francis Bacon

A ignorância é uma maldição de Deus; o conhecimento é a asa por meio da qual alçamos voo para o céu.

Shakespeare

■ 18.5

וְהִֽתְחַלְּק֥וּ אֹתָ֖הּ לְשִׁבְעָ֣ה חֲלָקִ֑ים יְהוּדָ֞ה יַעֲמֹ֤ד עַל־גְּבוּלוֹ֙ מִנֶּ֔גֶב וּבֵ֥ית יוֹסֵ֛ף יַעַמְד֥וּ עַל־גְּבוּלָ֖ם מִצָּפֽוֹן׃

Dividirão a terra em sete partes. Sim, sete partes para as sete tribos que ainda não tinham recebido seus respectivos territórios (ver o segundo versículo). As tribos seminômades ouviriam as maravilhas e as provisões do "território" que poderia ser seu, e assim renovariam o seu desejo de conquistá-lo. Aquelas tribos precisavam de encorajamento. Uma das qualidades de um bom líder é a sua habilidade em encorajar aos outros, em vez de desencorajá-los.

Portanto, meus amados irmãos, sede firmes, inabaláveis, e sempre abundantes na obra do Senhor, sabendo que, no Senhor, o vosso trabalho não é vão.

1Coríntios 15.58

Entre as tribos ocidentais, havia algumas que já tinham recebido as suas terras, ou seja, Judá, Manassés e Efraim, que ficariam com os territórios já recebidos. Qualquer mudança nada teria que ver com essas tribos, nem seus territórios estariam envolvidos na pesquisa.

Um Bom Planejamento É Necessário. Toda tarefa árdua e prolongada requer um bom planejamento. Um bom líder fornece a seus liderados esse planejamento.

■ 18.6

וְאַתֶּ֞ם תִּכְתְּב֤וּ אֶת־הָאָ֙רֶץ֙ שִׁבְעָ֣ה חֲלָקִ֔ים וַהֲבֵאתֶ֥ם אֵלַ֖י הֵ֑נָּה וְיָרִ֨יתִי לָכֶ֥ם גּוֹרָ֛ל פֹּ֖ה לִפְנֵ֥י יְהוָ֥ה אֱלֹהֵֽינוּ׃

Para que eu aqui vos lance as sortes. Os territórios não eram divididos de acordo com o voto da maioria, nem de acordo com os poucos chefes das tribos. *Yahweh*, aquele que determina as sortes e os destinos, definiria onde cada tribo teria o seu território. Ver no *Dicionário* o artigo chamado *Sortes*, como também as notas expositivas sobre Nm 6.54,55; Js 16.1. No último parágrafo do capítulo 14, mostro o *modus operandi* no uso das sortes, de conformidade com as tradições judaicas. Ver também Js 14.2; 16.1 e 17.1.

Esperava-se que as sortes não cairiam de modo arbitrário. As tribos mais numerosas obteriam os territórios maiores. Os territórios das tribos, pois, seriam divididos de acordo com clãs; e as terras dos clãs seriam subdivididas entre as famílias. Esse trabalho, muito provavelmente, era feito pelos anciãos das tribos, e não mediante o lançamento de sortes. Em Israel, não havia famílias destituídas de terras.

As sortes, muito provavelmente, eram lançadas à porta do tabernáculo, recentemente transferido para Silo (ver o primeiro versículo deste capítulo), visto que era ali que Yahweh manifestava a sua presença e o seu poder.

18.7

כִּי אֵין־חֵלֶק לַלְוִיִּם בְּקִרְבְּכֶם כִּי־כְהֻנַּת יְהוָה נַחֲלָתוֹ וְגָד וּרְאוּבֵן וַחֲצִי שֵׁבֶט הַמְנַשֶּׁה לָקְחוּ נַחֲלָתָם מֵעֵבֶר לַיַּרְדֵּן מִזְרָחָה אֲשֶׁר נָתַן לָהֶם מֹשֶׁה עֶבֶד יְהוָה׃

As Exceções. Os levitas, que antes formavam a tribo de Levi, tinham-se tornado a casta sacerdotal de Israel, pelo que não receberam nenhuma faixa de terras contínuas, mas apenas 48 cidades, com alguma terra em redor, espalhadas por todo o território de Israel. Viviam das ofertas religiosas do restante do povo. Ver o capítulo 21 do livro de Josué, onde o assunto é abordado em meio a um longo tratamento. Cf. Js 13.14, onde é dita a mesma coisa deste versículo. Outrossim, as tribos de Rúben, Gade e a meia tribo de Manassés já tinham recebido suas respectivas heranças na Transjordânia. Neste ponto, o autor sagrado não trata da outra meia tribo de Manassés, e das tribos de Judá e Efraim, que já tinham recebido suas heranças, embora na parte *ocidental* da Terra Prometida, visto que já tinha falado a esse respeito no quinto versículo deste capítulo.

Todo esse empreendimento foi efetuado de maneira justa e bem estudada, mas nada sobre todo o processo foi meramente automático. Israel deveria trabalhar por tudo quanto tivesse de obter.

18.8,9

וַיָּקֻמוּ הָאֲנָשִׁים וַיֵּלֵכוּ וַיְצַו יְהוֹשֻׁעַ אֶת־הַהֹלְכִים לִכְתֹּב אֶת־הָאָרֶץ לֵאמֹר לְכוּ וְהִתְהַלְּכוּ בָאָרֶץ וְכִתְבוּ אוֹתָהּ וְשׁוּבוּ אֵלַי וּפֹה אַשְׁלִיךְ לָכֶם גּוֹרָל לִפְנֵי יְהוָה בְּשִׁלֹה׃

וַיֵּלְכוּ הָאֲנָשִׁים וַיַּעַבְרוּ בָאָרֶץ וַיִּכְתְּבוּהָ לֶעָרִים לְשִׁבְעָה חֲלָקִים עַל־סֵפֶר וַיָּבֹאוּ אֶל־יְהוֹשֻׁעַ אֶל־הַמַּחֲנֶה שִׁלֹה׃

Josué deu ordem. As ordens de Josué foram cumpridas. Os 21 homens saíram a pesquisar o restante das terras a serem distribuídas, para fazer seus cálculos, a fim de que elas pudessem ser divididas com justiça entre as sete tribos (ver o quarto versículo deste capítulo). Uma vez terminada essa tarefa preliminar, as sortes seriam lançadas em Silo. Ver os comentários no sexto versículo quanto à questão do lançamento das sortes.

"Anotando suas observações técnicas em um rolo de papiro, os pesquisadores voltaram então a Silo" (Donald K. Campbell, *in loc.*). Talvez tivessem sido preparados mapas, o melhor possível, sem os modernos métodos científicos de cálculos. Cada porção dos territórios restantes foi descrita quanto ao seu potencial, bom ou ruim, para sustentar a vida. John Gill, *in loc.*, enfatizou o fato de que a eficiência de Deus trabalhou em cooperação com aqueles 21 homens. Ver no *Dicionário* o artigo chamado *Providência de Deus*. Diodoro Sículo (*Bibliothec.* 1.1, pág. 63) informa-nos que os egípcios eram muito bons quanto a essa questão de agrimensura e ciências afins. E Josefo (*Antiq.* 1.5.3.1, sec. 22) diz-nos que Israel soube aproveitar esse tipo de conhecimento. Alguns estudiosos supõem que Anaimander, o filósofo pré-socrático, tenha sido o inventor da geometria (cerca de 500 d.C.), mas a verdade é que essa ciência é muito mais antiga.

18.10

וַיַּשְׁלֵךְ לָהֶם יְהוֹשֻׁעַ גּוֹרָל בְּשִׁלֹה לִפְנֵי יְהוָה וַיְחַלֶּק־שָׁם יְהוֹשֻׁעַ אֶת־הָאָרֶץ לִבְנֵי יִשְׂרָאֵל כְּמַחְלְקֹתָם׃ פ

Então Josué lhes lançou as sortes. O trabalho de agrimensura tinha sido feito pelos pesquisadores (vss. 6-9 deste capítulo), e isso possibilitou a Josué efetuar a cerimônia do lançamento de sortes, em *Silo*. Ver Js 18.6 quanto à questão das *sortes*.

Tipologia. Nenhum homem em Cristo haverá de fracassar em sua herança e galardões. A pátria celeste é rica e há abundância para todos. Ver na *Enciclopédia de Bíblia, Teologia e Filosofia* os artigos chamados *Galardão* e *Coroas*.

O TERRITÓRIO DE BENJAMIM (18.11-28)

Fontes de Informação. Todos os nomes próprios do capítulo 18 recebem artigos separados no *Dicionário*, excetuando *Avim*, que é comentado nas notas sobre o versículo 23, na seção final do capítulo. Os mapas apresentados no início do capítulo 13 permitem que o leitor encontre onde ficavam os principais lugares mencionados.

18.11

וַיַּעַל גּוֹרַל מַטֵּה בְנֵי־בִנְיָמִן לְמִשְׁפְּחֹתָם וַיֵּצֵא גְּבוּל גּוֹרָלָם בֵּין בְּנֵי יְהוּדָה וּבֵין בְּנֵי יוֹסֵף׃

Saiu a sorte da tribo dos filhos de Benjamim. Benjamim foi a primeira das sete tribos a receber herança (ver 18.2 ss.).

Sortes. É possível que as *sortes* fossem empregadas talvez em harmonia com o *modus operandi* sugerido no último parágrafo das notas, na introdução ao capítulo 14. Ficou, pois, determinado que o território de Benjamim ficaria entre Efraim (ao norte) e Judá (ao sul). Os capítulos 16 e 17 descrevem os territórios que foram dados a Efraim e a Manassés, respectivamente. O território dado a Benjamim era pequeno. Algumas versões dizem "o pequeno Benjamim", no Sl 68.27. Mas outras, como a nossa versão portuguesa, dizem que Benjamim era "o mais novo" dos irmãos; e isso não acrescenta nenhum detalhe importante ali, no tocante ao assunto que estamos ventilando. Entretanto, esse território era fértil e produtivo. Josefo observou que seu solo era "bom" (*Antiq.* 1.5c. sec. 22). Esse território incluía a localidade de Jebus, que mais tarde tornou-se a cidade de Jerusalém, capital do país inteiro. Historicamente, a localização do território de Benjamim também estava correta, pois assim a tribo ficava próxima de seus irmãos, Efraim e Manassés, que também descendiam de José. Lembremo-nos que, de acordo com Dt 33.7,12,13, Efraim, Manassés e Benjamim descendiam de Raquel.

18.12

וַיְהִי לָהֶם הַגְּבוּל לִפְאַת צָפוֹנָה מִן־הַיַּרְדֵּן וְעָלָה הַגְּבוּל אֶל־כֶּתֶף יְרִיחוֹ מִצָּפוֹן וְעָלָה בָהָר יָמָּה וְהָיָה תֹּצְאֹתָיו מִדְבַּרָה בֵּית אָוֶן׃

O seu termo foi para a banda do norte. O autor sagrado passa agora a fornecer-nos as fronteiras gerais das sete tribos, listando cidades particulares. O rio Jordão assinalava a fronteira leste, e, seguindo rio acima, um viajante chegaria à fronteira norte, em Gilgal. Jericó ficava a cerca de onze quilômetros, quase a leste de Gilgal, embora ligeiramente para o sul, e era um lugar conspícuo do território de Benjamim, em sua porção norte. Seguindo para oeste, o tal viajante atravessaria regiões montanhosas. Também havia montes ao norte de Jericó, conforme lemos neste versículo. Estrabão prestou a informação de que Jericó era cercada de montanhas (*Geogra.* 1.16, par. 525). Ver também Js 2.16,22. Bete-Áven era um lugar próximo de Betel, e vários eruditos insistem em que era apenas uma alcunha aplicada a Betel, a qual lhe foi dada depois que a cidade se tornou a sede da adoração ao bezerro de ouro, por parte de Jeroboão. Mas os trechos de Js 7.2 e 1Sm 13.5 dizem que havia uma cidade com esse nome, próxima de Betel. Ambas as localidades ficavam na parte norte da fronteira de Benjamim, cerca de 36 quilômetros a oeste de Gilgal.

18.13

וְעָבַר מִשָּׁם הַגְּבוּל לוּזָה אֶל־כֶּתֶף לוּזָה נֶגְבָּה הִיא בֵּית־אֵל וְיָרַד הַגְּבוּל עַטְרוֹת אַדָּר עַל־הָהָר אֲשֶׁר מִנֶּגֶב לְבֵית־חֹרוֹן תַּחְתּוֹן׃

E dali passa o termo a Luz. É patente que o autor sacro não identificou Bete-Áven com Betel, visto que agora listou essa cidade (também chamada Luz) separadamente. Ele nos dá o antigo nome da cidade, *Luz*, que para os cananeus significa "amendoeira". A fronteira, pois, descia para o sul, até Atarote-Adar, que ficava cerca de oito quilômetros ao sul de Betel. Bete-Horom ficava a cerca de quinze quilômetros mais para oeste de Atarote-Adar, o que significa que, com a menção desta última, já estamos seguindo na direção do oeste. No livro de Josué, como em vários outros livros do Antigo Testamento, as fronteiras eram dadas apenas aproximadamente, medidas de acordo com áreas gerais em torno das cidades designadas. Conforme já vimos no trecho de Js 16.3,5, havia duas cidades com o nome de Bete-Horom, a de cima e a de baixo. A Bete-Horom de cima, segundo lemos no próprio texto, ficava situada em uma colina.

■ **18.14**

וְתָאַר הַגְּבוּל וְנָסַב לִפְאַת־יָם נֶגְבָּה מִן־הָהָר אֲשֶׁר עַל־פְּנֵי בֵית־חֹרוֹן נֶגְבָּה וְהָיָה תֹצְאֹתָיו אֶל־קִרְיַת־בַּעַל הִיא קִרְיַת יְעָרִים עִיר בְּנֵי יְהוּדָה זֹאת פְּאַת־יָם׃

Segue o termo e torna à banda do ocidente. A parte oeste do território de Benjamim era determinada pelo breve trajeto (dezesseis quilômetros) que corria de Bete-Horom de baixo até Quiriate-Jearim. A fronteira ocidental era o limite com o território da tribo de Dã, outro pequeno território tribal. Gibeom, no território de Benjamim, perto da fronteira, e Quiriate-Jearim não ficavam no ocidente, mas no extremo sul daquela fronteira.

■ **18.15**

וּפְאַת־נֶגְבָּה מִקְצֵה קִרְיַת יְעָרִים וְיָצָא הַגְּבוּל יָמָּה וְיָצָא אֶל־מַעְיַן מֵי נֶפְתּוֹחַ׃

O lado sul começa. O autor sagrado assinalou assim, de forma bastante genérica, a parte sul do território de Benjamim, mencionando Quiriate-Jearim (a mesma Baalá), bem como as águas de Neftoa. Esse último acidente geográfico ficava perto da fronteira entre Benjamim e Judá, a oeste de Jerusalém. Alguns estudiosos têm identificado Neftoa com *Ain Lifta*, cerca de cinco quilômetros a noroeste de Jerusalém, mas essa identificação é precária. Cf. Js 15.6-8, onde a fronteira norte de Judá é descrita como a mesma fronteira sul de Benjamim, o que, afinal, era fato.

■ **18.16**

וְיָרַד הַגְּבוּל אֶל־קְצֵה הָהָר אֲשֶׁר עַל־פְּנֵי גֵי בֶן־הִנֹּם אֲשֶׁר בְּעֵמֶק רְפָאִים צָפוֹנָה וְיָרַד גֵּי הִנֹּם אֶל־כֶּתֶף הַיְבוּסִי נֶגְבָּה וְיָרַד עֵין רֹגֵל׃

E baixa a En-Rogel. "Na descrição da fronteira de Judá, foi dito 'o termo para o norte' (ver Js 15.5), porque, conforme Jarchi observou, a medição estava sendo feita de leste para oeste, mas aqui, de oeste para leste... A fronteira sul de Benjamim era a mesma fronteira norte de Judá, razão pela qual os mesmos lugares são mencionados tanto em uma descrição quanto na outra (ver Js 15.8). O 'monte' referido neste versículo é o monte Moriá... o 'vale' é o vale dos refains" (John Gill, *in loc.*). E, adicionamos nós, "os jebuseus" eram os primitivos habitantes de Jerusalém.

■ **18.17**

וְתָאַר מִצָּפוֹן וְיָצָא עֵין שֶׁמֶשׁ וְיָצָא אֶל־גְּלִילוֹת אֲשֶׁר־נֹכַח מַעֲלֵה אֲדֻמִּים וְיָרַד אֶבֶן בֹּהַן בֶּן־רְאוּבֵן׃

Volve-se para o norte. Neste ponto, o autor volta a sua descrição na direção norte, olhando como quem seguia caminho do oeste para leste. En-Semes é a "fonte do sul", dando testemunho da adoração ao sul que se fazia naquela área, nos tempos antigos.

Gelilote. Trata-se da mesma Gilgal (ver Js 15.7), que ficava perto de Adumim, um lugar entre Jericó e Jerusalém.

Pedra de Boã. Ver as notas em Js 15.6.

■ **18.18**

וְעָבַר אֶל־כֶּתֶף מוּל־הָעֲרָבָה צָפוֹנָה וְיָרַד הָעֲרָבָתָה׃

E desce à planície. Temos aí uma menção à Arabá referida em Js 15.6. Essa região de Arabá estende-se por mais de 320 quilômetros e ocupa partes de três regiões geográficas: a. o vale do rio Jordão; b. a região do mar Morto; e c. a área ao sul do mar Morto, até o golfo de Ácaba. Ver no *Dicionário* o artigo intitulado *Arabá*, quanto a maiores detalhes. A *cidade* que tinha esse nome ficava localizada cerca de cinco quilômetros a leste do rio Jordão, e o dobro disso ao sul de Gilgal. Dali até Gilgal temos a fronteira oriental, e Arabá assinalava a parte mais baixa da porção sul do território de Benjamim.

■ **18.19**

וְעָבַר הַגְּבוּל אֶל־כֶּתֶף בֵּית־חָגְלָה צָפוֹנָה וְהָיָה תֹּצְאוֹתָיו הַגְּבוּל אֶל־לְשׁוֹן יָם־הַמֶּלַח צָפוֹנָה אֶל־קְצֵה הַיַּרְדֵּן נֶגְבָּה זֶה גְּבוּל נֶגֶב׃

Depois passa o termo até. Uma estreita faixa de terras, pertencente a Benjamim, descia na direção sul, até o mar Morto. E desde Bete-Arabá, seguindo caminho, um viajante chegaria a *Bete-Hogla*, cerca de cinco quilômetros ao norte do mar Morto. Do lugar onde o rio Jordão deságua no mar Morto, Bete-Arabá distava cerca de seis quilômetros. Os *mapas* que aparecem na introdução ao capítulo 13 de Josué ajudam-nos a visualizar o que é adiantado nesta porção das descrições geográficas.

■ **18.20**

וְהַיַּרְדֵּן יִגְבֹּל־אֹתוֹ לִפְאַת־קֵדְמָה זֹאת נַחֲלַת בְּנֵי בִנְיָמִן לִגְבוּלֹתֶיהָ סָבִיב לְמִשְׁפְּחֹתָם׃

Esta é a herança dos filhos de Benjamim. Este versículo assegura-nos que o autor deu uma boa descrição da herança de Benjamim, finalmente mencionando o rio Jordão como a fronteira leste daquele território. A tribo de Benjamim recebeu as terras citadas anteriormente; então, elas foram subdivididas em seções menores, entre os clãs; e, finalmente, em seções menores ainda, entre as famílias. Judá ficava ao sul; Dã, ao ocidente; Efraim, ao norte; e o rio Jordão, a leste.

Tendo-nos dado *informações gerais* quanto às fronteiras de Benjamim, daqui por diante o autor passa a mencionar certo número de cidades que havia dentro do território assim delimitado (vss. 21 ss.).

AS CIDADES DE BENJAMIM (18.21-28)

■ **18.21-28**

21 וְהָיוּ הֶעָרִים לְמַטֵּה בְּנֵי בִנְיָמִן לְמִשְׁפְּחוֹתֵיהֶם יְרִיחוֹ וּבֵית־חָגְלָה וְעֵמֶק קְצִיץ׃

22 וּבֵית הָעֲרָבָה וּצְמָרַיִם וּבֵית־אֵל׃

23 וְהָעַוִּים וְהַפָּרָה וְעָפְרָה׃

24 וּכְפַר הָעַמֹּנִי וְהָעָפְנִי וָגָבַע עָרִים שְׁתֵּים־עֶשְׂרֵה וְחַצְרֵיהֶן׃

25 גִּבְעוֹן וְהָרָמָה וּבְאֵרוֹת׃

26 וְהַמִּצְפֶּה וְהַכְּפִירָה וְהַמֹּצָה׃

27 וְרֶקֶם וְיִרְפְּאֵל וְתַרְאֲלָה׃

28 וְצֵלַע הָאֶלֶף וְהַיְבוּסִי הִיא יְרוּשָׁלִַם גִּבְעַת קִרְיַת עָרִים אַרְבַּע־עֶשְׂרֵה וְחַצְרֵיהֶן זֹאת נַחֲלַת בְּנֵי־בִנְיָמִן לְמִשְׁפְּחֹתָם׃ פ

Ver sobre a cidade de *Avim* nas notas do versículo 23, na seção final deste capítulo. As cidades mencionadas nos versículos 21 e 24 deste capítulo suplementam aquelas sobre o distrito décimo segundo (ver Js 15.61,62). Ver a introdução ao capítulo 15 de Josué quanto às *quatro* áreas geográficas e aos doze distritos de Judá. Benjamim, que ficava contínuo a Judá, muito naturalmente estava ligado às cidades da tribo de Judá. As cidades fronteiriças, como é lógico, eram habitadas por famílias de ambas as tribos formadoras de uma fronteira, e talvez até fossem reivindicadas por ambas. As cidades dos versículos 25 a 28 formavam o distrito décimo primeiro (ver Js 15.60), onde Quiriate-Jearim foi atribuída a Judá.

Um grande total de 26 cidades foi mencionado (doze nos vss. 21-24, e catorze nos vss. 25-28). Jerusalém, que seria a futura capital nacional de Israel, ficava no território de Benjamim, conforme Moisés tinha predito que aconteceria (ver Dt 33.12).

Todas as cidades mencionadas nos vss. 21-28 deste capítulo receberam artigos separados no *Dicionário*, com a única exceção de *Avim*, citada no versículo 23. Essa cidade também era chamada de Iva. E talvez fosse até a mesma cidade de *Iva* (ver no *Dicionário*). Os aveus eram antigos habitantes da Palestina, confinados essencialmente no canto sudoeste da costa marítima. Em Dt 2.23 temos um fragmento da história primeva desse povo. Ver no *Dicionário* o verbete chamado *Aveus*. É fato curioso que tanto Jerônimo quanto a Septuaginta identificaram Avim com os hivitas, e a cidade de ha-Avim como se estivesse no distrito dos hivitas (ver Js 9.7,17). Mas essa identificação quase certamente é incorreta. Alguns deles migraram para uma aldeia, na parte sul da Sefelá (ver Js 10.10), ao serem atacados pelos filisteus invasores, os quais, nesse ato, conquistaram as terras dos hivitas. Forçados, pois, a fugir para o norte, eles passaram a residir em *Avim*, que mais tarde acabou fazendo parte do território de Benjamim.

CAPÍTULO DEZENOVE

A *seção geral* iniciada no capítulo 13 de Josué tem prosseguimento. Ver a introdução àquele capítulo, como também as notas sobre Js 14.1, que dão início à descrição dos territórios alocados às tribos de Israel, na parte ocidental da Terra Prometida. O capítulo 19 descreve as fronteiras e os nomes das cidades entregues às tribos de Simeão, Zebulom, Issacar, Aser, Naftali e Dã, ou seja, seis das doze tribos. Ver Js 18.2 quanto ao fato de que sete tribos (aquelas aqui mencionadas, mais a de Benjamim; cap. 17) se tinham cansado de tantas batalhas e precisavam de um encorajamento especial para levar avante a tarefa da conquista da Terra Prometida. Ver no *Dicionário* os artigos intitulados *Tribo (Tribos de Israel)* e *Tribos, Localização das*.

As Doze Tribos. Se José e seus dois filhos (Efraim e Manassés) tivessem tido tribos chamadas por seus nomes, e se Levi tivesse continuado sendo uma tribo, em vez de ter sido transformada na casta sacerdotal de Israel, então teríamos catorze tribos ao todo. Porém, José não teve nenhuma tribo com seu nome, mas seus filhos, Manassés e Efraim, tornaram-se, cada um deles, patriarcas de uma tribo. É que eles foram adotados por Jacó como seus filhos, conforme aprendemos no capítulo 48 de Gênesis, pelo que estavam qualificados a encabeçar tribos. Isso posto, se tirarmos Levi e José, teremos de novo as doze tribos tradicionais de Israel.

Nomes Próprios no Livro de Josué. Este livro é aquele que conta com o maior número de nomes próprios, pessoais e locativos, de toda a Bíblia. E o capítulo 15 de Josué (que descreve a tribo de Judá) é aquele que dispõe do maior número de nomes próprios entre todos os capítulos da Bíblia. Em seguida, vem o presente capítulo 19.

Todos os nomes próprios deste capítulo recebem artigos no *Dicionário*, exceto os seguintes (que são comentados, *in loc.*, nos versículos indicados):

Vs. 12 - Quislote-Tabor
Vs. 15 - Catate
Vs. 20 - Ebes (Abes)
Vs. 25 - Hali
Vs. 26 - Amade e Misal
Vs. 28 - Ebrom
Vs. 33 - Adami-Neguebe
Vs. 34 - Hucoque
Vs. 38 - Irom
Vs. 46 - Me-Jarcom
Vs. 50 - Timnate-Sera

O TERRITÓRIO DE SIMEÃO (19.1-9)

Encontramos aí a alocação de terras para a segunda das sete tribos (ver Js 18.2 ss.).

19.1-9

1 וַיֵּצֵא הַגּוֹרָל הַשֵּׁנִי לְשִׁמְעוֹן לְמַטֵּה בְנֵי־שִׁמְעוֹן לְמִשְׁפְּחוֹתָם וַיְהִי נַחֲלָתָם בְּתוֹךְ נַחֲלַת בְּנֵי־יְהוּדָה׃

2 וַיְהִי לָהֶם בְּנַחֲלָתָם בְּאֵר־שֶׁבַע וְשֶׁבַע וּמוֹלָדָה׃

3 וַחֲצַר שׁוּעָל וּבָלָה וָעָצֶם׃

4 וְאֶלְתּוֹלַד וּבְתוּל וְחָרְמָה׃

5 וְצִקְלַג וּבֵית־הַמַּרְכָּבוֹת וַחֲצַר סוּסָה׃

6 וּבֵית לְבָאוֹת וְשָׁרוּחֶן עָרִים שְׁלֹשׁ־עֶשְׂרֵה וְחַצְרֵיהֶן׃

7 עַיִן רִמּוֹן וָעֶתֶר וְעָשָׁן עָרִים אַרְבַּע וְחַצְרֵיהֶן׃

8 וְכָל־הַחֲצֵרִים אֲשֶׁר סְבִיבוֹת הֶעָרִים הָאֵלֶּה עַד־בַּעֲלַת בְּאֵר רָאמַת נֶגֶב זֹאת נַחֲלַת מַטֵּה בְנֵי־שִׁמְעוֹן לְמִשְׁפְּחֹתָם׃

9 מֵחֶבֶל בְּנֵי יְהוּדָה נַחֲלַת בְּנֵי שִׁמְעוֹן כִּי־הָיָה חֵלֶק בְּנֵי־יְהוּדָה רַב מֵהֶם וַיִּנְחֲלוּ בְנֵי־שִׁמְעוֹן בְּתוֹךְ נַחֲלָתָם׃ פ

Saiu a segunda sorte a Simeão. Somente uma lista de dezoito cidades (por contagem uma a uma, embora o texto sagrado diga, claramente, "treze" mais "quatro") foi preservada. Várias maneiras de explicar essa diferença têm sido empregadas pelos intérpretes, mas nenhuma delas é satisfatória. Talvez a cidade de Seba (ver o vs. 2) tenha sido a mesma Sema de Js 15.26, pelo que não foi contada. Algumas traduções fazem de Berseba a mesma Seba, mas isso é bastante improvável.

Não temos, como nos casos anteriores, uma identificação laboriosa de fronteiras. O autor nem ao menos se dá ao trabalho de dizer com quais outras tribos a de Simeão fazia limites. As terras dadas a Simeão ficavam ao sul do território de Judá. O mapa provido na introdução ao capítulo 13 de Josué supre a localização da maioria dessas cidades. Os *artigos* sobre as próprias cidades, no *Dicionário*, fornecem outras informações que se revestem de interesse, além de algumas especulações, quando não dispomos de informações precisas.

Sortes. Ver no *Dicionário* o artigo sobre esse assunto, além de notas expositivas adicionais em Nm 26.54,55; Js 13.6 e a introdução ao capítulo 14 de Josué, onde, no último parágrafo, descrevi o *modus operandi* do uso das sortes, de acordo com as tradições judaicas. Ver também Js 14.2; 15.1; 17.1 e 18.10.

A maioria das cidades listadas neste trecho já foi mencionada como pertencente ao primeiro distrito (ver Js 15.21-32), onde foram dadas as áreas geográficas e os distritos de Judá. Visto que Simeão e Judá eram tribos que viviam contíguas uma à outra, as duas tribos compartilhavam cidades fronteiriças. Não demorou muito para a tribo de Simeão perder a sua independência, no sentido de que foi virtualmente absorvida pela tribo maior de Judá. E o nono versículo deste capítulo parece dar a entender tal coisa.

Todos os nomes próprios que aparecem nos versículos 1—9 deste capítulo (as cidades de Simeão) mereceram artigos separados no *Dicionário*.

TERRITÓRIO DE ZEBULOM (19.10-16)

Essa foi a terceira das sete tribos a receber herança sob a forma de terras (ver Js 18.2 ss.).

Antes, o autor sagrado havia discriminado, laboriosamente, as fronteiras das tribos, mencionando as principais cidades fronteiriças. Mas, ao chegar à tribo de Simeão (ver Js 19.1), ele descontinuou essa prática, fornecendo-nos apenas uma lista de cidades. No caso presente, da tribo de Zebulom, ele nos dá apenas os nomes de algumas cidades fronteiriças. Mas essas cidades eram tão pouco conhecidas, ou então foram mencionadas mediante conexões tão vagas, que é impossível determinar, com qualquer grau de exatidão, onde ficavam essas antigas fronteiras. Todos os nomes próprios referentes a essa tribo recebem artigos separados no *Dicionário*, excetuando Quislote-Tabor (vs. 12) e Catate (vs. 15).

19.10

וַיַּ֙עַל֙ הַגּוֹרָ֣ל הַשְּׁלִישִׁ֔י לִבְנֵ֥י זְבוּלֻ֖ן לְמִשְׁפְּחֹתָ֑ם וַיְהִ֛י גְּב֥וּל נַחֲלָתָ֖ם עַד־שָׂרִֽיד׃

Saiu a terceira sorte aos filhos de Zebulom. Ver no *Dicionário* os artigos *Tribo (Tribos de Israel)* e *Tribos, Localização das*.

Sortes. Quanto ao *modus operandi* do lançamento das sortes, ver o último parágrafo da introdução ao capítulo 14 de Josué. Ver também, quanto a informações adicionais, o artigo *Sortes*, no *Dicionário*, bem como as notas expositivas em Nm 26.54,55; Js 13.6; 14.2; 15.1; 17.2 e 18.10.

Jacó havia profetizado que Zebulom viveria à beira-mar e se tornaria um ancoradouro de navios (ver Gn 49.13). Essa tribo recebeu seu território na baixa Galileia, e os lugares mencionados não nos fornecem nenhuma ideia de que essa tribo contava com um porto. Os mapas bíblicos mostram que Zebulom formava um território interior, sem saída para o mar, juntamente com Aser (no mar), Naftali ao norte e a leste, Issacar no sul e no leste, e Manassés ao sul. Talvez contasse com uma lingueta de terra que se estendia até o mar, mas nenhum dos nomes referidos indica isso.

Nazaré não é mencionada. E a Belém de Js 19.15 não é a mesma cidade desse nome, no território de Judá (ver Mq 5.2), e onde nasceu o Senhor Jesus.

A cidade de Saride, mencionada no versículo 12 deste capítulo, era uma cidade na fronteira sul, que dividia Zebulom de Manassés.

19.11,12

וְעָלָ֨ה גְבוּלָ֧ם ׀ לַיָּ֛מָּה וּמַרְעֲלָ֖ה וּפָגַ֣ע בְּדַבָּ֑שֶׁת וּפָגַע֙ אֶל־הַנַּ֔חַל אֲשֶׁ֖ר עַל־פְּנֵ֥י יָקְנְעָֽם׃

וְשָׁ֣ב מִשָּׂרִ֗יד קֵ֚דְמָה מִזְרַ֣ח הַשֶּׁ֔מֶשׁ עַל־גְּב֥וּל כִּסְלֹ֖ת תָּבֹ֑ר וְיָצָ֥א אֶל־הַדָּֽבְרַ֖ת וְעָלָ֥ה יָפִֽיעַ׃

Sobe o seu termo pelo ocidente. O autor sagrado continua aqui falando sobre a *fronteira sul*, partindo em duas direções, a começar por Saride, que é o moderno *Tell Shadud*. Para um lado, essa fronteira estendia-se para a beira norte da planície de Esdrelom. Ia na direção de Jocneão, a ocidente, e então para Daberate (vs. 12), que ficava no sopé do monte Tabor (a oriente). A tribo não se estendia tanto para leste quanto o mar da Galileia, pois tinha como sua fronteira oriental o território de Naftali. Por conseguinte, os "navios" sobre os quais Jacó falou, em Gn 49.13, não ficavam no lago da Galileia, a menos que essa tribo dispusesse de uma estreita faixa de terra que se estendia para leste cerca de dezesseis quilômetros, o que os nomes próprios dados neste texto não sugerem. Josefo diz que o território de Zebulom se estendia até o mar da Galileia (*Antiq.* 1.5, 1. sec. 22), mas não sabemos quão exata é essa informação.

Pelo ocidente. Outras versões dizem aqui "na direção do mar", ou seja, o mar Mediterrâneo, que seria a fronteira oeste da parte sul do território (vs. 11). Se essas versões estão corretas, então o território de Zebulom chegava, realmente, ao mar. Mas se ficarmos com a nossa versão portuguesa, "pelo ocidente", essa tradução não chega a sugerir o mar Mediterrâneo, mas apenas uma direção geral.

Quislote-Tabor. Literalmente, "francos do Tabor", uma localidade perto do monte Tabor, que talvez fosse o mesmo lugar chamado *Quesulote*, no versículo 18.

Sai em Daberate. Isso significa que a fronteira seguia na direção do mar da Galileia, que ficava para o *oriente* (ver o vs. 12). Destarte, a fronteira sul foi descrita em ambas as direções, tomando Saride como ponto de partida.

19.13

וּמִשָּׁ֤ם עָבַר֙ קֵ֣דְמָה מִזְרָ֔חָה גִּתָּ֥ה חֵ֖פֶר עִתָּ֣ה קָצִ֑ין וְיָצָ֛א רִמּ֥וֹן הַמְּתֹאָ֖ר הַנֵּעָֽה׃

Dali passa para o nascente. Este versículo nos proporciona a fronteira *leste*, desde Daberate, ao norte de Rimom, que ficava dez quilômetros ao norte de Nazaré (a qual, contudo, não é mencionada). Dali, vira na direção de NE. Ao que parece, ficava perto de Rimom, embora não nos seja dada nenhuma identificação positiva. Alguns estudiosos sugerem Ninrim, um pouco mais para o sul de Rimom. Essa área incluía mais ou menos a metade ocidental das colinas do sul da Galileia.

19.14

וְנָסַ֤ב אֹתוֹ֙ הַגְּב֔וּל מִצְּפ֖וֹן חַנָּתֹ֑ן וְהָיוּ֙ תֹּצְאֹתָ֔יו גֵּ֖י יִפְתַּח־אֵֽל׃

Passa o termo para o norte. A fronteira norte de Zebulom era assinalada por Hanatom. Esse limite terminava em Iftá-El, embora o sítio desse lugar ainda não tenha sido determinado. As conjecturas não têm ajudado muito. Alguns sugerem que está em pauta ou o wadi Abilin ou o wadi el-Melek, no vale de Iftá-El.

19.15

וְקַטָּ֤ת וְנַֽהֲלָל֙ וְשִׁמְר֔וֹן וְיִדְאֲלָ֖ה וּבֵ֣ית לָ֑חֶם עָרִ֥ים שְׁתֵּים־עֶשְׂרֵ֖ה וְחַצְרֵיהֶֽן׃

Belém. É óbvio que não se trata de Belém de Judá (ver Mq 5.2), onde nasceu o Senhor Jesus. Antes, é aquela cidade que tem sido identificada com a moderna Beit Lahm, onze quilômetros a nordeste de Nazaré. Quanto a informações completas, ver o *Dicionário* quanto a *Belém*, em seu segundo ponto.

O número *doze*, de que este versículo fala, não concorda com o número de cidades que aparece na lista, e os intérpretes se têm debatido diante desse problema, tal como nos casos dos vss. 30 e 38 deste capítulo, onde ocorre o mesmo tipo de problema. A Septuaginta simplesmente omite a menção aos números, a fim de desvencilhar-se do problema.

John Gill especulou que algumas cidades fronteiriças aqui mencionadas pertencem a outras tribos, pelo que somente doze, realmente pertencentes a Zebulom, são referidas neste versículo. Mas ele não esclareceu por que outras cidades, além de doze, foram mencionadas como pertencentes à tribo de Zebulom. E nem sabemos quais delas devem ser deixadas de lado, para ficarmos somente com doze cidades.

Completando doze cidades com suas aldeias. Quanto a Catate, talvez seja a mesma chamada Quitrom, em Jz 1.30. Nesse caso, então é possível que esteja em pauta o Tell el-Far, cerca de doze quilômetros a sudeste de Beit-Jibrin. Parece que as cidades mencionadas neste versículo descrevem a fronteira ocidental de Zebulom, que corria ao longo da fronteira de Aser e separava o território de Zebulom do mar Mediterrâneo.

19.16

זֹ֣את נַחֲלַ֧ת בְּנֵי־זְבוּלֻ֛ן לְמִשְׁפְּחוֹתָ֖ם הֶעָרִ֣ים הָאֵ֑לֶּה וְחַצְרֵיהֶֽן׃ פ

Esta é a herança dos filhos de Zebulom. Conforme sempre acontece, uma breve explicação é dada no fim de cada seção, relembrando-nos de que algum território, com suas cidades, foi recebido como *herança* sob a forma de terras, como parte integrante dos benefícios do *Pacto Abraâmico* (ver as notas a respeito em Gn 15.18).

Essas heranças sob a forma de terras passavam de pai para filho. Mas o verdadeiro pai de todos era Yahweh, que conferira terras a seus filhos. E nisso achamos um tipo espiritual importante. Ver no *Dicionário* o artigo intitulado *Herdeiro*.

O TERRITÓRIO DE ISSACAR (19.17-23)

Algumas cidades mencionadas nestes sete versículos procuram dar-nos uma ideia geral das fronteiras dessa tribo; a determinação de quaisquer fronteiras exatas, uma vez mais, é uma tarefa impossível. O território de Issacar formava um quadrado em seu formato geral. Na fronteira oriental havia o rio Jordão; sua fronteira norte era o território de Naftali; sua fronteira nordeste eram as terras de Zebulom; e sua fronteira sul era Manassés. Era um território minúsculo, que não chegava a ter quarenta quilômetros de cada lado. Não obstante, nesse pequeno território houve frequentes e sangrentas batalhas. Até os dias de Davi, os habitantes hebreus desse território, em sua maior parte, permaneceram na extremidade montanhosa a oriente do vale.

19.17

לְיִשָּׂשכָר יָצָא הַגּוֹרָל הָרְבִיעִי לִבְנֵי יִשָּׂשכָר לְמִשְׁפְּחוֹתָם׃

A quarta sorte saiu a Issacar. Devemos compreender essas palavras como a quarta tribo, entre as sete tribos que ficaram a ocidente do rio Jordão, a receber terras. Essas terras, como de resto as demais, tinham sido cuidadosamente mapeadas por delegados enviados por Josué. Ver as notas em Js 18.2 ss. quanto a esse detalhe da história.

Sortes. Quanto ao *modus operandi* do lançamento das sortes, ver o último parágrafo da introdução do capítulo 14 de Josué. Ver também, no *Dicionário*, o artigo chamado *Sortes*, que suplementa informações dadas em Nm 26.54,55; Js 13.6; 14.2; 15.1; 17.2 e 18.10.

Segundo as suas famílias. O território determinado para cada tribo era dividido entre clãs, e, ato contínuo, entre as famílias formadoras desses clãs, de tal maneira que toda família em Israel tornou-se proprietária de terras. E essas terras passavam de pai para filho, como heranças (vs. 23 deste capítulo).

19.18

וַיְהִי גְבוּלָם יִזְרְעֶאלָה וְהַכְּסוּלֹת וְשׁוּנֵם׃

O seu território inclui. "O território [de Issacar] formava um quadrado malfeito, e a sua extremidade sudeste ficava em Jezreel (Zerim), na planície ao norte do monte Gilboa; a extremidade noroeste coincidia com a fronteira de Zebulom, em Quesulote (Quislote-Tabor; vs. 12 deste capítulo), modernamente chamada *Iksal*, e também em Daberate (isso de acordo com a versão Septuaginta). A fronteira norte corria desde o monte Tabor (vs. 22) até o rio Jordão, onde chegava exatamente o sul do mar da Galileia. No sul (vs. 19), a fronteira corria desde Jezreel, a leste do rio Jordão, até o ponto a nordeste de Bete-Seã" (John Bright, *in loc.*).

Os artigos no *Dicionário* referentes às cidades aqui mencionadas, bem como os *mapas* existentes na introdução ao capítulo 13 de Josué, ajudam-nos a visualizar essas fronteiras, além de nos fornecerem alguma informação sobre as cidades envolvidas.

19.19

וַחֲפָרַיִם וְשִׁיאֹן וַאֲנָחֲרַת׃

Ver os *mapas* na introdução ao capítulo 13 do livro de Josué, bem como o *Dicionário*, quanto às três cidades nominalmente mencionadas neste versículo.

19.20

וְהָרַבִּית וְקִשְׁיוֹן וָאָבֶץ׃

Ver os *mapas* que aparecem na introdução ao capítulo 13 do livro de Josué, bem como o *Dicionário*, quanto às três cidades mencionadas neste versículo.

Ebes. Esta cidade ficava no território de Issacar, na planície de Esdrelom, embora sua localização esteja perdida em nossos dias. Também era chamada "Abes", conforme se vê em outras traduções e versões.

19.21

וְרֶמֶת וְעֵין־גַּנִּים וְעֵין חַדָּה וּבֵית פַּצֵּץ׃

A menção a essas quatro cidades mostra somente que elas ficavam na fronteira *leste* de Issacar, às margens do rio Jordão. De Remete a En-Gadã o caminho segue na direção norte, ao longo do rio Jordão, por cerca de dezesseis quilômetros. En-Gadã ficava situada aproximadamente 6,5 quilômetros a sudeste do mar da Galileia. Todas as demais informações supridas por este versículo, quanto a localizações geográficas, permanecem imprecisas.

19.22

וּפָגַע הַגְּבוּל בְּתָבוֹר וְשַׁחֲצוּמָה וּבֵית שֶׁמֶשׁ וְהָיוּ תֹּצְאוֹת גְּבוּלָם הַיַּרְדֵּן עָרִים שֵׁשׁ־עֶשְׂרֵה וְחַצְרֵיהֶן׃

O termo toca o Tabor. A fronteira *norte* de Issacar ia desde o monte Tabor até o rio Jordão, chegando a um ponto exatamente ao sul do mar da Galileia. O autor sagrado mencionou alguns poucos lugares ao longo do caminho, sendo impossível localizá-los com algum grau de certeza. Mas as informações mais seguras de que porventura dispomos são apresentadas nos artigos do *Dicionário*.

19.23

זֹאת נַחֲלַת מַטֵּה בְנֵי־יִשָּׂשכָר לְמִשְׁפְּחֹתָם הֶעָרִים וְחַצְרֵיהֶן׃ פ

Esta é a herança da tribo dos filhos de Issacar. Como em todos os casos, os territórios distribuídos foram considerados uma herança derivada de Abraão, por meio do Pacto Abraâmico (ver as notas expositivas a respeito em Gn 15.18). Ver meus comentários sobre o versículo 16 deste capítulo, que também têm aplicação neste ponto.

O TERRITÓRIO DE ASER (19.24-31)

O autor sacro procurou fornecer-nos uma lista das cidades que assinalavam as fronteiras da tribo de Aser. Porém, tal como no caso das demais tribos, várias localidades desconhecidas para nós, hoje em dia, foram mencionadas. Logo, não temos como determinar, com algum grau de precisão, onde ficavam essas fronteiras. O território de Aser estendia-se ao longo do mar Mediterrâneo, mais ou menos de Dor até Alabe, num espaço de cerca de cem quilômetros. A tribo de Naftali ficava para oriente (sua parte superior), ao passo que Zebulom ficava para o ocidente (sua parte inferior). E as suas fronteiras sul e uma parte da fronteira ocidental davam frente para o território de Manassés. O wadi Caná (ver Js 16.8) servia para formar essa fronteira. Esse wadi desaguava no mar Mediterrâneo, levemente ao norte de Jope.

19.24

וַיֵּצֵא הַגּוֹרָל הַחֲמִישִׁי לְמַטֵּה בְנֵי־אָשֵׁר לְמִשְׁפְּחוֹתָם׃

Saiu a quinta sorte à tribo dos filhos de Aser. O trecho de Js 18.2 diz-nos que sete das tribos de Israel ainda precisavam receber suas respectivas heranças. Dessas sete tribos, Aser foi a *quinta* cujo território se determinou mediante o uso do lançamento de sortes.

Sortes. Ver as notas expositivas sobre essa questão no versículo 17 deste capítulo. As informações fornecidas ali também se aplicam aqui.

19.25

וַיְהִי גְּבוּלָם חֶלְקַת וַחֲלִי וָבֶטֶן וְאַכְשָׁף׃

O seu território inclui. Os nomes de *Helcate* e *Acsafe* aparecem nos *mapas* bíblicos que oferecemos no começo do capítulo 13 de Josué. A primeira delas ficava quase no centro do território, a 24 quilômetros aproximados da fronteira sul. A segunda, Acsafe, ficava um tanto para dentro do território, partindo-se de Aco, pouco mais de dezenove quilômetros para o norte. Os outros dois nomes que aparecem neste versículo indicam localidades por nós desconhecidas. As cidades mencionadas não seguem a costa marítima, mas dão-nos uma ideia geral a respeito da costa ocidental, embora não muito perto da orla marítima. Ver no *Dicionário* sobre duas cidades mencionadas, e também a cidade de Bétem.

Hali. No hebraico, esse nome significa "joia", uma cidade designada à tribo de Aser, mas que não foi localizada, pelo que a sua posição é incerta.

19.26

וְאַלַמֶּלֶךְ וְעַמְעָד וּמִשְׁאָל וּפָגַע בְּכַרְמֶל הַיָּמָּה וּבְשִׁיחוֹר לִבְנָת׃

As cidades mencionadas neste versículo e no anterior, ao que tudo indica, ficavam todas na planície de *Aco* (ver a respeito no *Dicionário*). Mas localizá-las hodiernamente é algo difícil de fazer. Ficava a dezesseis quilômetros de distância do monte Carmelo.

Pontos de Referência, e Não Fronteiras. Quando a costa do mar Mediterrâneo ou o mar da Galileia, ou algum rio ou wadi estão em pauta, então temos uma fronteira definida. Por muitas vezes, entretanto, o autor sagrado nos propicia somente pontos de referência, e não fronteiras no sentido moderno da palavra. Assim acontece no texto presente. E o autor sagrado chega a dizer isso algures. É como se ele tivesse dito: "Há um grupo de cidades, perto do monte Carmelo. E esse grupo assinala a fronteira de Aser, naquela direção".

Amade. No hebraico, esta palavra significa "povo de duração". Era uma cidade que ficava perto da fronteira de Aser, embora o seu local atual seja desconhecido.

Misal. Esta cidade foi atribuída à família gersonita dos levitas (ver Js 21.30). É chamada Masal, em 1Cr 6.74. Mas a sua localização é desconhecida hoje em dia.

■ 19.27

וְשָׁב מִזְרַח הַשֶּׁמֶשׁ בֵּית דָּגֹן וּפָגַע בִּזְבֻלוּן וּבְגֵי
יִפְתַּח־אֵל צָפוֹנָה בֵּית הָעֵמֶק וּנְעִיאֵל וְיָצָא אֶל־כָּבוּל
מִשְּׂמֹאל׃

Volvendo-se para o nascente do sol a Bete-Dagom. Esta cidade ficava ligeiramente a oeste do monte Carmelo, mas o local atual é desconhecido. Quatro lugares são assim chamados no Antigo Testamento, e esse é o segundo na ordem de apresentação no artigo assim denominado no *Dicionário*.

Iftá-El. Ficava na fronteira entre Aser e Zebulom, mas sua localização exata é desconhecida hoje em dia.

Neiel. Ficava pouco mais de três quilômetros ao norte de Cabul, na beira da planície de Aco.

Cabul. Era uma cidade da fronteira oriental de Aser, provavelmente idêntica à aldeia de Cabul, quinze quilômetros a sudeste de Aco. Por isso mesmo, o autor sagrado continuou falando sobre aquela região, dando-nos mais cidades próximas, mas sem traçar precisamente a linha fronteiriça.

■ 19.28

וְעֶבְרֹן וּרְחֹב וְחַמּוֹן וְקָנָה עַד צִידוֹן רַבָּה׃

Ebrom. Não se trata da mesma Hebrom, conforme grafam algumas traduções, levando o leitor a equivocar-se. Algumas traduções mencionam aqui Abdon, como representação original do texto massorético. sua localização exata, contudo, é desconhecida.

Sidom. Ficava cerca de quarenta quilômetros ao norte de Tiro, na costa marítima do Mediterrâneo. Os mapas bíblicos não mostram o território de Aser indo tão para o norte, mas situam essa cidade no território não-conquistado da Fenícia. É provável que tenhamos aqui uma fronteira ideal, e não uma fronteira real. Essa cidade é aqui chamada de "grande Sidom" (ver Js 11.8), por causa de suas dimensões e de sua importância, e não porque houvesse alguma cidade menor, também chamada Sidom, da qual devesse ser distinguida. Era famosa desde os tempos mais antigos, devido às suas grandes edificações, fortificações e muito território.

■ 19.29

וְשָׁב הַגְּבוּל הָרָמָה וְעַד־עִיר מִבְצַר־צֹר וְשָׁב הַגְּבוּל
חֹסָה וְיִהְיוּ תֹצְאֹתָיו הַיָּמָּה מֵחֶבֶל אַכְזִיבָה׃

Volta o termo a Ramá. Aqui o autor sagrado volta sua atenção de novo para o sul. É evidente que Ramá ficava perto da costa marítima, talvez ligeiramente a nordeste de Tiro. Tiro ficava cerca de 48 quilômetros ao sul de Sidom. Quem fosse de Tiro até Aczibe, encontraria a cidade de Hosa no meio do caminho, embora sua localização exata seja atualmente desconhecida. Aczibe ficava cerca de 32 quilômetros ao sul de Tiro. Os artigos existentes no *Dicionário*, a respeito deste versículo, falam sobre detalhes, bem como os *mapas* apresentados na introdução ao capítulo 13 do livro de Josué.

Na região de Aczibe. Temos aqui uma tradução descuidada, ou antes, uma corrupção do original hebraico, que realmente nos dá o nome de outra cidade, isto é, *Maalabe* (ver a respeito no *Dicionário*). Algumas versões da tradução portuguesa também falam em Alabe. Ver Jz 1.31, quanto a "Helba". Hodiernamente, ela tem sido identificada com Khirbet el-Mahalib.

■ 19.30

וְעֻמָה וַאֲפֵק וּרְחֹב עָרִים עֶשְׂרִים וּשְׁתַּיִם וְחַצְרֵיהֶן׃

Umá. Essa cidade ficava perto de Afeque ou de Reobe, um tanto ao sul de Aco, e um pouco mais para o interior, pelo que o autor continuava sua viagem imaginária para o sul, ao longo da costa, chegando quase a Jope. Alguns estudiosos identificam Umá com Aco.

Vinte e duas cidades. Esse número (tal como aqueles dados nos vss. 15 e 38), não é exato, pois um número maior de lugares foi mencionado do que 22. Talvez as cidades fronteiriças, algumas vezes, fossem contadas como pertencentes às tribos circunvizinhas, pelo que os números aparecem um tanto confusos.

■ 19.31

זֹאת נַחֲלַת מַטֵּה בְנֵי־אָשֵׁר לְמִשְׁפְּחֹתָם הֶעָרִים הָאֵלֶּה
וְחַצְרֵיהֶן׃ פ

Esta é a herança da tribo dos filhos de Aser. Tal como no caso de todas as tribos, os territórios recebidos pela tribo de Aser são chamados de *herança*. Ver Js 19.16 quanto a notas expositivas que também se aplicam aqui. Os territórios eram divididos entre os clãs; e então os clãs eram subdivididos em porções menores, entre as famílias. Nenhuma família em Israel era destituída de terras. Essas terras passavam de pai para filho, e isso significa que as riquezas eram preservadas como heranças perpétuas.

"Em virtude de sua posição vital, a Aser cabia defender Israel de inimigos costeiros vindos do norte, como os fenícios. Nos dias de Davi, Aser tinha quase desaparecido, embora sua identidade tribal não se tenha perdido. A profetisa Ana, a qual, juntamente com Simeão, agradeceu a Deus pelo nascimento de Jesus, pertencia à tribo de Aser (ver Lc 2.36-38)" (Donald K. Campbell, *in loc.*).

O TERRITÓRIO DE NAFTALI (19.32-39)

O autor sagrado dá aqui os nomes de cidades que formavam fronteiras gerais, no caso da tribo de Naftali. Somente nos casos de Simeão e de Dã é que o autor sacro não tentou fazer nenhuma descrição das fronteiras, mas tão somente forneceu uma lista de cidades. Quando alguma costa marítima, rio ou wadi estavam envolvidos, então podemos ver aí alguma fronteira bem delineada. Mas com frequência a "fronteira" mencionada pelo autor é apenas um ponto de referência, e não uma fronteira no seu sentido moderno.

Sumário das Fronteiras de Naftali. Com base nas informações dadas na Bíblia, podemos fazer as seguintes afirmativas. O versículo 33 delineia uma fronteira *sul*. Essa fronteira fazia limites com Issacar, desde o monte Tabor (Aznote-Tabor, vs. 34) até o rio Jordão. Partindo do monte Tabor, a fronteira *ocidental* corria para o norte (vs. 34); em seguida, rumava para *oeste*, até a fronteira de Zebulom, e, novamente, para o norte, com a fronteira *oriental* de Aser. A fronteira *oriental* era formada pelo lago da Galileia e então prolongava-se para o norte, ao longo da beira dos montes da Galileia, que ficava perto do rio Jordão. A maioria das cidades mencionadas nos vss. 35 e 36 pertencia a essa área. A fronteira norte não ficou claramente definida, mas sem dúvida acompanhava a beira do território da Fenícia. Foi assim que Naftali ocupou a maior parte da metade norte e oriental das terras altas do sul da Galileia. A menção a "Judá", no versículo 34 deste capítulo, provavelmente é uma corrupção que não faz nenhum sentido nesta passagem. Naftali e Aser eram as tribos mais nortistas, e não havia fronteiras bem definidas no extremo norte.

A Tribo de Naftali. Essa tribo ocupou uma posição destituída de grande significação no Antigo Testamento. No Novo Testamento, contudo, revestiu-se de grande importância, porque o ministério galileu de Jesus teve por centro o território de Naftali. Isaías contrastou a triste situação de Naftali, causada pela invasão dos assírios, com sua glória, quando o Messias andasse por ali (ver Is 9.1,2; cf. Mt 4.13-17). Ver no *Dicionário* os artigos intitulados *Naftali; Tribo (Tribos) de Israel* e *Tribos, Localização das*.

■ 19.32

לִבְנֵי נַפְתָּלִי יָצָא הַגּוֹרָל הַשִּׁשִּׁי לִבְנֵי נַפְתָּלִי
לְמִשְׁפְּחֹתָם׃

Saiu a sexta sorte aos filhos de Naftali. Ver Js 18.2 e seu contexto, quanto à história de como *sete tribos* ainda precisavam receber suas terras, mas estavam cansadas de tanto pelejar, razão pela qual ficaram estagnadas. Naftali era a *sexta* das sete tribos.

Sortes. Quanto a informações completas sobre o lançamento de sortes, bem como a maneira como elas eram usadas, ver Js 19.1-9 e suas notas, onde aparecem referências sobre os lugares mencionados. Os territórios eram atribuídos mediante sortes; mas é provável que os clãs e as famílias dentro dos clãs recebessem sua parte através de decisões tomadas pelos anciãos de cada tribo.

■ 19.33

וַיְהִי גְבוּלָם מֵחֵלֶף מֵאֵלוֹן בְּצַעֲנַנִּים וַאֲדָמִי הַנֶּקֶב
וְיַבְנְאֵל עַד־לַקּוּם וַיְהִי תֹצְאֹתָיו הַיַּרְדֵּן׃

Foi o seu termo desde. Como em todos os casos, aparecem aqui nomes locativos cuja localização é desconhecida hoje em dia. Os artigos a respeito, no *Dicionário*, dão as informações possíveis, mas também incluem especulações. Este versículo acompanha a fronteira *sul*, que dividia o território de Naftali do território de Issacar, até o monte Tabor (ver o vs. 34).

Adami-Neguebe. No hebraico, esse nome significa "pertinente à terra vermelha do sul". Era uma das cidades do território de Naftali, atualmente identificada com Khirbet Damiyeh. Algumas traduções e versões dão apenas o primeiro nome, "Adami". Mas Adami-Neguebe, não há que duvidar, é a forma correta. Esse lugar ficava a cerca de oito quilômetros a sudoeste de Tiberíades, no lado ocidental do lago ou mar da Galileia. A cidade controlava um passo na rota das caravanas, que ia desde a área leste da Galileia até a planície de Aco. Há alguns problemas quanto aos nomes dados nesta passagem. Nenhum desses nomes, referentes a cidades fortificadas de Naftali (ver Js 19.35-38), foi identificado como nome de cidades fronteiriças (ver este e o versículo seguinte), a menos que Adami e Adamá fossem uma só cidade, com dois nomes diferentes. Ver no *Dicionário* as outras cidades aqui mencionadas.

■ 19.34

וְשָׁב הַגְּבוּל יָמָּה אַזְנוֹת תָּבוֹר וְיָצָא מִשָּׁם חוּקֹקָה
וּפָגַע בִּזְבֻלוּן מִנֶּגֶב וּבְאָשֵׁר פָּגַע מִיָּם וּבִיהוּדָה
הַיַּרְדֵּן מִזְרַח הַשָּׁמֶשׁ׃

Volta o termo pelo ocidente. Ver o *sumário* das fronteiras, na introdução a esta seção. O autor sagrado continuava descrevendo a fronteira sul, seguindo na direção leste-oeste.

Aznote-Tabor. Sem dúvida uma cidade que ficava próxima do monte Tabor, na parte ocidental do território de Naftali, entre o rio Jordão e Hucoque. Tem sido identificada com Amm Jebeil, perto daquele monte.

Hucoque. Era uma cidade que ficava na fronteira de Naftali, perto de Aznote-Tabor. Tem sido identificada com *Yakuk*, cerca de oito quilômetros a oeste de Cafarnaum. Há outra cidade chamada Hucoque, que figura em 1Cr 6.75, mas pertencente à tribo de Aser. O nome dado a esse lugar, em Js 21.31, é *Helcate*, que recebe um artigo com esse nome no *Dicionário*.

Judá pelo Jordão. A menção à tribo de Judá, neste ponto, não faz sentido, a menos que o autor estivesse querendo aludir a outra Judá, uma cidade que havia às margens do rio Jordão, na fronteira oriental de Naftali. Se houve mesmo uma cidade com esse nome, hoje é um local totalmente desconhecido. A Septuaginta, cortando o nó górdio em lugar de desatá-lo, simplesmente tirou essas palavras do texto. Ver no *Dicionário* o verbete intitulado *Nó Górdio*, e também o artigo chamado *Nó*, em seu último parágrafo.

■ 19.35-38

וְעָרֵי מִבְצָר הַצִּדִּים צֵר וְחַמַּת רַקַּת וְכִנָּרֶת׃ 35

וַאֲדָמָה וְהָרָמָה וְחָצוֹר׃ 36

וְקֶדֶשׁ וְאֶדְרֶעִי וְעֵין חָצוֹר׃ 37

וְיִרְאוֹן וּמִגְדַּל־אֵל חֳרֵם וּבֵית־עֲנָת וּבֵית שָׁמֶשׁ 38
עָרִים תְּשַׁע־עֶשְׂרֵה וְחַצְרֵיהֶן׃

As cidades fortificadas são. Neste ponto, o autor sacro arrola dezesseis cidades fortificadas (vss. 35-38). Ao que parece, seu intuito não era traçar nenhuma fronteira em termos precisos, em relação a essas cidades. Ele meramente expôs uma lista de cidades que considerava importantes dentro do território de Naftali. A maioria delas, entretanto, estava situada ao longo das margens do lago da Galileia, ou mais para o norte, ao longo das fraldas dos montes da Galileia, ou seja, essas cidades ficavam ao longo da fronteira *ocidental* da tribo. Os *mapas* bíblicos não incluem a maioria dessas cidades, porque seus locais exatos são desconhecidos para nós.

No *Dicionário*, apresento artigos sobre todas essas cidades de Naftali, com a exceção da cidade de Irom, sobre a qual comento neste ponto.

Irom. Essa era uma das cidades fortificadas (cercada de sebe), em Naftali, e que, muito provavelmente, deve ser identificada com Jarum, a sudeste de Bint-Jebeil. Ficava cerca de 13 quilômetros a oeste do lago triangular chamado Semeconitis. Ver no *Dicionário* o artigo intitulado *Águas de Merom*. Era uma das cidades ocidentais de Naftali, mas não assinalava nenhuma fronteira.

Dezenove cidades. Esse é o número calculado das cidades; mas, ao contá-las, descobrimos que elas eram 23. Ver Js 19.15 e 30 quanto a problemas similares. Essa questão usualmente é explicada pelos eruditos mediante o fato de que os vários lugares mencionados eram cidades fronteiriças, pelo que mais de uma tribo disputava esta ou aquela cidade. Outrossim, nessas cidades havia uma população mista, formada por pessoas tanto de uma quanto de outra das tribos envolvidas, portanto era possível dizer que pertenciam a mais de uma tribo. O próprio autor sacro deixa-nos a cismar sobre o assunto, sem oferecer-nos nenhuma explicação.

■ 19.39

זֹאת נַחֲלַת מַטֵּה בְנֵי־נַפְתָּלִי לְמִשְׁפְּחֹתָם הֶעָרִים
וְחַצְרֵיהֶן׃ פ

Esta é a herança da tribo dos filhos de Naftali. Como em todos os casos das tribos cujos territórios estavam sendo descritos, o autor fornece-nos um *sumário* das cidades, lembrando-nos de que as terras assim recebidas eram heranças derivadas do Pacto Abraâmico (ver a respeito nas notas expositivas sobre Gn 15.18). Ver Js 19.16 quanto a notas que também têm aplicação neste ponto.

TERRITÓRIO DE DÃ (19.40-48)

O autor sagrado, no caso de todas as tribos, excetuando somente as de Simeão e Dã, procurou fornecer-nos, laboriosamente, as fronteiras das tribos. Mas essas fronteiras só podem ser traçadas por nós, com exatidão, quando envolvem grandes acidentes geográficos, como rios, montes ou wadis, ou o lago da Galileia ou o mar Mediterrâneo. De outra sorte, o autor sacro só nos forneceu pontos de referência, mediante o nome de cidades, e não fronteiras bem demarcadas, como é o costume moderno.

Dã Não Aparece com Fronteiras Bem Delineadas. Antes, no caso dessa tribo, ficamos reduzidos a uma mera lista de cidades. Os lugares mencionados pertenciam, em parte, ao segundo distrito, descrito no capítulo 15 de Josué (ver Js 15.33-36), ou, em parte, ao quinto distrito (ver Js 15.45-47). Neste texto, outras localidades foram acrescentadas. Os nomes de lugares pertencentes ao território de Judá (a distribuição de terras entre os judaítas foi descrita no capítulo 15 deste livro) reaparecem aqui, visto que Dã e Judá tinham territórios lado a lado. Para o oriente ficava a tribo de Benjamim; para o sul, a tribo de Efraim; e, para o oeste, o mar Mediterrâneo.

■ 19.40

לְמַטֵּה בְנֵי־דָן לְמִשְׁפְּחֹתָם יָצָא הַגּוֹרָל הַשְּׁבִיעִי׃

A sétima sorte saiu aos filhos da tribo de Dã. Ver Js 18.2 e ss., quanto à história das sete tribos que ainda teriam de receber suas terras, e como elas tinham afrouxado em seu ânimo, provavelmente cansadas de tanta luta. Josué, pois, precisou aplicar métodos especiais para reanimá-las e fazer a conquista da Terra Prometida adquirir um novo impulso. Dessas sete tribos, pois, Dã foi a sétima. Ver no *Dicionário* o verbete denominado *Sortes*, com notas adicionais em Nm 26.54,55 e Js 13.6. Quanto ao *modus operandi* do lançamento de sortes, ver o último parágrafo das notas da introdução ao capítulo 14 de Josué, como também Js 14.2; 15.1; 17.2; 18.10; 19.10,17. O território geral das tribos foi determinado por meio de sortes, mas a divisão desses territórios, entre os clãs e as famílias, provavelmente dependia de decisões tomadas pelos anciãos de cada tribo. Ver no *Dicionário* estes três verbetes: *Dã; Tribo (Tribos de Israel)* e *Tribos, Localização das*.

■ 19.41-46

41: וַיְהִי גְּבוּל נַחֲלָתָם צָרְעָה וְאֶשְׁתָּאוֹל וְעִיר שָׁמֶשׁ

42: וְשַׁעֲלַבִּין וְאַיָּלוֹן וְיִתְלָה

43: וְאֵילוֹן וְתִמְנָתָה וְעֶקְרוֹן

44: וְאֶלְתְּקֵה וְגִבְּתוֹן וּבַעֲלָת

45: וִיהֻד וּבְנֵי־בְרַק וְגַת־רִמּוֹן

46: וּמֵי הַיַּרְקוֹן וְהָרַקּוֹן עִם־הַגְּבוּל מוּל יָפוֹ

O território da sua herança incluía. O autor sagrado, no caso das tribos de Simeão e de Dã, não se mostrou minucioso na descrição das fronteiras. Todas as cidades arroladas nos vss. 41-46 deste capítulo recebem artigos separados no *Dicionário*, com a exceção única de Me-Jarcom (v. 46), que comentamos a seguir.

Me-Jarcom. No hebraico, esse nome significa "Águas do Jarcom" ou então, "Águas verdes". É possível que esse nome tenha sido dado à localidade por causa do riacho que fluía nas proximidades, a saber, o Nahr el-Auja, que corre para o mar Mediterrâneo, poucos quilômetros ao norte de Jope. O antigo nome hebraico do lugar talvez se refira à grande quantidade de solo orgânico, que dava àquelas águas o seu tom esverdeado, em certas épocas do ano.

■ 19.47

וַיֵּצֵא גְבוּל־בְּנֵי־דָן מֵהֶם וַיַּעֲלוּ בְנֵי־דָן וַיִּלָּחֲמוּ
עִם־לֶשֶׁם וַיִּלְכְּדוּ אוֹתָהּ וַיַּכּוּ אוֹתָהּ לְפִי־חֶרֶב
וַיִּרְשׁוּ אוֹתָהּ וַיֵּשְׁבוּ בָהּ וַיִּקְרְאוּ לְלֶשֶׁם דָּן כְּשֵׁם דָּן
אֲבִיהֶם:

Saiu, porém, pequeno o termo aos filhos de Dã. Os danitas viram-se muito apertados dentro de seu exíguo território, e assim atacaram a cidade de *Lesém*, a fim de conquistarem mais territórios para o norte. A esse território, pois, os danitas chamaram de "Dã". Todavia, é possível outra interpretação do incidente aqui narrado. Os danitas *falharam* por não tomar terras suficientes, pelo que migraram para Lesém (ou seja, Laís; modernamente, Tell el-Qadi), que ficava nos mananciais do rio Jordão. E então aquela região recebeu o nome de Dã.

Os danitas que ficaram mais ao sul, acabaram absorvidos por Judá e outras tribos, pelo que, no que concerne à tribo de Dã, essas terras se perderam. Talvez por esse motivo é que certas cidades, mencionadas como pertencentes a Dã, apareçam como pertencentes a Judá, em 1Cr 2.50-55. Lesém (Laís) ficava a cerca de seis quilômetros de distância de Paneias, às margens do rio Jordão. Situava-se perto das águas de Merom (ver Js 11.5). Isso quer dizer que membros da tribo de Dã mudaram-se uns 150 quilômetros para o norte, em busca de um novo território, ao qual também chamaram de Dã. Ficava esse território cerca de 35 quilômetros ao norte do lago triangular chamado Semeconitis. Mas é muito difícil dizer qual porcentagem da tribo de Dã permaneceu mais ao sul, e qual porcentagem migrou mais para o norte. Semeconitis fica a cerca de dezenove quilômetros ao norte do lago ou mar da Galileia.

Os homens da tribo de Dã, em vez de atacarem os filisteus e os amorreus que habitavam dentro da herança deles, preferiram formar uma nova colônia, mais ao norte, passando a fio da espada a população desse novo lugar, uma população pacífica. Em outras palavras, os danitas seguiram o curso fácil de ação e sacrificaram suas terras tribais, mais ao sul. Talvez seja correto dizer que Dã ficou com parte das terras que lhe foram dadas como herança, mais ao sul, mas desistiu de conquistar as terras em sua inteireza, como uma tarefa impossível. Por isso mesmo, mudaram-se mais para o norte, onde obtiveram uma vitória fácil sobre um povo não afeito às lides da guerra.

■ 19.48

וְזֹאת נַחֲלַת מַטֵּה בְנֵי־דָן לְמִשְׁפְּחֹתָם הֶעָרִים הָאֵלֶּה
וְחַצְרֵיהֶן: פ

Esta é a herança da tribo dos filhos de Dã. Este versículo é idêntico ao versículo 39 deste capítulo, exceto pelo fato de que Dã está em pauta, em lugar de Naftali. Ver as notas que há ali, e que também se aplicam aqui. Ver as notas em Js 19.16 quanto a outras ideias.

Foi assim que a herança prometida a Abraão e a seus descendentes, como parte do chamado Pacto Abraâmico (ver as notas a respeito em Gn 15.18), acabou inteiramente nas mãos das doze tribos de Israel.

Tipologia. Vários anos de conquista militar (talvez nada menos de sete) entregaram aos israelitas a sua herança sob a forma de terras. Jesus Cristo, em sua missão terrena, também adquiriu uma herança para seus irmãos, que lhe tinham sido dados pelo Pai. Essa herança é aquilo que chamamos de salvação eterna (ver as notas a respeito no *Dicionário*). Ver também o verbete chamado *Herdeiro* no *Dicionário*.

PROVIDÊNCIAS FINAIS NA DIVISÃO DE TERRAS (19.49-51)

Esta pequena seção dá-nos uma espécie de conclusão do material iniciado no capítulo 13 de Josué, onde as tribos de Rúben e Gade, e a meia tribo de Manassés, foram retratadas como quem já havia recebido as suas terras no lado oriental do rio Jordão, a Transjordânia. A seção a que pertence essa conclusão começa em Js 14.1, dando início à narrativa acerca da conquista de territórios no lado ocidental da Terra Prometida, por parte das tribos restantes. Ver a introdução a Js 14.1, quanto a informações sobre esse particular.

O próprio Josué foi o último a receber sua herança, depois que a sua missão especial foi cumprida. Josué teve uma missão dupla: liderar os filhos de Israel na conquista da Terra Prometida e supervisionar a divisão das terras conquistadas. Tal como se vê em todos os casos anteriores de alocação de terras, a parte dele foi dada por orientação divina, pois Yahweh estava por trás de todas essas distribuições de terras. Eleazar (vs. 51), filho de Arão, sendo agora sumo sacerdote em lugar de seu pai, também desempenhou um papel constante nessas divisões, razão pela qual é aqui mencionado com honras.

"Em um dos quadros finais desse líder extraordinário que foi Josué, ele aparece como edificador, em adição aos seus papéis de general e de administrador. Tal combinação é rara entre os servos de Deus" (Donald K. Campbell, *in loc.*).

■ 19.49,50

וַיְכַלּוּ לִנְחֹל־אֶת־הָאָרֶץ לִגְבוּלֹתֶיהָ וַיִּתְּנוּ
בְנֵי־יִשְׂרָאֵל נַחֲלָה לִיהוֹשֻׁעַ בִּן־נוּן בְּתוֹכָם:
עַל־פִּי יְהוָה נָתְנוּ לוֹ אֶת־הָעִיר אֲשֶׁר שָׁאָל
אֶת־תִּמְנַת־סֶרַח בְּהַר אֶפְרָיִם וַיִּבְנֶה אֶת־הָעִיר
וַיֵּשֶׁב בָּהּ:

Deram os filhos de Israel a Josué, filho de Num, herança no meio deles. Depois que todas as tribos de Israel já tinham recebido suas respectivas heranças, Josué ainda não havia recebido a parte que lhe cabia na Terra Prometida. Yahweh, que tinha guiado o processo inteiro da alocação de terras, revelou também onde Josué deveria instalar-se, qual seria a sua propriedade. Assim, foi-lhe dada a cidade de *Timnate-Sera*. Esse nome, no hebraico, significa "recinto restante". Essa foi a herança e também o lugar de sepultamento de Josué (ver Js 24.30). A Septuaginta diz *Tamanasaraque*, que ficava cerca de dezenove quilômetros a noroeste de Ramalá. Esse lugar, por sua vez, está associado a Timinate-Heres e a Kafr-Haris. É possível que Timinate-Heres e Kafr-Haris fossem dois nomes de um único lugar. Seja como for, Josué estabeleceu-se dentro do território de Efraim, que era a sua tribo. Essa cidade ficava no distrito montanhoso, rude e infértil de Efraim. Josué poderia ter-se apropriado de terras ricas, em reconhecimento às suas realizações. Mas terminou os seus dias em humildade, e provavelmente se sentiu alegre por agora poder descansar de tantas tarefas que realizou entre o povo de Israel. À semelhança de Ulisses, o grego, Josué alegrou-se em deixar de lado a guerra, passando a ter uma vida amena e bucólica. É *ideal* que um homem, tendo terminado os seus labores, possa viver os anos que lhe restam em reflexão, pacificamente. Todavia, por muitas vezes, a vida de um homem termina na luta contra alguma enfermidade perniciosa, em razão do que lhe resta pouco tempo e energia para desfrutar seus "anos finais". Parece que Josué foi capaz de desfrutar seus anos finais de vida. Oh, Senhor, concede-nos tal graça!

Os samaritanos localizam os sepulcros de Josué e Calebe em Tibna, menos de vinte quilômetros a nordeste de Lida, e treze quilômetros a sudoeste de Kafr-Haris.

■ 19.51

אֵלֶּה הַנְּחָלֹת אֲשֶׁר נִחֲלוּ אֶלְעָזָר הַכֹּהֵן ׀ וִיהוֹשֻׁעַ
בִּן־נוּן וְרָאשֵׁי הָאָבוֹת לְמַטּוֹת בְּנֵי־יִשְׂרָאֵל ׀ בְּגוֹרָל ׀
בְּשִׁלֹה לִפְנֵי יְהוָה פֶּתַח אֹהֶל מוֹעֵד וַיְכַלּוּ מֵחַלֵּק
אֶת־הָאָרֶץ׃ פ

Eleazar. Ele era filho de Arão, tendo-se tornado o sumo sacerdote de Israel após o falecimento de seu pai. Ele desempenhou um papel constante na distribuição de terras entre as tribos de Israel, pelo que recebeu menção honrosa neste versículo. Ele foi o porta-voz sacerdotal de Yahweh e líder do yahwismo. Por isso mesmo, era impossível que ficasse do lado de fora da *guerra santa* (ver as notas a respeito em Dt 7.1-5 e 20.10-18). E nem poderia ser deixado de lado na *santa* distribuição de terras, visto que Yahweh controlava o processo inteiro.

Em seguida, o *terceiro elemento* que participou na distribuição de terras entre as tribos foram os "cabeças" de cada tribo. Depois que o lançamento de sortes determinara quais distritos gerais deveriam ficar com esta ou aquela tribo, esses homens estabeleceram as subdivisões desses territórios, entre os clãs e as famílias de cada tribo. Em Israel, pois, não havia família destituída de terras, as quais passavam de pais para filhos. Essas terras não podiam ser vendidas para outros, exceto por algum período de tempo.

Em Silo. A primeira distribuição de terras ocorreu em Gilgal (ver Js 14.6). Mais tarde, quando o tabernáculo e o seu culto foram mudados para Silo, ali se lançaram as sortes no tocante às *sete* tribos restantes, que ainda não haviam recebido suas respectivas heranças. Ver Js 18.1 ss. quanto a essa narrativa. Ver no *Dicionário* o artigo chamado *Silo*. Silo continuou sendo um santuário importante, até que o yahwismo finalmente foi centralizado e consolidado em Jerusalém, a qual se tornou, então, "oficialmente" o único santuário nacional.

E assim acabaram de repartir a terra. A Terra Prometida, uma vez conquistada, foi em seguida dividida entre as doze tribos de Israel. No entanto, conforme aprendemos em Js 13.1 ss., largas porções de território continuaram nas mãos de bolsões de populações cananeias. Somente nos dias de Davi a Terra Prometida passou inteiramente para o domínio do povo de Israel. Assim prosseguiu (embora tenha havido conflitos) até os dias do cativeiro assírio. Ver no *Dicionário* o artigo intitulado *Cativeiro (Cativeiros)*. Cf. Js 14.1-5, onde é enfocado o ideal da conquista e da alocação das terras conquistadas. Essas coisas foram essencialmente concretizadas, afinal, conforme relatam os capítulos 14 a 19, com bastante detalhes.

Quanto à *tipologia* envolvida, ver os comentários em Js 19.48.

CAPÍTULO VINTE

AS CIDADES DE REFÚGIO (20.1-9)

No que concerne às *cidades de refúgio*, há várias fontes informativas. Cf. Dt 19.1-13 e Nm 35.9-34. Os críticos atribuem o trecho envolvido do Deuteronômio a uma fonte informativa chamada D., ao passo que a passagem de Números seria a fonte P.(S.). E este capítulo é atribuído à fonte informativa P.(S.), por meio de alguma atividade editorial. Ver no *Dicionário* o verbete denominado J.E.D.P.(S.) quanto à teoria das fontes múltiplas do Pentateuco. Os críticos também supõem que o livro de Josué (formando assim o *Hexateuco*; ver a respeito no *Dicionário*) deriva-se, essencialmente, da fonte informativa D. Mas neste ponto, ainda conforme diz essa teoria, a fonte informativa P.(S.) entra no arranjo editorial.

O costume, talvez adquirido durante as perambulações pelo deserto, permitia que qualquer pessoa que matasse a outrem (mesmo que por mero acidente) ficasse sujeita ao chamado "vingador do sangue". A primitiva lei de Êx 21.12-14 procurava controlar essas matanças sem misericórdia e sem necessidade, provendo no santuário um refúgio para os que matassem a outra pessoa por acidente (cf. 1Rs 1.50; 2.28). Outro passo misericordioso foi o estabelecimento de cidades geograficamente bem situadas, para onde os homicidas involuntários podiam fugir.

Quem se refugiasse, dali não podia mais sair enquanto o sumo sacerdote continuasse vivo. Mas isso era equivalente a uma sentença de prisão perpétua, embora a pessoa pudesse andar livremente por uma cidade. Essas formas cruas de justiça, contudo, representavam um avanço em relação ao estilo de vida no deserto, embora ficassem muito aquém do ideal. As *seis cidades* designadas como cidades de refúgio estavam bem distribuídas por todo o território de Israel, mas também, antes mesmo de servirem a esse mister, haviam sido santuários de Israel. Os nomes dessas cidades aparecem todos no capítulo 21 de Josué. E no final do capítulo 35 de Números, apresento um mapa que mostra a localização exata das cidades de refúgio.

Ver no *Dicionário* o artigo chamado *Cidades de Refúgio*, quanto a um sumário do que se sabe no tocante a elas. Naquele artigo, ofereço tanto a *tipologia* quanto contrapartes modernas desse antigo dispositivo legal.

Entre as cidades de refúgio arroladas neste capítulo, *Quedes*, na Galileia, de acordo com algumas traduções e versões, é erroneamente chamada de "Cades". Ver no *Dicionário* o verbete intitulado *Vingador do Sangue*.

"O fato de que essas cidades são discutidas em quatro dos livros do Antigo Testamento mostra a grande importância delas. É evidente que Deus queria impressionar os filhos de Israel com a santidade da vida humana. Pôr fim à vida de uma pessoa, não intencionalmente, é algo muito sério, e as cidades de refúgio sublinhavam isso de modo enfático" (Donald K. Campbell, *in loc.*). Ver Êx 21.12-14; Nm 35.9-34 e Dt 19.1-13, além do presente capítulo.

■ 20.1

וַיְדַבֵּר יְהוָה אֶל־יְהוֹשֻׁעַ לֵאמֹר׃

Disse mais o Senhor a Josué. Temos aí a repetição de uma expressão usual no Pentateuco, mas que aqui, no livro de Josué, não é reiterada tão comumente. Em geral, Yahweh falara por intermédio de Moisés; e ele, por sua vez, transmitia as mensagens divinas a outras pessoas. Essa expressão foi usada para introduzir novas seções de material. Mas ela também nos faz lembrar de questões como a inspiração e a orientação divinas. Ver as notas sobre essa expressão em Lv 1.1 e 4.1.

Essas mensagens foram dadas a várias pessoas, acerca do que comentei em Lv 17.2, mencionando oito desses canais de mensagens divinas. Neste ponto, Josué entregou sua mensagem ao povo de Israel em geral, ficando assim instituídas as cidades de refúgio, que tinham sido usadas antes como *santuários*, e agora eram oficiadas como cidades de refúgio.

■ 20.2

דַּבֵּר אֶל־בְּנֵי יִשְׂרָאֵל לֵאמֹר תְּנוּ לָכֶם אֶת־עָרֵי
הַמִּקְלָט אֲשֶׁר־דִּבַּרְתִּי אֲלֵיכֶם בְּיַד־מֹשֶׁה׃

Apartai para vós outros as cidades de refúgio. Ver no *Dicionário* o artigo chamado *Cidades de Refúgio*. A introdução a este capítulo também provê informações essenciais sobre o assunto. Aqui aparecem os nomes e as localizações de seis cidades de refúgio, e cada uma delas recebe um artigo separado no *Dicionário*. Essas cidades estavam distribuídas de tal modo que era possível um escape relativamente fácil para o indivíduo que matasse a outrem por acidente. Alguma cidade de refúgio estaria mais ou menos próxima da cena de tais incidentes. Ver o *mapa* existente ao fim de Nm 35, quanto à localização dessas cidades.

De que vos falei por intermédio de Moisés. Foi esse o líder e profeta que recebera, originalmente, a ordem para instituir as cidades de refúgio. Josué, pois, tão somente implementou a questão. Ver Êx 21.12-14; Nm 35.9-34 e Dt 19.1-13. As cidades de refúgio também eram *cidades dos levitas*. Mas os levitas dispunham, ao todo, de 48 cidades, conforme ficamos sabendo no capítulo seguinte, com detalhes.

20.3

לָנ֣וּס שָׁ֔מָּה רוֹצֵ֕חַ מַכֵּה־נֶ֖פֶשׁ בִּשְׁגָגָ֣ה בִּבְלִי־דָ֑עַת וְהָי֤וּ לָכֶם֙ לְמִקְלָ֔ט מִגֹּאֵ֖ל הַדָּֽם׃

Que por engano matar alguma pessoa, sem o querer. As cidades de refúgio não serviam para proteger assassinos que matassem propositadamente as suas vítimas, com ódio no coração e premeditação. Mas serviam para proteger os homicidas involuntários, sem ódio no coração. As passagens paralelas, referidas no segundo versículo deste capítulo, deixam isso abundantemente claro.

Refúgio contra o vingador do sangue. Ver o artigo sobre esse assunto no *Dicionário*, que nos fornece tudo quanto sabemos a respeito. Embora um homem chegasse a matar acidentalmente a outrem, ainda assim havia a necessidade (e não somente a possibilidade) de ser tirada vingança. Isso era feito mediante a *execução* pessoal do homicida, algo autorizado por lei. Ver Nm 35.12.

Desenvolvimentos no Campo da Justiça. Consideremos estes seis pontos sobre o assunto:

1. A antiga lei que prevaleceu no deserto: qualquer tipo de homicídio era vingado mediante a execução privada do causador, por meio do vingador do sangue.
2. O uso de santuários. Um homem que matasse a outrem involuntariamente podia encontrar misericórdia em um dos santuários da nação.
3. Em seguida, esses santuários desenvolveram-se nas cidades de refúgio.
4. As cidades de refúgio eram uma virtual prisão perpétua, em que o indivíduo ficava preso à cidade em que se refugiara, sem poder sair dali enquanto o sumo sacerdote vigente continuasse vivo. Isso podia envolver um período mais breve ou mais longo. Após a morte do sumo sacerdote, o homicida involuntário podia voltar para as terras de sua família e reiniciar a sua vida.
5. Julgamentos diante de juízes e jurados. Isso foi mais tarde provido, no caso tanto dos assassinos voluntários quanto dos homicidas involuntários (ver o versículo seguinte); mas durante muito tempo, foi apenas um suplemento em relação às cidades de refúgio. Um homem, mesmo inocente, que se tivesse refugiado em uma das cidades separadas para isso não podia voltar à propriedade de sua família sem primeiro sofrer um período de exílio.
6. Os julgamentos modernos, que dispõem dos serviços de juízes e de jurados, sem cidades de refúgio, representam uma ideia melhor. Na prática diária, entretanto, com bastante frequência, esse método mostra ser menos justo que no caso da provisão das cidades de refúgio. Assassinos reais acabam livres, por causa de advogados de defesa que sabem ser convincentes; e os assassinos condenados recebem sentenças ridiculamente insuficientes, aproveitando-se de sua liberdade para fazer outras vítimas.

Instalações. As estradas que conduziam às seis cidades de refúgio de Israel precisavam ser mantidas em bom estado de conservação, com sinais indicadores claros. As encruzilhadas de estradas eram assinaladas com placas dizendo: "Refúgio! Refúgio!" Além disso, havia atletas treinados em corridas para ajudar na fuga dos inocentes.

20.4

וְנָ֞ס אֶל־אַחַ֣ת ׀ מֵהֶעָרִ֣ים הָאֵ֗לֶּה וְעָמַד֙ פֶּ֚תַח שַׁ֣עַר הָעִ֔יר וְדִבֶּ֛ר בְּאָזְנֵ֛י זִקְנֵ֥י הָעִיר־הַהִ֖יא אֶת־דְּבָרָ֑יו וְאָסְפ֨וּ אֹת֤וֹ הָעִ֙ירָה֙ אֲלֵיהֶ֔ם וְנָתְנוּ־ל֥וֹ מָק֖וֹם וְיָשַׁ֥ב עִמָּֽם׃

Exporá o seu caso perante os ouvidos dos anciãos da tal cidade. Isso faria o indivíduo que chegasse a uma das seis cidades de refúgio. Na entrada da cidade, declararia por qual razão estava ali. Os anciãos da cidade, ato contínuo, cuidariam para que ele tivesse um lugar onde recebesse abrigo e proteção. Um vingador do sangue que violasse o recinto daquela cidade seria executado. Em seguida, o refugiado seria submetido a julgamento, com vistas a averiguar se ele era mesmo um homicida involuntário ou se era um assassino de propósito (ver o sexto versículo).

Kimchi interpretou este versículo como se quisesse dizer que o refugiado ficaria instalado na cidade por todo o tempo em que estivesse ali retido. Ele não era obrigado a comprar ou alugar uma moradia. Desse modo, a fuga era facilitada em seu aspecto financeiro.

Os Anciãos da Cidade Formavam o Tribunal. Ver Jó 29.7; Dt 21.19 e 22.15. Eles chegavam a uma decisão provisória sobre o caso. Se a história contada pelo refugiado lhes parecesse autêntica, ele poderia ingressar na cidade. Mas depois disso haveria um julgamento mais completo, para investigar todos os fatores envolvidos.

20.5

וְכִ֨י יִרְדֹּ֜ף גֹּאֵ֤ל הַדָּם֙ אַֽחֲרָ֔יו וְלֹֽא־יַסְגִּ֥רוּ אֶת־הָרֹצֵ֖חַ בְּיָד֑וֹ כִּ֤י בִבְלִי־דַ֙עַת֙ הִכָּ֣ה אֶת־רֵעֵ֔הוּ וְלֹֽא־שֹׂנֵ֥א ה֛וּא ל֖וֹ מִתְּמ֥וֹל שִׁלְשֽׁוֹם׃

Se o vingador do sangue o perseguir. Se o vingador do sangue se fizesse presente, então cabia-lhe o recurso de ir para a cidade de refúgio mais próxima, e, em sua indignação, requerer que o homicida (voluntário ou involuntário) fosse entregue às suas mãos. A lei era contrária a tal coisa; mas, movido pelo ódio, o vingador do sangue faria isso de qualquer maneira. Então ele apresentaria sua acusação diante dos mesmos anciãos da cidade e pleitearia diante deles o seu caso. Contudo seria informado de que a lei das cidades de refúgio tinha precedência sobre as antigas leis do deserto a respeito do vingador do sangue. E o possível executor, o vingador do sangue, seria mandado embora. Todavia, se no julgamento definitivo o acusado fosse condenado, então caberia ao vingador do sangue executar a sentença, à sua maneira particular. Ver Nm 35.22,23 e Dt 19.6 quanto a textos paralelos.

20.6

וְיָשַׁ֣ב ׀ בָּעִ֣יר הַהִ֗יא עַד־עָמְד֞וֹ לִפְנֵ֤י הָעֵדָה֙ לַמִּשְׁפָּ֔ט עַד־מוֹת֙ הַכֹּהֵ֣ן הַגָּד֔וֹל אֲשֶׁ֥ר יִהְיֶ֖ה בַּיָּמִ֣ים הָהֵ֑ם אָ֣ז ׀ יָשׁ֣וּב הָרוֹצֵ֗חַ וּבָ֤א אֶל־עִירוֹ֙ וְאֶל־בֵּית֔וֹ אֶל־הָעִ֖יר אֲשֶׁר־נָ֥ס מִשָּֽׁם׃

Habitará, pois, na mesma cidade, até que. Em seu julgamento provisório, o homem se declarava inocente de assassinato intencional; mas no julgamento definitivo precisava provar isso diante dos anciãos da cidade. Sem dúvida, teria testemunhas. E os familiares do homem morto também teriam suas testemunhas. Todos os lados envolvidos na questão seriam ouvidos, e então os anciãos chegariam a uma decisão. Se o réu fosse considerado culpado, então seria entregue às mãos do vingador do sangue, para ser executado. E se fosse considerado inocente, teria de ficar homiziado na cidade de refúgio, até que o sumo sacerdote vigente morresse. Essas informações nos são dadas em Nm 35.12,19,25. No texto presente, porém, lemos que o homem poderia ser enviado de volta à sua cidade natal. Talvez o autor sagrado quisesse dizer que, primeiramente, ele teria de passar um período exilado na cidade de refúgio, até a morte do sumo sacerdote vigente; mas, da maneira como nossa versão portuguesa revisou este versículo, podemos entender isso, sem atribuir ao autor sacro nenhum pensamento confuso. A Septuaginta, por sua vez, simplesmente descontinua essa parte do versículo, a fim de evitar possíveis contradições com outros textos bíblicos. E o trecho de Nm 35.28 concorda que o homem (terminado o período de exílio) tinha o direito de retornar à sua cidade natal, reiniciando normalmente a sua vida, porquanto suas terras teriam sido preservadas para seu uso, quando ele pudesse voltar.

A passagem de Dt 19.13 dá a entender que o homem sofreria um julgamento duplo: um na cidade de refúgio, e outro em sua cidade natal; mas este texto não destaca esse aspecto da questão. Ver as notas sobre Nm 35.25 quanto aos *dois julgamentos* possíveis pelos quais ele teria de passar.

De modo geral, as passagens paralelas mostram ser mais detalhadas, e devem ser consultadas para que o leitor obtenha maior entendimento da questão.

A morte do sumo sacerdote era uma espécie de "limitação do alcance da lei". O exílio não podia prosseguir indefinidamente, em uma cidade de refúgio, no caso dos homicidas involuntários. Portanto, aquela limitação da lei era uma medida protetora da justiça, para tais casos.

Tipologia. Cristo é a nossa cidade de refúgio, onde recebemos salvação e segurança. Esse simbolismo é desenvolvido tanto nas notas sobre Dt 19.9 quanto no verbete do *Dicionário* denominado *Cidades de Refúgio*.

Cristo também é o nosso Sumo Sacerdote, cuja morte provê as muitas bênçãos da liberdade espiritual. E outras tipologias têm sido sugeridas, como a restauração de Israel, nos trechos mencionados.

AS CIDADES DE REFÚGIO E SUA LOCALIZAÇÃO (20.7-9)

■ 20.7,8

וַיַּקְדִּשׁוּ אֶת־קֶדֶשׁ בַּגָּלִיל בְּהַר נַפְתָּלִי וְאֶת־שְׁכֶם בְּהַר אֶפְרָיִם וְאֶת־קִרְיַת אַרְבַּע הִיא חֶבְרוֹן בְּהַר יְהוּדָה:

וּמֵעֵבֶר לְיַרְדֵּן יְרִיחוֹ מִזְרָחָה נָתְנוּ אֶת־בֶּצֶר בַּמִּדְבָּר בַּמִּישֹׁר מִמַּטֵּה רְאוּבֵן וְאֶת־רָאמֹת בַּגִּלְעָד מִמַּטֵּה־גָד וְאֶת־גּוֹלָן בַּבָּשָׁן מִמַּטֵּה מְנַשֶּׁה:

Designaram, pois, solenemente. Essa informação sobre a localização das cidades de refúgio é oferecida no artigo do *Dicionário* intitulado *Cidades de Refúgio*. Outrossim, cada uma das seis cidades de refúgio tem seu artigo separado no *Dicionário*, razão pela qual não reitero aqui essa informação. Note o leitor que a *Cades* que figura no *Dicionário* deve ser entendida como *Quedes*, e que o artigo sobre essa cidade recebeu o título de *Quedes*. Quanto a *Bezer* (que figura no oitavo versículo), ver Dt 4.43. Ver o *mapa* existente no final do capítulo 35 de Números, quanto à distribuição geográfica dessas seis cidades de refúgio.

"As cidades foram espaçadas umas das outras de modo que servissem o centro, o norte e o sul da Terra Prometida, em ambos os lados do rio Jordão" (John Bright, *in loc.*).

■ 20.9

אֵלֶּה הָיוּ עָרֵי הַמּוּעָדָה לְכֹל בְּנֵי יִשְׂרָאֵל וְלַגֵּר הַגָּר בְּתוֹכָם לָנוּס שָׁמָּה כָּל־מַכֵּה־נֶפֶשׁ בִּשְׁגָגָה וְלֹא יָמוּת בְּיַד גֹּאֵל הַדָּם עַד־עָמְדוֹ לִפְנֵי הָעֵדָה: פ

Para todos os filhos de Israel, e para o estrangeiro que habitava entre eles. Devemos entender aqui que o "estrangeiro" era algum gentio que se tivesse convertido ao judaísmo. Esse tal recebia os mesmos privilégios legais que um hebreu nativo. Talvez a lei dos hebreus fosse tão misericordiosa que conferia os mesmos direitos até aos que apenas estivessem de passagem por Israel, ou estivessem residindo temporariamente no país, para ocuparem-se de atividades como o comércio ou outra coisa qualquer.

Tipologia. Em Jesus Cristo, pessoas de todas as nações, ao se converterem, passam a fazer parte da mesma comunidade dos salvos, recebendo os mesmos direitos. Ver Gl 3.28,29.

Este versículo sumaria a mensagem central da passagem. O benefício das cidades de refúgio destinava-se aos homicidas involuntários, e não aos assassinos propositais. Ver o Sl 46.1, onde lemos: "Deus é o nosso refúgio e fortaleza, socorro bem presente nas tribulações". Ver Rm 8.1, quanto a uma aplicação cristã. E o trecho de Hb 6.18 também é muito instrutivo.

Uma Curiosidade. É apenas lógico que as cidades de refúgio fossem muito procuradas pelos homicidas involuntários. Mas o Antigo Testamento, em seu relato, não nos provê um único incidente histórico dessa natureza. Talvez por esse motivo, alguns críticos tenham levantado a hipótese de que as cidades de refúgio foram uma instituição criada nos tempos pós-exílicos, mas que o autor-editor inclui como parte da história antiga de Israel. Porém, isso é ler demais no mero silêncio das Escrituras. Os livros pós-exílicos também não nos conferem um único incidente ilustrativo do uso das cidades de refúgio.

CAPÍTULO VINTE E UM

DESIGNAÇÃO DAS CIDADES DE LEVI (21.1-45)

A *tribo de Levi* tornou-se a casta sacerdotal de Israel, razão pela qual não lhe foi dada herança sob a forma de terras, em Israel (ver Nm 1.47 ss.). Se Levi tivesse sido contado como uma tribo, como também José e seus dois filhos (Efraim e Manassés), então haveria um total de *catorze* tribos. No entanto, Levi deixou de ser uma tribo, e não houve nenhuma "tribo de José", embora tenham existido duas tribos derivadas dos dois filhos de José. E isso nos deixou com as *doze* tribos tradicionais.

A casta sacerdotal de *Levi*, embora não tivesse recebido herança sob a forma de terras contínuas, ainda assim recebeu 48 cidades e uma estreita faixa de terras em redor de cada uma delas. Além disso, os levitas recebiam oferendas dos demais israelitas, sob a forma de doações de animais e cereais, que eram usados em parte nos sacrifícios, e em parte para sustento dos levitas e sacerdotes. O registro histórico mostra-nos que, em sua maior parte, essa casta compunha-se de pessoas pobres. E isso contribuiu para estabelecer a tradição — transferida mais tarde para o cristianismo bíblico — de que aquele que entra no ministério será pobre. O princípio das contribuições para sustento dos ministros também foi transferido para o Novo Testamento. Ver as notas sobre 1Co 9.6 ss. Ver no *Dicionário* os artigos chamados *Levitas, Cidades dos e Levitas*.

Cidades Não exclusivas dos Levitas. O registro histórico também mostra que aquelas 48 cidades não eram ocupadas somente por levitas. Além disso, havia levitas que residiam fora das 48 cidades, e isso quer dizer que sempre houve alguma mistura de tribos, que chegou a afetar até mesmo a casta sacerdotal. Ver sobre Hebrom e Debir, em Js 15.13-19, que ilustra essa não exclusividade.

"Certas áreas foram separadas para aqueles que serviam a Deus. Os levitas tinham sido consagrados por Moisés ao ministério divino (ver Nm 8.5-22). A fim de que pudessem servir, eram libertados de todas as lides e ansiedades temporais. Nos primeiros dias em que o povo de Israel ainda perambulava pelo deserto, as compensações dos levitas consistiam em um dízimo daquilo que o povo ganhasse. E depois, já na Terra Prometida, quando foi estabelecida uma ordem nacional permanente, aos levitas foram entregues certas cidades, onde eles tinham residências, bem como terras de pastagem para o gado" (Joseph R. Sizoo, *in loc.*).

Algumas dessas 48 cidades não foram ocupadas nos dias de Josué, da mesma forma que o resto do povo de Israel não entrou na posse de todo o território que havia para ser conquistado (ver Js 13.1 ss. para uma lista dessas cidades e para uma discussão a respeito). Certas cidades, a saber, Gezer, Taanaque, Ibleã, Naalol (cf. Jz 1.27-30), nunca foram ocupadas pelos levitas, embora lhes pertencessem. Outras cidades, como Anatote e Almom, nem ao menos foram construídas, senão somente nos dias de Davi; e ainda outras acabaram sendo reconquistadas por inimigos, como Golã, Astarote e Jaaz. Isso posto, a lista de cidades dos levitas neste capítulo 21 de Josué é apenas uma lista *ideal*, que nunca se tornou uma realidade. Conforme temos visto, a mesma situação aplica-se a todas as possessões do povo de Israel na Terra Santa. Nos dias de Davi, contudo, essa lista ideal *quase* foi atingida pela realidade dos fatos. Portanto, é um erro considerar o presente capítulo de uma idealização pós-exílica, injetada nos tempos de Josué. Dito isso, temos neste capítulo de Josué tanto uma idealização, em parte, como uma história autêntica, em parte, no tocante à distribuição de terras.

■ 21.1,2

וַיִּגְּשׁוּ רָאשֵׁי אֲבוֹת הַלְוִיִּם אֶל־אֶלְעָזָר הַכֹּהֵן וְאֶל־יְהוֹשֻׁעַ בִּן־נוּן וְאֶל־רָאשֵׁי אֲבוֹת הַמַּטּוֹת לִבְנֵי יִשְׂרָאֵל:

וַיְדַבְּרוּ אֲלֵיהֶם בְּשִׁלֹה בְּאֶרֶץ כְּנָעַן לֵאמֹר יְהוָה צִוָּה בְיַד־מֹשֶׁה לָתֶת־לָנוּ עָרִים לָשָׁבֶת וּמִגְרְשֵׁיהֶן לִבְהֶמְתֵּנוּ:

Então se chegaram os cabeças dos pais dos levitas. "O ato derradeiro e coroador da distribuição de territórios começa agora a ser descrito. Os líderes da tribo de Levi apresentaram-se [a Eleazar, o sumo sacerdote] e reivindicaram as cidades que lhes tinham sido prometidas por meio de Moisés (ver Nm 35.1-8). Essas 48 cidades, com suas terras de pastagem, incluíam as seis cidades de refúgio (ver o capítulo 20)" (Donald K. Campbell, *in loc.*).

O número de 48 cidades dá a entender que houve um critério de quatro cidades, em média, por tribo, que foram dadas aos levitas.

"Os cabeças dos pais" é uma maneira de aludir à comissão que se tinha formado a fim de alocar as terras entre o povo de Israel.

Em Silo, na terra de Canaã. As sortes foram lançadas em Silo, no caso de sete das tribos de Israel. O tabernáculo e seu culto tinham sido transferidos para essa cidade. Ver Js 18.1-10. Antes dessa ocasião, as sortes haviam sido lançadas em Gilgal, no caso de cinco das tribos. Ver no *Dicionário* os verbetes tanto sobre Gilgal quanto sobre Silo, que fornecem informações.

Quando Jerusalém tornou-se o santuário central e único de toda a nação, todos os santuários anteriores foram descontinuados, embora permanecessem como lugares reverenciados pelo povo. Silo ficava somente cerca de 48 quilômetros a leste de Jerusalém, de tal modo que não houve necessidade da mudança para um lugar muito distante. Ver a introdução ao capítulo 18 de Josué, bem como Js 18.1, quanto a outras notas expositivas sobre o assunto. Ver Js 14.6 quanto às alocações de terras que tinham ocorrido antes daquelas efetuadas em Silo.

Os seus arredores. Quanto à extensão de terras adjacentes, que pertenciam à casta sacerdotal, ver as notas sobre Nm 35.2-8. Ver Nm 35.1 quanto a uma ilustração sobre essa questão.

21.3

וַיִּתְּנוּ בְנֵי־יִשְׂרָאֵל לַלְוִיִּם מִנַּחֲלָתָם אֶל־פִּי יְהוָה אֶת־הֶעָרִים הָאֵלֶּה וְאֶת־מִגְרְשֵׁיהֶן׃

Deram aos levitas. Estes receberam (em suas várias divisões e subdivisões; ver Js 21.4 ss.) o que tinham reivindicado, e em breve as 48 cidades (ver o vs. 41 deste capítulo) foram alocadas aos levitas. As tribos entraram com quatro cidades cada uma. Essas cidades foram dadas "da sua herança", visto que todo o território da Terra Prometida tinha sido outorgado por força do Pacto Abraâmico (ver as notas em Gn 15.18). Era como se o patriarca Abraão tivesse dado aquelas terras como herança a seus filhos, da parte de Yahweh. Assim, cada clã e cada família de Israel dispunha de suas próprias terras em Israel. No tocante aos "subúrbios", ver o fim dos comentários sobre o versículo anterior, bem como sobre Nm 35.1, que ilustram essa questão. E quanto às dimensões das cidades e suas terras adjacentes, dadas aos levitas, ver as notas em Nm 35.2-8.

Tipologia. Ver no *Dicionário* o verbete intitulado *Herdeiro*.

21.4

וַיֵּצֵא הַגּוֹרָל לְמִשְׁפְּחֹת הַקְּהָתִי וַיְהִי לִבְנֵי אַהֲרֹן הַכֹּהֵן מִן־הַלְוִיִּם מִמַּטֵּה יְהוּדָה וּמִמַּטֵּה הַשִּׁמְעֹנִי וּמִמַּטֵּה בִנְיָמִן בַּגּוֹרָל עָרִים שְׁלֹשׁ עֶשְׂרֵה׃ ס

Esquema Geral da Distribuição:
1. Cidades para os aaronitas, em Judá, Simeão e Benjamim (vss. 8-19). Os aaronitas eram descendentes de Coate.
2. Cidades para outros clãs de Coate, em Efraim, Dã e a parte ocidental de Manassés (vss. 20-26).
3. Cidades para os gersonitas, na parte oriental de Manassés, em Issacar, Aser e Naftali (vss. 27-33).
4. Cidades para os clãs de Merari, em Zebulom, Rúben e Gade (vss. 33-40).

Assim sendo, cada tribo contribuiu com quatro cidades para os levitas.

Os versículos 4 a 8 deste capítulo introduzem esse esquema, enquanto os outros versículos citados fornecem detalhes e os nomes das cidades. Ver no *Dicionário* o artigo chamado *Levitas, Cidades dos*. Ver também os artigos gerais intitulados *Levitas* e *Sacerdotes e Levitas*.

Caiu a sorte. Ver no *Dicionário* o verbete intitulado *Sortes*. No último parágrafo das notas, na introdução ao capítulo 14 de Josué, mostro o suposto *modus operandi* do lançamento de sortes, de acordo com as tradições judaicas. Quanto a usos anteriores das sortes para determinar heranças sob a forma de terras, ver Nm 26.54,55; Js 13.6; 14.2; 15.1; 17.2; 18.10 e 19.10,17,40. As cidades específicas entregues aos vários grupos de levitas foram determinadas por meio de sortes. A outorga dessas cidades, muito provavelmente, foi feita do mesmo modo que tinha acontecido com as terras entregues às doze tribos. No último parágrafo da introdução ao capítulo 14 de Josué, descrevi como isso foi feito, de conformidade com as tradições judaicas.

Conforme ficou mostrado no "esquema geral de distribuição", anteriormente, as sortes indicaram que os coatitas seriam os primeiros levitas a receber suas cidades, e então a distribuição beneficiou os outros clãs, conforme a sequência que aparece ali. Os vss. 8-19 deste capítulo listam as cidades que os sacerdotes levitas receberam.

"A distribuição foi descrita de conformidade com os três ramos principais da tribo de Levi, correspondentes aos três filhos de Levi: Coate, Gérson e Merari (ver Êx 6.1)" (Donald K. Campbell, *in loc.*). No entanto, o ramo dos coatitas aparece como quem recebeu duas porções (vss. 8-19 e 20-26). A primeira parte ficou com os aaronitas, de onde vinham os sacerdotes e os principais ministros de Israel. Os aaronitas eram descendentes de Coate. Ver Êx 6.18-20. Ver no *Dicionário* o artigo chamado *Levitas, Cidades dos*.

Treze cidades ficaram com os levitas coatitas, os sacerdotes (a família de Arão) (vs. 4).

Dez cidades ficaram com outros coatitas, que não descendiam da linhagem de Arão (vs. 5).

Treze cidades ficaram com os gersonitas (vs. 6).

Doze cidades ficaram com os meraritas (vs. 7).

21.5

וְלִבְנֵי קְהָת הַנּוֹתָרִים מִמִּשְׁפְּחֹת מַטֵּה־אֶפְרַיִם וּמִמַּטֵּה־דָן וּמֵחֲצִי מַטֵּה מְנַשֶּׁה בַּגּוֹרָל עָרִים עָשֶׂר׃ ס

Os outros filhos de Coate. Eles ficaram com dez cidades. Mas não pertenciam à linhagem sacerdotal de Arão. Como já dissemos, cada tribo de Israel contribuiu com uma média de quatro cidades, perfazendo assim 48 cidades, ou seja, 4 x 12 = 48. Todavia, a distribuição não foi exata, visto que algumas tribos, por serem maiores, puderam contribuir com mais cidades para os levitas. Os versículos envolvidos mostram quais tribos contribuíram para este ou aquele ramo dos levitas. As sortes lançadas é que determinaram essas combinações, talvez conforme ficou sugerido no último parágrafo das notas da introdução ao capítulo 14 de Josué. Os vss. 20-26 deste capítulo listam as cidades que eles receberam.

"Gérson era o filho mais velho, mas Coate recebeu tratamento prioritário, por causa da família de Arão" (John Bright, *in loc.*).

21.6

וְלִבְנֵי גֵרְשׁוֹן מִמִּשְׁפְּחוֹת מַטֵּה־יִשָּׂשכָר וּמִמַּטֵּה־אָשֵׁר וּמִמַּטֵּה נַפְתָּלִי וּמֵחֲצִי מַטֵּה מְנַשֶּׁה בַבָּשָׁן בַּגּוֹרָל עָרִים שְׁלֹשׁ עֶשְׂרֵה׃ ס

Os filhos de Gérson. A eles foram alocadas treze cidades. Eles receberam suas cidades da parte de três das tribos e da meia tribo de Manassés, conforme aprendemos neste versículo. Os vss. 27-33 deste capítulo listam as cidades por eles recebidas.

21.7

לִבְנֵי מְרָרִי לְמִשְׁפְּחֹתָם מִמַּטֵּה רְאוּבֵן וּמִמַּטֵּה־גָד וּמִמַּטֵּה זְבוּלֻן עָרִים שְׁתֵּים עֶשְׂרֵה׃

Os filhos de Merari. A eles foram alocadas doze cidades. Eles receberam suas cidades da parte das tribos aqui mencionadas. Os vss. 35-40 deste capítulo listam as cidades recebidas por eles. Um total de 48 cidades foi recebido pelos levitas, conforme lemos no versículo 41 deste capítulo, de acordo com o que havia sido originalmente ordenado por Moisés (ver Nm 35.7).

AS CIDADES LEVÍTICAS. COMPARAÇÃO ENTRE JOSUÉ 21.9-42 E 1CRÔNICAS 6.54-81

Ordens Levíticas	Josué	1Crônicas
Descendentes de Coate (Sacerdotes)		
Receberam cidades de Judá e Simeão	Hebrom Libna Jatir Estemoa Holom Debir Aim Jutá Bete-Semes	Hebrom Libna Jatir Estemoa Holom Debir Aim Jutá Bete-Semes
Receberam cidades de Benjamim	Gibeon Geba Anatote Almon	Omitida Geba Alemete (Almom) Ananote
Descendentes de Coate (não sacerdotes)		
Receberam cidades de Efraim	Siquém Gezer Quibzaim Bete-Horom	Siquém Gezer Jocmeão Bete-Horom
Receberam cidades de Dã	Elteque Gibeton Aijolom Gate-Rimom	Omitida Omitida Aijalom Gate-Rimom
Receberam cidades da meia tribo de Manassés	Taanaque Gate-Rimom	Aner Bileã
Descendentes de Gérson		
Receberam cidades da meia tribo de Manassés	Golã Beesterá	Golã Astarote
Receberam cidades de Issacar	Quision Daberate Jarmute En-Ganin	Guedes Daberate Ramote Aném
Receberam cidades de Aser	Misal Abdom Helcate Reobe	Masal Abdom Hocoque Reobe
Receberam cidades de Naftali	Quedes Hamote-Dor Cartã	Quedes Hamom Quiriataim
Descendentes de Merari		
Receberam cidades de Zebulom	Jocneão Cartá Dimna Naal	Omitida Omitida Rimono Tabor
Receberam cidades de Rúben	Bezer Jaza Quedemote Mefaate	Bezer Jaza Quedemote Mefaate
Receberam cidades de Gade	Ramote Maanaim Hesbom Jazer	Ramote Maanaim Hesbom Jazer

Observações: Em alguns casos, temos variantes de soletração dos nomes das cidades. Mas alguns nomes podem ser de cidades diferentes. Condições e nomes mudaram entre 1399 (o tempo de Josué) e 400 a.C. (o tempo de Crônicas).

CIDADES ALOCADAS AOS AARONITAS (21.8-19)

E os seus arredores. No que concerne à extensão das terras entregues aos levitas, além daquelas 48 cidades, ver Nm 35.2-8. Ver também, no gráfico apresentado nas notas sobre Nm 35.1, ilustrações à questão. Terras adjacentes suficientes foram dadas aos levitas, capacitando-os a ocupar-se da agricultura e da criação de gado, posto que sobre uma base limitada. O restante de suas necessidades era satisfeito por meio das ofertas das outras tribos, visto que os descendentes de Levi se ocupavam do serviço divino e eram dignos de receber essa compensação. Ver no *Dicionário* os artigos denominados *Levitas* e *Levitas, Cidades dos*.

■ 21.8

וַיִּתְּנוּ בְנֵי־יִשְׂרָאֵל לַלְוִיִּם אֶת־הֶעָרִים הָאֵלֶּה וְאֶת־מִגְרְשֵׁיהֶן כַּאֲשֶׁר צִוָּה יְהוָה בְּיַד־מֹשֶׁה בַּגּוֹרָל: פ

Como o Senhor ordenara. Os *aaronitas* eram levitas coatitas, mas descendiam diretamente de Arão. Esses eram os levitas *sacerdotes*. Assim, todos os sacerdotes eram levitas, mas nem todos os levitas eram sacerdotes. Os levitas "menores" receberam tarefas de importância secundária, que não estavam diretamente envolvidas no sistema sacrificial do tabernáculo (ou, mais tarde, do templo de Jerusalém). Ver no *Dicionário* os artigos chamados *Aaronitas*, quanto a explicações mais detalhadas, como também *Coate, Coatitas* e *Sacerdotes e Levitas*.

Toda distribuição de terras ou cidades foi efetuada de acordo com a vontade expressa de Yahweh, indicada por meio do lançamento de sortes. Ver Nm 35.7 e, no *Dicionário*, o artigo chamado *Sortes*. Ver também Nm 26.54,55 e a introdução ao primeiro capítulo do livro de Josué, além de Js 13.2; 15.1 etc. Todas essas várias instruções estiveram envolvidas nas provisões do *Pacto Abraâmico*, pois a Terra Prometida foi entregue aos filhos de Israel como uma herança derivada do patriarca Abraão. Ver as notas sobre esse pacto em Gn 15.18.

■ 21.9

וַיִּתְּנוּ מִמַּטֵּה בְּנֵי יְהוּדָה וּמִמַּטֵּה בְּנֵי שִׁמְעוֹן אֵת הֶעָרִים הָאֵלֶּה אֲשֶׁר־יִקְרָא אֶתְהֶן בְּשֵׁם:

Deram mais. Este versículo reitera a informação dada no quarto versículo. Os sacerdotes levitas (aaronitas) receberam as suas cidades das tribos de Judá, Simeão e Benjamim (vs. 17). Este versículo introduz os vss. 13-19, onde as cidades são listadas.

"É digno de atenção que, com a exceção de uma única cidade, na tribo de Simeão (Aim, vs. 16), todas as cidades sacerdotais estavam dispostas de dentro do reino de Judá, do qual a capital era Jerusalém, a cidade que o Senhor Deus havia escolhido, dentre todas as tribos de Israel, como lugar para pôr o seu nome. Os levitas também deixaram suas cidades e seus subúrbios, durante o reinado de Jeroboão (2Cr 11.14), e transferiram-se para o território de *Judá*... Houve, pois, uma presciência divina que arranjou dessa maneira a distribuição do povo de Israel" (Ellicott, *in loc.*).

Das treze cidades dadas aos levitas sacerdotais (aarônicos), *nove* vieram das tribos de Judá e Simeão, e *quatro* de Benjamim.

■ 21.10

וַיְהִי לִבְנֵי אַהֲרֹן מִמִּשְׁפְּחוֹת הַקְּהָתִי מִבְּנֵי לֵוִי כִּי לָהֶם הָיָה הַגּוֹרָל רִיאשֹׁנָה:

A primeira sorte foi deles. Essa primeira sorte envolveu os levitas de maior prestígio, a saber, aqueles que descendiam de Arão e exerciam funções sacerdotais, trabalhando diretamente no culto do tabernáculo e, posteriormente, no templo. Ver no *Dicionário* o artigo intitulado *Sacerdotes e Levitas*. Quanto a informações sobre o lançamento de sortes, além do artigo no *Dicionário* que versa sobre o assunto, ver o quarto versículo deste capítulo, onde dou referências que também tratam da questão. Assim como as *sortes* haviam determinado a alocação das terras, no tocante a todas as doze tribos, assim também foram usadas para determinar quais cidades, e de quais tribos, iriam para cada um dos ramos que havia entre os levitas.

Ver o começo e o fim dos comentários sobre o quarto versículo, quanto ao *esquema geral* da distribuição das cidades entre os vários ramos dos levitas.

■ 21.11,12

וַיִּתְּנוּ לָהֶם אֶת־קִרְיַת אַרְבַּע אֲבִי הָעֲנוֹק הִיא חֶבְרוֹן בְּהַר יְהוּדָה וְאֶת־מִגְרָשֶׁהָ סְבִיבֹתֶיהָ:

וְאֶת־שְׂדֵה הָעִיר וְאֶת־חֲצֵרֶיהָ נָתְנוּ לְכָלֵב בֶּן־יְפֻנֶּה בַּאֲחֻזָּתוֹ: ס

Assim lhes deram. Estes dois versículos foram inseridos pelo autor sagrado a fim de ajudar-nos a compreender como Calebe, que era efraimita, e não levita, recebeu a sua herança entre os levitas, ou seja, a cidade de Hebrom, finalmente outorgada aos levitas como uma de suas 48 cidades. Ver Js 14.14,15 quanto à história de como Calebe recebeu como herança a cidade de Hebrom. Ver no *Dicionário* os artigos intitulados *Hebrom; Arba* e *Anaque*.

Parece que o vs. 12 limita a herança de Calebe aos subúrbios em torno da cidade, pelo que ele não teria recebido a cidade propriamente dita. Porém, devemos lembrar que não havia exclusividade absoluta quanto à questão. Havia levitas que residiam em cidades não-levitas e havia não-levitas que habitavam em cidades levitas. Sempre houve misturas de tribos, especialmente nas áreas fronteiriças. Ver a introdução a este capítulo, sob o título *Cidades Não exclusivas dos Levitas,* quanto a maiores explicações. Podemos ter certeza de que Calebe, apesar de não pertencer à tribo de Levi, tinha pleno acesso e autoridade em Hebrom, embora não pudesse engajar-se no serviço sagrado, reservado exclusivamente aos levitas.

Os levitas tinham direito a uma faixa de cerca de mil metros (dois mil côvados) em torno *dos limites* da cidade (ou então a partir do *centro* de uma cidade, de acordo com alguns intérpretes). E Calebe recebeu a sua herança para além desses limites. Ver Nm 35.1 quanto a um gráfico que ilustra essa questão.

As 48 cidades dos levitas incluíam as cidades de refúgio. Ver sobre elas nos vss. 13,21,27,32,36 e 38. Ver no *Dicionário* o artigo intitulado *Cidades de Refúgio*.

LISTA DAS CIDADES DOS AARONITAS (21.13-19)

■ 21.13-19

וְלִבְנֵי אַהֲרֹן הַכֹּהֵן נָתְנוּ אֶת־עִיר מִקְלַט הָרֹצֵחַ 13 אֶת־חֶבְרוֹן וְאֶת־מִגְרָשֶׁהָ וְאֶת־לִבְנָה וְאֶת־מִגְרָשֶׁהָ:

וְאֶת־יַתִּר וְאֶת־מִגְרָשֶׁהָ וְאֶת־אֶשְׁתְּמֹעַ וְאֶת־ 14 מִגְרָשֶׁהָ:

וְאֶת־חֹלֹן וְאֶת־מִגְרָשֶׁהָ וְאֶת־דְּבִר וְאֶת־מִגְרָשֶׁהָ: 15

וְאֶת־עַיִן וְאֶת־מִגְרָשֶׁהָ וְאֶת־יֻטָּה וְאֶת־מִגְרָשֶׁהָ 16 אֶת־בֵּית שֶׁמֶשׁ וְאֶת־מִגְרָשֶׁהָ עָרִים תֵּשַׁע מֵאֵת שְׁנֵי הַשְּׁבָטִים הָאֵלֶּה: פ

וּמִמַּטֵּה בִנְיָמִן אֶת־גִּבְעוֹן וְאֶת־מִגְרָשֶׁהָ אֶת־גֶּבַע 17 וְאֶת־מִגְרָשֶׁהָ:

אֶת־עֲנָתוֹת וְאֶת־מִגְרָשֶׁהָ וְאֶת־עַלְמוֹן וְאֶת־מִגְרָשֶׁהָ 18 עָרִים אַרְבַּע:

כָּל־עָרֵי בְנֵי־אַהֲרֹן הַכֹּהֲנִים שְׁלֹשׁ־עֶשְׂרֵה עָרִים 19 וּמִגְרְשֵׁיהֶן: ס

Todas as treze cidades que aparecem nesta lista recebem artigos separados no *Dicionário* (pelo que o material não é repetido aqui), excetuando *Almom*, também chamada Alemete. Cf. o vs. 18 deste capítulo, onde esse lugar é mencionado, com 1Cr 6.60. Era uma cidade que foi dada aos levitas aaronitas, dentre a tribo de Benjamim. O nome significa *esconderijo*. Em Js 21.18, é a última das cidades mencionadas como pertencente a Benjamim, que foi dada aos levitas. Tem sido identificada com a *Khirbet 'Almit*, localizada entre Geba e Anatote.

Hebrom. Essa cidade de Judá tornou-se uma das cidades de refúgio. Ver no *Dicionário* o verbete chamado *Cidades de Refúgio*.

Somos lembrados aqui que todas as cidades dadas aos levitas também tinham áreas adjacentes, entregues aos levitas. Ver sobre *Arredores*, em Js 21.8. E ver no *Dicionário* o artigo intitulado *Levitas, Cidades dos*.

O vs. 19 deste capítulo conclui a questão da distribuição das *treze* cidades aos *aaronitas* (ver a respeito no *Dicionário*).

"Na época aqui mencionada, treze cidades constituíram uma porção muito grande para os sacerdotes, porque eles e seus familiares formavam um número muito pequeno; mas essa ampla provisão foi feita devido à grande multiplicação deles em tempos posteriores, quando chegaram a formar 24 cursos, nos tempos de Davi" (Adam Clarke, *in loc.*). E não há que duvidar que, desde o princípio, pessoas pertencentes a outras tribos também residiam ali, visto que não havia exclusividade quanto a essa questão. Ver a introdução a este capítulo, sob o título *Cidades Não Exclusivas dos Levitas*.

CIDADES DOS LEVITAS COATITAS QUE NÃO ERAM SACERDOTES (21.20-26)

21.20-26

וּלְמִשְׁפְּחוֹת בְּנֵי־קְהָת הַלְוִיִּם הַנּוֹתָרִים מִבְּנֵי קְהָת 20
וַיְהִי עָרֵי גוֹרָלָם מִמַּטֵּה אֶפְרָיִם:

וַיִּתְּנוּ לָהֶם אֶת־עִיר מִקְלַט הָרֹצֵחַ אֶת־שְׁכֶם 21
וְאֶת־מִגְרָשֶׁהָ בְּהַר אֶפְרָיִם וְאֶת־גֶּזֶר וְאֶת־מִגְרָשֶׁהָ:

וְאֶת־קִבְצַיִם וְאֶת־מִגְרָשֶׁהָ וְאֶת־בֵּית חוֹרֹן 22
וְאֶת־מִגְרָשֶׁהָ עָרִים אַרְבַּע: ס

וּמִמַּטֵּה־דָן אֶת־אֶלְתְּקֵא וְאֶת־מִגְרָשֶׁהָ אֶת־גִּבְּתוֹן 23
וְאֶת־מִגְרָשֶׁהָ:

אֶת־אַיָּלוֹן וְאֶת־מִגְרָשֶׁהָ אֶת־גַּת־רִמּוֹן וְאֶת־מִגְרָשֶׁהָ 24
עָרִים אַרְבַּע: ס

וּמִמַּחֲצִית מַטֵּה מְנַשֶּׁה אֶת־תַּעְנַךְ וְאֶת־מִגְרָשֶׁהָ 25
וְאֶת־גַּת־רִמּוֹן וְאֶת־מִגְרָשֶׁהָ עָרִים שְׁתָּיִם:

כָּל־עָרִים עֶשֶׂר וּמִגְרְשֵׁיהֶן לְמִשְׁפְּחוֹת בְּנֵי־קְהָת 26
הַנּוֹתָרִים: ס

Ver o artigo sobre os *Levitas*, no *Dicionário*, bem como os comentários sobre o quarto versículo deste capítulo, quanto à *distribuição geral* das cidades entre os três ramos dos levitas. As duas primeiras distribuições foram para os levitas coatitas. A primeira delas ficou com a linhagem de Arão, que deu origem aos sacerdotes; e a segunda ficou com os outros coatitas, embora não descendentes de Arão. Ver no *Dicionário* os artigos intitulados *Levitas, Cidades dos* e *Sacerdotes e Levitas*.

Os coatitas que restaram (ou seja, aqueles que não pertenciam à linhagem de Arão) receberam suas cidades das tribos de Efraim, de Dã e da meia tribo de Manassés que ficou no lado ocidental do rio Jordão.

Foram empregadas sortes para determinar quais cidades, de quais tribos, ficariam com quais ramos dos levitas. Ver sobre essa questão nas notas expositivas de Js 21.4, onde são dadas completas informações.

Mais dez cidades que foram distribuídas são listadas em seguida. As cidades dos sacerdotes ficaram, finalmente, dentro das fronteiras do futuro reino do sul, Judá, do qual Jerusalém veio a ser a capital.

As *48 cidades* dos levitas incluíam as *seis cidades* de refúgio. Ver os vss. 13,21,27,32,36 e 38 deste capítulo. Ver no *Dicionário* o artigo chamado *Cidades de Refúgio*, bem como o capítulo 20 do livro de Josué.

Todas as cidades mencionadas aqui recebem artigos separados no *Dicionário*, pelo que esse material não é repetido aqui.

O vs. 26 encerra esta seção, da mesma maneira que fazem outros versículos com breves notas de sumário. Ver as notas sobre o versículo 19, quanto à essência da natureza desses versículos de sumário. Ver também a questão das terras adjacentes às cidades dadas aos levitas, em Nm 35.1, onde a questão é ilustrada.

CIDADES DOS DESCENDENTES DE GÉRSON (21.27-33)

21.27-33

וּלְבְנֵי גֵרְשׁוֹן מִמִּשְׁפְּחֹת הַלְוִיִּם מֵחֲצִי מַטֵּה 27
מְנַשֶּׁה אֶת־עִיר מִקְלַט הָרֹצֵחַ אֶת־גּוֹלָן בַּבָּשָׁן
וְאֶת־מִגְרָשֶׁהָ וְאֶת־בְּעֶשְׁתְּרָה וְאֶת־מִגְרָשֶׁהָ עָרִים
שְׁתָּיִם: ס

וּמִמַּטֵּה יִשָּׂשכָר אֶת־קִשְׁיוֹן וְאֶת־מִגְרָשֶׁהָ 28
אֶת־דָּבְרַת וְאֶת־מִגְרָשֶׁהָ:

אֶת־יַרְמוּת וְאֶת־מִגְרָשֶׁהָ אֶת־עֵין גַּנִּים 29
וְאֶת־מִגְרָשֶׁהָ עָרִים אַרְבַּע: ס

וּמִמַּטֵּה אָשֵׁר אֶת־מִשְׁאָל וְאֶת־מִגְרָשֶׁהָ אֶת־עַבְדּוֹן 30
וְאֶת־מִגְרָשֶׁהָ:

אֶת־חֶלְקָת וְאֶת־מִגְרָשֶׁהָ וְאֶת־רְחֹב וְאֶת־מִגְרָשֶׁהָ 31
עָרִים אַרְבַּע: ס

וּמִמַּטֵּה נַפְתָּלִי אֶת־עִיר מִקְלַט הָרֹצֵחַ אֶת־קֶדֶשׁ 32
בַּגָּלִיל וְאֶת־מִגְרָשֶׁהָ וְאֶת־חַמֹּת דֹּאר וְאֶת־מִגְרָשֶׁהָ
וְאֶת־קַרְתָּן וְאֶת־מִגְרָשֶׁהָ עָרִים שָׁלֹשׁ:

כָּל־עָרֵי הַגֵּרְשֻׁנִּי לְמִשְׁפְּחֹתָם שְׁלֹשׁ־עֶשְׂרֵה עִיר 33
וּמִגְרְשֵׁיהֶן: ס

Treze cidades foram entregues a esse ramo dos levitas. Essas cidades ficavam localizadas nos territórios de Issacar, Aser, Naftali e na meia tribo ocidental de Manassés. Ver no *Dicionário* os seguintes artigos: *Levitas*; *Sacerdotes e Levitas* e *Levitas, Cidades dos*.

As 48 cidades dos levitas incluíam as *seis cidades* de refúgio. Ver Js 21.13,21,27,32,36 e 38, bem como o artigo chamado *Cidades de Refúgio*, no *Dicionário*.

Ver as notas sobre Js 21.4, quanto ao *esquema de distribuição*, onde também é discutida a questão dos vários ramos que havia entre os levitas, com referências que mostram onde são oferecidas maiores informações.

No tocante à questão das sortes, usadas para determinar quais cidades foram para quais tribos, ver as notas sobre Js 21.4.

Todas as cidades mencionadas na lista seguinte recebem artigos separados no *Dicionário*, excetuando *Daberate*, mencionada no vs. 28 deste capítulo. Não repito aqui o material disponível naqueles artigos.

Daberate. Essa era uma cidade que ficava próxima do monte Tabor, para oeste, dentro do território de Issacar (ver 1Cr 6.72; Js 21.27,28). Foi conferida aos levitas gersonitas. Parece que ficava na fronteira com Zebulom. Foi nesse lugar onde Sísera foi derrotado por Baraque, algum tempo mais tarde. Tem sido tentativamente identificada com a moderna *Deburiyeh*. O nome hebraico dessa cidade significa "pastagem".

O vs. 33 encerra a seção e o material apresentado, tal como fazem os versículos de sumário quanto às outras tribos. Ver o versículo 19 quanto à sua essência. No tocante aos "arredores" (as terras adjacentes) que acompanhavam as cidades, ver as notas sobre Js 21.18. Essa questão foi ilustrada em Nm 35.1.

CIDADES DOS DESCENDENTES DE MERARI (21.34-40)

21.34-40

34 וּלְמִשְׁפְּחוֹת בְּנֵי־מְרָרִי הַלְוִיִּם הַנּוֹתָרִים מֵאֵת
מַטֵּה זְבוּלֻן אֶת־יָקְנְעָם וְאֶת־מִגְרָשֶׁהָ אֶת־קַרְתָּה
וְאֶת־מִגְרָשֶׁהָ׃

35 אֶת־דִּמְנָה וְאֶת־מִגְרָשֶׁהָ אֶת־נַהֲלָל וְאֶת־מִגְרָשֶׁהָ
עָרִים אַרְבַּע׃

36 וּמִמַּטֵּה רְאוּבֵן אֶת־בֶּצֶר וְאֶת־מִגְרָשֶׁהָ וְאֶת־יַהְצָה
וְאֶת־מִגְרָשֶׁהָ׃

37 אֶת־קְדֵמוֹת וְאֶת־מִגְרָשֶׁהָ וְאֶת־מֵיפָעַת
וְאֶת־מִגְרָשֶׁהָ עָרִים אַרְבַּע׃ ס

38 וּמִמַּטֵּה־גָד אֶת־עִיר מִקְלַט הָרֹצֵחַ אֶת־רָמֹת
בַּגִּלְעָד וְאֶת־מִגְרָשֶׁהָ וְאֶת־מַחֲנַיִם וְאֶת־מִגְרָשֶׁהָ׃

39 אֶת־חֶשְׁבּוֹן וְאֶת־מִגְרָשֶׁהָ אֶת־יַעְזֵר וְאֶת־מִגְרָשֶׁהָ
כָּל־עָרִים אַרְבַּע׃

40 כָּל־הֶעָרִים לִבְנֵי מְרָרִי לְמִשְׁפְּחֹתָם הַנּוֹתָרִים
מִמִּשְׁפְּחוֹת הַלְוִיִּם וַיְהִי גּוֹרָלָם עָרִים שְׁתֵּים עֶשְׂרֵה׃

Doze cidades foram entregues aos levitas do ramo de Merari. Essas cidades ficavam localizadas nos territórios de Zebulom, Rúben e Gade. O trecho de 1Cr 6.77 adiciona a cidade de Tabor, à lista de cidades dadas no território de Zebulom, e isso daria mais uma cidade. Por outra parte, Cartã (vs. 32) ou Cartá (vs. 34) talvez fossem dois nomes de uma única cidade; e, se essa cidade fosse desconsiderada como pertencente aos levitas gersonitas (ver o vs. 32), então o número *doze* seria preservado. No *Dicionário*, contudo, apresento *Cartã* e *Cartá* como cidades distintas. Hesbom, chamada aqui de cidade de Gade, aparece em Js 13.17 como cidade pertencente a Rúben. Talvez isso reflita a situação histórica na qual a tribo de Simeão acabou perdendo sua identidade separada, e foi absorvida pela tribo de Gade, naquela região. Ver os seguintes artigos no *Dicionário: Levitas; Sacerdotes e Levitas* e *Levitas, Cidades dos*.

Ver Js 21.4 quanto ao "esquema de distribuição", onde são explicados os vários ramos dos levitas, com referências que indicam onde podem ser obtidas maiores informações a respeito.

Sortes. Ver Js 21.4 quanto a informações e referências. Ver no *Dicionário* o artigo sobre esse assunto.

As 48 cidades conferidas aos levitas incluíam as *seis* cidades de refúgio. Ver os vss. 13,21,27,32,36 e 38 deste capítulo. O versículo 36 menciona *Bezer*, que era uma cidade de refúgio, embora o autor sagrado se tenha esquecido de dar-nos essa informação aqui. Ver Js 20.8, onde ele proveu essa informação. Ver no *Dicionário* o verbete denominado *Cidades de Refúgio*.

Todas as cidades mencionadas na lista que se segue recebem artigos separados no *Dicionário*, pelo que não as repito aqui.

O vs. 40 deste capítulo apresenta-nos um sumário que, em sua essência, é igual ao que aparece no término das seções anteriores. Ver as notas expositivas a esse respeito no vs. 19. Quanto aos subúrbios ou arredores (terras adjacentes), que acompanhavam essas cidades, ver as notas sobre Js 21.18. Essa questão é ilustrada em Nm 35.1.

21.41,42

כָּל עָרֵי הַלְוִיִּם בְּתוֹךְ אֲחֻזַּת בְּנֵי־יִשְׂרָאֵל עָרִים
אַרְבָּעִים וּשְׁמֹנֶה וּמִגְרְשֵׁיהֶן׃

תִּהְיֶינָה הֶעָרִים הָאֵלֶּה עִיר עִיר וּמִגְרָשֶׁהָ סְבִיבֹתֶיהָ
כֵּן לְכָל־הֶעָרִים הָאֵלֶּה׃ ס

As cidades, pois, dos levitas. O número de 48 cidades é um número apenas ideal. O número real pode ter sido um pouco menor. Ademais, cada tribo contribuiu com uma média de *quatro* cidades para serem cidades dos levitas. Mas as tribos maiores contribuíram com um número maior de cidades, e as tribos menores, com um número menor de cidades. É provável que várias dessas 48 cidades não tenham sido conquistadas na época de Josué, tal como, Israel, de modo geral, também deixou de conquistar grande parte do território da Terra Prometida a que tinha direito (ver Js 13.1 ss.). Somente nos dias de Davi é que esse ideal chegou perto de ser conseguido. Ver a introdução ao capítulo 13 de Josué quanto a outros comentários sobre a questão. Cf. a lista de cidades dos levitas, dada em 1Cr 6.54-81.

Alguns intérpretes esforçam-se por conferir-nos o número exato de 48 cidades, conforme fez John Bright (*in loc.*), cujo comentário é bastante instrutivo:

"*Quarenta e oito* é uma cifra esquematizada, supondo que cada tribo tenha entrado com quatro cidades. Se Hebrom e Siquém forem consideradas adições secundárias à lista (excluídas originalmente, visto que cada qual era uma capital secular; ver 2Sm 5.1-5; 1Rs 12.1,25, mas que posteriormente foram adicionadas, visto que ambas também eram centros religiosos), então o total para Judá e Simeão é oito, e para Efraim, três. No caso de Efraim, entretanto, foi mister adicionar Jocmeão, completando de novo o total de quatro cidades. A adição da cidade de Hamom, que se vê no versículo 32, também faz o total de Naftali ser de quatro cidades. A omissão de Cartã (vs. 34) foi compensada pela adição de Tabor (ver 1Cr 6.77). Originalmente, a lista parece ter indicado quatro cidades para cada tribo (oito para Judá e Simeão, juntamente)".

O vs. 42, uma vez mais, menciona os subúrbios ou "arredores" (terras adjacentes) que foram dados aos levitas, juntamente com as cidades. Esses arredores eram usados pelos levitas para realizar uma agricultura e uma criação de gado limitadas. O restante de suas necessidades era suprido pelas ofertas das demais tribos, parte das quais ia para o tabernáculo, e outra que podia ser consumida pelos sacerdotes e levitas. Mais tarde, essa experiência prosseguiu, na época do templo de Jerusalém. Ver Js 21.18 quanto a informações. Todos os sumários (exceto aquele do versículo 40), que nos dizem como cada ramo dos levitas obteve certo número de cidades, mencionam essas terras adjacentes. Ver os vss. 19,26,33 e 39 (no vs. 40 falta essa menção, embora seja um sumário).

DECLARAÇÃO FINAL SOBRE A DIVISÃO DAS TERRAS (21.43-45)

Este sumário conclui a questão inteira da conquista e da alocação de terras ao povo de Israel, iniciada no capítulo 13. A lista de nomes próprios, dentro desse trecho, não tem rival, em toda a Bíblia, no tocante a seu grande número. Os capítulos 15 e 19 têm, respectivamente, a maior e a segunda maior lista de nomes próprios de qualquer capítulo da Bíblia. Talvez tenha sido com um suspiro de alívio que o autor sagrado completou suas laboriosas listas e descrições de territórios e cidades. E não há que duvidar que todo comentador da Bíblia também sente um alívio ao terminar essa relação. Não obstante, essa imensa lista nos faz lembrar a riqueza da *herança* dada por Yahweh a seu povo de Israel, cumprindo assim certo dispositivo do Pacto Abraâmico (ver as notas a respeito em Gn 15.18). Já dissemos que essa lista era ideal em parte, pois muitos lugares nunca foram conquistados por Israel nos dias de Josué (ver Js 13.1 ss.). Somente nos dias de Davi a herança chegou perto de ser totalmente conquistada. A promessa da herança olhava para um cumprimento ainda mais amplo, que, não há que duvidar, será uma realidade nos dias do reino milenar de Cristo (ver Ez 45—48).

Tipologia. Não podemos olvidar que a situação inteira também serve de tipo. Portanto, em Cristo, todas as nações terão sua herança, a saber, a pátria celestial (ver Gl 3.28,29; Hb 11.16; 12.22). Outrossim, cada pessoa remida disporá de sua própria herança, como parte do todo; e a restaurada nação de Israel terá renovada a sua herança terrena (ver Rm 11.26,27).

Estes versículos servem de encerramento do trecho de Js 13.1 e 7, que antecipa a divisão da Terra Prometida. Ver também Js 18.3. Ver no *Dicionário* o verbete chamado *Herdeiro*, quanto a informações gerais e símbolos espirituais.

21.43

וַיִּתֵּן יְהוָה לְיִשְׂרָאֵל אֶת־כָּל־הָאָרֶץ אֲשֶׁר נִשְׁבַּע לָתֵת
לַאֲבוֹתָם וַיִּרָשׁוּהָ וַיֵּשְׁבוּ בָהּ׃

Este versículo, que serve de introdução a esta breve seção (vss. 43-45), inclui os comentários essenciais que precisam acompanhar este versículo. Nem tudo quanto aparece neste versículo deve ser entendido de forma literal. Em um sentido idealista e prático, o território inteiro prometido a Israel fora conquistado; mas havia bolsões que foram deixados ainda em mãos de populações cananeias. O autor sagrado, pois, apresentou-nos um relatório *otimista*, sem fazer menção aos elementos menos encorajadores (ver Js 13.1 ss.).

■ 21.44,45

וַיָּ֨נַח יְהוָ֤ה לָהֶם֙ מִסָּבִ֔יב כְּכֹ֥ל אֲשֶׁר־נִשְׁבַּ֖ע
לַאֲבוֹתָ֑ם וְלֹא־עָ֨מַד אִ֤ישׁ בִּפְנֵיהֶם֙ מִכָּל־אֹ֣יְבֵיהֶ֔ם
אֵ֚ת כָּל־אֹ֣יְבֵיהֶ֔ם נָתַ֥ן יְהוָ֖ה בְּיָדָֽם׃

לֹֽא־נָפַ֣ל דָּבָ֗ר מִכֹּל֙ הַדָּבָ֣ר הַטּ֔וֹב אֲשֶׁר־דִּבֶּ֥ר יְהוָ֖ה
אֶל־בֵּ֣ית יִשְׂרָאֵ֑ל הַכֹּ֖ל בָּֽא׃ פ

Estes versículos mostram como, afinal, a terra obteve descanso da guerra. Sucede que, de modo geral, depois da guerra vem a paz e depois da paz vem novamente a guerra. Os homens nunca conseguiram interromper esse círculo vicioso.

Tipologia. O trabalho árduo precisa ser seguido por períodos de repouso, a fim de que as energias possam ser restauradas. Os crentes também desfrutarão seu *descanso*, a saber, em sua pátria celestial. Ver Hb 4.1,9-11.

O autor sagrado continua aqui o seu relatório otimista. Ele nos diz, em termos absolutos, que *nenhum adversário* permaneceu de pé diante de Israel, mas, antes, que todos foram entregues nas mãos do antigo povo de Israel. Mas isso representa certo exagero (considerando Js 13.1 ss.). Em um sentido geral, contudo, exprimia uma verdade. A *tarefa essencial* estava terminada. Isso nos lembra de que as tarefas mais bem-feitas, realizadas pelos melhores homens, sempre têm alguns defeitos e inadequações, visto que estes são parte integral da condição humana. No entanto, as realizações bem-feitas, embora *incompletas*, recebem louvores. Oh, Senhor, concede-nos tal graça!

A visão global, retórica e otimista, que considera que tudo foi levado a bom termo, também caracteriza tudo aquilo que realizamos. Dizemos: "Fiz bem a minha tarefa!" Mas isso sempre deve ser dito em termos apenas relativos. O autor sagrado não se preocupou com exatidão histórica absoluta. Ele meramente olhou para a essência do que havia sido feito e disse: "Tudo foi bem feito!"

"Deus cumpriu a sua palavra; aquilo que prometeu, ele cumpriu. Os homens podem depender do Senhor. Deus nunca deixa de cumprir as suas promessas, as quais, em Cristo Jesus, são sempre o sim e o amém (ver 2Co 1.20)" (Joseph R. Sizoo, *in loc.*).

"Israel obedeceu aos mandamentos do Senhor. O Senhor mostrou-se fiel; a Terra Prometida agora lhes pertence" (Joseph Bright, *in loc.*).

"Nenhuma de suas palavras chegará jamais a falhar, a qualquer de seus seguidores, enquanto perdurarem o sol e a lua" (Adam Clarke, *in loc.*).

Foi assim que o fracasso do povo de Israel, quase meio século antes, na fronteira da Terra Prometida, foi revertido afinal. Deus é o Deus da segunda oportunidade.

A História do Triunfo Foi Ampliada. Yahweh tinha tirado o povo de Israel do Egito; em seguida, guiou-os durante quarenta anos pelo deserto; e conferiu-lhes uma invasão bem-sucedida da Terra Prometida. Agora, finalmente, Israel estava em seu território nacional, que fazia séculos tinha sido prometido a Abraão.

"Portanto, tudo quanto Deus promete a seu Israel *espiritual*, no tocante ao atual conflito, consolação e felicidade eterna deles, tudo terá um cumprimento preciso. Em Cristo, todas as promessas divinas têm o seu sim e amém" (John Gill, *in loc.*).

CAPÍTULO VINTE E DOIS

CONSAGRAÇÃO DO POVO ESCOLHIDO (22.1—24.28)

CONCÓRDIA COM AS TRIBOS ORIENTAIS (22.1-34)

As tribos de Rúben e de Gade, e a meia tribo de Manassés, por escolha pessoal, tinham ficado com o território da Transjordânia (ver a respeito no *Dicionário*), especialmente porque possuíam muito gado e precisavam de boas terras de pastagem e aquele território era rico nesse tipo de terras. Eles solicitaram de Moisés aquela região e a obtiveram. Moisés concordara com o pedido deles, mas sob a condição de que ajudassem as demais tribos a conquistar a parte *ocidental* da Terra Prometida. E eles concordaram. Esse relato é contado no capítulo 32 do livro de Números. Ver também Js 1.16-18 e 4.12-14. Aquelas duas tribos e meia cumpriram a palavra, até que a totalidade da Terra Prometida estava conquistada. Durante *sete anos*, provaram sua fidelidade ao compromisso assumido. Ficaram separados de suas esposas e demais familiares; mas agora a batalha estava ganha.

Em vista disso, Josué despediu aqueles cerca de quarenta mil israelitas, cujas terras ficavam a oriente do rio Jordão, enviando-os, cobertos de honras, para os seus *lares*, em um merecido descanso.

Os *versículos primeiro a sexto* dão continuação ao relato principal que vimos no livro de Deuteronômio, mas que fora interrompido por seções secundárias (ver Js 13—21). Alguns críticos veem nisso o trabalho editorial de uma fonte informativa que eles chamam de P.(S.). Ver no *Dicionário* o artigo intitulado J.E.D.P.(S.), quanto à teoria das múltiplas fontes do *Hexateuco*. Ver também, no *Dicionário*, o verbete com esse nome.

■ 22.1,2

אָ֣ז יִקְרָ֤א יְהוֹשֻׁ֨עַ֙ לָרֽאוּבֵנִ֔י וְלַגָּדִ֑י וְלַחֲצִ֖י מַטֵּ֥ה מְנַשֶּֽׁה׃

וַיֹּ֣אמֶר אֲלֵיהֶ֔ם אַתֶּ֣ם שְׁמַרְתֶּ֔ם אֵ֚ת כָּל־אֲשֶׁ֣ר צִוָּ֣ה
אֶתְכֶ֔ם מֹשֶׁ֖ה עֶ֣בֶד יְהוָ֑ה וַתִּשְׁמְע֣וּ בְקוֹלִ֔י לְכֹ֥ל
אֲשֶׁר־צִוִּ֥יתִי אֶתְכֶֽם׃

Então Josué chamou. Ver a introdução a este capítulo quanto ao pano de fundo destes versículos, informação essa que não repito aqui.

"Josué reconheceu e elogiou a lealdade e devoção deles. Eles tinham servido até o fim, nunca se furtando, nunca desertando. Tinham sido leais e permanecido fiéis a Yahweh. Era uma dupla honra. Josué elogiou-os por causa do *patriotismo* e da *piedade* deles" (Joseph R. Sizoo, *in loc.*).

Os *versículos primeiro a sexto* complementam o trecho de Js 1.12-18. As tribos orientais cumpriram a promessa feita a Moisés (Js 1.13) e obedeceram a Josué (Js 1.16). O serviço prestado tinha sido bem-feito, e agora foram recompensados por meio de um grande elogio da parte de Josué e também por meio de sua permissão para voltarem às suas propriedades na Transjordânia.

"Eles obedeceram pronta e jubilosamente, conforme tinham prometido (ver Js 1.16,17); e demonstraram ser excelentes soldados. Por isso, Josué elogiou-os e conferiu-lhes honras militares" (John Gill, *in loc.*).

■ 22.3

לֹֽא־עֲזַבְתֶּ֣ם אֶת־אֲחֵיכֶ֗ם זֶ֚ה יָמִ֣ים רַבִּ֔ים עַ֖ד
הַיּ֣וֹם הַזֶּ֑ה וּשְׁמַרְתֶּ֕ם אֶת־מִשְׁמֶ֖רֶת מִצְוַ֥ת יְהוָ֖ה
אֱלֹהֵיכֶֽם׃

Josué Elogia os Transjordanianos. Josué mencionou aqui as principais recomendações dos homens de Rúben, Gade e da meia tribo de Manassés. As tradições judaicas afirmam que a conquista ocupou sete anos, e a divisão das terras mais ou menos outro tanto. Se os soldados das tribos da Transjordânia só foram liberados após tantos anos, bastou isso para mostrar a imensa dedicação exibida por eles. Eles tinham cumprido uma difícil e longa tarefa.

> Nunca podemos provar os deleites de seu amor,
> enquanto não deixarmos tudo sobre o altar.
> E isso por causa do favor que ele nos mostra,
> e pela alegria que ele dá àqueles que nele
> confiam e obedecem.
>
> J. M. Sammis

Yahweh-Elohim. Foi o Eterno Todo-poderoso que tinha recebido as promessas e agora as recompensava. Ver no *Dicionário* o verbete intitulado *Deus, Nomes Bíblicos de*.

22.4

וְעַתָּ֗ה הֵנִ֨יחַ יְהוָ֤ה אֱלֹֽהֵיכֶם֙ לַֽאֲחֵיכֶ֔ם כַּאֲשֶׁ֖ר דִּבֶּ֣ר
לָהֶ֑ם וְעַתָּ֡ה פְּנוּ֩ וּלְכ֨וּ לָכֶ֜ם לְאָהֳלֵיכֶ֗ם אֶל־אֶ֙רֶץ֙
אֲחֻזַּתְכֶ֔ם אֲשֶׁ֣ר ׀ נָתַ֣ן לָכֶ֗ם מֹשֶׁה֙ עֶ֣בֶד יְהוָ֔ה בְּעֵ֖בֶר
הַיַּרְדֵּֽן׃

Tendo o Senhor... dado repouso a vossos irmãos. O descanso seguira-se à guerra. Mas, após o descanso, normalmente vem de novo a guerra. Os homens nunca conseguiram romper esse círculo vicioso. No momento, porém, era tempo de descansar. As tribos da parte ocidental da Terra Prometida já estavam desfrutando descanso, conforme ficamos sabendo em Js 21.44. Mas apesar de os soldados de Rúben, Gade e da meia tribo de Manassés agora também não estarem mais combatendo, ainda assim o coração deles estava agitado por causa dos muitos anos de ausência. Agora, essa ansiedade seria aliviada, pois eles sabiam que em breve estariam de volta aos seus.

As vossas tendas. Durante muitos anos eles tinham residido em tendas militares improvisadas. Mas agora iriam para suas tendas domésticas. Além disso, visto que na Transjordânia eles tinham conquistado várias cidades, em breve estariam residindo em casas permanentes. É mesmo provável que a *maioria* dos israelitas agora já estivesse vivendo em casas, e não em meras tendas. Ver as notas sobre o versículo 6 deste capítulo.

Dalém do Jordão. Ou seja, na *Transjordânia* (ver a esse respeito no *Dicionário*).

22.5

רַ֣ק ׀ שִׁמְר֣וּ מְאֹ֗ד לַעֲשׂ֨וֹת אֶת־הַמִּצְוָ֣ה וְאֶת־הַתּוֹרָ֗ה
אֲשֶׁ֨ר צִוָּ֤ה אֶתְכֶם֙ מֹשֶׁ֣ה עֶֽבֶד־יְהוָ֔ה לְאַהֲבָ֞ה אֶת־
יְהוָ֤ה אֱלֹֽהֵיכֶם֙ וְלָלֶ֣כֶת בְּכָל־דְּרָכָ֔יו וְלִשְׁמֹ֖ר מִצְוֺתָ֑יו
וּלְדָבְקָה־ב֔וֹ וּלְעָבְד֕וֹ בְּכָל־לְבַבְכֶ֖ם וּבְכָל־נַפְשְׁכֶֽם׃

Tende cuidado, porém, de guardar com diligência. Este versículo aponta para deveres espirituais. Os soldados das tribos de Rúben, Gade e da meia tribo de Manassés tinham servido a contento nas campanhas militares. Mas agora que estavam voltando às suas possessões, Josué exortou-os a não esquecer o aspecto espiritual da vida. Na guarda da lei havia vida. Ver Dt 4.1; 5.33; 6.2. O caráter distinto de Israel consistia na observância da lei. Ver sobre isso em Dt 4.4-8 e suas notas. Eles tinham os estatutos eternos para observarem. Ver Êx 29.42; 31.16; Lv 3.17 e 16.29. Yahweh tirara os filhos de Israel do Egito, guiando-os pelo deserto e agora lhes dando a Terra Prometida. Era dever deles, pois, cumprir todos os mandamentos de Deus.

Andeis em todos os seus caminhos. Ver no *Dicionário* o artigo chamado *Andar*, uma metáfora que indica a conduta de uma pessoa. E ver em Dt 10.12 e 13 sobre *temor; andar; amor; servir* e *guardar* (os mandamentos). Cada uma dessas palavras-chaves sumaria algum aspecto da vida espiritual.

De todo o vosso coração, e de toda vossa alma. Assim diz o primeiro mandamento da legislação mosaica, de acordo com a hierarquia espiritual das coisas. Ver as notas a respeito em Dt 4.9 e 6.5. Cf. Js 1.7,8.

22.6

וַֽיְבָרְכֵ֖ם יְהוֹשֻׁ֑עַ וַֽיְשַׁלְּחֵ֔ם וַיֵּלְכ֖וּ אֶל־אָהֳלֵיהֶֽם׃ ס

E eles se foram para as suas tendas. Temos neste versículo um *sumário* dos elogios e bênçãos dados por Josué àqueles soldados, antes de enviá-los de volta às suas possessões na Transjordânia.

Tendas. O mais provável é que o povo de Israel, tendo agora conquistado a Terra Prometida, já tivesse deixado de morar em tendas. Contudo, essa era uma antiga designação, apropriada à vida no deserto e também a uma vida que ainda tinha bastante de seminomadismo. Embora eles não mais estivessem vivendo como seminômades, continuavam usando esse vocábulo para indicar "lares". Cf. 1Rs 12.16 e 2Rs 14.12.

Também é possível que as bênçãos conferidas tivessem incluído a *doação de presentes*, conforme supõem alguns intérpretes judeus.

22.7

וְלַחֲצִ֨י ׀ שֵׁ֣בֶט הַֽמְנַשֶּׁה֮ נָתַ֣ן מֹשֶׁה֒ בַּבָּשָׁ֔ן וּלְחֶצְי֗וֹ נָתַ֤ן
יְהוֹשֻׁ֙עַ֙ עִם־אֲחֵיהֶ֔ם מֵעֵ֥בֶר הַיַּרְדֵּ֖ן יָ֑מָּה וְגַ֣ם כִּ֤י שִׁלְּחָם֙
יְהוֹשֻׁ֔עַ אֶל־אָהֳלֵיהֶ֖ם וַֽיְבָרְכֵֽם׃

A meia tribo de Manassés; porém à outra metade. O autor sacro fez aqui um reparo, lembrando que a tribo de Manassés tinha sido dividida em duas porções, uma que ficou na parte oriental da Terra Prometida (a Transjordânia), onde recebeu uma faixa do território, e outra que partiu para o ocidente, tendo atravessado o rio Jordão e também ali recebeu sua possessão territorial. Ver os *mapas* existentes no início do capítulo 13 de Josué, que ilustram as posições das tribos. Ver no *Dicionário* o verbete denominado *Manassés*, quanto a descrições completas. Ver também sobre o reino de *Ogue*, nas notas sobre Dt 3.13. Este versículo dá a entender que cada tribo foi abençoada separadamente, embora isso seja dito especificamente apenas no tocante a Manassés.

22.8

וַיֹּ֨אמֶר אֲלֵיהֶ֜ם לֵאמֹ֗ר בִּנְכָסִ֨ים רַבִּ֜ים שׁ֤וּבוּ
אֶל־אָֽהֳלֵיכֶם֙ וּבְמִקְנֶ֣ה רַב־מְאֹ֔ד בְּכֶ֥סֶף וּבְזָהָ֖ב
וּבִנְחֹ֣שֶׁת וּבְבַרְזֶ֑ל וּבִשְׂלָמ֖וֹת הַרְבֵּ֣ה מְאֹ֑ד חִלְק֥וּ
שְׁלַל־אֹיְבֵיכֶ֖ם עִם־אֲחֵיכֶֽם׃ פ

Com grandes riquezas. A guerra santa (ver as notas a respeito em Dt 7.1-5 e 20.10-18) requeria a total destruição de toda vida, humana ou animal, e, às vezes, até mesmo de possíveis despojos. De outras vezes, entretanto, era permitido que os soldados ficassem com os despojos, conforme se depreende do trecho de Js 8.2. É evidente, com base neste versículo, que, por muitas vezes, os soldados podiam ficar com os despojos. Por isso, cada tribo de Israel havia acumulado uma considerável quantidade de ricos bens, mediante suas conquistas militares. Os despojos ficavam com as tropas vitoriosas, como é verdade em todo empreendimento humano que envolve competição ou luta.

Os Despojos Deviam Ser Divididos com os Que Tinham Ficado Atrás das Fronteiras. E isso também foi requerido da parte de Davi (ver 1Sm 30.24). Temos aqui uma lição *espiritual*. Aqueles que labutam como missionários obtêm a sua recompensa. Mas os que permanecem em casa, contribuem e oram, compartilham as mesmas recompensas espirituais resultantes das vitórias. Ver na *Enciclopédia de Bíblia, Teologia e Filosofia* os artigos intitulados *Galardão* e *Coroas*. A vida espiritual é comunal, e suas vitórias e derrotas afetam toda a comunidade.

"Era um princípio antigo, em Israel, que os combatentes deviam dividir os despojos com os seus companheiros (ver 1Sm 30.21-25; Nm 31.27)" (John Bright, *in loc.*).

"É possível que muitos daqueles que foram deixados para trás também gostariam de ter seguido para a frente de combate. Mas quem plantaria ou protegeria as mulheres e as crianças?" (Donald K. Campbell, *in loc.*).

Também haveria aqueles que estavam incapacitados para guerrear; mas esses cumpririam deveres de quem ficaria em casa, pelo que mereciam compartilhar da prosperidade geral da tribo.

Tipologia. Cristo, em sua vitória sobre todas as forças malignas, dividiu os despojos com os seus irmãos. Ver Cl 2.15 e Rm 8.17. Ver no *Dicionário* o verbete denominado *Herdeiro*.

A DISPUTA A RESPEITO DO ALTAR (22.9-34)

Tendo recebido a bênção de Josué (ver Js 22.6,7), as duas tribos e meia voltaram jubilosamente para casa. Na fronteira demarcada pelo rio Jordão, erigiram um *altar*. Mas isso foi interpretado pelas demais tribos como um ato de idolatria, que poderia destruir a unidade religiosa de Israel. Alguns pensam que uma disputa de fronteiras chegou a fazer parte da questão e, embora o próprio texto sagrado nada registre a respeito, o versículo 28 deste capítulo pode dar isso a entender. Mas o problema inteiro ficou resolvido quando se explicou que o altar serviria somente a um propósito memorial, e não como um lugar onde fossem oferecidos sacrifícios, independentemente do culto no tabernáculo, ou, então, em competição com ele.

22.9

וַיָּשֻׁבוּ וַיֵּלְכוּ בְּנֵי־רְאוּבֵן וּבְנֵי־גָד וַחֲצִי שֵׁבֶט הַמְנַשֶּׁה
מֵאֵת בְּנֵי יִשְׂרָאֵל מִשִּׁלֹה אֲשֶׁר בְּאֶרֶץ־כְּנָעַן לָלֶכֶת
אֶל־אֶרֶץ הַגִּלְעָד אֶל־אֶרֶץ אֲחֻזָּתָם אֲשֶׁר נֹאחֲזוּ־בָהּ
עַל־פִּי יְהוָה בְּיַד־מֹשֶׁה:

Assim os filhos de Rúben... de Gade e a meia tribo de Manassés. As duas tribos e meia foram-se em paz. Todas as promessas feitas por Yahweh, através de Moisés, tinham sido cumpridas. O próprio território que tinham desejado agora era deles. Nada lhes faltava, pois o Senhor era o pastor deles, segundo lemos no Salmo 23. Ver Nm 32.31. *Todos* os nomes próprios que figuram neste versículo recebem artigos separados no *Dicionário*.

22.10

וַיָּבֹאוּ אֶל־גְּלִילוֹת הַיַּרְדֵּן אֲשֶׁר בְּאֶרֶץ כְּנָעַן וַיִּבְנוּ
בְנֵי־רְאוּבֵן וּבְנֵי־גָד וַחֲצִי שֵׁבֶט הַמְנַשֶּׁה שָׁם מִזְבֵּחַ
עַל־הַיַּרְדֵּן מִזְבֵּחַ גָּדוֹל לְמַרְאֶה:

Edificaram um altar. O altar foi edificado exatamente na fronteira entre as tribos orientais e as tribos ocidentais. Esse altar serviria de "testemunho" entre as tribos (ver o vs. 28 deste capítulo), o que talvez signifique que era um marco de fronteira, separando as tribos ocidentais de Israel das tribos orientais. Ver no *Dicionário* o artigo intitulado *Altar*. Também é possível que o altar fosse formado apenas de uma pilha de pedras; ou de um marco de pedra, que servisse de memorial. Ver no quarto capítulo do livro de Josué as duas pilhas memoriais que comemoravam a travessia do rio Jordão e a entrada na Terra Prometida.

Altar grande e vistoso. Fora um momento solene quando aqueles soldados de Israel deixaram a parte *ocidental* do país que tinham ajudado a conquistar. Eles não queriam esquecer as suas grandes vitórias, obtidas em união com as demais tribos que haviam ficado no lado ocidental do Jordão. Devido a tantas bênçãos, pois, resolveram erigir o altar, aqui descrito como "grande e vistoso". Ficaria ali por muitas gerações vindouras. Quando seus descendentes perguntassem: "Que significam estas pedras?", isso daria oportunidade para os anciãos da nação responderem, contando tudo quanto havia sucedido e alimentando assim os sentimentos de patriotismo das novas gerações.

"As nações logo se esboroam quando perdem de vista os símbolos de sua glória e honra" (Joseph R. Sizoo, *in loc.*).

22.11

וַיִּשְׁמְעוּ בְנֵי־יִשְׂרָאֵל לֵאמֹר הִנֵּה בָנוּ בְנֵי־רְאוּבֵן
וּבְנֵי־גָד וַחֲצִי שֵׁבֶט הַמְנַשֶּׁה אֶת־הַמִּזְבֵּחַ אֶל־מוּל
אֶרֶץ כְּנַעַן אֶל־גְּלִילוֹת הַיַּרְדֵּן אֶל־עֵבֶר בְּנֵי יִשְׂרָאֵל:

O Altar Desperta Objeções. Podemos pensar aqui em seis pontos, que podem ter despertado esse protesto das nove tribos e meia que ficaram na parte ocidental da Terra Prometida:

1. O altar pode ter sido interpretado como um marco divisório, como o início de uma disputa de fronteira (ver o vs. 28 deste capítulo).
2. Visto que o altar se parecia com os altares onde animais eram sacrificados (vs. 18), isso pode ter sido interpretado como um marco de separação espiritual. As duas tribos e meia, alegadamente, teriam instituído sua própria forma religiosa, ignorando o culto efetuado no tabernáculo. As duas tribos e meia estariam encabeçando alguma espécie de revolta religiosa.
3. Essa religião rival até poderia ter aspectos de idolatria, o que significaria que as duas tribos e meia estariam iniciando uma *apostasia*. Ver essa palavra na *Enciclopédia de Bíblia, Teologia e Filosofia*. E ver no *Dicionário* o artigo chamado *Idolatria*. Ver os vss. 16 e 17 deste capítulo, quanto a implicações de intenções idólatras. Uma apostasia na porção oriental do país teria graves efeitos sobre a parte ocidental. E Yahweh acabaria julgando a nação inteira.
4. O altar assim erigido foi visto como um *adendo* ao altar do Senhor, que na época se achava em Silo (ver Js 18.1). Visto que representava uma *competição*, aquele altar acabaria dividindo a nação. Por isso chegou a ser sugerido que as duas tribos e meia voltassem para o lado *ocidental* da Terra Prometida (vs. 19).
5. As duas tribos e meia do lado oriental pareciam ter entrado em *imundícia* espiritual e cerimonial, que acabaria contaminando todo o povo de Israel (vs. 19).
6. Esse ato, tal como aquele de Acã (ver o capítulo 7 de Josué), seria amaldiçoado por Yahweh, atraindo um feroz juízo divino contra toda a nação (vs. 20).

Solução do Problema. Toda a questão ficou resolvida quando as duas tribos e meia do lado oriental garantiram a seus irmãos ocidentais que o altar não seria usado para oferecer sacrifícios, pois era apenas um memorial, um memorial de ação de graças a Yahweh, por tudo quanto o Senhor havia feito pelo seu povo. E é de presumir que também tenha ficado esclarecido que aquele altar, erigido na fronteira, apesar de demarcá-la, não era um sinal de descontentamento ante a distribuição de terras, pelo que não houvera o menor intuito de provocar uma disputa de fronteira.

22.12

וַיִּשְׁמְעוּ בְּנֵי יִשְׂרָאֵל וַיִּקָּהֲלוּ כָּל־עֲדַת בְּנֵי־יִשְׂרָאֵל
שִׁלֹה לַעֲלוֹת עֲלֵיהֶם לַצָּבָא: פ

Ouvindo isto os filhos de Israel. Israel havia mudado o tabernáculo e seu culto para *Silo* (ver Js 18.1). Esse lugar, pois, tornou-se um santuário temporário. Mais tarde, seria mudado definitivamente para Jerusalém, tornando-se o santuário central e único. Silo, entretanto, continuou sendo o santuário da nação por séculos, no mínimo por cinco séculos. Durante todo esse tempo, foi o santuário central (e talvez exclusivo) de Israel. Ora, o altar levantado próximo ao rio Jordão parecia ameaçar o santuário central de Silo. Nas notas sobre o versículo 11, vemos as *seis objeções* feitas à construção daquele altar na fronteira entre as tribos orientais e as tribos ocidentais.

Em Silo, pois, as outras tribos reuniram-se, e estavam dispostas a dar início a uma *guerra santa* contra as duas tribos e meia, seus próprios irmãos. Ver sobre esse assunto da guerra santa nos trechos de Dt 7.1-5 e 20.10-18.

"Um ato de devoção e patriotismo foi totalmente mal-entendido e erroneamente julgado pelas tribos a oeste do Jordão... Suas conclusões, no mínimo, estavam alicerçadas sobre meros rumores... Alguém havia lançado no ar um pouco de poeira, e todos pensaram que se aproximava um tufão. Quantas sombras se projetam sobre a face da terra, quantas misérias acabam acontecendo, quantas amizades são quebradas por causa de rumores e maledicências!" (Joseph R. Sizoo, *in loc.*). A aplicação desse princípio, nas páginas do Novo Testamento, exorta-nos a usar corretamente a capacidade de falar (ver Ef 4.29 e Fp 4.8).

Antes de Falar
Faze tudo passar diante de três portas de ouro;
As portas estreitas são: a primeira:
É verdade? Em seguida, É necessário?
Em tua mente fornece uma resposta veraz.
E a próxima é a última e mais estreita,
É gentil? Se tudo chegar, afinal, aos teus lábios,
Depois de ter passado por essas três portas,
Então, podes relatar o caso, sem temeres
Qual seja o resultado de tuas palavras.

Beth Day

22.13

וַיִּשְׁלְחוּ בְנֵי־יִשְׂרָאֵל אֶל־בְּנֵי־רְאוּבֵן וְאֶל־בְּנֵי־גָד
וְאֶל־חֲצִי שֵׁבֶט־מְנַשֶּׁה אֶל־אֶרֶץ הַגִּלְעָד אֶת־פִּינְחָס
בֶּן־אֶלְעָזָר הַכֹּהֵן:

Finéias, filho de Eleazar, o sacerdote. Esse levita encabeçou a delegação que devia investigar a alegada heresia do altar fronteiriço. Ver as notas no versículo 11 deste capítulo, quanto às *seis* objeções propostas à construção daquela estrutura. A "incompreensão" quase redundara em uma guerra civil. Por igual modo, no seio da Igreja cristã, a fragmentação prossegue e as denominações transformam-se em campos contrários, em pé de guerra, cada qual certo de que possui algo de especial e de melhor que os demais campos. É mais fácil odiar uma verdade desconfortável que odiar o erro. É fácil equivocar-nos diante de alegadas verdades como se contribuíssem para a melhoria das coisas. A *intolerância* torna-se assim um *ideal* que acaba por substituir o verdadeiro ideal, a *lei do amor*.

Fineias era homem conhecido por seu zelo justo (ver Nm 6.18), razão pela qual foi convocado para encabeçar uma comissão que procuraria obter reconciliação entre as tribos ocidentais e as tribos orientais.

■ 22.14

וַעֲשָׂרָה נְשִׂאִים עִמּוֹ נָשִׂיא אֶחָד נָשִׂיא אֶחָד לְבֵית אָב לְכֹל מַטּוֹת יִשְׂרָאֵל וְאִישׁ רֹאשׁ בֵּית־אֲבוֹתָם הֵמָּה לְאַלְפֵי יִשְׂרָאֵל׃

E dez príncipes com ele. Os cabeças de dez tribos foram com Fineias, o que quer dizer que os israelitas ocidentais estavam bem representados. Era uma comissão delegada e autorizada.

Casa paterna. Essa é uma expressão que usualmente indica as subdivisões de um clã (ver Js 7.14). Aqui, porém, estão em pauta as tribos de Israel. Cf. Nm 17.3,6. Os "dez príncipes" representavam, pois, as nove tribos e meia do lado ocidental, um chefe para cada tribo. Fineias, por sua vez, como filho do sumo sacerdote Eleazar, representava os levitas. E também representava a instituição do tabernáculo e seu culto, em contraste com a possível tendência para uma possível divisão, que estaria sendo provocada pelas tribos orientais de Israel.

■ 22.15

וַיָּבֹאוּ אֶל־בְּנֵי־רְאוּבֵן וְאֶל־בְּנֵי־גָד וְאֶל־חֲצִי שֵׁבֶט־מְנַשֶּׁה אֶל־אֶרֶץ הַגִּלְעָד וַיְדַבְּרוּ אִתָּם לֵאמֹר׃

Indo eles. Apressadamente foi feita uma viagem. A comissão ansiava por evitar o alegado mal, que poderia causar grande confusão em Israel. Um discurso foi preparado, acompanhado por várias *ilustrações* de dificuldades e tempos de apostasia que o povo de Israel já tinha enfrentado e por causa dos quais tinha sofrido.

■ 22.16

כֹּה אָמְרוּ כֹּל עֲדַת יְהוָה מָה־הַמַּעַל הַזֶּה אֲשֶׁר מְעַלְתֶּם בֵּאלֹהֵי יִשְׂרָאֵל לָשׁוּב הַיּוֹם מֵאַחֲרֵי יְהוָה בִּבְנוֹתְכֶם לָכֶם מִזְבֵּחַ לִמְרָדְכֶם הַיּוֹם בַּיהוָה׃

Que infidelidade é esta...? Fineias começou o seu discurso usando uma palavra vigorosa: "infidelidade". Ele estava alicerçado sobre as *seis objeções* à construção do altar, levantadas pelas tribos ocidentais. Outras traduções dizem aqui "transgressão" ou "rebelião". A palavra hebraica assim traduzida é *ma'al*, que significa "pecado", "falsidade", "transgressão", "traição". Se o intuito da construção do altar fosse criar uma divisão entre as tribos, então representava um ato de *rebelião*, e isso em um sentido *religioso* (as duas tribos e meia da Transjordânia estariam criando uma adoração separada e rival, talvez com tendências idólatras), e em um sentido *político* (as duas tribos e meia da Transjordânia se tornariam outra nação). Isso parece ser sugerido no versículo seguinte. Cf. Êx 20.24; Lv 17.3,4 e Dt 12.5,6. Israel deveria adorar exclusivamente a Yahweh, e isso por meio de um santuário que, até aqui, tinha por centro a Silo, mas que, finalmente, teria por centro a cidade de Jerusalém.

■ 22.17

הַמְעַט־לָנוּ אֶת־עֲוֹן פְּעוֹר אֲשֶׁר לֹא־הִטַּהַרְנוּ מִמֶּנּוּ עַד הַיּוֹם הַזֶּה וַיְהִי הַנֶּגֶף בַּעֲדַת יְהוָה׃

A iniquidade de Peor. Ver o artigo detalhado sobre esse lugar no *Dicionário*. Peor era um monte de Moabe, o lugar para onde Balaque conduzira Balaão, o falso profeta, a fim de que ele amaldiçoasse o povo de Israel (ver Nm 23.28). Mas Peor também era o nome de uma das falsas divindades dos moabitas, o deus da iniquidade, da imundícia (ver Nm 25.18; 31.16). O povo de Israel pagara um terrível preço por ter-se imiscuído na *idolatria* dos moabitas (ver a respeito no *Dicionário*). Casamentos mistos com mulheres moabitas resultaram em práticas idólatras. Ver Nm 25.1-9 e Dt 4.3 quanto à "iniquidade de Peor". A impureza sexual levara ao adultério espiritual, a saber, à *idolatria*. Fineias, naquela oportunidade, matara um homem de Israel e a mulher moabita que estava com ele, atravessando a ambos com um único golpe de lança (ver Nm 25.8). E isso havia feito cessar a fúria de Yahweh, que tinha enviado contra o povo de Israel uma praga medonha, como castigo pela queda dos israelitas na imoralidade e na idolatria. Nada menos de 24 mil pessoas morreram em consequência do incidente ocorrido em Peor.

Agora, pois, a comissão encabeçada por Fineias acusou os líderes das duas tribos e meia da Transjordânia de quererem promover algo similar ao incidente de Peor, pois temiam que idênticas consequências dali resultassem.

■ 22.18

וְאַתֶּם תָּשֻׁבוּ הַיּוֹם מֵאַחֲרֵי יְהוָה וְהָיָה אַתֶּם תִּמְרְדוּ הַיּוֹם בַּיהוָה וּמָחָר אֶל־כָּל־עֲדַת יִשְׂרָאֵל יִקְצֹף׃

Para que hoje abandoneis o Senhor? Tal como acontecera no caso de *Peor*, poderia acontecer de novo, por causa da rebelião do altar. Alguma praga terrível (ou alguma outra ocorrência destrutiva) poderia sobrevir ao povo de Israel, *castigando* toda a nação de Israel, e não apenas a *Transjordânia*, onde toda a questão havia começado. Isso posto, a delegação ocidental estava predizendo o futuro, mediante experiências do passado. Este versículo ilustra os fortes sentimentos de corporação que havia na antiga nação de Israel. Um por todos; todos por um. Aquele altar apóstata na fronteira acabaria perturbando toda a nação. Aquilo que prejudica a um prejudica a todos. Temos aqui a antiga lição de que todas as vidas estão interligadas. Ninguém peca sozinho. Ninguém se mostra bom sozinho. Os *destinos* dos indivíduos estão ligados uns aos outros; pessoas de uma mesma família, de uma mesma cidade, de um mesmo estado e de um mesmo país compartilham de seus destinos. E isso importa em unidades que interligam os indivíduos. As famílias avançam como unidades compactas. Existem inter-relações e interligações que afetam a todos, e também a cada um individualmente.

■ 22.19

וְאַךְ אִם־טְמֵאָה אֶרֶץ אֲחֻזַּתְכֶם עִבְרוּ לָכֶם אֶל־אֶרֶץ אֲחֻזַּת יְהוָה אֲשֶׁר שָׁכַן־שָׁם מִשְׁכַּן יְהוָה וְהֵאָחֲזוּ בְּתוֹכֵנוּ וּבַיהוָה אַל־תִּמְרֹדוּ וְאֹתָנוּ אַל־תִּמְרֹדוּ בִּבְנֹתְכֶם לָכֶם מִזְבֵּחַ מִבַּלְעֲדֵי מִזְבַּח יְהוָה אֱלֹהֵינוּ׃

Se a terra da vossa herança é imunda. Exatamente como a Transjordânia poderia ser imunda ou contaminada, é algo difícil de entender. A seguir reproduzimos as sugestões apresentadas pelos eruditos:

1. O *paganismo* poderia ter feito o território tornar-se irremissível, formando um ambiente que só poderia prejudicar a quem ali habitasse. Se era isso que estava em pauta, então a delegação enviada pelo *ocidente* sugeria que as tribos *orientais* já tinham sofrido a má influência do paganismo, pois, de outra sorte, não teriam erigido aquele altar rebelde. O melhor curso de ação, nesse caso, seria abandonar aquele lugar imundo.

2. Ou, então, as tribos orientais tinham poluído o território ao erigir aquele altar rebelde, em seu próprio coração. Mas poderiam reverter esse mau começo retornando ao ocidente e reivindicando territórios ali.

3. A arca da aliança estava no tabernáculo, em Silo. Era ali que Yahweh manifestava a sua presença. Um altar falso não atrairia a presença do Senhor. As terras da Transjordânia, assim sendo, seriam "esquecidas" por Deus e, por isso mesmo, deveriam ser "esquecidas" pelos homens. As tribos ocidentais, sem dúvida, tinham uma "ótica provinciana". Eles suspeitavam de que as tribos orientais tivessem perdido o acesso a Yahweh. "Como, porém, haveríamos de entoar o canto do Senhor em terra estranha?" (Sl 137.4). Essa era a atitude bastante negativa deles. O incidente serve de comentário sobre um *conceito* de Deus que é estreito demais, que

é pequeno demais. Não obstante, quase todas as religiões, e até mesmo quase todas as denominações cristãs, têm essa perspectiva estreita, supondo ser as únicas depositárias das bênçãos divinas. Sem embargo, Deus é sempre maior que as teologias criadas pelos homens. De fato, as denominações são gaiolas que cativam os homens, em vez de serem lugares especiais, superiores aos outros.

■ 22.20

הֲלוֹא ׀ עָכָן בֶּן־זֶרַח מָעַל מַעַל בַּחֵרֶם וְעַל־כָּל־עֲדַת יִשְׂרָאֵל הָיָה קָצֶף וְהוּא אִישׁ אֶחָד לֹא גָוַע בַּעֲוֹנוֹ : פ

Não cometeu Acã...? Esse homem servia como outra ilustração do perigo que as tribos ocidentais imaginavam que as tribos orientais estavam prestes a enfrentar. Ver no *Dicionário* o verbete chamado *Acã*, quanto a detalhes, e consultar as notas sobre o sétimo capítulo do livro de Josué, onde a história dele é narrada. Acã revelara ser um homem cobiçoso, que se apossara de despojos que eram proibidos, durante uma *guerra santa* (ver sobre esse assunto nas notas de Dt 7.1-5 e 20.10-18). O caso de Acã, pois, ilustrava *duas coisas* principais:

1. A *cobiça* de possuir a região da Transjordânia poderia causar danos a toda a nação de Israel.
2. Acã tinha perpetuado um logro, e seu pecado terminara por acender a ira de Yahweh contra *toda* a nação de Israel. Assim também, aquele altar fronteiriço, que refletia uma atitude de rebeldia, poderia atrair desastre contra todo o povo de Israel. O povo todo de Israel fora derrotado em Ai por causa do pecado de Acã (ver Js 7.5), e essa condição só foi revertida quando da execução de Acã.

O temor ao julgamento divino, pois, mesclado com um interesse genuíno, inspirou as tribos ocidentais a prometer novas terras, do outro lado do rio Jordão, às tribos que já haviam ocupado a Transjordânia. Elas devem ter pensado que um novo local poderia afetar seu comportamento, o que Sêneca declarou nunca acontecer. Foi por isso que esse filósofo disse: "Vocês precisam é de uma mudança de coração, e não de uma mudança de ares" (ou seja, não uma mera mudança de localização geográfica).

■ 22.21,22

וַיַּעֲנוּ בְּנֵי־רְאוּבֵן וּבְנֵי־גָד וַחֲצִי שֵׁבֶט הַמְנַשֶּׁה וַיְדַבְּרוּ אֶת־רָאשֵׁי אַלְפֵי יִשְׂרָאֵל :

אֵל ׀ אֱלֹהִים ׀ יְהוָה אֵל ׀ אֱלֹהִים ׀ יְהוָה הוּא יֹדֵעַ וְיִשְׂרָאֵל הוּא יֵדָע אִם־בְּמֶרֶד וְאִם־בְּמַעַל בַּיהוָה אַל־תּוֹשִׁיעֵנוּ הַיּוֹם הַזֶּה :

Então responderam. A resposta das tribos orientais foi direta, simples e eficaz. Antes de tudo, invocaram a Yahweh-Elohim como testemunha, o qual não só está acima dos homens como também é o Deus dos deuses. Alguns eruditos supõem que essa declaração importa no *henoteísmo*, ou seja, na existência possível de muitos deuses, embora apenas um deles tenha algo que ver conosco, na terra. Porém, é difícil crer que aqueles israelitas tivessem respondido com tal ideia em mente. Ver no *Dicionário* os dois artigos separados sobre *Monoteísmo* e sobre *Politeísmo*.

A verdade é que os representantes das tribos orientais fizeram um juramento tipicamente monoteísta, pelo único verdadeiro Deus, *Yahweh-Elohim*, ou seja, o Eterno Todo-poderoso. Ver no *Dicionário* o verbete *Deus, Nomes Bíblicos de*. Devemos lembrar que o monoteísmo dos hebreus não consistia apenas na crença na existência de um só Deus. Pois também envolvia uma *dedicação total* a esse Deus, com a rejeição absoluta de qualquer variedade de idolatria.

O Apelo à Onisciência de Deus. Yahweh sabia a verdade sobre a questão. Por fim, todo o povo de Israel também conheceria a verdade. Se nenhum ato de rebeldia estivesse envolvido, então as coisas prosseguiriam normalmente e Deus abençoaria a toda a nação. E se as coisas fossem diferentes disso, então o desastre sobreviria aos habitantes da Transjordânia.

Hoje não nos preserveis. Esta frase tem sido entendida de cinco maneiras diferentes pelos intérpretes, a saber:

1. Yahweh deixaria de ser o defensor das tribos orientais, e povos estrangeiros poderiam unir-se a fim de atacá-las.
2. As pragas de Yahweh haveriam de alcançá-los se eles estivessem mentindo.
3. As bênçãos divinas, das quais dependemos para continuar vivendo, seriam retidas.
4. Yahweh não mostraria misericórdia, permitindo que eles fossem atingidos por toda forma de acontecimento adverso, fazendo a existência das tribos orientais de Israel tornar-se uma miséria.
5. As tribos ocidentais deveriam prosseguir com sua invasão tencionada do leste, destruindo os "mentirosos" da Transjordânia.

■ 22.23

לִבְנוֹת לָנוּ מִזְבֵּחַ לָשׁוּב מֵאַחֲרֵי יְהוָה וְאִם־לְהַעֲלוֹת עָלָיו עוֹלָה וּמִנְחָה וְאִם־לַעֲשׂוֹת עָלָיו זִבְחֵי שְׁלָמִים יְהוָה הוּא יְבַקֵּשׁ :

Se edificamos altar para nos apartarmos do Senhor. Se as tribos orientais estivessem animadas por um espírito divisivo ao erigir aquele altar *rival* ao de Silo, então que Yahweh chamasse aqueles israelitas da Transjordânia à responsabilidade por atos tão maus, descarregando contra eles as adversidades sugeridas nas notas sobre o versículo anterior (o último parágrafo). Yahweh, uma vez ofendido, se mostraria muito mais severo que as tribos ocidentais, feridas em seus melindres, e então Yahweh haveria de julgar as tribos da Transjordânia. Ver no *Dicionário* o artigo intitulado *Sacrifícios e Ofertas*, quanto a uma descrição do sistema dos hebreus, do qual algumas formas são mencionadas neste versículo.

■ 22.24,25

וְאִם־לֹא מִדְּאָגָה מִדָּבָר עָשִׂינוּ אֶת־זֹאת לֵאמֹר מָחָר יֹאמְרוּ בְנֵיכֶם לְבָנֵינוּ לֵאמֹר מַה־לָּכֶם וְלַיהוָה אֱלֹהֵי יִשְׂרָאֵל :

וּגְבוּל נָתַן־יְהוָה בֵּינֵנוּ וּבֵינֵיכֶם בְּנֵי־רְאוּבֵן וּבְנֵי־גָד אֶת־הַיַּרְדֵּן אֵין־לָכֶם חֵלֶק בַּיהוָה וְהִשְׁבִּיתוּ בְנֵיכֶם אֶת־בָּנֵינוּ לְבִלְתִּי יְרֹא אֶת־יְהוָה :

Fizemos por causa da seguinte preocupação. Os sete pontos seguintes mostram as verdadeiras razões da construção do altar em pauta:

1. O altar era apenas um marco de fronteira, lembrando a todo o povo de Israel que Yahweh tinha estabelecido aqueles limites, e que as terras a leste do rio Jordão eram territórios demarcados por Yahweh tanto quanto os territórios que havia a oeste daquele rio. O altar, pois, servia de prova da divisão divinamente estabelecida das faixas de território entre as tribos. No futuro, os descendentes ocidentais de Israel veriam o altar como uma prova disso e não diriam coisas estúpidas como: "Vocês, tribos orientais, não têm direitos em Israel. Só as terras a ocidente do Jordão foram dadas por Yahweh. Vocês são estrangeiros e apóstatas". São precisamente coisas assim que as denominações cristãs atiram umas contra as outras, em seus credos. O exclusivismo é muito injusto.
2. Aquele marco de fronteira estava autenticando a adoração levada a efeito no leste, tanto quanto a adoração das tribos ocidentais, visto que aquele altar não era um lugar de sacrifício e devoção, e, sim, apenas um memorial que celebrava a bondade de Yahweh, que havia dado na Transjordânia herança às duas tribos e meia do lado oriental.
3. Aquele altar também servia para impedir o próprio espírito divisivo que os hebreus temiam que pudesse ocorrer. Se os hebreus ocidentais falassem em termos zombeteiros e desencorajadores, então os hebreus orientais verdadeiramente poderiam rebelar-se e separar-se de seus críticos amargos, formando a sua própria comunidade, separada do restante dos israelitas.
4. Assim sendo, aquele altar também serviria para impedir a intolerância. Ver no *Dicionário* o artigo denominado *Intolerância*.
5. Aquele altar tinha sido erigido como uma cópia do altar existente em Silo, não com o propósito de ali serem oferecidos holocaustos, mas para servir de bom lembrete de que todos deveriam respeitar-se mutuamente, devotando-se, cada qual, a Yahweh (ver o versículo 28 deste capítulo).

6. O altar em foco também serviria de incentivo, lembrando que Yahweh é que tinha dado aos hebreus aquelas terras, pelo que o culto a ele deveria ter prosseguimento por todas as gerações, em consonância com as ordens divinas originais (ver o versículo 27).
7. Portanto, longe de ser um ato *divisivo*, a construção daquele altar era uma ajuda à *unidade* entre os filhos de Israel.

■ 22.26

וַנֹּאמֶר נַעֲשֶׂה־נָּא לָנוּ לִבְנוֹת אֶת־הַמִּזְבֵּחַ לֹא לְעוֹלָה וְלֹא לְזָבַח׃

Pelo que dissemos. Este versículo expõe a *quinta* entre as sete possíveis razões, dadas acima, para a construção do altar na fronteira entre as tribos orientais e as ocidentais, indicando qual a sua verdadeira natureza.

O altar era um memorial, e não um lugar de sacrifícios, não tendo a mínima intenção de iniciar um culto rival a Yahweh, que se processava no tabernáculo de Silo. Esse tabernáculo de Silo já representava a unificação de Israel em sua vida espiritual, embora essa unidade não tenha sido realmente completa, enquanto não foi instituído o único santuário central em Jerusalém, nos dias de Davi. O santuário central substituiu todos os demais santuários, unificando assim o yahwismo em toda a nação. Silo já estava indicando o caminho da unificação, e não poderia haver altares competitivos, nem na Transjordânia nem em qualquer outra região da Terra Prometida.

■ 22.27

כִּי עֵד הוּא בֵּינֵינוּ וּבֵינֵיכֶם וּבֵין דֹּרוֹתֵינוּ אַחֲרֵינוּ לַעֲבֹד אֶת־עֲבֹדַת יְהוָה לְפָנָיו בְּעֹלוֹתֵינוּ וּבִזְבָחֵינוּ וּבִשְׁלָמֵינוּ וְלֹא־יֹאמְרוּ בְנֵיכֶם מָחָר לְבָנֵינוּ אֵין־לָכֶם חֵלֶק בַּיהוָה׃

... nos seja testemunho, e possamos servir ao Senhor. Longe de servir de instrumento de cisão ou apostasia, aquele altar servia de *lembrete* do yahwismo compacto, em torno do qual concordavam plenamente as tribos ocidentais e orientais de Israel. O serviço prestado a Yahweh seria contínuo. Todos os sacrifícios e ofertas prosseguiriam em Silo. E também não se abriria oportunidade para as gerações futuras de israelitas do ocidente acusarem seus irmãos do oriente de que estes "se tinham desviado do reto caminho".

"Aquele altar fora erigido para manter viva, durante todas as gerações vindouras, a ufana participação deles na herança prometida. Eles criam que era algo temível para um povo mostrar-se indiferente diante de seu passado, não exibindo reverência pela herança na qual tinham entrado" (Joseph R. Sizoo, *in loc.*).

Tipologia. A unificação maior que Deus tinha em reserva haveria de ocorrer por meio da missão de Cristo, a qual, mediante a fé nele, unificaria *todos* os povos (ver Gl 3.28,29).

■ 22.28

וַנֹּאמֶר וְהָיָה כִּי־יֹאמְרוּ אֵלֵינוּ וְאֶל־דֹּרֹתֵינוּ מָחָר וְאָמַרְנוּ רְאוּ אֶת־תַּבְנִית מִזְבַּח יְהוָה אֲשֶׁר־עָשׂוּ אֲבוֹתֵינוּ לֹא לְעוֹלָה וְלֹא לְזֶבַח כִּי־עֵד הוּא בֵּינֵינוּ וּבֵינֵיכֶם׃

Vede o modelo do altar do Senhor que fizeram nossos pais. O altar fronteiriço era uma *cópia* do altar do tabernáculo, em Silo. Ver a *planta* do tabernáculo, na introdução ao capítulo 26 do livro de Êxodo. Não devemos pensar aqui no altar que havia no interior do Santo dos Santos. A *cópia*, construída na fronteira entre as tribos orientais e ocidentais, serviria de testemunho a todos quantos a vissem, como se dissesse: "Lembre-se de que em Silo há um altar como este, onde são oferecidos holocaustos a Yahweh. Faça parte da adoração que unifica o povo de Israel". Ver no *Dicionário* o artigo geral chamado *Altar*. Ver as notas em Êx 27.1 sobre o *Altar de Bronze*. Esse é o altar que foi copiado.

Tipologia. A fé espiritual trazida por Cristo unifica a todos quantos o adoram e prestam um culto espiritual. A diferença é que agora o coração do crente é o altar de Deus (ver 1Co 3.16).

■ 22.29

חָלִילָה לָּנוּ מִמֶּנּוּ לִמְרֹד בַּיהוָה וְלָשׁוּב הַיּוֹם מֵאַחֲרֵי יְהוָה לִבְנוֹת מִזְבֵּחַ לְעֹלָה לְמִנְחָה וּלְזָבַח מִלְּבַד מִזְבַּח יְהוָה אֱלֹהֵינוּ אֲשֶׁר לִפְנֵי מִשְׁכָּנוֹ׃ פ

Afora o altar do Senhor nosso Deus. A cópia do altar de bronze não serviria para ali serem oferecidos holocaustos em adoração a Yahweh, porquanto isso estava sendo feito no tabernáculo, em Silo. Era apenas um memorial, um lembrete do poder e da graça de Yahweh, que havia dado a Israel a sua herança. Essa cópia, pois, encarecia a necessidade de ser efetuado o culto a Deus no tabernáculo, em Silo. Isso posto, não havia nenhuma intenção de rebeldia e apostasia nesse altar fronteiriço. O bem-estar espiritual das gerações futuras era uma das principais forças que tinham motivado a construção. O culto centralizado em Silo, no tabernáculo, não era assim nem violado nem enfraquecido pelo altar fronteiriço levantado pelas duas tribos e meia do lado oriental.

■ 22.30,31

וַיִּשְׁמַע פִּינְחָס הַכֹּהֵן וּנְשִׂיאֵי הָעֵדָה וְרָאשֵׁי אַלְפֵי יִשְׂרָאֵל אֲשֶׁר אִתּוֹ אֶת־הַדְּבָרִים אֲשֶׁר דִּבְּרוּ בְּנֵי־רְאוּבֵן וּבְנֵי־גָד וּבְנֵי מְנַשֶּׁה וַיִּיטַב בְּעֵינֵיהֶם׃

וַיֹּאמֶר פִּינְחָס בֶּן־אֶלְעָזָר הַכֹּהֵן אֶל־בְּנֵי־רְאוּבֵן וְאֶל־בְּנֵי־גָד וְאֶל־בְּנֵי מְנַשֶּׁה הַיּוֹם יָדַעְנוּ כִּי־בְתוֹכֵנוּ יְהוָה אֲשֶׁר לֹא־מְעַלְתֶּם בַּיהוָה הַמַּעַל הַזֶּה אָז הִצַּלְתֶּם אֶת־בְּנֵי יִשְׂרָאֵל מִיַּד יְהוָה׃

Ouvindo, pois, Fineias, o sacerdote, e os príncipes da congregação. Fineias e toda a delegação concordaram, de forma unânime, que não houvera nenhuma transgressão, rebeldia, idolatria ou traição, por parte das tribos orientais. Ficaram plenamente satisfeitos diante das explicações recebidas e não disputaram mais a questão. Visto que não tinha havido violação do culto central de Silo, nem se pretendera provocar divisão entre as tribos, com o altar erigido na fronteira, Israel não estava sujeito à ira de Yahweh, o qual julgaria a nação inteira, se apostasia de algum tipo tivesse ocorrido.

Sabemos que o Senhor está no meio de nós. O povo de Israel continuava unido em sua vida espiritual e em seu culto, e isso assegurava que Yahweh continuaria a manifestar a sua presença no tabernáculo. As bênçãos de Deus continuariam fluindo como o rio Amazonas por todo o país. A sua presença e bênção os tinham levado até ali, até aquele dia. E a presença divina continuaria a abençoar a todos eles.

Até aqui teu poder me tem abençoado,
Por certo serei levado adiante.

John H. Newman

■ 22.32

וַיָּשָׁב פִּינְחָס בֶּן־אֶלְעָזָר הַכֹּהֵן וְהַנְּשִׂיאִים מֵאֵת בְּנֵי־רְאוּבֵן וּמֵאֵת בְּנֵי־גָד מֵאֶרֶץ הַגִּלְעָד אֶל־אֶרֶץ כְּנַעַן אֶל־בְּנֵי יִשְׂרָאֵל וַיָּשִׁבוּ אוֹתָם דָּבָר׃

Voltaram da terra de Gileade para a terra de Canaã. Fineias e toda a delegação tinham cumprido a sua missão. A caminho da parte oriental do país, eles estavam com o coração carregado e irado, imaginando que alguma grande maldade havia sido cometida, capaz de prejudicar a toda a nação. Mas, ao partirem dali, estavam jubilosos, pelo que fizeram a jornada com grande pressa. Agora eram portadores de boas-novas e ansiavam por espalhá-las. Há um prazer especial em ser portador de boas notícias, e todos sabemos quão ansiosos ficamos quando temos alguma boa notícia, capaz de tornar felizes os nossos semelhantes. Embora existam filósofos que pensam que o homem só faz o que é melhor para ele mesmo, e que não existe *altruísmo* autêntico, a experiência humana demonstra que algumas pessoas, pelo menos, preocupam-se com o que está acontecendo com os seus semelhantes. Ver na *Enciclopédia de Bíblia, Teologia e Filosofia* o verbete intitulado *Egoísmo e Altruísmo*.

22.33

וַיִּיטַב הַדָּבָר בְּעֵינֵי בְּנֵי יִשְׂרָאֵל וַיְבָרֲכוּ אֱלֹהִים בְּנֵי
יִשְׂרָאֵל וְלֹא אָמְרוּ לַעֲלוֹת עֲלֵיהֶם לַצָּבָא לְשַׁחֵת
אֶת־הָאָרֶץ אֲשֶׁר בְּנֵי־רְאוּבֵן וּבְנֵי־גָד יֹשְׁבִים בָּהּ׃

Deram-se por satisfeitos os filhos de Israel. A *alegria* foi compartilhada pelas tribos ocidentais quando Fineias e sua delegação transmitiram as boas-novas trazidas da Transjordânia. Israel, em meio a grandes vitórias, pensara que tinha caído em apuros, por causa de uma possível rebelião entre as duas tribos e meia do lado oriental. Mas o caso era outro. Uma nova vitória tinha sido conseguida.

O mau plano de uma guerra civil foi prontamente abandonado e assim a paz continuou. Ver Js 21.44. Ver Dt 13.12 ss. quanto ao fato de que, se tivesse havido verdadeira rebeldia e apostasia, o restante de Israel teria sido forçado a entrar em *guerra santa* contra as duas tribos e meia da Transjordânia (ver as notas expositivas em Dt 7.1-5 e 20.10-18).

22.34

וַיִּקְרְאוּ בְּנֵי־רְאוּבֵן וּבְנֵי־גָד לַמִּזְבֵּחַ כִּי עֵד הוּא
בֵּינֹתֵינוּ כִּי יְהוָה הָאֱלֹהִים׃ פ

Chamaram ao altar: Testemunho. As tribos orientais chamaram àquele altar, no hebraico, *ed*, "testemunho", porque esse era o significado daquele altar — um testemunho quanto ao poder de Yahweh e à unidade do povo de Israel. A adoração a ele unificava a parte oriental à parte ocidental da nação. Todavia, a palavra hebraica ed não aparece na Bíblia hebraica, tendo sido suprida sob a hipótese de que era necessária para melhor compreensão do texto. A versão siríaca estampa a palavra correspondente. O texto massorético também omite a porção final do versículo, a partir da palavra "testemunho" até a palavra "Deus". Ver no *Dicionário* os artigos intitulados *Texto Massorético* e *Manuscritos do Antigo Testamento*.

Princípios Ensinados pelo Incidente:
1. É bom sermos zelosos quanto à verdadeira espiritualidade.
2. É bom buscarmos a unidade com base na retidão.
3. Discussões abertas e francas podem esclarecer muitos pseudoproblemas.
4. Devemos aproximar-nos dos ofensores com espírito de gentileza, e não com arrogância (ver Gl 6.1).
5. Uma resposta suave (gentil) desvia a ira (ver Pv 15.1), e assim podem ser evitados tanto a ira quanto os pensamentos descaridosos.
6. As bênçãos de Deus são derramadas sobre aqueles que andam em concórdia, exercendo sua fé religiosa em meio à verdade e à sinceridade.
7. A presença de Deus faz-se necessária para que haja alguma espiritualidade legítima. O altar do Senhor deve estar em nosso coração.

CAPÍTULO VINTE E TRÊS

ADMOESTAÇÕES FINAIS DE JOSUÉ AOS LÍDERES (23.1-16)

Este capítulo 23 forma a conclusão da história deuteronômica de Josué. É um contrabalanço apropriado para o trecho de Js 1.1-9, reunindo vários temas principais do livro, dos quais podem ser extraídas lições que visam ao nosso benefício espiritual. A presença de Yahweh conduziu o seu povo à vitória. sua presença continuava entre eles, garantindo o bem-estar, a prosperidade e o senso de realização. Nenhum inimigo pode resistir diante de um povo fiel que confia no Senhor. Todavia, se Israel chegasse a falhar em sua missão, a presença de Deus seria removida e o próprio povo de Israel seria expulso da Terra Prometida, tal e qual tinha acontecido a seus primitivos habitantes. Essa temível possibilidade previa os cativeiros futuros. Ver no *Dicionário* o artigo intitulado *Cativeiro (Cativeiros)*.

Este capítulo 23 de Josué também serve para introduzir a informação que nos é dada em Jz 2.6—3.6, que provê a continuidade entre os dois livros da Bíblia.

Alguns intérpretes veem uma *duplicação* nos capítulos 23 e 24 de Josué, ou seja, dois relatos diferentes de um mesmo evento. No entanto, é patente que esses dois capítulos encerram duas instruções distintas, de despedida, a primeira dirigida aos líderes, e a segunda, ao povo em geral.

As *palavras de despedida* sempre são tristes. Um idoso Josué estava agora preparado para retirar-se da vida ativa. O coração de muitos estava sobrecarregado de tristeza por causa das despedidas. No entanto, nada havia que lamentar. Josué tinha cumprido a sua missão, e havia chegado o seu tempo de afastar-se. E ele foi capaz de fazer isso com um sorriso, o coração em paz. Ele não havia desobedecido à sua visão celestial. Oh, Senhor, concede-nos tal graça!

23.1

וַיְהִי מִיָּמִים רַבִּים אַחֲרֵי אֲשֶׁר־הֵנִיחַ יְהוָה לְיִשְׂרָאֵל
מִכָּל־אֹיְבֵיהֶם מִסָּבִיב וִיהוֹשֻׁעַ זָקֵן בָּא בַּיָּמִים׃

Passado muito tempo depois. Fazia anos que não havia guerras para o povo de Israel. Assim sendo, este versículo repete uma informação que já havia sido dada antes. A guerra santa tinha cessado (ver as notas expositivas em Dt 7.1-5 e 20.10-18). Ver Js 14.15 e 21.44 quanto ao *repouso* que o Senhor tinha dado a Israel.

Descansando em Hebrom, Josué ia ficando cada vez mais idoso, pelo que sabia que o tempo que lhe restava era curto. Contudo, não sabemos dizer quanto tempo se passou, após a cessação das hostilidades. Mas, sem dúvida, foram alguns anos. Adam Clarke calculou que o tempo que se passara, sugerido no texto, foi de catorze anos após o fim da conquista da terra de Canaã e sete anos após a divisão das terras entre as tribos de Israel. Se esse cálculo está correto, então Josué pôde contar com sete anos, após a distribuição de terras ter terminado, a fim de descansar e refletir. O fato foi que ele morreu com 110 anos de idade (ver Js 24.29).

23.2

וַיִּקְרָא יְהוֹשֻׁעַ לְכָל־יִשְׂרָאֵל לִזְקֵנָיו וּלְרָאשָׁיו
וּלְשֹׁפְטָיו וּלְשֹׁטְרָיו וַיֹּאמֶר אֲלֵהֶם אֲנִי זָקַנְתִּי בָּאתִי
בַּיָּמִים׃

Chamou Josué a todo o Israel... e disse-lhes. As últimas palavras geralmente são solenes. Fazia parte das crenças dos hebreus que as palavras finais de um homem moribundo com frequência eram dadas por inspiração divina. E assim, quando Josué convocou uma assembleia geral para apresentar o seu discurso de despedida, podemos estar certos de que a reunião foi bem atendida, e que os ouvintes prestaram atenção a cada palavra de Josué. É provável que a reunião tenha ocorrido em Silo, que se tornara o santuário central de Israel (ver Js 18.1). Mas a reunião referida no capítulo 24 foi efetuada em Siquém (Js 24.1). Também é possível que a reunião aqui aludida tenha ocorrido na localidade de Timnate-Sera, onde Josué habitava (ver Js 19.50).

"O Tempo Não Para." Todos nós envelhecemos. Josué relembrou os seus ouvintes de que ele estava consciente de sua crescente idade avançada. Os anos fazem a sua cobrança. Mas nada havia de tristonho ou de ressentimento em sua atitude. Ele aceitava a idade provecta como parte da vida. Não tentava ocultar os seus anos de vida... Ele reconhecia os fatos sem nenhuma vergonha ou embaraço. As primeiras palavras proferidas por ele eram de agradecimento pela orientação dada por Deus. Ele ordenou que a nação agradecesse não a ele, mas a Deus, ao qual ele servia. Ele não podia explicar a sua vida e as suas realizações à parte de Deus" (Joseph R. Sizoo, *in loc.*).

23.3

וְאַתֶּם רְאִיתֶם אֵת כָּל־אֲשֶׁר עָשָׂה יְהוָה אֱלֹהֵיכֶם
לְכָל־הַגּוֹיִם הָאֵלֶּה מִפְּנֵיכֶם כִּי יְהוָה אֱלֹהֵיכֶם הוּא
הַנִּלְחָם לָכֶם׃

Vós já tendes visto. O próprio povo era testemunha ocular, pelo menos muitos deles continuavam vivos e esses perfaziam uma audiência atenta. Eles tinham visto tudo quanto Yahweh havia feito, dando a Israel a sua terra pátria, cumprindo assim uma das principais provisões do *Pacto Abraâmico* (ver as notas a respeito em Gn 15.18). Eles tinham visto o poder e a provisão de Deus. Ver no *Dicionário* o artigo chamado *Providência de Deus*. Grandes inimigos tinham sido derrotados, o que Israel, no começo, pensou que não poderia acontecer (ver Nm 13.33). De fato, os inimigos de Israel eram mais fortes (ver Dt 7.1), mas a presença do Senhor fazia toda a diferença. O Senhor tinha combatido em lugar deles, tal como havia prometido que faria (ver Js 2.9-11; 4.23,24 e 10.14,42).

Algumas vezes, Deus nos chama para realizar tarefas que, na verdade, são difíceis demais para nós. Nesses casos, deve haver alguma intervenção divina em nosso favor. Oh, Senhor, concede-nos tal graça!

A batalha é do Senhor e a ele cabem todos os louvores. As intervenções divinas devem ser acolhidas pela nossa dedicação.

> *Não foi por sua espada que possuíram a terra;*
> *Nem foi o seu braço que lhes deu vitória;*
> *E, sim, a tua destra, e o teu braço;*
> *E o fulgor do teu rosto.*
>
> Salmo 44.3

■ 23.4

רְאוּ הִפַּלְתִּי לָכֶם אֶת־הַגּוֹיִם הַנִּשְׁאָרִים הָאֵלֶּה
בְּנַחֲלָה לְשִׁבְטֵיכֶם מִן־הַיַּרְדֵּן וְכָל־הַגּוֹיִם אֲשֶׁר
הִכְרַתִּי וְהַיָּם הַגָּדוֹל מְבוֹא הַשָּׁמֶשׁ:

Vede aqui que vos fiz cair em sorte às vossas tribos. A Terra Prometida havia sido dividida, de acordo com a vontade divina, por meio de *sortes*. Ver no *Dicionário* o artigo sobre esse assunto. Ver como as sortes foram empregadas no último parágrafo das notas sobre o capítulo 14 de Josué. Ver também Nm 26.54,55; Js 13.6; 14.2; 15.1; 17.2; 18.10; 19.10,17,40. A divisão da terra enriqueceu os filhos de Israel. Em Israel não havia família destituída de terras. As *outras nações* foram cortadas, conforme tinha sido predito. As iniquidades delas, finalmente, tinham esgotado a paciência de Deus (ver Gn 15.16). A conquista da terra de Canaã, entretanto, foi incompleta (ver Js 13.1 ss.), embora suficiente para todos os propósitos práticos. Mas como a tarefa precisava ser terminada, o conflito prosseguiu. Todavia, a mesma graça divina que tinha concedido a Israel grandes vitórias haveria de dar-lhe ainda outras vitórias. O Deus de ontem é o mesmo Deus de hoje e de amanhã. As forças são sempre renovadas por parte do Senhor. Ninguém falha somente por ter despendido grande esforço no dia de ontem, e hoje está fraco de energias. Há poder presente para agora.

Estas nações que restam. A saber, os povos que ainda não haviam sido conquistados, conforme lemos em Js 13.1 ss. Somente nos dias de Davi, porém, a conquista da Terra Prometida realmente se completou, ou seja, aproximadamente quatrocentos anos mais tarde.

■ 23.5

וַיהוָה אֱלֹהֵיכֶם הוּא יֶהְדֳּפֵם מִפְּנֵיכֶם וְהוֹרִישׁ אֹתָם
מִלִּפְנֵיכֶם וִירִשְׁתֶּם אֶת־אַרְצָם כַּאֲשֶׁר דִּבֶּר יְהוָה
אֱלֹהֵיכֶם לָכֶם:

Possuireis a sua terra. Temos aqui a promessa divina de que a conquista seria completada. O mesmo poder que havia cumprido as promessas a Abraão, e que tinha dado a Israel o seu território, haveria de completar a tarefa. Isso foi dito para encorajar Israel a continuar lutando, após um intervalo de descanso. Porém, assim como depois da guerra veio o descanso, agora o descanso seria seguido pela guerra. Cf. este versículo com Js 13.6. A obediência a Yahweh, a par de esforços positivos, garantiria o sucesso. A história subsequente demonstrou que essa tarefa não fora bem-feita, e foi preciso esperar que Davi cumprisse o ideal não atingido.

■ 23.6

וַחֲזַקְתֶּם מְאֹד לִשְׁמֹר וְלַעֲשׂוֹת אֵת כָּל־הַכָּתוּב בְּסֵפֶר
תּוֹרַת מֹשֶׁה לְבִלְתִּי סוּר־מִמֶּנּוּ יָמִין וּשְׂמֹאול:

Esforçai-vos... para guardardes e cumprirdes tudo. Ver o trecho de Js 1.7-9, que é passagem paralela. Um desobediente povo de Israel, se chegasse a cair em idolatria e apostasia, longe de poder conquistar o resto do território que lhe fora prometido, seria expulso dali para o cativeiro. Ver no *Dicionário* o artigo intitulado *Cativeiro (Cativeiros)*. Era a lei de Moisés que fazia de Israel uma nação *distinta*. Somente através da obediência a essa lei é que Israel poderia esperar qualquer coisa da parte de Yahweh. Ver Dt 4.4-8 e suas notas expositivas quanto ao tema.

As Palavras-chaves. Diversos vocábulos descrevem a correta atitude e conduta espirituais. Esses termos aparecem no trecho de Dt 10.12,13. As palavras são: temer, andar, amar, servir e guardar os mandamentos.

■ 23.7

לְבִלְתִּי־בוֹא בַּגּוֹיִם הָאֵלֶּה הַנִּשְׁאָרִים הָאֵלֶּה אִתְּכֶם
וּבְשֵׁם אֱלֹהֵיהֶם לֹא־תַזְכִּירוּ וְלֹא תַשְׁבִּיעוּ וְלֹא
תַעַבְדוּם וְלֹא תִשְׁתַּחֲווּ לָהֶם:

Para que não vos mistureis com estas nações. Temos aqui uma advertência contra a infecção. Os povos que não tinham sido expulsos da Terra Prometida se tornariam um foco de infecção. Havia o perigo de o povo de Israel ser infectado pelas atitudes e práticas idólatras deles. Israel seria transformado pelos poderes e pela pressão da malignidade. Ver no *Dicionário* os verbetes chamados *Idolatria* e *Deuses Falsos*. A idolatria foi o pior inimigo que Israel precisou enfrentar, porquanto qualquer transigência com ela destruiria o caráter distinto de Israel (ver Dt 4.4-8).

Quatro Atos Idólatras. Este versículo adverte quanto a quatro manifestações idólatras: 1. Mencionar os nomes dos deuses pagãos, no vocabulário comum (ver Êx 23.13). 2. Tomar votos em nome de ídolos ou deuses falsos. 3. Fazer qualquer tipo de culto que sirva a ídolos. 4. Incorrer em qualquer adoração aos ídolos. "Não podia haver transigência com os povos que ficassem na terra de Israel! Nada de casamentos mistos. Nada de adoração a divindades estrangeiras. Nada de prostrar-se diante delas" (Joseph R. Sizoo, *in loc.*).

Ninguém desce aos níveis mais baixos da iniquidade a não ser *gradualmente*. Não podemos esquecer que o maligno Nero antes foi um aluno promissor, que estudava com o nobre Sêneca.

Se os israelitas chegassem a desobedecer à ordem constante neste versículo, praticando aquilo que é aqui proibido, acabariam sendo expulsos da Terra Prometida. E foi precisamente isso que acabou acontecendo, por ocasião dos cativeiros.

■ 23.8

כִּי אִם־בַּיהוָה אֱלֹהֵיכֶם תִּדְבָּקוּ כַּאֲשֶׁר עֲשִׂיתֶם עַד
הַיּוֹם הַזֶּה:

Ao Senhor vosso Deus vos apegareis. A infecção da idolatria poderia ser evitada se os filhos de Israel se *apegassem positivamente* a Yahweh. Podemos evitar o negativo por meio do que é positivo. Não basta teoria. Precisamos *agir* da maneira certa.

> *Minha força é a força de dez,*
> *Porque meu coração é puro.*
>
> Tennyson

O *apego a Yahweh* seria obtido mediante a observação às suas leis, e também através da observação ao culto do tabernáculo. Se os filhos de Israel se apegassem a essas coisas, então o perigo da infecção da idolatria seria grandemente reduzido. Prevenir é melhor que remediar.

■ 23.9

וַיּוֹרֶשׁ יְהוָה מִפְּנֵיכֶם גּוֹיִם גְּדֹלִים וַעֲצוּמִים וְאַתֶּם
לֹא־עָמַד אִישׁ בִּפְנֵיכֶם עַד הַיּוֹם הַזֶּה:

Ninguém vos resistiu até ao dia de hoje. Tinha sido cumprida a promessa que lemos em Dt 7.1. Os inimigos de Israel tinham cidades fortificadas, cavalos e carros de combate, ao passo que Israel contava somente com forças de infantaria. Contudo, houve muitas e grandes vitórias militares. Mas a tarefa ficou incompleta, conforme se vê em Js 13.1 ss. Todavia, foi suficientemente completa para permitir uma verdadeira possessão do território prometido. Ninguém podia resistir diante do assalto. Ver Js 1.5 quanto a um trecho paralelo. Ver também Dt 11.25.

■ 23.10

אִישׁ־אֶחָד מִכֶּם יִרְדָּף־אָלֶף כִּי יְהוָה אֱלֹהֵיכֶם הוּא הַנִּלְחָם לָכֶם כַּאֲשֶׁר דִּבֶּר לָכֶם׃

Um só homem dentre vós perseguirá a mil. Um soldado israelita que Yahweh estivesse fortalecendo era dotado de força sobrenatural, sendo capaz de pôr em fuga a mil adversários. Cf. Sl 91.7, que diz:

Caiam mil ao teu lado, e dez mil à tua direita.

Israel era dotado de grande poder quando se tratava de ofensiva; e era dotado de proteção miraculosa quando se tratava de defesa.

O Senhor vosso Deus é quem peleja por vós. Temos aqui a repetição de uma exclamação frequente na Bíblia. Ver Js 2.9-11; 4.23,24; 10.14,42 e também o versículo terceiro deste capítulo. Cf. Dt 1.30.

■ 23.11

וְנִשְׁמַרְתֶּם מְאֹד לְנַפְשֹׁתֵיכֶם לְאַהֲבָה אֶת־יְהוָה אֱלֹהֵיכֶם׃

Empenhai-vos... para amardes ao Senhor vosso Deus. A *gratidão* pelas inúmeras bênçãos recebidas exigia o *amor* deles. Ver as palavras-chaves da espiritualidade e da conduta correta, em Dt 10.12: temer, andar, amar, servir e guardar os mandamentos. Em outros trechos bíblicos, aprendemos que o primeiro e maior dos mandamentos é o de amar a Deus. E o segundo é o seu corolário: amor ao próximo. A lei toda é sintetizada no amor. Ver Rm 13.8 ss. Ver Dt 6.5, que sumaria a lei de Deus no *amor*, o qual precisa ser exercido de todo o coração, de toda a mente e de toda a alma. Ver Dt 11.1,22; 13.3; 19.9; 30.6. Quanto a uma aplicação neotestamentária, ver Mt 22.37-39, onde o Senhor Jesus citou o livro de Deuteronômio. Ver no *Dicionário* o verbete denominado *Amor*, onde há ilustrações e poemas sobre o tema.

■ 23.12

כִּי אִם־שׁוֹב תָּשׁוּבוּ וּדְבַקְתֶּם בְּיֶתֶר הַגּוֹיִם הָאֵלֶּה הַנִּשְׁאָרִים הָאֵלֶּה אִתְּכֶם וְהִתְחַתַּנְתֶּם בָּהֶם וּבָאתֶם בָּהֶם וְהֵם בָּכֶם׃

Porque se... vos apegardes ao restante destas nações. Um remanescente de povos cananeus tinha permanecido na Terra Prometida, e esse restante tornou-se motivo de infecção religiosa, sobretudo no que diz respeito à idolatria (ver no *Dicionário* o artigo chamado *Idolatria*). Se isso sucedesse, Israel entraria em *apostasia*, o que poderia ser apressado mediante casamentos mistos com os povos pagãos. Logo os israelitas se tornariam estrangeiros em sua própria terra, e Yahweh teria de expulsá-los dali, tal como fizera com os cananeus. Ver Gn 15.16. Ver o versículo 7 deste capítulo, que amplia o tema das infecções e da corrupção causada pelos pagãos que tivessem permanecido na Terra Prometida.

■ 23.13

יָדוֹעַ תֵּדְעוּ כִּי לֹא יוֹסִיף יְהוָה אֱלֹהֵיכֶם לְהוֹרִישׁ אֶת־הַגּוֹיִם הָאֵלֶּה מִלִּפְנֵיכֶם וְהָיוּ לָכֶם לְפַח וּלְמוֹקֵשׁ וּלְשֹׁטֵט בְּצִדֵּיכֶם וְלִצְנִנִים בְּעֵינֵיכֶם עַד־אֲבָדְכֶם מֵעַל הָאֲדָמָה הַטּוֹבָה הַזֹּאת אֲשֶׁר נָתַן לָכֶם יְהוָה אֱלֹהֵיכֶם׃

Sabei certamente que o Senhor vosso Deus. Este versículo oferece várias metáforas que ilustram *como* os povos pagãos poderiam paganizar o povo de Israel. Israel, se desobedecesse, haveria de perder o poder libertador de Yahweh e não haveria mais conquistas militares. Os cananeus restantes se tornariam: 1. Laço (no hebraico, *lephach*, que indica uma rede para apanhar pássaros). E estes seriam mortos e usados como alimento. 2. Rede (no hebraico, *mokesh*), um instrumento para apanhar animais terrestres, para que sua carne fosse comida e sua pele fosse usada como vestes, para fabricar tendas etc. 3. Açoite (no hebraico, *shote*). Seus inimigos haveriam de derrotá-los por causa de suas corrupções que prejudicavam suas almas. Essa palavra pode significar qualquer instrumento de açoitar, ou então uma *aguilhada* que traspassa, como aquelas que eram usadas para obrigar os animais à obediência. Essa metáfora indica que o povo de Israel seria constantemente assediado por seus inimigos. 4. Espinhos (no hebraico, *tsanin*, que significa um espinho produzido por algum tipo de planta). Tais espinhos penetrariam nos olhos de Israel, o mais precioso e entesourado dos órgãos físicos. Em outras palavras, os inimigos de Israel serviriam de vexame constante e altamente nocivo ao povo de Deus.

Que Aconteceria a Israel? Era como se Deus tivesse revelado aos israelitas: "Como se fossem *animais*, eles empurrarão vocês para obedecer aos seus deuses imaginários e cegarão os seus olhos espirituais, para que não possam compreender. E Eu haverei de preservar os seus inimigos, meramente para garantir que eles continuarão vexando a vocês". Cf. Nm 33.55, que é um versículo quase paralelo a este.

Até que pereçais nesta boa terra. O povo de Israel foi finalmente expulso de sua terra pelos assírios e pelos babilônios. Ver no *Dicionário* o artigo chamado *Cativeiro (Cativeiros)*. Os filhos de Israel não deram ouvidos aos avisos divinos e caíram nas redes e nas armadilhas da idolatria. Com isso, paganizaram-se e acabaram sendo tratados como meros pagãos. *Yahweh-Elohim* (o Eterno Todo-poderoso) dera-lhes aquela terra como herança, em consonância com as condições do Pacto Abraâmico (ver as notas em Gn 15.18). Todavia, apesar de suas vantagens e das bênçãos divinas, eles caíram em apostasia e anularam todo o acordo com Deus. Ver no *Dicionário* o artigo *Deus, Nomes Bíblicos de*.

"Josué não contemplou, nem por um momento, nenhuma possibilidade de neutralidade, ao apresentar a escolha que precisaria ser feita. Os filhos de Israel teriam de ficar ou com Deus ou com o povo de Canaã. Assim também acontece até hoje. Não há meio-termo, pois 'ninguém pode servir a dois senhores' (Mt 6.24; 12.30)" (Donald K. Campbell, *in loc.*).

■ 23.14

וְהִנֵּה אָנֹכִי הוֹלֵךְ הַיּוֹם בְּדֶרֶךְ כָּל־הָאָרֶץ וִידַעְתֶּם בְּכָל־לְבַבְכֶם וּבְכָל־נַפְשְׁכֶם כִּי לֹא־נָפַל דָּבָר אֶחָד מִכֹּל הַדְּבָרִים הַטּוֹבִים אֲשֶׁר דִּבֶּר יְהוָה אֱלֹהֵיכֶם עֲלֵיכֶם הַכֹּל בָּאוּ לָכֶם לֹא־נָפַל מִמֶּנּוּ דָּבָר אֶחָד׃

Sigo pelo caminho de todos os da terra. Com toda razão reconheceu Sócrates: "Todos os homens são mortais". Josué, apanhado na armadilha da mortalidade, procurou reforçar o seu apelo ao assegurar a Israel que pouco tempo lhe restava de vida. É como se ele tivesse dito: "Ouçam as palavras deste homem que está morrendo". As palavras de um homem moribundo eram consideradas dotadas de um discernimento especial, pois seriam inspiradas pela mente de Deus e deveriam ser ouvidas com cuidado. Ver 1Rs 2.2.

O Exemplo do Passado É Importante. Josué também apelou para o passado. Todos eles tinham sido testemunhas oculares e participantes de tudo quanto havia sido feito por Yahweh, por ocasião da invasão da terra, de sua possessão e da distribuição de territórios. Coisa alguma falhou dentro das promessas de Deus. Essa circunstância requeria tanto lealdade quanto uma renovada dedicação por parte dos hebreus. A essência dessa atitude seria espiritual. Assim o paganismo seria evitado e não corromperia aos filhos de Israel. A terra de Canaã precisava continuar sendo purificada, para que fossem removidos todos os pontos infecciosos, com destruição de redes, armadilhas, chicotes e espinhos (ver o versículo 13 deste capítulo), para que os israelitas não fossem incansavelmente vexados por aqueles males.

Este versículo deve ser comparado com Dt 11.26-32, cujo conteúdo é similar e foi escrito com o mesmo propósito. Ver também Js 21.43-45, um paralelo deste versículo.

23.15

וְהָיָ֗ה כַּאֲשֶׁר־בָּ֤א עֲלֵיכֶם֙ כָּל־הַדָּבָ֣ר הַטּ֔וֹב אֲשֶׁ֥ר דִּבֶּ֛ר יְהוָ֥ה אֱלֹהֵיכֶ֖ם אֲלֵיכֶ֑ם כֵּן֩ יָבִ֨יא יְהוָ֜ה עֲלֵיכֶ֗ם אֵ֚ת כָּל־הַדָּבָ֣ר הָרָ֔ע עַד־הַשְׁמִיד֣וֹ אוֹתְכֶ֗ם מֵעַל֙ הָאֲדָמָ֣ה הַטּוֹבָ֣ה הַזֹּ֔את אֲשֶׁ֥ר נָתַ֛ן לָכֶ֖ם יְהוָ֥ה אֱלֹהֵיכֶֽם׃

Este Versículo Mostra a Contrapromessa. Assim como todas as *coisas boas* tinham sido prometidas a Israel, por parte de Yahweh, assim também um desobediente povo de Israel receberia todas as *coisas ruins*, da parte do mesmo Yahweh, de conformidade com esta contrapromessa. Muitas tribulações e retrocessos finalmente culminariam nos cativeiros. Ver o versículo 13 deste capítulo. Israel seria fiel ou às promessas positivas ou às promessas negativas de Deus. Eles é que teriam de escolher. Cf. Dt 8.19,20 e 30.17,18. Ver também o capítulo 28 de Deuteronômio.

23.16

בְּעָבְרְכֶ֗ם אֶת־בְּרִ֤ית יְהוָה֙ אֱלֹ֣הֵיכֶ֔ם אֲשֶׁ֥ר צִוָּ֖ה אֶתְכֶ֑ם וַהֲלַכְתֶּ֗ם וַעֲבַדְתֶּם֙ אֱלֹהִ֣ים אֲחֵרִ֔ים וְהִשְׁתַּחֲוִיתֶ֖ם לָהֶ֑ם וְחָרָ֤ה אַף־יְהוָה֙ בָּכֶ֔ם וַאֲבַדְתֶּ֣ם מְהֵרָ֔ה מֵעַל֙ הָאָ֣רֶץ הַטּוֹבָ֔ה אֲשֶׁ֥ר נָתַ֖ן לָכֶֽם׃ פ

Quando violardes a aliança. Quanto a este ponto, precisamos perceber que *dois pactos* estão em evidência: 1. O Pacto *Mosaico*. Isso foi amplamente anotado na introdução ao capítulo 19 do livro de Êxodo. 2. O Pacto *Palestino*. Comentamos sobre isso no capítulo 29 de Deuteronômio. Naturalmente, se esses dois pactos fossem violados, o Pacto *Abraâmico* (ver as notas a respeito em Gn 15.18) também seria violado, porque tanto o Pacto Mosaico quanto o Pacto Palestino dependiam do Pacto Abraâmico.

Israel era o povo dos pactos com Deus. Ver no *Dicionário* o verbete chamado *Pactos*. Esses pactos dependiam da reação humana. Ver Êx 24.7,8. O principal problema que resultava na interrupção dos pactos de Israel era a *idolatria*. E o Pentateuco repete isso, do começo ao fim, nos ouvidos dos filhos de Israel. Pois a idolatria anularia o *monoteísmo* típico de Israel (ver a esse respeito no *Dicionário*). Convém lembrar que o monoteísmo, no seu sentido bíblico, não consiste apenas na *crença* em um só Deus. Também envolve a lealdade ao único Deus e a consagração da alma a ele.

A violação dos pactos atraía a ira ardente de Yahweh como consequência inevitável. A ira de Deus resultaria, afinal, nos *cativeiros* (ver a esse respeito no versículo 13 deste capítulo). Ver Dt 11.16,17, que é um paralelo quase perfeito deste versículo.

"Em toda essa exortação, vemos quão de perto Josué copiou o exemplo do grande mestre, Moisés. Ver Lv 26.7,8,14 e outros; Dt 28.7; 32.30" (Adam Clarke, *in loc.*).

CAPÍTULO VINTE E QUATRO

No capítulo 23 tivemos um discurso diante de Israel em geral e de seus anciãos. Neste capítulo 24 temos um discurso similar, dirigido a todas as tribos, uma espécie de discurso popular. Alguns críticos, porém, pensam que esses dois capítulos são uma *duplicação*, ou seja, duas versões do mesmo acontecimento e discurso. Entretanto, o primeiro discurso (capítulo 23) foi entregue em Silo (onde o tabernáculo foi erguido, pelo que era ali o santuário central de Israel), ou seja, perto de Hebrom, onde Josué residia. Mas o segundo discurso (capítulo 24) foi entregue em Siquém.

O relato sobre como Josué falou diante de todo o povo de Israel, em Siquém, conclui o livro de Josué. "Josué reuniu todo o povo, lembrou-lhes os atos graciosos de Deus... acompanhou toda a história deles e desafiou-os a escolher a quem haveriam de adorar. Diante dos repetidos protestos de que serviriam exclusivamente ao Senhor, foi estabelecido um pacto solene, obrigando-os à promessa que tinham feito" (John Bright, *in loc.*).

UM PACTO NACIONAL ESTABELECIDO EM SIQUÉM (24.1-28)

"O meio ambiente geográfico reveste-se de interesse. Foi em Siquém, poucos quilômetros a noroeste de Silo, que Abraão recebeu a promessa de que Deus daria aos seus descendentes a terra de Canaã. Abraão reagiu favoravelmente, erigindo um altar, a fim de demonstrar a sua fé no único verdadeiro Deus (ver Gn 12.6,7). Jacó também parou em Siquém, ao retornar de Padã-Arã, onde sepultou os ídolos que seus familiares tinham trazido (ver Gn 35.4). Depois que os israelitas completaram a primeira fase da conquista de Canaã, eles viajaram até Siquém, onde Josué erigiu um altar em honra a Yahweh, inscreveu a lei de Deus sobre colunas de pedra e revisou as leis diante de todo o povo (ver Js 8.30-35). Por conseguinte, Josué dispunha de boas razões para convocar os israelitas naquele local" (Donald K. Campbell, *in loc.*).

24.1

וַיֶּאֱסֹ֧ף יְהוֹשֻׁ֛עַ אֶת־כָּל־שִׁבְטֵ֥י יִשְׂרָאֵ֖ל שְׁכֶ֑מָה וַיִּקְרָא֩ לְזִקְנֵ֨י יִשְׂרָאֵ֜ל וּלְרָאשָׁ֗יו וּלְשֹׁפְטָיו֙ וּלְשֹׁ֣טְרָ֔יו וַיִּֽתְיַצְּב֖וּ לִפְנֵ֥י הָאֱלֹהִֽים׃

Reuniu Josué todas as tribos de Israel. Quanto às circunstâncias do discurso de Josué que se segue, e sua comparação com o discurso do capítulo anterior, ver a introdução a este capítulo.

Todas as tribos. Visto que o povo de Israel chegava calculadamente a quatro milhões de pessoas (ver as notas sobre Nm 1.46, e também os recenseamentos em Nm 1.2), seria simplesmente impossível que todos os hebreus se fizessem presentes diante de Josué. Portanto, podemos supor que tenha havido um grupo representativo, que recebeu a responsabilidade de comunicar a essência do discurso para os demais. Esse grupo representativo incluía os anciãos, os cabeças das tribos e outros oficiais importantes.

Em Siquém. Ver o artigo detalhado sobre esse lugar no *Dicionário*.

... se apresentaram diante de Deus. Não foi uma assembleia qualquer, mas ocorreu na presença de Yahweh, O qual, segundo os israelitas criam, inspiraria a mente de Josué, levando-o a dizer as palavras apropriadas de advertência e encorajamento.

Esse *discurso*, essencialmente espiritual, naturalmente se deu no santuário de Siquém. Ver o artigo e a introdução a este capítulo, quanto aos importantes eventos que ali ocorreram, e quanto aos altares que Abraão e Josué ali haviam edificado. Ver no *Dicionário* o verbete intitulado *Altar de Josué*. Dispomos de evidências arqueológicas quanto a esse altar.

Alguns estudiosos pensam que a arca da aliança foi trazida de Silo, por ocasião deste discurso, para garantir a presença de Yahweh ali.

24.2

וַיֹּ֨אמֶר יְהוֹשֻׁ֜עַ אֶל־כָּל־הָעָ֗ם כֹּֽה־אָמַ֣ר יְהוָה֮ אֱלֹהֵ֣י יִשְׂרָאֵל֒ בְּעֵ֣בֶר הַנָּהָ֗ר יָשְׁב֤וּ אֲבוֹתֵיכֶם֙ מֵֽעוֹלָ֔ם תֶּ֛רַח אֲבִ֥י אַבְרָהָ֖ם וַאֲבִ֣י נָח֑וֹר וַיַּעַבְד֖וּ אֱלֹהִ֥ים אֲחֵרִֽים׃

Então Josué disse. As palavras proferidas por Josué eram as palavras de Yahweh. Por assim dizer, Josué falou *ex-cathedra*. Ele era o porta-voz de *Yahweh-Elohim* (o Eterno Todo-poderoso). Ver no *Dicionário* o artigo chamado *Deus, Nomes Bíblicos de*.

Contando a História de Novo. Josué prefaciou o seu discurso com um breve esboço da história de Israel, a fim de que, mais poderosamente ainda, pudesse exigir daquela geração de Israel que cumprisse todas as condições dos vários pactos firmados com Yahweh. Ver as notas em Js 23.16 sobre o *povo em estado de pacto com Deus*.

A *história de Israel* começa realmente com Abraão, quando este vivia com seu pai, Terá (ver a respeito dele no *Dicionário*). O lugar onde Abraão vivia era em "dalém do Eufrates". Era a cidade de *Ur*, um lugar situado naquilo que agora é o sul do Iraque. Ver o artigo chamado *Ur*, quanto a uma discussão sobre aquele lugar e suas localizações propostas.

Serviram a outros deuses. Abraão, seu irmão, Naor, e o pai deles, Terá, eram todos idólatras (ver no *Dicionário* os verbetes intitulados *Naor* e *Terá*). Isso posto, em certo sentido, a chamada do povo de Israel foi a chamada de um pequeno clã da idolatria para o monoteísmo yahwista. Isso foi um autêntico avanço espiritual; e Josué anelava por preservar esse passo para a frente. E seu homônimo, Jesus, o Cristo, haveria de avançar mais ainda a causa espiritual e a tornaria universal (ver Gl 3.28,29).

Que Abraão anteriormente tinha sido idólatra não é dito especificamente no livro de Gênesis. Entretanto, certos trechos do livro de Gênesis (ver 31.19,29,30,53; 35.2-4) dão a entender que houve um passado idólatra em sua família.

■ 24.3,4

וָאֶקַּ֣ח אֶת־אֲבִיכֶ֤ם אֶת־אַבְרָהָם֙ מֵעֵ֣בֶר הַנָּהָ֔ר וָאוֹלֵ֥ךְ אוֹת֖וֹ בְּכָל־אֶ֣רֶץ כְּנָ֑עַן וָאַרְבֶּה֙ אֶת־זַרְע֔וֹ וָאֶתֶּן־ל֖וֹ אֶת־יִצְחָֽק׃

וָאֶתֵּ֤ן לְיִצְחָק֙ אֶת־יַעֲקֹ֣ב וְאֶת־עֵשָׂ֔ו וָאֶתֵּ֤ן לְעֵשָׂו֙ אֶת־הַ֣ר שֵׂעִ֔יר לָרֶ֖שֶׁת אוֹת֑וֹ וְיַעֲקֹ֥ב וּבָנָ֖יו יָרְד֥וּ מִצְרָֽיִם׃

Tomei a vosso pai Abraão. Abraão (ver sobre ele no *Dicionário*, quanto à narrativa inteira) foi chamado dentre seu próprio lar paterno, e então Deus lhe mostrou um destino completamente diferente. Ele se tornou um nômade na terra de Canaã. Aquele era o território que Deus, mediante um pacto, prometeu dar a Abraão e a seus descendentes. Ver sobre o *Pacto Abraâmico*, em Gn 15.18, onde provi um sumário dos elementos que fazem parte do pacto. Os propósitos e o poder de Deus estavam operando em Abraão e continuariam na vida de seus descendentes, tendo chegado até o povo de Israel dos dias de Josué, quando eles se tinham apossado da terra que fora prometida a Abraão. Os descendentes de Abraão, pois, deviam ter aquela mesma atitude de quem foi "chamado para fora da idolatria", que Abraão havia exemplificado.

A história narrada por Josué não incluiu muitos detalhes. Ele mencionou apenas alguns poucos da linha descendente. Israel é deixado de fora da narrativa. Deus estava operando nele com base em um propósito diferente. Ele também tinha um importante destino, mas não pertencia àquela *linhagem* que levava à terra de Canaã e ao estabelecimento do povo de Israel naquele território. A *Esaú* (ver a respeito no *Dicionário*) foi feita uma menção honrosa. Esaú recebeu o monte Seir como herança, de acordo com a vontade de Deus. Mas foi o seu irmão gêmeo, Jacó, que encabeçou a linhagem que entraria na terra de Canaã e a possuiria. Por conseguinte, a linhagem era constituída de *Abraão-Isaque-Jacó*, conforme qualquer hebreu que esteve em Siquém naquele dia sabia muito bem.

Isso posto, Yahweh tinha-se ligado com a descendência de Abraão, mediante o pacto firmado com ele. O pacto foi adiado quanto ao seu cumprimento, no que diz respeito à possessão da terra de Canaã e ao exílio do povo de Israel no Egito. O discurso de Josué, pois, passa, mediante grandes saltos, através de algumas declarações muito gerais. No entanto, esse discurso toca naqueles pontos que eram importantes para o povo em pacto com Deus. O exílio de Israel no Egito poderia ter abalado a identidade de Israel como uma nação; mas, apesar de os hebreus terem permanecido no Egito por nada menos de quatro séculos, eles preservaram a sua própria identidade. E então *Moisés* (vs. 5) foi enviado pelo Senhor para pôr fim ao ciclo e dar início à marcha na direção da Terra Prometida.

O Deus que havia preservado o povo de Israel no Egito, e dali o tirara, podia fazer qualquer coisa que quisesse; e a congregação de Israel, reunida em Siquém, precisava ser lembrada disso. Ver Gn 25.21-26 e 32.3 quanto à história de Jacó e Esaú. O monte Seir passou a ser identificado com *Edom* (ver sobre esse nome no *Dicionário*).

■ 24.5

וָאֶשְׁלַ֞ח אֶת־מֹשֶׁ֣ה וְאֶֽת־אַהֲרֹ֗ן וָאֶגֹּ֤ף אֶת־מִצְרַ֙יִם֙ כַּאֲשֶׁ֣ר עָשִׂ֣יתִי בְּקִרְבּ֔וֹ וְאַחַ֖ר הוֹצֵ֥אתִי אֶתְכֶֽם׃

Então enviei Moisés e Arão. Os grandes ministros seguintes que fizeram Israel dar mais um passo decisivo em sua história foram Moisés e Arão, figuras exponenciais. Ver no *Dicionário* o artigo chamado *Pragas do Egito*. Houve inúmeros milagres nos tempos deles, pois Deus estava presente. Foi mediante intervenções divinas que o povo de Israel terminou sendo libertado da escravidão no Egito. Esse é um dos grandes temas do livro de Deuteronômio, a reiteração da lei mosaica. O assunto reaparece ali por cerca de vinte vezes. Ver as notas sobre isso em Dt 4.20. Quanto à narrativa, ver os capítulos 1—14 do livro de Êxodo.

Por *dezoito vezes* neste capítulo, achamos o "eu" de Yahweh, enquanto o Senhor recita as coisas que fez em favor de Israel. O Senhor deu, atribuiu, enviou, afligiu, trouxe, livrou etc. Temos aí reflexos do *teísmo*, e não do *deísmo*. Ver sobre ambos os termos no *Dicionário*. O poder de Deus não somente criou, mas também faz-se presente e intervém, galardoando ou punindo (teísmo). "A história é, na verdade, a história *dele*" (Joseph R. Sizoo, *in loc.*). O deísmo, por sua vez, ensina que, apesar de, talvez, haver um poder criador, esse poder abandonou a sua criação, deixando-a entregue às leis naturais.

■ 24.6,7

וָאוֹצִ֤יא אֶת־אֲבֽוֹתֵיכֶם֙ מִמִּצְרַ֔יִם וַתָּבֹ֖אוּ הַיָּ֑מָּה וַיִּרְדְּפ֨וּ מִצְרַ֜יִם אַחֲרֵ֧י אֲבוֹתֵיכֶ֛ם בְּרֶ֥כֶב וּבְפָרָשִׁ֖ים יַם־סֽוּף׃

וַיִּצְעֲק֣וּ אֶל־יְהוָ֗ה וַיָּ֨שֶׂם מַֽאֲפֵ֜ל בֵּינֵיכֶ֣ם ׀ וּבֵ֣ין הַמִּצְרִ֗ים וַיָּבֵ֨א עָלָ֤יו אֶת־הַיָּם֙ וַיְכַסֵּ֔הוּ וַתִּרְאֶ֙ינָה֙ עֵינֵיכֶ֔ם אֵ֥ת אֲשֶׁר־עָשִׂ֖יתִי בְּמִצְרָ֑יִם וַתֵּשְׁב֥וּ בַמִּדְבָּ֖ר יָמִ֥ים רַבִּֽים׃

Logo depois do êxodo do Egito, houve a travessia do mar de Juncos (ver a esse respeito nas notas sobre Êx 13.18). Essa travessia representa mais uma intervenção divina em favor de Israel. Dessa forma, não somente o Egito foi castigado pela última vez, mas também a redenção de Israel foi consolidada e garantida. Ver o capítulo 14 do livro de Êxodo quanto a esse relato. Israel estava a pé, e os egípcios dispunham de carros de combate; mas Yahweh fez a balança do poder pender em favor de Israel. O poder maior fracassou; o poder menor obteve a vitória. Isso significa que as nações são grandes não em proporção a seu poderio militar e às suas riquezas materiais, e, sim, à sua obediência a Deus e dependência dele. Os sábios são capazes de acompanhar as pegadas de Deus que marcam a história.

"Do começo ao fim, as conquistas militares de Israel, os seus livramentos e a sua prosperidade deveram-se às grandes misericórdias de Deus, não sendo eles os originários desses eventos" (Donald K. Campbell, *in loc.*).

Pôs escuridão entre vós e os egípcios. A nuvem que guiava o povo de Israel lançou uma sombra por sobre os egípcios, impedindo que tivessem sucesso na sua perseguição. No meio das trevas e da cegueira, acabaram precipitando-se no mar e pereceram.

Habitastes no deserto. Em seguida, houve aqueles quarenta anos de perambulações pelo deserto. Mas mesmo ali houve muitas evidências da presença divina. As colunas de fogo e de nuvem (ver a respeito no *Dicionário*) mostravam a Israel qual caminho, e o *maná* (ver no *Dicionário*) serviu de provisão alimentícia adequada.

■ 24.8

וָֽאָבִ֣יאָה אֶתְכֶ֗ם אֶל־אֶ֤רֶץ הָֽאֱמֹרִי֙ הַיּוֹשֵׁ֣ב בְּעֵ֣בֶר הַיַּרְדֵּ֔ן וַיִּֽלָּחֲמ֖וּ אִתְּכֶ֑ם וָאֶתֵּ֨ן אוֹתָ֤ם בְּיֶדְכֶם֙ וַתִּֽירְשׁ֣וּ אֶת־אַרְצָ֔ם וָאַשְׁמִידֵ֖ם מִפְּנֵיכֶֽם׃

Terra dos amorreus. Os amorreus habitavam na *Transjordânia* (ver a respeito no *Dicionário*), e o território deles foi dado às tribos de Rúben e Gade e à meia tribo de Manassés. Os reinos de Seom e de Ogue foram conquistados. A *guerra santa* transformou em nada aqueles reinos, antes poderosos e orgulhosos (ver as notas sobre Dt 7.1-5; 20.10-18). Ver também o capítulo 21 do livro de Números.

■ 24.9

וַיָּ֨קָם בָּלָ֤ק בֶּן־צִפּוֹר֙ מֶ֣לֶךְ מוֹאָ֔ב וַיִּלָּ֖חֶם בְּיִשְׂרָאֵ֑ל וַיִּשְׁלַ֗ח וַיִּקְרָ֛א לְבִלְעָ֥ם בֶּן־בְּע֖וֹר לְקַלֵּ֥ל אֶתְכֶֽם׃

O rei de Moabe, Balaque. Esse foi outro poder militar que pretendeu barrar o caminho de Israel, que vinha avançando. Balaque traçou planos elaborados para fazer estancar a invasão, mas coisa alguma foi realmente capaz de deter o avanço dos israelitas. Balaão tentou ajudar os moabitas, mas acabou perecendo, juntamente com aqueles a quem tentou ajudar. A oposição revelou-se poderosa e talentosa, mas coisa alguma funcionava contra Israel. O propósito divino operou em favor dos hebreus, porquanto deles viria mais tarde o Messias, e tudo contribuía para a vinda dele. Em Jesus Cristo Deus universalizaria o seu propósito (ver Ef 3 e Gl 3.28,29). Todos os nomes próprios que figuram neste versículo recebem artigos separados no *Dicionário*. Ver os capítulos 22 a 24 quanto a essa narrativa.

Este versículo diz que os moabitas *guerrearam* contra Israel, embora isso não tenha acontecido realmente. Ver Nm 22.6,11; Dt 2.9; Jz 11.25. Aquilo que foi planejado e preparado é tido como se tivesse acontecido; ou, como alternativa, as maquinações de Balaque e Balaão são aqui consideradas uma *forma* de guerra.

■ 24.10

וְלֹא אָבִיתִי לִשְׁמֹעַ לְבִלְעָם וַיְבָרֶךְ בָּרוֹךְ אֶתְכֶם וָאַצִּל אֶתְכֶם מִיָּדוֹ׃

Eu não quis ouvir a Balaão. Yahweh não deu ouvidos àquele falso profeta, quando ele quis amaldiçoar Israel. Contudo, a narrativa informa-nos que Balaão nem ao menos começou a amaldiçoar os israelitas. Antes, ele formulou os planos de corrupção, segundo os quais mulheres moabitas chegaram a corromper homens de Israel, fazendo-os desviar-se para a idolatria. E isso trouxera a maldição de Deus contra eles. O incidente aqui recontado não visa a exatidão, mas tão somente mostrar a essência dos acontecimentos. A pretensa maldição de Balaão acabou sendo transformada em bênção, porquanto, naqueles momentos, Yahweh falou através dele, transformando-o em uma testemunha relutante.

■ 24.11

וַתַּעַבְרוּ אֶת־הַיַּרְדֵּן וַתָּבֹאוּ אֶל־יְרִיחוֹ וַיִּלָּחֲמוּ בָכֶם בַּעֲלֵי־יְרִיחוֹ הָאֱמֹרִי וְהַפְּרִזִּי וְהַכְּנַעֲנִי וְהַחִתִּי וְהַגִּרְגָּשִׁי הַחִוִּי וְהַיְבוּסִי וָאֶתֵּן אוֹתָם בְּיֶדְכֶם׃

Passando vós o Jordão, e vindo a Jericó. Depois de os israelitas terem conquistado a parte oriental da Terra Prometida (a Transjordânia), suas forças passaram a invadir a parte ocidental. A cidade de Jericó foi a primeira a cair, ficando estabelecido assim o padrão da derrota das sete nações cananeias que foram expulsas da Palestina. Ver Êx 33.2 e Dt 7.1 quanto à lista dessas nações e explicações. As vitórias, pois, ocorreram em diferentes ocasiões, em diferentes lugares e por meios diferentes. A provisão divina foi completa e eficaz. O autor sagrado passou aqui a indicar as derrotas e inadequações (ver Js 13.1 ss.), porquanto estava fazendo soar uma nota positiva do começo ao fim. Isso posto, a despeito de algumas *falhas*, o plano de Deus continuou progredindo de forma adequada.

■ 24.12

וָאֶשְׁלַח לִפְנֵיכֶם אֶת־הַצִּרְעָה וַתְּגָרֶשׁ אוֹתָם מִפְּנֵיכֶם שְׁנֵי מַלְכֵי הָאֱמֹרִי לֹא בְחַרְבְּךָ וְלֹא בְקַשְׁתֶּךָ׃

Amorreus. Esse adjetivo pátrio é usado nos versículos 8 e 12 a fim de referir-se aos inimigos orientais (da Transjordânia) do povo de Israel, ainda que, de outras vezes, tenha sido usado para indicar todos os inimigos de Israel (ver Gn 15.16 e suas notas expositivas). A taça da iniquidade daqueles povos se enchera, pelo que o juízo divino acabou por expulsá-los de suas terras.

Não com a tua espada, nem com o teu arco. A vitória foi dada por Yahweh a Israel, tanto no ocidente quanto no oriente. Os vespões de Deus (seus meios e maneiras) foram tangendo aquelas nações cananeias à frente dos israelitas. Isso posto, o sucesso de Israel não podia ser atribuído à sua própria infantaria, que fazia uso da espada e do arco e flecha. Israel não contava com cavalos e carros de combate, mas mesmo assim foi capaz de derrotar poderosas nações (ver Dt 7.1), que dispunham de cidades muradas e fortificadas, carros de combate de ferro e numerosa cavalaria. Por conseguinte, era óbvio que a vitória era do Senhor. Cf. Êx 23.28, onde são dadas notas adicionais sobre os "vespões".

Se vos parece mal servir ao Senhor, escolhei hoje a quem sirvais:
se aos deuses a quem serviram vossos pais,
que estavam dalém do Eufrates,
ou aos deuses dos amorreus, em cuja terra habitais.
Eu e a minha casa serviremos ao Senhor.

Josué 24.15

A cada homem se abre
Um caminho, e caminhos, e um caminho.
E a elevada alma sobe pelo caminho elevado,
E a alma vil se arrasta para baixo,
E entre eles, na planície enevoada,
Os demais vagueiam, para lá e para cá.
Mas a cada homem se abre
Um caminho alto e outro baixo,
E cada qual revolve
O caminho pelo qual irá sua alma.

John Oxenham

Quando nós, em nossa maldade, ficamos endurecidos,
Os sábios deuses nos fecham os olhos;
E nosso próprio lodo afunda nossos mais claros juízos,
Levando-nos a adorar nossos erros, e, assim,
Relutamos para nossa própria destruição.

■ 24.13

וָאֶתֵּן לָכֶם אֶרֶץ אֲשֶׁר לֹא־יָגַעְתָּ בָּהּ וְעָרִים אֲשֶׁר לֹא־בְנִיתֶם וַתֵּשְׁבוּ בָּהֶם כְּרָמִים וְזֵיתִים אֲשֶׁר לֹא־נְטַעְתֶּם אַתֶּם אֹכְלִים׃

Dei-vos a terra. Temos aqui a conclusão de toda a campanha militar. Israel fez sua parte, em obediência, mas nada teria conseguido não fora a intervenção de Yahweh. Eles surgiram dentre o deserto como um povo nômade, *trazendo em sua companhia* todas as suas possessões e suas tendas. Conquistaram cidades inteiras e as plantações que rodeavam essas cidades. Destarte, ficaram com um país preparado de antemão, repleto de riquezas. Da vida nômade, entraram em uma prosperidade instantânea. Yahweh foi o arquiteto do plano e de sua execução. Cf. Dt 6.10,11. Israel transformou-se naquilo que veio a ser porque o propósito divino operava ali o que era mister que acontecesse.

O DESAFIO DE JOSUÉ AOS FILHOS DE ISRAEL (24.14,15)

As cidades anteriormente mencionadas, dadas por Yahweh a Israel, bem como as muitas vitórias concedidas ao povo de Deus, serviam de incentivo para um poderoso ato presente. Todas as variedades de paganismo teriam de ser abandonadas de vez, especialmente a *idolatria*. Era necessário que houvesse um amor e um serviço sincero a Deus, que era a essência do yahwismo, a nova fé ensinada por Deus a Israel. Ver as notas sobre Dt 10.12 quanto às palavras-chaves da adoração e do serviço a Deus: temer, andar, amar, servir e guardar os mandamentos. Quanto a cumprir o primeiro mandamento, que determina que se ame a Deus de todo coração, mente e alma (a base de toda verdadeira espiritualidade), ver Dt 6.5. Ver no *Dicionário* o verbete chamado *Amor*, quanto a maiores detalhes. O Pentateuco, bem como o livro de Josué (esses seis livros formam o hexateuco), mostram-se incansáveis em seus ataques contra a idolatria, o principal inimigo da prosperidade e permanência de Israel na Terra Prometida. Ver sobre esse assunto no *Dicionário*.

■ 24.14,15

וְעַתָּה יְראוּ אֶת־יְהוָה וְעִבְדוּ אֹתוֹ בְּתָמִים וּבֶאֱמֶת וְהָסִירוּ אֶת־אֱלֹהִים אֲשֶׁר עָבְדוּ אֲבוֹתֵיכֶם בְּעֵבֶר הַנָּהָר וּבְמִצְרַיִם וְעִבְדוּ אֶת־יְהוָה׃

וְאִם רַע בְּעֵינֵיכֶם לַעֲבֹד אֶת־יְהוָה בַּחֲרוּ לָכֶם הַיּוֹם אֶת־מִי תַעֲבֹדוּן אִם אֶת־אֱלֹהִים אֲשֶׁר־עָבְדוּ אֲבוֹתֵיכֶם אֲשֶׁר בְּעֵבֶר הַנָּהָר וְאִם אֶת־אֱלֹהֵי הָאֱמֹרִי אֲשֶׁר אַתֶּם יֹשְׁבִים בְּאַרְצָם וְאָנֹכִי וּבֵיתִי נַעֲבֹד אֶת־יְהוָה׃ פ

Escolhei hoje a quem sirvais. O yahwismo era a nova fé na Palestina, a fé revelada por Deus a Israel. Tinha suas antigas bases históricas, conforme o autor sacro acabara de ilustrar. seu alicerce era o Pacto Abraâmico (ver as notas a respeito em Gn 15.18). Mas o yahwismo seria severamente testado na Terra Prometida. Somente uma lealdade diligente poderia fazer o povo de Israel continuar derrotando seus inimigos, ao mesmo tempo que poderia evitar suas armadilhas e ardis (ver Js 23.13). Por outro lado, se o povo de Israel viesse a ser envolvido no paganismo e em sua idolatria, então tudo ruiria por terra para Israel. O próprio Yahweh ver-se-ia forçado a expulsar Israel da Terra Prometida, conforme havia expulsado seus habitantes primitivos. Israel já estava suficientemente informado para ser capaz de fazer uma escolha inteligente entre duas heranças, entre dois sistemas, entre duas forças. Para Josué, a escolha era fácil e clara:

Eu e a minha casa serviremos ao Senhor.

Este final do presente versículo com toda a razão tem-se tornado famoso, sobretudo em lares evangélicos. Incontáveis sermões têm sido pregados a respeito dessa declaração de Josué. A vida consiste em uma contínua confrontação com escolhas a serem feitas. Os pais e os líderes precisam apresentar uma boa orientação para que os filhos e os liderados possam tomar decisões baseadas em boas informações.

Este versículo enfatiza o dever que os pais têm de ajudar seus familiares a fazer escolhas acertadas. Um pai deve *três coisas* a seus filhos: exemplo; exemplo; exemplo. Josué deu exemplo aos seus familiares e também a todo o povo de Israel, que estava debaixo de suas ordens. Josué tinha acabado de fazer a revisão dos poderosos atos de Deus em favor do povo de Israel. Ele tinha estabelecido *razões* para que os hebreus obedecessem a Yahweh. Deus se havia exibido por meio dos acontecimentos históricos. Deus é que tinha brandido o seu poder e tinha feito tudo. Ver 1Rs 18.21. Josué, pois, não achara a menor dificuldade em fazer a sua escolha.

Um verdadeiro mestre afeta a eternidade.
Jamais poderá dizer onde cessa a sua influência.
Henry Adams

As crianças têm maior necessidade de modelos do que de críticos.
Joseph Joubert

Um pai vale mais do que uma centena de professores.
George Herbert

"O venerado líder de Israel garantiu-lhes que qualquer que fosse a escolha deles, a mente dele estava resolvida; seu curso era claro... nós serviremos ao Senhor" (Donald K. Campbell, *in loc.*).

ESCOLHA E RESOLUÇÃO DO POVO DE ISRAEL (24.16-24)

O hábil discurso de Josué ganhou o dia; Israel fez a escolha acertada. Porém, a história subsequente anulou essa boa resolução. Um bom começo não é, necessariamente, um bom fim, embora um bom começo às vezes seja propício para que se termine bem alguma empreitada. É conforme diz a letra de certa canção: "Toma a minha mão, e já teremos meio caminho andado". Isso poderia ter acontecido no caso do povo de Israel. Se Israel tivesse continuado a segurar a mão de Deus, e não somente bem no começo, a história teria tido uma conclusão diferente.

A resposta dada pelo povo atingiu os principais aspectos da exortação de Josué, tendo começado com uma promessa de evitar todas as formas de *idolatria*, o principal inimigo deles. Ver no *Dicionário* o artigo chamado *Idolatria*. Os hebreus ficavam chocados diante da mera menção à apostasia envolvida na idolatria. Porém, a longo prazo, perderam seus sentimentos tão manifestos e caíram na negligência e na própria apostasia que tinham jurado evitar.

■ 24.16,17

וַיַּעַן הָעָם וַיֹּאמֶר חָלִילָה לָּנוּ מֵעֲזֹב אֶת־יְהוָה לַעֲבֹד אֱלֹהִים אֲחֵרִים׃

כִּי יְהוָה אֱלֹהֵינוּ הוּא הַמַּעֲלֶה אֹתָנוּ וְאֶת־אֲבוֹתֵינוּ מֵאֶרֶץ מִצְרַיִם מִבֵּית עֲבָדִים וַאֲשֶׁר עָשָׂה לְעֵינֵינוּ אֶת־הָאֹתוֹת הַגְּדֹלוֹת הָאֵלֶּה וַיִּשְׁמְרֵנוּ בְּכָל־הַדֶּרֶךְ אֲשֶׁר הָלַכְנוּ בָהּ וּבְכֹל הָעַמִּים אֲשֶׁר עָבַרְנוּ בְּקִרְבָּם׃

O Senhor é o nosso Deus. Este versículo reconhece a verdade referida nos versículos 6 e 7, a saber, como Israel foi *remido da escravidão ao Egito*. Os milagres serviam de provas da presença e do poder de Yahweh, e o crédito precisava ser tributado a ele. A bondade do Senhor era motivo para Israel mostrar-se fiel, e a isso agora eles se comprometiam. Ver Sl 78.11,12,43 e suas notas expositivas.

Todos os povos pelo meio dos quais passamos. Isso alude aos anos que se seguiram ao êxodo, quando, a caminho de sua Terra Prometida, os filhos de Israel tiveram de passar por entre populações hostis, a saber, os idumeus, os moabitas e os amorreus, sobre alguns dos quais obtiveram vitórias decisivas.

Uma fé religiosa em *segunda mão* pode somente falhar em uma hora de crise. Mas toda experiência passada pessoalmente é uma grande mestra. "... e nós a temos visto, e dela damos testemunho e vo-la anunciamos..." (1Jo 1.3). Yahweh fora experimentado, quanto ao seu poder e à sua fidelidade, pelos israelitas, merecendo assim lealdade de parte deles.

■ 24.18

וַיְגָרֶשׁ יְהוָה אֶת־כָּל־הָעַמִּים וְאֶת־הָאֱמֹרִי יֹשֵׁב הָאָרֶץ מִפָּנֵינוּ גַּם־אֲנַחְנוּ נַעֲבֹד אֶת־יְהוָה כִּי־הוּא אֱלֹהֵינוּ׃ ס

O Senhor expulsou de diante de nós. Este versículo refere-se às várias conquistas militares efetuadas por Israel, tanto na parte oriental da Terra Prometida (a Transjordânia) quanto na parte ocidental. A linha divisória entre essas duas partes era formada pelo rio Jordão. O versículo 11 deste capítulo contém aquela porção do discurso de Josué que é paralela a este trecho, pelo que as notas ali existentes também têm aplicação aqui. A grande e difícil tarefa da conquista da Terra Prometida era a expulsão das sete nações cananeias que a ocupavam, povos mais fortes que os filhos de Israel. Mas isso serviu de preciosa lição objetiva acerca da presença e do poder de Yahweh, exigindo que Israel se mostrasse absolutamente leal e obediente para com o Senhor. Essa lealdade era fruto do reconhecimento da presença e do poder de Yahweh entre eles.

■ 24.19

וַיֹּאמֶר יְהוֹשֻׁעַ אֶל־הָעָם לֹא תוּכְלוּ לַעֲבֹד אֶת־יְהוָה כִּי־אֱלֹהִים קְדֹשִׁים הוּא אֵל־קַנּוֹא הוּא לֹא־יִשָּׂא לְפִשְׁעֲכֶם וּלְחַטֹּאותֵיכֶם׃

Não podereis servir ao Senhor. O povo de Israel se entusiasmara deveras diante do discurso de Josué. Mas agora Josué os acautelava, pois o mero entusiasmo não seria suficiente, quando surgissem em cena as tentações e as provações. Foi como se Josué tivesse dito que Yahweh não é algum Deus fácil de servir, porquanto ele requer tudo quanto há no ser humano nesse serviço, e não tolera rivais. Um povo pecaminoso acabaria caindo preso diante de sua ira, em lugar de ser abençoado, conforme as sete nações cananeias, que antes ocupavam a região, haviam demonstrado tão sobejamente. Josué, pois, deixou vir à tona suas dúvidas acerca do entusiasmado compromisso assumido por Israel de que seria leal e obediente a Yahweh. Naturalmente, essa atitude pessimista, da parte de Josué, acabou sendo confirmada pela história subsequente.

"... ele observou a incapacidade e insuficiência deles... e, portanto, pôde prever que eles precisariam implorar de Deus que lhes conferisse graça e forças... a fim de que não dependessem de seu próprio entendimento" (John Gill, *in loc.*).

Deus santo, Deus zeloso. Ver sobre essa expressão nas notas expositivas de Êx 20.5; Dt 4.24 e 5.9. Temos nisso um protesto contra a idolatria, quando deuses falsos se tornavam rivais do culto a Yahweh.

Se os filhos de Israel, em sua pecaminosidade e rebeldia, chegassem a desviar-se, ao longo de suas gerações, a geração rebelde não obteria o perdão do Senhor; antes, a ira de Yahweh recairia sobre eles. Cf. o trecho de Js 7.11. Estão em pauta os cativeiros finais que serviriam de demonstrações da ira de Deus. Ver no *Dicionário* o artigo chamado *Cativeiro (Cativeiros)*.

Oficialmente, o povo de Israel manteve a adoração nacional a Yahweh; mas na vida prática eles caíram em toda forma de paganismo, com suas multiformes variedades de idolatria. Os hebreus sempre manifestaram a triste tendência de transigir e contemporizar. Josué conseguiu extrair deles uma *promessa* de lealdade absoluta; mas os filhos de Israel nunca conseguiram mostrar-se realmente leais. Quanto a isso, Israel não diferia de todos os demais povos da terra, entre os quais estamos incluídos. Nosso entusiasmo sempre é maior que o nosso desempenho final.

■ **24.20**

כִּי תַעַזְבוּ אֶת־יְהוָה וַעֲבַדְתֶּם אֱלֹהֵי נֵכָר וְשָׁב וְהֵרַע לָכֶם וְכִלָּה אֶתְכֶם אַחֲרֵי אֲשֶׁר־הֵיטִיב לָכֶם׃

Se deixardes o Senhor. O poder divino abençoador, diante da deslealdade e da desobediência, transformar-se-ia em poder de castigar e destruir, se os entusiasmados israelitas não cumprissem o que tinham prometido. Da mesma forma que haviam sido abençoados, seriam amaldiçoados e consumidos, mediante os cativeiros. Somente um minúsculo remanescente dentre o povo de Israel haveria de retornar para dar prosseguimento à história de Israel. O dever de Israel era *viver* para observar a lei transmitida por Moisés (ver as notas sobre Dt 4.1; 5.33 e 6.2), mas a desobediência à lei atrairia contra eles a destruição e a morte.

Israel era uma nação *distinta* entre as nações, por causa da lei (ver as notas a respeito em Dt 4.4-8). Mas uma desobediente nação de Israel em nada diferiria de outra nação, como aquelas que Yahweh havia expulsado da Terra Prometida. É Deus que concede aos povos as suas terras e as suas fronteiras, bem como o tempo em que ocuparão seus respectivos territórios (ver At 17.26). Um povo desobediente é expulso do lugar onde antes tinha sido abençoado.

■ **24.21**

וַיֹּאמֶר הָעָם אֶל־יְהוֹשֻׁעַ לֹא כִּי אֶת־יְהוָה נַעֲבֹד׃

Não, antes serviremos ao Senhor. Os israelitas apressaram-se a protestar que eles eram mais fortes do que Josué imaginava. Isso posto, o pessimismo que ele manifestou apenas provocou mais uma onda de entusiasmo. Eles "serviriam" exclusivamente a Yahweh. A idolatria (ver a respeito no *Dicionário*), pelo menos naqueles momentos, era um tabu. E, no entanto, arrefecido aquele entusiasmo inicial, os filhos de Israel acabaram caindo de novo na idolatria.

■ **24.22**

וַיֹּאמֶר יְהוֹשֻׁעַ אֶל־הָעָם עֵדִים אַתֶּם בָּכֶם כִּי־אַתֶּם בְּחַרְתֶּם לָכֶם אֶת־יְהוָה לַעֲבֹד אוֹתוֹ וַיֹּאמְרוּ עֵדִים׃

Sois testemunhas contra vós mesmos. O entusiasmo demonstrado pelos filhos de Israel, de acordo com Josué, serviria de testemunho contra eles mesmos. Eles eram tidos como responsáveis por todas aquelas promessas ousadas que tinham feito. A própria palavra proferida testificaria contra eles, em meio à desobediência, e isso os envolveria em um severo juízo divino. As palavras são ditas com grande facilidade, e os homens podem falar com grande dose de autoconfiança. Mas a verdadeira fé religiosa requer a devoção que vem do fundo do coração, e que se traduz sob a forma de atos práticos de retidão. A nova advertência feita por Josué provocou, da parte dos israelitas, a mesma reação entusiasmada de lealdade, e eles contentaram-se em ser testemunhas potenciais contra si mesmos.

■ **24.23**

וְעַתָּה הָסִירוּ אֶת־אֱלֹהֵי הַנֵּכָר אֲשֶׁר בְּקִרְבְּכֶם וְהַטּוּ אֶת־לְבַבְכֶם אֶל־יְהוָה אֱלֹהֵי יִשְׂרָאֵל׃

Deitai... fora os deuses estranhos. Josué enfrentou o compromisso renovado de lealdade a Yahweh, abandonando, de maneira absoluta, *qualquer forma de idolatria*. Uma vez feito isso, então, e somente então, o coração deles "inclinar-se-ia" para Yahweh. Essa parte do versículo faz-nos lembrar de que a espiritualidade é algo que parte do coração, não dependendo de algum discurso bem apresentado ou de alguma promessa.

"Josué tinha ouvido a promessa que eles tinham feito com os seus próprios lábios. E agora os desafiava a provar sua sinceridade, por meio de suas obras" (Donald K. Campbell). Cf. o espírito dessa ordem com o trecho de Tg 2.14 ss. Não há *nenhum proveito* em alguma alegada espiritualidade que afirma ter fé, mas não prova isso por meio de obras de fé. "Inclinai os vossos corações ao Senhor Deus de Israel: para amá-lo, temê-lo e servi-lo. Em outras palavras, orai para que vossos corações se inclinem para ele e lancem mão de todos os recursos que façam vossos corações pender para ele" (John Gill, *in loc.*).

Ver as notas sobre Dt 10.12, quanto às *palavras-chaves* da espiritualidade: temer, andar, amar, servir e guardar os mandamentos. Ver Dt 6.5 quanto à lei do amor, que é a grande força controladora e impulsionadora da correta atitude de serviço e adoração a Deus.

■ **24.24**

וַיֹּאמְרוּ הָעָם אֶל־יְהוֹשֻׁעַ אֶת־יְהוָה אֱלֹהֵינוּ נַעֲבֹד וּבְקוֹלוֹ נִשְׁמָע׃

Ao Senhor nosso Deus serviremos. O renovado apelo de Josué para que os filhos de Israel se mostrassem sinceros, provando sua resolução por meio de atos, provocou apenas mais uma onda de promessas entusiasmadas. *Yahweh-Elohim* (o Eterno Todo-poderoso) seria o único objeto da adoração e do serviço deles. Ver no *Dicionário* o verbete intitulado *Deus, Nomes Bíblicos de*. Israel tinha prometido demonstrar seu amor e obediência a Deus (ver no *Dicionário* o verbete intitulado *Amor*; e, nas notas sobre Dt 32.46, acerca da questão da *Obediência*).

DECRETAÇÃO DO PACTO (24.25-28)

■ **24.25,26**

וַיִּכְרֹת יְהוֹשֻׁעַ בְּרִית לָעָם בַּיּוֹם הַהוּא וַיָּשֶׂם לוֹ חֹק וּמִשְׁפָּט בִּשְׁכֶם׃

וַיִּכְתֹּב יְהוֹשֻׁעַ אֶת־הַדְּבָרִים הָאֵלֶּה בְּסֵפֶר תּוֹרַת אֱלֹהִים וַיִּקַּח אֶבֶן גְּדוֹלָה וַיְקִימֶהָ שָּׁם תַּחַת הָאַלָּה אֲשֶׁר בְּמִקְדַּשׁ יְהוָה׃ ס

Fez Josué aliança com o povo. Na verdade, não foi um novo pacto, mas antes, a confirmação dos Pactos Mosaico e Palestino. Ver sobre o *Pacto Mosaico* na introdução ao capítulo 19 de Êxodo; e ver sobre o *Pacto Palestino* na introdução ao capítulo 29 de Deuteronômio. O tema central desses pactos é a obediência a Yahweh, com a correspondente rejeição da idolatria. A obediência a esses pactos produziria uma vida longa e próspera na Terra Prometida. Por outro lado, a desobediência provocaria a expulsão de Israel da Terra Prometida, bem como o estado de cativeiro. Conspícuo por sua ausência é qualquer indício acerca da imortalidade da alma, bem como acerca de recompensas ou punições para além da morte biológica. Essa doutrina teve de esperar até a época dos Salmos e dos Profetas, para que fosse introduzida na teologia dos hebreus. Ver no *Dicionário* o artigo chamado *Alma*, e, na *Enciclopédia de Bíblia, Teologia e Filosofia*, o verbete intitulado *Imortalidade da Alma*.

Por estatuto e direito. As *condições* do pacto foram vazadas sob forma escrita. Esse escrito foi posto lado a lado com uma cópia da lei de Moisés, talvez como uma espécie de adendo, ou então algumas páginas foram inseridas entre outras (vs. 26). É possível que a pedra que foi erigida (ver o versículo seguinte) também contivesse inscrições mostrando a essência do pacto firmado. Ver pactos similares mencionados em 2Cr 15.12,13 (nos dias do rei Asa); 2Cr 23.16 (nos tempos do rei Joás); e 2Cr 34.21,32 (nos dias do rei Josias).

O Livro da Lei (com suas inserções). É provável que este tenha sido posto ao lado da arca da aliança (cf. Dt 31.24-27). "Entre os heteus, por igual modo, os tratados de suserania eram colocados no santuário dos estados vassalos" (Donald K. Campbell, *in loc.*).

No *local sagrado* (ou santuário) de Siquém, foi levantada uma grande pedra, provavelmente também inscrita com a essência das condições do pacto. Essa pedra foi erguida ao lado de um grande carvalho. Os arqueólogos desenterraram uma grande coluna de pedra calcária em Siquém, que pode ser idêntica ou similar à que Josué usou naquela oportunidade. A coluna de pedra, pois, tornou-se uma testemunha silenciosa quanto a todas as promessas entusiasmadas que o povo de Israel tinha feito, relembrando-os a mostrar-se fiéis diante da palavra empenhada.

As tradições judaicas fazem daquele *carvalho* mencionado no texto o mesmo carvalho onde Jacó enterrara os deuses estranhos de seus familiares em Siquém (ver Gn 30.4); mas essa parece ser apenas uma opinião fantasiosa.

Visto que a arca se achava em Silo (ver Js 18.1), isso significa que o santuário em Siquém, com as evidências do pacto estabelecido por Josué com os filhos de Israel, era um lugar santo distinto. Finalmente, porém, todos os santuários foram eliminados, quando Jerusalém tornou-se o único lugar central de adoração; mas isso ainda distava alguns séculos.

■ 24.27

וַיֹּאמֶר יְהוֹשֻׁעַ אֶל־כָּל־הָעָם הִנֵּה הָאֶבֶן הַזֹּאת תִּהְיֶה־בָּנוּ לְעֵדָה כִּי־הִיא שָׁמְעָה אֵת כָּל־אִמְרֵי יְהוָה אֲשֶׁר דִּבֶּר עִמָּנוּ וְהָיְתָה בָכֶם לְעֵדָה פֶּן־תְּכַחֲשׁוּן בֵּאלֹהֵיכֶם׃

Esta pedra nos será testemunha. É como se Josué tivesse personalizado a pedra. Ali, ao lado do carvalho, é como se ela tivesse *ouvido* todas as palavras de promessa, tornando-se outra testemunha do evento, que haveria de chamar o povo de Israel à prestação de contas, se eles viessem a falhar. Cf. o montão de pedras que se tornou uma testemunha entre Jacó e Labão (ver Gn 31.45-47). A lei do Deuteronômio proibia a construção de tais colunas (ver Dt 16.22), para evitar o perigo de tornar-se objetos de culto. Naturalmente, a pedra erigida por Josué não veio nunca a ser adorada, embora facilmente pudesse ter-se tornado um desses objetos de adoração.

A *presença divina* estava naquele lugar, e o Senhor havia sido testemunha de tudo. Talvez os israelitas pensassem que a presença do Senhor estivesse naquela pedra, tal como pensavam a respeito da arca — o lugar onde Yahweh manifestava a sua presença.

■ 24.28

וַיְשַׁלַּח יְהוֹשֻׁעַ אֶת־הָעָם אִישׁ לְנַחֲלָתוֹ׃ פ

Então Josué despediu o povo. Isso ocorreu assim que a coluna memorial foi erguida e Josué fez sua declaração final a respeito, relembrando o povo do pacto firmado. E cada homem teve então permissão de voltar à *sua propriedade*, que havia adquirido ainda recentemente como uma herança, quando da divisão do território. O próprio fato de que cada indivíduo tinha *sua própria terra* servia de poderoso incentivo para inspirar todos a cumprir suas promessas de lealdade a Yahweh, que tinha dado aos israelitas a Terra Prometida.

Foi assim que o idoso Josué efetuou seu último ato público, para, dali por diante, descansar. Os versículos 28 a 31 deste capítulo foram reiterados em Jz 2.6-8. A Septuaginta situa o versículo 31 depois deste versículo.

EPÍLOGO, MORTE DE JOSUÉ E CONDUTA SUBSEQUENTE DE ISRAEL (24.29-33)

Os vss. 29 a 31 são idênticos ao trecho de Js 2.7-9, excetuando que o material é apresentado sob ordem diferente. Alguns supõem que esse epílogo tenha sido uma adição editorial feita ao documento original.

Três Sepultamentos. Josué, uma vez terminada a sua missão, faleceu e foi sepultado no monte Efraim. Os ossos de José, que Moisés tinha trazido do Egito, foram sepultados em Siquém. E o sumo sacerdote, ao terminar sua missão e morrer, também foi sepultado no monte Efraim.

Três homens que tinham marcado tão profundamente a história de Israel haviam terminado suas missões e entrado em seu merecido descanso eterno. Coisa alguma é dita sobre a imortalidade da alma ou sobre a recompensa dos justos após a morte biológica. Essa doutrina só veio a fazer parte da teologia dos hebreus nos tempos dos Salmos e dos Profetas; mas mesmo ali não são fornecidos muitos detalhes. Apesar das deficiências da teologia dos hebreus, podemos ter certeza de que aqueles mesmos três homens estão vivos e abençoados até hoje. Essa é a graça que Deus tem concedido a todos nós. Ver no *Dicionário* o artigo chamado *Alma*; e na *Enciclopédia de Bíblia, Teologia e Filosofia* ver o verbete *Imortalidade* (que se divide em vários artigos, na realidade).

■ 24.29

וַיְהִי אַחֲרֵי הַדְּבָרִים הָאֵלֶּה וַיָּמָת יְהוֹשֻׁעַ בִּן־נוּן עֶבֶד יְהוָה בֶּן־מֵאָה וָעֶשֶׂר שָׁנִים׃

Depois destas cousas. Não somos informados sobre o tempo em que Josué continuou vivo, depois que o pacto renovado com Israel foi levado a efeito (vss. 25-28). As tradições judaicas afirmam que a morte dele ocorreu naquele mesmo ano. Nesse caso, o falecimento de Josué se deu pouco tempo depois de seu último ato público. Tanto José (ver Gn 50.26) quanto Josué viveram 110 anos. Moisés, ao morrer, estava com 120 anos de idade. Ver as *idades comparativas* dos antediluvianos, dos patriarcas e durante a época do reino de Israel, imediatamente após a exposição sobre o trecho de Êx 1.1.

Josué, filho de Num, servo do Senhor, faleceu. Josué não tinha aspiração maior que ser chamado de "servo do Senhor". Foi-lhe outorgada uma longa vida física, porque a sua missão requeria muitos anos para ser completada. Ver Gn 5.21 quanto à noção do *anseio de uma longa vida na terra*. Ver o *tributo* prestado a Josué (bem como a outras personagens mencionadas nesta seção), no final dos comentários sobre o versículo 33 deste capítulo.

■ 24.30

וַיִּקְבְּרוּ אֹתוֹ בִּגְבוּל נַחֲלָתוֹ בְּתִמְנַת־סֶרַח אֲשֶׁר בְּהַר־אֶפְרָיִם מִצְּפוֹן לְהַר־גָּעַשׁ׃

Timnate-Sera... Efraim... Monte de Gaás. Todos os nomes próprios que ocorrem neste versículo recebem artigos separados no *Dicionário*, pelo que essa informação não é repetida aqui. Josué foi sepultado perto de sua casa, de sua herança, no território da tribo de Efraim. Cf. Js 19.50. A versão da Septuaginta acrescenta aqui: "E puseram ali, no túmulo em que o haviam sepultado, as facas de pedra com as quais ele havia circuncidado os filhos de Israel em Gilgal, de acordo com o mandato do Senhor, quando ele os tirou do Egito; e ali se acham até o dia de hoje". Foi assim que Agostinho citou o presente versículo. O versículo não menciona nenhuma lamentação pública. Mas não há que duvidar que isso foi um mero esquecimento, por parte do autor sagrado.

■ 24.31

וַיַּעֲבֹד יִשְׂרָאֵל אֶת־יְהוָה כֹּל יְמֵי יְהוֹשֻׁעַ וְכֹל יְמֵי הַזְּקֵנִים אֲשֶׁר הֶאֱרִיכוּ יָמִים אַחֲרֵי יְהוֹשֻׁעַ וַאֲשֶׁר יָדְעוּ אֵת כָּל־מַעֲשֵׂה יְהוָה אֲשֶׁר עָשָׂה לְיִשְׂרָאֵל׃

Serviu, pois, Israel ao Senhor. Enquanto a memória de Josué continuava fresca na mente deles, os israelitas observaram o pacto (ver os vss. 25-28). Enquanto ainda restaram líderes de Israel que tinham conhecido a Josué, as coisas prosseguiram bem. As *obras* de Josué permaneceram como uma inspiração. Mas quando restou somente a nova geração, que não tinha conhecido a Josué, as dificuldades começaram, e o povo de Israel caiu cada vez mais no paganismo. O livro de Juízes chega a descrever *sete apostasias*, seguidas por sete períodos de servidão dos israelitas a seus vizinhos pagãos.

24.32

וְאֶת־עַצְמוֹת יוֹסֵף אֲשֶׁר־הֶעֱלוּ בְנֵי־יִשְׂרָאֵל מִמִּצְרַיִם קָבְרוּ בִשְׁכֶם בְּחֶלְקַת הַשָּׂדֶה אֲשֶׁר קָנָה יַעֲקֹב מֵאֵת בְּנֵי־חֲמוֹר אֲבִי־שְׁכֶם בְּמֵאָה קְשִׂיטָה וַיִּהְיוּ לִבְנֵי־יוֹסֵף לְנַחֲלָה:

Aos ossos de José. Moisés tinha trazido do Egito os ossos do patriarca José, honrando assim o pedido que o próprio José havia feito (ver Gn 50.25; Êx 13.19). Isso proveu outro sepultamento, o segundo dos três que aparecem neste texto. As tradições judaicas dizem-nos que José foi sepultado na aldeia de nome Belata, a um sábado de viagem de Siquém. Mas Jerônimo (*Quest. Hb*, em Genesim, fol. 73c) afirmou simplesmente "em Siquém", ou seja, no campo que havia próximo daquela cidade. Ele foi sepultado naquele terreno que Jacó havia comprado dos filhos de Hamor, o pai de Siquém. Quanto ao relato, ver Gn 33.19. O preço foi de cem *qesitah* (cf. Gn 33.19; Js 42.11). Mas o valor de compra dessa importância é desconhecido. O trecho de At 7.16 assevera que os ossos de José e de seus irmãos (os patriarcas) foram sepultados naquele lugar; mas o próprio Antigo Testamento não chega a afirmar isso. Ver as notas sobre esse versículo no *Novo Testamento Interpretado*. Várias interpretações têm sido dadas sobre essa questão; e o sermão de Estêvão esclarece outros problemas que envolvem a questão. Ver no *Dicionário* o artigo chamado *Macpela*, em seu quarto ponto, quanto a uma leve discrepância com o livro de Atos, onde parece que Estêvão confundiu a compra de Abraão, em Macpela, com a compra feita por Jacó.

Rompimento Definitivo com o Passado. O sepultamento dos ossos de José assinalou o fim de todo um antigo período. Agora, o povo de Israel estava inteiramente desligado de qualquer vinculação com o Egito (ver as notas a respeito em Dt 4.20). Na verdade, esse sepultamento também fez parte da reivindicação daquele território. Finalmente, José descansava em paz *em sua própria terra*.

24.33

וְאֶלְעָזָר בֶּן־אַהֲרֹן מֵת וַיִּקְבְּרוּ אֹתוֹ בְּגִבְעַת פִּינְחָס בְּנוֹ אֲשֶׁר נִתַּן־לוֹ בְּהַר אֶפְרָיִם:

Faleceu também Eleazar. Ele era filho de Arão, o sumo sacerdote. Ver o detalhado artigo sobre ele no *Dicionário*. A Septuaginta (acompanhada por algumas traduções) diz que o lugar de seu sepultamento foi em *Gibeá de Fineias*. Mas a localização exata é desconhecida. Ela também adiciona que Fineias foi sepultado ali, e que, diante disso, Israel deu início à sua apostasia e idolatria, até que o Senhor os livrou de Eglom, rei de Moabe, porquanto estavam sendo punidos (ver Jz 3.14). As tradições judaicas dizem que Fineias viveu seis anos mais que José. Fineias tinha preparado o lugar para o sepultamento dos ossos de José; e então ele mesmo foi sepultado nas proximidades. Isso posto, houve um forte liame entre o passado e o presente; e enquanto aqueles homens continuaram a ser relembrados, a apostasia pôde ser evitada. A herança de Fineias, como sacerdote que era, ficaria dentro da tribo de Judá (ver Js 21.13) ou dentro da tribo de Benjamim. Mas parece que lhe tinha sido feita uma concessão especial de terras no território de Efraim. O tabernáculo, na ocasião, ficava em Silo, que se situava dentro do território de Efraim, e, assim, os sacerdotes que ali ministravam naturalmente dispunham de terras naquela localidade.

O Tributo. O próprio texto sagrado deixa de fazer menção a lamentações populares por Josué; e isso por razões desconhecidas. O tributo prestado a Moisés, sobre o que comentei nas notas acerca de Dt 34.12, também teria sido muito apropriado no caso de Josué, pelo que peço ao leitor examinar aquelas notas expositivas. Assim como a vida de Moisés envolveu sucesso após sucesso, assim também a vida de Josué foi a história de uma *vida bem-sucedida*. Embora os dois homens tenham ocupado posições diferentes, dentro do plano de Yahweh, assim também cada qual desempenhou uma missão importante. Outrossim, a missão de Josué suplementou a missão de Moisés, levando avante a história de Israel, em consonância com o plano divino.

Um Final Estranho. O livro de Josué se encerra de uma maneira estranha: *três sepultamentos*. Isso corresponde, até certo ponto, ao final do livro de Gênesis, que diz que o corpo de José foi depositado em uma urna funerária no Egito. Mas nenhum desses textos indica, de forma aberta, a doutrina da imortalidade da alma, uma doutrina que só passou a ser mencionada de forma inequívoca, dentro da teologia dos hebreus, nos Salmos e nos Profetas. Não obstante, se analisarmos o restante da Bíblia, veremos que houve alguns leves *indícios* dessa doutrina desde Gn 1.26,27. Ver no *Dicionário* o artigo intitulado *Alma*; e, na Enciclopédia de Bíblia, Teologia e Filosofia, o artigo chamado *Imortalidade* (na verdade, vários artigos sobre o assunto).

Os pacíficos sepulcros dos heróis do livro de Josué testificavam quanto à fidelidade de Yahweh ao seu povo e às suas promessas. Deus tinha feito seu povo entrar na Terra Prometida; e os três heróis referidos foram sepultados ali. Yahweh havia cumprido a palavra que dera a José, a Josué e a Eleazar; e, de fato, a todo o povo de Israel. Isso significa que o *Pacto Abraâmico* (ver a respeito em Gn 15.18) estava em processo de cumprimento. Esse pacto contemplava a vinda então futura do *Messias*, em quem as condições e as promessas do pacto seriam universalizadas, porquanto todos os povos seriam abençoados por Deus. Ver Ef 2.14 ss. e Gl 3.27-29.

"Jamais poderemos separar-nos inteiramente do poder do passado e das personalidades que o povoaram. Invisíveis, elas contemplam tudo a nosso lado, conferindo-nos forças e encorajamento, direcionando-nos e influenciando-nos quanto a todas as nossas decisões. Essas personagens continuam a seguir-nos e a vigiar-nos... Somente com base naquilo que é melhor do passado é agora possível, debaixo de Deus, fazermos progresso para os novos céus e a nova terra" (Joseph Sizoo, *in loc.*).

JUÍZES

O Livro que Descreve o Tempo Caótico dos Juízes

> *Naqueles dias não havia rei em Israel. Cada um fazia o que achava reto.*
>
> Juízes 21.25

21 | Capítulos
619 | Versículos

INTRODUÇÃO

ESBOÇO

    I. Caracterização Geral
   II. Pano de Fundo Histórico
  III. Arqueologia
   IV. Propósito e Plano do Livro
    V. Autoria e Data
   VI. Integridade e Unidade
  VII. Os Juízes de Israel
 VIII. Conteúdo
   IX. Principais Ideias Teológicas
    X. Bibliografia

I. CARACTERIZAÇÃO GERAL

O título "juízes" é conferido às quinze pessoas que presidiram os israelitas durante um período de 350 anos (ou pouco menos), entre o falecimento de Josué e a subida de Saul ao trono, como primeiro rei de Israel. Há estudiosos que pensam que esse período consistiu em apenas duzentos anos. As diferenças nos cálculos devem-se quase totalmente à possibilidade de justaposição entre os períodos em que os juízes governaram Israel. Esses períodos têm deixado perplexos os cronologistas. Juízes é o sétimo livro do Antigo Testamento. Israel havia escapado da servidão no Egito e conquistado, com sucesso, a Terra Prometida, mas muitos adversários permaneceram instalados em derredor, e gostariam de expelir os israelitas dali. Assim, Israel esteve em turbulência constante, e sob ameaça de extinção. Os juízes, pois, foram, entre outras coisas, libertadores de várias opressões estrangeiras. O livro de Juízes foi incluído entre os *Profetas Anteriores*, no cânon hebraico. Esse livro narra um período crítico da história de Israel.

O livro de Juízes consiste em três blocos bem definidos de materiais: a. um breve repasse da ocupação de Canaã pelos israelitas (Jz 1.1—2.5); b. a história dos juízes (2.6—16.31); c. e, finalmente, um apêndice que fala sobre a migração dos danitas e o conflito interno contra os benjamitas (Jz 17—21). Este livro está envolvido na controvérsia sobre a teoria J.E.D.P.(S.) (ver o artigo com esse título no *Dicionário*), que trata da questão das supostas fontes informativas dos primeiros livros da Bíblia. Aqueles que advogam essa teoria supõem que o bloco principal do livro (Jz 2.6—16.31) tenha procedido da escola deuteronômica de historiadores, que teriam tido acesso a informes históricos mais antigos, relacionados a um período muito antigo, e que seriam as fontes informativas J e E. Presumivelmente, os relatos sobre os juízes teriam sido preservados em uma espécie de arcabouço estereotipado. Esse material informativo teria sido manipulado e incluído no relato geral do livro. Em cada um dos casos, temos a história de alguma opressão estrangeira, o clamor dos israelitas a Yahweh pedindo livramento e, então, o próprio livramento. Os autores envolvidos encaram a história de Israel como uma série ou ciclos de apostasias e livramento, devido ao julgamento divino contra a transgressão, seguido pelo arrependimento do povo e sua restauração ao favor divino.

Os eruditos que defendem a teoria J.E.D.P.(S) supõem que a introdução do livro de Juízes (1.1—2.5) tenha sido adicionada posteriormente, derivada de material informativo mais antigo, paralelo de certos trechos do livro de Josué, especialmente em seus capítulos 15 a 17. Presumivelmente, o apêndice do livro de Juízes também estaria alicerçado sobre tal material. Além disso, eles creem que o relato sobre Abimeleque (Jz 9) e sobre certos juízes menores (Jz 10.1-5; 12.8-15), que seriam não-deuteronômicos, foram uma adição posterior. Uma porção especial do livro seria o cântico de Débora (cap. 5). Essa é uma obra-prima da poesia hebreia primitiva, que mostra consideráveis habilidades literárias.

Os juízes foram líderes militares e religiosos, usualmente em defesa de tribos (uma ou duas), e nunca da nação inteira. Pois, até então, não havia nenhum governo centralizador em Israel. O livro está permeado pela crença, comum aos livros históricos do Antigo Testamento, de que Israel prosperava quando obedecia à lei de Deus, mas caía em desgraça, decadência e destruição quando não obedecia a essa lei. Muitos historiadores consideram simplista esse ponto de vista *teológico* da história. Seja como for, esse é um conceito fundamental que persiste tanto nos livros canônicos do Antigo Testamento quanto em seus livros apócrifos.

Muitos estudiosos supõem que o livro de Josué dê um relato muito otimista a respeito da conquista da Terra Prometida, sugerindo uma completa conquista daquele território. Na verdade, porém, foram feitos muitos inimigos ferozes, que nunca perderam certos territórios, como também até tentaram apossar-se novamente dos territórios que haviam perdido. O primeiro capítulo do livro de Juízes deixa claro que a conquista militar, por parte de Israel, teve sucesso apenas parcial. Talvez os relatos de como Israel se defendeu dos ataques posteriores desses vários inimigos, antes de se tornar um reino unido sob Saul, tenham sido preservados como tradições das tribos envolvidas nos conflitos. O livro de Juízes, nesse caso, reuniria as histórias de como certos heróis locais derrotaram os vários adversários, tendo de enfrentar grandes dificuldades. Historicamente, é muito difícil determinar até que ponto Israel se sentia como uma única nação, e não um grupo de tribos frouxamente relacionadas, antes que houvesse um governo centralizador representado pelo rei.

O livro de Juízes reveste-se de capital importância para entendermos esse período de transição, dentro da história de Israel. O comentário dos editores finais do livro de Juízes, acerca dos frouxos laços que unificavam o povo de Israel, com suas doze tribos, é o seguinte: "Naqueles dias não havia rei em Israel: cada um fazia o que achava mais reto" (Jz 21.25). Não tivessem surgido aqueles heróis locais, que se levantaram para defender o que a conquista da Terra Prometida havia ganho, e Israel, como nação, bem poderia ter desaparecido durante aquele período. Para piorar ainda mais a situação, as tribos de Israel com frequência entraram em conflito interno, umas contras as outras. O livro de Juízes é a história da sobrevivência de um pequeno e ameaçado povo, que gradualmente se solidificou para formar uma nação que deixou uma marca perpétua na história da humanidade.

II. PANO DE FUNDO HISTÓRICO

a. *Os patriarcas hebreus* estiveram jornadeando na terra de Canaã, durante a Idade do Bronze Média (2100-1550 a.C.). Abraão chegou em Siquém e Betel (ver Gn 12) em cerca de 2000 a.C. Desse tempo em diante, os genitores da nação de Israel viveram na Palestina.

b. Em seguida, ocorreu o incidente no qual *José* foi vendido como escravo e levado para o Egito. Ele chegou ao segundo posto de autoridade naquele país em cerca de 1991-1786 a.C., durante a 12ª dinastia egípcia. Porém, esse ponto é intensamente disputado; e alguns preferem pensar que seu governo foi exercido durante o tempo dos intrusos semitas, os reis hicsos. Nesse caso, seu período foi cerca de 1750 a.C., ou mesmo depois. O rei que não conhecera a Josué pode ter sido o primeiro dos reis hicsos (ver Êx 1.8), ou então o monarca egípcio que pôs fim ao domínio dos hicsos. Quanto a maiores informações sobre essas conjecturas, ver no *Dicionário* o artigo sobre o patriarca *José*, quarta seção, *Cronologia*. Se a data posterior para a vida de José é a correta, então ele deve ter falecido em cerca de 1570 a.C.

c. *O Cativeiro Egípcio*. Os descendentes de Jacó acabaram sendo escravizados no Egito, como minoria ameaçadora, porquanto José se tornara nessa época um fator desconhecido. O cativeiro no Egito pode ter durado entre 200 e 300 anos.

d. *O Êxodo*. A data desse evento é muito debatida. Alguns pensam que ocorreu em cerca de 1445 a.C., ou seja, perto de quinhentos anos antes de Salomão haver construído o templo de Jerusalém. Mas outros estudiosos opinam que o êxodo aconteceu na 19ª dinastia egípcia (1350-1200 a.C.). Seja como for, Moisés foi levantado como profeta do Senhor no fim do grande cativeiro egípcio de Israel.

e. Vieram, então, os quarenta anos de *vagueação pelo deserto*, que atuaram como um período de resfriamento e preparação para a invasão da antiga terra dos patriarcas hebreus, a Palestina. Seja como for, foi uma espécie de retorno genético e uma renovação da antiga confiança própria dos hebreus. Parece que as doze tribos de Israel eram formadas por unidades distintas umas das outras, mesmo quando estavam no Egito. Sem dúvida, isso foi confirmado quando a invasão da Terra Prometida se iniciou. Josué e seus exércitos encontraram o país dividido em muitas cidades-estados do regime tipo feudal, sempre guerreando umas contras as outras, embora também sempre dispostas a aliar-se para expelir qualquer invasor de fora. As cartas de *Tell el-Amarna* (ver a respeito no *Dicionário*) contam aspectos da história e fornecem pormenores que concordam com o relato do livro de Josué.

f. *Josué* é livro que relata como o povo de Israel invadiu a terra de Canaã. Israel conquistou essencialmente o território, embora tivessem ficado bolsões por conquistar. Certos estudiosos pensam que o relato do livro de Josué é excessivamente otimista. O primeiro capítulo do livro de Juízes deixa claro que parte do território ficou sem ser conquistada. Seja como for, muitos nativos da terra continuaram vivendo ali sem serem molestados. Apesar dessa falha, o território foi dividido entre as doze tribos de Israel. Os eruditos disputam se a terra foi conquistada em uma única e prolongada campanha, ou se aconteceu em ondas sucessivas. O livro de Josué, de fato, pode fornecer-nos a condensação da questão, uma espécie de esboço histórico, e não uma narrativa contínua do que sucedeu. De qualquer modo, podemos confiar na historicidade geral do livro, não nos preocupando com detalhes dessa natureza.

g. *Juízes*. Este livro relata o período que vai da morte de Josué até a unção de Saul como primeiro rei de Israel. Se esse período dos juízes durou 350 anos, conforme alguns dizem, então deve ter começado em cerca de 1350 ou 1375 a.C. Alguns limitam esse período em apenas duzentos anos; e, nesse caso, começou em cerca de 1225 ou 1250 a.C. Ver a primeira seção deste artigo, *Caracterização Geral*, quanto a uma declaração sobre a natureza desse período.

III. ARQUEOLOGIA

A ocupação da Terra Prometida por parte de Israel foi obtida em um período relativamente curto e também foi uma conquista contínua. As explorações arqueológicas não mostram nenhuma interrupção no processo da conquista. As evidências colhidas nessas escavações indicam que os israelitas não eram nômades, que já haviam desenvolvido uma sociedade permanente e bem estruturada, ainda que, no período coberto pelos livros de Josué e de Juízes, eles não formassem uma nação estreitamente solidificada. Todavia, não eram bons arquitetos e construtores. As culturas que eles destruíram eram bem superiores no tocante à arquitetura e às artes. A invasão israelita baixou-lhes o nível de vida e acabou com muitas atividades artísticas. No entanto, os hebreus eram superiores em relação às nações religiosas, como também no registro dos fatos históricos e na produção literária. A arqueologia também tem ilustrado o fato de uma contínua ocupação cananeia, sobretudo das terras baixas (em Megido e Bete-Seã). Os cananeus contavam com exércitos mais bem preparados que os hebreus, incluindo carros de combate. Os israelitas, pois, muito aprenderam deles quanto a esses armamentos. Os trechos de Js 11.13; 13.1 ss.; 17.16 e Jz 1.19,27 admitem que muitas áreas da terra de Canaã não foram ocupadas, porquanto os adversários dos israelitas eram simplesmente mais fortes que eles e estavam muito bem entrincheirados em suas fortalezas locais.

A falta de água restringia os cananeus a certas áreas da Palestina. As descobertas arqueológicas mostram que Israel trouxe do Egito ou então desenvolveu grandemente o conceito de armazenar água potável em *cisternas* (ver a respeito no *Dicionário*). Era usada a forração das paredes das cisternas, tornando-se estanques. Essa invenção possibilitou a ocupação dos israelitas em áreas que, antes disso, haviam sido ocupadas muito esparsamente.

A ausência de santuários antigos, nos lugares ocupados pelos israelitas, é conspícua, segundo as descobertas arqueológicas. Mas isso talvez se deva à falta de durabilidade dos materiais usados ou, então, à proibição divina acerca da construção de santuários. Ver Êx 20.24-26; Dt 12.1-7.

Artefatos pagãos, entretanto, têm sido encontrados pelos arqueólogos com relativa abundância. Figurinhas de argila, representando mulheres despidas, têm sido encontradas em conexão com as deusas cananeias da fertilidade. Talvez essas figurinhas fossem amuletos de boa sorte, pelo que serviriam a um duplo propósito. Nunca foram encontradas figurinhas representando homens despidos.

Megido e Taanaque. As evidências arqueológicas mostram que essas cidades não foram ocupadas ao mesmo tempo. Ficavam cerca de 8 km de distância uma da outra. Quando Débora e Baraque obtiveram a vitória na batalha de Taanaque, Megido já jazia em ruínas. Jz 5.19 talvez reflita isso, porque Megido não é mencionada como uma localidade habitada então.

Pequenos reinos da Transjordânia continuaram a fustigar os israelitas, especialmente Moabe e Amom. A arqueologia tem mostrado que esses lugares eram bem habitados. Além disso, a ocupação do Neguebe (em sua porção mais ocidental) tem sido confirmada e ilustrada por várias descobertas. Outro tanto se pode dizer quanto à *Sefelá* (ver a respeito no *Dicionário*). Figuras representando divindades e peças de cerâmica têm sido ali encontradas, fornecendo diversas informações. Uma das divindades filisteias era Dagan, uma antiga deidade dos amorreus.

Silo. O culto ali existente foi destruído. Esse fato não é mencionado no livro de Juízes, mas a tradição israelita o confirma em Sl 78.60; Jr 7.12 e 26.6. O local foi destruído mediante um incêndio, conforme demonstram as evidências, em cerca de 1050 a.C. Sem dúvida, isso resultou da derrota sofrida por Israel em Afeque (ver 1Sm 4). Nessa mesma época, os filisteus destruíram outras cidades israelitas, o que demonstra como o poder dos filisteus permanecia, apesar de todos os esforços das tropas israelitas. Ver no *Dicionário* o artigo separado sobre *Silo*.

IV. PROPÓSITO E PLANO DO LIVRO

O autor sagrado, como é óbvio, tinha um plano bem definido ao escrever o livro. Jz 2.11-23 demonstra isso. Nessa passagem o autor explicita os pontos principais de sua narrativa, segundo se vê a seguir:

1. No primeiro capítulo do livro, ele diz até que ponto progredira a guerra contra os cananeus; quais tribos de Israel tinham obtido êxito e quais haviam falhado, não conseguindo dominar regiões alocadas; e também como se conseguiu impor tributo a alguns filisteus. O trecho de Jz 2.1-10 dá-nos algumas informações nesse sentido.
2. Em seguida, ele afirma a tese de sua teologia histórica, a saber, que o povo de Israel ia bem quando obedecia a Yahweh, mas ia mal quando não obedecia. A apostasia aparece como o principal impedimento ao pleno sucesso de Israel: "Porquanto deixaram o Senhor, e serviram a Baal e a Astarote" (Jz 2.13). O castigo era imposto, portanto, aos desobedientes: "Por onde quer que saíam, a mão do Senhor era contra eles para seu mal, como o Senhor lhes havia dito e jurado; e estavam em grande aperto" (Jz 2.15). Mas, quando se arrependiam, novamente as coisas lhes corriam bem (ver Jz 2.16,23). Presume-se que o desígnio do autor sagrado não era fornecer uma narrativa definitiva sobre o período dos juízes, e, sim, prover uma esboço que ilustrasse a sua tese. Ele não queria apenas ser um cronista, mas desejava explicar por que houve um declínio moral, religioso e político em Israel; e por que finalmente impôs-se o surgimento da monarquia. E ele conclui com a melancólica observação de que, durante aquele período, predominava o caos, pois cada um fazia o que lhe parecia melhor, não havendo um governo central que unificasse as coisas. Ver Jz 21.25.

V. AUTORIA E DATA

Os eruditos liberais pensam ser inútil tentar descobrir um único autor do livro de Juízes, visto que a principal fonte informativa do livro, segundo eles creem, é *D* (a escola deuteronômica), e também há contribuições das fontes informativas *J* e *E*. Ver no *Dicionário* o artigo chamado *J.E.D.P. (S)* para detalhes. Todavia, o livro não inclui nenhuma menção a seu(s) autor(es), pelo que é uma obra anônima. Segundo alguns teóricos, *D* teria sido uma escola formada por editores ou historiadores que viveram no século seguinte ao da publicação do livro de Deuteronômio, que, segundo eles, teria sido lançado em 621 a.C. Esses homens teriam empregado o mesmo vocabulário e o mesmo estilo usado naquele livro. Presumivelmente, também foram os responsáveis pelas edições dos livros de Josué, 1 e 2Reis e Jeremias, além do livro de Juízes e possivelmente porções de outros livros. Naturalmente, os eruditos conservadores consideram que essa data é tardia demais. No entanto, o próprio livro não nos fornece nenhuma declaração direta quanto ao tempo em que foi escrito, embora haja alusões que nos ajudam no tocante à questão, embora apenas parcialmente. O cântico de Débora (Jz 5.2-31) afirma ser uma composição contemporânea. Isso deve ter ocorrido em cerca de 1215 a.C. Mas o livro como um todo não pode ter sido compilado senão aproximadamente dois séculos depois, pois refere-se à captura e destruição de Silo (ver Jz 18.30,31), que ocorreu durante a juventude de Samuel (1Sm 4), por volta de 1080 a.C. O último evento registrado no livro de Juízes é a morte de Sansão (ver Jz 16.30,31), que se deu poucos anos antes da instituição de Samuel como juiz, ou seja, em cerca de 1063 a.C. E a alusão ao fato de que não havia rei em Israel deixa claramente inferido que a monarquia, então, já havia começado, visto que o autor sagrado parece estar comparando um tempo em que não havia rei, com o tempo então presente, em que havia sido instaurada a monarquia. Não parece que o autor sagrado estivesse *predizendo* sobre a monarquia. Ver Jz 17.6; 18.1 e 26.25.

Saul tornou-se rei em cerca de 1043 a.C., pelo que a compilação do livro de Juízes deve ter sido depois disso, embora tenham sido incorporados materiais mais antigos, orais e escritos. O livro parece ter sido composto antes que Davi capturasse Jerusalém, o que sucedeu em 1003 a.C. (2Sm 5.6,7), porquanto não há nenhum indício, no livro, de que Israel tenha conquistado aquela cidade. Por todos esses motivos, muitos estudiosos supõem que o autor sagrado tenha escrito durante os anos de reinado de Saul, chegando mesmo a asseverar que *Samuel* foi o mais provável autor do livro. Naturalmente, ao assim precisarem, já estão conjecturando. Não há como negar ou confirmar essa conjectura, contudo, pois o próprio livro nada diz quanto à identidade do autor. É verdade que o Talmude (*Baba Bathra* 14b) assim afirma, mas não há nenhuma comprovação histórica de tal afirmação. A mesma tradição afirma que Samuel também escreveu o livro de Rute e os livros que levam o seu nome; informação que também não se submete a prova ou negação.

Jz 1.21 declara que os jebuseus residiam em Jerusalém lado a lado com os filhos de Benjamim, até o dia em que o material sobre essa informação foi escrito, ou seja, antes da época de Davi. Todavia, é possível que isso inclua material mais antigo, deixado intacto por um compilador posterior (de depois dos tempos de Davi). Mas, se aceitarmos essa informação como dada pelo autor-compilador do livro de Juízes, torna-se plausível pensarmos em uma data que coincida com os dias de Saul, antes da época de Davi. Se o autor falava do ponto de vista da época de Saul, então é patente que sua obra consiste, na maior parte, em compilações, pois ele registrou coisas que haviam acontecido muito tempo antes. Isto posto, ele pode ter tido acesso a tradições antigas, de natureza oral e escrita, as quais podem ter sido preservadas por certas tribos de Israel, cujos heróis (juízes) eram decantados e cujas narrativas merecem ser preservadas.

VI. INTEGRIDADE E UNIDADE

O ponto de vista dos liberais envolve-nos na teoria *J.E.D.P.(S)* (ver a respeito no *Dicionário*), conforme dito na primeira seção, *Caracterização Geral*. Ali dou um esboço das ideias concernentes aos vários materiais que um editor-autor teria reunido para formar o livro de Juízes. Os eruditos conservadores, apesar de defenderem a ideia de um único autor essencial (ou seja, a unidade do livro), admitem que ele deve ter sido mais um compilador do que um autor, conforme comentamos no último parágrafo da seção V, anteriormente. A unidade de propósito do livro é salientada como prova de que houve um único autor, embora não se veja razão pela qual um editor não possa ter reunido e dado unidade ao trabalho de vários autores. Infelizmente, questões dessa natureza têm-se tornado desnecessariamente o centro de debates e querelas, embora se revistam de pouca importância comparativa, exceto pelo fato de que é bom que saibamos o máximo possível a respeito dos livros da Bíblia. Pelo menos, nesses debates, nenhuma questão de fé é envolvida, e também não deveriam tais questões tornar-se padrão de julgamento sobre a espiritualidade de quem quer que seja.

Os eruditos têm salientado que o livro de Juízes divide-se em três partes naturais: 1. A natureza incompleta da conquista da Terra Prometida, com descrições sobre como cada tribo se saiu na empreitada. 2. Os repetitivos ciclos de apostasia, perda de liberdade e restauração das tribos de Israel. 3. Um quadro de desorganização no qual Israel caiu antes do estabelecimento da monarquia, uma espécie de idade das trevas de Israel. Alguns estudiosos pensam que um único autor foi o responsável por essas três seções do livro. Outros veem a terceira dessas seções com a primeira seção. Porém, o que tenho lido a respeito mostra-se muito vago; e os eruditos conservadores não se sentem impressionados diante desses argumentos. Alguns dizem que os capítulos 9, 16 e 17-21 são destituídos de conteúdo religioso, pelo que não refletiriam um único e constante propósito do autor-editor, que sempre quis lembrar-nos de que Israel passou bem quando seguiu a retidão, mas deu-se mal quando se desviou do Senhor. Esses capítulos, pois, para esses intérpretes, seriam adições posteriores. Alguns deles veem dois trabalhos editoriais distintos, o primeiro no século VII a.C., que teria envolvidos os capítulos 9, 16 e 17-21; e, então uma segunda edição, presumivelmente no século VI a.C., quando os capítulos que haviam sido omitidos na primeira edição foram desenvolvidos ao livro. Desse modo, os citados capítulos teriam escapado aos comentários editoriais que caracterizam o restante do livro. Supostamente, a forma final do livro teve de esperar pelos primeiros anos do cativeiro babilônico. No entanto, as evidências acerca de todas essas conjecturas são apenas subjetivas, faltando-lhes consubstanciação histórica.

VII. OS JUÍZES DE ISRAEL

O livro de *Juízes* lista catorze juízes diferentes. Os nomes deles e as referências bíblicas atinentes a cada um aparecem na seção VIII, Conteúdo. A essa lista devem-se adicionar os nomes de Eli e Samuel. Débora deve ser contada juntamente com Baraque, em Jz 4.1—5.31. E Gideão e Abimeleque também devem ser associados um ao outro, formando um único juizado. Isso nos daria doze períodos de juizado no livro de Juízes. Mas, se contarmos os juízes individualmente, então acharemos catorze deles. Alguns estudiosos pensam que Abimeleque foi um usurpador, pelo que não deveria ser contado como um dos juízes.

Os nomes dos juízes representam heróis locais que se tornaram lendários na história das tribos de Israel. Os governos deles poderiam ter coberto um período de nada menos de quatrocentos anos. Os eruditos liberais creem que muitas lendas, ou mesmo mitos, penetraram nessas narrativas, tal como sucede em várias outras obras literárias do mundo, quando se trata de glorificar heróis nacionais. De fato, certos eruditos acreditam que Sansão representa o deus sol, e Débora, Samuel e ainda outros seriam tipos tradicionais de líderes semi-religiosos, semitribais, que talvez tenham mesmo existido, mas cujos relatos chegaram até nós de mistura com muitas lendas. Contra essa opinião pode-se salientar que uma das grandes características do povo de Israel sempre foi a sensibilidade diante da história. Acima de qualquer outro povo, os israelitas sempre trataram a história como uma questão séria, incluindo suas genealogias e seus registros históricos. Por essa razão, apesar de admitirmos que o livro de Juízes pode representar um esboço da história, ainda assim não há razão para duvidarmos da veracidade desse esboço histórico. No *Dicionário*, há artigos separados sobre cada um dos juízes de Israel.

VIII. CONTEÚDO

A. O Período Antes dos Juízes (1.1—2.5)
   1. Condições sociais e políticas (1.1-36)
   2. Condições religiosas (2.1-5)
B. Descrições de Juízes Específicos (3.7—16.31)
   1. Otniel (3.7-11)
   2. Eúde (3.12-30)
   3. Sangar (3.31)
   4. Débora e Baraque (4.1—5.30)
   5. Gideão e Abimeleque (6.1—9.57)
   6. Tola (10.1,2)
   7. Jair (10.3-5)
   8. Jefté (10.6—12.7)
   9. Ibzã (12.8-10)

10. Elom (12.11,12)
11. Abdom (12.13-15)
12. Sansão (13.1—16.31)
C. Apêndices (17.1—21.25)
1. A idolatria de Mica e Dã (17.1—18.31)
2. O crime em Gibeá e seu castigo (19.1—21.25)

IX. PRINCIPAIS IDEIAS TEOLÓGICAS

Poucos historiadores, ou mesmo nenhum, escrevem sem preconceitos ou propósitos subjetivos, que deixam transparecer em seus escritos. Toda história é acompanhada de interpretação. Os historiadores bíblicos não são exceção a essa regra. O autor do livro de Juízes ansiava por destacar ideias espirituais e juízos morais, e tornou-se parte integrante de suas narrativas, mas com o intuito de mostrar-nos que certas coisas sucederam, ou não sucederam, em face das condições espirituais do povo de Israel. Isto posto, o livro de Juízes apresenta-nos uma história teológica, e não apenas um relato sobre condições sociais e políticas.

1. *A ira de Deus volta-se contra o pecador* (Jz 2.11,14). Israel era abençoado quando obedecia a Yahweh, mas castigado quando se rebelava. A nação de Israel só podia sobreviver, cercada como estava por poderosos adversários, mediante a graça divina. Esforços de cooperação que rendiam resultados positivos tinham de estar alicerçados sobre a lealdade coletiva a Deus (Jz 5.8,9,16-18). Os juízes corretivos de Deus tocavam tanto sobre cada indivíduo quanto sobre a sociedade israelita como um todo.
2. *O arrependimento produz a misericórdia divina* (Jz 2.16). As opressões de povos estrangeiros serviam de meios para corrigir as condições de decadência moral, e isso tinha em vista o bem de Israel (Jz 3.1-4).
3. *O homem é, verdadeiramente, um ser decadente.* Após cada livramento descrito no livro de Juízes, Israel escorregava novamente para a idolatria, o que exigia ainda outro ato de juízo divino e outro libertador. Parece que essa lição nunca foi absorvida, ou, então, que tinha de ser aprendida de novo a cada geração. Ver Jz 2.19, que diz: "Sucedia, porém, que, falecendo o juiz, reincidiam e se tornavam piores do que seus pais, seguindo após outros deuses, servindo-os e adorando-os; nada deixavam das suas obras, nem da obstinação dos seus caminhos". Uma sociedade individualista por excelência estava repleta de erros, pessoais e coletivos. "Naqueles dias não havia rei em Israel: cada qual fazia o que achava mais reto" (Jz 17.6 e 21.25).
4. *Os sistemas centralizados no homem fracassam.* Esta é a lição geral ensinada pelo livro de Juízes. Na história de Israel, apreende-se que a única esperança reside na espiritualidade. Os políticos mostram-se corruptos, quando não antes, pelo menos depois que galgam posições de autoridade.

X. BIBLIOGRAFIA
ALB (1936) AM I IB ID KR(2) ND PAY(2) PF UN YO Z.

Ao Leitor
Na *Introdução* abordo certos tópicos: caracterização geral, pano de fundo histórico do livro, pesquisas arqueológicas modernas, proposição e plano do livro, autoria e data, integridade e unidade, os juízes propriamente ditos, esboço do conteúdo e principais ideias teológicas. Qualquer estudo inteligente do livro precisa incluir um exame cuidadoso desses temas.

O Arcabouço do Livro. Este livro recebe seu nome dos treze homens que foram levantados para livrar Israel, por ocasião do declínio e da desunião que se seguiram à morte de Josué. Através daqueles homens, Yahweh continuou governando pessoalmente o povo de Israel. O versículo-chave acerca das condições em Israel, durante a época coberta pelo livro, é Jz 17.6, que diz: "Cada qual fazia o que achava mais reto". Na escolha dos vários juízes, vemos a ilustração da grande mensagem de Zacarias (4.6): "Não por força nem por poder, mas pelo meu Espírito, diz o Senhor dos Exércitos". E também das palavras de Paulo: "Irmãos, reparai, pois, na vossa vocação; visto que não foram chamados muitos sábios segundo a carne, nem muitos poderosos, nem muitos de nobre nascimento (1Co 1.26)".

Continuação da Narrativa de Josué. O autor sacro do livro de Josué tinha-nos informado que havia restado, no território da Terra Prometida, vários bolsões de resistência, pois os hebreus não conquistaram todos os palmos do terreno que lhes cabiam conquistar.

Ver Js 13.1 ss. E o livro de Juízes mostra-nos que o relato dado por Josué, grosso modo otimista, não contava a história inteira. Somente nos dias de Davi aquele território seria conquistado na íntegra; e o relato do livro de Juízes deve ser considerado uma dentre várias tentativas, derrotas e vitórias, tendo em mira a conquista completa.

Os juízes não foram reis. A autoridade deles não teve alcance nacional, mas na maioria das vezes limitou-se apenas a áreas específicas. suas narrativas conferem-nos muitas lições morais e espirituais, e nelas os intérpretes têm encontrado subsídios valiosos através dos séculos.

Título
O título deste livro, Juízes, deriva-se diretamente da Vulgata Latina, *Liber Judicum*, que se deriva, por sua vez, do título do livro aplicado pela Septuaginta, *Kritai* (Juízes). E o título hebraico é *shophetim*, que também significa Juízes. Talvez a base do título, no próprio livro, seja a passagem de Jz 2.16,19, onde são sumariadas as circunstâncias daquele período e são mencionados os libertadores ou salvadores, chamados *shophetim*, no original hebraico. O próprio livro, porém, não designa nenhum dos seus heróis como *shophet*, "juiz". Mas acerca de vários deles é declarado que exerceram as funções próprias do ofício. Ver Jz 3.10; 4.4; 10.2,3; 12.7-9,11,13,14; 15.20; 16.31. Jefté foi chamado de *qaçin* (líder militar), e não de *shophet*. O próprio Yahweh é chamado de *shophet*, em Jz 11.27. Quem foram os juízes? Eles não foram reis nem exerceram domínio sobre todo o território de Israel. Antes, foram apenas heróis locais que livraram porções desse território de seus opressores estrangeiros.

Citações de Juízes no Novo Testamento
- *Atos:* 13.26 (Jz 2.10)
- *Hebreus:* 11.32 (não há citações diretas, mas Sansão figura ali como um dos heróis da fé)
- *Apocalipse:* 1.16 (Jz 5.31)

Como podemos ver, o Novo Testamento ignora, para todos os efeitos práticos, o livro de Juízes, no tocante a citações diretas. Todavia, leva avante as lições baseadas no passado, ilustradas por vários daqueles juízes.

EXPOSIÇÃO

CAPÍTULO UM

O PERÍODO ANTES DOS JUÍZES (1.1—2.5)

CONDIÇÕES SOCIAIS E POLÍTICAS (1.1-36)

A *primeira seção* ou narra novamente eventos antigos, ou conta esforços renovados das tribos de Judá e Simeão a fim de levar a conquista a um melhor termo. Ver Js 13.1 ss., quanto à declaração de que muito território e muita gente não tinham ainda sido subjugados por Israel. Restavam vários bolsões de resistência por parte de populações cananeias. Conforme já dissemos, somente nos dias de Davi o território inteiro da Terra Prometida foi realmente conquistado, e para tanto ainda haveriam de passar-se vários séculos.

O relato dos feitos heroicos dos juízes é antecedido por duas seções introdutórias (Jz 1.1—2.5 e 2.6—3.6). A segunda dessas seções é uma introdução apropriada ao livro. E a primeira delas apresenta paralelos aos capítulos 10 a 17 do livro de Josué, embora nunca mencione Josué por nome. A afirmativa, "depois da morte de Josué", as primeiras palavras do livro segundo a edição portuguesa, foi acrescentada por editores, mas o material que o autor sagrado então apresenta refere-se a acontecimentos ocorridos no passado (pelo menos de acordo com a maioria dos intérpretes), e não a eventos posteriores à morte de Josué.

Talvez isso represente uma duplicação, ou seja, outra versão dos capítulos 10 a 17 de Josué, e não a descrição de novos acontecimentos. A segunda fonte informativa, de acordo com a estimativa da maioria dos eruditos, foi introduzida de forma anacrônica no texto presente. Alguns intérpretes, contudo, insistem que os eventos referidos em Jz 1.1—2.5 ocorreram após a morte de Josué, pelo que apareceriam como materiais paralelos ao trecho de Josué 10 a 17, embora fosse isso uma reiteração de circunstâncias similares. A dificuldade nessa explicação é que a seção sem dúvida tem em mira uma ampla campanha militar, por parte de todas as tribos, e não uma espécie de mera operação de "limpeza", de acordo com o jargão militar. O que parece ter realmente sucedido foi que o autor sagrado dispunha de uma fonte informativa separada daquela de Josué, acerca da invasão da Terra Prometida, e empregou essa fonte informativa. Essa outra fonte, que ele usou no começo do livro, ignorou, portanto, a verdadeira cronologia desse material.

Do Que Se Tem Certeza? O fato indubitável é que muitas guerras tribais aconteceram após a invasão geral e a morte de Josué, mesmo que a seção que se segue verdadeiramente diga respeito à invasão original, e não a meras operações de limpeza.

As passagens de Js 18.3 e 23.5 mostram que a preocupação de Josué com as conquistas militares efetuadas pelas tribos deveriam prosseguir até que cada tribo tivesse dominado completamente o território que lhe coubera por sorte, para que assim não restasse nenhum bolsão de resistência. Isso significa que batalhas menores deveriam seguir-se à grande batalha.

Um leitor livre de ideias preconcebidas, que não se sinta compelido a obter harmonia a qualquer preço (mesmo que seja ao preço da honestidade), e leia o material que se segue, haverá de perceber o paralelo bem próximo com o relato do livro de Josué, notando que aqueles acontecimentos estão aqui em vista.

■ 1.1

וַיְהִ֗י אַחֲרֵי֙ מ֣וֹת יְהוֹשֻׁ֔עַ וַֽיִּשְׁאֲלוּ֙ בְּנֵ֣י יִשְׂרָאֵ֔ל בַּיהוָ֖ה לֵאמֹ֑ר מִ֣י יַעֲלֶה־לָּ֧נוּ אֶל־הַכְּנַעֲנִ֛י בַּתְּחִלָּ֖ה לְהִלָּ֥חֶם בּֽוֹ׃

Depois da morte de Josué. Com essas palavras, o autor liga seu livro ao capítulo 24 do livro de Josué, onde somos informados sobre a morte de Josué. Portanto, continua neste livro a sequência histórica. As ordens de Josué, para que fossem eliminados os bolsões de resistência de povos cananeus ainda não conquistados (ver Js 13.1 ss.), deveriam ser obedecidas. Ver Js 18.3 e 23.5. Os vss. 2 ss., de forma anacrônica, inserem materiais paralelos aos capítulos 10 e 15 de Josué, que falam sobre as conquistas das tribos de Judá e Simeão. Alguns intérpretes supõem que o material que se segue descreva outras batalhas, o que significaria que elas ocorreram, realmente, após a morte de Josué. E os capítulos 10 e 15 de Josué apresentariam materiais relacionados a uma época anterior à morte de Josué. Quanto a uma discussão acerca desse problema, ver a introdução a esta seção.

A mensagem deste primeiro versículo de Juízes é que as ordens de Josué – para os filhos de Israel terminarem a tarefa da conquista – foram cumpridas, pelo menos no caso de algumas das tribos. Ocorreram algumas vitórias adicionais; mas o livro como um todo mostra-nos que a tarefa não foi realizada em grande escala. Israel continuou a ser espicaçado por seus vizinhos que não haviam sido conquistados.

Os filhos de Israel consultaram o Senhor. Talvez isso tenha sido feito quando o sumo sacerdote se utilizou do *Urim e do Tumim* (ver a respeito no *Dicionário*). Ou então podem ter sido usadas *sortes* (ver no *Dicionário*). Ver também o verbete chamado *Adivinhação*. Por esse tempo, Fineias era o sumo sacerdote, o terceiro da série: Arão, Eleazar, Fineias. Ver sobre *Fineias* no *Dicionário*.

■ 1.2

וַיֹּ֣אמֶר יְהוָ֔ה יְהוּדָ֖ה יַעֲלֶ֑ה הִנֵּ֛ה נָתַ֥תִּי אֶת־הָאָ֖רֶץ בְּיָדֽוֹ׃

Respondeu o Senhor. Yahweh deu resposta conferindo orientação e ordenando novas batalhas, para que fossem conquistados os inimigos de Israel. O trecho de Js 13.1 ss. mostra-nos que muita coisa ainda precisava ser feita nesse sentido.

A tradição sobre a invasão efetuada por Judá e a alocação de terras aos homens daquela tribo aparece nos capítulos 14 e 15 de Josué. Esta passagem pode refletir uma fonte informativa distinta, a respeito daqueles mesmos eventos, ou pode representar outras conquistas feitas pelas tribos de Judá e Simeão. Ver a introdução a esta seção, onde a questão é discutida. Judá, por ser a mais numerosa e poderosa das tribos, foi a primeira a propor batalha ao adversário, após as conquistas da parte oriental da Terra Santa, ou seja, a Transjordânia, realizadas pelas tribos de Rúben, Gade e pela meia tribo de Manassés.

■ 1.3

וַיֹּ֣אמֶר יְהוּדָה֩ לְשִׁמְע֨וֹן אָחִ֜יו עֲלֵ֧ה אִתִּ֣י בְגוֹרָלִ֗י וְנִֽלָּחֲמָה֙ בַּֽכְּנַעֲנִ֔י וְהָלַכְתִּ֧י גַם־אֲנִ֛י אִתְּךָ֖ בְּגוֹרָלֶ֑ךָ וַיֵּ֥לֶךְ אִתּ֖וֹ שִׁמְעֽוֹן׃

Disse, pois, Judá a Simeão. Essas duas tribos aliaram-se na tentativa de conquistar os territórios ainda não tomados, indicados como pertencentes a elas quando do lançamento de sortes. Ver no *Dicionário* o artigo intitulado *Sortes*. Ver o último parágrafo de notas de introdução ao capítulo 14 de Josué quanto ao *modus operandi* das sortes. Elas também são mencionadas em Js 13.6; 14.2; 15.1; 17.2; 18.10; 19.10,17,40. Cf. Nm 26.54,55. Judá e Simeão eram irmãos de pai e de mãe (ver Gn 29.32-35); as terras conferidas a Simeão, conforme foi dito especificamente, ficavam dentro do território de Judá (ver Js 19.1-9; cf. Js 15.26-32 e 1Cr 4.28-33).

Ver no *Dicionário* os seguintes artigos sobre essas duas tribos: *Judá* e *Simeão*; *Tribo (Tribos de Israel)*; *Tribos, Localização das*.

"A tribo de Simeão não desempenhou um papel mais significativo na história posterior de Israel. Ela nem chegou a ser mencionada no cântico de Débora (ver Jz 5.2-31), provavelmente por já ter sido absorvida pela tribo de Judá, antes mesmo daquela data remota" (Phillips P. Elliott, *in loc.*).

■ 1.4

וַיַּ֣עַל יְהוּדָ֔ה וַיִּתֵּ֧ן יְהוָ֛ה אֶת־הַכְּנַעֲנִ֥י וְהַפְּרִזִּ֖י בְּיָדָ֑ם וַיַּכּ֣וּם בְּבֶ֔זֶק עֲשֶׂ֥רֶת אֲלָפִ֖ים אִֽישׁ׃

Subiu Judá. Quanto às sete nações cananeias expulsas da Terra Prometida, ver as exposições em Êx 33.2 e Dt 7.1. Duas dessas nações são aqui mencionadas — os cananeus e os ferezeus —, contra as quais combateram as tribos de Judá e Simeão.

Bezeque. Quanto às duas localidades com esse nome, ver o *Dicionário*. A cidade que figura no presente texto tem sido identificada com Khirbet Bezqa, nas vizinhanças de Gezer.

■ 1.5

וַֽ֠יִּמְצְאוּ אֶת־אֲדֹנִ֥י בֶ֨זֶק֙ בְּבֶ֔זֶק וַיִּֽלָּחֲמ֖וּ בּ֑וֹ וַיַּכּוּ֙ אֶת־הַֽכְּנַעֲנִ֔י וְאֶת־הַפְּרִזִּֽי׃

Adoni-Bezeque. O primeiro passo da conquista efetuada pelas tribos de Judá e Simeão foi a eliminação de *Adoni-Bezeque*, que recebe um artigo detalhado no *Dicionário*. Aqui há repetição de material histórico (talvez proveniente de alguma fonte informativa separada), que já havia sido relatado no trecho de Js 10.1 ss., e onde o nome próprio Adoni-Bezeque também aparece. No livro de Josué, porém, esse nome é usado para indicar o rei de Jerusalém; mas aqui o nome é vinculado à cidade de Bezeque, embora esse homem tenha sido levado dali para Jerusalém (vs. 7). É possível, contudo, que esse homem estivesse associado com ambos os lugares. Em Josué, esse rei é chamado de Adoni-Zedeque; aqui, de Adoni-Bezeque, mas o mais certo é que o mesmo indivíduo esteja em pauta.

■ 1.6,7

וַיָּ֙נָס֙ אֲדֹ֣נִי בֶ֔זֶק וַֽיִּרְדְּפ֖וּ אַחֲרָ֑יו וַיֹּאחֲז֣וּ אֹת֔וֹ וַֽיְקַצְּצ֔וּ אֶת־בְּהֹנ֥וֹת יָדָ֖יו וְרַגְלָֽיו׃

וַיֹּ֣אמֶר אֲדֹֽנִי־בֶ֗זֶק שִׁבְעִ֣ים ׀ מְלָכִ֡ים בְּֽהֹנוֹת֩ יְדֵיהֶ֨ם וְרַגְלֵיהֶ֜ם מְקֻצָּצִ֗ים הָי֤וּ מְלַקְּטִים֙ תַּ֣חַת שֻׁלְחָנִ֔י כַּאֲשֶׁ֣ר עָשִׂ֔יתִי כֵּ֥ן שִׁלַּם־לִ֖י אֱלֹהִ֑ים וַיְבִיאֻ֥הוּ יְרוּשָׁלִַ֖ם וַיָּ֥מָת שָֽׁם׃ פ

... Lhe cortaram os polegares das mãos e dos pés. A desumanidade da guerra é evidente para qualquer ser vivo pensante; e, no

INFORMAÇÕES SOBRE OS JUÍZES DE ISRAEL

Juízes	Anos de Serviço	Opressores	Anos sob Opressão	Referências
1. Otniel	40	Aramaicos	8	3.7-11
2. Eúde	80	Moabitas	18	3.12-20
3. Sangar	?	Filisteus	?	3.31
4. Débora	40	Cananeus	20	Caps. 4—5
5. Gideão	40	Midianitas	?	Caps. 6—8
6. Tola	23	?	?	10.1,2
7. Jair	22	?	?	10.3-5
8. Jefté	6	Amonitas	18	10.6—12.7
9. Ibzã	7	?	?	12.8-10
10. Elom	10	?	?	12.11,12
11. Abdom	8	?	?	12.13-15
12. Sansão	20	?	40	caps. 13—16

entanto, a história da humanidade é pouco mais do que uma crônica arrepiante de guerras. Nas guerras antigas, a maior parte dos inimigos era simplesmente morta. Ver sobre a questão da guerra santa em Dt 7.1-6 e 20.10-18. Raramente havia prisioneiros de guerra. A perda dos polegares das mãos incapacitava um homem para o uso do arco e da flecha. E a perda dos grandes artelhos incapacitava-o de modo que nunca mais pudesse ocupar-se de atividades guerreiras, pois então não podia nem perseguir nem fugir de um inimigo.

No vs. 7, o mais provável é que aquele homem tenha sido executado, embora, eufemisticamente, seja dito que ele morreu. Esse rei cananeu tinha feito a muitos outros homens o que agora ele sofria como castigo. Ele chegara a contar o número de suas vítimas, a saber, setenta reis. Aqueles antes orgulhosos governantes tinham sido reduzidos a servos domésticos, que se ocupavam de pequenas tarefas braçais. Mas Israel não queria Adoni-Bezeque como escravo. Ele foi simplesmente executado, assim que chegou a Jerusalém. A guerra santa de Israel não permitia que se fizessem prisioneiros, ainda que indivíduos que habitassem em regiões fora das fronteiras de Israel pudessem ser reduzidos a escravos, ou tivessem de pagar tributo. Dentro dos limites da Palestina, porém, a matança absoluta era ordenada e efetuada, sempre que possível.

"Como se fossem cães, os cativos reais juntavam migalhas que caíam da mesa de Adoni-Bezeque" (Jacob M. Myers, *in loc.*).

Aélio (*Var Hist.* 1.ii. cap. 9) contou como os atenienses cortaram os polegares de todos os habitantes da ilha de Egina, incapacitando-os assim para a guerra. Suetônio (*Vit. August*, cap. 24) narrou como muitos pais decepavam os polegares dos próprios filhos homens, a fim de que nunca fossem obrigados a ir para a guerra. A quantos atos de desespero a depravação dos homens os força! Lei da Colheita segundo a Semeadura. Em um lampejo de tristeza e consciência, Adoni-Bezeque reconheceu que Deus era a causa de ele ter sido tratado segundo tinha tratado a outros. Ver no *Dicionário* o artigo chamado *Lei Moral da Colheita segundo a Semeadura*.

Adoni-Bezeque foi transportado para Jerusalém a fim de ser exposto como um troféu de guerra. Talvez tenha morrido de ferimentos que já tivesse recebido durante a batalha. Caso contrário, a guerra santa requeria a sua execução.

■ 1.8

וַיִּלָּחֲמוּ בְנֵי־יְהוּדָה בִּירוּשָׁלַם וַיִּלְכְּדוּ אוֹתָהּ וַיַּכּוּהָ
לְפִי־חָרֶב וְאֶת־הָעִיר שִׁלְּחוּ בָאֵשׁ׃

Os filhos de Judá pelejaram contra Jerusalém. Este versículo parece ser uma contradição do que diz o vs. 21 deste capítulo, e também do que se lê em Js 15.63, que nos diz que Jerusalém ainda não havia sido tomada. De fato, somente nos dias de Davi é que aquela área foi subjugada. Entretanto, alguns estudiosos supõem que parte da área de Jerusalém tenha sido tomada, e outra parte não. Outros supõem que estejam em foco duas fontes informativas, uma das quais retratava Jerusalém como conquistada, e outra como não conquistada. Cf. 2Sm 5.6 ss., que é contra a ideia de que Jerusalém foi tomada naquela data anterior. O capítulo 10 de Josué revela-nos a execução do rei de Jerusalém, juntamente com quatro outros com quem ele tinha feito aliança, além de mostrar a lista das cidades conquistadas; mas Jerusalém não aparece entre elas. Alguns estudiosos supõem que tenham ocorrido duas destruições de Jerusalém. Em outras palavras, depois de haver sido tomada pela primeira vez, a cidade conseguiu recuperar-se e expulsou dali os filhos de Israel, somente para ser reconquistada séculos mais tarde. O autor do livro de Juízes, pois, fornece-nos afirmações contraditórias, e nunca procura ajudar-nos a resolver o quebra-cabeça, se é que há mesmo alguma discrepância. "É possível que o sucesso inicial de Judá ao destruir Jerusalém refira-se somente à colina sudoeste, não fortificada (o moderno monte Sião). Seja como for, Judá não conseguiu expulsar os jebuseus de forma permanente (cf. Js 15.63); e os benjamitas não obtiveram maior sucesso (ver Jz 1.21)" (F. D. Lindsey, *in loc.*). Contra essa interpretação, entretanto, temos a informação do próprio versículo de que os israelitas incendiaram a cidade, que parece dizer que a própria cidade foi tomada e incendiada, a exemplo do que acontecera com Jericó.

■ 1.9

וְאַחַר יָרְדוּ בְּנֵי יְהוּדָה לְהִלָּחֵם בַּכְּנַעֲנִי יוֹשֵׁב הָהָר
וְהַנֶּגֶב וְהַשְּׁפֵלָה׃

Depois... desceram a pelejar contra os cananeus. O sucesso inicial encorajou outros assaltos. Esses novos ataques aconteceram na região montanhosa daquilo que veio a tornar-se território de Judá, no Neguebe, e nas terras baixas, ou seja, o território das terras altas centrais da Palestina, ao sul de Jerusalém, que se estende até Hebrom. Aquela porção ao sul e a sudoeste de Hebrom era chamada Sefelá, sobre a qual há notas expositivas em Js 10.10. Essas áreas são assim mencionadas: 1. A região montanhosa onde se localizavam Hebrom e Debir. 2. O Neguebe (Js 15.21), onde estavam situadas as cidades de Arade e Zefate. 3. E o vale, ou terras baixas — a Sefelá.

■ 1.10

וַיֵּלֶךְ יְהוּדָה אֶל־הַכְּנַעֲנִי הַיּוֹשֵׁב בְּחֶבְרוֹן
וְשֵׁם־חֶבְרוֹן לְפָנִים קִרְיַת אַרְבַּע וַיַּכּוּ
אֶת־שֵׁשַׁי וְאֶת־אֲחִימַן וְאֶת־תַּלְמָי׃

Contra os cananeus que habitavam em Hebrom. Este trecho conta a conquista de *Hebrom*. Ver o artigo detalhado sobre esse lugar no *Dicionário*. Arba foi o pai de *Anaque* (ver a respeito no *Dicionário*), o ancestral de uma raça de gigantes que ocupava aquela área. Ver Js 15.13 e 21.11. As notas dadas ali aplicam-se também aqui.

A Sesai, a Aimã e a Talmai. Eles eram descendentes (filhos?) de Anaque que se tinham tornado príncipes. Algumas versões portuguesas dizem Enaque, em lugar de Anaque (ver Js 15.14). Agora, os três foram mortos por Israel. O trecho paralelo do capítulo 15 de Josué oferece-nos notas sobre esses três gigantes. Apresento artigos

OS JUÍZES E SEUS OPRESSORES

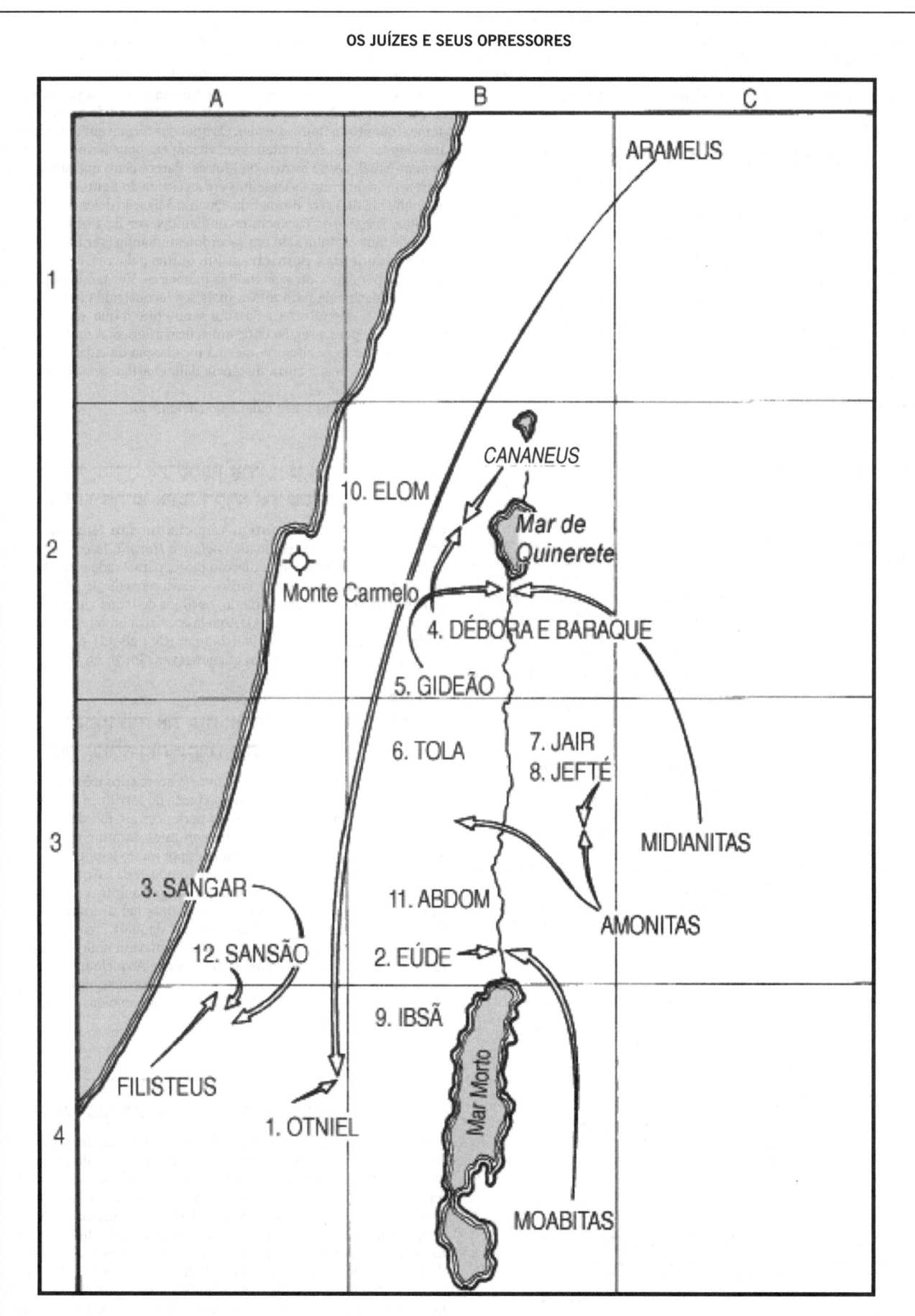

sobre cada um deles no *Dicionário*. Hebrom ficava localizada a pouco mais de trinta quilômetros a sudoeste de Jerusalém. Ver Gn 13.18, que tem ligações com esse lugar, que se tornou a capital de Judá durante os sete anos e meio do reinado de Davi (ver 2Sm 5.5). Calebe foi o líder da derrota da cidade de Hebrom (Jz 1.20 e Js 15.14).

■ 1.11

וַיֵּ֣לֶךְ מִשָּׁ֔ם אֶל־יוֹשְׁבֵ֖י דְּבִ֑יר וְשֵׁם־דְּבִ֥יר לְפָנִ֖ים קִרְיַת־סֵֽפֶר׃

Dali partiu contra. De Hebrom, o ataque foi transferido para dezesseis a dezenove quilômetros a sudoeste de *Debir* (ver as notas a respeito no *Dicionário*). O nome mais antigo da cidade era *Quiriate-Sefer* (ver as notas a respeito no *Dicionário*). Esse nome significa "cidade do livro". Ver Js 15.15 quanto ao nome anterior da cidade e comentários adicionais que se aplicam igualmente aqui. Nessa referência, ofereço especulações sobre a razão de Debir ter sido chamada "cidade do livro". Ver também Js 10.38 e 12.13.

■ 1.12

וַיֹּ֣אמֶר כָּלֵ֔ב אֲשֶׁר־יַכֶּ֥ה אֶת־קִרְיַת־סֵ֖פֶר וּלְכָדָ֑הּ וְנָתַ֥תִּי ל֛וֹ אֶת־עַכְסָ֥ה בִתִּ֖י לְאִשָּֽׁה׃

Disse Calebe. Este versículo é um paralelo direto de Js 15.16, onde são dadas notas expositivas sobre a história. E as descrições do texto presente têm como paralelo próximo as descrições do capítulo 15 de Josué, e não deixam muita dúvida de que estão sendo descritos os mesmos acontecimentos, e não batalhas posteriores para consolidar as vitórias de Israel nas localidades mencionadas. Contudo, o primeiro versículo deste capítulo dá a entender que tais acontecimentos ocorreram depois da morte de Josué. Ver a introdução à presente seção quanto a interpretações acerca da questão cronológica. Alguns estudiosos, reconhecendo que estão sendo descritos os mesmos eventos mencionados no capítulo 15 do livro de Josué, supõem que o autor sagrado tenha reiterado a história da conquista inicial, embora sem deixar claro que aquelas coisas "aconteceram antes". Todavia, a simples leitura do texto revela-se contrária a esse tipo de interpretação.

■ 1.13

וַֽיִּלְכְּדָהּ֙ עָתְנִיאֵ֣ל בֶּן־קְנַ֔ז אֲחִ֥י כָלֵ֖ב הַקָּטֹ֣ן מִמֶּ֑נּוּ וַיִּתֶּן־ל֛וֹ אֶת־עַכְסָ֥ה בִתּ֖וֹ לְאִשָּֽׁה׃

Tomou-a, pois, Otniel. Este versículo tem paralelo em Js 15.17, onde são dadas notas expositivas.

Mais novo do que ele. Talvez tenhamos aqui um comentário editorial, porquanto não aparece em Js 15.17. De outra sorte, o texto de Jz 1.11-15 é um paralelo quase exato de Js 15.15-19. Explico, em Js 15.17, o problema de parentesco envolvido nas palavras "irmão" e "sobrinho".

■ 1.14,15

וַיְהִ֣י בְּבוֹאָ֗הּ וַתְּסִיתֵ֙הוּ֙ לִשְׁא֤וֹל מֵֽאֵת־אָבִ֙יהָ֙ הַשָּׂדֶ֔ה וַתִּצְנַ֖ח מֵעַ֣ל הַחֲמ֑וֹר וַיֹּֽאמֶר־לָ֥הּ כָּלֵ֖ב מַה־לָּֽךְ׃

וַתֹּ֨אמֶר ל֜וֹ הָֽבָה־לִּ֣י בְרָכָ֗ה כִּ֣י אֶ֤רֶץ הַנֶּ֙גֶב֙ נְתַתָּ֔נִי וְנָתַתָּ֥ה לִ֖י גֻּלֹּ֣ת מָ֑יִם וַיִּתֶּן־לָ֣הּ כָּלֵ֗ב אֵ֚ת גֻּלֹּ֣ת עִלִּ֔ית וְאֵ֖ת גֻּלֹּ֥ת תַּחְתִּֽית׃ פ

Estes versículos são paralelos ao trecho de Js 15.18,19, onde são dadas notas expositivas.

■ 1.16

וּבְנֵ֣י קֵינִי֩ חֹתֵ֨ן מֹשֶׁ֜ה עָל֨וּ מֵעִ֤יר הַתְּמָרִים֙ אֶת־בְּנֵ֣י יְהוּדָ֔ה מִדְבַּ֣ר יְהוּדָ֔ה אֲשֶׁ֖ר בְּנֶ֣גֶב עֲרָ֑ד וַיֵּ֖לֶךְ וַיֵּ֥שֶׁב אֶת־הָעָֽם׃

Os filhos do queneu, sogro de Moisés. Neste ponto, o sogro de Moisés é chamado de "queneu", por motivo de sua origem racial. O manuscrito Vaticanus diz aqui "Jetro", em harmonia com Êx 3.1; e o Alexandrino diz "Hobabe", em consonância com Nm 10.29 e Jz 4.11. Ver no *Dicionário* o artigo denominado *Jetro*, quanto a uma discussão sobre essa personagem e sua variedade de nomes, bem como seu relacionamento com o povo de Israel. Ele também é chamado de Reuel, em Êx 2.18 e Nm 10.29. Ver também o *Dicionário* quanto a esse nome e quanto ao nome *queneu*. Os queneus formavam um ramo dos amalequitas, mas, diferentemente, viviam em bons termos de amizade com Israel, desde os dias de Moisés. Parece claro que alguns queneus acompanharam os israelitas em sua saída do Egito, ajudando-os na conquista da Terra Prometida. Quanto à ligação deles com os amalequitas, ver 1Sm 15.6, e com os midianitas, ver Êx 18.1 (Jz 1.16). O sogro de Moisés tinha sido um sacerdote midianita (ver Êx 18.1).

Da cidade das palmeiras. Em outras palavras, Jericó, assim chamada por causa de suas muitas palmeiras. Ver também Dt 34.3. Jericó foi destruída para nunca mais ser reconstruída (ver Js 6.26). Isso posto, o que talvez esteja aqui sendo dito é que aqueles povos mudaram-se para a região onde antes ficava Jericó. A moderna cidade de Jericó não se situa na mesma localização da cidade antiga do mesmo nome, mas a curta distância dali. O artigo referido fornece-nos amplos detalhes.

Arade. Ver sobre essa cidade no *Dicionário*.

■ 1.17

וַיֵּ֤לֶךְ יְהוּדָה֙ אֶת־שִׁמְע֣וֹן אָחִ֔יו וַיַּכּ֕וּ אֶת־הַֽכְּנַעֲנִ֖י יוֹשֵׁ֣ב צְפַ֑ת וַיַּחֲרִ֣ימוּ אוֹתָ֑הּ וַיִּקְרָ֥א אֶת־שֵׁם־הָעִ֖יר חָרְמָֽה׃

Que habitavam em Zefate... Lhe chamaram Hormá. Ver no *Dicionário* os verbetes chamados *Zefate* e *Hormá*. Isso significa que a conquista se voltou para a direção oeste, para Arade e Zefate. Hormá significa "dedicada à destruição". Ficava cerca de 32 quilômetros a sudoeste de Hebrom. Desse modo, os filhos de Israel vingaram-se de Hormá (ver Nm 14.45; 21.1-3). Aquela área acabou fazendo parte do território da tribo de Simeão (ver Js 19.4; 1Cr 4.28-32), e ficava próxima das terras pertencentes aos queneus (ver 1Sm 30.29,30).

■ 1.18

וַיִּלְכֹּ֤ד יְהוּדָה֙ אֶת־עַזָּ֣ה וְאֶת־גְּבוּלָ֔הּ וְאֶת־אַשְׁקְל֖וֹן וְאֶת־גְּבוּלָ֑הּ וְאֶת־עֶקְר֖וֹן וְאֶת־גְּבוּלָֽהּ׃

Tomou ainda Judá. Ver no *Dicionário* acerca dos três lugares aqui mencionados. Essa região tornou-se parte do território de Judá. Ver Js 15.47. Mais tarde, Ecrom veio a pertencer à tribo de Dã (ver Js 15.45 e 19.43). Os filisteus, porém, contra-atacaram e retomaram a área, tendo retido essas três localidades por muito tempo. Ver Jz 3.3 e 1Sm 6.16. A Septuaginta diz aqui "Não tomou Judá", o que, sem dúvida, reflete como a questão, finalmente, chegou a ficar. Ver o versículo 19 quanto a essa conexão. Naquela região, Israel tivera apenas uma vitória inicial. Ver Js 13.3. Cinco cidades daquela área não haviam sido conquistadas. Essas cinco cidades formavam uma federação filisteia. Josefo (*Antiq.* v. 2, par. 4) diz-nos que Asquelom e Asdode foram inicialmente tomadas, mas Gaza e Ecrom conseguiram escapar. Na mesma obra (3, par. 1), ele explica que os cananeus reconquistaram Asquelom e Ecrom.

■ 1.19

וַיְהִ֤י יְהוָה֙ אֶת־יְהוּדָ֔ה וַיֹּ֖רֶשׁ אֶת־הָהָ֑ר כִּ֣י לֹ֤א לְהוֹרִישׁ֙ אֶת־יֹשְׁבֵ֣י הָעֵ֔מֶק כִּי־רֶ֥כֶב בַּרְזֶ֖ל לָהֶֽם׃

Esteve o Senhor com Judá. Tal como este versículo, o trecho de Js 13.11 ss. informa-nos que os fracassos anteriores de Israel referem-se a essa campanha. Ver sobre o nono versículo deste capítulo quanto à tríplice área geográfica da tribo de Judá. As áreas montanhosas foram conquistadas, mas os vales resistiram, por causa de um equipamento militar superior dos adversários, sobretudo os carros de combate puxados a cavalo, com projeções afiadas como facas, que despedaçavam os soldados que combatiam a pé. Ver Js 11.6-9; 17.16; Jz 4.3 e 1Sm 13.6, quanto a esses temíveis instrumentos de guerra, que deixavam os israelitas boquiabertos. Ver no *Dicionário* o verbete intitulado *Carruagem*. Zenofonte conta que os "carros munidos de citas" foram inventados por Ciro, mas Ciro viveu cinco séculos depois do relato aqui apresentado. O que Ciro fez foi tirar proveito de uma ideia antiga, como fosse ele mesmo o inventor da ideia.

Sabemos, com base em Dt 7.1, que os adversários de Israel eram mais fortes, militarmente falando. Parte dessa superioridade consistia em instrumentos de guerra mais desenvolvidos. A tecnologia usualmente ganha a guerra. Mas Israel, apesar de não possuir tal tecnologia, conseguiu sair-se muito bem em suas guerras de conquista, embora não sem algumas derrotas significativas. "Israel, em última análise, triunfou porque tinha algo mais poderoso do que carros de combate de ferro. Outros aspectos culturais, outras formas de fé, resistem, quando o metal acaba cedendo. Cada geração precisa indagar de si mesma qual é a base de sua confiança" (Phillips P. Elliott, *in loc.*).

■ **1.20**

וַיִּתְּנוּ לְכָלֵב אֶת־חֶבְרוֹן כַּאֲשֶׁר דִּבֶּר מֹשֶׁה וַיּוֹרֶשׁ
מִשָּׁם אֶת־שְׁלֹשָׁה בְּנֵי הָעֲנָק׃

Expulsou dali os três filhos de Enaque. Este versículo repete a informação que já havia sido dada nos vss. 10 a 13, os quais, por sua vez, são paralelos de Js 15.16,17. Três famílias de gigantes (descendentes de Anaque) foram derrotadas, conforme vimos no vs. 10 e seus paralelos. Ver também Js 14.12-15. Moisés tinha feito uma promessa relativa a esse incidente. Ver Nm 14.24; Js 14.9; 15.13 e Dt 1.36.

■ **1.21**

וְאֶת־הַיְבוּסִי יֹשֵׁב יְרוּשָׁלִַם לֹא הוֹרִישׁוּ בְּנֵי בִנְיָמִן
וַיֵּשֶׁב הַיְבוּסִי אֶת־בְּנֵי בִנְיָמִן בִּירוּשָׁלִַם עַד הַיּוֹם
הַזֶּה׃ ס

Os filhos de Benjamim não expulsaram os jebuseus. O caso de Jerusalém foi um fracasso retumbante. Os jebuseus, que ocupavam aquele lugar, revelaram-se invencíveis até os dias de Davi; e assim, quando o autor sacro escreveu este livro, ele apontou para Jerusalém como um dos lugares que os hebreus não tinham conseguido subjugar. (Jerusalém ficava situada na fronteira entre Judá e Benjamim.) Assim, ali estavam eles, os jebuseus, em sua ilha fortificada, resistindo a todos os ataques, até que Davi, finalmente, terminou com eles (ver 2Sm 5.6-9). Os jebuseus eram os habitantes cananeus daquela cidade. Também eram chamados de jebus (ver Jz 19.10,11). Ver no *Dicionário* sobre *Jebus* e *Jebuseus*. Cf. Js 15.63, que é trecho paralelo deste versículo.

O oitavo versículo deste capítulo parece contradizer este versículo. Ali ofereço explicações possíveis sobre essa questão.

■ **1.22**

וַיַּעֲלוּ בֵית־יוֹסֵף גַּם־הֵם בֵּית־אֵל וַיהוָה עִמָּם׃

A casa de José. José não tinha uma tribo chamada pelo seu nome; mas seus dois filhos, Efraim e Manassés, eram cabeças de tribo. Se José tivesse uma tribo com seu nome, e se Levi não fosse uma casta sacerdotal, então teríamos um total de catorze tribos. Porém, eliminando José e Levi, chegamos às doze tribos tradicionais.

No livro de Josué não há nenhum relato sobre a captura de Betel; mas Ai era um lugar bem próximo, e caiu imediatamente depois de Jericó. Ver o capítulo 7 de Josué. Há algumas razões que nos fazem crer que a conquista de Ai foi, na verdade, a conquista de *Betel*, visto que aparentemente Ai deixara de ser habitada muito antes dos dias de Josué. Ver sobre ambos os lugares no *Dicionário*.

Os filhos de José subiram de Gilgal a Betel e efetuaram ali a sua campanha militar. Yahweh estava com eles, tal como sucedia no caso de todas as tribos de Israel. Isso repete o sentimento expresso no vs. 19 (a respeito de Judá). Sempre foi a fé de Israel que produzira a conquista da Terra Prometida, por meio do poder divino. Os capítulos 16 e 17 do livro de Josué contêm o registro das conquistas feitas por Manassés e Efraim.

Betel. Essa cidade ficava situada nas terras altas centrais cerca de dezesseis quilômetros ao norte de Jerusalém, na fronteira entre Efraim e Benjamim. Comumente tem sido identificada com a moderna Beitin, cerca de dezenove quilômetros ao norte de Jerusalém. Mas há algumas evidências que favorecem el-Bireh, cerca de três quilômetros um pouco mais para o sul. Ver no *Dicionário* o artigo chamado *Betel*.

■ **1.23,24**

וַיָּתִירוּ בֵית־יוֹסֵף בְּבֵית־אֵל וְשֵׁם־הָעִיר לְפָנִים לוּז׃
וַיִּרְאוּ הַשֹּׁמְרִים אִישׁ יוֹצֵא מִן־הָעִיר וַיֹּאמְרוּ לוֹ
הַרְאֵנוּ נָא אֶת־מְבוֹא הָעִיר וְעָשִׂינוּ עִמְּךָ חָסֶד׃

Luz. Esse era o nome mais antigo de Betel. Ver a respeito em Gn 28.19; 35.6; 48.3 e Js 18.13. Ver a respeito no *Dicionário*.

E usaremos de misericórdia para contigo. A conquista de Betel teve elementos que seguiam paralelamente à conquista de Jericó. Foram enviados alguns espias ali, para verificar como o ataque seria mais bem-sucedido. Um cidadão daquele lugar (um paralelo de Raabe, de Jericó), sob ameaça, ajudou os invasores. Ele lhes mostrou a maneira mais fácil de entrar na cidade. Foi-lhe prometida misericórdia, em troca de seu auxílio. sua vida seria poupada, embora a guerra santa exigisse a execução de todos os seres vivos, tanto humanos quanto animais. Ver Dt 7.1-5 e 20.10-18 quanto às condições que eram impostas em uma guerra santa.

Em uma de suas conquistas, os persas foram ajudados de maneira similar. Eles conquistaram Sardes ao descobrir uma vereda que se ligava à cidade, a qual foi usada por um homem que deixara cair o seu elmo e descera da fortaleza oculta nas colinas, a fim de apanhá-lo (Heródoto, *Hist.* i.84).

As tradições judaicas supunham que a entrada secreta para Betel se dava por meio de uma caverna existente em suas cercanias.

Betel tinha a fama de ser um local sagrado. Ali é que Jacó recebera o seu sonho sobre a escada. Um traidor havia ajudado na queda da cidade; mas, afinal, ele só fizera isso a fim de salvar a própria vida; e poucos não teriam agido da mesma maneira. Ademais, na guerra, onde fica a moralidade?

■ **1.25,26**

וַיַּרְאֵם אֶת־מְבוֹא הָעִיר וַיַּכּוּ אֶת־הָעִיר לְפִי־חָרֶב
וְאֶת־הָאִישׁ וְאֶת־כָּל־מִשְׁפַּחְתּוֹ שִׁלֵּחוּ׃
וַיֵּלֶךְ הָאִישׁ אֶרֶץ הַחִתִּים וַיִּבֶן עִיר וַיִּקְרָא שְׁמָהּ לוּז
הוּא שְׁמָהּ עַד הַיּוֹם הַזֶּה׃ פ

Mostrando-lhes ele a entrada da cidade. Passando por meio da entrada secreta, os israelitas tomaram a cidade de surpresa, e logo haviam passado a fio da espada a todos os seus habitantes. Mas o traidor e seus familiares foram poupados, à moda de Raabe. John Gill (*in loc.*) supunha que o homem também tivesse sido forçado a adotar o yahwismo. Se ele ficou mesmo com o povo de Israel, sem dúvida isso aconteceu. Porém, o texto informa-nos que ele foi para a terra dos heteus (vs. 26), para lembrar sua terra que não mais existia. Talvez ele tenha ido para o território de seus antepassados. O território heteu ou hitita ficava ao norte da Síria. Cf. Js 1.4. Assim sendo, de volta à terra de seus antepassados, lembrando-se de seu lar adotivo e roído pelas saudades, chamou aquele novo lugar de Luz.

■ **1.27**

וְלֹא־הוֹרִישׁ מְנַשֶּׁה אֶת־בֵּית־שְׁאָן וְאֶת־בְּנוֹתֶיהָ
וְאֶת־תַּעְנַךְ וְאֶת־בְּנֹתֶיהָ וְאֶת־יֹשֵׁב דוֹר וְאֶת־בְּנוֹתֶיהָ
וְאֶת־יוֹשְׁבֵי יִבְלְעָם וְאֶת־בְּנֹתֶיהָ וְאֶת־יוֹשְׁבֵי מְגִדּוֹ
וְאֶת־בְּנוֹתֶיהָ וַיּוֹאֶל הַכְּנַעֲנִי לָשֶׁבֶת בָּאָרֶץ הַזֹּאת׃

Manassés não expulsou. A tribo de Manassés também teve seus fracassos (o que aconteceu à maior parte das tribos de Israel; ver Js 13.1 ss.). "Efraim e Manassés viviam premidos, tanto pelo norte quanto pelo sul, por poderosas cadeias de fortalezas cananeias, que formavam quase uma linha reta desde o vale do Jordão até as costas do mar Mediterrâneo. A lista de fortalezas que aparece aqui corresponde ao que se lê em Js 17.11-13, onde a lista é levemente expandida, e não exatamente na mesma ordem que vemos aqui. Todavia, a mesma ordem é preservada em 1Cr 7.29, onde, entretanto, Ibleã é deixada de fora" (Jacob M. Myers, *in loc.*).

Ver as notas expositivas dadas no trecho paralelo de Js 17.11-13. Todos os nomes próprios do presente versículo recebem artigos separados no *Dicionário*. Ver os mapas que aparecem na introdução ao capítulo 13 de Josué, quanto às localizações.

■ 1.28

וַיְהִי כִּי־חָזַק יִשְׂרָאֵל וַיָּשֶׂם אֶת־הַכְּנַעֲנִי לָמַס וְהוֹרֵישׁ לֹא הוֹרִישׁוֹ: ס

Quando, porém, Israel se tornou mais forte. Os filhos de Israel conseguiram sujeitar ao pagamento de tributo alguns dos povos não conquistados. Foi uma espécie de acordo de cavalheiros: "Vocês param de atacar-nos e dão-nos autonomia; e nós pagaremos tributos regulares por nos deixarem viver em paz". O trecho de Js 17.13 menciona "trabalhos forçados". Alguns daqueles povos cananeus foram reduzidos à posição de escravos virtuais.

■ 1.29

וְאֶפְרַיִם לֹא הוֹרִישׁ אֶת־הַכְּנַעֲנִי הַיּוֹשֵׁב בְּגָזֶר וַיֵּשֶׁב הַכְּנַעֲנִי בְּקִרְבּוֹ בְּגָזֶר: פ

Efraim não expulsou. A tribo de Efraim também teve seus fracassos.

Gezer. Ver a respeito no *Dicionário*. Essa cidade resistiu aos ataques dos filhos de Israel. Era uma cidade estrategicamente localizada na fronteira sudoeste de Efraim, na entrada do vale de Aijalom. Ficava na encruzilhada do ramo oriental da estrada costeira, sendo a principal entrada ocidental que passava pelo vale de Aijalom, ligando Jerusalém com Betel. Havia cananeus que habitavam "entre" os efraimitas, alguns deles, provavelmente, obrigados a pagar tributo e a prestar trabalhos forçados. Ver Js 16.10, onde encontramos a informação de que as populações dali foram forçadas a trabalhos forçados, embora isso pareça referir-se a um período histórico posterior.

■ 1.30

זְבוּלֻן לֹא הוֹרִישׁ אֶת־יוֹשְׁבֵי קִטְרוֹן וְאֶת־יוֹשְׁבֵי נַהֲלֹל וַיֵּשֶׁב הַכְּנַעֲנִי בְּקִרְבּוֹ וַיִּהְיוּ לָמַס: ס

Zebulom não expulsou. A tribo de Zebulom também não conquistou todo o território que lhe coubera por sorte. Os dois lugares aqui mencionados, *Quitrom* e *Naalol* (que recebem artigos separados no *Dicionário*), resistiram a todos os esforços de conquista militar por parte da tribo de Zebulom. É verdade que tiveram de pagar tributo, mas continuaram cidades essencialmente autônomas. Ver Js 19.10-16 quanto ao território de Zebulom. Ver os mapas na introdução ao capítulo 13 de Josué, quanto às localizações. As duas localidades mencionadas neste versículo, entretanto, ainda não foram identificadas de maneira positiva. Talvez ficassem nos limites nordestinos do vale de Jezreel.

■ 1.31

אָשֵׁר לֹא הוֹרִישׁ אֶת־יֹשְׁבֵי עַכּוֹ וְאֶת־יוֹשְׁבֵי צִידוֹן וְאֶת־אַחְלָב וְאֶת־אַכְזִיב וְאֶת־חֶלְבָּה וְאֶת־אֲפִיק וְאֶת־רְחֹב:

Aser não expulsou. A tribo de Aser também não conquistou todo o território que lhe fora alocado. O autor sagrado não se importa em dizer quais lugares específicos os aseritas não conquistaram; mas tão somente deixa entendido que muita coisa ficara por ser feita. Ver Js 19.24-31 quanto ao território que coube à tribo de Aser. No livro de Juízes, as listas são condensadas e, talvez, estejam baseadas em uma fonte informativa diferente da que foi usada por Josué.

Os capítulos 18 e 19 de Josué narram as conquistas das tribos que se estabeleceram na Galileia. Sidom não foi conquistada. Era a capital da Fenícia, embora posta em eclipse por sua vizinha, Tiro (ver 2Sm 4.11; Is 21; Jr 27; Mt 11.22). Todos os nomes próprios que figuram neste versículo (lugares não conquistados pela tribo de Aser) recebem artigos separados no *Dicionário*, pelo que essa informação não é repetida aqui. As cidades listadas faziam parte da *Fenícia* (ver a respeito no *Dicionário*).

■ 1.32

וַיֵּשֶׁב הָאָשֵׁרִי בְּקֶרֶב הַכְּנַעֲנִי יֹשְׁבֵי הָאָרֶץ כִּי לֹא הוֹרִישׁוֹ: ס

Os aseritas continuaram no meio dos cananeus. Tal como em outros casos, as populações que não tinham sido expulsas passaram a habitar entre os recém-chegados hebreus. Ao que tudo indica, os homens da tribo de Aser não puderam forçar os cananeus da região a pagar tributos ou a prestar trabalhos forçados, o que também sucedeu no caso de outras tribos (ver o vs. 30).

■ 1.33

נַפְתָּלִי לֹא־הוֹרִישׁ אֶת־יֹשְׁבֵי בֵית־שֶׁמֶשׁ וְאֶת־יֹשְׁבֵי בֵית־עֲנָת וַיֵּשֶׁב בְּקֶרֶב הַכְּנַעֲנִי יֹשְׁבֵי הָאָרֶץ וְיֹשְׁבֵי בֵית־שֶׁמֶשׁ וּבֵית עֲנָת הָיוּ לָהֶם לָמַס: ס

Naftali não expulsou. A tribo de Naftali também não conseguiu expulsar todos os cananeus de seu território, conforme se vê em Js 19.32-39, ou seja, de dezenove cidades. Todos esses lugares recebem artigos separados no *Dicionário*, incluindo as duas localidades aqui mencionadas, que não foram conquistadas. Todavia, essas populações tiveram de pagar tributo, embora lhes tivesse sido concedido um bom grau de autonomia. Cf. os vss. 28 e 30 quanto às questões de tributos e de labores forçados. As notas dadas ali também se aplicam aqui.

■ 1.34

וַיִּלְחֲצוּ הָאֱמֹרִי אֶת־בְּנֵי־דָן הָהָרָה כִּי־לֹא נְתָנוֹ לָרֶדֶת לָעֵמֶק:

Os amorreus arredaram os filhos de Dã. A tribo dos danitas também falhou, não expulsando todos os cananeus de seu território. Na verdade, os danitas tiveram mais fracassos do que sucessos, pelo que, do ponto de vista da conquista, mostrou ser a mais fraca de todas as tribos. Os amorreus (ocidentais, usados aqui como sinônimo dos cananeus) expulsaram os filhos de Dã para as montanhas e permaneceram totalmente livres no vale. O território que coube a Dã aparece em Js 19.41-46, mas ali temos um alvo apenas idealista, que nunca foi realmente conquistado pelos danitas. Ver no *Dicionário* o artigo intitulado *Amorreus*. "Os danitas encontravam-se em uma posição precária, conforme demonstram suas migrações subsequentes (cf. Jz 18.27,28; Js 19.47)" (Jacob M. Myers, *in loc.*).

Os montes mais proeminentes onde os danitas habitaram eram o Seir e o Baalá, que ficavam na fronteira com o território de Judá (ver Js 15.10,11).

■ 1.35

וַיּוֹאֶל הָאֱמֹרִי לָשֶׁבֶת בְּהַר־חֶרֶס בְּאַיָּלוֹן וּבְשַׁעַלְבִים וַתִּכְבַּד יַד בֵּית־יוֹסֵף וַיִּהְיוּ לָמַס:

Montanhas de Heres. Esse é o nome tanto de um indivíduo quanto de vários pontos geográficos da Palestina. As montanhas aqui referidas são discutidas no segundo ponto do artigo chamado *Heres*, no *Dicionário*, pelo que essas notas não são repetidas aqui. Ver no *Dicionário* o verbete denominado *Saalbim*. Esse é um lugar totalmente desconhecido. Mas sabe-se que essas cidades estavam estrategicamente localizadas, ajudando os amorreus a manter os danitas humilhados. Aijalom ficava pouco mais de dezessete quilômetros a nordeste de *Jerusalém*.

Casa de José. A menção de "José", neste ponto (dando a entender as tribos de Efraim e Manassés), é duvidosa no texto hebraico original. Poderia significar que José temia pesadamente os amorreus, e, no mínimo, sujeitou-os ao pagamento de tributos. Ou então poderia significar que a mão de José pesava muito porque os amorreus, ou seja, aquelas tribos, tinham sido incapacitados por seus inimigos. Nesse caso, José não conseguiu fazer muito mais, no tocante a seus oponentes cananeus, do que Dã tinha feito. Ou então, os amorreus, ao saírem em socorro de seus irmãos, acabaram sendo obrigados a prestar trabalhos forçados. Seja como for, Dã fracassou essencialmente, o que provocou sua migração mais para o norte, onde eles estabeleceram uma colônia em um lugar mais fácil, ou seja, Laís, ao norte do mar da Galileia (ver o capítulo 18 de Juízes quanto a essa narrativa).

■ 1.36

וּגְבוּל֙ הָאֱמֹרִ֔י מִֽמַּעֲלֵ֖ה עַקְרַבִּ֑ים מֵהַסֶּ֖לַע וָמָֽעְלָה׃ פ

O termo dos amorreus foi. Este versículo apresenta algumas dificuldades, a despeito de sua simplicidade nas traduções. Alguns manuscritos da Septuaginta dizem aqui edomitas, em lugar de amorreus. Muitos eruditos acreditam que isso reflete o texto correto, apesar do que diz o texto hebraico.

Subida de Acrabim. Sem dúvida, esse caminho estava associado aos amorreus. Ver sobre a subida de Acrabim em Nm 34.4. Mas algumas traduções dizem aqui "da rocha" ou "para cima". Outras traduções dão a entender que este é um nome próprio, *Sela*. Vários lugares tinham esse nome; e ofereci um artigo assim denominado no *Dicionário*. No tocante ao versículo presente, o lugar ainda não foi identificado. O termo significa "rocha", "pico". No grego, temos a palavra petra. Alguns estudiosos pensam que esse termo se refere à cidade de *Petra*, que recebe um artigo no *Dicionário*.

As Instruções Divinas. O povo de Israel teve a oportunidade de aprender com base em muitas adversidades e fracassos. "Poucos podem ser persuadidos de que a adversidade é uma bênção; mas, sem ela, quão pouco poderíamos aprender! O homem tem a sua mente voltada na direção de Deus na escola da aflição.

> O homem acha línguas em árvores;
> E livros em ribeiros correntes.
> ele acha sermões em pedras, e
> Encontra o bem em tudo."
>
> Adam Clarke, com algumas adaptações

CAPÍTULO DOIS

CONDIÇÕES RELIGIOSAS (2.1-5)

Os vss. 1-5 deste capítulo fornecem a primeira indicação sobre a perspectiva religiosa do autor sagrado. O Anjo do Senhor poderia ser aqui um eufemismo para Yahweh, cuja presença havia seguido Israel desde o começo, e que sempre muito requeria da parte deles. Este livro, tal como os de Êxodo e de Josué, não faz a separação entre a guerra brutal, neles descrita, e a natureza espiritual do povo de Israel. De fato, a guerra santa (ver as notas em Dt 7.1-5 e 20.10-18) foi instigada pelo próprio Yahweh, com o propósito de fomentar o desdobramento do Pacto Abraâmico. Por meio da guerra santa, a Terra Prometida viria a tornar-se possessão de Israel, como uma das principais promessas daquele pacto. Ver as notas a respeito em Gn 15.18.

Dessa maneira, o derramamento de sangue e a brutalidade promoveram a causa espiritual. Para a nossa maneira de pensar moderna, isso é difícil de engolir; mas a verdade é que guerras continuam a ocorrer, sempre que algum tirano se ergue em posição de mando. Continuamos dizendo que a violência, em certas ocasiões, oferece a solução melhor e mais rápida, porquanto alguns "grandes" líderes não passam de psicopatas, incapazes de reagir favoravelmente diante da diplomacia e das negociações. Serve de triste comentário sobre a condição da humanidade, que vive em estado de selvageria tribal, o fato de que, até hoje, a violência faz parte marcante da existência humana.

Os versículos 1—5 deste capítulo formam uma amarga queixa contra Israel, no sentido de que eles não cumpriram à risca as exigências da guerra santa. A infecção do paganismo ainda estava na Terra Prometida, infectando os israelitas e transformando-os, lentamente, em pagãos idólatras. Somente nos dias de Davi é que aquelas populações foram expulsas de todo o território da Terra Prometida, permitindo que os hebreus se apossassem integralmente de sua herança territorial. Mas esse fato não conseguiu impedir os israelitas de cair na apostasia, que, finalmente, resultou nos cativeiros, quando os filhos de Israel acabaram sendo expulsos de sua própria terra. Ver no *Dicionário* o artigo intitulado *Cativeiro (Cativeiros)*.

■ 2.1

וַיַּ֧עַל מַלְאַךְ־יְהוָ֛ה מִן־הַגִּלְגָּ֖ל אֶל־הַבֹּכִ֑ים פ וַיֹּ֡אמֶר אַעֲלֶ֣ה אֶתְכֶם֩ מִמִּצְרַ֨יִם וָאָבִ֤יא אֶתְכֶם֙ אֶל־הָאָ֔רֶץ אֲשֶׁ֥ר נִשְׁבַּ֖עְתִּי לַאֲבֹֽתֵיכֶ֑ם וָאֹמַ֕ר לֹֽא־אָפֵ֧ר בְּרִיתִ֛י אִתְּכֶ֖ם לְעוֹלָֽם׃

Subiu o anjo do Senhor. Está aqui em pauta ou um mensageiro angelical enviado por Yahweh, ou então, como um eufemismo, o próprio Yahweh. Ver no *Dicionário* os verbetes chamados *Anjo*; *Yahweh* e *Deus, Nomes Bíblicos de*.

A presença divina havia acompanhado o povo de Israel desde o princípio, por todo o exílio egípcio, durante o êxodo e, finalmente, durante a conquista da Terra Prometida. Ver Dt 4.20 quanto ao fato de que Israel foi "tirado do Egito", um tema reiterado por cerca de vinte vezes no livro de Deuteronômio.

De Gilgal a Boquim. Foi ali que o povo de Israel acampou pela primeira vez, após ter cruzado o rio Jordão, em preparação para a invasão da parte ocidental da Terra Prometida. A parte oriental (a Transjordânia) já havia sido tomada pelas tribos de Rúben, Gade e pela meia tribo de Manassés.

Em Gilgal, o povo de Deus consagrou-se de novo, e todos os homens daquela geração foram circuncidados (ver Js 5.2-12). Gilgal ficava perto de Jericó, a cena da primeira vitória de vulto no ocidente. A presença divina, pois, viera de *Gilgal* até *Boquim* (ver a respeito no *Dicionário*). A Septuaginta diz aqui: "... a Boquim, a Betel e à casa de Israel". O texto, pois, enfatiza o conceito de que a presença de Yahweh estava sempre com o povo de Israel, ajudando-o e orientando-o, ou então, repreendendo-o, quando isso se fazia necessário.

O *carvalho Alom-Bacute* (carvalho da lamentação), perto de Betel (ver Gn 35.8), tem sido sugerido como o local possível de Boquim, embora sua localização permaneça inexata até hoje. Mas o "choro" sem dúvida devia-se ao fato de que Israel não tinha conseguido tomar posse de toda a Terra Prometida, que a ele pertencia em decorrência do Pacto Abraâmico. Contudo, é provável que o pacto aqui se refira ao que é aludido em Êx 34.10 ss., os pactos mosaico e palestínico, comentados, respectivamente, na introdução ao capítulo 19 de Êxodo e na introdução ao capítulo 29 de Deuteronômio. Esses eram elementos naturais pertinentes ao Pacto Abraâmico, por serem acordos que fomentavam a causa divina iniciada com Abraão. O propósito divino era inflexível, não se deixando desanimar por coisa alguma. A presença divina, pois, garantia o cumprimento desse propósito.

O Pacto Divino Não Pode Falhar. Essa era a promessa feita por Yahweh. E isso significa que, embora possa haver retrocessos, como também desastres preliminares (tais como os cativeiros), o Pacto Abraâmico, finalmente, haverá de prevalecer, porquanto foi universalizado em Jesus Cristo (ver Ef 2.11 ss. e Gl 3.28,29).

■ 2.2

וְאַתֶּ֗ם לֹֽא־תִכְרְת֤וּ בְרִית֙ לְיֽוֹשְׁבֵי֙ הָאָ֣רֶץ הַזֹּ֔את מִזְבְּחוֹתֵיהֶ֖ם תִּתֹּצ֑וּן וְלֹֽא־שְׁמַעְתֶּ֥ם בְּקֹלִ֖י מַה־זֹּ֥את עֲשִׂיתֶֽם׃

Não fareis aliança com os moradores desta terra. Este versículo repete várias provisões próprias da guerra santa. Ver Dt 7.2,5, um paralelo direto do texto presente, pelo que as notas expositivas ali existentes também se aplicam aqui. Assim determinava a ordem divina. A pergunta era por qual motivo Israel tinha fracassado. O texto dá a entender que houve uma dependência total a Deus, porquanto ele era a "força" que lutava por Israel. Ver Êx 14.4; Dt 1.30; 3.22; 20.13; Js 10.8; 14.42; 23.3. O fato de que os inimigos de Israel na realidade eram mais fortes do que ele, além de serem sete nações, ao passo que Israel era apenas uma (Dt 7.1), não serviu, diante dos olhos de Deus, de desculpa legítima, porquanto aquelas nações pagãs não contavam com Yahweh como seu Comandante. Israel, entretanto, não conquistou todo o território que lhe cabia por direito. E, além disso, permitiu que a deplorável infecção da idolatria o contaminasse. Ver no *Dicionário* o artigo chamado *Idolatria*.

2.3

וְגַם אָמַרְתִּי לֹא־אֲגָרֵשׁ אוֹתָם מִפְּנֵיכֶם וְהָיוּ לָכֶם
לְצִדִּים וֵאלֹהֵיהֶם יִהְיוּ לָכֶם לְמוֹקֵשׁ׃

... vos serão por adversários. O povo de Israel não se esforçou como devia para fazer um trabalho completo e bem-feito, e por esse motivo foi castigado: seus adversários permaneceriam entre eles para vexá-los, servindo-lhes de laços e espinhos. Este versículo, pois, é um paralelo direto do trecho de Js 23.13. As notas expositivas dadas ali se aplicam também aqui. Não obstante, o versículo presente contém em si mesmo um conjunto mais complexo de metáforas. Cf. Nm 33.55.

Yahweh perguntou: "Que é isso que fizestes?" Mas Israel não pôde fornecer resposta, senão derramar lágrimas (ver o versículo seguinte). O que havia sido antecipado em Êx 23.31 não teve cumprimento, conforme a descrição tão gráfica de Js 13.1 ss. A idolatria estava agindo como um laço de apanhar passarinhos, ou como uma armadilha que incapacita animais terrestres. Assim, Israel acabaria servindo de presa na terra onde deveria ter sido autêntico conquistador.

2.4

וַיְהִי כְּדַבֵּר מַלְאַךְ יְהוָה אֶת־הַדְּבָרִים הָאֵלֶּה
אֶל־כָּל־בְּנֵי יִשְׂרָאֵל וַיִּשְׂאוּ הָעָם אֶת־קוֹלָם וַיִּבְכּוּ׃

Levantou o povo a sua voz e chorou. Essa foi a resposta de lágrimas. Algumas vezes, as palavras não conseguem aliviar o remorso dos fracassos evidentes. De outras vezes, nada há para ser dito. As pessoas apelam para as lágrimas, sob tais circunstâncias, e conseguem atrair a simpatia, ainda que não uma reversão das condições adversas. "Simplesmente não existe maneira pela qual um homem possa explicar a Deus por que agiu como agiu. Seus atos passados são mais misteriosos para ele mesmo do que para o seu Criador. Mas o que realmente importa não é se esses atos podem ser explicados, e, sim, se o homem é capaz de condená-los, repudiá-los e nunca mais repeti-los. O arrependimento é a única resposta apropriada diante dos pecados do homem" (Phillips P. Elliott, *in loc.*).

2.5

וַיִּקְרְאוּ שֵׁם־הַמָּקוֹם הַהוּא בֹּכִים וַיִּזְבְּחוּ־שָׁם
לַיהוָה׃ פ

Daí chamarem a esse lugar Boquim. "O pranto dos israelitas pouco mais deixou do que o nome do lugar, Boquim, 'pranto'. Mas, ao que parece, o choro não expressou um verdadeiro arrependimento, visto que os israelitas não abandonaram definitivamente a sua desobediência. Os sacrifícios oferecidos ao Senhor, em Boquim, parecem ter sido mais ritos externos do que expressão de fé autêntica" (F. Duane Lindsey, *in loc.*). Mas talvez seja mais acertado dizer que as intenções deles foram sinceras, porém Israel era muito fraco, espiritual e moralmente, para poder cumprir uma boa resolução.

Vários intérpretes identificam Boquim com Silo, onde estavam centrados o tabernáculo e o seu culto. Ver Js 18.1. Podemos ter certeza, contudo, de que os sacrifícios foram efetuados no lugar aprovado, por parte de ministros aprovados. Esses foram sacrifícios pelo pecado, porquanto Israel tinha falhado. Alguns outros estudiosos identificam Boquim com Betel, supondo que esse teria sido um lugar apropriado para oferecer aqueles sacrifícios.

DESCRIÇÃO DE JUÍZES ESPECÍFICOS (2.6—16.31)

A descrição real de juízes individuais só começa em Jz 3.7, onde Otniel é citado. Por conseguinte, a apresentação desse material é precedida pela descrição da morte de Josué e do surgimento de uma nova geração (Jz 2.6-10), a apostasia, o castigo e o livramento de Israel (2.11-19), os resultados da infidelidade (2.20-23) e a descrição do povo de Israel em meio a nações pagãs (3.1-6).

A MORTE DE JOSUÉ E O SURGIMENTO DE UMA NOVA GERAÇÃO (2.6-10)

2.6

וַיְשַׁלַּח יְהוֹשֻׁעַ אֶת־הָעָם וַיֵּלְכוּ בְנֵי־יִשְׂרָאֵל אִישׁ
לְנַחֲלָתוֹ לָרֶשֶׁת אֶת־הָאָרֶץ׃

Havendo Josué despedido o povo. Após a solene queixa e a acusação feita pelo Anjo do Senhor, o povo de Israel foi despedido. O pacto foi confirmado, e novas promessas e compromissos foram feitos. Cada indivíduo regressou à sua própria herança. O próprio fato de que havia uma herança servia de lembrete da bondade e do poder de Yahweh.

A passagem de Jz 2.6,7 (a despedida de Josué ao povo) é paralela a Js 24.25-28. Portanto, Siquém foi o local dessa despedida. Ver as notas sobre Js 24.28, que também se aplicam aqui.

2.7

וַיַּעַבְדוּ הָעָם אֶת־יְהוָה כֹּל יְמֵי יְהוֹשֻׁעַ וְכֹל יְמֵי
הַזְּקֵנִים אֲשֶׁר הֶאֱרִיכוּ יָמִים אַחֲרֵי יְהוֹשׁוּעַ אֲשֶׁר רָאוּ
אֵת כָּל־מַעֲשֵׂה יְהוָה הַגָּדוֹל אֲשֶׁר עָשָׂה לְיִשְׂרָאֵל׃

Todos os dias de Josué. Enquanto continuaram vivos os anciãos que tinham servido juntamente com Josué, Israel serviu o Senhor de maneira razoável, participando do culto no tabernáculo de Silo e evitando a contaminação do paganismo que continuava existente em seu meio, por causa da presença de povos pagãos que não haviam sido expulsos dentre eles (ver Js 13.1 ss. e o primeiro capítulo do livro de Juízes). Os israelitas daquela geração foram testemunhas oculares das maravilhas realizadas por Yahweh, e isso, sem dúvida, fazia parte dos notáveis prodígios do Senhor. Ver Js 24.24 quanto à intenção dos israelitas de servir e obedecer, que agora, segundo nos é dito, fora cumprida. Ver Js 24.31 quanto a um paralelo exato. Ver Dt 10.12 quanto às palavras-chaves da espiritualidade: temer, andar, amar, servir e guardar os mandamentos. Josué talvez tenha vivido até trinta anos depois da conquista militar, pelo que Israel continuou avançando corretamente por cerca de uma geração. O restante do livro de Juízes registra uma tremenda oscilação entre a apostasia e a restauração, mas, de modo geral, prevaleceu a desintegração.

"A tendência gradual para a deterioração, após a remoção de um bom governante, é perfeitamente comum. Cf. At 20.29 e Fp 2.12" (Ellicott, *in loc.*).

2.8,9

וַיָּמָת יְהוֹשֻׁעַ בִּן־נוּן עֶבֶד יְהוָה בֶּן־מֵאָה וָעֶשֶׂר שָׁנִים׃
וַיִּקְבְּרוּ אוֹתוֹ בִּגְבוּל נַחֲלָתוֹ בְּתִמְנַת־חֶרֶס בְּהַר
אֶפְרָיִם מִצְּפוֹן לְהַר־גָּעַשׁ׃

Faleceu Josué, filho de Num. Estes dois versículos formam um paralelo exato com Js 24.29,30. As notas expositivas dadas ali se aplicam também aqui. Em contraste com o que fizera Moisés, Josué não nomeou seu sucessor (ver Js 1.1-9 e Nm 27.12-23 quanto à nomeação de Josué). Josué, o servo de Yahweh, desempenhou a contento o seu ofício de servo-governante teocrático. Ver Js 1.1; 2Sm 3.18; 2Cr 32.16; Is 52.13-15; 53.11 (os últimos dois versículos referem-se ao Messias).

2.10

וְגַם כָּל־הַדּוֹר הַהוּא נֶאֶסְפוּ אֶל־אֲבוֹתָיו וַיָּקָם
דּוֹר אַחֵר אַחֲרֵיהֶם אֲשֶׁר לֹא־יָדְעוּ אֶת־יְהוָה וְגַם
אֶת־הַמַּעֲשֶׂה אֲשֶׁר עָשָׂה לְיִשְׂרָאֵל׃ ס

Outra geração... que não conhecia ao Senhor. A espiritualidade morreu juntamente com a geração mais antiga. Todas as testemunhas oculares já haviam morrido. Não havia mais ninguém que pudesse dizer "eu vi". À nova geração restava ler livros e ouvir histórias. A lei do amor também não havia sido implantada no coração deles. As populações pagãs ao redor tinham-nos infectado com a doença da idolatria. Não conheciam, pois, a Yahweh; nem tinham contemplado suas obras admiráveis. Eles eram espiritualmente estéreis. O fato de não conhecerem a Yahweh significava que também "não o reconheciam" (ver Pv 3.6). No coração deles predominava a incredulidade acerca de todos os relatos sobre o passado glorioso de Israel. Não demoraria nada para que a idolatria substituísse a Yahweh, e o monoteísmo yahwista estava prestes a sofrer tremenda derrota. A geração antiga estava morta e sepultada; a espiritualidade da nova geração estava morta e sepultada.

"A experiência religiosa vital da antiga geração não pode ser facilmente comunicada à nova geração. Cada geração precisa encontrar Deus por si mesma. A fé de nossos pais é valiosa não quando é reverenciada por seus próprios méritos, mas quando se torna o estímulo para que cheguemos a uma fé semelhante. Muitos homens que se mostram sentimentais quando relembram a piedade de seus pais não sentem nenhuma necessidade ou obrigação de exibir devoção idêntica" (Phillips P. Elliott, *in loc.*).

> A fé de nossos pais amaremos
> ...
> E também pregaremos, o amor sabe como,
> Em palavras bondosas e vida virtuosa.
>
> Frederick W. Faber

A APOSTASIA, A PUNIÇÃO E O LIVRAMENTO DE ISRAEL (2.11-19)

"Esta seção declara, de forma sucinta, o conceito deuteronômico da história de Israel. Os quatro princípios básicos em torno dos quais o autor do Deuteronômio teceu a sua história são estes: 1. desvio; 2. opressão; 3. oração; 4. livramento. Estes nove versículos, como se fossem a introdução de um livro que mostra os princípios a serem seguidos em seus diversos capítulos, fornecem a chave para a visão do editor sobre a religião e a história, a qual se aplica aos materiais que ele está prestes a apresentar. A fórmula padrão de introdução é: 'E o povo de Israel fez o que era mau aos olhos do Senhor' (ver 3.7,12; 4.1; 6.1; 10.6; 13.1; Dt 4.25; 9.18; 17.2; 31.29). O termo 'mau' refere-se às ofensas de cunho religioso" (Jacob M. Myers, *in loc.*).

A história de cerca de três séculos foi assim sumariada, do ponto de vista religioso. O que temos aqui é mais do que uma série de ciclos de eventos. De fato, o que encontramos no livro de Juízes é, essencialmente, uma espiral descendente. Ver Jz 2.19 quanto ao amargo comentário do autor sagrado sobre as condições então vigentes.

Treze Mensageiros. Esses mensageiros foram os juízes, incumbidos de tentar preservar alguma coisa em meio ao caos reinante. Houve sete apostasias, sete servidões a potências estrangeiras e sete livramentos da parte do Senhor. Mas nunca mais houve a restauração às glórias antigas.

■ 2.11

וַיַּעֲשׂ֧וּ בְנֵֽי־יִשְׂרָאֵ֛ל אֶת־הָרַ֖ע בְּעֵינֵ֣י יְהוָ֑ה וַיַּעַבְד֖וּ אֶת־הַבְּעָלִֽים׃

Então fizeram os filhos de Israel o que era mau. Temos aí a expressão introdutória padrão, uma espécie de fórmula-chave para introduzir algum fracasso lamentável. Ver o primeiro parágrafo da introdução anteriormente, quanto a uma lista de referências onde essa expressão foi usada. A apostasia sob a forma de idolatria também foi a principal queixa do autor sagrado, sempre que iniciou uma seção com essa fórmula. Ver no *Dicionário* o artigo intitulado *Idolatria*.

"Eles caíram precisamente na idolatria contra a qual tinham sido tão enfaticamente advertidos (Dt 4.19)" (Ellicott, *in loc.*).

Serviram aos Baalins. Baal e Astarote (vs. 13) eram os deuses masculino e feminino dos cananeus. A forma plural, *báalos*, aqui usada, evidentemente refere-se aos muitos cultos locais da adoração ao deus Baal. Ver no *Dicionário* o verbete intitulado *Baal (Baalismo)*. Usualmente, Baal era apresentado como uma deidade cósmica. O versículo 13 deste capítulo dá a forma singular do nome. O baalismo original, ao que tudo indica, teve origem fenícia, embora possam ser encontrados traços por todo o mundo cananeu, até mesmo em nomes próprios cartagineses, como Hasdrubal, Hanibal, Haherbal, Aderbal etc.

■ 2.12

וַיַּעַזְב֞וּ אֶת־יְהוָ֣ה ׀ אֱלֹהֵ֣י אֲבוֹתָ֗ם הַמּוֹצִ֣יא אוֹתָם֮ מֵאֶ֣רֶץ מִצְרַיִם֒ וַיֵּלְכ֞וּ אַחֲרֵ֣י ׀ אֱלֹהִ֣ים אֲחֵרִ֗ים מֵאֱלֹהֵ֤י הָֽעַמִּים֙ אֲשֶׁר֙ סְבִיב֣וֹתֵיהֶ֔ם וַיִּֽשְׁתַּחֲו֖וּ לָהֶ֑ם וַיַּכְעִ֖סוּ אֶת־יְהוָֽה׃

Deixaram ao Senhor Deus de seus pais. Yahweh tinha efetuado um tremendo livramento de Israel do Egito (um tema reiterado por cerca de vinte vezes no Deuteronômio; ver as notas expositivas a respeito em Dt 4.20). O autor sacro mencionou aqui uma evidência conspícua do poder e do socorro prestado por Yahweh, embora esperasse que lembrássemos a história inteira de Israel em seu relacionamento com Yahweh. Porém, a despeito de tudo quanto tinha sido feito, os hebreus acabaram por cair na temível idolatria contra a qual haviam sido advertidos.

Os filhos de Israel caíram vítimas da idolatria estando já na Terra Prometida, a qual tinham recebido como herança da parte de Yahweh, graças ao Pacto Abraâmico (ver os comentários a respeito em Gn 15.18). Esse desvio ocorreu apesar de sua história ilustre. Foi uma queda que laborava contra a própria história. Baal e Astarote nada tinham feito em favor deles; no entanto, eles preferiram formas religiosas vazias. Todo pecado rema contra a história, pois o homem espiritual tem consciência de que não deve agir dessa forma, em vista do registro histórico tanto universal quanto pessoal. Israel esqueceu-se de Yahweh, e isso por escolha deliberada. Ver Js 24.15, onde os hebreus foram convidados a "escolher", e onde responderam que escolheriam o certo, Yahweh. Israel, pois, quebrou todos os seus votos.

Ensinou Jesus: "Ninguém pode servir a dois senhores" (Mt 6.24). O yahwismo não chegou a morrer totalmente em Israel; mas ficou poluído mediante elementos e corrupções estrangeiras. Alguns evangélicos continuam tendo dificuldades com os ídolos. A maioria daqueles que rejeitaram a idolatria crassa ainda assim mantêm ídolos no coração e na mente, tais como o dinheiro, o poder, o reconhecimento, os prazeres etc. Outros deixam-se envolver em uma franca idolatria, como se fossem meros pagãos. Todos somos cercados por formas sutis de idolatria, que nos vexam e furtam a sua espiritualidade.

Yahweh, pois, foi provocado ao zelo e à ira, o que, inevitavelmente, resultou em um severo julgamento. Ver Nm 12.9 quanto à ira do Senhor; ver acerca de Yahweh como um Deus zeloso em Dt 4.24; 5.9; 6.15 e 32.16,21.

■ 2.13

וַיַּעַזְב֖וּ אֶת־יְהוָ֑ה וַיַּעַבְד֥וּ לַבַּ֖עַל וְלָעַשְׁתָּרֽוֹת׃

Porquanto deixaram o Senhor. Tentações de toda sorte avassalaram o povo de Israel; eles perderam de vista a sua própria história; Yahweh tornou-se apenas outro nome para outro deus. Dadas essas condições, foi fácil iniciar uma participação ativa nos cultos de divindades masculinas e femininas dos pagãos que viviam próximo ou mesmo entre eles. Provi no *Dicionário* artigos detalhados chamados *Baal (Baalismo)* e *Astarote*. Ver sobre a forma plural desse nome, Baalins, nas notas sobre o vs. 11. Havia muitos cultos diferentes dentre os quais os hebreus poderiam escolher, pelo que qualquer imaginação desviada poderia ter atraído a atenção deles. Entre os cananeus, a deusa Astarote era a consorte de Baal. Entre os assírios, ela era conhecida como 'Athtart, e entre os babilônios, como Istar. Isso posto, o culto a ela era uma espécie de religião mundial. Astarote era a deusa da fertilidade. A adoração a Baal era acompanhada pela violência e pela imoralidade mais aviltantes.

Astarote. Esta palavra, no original hebraico, está na forma plural. Assim como havia muitas formas de baalismo (o que é indicado pela forma plural do nome, *bálanos*, no vs. 11 deste capítulo), também havia muitas variações da adoração à deusa Astarote, a deusa cananeia da fertilidade e da guerra. No trecho de Jr 7.10 e 44.17, ela aparece como a "rainha dos céus". E, entre os fenícios, com frequência era chamada Baalti, ou seja, "minha senhora". Quanto a detalhes completos a respeito, ver os vários artigos referidos anteriormente.

■ 2.14

וַיִּֽחַר־אַ֤ף יְהוָה֙ בְּיִשְׂרָאֵ֔ל וַֽיִּתְּנֵם֙ בְּיַד־שֹׁסִ֔ים וַיָּשֹׁ֖סּוּ אוֹתָ֑ם וַֽיִּמְכְּרֵ֞ם בְּיַ֤ד אוֹיְבֵיהֶם֙ מִסָּבִ֔יב וְלֹא־יָכְל֣וּ ע֔וֹד לַעֲמֹ֖ד לִפְנֵ֥י אוֹיְבֵיהֶֽם׃

Pelo que a ira do Senhor se acendeu. Tinham sido provocados o zelo e a ira de Yahweh, e o resultado inevitável foi o juízo divino. Ver as notas sobre o versículo anterior, acerca da ira e do zelo de Yahweh.

E os deu na mão dos espoliadores. Populações que moravam nas cercanias de Israel, ouvindo falar da prosperidade dos hebreus, estavam sempre prontas para atacar, matar e roubar. Enquanto Israel mostrou-se obediente, tais inimigos, embora sempre presentes e vigilantes, foram mantidos à distância. Mas uma nação desobediente de Israel tornou-se presa fácil daqueles selvagens. Assim sendo, no livro dos Juízes, temos a história de sete apostasias e de sete servidões de Israel a poderes estrangeiros. O castigo imposto por Yahweh, a seu povo desobediente e desviado, era simplesmente entregá-lo nas mãos dos inimigos que os haviam contaminado mediante a idolatria. A história dos muitos assaltos e pilhagens do povo de Israel, por parte de várias populações, ilustra o fato de que Israel estava cercado por inimigos. A Terra Prometida supostamente lhes pertencia, mas na realidade aquele foi um lugar de constante hostilidade e de muitos perigos. A derrota dos israelitas, às mãos de seus adversários (ver o vs. 15; Lv 26.17; Dt 28.25,48), resultava da intervenção da mão de Yahweh, para castigar os filhos de Israel devido à sua idolatria. Cf. Sl 78.59; 106.34-45; Dt 32; 2Rs 17; 24.2-4; 2Cr 36.11-21 e Jr 11.2-10.

■ **2.15**

בְּכֹל ׀ אֲשֶׁר יָצְאוּ יַד־יְהוָה הָיְתָה־בָּם לְרָעָה כַּאֲשֶׁר דִּבֶּר יְהוָה וְכַאֲשֶׁר נִשְׁבַּע יְהוָה לָהֶם וַיֵּצֶר לָהֶם מְאֹד׃

Por onde quer que saíam, a mão do Senhor era contra eles. Persistentemente, os juízes de Yahweh contra Israel provocavam uma agitação constante. Isso sumaria o período dos Juízes, quando Israel se achava em uma radical espiral descendente. Os treze juízes (ver o versículo seguinte) que foram levantados por Yahweh conferiram-lhes um alívio meramente temporário; mas o problema, na verdade, nunca foi resolvido de forma definitiva.

"Eles não prosperavam em nenhum empreendimento em que se metessem ou em que pusessem a mão, em nenhuma expedição que fizessem, ou quando saíam à guerra, conforme Kimchi, Ben Melech e Abarbinel explicaram a questão. A batalha sempre lhes era desfavorável, pois Deus era contra eles" (John Gill, *in loc.*). Yahweh, porém, tinha avisado sobre os temíveis resultados da queda na idolatria (ver Dt 29.12-29; ver também Dt 28.25 e Lv 26.17-46).

"O mesmo poder que, anteriormente, os havia protegido, quando se mostravam obedientes, agora se voltava contra eles, porque se tinham tornado desobedientes. Não somente eles não dispunham da presença de Deus, mas também o tinham contra eles" (Adam Clarke, *in loc.*).

■ **2.16**

וַיָּקֶם יְהוָה שֹׁפְטִים וַיּוֹשִׁיעוּם מִיַּד שֹׁסֵיהֶם׃

Suscitou o Senhor juízes. Isso reflete certa medida da misericórdia divina. Israel estava em um período de desgraça, mas finalmente haveria uma restauração. Davi haveria de reverter muita coisa errada. Ele seria outro instrumento especial de Yahweh. Porém, isso ainda distava cerca de cinco séculos. Entrementes, aos juízes foi concedido fazer alguma coisa, periodicamente, para aliviar os sofrimentos de Israel, que, afinal de contas, eram autoinfligidos. Este versículo funciona como uma espécie de sumário, uma breve declaração acerca do que significavam e do que faziam os juízes.

Yahweh não realizava intervenções miraculosas e grandiosas, conforme tinha ocorrido nos casos de Moisés e de Josué. Pelo contrário, ele realizava pequenas intervenções, mediante instrumentos cuidadosamente escolhidos, esperando pelo dia em que poderia fazer algo mais poderoso.

Ver os treze juízes de Israel, ilustrados na seção imediatamente anterior a Jz 1.1, onde apresentei um gráfico.

É significativo que a palavra final, neste caso, não é punição, e, sim, salvação. E isso se mostra em harmonia com as operações gerais e habituais de Deus. Ver na *Enciclopédia de Bíblia, Teologia e Filosofia* o artigo intitulado *Restauração*. Ver também as notas expositivas sobre 1Pe 4.6 no *Novo Testamento Interpretado*.

■ **2.17**

וְגַם אֶל־שֹׁפְטֵיהֶם לֹא שָׁמֵעוּ כִּי זָנוּ אַחֲרֵי אֱלֹהִים אֲחֵרִים וַיִּשְׁתַּחֲווּ לָהֶם סָרוּ מַהֵר מִן־הַדֶּרֶךְ אֲשֶׁר הָלְכוּ אֲבוֹתָם לִשְׁמֹעַ מִצְוֹת־יְהוָה לֹא־עָשׂוּ כֵן׃

Contudo não obedeceram. A medida divina misericordiosa (vs. 16) não se mostrou eficaz naqueles tempos de desobediência. Israel, por repetidas vezes, recaía na idolatria, tendo de pagar caro por sua insensatez. Nenhuma chance de melhoria que lhes fosse oferecida parecia ser suficiente. Toda oportunidade era anulada. A lei fora dada a fim de ser obedecida, mas Israel tinha habilidade para desobedecer. O autor sagrado, usando de uma linguagem que descreve em grandes pinceladas, sumariou a espiral descendente que houve entre os dias de Josué e os dias de Davi, quando, finalmente, a situação deu uma guinada definitiva e duradoura.

Antes se prostituíram após outros deuses. Consideremos estes dois pontos: 1. a idolatria era considerada uma prostituição moral e espiritual; 2. os cultos cananeus envolviam muita prostituição literal, como parte de sua religião. Ver Êx 34.15; Is 54.5; Jr 3.8; Ez 23.37; Os 2.7; 2Co 11.2 quanto à idolatria como adultério e prostituição espirituais.

■ **2.18**

וְכִי־הֵקִים יְהוָה לָהֶם שֹׁפְטִים וְהָיָה יְהוָה עִם־הַשֹּׁפֵט וְהוֹשִׁיעָם מִיַּד אֹיְבֵיהֶם כֹּל יְמֵי הַשּׁוֹפֵט כִּי־יִנָּחֵם יְהוָה מִנַּאֲקָתָם מִפְּנֵי לֹחֲצֵיהֶם וְדֹחֲקֵיהֶם׃

Porquanto o Senhor se compadecia deles. Em meio ao caos, Yahweh mostrava-se compassivo e enviava a Israel algum juiz. Na verdade, o aparecimento de um juiz era apenas um paliativo, pois nada curava de fato, mas apenas concedia a Israel um breve período de alívio. O autor sacro repete aqui ideias que já haviam sido expressas nos dois versículos anteriores. A mão de Yahweh pesava sobre Israel por causa de suas maldades. Mas eis que então o Senhor se compadecia deles e se "arrependia". Quanto a notas expositivas completas sobre o arrependimento divino, ver Êx 32.14.

A morte de um juiz, entretanto, significava reversão instantânea das boas circunstâncias temporárias, e o ciclo horrendo começava de novo. Um povo de Israel deteriorado caía em corrupções periódicas com tremenda facilidade. Nenhum juiz foi capaz de curar a enfermidade crônica dos israelitas. Os juízes eram "líderes carismáticos provenientes de quase todos os níveis sociais e profissões. Eram chamados para livrar seus irmãos em ocasiões específicas, em virtude de sua reputação como pessoas sobre quem repousava o favor divino, tornando-se possuidores de dons especiais. Eles eram líderes ou indivíduos para quem a comunidade olhava com respeito. Não eram advogados. Mas, depois que o perigo de alguma situação específica passava, o povo recusava-se a dar ouvidos... e desertava para outros deuses" (Jacob M. Myers, *in loc.*).

Quanto aos juízes e às localidades onde puderam aliviar as pressões exercidas pelos diversos adversários, ver o mapa ilustrativo que figura imediatamente antes da exposição sobre Jz 1.1.

■ **2.19**

וְהָיָה ׀ בְּמוֹת הַשּׁוֹפֵט יָשֻׁבוּ וְהִשְׁחִיתוּ מֵאֲבוֹתָם לָלֶכֶת אַחֲרֵי אֱלֹהִים אֲחֵרִים לְעָבְדָם וּלְהִשְׁתַּחֲוֹת לָהֶם לֹא הִפִּילוּ מִמַּעַלְלֵיהֶם וּמִדַּרְכָּם הַקָּשָׁה׃

Reincidiam, e se tornavam piores do que seus pais. Os juízes eram uma força instrutiva e constrangedora. Porém, uma vez libertos da boa influência de algum juiz, o povo de Israel ansiosamente deslizava de volta a seus habituais caminhos idólatras. Não havia cura definitiva. Na verdade, a situação ia piorando gradativamente.

Nada deixavam... da obstinação dos seus caminhos. Essa atitude é descrita como "dura cerviz" (pescoço endurecido) em Êx 32.9; Dt 10.16 e At 7.51. "Deve-se observar que, na Bíblia, não há nada de satisfação nacional extravagante, que macula tanto o Talmude" (Ellicott, *in loc.*). Na realidade, a Bíblia sempre retrata o povo de Israel como ele se mostrou frequentemente, ou seja, um filho rebelde, que participava ansiosamente dos vícios dos povos pagãos.

"... prosseguiam no caminho tortuoso que eles mesmos tinham escolhido de todo o coração, e no qual persistiam de forma obstinada, revelando-se esclerosados e de dura cerviz; e assim mostravam ser duros, perturbadores, causadores de aflições" (John Gill, *in loc.*).

RESULTADO DE SUA INFIDELIDADE CONSTANTE (2.20-23)

A Lei Moral da Colheita segundo a Semeadura (ver a respeito no *Dicionário*) não permitia que Israel pusesse em prática a sua infidelidade insensata sem uma devida retribuição. Essas coisas, porém, aconteceram para o nosso aprendizado. O apóstolo Paulo conhecia bem a lei da semeadura e sua colheita (ver Gl 6.7,8). Ver também Rm 15.4.

O autor sagrado fornece-nos quatro razões teológicas pelas quais os cananeus não foram completamente expulsos da Terra Prometida:

1. Eles eram um dos meios usados por Yahweh para punir ao desobediente povo de Israel (Jz 2.2,20,21; cf. Js 23.1-13).
2. Eles foram usados como um dos meios para provar se Israel já teria chegado ao ponto de uma fidelidade genuína (Jz 2.22; 3.4). A lei precisava ser obedecida.
3. Eles proviam a Israel experiência nas artes militares, condição fundamental para sobrevivência de um povo naqueles dias antigos (Jz 3.2).
4. Eles foram deixados ali para cuidar da terra, não permitindo a sua desertificação, enquanto Israel não fosse capaz de cuidar de todo o território. Essa razão é apresentada em Dt 7.20-24.

■ 2.20

וַיִּחַר־אַף יְהוָה בְּיִשְׂרָאֵל וַיֹּאמֶר יַעַן אֲשֶׁר עָבְרוּ הַגּוֹי הַזֶּה אֶת־בְּרִיתִי אֲשֶׁר צִוִּיתִי אֶת־אֲבוֹתָם וְלֹא שָׁמְעוּ לְקוֹלִי׃

A ira do Senhor se acendeu contra Israel. Era imperioso que a ira divina se manifestasse contra um povo desobediente, em consonância com a lei da colheita segundo a semeadura. Ver a introdução a esta seção (anteriormente), quanto a como essa lei funciona. Nas notas sobre o versículo anterior, são dadas quatro razões pelas quais os cananeus não foram inteiramente expulsos da Terra Prometida.

Este povo transgrediu a minha aliança. Está em pauta, particularmente, o Pacto Mosaico, cujas notas expositivas aparecem no capítulo 19 de Êxodo. Ver também sobre o Pacto Palestínico, nas notas de introdução ao capítulo 29 de Deuteronômio. Ver no *Dicionário* o artigo intitulado *Pactos*. Todos esses pactos, entretanto, eram apenas desdobramentos do Pacto Abraâmico (anotado em Gn 15.18). Os pactos estabeleciam as condições, havendo papéis a serem desempenhados tanto por Deus quanto pelos israelitas. As violações, como é óbvio, resultavam em acontecimentos horríveis, enviados sob a forma de punições. Ver no *Dicionário* o artigo intitulado *Ira de Deus*.

"A aliança, neste caso, praticamente aponta para os mandamentos que foram dados pelo Senhor no monte Sinai. O lado humano dessa aliança era a obediência e a fidelidade. Visto que Israel não obedeceu, o escritor acreditava que os elementos estrangeiros, deixados na Palestina após a morte de Josué, ali permaneceram para submeter Israel a teste, ou seja, para descobrir se o povo se apegaria ou não à fé de seus antepassados" (Jacob M. Myers, *in loc.*).

■ 2.21

גַּם־אֲנִי לֹא אוֹסִיף לְהוֹרִישׁ אִישׁ מִפְּנֵיהֶם מִן־הַגּוֹיִם אֲשֶׁר־עָזַב יְהוֹשֻׁעַ וַיָּמֹת׃

Não expulsarei mais de diante dele a nenhuma das nações. A teimosia de Israel levou o Senhor a resolver deixar porções das sete nações cananeias (ver Dt 7.1 e Êx 33.2) na Terra Prometida; e isso pelas quatro razões que dei na introdução à seção, antes das notas sobre o versículo anterior. Cf. Js 23.16, quanto à transgressão da aliança; e ver as notas sobre o versículo anterior quanto a uma explicação do que se deve entender com a palavra "aliança", neste texto.

■ 2.22

לְמַעַן נַסּוֹת בָּם אֶת־יִשְׂרָאֵל הֲשֹׁמְרִים הֵם אֶת־דֶּרֶךְ יְהוָה לָלֶכֶת בָּם כַּאֲשֶׁר שָׁמְרוּ אֲבוֹתָם אִם־לֹא׃

Para por elas provar a Israel. Temos aqui e em Jz 3.4 a segunda das quatro razões pelas quais Yahweh deixou alguns adversários de Israel no interior da Terra Prometida (ver a introdução ao vs. 20). Aquelas populações tornaram-se um meio para testar se aquela geração do povo de Israel se mostraria melhor do que as gerações passadas.

Cada geração precisava ser submetida a teste. Israel não seria considerado bom hoje, por ter sido considerado bom no dia de ontem; nem seria considerado mau, por ter sido considerado mau no dia de ontem. Cada geração precisava provar que vivia à altura das condições da aliança com Deus, ou seja, de forma obediente (ver Jz 2.17). Essa obediência manifestava-se sobretudo na rejeição à idolatria pagã, com uma consequente lealdade a Yahweh.

Naturalmente, em todos os testes a que Deus submete os homens, há um positivo elemento de misericórdia, o que transforma esses testes em meios de aprimoramento. De fato, até o próprio julgamento tem essa finalidade (ver 1Pe 4.6). Ver no *Dicionário* o verbete intitulado *Julgamento de Deus dos Homens Perdidos* quanto à ilustração desse princípio mesmo no caso dos perdidos.

■ 2.23

וַיַּנַּח יְהוָה אֶת־הַגּוֹיִם הָאֵלֶּה לְבִלְתִּי הוֹרִישָׁם מַהֵר וְלֹא נְתָנָם בְּיַד־יְהוֹשֻׁעַ׃ פ

Assim o Senhor deixou ficar aquelas nações. O autor sagrado torna a referir-se às quatro razões pelas quais Yahweh não expulsou de todo as populações cananeias da Terra Prometida. Por conseguinte, um decreto divino garantiu a permanência daqueles remanescentes de cananeus na Palestina, até os dias de Davi, quando, finalmente, Yahweh reverteu para melhor o curso dos acontecimentos. Por assim dizer, Deus criou precipícios e obstáculos. Os homens precisam ser submetidos a testes e disciplinas. Podemos olhar para o passado e constatar como crescemos através desses testes.

"Muitos, ao olharem para trás, reconhecem a sua dívida diante de lugares íngremes ao longo do seu caminho; diante dos obstáculos que impediram o seu avanço; diante das competições das tarefas recebidas; diante das cargas que tiveram de suportar. Assim também o povo de Israel, ao olhar para o seu passado, podia ver a mão de um Deus compassivo no fato de que o Senhor deixara aquelas nações, sem expulsá-las de uma vez por todas" (Phillips P. Elliott, *in loc.*).

CAPÍTULO TRÊS

ISRAEL ENTRE AS SETE NAÇÕES (3.1-6)

Antes de iniciar a longa seção que descreve cada um dos treze juízes e seus atos, separadamente, o autor sacro forneceu-nos uma breve descrição da situação de Israel na Terra Prometida; e isso nos deixa com um relatório deveras lamentável. Em face dessa triste situação, foi mister que Yahweh levantasse juízes que trouxessem breves períodos de alívio e de melhoramentos na conduta dos hebreus. De outra sorte, Israel teria sido completamente esmagado dentro do seu próprio território pátrio, por cuja possessão tanto havia lutado. A época dos juízes, portanto, foi uma espécie de período de "marcar passo", até que algo mais definitivo pudesse ser feito, o que se realizou através de Davi e Salomão, quando os filhos de Israel puderam descansar de seus inimigos internos. Porém, lá fora continuavam palpitando os inimigos externos, ou seja, os assírios e os babilônios, que acabariam produzindo os cativeiros e esvaziando a Terra Prometida dos israelitas, da mesma maneira que as sete nações cananeias tinham sido, finalmente, eliminadas.

Na introdução às notas sobre o vs. 20 do capítulo anterior, apresentei as quatro razões pelas quais nem todos os membros das sete nações cananeias, que antes tinham ocupado a Terra Prometida, foram expulsos. A seção diante de nós dá prosseguimento a essas razões. A lista das nações remanescentes foi prefaciada por duas das razões, que são paralelas ao que se lê em Jz 2.22. São dadas a segunda e a terceira dessas razões, a saber: para servirem de teste e para outorgarem experiência nas lides da guerra, que qualquer povo precisava ter naquele hostil mundo antigo. Para Israel, uma guerra bem-sucedida significava estar andando sob o poder e a orientação de Yahweh, e não apenas saber como matar.

■ 3.1

וְאֵלֶּה הַגּוֹיִם אֲשֶׁר הִנִּיחַ יְהוָה לְנַסּוֹת בָּם אֶת־יִשְׂרָאֵל אֵת כָּל־אֲשֶׁר לֹא־יָדְעוּ אֵת כָּל־מִלְחֲמוֹת כְּנָעַן׃

CRONOLOGIA DO TEMPO DOS JUÍZES

Datas*	Eventos de Destaque	Juízes	Referências Bíblicas
1230	Conquista de Canaã por Israel		
1220	O início do estabelecimento dos filisteus na Palestina		
1205	O massacre da concubina de um levita e os resultados desastrosos		19.1—21.25
1200	Início do período dos juízes		2.7
1190	Vitória militar sobre Cusã-Risataim	Otniel	3.7-11
1170	Vitória sobre os moabitas	Eúde	3.12-30
1150	Derrota dos filisteus	Sangar	3.31
1125	Derrota de Jabim	Débora e Baraque	4.1—5.31
1110	Midianitas vencidos	Gideão	6.1—8.35
1085	Poder usurpador em Siquém	Abimeleque	9.1—56
1070	Amonitas vencidos	Jefté	10.9—12.7
	Filisteus vencidos	Sansão	13.1—16.31
1060	Migração dos danitas		18.1-31
1050	Os filisteus vencem Israel duas vezes; capturam a arca da aliança; morte de Eli e destruição de Silo		1Sm 4.1-22; Sl 78.59-64; Jr 7.14
1040	Um juiz quase nacional	Samuel	1Sm cap. 3 ss.
1020	Saul ungido rei sobre Israel; termina o período dos juízes		1Sm 10.1,24; 11.15

*As datas (a.C.) são aproximadas, e algumas delas, disputadas.

JUÍZES LOCAIS

Os juízes foram provinciais, exercendo poder sobre áreas restritas, não sobre Israel inteiro. A monarquia unifcou o país.

Juízes e Localidades de Poder

Otniel Sul
Eúde Sudeste
Sangar Sudoeste
Débora e Baraque Central-norte
Abimeleque Central
Jefté Central-sudeste
Sansão Sudoeste
Samuel Oeste-central-leste

As nações, que o Senhor deixou. Este versículo repete a segunda das quatro razões pelas quais os cananeus não foram totalmente expulsos da Terra Prometida. Ver os vss. 20-22 do segundo capítulo, onde explico a questão. Uma guerra santa (ver as notas em Dt 7.1-5 e 20.10-18) era, literalmente, uma luta até a morte. Não podia haver sobreviventes. Yahweh usou a severidade da vida antiga para submeter Israel a teste, a fim de que cada geração aprendesse a obediência, e assim pudesse obter uma grande recompensa. "Como poderíamos pensar em ganhar uma grande recompensa, se nos recusamos a lutar?", assim pergunta um antigo hino. A lei tinha de ser obedecida.

As guerras de Canaã. Estão aqui em mira as guerras daquela geração de israelitas que conquistou a Terra Prometida, ou seja, as guerras de conquista. As gerações subsequentes tiveram de enfrentar as suas próprias guerras, a fim de aprenderem as suas próprias lições. A experiência é uma aquisição pessoal. As gerações posteriores não podiam tomar por empréstimo as experiências da geração de Josué, tornando-as propriedades suas.

■ 3.2

רַק לְמַעַן דַּעַת דֹּרוֹת בְּנֵי־יִשְׂרָאֵל לְלַמְּדָם מִלְחָמָה
רַק אֲשֶׁר־לְפָנִים לֹא יְדָעוּם:

Para lhes ensinar a guerra. Este versículo enumera a terceira das quatro razões pelas quais remanescentes das sete nações cananeias foram deixados na Terra Prometida, a fim de vexarem a Israel. Era necessário que os filhos de Israel aprendessem a guerrear, em um mundo hostil, pois, caso contrário, certamente não conseguiriam sobreviver. Para o autor sagrado, porém, aprender a guerrear era fazê-lo sob a direção de Yahweh e em dependência a ele, e não apenas aprender a matar o inimigo. Portanto, guerrear, no sentido verdadeiro, de acordo com o autor sacro, era um ato de fé e obediência. Israel precisava ter essa experiência em cada uma de suas gerações.

"Os israelitas não podiam olvidar a disciplina militar. Eles precisavam estar habituados com o uso das armas, a fim de que fossem capazes de defender-se dos ataques de seus adversários. Se fossem fiéis a Deus, então não careceriam aprender a arte de guerrear; mas agora as armas eram uma espécie de substituto necessário para que recuperassem as forças espirituais que tinham perdido. Assim sendo, Deus, em seus julgamentos, permite que uma nação iníqua ataque e atormente a outra. Se todos se voltassem para Deus, os homens não mais precisariam aprender a guerrear" (Adam Clarke, *in loc.*).

■ 3.3

חֲמֵשֶׁת סַרְנֵי פְלִשְׁתִּים וְכָל־הַכְּנַעֲנִי וְהַצִּידֹנִי וְהַחִוִּי
יֹשֵׁב הַר הַלְּבָנוֹן מֵהַר בַּעַל חֶרְמוֹן עַד לְבוֹא חֲמָת:

Cinco príncipes dos filisteus. Aqui o autor sagrado revela-nos exatamente quais povos tinham vexado a nação de Israel.

Os príncipes filisteus eram os governantes das principais cidades-estados da Filístia: *Gaza, Asdode, Asquelom, Gate* e *Ecrom*, todas as quais recebem artigos separados no *Dicionário*. Ver Js 13.3 quanto a essa lista. Três desses lugares haviam sido conquistados por Judá: Gaza, Asquelom e Ecrom (ver Jz 1.18). Mas acabaram sendo reconquistadas pelos filisteus (ver no *Dicionário* o artigo chamado *Filisteus*).

Todos os nomes próprios que aparecem neste versículo recebem artigos separados no *Dicionário*. Ver sobre os sidônios em Js 14.4. Estão em pauta os fenícios. A grande metrópole de *Sidom* (ver a respeito no *Dicionário*) deu seu nome a todo aquele território, mesmo depois que a cidade próxima, Tiro, tornou-se mais poderosa e mais próspera, transformando-se assim na capital política e comercial daquele país.

O território dos heveus é aqui esboçado. Eles dominavam o monte Líbano (ver Js 13.5,6), e também desde o monte Baal-Hermon até Hamate. Baal-Hermon era a parte mais oriental do Líbano; e Hamate era a parte do extremo norte, que levava ao vale que havia entre o Líbano e o Antilíbano. Ver Nm 34.8; Js 11.3 e 13.5. "Os horeus que se tornaram mais conhecidos, nos tempos de Josué, foram os gibeonitas, que ocupavam uma confederação de cidades-estados que incluía

Gibeom (ver Js 9.7)... Os heveus, ao que parece, eram horeus que antes tinham estado associados ao reino mesopotâmico superior de Mitani" (F. Duane Lindsey, *in loc.*). Quanto a maiores detalhes, ver os artigos acerca de cada nome próprio no *Dicionário*.

O autor sagrado fornece uma lista mais completa de nações opositoras a Israel no quinto versículo, isto é, seis dentre as sete nações que tiveram de ser expulsas da Terra Prometida.

■ 3.4

וַיִּהְי֗וּ לְנַסּ֤וֹת בָּם֙ אֶת־יִשְׂרָאֵ֔ל לָדַ֕עַת הֲיִשְׁמְעוּ֙ אֶת־
מִצְוֺ֣ת יְהוָ֔ה אֲשֶׁר־צִוָּ֥ה אֶת־אֲבוֹתָ֖ם בְּיַד־מֹשֶֽׁה׃

Estes ficaram, para... provar a Israel. Temos aí a segunda das quatro razões pelas quais Yahweh permitiu que ficassem remanescentes das sete nações cananeias na Terra Prometida. Ver a exposição sobre Jz 2.20,22 e 3.1, quanto a essa questão, pois aquelas notas também têm aplicação aqui. Esse teste estava essencialmente vinculado a quão bem Israel obedeceria às provisões do Pacto Mosaico, cujo sumário era a obediência à lei. Cada geração precisava ser ensinada a obedecer à lei; daí fluía toda a vida e a prosperidade material. Ver Dt 4.1; 5.33; 6.2 quanto a esse ensino.

■ 3.5

וּבְנֵ֣י יִשְׂרָאֵ֔ל יָשְׁב֖וּ בְּקֶ֣רֶב הַכְּנַעֲנִ֑י הַחִתִּי֙ וְהָ֣אֱמֹרִ֔י
וְהַפְּרִזִּ֖י וְהַחִוִּ֥י וְהַיְבוּסִֽי׃

Habitando, pois, os filhos de Israel. Temos aqui a lista de seis dentre as sete nações que Israel deveria ter expulsado da Terra Prometida. Ver as listas em Êx 33.2 e Dt 7.1, cujos comentários também se aplicam aqui. Ver sobre cada uma dessas sete nações separadamente no *Dicionário*.

Os *girgaseus* (ver a respeito no *Dicionário*) foram deixados de fora da lista. Ver Js 24.11. Em nove das dez listas das nações cananeias, os girgaseus são omitidos. Ao que parece, os poucos membros dos girgaseus que sobreviveram à invasão de Israel fugiram para a África, pelo que deixaram de ser habitantes da Palestina. Muito provavelmente, alguns poucos dentre eles que ficaram na Palestina acabaram sendo absorvidos por outros povos cananeus.

■ 3.6

וַיִּקְח֨וּ אֶת־בְּנוֹתֵיהֶ֥ם לָהֶם֙ לְנָשִׁ֔ים וְאֶת־בְּנוֹתֵיהֶ֖ם נָתְנ֣וּ
לִבְנֵיהֶ֑ם וַיַּעַבְד֖וּ אֶת־אֱלֹהֵיהֶֽם׃ פ

Tomaram de suas filhas para si por mulheres. A guerra santa (ver as notas em Dt 7.1-5; 20.10-18) proibia casamentos mistos com povos pagãos. Ver Dt 7.3,4. Essa regra foi rigidamente observada nos dias de Josué. Os violadores desse princípio eram executados. O anjo-mensageiro, em Boquim (ver Jz 2.1), não denunciara especificamente esse pecado, pelo que, ao que parece, naquele tempo, isso não constituía um dos fatores que precisavam ser levados em conta. Porém, uma vez que faleceram Josué e os anciãos que tinham servido juntamente com ele, então as coisas começaram a ruir por terra, e os casamentos mistos (e, juntamente, a idolatria) tornaram-se coisa comum em Israel. Ver o trecho de Jz 2.7 quanto à conduta relativamente boa do povo de Israel enquanto ainda viviam Josué e aquela geração de anciãos do povo.

"Os israelitas misturaram-se por casamento com os habitantes da terra, de modo contrário ao mandamento expresso de Deus (ver Dt 7.3). Desse modo eles confundiram suas famílias, aviltaram o seu sangue, e foram apanhados nas redes da idolatria... Puseram-se a servir a outros deuses, o que era uma consequência natural daqueles casamentos mistos, conforme o Senhor tinha previsto e avisado (ver Êx 34.15,16; Dt 7.3,4)" (John Gill, *in loc.*). Ver no *Dicionário* o artigo chamado *Idolatria*.

OTNIEL (3.7-11)

Imediatamente antes do começo da exposição, em Jz 1.1, apresentei dois materiais ilustrativos: 1. uma lista dos treze juízes de Israel, com algumas informações básicas sobre eles; 2. um mapa que ilustra onde, dentro de Israel, eles atuaram e quais oponentes específicos tiveram de enfrentar. A cada um dos juízes foi dado um artigo em separado no *Dicionário*.

Os Treze Juízes. Eles não eram advogados, mas líderes carismáticos vindos de todos os níveis da sociedade. Foram levantados por Yahweh, em tempos de perigo especial e de retrocesso, sobretudo em casos de queda na idolatria. Eles viveram em tempos de desunião e apostasia e serviram de instrumentos mediante os quais Yahweh tratou com Israel, até que algo mais poderoso foi efetuado, por intermédio de Davi e Salomão, o que, finalmente, libertou Israel de seus inimigos internos. O declínio subsequente de Israel atraiu adversários externos, a saber, os assírios e os babilônios, por meio dos quais os próprios hebreus foram expulsos da Terra Prometida, no que consistiram os dois primeiros cativeiros. Ver no *Dicionário* o verbete intitulado *Cativeiro (Cativeiros)*.

O livro de Juízes registra sete apostasias, sete servidões a potências estrangeiras e sete livramentos de Israel.

Tipologia. O paralelo espiritual do livro de Juízes é a história da Igreja professa fragmentada, desde os dias dos apóstolos até hoje. Todo senso de unidade perdeu-se. Ver o segundo capítulo de 1Coríntios.

■ 3.7

וַיַּעֲשׂ֨וּ בְנֵֽי־יִשְׂרָאֵ֤ל אֶת־הָרַע֙ בְּעֵינֵ֣י יְהוָ֔ה וַֽיִּשְׁכְּח֖וּ אֶת־
יְהוָ֣ה אֱלֹהֵיהֶ֑ם וַיַּעַבְד֥וּ אֶת־הַבְּעָלִ֖ים וְאֶת־הָאֲשֵׁרֽוֹת׃

Os filhos de Israel fizeram o que era mau. Essa primeira apostasia foi apresentada mediante a expressão que se tornou comum, uma fórmula padronizada que introduz períodos de maldade e apostasia especiais, dos quais o povo de Israel carecia ser libertado. O adjetivo "mau", neste caso, indica especialmente crimes religiosos, sobretudo o pecado da idolatria. Ver essa mesma expressão em Jz 2.11; 3.7,12; 4.1; 6.1; 10.6 e 13.1. Ver também Dt 4.25; 9.18; 17.2 e 31.29.

Renderam culto aos Baalins. Ou seja, formas variegadas da adoração a Baal. Já apresentei notas expositivas sobre isso em Jz 2.11, pelo que não repito aqui a questão. Ver no *Dicionário* o verbete chamado *Baal (Baalismo)*.

Poste-ídolo. A *Revised Standard Version*, em inglês, diz *Asheroth*, mas a Septuaginta e a versão siríaca dizem *Astartes*, no que concordam com Jz 2.13 (ver ali as notas expositivas). A *King James Version*, em inglês, diz "bosques", ou seja, áreas florestadas onde eram efetuadas cerimônias idólatras, como os lugares altos, que usualmente também eram áreas cobertas de florestas. O termo hebraico correspondente, *asherah*, pode significar também um santuário com um ídolo em tais lugares (ver Dt 16.21). Essa talvez seja a origem do termo "poste-ídolo", na versão portuguesa. Esse tipo de ídolo parece ter sido alguma espécie de árvore sagrada, ou então um ídolo feito da madeira de tal árvore. Há monumentos assírios que mostram essas obras idólatras. Em Israel, toda forma de idolatria era associada aos bosques (ver 2Rs 17.16,17). Ver sobre Astarote em Jz 2.13. Há um artigo no *Dicionário* intitulado *Poste-ídolo*. Esse artigo fornece todas as informações de que dispomos sobre o assunto. Ver também, no *Dicionário*, o verbete denominado *Lugares Altos*.

■ 3.8

וַיִּֽחַר־אַ֤ף יְהוָה֙ בְּיִשְׂרָאֵ֔ל וַֽיִּמְכְּרֵ֗ם בְּיַד֙ כּוּשַׁ֣ן
רִשְׁעָתַ֔יִם מֶ֖לֶךְ אֲרַ֣ם נַהֲרָ֑יִם וַיַּעַבְד֧וּ בְנֵֽי־יִשְׂרָאֵ֛ל
אֶת־כּוּשַׁ֥ן רִשְׁעָתַ֖יִם שְׁמֹנֶ֥ה שָׁנִֽים׃

Então a ira do Senhor se acendeu. Temos aí a primeira punição contra Israel. A primeira apostasia não conseguiu passar sem o devido castigo. O povo de Israel, que usou seu livre-arbítrio para abandonar a Yahweh, logo teve esse livre-arbítrio arrebatado por parte de um povo estrangeiro.

Cusã-Risataim. Ver o artigo no *Dicionário* sobre esse rei. A referência é obscura. Não há outra referência bíblica sobre esse homem e seu povo. Em Hc 3.7, a palavra *Cusã* ali mencionada (ver a respeito no *Dicionário*) parece referir-se a uma região de Midiã. A lista do Faraó Ramsés III fala de um distrito sírio chamado Qusana-Ruma, na região de Aram-Naaraim, sendo possível tratar-se do mesmo lugar aqui referido. Mas há outras opiniões a respeito, e tudo quanto se sabe aparece naquele artigo do *Dicionário*. Sem importar qual seja a identificação exata, o que sabemos é que houve uma servidão de oito anos, e que foi tarefa do primeiro juiz de Israel, Otniel (vs. 9), livrar Israel dessa primeira opressão.

O nome Cusã-Risataim significa "dupla iniquidade". Isso parece indicar que uma grande iniquidade castigou Israel por causa de sua grande iniquidade.

Rei da Mesopotâmia. No hebraico temos aqui *Aram-naharian*, "terra alta dos dois rios", sem dúvida, uma referência à Mesopotâmia (com seus dois famosos rios, o Tigre e o Eufrates). Alguns dizem que Aram é uma alteração do nome Edom; e, nesse caso, o opressor vinha do nordeste, onde hoje fica a Síria.

■ 3.9

וַיִּזְעֲקוּ בְנֵי־יִשְׂרָאֵל אֶל־יְהוָה וַיָּקֶם יְהוָה מוֹשִׁיעַ לִבְנֵי יִשְׂרָאֵל וַיּוֹשִׁיעֵם אֵת עָתְנִיאֵל בֶּן־קְנַז אֲחִי כָלֵב הַקָּטֹן מִמֶּנּוּ׃

Otniel. Ver o artigo sobre esse homem no *Dicionário*, quanto ao que se sabe ou se supõe sobre ele. seu nome significa "Deus (El) é poderoso", ou então, "leão de Deus". Ver, imediatamente antes de Jz 1.1, um mapa das áreas das opressões com seus respectivos juízes, bem como um gráfico dos treze juízes de Israel, que nos fornecem informações básicas.

Parece que Otniel era cabeça da tribo de Judá, o qual, na ocasião referida aqui, adquiriu autoridade de âmbito nacional. Nenhum dos juízes, contudo, foi um verdadeiro rei, nem governou sobre um povo de Israel unificado. Pelo contrário, os juízes foram chefes locais, líderes carismáticos que governavam localmente e adquiriam uma autoridade mais do que meramente local, em tempos de crise.

Por Que Essa Crise? O castigo divino que Otniel foi convocado a aliviar ocorreu por causa do surto de idolatria descrito no sétimo versículo deste capítulo. Apostasia, mediante a idolatria, era uma violação dos vários pactos que Yahweh havia firmado com o povo de Israel. Essa ideia é expandida no vs. 12 deste capítulo.

Israel começou a servir a deuses estrangeiros; e, assim sendo, acabou também servindo a potências estrangeiras. O trecho de Jz 2.14 informa-nos que isso aconteceu por repetidas vezes. Este livro registra sete apostasias, sete servidões e sete libertações. Os juízes foram instrumentos divinos de redenção. Ver Jz 1.13 quanto a uma menção prévia a Otniel. Ele já nos havia sido apresentado como filho do irmão mais novo de Calebe, Quenaz (cf. Js 15.13-19).

Quanto ao *clamor ao Senhor*, ver Ne 9.27; Sl 107.13. Cf. Sl 26.5; 78.34 e 106.44.

■ 3.10

וַתְּהִי עָלָיו רוּחַ־יְהוָה וַיִּשְׁפֹּט אֶת־יִשְׂרָאֵל וַיֵּצֵא לַמִּלְחָמָה וַיִּתֵּן יְהוָה בְּיָדוֹ אֶת־כּוּשַׁן רִשְׁעָתַיִם מֶלֶךְ אֲרָם וַתָּעָז יָדוֹ עַל כּוּשַׁן רִשְׁעָתָיִם׃

Veio sobre ele o Espírito do Senhor. Otniel recebeu poder para realizar uma tarefa especial. Sem a unção especial do Espírito de Deus, Otniel não poderia ter feito o que fez. Para isso tornar-se realidade é que ele foi ungido por Deus. Ver no *Dicionário* os artigos chamados *Unção* e *Espírito de Deus*. O Espírito Santo iluminou, inspirou e impulsionou o homem, para que ele tivesse o necessário para desempenhar a sua missão especial.

Variedade de Tarefas de Otniel:
1. Reuniu capacidade militar para reverter uma opressão estrangeira.
2. Decidiu disputas e baixou julgamentos, trabalho próprio de um líder entre o povo.
3. Foi um líder espiritual conhecido como agente do Espírito de Deus.
4. Exerceu a obra geral de supervisão, pelo menos sobre uma boa parcela do povo de Israel, embora sua autoridade não fosse universal em Israel. Mas pelo menos a sua influência foi sentida para além das fronteiras da tribo de Judá, onde, provavelmente, ele foi o líder principal.

Os Targuns afirmam que Otniel era dotado do espírito de profecia. Cf. Is 61.1 e Nm 11.25. As tradições judaicas exaltam Otniel, fazendo dele o mais elevado e espiritual dos juízes, aplicando-lhe as palavras de Ct 4.7: "Tu és toda formosa, querida minha, e em ti não há defeito". Eles o consideravam homem erudito na lei mosaica.

■ 3.11

וַתִּשְׁקֹט הָאָרֶץ אַרְבָּעִים שָׁנָה וַיָּמָת עָתְנִיאֵל בֶּן־קְנַז׃ פ

A terra ficou em paz durante quarenta anos. Enquanto Otniel viveu, a Terra Prometida ficou livre de opressões, por nada menos de quarenta anos. Na Bíblia, o número quarenta é importante. Ver no *Dicionário* os artigos chamados *Quarenta* e *Número (Numeral, Numerologia)*. Esse fato pode ser comparado com a informação de que, enquanto Josué e os anciãos de seus dias viveram, Israel teve uma boa conduta e gozou de paz (Jz 2.7). Mas depois que aqueles líderes morreram, Israel caiu em pedaços.

Para o rabino Tanchum essas palavras dizem que a paz em Israel continuou imperando até quarenta anos depois da morte de Otniel. Devemos pensar assim ou somente que durante os quarenta anos de juizado de Otniel imperou a paz? Uma cronologia precisa do período dos juízes de Israel é praticamente impossível. Eusébio afirmou que Otniel julgou a Israel pelo espaço de cinquenta anos; mas não sabemos dizer até onde essa informação está certa. Meu gráfico, que aparece em Jz 1.1, fornece dados cronológicos gerais acerca dos juízes. Cerca de 305 anos foi o período coberto pelos treze juízes.

O número dos juízes varia, dependendo de várias considerações. Quanto a informações a respeito, ver a introdução ao livro de Juízes, seção VII. O artigo chamado *Cronologia do Antigo Testamento*, sec. V e.4, aborda a questão da cronologia do livro de Juízes. Ali se observa que restam muitas incertezas cronológicas.

EÚDE (3.12-30)

Ver no *Dicionário* o artigo sobre *Eúde*, a respeito do que se sabe ou se tem especulado sobre ele. Ele foi um herói dos benjamitas. Ver Gn 46.21. A tribo de Benjamim, e talvez outras também, foi dominada durante dezoito anos por Eglom, o moabita (vs. 14). Seu nome, em hebraico, significa "forte". Mediante a força que Deus lhe deu, ele foi capaz de livrar uma parte de Israel que havia caído sob o domínio dos moabitas. Ele viveu em torno de 1340 a.C.

■ 3.12

וַיֹּסִפוּ בְּנֵי יִשְׂרָאֵל לַעֲשׂוֹת הָרַע בְּעֵינֵי יְהוָה וַיְחַזֵּק יְהוָה אֶת־עֶגְלוֹן מֶלֶךְ־מוֹאָב עַל־יִשְׂרָאֵל עַל כִּי־עָשׂוּ אֶת־הָרַע בְּעֵינֵי יְהוָה׃

Tornaram, então, os filhos de Israel a fazer o que era mau. Talvez a palavra mais triste de todas essas seja a primeira, "tornaram". Quanto a essa expressão, que indica os períodos históricos em que o povo de Israel se mostrou rebelde, uma fórmula que introduz lapsos especiais, ver as notas expositivas e as referências em Jz 2.11 e 3.7. Alguma forma agravada de apostasia, por meio da idolatria, geralmente está aqui em pauta. Temos aí uma violação ao Pacto Mosaico e ao Pacto Palestínico. Ver as notas sobre o primeiro no capítulo 19 de Êxodo; e sobre o segundo, na introdução ao capítulo 29 de Deuteronômio. As apostasias eram violações das alianças, sobretudo do Pacto Abraâmico, que incluía, em seu escopo, todos os demais pactos. Ver sobre esse pacto em Gn 15.18.

Eglom, rei dos moabitas. Ver sobre esse homem no *Dicionário*. Ele se tornou o instrumento divino para castigar o povo de Israel. Durante longos dezoito anos (ou boa parte desse período), os hebreus estiveram sujeitos a esse homem e à sua turba. Quanto a detalhes sobre ele, ver o artigo referido anteriormente. Ver também o artigo do *Dicionário* intitulado *Moabe*.

■ 3.13

וַיֶּאֱסֹף אֵלָיו אֶת־בְּנֵי עַמּוֹן וַעֲמָלֵק וַיֵּלֶךְ וַיַּךְ אֶת־יִשְׂרָאֵל וַיִּירְשׁוּ אֶת־עִיר הַתְּמָרִים׃

Ajuntou consigo os filhos de Amom, e os amalequitas. Eglom, rei dos moabitas, entrou em aliança com outros dois povos vizinhos para oprimir Israel. Temendo forte resistência da parte dos benjamitas, e dispondo-se a dividir os despojos com outros, Eglom fez acordo com os povos mencionados, sobre os quais há artigos no *Dicionário*. Os amonitas e os amalequitas eram tribos do deserto, vizinhos dos moabitas. Eles feriram a tribo de Benjamim e toda aquela área, e também levaram as suas sortidas até Jericó, a cidade das palmeiras. Aquela cidade tinha sido amaldiçoada e nunca mais deveria ser reconstruída. Este versículo talvez indique que alguém havia ousado desafiar a maldição, somente para nela perecer. Ver Dt 34.3; Js 1.16 e 6.26. A cidade de Jericó foi reconstruída nos dias de Acabe, apenas para ser novamente arruinada. A moderna cidade de Jericó não ocupa o mesmo local antigo, mas fica a alguma distância dali, posto que na mesma área geral. Ver no *Dicionário* o artigo chamado *Jericó*, onde essa questão é esclarecida.

■ 3.14

וַיַּעַבְד֤וּ בְנֵֽי־יִשְׂרָאֵל֙ אֶת־עֶגְל֣וֹן מֶֽלֶךְ־מוֹאָ֔ב שְׁמוֹנֶ֥ה עֶשְׂרֵ֖ה שָׁנָֽה׃ ס

Os filhos de Israel serviram a Eglom. A campanha encabeçada por Eglom logrou êxito (ele atacou a tribo de Benjamim e ainda ocupou mais algum espaço), pelo que parte do povo de Israel acabou tendo de servir aos moabitas. O livro de Jz registra sete apostasias, sete servidões e sete livramentos. A prática do que "era mau" (vs. 12) nunca deixou de redundar em castigo, sob a forma de alguma opressão por parte de algum poder estrangeiro. Esse segundo lapso de Israel mereceu um castigo ainda mais severo do que o primeiro: dezoito anos de servidão, em contraste com oito anos (vss. 8 e 14). Um "jugo de ferro" foi um castigo apropriado por causa da apostasia. Ver Dt 28.47,48. "A narrativa, entretanto, mostra-nos que o domínio exercido pelos moabitas não se estendeu para além das fronteiras de Efraim (vs. 13)" (Ellicott, *in loc.*).

■ 3.15

וַיִּזְעֲק֤וּ בְנֵֽי־יִשְׂרָאֵל֙ אֶל־יְהוָ֔ה וַיָּקֶם֩ יְהוָ֨ה לָהֶ֜ם מוֹשִׁ֗יעַ אֶת־אֵה֤וּד בֶּן־גֵּרָא֙ בֶּן־הַיְמִינִ֔י אִ֥ישׁ אִטֵּ֖ר יַד־יְמִינ֑וֹ וַיִּשְׁלְח֨וּ בְנֵֽי־יִשְׂרָאֵ֤ל בְּיָדוֹ֙ מִנְחָ֔ה לְעֶגְל֖וֹן מֶ֥לֶךְ מוֹאָֽב׃

Eúde, homem canhoto. Ver no *Dicionário* o artigo sobre ele, quanto a completas informações. Ele enfrentou a violência com a violência. Na antiguidade, ser alguém canhoto era considerado tanto uma bênção quanto uma maldição, uma marca incomum de distinção para o bem ou para o mal. Ver Jz 20.16 quanto à habilidade especial dos benjamitas canhotos quanto ao uso da funda. Alguns estudiosos interpretam este versículo como se quisesse dizer que Eúde tinha algum defeito na mão direita, pelo que seria forçado a usar a mão esquerda. A Septuaginta traduz o hebraico original como "ambidestro", mas na verdade essa palavra hebraica significa "fechado" em sua mão direita. Isso poderia ter ocorrido mediante algum acidente, ou meramente por nascimento. sua mão direita era mais fraca e inferior, em comparação com a mão esquerda. Nesse caso, provavelmente ele era mesmo canhoto. Josefo escreveu sobre ele: "ele podia usar melhor a sua mão esquerda" (*Antiq.* 1.5, sec. 2).

Tributo. Algumas traduções dizem aqui "um presente". Porém o mais provável é que estivesse em vista um tributo regular. Tinha ocorrido grande matança entre os israelitas; mas havia sobrado um número suficiente deles para manter o dinheiro fluindo até os cofres de Eglom.

■ 3.16

וַיַּעַשׂ֩ ל֨וֹ אֵה֜וּד חֶ֗רֶב וְלָ֛הּ שְׁנֵ֥י פֵי֖וֹת גֹּ֣מֶד אָרְכָּ֑הּ וַיַּחְגֹּ֤ר אוֹתָהּ֙ מִתַּ֣חַת לְמַדָּ֔יו עַ֖ל יֶ֥רֶךְ יְמִינֽוֹ׃

Um punhal de dois gumes. Eúde, pois, preparou-se para o ato de traição. A ordem era matar ou ser morto. Os moabitas tinham matado muitos israelitas, e agora estavam roubando o dinheiro deles. Eúde estava cansado de seguir esse programa. Isso posto, levou consigo uma adaga, debaixo das dobras de sua veste. Esse seria o instrumento que tiraria a vida do gordíssimo Eglom; e logo a ira de Israel se voltaria contra todos os moabitas e seus aliados, deixando inúmeros cadáveres por toda a planície. Josefo chamou a adaga de "pequena espada de dois gumes". Tinha cerca de 46 centímetros de comprimento e era uma arma mortífera (ver *Antiq.* 1.5, cap. 2). As espadas usualmente eram usadas sobre a coxa esquerda, mas aquela foi usada sobre a coxa direita, porquanto Eúde era homem canhoto. O comprimento do braço de um homem torna-lhe difícil puxar uma espada pendurada do mesmo lado daquele braço. Pessoas sob servidão deveriam andar desarmadas, mas ninguém obedeceria a uma regra dessas. As adagas eram usadas no lado direito do corpo, porque seu pequeno comprimento permitia mais fácil manipulação. Cf. a traição de Joabe contra Amasa, em 2Sm 20.9,10.

■ 3.17

וַיַּקְרֵב֙ אֶת־הַמִּנְחָ֔ה לְעֶגְל֖וֹן מֶ֣לֶךְ מוֹאָ֑ב וְעֶגְל֕וֹן אִ֥ישׁ בָּרִ֖יא מְאֹֽד׃

Levou o tributo a Eglom. Eúde pôde assim aproximar-se bem de perto de Eglom, na qualidade de mensageiro de Israel. A traição foi facilitada pelo ato oficial que ele estava prestes a efetuar. Eglom era homem muito gordo e foi facilmente enganado. Possuía guarda-costas e soldados; e parecia-lhe que nada tinha por temer. Mas Eúde usou um momento de honraria e pagamento de tributo como momento fatal. Josefo ajuntou que Eúde se fez acompanhar de dois servos, que transportavam os metais preciosos e outros artigos de grande valor, que serviriam como tributo (ver *Antiq.* 1.5, cap. 4, sec. 2); e adicionou que Eúde era ainda jovem, que tinha vivido em íntimo contato com Eglom, tendo ganhado suas simpatias através de presentes oferecidos em ocasiões anteriores. Tais detalhes, entretanto, parecem fruto de fantasia.

■ 3.18,19

וַֽיְהִי֙ כַּאֲשֶׁ֣ר כִּלָּ֔ה לְהַקְרִ֖יב אֶת־הַמִּנְחָ֑ה וַיְשַׁלַּח֙ אֶת־הָעָ֔ם נֹשְׂאֵ֖י הַמִּנְחָֽה׃

וְה֣וּא שָׁ֗ב מִן־הַפְּסִילִים֙ אֲשֶׁ֣ר אֶת־הַגִּלְגָּ֔ל וַיֹּ֕אמֶר דְּבַר־סֵ֥תֶר לִ֛י אֵלֶ֖יךָ הַמֶּ֑לֶךְ וַיֹּ֣אמֶר הָ֔ס וַיֵּצְא֣וּ מֵעָלָ֔יו כָּל־הָעֹמְדִ֖ים עָלָֽיו׃

Tenho uma palavra secreta a dizer-te, ó rei. O astucioso plano traçado por Eúde apanhou Eglom e sua guarda pessoal em um momento de desatenção. Uma delegação tinha ido fazer a entrega do tributo a Eglom. Como já vimos, Josefo diz que Eúde se fez acompanhar de dois servos, para ajudá-lo a transportar as peças valiosas que faziam parte do "presente". A natureza comum da missão não deixava transparecer nenhuma anormalidade. O tributo foi apresentado, e Eúde e seus servos começaram a voltar. A guarda pessoal de Eglom foi despedida. Mas, quando Eúde chegou a um local onde havia "imagens de escultura", ele voltou, sem ser acompanhado por ninguém. Essa alusão às imagens é bastante vaga. Alguns estudiosos pensam que estejam em vista as pedras que Josué tinha retirado do leito do rio Jordão, para com elas fazer uma coluna memorial (ver Js 4.20). Mas tais pedras dificilmente seriam chamadas de "imagens de escultura". O mais provável, pois, é que fossem imagens idólatras de alguma espécie, que Eglom teria levantado para desafiar Israel e sua fé religiosa. Seja como for, de onde estavam essas imagens, dali Eúde voltou para a presença de Eglom. Eúde não voltara na companhia de ninguém, e encontrou Eglom sozinho. Foi uma oportunidade sem igual. Aquele lapso na proteção ao rei custou a vida de Eglom.

As imagens de escultura. No hebraico, *pesilim*. Ver Dt 7.5 quanto a essa palavra, aplicada aos ídolos. Ver no *Dicionário* o verbete chamado *Idolatria*.

■ 3.20,21

וְאֵה֣וּד׀ בָּ֣א אֵלָ֗יו וְהֽוּא־יֹ֠שֵׁב בַּעֲלִיַּ֨ת הַמְּקֵרָ֤ה אֲשֶׁר־לוֹ֙ לְבַדּ֔וֹ וַיֹּ֣אמֶר אֵה֔וּד דְּבַר־אֱלֹהִ֥ים לִ֖י אֵלֶ֑יךָ וַיָּ֖קָם מֵעַ֥ל הַכִּסֵּֽא׃

וַיִּשְׁלַ֤ח אֵהוּד֙ אֶת־יַ֣ד שְׂמֹאל֔וֹ וַיִּקַּח֙ אֶת־הַחֶ֔רֶב מֵעַ֖ל יֶ֣רֶךְ יְמִינ֑וֹ וַיִּתְקָעֶ֖הָ בְּבִטְנֽוֹ׃

Sala de verão, que o rei tinha só para si. Eglom dispunha de uma sala mais fresca, para seu conforto exclusivo. Está em vista um

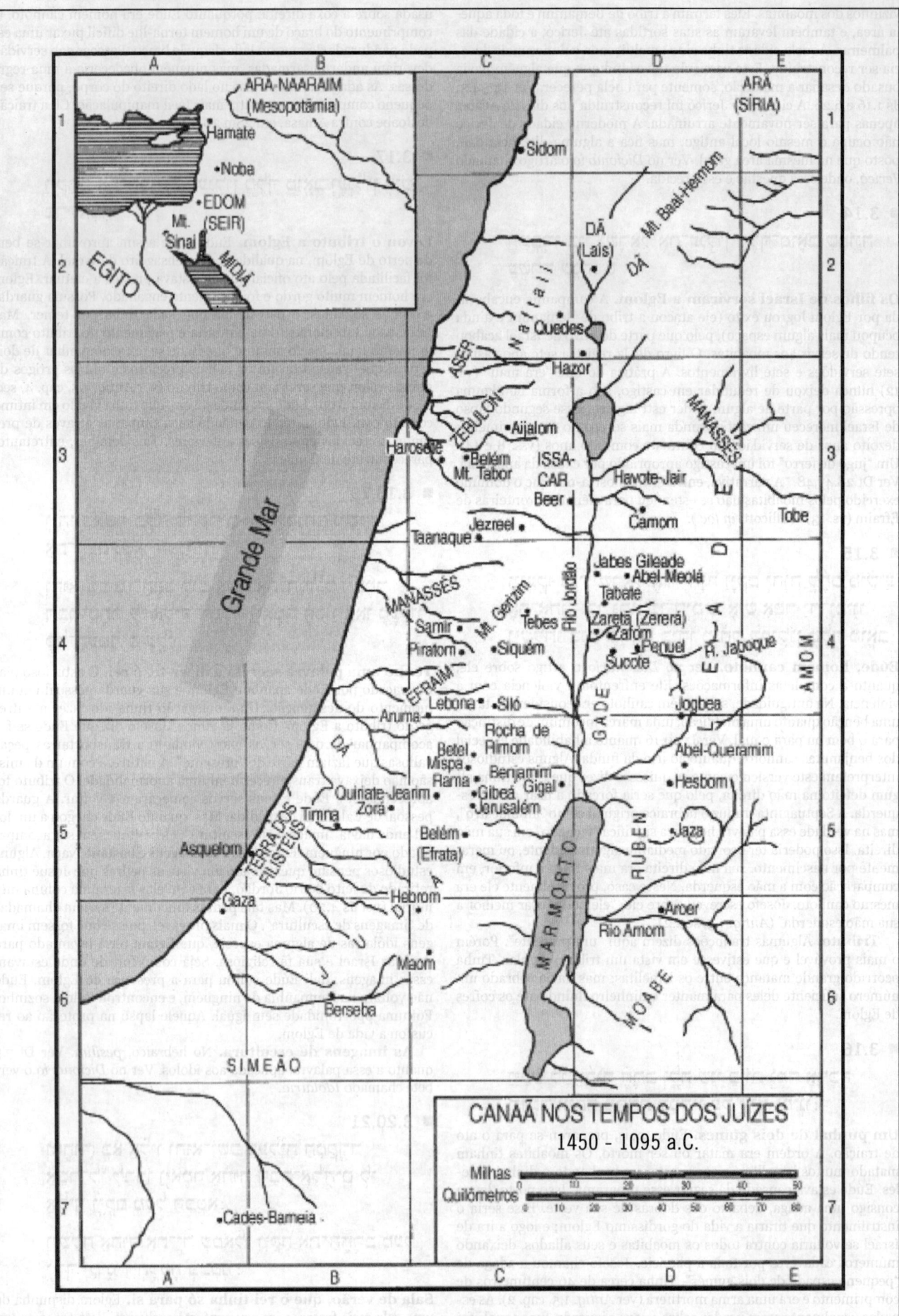

CANAÃ NOS TEMPOS DOS JUÍZES
1450 - 1095 a.C.

CHAVE	
Abel-Meolá D4	Jerusalém C5
Abel-Queramim D5	Jezreel C3
Aijalom C3	Jogbeá D4
Amom E4	Judá B6; C5
Arã (Síria) C1	Karkor B2
Ara-Naarim (Mesopotâmia) B1	Lebona C4
	Manassés C4; D3
Arnom, rio D6	Maom C6
Aroer D6	mar Mediterrâneo A1,2,3,4,5,6
Aruma C4	
Aser C2,3	mar Morto CD5,6
Asquelom B5	Megido C3
Baal-Hermom, mt. D2	Midiã A2
Beer C3	Mispa C5
Belém (Efrata) C5	Moabe D6
	Naftali C2,3
Benjamim C5	Noba A2
Berseba B6	Penuel D4
Betel C5	Piratom C4
Cades-Barneia A7	Quedes C2
Camom D3	Quiriate-Jearim C5
Dã B5; D2	Rama 5C
Edom A1	Rocha de
Efraim C4	Rimom C5
Egito A2	Rúben D5
Estaol B5	Samir C4
Filístia B5	Sidom C1
Gade D4,5	Siló C4
Gaza A6	Simeão AB6
Gerizim, mt. C4	Sinai, mt. A2
Gibeá C5	Siquém C4
Gileade D3,4,5	Sucote D4
Gilgal C5	Taanaque C3
Hamate A1	Tabate D4
Harosete C3	Tabor, mt. C3
Havote-Jair D3	Tebes C4
Hazor D2	Timna B5
Hebrom C6	Tobe E3
Hesbom D5	Zaretã (Zererá) D4
Issacar CD3	Zebulom C3
Jaboque, rio D4	Zorá B5
Jaza D5	

compartimento de um único quarto, sobre o andar superior da casa. Era um lugar dotado de boa ventilação, que oferecia boa visão para o lado de fora da casa. Também era protegido dos raios do sol. Ver Am 3.15. Eúde encontrou Eglom sozinho naquela sala. E fingiu que tinha um recado especial da parte de "Elohim", o Deus dos hebreus. Eglom ergueu-se cortesmente, a fim de receber a misteriosa comunicação. Quando ele assim fez, o canhoto Eúde puxou a adaga de debaixo de suas vestes. E antes que Eglom compreendesse o que o havia atingido, a adaga estava enfiada até o cabo em seu ventre volumoso, desaparecendo entre as dobras de gordura. Eglom, que havia tirado a vida de muita gente, agora caía debaixo da mesma sorte. E Eúde, que sem dúvida também já havia tirado a vida de muitos, pois todos eles eram guerreiros selvagens, calmamente se retirou, depois que a sua "mensagem" fora entregue de forma tão dramática. A mensagem foi um ferimento fatal "no coração", conforme disse Josefo (*Antiq.* 1.5, cap. 4, sec. 2).

■ 3.22

וַיָּבֹא גַם־הַנִּצָּב אַחַר הַלַּהַב וַיִּסְגֹּר הַחֵלֶב בְּעַד הַלַּהַב כִּי לֹא שָׁלַף הַחֶרֶב מִבִּטְנוֹ וַיֵּצֵא הַפַּרְשְׁדֹנָה׃

A gordura se fechou sobre ela [a lâmina]. O acúmulo de gordura era muito grande, e a adaga de Eúde perdeu-se dentro do corpo de Eglom. Eúde não conseguiu retirá-la do corpo do rei, a fim de defender-se, caso fosse surpreendido na saída, e nem pôde mostrá-la como um memorial aos seus amigos, mais tarde.

Nossa versão portuguesa oculta um detalhe arrepiante. O original hebraico diz que a lâmina saiu do corpo de Eglom por detrás, ou seja, pelo ânus de Eglom. O termo hebraico usado é *parshedon*, "ânus". Mas, visto que se trata de uma *hapax legomenon* (palavra usada somente por uma vez), a referência é um tanto obscura, o que talvez tenha levado os revisores da Bíblia portuguesa a ignorá-la. O mais provável é que Eglom, ferido de súbito de maneira tão sanguinária, perdeu o controle de seus movimentos intestinais e assim expeliu excremento pelo ânus. Nem sempre o Antigo Testamento importa-se em dizer as coisas da maneira mais elegante. De uma maneira gráfica, sim; de uma maneira elegante, não. Não é de surpreender, pois, que as traduções procurem evitar essas declarações mais bruscas com algum tipo de eufemismo. Os Targuns dizem aqui que "o alimento saiu", mas isso também representa um eufemismo. O siríaco diz: "ele [Eúde] saiu rapidamente", como se ele, e não os excrementos é que tivessem escapado do corpo do rei. A Septuaginta simplesmente deixa de fora essas palavras. A nossa versão Almeida fala em "postigo", ou seja, uma "portinhola", seguindo assim de perto a versão siríaca, em que a palavra se refere à retirada de Eúde.

■ 3.23

וַיֵּצֵא אֵהוּד הַמִּסְדְּרוֹנָה וַיִּסְגֹּר דַּלְתוֹת הָעֲלִיָּה בַּעֲדוֹ וְנָעָל׃

Vestíbulo. No original hebraico, este também é um *hapax legomenon*, isto é, vocábulo que aparece somente por uma vez; e as traduções esforçam-se para traduzi-lo. Kimchi dizia que se tratava de uma antecâmara; mas outros pensam que se trata de uma passagem entre colunas.

Depois de cerrar sobre ele as portas. A fim de ganhar tempo, Eúde trancou as portas. Quando o cadáver foi descoberto, afinal, Eúde já estava seguro, muito longe dali. Eúde, à semelhança de Jacó (ver Gn 30 e 31), foi tido como um homem esperto, por ter conseguido iludir Eglom e seus servos. Dessa maneira, enganadores e assassinos foram eles mesmos enganados e mortos, e a justiça foi feita, ainda que de forma crua e repelente.

■ 3.24

וְהוּא יָצָא וַעֲבָדָיו בָּאוּ וַיִּרְאוּ וְהִנֵּה דַּלְתוֹת הָעֲלִיָּה נְעֻלוֹת וַיֹּאמְרוּ אַךְ מֵסִיךְ הוּא אֶת־רַגְלָיו בַּחֲדַר הַמְּקֵרָה׃

Está ele aliviando o ventre na privada. Não foi nenhuma piada! Este versículo tem sido submetido a algumas piadas de mau gosto. Quando os atendentes de Eglom viram que ele tinha trancado as portas, imaginaram que tinha feito isso como um ato de cortesia, porquanto Eglom havia "coberto os seus pés". Mas essa expressão é um eufemismo, no hebraico, para "aliviar o ventre". "... visto que os povos orientais usavam vestes longas e frouxas, quando se sentavam para aliviar o ventre, seus pés eram cobertos com as vestes" (John Gill, *in loc.*). E, conforme John Gill prosseguiu, foi dessa circunstância que surgiu a expressão "cobrir os pés" para indicar servir-se da privada. Alguns comentaristas judeus procuram evitar a questão, dizendo: "ele se deitou para descansar", mas não há que duvidar de que essa é uma interpretação errada.

■ 3.25

וַיָּחִילוּ עַד־בּוֹשׁ וְהִנֵּה אֵינֶנּוּ פֹתֵחַ דַּלְתוֹת הָעֲלִיָּה וַיִּקְחוּ אֶת־הַמַּפְתֵּחַ וַיִּפְתָּחוּ וְהִנֵּה אֲדֹנֵיהֶם נֹפֵל אַרְצָה מֵת׃

Aborreceram-se de esperar. Os servos de Eglom, julgando que ele estivesse aliviando o ventre, ficaram esperando que ele saísse. Mas como ele se demorasse em demasia, envergonharam-se diante de sua espera tola. Finalmente, destrancaram as portas e ali, em meio a uma grande poça de sangue e de excremento humano, encontraram o seu grande líder, Eglom!

Chave. Temos aqui o primeiro uso da palavra hebraica que significa "chave", embora não devamos imaginar uma chave como as que conhecemos em nossos dias. Esses instrumentos, nos dias antigos, eram parecidos com foices tortas, e a sua função era mover as trancas de seu lugar, permitindo que as portas se abrissem. As chaves antigas eram feitas de madeira ou de metal. Dispunham de um gancho na extremidade, que passava através de uma perfuração e apanhava a tranca, pelo lado de dentro, e a levantava.

■ **3.26**

וְאֵהוּד נִמְלַט עַד הִתְמַהְמְהָם וְהוּא עָבַר
אֶת־הַפְּסִילִים וַיִּמָּלֵט הַשְּׂעִירָתָה:

Eúde escapou... foi para Seirá. Enquanto o drama se desenrolava lentamente no palácio de Eglom, Eúde, rápida e seguramente, passava pelas imagens de escultura (vs. 19) e fugia para Seirá. Essa palavra, nome de uma localidade, significa no hebraico "de pau", "agreste". Sua localização é hoje muito incerta, embora se saiba que ficava nas montanhas de Efraim, fronteira com o território de Benjamim. Talvez estejam em foco apenas as florestas de Efraim, que ficavam na região montanhosa dessa tribo.

■ **3.27**

וַיְהִי בְּבוֹאוֹ וַיִּתְקַע בַּשּׁוֹפָר בְּהַר אֶפְרָיִם וַיֵּרְדוּ עִמּוֹ
בְנֵי־יִשְׂרָאֵל מִן־הָהָר וְהוּא לִפְנֵיהֶם:

Tocou a trombeta. Dessa maneira, Eúde fez soar a convocação para a batalha. Em seu entusiasmo por haver matado Eglom, e supondo ter desmoralizado os moabitas, Eúde convocou seus compatriotas para a guerra. Tocou sua trombeta e convocou o povo para contar as boas-novas, e para que eles tirassem proveito do momento a fim de se libertarem dos opressores moabitas. Uma grande multidão atendeu prontamente ao seu chamamento, e assim Eúde ficou dispondo de um improvisado mas entusiasmado exército, posto sob o seu comando.

■ **3.28**

וַיֹּאמֶר אֲלֵהֶם רִדְפוּ אַחֲרַי כִּי־נָתַן יְהוָה אֶת־אֹיְבֵיכֶם
אֶת־מוֹאָב בְּיֶדְכֶם וַיֵּרְדוּ אַחֲרָיו וַיִּלְכְּדוּ אֶת־מַעְבְּרוֹת
הַיַּרְדֵּן לְמוֹאָב וְלֹא־נָתְנוּ אִישׁ לַעֲבֹר:

E lhes disse: Segui-me. Os israelitas reuniram-se imediatamente em torno de Eúde, na certeza de que os inesperados acontecimentos tinham sido outorgados por Yahweh, e que o domínio dos moabitas havia chegado ao fim. Os baixios do rio Jordão foram ocupados, impedindo assim a fuga dos moabitas.

"Os vaus do Jordão eram poucos e bem distanciados uns dos outros (ver Js 2.7). A inclinada ravina, que o rio atravessa em sua passagem, forma uma barreira natural para a Palestina ocidental. E assim, ocupando esses vaus, os israelitas cortaram qualquer chance de os moabitas receberem ajuda de fora... Os movimentos rápidos de Eúde tornaram impossível o escape" (Ellicott, *in loc.*).

"Isso os israelitas fizeram para impedir que os moabitas, que se encontravam em território de Israel, fugissem para o território de Moabe, e para que aqueles que estavam em Moabe viessem ajudar aos primeiros" (John Gill, *in loc.*).

■ **3.29**

וַיַּכּוּ אֶת־מוֹאָב בָּעֵת הַהִיא כַּעֲשֶׂרֶת אֲלָפִים אִישׁ
כָּל־שָׁמֵן וְכָל־אִישׁ חָיִל וְלֹא נִמְלַט אִישׁ:

Feriram dos moabitas uns dez mil homens. Eúde tinha razão. O tempo de domínio de Moabe sobre os israelitas havia chegado ao fim. Todo invasor moabita foi morto; e o autor sagrado deixou bem claro que todos eles eram homens fortes, soldados capazes. Contudo, isso não foi o suficiente para salvar a nação de Israel daquele terrível círculo vicioso de apostasia-servidão-livramento. Pois tudo haveria de repetir-se com o tempo.

Aquela foi a segunda vez, nos dias dos juízes, que o círculo vicioso ocorrera. Tudo haveria de repetir-se por mais cinco vezes. Parece que o povo de Israel não conseguia aprender a sua lição, ainda que os hebreus nunca tivessem sido abandonados por Yahweh. Os moabitas que estavam do lado oposto do rio Jordão não demorariam a receber notícias sobre a má sorte que caíra sobre os moabitas que tinham invadido o território de Israel. Tão cedo não haveriam de tentar outra invasão. Por isso mesmo, houve oitenta anos contínuos de paz, conforme aprendemos no versículo seguinte.

Todos robustos e valentes. O original hebraico diz, literalmente, "gordos", talvez uma referência escarninha ao nédio rei Eglom. Ele era muito gordo, e os moabitas que tinham invadido Israel, explorando os hebreus como estavam explorando, também tinham engordado. É possível que o autor sagrado tencionasse apresentar aqui outra piada. No dizer de Ellicott (*in loc.*): "... parece que essas palavras foram ditadas por um negro senso de humor". Ben Gerson, entretanto, afirma que a palavra aqui traduzida por "robustos" significa "ricos", porquanto se tinham enriquecido às custas dos israelitas. No entanto, toda aquela exploração chegara ao fim de um dia para outro.

■ **3.30**

וַתִּכָּנַע מוֹאָב בַּיּוֹם הַהוּא תַּחַת יַד יִשְׂרָאֵל וַתִּשְׁקֹט
הָאָרֶץ שְׁמוֹנִים שָׁנָה: ס

E a terra ficou em paz oitenta anos. Todos os moabitas que tinham invadido o território de Israel foram eliminados; e os que viviam do outro lado da fronteira não mais tentaram outra conquista militar. Por isso mesmo, houve o prolongado período de oitenta anos em que os filhos de Israel não sofreram nenhuma opressão estrangeira. Uma vez mais, portanto, tinha-se completado o ciclo horrendo de apostasia, subjugação e libertação.

Alguns estudiosos creem que esses oitenta anos começaram a partir do domínio imposto pelos moabitas; mas outros pensam nos anos que se seguiram ao livramento conferido por Eúde. Ver o meu gráfico imediatamente antes de Jz 1.1, onde são dados os nomes dos juízes de Israel e alguns poucos detalhes. Conforme já dissemos, uma cronologia exata do período dos juízes é algo quase impossível. O arcebispo Ussher calculou que esse período se prolongou por cerca de 305 anos.

SANGAR (3.31)

Ver no *Dicionário* o artigo chamado *Sangar*, quanto a informações sobre o que se sabe ou se tem conjecturado sobre ele. Neste ponto, o autor sagrado fornece um único versículo sobre esse juiz de Israel. Conforme sempre aconteceu com os juízes, o que o distinguiu foi que ele conseguiu livrar Israel da servidão por meio de sua força militar, pois era capaz de matar o inimigo com grande maestria.

No trecho de Jz 5.6 temos um breve comentário sobre as estradas não ocupadas, nos dias desse homem. A situação local ficara bastante desorganizada, abandonada e causara um desespero tal que as estradas acabaram caindo em total desuso. Os viajantes eram forçados a apelar para meros atalhos, por causa dos assaltos e dos assassinatos. Em outras palavras, um baixíssimo ponto de degradação chegara a dominar nos dias de Sangar. Talvez parte do trabalho dele consistisse em limpar as estradas de estrangeiros criminosos e assaltantes. Esse homem vivia na cidade filisteia de Anate, na Galileia. Para alguns estudiosos, entretanto, Anate parece ser o nome do pai de Sangar. O fato foi que, desse tempo em diante, os filisteus vieram a tornar-se os principais opressores dos filhos de Israel.

■ **3.31**

וְאַחֲרָיו הָיָה שַׁמְגַּר בֶּן־עֲנָת וַיַּךְ אֶת־פְּלִשְׁתִּים
שֵׁשׁ־מֵאוֹת אִישׁ בְּמַלְמַד הַבָּקָר וַיֹּשַׁע גַּם־הוּא
אֶת־יִשְׂרָאֵל: ס

Uma aguilhada de bois. Embora esse instrumento fosse usado na agricultura, também servia muito bem para matar seres humanos.

Sangar tornou-se muito habilidoso nesse propósito. Uma aguilhada de bois era, essencialmente, uma vara forte e pontiaguda. A ponta era, algumas vezes, recoberta com metal, que então precisava ser afiado de vez em quando. Sangar mantinha sua aguilhada aguçada, e sempre matava com ela. Podemos supor que o número de homens que ele matou — seiscentos — tenha sido o número acumulado, e não que ele tenha matado os seiscentos homens de um golpe só, ou em um único ataque. Sansão, mais tarde, foi capaz de matar mil homens de uma só assentada, usando uma queixada de jumento (ver Jz 15.14 ss.). Sangar não foi nenhum Sansão, mas revelou-se um matador selvagem e muito habilidoso.

Uso Figurado. Ver At 26.14: "Dura coisa é recalcitrares contra os aguilhões". Essas palavras, ditas pelo Senhor Jesus a Saulo, na estrada para Damasco, indicam alguma rebeldia estúpida contra a autoridade. Tal rebeldia serve somente para maltratar o indivíduo rebelde.

Tal como no caso dos outros juízes antes dele (Otniel, Jz 3.7-11; e Eúde, Jz 3.15-30), Sangar usou a sua capacidade de matar como meio de livrar Israel dos opressores filisteus, talvez a primeira das opressões desfechadas pelos filisteus contra Israel. Assim foi novamente posto em movimento o antigo círculo vicioso de apostasia, servidão e livramento.

Em Que Época Atuou Sangar? Todos os informes cronológicos fazem-se ausentes no caso de Sangar. E é curioso que lemos que Débora e Baraque seguiram-se a Eúde. É provável, portanto, que o autor sagrado não dispusesse de cronologias precisas, pelo que nos deixou com muitas dúvidas a respeito.

CAPÍTULO QUATRO

DÉBORA E BARAQUE (4.1—5.30)

Tradicionalmente, falamos em treze juízes (ver o gráfico antes de Jz 1.1); mas o número deles também pode ser calculado de outras maneiras. Ver um mapa, antes de Jz 1.1, que mostra a localização dos atos dos juízes. Quanto a questões de cronologia, ver no *Dicionário*, *Cronologia do Antigo Testamento*, V.4.

Os juízes eram heróis locais que de alguma maneira governavam partes distintas do território de Israel. Eram líderes tribais militares, carismáticos. Houve sete apostasias, sete servidões e sete livramentos. Eles foram instrumentos dos atos de redenção que eram seguidos por alguns anos de paz.

A Derrota da Confederação Cananeia. Quanto a isso, há dois relatos. O primeiro, sob a forma de prosa, é encontrado no capítulo quarto; e o outro, sob forma de poesia, aparece no quinto capítulo. Os instrumentos usados por Deus para tanto foram Débora e Baraque, que podem ser considerados individualmente ou como um par que ocupava uma única liderança. Essa liderança ocorreu após a morte de Eúde (vs. 1). A Terra Prometida desfrutou oitenta anos de descanso. Sangar foi injetado entre esses dois períodos de juizado. Mas não se sabe dizer por quantos anos ele governou, e como seu período se intercala dentro da cronologia dos oitenta anos de paz.

Uma profetisa, que também se revelou uma corajosa mulher, foi imprescindível para que Yahweh operasse naquele tempo. Mas é mister dizer aqui que se tratou de uma circunstância incomum, que não encoraja a liderança feminina sobre homens, pelo menos do ponto de vista das Escrituras. Todavia, permanece o fato de que o trabalho desempenhado pelas mulheres na Igreja cristã tem sido estupendo, sob modo algum fora de lugar ou incomum.

Os capítulos 4 e 5 deste livro de Juízes desviam a nossa mente do centro das ações, que estava passando para as tribos do norte (ver Jz 4.6; 5.14,15,18). As tribos nortistas começaram a ser oprimidas por Jabim, que reinava em Hazor. Parece que esse Jabim era descendente de cananeus que tinham sido deixados em vida desde os tempos de Josué. Ver Js 11.1-13. O trecho de Jz 13.1 ss. mostra-nos que muitos opressores potenciais tinham sido deixados sem serem dominados, quando Israel tomou a Terra Prometida somente em suas dimensões essenciais.

Os Cananeus. Doravante, os cananeus aparecerão como os principais oponentes de Israel. Muitos deles tinham sido deixados na Terra Prometida (ver Jz 1.30-33). Ver no *Dicionário* o artigo intitulado *Canaã, Cananeus*.

Se Sangar não foi quem efetuou um terceiro livramento da servidão (porquanto isso não é dito de modo específico), então o terceiro ciclo de apostasia, servidão e livramento ocorreu nos dias de Débora e Baraque.

4.1

וַיֹּסִפוּ בְּנֵי יִשְׂרָאֵל לַעֲשׂוֹת הָרַע בְּעֵינֵי יְהוָה
וְאֵהוּד מֵת׃

Os filhos de Israel tornaram a fazer o que era mau. Temos aqui a fórmula comum, usada no livro de Juízes, para introduzir apostasias de Israel e seus inevitáveis resultados. Quanto a essa fórmula comum, ver Jz 2.11; 3.7 e outros. Isso armou o palco para ainda mais um livramento, o qual requeria a missão especial e o trabalho de outro juiz. Quanto a essa fórmula comum, ver Jz 2.11; 3.7 e outros. Os quatros princípios que governam a exposição deste livro são: 1. desvio; 2. opressão; 3. oração; 4. livramento. Dessa maneira, o autor sumaria como aqueles três séculos passaram-se sob os juízes, e sempre nos fornece a interpretação espiritual dos eventos históricos.

A violência bem-sucedida continua a ser um dos temas proeminentes do livro.

Depois de falecer Eúde. Essa declaração alerta-nos para o fato de que nenhum informe cronológico foi dado no tocante a Sangar. Não nos é dito como ele se ajusta aos oitenta anos que se passaram entre Eúde e Débora. Talvez o próprio autor sagrado não soubesse como fazer esse ajuste. Seja como for, o autor sacro vinculou Débora e Baraque a Eúde, e não a Sangar. A Septuaginta, reconhecendo o problema, simplesmente deixou de fora do texto sagrado a nota sobre a morte de Eúde. Ver as notas de introdução a este capítulo.

4.2

וַיִּמְכְּרֵם יְהוָה בְּיַד יָבִין מֶלֶךְ־כְּנַעַן אֲשֶׁר מָלַךְ
בְּחָצוֹר וְשַׂר־צְבָאוֹ סִיסְרָא וְהוּא יוֹשֵׁב בַּחֲרֹשֶׁת
הַגּוֹיִם׃

Apostasia. O desvio de Israel (vs. 1) resultou em outra fase de servidão. Assim sendo, o antigo ciclo de apostasia, servidão e livramento ocorreu novamente.

Todos os nomes próprios deste versículo recebem artigos no *Dicionário*. O capítulo 11 do livro de Josué afirma que Josué efetuou uma campanha contra Jabim, rei de Hazor. A maioria dos eruditos modernos supõe que este texto e aquele do capítulo 11 de Josué representam uma duplicação. Isso significa que haveria duas versões da mesma história, o que, como é claro, cria um problema histórico e cronológico. Parte da teoria da duplicação é que Sísera não era o capitão do exército de Jabim, mas era, ele mesmo, rei em Harosete-Hagoim. Alguns eruditos conservadores, objetando à teoria da duplicação, afirmam que simplesmente houve dois homens diferentes com o mesmo nome. E dizem que é provável que Jabim fosse um título hereditário, e não um nome pessoal. Peço que o leitor examine o *Dicionário* quanto a outros detalhes sobre as pessoas e os lugares mencionados neste livro.

4.3

וַיִּצְעֲקוּ בְנֵי־יִשְׂרָאֵל אֶל־יְהוָה כִּי תְּשַׁע מֵאוֹת
רֶכֶב־בַּרְזֶל לוֹ וְהוּא לָחַץ אֶת־בְּנֵי יִשְׂרָאֵל בְּחָזְקָה
עֶשְׂרִים שָׁנָה׃ ס

Jabim tinha novecentos carros de ferro. Durante a conquista e no tempo coberto por este capítulo, o exército de Israel consistia essencialmente em infantaria. Faltavam-lhes cavalos e carros de combate, pelo que, em termos humanos, eles não eram páreo para os cananeus. Alguns carros de combate eram armados com pontas afiadas, e eram chamados carros-segadeiras. Avançando contra tropas de infantaria, despedaçavam muitos dentre os que lutavam a pé. A menção ao "ferro" pode significar que havia carros de combate feitos de ferro, ou então que havia carros fortalecidos com peças de ferro. Visto que Israel incendiou essas carruagens em Misrefote-Maim (Js 11.9), não é possível que elas fossem feitas inteiramente de ferro. Antes, dispunham de algumas peças de ferro, entre as quais as terríveis foices de ferro que se projetavam dos eixos. Cf. Jz 1.19 e Js 17.16. Ver no *Dicionário* o artigo chamado *Carruagem*.

Lemos que Tutmés III tomou 924 carruagens, quando da batalha de Megido, contra o príncipe de Cades e sua confederação de tropas asiáticas, pelo que não há razão para duvidarmos dos novecentos carros de ferro de Jabim. Entretanto, Josefo exagerou, ao aumentar o número das carruagens de Jabim para três mil (*Antiq.* 1.5; cap. 5, sec. 1).

Sujeitados por um Poder Superior. Israel tinha sido sujeitado por vinte anos. E novamente Israel clamou a Yahweh, rogando livramento. Assim, o ciclo prosseguiu. Os quatro elementos estavam presentes: apostasia, opressão, oração e livramento. O livramento dava-se por meio de juízes.

■ 4.4

וּדְבוֹרָה֙ אִשָּׁ֣ה נְבִיאָ֔ה אֵ֖שֶׁת לַפִּיד֑וֹת הִ֛יא שֹׁפְטָ֥ה אֶת־יִשְׂרָאֵ֖ל בָּעֵ֥ת הַהִֽיא׃

Débora. Quanto a um detalhado artigo sobre essa heroína da fé, ver no *Dicionário* os artigos chamados *Débora* e *Profetisa*.

Lapidote. No hebraico, "tochas", nome do marido da profetisa Débora, que viveu em cerca de 1120 a.C. Aparentemente, o casal morava nas vizinhanças de Ramá e Betel. Nada se sabe sobre esse homem exceto o que pode ser inferido do presente texto. Os comentadores, naturalmente, põem-se a refletir sobre a circunstância de uma mulher ter encabeçado uma revolta. Ela era profetisa e também foi uma figura militar que obteve decisiva vitória ao libertar Israel da opressão. Os artigos anteriormente mencionados mergulham nessa circunstância incomum. Ver no *Dicionário* o artigo chamado *Mulher*, que relata algumas atitudes surpreendentes que os hebreus mantinham acerca da mulher.

Débora foi uma líder carismática, instrumento apropriado de Deus para efetuar aquele livramento particular. Ela era "eminentemente dotada de dons e de graça divina" (John Gill, *in loc.*). Jarchi ajunta a isso que ela tinha por ocupação preparar pavios para as lâmpadas do tabernáculo. Mas não sabemos dizer quão exata (ou fantasiosa) é essa ideia.

"É extraordinário que, em uma época como aquela uma mulher tivesse assumido a liderança na campanha de libertação. Mesmo nos tempos modernos, não são muitas as mulheres que ocupam lugares de liderança nos campos da política, dos negócios ou das atividades profissionais. Isso não se deve a alguma falha em seu sexo; mas deve-se ao fato simples de que este mundo tem sido, principalmente, um mundo masculino" (Phillips P. Elliott, *in loc.*).

Não há certeza se Débora pertencia à tribo de Efraim ou à tribo de Issacar (ver Jz 5.15). Também não sabemos dizer até onde se estendia a sua autoridade; mas parece que essa autoridade ultrapassava as fronteiras de sua própria tribo.

■ 4.5

וְהִ֨יא יוֹשֶׁ֜בֶת תַּֽחַת־תֹּ֗מֶר דְּבוֹרָה֙ בֵּ֤ין הָֽרָמָה֙ וּבֵ֣ין בֵּֽית־אֵ֔ל בְּהַ֖ר אֶפְרָ֑יִם וַיַּעֲל֥וּ אֵלֶ֛יהָ בְּנֵ֥י יִשְׂרָאֵ֖ל לַמִּשְׁפָּֽט׃

Ela atendia debaixo da palmeira de Débora. Débora havia estabelecido uma espécie de corte ou lugar onde as pessoas podiam procurá-la a fim de se aconselhar. Alguns estudiosos supõem que, como profetisa que era, ela tinha estabelecido alguma forma de oráculo. Seja como for, era conhecida como mulher sábia e dotada de discernimento, que podia ajudar as pessoas com problemas. É provável que os conselhos dela cobrissem todas as facetas da existência humana; mas sem dúvida ela não competia com o tabernáculo, com o sumo sacerdote e com o culto ali efetuado. Alguns eruditos pensam que outros juízes também agiam desse modo, embora nada seja dito acerca dos demais juízes. Isso posto, ser alguém um juiz envolvia mais do que ser um líder carismático, capaz de convocar o povo para revoltar-se contra seus opressores, pois consistia também em ser alguém a quem o povo trazia os seus problemas.

Debaixo da palmeira. Essas palavras parecem indicar que ela atendia o povo ao ar livre. É uma tolice transformar a palmeira em um carvalho sagrado, dizendo que a árvore servia de sinal de que ali era um oráculo. Débora, a ama de Rebeca, foi sepultada debaixo de um carvalho chamado Alom-Bacute, "carvalho do pranto", próximo de Betel (ver Gn 35.8), e alguns estudiosos confundem os dois lugares. O "lugar" usado por Débora, a juíza, ficava cerca de treze quilômetros ao norte de Jerusalém.

Aquela palmeira acabou sendo conhecida como "palmeira de Débora"; e qualquer dos moradores da área seria capaz de dizer onde ficava o lugar. Sem dúvida, ela se tinha tornado mulher renomada por sua sabedoria e espiritualidade.

■ 4.6

וַתִּשְׁלַ֗ח וַתִּקְרָא֙ לְבָרָ֣ק בֶּן־אֲבִינֹ֔עַם מִקֶּ֖דֶשׁ נַפְתָּלִ֑י וַתֹּ֨אמֶר אֵלָ֜יו הֲלֹ֥א צִוָּ֣ה ׀ יְהוָ֣ה אֱלֹהֵֽי־יִשְׂרָאֵ֗ל לֵ֤ךְ וּמָֽשַׁכְתָּ֙ בְּהַ֣ר תָּב֔וֹר וְלָקַחְתָּ֣ עִמְּךָ֗ עֲשֶׂ֤רֶת אֲלָפִים֙ אִ֔ישׁ מִבְּנֵ֥י נַפְתָּלִ֖י וּמִבְּנֵ֥י זְבֻלֽוּן׃

Mandou ela chamar a Baraque. Ver no *Dicionário* todos os nomes próprios que figuram neste versículo. O nome Baraque significa "relâmpago". Alguns estudiosos ligam esse nome a Lapidote (vs. 4), marido de Débora, porque esse nome significa "tochas". Mas essa ligação é ridícula. Baraque era homem conhecido de Débora, mas certamente não era seu marido.

Yahweh-Elohim Tinha Falado. O Eterno Todo-poderoso tinha dado ordens para que Israel fosse libertado. Não somos informados como essa ordem foi transmitida, mas o mais provável é que Débora, como profetisa que era, recebera alguma espécie de revelação. Não se deve inferir que foi Baraque quem recebeu o recado divino. Débora presumiu que a declaração dela, de que o Senhor Deus havia falado, seria aceita por Baraque sem indagação de dúvida, por causa de sua reputação. Ver no *Dicionário* o artigo chamado *Deus, Nomes Bíblicos de*.

Baraque convocaria um exército de libertação, mas as ideias todas partiram de Débora. O caso dela poderia ser comparado ao de Joana d'Arc. À semelhança de Joana, Débora não comandou diretamente um exército. Ambas as mulheres tiveram de depender da força física masculina superior para realizar seus planos. Todos os grandes projetos são esforços cooperativos, e a glória cabe à equipe, e não a um indivíduo isolado.

Vai, e leva gente. Baraque precisou dirigir o curso das ações. Ele precisou fazer isso dependendo da iluminação dada a outrem, a Débora. Porém, uma vez traçado o seu plano, sem dúvida outros fatores cairiam nos seus respectivos trilhos. As forças aumentariam como uma bola de neve, e em breve o exército de libertação estaria em marcha.

Dez mil homens. Um grupo relativamente pequeno, mas suficiente para a tarefa.

O deão Stanley chamou graficamente a nossa atenção para a diferença entre a vitoriosa Débora, sentada debaixo de sua palmeira, e a Judaea Captiva, gravada nas moedas de Tito: a imagem de uma mulher em prantos, sentada debaixo de uma palmeira, olhar voltado para o chão e cabeça pendida.

■ 4.7

וּמָשַׁכְתִּ֨י אֵלֶ֜יךָ אֶל־נַ֣חַל קִישׁ֗וֹן אֶת־סִֽיסְרָא֙ שַׂר־צְבָ֣א יָבִ֔ין וְאֶת־רִכְבּ֖וֹ וְאֶת־הֲמוֹנ֑וֹ וּנְתַתִּ֖יהוּ בְּיָדֶֽךָ׃

E farei ir a ti... e o darei nas tuas mãos. Quem falava aqui era Yahweh, embora através da profetisa. Sísera e suas hostes, com suas poderosas carruagens de ferro, seriam atraídos para o lugar demarcado, somente para ter de enfrentar derrota certeira, apesar de seu poderio militar superior. A batalha teria lugar no monte Tabor, cerca de dezenove quilômetros a nordeste de Megido, no fim do braço norte da planície, no lado oposto do vale de Jezreel. O exército que derrotaria Sísera deveria ser convocado dentre as tribos de Naftali e Zebulom (ver o versículo anterior). Portanto, seria um exército libertador limitado, apenas representativo, e não nacional. Um exército local seria suficiente para cumprir a tarefa.

O ribeiro Quisom. Era um wadi, que algumas vezes se tornava uma torrente caudalosa, e de outras vezes secava. "O rio é sempre mencionado de modo proeminente, em conexão com essa grande vitória (ver Sl 83.9), porque a derrota contundente dos cananeus deveu-se, em grande parte, ao fato miraculoso de que as águas do ribeiro transbordaram, transformando suas margens em um lamaçal que eliminou a utilidade dos carros de ferro. Em abril de 1799, esse mesmo ribeiro contribuiu para a derrota dos turcos, na chamada batalha do monte Tabor. Esse ribeiro é atualmente chamado 'ribeiro da matança'. Um de seus braços formadores tem início no monte Tabor e flui para a baía de Acre, ao pé do monte Carmelo (ver 1Rs 18.40). A planície de Jezreel (Esdrelom), através da qual o ribeiro corre, em todas as eras tem sido um dos campos de batalha da Palestina" (Ellicott, *in loc.*).

■ 4.8

וַיֹּאמֶר אֵלֶיהָ בָּרָק אִם־תֵּלְכִי עִמִּי וְהָלָכְתִּי וְאִם־לֹא תֵלְכִי עִמִּי לֹא אֵלֵךְ׃

Se fores comigo, irei. Baraque indicou a condição imperiosa. Débora precisava estar presente durante a refrega. A ideia tinha sido dela; ela havia recebido a revelação; e o poder espiritual dela era necessário para que houvesse êxito. Algumas pessoas levam o sucesso em sua companhia. sua presença pessoal é poderosa. Mas há quem arraste atrás de si a má sorte. São unidades de derrota, forças negativas que sempre arrastam as coisas e as pessoas para baixo. Durante a Segunda Guerra Mundial, o general americano George Patton organizou um contra-ataque de forças americanas de infantaria, e atacou e derrotou uma unidade alemã de mais de duzentos tanques de guerra!

"O acompanhamento da profetisa teve por desígnio assegurar a presença de Yahweh, emprestando coragem ao líder e às tropas. Ela consentiu em ir com Baraque, mas predisse que a glória pelo vitorioso empreendimento seria atribuída a uma mulher, e não a Baraque" (Jacob B. Myers, *in loc.*).

Encontramos aqui um "atrativo estudo de um homem desafiado a fazer o melhor possível pela coragem de uma mulher" (Phillips P. Elliott, *in loc.*).

Devemos observar que Baraque é mencionado no Novo Testamento como um dos heróis da fé (ver Hb 11.32). Ele foi sábio o bastante para reconhecer que precisava de ajuda, e não procurou glória para si mesmo. Foi assim que a vitória lhe foi dada. Oh, Senhor, concede-nos tal graça!

■ 4.9

וַתֹּאמֶר הָלֹךְ אֵלֵךְ עִמָּךְ אֶפֶס כִּי לֹא תִהְיֶה תִּפְאַרְתְּךָ עַל־הַדֶּרֶךְ אֲשֶׁר אַתָּה הוֹלֵךְ כִּי בְיַד־אִשָּׁה יִמְכֹּר יְהוָה אֶת־סִיסְרָא וַתָּקָם דְּבוֹרָה וַתֵּלֶךְ עִם־בָּרָק קֶדְשָׁה׃

Ela respondeu. Débora ralhou com Baraque, por precisar ele da ajuda de uma mulher. Por outro lado, algumas vezes a presença de uma mulher pode fazer uma tremenda diferença. Ademais, em nada prejudica a causa cristã se uma mulher receber o crédito por um feito. Ademais, Baraque estava mais interessado em obter a vitória do que em cobrir-se de glória pessoal; e bastaria isso para ser um ponto positivo em favor dele. Os ministros não devem competir para ver quem obtém a glória maior. E, no entanto, na vida diária das igrejas, há muita competição atrás da glória pessoal. Baraque precisou de Débora. Se interpretarmos isso como um sinal de fraqueza da parte dele, então que a fraqueza traga vitória, enquanto a força arrogante só poderá fracassar. Outra mulher, Jael (ver o vs. 21 deste capítulo), entrou no incidente e obteve muito crédito por causa de seu ato audacioso. Portanto, definidamente, aquele foi um dia das mulheres.

■ 4.10

וַיַּזְעֵק בָּרָק אֶת־זְבוּלֻן וְאֶת־נַפְתָּלִי קֶדְשָׁה וַיַּעַל בְּרַגְלָיו עֲשֶׂרֶת אַלְפֵי אִישׁ וַתַּעַל עִמּוֹ דְּבוֹרָה׃

Baraque... dez mil homens... Débora. A estranha equipe seguiu para a batalha. Os dez mil homens de Israel formavam um exército modesto, mas com o poder de Yahweh (manifestado no transbordamento do ribeiro de Quisom; vs. 7) revelou-se suficiente. No dizer de John Gill (*in loc.*): "Eles seguiram-no ao monte Tabor, animada e voluntariamente, e obtiveram a vitória sobre o exército de Sísera, o qual, de acordo com Josefo (*Antiq*. 1.5, cap. 5, sec. 1), tinha dez mil cavalos".

Sísera avançou contra aquela ridícula infantaria de Israel, com seu poderoso exército, dez mil cavaleiros e novecentos carros de combate. Um pequeno ribeiro, que de repente transbordaria para fora de seu leito, anularia todo aquele poder de fogo dos cananeus, conferindo a vitória ao exército comandado por Baraque, sob a proteção espiritual de Débora.

■ 4.11

וְחֶבֶר הַקֵּינִי נִפְרָד מִקַּיִן מִבְּנֵי חֹבָב חֹתֵן מֹשֶׁה וַיֵּט אָהֳלוֹ עַד־אֵלוֹן בְּצַעֲנַנִּים אֲשֶׁר אֶת־קֶדֶשׁ׃

Héber, queneu, se tinha apartado dos queneus. Como uma lembrança parentética, o autor sacro fornece-nos algumas informações sobre o lugar que se tornou o palco da batalha. Héber, o queneu (vs. 17), era descendente de Hobabe, tinha deixado o seu clã, que habitava no sul do território de Judá (cf. Jz 1.16), e armou a sua tenda perto de Cades.

Hobabe era um dos nomes de Jetro, sogro de Moisés. Héber era um nome de clã da tribo de Aser (ver Gn 46.17; Nm 26.45) e da tribo de Judá (1Cr 4.18). Um ramo dos queneus nômades tinha-se mudado para a área em questão. Cf. Js 19.33. Essa área veio a representar a extensão mais nortista das perambulações de uma das famílias daquela tribo. Foi ali que a peleja teve lugar. Ver no *Dicionário* acerca de *Jetro*, onde são abordados os vários nomes aplicados a ele. Ver também sobre Reuel (Raguel) e Hobabe; e ver as notas expositivas adicionais em Nm 10.29. Essa adição, segundo parece, teve a intenção de dizer-nos que podiam ser encontrados queneus (incluindo Héber) naquela região, quando deveríamos esperar que a grande maioria deles se achasse no deserto de Judá. Este versículo, pois, atua como uma espécie de introdução ao vs. 17 deste capítulo.

■ 4.12

וַיַּגִּדוּ לְסִיסְרָא כִּי עָלָה בָּרָק בֶּן־אֲבִינֹעַם הַר־תָּבוֹר׃ ס

Anunciaram. Quem anunciou? Essa questão fica ambígua aqui. Poderiam estar em pauta: 1. espiões que Sísera teria enviado para ajudá-lo em seu plano de batalha; 2. alguns cananeus que habitavam naquela área; alguns queneus que estivessem vagueando por toda aquela área e que talvez fossem favoráveis a Sísera, ou então que estivessem sendo forçados por ele a prestar-lhe informações. Seja como for, a informação dada foi realmente boa para Israel, porquanto enviou Sísera o seu exército ao lugar certo para serem derrotados (ver o versículo seguinte). Estava em operação a providência de Deus (ver a respeito no *Dicionário*).

■ 4.13

וַיַּזְעֵק סִיסְרָא אֶת־כָּל־רִכְבּוֹ תְּשַׁע מֵאוֹת רֶכֶב בַּרְזֶל וְאֶת־כָּל־הָעָם אֲשֶׁר אִתּוֹ מֵחֲרֹשֶׁת הַגּוֹיִם אֶל־נַחַל קִישׁוֹן׃

Sísera convocou todos. Sem saber que Yahweh estava contra ele, Sísera tolamente posicionou sua imensa força de carros de combate perto do ribeiro Quisom (ver o vs. 7 deste capítulo), onde eles ficariam imprestáveis, atolados no meio da lama. O homem maligno foi apanhado na armadilha da providência divina. Josefo, provavelmente com algum exagero, disse que o exército de Sísera consistia em trezentos mil homens, dez mil cavalos e três mil carros de combate (*Antiq*. 1.5, cap. 5, sec. 1).

O trecho de Jz 5.21 presta-nos informações sobre a enchente e a lama, que esta passagem não menciona. Josefo deixou escrito que houve uma terrível tempestade elétrica e chuvas torrenciais, juntamente com vendavais e muito granizo. suas informações também falam sobre o frio, que dificultou o inimigo de manipular suas espadas com alguma agilidade.

■ 4.14

וַתֹּאמֶר דְּבֹרָה אֶל־בָּרָק קוּם כִּי זֶה הַיּוֹם אֲשֶׁר נָתַן יְהוָה אֶת־סִיסְרָא בְּיָדֶךָ הֲלֹא יְהוָה יָצָא לְפָנֶיךָ וַיֵּרֶד בָּרָק מֵהַר תָּבוֹר וַעֲשֶׂרֶת אֲלָפִים אִישׁ אַחֲרָיו׃

Então disse Débora a Baraque. A profetisa baixou a ordem de atacar no momento mais exato. Nada nos é dito, nesta passagem, acerca do vendaval, das chuvas, do granizo e do frio (ver o versículo anterior), mas podemos imaginar que isso tenha servido de sinal, dado por Yahweh, de que era hora de lançar o ataque. Yahweh estava controlando tanto as condições atmosféricas quanto os homens, tendo em vista a vitória de Israel. Algumas vezes, precisamos de forças para além de nós mesmos. A vitória pertence ao Senhor (ver Sl 98.1). Ver também Dt 9.3 e Zc 14.3. Quanto à poderosa mão de Yahweh, ver Dt 9.26. Quanto ao fato de que Yahweh lutava em favor de Israel, ver Êx 14.14; Dt 1.30; 3.22; 20.4; Js 10.8,14,42 e 23.3.

■ 4.15

וַיָּהָם יְהוָה אֶת־סִיסְרָא וְאֶת־כָּל־הָרֶכֶב וְאֶת־כָּל־הַמַּחֲנֶה לְפִי־חֶרֶב לִפְנֵי בָרָק וַיֵּרֶד סִיסְרָא מֵעַל הַמֶּרְכָּבָה וַיָּנָס בְּרַגְלָיו:

O Senhor derrotou a Sísera. A *Revised Standard Version* usa aqui o verbo "desbaratar", mais fiel ao sentido do original hebraico do que simplesmente "derrotou". A descrição poética do que sucedeu é mais vívida, tendo sido seguida por Josué para relatar o que sucedeu (ver Jz 5.20-22). Foi uma cena de completo caos e desespero. A natureza e os filhos de Israel varreram do mapa Sísera e o seu poderoso exército.

Josefo, em seus escritos, aludiu à grande tempestade de chuva e granizo, como o vento gelado fazia doer o rosto dos adversários, e como o frio lhes paralisava os braços e as pernas. Aqueles que estavam usando armaduras ficaram em tão grande torpor que caíram no chão, e as armas de guerra jazeram espalhadas inutilmente no solo. O ribeiro extravasou e inundou toda aquela área; os carros de combate se atolaram na lama. Israel desceu sobre um exército relativamente incapaz de defender-se e efetuou uma terrível carnificina. O próprio Sísera conseguiu escapar da cena do combate, mas somente para enfrentar uma morte vergonhosa às mãos de uma mulher (ver o vs. 21). O triunfo deveu-se ao fato de que o Senhor seguiu à frente de seu povo (vs. 14; Dt 20.4).

> *Uns confiam em carros, outros em cavalos;*
> *nós, porém, nos gloriaremos*
> *no nome do Senhor, nosso Deus.*
>
> Salmo 20.7

■ 4.16

וּבָרָק רָדַף אַחֲרֵי הָרֶכֶב וְאַחֲרֵי הַמַּחֲנֶה עַד חֲרֹשֶׁת הַגּוֹיִם וַיִּפֹּל כָּל־מַחֲנֵה סִיסְרָא לְפִי־חֶרֶב לֹא נִשְׁאַר עַד־אֶחָד:

Baraque perseguiu os carros e os exércitos. Alguns carros de combate e tropas de infantaria do inimigo conseguiram escapar da turba. Mas Baraque pôs-se a acossá-los, em uma perseguição que se estendeu até *Harosete-Hagoim*. Ver no *Dicionário* o artigo sobre esse lugar. Os fugitivos continuaram debandando quase na direção oeste, por cerca de trinta quilômetros. Foi nesse percurso que todos os soldados de Sísera foram mortos. Não houve sobreviventes, exceto o próprio Sísera, pois não foram feitos prisioneiros. E assim, atenderam-se os requisitos próprios de uma guerra santa. Ver Dt 7.1-5; 20.10-18 quanto à guerra santa. Filo Bíblios afirmou que pereceram 997 mil homens; mas sem dúvida isso é um exagero.

■ 4.17

וְסִיסְרָא נָס בְּרַגְלָיו אֶל־אֹהֶל יָעֵל אֵשֶׁת חֶבֶר הַקֵּינִי כִּי שָׁלוֹם בֵּין יָבִין מֶלֶךְ־חָצוֹר וּבֵין בֵּית חֶבֶר הַקֵּינִי:

Sísera fugiu a pé. Ele fugiu para a tenda de Héber, onde acabou encontrando a morte, às mãos de Jael, mulher de Héber. A tenda de Héber é introduzida no vs. 11 deste capítulo (cujas notas também se aplicam aqui). Todos os nomes próprios deste versículo recebem artigos separados no *Dicionário*, pelo que esse material não é repetido aqui.

Os nômades queneus não estavam sujeitos à opressão exercida pelos cananeus, pelo que, como grupo, os queneus estavam em paz com os cananeus. Por outra parte, muitos queneus favoreciam Israel e alegraram-se em ver o grande exército de Sísera ser destruído. Entre esses queneus estavam Héber e sua esposa, Jael. Sísera procurou asilo onde pensava que estaria em segurança, mas não contou com a hostilidade daquela família particular. Jael fingiu ter amizade por Sísera, porém já estava resolvida a tirar-lhe a vida.

"O evento assemelhou-se ao logro e assassinato de Eglom, por parte de Eúde (Juízes 3). Eram aqueles tempos difíceis... quando 'a carne humana era barata' (G. A. Studdert-Kennedy)" (Phillips P. Elliott, *in loc.*). Estremecemos diante de tanta violência, mas são os heróis violentos que continuam lembrados por muito tempo (o capítulo 11 de Hebreus lista alguns juízes, como Gideão, Baraque e Sansão, cuja grande marca distintiva era a tremenda capacidade de matar).

■ 4.18

וַתֵּצֵא יָעֵל לִקְרַאת סִיסְרָא וַתֹּאמֶר אֵלָיו סוּרָה אֲדֹנִי סוּרָה אֵלַי אַל־תִּירָא וַיָּסַר אֵלֶיהָ הָאֹהֱלָה וַתְּכַסֵּהוּ בַּשְּׂמִיכָה:

Saindo Jael ao encontro de Sísera, disse-lhe. Jael fingiu hospitalidade, como uma aranha viúva-negra. Desse modo, bastou-lhe esperar o momento azado para matar o matador. E Sísera, de nada suspeitando, entrou na tenda de Jael, somente para ali ter o seu triste e vergonhoso fim. Cansado, suado e com medo, ele se deitou no leito provido por Jael, sem saber que jamais se levantaria vivo.

Jael cobriu Sísera com uma manta, a qual, de acordo com Kimchi, era uma espécie de veste que tinha mechas de lã nas beiradas esquerda e direita, uma espécie de tapete. Elliott (*in loc.*) chamou a peça de "tapete de tenda", e provavelmente isso descreve com exatidão a peça. Em minha juventude, em Salt Lake City, Estado de Utah, Estados Unidos, durante o auge do inverno, as pessoas que não dispunham de aquecimento central em seus lares usavam os tapetes dos assoalhos como cobertas de cama durante a noite.

■ 4.19,20

וַיֹּאמֶר אֵלֶיהָ הַשְׁקִינִי־נָא מְעַט־מַיִם כִּי צָמֵאתִי וַתִּפְתַּח אֶת־נֹאוד הֶחָלָב וַתַּשְׁקֵהוּ וַתְּכַסֵּהוּ:

וַיֹּאמֶר אֵלֶיהָ עֲמֹד פֶּתַח הָאֹהֶל וְהָיָה אִם־אִישׁ יָבוֹא וּשְׁאֵלֵךְ וְאָמַר הֲיֵשׁ־פֹּה אִישׁ וְאָמַרְתְּ אָיִן:

Então ele lhe disse. O homem estava muito cansado e sedento, e pediu água. Mas Jael tinha leite, e serviu a Sísera. A bebida, provavelmente, era leite azedado. Ver os comentários sobre Jz 5.25. Ali estava ele, procurando esquecer o dia mau pelo que havia passado, aquecido pelo tapete e satisfeito após ter tomado o leite. E logo caiu em sono profundo, confiando a sua sorte às mãos de Jael. O beijo da mulher-aranha seria a estaca com a qual ela atravessaria a fronte do general! Mas antes de adormecer, Sísera pediu que Jael fosse uma boa sentinela e uma boa mentirosa, mandando embora qualquer um que perguntasse por ele. E o pedido dele foi atendido com falsas promessas. A mentira e depois o homicídio foram considerados coisas de somenos. Uma mentira tendo em vista a autopreservação (mesmo nos tempos do cristianismo) tem sido reputada pecado venial, que o poder divino não castiga de modo severo.

Neste exato momento, tenho comentários diversos que criticam Jael por ter dito mentiras, mas a louvam por ter matado Sísera! Isso parece significar que mentir é um pecado, mas matar é uma virtude! Disse Dario: "Quando for necessário mentir, mente!" (Heródoto, iii.72). E é precisamente isso que faz a maioria das pessoas.

"Visto que nenhum homem entraria na tenda de uma mulher sem a permissão dela, o simples fato de ela declarar que não havia nenhum homem em sua tenda excluiria toda a tentativa de busca" (Adam Clarke, *in loc.*).

■ 4.21

וַתִּקַּח יָעֵל אֵשֶׁת־חֶבֶר אֶת־יְתַד הָאֹהֶל וַתָּשֶׂם אֶת־הַמַּקֶּבֶת בְּיָדָהּ וַתָּבוֹא אֵלָיו בַּלָּאט וַתִּתְקַע אֶת־הַיָּתֵד בְּרַקָּתוֹ וַתִּצְנַח בָּאָרֶץ וְהוּא־נִרְדָּם וַיָּעַף וַיָּמֹת:

E lhe cravou a estaca na fonte. Jael tinha coberto Sísera com um tapete, em uma típica demonstração de hospitalidade oriental. Mas depois que ele adormeceu profundamente, ela tomou uma das estacas da tenda e, com a ajuda de um martelo, atravessou a testa do homem. Sem dúvida, isso foi uma quebra da hospitalidade oriental! Sísera nunca soube o que o atingiu, e sua alma se foi para algum lugar, antes que ele pudesse mover um músculo. O trabalho foi rápido, limpo e fatal, e tem atraído louvores para Jael desde então.

"Visto que as mulheres beduínas tinham a tarefa de armar as tendas, Jael era habilidosa no uso daquele instrumento" (F. Duane Lindsey, *in loc.*).

Estaca. A Septuaginta diz aqui "estaca de madeira". Mas Josefo afirmou que a estaca era feita de metal. Naqueles dias já se conhecia bem o uso dos metais, sendo perfeitamente possível que as estacas das tendas fossem feitas de metais diversos.

Martelo. Novamente, esse instrumento tanto podia ser feito de madeira como de metal. A arqueologia tem descoberto antigos e pesados malhos de madeira, guardados em todas as tendas, para enterrar as estacas que emprestavam estabilidade às tendas. A palavra hebraica aqui usada é *makkebeth*, de onde se deriva o nome próprio Macabeus, pois eram sacerdotes-guerreiros que atingiam os seus adversários como se fossem martelos. A palavra inglesa moderna correspondente, Hammer, é usada como se fosse um sobrenome de família. Assim, o texto do Antigo Testamento descreve esse feito atroz de Jael sem uma única palavra de desaprovação, da mesma maneira que Homero, sem nenhum estremecimento no corpo, descreveu as coisas mais horrendas, sem transmitir nenhum julgamento moral reprovador.

John Gill (*in loc.*) referiu-se, neste ponto, ao fato de Jael ter recebido o impulso de matar "... da parte de Deus, que não a encheu de sentimentos de malícia e vingança, e, sim, de interesse pela glória de Deus, a bem da religião e de Israel". Jael bateu na estaca com tanta força que esta atravessou a cabeça de Sísera e ficou espetada no chão. O trecho de Jz 5.26 mostra-nos que então ela decepou a cabeça de Sísera — sem nenhuma maldade, naturalmente.

■ **4.22**

וְהִנֵּה בָרָק רֹדֵף אֶת־סִיסְרָא וַתֵּצֵא יָעֵל לִקְרָאתוֹ
וַתֹּאמֶר לוֹ לֵךְ וְאַרְאֶךָּ אֶת־הָאִישׁ אֲשֶׁר־אַתָּה מְבַקֵּשׁ
וַיָּבֹא אֵלֶיהָ וְהִנֵּה סִיסְרָא נֹפֵל מֵת וְהַיָּתֵד בְּרַקָּתוֹ:

Mostrar-te-ei o homem que procuras. Jael, ansiando mostrar o grande feito que tinha realizado, não esperou que Baraque parasse diante de sua tenda para fazer indagações sobre o fugitivo. Antes, saiu ao encontro dele ao ouvir o ruído feito pela sua passagem. Ela estava ansiosa para mostrar o seu troféu, e assim guiou Baraque até o interior de sua tenda, e eis! ali estava ele, com os dias de luta encerrados! Um bom toque na história teria sido a surpresa de Baraque e os elogios dele à mulher-aranha. Mas o autor sagrado não se deu ao trabalho de dizer-nos o que, naturalmente, podemos imaginar. "Ela não tentou arrancar a estaca da cabeça dele, mas deixou-a ali, para que todos vissem como a havia despachado!" (John Gill, *in loc.*). Foi assim que esse comentador batista de dois séculos atrás descreveu a cena gloriosa. A cena que devemos imaginar, daquela mulher olhando tão orgulhosamente para a sua presa e mostrando-a a Baraque, é simplesmente chocante. A história não teria sido registrada a menos que os homens a encarassem com admiração.

■ **4.23**

וַיַּכְנַע אֱלֹהִים בַּיּוֹם הַהוּא אֵת יָבִין מֶלֶךְ־כְּנָעַן לִפְנֵי בְּנֵי יִשְׂרָאֵל:

Deus naquele dia humilhou a Jabim. Temos aqui um sumário. Elohim estava por trás do incidente inteiro. Outro livramento de Israel tinha sido realizado. O presente livramento, tal como os outros seis, pôs fim ao temível ciclo da apostasia e servidão. Mas isso somente para abrir espaço ainda para outro ciclo.

Esta passagem enfatiza novamente o conceito religioso que o autor sagrado tinha acerca dos acontecimentos historiados. Cf. Js 11.18. Josefo diz-nos que a vitória foi completada quando Baraque matou o próprio rei Jabim (*Antiq.* 1.5, cap. 5, sec. 4).

"O trabalho de Jael foi apresentado pelo autor sacro como uma obra de Deus" (Bispo Wordsworth).

"A conduta de Eúde e de Jael está diante do tribunal de Deus: não quero justificá-los; também não ouso, em absoluto, condená-los; deixo--os como estão" (Adam Clarke, *in loc.*). É evidente que esse autor se debateu diante da moralidade de passagens como essa, especialmente quando tais atos de barbaridade são atribuídos a Deus.

■ **4.24**

וַתֵּלֶךְ יַד בְּנֵי־יִשְׂרָאֵל הָלוֹךְ וְקָשָׁה עַל יָבִין מֶלֶךְ־כְּנָעַן עַד אֲשֶׁר הִכְרִיתוּ אֵת יָבִין מֶלֶךְ־כְּנָעַן: פ

Até que o exterminaram. Este versículo reforça e completa a mensagem do versículo anterior. Enfatiza quão cabal foi a destruição de Jabim e de suas forças. Disso originou-se a independência e a prosperidade de Israel, uma nova chance para os hebreus viverem livres na Terra Prometida. Cumpre-nos compreender que a batalha às margens do ribeiro de Quisom foi apenas o início de uma série de batalhas que acabou eliminando totalmente os invasores cananeus. Dessarte, partiu-se temporariamente o jugo dos cananeus sobre o povo de Israel. Uma monarquia perversa foi assim varrida para longe. A guerra santa (ver as notas a respeito em Dt 7.1-5 e 20.10-18) novamente tinha-se mostrado eficaz.

CAPÍTULO CINCO

Este capítulo dá prosseguimento à seção iniciada em Jz 4.1. Ver a introdução naquele ponto. O quarto capítulo ofereceu-nos um relato, em forma de prosa, da vitória de Débora e Baraque sobre Jabim e seu reino cananeu. Mas este capítulo 5 fornece-nos uma versão poética do mesmo acontecimento. Todavia, as diferenças entre as duas narrativas são suficientes para fazer-nos supor que o autor sagrado reuniu dois relatos derivados de fontes informativas separadas, e que não temos aqui apenas uma versão poética de uma única fonte.

A versão poética, de forma surpreendente, nem ao menos menciona Jabim, rei de Hazor, embora Sísera apareça com proeminência em ambos os relatos. De acordo com o quarto capítulo, a campanha foi realização das tribos de Zebulom e Naftali; mas no capítulo 5 pelo menos seis tribos fizeram contribuição. Ver Jz 4.10 em contraste com Jz 5.16 ss. Na versão poética não há nenhuma menção ao monte Tabor. seu lugar é tomado por Taanaque e pelas águas de Megido. O ribeiro de Quisom, entretanto, figura em ambos os capítulos. A versão poética enfatiza uma tremenda tempestade, que ajudou Israel a derrotar um exército adversário muitas vezes superior (vss. 20 e 21); mas nada é dito quanto a isso na versão prosaica. Na versão poética, menciona-se rapidamente o sono de Sísera e, além do golpe com a estaca que lhe atravessou o crânio, relata-se que sua cabeça foi decepada, um detalhe totalmente ausente na versão prosaica.

Uma Antiga Peça Poética do Antigo Testamento. Há evidências de que o cântico de Débora (versão poética) é uma das mais antigas peças poéticas de todo o Antigo Testamento. Os tradutores da Septuaginta e da Vulgata tiveram imensas dificuldades para traduzir certas frases ou palavras, pois o sentido delas se tinha perdido desde a antiguidade. Formas e grafias antigas fazem-se presentes ali, confirmando sua grande antiguidade. O vigor e a vitalidade da versão poética são notáveis; e a maioria dos eruditos supõe, com base nisso, que o relato deva ter sido contemporâneo aos acontecimentos, quando estes continuavam deixando admirada a mente dos homens.

"Esse antigo hino de vitória (Jz 5.1-31a) pode ter sido inicialmente preservado em uma coletânea como "o Livro das Guerras do Senhor" (Nm 21.14) ou como "o Livro dos Justos" (Js 10.13). Trata-se de um hino de vitória (um estilo bem conhecido por meio de exemplos provenientes dos séculos XV a XII a.C., no Egito e na Assíria... Divide-se em cinco partes: 1. o cabeçalho do hino (vs. 1); 2. o louvor proferido por Débora (vss. 2-11); 3. a convocação das tribos (vss. 12-18); 4. a derrota dos cananeus (vss. 19-30) e 5. a oração final de maldição e de bênção" (vs. 31,32) (F. Duane Lindsey, *in loc.*).

A Forma Poética. O poema emprega o típico paralelismo poético dos hebreus. Esse paralelismo utiliza as formações bícola e trícola, ou seja, de duas linhas, onde o mesmo pensamento é expresso; ou de três linhas, que repetem uma mesma ideia de três formas diferentes. Exemplos:

Bícola: "Desperta, Débora, desperta, desperta, acorda, entoa um cântico".

(vs. 12)

Trícola: "Para Sísera estofos de várias cores,
estofos de várias cores de bordados;
um ou dois estofos bordados para o pescoço da esposa?"

(vs. 30)

PRIMEIRA SEÇÃO: CABEÇALHO DO HINO (5.1)

■ 5.1

וַתָּ֣שַׁר דְּבוֹרָ֔ה וּבָרָ֖ק בֶּן־אֲבִינֹ֑עַם בַּיּ֥וֹם הַה֖וּא לֵאמֹֽר׃

Naquele dia cantaram Débora, e Baraque. O poema foi composto a respeito de Débora, e não por ela, conforme vemos no sétimo versículo, a menos que ela tenha referido a si mesma na terceira pessoa do singular. Débora e Baraque faziam parte da equipe que trouxe a vitória, razão pela qual, logo na introdução, ambos são chamados por nome. Este versículo é a introdução simples do poema, um hino de vitória.

"Débora foi mencionada em primeiro lugar, porquanto, conforme escreveu Kimchi, ela foi a raiz ou alicerce da realização" (John Gill, *in loc.*). Ela era profetisa (4.4) e, em seu oráculo, recebeu recado, da parte de Yahweh, para dar início à batalha. O trecho de Jz 4.6 mostra que Baraque deveria reconhecer de pronto a veracidade da mensagem transmitida por ela no oráculo (debaixo da palmeira, vs. 5), da parte de Yahweh.

SEGUNDA SEÇÃO: LOUVOR PROFERIDO POR DÉBORA (5.2-11)

■ 5.2

בִּפְרֹ֤עַ פְּרָעוֹת֙ בְּיִשְׂרָאֵ֔ל בְּהִתְנַדֵּ֖ב עָ֑ם בָּרֲכ֖וּ יְהוָֽה׃

Desde que os chefes se puseram à frente de Israel. A segunda seção (logo depois da introdução; vs. 1) compõe-se dos vss. 2 a 11. Esse trecho exalta a Yahweh por sua graça e poder, que tiveram como resultado o livramento de Israel e seu descanso. O livro de Juízes registra sete apostasias, sete servidões e sete livramentos. O autor sagrado vê em tudo isso razões espirituais do mais elevado naipe. Ele nada deixou para o secularismo explorar; nada deixou ao mero acaso.

Fonte tu de toda a bênção,
Vem o canto me inspirar
Dons de Deus que nunca cessam
Quero em alta voz louvar.

Robert Robinson

A vingança de Deus contra os cananeus ocupa, de imediato, a primeira palavra de louvor. Os dois líderes apresentaram-se para dirigir a empreitada, e as tropas concentraram-se voluntariamente como instrumentos de guerra. Tanto os chefes quanto os seguidores cumpriram o seu dever; e Deus foi louvado por esse motivo.

A versão em prosa fala sobre as tribos de Zebulom e Naftali como esses instrumentos (ver Jz 4.10), mas a versão poética menciona pelo menos seis das doze tribos de Israel (Jz 5.16 ss.).

■ 5.3

שִׁמְע֣וּ מְלָכִ֔ים הַאֲזִ֖ינוּ רֹֽזְנִ֑ים אָֽנֹכִ֗י לַֽיהוָה֙ אָנֹכִ֣י אָשִׁ֔ירָה אֲזַמֵּ֕ר לַֽיהוָ֖ה אֱלֹהֵ֥י יִשְׂרָאֵֽל׃

Ouvi, reis, dai ouvidos, príncipes. A mensagem era tão excelente que reis e príncipes foram convocados para ouvi-la. Yahweh é o objeto dos louvores, o Rei dos reis, e o seu nome é Yahweh Elohim de Israel. Ele é o Eterno e Todo-poderoso Deus. Ver no *Dicionário* o artigo chamado *Deus, Nomes Bíblicos de*.

"Que os reis e governantes em derredor de Israel tomem nota! Observemos a fé do poeta no Senhor, de quem fora a vitória e a quem o cântico foi dedicado" (Jacob M. Myers, *in loc.*). Visto que, nessa altura da história, ainda não havia reis em Israel, o apelo, por conseguinte, foi dirigido aos mandantes da terra (ver Sl 2.10). A versão caldaica refere-se aos reis como aqueles que eram aliados de Jabim, ou seja, os que governavam na Palestina. Os Targuns concordam com a versão caldaica. Mas alguns intérpretes fazem de Israel o objeto cuja atenção foi atraída, onde a palavra "reis" teria sido usada frouxamente para indicar "governantes".

■ 5.4,5

יְהוָ֗ה בְּצֵאתְךָ֤ מִשֵּׂעִיר֙ בְּצַעְדְּךָ֙ מִשְּׂדֵ֣ה אֱד֔וֹם אֶ֣רֶץ רָעָ֔שָׁה גַּם־שָׁמַ֖יִם נָטָ֑פוּ גַּם־עָבִ֖ים נָ֥טְפוּ מָֽיִם׃

הָרִ֥ים נָזְל֖וּ מִפְּנֵ֣י יְהוָ֑ה זֶ֣ה סִינַ֔י מִפְּנֵ֕י יְהוָ֖ה אֱלֹהֵ֥י יִשְׂרָאֵֽל׃

Saindo tu, ó Senhor, de Seir. Muitos intérpretes supõem que a referência, nesse caso, é ao Senhor, que teria saído do monte Seir para o monte Sinai, a fim de outorgar a lei. A lei mosaica é que fazia de Israel uma nação distinta, um alvo escolhido do poder e das bênçãos de Yahweh. Ver Dt 4.4-8 no tocante ao caráter distinto do povo de Israel. Cf. Sl 68.7-9 e Hc 3.3-12. Ver Êx 19.16-18 e Dt 7.6 quanto à outorga da lei no monte Sinai. Porém, a referência é, realmente, ao monte Seir e a Edom, o que significa que somos aqui relembrados acerca das primeiras vitórias de Israel, na Transjordânia (onde se estabeleceram Rúben, Gade e a meia tribo de Manassés). Desde o início, pois, Yahweh esteve com o seu povo. Mas tudo começou no monte Sinai, nos limiares da Terra Prometida, quando ele os transformou em um povo distinto. É isso que está em foco no quinto versículo. A presença de Deus estava ali, realizando coisas em favor de Israel. Tempestades incomuns assustaram o povo, e os tremores de terra, debaixo de seus pés, deixaram-nos aterrorizados. Os propósitos cósmicos de Deus tiveram como paralelo perturbações cósmicas. Seus propósitos terrestres foram enfatizados pelos abalos sísmicos.

"De Seir... Edom. Yahweh é retratado como quem viera da região sudoeste do mar Morto, a fim de ajudar o seu povo" (*Oxford Annotated Bible*, comentando sobre o quarto versículo deste capítulo).

■ 5.6

בִּימֵ֞י שַׁמְגַּ֤ר בֶּן־עֲנָת֙ בִּימֵ֣י יָעֵ֔ל חָדְל֖וּ אֳרָח֑וֹת וְהֹלְכֵ֣י נְתִיב֔וֹת יֵלְכ֖וּ אֳרָח֥וֹת עֲקַלְקַלּֽוֹת׃

Nos dias de Sangar. Ver sobre o juiz Sangar em Jz 3.31. A ele foram dedicados somente aquele e este versículo, mas não há informes cronológicos sobre ele. Parece que este versículo está dizendo que Israel, na Terra Prometida, achava-se em uma condição tão caótica (carente, portanto, do socorro de Yahweh) que as estradas tiveram de ser abandonadas. Assaltantes, ladrões e guerreiros estavam por toda parte, vexando e matando os que por ali passassem. Para que pudessem viajar, pois, eles tinham de tomar atalhos e caminhos secundários. Mas também pode estar em pauta o fato de que as estradas foram negligenciadas, conforme se lê em Is 33.8 e Zc 7.14. Ver também 2Cr 15.5 e Lm 1.4 e 4.18. As descrições refletem um estado de anarquia, criado tanto pela violência quanto pelo estado de abandono. A Terra Prometida não era mais a terra que manava leite e mel (ver Êx 3.8; Nm 13.27; Dt 6.6), tendo sido reduzida a uma terra de caos, ruína e violência.

A menção a Jael (ver Jz 4.17 ss.) não parece querer torná-la contemporânea de Sangar, e, sim, dizer: "Vede por quanto tempo perdurou toda essa confusão. Já estava presente nos dias de Sangar, e continuava presente nos dias de Jael, tão intimamente ligada à vitória sobre Sísera, por parte de Débora e Baraque". Jael ajudou aos dois líderes carismáticos, por haver matado a Sísera, razão pela qual mereceu ser mencionada especialmente no cântico de Débora.

■ 5.7

חָדְל֧וּ פְרָז֛וֹן בְּיִשְׂרָאֵ֖ל חָדֵ֑לּוּ עַ֤ד שַׁקַּ֙מְתִּי֙ דְּבוֹרָ֔ה שַׁקַּ֖מְתִּי אֵ֥ם בְּיִשְׂרָאֵֽל׃

Ficaram desertas as aldeias em Israel. Os assaltantes cananeus, os assassinos e os saqueadores fizeram as estradas cair em desuso (vs. 6). Mas, não estando aqueles bandidos satisfeitos, atacaram as aldeias e praticamente esvaziaram-nas de seus habitantes. Eles arrebatavam qualquer coisa que tivesse valor, e não havia oposição contra eles para aliviar tanta dor, até que Débora surgiu em cena.

Levantei-me por mãe em Israel. Como se fosse uma "mãe", ela criou novos filhos, uma nova família de Israel, que passou a habitar nas aldeias e tomou conta das estradas novamente. Como mãe, Débora fez o povo de Israel reviver por toda a Terra Prometida, e não apenas nas cidades fortificadas onde residia apenas uma elite relativa. Ver sobre a metáfora da mãe em 2Sm 20.19; Jó 39.16 e Gn 45.8.

■ 5.8

יִבְחַר֙ אֱלֹהִ֣ים חֲדָשִׁ֔ים אָ֖ז לָחֶ֣ם שְׁעָרִ֑ים מָגֵ֤ן
אִם־יֵֽרָאֶה֙ וָרֹ֔מַח בְּאַרְבָּעִ֥ים אֶ֖לֶף בְּיִשְׂרָאֵֽל׃

Escolheram-se deuses novos. A causa de toda a miséria pela qual o povo de Israel tinha passado era uma razão religiosa: a idolatria. Yahweh tinha rejeitado uma população idólatra, entregando-a à consequência natural de servir a deuses de potências estrangeiras. A guerra chegara aos portões de suas cidades e aldeias. Os Targuns dizem que seus inimigos "assediavam seus portões". Embora Israel talvez contasse com um exército relativamente grande de quarenta mil homens, eles não dispunham de equipamento, nem mesmo espadas e lanças, para nada dizermos sobre cavalos e carros de combate. Anos de provações e saques tinham essencialmente desarmado os filhos de Israel. Por isso mesmo, foi ainda mais fenomenal a vitória alcançada sobre Sísera. Josefo, provavelmente exagerando, afirmou que Sísera contava com trezentos mil homens, dez mil cavalos e três mil carros de guerra (*Antiq.* 1.5, cap. 5, sec. 1). Mas o fato inequívoco é que as tropas armadas de Israel eram minúsculas, em comparação com isso.

Já Tinha Havido Tempos Melhores. Quando Israel invadiu a parte ocidental da Terra Prometida, somente as tribos da Transjordânia tinham conseguido destacar quarenta mil homens para ajudar a Josué. Ver Js 4.13. Mas agora, quarenta mil homens formariam um exército ideal para todo o Israel; e mesmo assim esses homens não dispunham de equipamento militar. O trecho de Nm 1.46 mostra-nos que, pouco antes de Israel ter invadido a terra de Canaã, o povo de Deus contava com mais de seiscentos mil jovens capazes de ir à guerra. Verdadeiramente, Israel tinha caído muito e estava atravessando tempos difíceis. E assim continuariam, até que surgisse Davi, muitos séculos mais tarde.

■ 5.9

לִבִּי֙ לְחֹוקְקֵ֣י יִשְׂרָאֵ֔ל הַמִּֽתְנַדְּבִ֖ים בָּעָ֑ם בָּרֲכ֖וּ יְהוָֽה׃

Meu coração se inclina. Este versículo tem sido interpretado de várias maneiras, conforme se vê nos três pontos seguintes:

1. Débora teria dito aqui que havia um lugar especial em seu coração, um interesse e um agradecimento especial pelos governantes. E isso poderia apontar para os sábios e os escribas, os quais, apesar das dificuldades da época, não tinham negligenciado seu ensino, instruindo o povo quanto à lei. Assim interpretam quase todos os Targuns.
2. Mas Kimchi e Ben Melech compreendiam que esses governadores eram os que executam a lei. Isso eles faziam com justiça, em favor do povo.
3. Ou então os líderes, como pessoas investidas de autoridade e poder, que poderiam ter preservado suas circunstâncias prósperas e pacíficas, apesar das dificuldades, resolveram sacrificar a fim de liderar soldados comuns à batalha contra os cananeus opressores. Essa interpretação militar é a que faz mais justiça ao contexto.

O fato de que tais pessoas fizeram o que fizeram em favor de todo o povo de Israel serviu de boa razão para que agora se agradecesse a Yahweh, o inspirador de tais atos.

À testa de tais homens achava-se Baraque, o principal auxiliar de Débora. O versículo informa-nos que houve outras figuras como ele, que se dispuseram a arriscar o pescoço em benefício de Israel.

■ 5.10

רֹכְבֵי֩ אֲתֹנ֨וֹת צְחֹר֜וֹת יֹשְׁבֵ֧י עַל־מִדִּ֛ין וְהֹלְכֵ֥י
עַל־דֶּ֖רֶךְ שִֽׂיחוּ׃

Vós os que. Débora convocou aqui três classes de pessoas, em Israel, para que "narrassem" as grandes vitórias obtidas sobre os cananeus: 1. os que cavalgavam em jumentas brancas, ou seja, os ricos; 2. os que se sentavam nos tribunais, ou seja, os principais governantes; 3. os que andavam a pé pelo caminho, ou seja, os pobres. Em outras palavras, de acordo com um estilo perfeitamente poético, ela convocou todo o povo de Israel para que contasse tudo quanto Yahweh tinha feito, exaltando-o por esse motivo. Cf. Jz 10.4 e 12.14.

Somos informados que não existem jumentos brancos, pelo que, se o original hebraico pode ser traduzido como tal, talvez devamos pensar em jumentos de cores vivas, ou em jumentos "malhados", conforme traduziu a Vulgata Latina. Podemos lembrar que Jesus, em sua entrada triunfal em Jerusalém, chegou montado em um jumentinho, mas nesse caso, provavelmente estava em pauta a atitude de humildade. Jesus não dispunha de um cavalo, animal dos orgulhosos e usado nas guerras. Ver Mt 21.5.

■ 5.11

מִקּ֣וֹל מְחַֽצְצִ֗ים בֵּ֚ין מַשְׁאַבִּ֔ים שָׁ֤ם יְתַנּוּ֙ צִדְק֣וֹת יְהוָ֔ה
צִדְקֹ֥ת פִּרְזֹנ֖וֹ בְּיִשְׂרָאֵ֑ל אָ֛ז יָרְד֥וּ לַשְּׁעָרִ֖ים עַם־יְהוָֽה׃

À música dos distribuidores de água. O significado dessa primeira cláusula do versículo é incerto. Alguns dizem que as três classes de cidadãos de Israel deveriam fazer conhecido aquilo que Yahweh tinha feito. Ou mediante "o ruído feito pelos arqueiros" (*King James Version*), ou através do "som dos músicos" (*Revised Standard Version*), ou por meio do "estrondo dos flecheiros" (antiga versão de Almeida). Esses ruídos, sem dúvida, seriam feitos pelo povo reunido em torno de fontes, ou seja, lugares públicos onde as pessoas podiam ocupar-se em conversações comunais. Os triunfos de Yahweh seriam repetidos com deleite, até mesmo por parte dos humildes, que desciam aos "canais dos rebanhos", ou seja, os "aldeões" (no dizer da *Revised Standard Version*).

Falai dos atos de justiça do Senhor. Isso porque a guerra santa (ver as notas expositivas a respeito em Dt 7.1-5 e 20.10-18) tinha sido inspirada e ajudada pelo próprio Yahweh, e visto que a destruição daquela gente idólatra tinha sido um ato justo. Yahweh havia "combatido" em prol de seu povo (ver Êx 14.14; Dt 1.30; 3.22; 20.4; Js 10.8,14,42). A derrota dos cananeus tinha significado vitória e bem-estar para Israel.

TERCEIRA SEÇÃO: CONVOCAÇÃO DAS TRIBOS (5.12-18)

Quanto às cinco seções do hino de vitória de Débora, ver a introdução a este capítulo.

Por ordem de Débora, Baraque convocou as tribos de Israel. Na versão prosaica (capítulo 4), somente as tribos de Zebulom e Naftali aparecem envolvidas (Jz 4.10). Mas na versão poética (capítulo 5), pelo menos seis das doze tribos são mencionadas (Jz 5.14 ss.).

■ 5.12

ע֤וּרִי ע֙וּרִי֙ דְּבוֹרָ֔ה ע֥וּרִי ע֖וּרִי דַּבְּרִי־שִׁ֑יר ק֥וּם בָּרָ֛ק
וּֽשֲׁבֵ֥ה שֶׁבְיְךָ֖ בֶּן־אֲבִינֹֽעַם׃

Desperta, Débora, desperta. O cântico de vitória tinha mesmo de começar pela própria Débora; e então Baraque a secundou no cântico de louvor, sendo ele o seu principal auxiliar. Ato contínuo, o restante do povo se juntaria aos louvores a Deus. E cada tribo que tinha participado ativamente ergueria a voz nos louvores ao Senhor, louvando e sendo louvada.

"Desperta! Todo o tema desse antigo cântico destaca a noção de alerta, de reação imediata diante do desafio da situação em que Israel estava envolvido, diante da convocação feita por Yahweh. Esses versículos vibram com um poder que parece perfeitamente autêntico e contemporâneo" (Phillips P. Elliott, *in loc.*).

E leva presos. A guerra santa requeria aniquilamento absoluto, pelo que se Baraque deveria tomar prisioneiros, isso visava tão somente executá-los e então pendurar os seus cadáveres em árvores, como se fossem troféus de vitória. O capítulo 4 de Juízes dá-nos a impressão de que os filhos de Israel não fizeram prisioneiros. Os hebreus obtiveram vitória absoluta sobre os cananeus. Esse fato intensificou o tom de louvor do cântico de Débora.

5.13

אָז יְרַד שָׂרִיד לְאַדִּירִים עָם יְהוָה יְרַד־לִי בַּגִּבּוֹרִים׃

Então desceu o restante dos nobres. O sentido deste versículo é incerto. As versões, inteiramente confusas, traduzem o trecho de maneiras diversas. A Septuaginta refere-se ao remanescente de Israel (um número lamentavelmente pequeno) que descera do monte Tabor para lutar contra os poderosos (as temíveis tropas de Sísera). Nesse caso, os "nobres" parecem ser as tropas orgulhosas de Sísera. Ou então esses nobres são o remanescente, provenientes somente de um segmento de Israel, mas formando um pequeno grupo. A *Revised Standard Version* faz do remanescente e dos nobres um mesmo grupo, traduzindo, como a nossa versão portuguesa, "o restante dos nobres". Eram nobres os soldados de Israel que tinham desafiado Sísera e suas forças inundantes. Aqueles poucos homens nobres desbarataram os poderosos (o exército de Sísera).

5.14

מִנִּי אֶפְרַיִם שָׁרְשָׁם בַּעֲמָלֵק אַחֲרֶיךָ בִנְיָמִין בַּעֲמָמֶיךָ
מִנִּי מָכִיר יָרְדוּ מְחֹקְקִים וּמִזְּבוּלֻן מֹשְׁכִים בְּשֵׁבֶט
סֹפֵר׃

De Efraim... Benjamim... Maquir... Zebulom. Este versículo menciona, sob forma poética, quatro tribos que responderam ao apelo de Baraque por tropas armadas. Maquir era o único filho de Manassés, pelo que representa essa tribo. A referência a Zebulom, contudo, é incerta. A *King James Version* diz aqui: "que manuseiam a pena de escritor". A *Revised Standard Version* diz: "aqueles que brandem o bastão de marechal". As versões portuguesas refletem uma ou outra dessas versões inglesas. Zebulom formava uma tribo que morava à beira-mar, e sem dúvida contava com muitos despachantes e escribas que mantinham ativa escrituração comercial. Ou então daquela tribo tinham vindo os que eram capazes de brandir o bastão do comando, conferindo a vitória ao povo de Israel através de sua liderança. Outros estudiosos, contudo, pensam que a referência à pena aplica-se a homens de produção literária ou estadistas.

Efraim foi aqui lembrado por suas vitórias sobre os amalequitas, pouco tempo depois de Israel ter saído do Egito (ver Êx 17.10). Eúde pertencia à tribo de Benjamim. E ele havia obtido notáveis vitórias em Israel, sobre os pagãos (sobre Eglom e sua turba; terceiro capítulo). Os príncipes de Efraim (Maquir) haviam subjugado os povos da Transjordânia, antes mesmo da conquista da parte ocidental da Terra Prometida. Isso posto, cada tribo recebeu o seu aplauso acerca de feitos passados, bem como pelo triunfo presente, sob as ordens de Débora e Baraque.

5.15

וְשָׂרַי בְּיִשָּׂשכָר עִם־דְּבֹרָה וְיִשָּׂשכָר כֵּן בָּרָק בָּעֵמֶק
שֻׁלַּח בְּרַגְלָיו בִּפְלַגּוֹת רְאוּבֵן גְּדֹלִים חִקְקֵי־לֵב׃

Issacar... Rúben. Este versículo menciona mais duas tribos de Israel, elevando o total delas, até este ponto, a seis. A versão em prosa alude a somente duas tribos convocadas, Naftali e Zebulom (ver Jz 4.10). Às quatro tribos mencionadas no versículo anterior, agora o autor sacro acrescentou Issacar e Rúben. Issacar contava somente com uma humilde infantaria, mas precisou enfrentar os novecentos carros de ferro de Sísera, seus dez mil cavaleiros e seus trezentos mil infantes (Josefo, *Antiq.* 1.5, cap. 5, sec. 1). Ver Jz 4.13 e suas notas expositivas. Os homens de Issacar precipitaram-se pelo vale fatal, nas pegadas de Baraque, ansiosos por entrar no combate. Os manuscritos alexandrinos da Septuaginta referem-se aqui à "infantaria".

Rúben tinha grandes pensamentos de vitória em seu coração. A *Revised Standard Version* diz: "grande sondagem de coração", ou seja, muita ansiedade. A versão Almeida Atualizada diz "houve grande discussão". Portanto, uma vez mais estamos vendo quão precária é a compreensão do texto hebraico original, quanto a muitos lugares deste cântico. A *Oxford Annotated Bible* queixa-se sobre quão "ininteligível" é, com frequência, o texto desse cântico.

"O vs. 15, conforme encontrado, é completamente obscuro" (Jacob M. Myers, *in loc.*).

Alguns estudiosos supõem que a referência à tribo de Rúben é negativa. Em lugar de correrem para lutar, eles ficaram em casa "querelando sobre a questão". O versículo 16 parece confirmar essa avaliação negativa. Se Rúben não ajudou, afinal, até este ponto, então temos de considerar a ajuda de somente cinco tribos.

5.16

לָמָּה יָשַׁבְתָּ בֵּין הַמִּשְׁפְּתַיִם לִשְׁמֹעַ שְׁרִקוֹת עֲדָרִים
לִפְלַגּוֹת רְאוּבֵן גְּדוֹלִים חִקְרֵי־לֵב׃

Entre as facções de Rúben. Ao que parece, a tribo de Rúben não atendeu à convocação feita por Baraque, pois preferiu ficar discutindo sobre a questão, mas continuou a cuidar de suas ovelhas e de seus interesses comuns, enquanto Israel agonizava no campo de batalha. Por outra parte, podemos interpretar positivamente este versículo, como se envolvesse uma indagação: "Por que ficamos aqui, ouvindo o balido de nossas ovelhas? Nossos irmãos precisam de nossa ajuda". E assim acabaram indo. Nossa versão portuguesa parece dar isso a entender. A versão da Imprensa Bíblica Brasileira diz aqui "resoluções do coração", ou seja, decisões apropriadas. Mas o versículo que se segue é definidamente negativo, e assim parece que os vss. 16 e 17 repreendem a indiferença demonstrada por algumas das tribos convocadas, no tocante ao conflito que as outras estavam enfrentando.

"Rúben ocupou-se em debates e em promessas magnânimas, mas acabou deixando-se vencer pela preguiça e pela vacilação. Eles resolveram ir — mas em seguida ficaram em casa" (Ellicott, *in loc.*). Esse comentador, pois, pensava que os debates eram favoráveis, que as intenções eram boas, mas percebia que os rubenitas tinham-se acomodado à inanição, julgando que não valia a pena intrometer-se.

> Preferiram cuidar de seus rebanhos a cuidar do povo de Deus.
>
> John Gill, *in loc.*

5.17

גִּלְעָד בְּעֵבֶר הַיַּרְדֵּן שָׁכֵן וְדָן לָמָּה יָגוּר אֳנִיּוֹת אָשֵׁר
יָשַׁב לְחוֹף יַמִּים וְעַל מִפְרָצָיו יִשְׁכּוֹן׃

Gileade. Devemos pensar aqui na tribo de Gade.

Dã. Dã e Gileade também deixaram de corresponder ao apelo de Baraque. As palavras "dalém do Jordão" querem dizer a *Transjordânia* (ver a respeito no *Dicionário*). As três tribos que conquistaram a região, e então ali permaneceram, prometeram a Moisés que ajudariam na conquista da parte ocidental da Terra Prometida, e assim fizeram, com muita coragem (ver o capítulo 22 de Josué). Dessa vez, porém, estavam desencorajados e não quiseram mais combater. Baraque não conseguiu impulsioná-los, conforme tinham feito Moisés e Josué.

Se compararmos este versículo com o vs. 14, parece que a meia tribo de Manassés, que foi para a parte ocidental do país, ajudou Baraque. Mas o mesmo não aconteceu com a meia tribo de Manassés da Transjordânia. Todavia, visto que este versículo menciona somente Gade (e o vs. 16, Rúben), é possível que Manassés, do Oriente e do Ocidente, tenha ajudado na batalha contra Sísera.

Dã continuou ocupado em seu comércio de navios, não lhe restando tempo para as lides da guerra, nessa oportunidade. Para eles, o dinheiro foi mais importante do que o patriotismo. Os danitas habitavam em Jope, à beira-mar e em outros lugares às margens do mar Mediterrâneo.

Aser também morava perto do litoral. Eles preferiram ficar nadando no oceano e recolhendo dinheiro do seu comércio marítimo. O exame de um mapa bíblico da Palestina antiga mostra até onde essa tribo se estendia ao longo da praia, ou seja, cerca de oitenta quilômetros. "A possessão de Jope, um dos poucos portos de mar da Palestina, naturalmente influenciou as atividades daquela tribo (ver Js 19.46; 2Cr 2.16 e Ed 3.7). Mas é incerto se eles eram merecedores de reprimenda por se terem ocupado do seu comércio ou por causa de covardia, refugiando-se em seus navios" (Ellicott, *in loc.*).

5.18

זְבֻלוּן עַם חֵרֵף נַפְשׁוֹ לָמוּת וְנַפְתָּלִי עַל מְרוֹמֵי שָׂדֶה׃

Povo, que expôs a sua vida à morte. Fazendo contraste com aquelas tribos acomodadas, as de Zebulom e de Naftali arriscaram a vida respondendo à convocação de Baraque à guerra. Essas foram as duas únicas tribos a serem mencionadas na versão prosaica como tendo-se engajado na guerra (ver Jz 4.10). Adicionando essas duas tribos às cinco que já haviam sido citadas como participantes, encontramos um total de sete tribos. "Essas duas tribos estavam supremamente preocupadas com a guerra; dentre elas saíram os dez mil homens que seguiram Baraque, tendo-se oferecido voluntariamente, mostrando-se os soldados mais ativos e vigorosos, e expondo-se aos maiores perigos" (John Gill, *in loc.*).

Nas alturas do campo. Em outras palavras, os homens de Naftali desceram do monte Tabor e atacaram o inimigo, que se achava no vale (ver Jz 4.14,15).

"Está aqui um poderoso retrato da reação favorável ou da indiferença do povo diante do perigo, distante ou próximo" (Jacob M. Myers, *in loc.*).

"A coragem de Zebulom e de Naftali foi contrastada com os vazios debates de Rúben, com a preguiça de Gade e com o egoísmo covarde de Dã e de Aser" (Ellicott, *in loc.*).

QUARTA SEÇÃO: DERROTA DOS CANANEUS (5.19-30)

Tendo "passado em revista as tropas", o autor sagrado agora diz quão eficientes elas se mostraram em batalha. A cena da batalha (de acordo com a versão poética) ficava perto das águas de Megido, mas a versão prosaica fala no monte Tabor e suas circunvizinhanças, cerca de 32 quilômetros para o leste. Ver Jz 4.14. É provável que a batalha se tenha estendido por toda aquela área, o que justifica certa variedade de referências. Ver também, no *Dicionário*, todos os nomes próprios que aparecem aqui, quanto a detalhes que não são reiterados neste ponto.

■ 5.19

בָּאוּ מְלָכִים נִלְחָמוּ אָז נִלְחֲמוּ מַלְכֵי כְנַעַן בְּתַעְנַךְ עַל־מֵי מְגִדּוֹ בֶּצַע כֶּסֶף לֹא לָקָחוּ׃

Vieram reis e pelejaram. Jabim não é mencionado na versão poética. Como temos aqui a palavra "reis", no plural, podemos entender estar em foco Jabim (Jz 4.2) como um desses reis. Israel também tinha os seus "reis", com o que devemos entender seus príncipes e demais líderes. Isso posto, houve uma batalha de reis, uma batalha real em Taanaque. Jabim e sua turba já tinham reduzido o povo de Israel à servidão; mas mesmo assim, naquela guerra, esperavam conseguir mais despojos ainda. Porém, visto que os cananeus foram derrotados, suas expectativas estavam inteiramente fora de propósito.

Junto às águas de Megido. Estão em pauta o ribeiro de Quisom (ver Jz 4.7) e seus afluentes, os quais inundaram toda aquela região e ajudaram Israel a vencer a batalha (ver o vs. 21 deste capítulo). Além daquele ribeiro e de seus afluentes, havia várias fontes na região, especialmente em Lejum. A estação chuvosa tinha transformado aquela planície em um charco.

■ 5.20,21

מִן־שָׁמַיִם נִלְחָמוּ הַכּוֹכָבִים מִמְּסִלּוֹתָם נִלְחֲמוּ עִם־סִיסְרָא׃

נַחַל קִישׁוֹן גְּרָפָם נַחַל קְדוּמִים נַחַל קִישׁוֹן תִּדְרְכִי נַפְשִׁי עֹז׃

Desde os céus pelejaram as estrelas. O poeta, contemplando a Yahweh celestial, falou sobre a ajuda prestada pelo firmamento, tendo em mente, provavelmente, a tremenda chuva e as tempestades de granizo que fizeram o ribeiro do Quisom transbordar e atolar os carros de ferro de Sísera.

> Tu, em todo o teu poder, estás tão longe,
> Mas em teu amor, tão próximo;
> Para lá do alcance do sol e das estrelas,
> E, no entanto, aqui ao nosso lado.
>
> Frederick L. Hosmer

Sísera contava com novecentos carros de combate, armados de projeções tipo espada, que saíam dos eixos. Tais veículos em pouco tempo podiam despedaçar um batalhão de infantaria. Mas os carros de combate ficaram imobilizados pelo lamaçal produzido na inundação do Quisom. Josefo disse que, além da chuva e do granizo, houve um tremendo vento frio que deixou os soldados inimigos enregelados. Ésquilo falou daquele tempo quando "a água e o fogo, para causarem ruína, se reconciliaram", na luta contra a flotilha grega. Quanto ao ribeiro de Quisom, ver Jz 4.7.

... os arrastou. É proverbial que os inimigos de Israel eram mais fortes do que ele (ver Dt 7.1). Por isso, todas as vitórias obtidas sobre carros de combate, cavalaria, cidades fortificadas etc., por uma mera infantaria, tinham de ser sempre atribuídas ao poder de Deus. Se tivesse de vencer, Israel precisava depender de uma força superior, e não somente tirar proveito de um possível ponto fraco do inimigo. Essas palavras falam, metaforicamente, de como as uvas são pisadas no lagar. Cf. Ap 14.20.

■ 5.22

אָז הָלְמוּ עִקְּבֵי־סוּס מִדַּהֲרוֹת דַּהֲרוֹת אַבִּירָיו׃

As unhas dos cavalos socavam. A cena chega a ser dantesca, plena de confusão e consternação. A força das águas, arrastando tudo, os frenéticos esforços por extrair dos cavalos, de patas atoladas na lama, o poder para puxar as pesadas carruagens de guerra. Mas foi tudo em vão. Todo esforço servia somente para destruir mais ainda os implementos de guerra e imobilizar os cavalos que puxavam as carruagens.

"Ao atravessar o ribeiro de Quisom, após chuvas apenas moderadas, eu mesmo tive oportunidade (mediante experiência pessoal) de ver quão facilmente um cavalo pode ficar totalmente incapacitado no lamaçal formado por aquele ribeiro" (Ellicott, *in loc.*).

seus guerreiros. Eles espicaçavam inutilmente os cavalos, mas isso servia somente para aumentar a confusão. Como outras versões dizem aqui, em lugar de "guerreiros", alguns intérpretes pensam estar em foco os cavalos.

■ 5.23

אוֹרוּ מֵרוֹז אָמַר מַלְאַךְ יְהוָה אֹרוּ אָרוֹר יֹשְׁבֶיהָ כִּי לֹא־בָאוּ לְעֶזְרַת יְהוָה לְעֶזְרַת יְהוָה בַּגִּבּוֹרִים׃

Amaldiçoai a Meroz. Ver o artigo detalhado sobre esse lugar no *Dicionário*. Não se sabe o que ele significa. Refere-se a um lugar no vale de Esdrelom, ou nas proximidades, que tem sido identificado com a moderna Khirbet Marus, cerca de doze quilômetros ao sul de onde morava Baraque, em Cades-Naftali. Mas essa identificação é duvidosa. "Meroz, provavelmente, era uma aldeia israelita próxima, que se recusou a participar da batalha" (*Oxford Annotated Bible*, comentando sobre este versículo). Ela talvez ficasse localizada na rota de retirada do exército de Sísera. A culpa dos habitantes de Meroz foi pior do que a culpa das tribos que preferiram manter-se neutras, pois, sem importar qual tenha sido o seu sítio exato, evidentemente ficava no coração mesmo da região. Eles poderiam ter desfechado um poderoso golpe em favor da liberdade; mas falharam no momento de maior crise.

Uma maldição foi imposta à cidade, o que era uma questão muito séria, porquanto esperava-se que Yahweh, finalmente, traria alguma espécie de castigo, como um terremoto, um incêndio, tempestades, ataque por parte de inimigos etc. A cidade foi sujeitada, por assim dizer, à maldição da guerra santa (ver Dt 7.1-4), mas a Yahweh foi entregue a tarefa de aniquilar o lugar.

O Anjo do Senhor. Ver no *Dicionário* o verbete denominado *Anjo*. A batalha foi acompanhada por poderes sobrenaturais, que controlaram o seu resultado, conforme tão frequentemente lemos na literatura grega, especialmente nos escritos de Homero. Esse poder sobrenatural proferira a maldição; e isso significava que, mais cedo ou mais tarde, ela entraria em vigor.

■ 5.24

תְּבֹרַךְ מִנָּשִׁים יָעֵל אֵשֶׁת חֶבֶר הַקֵּינִי מִנָּשִׁים בָּאֹהֶל תְּבֹרָךְ׃

Bendita seja... Jael. Em contraste com o lugarejo de Meroz, Jael foi abençoada pelo mesmo poder sobrenatural, em face do audacioso e brutal assassinato de Sísera (ver Jz 4.18-22). Ela haveria de prosperar, teria uma longa vida, muitas provisões materiais e espirituais e também muitas vantagens. Seus filhos seriam protegidos em caso de guerra. seu marido faria feitos notáveis. Ela mesma ocuparia um lugar especial entre as mulheres. Todos haveriam de admirá-la por causa de seu ato horrendo, e ela continuaria sendo elogiada até morrer, e por todas as gerações dali por diante. "Jael seria relembrada como uma heroína patriota, cuja coragem tinha garantido para Israel os frutos da vitória... Comparar essa explosão de aprovação patriótica de tal feito com a saudação de 'bendita és tu entre as mulheres', dirigida pelo anjo à bendita Virgem Maria" (Ellicott, *in loc.*). Ver Lc 1.28.

Os comentadores têm debatido a moralidade de elogiar atos bárbaros e traiçoeiros; porém a guerra santa não somente louva isso, mas até requer tal coisa. O homem selvagem, tribal, ainda não tinha atingido um ponto em que tais ações recebessem condenação. Naturalmente, não se pode negociar com a maioria dos tiranos. A única coisa que eles compreendem é a violência, e a violência é a única coisa capaz de fazê-los parar. Sísera, o matador bárbaro, foi barbaramente morto. Ver no *Dicionário* o artigo intitulado *Lei Moral da Colheita segundo a Semeadura*.

■ 5.25

מַיִם שָׁאַל חָלָב נָתָנָה בְּסֵפֶל אַדִּירִים הִקְרִיבָה חֶמְאָה׃

Água pediu ele. O cansado e suado Sísera pediu água. Mas Jael não tinha água e ofereceu-lhe leite, talvez leite azedo ou iogurte, conforme indica a palavra que aparece no original hebraico. Cf. Jz 4.19. O vaso em que Jael serviu o leite talvez fosse ornado o bastante para corresponder à elevada posição social de Sísera, que era general do exército. Jael, porém, já estava desenvolvendo seu ato de traição, ao tratar Sísera como um herói. Mas o coitado estava prestes a morrer por meio do beijo da mulher-aranha. Primeiramente ela lhe serviu leite no *sephel*, uma taça esplêndida, reservada para ocasiões especiais, o que fez o homem pensar que estava em segurança. Mas a estaca que lhe foi enfiada no crânio haveria de mandá-lo para o seu descanso eterno.

"Os árabes preparam o iogurte agitando o leite em um odre de couro, e é bebida altamente apreciada por causa de suas qualidades refrescantes." O iogurte é vendido nos Estados Unidos nos supermercados, juntamente com leite, e é, realmente, uma bebida deliciosa e refrescante. O nobre Sísera bebeu a nobre bebida em um vaso especial; mas a sua vida estava praticamente no fim.

■ 5.26

יָדָהּ לַיָּתֵד תִּשְׁלַחְנָה וִימִינָהּ לְהַלְמוּת עֲמֵלִים וְהָלְמָה סִיסְרָא מָחֲקָה רֹאשׁוֹ וּמָחֲצָה וְחָלְפָה רַקָּתוֹ׃

À estaca estendeu a mão. Com uma das mãos ela serviu o leite azedado; e com a outra mão ela apanhou a estaca de tenda. Esse ato traiçoeiro jamais será esquecido, porquanto redundou em grande bem para o povo de Israel. Compete-nos supor que tal ato foi uma reafirmação pessoal de lealdade de Jael ao Pacto Abraâmico (ver as notas a respeito em Gn 15.18), visto que envolveu a preservação do território de Israel, uma das principais provisões daquele pacto. Ver Jz 4.21 quanto a uma explicação sobre a estaca e o martelo.

Rachou-lhe a cabeça. O golpe, desfechado com a estaca da tenda, com a ajuda do martelo, não fez uma perfuração redonda no crânio de Sísera. Antes, foi um golpe esmigalhador, que precisou de mais de uma martelada. A palavra hebraica em questão imita o som de um golpe, "... relembrando a pancada esmagadora dada com um martelo. E a estaca esmagou, despedaçou, arrombou, transfixou... a imaginação da profetisa parece ter-se deliciado na descrição do golpe, no deleite da vingança" (Ellicott, *in loc.*).

A *King James Version*, em inglês, transmite a ideia de que Jael decepou a cabeça de Sísera, ou que a mutilou tão completamente que a cabeça foi separada do corpo. "Depois de ter-lhe atravessado a têmpora com a estaca, ela tomou a espada dele, e lhe decepou a cabeça, conforme Davi fez com Golias, após ter-lhe enterrado uma pedra na testa, com a ajuda de uma funda" (John Gill, *in loc.*).

■ 5.27

בֵּין רַגְלֶיהָ כָּרַע נָפַל שָׁכָב בֵּין רַגְלֶיהָ כָּרַע נָפָל בַּאֲשֶׁר כָּרַע שָׁם נָפַל שָׁדוּד׃

Aos pés dela se encurvou. A palavra "dela" chega a ser insultuosa. O grande general cananeu caiu diante dos golpes de uma mulher. Agora ele estava caído aos seus pés. Foi assim que Jael se tornou heroína nacional em Israel. Até hoje o feito dela é narrado nas escolas dominicais em redor do mundo. "Tendo-o estonteado com um poderoso golpe do martelo, ela, muito provavelmente, sentou-se para poder atravessar-lhe o crânio com a estaca, com maior comodidade, após a pancada inicial na cabeça. Ele se encurvou e caiu, provavelmente lutando para pôr-se de pé após receber a primeira pancada, mas não conseguiu. Ésquilo representou Agamenom como quem se levantou, cambaleou e, finalmente, caiu, debaixo dos golpes desfechados por Citenestra (Agam. v.1384)" (Adam Clarke, *in loc.*).

"ele ficou caído, sem fazer nenhum movimento, depois de algum movimento convulsivo" (Ellicott, *in loc.*).

John Gill (*in loc.*) escreveu que o ato dela foi justificado, por ter sido inspirado pelo Espírito de Deus; mas ajuntou que se assim não fosse, teria sido uma "quebra da hospitalidade!"

■ 5.28

בְּעַד הַחַלּוֹן נִשְׁקְפָה וַתְּיַבֵּב אֵם סִיסְרָא בְּעַד הָאֶשְׁנָב מַדּוּעַ בֹּשֵׁשׁ רִכְבּוֹ לָבוֹא מַדּוּעַ אֶחֱרוּ פַּעֲמֵי מַרְכְּבוֹתָיו׃

A mãe de Sísera. O poema mencionou a tristeza da mãe do general cananeu. Os guerreiros antigos eram considerados heróis, tal como acontece com os militares modernos. Não era uma desgraça quando uma mãe tinha um filho que matava o maior número possível de seres humanos. Não obstante, em meio a tanta violência, ainda assim havia a considerar o amor de uma mãe. "As mães cujos filhos estão na guerra continuarão sendo iguais, geração após geração: 'Quando ele voltará?' E por baixo disso há a pergunta que ninguém ousa perguntar: 'ele voltará?' A mãe daquele capitão cananeu era igual a todas as mães, de capitães ou de cabos, cujos filhos deixam para trás filhos pequenos, e cuja perda as mesmas lamentam com uma tristeza que se recusa a deixar-se consolar... E os pais também não deveriam ser excluídos dos círculos dos lamentadores. Nenhuma outra passagem do Antigo Testamento é mais carregada de sentimento do que quando o rei Davi lamentou por causa de seu filho: 'Meu filho Absalão, meu filho, meu filho Absalão! Quem me dera que eu tivesse morrido por ti, Absalão, meu filho, meu filho!' (2Sm 18.33)" (Phillips P. Elliott, *in loc.*).

■ 5.29,30

חַכְמוֹת שָׂרוֹתֶיהָ תַּעֲנֶינָּה אַף־הִיא תָּשִׁיב אֲמָרֶיהָ לָהּ׃

הֲלֹא יִמְצְאוּ יְחַלְּקוּ שָׁלָל רַחַם רַחֲמָתַיִם לְרֹאשׁ גֶּבֶר שְׁלַל צְבָעִים לְסִיסְרָא שְׁלַל צְבָעִים רִקְמָה צֶבַע רִקְמָתַיִם לְצַוְּארֵי שָׁלָל׃

Estes dois versículos exprimem o que a mãe de Sísera e suas damas de companhia teriam dito, na tentativa de explicar a demora do comandante. Elas deixaram a imaginação correr solta. Sem dúvida alguma grande vitória teria detido Sísera e suas tropas. Estariam dividindo os despojos; e os despojos eram da melhor qualidade — coisas dignas de serem valorizadas e queridas. Por essa razão é que Sísera e seus homens estariam demorando. Mas em breve elas ouviriam o ruído do carro de combate dele, que se aproximava. Logo as ansiedades delas chegariam ao fim.

A mente feminina, naturalmente, pensava nos tipos de despojos que poderiam interessá-la: vestes tingidas e outros tecidos; peças cuidadosamente bordadas; panos tecidos com cuidado, que qualquer mulher gostaria de usar, ou que poderia presentear a outrem.

As capas bordadas eram muito procuradas tanto por mulheres quanto por homens, até mesmo por duros e calejados guerreiros. Descobrir uma dessas vestes entre os cadáveres era um acontecimento saudado efusivamente. A mãe de Sísera, pois, esperava que os atos galantes e heroicos de seu filho fossem recompensados por despojos proporcionais à importância dele.

QUINTA SEÇÃO: ORAÇÃO FINAL DE MALDIÇÃO E BÊNÇÃO (5.31,32)

■ 5.31,32

כֵּן יֹאבְדוּ כָל־אוֹיְבֶיךָ יְהוָה וְאֹהֲבָיו כְּצֵאת הַשֶּׁמֶשׁ בִּגְבֻרָתוֹ וַתִּשְׁקֹט הָאָרֶץ אַרְבָּעִים שָׁנָה׃ פ

Uma Maldição e Uma Bênção. O cântico de Débora se encerra, tipicamente, com uma maldição e com uma bênção. Maldição contra todos os adversários de Israel, pedindo que Yahweh os derrotasse da mesma maneira que tinha derrotado Sísera e suas tropas; e bênção sobre todos os amigos de Israel, como as tribos de Israel que atenderam à convocação de Débora e Baraque, para virem à guerra contra o opressor cananeu.

Brilham como o sol. Nos países onde o sol brilha intensamente, esse astro-rei é associado à ideia de força suprema. Os raios solares podem fazer animar os homens vigorosos; podem fazer crescer as plantas; podem ressecar tijolos para serem usados nas construções. O sol é a fonte originária daquelas coisas associadas à energia física. Que Israel e seus aliados fossem como o sol, que se levanta no horizonte com todo o seu poder.

"... que os verdadeiros amigos de Deus fossem tão resplendentes e gloriosos, e que aumentassem em sua luz, lustre e esplendor, como aquela gloriosa luminária em pleno meio-dia" (John Gill, *in loc.*).

"... como o sol nascente, que espanta as sombras da noite e produz luz e prosperidade à terra" (Jacob M. Myers, *in loc.*).

Ver a metáfora associada ao sol em Sl 19.4,5; 68.1-3; Dn 12.3 e Mt 13.43.

CAPÍTULO SEIS

GIDEÃO E ABIMELEQUE (6.1—9.57)

Israel sofreu sete apostasias, sete servidões, e obteve sete livramentos, mediante a agência de doze a catorze juízes, dependendo de como quisermos contá-los. Ver na introdução ao livro, em sua seção VII. O livro de Juízes consiste, essencialmente, em uma crônica de guerras, contra o pano de fundo da fé religiosa que afirma que a degradação espiritual, naturalmente, provoca reversões e dificuldades. Ver no *Dicionário* o verbete chamado *Lei Moral da Colheita segundo a Semeadura*.

A história de Gideão é narrada com muitos detalhes. Essa narrativa, bem como a referente a Sansão, são os dois relatos mais longos do livro de Juízes. Gideão, com a ajuda e orientação de Yahweh, foi capaz de derrotar os midianitas, embora contasse com um minúsculo exército de apenas trezentos homens. Midiã era uma região indefinida no deserto da Arábia, a leste e a sudeste do mar Morto, para além dos limites de Moabe e Edom. Os midianitas formavam uma tribo nômade, tradicionalmente relacionada a Israel (ver Gn 25.1-6). Costumavam fazer ataques periódicos contra Israel, razão pela qual, vez por outra, os israelitas eram forçados a envolver-se em alguma guerra de defesa. Somente nos dias de Davi Israel firmou-se internamente e então pôde gozar de segurança dentro de suas próprias fronteiras. Ver no *Dicionário* o artigo intitulado *Midiã, Midianitas*.

Gideão (ver a respeito dele no *Dicionário*) foi um juiz-herói, um líder carismático, pertencente à tribo de Manassés. Sua história é contada por meio de cem versículos, o mais longo relato recebido por qualquer dos juízes de Israel. Esses versículos ocupam três capítulos. E a história de Sansão consiste em 96 versículos, ocupando quatro capítulos do livro de Juízes.

■ 6.1

וַיַּעֲשׂוּ בְנֵי־יִשְׂרָאֵל הָרַע בְּעֵינֵי יְהוָה וַיִּתְּנֵם יְהוָה בְּיַד־מִדְיָן שֶׁבַע שָׁנִים׃

Fizeram os filhos de Israel o que era mau. Essa fórmula padronizada descreve um novo período de apostasia de Israel, seguido pela servidão a algum povo estrangeiro. Ofereci completas notas expositivas sobre isso em Jz 2.11 e 3.7, com uma lista de referências de sua ocorrência.

Esta apostasia resultou na servidão aos midianitas. Ver no *Dicionário* o verbete chamado *Midiã, Midianitas*, quanto a comentários adicionais.

"Uma vez mais houve o ciclo de desvio, castigo e restauração. Esse período de humilhação de Israel não foi muito longo, mas de somente sete anos, embora extremamente doloroso. Os midianitas destruíam a produção agrícola de Israel... Era um truque cruel permitir que outros trabalhassem e suassem, até terem conseguido uma colheita, para então privá-los do fruto de seu trabalho" (Phillips P. Ellicott, *in loc.*).

■ 6.2

וַתָּעָז יַד־מִדְיָן עַל־יִשְׂרָאֵל מִפְּנֵי מִדְיָן עָשׂוּ לָהֶם בְּנֵי יִשְׂרָאֵל אֶת־הַמִּנְהָרוֹת אֲשֶׁר בֶּהָרִים וְאֶת־הַמְּעָרוֹת וְאֶת־הַמְּצָדוֹת׃

Prevalecendo o domínio dos midianitas. A servidão dos israelitas tornou-se tão amarga, e os ataques tornaram-se tão virulentos e persistentes, que os hebreus tiveram de abandonar seus lares para escapar dos atacantes, escondendo-se nas "minas e cavernas" (Josefo, *Antiq.* v. 6, par. 1). Talvez por isso mesmo, leiamos no trecho de Hb 11.38: "... errantes... pelas covas, pelos antros da terra". "Vendo, pois, os homens de Israel que estavam em apuros (porque o povo estava apertado), esconderam-se pelas cavernas, e pelos buracos, e pelos penhascos, e pelas cisternas" (1Sm 13.6).

"Cavernas de pedra calcária são aqui mencionadas pela primeira vez, e foram usadas posteriormente também, como as cavernas coricianas da Grécia, durante a invasão dos persas, ou as cavernas das Astúrias, na Espanha, durante a ocupação efetuada pelos mouros. Era como retornar ao período dos trogloditas, entre os horeus e os fenícios" (Stanley, i.340).

■ 6.3,4

וְהָיָה אִם־זָרַע יִשְׂרָאֵל וְעָלָה מִדְיָן וַעֲמָלֵק וּבְנֵי־קֶדֶם וְעָלוּ עָלָיו׃

וַיַּחֲנוּ עֲלֵיהֶם וַיַּשְׁחִיתוּ אֶת־יְבוּל הָאָרֶץ עַד־בּוֹאֲךָ עַזָּה וְלֹא־יַשְׁאִירוּ מִחְיָה בְּיִשְׂרָאֵל וְשֶׂה וָשׁוֹר וַחֲמוֹר׃

Cada vez que Israel semeava. O alimento é um bem vital, e requer muito trabalho. Os midianitas conseguiram levar os israelitas ao desespero, com seus ataques aos campos plantados, quando estes estavam maduros para a sega. Somente depois de muitos meses de trabalho nos campos podia ser revertido o efeito desses ataques, pelo que a fome se tornou generalizada em Israel. Os midianitas eram guerrilheiros montados. Eles não ocupavam um território, mas lançavam ataques periódicos contra os campos, deixando um rastro de destruição e fome. Sem dúvida, eles tomavam despojos, mas parece que o propósito principal deles era obter prazer na destruição e na aflição que causavam. Agiam como se estivessem em uma competição esportiva de equipe. Levavam todos os animais que quisessem, bem como a produção agrícola de Israel; mas grande parte daquilo que destruíam, faziam-no apenas por diversão.

"Os midianitas e seus aliados locomoviam-se com a ajuda de muitos camelos (cf. Jz 7.12), cujo alcance e velocidade (nada menos de 160 quilômetros por dia) faziam deles uma ameaça militar formidável e de longo alcance. Temos aqui a primeira referência a sortidas militares que usavam camelos (cf. Gn 24.10,11)" (F. Duane Lindsey, *in loc.*).

Os amalequitas. Ver a respeito deles no *Dicionário*. Os midianitas dispunham de aliados, pelo que a tribulação de Israel era multiplicada de várias formas.

Como também os povos do Oriente. Ou seja, o oriente da Terra Prometida, os beni Kedem (ver Gn 25.6; Jó 1.3), um termo geral para as tribos árabes que ocupavam aquela região. "Com base em Jz 8.26, podemos obter um bom quadro de seus chefes, com suas vestes coloridas e seus brincos de ouro, montados em dromedários e cavalos, cujos pescoços traziam muitos ornamentos de ouro, em forma de meia-lua" (Ellicott, *in loc.*).

■ 6.5

כִּי הֵם וּמִקְנֵיהֶם יַעֲלוּ וְאָהֳלֵיהֶם יָבֹאוּ כְדֵי־אַרְבֶּה לָרֹב וְלָהֶם וְלִגְמַלֵּיהֶם אֵין מִסְפָּר וַיָּבֹאוּ בָאָרֶץ לְשַׁחֲתָהּ׃

Vinham como gafanhotos... Seus camelos. O *camelo* (ver a respeito no *Dicionário*) era o novo instrumento de guerra. Esses animais permitiam ataques que partiam de muito longe, como se fossem uma *blitz-krieg*, após o que eles se retiravam rapidamente. E Israel não estava preparado para enfrentar tais ataques, por causa das imensas hordas que deles participavam; nem dispunha de meios para perseguir os atacantes, uma vez que eles se decidissem pela retirada. O versículo enfatiza o imenso número de assaltantes. Somente para alimentá-los, eram necessários vários ataques súbitos! Eles se pareciam com o inimigo tradicional, os gafanhotos, e eram tão destruidores quanto estes.

"Midiã era um lugar famoso por seus camelos e dromedários (ver Is 60.6), e os árabes aliavam-se a eles. Leão Africano (*Descriptio Africae*, 1.9, par. 745) informa-nos que eles calculavam suas riquezas pelo número de camelos que possuíam" (John Gill, *in loc.*). Os nômades do deserto ocupavam uma região somente enquanto não haviam consumido tudo; e então mudavam-se para um novo território. E as terras de Israel tornavam-se uma espécie de armazém de renovação de alimentos. Os nômades nem plantavam nem colhiam. Antes, como parasitas, sobreviviam do trabalho alheio.

■ **6.6**

וַיִּדַּל יִשְׂרָאֵל מְאֹד מִפְּנֵי מִדְיָן וַיִּזְעֲקוּ בְנֵי־יִשְׂרָאֵל אֶל־יְהוָה׃ פ

Israel ficou muito debilitado. Juntamente com a pobreza vinha a fome; e com a fome, a morte. Ninguém podia ter certeza de quando essa situação haveria de mudar. Ademais, os hebreus teriam de derrotar aqueles milhares e milhares de camelos, algo que jamais haviam feito antes. Invocar a Yahweh, rogando uma intervenção divina, era a única esperança. Deus teria de levantar um juiz que resolvesse o problema dos camelos.

■ **6.7,8**

וַיְהִי כִּי־זָעֲקוּ בְנֵי־יִשְׂרָאֵל אֶל־יְהוָה עַל אֹדוֹת מִדְיָן׃

וַיִּשְׁלַח יְהוָה אִישׁ נָבִיא אֶל־בְּנֵי יִשְׂרָאֵל וַיֹּאמֶר לָהֶם כֹּה־אָמַר יְהוָה אֱלֹהֵי יִשְׂרָאֵל אָנֹכִי הֶעֱלֵיתִי אֶתְכֶם מִמִּצְרַיִם וָאֹצִיא אֶתְכֶם מִבֵּית עֲבָדִים׃

Tendo os filhos de Israel clamado ao Senhor. Yahweh ouviu os gritos de desespero dos israelitas. A resposta do Senhor, que apontava para a intervenção divina que viria, chegou primeiramente sob a forma das palavras de encorajamento através de um profeta cujo nome não nos é dado (ver Jz 6.8-10). Ele se referiu à falha de Israel. Uma vez mais, eles tinham caído na idolatria. Essa sempre foi a origem de todos os problemas dos hebreus. Mas a mera presença divina, e a memória das intervenções passadas do Senhor em favor de Israel, renovava as esperanças. A visita daquele profeta foi seguida pela visita do Anjo do Senhor (ver os vss. 11 ss. deste capítulo). O Anjo do Senhor aproximou-se do herói da narrativa, Gideão, que recebeu poder para libertar Israel. Algumas vezes chegamos a um ponto em que precisamos da intervenção divina, pois perdemos toda a capacidade de defesa própria, e não podemos depender de nossos próprios recursos. Portanto, Senhor, concede-nos tal graça!

Um profeta. seu nome não nos é fornecido. Ele e Débora foram as únicas duas pessoas chamadas de "profetas" em todo o livro de Juízes. Ver no *Dicionário* os verbetes intitulados *Profecia, Profetas e Dom da Profecia*. Um profeta enuncia alguma mensagem inspirada pelo Espírito de Deus, que vai além das antecipações da mente humana. Essa mensagem envolveu repreenda, mas também anunciou orientação e encorajamento. As lendas judaicas dizem que o profeta foi Finéias, filho de Eleazar, o sumo sacerdote; mas, se o referido profeta tivesse sido uma figura tão bem conhecida, o mais provável é que o autor sagrado teria informado seu nome. Ademais, para que esse profeta fosse Finéias, ele precisaria ter vivido duzentos anos!

... vos fiz subir do Egito. O profeta primeiro relembrou o povo de Israel das glórias dos livramentos divinos passados. Sem dúvida, os midianitas e seus camelos não seriam mais difíceis de derrotar do que o Faraó e seu mais poderoso exército da terra. Yahweh tinha livrado Israel "do Egito". Essa é uma declaração comum que nos faz lembrar do poder e da graça de Yahweh, ideia que figura no livro de Deuteronômio por cerca de vinte vezes. Ver as notas expositivas a respeito em Dt 4.20.

... vos tirei da casa da servidão. Agora, sob os ataques-relâmpagos dos midianitas, embora não escravizados, tinham sido reduzidos a grande dependência econômica. Mas sem dúvida a condição atual não era pior que aquela que tinha sucedido aos filhos de Israel no Egito; e, não obstante, Yahweh tinha-se mostrado poderoso o bastante para pôr fim à situação. Por conseguinte, o Senhor continuava dotado de poder para livrar os israelitas de qualquer modalidade de servidão. Ver no *Dicionário* o artigo chamado *Escravo, Escravidão*. Ver também Êx 20.2.

■ **6.9**

וָאַצִּל אֶתְכֶם מִיַּד מִצְרַיִם וּמִיַּד כָּל־לֹחֲצֵיכֶם וָאֲגָרֵשׁ אוֹתָם מִפְּנֵיכֶם וָאֶתְּנָה לָכֶם אֶת־אַרְצָם׃

E vos livrei. Dois grandes livramentos históricos tinham assegurado aos filhos de Israel o poder de Yahweh intervir na atual situação em que se encontravam. O livramento da servidão aos egípcios (algo que já havia sido mencionado no versículo anterior) e o sucesso na conquista da Terra Prometida aparecem como ilustrações de que nenhuma situação poderia ser considerada insolúvel. Sem dúvida alguma, os inimigos que Israel teve de enfrentar, aqueles na Transjordânia e então as sete nações cananeias expulsas da Terra Prometida (ver Êx 33.2; Dt 7.1), eram tão poderosos como os midianitas com os seus camelos. O argumento foi: se Yahweh pôde derrotar os cavalos e os carros de combate do Faraó, e também as sete nações cananeias com suas cidades-fortalezas, então também poderia derrotar os midianitas e seus camelos.

Até aqui teu poder me tem abençoado,
E sem dúvida continuará a guiar-me
...
Até que a noite passe...

John H. Newman

E vos dei a sua terra. A possessão da Terra Prometida era uma das maiores provisões do Pacto Abraâmico (ver as notas a respeito em Gn 15.18). Se houve poder para expulsar as sete nações cananeias, então haveria poder para acabar com os ataques repentinos dos midianitas.

■ **6.10**

וָאֹמְרָה לָכֶם אֲנִי יְהוָה אֱלֹהֵיכֶם לֹא תִירְאוּ אֶת־אֱלֹהֵי הָאֱמֹרִי אֲשֶׁר אַתֶּם יוֹשְׁבִים בְּאַרְצָם וְלֹא שְׁמַעְתֶּם בְּקוֹלִי׃ פ

Não destes ouvidos à minha voz. Essa era a causa real do retrocesso que os filhos de Israel estavam sofrendo. Um período de descanso na Terra Prometida, após alguma restauração, era inevitavelmente seguido por alguma nova apostasia; e assim começava de novo aquele ciclo horrendo. O atual período de aflição, com todos aqueles camelos galopando rapidamente, montados por midianitas que levavam todos os víveres que encontravam, tinha resultado da apostasia de Israel. Ver no *Dicionário* o verbete chamado *Idolatria*.

Yahweh era o Deus do pacto com Israel. Esse pacto dependia da obediência por parte do povo de Israel. A idolatria importava em uma crassa desobediência, pelo que debilitava ou mesmo anulava os efeitos do pacto com o Senhor Deus.

Se o povo de Israel quisesse compreender a razão pela qual estava sendo oprimido, era mister que olhasse para dentro, e não para causas externas. A corrupção interior tinha armado o palco para a dificuldade externa. Cf. a mensagem dada em Boquim (ver Jz 2.1,2). As notas dadas ali se aplicam igualmente aqui.

Amorreus. Ver sobre isso no *Dicionário*. Esse nome algumas vezes é usado para representar todas as sete nações cananeias que residiam antes na Terra Prometida (ver Gn 15.16), e provavelmente é isso que está em pauta neste versículo. Ver o mesmo uso em Js 24.15. Mas nenhuma libertação poderia ocorrer enquanto os filhos de Israel não se arrependessem. Era necessário que primeiramente a idolatria fosse abandonada, e que o pacto com Yahweh fosse renovado.

O CHAMADO DE GIDEÃO (6.11-32)

A intervenção divina em favor de Israel começou com o aparecimento de um profeta anônimo (ver Jz 6.8 ss.). E prosseguiu mediante o ministério do Anjo cuja tarefa foi equipar Gideão para o livramento real dos midianitas e seus incontáveis camelos. Houve duas fases na chamada de Gideão: 1. Nos vss. 11-24, a visita e a mensagem do Anjo; 2. nos vss. 25-32, a ordem de derrubar os altares de Baal. Alguns eruditos opinam que esses dois relatos representam fontes diferentes da história do chamado de Gideão, mais tarde combinadas como uma unidade, pelo autor-editor do livro de Juízes. Mas também poderíamos afirmar que esse chamado, comissionamento e concessão de poder ocorreram por meio de dois estágios distintos.

■ 6.11

וַיָּבֹא מַלְאַךְ יְהוָה וַיֵּשֶׁב תַּחַת הָאֵלָה אֲשֶׁר בְּעָפְרָה אֲשֶׁר לְיוֹאָשׁ אֲבִי הָעֶזְרִי וְגִדְעוֹן בְּנוֹ חֹבֵט חִטִּים בַּגַּת לְהָנִיס מִפְּנֵי מִדְיָן:

Veio o Anjo do Senhor. Talvez o próprio Yahweh, embora mais provavelmente um agente do Senhor. Ver no *Dicionário* o artigo chamado *Anjo*. Esta passagem ensina-nos o *teísmo* (ver a respeito no *Dicionário*), e não o *deísmo* (ver a respeito no *Dicionário*). Deus é aqui retratado como alguém que pode intervir e realmente intervém nos negócios humanos. Ele Se faz presente, baixa ordens, castiga e faz prosperar (teísmo). Ele não é algum mero poder (pessoal ou impessoal) que abandonou a sua criação, deixando-a entregue às leis naturais (conforme diz o deísmo). O teísmo supõe que, ocasionalmente, as intervenções divinas se tornam necessárias; e também que os homens devem sempre buscar a presença divina, que é a garantia da espiritualidade e do sucesso.

Assentou-se debaixo do carvalho. Existe algo de majestático no carvalho, uma árvore de madeira dura. Com frequência, os carvalhos tornavam-se lugar de oráculos. O carvalho do presente versículo ficava perto de *Ofra* (ver a respeito no *Dicionário*). A área fazia parte das possessões da família de Gideão e de seu pai, *Joás* (ver a respeito dele no *Dicionário*). Ofra ainda não foi identificada com certeza absoluta. As qualificações dadas distinguem-se da Ofra de Benjamim (ver Js 18.23; 1Sm 13.17). W. F. Albright sugeriu que Ofra se situava no começo da extremidade norte da planície de Sarom. F. M. Abel pensava que Ofra ficava entre o monte Tabor e Bete-Seã. Um carvalho geralmente era um lugar onde eram dados oráculos (ver Jz 4.5; Gn 12.6).

Abiezrita. Os abiezritas eram um dos clãs de Manassés (ver o vs. 15; Nm 26.29,30; Js 17.2). Gideão, pois, achava-se ali, malhando o trigo em um lagar, para que não pudesse ser visto pelos assaltantes midianitas. E essa circunstância, por si mesma, ilustra quão atribulada estava a Terra Prometida.

Lugares regulares e comuns de padejar o grão eram alvos naturais das multidões de saqueadores midianitas. Gideão precisou esconder o lugar onde malhava o cereal. Aquilo constituía uma grande inconveniência, embora fosse uma medida necessária para a sobrevivência.

■ 6.12

וַיֵּרָא אֵלָיו מַלְאַךְ יְהוָה וַיֹּאמֶר אֵלָיו יְהוָה עִמְּךָ גִּבּוֹר הֶחָיִל:

O Anjo do Senhor lhe apareceu. Gideão recebeu uma visita pessoal do Anjo do Senhor, tão importante era a missão que estava prestes a realizar. Ele necessitava de informações por meio de iluminação, e precisava receber poder para efetuar a tarefa. Gideão era homem de valor suficiente para ser chamado de "valente", da parte do Senhor. Dentro do contexto do livro de Juízes, isso indica um homem dotado de habilidade militar e de coragem. Essas eram as qualidades necessárias para pôr fim aos ataques midianitas com camelos, para que a vida em Israel voltasse à normalidade. Aquilo que, porventura, faltasse seria abundantemente suprido por Yahweh, que estava "com ele", a promessa mais imediata do Anjo.

"A figura de Gideão destaca-se em claro contraste contra a confusão que prevalecia na época... Algumas vezes, podemos sentir a magnitude de sua pessoa por meio dos modernos equivalentes, 'os gideões'" (Phillips P. Elliott, *in loc.*), que se referia à organização internacional que tem distribuído Bíblias gratuitas, por diversas gerações, em hotéis, escolas, hospitais etc.). Ver o artigo do *Dicionário* intitulado *Gideão*.

■ 6.13

וַיֹּאמֶר אֵלָיו גִּדְעוֹן בִּי אֲדֹנִי וְיֵשׁ יְהוָה עִמָּנוּ וְלָמָּה מְצָאַתְנוּ כָּל־זֹאת וְאַיֵּה כָל־נִפְלְאֹתָיו אֲשֶׁר סִפְּרוּ־לָנוּ אֲבוֹתֵינוּ לֵאמֹר הֲלֹא מִמִּצְרַיִם הֶעֱלָנוּ יְהוָה וְעַתָּה נְטָשָׁנוּ יְהוָה וַיִּתְּנֵנוּ בְּכַף־מִדְיָן:

Se o Senhor é conosco, por que nos sobreveio tudo isto? O que estava faltando a Israel era precisamente o que o Anjo disse que não estava faltando (de acordo com a perspectiva de Gideão), a saber, a presença de Yahweh. Gideão tinha ouvido as narrativas de todos os "milagres" ocorridos nos tempos antigos, incluindo o poderoso livramento de Israel do Egito, que era uma tarefa impossível para o homem, exigindo a presença divina. Ver sobre o tema desse livramento nas notas em Dt 4.20. No livro de Deuteronômio, esse assunto é ventilado por cerca de vinte vezes.

Isto é a minha aflição:
Mudou-se a destra do Altíssimo

Salmo 77.10

Aquilo que os "pais" haviam dito precisava ser revivido por seus descendentes, pois, caso contrário, as coisas continuariam em sua condição de caos e de miséria.

"Não nos alcançaram estes males por não estar o nosso Deus no meio de nós?" (Dt 31.17).

O Senhor nos desamparou. Ver Sl 13.1; 2Cr 15.2. A idolatria dos filhos de Israel tinha feito Yahweh afastar-se deles. Decisões erradas tinham sido tomadas. Ver Js 24.15.

■ 6.14

וַיִּפֶן אֵלָיו יְהוָה וַיֹּאמֶר לֵךְ בְּכֹחֲךָ זֶה וְהוֹשַׁעְתָּ אֶת־יִשְׂרָאֵל מִכַּף מִדְיָן הֲלֹא שְׁלַחְתִּיךָ:

Então se virou o Senhor para ele. A presença de Deus garantia a vitória final por intermédio de Gideão, e foi-lhe dada uma generosa certeza de que a vitória seria alcançada, embora não houvesse, por enquanto, nenhuma orientação ou capacitação imediata. Mas em breve Gideão receberia aquilo de que necessitava. Yahweh olhou para ele com bondade, fazendo emanar poder até a sua mente e conferindo-lhe muitas e grandes promessas. Aquele olhar bondoso era, em si mesmo, uma garantia, e em breve seriam adicionados atos divinos ao olhar divino; assim ficaria eliminada toda aquela aflição e miséria dentre o povo de Israel.

O Espírito de Deus significa alguma coisa na vida? Podemos provar que existe em Deus um poder à nossa disposição que nos pode dar mais do que qualquer ser humano seria capaz de oferecer? Essa proposição tem sido comprovada por vezes sem conta na experiência humana. No entanto, cada vez em que assim acontece, ficamos de novo surpresos.

"O olhar inspirou-o com uma nova força" (Ellicott, *in loc.*).

Vai nessa tua força. O poder estava presente; o olhar de bondade e encorajamento também estava presente. O que faltava agora era Gideão "ir", cumprindo a parte que cabe ao homem, porquanto já lhe havia sido dado poder para cumprir essa parte. "ele tinha autoridade suficiente para ir e realizar aquele serviço" (John Gill, *in loc.*).

■ 6.15

וַיֹּאמֶר אֵלָיו בִּי אֲדֹנָי בַּמָּה אוֹשִׁיעַ אֶת־יִשְׂרָאֵל הִנֵּה אַלְפִּי הַדַּל בִּמְנַשֶּׁה וְאָנֹכִי הַצָּעִיר בְּבֵית אָבִי:

Minha família é a mais pobre. Gideão era um homem pobre de uma família pobre, em uma tribo relativamente pobre. Ele nada via, em si mesmo ou em suas circunstâncias, que pudesse justificar a confiança e o chamamento de Yahweh. Ele não era o general de algum exército. Ali estava Gideão, escondido no lagar que havia adaptado para servir de eira. Ele estava escondido com receio dos midianitas. Quanto ele valia? Não obstante, conforme tem sido dito: "O limite do homem é a oportunidade de Deus".

Aquele que tira proveito do momento certo
É o homem certo.

Goethe

Um homem sábio faz mais oportunidades
Do que as encontra.

Francis Bacon

A humildade de Gideão ocultava a sua grandeza interior. Cf. isso com a experiência de Moisés em Êx 3.12; ou com a de Josué em Js 1.5.

■ 6.16

וַיֹּאמֶר אֵלָיו יְהוָה כִּי אֶהְיֶה עִמָּךְ וְהִכִּיתָ אֶת־מִדְיָן כְּאִישׁ אֶחָד׃

Já que eu estou contigo. Aquilo que Yahweh tinha feito para Moisés ser o que foi, e o que tinha feito para Josué ser o que foi, assim também estava fazendo em relação a Gideão. O fator divino estava presente, estabelecendo toda a diferença. Esse fator divino se faz presente sempre que é necessário. Algumas vezes, temos de buscá-lo com diligência. De outras vezes, precisamos ser testados. A ideia de que Yahweh poderia libertar Israel por meio dele parecia fantástica para Gideão. Ele era um homem humilde e modesto, prestes a ser encarregado de uma imensa tarefa. Olhar para trás, para a história, e ver por quantas vezes isso já aconteceu, nem sempre nos ajuda. E então indagamos: "Poderá isso acontecer de novo?" E é sobre essas palavras, de novo, que lançamos todas as nossas dúvidas e ansiedades.

"Dizem os Targuns: 'Minha Palavra será tua ajuda', suficiente para responder a todas as objeções que se derivavam de sua ruindade, indignidade e fraqueza" (John Gill, *in loc.*).

Um Só Homem. Um único homem, dotado de forças pela presença de Yahweh, seria suficiente para destruir todas as hordas de Midiã. Cf. Jz 19.1,8; Nm 14.15. A história ilustra repetidamente o princípio daquilo que um único homem pode fazer, quando se dedica à sua tarefa de maneira absoluta. Por assim dizer, havia um só povo midianita, coletivamente considerado. Gideão, embora um só homem, eliminaria Midiã, considerando coletivamente esse povo. Essa era a matemática divina sobre a situação.

■ 6.17

וַיֹּאמֶר אֵלָיו אִם־נָא מָצָאתִי חֵן בְּעֵינֶיךָ וְעָשִׂיתָ לִּי אוֹת שָׁאַתָּה מְדַבֵּר עִמִּי׃

Dá-me um sinal. A experiência de Gideão foi típica da experiência humana. Ele "creu" que a presença divina lhe tinha dirigido a palavra; e, no entanto, conforme alguém disse: "A primeira coisa que o verdadeiro místico faz é questionar a validade de sua experiência". Naturalmente, um misticismo fácil e barato não busca autenticação. Mas um místico genuíno não aceita as suas experiências como automaticamente válidas. Antes, ele as submete a teste. (Ver no *Dicionário* o artigo chamado *Misticismo.*) Foi por essa razão que Gideão desejou submeter a teste a sua experiência mística. Yahweh realmente falara com ele? ele queria contar com algum meio prático de testar essa proposição. Poderíamos considerar a atitude de Gideão como falta de fé; por outra parte, porém, submeter a teste é uma medida óbvia de sabedoria. Quando lidamos com experiências místicas, sabedoria é o ingrediente de que mais carecemos. Por conseguinte, devemos fazer conforme somos aconselhados em 1Jo 4.1: "Provai os espíritos, se procedem de Deus".

Um sinal. Jesus nos advertiu a respeito daquelas pessoas que, sendo inerentemente malignas, ainda assim buscam sinais que as excitem, presumivelmente conferindo-lhes orientação para a vida religiosa e as atividades cotidianas. Ver Mt 12.39. A maior parte dos sinais que buscamos e obtemos são frívolos e frutos de nossa própria imaginação. Vez por outra, entretanto, pedimos um sinal importante para compreender a vontade de Deus quanto a determinada situação. Ver no *Dicionário* o verbete intitulado *Vontade de Deus, como Descobri-la*. Gideão obteve o que desejava (vs. 21). Algumas vezes, precisamos ser favorecidos do mesmo modo que o foi Gideão. Oh, Senhor, concede-nos tal graça! Até hoje pedimos: "Senhor, mostra-nos o sinal da lã!" Em algumas poucas ocasiões, o Senhor nos confere um sinal genuíno, em geral de forma surpreendente; mas usualmente dizemos: "Bem, isso não funcionou!" Que tenhamos mais daquelas raras ocasiões!

"Dá-me alguma prova clara de que isto não é uma mera visão, e que a mensagem realmente veio da parte de Deus, anunciando-me um favor divino (ver Sl 86.17; Is 7.11)" (Ellicott, *in loc.*).

"Opera um milagre, para que eu saiba que tens sabedoria e poder suficientes para autorizar-me e qualificar-me para o trabalho" (Adam Clarke, *in loc.*).

■ 6.18

אַל־נָא תָמֻשׁ מִזֶּה עַד־בֹּאִי אֵלֶיךָ וְהֹצֵאתִי אֶת־מִנְחָתִי וְהִנַּחְתִּי לְפָנֶיךָ וַיֹּאמַר אָנֹכִי אֵשֵׁב עַד שׁוּבֶךָ׃

Rogo-te que daqui não te apartes. Os israelitas esperavam receber visitas angelicais; mas os homens sempre se sentem incertos quanto à natureza exata do visitante. Por isso mesmo, essas personagens eram tratadas com toda a hospitalidade oriental, na esperança que não se sentiriam ofendidas.

Não negligencieis a hospitalidade, pois alguns,
praticando-a, sem o saber acolheram anjos.

Hebreus 13.2

Ver no *Dicionário* os artigos chamados *Anjo* e *Hospitalidade*.

E traga a minha oferta. No hebraico é usada a palavra *minchah*, que pode indicar uma oferta de manjares (ver Lv 2.1-16 e 6.14-18). A palavra hebraica também significa "tributo". No atual contexto, porém, está em vista uma refeição, que Gideão providenciou para o visitante celeste. Gideão não era um sacerdote; ele não deve ter oferecido um sacrifício; e, por isso, não deve ter imitado o culto no tabernáculo. Gideão tinha a esperança de que o visitante celeste esperaria tempo bastante para aceitar seu ato de hospitalidade. Os visitantes celestes têm um modo súbito de aparecer e desaparecer.

■ 6.19

וְגִדְעוֹן בָּא וַיַּעַשׂ גְּדִי־עִזִּים וְאֵיפַת־קֶמַח מַצּוֹת הַבָּשָׂר שָׂם בַּסַּל וְהַמָּרַק שָׂם בַּפָּרוּר וַיּוֹצֵא אֵלָיו אֶל־תַּחַת הָאֵלָה וַיַּגַּשׁ׃ ס

Preparou um cabrito e bolos asmos. Essa foi a refeição oferecida por Gideão. Foram providas coisas comuns. O cabrito servia como carne; e os bolos asmos, servidos com caldo, completavam a oferta. Era uma refeição comum e típica, que qualquer homem humilde de Israel poderia ter preparado. O que sobrasse, Gideão levaria de volta para casa, por razões econômicas, especialmente naqueles dias em que os midianitas atacavam com seus milhares de camelos e deixavam os filhos de Israel empobrecidos.

Bolos asmos. Eram preparados com grande facilidade. Esse tipo de alimento foi oferecido por Ló aos anjos, e pela feiticeira de En-Dor a Saul (ver Gn 19.3 e 1Sm 28.24).

Dum efa de farinha. Cerca de dez quilogramas. Quantidade exagerada para uma única refeição. Um ômer (cerca de um quilograma) teria sido suficiente para a ocasião; mas lembremo-nos de que Gideão levaria para casa o que sobrasse.

Debaixo do carvalho. Provavelmente está em pauta um lugar sagrado, um oráculo, até onde o Anjo tinha vindo (ver o vs. 11 deste capítulo).

■ 6.20

וַיֹּאמֶר אֵלָיו מַלְאַךְ הָאֱלֹהִים קַח אֶת־הַבָּשָׂר וְאֶת־הַמַּצּוֹת וְהַנַּח אֶל־הַסֶּלַע הַלָּז וְאֶת־הַמָּרַק שְׁפוֹךְ וַיַּעַשׂ כֵּן׃

Porém o Anjo de Deus lhe disse. O Anjo transformou uma refeição comum em uma refeição sagrada. Há uma grande lição espiritual nessa circunstância. Apresentamos nossas coisas comuns, nossas capacidades e recursos, e Deus toma essas coisas e as transforma em algo incomum, algo dotado de valor espiritual. E também temos aqui outra lição: aquilo que tencionamos usar de forma comum, Deus pode transformar em algo inteiramente diferente, conferindo-nos um propósito e uma missão quanto ao que fazemos. Cf. este versículo com Gn 35.14; Êx 30.9; 1Rs 18.34. Assim, o caldo tornou-se uma libação (ver no *Dicionário* o artigo chamado *Libação*). Assim, em 2Macabeus 1.20-36, Neemias derramou a água espessa do sacrifício e, quando o sol brilhou, tudo foi consumido, e todos os homens maravilharam-se diante da cena.

■ 6.21

וַיִּשְׁלַח מַלְאַךְ יְהוָה אֶת־קְצֵה הַמִּשְׁעֶנֶת אֲשֶׁר בְּיָדוֹ וַיִּגַּע בַּבָּשָׂר וּבַמַּצּוֹת וַתַּעַל הָאֵשׁ מִן־הַצּוּר וַתֹּאכַל אֶת־הַבָּשָׂר וְאֶת־הַמַּצּוֹת וּמַלְאַךְ יְהוָה הָלַךְ מֵעֵינָיו׃

Estendeu... a ponta do cajado. O Anjo do Senhor agiu de maneira curiosa. Ele estendeu o seu cajado. Teríamos esperado que dali saísse fogo que consumisse a oferenda improvisada. Em lugar disso, abriu-se a rocha onde a oferenda fora colocada, calor e chamas emanaram da rocha. Portanto, temos aí um milagre admirável, que ocorreu de forma totalmente inesperada; e assim Gideão, de um momento para outro, recebeu o sinal que tinha pedido (ver o vs. 17 deste capítulo). E enquanto Gideão contemplava a cena terrível, de súbito, como os anjos costumam fazer, o convidado desapareceu em um instante.

A refeição comum que Gideão tinha oferecido transformou-se em uma oferenda a Yahweh, uma indicação segura de que a experiência mística de Gideão fora mesmo genuína. O Anjo de Yahweh realmente o havia visitado. Isso pode ser comparado com o milagre de Elias no monte Carmelo (ver 1Rs 18.33-38).

Dessa maneira, Gideão, um homem comum, estava sendo transformado em Gideão, o homem especial de Yahweh, devidamente preparado para a sua missão. O que havia acontecido com a refeição aconteceria com o próprio Gideão. Ali manifestou-se o poder transformador de Deus.

"Água esguichou da rocha, para abençoar o homem, e fogo procedeu da presença de Deus" (Ellicott, *in loc.*).

O Anjo do Senhor desapareceu, mas a presença do Senhor continuava ali, e haveria de intensificar-se conforme o drama se fosse desenrolando.

■ 6.22,23

וַיַּרְא גִּדְעוֹן כִּי־מַלְאַךְ יְהוָה הוּא ס וַיֹּאמֶר גִּדְעוֹן אֲהָהּ אֲדֹנָי יְהוִה כִּי־עַל־כֵּן רָאִיתִי מַלְאַךְ יְהוָה פָּנִים אֶל־פָּנִים׃

וַיֹּאמֶר לוֹ יְהוָה שָׁלוֹם לְךָ אַל־תִּירָא לֹא תָּמוּת׃

Vi o Anjo do Senhor face a face. O milagre com o fogo consumidor convenceu Gideão de que, verdadeiramente, ele tinha sido visitado pelo Anjo do Senhor, o que equivalia a ver o próprio Yahweh. Tal evento seria fatal, e, no entanto, ali continuava ele, perfeitamente vivo, embora aterrorizado. Gideão proferiu os nomes divinos, Yahweh-Elohim, ou seja, o Eterno Todo-poderoso, os dois nomes de Deus mais comuns em Israel naqueles dias. Ver no *Dicionário* o verbete denominado *Deus, Nomes Bíblicos de*. Acerca de como tal experiência pressagiava a morte de quem recebesse a visão de Deus, ver Gn 16.13; 32.30; Êx 20.19; 33.20; Jz 13.22; Is 6.5. Notemos que no vs. 23 foi o próprio Yahweh quem consolou a Gideão, naquele momento de terror: ele tinha visto o Anjo do Senhor, mas não morreria. Pelo contrário, ele tinha agora uma importante missão a ser cumprida, e ainda lhe restavam muitos anos de vida para realizar aquela e outras missões.

Ficou registrado acerca de Moisés que Yahweh falava com ele "face a face" (ver Êx 33.11). Embora ninguém seja digno disso, esse é o profundo anelo de todo coração regenerado: ver o Pai. As experiências místicas fornecem-nos muitas e grandiosas experiências com o Ser divino, e deveriam ser um aspecto importante de nossa experiência espiritual. Ver no *Dicionário* o artigo chamado *Desenvolvimento Espiritual, Meios do*.

Paz seja contigo! Cf. Dn 10.7-9,19; Ez 1.29—2.1; Mc 16.8; Lc 1.13; 2.10; Ap 1.17.

O hino de Calímaco (vs. 100) tem algo semelhante ao texto presente: "As leis de Saturno requerem que, se algum homem vir a algum dos deuses imortais, a menos que assim o próprio Deus o queira, pagará muito caro por essa visão".

Assim sendo, os homens acham-se dentro do dilema de serem indignos de aspirar à visão do Ser Supremo, embora tal visão seja a mais abençoada de todas as experiências místicas. Ver na *Enciclopédia de Bíblia, Teologia e Filosofia* o artigo chamado *Visão Beatífica*.

■ 6.24

וַיִּבֶן שָׁם גִּדְעוֹן מִזְבֵּחַ לַיהוָה וַיִּקְרָא־לוֹ יְהוָה שָׁלוֹם עַד הַיּוֹם הַזֶּה עוֹדֶנּוּ בְּעָפְרָת אֲבִי הָעֶזְרִי׃ פ

Gideão edificou ali um altar ao Senhor. O altar foi erigido no local onde ele tivera a visão do Anjo do Senhor, e foi chamado de Yahweh-Shalom, ou seja, Yahweh é a (minha) Paz. Sim, é o Eterno que nos confere a verdadeira paz, porquanto Gideão teve permissão de contemplar o Anjo do Senhor, e, no entanto, Yahweh proferiu sobre ele a paz, permitindo-lhe continuar vivo. Quando o livro de Juízes foi escrito, o altar ainda podia ser visto naquele lugar, permanecendo um testemunho da experiência incomum e divina de Gideão, durante muito tempo, e servindo de encorajamento a muitos israelitas piedosos. Ver no *Dicionário* o artigo chamado *Paz*.

Yahweh e Outros Nomes Divinos Combinados. O artigo chamado *Deus, Nomes Bíblicos de*, existente no *Dicionário*, ilustra como o nome divino, Yahweh, é combinado nas Escrituras com outros títulos divinos para indicar aspectos específicos e especiais do caráter de Deus. Ver também os artigos separados sobre esse nome, Yahweh, onde aparecem as várias combinações com esse nome, como: Yahweh-Jiré; Yahweh-Nissi; Yahweh-Shalom e Ha Yahweh-Tsidkenu.

■ 6.25

וַיְהִי בַּלַּיְלָה הַהוּא וַיֹּאמֶר לוֹ יְהוָה קַח אֶת־פַּר־הַשּׁוֹר אֲשֶׁר לְאָבִיךָ וּפַר הַשֵּׁנִי שֶׁבַע שָׁנִים וְהָרַסְתָּ אֶת־מִזְבַּח הַבַּעַל אֲשֶׁר לְאָבִיךָ וְאֶת־הָאֲשֵׁרָה אֲשֶׁר־עָלָיו תִּכְרֹת׃

Naquela mesma noite lhe disse o Senhor. Começava agora a terceira fase da chamada de Gideão (após o aparecimento do profeta, referido em Jz 6.8 ss. e o aparecimento do Anjo do Senhor em Jz 6.11 ss.). Agora Yahweh baixava a ordem para Gideão iniciar a destruição da idolatria, em seu próprio lar, que tinha produzido, em consequência, todas aquelas dificuldades para o povo de Israel. Gideão não precisava ir muito longe. De fato, seu próprio pai tinha edificado um altar em honra a Baal; e, assim sendo, aquele foi o primeiro alvo de sua destruição do paganismo em Israel.

Teria sido impossível livrar os filhos de Israel da opressão dos midianitas se Gideão, o líder desse livramento, não tivesse efetuado uma libertação simbólica de Israel da idolatria. E logo haveria de espalhar-se por toda parte que Gideão, o homem de visões, havia iniciado um programa de purificação em Israel. Outros israelitas seriam encorajados a praticar o mesmo. Alguém tinha de começar a fazer o povo de Israel voltar-se novamente para Yahweh.

O segundo boi de sete anos. Isso nos apresenta uma mensagem um tanto ininteligível. Naturalmente, pensamos que a Gideão foi ordenado sacrificar dois bois no novo altar edificado no lugar do altar destruído de seu pai. Mas o próprio texto não presta informações mais claras. Talvez o significado da ordem fosse que Gideão deveria tomar um boi pertencente a seu pai, e também um segundo boi, pertencente a ele mesmo, e presumivelmente esse boi é que deveria ser sacrificado. Nesse caso, porém, para que levar dois bois? O segundo desses animais é descrito como animal de sete anos, bem engordado e apropriado para ser oferecido em sacrifício. Esses sete anos de idade do boi talvez sejam uma referência aos sete anos de opressão que Israel já vinha sofrendo por parte dos midianitas. A lei não prescrevia uma idade fixa dos animais oferecidos em holocausto, pelo que temos aí um toque novo, para aquela ocasião em particular.

E corta o poste-ídolo. Esses santuários pagãos, caracteristicamente, eram levantados em bosques. Ver Jz 3.7 e as notas ali existentes, e cf. Êx 34.13; Dt 7.5; 12.3; 1Rs 14.15; 2Rs 17.10. Ver também, no *Dicionário*, o artigo denominado *Lugares Altos*.

6.26

וּבָנִיתָ מִזְבֵּחַ לַיהוָה אֱלֹהֶיךָ עַל רֹאשׁ הַמָּעוֹז הַזֶּה
בַּמַּעֲרָכָה וְלָקַחְתָּ אֶת־הַפָּר הַשֵּׁנִי וְהַעֲלִיתָ עוֹלָה
בַּעֲצֵי הָאֲשֵׁרָה אֲשֶׁר תִּכְרֹת:

Edifica ao Senhor teu Deus um altar. No lugar exato onde tinha sido levantado o ídolo pagão de seu pai, Gideão deveria erigir um altar, representação das mudanças que estavam ocorrendo. Yahweh estava prestes a recuperar poder entre o povo de Israel. Sobre esse altar, deveria ser sacrificado o segundo boi, como um holocausto. Ver sobre isso em Lv 1.3-17 e 6.9-13. Ver também, no *Dicionário*, o artigo chamado *Holocausto*. Uma vez mais, deparamo-nos com a confusão criada pelos dois bois, conforme discuti nas notas sobre o versículo anterior. A madeira para a fogueira foi extraída do bosque (dedicado a Baal), que Gideão acabara de derrubar. Temos aí um toque muito apropriado. Baal fora dali; seu bosque fora derrubado; ou, alternativamente, o poste-ídolo fora derrubado e cortado em pedaços, sendo usado na fogueira para o holocausto. Esse ato simbolizou o fim do antigo período e o começo de uma nova era na história de Israel.

Embora Gideão não fosse levita nem sacerdote, por ordem de Yahweh, efetuou aquele sacrifício. E na ordem de Deus repousava a sua autoridade. Foi um caso especial. Geralmente, todos os sacrifícios eram efetuados no tabernáculo, e por parte de sacerdotes autorizados, descendentes diretos de Arão. Mas aquele sacrifício foi levado a efeito à noite (ver o versículo seguinte), o que também não seguiu a ordem regular dos sacrifícios.

6.27

וַיִּקַּח גִּדְעוֹן עֲשָׂרָה אֲנָשִׁים מֵעֲבָדָיו וַיַּעַשׂ כַּאֲשֶׁר דִּבֶּר
אֵלָיו יְהוָה וַיְהִי כַּאֲשֶׁר יָרֵא אֶת־בֵּית אָבִיו וְאֶת־אַנְשֵׁי
הָעִיר מֵעֲשׂוֹת יוֹמָם וַיַּעַשׂ לָיְלָה:

Então Gideão tomou dez homens. Esses dez homens ajudaram Gideão quanto à questão toda, em parte porque ele precisava desse número para que se completasse a missão de destruição do poste-ídolo e do sacrifício do boi de sete anos, e, também em parte, porque ele precisava de proteção. Muita gente haveria de objetar ao que estava sendo feito, e ele facilmente poderia ter sido atacado. Uma proteção adicional foi conferida pelo fato de eles terem feito tudo durante a noite. O culto a Baal tinha-se infiltrado de tal modo na cultura dos israelitas que muitos davam a seus filhos nomes próprios que incluíam referência àquela divindade, da mesma forma que o nome divino, Yahweh, era incorporado em nomes próprios.

Embora temendo pela sua vida, Gideão passou imediatamente a realizar seu "teste de obediência". Ele precisava começar em algum ponto, em seu movimento de libertação. A destruição do poste-ídolo levantado por seu pai seria um bom ponto de partida. Cumpre-nos compreender que muitos, se não mesmo a maioria dos abiezritas, tinham-se envolvido na adoração a Baal, ou seja, praticava idolatria todo o clã a que Gideão pertencia, e não meramente a sua família imediata, da qual seu pai fazia parte e da qual, mui provavelmente, era o patriarca.

6.28

וַיַּשְׁכִּימוּ אַנְשֵׁי הָעִיר בַּבֹּקֶר וְהִנֵּה נֻתַּץ מִזְבַּח הַבַּעַל
וְהָאֲשֵׁרָה אֲשֶׁר־עָלָיו כֹּרָתָה וְאֵת הַפָּר הַשֵּׁנִי הֹעֲלָה
עַל־הַמִּזְבֵּחַ הַבָּנוּי:

Eis que estava o altar de Baal derribado. O trabalho tinha sido bem feito por Gideão e seus homens. Haviam sido obliterados todos os vestígios da adoração a Baal naquele lugar. O altar havia sido derrubado; o bosque ou poste-ídolo já não existia mais; o ídolo que representava Baal estava queimado; e agora, em lugar desse ídolo havia um novo altar que, obviamente, tinha recebido um sacrifício "novo", a saber, um holocausto em honra a Yahweh, o qual antes era um Deus estranho para muitos filhos de Israel. Aos hebreus, portanto, fora dada uma lição objetiva sobre coisas vindouras, e eles estavam consternados diante dos acontecimentos recentes. É possível que duas oferendas tenham sido feitas (uma oferta pacífica, com o boi mais novo; e um holocausto, com o boi de sete anos); mas, na verdade, não temos certeza sobre o que se deve entender por segundo boi (referido no vs. 25). Ver as notas expositivas, em Lv 7.11-33, sobre as ofertas pacíficas; e em Lv 6.9-13, sobre os holocaustos, também conhecidos como ofertas queimadas.

6.29

וַיֹּאמְרוּ אִישׁ אֶל־רֵעֵהוּ מִי עָשָׂה הַדָּבָר הַזֶּה וַיִּדְרְשׁוּ
וַיְבַקְשׁוּ וַיֹּאמְרוּ גִּדְעוֹן בֶּן־יוֹאָשׁ עָשָׂה הַדָּבָר הַזֶּה:

Quem fez isto? A consternação entre os seguidores de Baal foi geral. Aqueles filhos de Israel, que tinham caído em tão desgraçada idolatria, exibiam agora uma desgraçada consternação, porque seu culto falso havia sofrido um golpe tão rijo. Eles todos tinham chegado a confiar naquela imensa tolice, a saber, a idolatria que venerava a Baal. Isso mostra quão fundo Israel tinha chegado em sua degradação, depois de ter tomado posse da Terra Prometida. Ver no *Dicionário* o verbete chamado *Idolatria*.

Alguém pode observar que, apesar de Gideão ter-se mostrado cuidadoso, acabou sendo considerado "culpado". Mas também é possível que o próprio Gideão tenha espalhado ser ele o autor daquele ato de ousadia. Ele tinha posto em ação o movimento de volta a Yahweh, e precisava assumir a responsabilidade pelo que fizera. Gideão, pois, demonstrou que o discipulado não é nada fácil; requer que um alto preço seja pago. Jesus denunciou que o discipulado fácil "não é digno" dele (ver Mt 10.37). Ver na *Enciclopédia de Bíblia, Teologia e Filosofia* o verbete intitulado *Discípulo, Discipulado*.

6.30

וַיֹּאמְרוּ אַנְשֵׁי הָעִיר אֶל־יוֹאָשׁ הוֹצֵא אֶת־בִּנְךָ וְיָמֹת כִּי
נָתַץ אֶת־מִזְבַּח הַבַּעַל וְכִי כָרַת הָאֲשֵׁרָה אֲשֶׁר־עָלָיו:

Leva para fora o teu filho, para que morra. Indignados, os seguidores de Baal, que já suspeitavam que Gideão fosse o "culpado" de derrubar o ídolo que representava aquela divindade pagã, dirigiram-se diretamente à casa de Joás, pai de Gideão. Eles cultivavam intenções homicidas e queriam mostrar o quão apostatados de Deus estavam, matando aquele que havia defendido o Deus de Israel. Não existe ódio que se compare ao ódio religioso; nem há cegueira como a cegueira religiosa; nem existe preconceito como o preconceito religioso; nem há estagnação que se compare à estagnação religiosa; e, finalmente, não há nada tão impensado como a fé religiosa impensada. Não obstante, o mundo está repleto de deficiências de natureza religiosa. Aqueles rebeldes tinham dado início a uma falsa cruzada, e o zelo mal orientado deles não conhecia limites.

"Baal e Astarote contavam com um maior número de adoradores do que aqueles que adoravam ao verdadeiro Deus, porque seus ritos eram mais atrativos para a natureza humana decaída" (Adam Clarke, *in loc.*).

O Pecado Capital. Os filhos de Israel tinham caído tão fundo a ponto de exigir que aquele que se opusera à idolatria fosse executado, ao passo que a regra original era que a execução fosse determinada para os que promovessem a idolatria. Ver Êx 22.20. A família de um homem que caísse na idolatria era obrigada a denunciá-lo, garantindo assim a sua execução (ver Dt 13.2-10). Esse homem era então executado por apedrejamento (ver Dt 17.2-6). Um israelita que tentasse outros a práticas idólatras tornava-se culpado de um crime enorme (ver Dt 13.6-10). Uma nação idólatra estava sob a maldição de Yahweh. Não obstante, no presente texto, foram os indivíduos idólatras de Israel que buscaram tirar a vida daquele que tinha destruído um símbolo do culto deles. O segundo mandamento proíbe terminantemente a idolatria; mas fazia tempo, nos dias de Gideão, que o povo de Israel havia abandonado os preceitos da lei de Moisés. Ver no *Dicionário* o artigo intitulado *Dez Mandamentos*.

6.31

וַיֹּאמֶר יוֹאָשׁ לְכֹל אֲשֶׁר־עָמְדוּ עָלָיו הַאַתֶּם תְּרִיבוּן
לַבַּעַל אִם־אַתֶּם תּוֹשִׁיעוּן אוֹתוֹ אֲשֶׁר יָרִיב לוֹ יוּמַת
עַד־הַבֹּקֶר אִם־אֱלֹהִים הוּא יָרֶב לוֹ כִּי נָתַץ אֶת־
מִזְבְּחוֹ:

Porém Joás disse. O pai de Gideão conseguiu desviar a fúria daqueles israelitas rebeldes, que tinham pensado (e com razão) que Gideão era o "culpado" de haver destruído o ídolo de Baal, por meio de uma observação bem colocada: "Se Baal é assim tão grande, que ele se defenda. Ele não precisa da ajuda de vocês. Deixem que Baal tire a vida de Gideão, mediante alguma praga, enfermidade, ataque do coração etc."

Gideão tinha outorgado a Baal uma boa oportunidade de consolidar o seu culto, fazendo-o arraigar-se em Israel. Um Gideão morto pelo poder de Baal seria uma poderosa lição objetiva, mais do que qualquer outra coisa.

"A visão de um ato de franco desprezo por um ídolo qualquer com frequência abala a reverência supersticiosa que os idólatras manifestam. Aristófanes, Pérsio e Luciano zombaram da incapacidade de Júpiter de defender seu próprio templo, suas madeixas douradas e sua barba dourada. Quando Olaf destruiu a gigantesca imagem de Odim, e quando o sumo sacerdote Coifi, em Saxmundham, vestido de armadura e montado em um cavalo (duas coisas proibidas para um 'padre'), cavalgou até os ídolos dos saxões e os derrubou, o povo, vendo que não ocorria nenhum trovão, mas que tudo continuava normalmente, dispôs-se a abraçar o cristianismo" (Ellicott, *in loc.*).

Joás, apesar de ter sido um dos iniciadores do culto falso a Baal, por amor a seu filho, converteu-se repentinamente. sua mente foi abalada de modo suficiente para poder perceber o quanto tinha errado.

Tácito (lib. 1, cap. 73) tem uma passagem similar à que se vê no livro de Juízes, invocando as divindades ofendidas (seus ídolos tinham sido postos à venda), para punirem, aberta e publicamente, os ofensores. Porém, nenhuma punição seguiu-se à venda daqueles ídolos, embora esse comércio tivesse sido considerado um ato de impiedade.

■ **6.32**

וַיִּקְרָא־לוֹ בַיּוֹם־הַהוּא יְרֻבַּעַל לֵאמֹר יָרֶב בּוֹ הַבַּעַל
כִּי נָתַץ אֶת־מִזְבְּחוֹ׃ פ

Gideão passou a ser chamado Jerubaal. Esse nome, no hebraico, significa "que Baal contenda", ou então, "que Baal aumente". Essa foi a alcunha dada a Gideão quando ele destruiu o altar de seu pai, dedicado a Baal, que fora levantado em Ofra. A ideia por trás do apelido era que, se Baal fosse alguma coisa, então que ele contendesse contra Gideão, por haver derrubado o seu altar. Outros estudiosos supõem que esse nome não era apenas uma alcunha, mas um verdadeiro nome pessoal de Gideão, refletindo a cultura sincretista em que ele vivia; e também foi esse que se tornou o seu nome mais proeminente, após o seu ato de iconoclasmo. E então quando, finalmente, o nome Baal se tornou quase pejorativo em Israel, o nome de Gideão foi alterado para Jerubesete (ver 2Sm 11.21). Ver no *Dicionário* quanto aos nomes *Jerubaal* e *Jerubesete*.

Em apoio à noção de que Jerubaal era o nome original de Gideão, a *Oxford Annotated Bible*, ao comentar sobre este versículo, afirma: "O portador de tal nome certamente era um adorador de Baal, e não um antagonista".

UMA INVASÃO DOS MIDIANITAS (6.33-35)

"Os saqueadores vindos do deserto atravessaram o rio Jordão e acamparam no vale de Jezreel, ou seja, na extremidade oriental da planície de Esdrelom, assim chamado por causa da cidade de Jezreel. Naquele lugar estava a mais frutífera região para ser saqueada, em toda a Palestina" (Jacob M. Myers, *in loc.*). Gideão, tendo tomado a defesa da causa de Yahweh, haveria de passar por uma série de testes, antes que pudesse obter a vitória. seu discipulado seria severamente testado. Somente depois ele lograria a vitória. Apenas Yahweh poderia fazê-lo ser aprovado em seus testes, e então usá-lo na inauguração de um Novo Dia.

■ **6.33**

וְכָל־מִדְיָן וַעֲמָלֵק וּבְנֵי־קֶדֶם נֶאֶסְפוּ יַחְדָּו וַיַּעַבְרוּ
וַיַּחֲנוּ בְּעֵמֶק יִזְרְעֶאל׃

E todos os midianitas e amalequitas, e povos do oriente. Não fazia muito, tivera Gideão a coragem de derrubar o altar erigido por seu pai, e por pouco escapou de ser executado pelos israelitas idólatras. Um novo teste começou logo em seguida. Gideão viu-se na "frente da batalha". É conforme diz um antigo hino evangélico: "Na frente da batalha me acharás". Todos os nomes próprios que figuram neste versículo recebem artigos separados no *Dicionário*. Ver também as notas de introdução à presente seção.

"A comissão entregue a Gideão, pelo Senhor, parece ter antecipado a anual (e final) invasão dos midianitas e seus aliados. Eles atravessaram o rio Jordão, não muito ao sul do mar de Quinerete, e acamparam, conforme os costumes típicos dos beduínos, na rica área agrícola do vale de Jezreel" (F. Duane Lindsey, *in loc.*).

■ **6.34,35**

וְרוּחַ יְהוָה לָבְשָׁה אֶת־גִּדְעוֹן וַיִּתְקַע בַּשּׁוֹפָר וַיִּזָּעֵק
אֲבִיעֶזֶר אַחֲרָיו׃

וּמַלְאָכִים שָׁלַח בְּכָל־מְנַשֶּׁה וַיִּזָּעֵק גַּם־הוּא אַחֲרָיו
וּמַלְאָכִים שָׁלַח בְּאָשֵׁר וּבִזְבֻלוּן וּבְנַפְתָּלִי וַיַּעֲלוּ
לִקְרָאתָם׃

Então o Espírito do Senhor revestiu a Gideão. Temos aí a intervenção divina. O profeta tinha chegado (ver Jz 6.5 ss.); o Anjo do Senhor tinha vindo (ver Jz 6.11 ss.); o próprio Yahweh tinha falado (ver Jz 6.14 ss.). Palavras houve em abundância. Tinham sido palavras promissoras. Agora, eram necessários atos que escudassem aquelas palavras. A palavra divina teria de resultar em atos divinos. E é exatamente isso o que o texto à nossa frente começa a narrar.

A Batalha Era do Senhor. Foi por isso que o Espírito de Deus movimentou-se, iluminando e fortalecendo a Gideão, cuja tarefa era produzir uma mudança radical nas condições de vida em Israel.

O qual tocou a rebate. Isso fez reunir-se os homens fiéis a Gideão. seu clã e seu povo responderam, a saber, os abiezritas. Ver no *Dicionário* o verbete chamado *Abiezer*, quanto a esse clã e ao progenitor. Os abiezritas eram um dos clãs da tribo de Manassés. Ao que parece, eles se convenceram de que a causa de Gideão estava certa e abandonaram suas práticas idólatras. O restante da tribo de Manassés também aliou-se a eles, porquanto houve uma súbita conversão dos manassitas a Yahweh. E mensageiros foram buscar ajudantes provenientes das tribos de Aser, Zebulom e Naftali, conforme lemos no vs. 35. Dessa forma foi reunido um grande exército, maior do que Yahweh quis usar, para que a grande multidão não se vangloriasse de ter sido ela a causa da vitória, mas, sim, o poder de Yahweh. Esse ponto particular era crítico para a reversão da idolatria em Israel, e para que ali fosse restabelecido o yahwismo.

Declarou Jesus: "Não fostes vós que me escolhestes a mim; pelo contrário, eu vos escolhi a vós outros..." (Jo 15.16). Por conseguinte, a chamada externa vem e encontra uma corda responsiva no coração dos chamados. Esses indivíduos deixam-se atrair e põem-se a seguir o Senhor. O chamado cria uma nova dimensão à vida e um novo propósito àquelas pessoas. Sem essa chamada divina, os homens continuam a tatear em trevas.

A convocação à guerra foi lançada às tribos que residiam mais perto do lugar invadido pelos midianitas. Israel, é óbvio, tinha um interesse coletivo pela questão. Mas as tribos mais diretamente envolvidas na miséria promovida pelos midianitas eram as mais ansiosas por unir-se à batalha.

■ **6.36**

וַיֹּאמֶר גִּדְעוֹן אֶל־הָאֱלֹהִים אִם־יֶשְׁךָ מוֹשִׁיעַ בְּיָדִי
אֶת־יִשְׂרָאֵל כַּאֲשֶׁר דִּבַּרְתָּ׃

Se hás de livrar a Israel por meu intermédio. Encontramos aqui o grande "se". Gideão já havia questionado a validade de sua visão e comissão (ver Jz 6.17 ss.). O Anjo do Senhor havia feito um notável milagre (Jz 6.21), e isso tinha convencido a Gideão. Porém, sendo ele apenas um ser humano, precisava de mais provas. Algumas vezes, é difícil acertarmos com o caminho que devemos seguir, especialmente quando ele promete muitas dificuldades.

■ 6.37,38

הִנֵּ֣ה אָנֹכִ֗י מַצִּ֛יג אֶת־גִּזַּ֥ת הַצֶּ֖מֶר בַּגֹּ֑רֶן אִ֡ם טַל֩ יִהְיֶ֨ה
עַֽל־הַגִּזָּ֜ה לְבַדָּ֗הּ וְעַל־כָּל־הָאָ֨רֶץ֙ חֹ֔רֶב וְיָ֣דַעְתִּ֔י
כִּֽי־תוֹשִׁ֥יעַ בְּיָדִ֖י אֶת־יִשְׂרָאֵ֑ל כַּאֲשֶׁ֖ר דִּבַּֽרְתָּ׃

וַיְהִי־כֵ֕ן וַיַּשְׁכֵּם֙ מִֽמָּחֳרָ֔ת וַיָּ֖זַר אֶת־הַגִּזָּ֑ה וַיִּ֤מֶץ טַל֙
מִן־הַגִּזָּ֔ה מְל֥וֹא הַסֵּ֖פֶל מָֽיִם׃

Uma porção de lã. Qualquer criança de escola dominical conhece a história do tosão de lã. Isso se tornou proverbial para "submeter as águas a teste", para "submeter qualquer situação a teste" ou para "buscar um sinal". E dizemos: "Se Gideão pôde pedir uma prova, por que não posso?" E calculamos que se ele, um grande e poderoso homem, um dos juízes de Israel, ocasionalmente precisou de um sinal, então nós também precisamos de sinais. E, afinal, isso é correto. Buscamos a vontade de Deus de várias maneiras, nada havendo de errado quando pedimos um sinal, se fizermos isso quando procuramos saber o que nos convém fazer, em lugar de obtermos tão somente um meio de facilitar as coisas. Ver no *Dicionário* o artigo chamado *Vontade de Deus, como Descobri-la*.

A Lã Úmida. O tosão de lã tinha condições de reter bastante água, enquanto o solo em redor permanecesse seco. Somente Deus tinha condições de controlar as condições atmosféricas; assim sendo, tal fenômeno seria considerado divino. O tosão de lã foi posto sobre o chão da eira, o lugar onde Gideão costumava trabalhar. O vs. 38 enfatiza quão realmente molhado ficou o tosão de lã. Não havia como enganar-se quanto à questão. Algo incomum havia acontecido.

■ 6.39,40

וַיֹּ֤אמֶר גִּדְעוֹן֙ אֶל־הָ֣אֱלֹהִ֔ים אַל־יִ֥חַר אַפְּךָ֖ בִּ֑י
וַאֲדַבְּרָ֣ה אַ֣ךְ הַפָּ֔עַם אֲנַסֶּ֥ה נָּא־רַק־הַפַּ֖עַם בַּגִּזָּ֑ה
יְהִי־נָ֨א חֹ֤רֶב אֶל־הַגִּזָּה֙ לְבַדָּ֔הּ וְעַל־כָּל־הָאָ֖רֶץ
יִהְיֶה־טָּֽל׃

וַיַּ֧עַשׂ אֱלֹהִ֛ים כֵּ֖ן בַּלַּ֣יְלָה הַה֑וּא וַיְהִי־חֹ֤רֶב אֶל־הַגִּזָּה֙
לְבַדָּ֔הּ וְעַל־כָּל־הָאָ֖רֶץ הָ֥יָה טָֽל׃ פ

Que só a lã esteja seca. *A Lã Seca*. Gideão, com o coração tomado pela ansiedade, continuou buscando sinais. Ele já tinha visto o milagre do Anjo quanto à questão do sacrifício (Jz 6.21); já havia recebido o sinal do tosão molhado. E agora queria receber o sinal do tosão seco. Mas temia que Yahweh ficasse cansado dele e de suas ansiedades. Todavia, o Senhor mostrou-se gracioso e tolerou Gideão e suas esquisitices. A graça divina concedeu ainda outro sinal; e, após este, Gideão não pediu mais nenhum sinal. Isso ensina que Deus continua a tolerar nossas ansiedades desnecessárias, nossa falta de fé e nossas buscas, e continua a guiar-nos e fazer alguma coisa por nosso intermédio.

> ele me guia, ó bendito pensamento,
> Oh, palavras cheias de consolo celeste!
> O que quer que eu faça, onde quer que eu esteja,
> A mão de Deus é que me guia.
>
> Joseph H. Gilmore

Elohim, o Deus Todo-poderoso, agiu em favor de Gideão e concedeu-lhe o tolo sinal que ele pediu. A graça de Deus sempre funciona; ela nos dá alguma coisa que simplesmente não merecemos. Ver no *Dicionário* o artigo chamado *Deus, Nomes Bíblicos de*.

Só esta vez. Por muitas vezes proferimos palavras como essas. "Ajuda-me, Senhor, somente mais esta vez", quando pedimos por algum brinquedo, como as crianças costumam fazer. Não obstante, nosso Pai nos tolera em nossa insensatez e faz surgir alguma coisa de valor da nossa vida.

Tipologia. Consideremos os cinco pontos seguintes:

1. A umidade no tosão de lã representa a graça divina, conferida com abundância, embora, algumas vezes, em situações desnecessárias. O orvalho no chão é a graça de Deus, que é abundante, outorgada em consonância com o pedido humano.
2. O orvalho no tosão de lã e no solo é a orientação divina: "ele me guia, ó bendito pensamento".
3. O orvalho no tosão de lã e no solo é também a presença de Deus, sem a qual nada conseguimos fazer.
4. O orvalho no tosão de lã e no solo é, igualmente, a provisão de Deus.
5. O orvalho no tosão de lã e no solo, finalmente, é a resposta divina às nossas orações, pois sem essa resposta não podemos viver com êxito a vida espiritual nem cumprir a nossa missão.

CAPÍTULO SETE

A seção iniciada em Jz 6.1 prossegue aqui, pelo que as notas introdutórias ao sexto capítulo também devem ser lidas aqui. O autor sacro devotou a sua mais longa descrição (quanto a todos os juízes de Israel) à carreira de Gideão, a qual é narrada em cem versículos, em nossas traduções.

O trecho de Jz 7.1-8 conta a respeito da preparação para combater a invasão anual dos midianitas, que chegavam com seus camelos e levavam toda a produção agrícola de Israel. Os vss. 9-15 contam como o acampamento dos midianitas foi espionado. Os vss. 16-22 fornecem descrições do ataque de Gideão contra os midianitas, e de como ele os derrotou completamente. E os vss. 23-25 descrevem como Gideão e seus homens perseguiram os midianitas.

■ 7.1

וַיַּשְׁכֵּ֨ם יְרֻבַּ֜עַל ה֣וּא גִדְע֗וֹן וְכָל־הָעָם֙ אֲשֶׁ֣ר אִתּ֔וֹ וַֽיַּחֲנ֖וּ
עַל־עֵ֣ין חֲרֹ֑ד וּמַחֲנֵ֤ה מִדְיָן֙ הָיָה־ל֣וֹ מִצָּפ֔וֹן מִגִּבְעַ֥ת
הַמּוֹרֶ֖ה בָּעֵֽמֶק׃

Então Jerubaal. Ver notas completas a respeito em Jz 6.32.
Gideão. Ver no *Dicionário* o artigo sobre ele.
Fonte de Harode. No hebraico, esse nome significa "tremor" ou "terror". No Antigo Testamento, esse locativo é usado para indicar um ribeiro e uma localidade. No caso do riacho, é possível que esse nome esteja relacionado à maneira rápida em que ele fluía. Gideão e seus homens acamparam às margens do riacho, quando se preparavam para lutar contra os midianitas. Alguns estudiosos sugerem que o terror da guerra foi que deu nome a esse ribeiro, mas tal sugestão não é tão provável quanto a outra. O teste da maneira de beber água ocorreu às margens desse ribeiro. Alguns eruditos também supõem que Saul acampou perto desse riacho, pouco antes da batalha fatal contra os filisteus, durante a qual morreu (ver 1Sm 31.1 ss.).
Outeiro de Moré. No hebraico, *moreh* significa "mestre". Os midianitas acamparam ali, quando foram atacados por Gideão e seus trezentos homens. Desconhece-se a atual localização exata desse outeiro, mas não há que duvidar que ficava nas vizinhanças de Siquém, podendo ser a colina atualmente conhecida como Jebel Nabi Dahi, que alguns intérpretes, erroneamente, chamam de Pequeno Hermom. Mas o Pequeno Hermom fica quase treze quilômetros a noroeste do monte Gilboa, e um quilômetro e meio ao sul de Naim. Ficava do outro lado do vale do monte Gilboa, no território da tribo de Issacar.

■ 7.2

וַיֹּ֤אמֶר יְהוָה֙ אֶל־גִּדְע֔וֹן רַ֣ב הָעָ֔ם אֲשֶׁ֖ר אִתָּ֑ךְ מִתִּתִּ֤י
אֶת־מִדְיָן֙ בְּיָדָ֔ם פֶּן־יִתְפָּאֵ֨ר עָלַ֤י יִשְׂרָאֵל֙ לֵאמֹ֔ר יָדִ֖י
הוֹשִׁ֥יעָה לִּֽי׃

Disse o Senhor a Gideão. Yahweh estava guiando Gideão. Na verdade, o Senhor era o verdadeiro General do exército de Israel. Ele baixou ordens específicas a fim de que Gideão não cometesse nenhum erro. Temos aí o *teísmo* (ver a respeito no *Dicionário*). Em outras palavras, Deus não somente nos criou, mas também faz-se presente conosco. Ele recompensa e castiga; ele guia; ele assume um papel ativo na vida dos homens. Isso contrasta com o *deísmo* (ver também no *Dicionário*), que afirma que talvez tenha havido um poder criativo, pessoal ou impessoal, mas este acabou abandonando a sua criação, deixando-a aos caprichos da lei natural.

O Exército de Israel Era Numeroso Demais. Gideão havia convocado o exército com base na tribo de Manassés (talvez as duas metades, que ocupavam os lados leste e oeste do rio Jordão) e com reforços das tribos de Aser, Zebulom e Naftali (Jz 6.35). O exército assim recolhido era grande demais para o gosto de Yahweh. Ele queria uma pequena força, para que se tornasse evidente que ele é que havia dado a vitória, e não o grande número de homens que Gideão tivesse sido capaz de reunir. A força não depende do número (ver Sl 33.16). Duas reduções drásticas acabaram diminuindo a força original de cerca de 32 mil homens para meros trezentos. O terceiro versículo deste capítulo comenta sobre o que significavam 32 mil homens.

■ **7.3**

וְעַתָּ֗ה קְרָ֨א נָ֜א בְּאָזְנֵ֤י הָעָם֙ לֵאמֹ֔ר מִֽי־יָרֵ֣א וְחָרֵ֔ד יָשֹׁ֥ב וְיִצְפֹּ֖ר מֵהַ֣ר הַגִּלְעָ֑ד וַיָּ֣שָׁב מִן־הָעָ֗ם עֶשְׂרִ֤ים וּשְׁנַ֙יִם֙ אֶ֔לֶף וַעֲשֶׂ֥רֶת אֲלָפִ֖ים נִשְׁאָֽרוּ׃ ס

Apregoa, pois, aos ouvidos do povo. 32 mil homens constituíam uma grande força de combate naqueles dias; a vitória que porventura conseguissem seria atribuída a eles, por causa de seu número e poder. Era precisamente isso que Yahweh queria evitar. Israel precisava desesperadamente ver o poder do Senhor em ação, para que abandonasse a idolatria e voltasse ao yahwismo. Por isso, Gideão mostrou-se tão liberal, desobrigando todos os que estivessem temerosos. Desse modo, foram dispensados com honras, e ninguém fez pergunta alguma. Esse gesto extremamente generoso permitiu que 22 mil homens voltassem para casa, respirando aliviados por não terem tido de enfrentar a morte possível em uma guerra acerca da qual estavam bastante desencorajados.

Desse modo, o exército de Israel fortaleceu-se mediante a subtração, o que contraria nossa maneira usual de pensar. Era preciso mostrar que Israel não era assim tão poderoso quanto eles imaginavam. Eles já vinham tolerando aquela situação de miséria, criada pelos midianitas, durante sete longos anos, e nada tinham feito a respeito da questão. Se houvesse uma solução para a situação, seria dada por Yahweh.

Cf. Dt 20.8 quanto a uma situação similar. Os homens, acovardados no campo de batalha, podem servir mais de empecilho que de ajuda. "A covardia é extremamente contagiosa" (Ellicott, *in loc.*). A mesma regra foi aplicada, muitos séculos depois, por Judas Macabeu (ver 1Macabeus 3.56). "Os antigos já tinham podido observar que mesmo quando há muitas legiões, são sempre alguns poucos que vencem a batalha" (Tácito, *Anais* xiv.36).

■ **7.4**

וַיֹּ֨אמֶר יְהוָ֜ה אֶל־גִּדְע֗וֹן ע֤וֹד הָעָם֙ רָ֔ב הוֹרֵ֥ד אוֹתָ֖ם אֶל־הַמָּ֑יִם וְאֶצְרְפֶ֥נּוּ לְךָ֖ שָׁ֑ם וְהָיָ֡ה אֲשֶׁר֩ אֹמַ֨ר אֵלֶ֜יךָ זֶ֣ה ׀ יֵלֵ֣ךְ אִתָּ֗ךְ ה֚וּא יֵלֵ֣ךְ אִתָּ֔ךְ וְכֹ֨ל אֲשֶׁר־אֹמַ֜ר אֵלֶ֗יךָ זֶ֚ה לֹא־יֵלֵ֣ךְ עִמָּ֔ךְ ה֖וּא לֹ֥א יֵלֵֽךְ׃

Ainda há povo demais. Essa foi a segunda redução drástica. Dez mil homens tinham permanecido com Gideão, mas Deus achou que ainda era um número muito grande. É possível que dez mil homens, inspirados pelo calor da batalha, pudessem combater contra uma força armada muito maior. Nesse caso, entretanto, Yahweh não obteria o crédito pela vitória, e os israelitas, cheios de si devido à sua própria potência, continuariam em sua apostasia. Eles diriam: "Minha própria mão me salvou" (vs. 2).

Israel ainda seria submetido a outro teste, a saber, o "teste da lambida", ou o "teste do espírito atento" (conforme se vê no versículo seguinte). Somente os homens realmente atentos teriam permissão de participar da batalha prestes a ferir-se.

Faze-os descer às águas. Está em foco o ribeiro de Harode, referido no primeiro versículo deste capítulo.

Baraque tinha comandado dez mil homens contra Sísera e havia obtido triunfo. No entanto, Yahweh recebera o crédito por aquela vitória. Ver os capítulos 4 e 5 do livro de Juízes quanto a essa narrativa. Dessa vez, porém, em sua sabedoria, Deus percebeu que isso não se repetiria, mas que Israel se orgulharia de sua vitória, perdendo assim todo o benefício espiritual.

■ **7.5,6**

וַיּ֣וֹרֶד אֶת־הָעָ֔ם אֶל־הַמָּ֑יִם ס וַיֹּ֨אמֶר יְהוָ֜ה אֶל־גִּדְע֗וֹן כֹּ֣ל אֲשֶׁר־יָלֹק֩ בִּלְשׁוֹנ֨וֹ מִן־הַמַּ֜יִם כַּאֲשֶׁ֧ר יָלֹ֣ק הַכֶּ֗לֶב תַּצִּ֤יג אוֹתוֹ֙ לְבָ֔ד וְכֹ֛ל אֲשֶׁר־יִכְרַ֥ע עַל־בִּרְכָּ֖יו לִשְׁתּֽוֹת׃

וַיְהִ֗י מִסְפַּ֞ר הַֽמֲלַקְקִ֤ים בְּיָדָם֙ אֶל־פִּיהֶ֔ם שְׁלֹ֥שׁ מֵא֖וֹת אִ֑ישׁ וְכֹל֙ יֶ֣תֶר הָעָ֔ם כָּרְע֥וּ עַל־בִּרְכֵיהֶ֖ם לִשְׁתּ֥וֹת מָֽיִם׃ ס

Todo que lamber as águas. Os que assim fizeram foram eliminados. Esses eram os menos atentos. Tinham agido como cães sedentos. Tinham-se prostrado como fariam diante de Baal. Não eram aptos para ser soldados do exército de Deus. Devemos compreender que Yahweh estava por trás dos atos de todos os homens, impulsionando-os à desqualificação, porquanto, de fato, em si mesmos (e por diversas razões) eles já estavam desqualificados. Em contraste com isso, os homens que se mostraram vigilantes não se prostraram nem baixaram o rosto até o nível da água para lambê-la. Antes, trouxeram a água até a boca, provavelmente com as mãos, ao mesmo tempo que olhavam ao redor, para ver se havia algum perigo. Tomavam a água com uma das mãos e a levavam aos lábios, "com a outra mão segurando a arma", conforme alguém disse, ornando a história. Esses formaram o exíguo exército de trezentos homens de Gideão.

Lamberam. O termo hebraico correspondente é *yalok*, que imita o som que um cão faz quando bebe água: *yalok, yalok, yalok*. Algumas palavras básicas, em todos os idiomas, são chamadas onomatopeias: elas tentam descrever algum ruído que acontece na natureza. No grego, até mesmo o verbo *baptizo* parece imitar o espadanar da água quando uma pessoa é imersa, o que corresponde ao termo inglês onomatopeico *splash*.

■ **7.7**

וַיֹּ֨אמֶר יְהוָ֜ה אֶל־גִּדְע֗וֹן בִּשְׁלֹשׁ֩ מֵא֨וֹת הָאִ֤ישׁ הַֽמֲלַקְקִים֙ אוֹשִׁ֣יעַ אֶתְכֶ֔ם וְנָתַתִּ֥י אֶת־מִדְיָ֖ן בְּיָדֶ֑ךָ וְכָל־הָעָ֔ם יֵלְכ֖וּ אִ֥ישׁ לִמְקֹמֽוֹ׃

Com estes trezentos homens. Deve-se entender aqui que os trezentos homens foram aqueles que não lamberam a água como se fossem cães, mas antes trouxeram a água até a boca, com a ajuda das mãos (ver o versículo anterior). Os comentadores, porém, queixam-se da confusão do texto, conforme se encontra hoje. Várias interpretações são oferecidas para explicar a discrepância, e a respeito de qual teria sido a exigência exata. Outros explicam que aqueles que levaram a água à boca, com a ajuda de uma única mão, ainda assim a lamberam — *yalok, yalok, yalok* — de dentro da mão, em lugar de sorverem-na das duas mãos em concha.

■ **7.8**

וַיִּקְח֣וּ אֶת־צֵדָה֩ הָעָ֨ם בְּיָדָ֜ם וְאֵ֣ת שׁוֹפְרֹֽתֵיהֶ֗ם וְאֵ֨ת כָּל־אִ֣ישׁ יִשְׂרָאֵל֮ שִׁלַּח֙ אִ֣ישׁ לְאֹֽהָלָ֔יו וּבִשְׁלֹשׁ־מֵא֥וֹת הָאִ֖ישׁ הֶחֱזִ֑יק וּמַחֲנֵ֣ה מִדְיָ֔ן הָ֥יָה ל֖וֹ מִתַּ֥חַת בָּעֵֽמֶק׃ פ

Tomou o povo provisões nas mãos, e as trombetas. Eles tomaram consigo somente o equipamento realmente básico: algum alimento e as trombetas. Nunca são mencionadas armas, as quais teriam sido as peças vitais para serem levadas a uma batalha. Porém, Yahweh não obteria a vitória da maneira que os homens costumam fazer. Os demais, quase todos muito felizes em não ter de entrar na batalha, haviam desistido da luta, e, por isso mesmo, não teriam parte na vitória.

No vale. Ou seja, o vale de Jezreel. O grupo tinha voltado à colina, do alto da qual se via bem o vale, lá embaixo. Os midianitas estavam embaixo, e os trezentos israelitas estavam em cima. E era assim que as coisas ficariam, afinal.

■ **7.9**

וַיְהִי֙ בַּלַּ֣יְלָה הַה֔וּא וַיֹּ֥אמֶר אֵלָ֖יו יְהוָ֑ה ק֚וּם רֵ֣ד בַּֽמַּחֲנֶ֔ה כִּ֥י נְתַתִּ֖יו בְּיָדֶֽךָ׃

Levanta-te, e desce contra o arraial. O Senhor fez isso ou mediante algum *sonho* ou por meio de alguma *visão* (ver sobre ambas as experiências místicas no *Dicionário*). O fato foi que Yahweh deu ordens para que se iniciasse a operação que levaria à completa vitória contra os midianitas. O poder de poucos estava prestes a manifestar-se. A mão poderosa de Yahweh seria tão óbvia em toda a operação que ninguém poria em dúvida a intervenção divina (ver o segundo versículo deste capítulo). Cf. Jz 4.14.

■ 7.10

וְאִם־יָרֵא אַתָּה לָרֶדֶת רֵד אַתָּה וּפֻרָה נַעַרְךָ
אֶל־הַמַּחֲנֶה׃

teu moço Pura. No hebraico, esse nome próprio significa "ornamentação", "folhagem". Era nome de um servo (escudeiro) de Gideão. Por ordem de Yahweh, Gideão e Pura foram-se arrastando até perto do acampamento dos midianitas e amalequitas, e conseguiram ouvir um midianita contar um sonho, que falava sobre a destruição de Midiã, nação inimiga de Israel. Alguns sonhos, sem sombra de dúvida, são psíquicos e de conhecimento prévio. Ver no *Dicionário* o artigo chamado *Sonhos*.

O breve episódio que envolveu Pura serviu para encorajar ainda mais a Gideão. Israel, com apenas trezentos homens, estava prestes a atacar um grande exército inimigo, que dispunha de equipamento militar superior. Homero (*Ilíada* 10, ver. 222) historiou um incidente parecido. Diomedes e Odisseu fizeram uma invasão noturna no acampamento dos trácios, em Troia, passando por sustos comparáveis aos de Gideão; e, no entanto, também obtiveram a vitória.

■ 7.11

וְשָׁמַעְתָּ מַה־יְדַבֵּרוּ וְאַחַר תֶּחֱזַקְנָה יָדֶיךָ וְיָרַדְתָּ
בַּמַּחֲנֶה וַיֵּרֶד הוּא וּפֻרָה נַעֲרוֹ אֶל־קְצֵה הַחֲמֻשִׁים
אֲשֶׁר בַּמַּחֲנֶה׃

E ouvirás o que dizem. Uma mensagem ouvida por acaso serviria de meio de encorajamento. Tudo estaria alicerçado sobre um sonho de conhecimento anterior (ver o vs. 13), engastado em meio a símbolos óbvios, que é o *modus operandi* dos sonhos. Havia uma sentinela que vigiava homens armados dentre as hordas de midianitas, os quais estavam estacionados fora do acampamento e se revezavam. Esse homem era uma daquelas sentinelas que poderiam ser enviadas para entregar alguma mensagem. Visto que era noite, é possível que Gideão e Pura tenham conseguido aproximar-se do acampamento dos midianitas sem serem detectados. Portanto, tudo foi um arranjo providencial de Deus.

■ 7.12

וּמִדְיָן וַעֲמָלֵק וְכָל־בְּנֵי־קֶדֶם נֹפְלִים בָּעֵמֶק כָּאַרְבֶּה
לָרֹב וְלִגְמַלֵּיהֶם אֵין מִסְפָּר כַּחוֹל שֶׁעַל־שְׂפַת הַיָּם
לָרֹב׃

Cobriam o vale como gafanhotos. A grande razão pela qual os israelitas precisavam de encorajamento era que, por determinação divina, eles não tinham forças físicas para resistir às ordens dos midianitas e seus aliados, todos eles dotados de velozes camelos, que os capacitavam a lançar ataques devastadores, súbitos e velocíssimos. Cf. Dt 7.1 quanto à superioridade numérica em forças dos inimigos de Israel. Em nenhuma outra ocasião, Israel esteve tão "inferiorizado" como naquela oportunidade. Quanto à metáfora dos gafanhotos, ver também Jz 6.5.

Como a areia que há na praia do mar. Quanto a essa metáfora, ver Gn 22.17; 32.12; 41.4; Js 11.4; 1Sm 13.5; 1Rs 4.20; Os 1.10. O exército aliado dos midianitas, conforme se depreende de Jz 8.10, consistia em, pelo menos, 135 mil homens.

■ 7.13

וַיָּבֹא גִדְעוֹן וְהִנֵּה־אִישׁ מְסַפֵּר לְרֵעֵהוּ חֲלוֹם וַיֹּאמֶר
הִנֵּה חֲלוֹם חָלַמְתִּי וְהִנֵּה צְלִיל לֶחֶם שְׂעֹרִים מִתְהַפֵּךְ

בְּמַחֲנֵה מִדְיָן וַיָּבֹא עַד־הָאֹהֶל וַיַּכֵּהוּ וַיִּפֹּל וַיַּהַפְכֵהוּ
לְמַעְלָה וְנָפַל הָאֹהֶל׃

Tive um sonho. O artigo do *Dicionário* intitulado *Sonhos* apresenta um sumário daquilo que se conhece sobre o processo dos sonhos. Embora a maior parte dos sonhos seja aquilo que Freud disse, "cumprimento de desejos", há sonhos definidamente psíquicos, precognitivos e espirituais. Um artigo recente, lançado pelo Instituto Smithsoniano, informou-nos que temos entre trinta e cinquenta sonhos a cada noite. As pesquisas comprovam que sonhamos, com antecedência, tudo quanto nos tem de acontecer, incluindo as coisas mais banais. Apesar de o cumprimento de desejos também explicar as projeções no futuro (que acabam não ocorrendo), contudo, há muitos sonhos que, com ou sem símbolos, informam o que haverá de acontecer. Isso significa que, nesse sentido secundário, todos nós somos profetas, e o conhecimento prévio é uma capacidade natural da mente humana. É errôneo atribuir essa função apenas ao sobrenatural, a Deus ou aos demônios; trata-se de um mau hábito da Igreja, que as pessoas cultivam tolamente, quando não estão devidamente informadas sobre a capacidade da mente humana (natural). Ver na *Enciclopédia de Bíblia, Teologia e Filosofia* o artigo chamado *Parapsicologia*, que explica várias capacidades psíquicas humanas.

Os Sonhos na Bíblia. Nas Escrituras, os sonhos referidos são sempre apresentados como modos de informação e orientação divina. De fato, os sonhos algumas vezes podem ser e realmente são dados e inspirados pelo Espírito de Deus. Os muçulmanos também fazem dos sonhos um dos ofícios proféticos, tal como a Bíblia. Contudo, alguns sonhos que antecipam o futuro são apenas funções humanas naturais. Não obstante, essa função natural nos foi dada pelo Criador, como tudo quanto temos e desfrutamos. Portanto, temos nos sonhos uma forma de orientação natural, embora outorgada por Deus.

Há quatro modos de orientação divina, reconhecidos pela cultura hebreia e refletidos no Talmude e em outros escritos: 1. os profetas; 2. os sonhos; 3. o Urim e o Tumim; e 4. o Bath Kol, a voz que vem do céu e ocasionalmente é ouvida por um homem, geralmente de forma inesperada. Dentre o primeiro dos modos, o dos profetas, precisamos incluir as visões, porquanto geralmente os profetas recebiam suas mensagens através de visões. Como é óbvio, a Palavra escrita, a Bíblia Sagrada, é o nosso guia principal. Todavia, não convém desprezar outras formas místicas de orientação divina. Poderíamos mesmo dizer que, de acordo com certo ponto de vista, a Bíblia é uma revelação geral, dirigida a todos os interessados, ao passo que os dons espirituais servem de diretriz a indivíduos ou pequenos grupos de indivíduos. Ver no *Dicionário* os artigos chamados *Misticismo* e *Vontade de Deus, como Descobri-la*.

Qual Foi o Simbolismo? O sonho do soldado midianita apresentou um pão de cevada, um item totalmente não militar, o qual, tendo caído no acampamento dos midianitas, derrubou uma tenda, emborcou-a e deixou-a ali, caída no solo. Tal como em muitos sonhos, o simbolismo parece bizarro, mas isso tem por função atrair a atenção da pessoa. Usualmente, porém, podemos perceber o que tais bizarrias simbolizam. O fato de o outro soldado, que conversava com o primeiro, ser capaz de interpretar o sonho (vs. 14) mostra que a interpretação de sonhos era algo praticado entre os midianitas. E o fato de ele "perceber" o sentido, em meio a esse bizarro simbolismo, mostra também que o intérprete havia obtido alguma habilidade nesse campo.

Um pão de cevada. Qual a razão desse símbolo? O objeto não era uma espada, mas foi interpretado como tal (vs. 14). Um pão nada tem a ver com a vida militar, mas é um item doméstico. Ora, lembremos que Gideão estaria presente com suas trombetas e cântaros; mas não espadas. Israel havia sido reduzido à extrema pobreza, e quase não havia alimentos para os pobres. Assim sendo, o pobre Israel e seu poder reduzido são simbolizados pelo pão de cevada. Na passagem de 1Rs 4.28, a cevada é retratada como alimento apropriado para os animais, e não para os seres humanos. Talvez os midianitas chamassem os filhos de Israel de "comedores de cevada", em tom de zombaria. Josefo afirmou que os soldados midianitas podem ter dito que Israel, à semelhança da cevada, era o mais vil de todos os povos.

Qual o Simbolismo da Tenda? Conforme disse Josefo (*Antiq.* 1.5, cap. 6, sec. 4), era uma "tenda de rei", que simbolizava todas as tropas midianitas. A derrubada de uma tenda representava a derrubada de todos eles, o que significava que a habitação de Midiã seria devastada.

7.14

וַיַּעַן רֵעֵהוּ וַיֹּאמֶר אֵין זֹאת בִּלְתִּי אִם־חֶרֶב גִּדְעוֹן
בֶּן־יוֹאָשׁ אִישׁ יִשְׂרָאֵל נָתַן הָאֱלֹהִים בְּיָדוֹ אֶת־מִדְיָן
וְאֶת־כָּל־הַמַּחֲנֶה: פ

Não é isto outra cousa, senão a espada de Gideão. O intérprete percebeu, sem tardança, o sentido dos bizarros símbolos do sonho. Isso subentende um interesse pela interpretação de sonhos, bem como alguma habilidade nessa capacidade, por parte dos midianitas. Com a ajuda de Yahweh, Israel era formidável, apesar de seu estado debilitado, sendo capaz de obter grande vitória militar sem o emprego de armas de guerra. Isso posto, o pão de cevada simbolizava a espada de Gideão. Um dos comentadores cuja obra tenho à minha frente sugere que a interpretação dada pelo homem foi conferida como se fosse uma zombaria; mas não parece ser isso que o relato bíblico quer dizer.

A menção imediata a Gideão mostra-nos que ele já se tornara uma figura conhecida, mesmo entre os midianitas. Eles o temiam porque Israel era sempre imprevisível, quando Yahweh resolvia fazer algo em favor deles.

Sem dúvida alguma, os intérpretes bíblicos têm atribuído esse sonho a Yahweh, e isso acrescenta o elemento de temor à história toda, bem como a certeza quanto à interpretação do sonho. Para os midianitas, porém, o sonho parecia apenas um mau presságio bem definido.

7.15

וַיְהִי כִשְׁמֹעַ גִּדְעוֹן אֶת־מִסְפַּר הַחֲלוֹם וְאֶת־שִׁבְרוֹ
וַיִּשְׁתָּחוּ וַיָּשָׁב אֶל־מַחֲנֵה יִשְׂרָאֵל וַיֹּאמֶר קוּמוּ כִּי־נָתַן
יְהוָה בְּיֶדְכֶם אֶת־מַחֲנֵה מִדְיָן:

Tendo ouvido Gideão contar este sonho... adorou. O impacto causado pelo episódio foi profundo sobre a mente de Gideão. Ele ficou absolutamente convencido de que Yahweh tinha dado outro sinal de encorajamento. Primeiramente, ele adorou ao Senhor; e então falou com autoridade: "A vitória é nossa!" A mensagem espalhou-se rapidamente, e o coração dos trezentos homens de Israel encheu-se de coragem. Os preparativos tinham terminado.

Adoração, Primeira Reação do Homem Espiritual. Ver no *Dicionário* o artigo intitulado *Adoração*. A primeira reação de um indivíduo espiritual, diante de uma vitória ou encorajamento inesperado, consiste em louvor e adoração. Isso infunde grande alegria ao coração. Aquele momento de adoração de Gideão aliviou-o de todas as suas ansiedades. Gideão ficou plenamente convicto da validade de todos os outros sinais que lhe tinham sido dados. É uma grande coisa quando Deus alivia todas as nossas ansiedades desnecessárias, pois há grande poder na paz. Quanto ao fato de que Deus entregou os midianitas nas mãos de Gideão, cf. Jz 7.7,9,14.

7.16

וַיַּחַץ אֶת־שְׁלֹשׁ־מֵאוֹת הָאִישׁ שְׁלֹשָׁה רָאשִׁים וַיִּתֵּן
שׁוֹפָרוֹת בְּיַד־כֻּלָּם וְכַדִּים רֵקִים וְלַפִּדִים בְּתוֹךְ
הַכַּדִּים:

Trombetas, e cântaros vazios, com tochas. O equipamento "de guerra" dos trezentos homens de Gideão era extremamente parco e humilde. Gideão dividiu seus homens em três grupos de cem homens cada. Era uma maneira ridícula (aos olhos humanos) de um general de exército agir; mas a verdade é que o verdadeiro General era Yahweh, e ele não precisava do poder do homem para obter vitória. As trombetas fariam um barulho infernal; os cântaros eram de barro, e também fariam tremendo ruído quando fossem chocados uns contra os outros; as tochas, que então apareceriam de súbito, dariam a ideia de que uma imensa multidão de soldados, por trás dos trezentos homens, estava pronta para atacar. Assim, mediante um artifício determinado por Deus, a batalha seria ganha.

As três companhias distribuíram-se de tal maneira que pareceria que grande multidão tinha cercado o acampamento dos midianitas.

7.17

וַיֹּאמֶר אֲלֵיהֶם מִמֶּנִּי תִרְאוּ וְכֵן תַּעֲשׂוּ וְהִנֵּה אָנֹכִי בָא
בִּקְצֵה הַמַּחֲנֶה וְהָיָה כַּאֲשֶׁר־אֶעֱשֶׂה כֵּן תַּעֲשׂוּן:

Olhai para mim, e fazei como eu fizer. Encontramos aí a força do exemplo. Os "soldados" israelitas talvez tenham olhado para Gideão e suas "armas" tão ineficazes. "Que poderemos fazer com essas coisas?", devem ter perguntado em seu coração. As instruções recebidas, porém, eram perfeitamente simples: "Fazei o que eu fizer", dissera Gideão.

Algumas vezes, o que parece um absurdo divino faz muito sentido, ao passo que o que faz sentido para os homens é um absurdo. A vitória de Israel sobre os midianitas foi uma dessas ocasiões paradoxais. Cf. 1Co 1.18. A pregação do evangelho descarrega tremendo poder divino, embora para os homens pareça loucura.

7.18

וְתָקַעְתִּי בַּשּׁוֹפָר אָנֹכִי וְכָל־אֲשֶׁר אִתִּי וּתְקַעְתֶּם
בַּשּׁוֹפָרוֹת גַּם־אַתֶּם סְבִיבוֹת כָּל־הַמַּחֲנֶה וַאֲמַרְתֶּם
לַיהוָה וּלְגִדְעוֹן: פ

Quando eu tocar a trombeta. O primeiro ato seria fazer soar as trezentas trombetas, o que aterrorizaria os midianitas e seus aliados. E isso seria acompanhado pela quebra dos cântaros, com o surgimento das tochas que iluminariam a cena inteira (vs. 19). O primeiro ato seria acompanhado por um tremendo berro, que anunciaria que a mortífera espada de Gideão estava prestes a aniquilar os mais de 130 mil midianitas (ver Jz 8.10). O artifício divino daria certo. Não encontramos a palavra "espada" neste versículo; mas o vigésimo versículo dá a entender que o brado de guerra dos israelitas incluiu esse vocábulo. A *Revised Standard Version* e a nossa versão portuguesa dizem, corretamente, no vs. 20: "Espada pelo Senhor e por Gideão!" Isso significa que os midianitas pensariam que haveria muitas espadas postas ao serviço de Yahweh. Isso pode ser comparado com a senha e o grito de ataque dado por Ciro aos seus soldados: "Zeus, nosso aliado e líder!" (Cyrop. iii.28).

7.19

וַיָּבֹא גִדְעוֹן וּמֵאָה־אִישׁ אֲשֶׁר־אִתּוֹ בִּקְצֵה
הַמַּחֲנֶה רֹאשׁ הָאַשְׁמֹרֶת הַתִּיכוֹנָה אַךְ הָקֵם
הֵקִימוּ אֶת־הַשֹּׁמְרִים וַיִּתְקְעוּ בַּשּׁוֹפָרוֹת וְנָפוֹץ
הַכַּדִּים אֲשֶׁר בְּיָדָם:

Ao princípio da vigília média. Ou seja, a segunda vigília (entre a primeira e a terceira). Naquele tempo, a noite era dividida em três vigílias de quatro horas cada uma. Ver Êx 14.24; 1Sm 11.11; Berkoth 3b. Nos dias do Senhor Jesus, porém, seguia-se o costume romano de quatro vigílias, de três horas cada uma. (Ver Mt 14.25; Mc 6.48.) Ver no *Dicionário* o artigo chamado *Vigílias*, quanto a informações detalhadas.

O ataque ocorreu no começo da segunda vigília, quando as sentinelas estavam sendo trocadas, ou seja, por volta das 22 horas. Nos tempos antigos, quando ainda não havia iluminação elétrica, o acampamento inteiro dos midianitas estaria dormindo, excetuando as sentinelas, que se revezavam. O ataque de surpresa lançaria os midianitas em confusão e terror.

As três vigílias dos hebreus iam das 18 às 22 horas (primeira vigília); das 22 às 2 horas (segunda vigília); e das 2 às 6 horas (terceira vigília). Todavia, as estações do ano e a dificuldade de marcar com exatidão a passagem do tempo tornavam essas vigílias apenas aproximadas.

7.20

וַיִּתְקְעוּ שְׁלֹשֶׁת הָרָאשִׁים בַּשּׁוֹפָרוֹת וַיִּשְׁבְּרוּ הַכַּדִּים
וַיַּחֲזִיקוּ בְיַד־שְׂמֹאולָם בַּלַּפִּדִים וּבְיַד־יְמִינָם
הַשּׁוֹפָרוֹת לִתְקוֹעַ וַיִּקְרְאוּ חֶרֶב לַיהוָה וּלְגִדְעוֹן:

Assim tocaram as três companhias as trombetas. A sequência dos atos é dada aqui em sua devida ordem: as trombetas, os cântaros e o brado de guerra. No silêncio e na escuridão da noite, o ruído deve ter sido tremendo, despertando os midianitas e lançando-os no terror. E as tochas ao redor do acampamento deram a impressão de que os midianitas estavam cercados por um exército imenso, pronto a aniquilar o inimigo. Nenhum midianita parou para contar as tochas, e elas eram apenas trezentas. Mas a impressão dada é que por trás do fogo havia um número muito maior de soldados israelitas. Quando houve o grito de guerra: "Espada pelo Senhor e por Gideão!", os midianitas perderam totalmente a cabeça e entraram em debandada, defendendo-se de inimigos imaginários e apenas golpeando-se uns aos outros, conforme também se lê, declaradamente, no vs. 22.

As apreensões intensificam-se à proporção que as coisas são desconhecidas.

Lívio, Anais

Tipologia. A Palavra do Senhor, através do evangelho, uma força incomum e conquistadora, que liberta os homens do mal, por toda a eternidade. As armas de nossa milícia não são materiais, e, no entanto, são poderosíssimas. Ver 2Co 4.7 e 10.4,5. E os poucos (os trezentos homens de Gideão) são os pregadores do evangelho.

■ **7.21**

וַיַּעַמְדוּ אִישׁ תַּחְתָּיו סָבִיב לַמַּחֲנֶה וַיָּרָץ כָּל־הַמַּחֲנֶה וַיָּרִיעוּ וַיָּנִיסוּ

Permaneceu cada um no seu lugar. Os trezentos homens de Gideão permaneceram estáticos, sem se mover de seus lugares, observando a reação dos midianitas, que se puseram a correr em debandada e a gritar de terror. "O pânico deles foi resultado natural de um terror e de uma confusão da pior categoria" (Ellicott, *in loc.*). "Eles foram lançados no maior tumulto, gritando de terror, temendo perder a vida; e se precipitaram em busca de segurança. Ver Is 27.13; Hb 6.18" (John Gill, *in loc.*).

■ **7.22**

וַיִּתְקְעוּ שְׁלֹשׁ־מֵאוֹת הַשּׁוֹפָרוֹת וַיָּשֶׂם יְהוָה אֵת חֶרֶב אִישׁ בְּרֵעֵהוּ וּבְכָל־הַמַּחֲנֶה וַיָּנָס הַמַּחֲנֶה עַד־בֵּית הַשִּׁטָּה צְרֵרָתָה עַד שְׂפַת־אָבֵל מְחוֹלָה עַל־טַבָּת׃

O Senhor tornou a espada de um contra o outro. O pânico e a confusão reinantes resultaram no morticínio causado pelos próprios midianitas, desvairados de medo. Era noite, e devemos lembrar que era difícil distinguir uns dos outros. Os midianitas, naturalmente, pensaram que os israelitas se tinham infiltrado entre eles, atacando qualquer figura humana que se movesse. É claro que o poder de Deus contribuiu decisivamente para toda aquela ilusão.

Todo o arraial, que fugiu. "Os midianitas fugiram precipitadamente pela descida que seguia na direção leste, rumo a Beth-hash-Shittah, pela estrada para Zererá (Zaretã?), como quem ia para Abel-Meolá, defronte de Tabbath" (Jacob M. Myers, *in loc.*). Ver no *Dicionário* artigos sobre todos os nomes próprios que aparecem neste versículo.

"As hostes midianitas fugiram para sudoeste, até Bete-Sita (um local próximo, onde havia um campo), e até Abel-Meolá, como quem queria ir para o rio Jordão! Talvez Abel-Meolá tenha atualmente o nome de Tell Abu Sus, cerca de 39 quilômetros ao sul do mar da Galileia. Era ali que vivia Eliseu, quando Elias chamou-o para ser seu treinador (ver 1Rs 19.16). Os midianitas, ao que parece, fugiram naquela direção a fim de atravessarem o rio Jordão e, finalmente, chegarem a Zererá (talvez Zaretã ou o Tell es-Saidiya) e a Tabate (Raw Abu Talbat)" (F. Duane Lindsey).

"A tremenda tragédia daquela fuga só pode ser devidamente apreciada contra o pano de fundo da vívida impressão que ela causou na imaginação nacional (ver Is 9.4; 10.26). No Sl 83.13,14, essa fuga é comparada a 'folhas impelidas por um redemoinho, como a palha ao léu no vento'" (Ellicott, *in loc.*).

Dessarte, os midianitas fugiram para as terras altas existentes a leste do rio Jordão, ou seja, na direção de onde eles tinham vindo.

■ **7.23**

וַיִּצָּעֵק אִישׁ־יִשְׂרָאֵל מִנַּפְתָּלִי וּמִן־אָשֵׁר וּמִן־כָּל־מְנַשֶּׁה וַיִּרְדְּפוּ אַחֲרֵי מִדְיָן׃

Foram convocados, e perseguiram os midianitas. Este versículo alerta-nos para o fato de que os trezentos homens de Gideão pertenciam a várias das tribos de Israel. Contudo, o versículo também pode dar a entender que a perseguição aos midianitas foi ajudada por membros de outras tribos, que antes se tinham retirado da cena da batalha. Ver Jz 6.35 quanto às tribos dentre as quais Gideão extraiu soldados. As tribos mencionadas eram aquelas cujos territórios ficavam mais próximos dos lugares que os midianitas estavam assediando, e de onde a batalha ocorreu. A batalha, ganha por Israel graças ao estratagema de Yahweh, foi ajudada por muitos mediante a perseguição ao inimigo, que procurou retroceder na direção de onde tinha vindo (ver o vs. 22 e suas notas expositivas).

■ **7.24**

וּמַלְאָכִים שָׁלַח גִּדְעוֹן בְּכָל־הַר אֶפְרַיִם לֵאמֹר רְדוּ לִקְרַאת מִדְיָן וְלִכְדוּ לָהֶם אֶת־הַמַּיִם עַד בֵּית בָּרָה וְאֶת־הַיַּרְדֵּן וַיִּצָּעֵק כָּל־אִישׁ אֶפְרַיִם וַיִּלְכְּדוּ אֶת־הַמַּיִם עַד בֵּית בָּרָה וְאֶת־הַיַּרְדֵּן׃

Gideão enviou mensageiros. Este versículo dá-nos conta de uma segunda convocação. Gideão quis assim cortar a fuga do inimigo, a fim de que realmente ocorresse o aniquilamento total. Isso permitiu que não houvesse sobreviventes. Quaisquer prisioneiros feitos seriam executados em seguida. Ver as notas sobre Dt 7.1-5 e 20.10-18, no tocante à guerra santa. Este versículo menciona, especificamente, a tribo de Efraim, em cujo território a ação militar se deu.

Bete-Bara. Ver o artigo detalhado sobre esse lugar no *Dicionário*. Esse era um dos principais vaus do rio Jordão, o local que os midianitas tentariam cruzar a fim de escapar para o Oriente. Mas, se os vaus fossem cortados, então o próprio rio Jordão impediria a continuação da fuga. Esse lugar tem sido identificado com *Bete-Arabá* (ver no *Dicionário*), embora sua localização seja incerta. Bete-Bara significa "casa do vau", pelo que era um lugar bem conhecido, usado para vadear o Jordão.

O Rio Jordão. Soldados israelitas espalharam-se ao longo do rio Jordão, concentrando-se mais nas áreas pelas quais os midianitas haveriam de querer fugir, apesar de haver vaus óbvios e preferidos para fazer a travessia. Os que estivessem fugindo seriam apanhados e executados, conforme ditava a guerra santa.

■ **7.25**

וַיִּלְכְּדוּ שְׁנֵי־שָׂרֵי מִדְיָן אֶת־עֹרֵב וְאֶת־זְאֵב וַיַּהַרְגוּ אֶת־עוֹרֵב בְּצוּר־עוֹרֵב וְאֶת־זְאֵב הָרְגוּ בְיֶקֶב־זְאֵב וַיִּרְדְּפוּ אֶל־מִדְיָן וְרֹאשׁ־עֹרֵב וּזְאֵב הֵבִיאוּ אֶל־גִּדְעוֹן מֵעֵבֶר לַיַּרְדֵּן׃

A Orebe e a Zeebe. Há um artigo detalhado, no *Dicionário*, sobre esses dois príncipes midianitas, intitulado *Orebe e Zeebe*. Por isso, não reitero aqui esse material. Seus nomes significam, respectivamente, "corvo" e "lobo". Foram prisioneiros notáveis, apanhados somente para serem executados em seguida. Ver Is 10.26 quanto à terrível matança que aconteceu em conexão com esse evento. Além desses dois príncipes, vários outros cabeças, ou seja, oficiais militares e chefes dos midianitas, também foram executados. A guerra santa nunca permitia que se fizessem prisioneiros de guerra permanentes (ver Dt 7.1-4).

Dalém do Jordão. Em outras palavras, Gideão não se contentou em ganhar a batalha na parte ocidental do país. Ele cruzou o rio Jordão e efetuou uma operação de "limpeza", fazendo chegar ao fim aqueles importunos ataques-relâmpagos dos midianitas. Gideão foi à *Transjordânia* (ver a respeito no *Dicionário*), e assim levou a batalha até a terra natal dos fustigadores.

Um Costume Oriental. A brutalidade na guerra, no Oriente, incluía o ato de reunir os chefes, tanto militares quanto civis, humilhá-los e executá-los, como ato final das hostilidades, para dar à vitória maior permanência.

O relato que aparece aqui antecipa o que será dito mais claramente em Jz 8.4, onde é mencionada a travessia do rio Jordão.

Nomes de Animais Usados para Pessoas. Entre os antigos, isso constituía um costume. E até mesmo nas nações modernas, nomes de animais são dados como sobrenomes ou alcunhas. Assim, em português temos nomes como Leão, Carneiro, Lobo, Coelho etc.

CAPÍTULO OITO

Este capítulo dá prosseguimento à seção iniciada em Jz 6.1, cujas notas expositivas devem ser examinadas, pelo que não são repetidas aqui. As subseções que podem ser distinguidas neste oitavo capítulo são: 1. Efraim e Gideão (8.1-3); 2. Gideão solicita suprimentos (8.4-9); 3. a captura dos príncipes midianitas (8.10-12); 4. punição das cidades de Sucote e Penuel (8.13-17); 5. execução de Zeba e Zalmuna (8.18-21); 6. Gideão recusa-se a governar os filhos de Israel (8.22,23). 7. Gideão e a estola sacerdotal (8.24-28); 8. a casa de Gideão (8.29-32); 9. outra apostasia de Israel (8.33-35).

EFRAIM E GIDEÃO (8.1-3)

■ 8.1

וַיֹּאמְרוּ אֵלָיו אִישׁ אֶפְרַיִם מָה־הַדָּבָר הַזֶּה עָשִׂיתָ לָּנוּ לְבִלְתִּי קְרֹאות לָנוּ כִּי הָלַכְתָּ לְהִלָּחֵם בְּמִדְיָן וַיְרִיבוּן אִתֹּו בְּחָזְקָה׃

Então os homens de Efraim disseram a Gideão. Nem mesmo Gideão conseguiu escapar de seus críticos. A tribo de Efraim era especialmente proeminente entre as tribos israelitas das terras altas centrais. O mais importante santuário da época, Silo, ficava dentro de suas fronteiras. Esse era um ponto estratégico de liderança, e os efraimitas zelavam por ele. Isso posto, os efraimitas não se sentiram felizes diante da vitória de Gideão com seus meros trezentos homens. Eles queriam participar da glória da vitória e de muitos despojos.

Gideão Consegue Pacificar os Efraimitas. Mas Gideão conseguiu apaziguar os homens de Efraim ao convencê-los de que o fato de terem sido convocados mais tarde, dando-lhes oportunidade de apossar-se de despojos na parte final e significativa das ações militares, era mais importante do que eles terem participado das ações desde o começo. Gideão, em sua resposta aos efraimitas, não deixou de fazer Yahweh entrar no quadro, embora tenha usado o nome divino Elohim (ver o vs. 3 deste capítulo). Foi por ordem de Deus que todas as coisas aconteceram daquele modo.

O texto sagrado não deixa claro por qual motivo aqueles indignados efraimitas não tinham ouvido nem participado da primeira convocação (ver Jz 6.35). Talvez os mensageiros enviados não tivessem conseguido atingir todos os lugares ocupados pelos homens daquela tribo, pelo que somente alguns os ouviram. A segunda convocação é mencionada em Jz 7.23, e deve ter-se mostrado mais eficaz e abrangente.

■ 8.2

וַיֹּאמֶר אֲלֵיהֶם מֶה־עָשִׂיתִי עַתָּה כָּכֶם הֲלֹוא טֹוב עֹלְלֹות אֶפְרַיִם מִבְצִיר אֲבִיעֶזֶר׃

Que mais fiz eu agora do que vós? Temos neste versículo um pouco de lisonja da parte de Gideão. Todo ser humano gosta de elogios, naturalmente esperando sinceridade. Todo homem gosta de crer que os cumprimentos lisonjeiros que recebe são todos genuínos, a fim de que seja confirmada a boa opinião que ele tem de si mesmo. Gideão já tinha tido dificuldades suficientes com os midianitas, pelo que resolveu os seus "problemas domésticos" usando a metáfora das duas respigas de uvas. A primeira teria sido a sua vitória inicial sobre os midianitas, com a ajuda dos trezentos homens selecionados. E a segunda respiga tinha sido a operação de "limpeza", quando da fuga e total destruição do inimigo. A tribo de Efraim não colaborou significativamente na primeira parte das ações, mas teve uma participação pesada na segunda. Portanto, de acordo com o argumento lisonjeiro de Gideão, os efraimitas tinham realizado um feito maior do que o dele, por terem desempenhado um papel proeminente na segunda e maior fase das operações de guerra. A "vindima de Abiezer" (o clã original de Gideão e seus primeiros ajudantes) foi menor do que os "rabiscos de Efraim". Ver as notas expositivas sobre o clã de Efraim em Jz 6.11.

Os Targuns dizem a respeito deste trecho: "Os fracos da casa de Efraim não são mais fortes do que a casa de Abiezer?"

Gideão, pois, estabelecia um exemplo do espírito que se contenta em sofrer uma injustiça e não requerer uma justiça precisa mas desnecessária. Ademais, não há que duvidar que os efraimitas realmente tinham obtido uma brilhante vitória e mereciam os elogios de Gideão (ver Is 10.26).

■ 8.3

בְּיֶדְכֶם נָתַן אֱלֹהִים אֶת־שָׂרֵי מִדְיָן אֶת־עֹרֵב וְאֶת־זְאֵב וּמַה־יָּכֹלְתִּי עֲשֹׂות כָּכֶם אָז רָפְתָה רוּחָם מֵעָלָיו בְּדַבְּרֹו הַדָּבָר הַזֶּה׃

Deus vos entregou na vossa mão. Gideão salientou algumas das realizações especiais dos efraimitas em todo o incidente. Eles tinham efetuado uma poderosa guerra santa, coroando tudo com a captura de dois dos mais importantes príncipes midianitas, a saber, Orebe e Zeebe, conforme comentado em Jz 7.25. Isso posto, Efraim tinha sido capaz de realizar feitos militares importantíssimos, como nem Gideão fora capaz de fazer. E o resultado final disso fora que Israel havia sido libertado definitivamente dos midianitas, que tinham chegado com inúmeros e velozes camelos para tomar à força, pela sétima vez seguida, em sete anos, os frutos do trabalho dos filhos de Israel. Por conseguinte, Gideão como que reconheceu: "Vossa participação nas ações foi maior que a minha. Não posso comparar-me convosco". Essa lisonja, pois, aplacou os efraimitas indignados. Ademais, os efraimitas tinham conseguido tomar muitos despojos; e um pouco de riquezas materiais e prosperidade sempre ajuda as pessoas a sentir-se mais felizes.

Lemos em Pv 15.1: "A resposta branda desvia o furor". "As palavras de Gideão mostraram-se tão vitoriosas quanto a sua espada" (Bispo Hall).

GIDEÃO SOLICITA SUPRIMENTOS (8.4-9)

Os midianitas foram perseguidos até dentro da *Transjordânia* (ver a respeito no *Dicionário*). Ocorrera uma tremenda matança; mas alguns tinham conseguido escapar, incluindo dois notáveis príncipes. Tendo saído em perseguição a eles, Gideão e seus homens precisavam de alimentos e de outros suprimentos. Esta pequena seção aborda exatamente essa questão.

■ 8.4

וַיָּבֹא גִדְעֹון הַיַּרְדֵּנָה עֹבֵר הוּא וּשְׁלֹשׁ־מֵאֹות הָאִישׁ אֲשֶׁר אִתֹּו עֲיֵפִים וְרֹדְפִים׃

Cansados, mas ainda perseguindo. Muita matança, muito perigo, muita correria — tudo isso tinha deixado Gideão e seus homens exaustos. Eles precisavam da ajuda de outros israelitas da área. Embora cansados, Gideão e seus homens continuaram perseguindo o inimigo. Sentiam-se inspirados por toda a situação vitoriosa. Yahweh tinha cumprido a sua promessa, ainda que, a princípio, ela parecesse impossível.

Este versículo reinicia a narrativa que tinha sido interrompida em Jz 7.23.

■ 8.5

וַיֹּאמֶר לְאַנְשֵׁי סֻכֹּות תְּנוּ־נָא כִּכְּרֹות לֶחֶם לָעָם אֲשֶׁר בְּרַגְלָי כִּי־עֲיֵפִים הֵם וְאָנֹכִי רֹדֵף אַחֲרֵי זֶבַח וְצַלְמֻנָּע מַלְכֵי מִדְיָן׃

Disse aos homens de Sucote. Ver no *Dicionário* o artigo detalhado sobre *Sucote*. Ficava imediatamente ao norte do ribeiro do Jaboque, no ponto em que atravessa as terras altas orientais do vale do Jordão. Situava-se no território da tribo de Gade, na Transjordânia. As tribos que ocupavam aquela área eram Rúben, Gade e a meia tribo de Manassés.

Dai, peço-vos, alguns pães. A solicitação feita por Gideão foi muito humilde e básica. Eles queriam apenas um pouco de alimento, da parte de seus compatriotas. Não se apossaram de seus pertences, ao convocá-los a ajudar na perseguição, nem os sobrecarregaram em nenhum outro sentido. Eles estavam atarefados em uma atividade crucial, perseguindo dois importantes (e hostis) príncipes midianitas, a saber, Zeba e Zalmuna. Há um bem detalhado artigo sobre os dois e sobre as circunstâncias que envolveram a questão no *Dicionário*, pelo que não repito aqui a informação. Orebe e Zeebe (ver o segundo versículo) eram importantes príncipes ou comandantes militares, chamados no hebraico de *sarim*, "capitães"; mas Zeba e Zalmuna eram *melekim*, "reis", o que significa que tinham ainda maior autoridade e importância que os dois primeiros. Para que houvesse a devida consolidação da vitória de Israel, era mister que esses dois homens fossem mortos. Assim, o pedido de ajuda por parte de Gideão revestia-se de grande senso de urgência.

8.6

וַיֹּאמֶר שָׂרֵי סֻכּוֹת הֲכַף זֶבַח וְצַלְמֻנָּע עַתָּה בְּיָדֶךָ כִּי־נִתֵּן לִצְבָאֲךָ לָחֶם׃

Porém, os príncipes de Sucote disseram. A resposta deles foi insolente. É como se tivessem dito: "Se és tão grande que pudeste derrotar os reis de Midiã, que necessidade tens de nós, homens humildes?" Eles falaram de modo cortante e sarcástico, movidos por grande egoísmo. Talvez também temessem que Gideão não alcançasse sucesso; e então os reis de Midiã haveriam de vingar-se deles. Parece, portanto, que as tribos orientais (Rúben, Gade e a meia tribo de Manassés) tinham ficado indiferentes para com os interesses "nacionais". Estavam vivendo em meio ao conforto e à prosperidade, na Transjordânia, e apreciavam seu relativo isolamento do restante da nação.

"Obtiveste uma vitória tão segura que poderás evitar a vingança daqueles reis contra nós?" (Ellicott, *in loc.*). O tom da réplica dos chefes de Sucote provavelmente misturava covardia com derrisão. Neles não havia patriotismo algum, como é claro.

Os trezentos homens de Gideão, provavelmente, estavam perseguindo cerca de quinze mil homens (ver o vs. 10). Os israelitas da Transjordânia não lhes deram nenhuma oportunidade de cumprir o seu propósito, porquanto não queriam ter de enfrentar a ira dos midianitas quando eles contra-atacassem.

8.7

וַיֹּאמֶר גִּדְעוֹן לָכֵן בְּתֵת יְהוָה אֶת־זֶבַח וְאֶת־צַלְמֻנָּע בְּיָדִי וְדַשְׁתִּי אֶת־בְּשַׂרְכֶם אֶת־קוֹצֵי הַמִּדְבָּר וְאֶת־הַבַּרְקֳנִים׃

Trilharei a vossa carne. Gideão fez uma promessa ameaçadora, para depois que levasse a bom termo a sua tarefa. Ele voltaria e tiraria vingança daqueles chefes locais, afirmando que arrancaria a carne de seus ossos com os espinhos do deserto. Arrastados por cima de plantas espinhosas, os espinhos fariam o papel de debulhadores, deixando aqueles chefes meros esqueletos. Em comparação, Zeba e Zalmuna eram apenas professores de escola dominical. Gideão era o homem que eles deveriam temer. Ele era o homem de Yahweh para aquela hora; e todo indivíduo que a ele se opusesse seria esmigalhado inteiramente.

"Kimchi interpretou este versículo como se Gideão tivesse dito que lançaria os corpos nus daqueles homens sobre espinhos e abrolhos, para então pisá-los aos pés ou passar sobre eles com uma carruagem, deixando-os como se fossem o trigo submetido à debulha" (John Gill, *in loc.*).

O trecho de Jz 8.16 mostra que Gideão realmente cumpriu suas ameaças.

8.8

וַיַּעַל מִשָּׁם פְּנוּאֵל וַיְדַבֵּר אֲלֵיהֶם כָּזֹאת וַיַּעֲנוּ אוֹתוֹ אַנְשֵׁי פְנוּאֵל כַּאֲשֶׁר עָנוּ אַנְשֵׁי סֻכּוֹת׃

Estes de Penuel lhe responderam como os de Sucote. A palavra Penuel significa "face de Deus". Esse era o nome do lugar onde Jacó lutou com o Anjo do Senhor (ver Gn 32.24-32). Não ficava distante de Sucote, conforme este texto sugere, a leste do rio Jordão e ao norte do ribeiro do Jaboque, embora o local exato seja atualmente desconhecido. Uma forma alternativa de soletrar o nome é "Peniel". No *Dicionário* apresentei o artigo chamado *Peniel (Penuel)*, o qual é bastante detalhado. Esse é o nome de um lugar e de dois homens nas páginas do Antigo Testamento.

Gideão fez aos homens de Penuel o mesmo pedido que tinha feito aos *homens* de Sucote, e recebeu o mesmo tipo de resposta, e nenhuma ajuda. Sem dúvida, aqueles homens tinham os mesmos motivos que os homens de Sucote. Penuel também pertencia à tribo de Gade. O lugar é mencionado em 1Rs 12.25 como cidade fortificada; mas os arqueólogos ainda não encontraram o sítio correspondente.

8.9

וַיֹּאמֶר גַּם־לְאַנְשֵׁי פְנוּאֵל לֵאמֹר בְּשׁוּבִי בְשָׁלוֹם אֶתֹּץ אֶת־הַמִּגְדָּל הַזֶּה׃ פ

Derribarei esta torre. Essa foi a ameaça de Gideão contra os miseráveis chefes de Penuel. Isso era como dizer que eles ficariam sem defesa, sujeitos aos ataques de inimigos. As fortificações dali incluíam uma torre de vigia; mas esta e quaisquer outras fortificações ali existentes seriam deixadas em ruínas. Podemos comparar com isso a pacífica reação do Senhor Jesus contra a hostilidade de certas pessoas, em Lc 9.54. Ele aconselhava a paz, e não a violência, pois veio ensinar a graça e a misericórdia.

A torre estava ali como parte das defesas da cidade contra aqueles mesmos midianitas. O desaparecimento da torre haveria de encorajar a hostilidade dos midianitas restantes, e também de outros povos. Em outras palavras, os homens de Penuel haveriam de ser devidamente castigados. Ver no *Dicionário* os verbetes chamados *Lex Talionis* e *Lei Moral da Colheita segundo a Semeadura*.

O vs. 17 deste capítulo mostra-nos que Gideão cumpriu sua ameaça contra Penuel.

A CAPTURA DOS REIS MIDIANITAS (8.10-12)

Do começo ao fim, Gideão precisou lutar contra forças contrárias impossíveis de vencer. Contudo, o poder de Yahweh conferiu-lhe estrondoso sucesso em cada estágio de sua luta. Os reis Zeba e Zalmuna (ver o vs. 5 deste capítulo) tinham de cair, para que a vitória fosse consolidada e assim os ataques dos midianitas chegassem ao fim. Ver a introdução ao sexto capítulo, quanto ao ambiente geral e à essência da história. Os reis midianitas tinham chegado em segurança até Carcor, no vale de Sirhan, a leste do mar Morto; mas não haveria segurança permanente enquanto Gideão e seus trezentos homens os estivessem perseguindo. Somente um miserável remanescente de quinze mil homens, dentre um total de 135 mil, ainda estava com vida; mas quinze mil homens ainda eram uma força muito poderosa para que Gideão pudesse derrotar com meros trezentos homens. Por conseguinte, era mister que ocorressem novos milagres, pois, de outra sorte, todo o empreendimento haveria de fracassar. O fato de que 120 mil homens de Midiã já haviam sido aniquilados era admirável, ilustrando que tinha sido desfechado um poder a que nenhum homem era capaz de oferecer resistência.

8.10

וְזֶבַח וְצַלְמֻנָּע בַּקַּרְקֹר וּמַחֲנֵיהֶם עִמָּם כַּחֲמֵשֶׁת עָשָׂר אֶלֶף כֹּל הַנּוֹתָרִים מִכֹּל מַחֲנֵה בְנֵי־קֶדֶם וְהַנֹּפְלִים מֵאָה וְעֶשְׂרִים אֶלֶף אִישׁ שֹׁלֵף חָרֶב׃

Carcor. No árabe, essa palavra significa "terreno nivelado e mole", um lugar a leste do rio Jordão, onde os trezentos homens de Gideão, embora cansados e abandonados por seus compatriotas israelitas da área, capturaram os dois reis midianitas, Zeba e Zalmuna, o que lhes conferiu vitória completa. O local ainda não foi determinado com certeza. Mas parece que ficava perto do wadi Sirhan, a leste do mar Morto.

8.11

וַיַּעַל גִּדְעוֹן דֶּרֶךְ הַשְּׁכוּנֵי בָאֳהָלִים מִקֶּדֶם לְנֹבַח וְיָגְבֳּהָה וַיַּךְ אֶת־הַמַּחֲנֶה וְהַמַּחֲנֶה הָיָה בֶטַח׃

Subiu Gideão. Ele seguiu uma rota de caravanas que ficava a leste de Noba e Jogbeá, e destruiu boa parte do exército midianita, tendo-os apanhado descuidados. Aqueles homens não esperavam que Gideão viesse combatê-los em seu próprio território, e, por isso, tinham afrouxado a vigilância. O hebraico diz: "As hostes estavam confiantes". Estavam por demais confiantes, despreparados. Eles tinham subestimado a determinação e a energia de Gideão, que levou a questão até sua conclusão.

Noba. Ver no *Dicionário* sobre esse lugar, em seu segundo ponto. Ficava à margem de uma rota de caravanas que passava a leste de Sucote e perto de Jogbeá. Todavia, ainda não se conseguiu determinar sua localização exata. Pertencia à meia tribo de Manassés.

Jogbeá. Ver a respeito desse lugar no *Dicionário*. E ver Nm 32.35 quanto a notas adicionais. Essa localidade tem sido identificada com Jubeihat, cerca de 24 quilômetros a sudoeste de Penuel. Pertencia à tribo de Gade e tinha sido fortificada pelos gaditas.

■ 8.12

וַיָּנוּסוּ זֶבַח וְצַלְמֻנָּע וַיִּרְדֹּף אַחֲרֵיהֶם וַיִּלְכֹּד אֶת־שְׁנֵי ׀ מַלְכֵי מִדְיָן אֶת־זֶבַח וְאֶת־צַלְמֻנָּע וְכָל־הַמַּחֲנֶה הֶחֱרִיד׃

Prendeu os dois reis dos midianitas, a Zeba e a Zalmuna. O autor sagrado nos poupou os detalhes sangrentos. Somos informados somente que Gideão logrou êxito. Ele capturou aqueles dois reis midianitas e os executou. Além disso, tirou a vida de virtualmente todos os quinze mil midianitas restantes, cumprindo assim um importante requisito da guerra santa (ver Dt 7.1-5). Yahweh lançara a todos eles no pânico, e isso facilitou a horrenda campanha de morticínio. A batalha tinha começado em meio a grande pânico, e terminou com a ajuda de outro daqueles ataques de pânico. Ver Jz 7.21,22.

PUNIÇÃO DAS CIDADES DE SUCOTE E PENUEL (8.13-17)

Chegara o tempo de colher o resultado de más ações. Os moradores israelitas de Sucote e Penuel haviam tratado muito mal a seus compatriotas guerreiros. Agora chegara o tempo de colher o que haviam semeado. Ver no *Dicionário* o verbete intitulado *Lei Moral da Colheita segundo a Semeadura*. Gideão havia solicitado somente algum alimento para o seu exército de homens exaustos, a fim de continuar sua operação de "limpeza" contra os midianitas. Mas até mesmo esse simples pedido lhe havia sido negado. Ver os vss. 5 a 9 deste capítulo, quanto ao relato a respeito.

Agora as ameaças de Gideão contra aquelas duas cidades estavam prestes a ser cumpridas. E, em sua vingança, ele não demonstrou nem um pouco de misericórdia.

■ 8.13

וַיָּשָׁב גִּדְעוֹן בֶּן־יוֹאָשׁ מִן־הַמִּלְחָמָה מִלְמַעֲלֵה הֶחָרֶס׃

Voltando, pois, Gideão. A vitória dos israelitas fora conquistada de forma impossível. Audey Murphy foi um menino comum, criado em uma fazenda dos Estados Unidos. Ele nunca havia cometido qualquer ato de violência, exceto matar um coelho, para preparar o seu jantar. Durante a Segunda Guerra Mundial, foi convocado pelo exército americano. Audey Murphy tornou-se então uma incrível máquina de matar. Certa feita, completamente sozinho, atacou uma divisão de tanques alemães. Matou mais de duzentos alemães e deixou danificado grande número de tanques. Feitos dessa ordem eram comuns para ele. O que ele fazia era simplesmente inacreditável. Terminada a guerra, tornou-se um astro do cinema, sempre prevalecendo sobre os bandidos em situações impossíveis. Hollywood preparou um filme sobre seus feitos de guerra, mas nessa tentativa não conseguiu realmente repetir o que ele fizera, porque isso era por demais incrível para ser mostrado de maneira realista. Talvez houvesse algo de divino em seus poderes. Mas finalmente ele sofreu um acidente de automóvel, que lhe tirou a vida de forma violenta!

Gideão, pois, foi o Audey Murphy de Israel. O que ele fez, com tão pouca ajuda, não pode ser explicado em termos naturais. Mas a Bíblia esclarece que Yahweh estava com ele.

Pela subida de Heres. Esse era um lugar a leste do rio Jordão, de onde Gideão voltou após ter derrotado os reis Zeba e Zalmuna. Esse texto, contudo, envolve alguns problemas. Algumas versões dizem aqui "antes de o sol surgir", como se houvesse um modificador adverbial, e não um nome geográfico. Mas a própria questão topográfica também envolve dúvidas.

■ 8.14

וַיִּלְכָּד־נַעַר מֵאַנְשֵׁי סֻכּוֹת וַיִּשְׁאָלֵהוּ וַיִּכְתֹּב אֵלָיו אֶת־שָׂרֵי סֻכּוֹת וְאֶת־זְקֵנֶיהָ שִׁבְעִים וְשִׁבְעָה אִישׁ׃

Deteve a um moço de Sucote. Imediatamente antes de entrar na cidade, Gideão agarrou um jovem e exigiu informações. Queria saber onde estavam os chefes e os anciãos que tinham negado pão para o seu exército faminto e cansado (ver Jz 8.5-7). E ficou sabendo que eles perfaziam um grupo de 77 homens, de alguma importância na cidade. Gideão haveria de acertar as contas com aqueles homens sovinas e miseráveis. O jovem anotou por escrito todos os nomes deles, pelo que Gideão dispunha agora de um documento para seguir em sua nova inquirição. Parece, pois, que Sucote contava com uma espécie de Sinédrio local (ver Nm 11.16). O número dos anciãos mostra que o lugar deve ter sido de considerável tamanho e importância.

■ 8.15,16

וַיָּבֹא אֶל־אַנְשֵׁי סֻכּוֹת וַיֹּאמֶר הִנֵּה זֶבַח וְצַלְמֻנָּע אֲשֶׁר חֵרַפְתֶּם אוֹתִי לֵאמֹר הֲכַף זֶבַח וְצַלְמֻנָּע עַתָּה בְּיָדֶךָ כִּי נִתֵּן לַאֲנָשֶׁיךָ הַיְּעֵפִים לָחֶם׃

וַיִּקַּח אֶת־זִקְנֵי הָעִיר וְאֶת־קוֹצֵי הַמִּדְבָּר וְאֶת־הַבַּרְקֳנִים וַיֹּדַע בָּהֶם אֵת אַנְשֵׁי סֻכּוֹת׃

Veio Gideão aos homens de Sucote, e disse. Gideão confrontou os chefes de Sucote usando as próprias palavras deles e suas más ações (ver Jz 8.5,6). Em seguida, submeteu-os ao tratamento brutal que lhes tinha prometido, por causa de sua covardia e egoísmo (ver Jz 8.7). Não há certeza sobre o que Gideão fez contra eles; mas não há que duvidar de que executou torturas, talvez arrastando-os pelo deserto pedregoso e cheio de espinhos. Amarrados com cordas, foram puxados por cavalos.

Deu severa lição. A lição severa consistiu em arrastá-los por cima de espinhos, tratando-os como se fossem grãos que precisam ser trilhados. Gideão não demonstrou a mínima misericórdia. Ele estava disposto a semear o morticínio, e não descansaria enquanto sua tarefa sanguinária não estivesse terminada.

A Lição Objetiva. Gideão mostrou àqueles homens como ele e Yahweh deveriam ser respeitados, mesmo quando as ordens divinas exigissem guerra santa (ver Dt 7.1-5).

■ 8.17

וְאֶת־מִגְדַּל פְּנוּאֵל נָתָץ וַיַּהֲרֹג אֶת־אַנְשֵׁי הָעִיר׃

Matou os homens da cidade. A violência não havia terminado. Gideão ainda tinha de resolver a questão com os líderes de Penuel. Eles tinham tratado de forma muito desrespeitosa a ele e ao seu pequeno exército (ver Jz 8.8,9). E então Gideão os ameaçara de que retornaria e destruiria sua torre defensiva, deixando-os sujeitos aos ataques hostis dos vizinhos estrangeiros (ver Jz 8.9). Gideão era homem que cumpria suas palavras, e fez exatamente o que disse que faria. Além disso, também passou ao fio da espada grande número de cidadãos, provavelmente todos os anciãos e mais alguns, como medida de segurança. E, conforme alguns intérpretes supõem, talvez todos os homens tenham sido executados.

"A importância do lugar fez com que Jeroboão tornasse a fortificá-lo (ver 1Rs 12.25)" (Ellicott, *in loc.*).

EXECUÇÃO DE ZEBA E ZALMUNA (8.18-21)

Ver o trecho de Jz 8.5 ss. quanto à história da perseguição daqueles dois homens por parte de Gideão. O vs. 12 descreve a captura deles. Gideão aprisionou-os, mas isso apenas como uma medida temporária. A guerra santa (ver as notas sobre Dt 7.1-5 e 20.10-18) requeria a matança total do adversário e não permitia que houvesse prisioneiros de guerra nem sobreviventes. Gideão, além de efetuar a guerra santa, no caso dos dois reis mencionados, também estava tirando vingança pessoal, porquanto eles haviam matado a seus irmãos (ver o vs. 19), ato que significava que nenhuma misericórdia seria demonstrada para com os executores. Não sabemos quando os irmãos de Gideão haviam sido mortos; mas é bem possível que isso tenha acontecido em resultado de um dos ataques-relâmpagos que os midianitas perpetraram contra o povo de Israel.

■ **8.18**

וַיֹּאמֶר אֶל־זֶבַח וְאֶל־צַלְמֻנָּע אֵיפֹה הָאֲנָשִׁים אֲשֶׁר הֲרַגְתֶּם בְּתָבוֹר וַיֹּאמְרוּ כָּמוֹךָ כְמוֹהֶם אֶחָד כְּתֹאַר בְּנֵי הַמֶּלֶךְ׃

Que homens eram os que matastes em Tabor? A execução dos irmãos de Gideão tinha ocorrido em *Tabor* (ver a respeito no *Dicionário*). Tratava-se este de um pequeno monte de forma cônica, imediatamente ao norte da colina de *Moré* (ver também a respeito no *Dicionário*). Gideão tinha quase certeza de ter capturado os próprios indivíduos que haviam executado seus irmãos, mas fez indagações a fim de que não restasse nenhuma dúvida. A informação que obteve foi de que os homens mortos se pareciam com Gideão, cujo porte era imponente, forte e poderoso, como alguém esperaria da parte de um rei. A descrição dada eliminou qualquer dúvida de que Gideão havia apanhado os assassinos, porquanto eles tinham acabado de descrever os seus irmãos.

"Um homem alto, de presença dominante, sempre atraía a atenção naqueles dias antigos (ver 1Sm 10.23,24; 16.6,7). Na Ilíada (iii.170), disse Príamo: 'Nunca antes eu tinha visto alguém com aspecto tão simpático e tão imponente, pois ele era como um rei'" (Ellicott, *in loc.*). Cf. a declaração similar em Virgílio (*Aen.*, livro xii. vs. 938). A *Mishnah* (*Sabbat*, cap. 14) comentou aqui que todos os israelitas se assemelham a filhos de reis, mas isso é apenas uma patriotada, um exagero.

■ **8.19**

וַיֹּאמַר אַחַי בְּנֵי־אִמִּי הֵם חַי־יְהוָה לוּ הַחֲיִתֶם אוֹתָם לֹא הָרַגְתִּי אֶתְכֶם׃

Eram meus irmãos, filhos de minha mãe. "Estes dois versículos (18 e 19) indicam que os motivos de Gideão não eram meramente religiosos e patriotas, mas também pessoais. O início original da história deve ter registrado a morte dos irmãos de Gideão às mãos dos midianitas, bem como a decisão dele, como parente próximo, de tirar vingança contra eles (cf. Js 20.3)" (*Oxford Annotated Bible*, comentando sobre o vs. 18). Ver também Dt 19.6,12. "Provavelmente os seus irmãos foram mortos em sua própria casa, e não em campo de batalha" (F. Duane Lindsey, *in loc.*). Ver no *Dicionário* o artigo detalhado com o título de *Vingador do Sangue*, quanto a maiores informações.

Se os tivésseis deixado com vida. Infelizmente, eles não tinham feito isso. Oxalá eles tivessem matado outros, e não os irmãos de Gideão. Então teriam escapado à morte naquele momento. Mas eles haviam executado pessoas erradas, e agora deveriam morrer. A guerra santa requeria a morte deles, fosse como fosse, e por isso seriam executados a despeito da natureza exata de seus crimes passados. Gideão, pois, usou esse "se" apenas para mostrar quão insensata tinha sido a ação deles, e quão justa seria a execução dos dois reis midianitas.

A morte era inevitável, tão certamente quanto Yahweh (o Senhor) é vivo, ou seja, havia certeza absoluta quanto à execução dos reis, embora as palavras de Gideão dessem a entender que eles poderiam ter escapado à execução. Cf. Rt 3.13 e 1Sm 14.41. Algo similar aparece em Aen. xii.949. Se Gideão pudesse ter de volta os seus irmãos, naquele instante, pouparia a vida daquele dois reis midianitas.

■ **8.20**

וַיֹּאמֶר לְיֶתֶר בְּכוֹרוֹ קוּם הֲרֹג אוֹתָם וְלֹא־שָׁלַף הַנַּעַר חַרְבּוֹ כִּי יָרֵא כִּי עוֹדֶנּוּ נָעַר׃

E disse a Jeter, seu primogênito. Jeter era o filho mais velho de Gideão. Ver sobre ele no *Dicionário*. Gideão, pois, ofereceu-lhe o privilégio de matar os homens que tinham matado os tios dele. Cumprir a lei da vingança de sangue era considerado tanto justo quanto necessário, como um meio de salvar a honra da família. Jeter, porém, ainda era muito jovem, sendo provável que nunca antes tivesse matado um homem. Não tinha estômago para derramar sangue, e, por isso, ficou ali, sem fala, e não conseguiu puxar sua espada. Mais tarde, contudo, haveria de acostumar-se ao jogo da matança. É possível que Jeter fosse o único sobrevivente da família de Gideão, dando assim continuidade à sua linhagem e à sua herança. Ele era um homem importante, e, de acordo com a *jus talionis*, estava qualificado a tirar vingança pessoalmente. E bem cedo Jeter haveria de herdar o dever do goel (ver Nm 35.12; 2Sm 2.22). É provável que Gideão quisesse treinar o jovem Jeter para ser violento, brutal e destemido, como ele mesmo era; mas o tempo para isso ainda não havia chegado, e Jeter declinou da honra.

■ **8.21**

וַיֹּאמֶר זֶבַח וְצַלְמֻנָּע קוּם אַתָּה וּפְגַע־בָּנוּ כִּי כָאִישׁ גְּבוּרָתוֹ וַיָּקָם גִּדְעוֹן וַיַּהֲרֹג אֶת־זֶבַח וְאֶת־צַלְמֻנָּע וַיִּקַּח אֶת־הַשַּׂהֲרֹנִים אֲשֶׁר בְּצַוְּארֵי גְמַלֵּיהֶם׃

Levanta-te, e arremete contra nós. Aqueles brutais reis midianitas não demonstraram paciência alguma com a ideia de Gideão de serem mortos por um garoto, e, assim sendo, exortaram Gideão que os executasse pessoalmente. Não queriam que as pessoas ouvissem que tinham sido mortos por um simples garoto. Se um homem tivesse de ser morto, bom seria que fosse por um homem forte. Desse modo, a reputação dos executados era fomentada. De outra sorte, tal indivíduo morreria em opróbrio e desgraça. Era importante, pois, que aqueles assassinos morressem com uma morte "honrosa". A força de Gideão também significava que eles seriam despachados prontamente. Talvez o menino tivesse de golpeá-los muito antes que morressem; e isso, como é claro, não era desejável.

Qual o homem, tal a sua valentia. Não se sabe com certeza o que essas palavras significam. Alguns estudiosos comparam-nas com o trecho de Dt 33.25: "... como os teus dias durará a tua paz". Se aqueles midianitas estavam dizendo algo parecido com isso, então estavam sendo fatalistas acerca da questão inteira, como se declarassem: "Chegou a nossa hora. Até o homem forte tem seu dia para morrer. suas forças duram tanto tempo, e então só lhe resta morrer". Ou então estavam dizendo algo como: "'Tu, Gideão, és um homem dotado de poder; usa esse poder para pôr fim à vida destes dois homens poderosos". Ou mesmo: "Tu és o homem forte que está qualificado a terminar nossa vida de maneira limpa e rápida. Realiza, tu mesmo, a tarefa. Não entrega essa tarefa a esse teu garoto".

Gideão atendeu ao pedido deles e despachou-os sem demora.

Ornamentos em forma de meia-lua. Cf. Jz 8.26 e Is 3.18. Crescentes (meias-luas) eram ornamentos usados tanto por homens quanto por mulheres. Originalmente, eram usados como sinal de adoração à lua, uma forma muito antiga de idolatria. Os ismaelitas (ou árabes) desde tempos remotos adoravam a lua. Em tempos posteriores, Maomé destruiu todas as formas de idolatria; mas o crescente continuou sendo um símbolo importante entre os seguidores maometanos. Até hoje vemos a meia-lua ou crescente no alto das mesquitas, e muitos ornamentos continuam a ser fabricados com esse formato.

A palavra hebraica aqui usada é *saharonim*, ou seja, "pequenas luas". Usualmente, esses ornamentos eram feitos de ouro ou de prata. Há uma história de que, em uma de suas batalhas, Maomé encontrou um camelo morto adornado com essas *lunalae*, acompanhadas por uma fieira de esmeraldas. Os senadores romanos (por razões diferentes) usavam crescentes de prata em seus calçados. Os midianitas, sem dúvida, entre outras formas de idolatria, adoravam à lua. Gideão, pois, tomou aqueles crescentes como troféus de guerra, sem nenhum intuito de usá-los como objetos de culto.

GIDEÃO RECUSA-SE A GOVERNAR OS FILHOS DE ISRAEL (8.22,23)

É natural que os homens imaginem que grandes figuras militares podem tornar-se bons políticos; mas isso só acontece muito raramente. Gideão, pois, teve o bom senso de não querer imiscuir-se na política, e certamente não tinha entranhas para tornar-se rei em Israel. sua missão era eminentemente militar; e ele preferia deixar as coisas como estavam. sua ideia era reafirmar o ideal da teocracia.

8.22

וַיֹּאמְר֤וּ אִֽישׁ־יִשְׂרָאֵל֙ אֶל־גִּדְע֔וֹן מְשָׁל־בָּ֙נוּ֙ גַּם־אַתָּ֔ה גַּם־בִּנְךָ֖ גַּ֣ם בֶּן־בְּנֶ֑ךָ כִּ֥י הוֹשַׁעְתָּ֖נוּ מִיַּ֥ד מִדְיָֽן׃

Domina sobre nós. Os israelitas, naturalmente, imaginaram que, com todo o favor divino de que dispunha, Gideão facilmente poderia ser rei em Israel. Gideão era o homem mais poderoso que havia nas redondezas, pelo que também seria o melhor rei que eles poderiam ter. Uma notável vitória sobre vizinhos hostis tinha sido lavrada. E agora os filhos de Israel esperavam que aquela realização se tornasse permanente, perpetuando a dinastia de Gideão, em que o governo passaria de pai para filho, na esperança de que Yahweh continuaria abençoando a "família real". Temos pois, nesse incidente, a primeira tentativa de estabelecer uma monarquia hereditária em Israel. Nos dias de Samuel e Saul, isso acabou acontecendo; mas essa primeira tentativa não deu certo. Coisa alguma funcionava direito em Israel por muito tempo. A rebeldia sempre estraga todos os empreendimentos.

"O poder tende por corromper-se, e o poder absoluto corrompe de maneira absoluta" (Lord Acton, em um ensaio seu). Todos os dias encontramos evidências dessa realidade, enquanto seguimos a história da corrupção entre os políticos. Na realidade, qual é a classe que se torna tão corrupta como a política? Parece que a corrupção é uma característica natural ou atributo da grande maioria dos políticos.

Os homens dotados de autoridade mandam a moralidade às nuvens e corrompem-se em seus pensamentos e em seus atos.

"A memória de Gideão aprofundou o desejo que a Samuel, mais tarde, foi ordenado satisfizer (1Sm 8.5; 12.12,17)" (Ellicott, *in loc.*).

8.23

וַיֹּ֤אמֶר אֲלֵהֶם֙ גִּדְע֔וֹן לֹֽא־אֶמְשֹׁ֤ל אֲנִי֙ בָּכֶ֔ם וְלֹֽא־יִמְשֹׁ֥ל בְּנִ֖י בָּכֶ֑ם יְהוָ֖ה יִמְשֹׁ֥ל בָּכֶֽם׃

O Senhor vos dominará. O povo de Israel já tinha seu governante, a saber, Yahweh. Mas apostasias periódicas anulavam o governo divino, a "teocracia". E isso atraía a hostilidade de adversários vizinhos, o que era um julgamento divino. "A rejeição de Gideão quanto ao oferecimento de tornar-se o governante de Israel acentuou o princípio fundamental da teocracia de Israel, antes do desenvolvimento representado pelos reinados de Saul e de Davi" (Jacob M. Myers, *in loc.*).

GIDEÃO E A ESTOLA SACERDOTAL (8.24-28)

Não sabemos dizer qual a natureza exata da estola sacerdotal (vs. 27) que Gideão fez, usando todo aquele ouro que ele havia solicitado e lhe havia sido entregue. Mas sabemos que o objeto logo se tornou um objeto de culto. Gideão, pouco depois de ter obtido uma tremenda vitória, desejava uma espécie de memorial do triunfo. suas boas intenções, entretanto, não demoraram muito a serem pervertidas. Foi assim que o objeto se tornou uma armadilha, tanto para Gideão quanto para seus familiares, bem como para todo o povo de Israel. Essa narrativa adverte-nos de que até mesmo grandes vitórias podem levar a erros graves. A mente de homens embriagados com o sucesso fica sujeita a erros crassos. Uma de minhas fontes informativas queixa-se de que o primeiro erro de Gideão foi submeter o povo a certa forma de taxação, embora não fosse rei e não tivesse razão para requerer "contribuições" da parte do povo. Um erro levou a outro, até que tudo ficou inteiramente azedo.

Assim sendo, se Gideão exibiu poder em batalha, bem como sabedoria por não querer tornar-se rei em Israel, acabou caindo em erro, provavelmente devido ao pecado de orgulho pelo que tinha sido capaz de fazer. Ele queria dispor de um memorial permanente de seus feitos, embora Yahweh tivesse obtido aquelas vitórias todas.

8.24

וַיֹּ֨אמֶר אֲלֵהֶ֜ם גִּדְע֗וֹן אֶשְׁאֲלָ֤ה מִכֶּם֙ שְׁאֵלָ֔ה וּתְנוּ־לִ֕י אִ֖ישׁ נֶ֣זֶם שְׁלָל֑וֹ כִּֽי־נִזְמֵ֤י זָהָב֙ לָהֶ֔ם כִּ֥י יִשְׁמְעֵאלִ֖ים הֵֽם׃

Um pedido vos farei. Em demonstração de sabedoria, Gideão repeliu a ideia de tornar-se rei (ver o versículo anterior); mas então cometeu o ato estúpido de querer fazer um memorial muito caro de sua vitória sobre os midianitas. Para tanto, precisou de muito ouro; e a fonte principal desse metal foram os brincos dos ismaelitas, muitos deles, sem dúvida, com a forma de meia-lua (ver o vs. 21). Ver no *Dicionário* o artigo chamado *Brincos*. Os midianitas e os ismaelitas eram povos congêneres, misturados por casamentos, e assim o autor sagrado refere-se a eles como se fossem um único povo. Os Targuns chamam-nos de árabes. Na verdade, eles foram um dos troncos formadores do atual povo árabe. Entre eles, tanto homens quanto mulheres usavam brincos, pelo que havia muito ouro a ser recolhido desses objetos. Ver Jz 35.5; Êx 32.2,3. Plínio fala sobre os brincos de ouro usados pelos homens árabes (ver *História Natural* 1.11, cap. 37).

Os ismaelitas eram descendentes de *Hagar* (ver Gn 25.12-16), e os midianitas eram descendentes de *Quetura* (Gn 25.2). Ver sobre ambos esses povos no *Dicionário*. Esses nomes tornaram-se intercambiáveis (ver Gn 37.28).

8.25

וַיֹּאמְר֖וּ נָת֣וֹן נִתֵּ֑ן וַֽיִּפְרְשׂוּ֙ אֶת־הַשִּׂמְלָ֔ה וַיַּשְׁלִ֣יכוּ שָׁ֔מָּה אִ֖ישׁ נֶ֥זֶם שְׁלָלֽוֹ׃

Disseram eles: De bom grado as daremos. Os filhos de Israel não fizeram objeção ao pedido de Gideão. E ainda sentiram muita gratidão, por causa da maneira como ele os havia livrado dos ataques-relâmpagos dos midianitas. Foi por isso que atenderam com generosidade à petição de Gideão. Fizeram uma oferta coletiva, dentro de um grande pano para receber as doações, em sua maioria sob a forma de brincos de ouro, e entregaram o recolhido a Gideão.

Estenderam uma capa. Talvez fosse uma veste mais externa, uma espécie de sobretudo. Alguns estudiosos chegam a imaginar que a capa pertencesse ao próprio Gideão, embora o detalhe não se revista de maior consequência.

8.26

וַיְהִ֗י מִשְׁקַ֞ל נִזְמֵ֤י הַזָּהָב֙ אֲשֶׁ֣ר שָׁאָ֔ל אֶ֥לֶף וּשְׁבַע־מֵא֖וֹת זָהָ֑ב לְבַ֗ד מִן־הַשַּֽׂהֲרֹנִים֙ וְהַנְּטִפ֔וֹת וּבִגְדֵ֤י הָֽאַרְגָּמָן֙ שֶׁעַל֙ מַלְכֵ֣י מִדְיָ֔ן וּלְבַד֙ מִן־הָ֣עֲנָק֔וֹת אֲשֶׁ֖ר בְּצַוְּארֵ֥י גְמַלֵּיהֶֽם׃

Mil e setecentos siclos de ouro. Esse foi o peso do ouro recolhido. Calcula-se isso em cerca de quase vinte quilogramas de ouro. A fortuna não chegou a ser imensa, mas apontava para uma estola sacerdotal extremamente cara (ver o versículo seguinte). Era uma das maiores peças de ouro que havia no país e acabou tornando-se a base de certa forma de idolatria. Todo esse ouro dá a entender que houve um número extraordinário de argolas de nariz e brincos (ver Gn 24.22), o que, por sua vez, implica a matança de um número muito grande de midianitas, de cujos cadáveres todo esse ouro foi tirado.

Encontramos uma crônica um tanto similar na história do triunfo de Mago sobre os romanos. Ele derramou sobre o soalho do senado cartaginês, depois de haver massacrado os romanos em Canae, três alqueires (cerca de 110 litros) de anéis de cavaleiros romanos (Lívio xxiii.12). Quanto a informações sobre o siclo, ver sobre *Dinheiro II* no artigo *Pesos e Medidas*, no *Dicionário*, bem como as notas expositivas em Êx 30.13 e Lv 27.25.

Outros despojos também aumentaram o volume das riquezas que foram trazidas a Gideão. Havia muitas variedades de peças de joalheria (ver no *Dicionário* o verbete intitulado *Joias e Pedras Preciosas*), excelentes tecidos de púrpura que tinham sido possessões dos reis midianitas, e também cadeias de ouro que eram usadas penduradas no pescoço dos camelos, como ornamentação. Estrabão referiu-se aos excelentes tecidos de púrpura usados pelos ricos (*Geog.* 1.16, par. 539). O autor sacro, pois, enfatizou os excelentes despojos que Israel foi capaz de recolher, um aspecto sempre importante nas guerras antigas, e que era o "salário" dos soldados. Talvez muitos desses despojos se tenham tornado propriedade particular de Gideão, o que significa que ele foi enriquecido pela guerra. E parte de todo aquele material pode ter sido incorporada na estola sacerdotal.

8.27

וַיַּעַשׂ אוֹתוֹ גִדְעוֹן לְאֵפוֹד וַיַּצֵּג אוֹתוֹ בְעִירוֹ בְּעָפְרָה וַיִּזְנוּ כָל־יִשְׂרָאֵל אַחֲרָיו שָׁם וַיְהִי לְגִדְעוֹן וּלְבֵיתוֹ לְמוֹקֵשׁ׃

Uma estola sacerdotal. Na verdade, essa é a interpretação do termo hebraico que aparece na versão portuguesa da Bíblia Almeida Atualizada, refletindo ideias antigas dos intérpretes judeus. Não sabemos dizer a natureza exata do item. Porém, sem importar exatamente o que tenha sido, o fato é que não demorou a tornar-se objeto de peregrinações, de todas as partes do território de Israel, com o objetivo de veneração. Que a idolatria acabou misturada com a questão, transparece nas palavras usadas pelo autor sacro, "se prostituiu", uma metáfora comumente usada para indicar a idolatria. Assim sendo, aquilo que tivera o propósito de tornar-se um mero memorial (embora muito caro e ostentoso, mas nada mais do que isso) logo tornou-se um objeto adorado. Alguns estudiosos sugerem que era uma espécie de imagem, como uma bolsa, uma vestimenta, uma túnica ou a imitação de uma estola do sumo sacerdote.

"A natureza dessa estola sacerdotal não fica clara. Pode ter sido moldada de acordo com a veste externa dos sumos sacerdotes de Israel (ver Êx 28.6-20; Lv 8.7,8). Entretanto, em lugar de ter sido usada como peça do vestuário de alguém, a estola sacerdotal de ouro de Gideão parece ter sido erigida em Ofra, a fim de tornar-se um objeto idolatrado. Em algum sentido, ele pode ter usurpado a função de um sacerdote, e/ou ter estabelecido um centro de adoração rival ao tabernáculo. No fim, parece que Gideão retornou à sociedade sincretista para fora da qual Deus o tinha convocado a libertar a nação de Israel" (F. Duane Lindsey, *in loc.*).

John Gill (*in loc.*) sugeriu que uma espécie de oráculo foi estabelecido em Ofra, onde a estola sacerdotal era objeto de destaque, tal como o Urim e o Tumim eram itens importantes do tabernáculo de Silo. Seja como for, isso lançou Gideão e sua família no descrédito, servindo-lhes de armadilha, que os apanhou e os tornou ridículos aos olhos de Yahweh. Silo ficava dentro das fronteiras do território de Efraim, e o oráculo de Gideão, ao que tudo indica, era uma extensão do poder dessa tribo em Israel. O orgulho e o patriotismo provinciano pareciam ter vindo fazer parte da situação. Atos como esse acabaram por encorajar o estabelecimento do santuário central da nação em Jerusalém, eliminando-se todos os demais santuários. E isso, por sua vez, redundou em unidade para Israel, pelo menos durante algum tempo.

Esse episódio mostra que o poder pode facilmente corromper, conforme sucedeu no caso de Gideão, embora antes ele tivesse tomado a boa decisão de não aceitar ser rei em Israel.

8.28

וַיִּכָּנַע מִדְיָן לִפְנֵי בְּנֵי יִשְׂרָאֵל וְלֹא יָסְפוּ לָשֵׂאת רֹאשָׁם וַתִּשְׁקֹט הָאָרֶץ אַרְבָּעִים שָׁנָה בִּימֵי גִדְעוֹן׃ פ

Foram abatidos os midianitas... e nunca mais levantaram a cabeça. Pelo lado positivo, a vitória de Gideão sobre os midianitas conferiu aos filhos de Israel nada menos de quarenta anos de descanso. Durante todo esse dilatado período, eles descansaram e desfrutaram uma vida tranquila. E essa vida mansa e próspera contribuiu para que, passado esse tempo, eles caíssem em outro período de apostasia, com uma consequente nova servidão, reiniciando assim todo aquele cansativo círculo vicioso. Ver no *Dicionário* os artigos *Quarenta* e *Número* (*Numeral, Numerologia*).

Em Gideão vemos como se cumpre um antigo adágio que estipula: "Grandes homens, grandes vícios". Temos, naqueles quarenta anos, o último período de paz registrado no livro de Juízes. Não se lê que Jefté e Sansão tenham trazido a Israel algum período de paz, nem conseguiram eles, em um sentido real, adiar o declínio espiritual e moral da nação. Ver sobre os juízes e os seus lugares de atividade no gráfico que aparece imediatamente antes de Jz 1.1.

A CASA DE GIDEÃO (8.29-32)

Informações Gerais. sua casa ou família consistia em setenta filhos legítimos, que ele gerou por meio de suas muitas esposas. Mas Gideão também teve concubinas e filhos por meio delas, conforme é fácil de presumir. Na realidade, é mencionada somente uma concubina e somente um filho de Gideão através dessa concubina. O homem se encheria de orgulho e faria de si mesmo um homem importante (o relato fica no capítulo 9 de Juízes). O vs. 31 deste capítulo, ao mencionar Abimeleque, introduz a narrativa do nono capítulo. Talvez sua mãe (a concubina) fosse uma mulher cananeia, visto que lemos que Abimeleque passou a residir em Siquém, onde estavam os irmãos de sua mãe. Embora não fosse rei, Gideão vivia como tal, em sua esfera limitada. Nisso, sem a menor dúvida, houve certo declínio espiritual e moral. Algumas vezes, grandes homens desintegram-se muito no fim de suas carreiras.

8.29

וַיֵּלֶךְ יְרֻבַּעַל בֶּן־יוֹאָשׁ וַיֵּשֶׁב בְּבֵיתוֹ׃

Retirou-se Jerubaal. Ver no *Dicionário* esse nome de Gideão (que talvez fosse o seu nome original) e consultar também as notas expositivas sobre Jz 6.32 e 7.1. Quando a guerra terminou, Gideão retirou-se para sua vida doméstica. Reuniu em torno dele grande número de mulheres e começou a atividade da reprodução, além de talvez ter começado a criar gado. A guerra tinha-lhe rendido muitas riquezas materiais, e assim ele deu início a uma boa vida, como se fosse um pequeno rei, embora nunca tivesse usado tal título. É possível que tenha passado a viver em *Ofra* (ver a respeito dessa cidade no *Dicionário*, bem como nas notas expositivas de Jz 9.5). Ele dispunha de seu próprio oráculo (ver Jz 8.27) e pode ter agido como uma espécie de sumo sacerdote em sua própria área. Era visitado por um número muito grande de pessoas, que o honravam e ficavam indevidamente impressionadas com a sua estola sacerdotal (ver Jz 8.27).

8.30

וּלְגִדְעוֹן הָיוּ שִׁבְעִים בָּנִים יֹצְאֵי יְרֵכוֹ כִּי־נָשִׁים רַבּוֹת הָיוּ לוֹ׃

Teve Gideão setenta filhos... muitas mulheres. A boa vida de Gideão incluía muitas mulheres e, naturalmente, muitos filhos; a Gideão não faltava dinheiro para sustentar todos eles. Os intérpretes cristãos olham de soslaio para toda aquela atividade sexual com todas aquelas mulheres; mas devemos lembrar que os reis e os reis vassalos eram conhecidos por seus exageros nessa área, e até chegavam a ser honrados por causa disso. Todo grande homem precisava ter muitas mulheres, por uma questão de convenção social. Ver no *Dicionário* o artigo chamado *Poligamia*. Quando o Antigo Testamento menciona todas aquelas mulheres e todos aqueles filhos, cumpre-nos entender que a bênção de Yahweh tinha sido dada ao homem, e não que ele tinha feito alguma coisa errada. O trecho de Dt 17.17 determina que um rei não deveria multiplicar esposas; mas esse conceito acabou sendo sempre desobedecido. Alguns estudiosos pensam que tal concepção pertence a uma época posterior, e que o livro de Deuteronômio fala retroativamente, mediante alguma adição escribal posterior. Na verdade, a grandeza continuou incluindo um grande harém. As mil mulheres de Salomão constituíram o harém do maior homem, porquanto nenhum outro monarca conseguiu igualar esse feito!

8.31

וּפִילַגְשׁוֹ אֲשֶׁר בִּשְׁכֶם יָלְדָה־לּוֹ גַם־הִיא בֵּן וַיָּשֶׂם אֶת־שְׁמוֹ אֲבִימֶלֶךְ׃

A sua concubina. Embora Gideão provavelmente tenha tido certo número de concubinas, somente uma é mencionada, porquanto dela nasceu Abimeleque, que veio a adquirir alguma notoriedade e fama, sendo a grande figura do nono capítulo do livro de Juízes. Isso posto, este versículo prepara-nos para a história de *Abimeleque*. Ver sobre ele no *Dicionário*. E ver também ali o verbete chamado *Concubina*. As concubinas eram segundas esposas, com frequência tomadas dentre criadas e escravas. Seus filhos não compartilhavam a herança da família; mas um homem rico, como Gideão, sem dúvida cuidaria de todos os filhos como era conveniente.

Essa concubina é chamada de "serva" em Jz 9.18. Talvez ela fosse uma escrava cananeia, pois a cidade de Siquém dispunha de numerosa população cananeia. Dentro das tradições judaicas, essa concubina de Gideão adquiriu certa fama. Josefo (*Antiq.* v.7, par. 1) deu-lhe o nome de Druma, um detalhe que pode ou não ser historicamente autêntico.

■ 8.32

וַיָּמָת גִּדְעוֹן בֶּן־יוֹאָשׁ בְּשֵׂיבָה טוֹבָה וַיִּקָּבֵר בְּקֶבֶר יוֹאָשׁ אָבִיו בְּעָפְרָה אֲבִי הָעֶזְרִי׃ פ

Faleceu Gideão... em boa velhice. A idade com que Gideão morreu perdeu-se nos arquivos do passado, pelo que o autor sagrado disse somente que ele teve uma longa vida. Ver as notas em Gn 5.21 quanto à desejabilidade de uma vida longa na terra. É verdade que é bom viver por muitos anos, mas é melhor ainda viver bem e por muitos anos. Gideão tinha vivido bem e por muitos anos, apesar de seu declínio nos últimos anos. Ele já havia garantido um lugar para seu nome na história. E mais importante ainda foi que, a despeito de seu declínio final, ele tinha cumprido a missão que Yahweh lhe ordenara. Gideão foi sepultado na cidade de Ofra, no sepulcro da família. Por ocasião de sua morte, acentuou-se o declínio espiritual e moral de Israel.

"Gideão morreu em paz, em meio à prosperidade (ver Gn 15.15; 49.29) e em idade avançada (ver Jó 5.26). Mas a má semente que ele tinha semeado produziu frutos amargos na geração seguinte" (Ellicott, *in loc.*).

OUTRA APOSTASIA DE ISRAEL (8.33-35)

Nenhum dos outros juízes referidos no restante do livro de Juízes foi capaz de prover descanso para Israel. As vitórias obtidas foram apenas parciais e de pequena duração. Os períodos de tranquilidade (ver Jz 3.11,30; 5.31,32; 8.28) terminaram, mas havia somente uma espiral descendente cada vez mais pronunciada. Tinha-se estabelecido um constante declínio político e social, sem falarmos na degeneração espiritual e moral. "O evento que projetou a fase de maior declínio do período dos juízes foi o reinado abortivo de Abimeleque, filho de Gideão e de uma concubina dele (ver Jz 8.31). Abimeleque nunca é chamado de 'juiz' nas Escrituras. De fato, seu governo incluiu certos elementos opressivos que só foram eliminados mediante a sua morte, e pelo juizado subsequente e positivo de Tola, que viveu na mesma área geral das terras altas centrais" (F. Duane Lindsey, *in loc.*).

Alguns estudiosos listam Abimeleque entre os juízes, mas outros negam-lhe essa posição. Seja como for, ele foi um rei vassalo e juiz.

■ 8.33

וַיְהִי כַּאֲשֶׁר מֵת גִּדְעוֹן וַיָּשׁוּבוּ בְּנֵי יִשְׂרָאֵל וַיִּזְנוּ אַחֲרֵי הַבְּעָלִים וַיָּשִׂימוּ לָהֶם בַּעַל בְּרִית לֵאלֹהִים׃

Morto Gideão, tornaram a prostituir-se os filhos de Israel. Este versículo mostra-nos que, a despeito dos ingentes esforços de Gideão, e talvez por causa do mau exemplo que tenha deixado (em seus últimos anos, no tocante à estola sacerdotal; ver Jz 8.27), Israel estava longe de viver livre da idolatria. Baal e as maquinações daquele culto pagão estavam sempre presentes para corromper o povo de Israel. Temos neste versículo a forma plural da palavra, "Baalins", referindo-se, sem dúvida, às várias manifestações da adoração a Baal, pois cada localidade tinha sua própria versão dessa forma de idolatria. Ver no *Dicionário* o artigo chamado *Baal (Baalismo)* quanto a descrições completas. Ver também sobre os *Baalins* em Jz 2.11; 3.7 e 10.6,10. Isso posto, repetiu-se o antigo ciclo. A apostasia (por meio da idolatria) produzia servidão; a servidão, depois de algum tempo, provocava o aparecimento de algum líder carismático que libertava Israel; e então vinha um período de descanso. A exceção observável é que agora nenhum descanso sobreviveria enquanto não começasse a monarquia, sob Saul e Davi. Mas nenhum dos juízes doravante, até o fim do livro de Juízes, seria capaz de libertar Israel de sua miséria.

A morte de Gideão assinalou o fim do que era relativamente bom. De agora em diante um declínio acentuado haveria de assinalar toda a história de Israel, mediante uma desgraçada e persistente *idolatria* (ver a esse respeito no *Dicionário*).

Puseram a Baal-Berite por deus. No hebraico, esse nome significa "Senhor do pacto". Baal-Berite era uma divindade dos cananeus adorada pelo povo de Siquém após a morte de Gideão (Jz 8.33 e 9.4). Essa adoração era promovida mediante o ídolo daquele deus. Abimeleque, neto (ou filho) de Gideão, tomou setenta peças de prata da casa desse deus a fim de contratar homens para o ajudarem em sua rebelião (ver Jz 9.4).

Não se sabe como interpretar a palavra "pacto" associada a esse deus: 1. poderia ser um pacto geral, uma aliança entre o povo e essa divindade; ou 2. poderia ser um pacto particular: a divindade chamada como testemunha do pacto de Siquém com Israel. Sem importar como tenha sido, a adoração a esse ídolo era apenas outra manifestação do baalismo. De alguma maneira tola, Israel havia estabelecido uma espécie de pacto com aquele absurdo, o que nos mostra a quais profundezas de decadência moral e espiritual a nação se tinha afundado. A Septuaginta diz que Israel havia firmado um pacto com Baal, de que este seria o seu deus.

■ 8.34

וְלֹא זָכְרוּ בְּנֵי יִשְׂרָאֵל אֶת־יְהוָה אֱלֹהֵיהֶם הַמַּצִּיל אוֹתָם מִיַּד כָּל־אֹיְבֵיהֶם מִסָּבִיב׃

Os filhos de Israel não se lembraram do Senhor seu Deus. A paz conseguida por meio de Gideão foi perversamente atribuída a Baal. O povo de Israel uma vez mais esqueceu-se de Yahweh. Yahweh-Elohim (o Eterno Todo-poderoso) foi abandonado por eles. Ver no *Dicionário* o verbete chamado *Deus, Nomes Bíblicos de*.

"De conformidade com Jz 9.46, eles passaram a considerar Baal como seu Elohim, esquecendo-se de que Yahweh é o único Deus. [Em Israel] sempre houve essa tendência para o sincretismo, como meio passo dado na direção da idolatria" (Ellicott, *in loc.*).

Israel desfrutou de alguns poucos anos livre de qualquer opressão da parte de potências estrangeiras. Eles estavam vivendo uma vida tranquila. Mas, em meio à sua prosperidade, esqueceram-se da fonte originária de sua abundância. Baal-Berite tinha em Siquém o seu santuário central (ver Jz 9.3,4), e Israel começou a fazer dali um centro de suas atividades religiosas, tornando-se assim um povo pagão, que vivia no meio dos pagãos cananeus.

■ 8.35

וְלֹא־עָשׂוּ חֶסֶד עִם־בֵּית יְרֻבַּעַל גִּדְעוֹן כְּכָל־הַטּוֹבָה אֲשֶׁר עָשָׂה עִם־יִשְׂרָאֵל׃ פ

Nem usaram de benevolência com a casa de Jerubaal. A família de Gideão tinha caído na insignificância. Havia desaparecido a antiga mágica do nome de Gideão. Essa circunstância facilitou muito para Abimeleque matar todos os filhos legítimos de Gideão, excetuando Jotão, o mais novo, que conseguiu fugir (ver Jz 9.5,21). Durante algum tempo, o nome de Gideão foi respeitado em Israel; e gente de todos os rincões da Terra Prometida vinha para ver a sua imagem/estola sacerdotal (ver Jz 8.33). Porém, após a morte do patriarca da família, eles pararam de honrar a família de Gideão. Tinha começado uma época nova. No coração dos filhos de Israel não havia gratidão por aquilo que Gideão realizara, e eles também esqueceram que Yahweh lhes tinha proporcionado a vitória contra os midianitas. Ver Jz 9.17,18 como uma memória do bem que Gideão tinha feito por Israel.

CAPÍTULO NOVE

Este nono capítulo divide-se, naturalmente, nas seções seguintes (um esboço sugerido por Jacob M. Myers, *in loc.*):

HISTÓRIA DE ABIMELEQUE (9.1-57)

1. Abimeleque, Rei em Siquém (9.1-6)
2. A Fábula de Jotão (9.7-15)
3. Aplicação da Fábula (9.16-21)
4. Querela dos Siquemitas com Abimeleque (9.22-25)
5. A Rebelião de Gaal (9.26-33)
6. Gaal é Derrotado (9.34-41)
7. Destruição de Siquém (9.42-45)
8. Incendiada a Torre de Siquém (9.46-49)

9. Campanha contra Tebes; Morte de Abimeleque (9.50-55)
10. Moral da História (9.56,57)

Alguns intérpretes não honram Abimeleque com o título de juiz, razão pela qual não o listam entre eles. Todavia, é evidente que ele foi um rei vassalo e juiz que manteve autoridade na região de Siquém e cercanias. Abimeleque teve uma carreira breve mas violenta. Isso quer dizer que ele levou adiante a antiga história de matar ou ser morto, que caracteriza todo o livro de Juízes.

seu pai (alguns pensam que era seu avô), Gideão, tinha-se recusado o oferecimento de ser rei em Israel (ver Jz 8.23). Mas Abimeleque, filho da concubina cananeia de Gideão, de nome Druma (de acordo com Josefo; ver *Antiq*. 1.5, cap. 7, sec. 1), aceitou essa honra para si mesmo, e conseguiu reter a posição (por um curto período), apelando para atos de violência e traição.

Gideão foi o último juiz a conferir descanso a Israel mediante uma vitória sobre os inimigos (ver Jz 8.28). Os juízes que Deus levantou depois dele obtiveram alguns triunfos sobre os adversários estrangeiros. Mas ficou reservado aos dias da monarquia — sob Saul e Davi — derrotar os inimigos de Israel. Assim sendo, nos dias de Salomão, filho de Davi, houve um período de paz.

Neste nono capítulo, é sempre usado o nome Jerubaal, e nunca Gideão. De fato, alguns eruditos pensam que Jerubaal era o seu nome original, o que serve de indicação do quanto a idolatria cananeia havia penetrado em Israel nos dias de seu pai e do próprio Gideão. Os pais israelitas estavam dando a seus filhos nomes compostos com o nome Baal, e não com os nomes Yahweh ou Elohim.

Parece que a mãe de Abimeleque era uma mulher cananeia que não vivia com Gideão como esposa residente; antes, era uma concubina que Gideão visitava em Siquém. Não há que duvidar de que Abimeleque era repelido por seus meios-irmãos, filhos legítimos de Gideão, o que só servia para agravar ainda mais o seu espírito já revoltado. E isso também armou o palco para o assassinato de todos os setenta filhos legítimos de Gideão, com a exceção única de Jotão, o caçula (ver o vs. 21 deste capítulo).

Siquém foi uma cidade importante na história de Israel. Mas nos dias dos juízes de Israel era essencialmente um centro da cultura cananeia. Ver Gn 12.6,7 quanto à ligação de Abraão com aquele lugar; e ver Js 8.30-35 com a recitação das bênçãos e das maldições, naquele lugar, por parte de Josué. Ali o pacto foi renovado, quando o povo de Israel prometeu seguir fielmente a Yahweh. No entanto, essa promessa foi repetidamente violada, em razão do que os israelitas se sujeitaram a periódicos tempos de opressão e servidão a várias potências estrangeiras. Ver no *Dicionário* o artigo chamado *Siquém*.

O capítulo que ora comentamos é interessante pois mostra (como nenhum outro trecho do livro de Juízes) de que forma as populações mistas da Terra Prometida foram "judaizadas". Essas populações mistas só foram completamente conquistadas nos dias da monarquia em Israel. (Ver o trecho de Js 13.1 ss. quanto à tarefa inacabada da conquista da Terra Prometida.) E este capítulo, por outro lado, mostra a paganização da nação de Israel. Siquém acabou por tornar-se uma cidade de Israel, embora tenha continuado pagã em seu âmago. Estavam envolvidos na questão os muitos casamentos de Gideão, algo estritamente proibido pelas condições da guerra santa (ver as notas expositivas sobre Dt 7.1-5). O processo de "sincretização" foi perfeitamente exemplificado no nascimento e na carreira de Abimeleque, filho de uma concubina cananeia.

ABIMELEQUE, REI EM SIQUÉM (9.1-6)

Aquilo que o grande herói, Gideão, havia repelido (ser feito rei; ver Jz 8.23), seu filho ilegítimo, Abimeleque, filho de uma concubina cananeia, aceitou avidamente e com pulso forte. Ver a introdução geral a este capítulo, anteriormente. Mas se Gideão não se tornou um rei oficial, virtualmente se tornou um rei-juiz-sacerdote local. Parece que ele tinha até seu próprio oráculo em Ofra (ver Jz 8.27). Isso posto, se oficialmente ele não caiu nesse equívoco, em essência nele envolveu-se. Outrossim, provou um mau exemplo na questão da estola sacerdotal, o que acabou iniciando uma espécie de culto idólatra em Israel. Não admira, pois, que Abimeleque, através desse mau exemplo e da corrupção interna, tenha tomado sobre si perpetrar grandes males em certa região do território de Israel. Ele se tornou um pequeno rei-juiz provinciano em Israel, mas sua carreira foi breve e violenta. Ver sobre *Abimeleque* no *Dicionário*, onde a questão é sumariada.

■ 9.1,2

וַיֵּלֶךְ אֲבִימֶלֶךְ בֶּן־יְרֻבַּעַל שְׁכֶמָה אֶל־אֲחֵי אִמּוֹ
וַיְדַבֵּר אֲלֵיהֶם וְאֶל־כָּל־מִשְׁפַּחַת בֵּית־אֲבִי אִמּוֹ
לֵאמֹר׃

דַּבְּרוּ־נָא בְּאָזְנֵי כָל־בַּעֲלֵי שְׁכֶם מַה־טּוֹב לָכֶם הַמְשֹׁל
בָּכֶם שִׁבְעִים אִישׁ כֹּל בְּנֵי יְרֻבַּעַל אִם־מְשֹׁל בָּכֶם אִישׁ
אֶחָד וּזְכַרְתֶּם כִּי־עַצְמְכֶם וּבְשַׂרְכֶם אָנִי׃

Abimeleque, filho de Jerubaal. A reivindicação de Abimeleque à posição de rei foi reforçada pela própria dualidade de sua descendência. Por uma parte, era filho (ou neto) de Gideão. Por outra, era filho de uma concubina cananeia de Gideão que morava em Siquém. Logo, ele participava de ambas as linhagens e representava, em si mesmo, o processo de sincretização que estava ocorrendo em Israel. Ele se sentia com direitos especiais sobre Siquém, porquanto a família de sua mãe era proeminente naquela cidade. O primeiro versículo deste capítulo mostra-nos como primeiramente ele conseguiu manipular a família de sua mãe. Mais tarde, não conseguindo manipular a família de seu pai, acabou assassinando 69 de seus meios-irmãos, a fim de consolidar sua posição de mando. A família de Gideão havia perdido prestígio (ver Jz 8.35), mas evidentemente continuava dotada de considerável poder em Siquém. Abimeleque, pois, ofereceu a seus familiares (e a todos os habitantes de Siquém) a libertação do jugo da dinastia de Gideão. Ele salientou as vantagens de uma monarquia. Não era melhor eles serem governados por uma única pessoa, relacionada a eles por parentesco, do que por setenta "estrangeiros", que nada tinham a ver com a família de sua mãe e com os habitantes de Siquém? Por conseguinte, Abimeleque enfatizou a sua herança cananeia, o que, sem dúvida, agradou à população mista.

Sou osso vosso e carne vossa. Cf. Gn 2.23; 29.14; 2Sm 5.1; 19.12. Abimeleque parecia estar com toda a razão; e realmente, assim era, no tocante à origem racial e à posição que ocupava, pelo que era a pessoa certa para governar os habitantes de Siquém. Ele não era estrangeiro em nenhum sentido, ao passo que seus setenta meios-irmãos eram parcialmente estrangeiros, por serem israelitas puros.

"ele estava aparentado a ambos os elementos da população: aos efraimitas, por causa de seu pai e por causa do lugar de seu nascimento... e aos cananeus, conforme toda a narrativa dá a entender, por causa de sua mãe. O apelo pareceu-se àquele feito por Henrique II, rei da Inglaterra, que disse ser o primeiro normando (francês), filho de mãe saxônica" (Ellicott, *in loc.*, fazendo uma referência ao deão Stanley).

"Vocês preferem ter setenta tiranos, ou apenas um, que é da mesma raça que vós?", perguntou Abimeleque. E responder a essa pergunta era fácil para os habitantes de Siquém.

■ 9.3

וַיְדַבְּרוּ אֲחֵי־אִמּוֹ עָלָיו בְּאָזְנֵי כָל־בַּעֲלֵי שְׁכֶם אֵת
כָּל־הַדְּבָרִים הָאֵלֶּה וַיֵּט לִבָּם אַחֲרֵי אֲבִימֶלֶךְ כִּי
אָמְרוּ אָחִינוּ הוּא׃

E o coração deles se inclinou a seguir Abimeleque. Os argumentos de Abimeleque prevaleceram, afinal. Se Abimeleque estava disposto a arriscar a sua vida, em algum ato audaz de rebeldia, então a população de Siquém estava disposta a cooperar com ele, proclamando-o rei vassalo do lugar. Nada tinham a perder, e quem sabe? ... até tivessem algo a ganhar. Uma breve consulta quanto às opiniões dos líderes da cidade mostrou que eles estavam em posição de unanimidade. "Vamos dar a Abimeleque essa oportunidade. Vejamos se ele consegue levar a bom termo as suas ideias. Talvez alguma coisa boa sobre disso para nós".

Abimeleque deu a entender, em seu discurso, que aqueles setenta "tiranos" tinham as mesmas ambições que ele, mas seria melhor aceitar "um" único tirano, que lhes fosse aparentado. E também é possível que os setenta filhos de Gideão não fossem assim tão altruístas, e estivessem fazendo exigências que a população de Siquém já não via com bons olhos. Nesse caso, as coisas foram bastante facilitadas para Abimeleque.

9.4

וַיִּתְּנוּ־לוֹ שִׁבְעִים כֶּסֶף מִבֵּית בַּעַל בְּרִית וַיִּשְׂכֹּר בָּהֶם
אֲבִימֶלֶךְ אֲנָשִׁים רֵיקִים וּפֹחֲזִים וַיֵּלְכוּ אַחֲרָיו:

E deram-lhe setenta peças de prata. Essa foi a contribuição dos habitantes de Siquém. A forma de baalismo observada em Siquém era um culto rico, dotado de seu próprio tesouro, com base no qual foi feita a generosa contribuição a Abimeleque, em seu plano de ver-se livre de qualquer competição, por parte de seus setenta meios-irmãos. Ver as notas sobre Baal-Berite em Jz 8.33. A oferta provável valia dez siclos de prata, o que, de acordo com as informações dadas por uma de minhas fontes informativas, tinha o poder de compra de dez meses de trabalho de um trabalhador comum nas fazendas. Ver sobre o *siclo* no *Dicionário*, em *Dinheiro* II; e sobre *Pesos e Medidas* IV.c, bem como as notas expositivas de Êx 30.13 e Lv 27.25.

Os "homens leviaños e atrevidos" que Abimeleque contratou nada mais eram do que assassinos de segunda classe, uns assassinos de aluguel; mas, apesar de não valerem mais do que isso, eram perfeitos para a tarefa do assassinato para a qual tinham sido contratados. É através da utilização astuciosa desses bandidos que a maior parte das revoluções tem sido efetuada" (Adam Clarke, *in loc.*). Diog. Laert. i.49 contém uma cena similar, ao falar dos *doruphoroi*, os "guarda-costas" armados de lança que foram contratados como um primeiro passo para dar início a uma tirania. Esses homens eram violentos e trabalhavam como *free-lancers*. Se aqueles homens fizessem um "bom trabalho", aniquilando os setenta meios-irmãos de Abimeleque, sem dúvida ele lhes atribuiria outras tarefas.

9.5

וַיָּבֹא בֵית־אָבִיו עָפְרָתָה וַיַּהֲרֹג אֶת־אֶחָיו בְּנֵי־יְרֻבַּעַל
שִׁבְעִים אִישׁ עַל־אֶבֶן אֶחָת וַיִּוָּתֵר יוֹתָם בֶּן־יְרֻבַּעַל
הַקָּטֹן כִּי נֶחְבָּא: ס

E matou a seus irmãos. Aqueles homens indignos e violentos mostraram que conheciam bem a "profissão" de matadores de aluguel. Sem perder um único homem, eles foram capazes de assassinar todos os setenta meios-irmãos de Abimeleque, com a única exceção de Jotão, que se ocultara e assim conseguira escapar, sendo ele o mais novo de todos os setenta filhos de Gideão.

"Nas Escrituras, temos aqui a primeira menção desse odioso costume, comum entre os déspotas orientais, de antecipar suas conspirações assassinando todos os irmãos e parentes próximos... Nas famílias polígamas há bem pouco afeto e muito ciúme e inveja. Abimeleque, mediante sua vil iniquidade, deixou um precedente fatal, seguido por vezes e mais vezes pelos reis do reino do norte, Israel, como Baasa (ver 1Rs 15.29), Zinri (ver 1Rs 16.11), Jeú (ver 2Rs 10.7), e provavelmente também outros reis (ver o capítulo 15 de 2Rs). A mesma coisa foi praticada por Atalia (ver 2Rs 11.1), no reino do sul, Judá. Herodes, por semelhante modo, mandou matar a maioria de seus parentes, e até alguns de seus filhos... Sêneca observou: 'Nem reinos nem casamentos admitem um compartilhador' (Agam. 259)" (Ellicott, *in loc.*).

Sobre uma pedra. Talvez esteja em pauta o altar de Gideão, ou alguma pedra convenientemente grande, ou algum lugar rochoso, que mantivesse o corpo rígido das vítimas, enquanto elas eram traspassadas por espadas ou lanças. As pessoas eram levadas até ali, uma a uma, ou em pequenos grupos, sendo todas executadas no mesmo lugar. Cf. a traição de Abdallah-Ebn-Ali, de Damasco, o qual, em meio a um banquete, apanhou de surpresa e assassinou noventa homens da dinastia rival dos Omíadas. Adam Clarke (*in loc.*) deu testemunho de que, em seus próprios dias (século XVIII), várias das monarquias europeias foram firmadas através da mesma forma de brutalidade sanguinária.

9.6

וַיֵּאָסְפוּ כָּל־בַּעֲלֵי שְׁכֶם וְכָל־בֵּית מִלּוֹא וַיֵּלְכוּ
וַיַּמְלִיכוּ אֶת־אֲבִימֶלֶךְ לְמֶלֶךְ עִם־אֵלוֹן מֻצָּב אֲשֶׁר
בִּשְׁכֶם:

E proclamaram a Abimeleque rei. Aí temos a celebração. Os primeiros atos extremamente ousados possibilitaram aos habitantes de Siquém proclamar Abimeleque rei de sua cidade-estado. E Bete-Milo uniu-se às celebrações, reconhecendo também a autoridade de Abimeleque.

Bete-Milo. É provável que esse fosse o nome da cidadela ou fortim de Siquém (ver Jz 9.6,20). Talvez esteja em pauta uma guarnição do exército que se uniu na proclamação de Abimeleque como rei. O termo milo, no hebraico, significa "enchimento", e geralmente se referia a uma espécie de terrapleno constituído de duas paredes com um espaço entre elas. A versão caldaica traduziu esse termo por "terrapleno". Havia uma Milo no monte Sião (ver 2Sm 5.9), que também se chamava Bete-Milo (ver 2Rs 12.21). Mas alguns estudiosos pensam que Milo era o nome de alguma família proeminente de Siquém; e outros falam em uma cidade vizinha. Ambas as ideias, contudo, são menos prováveis do que a referência a uma obra militar defensiva.

Junto ao carvalho memorial. Alguma árvore onde tinha sido estabelecido um oráculo, ou seja, uma "árvore sagrada". Alguns carvalhos, nos dias antigos, tornavam-se guarida de várias formas de idolatria. Cf. Gn 12.6 e 35.4.

Que está perto de Siquém. Alguns estudiosos pensam que haveria uma pedra embaixo de um carvalho, talvez até mesmo aquela que Josué havia levantado como testemunha, entre Deus e Israel, de que o povo de Israel tinha a intenção de obedecer às condições do pacto que fora firmado naquele local. Ver Js 24.25-27. Se essa opinião está correta, então o que agora fora feito ali, nos dias de Abimeleque, era verdadeiramente uma desgraça, porquanto pervertia a história de Israel. O inegável é que aquele seria um local venerado. O carvalho (no hebraico, *terebinth*) era uma árvore sagrada; e a pedra (não mencionada em nossa versão portuguesa, mas citada em outras versões; no hebraico, *mutsabh*) poderia mesmo ser aquela que Josué havia erigido na área. Alguns estudiosos chegam a pensar que esse *terebinth* foi aquele sob o qual Abraão armou a sua tenda, e onde também tinha levantado um altar (ver Gn 12.6,7). E também seria ali que Jacó havia enterrado os ídolos da família, quando resolveu dedicar toda a lealdade a Yahweh (Gn 35.4).

Desse modo, Abimeleque tornou-se um pequeno rei-juiz de Siquém e, provavelmente, de algumas poucas outras aldeias em redor, tradicionalmente ligadas àquele lugar. Em sentido algum, entretanto, ele foi rei de Israel. Todavia, sua tentativa apontava na direção da monarquia, que finalmente seria estabelecida, terminado o período dos juízes.

A FÁBULA DE JOTÃO (9.7-15)

Jotão, filho caçula de Gideão, escapou à matança (ver o vs. 5 deste capítulo). Mas ele já tinha idade suficiente para compor uma parábola ou alegoria que ilustrava o que havia acontecido. Ele fez um discurso para uma multidão, no topo do monte Gerizim, ao sul de Siquém, declamando diante deles a sua alegoria. Cf. 2Rs 14.9. A interpretação dessa alegoria aparece nas notas sobre os vss. 16 a 21 deste capítulo.

Um Discurso Notável. A composição de Jotão é digna de nota, devido à sua forma e conteúdo. É a primeira das composições literárias dessa categoria na Bíblia, pois as Escrituras não contêm muitas composições sob a forma de apólogo, por não ser esta uma forma favorita de comunicação bíblica. Uma fábula é uma história curta, em que animais ou objetos inanimados, como árvores, são personificados. O propósito da fábula de Jotão foi responsabilizar os habitantes de Siquém por terem permitido tão grande absurdo. A esperança da fábula é que a maldição fosse revertida, com a remoção do amaldiçoado Abimeleque.

Moral da Fábula de Jotão. Somente um indivíduo vil poderia ter feito o que Abimeleque fez. Ele buscou dominar toda uma população e empregou a violência mais sanguinária para atingir o seu intuito. Pessoas úteis geralmente estão por demais ocupadas com tarefas úteis, não tendo nem tempo nem disposição para esse tipo de atividade homicida.

9.7

וַיַּגִּדוּ לְיוֹתָם וַיֵּלֶךְ וַיַּעֲמֹד בְּרֹאשׁ הַר־גְּרִזִים וַיִּשָּׂא
קוֹלוֹ וַיִּקְרָא וַיֹּאמֶר לָהֶם שִׁמְעוּ אֵלַי בַּעֲלֵי שְׁכֶם
וְיִשְׁמַע אֲלֵיכֶם אֱלֹהִים:

Ouvi-me, cidadãos de Siquém. As Escrituras não informam sobre como Jotão conseguiu atrair uma multidão de ouvintes. Os críticos supõem que a narrativa imaginou uma cena que nunca aconteceu, e não transmitiu nenhum aspecto histórico do discurso. Lemos, contudo, que o local foi o monte Gerizim, ao sul de Siquém. Ver no *Dicionário* o verbete intitulado *monte Gerizim*, quanto a detalhes. Alguns intérpretes retratam Jotão a gritar em voz alta, de algum lugar elevado e proeminente, diretamente à multidão que realizava a cerimônia de coroação de Abimeleque. Ellicott (*in loc.*) referiu-se a como pôde ouvir os gritos de um criador de mulas que trazia as suas mulas desde o monte Ebal. Ellicott, em pessoa, experimentou a "acústica" do lugar e chegou à conclusão de que Jotão poderia ter sido ouvido em Siquém, estando ele em algum ponto do monte Gerizim. Naturalmente, a celebração foi acompanhada por música, danças e clamores, pelo que é difícil crer como Jotão superou tanto ruído. Seja como for, o que importa é o que ele disse; e cabe a nós supor que a sua mensagem tenha sido entregue naquela ocasião ou em outra oportunidade qualquer.

Primeiro Ponto do Discurso. Aqueles que dessem ouvidos às palavras de Jotão seriam, por sua vez, ouvidos pelo próprio Elohim. De outra sorte, algum grande juízo divino haveria de chamar a atenção deles, revertendo o curso dos acontecimentos.

■ **9.8**

הָלוֹךְ הָלְכוּ הָעֵצִים לִמְשֹׁחַ עֲלֵיהֶם מֶלֶךְ וַיֹּאמְרוּ לַזַּיִת מָלוֹכָה עָלֵינוּ׃

Sumário dos Símbolos:

1. As árvores que estavam procurando um rei: os habitantes de Siquém. O fato histórico foi que a tribo de Efraim quisera que Gideão fosse o seu rei.
2. A oliveira, uma árvore nobre, que representava Gideão, teria o direito e estaria qualificada para o trabalho próprio de um governante, se não mesmo de um rei formal.
3. A figueira, alguma outra pessoa digna, também poderia ser o governante do lugar, como, por exemplo, um dos setenta filhos de Gideão.
4. A videira, alguma outra pessoa de valor, também poderia ter sido convidada para governar o lugar, talvez algum filho correto de Gideão, mas jamais o espinheiro, símbolo de Abimeleque.

Em todos os casos citados anteriormente, cada "árvore" (pessoa) tinha-se recusado a ser o governante, por ter alguma outra ocupação e não poder imiscuir-se em uma atividade que não lhe cabia.

Esses símbolos, como é claro, revelam que, se os familiares de Gideão tinham poder sobre Siquém e sobre a área em derredor, eles não agiam como tiranos nem formavam uma oligarquia.

O que aquelas árvores desejavam, antes de mais nada, era um arranjo que combinasse com o pacto, que requeria uma teocracia, e não uma monarquia. Ver as notas sobre Jz 8.23, que ampliam o tema.

■ **9.9**

וַיֹּאמֶר לָהֶם הַזַּיִת הֶחֳדַלְתִּי אֶת־דִּשְׁנִי אֲשֶׁר־בִּי יְכַבְּדוּ אֱלֹהִים וַאֲנָשִׁים וְהָלַכְתִּי לָנוּעַ עַל־הָעֵצִים׃

A oliveira lhes respondeu. Essa árvore tinha uma importante missão a ser cumprida. Não lhe sobrava nem tempo nem disposição para mudar de atividade. A oliveira era uma árvore nobre, que produzia azeite para ser usado na adoração sagrada e na unção de reis e sacerdotes. sua ocupação era tão nobre que, para ela, tornar-se rei seria um rebaixamento de categoria, especialmente considerando a questão de que Yahweh era contrário a toda ideia de monarquia. O azeite da oliveira também era usado nas curas. Mas uma oliveira rebelde, caso viesse a tornar-se rei, haveria de causar dano, em lugar de curas. "O azeite era usado no Oriente como um dos maiores artigos de luxo, além de possuir valiosas propriedades médicas (Tg 5.14; Lc 10.34)" (Ellicott, *in loc.*). O azeite de oliveira também era usado como combustível para as lamparinas do tabernáculo, que o iluminavam, e onde se manifestava a presença de Yahweh. Porém, uma oliveira rebelde perderia seu poder divino de dar luz. Ver no *Dicionário* o verbete chamado *Azeite*.

■ **9.10,11**

וַיֹּאמְרוּ הָעֵצִים לַתְּאֵנָה לְכִי־אַתְּ מָלְכִי עָלֵינוּ׃

וַתֹּאמֶר לָהֶם הַתְּאֵנָה הֶחֳדַלְתִּי אֶת־מָתְקִי וְאֶת־תְּנוּבָתִי הַטּוֹבָה וְהָלַכְתִּי לָנוּעַ עַל־הָעֵצִים׃

A figueira lhes respondeu. A figueira foi o próximo candidato ao posto de monarca. A figueira também era uma árvore útil, dentro da sua própria esfera. seu préstimo era suprir um artigo da alimentação humana. Produzia frutos bons e doces para todos, sendo muito apreciada por causa disso. Ver Ct 2.13, onde homens bons são comparados a essa árvore. Jarchi fez a figueira representar Débora, que até poderia ter-se tornado uma rainha. Mas essa árvore também poderia ser representação simbólica de algum filho digno de Gideão. Seus setenta filhos, todavia, de acordo com o que Abimeleque chegou a sugerir (ver Jz 9.2), eram indivíduos tirânicos.

A figueira, tal como a oliveira, não quis, porém, tornar-se rei, pois isso a forçaria a mudar de atividade, o que importaria em abandonar as funções próprias de uma figueira. E isso teria sido um terrível desperdício.

"O fruto da figueira é o mais doce e saboroso de todos os frutos. Um figo maduro, em seu próprio clima, tem uma doçura incomparável. Tanto assim que é quase impossível comê-lo, senão depois de passar um tempo considerável desde que o fruto for colhido, e mesmo assim após ter passado por uma preparação artificial" (Adam Clarke, *in loc.*).

■ **9.12,13**

וַיֹּאמְרוּ הָעֵצִים לַגֶּפֶן לְכִי־אַתְּ מָלְכִי עָלֵינוּ׃

וַתֹּאמֶר לָהֶם הַגֶּפֶן הֶחֳדַלְתִּי אֶת־תִּירוֹשִׁי הַמְשַׂמֵּחַ אֱלֹהִים וַאֲנָשִׁים וְהָלַכְתִּי לָנוּעַ עַל־הָעֵצִים׃

A videira lhes respondeu. A videira foi a próxima candidata a tornar-se monarca entre as árvores. Sem uvas, Israel quase não conseguiria sobreviver. O ideal dos israelitas era que cada homem tivesse sua própria videira e sua própria figueira (ver Mq 4.4). Sem a videira, Israel não poderia ser o povo dos cânticos e das danças que sempre foi. Na videira há animação. O ser humano precisa de prazer e alegria, e a uva é um apto símbolo disso. O vinho também era usado devido às suas propriedades medicinais (ver 1Tm 5.23). O vinho alegrava a Deus, e não apenas aos homens, pois era usado nas libações, da mesma forma que o azeite. A mitologia pagã retratava os seus deuses a sorver os melhores vinhos, e até mesmo a embriagar-se com eles. O vinho era servido liberalmente em todas as celebrações, tanto divinas quanto pagãs. Cf. Êx 29.40 e Nm 15.7,10. O autor sacro chegou a exagerar em sua ilustração antropomórfica, mas a fábula lhe dava licença para tanto. Ver no *Dicionário* o artigo intitulado *Antropomorfismo*.

Jarchi aplicou a vinha a Gideão; mas outros preferiram apontar para um de seus filhos honrados, ou mesmo para qualquer pessoa digna, atarefada em alguma ocupação útil.

A fim de aliviar este versículo de seu forte antropomorfismo, alguns pensam que devemos entender o Elohim que nele aparece como elohim, ou seja, governantes e indivíduos importantes; mas é desnecessário fazer tal depuração naquilo que é apenas uma fábula. O autor sagrado quis dar a entender que a vinha presta serviço tanto a Deus quanto aos homens. A vinha, pois, não podia abandonar essa sua serventia para fazer algo para o qual ela não havia sido criada, ou seja, tornar-se monarca.

■ **9.14,15**

וַיֹּאמְרוּ כָל־הָעֵצִים אֶל־הָאָטָד לֵךְ אַתָּה מְלָךְ־עָלֵינוּ׃

וַיֹּאמֶר הָאָטָד אֶל־הָעֵצִים אִם בֶּאֱמֶת אַתֶּם מֹשְׁחִים אֹתִי לְמֶלֶךְ עֲלֵיכֶם בֹּאוּ חֲסוּ בְצִלִּי וְאִם־אַיִן תֵּצֵא אֵשׁ מִן־הָאָטָד וְתֹאכַל אֶת־אַרְזֵי הַלְּבָנוֹן׃

Todas as árvores disseram ao espinheiro. Isso as árvores fizeram em desespero. Na fábula, o espinheiro representa Abimeleque, um indivíduo indigno em si mesmo, que nunca se ocupara de nenhum labor útil. Por isso mesmo, ele se sentiu capaz de aceitar o "convite". Na realidade, porém, o espinheiro tinha forçado as demais árvores a tomar essa decisão, pondo a sua inutilidade a serviço de propósitos malignos.

Os habitantes de Siquém, portanto, tinham buscado um falso refúgio do espinheiro (Abimeleque). Mas este haveria de tornar-se tão violento que haveria de devorar, com as suas chamas, os próprios cedros do Líbano. "O indigno espinheiro trazia no peito uma chama que levaria à destruição até mesmo os vetustos cedros do Líbano" (Jacob M. Myers, *in loc.*). Na verdade, Abimeleque teve uma carreira violenta e destruidora do começo ao fim, nada realizou senão o que era maligno, e produziu somente tristeza e dor. No fim, ele foi consumido por suas próprias chamas e morreu de morte violenta às mãos de uma mulher (ver Jz 9.53). Isso posto, a sombra de proteção que Abimeleque tinha oferecido tornou-se uma chama que a tudo devorava. Todos receberam, no fim, aquilo que mereciam, incluindo o próprio Abimeleque. Essas chamas atuaram como se fossem uma catarse, libertando um segmento de Israel, durante algum tempo, dos atos de homens violentos e desvairados. Os espinheiros eram usados como combustível (ver Êx 22.6; Sl 48.9). Mas na história de Abimeleque houve muito espinho e muito calor devorador.

APLICAÇÃO DA FÁBULA (9.16-21)

Até este ponto, tenho oferecido ideias sugeridas pelos intérpretes, de mescla com algumas de minhas ideias. Daqui por diante, oferecerei a aplicação feita pelo próprio Jotão. Os miseráveis cidadãos de Siquém tinham seguido o miserável Abimeleque, que desconsiderara todo o bem que seu pai, Gideão, havia feito. Eles tinham usado de uma indescritível violência e rebelião contra homens bons. Mataram os bons para servir o indivíduo mau. O que agora restava era que as chamas acesas por Abimeleque viriam a consumi-los todos, incluindo o próprio Abimeleque, o que apenas provaria a maldade generalizada.

Eles haviam aceitado um líder indigno, transformando-o em rei local. Mas Abimeleque nunca tinha praticado nenhum bem, no que diferia da oliveira, da figueira e da videira. sua única especialidade era a destruição de vidas. Gideão tinha praticado o bem para o povo, mas não tinha sido devidamente apreciado pelos siquemitas. E foi assim que homens ingratos caíram no ardil armado por Abimeleque, e agora teriam de sofrer as terríveis consequências de seu lapso insensato. Ver no *Dicionário* o verbete chamado *Lei Moral da Colheita segundo a Semeadura*.

■ 9.16

וְעַתָּה אִם־בֶּאֱמֶת וּבְתָמִים עֲשִׂיתֶם וַתַּמְלִיכוּ אֶת־אֲבִימֶלֶךְ וְאִם־טוֹבָה עֲשִׂיתֶם עִם־יְרֻבַּעַל וְעִם־בֵּיתוֹ וְאִם־כִּגְמוּל יָדָיו עֲשִׂיתֶם לוֹ׃

Se deveras e sinceramente procedestes. Este versículo é sarcasmo puro, expresso mediante cláusulas condicionais, todas as quais, como é óbvio, eram exatamente o contrário do que aqueles homens miseráveis estariam pensando. Eles tinham agido bem, ao fazer o espinheiro tornar-se rei? Eles agiram bem ao assassinar friamente a casa de Gideão (Jerubaal)? Como é evidente, assim eles estariam pensando, mas a verdade é que tinham perdido de vista a realidade das coisas. Haviam aceitado as falsas reivindicações do rebelde Abimeleque e tirado a vida de homens retos.

"Se deveras e sinceramente procedestes... uma suposição amargamente irônica, com um olhar lateral para a frase que fora usada pelo espinheiro (ver o vs. 15)" (Ellicott, *in loc.*).

■ 9.17,18

אֲשֶׁר־נִלְחַם אָבִי עֲלֵיכֶם וַיַּשְׁלֵךְ אֶת־נַפְשׁוֹ מִנֶּגֶד וַיַּצֵּל אֶתְכֶם מִיַּד מִדְיָן׃
וְאַתֶּם קַמְתֶּם עַל־בֵּית אָבִי הַיּוֹם וַתַּהַרְגוּ אֶת־בָּנָיו שִׁבְעִים אִישׁ עַל־אֶבֶן אֶחָת וַתַּמְלִיכוּ אֶת־אֲבִימֶלֶךְ בֶּן־אֲמָתוֹ עַל־בַּעֲלֵי שְׁכֶם כִּי אֲחִיכֶם הוּא׃

Meu pai pelejou por vós. O registro dos atos de Gideão mostrava um homem sincero e de caráter ilibado. O que ele havia feito era uma questão de registro histórico; e, no entanto, aqueles homens indignos tinham assassinado seus setenta filhos, com a exceção de um só. Executaram 69 homens sobre uma única pedra (ver o quinto versículo deste capítulo), fizeram rei a um rebelde e assassino, filho de uma concubina cananeia. E, no entanto, Gideão tinha-se achado indigno de assumir o papel de rei (ver Jz 8.23). É conforme Homero disse na Ilíada: "É terrível só de contar a história", para nada dizer sobre o evento real.

Aqueles atos terríveis e cruéis de Abimeleque e dos siquemitas significavam que Abimeleque e seus companheiros de maldades chegariam a um triste fim, porquanto a justiça divina não haveria de permitir nenhum outro resultado. O fogo sairia de Abimeleque e destruiria tanto a ele mesmo quanto àqueles que se tinham reunido à sua volta (ver o vs. 20).

Abimeleque era irmão dos siquemitas, aparentado deles por parte materna, e todo aquele bando de sicários haveria de experimentar a ira divina (vss. 56 e 57). Aquilo que eles tinham considerado um ponto positivo, "ele é nosso irmão", Jotão considerava coisa desprezível. Com base em Jz 8.31; 9.1 e no presente texto, podemos supor que a mãe de Abimeleque não tinha sido uma escrava. O mais provável é que ela tivesse pertencido a alguma família proeminente de Siquém, de nobre nascimento. E, tendo sido esse o caso, compreendemos por que Gideão a tomou como concubina, embora já tivesse tantas esposas hebreias. Ele tinha consolidado a paz e a harmonia entre povos. E cometera aquele erro, ainda que um erro compreensível.

■ 9.19,20

וְאִם־בֶּאֱמֶת וּבְתָמִים עֲשִׂיתֶם עִם־יְרֻבַּעַל וְעִם־בֵּיתוֹ הַיּוֹם הַזֶּה שִׂמְחוּ בַּאֲבִימֶלֶךְ וְיִשְׂמַח גַּם־הוּא בָּכֶם׃
וְאִם־אַיִן תֵּצֵא אֵשׁ מֵאֲבִימֶלֶךְ וְתֹאכַל אֶת־בַּעֲלֵי שְׁכֶם וְאֶת־בֵּית מִלּוֹא וְתֵצֵא אֵשׁ מִבַּעֲלֵי שְׁכֶם וּמִבֵּית מִלּוֹא וְתֹאכַל אֶת־אֲבִימֶלֶךְ׃

... se deveras e sinceramente procedestes. Nesse caso, Abimeleque e sua turba tinham razões para o regozijo. Essa proposição, porém, também foi proferida com sarcasmo, sem nenhuma ideia de que o "se" usado no começo da frase correspondia à realidade dos fatos. Nenhum bem, nenhuma felicidade, nenhum bem-estar, nenhum bom resultado e nenhum benefício poderia resultar daquela aliança sanguinária. Pelo contrário, aquele espinheiro, Abimeleque, servia somente para alimentar as chamas. Ele mesmo tinha aceso a fogueira; e agora seria consumido pelas chamas, juntamente com todos os seus apoiadores, que compartilhariam de sua sorte miserável. E a família de Milo, que se mostrara tão ansiosa para dar-lhe apoio, ou aquela guarnição de soldados que tinha seu quartel perto da cidade (ver sobre Jz 9.6 e suas notas expositivas) e havia dado o primeiro e o maior apoio a Abimeleque, seriam os primeiros a cair juntamente com ele. Todo o incidente havia começado na perversidade, e tudo terminaria em perversão. Pairava sobre todos uma maldição de que eles pereceriam mediante a destruição mútua, cada qual colhendo uma parte do tufão. E os versículos 45 a 49 deste capítulo registram os termos dessa maldição.

"Assim como o espinheiro pode servir de meio para tocar fogo em outra madeira, visto que facilmente pega fogo, assim também Abimeleque seria a causa que acenderia uma fogueira de discórdia civil que consumiria os chefes e os grandes homens da região. Essa foi uma declaração profética daquilo que iria acontecer" (Adam Clarke, *in loc.*).

■ 9.21

וַיָּנָס יוֹתָם וַיִּבְרַח וַיֵּלֶךְ בְּאֵרָה וַיֵּשֶׁב שָׁם מִפְּנֵי אֲבִימֶלֶךְ אָחִיו׃ פ

Fugiu logo Jotão. Ele tinha bradado sua maldição do alto da colina que dava frente para Siquém; e seus habitantes encheram-se de ira e de cólera quando entenderam a fábula lançada contra eles. Perseguiram-no, mas ele levava uma boa dianteira e foi capaz de fugir para Beer (ver a respeito no *Dicionário*). A palavra Beer significa "poço", e era um nome locativo bastante comum. Não sabemos, com alguma taxa de certeza, onde ficava esse lugar. Naquele artigo, vários lugares tinham esse nome. É bem provável que Jotão tenha saído do território da tribo de Efraim, a fim de desfrutar certa medida de segurança. Josefo pensa que ele ficou escondido nas montanhas próximas durante cerca de três anos, até a morte de Abimeleque (ver *Antiq.* 1.5, cap. 7, sec. 2), mas essa conjectura é bastante improvável.

QUERELA DOS SIQUEMITAS COM ABIMELEQUE (9.22-25)

Quando o autor sagrado afirma que Abimeleque governou Israel pelo espaço de três anos, ele queria que entendêssemos a minúscula porção do território de Israel em torno de Siquém, ou, quando muito, alguma parcela maior das terras da tribo de Efraim. Os críticos pensam que o vs. 22 deste capítulo é editorial, como se um editor-revisor tivesse universalizado o governo de Abimeleque. Mas isso seria o equivalente a torná-lo o primeiro rei de Israel. O fato, porém, é que ele foi apenas um rei local e juiz da cidade-estado de Siquém e da área circunvizinha, incorporando, talvez, os lugares sobre os quais Gideão havia exercido maior influência.

Algum poder espiritual maligno foi enviado por Elohim para azedar o relacionamento entre Abimeleque e os habitantes de Siquém. O prestígio de Abimeleque foi sendo solapado, e seus súditos viviam procurando maneiras de desagradá-lo. Foi o começo de sua queda. A maior parte dos políticos não retém a sua popularidade, nem mesmo por três anos; e estava havendo uma operação maligna contra aquele homem, que as circunstâncias naturais não podiam explicar. A maldição de Jotão começava a produzir efeito. Os dias de Abimeleque estavam contados.

■ 9.22,23

וַיָּשַׂר אֲבִימֶלֶךְ עַל־יִשְׂרָאֵל שָׁלֹשׁ שָׁנִים׃

וַיִּשְׁלַח אֱלֹהִים רוּחַ רָעָה בֵּין אֲבִימֶלֶךְ וּבֵין בַּעֲלֵי שְׁכֶם וַיִּבְגְּדוּ בַעֲלֵי־שְׁכֶם בַּאֲבִימֶלֶךְ׃

Um espírito de aversão. Desde os tempos mais remotos, a teologia dos hebreus incorporou as ideias de forças sobrenaturais boas e más. A princípio, essa doutrina não apontava necessariamente para espíritos imateriais, mas gradualmente assumiu um aspecto dualista. Atualmente, porém, usamos o termo "demônio" para indicar um ser espiritual, imaterial, negativo. Trata-se de uma espécie de vocábulo que arrebanha vasto reino de espíritos de muitas gradações de malignidade. As pesquisas mostram que alguns espíritos capazes de praticar o mal são de uma classe inferior aos seres humanos. Outros equiparam-se a nós em poder e inteligência. Mas existem alguns muito mais inteligentes e poderosos. Assim sendo, existem os "peixões e os peixinhos" entre os demônios. Eles parecem organizar-se como se formassem um exército, com companhias dotadas de maior ou de menor poder. Ver no *Dicionário* o artigo chamado *Demônio, Demonologia*. Compare-se este versículo com 1Sm 16.14 e 1Rs 22.19-23. Os siquemitas eram malignos o bastante para causar a Abimeleque muitas dificuldades; mas com a ajuda de um espírito de aversão eles passaram a mostrar-se traiçoeiros e constantemente perigosos.

"Eles não declaravam abertamente o que pensavam, mas conspiravam secretamente contra ele, e em particular consultavam entre si quanto a maneiras e meios de se livrarem dele, desvencilhando-se de seu governo" (John Gill, *in loc.*).

A palavra hebraica, *ruach*, "espírito", aqui empregada só pode significar uma má disposição (ver Nm 24.24); mas ela também adquiriu o sentido de um ser espiritual inteligente, ainda que maligno (ver 1Sm 16.14). A teologia judaica posterior fazia dos espíritos malignos a causa de quase todos os males que cercam os seres humanos, algo compartilhado hoje em dia pelo moderno movimento pentecostal. Sem dúvida, temos aí um exagero, embora devamos levar em conta a atuação maléfica dos demônios.

■ 9.24

לָבוֹא חֲמַס שִׁבְעִים בְּנֵי־יְרֻבָּעַל וְדָמָם לָשׂוּם עַל־אֲבִימֶלֶךְ אֲחִיהֶם אֲשֶׁר הָרַג אוֹתָם וְעַל בַּעֲלֵי שְׁכֶם אֲשֶׁר־חִזְּקוּ אֶת־יָדָיו לַהֲרֹג אֶת־אֶחָיו׃

Para que a vingança da violência praticada... viesse. Por trás da atividade demoníaca estava a lei da colheita segundo a semeadura. Os 69 filhos de Gideão que Abimeleque tinha executado precisavam ser vingados, e somente a execução dele seria suficiente para tanto. E aqueles que lhe haviam dado apoio compartilhariam do mesmo castigo divino. Ver no *Dicionário* o artigo intitulado *Lei Moral da Colheita segundo a Semeadura*.

"Qualquer conexão baseada em um apelo tão espúrio quanto o de Abimeleque, escudado sobre o derramamento de sangue, não poderia mesmo aguentar por muito tempo. Durou apenas três anos" (Phillips P. Elliott, *in loc.*).

Este versículo deve ser comparado com 1Rs 2.5; Mt 23.35 e 27.24,25. A culpa coletiva importa na colheita coletiva do mal.

■ 9.25

וַיָּשִׂימוּ לוֹ בַעֲלֵי שְׁכֶם מְאָרְבִים עַל רָאשֵׁי הֶהָרִים וַיִּגְזְלוּ אֵת כָּל־אֲשֶׁר־יַעֲבֹר עֲלֵיהֶם בַּדָּרֶךְ וַיֻּגַּד לַאֲבִימֶלֶךְ׃ פ

Puseram contra ele homens de emboscada. O demônio enviado pelo Senhor começou a fazer a maldição entrar em ação, embora tudo com a permissão e a energia dada por Yahweh. O demônio inspirou os malignos siquemitas a atacar as rotas de caravanas, prejudicando assim a economia de Siquém. Viajar por aquela área tornou-se um empreendimento muito arriscado. O aparecimento de bandos de assaltantes tornou muito inseguro o governo de Abimeleque, pois o povo não podia tolerar aquele estado de coisas por muito tempo, sem revoltar-se abertamente contra o governo, que não era capaz de proteger os governados, seus direitos e suas propriedades. Josefo conta que Abimeleque acabou sendo expulso de Siquém, e até mesmo da tribo de Efraim (*Antiq.* v.1, par. 3). Nesse caso, estes versículos descrevem apenas parte de tudo quanto ocorreu de ruim.

Os bandidos, ao que parece, esperavam que o próprio Abimeleque haveria de passar por aquele caminho. Se assim ocorresse, então eles poriam fim a toda a história, executando-o ali mesmo. Dessarte, eles estavam colhendo despojos das caravanas, na esperança de coroar suas más ações com o assassinato do próprio rei.

A REBELIÃO DE GAAL (9.26-33)

Outro estágio da atuação deletéria dos demônios foi o levantamento de Gaal, um amigo de confiança dos siquemitas que terminaria prejudicando mais ainda a autoridade de *Abimeleque*. Há um detalhado artigo sobre esse homem no *Dicionário*, pelo que não repito aqui essas informações. seu nome significa "nojo", "escaravelho" ou "aborto". Sua traição terminou em um aborto, mas ele aumentou as dificuldades enfrentadas por Abimeleque, servindo de arauto de maiores dificuldades que ainda viriam.

■ 9.26

וַיָּבֹא גַעַל בֶּן־עֶבֶד וְאֶחָיו וַיַּעַבְרוּ בִּשְׁכֶם וַיִּבְטְחוּ־בוֹ בַּעֲלֵי שְׁכֶם׃

Veio também Gaal. Gaal não fingiu ser amigo de Abimeleque, mas agiu como bom amigo (e libertador) dos siquemitas. Desde o começo mostrou ser um criador de dificuldades. Mas a verdade é que a semeadura maligna de Abimeleque significava que ele inevitavelmente colheria tristezas.

■ 9.27

וַיֵּצְאוּ הַשָּׂדֶה וַיִּבְצְרוּ אֶת־כַּרְמֵיהֶם וַיִּדְרְכוּ וַיַּעֲשׂוּ הִלּוּלִים וַיָּבֹאוּ בֵּית אֱלֹהֵיהֶם וַיֹּאכְלוּ וַיִּשְׁתּוּ וַיְקַלְלוּ אֶת־אֲבִימֶלֶךְ׃

E amaldiçoaram a Abimeleque. Os siquemitas tinham cometido um grave erro ao eliminar a influência de Gideão e preferir o governo de ferro de Abimeleque. Agora, Gaal propunha uma nova mudança, a saber, ele mesmo se tornaria o novo rei! O homem obteve a confiança dos siquemitas, participando dos ritos pagãos em honra ao deus Baal-Berite (ver Jz 9.4 e suas notas expositivas). Sucedeu, pois, conforme diz certo ditado popular: "Aqueles que adoram juntos permanecem juntos". Quando todos os convivas tinham bebido bastante vinho e estavam de espírito alegre, Gaal aproveitou a oportunidade para fazer seu apelo rebelde de que deveriam derrubar Abimeleque e fazê-lo rei em seu lugar.

O tempo da vindima era o período mais jubiloso do ano. Havia festas que celebravam a saúde e prestavam tributo ao deus (ou deuses) que, segundo presumiam, teria(m) cooperado com eles. Ver Is 16.9,10; Jr 25.30. A palavra hebraica aqui traduzida por "fizeram festas" tem sido variegadamente traduzida em diferentes versões. Pode significar "louvar" (ver Lv 19.24); "dançar" (versão caldaica); ou "cantar em coro" (Vulgata Latina). O que estava sucedendo era uma versão pagã da festa da Colheita.

■ 9.28

וַיֹּאמְרוּ גַּעַל בֶּן־עֶבֶד מִי־אֲבִימֶלֶךְ וּמִי־שְׁכֶם כִּי נַעַבְדֶנּוּ הֲלֹא בֶן־יְרֻבַּעַל וּזְבֻל פְּקִידוֹ עִבְדוּ אֶת־אַנְשֵׁי חֲמוֹר אֲבִי שְׁכֶם וּמַדּוּעַ נַעַבְדֶנּוּ אֲנָחְנוּ׃

Disse Gaal. Este versículo é um tanto difícil de seguir em seus muitos pensamentos. Jacob M. Myers (in loc.) forneceu-me a seguinte paráfrase:

"Quem é Abimeleque e quem é esse autoproclamado filho de Siquém, para que o sirvamos? Na verdade, ele não é filho de Jerubaal e de Zebul, seu tenente? Antes eles serviam aos homens de Hamor, o pai de Siquém. Por que, pois, haveríamos de servi-lo?" Portanto, parece que o ataque de Gaal estava alicerçado sobre o fato de que Abimeleque era meio-israelita, e não verdadeiro irmão dos cananeus de Siquém. Também parece que Abimeleque não residia em Siquém (vs. 41 deste capítulo) nem se fazia presente às grandes festividades dos siquemitas. Esses eram fatores que solapavam sua autoridade naquele lugar.

Zebul. Este era um delegado de Abimeleque que governava Siquém diretamente, embora sob a autoridade daquele. Ora, isso também servia de fator negativo. Abimeleque vivia muito ocupado com outras coisas para dar atenção a Siquém. Ver sobre *Zebul* no *Dicionário*. Ele é chamado, no texto hebraico, de *paqud*, "inspetor", "oficial". E também figura como *sar*, "controlador", no vs. 30. O mais provável é que fosse um militar da confiança de Abimeleque que havia recebido grande autoridade política.

■ 9.29

וּמִי יִתֵּן אֶת־הָעָם הַזֶּה בְּיָדִי וְאָסִירָה אֶת־אֲבִימֶלֶךְ וַיֹּאמֶר לַאֲבִימֶלֶךְ רַבֶּה צְבָאֲךָ וָצֵאָה׃

Quem dera estivesse este povo sob a minha mão. Se os siquemitas dessem autoridade a Gaal, ele reuniria seu exército e desafiaria Abimeleque a fazer a mesma coisa; e então, em uma batalha, a questão seria decidida. Em primeiro lugar, porém, ele queria uma declaração, da parte dos habitantes de Siquém, de que eles o apoiavam. Feito isso, Gaal arriscaria tudo em favor deles, conforme costumam asseverar os políticos mentirosos.

Em atitude de arrogância, ele desafiou o ausente Abimeleque e convidou-o para vir combatê-lo. Quando Abimeleque chegou, entretanto, toda aquela bravata terminou. Porém, aquele foi mais um incidente que contribuiu para solapar a autoridade de Abimeleque em Siquém.

■ 9.30,31

וַיִּשְׁמַע זְבֻל שַׂר־הָעִיר אֶת־דִּבְרֵי גַּעַל בֶּן־עָבֶד וַיִּחַר אַפּוֹ׃

וַיִּשְׁלַח מַלְאָכִים אֶל־אֲבִימֶלֶךְ בְּתָרְמָה לֵאמֹר הִנֵּה גַעַל בֶּן־עֶבֶד וְאֶחָיו בָּאִים שְׁכֶמָה וְהִנָּם צָרִים אֶת־הָעִיר עָלֶיךָ׃

Zebul, governador da cidade. O representante de Abimeleque estava presente e ouviu todo o ridículo plano de Gaal, que envolvia o confronto de dois exércitos. Os interesses pecuniários e a posição de Zebul dependiam de Abimeleque, pelo que ele nada ganharia se os siquemitas se alienassem de Abimeleque e se bandeassem para Gaal. Isso posto, ele despachou prontamente mensageiros a Abimeleque relatando que havia um plano de rebelião em andamento, pois os rebeldes estavam alvoroçando (fortificando, dizem algumas versões) a cidade. Era mister providências imediatas, sob pena do conluio chegar à sua frutificação fatal. Arumá (vs. 41), onde Abimeleque residia, ficava perto, pelo que não foi difícil para ele anular toda a rebelião pela raiz, ainda no começo.

Alvoroçaram a cidade contra ti. Nossa versão portuguesa, seguindo a *Revised Standard Version*, usa aqui o verbo "alvoroçar", e não o verbo "fortificar", conforme fazem outras versões e traduções da Bíblia. O verbo hebraico é *tsur*, "juntar em liga".

■ 9.32

וְעַתָּה קוּם לַיְלָה אַתָּה וְהָעָם אֲשֶׁר־אִתָּךְ וֶאֱרֹב בַּשָּׂדֶה׃

Levanta-te, pois, de noite. Zebul propôs um ataque de surpresa. O plano foi seguido por Abimeleque, que assim reduziu a rebelião a nada. "Zebul, cooperando com Abimeleque, conseguiu manobrar Gaal até ele ficar em uma posição indefensável. Ele levou o candidato a rei até o portão da cidade, de onde as tropas de Abimeleque podiam ser vistas aproximando-se, vindas do alto das colinas. Sagazmente, Zebul atribuiu os movimentos distantes das tropas à imaginação de Gaal. Entretanto, com a aproximação das hostes de Abimeleque, ele fez o desafio anterior de Gaal contra o rei voltar-se contra o desafiador. E Gaal foi compelido a lutar ou perder toda influência que começava a ter diante dos habitantes de Siquém" (Jacob M. Myers, *in loc.*). A reação de Abimeleque foi tão rápida que Gaal não teve tempo nem para reunir seus apoiadores nem para lutar. E assim, tornou-se presa fácil da espada de Abimeleque.

O incidente foi narrado com abundância de detalhes, juntamente com os ataques de Abimeleque à esquerda e à direita, pois ele, em um acesso de cólera, distribuiu a morte por todos os lados. Mas ao perpetrar tanta violência, ele mesmo não demorou a sucumbir.

■ 9.33

וְהָיָה בַבֹּקֶר כִּזְרֹחַ הַשֶּׁמֶשׁ תַּשְׁכִּים וּפָשַׁטְתָּ עַל־הָעִיר וְהִנֵּה־הוּא וְהָעָם אֲשֶׁר־אִתּוֹ יֹצְאִים אֵלֶיךָ וְעָשִׂיתָ לּוֹ כַּאֲשֶׁר תִּמְצָא יָדֶךָ׃ ס

Dá de golpe sobre a cidade. Parte do esquema de Zebul era levar a multidão de apoiadores de Gaal ao portão da cidade, obviamente despreparados para o combate, e deixá-los em uma posição em que seriam forçados, por questão de amor-próprio, a oferecer combate. O plano de Zebul sem dúvida daria certo, visto que ele combinara entre si vários elementos vitais: Gaal estaria despreparado; Abimeleque atacaria de surpresa; haveria uma batalha para garantir que Gaal preservasse seu amor-próprio e procurasse cumprir aquilo de que se tinha gabado diante do povo; Abimeleque estaria bem preparado e no estado mental apropriado, ou seja, irado, de modo que a questão obteria uma solução rápida.

GAAL É DERROTADO (9.34-41)

■ 9.34

וַיָּקָם אֲבִימֶלֶךְ וְכָל־הָעָם אֲשֶׁר־עִמּוֹ לָיְלָה וַיֶּאֶרְבוּ עַל־שְׁכֶם אַרְבָּעָה רָאשִׁים׃

Levantou-se, pois, Abimeleque. Abimeleque foi esperto o bastante para seguir o plano traçado por Zebul. Assim, logo estava posicionado sobre as colinas, com um grande número de soldados de várias companhias. "ele dividiu o seu exército em quatro partes, que postou nos quatro lados da cidade" (John Gill, *in loc.*). A palavra hebraica que é aqui traduzida por "grupos" significa literalmente "cabeças". Ali estavam os quatro grupos, de olhos fixos em Gaal, esperando somente o sinal de atacar e acabar com ele.

■ 9.35

וַיֵּצֵא גַּעַל בֶּן־עֶבֶד וַיַּעֲמֹד פֶּתַח שַׁעַר הָעִיר וַיָּקָם אֲבִימֶלֶךְ וְהָעָם אֲשֶׁר־אִתּוֹ מִן־הַמַּאְרָב׃

Gaal, filho de Ebede, saiu. *O Confronto.* As duas facções opostas agora estavam ambas posicionadas para o combate. Mas os partidários de Gaal, que estavam em um dos portões da cidade, ainda não tinham consciência daquele momento fatal. Alguns sugerem que Gaal fazia uma visita diária aos portões da cidade, para verificar quais eram as condições reinantes. Ou então alguém dissera a Gaal que fosse até ali, a fim de ver como estariam as coisas, mas ele não levou consigo homens armados. Tão somente colocou-se em uma posição vulnerável, fora das fortificações da cidade. Zebul encarregou-se de forçar a batalha quando percebeu a vulnerabilidade de Gaal, de acordo com o seu plano.

■ 9.36

וַיַּרְא־גַּעַל אֶת־הָעָם וַיֹּאמֶר אֶל־זְבֻל הִנֵּה־עָם יוֹרֵד
מֵרָאשֵׁי הֶהָרִים וַיֹּאמֶר אֵלָיו זְבֻל אֵת צֵל הֶהָרִים
אַתָּה רֹאֶה כָּאֲנָשִׁים׃ ס

Vendo Gaal aquele povo. Gaal percebeu o ataque iminente; mas Zebul prolongou o despreparo de Gaal dizendo-lhe que ele via somente sombras, e não homens. Zebul tentava ganhar tempo, o que permitiria a Abimeleque atacar, ao mesmo tempo que Gaal não poderia fazer nenhuma preparação adequada para a luta. "O objetivo de Zebul era manter Gaal iludido o maior tempo possível... Zebul tratou com Gaal quase como se este ainda estivesse sofrendo com a intoxicação alcoólica da festa do dia anterior" (Ellicott, *in loc.*).

■ 9.37

וַיֹּסֶף עוֹד גַּעַל לְדַבֵּר וַיֹּאמֶר הִנֵּה־עָם יוֹרְדִים
מֵעִם טַבּוּר הָאָרֶץ וְרֹאשׁ־אֶחָד בָּא מִדֶּרֶךְ
אֵלוֹן מְעוֹנְנִים׃

Gaal tornou ainda a falar. Quando a horda de Abimeleque chegou mais perto, Gaal teve certeza de que se aproximava um grupo de homens armados, mas era tarde demais para repelir o ataque. A hora fatal de Gaal havia chegado tão pouco depois de ele ter-se vangloriado. Na realidade, palavras arrogantes eram o único equipamento com que Gaal contava.

Desce gente defronte de nós. No hebraico, o texto equivalente tem produzido grande confusão entre os tradutores e intérpretes, uns dizendo uma coisa e outros dizendo outra. O hebraico diz "umbigo", pelo que muitas versões traduzem como "no meio da terra". A versão caldaica diz "força"; a siríaca diz "fortificação"; a Septuaginta tem a impossível tradução "perto do mar". Nossa versão portuguesa, até certo ponto seguindo a *Revised Standard Version*, dá a entender que, do ângulo de visão de Gaal, as tropas de Abimeleque avizinhavam-se pelo "centro". Talvez lá no fundo estivesse ou o monte Gerizim ou o monte Ebal.

Caminho do carvalho dos adivinhadores. Algumas versões não traduzem o hebraico, mas apelam para uma transliteração, Meonenim. Em pauta, porém, estava uma famosa árvore sagrada, associada a adivinhações, que era o local de um oráculo. Cf. Jz 9.6 e 7.1; Gn 12.6. Há notas detalhadas sobre isso no *Dicionário*, no artigo intitulado *Meonenim, Carvalho de (Carvalho dos Adivinhadores)*.

■ 9.38

וַיֹּאמֶר אֵלָיו זְבֻל אַיֵּה אֵפוֹא פִיךָ אֲשֶׁר תֹּאמַר
מִי אֲבִימֶלֶךְ כִּי נַעַבְדֶנּוּ הֲלֹא זֶה הָעָם אֲשֶׁר
מָאַסְתָּה בּוֹ צֵא־נָא עַתָּה וְהִלָּחֶם בּוֹ׃ ס

Onde está agora a tua boca, com a qual dizias...? De repente, Zebul mostrou ao lado de quem, realmente, estava, e caçoou de Gaal. Que agora Gaal agisse, mostrando se suas palavras estavam escudadas na força real ou apenas em um espírito garganteador. Foi como se Zebul desafiasse Gaal: "Disseste ontem ao invisível Abimeleque: Vem e luta, covarde! Mostra, agora, se és realmente corajoso!" Zebul usou as palavras de zombaria que Gaal tinha contra este último. "Mostra-te bravo, e não apenas uma boca grande; um homem capaz de usar a espada, e não somente a língua" (John Gill, *in loc.*).

■ 9.39

וַיֵּצֵא גַעַל לִפְנֵי בַּעֲלֵי שְׁכֶם וַיִּלָּחֶם בַּאֲבִימֶלֶךְ׃

Saiu Gaal adiante dos cidadãos. Não querendo parecer covarde, Gaal foi forçado, mesmo em seu estado de despreparo, a aceitar combate contra o feroz e bem-equipado exército de Abimeleque. Não contando com a proteção de Yahweh, que o defendesse por meio de um milagre, a batalha resultou no que já seria de esperar. Logo o grupo que apoiava Gaal foi destroçado, e os poucos sobreviventes foram postos em fuga.

Gaal saiu à peleja na presença dos habitantes de Siquém, procurando mostrar aos anciãos da cidade que era um homem à altura das circunstâncias. Ele tinha usado de palavras audaciosas, e agora precisava justificar suas bravatas. Alguns estudiosos pensam que o fato de Gaal ter saído adiante dos cidadãos significa "como líder dos senhores". Os senhores que gostariam de ver a derrota de Abimeleque estavam seguindo a Gaal, destinado a perecer. E assim, juntos, marcharam direto para a morte.

■ 9.40,41

וַיִּרְדְּפֵהוּ אֲבִימֶלֶךְ וַיָּנָס מִפָּנָיו וַיִּפְּלוּ חֲלָלִים רַבִּים
עַד־פֶּתַח הַשָּׁעַר׃

וַיֵּשֶׁב אֲבִימֶלֶךְ בָּארוּמָה וַיְגָרֶשׁ זְבֻל אֶת־גַּעַל
וְאֶת־אֶחָיו מִשֶּׁבֶת בִּשְׁכֶם׃

Abimeleque o perseguiu. A vitória de Abimeleque, como seria fácil de imaginar, foi fácil e imediata. Abimeleque conseguiu matar e ferir a muitos, e pôs-se em perseguição aos que conseguiram fugir, incluindo o próprio Gaal. E assim, diante da porta da cidade, houve um montão de cadáveres. Contudo, não foram nem Gaal nem alguns de seus seguidores. E então, aparentemente satisfeito com o resultado do entrevero, Abimeleque voltou para Arumá, onde residia.

Arumá. No hebraico, essa palavra significa "altura". Coisa alguma se sabe sobre essa localidade e sua posição geográfica. Mas sem dúvida ficava perto de Siquém. Eusébio e Jerônimo identificaram-na com Remphis ou Arimateia, perto de Lida; mas essa identificação é bastante improvável.

Abimeleque deixou nas mãos de Zebul a operação de "limpeza". Este prontamente expulsou de Siquém a Gaal e seus aliados. Mas não somos informados sobre quantos foram mortos, ou se Zebul se contentou simplesmente em deixá-los ir-se embora, sem alguma violência posterior. Nesse caso, a ação não se pareceu muito com uma guerra santa (ver as notas a respeito em Dt 7.1-5). Apesar disso, a violência não havia realmente terminado. Pois Abimeleque, depois de algum descanso, voltou furiosamente a fim de destruir a cidade de Siquém, conforme se vê na seção seguinte.

A DESTRUIÇÃO DE SIQUÉM (9.42-45)

■ 9.42

וַיְהִי מִמָּחֳרָת וַיֵּצֵא הָעָם הַשָּׂדֶה וַיַּגִּדוּ לַאֲבִימֶלֶךְ׃

Saiu o povo ao campo. A mensagem deste versículo não é muito clara, havendo várias interpretações a respeito:

1. Pode significar que o povo da cidade saiu ao campo e enviou recado a Abimeleque de que a tarefa não tinha sido terminada, e ele deveria voltar para concluí-la.

2. Ou então os siquemitas saíram a campo a fim de ocuparem-se das lides agrícolas regulares, como se nada tivesse acontecido. Então foi enviado um recado a Abimeleque, dizendo que as coisas continuavam como antes, pelo que ele deveria vir a fim de terminar a tarefa.

3. Ou mesmo alguns mensageiros enviaram uma mensagem a Abimeleque para que ele viesse atacar aqueles agricultores no campo.

4. Talvez, nos campos, houvesse soldados dispostos a mais uma tentativa para acabar com Abimeleque. Então mensageiros informaram-no sobre o esforço renovado, exortando-o a terminar para sempre com os rebeldes.

5. Também é possível que este versículo deva ser lido juntamente com o versículo 25. Nesse caso, os assaltantes de caravanas

tinham reiniciado suas ações nefandas, e Abimeleque resolveu pôr fim à situação.

6. Finalmente, é possível que aqueles que saíram aos campos tivessem sido os mesmos que Zebul tinha expulsado da cidade, e então Abimeleque resolveu acabar de vez com o bando de traidores que se havia bandeado para o lado de Gaal.

9.43,44

וַיִּקַּח אֶת־הָעָם וַיֶּחֱצֵם לִשְׁלֹשָׁה רָאשִׁים וַיֶּאֱרֹב בַּשָּׂדֶה וַיַּרְא וְהִנֵּה הָעָם יֹצֵא מִן־הָעִיר וַיָּקָם עֲלֵיהֶם וַיַּכֵּם:

וַאֲבִימֶלֶךְ וְהָרָאשִׁים אֲשֶׁר עִמּוֹ פָּשְׁטוּ וַיַּעַמְדוּ פֶּתַח שַׁעַר הָעִיר וּשְׁנֵי הָרָאשִׁים פָּשְׁטוּ עַל־כָּל־אֲשֶׁר בַּשָּׂדֶה וַיַּכּוּם:

Viu que o povo saía da cidade. Sem importar quem fizesse parte do povo que saía de Siquém (ver as seis interpretações possíveis quanto à identidade deles, nas notas anteriores), o fato foi que Abimeleque caiu de chofre sobre eles e aniquilou a todos. E a fuga encetada por alguns poucos foi barrada por Abimeleque, que tinha estacionado uma de suas divisões armadas à entrada da cidade. Assim, duas divisões de homens de Abimeleque puseram fim àqueles que tinham saído aos campos, ao passo que uma terceira divisão matou os que agora fugiam de volta para a cidade. Isso significa que os homens de Abimeleque agiam como em uma guerra santa. Não estavam interessados em sobreviventes ou em prisioneiros de guerra. A estratégia de Abimeleque foi tão eficaz que não sobrou um único sobrevivente. Isso armou o palco para ele invadir a cidade e passar ao fio da espada todos os rebeldes que tinham seguido a causa de Gaal. O vs. 45 mostra-nos que virtualmente a cidade inteira de Siquém tinha-se rebelado contra Abimeleque.

9.45

וַאֲבִימֶלֶךְ נִלְחָם בָּעִיר כֹּל הַיּוֹם הַהוּא וַיִּלְכֹּד אֶת־הָעִיר וְאֶת־הָעָם אֲשֶׁר־בָּהּ הָרָג וַיִּתֹּץ אֶת־הָעִיר וַיִּזְרָעֶהָ מֶלַח: פ

Pelejou Abimeleque contra a cidade e a tomou. Sem dúvida, Abimeleque tinha quem o apoiasse em Siquém. Mas o fato de que foi necessário um dia inteiro para conquistar a cidade mostra que a oposição contra ele em Siquém crescera muito, e que nem tudo quanto acontecera podia ser lançado na conta de Gaal. Na verdade, Abimeleque estava debaixo da maldição de Jotão (ver Jz 9.16 ss.), e os seus dias estavam contados, apesar de suas vitórias iniciais. Uma vez que a oposição havia sido totalmente neutralizada, Abimeleque arrasou a cidade até o chão e semeou-a com sal, para tornar o terreno estéril. "Assim também o imperador Frederico Barbarroxa, no ano de 1162, ao conquistar a cidade de Milão, não somente mandou passar sobre ela o arado, mas também a semeou com sal. E, em sua memória há ali uma rua, até hoje, chamada la contrada della Sala" (John Gill, *in loc.*).

Adam Clarke (*in loc.*) relatou vários incidentes sobre como territórios da França foram semeados com sal. Certo traidor francês teve suas propriedades assim destruídas para sempre.

Siquém, pois, foi reduzida a uma perpétua desolação. As chamas saídas do espinheiro (ver Jz 9.14) tinham incendiado a cidade (vs. 20), tal e qual Jotão havia predito que aconteceria. Foram necessários três anos para que aquela maldição se cumprisse; mas quando se realizou, foi ferozmente terrível em seus efeitos. Somente muito tempo depois é que Siquém foi reconstruída (ver 1Rs 12.1,25).

INCENDIADA A TORRE DE SIQUÉM (9.46-49)

9.46

וַיִּשְׁמְעוּ כָּל־בַּעֲלֵי מִגְדַּל־שְׁכֶם וַיָּבֹאוּ אֶל־צְרִיחַ בֵּית אֵל בְּרִית:

Os cidadãos da Torre de Siquém. Sem dúvida, essa torre era uma espécie de fortificação que abrigava uma guarnição armada e servia de torre de vigia para as defesas da cidade. Provavelmente era ali que ficava a guarnição da casa de Milo (comentada no sexto versículo deste capítulo). Como parte das fortificações, havia uma casa dedicada ao deus El-Berite. E associada a esse templo ou casa de adoração, havia uma espécie de fortim, talvez subterrâneo, conforme a nossa versão portuguesa sugere.

A palavra "torre" dá-nos a entender que havia uma comunidade associada àquela estrutura, uma guarnição que dispunha de sua própria casa ou templo dedicado a uma divindade pagã. Ver sobre El-Berite em Jz 8.33. Foi nessa fortaleza ou estrutura subterrânea que cerca de mil homens e mulheres se refugiaram (vs. 49). A palavra hebraica aqui traduzida por "fortaleza" pode também significar "lugar alto" (ver 1Sm 13.6). A Vulgata diz aqui "santuário". É impossível determinar exatamente o que seria a estrutura. O santuário poderia fazer parte da própria torre, ou ser um edifício distinto de um complexo pertencente à pequena comunidade que ali se abrigava.

9.47

וַיֻּגַּד לַאֲבִימֶלֶךְ כִּי הִתְקַבְּצוּ כָּל־בַּעֲלֵי מִגְדַּל־שְׁכֶם:

Contou-se a Abimeleque. Abimeleque foi informado que muita gente se tinha homiziado na torre (subterrâneo ou santuário etc., conforme vimos nas notas sobre o vs. 46); e essa informação selou a condenação de todos quantos ali se achavam. Haveria mais violência, mais matança. O espinheiro haveria de matar literalmente as pessoas que ali se tinham abrigado, a fogo. Ver os vss. 14 e 20 deste capítulo quanto ao simbolismo da fábula de Jotão.

9.48

וַיַּעַל אֲבִימֶלֶךְ הַר־צַלְמוֹן הוּא וְכָל־הָעָם אֲשֶׁר־אִתּוֹ וַיִּקַּח אֲבִימֶלֶךְ אֶת־הַקַּרְדֻּמּוֹת בְּיָדוֹ וַיִּכְרֹת שׂוֹכַת עֵצִים וַיִּשָּׂאֶהָ וַיָּשֶׂם עַל־שִׁכְמוֹ וַיֹּאמֶר אֶל־הָעָם אֲשֶׁר־עִמּוֹ מָה רְאִיתֶם עָשִׂיתִי מַהֲרוּ עֲשׂוּ כָמוֹנִי:

Então subiu ele ao monte Zalmom. Ver no *Dicionário* o artigo intitulado *Zalmom*. Era uma colina que ficava perto de Siquém, embora sua localização exata ainda não tenha sido identificada. A Septuaginta diz aqui monte Hermom, mas isso envolve um erro. Talvez estejam em pauta os montes Gerizim ou Ebal. O fato é que Abimeleque subiu na colina a fim de juntar lenha, mostrando a seus seguidores o que eles deveriam fazer. E logo estavam todos descendo na direção da torre com muita lenha. O espinheiro estava prestes a incendiar tudo. Abimeleque foi até o local mais próximo onde poderia adquirir lenha. Ele ansiava por continuar em sua vereda de destruição.

9.49

וַיִּכְרְתוּ גַם־כָּל־הָעָם אִישׁ שׂוֹכֹה וַיֵּלְכוּ אַחֲרֵי אֲבִימֶלֶךְ וַיָּשִׂימוּ עַל־הַצְּרִיחַ וַיַּצִּיתוּ עֲלֵיהֶם אֶת־הַצְּרִיחַ בָּאֵשׁ וַיָּמֻתוּ גַּם כָּל־אַנְשֵׁי מִגְדַּל־שְׁכֶם כְּאֶלֶף אִישׁ וְאִשָּׁה: פ

Puseram em cima da fortaleza subterrânea. Esta fortaleza, sem importar qual tenha sido sua natureza exata, fazia parte da torre. Mais de mil homens e mulheres tinham-se reunido ali, em busca de segurança, supondo que o deus deles, El-Berite (ver o vs. 46), haveria de protegê-los, visto que se tinham abrigado em seu santuário. Mas Abimeleque ia mostrar-lhes quão desesperada era a situação deles.

Cumprimento da Maldição de Jotão. Lemos sobre essa maldição nos vss. 20 e 57 deste capítulo. O espinheiro (ver os vss. 14 e 20) pegaria fogo e incendiaria toda aquela gente, matando-os no santuário pagão onde se haviam abrigado. De acordo com a Vulgata Latina, aproximadamente mil pessoas, entre homens e mulheres, "foram mortas mediante a fumaça e o fogo".

CAMPANHA CONTRA TEBES; MORTE DE ABIMELEQUE (9.50-55)

Não há que duvidar que Siquém tinha aliados, formando uma espécie de cordão de cidades-satélites, como se fosse o conjunto de uma cidade-estado. Tebes, por certo, era uma dessas cidades em ligação com

Siquém. Por isso mesmo, a ira de Abimeleque voltou-se em seguida contra os seus habitantes. A pedra da violência continuava rolando, e somente Yahweh poderia detê-la. Porém, conforme diz um dito popular, Abimeleque "forçou em demasia a sua sorte". O homem violento foi, por fim, destruído em meio à sua própria violência; o homem da espada foi morto à espada; o assassino foi assassinado. Devemos prestar atenção às palavras de Jesus sobre situações similares: "... todos os que lançam mão da espada, à espada perecerão" (Mt 26.52).

9.50,51

וַיֵּלֶךְ אֲבִימֶלֶךְ אֶל־תֵּבֵץ וַיִּחַן בְּתֵבֵץ וַיִּלְכְּדָהּ׃

וּמִגְדַּל־עֹז הָיָה בְתוֹךְ־הָעִיר וַיָּנֻסוּ שָׁמָּה כָּל־הָאֲנָשִׁים וְהַנָּשִׁים וְכֹל בַּעֲלֵי הָעִיר וַיִּסְגְּרוּ בַּעֲדָם וַיַּעֲלוּ עַל־גַּג הַמִּגְדָּל׃

Então se foi Abimeleque a Tebes. Providenciei um artigo detalhado sobre essa localidade no *Dicionário*. Era uma cidade fortificada, pertencente à tribo de Manassés, cerca de dezesseis quilômetros a nordeste de Nablus, e a cerca de 19,5 quilômetros de Siquém, que talvez deva ser identificada com a moderna Tubas. Essa cidade, sem dúvida, era aliada de Siquém, e talvez dependente dela, pois de Siquém eram controladas as cidades-estados menores. Abimeleque já havia aplicado a Siquém o remédio de que ela precisava, e agora estava disposto a servir a mesma taça amarga a Tebes.

A vitória inicial foi fácil. O texto sagrado diz que Abimeleque "sitiou e tomou" a cidade. Porém, parte dos habitantes conseguiu fugir para a torre fortificada, tanto homens quanto mulheres, tal e qual havia acontecido no caso de Siquém (ver o vs. 49). A torre dispunha de uma espécie de telhado ou eirado plano, e muita gente subiu até ali. E Abimeleque agora haveria de torrar a todos na torre e onde quer que pudessem ser achados. É possível que a torre dispusesse de vários compartimentos internos. Podia mesmo abrigar todos os habitantes de uma pequena aldeia. A existência dessas torres em várias cidades mostra quanta insegurança havia por toda aquela região. Sempre existia alguém disposto a atacar e a matar. Até mesmo pequenas aldeias eram fortificadas com muralhas e parapeitos.

9.52

וַיָּבֹא אֲבִימֶלֶךְ עַד־הַמִּגְדָּל וַיִּלָּחֶם בּוֹ וַיִּגַּשׁ עַד־פֶּתַח הַמִּגְדָּל לְשָׂרְפוֹ בָאֵשׁ׃

Abimeleque veio até à torre. Ele estava normalmente ocupado em sua tarefa de incendiar e matar, e agora só lhe restava capturar a torre. As chamas e a fumaça haveriam de matar todos quantos ali se tivessem refugiado, tal como sucedera no caso de Siquém (ver o vs. 49). À semelhança de outros homens maus, a Abimeleque não faltava coragem. Conforme somos informados por seus biógrafos e por outras fontes, Hitler revelou-se um soldado muito corajoso durante a Primeira Grande Guerra, e, embora muitos de seus planos tenham redundado em fracasso, ele sempre foi respeitado por aquilo que era capaz de fazer no campo de batalha. "Abimeleque arriscava a sua vida naquele empreendimento mortífero" (John Gill, *in loc.*).

9.53

וַתַּשְׁלֵךְ אִשָּׁה אַחַת פֶּלַח רֶכֶב עַל־רֹאשׁ אֲבִימֶלֶךְ וַתָּרִץ אֶת־גֻּלְגָּלְתּוֹ׃

Certa mulher lançou uma pedra superior de moinho. De súbito, uma tremenda surpresa! Uma mulher jogou uma pedra, com mortal pontaria, e atingiu Abimeleque diretamente na cabeça. A pedra era uma pedra "superior" de moinho, a pedra móvel que uma mulher era capaz de fazer girar sobre a pedra inferior do moinho. É provável que a pedra tenha sido lançada do alto da torre, até onde a mulher a tinha levado, embora o texto sagrado não nos informe acerca disso. Foi apenas apropriado que o golpe mortal, que partiu o crânio de Abimeleque, tenha vindo do lugar que ele tinha o intuito de destruir. Ver no *Dicionário* o artigo chamado *Moinho, Pedra de Moinho*.

"Uma justa retaliação. Ele tinha assassinado 69 de seus próprios meios-irmãos" (John Gill, *in loc.*). Temos aqui um claro incidente de colheita segundo a semeadura. Ver no *Dicionário* o verbete denominado *Lei Moral da Colheita segundo a Semeadura*. A pedra espatifou o crânio de Abimeleque, conforme o texto hebraico indica. Pirro foi morto por uma talha, jogada por uma mulher, quando ele cavalgava entrando na cidade de Argos, com intuitos assassinos (Pausan. i.13). Algumas vezes, a vingança divina ocorre de maneiras inesperadas e estranhas, mesmo no caso de homens que por muitas vezes arriscaram sua vida em batalha e conseguiram escapar de todos os perigos. Audey Murphy, que foi uma máquina de matar alemães durante a Segunda Guerra Mundial, teve morte violenta em um acidente de automóvel; e exatamente a mesma coisa aconteceu ao general George Patton, a quem Hitler havia chamado de "o açougueiro de Roosevelt".

Certo dia, durante uma batalha, Patton estava conversando com o general Bradley, enquanto observavam a cena de destruição e muita morte. Bradley disse a Patton: "Fui treinado a fazer coisas como essa. Aprecio muito isso!" E Patton retrucou: "Que Deus me ajude! É disso também que eu gosto!" No decurso das ações militares, Patton escreveu uma carta à sua esposa, que estava nos Estados Unidos, dizendo-lhe: "Gosto de guerras, e estou-me divertindo muito". É difícil para nós compreendermos a mente de homens como Hitler, Patton e Abimeleque. Mas é fácil entender que os que apelam para a violência geralmente têm morte violenta. O destino (dirigido por Deus) reserva isso para os violentos.

9.54

וַיִּקְרָא מְהֵרָה אֶל־הַנַּעַר נֹשֵׂא כֵלָיו וַיֹּאמֶר לוֹ שְׁלֹף חַרְבְּךָ וּמוֹתְתֵנִי פֶּן־יֹאמְרוּ לִי אִשָּׁה הֲרָגָתְהוּ וַיִּדְקְרֵהוּ נַעֲרוֹ וַיָּמֹת׃

Desembainha a tua espada, e mata-me. Nenhum soldado haveria de preferir ser morto por uma mulher. Sabemos como as mulheres são capazes de fazer coisas perigosas, e muitos homens foram mordidos por alguma mulher-aranha. Abimeleque, com o alto da cabeça despedaçado, e sabendo que lhe restavam apenas alguns minutos de vida, ainda assim pensou no seu orgulho de guerreiro. Era um sinal de desgraça ser morto por uma mulher; mas quão estranho foi que Abimeleque se tivesse preocupado com isso. Isso posto, Abimeleque aplicou um meio artificial para que seu escudeiro acabasse com a vida dele. Nem por isso, contudo, escapou da zombaria (ver 2Sm 11.21). Mas não é provável que ele tenha ouvido as zombarias; e, mesmo que as tivesse ouvido, não significariam muito para ele, em algum ponto do outro lado da existência.

Para os militares antigos, era importante a forma como eles morreriam. Estavam mais interessados nisso do que em como estavam vivendo. Podemos examinar o caso de Saul, relatado em 2Sm 1.9. Também houve o episódio de Sísera, que morreu pelas mãos de uma mulher, Jael, a qual imediatamente se tornou uma heroína (ver Jz 5.26). Soph. Trach, 1.064 registrou algo similar ao relatar a história de Homero. E Sêneca, o teatrólogo trágico, ao narrar a morte de Hércules, escreveu:

> Oh, sorte desonrosa! Uma mulher,
> Segundo se disse, foi
> A autora da morte de Hércules.

Mas nada disso faz jus às mulheres. Tenho um amigo que disse, ainda recentemente: "Meu lugar no céu está seguro. Estou casado faz vinte anos!"

Lord Byron também chegou bem perto da verdade quando asseverou:

> Ai! O amor das mulheres!
> Sabe-se que se trata de algo
> Amorável e temível.

E William Congreve afirmou:

> O céu não tem ira como o amor repelido,
> Nem o inferno uma fúria
> Como a de uma mulher desprezada.

9.55

וַיִּרְאוּ אִישׁ־יִשְׂרָאֵל כִּי מֵת אֲבִימֶלֶךְ וַיֵּלְכוּ אִישׁ לִמְקֹמוֹ׃

Vendo, pois, os homens de Israel. Eles desistiram de continuar combatendo. Ao que parece, a torre não foi conquistada, e foram poupados aqueles que ali se tinham abrigado. A morte de Abimeleque apagou o significado da guerra. Tal guerra consistia, acima de tudo, em uma espécie de vingança particular e de promoção do interesse próprio de Abimeleque. Os soldados que tinham chegado até ali combatendo não viam mais razão para continuar arriscando a própria vida. Assim sendo, cada qual tomou o rumo de sua casa. Os habitantes de Tebes escaparam pelo menos parcialmente da vingança jurada por Abimeleque; e a vida ali voltou à sua normalidade, diante da ausência do tirano.

"Juntamente com Abimeleque expirou a primeira tentativa abortiva de ser estabelecida a monarquia... o verdadeiro Rei de Israel ainda estava muito distante" (Deão Stanley).

"A morte de um líder geralmente era suficiente para fazer dispersar os exércitos antigos (ver 1Sm 17.51)" (*Ellicott, in loc.*).

MORAL DA HISTÓRIA (9.56,57)

9.56,57

וַיָּשֶׁב אֱלֹהִים אֵת רָעַת אֲבִימֶלֶךְ אֲשֶׁר עָשָׂה לְאָבִיו לַהֲרֹג אֶת־שִׁבְעִים אֶחָיו׃

וְאֵת כָּל־רָעַת אַנְשֵׁי שְׁכֶם הֵשִׁיב אֱלֹהִים בְּרֹאשָׁם וַתָּבֹא אֲלֵיהֶם קִלֲלַת יוֹתָם בֶּן־יְרֻבָּעַל׃ פ

A intervenção divina direta garantiu que Abimeleque colhesse aquilo que havia semeado. Mais uma vez prevaleceu a lei da colheita segundo a semeadura (ver Gl 6.7,8). Ver no *Dicionário* o verbete denominado *Lei Moral da Colheita segundo a Semeadura*. O autor sagrado pôde reter a sua fé na vingança divina, atribuindo a Elohim a morte violenta e desonrosa de Abimeleque. Ver no *Dicionário* o artigo chamado *Deus, Nomes Bíblicos* de. Elohim, o Todo-poderoso, cuidou para que a maldição lançada por Jotão (ver Jz 9.20 e 57) tivesse cabal cumprimento.

Abimeleque recebeu sua devida punição; e outro tanto sucedeu aos siquemitas, por se terem tornado cúmplices de seus atos malignos (ver o vs. 57). Ambos receberam o golpe de misericórdia. *Sic semper tyrannis*.

Abimeleque foi um filho errático e violento de um grande pai, Gideão. "O registro de Gideão, o juiz, permanece de pé, em firme dignidade, em contraposição aos fragmentos despedaçados que se foram apagando da memória dos homens, da história do espinheiro que quis ser rei" (Phillips P. Elliott, *in loc.*).

Tudo quanto aconteceu com aquele homem miserável cumpriu a maldição de Jotão (vs. 57). Em sua fábula, ele tinha previsto claramente todos esses acontecimentos (ver Jz 9.20 e 57).

"O assassino de seus irmãos, que os matou sobre uma pedra (ver o quinto versículo deste capítulo), foi morto por uma pedra lançada sobre a sua cabeça; e aqueles traiçoeiros idólatras foram traiçoeiramente mortos a fogo, no templo do ídolo que veneravam" (Ellicott, *in loc.*).

"Podemos talvez evitar o juízo humano, mas não há como escapar do juízo de Deus" (Adam Clarke, *in loc.*).

CAPÍTULO DEZ

TOLA (10.1,2)

O livro de Juízes registra sete apostasias de Israel, sete servidões a nações pagãs e sete livramentos por meio de figuras carismáticas, os juízes. A história inteira é entremeada com intermináveis narrativas de matanças e violências. No entanto, no tocante a Tola (Jz 10.1,2) e a Jair (Jz 10.3-5), nada ouvimos a esse respeito. Cumpre-nos entender, como é patente, que esses dois juízes foram capazes de manter Israel afastado da apostasia. Foi temporariamente interrompido, portanto, o antigo ciclo de apostasia, servidão e restauração. Porém, após a morte desses dois juízes, Israel caiu novamente na apostasia, mediante a idolatria. E isso deu início, uma vez mais, àquele antigo e horrível ciclo. Os filisteus, como agentes divinos de castigo, submeteram Israel à servidão. O vs. 18 encerra-se com essa miserável condição, enquanto Israel clamava a Yahweh por mais um livramento. E coube a Jefté (Jz 10.6–12.7) efetuar esse livramento.

"Tola e Jair têm sido classificados entre os chamados 'juízes menores'. Entretanto, eles não foram menos importantes que os demais, tendo livrado o povo de Israel da servidão durante o período que antecedeu à monarquia. O juizado de Tola, em particular, foi uma contrarreação temporária ante a decadência causada por Abimeleque. O juizado de Jair, em Gileade, antecipou o juizado do próximo e grande juiz, Jefté, naquela mesma área geográfica" (F. Duane Lindsey, *in loc.*).

Nenhum dos juízes exerceu a sua influência sobre todo o território de Israel. Cada um deles exerceu autoridade sobre apenas uma porção de Israel. Os juízes não eram advogados, antes, eram líderes carismáticos locais, cujas funções se assemelhavam às dos prefeitos ou chefes locais.

A história de Tola é narrada de forma breve e simples em apenas dois versículos. Nada de mais importante aconteceu durante aquele tempo, de bom ou de mau. Mas pelo menos houve paz, sendo evidente que, durante aqueles 23 anos, os filhos de Israel mostraram-se respeitosos adoradores de Yahweh. Fica claro, entretanto, que Tola era homem de alguma habilidade, porquanto nunca foi fácil manter o povo de Israel na linha reta.

10.1

וַיָּקָם אַחֲרֵי אֲבִימֶלֶךְ לְהוֹשִׁיעַ אֶת־יִשְׂרָאֵל תּוֹלָע בֶּן־פּוּאָה בֶּן־דּוֹדוֹ אִישׁ יִשָּׂשכָר וְהוּא־יֹשֵׁב בְּשָׁמִיר בְּהַר אֶפְרָיִם׃

Tola... de Issacar. Quanto ao que se sabe a respeito desse homem, ver o artigo sobre ele no *Dicionário*. seu nome aparece somente neste versículo em toda a Bíblia. As tradições rabínicas não se deram ao trabalho de adornar a sua história, o que significa que não deve ter havido muita coisa a ser relatada. Os trechos de Gn 46.13 e Nm 26.23 ligam os clãs de Tola e Puá (seu pai) a Issacar. Dodô é uma figura desconhecida. Esse nome aparece de novo em 2Sm 23.9,24; 1Cr 11.12,26 e, talvez, in 1Cr 27.4. O termo *ddh*, da inscrição de Mesha (1.12), provavelmente diz respeito a esse nome. Ver no *Dicionário* o verbete intitulado *Dodô, Dodai*. Esse nome, que aparece nas cartas de *Tell el-Amarna* (ver no *Dicionário*) e nos textos de *Mari* (ver também no *Dicionário*), aparentemente tinha o significado de "chefe".

Habitava em Samir. Ver no *Dicionário* o artigo detalhado sobre *Samir*. O local é desconhecido atualmente; mas talvez fosse a mesma Samaria. Cf. Js 15.48. Seja como for, era um lugar do território de Efraim, bem como o lugar do nascimento de Tola.

Tola foi juiz no território de Efraim, embora seja possível que a sua autoridade também se estendesse aos territórios de Issacar e Manassés, que ficavam adjacentes. seu território incluía o minúsculo reino sobre o qual Abimeleque governou durante três anos (ver o nono capítulo de Juízes). Alguns estudiosos imaginam que ele governou todo o território de Israel, de sua sede, em Efraim; mas isso não é muito provável, pois todos os juízes foram juízes apenas locais, e nunca universais.

Nenhum poder estrangeiro aparece como força opressora. O trabalho de Tola consistiu em endireitar a confusão deixada por Abimeleque, ou seja, impor a ordem àquela porção do território de Israel. E isso ele conseguiu fazer pelo espaço de 23 anos. Foi assim vitorioso em livrar Israel da apostasia.

10.2

וַיִּשְׁפֹּט אֶת־יִשְׂרָאֵל עֶשְׂרִים וְשָׁלֹשׁ שָׁנָה וַיָּמָת וַיִּקָּבֵר בְּשָׁמִיר׃ פ

E morreu. Na ausência de opressores estrangeiros, Tola continuou a julgar Israel por 23 anos, em meio à tranquilidade; e então morreu e foi sepultado em Samir. Ele cumpriu realmente o seu ofício e morreu honrosamente, fazendo nisso contraste com o voluntarioso e violento Abimeleque, seu antecessor. Assim sendo, embora não houvesse muita coisa que dizer acerca dele, pelo menos o que pode ser dito é altamente positivo.

"Muitos homens não gostariam de ter epitáfio melhor do que 'ele foi levantado para livrar Israel'. Muitíssimos homens têm escrito, após os seus nomes, o registro de suas obras destrutivas. O mundo está dividido entre salvadores e destruidores... Porventura, Jesus não foi levantado a fim de livrar Israel e também o resto da humanidade?" (Phillips P. Elliott, *in loc.*).

Imediatamente antes da exposição sobre Jz 1.1, ver as ilustrações que consistem em um mapa e um gráfico que mostram onde os juízes exerceram seus respectivos juizados, bem como os lugares de Israel que foram oprimidos e, além disso, seus períodos de governo e respectivas épocas.

JAIR (10.3-5)

Ver a introdução a este capítulo quanto ao pano de fundo dos juizados de Tola e Jair. Ver no *Dicionário* o artigo intitulado *Jair*. "As tradições sobre Jair estão relacionadas, de alguma forma, à conquista de Gileade, preservada em Nm 32.39-42 (cf. Dt 3.14; 1Rs 4.13; 1Cr 2.22). Talvez tenha sido apropriado pôr a sua história no livro de Juízes, refletindo um movimento expansionista do clã em questão na região de Manassés, na Transjordânia. Jair era homem abastado, porquanto tinha trinta filhos que montavam sobre trinta jumentos (a Septuaginta fala em 32)" (Jacob M. Myers, *in loc.*). "Após o juizado de Tola, Jair dirigiu Israel durante 22 anos, em Gileade, na área de Manassés, na Transjordânia. sua posição de nobreza pode ser percebida no fato de que ele tinha nada menos de trinta filhos, cada qual com seu jumento, como sinal de sua elevada posição (cf. Jz 12.14)" (F. Duane Lindsey, *in loc.*).

■ **10.3**

וַיָּקָם אַחֲרָיו יָאִיר הַגִּלְעָדִי וַיִּשְׁפֹּט אֶת־יִשְׂרָאֵל עֶשְׂרִים וּשְׁתַּיִם שָׁנָה׃

Depois dele se levantou Jair, gileadita. As tribos que moravam na Transjordânia eram Rúben, Gade e Manassés. *Gileade* era a região montanhosa que ficava a leste do rio Jordão, chamada de "montanha de Gileade" (Gn 31.25). Ver sobre ela no *Dicionário*.

Jair teve um juizado bastante longo, de 22 anos, em sua região limitada (a Transjordânia). Não há nenhuma informação sobre qualquer opressão estrangeira. O homem prosperou em um período de paz. Ele foi uma influência que conseguiu manter na linha reta o buliçoso povo de Israel.

■ **10.4**

וַיְהִי־לוֹ שְׁלֹשִׁים בָּנִים רֹכְבִים עַל־שְׁלֹשִׁים עֲיָרִים וּשְׁלֹשִׁים עֲיָרִים לָהֶם לָהֶם יִקְרְאוּ חַוֹּת יָאִיר עַד הַיּוֹם הַזֶּה אֲשֶׁר בְּאֶרֶץ הַגִּלְעָד׃

Tinha este trinta filhos. Este versículo mostra a prosperidade de Jair. Ele tinha trinta filhos (sem dúvida, através de várias esposas); e eles se locomoviam em trinta carros pessoais ou, pelo menos, montavam em trinta jumentos. Naquele tempo, montar em um jumento era sinal de riqueza e prestígio pessoal, algo que os pobres invejavam.

Havote-Jair. Ver sobre essa localidade no *Dicionário*. Esta era a província governada por Jair, porquanto nenhum dos juízes governou sobre todo o território de Israel. Imediatamente antes de Jz 1.1 há um mapa que mostra onde ficava essa área. A província de Jair dispunha de trinta cidades, em sua maioria pequenas aldeias. Gileade era o extremo norte da Transjordânia, e essa era a área do juizado de Jair. Havote-Jair, por sua vez, era uma cidade de Basã e tinha recebido esse nome por causa de um Jair anterior. Ver Nm 32.39-42 e Dt 3.14. Basã era o antigo território do rei Ogue, conforme somos informados na referência do livro de Deuteronômio. Quanto ao restante dos detalhes, coisas conhecidas ou meramente conjecturadas, ofereço-os no artigo chamado *Basã*.

"O distrito ficava cerca de dezesseis quilômetros a sudeste do extremo sul do mar da Galileia" (Jacob M. Myers, *in loc.*).

"Trinta filhos. Uma indicação de sua importância e posição social, que chegava a exibir uma poligamia ostensiva. Cf. Jz 8.30" (Ellicott, *in loc.*). Jair foi capaz de criar sua numerosa família em meio à abastança. Em Israel, o cavalo era usado somente com extrema raridade naquele tempo. Só mais tarde esse animal tornou-se comum. Excelentes jumentos eram usados pelos ricos, antes que o cavalo passasse a ser usado de modo geral. Talvez aqueles trinta filhos prestassem os mais diversos serviços a seu pai, mais ou menos como os dois filhos de Samuel (ver 1Sm 8.1).

■ **10.5**

וַיָּמָת יָאִיר וַיִּקָּבֵר בְּקָמוֹן׃ פ

Foi sepultado em Camom. Esse era o nome da cidade de Gileade onde Jair, ao morrer, foi sepultado. O local exato é desconhecido hoje em dia. Alguns estudiosos pensam que se trata da moderna Qamm, a sudeste do mar da Galileia. Mas outros preferem Qumein, a nordeste de Irbide. Qamm fica na estrada que vai do rio Jordão a Irbide. Esse nome significa "elevação".

JEFTÉ (10.6—12.7)

A história desse juiz é narrada com muitos detalhes. Ver imediatamente antes de Jz 1.1 o mapa das áreas onde os juízes se mostraram ativos, como também um gráfico que dá informações básicas sobre os juízes. Os vss. 6 a 16 deste capítulo são uma espécie de explicação teológica expandida sobre a significação religiosa das narrativas tanto anteriores quanto posteriores. O autor sagrado nunca perdeu de vista a espiritualidade envolvida em seu livro. Os comentários dados aqui parecem incluir tanto Jefté (Jz 10.6—12.7) quanto Sansão (Jz 13—16). E isso porque os opressores mencionados em Jz 10.7 são, simultaneamente, os amonitas (no oriente) e os filisteus (no ocidente). O sexto versículo fornece-nos uma declaração geral no tocante à situação política da época, especialmente na parte ocidental da Palestina. Porém, o interesse fundamental do autor sagrado era o aspecto espiritual. Cf. Jz 2.11-19.

■ **10.6**

וַיֹּסִפוּ בְּנֵי יִשְׂרָאֵל לַעֲשׂוֹת הָרַע בְּעֵינֵי יְהוָה וַיַּעַבְדוּ אֶת־הַבְּעָלִים וְאֶת־הָעַשְׁתָּרוֹת וְאֶת־אֱלֹהֵי אֲרָם וְאֶת־אֱלֹהֵי צִידוֹן וְאֵת אֱלֹהֵי מוֹאָב וְאֵת אֱלֹהֵי בְנֵי־עַמּוֹן וְאֵת אֱלֹהֵי פְלִשְׁתִּים וַיַּעַזְבוּ אֶת־יְהוָה וְלֹא עֲבָדוּהוּ׃

Tornaram os filhos de Israel a fazer o que era mau. O original hebraico diz aqui, literalmente: "adicionaram a prática do mal". E a Vulgata Latina traduz isso como "juntaram novos pecados a seus antigos pecados". O autor sacro, portanto, lançou a vista para as apostasias anteriores e deu notícia, cansado da repetição, de que, após a morte de Jair, os israelitas tornaram a apostatar. Cf. Jz 2.11 e 3.7. Aquele horrendo ciclo, do qual o povo de Israel parecia não conseguir desvencilhar-se, era: apostasia; servidão a algum poder estrangeiro; livramento por meio de algum juiz carismático; um período de paz de variada duração — até que sucedesse outra apostasia. Desse modo, o livro de Juízes deixou um registro de sete apostasias; de sete servidões; e de sete livramentos através de algum juiz. Os juízes não eram advogados ou homens de lei. Antes, eram indivíduos carismáticos, virtuais equivalentes de reis vassalos ou provincianos, embora não tivessem esse título, exceto no caso de Abimeleque (ver o capítulo nono do livro de Juízes). Geralmente eram homens que sabiam matar, usando essa habilidade para livrar Israel, por meio de guerras santas (ver sobre isso nas notas expositivas de Dt 7.1-5).

Este versículo lista diversos dos deuses pagãos que o povo de Israel chegou a adorar, abandonando assim a Yahweh e o pacto com ele. Ver o capítulo 24 de Josué quanto à confirmação do pacto por parte de Josué. Ver sobre o Pacto Abraâmico, em Gn 15.18, e sobre o Pacto Mosaico, na introdução ao capítulo 19 do livro de Êxodo. Ver também sobre o Pacto Palestínico na introdução ao capítulo 29 do livro de Deuteronômio.

Quanto aos vários nomes próprios que figuram neste versículo, ver no *Dicionário*. Os diversos nomes dos *deuses falsos* (ver sobre eles no *Dicionário*) mostram quão generalizado era o sincretismo que afetava o povo de Israel naqueles tempos. Parecia não importar de quem eram aqueles deuses, ou seja, de qual das sete nações cananeias (ver Êx 33.2; Dt 7.1), Israel sempre se deixava arrastar facilmente para a idolatria. Eles não escolhiam nem selecionavam. Antes, incorporavam tudo dentro de sua fé precária, com o resultado de que a adoração e o serviço a Yahweh eram muito eficazmente anulados.

"Sete tipos de ídolos são mencionados, em uma óbvia simetria com as sete opressões retributivas mencionadas nos vss. 11 e 12" (Ellicott, *in loc.*).

Eis os sete tipos de divindades:
1. Baalins.
2. Astarote. Quanto a esses dois, ver as notas em Jz 2.19.
3. Deuses da Síria. Acerca da idolatria síria, nada ouvimos de específico senão já nos dias de Acaz (ver 2Rs 16.10,12), exceto a alusão do presente texto.
4. Deuses de Sidom. Ver 1Rs 11.5 e suas notas expositivas.
5. Deuses de Moabe. Ver 1Rs 11.7.
6. Deuses dos filhos de Amom. Ver Lv 18.21 e 1Rs 11.7.
7. Deuses dos filisteus. Ver 1Sm 5.2 e 16.23.

Dessa maneira, o autor sacro enfatizou a universalidade da idolatria de Israel. (Ver no *Dicionário* o artigo chamado *Idolatria*.) Por causa dessa idolatria, nunca cessou de vez a opressão estrangeira contra os filhos de Israel.

"suas imagens e seus lugares de adoração idólatra multiplicavam-se por todo o território" (Adam Clarke, *in loc.*).

"Estavam tão assustadoramente afundados na idolatria que se tinham esquecido totalmente do Senhor, e a adoração a ele, no tabernáculo, foi abandonada, e nem ao menos fingiam que estavam preservando essa adoração" (John Gill, *in loc.*).

■ 10.7

וַיִּחַר־אַף יְהוָה בְּיִשְׂרָאֵל וַיִּמְכְּרֵם בְּיַד־פְּלִשְׁתִּים
וּבְיַד בְּנֵי עַמּוֹן׃

Acendeu-se a ira do Senhor. Por causa do novo lapso de Israel na idolatria, a ira do Senhor acendeu-se, e Israel foi entregue à servidão aos amonitas, na parte oriental do país (Transjordânia), bem como aos filisteus, na parte ocidental. Isso revela que a servidão se tornou universal, afetando todo o Israel, em uma ou outra ocasião. Atribuir "ira" a Deus, naturalmente, faz parte da linguagem do *antropomorfismo* e do *antropopatismo*. Ver sobre ambos os assuntos no *Dicionário*.

A menção aos "filisteus" antecipa o tempo de Sansão (ver os capítulos 13 a 16 de Juízes), e a menção aos "amonitas" antecipa a história de Jefté (ver os capítulos 10 a 12 de Juízes). Este versículo deve ser confrontado com declarações similares encontradas em Jz 2.14-20; 3.8 e 1Sm 12.9.

■ 10.8

וַיִּרְעֲצוּ וַיְרֹצְצוּ אֶת־בְּנֵי יִשְׂרָאֵל בַּשָּׁנָה הַהִיא שְׁמֹנֶה
עֶשְׂרֵה שָׁנָה אֶת־כָּל־בְּנֵי יִשְׂרָאֵל אֲשֶׁר בְּעֵבֶר הַיַּרְדֵּן
בְּאֶרֶץ הָאֱמֹרִי אֲשֶׁר בַּגִּלְעָד׃

Nesse mesmo ano vexaram... os filhos de Israel. O ano era o primeiro dos dezoito anos de opressão que reduziram Israel virtualmente à escravidão a potências estrangeiras. O autor sagrado mencionou aquele ano como uma data memorável, porque marcara o início de muitas misérias que sobreviriam ao povo de Israel por um longo tempo. O autor sacro citou a invasão da Transjordânia, que Jefté precisou enfrentar. E quando começasse a contar a história de Sansão (Jz 13—16), o autor sagrado teria voltado a sua atenção para a invasão dos filisteus, no ocidente do país. Ver no *Dicionário* os artigos chamados *Transjordânia*, *Amorreus* e *Gileade*. O território dos amorreus incluía os reinos de Ogue e Seom, que Israel, fazia muito tempo, tinha conquistado; mas agora as duas tribos e meia orientais estavam sendo expulsas dali, por terem perdido direito à sua cidadania. As tribos de Rúben e Gade, e a meia tribo de Manassés, haviam tomado a Transjordânia como possessão. Ver o capítulo 13 de Josué e o capítulo 3 de Deuteronômio.

■ 10.9

וַיַּעַבְרוּ בְנֵי־עַמּוֹן אֶת־הַיַּרְדֵּן לְהִלָּחֵם גַּם־בִּיהוּדָה
וּבְבִנְיָמִין וּבְבֵית אֶפְרָיִם וַתֵּצֶר לְיִשְׂרָאֵל מְאֹד׃

Os filhos de Amom passaram o Jordão. Em outras palavras, os amonitas não se contentaram com a opressão com que tinham afligido a Transjordânia; mas também atravessaram para a parte ocidental do país e começaram a vexar as tribos de Judá, Benjamim e Efraim. Israel, pois, viu-se cercado por ataques desfechados de ambos os lados de suas fronteiras. Por um lado, os filhos de Amom; por outro lado, os filisteus. A nação realmente ficou em uma situação angustiante. Alguns eruditos supõem que essa opressão por ambos os lados começou em um mesmo ano, em vários lugares simultaneamente; e é isso que fez aquele "ano", referido no versículo anterior, tão importante.

Israel se viu muito angustiado. Essa expressão também é usada em Jz 2.19. A angústia era, ao mesmo tempo, intensa e generalizada. Para Israel, havia terminado a paz.

■ 10.10

וַיִּזְעֲקוּ בְּנֵי יִשְׂרָאֵל אֶל־יְהוָה לֵאמֹר חָטָאנוּ לָךְ וְכִי
עָזַבְנוּ אֶת־אֱלֹהֵינוּ וַנַּעֲבֹד אֶת־הַבְּעָלִים׃ פ

Os filhos de Israel clamaram ao Senhor. Cf. Jz 6.6; 1Sm 12.10. "Eles clamaram, angustiados, nada vendo senão ruína e destruição... Suas terras estavam sendo invadidas por inimigos poderosos, que atacavam de direções opostas. Isso abriu seus olhos para o senso de seus pecados, a causa mesma de seus sofrimentos, e isso os levou a confessar os seus pecados" (John Gill, *in loc.*).

Deixamos a nosso Deus. Eles tinham abandonado a Elohim, o Todo-poderoso, e passado a servir aos Baalins. Ver as notas sobre o sexto versículo deste capítulo quanto ao fato de que a idolatria de Israel sempre consistia no abandono do pacto com Yahweh. Esse pacto geral foi expresso em pactos individuais, como o abraâmico, o mosaico e o palestínico.

■ 10.11,12

וַיֹּאמֶר יְהוָה אֶל־בְּנֵי יִשְׂרָאֵל הֲלֹא מִמִּצְרַיִם
וּמִן־הָאֱמֹרִי וּמִן־בְּנֵי עַמּוֹן וּמִן־פְּלִשְׁתִּים׃

וְצִידוֹנִים וַעֲמָלֵק וּמָעוֹן לָחֲצוּ אֶתְכֶם וַתִּצְעֲקוּ אֵלַי
וָאוֹשִׁיעָה אֶתְכֶם מִיָּדָם׃

O Senhor disse aos filhos de Israel. Nessa fala, o Senhor relembrou livramentos históricos que tinham servido de precedentes. Esses livramentos foram mencionados em sua sequência, a fim de mostrar que mais um livramento, efetuado pelo poder divino, nada seria de novo, algo que um povo arrependido poderia mesmo esperar. A lista dos livramentos passados demonstra claramente o quanto Israel se mostrava ingrato e espiritualmente superficial. Israel nunca olhara para trás, para as intervenções divinas, para então dizer: "Yahweh fez todas essas coisas em nosso favor; por conseguinte, abandonaremos a idolatria e nos apegaremos a ele". Ao povo de Israel, pois, faltavam tanto perspectiva histórica quanto fibra moral.

Livramentos Passados:
Dos egípcios (Êx 1—14).
Dos amorreus (Nm 21.3-21; Js 10).
Dos amonitas (Jz 3.13).
Dos filisteus (Jz 3.32; 1Sm 12.9).
Dos sidônios (Jz 3.3; 17.7-28).
Dos amalequitas (Êx 17.8,13).
Dos maonitas.

No tocante a este último livramento, dos "maonitas", a Septuaginta diz Madiã; e alguns manuscritos dizem Canaã. A versão árabe diz moabitas. Alguns estudiosos opinam que temos aqui uma referência a algum livramento não registrado nas Escrituras, que se perdeu na história, exceptuando esta breve alusão. Havia uma cidade de nome Maom, na região montanhosa de Judá (ver Js 15.55 e 1Sm 23.24), mas isso é bastante improvável. Outros eruditos veem no caso dos maonitas uma corrupção textual. Estrabão (*Palest. Illust.* tomo 2, par. 679) e Diodoro Sículo (*Hist.* 1.5) falaram a respeito dos mineanos, coletivamente chamados mehunim, considerados uma das tribos árabes (ver 2Cr 26.7). Talvez estivesse em pauta esse povo, o qual pode ter-se aliado aos midianitas a fim de assolar o território de Israel.

Essas várias opressões estrangeiras, contudo, despertaram a misericórdia de Yahweh, como um poder que efetuou livramento em favor de Israel. No entanto, os hebreus não tinham prestado atenção a tais atos de misericórdia da parte de Deus. E, contudo, cada vez que se renovava a opressão, eles clamavam a Yahweh, rogando compaixão.

10.13

וְאַתֶּם עֲזַבְתֶּם אוֹתִי וַתַּעַבְדוּ אֱלֹהִים אֲחֵרִים לָכֵן לֹא־אוֹסִיף לְהוֹשִׁיעַ אֶתְכֶם׃

Não vos livrarei mais. Yahweh parecia relutar em livrar o povo de Israel. A situação poderia agravar-se até chegar a ser um primeiro exílio. A questão era que Israel havia adotado muitos deuses; e, quando uma pessoa tem um deus, espera alguma coisa da parte dele. Tal pessoa pensa que aquela divindade possui um poder sobrenatural, podendo realizar coisas maravilhosas. Sarcasticamente, pois, Yahweh disse aos israelitas que apelassem para os seus deuses, que tinham seguido com tanto afã, em busca de livramento. Deus já havia abandonado o negócio do livramento. A ameaça feita por Yahweh, como é claro, deveria ser compreendida de maneira condicional. O arrependimento (o retorno ao yahwismo) poderia anular a ameaça divina. Ver Jr 18.7,8.

10.14

לְכוּ וְזַעֲקוּ אֶל־הָאֱלֹהִים אֲשֶׁר בְּחַרְתֶּם בָּם הֵמָּה יוֹשִׁיעוּ לָכֶם בְּעֵת צָרַתְכֶם׃

Clamai aos deuses que escolhestes. O povo de Israel, que estava clamando por socorro (ver o vs. 10), foi orientado a dirigir seus clamores aos deuses de madeira, pedra e metal, para ver o que daí resultaria. O escárnio divino tinha por finalidade mostrar o quanto Israel estava desamparado sem Yahweh. As intervenções e os livramentos passados por certo não haviam sido efetuados por aqueles deuses. Cf. essa amarga reprimenda com Dt 32.37,38; 2Rs 3.13; Jr 2.28. Quanto à tribulação, ver 1Rs 18.27; Pv 1.26.

Há pessoas que só buscam a Deus em momentos de adversidade. Mas, em tempos de prosperidade e paz, elas se tornam os seus próprios deuses. Isso revela quão superficial é a espiritualidade humana.

10.15

וַיֹּאמְרוּ בְנֵי־יִשְׂרָאֵל אֶל־יְהוָה חָטָאנוּ עֲשֵׂה־אַתָּה לָנוּ כְּכָל־הַטּוֹב בְּעֵינֶיךָ אַךְ הַצִּילֵנוּ נָא הַיּוֹם הַזֶּה׃

Temos pecado... porém livra-nos. As diversas ameaças e pressões divinas surtiram efeito. Israel reconheceu seu pecado de idolatria, dispondo-se a retornar a Yahweh. Eles pediram que o Senhor fizesse com eles o que melhor entendesse, mas não deixasse de libertá-los, pois essa era a sua necessidade mais urgente. Por conseguinte, eles pediram um julgamento divino mais brando, ao mesmo tempo que clamavam por uma nova libertação. "Inflige o castigo que for necessário, como fome ou pestilência..." (John Gill, *in loc.*). Cf. 1Sm 3.18; 15.26.

"Eles deram provas de que o arrependimento era genuíno, desfazendo-se de seus ídolos, embora se mostrassem sempre volúveis e inconstantes" (Adam Clarke, *in loc.*).

10.16

וַיָּסִירוּ אֶת־אֱלֹהֵי הַנֵּכָר מִקִּרְבָּם וַיַּעַבְדוּ אֶת־יְהוָה וַתִּקְצַר נַפְשׁוֹ בַּעֲמַל יִשְׂרָאֵל׃ פ

E tiraram os deuses alheios. Os versículos 1—16 oferecem-nos a introdução teológica de mais uma intervenção divina, explicando por qual motivo Israel sempre caía em dificuldades sérias. Ver sobre isso na introdução a este capítulo.

Uma vez, porém, que Israel se desfez da causa da opressão, a saber, a idolatria, então Yahweh, uma vez mais, apesar de todas as falhas deles, sentiu misericórdia e começou a agir. Ver no *Dicionário* os artigos *Antropomorfismo* e *Antropopatismo*, quanto ao hábito que os homens têm de conferir a Deus seus próprios atributos e emoções.

"O Senhor teve compaixão deles porque não podia mais tolerar que seu povo estivesse sendo oprimido" (Jacob M. Myers, *in loc.*). Deus os ouviu em sua miséria. Cf. Gn 35.1; 1Sm 17.3; 2Co 15.8.

Já não pôde ele reter a sua compaixão. O original hebraico diz, literalmente, "sua alma se sentiu encurtada", uma expressão idiomática que não tem tradução literal para os nossos idiomas modernos. É como se Yahweh tivesse sentido "dores no coração", contrações desagradáveis em sua alma, uma tremenda prova da filantropia divina. A misericórdia é um ato de amor, e o amor é o maior de todos os princípios espirituais, a prova mesma da espiritualidade. Amamos porque Deus nos amou primeiro; e, visto que Deus amou, enviou-nos o seu Filho (ver Jo 3.16). Ver no *Dicionário* os verbetes chamados *Amor* e *Misericórdia*.

10.17

וַיִּצָּעֲקוּ בְּנֵי עַמּוֹן וַיַּחֲנוּ בַּגִּלְעָד וַיֵּאָסְפוּ בְּנֵי יִשְׂרָאֵל וַיַּחֲנוּ בַּמִּצְפָּה׃

Tendo sido convocados os filhos de Amom. Os acampamentos e as unidades militares mais importantes dos amonitas estavam em Gileade; e os de Israel estavam em Mispa (no hebraico, "torre de vigia"; ver Js 13.25; 20.8; ver também Gn 31.49). Ver no *Dicionário* o artigo intitulado *Mispa*, quanto a maiores detalhes a respeito.

Os vss. 17 e 18 fornecem um comentário editorial que introduz a opressão provocada pelos filhos de Amom, e relata como Jefté foi levantado para efetuar outro livramento do povo de Israel. Embora Mispa não tenha sido ainda identificada com certeza, talvez seja a mesma Ramate-Mispa, referida em Js 13.26, no território da tribo de Gade.

10.18

וַיֹּאמְרוּ הָעָם שָׂרֵי גִלְעָד אִישׁ אֶל־רֵעֵהוּ מִי הָאִישׁ אֲשֶׁר יָחֵל לְהִלָּחֵם בִּבְנֵי עַמּוֹן יִהְיֶה לְרֹאשׁ לְכֹל יֹשְׁבֵי גִלְעָד׃ פ

Quem será o homem...? Os chefes de Gileade estavam buscando o herói israelita que haveria de livrá-los do adversário. Não se sabia de homem algum que pudesse encabeçar as forças armadas da Transjordânia e expulsar os opressores amonitas, embora a busca por tal homem continuasse. O fraseado do versículo mostra-nos que tal herói não seria um juiz universal de Israel, mas tão somente um homem forte da Transjordânia, capaz de livrar do inimigo as tribos orientais de Israel. Todos os juízes de Israel foram autoridades meramente locais. Ver o mapa e o gráfico que ilustram esse fato, imediatamente antes da exposição sobre Jz 1.1.

Foi prometido que o herói, se fosse bem-sucedido, seria recompensado com um ofício de autoridade permanente na Transjordânia. Cf. Jz 11.1.

"Naqueles tempos remotos, muita coisa dependia de um bom começo. As guerras geralmente terminavam logo na primeira batalha; as primeiras impressões, por conseguinte, revestiam-se de grande consequência... Quando Deus se propõe a livrar, ele encontra, emprega e dirige os meios apropriados para isso" (Adam Clarke, *in loc.*).

CAPÍTULO ONZE

Este capítulo dá continuidade à seção geral, iniciada em Jz 10.6. As notas introdutórias que há naquela seção devem ser consultadas. A narrativa sobre *Jefté* (ver a respeito dele no *Dicionário*) ocupa a passagem de Jz 10.6—12.7, informando-nos sobre como a porção oriental do país (a Transjordânia) foi libertada da opressão feita pelos filhos de Amom. Em seguida (Jz 13—16), Sansão aparece em cena, procurando libertar Israel da opressão dos filisteus, na parte ocidental do território israelita. Sansão obteve um sucesso essencial, embora a tarefa tenha ficado por terminar, o que só veio a suceder nos dias de monarquia, quando Saul e Davi a concluíram. Mas a monarquia em Israel só seria instituída cerca de duzentos anos mais tarde.

Divisões Deste Capítulo:
1. O Homem Jefté (11.1-3)
2. Jefté é Chamado a Guerrear (11.4-11)

3. Defesa dos Direitos de Israel na Transjordânia (11.12-28)
4. Derrota dos Filhos de Amom (11.29-33)
5. Cumprimento do Voto Precipitado de Jefté (11.34-40)

Ver as notas sobre Jz 10.1 quanto a ideias adicionais acerca de Jefté e da natureza geral do livro de Juízes. Este livro registra sete apostasias (quedas na idolatria); sete servidões a povos estrangeiros; e sete livramentos por meio de heróis de guerra carismáticos.

O HOMEM JEFTÉ (11.1-3)

■ **11.1**

וְיִפְתָּח הַגִּלְעָדִי הָיָה גִּבּוֹר חַיִל וְהוּא בֶּן־אִשָּׁה זוֹנָה וַיּוֹלֶד גִּלְעָד אֶת־יִפְתָּח:

Jefté, o gileadita, homem valente. Quanto a um sumário de sua personalidade e carreira, ver o artigo que versa sobre ele no *Dicionário*. Ver comentários adicionais na introdução a este capítulo, anteriormente. A carreira de Jefté limitou-se à Transjordânia, onde os opressores foram os filhos de Amom. Jefté foi um poderoso guerreiro, uma espécie de soldado aventureiro carismático. Ele nasceu em Gileade, filho de uma prostituta. Não podia participar da herança de Israel, por causa de seu nascimento humilde e de sua posição social (cf. Jz 9.7-21), e chegou a ser expulso de sua casa paterna. Eis a razão pela qual ele habitava a terra de Tobe, uma região onde indivíduos aventureiros viviam de maneira indisciplinada e violenta. seu nascimento inferior, entretanto, em nada contribuiu para diminuir o poder de sua personalidade; e ele foi o homem de quem Israel precisou em uma de suas horas mais negras. Ver no *Dicionário* o artigo intitulado *Bastardo*.

Gileade. Esse era o nome do pai de Jefté, embora, na opinião de alguns eruditos, possa significar o território de Gileade, personificado. Se realmente um homem está aqui em pauta, então nada sabemos sobre ele, exceto o que se pode deduzir mediante o texto, onde ele é mencionado de maneira abreviada. Sabe-se, porém, que o território de Gileade era uma região montanhosa da *Transjordânia*. A área era ocupada pelas tribos de Gade e de Manassés. Ver detalhes completos, sobre esse território, no *Dicionário*.

■ **11.2,3**

וַתֵּלֶד אֵשֶׁת־גִּלְעָד לוֹ בָּנִים וַיִּגְדְּלוּ בְנֵי־הָאִשָּׁה וַיְגָרְשׁוּ אֶת־יִפְתָּח וַיֹּאמְרוּ לוֹ לֹא־תִנְחַל בְּבֵית־אָבִינוּ כִּי בֶּן־אִשָּׁה אַחֶרֶת אָתָּה:

וַיִּבְרַח יִפְתָּח מִפְּנֵי אֶחָיו וַיֵּשֶׁב בְּאֶרֶץ טוֹב וַיִּתְלַקְּטוּ אֶל־יִפְתָּח אֲנָשִׁים רֵיקִים וַיֵּצְאוּ עִמּוֹ: פ

A mulher de Gileade lhe deu filhos. Isso posto, Jefté tinha certo número de meios-irmãos. Eles invejavam a Jefté, que parece ter sido o primogênito de Gileade. Eles não o queriam por perto, a fim de que não houvesse nenhuma oportunidade de ele ser considerado herdeiro; de qualquer modo, um filho bastardo não podia mesmo receber herança. Mas eles intentavam garantir que Jefté nem mesmo faria um esforço para herdar alguma coisa. Por isso, expulsaram-no de casa, mediante ameaças. Aqueles empedernidos meios-irmãos de Jefté forçaram-no a imiscuir-se com tipos vis, em *Tobe*. Há um detalhado artigo sobre esse lugar no *Dicionário*. Esse nome significa "frutífera", "boa". Tem sido identificado com a moderna et-Taiyibeh, que fica cerca de 24 quilômetros a leste de Ramote-Gileade. Logo Jefté tornou-se o líder de um violento bando de aventureiros. E assim, ele dispunha de um pequeno exército, que provavelmente sobrevivia de roubos e assaltos violentos. O saque era o jogo deles, e não demorou para que começassem a saquear o inimigo.

Como vemos, Jefté começou sua carreira prejudicado por alguns pontos negativos. Em si mesmo, porém, ele era exatamente aquele tipo de herói destemido, rápido no manejo da espada, de que Israel tanto precisava para desvencilhar-se dos amonitas.

JEFTÉ É CHAMADO A GUERREAR (11.4-11)

■ **11.4,5**

וַיְהִי מִיָּמִים וַיִּלָּחֲמוּ בְנֵי־עַמּוֹן עִם־יִשְׂרָאֵל:

וַיְהִי כַּאֲשֶׁר־נִלְחֲמוּ בְנֵי־עַמּוֹן עִם־יִשְׂרָאֵל וַיֵּלְכוּ זִקְנֵי גִלְעָד לָקַחַת אֶת־יִפְתָּח מֵאֶרֶץ טוֹב:

Pelejaram os filhos de Amom contra Israel. Estourou a guerra entre os filhos de Israel e os filhos de Amom, na Transjordânia. Mas o verdadeiro homem forte de Israel estava em Tobe, em companhia de amigos violentos. Os israelitas perdiam terreno na luta, e assim lembraram-se do único homem que poderia fazer alguma coisa contra os opressores.

Os anciãos de Israel saíram atrás de Jefté, dispostos a entrar em algum tipo de negociação para que aquele homem violento lutasse em favor deles. Primeiramente, humilharam-se; em seguida, ofereceram-lhe uma posição de pequeno rei. Jefté, por sua vez, estava disposto a barganhar. Esqueceria as ofensas passadas, em troca de vantagens presentes.

Jefté já se tornara famoso por causa de seu jogo violento, e o povo de Israel carecia de sua grande experiência com a violência. Ele se tornara um tremendo saqueador, e as suas habilidades eram indispensáveis para pôr em fuga os filhos de Amom, que viviam do saque. Geralmente, os homens maus são os dotados de coragem ilimitada. Em tempos de crise, as normas públicas se modificam. Os maus são aceitos, e lhes é prometida uma recompensa se combaterem perigos ainda maiores. O homem indesejável torna-se desejável, e até chega a assumir um aspecto heroico. As crises exigem homens realmente fortes, líderes capacitados. Os tempos de paz são, essencialmente, oportunidades em que os políticos fazem jogo com o dinheiro público.

■ **11.6**

וַיֹּאמְרוּ לְיִפְתָּח לְכָה וְהָיִיתָה לָּנוּ לְקָצִין וְנִלָּחֲמָה בִּבְנֵי עַמּוֹן:

Vem, e sê nosso chefe. O recado enviado pelos anciãos do povo foi simples como isso. "Livra-nos dos filhos de Amom." Somente uma crise poderia levar aquela gente a fazer tal convite a Jefté. De outra sorte, teriam preferido que o homem valente continuasse longe, atacando fazendeiros e caravanas. Porém, os filhos de Amom perturbavam mais do que Jefté; e assim, a ameaça menor foi convocada a fim de eliminar a ameaça maior. Os anciãos de Israel mostraram-se humildes. Algumas vezes, é mais produtivo sermos humildes. Em certas ocasiões, a filosofia pragmática é aquela que mais convém: aquilo que dá certo é a verdade. Os anciãos de Israel não se preocuparam mais com os atos de vandalismo de Jefté. Se ele atuasse bem em favor de Israel, então ele representaria a verdade daquele momento. Ah! o pragmatismo!

Eles estavam procurando somente um líder para um período de guerra. Mas Jefté tinha ideias maiores do que essa. Se chegasse a ser líder durante a guerra, queria continuar líder durante a paz, um pequeno rei na Transjordânia.

■ **11.7**

וַיֹּאמֶר יִפְתָּח לְזִקְנֵי גִלְעָד הֲלֹא אַתֶּם שְׂנֵאתֶם אוֹתִי וַתְּגָרְשׁוּנִי מִבֵּית אָבִי וּמַדּוּעַ בָּאתֶם אֵלַי עַתָּה כַּאֲשֶׁר צַר לָכֶם:

Jefté disse aos anciãos de Gileade. O candidato a líder de Israel, primeiro na guerra e, mais tarde, na paz, relembrou os anciãos de Israel como fora injustamente tratado por parte de seus meios-irmãos, que o exilaram dentre o seu próprio povo. Ficamos sabendo aqui que os meios-irmãos de Jefté tinham apelado para que os anciãos do lugar garantissem que Jefté fosse mandado para o exílio. E os anciãos haviam concordado com o plano de expulsão. É possível que algum dos meios-irmãos de Jefté fosse um daqueles anciãos. Jefté estava amargurado com o tratamento injusto recebido, como ficaria qualquer um que tivesse sofrido o que ele sofreu. Por essa razão, aproveitou a oportunidade para humilhá-los e confundi-los. Agora eram eles que precisavam de Jefté. E ele cooperaria; mas cobraria um alto

A AMPLA IDOLATRIA DOS VIZINHOS DE ISRAEL

Nomes dos Deuses	Nações Envolvidas	Referências Bíblicas
Baal	Arã, Fenícia, Canaã	Nm 22.41; Jz 2.13; 1Rs 16.31; 2Rs 2.3
Aserá	Arã, Fenícia, Canaã	1Rs 16.33; 18.19
Astarote (Astarte Istar)	Arã, Fenícia, Canaã	1Rs 11.5,33; 2Rs 23.13
Hadade (Rimom) – nomes de Baal	Arã	2Rs 5.18
Adade (Hadade)	Mesopotâmia	2Rs 5.18
Camos	Moabe	2Rs 11.5,33; 2Rs 23.13
Milcom (Moleque)	Amom	1Rs 11.33; Sf 1.5
Dagom	Filístia	Jz 16.23

Para detalhes, ver *no Dicionário* o artigo chamado *Idolatria*.

MULTIPLICANDO PECADOS

A adoração aos mais variegados tipos de deuses imaginários, entre os pagãos, tem sido quase interminável.

Os homens usam sua imaginação para multiplicar pecados. Ver no *Dicionário* o artigo intitulado *Deuses Falsos*, que descreve as classes diversificadas dos deuses e menciona 39 divindades individuais.

---

preço. O bastardo não somente herdaria alguma coisa, mas abocanharia a herança inteira. E seus meios-irmãos ficariam com migalhas do bolo, ou seja, da herança.

■ **11.8,9**

וַיֹּאמְרוּ זִקְנֵי גִלְעָד אֶל־יִפְתָּח לָכֵן עַתָּה שַׁבְנוּ אֵלֶיךָ וְהָלַכְתָּ עִמָּנוּ וְנִלְחַמְתָּ בִּבְנֵי עַמּוֹן וְהָיִיתָ לָּנוּ לְרֹאשׁ לְכֹל יֹשְׁבֵי גִלְעָד׃

וַיֹּאמֶר יִפְתָּח אֶל־זִקְנֵי גִלְעָד אִם־מְשִׁיבִים אַתֶּם אוֹתִי לְהִלָּחֵם בִּבְנֵי עַמּוֹן וְנָתַן יְהוָה אוֹתָם לְפָנָי אָנֹכִי אֶהְיֶה לָכֶם לְרֹאשׁ׃

Sê o nosso chefe sobre todos os moradores de Gileade. O comandante durante a guerra também seria o chefe durante a paz. O termo hebraico aqui usado, *qaçin*, significa "general", "ditador", "chefe absoluto". Jefté, pois, estava destinado a ser, primeiramente, um general capaz e, em seguida, um pequeno rei, investido de autoridade ditatorial. Os anciãos de Israel dispuseram-se a aceitar as condições de Jefté. Na verdade, qualquer coisa que ele impusesse seria melhor do que continuarem sujeitos à opressão dos amonitas. Os anciãos de Israel tinham saído em busca de um general, mas encontraram mais do que tinham imaginado inicialmente. esse general, valente e habilidoso, também seria o rei local. Isso ocorreria a despeito das leis que proibiam a um filho bastardo assumir esse tipo de autoridade. Outro tanto acontecia em Atenas (Aelian. Var. Hist. 1.6, cap. 10) e em outros países, na antiguidade, onde as pessoas se preocupavam com as condições de filiação de seus dirigentes.

"Foi um incidente dramático. O expulso da família tornou-se o chefe de toda a região. A zombaria foi substituída pelo aplauso" (Phillips P. Elliott, *in loc.*).

As Condições Podem Ser Revertidas. As antigas injustiças estavam prestes a ser reparadas, e de uma maneira gloriosa. Jefté elevou-se muito acima do destino que a ele fora decretado por seus impiedosos meios-irmãos e pelos anciãos do povo. seu destino, porém, estava sob o seu controle, e assim ele ascendeu na sociedade israelita, apesar da oposição e da perseguição alheia. A ironia da situação foi que o seu destino não somente fê-lo subir na escala social, mas também tornou-o líder e chefe daqueles que antes o tinham perseguido. Temos aqui, portanto, a verdade expressa mediante um antigo ditado que afirma: "Não se pode subjugar um homem bom!"

■ **11.10,11**

וַיֹּאמְרוּ זִקְנֵי־גִלְעָד אֶל־יִפְתָּח יְהוָה יִהְיֶה שֹׁמֵעַ בֵּינוֹתֵינוּ אִם־לֹא כִדְבָרְךָ כֵּן נַעֲשֶׂה׃

וַיֵּלֶךְ יִפְתָּח עִם־זִקְנֵי גִלְעָד וַיָּשִׂימוּ הָעָם אוֹתוֹ עֲלֵיהֶם לְרֹאשׁ וּלְקָצִין וַיְדַבֵּר יִפְתָּח אֶת־כָּל־דְּבָרָיו לִפְנֵי יְהוָה בַּמִּצְפָּה׃ פ

O Senhor será testemunha entre nós. Isso significa que houve um pacto e um juramento solene, diante do próprio Yahweh. Os anciãos de Gileade submeteram-se a uma aliança na qual Yahweh foi invocado como testemunha. Isso significa que os anciãos não poderiam anular o pacto ou suavizar as condições.

A história de Pied Piper, de Hamelin, não se compara com a história de Jefté. De acordo com uma lenda medieval, esse pobre homem livrou a cidade de Hamelin de ratos nojentos que a infestavam, tocando uma flauta mágica que os atraiu para fora dos limites da cidade. E todos esses nojentos animais foram conduzidos a um rio onde afogaram-se. Mas os anciãos da cidade não cumpriram a sua palavra, que era de pagar-lhe uma alta soma em dinheiro. Em vista disso, o flautista mágico, com sua música enfeitiçadora, atraiu para fora da cidade todas as crianças que ali viviam. No caso de Jefté, os anciãos seriam obrigados a cumprir a sua promessa, uma vez que o "chefe" tivesse destruído os filhos de Amom.

E o povo o pôs por cabeça e chefe sobre si. O juramento foi confirmado em Mispa (ver Jz 10.17), em uma cerimônia solene e pública. Aquele era um lugar alto, talvez revestido de alguma importância religiosa. O juramento foi feito publicamente, tornando-se absolutamente obrigatório.

"O povo ratificou e confirmou aquilo que os anciãos tinham prometido, e, mediante votação geral e unânime, nomearam-no tanto o capitão de suas forças como para ser, mais tarde, seu chefe e governador" (John Gill, *in loc.*).

O trecho de Dt 23.2 tornava inconstitucional esse ato, visto que Jefté era filho bastardo. Mas essa exceção foi feita em vista da grave crise do momento. John Gill emitiu sua opinião de que o próprio Yahweh aprovou a aceitação, por causa da situação de emergência. "Estando certo da aprovação divina, ele deu início ao trabalho com toda a confiança" (Adam Clarke, *in loc.*). O trecho de Jz 11.29 mostra-nos que Yahweh fez vir o seu Santo Espírito sobre Jefté, a fim de garantir que ele lograsse êxito.

DEFESA DOS DIREITOS DE ISRAEL NA TRANSJORDÂNIA (11.12-28)

A seção aqui iniciada demonstra os direitos legais e morais de Israel sobre o território atacado pelos filhos de Amom. Assim sendo, Israel lutaria por esses direitos, se necessário fosse. Aquelas terras tinham sido entregues às tribos de Rúben e de Gade, tendo sido conquistadas por invasão comandada por Yahweh.

Jefté apresentou os argumentos de Israel ao rei dos amonitas, na esperança de uma solução pacífica. Mas é difícil ou mesmo impossível negociar com tiranos, pelo que a solução militar usualmente é a mais rápida e direta, a que menos custa e a que obtém resultados permanentes. Muitos grandes políticos não passam de psicopatas; e homens desse naipe não ouvem argumentos. Cedem somente diante da violência. Visto que Hitler era um psicopata, quem poderia negociar com ele? Se Stalin fosse um psicopata, quem poderia barganhar com ele? Por muitas vezes, falar em diplomacia é apenas uma maneira de o homem fraco desculpar-se por não agir. Sem dúvida esse foi o caso no incidente descrito no presente texto.

Os tiranos adquirem e consolidam aquilo que têm por meio da violência. Nunca estão dispostos a desistir de coisa alguma por causa de belas palavras. O rei dos amonitas estava pronto para desistir da guerra se os seus "direitos" fossem reconhecidos e se a terra fosse entregue a ele mediante um decreto oficial. Mas Jefté refutou os seus argumentos e rejeitou a proposta dos amonitas. O fato é que as propriedades sempre acabam nas mãos dos mais fortes, porquanto a violência sempre determina quem, em algum momento particular, ocupa este ou aquele território.

■ 11.12

וַיִּשְׁלַח יִפְתָּח מַלְאָכִים אֶל־מֶלֶךְ בְּנֵי־עַמּוֹן לֵאמֹר
מַה־לִּי וָלָךְ כִּי־בָאתָ אֵלַי לְהִלָּחֵם בְּאַרְצִי׃

Que há entre mim e ti...? O ponto crucial do argumento de Jefté foi que a terra era dele, ou seja, de Israel. Perguntou ele ao rei dos amonitas: Por que vieste a pelejar a mim contra a minha terra? Israel havia ganho aquelas terras através da "violência divina" (por orientação de Yahweh), e elas tinham pertencido a Ogue e a Seom, e não aos filhos de Amom. "Os despojos pertencem ao vitorioso." Naquela situação histórica em particular, Israel tinha derrotado os antigos reis vassalos da área, que ocupavam a região. Por conseguinte, o rei de Amom não passava de um intrujão. O rei dos amonitas, todavia, poderia ter usado do mesmo argumento. "Eu, mediante a violência, e dirigido por meus deuses, agora tomo este território. Portanto, ele é meu". Yahweh, todavia, não era um desses deuses. E assim, na mente dos hebreus, tal argumento, se usado pelos amonitas, seria apenas uma falácia.

■ 11.13

וַיֹּאמֶר מֶלֶךְ בְּנֵי־עַמּוֹן אֶל־מַלְאֲכֵי יִפְתָּח
כִּי־לָקַח יִשְׂרָאֵל אֶת־אַרְצִי בַּעֲלוֹתוֹ
מִמִּצְרַיִם מֵאַרְנוֹן וְעַד־הַיַּבֹּק וְעַד־הַיַּרְדֵּן
וְעַתָּה הָשִׁיבָה אֶתְהֶן בְּשָׁלוֹם׃

Saindo Israel do Egito, me tomou a terra. Mas isso importava em uma inverdade. Israel não havia tomado o que pertencia aos filhos de Amom. De fato, Israel tinha sido especificamente proibido por Deus de atacar os amonitas e os moabitas (ver Dt 2.9,19). Antes, Israel tomara as terras pertencentes a Seom, sendo verdade apenas que os amonitas e moabitas, antes mesmo de Seom, tinham possuído aquele território. Ver Nm 21.21-30; Js 12.25. Na história moderna, embora continuassem no exílio, os judeus falavam sobre a Palestina como a terra deles, porquanto antes tinha sido assim, e os cristãos, em geral, aceitam esse argumento. O rei dos amonitas empregou esse tipo de argumento histórico e, nesse sentido, ele estava totalmente correto.

Desde Arnom até Jaboque. Ou seja, o território ocupado pelas tribos de Gade e Rúben. Ver os nomes próprios no *Dicionário*, quanto a detalhes. O ribeiro do Jaboque tinha sido, originalmente, a "fronteira" dos filhos de Amom (Dt 3.16; Nm 21.24). Ficava mais ou menos a meio caminho entre o mar Morto e o lago da Galileia. Os dois riachos assim mencionados formavam as fronteiras sul e norte do território de Amom. O Arnom despeja suas águas no mar Morto, e o Jaboque flui para o rio Jordão.

■ 11.14,15

וַיּוֹסֶף עוֹד יִפְתָּח וַיִּשְׁלַח מַלְאָכִים אֶל־בְּנֵי
עַמּוֹן׃

וַיֹּאמֶר לוֹ כֹּה אָמַר יִפְתָּח לֹא־לָקַח יִשְׂרָאֵל אֶת־אֶרֶץ
מוֹאָב וְאֶת־אֶרֶץ בְּנֵי עַמּוֹן׃

Jefté tornou a enviar mensageiros. Eles retornaram ao rei de Amom e ouviram o argumento de por que ele não deveria deixar os israelitas na Transjordânia. Os mensageiros voltaram e transmitiram o recado a Jefté. Este o refutou (ver o vs. 15), da maneira que descrevi nas notas expositivas sobre o vs. 13. Conforme vimos, historicamente falando, o rei dos amonitas estava certo; mas quando Israel entrara naquele território, os filhos de Amom já haviam sido suplantados por Seom. E quando Josué entrou naquele território, não teve permissão divina de atacar os moabitas e os amonitas, conforme ressaltado anteriormente. Jefté conhecia a história de Israel, e aplicou-a corretamente. Mas períodos de apostasia não haviam conseguido obliterar as tradições de Israel na consciência do povo.

■ 11.16-18

כִּי בַּעֲלוֹתָם מִמִּצְרָיִם וַיֵּלֶךְ יִשְׂרָאֵל בַּמִּדְבָּר
עַד־יַם־סוּף וַיָּבֹא קָדֵשָׁה׃

וַיִּשְׁלַח יִשְׂרָאֵל מַלְאָכִים אֶל־מֶלֶךְ אֱדוֹם לֵאמֹר
אֶעְבְּרָה־נָּא בְאַרְצֶךָ וְלֹא שָׁמַע מֶלֶךְ אֱדוֹם וְגַם
אֶל־מֶלֶךְ מוֹאָב שָׁלַח וְלֹא אָבָה וַיֵּשֶׁב יִשְׂרָאֵל
בְּקָדֵשׁ׃

וַיֵּלֶךְ בַּמִּדְבָּר וַיָּסָב אֶת־אֶרֶץ אֱדוֹם וְאֶת־אֶרֶץ מוֹאָב
וַיָּבֹא מִמִּזְרַח־שֶׁמֶשׁ לְאֶרֶץ מוֹאָב וַיַּחֲנוּן בְּעֵבֶר אַרְנוֹן
וְלֹא־בָאוּ בִּגְבוּל מוֹאָב כִּי אַרְנוֹן גְּבוּל מוֹאָב׃

E assim Israel ficou em Cades. A história mostrava que, ao sair do Egito, Israel finalmente tinha chegado a Cades. Ali acampou porque, desejando passar por Edom, isso não lhe foi permitido. Outro tanto sucedera no caso de Moabe. Em lugar de guerrear por causa da questão, Israel evitou as fronteiras de Edom e de Moabe, acampando do outro lado do ribeiro do Arnom. Podemos acompanhar esses lances, examinando as seguintes referências:

1. Saída do Egito e lembrança desse acontecimento (ver Nm 20 e 21).
2. Jornada através do deserto (ver Dt 1.19).
3. Chegada ao mar dos Juncos (ver a maior parte do livro de Êxodo e Nm 14.25).
4. Chegada a Cades-Barneia (ver Nm 20.1; 33.16).
5. Mensagem enviada ao rei de Edom (ver Nm 20.14 ss.).
6. Mensagem enviada ao rei de Moabe (ver Dt 2.9,36).
7. Permanência em Cades (ver Dt 2.1; 2.14), onde os israelitas passaram a maior parte dos 38 anos de perambulações pelo deserto.

Quando os edomitas recusaram-se a permitir que Israel passasse, os hebreus permaneceram em Cades. Mais tarde, deixando aquele lugar, acamparam no outro lado do Arnom, que ficava na fronteira entre Moabe e o território de Seom, o que é mencionado no vs. 18 deste capítulo. O ribeiro do Arnom dividia a terra de Moabe da terra dos amorreus (ver Nm 21.13).

"... de acordo com Jarchi, o rio Arnom ficava na extremidade leste da terra de Moabe, onde começavam os territórios de Seom e Ogue; mas Israel não entrou na fronteira de Moabe" (John Gill, *in loc.*).

■ 11.19

וַיִּשְׁלַח יִשְׂרָאֵל מַלְאָכִים אֶל־סִיחוֹן מֶלֶךְ־הָאֱמֹרִי
מֶלֶךְ חֶשְׁבּוֹן וַיֹּאמֶר לוֹ יִשְׂרָאֵל נַעְבְּרָה־נָּא בְאַרְצְךָ
עַד־מְקוֹמִי׃

Deixa-nos... passar pela tua terra. Esse fora o pedido feito por Israel a Seom, rei dos amorreus (ver Nm 21.21,22; Dt 2.26-29). O rei de Hesbom era rei dos amorreus por nascimento; mas ele era rei de Hesbom por motivo de conquista. Essas áreas tinham sido alocadas à tribo de Rúben (ver Nm 32.37). E Hesbom tornou-se um centro importante.

Até ao meu lugar. A conquista da Transjordânia, onde se instalaram as tribos de Rúben e Gade e a meia tribo de Manassés, não fazia parte dos planos originais dos filhos de Israel. Mas, quando Seom e Ogue mostraram-se hostis, provocando o ataque da parte dos israelitas, suas terras foram conquistadas de forma permanente. O capítulo 32 do livro de Números registra aquelas duas tribos e meia pedindo que lhes fosse dada a Transjordânia como possessão. E Moisés havia condicionado a concessão à ajuda dessas tribos na conquista da parte ocidental do país. O capítulo 22 do livro de Josué mostra que aquelas duas tribos e meia cumpriram seu dever e mantiveram a sua promessa, pelo que lhes foi concedida a Transjordânia. Isso posto, o registro histórico mostrava que Israel tomara a terra dos amorreus, e não dos filhos de Amom. Mas como é claro, antes daquilo, os amorreus tinham tomado a região dos filhos de Amom.

Visto que na guerra "poder é direito", aquelas terras tornaram-se possessão de Israel, e não tinham sido tomadas diretamente dos filhos de Amom.

■ 11.20

וְלֹא־הֶאֱמִין סִיחוֹן אֶת־יִשְׂרָאֵל עֲבֹר בִּגְבֻלוֹ וַיֶּאֱסֹף סִיחוֹן אֶת־כָּל־עַמּוֹ וַיַּחֲנוּ בְּיָהְצָה וַיִּלָּחֶם עִם־יִשְׂרָאֵל׃

Porém Seom, não confiando em Israel. Suspeitando de Israel, Seom não lhe deu permissão para passar, pois supunha que um grande exército que atravessasse sua terra acabaria tomando posse dela. Por isso, convocara seu exército, a fim de impedir a passagem de Israel pelo território; esse ato de hospitalidade era a mesma coisa que uma declaração de guerra. E aquela guerra significou que Israel, não tendo planejado conquistar a Transjordânia, acabou por conquistá-la. Nada disso, porém, tivera que ver com os filhos de Amom, que então nem ocupavam o território.

E se acampou em Jaza, e pelejou contra Israel. Ver sobre essa localidade no *Dicionário*. Foi ali que ocorreu a grande batalha. Com frequência, as guerras antigas se resolviam mediante uma única batalha, enquanto o restante consistia apenas em operação de "limpeza". Ver Nm 21.33; Is 15.4; Jr 43.3. No entanto, o sítio exato de Jaza ainda não foi determinado.

■ 11.21

וַיִּתֵּן יְהוָה אֱלֹהֵי־יִשְׂרָאֵל אֶת־סִיחוֹן וְאֶת־כָּל־עַמּוֹ בְּיַד יִשְׂרָאֵל וַיַּכּוּם וַיִּירַשׁ יִשְׂרָאֵל אֵת כָּל־אֶרֶץ הָאֱמֹרִי יוֹשֵׁב הָאָרֶץ הַהִיא׃

O Senhor Deus de Israel. No hebraico, o nome divino é Yahweh-Elohim, ou seja, o Eterno Todo-poderoso. Por sua própria decisão, Deus tinha outorgado a Transjordânia ao povo de Israel, embora tal pensamento não fizesse parte dos planos originais de Josué. A guerra santa (ver as notas a respeito em Dt 7.1-5) garantiria o desdobramento dos planos de Yahweh, embora os homens apenas aparentemente tivessem tropeçado no plano por meio das vicissitudes da vida. Mas para Deus não há vicissitudes. Ver no *Dicionário* o artigo intitulado *Deus, Nomes Bíblicos de*.

O autor do livro de Juízes sempre perscrutou as razões espirituais por trás dos acontecimentos; agora ele nos informa que Yahweh estava por trás da conquista da Transjordânia e, sem dúvida, queria que compreendêssemos que fora ele que insuflara a hostilidade no coração de Ogue e Seom, para garantir a guerra que conferiu a Israel as terras daqueles dois reis pagãos.

O que havia acontecido quando o Faraó endurecera o coração repetiu-se no caso daqueles outros dois reis gentios. Yahweh despertou a hostilidade no coração deles, para em seguida derrotá-los por meio da guerra. A paz estava totalmente fora de lugar no tocante àquele período da história. A guerra cumpriu a vontade soberana de Yahweh. Foi desse modo que Israel chegou a ocupar e a possuir as terras dos amorreus, os quais, em algum tempo passado, tinham-nas tomado dos filhos de Amom. As nações deixaram-se guiar pelo princípio que diz: "Conquista, e então conserva aquilo pelo que lutaste". As guerras geralmente são lançadas na conta dos poderes divinos, pois os homens sempre vão à guerra como se suas divindades invisíveis os estivessem amparando. E o território disputado fica com o vitorioso, até que apareça outro vitorioso. De acordo com essa mesma regra, os filhos de Amom teriam direito aos territórios; porém, de acordo com a mente dos hebreus, o fato de a conquista efetuada pelos filhos de Amom não ter sido ordenada por Yahweh neutralizava toda a questão.

■ 11.22

וַיִּירְשׁוּ אֵת כָּל־גְּבוּל הָאֱמֹרִי מֵאַרְנוֹן וְעַד־הַיַּבֹּק וּמִן־הַמִּדְבָּר וְעַד־הַיַּרְדֵּן׃

Tomou posse de todo o território dos amorreus. O povo de Israel havia conquistado todo o território desde a Arábia Deserta, a oriente, até o rio Jordão, a ocidente, ou seja, todas as terras que antes tinham pertencido ao rei dos amorreus. No entanto, as terras tomadas não incluíam nenhuma porção das terras pertencentes aos moabitas e amonitas, durante aquela época. Isso posto, estritamente falando, Jefté tinha razão, e o rei dos amonitas estava equivocado.

■ 11.23

וְעַתָּה יְהוָה אֱלֹהֵי יִשְׂרָאֵל הוֹרִישׁ אֶת־הָאֱמֹרִי מִפְּנֵי עַמּוֹ יִשְׂרָאֵל וְאַתָּה תִּירָשֶׁנּוּ׃

O Senhor... desapossou os amorreus ante o seu povo. Neste ponto, o autor sagrado volta ao seu argumento teológico. Além de os israelitas terem o direito de conservar para si o território, de acordo com "o costume das nações", também a tinham possuído originalmente em função da vontade de Yahweh, o único Deus verdadeiro e vivo. Ver os comentários sobre o versículo 21 deste capítulo, quanto ao âmago do argumento. O rei dos filhos de Amom, porém, não respeitava nem o costume das nações nem a vontade soberana de Yahweh.

■ 11.24

הֲלֹא אֵת אֲשֶׁר יוֹרִישְׁךָ כְּמוֹשׁ אֱלֹהֶיךָ אוֹתוֹ תִירָשׁ וְאֵת כָּל־אֲשֶׁר הוֹרִישׁ יְהוָה אֱלֹהֵינוּ מִפָּנֵינוּ אוֹתוֹ נִירָשׁ׃

Aquilo que Camos, teu deus, te dá, consideras como tua possessão? O autor sagrado prossegue explicando o argumento teológico. Naquele tempo, os amonitas possuíam seu território e tinham dado a seu deus, Camos, o crédito por havê-los ajudado a conquistá-lo e retê-lo. Sendo esse o caso, eles desistiriam de seu território, que lhes fora dado divinamente? Obviamente que não. A mesma coisa acontecia agora a Israel e suas terras divinamente dadas, que o rei dos amonitas estava procurando tomar para si. Ver no *Dicionário* o artigo chamado *Camos*, onde apresentei detalhes sobre tal divindade. Camos era a divindade nacional dos moabitas (ver 1Rs 11.7; 2Rs 23.13; Jr 48.7). Mas outros povos daquela região também adotavam aquela divindade. Estritamente falando, Camos era o deus de Moabe, e Moloque era o deus de Amom; porém as religiões sincretistas misturavam os deuses em seus panteões locais. As duas nações pertenciam a um mesmo tronco étnico e contavam com instituições aliadas (ver Jz 3.12,13). Ver Nm 21.28,29 e cf. Jr 48.7. Ver no *Dicionário* o artigo geral intitulado *Deuses Falsos*.

Jefté argumentou de uma maneira lógica, partindo do menor para o maior. Se o menor era verdadeiro, então o maior também o era. Mas o rei dos amonitas era um homem de guerra, e nada conhecia da lógica.

Essência dos Argumentos de Jefté:
1. Os filhos de Amom tinham perdido suas terras para os amorreus, e não para Israel.
2. O princípio do direito do conquistador significava que os amorreus, na verdade, eram os novos proprietários daquelas terras.
3. De acordo com o princípio do vitorioso, aquelas terras tinham passado dos amorreus para os israelitas.
4. A transferência de terra fora ordenada por Deus. Israel já vinha ocupando aquelas terras por cerca de trezentos anos. Na história antiga, nunca se vira um povo, após ter conquistado um território, devolvê-lo a seus proprietários anteriores (no caso, os filhos de Amom).
5. Visto que aquelas terras tinham sido transferidas para Israel por decreto divino, os filhos de Amom não tinham direito algum de tornar-se novos proprietários, de acordo com a lei do vitorioso.

11.25

וְעַתָּ֗ה הֲט֥וֹב טוֹב֙ אַתָּ֔ה מִבָּלָ֥ק בֶּן־צִפּ֖וֹר מֶ֣לֶךְ מוֹאָ֑ב
הֲר֤וֹב רָב֙ עִם־יִשְׂרָאֵ֔ל אִם־נִלְחֹ֥ם נִלְחַ֖ם בָּֽם׃

És tu melhor do que o filho de Zipor, Balaque...? Neste ponto, Jefté argumentou com base no costume das nações. Mesmo aquele rei de tempos antigos, Balaque, não se aventurara a desafiar os costumes sobre o vitorioso. Balaque, a quem parte das terras em questão tinha antes pertencido, havia consentido que Israel tinha direito àquela área. Alguns estudiosos supõem que o rei dos amonitas, na ocasião, também era o rei dos moabitas. Isso faria de Balaque o seu antecessor. O atual rei era mais sábio, ou teria mais direitos do que o seu antecessor? Balaque não tentara receber de volta as terras tomadas por Israel. Ele tão somente tinha tentado amaldiçoar a Israel, mediante o emprego do profeta falso, Balaão. Por meio de tal maldição, ele esperava garantir as suas próprias fronteiras, e não receber de volta o território que havia sido tomado por Israel. Balaque, apesar de toda a raiva contra Israel, não apelou para a reconquista do território perdido.

11.26

בְּשֶׁ֣בֶת יִ֠שְׂרָאֵל בְּחֶשְׁבּ֨וֹן וּבִבְנוֹתֶ֜יהָ וּבְעַרְע֣וֹר
וּבִבְנוֹתֶ֗יהָ וּבְכָל־הֶֽעָרִים֙ אֲשֶׁר֙ עַל־יְדֵ֣י אַרְנ֔וֹן שְׁלֹ֥שׁ
מֵא֖וֹת שָׁנָ֑ה וּמַדּ֥וּעַ לֹֽא־הִצַּלְתֶּ֖ם בָּעֵ֥ת הַהִֽיא׃

Enquanto Israel habitou trezentos anos. Israel havia habitado nos territórios "disputados" durante trezentos anos, e, em ocasião alguma, durante todo aqueles três séculos, nenhum dos reis de Amom tentara desalojá-los dali. Por que, pois, o atual rei dos amonitas pensava que tinha tal direito? Ver no *Dicionário* sobre todos os nomes próprios deste versículo. "Hesbom (cf. Nm 21.25) ficava cerca de 24 quilômetros a leste da boca do rio Jordão. Aroer ficava cerca de dezenove quilômetros mais acima do ribeiro do Arnom, no caminho do rei" (Jacob M. Myers, *in loc.*).

Argumento Baseado na Passagem do Tempo. Possessão por muito tempo significa possessão permanente. É conforme alguém já disse: "A possessão representa nove décimas partes da lei". O número dado, trezentos anos, é arredondado, mesmo porque o autor sagrado não visava dar uma cifra precisa. Os intérpretes têm gasto seu tempo inutilmente, disputando esse número e mostrando cálculos meticulosos de que já se tinha passado mais tempo do que isso. Mas esse número não é exato, e somente os críticos e os harmonizadores a qualquer custo preocupam-se com isso. As cronologias e genealogias dos judeus sempre foram frouxas e imprecisas, desde o princípio. Portanto, é inútil disputar coisas relacionadas à passagem do tempo. Um "filho", por exemplo, podia ser um neto ou descendente; e nenhum hebreu acharia isso estranho.

Ellicott (*in loc.*) fornece cálculos que mostram que esse período poderia ser muito mais breve do que trezentos anos. John Gill (*in loc.*), por igual modo, relatou que se teriam passado somente 294 anos. John Gill refere-se às atividades de Seder Olam Babba (cap. 12), que se deu ao trabalho de confirmar esse número. É conforme diz certo hino: "Que tremendo desperdício de tempo!" Uma de minhas fontes informativas fala em 319 anos quanto ao período dos juízes até os dias de Jefté. Se subtrairmos os dezoito anos da opressão dos amonitas, chegaríamos a 301 anos.

11.27

וְאָנֹכִי֙ לֹֽא־חָטָ֣אתִי לָ֔ךְ וְאַתָּ֞ה עֹשֶׂ֥ה אִתִּ֛י רָעָ֖ה לְהִלָּ֣חֶם
בִּ֑י יִשְׁפֹּ֨ט יְהוָ֤ה הַשֹּׁפֵט֙ הַיּ֔וֹם בֵּ֚ין בְּנֵ֣י יִשְׂרָאֵ֔ל וּבֵ֖ין בְּנֵ֥י
עַמּֽוֹן׃

Não sou eu, portanto, quem pecou contra ti! Israel é que tinha sido injustiçado, e não quem fizera a injustiça; e, uma vez mais, Yahweh foi convocado como testemunha. E agora Jefté convocava a Yahweh como juiz, que consideraria as evidências e decidiria. Além disso, na qualidade daquele que dá retribuição, ele haveria de castigar quem merecesse tal tratamento. Cf. este versículo com Gn 16.5; 18.25; 31.53 e 1Sm 24.15. Jefté manteve que os direitos do vitorioso pertenciam a Israel, embora limitando o legítimo vitorioso àquele que tinha sido orientado por Yahweh. Como é óbvio, o rei dos filhos de Amom não haveria de aceitar esse tipo de argumento. Ele tinha seus próprios argumentos egocêntricos, que entravam em conflito com os argumentos de Jefté.

11.28

וְלֹ֣א שָׁמַ֔ע מֶ֖לֶךְ בְּנֵ֣י עַמּ֑וֹן אֶל־דִּבְרֵ֣י יִפְתָּ֔ח אֲשֶׁ֥ר שָׁלַ֖ח
אֵלָֽיו׃ פ

O rei dos filhos de Amom não deu ouvidos. Ele não considerava Yahweh como Juiz supremo, e nem o temia como o vingador. Ele tinha sua própria fé religiosa e suas próprias divindades, que pensava estarem ao seu lado guiando-o. Historicamente falando (mesmo que Jefté tivesse retrocedido por mais de trezentos anos), aquelas terras lhe pertenciam. Os israelitas eram invasores, e não os ocupantes originais do território. Nesse caso, era legítimo que os amonitas invadissem as terras e dali expulsassem os intrusos. Escudados em tal raciocínio, os amonitas iam tomando sistematicamente as terras, vexando os filhos de Israel naquela região.

O deus da espada continuava sendo o deus supremo, naqueles dias antigos.

> A boa e antiga regra,
> Que o contentava. seu plano era simples:
> Devem entender que ele tinha poder de conquistar.
> Devem ter em mente que ele tinha poder de manter sua conquista.

DERROTA DOS FILHOS DE AMOM (11.29-33)

11.29

וַתְּהִ֤י עַל־יִפְתָּח֙ ר֣וּחַ יְהוָ֔ה וַיַּעֲבֹ֥ר אֶת־הַגִּלְעָ֖ד
וְאֶת־מְנַשֶּׁ֑ה וַֽיַּעֲבֹר֙ אֶת־מִצְפֵּ֣ה גִלְעָ֔ד וּמִמִּצְפֵּ֣ה
גִלְעָ֔ד עָבַ֖ר בְּנֵ֥י עַמּֽוֹן׃

O Espírito do Senhor veio sobre Jefté. Era desse poder que ele carecia. Jefté tinha excelentes argumentos a apresentar, porém seria necessário muito mais para derrotar os filhos de Amom. Foi por isso que o Espírito de Yahweh desceu sobre ele, conferindo-lhe o poder e a sabedoria de que ele precisava. Oh, Senhor, concede-nos tal graça! Jefté atirou-se diretamente à tarefa que lhe competia cumprir, seguindo a rota que este versículo nos indica, e terminou confrontando-se com os filhos de Amom.

O Espírito de Deus. Ver o artigo detalhado sobre esse assunto no *Dicionário*. No Antigo Testamento, o Espírito Santo é retratado como Deus que vinha, ocasionalmente, sobre as pessoas, com algum propósito específico, ao passo que, no Novo Testamento, ele veio a fim de habitar no espírito humano, na qualidade de Alterego de Cristo, enviado para cumprir todos os detalhes de sua missão, depois que Jesus subiu ao céu.

Ao longo do caminho, quando se dirigia para confrontar o rei dos filhos de Amom, Jefté foi reunindo suas tropas dentre a Transjordânia, Gileade, a tribo de Gade e a meia tribo de Manassés. Sem dúvida alguma, Rúben também contribuiu para engrossar o exército de Israel.

O propósito do Espírito do Senhor, ao vir sobre Jefté, foi capacitá-lo para a sua liderança militar contra os opressores pagãos de Israel, a quem o Senhor tinha usado para castigar seu povo (cf. Jz 3.10; 6.34; 13.25 e 15.14). Visto que, nas páginas do Antigo Testamento, o Espírito de Deus geralmente sobrevinha para capacitar os líderes a cumprir tarefas específicas, não devemos esperar que disso resultasse uma vida santa. Ademais, a presença do Espírito de Deus não inspirou Jefté a fazer seu voto precipitado e então sacrificar sua própria filha, ações mediante as quais ele tentou "comprar" o favor divino. Esses pensamentos foram sugeridos por F. Duane Lindsey (*in loc.*).

11.30,31

וַיִּדַּ֨ר יִפְתָּ֥ח נֶ֛דֶר לַיהוָ֖ה וַיֹּאמַ֑ר אִם־נָת֥וֹן תִּתֵּ֛ן אֶת־בְּנֵ֥י
עַמּ֖וֹן בְּיָדִֽי׃

וְהָיָה הַיּוֹצֵא אֲשֶׁר יֵצֵא מִדַּלְתֵי בֵיתִי לִקְרָאתִי בְּשׁוּבִי
בְשָׁלוֹם מִבְּנֵי עַמּוֹן וְהָיָה לַיהוָה וְהַעֲלִיתִהוּ עוֹלָה: פ

Fez Jefté um voto ao Senhor. Jefté, ainda não contente com o poder que tinha recebido do Espírito, fez um voto precipitado, que nada teve a ver com a orientação dada pelo Espírito de Deus. Ele resolveu oferecer um sacrifício humano que — embora fosse prática rara em Israel, uma imitação a ritos de seus vizinhos pagãos — era algo absolutamente proibido pela legislação mosaica, desde vários séculos atrás. O fato de que ele fez tal voto mostra-nos a que nível Israel se tinha desintegrado, quanto aos valores morais e espirituais. Ver o detalhado artigo chamado *Sacrifício Humano*, no *Dicionário*. Passagens bíblicas como Lv 18.21 e Dt 12.31 proíbem expressamente o sacrifício de seres humanos, e os Targuns e a tradição geral dos hebreus entendem que a experiência de Abraão (que quase sacrificou o seu filho, Isaque) aboliu para sempre qualquer tentativa de sacrifício humano.

Apologia do Ato de Jefté. Vários mecanismos têm sido utilizados pelos intérpretes para desculpar Jefté pelo voto que tomou e pelo que acabou fazendo acerca de sua filha, ou para negar que ele, realmente, tenha concretizado tal ato. Porém, a simples leitura do texto mostra-nos a verdade do incidente. E a verdade é que Jefté era um meio-pagão, meio-israelita, e pode ter sido influenciado por sua parentela ou por seus amigos cananeus. Sem dúvida, no seu tempo, entre os povos que viviam em redor de Israel os sacrifícios humanos continuavam sendo postos em prática. Não obstante, é impossível que ele ignorasse a proibição terminante da lei de Moisés quanto a tais atos. Em meio a toda aquela matança, porém, realizada em nome de Yahweh ou dos deuses pagãos, que diferença faria uma vítima a mais ou a menos?

No artigo do *Dicionário* sobre *Jefté*, são apresentados todos os mecanismos e argumentos acerca dessa questão. Ver especialmente o quinto ponto, intitulado *O Problema do Voto*, que inclui os argumentos que afirmam que a filha de Jefté foi sacrificada, em contraposição aos que negam esse sacrifício. Ver o ponto 5.c quanto a meu próprio comentário sobre aquele voto. As pessoas acusam Deus de toda espécie de coisas ridículas, e até mesmo injuriosas e prejudiciais, e criam invenções estúpidas em sua mente. O trecho de Jz 11.29 mostra-nos que Deus usa as pessoas até mesmo quando elas pensam e agem de forma estúpida.

"O ponto mais cêntrico da história de Jefté não é tanto a sua vitória sobre os amonitas, mas a sua tragédia pessoal, que lhe sobreveio mediante as próprias qualidades de devoção e coragem que o fizeram tornar-se uma grande figura. Ansioso pela vitória, ao pôr-se em marcha contra os filhos de Amom, ele temeu que talvez Deus não estivesse completamente com ele. Por isso, tomou um voto solene e trágico... O fato de que a sua filha foi que lhe saiu ao encontro desfechou contra ele um golpe mais decisivo do que tudo quanto ele tinha recebido durante a batalha" (Phillips P. Elliott, *in loc.*).

A base do voto foi boa, mas o voto propriamente dito foi supremamente mau. O pressuposto básico é, que visto que Yahweh fez tão grandes coisas em nosso favor, por sua vez, ele requer de nossa parte o máximo que há em nós. Mas Jefté estava totalmente equivocado quanto a como pagar a Yahweh pela ajuda prestada.

Dá o melhor ao Senhor,
Dá a força de tua juventude...
Dá-lhe tua leal devoção.
Dá-lhe toda a tua virtude.

H.B.G

■ **11.32**

וַיַּעֲבֹר יִפְתָּח אֶל־בְּנֵי עַמּוֹן לְהִלָּחֶם בָּם וַיִּתְּנֵם יְהוָה
בְּיָדוֹ:

E o Senhor os entregou nas mãos de Jefté. A vitória foi obtida com relativa facilidade; e Jefté teve o cuidado de atribuí-la a Yahweh. Isso armou o palco para a tragédia com que Jefté tão insensatamente permitiu que terminasse a história de sua vida. As vitórias deveriam terminar em meio ao júbilo e à celebração. Mas aquela vitória acabou na mais profunda tristeza e comoção. A derrota dos filhos de Amom, diante de Jefté, fora decisiva; mas a derrota que ele infligiu contra si mesmo foi igualmente decisiva. É ridícula a ideia de que Deus tem o seu preço, e que ele pode ser persuadido a cumprir a nossa vontade, por lhe oferecermos alguma coisa. Deus sempre dará seu apoio ao que é certo, e sempre se mostrará contrário ao que é errado. Não existe estratagema capaz de fazer o sol nascer no horizonte ocidental e pôr-se no horizonte oriental. É sempre o contrário. Por semelhante modo, não podemos persuadir Deus a cooperar com os nossos planos insensatos. Jefté obteve a vitória sobre os amonitas através da vontade de Yahweh, e não por causa de suas tolas manipulações. Com frequência, os homens têm dificuldades para distinguir entre a santa vontade de Deus e suas perversas manipulações. Em algum lugar, há sempre alguém disposto a despedaçar e a queimar o nome de Deus.

■ **11.33**

וַיַּכֵּם מֵעֲרוֹעֵר וְעַד־בּוֹאֲךָ מִנִּית עֶשְׂרִים עִיר וְעַד
אָבֵל כְּרָמִים מַכָּה גְּדוֹלָה מְאֹד וַיִּכָּנְעוּ בְּנֵי עַמּוֹן
מִפְּנֵי בְּנֵי יִשְׂרָאֵל: פ

Este os derrotou desde... até. Este versículo mostra quão extensa e decisiva foi a vitória. Os amonitas foram derrotados desde a cidade de Aroer, no lado norte do ribeiro do Arnom (fronteira sul do território designado às tribos de Rúben e Gade; ver Dt 2.36 e Js 12.2) até perto de Minite, a qual, de acordo com Eusébio (*Onamas.* 140), ficava a quatro milhas romanas de Hesbom. Havia vinte cidades ao todo, naquela área, e elas foram libertadas da influência pagã. O campo das ações militares estendeu-se até Abel-Queramim, talvez a dez quilômetros de Filadélfia ou Rabvate Amom, embora a localização exata dessa cidade seja desconhecida atualmente.

Ver sobre todos os nomes próprios no *Dicionário*, onde apresento tudo quanto se sabe ou se conjectura a respeito deles.

Seja como for, a extensão da linha de batalha foi grande, e a vitória conseguida foi decisiva. Todas as vinte cidades existentes naquela área foram libertadas do poder e da influência dos filhos de Amom.

Localizações. Aroer (modernamente Khirbet Arair) ficava quase 23 quilômetros a leste do mar Morto, perto do lugar onde a estrada real fazia intersecção com o ribeiro do Arnom. Abel-Queramim talvez seja a moderna Naur, cerca de treze quilômetros a sudoeste de Rabate-Amom (moderna Amã). Todavia, a localização de Minite é desconhecida, posto que, provavelmente, ficava perto de Abel-Queramim.

CUMPRIMENTO DO VOTO PRECIPITADO DE JEFTÉ (11.34-40)

■ **11.34**

וַיָּבֹא יִפְתָּח הַמִּצְפָּה אֶל־בֵּיתוֹ וְהִנֵּה בִתּוֹ יֹצֵאת
לִקְרָאתוֹ בְתֻפִּים וּבִמְחֹלוֹת וְרַק הִיא יְחִידָה אֵין־לוֹ
מִמֶּנּוּ בֵּן אוֹ־בַת:

Vindo, pois, Jefté... saiu-lhe a filha ao seu encontro. Jefté voltou para casa regozijando-se, somente para defrontar-se com a tragédia de ter de sacrificar sua filha, sua única filha. sua mente supersticiosa não lhe permitiu descobrir como escapar de seu voto, o que era perfeitamente possível, de acordo com a lei dos hebreus. Equivocadamente, ele supôs que fosse Yahweh, e não sua própria mente perversa, que requerera dele tal sacrifício. Os homens têm o mau hábito de lançar sobre Deus a culpa de suas perversidades, e chegam ao extremo de transformar essas perversidades em virtudes. Dessa forma, a virtude pervertida de Jefté fez dele um tolo, naquele momento. Sempre achamos que conhecemos Deus mais do que realmente o conhecemos. Estamos sempre lançando sobre Deus a culpa pelas coisas frívolas que pensamos e fazemos. Trata-se de um *teísmo* (ver a respeito no *Dicionário*) exagerado e equivocado.

Para exemplificar, achamos engraçado e mesmo um desgosto quando certos crentes pentecostais dizem "Amém!" para tudo e para qualquer coisa. Mas muitos crentes evangélicos têm o hábito tolo de pensar que Deus é um companheiro constante que lhes sopra aos ouvidos todo pensamento frívolo que lhes passa pela cabeça! Quantas crianças têm sido sacrificadas física e literalmente, tendo sua vida abreviada por pais que não permitem a transfusão de sangue! Essa é uma estupidez atribuída erroneamente à vontade de "Jeová".

Voltando ao relato bíblico, o drama da história é intensificado pelo fato de que a própria jovem veio encontrar-se com seu pai, dançando em meio à música e ao regozijo geral. Ela fez questão de mostrar que encabeçava o grupo de boas-vindas, porque queria que seu pai soubesse quão alegre ela estava por ele estar voltando vitorioso da guerra. Ela não sabia que seu ato de alegria e solidariedade seria o próprio ato que levaria seu pai a mandar executá-la. Portanto, encontramos aqui aqueles típicos elementos das tragédias gregas, de acordo com as quais o herói ou a heroína é esmagado não somente por uma vez, mas por diversas vezes. Podemos confrontar o caso de Jefté e sua filha com o retorno de Saul (ver 1Sm 18.6) e com os cânticos e danças de Miriã após a destruição do exército de Faraó (ver Êx 15.20).

■ 11.35

וַיְהִי כִרְאוֹתוֹ אוֹתָהּ וַיִּקְרַע אֶת־בְּגָדָיו וַיֹּאמֶר אֲהָהּ בִּתִּי הַכְרֵעַ הִכְרַעְתִּנִי וְאַתְּ הָיִיתְ בְּעֹכְרָי וְאָנֹכִי פָּצִיתִי־פִי אֶל־יְהוָה וְלֹא אוּכַל לָשׁוּב׃

Tu me prostras por completo. Jefté, em sua reação muito humana, culpou a filha por aquilo que ele mesmo fizera, em um momento impensado. Ele continuou lançando sobre Yahweh a culpa de toda a questão. É como se ele continuasse exclamando: "Não sei por que o Senhor fez isso comigo!"

O Voto Poderia Ter Sido Anulado. E isso por dois fortes motivos: 1. Em primeiro lugar, o voto contradizia a lei de Yahweh (ver Lv 18.21 e Dt 12.31). Logo, não somente tal voto podia ser revertido, mas também tinha, forçosamente, de ser anulado. 2. Em segundo lugar, qualquer voto, feito em Israel, podia ser redimido com alguma outra coisa que o substituísse. Ver Lv 27.2-4. Jefté poderia ter apresentado outra coisa em lugar do voto precipitado. Porém, naquele momento sua mente estava qual um redemoinho, e ele não se importou em aplicar as provisões humanitárias da lei. Os votos, uma vez feitos, eram obrigatórios, mas podiam ser redimidos e cumpridos de alguma outra maneira.

Alguns intérpretes argumentam que o voto de Jefté pertencia àquela modalidade que não podia ser redimida (ver Lv 27.28,29). É verdade que havia dois tipos de votos: o simples (no hebraico, *neder*; Lv 27.2-27), que podia ser redimido (não executado, pois podia ser substituído por outra coisa ou ser pago mediante uma multa em dinheiro); e a coisa devotada (no hebraico, *cherem*). Estes últimos tornavam-se coisas santíssimas e tinham de ir para o sistema sacrifical do tabernáculo.

Todavia, cumpre-nos relembrar que esses sacrifícios não podiam ser humanos, sob pena de entrar em grave contradição com o sistema mosaico. Portanto, nenhum sacrifício humano podia ser legitimamente consagrado ou santíssimo. Alguns estudiosos, sem embargo, pensam que o trecho de Lv 27.28,29 reflete um tempo em que eram aceitos e efetuados sacrifícios humanos em Israel, como parte do culto a Yahweh. Quanto a completas explicações a esse respeito, ver a exposição dos versículos mencionados, que apresenta as várias interpretações envolvidas.

Mesmo que o trecho de Lv 27.28,29 reflita uma época primitiva, quando sacrifícios humanos faziam parte do culto a Yahweh, dificilmente isso poderia aplicar-se aos dias de Jefté. Isso posto, de qualquer modo, ele estava equivocado quanto à questão inteira, tendo praticado um mal em Israel, ao insistir em cumprir seu voto. Mas também há intérpretes que pensam que, embora tenha sido um erro, em face de leis mosaicas aprimoradas, esse sacrifício acabou acontecendo, e deve ser considerado correto.

■ 11.36

וַתֹּאמֶר אֵלָיו אָבִי פָּצִיתָה אֶת־פִּיךָ אֶל־יְהוָה עֲשֵׂה לִי כַּאֲשֶׁר יָצָא מִפִּיךָ אַחֲרֵי אֲשֶׁר עָשָׂה לְךָ יְהוָה נְקָמוֹת מֵאֹיְבֶיךָ מִבְּנֵי עַמּוֹן׃

Faze, pois, de mim, segundo o teu voto. A filha de Jefté não disputou com seu pai se o voto dele era correto ou errado. Desde o começo, aceitou-o como correto, dispondo-se a servir de sacrifício. Alguns eruditos pensam que tudo isso indica as condições extremamente primitivas da adoração cultista em Israel, em imitação às práticas dos pagãos que viviam perto de Israel e exerciam influência sobre os hebreus. Somos alertados para o fato de que o culto de Israel tinha entrado em um período de grave degradação, ao mesmo tempo que os aspectos mais nobres da legislação mosaica eram ignorados ou mesmo desconhecidos. Uma fé sincretista havia substituído o código mosaico, muito dessa mistura de credos e práticas. Por meio dessa mistura de credos e práticas, o que Jefté fez parecia "certo", e assim nem foi questionado por sua filha. Em outras palavras, os padrões da fé primitiva de Jefté (que ignorava ou esquecia os melhores aspectos da lei de Moisés) indicavam que aquela prática era correta. Casos similares talvez até tivessem acontecido com certa frequência. Jefté lamentou somente que sua própria filha única é que tivesse sido vitimada por sua loucura sincretista.

■ 11.37

וַתֹּאמֶר אֶל־אָבִיהָ יֵעָשֶׂה לִּי הַדָּבָר הַזֶּה הַרְפֵּה מִמֶּנִּי שְׁנַיִם חֳדָשִׁים וְאֵלְכָה וְיָרַדְתִּי עַל־הֶהָרִים וְאֶבְכֶּה עַל־בְּתוּלַי אָנֹכִי וְרֵעוֹתָי׃

Concede-me isto. A heroína hebreia não tentou escapar ao terror envolvido no voto de seu pai, mas pediu apenas dois meses de prazo para chorar e lamentar por sua virgindade. O que está envolvido nisso é que, como virgem, ela nunca teria filhos; e essa era a tragédia suprema para as mulheres nos dias antigos. Ela levaria consigo suas amigas, que lamentariam juntamente, de uma maneira amarga e vocífera, podemos estar certos. Não somente ela seria executada, mas também desceria à sepultura sem filhos. Em Israel, nenhuma tragédia maior do que essa poderia sobrevir a uma jovem. E ninguém se ergueu para protestar: "Pare com todo esse desvario". Nenhum carneiro ficou preso pelos chifres a algum arbusto para tornar-se substituto da jovem. Jefté parecia não dispor de uma cópia da história de Abraão e Isaque, pois conhecê-la dar-lhe-ia uma instrução vital sobre o que fazer com a filha. Ele continuou em seu equívoco até o fim, para sua vergonha eterna.

■ 11.38

וַיֹּאמֶר לֵכִי וַיִּשְׁלַח אוֹתָהּ שְׁנֵי חֳדָשִׁים וַתֵּלֶךְ הִיא וְרֵעוֹתֶיהָ וַתֵּבְךְּ עַל־בְּתוּלֶיהָ עַל־הֶהָרִים׃

Consentiu ele: Vai. O herói da história, Jefté, mostrou-se "liberal e bondoso" e concordou com o pedido da filha. Foram-lhe concedidos os dois meses de lamentação que ela havia solicitado. E assim ficaram pelos montes, ela e suas companheiras, a lamentar-se e uivar. Dessarte, aquela insensatez, considerada profunda espiritualidade, pôde reclamar a sua vítima. Qual será a porcentagem de fé religiosa, de todos os indivíduos e de todas as denominações evangélicas, que não passa de tolice? Felizmente, conforme nosso conhecimento vai aumentando, obtemos uma perspectiva mais acurada das coisas.

■ 11.39

וַיְהִי מִקֵּץ שְׁנַיִם חֳדָשִׁים וַתָּשָׁב אֶל־אָבִיהָ וַיַּעַשׂ לָהּ אֶת־נִדְרוֹ אֲשֶׁר נָדָר וְהִיא לֹא־יָדְעָה אִישׁ וַתְּהִי־חֹק בְּיִשְׂרָאֵל׃

Ao fim dos dois meses, tornou ela para seu pai. O autor sagrado poupou-nos da agonia da descrição do sacrifício. É insensato e contrário às declarações do texto e das tradições dos hebreus afirmar que, afinal, Jefté não pode ter sacrificado a sua filha, por causa de a legislação mosaica proibir sacrifícios humanos, e que a lamentação foi pela perpétua virgindade da filha de Jefté, o que acabou sendo o sacrifício oferecido. Essa tentativa de explicação alicerça-se somente sobre o fato de que havia uma flagrante proibição contra os sacrifícios humanos dentro do código mosaico. Contudo, no estado de degradação moral e social em que se achava Israel, nos dias dos juízes, tal tragédia acabou acontecendo. Os Targuns, de modo geral, afirmam o real sacrifício da filha de Jefté.

Ellicott (*in loc.*) certamente estava certo quando comentou: "Mediante o uso desse significativo eufemismo, o narrador deixou cair o véu — estremecendo-lhe o corpo inteiro — acerca do terrível sacrifício. Naturalmente, as palavras 'o qual lhe fez segundo o voto por ele proferido' só podem significar que ele a ofereceu 'em holocausto' (vs. 31)". Josefo, grande historiador e general judeu que viveu na época dos apóstolos de Jesus, observou que aquilo que Jefté tinha feito "não era nem legítimo nem aceitável diante de Deus".

O Targum de Jonathan mostra-se importante como indicação de qual era o pensamento dos hebreus acerca de todo esse incidente: "Um homem não podia oferecer seu filho ou sua filha como holocausto, conforme Jefté fez, o qual não consultou Fineias, o sacerdote; pois, se tivesse consultado a Fineias, ele poderia tê-la redimido por um certo preço" (John Gill, *in loc.*).

Fica claro, portanto, que Jefté acabou realizando o sacrifício de sua própria filha, cumprindo o seu voto precipitado. Todavia, não fez isso no tabernáculo e, sim, em algum lugar privado. E basta isso para que seu ato fosse considerado contrário às intenções da lei mosaica.

Não existe nenhum incidente ou precedente histórico em favor do celibato forçado em Israel. Isso jamais teria sido aceito como cumprimento legítimo de qualquer voto que alguém tivesse feito. Ver tal precedente no texto que ora comentamos é forçar, nos dias de Jefté, aquilo que só houvera tempos antes, ou então tempos depois da era apostólica do cristianismo. E mesmo dentro do cristianismo antigo (pós-apostólico), as "freiras" e os "padres" jamais foram forçados a fazer votos de castidade perpétua, tomando-os por vontade própria, na crença de estar seguindo uma vida cristã mais aprimorada, por acreditarem que o casamento representa uma vida cristã secundária (ver 1Tm 4.1-3).

■ **11.40**

מִיָּמִים יָמִימָה תֵּלַכְנָה בְּנוֹת יִשְׂרָאֵל לְתַנּוֹת
לְבַת־יִפְתָּח הַגִּלְעָדִי אַרְבַּעַת יָמִים בַּשָּׁנָה: ס

Cantar em memória da filha de Jefté. Firmou-se o costume (referido no fim do versículo anterior) de lamentar anualmente pela filha de Jefté. Mas esse costume nada tinha que ver com as "virgens vestais" que se dedicavam a um celibato comunal. Antes, havia um período de quatro anos de lamentações memoriais. O costume, sem dúvida, era local, confinado à área de Jefté, na Transjordânia, pois não encontramos vestígio disso em nenhum outro ponto de Israel.

Tipologia. O supremo sacrifício da filha de Jefté, acompanhado por sua total aceitação mental, faz-nos lembrar do trecho de Rm 12.1,2, o sacrifício vivo dos crentes, apesar de que as duas coisas não são uma mesma coisa, do ponto de vista espiritual.

Algumas lendas judaicas, pertinentes a uma época posterior, falam na filha de Jefté ainda viva, ainda virgem, recebendo suas amigas em suas visitas anuais. (Assim disseram Kimchi e Ben Melech.) Mas essas lendas são absurdas, uma interpretação *ad hoc* do texto, onde o *hoc* é a vã suposição de que Jefté não poderia ter realizado um sacrifício humano, e, por isso mesmo, deve estar em pauta a virgindade perpétua de sua filha. Epifânio diz-nos que em Sebaste, antes chamada Samaria, essa jovem acabou sendo deificada, e uma festividade anual era levada a efeito em sua honra (*Contra Haeres.* 1.2, 55).

CAPÍTULO DOZE

Continua aqui a história de Jefté, até o sétimo versículo deste capítulo doze. Ver as notas a respeito dele na introdução. E quanto ao período de seu juizado, ver Jz 10.6, onde a presente seção do livro começa. Há comentários adicionais no início do capítulo 10.

CIÚMES DOS EFRAIMITAS (12.1-7)

Ver a história parecida em Jz 8.1-3. Os homens da tribo de Efraim, conservando seu anterior descontentamento, pensaram que Jefté os tivesse negligenciado, deixando de convidá-los para participar de sua vitória sobre os filhos de Amom (capítulo anterior). Embora isso não tenha sido declarado, provavelmente a razão dos ciúmes é que os efraimitas eram uma ameaça à autoridade de Jefté. Eles eram os líderes (ou, pelo menos, reivindicavam liderança sobre as tribos da Transjordânia: as tribos de Rúben e Gade e a meia tribo de Manassés).

Jefté já tivera dificuldades suficientes com os filhos de Amom. Ele não precisava agora de uma forte facção contrária dentro de seu próprio campo. Isso posto, esperaria que os efraimitas se mantivessem fora de seu trajeto.

A razão declarada para terem sido deixados de lado, na luta contra os amonitas, é que Jefté os tinha chamado, mas eles não haviam atendido à convocação. Não há registro histórico sobre essa convocação; mas podemos presumir que ele disse a verdade. Talvez tenha sido feita a convocação, mas não de maneira clara e urgente; e assim, os efraimitas não se fizeram presentes, o que, sem dúvida, agradou a Jefté.

■ **12.1**

וַיִּצָּעֵק אִישׁ אֶפְרַיִם וַיַּעֲבֹר צָפוֹנָה וַיֹּאמְרוּ לְיִפְתָּח
מַדּוּעַ עָבַרְתָּ לְהִלָּחֵם בִּבְנֵי־עַמּוֹן וְלָנוּ לֹא קָרָאתָ
לָלֶכֶת עִמָּךְ בֵּיתְךָ נִשְׂרֹף עָלֶיךָ בָּאֵשׁ:

Então foram convocados os homens de Efraim. Isso representou uma ameaça. Os efraimitas, em sua arrogância, não temeram o vitorioso Jefté e marcharam com seu próprio exército, como que para um ajuste de contas. Os efraimitas haviam sido atacados pelos filhos de Amom (ver Jz 10.9), mas parece que conseguiram oferecer resistência. Talvez ansiassem por vingar-se do assédio que haviam sofrido, e talvez também estivessem à cata de despojos e de poder.

Passaram para Zafom. Algumas traduções e versões dizem aqui "passaram para o norte". Outros eruditos dão a esse nome o sentido de "oculta". Na Septuaginta aparecem as formas gregas transliteradas Saphán e Saphón. Zafom era uma cidade que ficava a leste do rio Jordão, no território da tribo de Gade (ver Js 13.27).

Alguns estudiosos pensam que essa cidade também figura em Nm 32.35, onde nossa versão portuguesa diz "Atrote-Sofã", mas há versões que separam "Atrote" de "Sofã". Zafom também aparece nos registros históricos egípcios da XIX dinastia, sob a forma de dapuna, e também em uma das cartas de Tell el-Amarna. Alguns estudiosos conjecturam que o nome Zafom talvez indique que houve tempo em que ali havia um santuário dedicado a *Baal-Zefom* (ver no *Dicionário*). No entanto, visto que Baal-Zefom parece significar "senhor de Tifão", outros eruditos não percebem nenhuma conexão possível entre Zafom e Baal-Zefom.

Várias identificações têm sido propostas como localizações modernas, tais como Tell es Sa'idiyeh ou Tell el Quos, este último no lado norte do wadi Rajeb. Ambos os locais dominam a vista do vale do rio Jordão, e ambos ficam a certa distância dos vaus do Jordão. Ver Jz 12.5.

O fato que nos interessa, neste ponto, é que os efraimitas saíram ao encontro de Jefté e suas forças, mas acabaram derrotados (ver os vss. 4-6 deste capítulo).

■ **12.2**

וַיֹּאמֶר יִפְתָּח אֲלֵיהֶם אִישׁ רִיב הָיִיתִי אֲנִי וְעַמִּי
וּבְנֵי־עַמּוֹן מְאֹד וָאֶזְעַק אֶתְכֶם וְלֹא־הוֹשַׁעְתֶּם אוֹתִי
מִיָּדָם:

E Jefté lhes disse. Jefté não deixou sem resposta a tola sugestão feita pelos efraimitas. Essa resposta deixou entendido que ele tinha necessitado da ajuda deles, mas, provavelmente, não quisera tal ajuda, pois a batalha contra os filhos de Amom era urgente. Ademais, ele os tinha convidado. Não há registro escrito desse convite, mas podemos supor que ele tenha sido feito. Também é possível que o convite não fora claro nem insistente, e que Jefté acabou deixando os efraimitas em paz, por não querer a sua ajuda, como é dito anteriormente. Ver as notas de introdução a este capítulo quanto a outros raciocínios.

Por igual modo, aqueles efraimitas podem ter pensado que o intuito de Jefté fora perverso, e assim saíram a fim de queimá-lo vivo e consumir a fogo tudo quanto ele possuía. A horrenda ameaça feita por eles estava em harmonia com a violência desenfreada da época, da qual toda aquela gente participou abundantemente. Cf. Jz 14.15; 15.6 e 20.48.

Jefté deu a entender que eles haviam ignorado a convocação, em lugar de admitir que não os havia convocado. E eles só demonstraram interesse depois que a batalha tinha sido ganha. Podemos comparar a total falta de tato de Jefté com o aprimorado tato demonstrado por Gideão, sob circunstâncias similares (ver Jz 8.1-3).

■ 12.3

וָאֶרְאֶה כִּי־אֵינְךָ מוֹשִׁיעַ וָאָשִׂימָה נַפְשִׁי בְכַפִּי וָאֶעְבְּרָה
אֶל־בְּנֵי עַמּוֹן וַיִּתְּנֵם יְהוָה בְּיָדִי וְלָמָה עֲלִיתֶם אֵלַי
הַיּוֹם הַזֶּה לְהִלָּחֶם בִּי׃

Vendo eu que não me livráveis, arrisquei a minha vida. Ainda que tivesse ficado desesperado, e embora houvesse convidado gentilmente os efraimitas, para que o ajudassem, Jefté não recebeu nenhuma assistência, tendo sido forçado a sair à guerra desfalcado dos reforços que deveriam ter sido enviados pela tribo de Efraim. Yahweh é que tinha dado a Jefté a vitória, visto que ele saíra à testa de uma força armada relativamente fraca.

A resposta de Jefté foi, substancialmente: "Tive de arriscar a vida e depender de Deus, visto que não pude depender de vós. Ganhei a guerra devido à ajuda divina. Não tenho motivos para ser-vos agradecido". Dessa maneira, com uma total falta de tato, ele disse aos efraimitas o que eles precisavam ouvir.

Jefté já havia tentado a diplomacia no caso do rei dos filhos de Amom, mas a tática havia falhado. Estava cansado de tentar agradar homens hostis e nada razoáveis.

■ 12.4

וַיִּקְבֹּץ יִפְתָּח אֶת־כָּל־אַנְשֵׁי גִלְעָד וַיִּלָּחֶם אֶת־אֶפְרָיִם
וַיַּכּוּ אַנְשֵׁי גִלְעָד אֶת־אֶפְרַיִם כִּי אָמְרוּ פְּלִיטֵי אֶפְרַיִם
אַתֶּם גִּלְעָד בְּתוֹךְ אֶפְרַיִם בְּתוֹךְ מְנַשֶּׁה׃

Fugitivos sois de Efraim, vós gileaditas. Os efraimitas tinham insultado os gileaditas, ao chamá-los de meros fugitivos e parasitas, que viviam entre Efraim e Manassés. E isso só serviu para despertar a indignação dos gileaditas. Todavia, alguns estudiosos pensam que os gileaditas é que insultaram os efraimitas, aos quais tinham posto em fuga, passando a considerá-los homens "fugitivos", que sabiam jactar-se mas não demonstravam seu valor em campo de batalha. Na verdade, essas palavras são um tanto obscuras no original hebraico; e vários manuscritos da Septuaginta simplesmente as deixam de lado. O que fica claro é que os gileaditas obtiveram uma vitória esmagadora sobre os efraimitas, tendo perseguido e matado aos que tentaram escapar, sem nenhuma compaixão.

"Foi uma briga em família, pelo que foi mais amarga ainda. Com frequência, os parentes de uma pessoa falecida, tendo-se recusado a mostrar pelo morto qualquer interesse ou atenção durante seus longos anos de enfermidade, aparecem na ocasião em que as propriedades vão ser divididas, reclamando sua parte na herança" (Phillips P. Elliott, *in loc.*).

■ 12.5

וַיִּלְכֹּד גִּלְעָד אֶת־מַעְבְּרוֹת הַיַּרְדֵּן לְאֶפְרָיִם וְהָיָה כִּי
יֹאמְרוּ פְּלִיטֵי אֶפְרַיִם אֶעֱבֹרָה וַיֹּאמְרוּ לוֹ אַנְשֵׁי־גִלְעָד
הַאֶפְרָתִי אַתָּה וַיֹּאמֶר לֹא׃

Os gileaditas tomaram os vaus do Jordão. Conforme dizemos em nossa moderna maneira de falar, eles "cortaram" a fuga dos efraimitas. O rio Jordão não podia ser atravessado, indiferentemente, em qualquer lugar. Assim, se os vaus fossem tomados, os fugitivos seriam alcançados pelos seus perseguidores. Mas os fugitivos tentariam iludir os perseguidores, atravessando o rio sem serem notados. Não podiam, contudo, ser distinguidos por sua aparência, embora pudessem ser distinguidos por seu sotaque; e foi exatamente o que aconteceu nesse caso. Cf. este versículo com os trechos de Jz 3.28 e 7.24.

■ 12.6

וַיֹּאמְרוּ לוֹ אֱמָר־נָא שִׁבֹּלֶת וַיֹּאמֶר סִבֹּלֶת וְלֹא יָכִין
לְדַבֵּר כֵּן וַיֹּאחֲזוּ אוֹתוֹ וַיִּשְׁחָטוּהוּ אֶל־מַעְבְּרוֹת
הַיַּרְדֵּן וַיִּפֹּל בָּעֵת הַהִיא מֵאֶפְרַיִם אַרְבָּעִים וּשְׁנַיִם
אָלֶף׃

Chibolete... Sibolete. A palavra hebraica *chibolete* significa "grão de cereal". Essa palavra, pois, foi usada pelos gileaditas como teste de pronúncia, a fim de detectar quem era de Efraim e quem não era. Enquanto um homem mais do norte ou mais do sul não poderia ser distinguido mediante a aparência pessoal, poderia sê-lo através de seu sotaque. Os efraimitas não conseguiam pronunciar direito o som "x" (*chibolete*), que soava como um fonema sibilante (*sibolete*), sendo assim facilmente detectados. E aqueles assim apanhados eram executados sem tardança.

O vocábulo "chibolete" modernamente passou a indicar alguma espécie de "senha", como de uma seita religiosa, ou algum credo religioso particular, que alguém precisa advogar para ser aceito em grupos exclusivistas. Também pode indicar a marca distintiva de um grupo qualquer. Esse termo é sempre usado em sentido pejorativo, porquanto dá a entender alguma marca distintiva usada em arrogância, que tenta impedir outros de entrar no seu círculo restrito. Mas lembremos que, sempre que houver círculos fechados, também haverá mentes fechadas e preconceituosas. O chibolete é aquilo que fecha as mentes e os círculos sociais, tornando os homens arrogantes.

Os chiboletes sempre apresentam uma capa de "indignação e fúria, mas sem nenhum sentido verdadeiro" (Shakespeare). Algumas dessas senhas são usadas como modos de perseguição e ódio. Muitas mortes têm sido provocadas por causa delas.

Oh, Deus, que carne e sangue fossem tão baratos,
Que os homens odiassem e matassem,
Que os homens silvassem e cortassem a outros,
Com línguas de vileza... por causa de... "teologia".
Russell Champlin

A morte de nada menos de 42 mil efraimitas pôs fim à guerra civil, conferindo a Jefté paz e descanso em seus dias, os quais, evidentemente não foram muitos.

■ 12.7

וַיִּשְׁפֹּט יִפְתָּח אֶת־יִשְׂרָאֵל שֵׁשׁ שָׁנִים וַיָּמָת יִפְתָּח
הַגִּלְעָדִי וַיִּקָּבֵר בְּעָרֵי גִלְעָד׃ פ

Julgou a Israel seis anos; e morreu. Jefté, embora presumivelmente um homem jovem, só conservou a sua posição de juiz na Transjordânia (Israel) pelo espaço de seis anos. Morreu jovem e foi sepultado em uma cidade cujo nome não é fornecido. Alguns intérpretes supõem que um juízo divino cortou-lhe a vida, por causa do ultraje cometido contra a própria filha, devido ao voto precipitado que tomara.

É possível que ele tenha sido sepultado em Mispa, sua cidade natal. Josefo, porém, informa-nos que ele foi sepultado em Sebee, uma cidade de Gileade (ver *Antiq.* 1.5, cap. 7, sec. 13), mas não sabemos baseado em qual autoridade ele assim disse.

IBSÃ (12.8-10)

Jefté foi o meteoro dos juízes. Ele chegou inesperadamente, floresceu como uma grande fogueira, mas logo desapareceu. Seguiram-no três juízes de menor importância, Ibsã, Elom e Abdom, os quais, juntos, governaram em suas respectivas províncias por um total de somente 25 anos. Esses três juízes relativamente desconhecidos só se distinguiram pelo grande número de filhos, o que, provavelmente, aponta para casamentos polígamos ostensivos, tão populares naqueles tempos entre os que obtinham notoriedade. Quanto maior o número de mulheres, melhor; quanto maior o número de filhos, melhor. Isso conferia posição social aos abastados, porquanto somente eles conseguiam manter famílias tão numerosas.

Tudo quanto sabemos a respeito de *Ibsã* (ver sobre ele no *Dicionário*) fica subentendido nos versículos sobre os quais estamos comentando.

■ 12.8

וַיִּשְׁפֹּט אַחֲרָיו אֶת־יִשְׂרָאֵל אִבְצָן מִבֵּית לָחֶם׃

Ibsã de Belém. Poderíamos pensar na Belém da Judeia ou na Belém de Zebulom (ver Js 19.10,15), razão pela qual até mesmo o local preciso de seu juizado é difícil de determinar. A Belém da tribo de Zebulom ficava na extremidade sudeste de *Zebulom*, cerca de dezesseis quilômetros ao norte de Megido. Ver no *Dicionário* quanto a essas duas cidades que tinham o nome de Belém. Ibsã, de acordo com Josefo, pertencia à tribo de Judá (ver *Antiq.* 1.5, cap. 7, sec. 13). Visto que Boaz era natural daquele lugar e viveu na época dos juízes de Israel, alguns rabinos judeus identificaram um com o outro. E essa opinião foi confirmada por Jarchi e Ben Gersom. Não temos, todavia, meios de submeter à prova essa opinião, e a maior parte dos eruditos modernos pensa que essa ideia é fantasiosa.

■ 12.9

וַיְהִי־לוֹ שְׁלֹשִׁים בָּנִים וּשְׁלֹשִׁים בָּנוֹת שִׁלַּח הַחוּצָה וּשְׁלֹשִׁים בָּנוֹת הֵבִיא לְבָנָיו מִן־הַחוּץ וַיִּשְׁפֹּט אֶת־יִשְׂרָאֵל שֶׁבַע שָׁנִים׃

Trinta filhos, e trinta filhas. Essa foi a única marca realmente distintiva de Ibsã. Isso significa que ele teve muitas esposas. seu numeroso harém dava testemunho de suas riquezas e de seu vigor físico. Alguns de seus casamentos podem ter sido com mulheres pertencentes a outros clãs (ou mesmo vindas de vizinhos estrangeiros), que teriam ocorrido a fim de consolidar alianças políticas e manter a paz com todos em redor. Os ricos, naqueles tempos, eram extremamente polígamos. Os poderosos dispunham de muitas mulheres. Os pobres e fracos tinham de contentar-se, no máximo, com duas ou mesmo três. Ver no *Dicionário* o verbete chamado *Poligamia*.

Ibsã governou no seu lugar particular do território de Israel somente por sete anos. Ver, imediatamente antes da exposição sobre Jz 1.1, um mapa e um gráfico que ilustram as condições gerais dos juízes de Israel, os lugares sobre os quais governaram e alguns detalhes pessoais de sua vida e carreira.

■ 12.10

וַיָּמָת אִבְצָן וַיִּקָּבֵר בְּבֵית לָחֶם׃ פ

Então faleceu Ibsã. Ele morreu após uma vida quase sem nenhum acontecimento notável (excetuando que foi um tremendo procriador), tendo governado Israel por somente sete anos (vs. 9). Foi sepultado em sua própria cidade natal (vs. 8). Se nada de grandioso aconteceu durante a sua vida, também nada aconteceu de ruim; e assim ele descansou em paz de uma vida de riquezas, lazer e relativa obscuridade. E isso foi melhor do que morrer de morte violenta, após ter matado muita gente, como usualmente acontece na vida dos poderosos.

ELOM (12.11,12)

Ver os comentários de introdução ao versículo 8 deste capítulo. Três juízes bastante insignificantes vieram após o cometa, Jefté. Elom foi um deles. Ver antes das notas sobre Jz 1.1 o mapa que mostra as áreas de atividades dos juízes, e um gráfico que fornece detalhes sobre sua vida e carreira. Ver sobre *Elom* no *Dicionário*.

■ 12.11

וַיִּשְׁפֹּט אַחֲרָיו אֶת־יִשְׂרָאֵל אֵילוֹן הַזְּבוּלֹנִי וַיִּשְׁפֹּט אֶת־יִשְׂרָאֵל עֶשֶׂר שָׁנִים׃

Elom, o zebulonita. É provável que ele tenha nascido em Aijalom, onde também acabou sendo sepultado (ver o versículo seguinte). Sua carreira como juiz prolongou-se por dez anos, mas coisa alguma é narrada como destaque, pelo que supomos não ter havido nenhuma ocorrência que chamasse a atenção durante o seu juizado. Ele nem ao menos foi homem de muitas mulheres e muitos filhos, como Ibsã, o juiz anterior a ele, ou como Abdom, o juiz que veio depois dele. Até as tradições judaicas, sempre ansiosas por preencher os hiatos históricos com informações improváveis, não se incomodaram em elaborar as crônicas sobre esse homem.

■ 12.12

וַיָּמָת אֵלוֹן הַזְּבוּלֹנִי וַיִּקָּבֵר בְּאַיָּלוֹן בְּאֶרֶץ זְבוּלֻן׃ פ

Faleceu Elom. Ele morreu e foi sepultado em Aijalom, cuja localização é desconhecida. Havia uma cidade com esse nome no território de Dã, acerca da qual dispomos de algumas informações. É curioso que os nomes Elom e Aijalom têm letras consoantes idênticas no original hebraico, e somente os sinais vocálicos distinguem um nome do outro; e sabemos que esses sinais vocálicos só foram criados pelos massoretas, após o exílio babilônico. É possível que Aijalom tenha sido chamada assim porque Elom foi sepultado ali. A cidade, pois, tornou-se seu memorial, mas a história desconhece o local exato. Assim, se ficarmos somente com as letras consoantes (conforme o hebraico original era escrito), somos obrigados a dizer que "Elom foi sepultado em Elom".

ABDOM (12.13-15)

Ver as notas sobre o oitavo versículo quanto aos três juízes bastante insignificantes que se seguiram a Jefté, o meteoro. A respeito de Abdom é dito um pouco mais do que acerca dos dois outros juízes que governaram Israel antes dele, embora nada se revista de grande importância. Esses homens não foram guerreiros, embora alguns intérpretes suponham que Abdom tenha enfrentado algumas dificuldades com os amalequitas (o que talvez seja subentendido no vs. 15). Ver sobre *Abdom* no *Dicionário*; e ver o mapa imediatamente antes de Jz 1.1, que ilustra as áreas (ou províncias) onde os juízes de Israel operaram, como também um gráfico com algumas informações gerais sobre sua vida e carreira.

■ 12.13

וַיִּשְׁפֹּט אַחֲרָיו אֶת־יִשְׂרָאֵל עַבְדּוֹן בֶּן־הִלֵּל הַפִּרְעָתוֹנִי׃

Julgou a Israel. Ou seja, ele foi líder sobre uma porção do território de Israel, pois todos os juízes foram apenas líderes provinciais. Ver imediatamente antes de Jz 1.1 um mapa que ilustra os locais onde os juízes governaram. Abdom era da tribo de Efraim.

Abdom, filho de Hilel, o piratonita. Todos os nomes próprios que ocorrem neste versículo merecem artigos separados no *Dicionário*. Piratoni significa, no hebraico, "altura", "cume". Era o nome de uma cidade que havia na área montanhosa onde habitavam os amalequitas. Provavelmente deve ser identificada com Fera 'ata, que distava cerca de dez quilômetros de Siquém, para oeste. Quanto a detalhes, ver no *Dicionário*. Coisa alguma se sabe sobre o pai de Abdom, Hilel. A época girava em torno de 1070 a.C.

■ 12.14

וַיְהִי־לוֹ אַרְבָּעִים בָּנִים וּשְׁלֹשִׁים בְּנֵי בָנִים רֹכְבִים עַל־שִׁבְעִים עֲיָרִם וַיִּשְׁפֹּט אֶת־יִשְׂרָאֵל שְׁמֹנֶה שָׁנִים׃

Quarenta filhos, e trinta netos. Pouco se sabe sobre esse homem, embora possamos afirmar que ele tinha adotado o costume oriental de ter um harém. O fato de que ele tinha tantos filhos e netos subentende que ele possuía muitas mulheres, e também que era homem de posses materiais e muito poder pessoal. Todos aqueles jumentos em que seus descendentes montavam (talvez dando a entender que eles se ocupavam de "negócios do estado") serviam de sinal de muitas posses materiais. Naqueles tempos, os cavalos eram pouco usados em Israel.

Cf. Jz 10.4 acerca do "jumento" como símbolo de elevada posição social. Abdom teve oito anos de paz e abundância. Alguns estudiosos pensam que, visto que vivia encravado em "território inimigo", ele deve ter enfrentado conflitos com os amalequitas. Porém, a própria Bíblia nada nos adianta quanto a isso. É provável que Abdom tenha conseguido estabelecer relações pacíficas com eles. E isso pode ter sido facilitado mediante casamentos mistos.

Josefo deixou registrado que Abdom e seus muitos filhos e netos montavam, ostensivamente, jumentos, cumprindo negócios do estado, e eram montadores hábeis; mas talvez essa informação faça parte das conjecturas sobre o homem, acerca de quem pouquíssimo é sabido. (Ver *Antiq.* 1.5, cap. 7, sec. 13.)

■ 12.15

וַיָּמָת עַבְדּוֹן בֶּן־הִלֵּל הַפִּרְעָתוֹנִי וַיִּקָּבֵר בְּפִרְעָתוֹן בְּאֶרֶץ אֶפְרַיִם בְּהַר הָעֲמָלֵקִי׃ פ

Foi sepultado em Piratom, na terra de Efraim. Ver no *Dicionário* o verbete intitulado *Piratoni (Piratonitas)*. Piratom é outra forma de grafar o mesmo nome. Ver também o versículo 13 quanto a alguns comentários. Ver ainda Js 21.30; 1Cr 6.74; 8.23-30. Esse lugar ficava no território da tribo de Efraim. Não sabemos dizer por qual motivo os amalequitas foram mencionados. Parece óbvio que alguns de seus clãs residiam ali; mas não se sabe dizer se Abdom teve ou não dificuldades com eles.

Josefo, ao tentar preencher detalhes onde a Bíblia faz silêncio, disse que a Abdom foi conferido um magnificente funeral (*Antiq.* 1.5, cap. 7, sec. 13).

Isso posto, vemos que os três juízes que surgiram após Jefté não foram militares nem mataram muita gente. Dizemos que pouco aconteceu durante o juizado desses três; mas esse pouco foi melhor do que se tivessem feito muitas vítimas.

"O período durante o qual aqueles juízes governaram foi um tempo de paz e consolidação. As páginas da história que não foram escritas são com frequência mais significativas do que aquelas que ficaram registradas" (Phillips P. Elliott, *in loc.*).

CAPÍTULO TREZE

SANSÃO (13.1—16.31)

Sansão foi uma personagem ao mesmo tempo forte e fraca, que tem arrebatado a imaginação de muitos autores e criadores de filmes. A sua vida envolveu todos os elementos de intriga, suspense, vitória e tragédia que compõem as boas histórias. O autor sagrado do livro de Juízes dedicou cem versículos a Gideão e 96 a Sansão, o que significa que eles foram campeões de audiência. De acordo com as divisões modernas e artificiais do Antigo Testamento, o relato sobre Gideão ocupa três capítulos; e a história sobre Sansão, quatro.

Sansão era homem que gostava de namoriscar com o pecado e amava a violência. No fim, essas duas coisas o reduziram a nada. Mas mesmo no fim, ele foi glorificado, porquanto conseguiu matar um maior número de inimigos constantes, em sua morte, do que tinha sido capaz de fazer em vida (ver Jz 16.30).

Apesar de sua grande capacidade como matador, tanto na vida como na morte, Sansão não conseguiu livrar Israel da servidão que fora imposta pelos filisteus. sua carreira foi seguida por um período histórico de confusão, guerra civil e violência. Foi Davi quem, afinal, pôs cobro à ameaça dos filisteus, o que só aconteceu cerca de cem anos depois de Sansão.

"Os filisteus invadiram as terras costeiras da Palestina pouco depois dos encontros armados entre Ramsés III (do Egito) e os chamados povos do mar, em algum tempo entre 1220 a.C. e 1180 a.C. Por meio de assaltos armados, negócios pacíficos e, provavelmente, casamentos mistos, eles fizeram sentir a sua presença nos vales que levavam às terras altas da Palestina, conforme fica demonstrado pela influência crescente de sua cerâmica, após os meados do século XII a.C. As fontes informativas bíblicas e os remanescentes arqueológicos concordam que houve um período de relações mútuas entre os israelitas e os filisteus, por volta de 1150 e 1050 a.C. E foi quando esta última data já se aproximava que os filisteus começaram a pressionar os judaítas e os efraimitas com maior empenho. Os episódios que envolveram Sansão refletem uma situação longe de estar resolvida, mas quando ainda não havia guerra franca entre os dois povos" (Jacob M. Myers, *in loc.*).

Ver no *Dicionário* os artigos intitulados *Sansão* e *Filisteus, Filístia*, que fornecem muitos detalhes e proveem o pano de fundo apropriado dos quatro capítulos diante de nós.

■ **13.1**

וַיֹּסִפוּ בְּנֵי יִשְׂרָאֵל לַעֲשׂוֹת הָרַע בְּעֵינֵי יְהוָה וַיִּתְּנֵם
יְהוָה בְּיַד־פְּלִשְׁתִּים אַרְבָּעִים שָׁנָה: פ

Tendo os filhos de Israel tornado a fazer o que era mau. "A monótona espiral descendente de Israel atingiu o seu ponto mais acentuado com a sétima apostasia a ser registrada no livro de Juízes. Ver Jz 3.5-7,12-14; 4.1-3; 6.1,2; 8.33-35 e 10.6-9. Essa sétima e última apostasia do livro de Juízes parece ter sido uma fase de adoração idólatra que já havia sido descrita em Jz 10.6, a qual incluía a veneração a divindades dos filisteus (no ocidente). Uma opressão causada por aquele povo resultou na opressão complementar provocada pelos filhos de Amom (no oriente)". (F. Duane Lindsey, *in loc.*).

O livro de Juízes registra sete apostasias; sete períodos de servidão e sete livramentos. Porém, o final da história de Sansão não nos confere uma ideia clara sobre algum livramento em decorrência das mortes dos filisteus, durante a sua vida e por ocasião de sua morte (ver Jz 16.30).

Por quarenta anos. O povo de Israel agonizou por longo tempo, devido aos assédios constantes dos filisteus. Ver no *Dicionário* os artigos *Quarenta* e *Número* (*Numeral, Numerologia*). A menção da Bíblia a esse número específico de anos de servidão pode ser um indício de que, após tal período, Israel gozou de liberdade essencial em relação aos filisteus. Ellicott (*in loc.*) afirmou que aqueles quarenta anos terminaram com a batalha de Ebenézer (ver 1Sm 7.12). Alguns eruditos supõem que esse período de opressão tenha começado ao mesmo tempo que se iniciou a opressão dos filhos de Amom (historiada no capítulo 11 de Juízes), embora esta última tenha perdurado por mais tempo que aquela. Ver Jz 10.7, que alude a essas duas opressões, a do leste e a do oeste.

A narrativa bíblica mostra-nos que a ameaça e a opressão sob os filisteus continuaram até os dias de Davi, cerca de um século mais tarde. Ver 2Sm 5.17-25. Aqueles "povos do mar" organizaram uma pentápole, ou seja, uma confederação de cinco cidades: Gaza, Asquelom, Asdode (a estratégica estrada costeira), Gate e Ecrom (no começo da Sefelá, ou seja, no início da região montanhosa de Judá (cf. Js 13.3).

Quando os filisteus fizeram avançar as suas tropas na direção leste, penetrando assim nas terras das tribos de Benjamim e de Judá, isso inaugurou a real opressão de Israel por parte dos filisteus naqueles lugares, o que continuou até os tempos de Samuel (ver 1Sm 7.10-14).

Que Sucedeu aos Danitas? A maior parte dessa tribo transferiu-se mais para o norte, a fim de escapar dos assédios constantes dos hostis filisteus. Contudo, alguns deles permaneceram no sul, nas terras tradicionais da tribo. Os pais de Sansão achavam-se entre os que permaneceram em seu território antigo. Sansão foi um herói danita. Ver no *Dicionário* o verbete intitulado *Dã*, quanto à história dessa tribo de Israel.

■ **13.2**

וַיְהִי אִישׁ אֶחָד מִצָּרְעָה מִמִּשְׁפַּחַת הַדָּנִי וּשְׁמוֹ מָנוֹחַ
וְאִשְׁתּוֹ עֲקָרָה וְלֹא יָלָדָה:

Um homem de Zorá, da linhagem de Dã. Ver as notas expositivas sobre Zorá em Js 15.33. Era um lugarejo na fronteira entre os territórios originalmente doados a Dã e a Judá, do outro lado do vale de Bete-Semes, pouco mais de 22 quilômetros a oeste de Jerusalém. No começo, Zorá pertencia à tribo de Judá (ver Js 15.20), mas posteriormente acabou ficando com os danitas.

Chamado Manoá. Ver o artigo detalhado sobre ele no *Dicionário*. Esse homem, sem dúvida, era dotado de espiritualidade, visto ter sido visitado por um anjo, e foi destacado pelo Senhor para ser pai de um dos juízes, por meio de quem houve uma das grandes intervenções divinas em Israel. Era homem dedicado à oração e de grande devoção pessoal. Quanto a outras ideias sobre ele, ver aquele artigo.

Cuja mulher era estéril. A maior calamidade que poderia atingir uma mulher israelita, e que com frequência é mencionada nas páginas do Antigo Testamento, era a esterilidade. Mediante uma intervenção divina, a esterilidade da esposa de Manoá chegou ao fim. Cf. Gn 16—17; 1Sm 1.2 e Lc 1.7 ss. Ela é identificada com a Hazelelponi de 1Cr 4.3. O nome dessa mulher significa "a sombra caiu sobre mim". Esse nome também assume a forma de Zelelponi.

A maior parte da tribo de Dã já se tinha mudado para o vale do Hulé (ver o capítulo 18 de Juízes), ao norte do lago ou mar da Galileia, perto do lago assim chamado.

■ **13.3**

וַיֵּרָא מַלְאַךְ־יְהוָה אֶל־הָאִשָּׁה וַיֹּאמֶר אֵלֶיהָ הִנֵּה־נָא
אַתְּ־עֲקָרָה וְלֹא יָלַדְתְּ וְהָרִית וְיָלַדְתְּ בֵּן:

E nunca tiveste filhos. A calamidade de não ter filhos era o maior temor das mulheres israelitas. Em algumas poucas ocasiões registradas, para propósitos especiais, essa maldição foi anulada mediante a intervenção pessoal do Anjo de Yahweh. As promessas relativas à suspensão da esterilidade algumas vezes eram adiadas, mas nenhuma delas jamais falhou. E filhos especiais, nascidos daí, cuja carreira seria importante para o povo de Israel, sempre foram a causa dessas divinas intervenções. Portanto, temos aí o *teísmo* (ver a respeito no *Dicionário*), em contraposição ao *deísmo* (ver também no *Dicionário*). De acordo com o teísmo, Deus criou e continua presente, recompensando, punindo e guiando. O deísmo, em contraste, ensina que, apesar de talvez haver uma força criativa divina (pessoal ou impessoal), essa força abandonou o seu universo, deixando-o entregue ao governo das chamadas leis naturais, que operam bem, embora com muitas falhas. E essas falhas é que explicariam o problema do mal. Ver na *Enciclopédia de Bíblia, Teologia e Filosofia* o verbete chamado *Problema do Mal*.

■ 13.4

וְעַתָּה֙ הִשָּׁ֣מְרִי נָ֔א וְאַל־תִּשְׁתִּ֖י יַ֣יִן וְשֵׁכָ֑ר וְאַל־תֹּאכְלִ֖י כָּל־טָמֵֽא׃

Agora, pois, guarda-te. A mãe de Sansão precisou passar por uma preparação especial, que consistia em uma vida separada, santificada, observando criteriosamente os preceitos de Moisés, evitando alimentos e contatos imundos, não bebendo bebidas fortes, a fim de que fosse a mãe conveniente de um futuro nazireu (ver o quinto versículo). A tradição mística tem mostrado quão importante é o preparo espiritual e moral das mães de filhos especiais. Uma boa mãe é capaz de atrair uma boa alma, e a vontade e a bênção de Deus estarão sobre a criança. Mas uma mãe ruim atrairá uma alma ruim, e a vontade benfazeja de Deus pode ser anulada nesse sentido.

A própria ciência tem demonstrado a importância de a futura mãe evitar cigarros e bebidas fortes, pois essas coisas podem contaminar o feto. Por sua vez, a teologia mostra-nos quão importante é a preparação e a pureza espiritual para o nascimento de uma criança especial, que tenha de cumprir uma missão importante. Compare-se isso à história de João Batista, que desde o ventre materno foi cheio do Espírito Santo (ver Lc 1.15). Uma das cenas mais lamentáveis que se pode ver é uma mulher grávida a fumar cigarros. Esse é um ato imundo e eminentemente egoísta, que demonstra pouco ou nenhum interesse pelo feto. E também existem outras questões espirituais lamentáveis. As mães podem corromper seus próprios filhos por seus hábitos espirituais impuros. Ver no *Dicionário* o artigo chamado *Limpo e Imundo*.

■ 13.5

כִּי֩ הִנָּ֨ךְ הָרָ֜ה וְיֹלַ֣דְתְּ בֵּ֗ן וּמוֹרָה֙ לֹא־יַעֲלֶ֣ה עַל־רֹאשׁ֔וֹ כִּֽי־נְזִ֧יר אֱלֹהִ֛ים יִהְיֶ֥ה הַנַּ֖עַר מִן־הַבָּ֑טֶן וְה֗וּא יָחֵ֛ל לְהוֹשִׁ֥יעַ אֶת־יִשְׂרָאֵ֖ל מִיַּ֥ד פְּלִשְׁתִּֽים׃

O menino será nazireu consagrado a Deus. O adjetivo nazireu significa "consagrado". Um nazireu era alguém que fazia um voto especial de dedicar-se de modo especial a Yahweh. Esse voto de nazireado geralmente era por um curto período; mas Sansão seria um nazireu por toda a vida. Ver no *Dicionário* os artigos chamados *Nazireado (Voto do)* e *Nazireu*. O menino de Manoá, pois, seria um homem santo que livraria o povo de Israel da opressão dos filisteus. Todavia, Sansão acabou não mantendo integralmente a sua santidade ou devoção ao Senhor, e isso o derrubou em meio a seus inimigos pagãos. sua biografia teria sido muito diferente se ele tivesse conservado íntegro o seu nazireado.

As três condições principais do nazireado eram estas: 1. Abstinência de qualquer bebida alcoólica. 2. Nenhum contato com os mortos (observância das leis do limpo e imundo). 3. Os cabelos não podiam ser rapados ou aparados. Ver o versículo 14 deste capítulo quanto a outros comentários.

"Nos casos de Jefté e de Sansão, os israelitas aprenderam o poder que repousa sobre os votos individuais, capaz de exibir o heroísmo oculto e misterioso do espírito humano, que pode salvar as pessoas de afundarem nas maiores profundezas da maldade" (Ellicott, *in loc.*, citando Ewald). Esses votos tornaram-se um poderoso instrumento em favor do bem. Jefté fez um voto isolado, precipitado e pecaminoso; Sansão tinha uma devoção por toda a sua vida. Por esse motivo, tornou-se um virtual super-homem.

O artigo do *Dicionário* intitulado *Nazireado (Voto do)* explica as "razões" das proibições que envolviam esse voto. Ver especialmente o quarto ponto, *Provisões do Voto*.

ele começará a livrar a Israel. Sansão deu início ao livramento de Israel dos filisteus, "mas não foi senão nos dias de Davi que os israelitas foram totalmente remidos do poder deles" (Adam Clarke, *in loc.*). O livramento efetuado por Davi ocorreu cerca de cem anos depois de Sansão.

■ 13.6

וַתָּבֹ֣א הָאִשָּׁ֗ה וַתֹּ֣אמֶר לְאִישָׁהּ֮ לֵאמֹר֒ אִ֤ישׁ הָאֱלֹהִים֙ בָּ֣א אֵלַ֔י וּמַרְאֵ֕הוּ כְּמַרְאֵ֛ה מַלְאַ֥ךְ הָאֱלֹהִ֖ים נוֹרָ֣א מְאֹ֑ד וְלֹ֤א שְׁאִלְתִּ֙יהוּ֙ אֵֽי־מִזֶּ֣ה ה֔וּא וְאֶת־שְׁמ֖וֹ לֹֽא־הִגִּ֥יד לִֽי׃

Um homem de Deus veio a mim. A visão angelical deixou a mãe de Sansão completamente atônita. E ela correu para narrar a visão ao marido. Algo de muito incomum tinha acontecido, e ela estava ansiosa para contar o fato a ele. Ver no *Dicionário* o artigo chamado *Anjo*. Não há motivo para duvidarmos da realidade dos anjos, que representam muitos níveis de seres metafísicos, dotados de poderes variegados. E também não há motivos para duvidarmos do fato de que esses seres, ocasionalmente e com propósitos especiais, aparecem para os seres humanos. A narração dessa aparição é consistente e constante, por toda a história da humanidade; e os casos modernos não são tão raros como alguém poderia pensar. As Escrituras ensinam-nos que alguns anjos ministram aos homens (ver Hb 1.14). Não é de estranhar, por conseguinte, que, algumas vezes, esses ministros se tornem visíveis para aqueles a quem ministram.

Um homem de Deus. Assim disse ela, porque os anjos aparecem sob forma humana. Sem dúvida alguma, eles também podem aparecer sob outras formas. Orígenes supunha que o espírito humano só é ligeiramente inferior aos anjos por causa da queda no pecado, e os espíritos humanos e os anjos pertencem à mesma espécie. Mas é difícil dizer se isso expressa ou não uma verdade, embora pareça haver íntima conexão entre os seres humanos e os anjos. O "homem de Elohim" tinha uma aparência maravilhosa e assustadora. Apesar disso, a mulher tentou saber o nome dele, mas ele não quis revelá-lo. Há uma antiga crença que diz que, se alguém puder saber o nome de um espírito, então passa a exercer certa forma de controle sobre ele ou, pelo menos, passa a estabelecer-se com ele uma linha de comunicação com ele. Talvez isso estivesse por trás da tentativa da mulher de obter o nome do anjo. A mulher não perguntou de onde o anjo viera; e essa questão tem de permanecer um mistério. Nesse ponto, estão envolvidas outras dimensões, e não meramente outros lugares; mas não sabemos grande coisa sobre essas outras realidades.

■ 13.7

וַיֹּ֣אמֶר לִ֔י הִנָּ֥ךְ הָרָ֖ה וְיֹלַ֣דְתְּ בֵּ֑ן וְעַתָּ֞ה אַל־תִּשְׁתִּ֣י ׀ יַ֣יִן וְשֵׁכָ֗ר וְאַל־תֹּֽאכְלִי֙ כָּל־טֻמְאָ֔ה כִּֽי־נְזִ֤יר אֱלֹהִים֙ יִהְיֶ֣ה הַנַּ֔עַר מִן־הַבֶּ֖טֶן עַד־י֥וֹם מוֹתֽוֹ׃ פ

Porém me disse. O presente versículo repete as mensagens dos versículos 3—5 deste capítulo. As notas dadas ali se aplicam também aqui. O anjo não demorou a dizer qual a natureza de sua missão, mencionando, antes de tudo, as obrigações que teria a mãe do menino, a fim de que servisse de veículo apropriado para o filho especial que em breve chegaria.

Até ao dia de sua morte. Encontramos nessas palavras uma adição ao que havia sido afirmado nos versículos 3—5, indicando que o voto de nazireado de Sansão seria vitalício.

■ 13.8

וַיֶּעְתַּ֥ר מָנ֛וֹחַ אֶל־יְהוָ֖ה וַיֹּאמַ֑ר בִּ֣י אֲדוֹנָ֔י אִ֣ישׁ הָאֱלֹהִ֞ים אֲשֶׁ֣ר שָׁלַ֗חְתָּ יָבוֹא־נָ֥א עוֹד֙ אֵלֵ֔ינוּ וְיוֹרֵ֕נוּ מַֽה־נַּעֲשֶׂ֖ה לַנַּ֥עַר הַיּוּלָּֽד׃

Que o homem de Deus... venha outra vez. Manoá ficou tremendamente impressionado com o que sua esposa lhe contou, e nem pensou em duvidar. Ele era um homem espiritual e tinha conhecimento acerca das experiências místicas. "A maneira como os pais [de Sansão] compartilharam de seu interesse pelo menino que nasceria é deveras comovente. A mensagem do anjo fora dada, inicialmente, à mãe; mas Manoá desejou intensamente ouvir também a revelação, em primeira mão. E orou no sentido de que o 'homem de Deus' voltasse, instruindo-os sobre como deveriam cuidar daquele menino especial... Esse profundo desejo de ser guiado por Deus, na criação do menino, é algo que todos os pais deveriam cobiçar" (Phillips P. Elliott, *in loc.*).

Algumas vezes, uma criança torna-se um homem ou uma mulher de Deus, apesar de seus pais. Mas o registro sagrado mostra-nos que a maior parte dos homens de Deus é entregue a pais que se preocupam com as realidades espirituais e, desde o começo, criam seus filhos para serem espiritualmente especiais, e não somente para viverem em um ambiente materialmente confortável.

Examinando ao nosso redor, vemos muito interesse dos pais por seus filhos. Usualmente, porém, esse interesse gira somente em torno de questões financeiras e conforto material. A orientação de quase todas as crianças esquece-se da dimensão espiritual. Apesar daquilo que alguém já disse, que um pai deve a seus filhos três coisas — exemplo, exemplo, exemplo —, raramente vemos pais que deixam um bom exemplo espiritual. Na maioria das vezes, tempo e esforço são gastos na educação dos filhos, mas o que é secular predomina; e as crianças crescem bem treinadas, mas corruptas.

Raros, de fato, são os casos como o de Manoá e sua esposa, em que um anjo do Senhor é solicitado para informar sobre como criar um filho especial. É desse interesse espiritual pelos filhos que tanto precisamos. Oh, Senhor, concede-nos tal graça! Existem muitos filhos potenciais, crianças inclinadas às questões espirituais, cujo destino, entretanto, é deixado ao sabor do vento, por parte de pais carnais e negligentes. Oh, Senhor, livra-nos de coisas dessa natureza!

"Reconheces, agradecido, pelo fato de que teu pequeno te foi dado da parte de Deus, e também confessas a tua sagrada obrigação de treinar teu filho, por preceito e pela força do bom exemplo, no conhecimento e no amor de Deus, bem como na fé e no Espírito de Jesus Cristo" (*Devotional Services*, John Hunter).

Quão agudamente sentimos a necessidade de orientação especial quando recebemos aquele filho especial. A criança é capaz de perceber a nossa hipocrisia. Mas perceberá nosso exemplo, seja ele bom ou mau. A criança é influenciada por nós, mais do que por qualquer outra fonte. Esses são fatos solenes. Por isso mesmo foi que alguém orou a Deus como segue: "Oh, Senhor, ajuda-me a não falhar quanto a este meu precioso filho!"

■ 13.9-11

וַיִּשְׁמַע הָאֱלֹהִים בְּקוֹל מָנוֹחַ וַיָּבֹא מַלְאַךְ הָאֱלֹהִים עוֹד אֶל־הָאִשָּׁה וְהִיא יוֹשֶׁבֶת בַּשָּׂדֶה וּמָנוֹחַ אִישָׁהּ אֵין עִמָּהּ׃

וַתְּמַהֵר הָאִשָּׁה וַתָּרָץ וַתַּגֵּד לְאִישָׁהּ וַתֹּאמֶר אֵלָיו הִנֵּה נִרְאָה אֵלַי הָאִישׁ אֲשֶׁר־בָּא בַיּוֹם אֵלָי׃

וַיָּקָם וַיֵּלֶךְ מָנוֹחַ אַחֲרֵי אִשְׁתּוֹ וַיָּבֹא אֶל־הָאִישׁ וַיֹּאמֶר לוֹ הַאַתָּה הָאִישׁ אֲשֶׁר־דִּבַּרְתָּ אֶל־הָאִשָּׁה וַיֹּאמֶר אָנִי׃

Deus ouviu a voz de Manoá. Elohim estava próximo e ouviu a oração de Manoá. Afinal, ele orou sinceramente em favor de seu filho, e não meramente por si mesmo. E o Anjo do Senhor voltou e apareceu novamente à mulher, quando Manoá, uma vez mais, não estava presente. Contudo, a mulher queria que seu marido estivesse presente, para ser testemunha daquele acontecimento estontenante; e assim correu a chamá-lo e, felizmente, o anjo esperou a chegada de Manoá. Isso indica que o Espírito de Deus estava controlando todos os acontecimentos, e estes sucediam conforme era mister que ocorressem. A mesma mensagem que tinha sido dada à mulher foi dada também ao homem. O palco estava sendo armado para o drama especial. Houve momentos de esplêndida comunhão, e podemos estar certos de que Manoá e sua esposa nunca mais foram as mesmas pessoas. Viveram todos os seus dias com os olhos do espírito contemplando o anjo, ouvindo a sua voz.

Podemos dizer que eles ficaram desapontados pelo fato de Sansão ter sido um homem poderoso e débil, que dava dois passos para trás cada vez que dava um passo para frente. Pois Sansão não guardou fielmente o seu voto. Ele acabou caindo no descrédito. Não obstante, de modo geral (embora em meio a muitas falhas), ele realizou a missão para a qual viera a este mundo. Assim é a história da maioria dos homens. O positivo mistura-se com o negativo.

No Que Se Transformou Sansão? Acompanhar a vida e o desenvolvimento espiritual deste juiz é algo muito instrutivo. Há estudos que mostram que, espiritualmente falando, os pais deveriam receber menos crédito pelos filhos que se saem bem, e menos culpa pelos filhos que não se saem bem. Existe o que poderíamos chamar de carga genética, tanto física quanto espiritual, que tem uma maneira de prevalecer no fim. Essa carga genética pode pender para o bem ou para o mal. Isso, contudo, não exime os pais de seus deveres para com os filhos; mas fatos dessa natureza ajudam-nos a obter uma perspectiva melhor sobre o que significa ser pai ou mãe. As crianças são indivíduos e agem como tais desde o começo de sua vida. É conforme disse Baha Ullah: "A pior coisa que pode acontecer a um pai é saber os ensinamentos certos, mas não transmiti-los a seu filho". Portanto, que Deus nos livre desse grave erro! Cumpre-nos fazer o melhor que está ao nosso alcance, e deixar o resultado nas mãos de Deus, pois, afinal, ele é o grande agente em todos os casos que estabelecem a diferença entre o sucesso e o fracasso de uma vida humana.

Josefo informou-nos de que a mulher "rogou" que o anjo ficasse até que seu marido voltasse. Porquanto era muito importante que ambos ouvissem a mesma mensagem e estivessem unidos no mesmo interesse e nos mesmos esforços (ver *Antiq.* 1.5, cap. 8, sec. 3).

Oração de um Pai:

Oh, Deus, abençoa a este meu filho precioso. Torna-o uma alma grande e nobre; brilhante em sua mente; um grande caráter moral e espiritual; um facho luminoso que espante as trevas deste mundo; uma grande potencialidade em favor do bem e de Deus, neste mundo maligno. Concede-lhe grandes promessas e um total cumprimento dessas promessas. Concede-me luz para que saiba aonde devo conduzi-lo quanto à sua educação, e dá-me recursos necessários para essa tarefa. Concede-me também recursos espirituais, bem como a sabedoria de aplicá-los em favor dele. Dá-me longa vida e boa saúde, a fim de que eu possa acompanhá-lo por muitos anos futuros. E permite que meus olhos vejam a concretização de tudo quanto te estou rogando.

■ 13.12

וַיֹּאמֶר מָנוֹחַ עַתָּה יָבֹא דְבָרֶיךָ מַה־יִּהְיֶה מִשְׁפַּט־הַנַּעַר וּמַעֲשֵׂהוּ׃

Então disse Manoá. Ele estava ansioso para saber, com precisão, o que lhe cumpria fazer. "Dá-me informações!", pediu ele. Reconhecendo que lhe faltava sabedoria, pediu a Deus que lhe desse o precioso dom.

Se, porém, algum de vós necessita de sabedoria,
peça-a a Deus, que a todos dá liberalmente,
e nada lhes impropera; e ser-lhe-á concedida.

Tiago 1.5

O original hebraico diz aqui, literalmente: "Qual será a ordenação da criança, e o seu trabalho". Manoá estava olhando para a futura missão de Sansão, na direção da qual a sua educação deveria ser encaminhada. Ele precisava receber uma educação em consonância com a sua missão, embora esta só tivesse de começar dentro de muitos anos.

"Ensina-nos o que devemos fazer, é a oração de incontáveis pais quando têm de enfrentar sua oportunidade paterna e reconhecem que não são sábios ou bons o bastante para cumprirem o seu papel sem a ajuda de Deus" (Phillips P. Elliott, *in loc.*).

O Anjo do Senhor não informou aos pais de Sansão que tipo de missão o menino haveria de cumprir quando se tornasse adulto; mas mostrou-lhes como deveriam prepará-lo para essa missão.

Não peço para ver a cena distante;
Um passo por vez é o bastante para mim.

John H. Newman

Por outra parte, ver uma cena à distância ajuda-nos a dar o passo seguinte. A sabedoria de Deus dá-nos as informações no grau e na extensão em que precisamos. Conhecimento em demasia pode esmagar. Que o Senhor seja o juiz em todas essas coisas. Benditos são aqueles casos em que o pleno conhecimento equivale a um pleno regozijo, e que esse seja o nosso caso.

■ 13.13

וַיֹּאמֶר מַלְאַךְ יְהוָה אֶל־מָנוֹחַ מִכֹּל אֲשֶׁר־אָמַרְתִּי אֶל־הָאִשָּׁה תִּשָּׁמֵר׃

Guarde-se a mulher de tudo quanto eu lhe disse. A mensagem principal fora dada à esposa de Manoá. E a Manoá cabia cuidar para que ela observasse cada ordem divina. É claro que o papel dela é que foi enfatizado. Manoá estava presente para cumprir a sua parte; mas à mulher foi imposta maior responsabilidade. O anjo não forneceu mensagens adicionais a Manoá, mas ser-lhe-ia dada a devida sabedoria, a cada passo, quando ele estivesse preparando o seu filho especial. A mensagem divina é que eles deveriam interessar-se pelas coisas que eram importantes aos olhos de Yahweh. Eles deveriam "fazer-se sempre disponíveis" para Sansão, conforme costumamos dizer hoje em dia.

■ 13.14

מִכֹּל אֲשֶׁר־יֵצֵא מִגֶּפֶן הַיַּיִן לֹא תֹאכַל וְיַיִן וְשֵׁכָר אַל־תֵּשְׁתְּ וְכָל־טֻמְאָה אַל־תֹּאכַל כֹּל אֲשֶׁר־צִוִּיתִיהָ תִּשְׁמֹר׃

Tudo quanto lhe tenho ordenado guardará. Este versículo repete as injunções dos versículos 4 e 5; mas não menciona de novo a questão relativa aos cabelos, a qual, como é claro, ficou subentendida e não foi declaradamente repetida. Sansão não podia tocar em nada que procedesse da uva. Nem mesmo "uvas secas, as sementes ou as cascas, nem qualquer coisa feita à base da uva... e a mulher também deveria abster-se de bebidas alcoólicas... nada comendo que fosse imundo... pois essa era a lei relativa ao nazireado" (John Gill, *in loc.*). A uva era a fruta típica dos excessos, ou, se vista pelo seu lado melhor, dos cânticos e das danças. Um nazireu, entretanto, era uma figura séria, que não se envolvia na frivolidade das pessoas e, sobretudo, em suas bebedeiras e danças. sua atenção voltava-se inteiramente para Yahweh. sua alegria era o Senhor. Seus brados eram somente de louvor, e não os gritos banais de dançarinos embriagados. O artigo do *Dicionário* intitulado *Nazireado (Voto do)*, explica os motivos dessas proibições no voto tomado pelos nazireus.

■ 13.15

וַיֹּאמֶר מָנוֹחַ אֶל־מַלְאַךְ יְהוָה נַעְצְרָה־נָּא אוֹתָךְ וְנַעֲשֶׂה לְפָנֶיךָ גְּדִי עִזִּים׃

E te prepararemos um cabrito. Temos aqui alusão à refeição comunal. Uma grande coisa tinha acontecido, e Manoá não queria que aquele companheirismo terminasse de repente. Por isso, procurou deter o Anjo a fim de servir-lhe uma refeição de comunhão, envolvendo um holocausto. Ver no *Dicionário* o artigo denominado *Holocausto*. Aquela foi uma ocasião sagrada que requeria a celebração espiritual apropriada, conforme se lê em Lv 1.3-17 e 6.9-13, onde há notas adicionais sobre os holocaustos. As refeições comunais da natureza proposta aqui eram realizadas na esperança de que seriam agraciadas com a presença de Yahweh, o participante invisível e silente.

"Um cabrito era um acepipe especial (ver Gn 27.9; 1Sm 16.20). Ver os comentários de Agostinho, em Quast., sobre Judas 7.52" (Ellicott, *in loc.*). Portanto, Manoá proveu o que tinha de melhor para aquela ocasião.

É possível que Manoá, além de anelar pela continuação da comunhão do momento, também tivesse a esperança de que o Anjo lhe revelasse segredos e desse alguma orientação especial, além daquelas que já haviam sido fornecidas. Talvez ele desejasse ver a cena distante, referida parágrafos antes.

■ 13.16

וַיֹּאמֶר מַלְאַךְ יְהוָה אֶל־מָנוֹחַ אִם־תַּעְצְרֵנִי לֹא־אֹכַל בְּלַחְמֶךָ וְאִם־תַּעֲשֶׂה עֹלָה לַיהוָה תַּעֲלֶנָּה כִּי לֹא־יָדַע מָנוֹחַ כִּי־מַלְאַךְ יְהוָה הוּא׃

Porém, o Anjo do Senhor disse a Manoá. O Anjo aceitou o convite de Manoá, pelo que a ocasião especial se prolongou por mais algum tempo. Todavia, não quis participar da oferenda. Isso indica, naturalmente, sem que haja necessidade de dizê-lo literalmente, que os anjos não são uma espécie de seres que possam consumir alimentos próprios para os seres humanos. Talvez o Anjo também tenha querido dizer que ele não podia envolver-se nas formas de adoração dos homens, pois as instituições humanas não seriam aplicáveis às ordens angelicais. Mas ele deixou bem claro que o convite honra ao próprio Yahweh, que estava presente, embora invisível, em uma ocasião daquela ordem. Portanto, a oferenda proposta por Manoá teria de ser feita diretamente a Yahweh.

Nos trechos de Gn 18.8 e 19.3, o Anjo envolvido comeu o alimento próprio para os homens que lhe fora oferecido. As tradições variavam quanto a essa questão. Outrossim, um anjo poderia dar a impressão de estar comendo, embora não o estivesse fazendo, através da lei da maya, "ilusão". Os intérpretes têm-se admirado da capacidade de Jesus comer, após a sua ressurreição (ver Jo 21.15). O mesmo comentário pode aplicar-se à situação que temos aqui, no livro de Juízes.

Manoá estava vivendo uma experiência acima de seu conhecimento e vivência. Por enquanto, ele não sabia que o "homem" era um Anjo, embora isso estivesse prestes a ser-lhe revelado. Alguns têm recebido anjos sem sabê-lo (ver Hb 13.2).

■ 13.17

וַיֹּאמֶר מָנוֹחַ אֶל־מַלְאַךְ יְהוָה מִי שְׁמֶךָ כִּי־יָבֹא דְבָרְךָ וְכִבַּדְנוּךָ׃

Qual é o teu nome...? Pensava-se que conhecer o nome de um espírito conferia poder a quem tivesse tal conhecimento, para que o espírito lhe fizesse coisas necessárias. Ademais, pensava-se que o nome de alguém, de alguma maneira, incorporava a personalidade e o poder de seu detentor. Mas Manoá explicou que só queria saber o nome do homem a fim de honrá-lo, quando suas predições tivessem cumprimento. O autor sagrado, pois, dá a entender que Manoá, consciente ou inconscientemente, sabia mais do que declarara. No mínimo, ele tinha suas suspeitas, ou seja, aquele "homem" deveria ser um "anjo". Por conseguinte, saber o nome dele só poderia ser-lhe vantajoso, ali mesmo e futuramente. Além disso, ele tinha um filho especial para criar, e o conhecimento desse nome seria necessário para o bem do seu filho. Cf. Gn 32.29; Êx 3.13 e Pv 30.4, onde encontramos ideias similares.

... te honremos? Como? Mediante palavras tais quais: "Vejam as grandes coisas que sucederam, e que aquele homem de Deus predisse. Ele era uma grande personalidade e favoreceu-nos com o seu poder". Ou então mediante dádivas. Manoá haveria de enviar-lhe um presente, em comemoração ao cumprimento das profecias, e em agradecimento por tal cumprimento. Cf. Nm 22.17. Ver também Josefo (*Antiq.* vs. 8, par. 3).

■ 13.18

וַיֹּאמֶר לוֹ מַלְאַךְ יְהוָה לָמָּה זֶּה תִּשְׁאַל לִשְׁמִי וְהוּא־פֶלִאי׃ ס

Por que perguntas assim pelo meu nome...? O nome do Anjo era um segredo. Ele fez o que tinha vindo fazer; mas Manoá queria ir longe demais, ao desejar saber o nome do ilustre visitante. E isso não lhe era permitido revelar. Existem limitações que os homens precisam observar, devido ao humilde estado espiritual do ser humano e à sua posição relativamente pequena na escala metafísica.

Que é maravilhoso? Esse adjetivo é tradução do termo hebraico *peli*, que pode significar tanto "maravilhoso" quanto "secreto". Alguns estudiosos saltam para a conclusão de que esse anjo era Gabriel. Fosse como fosse, o nome era por demais maravilhoso para que os homens o ouvissem. Ver Is 9.6, onde o esperado Messias seria chamado por esse nome. A maior parte das maravilhas celestiais continua incomunicável para os seres humanos. Mas isso prevalece apenas por enquanto. Chegará, finalmente, o tempo em que o homem espiritual se tornará conhecedor dos mistérios celestiais, quando for transformado segundo a imagem de Cristo (ver Rm 8.29).

O nome do Anjo também estava muito acima da compreensão de Manoá. Mas, conforme um crente sobe a escada metafísica, passa a compreender aquilo que antes lhe era incompreensível. Tudo isso faz parte do crescimento e da transformação espiritual.

■ 13.19

וַיִּקַּ֨ח מָנ֜וֹחַ אֶת־גְּדִ֤י הָֽעִזִּים֙ וְאֶת־הַמִּנְחָ֔ה וַיַּ֥עַל עַל־הַצּ֖וּר לַֽיהוָ֑ה וּמַפְלִ֣א לַעֲשׂ֔וֹת וּמָנ֥וֹחַ וְאִשְׁתּ֖וֹ רֹאִֽים׃

Um cabrito e uma oferta de manjares. Isso posto, o holocausto incluiu uma oferta de manjares. Ver as notas sobre Lv 1.1-16 e 6.14-18 quanto a explicações completas sobre essa questão. Os participantes consumiam no fogo o holocausto e participavam de um quinhão da oferta de manjares, tudo em honra a Yahweh, que estaria presente e comeria com os seus "amigos"; o restante era consumido pelos companheiros humanos do Deus eterno.

O Anjo do Senhor se houve maravilhosamente. Essas palavras têm sido variegadamente traduzidas. Alguns eruditos supõem que o próprio Anjo tenha tomado um aspecto diferente e maravilhoso, em consonância com o que disse sobre si mesmo, quanto a ser *peli*, "maravilhoso". Ver as notas sobre o versículo anterior. Ou então o significado dessa frase é que "ele o ofereceu sobre a rocha, ao Senhor (Yahweh), àquele que opera maravilhosamente" (conforme diz a *Revised Standard Version*). Isso significa que a qualidade de "maravilhoso" foi atribuída a Yahweh, e não ao anjo. Mas sem importar exatamente como tenha sido, Manoá e sua esposa ficaram contemplando, extasiados, as manifestações divinas que ocorreram enquanto a oferenda estava sendo realizada. Isso pode ser comparado à experiência de Gideão em Jz 6.20-26.

Uma das explicações dessa cena diz que o anjo agiu maravilhosamente ao fazer o fogo sair da rocha e consumir o sacrifício, para então ascender nas chamas que eram emitidas da rocha (de acordo com Kimchi). Josefo imaginou que o Anjo agira maravilhosamente ao consumir a oferenda, tocando nela com seu cajado. Ele comparava isso com o trecho de Jz 6.21, de onde extraiu essa ideia (ver *Antiq*. 1.5, cap. 8, sec. 3).

■ 13.20

וַיְהִי֩ בַעֲל֨וֹת הַלַּ֜הַב מֵעַ֤ל הַמִּזְבֵּ֙חַ֙ הַשָּׁמַ֔יְמָה וַיַּ֥עַל מַלְאַךְ־יְהוָ֖ה בְּלַ֣הַב הַמִּזְבֵּ֑חַ וּמָנ֤וֹחַ וְאִשְׁתּוֹ֙ רֹאִ֔ים וַיִּפְּל֥וּ עַל־פְּנֵיהֶ֖ם אָֽרְצָה׃

Subindo para o céu a chama... o Anjo do Senhor subiu nela. Este relato não mostra o anjo a consumir o holocausto, conforme fizera Yahweh em Jz 6.21, mas mostra que o anjo subiu por meio da chama que o sacrifício enviava para o alto. Isso proveu um final espetacular à cena, deixando Manoá e sua esposa estupefatos e dando-lhes, além disso, a certeza de que tinham estado com um ser divino, ou seja, o Anjo do Senhor. Podemos estar seguros de que eles nunca mais foram as mesmas pessoas, depois de terem passado por aquela experiência. Cf. este versículo com Juízes 6.22. Em seu espanto, Manoá e a esposa caíram de rosto em terra. Somos informados de que poderosas experiências místicas podem arrebatar a pessoa de praticamente toda a sua força muscular, pelo que cair prostrado no chão pode ser resultado disso, para nada dizermos do temor que acompanha essas experiências. Ver Lv 9.24; Nm 14.5 e Ez 1.28, quanto a esse tipo de reação humana diante da presença do poder divino.

■ 13.21

וְלֹא־יָסַ֣ף ע֗וֹד מַלְאַ֤ךְ יְהוָה֙ לְהֵרָאֹ֔ה אֶל־מָנ֖וֹחַ וְאֶל־אִשְׁתּ֑וֹ אָ֚ז יָדַ֣ע מָנ֔וֹחַ כִּֽי־מַלְאַ֥ךְ יְהוָ֖ה הֽוּא׃

Nunca mais apareceu o Anjo do Senhor a Manoá, nem a sua mulher. Manoá e sua esposa olharam ao redor, a fim de certificar-se de que não tinham sofrido alguma espécie de ilusão óptica. O anjo estivera ali instantes antes, mas agora tinha-se ido embora. Eles haviam visto o *modus operandi* da partida do Anjo, e isso os deixara muito assustados. Com base nessas circunstâncias, o casal compreendeu que tinha sido agraciado por uma visita angelical. A tradição mística fornece-nos muitos exemplos de nascimento de homens especiais anunciado por maravilhas, começando por algum acontecimento que ocorre com os pais da criança, conforme sucedeu no caso de Manoá e sua esposa. Poderosas personagens espirituais ou instrumentos divinos de alguma missão especial lançam, antes mesmo de sua chegada, uma sombra miraculosa, que dá a entender que logo eles surgirão na cena terrestre.

■ 13.22

וַיֹּ֧אמֶר מָנ֛וֹחַ אֶל־אִשְׁתּ֖וֹ מ֣וֹת נָמ֑וּת כִּ֥י אֱלֹהִ֖ים רָאִֽינוּ׃

Certamente morreremos. Ver o Anjo do Senhor era equivalente a ver o próprio Senhor, de acordo com a maneira de pensar dos hebreus. O ser que Manoá e sua esposa tinham visto, através do Anjo do Senhor, era o próprio Elohim, o Todo-poderoso. Ver no *Dicionário* o artigo chamado *Deus, Nomes Bíblicos de*. Cf. Jz 6.22,23, onde Gideão reagiu da mesma maneira que aquele casal. Cf. o capítulo 18 do livro de Gênesis. O trecho de Êx 33.20 profere a pena de morte para aqueles que veem Deus, mas a visão angelical de Deus não significou a morte do casal, embora os tenha deixado extremamente assustados. Ver também Gn 32.30 e Dt 5.24.

■ 13.23

וַתֹּ֧אמֶר ל֣וֹ אִשְׁתּ֗וֹ ל֣וּ חָפֵ֤ץ יְהוָה֙ לַהֲמִיתֵ֔נוּ לֹֽא־לָקַ֤ח מִיָּדֵ֙נוּ֙ עֹלָ֣ה וּמִנְחָ֔ה וְלֹ֥א הֶרְאָ֖נוּ אֶת־כָּל־אֵ֑לֶּה וְכָעֵ֕ת לֹ֥א הִשְׁמִיעָ֖נוּ כָּזֹֽאת׃

Porém sua mulher lhe disse. A esposa de Manoá demonstrou ser possuidora de uma sabedoria superior, tendo raciocinado corretamente que a morte não era o seu destino imediato. De fato, agora eles tinham uma grande missão a cumprir, que requeria muitos anos de vida. Se isso não fosse verdade, eles não teriam sido privilegiados com aquela experiência. O aparecimento do Anjo de Yahweh não visava a morte deles, mas antes, fazê-los viver, dali por diante, de forma mais significativa. Sem dúvida alguma, Yahweh tinha ficado satisfeito com o sacrifício que eles haviam oferecido, e mostrara ser para eles um revelador, e não um executor.

"Se Deus quisesse tirar-lhes a vida, dificilmente tê-los-ia preparado para o que estava prestes a acontecer, ou seja, o nascimento do libertador, Sansão" (Phillips P. Elliott, *in loc*.). Chega, às vezes, uma ocasião em que sentimos que Deus nos abandonou, ou nos deixou em uma situação de inferioridade, que não combina com nossa missão. Mas o poder divino nem por isso desistiu, e logo começará a operar em nosso favor. Temos de enfrentar muitos obstáculos, mas cada um deles serve de trampolim e de lição objetiva que precisamos aprender. Mas a graça de Deus é suficiente para nós (ver 2Co 12.9). Essa promessa salva-nos do pessimismo e do derrotismo. Não poderemos morrer enquanto não tivermos cumprido a nossa missão e, para tanto, sempre recebemos forças e orientação adequadas.

"Aquele que nos deu gratuitamente o seu Filho, a fim de redimir-nos, jamais poderá ser indiferente para com o nosso bem-estar" (Adam Clarke, *in loc*.). Outrossim, toda revelação especial implica a aprovação divina, e não algum castigo.

■ 13.24

וַתֵּ֤לֶד הָֽאִשָּׁה֙ בֵּ֔ן וַתִּקְרָ֥א אֶת־שְׁמ֖וֹ שִׁמְשׁ֑וֹן וַיִּגְדַּ֣ל הַנַּ֔עַר וַֽיְבָרְכֵ֖הוּ יְהוָֽה׃

Deu a mulher à luz um filho. Temos aqui o nascimento de Sansão (ver Jz 13.3 ss.), e isso significa que a promessa feita pelo anjo não demorou a cumprir-se. Sansão foi o "filho prometido". Ele teve uma infância maravilhosa. Era saudável e excepcionalmente vigoroso. O próprio Yahweh o estava abençoando. Seus fracassos futuros não poderiam lançar uma sombra negra sobre os anos de juventude, pois sua vida era promissora e muito abençoada. Além disso, embora Sansão tenha falhado de muitas maneiras, nada conseguiu diminuir o sucesso final de seu ministério. Sansão foi um instrumento imperfeito, mas isso não impediu que ele realizasse a sua missão. Em um sentido bem real, Sansão é o quadro fiel de qualquer homem espiritual. Sempre poderemos descobrir alguma falha em seu comportamento. Sempre haverá alguma mácula no seu caráter. Porém, devemos deter-nos no êxito em cumprir a missão para a qual tal pessoa foi criada.

"Deus tem muitos tipos diferentes de bênçãos, e as bênçãos aqui aludidas parecem ter sido as bênçãos da saúde, da força física e da coragem" (Ellicott, *in loc.*).

"Yahweh forneceu provas evidentes de que o menino estava debaixo da proteção peculiar do Altíssimo; e isso levava-o a aumentar diariamente em estatura e em uma força física extraordinária" (Adam Clarke, *in loc.*).

"... não somente com uma força física incomum, mas também com dotes mentais notáveis, com o Espírito e com as graças do Espírito; com a graça e as bênçãos derivadas e com a sua presença graciosa. Cf. Sl 21.3,6; Ef 1.3" (John Gill, *in loc.*).

Ver no *Dicionário* o artigo detalhado chamado *Sansão*, no qual incluo uma discussão sobre o seu nome, um ponto que alguns comentadores discutem longamente.

■ 13.25

וַתָּחֶל רוּחַ יְהוָה לְפַעֲמוֹ בְּמַחֲנֵה־דָן בֵּין צָרְעָה וּבֵין אֶשְׁתָּאֹל׃ פ

E o Espírito do Senhor passou a incitá-lo. O Espírito de Deus iniciou suas operações em Sansão quando este ainda era jovem. A preparação para sua vida estava começando a surtir efeito. O Antigo Testamento retrata o *Espírito de Deus* (ver a respeito no *Dicionário*) como alguém que descia ocasionalmente sobre uma pessoa, mas não de maneira permanente, tendo em vista propósitos específicos. O Novo Testamento o retrata a residir na alma humana, de forma duradoura, unindo o indivíduo a Cristo e transformando-o segundo a imagem do Filho de Deus (ver Rm 8.29; 1Jo 3.2; Ef 2.22). Por conseguinte, a espiritualidade individual e coletiva aumenta através dos séculos, conforme o plano de Deus vai tendo cumprimento, em uma evolução espiritual constante, como se fosse uma realização cada vez maior.

O Espírito de Yahweh começou a incitar o coração de Sansão. Ele seria o libertador de Israel. Isso aconteceu, no começo, em Maané-Dã, ou seja, no "acampamento de Dã". Cf. Jz 18.11,12 quanto à origem desse nome locativo. Nesse lugar, seiscentos homens armados, pertencentes à tribo de Dã, acamparam antes de conquistar a cidade de Laís (ver Jz 18.11-13), o que lhe explica o nome. Ficava a oeste de Quiriate-Jearim, entre Zorá e Estaol. O local moderno, porém, ainda não foi identificado. Sansão, finalmente, foi sepultado entre Zorá e Estaol (ver Jz 16.31 e 18.2,8,11). Sansão não dirigiu nenhum exército, conforme fizeram outros juízes guerreiros. Mas foi um fator que debilitou os filisteus, os quais só seriam definitivamente derrotados nos dias de Davi, cerca de um século depois. Mas Sansão foi capaz de confundir de tal modo os filisteus que estes não conseguiram invadir os territórios de Benjamim e Judá. Ele diminuiu de maneira apreciável o número dos filisteus. Essa foi a sua tarefa, que ele cumpriu muito bem. E outros homens de Deus foram enviados para completar o que ele havia começado.

Zorá e Estaol eram cidades do território de Dã, na fronteira com o território da tribo de Judá. Ver Js 15.33 e 19.41. A tribo de Dã habitava perto do território dos filisteus, o que significa que estes podiam atingir os danitas com facilidade. Ver no *Dicionário* o artigo chamado *Estaol*; e ver as notas sobre Zorá, em Js 15.33. Essas duas cidades ficavam distantes uma da outra somente cerca de 1,5 quilômetro, e estavam situadas em uma serra montanhosa que dava de frente para a extremidade oriental do vale de Soreque.

"Assim Deus começou, desde a infância [de Sansão], a qualificá-lo para o trabalho para o qual ele o havia chamado" (Adam Clarke, *in loc.*).

CAPÍTULO CATORZE

A história de Sansão começa em Jz 13.1, e ali, na introdução ao capítulo, caracterizei, de modo geral, o homem e a sua missão. Ver no *Dicionário* o verbete chamado *Sansão*.

O trecho de Jz 14.1-4 registra o primeiro amor de Sansão, um dos incidentes iniciais de sua vida adulta. O homem de força de Dã deu um passo em falso desde o começo. A visão da bela mulher fê-lo virar a cabeça. É como alguém já comentou a respeito: "Neste mundo material, o maior poder que existe é o dinheiro. Depois disso, e seguindo-lhe os passos bem de perto, é a mulher". Mas naturalmente, se um homem tem dinheiro, a mulher vem primeiro. A natureza equipou a mulher com uma forma que, naturalmente, excita a mente masculina, gostemos disso ou não. A genética perpetua essa atração; e muitos atos insanos têm sido cometidos por um homem cuja mente foi dominada por uma mulher. Conta-se a história da loucura que ocorreu em Troia. Helena havia sido sequestrada e levada da Grécia para Troia. Ela era tão bela que seu rosto podia pôr em movimento "mil navios". Certo dia, porém, os anciãos de Troia começaram a queixar-se de toda a confusão que a presença de Helena entre eles já havia causado. Eles não conseguiam entender por qual motivo os troianos atraíam contra si tanta miséria ao terem trazido e retido para seu meio uma simples mulher. E enquanto os anciãos discutiam, Helena passou perto deles. A discussão foi interrompida, e os homens pararam para observar a sua passagem. E então Homero ajuntou: "Aqueles anciãos de súbito entenderam por qual razão Helena precisava ficar".

O fato de que Sansão podia perambular livremente por onde os filisteus habitavam indica que havia então um estado de paz inquieta entre os israelitas e os filisteus. Mas estes iam aumentando o controle sobre Israel, ao passo que os hebreus estavam perdendo terreno. O quarto versículo deste capítulo diz que os filisteus "dominavam sobre Israel". Estes não eram exatamente escravos, mas os filisteus controlavam muita coisa, deixando os israelitas em um estado de semiescravidão. Não podiam fazer o que queriam e estavam sempre sofrendo alguma forma de opressão, incluindo o pagamento de tributos. Os filisteus assediavam, invadiam as cidades de Israel, saqueavam e submetiam os hebreus ao pagamento de taxas. Era uma autêntica opressão.

O casamento de Sansão com uma mulher que pertencia ao povo opressor sem dúvida foi um deslize, mas Deus acabaria por corrigir a situação. Todos nós cometemos muitos equívocos, após os quais Deus precisa usar o seu poder de endireitar as coisas.

Os pais tinham o dever de providenciar o casamento dos filhos, de acordo com os costumes da época; mas os filhos tinham o poder de influenciar os pais para que escolhessem as jovens que eles desejavam. Havia muita barganha em tudo isso; mas às vezes os pais forçavam casamentos que não eram queridos.

■ 14.1

וַיֵּרֶד שִׁמְשׁוֹן תִּמְנָתָה וַיַּרְא אִשָּׁה בְּתִמְנָתָה מִבְּנוֹת פְּלִשְׁתִּים׃

Desceu Sansão a Timna. Ver no *Dicionário* quanto a um artigo detalhado sobre esse lugar. Ficava pouco mais de seis quilômetros a sudoeste do acampamento de Dã, onde Sansão residia. A visita que ele fez ao lugarejo provocou a primeira dificuldade, o seu primeiro passo para trás. Quanto a informações gerais sobre a situação de Israel na época, bem como quanto às tensas relações entre Israel e filisteus, ver a introdução a este capítulo. Ver no *Dicionário* o artigo chamado *Filisteu, Filístia*.

No começo, Timna tinha sido alocada à tribo de Judá (ver Js 15.10). Mais tarde, porém, foi cedida à tribo de Dã (ver Js 19.43).

■ 14.2

וַיַּעַל וַיַּגֵּד לְאָבִיו וּלְאִמּוֹ וַיֹּאמֶר אִשָּׁה רָאִיתִי בְתִמְנָתָה מִבְּנוֹת פְּלִשְׁתִּים וְעַתָּה קְחוּ־אוֹתָהּ לִּי לְאִשָּׁה׃

Tomai-ma, pois, por esposa. Um filho, de acordo com os costumes vigentes em Israel, não podia fazer os arranjos para o seu próprio casamento; mas podia pressionar seus pais para que lhe conseguissem a jovem que ele desejava. Portanto, no presente caso, Sansão forçou seus pais a arranjar um casamento acerca do qual eles eram absolutamente contrários (ver o versículo seguinte). Ver Gn 34.4-12; Jz 12.9 e Ne 10.30, quanto ao arranjo dos casamentos na antiguidade, e, no *Dicionário*, o artigo chamado *Matrimônio*, onde são esclarecidos os costumes relativos ao casamento em Israel e em outras nações antigas.

■ 14.3

וַיֹּאמֶר לוֹ אָבִיו וְאִמּוֹ הַאֵין בִּבְנוֹת אַחֶיךָ
וּבְכָל־עַמִּי אִשָּׁה כִּי־אַתָּה הוֹלֵךְ לָקַחַת אִשָּׁה
מִפְּלִשְׁתִּים הָעֲרֵלִים וַיֹּאמֶר שִׁמְשׁוֹן אֶל־אָבִיו
אוֹתָהּ קַח־לִי כִּי־הִיא יָשְׁרָה בְעֵינָי:

Para que vás tomar esposa dos filisteus...? A objeção levantada pelos pais de Sansão devia-se ao fato óbvio de que os hebreus, por tradição e prática comum, e de acordo com as instruções baixadas por Yahweh, não se misturavam em casamento com outros povos. Naturalmente, havia exceções, mas eram muito raras. Os rabinos tentam justificar o presente caso, dizendo que a jovem se teria tornado prosélita do judaísmo, antes de casar-se com Sansão; mas isso é mera tentativa de desculpar Sansão pelas suas atitudes erradas. Ver como Esaú desagradou a seus pais, casando-se fora da linha dos hebreus (ver Gn 26.35; 27.46). A guerra santa não permitia casamentos mistos, por motivo de paz ou conveniência (ver Dt 7.3). Ademais, Israel deveria fazer sempre guerra santa contra as sete nações que então ocupavam a Terra Prometida, ao invés de misturar-se mediante casamentos (ver Êx 33.2; Dt 7.1). As leis de Êx 34.16 eram opostas ao que Sansão ansiava; mas é óbvio que Sansão não estava nem um pouco preocupado com isso. Abraão havia estabelecido o exemplo certo, arranjando o casamento de Isaque dentro da família (ver o capítulo 24 do livro de Gênesis).

■ 14.4

וְאָבִיו וְאִמּוֹ לֹא יָדְעוּ כִּי מֵיְהוָה הִיא כִּי־תֹאֲנָה
הוּא־מְבַקֵּשׁ מִפְּלִשְׁתִּים וּבָעֵת הַהִיא פְּלִשְׁתִּים
מֹשְׁלִים בְּיִשְׂרָאֵל: פ

Não sabiam que isto vinha do Senhor. E isso pelas razões oferecidas no versículo anterior e em suas notas expositivas. Yahweh, de acordo com este versículo, estava atuando por trás de toda a ideia de casamento, a fim de que, por meio do matrimônio, ele pudesse provocar conflito entre Sansão e os filisteus. Este era um aspecto necessário de sua missão. Portanto, temos aqui a antiga lição que mostra que Deus usa até mesmo o mal para que seu plano tenha cumprimento, conforme se deu, por exemplo, no caso de Judas Iscariotes, que traiu ao Senhor Jesus. O diabo, nem por isso, fica justificado, mas é usado pelo poder divino, a fim de que, afinal, seja alcançada uma boa finalidade. Sansão seria posto em uma posição na qual seria impossível ser neutro e ignorar a dominação imposta pelos filisteus. Por razões pessoais, e não meramente nacionais, ele se tornaria inimigo daquele povo, usando sua força extraordinária contra eles.

"Deus faz a fraqueza e a ferocidade do homem redundar em seu louvor. Cf. Js 11.10; 2Cr 25.20; 1Rs 12.15" (Ellicott, *in loc.*). Declarou Homero: "... em meio aos crimes e paixões dos homens, o conselho de Zeus estava tendo cumprimento".

■ 14.5

וַיֵּרֶד שִׁמְשׁוֹן וְאָבִיו וְאִמּוֹ תִּמְנָתָה וַיָּבֹאוּ עַד־כַּרְמֵי
תִמְנָתָה וְהִנֵּה כְּפִיר אֲרָיוֹת שֹׁאֵג לִקְרָאתוֹ:

Eis que um leão novo. A caminho de Timna, na companhia de seus pais, a fim de que fossem feitos os arranjos do casamento, subitamente foi submetida a teste a tremenda força de Sansão. Um leão defrontou-se com ele, na trilha. Naqueles tempos, havia à solta muitos animais ferozes, que causavam grandes destruições. Ver 1Rs 10.19; 2Rs 17.25. Ver também 1Sm 17.34 e 2Sm 23.20, além de 1Rs 13.26 e 20.36. Ver no *Dicionário* o artigo chamado *Leão*, quanto a completas informações sobre esse animal feroz, no tocante à Palestina. A referência frequente a leões, nas páginas do Antigo Testamento, mostra que essa espécie de felino era comum em Israel. A arte egípcia antiga com frequência retrata esse animal, o que mostra que o leão também era abundante no Egito. O leão não é do tipo de fera que fica fazendo perguntas. Ele se atira imediatamente contra sua presa.

Portanto, topar com um leão, enquanto se andava pelo território de Israel, era um acontecimento de grande perigo, realmente. Algumas cidades, em Judá e Simeão, incorporavam, em seu nome, as várias palavras que, em hebraico, significam "leão". Para exemplificar, Lebaote; Bete-Lebaote (ver Js 15.32 e 19.6), e isso salienta quão comuns eram os leões em tais regiões do país.

■ 14.6

וַתִּצְלַח עָלָיו רוּחַ יְהוָה וַיְשַׁסְּעֵהוּ כְּשַׁסַּע הַגְּדִי
וּמְאוּמָה אֵין בְּיָדוֹ וְלֹא הִגִּיד לְאָבִיו וּלְאִמּוֹ אֵת אֲשֶׁר
עָשָׂה:

O Espírito do Senhor de tal maneira se apossou dele que... O leão teve de enfrentar as poderosas mãos de Sansão, mãos que se tornavam tão poderosas quando o Espírito de Deus atuava sobre elas, porquanto Sansão estava preparado por Deus para a sua missão. Sansão simplesmente despedaçou o animal de mãos vazias, um extraordinário feito de força física. Mas Sansão nada contou a seus pais sobre o ocorrido, por razões que o autor sagrado não se deu ao trabalho de revelar, ou que talvez desconhecesse. Ver as notas sobre o nono versículo deste capítulo, onde especulo sobre os motivos possíveis para esse segredo.

Tipologia. O poder de Cristo é suficiente para anular todas as forças do mal que, porventura, ataquem o seu povo. O Espírito de Deus está por trás desse poder. Ver 1Pe 5.8 e Cl 2.14,15.

O feito de Sansão foi realmente notável, embora não deixe de ter paralelo na história. Lemos que um atleta, chamado Polídamo, em seus dias de juventude, desarmado, matou um leão que encontrou no caminho (ver Eliaca, apud Suid. Lex., ao falar acerca de Polídamo). Esse incidente ocorreu no Olimpo, em cerca de 400 a.C. Atos similares de gigantesca força física foram atribuídos a Davi (ver 1Sm 17.54) e a Benaia (ver 2Sm 23.20).

Tais feitos, contudo, ordinariamente eram atribuídos ao poder dos deuses ou semideuses. As lendas contam que Hércules teria matado um leão com suas mãos desarmadas.

ele o rasgou como quem rasga um cabrito. "Provavelmente à maneira que se fazia no Oriente próximo. Ali partia-se um cabrito pelo meio, puxando-o por suas pernas traseiras."

Também não somos informados por qual razão os pais de Sansão não estavam com ele na ocasião. Talvez tivessem partido juntos, os três, conforme diz o versículo; mas depois seus pais seguiram caminho mais à frente. E assim, Sansão guardou o segredo para si mesmo.

■ 14.7

וַיֵּרֶד וַיְדַבֵּר לָאִשָּׁה וַתִּישַׁר בְּעֵינֵי שִׁמְשׁוֹן:

Falou àquela mulher, e dela se agradou. Sansão teve um encontro com sua preferida e continuou agradado dela. Foi conforme alguém já disse: "O futuro de amar é casar", o que é um ponto importante na vida, embora pareça ser uma questão de gramática. O fato de que Sansão falou à jovem parece indicar que seus pais, por essa altura, já tinham feito os arranjos para o casamento, e os dois estavam noivos. A atração sexual literalmente descarrega na corrente sanguínea do homem um poderoso hormônio. Substâncias fornecem assim um tremendo impulso químico. O propósito dessa tensão natural (que as pessoas, erroneamente, chamam de "amor") é garantir a reprodução. Usualmente, essa condição não perdura por mais de três anos (e, por esse tempo, a mulher terá ficado grávida). Mas depois desaparece, e o casal começa a falar em divórcio, por não estar mais "apaixonado". Assim são os truques da natureza, garantindo a propagação da raça. Sansão, pois, estava no pico de sua paixão, e coisa alguma poderia impedir aquele casamento, tal como ninguém consegue fazer parar o fluxo da maré nos oceanos.

■ 14.8

וַיָּשָׁב מִיָּמִים לְקַחְתָּהּ וַיָּסַר לִרְאוֹת אֵת מַפֶּלֶת
הָאַרְיֵה וְהִנֵּה עֲדַת דְּבוֹרִים בִּגְוִיַּת הָאַרְיֵה וּדְבָשׁ:

Depois de alguns dias. Conforme dizem os Targuns, isso pode significar "depois de um ano", porquanto havia um período de espera entre o noivado e o casamento. Cf. Gn 4.3; Êx 13.10.

Apartando-se do caminho a ver o corpo do leão morto. Foi apenas natural que Sansão tivesse ficado impressionado com seu próprio feito, e queria contar o acontecimento incomum à sua amada, a jovem amiga filisteia. Desse modo, ele pôde preparar o seu enigma (vss. 12 ss.). Mas as lágrimas de uma jovem mulher arruinaram o jogo de Sansão, pondo fim à história.

Havia um Enxame de Abelhas. As abelhas tiraram proveito da carcaça do leão (pois, por esse tempo, já deviam ter-se passado alguns meses) e fizeram ali a sua colmeia. E, como havia bastante mel, Sansão aproveitou-se dele. Josefo diz que as abelhas tinham feito a sua colmeia na cavidade torácica do animal (*Antiq.* 1.5, cap. 8, sec. 5). Também somos informados de que abelhas fizeram uma colmeia dentro do crânio de Onesilo, um dos reis da ilha de Chipre, que havia sido pendurado a fim de ressecar (Terpsicore, 1.5, cap. 114).

■ 14.9

וַיִּרְדֵּהוּ אֶל־כַּפָּיו וַיֵּלֶךְ הָלוֹךְ וְאָכֹל וַיֵּלֶךְ אֶל־אָבִיו וְאֶל־אִמּוֹ וַיִּתֵּן לָהֶם וַיֹּאכֵלוּ וְלֹא־הִגִּיד לָהֶם כִּי מִגְּוִיַּת הָאַרְיֵה רָדָה הַדְּבָשׁ:

Não lhes deu a saber. Por motivos não esclarecidos, Sansão, embora tivesse compartilhado do mel com seus pais (eles estavam indo para a festa de casamento), não lhes contou o seu feito. Talvez, como nazireu, poderia pensar que tivesse quebrado o seu voto, ao tocar no corpo morto do leão (após tê-lo matado), porque esse ato o teria contaminado cerimonialmente. O toque, conforme se pensava, comunicava tanto um poder espiritual positivo quanto uma corrupção cerimonial, algo negativo. Quanto a isso, ver Lv 22.5 e suas notas expositivas. Cf. também Lv 15.4-12,19,20. É igualmente possível que Sansão, já tendo criado o enigma em sua mente, não quisesse informar a ninguém sobre como tirara o favo de mel do cadáver do leão.

■ 14.10

וַיֵּרֶד אָבִיהוּ אֶל־הָאִשָּׁה וַיַּעַשׂ שָׁם שִׁמְשׁוֹן מִשְׁתֶּה כִּי כֵּן יַעֲשׂוּ הַבַּחוּרִים:

Fez Sansão ali um banquete. Oferecer um banquete, quando da celebração de um casamento, é um costume universal. Um banquete reunia as famílias dos noivos, provendo também oportunidade para todos os envolvidos se conhecerem melhor. Companheiros eram feitos. As palavras formadoras, *com panion*, significam "com pão". Na antiguidade, a comunhão era estabelecida quando as pessoas comiam juntas. Ver Gn 29.22 e Ap 19.9 quanto a festas de casamento. A Septuaginta afiança que o banquete durou sete dias. Cf. isso com Gn 29.27.

Este versículo diz-nos que o próprio Sansão fez o banquete; mas devemos entender que isso aconteceu "através de seus pais", porque era costume que o pai do noivo assim o fizesse. Atualmente, é o pai da noiva que provê os essenciais para o banquete ou festa de casamento. Ver Mt 22.2. A Vulgata Latina diz que a refeição foi feita "para seu filho, Sansão", o que dá a entender que o pai dele é que fez as honras.

Tipologia. Alguns intérpretes veem nesse casamento de Sansão um tipo das bodas de Cristo, que veio a este mundo buscar uma noiva gentílica, a Igreja. Ver Ef 5.25. Contudo, essa interpretação tipológica parte da ideia de que a Igreja se compõe somente de gentios convertidos, quando a verdade é que a Bíblia jamais disse isso, quer no evangelho de Mateus, quer no Apocalipse, bem como em todos os livros que ficam entre esses dois. A Igreja compõe-se de judeus e gentios convertidos, de conformidade com o ensino de todo o Novo Testamento. "Pois não há distinção entre judeu e grego..." (Rm 10.12).

■ 14.11

וַיְהִי כִּרְאוֹתָם אוֹתוֹ וַיִּקְחוּ שְׁלֹשִׁים מֵרֵעִים וַיִּהְיוּ אִתּוֹ:

Trinta companheiros para estarem com ele. Esses eram os "amigos do noivo", conforme lemos em Mt 9.15. No hebraico, temos a palavra *shoshbenim*. O terceiro capítulo do evangelho de João ilustra esse costume. Alguns eruditos sugerem que o grande número, trinta, indica que eles atuavam como guarda-costas, em um lugar hostil; mas a verdade é que Sansão não precisava da proteção daqueles homens. O fato simples é que Sansão era um rapaz muito popular e tinha muitos amigos, e não deixaria de convidá-los para uma ocasião como aquela. Outros estudiosos supõem que os próprios habitantes do lugar proveram os companheiros para Sansão, por temor ao forte homem (conforme sugerem alguns manuscritos da Septuaginta). Uma vez mais, porém, insistimos que foi apenas uma grande festa de casamento, e que os trinta homens devem ter sido providos pelos habitantes filisteus do lugar, a fim de chamar a atenção de todos. Sansão não haveria de ficar furioso (fora de si) e matar pessoas a torto e a direito, durante a festa de seu próprio casamento!

■ 14.12

וַיֹּאמֶר לָהֶם שִׁמְשׁוֹן אָחוּדָה־נָּא לָכֶם חִידָה אִם־הַגֵּד תַּגִּידוּ אוֹתָהּ לִי שִׁבְעַת יְמֵי הַמִּשְׁתֶּה וּמְצָאתֶם וְנָתַתִּי לָכֶם שְׁלֹשִׁים סְדִינִים וּשְׁלֹשִׁים חֲלִפֹת בְּגָדִים:

Dar-vos-ei um enigma a decifrar. O enigma de Sansão deu maior vivacidade à festa, quando esta já havia atingido um ponto de calmaria. E Sansão ofereceu um grande prêmio a quem interpretasse o enigma. Naturalmente, ele estava ansioso para contar a sua história; mas primeiramente queria divertir-se um pouco. Acabou ficando insatisfeito, porém, quando teve de pagar, pois as lágrimas de uma mulher, sua noiva, forçaram-no a revelar o sentido do enigma (ver o versículo 18 deste capítulo). Todavia, Sansão pagou a dívida assumida matando trinta homens e tirando-lhes as vestes. Um negócio sério. Ali, pois, estava ele, desejoso de jactar-se do fato de ter matado o leão de mãos desarmadas, mas insatisfeito que a brincadeira tivesse acabado como acabou. A violência, finalmente, solucionou os seus problemas; e os homens continuam a apelar para ela, por quase qualquer motivo.

É provável que a apresentação de enigmas e a promessa de presentes fizessem parte usual das festas de casamento naquele lugar, o que podemos inferir do texto, embora não comprovar.

Enigma. No hebraico, *chidah* (derivado de *chud*, "nó"). Em outras palavras, algo difícil de "desatar", de "desvendar". A apresentação de enigmas fazia parte das antigas festas de casamento, conforme disse Ellicott, comentando sobre 1Rs 10.1, e também Athen. x.467 e Pollux. vi.107. Enigmas também eram lançados como entretenimento nas festividades públicas. Ver *Ahten. Deipnosoph*, livro 10, cap. 5.

Trinta camisas... trinta vestes festivais. Seria um pequeno tesouro para o indivíduo de sorte que conseguisse decifrar o nó do enigma. Visto que o número "trinta" corresponde aos trinta *shoshbenim* (os amigos do noivo; ver o vs. 11), é provável que o autor sagrado quisesse dar a entender que cada um deles ficaria com uma veste diurna e uma veste noturna, esta última para manter o indivíduo aquecido durante a noite. Contudo, é muito difícil determinar, com exatidão, que tipos de vestes estariam em pauta neste versículo.

■ 14.13

וְאִם־לֹא תוּכְלוּ לְהַגִּיד לִי וּנְתַתֶּם אַתֶּם לִי שְׁלֹשִׁים סְדִינִים וּשְׁלֹשִׁים חֲלִיפוֹת בְּגָדִים וַיֹּאמְרוּ לוֹ חוּדָה חִידָתְךָ וְנִשְׁמָעֶנָּה:

Vós me dareis a mim. Se ninguém conseguisse decifrar o enigma, então cada um dos "companheiros" de Sansão teria de dar uma veste diurna e uma veste noturna para ele. O desafio de Sansão foi favorável aos seus companheiros, porque seria muito mais fácil para eles pagarem a dívida; porém, se ele perdesse, então teria de prover um presente realmente grande para os trinta homens.

■ 14.14

וַיֹּאמֶר לָהֶם מֵהָאֹכֵל יָצָא מַאֲכָל וּמֵעַז יָצָא מָתוֹק וְלֹא יָכְלוּ לְהַגִּיד הַחִידָה שְׁלֹשֶׁת יָמִים:

Do comedor saiu comida. O "comedor" era o terrível felino, que usualmente devora suas presas; mas no caso de Sansão ele havia fornecido comida para indivíduos rapaces, sendo ele mesmo o "devorado". Ou então o intuito do enigma era dizer que um terrível leão tinha provido mel, o qual as abelhas haviam fabricado em sua carcaça. Esta segunda interpretação parece ser a que está em vista no enigma de Sansão.

Do forte saiu doçura. O sentido é o mesmo: o mel fora produzido no corpo do leão. Temos aqui uma pequena amostra da poesia tipicamente hebraica, com seu paralelismo, ou seja, duas frases em que a segunda repete os mesmos pensamentos da primeira, posto que com palavras diferentes. Isso prova que o dilema de Sansão aludia a uma única coisa. Josefo, por sua vez, apresenta uma paráfrase bastante estranha: "Aquele que a tudo devora gerou alimento de si mesmo, embora ele mesmo estivesse longe de ser doce" (*Antiq.* vs. 8, par. 6).

Decifrar aquele enigma não era nada fácil, e Shakespeare, em Henrique V (ii.4), refere-se a ele nestes termos:

Raramente as abelhas produzem mel em uma carcaça.

A raridade do fenômeno deixou os filisteus a quebrar a cabeça. Cassel citou uma lenda do norte da Alemanha que se parece com isso, a qual fala de um pássaro que fizera seu ninho na carcaça de um cavalo, e como seis passarinhos piavam e piavam no ninho. Esse suposto acontecimento foi laborado em um enigma; e um juiz propôs que pouparia a vida do marido de certa dama, se ela desse a interpretação correta do enigma. Para surpresa de todos, ela conseguiu interpretá-lo, e o marido ficou livre.

Em três dias. Esse número não parece fazer sentido aqui. Se eles tinham sete dias para adivinhar o enigma, por que é dito que no terceiro dia ainda não tinham descoberto a solução? Talvez os filisteus estivessem em estado de pânico e, por isso, no terceiro dia começaram a pressionar a noiva de Sansão para tentar descobrir o significado do enigma. Alguns críticos emendam o texto para dizer seis, o que, no hebraico, é indicado por uma palavra parecida com a que representa quatro. Porque foi no quarto dia que eles começaram a queixar-se. A versão siríaca e a Septuaginta dizem aqui "no quarto dia". As letras hebraicas (usadas como números pelos filhos de Israel) para indicar quatro e seis eram muito parecidas, e facilmente um copista poderia trocar uma pela outra.

■ **14.15**

וַיְהִי בַּיּוֹם הַשְּׁבִיעִי וַיֹּאמְרוּ לְאֵשֶׁת־שִׁמְשׁוֹן פַּתִּי אֶת־אִישֵׁךְ וְיַגֶּד־לָנוּ אֶת־הַחִידָה פֶּן־נִשְׂרֹף אוֹתָךְ וְאֶת־בֵּית אָבִיךְ בָּאֵשׁ הַלְיָרְשֵׁנוּ קְרָאתֶם לָנוּ הֲלֹא:

Ao sétimo dia. No prazo fatal do sétimo dia, embora muitos palpites tivessem sido lançados, todos ficaram muito longe do alvo. Parece que a festa duraria, ao todo, catorze dias: sete (vs. 15) + sete (vs. 17) = catorze. Isso posto, aqueles homens cheios de astúcia ainda dispunham de mais sete dias para tentar adivinhar o sentido do enigma.

Para que não queimemos a fogo. Cada vez mais apertados, os filisteus começaram a pressionar a noiva de Sansão para arrancar dele o sentido do enigma. A jovem estava em posição de fazer Sansão contar o segredo. Ela poderia usar a astúcia feminina para conseguir isso. E ela iniciou a tentativa, conforme fazem todas as mulheres, debulhando-se em lágrimas. Em seguida, usou o antigo argumento: "Se realmente me amas, então..." Foi muito difícil suportar a pressão exercida por ela.

Os Radicais. Os trinta filisteus ameaçaram incendiar a casa, matando assim tanto a noiva de Sansão como seus familiares, caso ela não descobrisse o sentido do enigma. E podemos estar certos de que aqueles selvagens falavam sério, e teriam executado a sua ameaça, se não fossem atendidos.

O incidente inteiro é deveras instrutivo. A vida humana é muito barata aos olhos dos homens. Uma família inteira valia muito mais do que trinta vestes diurnas e trinta vestes noturnas! Mas aqueles eram tempos selvagens e violentos. O trecho de Jz 15.6 mostra-nos que, afinal de contas, os companheiros de Sansão obtiveram exatamente o que haviam ameaçado fazer, embora por um motivo diferente. E foi assim que Sansão logo perdeu a sua noiva, e muitos homens tombaram, vítimas da violência generalizada.

"Os filisteus mostraram ser os mais perversos, traiçoeiros e brutais de todos os homens" (Ellicott, *in loc.*).

■ **14.16**

וַתֵּבְךְּ אֵשֶׁת שִׁמְשׁוֹן עָלָיו וַתֹּאמֶר רַק־שְׂנֵאתַנִי וְלֹא אֲהַבְתָּנִי הַחִידָה חַדְתָּ לִבְנֵי עַמִּי וְלִי לֹא הִגַּדְתָּה וַיֹּאמֶר לָהּ הִנֵּה לְאָבִי וּלְאִמִּי לֹא הִגַּדְתִּי וְלָךְ אַגִּיד:

Chorou diante dele, e disse:... não me amas. Lágrimas e argumentos irretorquíveis. A maioria dos homens sorri diante do que diz o texto. Pois quem já não teve de enfrentar as lágrimas femininas? E quem já não ouviu esse tipo de argumento? Se Sansão não fornecesse o segredo do enigma, isso provaria que: 1. Ele não amava, realmente, sua jovem noiva; 2. Ele não gostava da gente dela. Ela transformou a questão em uma crise pessoal, doméstica e nacional. Sansão replicou que nem mesmo a seus pais contara a resposta do enigma, pelo que o pedido dela não tinha peso; e assim as lágrimas da mulher de Sansão continuaram a rolar durante sete dias! Nenhum homem aguentaria diante de tanta lágrima. Naturalmente, Sansão não sabia que a mulher se fizera agente dos trinta homens e, assim que lhe fosse revelado o segredo, ela correria para contar a eles. Se ele tivesse sabido disso, provavelmente teria matado todos os trinta homens, pondo fim tanto ao enigma quanto ao casamento.

■ **14.17**

וַתֵּבְךְּ עָלָיו שִׁבְעַת הַיָּמִים אֲשֶׁר־הָיָה לָהֶם הַמִּשְׁתֶּה וַיְהִי בַּיּוֹם הַשְּׁבִיעִי וַיַּגֶּד־לָהּ כִּי הֱצִיקַתְהוּ וַתַּגֵּד הַחִידָה לִבְנֵי עַמָּהּ:

Ao sétimo dia lhe declarou, porquanto o importunava. Um homem só pode resistir até certo ponto; e aqueles sete dias mostraram ser o "limite" da paciência de Sansão. Quando ele revelou o enigma, imediatamente ela foi contar aos homens violentos e cheios de truques. Ameaças de violência tinham alcançado o seu intento. A mulher preferiu enfrentar a ira de Sansão do que a morte certa, com toda a sua família, dentro da casa incendiada. Naturalmente, foi uma boa escolha; mas no fim, aquilo que ela tanto tinha temido acabou acontecendo, de qualquer maneira.

■ **14.18**

וַיֹּאמְרוּ לוֹ אַנְשֵׁי הָעִיר בַּיּוֹם הַשְּׁבִיעִי בְּטֶרֶם יָבֹא הַחַרְסָה מַה־מָּתוֹק מִדְּבַשׁ וּמֶה עַז מֵאֲרִי וַיֹּאמֶר לָהֶם לוּלֵא חֲרַשְׁתֶּם בְּעֶגְלָתִי לֹא מְצָאתֶם חִידָתִי:

Disseram, pois, a Sansão. O segredo do enigma tinha sido revelado. E Sansão compreendeu, de pronto, que sua esposa havia contado o segredo do enigma, porque somente assim eles o teriam decifrado.

Se vós não lavrásseis. Arar e semear um campo, nos sonhos e nas visões, é um símbolo do ato de engravidar uma mulher. Vários rabinos e alguns intérpretes modernos interpretam essa pequena composição poética de Sansão como equivalente a uma acusação, contra sua esposa, de ter como amantes aqueles trinta homens. Assim comentou Adam Clarke (*in loc.*): "Se minha esposa não tivesse sido infiel ao meu leito, também não teria sido infiel na revelação de meu segredo; e vós, por serdes amantes dela, vosso interesse pareceu mais precioso para ela do que o interesse do marido dela. Ela me traiu, mediante a amizade convosco". Mas mesmo admitindo que os filisteus eram um povo terrível, não é provável que a mulher filisteia tivesse trinta amantes! Admite-se, todavia, que há paralelos poéticos que poderiam ser usados em apoio a essa interpretação: "Detesto a mulher que vagueia à toa e também o homem libidinoso que deseja arar em terreno alheio" (Plauto). O terreno alheio, sem dúvida, representa a esposa de outrem.

Considerar também: "Milo não está em casa; e, estando longe de casa, deixa seu campo inculto. sua mulher, não obstante, continua a ficar grávida e a produzir filhos" (Marcial). O campo inculto de Milo sem dúvida era sua esposa. Enquanto ele estava longe de casa, outros cultivavam ativamente seu campo.

A maioria dos intérpretes, entretanto, pensa que a novilha a que Sansão se reportou seriam as lágrimas e os argumentos irretorquíveis de sua esposa, com os quais, em um sentido figurado, ela o tinha arado por nada menos de sete dias. sua esposa tinha-se assemelhado a uma novilha, que ficara puxando incansavelmente o arado; ela não tinha sido amansada, mas, antes, era teimosa e persistente em seus atos. Ver Jr 50.11 e Os 4.16 quanto a algo similar.

Notemos a poesia no enigma de Sansão. As pressões exercidas pelos trinta homens filisteus e a persistência da esposa de Sansão — tudo é expresso por meio de paralelismos, o que era típico do estilo da poesia hebreia.

14.19,20

וַתִּצְלַח עָלָיו רוּחַ יְהוָה וַיֵּרֶד אַשְׁקְלוֹן וַיַּךְ מֵהֶם
שְׁלֹשִׁים אִישׁ וַיִּקַּח אֶת־חֲלִיצוֹתָם וַיִּתֵּן הַחֲלִיפוֹת
לְמַגִּידֵי הַחִידָה וַיִּחַר אַפּוֹ וַיַּעַל בֵּית אָבִיהוּ: פ

וַתְּהִי אֵשֶׁת שִׁמְשׁוֹן לְמֵרֵעֵהוּ אֲשֶׁר רֵעָה לוֹ:

O Espírito do Senhor de tal maneira se apossou dele que desceu aos ascalonitas. Impelido por Yahweh, o selvagem Sansão atacou. Do ponto de vista do autor sagrado, aquela matança em massa foi efetuada a serviço do Senhor. Ele desceu a *Asquelom* (ver a respeito no *Dicionário*). Essa era uma das cinco principais cidades da Filístia e situava-se à beira do mar Mediterrâneo. Ficava a cerca de quarenta quilômetros distante de Timna. Sansão, pois, foi longe, na esperança de não ser reconhecido, a fim de que sua violência não repercutisse em "seu lar". Ali chegando, matou trinta indivíduos quaisquer, que nada tinham a ver com a traição que havia ocorrido em Timna. suas vestes lhes foram arrancadas e, embora não fossem artigos de luxo, conforme ele havia prometido a quem resolvesse o seu enigma, serviram como pagamento de dívida.

Mas a história de suas matanças deve ter-se propagado, pois a jovem esposa foi imediatamente dada ao "companheiro de honra" de Sansão, que talvez fosse um daqueles trinta "companheiros", ou alguma outra figura honrada durante os desposórios.

O presente versículo talvez queira dar a entender que a decisão de abandonar a esposa foi do próprio Sansão, pois lemos no final do versículo anterior que ele "subiu à casa de seu pai". Isso posto, o casamento durou somente os catorze dias de festividades, e talvez nem tenha sido consumado. Sansão foi humilhado. Mas, apesar disso, ele matou trinta outros homens, e não os trinta homens que, durante as festividades, tinham sido seus "companheiros", candidatos muito mais justos à matança. Mas um voto era um voto, e as pessoas, naqueles dias, eram muito sérias a esse respeito. O incidente, ao que parece, foi um grande fiasco; mas o autor viu nele a mão de Yahweh, visto que foi o começo da violenta ação de Sansão, não tanto para livrar Israel dos filisteus, mas para debilitá-los bastante e aliviar a pressão que exerciam sobre os filhos de Israel. Ver Jz 14.4, onde é dado a Yahweh o crédito por ter arranjado aquele casamento. O que sucedeu à jovem filisteia foi pior do que se daria hoje em dia com uma jovem que ficasse esperando na igreja, sem que o noivo aparecesse! Pois o noivo (Sansão) de fato apareceu; mas logo fugiu e matou trinta homens, para nunca mais retornar. Dizemos hoje em dia, quase como uma piada: "Ela ficou esperando na igreja". Mas o que ocorreu em Timna não foi uma piada.

CAPÍTULO QUINZE

A história de Sansão começa em Jz 13.1, onde aparecem notas introdutórias acerca de sua vida e carreira. E neste capítulo 15 a história tem prosseguimento, relatando como Sansão voltou (vss. 1-8) para visitar sua "esposa", que já havia sido dada a um marido diferente (Jz 14.20). O pai da jovem ficou muito aborrecido com a tentativa de renovação do casamento, por parte de Sansão; e acabou oferecendo-lhe uma filha mais jovem e mais bonita. Mas Sansão indignou-se diante de toda a situação, e logo foi tomado por outro acesso de violência, espalhando destruição como as águas cobrem os mares. De acordo com o autor sagrado, Yahweh estava presente em toda aquela violência, porquanto tudo aquilo enfraquecia aqueles filisteus pagãos, que estavam oprimindo o povo de Israel. Isso posto, em sua própria maneira desvairada, Sansão cumpria a vontade de Yahweh. Sansão, por conseguinte, aplicava a solução da violência, que é mais imediata e atua com maior precisão do que as negociações diplomáticas. Olhamos para toda essa carnificina com horror, mas ela refletia a atitude dos homens da época. Seja como for, de lá para cá os homens não mudaram muito. "Violência" continua sendo a palavra-chave.

15.1

וַיְהִי מִיָּמִים בִּימֵי קְצִיר־חִטִּים וַיִּפְקֹד שִׁמְשׁוֹן אֶת־
אִשְׁתּוֹ בִּגְדִי עִזִּים וַיֹּאמֶר אָבֹאָה אֶל־אִשְׁתִּי הֶחָדְרָה
וְלֹא־נְתָנוֹ אָבִיהָ לָבוֹא:

Levando um cabrito, foi visitar a sua mulher. Alguns estudiosos pensam que esse incidente reflete uma forma antiga de casamento, em que o homem visitava apenas ocasionalmente a sua mulher (usualmente uma entre várias). Nessas ocasiões, o homem levava algum presente a fim de "pagar" pela intimidade sexual que haveria de receber. Nesse caso, pois, a situação teria dado certo, caso a mulher não tivesse sido dada a outro homem. Se a poligamia era uma prática aceitável, a poliandria não o era. Assim sendo, as intenções de Sansão foram, uma vez mais, frustradas. Ele perdia todas as causas. E, por isso mesmo, não demorou muito a envolver-se em outro acesso de violência. Ele resolveu acabar com todas as plantações dos filisteus, incendiando-as com a ajuda de uma matilha de raposas (ver os vss. 4 e 5). Violência provoca violência. sua "mulher" e todos os seus familiares foram mortos em um incêndio, e essa violência provocou maior violência ainda. Somente a morte de Sansão poderia pôr fim a tanta matança. Mas quando isso, finalmente, aconteceu, ele conseguiu matar maior número de filisteus do que fizera em vida (ver Jz 16.30).

Certo intérprete referiu-se ao "perigo da força física indisciplinada". E então comenta como segue: "As narrativas, contadas de maneira soberba, parecem carregadas de vitalidade, transbordando de grande poder. Como esses episódios, contados e recontados como devem ter sido, devem ter estimulado os corações dos israelitas... Porém, apesar de o quadro dar a impressão de força, trata-se de uma força totalmente indisciplinada" (Phillips P. Elliott, *in loc.*).

AS DESAVENTURANÇAS DE SANSÃO COM MULHERES

Os Três Casos

1. Capítulo 14
Sansão, irritado e contra a vontade de seus pais, desejava casar-se com uma mulher filisteia. O desejo dele contrariava a razão, pois Israel se encontrava sob a opressão daquele povo. Mas Deus tinha um *propósito destrutivo* nessa questão (vs. 4). Estava acontecendo algo mais importante do que a obediência às leis de casamento restritas.

2. 16.1
seu segundo caso foi com uma simples prostituta. O incidente deu a Sansão a oportunidade de mostrar sua tremenda força e ilustrar o baixo nível moral da época.

3. 16.4-31
seu terceiro caso foi com a ínfima *Dalila*. Este episódio atraiu o interesse de contadores de histórias através de toda a história moderna. Ele possui todos os elementos que as pessoas adoram: sexo, engano, traição e violência. A linda mas perigosa Dalila enganou Sansão. *Deus*, contudo, tinha um propósito destrutivo nessa questão. Ele colocou Sansão em uma posição na qual ele poderia matar mais com sua morte do que durante toda a sua vida (16.30), e isso enfraqueceu os filisteus, a quem Davi, dentro do período de um século, acabou derrotando por completo.

Uma jovem indigna tornou-me escravo, a mim, que nenhum adversário tinha podido derrotar.

Menandro

Dalila conseguiu derrubar o forte homem Sansão, a quem nenhuma tropa dos filisteus havia sido capaz de enfrentar.

Aos melhores falta toda a convicção. Os piores estão tomados por apaixonada intensidade.

Yeats

Às vezes, a vontade de Deus não segue as linhas convencionais. Sansão era totalmente não ortodoxo, mas o propósito destrutivo de Deus operou nele.

15.2

וַיֹּאמֶר אָבִיהָ אָמֹר אָמַרְתִּי כִּי־שָׂנֹא שְׂנֵאתָהּ וָאֶתְּנֶנָּה לְמֵרֵעֶךָ הֲלֹא אֲחוֹתָהּ הַקְּטַנָּה טוֹבָה מִמֶּנָּה תְּהִי־נָא לְךָ תַּחְתֶּיהָ:

Pensava eu que de todo a aborrecias. O pai da "esposa" de Sansão atribuiu a este um sentimento de aversão por sua filha; e, assim sendo, entregou imediatamente a jovem a outro homem. O pai declarou pensar que Sansão acabara odiando a jovem noiva por causa da traição dela, e, desse modo, o casamento fora anulado, para todos os efeitos práticos. Nem tudo, porém, estava perdido. Havia uma irmã mais nova da "esposa" de Sansão, a qual era ainda mais "formosa". Ela seria um bom partido para Sansão. "Fique com ela", sugeriu o homem a Sansão. Entretanto, Sansão parece que ainda estava sob os encantos da esposa, pelo que foi tomado de mais um acesso de cólera.

Na verdade, o oferecimento do homem foi uma admissão de seu erro. Ele deveria, pelo menos, ter perguntado a Sansão se ele queria continuar com o casamento. Isso teria sido o mínimo aceitável. Porém, ele ansiava por casar sua filha mais velha e agira de modo precipitado. Sansão atirou-se então à sua vingança, sem dar ouvidos à razão. Ele tinha uma causa justa para vingar-se, e não quis permitir que aquilo acontecesse sem uma demonstração de sua incrível força física.

15.3

וַיֹּאמֶר לָהֶם שִׁמְשׁוֹן נִקֵּיתִי הַפַּעַם מִפְּלִשְׁתִּים כִּי־עֹשֶׂה אֲנִי עִמָּם רָעָה:

Desta feita. Ou seja, em adição ao primeiro ato de violência, em Asquelom, onde havia matado trinta filisteus (ver Jz 14.19). Este versículo dá a entender que o primeiro ato, em Asquelom, não fora de todo inculpável. Sansão tinha errado ali. Havia exagerado em sua vingança. Ultrapassara seus direitos. Mas dessa vez ninguém podia culpá-lo.

Sou inocente para com os filisteus. Dessa vez, ninguém poderia acusar Sansão por causa de sua violenta vingança. Ele tinha sofrido uma tremenda injustiça, e não era do tipo de homem que quisesse aplicar diplomacia; o amor ao próximo nem ao menos passara por sua mente. Sansão também não era dado a planejar com antecedência os seus atos. Antes, agia intempestivamente, como faz um leão quando salta sobre a sua presa. Dessa vez, em lugar de matar muitos, ele causaria aos filisteus um doloroso golpe econômico. As raposas, com suas tochas, reduziriam a nada as plantações. Eles passariam fome. E muito trabalho nos campos dos filisteus seria anulado.

15.4

וַיֵּלֶךְ שִׁמְשׁוֹן וַיִּלְכֹּד שְׁלֹשׁ־מֵאוֹת שׁוּעָלִים וַיִּקַּח לַפִּדִים וַיֶּפֶן זָנָב אֶל־זָנָב וַיָּשֶׂם לַפִּיד אֶחָד בֵּין־שְׁנֵי הַזְּנָבוֹת בַּתָּוֶךְ:

E tomou trezentas raposas. Como Sansão conseguiu capturar trezentas raposas? Os críticos tiram proveito disso para salientar a natureza lendária da narrativa. Os conservadores, porém, sugerem que o recolhimento de tantas raposas exigiu bastante tempo, acerca do que o relato bíblico não se manifesta, mas o que precisamos subentender para tornar crível a história. Ou então, conforme dizem alguns eruditos, a história é veraz, mas o número das raposas foi exagerado. E outros afirmam que o animal em questão era o chacal, e não a raposa, sendo este ainda mais abundante que as raposas, como ocorre até os dias de hoje, na Palestina. John Gill (*in loc.*) prefere pensar que foram mesmo raposas, ressaltando que a região era abundante em raposas. Portanto, se concedermos algum tempo a Sansão, o feito seria perfeitamente possível. Outros veem a ajuda divina no recolhimento dos animais. Seja como for, a tarefa se completou e o resultado do tentame foi altamente eficiente.

A raposa ou o chacal eram tão numerosos na Palestina que nomes locativos eram formados em combinação com a palavra hebraica para essa espécie. No hebraico, a palavra usada é *shualim*. Assim sendo, temos "a terra de Sual" (1Sm 13.17); "Hazar-Sual" ("esconderijo do chacal") (Js 15.28); "terra de Saalim" (1Sm 9.4); "Saalabim" (Js 19.42).

Adam Clarke (*in loc.*) supõe que Sansão pediu ajuda de outros israelitas para recolher os animais. E ilustrou a história com outros grandes ajuntamentos de animais. Em um espetáculo público, na Sila, os romanos exibiram cem leões; César reuniu e exibiu quatrocentos leões; e Pompeu, quase seiscentos. O imperador Probus soltou, em uma única ocasião, em um teatro aberto, mil avestruzes, mil veados e mil outros animais selvagens, somente para prover um bom espetáculo para o povo ali reunido. Na Líbia, ele exibiu cem leopardos. Pelo menos essa é a informação que nos é fornecida no livro Vida de Probo, escrito por Flávio Vopisco, em seu capítulo 19. Todas essas exibições de animais selvagens subentendem que foi necessário tempo para capturá-los.

15.5

וַיַּבְעֶר־אֵשׁ בַּלַּפִּידִים וַיְשַׁלַּח בְּקָמוֹת פְּלִשְׁתִּים וַיַּבְעֵר מִגָּדִישׁ וְעַד־קָמָה וְעַד־כֶּרֶם זָיִת:

Largou-as na seara dos filisteus. O que Sansão visava era um desastre agrícola. E foi isso que ele conseguiu mediante suas raposas de rabos atados de duas em duas. O incêndio, provavelmente, foi provocado durante a noite, quando os filisteus estavam dormindo, e o fogaréu se espalharia antes que alguém pudesse fazer alguma coisa a respeito. Assim, o firmamento noturno foi iluminado por outro ataque espetacular de Sansão.

"Até hoje, incendiar as plantações de um árabe é a mais grave de todas as injúrias. Esse foi o método utilizado por Absalão, em 2Sm 14.30" (Ellicott, *in loc.*). A obra de Ovídio, Fasti, registra que todos os anos, na Creália, tochas eram amarradas às caudas das raposas, que eram então soltas no circo romano, para gáudio das multidões. Era uma espécie de diversão mórbida. Mas Sansão agiu do mesmo modo para destruir, devido a seu ódio pelos filisteus.

15.6

וַיֹּאמְרוּ פְלִשְׁתִּים מִי עָשָׂה זֹאת וַיֹּאמְרוּ שִׁמְשׁוֹן חֲתַן הַתִּמְנִי כִּי לָקַח אֶת־אִשְׁתּוֹ וַיִּתְּנָהּ לְמֵרֵעֵהוּ וַיַּעֲלוּ פְלִשְׁתִּים וַיִּשְׂרְפוּ אוֹתָהּ וְאֶת־אָבִיהָ בָּאֵשׁ:

Quem fez isto? Responderam: Sansão. Encontramos aqui a fatal identificação. Os filisteus indagaram: "Quem cometeu este ultraje?" E a resposta foi óbvia: "Foi aquele selvagem, Sansão, o genro do homem de Timna". Embora aquela família fosse filisteia, por causa de suas conexões com Sansão, eles logo foram executados, cumprindo-se assim a ameaça que se vê em Jz 14.15. Dessa forma, o mal acabou sobrevindo à família que havia sido ameaçada se a noiva de Sansão não revelasse o significado do enigma.

Por onde fosse Sansão, aí instalava-se tristeza e destruição. A desgraça andava bem atrás de seus calcanhares. Ele mesmo era um tição aceso que incendiava tudo ao seu redor. Parece que, naqueles tempos, era típico, como vingança bárbara, queimar na fogueira uma pessoa, seus familiares e tudo quanto eles possuíam. O ato afetou Sansão, posto que indiretamente, pois ele ainda gostava da mulher, apesar de todas as reviravoltas nos acontecimentos impostas pelo destino.

15.7,8

וַיֹּאמֶר לָהֶם שִׁמְשׁוֹן אִם־תַּעֲשׂוּן כָּזֹאת כִּי אִם־נִקַּמְתִּי בָכֶם וְאַחַר אֶחְדָּל:

וַיַּךְ אוֹתָם שׁוֹק עַל־יָרֵךְ מַכָּה גְדוֹלָה וַיֵּרֶד וַיֵּשֶׁב בִּסְעִיף סֶלַע עֵיטָם: ס

Não desistirei, enquanto não me vingar. Ninguém era tão bom na vingança quanto Sansão. Os filisteus tinham feito "aquilo" que era uma indizível barbaridade. Mas Sansão faria "outra coisa", que ultrapassaria em barbaridade os atos dos filisteus. Foi assim que ele acabou matando um número desconhecido, mas presumivelmente grande, de filisteus. A expressão "feriu-os com grande carnificina" reflete uma expressão idiomática hebraica cuja significação original foi perdida para nós. Talvez fosse uma expressão proverbial, conforme sugerem alguns intérpretes. Ele matou aqueles homens miseráveis de mãos vazias, aplicando tremendos golpes em seus corpos, sem precisar usar de qualquer instrumento ou arma. Em outras palavras, devido à sua força imensa, ele saiu esmigalhando os filisteus, conforme um elefante costuma fazer quando ataca.

Habitou na fenda da rocha de Etã. Ver o artigo detalhado sobre esse lugar no *Dicionário*. Josefo (*Antiq.* 1.5, cap. 8, sec. 7) diz que ele foi habitar em Etã, que era uma imensa rocha que ficava no território de Judá. Cf. 2Cr 11.6. A Septuaginta e a Vulgata Latina dizem "em uma caverna da rocha de Etã". A cidade de Etã, pois, estava associada a uma área rochosa ou construída sobre ela; ou então era um lugar que contava com cavernas ao redor, nas colinas próximas. A mesma palavra pode ser traduzida por "fenda" ou por "topo". A referência, evidentemente, é a cavernas existentes em penhascos. Sansão, pois, abrigou-se ali, até que as coisas se acalmassem. Ele tinha iniciado uma tremenda tempestade que, no fim, haveria de consumir tanto a ele mesmo como a incontáveis outros seres humanos. Adam Clarke refere-se a 1Cr 4.32, supondo que Etã ficava no território da tribo de Simeão, e que a referência é a algum lugar fortificado. Portanto, ali se ocultou o homem-força e, por algum tempo, houve tranquilidade.

15.9

וַיַּעֲלוּ פְלִשְׁתִּים וַיַּחֲנוּ בִּיהוּדָה וַיִּנָּטְשׁוּ בַּלֶּחִי׃

Então os filisteus subiram. Era fatal que houvesse uma reação. Os filisteus enviaram um grande grupo de busca. Eles haveriam de apanhar Sansão, acabando assim com a ameaça.

Lei. Essa palavra, no hebraico, significa "queixo" ou "maxilar". Nesse lugar, algum tempo mais tarde, Sansão haveria de matar um impressionante número de filisteus, utilizando-se de uma queixada de jumento. Portanto, parece que o local foi batizado com esse nome por causa dessa circunstância. Ver Jz 15.14,16. O lugar, pois, foi assim denominado antecipadamente. Para nós, é um lugarejo desconhecido no território de Judá, talvez entre Zorá e Timna, na região de Bete-Semes. Alguns estudiosos identificam-no com a moderna Khirbet es Siyyaj (ruínas de Siyyahj). Ver maiores detalhes sobre esse lugar no *Dicionário*.

Os "mil homens" (ver o versículo 16 deste capítulo) espalharam-se por toda parte, rebuscando cuidadosamente a área inteira.

15.10

וַיֹּאמְרוּ אִישׁ יְהוּדָה לָמָה עֲלִיתֶם עָלֵינוּ וַיֹּאמְרוּ לֶאֱסוֹר אֶת־שִׁמְשׁוֹן עָלִינוּ לַעֲשׂוֹת לוֹ כַּאֲשֶׁר עָשָׂה לָנוּ׃

Por que subistes contra nós? Os habitantes da região, homens da tribo de Judá, ficaram alarmados diante da presença de tão grande contingente de homens armados e, naturalmente, quiseram saber a razão de tudo aquilo. A resposta era óbvia. Eles estavam atrás do louco do Sansão, que havia espalhado destruição e agora precisava ser destruído. Josefo indica por que os judaítas ficaram alarmados. Eles já tinham pago o seu tributo. O que mais aqueles filisteus queriam, além disso? A opressão já andava grave o bastante. (Ver *Antiq.* 1.5, cap. 8, sec. 7.)

15.11

וַיֵּרְדוּ שְׁלֹשֶׁת אֲלָפִים אִישׁ מִיהוּדָה אֶל־סְעִיף סֶלַע עֵיטָם וַיֹּאמְרוּ לְשִׁמְשׁוֹן הֲלֹא יָדַעְתָּ כִּי־מֹשְׁלִים בָּנוּ פְּלִשְׁתִּים וּמַה־זֹּאת עָשִׂיתָ לָּנוּ וַיֹּאמֶר לָהֶם כַּאֲשֶׁר עָשׂוּ לִי כֵּן עָשִׂיתִי לָהֶם׃

Então três mil homens de Judá. Os judaítas cooperaram imediatamente com o imenso grupo de buscas dos filisteus e enviaram nada menos de três mil homens para capturar Sansão. Para eles, Sansão não valia todo o trabalho que estavam enfrentando. Estavam cansados de tanta matança e satisfaziam-se em pagar tributo para não terem de guerrear contra os filisteus. Não queriam que Sansão ficasse agitando as coisas e destruindo a paz periclitante que eles haviam estabelecido com os filisteus.

Tinham ouvido a história da vingança de parte a parte, numa sucessão que parecia nunca terminar. Sansão tivera suas dificuldades, e essas pareciam nunca terminar também. Mas o triste relacionamento de Sansão com os filisteus nada tinha a ver com eles, judaítas. E estes não queriam imiscuir-se naquele interminável ciclo de matanças. A única alternativa que lhes restava era cooperar na captura de Sansão, e entregá-lo aos seus executores.

"Sansão não encontrava simpatia alguma. Não havia patriotas em busca de um herói. O que aqueles três mil homens de Judá não teriam conseguido se tivessem agido como os trezentos de Gideão?" (Ellicott, *in loc.*).

15.12

וַיֹּאמְרוּ לוֹ לֶאֱסָרְךָ יָרַדְנוּ לְתִתְּךָ בְּיַד־פְּלִשְׁתִּים וַיֹּאמֶר לָהֶם שִׁמְשׁוֹן הִשָּׁבְעוּ לִי פֶּן־תִּפְגְּעוּן בִּי אַתֶּם׃

Descemos... para te amarrar. Josefo informa-nos (*Antiq.* xiv.15, par. 5) que o lugar onde Sansão se tinha ocultado era de difícil acesso e podia ser defendido por alguns poucos contra muitos. Mas três mil contra um era um tanto demais, pelo que Sansão pediu aos homens de Judá que não o matassem com suas próprias mãos, para agradar aos filisteus e ver-se livres da ameaça. Sansão, a fim de entregar-se sem luta (o que significaria a morte de muitos homens de Judá), fê-los jurar que eles não o matariam. E eles concordaram, dizendo que apenas o amarrariam e o entregariam ao inimigo, o que significaria a sentença de morte imediata de Sansão por parte dos filisteus. Mas teria sido uma desgraça para ele ser morto pelos israelitas. Para aquela gente antiga, era muito importante como eles morriam.

15.13,14

וַיֹּאמְרוּ לוֹ לֵאמֹר לֹא כִּי־אָסֹר נֶאֱסָרְךָ וּנְתַנּוּךָ בְיָדָם וְהָמֵת לֹא נְמִיתֶךָ וַיַּאַסְרֻהוּ בִּשְׁנַיִם עֲבֹתִים חֲדָשִׁים וַיַּעֲלוּהוּ מִן־הַסָּלַע׃

הוּא־בָא עַד־לֶחִי וּפְלִשְׁתִּים הֵרִיעוּ לִקְרָאתוֹ וַתִּצְלַח עָלָיו רוּחַ יְהוָה וַתִּהְיֶינָה הָעֲבֹתִים אֲשֶׁר עַל־זְרוֹעוֹתָיו כַּפִּשְׁתִּים אֲשֶׁר בָּעֲרוּ בָאֵשׁ וַיִּמַּסּוּ אֱסוּרָיו מֵעַל יָדָיו׃

Somente te amarraremos. O poderoso Sansão, pois, foi amarrado com duas cordas novas e entregue aos inimigos filisteus. Parece que isso poria fim a todo o episódio; mas ninguém tinha contado com a presença repentina do Espírito de Deus, o qual outorgou tanta força física a Sansão que aquelas cordas se romperam como meras linhas de costura. As nossas maiores vitórias são as que nos são proporcionadas inesperadamente, em resultado de intervenções divinas. Oh, Senhor, concede-nos tal graça!

Os filisteus, já na certeza de que poriam fim a Sansão fácil e rapidamente, começaram a gritar de alegria. Também passaram a zombar dele, chamando-o de homem forte que agora estava "amarrado". Porém, eles nem imaginavam que o Espírito de Deus faria aquelas cordas parecer fiapos chamuscados pelo fogo. O poder repousava sobre Sansão, mas vindo da parte de Yahweh. Não seriam algumas cordas que impediriam a manifestação do poder de Yahweh. "... como cera diante do fogo, como neve sob a luz do sol, aquelas cordas deixaram-no mui facilmente livre em seus movimentos. Isso pode ser um emblema de Cristo que se livrou dos laços da morte, segundo se lê em At 2.24" (John Gill, *in loc.*). A captura de Sansão foi uma questão de regozijo público entre os filisteus, mas que logo se transformaria no silêncio absoluto da morte.

15.15

וַיִּמְצָא לְחִי־חֲמוֹר טְרִיָּה וַיִּשְׁלַח יָדוֹ וַיִּקָּחֶהָ וַיַּךְ־בָּהּ אֶלֶף אִישׁ׃

Achou uma queixada de jumento. Em um relâmpago, o liberto Sansão estava armado com uma queixada de jumento. Também era uma queixada "fresca", como as cordas, e forte o suficiente para servir de instrumento mortífero nas mãos do selvagem Sansão. O autor sagrado, contudo, poupou-nos os detalhes. Com essa arma improvisada, Sansão em pouco tempo tinha aniquilado todos os mil homens do grupo de busca dos filisteus.

A queixada era de um jumento que havia morrido recentemente. Não era um osso antigo, ressecado e debilitado pelo tempo. Portanto, Sansão ficou contando com uma arma adequada a uma tarefa imensa para um homem só. O Espírito de Deus sempre prové o necessário para o homem espiritual.

Um dos homens de Davi matou trezentos homens com a sua lança (ver 1Cr 11.11) — um feito impressionante. Audey Murphy, um soldado americano durante a Segunda Guerra Mundial, atacou sozinho uma força-tarefa de tanques de guerra alemães e matou mais de duzentos homens e danificou um bom número de tanques. Sangar matou seiscentos filisteus com uma aguilhada de bois (ver Jz 3.31). Mas ninguém jamais pôde comparar-se a Sansão, munido com sua queixada de jumento.

"Um só homem dentre vós perseguirá a mil, pois o Senhor vosso Deus é quem peleja por vós, como já vos prometeu" (Js 23.10).

15.16

וַיֹּאמֶר שִׁמְשׁוֹן בִּלְחִי הַחֲמוֹר חֲמוֹר חֲמֹרָתָיִם בִּלְחִי הַחֲמוֹר הִכֵּיתִי אֶלֶף אִישׁ׃

E disse. Temos aqui um trocadilho poético. No hebraico, a palavra aqui traduzida por "jumento" e por "montão" é uma só. E Sansão tirou proveito do fato para celebrar a sua vitória com um trocadilho poético. O *chamor* (jumento) produziu um grande *chamor* (montão) de cadáveres, todos eles avermelhados com o seu próprio sangue. Um único *chamor* produziu *chamor* sobre *chamor*. A humilde arma usada por Sansão ocasionou um número incrível de mortos. Sansão atribuiu o feito a Yahweh, e o glorificou por isso (ver o vs. 18).

Sansão fez deles um bando de jumentos mortos, com a queixada de um jumento.

15.17

וַיְהִי כְּכַלֹּתוֹ לְדַבֵּר וַיַּשְׁלֵךְ הַלְּחִי מִיָּדוֹ וַיִּקְרָא לַמָּקוֹם הַהוּא רָמַת לֶחִי׃

Tendo ele acabado de falar. Sansão dançou de júbilo, entoando o seu trocadilho poético e brandindo na mão a queixada de jumento, como se ainda houvesse inimigos invisíveis. Finalmente, cansou-se do poema e da dança e largou a queixada no chão, chamando o lugar de seu triunfo extraordinário de Ramate-Leí, que significa "montão da queixada".

É evidente que o local ou ficava próximo ou era uma espécie de colina. Mas alguns estudiosos pensam que o texto marginal do original hebraico é melhor. Ali o nome significa "levantando a queixada", uma interpretação seguida pela Septuaginta. A explicação mais natural, entretanto, parece ser que o lugar era uma colina ou ficava próximo de uma colina, pelo que poderíamos traduzir esse nome por "a colina de Leí". Ver os comentários sobre Leí nas notas expositivas relativas ao nono versículo deste capítulo. Sansão nunca haveria de esquecer-se daquela colina. Foi ali que ele logrou vitória extraordinária, que marcou toda a sua vida. E foi por isso que Leí tornou-se Ramate-Leí.

15.18

וַיִּצְמָא מְאֹד וַיִּקְרָא אֶל־יְהוָה וַיֹּאמַר אַתָּה נָתַתָּ בְיַד־עַבְדְּךָ אֶת־הַתְּשׁוּעָה הַגְּדֹלָה הַזֹּאת וְעַתָּה אָמוּת בַּצָּמָא וְנָפַלְתִּי בְּיַד הָעֲרֵלִים׃

Sentindo grande sede. Sansão viu-se em uma ridícula circunstância. Yahweh lhe tinha dado aquela tremenda vitória; mas agora ele estava sendo atacado por algo tão simples (embora potencialmente mortífero) como a sede. Porventura uma sede abrasadora poderia matar o homem-força a quem nenhum filisteu fora capaz de ferir? O homem selvagem procurou em vão por água e teve de clamar a Yahweh, para que este fizesse ainda mais uma intervenção.

Josefo supunha que Sansão caiu em dificuldades por haver reclamado para si mesmo o crédito pela vitória extraordinária, pelo que Yahweh o teria castigado com tremenda sede, que o ameaçava de morte (*Antiq.* 1.5, cap. 8, sec. 9). Mas uma vez que Sansão reconheceu a fonte originária de sua vitória, foi-lhe concedido miraculosamente água, que lhe matou a sede. Podemos imaginar o grau de sede de Sansão quando lembramos como ele fora perseguido, capturado pelos homens de Judá, entregue aos filisteus e então matou mil homens com uma simples queixada de jumento. E tudo, provavelmente, sem ter tido oportunidade de beber água, apesar do esforço imenso.

15.19

וַיִּבְקַע אֱלֹהִים אֶת־הַמַּכְתֵּשׁ אֲשֶׁר־בַּלֶּחִי וַיֵּצְאוּ מִמֶּנּוּ מַיִם וַיֵּשְׁתְּ וַתָּשָׁב רוּחוֹ וַיֶּחִי עַל־כֵּן קָרָא שְׁמָהּ עֵין הַקּוֹרֵא אֲשֶׁר בַּלֶּחִי עַד הַיּוֹם הַזֶּה׃

Então o Senhor. Esse foi o milagre da água, na vida de Sansão. O autor sacro queria, sem dúvida, que entendêssemos que Yahweh efetuara miraculosa provisão de água, tal como o povo de Israel havia experimentado no deserto, nos dias de Moisés (ver Êx 17.6). Cf. também Gn 21.19 (a história de Hagar), e ver ainda Is 41.17,18. Yahweh é quem dá, aos desesperadamente sedentos, água limpa e fresca para saciar sua sede.

Fendeu a cavidade. A poderosa mão de Deus abriu a rocha onde havia uma camada de lençóis freáticos, e então a água esguichou até a superfície. O Senhor fendeu a rocha em Leí. Alguns pensam que Sansão encontrou água precisamente no mesmo lugar onde tinha deixado cair a queixada de jumento (em cima de uma formação rochosa). Ver o vs. 17. Mas essa interpretação parece fantasiosa. Provavelmente, tudo quanto está em pauta é que o milagre da água se deu em Leí (chamada de queixada).

En-Hacoré. Ou seja, "a fonte daquele que chamou". Lembremos que Sansão invocara a Yahweh, pedindo-lhe água. O Senhor o atendeu, e isso lhe salvou a vida. Aquele local, em Leí, bem como certa porção dele, adquirira aquele nome antes de Sansão ter pedido água, quando o autor sacro escreveu o seu livro. Quanto a outros detalhes, ver no *Dicionário* o artigo chamado *En-Hacoré*. Cf. Pv 27.22. Sucedeu que continuaram existindo fontes naquele lugar, e a existência delas era atribuída à época de Sansão.

15.20

וַיִּשְׁפֹּט אֶת־יִשְׂרָאֵל בִּימֵי פְלִשְׁתִּים עֶשְׂרִים שָׁנָה׃ פ

Julgou a Israel... vinte anos. Essa observação sumária é repetida em Jz 16.31. Por antecipação, o autor sagrado revelou-nos por quanto tempo Sansão exerceu autoridade em Israel. Cada juiz de Israel, naturalmente, exercia autoridade sobre algum segmento do território de Israel, e nunca sobre Israel inteiro. Ver o mapa, imediatamente antes de Jz 1.1, que ilustra as regiões onde esses juízes exerceram autoridade. Ali também há um gráfico que dá informações básicas sobre todos os juízes de Israel.

Sansão foi capaz de debilitar bastante os filisteus, aliviando assim a opressão que eles faziam contra Israel. Mas foi somente nos dias de Davi (cerca de um século depois) que os filhos de Israel realmente se libertaram da opressão filisteia. Alguns eruditos supõem que os vinte anos, aqui mencionados, tenham sido contemporâneos aos dias de Eli. Esses anos foram cerca de 1069 – 1049 a.C., um tanto ou quanto menos de um século antes que Davi conseguisse libertar os hebreus completamente da opressão dos filisteus. As cronologias traçadas pelos estudiosos variam, de tal modo que é difícil dizer exatamente quanto tempo antes de Davi viveu Sansão. Seja como for, pelo menos no que diz respeito aos filisteus, as missões deles — de Sansão e de Davi — estiveram vinculadas uma à outra.

CAPÍTULO DEZESSEIS

A história de Sansão começa em Jz 13.1, onde apresentei notas de introdução sobre sua vida e carreira. O autor do livro contou a história de Gideão mediante cem versículos, e a de Sansão mediante 96 versículos, devotando a este último quatro capítulos (13 a 16, de acordo com a divisão posterior do livro em capítulos e versículos). Portanto, a maior parte do volume do livro de Juízes dedica-se a narrar a história desses dois juízes de Israel.

O capítulo à nossa frente diz respeito aos pontos seguintes: 1. A história da remoção dos portões de Gaza, demonstrando novamente a tremenda força física de Sansão, que só conhecia igual em sua fraqueza moral (vss. 1-3). 2. A história de Dalila, sem dúvida o lance mais conhecido do livro inteiro, que indica diversos pontos fortes e fracos (vss. 4-22). 3. A história da vingança de Sansão contra os filisteus e sua morte (vss. 23-31).

Embora tivesse preferido seguir a vereda da sensualidade e da insensatez, Sansão conseguiu, de acordo com os padrões seguidos pelo autor sagrado, cumprir a sua missão, porquanto muito debilitou os filisteus. Cem anos mais tarde, coube a Davi completar a tarefa iniciada por Sansão, livrando completamente os filhos de Israel da praga dos filisteus.

■ 16.1

וַיֵּלֶךְ שִׁמְשׁוֹן עַזָּתָה וַיַּרְא־שָׁם אִשָּׁה זוֹנָה וַיָּבֹא אֵלֶיהָ׃

Sansão foi a Gaza. Ver no *Dicionário* o artigo chamado *Gaza*. Essa era uma das cinco cidades fortificadas dos filisteus. Dentre a pentápole dos filisteus, era a que ficava mais ao sul, cerca de sessenta quilômetros a oeste de Hebrom, e mais ou menos à mesma distância de Zorá. Não sabemos dizer por que Sansão foi àquela cidade. Ele vivia escondendo-se, porquanto sua vida estava sempre ameaçada; mas ocasionalmente ele circulava ao redor, por uma razão ou outra, arriscando sua pele.

Viu ali uma prostituta. Ver no *Dicionário* o verbete intitulado *Prostituta, Prostituição*. Sansão valia-se de prostitutas, admirando-nos o quanto a moral andava frouxa em Israel, pois somente se evitava, talvez, o adultério direto. As dificuldades de Sansão começaram com sua concupiscência por mulheres (capítulo 13), e ele continuou assim até o fim. Isso posto, sua imensa força física era igualada por sua fraqueza moral. Portanto, o relato bíblico revela-nos o "... desvio e a escravidão do herói pela paixão. De acordo com a nossa perspectiva, a moral dele era tremendamente baixa; mas o autor nem por isso mostra seu desapontamento. A moral de Sansão não era mais baixa do que se via entre os seus contemporâneos, e o narrador sem dúvida deleitava-se nos tremendos feitos dele" (Jacob M. Myers, *in loc*.). Alguns intérpretes antigos chamam aquela mulher de estalajadeira, em lugar de prostituta; e essa opinião é seguida por alguns estudiosos modernos; mas essa é apenas uma tentativa de purificar um pouco a narrativa.

■ 16.2

לַעַזָּתִים לֵאמֹר בָּא שִׁמְשׁוֹן הֵנָּה וַיָּסֹבּוּ וַיֶּאֶרְבוּ־לוֹ כָל־הַלַּיְלָה בְּשַׁעַר הָעִיר וַיִּתְחָרְשׁוּ כָל־הַלַּיְלָה לֵאמֹר עַד־אוֹר הַבֹּקֶר וַהֲרְגְנֻהוּ׃

Foi dito aos gazitas: Sansão chegou aqui. Armou-se uma emboscada contra Sansão. Ao sair de uma cidade, um homem precisava passar pelo portão. E, assim sendo, os homens daquela cidade, sabedores de que o temido Sansão estava ali, esperaram que ele aparecesse diante do portão de Gaza. Planejavam matá-lo. Ninguém, em toda aquela região, era tão temido e odiado quanto Sansão. Por onde quer que ele fosse, havia dificuldades e matanças; e os filisteus estavam cansados disso. Não tentaram detê-lo à noite: era por demais arriscado. Havia muitos filisteus na emboscada, e todos bem armados: o máximo de precaução.

■ 16.3

וַיִּשְׁכַּב שִׁמְשׁוֹן עַד־חֲצִי הַלַּיְלָה וַיָּקָם בַּחֲצִי הַלַּיְלָה וַיֶּאֱחֹז בְּדַלְתוֹת שַׁעַר־הָעִיר וּבִשְׁתֵּי הַמְּזוּזוֹת וַיִּסָּעֵם עִם־הַבְּרִיחַ וַיָּשֶׂם עַל־כְּתֵפָיו וַיַּעֲלֵם אֶל־רֹאשׁ הָהָר אֲשֶׁר עַל־פְּנֵי חֶבְרוֹן׃ פ

Sansão esteve deitado até à meia-noite. O texto sagrado não nos conta como Sansão escapou da emboscada. Mas aprendemos que ele não esperou até amanhecer, conforme os filisteus tinham imaginado que faria. Ao que tudo indica, ele surpreendeu o grupo que fazia parte da emboscada, porquanto partiu quando ainda estava escuro. Não deve ter havido oposição, pois não lemos sobre nenhuma morte, o que, sem dúvida, teria acontecido se os filisteus tivessem tentado detê-lo. Sansão encontrou o portão da cidade trancado. Ele simplesmente arrancou o portão e carregou-o até o alto de uma colina, perto de Hebrom, a cerca de sessenta quilômetros de distância dali!

O autor sagrado contou esse lance a fim de ilustrar, uma vez mais, a incrível força física de Sansão, jamais igualada em Israel por qualquer outro homem. Ele tinha a força de um elefante, e não de um homem. Por isso mesmo, o nome Sansão tornou-se sinônimo de força física.

"Carregar o portão de seus inimigos seria um ato entendido como um imenso insulto. 'Quando Almansor conquistou Compostella, ele fez os cristãos carregar as portas da Igreja de São Tiago sobre os seus ombros, até Córdoba, como sinal de vitória'" (Ellicott, *in loc.*, citando Ferraras, *Gesh von Spanier*, iii.145).

SANSÃO E DALILA (16.4-22)

Sem dúvida, Dalila era uma mulher filisteia, embora seu nome fosse hebreu. Por meio dela, Sansão chegou ao ponto mais baixo de sua carreira, e isso, finalmente, levou-o ao seu fim. Porém, seu fim humilhante foi mitigado, até certo ponto, pelo seu maior triunfo, a morte de um imenso número de filisteus. Por esse motivo, tem sido dito que ele matou mais em sua morte do que em toda a sua vida (ver o vs. 30). Aos olhos do autor sagrado, isso foi motivo de elogios, como se Sansão tivesse obtido uma vitória notável, porquanto, por esse meio, conseguiu enfraquecer consideravelmente os odiados filisteus. Um século mais tarde, contudo, Davi terminou a tarefa iniciada por Sansão, tendo libertado completamente o povo de Israel daquela odiosa opressão.

"A terceira aventura de Sansão com uma mulher filisteia levou-o a um trágico fim" (*Oxford Annotated Bible*, comentando sobre o quarto versículo deste capítulo). Ver Jz 14.1,2 e 16.1 quanto às outras "dificuldades" de Sansão com mulheres.

■ 16.4

וַיְהִי אַחֲרֵי־כֵן וַיֶּאֱהַב אִשָּׁה בְּנַחַל שֹׂרֵק וּשְׁמָהּ דְּלִילָה׃

Vale de Soreque. Ver no *Dicionário* o artigo que versa sobre esse local. No hebraico, o nome significa "vinha seleta". Ali residia Dalila. Talvez a área possa ser identificada com o moderno wadi es Surar, por onde passa a linha férrea que liga Jope a Jerusalém. O território em pauta fora entregue à tribo de Dã. Quanto a outros detalhes, examine o artigo citado. Aquele não era território filisteu, mas ficava próximo da cidade natal de Sansão, Zorá (ver Jz 13.2). Excelentes videiras eram cultivadas ali; e, com base nessa circunstância, o local havia sido batizado. Cf. Gn 49.11; Is 5.2 e Jr 2.21.

Uma mulher... a qual se chamava Dalila. Forneci um artigo detalhado sobre essa mulher no *Dicionário*.

Josefo (*Antiq.* 1.5, cap. 8, sec. 9) chamou Dalila de "prostituta". Mas os intérpretes hebreus, procurando narrar a história sob uma luz mais favorável, disseram que ela se tinha convertido ao yahwismo.

Sansão, pois, apaixonou-se de novo. E, novamente, uma filisteia foi o objeto de sua paixão. Paixões descontroladas nunca deixaram de metê-lo em dificuldades; mas ele jamais aprendeu a sua lição. Temos aí a história do vício.

■ 16.5

וַיַּעֲלוּ אֵלֶיהָ סַרְנֵי פְלִשְׁתִּים וַיֹּאמְרוּ לָהּ פַּתִּי אוֹתוֹ וּרְאִי בַּמֶּה כֹּחוֹ גָדוֹל וּבַמֶּה נוּכַל לוֹ וַאֲסַרְנֻהוּ לְעַנֹּתוֹ וַאֲנַחְנוּ נִתַּן־לָךְ אִישׁ אֶלֶף וּמֵאָה כָּסֶף׃

Os príncipes dos filisteus... Lhe disseram. Dalila foi usada pelos filisteus, tal como o tinha sido a esposa de Sansão (ver Jz 14.15 ss.). A esposa dele havia sido ameaçada de morte e, caso não cooperasse, até seus familiares teriam sido mortos. O autor sagrado, contudo, não fala em nenhuma pressão dessa ordem sobre Dalila. Mas ela cooperou voluntariamente, segundo tudo parece indicar. As histórias de intrigas quase sempre incluem, entre as personagens, uma bela mas traiçoeira mulher. A história de Sansão está representada de belas e traiçoeiras mulheres, de uma violência sem freio, de derrotas repentinas e de súbitas vitórias, exatamente aqueles elementos que deliciam os seus leitores ou ouvintes. Esses temas até hoje são a base dos livros, dos filmes cinematográficos e, de fato, da própria vida.

Esses "príncipes", provavelmente, eram os cinco sátrapas das cinco cidades-estados dos filisteus. Eles governavam as cinco principais fortalezas daquele povo. Ver as notas sobre Jz 3.3 quanto a maiores detalhes a esse respeito.

E te daremos. Os "príncipes" prometeram a Dalila um "prêmio", em vez de ameaçá-la, como outros filisteus tinham feito com a esposa filisteia de Sansão, a saber, dariam a ela 1.100 siclos de prata. Pode-se calcular grosso modo quanto isso valia levando-se em conta que um siclo de prata era o preço pago pelo resgate de um israelita do sexo masculino (ver Êx 30.13 ss.), ou por compensações e multas (ver Êx 21.23; Lv 5.15; Dt 22.19,20). Portanto, eles ofereceram a Dalila uma pequena fortuna, que lhe proporcionaria uma vida folgada por muito tempo, embora não a tornasse financeiramente independente. Foi uma oferta que ela não conseguiu recusar. E quem se importaria com o que viesse a acontecer a Sansão, o selvagem matador, mesmo que ele dissesse o tempo todo a ela: "Eu te amo"? Mas a oferta, por sua vez, indica o quanto os filisteus ansiavam por livrar-se de Sansão.

O valor do siclo, contudo, variou com a passagem dos séculos. O que se sabe é dado nos artigos do *Dicionário* intitulados *Dinheiro, II*; e *Pesos e Medidas, IV*.c; ver também Lv 27.25 quanto a outros detalhes.

■ 16.6

וַתֹּאמֶר דְּלִילָה אֶל־שִׁמְשׁוֹן הַגִּידָה־נָּא לִי בַּמֶּה כֹּחֲךָ גָדוֹל וּבַמֶּה תֵּאָסֵר לְעַנּוֹתֶךָ׃

Em que consiste a tua grande força. A abordagem de Dalila não foi nada sutil. Logo de saída ela sugeriu que, se Sansão perdesse sua imensa força física, poderia ser "subjugado". Sansão brincou com ela, por causa disso. Por outro ângulo, porém, talvez ela tenha usado da sutileza de apresentar sua pergunta de maneira descontraída. A verdade, porém, é que estava em curso um jogo mortífero; e Sansão descobriu tarde demais o quão mortífera a brincadeira era.

"Sansão atirou-se a um esporte divertido, mas perigoso" (Phillips P. Elliott, *in loc.*).

"Dalila fez três tentativas baldadas de obter a confiança e o segredo de Sansão. De cada vez ele a iludia, inventando um meio mediante o qual ele se tornaria fraco como qualquer outro homem" (F. Duane Lindsey, *in loc.*).

Josefo asseverou que as abordagens de Dalila eram feitas nos momentos das carícias do amor, quando então, presumivelmente, Sansão perdia um pouco a sua cautela (ver *Antiq*. 1.5, cap. 8, sec. 9).

SANSÃO: FORTE DE CORPO, FRACO DE ESPÍRITO

Sansão foi a Gaza, e viu ali uma prostituta, e coabitou com ela... Depois disto aconteceu que se afeiçoou a uma mulher do vale de Soreque, a qual se chamava Dalila... Os filisteus pegaram nele, e lhe vazaram os olhos, e o fizeram descer a Gaza; amarraram-no com duas cadeias de bronze, e virava um moinho no cárcere.

Juízes 16.1,4,21

O MUNDO É DEMAIS PARA NÓS

O mundo é demais para nós; tarde e cedo,
Obtendo e gastando, desperdiçamos nossas forças;
Pouco vemos na natureza que seja nosso;
Temos vendido nossos corações, um sórdido favor!
Este mar que desnuda seu seio para a lua;
Os ventos que uivam a todas as horas,
E que são colhidos agora como flores dormentes;
Para isso, para tudo, estamos desafinados;
Nada nos impulsiona – Grande Deus! Prefiro ser
Um pagão amamentado em um credo desgastado;
Assim pudesse eu, de pé sobre esta aprazível campina,
Ter visões que me fizessem sentir menos destituído,
Ter visões de Proteu a erguer-se do mar;
Ou ouvir o velho Tritão soprar em sua trombeta espiralada.

William Wordsworth, 1770-1850

■ 16.7

וַיֹּאמֶר אֵלֶיהָ שִׁמְשׁוֹן אִם־יַאַסְרֻנִי בְּשִׁבְעָה יְתָרִים לַחִים אֲשֶׁר לֹא־חֹרָבוּ וְחָלִיתִי וְהָיִיתִי כְּאַחַד הָאָדָם׃

Se me amarrarem com sete tendões frescos. A primeira mentira de Sansão fez o jogo prosseguir. Um tendão, usado como corda de arco, sem dúvida era um material muito resistente. Presumivelmente, sete desses tendões poderiam amarrar até mesmo o poderoso Sansão, reduzindo-o a um homem qualquer, fraco. As cordas de arcos eram preparadas com tendões de bois; e seria necessário que alguém fosse realmente forte para partir um desses tendões com as mãos. A eficácia de amarrar Sansão com tendões já tinha sido experimentada (ver Jz 15.13,14); mas outra tentativa, dessa vez com "sete" tendões, poderia ser feita.

Josefo escreveu que ramos de videira eram usados como cordas de arco (ver *Antiq*. 1.5, cap. 8, sec. 9), mas provavelmente ele estava equivocado. Parece certo que estão em pauta tendões frescos. Ver Sl 11.2. As traduções da Septuaginta e da Vulgata Latina dão a entender algum material animal, e não vegetal. Adam Clarke, por sua vez, afirmou que, na Irlanda, costumavam-se usar tiras de couro de cavalo com esse propósito. Essas tiras eram tratadas para adquirir maior resistência.

O número sete, por ser o número simbólico da divindade, pode dar a entender que a grande força física de Sansão devia-se a algum encantamento mágico, e que certas ações poderiam quebrá-lo. De certa maneira, isso exprimia uma verdade. A força de Sansão derivava-se do Espírito de Deus (ver Jz 15.14), uma fonte divina. Mas encantamentos, fossem eles quais fossem, não surtiriam efeito sobre a gigantesca força de Sansão.

■ 16.8

וַיַּעֲלוּ־לָהּ סַרְנֵי פְלִשְׁתִּים שִׁבְעָה יְתָרִים לַחִים אֲשֶׁר לֹא־חֹרָבוּ וַתַּאַסְרֵהוּ בָּהֶם׃

Trouxeram a Dalila sete tendões frescos. E ela amarrou Sansão, em meio a brincadeiras e piadas, a gestos tolos e uma conversa sem sentido. O jogo continuou, ao mesmo tempo que Sansão não se sentiu nem um pouco preocupado. No entanto, se a brincadeira prosseguisse, acabaria ficando fora de controle, e a sorte dele acabaria mudando, tornando-se fatal. Sempre será um erro brincar com o destino, como se tivéssemos alguma garantia de que o jogo com o pecado não nos prejudicará. "Sansão estava cada vez mais perto da beira do abismo" (Phillips P. Elliott, *in loc.*). O jogo dele ficava crescentemente perigoso.

■ 16.9

וְהָאֹרֵב יֹשֵׁב לָהּ בַּחֶדֶר וַתֹּאמֶר אֵלָיו פְּלִשְׁתִּים עָלֶיךָ שִׁמְשׁוֹן וַיְנַתֵּק אֶת־הַיְתָרִים כַּאֲשֶׁר יִנָּתֵק פְּתִיל־הַנְּעֹרֶת בַּהֲרִיחוֹ אֵשׁ וְלֹא נוֹדַע כֹּחוֹ׃

No seu quarto interior homens escondidos. Dalila, pensando em todo o dinheiro que poderia receber, proferiu suas palavras de traição: "Os filisteus vêm sobre ti, Sansão!" Isso feito, eles saltaram sobre Sansão, mas este partiu os tendões como se fossem cordões chamuscados pelo fogo.

O fio da estopa chamuscada. Provavelmente devemos pensar em um fio de linho, que é forte, mas se desintegra facilmente sob a ação do fogo.

O autor sagrado não fala em retaliação. Os possíveis captores de Sansão saíram da casa, livres e sem nenhum ferimento. Ele deve ter pensado que eles também estavam envolvidos no jogo. Era tudo como uma produção teatral, e Sansão sentia-se satisfeito por ser o centro de atenções da comédia. Mas podemos supor que Sansão tenha sido completamente iludido pelas intenções traiçoeiras da bela Dalila. Tarde demais ele descobriu que a mulher era uma miserável mentirosa e enganadora. As palavras fingidas de amor, que ela proferia, deixaram-no a dormitar, e ele não percebeu que estava correndo um perigo mortal.

16.10

וַתֹּאמֶר דְּלִילָה אֶל־שִׁמְשׁוֹן הִנֵּה הֵתַלְתָּ בִּי וַתְּדַבֵּר אֵלַי כְּזָבִים עַתָּה הַגִּידָה־נָּא לִי בַּמֶּה תֵּאָסֵר׃

Eis que zombaste de mim. A pessoa culpada acusou a sua possível vítima de zombaria e mentira. Dalila agiu como se ela é que tivesse sido ofendida. É verdade que Sansão a enganara; mas a verdade maior era a do ato traiçoeiro dela, que visava a execução de Sansão. O jogo já estava ficando fora de controle, mas Sansão, "cego de paixão", não queria enxergar esse fato simples. Tendo acusado Sansão de mentiroso, ela se esqueceu convenientemente de que ela própria era uma assassina conivente potencial.

A traiçoeira Dalila deu a Sansão outra oportunidade, a fim de que ele pudesse redimir-se. Os pervertidos como que tentam caminhar no teto, de cabeça para baixo. É como se ela lhe tivesse dito: "Se agora me disseres a verdade, então eu te perdoarei por seres um tão grande mentiroso".

16.11

וַיֹּאמֶר אֵלֶיהָ אִם־אָסוֹר יַאַסְרוּנִי בַּעֲבֹתִים חֲדָשִׁים אֲשֶׁר לֹא־נַעֲשָׂה בָהֶם מְלָאכָה וְחָלִיתִי וְהָיִיתִי כְּאַחַד הָאָדָם׃

Se me amarrarem bem com cordas novas. Novas cordas foram sugeridas. Mas o número de cordas não foi mencionado. Talvez o número supersticioso, sete, tenha sido de novo sugerido (ver o último parágrafo das notas sobre o vs. 7). O truque da corda já havia sido testado e se mostrado ineficaz (ver Jz 15.13,14). As cordas antigas eram feitas de material animal ou vegetal, e eram razoavelmente grossas, formadas por vários cordões, não podendo ser partidas mediante a força de um homem comum. Talvez um animal, como um boi, pudesse partir uma única corda. Mas várias daquelas cordas não podiam ser quebradas, mesmo que um animal corpulento tentasse fazê-lo. Kimchi e Ben Meleque deixaram escrito que as cordas eram feitas de três cordões retorcidos entre si.

16.12

וַתִּקַּח דְּלִילָה עֲבֹתִים חֲדָשִׁים וַתַּאַסְרֵהוּ בָהֶם וַתֹּאמֶר אֵלָיו פְּלִשְׁתִּים עָלֶיךָ שִׁמְשׁוֹן וְהָאֹרֵב יֹשֵׁב בֶּחָדֶר וַיְנַתְּקֵם מֵעַל זְרֹעֹתָיו כַּחוּט׃

ele as rebentou de seus braços como um fio. Dalila, uma vez mais, utilizou-se de seu já conhecido esquema, tal e qual fizera na vez anterior. Até o grito de alerta foi o mesmo. Mas as cordas novas não conseguiram prender Sansão. Uma vez mais, porém, Sansão não retaliou, o que significa que a comédia prosseguiu e que ele se divertia a valer. Sansão tinha escapado de morrer, uma vez mais, porém continuou indiferente diante da seriedade do que estava sucedendo.

16.13

וַתֹּאמֶר דְּלִילָה אֶל־שִׁמְשׁוֹן עַד־הֵנָּה הֵתַלְתָּ בִּי וַתְּדַבֵּר אֵלַי כְּזָבִים הַגִּידָה לִּי בַּמֶּה תֵּאָסֵר וַיֹּאמֶר אֵלֶיהָ אִם־תַּאַרְגִי אֶת־שֶׁבַע מַחְלְפוֹת רֹאשִׁי עִם־הַמַּסָּכֶת׃

Até agora tens zombado de mim. Dalila repreendeu Sansão, exatamente como fizera na vez anterior; e, novamente, instou para que ele lhe revelasse o segredo de sua tremenda força física, dando a entender que ele poderia redimir-se de suas inverdades, se dissesse a verdade. A verdade faria Sansão quebrar seu voto de nazireu; mas ele estava sendo gradualmente forçado a contar essa verdade. Por mais uma vez, haveria outra mentira de Sansão; mas, na quarta tentativa, Sansão revelaria o segredo fatal.

Se teceres as sete tranças da minha cabeça. Sansão aproximava-se cada vez mais da verdade dos fatos. Desta vez, ele usou tanto o número "sete" (ver o final dos comentários sobre o vs. 7 deste capítulo) quanto se referiu aos "cabelos". Mas também mencionou os aparelhos de um tear, que nada tinham a ver com essa realidade. A Septuaginta e a Vulgata Latina (em um evidente acréscimo e exagero) dizem que Dalila fixou um pino na parede (ou no chão), a fim de manter no lugar o tear inteiro (estando os cabelos de Sansão entretecidos na teia). Sansão "permitiu que seus cabelos sagrados fossem entretecidos no tear de uma meretriz" (Ellicott, *in loc.*).

16.14

וַתִּתְקַע בַּיָּתֵד וַתֹּאמֶר אֵלָיו פְּלִשְׁתִּים עָלֶיךָ שִׁמְשׁוֹן וַיִּיקַץ מִשְּׁנָתוֹ וַיִּסַּע אֶת־הַיְתַד הָאֶרֶג וְאֶת־הַמַּסָּכֶת׃

E as fixou com um pino de tear. Presos desse modo no tear, os cabelos de Sansão não poderiam ser facilmente separados do pesado aparelho. Supostamente, esse seria o encanto que tiraria de Sansão toda a sua tremenda força física, que lhe fora dada pelo poder divino, possivelmente através de encantamentos mágicos. Conforme dissemos acima, a Septuaginta informa que o pino foi fixado à parede, e a Vulgata relata que ele foi fixado no chão; mas o próprio texto sagrado nem ao menos sugere tal coisa.

O grito agora já familiar de Dalila despertou Sansão. E ele se levantou e carregou o pesado tear, com os cabelos ainda presos ao aparelho. A Septuaginta diz que Sansão arrancou o pino da parede; e a Vulgata Latina afiança que ele arrancou o pino do chão e saiu andando. Seja como for, Sansão deu outra soberba demonstração de força física, embora nem tanto, pois até um homem comum poderia ter carregado um tear antigo.

16.15

וַתֹּאמֶר אֵלָיו אֵיךְ תֹּאמַר אֲהַבְתִּיךְ וְלִבְּךָ אֵין אִתִּי זֶה שָׁלֹשׁ פְּעָמִים הֵתַלְתָּ בִּי וְלֹא־הִגַּדְתָּ לִּי בַּמֶּה כֹּחֲךָ גָדוֹל׃

Como dizes que me amas...? O jogo traiçoeiro de Dalila prosseguiu, enquanto ela agia com toda a seriedade e Sansão fingia nada perceber, apesar de atacado continuamente por inimigos figadais, mas sem retaliar contra eles. Além de ralhar com Sansão por dizer-lhe mentiras em vez de revelar o segredo de sua força física, ela ainda teve a coragem de mencionar o "amor". O coração de Sansão seria duro, destituído de amor por ela. De outro modo, ele não ficaria repetindo mentiras. "Quando ele a estava acariciando, ela aproveitava a oportunidade para acusá-lo de amor fingido e de coração mentiroso" (John Gill, *in loc.*). "Aquele homem de força parecia um consumado tolo" (Adam Clarke, *in loc.*).

16.16

וַיְהִי כִּי־הֵצִיקָה לּוֹ בִדְבָרֶיהָ כָּל־הַיָּמִים וַתְּאַלְצֵהוּ וַתִּקְצַר נַפְשׁוֹ לָמוּת׃

Importunando-o ela todos os dias. Por muitos dias, Dalila não alterou seu método de ataque. Ela só pensava no grande prêmio em dinheiro que poderia ganhar dos príncipes filisteus. A cobiça a impelia. E não havia amor para aplicar os freios. A alma de Sansão, por sua vez, "se encurtava" (conforme diz, literalmente, o original hebraico diante de toda aquela conversa, conversa e mais conversa, lágrimas, lágrimas e mais lágrimas. Ela o estava desgastando. "A debilidade da alma dele, na totalidade da narrativa, ainda parece mais espantosa do que a força imensa de seu corpo" (Adam Clarke, *in loc.*).

Os dias de vida de Sansão (tal como acontecia à sua alma) estavam sendo encurtados. Ele estava à beira de um ataque de nervos. Dalila apressava a morte do amante através de mais de uma maneira. Abarbinel pensava que Sansão tinha consciência de sua morte, que já se aproxima. Há estudos que demonstram que qualquer pessoa tem consciência, pelo menos um ano antes de sua morte, da iminência desta, mesmo que essa morte ocorra por acidente e a pessoa esteja perfeitamente saudável. E muita gente percebe a aproximação da morte bem antes de um ano. Os sonhos que todos nós temos nos avisam continuamente; mas esses avisos geralmente não são ouvidos ou são mal interpretados.

"... loucamente, ele ficou brincando com a chave de seu segredo. Chegou mesmo a arriscar-se, ao envolver a cabeleira em suas tolas brincadeiras. Depois disso, faltava apenas mais um passo para a catástrofe final" (Ewald, *in loc.*).

■ 16.17

וַיַּגֶּד־לָהּ אֶת־כָּל־לִבּוֹ וַיֹּאמֶר לָהּ מוֹרָה לֹא־עָלָה
עַל־רֹאשִׁי כִּי־נְזִיר אֱלֹהִים אֲנִי מִבֶּטֶן אִמִּי אִם־גֻּלַּחְתִּי
וְסָר מִמֶּנִּי כֹחִי וְחָלִיתִי וְהָיִיתִי כְּכָל־הָאָדָם:

Descobriu-lhe todo o seu coração. Finalmente, Sansão desvendou o terrível segredo. seu coração apertado não conseguiu mais reter a verdade. É como dizemos: "ele abriu seu coração" para Dalila. Ele revelou o seu voto de *nazireado* (ver a respeito no *Dicionário*). No meio de tanta matança, com frequência ele se contaminava cerimonialmente, quebrando aquela parte do voto que não permitia nenhum toque em cadáveres. Todavia, pelo menos ele nunca havia cortado os seus cabelos, outro requisito do voto de nazireu. E era ali que residia o segredo de sua tremenda força física. Na qualidade de homem especialmente dedicado a Yahweh, ele recebia do Senhor força especial para cumprimento da missão que o Senhor lhe havia dado. Mas, se ele violasse esse requisito do voto, então perderia, de súbito, a força divinamente concedida.

A força física de Sansão era miraculosa, nada tendo a ver com a genética. Deus haveria de abandoná-lo (ver o vs. 20 deste capítulo) se ele ousasse cortar sua cabeleira. No entanto, apesar de tão poderoso diante do inimigo, Sansão estava destinado a cair vítima fácil de uma mulher. Essa é, realmente, uma história muito antiga. Josefo opinava que Sansão deveria estar tonto de vinho enquanto brincava daquele jeito com o pecado. E isso ele dizia porque, verdadeiramente, o álcool solta a língua. Sem embargo, o próprio texto sagrado nem ao menos vislumbra essa possibilidade. Pois o voto do nazireato também não permitia que o indivíduo usasse de bebidas alcoólicas; e parece que Sansão, até ali, também estava obedecendo a esse requisito do voto, além de não tocar em seus cabelos.

A força física de Sansão não residia em seus cabelos, e, sim, no voto do nazireado, enquanto ele fosse obediente, pois era Yahweh quem lhe conferia aquela força. A desobediência, porém, arrebataria dele a presença divina, tornando Sansão uma pessoa comum. É sempre o elemento divino que faz um homem tornar-se fora do comum.

■ 16.18

וַתֵּרֶא דְלִילָה כִּי־הִגִּיד לָהּ אֶת־כָּל־לִבּוֹ וַתִּשְׁלַח
וַתִּקְרָא לְסַרְנֵי פְלִשְׁתִּים לֵאמֹר עֲלוּ הַפַּעַם כִּי־הִגִּיד
לָהּ אֶת־כָּל־לִבּוֹ וְעָלוּ אֵלֶיהָ סַרְנֵי פְלִשְׁתִּים וַיַּעֲלוּ
הַכֶּסֶף בְּיָדָם:

Vendo, pois, Dalila que já ele lhe descobrira todo o coração. O som da verdade é diferente do som da mentira. Todos nós somos enganados pela mentira; mas, quando a verdade nos é dita, "percebemos a diferença". Trata-se de algo parecido com a temível aranha viúva-negra. Se você vir uma dessas aranhas, então poderá dizer: "Acho que esta é uma aranha viúva-negra". Mas se você enxergar uma real aranha dessa espécie, terá certeza absoluta de que viu uma delas. Essa aranha é tão distintiva que ninguém poderá deparar-se com uma delas e duvidar de tê-la visto.

Vários intérpretes hebreus indicam que Dalila forçou Sansão a confirmar as suas palavras mediante juramentos que envolviam algum nome divino; mas o próprio texto sagrado não indica coisa alguma dessa natureza. A aparência de sua fisionomia, o tom de sua voz — isso era tudo quanto se fazia mister para Dalila perceber que Sansão, final e estupidamente, havia revelado o seu segredo.

E trouxeram com eles o dinheiro. Dalila estava tão certa de que Sansão, finalmente, revelara o seu segredo que ela exigiu e recebeu o seu prêmio, aqueles 1.100 siclos de prata (ver a respeito no vs. 5 deste capítulo). Para ela, a astúcia rendera ricos dividendos. O sucesso levou-a a exigir que lhe fosse dado o prêmio na hora.

Paulo relembrou a Timóteo qual o objetivo da missão divina que tinha recebido, bem como o inspirador dessa missão, o Senhor Jesus Cristo (ver 2Tm 2.8). Por meio da insistência cansativa de Dalila, Sansão esqueceu seu voto e perdeu a vida antes do tempo. Paulo corria a carreira cristã de olhos fixos no prêmio, a vida eterna, em Cristo Jesus (ver Fp 3.14). Mas Sansão permitiu que a traição e um jogo tolo com o pecado desviassem o seu olhar da linha de chegada e do prêmio que estava diante dele. Ele tropeçou e caiu. Agora, estava tudo terminado. Ele deixou sua missão por acabar, embora não se possa dizer que tenha sido um fracasso completo.

■ 16.19

וַתְּיַשְּׁנֵהוּ עַל־בִּרְכֶּיהָ וַתִּקְרָא לָאִישׁ וַתְּגַלַּח אֶת־שֶׁבַע
מַחְלְפוֹת רֹאשׁוֹ וַתָּחֶל לְעַנּוֹתוֹ וַיָּסַר כֹּחוֹ מֵעָלָיו:

Dalila fez dormir Sansão nos joelhos dela. Sansão foi posto a dormir para ser, finalmente, derrotado e esquecido. Ficou dormindo nos joelhos de sua virtual assassina, mas de nada suspeitou, no estupor de sua paixão carnal. E, enquanto ele dormia a sono solto, ela mesma cortou os cabelos de Sansão, ou então, conforme diz o fraseado do hebraico original, fez alguém prestar-lhe esse serviço. Talvez o coração mau daquela mulher não fosse assim tão empedernido a ponto de ela ter coragem de executar pessoalmente o trabalho nefando. Mas Dalila não encontrou dificuldades para ordenar que alguém praticasse a traição, algo moralmente equivalente a fazê-la com as próprias mãos. Cortar os cabelos era, ordinariamente, o trabalho feito por algum escravo (ver *Vid. Pignorium de Servis*, par. 89-91). Logo, a alguém tão humilde foi dada a tarefa de transformar aquele homem tão forte em um homem ordinário.

Passou ela a subjugá-lo. Ou seja, mediante palavras e atos fingidos. Tomada por uma alegria feroz, ela subjugou o homem poderoso. Agora ele estava a seus pés, impotente. Ela começou a ridicularizá-lo e ordenou que os captores o levassem. Foi uma cena extremamente lamentável. O ódio e a ganância tinham feito o seu trabalho. É um toque gráfico do texto sagrado que o ódio de Dalila era tão grande que, mesmo antes de Sansão acordar, ela cuspia sobre ele as suas palavras humilhantes.

■ 16.20

וַיֹּאמֶר פְּלִשְׁתִּים עָלֶיךָ שִׁמְשׁוֹן וַיִּקַץ מִשְּׁנָתוֹ וַיֹּאמֶר
אֵצֵא כְּפַעַם בְּפַעַם וְאִנָּעֵר וְהוּא לֹא יָדַע כִּי יְהוָה סָר
מֵעָלָיו:

Os filisteus vêm sobre ti, Sansão! Uma vez mais, Dalila deu aquele grito de aviso. E isso despertou o vigoroso Sansão. Em falsa paz e confiança, Sansão quis livrar-se de seus atacantes e zombar deles. Dessa vez, porém, ele foi o alvo das zombarias. Yahweh o tinha abandonado, e logo ele percebeu que seus patéticos esforços para livrar-se eram inúteis.

"Foi uma cena profundamente trágica. Os homens não sabem o quanto eles mudam quando o Senhor se afasta deles, enquanto, finalmente, não sentem os efeitos desse afastamento, e assim eles caem em total vergonha e consternação" (Ellicott, *in loc.*). Cf. Nm 14.43 e 1Sm 16.14. "... logo ele descobriu a verdade. Os filisteus não demoraram a levá-lo e a abusar dele. Mais algum tempo, e ele perderia a vida" (John Gill, *in loc.*).

Uma história parecida é contada a respeito de Niso, rei dos megarenses. sua cabeça era recoberta por cabelos de cor púrpura; e esse era o segredo de seu poder. Um oráculo tinha avisado que ele continuaria forte e seguro enquanto preservasse aqueles cabelos especiais. Os cretianos atacaram o seu reino; mas ele se manteve firme. Então a própria filha de Niso apaixonou-se por um dos homens do inimigo, chamado Minos, rei dos cretianos. Ela contou o segredo de seu pai. Os cabelos de Niso foram rapados, e logo ele e seu povo foram entregues à mercê dos atacantes (Pausânias, Attica, 1. par. 33; Ovídio, Metamorph. 1.8).

■ 16.21

וַיֹּאחֲזוּהוּ פְלִשְׁתִּים וַיְנַקְּרוּ אֶת־עֵינָיו וַיּוֹרִידוּ
אוֹתוֹ עַזָּתָה וַיַּאַסְרוּהוּ בַּנְחֻשְׁתַּיִם וַיְהִי טוֹחֵן בְּבֵית
הָאֲסִירִים:

Pegaram nele, e lhe vazaram os olhos. Sansão sofreu tremendos abusos. sua visão preciosa foi destruída; ele foi acorrentado e obrigado a fazer mover uma pedra de moinho, trabalho geralmente entregue a um jumento ou a um boi. Cegar um homem era um ato extremo de crueldade e humilhação. Ver 2Rs 25.7. Isso pode ser comparado à história de Evênio, um sacerdote do deus-sol. Ele foi cegado pelos habitantes de Apolônia. Tal ato despertou a ira dos deuses, aos quais aquele honrava como sacerdote, e logo aqueles homens miseráveis foram destruídos.

Duas cadeias de bronze. Sansão foi agrilhoado com correntes de "bronze", conforme comentaram os Targuns dos judeus. Os filisteus não queriam arriscar-se de modo nenhum. Porém, esqueceram-se de um detalhe importantíssimo: os cabelos de Sansão haveriam de crescer novamente (ver o versículo seguinte). E sua força extraordinária e miraculosa haveria de voltar.

E virava um moinho no cárcere. Apesar de não ter nenhuma força física especial, Sansão era sujeitado a longas horas de trabalho pesado. Era um trabalho degradante, feito por animais de carga ou por escravos (ver Êx 11.5; Is 42.2). Mulheres eram forçadas a manejar um moinho menor, o que significa que elas compartilhavam da labuta e humilhação, devido ao simples fato de terem nascido mulheres. Heródoto (Hist. iv.2) contou que certos citas foram cegados e postos a trabalhar em um moinho.

"Antes da invenção dos moinhos de vento e de água, o grão era primeiramente triturado entre duas pedras; e, posteriormente, era transformado em um pó mais fino, em moinhos movidos à mão" (Adam Clarke, in loc.). Nos tempos de Adam Clarke, os moinhos continuavam sendo movidos por mulheres e escravos, em vários países. Ver no *Dicionário* o artigo geral chamado *Moinho; Pedra de Moinho*.

■ **16.22**

וַיָּחֶל שְׂעַר־רֹאשׁוֹ לְצַמֵּחַ כַּאֲשֶׁר גֻּלָּח׃ פ

O cabelo... começou a crescer de novo. A desobediência de Sansão seria revertida mediante o crescimento de seus cabelos. Isso posto, os maus efeitos daquela desobediência seriam anulados; e o debilitado Sansão subitamente se tornaria uma fera infernal outra vez. Foi uma imperdoável negligência dos filisteus não manterem os cabelos de Sansão sempre bem rapados. Mas essa negligência estava sendo dirigida por Yahweh. Ele embotou a mente daqueles homens cruéis, e eles se sentiram falsamente seguros.

Ademais, podemos supor que Sansão, em meio a toda a sua miséria, renovou os votos a Yahweh. Ele apelava para que o "Ser divino" fizesse outra intervenção.

VINGANÇA E MORTE DE SANSÃO (16.23-31)

O que sucedeu durante esse período final da vida de Sansão representou uma melhoria em relação ao que Sansão vinha sofrendo ultimamente. Contudo, há aquele "poderia ter sido diferente", que nos cumpre escrever como comentário final sobre sua vida. Sansão obteve sucesso em linhas gerais, em sua missão. E isso é típico do que acontece à maioria dos homens. No entanto, na vida de Sansão houve muitas falhas, tanto desnecessárias quanto estúpidas. Sansão terminou a sua carreira de forma brilhante, de certo ângulo negativo; mas a sua carreira, considerada em sua generalidade, não foi brilhante. Foi conforme diz certa canção popular: "Pesares, tenho tido poucos; muito poucos para serem mencionados". Entretanto, podemos estar certos de que Sansão passou por muitos pesares, e não foram poucos para serem mencionados.

O texto registra aqui um final que importa em triunfo trágico, o que tipificou muita coisa daquilo que Sansão realizou.

■ **16.23**

וְסַרְנֵי פְלִשְׁתִּים נֶאֱסְפוּ לִזְבֹּחַ זֶבַח־גָּדוֹל לְדָגוֹן אֱלֹהֵיהֶם וּלְשִׂמְחָה וַיֹּאמְרוּ נָתַן אֱלֹהֵינוּ בְּיָדֵנוּ אֵת שִׁמְשׁוֹן אוֹיְבֵינוּ׃

seu deus Dagom. Há um artigo detalhado acerca desse falso deus no *Dicionário*, pelo que não entro aqui em detalhes. Uma festa religiosa dos filisteus proveu a Sansão a oportunidade de sair deste mundo de maneira espetacular. Era apenas apropriado que a adoração àquela divindade pagã fosse interrompida e devastada pelo homem de Yahweh, Sansão.

Dagom começou sendo concebido como um deus dos cereais; mas acabou sendo imaginado como o deus-peixe. É evidente que, por essa altura, já se tinha tornado o deus principal do panteão dos filisteus. Era a principal divindade de Asdode nos dias de Davi (ver 1Sm 5.1-7), sendo adorado também em Ugarite e em Gaza. Os filisteus não foram os criadores desse culto, mas o adotaram juntamente com outros povos da região. Ele era um deus do cereal (deus da agricultura), venerado pelos semitas ocidentais (ver 1Sm 5.2-7; 1Cr 10.10).

Os filisteus estavam alegres e dispostos a festejar. O perturbador, Sansão, estava cego e preso em segurança, acorrentado e obrigado a mover um moinho. Mas a alegria deles logo se transformaria em tristeza e perda de muitas e muitas vidas. Eles mereciam o que acabaram recebendo.

Os filisteus estavam dando crédito a seu deus, Dagom, pela derrota de Sansão. Assim sendo, não somente era apropriado, mas também era necessário que Yahweh interviesse e anulasse toda aquela frívola e idólatra celebração.

Kimchi informou que essa divindade era representada, nos ídolos e nos desenhos, da cintura para baixo como um peixe; e, da cintura para cima, como um homem. Cícero disse que os sírios adoravam o peixe (ver *Natura Deorum*, 1.3), e Porfírio (*De Abstinentia*, 1.2, sec. 6) informa-nos que algumas pessoas não comiam peixe por acreditarem nessa divindade.

■ **16.24**

וַיִּרְאוּ אֹתוֹ הָעָם וַיְהַלְלוּ אֶת־אֱלֹהֵיהֶם כִּי אָמְרוּ נָתַן אֱלֹהֵינוּ בְיָדֵנוּ אֶת־אוֹיְבֵנוּ וְאֵת מַחֲרִיב אַרְצֵנוּ וַאֲשֶׁר הִרְבָּה אֶת־חֲלָלֵינוּ׃

Nosso deus nos entregou nas nossas mãos o nosso inimigo. Sansão foi conduzido ao templo de Dagom, e ali foi alvo de escárnios, como parte das cerimônias e atividades da festa. Se o autor sagrado deu crédito a Sansão, os filisteus lançaram-no no descrédito — como alguém que tinha tirado a vida de muitíssimos filisteus. Eles poderiam tê-lo executado, mas preferiram reduzi-lo a uma existência miserável e prolongar a sua agonia, punindo-o por todos os "males" que tinha praticado contra eles. Algum dia, porém, teriam o prazer de matá-lo; mas isso poderia esperar enquanto brincassem o jogo mórbido com Sansão.

■ **16.25**

וַיְהִי כִּי טוֹב לִבָּם וַיֹּאמְרוּ קִרְאוּ לְשִׁמְשׁוֹן וִישַׂחֶק־לָנוּ וַיִּקְרְאוּ לְשִׁמְשׁוֹן מִבֵּית הָאֲסוּרִים וַיְצַחֵק לִפְנֵיהֶם וַיַּעֲמִידוּ אוֹתוֹ בֵּין הָעַמּוּדִים׃

Mandai vir Sansão, para que nos divirta. Tiraram Sansão da prisão e o trouxeram ao templo de Dagom. Seus cabelos já estavam crescendo, embora ainda não tão longos como antes. E eles nem desconfiavam do perigo que isso representava. Os filisteus não estavam interessados em ver algum feito extraordinário de força física, mas somente em zombar da impotente criatura. E olhavam para o assolador de seu país com olhar de desdém. Ali estavam eles, seguros no templo de Dagom, ao mesmo tempo que Sansão já não representava nenhum perigo. Pelo contrário, era apenas um coitado que só servia como inspiração de piadas e gargalhadas. Ele até parecia o quadro de Israel subjugado, um falso herói que havia fracassado.

Entrementes, Sansão vinha orando pela volta das misericórdias divinas sobre a sua vida. Grande tribulação se estava acumulando contra os filisteus, porquanto Yahweh não haveria de tolerar toda aquela zombaria por muito tempo. Os atos de banquetear-se, beber e dançar logo seriam reduzidos à quietude da morte.

A Septuaginta acrescenta que os filisteus espancavam Sansão com varas. Se isso foi verdade, então eles não se satisfaziam com meros abusos verbais.

■ **16.26,27**

וַיֹּאמֶר שִׁמְשׁוֹן אֶל־הַנַּעַר הַמַּחֲזִיק בְּיָדוֹ הַנִּיחָה אוֹתִי וַהֲמִישֵׁנִי אֶת־הָעַמֻּדִים אֲשֶׁר הַבַּיִת נָכוֹן עֲלֵיהֶם וְאֶשָּׁעֵן עֲלֵיהֶם׃

וְהַבַּיִת מָלֵא הָאֲנָשִׁים וְהַנָּשִׁים וְשָׁמָּה כֹּל סַרְנֵי פְלִשְׁתִּים וְעַל־הַגָּג כִּשְׁלֹשֶׁת אֲלָפִים אִישׁ וְאִשָּׁה הָרֹאִים בִּשְׂחוֹק שִׁמְשׁוֹן׃

Deixa-me para que apalpe as colunas. Ao que parece, o templo de Dagom tinha um teto plano. E ali, naquela espécie de pátio, havia muitos filisteus, homens e mulheres, em número de cerca de três mil. Os oficiais filisteus também estavam presentes: seus chefes militares, seus sacerdotes e seus líderes civis. Logo, a nata da sociedade filisteia estava presente. Eles não haveriam de querer perder aquela festa sob hipótese nenhuma, e as zombarias lançadas contra Sansão eram como especiarias salpicadas sobre a ocasião.

Sem perceber o que fazia, um jovem atendeu ao pedido aparentemente inocente de Sansão. E Sansão se encostou sobre as "duas colunas do meio", que sustentavam todo o peso do edifício (ver o vs. 29). Há algo de tocante quanto à inocência do jovem que guiava Sansão. Ele morreria junto com os demais. Ele havia prestado um pequeno serviço a Sansão, mas teve tremendas consequências. Conforme disse Josefo (*Antiq.* 1.5, cap. 8, sec. 12), Sansão estava cansado de tudo aquilo e queria acabar com seus sofrimentos. Cego, Sansão nada mais tinha pelo que viver. Tão somente ele agora buscava uma morte útil, e a destruição daqueles três mil filisteus seria algo glorioso e bom, até onde lhe dizia respeito.

■ 16.28

וַיִּקְרָ֥א שִׁמְשׁ֛וֹן אֶל־יְהוָ֖ה וַיֹּאמַ֑ר אֲדֹנָ֣י יֱהוִ֡ה זָכְרֵ֣נִי
נָא֩ וְחַזְּקֵ֨נִי נָ֜א אַ֣ךְ הַפַּ֤עַם הַזֶּה֙ הָאֱלֹהִ֔ים וְאִנָּקְמָ֧ה
נְקַם־אַחַ֛ת מִשְּׁתֵ֥י עֵינַ֖י מִפְּלִשְׁתִּֽים׃

Dá-me força só esta vez. Sansão usou, em sua última oração, os três grandes nomes dados na Bíblia ao Ser divino: Elohim, Adonai e Yahweh. Ver no *Dicionário* o artigo intitulado *Deus, Nomes Bíblicos de*, bem como sobre cada um daqueles três grandes nomes, individualmente. Foi a última petição de Sansão, e ele a ornou com os três grandes nomes divinos. Verdadeiramente, naquela hora, nenhuma oração que ele fizesse lhe seria negada. Ver no *Dicionário* o artigo chamado *Oração*.

Sansão queria uma ampla e final vingança, sobretudo por causa da agonia e da humilhação que sofrera quando seus olhos lhe foram vazados.

"Foi uma oração de fé, o que fica claro pelo fato de que ela foi ouvida, aceita e respondida. E também é patente que a força de Sansão não veio de seus cabelos, mas deveu-se ao poder imediato de Yahweh" (John Gill, *in loc.*).

Hb 11.32 menciona Sansão como um dos heróis da fé. E isso significa que, apesar de todas as graves falhas, Sansão cumpriu a sua missão, se a considerarmos em termos gerais.

■ 16.29,30

וַיִּלְפֹּ֨ת שִׁמְשׁ֜וֹן אֶת־שְׁנֵ֣י ׀ עַמּוּדֵ֣י הַתָּ֗וֶךְ אֲשֶׁ֤ר הַבַּ֨יִת֙ נָכ֣וֹן
עֲלֵיהֶ֔ם וַיִּסָּמֵ֖ךְ עֲלֵיהֶ֑ם אֶחָ֥ד בִּימִינ֖וֹ וְאֶחָ֥ד בִּשְׂמֹאלֽוֹ׃

וַיֹּ֣אמֶר שִׁמְשׁ֗וֹן תָּמ֣וֹת נַפְשִׁי֮ עִם־פְּלִשְׁתִּים֒ וַיֵּ֣ט בְּכֹ֔חַ
וַיִּפֹּ֤ל הַבַּ֨יִת֙ עַל־הַסְּרָנִ֔ים וְעַל־כָּל־הָעָ֖ם אֲשֶׁר־בּ֑וֹ
וַיִּהְי֤וּ הַמֵּתִים֙ אֲשֶׁ֣ר הֵמִ֣ית בְּמוֹת֔וֹ רַבִּ֕ים מֵאֲשֶׁ֥ר הֵמִ֖ית
בְּחַיָּֽיו׃

Abraçou-se, pois, Sansão com as duas colunas do meio. As duas poderosas mãos de Sansão foram posicionadas em cada uma das duas colunas do meio. Em seu íntimo, Sansão sabia que sua oração tinha sido ouvida. O templo, daí a instantes, viria abaixo. Então Sansão fez mais uma petição: ele queria morrer juntamente com os filisteus. Queria que seu triunfo final ocorresse no momento mesmo de sua morte. Nada mais lhe restava pelo que viver. Agora ele só queria ter uma boa morte.

"Poderíamos desejar que ele tivesse recuperado sua tremenda força física, continuando a labutar construtivamente em favor de sua nação e de seu Deus; mas a sua vida não era desse naipe. Ele era um homem de contendas; sua força sempre havia sido empregada para derrotar os seus adversários, da mesma maneira que eles usaram a força que tinham para derrotá-lo" (Phillips P. Elliott, *in loc.*). Sansão inclinou a cabeça e fez sua oração derradeira. O poder brotou de seu corpo inteiro, tal como antes havia sempre acontecido.

Nenhuma coluna, por grossa que fosse, poderia resistir à sua força, dada por Deus. As colunas cederam; e, uma vez partidas as colunas centrais, o templo inteiro ruiu, em meio a muita poeira e a muitos gritos de agonia. Destruição e morte — isso sempre fizera parte da arte de Sansão, e ele foi exímio na sua arte, até o fim. Isso proveu um grande final histórico. Ele derrubou tudo, rejubilando-se por estar no fundo das ruínas, enquanto seu espírito sobrevoava por cima de toda aquela destruição.

John Gill, neste ponto, procurando encontrar algum simbolismo, via os braços de Jesus estendidos sobre a cruz, arruinando as forças do mal e trazendo salvação aos arrependidos e crentes.

Um Bom Registro. O autor sagrado elogiou Sansão por seu ato final de destruição. Durante toda a sua existência, ele tinha matado menos de três mil filisteus; e isso significa que os três mil filisteus que morreram juntamente com ele excederam a tudo quanto ele tinha feito antes. De certo ângulo, isso constituiu uma boa obra, porquanto debilitou notavelmente os filisteus. Dentro de mais um século, Davi terminaria o que Sansão tinha começado. E com Davi o povo de Israel ficou definitivamente livre da opressão filisteia. Matanças anteriores, efetuadas por Sansão, tinham sido trinta em Asquelom (ver Jz 14.19) e mil em Leí (ver Jz 15.14-17), mas podemos ter certeza de que, no passado, Sansão havia matado mais de 1.300 filisteus.

Paralelos Históricos. Cleomedes de Astipalea, indignado diante de uma multa que lhe fora imposta, vingou-se derrubando uma coluna, o que provocou o esmagamento de certo número de alunos em uma escola (Pausânias, *Perieg.* vi.2,3). No dia 31 de julho de 1864, muita gente morreu quando uma coluna de granito subitamente partiu-se, fazendo desabar um telhado. Esse acidente ocorreu na Igreja da Transfiguração, em São Petersburgo.

■ 16.31

וַיֵּרְד֨וּ אֶחָ֜יו וְכָל־בֵּ֣ית אָבִיהוּ֮ וַיִּשְׂא֣וּ אֹתוֹ֒ וַֽיַּעֲל֣וּ ׀
וַיִּקְבְּר֣וּ אוֹת֗וֹ בֵּ֤ין צָרְעָה֙ וּבֵ֣ין אֶשְׁתָּאֹ֔ל בְּקֶ֖בֶר מָנ֣וֹחַ
אָבִ֑יו וְה֛וּא שָׁפַ֥ט אֶת־יִשְׂרָאֵ֖ל עֶשְׂרִ֥ים שָׁנָֽה׃ פ

Então seus irmãos desceram. A tragédia deixou os poucos sobreviventes em estado de choque, e ninguém fez oposição aos irmãos de Sansão, que vieram remover seu cadáver, a fim de sepultá-lo no túmulo da família, perto de Zorá, cidade natal de Sansão. É provável que, por esse tempo, Manoá e sua esposa já tivessem falecido, e que o cadáver de Sansão tenha sido sepultado junto aos corpos deles, naquele melancólico túmulo. Essa observação de natureza doméstica mostra-nos um lampejo de simpatia humana, em meio ao terror e às matanças.

Os vinte anos de juizado de Sansão, em uma área limitada do território de Israel (principalmente no território da tribo de Dã), chegaram assim ao fim. Ver antes de Jz 1.1 o mapa que ilustra as regiões onde os juízes exerceram sua autoridade. Um gráfico que há ali dá alguns detalhes fundamentais sobre a vida deles.

"Embora Sansão tivesse grande habilidade e fosse dotado de grande força física pelo Espírito Santo, ele cedeu diante da tentação por diversas vezes, e teve de sofrer as consequências disso. sua vida serve de solene advertência a outros homens de Deus, que se inclinam por seguir a vereda da sensualidade" (F. Duane Lindsey, *in loc.*).

Coube a Davi, um século depois de Sansão, libertar definitivamente o povo de Israel dos filisteus, aos quais Sansão havia debilitado, embora não os tivesse derrotado de todo.

Com o fim da história de Sansão, o livro de Juízes termina, excetuando alguns poucos apêndices, no trecho de Jz 17.1—21.25.

CAPÍTULO DEZESSETE

APÊNDICES (17.1—21.25)

A IDOLATRIA DE MICA E DÃ (17.1—18.31)

O livro de Juízes termina, para todos os efeitos práticos, com a história de Sansão. Depois do relato sobre a vida deste homem, temos descrições acerca de um estado caótico em Israel, nos campos civil e religioso. Os críticos chamam esses apêndices de adições deuteronômicas ao livro de Juízes. Esses apêndices não se seguem, cronologicamente, aos dias de Sansão, mas parecem relembrar tempos anteriores a ele.

Os apêndices dividem-se em duas seções principais, a saber: 1. A idolatria de Mica e Dã (Jz 17.1—18.31). 2. O crime cometido em Gibeá e seu castigo (Jz 19.1—21.25). Várias subdivisões são encontradas no material, as quais destacarei, conforme for avançando na exposição. Os capítulos 17 e 18 descrevem a migração da maior parte da tribo de Dã para o norte (Laís). Os danitas caíram em confusão e apostasia, típicos do período dos juízes de Israel, e o livro de Juízes descreve sete apostasias; sete servidões a potências estrangeiras; e sete restaurações mediante líderes carismáticos, os juízes.

"Teologicamente falando, os capítulos 17 a 21 do livro de Juízes constituem um epílogo que fornece ilustrações da apostasia religiosa e da degradação social que caracterizou o período dos juízes de Israel. Aquelas condições eram vistas pelo autor sagrado (que provavelmente escreveu nos dias iniciais da monarquia), como indicações da anarquia que prevaleceu nos dias em que em Israel 'não havia rei' (ver Jz 17.6; 18.1; 19.1; 21.25)... Uma data anterior é indicada pela presença dos netos, tanto de Moisés (Jz 18.30) quanto de Arão (ver Jz 20.28), e pela menção da arca da aliança em Betel (ver Jz 20.27,28). É provável que os eventos historiados nos capítulos 17 e 18 tenham ocorrido nos dias de Otniel, o primeiro juiz" (F. Duane Lindsey, *in loc.*).

17.1

וַיְהִי־אִישׁ מֵהַר־אֶפְרָיִם וּשְׁמוֹ מִיכָיְהוּ׃

Um homem... cujo nome era Mica. No *Dicionário*, vemos que sete pessoas tiveram esse nome. O Mica deste trecho é o primeiro da lista. Ali dou detalhes sobre esse homem, pelo que não repito aqui os informes. No hebraico, esse apelativo significa "quem é como Yahu (Yahweh)?"

Um santuário rival e herético tinha sido estabelecido no território de Dã. Contudo, um sacerdote levita oficiava ali. E o propósito principal do relato à nossa frente é de natureza teológica. A apostasia dos danitas foi típica da confusão, tanto religiosa quanto civil, dos dias dos juízes. Ver a introdução a este capítulo, anteriormente. No artigo referido, são dados os detalhes atinentes à situação inteira.

Região montanhosa de Efraim. (Ver Jz 2.9.) Ocorreram desvios idólatras que violavam o segundo mandamento da lei de Moisés. Cf. Jz 8.27; Mq 1.7; 1Rs 12 e 13. Yahweh estava sendo cultuado, mas com o acompanhamento de ídolos e através de um sacerdócio não autorizado. Era uma situação própria do sincretismo, que de modo algum se harmonizava com a legislação mosaica.

17.2

וַיֹּאמֶר לְאִמּוֹ אֶלֶף וּמֵאָה הַכֶּסֶף אֲשֶׁר לֻקַּח־לָךְ וְאַתִּי אָלִית וְגַם אָמַרְתְּ בְּאָזְנַי הִנֵּה־הַכֶּסֶף אִתִּי אֲנִי לְקַחְתִּיו וַתֹּאמֶר אִמּוֹ בָּרוּךְ בְּנִי לַיהוָה׃

Os mil e cem siclos de prata. Mica confessou à sua mãe que havia roubado dela aquela importância. Um siclo de prata representava o salário de um trabalhador dos campos por um mês, e isso significa que a soma era bastante alta. Mica não havia resistido à tentação de roubar sua própria mãe! Ver no *Dicionário* o artigo chamado *Siclo, em Dinheiro, II;* e também o artigo chamado *Pesos e Medidas, IV.c;* ver também informações adicionais nas notas expositivas sobre Êx 30.13 e Lv 27.25.

Mica arrependeu-se e confessou o seu pecado. sua mãe tinha invocado uma maldição contra o ladrão, sem saber de quem se tratava. Os israelitas antigos levavam muito a sério as bênçãos e as maldições, supondo que o poder divino estava por trás de ambas as coisas. Parte da mudança de atitude mental de Mica devia-se ao temor. Ele tinha escondido dinheiro amaldiçoado e poderia sofrer pragas da parte de Yahweh, como algum acidente, morte prematura, reversão financeira, ou ele mesmo poderia ser roubado por outros etc.

Quando a mãe de Mica ouviu a confissão do filho, tentou contrabalançar sua maldição anterior por meio de uma bênção. Mas então ela mesma caiu sob a maldição de Yahweh, tendo usado a prata para fabricar imagens de escultura (vs. 4). De acordo com a noção da mãe de Mica, Yahweh poderia ser adorado por meio daquelas imagens; e o próprio Yahweh, presumivelmente, seria honrado mediante a idolatria (vs. 4).

A Maldição de uma Mãe. Essa maldição era tida como especialmente eficaz (ver Eclesiástico 3.9-11). "A maldição de uma mãe desarraiga os fundamentos." Por uma estranha coincidência, a soma foi igual àquela prometida a Dalila, a fim de trair Sansão (ver Jz 16.5). A mãe de Mica era, sem dúvida, uma boa negociante, porquanto tinha conseguido acumular uma quantia em dinheiro incomum para uma mulher. Aquela mulher notável havia proferido uma terrível maldição contra o próprio filho, não sabendo que ele havia sido o ladrão.

17.3

וַיָּשֶׁב אֶת־אֶלֶף־וּמֵאָה הַכֶּסֶף לְאִמּוֹ וַתֹּאמֶר אִמּוֹ הַקְדֵּשׁ הִקְדַּשְׁתִּי אֶת־הַכֶּסֶף לַיהוָה מִיָּדִי לִבְנִי לַעֲשׂוֹת פֶּסֶל וּמַסֵּכָה וְעַתָּה אֲשִׁיבֶנּוּ לָךְ׃

De minha mão dedico este dinheiro ao Senhor. Conforme as coisas acabaram sucedendo, o dinheiro foi dedicado a Yahweh. Por sua ignorância, a devoção daquela mãe a Yahweh assumiu um aspecto idólatra, visto que ela resolveu fazer imagens de prata, vinculadas ao culto do Deus de Israel. Ao que parece, aquele tinha sido o intuito inicial daquela prata, desde o começo; e, agora que o material roubado havia sido restituído, o plano foi posto em execução. "A religião plenamente madura de Israel proibia o uso de imagens fundidas e de escultura (ver Êx 20.4,23; 34.17), mas parece claro que houve círculos nos quais essas imagens chegaram a ser usadas. Essas leis eram desconhecidas de algumas pessoas" (*Oxford Annotated Bible*, comentando sobre o primeiro versículo deste capítulo). Talvez seja generosidade demasiada supor que a lei mosaica não foi divulgada por todo o território de Israel, e que houve espaço para a adoração a Yahweh ser efetuada por meio de ídolos. Seja como for, isso aconteceu. A maior parte dos intérpretes lança a culpa à "decadência universal", e não à ignorância, da religião de Israel, como explicação de incidentes assim.

"A tentação em relação à idolatria é muito forte no coração humano, especialmente entre povos simples e primitivos. Deus parece extremamente vago para eles, a menos que haja algum símbolo, como um quadro ou uma imagem! Todavia, esse anelo não é inteiramente destituído de valor. Pois leva os homens a edificar santuários e catedrais, que incorporam os mais nobres sonhos e os mais notáveis talentos do gênero humano... (contudo, por causa disso, os homens sucumbem diante da idolatria). O ídolo de Mica revela-nos o que deve ter sido uma prática comum e aceita em muitos lares israelitas" (Phillips P. Elliott, *in loc.*).

17.4

וַיָּשֶׁב אֶת־הַכֶּסֶף לְאִמּוֹ וַתִּקַּח אִמּוֹ מָאתַיִם כֶּסֶף וַתִּתְּנֵהוּ לַצּוֹרֵף וַיַּעֲשֵׂהוּ פֶּסֶל וּמַסֵּכָה וַיְהִי בְּבֵית מִיכָיְהוּ׃

Tomou duzentos siclos de prata, e os deu ao ourives. Ver no *Dicionário* o artigo intitulado *Ourives*. Essa ocupação figurava entre as antigas profissões e atividades humanas. Ver no *Dicionário* o artigo detalhado intitulado *Artes e Ofícios*. A imagem ou as imagens foram feitas com os duzentos siclos de prata. Mas nada nos é dito acerca dos restantes novecentos siclos de prata. No mínimo, por algum tempo, a mulher guardou aquele dinheiro, e é possível que parte tenha sido investida no culto que ela acabou criando (ver o próximo versículo). E, sem dúvida, outra parte tornou-se seu "fundo de aposentadoria".

Há uma curiosa história paralela a esta, no relato do assassinato de Sir John Hawle. O homicídio teve lugar na abadia de Westminster. Seus assassinos pagaram, como penitência, uma polpuda soma em dinheiro; e esse dinheiro foi gasto na manufatura de uma imagem muito dispendiosa, que foi posta na capela de Santo Erasmo!

E a imagem esteve em casa de Mica. O culto estranho começou na casa de Mica, mas não demorou a desenvolver-se sob forma mais elaborada (conforme se vê no versículo seguinte). E foi assim que a idolatria cresceu e floresceu, e tudo feito no nome de Yahweh! E isso tem prosseguimento até os nossos próprios dias, dentro das igrejas cristãs.

17.5

וְהָאִישׁ מִיכָה לוֹ בֵּית אֱלֹהִים וַיַּעַשׂ אֵפוֹד וּתְרָפִים וַיְמַלֵּא אֶת־יַד אַחַד מִבָּנָיו וַיְהִי־לוֹ לְכֹהֵן׃

Veio a ter uma casa de deuses. É provável que na casa de Mica houvesse seu ídolo particular, além de outros, formando uma "casa de deuses". Tudo começou como uma religião doméstica, mas agora Mica já se estava tornando o sumo sacerdote de um culto novo. Ele contava com uma "estola", provavelmente em imitação ao culto efetuado nos tabernáculos, e também tinha ídolos (terafins). Ver no *Dicionário* os verbetes denominados *Estola* e *Terafins*, quanto a detalhes completos sobre esses itens. É perfeitamente possível que parte dos novecentos siclos de prata restantes tenha sido investida no desenvolvimento desse culto. A mãe de Mica "sustentava" financeiramente a religião sincretista de Mica. Apesar de todas as proibições da lei mosaica, o uso de terafins continuou durante a maior parte da história de Israel. A chamada "religião popular" nunca desaparece, a despeito das restrições eclesiásticas. Ver 2Rs 23.34; Êx 21.26; Os 3.4 e Zc 10.2.

Consagrou. Literalmente, o hebraico diz "encheu as mãos". O sentido dessa expressão liga-se ao fato de que um sacerdote recebia, pela primeira vez, em suas mãos, uma oferenda para apresentar ao Senhor. Ver Êx 28.41; 29.24; Lv 7.37. Um dos filhos de Mica recebeu, pela primeira vez, os emblemas que o consagraram sacerdote. Alguns estudiosos supõem que a própria casa de Mica tenha sido transformada em sede de seu santuário aberrante. Talvez ele tenha feito acréscimos à sua casa, a fim de acomodar o culto.

■ 17.6

בַּיָּמִים הָהֵם אֵין מֶלֶךְ בְּיִשְׂרָאֵל אִישׁ הַיָּשָׁר בְּעֵינָיו יַעֲשֶׂה: פ

Cada qual fazia o que achava mais reto. Este versículo age como uma espécie de comentário lamentável sobre as condições caóticas daquele período da história de Israel. Como poderia haver uma "casa de ídolos" dedicada a Yahweh? O autor estava dizendo que as coisas andavam simplesmente enlouquecidas, cada qual querendo fazer algo diferente, em lugar de deixar-se moldar pela legislação mosaica. Em seus ciclos de apostasia, servidão e restauração à liberdade, a fé pura em Yahweh só retornava ocasionalmente. Na maior parte do tempo, predominava ou a idolatria franca ou um sincretismo doentio.

Quando foi iniciada a monarquia, o rei, dotado de autoridade universal em todo o país, foi capaz de centralizar em Jerusalém o culto religioso dos israelitas. E também pôde impor restrições e orientação. Antes disso, entretanto, qualquer coisa podia acontecer. O autor sagrado, como é óbvio, estava escrevendo no tempo da monarquia, quando um rei já governava o país. Naturalmente, os reis idólatras que o povo de Israel teve recriavam a antiga confusão, e alguns deles foram poderosos agentes corruptores. É provável que, quando o presente versículo foi escrito, o tempo fosse o começo da monarquia, antes que as coisas, uma vez mais, ficassem fora de controle. Cf. Jz 18.1; 19.1 e 21.25. Ver Dt 12.8, que predisse tempos caóticos dessa natureza, mais ou menos com as mesmas palavras usadas aqui.

O LEVITA DE MICA (17.7-13)

A fim de emprestar autoridade mosaica ao seu culto, ou com sinceridade, querendo aprimorá-lo, Mica pôs um levita à testa do culto. Não sabemos dizer de que modo o filho de Mica estava relacionado a tal levita. Talvez os dois se dessem bem e pudessem trabalhar em cooperação mútua. Mas o levita, sem dúvida, tinha assumido a liderança. Mais adiante, como algo totalmente incidental, descobrimos que esse levita era neto de Moisés, o que significa que ele provia uma grande autoridade em favor do culto aberrante (ver Jz 18.30).

■ 17.7

וַיְהִי־נַעַר מִבֵּית לֶחֶם יְהוּדָה מִמִּשְׁפַּחַת יְהוּדָה וְהוּא לֵוִי וְהוּא גָר־שָׁם:

Havia um moço de Belém de Judá... que era levita. Não está em pauta a Belém de Zebulom (ver Js 19.15). Parece que esse levita (que era neto de Moisés; ver Jz 18.30) tinha vivido em Belém. Os levitas possuíam suas próprias cidades, onde residiam em sua maioria. Essas cidades eram 48 no total; mas eles não eram obrigados a residir nesses lugares designados. Ver o capítulo 21 do livro de Josué. Apesar de Belém não ser uma dessas 48 cidades, sem dúvida ali residiam alguns levitas. "Um levita podia casar-se dentro de outra tribo (que não fosse a de Levi), contanto que a mulher não fosse uma herdeira" (Adam Clarke, *in loc.*).

■ 17.8

וַיֵּלֶךְ הָאִישׁ מֵהָעִיר מִבֵּית לֶחֶם יְהוּדָה לָגוּר בַּאֲשֶׁר יִמְצָא וַיָּבֹא הַר־אֶפְרַיִם עַד־בֵּית מִיכָה לַעֲשׂוֹת דַּרְכּוֹ:

Para ficar onde melhor lhe parecesse. Dentro das vicissitudes da época, o levita deixou a cidade de Belém e saiu em busca de um lugar mais conveniente para ele. Mas as motivações para isso não são reveladas. É provável que razões financeiras tenham feito o jovem partir, talvez em busca de emprego. Ele vinha sendo sustentado pelos dízimos e ofertas do povo; mas também é lógico supormos que esse apoio financeiro aos levitas tivesse diminuído muito diante do caos em que tudo tinha caído, por todo o país. Portanto, ali estava ele, na estrada, procurando uma colocação — uma história antiga e, no entanto, bastante moderna, no caso das massas populares. John Gill pensou que talvez ele fosse uma espécie de "indivíduo sem eira nem beira", um vagabundo internacional. Ver Ne 13.10,11 quanto ao fato de que os levitas, algumas vezes, eram negligenciados. Não tendo herança e sem terras para trabalhar, algumas vezes eles afundavam na mais profunda penúria. Mas aquele homem teve a "boa sorte" de chegar até Mica e seu santuário.

■ 17.9,10

וַיֹּאמֶר־לוֹ מִיכָה מֵאַיִן תָּבוֹא וַיֹּאמֶר אֵלָיו לֵוִי אָנֹכִי מִבֵּית לֶחֶם יְהוּדָה וְאָנֹכִי הֹלֵךְ לָגוּר בַּאֲשֶׁר אֶמְצָא:

וַיֹּאמֶר לוֹ מִיכָה שְׁבָה עִמָּדִי וֶהְיֵה־לִי לְאָב וּלְכֹהֵן וְאָנֹכִי אֶתֶּן־לְךָ עֲשֶׂרֶת כֶּסֶף לַיָּמִים וְעֵרֶךְ בְּגָדִים וּמִחְיָתֶךָ וַיֵּלֶךְ הַלֵּוִי:

Então lhe disse Mica. Tanto o próprio levita quanto Mica devem ter pensado que Yahweh o tinha levado até ali. Sem dúvida, Mica ficou muito contente por poder contratá-lo, oferecendo-lhe dez siclos anuais, mais ou menos o que um trabalhador no campo poderia esperar ganhar. Ver Jz 17.2 e suas notas expositivas quanto a isso, onde há informações sobre quanto um siclo de prata era capaz de comprar. Os levitas eram tradicionalmente pobres, conforme tem acontecido à maioria dos ministros, através dos séculos. Assim, receber o salário de um trabalhador nos campos a fim de cuidar do santuário de Mica sem dúvida deve ter parecido um bom emprego para aquele levita. Ele não ficaria rico, mas também não passaria necessidade.

Sê-me por pai e sacerdote. Ou seja, um líder espiritual que cuidasse de seus filhos espirituais. Isso pode ser comparado a certos títulos religiosos atuais, como papa, padre etc. Ver 2Rs 2.12; 5.13; 6.21; Is 22.21 quanto a usos semelhantes. E ver também o fato de que Jesus proibiu que a alguém chamássemos de "pai", nesse sentido espiritual e religioso, em Mt 23.9.

Aquele "pai" local, pois, se tornaria um "papa local", o sumo sacerdote que exerceria autoridade sobre a sua "família" (Mica e seus parentes imediatos). Mediante a instalação daquele levita em sua casa, como cabeça do culto, Mica poderia fazer sua religião particular conformar-se mais de perto à legislação mosaica. Não era apropriado que ele fizesse de seu filho (que não era levita) um sacerdote. Nem Mica nem seu filho tinham autoridade para tanto. Mas o levita viera "autenticar" a fé sincretista da casa de Mica. Esse relato, pois, mostra que os levitas ainda tinham prestígio, a despeito do fato de serem negligenciados naqueles tempos perturbados.

■ 17.11

וַיּוֹאֶל הַלֵּוִי לָשֶׁבֶת אֶת־הָאִישׁ וַיְהִי הַנַּעַר לוֹ כְּאַחַד מִבָּנָיו:

E o moço lhe foi como um de seus filhos. O levita tinha encontrado um bom "emprego". De resto, ele tinha sido treinado para aquilo, tinha o *know-how*. E, embora o salário não fosse dos melhores, era adequado. Também havia muito alimento; e ele era prestigiado.

Devemos levar em conta o lado pessoal da história. O levita deu-se tão bem com seu empregador que se tornou como um de seus próprios filhos. O arranjo trabalhava maravilhosamente bem, de forma harmônica. E foi assim que aquele "santuário de família" prosperou de maneira admirável. Não obstante, a despeito de tudo quanto fora feito em favor dele, quando teve oportunidade de obter um melhor emprego (que envolveu o furto das imagens usadas no culto de Mica), o levita correu para servir seus novos empregadores (ver Jz 18.20 ss.). Isso posto, a generosidade de Mica foi recompensada com a ingratidão. Porém, o dinheiro sempre falou mais alto do que meros bons sentimentos.

■ 17.12

וַיְמַלֵּא מִיכָה אֶת־יַד הַלֵּוִי וַיְהִי־לוֹ הַנַּעַר לְכֹהֵן וַיְהִי בְּבֵית מִיכָה׃

Consagrou Mica ao moço levita. O verbo "consagrar", no original hebraico, é "encher as mãos". Mica fez com o levita a mesma coisa que havia feito antes com seu próprio filho. Ver as notas sobre o quinto versículo deste capítulo. O levita, pois, foi oficializado em seu papel de sacerdote e estava desempenhando sua função, com notável sucesso. Somente levitas pertencentes à família de Arão tinham o direito de atuar como sacerdotes. E alguém que não estivesse ligado ao tabernáculo era proibido de nomear alguém para o sacerdócio. Naqueles dias caóticos, entretanto, aconteceu toda forma de irregularidade. Sendo da tribo de Efraim, Mica não tinha autoridade religiosa; mas ele não se importou em seguir as regras. A regra do pragmatismo, "aquilo que funciona é a verdade", dominava a cena inteira em Israel.

■ 17.13

וַיֹּאמֶר מִיכָה עַתָּה יָדַעְתִּי כִּי־יֵיטִיב יְהוָה לִי כִּי הָיָה־לִי הַלֵּוִי לְכֹהֵן׃

Disse Mica: Sei agora que o Senhor me fará bem. A presença do levita servia de forte consolação para Mica. Ele tinha a certeza de que, tendo encontrado um levita que cuidasse de seu santuário, Yahweh haveria de abençoá-lo. A declaração faz parecer que Mica antes tivera dúvidas quanto à autenticidade de seu santuário; mas a presença do levita eliminara todas essas possíveis dúvidas.

"ele tinha certeza de que o Senhor haveria agora de mostrar-se mais favorável, porquanto dispunha de um genuíno sacerdote levita para que efetuasse apropriada e eficazmente os ritos religiosos" (Jacob M. Myers, *in loc.*). Entretanto, a idolatria assombrava todo aquele santuário. Porém, estarmos certos e sentirmo-nos consolados nem sempre significa que estamos com a razão.

"Esses atos de desobediência à lei de Deus eram típicos entre os israelitas da época dos juízes" (F. Duane Lindsey, *in loc.*). Ver o artigo detalhado, no *Dicionário*, intitulado *Levitas*.

CAPÍTULO DEZOITO

A história iniciada em Jz 17.1 tem continuação neste capítulo. Ver as notas de introdução naquele ponto.

OS ESPIAS DANITAS (18.1-6)

Por enquanto, os israelitas ainda não tinham rei, pelo que condições caóticas continuavam a prevalecer entre eles. Uma adoração idólatra a Yahweh, um monstro de sincretismo, tinha sido iniciada na casa de Mica, e era um levita que ali oficiava. Fé tão aberrante, pois, opunha-se ao culto oficial no tabernáculo; mas os culpados aparentemente não tinham consciência, ou então não se incomodavam com o erro envolvido naquele misto de yahwismo e paganismo. O território de Efraim não era lugar legítimo para um santuário, e nenhum levita tinha coisa alguma a ver com a ideia de encabeçar um culto rival. Porém, não demoraria muito para toda aquela aberração chegar ao fim.

A tribo de Dã em breve começaria a mudar-se mais para o norte, porquanto tinha descoberto ser impossível viver pacificamente no sul. Isso também é narrado neste capítulo, mas o aspecto religioso foi o que mais interessou a mente do autor sagrado.

"*A Migração da Tribo de Dã*. Nos primeiros dias dos juízes, os danitas estavam localizados mais para sudoeste (ver Js 19.40-46; Jz 1.34; 13.2). Mas a pressão exercida pelos filisteus forçou-os a mudar bem mais para o norte" (*Oxford Annotated Bible*, comentando sobre o primeiro versículo do capítulo 18 de Juízes). Ver no *Dicionário* o artigo intitulado *Dã*, quanto à história dessa tribo de Israel.

■ 18.1

בַּיָּמִים הָהֵם אֵין מֶלֶךְ בְּיִשְׂרָאֵל וּבַיָּמִים הָהֵם שֵׁבֶט הַדָּנִי מְבַקֶּשׁ־לוֹ נַחֲלָה לָשֶׁבֶת כִּי לֹא־נָפְלָה לּוֹ עַד־הַיּוֹם הַהוּא בְּתוֹךְ־שִׁבְטֵי יִשְׂרָאֵל בְּנַחֲלָה׃ ס

Naqueles dias não havia rei em Israel. Este versículo repete a declaração de Jz 17.6. Ver também Jz 19.1 e 21.25. Para o autor sagrado (que escreveu no começo do período da monarquia), o fato de Israel não ter rei significava confusão, fragmentação e falta de disciplina. A história dos espias da tribo de Dã e os vários acontecimentos em torno do incidente ilustram essa tese. O levita (sacerdote) da casa de Mica foi levado pelos danitas para o norte, juntamente com toda a tribo. A tribo de Dã tinha recebido sua herança mais para o sul, mas logo aprendeu que não poderia deslocar os filisteus e os amorreus. Ver Js 19.40 ss. quanto ao território que os danitas tinham herdado. O capítulo 13 do livro de Josué lista as áreas que foram deixadas sem conquistar, o que aconteceu com quase todas as tribos. Os danitas, então, resolveram transferir-se para um território mais fácil, abandonando as terras tão problemáticas do sul.

Cinco homens selecionados foram nomeados como espias para investigar a região mais ao norte, a fim de analisar as possibilidades de mudança. Cf. Dt 1.24. A caminho do norte, a rota seguida por aqueles homens fê-los passar pelo lugar onde residia Mica, no território de Efraim. Ficaram surpresos por encontrar um levita ali. Então aproveitaram a sua presença para "consultar o oráculo" e, tendo obtido uma resposta favorável, prosseguiram com maior dose de confiança.

"O fracasso dos danitas em conquistar sua partilha de terras, e a baixa condição a que se viram reduzidos, tornou-se mais notável porque, no deserto, eles se tinham sido a mais numerosa das tribos (Nm 1.39 dá o número deles como 62.700 homens), e também porque receberam o menor território dentre todas as tribos" (Ellicott, *in loc.*). Ver Jz 1.34,35 quanto às dificuldades dos danitas com os amorreus. Ver Jz 13.1; 14.4; 15.11 quanto aos assédios efetuados pelos filisteus.

■ 18.2

וַיִּשְׁלְחוּ בְנֵי־דָן מִמִּשְׁפַּחְתָּם חֲמִשָּׁה אֲנָשִׁים מִקְצוֹתָם אֲנָשִׁים בְּנֵי־חַיִל מִצָּרְעָה וּמֵאֶשְׁתָּאֹל לְרַגֵּל אֶת־הָאָרֶץ וּלְחָקְרָהּ וַיֹּאמְרוּ אֲלֵהֶם לְכוּ חִקְרוּ אֶת־הָאָרֶץ וַיָּבֹאוּ הַר־אֶפְרַיִם עַד־בֵּית מִיכָה וַיָּלִינוּ שָׁם׃

Enviaram os filhos de Dã. Ver no *Dicionário* acerca de todos os nomes próprios que figuram neste versículo. Os cinco guerreiros deixaram suas cidades natais de Zorá e Estaol. Ver Js 19.41 quanto a essas cidades, então alocadas à tribo de Dã. Ainda no começo de sua jornada, chegaram à casa de Mica. Provavelmente era um lugar bem conhecido, e foram ali a propositadamente, e não por mero acaso. Mica ofereceu-lhes hospitalidade, sem saber que iria perder o "seu levita". O lugarejo de Mica ficava somente a cerca de 39 quilômetros de Zorá, de acordo com os cálculos feitos por alguns estudiosos. Eles poderiam ter preferido seguir pela Sefelá, uma rota mais curta; mas aquele território estava coalhado de inimigos. Foi assim que os cinco espias, homens de valor, guerreiros e líderes importantes, internaram-se na região montanhosa de Efraim (ver Jz 17.1).

■ 18.3

הֵמָּה עִם־בֵּית מִיכָה וְהֵמָּה הִכִּירוּ אֶת־קוֹל הַנַּעַר הַלֵּוִי וַיָּסוּרוּ שָׁם וַיֹּאמְרוּ לוֹ מִי־הֱבִיאֲךָ הֲלֹם וּמָה־אַתָּה עֹשֶׂה בָּזֶה וּמַה־לְּךָ פֹה׃

Reconheceram a voz do moço, do levita. É possível que aquele levita fosse pessoa bem conhecida, capaz de ser identificada, mediante o tom de sua voz, por muitas pessoas, incluindo aqueles danitas.

Ou então, mais provavelmente ainda, seu sotaque regional sugeria que ele não era nativo de Efraim, o que teria levado os cinco espias a indagar: "De onde vieste?" E logo descobriram que ele era levita. Abarbinel conjecturou que o homem estaria efetuando algum rito religioso, fazendo suas orações, invocando o nome de Yahweh etc., e que essa linha sido a voz que eles tinham identificado. Ele era de Belém, e também era levita, o que de pronto os deixou interessados, porquanto, segundo pensavam, ele tinha acesso a Yahweh, o que poderia ajudá-los a cumprir sua missão de investigação com maior sucesso.

Ver Jz 12.5 quanto à incapacidade de os efraimitas pronunciarem corretamente certos fonemas. Ali, pois, aquele sacerdote estava pronunciando coisas impossíveis para os habitantes da área. Portanto, tornou-se óbvio que ele não tinha sido criado naquela porção de Israel.

■ 18.4,5

וַיֹּאמֶר אֲלֵהֶם כָּזֹה וְכָזֶה עָשָׂה לִי מִיכָה וַיִּשְׂכְּרֵנִי וָאֱהִי־לוֹ לְכֹהֵן׃

וַיֹּאמְרוּ לוֹ שְׁאַל־נָא בֵאלֹהִים וְנֵדְעָה הֲתַצְלִיחַ דַּרְכֵּנוּ אֲשֶׁר אֲנַחְנוּ הֹלְכִים עָלֶיהָ׃

ele respondeu. O levita revelou-lhes por qual razão estava ali, e mostrou-lhes a sua atuação como sacerdote. Assim, de forma bafejada pela sorte, os homens de Dã tinham topado com alguém que poderia dar-lhes orientações da parte de Yahweh, e apressaram-se a "consultar o oráculo". A missão deles prosperaria? Jônatas (nome do levita sacerdote; ver Js 18.30) provavelmente mostrou-lhes o seu equipamento, a saber, a estola sacerdotal e os ídolos. E, assim sendo, os danitas sentiram-se felizes em poderem consultar um vidente.

É possível que a consulta do oráculo tenha sido feita mediante o lançamento de sortes (ver 1Sm 14.40,41). Ver no *Dicionário* o artigo chamado *Sortes* quanto a esse método de adivinhação. Ver também ali o verbete intitulado *Adivinhação*. O uso que os danitas fizeram desse oráculo mostra que eles, como provavelmente todo o povo de Israel, estavam envolvidos em uma fé sincretista. Yahweh era a personagem principal do culto, mas havia a inclusão de elementos que não concordavam com a legislação mosaica. Lá fora havia muitos "oráculos particulares". Somente mais tarde (já durante a monarquia), tudo acabou sendo centralizado no templo de Jerusalém. É um anacronismo supor que, naquele período inicial, todo homem que quisesse consultar um oráculo tinha de ir a Silo com esse propósito, porque ali estava armado o tabernáculo. Essas ideias de centralização tiveram desenvolvimento lento, e ainda não eram patentes nos tempos dos juízes de Israel, embora isso possa ter sido um ideal antigo, ainda que não uma realidade.

■ 18.6

וַיֹּאמֶר לָהֶם הַכֹּהֵן לְכוּ לְשָׁלוֹם נֹכַח יְהוָה דַּרְכְּכֶם אֲשֶׁר תֵּלְכוּ־בָהּ׃ פ

Disse-lhes o sacerdote: Ide em paz. Nada nos é dito quanto ao *modus operandi* do oráculo; mas a resposta foi favorável. Prometia paz e prosperidade. O oráculo sempre despertava a esperança no coração humano, porquanto acreditava-se que o poder de Deus residia ali, a fim de proteger e abençoar. Na Igreja cristã, a "profecia" com frequência tem assumido um aspecto de oráculo privado, administrado por algum membro da congregação. Grande encorajamento é conferido dessa maneira, algumas vezes de maneira genuína, e de outras vezes, não. A maior parte dos oráculos (como também se dá com as profecias, na atualidade) era vaga, deixando de lado detalhes desejáveis. Mas se Yahweh assim tinha determinado, aqueles espias danitas partiriam cheios de esperança e em paz. Não precisavam receber informações detalhadas.

Satanás Seria a Fonte da Predição Dada? Alguns intérpretes aventam essa possibilidade, porquanto a mensagem foi dada em meio às irregularidades do oráculo em Efraim; mas isso parece ser uma interpretação por demais refinada e fantasiosa. Os críticos argumentam que tudo não passou de mera superstição. Mas a experiência ensina que pode haver valor nos oráculos. É verdade que Dã não tinha conseguido apossar-se do território que Deus lhes concedera originalmente; também era verdade que os danitas levaram para sua nova localização aquele culto sincretista; e, por semelhante modo, é verdade que todo o povo de Israel, infelizmente, por essa altura, já tinha adotado alguma forma de idolatria. Mas tudo isso fazia parte da essência do caos religioso daqueles dias. Deus, mesmo assim, tinha um propósito para Dã, mais ao norte.

O RELATÓRIO DOS ESPIAS (18.7-10)

■ 18.7

וַיֵּלְכוּ חֲמֵשֶׁת הָאֲנָשִׁים וַיָּבֹאוּ לַיְשָׁה וַיִּרְאוּ אֶת־הָעָם אֲשֶׁר־בְּקִרְבָּהּ יוֹשֶׁבֶת־לָבֶטַח כְּמִשְׁפַּט צִדֹנִים שֹׁקֵט וּבֹטֵחַ וְאֵין־מַכְלִים דָּבָר בָּאָרֶץ יוֹרֵשׁ עֶצֶר וּרְחֹקִים הֵמָּה מִצִּדֹנִים וְדָבָר אֵין־לָהֶם עִם־אָדָם׃

Chegaram a Laís. Ver no *Dicionário* o artigo detalhado sobre esse lugar. A cidade (moderna Tell el-Qadi) ficava cerca de 160 quilômetros ao norte do monte Efraim. O nome Laís foi posteriormente mudado para Dã. Naquele lugar, encontraram um pequeno estado arameu (cf. 2Sm 10.6). O povo dali estava em paz, vivendo em tranquilidade, um povo pacífico, representando assim, para os espias danitas, um figo pronto para ser colhido e comido. Eles não teriam de guerrear contra aquela gente pobre, e assim poderiam esquecer-se de seu passado difícil no sul, onde tinham de contender com os filisteus e os amorreus. O lugar era independente, sem governo central, e talvez nem tivesse exército organizado. Os arameus viviam isolados e não tinham comércio com outras nações. Mas logo a paz deles seria perturbada. Eles viviam como os sidônios, ou seja, no luxo e na prosperidade, o que gerava uma vida fácil e sem preocupações. É possível que aquela gente fosse uma colônia que havia sido formada por sidônios. Ver Gn 10.15 quanto a notas sobre Sidom. E visto que aquele povo não estava em ligação com nenhum outro povo, seria fácil negociar com eles.

■ 18.8,9

וַיָּבֹאוּ אֶל־אֲחֵיהֶם צָרְעָה וְאֶשְׁתָּאֹל וַיֹּאמְרוּ לָהֶם אֲחֵיהֶם מָה אַתֶּם׃

וַיֹּאמְרוּ קוּמָה וְנַעֲלֶה עֲלֵיהֶם כִּי רָאִינוּ אֶת־הָאָרֶץ וְהִנֵּה טוֹבָה מְאֹד וְאַתֶּם מַחְשִׁים אַל־תֵּעָצְלוּ לָלֶכֶת לָבֹא לָרֶשֶׁת אֶת־הָאָרֶץ׃

Então voltaram a seus irmãos. Os espias danitas voltaram para o lugar de onde tinham partido (Zorá e Estaol) e apresentaram o relatório mais positivo possível. Eles disseram, para todos os efeitos práticos: "Por que estais demorando neste lugar miserável? Bem mais ao norte há um paraíso esperando para ser conquistado por nossos exércitos. Vamos embora!" Adricômio noticiou, entusiasmado, que aquela área tinha ótimas terras de pastagem, era fértil para efeitos agrícolas, e tinha frutas em abundância e com grande variedade. E Josefo secundou essa informação (referindo-se ao testemunho dado por aquele homem; ver *Antiq*. 1.5, cap. 3, sec. 1). Cf. Nm 14.7; Js 2.23,24. "... a rica e bela região isolada do trecho mais encantador da Palestina..." (Deão Stanley, em seu comentário sobre a região).

Estais aí parados? Cf. 1Rs 23.3 e 2Rs 7.9.

■ 18.10

כְּבֹאֲכֶם תָּבֹאוּ אֶל־עַם בֹּטֵחַ וְהָאָרֶץ רַחֲבַת יָדַיִם כִּי־נְתָנָהּ אֱלֹהִים בְּיֶדְכֶם מָקוֹם אֲשֶׁר אֵין־שָׁם מַחְסוֹר כָּל־דָּבָר אֲשֶׁר בָּאָרֶץ׃

Quando lá chegardes, achareis. Os espias fizeram mais algumas promessas. O território era seguro. O povo que ali vivia era pacífico e vivia em segurança. E por que os danitas também não viveriam ali em segurança, se fossem ocupar a região? Além disso, Elohim estava ao lado deles, orientando-os, tal e qual o oráculo havia dito (ver o sexto versículo deste capítulo). Os danitas vinham sofrendo privações e atritos contínuos com os filisteus e os amorreus; mas tudo isso seria esquecido na prosperidade de suas novas terras.

"Foi um discurso bem claro e intenso, prenhe de bom senso, perfeitamente adaptado para o seu propósito. Parece haver produzido um efeito instantâneo" (Adam Clarke, *in loc.*).

RESPOSTA IMEDIATA DOS DANITAS (18.11-13)

■ 18.11

וַיִּסְעוּ מִשָּׁם מִמִּשְׁפַּחַת הַדָּנִי מִצָּרְעָה וּמֵאֶשְׁתָּאֹל שֵׁשׁ־מֵאוֹת אִישׁ חָגוּר כְּלֵי מִלְחָמָה:

Seiscentos homens armados. O exército de Dã partiu à frente do povo. Os danitas sentiram que bastariam seiscentos guerreiros para despachar aquela gente pobre e pacífica do norte. Uma vez realizada a conquista, então a tribo toda iria se locomover. O vs. 21 deste capítulo mostra-nos que parte da tribo, contudo, tinha acompanhado os guerreiros. Portanto, aquele primeiro contingente foi mais do que meramente militar. Eles estavam imbuídos da firme confiança de que a expedição seria bem-sucedida, a ponto de não porem em perigo suas esposas e seus filhos se avançassem desde aquela primeira tentativa de conquista.

■ 18.12

וַיַּעֲלוּ וַיַּחֲנוּ בְּקִרְיַת יְעָרִים בִּיהוּדָה עַל־כֵּן קָרְאוּ לַמָּקוֹם הַהוּא מַחֲנֵה־דָן עַד הַיּוֹם הַזֶּה הִנֵּה אַחֲרֵי קִרְיַת יְעָרִים:

Quiriate-Jearim, em Judá. Ver no *Dicionário* o artigo detalhado sobre essa localidade. Originalmente, a cidade pertencia à liga dos gibeonitas (ver Js 9.17). Ficava cerca de treze quilômetros a noroeste de Jerusalém e, ao que parece, foi o primeiro sítio de acampamento dos danitas que se dirigiam a Laís.

Quiriate-Jearim significa "cidade de florestas". A arca da aliança esteve ali pelo espaço de vinte anos, ao ser devolvida pelos filisteus (1Sm 6.20,21; 7.2).

Maané-Dã. Esse foi o nome temporariamente aplicado ao lugar, devido à circunstância de que ali os danitas estiveram acampados. Tal nome significa "acampamento de Dã" (ver também Jz 13.25). O fato de que o lugar chegou a ser conhecido por esse nome sugere que os danitas estiveram acampados ali por algum tempo.

Está por detrás. Ou seja, a "oeste" de Quiriate-Jearim. Essa breve explicação mostra-nos que o acampamento dos danitas não ficava na cidade, mas perto dela, como se poderia esperar. Por assim dizer, eles não ficaram hospedados nos "hotéis" da cidade, mas acamparam-se nas proximidades, ao ar livre, provavelmente em tendas.

■ 18.13

וַיַּעַבְרוּ מִשָּׁם הַר־אֶפְרָיִם וַיָּבֹאוּ עַד־בֵּית מִיכָה:

Dali passaram à região montanhosa de Efraim. Não sabemos dizer por quanto tempo os seiscentos guerreiros (e suas famílias) permaneceram em Maané-Dã. Mas, depois que levantaram acampamento, logo chegaram à casa de Mica, onde tinha estabelecido o oráculo de Efraim. Essa parada sem dúvida havia sido planejada. Os espias os tinham instruído a parar ali. Os espias haviam sido bem recebidos, e sem dúvida as tropas também o seriam.

"Dã emigrou e, no caminho, furtou o sacerdote e as imagens de Mica" (*Oxford Annotated Bible*, comentando sobre o vs. 11 deste capítulo). Ver Jz 17.1 e 18.2 quanto à casa e ao oráculo de Mica.

Embora tenham sido bem recebidos, eles não agiram com lisura. Sem dúvida, Jônatas, o sacerdote levita, havia ganho uma boa reputação através de seu oráculo, que tinha encorajado os espias a continuar a missão até Laís. Os danitas, pois, queriam contar com a ajuda daquele "homem de boa reputação", que poderia continuar a dar-lhes bons oráculos, no novo território. Isso posto, forçaram a questão e deixaram Mica a queixar-se amargamente.

■ 18.14

וַיַּעֲנוּ חֲמֵשֶׁת הָאֲנָשִׁים הַהֹלְכִים לְרַגֵּל אֶת־הָאָרֶץ לַיִשׁ וַיֹּאמְרוּ אֶל־אֲחֵיהֶם הַיְדַעְתֶּם כִּי יֵשׁ בַּבָּתִּים הָאֵלֶּה אֵפוֹד וּתְרָפִים וּפֶסֶל וּמַסֵּכָה וְעַתָּה דְּעוּ מַה־תַּעֲשׂוּ:

Sabeis vós que...? Os cinco espias prosseguiram, dotados de autoridade especial. E informaram os outros danitas acerca do oráculo na casa de Mica, bem como sobre a estola, os terafins, as imagens etc. Eles tinham ordenado que os danitas se "apossassem" de tudo, mediante as seguintes palavras: "Vede, pois, o que haveis de fazer". Foi como se eles tivessem dito: "Quando virdes aquele excelente oráculo, com todo o seu bom equipamento, sabeis o que convém fazer. Não deis ouvidos a nenhum contra-argumento. Usai de violência se for necessário". E os versículos que se seguem mostram que os guerreiros, antes de tudo, ocuparam-se do furto do levita e suas imagens.

"Naqueles flibusteiros danitas, podemos perceber a mesma estranha mistura de superstição e desregramento, a mesma tendência à desonestidade e à devoção que com frequência podia ser observada nas brigadas gregas e italianas" (Ellicott, *in loc.*).

■ 18.15

וַיָּסוּרוּ שָׁמָּה וַיָּבֹאוּ אֶל־בֵּית־הַנַּעַר הַלֵּוִי בֵּית מִיכָה וַיִּשְׁאֲלוּ־לוֹ לְשָׁלוֹם:

Chegaram à casa do moço, o levita... e o saudaram. Essa saudação era uma fraude. Os danitas estavam ali para roubar e aplicar a violência se fosse necessário. Conforme é típico dos homens malignos e injustos, eles eram indivíduos totalmente egoístas, enriquecendo-se às expensas de outras pessoas. Os parasitas não têm consciência. Foi tudo um modo de proceder nefando, sobretudo por dizerem que estavam seguindo a orientação de Yahweh (ver o vs. 10). Eles misturavam a devoção religiosa com o crime, o que não é nada incomum, embora sem dúvida um erro gravíssimo.

Parece que Mica estava ausente de casa quando toda aquela negociação ocorreu, pois, do contrário, teria armado uma confusão qualquer. Mais tarde, porém, ele perseguiu o grupo e o alcançou.

■ 18.16

וְשֵׁשׁ־מֵאוֹת אִישׁ חֲגוּרִים כְּלֵי מִלְחַמְתָּם נִצָּבִים פֶּתַח הַשָּׁעַר אֲשֶׁר מִבְּנֵי־דָן:

Os seiscentos homens. Sendo tantos, ficaram defronte do portão, olhando ameaçadoramente para dentro da casa. Ninguém ousaria fazer oposição a eles. Enquanto isso, os cinco espias, que já sabiam onde estava o oráculo e o seu equipamento, entraram e concretizaram o furto. Dessarte, pelo bem recebido devolveram o mal, quebrando vergonhosamente a lei do amor, que é a prova mesma da espiritualidade. Ver no *Dicionário* o artigo chamado *Amor*. Não obstante, podemos ter certeza de que sua consciência não pesou por causa desses atos vergonhosos. Tão somente aplicaram a regra pragmática: "Aquilo que funciona é bom". O que era bom para eles deveria ser certo, sem importar o que Mica dissesse a respeito. Afinal, ele já tinha possuído o oráculo por tempo suficiente; e agora era a vez deles.

À entrada da porta. Pode ter sido a entrada da cidade ou a entrada da casa de Mica. Sem importar como sucedeu exatamente, se Mica estava em casa, sem dúvida eles eram bem visíveis; e o pobre Mica não tinha como opor-se a tão grande grupo armado.

■ 18.17

וַיַּעֲלוּ חֲמֵשֶׁת הָאֲנָשִׁים הַהֹלְכִים לְרַגֵּל אֶת־הָאָרֶץ בָּאוּ שָׁמָּה לָקְחוּ אֶת־הַפֶּסֶל וְאֶת־הָאֵפוֹד וְאֶת־הַתְּרָפִים וְאֶת־הַמַּסֵּכָה וְהַכֹּהֵן נִצָּב פֶּתַח הַשַּׁעַר וְשֵׁשׁ־מֵאוֹת הָאִישׁ הֶחָגוּר כְּלֵי הַמִּלְחָמָה:

Subindo os cinco homens. Sendo guerreiros selecionados e violentos, eles se ocuparam de fazer o furto propriamente dito. E arrebataram todo o equipamento do oráculo. O sacerdote, entrementes, ficou de pé à entrada da porta, acompanhado e guardado pelos seiscentos guerreiros. Ali ele estava, cativo, contemplando tudo enquanto seu oráculo era desmantelado. Alguns estudiosos imaginam que a tarefa dos seiscentos guerreiros era manter o levita em conversação com eles, enquanto os cinco espias roubavam os apetrechos. Seja como for, somos obrigados a reconhecer que ele nada podia fazer diante daquele grupo armado.

18.18,19

וְאֵ֙לֶּה֙ בָּ֣אוּ בֵּ֣ית מִיכָ֔ה וַיִּקְחוּ֙ אֶת־פֶּ֣סֶל הָאֵפ֔וֹד
וְאֶת־הַתְּרָפִ֖ים וְאֶת־הַמַּסֵּכָ֑ה וַיֹּ֤אמֶר אֲלֵיהֶם֙ הַכֹּהֵ֔ן
מָ֥ה אַתֶּ֖ם עֹשִֽׂים׃

וַיֹּאמְר֙וּ ל֤וֹ הַחֲרֵשׁ֙ שִֽׂים־יָדְךָ֣ עַל־פִּ֔יךָ וְלֵ֖ךְ עִמָּ֑נוּ
וֶֽהְיֵה־לָ֖נוּ לְאָ֣ב וּלְכֹהֵ֑ן הֲט֣וֹב ׀ הֱיוֹתְךָ֣ כֹהֵ֗ן לְבֵית֙ אִ֣ישׁ
אֶחָ֔ד א֚וֹ הֱיוֹתְךָ֣ כֹהֵ֔ן לְשֵׁ֥בֶט וּלְמִשְׁפָּחָ֖ה בְּיִשְׂרָאֵֽל׃

Cala-te... e vem conosco. O propósito dos cinco espias era óbvio, mas mesmo assim o sacerdote perguntou: "Que estais fazendo?" Mas a resposta deles foi curta e seca. Na verdade, as coisas ficaram melhores para Jônatas, pois agora ele tinha um emprego melhor, um salário mais alto, porquanto toda uma tribo haveria de pagá-lo, e não apenas um homem. Além disso, pensemos em seu prestígio multiplicado. Ele iria tornar-se o sacerdote de uma tribo inteira de Israel. Era um oferecimento que ele não poderia mesmo rejeitar. Afinal, por que não aceitar a melhor proposta? seu prestígio seria maior, pois havia "subido" de posição. O vs. 20 deste capítulo mostra-nos que o homem foi facilmente persuadido. Isso comprovou a sabedoria prática daquele antigo ditado popular que diz: "Se você não puder derrotar seus inimigos, alie-se a eles".

Sê-nos por pai. Outro tanto já lhe havia sido dito. Ver Jz 17.10, onde a questão é comentada.

18.20

וַיִּיטַב֙ לֵ֣ב הַכֹּהֵ֔ן וַיִּקַּח֙ אֶת־הָ֣אֵפ֔וֹד וְאֶת־הַתְּרָפִ֖ים
וְאֶת־הַפָּ֑סֶל וַיָּבֹ֖א בְּקֶ֥רֶב הָעָֽם׃

Então se alegrou o coração do sacerdote. Embora isso o envolvesse em um ato de traição em relação a Mica, seu coração astucioso segredou-lhe que a negociação lhe era vantajosa, porquanto seu prestígio aumentaria. Mica tinha sido como um pai para ele; mas agora ele seria como um pai para a inteira tribo de Dã (ver o versículo anterior), o que era muito melhor para ele. E assim, sem hesitação, todo o equipamento do oráculo foi tomado e o sacerdote aliou-se aos seiscentos guerreiros de Dã, e a seus familiares, e partiu com eles para Laís. O que começara como um furto acabou como uma concessão. Pelo menos não houve derramamento de sangue, pois matanças eram algo muito comum nos dias dos juízes de Israel.

"A infeliz alacridade com que ele sancionou o furto e preferiu defender seus interesses próprios, abandonando à sua sorte a causa de Mica, foi algo muito indigno de um neto de Moisés" (Ellicott, *in loc.*).

"A situação se ajustou muito bem à disposição mental cobiçosa, ambiciosa, inconstante e vagabunda daquele homem" (John Gill, *in loc.*).

18.21

וַיִּפְנ֖וּ וַיֵּלֵ֑כוּ וַיָּשִׂ֨ימוּ אֶת־הַטַּ֧ף וְאֶת־הַמִּקְנֶ֛ה
וְאֶת־הַכְּבוּדָּ֖ה לִפְנֵיהֶֽם׃

seus bens. Esses são deixados indefinidos. O termo hebraico aqui usado, *kebudah*, indica coisas valiosas e preciosas. A versão da Septuaginta, entretanto, diz *baros*, "coisas pesadas", "bagagem", com o que concorda a Vulgata Latina. O texto sagrado não fala em veículos dotados de rodas, mas parece claro que eles dispunham de tais veículos. Kimchi interpreta aqui como "coisas de valor e importância".

Partiram. Antecipando uma possível reação indignada de Mica, diante do que lhe havia acontecido, aqueles homens vis puseram esposas, crianças e animais domesticados, bem como veículos com bens materiais, na frente da caravana, enquanto os homens de guerra posicionaram-se na retaguarda da coluna. E qualquer ataque que viesse por trás seria repelido de imediato.

Somente aqui descobrimos que estava havendo uma pequena migração. Outros contingentes de danitas viriam em seguida, se qualquer grande porção da tribo de Dã quisesse mudar-se mais para o norte.

18.22

הֵ֥מָּה הִרְחִ֖יקוּ מִבֵּ֣ית מִיכָ֑ה וְהָאֲנָשִׁ֗ים אֲשֶׁ֤ר בַּבָּתִּים֙
אֲשֶׁר֙ עִם־בֵּ֣ית מִיכָ֔ה נִזְעֲק֕וּ וַיַּדְבִּ֖יקוּ אֶת־בְּנֵי־דָֽן׃

E alcançaram os filhos de Dã. Mica e seus vizinhos organizaram um grupo de busca e partiram atrás dos danitas, e acabaram alcançando a caravana de Dã. Mas Mica tinha sobrestimado suas próprias forças e subestimado a força dos danitas. Os amigos e vizinhos de Mica, sem dúvida, haviam visto o que sucedera ao oráculo, pois essa perda era também um prejuízo para eles. O plano deles era recuperar o perdido mediante a violência. Toda aquela bagagem, com as mulheres, as crianças e os animais domesticados, obrigavam os danitas a um avanço lento. Por esse motivo, Mica e seus amigos não tiveram grande dificuldade em alcançá-los. Porém, foi tudo um esforço inútil.

Ao que parece, por ocasião do furto das imagens e do levita, Mica não estava presente em sua casa. Lembremos que os danitas tinham saudado ao jovem levita, e não a Mica (ver o vs. 15 deste capítulo). Aquilo que lhe parecia mais importante tinha sido roubado, para nada falarmos sobre todo o dinheiro que havia sido gasto no fabrico das imagens de prata do oráculo.

18.23

וַֽיִּקְרְאוּ֙ אֶל־בְּנֵי־דָ֔ן וַיַּסֵּ֖בּוּ פְּנֵיהֶ֑ם וַיֹּאמְר֣וּ לְמִיכָ֔ה
מַה־לְּךָ֖ כִּ֥י נִזְעָֽקְתָּ׃

Que tens, que convocaste esse povo? Este versículo descreve uma cena engraçada. Os perseguidores clamaram aos guerreiros danitas, que seguiam na retaguarda da caravana, pelo que os guerreiros voltaram a cabeça para trás, para dizer, com ar de inocência: "Por que vocês vieram atrás de nós com tanta gente? Vocês devem estar ficando loucos!" Os danitas sabiam muito bem que provavelmente seriam seguidos; mas isso não significou nada para eles, nem os faria mudar de atitude ou comportamento. Portanto, uma vez mais a vítima foi transformada em vilão, conforme acontece em tantas ocasiões, quando a justiça é pervertida.

A narrativa toda está entremeada com um humor meio sádico, com uma ponta de ironia. O pobre Mica gritava em um protesto inútil. Foi uma cena patética. Foi considerado demente por aqueles que o tinham prejudicado, demente por ser estúpido o bastante para perseguir os ladrões, agindo como se "eles" tivessem feito alguma coisa errada. Uma vez mais, por conseguinte, cumpriu aquilo que tinha sido predito por Jacó acerca do mau caráter de Dã: "Dã será serpente junto ao caminho, uma víbora junto à vereda, que morde os talões do cavalo, e faz cair o seu cavaleiro por detrás" (Gn 49.17).

Aqueles miseráveis danitas haviam furtado tudo quanto era precioso aos olhos de Mica. Mas os ladrões lhe diziam agora, desavergonhadamente: "Por que estás tão nervoso? Ninguém te fez nenhuma injustiça".

18.24

וַיֹּ֕אמֶר אֶת־אֱלֹהַ֧י אֲשֶׁר־עָשִׂ֛יתִי לְקַחְתֶּ֖ם
וְאֶת־הַכֹּהֵ֣ן וַתֵּלְכ֑וּ וּמַה־לִּ֣י ע֔וֹד וּמַה־זֶּ֛ה
תֹּאמְר֥וּ אֵלַ֖י מַה־לָּֽךְ׃

Respondeu-lhes. A essência da resposta de Mica foi: "Furtastes tudo quanto eu tinha de valor. E ainda tendes a ousadia de indagar em que me injustiçastes?"

"Colocamos nosso coração ao lado de Mica quando vemos que ele descobriu a sua grande perda e tentou recuperar o perdido. Os danitas, porém, riram-se de Mica e de seus amigos, por tentarem recuperar suas imagens e o levita. Diante de toda a perda, Mica indagou: 'Que mais me resta?' Os danitas eram numerosos demais para qualquer oposição, Não lhes restava remédio senão voltar para casa (ver o vs. 26). Por mais trágico que isso nos pareça, talvez fosse assim que Mica aprendeu uma adoração autêntica, sem depender de ídolos ou mesmo de sacerdotes, mas uma adoração efetuada no altar do coração... Talvez Mica tenha obtido, afinal, esse santuário interior" (Phillips P. Elliott, *in loc.*).

As pessoas religiosas entesouram seus cultos e credos. Algumas vezes, como se deu com Mica, essas são as possessões mais preciosas da vida de um homem. Não obstante, quando olhamos para essa questão pelo "lado de fora", sem nos deixarmos envolver pessoalmente, podemos ver que se tratam de pseudovalores. E foi isso que aconteceu no caso de Mica.

■ 18.25

וַיֹּאמְר֤וּ אֵלָיו֙ בְּנֵי־דָ֔ן אַל־תַּשְׁמַ֥ע קוֹלְךָ֖ עִמָּ֑נוּ פֶּֽן־יִפְגְּע֣וּ
בָכֶ֗ם אֲנָשִׁים֙ מָ֣רֵי נֶ֔פֶשׁ וְאָסַפְתָּ֥ה נַפְשְׁךָ֖ וְנֶ֥פֶשׁ בֵּיתֶֽךָ׃

Não nos faças ouvir a tua voz. A resposta dos violentos e brutais danitas foi, essencialmente: "Para com essas reclamações e estúpidas acusações. Vai-te embora. Caso contrário, há certos homens iracundos entre nós que estão prontos para fechar a tua boca e acabar com a tua vida". É conforme dizia Trasímaco: "Ter poder é ter direito". Aquele que brande o poder é justo; e a sua conduta é correta. É um mal alguém ser fraco. A provocação de Mica estava prestes a acender a violência; e, se isso acontecesse, aquele que já havia perdido suas mais caras possessões também poderia perder a vida. Então Mica resolveu deixar as coisas como estavam. E afastou-se, resolvido a começar tudo de novo.

Os danitas ladrões disseram conforme fazem muitos ladrões modernos: "É teu dinheiro ou tua vida. Contenta-te em haveres perdido tuas possessões, para que não percas também a vida, e não possas mais desfrutar teus bens".

Mica estava condenado a ter de tolerar sua perda, por haver dado valor aos ídolos. A situação dele ilustra o vazio da idolatria e a futilidade das formas de adoração que os homens inventam. seu prejuízo, na realidade, fora um ganho; mas talvez ele nunca tenha percebido essa realidade.

■ 18.26

וַיֵּלְכ֥וּ בְנֵי־דָ֖ן לְדַרְכָּ֑ם וַיַּ֣רְא מִיכָ֗ה כִּי־חֲזָקִ֥ים הֵ֙מָּה֙
מִמֶּ֔נּוּ וַיִּ֖פֶן וַיָּ֥שָׁב אֶל־בֵּיתֽוֹ׃

Mica... voltou-se, e tornou para sua casa. A batalha estava perdida antes mesmo de ter começado. Mica percebeu que ele e seus amigos não tinham como derrotar aqueles seiscentos homens armados, tão ansiosos para fazer vítimas. E assim, de coração pesado, resignou-se a sofrer a perda, consolando-se diante do fato de que ao menos ainda lhe restava a vida, e que poderia tentar tudo de novo.

"...se, porventura, ele largasse sua idolatria e se voltasse para o verdadeiro Deus e para a correta adoração a ele, embora tivesse perdido os seus deuses, então teria sido bom que aquelas coisas lhe tivessem sido tomadas" (John Gill, *in loc.*).

A CAPTURA DE LAÍS (18.27-31)

■ 18.27

וְהֵ֨מָּה לָקְח֜וּ אֵ֧ת אֲשֶׁר־עָשָׂ֣ה מִיכָ֗ה וְֽאֶת־הַכֹּהֵן֮ אֲשֶׁ֣ר
הָיָה־לוֹ֒ וַיָּבֹ֣אוּ עַל־לַ֗יִשׁ עַל־עַם֙ שֹׁקֵ֣ט וּבֹטֵ֔חַ וַיַּכּ֥וּ
אוֹתָ֖ם לְפִי־חָ֑רֶב וְאֶת־הָעִ֖יר שָׂרְפ֥וּ בָאֵֽשׁ׃

Chegaram a Laís. A caravana de migrantes armados danitas prosseguiu caminho até Laís. E os guerreiros, que pareciam tanto querer matar alguém, tiveram então sua oportunidade. Naquela cidade, tal como os cinco espias haviam dito, encontraram uma população pacífica, desarmada, em um local bucólico e isolado. E essa população foi facilmente vitimada pela espada dos danitas. Eles foram totalmente destruídos, conforme a guerra santa requeria, e a cidade foi incendiada. Ver sobre a guerra santa em Dt 7.1-5. Esse tipo de peleja não admitia que se fizessem prisioneiros nem que houvesse casamentos mistos. Isso quer dizer que até mesmo mulheres e crianças tinham de ser aniquiladas. Ver o sétimo versículo quanto à correta informação que os espias haviam dado sobre os habitantes de Laís. No sul, os danitas estavam sendo vitimados pelos amorreus e pelos filisteus. Mas agora era a sua vez de vitimar um povo mais fraco. Vemos, pois, que estava funcionando bem a regra do predomínio dos mais fortes e da sobrevivência dos mais aptos.

A violência extrema do ataque dos danitas mostra-nos que eles puseram o lugar debaixo da maldição divina, ou seja, tinham declarado guerra santa e tinham dado a Yahweh o crédito como inspirador de toda aquela confusão sangrenta. Provavelmente nunca ocorreu à mente primitiva daqueles homens que aquilo era uma barbárie. Bem pelo contrário, provavelmente ofereceram sacrifícios a Yahweh, em ação de graças pelo total sucesso de sua campanha militar.

■ 18.28,29

וְאֵ֨ין מַצִּ֜יל כִּ֧י רְחֽוֹקָה־הִ֣יא מִצִּיד֗וֹן וְדָבָ֤ר אֵין־לָהֶם֙
עִם־אָדָ֔ם וְהִ֥יא בָּעֵ֖מֶק אֲשֶׁ֣ר לְבֵית־רְח֑וֹב וַיִּבְנ֥וּ אֶת־
הָעִ֖יר וַיֵּ֥שְׁבוּ בָֽהּ׃

וַיִּקְרְא֤וּ שֵׁם־הָעִיר֙ דָּ֔ן בְּשֵׁם֙ דָּ֣ן אֲבִיהֶ֔ם אֲשֶׁ֥ר יוּלַּ֖ד
לְיִשְׂרָאֵ֑ל וְאוּלָ֛ם לַ֥יִשׁ שֵׁם־הָעִ֖יר לָרִאשֹׁנָֽה׃

Ninguém houve que os livrasse. É muito provável que Laís fosse uma colônia de Sidom, que distava 43 quilômetros dali. Ademais, a colônia não tinha feito pacto com nenhuma outra cidade-estado. Portanto, ninguém saiu em socorro deles; e Sidom, que talvez pudesse demonstrar simpatia, ficava longe demais para prover ajuda.

Bete-Reobe. No *Dicionário* há um artigo detalhado sobre essa cidade. É provável que esteja em pauta a cidade de Reobe, referida em Jz 1.31; Js 19.30 e 2Sm 10.6. Esse nome próprio locativo significa "casa espaçosa". Havia ali um vale, formando a porção superior das terras baixas do lago de Hulé (o lago que ficava cerca de 35 quilômetros ao norte do lago da Galileia). Ver no *Dicionário* os artigos intitulados *Hulé* e *Águas de Merom*.

Laís tinha sido incendiada; mas é provável que os danitas tenham reconstruído parte da antiga cidade e a tenham expandido, pelo que, terminada a reconstrução, havia ali uma cidade nova. E mudaram o nome da cidade para Dã, a qual se tornou o centro de uma nova e pequena cidade-estado, um território alternativo da tribo de Dã. Isso significa que parte da tribo de Dã permaneceu no antigo território do sul; e outra parte mudou-se definitivamente mais para o norte. A tribo de Dã, contudo, haveria de sofrer certo número de desastres, que virtualmente a eliminaram.

Ver o artigo geral no *Dicionário*, intitulado *Dã*, quanto a informações completas sobre essa tribo. Ali há comentários sobre o patriarca Dã, o quinto filho de Jacó, através de Bila, sua concubina. Também há informações sobre a tribo assim chamada. E, finalmente, sobre a cidade que figura neste texto, em seu terceiro ponto, *Cidade de Dã*.

■ 18.30

וַיָּקִ֧ימוּ לָהֶ֛ם בְּנֵי־דָ֖ן אֶת־הַפָּ֑סֶל וִ֠יהוֹנָתָ֨ן בֶּן־גֵּרְשֹׁ֜ם
בֶּן־מְנַשֶּׁ֗ה ה֤וּא וּבָנָיו֙ הָי֣וּ כֹהֲנִ֔ים לְשֵׁ֥בֶט הַדָּנִ֖י עַד־י֥וֹם
גְּל֥וֹת הָאָֽרֶץ׃

Os filhos de Dã. A cidade que eles construíram, à qual deram o nome de seu patriarca, tornou-se um santuário e um oráculo bem conhecido. O sacerdote que Mica havia contratado (ver Jz 17.10), conforme aprendemos neste versículo, chamava-se Jônatas, filho de Gérson, filho de Manassés, e, por conseguinte, descendente de Moisés; e isso, sem dúvida, emprestou prestígio à cidade de Dã e ao culto que ali era processado. Tornou-se mesmo rival do tabernáculo em *Silo* (ver a respeito no *Dicionário*). E esse culto prosseguiu, mediante os descendentes de Jônatas, até ao tempo do cativeiro, o cativeiro das tribos do norte, coletivamente chamadas mais tarde de Israel, em contraste com as tribos do sul, coletivamente chamadas mais tarde de Judá. Ver no *Dicionário* o verbete intitulado *Cativeiro (Cativeiros)*. Está em pauta o cativeiro assírio, que teve início em 740 a.C. Ver também, no *Dicionário*, o artigo *Cativeiro Assírio*.

Essa informação permite-nos perceber que, mesmo depois de o templo ter sido estabelecido em Jerusalém, quando o yahwismo foi supostamente unificado, a tribo de Dã preservou seu oráculo privado, um culto aberrante e provavelmente sempre corrompido pelas formas e instituições idólatras. Ver no *Dicionário* o artigo chamado *Idolatria*. O santuário de Silo foi destruído em cerca de 1050 a.C., pelo que não chegou a ser uma adoração rival à de Jerusalém, instituída no tempo da monarquia.

Alguns intérpretes duvidam da autenticidade dessa informação, por suporem que os reis não teriam permitido a adoração rival dos danitas. Porém, é possível que, visto que os danitas atribuíam sua adoração ao próprio Moisés (por meio de seu descendente, Jônatas), e visto que era um culto levítico (provavelmente outros levitas foram contratados, nas gerações que se sucederam), o oráculo danita tivesse permissão de prosseguir, não sendo considerado nem rival nem aberrante.

O cativeiro mencionado aqui, de acordo com alguns estudiosos, seria aquele em que os filisteus, nos dias de Davi, tomaram a arca da aliança, e não o cativeiro assírio, que só ocorreu muito depois de Davi. Ver 1Sm 4.11. Essa interpretação evita a natureza rival do oráculo de Dã. Provavelmente é uma interpretação *ad hoc*, com o propósito de evitar a dificuldade de ter existido uma adoração rival entre os danitas nos dias dos reis de Israel.

Ainda outros estudiosos pensam que o cativeiro aqui aludido seja o terrível saque de Silo, após a batalha de Afeque (ver 1Sm 4.11,22), mas essa parece ser outra interpretação *ad hoc*. Se o saque de Silo é que está em pauta, então será forçoso supormos que as dificuldades em Silo estenderam-se até o território de Dã. Contudo, os dois lugares ficavam separados por mais de oitenta quilômetros, e não sabemos dizer até que ponto os filisteus penetravam em território de Israel naqueles dias.

Também é possível que o cativeiro aqui mencionado tenha sido uma campanha militar dos reis de Zobá, ou alguma outra invasão síria (ver 1Sm 14.47). A mais simples explicação (embora não deixe de ter os seus problemas) é supor que está em pauta o cativeiro assírio. Isso, por sua vez, significa que os danitas foram os primeiros dissidentes do yahwismo centralizado, tendo estabelecido um culto rival, primeiramente de Silo e, em seguida, do templo de Jerusalém.

"O santuário foi um dos dois grandes santuários do reino do norte posterior (ver 1Rs 12.29)" (*Oxford Annotated Bible,* comentando sobre este versículo). O trecho de 1Rs 12.29 mostra que aqueles santuários não foram aprovados e, sim, condenados, devido às suas práticas idólatras.

■ 18.31

וַיָּשִׂימוּ לָהֶם אֶת־פֶּסֶל מִיכָה אֲשֶׁר עָשָׂה כָּל־יְמֵי הֱיוֹת בֵּית־הָאֱלֹהִים בְּשִׁלֹה׃ פ

A imagem de escultura, feita por Mica. Havia, pois, na época, dois santuários. Um em Silo e outro em Dã. O santuário de Silo foi destruído em 1050 a.C., mas o de Dã teve maior duração, desafiando toda oposição, até o cativeiro assírio. Os intérpretes calculam que o santuário de *Silo* durou por cerca de 360 anos. Ver no *Dicionário* o artigo sobre aquela cidade. A destruição de Silo ocorreu quando Samuel ainda era jovem, no tempo em que os filisteus saquearam o lugar. A arca da aliança nunca foi devolvida ao santuário de Silo. Ver 1Sm 3.31; 4.3; 6.21 e 7.1. O presente versículo dá a entender que o santuário de Dã era rival do de Silo e um oráculo fraudulento. Cf. Js 18.1. "A falsa adoração dos danitas foi precursora da adoração dirigida por Jeroboão I, que estabeleceu, posteriormente, no reino do norte, um santuário em Dã (1Rs 12.28-31)" (F. Duane Lindsey, *in loc.*). Talvez fosse melhor dizer que Jeroboão I deu prosseguimento ao santuário antigo e histórico de Dã, que havia sido estabelecido fazia muito tempo.

CAPÍTULO DEZENOVE

O CRIME EM GIBEÁ E SEU CASTIGO (19.1—21.25)

Pela terceira vez, o autor sagrado repete a declaração de que "naqueles dias" Israel não tinha rei. O livro de Juízes contém essa declaração por quatro vezes (ver Jz 17.6; 18.1; 19.1 e 21.25). Ver as notas a respeito em Jz 17.6. Para o autor sagrado, a ausência de um rei permitia que Israel se agitasse em várias direções confusas, onde cada indivíduo fazia o que lhe parecia melhor, negligenciando totalmente os princípios morais. O trecho de Jz 21.25 encerra o comentário sombrio de que cada qual fazia o que achava ser mais reto. Havia paixões desembestadas e atos de violência, e o capítulo que passamos a comentar ilustra isso, com um exemplo tão terrível que não poderia ser deixado fora do livro. Encontramos aqui o espantoso crime sexual dos benjamitas. O capítulo 18 nos contou como os danitas transferiram-se mais para o norte, juntamente com vários males envolvidos no evento. Porém, nenhum episódio poderia comparar-se ao que é relatado neste capítulo 19.

Os capítulos 19 a 21 ilustram a anarquia e a injustiça reinantes, antes que houvesse uma autoridade central que impusesse a disciplina apropriada, em conformidade com a legislação mosaica. Os capítulos 17 e 18, por sua vez, ilustraram a idolatria que, como praga, infelicitava continuamente a nação. E esses dois erros estavam intrincadamente relacionados.

■ 19.1

וַיְהִי בַּיָּמִים הָהֵם וּמֶלֶךְ אֵין בְּיִשְׂרָאֵל וַיְהִי אִישׁ לֵוִי גָּר בְּיַרְכְּתֵי הַר־אֶפְרַיִם וַיִּקַּח־לוֹ אִשָּׁה פִילֶגֶשׁ מִבֵּית לֶחֶם יְהוּדָה׃

Naqueles dias, em que não havia rei em Israel. Ver a introdução a este capítulo quanto a uma explicação dessa declaração, bem como quanto a referências, em outros lugares do livro, onde ela aparece.

Um homem levita. Não se tratava do mesmo levita que Mica havia contratado, e a quem os danitas tinham levado para Laís (capítulo 18), embora ambos vivessem em Belém de Judá ou tivessem alguma associação com aquela cidade, e ambos tivessem jornadeado pelo monte Efraim. Ver no *Dicionário* o artigo intitulado *Levitas*.

Tomou para si uma concubina. Ver no *Dicionário* o artigo chamado *Concubina*. Essa instituição apontava para um casamento secundário legalizado por lei. Jacó tinha duas esposas primárias (Lia e Raquel), e também duas esposas secundárias (Bila e Zilpa). Dessas quatro mulheres procederam as doze tribos de Israel. Usualmente, uma concubina procedia das classes servis, e era uma esposa suplementar.

■ 19.2

וַתִּזְנֶה עָלָיו פִּילַגְשׁוֹ וַתֵּלֶךְ מֵאִתּוֹ אֶל־בֵּית אָבִיהָ אֶל־בֵּית לֶחֶם יְהוּדָה וַתְּהִי־שָׁם יָמִים אַרְבָּעָה חֳדָשִׁים׃

Porém ela, aborrecendo-se dele, o deixou. O primeiro incidente infeliz foi que a concubina daquele levita deixou-se levar pela armadilha da paixão, e acabou fazendo o papel de uma prostituta. Isso seria suficiente para terminar o casamento, potencialmente para sempre. Mas após quatro meses, o levita quis a mulher de volta e procurou reconciliar-se com ela. A mulher, desprezada pelo homem, tinha voltado para a casa de seus pais, onde passara aqueles quatro meses. A Vulgata Latina, a Septuaginta, os Targuns e os escritos de Josefo não viram nenhum ato de infidelidade da parte dela, ou, pelo menos, de acordo com a interpretação deles, não tocaram no assunto. A Vulgata Latina diz "ela ficou indignada com ele", e assim, aborrecida, fora para Belém. Todavia, o texto hebraico original é perfeitamente claro, embora seja possível que o texto massorético tenha preservado um texto inferior. Ver no *Dicionário* o artigo chamado *MT (TM)*, como também o artigo intitulado *Manuscritos do Antigo Testamento*. A descoberta dos Manuscritos (Rolos) do mar Morto demonstrou que, ocasionalmente, as versões, especialmente a Septuaginta, preservam um texto mais antigo do que aquele que aparece no texto massorético.

■ 19.3

וַיָּקָם אִישָׁהּ וַיֵּלֶךְ אַחֲרֶיהָ לְדַבֵּר עַל־לִבָּהּ לַהֲשִׁיבוֹ וְנַעֲרוֹ עִמּוֹ וְצֶמֶד חֲמֹרִים וַתְּבִיאֵהוּ בֵּית אָבִיהָ וַיִּרְאֵהוּ אֲבִי הַנַּעֲרָה וַיִּשְׂמַח לִקְרָאתוֹ׃

Ela o fez entrar na casa de seu pai. A mulher estava na casa paterna, provavelmente ainda infeliz com seu marido "anterior"; mas a conversa gentil dele funcionou, e assim ela concordou em reatar o relacionamento. O pai da mulher ficou muito contente ao ver o levita, e o entreteve com muitas honras, satisfeito de que tudo estava bem de novo com a sua filha. É de interesse humano ver que o homem não foi até a casa de seu sogro com palavras iradas e fanfarronice. Ele sabia que há um tempo para paz, calma e palavras amáveis. E sua estratégia deu certo. Nossa versão portuguesa traduz de forma bastante literal as palavras "para falar-lhe ao coração". Ele queria uma reconciliação amigável e pacífica, conforme somente uma conversa gentil é capaz de conseguir. O ódio já tivera a sua oportunidade. Agora era tempo de dar ao amor a sua vez. Ver no *Dicionário* o artigo intitulado *Amor*.

■ 19.4

וַיֶּחֱזַק־בּוֹ חֹתְנוֹ אֲבִי הַנַּעֲרָה וַיֵּשֶׁב אִתּוֹ שְׁלֹשֶׁת יָמִים
וַיֹּאכְלוּ וַיִּשְׁתּוּ וַיָּלִינוּ שָׁם׃

seu sogro, o pai da moça. O homem foi além do que seria esperado como requisitos da hospitalidade oriental, e entreteve seu genro por nada menos de três dias inteiros, provendo-lhe o melhor alimento e a melhor bebida. Era como se tivesse havido outra celebração de casamento, e todos estivessem de coração leve. Dentro daquela atmosfera, a reconciliação era fácil. Ver no *Dicionário* o verbete denominado *Hospitalidade*. O homem estava alegre porque o casamento corria de novo na trilha certa, e ele faria tudo quanto fosse possível para que houvesse uma reconciliação duradoura.

Algumas vezes, um casamento chega a um ponto em que os cônjuges nem falam mais um com o outro, a não ser para criticar e para usar palavras ásperas. Quando isso sucede, é porque o amor se transformou em ódio. Mas algumas poucas palavras gentis e de elogio muito contribuem para curar tais situações, contanto que as pessoas queiram endireitar seu relacionamento umas com as outras.

■ 19.5-7

וַיְהִי בַּיּוֹם הָרְבִיעִי וַיַּשְׁכִּימוּ בַבֹּקֶר וַיָּקָם לָלֶכֶת
וַיֹּאמֶר אֲבִי הַנַּעֲרָה אֶל־חֲתָנוֹ סְעָד לִבְּךָ פַּת־לֶחֶם
וְאַחַר תֵּלֵכוּ׃

וַיֵּשְׁבוּ וַיֹּאכְלוּ שְׁנֵיהֶם יַחְדָּו וַיִּשְׁתּוּ וַיֹּאמֶר אֲבִי הַנַּעֲרָה
אֶל־הָאִישׁ הוֹאֶל־נָא וְלִין וְיִטַב לִבֶּךָ׃

וַיָּקָם הָאִישׁ לָלֶכֶת וַיִּפְצַר־בּוֹ חֹתְנוֹ וַיָּשָׁב וַיָּלֶן שָׁם׃

Ao quarto dia madrugaram, e se levantaram para partir. Três dias de celebração e festejos foram suficientes, pelo que, na madrugada do quarto dia, o casal resolveu tomar desjejum e partir. O sogro do levita continuou insistindo em sua exagerada hospitalidade, fazendo-os ficar sentados para comer. Provavelmente ele gostava da companhia dos dois e não queria que fossem embora. As despedidas dentro de uma família são sempre coisas difíceis. O sogro do levita estava tão feliz que acabou conseguindo fazer o casal demorar-se com ele por mais um dia (vs. 6). O levita chegou a levantar-se para ir embora, mas, diante da insistência do sogro, concordou em permanecer um dia extra (vs. 7). Talvez o sogro estivesse sentindo alguma premonição acerca da trágica e iminente morte de sua filha, e queria retê-la em meio aos festejos; mas dentro de seu coração ele já estava aflito, embora essa aflição não subisse à sua mente consciente.

Há estudos científicos que mostram que o conhecimento anterior é um atributo natural e constante da alma humana, não precisando nem da ajuda divina nem da ajuda demoníaca para funcionar. Ver na *Enciclopédia de Bíblia, Teologia e Filosofia* o verbete chamado *Precognição (Conhecimento Prévio)*; e no *Dicionário* ver o artigo intitulado *Sonhos*, quanto à confirmação das informações gerais que figuram nestes parágrafos.

"Um novo capítulo abriu-se para aquele lar, quando ambos resolveram perceber, um no outro, o que poderia ser admirado e elogiado. Ele falou bondosamente com ela, e ela com ele" (Phillips P. Elliott, *in loc.*).

■ 19.8,9

וַיַּשְׁכֵּם בַּבֹּקֶר בַּיּוֹם הַחֲמִישִׁי לָלֶכֶת וַיֹּאמֶר אֲבִי
הַנַּעֲרָה סְעָד־נָא לְבָבְךָ וְהִתְמַהְמְהוּ עַד־נְטוֹת הַיּוֹם
וַיֹּאכְלוּ שְׁנֵיהֶם׃

וַיָּקָם הָאִישׁ לָלֶכֶת הוּא וּפִילַגְשׁוֹ וְנַעֲרוֹ וַיֹּאמֶר
לוֹ חֹתְנוֹ אֲבִי הַנַּעֲרָה הִנֵּה נָא רָפָה הַיּוֹם לַעֲרֹב
לִינוּ־נָא הִנֵּה חֲנוֹת הַיּוֹם לִין פֹּה וְיִיטַב לְבָבֶךָ
וְהִשְׁכַּמְתֶּם מָחָר לְדַרְכְּכֶם וְהָלַכְתָּ לְאֹהָלֶךָ׃

Madrugando ele ao quinto dia. O homem levita queria ir embora, mas o pai da mulher insistia e insistia. E quando esse quinto dia já estava declinando, o sogro do levita queria que eles ficassem mais um dia.

E ambos comeram juntos. Desse modo, os festejos se prolongaram. Talvez não soubessem que a glutonaria é um pecado.

No dia seguinte, o pai da jovem tentou retê-los por mais um dia e uma noite. Mas o levita não aceitou ficar e foi-se embora, depois de perder a oportunidade de ter saído cedo pela manhã, pois, por aquela hora adiantada, já estaria muito longe (vs. 9). Assim, a maratona de glutonaria acabou-se, pois o levita ajeitou as bagagens em seus dois animais de carga, e se foram os dois, não sem que a jovem ainda quisesse ficar conversando um pouco mais com as conhecidas.

O levita, por essa altura dos acontecimentos, estava reconhecendo que seu sogro o tinha pressionado exageradamente para ficar; e que ele mesmo mostrara-se indulgente, ao atender o pedido do seu sogro para ficar refestelando-se e banqueteando. Mas ele sabia, por experiência própria, que todas as pessoas vacilantes primeiro demoram-se demasiadamente em um lugar, para então fazerem um esforço extremo a fim de compensar a perda de tempo inicial.

■ 19.10

וְלֹא־אָבָה הָאִישׁ לָלוּן וַיָּקָם וַיֵּלֶךְ וַיָּבֹא עַד־נֹכַח
יְבוּס הִיא יְרוּשָׁלָםִ וְעִמּוֹ צֶמֶד חֲמוֹרִים חֲבוּשִׁים
וּפִילַגְשׁוֹ עִמּוֹ׃

Levantou-se, e partiu. Iniciar uma viagem à noitinha por si só já foi um fator negativo da viagem. Isso obrigaria o casal a passar a noite em algum lugar potencialmente hostil. Caminhando apressados, chegaram até Jebus, ou seja, Jerusalém.

Jebus. Na época, essa cidade, que mais tarde veio a chamar-se Jerusalém, não estava nas mãos dos israelitas, mas ainda era uma cidade dos jebuseus, um dos povos cananeus que tinham sido os primitivos habitantes da Terra Prometida. Os jebuseus tinham fortalecido a cidade, tornando-a quase inexpugnável. Somente nos dias de Davi o lugar passou para a mão dos hebreus. E então, com o nome de Jerusalém, tornou-se a capital política e religiosa de Israel. Ver maiores detalhes no *Dicionário*, nos artigos chamados *Jebus* e *Jebuseus*. Nas cartas de Tell el-Amarna, a cidade é chamada pelo nome de Urusalim. Ver no *Dicionário* o artigo intitulado *Tell El-Amarna*. Tendo partido de Belém, o casal teria andado por cerca de três horas até chegar a Jebus. E para atingir Gibeá, que é mencionada no versículo seguinte, eles teriam de continuar caminhando ainda por cerca de mais 6,5 quilômetros.

■ 19.11,12

הֵם עִם־יְבוּס וְהַיּוֹם רַד מְאֹד וַיֹּאמֶר הַנַּעַר אֶל־אֲדֹנָיו
לְכָה־נָּא וְנָסוּרָה אֶל־עִיר־הַיְבוּסִי הַזֹּאת וְנָלִין בָּהּ׃

וַיֹּאמֶר אֵלָיו אֲדֹנָיו לֹא נָסוּר אֶל־עִיר נָכְרִי אֲשֶׁר
לֹא־מִבְּנֵי יִשְׂרָאֵל הֵנָּה וְעָבַרְנוּ עַד־גִּבְעָה׃

Retiremo-nos a esta cidade dos jebuseus. Uma grande ironia da narrativa foi que o levita não quis pernoitar em Jebus por ser um lugar de "estrangeiros". É provável que sua principal preocupação envolvesse alguma questão de purificação cerimonial. E os levitas eram muito sensíveis quanto a esse assunto. Ver no *Dicionário* o artigo chamado *Limpo e Imundo*.

Passemos até Gibeá. Esta pertencia à tribo de Benjamim. E a ironia prossegue devido ao fato de que, querendo evitar a imundícia cerimonial, o levita acabou abrigando-se em um lugar de "conterrâneos" violentos, que cometeram um crime infame e violentíssimo contra sua concubina. Se ele não tivesse viajado mais aqueles 6,5 quilômetros, de Jebus até Gibeá, provavelmente nada do que acabou acontecendo teria ocorrido.

Gibeá. Ver o artigo detalhado sobre esse lugar no *Dicionário*. Como já dissemos, ficava em território de Benjamim. Mais tarde, tornou-se um lugar estratégico do rei Saul, porquanto dominava a estrada para Nablus, ao norte de Jerusalém. Foi uma das primeiras cidades a ser ocupada por Israel na região montanhosa. Tell el-Ful assinala o local antigo. Muitas escavações arqueológicas têm sido efetuadas ali. Ver aquele artigo, *Gibeá*, quanto a outras informações.

Gibeá era uma das catorze cidades pertencentes à tribo de Benjamim (ver Js 18.28).

19.13,14

וַיֹּאמֶר לְנַעֲרוֹ לֵךְ וְנִקְרְבָה בְּאַחַד הַמְּקֹמוֹת וְלַנּוּ בַגִּבְעָה אוֹ בָרָמָה:

וַיַּעַבְרוּ וַיֵּלֵכוּ וַתָּבֹא לָהֶם הַשֶּׁמֶשׁ אֵצֶל הַגִּבְעָה אֲשֶׁר לְבִנְיָמִן:

Pernoitemos em Gibeá ou em Ramá. Depois que Jebus fora rejeitada como lugar de permanência, a escolha ficou entre Gibeá e Ramá. Chegar a Ramá, ao que parece, era mais fácil, visto que ficava cerca de três quilômetros a sudoeste de Gibeá, encurtando assim ligeiramente a jornada, porquanto estavam avançando na direção norte. Não se sabe por que Ramá foi rejeitada. O grupo passou além de Ramá e avançou até Gibeá, outra má escolha. Mas como poderiam saber que ali se ocultava o mal? É provável que a única razão para terem caminhado mais aqueles três quilômetros era que procuravam cobrir a maior distância possível logo no primeiro dia, deixando assim uma caminhada menor para o dia seguinte. Eles estavam avançando para o norte, para o território de Efraim, o lar adotado pelo levita. Ver o versículo 18, onde tomamos conhecimento disso.

Aproximando-se de Gibeá, não puderam prosseguir, pois foi precisamente naquele ponto que o sol se pôs no horizonte, e ninguém se arriscaria a viajar durante a noite. Assim, o sol se pôs em mais de um sentido para o grupo. A vida da concubina do levita tinha chegado ao fim.

O artigo sobre *Gibeá*, no *Dicionário*, lista cinco cidades com esse nome, havendo outras com nome similar, derivado da mesma raiz. E assim o autor sagrado informa-nos que a Gibeá a que ele se reportava era aquela pertencente à tribo de Benjamim.

19.15

וַיָּסֻרוּ שָׁם לָבוֹא לָלוּן בַּגִּבְעָה וַיָּבֹא וַיֵּשֶׁב בִּרְחוֹב הָעִיר וְאֵין אִישׁ מְאַסֵּף־אוֹתָם הַבַּיְתָה לָלוּן:

Não houve quem os recolhesse em casa. Os habitantes da cidade não se mostraram hospitaleiros. Eles também não foram para alguma estalagem. Talvez a cidade fosse muito pequena para ter uma estalagem. Ademais, as hospedarias eram lugares infectados por ladrões e prostitutas. Ver no *Dicionário* o artigo intitulado *Hospedaria*. É provável que eles esperassem que algum "irmão hebreu" haveria de notá-los na rua, convidando-os para sua casa. E ficaram sentados na praça pública, esperando um convite. Mas não houve nenhum convite.

Não há que duvidar que, na época, estava havendo um declínio no amor fraternal. Os cidadãos do lugar temiam os viajantes; e os viajantes temiam os cidadãos do lugar, e com frequência com boas razões. Embora pequeno, o lugar se assemelhava às nossas modernas cidades grandes, onde cada qual só cuida de seus próprios negócios, vivendo anonimamente o máximo possível, por razões de segurança.

"Essa negligência quanto ao primeiro dever oriental (da hospitalidade) é suficiente para provar as más condições em que Gibeá tinha caído (cf. Dt 10.19; Mt 25.35)" (Ellicott, *in loc.*).

19.16,17

וְהִנֵּה אִישׁ זָקֵן בָּא מִן־מַעֲשֵׂהוּ מִן־הַשָּׂדֶה בָּעֶרֶב וְהָאִישׁ מֵהַר אֶפְרַיִם וְהוּא־גָר בַּגִּבְעָה וְאַנְשֵׁי הַמָּקוֹם בְּנֵי יְמִינִי:

וַיִּשָּׂא עֵינָיו וַיַּרְא אֶת־הָאִישׁ הָאֹרֵחַ בִּרְחֹב הָעִיר וַיֹּאמֶר הָאִישׁ הַזָּקֵן אָנָה תֵלֵךְ וּמֵאַיִן תָּבוֹא:

Um homem velho... da região montanhosa de Efraim. Esse homem, que estava trabalhando em um campo próximo, ia passando naquele momento e viu o casal na praça da cidade. O autor sacro lembra-nos que os benjamitas eram os habitantes daquela cidade, e o homem idoso era um "estrangeiro", à semelhança do casal. Isso facilitou a formação de uma amizade imediata. Parecia até que a providência divina estava arranjando as coisas; mas a casa do idoso acabou tornando-se a cena de um dos mais hediondos crimes de que há notícia. É fácil dizer que a vontade de Deus foi feita, apesar da violência dos homens; mas é melhor ainda afirmar que neste mundo caótico acontecem coisas terríveis e desnecessárias, e até pessoas boas e inocentes são vitimadas. Por isso mesmo, precisamos orar diariamente, pedindo proteção, a fim de que os "filhos de Belial" sejam mantidos longe de nós (vs. 22). Há muitos males lá fora que nada têm a ver com a vontade de Deus; e precisamos da providência divina para sermos poupados.

Uma de minhas fontes informativas diz, de modo ridículo: "Foram salvos de uma noite de perigos, na praça da cidade". Porém, embora poupados desse perigo menor, ficaram hospedados em uma autêntica casa de horrores.

19.18

וַיֹּאמֶר אֵלָיו עֹבְרִים אֲנַחְנוּ מִבֵּית־לֶחֶם יְהוּדָה עַד־יַרְכְּתֵי הַר־אֶפְרַיִם מִשָּׁם אָנֹכִי וָאֵלֵךְ עַד־בֵּית לֶחֶם יְהוּדָה וְאֶת־בֵּית יְהוָה אֲנִי הֹלֵךְ וְאֵין אִישׁ מְאַסֵּף אוֹתִי הַבָּיְתָה:

Estamos viajando de Belém de Judá para... Efraim. Este versículo revê os passos do levita desde que ele saíra de Efraim, e agora estava voltando. Ele contou ao homem idoso toda a história de sua jornada, até ali, e por qual motivo estava indo para o norte e aconteceu de passar por Gibeá. Ver Jz 19.1,2 quanto à história, repetida aqui.

Para a casa do Senhor. Talvez esteja em pauta o tabernáculo em Silo. Não é provável que o levita se referisse ao oráculo aberrante que havia sido estabelecido no extremo norte, Laís (no território de Dã). A cidade de Silo ficava no território de Efraim, bem perto de onde morava o levita. O monte Efraim ficava ligeiramente ao sul de *Silo* (ver a respeito no *Dicionário*). Essa porção do versículo mostra-nos que o homem, como levita que era, mantinha contato com o tabernáculo e tinha deveres relativos ao culto ali efetuado. Talvez o levita tivesse feito um voto que envolvia uma promessa, como um sacrifício especial, se fosse bem-sucedido em recuperar a esposa. Ele tivera o cuidado de cumprir a promessa. Ver no *Dicionário* o artigo chamado *Voto*. A menção àqueles "interesses religiosos" dariam confiança ao idoso homem no levita, facilitando a oferta de hospitalidade. Ele era um homem espiritual. Seria seguro tê-lo em casa. Sim, seria seguro para o velho, mas não para o levita e sua concubina!

19.19

וְגַם־תֶּבֶן גַּם־מִסְפּוֹא יֵשׁ לַחֲמוֹרֵינוּ וְגַם לֶחֶם וָיַיִן יֶשׁ־לִי וְלַאֲמָתֶךָ וְלַנַּעַר עִם־עֲבָדֶיךָ אֵין מַחְסוֹר כָּל־דָּבָר:

De cousa nenhuma há falta. O levita tinha vindo bem munido. Ele não era pobre, e seu sogro cuidara para que houvesse mais do que suficiente para a viagem e, talvez, para mais algum tempo. Havia alimentos para as pessoas e forragem para os animais, e também para servir a quem os acolhesse. Era como se o levita estivesse dizendo: "Aquele que nos acolher não sofrerá perda. Pelo contrário, eu o ajudarei! Não é difícil hospedar-me, pois nada custará a meu hospedeiro!" Aquilo de que o levita realmente precisava era de abrigo, para que não ficasse com os seus nas ruas.

19.20

וַיֹּאמֶר הָאִישׁ הַזָּקֵן שָׁלוֹם לָךְ רַק כָּל־מַחְסוֹרְךָ עָלָי רַק בָּרְחוֹב אַל־תָּלַן:

Então disse o velho. O idoso tanto era hospitaleiro como era homem abastado. sua fazenda era próspera, pelo que ele não permitiu que o levita tivesse despesa alguma. Proveu alojamento gratuito e cuidado das pessoas e dos animais de seu próprio bolso, o que permitiria que o levita levasse consigo tudo quanto havia trazido.

Devemos contrastar a generosidade do idoso (ver no *Dicionário* o artigo chamado *Generosidade*) com o crime espantoso que os benjamitas estavam prestes a cometer. A medida de um homem é a "generosidade", outro nome para amor. O amor é a prova da espiritualidade (ver 1Jo 4.7 ss.). Ver no *Dicionário* o verbete denominado *Amor*.

■ 19.21

וַיְבִיאֵהוּ לְבֵיתוֹ וַיָּבָל לַחֲמוֹרִים וַיִּרְחֲצוּ רַגְלֵיהֶם וַיֹּאכְלוּ וַיִּשְׁתּוּ׃

Levou-o para sua casa. Foram observados todos os requisitos da hospitalidade. Às pessoas e aos animais foi dado o que comer; foram lavados os pés e foram servidos líquidos em abundância. Ver na *Enciclopédia de Bíblia, Teologia e Filosofia* o artigo chamado *Lava-pé*. Toda essa hospitalidade deve ser contrastada com a indiferença dos benjamitas, que deixaram o homem e os seus na rua. Cf. Gn 18.4 e 19.2.

■ 19.22

הֵמָּה מֵיטִיבִים אֶת־לִבָּם וְהִנֵּה אַנְשֵׁי הָעִיר אַנְשֵׁי בְנֵי־בְלִיַּעַל נָסַבּוּ אֶת־הַבַּיִת מִתְדַּפְּקִים עַל־הַדָּלֶת וַיֹּאמְרוּ אֶל־הָאִישׁ בַּעַל הַבַּיִת הַזָּקֵן לֵאמֹר הוֹצֵא אֶת־הָאִישׁ אֲשֶׁר־בָּא אֶל־בֵּיתְךָ וְנֵדָעֶנּוּ׃

Filhos de Belial. Ver no *Dicionário* o detalhado artigo chamado *Belial*. Cf. Dt 13.13. A referência aqui não é nem a demônios nem ao príncipe dos demônios, mas, antes, indica o substantivo que significa "indignidade". Mais tarde, porém, belial veio a tornar-se um nome próprio. Ver 2Co 6.15. "... criaturas más, ímpias, ingovernáveis, indignas e sem proveito, homens que vivem sob a influência de Satanás e de suas próprias concupiscências" (John Gill, *in loc.*).

Cercaram a casa. Não havia força policial para ser chamada. Aqueles homens malignos circundaram a casa para garantir que ninguém poderia escapar, para que fizessem o que bem entendessem com qualquer um que ali estivesse.

Traze para fora o homem. Os benjamitas, à semelhança dos habitantes de Sodoma, estavam mais interessados na perversão homossexual do que em violentar a mulher. Cf. o capítulo 19 de Gênesis. Um dos crimes que se tornou tão comum hoje em dia, que assusta e deixa boquiabertas as pessoas de bem, é a violência do homossexualismo.

Para que abusemos dele. Um eufemismo para a sodomia. Em Gn 19.5 foi usada a mesma expressão pelos miseráveis sodomitas.

> E quando a noite
> Escurece as ruas, então os filhos de Belial
> Saem, cheios de insolência e de vinho.
> Veja as ruas de Sodoma e naquela noite
> Em Gibeá, quando a porta hospitaleira
> Expôs uma matrona, para evitar
> Uma violência maior ainda.
>
> Milton

■ 19.23,24

וַיֵּצֵא אֲלֵיהֶם הָאִישׁ בַּעַל הַבַּיִת וַיֹּאמֶר אֲלֵהֶם אַל־אַחַי אַל־תָּרֵעוּ נָא אַחֲרֵי אֲשֶׁר־בָּא הָאִישׁ הַזֶּה אֶל־בֵּיתִי אַל־תַּעֲשׂוּ אֶת־הַנְּבָלָה הַזֹּאת׃

הִנֵּה בִתִּי הַבְּתוּלָה וּפִילַגְשֵׁהוּ אוֹצִיאָה־נָּא אוֹתָם וְעַנּוּ אוֹתָם וַעֲשׂוּ לָהֶם הַטּוֹב בְּעֵינֵיכֶם וְלָאִישׁ הַזֶּה לֹא תַעֲשׂוּ דְּבַר הַנְּבָלָה הַזֹּאת׃

Não façais semelhante mal. A calamidade de ter seu hóspede (o levita, o homem de Deus) vitimado pelos benjamitas fez o velho homem ficar desesperado, e assim, ele literalmente rogou pela vida do levita. De acordo com ele, o que estavam querendo fazer era um "mal" e uma "loucura"; mas era exatamente isso que aqueles homens vis faziam a fim de divertir-se. O idoso homem, pois, apelou em favor da decência. Teria sido uma perversidade inominável se o levita fosse vitimado, e teria sido uma calamidade ainda maior para o idoso que lhe tinha oferecido a sua hospitalidade. Para este, as leis da hospitalidade eram ainda mais importantes do que abusos sexuais contra pessoas do outro sexo. Por isso, o idoso tentou fazer um negócio com eles: em lugar de ficarem com o levita, ele lhes ofereceu tanto a sua filha virgem quanto a concubina do levita (vs. 24). E lhes deu toda a permissão de fazerem o que quisessem; mas a verdade é que eles fariam exatamente isso, de qualquer maneira, com ou sem a permissão do homem.

A Escolha Agoniada. O idoso fez o melhor que era possível, naquelas circunstâncias. Ele precisou escolher entre dois grandes males. Forçado a tomar tal decisão, optou pelo que pensava ser o menor dos males. Conta-se a história de um rei que foi aprisionado com toda a sua gente. Os captores tinham saído a fim de tirar vingança. O rei, pois, ofereceu-se a si mesmo e aos seus familiares para serem mortos pelos captores (sem nenhuma oposição), se as pessoas comuns fossem deixadas em paz. Os captores aceitaram a oferta e executaram o rei e todos os seus familiares, mas deixaram as pessoas comuns em tranquilidade. E os captores foram-se saciados com o doce gosto da vingança, a ninguém mais matando naquele dia.

O oferecimento do idoso deve ser comparado ao oferecimento das duas filhas de Ló, quando este foi confrontado pelos homens de Sodoma (ver Gn 19.8). Alguns intérpretes criticam o idoso por isso, embora a hospitalidade oriental dissesse que um hóspede deveria ser defendido a todo custo, mesmo ao risco da vida do hospedeiro, se necessário fosse. Devemos lembrar, contudo, que aqueles estupradores também eram assassinos (ver Jz 20.5), e acabariam fazendo tudo quanto desejassem, afinal. Portanto, chegar a algum tipo de acordo, mediante o qual alguma coisa foi ganha, foi melhor do que nada.

■ 19.25

וְלֹא־אָבוּ הָאֲנָשִׁים לִשְׁמֹעַ לוֹ וַיַּחֲזֵק הָאִישׁ בְּפִילַגְשׁוֹ וַיֹּצֵא אֲלֵיהֶם הַחוּץ וַיֵּדְעוּ אוֹתָהּ וַיִּתְעַלְּלוּ־בָהּ כָּל־הַלַּיְלָה עַד־הַבֹּקֶר וַיְשַׁלְּחוּהָ בַּעֲלוֹת הַשָּׁחַר׃

Porém aqueles homens não o quiseram ouvir. Aqueles homens desvairados não queriam ouvir nenhum argumento nem queriam entrar em acordo nenhum. E quando estavam prestes a invadir a casa e arrancar dali o levita, o idoso lançou a concubina do levita nos braços deles, e isso, ao que parece, os pacificou parcialmente. E assim ela foi sujeitada a estupro em massa a noite inteira. O texto dá assim a entender que a filha virgem do idoso homem foi poupada, e que o mesmo sucedeu ao levita. É difícil entender por qual razão aqueles homens sem misericórdia mostraram-se tão "bonzinhos". Talvez estivessem tão embriagados que sua faculdade de raciocínio os tenha levado a satisfazer-se com o prêmio menor (conforme eles entendiam as coisas), embora pudessem ter ficado com aquilo que mais cobiçavam. Por certo, não agiram daquela maneira porque alguma forma de barganha os tivesse restringido.

Talvez a providência de Deus tenha impedido uma tragédia maior. Mas sugerir que a concubina se tornou assim adúltera, e teve de pagar por seus pecados passados, não é fazer justiça a ela. O texto bíblico por certo não dá a entender que ela tenha cometido alguma transgressão. Ver no *Dicionário* o verbete intitulado *Providência de Deus*.

■ 19.26,27

וַתָּבֹא הָאִשָּׁה לִפְנוֹת הַבֹּקֶר וַתִּפֹּל פֶּתַח בֵּית־הָאִישׁ אֲשֶׁר־אֲדוֹנֶיהָ שָּׁם עַד־הָאוֹר׃

וַיָּקָם אֲדֹנֶיהָ בַּבֹּקֶר וַיִּפְתַּח דַּלְתוֹת הַבַּיִת וַיֵּצֵא לָלֶכֶת לְדַרְכּוֹ וְהִנֵּה הָאִשָּׁה פִילַגְשׁוֹ נֹפֶלֶת פֶּתַח הַבַּיִת וְיָדֶיהָ עַל־הַסַּף׃

Ao romper da manhã. A noite de terror havia terminado. A pobre mulher ainda conseguiu atingir a entrada da casa. Mas ao chegar ali, morreu. seu cadáver ficou ali por algum tempo, antes que o levita abrisse a porta e o encontrasse. suas mãos estavam estendidas sobre o limiar, em um último, frenético mas inútil gesto em que rogava ajuda. Por outra parte, podemos ter certeza de que a providência divina cuidou daqueles miseráveis, de modo que, finalmente, vieram a colher o que tinham semeado. Ver no *Dicionário* o verbete chamado *Lei Moral da Colheita segundo a Semeadura*.

"A torpeza deles não suportava a plena luz do dia; por isso, quando o dia começou a raiar, eles largaram a sua vítima" (Adam Clarke, *in loc.*).

"As mãos dela estavam sobre o batente da porta... como que estendidas para seu marido, em um último e agonizante apelo" (Ellicott, *in loc.*).

■ 19.28

וַיֹּאמֶר אֵלֶיהָ קוּמִי וְנֵלֵכָה וְאֵין עֹנֶה וַיִּקָּחֶהָ
עַל־הַחֲמוֹר וַיָּקָם הָאִישׁ וַיֵּלֶךְ לִמְקֹמוֹ:

Levanta-te, e vamos. Foram palavras destituídas de sentimentos. O levita viu sua concubina caída na entrada da porta e proferiu as palavras sem coração: "Levanta-te, e vamos. Estou com pressa!" Nem ao menos perguntou como ela estava ou a consolou por aquilo que lhe tinha acontecido. E assim obteve a resposta que merecia: o silêncio. Foi o silêncio que lhe revelou que a mulher tinha morrido. Somente então raiou no cérebro dele a natureza espantosa do que havia acontecido.

O levita pôs o cadáver da mulher sobre o jumento, e não sobre "um jumento", conforme dizem algumas traduções. O corpo sem vida dela foi retirado da cena pelo mesmo animal que a tinha trazido até aquela casa fatídica. O autor nos poupa da cena de tristeza e lamentação, mantendo a um mínimo os detalhes trágicos da história, algo bastante típico da maneira antiga de relatar acontecimentos. A imaginação do leitor é que preenchia os detalhes mais comoventes.

E foi para sua casa. Ou seja, sua residência no monte Efraim, que ficava cerca de 36 quilômetros mais para o norte.

■ 19.29

וַיָּבֹא אֶל־בֵּיתוֹ וַיִּקַּח אֶת־הַמַּאֲכֶלֶת וַיַּחֲזֵק בְּפִילַגְשׁוֹ
וַיְנַתְּחֶהָ לַעֲצָמֶיהָ לִשְׁנֵים עָשָׂר נְתָחִים וַיְשַׁלְּחֶהָ בְּכֹל
גְּבוּל יִשְׂרָאֵל:

Tomou de um cutelo. Foi um horripilante ritual. Tendo chegado em casa, o homem de Deus realizou um ritual de arrepiar, cujo propósito era despertar Israel para vingar-se daqueles miseráveis benjamitas. O levita dividiu o corpo de sua concubina em doze pedaços, um pedaço para cada tribo de Israel. Dividir em pedaços o corpo de um animal fazia parte do ritual do tabernáculo, antes que o animal fosse posto sobre o altar. Assim sendo, esse ato foi uma espécie de sacrifício, um ritual que chocava a imaginação. sua concubina fora reduzida a um animal; isso posto, por que não sacrificar o corpo dela como um sacrifício animal?

As evidências arqueológicas colhidas em Tunnawi, que descrevem os ritos sacrificiais dos hititas (os mesmos heteus do Antigo Testamento), mostram que a "dissecação ritual" supostamente envolvia poderes mágicos. Não é impossível pensar que o levita tivesse tencionado algo similar, considerando-se as trevas espirituais e morais que haviam descido sobre o povo de Israel durante o período dos juízes. Seja como for, querendo efetuar um ritual mágico ou não, ele desejava impressionar e esperava que o povo de Israel notasse o caso que o tinha envolvido, a fim de tomar providências a respeito. Cf. Lv 1.6,12; 8.20 e Êx 29.17 quanto à questão da dissecação ritual. Cf. a história de Saul (ver 1Sm 11.7), que abateu bois, cortou-os em pedaços e enviou esses pedaços às tribos em derredor. Ver também 1Rs 11.31-39.

Ptolomeu, rei do Egito, tirou a vida de seu filho mais velho, cortou-o em vários pedaços e enviou o cadáver despedaçado em uma caixa à mãe do menino, no dia do aniversário da criança (Horálot. Urania, 1.8, cap. 33). Mas isso foi um ato de vingança, e não um ato de sacrifício. Outra história horrenda foi a de certo homem de Vicência, cuja filha tinha sido violentada e morta pelo governador da cidade. O homem cortou o cadáver de sua filha em pedaços e enviou-os ao senado de Veneza, convidando-a a tomar vingança do que tinha acontecido, punindo o governador e destruindo Vicência (Chytraeus, Justino e Trogo, 1.38 cap. 8).

Vingança. Os capítulos 20 e 21 relatam a vingança que foi tomada contra a tribo de Benjamim. Milhares de homens foram mortos, tanto da parte dos que tiraram a vingança como da parte dos benjamitas. Grandes loucuras produzem grandes calamidades.

■ 19.30

וְהָיָה כָל־הָרֹאֶה וְאָמַר לֹא־נִהְיְתָה וְלֹא־נִרְאֲתָה
כָּזֹאת לְמִיּוֹם עֲלוֹת בְּנֵי־יִשְׂרָאֵל מֵאֶרֶץ מִצְרַיִם עַד
הַיּוֹם הַזֶּה שִׂימוּ־לָכֶם עָלֶיהָ עֻצוּ וְדַבֵּרוּ: פ

Nunca tal se fez. Essas palavras aludem ao fato de que o levita dividiu o cadáver de sua concubina, enviando os pedaços a todas as tribos de Israel. E assim ficou ilustrada, de forma tocante, o feito que provocou o ato do levita. Era mister tomar vingança, e isso acabou sendo efetuado.

Sem Paralelo na História de Israel. O ato tresloucado dos benjamitas contra a concubina do levita não teve evento igual em toda a história do povo hebreu. Tanto a violência sexual contra a mulher quanto a divisão de seu cadáver em doze pedaços foram atos sem precedente em Israel. E o resultado disso, ou seja, a morte de milhares e milhares de israelitas, também acompanhou o horror que varreu o povo de Israel. Quando o povo hebreu não dispunha de autoridade central, investida na pessoa de um rei (ver Jz 17.6; 18.1; 19.1; 21.25), e cada indivíduo fazia o que lhe parecia melhor (ver Jz 21.25), então qualquer coisa podia acontecer.

Todos foram convocados a considerar o acontecimento e a tomar uma resolução a respeito, conversando sobre a questão de que alguma coisa precisava ser feita, a fim de tomar a vingança que o caso merecia. O homem encarregado de levar os pedaços do corpo da mulher deveria comunicar a mesma mensagem a todos quantos vissem a cena dantesca, repetindo a história do que havia acontecido. A Septuaginta afirma que o homem que levou o corpo despedaçado aparece a proferir as palavras deste versículo 30. E alguns intérpretes supõem que esse foi o intuito original do texto sagrado. O texto massorético, entretanto, dá a entender que os que viam o corpo despedaçado da mulher é que proferiam essas palavras. E assim é que nossa versão portuguesa também dá a entender. Ver no *Dicionário* o artigo intitulado *MT (TM)*. Seja como for, a mensagem foi transmitida em meio a um ato teatral realmente impressionante, conforme os capítulos 20 e 21 nos mostram. "A nação inteira sentiu a mácula e a vergonha de toda a ocorrência. Ver Os 9.9 e 10.9" (Ellicott, *in loc.*). A indignação moral ainda existia em Israel e podia ser despertada; e seus efeitos chegaram a custar a vida de milhares e milhares de pessoas.

CAPÍTULO VINTE

A seção iniciada em Jz 19.1 continua aqui. Ver as notas de introdução àquele lugar. Agora saberemos como Israel, em massa, tirou vingança da tribo de Benjamim. De acordo com o capítulo 19, o incidente provocou uma guerra civil, que destruiu milhares de vidas, tanto da parte dos vingadores como daqueles que estavam sendo atacados.

E o capítulo 20 é uma horrenda descrição de como quase toda a tribo de Benjamim foi aniquilada (ver o vs. 48), porquanto aquela tribo estupidamente defendeu os que tinham cometido o cruel ataque descrito no capítulo 19. Foi algo terrível quando o resto de Israel fez guerra contra a tribo de Benjamim. Ver sobre a guerra santa em Dt 7.1-5. Nem mesmo mulheres, crianças e animais domesticados foram poupados.

Israel não tinha rei, o que significa que lhe faltava autoridade central. Assim, cada homem fazia o que melhor achava, e reinavam a violência e o caos. Ver Jz 17.6; 18.1; 19.1 e 21.25.

Os críticos supõem que este capítulo não segue corretamente os eventos do capítulo 19, mas a sequência é natural. Alguns intérpretes supõem que aquilo que temos aqui seja uma simples guerra civil, que tinha muitas causas, e não o ataque sexual contra a esposa do levita (ver o capítulo 19). A expressão "desde Dã até Berseba" (vs. 1) indica a extensão do reino de Davi, e isso fala em favor de uma compilação posterior. O contexto histórico, entretanto, poderia ter sido muito anterior à escrita real.

20.1

וַיֵּצְאוּ֮ כָּל־בְּנֵ֣י יִשְׂרָאֵל֒ וַתִּקָּהֵ֨ל הָעֵדָ֜ה כְּאִ֣ישׁ אֶחָ֗ד
לְמִדָּן֙ וְעַד־בְּאֵ֣ר שֶׁ֔בַע וְאֶ֖רֶץ הַגִּלְעָ֑ד אֶל־יְהוָ֖ה
הַמִּצְפָּֽה׃

Saíram todos os filhos de Israel. Todos os filhos de Israel reuniram-se "como se fora um só homem" para tirar vingança dos benjamitas, por causa do pecado horroroso registrado no capítulo 19. Os críticos supõem que esteja em pauta aqui uma guerra civil que teve muitas causas, e não uma única causa atribuída. Sem dúvida, pode ter havido outras causas, e também aquela do capítulo 19. Seja como for, a chamada para a vingança do levita ofendido, cuja esposa fora atacada sexualmente e morreu (19.30), foi a base histórica para a guerra civil, de acordo com o autor sacro. Ver a introdução ao presente capítulo.

... se ajuntou perante o Senhor. Em outras palavras, em consonância com as ordens de Yahweh e a inspiração; o autor desejava que os leitores entendessem que a causa era justa e divinamente ordenada, o que é confirmado através da narrativa. Yahweh deu um estratagema à batalha.

Mispa. Ver sobre esse lugar no *Dicionário*. O ponto médio estava nesse lugar, que ficava quase treze quilômetros ao norte de Jerusalém, e apenas 6,5 quilômetros ao sul de Gibeá, o lugar do crime contado no capítulo 19. A Mispa de Gileade não está aqui em vista (ver Jz 10.17 e 11.29). Não havia representantes de Benjamim. Aquela tribo deixou os assassinos sozinhos e simplesmente se esqueceu de toda a terrível questão.

Desde Dã até Berseba. Ou seja, do extremo norte ao sul. Essa expressão falava das fronteiras de Israel nos tempos de Davi, pelo que temos aqui uma compilação posterior, embora os eventos registrados tenham acontecido muito antes.

Como também a terra de Gileade. Ver sobre esse lugar no *Dicionário*. O autor declarou que também a Transjordânia veio ajudar todo o Israel contra os benjamitas.

20.2

וַיִּֽתְיַצְּב֞וּ פִּנּ֣וֹת כָּל־הָעָ֗ם כֹּ֚ל שִׁבְטֵ֣י יִשְׂרָאֵ֔ל בִּקְהַ֖ל עַ֣ם
הָאֱלֹהִ֑ים אַרְבַּ֨ע מֵא֥וֹת אֶ֛לֶף אִ֥ישׁ רַגְלִ֖י שֹׁ֥לֵֽף חָֽרֶב׃ פ

Os príncipes. Todos os principais homens que estavam ali foram sancionados à invasão. Líderes militares sem dúvida estavam incluídos. Todos os melhores generais de Israel participaram da campanha. O hebraico literal é "esquinadores" (*pinnoth*). Os "esquinadores de pedra" de Israel estavam ali, aqueles sobre quem a casa de Israel era construída.

O tremendo número de quatrocentos mil homens era o exército que invadiria Benjamim e tiraria vingança, o que era um exército antigo muito numeroso. Eles eram o "povo de Deus", que tiraria vingança contra os pecadores.

De pé que puxavam da espada. Visto que os filhos de Israel, naquele tempo, não usavam cavalaria nem tinham armas avançadas de guerra, as vitórias obtidas tinham de ser atribuídas a Yahweh. Ver Jz 1.19.

"As mensagens enviadas pelo levita ofendido, consistentes de porções do corpo de sua concubina, tinham despertado, irado e transformado Israel em uma única grande espada" (Phillips, P. Elliott, *in loc.*).

20.3

וַֽיִּשְׁמְעוּ֙ בְּנֵ֣י בִנְיָמִ֔ן כִּֽי־עָל֥וּ בְנֵֽי־יִשְׂרָאֵ֖ל הַמִּצְפָּ֑ה
וַיֹּֽאמְרוּ֙ בְּנֵ֣י יִשְׂרָאֵ֔ל דַּבְּר֕וּ אֵיכָ֥ה נִהְיְתָ֖ה הָרָעָ֥ה
הַזֹּֽאת׃

Ouviram os filhos de Benjamim. Os benjamitas ouviram que as forças contra eles se tinham reunido, e sem dúvida iniciaram preparativos para enfrentá-los. O fato foi que os benjamitas conseguiram derrotá-los por duas vezes, e só perderam na terceira vez, por causa de um astuto estratagema. Estupidamente decidiram lutar contra o caso, em vez de entregar as pessoas culpadas. Entretanto, os críticos estão certos, havia muitas razões para aquela guerra civil, e não apenas um ultraje moral, por causa do que havia acontecido à concubina do levita (ver o capítulo 19).

Entrementes, aqueles que se tinham reunido em Mispa quiseram ouvir a história do ultraje, em primeira mão. E assim o levita foi chamado para relatar tudo pessoalmente. Isso enraiveceu os benjamitas; e é mais fácil matar quando estamos em um estágio de ira. Os vss. 4-7 repetem a história do capítulo 19.

20.4

וַיַּ֜עַן הָאִ֣ישׁ הַלֵּוִ֗י אִ֛ישׁ הָאִשָּׁ֥ה הַנִּרְצָחָ֖ה וַיֹּאמַ֑ר
הַגִּבְעָ֙תָה֙ אֲשֶׁ֣ר לְבִנְיָמִ֔ן בָּ֛אתִי אֲנִ֥י וּפִֽילַגְשִׁ֖י לָלֽוּן׃

Então respondeu o homem levita. O levita contou de novo a história. O trecho de Jz 20.4 é paralelo a Jz 19.11-21, mas condensa a questão ao mínimo absoluto. O levita não repetiu todos aqueles fatores que o tinham levado a alojar-se em Gibeá.

"Oh, o requisito, o levita explicou as circunstâncias do ataque à sua concubina e da morte dela, para Israel, como um veredicto" (F. Duane Lindsey, *in loc.*).

20.5

וַיָּקֻ֤מוּ עָלַי֙ בַּעֲלֵ֣י הַגִּבְעָ֔ה וַיָּסֹ֧בּוּ עָלַ֛י אֶת־הַבַּ֖יִת לָ֑יְלָה
אוֹתִ֣י דִּמּ֣וּ לַהֲרֹ֔ג וְאֶת־פִּֽילַגְשִׁ֥י עִנּ֖וּ וַתָּמֹֽת׃

Os cidadãos de Gibeá. Este versículo é paralelo ao trecho de Jz 19.22-28, poupando-nos dos detalhes apalermados do crime. Aqui aprendemos que o levita estava em um perigo mortal, e não tinha escolha senão permitir o rapto de sua concubina. O levita pôs-se na melhor luz possível. Mas sua situação era claramente desesperada.

20.6

וָֽאֹחֵ֤ז בְּפִֽילַגְשִׁי֙ וָֽאֲנַתְּחֶ֔הָ וָֽאֲשַׁלְּחֶ֔הָ בְּכָל־שְׂדֵ֖ה נַחֲלַ֣ת
יִשְׂרָאֵ֑ל כִּ֥י עָשׂ֛וּ זִמָּ֥ה וּנְבָלָ֖ה בְּיִשְׂרָאֵֽל׃

Então peguei na minha concubina. Este versículo é paralelo de Jz 19.29, mas acrescenta que o ato foi feito para impressionar Israel, ao ponto de ver a vergonha e a loucura do ato. "... para alarmá-los e excitar a atenção deles... e para levantar a sua indignação" (John Gill, *in loc.*).

20.7

הִנֵּ֥ה כֻלְּכֶ֖ם בְּנֵ֣י יִשְׂרָאֵ֑ל הָב֥וּ לָכֶ֛ם דָּבָ֥ר וְעֵצָ֖ה הֲלֹֽם׃

Eis que sois filhos de Israel. Este versículo é paralelo a Jz 19.30. Era preciso tomar conselho. Cada cabeça de tribo tinha de dar sua opinião sobre o que deveria ser feito. Somente uma vingança unida de todo o povo de Israel seria suficiente para ensinar a Benjamim a lição que eles precisavam receber. A decisão de todo o Israel seria considerada como dirigida por Yahweh, para que a direção e o poder divinos estivessem por trás de tudo o que fosse feito.

... na multidão dos conselheiros há sabedoria.
Provérbios 11.14

20.8

וַיָּ֙קָם֙ כָּל־הָעָ֔ם כְּאִ֥ישׁ אֶחָ֖ד לֵאמֹ֑ר לֹ֤א נֵלֵךְ֙ אִ֣ישׁ
לְאָהֳל֔וֹ וְלֹ֥א נָס֖וּר אִ֥ישׁ לְבֵיתֽוֹ׃

Então todo o povo se levantou como um só homem. O autor sagrado novamente enfatiza a unidade de Israel na questão. Era preciso tomar vingança. Tal crime não podia ser deixado sem punição. Os arrogantes tinham de ser castigados. Ninguém voltaria para casa, indiferente para com a questão. Todos atacariam imediatamente. As negociações de tribo e de família podiam esperar. Aqueles que trabalhassem nos campos teriam de deixar o trabalho temporariamente. Havia ali soldados, e seus generais já estavam traçando planos de batalha. Eles se levantaram como "um só homem" para o ataque, e estavam todos "com a mão na espada". Ver 1Sm 11.7 quanto à mesma expressão.

20.9

וְעַתָּ֕ה זֶ֣ה הַדָּבָ֔ר אֲשֶׁ֥ר נַעֲשֶׂ֖ה לַגִּבְעָ֑ה עָלֶ֖יהָ בְּגוֹרָֽל׃

Isto é o que faremos a Gibeá. O exército que iria contra os benjamitas foi escolhido por sortes. Ver no *Dicionário* o artigo chamado *Sortes*. Ficou compreendido que a queda das sortes seria determinada pela vontade de Yahweh, o qual era o inspirador e o diretor da batalha. Portanto, o que pode ter parecido ser uma chance não dependia do acaso. Ver na *Enciclopédia de Bíblia, Teologia e Filosofia* o artigo chamado *Chance*.

20.10

וְלָקַ֣חְנוּ עֲשָׂרָה֩ אֲנָשִׁ֨ים לַמֵּאָ֜ה לְכֹ֣ל ׀ שִׁבְטֵ֣י יִשְׂרָאֵ֗ל וּמֵאָ֤ה לָאֶ֙לֶף֙ וְאֶ֣לֶף לָרְבָבָ֔ה לָקַ֥חַת צֵדָ֖ה לָעָ֑ם לַעֲשׂ֗וֹת לְבוֹאָם֙ לְגֶ֣בַע בִּנְיָמִ֔ן כְּכָל־הַ֨נְּבָלָ֔ה אֲשֶׁ֥ר עָשָׂ֖ה בְּיִשְׂרָאֵֽל׃

Tomaremos dez homens de cem de todas as tribos de Israel. Temos aqui o esquema. O texto massorético aqui não é claro, pelo que os intérpretes não estão seguros sobre o que está em pauta. A força lutadora era apoiada por homens escolhidos, que suprissem o exército de alimentos. Em outras palavras, eles foram com seu sistema de apoio. É possível que a força lutadora fosse formada pelos quatrocentos mil homens já mencionados no vs. 2, e o resto seria um esquema mediante o qual aquele grupo era suprido. Ou então a força lutadora era muito mais larga, ou seja, a décima parte de todos os homens capazes de ir à guerra, em todo o Israel. Nesse caso, os outros números eram a força de apoio. John Gill (*in loc.*) supôs que quarenta mil dos quatrocentos mil eram atribuídos ao detalhe de alimentos. Nesse caso, dez homens eram atribuídos a cem homens específicos (ou seja, dez entre cem, deixando noventa para lutar). Então cem homens para um específico número de mil (deixando novecentos para lutar). E mil para dez mil (deixando nove mil para lutar). O texto parece indicar que a décima parte da força estava envolvida nos suprimentos, ao passo que os outros nove décimos estavam comprometidos com a batalha. As outras estatísticas indicam de que maneira a décima parte estava distribuída em sua obra.

Assim sucedeu que um esquema elaborado foi criado para a guerra, e eles estavam todos experimentando uma longa campanha.

Ver o artigo *MT (TM)* no *Dicionário*, quanto ao texto do Antigo Testamento baseado naqueles manuscritos.

20.11

וַיֵּֽאָסֵ֞ף כָּל־אִ֤ישׁ יִשְׂרָאֵל֙ אֶל־הָעִ֔יר כְּאִ֥ישׁ אֶחָ֖ד חֲבֵרִֽים׃ פ

Assim se ajuntaram contra esta cidade. O autor enfatizou de novo a unidade do restante de Israel, em sua guerra contra os benjamitas. Cf. os vss. 1,8. "... se ajuntaram..." vem do hebraico *chabeerim*, que se deriva de *cheber*, um clube. Todo o Israel formava um tipo de clube fraternal para enfrentar Benjamim. sua causa era justa, embora pudesse ter sido resolvida simplesmente pelo livramento dos homens culpados (ver o vs. 13). Mas, se os críticos estão certos, então houve muitas queixas e razões para a guerra civil, e somente a violência poderia solucionar a questão.

O ULTIMATO FOI REJEITADO (20.12-17)

20.12,13

וַיִּשְׁלְח֞וּ שִׁבְטֵ֤י יִשְׂרָאֵל֙ אֲנָשִׁ֔ים בְּכָל־שִׁבְטֵ֥י בִנְיָמִ֖ן לֵאמֹ֑ר מָ֚ה הָרָעָ֣ה הַזֹּ֔את אֲשֶׁ֥ר נִהְיְתָ֖ה בָּכֶֽם׃

וְעַתָּ֡ה תְּנ֣וּ אֶת־הָאֲנָשִׁ֣ים בְּנֵֽי־בְלִיַּעַל֩ אֲשֶׁ֨ר בַּגִּבְעָ֜ה וּנְמִיתֵ֗ם וּנְבַעֲרָ֤ה רָעָה֙ מִיִּשְׂרָאֵ֔ל וְלֹ֤א אָבוּ֙ בִּנְיָמִ֔ן לִשְׁמֹ֕עַ בְּק֖וֹל אֲחֵיהֶ֥ם בְּנֵי־יִשְׂרָאֵֽל׃

As tribos de Israel enviaram homens por toda a tribo de Benjamim. Uma medida menor foi tentada para evitar a guerra civil, a saber, o livramento dos culpados a fim de que Israel pudesse ser limpo do mal que havia sido cometido. Aqueles homens miseráveis seriam executados. Mensageiros especiais seriam enviados a Benjamim, urgindo-os a solucionar a questão da maneira mais pacífica. Incrivelmente, porém, os benjamitas se recusaram.

Cúmplices. Recusando-se a entregar os culpados, a tribo de Benjamim tornou-se cúmplice do mal. Assim sendo, a tribo (em seu exército representativo) seria executada.

"O fato de que eles preferiram a guerra civil a entregar seus criminosos ilustra o caráter feroz daquela tribo (Gn 49.27)" (Ellicott, *in loc.*).

"Postamo-nos com eles naquilo que eles fizeram, e teríamos agido da mesma maneira como se estivéssemos presentes" (Adam Clarke, *in loc.*). Uma depravação excessiva estava por trás daquela atitude.

20.14

וַיֵּאָסְפ֧וּ בְנֵֽי־בִנְיָמִ֛ן מִן־הֶעָרִ֖ים הַגִּבְעָ֑תָה לָצֵ֥את לַמִּלְחָמָ֖ה עִם־בְּנֵ֥י יִשְׂרָאֵֽל׃

Antes os filhos de Benjamim se ajuntaram das cidades. A resposta deles foi a imediata mobilização de tropas. Muitos milhares de vidas estavam prestes a morrer. Três batalhas seriam necessárias para fazer a questão chegar ao fim. Cada batalha indicaria a morte de um grande número de homens de ambos os lados. Portanto, uma falsa honra custou muitas vidas. Muitas guerras antigas foram decididas em uma única feroz batalha, mas naquela foram necessárias três. O espetáculo deveria ser em Gibeá, o local do crime, de tal modo que houve uma justiça poética. Muitos corpos seriam cortados como foi o da esposa do levita.

Quão depravados eles foram ficou estampado em sua ansiedade para defender e desculpar os homens miseráveis que tinham perpetrado o crime.

20.15,16

וַיִּתְפָּֽקְד֧וּ בְנֵ֣י בִנְיָמִ֗ן בַּיּ֤וֹם הַהוּא֙ מֵהֶ֣עָרִ֔ים עֶשְׂרִ֨ים וְשִׁשָּׁ֥ה אֶ֛לֶף אִ֖ישׁ שֹׁ֣לֵֽף חָ֑רֶב לְבַ֞ד מִיֹּשְׁבֵ֣י הַגִּבְעָ֗ה הִתְפָּקְד֕וּ שְׁבַ֥ע מֵא֖וֹת אִ֥ישׁ בָּחֽוּר׃

מִכֹּ֣ל ׀ הָעָ֣ם הַזֶּ֗ה שְׁבַ֤ע מֵאוֹת֙ אִ֣ישׁ בָּח֔וּר אִטֵּ֖ר יַד־יְמִינ֑וֹ כָּל־זֶ֗ה קֹלֵ֧עַ בָּאֶ֛בֶן אֶל־הַֽשַּׂעֲרָ֖ה וְלֹ֥א יַחֲטִֽא׃ פ

E contaram-se naquele dia os filhos de Benjamim. Várias cidades contribuíram para a força de luta. Um exército de vinte e seis mil tropas foi escolhido. Além disso, eles contavam com mais setecentos soldados da cidade de Gibeá; e também havia os fundistas com a mão esquerda, que faziam parte do total dos 26.700. No hebraico, a palavra que representa alguém canhoto é pitoresca. Literalmente, é "aleijados da mão direita". Os que usavam somente a mão esquerda tinham o defeito de ser aleijados da mão direita, pelo que tinham de usar a mão esquerda; essa é a ideia do idioma. Não sabemos dizer (e também não somos informados) por que os fundistas da mão esquerda foram especificamente mencionados. Talvez fosse uma mera curiosidade. Sem dúvida havia outros bons fundistas que atiravam com a mão direita. Ou talvez houvesse alguma superstição associada à mão esquerda, de que os poderes divinos davam a tal pessoa poderes especiais e precisão no manejo da funda.

A funda era uma antiga arma de guerra e matava um bom número de vítimas. Bons fundistas eram cobiçados por qualquer general que fosse à luta. Eram atiradas pedras com a funda; mas também eram usadas bolas de metal. A pancada projetada com a velocidade da funda era um golpe fatal. Ovídio, *Met.*, lib. ii, vs. 726, exagerou, naturalmente, quando afirmou que uma bola de chumbo podia ser jogada com velocidade que se transformava em material fusível. 1Cr 12.2 conta-nos da especial habilidade dos benjamitas com arcos e fundas. A sua habilidade com aqueles armamentos provavelmente explicou as duas vitórias iniciais, embora fossem uma força muito inferior, numericamente falando (26.700 contra 400.000!)

Plínio (*Hist. Natural* 1.7, cap. 56) conta-nos que foram os fenícios que intentaram aliar-se. É difícil determinar a exatidão dessa declaração. Estrabão (*Geogr.*, 1.3, p. g. 116) informa-nos como as mães costumavam encorajar seus filhos a praticar com a funda e a desenvolver a habilidade que consistia em atingir a marca em uma sessão matutina. Ciro tinha uma tropa de quatrocentos fundistas, como Xenofonte (*Anab.* iii.3-6) nos diz. Diodoro (*Sic. Bibl.* v.18) informa-nos que especialmente pedras eram lançadas com tanta força que até mesmo escudos e capacetes eram despedaçados por elas.

■ 20.17

וְאִישׁ יִשְׂרָאֵל הִתְפָּקְדוּ לְבַד מִבִּנְיָמִן אַרְבַּע
מֵאוֹת אֶלֶף אִישׁ שֹׁלֵף חָרֶב כָּל־זֶה אִישׁ
מִלְחָמָה׃

Contaram-se dos homens de Israel. Este versículo pode querer dizer que todos os homens combatentes em Israel foram aqueles mencionados no texto, ou seja, quatrocentos mil para todo Israel, exceto Benjamim, e então os 26.700 daquela tribo. Isso indicaria um total de 426.700 para todo o Israel. Se esse foi o número total, então o número de homens capazes de entrar em guerra tinha diminuído muito, pois por ocasião da invasão da terra era de seiscentos mil. Talvez para aquela guerra essas eram as forças disponíveis.

Os números enfatizam os benjamitas, embora estivessem muito ultrapassados, e, apesar disso, conseguiram conquistar as duas primeiras batalhas, provavelmente por serem guerreiros mais bem preparados.

BUSCANDO ORIENTAÇÃO DIVINA (20.18)

■ 20.18

וַיָּקוּמוּ וַיַּעֲלוּ בֵית־אֵל וַיִּשְׁאֲלוּ בֵאלֹהִים וַיֹּאמְרוּ בְּנֵי
יִשְׂרָאֵל מִי יַעֲלֶה־לָּנוּ בַתְּחִלָּה לַמִּלְחָמָה עִם־בְּנֵי
בִנְיָמִן וַיֹּאמֶר יְהוָה יְהוּדָה בַתְּחִלָּה׃

Quem dentre nós subirá primeiro...? Para onde? Provavelmente para Betel, que era, naquela ocasião, um importante oráculo. A resposta seria dada mediante *sortes* (ver a respeito disso no *Dicionário*) ou então por alguma outra forma de *adivinhação* (ver no *Dicionário*). Essa resposta foi considerada uma orientação direta da parte de Yahweh, e, no entanto, a primeira batalha foi perdida. Foi a tribo de Judá que subiu por estar tremendamente superconfiante. Os benjamitas foram quase tão poderosos quanto todas as outras tribos, e qualquer uma das tribos não teria chance contra eles.

Cf. Jz 1.1,2, onde a inquirição foi qual das tribos iria combater contra os cananeus. A orientação divina era sempre buscada nas guerras, e isso era verdade nas mais antigas culturas, e não meramente em Israel. Os exércitos dependiam e continuam dependendo dos poderes divinos invisíveis para a vitória.

Alguns intérpretes supõem que o lugar da inquirição tenha sido o tabernáculo em *Silo* (ver a respeito no *Dicionário*), que não ficava muito distante de Betel. Nesse caso, talvez o Urim e o Tumim fossem consultados. Ver sobre esse assunto no *Dicionário*. Betel era um antigo santuário que continuava em operações antes dos dias da centralização em Jerusalém. Seria aceito como um oráculo a ser consultado, e sem dúvida ainda havia outros em Israel. Talvez existisse uma intercomunicação amigável entre Betel e Silo, e não havia nenhuma competição.

Quando os reinos de Judá e Israel dividiram-se, Betel continuou a ser o mais prestigioso oráculo no norte (Israel, as dez tribos). Ver 1Rs 12.29 e, quanto aos detalhes, ver o artigo chamado *Betel*.

Talvez o próprio sumo sacerdote tenha ido para Belém, e tomado ali seus modos de adivinhação por aquela ocasião. Não sabemos dizer por que isso foi feito, mas não havia nenhuma regra contra isso naquele tempo.

O fato de que Judá deveria ir em primeiro lugar pode significar que aquela tribo estava na vanguarda, e não que ela batalharia sozinha. Por alguma razão não especificada, foi pela vontade divina que Benjamim ganhou a primeira batalha. O resto de Israel teria de sacrificar-se extremamente para obter sua vingança. Nas jornadas pelo deserto, Judá sempre tomava a liderança. Naquele tempo, essa tribo era a mais poderosa dentre todas.

A PRIMEIRA BATALHA (20.19-23)

■ 20.19

וַיָּקוּמוּ בְנֵי־יִשְׂרָאֵל בַּבֹּקֶר וַיַּחֲנוּ עַל־הַגִּבְעָה׃ פ

De manhã cedo é o melhor momento para todas as experiências. A mente então é fresca, o corpo está renovado. O sol está apenas iniciando o seu curso, e dá tempo para qualquer aventura. A maioria das guerras antigas era decidida mediante uma única batalha. E assim sucedeu que mais de quatrocentos mil homens teriam de matar ou ser mortos. E era apenas apropriado que a guerra fosse efetuada no próprio lugar onde o terrível crime fora cometido, ou seja, em Gibeá.

■ 20.20,21

וַיֵּצֵא אִישׁ יִשְׂרָאֵל לַמִּלְחָמָה עִם־בִּנְיָמִן וַיַּעַרְכוּ אִתָּם
אִישׁ־יִשְׂרָאֵל מִלְחָמָה אֶל־הַגִּבְעָה׃

וַיֵּצְאוּ בְנֵי־בִנְיָמִן מִן־הַגִּבְעָה וַיַּשְׁחִיתוּ בְיִשְׂרָאֵל בַּיּוֹם
הַהוּא שְׁנַיִם וְעֶשְׂרִים אֶלֶף אִישׁ אָרְצָה׃

Saíram os homens de Israel à peleja contra Benjamim. Eles estavam acostumados com a guerra. Estavam acostumados a matar, e assim ambos os lados prepararam cuidadosamente seus estratagemas. Benjamim tinha claramente a vantagem de contar com guerreiros mais aguerridos, mas o restante de Israel tinha números mais maciços. Contudo, quase de imediato tornou-se evidente que a habilidade derrotaria os números. Logo havia 22 mil homens mortos do lado do resto de Israel. Não somos informados sobre quantos benjamitas foram mortos, mas era um número muito baixo para ser mencionado. Benjamim, pois, conseguiu assim uma vitória fácil.

Os rabinos, buscando uma razão para essa derrota, dizem que o restante de Israel foi cativado em várias formas de idolatria, e assim sendo não merecia ganhar sobre Benjamim enquanto não fosse purificada a sua própria casa. Nada disso, porém, é dito no próprio texto. Talvez seja melhor dizer que "algumas vezes o oráculo falha". Eles agiram em boa-fé, mas a resposta não trouxe a vitória que tanto esperavam. Visto que nada ocorre por acaso, sempre há respostas para o homem espiritual, mas essas respostas nem sempre são aparentes ou conhecidas por aqueles que as buscam. O escritor de hinos queixou-se sobre a dor e a perplexidade de orações não respondidas. A história diante de nós conta que "na terceira vez" o poder para efetuar o trabalho foi conferido. Não é fácil tolerar demoras, quando, com ansiedade, buscamos fazer o que consideramos a melhor ação.

> Ensina-me a paciência das
> Orações não respondidas.
>
> George Croly

> Creio que o Senhor me tem ouvido orar!
> Creio que a resposta está no caminho.
> Não te desfaças da tua confiança
> No Senhor teu Deus.

"Durante a Segunda Guerra Mundial, foi um grande feito da Igreja impedir ambos os lados de esquecerem os pecados que tinham cometido e a culpa de toda a nação quanto aos pecados comuns da guerra. E quando a guerra estava finalmente terminada, e as primeiras assembleias cristãs de vitoriosos e de derrotados foram efetuadas, como em Stuttgart, em outubro de 1945, a nota dominante foi uma de comum arrependimento e humilde resolução de que tão grandes pecados contra Deus e contra o homem nunca mais deveriam ocorrer" (Phillips P. Elliott, *in loc.*).

■ 20.22

וַיִּתְחַזַּק הָעָם אִישׁ יִשְׂרָאֵל וַיֹּסִפוּ לַעֲרֹךְ מִלְחָמָה
בַּמָּקוֹם אֲשֶׁר־עָרְכוּ שָׁם בַּיּוֹם הָרִאשׁוֹן׃

Porém, se animou o povo dos homens de Israel. Este versículo definidamente parece estar fora de lugar, como a maioria dos intérpretes supõe. Ele caberia melhor após o vs. 23. E, nesse caso, poderia significar que os israelitas perderam a batalha preliminar, e, no mesmo dia, tentaram de novo, somente para sofrer outra derrota; mas o contexto não dá isso a entender. Seja como for, a lição é clara. Os derrotados, se buscarem a vontade do Senhor, têm razões para regozijar-se de que um segundo esforço pode ter bom resultado. O restante de Israel teve coragem e teve números, e acreditou que Yahweh eventualmente lhe daria a vitória. A Vulgata diz, por meio de uma paráfrase, que eles "confiaram em sua coragem e em seus números".

■ 20.23

וַיַּעֲלוּ בְנֵי־יִשְׂרָאֵל וַיִּבְכּוּ לִפְנֵי־יְהוָה עַד־הָעֶרֶב
וַיִּשְׁאֲלוּ בַיהוָה לֵאמֹר הַאוֹסִיף לָגֶשֶׁת לַמִּלְחָמָה
עִם־בְּנֵי בִנְיָמִן אָחִי וַיֹּאמֶר יְהוָה עֲלוּ אֵלָיו: פ

Choraram perante o Senhor até à tarde. Sim, choraram devido à derrota sofrida. O restante de Israel ficou perplexo e espantado diante de sua derrota. Morreram 22 mil homens no campo de batalha. O oráculo tinha falhado. Pelo menos, a implicação do oráculo era que eles obteriam sucesso. Tiveram vitória, mas não na primeira tentativa. Essa é uma boa lição. Todas as grandes vitórias são ganhas mediante repetidos esforços, e não por um único esforço. Nos esforços repetidos, aprendemos. As vitórias fáceis produzem alegria fácil, mas não muita escola. E a vida, afinal de contas, é a grande escola da alma.

Contra os filhos de Benjamim, nosso irmão? A guerra civil era, definidamente, uma afronta ao bom senso e contrária à mente divina, embora tivesse de ocorrer. É possível que a guerra fratricida tenha produzido o desprazer de Yahweh, pelo que grande matança, de ambos os lados, seria uma parte necessária à questão toda. Não nos é esclarecido o quanto o restante de Israel era melhor do que a tribo de Benjamim. O restante de Israel confiava na "bondade de sua causa". Todo o Israel tinha-se desviado das tradições e das instituições que Moisés havia estabelecido.

A SEGUNDA BATALHA (20.24-28)

■ 20.24,25

וַיִּקְרְבוּ בְנֵי־יִשְׂרָאֵל אֶל־בְּנֵי בִנְיָמִן בַּיּוֹם הַשֵּׁנִי:
וַיֵּצֵא בִנְיָמִן לִקְרָאתָם מִן־הַגִּבְעָה בַּיּוֹם הַשֵּׁנִי
וַיַּשְׁחִיתוּ בִבְנֵי יִשְׂרָאֵל עוֹד שְׁמֹנַת עָשָׂר אֶלֶף אִישׁ
אָרְצָה כָּל־אֵלֶּה שֹׁלְפֵי חָרֶב:

Chegaram-se, pois, os filhos de Israel. Estes versículos são uma repetição virtual dos vss. 20 e 21. Mas agora se tratava de um segundo esforço, e o número de mortos entre os filhos de Israel foi de dezoito mil, em vez de 22 mil. A segunda falha do oráculo foi dolorosa, perplexa e esmagadora. O texto novamente não diz por que isso ocorreu, e os intérpretes continuam perguntando. Em Jz 20.21,23 apresento os tipos de ideias que rodeiam esse tema. "A segunda derrota parece ter sido devida à confiança própria e ao descuido, tal como aconteceu na primeira" (Ellicott, *in loc.*). Talvez sim, talvez não. Os fundistas de Benjamim estavam presentes, ao que tudo indica. A habilidade continuava a ganhar sobre os números. Ver o vs. 16 quanto à ênfase sobre a habilidade. O massacre tremendo fez o resto de Israel chorar, jejuar e agonizar, no santuário, na tentativa de descobrir o que estava acontecendo.

■ 20.26

וַיַּעֲלוּ כָל־בְּנֵי יִשְׂרָאֵל וְכָל־הָעָם וַיָּבֹאוּ בֵית־אֵל
וַיִּבְכּוּ וַיֵּשְׁבוּ שָׁם לִפְנֵי יְהוָה וַיָּצוּמוּ בַיּוֹם־הַהוּא
עַד־הָעָרֶב וַיַּעֲלוּ עֹלוֹת וּשְׁלָמִים לִפְנֵי יְהוָה:

Subiram, vieram a Betel, choraram, e estiveram ali perante o Senhor, e jejuaram... e perante o Senhor ofereceram holocaustos e ofertas pacíficas. Essa era a ordem do dia. Isso ocorreu em Betel, onde a primeira inquirição havia sido feita (vs. 18). Somente após tais preparativos é que o resto de Israel ousou perguntar de Yahweh, uma vez mais, como deveriam efetuar a guerra. Deveria a batalha continuar? Como deveria continuar? Quanto às ofertas de holocaustos, ver Lv 1.3-17 e 6.9-13, além do artigo sobre o *Holocaustos*, no *Dicionário*. Ver sobre as ofertas pacíficas em Lv 3.1-17 e 7.11-33. Alguns intérpretes supõem que tais ofertas poderiam ter sido feitas no tabernáculo, que estava em Silo, mas naquelas horas confusas, e antes da centralização em Jerusalém, qualquer coisa poderia ter acontecido. Aparentemente o sumo sacerdote fora a Betel para realizar os ritos e exercícios de seus poderes de adivinhação (vs. 28).

Os Sacrifícios. Esses sacrifícios tinham por intuito remover a culpa e abrir o canal de comunicação naquela hora de necessidade. Essa era a ordem natural das coisas. Limpe-se a casa e então busque-se o favor divino.

Os Jejuns. Ver no *Dicionário* o artigo intitulado *Jejum*. Esse jejum foi mencionado como um exercício espiritual com o propósito de buscar a orientação divina. Aqueles que praticam essa medida afirmam que ela é extremamente eficaz. Mas conforme disse certo pregador, "Eu jejuo entre as refeições", e isso é o que acontece entre nós. Adam Clarke afirmou: "O jejum tem sido poderosamente eficaz". E acrescentou: "No presente, o jejum é pouco usado; uma prova forte de que a abnegação está saindo de moda".

■ 20.27,28

וַיִּשְׁאֲלוּ בְנֵי־יִשְׂרָאֵל בַּיהוָה וְשָׁם אֲרוֹן בְּרִית
הָאֱלֹהִים בַּיָּמִים הָהֵם:
וּפִינְחָס בֶּן־אֶלְעָזָר בֶּן־אַהֲרֹן עֹמֵד לְפָנָיו
בַּיָּמִים הָהֵם לֵאמֹר הַאוֹסִף עוֹד לָצֵאת
לַמִּלְחָמָה עִם־בְּנֵי־בִנְיָמִן אָחִי אִם־אֶחְדָּל
וַיֹּאמֶר יְהוָה עֲלוּ כִּי מָחָר אֶתְּנֶנּוּ בְיָדֶךָ:

E Fineias. Ver sobre ele no *Dicionário*. O sumo sacerdote estava em Betel, para ajudar o restante de Israel em seus esforços. Ele tinha os meios de adivinhação necessários para obter a orientação divina. Alguns intérpretes pensam que a menção àquele homem, em conexão com o presente contexto, é inesperadamente anacrônica. Podemos supor, porém, que os eventos registrados nos capítulos 19 a 21 ocorreram pouco depois da morte de Josué, no começo ou mesmo antes do verdadeiro período dos juízes. Alguns críticos, entretanto, supõem que a inserção daquele homem é algo anacrônico ou uma adição posterior ao escrito original, e, de ambos os lados, uma medida anti-histórica. Albright conjeturou que temos aqui um Fineias II, e não o original, um "descendente" da linha de sacerdotes, que a expressão "filho de" poderia explicar. Essa parece ser uma explicação bastante razoável. Albright pensa que esse teria sido o predecessor imediato de Eli.

Amanhã eu os entregarei nas vossas mãos. O oráculo, dessa vez (em contraste com os outros dois), prometeu sucesso em batalha e ordenou que a terceira tentativa ocorresse no dia seguinte. A persistência deveria pagar-se, e logo, estando a casa agora presumivelmente purificada, e as necessárias lições aprendidas com base nas derrotas anteriores. O nome de Yahweh estava em jogo. Era ele quem falava através do modo de adivinhação de Fineias. Napoleão jactou-se de que "a providência usualmente favoreceu os mais fortes na batalha!" Mas chegou uma ocasião em que sua força falhou. Quando as forças de um homem falham, é então que ele precisa da providência divina. Ver no *Dicionário* o artigo *Providência de Deus*.

O vs. 27 quase sem dúvida implica que, por alguma razão desconhecida, a arca e, provavelmente, outro equipamento do tabernáculo estavam em Betel. Alguns intérpretes supõem que isso seria impossível. Mas, se tudo tivesse acontecido em Silo, então seu lugar regular (antes que a adoração fosse centralizada em Jerusalém), é difícil ver por que o autor nos deu a notícia do versículo 27. Agora sabemos que tudo isso aconteceu em Silo. Outros argumentam que a frase "tornaremos a sair ainda" apontava para Silo, antes da mudança do equipamento para Jerusalém, nos tempos da monarquia. Isso é possível, mas é uma explicação menos provável. Silo e Betel ficavam cerca de dezesseis quilômetros distantes uma da outra, pelo que, se houve alguma mudança do equipamento, por alguma razão especial, isso teria sido possível.

A TERCEIRA BATALHA (20.29-36)

■ 20.29

וַיָּשֶׂם יִשְׂרָאֵל אֹרְבִים אֶל־הַגִּבְעָה סָבִיב: פ

Então Israel pôs emboscadas. A terceira batalha, que ofereceu a vitória ao resto do povo de Israel, foi efetuada mediante um estratagema especial. "Após duas derrotas iniciais, as tribos derrotaram os benjamitas mediante uma emboscada" (*Oxford Annotated Bible*, comentando sobre o vs. 12). Foi preparada uma emboscada na qual se adicionou o elemento surpresa e, apesar de não ter sido uma batalha fácil, fez a situação dar uma meia-volta. Eles usaram inteligência, poder, preparação, e também confiaram em Yahweh para fazer sua parte, além de suas capacidades. O homem espiritual sabe acerca dessas coisas. A parte divina usualmente entra em ação quando fazemos a nossa parte. Existem algumas operações divinas e intervenções. Oh, Senhor, concede-nos tal graça!

■ 20.30,31

וַיַּעֲל֧וּ בְנֵֽי־יִשְׂרָאֵ֛ל אֶל־בְּנֵ֥י בִנְיָמִ֖ן בַּיּ֣וֹם הַשְּׁלִישִׁ֑י וַיַּעַרְכ֥וּ אֶל־הַגִּבְעָ֖ה כְּפַ֥עַם בְּפָֽעַם׃

וַיֵּצְא֤וּ בְנֵֽי־בִנְיָמִן֙ לִקְרַ֣את הָעָ֔ם הָנְתְּק֖וּ מִן־הָעִ֑יר וַיָּחֵ֡לּוּ לְהַכּוֹת֩ מֵהָעָ֨ם חֲלָלִ֜ים כְּפַ֣עַם ׀ בְּפַ֗עַם בַּֽמְסִלּוֹת֙ אֲשֶׁ֨ר אַחַ֜ת עֹלָ֣ה בֵֽית־אֵ֗ל וְאַחַ֤ת גִּבְעָ֙תָה֙ בַּשָּׂדֶ֔ה כִּשְׁלֹשִׁ֥ים אִ֖ישׁ בְּיִשְׂרָאֵֽל׃

Ao terceiro dia. Os planos de batalha seguiram os dos dois primeiros entrechoques, mas agora havia aquela emboscada que haveria de estabelecer uma grande diferença. De nada suspeitando, a tribo de Benjamim correu para continuar o jogo da matança, perplexos com aqueles homens que se esconderiam e cairiam sobre eles de surpresa. A matança estava ocorrendo sobre as duas estradas principais (para as quais o restante de Israel fugiu como parte da emboscada), uma que ia para Betel e outra que ia para Gibeá. Dessa maneira, a força que fugia diante dos benjamitas os atraiu para fora da cidade, e logo estes os cercaram, e seu potencial ajudou-os a cortar o suprimento de Gibeá. Foi um antigo truque militar, nada brilhante, mas que surtiu bom efeito. Cerca de trinta homens do restante de Israel foram imediatamente mortos, e isso segredou aos benjamitas que a terceira batalha seria como as duas primeiras: uma grande matança em seu favor.

Assim sendo, houve dois estratagemas que operaram: a emboscada, que já estava preparada para um ataque de surpresa; e a simulação da fuga, que atraiu as tropas de Benjamim a um território perigoso, sendo cortadas as suas linhas de suprimento. Ver o estratagema similar de Josué, em Js 8.1-29 (a batalha de Ai).

■ 20.32

וַיֹּֽאמְר֙וּ בְּנֵ֣י בִנְיָמִ֔ן נִגָּפִ֥ים הֵ֛ם לְפָנֵ֖ינוּ כְּבָרִאשֹׁנָ֑ה וּבְנֵ֧י יִשְׂרָאֵ֣ל אָמְר֗וּ נָנ֙וּסָה֙ וּֽנְתַקְּנֻ֔הוּ מִן־הָעִ֖יר אֶל־הַֽמְסִלּֽוֹת׃

Então os filhos de Benjamim disseram. Os benjamitas agora estavam certos de que obteriam uma terceira vitória, porquanto a maré da batalha já estava radicalmente a seu favor. Entrementes, de acordo com as suas estratégias, o restante de Israel estava em fuga (aparente). Essa fuga (fingida) pôs os benjamitas em massa para fora de sua cidade. Uma vez que eles estivessem em fuga, o embuste seria realizado e chegaria sua vez de serem mortos. seu novo ardor levou-os a uma morte mais rápida.

■ 20.33

וְכֹ֣ל ׀ אִ֣ישׁ יִשְׂרָאֵ֗ל קָ֚מוּ מִמְּקוֹמ֔וֹ וַיַּעַרְכ֖וּ בְּבַ֣עַל תָּמָ֑ר וְאֹרֵ֧ב יִשְׂרָאֵ֛ל מֵגִ֥יחַ מִמְּקֹמ֖וֹ מִמַּעֲרֵה־גָֽבַע׃

E se ordenaram para a peleja em Baal-Tamar. Ver no *Dicionário* o artigo detalhado sobre esse lugar. Parece estar em questão um dos bosques de Baal, possivelmente a palmeira de Débora (ver Jz 4.5). Talvez Erhah marque o antigo local que ficava cerca de cinco quilômetros a nordeste de Jerusalém. Esse nome significa "senhor das palmeiras". O texto massorético não parece muito claro aqui. Parece que Israel dividiu-se em três divisões: 1. a que fugiu dos perseguidores benjamitas; 2. a que fez parte do embuste; 3. outra divisão estacionada naquele lugar, para receber os atacantes. Alguns supõem que os fugitivos pararam de súbito naquele lugar, perto de Baal-Tamar, e tornaram-se um feroz grupo de ataque, em vez de se terem posto em fuga. A palmeira de Débora (ver Jz 4.5) ficava exatamente entre Ramá e Betel, a pouca distância de onde as estradas se separavam. Eusébio e Jerônimo chamaram o lugar de Batamar, um local não muito distante de Gibeá. O local é desconhecido atualmente.

O que é claro é que a emboscada em parte apanhou os benjamitas fora de guarda, e eliminou qualquer possibilidade de retorno a Gibeá. As vizinhanças de Geba é, provavelmente, a tradução correta. Algumas traduções dizem aqui bosque.

■ 20.34

וַיָּבֹ֜אוּ מִנֶּ֣גֶד לַגִּבְעָ֗ה עֲשֶׂ֩רֶת֩ אֲלָפִ֨ים אִ֤ישׁ בָּחוּר֙ מִכָּל־יִשְׂרָאֵ֔ל וְהַמִּלְחָמָ֖ה כָּבֵ֑דָה וְהֵם֙ לֹ֣א יָדְע֔וּ כִּֽי־נֹגַ֥עַת עֲלֵיהֶ֖ם הָרָעָֽה׃ פ

Dez mil homens escolhidos de todo o Israel. A força de elite de dez mil homens é diferentemente identificada. Em questão poderia estar o grupo de embuste, ou aquela força que, de súbito, confrontou os benjamitas em Baal-Tamar. Foi essa força que decidiu a batalha final. Os benjamitas lutaram valentemente. Eles não sabiam que seus melhores esforços estavam destinados ao fracasso, e que quase todos eles seriam mortos. A Vulgata Latina diz aqui que "a destruição os ameaçava por todos os lados". Ellicott afirma: "A hora de sua ruína chegara".

■ 20.35

וַיִּגֹּ֨ף יְהוָ֥ה ׀ אֶֽת־בִּנְיָמִן֮ לִפְנֵ֣י יִשְׂרָאֵל֒ וַיַּשְׁחִ֩יתוּ֩ בְנֵ֨י יִשְׂרָאֵ֤ל בְּבִנְיָמִן֙ בַּיּ֣וֹם הַה֔וּא עֶשְׂרִ֧ים וַחֲמִשָּׁ֛ה אֶ֖לֶף וּמֵאָ֣ה אִ֑ישׁ כָּל־אֵ֖לֶּה שֹׁ֥לֵף חָֽרֶב׃

Então feriu o Senhor a Benjamim diante de Israel. Foi Yahweh quem deu a Israel a vitória. O estratagema do restante de Israel teve sua sabedoria, e aqueles que conseguiram essa vitória mostraram-se corajosos. Mas o Senhor foi o fator decisivo. De um total de 26.700 benjamitas, 25 mil foram mortos, deixando somente 1.700 sobreviventes! Isso significou que, apesar de menos benjamitas terem sido mortos naquela única batalha do que os mais de quarenta mil israelitas mortos nas duas outras batalhas, contudo, o número de perdas foi devastador e significou o final da guerra. O restante de Israel podia perder um número muito maior de homens, tendo começado com quatrocentos mil. A Vulgata e a Septuaginta dizem aqui que 26 mil homens foram mortos pelos benjamitas, restando somente setecentos homens. É possível que os assassinos e estupradores que haviam cometido o crime inominável, descrito no capítulo 19, estivessem entre os mortos, o que significa que a vingança divina foi assim conseguida.

Ver Jz 20.15 para notas sobre a força original combativa dos benjamitas.

■ 20.36

וַיִּרְא֥וּ בְנֵֽי־בִנְיָמִ֖ן כִּ֣י נִגָּ֑פוּ וַיִּתְּנ֨וּ אִישׁ־יִשְׂרָאֵ֤ל מָקוֹם֙ לְבִנְיָמִ֔ן כִּ֤י בָֽטְחוּ֙ אֶל־הָ֣אֹרֵ֔ב אֲשֶׁ֣ר שָׂ֔מוּ אֶל־הַגִּבְעָֽה׃

Assim viram os filhos de Benjamim que estavam feridos. A tribo de Benjamim tinha sofrido uma derrota devastadora que havia vingado a devastadora violência feita à esposa do levita (capítulo 19). A lei da colheita segundo a semeadura estava satisfeita. Ver sobre a *Lei Moral da Colheita segundo a Semeadura* no *Dicionário*. A principal razão para a vitória do restante de Israel é que fora uma derrota produzida por uma emboscada: "... porquanto estavam confiados na emboscada que haviam posto contra Gibeá". Mas o crédito final coubera a Yahweh, que tinha inventado os planos e levado os demais israelitas ao êxito (vs. 35). Portanto, temos aqui o triste espetáculo de uma guerra santa ser efetuada por tribos de Israel contra outra tribo. Ver sobre a guerra santa em Dt 7.1-5 e 20.10-18.

OUTRA TRADIÇÃO DA GUERRA? (20.37-44)

■ 20.37

וְהָאֹרֵ֣ב הֵחִ֔ישׁוּ וַֽיִּפְשְׁט֖וּ אֶל־הַגִּבְעָ֑ה וַיִּמְשֹׁךְ֙ הָאֹרֵ֔ב וַיַּ֥ךְ אֶת־כָּל־הָעִ֖יר לְפִי־חָֽרֶב׃

A emboscada se apressou. A matança também se apressou. Uma vez que o exército no campo havia sido destruído, as tropas atacaram a própria cidade, a fim de vingar sua ira. Mulheres, crianças e animais domésticos (vs. 48) foram mortos sem nenhum senso de misericórdia, em consonância com os princípios de uma guerra santa. Alguns intérpretes pensam que os vss. 37-44 deveriam ser considerados outra versão da guerra civil, e não como uma continuação da que se vira antes. Está certo, seja como for, que o autor-editor introduziu a segunda história (se ela é mesmo uma segunda história) como se fosse uma segunda colheita da batalha efetuada no campo.

■ 20.38

וְהַמּוֹעֵד הָיָה לְאִישׁ יִשְׂרָאֵל עִם־הָאֹרֵב הֶרֶב
לְהַעֲלוֹתָם מַשְׂאַת הֶעָשָׁן מִן־הָעִיר:

Os homens de Israel tinham um sinal determinado com a emboscada. De acordo com este versículo, as forças de Israel não atacaram a cidade, pelo menos não como no princípio. Outras tropas entraram na cidade e destruíram-na, e então tocaram fogo em tudo. O incêndio era um sinal de que a cidade estava destruída. O fogo sinalizava que o partido de emboscada entrara para atacar o exército no campo. E também dizia aos que estavam fora que ficassem longe da cidade. Se essa é a correta interpretação deste versículo, então, cronologicamente, ele teria de aparecer antes dos versículos 36 e 37. A batalha em Ai foi similarmente efetuada, incluindo a emboscada e a queima da cidade enquanto o exército benjamita estava confuso e não podia retornar para defender a cidade. Ver Js 8.19-22.

■ 20.39

וַיַּהֲפֹךְ אִישׁ־יִשְׂרָאֵל בַּמִּלְחָמָה וּבִנְיָמִן הֵחֵל
לְהַכּוֹת חֲלָלִים בְּאִישׁ־יִשְׂרָאֵל כִּשְׁלֹשִׁים אִישׁ
כִּי אָמְרוּ אַךְ נִגּוֹף נִגָּף הוּא לְפָנֵינוּ כַּמִּלְחָמָה
הָרִאשֹׁנָה:

Então os homens de Israel deviam voltar à peleja. Este versículo é paralelo aos vss. 31 e 32, e quase certamente demonstra que estamos tratando com um relato diferente. Ou, na continuação de um único relato, um editor-autor repetiu vários itens que já tinham sido contados. Ver as notas sobre os versículos mencionados.

■ 20.40

וְהַמַּשְׂאֵת הֵחֵלָּה לַעֲלוֹת מִן־הָעִיר עַמּוּד עָשָׁן
וַיִּפֶן בִּנְיָמִן אַחֲרָיו וְהִנֵּה עָלָה כְלִיל־הָעִיר
הַשָּׁמָיְמָה:

Então a nuvem de fumo começou a levantar-se. Este versículo pode ser comparado com Js 8.20, a batalha de Ai. A visão de sua cidade queimando, sua impossibilidade de salvar as mulheres, crianças e amigos, tomou-lhes o coração, e logo eles se tornaram presas fáceis. Os benjamitas caíram na consternação, e, confundidos, fugiram, somente para serem tomados e mortos, conforme os versículos seguintes mostram. Eles tinham semeado terrivelmente e colheriam terrivelmente. Haviam apostado alto demais. Arriscaram tudo para defender aqueles homens miseráveis quando teria sido justo tê-los entregue à execução (ver Jz 20.13). E foi assim que quase que a tribo inteira de Benjamim foi cortada, porquanto a guerra se espalhou por todas as cidades daquela tribo, tendo eles sido postos sob uma maldição de Yahweh. Ver o vs. 48.

■ 20.41

וְאִישׁ יִשְׂרָאֵל הָפַךְ וַיִּבָּהֵל אִישׁ בִּנְיָמִן כִּי רָאָה
כִּי־נָגְעָה עָלָיו הָרָעָה:

Viraram os homens de Israel. Em outras palavras, a parte do exército que se retirava subitamente voltou-se contra seus perseguidores e lançou um contra-ataque. Este versículo é paralelo aos vss. 33 e 34, mas com menores detalhes, e, novamente, oferece evidências de que estamos abordando uma segunda versão da batalha (ver os vss. 37-44). Ou então o autor repetiu, com menores detalhes, a história que ele já havia narrado, com um novo toque aqui e ali.

CRUELDADE CASTIGADA COM BARBARIDADE

Então feriu o Senhor a Benjamim diante de Israel; e mataram os filhos de Israel naquele dia vinte e cinco mil e cem homens de Benjamim, todos dos que puxaram da espada.

Juízes 20.35

MELHORANDO A TECNOLOGIA DA CRUELDADE

Enquanto a crueldade não foi melhorada pela arte,
E a fúria não forneceu espada ou dardo.
Com os punhos, ou ramos, ou pedras, lutavam os homens.
Essas eram as únicas armas ensinadas pela Natureza.
Mas quando chamas queimavam árvores e crestavam o solo,
Então apareceu o bronze, e foi preparado o ferro para ferir;
O bronze foi usado primeiro, por ser mais fácil de trabalhar,
E visto que os veios da terra o continham em maior dose.

Lucrécio

■ 20.42

וַיִּפְנוּ לִפְנֵי אִישׁ יִשְׂרָאֵל אֶל־דֶּרֶךְ הַמִּדְבָּר וְהַמִּלְחָמָה
הִדְבִּיקָתְהוּ וַאֲשֶׁר מֵהֶעָרִים מַשְׁחִיתִים אוֹתוֹ בְּתוֹכוֹ:

E viraram diante dos homens de Israel. Os homens de Benjamim viraram-se, fugindo, mas logo foram apanhados pelas tropas do restante de Israel e interceptados pela emboscada. Apanhados entre as duas forças, eles pereceram miseravelmente, ao passo que suas esposas e seus filhos eram mortos na cidade.

Para o caminho do deserto. O caminho de Judá, ou Bete-Áven (ver Js 18.12).

Vinham das cidades. Ou a emboscada que os atacou vinha daquela direção, ou aquela força já tinha entrado na cidade para atacar e incendiar, e, então, tendo colocado fogo na cidade, voltou-se correndo para fora da cidade para ajudar seus irmãos na batalha no campo.

■ 20.43

כִּתְּרוּ אֶת־בִּנְיָמִן הִרְדִּיפֻהוּ מְנוּחָה הִדְרִיכֻהוּ עַד נֹכַח
הַגִּבְעָה מִמִּזְרַח־שָׁמֶשׁ:

Cercaram a Benjamim, seguiram-no. Os benjamitas, apanhados entre duas e talvez até três forças adversárias, logo entraram em desconcerto. Os que antes fugiam agora os cercavam. Não havia onde se esconder, e não havia para onde fugir. Somente um pequeno número de seiscentos homens, da tribo inteira, escapou à morte. Ver o vs. 47. Com base nesse minúsculo núcleo, essa tribo teve de começar tudo de novo. Todas as cidades benjamitas foram atacadas, e a guerra santa não deixou sobreviventes — nem homens, nem mulheres, nem animais (ver o vs. 48).

CALCULANDO O NÚMERO DOS MORTOS (20.44-46)

■ 20.44-46

וַיִּפְּלוּ מִבִּנְיָמִן שְׁמֹנָה־עָשָׂר אֶלֶף אִישׁ אֶת־כָּל־אֵלֶּה
אַנְשֵׁי־חָיִל:

וַיִּפְנוּ וַיָּנֻסוּ הַמִּדְבָּרָה אֶל־סֶלַע הָרִמּוֹן וַיְעֹלְלֻהוּ
בַּמְסִלּוֹת חֲמֵשֶׁת אֲלָפִים אִישׁ וַיַּדְבִּיקוּ אַחֲרָיו
עַד־גִּדְעֹם וַיַּכּוּ מִמֶּנּוּ אַלְפַּיִם אִישׁ:

וַיְהִי כָל־הַנֹּפְלִים מִבִּנְיָמִן עֶשְׂרִים וַחֲמִשָּׁה אֶלֶף אִישׁ
שֹׁלֵף חֶרֶב בַּיּוֹם הַהוּא אֶת־כָּל־אֵלֶּה אַנְשֵׁי־חָיִל:

Os cálculos sobre os que foram mortos mostram-se confusos. A isso adiciona-se o fato de que aparentemente temos dois relatos sobre a guerra, o primeiro até o vs. 36, e o segundo nos vss. 37-44. Os cálculos das duas narrativas não são iguais. Os intérpretes que tentam alcançar harmonia a qualquer preço inventam modos de explicar os números divergentes, e assim ocupam-se de uma atividade que é uma soberba perda de tempo. A fé e a historicidade não dependem dessas maquinações que procuram promover coerência a todo custo. Uma de minhas fontes informativas, insistindo sobre a harmonia, sugere que os números dados são as mortes que ocorreram em diferentes estágios da batalha, mas a adição desses estágios não resulta no total de 26.100, como seria de se esperar. A força original era de 26.700, e apenas seiscentos sobraram. Adicionando todos os cálculos ao segundo relato, temos um total de 25 mil (ver o vs. 26). Então escaparam seiscentos, e isso nos dá um resultado de 25.600, em lugar de 26.700. Mas que diferença isso faz? E nem é de grande ajuda falar sobre "números redondos".

Meus amigos, temos aqui um pseudoproblema diante do qualsomente dois grupos encontrarão dificuldades: os harmonizadores a qualquer custo e os críticos. Outro artifício consiste em dizer que as incoerências entre os dois grupos podem ser explicadas pelo fato de que a diferença (1.100) foi formada pelo número de benjamitas mortos nas primeiras duas batalhas. Essa é a melhor maneira de harmonizar de que dispomos, mas o autor não disse alguma coisa sobre isso. Assim sendo, prefiro ficar com meu comentário que pergunta "Que importância isso tem?"

■ 20.47,48

וַיִּפְנוּ וַיָּנֻסוּ הַמִּדְבָּרָה אֶל־סֶלַע הָרִמּוֹן שֵׁשׁ מֵאוֹת אִישׁ וַיֵּשְׁבוּ בְּסֶלַע רִמּוֹן אַרְבָּעָה חֳדָשִׁים׃

וְאִישׁ יִשְׂרָאֵל שָׁבוּ אֶל־בְּנֵי בִנְיָמִן וַיַּכּוּם לְפִי־חֶרֶב מֵעִיר מְתֹם עַד־בְּהֵמָה עַד כָּל־הַנִּמְצָא גַּם כָּל־הֶעָרִים הַנִּמְצָאוֹת שִׁלְּחוּ בָאֵשׁ׃ פ

À penha Rimom. Ver, no *Dicionário*, o detalhado artigo em torno dessa palavra, ponto quatro. Essa área rochosa, que continha certo número de cavernas naturais, ficava cerca de cinco quilômetros a leste de Betel. Os seiscentos sobreviventes poderiam ter-se escondido facilmente naquele lugar, e ali uma rendição seria fácil. Os seus perseguidores evidentemente não sentiam que a perda daquelas vidas era digna de atenção. Assim, em lugar de perseguirem aquele bando tão pequeno de homens, eles entraram nas cidades da tribo de Benjamim e destruíram a todos, não poupando nem homem, nem mulher, nem animal doméstico. Em outras palavras, eles estavam empenhados em uma guerra santa contra uma das tribos de Israel, e virtualmente puseram fim àquela tribo. Ver sobre a guerra santa em Dt 7.1-5. Aqueles que sofreram esse tipo de guerra foram postos sob a maldição de Yahweh, e transformados em ofertas queimadas a ele, o que exigia total consumição.

"Houve algo de quase inconcebivelmente horrível e apavorante na ideia de milhares de pobres mulheres e inocentes crianças serem barbaramente mortas nessa guerra civil, entre irmãos israelitas. A tribo inteira ficou sujeita quase à pena da extirpação, como se tivessem sido cananeus (ver Dt 2.34; 13.15,16; Js 6.17,21; 8.25,26)" (Ellicott, *in loc.*).

"Escassamente é possível imaginar qualquer coisa mais horrenda do que a indiscriminada matança de pessoas tanto inocentes quanto culpadas, mencionada neste capítulo. O crime dos homens de Gibeá foi imenso (capítulo 19). Mas não havia nenhuma razão adequada para esse extermínio quase completo de uma tribo inteira. Não houve nem justiça nem julgamento nesse caso" (Adam Clarke, *in loc.*).

CAPÍTULO VINTE E UM

O crime apavorante cometido contra a esposa de um levita (capítulo 19) tinha sido castigado pela matança mais horrenda ainda da tribo de Benjamim. De fato, uma tribo inteira havia sido virtualmente exterminada. Para complicar ainda mais a questão, tivera de ser feito um juramento em Mispa. Os homens do restante de Israel fizeram um juramento de que não entregariam suas filhas por esposas aos homens de Benjamim. Por conseguinte, isso criara um dilema. Era definidamente errado que houvesse apenas onze tribos, em lugar de doze. Yahweh não permitiria tal coisa. Os vss. 1-6 deste presente capítulo mostram que o restante de Israel reconheceu as dimensões de seu erros e arrependeu-se, preocupados com o fato de que Benjamim, seu irmão, virtualmente não mais existisse.

A "solução" encontrada para esse problema foi outra estranha matança. Jabes-Gileade foi completamente aniquilada, mas quatrocentas virgens dali foram feitas cativas e subsequentemente dadas aos benjamitas que tinham sobrevivido, a fim de permitir àquela tribo um novo começo (vss. 7 ss.). Quase não podemos acreditar no que lemos nesses versículos. E então dizemos: Aquilo era Israel!?

■ 21.1

וְאִישׁ יִשְׂרָאֵל נִשְׁבַּע בַּמִּצְפָּה לֵאמֹר אִישׁ מִמֶּנּוּ לֹא־יִתֵּן בִּתּוֹ לְבִנְיָמִן לְאִשָּׁה׃

Ora haviam jurado os homens de Israel em Mispa. Se algum homem desse uma filha para qualquer homem de Benjamim, seria executado. Mas isso criava a dificuldade descrita nas notas de introdução ao presente capítulo. A proibição tinha sido ocasionada pelo horrendo crime cometido contra a esposa do levita. Ver a história no capítulo 19. A guerra civil, das onze tribos de Israel contra os benjamitas, tinha virtualmente aniquilado a Benjamim. Era impossível que houvesse onze tribos, e não doze; e, por isso mesmo, era preciso garantir a sobrevivência daquela tribo. Outra complicação é que era contrário às regulações mosaicas Benjamim casar-se com mulheres não israelitas (ver Êx 24.16 e Dt 7.3). Uma maldição foi posta sobre qualquer dos filhos de Israel que não cooperasse com a guerra civil. Portanto, a solução para o problema foi bastante fácil. Eles encontraram alguns israelitas que não tinham ajudado na guerra civil e, naturalmente, "mereciam morrer". Assim sendo, foram todos mortos, com exceção de quatrocentas virgens que foram poupadas para tornarem-se esposas dos seiscentos benjamitas!

■ 21.2

וַיָּבֹא הָעָם בֵּית־אֵל וַיֵּשְׁבוּ שָׁם עַד־הָעֶרֶב לִפְנֵי הָאֱלֹהִים וַיִּשְׂאוּ קוֹלָם וַיִּבְכּוּ בְּכִי גָדוֹל׃

Veio o povo a Betel. Casa de Deus (pois esse é o significado de Betel), e não Silo, onde estava o tabernáculo. Ver Jz 20.18 quanto a notas sobre essa questão.

E prantearam. Eles tinham feito isso quando sofreram derrota, e exatamente ali, no oráculo em Betel (20.26). E agora faziam a mesma coisa por causa de sua "vitória exagerada", que tinha deixado Benjamim virtualmente aniquilado.

O choro deles foi derramado perante Elohim, o Grande, e perante o Todo-poderoso que cuidava de Israel. Ver no *Dicionário* o artigo intitulado *Deus, Nomes Bíblicos* de. Foi Yahweh-Elohim que lhes dera orientação para vencer a guerra civil (vs. 3); mas agora ele tinha de fazer provisão para outra necessidade: salvar Benjamim da extinção. A matança foi a resposta, e este seria o próximo acontecimento, uma vez mais.

■ 21.3

וַיֹּאמְרוּ לָמָה יְהוָה אֱלֹהֵי יִשְׂרָאֵל הָיְתָה זֹּאת בְּיִשְׂרָאֵל לְהִפָּקֵד הַיּוֹם מִיִּשְׂרָאֵל שֵׁבֶט אֶחָד׃

Por que sucedeu isto em Israel...? Por que teria acontecido aquela coisa horrenda, de uma tribo inteira de Israel ser levada à beira da extinção? E isso foi feito por outras tribos de Israel, não por algum poder estrangeiro. Eles pareciam ser vítimas de algum espírito depravado, sobre o qual não tinham controle algum. Como alguém poderia cometer um crime tão hediondo como aqueles miseráveis benjamitas, que tinham violentado e assassinado a esposa do levita? E como poderiam eles, em sua vingança, ter perdido o controle ao ponto de ir além do que era um requisito de uma causa justa? Não se tinham eles tornado piores do que os Benjamim?

O número doze tinha para eles um significado místico. Aquele fora um número divino determinado por Yahweh para o seu povo. Mas eles, em sua iniquidade, tinham ousado reduzir aquele número para onze. Ver no *Dicionário* o artigo chamado *Número (Numeral; Numerologia)*. Ver também sobre *Doze, Usos Bíblicos*. O número doze significava "clímax, um ponto culminante", e eles tinham ousado brincar à vontade com as nomeações de Yahweh.

■ 21.4

וַיְהִי מִמָּחֳרָת וַיַּשְׁכִּימוּ הָעָם וַיִּבְנוּ־שָׁם מִזְבֵּחַ וַיַּעֲלוּ עֹלוֹת וּשְׁלָמִים׃ פ

E edificou ali um altar. É difícil acreditarmos que Betel não tinha seu altar, sendo aquele um importante oráculo. Eles já haviam apresentado oferendas queimadas e pacíficas ali (ver Jz 20.26), em conexão com sua busca de orientação para vencer a guerra civil. Ver as notas ali quanto a comentários sobre os tipos de oferendas realizadas, e agora era isso feito em lugares diferentes do tabernáculo que, naquela ocasião, estava em Silo. Antes de adorarem de forma centralizada em Jerusalém, qualquer coisa poderia acontecer e realmente acontecia. Antes daquela centralização, os oráculos continuavam em outras partes de Israel, especialmente em Betel. De fato, aquele lugar tornou-se a adoração do norte quando Israel se dividiu em dois países, o norte e o sul (dez tribos que se opuseram às outras duas). Jerusalém ficou com o sul; Betel ficou com o norte. Ver 1Rs 12.29.

"Encontramos Davi fazendo a mesma coisa na eira de Araúna (ver 2Sm 24.25), e Salomão, em Gibeá" (Ellicott, *in loc.*). Talvez Betel agora se tivesse tornado mais um sacrifício, e a multidão começou a requerer ao menos um dos novos altares.

■ 21.5

וַיֹּאמְרוּ בְּנֵי יִשְׂרָאֵל מִי אֲשֶׁר לֹא־עָלָה בַקָּהָל מִכָּל־שִׁבְטֵי יִשְׂרָאֵל אֶל־יְהוָה כִּי הַשְּׁבוּעָה הַגְּדוֹלָה הָיְתָה לַאֲשֶׁר לֹא־עָלָה אֶל־יְהוָה הַמִּצְפָּה לֵאמֹר מוֹת יוּמָת׃

Porque se tinha feito um grande juramento. A maldição conveniente. Em sua ansiedade por prover um forte exército para derrubar Benjamim, uma maldição tinha sido lançada sobre qualquer população, dentro de Israel, que se recusasse a atender as conferências que discutiam a guerra, em Mispa, e, subsequentemente, sobre aqueles que se recusassem a cooperar com a campanha. Na busca por não cooperadores, o que eles encontraram foi Jabes-Gileade (vs. 8). Aquele lugar estava debaixo da maldição que requeria execução. E assim se deu que uma solução conveniente para o problema foi alcançada pela aplicação de uma maldição conveniente.

A narrativa ilustra a tolice dos votos tomados em momentos de paixão. Ver no *Dicionário* o artigo real chamado *Voto*.

■ 21.6

וַיִּנָּחֲמוּ בְּנֵי יִשְׂרָאֵל אֶל־בִּנְיָמִן אָחִיו וַיֹּאמְרוּ נִגְדַּע הַיּוֹם שֵׁבֶט אֶחָד מִיִּשְׂרָאֵל׃

Tiveram compaixão de seu irmão Benjamim. Era intolerável que os doze sagrados fossem reduzidos a onze. Isso, sem dúvida, produziria uma maldição divina, muitos retrocessos, desastres, pragas, ataques da parte de inimigos, servidões etc. Ver os comentários sobre o vs. 3 do presente capítulo, e ver no *Dicionário* o artigo chamado *Arrependimento*. O restante de Israel reconheceu que eles tinham claramente cometido uma tolice, em sua louca matança. Nem ao menos havia mulheres ao redor para serem esposas dos seiscentos benjamitas, de modo que aquela tribo pudesse começar de novo. Yahweh não haveria de abençoar os onze. Mas haveria de abençoar os doze, pelo que esse número foi restaurado.

■ 21.7

מַה־נַּעֲשֶׂה לָהֶם לַנּוֹתָרִים לְנָשִׁים וַאֲנַחְנוּ נִשְׁבַּעְנוּ בַיהוָה לְבִלְתִּי תֵּת־לָהֶם מִבְּנוֹתֵינוּ לְנָשִׁים׃

Como obteremos mulheres para os restantes deles. Prover esposas, esse era o problema. Elas não podiam vir de outras tribos de Israel, visto que eles tinham jurado que não o permitiriam por causa do pecado contra a esposa do levita (ver Jz 21.1). Os benjamitas não podiam obter esposas entre os pagãos porque a legislação mosaica assim o proibia (ver Êx 24.16; Dt 7.3). Mas o cumprimento de uma maldição anterior tornou-se uma solução conveniente. Ver as notas sobre Jz 21.5. As tribos de Israel foram obrigadas a efetuar outra matança a fim de consertar o problema que eles mesmos haviam criado. A vida humana era assim barata naqueles dias. Eles não sentiram nenhum remorso por causa de outra matança sem sentido?

■ 21.8

וַיֹּאמְרוּ מִי אֶחָד מִשִּׁבְטֵי יִשְׂרָאֵל אֲשֶׁר לֹא־עָלָה אֶל־יְהוָה הַמִּצְפָּה וְהִנֵּה לֹא בָא־אִישׁ אֶל־הַמַּחֲנֶה מִיָּבֵישׁ גִּלְעָד אֶל־הַקָּהָל׃

E eis que ninguém de Jabes-Gileade viera ao acampamento. Eles tinham de encontrar uma comunidade de onde pudessem roubar as virgens. A vítima, pois, seria *Jabes-Gileade* (ver a respeito dessa cidade no *Dicionário*). Aquela gente do outro lado do Jordão (na Transjordânia, ver no *Dicionário*) tinha de morrer, porque não havia cooperado na campanha contra Benjamim. O lugar pertencia à meia tribo de Manassés. Assim aconteceu que, mediante violência e matança, aquela tribo contribuiria com certo número de mulheres virgens para que se refizesse a tribo de Benjamim. Não lhes fora dada escolha. Eles tinham cometido um erro fatal.

■ 21.9

וַיִּתְפָּקֵד הָעָם וְהִנֵּה אֵין־שָׁם אִישׁ מִיּוֹשְׁבֵי יָבֵשׁ גִּלְעָד׃

Eis que nenhum dos moradores de Jabes-Gileade se achou ali. Eles haveriam de matar os não cooperadores, pelo que era necessário deixar claro que o povo de Jabes-Gileade não fora representado entre os vitoriosos. O fatal minirrecenseamento revelou o fato terrível: aquela pobre gente merecia morrer, e haveria de morrer. Ver o vs. 2 para os chefes e representantes de todas as tribos. Eram homens da Transjordânia, mas não especificamente da cidade que fora posta na lista. A meia tribo de Manassés contribuiu, mas a cidade de Jabes-Gileade não contribuiu para a formação do exército. O versículo assume que todos que tinham feito parte ainda estavam disponíveis para a investigação. Nenhum homem tinha retornado para casa.

■ 21.10,11

וַיִּשְׁלְחוּ־שָׁם הָעֵדָה שְׁנֵים־עָשָׂר אֶלֶף אִישׁ מִבְּנֵי הֶחָיִל וַיְצַוּוּ אוֹתָם לֵאמֹר לְכוּ וְהִכִּיתֶם אֶת־יוֹשְׁבֵי יָבֵשׁ גִּלְעָד לְפִי־חֶרֶב וְהַנָּשִׁים וְהַטָּף׃

וְזֶה הַדָּבָר אֲשֶׁר תַּעֲשׂוּ כָּל־זָכָר וְכָל־אִשָּׁה יֹדַעַת מִשְׁכַּב־זָכָר תַּחֲרִימוּ

Por isso a congregação enviou lá doze mil homens dos mais valentes. Israel, uma vez mais, da maneira mais brutal, iria fazer guerra santa (ver as notas em Dt 7.1-5), contra a sua própria gente. Com esse propósito, uma tropa de elite de doze mil homens foi enviada contra aquela pobre e inocente cidade. A vida humana era barata demais. Era importante manter os votos com precisão. Todas as mulheres e crianças teriam de morrer. Todos os homens foram executados. Somente as virgens seriam poupadas. Foram consideradas sagradas e mantidas por Yahweh. Mas milhares de pessoas seriam mortas, e tudo parecia perfeito.

"A razão da ausência dos homens de Jabes era óbvia. Havia também um antigo laço marital entre Maquir (Gileade) e os benjamitas (ver 1Cr 7.15). Esse fato também explica o apelo de Jabes a Benjamim para assistência contra os amonitas, nos dias de Saul (1Sm 11)". (Jacob M. Myers, *in loc.*). O povo de Jabes-Gileade, pois, não entrou em uma liga que haveria de matar seu aliado especial.

"Estamos tratando com as paixões ferozes de homens que viviam nos tempos das trevas espirituais" (Ellicott, *in loc.*).

O autor sagrado poupa-nos a descrição de como a matança foi efetuada; isso teria sido similar às muitas que já tinham sido descritas com detalhes no decorrer do livro.

Todos os homens que já tivessem alguma experiência sexual, casados ou não, seriam executados. Nenhum único homem casado foi poupado.

21.12

וַיִּמְצְאוּ מִיּוֹשְׁבֵי יָבֵישׁ גִּלְעָד אַרְבַּע מֵאוֹת נַעֲרָה בְתוּלָה אֲשֶׁר לֹא־יָדְעָה אִישׁ לְמִשְׁכַּב זָכָר וַיָּבִיאוּ אוֹתָם אֶל־הַמַּחֲנֶה שִׁלֹה אֲשֶׁר בְּאֶרֶץ כְּנָעַן: ס

Quatrocentas moças virgens. Aqueles homens selvagens encontraram quatrocentas virgens. Esse número não foi suficiente para prover esposas a todos os seiscentos homens, mas outras maquinações seriam supridas para localizar as outras duzentas que ainda se faziam necessárias. Mediante um simples choque de violência, os israelitas tinham quase desfeito o problema que outros golpes de violência haviam provocado. Portanto, eles passaram de uma estúpida vitória para outra vitória, sempre dando a Yahweh o crédito por sua conduta tão errada.

Silo de Canaã. Silo (ver no *Dicionário*) não estava em Canaã, o nome dado ao lado ocidental do rio Jordão. Do outro lado (o lado oriental do mesmo rio), o povo não fora chamado. Para evitar a dificuldade, alguns intérpretes supõem que houvesse duas cidades chamadas Silo. Provavelmente, o autor sacro fez uma declaração inexata devido a uma pequena falha de memória ou indiferença.

A história inteira deve ser entendida como uma exibição de insanidade, de paixões cegas e seu resultado patético, produzido em nome de Yahweh. "Por que uma tribo seria aniquilada somente para depois ser novamente fundada? Por que ferir um povo que deveria ser curado de novo?... Assim sendo, Israel tentaria fechar suas fileiras e curar os profundos ferimentos causados pela guerra civil" (Phillips P. Elliott, *in loc.*). Dessa forma, pois, a extinção da tribo de Benjamim foi evitada por outro ato insano de violência.

A EMBAIXADA DE PAZ (21.13-15)

21.13,14

וַיִּשְׁלְחוּ כָּל־הָעֵדָה וַיְדַבְּרוּ אֶל־בְּנֵי בִנְיָמִן אֲשֶׁר בְּסֶלַע רִמּוֹן וַיִּקְרְאוּ לָהֶם שָׁלוֹם:

וַיָּשָׁב בִּנְיָמִן בָּעֵת הַהִיא וַיִּתְּנוּ לָהֶם הַנָּשִׁים אֲשֶׁר חִיּוּ מִנְּשֵׁי יָבֵשׁ גִּלְעָד וְלֹא־מָצְאוּ לָהֶם כֵּן:

Toda a congregação... e lhes proclamaram a paz. Os homens selváticos, ocultos nas cavernas da penha de Rimom (ver isso anotado em Jz 20.47), que, tão recentemente, tinham corrido para salvar sua vida, nunca foram tratados tão bondosa e pacificamente. Deles dependia a continuação da tribo de Benjamim, a fim de que os sagrados doze pudessem ser preservados.

Imagine-se a surpresa daqueles homens que tinham estado ocultos por quatro meses (ver Jz 20.47), ao ouvirem seus "irmãos" chamando-os: "Vinde para fora em paz. Temos quatrocentas virgens para vós!" Foi bom que as palavras ditas foram verdadeiras, e que com mais alguma insistência os benjamitas se tivessem convencido. Assim eles saíram dos esconderijos, olhando para um lado e para outro, ainda duvidosos de seu inesperado golpe de sorte. E, na verdade, lá estavam elas, quatrocentas jovens, belas e virgens! É conforme diz um antigo cântico popular: "Eu tive sorte, e você também pode ter tido sorte!"

Como você supõe que seriam supridas as duzentas mulheres que faltavam? Seriam sequestradas em uma festa religiosa e levadas para a tribo de Benjamim (vs. 21). A história, pois, adiciona um absurdo sobre outro. Esse era o povo de Israel nos dias dos juízes.

Eles Retornaram às suas Cidades Desoladas. Agora não havia mais problema populacional. Os benjamitas poderiam escolher qualquer lugar que quisessem. Havia incontáveis casas vazias e campos desatendidos. Eles tinham um esplêndido futuro com aquelas quatrocentas belas virgens, e todas aquelas casas e terras. Entretanto, uma coisa não continuaria igual, pelo menos durante algum tempo: a poligamia! Definidamente, havia um racionamento de mulheres. Mas eles conseguiram suportar essa inconveniência.

21.15

וְהָעָם נִחָם לְבִנְיָמִן כִּי־עָשָׂה יְהוָה פֶּרֶץ בְּשִׁבְטֵי יִשְׂרָאֵל:

Então o povo teve compaixão de Benjamim. Temos aqui um breve sumário. A embaixada de paz teve sucesso. Benjamim estava sendo restaurado. Israel tinha-se arrependido da excessiva matança que impusera aos benjamitas (vss. 2-4). Esse arrependimento assumira a forma de uma restituição. Um novo começo havia sido provido para Benjamim. Ver no *Dicionário* o verbete intitulado *Reparação (Restituição)*. Essa é uma boa lição moral que pode ser aprendida da história. O verdadeiro arrependimento requer restituição, ao ponto em que essa restituição seja possível. Ver no *Dicionário* o artigo chamado *Arrependimento*.

O Senhor tinha feito brecha. O autor sacro continuou a relembrar-nos que a ideia toda era de Yahweh. Mas as coisas tinham saído do controle, pelo que o reparo precisou ser efetuado. Jerônimo omite a palavra Yahweh (Senhor) deste texto, e podemos omiti-la em segurança de nossa mente. Deixemos à mente hebreia dizer-nos como Yahweh poderia ter estado por trás de todas essas maquinações.

"De acordo com a concepção dos hebreus, os resultados dos pecados humanos e as tolices que se seguiram são referidos ao Senhor. Ver Am 3.6 e Is 45.7" (Ellicott, *in loc.*).

A questão, porém, é muito mais profunda do que essa citação dá a entender. A questão inteira foi dita como que inspirada por Yahweh, passo após passo. Essa é uma concepção primitiva de Deus que nossa mente cristã não consegue acompanhar.

AS MULHERES PRESAS EM SILO (21.16-25)

21.16

וַיֹּאמְרוּ זִקְנֵי הָעֵדָה מַה־נַּעֲשֶׂה לַנּוֹתָרִים לְנָשִׁים כִּי־נִשְׁמְדָה מִבִּנְיָמִן אִשָּׁה:

Disseram os anciãos da congregação. Os benjamitas ainda precisavam de duzentas mulheres para que cada homem tivesse uma esposa. Portanto, ainda outra maquinação tinha de ser inventada para supri-los com esse número de mulheres. Após tantas matanças brutais, não era um escândalo os anciãos sugerirem que aquelas mulheres fossem presas em Silo, quando a festa anual estivesse ali ocorrendo. Que diriam os pais, as mães e os irmãos acerca de suas irmãs presas durante a festa, para nunca mais voltarem para casa? Quanto ao outro caso, quem se importava com o que sentissem sobre a questão? Quando a dança, o vinho e a música tivessem embriagado a mente e o coração dos homens, seria fácil subitamente apanhar uma jovem e tomá-la. Portanto, aqueles homens selvagens fariam o que era mais fácil. Havia muitas e amargas queixas (vs. 22); mas eles haveriam de satisfazer adequadamente o que era uma crise. Sem dúvida alguma, o nome de Yahweh seria invocado para sancionar a coisa inteira. A história relembra-nos o pouquíssimo valor que os homens davam às mulheres. Elas podiam ser sujeitadas a qualquer coisa, e nunca haveria grandes queixas. Quanto à festa em Silo, ver 1Sm 1.3,9.

21.17

וַיֹּאמְרוּ יְרֻשַּׁת פְּלֵיטָה לְבִנְיָמִן וְלֹא־יִמָּחֶה שֵׁבֶט מִיִּשְׂרָאֵל:

A herança dos que ficaram de resto. A herança para as doze tribos foi divinamente nomeada (ver Js 16—22). Isso não podia ser quebrado. Era ilegal que uma tribo ficasse com a herança de outra. Todas as famílias tinham suas próprias porções. Esse pacto fora quebrado no caso dos benjamitas. Novas famílias e novas alocações seriam agora formadas. Mas pelo menos aquela tribo, ao ser agora renovada, possuiria os mesmos antigos territórios designados por Josué e pelos anciãos de Israel. Embora Benjamim tivesse sido derrotado na guerra civil, nenhuma porção de seus territórios poderia ir para as mãos dos conquistadores. O número sagrado, doze, seria mantido, e Benjamim se tornaria outra vez uma tribo de Israel.

21.18

וַאֲנַ֗חְנוּ לֹ֥א נוּכַ֛ל לָתֵת־לָהֶ֥ם נָשִׁ֖ים מִבְּנוֹתֵ֑ינוּ כִּֽי־נִשְׁבְּע֤וּ בְנֵֽי־יִשְׂרָאֵל֙ לֵאמֹ֔ר אָר֕וּר נֹתֵ֥ן אִשָּׁ֖ה לְבִנְיָמִֽן׃ ס

Porém nós não lhes poderemos dar mulheres de nossas filhas. O território era sagrado, mas o problema é que ainda faltavam duzentas mulheres para os seiscentos sobreviventes em Benjamim, o que não podia ser resolvido entregando-se mulheres das outras tribos. Quatrocentas mulheres já haviam sido supridas pelo massacre de Jabes-Gileade (ver os vss. 8 ss.). O juramento (vs. 1) não permitiria qualquer contribuição por parte das outras tribos. Mas mulheres sequestradas durante a festa, em Silo, proveriam uma solução fácil; e foi nessa direção que toda a questão se moveu.

"Benjamim nunca se recuperou do golpe. Embora tivesse fornecido o segundo juiz (Eúde), bem como o primeiro rei (Saul), e estivesse vantajosamente situado, e com frequência fosse honrado pela residência de Samuel, tornou-se um mero satélite pela mais poderosa tribo de Judá" (Ellicott, *in loc.*).

21.19

וַיֹּאמְר֡וּ הִנֵּה֩ חַג־יְהוָ֨ה בְּשִׁל֜וֹ מִיָּמִ֣ים ׀ יָמִ֗ימָה אֲשֶׁ֞ר מִצְּפ֤וֹנָה לְבֵֽית־אֵל֙ מִזְרְחָ֣ה הַשֶּׁ֔מֶשׁ לִמְסִלָּ֔ה הָעֹלָ֥ה מִבֵּֽית־אֵ֖ל שְׁכֶ֑מָה וּמִנֶּ֖גֶב לִלְבוֹנָֽה׃

De ano em ano há solenidade do Senhor em Silo. Ver no *Dicionário* sobre *Silo*, quanto a completos detalhes. Essa cidade foi o local do tabernáculo e seu culto, por muitos anos. Por conseguinte, era ali que as festas anuais ser realizavam. Ver no *Dicionário* o artigo chamado *Festas (Festividades) Judaicas*. Todos os varões de Israel tinham de fazer-se presentes às três festas anuais: a páscoa, o pentecostes e a festa dos tabernáculos. É impossível determinar qual festa seria aquela do presente texto, embora a maior parte dos intérpretes pense que esteja em pauta a festa dos tabernáculos. Ver no *Dicionário* o artigo intitulado *Tabernáculos, Festa dos*.

O autor sagrado nos fornece algumas notas geográficas para certificar-se de que saberíamos onde Silo estava localizada. A cidade ficava cerca de dezesseis quilômetros ao norte de Betel; a leste do caminho que ia de Betel para Siquém. Situava-se cerca de 48 quilômetros entre Betel e Siquém (esta cidade ficava para o norte, e Silo era uma parada ao longo do caminho). Lebona ficava apenas cerca de cinco quilômetros a noroeste de Silo. Ver sobre *Lebona* no *Dicionário*. O autor escreveu para pessoas potencialmente ignorantes, pelo que suas descrições eram minuciosas.

21.20,21

וַיְצַוּ֕וּ אֶת־בְּנֵ֥י בִנְיָמִ֖ן לֵאמֹ֑ר לְכ֖וּ וַאֲרַבְתֶּ֥ם בַּכְּרָמִֽים׃

וּרְאִיתֶ֗ם וְ֠הִנֵּה אִם־יֵ֨צְא֥וּ בְנוֹת־שִׁילוֹ֮ לָח֣וּל בַּמְּחֹלוֹת֒ וִֽיצָאתֶם֙ מִן־הַכְּרָמִ֔ים וַחֲטַפְתֶּ֥ם לָכֶ֛ם אִ֥ישׁ אִשְׁתּ֖וֹ מִבְּנ֣וֹת שִׁיל֑וֹ וַהֲלַכְתֶּ֖ם אֶ֥רֶץ בִּנְיָמִֽן׃

Ordenaram aos filhos de Benjamim, dizendo. Eis aqui outro estratagema que preparava uma emboscada. Dessa vez, não eram soldados que estavam melhorando seu jogo de morte (ver Jz 20.29). O objetivo era facilitar a prisão de mulheres! As vinhas haveriam de esconder os homens benjamitas adequadamente, até chegar o momento de atacarem as mulheres. Foi uma jogada mais interessante do que a matança, mas ilegal, não obstante tenham sido os anciãos de Israel que elaboraram os planos (ver os vss. 16-21). Os antigos escritores dizem-nos que Lebona era famosa por suas vinhas, pelo que toda a área em redor de Silo era, provavelmente, dedicada a esse tipo de cultivo.

Paralelos Históricos. Temos a história da famosa apreensão das mulheres sabinas na Consuália, descrita por Lívio (1.9). Jerônimo descreveu outro ataque paralelo, em Adv. Jovin, i. par. 41, recontando a história de Aristomanes de Messênia, que tomou quinze moças espartanas que estavam dançando em Hiacíntia. Danças sempre foram boas ocasiões para os homens aproximarem-se e seduzirem mulheres, mas o sequestro ia longe demais. A negociação das escravas brancas tinha como uma de suas fontes principais o sequestro de mulheres, por ocasião das danças. Uma noite, elas estavam dançando. No dia seguinte, estavam em algum bordel, em alguma cidade distante. A Igreja Evangélica tem feito oposição tradicional à dança devido às suas corrupções moralmente potenciais. E com isso quero dar a entender a dança social, e não apenas as danças folclóricas. Mas agora já não existem mais essas regras.

A dança é uma expressão de alegria. Pode ser uma dança sensual ou espiritual. John Gill (*in loc.*) mostrou-se generoso e viu algum valor religioso na questão, apontando para Êx 15.20. Se Miriã, irmã de Moisés, foi capaz de dançar de alegria, então qualquer outra mulher também poderia fazê-lo. Ver no *Dicionário* o artigo detalhado chamado *Dança*.

Um bom amigo meu, erudito quanto às questões judaicas, disse-me que os hebreus sempre foram um povo de cântico e de danças. Homens e mulheres não dançavam juntos. As mulheres não eram obrigadas a participar dessas festas, mas muitas assim faziam. E então havia danças, cânticos, vinho e todas as formas de festejos. Podemos estar certos de que aquele grupo de mulheres ficou sem proteção. Ninguém esperava que algum malefício ocorresse em uma festa religiosa. Ademais, havia muitas mulheres. Os números pareciam protegê-las. Mas a excitação do vinho, das canções e das danças tornava as mulheres presas fáceis.

Um homem, pois, tomaria conta de uma mulher. dele dependia a responsabilidade de escolher bem. Aquela que ele conseguisse capturar seria sua esposa por longo período de tempo. Ninguém podia tomar conta de duas mulheres. A poligamia foi temporariamente proibida no território de Benjamim. Tinham todos sorte de ter ao menos uma mulher, e foram necessárias grandes contorções para prover ao menos esse número.

21.22

וְהָיָ֡ה כִּֽי־יָבֹ֣אוּ אֲבוֹתָם֩ א֨וֹ אֲחֵיהֶ֜ם לָרִ֣יב ׀ אֵלֵ֗ינוּ וְאָמַ֤רְנוּ אֲלֵיהֶם֙ חָנּ֣וּנוּ אוֹתָ֔ם כִּ֣י לֹ֥א לָקַ֛חְנוּ אִ֥ישׁ אִשְׁתּ֖וֹ בַּמִּלְחָמָ֑ה כִּ֣י לֹ֤א אַתֶּם֙ נְתַתֶּ֣ם לָהֶ֔ם כָּעֵ֖ת תֶּאְשָֽׁמוּ׃ ס

Quando seus pais ou seus irmãos vierem queixar-se a nós. Haveria inevitáveis queixas. Admitir-se que as mulheres tinham pouco valor na sociedade não significava que os pais ou irmãos não amassem suas filhas e suas irmãs. A apreensão das mulheres causaria uma terrível confusão. Haveria pais e irmãos irados, depois que aqueles benjamitas tivessem apreendido as mulheres. Por isso mesmo, eles se puseram a treinar o que haveriam de dizer àquelas caras iracundas.

A defesa seria, essencialmente, um apelo ao amor fraternal. "Aqueles benjamitas perderam todas as mulheres na guerra civil. Nós, os demais de Israel, chegamos a matá-las. Portanto, por causa de vossos irmãos, permitam que vossas filhas sigam com aqueles homens." Aquilo serviria de grande apelo para reparar uma grande injustiça. Se um levita tivesse merecido ser vingado, por causa do que acontecera à sua concubina, no território de Benjamim (capítulo 19), o restante de Israel não deveria ter exterminado virtualmente uma tribo inteira por causa da questão. Mas, visto que assim tinham feito, o reparo do dano era necessário. Sem dúvida, seria apontado que Yahweh tinha estabelecido doze tribos, e que esse número precisava ser preservado. Temos aí, pois, um apelo divino. As três linhas de defesa, pois, eram estas: 1. Expressar amor fraternal; 2. reparar um ultraje moral; 3. preservar aquilo que Yahweh tinha ordenado.

21.23

וַיַּֽעֲשׂוּ־כֵ֜ן בְּנֵ֣י בִנְיָמִ֗ן וַיִּשְׂא֤וּ נָשִׁים֙ לְמִסְפָּרָ֔ם מִן־הַמְּחֹלְל֖וֹת אֲשֶׁ֣ר גָּזָ֑לוּ וַיֵּלְכ֣וּ וַיָּשׁ֣וּבוּ אֶל־נַחֲלָתָ֔ם וַיִּבְנוּ֙ אֶת־הֶ֣עָרִ֔ים וַיֵּשְׁב֖וּ בָּהֶֽם׃

Assim fizeram os filhos de Benjamim. Visto que o autor sagrado não procedeu a fim de relatar ainda outra matança, ficamos livres para presumir que a defesa oferecida aos irados pais e amigos foi aceita, ainda que de forma relutante. Assim aconteceu que aqueles homens selvagens retornaram ao território de Benjamim, cada um com sua jovem debaixo do braço. E os seiscentos homens, com suas novas esposas, formaram assim um novo Benjamim. Eles imediatamente lançaram-se a edificar as cidades e a cultivar as terras. Foi um novo dia para Benjamim, mas aquela tribo nunca mais foi a mesma. Dependeu pesadamente de seu forte vizinho, Judá e, em essência, tornou-se uma subdivisão dessa tribo.

"A nota de reconstrução que leva o livro a seu término não pode conceder o fato de que aquele tempo foi um período de grande confusão, política e espiritual, novamente atribuída ao fato de que 'não havia rei em Israel'" (Phillips P. Elliott, *in loc.*). A despeito de toda a confusão, matança e terror, foi essa nação que, pela graça de Deus, estava sendo preparada para trazer o Messias ao mundo. O propósito de Deus foi capaz de operar através daquele povo, a despeito e apesar dos erros humanos.

■ 21.24

וַיִּתְהַלְּכוּ מִשָּׁם בְּנֵי־יִשְׂרָאֵל בָּעֵת הַהִיא אִישׁ לְשִׁבְטוֹ וּלְמִשְׁפַּחְתּוֹ וַיֵּצְאוּ מִשָּׁם אִישׁ לְנַחֲלָתוֹ׃

Então os filhos de Israel partiram dali. A paz foi conseguida. A guerra tinha terminado. Todos os soldados retornaram às suas respectivas tribos. A vida prosseguia em sua feição normal. Benjamim estava sendo reedificada. E a vinda dos reis deixaria as coisas melhores. Cada homem tinha sua própria herança, sua própria terra, e era daí que cada qual tinha seu próprio meio de vida. "Embora o povo fosse culpado de esquematizar para obter assim seu juramento, a tribo de Benjamim foi salva de toda extinção" (F. Duane Lindsey, *in loc.*).

■ 21.25

בַּיָּמִים הָהֵם אֵין מֶלֶךְ בְּיִשְׂרָאֵל אִישׁ הַיָּשָׁר בְּעֵינָיו יַעֲשֶׂה׃

Naqueles dias não havia rei em Israel. A narrativa do autor sobre as terríveis condições e a confusão que existia nos dias dos juízes de Israel termina com a razão que explicava o estado das coisas: a falta de um rei significava falta de autoridade. E onde há falta de autoridade, qualquer coisa pode acontecer, e usualmente acontece. Essa declaração aparece por quatro vezes no livro de Juízes: 17.6; 18.1; 19.1 e 19.25. Ver nesses versículos os meus comentários, que se aplicam também aqui. Quando Josué morreu, as coisas realmente caíram em terrível confusão. Os juízes eram figuras carismáticas que dominaram áreas limitadas em Israel, jamais todo o território. Ver isso ilustrado no mapa antes da exposição em Jz 1.1. Não eram nem bons o bastante nem poderosos o suficiente para manter o controle sobre todo o Israel. Portanto, aquele foi um período de extrema disciplina, violência e degradação.

"Embora Israel estivesse sofrendo sob a opressão de muitos inimigos, a graça de Deus tornou-se repetidamente evidente quando o povo voltou-se para ele, em arrependimento. O livro de Juízes ilustra tanto a justiça de Deus quanto a sua graça — justiça a fim de punir os pecados e graça para perdoar os pecadores" (F. Duane Lindsey, *in loc.*).

"Foi assim que terminou o livro de Juízes. Esse é um livro que, apesar de introduzir a história de Samuel e o livro dos reis de Judá e Israel, formou uma espécie de suplemento do livro de Josué, e fornece o único relato que temos relativo àqueles tempos de anarquia e confusão, que se estenderam por quase toda a época dos anciãos que sobreviveram a Josué, no estabelecimento da monarquia judaica sob Saul, Davi e seus sucessores" (Adam Clarke, *in loc.*).

"A temível lição de calamidade havia sido temivelmente aprendida, e a nação estava preparada para os esforços heroicos e uma mais fiel iluminação do começo da monarquia" (Ellicott, *in loc.*).

RUTE

O Livro que Descreve Raros Laços de Amor

> *Não me instes para que te deixe, e me obrigue a não seguir-te; porque aonde quer que fores, irei eu, e onde quer que pousares, ali pousarei eu; o teu povo é o meu povo, o teu Deus é o meu Deus.*
>
> Rute 1.16

4	Capítulos
85	Versículos

INTRODUÇÃO

ESBOÇO:

I. Significado do Nome
II. Pano de Fundo
III. Autoria
IV. Data
V. Propósito do Livro
VI. Canonicidade
VII. Teologia do Livro
VIII. Valor Literário
IX. Esboço do Conteúdo
X. Bibliografia

I. SIGNIFICADO DO NOME

No hebraico, *Rut*; na Septuaginta, *Routh.* Embora haja estudiosos que dão a esse nome próprio feminino o sentido de "companheira", outros preferem pensar que o significado do nome é desconhecido.

No cânon hebraico, o livro de Rute faz parte de sua terceira seção, os *hagiógrafos* (ver a respeito no *Dicionário*). O livro era um dos cinco rolos (no hebraico, *megilloth*), cada um dos quais usado em uma das cinco principais festividades de Israel. O livro era lido por ocasião da festa das Semanas ou Pentecostes. Entretanto, na Septuaginta, na versão latina da Vulgata e na Bíblia portuguesa, o livro de Rute vem imediatamente depois de Juízes. E essa arrumação parece historicamente lógica, porque o autor situa sua narrativa dentro daquele período da história de Israel, ao dizer logo no início da obra: "Nos dias em que julgavam os juízes ..." (Rt 1.1).

O livro gira principalmente em torno de sua heroína, Rute, a moabita. O nome dela aparece treze vezes na Bíblia, doze no próprio livro de Rute, e uma vez em Mt 1.5, dentro da genealogia do Senhor Jesus Cristo. Aliás, por três razões principais a heroína, Rute, merece figurar como uma das grandes personagens femininas da Bíblia: 1. O romance de sua vida e de sua fé no Deus de Israel, Yahweh. 2. O fato de ter sido bisavó de Davi, o grande rei de Israel. 3. O fato, consequente do anterior, de ter sido uma das antepassadas do Senhor Jesus. Na genealogia de Cristo, no livro de Mateus, há menção a quatro mulheres: Tamar, nora de Judá; Rute; a que fora mulher de Urias, Bate-Seba; e Maria, sua mãe. Tamar era cananeia. Bate-Seba e Maria eram israelitas. Mas Rute era moabita. E bastaria esse fato para torná-la uma figura estranha, porquanto Deus havia decretado que nenhum moabita faria parte do povo de Israel. Lemos em Dt 23.3: "Nenhum amonita nem moabita entrará na assembleia do Senhor; nem ainda a sua décima geração entrará na assembleia do Senhor, eternamente". Portanto, seu casamento com *Quiliom* e, posteriormente, com *Boaz* (ver sobre os dois nomes no *Dicionário*), e dessa vez, na terra de Israel, têm de ser atribuídos a duas causas: ou esses israelitas afrouxaram na proibição acerca dos moabitas ou, então, Rute mereceu ser uma exceção à regra, devido à sua excelência de caráter. Quanto a Rute, ela se integrou perfeitamente ao povo de Israel, o que transparece, acima de tudo, em sua famosa declaração à sogra, Noemi: "Não me instes para que te deixe, e me obrigues a não te seguir; porque aonde quer que fores, irei eu, e onde quer que pousares, ali pousarei eu; e teu povo é o meu povo, o teu Deus é o meu Deus" (Rt 1.16).

II. PANO DE FUNDO

A origem racial de Rute faz parte do pano de fundo da narrativa. Ela pertencia a um dos povos cuja entrada na comunidade de Israel era vedada até a décima geração (ver Dt 23.3). Os dois primeiros capítulos do livro armam palco para a introdução de Rute na vida e história do povo de Israel. Havendo uma época de escassez de alimentos em Judá, um habitante de Belém de Judá migrou para a terra de Moabe (não muito distante), levando consigo sua esposa e seus dois filhos solteiros. O chefe da família chamava-se Elimeleque. Seus familiares eram Noemi, sua esposa, Malom e Quiliom (ver a respeito de todos esses nomes no *Dicionário*). Elimeleque faleceu em Moabe. Agora a família de Noemi era composta de somente três pessoas, ela mesma e seus dois filhos rapazes. Mas, como é natural, eles se enamoraram de duas jovens moabitas, com as quais acabaram se casando: Malom com Orfa, e Quiliom com Rute. A alegria de Noemi, porém, já amargurada com sua viuvez e distante de sua terra, não durou muito. Menos de dez anos depois, seus dois filhos, Malom e Quiliom, também faleceram. Agora, a família estava em situação difícil como nunca, pois eram três viúvas numa só casa, uma já idosa e as outras duas ainda bem jovens, ambas sem filhos. A situação da mulher na antiguidade era da mais total dependência ao homem. Se não houvesse homem que tomasse conta dela, e se ela não tivesse recursos próprios, geralmente, ficava reduzida à mais abjeta situação. Se fosse viúva, então, seu estado piorava mais ainda. Muitas mulheres nessas condições só dispunham de uma solução: entregar-se à prostituição. Era insustentável a situação de Noemi em Moabe. Então ela resolveu voltar à sua terra, velha e amargurada, sem marido, sem filhos, sem netos, com duas noras viúvas... e moabitas!

Noemi sabia das dificuldades que as três enfrentariam, mesmo em Israel. Por isso, no caminho, tentou convencer suas duas noras moabitas a retornar à terra delas, onde poderiam casar-se de novo. Orfa, viúva de Malom, resolveu atender às instâncias de sua sogra e desistiu de continuar viagem. Mas Rute, como já vimos, não quis afastar-se dela, disposta a compartilhar as durezas da vida diária de mulher estrangeira e viúva na terra de Israel, na época dos Juízes, período extremamente conturbado para o antigo povo de Deus, conforme toma consciência todo leitor do livro de Juízes.

Assim, apreensivas quanto ao presente e ao futuro, as duas mulheres finalmente retornaram a Belém de Judá. Os anos se tinham passado, e Noemi envelheceu. Mas os habitantes da cidade ainda se lembravam dela. Desoladas diante da situação de Noemi e Rute, as mulheres judias perguntavam: "Não é esta Noemi?" E ela, muito triste e amargurada de espírito, respondia: "Não me chameis Noemi (no hebraico, 'agradável'), chamai-me Mara (no hebraico, 'amarga'), porque grande amargura me tem dado o Todo-poderoso" (Rt 1.20). Todavia, o Senhor é Aquele que fere e cura a ferida, e o futuro próximo traria a Noemi perenes alegrias, como ela nem imaginava. O amargor e a desesperança de Noemi cederiam lugar à satisfação e ao senso de realização, conforme se vê no decorrer da história.

Um dado interessante aparece no último versículo do primeiro capítulo do livro: Noemi e Rute "chegaram a Belém no princípio da sega das cevadas". Esse informe permite-nos saber que a seca terminara em Judá — os campos estavam novamente floridos e produtivos. E também faz-nos saber que elas chegaram em abril/maio. Na Palestina, era a primavera! Semanas mais tarde começaria a colheita do trigo e do linho. De acordo com Lv 23.10,11, no mês de *abib* (ver a respeito no *Dicionário*), mais ou menos correspondente ao nosso abril, ocorreria a entrega das primícias do campo. Portanto, tudo era festivo em Israel. Somente Noemi guardava no coração sua profunda tristeza. Mas, para Rute, as coisas começavam a perder os tons sombrios e iam-se tornando róseas e promissoras!

Havia um parente rico de Elimeleque, falecido marido de Noemi. O nome desse parente era Boaz (ver a respeito no *Dicionário*). Era o tempo da sega das cevadas, e Rute desejou ser uma das segadoras. Com a permissão de Noemi, ela foi. E "por casualidade" entrou na parte do campo plantado que pertencia a Boaz. Nessa casualidade, entretanto, podemos ver a mão de Deus, que controla desde os movimentos das estrelas até o voo dos pássaros. Quando Boaz veio ver como ia a colheita, pôs a vista em Rute e perguntou ao encarregado: "De quem é esta moça?" E a resposta que recebeu foi: "Esta é a moça moabita que veio com Noemi da terra de Moabe" (Rt 2.5,6). Imediatamente Boaz interessou-se por ela, posto que com grande discrição e respeito, chamando-a "filha". De fato, a diferença de idade entre os dois era bastante grande. Embora viúva, Rute provavelmente ainda não havia chegado aos 25 anos, pois, na antiguidade, as mulheres casavam-se muito jovens. Boaz, entretanto, conforme a história nos permite depreender, já era homem maduro. O segundo capítulo do livro permite-nos ver com que carinho Boaz tratou Rute. Não há que duvidar que ele sabia que ela era nora de Noemi, viúva de Elimeleque, um parente seu, já falecido. Mas, sem dúvida, também sabia que Rute havia aceitado o povo de Israel como seu povo, e o Deus de Israel como seu Deus! Além disso, por que haveríamos de pensar que Rute fosse feia e sem graça?

Quando Rute contou à sua sogra, Noemi, onde estivera trabalhando durante todo aquele dia, estampou-se um sorriso na enrugada fisionomia da velha judia. E Noemi disse, triunfante: "Esse homem, esse Boaz, é um dos nossos parentes chegados. Ele é um dos nossos possíveis resgatadores" (ver Rt 2.20).

Encontramos ali menção à lei mosaica do *parente-remidor* (ver a respeito no *Dicionário*). O parente-remidor tinha varias obrigações: cuidar dos membros necessitados de sua família mais imediata e mais remota, saldar as dívidas incorridas por esses membros, e fazer tudo em favor do bem-estar deles, incluindo o dever de ser o *vingador do sangue* (ver também a respeito no *Dicionário*). Ver Dt 25.5-10; Lv 25.25-28,47-49; Nm 35.19-21. Esse aspecto será ventilado com maiores detalhes na seção VII, *Teologia do Livro*. Por enquanto, diremos apenas que a "redenção" é um dos temas-chaves do livro de Rute. Ora, tudo isso mostrou a Noemi que a mão do Senhor estava com ela e com sua nora, afinal de contas! A esperança brilhava cada vez mais intensamente para as duas!

Diante de um protetor da qualidade de Boaz, por que Rute procuraria outra ocupação? Por isso mesmo, o segundo capítulo do livro termina com esta informação acerca de Rute: "Assim passou ela à companhia das servas de Boaz, para colher, até que a sega da cevada e de trigo se acabou, e ficou com a sua sogra".

O terceiro capítulo do livro de Rute é muito romântico. Narra o namoro entre Boaz e Rute. Noemi agiu como cupido, instruindo a nora viúva sobre como comportar-se de modo que atraísse a atenção de Boaz, sem também mostrar-se vulgar. Esse capítulo do livro é interessante porque nos mostra antigos costumes sociais na antiga nação de Israel, uma época romântica e repleta de mesuras e respeito, que nunca mais voltará. Há muitos lances, inclusive aquele de outro parente ainda mais chegado que Boaz, que contudo não quis cumprir o seu dever de parente-remidor. Penso que somente a própria leitura do livro será capaz de descortinar, para o leitor, o véu do tempo, a fim de que penetre naquela atmosfera para nós tão diferente. Eram outros tempos, e as pessoas não se sentiam ameaçadas de extinção repentina, em face de uma explosão atômica. Havia muito respeito pelos sentimentos das pessoas. É verdade que os tempos em Israel eram conturbados, e Israel só conseguia sobreviver graças às intervenções divinas, quase sempre miraculosas. Mas Boaz era um nobre de sua época e todas as suas ações refletem sua condição social.

III. AUTORIA
O livro é anônimo, isto é, seu autor não se identifica. Segundo uma tradição judaica, o autor do livro de Rute foi o profeta Samuel. Outros opinam, todavia, que isso é improvável, porque o trecho de Rt 4.17,22 menciona Davi, o que já implica uma data posterior. No entanto, alguns intérpretes defendem a autoria de Samuel, argumentando que essas notas sobre Davi foram adicionadas por algum editor posterior. Além disso, os filólogos ajuntam que o estilo literário do livro, em seu original hebraico, sugere que a obra tenha sido escrita durante o período da monarquia de Israel. Voltam à carga os que defendem a autoria de Samuel, apelando para o Talmude *(Baba Bathra*, 14), que diz que os livros de Rute, Juízes, 1 e 2Samuel devem todos ser atribuídos a Samuel, embora ele só possa ter sido o cronista do âmago histórico dessas obras, ao que editores posteriores vieram juntar suas anotações e acréscimos. Mas, conforme temos insistido no tocante a outros livros do Antigo Testamento, questões como autoria e data de composição não são de primária importância. O que realmente importa é a mensagem do livro, dentro do fluxo da história revelada. Entretanto, estas questões secundárias dão margem a intermináveis discussões e debates, que não levam a coisa alguma, visto que, em muitos casos, a própria Escritura não nos fornece tais dados, e tudo quanto se possa dizer será dito por inferência, ou mesmo por pura especulação.

IV. DATA
A questão da data da composição do livro está presa à questão da autoria, como é lógico. Todavia, o livro de Rute pelo menos fornece-nos um indício seguro quanto à questão da data. Visto que em Rt 4.17-22 Davi aparece como rei e, sabendo-se que Davi só se tornou o segundo monarca de Israel após a morte de Samuel, por isso mesmo o livro deve ter sido escrito após a época daquele profeta. Se aceitarmos as datas extremas de Samuel como 1170-1060 a.C., então teremos de datar o livro de Rute depois disso. Todavia, a questão tem suscitado muitos debates, com a apresentação de argumentos especiais. Procuraremos mencionar aqui os mais pesados desses argumentos.

a. A inclusão do livro de Rute entre os Hagiógrafos (ou Escritos), de acordo com o cânon hebraico, não determina necessariamente uma data posterior para a obra. O livro pode ter sido colocado ali devido ao fato de que era um dos cinco livros lidos nas festividades judaicas (os *Megilloth*; ver a respeito no *Dicionário*).

b. Alguns aramaísmos e outras formas literárias posteriores têm levado certos eruditos a aceitar uma data *pós-exílica* para o livro. Mas esse argumento é rebatido por outros estudiosos, que afirmam que os aramaísmos podem ser vistos nos livros da Bíblia desde o período mosaico, e isso anula (possivelmente) esse argumento.

c. Aqueles que dizem que o livro de Deuteronômio é uma obra posterior, pertencente ao século VII a.C., e não ao período mosaico propriamente dito, também argumentam que o livro de Rute não pode ser posterior a Dt 23.3, onde se encontra a proibição da aceitação de amonitas e moabitas na comunidade judaica. Esse argumento, porém, depende inteiramente da data da composição do livro de Deuteronômio. E a opinião dos autores da teoria do *J.E.D.P.(S.)* (ver a respeito no *Dicionário*), que envolve o livro de Deuteronômio (*D*), dizendo que ele é de composição tardia, em relação aos demais livros do *Pentateuco* (ver sobre esse termo no *Dicionário*), cada vez mais cai no descrédito. A maioria dos eruditos continua atribuindo a Moisés a autoria do Deuteronômio. E isso arrasta novamente mais para a antiguidade a data da composição do livro de Rute.

d. É verdade que a pureza do hebraico, que se vê no livro de Rute, quanto à gramática e ao estilo, aponta para uma data pré-exílica. Mas pré-exílica até que ponto? O outro extremo é obtido graças à genealogia que se encontra em Rt 4.18-22, à menção a Davi e à explicação acerca de um costume antigo, em Rt 4.7. Isso nos mostra que a época da composição do livro deve ter sido após a subida de Davi ao trono de Israel.

e. Uma aproximação talvez maior é obtida levando-se em conta a falta de hostilidade contra os moabitas. Não há necessidade alguma de apelar para Dt 23.3, quanto a essa amizade entre israelitas e moabitas. Pois, nos primeiros anos de Davi, não havia hostilidades entre Israel e Moabe, conforme se aprende em 1Sm 22.3,4, embora esse quadro seja um tanto negado em 2Sm 8.2,12 (trechos que o leitor deve examinar para que entenda a força desse argumento). Todavia, sabe-se que mais tarde, ainda durante o período monárquico dividido, quando a nação de Israel já se havia separado em duas — Israel (ao norte) e Judá (ao sul) —, houve hostilidades entre Israel e Moabe. E os profetas posteriores chegaram a ameaçar os moabitas, conforme se vê, por exemplo, em Is 15 e 16; 25.10; Jr 9.26; 25.21; 27.3 e Ez 25.8-11.

Levando-se em conta todos esses argumentos, embora não se possa precisar uma data exata para a composição do livro de Rute, pelo menos pode-se afirmar, com alguma segurança, que ele deve ter sido escrito no começo da monarquia de Israel unida, nos dias de Davi ou Salomão.

V. PROPÓSITO DO LIVRO
O propósito do livro de Rute também depende, em muito, da data da sua composição. Na opinião de muitos estudiosos, pelo menos o principal propósito dessa joia literária sagrada de Israel é servir de elo de ligação entre o conturbado período dos juízes, " ... quando não havia rei em Israel ..." (Jz 21.25), e a monarquia, sobretudo o governo perenemente decantado de Davi, o maior de todos os monarcas de Israel. Que rei não tem sua genealogia? O livro de Rute, pois, preenche um período histórico que formaria um hiato misterioso e obscuro sem ele. Contudo, talvez nenhum outro livro do Antigo Testamento, dos menos volumosos, na opinião dos eruditos, tenha tantos propósitos, conforme se pode observar na lista a seguir:

a. Para alguns, seria uma novela sem valor histórico, um relato idílico em torno de personagens com nomes bem escolhidos: Rute, "companheira"; Noemi, "agradável"; Mara, "amargurada"; Malom, "enfermidade"; Quiliom, "desperdício"; Orfa, "teimosa"; Elimeleque, "Deus (El) é rei"; Boaz, "préstimo". No entanto, o próprio livro apresenta-se como uma obra histórica (Rt 1.1), não havendo evidências de anacronismo.

b. Para outros, o livro quis mostrar como uma moabita foi incluída na linhagem ancestral de Davi. O clímax da narrativa do livro é atingido quando Rute dá à luz a Obede (no hebraico, "servo"). Obede foi pai de Jessé, e Jessé foi o genitor de Davi! Contudo, alguns pensam que esse propósito é pequeno demais, e que deveríamos incluir algo mais.

c. Um apelo para que se desse continuidade à lei do levirato. Essa lei impedira a extinção de uma importante família em Judá. E isso de mistura com sentimentos humanitários para com Rute, uma estrangeira, moabita, viúva, desamparada, sem filhos, mas que aceitara tornar-se parte integrante do povo de Israel. Assim pensam outros eruditos.

d. Há quem creia que o livro foi escrito como um tratado pós-exílico a fim de combater o estreito exclusivismo dos judeus, introduzido por Esdras e Neemias. Destaca-se, então, o estatuto deles contrário a casamentos de mulheres estrangeiras com homens judeus. Todavia, há fortes razões para não se aceitar essa opinião. A canonicidade do livro dependeu, em grande escala, de judeus que eram herdeiros espirituais de Esdras e Neemias, pelo que, se esse tivesse sido o propósito do livro, eles o teriam rejeitado. Conforme dizem alguns comentadores, a possibilidade de uma guerra literária em torno de questões ideológicas é muito duvidosa naquele período tão remoto.

e. Outros pensam que Rute é o modelo mais fulgurante de proselitismo. Assim também disseram rabinos posteriores. Lembremos que ela rompeu definitivamente com o seu próprio povo, tornando-se leal à nação e à religião que preferiu adotar. Não há que duvidar que esse motivo é forte no livro de Rute.

f. Talvez não devêssemos pensar em um único propósito abrangente. O livro de Rute foi preservado por seus próprios méritos, como reflexo da providência abrangente e amorosa de Deus, que condescende em dirigir a vida simples de pessoas como Noemi e Rute. A história é muito consoladora para os desesperançados, desolados e destituídos de seus entes queridos. Também não podemos esquecer o papel de Boaz como o parente-remidor, um tipo do nosso grande Parente-Remidor, o Senhor Jesus Cristo, que nos remiu da servidão ao pecado ao preço de seu próprio sangue vertido. Se a isso ajuntarmos que o livro serviu de importante elo na corrente histórica do povo de Israel, na história da redenção, então teremos penetrado na mente e no coração do autor sagrado, fosse ele quem fosse, dirigido como estava sendo pelo Autor maior, o Espírito de Deus. Há muitas lições preciosas no livro de Rute. Elas nos fazem lembrar do que diz Paulo, em uma de suas epístolas: "Pois tudo quanto outrora foi escrito, para o nosso ensino foi escrito, a fim de que, pela paciência e pela consolação das Escrituras, tenhamos esperança" (Rm 15.4).

VI. CANONICIDADE

A canonicidade do livro de Rute nunca foi posta em grande dúvida. Nem pelos judeus, que não tardaram em incluí-lo entre seus livros mais conhecidos, lido que era anualmente, publicamente, durante a festa das Semanas ou Pentecostes. Josefo (*Contra Apoio* 1.8) aparentemente contou Rute juntamente com o livro de Juízes, tal como reuniu Lamentações com Jeremias, perfazendo assim 22 livros, segundo o cânon hebraico. Jerônimo, um dos pais da Igreja, também indica, no seu *Prologus Galeatus*, que os judeus juntavam Rute com Juízes, embora também tivesse dito que outros punham Rute e Lamentações entre os hagiógrafos. Esta última disposição do livro, dentro do cânon, foi feita na sinagoga judaica, embora não se saiba quando nem por quê. Isso é o máximo que se pode dizer sobre a história do cânon hebraico quanto ao livro de Rute. Dentro do cristianismo, o livro também nunca viu sua canonicidade ameaçada em nenhum sentido.

VII. TEOLOGIA DO LIVRO

Quando Abraão foi abençoado por Deus, o Senhor decretou: " ... em ti serão benditas todas as famílias da terra" (Gn 12.3). Esta promessa permanece de pé, para os judeus, sempre que eles se conservam obedientes ao Senhor e entendem sua missão na terra. É claro que a bênção mais definitiva chega a todos os povos da terra por meio de Jesus Cristo, descendente de Boaz e Rute. No entanto, muitos judeus, em cada geração, mas especialmente em certos períodos de sua história, têm esquecido esse fato e sido até exclusivistas e xenófobos. O livro de Rute, pois, ensina o erro desse exclusivismo judaico, sem dúvida uma das atitudes de defesa à qual eles apelam quando muito perseguidos. O amor de Deus é universal, englobando todos os povos. A história de Rute, a moabita, veio ilustrar exatamente isso. Ela foi um exemplo vivo da verdade de que a participação no reino de Deus não depende de carne e sangue (pois ela era moabita, estando vedada sua entrada na comunidade de Israel por dez gerações) e, sim, em face da "obediência por fé" (Rm 1.5). Ela aceitou de todo o coração ao povo de Deus e ao Deus do povo de Israel. Mas Deus a aceitou de tal maneira que ela se tornou antepassada não somente de Davi, mas do próprio Cristo!

Boaz, por sua vez, é o grande tipo de Redentor, no livro de Rute. De fato, como já dissemos, a "redenção" é o conceito central do livro. O termo hebraico correspondente, em suas várias formas, ocorre por nada menos de 23 vezes no livro. Esse termo é *gaal*. Boaz fez isso publicamente, à porta da cidade, diante de testemunhas: "Sois hoje testemunhas de que comprei da mão de Noemi tudo o que pertencia a Elimeleque, a Quiliom e a Malom; e também tomo por mulher a Rute, a moabita..."

No tocante a Noemi, o relato acompanha a transformação pela qual ela passou, depois que voltou à sua terra, de mulher amargurada em mulher feliz. Ela chegou ali empobrecida (1.21; 3.17), destituída de todos os seus parentes (1.1-5), e terminou uma mulher segura de si, feliz, radiante de esperança (4.13-17). Podemos ver dois reflexos disso. Primeiro na história nacional de Israel, após a morte de Eli (1Sm 4.18), quando a nação chegou a perder a arca da aliança, o emblema visível, por excelência, da presença do Senhor, e daí passou para a paz e a prosperidade dos primeiros anos do reinado de Salomão, trineto de Rute (1Rs 4.20-34; 5.4). Muito mais dramática, entretanto, é a transformação experimentada por toda alma remida ao sangue de Cristo, do que todo o Novo Testamento dá testemunho. Podemos citar um trecho neotestamentário para avivarmos a memória: "... pois todos pecaram e carecem da glória de Deus, sendo justificados gratuitamente, por sua graça, mediante a redenção que há em Cristo Jesus" (Rm 3.23,24). E esse segundo reflexo da teologia do livro de Rute é ainda maior que o primeiro, porquanto fala de bênçãos universais e eternas!

VIII. VALOR LITERÁRIO

O valor literário do livro de Rute é indiscutível. Ombreia-se com o melhor que a literatura mundial tem produzido. É um conto rápido, mas escrito com consumada habilidade. Em gênero, talvez não tenha igual dentro da Bíblia inteira. Damos a mão à palmatória. Os antigos israelitas sabiam escrever. A melhor técnica de obra literária de ficção é ali observada, desde a introdução, passando por um cativante enredo, com sua crise quase insolúvel, até a solução mais feliz, que satisfez a todos os envolvidos. Na observação de vários comentadores, o livro mostra-se muito simétrico em seus lances. A solução começa a descortinar-se exatamente no meio do livro, quando Noemi diz à sua nora: "... o Senhor... ainda não tem deixado a sua benevolência nem para com os vivos nem para com os mortos... Esse homem é nosso parente chegado, e um dentre os nossos resgatadores..." (2.20). Tem-se também observado que o encerramento de cada episódio facilita a transição para o que vem em seguida (ver 1.22; 2.23; 3.18 e 4.12). Outra característica do livro, que prende o interesse dos leitores, são as duas personagens principais: Rute e Boaz. A primeira é jovem, estrangeira e desamparada em sua viuvez; a outra personagem é um homem de meia-idade, abastado, respeitado em sua comunidade. Boaz desempenha o papel masculino de protetor com admirável ternura. Rute, por sua vez, soube oferecer-se sem ser coquete, desempenhando seu papel feminino com muita dignidade. Além disso, ambas as personagens principais contaram com alguém que fez contraste com elas, salientando suas qualidades de caráter e de realização. Rute teve uma Orfa, que ficou muito aquém dela em valor; e Boaz teve o parente mais chegado ainda, mas cujo nome nunca é dado, e que, por causa de seus próprios interesses, não cumpriu seu papel de parente-remidor, que lhe cabia, por dever, por ser parente ainda mais chegado que Boaz.

Outros lances da narrativa não são menos dignos de comentário. Noemi e Rute voltaram a Judá, para a cidade de Belém (no hebraico, "casa do pão"), enquanto em Moabe tinham sofrido privações. E voltaram no tempo da sega, o que, por si só, serviu de previsão de abundância de bênçãos materiais e espirituais. Isso constituiu uma autêntica restauração. Nesse episódio, Noemi representa o povo judeu do futuro, e Rute, a moabita, representa todos os povos gentílicos que tiverem permissão de compartilhar a sorte renovada e feliz do povo de Israel, durante o milênio.

Enfim, aquele que começa a ler o livro de Rute só cessa a leitura quando chega ao fim. E, então, sente o seu espírito refrigerado, compartilhando a felicidade da idosa e simpática Noemi. Obede, filho nascido de Boaz e Rute, embora não fosse neto autêntico de Noemi, representou grande consolo para ela. As mulheres judias compreenderam isso e lhe disseram: "ele (o menino) será restaurador da tua vida, e consolador da tua velhice, pois tua nora, que te ama, o deu à luz, e ela te é melhor do que sete filhos". E Noemi, com o coração transbordando da felicidade recém-encontrada, "... tomou o menino, e o pôs no regaço, e entrou a cuidar dele". Todos devem ter percebido o apego de Noemi pela criança, pois as mulheres da localidade comentavam: "A Noemi nasceu um filho" (4.15-17).

Também nós, quando da volta do Senhor Jesus, haveremos de apegar-nos a ele para nunca nos cansarmos. E ele nunca cansará de nós. Cristo já não mostrou como nos tratará? Eis que ele mesmo diz: "Eis aqui estou eu, e os filhos que Deus me deu" (Is 8.18 e Hb 2.13).

IX. ESBOÇO DO CONTEÚDO
A. *Introdução: O Drama de Noemi* (1.1-5)
B. *Noemi Volta a Judá* (1.6-22)
   1. Rute apega-se a Noemi (1.6-18)
   2. Noemi e Rute chegam a Judá (1.19-22)
C. *Encontro de Rute e Boaz* (2.1-23)
   1. Rute começa a colher (2.1-7)
   2. Bondade de Boaz para com Rute (2.8-16)
   3. Rute volta a Noemi (2.17-23)
D. *Rute e Boaz na Eira* (3.1-18)
   1. Instruções de Noemi a Rute (3.1-5)
   2. Boaz resolve ser parente remidor (3.6-15)
   3. Rute volta a Noemi (3.16-18)
E. *Boaz Prepara-se para Casar com Rute* (4.1-12)
   1. O parente mais chegado nega-se (4.1-8)
   2. Boaz torna-se o remidor e casa-se com Rute (4.9-12)
F. *Conclusão: A Felicidade de Noemi* (4.13-17)
G. *Epílogo: Genealogia de Davi* (4.18-22)

Queremos ainda tecer alguns comentários esclarecedores sobre certos pontos desse esboço do conteúdo:

1. *A Desastrosa Migração a Moabe* (1.1-5). Uma data aproximada para esses acontecimentos, se formos retrocedendo da genealogia de 4.17, é 1100 a.C. O período de fome, em Israel, tornou Elimeleque e os três membros de sua família "peregrinos" em Moabe, onde eles não tinham nenhum direito como cidadãos. Não há menção a algum castigo divino por haverem eles deixado a sua terra, e em face do casamento de Malom e Quiliom com jovens moabitas, mas esse castigo pode aparecer implícito nos desastres que se abateram sobre a família com a morte dos três membros masculinos: Elimeleque primeiro, e, então, Malom e Quiliom, deixando três mulheres viúvas. Outrossim, a lamentação de 1.21 sugere a perda de consideráveis possessões materiais, que a família teria trazido de Belém, talvez adquiridas antes que a fome apertasse em Judá. Diz aquele versículo: "Ditosa eu parti, porém o Senhor me fez voltar pobre..."

2. *Volta de Noemi a Belém de Judá* (1.6-22). Quando Noemi resolveu voltar à sua terra, suas duas noras viúvas teriam mais probabilidades de arranjar novos casamentos em Moabe. Orfa percebeu a desvantagem de ir para Judá com Noemi. Mas certas palavras de Rute mostram que ela já havia aceitado *Yahweh* como o seu Deus, antes mesmo de resolver partir para Judá. Disse Rute: " ... faça-me o Senhor o que lhe aprouver..." (1.17). E assim Rute partiu com Noemi, naquela viagem de apenas 80 km até Belém da Judeia. Para nós, essa distância nada representa. Com um automóvel, nas estradas modernas, tal distância pode tomar apenas uma hora de viagem. Mas, naquele tempo, viajando a pé, duas mulheres podem ter passado vários dias no trajeto, enfrentando os mais diversos perigos.

3. *Rute e Boaz Conhecem-se* (2.1-23). Os cuidados demonstrados por Boaz em favor de Rute mostram-nos quão indefesa estava uma mulher, jovem e estrangeira, em outra terra que não a sua. Apesar do perigo, Rute trabalhou arduamente, a fim de sustentar a si mesma e à sua idosa sogra. Sem dúvida, isso não deixou de ser observado por Boaz. Quem gosta de uma mulher preguiçosa, mesmo quando sofre penúria?

4. *O Plano de Noemi* (3.1-5). Assim como Rute mostrou-se disposta a trabalhar para sustentar a sogra, também Noemi planejou a felicidade de sua nora. As instruções de Noemi a Rute foram um apelo indireto a Boaz, para que ele desempenhasse seu papel de parente-remidor. Nessas instruções, Rute teria de tomar a iniciativa na conquista amorosa. Talvez Noemi tenha visto que Boaz, por ser homem de meia-idade, e solteirão, não tomaria a iniciativa. Mas depois que Rute pediu que ele lançasse a capa sobre ela, mostrando assim que o aceitaria com prazer como marido, Boaz começou a agir. Assim, Noemi planejou de modo estratégico certo. O primeiro obstáculo para Boaz foi afastar o parente ainda mais chegado, o que ele conseguiu valendo-se do argumento de que ele também deveria casar com Noemi, o que o parente mais chegado não aceitou. E, tendo começado a tomar providências para casar com Rute, Boaz não era homem irresoluto para ficar pelo meio do caminho, conforme Noemi reconheceu. Ver Rt 3.18.

5. *Na Porta da Cidade* (4.1-12). Essa porta sempre dava para a praça principal das cidades antigas. Ali se faziam os negócios comerciais, judiciais e sociais. Interessante é o antigo costume refletido em 4.7,8. Aquele foi o sinal público de que o parente mais chegado desistia do dever de ser o parente-remidor, transferindo-o a Boaz. O ato solenizou e deu legalidade ao casamento de Boaz e Rute.

IX. BIBLIOGRAFIA
AM E I IB LAN MOF TI Z

Ao Leitor
O estudioso sério das Escrituras nunca começará a estudar a exposição de um de seus livros sem primeiro examinar a sua *Introdução*. A introdução prefixada ao livro de Rute explica questões como: significado do nome; pano de fundo histórico; autoria; data; propósitos; canonicidade; teologia; valor literário e conteúdo. Tendo estudado essas questões, o leitor estará devidamente preparado para entrar no estudo do livro propriamente dito, dotado de uma compreensão geral que o ajudará em um estudo mais detalhado.

Citações de Rute no Novo Testamento. Não existem citações diretas do livro de Rute no Novo Testamento. Os nomes Boaz e Rute aparecem em Mt 1.5, na genealogia de Jesus. Ao casar-se e ter filhos com Boaz, Rute tornou-se a bisavó do rei Davi (ver Rt 4.13-22). Foi assim que uma desprezada viúva moabita entrou na genealogia de Davi, que culminou na pessoa de Jesus.

A história passou nos dias dos juízes de Israel, embora nada tenha em comum com os relatos sangrentos das guerras internacionais e intertribais que são narradas no livro de Juízes. Talvez um dos propósitos do livro consista em criar um sentimento favorável acerca dos estrangeiros e de seu potencial espiritual, ao passo que o livro de Juízes tem o efeito precisamente oposto, porquanto ali a palavra "estrangeiro" sempre aparece como sinônimo de "opressor".

Nos tempos pós-exílicos, a lei de Israel forçava o divórcio de hebreus que se tivessem casado com estrangeiros, visto que o Novo Israel, que começou logo depois do *cativeiro babilônico* (ver a respeito no *Dicionário*), tinha de ser racialmente puro. Alguns estudiosos supõem (sem dúvida de forma errônea) que Rute seja um livro de tempos pós-exílicos, cuja intenção era suavizar a postura acerca dos "estrangeiros". Seja como for, o amor universal de Deus brilha através de todos os limites nacionais e até os transcende, porquanto "Deus amou o mundo de tal maneira" (Jo 3.16). O fato de que os antepassados de Jesus incluem indivíduos gentios, e até uma humilde viúva moabita, é instrutivo e dificilmente pode ter ocorrido como mero acidente histórico. Embora houvesse uma nação escolhida (ver Is 19.24), o Messias também serviria de "luz para os gentios" (Is 49.6). E o povo escolhido de Israel veio à existência precisamente para tornar essa luz mais brilhante e eficaz. Os livros de Jonas e de Rute, pois, atuam como se fossem os trechos de João 3.16 do Antigo Testamento.

"Essa amorosa história deve ser lida em conexão com a primeira metade do livro de Juízes, porquanto nos apresenta um quadro da vida em Israel, durante a época deles. Tipicamente, o livro de Rute pode ser tido como uma visão antecipada da Igreja (Rute), como a noiva gentílica de Cristo, o betelemita, capaz de redimir. Rute também serve de exemplo do serviço cristão normal: 1. decidindo (cap. 1); 2. servindo (cap. 2); 3. descansando (cap. 3); 4. recebendo a sua recompensa (cap. 4)" (*Scofield Reference Bible*, Introdução).

Ideia Geral do Livro de Rute. O livro recebe seu nome de uma jovem moabita que se casou com um homem hebreu que fora viver na terra de Moabe. Quando ele morreu, Rute migrou para Israel em companhia de sua sogra, Noemi, para a cidade de Belém. Ali a providência divina mostrou-se graciosa e fê-la conhecer Boaz, um próspero agricultor hebreu. A união que resultou desse encontro tornou Rute a bisavó do rei Davi, fazendo-a assim entrar na genealogia de Jesus, o Cristo (ver Mt 1.5).

Rute e Ester. Os dois livros com esses nomes são os únicos volumes formadores da Bíblia que foram chamados de acordo com duas personagens femininas. Ambas as mulheres desempenharam um papel-chave na história de Israel. Ester casou-se com um rei gentio, sendo assim alçada a uma posição que garantiu a sobrevivência do povo de Israel em tempos atribulados. Rute foi usada por Deus a fim de perpetuar a linhagem do Messias. O livro de Rute é lido anualmente pelos judeus ortodoxos por ocasião da festa do Pentecoste. O casamento de Rute ocorreu durante o tempo dessa festa religiosa, o que explica a conexão histórica (ver Rt 3.2 e cf. Rt 1.22).

Data do Livro. É impossível determinar com precisão a data do livro. Visto que Salomão não é mencionado na genealogia existente no final do livro (ver 4.18-21), é possível que o livro tenha sido escrito antes dos dias do seu reinado, provavelmente ainda nos dias de Davi. No entanto, o costume de trocar de sandálias (ver 4.7) parece refletir os dias de Salomão.

Época Refletida. Visto que Rute foi a bisavó de Davi (4.17), o qual começou a reinar em Hebrom em 1010 a.C., as experiências do livro devem ter ocorrido na última metade do século XII a.C. Alguns estudiosos creem que Rute foi contemporânea do juiz Gideão.

Um dos propósitos do livro de Rute pode ter sido a tentativa de afirmar os direitos de Davi ao trono de Israel. A providência divina especial, que tinha operado em favor de Rute, também operou no caso de Davi, para torná-lo rei, em lugar de qualquer outro pretendente. Ver no *Dicionário* o artigo intitulado *Providência de Deus*.

Boaz tipifica Cristo, o qual, em sua graça, realizou o propósito da redenção. Rute, por sua vez, simboliza a noiva gentílica de Cristo, a Igreja.

Problemas em Rute Quanto à Lei do Levirato. O leitor deve examinar no *Dicionário* os artigos intitulados *Goel* e *Lei do Levirato* quanto a informações necessárias sobre essa questão. Após verificar esse material, se tornará patente ao leitor que o livro de Rute vai além das provisões dessa lei, conhecida através de outras fontes. De fato, Rute tornou-se uma fonte de informações sobre a flexibilidade da lei, e como, em diferentes épocas, ela era aplicada de formas diversas. Os críticos, todavia, supõem que o livro de Rute seja apenas uma novela romântica dos hebreus, e que suas referências históricas não deveriam ser tomadas literalmente e de forma estrita. Em outras palavras, não seria um relato histórico autêntico, pelo que seus informes não deveriam ser sempre tidos como acurados. Os estudiosos conservadores, por sua vez, supõem que as explicações dadas quanto às diferenças e adições sejam adequadas para preservar a convicção de que o livro é uma obra literária histórica, e não apenas um romance.

Problemas Específicos:
1. No livro de Rute, foi Rute, a nora, que foi remida, juntamente com a terra que nem ao menos era dela, em lugar de Noemi, a viúva, e as suas terras. Isso supõe grande liberalidade na aplicação da lei do levirato, de tal modo que uma mulher foi capaz de tomar o lugar de outra, ao mesmo tempo que terras puderam ser legalmente transferidas para outrem, coisas essas jamais ouvidas fora do livro de Rute.
2. Além disso, um parente mais remoto (não o irmão do morto) teve permissão de fazer a redenção, algo que também só aparece no livro de Rute.
3. Rute apresentou a questão como se Boaz tivesse o dever de realizar o ato de redenção; mas, se ele não era irmão do falecido, então somente por um ato de graça e amor poderia desempenhar o papel de parente-remidor, e não por ser obrigado a isso, a menos que a lei tivesse assumido aspectos nunca ouvidos através de outras fontes informativas.
4. A cerimônia da sandália, de acordo com o livro de Rute, não envolveu nenhum senso de vergonha; mas no trecho de Dt 25.9, a viúva cuspiria no rosto do homem que não estivesse disposto a desempenhar o seu papel de parente-remidor. No livro de Rute, de fato, não há nenhuma menção à ideia de pejo, diante da substituição de um parente-remidor por outro, ficando assim automaticamente resolvidos todos os problemas relacionados ao caso. Além disso, não há indício, no livro de Rute, de que o parente-remidor era irmão do falecido Elimeleque. Portanto, seu suposto dever era uma questão de escolha pessoal.

O episódio do livro de Rute pode representar um estágio histórico no desenvolvimento das leis envolvidas no caso. Os códigos legais dos assírios e de Nuzi mostram que a cerimônia da sandália era a *renúncia* a um direito, o que, por sua vez, significa que havia ampla aplicação daquele costume. Sem dúvida, essa lei do levirato tinha suas variações de cultura para cultura, e de época para época. John Gill mencionou a cerimônia da sandália em conexão com negociações, nada tendo a ver, pois, com o problema do casamento levirato, pelo que, até mesmo em Israel, o rito era aplicado sem rigidez. Cf. Dt 25.6-9.

EXPOSIÇÃO

CAPÍTULO UM

INTRODUÇÃO: O DRAMA DE NOEMI (1.1-5)

A narrativa começa de maneira sombria. A escassez de alimentos tinha forçado uma família a sair da cidade de Belém a fim de refugiar-se no território de Moabe. Após dez anos, a morte tinha obrigado aquela família (agora já sem o chefe da casa e sem os dois filhos, pois os três homens haviam morrido) a retornar a Israel. Mas a graça e a providência de Deus estavam atuando. Um plano mais amplo estava sendo desenvolvido em meio à tristeza, à necessidade e à dor.

O próprio livro situa as ações no tempo dos juízes de Israel; mas isso não determina nenhuma data exata de sua escrita. Surtos de fome eram comuns, pelo que essa circunstância não pode ser usada para determinar um período histórico.

Uma maneira antiga de introduzir livros foi exatamente a que encontramos no livro de Rute: são dados os nomes das principais personagens, e então são esclarecidas as circunstâncias em que o drama se desenrolou. Em seguida, havia uma designação acerca de quando as ações ocorreram.

A fome era um dos instrumentos de julgamento nas mãos de Deus; e os eventos, tanto gerais quanto pessoais, com frequência são determinados por algum modo de julgamento do pecado. Mas, a despeito dessa verdade, há sempre graça divina abundante para reverter as circunstâncias e "fazer virar a maré". Portanto, o teísmo ficou assim, mais uma vez, ilustrado: o homem não vive sozinho; Deus criou, mas também faz-se presente para julgar, recompensar e intervir na história humana. Isso deve ser contrastado com o deísmo, que ensina que, apesar de talvez haver alguma força criativa (pessoal ou impessoal), essa força ou pessoa abandonou a sua criação, deixando-a entregue ao sabor das leis naturais. Ver no *Dicionário* os artigos *Teísmo* e *Deísmo*.

"O controle divino das colheitas foi sempre um fator importante no desenvolvimento dos eventos do livro de Rute" (John W. Reed, *in loc.*).

1.1

וַיְהִי בִּימֵי שְׁפֹט הַשֹּׁפְטִים וַיְהִי רָעָב בָּאָרֶץ וַיֵּלֶךְ אִישׁ מִבֵּית לֶחֶם יְהוּדָה לָגוּר בִּשְׂדֵי מוֹאָב הוּא וְאִשְׁתּוֹ וּשְׁנֵי בָנָיו:

Nos dias em que julgavam os juízes. Temos aí o elemento tempo da narrativa de Rute. Os "juízes" talvez tenha sido, especificamente, Gideão. Mas é impossível determinar isso com algum grau de certeza.

As Circunstâncias. A família de Elimeleque precisou abandonar seu lar, em Belém, onde a fome ameaçava extinguir a todos, e fugiram para o território de Moabe, onde, segundo é de presumir, havia razoável suprimento para as necessidades básicas da vida.

Personagens do Drama. São apresentadas nos versículos 1 e 2. Portanto, temos aqui uma típica maneira antiga de introduzir um relato, conforme já disse na Introdução.

Fome. Ver no *Dicionário* o artigo chamado *Fome*. Uma das armas divinas comumente usadas contra o pecado era a fome, quando os homens são humilhados ao ponto em que nem ao menos podem encontrar o bastante para comer. Cf. 1Rs 16.30—17.1; 18.21,37; 19.10, onde é dito especificamente que a fome foi usada por Deus como modo de julgar um povo desobediente.

A leitura do livro de Juízes (ao qual o livro de Rute está associado) mostra-nos claramente muitas áreas de julgamento divino. Ver também Dt 7.16; 12.23 — 20.17; Js 16.10; Jz 1.27-33 quanto a ilustrações sobre esse tema.

Belém. Ver a respeito dessa cidade no *Dicionário*. Ela ficava cerca de oito quilômetros ao sul de Jerusalém. O marido hebreu de Rute nascera ali. Posteriormente, Obede, filho de Boaz e Rute, também nasceu em Belém. Um neto de Obede foi Davi, o rei (ver Rt 4.18-21; 1Sm 17.58), o qual também nasceu ali. Belém foi ainda o lugar do nascimento de Jesus, o Cristo, o Filho maior de Davi (Lc 2.4-7).

A viagem de Belém a Moabe cobriu somente cerca de oitenta quilômetros para o leste, no lado oposto do mar Morto. Não somos informados sobre a razão pela qual a família para lá se dirigiu; mas a proximidade, sem dúvida, foi um fator favorável. É óbvio que ali havia alimentos, e "alimento próximo" era a grande necessidade do momento. Ver no *Dicionário* o artigo denominado *Moabe*.

Os Targuns sobre essa passagem listam, laboriosamente, dez períodos conspícuos de fome que Deus impôs contra um povo pecaminoso. E o sexto desses períodos foi precisamente aquele que envolveu Rute. Naturalmente, houve muito mais do que dez períodos de fome, mas esses foram escolhidos seletivamente, dentre muitas possibilidades, e todos eles com base nas narrativas bíblicas. Os Targuns também procuram afirmar, laboriosamente, qual juiz esteve relacionado à história prestes a ser relatada, mas com muitas sugestões variantes. John Gill (*in loc.*) listou todas as sugestões e acabou falando sobre "a incerteza que cerca toda essa questão".

Amigos entre Inimigos. Os moabitas eram inimigos tradicionais de Israel. É possível que o livro tenha tido o propósito de aliviar "as relações tensas" entre esses dois povos, ou então mostrar como a providência de Deus predomina sobre todas as situações, fazendo o bem proceder do mal. Ver os detalhes sobre essa questão, na porção intitulada Ideia Geral do Livro de Rute.

Belém de Judá. Vários significados circundam essa cidade, a saber: 1. A aldeia da cortesia (Rt 2.1-23); 2. a aldeia de Davi, o rei, e, portanto, a aldeia da consagração (1Sm 16.1-13); 3. a aldeia de três heróis e da dedicação (2Sm 23.13-17); 4. a aldeia de Miqueias e da esperança (Mq 5.2); 5. a aldeia de Jesus, e, portanto, da esperança e do triunfo (Lc 2.1-20). Esses pensamentos foram sugeridos por James T. Cleland, *in loc.*

Aldeia de Belém, como te vemos ainda jazendo!
Acima do sono profundo e sem sonhos das estrelas.
Em tuas ruas escuras brilhou a eterna Luz;
Todas as esperanças concentram-se em Jesus!

Phillips Brooks

1.2

וְשֵׁם הָאִישׁ אֱלִימֶלֶךְ וְשֵׁם אִשְׁתּוֹ נָעֳמִי וְשֵׁם שְׁנֵי־בָנָיו מַחְלוֹן וְכִלְיוֹן אֶפְרָתִים מִבֵּית לֶחֶם יְהוּדָה וַיָּבֹאוּ שְׂדֵי־מוֹאָב וַיִּהְיוּ־שָׁם:

Elimeleque... Noemi... Malom... Quiliom. Essas são as quatro personagens iniciais da história. Todos os nomes próprios deste versículo receberam artigos separados no *Dicionário*. Listar as personagens principais de uma narrativa fazia parte de um antigo modo de introduzir livros, na antiguidade.

- Significados dos Quatro Nomes:
- Elimeleque: Deus é meu Rei.
- Noemi: Bela, amigável.
- Malom: Enfermidade.
- Quiliom: Completo, perfeito.

Esses nomes e seus significados têm sugerido, para alguns estudiosos, que a história prestes a ser relatada é apenas uma novela religiosa, e não uma narrativa histórica; mas isso apenas exagera a questão dos nomes e seus significados. Não obstante, esses significados são instrutivos no que diz respeito ao relato propriamente dito.

"Visto que se trata de um conto popular, o ponto de vista que devemos salientar na análise deve ser a perspectiva de um poeta ou de um contador de histórias, ou seja, a abordagem usada por John Bunyan (autor de *O Peregrino*), e não a abordagem de escritores como João Calvino... As parábolas de Jesus deveriam ser uma leitura obrigatória antes de o livro de Rute ser exposto e aplicado" (Louise P. Smith, *in loc.*). Assim expressou-se uma autora que não crê na historicidade do livro de Rute. Por outro lado, não há razão alguma para duvidarmos da historicidade desse relato bíblico, meramente por ser um lindo épico. Todos os estudiosos concordam que o livro é um notável exemplo antigo de épicos e idílios, uma gema entre as histórias breves de todas as épocas.

Efrateus. Ver no *Dicionário* o artigo *Efrata*. Esse era outro nome aplicado à aldeia de Belém (ver também, no *Dicionário*, o artigo chamado *Belém*). Ver Rt 4.11; Gn 35.19; 48.7 e Mq 5.2.

O nome Elimeleque ("Deus é Rei") pode ser achado nas cartas de Tell Ell-Amarna (século XIII a.C.), embora não no período pós-exílico, quando já haviam desaparecido nomes compostos com melech, "rei". A Septuaginta alterou o nome dele para Abimeleque, sem nenhuma autoridade. O uso dos nomes antigos confirma a antiguidade da narrativa.

1.3-5

וַיָּמָת אֱלִימֶלֶךְ אִישׁ נָעֳמִי וַתִּשָּׁאֵר הִיא וּשְׁנֵי בָנֶיהָ:

וַיִּשְׂאוּ לָהֶם נָשִׁים מֹאֲבִיּוֹת שֵׁם הָאַחַת עָרְפָּה וְשֵׁם הַשֵּׁנִית רוּת וַיֵּשְׁבוּ שָׁם כְּעֶשֶׂר שָׁנִים:

וַיָּמוּתוּ גַם־שְׁנֵיהֶם מַחְלוֹן וְכִלְיוֹן וַתִּשָּׁאֵר הָאִשָּׁה מִשְּׁנֵי יְלָדֶיהָ וּמֵאִישָׁהּ:

Morreu... morreram também ambos. Não nos é dito quanto tempo se passou entre a chegada da família em Moabe e a morte de Elimeleque. Mas parece que a decisão de Noemi voltar a Belém ocorreu muito depois da morte de seu marido, visto que seus filhos cresceram e se casaram com mulheres moabitas, o que indica que a vida continuou normalmente, por algum tempo. E foi então que acabaram morrendo, igualmente, ambos os filhos de Noemi (vs. 5). Agora havia três viúvas morando na mesma casa: Noemi e suas duas noras, Rute e Orfa. E, finalmente, Noemi resolveu voltar a Judá e Rute preferiu acompanhá-la, ao passo que Orfa escolheu ficar em Moabe. Ao todo, cerca de dez anos se tinham passado, desde que Elimeleque e seus familiares haviam feito a viagem de Belém a Moabe (vs. 4).

O texto não dá a entender nenhum conflito em torno do fato de que os filhos de Elimeleque se casaram com jovens moabitas, uma das quais era Rute. Isso quebrou a tradição dos hebreus acerca de casamentos mistos com pagãos; mas provavelmente devemos entender que as mulheres se tinham convertido ao yahwismo, a fé dos hebreus. O trecho de Rt 1.16,17 sem dúvida subentende isso. Alguns eruditos têm pensado que o livro, tal como o de Jonas, é um tipo de João 3.16 do Antigo Testamento, tendo assumido uma abordagem mais universalista da fé religiosa e deixando cair por terra proibições e restrições inerentes ao antigo yahwismo. Ver sob o título *Ao Leitor* uma discussão sobre algumas implicações desse casamento misto, no livro de Rute, e sobre o fato de que, através disso, Rute se tornou a bisavó de Davi, o rei, e, por conseguinte, antepassada de Jesus, o Cristo.

Orfa... Rute. Ver sobre ambos esses nomes no *Dicionário*, quanto a significados e detalhes pessoais. Parece que o nome Orfa significa "teimosa"; mas dificilmente isso tem algo a ver com o alegado fato de que ela se mostrou rebelde e não acompanhou Noemi até Belém. Isso poderia ser verdade se o livro fosse mesmo uma novela religiosa, onde os nomes tivessem sido cuidadosamente escolhidos para retratar o caráter geral das personagens. O nome Rute quer dizer "amiga", e, como é lógico, ela se mostrou grande amiga de Noemi. Outras derivações têm sido sugeridas, dizendo, por exemplo, que poderia significar "chuva". Nesse caso, Orfa teria sido uma nuvem, e Rute teria sido uma chuva na vida de Noemi. Porém, a menos que o relato tivesse tido a intenção de ser uma representação poética do caráter e dos atos humanos, provavelmente isso é querer extrair demais do sentido dos nomes. O trecho de Rt 1.9 ss. sem dúvida não soa uma nota azeda no que toca a Orfa, embora, afinal, ela tenha preferido ficar em Moabe.

Casamentos Mistos. Ver em Dt 7.3 a lei que banía esse tipo de casamento, e onde ofereço comentários suficientes. Ver também 1Rs 11.1-6 e Ml 2.11 quanto aos maléficos resultados dos casamentos mistos religiosos. Através desse tipo de casamento, por muitas vezes a idolatria encontrava penetração em Israel.

Os dois casamentos mistos (com Orfa e Rute) não produziram filhos. E isso facilitou, até certo ponto, a decisão de Rute acompanhar Noemi, quando esta resolveu voltar a Belém.

O Targum sobre este texto faz de Rute a filha de Eglom, rei de Moabe; mas isso é uma exaltação desnecessária, sem nenhuma base em fatos históricos.

Os versículos 3 a 5 não fornecem detalhes sobre a morte de Elimeleque e seus dois filhos. No caso dos dois filhos, que se casaram "fora" de Israel, os comentadores judeus anelam por encontrar alguma forma de julgamento divino em operação. Alguma enfermidade ou acidente fatal sobrevieram aos homens, por causa desse e de outros pecados; mas o próprio texto sagrado não nos fornece indícios nessa direção.

Uma Tragédia. Cumpre-nos observar que a tragédia armou o palco para coisas maiores à frente. Os casamentos não resultaram em filhos, o que também representava uma calamidade, de acordo com a mentalidade dos antigos. Além disso, as duas mulheres tiveram de viajar sozinhas. No entanto, lá em Judá, Boaz estava esperando a chegada de Rute, um acontecimento que já havia sido determinado pela providência divina, desde todos os tempos. "Muitas são as aflições do justo" (John Gill, *in loc.*), mas de todas elas o Senhor nos livra, e, finalmente, nos concede graça e glória.

Por enquanto, ainda não havia um herdeiro. Uma nova linhagem haveria de ter início. Davi estava esperando, três gerações adiante, depois de Rute. E Jesus, muitas gerações mais tarde, estava esperando, pois ele foi um descendente de Rute.

NOEMI VOLTA A JUDÁ (1.6-22)

RUTE APEGA-SE A NOEMI (1.6-18)

Espalharam-se as notícias de que a fome terminara em Belém de Judá. E assim, nada tendo em Moabe, não havia razão para Noemi não retornar à sua terra natal. suas raízes a estavam chamando. São necessárias razões muito poderosas para uma pessoa não dar ouvidos a esse tipo de chamado. Noemi estava ouvindo e obedeceu. Outrossim, ela não gostava muito de Moabe e de sua crassa idolatria. Acresça-se que Moabe se tinha tornado para ela um lugar de retrocesso e tragédia, ao passo que Belém representava memórias muito agradáveis e gratas.

■ **1.6,7**

וַתָּקָם הִיא וְכַלֹּתֶיהָ וַתָּשָׁב מִשְּׂדֵי מוֹאָב כִּי שָׁמְעָה
בִּשְׂדֵה מוֹאָב כִּי־פָקַד יְהוָה אֶת־עַמּוֹ לָתֵת לָהֶם
לָחֶם׃

וַתֵּצֵא מִן־הַמָּקוֹם אֲשֶׁר הָיְתָה־שָּׁמָּה וּשְׁתֵּי כַלֹּתֶיהָ
עִמָּהּ וַתֵּלַכְנָה בַדֶּרֶךְ לָשׁוּב אֶל־אֶרֶץ יְהוּדָה׃

Então. A introdução havia terminado. E agora a narrativa propriamente dita começava. E isso com outra viagem de Noemi, de volta a Belém de Judá. Voltar para casa estava em seu coração, e logo ela passaria a agir nesse sentido. Deus tinha "visitado" Belém com um período de fome, que os antigos geralmente tomavam como prova de que havia em andamento um juízo divino; mas agora ele também havia "visitado" o seu povo com abundância de víveres, um ato benévolo da providência divina. Ver em Êx 20.5 e Am 3.2 a fome como uma expressão de julgamento divino; e ver em Êx 4.31; Jr 29.10 e Sl 84 a abundância de alimentos como uma expressão de bênção divina.

Diante de nós temos uma narrativa. De fato, trata-se de uma das mais belas histórias breves de todos os tempos. Dos 84 versículos do livro, 59 contêm diálogos, a começar pelo oitavo versículo. A narrativa na terceira pessoa muda para conversação. As chuvas tinham preparado o caminho para a abundância, e Noemi agora se encaminhava para a abundância, em todos os sentidos da palavra.

De volta para a terra de Judá. "Retornar" é a ideia-chave aqui. Deus sempre abre diante de nós boas reversões, por meio das quais podemos prosperar. Falamos em reversões da sorte. Na realidade, porém, a vontade divina manifesta-se nas boas reversões. Nada acontece por mero acaso. Ver no *Dicionário* os artigos chamados *Providência de Deus* e *Teísmo*.

Parecia que o retorno se aplicaria somente a Noemi, mas a vontade de Deus promoveu um plano mais amplo. Na verdade, o que estava prestes a ocorrer era a viagem de Rute para Belém, que teria repercussões históricas e proféticas. Algumas vezes, o arrependimento é um retorno; mas nesse caso o retorno consistiu em seguir ativamente a vontade de Deus. Vamos e voltamos, sempre de acordo com a vontade de Deus. Parece que tanto Orfa quanto Rute acompanharam Noemi por alguma distância. Mas parecia que a acompanhariam somente por uma parte do caminho. Rute, entretanto, continuou a acompanhá-la, o que constituiu uma surpresa para Noemi, uma reversão da decisão inicial. Oh, Senhor, concede-nos tal graça! Orfa só foi até a fronteira que separava os territórios de Moabe e Judá. Mas o destino de Rute ficava para além daquela fronteira.

Noemi, uma boa sogra, tinha obtido o afeto leal de suas duas noras. Como é óbvio (ver o vs. 10), até mesmo Orfa tencionava ir para Judá; mas Noemi convenceu-a a ficar em Moabe, juntamente com seu povo. Por sua parte, Rute não conseguiu ser convencida a voltar para seu povo. seu coração já lhe estava falando sobre um Novo Dia, que esperava por ela na estrangeira terra de Judá.

■ **1.8**

וַתֹּאמֶר נָעֳמִי לִשְׁתֵּי כַלֹּתֶיהָ לֵכְנָה שֹּׁבְנָה אִשָּׁה
לְבֵית אִמָּהּ יַעַשׂ יְהוָה עִמָּכֶם חֶסֶד כַּאֲשֶׁר עֲשִׂיתֶם
עִם־הַמֵּתִים וְעִמָּדִי׃

Voltai cada uma à casa de sua mãe. Seria apenas natural pensar que uma "mãe" estava esperando por Orfa, e outra "mãe" estava esperando por Rute. Ambas, sem dúvida, seriam bem acolhidas na casa de seus pais. Ali teriam um suprimento natural de tudo o que poderiam precisar, e não sofreriam necessidade alguma. O Senhor (Yahweh) sem dúvida abençoaria a ambas, cada qual na casa de seu pai; e Noemi seria abençoada em Belém. As localizações geográficas não podem impedir as bênçãos de Deus, embora, algumas vezes, possam facilitá-las. Noemi estava pensando "racionalmente". No caso de Orfa, Noemi estava certa. No caso de Rute, porém, a vontade de Deus tinha algo diferente em vista, que as racionalizações de Noemi não poderiam perscrutar. O trecho de Rt 2.11 mostra-nos que pelo menos ainda vivia o pai de Rute. Sem dúvida ele gostaria muito de acolher em sua casa a filha viúva. Por outro lado, Deus é o Pai Supremo, que cuida das pessoas melhor do que os mortais. Rute, pois, dirigiu-se com passos firmes ao seu destino.

"O amor de Noemi não era egoísta. A companhia de Rute e de Orfa, sem dúvida alguma, teria sido um grande consolo para ela. Contudo, não queria que elas se sacrificassem por sua causa. Ambas tinham mãe e um lar. Talvez Noemi não conseguisse garantir um lar para elas em Belém" (Ellicott, *in loc.*). Noemi estava pensando em termos de um novo casamento para as duas mulheres moabitas; e, naturalmente, as duas mulheres moabitas teriam melhores chances de casarem-se de novo em Moabe, e não em Israel, onde esse casamento misto seria desencorajado, se não mesmo abertamente condenado.

O Senhor use convosco de benevolência. A vontade de Deus, segundo se esperava, era benévola (no hebraico, *hesed*), porquanto "Deus amou o mundo de tal maneira" (Jo 3.16). As duas noras de Noemi sem dúvida eram merecedoras da benevolência divina. E, assim sendo, Noemi garantiu que elas deveriam procurar essa benevolência entre a sua própria gente. A bondade de Deus não se limita a fronteiras nacionais. O Pacto Abraâmico envolve todos os povos, especialmente depois que foi universalizado em Cristo. Quanto ao Pacto Abraâmico, ver as notas expositivas em Gn 15.18.

■ **1.9**

יִתֵּן יְהוָה לָכֶם וּמְצֶאןָ מְנוּחָה אִשָּׁה בֵּית אִישָׁהּ וַתִּשַּׁק לָהֶן וַתִּשֶּׂאנָה קוֹלָן וַתִּבְכֶּינָה׃

Cada uma em casa de seu marido. Os homens da família já haviam sido arrebatados pela morte; e agora a separação haveria de causar uma divisão até entre as mulheres. Tudo agora era só esperança: "Algum dia, vocês, meninas, terão novos maridos e novos lares". Temos aqui exibida graficamente a triste situação das viúvas, nos dias antigos. Os pais das jovens teriam de renovar suas responsabilidades, até que surgissem novos maridos para elas. A "dependência" feminina fica assim ilustrada. A condição das mulheres, desde então, tem mudado radicalmente para melhor em muitas (embora não em todas as) sociedades modernas. Mas a viuvez, seja como for, é uma prova difícil para uma mulher. Ver no *Dicionário* o verbete chamado *Viúva*.

E beijou-as. O ato de beijar era um sinal de afeto. O chamado *ósculo santo*, entre pessoas de sexo diferente, era usualmente dado na mão. Naquele tempo, tal como hoje em dia, o "beijo" era uma maneira de dizer "adeus" ou de saudar a alguém. Ver no *Dicionário* o artigo chamado *Beijo*. Dizer "adeus" é uma espécie de "pequena morte". Contudo, mesmo nos casos de "morte grande", a separação não é definitiva. Arthur John Gossip, eloquente pregador e autor, dedicou dois de seus livros à sua esposa, e o segundo após a morte dela. A dedicatória dizia: "À minha esposa, até hoje minha companheira, com gratidão, amor e esperança". E também: "À minha casa, que agora faz muito tempo está na casa do Pai". Esses fatos ficaram registrados no livro intitulado *Experience Works Hope*, havendo algo de consolador na observação de que a experiência durante a vida, longe de deixar-nos desconsolados, na verdade acende a esperança, mesmo quando essa experiência traz a morte.

■ **1.10**

וַתֹּאמַרְנָה־לָּהּ כִּי־אִתָּךְ נָשׁוּב לְעַמֵּךְ׃

Não, iremos contigo ao teu povo. A determinação das duas jovens, de ficarem com sua sogra, o que incluía a recusa de voltarem às suas respectivas casas paternas, ao que poderia parecer, na ocasião, importava em desistirem elas de se casarem de novo. Isso serve de ilustração da profunda amizade e do afeto que se tinha desenvolvido entre aquelas três mulheres. O espírito de sacrifício pessoal era o conceito que governou aquele momento. Os Targuns procuram lançar uma "luz" desnecessária sobre o texto, ao suporem que as duas jovens estavam resolvidas a converter-se à fé dos hebreus, o que abriria para ambas a possibilidade de um novo casamento. Naquele momento, entretanto, não houve nenhum "cálculo teológico" dessa natureza.

■ **1.11**

וַתֹּאמֶר נָעֳמִי שֹׁבְנָה בְנֹתַי לָמָּה תֵלַכְנָה עִמִּי הַעוֹד־לִי בָנִים בְּמֵעַי וְהָיוּ לָכֶם לַאֲנָשִׁים׃

Voltai, minhas filhas. Noemi já era mulher muito idosa para produzir filhos com os quais as duas jovens pudessem casar-se; e elas também não haveriam de querer esperar o tempo necessário para que os meninos se tornassem adultos e casassem com elas. Novos casamentos, pois, eram a única grande esperança para que aquele desastre fosse revertido, conforme acontece com a vasta maioria das mulheres que enviúvam. Naqueles dias, uma mulher viúva era forçada a depender ou de seu pai, ou da prostituição, se quisesse sobreviver, a menos que viesse a casar-se de novo. Noemi, pois, afirmou enfaticamente que ela era incapaz de resolver o problema que suas duas noras estavam enfrentando.

■ **1.12**

שֹׁבְנָה בְנֹתַי לֵכְןָ כִּי זָקַנְתִּי מִהְיוֹת לְאִישׁ כִּי אָמַרְתִּי יֶשׁ־לִי תִקְוָה גַּם הָיִיתִי הַלַּיְלָה לְאִישׁ וְגַם יָלַדְתִּי בָנִים׃

Tornai, filhas minhas, ide-vos embora. Noemi prosseguiu em suas racionalizações, transbordante de condições impossíveis. Ela estava idosa demais para casar-se de novo e ter filhos que pudessem casar-se com suas duas noras. Não fora isso, e não fosse verdade que as próprias mulheres já estava idosas bastante para esperar que novos filhos de Noemi nascessem e crescessem, então ela estaria ansiosa para produzir outros filhos para elas. O caso, entretanto, simplesmente não tinha solução. Portanto, a recomendação que voltassem ao povo delas era a única orientação que lhes podia dar. Em outras palavras, a utilidade de Noemi para suas duas noras era uma perda de tempo. Elas teriam de buscar socorro em algum outro lugar.

A lei do levirato (ver Dt 25.5,6) provavelmente estava por trás de toda a argumentação de Noemi. Ver no *Dicionário* o artigo detalhado chamado *Lei do Levirato*. Não havia irmãos vivos que pudessem assumir a responsabilidade de casar-se com as jovens, como seus cunhados. E não haveria mais filhos. Esse aspecto da vida de Noemi tinha terminado. Ver a história, no capítulo 38 de Gênesis, quanto a uma aplicação dessa lei. Os códigos legais dos hititas e dos assírios continham provisões similares. A lei do levirato não pesava sobre um filho não nascido. Além disso, um irmão que se casasse com a esposa de um seu irmão falecido tinha de ser alguém gerado pelo mesmo pai que o falecido. Assim sendo, essas condições eliminavam toda esperança de que Noemi pudesse ajudar suas duas noras, com filhos, para se casarem com elas.

■ **1.13**

הֲלָהֵן תְּשַׂבֵּרְנָה עַד אֲשֶׁר יִגְדָּלוּ הֲלָהֵן תֵּעָגֵנָה לְבִלְתִּי הֱיוֹת לְאִישׁ אַל בְּנֹתַי כִּי־מַר־לִי מְאֹד מִכֶּם כִּי־יָצְאָה בִי יַד־יְהוָה׃

Até que viessem a ser grandes? A triste argumentação de Noemi prossegue aqui. Era uma argumentação fútil, pois não levava a coisa nenhuma. Ainda que Noemi tivesse novos filhos, eles não serviriam para casar com as duas mulheres moabitas. Mas então, em uma explosão de amargura, Noemi lançou a culpa de toda a sua sorte cruel sobre Yahweh. A "mão" dele tinha-se voltado contra ela; e ela só poderia mesmo esperar infortúnio e reversões. Ela não podia oferecer nenhuma esperança para as duas mulheres moabitas, pelo que elas tinham de procurar socorro em outro lugar.

Fraca quanto a Causas Secundárias. Ver também as notas sobre o versículo 20 deste capítulo. A teologia dos hebreus era deficiente quanto a causas secundárias; e, por isso mesmo, todas as coisas eram lançadas na conta de Deus. Para ilustrar, apelemos para a terrível história do homem que já nascera aleijado. Aproximou-se outro hebreu e, vendo o coitado e feio homem, começou a rir-se. De fato, aquele homem aleijado era uma piada pespegada pela natureza. Mas o homem que tanto ria de súbito parou, pois lembrou a sua teologia hebreia: "Deus fez ele ser assim!" A mente dele volveu-se para a "causa única" de todas as coisas. Pontos de vista exagerados sobre a predestinação repousam sobre essa antiga e insuficiente teologia dos hebreus, na qual há espaço somente para uma causa de tudo, ou seja, não há causas secundárias. Ora, se há apenas uma única causa, então todas as coisas derivam-se dessa causa única — todas as coisas, tanto as boas quanto as más. Foi com base nessa ideia que os homens inventaram a terrível doutrina da reprovação ativa. E até mesmo a reprovação passiva é uma teologia inadequada. Ver na *Enciclopédia de Bíblia, Teologia e Filosofia* os verbetes intitulados *Reprovação* e *Predestinação*.

O Senhor. No original hebraico, essa palavra é *Yahweh*. Ver no *Dicionário* os artigos intitulados *Yahweh* e *Deus, Nomes Bíblicos de*.

■ **1.14**

וַתִּשֶּׂנָה קוֹלָן וַתִּבְכֶּינָה עוֹד וַתִּשַּׁק עָרְפָּה לַחֲמוֹתָהּ וְרוּת דָּבְקָה בָּהּ׃

Orfa com um beijo se despediu de sua sogra. A vigorosa e convincente argumentação de Noemi levou Orfa a voltar à casa de seu pai. Mas Rute continuou com a sua sogra, encaminhando-se assim para o seu verdadeiro destino, pois nenhuma discussão convenceu-a a abandonar sua sogra. O original hebraico é aqui muito compacto e vigoroso. Somente seis palavras foram usadas. Mas os tradutores são forçados a expandir a frase, a fim de transmitir um sentido compreensível.

É ridículo criticar Orfa quanto a esse particular. Ela simplesmente estava seguindo o destino dela, ao passo que Rute também estava seguindo o seu próprio destino. A dedicação dela a Noemi não era menor que a de Rute. Um novo período tinha começado para Orfa; e um novo período tinha começado para Rute. Elas simplesmente eram pessoas diferentes, pelo que não se deve falar em termos de censura para uma e de elogios para outra. Podemos falar em termos de algum afeto superior existente em Rute, mas nem mesmo isso detrata Orfa em coisa alguma. Viva e deixe viver, dando-se a Deus o crédito por ele tê-las guiado de maneiras diferentes. Orfa fez o que Noemi mesma insistira que ela fizesse; e o que ela fez foi correto para ela. Mas Rute não atendeu à insistência de Noemi, porque havia uma voz, a voz de Yahweh, que a impelia a continuar até Belém. Rute escolheu um caminho mais excelente, mas isso para ela. O outro caminho foi o mais excelente para Orfa. O caminho mais excelente é sempre aquele que é governado pelo amor (ver 1Co 12.31); e foi quanto a isso que Rute se destacou, e devemos dar-lhe o crédito por essa excelência. Noemi, por sua vez, apreciou a determinação e o amor de Rute, e assim permitiu-lhe acompanhá-la até Belém (ver o vs. 18 deste capítulo).

1.15

וַתֹּאמֶר הִנֵּה שָׁבָה יְבִמְתֵּךְ אֶל־עַמָּהּ וְאֶל־אֱלֹהֶיהָ שׁוּבִי אַחֲרֵי יְבִמְתֵּךְ׃

Eis que tua cunhada voltou ao seu povo. O argumento final de Noemi tencionava convencer Rute a voltar à casa de seu pai, em Moabe, seguindo o exemplo de Orfa, que acabou retornando a Moabe (vs. 14). Mas esse argumento também falhou, tal como tinha acontecido com todos os demais. Os Targuns capitalizam demasiadamente este versículo, dizendo que Orfa tinha abandonado a idolatria dos moabitas, mas agora, ao voltar à casa de seu pai, reiniciava suas antigas práticas idólatras. Mas é uma tolice pintar de preto os textos bíblicos, quando não há nenhum indício nos próprios textos bíblicos. Não houve, no caso de Orfa, nenhuma apostasia, mas tão somente o pressuposto de que a volta aos moabitas seria o retorno às formas e práticas religiosas anteriores. Entretanto, é correto supor que Rute, por ter ido para Belém, converteu-se deveras à fé dos hebreus. Isso é até mesmo enfatizado no versículo seguinte. Alguns estudiosos têm visto na declaração de Noemi um laivo de henoteísmo. Essa é a crença que diz que "há um Deus que se aplica a nós", mas sem negar que existem deuses que se aplicam a outros povos. O *henoteísmo* foi uma espécie de introdução ao *monoteísmo*. Era um monoteísmo prático, embora ainda não organizado como uma teoria. Ver no *Dicionário* o artigo chamado *Monoteísmo*.

"Não há que duvidar que Noemi via os ídolos moabitas como realidades cujo poder, entretanto, estava confinado ao território de Moabe. Ela não estava suficientemente iluminada, quanto à sua religião, para perceber que o Senhor (Yahweh) era mais do que meramente o Deus de Israel" (Ellicott, *in loc.*, que dessa maneira nos oferece a essência do henoteísmo).

1.16,17

וַתֹּאמֶר רוּת אַל־תִּפְגְּעִי־בִי לְעָזְבֵךְ לָשׁוּב מֵאַחֲרָיִךְ כִּי אֶל־אֲשֶׁר תֵּלְכִי אֵלֵךְ וּבַאֲשֶׁר תָּלִינִי אָלִין עַמֵּךְ עַמִּי וֵאלֹהַיִךְ אֱלֹהָי׃

בַּאֲשֶׁר תָּמוּתִי אָמוּת וְשָׁם אֶקָּבֵר כֹּה יַעֲשֶׂה יְהוָה לִי וְכֹה יֹסִיף כִּי הַמָּוֶת יַפְרִיד בֵּינִי וּבֵינֵךְ׃

Não me instes para que te deixe. É provável que esses dois versículos sejam a passagem mais conhecida do livro de Rute, pois têm sido citados incessantemente por todos os séculos. Têm sido usados nas cerimônias de casamento e fazem parte dos votos tomados. Têm até mesmo sido usados na bibliomancia, sobre o que discuti na *Enciclopédia de Bíblia, Teologia e Filosofia*. Uma forma dessa adivinhação consiste em prender uma tesoura dentro de uma Bíblia, de modo que fiquem de fora, pelo lado de cima da Bíblia, as orelhas da tesoura, de forma a poderem ser usadas como pontos de apoio onde a pessoa põe seus dedos indicadores. A Bíblia, assim elevada, serve de eixo em torno do qual a tesoura gira. Perguntas são feitas. As respostas "sim" ou "não" são dadas de acordo com o giro da Bíblia para a direita ou para a esquerda. É fácil, porém, demonstrar que qualquer livro assim preso por um fio, com a tesoura estendendo-se acima, dará respostas pelo mesmo método. As experiências com essa estranha forma de adivinhação mostram que o que está em operação é a psicocinese, ou seja, o poder da mente para mover objetos. As experiências também têm demonstrado que a Bíblia ou outros livros que girem assim não dão respostas desconhecidas para as pessoas presentes, ou que estejam experimentando o jogo, pois tudo não passa de uma brincadeira, sem mais nem menos. Não é algo nem divino nem diabólico. É algo humano, dependendo do poder da mente para mover objetos, sem que haja contato físico. Ver na *Enciclopedia de Bíblia, Teologia e Filosofia* o artigo intitulado *Psicocinesia*.

A Dedicação Total: Rute não conseguia separar-se de Noemi. Esse impulso vinha de *dentro* dela, de sua própria alma, visto que o destino dela estava em jogo, e esse destino dependia de sua ida para Belém de Judá. Ela estava destinada a tornar-se a bisavó do rei Davi, e uma das antepassadas de Jesus, o Cristo. Isso não poderia tornar-se uma realidade se ela voltasse, juntamente com Orfa, para a terra dos moabitas.

Elementos da Dedicação:

1. *Insistências* contrárias ao destino que começava a descortinar-se tinham de parar imediatamente, antes que impedissem Rute de cumprir o propósito que a estava chamando desde o fundo do coração. Algumas vezes é melhor confiar no coração do que na mente.
2. Rute tinha de *seguir* Noemi, a qual estava avançando na direção em que o destino dela e a guiava. Continuamos a avançar quando não parece haver outra saída senão continuar avançando.
3. *Similaridade* de localização geográfica precisava ser conseguida, para que o propósito tivesse cumprimento. Havia um "lugar certo" para que o drama futuro começasse a acontecer.
4. O povo de *Noemi* teria de ser o povo de Rute. Como Rute poderia vir a ser a bisavó de Davi, o rei, se não fosse viver em Belém? Somente ali ela poderia participar da comunidade que haveria de produzir, finalmente, o rei, e então, o Rei Messias.
5. Embora a *morte* houvesse de separar as duas, chegado o tempo de Noemi morrer, o propósito já teria operado na vida de Rute, quando isso acontecesse. Não fica claro se Rute já tinha recebido ou não a noção da imortalidade. Esse conceito, de modo geral, só começou a ser aceito em Israel quando do período intermediário entre o Antigo e o Novo Testamento. Mas figura com clareza nos Salmos e nos Profetas, pois foi então que o conceito passou a crescer em Israel. O trecho de Ez 32.21-30 dá a entender que cada nação tem o seu próprio lugar no sheol, e, nesse caso, mesmo naquele lugar espiritual continuaria a identificação de Rute com Israel. Porém, é duvidoso que a declaração feita aqui por Rute queira dar a entender qualquer coisa dessa natureza.
6. Invocação de alguma espécie de *juízo* se o intuito divino não se cumprisse. "A decisão de Rute era tão definitiva que incluía referência à morte e ao sepultamento. Ela ficaria com Noemi até a morte e mais além. A fim de selar a qualidade de sua decisão, Rute invocou o julgamento, da parte do Deus de Israel, se ela viesse a trair seu compromisso de lealdade para com a sua sogra" (John W. Reed, *in loc.*).
7. *Uma nova fé religiosa*, com o consequente abandono dos antigos caminhos e sua idolatria, tornaria possível o cumprimento de todas as provisões do compromisso assumido.

"Nunca antes se fizera uma tão perfeita rendição de sentimentos amigáveis para com um amigo" (Adam Clarke, *in loc.*). Rute não abandonou Noemi; antes, continuou a segui-la; alegremente abandonou seu próprio país e seu próprio povo, e com idêntico júbilo adotou um novo povo. A resolução dela foi mais forte do que a própria morte.

Uma Lição Inesquecível. Um elemento conspícuo desses dois versículos não deveria jamais ser negligenciado. Rute sabia, lá em sua própria alma, o que o seu *destino* requeria dela. Essa convicção interior e esse conhecimento foram capazes de derrotar os argumentos de sua sogra, que insistia em que ela seguisse um curso "lógico", o qual, contudo, lhe era prejudicial.

Fé

Oh, mundo, não escolheste a melhor parte;
Não é sábio ser apenas sábio,
E fechar os olhos para a visão interior,
Mas é sabedoria acreditar no coração.
Colombo achou um mundo, e não tinha mapa,
Salvo o da fé, decifrado nas estrelas;
Confiar na empresa invencível da alma
Era toda a sua esperança, toda a sua arte.
Nosso conhecimento é uma tocha fumegante
Que ilumina o caminho um passo de cada vez,
Através de um vazio de mistério e espanto.
Ordena, pois, que brilhe a luz terna da fé,
A única capaz de dirigir nosso coração mortal
Aos pensamentos sobre as coisas divinas.

George Santayana

■ 1.18

וַתֵּרֶא כִּי־מִתְאַמֶּצֶת הִיא לָלֶכֶת אִתָּהּ וַתֶּחְדַּל לְדַבֵּר אֵלֶיהָ:

Deixou de insistir com ela. A percepção interior de Rute, quanto à vontade Deus, venceu todas as racionalizações de Noemi. Isso posto, estava superado o primeiro obstáculo para a concretização do plano de Deus, embora muitos outros ainda tivessem de ser vencidos. A tragédia haveria de ceder espaço para um Novo Dia. Mediante a fé, Rute tinha sido capaz de saltar por cima das barreiras que haviam sido postas à sua frente. Um propósito constante tinha removido a primeira barreira.

NOEMI E RUTE CHEGAM A JUDÁ (1.19-22)

■ 1.19

וַתֵּלַכְנָה שְׁתֵּיהֶם עַד־בֹּאָנָה בֵּית לָחֶם וַיְהִי כְּבֹאָנָה בֵּית לֶחֶם וַתֵּהֹם כָּל־הָעִיר עֲלֵיהֶן וַתֹּאמַרְנָה הֲזֹאת נָעֳמִי:

Não é esta Noemi? Todos se surpreenderam ao ver Noemi de volta a Israel. A chegada dela fez a cidade inteira comentar, como se fossem um enxame de abelhas, o que é sugerido pela palavra onomatopeica que aparece no texto hebraico. Cf. 1Sm 4.5; 1Rs 1.45; Mq 2.12 quanto a outros usos dessa mesma palavra. O som da palavra hebraica é *hoom*, muito parecida com o vocábulo inglês *hum*, "zumbido". Essa palavra veio a ser empregada para indicar qualquer tipo de ruído, clamor ou agitação.

A viagem era de apenas oitenta quilômetros; mas era necessário vadear ou de outro modo atravessar os rios Arnom e Jordão. Os judaítas não tinham certeza se a mulher que viam era mesmo Noemi. Os anos e a viagem a tinham abatido, em suas forças e em sua aparência. As mulheres judias é que fizeram as observações registradas neste versículo, visto que, no original hebraico, o verbo é feminino, uma característica bastante rara nas linguagens. Sem dúvida, Belém era uma minúscula aldeia, pelo que todos conheciam Noemi. Aben Ezra observou que tanto Elimeleque quanto Noemi tinham sido cidadãos destacados de Belém; mas o próprio texto sagrado não diz isso, e o ponto é impossível de determinar.

■ 1.20

וַתֹּאמֶר אֲלֵיהֶן אַל־תִּקְרֶאנָה לִי נָעֳמִי קְרֶאןָ לִי מָרָא כִּי־הֵמַר שַׁדַּי לִי מְאֹד:

Não me chameis Noemi. As mulheres tinham-na chamado de Noemi, mas ela objetou ao uso desse nome, que significa "agradável", "doce". De acordo com ela, Mara ("amarga") seria um nome mais apropriado. O "Deus Todo-poderoso", que age conforme ele quer e não favorece a ninguém, tinha-a tratado com tal aspereza que ela ficara amargurada, e não doce. Não é fácil enfrentar a morte, especialmente de um ente querido. E tinham sido as mortes do marido e de seus dois filhos que a tinham deixado psicologicamente exausta e amargurada. Ver os comentários de Rt 1.13 sobre como a teologia dos hebreus era fraca quanto a causas secundárias, aumentando ainda mais a consternação de Noemi quanto a tudo o que lhe havia acontecido. Ver na *Enciclopédia de Bíblia, Teologia e Filosofia* o verbete intitulado *Problema do Mal*. Repeti esse artigo no *Dicionário* da presente obra. Como podemos reconciliar um Deus que tudo sabe, que é Todo-poderoso, que é Todo-benévolo e onisciente com os males e sofrimentos que há no mundo e que tanto afligem os homens? Aquele artigo diz o que os eruditos pensam sobre esse problema.

Notemos que a ideia de "amargura" foi adicionada, ao ser repetida no verbo usado. Noemi estava amargurada; Deus tinha amargado a sua vida.

A VEREDA DA DEDICAÇÃO

Aonde quer que fores, irei eu, e onde quer que pousares, ali pousarei eu; o teu povo é o meu povo, o teu Deus é o meu Deus.

Rute 1.16

O MATRIMÔNIO DE MENTES VERAZES

Que ao matrimônio de mentes verazes
Não admitia eu empecilhos.
Amor não é amor
Se se altera quando encontra alterações.
Ou se inclina para remover o removedor.
Oh não! Mas é um alvo sempre fixo,
Que encara tempestades e nunca se abala.
É a estrela de toda barca ao léu...

William Shakespeare

O AMOR APERFEIÇOADO

O amor é a prova da espiritualidade.

Não há nunca amor perfeito sem tortura e sem cuidado.
Amar é ter Deus no peito, outra vez crucificado.

Augusto Gil

O amor concede em um momento o que o trabalho não poderia obter em uma era.

Goethe

Os estoicos definem o amor como a tentativa de formar uma amizade inspirada pela beleza.

Cícero

Shaddai é a palavra hebraica aqui usada, traduzida por "Todo-poderoso". Essa tradução começou a ser usada na Septuaginta e tem sido empregada por muitas versões desde então. Todavia, a tradução "Todo-suficiente" seria muito mais apropriada. Deus, na qualidade de o Todo-suficiente, tinha tirado toda a suficiência de Noemi, deixando-a destituída. Quanto a detalhes sobre os nomes divinos, ver no *Dicionário* o artigo chamado *Deus, Nomes Bíblicos de*. O Deus que dá todas as coisas em abundância também tira de nós todas as coisas. Não obstante, louvamos ao nome de Deus, visto que a vitória final é certa em El, o Todo-poderoso, cujas aplicações finais de graça e poder ultrapassam todos os retrocessos anteriores.

"Deus era considerado autor de todas as ações e de todos os eventos, tanto bons quanto maus (1Sm 15.15). Naquele tempo não havia, na teologia dos hebreus, um Satanás para acusar, nem leis naturais sobre as quais lançar a culpa... A atitude de Noemi para com Deus flutuava, de acordo com a sua sorte (cf. Rt 1.13,20,21; 2.20; ver também Jó 2.10" (James T. Cleland, *in loc.*). Ver igualmente Lm 3.15,19.

■ **1.21**

אֲנִי מְלֵאָה הָלַכְתִּי וְרֵיקָם הֱשִׁיבַנִי יְהוָה לָמָּה
תִקְרֶאנָה לִי נָעֳמִי וַיהוָה עָנָה בִי וְשַׁדַּי הֵרַע לִי׃

Ditosa eu parti, porém o Senhor. Ela saíra uma mulher agradável, mas voltou amarga, por vontade do Todo-suficiente. Ela fora para Moabe ditosa, por causa das bênçãos divinas, mas El-*Shaddai* (vs. 20) fê-la voltar pobre.

O Senhor se manifestou contra mim. E então, incrivelmente, o poder divino *testificou contra ela*, como se ela estivesse sob julgamento, fosse encontrada culpada e merecesse todo o mau tratamento recebido. Algumas versões, como a *Revised Standard Version*, dizem que Deus "a afligira"; mas somos informados pelos eruditos do hebraico que a ideia de "testificar contra" é a única tradução possível do original. Cf. Nm 35.30 e 1Sm 12.3, onde é usada a mesma construção gramatical. Ver um paralelo em Jó 19.6,21. O uso da teologia antiga dos hebreus, que era deficiente quanto a causas secundárias (ver as notas expositivas sobre isso nos versículos 13 e 20 deste capítulo), continuou influenciando as expressões de desespero de Noemi. Ela estava tratando com o Deus Todo-suficiente, rico em todas as coisas, que distribui a todos generosamente. No entanto, aconteceu algo e ele cortou todo o suprimento de Noemi, e ela ficou desesperada.

■ **1.22**

וַתָּשָׁב נָעֳמִי וְרוּת הַמּוֹאֲבִיָּה כַלָּתָהּ עִמָּהּ הַשָּׁבָה
מִשְּׂדֵי מוֹאָב וְהֵמָּה בָּאוּ בֵּית לֶחֶם בִּתְחִלַּת קְצִיר
שְׂעֹרִים׃

Assim voltou Noemi. O autor agora sumaria o drama do capítulo, informando-nos, uma vez mais (ver o vs. 19), que Noemi voltou a Belém da Judeia, em companhia de Rute. Estas palavras são idênticas às de Rt 2.6; e alguns estudiosos supõem que a presença dessas palavras aqui represente uma inserção desajeitada, provavelmente feita por algum editor posterior. Ou então a adição, embora aparentemente supérflua, serve para enfatizar a triste volta, bem como o fato de que as duas mulheres, Noemi e Rute (que passa agora a ser a figura principal do drama), foram as duas personagens envolvidas.

O novo fato aqui oferecido é que o tempo era o da colheita da cevada, um detalhe importante no desdobramento do drama. Ver no *Dicionário* o artigo intitulado *Colheita*.

A colheita da cevada começava no segundo dia da festa dos pães asmos, no dia dezesseis do mês de nisã, que corresponde a nossos meses de março-abril, quando os filhos de Israel ofereciam os molhos dos primeiros frutos ao Senhor, para então, mas nunca antes, começar sua colheita. Ver Lv 23.10,14.

Por isso mesmo, dizem os Targuns: "Elas chegaram a Belém no começo do dia da páscoa, e naquele dia os filhos de Israel começaram a colher os molhos a serem movidos, ou seja, de cevada". O segundo capítulo oferece-nos o relato de que Rute ficou respigando o grão nos campos de Boaz, pelo que tanto a colheita da cevada quanto a respiga dos grãos armam o palco para o passo seguinte do drama.

"O mais antigo calendário da Palestina, encontrado em Gezer e pertencente a cerca de 1000 a.C., era de natureza agrícola. Esse calendário dividia o ano em: 1. plantar o cereal; 2. sachar o linho; 3. colher a cevada; 4. cuidar da vinha etc." (Louise P. Smith, *in loc.*).

"A colheita da cevada era a primeira do ano, e ordinariamente caía em torno do fim de abril. Ver Êx 9.31,32" (Ellicott, *in loc.*).

CAPÍTULO DOIS

ENCONTRO DE RUTE E BOAZ (2.1-23)

RUTE COMEÇA A COLHER (2.1-7)

Rute, em Israel, era agora uma convertida à fé dos hebreus (vs. 12), uma parte necessária do desdobramento do propósito divino que nela estava operando. Os moabitas eram excluídos da congregação de Israel (ver Dt 23.3); mas a graça divina operou através do yahwismo, e assim a história de Rute se tornou possível. Neste ponto é apresentado Boaz, um abastado agricultor judaíta. Ver o artigo detalhado sobre ele no *Dicionário*. Ele era aparentado de Noemi e do falecido marido dela, pelo que estava em posição de redimir Rute, casar-se com ela e gerar filhos que seriam considerados de seu parente, Elimeleque. Daí foi que surgiram tanto Davi, o rei, quanto o rei dos reis, o Messias, porquanto Rute entrou tanto na linhagem real quanto na linhagem divina.

■ **2.1**

וּלְנָעֳמִי מְיֻדָּע לְאִישָׁהּ אִישׁ גִּבּוֹר חַיִל מִמִּשְׁפַּחַת
אֱלִימֶלֶךְ וּשְׁמוֹ בֹּעַז׃

Tinha Noemi um parente de seu marido. Convém fazer a exposição deste versículo falando sobre os fatos que ele contém:
1. Parente. No hebraico, *moda*. Uma palavra usada somente aqui, embora da mesma raiz que significa *irmã*, em Rt 3.2 e Pv 7.4. A palavra hebraica relacionada, *meyudda*, uma possível vocalização da palavra usada neste texto, é um vocábulo de sentido muito amplo, podendo indicar qualquer tipo de parentesco, ou mesmo amizade íntima (ver 2Rs 10.11; Sl 31.11). No presente texto, entretanto, é requerido o sentido de *parente de sangue*, porquanto não poderia existir o tema central de todo o drama, a história da redenção.
2. O parente de Noemi era um homem *poderoso*, um abastado agricultor. A descrição utilizada pode referir-se a poder militar. Talvez Boaz tivesse a sua própria milícia, a fim de proteger seus bens. Desse modo, Boaz tinha a *capacidade de redimir*, e isso muito mais do que o necessário, o que o tornava um tipo de Cristo, o Redentor. Rute, por sua vez, é um tipo da Igreja, a redimida, cuja redenção resulta em abundância de bênçãos.
3. Boaz, o parente rico e poderoso, também era *honrado*, homem de boa reputação, generoso e sensível para com as necessidades alheias. O idioma hebraico posterior dava esse sentido de honroso ao adjetivo poderoso. Os Targuns dizem: "poderoso na lei", espiritualizando assim o texto; mas não é isso que as palavras significam. As tradições judaicas indicam que Boaz foi Ibsã, um dos juízes de Israel (ver Jz 12.8), mas isso é extremamente fantasioso.

Alguns estudiosos pensam que o pai de Boaz era irmão de Elimeleque. E também outros estudiosos imaginam outros graus de parentesco; mas tudo não passa de conjetura. O artigo sobre Boaz fornece aquilo que pode ser dito sobre a sua linhagem. Ver Rt 4.18 ss.

■ **2.2**

וַתֹּאמֶר רוּת הַמּוֹאֲבִיָּה אֶל־נָעֳמִי אֵלְכָה־נָּא הַשָּׂדֶה
וַאֲלַקֳטָה בַשִּׁבֳּלִים אַחַר אֲשֶׁר אֶמְצָא־חֵן בְּעֵינָיו
וַתֹּאמֶר לָהּ לְכִי בִתִּי׃

Apanharei espigas. No hebraico, temos um verbo geral que indica "apanhar", "colher"; é usado para juntar pedras, em Gn 31.46; ou dinheiro, em Gn 47.14. Mas quando o termo é aplicado a grãos e frutos, então o verbo assume um sentido técnico de "respigar", uma atividade permitida aos pobres, cujo único sustento dependia dessa "lei da respiga". Ver Dt 24.19-21 quanto ao primeiro incidente bíblico dessa lei. Quando da colheita, os colhedores deixavam propositadamente alguns grãos; e algumas frutas eram deixadas nas árvores frutíferas, com o propósito específico de permitir que os pobres viessem, terminada a colheita, a fim de respigar o que fosse deixado. Indivíduos mesquinhos pouco deixavam para ser respigado pelos pobres, o que era contra a lei da generosidade que tinha inspirado a prática. Ver Is 17.5,6 quanto à queixa do profeta contra a mesquinharia. Rute, reduzida a uma abjeta pobreza, respigava a fim de poder sobreviver. O relato antecipa o grande resultado final desse ato ao referir-se a Boaz, o homem rico cujos grãos ela foi respigar. Com a passagem dos dias, Boaz prestaria atenção nela e a favoreceria.

... me favorecer. Alguns estudiosos pensam que essa ideia de favorecimento estava ligada à noção de ter o bastante para comer. Os proprietários de terras que eram generosos deixavam nada menos que a quarta parte de seu grão plantado para uso dos pobres. Isso ia

A COLHEITA Smith's Bible Dictionary

Estarás atenta ao campo que segarem, e irás após elas. Não dei ordem aos servos, que te não toquem? Quando tiverdes sede, vai às vasilhas, e bebe do que os servos tiraram. Então ela, inclinando-se, rosto em terra, lhe disse: como é que me favoreces e fazes caso de mim, sendo eu estrangeira?

Rute 2.9,10

além das exigências da lei no tocante à prática, e constituía uma obra de caridade. Porém, parece que o favor que Rute estava esperando ia além da questão da respiga. Com sua capacidade de intuição, ela sabia que algum grande acontecimento estava prestes a ocorrer, e ela precisava estar no lugar certo e no tempo certo.

Noemi, que antes, por ignorância, tinha procurado impedir o propósito divino, ao desencorajar Rute de vir com ela a Belém da Judeia, agora cooperava plenamente, dando à nora o consentimento para respigar a cevada. Esse pequeno informe revela-nos que uma sogra exercia autoridade sobre uma nora mesmo depois da morte do marido. Ou então Rute estava somente sendo cortês, permitindo que a sua sogra exercesse certo controle sobre a sua vida.

Outra lição que podemos aproveitar deste versículo é que Rute, que antes tinha conhecido certa abastança material, agora, em sua carência, não se envergonhava de trabalhar para poder sobreviver. Ela não se manteve orgulhosa por ter sido antes uma pessoa abastada. Agora desempenhava, graciosamente, o seu novo papel de *dama pobre*.

2.3

וַתֵּלֶךְ וַתָּבוֹא וַתְּלַקֵּט בַּשָּׂדֶה אַחֲרֵי הַקֹּצְרִים וַיִּקֶר מִקְרֶהָ חֶלְקַת הַשָּׂדֶה לְבֹעַז אֲשֶׁר מִמִּשְׁפַּחַת אֱלִימֶלֶךְ׃

Ela se foi. Este versículo é encorajador para todos quantos olham para Deus, esperando dele suprimento e orientação. Rute teve a "boa sorte" de acabar respigando no campo de Boaz. A verdade, porém, é que esse detalhe, embora pequeno mas "necessário", foi arranjado pela providência de Deus. Nada acontece por mero acaso. Ela poderia ter entrado no campo de outro proprietário, que não fosse parente de Noemi, e que fosse um homem de mão fechada. Mas, embora pudesse, não o fez, porquanto em todo aquele incidente havia o propósito divino. O fato é que ela precisava ir respigar no campo de Boaz, e assim seguir ao longo do fluxo do poder divino. Oh, Senhor, concede-nos tal graça! "Embora para ela possa ter parecido mero acaso, ou aquilo que algumas pessoas chamam de boa sorte, tudo sucedeu em harmonia com o propósito, a providência e a direção de Deus, que ela tenha ido trabalhar após os colhedores naquela parte do campo que pertencia a Boaz, um parente próximo de seu falecido sogro" (John Gill, *in loc.*).

Shaddai. O Deus Todo-suficiente, que dá generosamente a todos, estava assim começando a fazer reverter as circunstâncias adversas que tinham reduzido Noemi a Rute a quase nada. Ver o vs. 20 quanto a notas sobre esse nome divino.

De conformidade com uma estrita teologia da época, que era deficiente quanto a causas secundárias (ver os versículos 13 e 20 deste capítulo), "por casualidade" era a mesma coisa que "providencialmente".

2.4,5

וְהִנֵּה־בֹעַז בָּא מִבֵּית לֶחֶם וַיֹּאמֶר לַקּוֹצְרִים יְהוָה עִמָּכֶם וַיֹּאמְרוּ לוֹ יְבָרֶכְךָ יְהוָה׃

וַיֹּאמֶר בֹּעַז לְנַעֲרוֹ הַנִּצָּב עַל־הַקּוֹצְרִים לְמִי הַנַּעֲרָה הַזֹּאת׃

De quem é esta moça? O poder divino tinha arranjado o passo seguinte. Como é óbvio, Boaz precisava encontrar-se com Rute. E quando ele veio inspecionar como estava indo a colheita, acabou ficando impressionado pela bela jovem que respigava grãos em sua propriedade. Por certo ela não se parecia com alguma pobre mulher que tinha doze crianças para alimentar, envelhecida prematuramente, já ficando corcunda, com um olhar de desamparo no rosto. De fato, ela parecia estar gostando de estar respigando o grão, mais parecendo com uma dona de casa que de nada precisava e exercia autoridade sobre os colhedores, em lugar de esperar pela misericórdia ajudadora deles. Houve saudações formais entre Boaz e seus trabalhadores ("Yahweh seja convosco!"). Mas os olhos de Boaz acabaram fixando-se em Rute. Ela era uma jovem de ótima aparência e parecia inteiramente deslocada. O que ela estaria fazendo ali, a respigar? E quem seria ela? Boaz, que quase não podia acreditar no que seus olhos lhe mostravam, imediatamente buscou informações sobre ela. O oitavo versículo mostra que ele fez arranjos imediatos para não perder a jovem. Ele queria continuar de olho nela, vendo o que sucederia em toda aquela questão curiosa.

■ 2.6,7

וַיַּעַן הַנַּעַר הַנִּצָּב עַל־הַקּוֹצְרִים וַיֹּאמַר נַעֲרָה
מוֹאֲבִיָּה הִיא הַשָּׁבָה עִם־נָעֳמִי מִשְּׂדֵה מוֹאָב:

וַתֹּאמֶר אֲלַקֳטָה־נָּא וְאָסַפְתִּי בָעֳמָרִים אַחֲרֵי
הַקּוֹצְרִים וַתָּבוֹא וַתַּעֲמוֹד מֵאָז הַבֹּקֶר וְעַד־עַתָּה זֶה
שִׁבְתָּהּ הַבַּיִת מְעָט:

Esta é a moça moabita. Assim respondeu o capataz dos colhedores, que vinha vigiando para que fizessem um trabalho a contento. Ele também tinha prestado atenção em Rute. Chegara mesmo a fazer-lhe perguntas e estava bem informado sobre ela; assim foi capaz de dizer a Boaz o que ele queria saber. E Boaz ficou sabendo que ela era uma jovem moabita (isso era ruim!), mas também que era nora de Noemi (isso era bom!). Porém bastou um olhar de Boaz em Rute para ele compreender que, naquela situação, havia mais pontos positivos do que negativos. Como estrangeira, ela não tinha o direito de respigar; mas ela havia pedido ao capataz, sem dúvida apelando para sua relação com Noemi, como reforço.

Alguns estudiosos pensam que o versículo 7 pertence ao versículo 8, fazendo com que as palavras ditas a Boaz tenham sido ditas por Rute. Mas o mais provável é que o versículo 7 mostra que o capataz continuava falando, agora transmitindo a Boaz o que Rute havia dito a ele, capataz. Podemos imaginar que o capataz tenha perguntado: "Jovem, você não tem o direito de respigar aqui. Uma pessoa estrangeira não tem esse privilégio". Mas ela deve ter respondido: "Sou nora de Noemi". E essa informação lhe dera esse direito porque, afinal, o que ela respigasse iria para Noemi.

Na choça. Não na casa onde agora Noemi estava residindo, mas na palhoça que havia no campo. Rute não ia e voltava até a casa de Noemi, mas mantinha-se ocupada no seu mister de respigar, tendo começado cedo e continuando ali até tarde. Ela estava guardando um bom suprimento de grãos, e nisso demonstrava extraordinária diligência. A Septuaginta e a Vulgata adicionam que Rute "não havia tomado nenhum descanso", mas isso já é um exagero. Ocasionalmente ela ia até a choça, a fim de descansar e refrescar-se, devido ao sol escaldante. Os Targuns dizem que ela começou "antes do amanhecer", outro toque para enfatizar a diligência de Rute. Seja como for, essa diligência tinha chamado a atenção de todos, impressionando assim tanto o capataz dos colhedores quanto o próprio Boaz.

BONDADE DE BOAZ PARA COM RUTE (2.8-16)

■ 2.8

וַיֹּאמֶר בֹּעַז אֶל־רוּת הֲלוֹא שָׁמַעַתְּ בִּתִּי אַל־תֵּלְכִי
לִלְקֹט בְּשָׂדֶה אַחֵר וְגַם לֹא תַעֲבוּרִי מִזֶּה וְכֹה
תִדְבָּקִין עִם־נַעֲרֹתָי:

Então disse Boaz a Rute. O sexto sentido de Boaz segredou-lhe que a presença de Rute definitivamente representava alguma vantagem, embora ele ainda não soubesse dizer de que modo. Assim sendo, falou diretamente com ela, encorajando-a a continuar trabalhando em seu campo. É curioso que, nos sonhos e nas visões, o ato de cultivar um campo simboliza engravidar uma mulher. Mas era exatamente isso que começava a ser promovido, sem importar se Boaz tivesse ou não consciência. Haveria uma colheita maior do que a da cevada. Haveria tanto Davi, o rei, como também, muitas gerações mais tarde, o Rei Messias, daquela união entre Boaz e Rute. E esse era precisamente o propósito de Deus, que operava enquanto os olhos de Boaz acompanhavam Rute, que respigava pelo campo.

Um Toque de Ternura. Boaz dirigiu-se a Rute como sua "filha". Ele tinha intenções bondosas. Os dias de privação pelos quais ela tinha passado haviam terminado. O amor estava começando a fluir como as águas do rio Amazonas. O trecho de Rt 3.10,11 mostra-nos que Boaz era um homem já idoso, e Rute, provavelmente, era da idade de que uma filha dele poderia ter. E Boaz recomendou que ela não fosse procurar trabalho em outro campo, mas ficasse em companhia das servas de Boaz (talvez não quisesse que ela ficasse andando entre os homens). O texto sagrado em Rt 3.10,11 também dá a entender que ela era suficientemente graciosa e bela para obter sucesso entre os homens mais jovens.

As minhas servas. Sem dúvida não estavam em foco outras mulheres pobres que, como Rute, estivessem respigando o grão. Mas as mulheres que trabalhavam na colheita, que estavam sendo contratadas para ajudar nesse trabalho. Os registros históricos antigos mostram que mulheres, e não somente homens, eram usadas nessa tarefa.

■ 2.9

עֵינַיִךְ בַּשָּׂדֶה אֲשֶׁר־יִקְצֹרוּן וְהָלַכְתְּ אַחֲרֵיהֶן הֲלוֹא
צִוִּיתִי אֶת־הַנְּעָרִים לְבִלְתִּי נָגְעֵךְ וְצָמִת וְהָלַכְתְּ
אֶל־הַכֵּלִים וְשָׁתִית מֵאֲשֶׁר יִשְׁאֲבוּן הַנְּעָרִים:

Não dei ordem aos servos, que te não toquem? Todo este versículo é revelador. Nos campos podia e realmente havia casos de violação de mulheres. Cf. o vs. 22. Mulheres achavam-se ali, pelo que homens podiam tirar proveito delas. Para impedir qualquer incidente desagradável, Boaz ordenou a Rute que sempre estivesse por perto das outras mulheres que trabalhavam como colhedoras. Na companhia delas, haveria segurança. Ademais, ele tinha dado ordens diretas aos trabalhadores masculinos que "deixassem Rute em paz". Nenhum homem se arriscaria a perder seu trabalho ou, ainda pior, a desobedecer às ordens de Boaz. Rute era uma estrangeira, estava sozinha e, acima de tudo, estava desprotegida. Parte da providência de Deus consistia em fazer Boaz prover a segurança dela. A Rute foi dado fácil e pronto acesso à água potável, e os jovens receberam ordens para que não faltasse água para todos os trabalhadores, e agora, especialmente, para ela. Muito trabalho estava envolvido nessa tarefa de tirar água e levar para os campos. Havia jovens empregados nesse trabalho. Algum trabalhador preconceituoso talvez não permitisse que um "estrangeiro" participasse do líquido precioso, a menos que recebesse ordens específicas para mostrar-se generoso.

Vemos, por conseguinte, que Boaz proveu o necessário para Rute, além daquilo que a lei requeria. O versículo 16 deste capítulo salienta esse fato.

■ 2.10,11

וַתִּפֹּל עַל־פָּנֶיהָ וַתִּשְׁתַּחוּ אָרְצָה וַתֹּאמֶר אֵלָיו מַדּוּעַ
מָצָאתִי חֵן בְּעֵינֶיךָ לְהַכִּירֵנִי וְאָנֹכִי נָכְרִיָּה:

וַיַּעַן בֹּעַז וַיֹּאמֶר לָהּ הֻגֵּד הֻגַּד לִי כֹּל אֲשֶׁר־עָשִׂית
אֶת־חֲמוֹתֵךְ אַחֲרֵי מוֹת אִישֵׁךְ וַתַּעַזְבִי אָבִיךְ וְאִמֵּךְ
וְאֶרֶץ מוֹלַדְתֵּךְ וַתֵּלְכִי אֶל־עַם אֲשֶׁר לֹא־יָדַעַתְּ תְּמוֹל
שִׁלְשׁוֹם:

Então ela, inclinando-se, rosto em terra, lhe disse. Tornara-se largamente conhecida a história inteira dos atos heroicos de Rute, no tocante a Noemi — como ela não tinha abandonado sua sogra, garantindo provisão e proteção. Naturalmente, Boaz estava profundamente impressionado diante de tudo. O ato de humildade de Rute, caindo de rosto aos seus pés, serviu como mais uma demonstração de sua bondade e feminilidade inerente. Rute, a estrangeira, estava tornando-se rapidamente Rute, a princesa, e ela sentia a graça de Deus fluindo nela e através dela. A Rute tinha sido dado tudo o que ela recebera, porque primeiramente ela dera de si mesma a outrem. Dar e receber constituem a lei espiritual do amor. Quando damos o que há de melhor em nós, recebemos o que há de melhor. Deus é o grande doador e, se ele deixasse de dar-se para nós, findaria toda a questão da existência, porque a própria vida é criada e impulsionada pelo amor de Deus.

Prostrar-se ou inclinar-se diante de alguém superior era comum naquela época, no Oriente Próximo. Ver Gn 19.1; 42.6; 43.26; 48.12;

Js 5.14; 2Sm 1.2. "Ela tinha sido recebedora da graça e mostrava-se agradecida por isso" (John W. Reed, *in loc.*).

Lembrando Abraão. A última porção do vs. 11 faz-nos lembrar como Abraão tinha deixado sua terra e seus familiares a fim de tornar-se um estrangeiro em outra terra. No entanto, essa terra tornou-se a Terra Prometida, bem como o território pátrio de Israel. Ver Gn 12.1. Rute, pois, haveria de contribuir para a Terra Prometida e entrar na linhagem do Messias.

■ 2.12,13

יְשַׁלֵּם יְהוָה פָּעֳלֵךְ וּתְהִי מַשְׂכֻּרְתֵּךְ שְׁלֵמָה מֵעִם יְהוָה אֱלֹהֵי יִשְׂרָאֵל אֲשֶׁר־בָּאת לַחֲסוֹת תַּחַת־כְּנָפָיו:

וַתֹּאמֶר אֶמְצָא־חֵן בְּעֵינֶיךָ אֲדֹנִי כִּי נִחַמְתָּנִי וְכִי דִבַּרְתָּ עַל־לֵב שִׁפְחָתֶךָ וְאָנֹכִי לֹא אֶהְיֶה כְּאַחַת שִׁפְחֹתֶיךָ:

O Senhor retribua o teu feito. Rute era diferente das trabalhadoras estrangeiras contratadas para trabalhar nos campos. Muitos desprezavam aquelas mulheres, que vinham de um povo proibido de entrar na congregação do Senhor (ver Dt 23.3). Antes, ela era a própria pessoa favorecida. Podemos imaginar várias causas da beleza física de Rute, embora nunca sejamos informados de que ela era excepcionalmente bela. Ela era diligente no trabalho e também foi generosa com sua sogra; e essas foram as características que se tornaram largamente conhecidas. Porém, acima de todas as considerações meramente humanas, havia o propósito divino em operação, algo muito maior do que Rute e Boaz.

O vs. 12 deixa claro que o poder divino tinha estabelecido certas diferenças. Yahweh Elohim era essa força diferenciadora, em quem Rute tinha chegado a confiar, pois talvez se tivesse tornado uma prosélita. Ela tinha praticado boas obras, ao passo que Yahweh a estava recompensando, e essa recompensa consistia no tratamento diferenciado que Boaz lhe dispensava.

Sob cujas asas vieste buscar refúgio. Podemos pensar aqui nas asas de um pássaro, ou, metaforicamente, em uma capa ou veste. A primeira ideia nessa metáfora é: 1. Proteção, porque é bem conhecido como uma ave-mãe, pelo menos no caso de algumas espécies, protege seus filhotes, tomando-os debaixo de suas asas. 2. Além disso, temos a ideia de identificação na família, pois a ave-mãe recolhe os filhotes debaixo de suas asas. Rute tinha-se tornado parte da família de Israel. 3. Igualmente, temos o poder e a capacidade de alguém que recolhe. A ave-mãe é maior que a avezinha recém-nascida, e é capaz de cumprir a sua missão. 4. E, finalmente, há uma atividade remidora nessa metáfora. Dentro de poucos dias ele iria redimindo formalmente a Rute, e o tratamento diferenciado que ele lhe estava dando se encaminhava na direção desse ato maior.

Cf. o versículo 12 com Mt 23.37. Ver também Sl 17.8; 36.7; 57.1 e Êx 25.20, quanto a declarações similares.

O versículo 12 é uma declaração da lei da semeadura e da colheita. Ver no *Dicionário* o verbete intitulado *Lei Moral da Colheita segundo a Semeadura.*

■ 2.14

וַיֹּאמֶר לָה בֹעַז לְעֵת הָאֹכֶל גֹּשִׁי הֲלֹם וְאָכַלְתְּ מִן־הַלֶּחֶם וְטָבַלְתְּ פִּתֵּךְ בַּחֹמֶץ וַתֵּשֶׁב מִצַּד הַקֹּצְרִים וַיִּצְבָּט־לָהּ קָלִי וַתֹּאכַל וַתִּשְׂבַּע וַתֹּתַר:

À hora de comer Boaz lhe disse. A história apresenta um interesse cada vez mais intenso de Boaz por Rute. A hora era a refeição do meio-dia, no campo a ser colhido, e não uma refeição formal em uma casa. "O vinho azedo, os grãos tosados (grãos maduros tostados sobre uma pequena fogueira, esfregados para perder a casca e comidos imediatamente" (Louise P. Smith, *in loc.*). Boaz ofereceu a sua própria refeição à respigadora, e Rute era a convidada especial. Todos os olhos devem ter estado fixados nela, e rumores e maledicências já se estavam espalhando. "Boaz está favorecendo essa moabita. Até onde irá essa questão?"

Molha no vinho o teu bocado. Esse vinho era levemente azedado, e tinha adquirido certo teor alcoólico. A fermentação natural só é capaz de dar ao vinho um conteúdo de 8%. Se houvesse mais álcool do que isso, é que teria sido adicionado. Ver no *Dicionário* o artigo *Vinho, Vinha.* Os hebreus eram um povo que gostava de vinho, danças e canções, e de nada adianta tentar transformá-los em cristãos totalmente abstêmios. Os estudos modernos demonstram duas coisas: o vinho, usado com moderação, aumenta a expectativa de anos de vida, talvez porque o vinho atue como um suave tranquilizante, e também porque diminui um pouco a taxa de colesterol. Por outra parte, qualquer quantidade de álcool que flua livremente pela corrente sanguínea mata algumas células do cérebro. Assim sendo, o uso moderado de vinho talvez faça você viver um pouco mais; mas você irá gradualmente perder a sua acuidade mental com a passagem dos anos, em taxa mais elevada do que a causada pelo envelhecimento natural. A palavra-chave dessa situação é moderação. Quanto a mim, prefiro a completa abstenção. A moderação não é uma escolha pecaminosa, mas uma preferência que abre o caminho para todos os excessos associados ao alcoolismo. É melhor viver um pouco menos do que cair em excessos crassos. A liberdade cristã aplica-se aqui, e juntamente com ela vem a responsabilidade de não ofendermos a nossos semelhantes com nossos atos.

Quanto a outras referências ao vinho azedo, fermentado, ver Pv 10.26. Aqueles que tivessem feito o voto de nazireado não podiam tocar em nenhum tipo de vinho (ver Nm 6.3). Ver Mt 27.48 quanto a vinho misturado com água. Usualmente, os antigos misturavam vinho com água, e isso, naturalmente, criava um menor conteúdo alcoólico.

O vinho era usado como substância na qual o pão era ensopado. Todavia, ao vinho eram adicionados certos elementos. Talvez algum azeite fosse posto no vinho. Havia diversas misturas. No vinho e a água eram os ingredientes principais. Os romanos também tinham uma *embamma*, uma espécie de molho preparado com vinho e água como principais ingredientes. Vinho com pedacinhos de frutas é uma mistura usada no Oriente hoje em dia. Plínio (*Hist. Natural* 1.23. cap. 1) atribuía toda espécie de benefício ao uso do vinho e de molhos com vinho.

■ 2.15,16

וַתָּקָם לְלַקֵּט וַיְצַו בֹּעַז אֶת־נְעָרָיו לֵאמֹר גַּם בֵּין הָעֳמָרִים תְּלַקֵּט וְלֹא תַכְלִימוּהָ:

וְגַם שֹׁל־תָּשֹׁלּוּ לָהּ מִן־הַצְּבָתִים וַעֲזַבְתֶּם וְלִקְּטָה וְלֹא תִגְעֲרוּ־בָהּ:

Levantando-se ela, para rebuscar. Terminado o almoço, Boaz baixou ordens para que a Rute fosse dado um tratamento especial; ninguém deveria dizer uma única palavra dura para ela; ninguém podia aproximar-se dela com intenções sexuais. Ela deveria ser ajudada em tudo quanto fizesse. Ela se tornara uma princesa no campo, e em breve estaria comendo à mesa do proprietário das plantações. Outrossim, aos trabalhadores foi ordenado que deliberadamente deixassem grãos escolhidos para ela respigar, e isso já caído no chão. Certo livro foi intitulado *Handfuls on Purpose*, uma espécie de comentário sobre estudos de palavras. Fala sobre "coisas escolhidas extraídas das Escrituras, respigadas do todo". Cf. o vs. 9, onde dei comentários sobre o tratamento especial dado a Rute. Os *handfuls of purpose* ("punhados de propósito") permitiram que Rute respigasse com maior rapidez. Essa palavra, "punhados" (usada somente aqui), aparentemente significa molhos de grãos que ainda não haviam sido atados. Tudo quanto Rute precisava fazer era atá-los. Nenhuma lei requeria que um proprietário de campo plantado agisse desse modo. Boaz, em seu amor crescente, estava disposto a ultrapassar a lei que governava a questão da respiga. O amor sempre vai além da lei, e isso nos transfere para a lei do amor, que é superior à lei de Moisés. Ver no *Dicionário* o artigo chamado *Amor.*

RUTE VOLTA A NOEMI (2.17-23)

■ 2.17

וַתְּלַקֵּט בַּשָּׂדֶה עַד־הָעָרֶב וַתַּחְבֹּט אֵת אֲשֶׁר־לִקֵּטָה וַיְהִי כְּאֵיפָה שְׂעֹרִים:

Quase um efa de cevada. O trabalho de um dia chegava a cerca de um efa de cevada, que dava cerca de 28 litros de cevada, já separada de sua palha. Com isso, era possível fazer grande quantidade de pães, que serviam de produto alimentar principal. John Gill calculou que o trabalho de Rute, durante um dia, garantiria um suprimento alimentar para Rute e Noemi pelo espaço de cinco dias. O *ômer* (uma décima parte de um efa) aparece como suficiente para alimentar a um homem pelo período de um dia (ver Êx 16.16,36). Ver no *Dicionário* o artigo chamado *Efa* (Medida), quanto a detalhes. Um efa pesava cerca de 13,5 quilogramas. Ver no *Dicionário* o artigo chamado *Pesos e Medidas*. Devemos compreender que essa era uma grande quantidade de cevada para ser respigada em um único dia de esforço. Trabalhar somente um dia de semana para o próprio sustento básico era um bom trabalho. E um pouco de "engano generoso" (por ordem de Boaz) proveu tão bom resultado.

■ 2.18

וַתִּשָּׂא וַתָּבוֹא הָעִיר וַתֵּרֶא חֲמוֹתָהּ אֵת אֲשֶׁר־לִקֵּטָה
וַתּוֹצֵא וַתִּתֶּן־לָהּ אֵת אֲשֶׁר־הוֹתִרָה מִשָּׂבְעָהּ׃

Tirou e deu a sua sogra. Noemi recebeu um generoso presente, certamente mais do que poderia esperar por um dia de trabalho de sua nora. Essa circunstância provocou uma série de indagações para que fosse explicado o pequeno milagre. As duas comeram bem e também conversaram muito. De súbito, as coisas tinham dado uma guinada para melhor. *Shaddai*, o Deus Todo-suficiente, que antes parecia tê-las abandonado (os três homens da família haviam morrido; ver Rt 1.3-5), agora sorria para elas.

"A volta de Rute à casa onde estava Noemi terminou o vazio que esta sentia, enchendo a idosa mulher com expectativa, senso de agradecimento e esperança" (John W. Reed, *in loc.*).

"O espírito de Noemi reviveu diante do sucesso de Rute; e ela bendisse a Boaz (vs. 19) e ao Senhor (vs. 20)" (James T. Cleland). Uma de minhas fontes informativas critica Noemi por "andar pela vista, e não pela fé". Por outro lado, todos nós, ocasionalmente, precisamos ver a reversão da sorte, para que haja abundância, de tal modo que nossa fé possa ser fortalecida. A doutrina que diz que "ser pobre é melhor" é, de fato, uma doutrina pobre. Sempre é melhor ter em abundância do que ter pouco; e sempre haverá maiores louvores a Deus quando essa condição prevalecer.

> ... tendo sempre, em tudo, ampla suficiência, superabundeis em toda boa obra.
>
> 2Coríntios 9.8

Muitas boas obras dependem de um pouco de dinheiro, sem o que elas não poderiam realizar-se. Precisamos de *abundância* a fim de podermos *abundar* em boas obras. Se dispuséssemos de grande abundância, poderíamos abundar grandemente. Um homem espiritual não precisa preocupar-se com a tentação do enriquecimento próprio, pois ele espalhará esse dinheiro em redor, para aqueles que tenham necessidade. Então sempre haverá algum outro projeto que precise de ainda mais dinheiro.

■ 2.19,20

וַתֹּאמֶר לָהּ חֲמוֹתָהּ אֵיפֹה לִקַּטְתְּ הַיּוֹם וְאָנָה עָשִׂית
יְהִי מַכִּירֵךְ בָּרוּךְ וַתַּגֵּד לַחֲמוֹתָהּ אֵת אֲשֶׁר־עָשְׂתָה
עִמּוֹ וַתֹּאמֶר שֵׁם הָאִישׁ אֲשֶׁר עָשִׂיתִי עִמּוֹ הַיּוֹם בֹּעַז׃

וַתֹּאמֶר נָעֳמִי לְכַלָּתָהּ בָּרוּךְ הוּא לַיהוָה אֲשֶׁר
לֹא־עָזַב חַסְדּוֹ אֶת־הַחַיִּים וְאֶת־הַמֵּתִים וַתֹּאמֶר
לָהּ נָעֳמִי קָרוֹב לָנוּ הָאִישׁ מִגֹּאֲלֵנוּ הוּא׃

Onde colheste hoje? Admirada diante da prodigiosa quantidade de grão respigado, Noemi quis saber de Rute o "onde" e o "quem". Tão grande quantidade de grão não podia ser explicada por circunstâncias normais. A resposta foi "o campo de Boaz" e o próprio "Boaz". Todas as bênçãos giravam em torno de Boaz. Por "coincidência", o homem, Boaz, era também parente próximo de Noemi (ver o vs. 20). Todas as coisas estavam contribuindo juntamente para o bem (ver Rm 8.28), e muito mais bênção ainda viria. Oh, Senhor, concede-nos tal graça!

O Benfeitor é Abençoado. Boaz não estava presente para ouvir Noemi; mas a generosidade dele foi louvada. Ele tinha-se tornado o homem de Yahweh para ajudar a seus semelhantes necessitados. Deus, o *El Shaddai*, o Todo-suficiente, estava distribuindo suas riquezas para os outros, e havia assim abundância para todos. A medida de um homem é a sua *generosidade*, que é apenas outro nome para o amor. A grande lei universal que contém em si mesma todas as leis é a Lei do Amor. O amor é a própria prova do novo nascimento e da espiritualidade (ver 1Jo 4.7). Ver no *Dicionário* o artigo chamado *Amor*. Ver também Rm 13.8 ss.

> O amor altera e enobrece as coisas.
>
> Robert Browning

> O amor concede em um momento
> O que o trabalho não poderia obter em uma era.
>
> Goethe

> Se queres ser amado, ama.
>
> Hecato

Benevolência. A mesma palavra usada em Rt 1.8, onde se encontram comentários.

Nem para com os mortos. Aos três homens que tinham morrido (ver Rt 1.3-5) Yahweh, através de Boaz, seu instrumento, havia demonstrado bondade, pois os três, olhando "lá do alto", poderiam observar o que o bondoso Boaz estava fazendo às mulheres que eles tinham deixado para trás, aprovariam e se alegrariam. Naturalmente, Noemi já tinha em mente a aplicação da *lei do levirato* (ver a respeito no *Dicionário*). Alguns estudiosos têm se rebelado diante da ideia de que os "mortos" ficaram literalmente satisfeitos pelo rumo dos acontecimentos, supondo que seriam abençoados vicariamente nos filhos que Rute daria a Boaz. Esse é um sentido aceitável, e provavelmente mais em consonância com a teologia da época. Herdeiros, pois, seriam gerados, embora os nomes dos homens mortos não continuassem, mas pelo menos haveria herdeiros na família.

Nosso parente chegado. No hebraico, "parente" é *goel*. Provi um artigo sobre essa palavra no *Dicionário*.

Resgatadores. Boaz era o parente-remidor, aquele que podia cumprir os requisitos da lei do levirato e gerar filhos em nome do ex-marido de Rute, e assim dar prosseguimento à linhagem e à herança da família.

Boaz era parente próximo do falecido marido de Noemi. Ver Rt 2.1 quanto a especulações sobre o grau de parentesco entre eles.

"Embora Boaz não fosse irmão de Malom, o falecido marido de Rute (ver Rt 4.10), mas apenas um parente chegado da família, ele podia agir como um levir (no latim, cunhado), se assim desejasse... Nenhuma explicação é dada acerca de por que Noemi não mencionou o parente ainda mais próximo, referido em Rt 3.12" (John W. Reed, *in loc.*).

■ 2.21

וַתֹּאמֶר רוּת הַמּוֹאֲבִיָּה גַּם כִּי־אָמַר אֵלַי
עִם־הַנְּעָרִים אֲשֶׁר־לִי תִּדְבָּקִין עַד אִם־כִּלּוּ
אֵת כָּל־הַקָּצִיר אֲשֶׁר־לִי׃

Continuou Rute. Rute não deixou de mencionar todos os vários atos de bondade da parte de Boaz. Entre esses atos estava a proteção oferecida. Ela deveria acompanhar as próprias servas de Boaz, não devendo envolver-se em situações potencialmente perigosas, se acompanhasse servos varões que estivessem trabalhando nas plantações de algum outro proprietário. Acompanhar as servas de Boaz também era benéfico, pois podemos estar certos de que seriam deixados para trás "molhos não atados", de propósito, o que significa que Rute tanto estaria em segurança como se mostraria especialmente produtiva. Cf. os vss. 8,16 e 23.

O oitavo versículo deste capítulo mostra que Rute deveria permanecer entre as servas de Boaz. Entre os servos também havia homens. Mas estes já haviam recebido ordens estritas para que se comportassem como perfeitos cavalheiros, e nenhum dos trabalhadores haveria de agir de modo contrário a essa recomendação do proprietário.

2.22

וַתֹּאמֶר נָעֳמִי אֶל־רוּת כַּלָּתָהּ טוֹב בִּתִּי כִּי תֵצְאִי
עִם־נַעֲרוֹתָיו וְלֹא יִפְגְּעוּ־בָךְ בְּשָׂדֶה אַחֵר:

Para que noutro campo não te molestem. Este versículo é paralelo aos versículos 8 e 9. Provavelmente, Rute trabalharia a maior parte do tempo com outras mulheres, e não seria ameaçada em nenhum sentido por trabalhadores homens, se fossem empregados de Boaz. Todavia, haveria o perigo de abuso, e mesmo de violência sexual, se Rute ficasse a vaguear pelos campos de outros proprietários. Devemos lembrar que a moralidade andava muito baixa nos dias dos juízes, e que eram muito comuns, nos campos, os estupros. Noemi, é claro, ansiava por que tais coisas fossem evitadas, e recomendou que Rute acompanhasse sempre os trabalhadores de Boaz. As mulheres, algumas vezes, são ingênuas. Por isso, houve dois tipos de advertência para Rute.

No original hebraico, temos um eufemismo que diz "caiam em cima" (no hebr., *paga*). Poderia haver alguma experiência hostil e imoral no campo. A *Revised Standard Version*, seguida de perto pela nossa versão portuguesa, diz aqui "molestar", sentido que sem dúvida é apropriado. Nos campos plantados havia vários perigos ocultos; homens inescrupulosos esperavam oportunidades dadas por mulheres ingênuas. Rute, pois, foi aconselhada a mostrar-se prudente e a seguir as recomendações que lhe haviam sido dadas.

2.23

וַתִּדְבַּק בְּנַעֲרוֹת בֹּעַז לְלַקֵּט עַד־כְּלוֹת קְצִיר־
הַשְּׂעֹרִים וּקְצִיר הַחִטִּים וַתֵּשֶׁב אֶת־חֲמוֹתָהּ:

Assim passou ela à companhia das servas de Boaz. Rute atendeu aos conselhos que lhe tinham sido dados tanto por Boaz quanto por Noemi, e começou a respigar somente na companhia das servas de Boaz. E assim continuou fazendo até terminar a colheita da cevada e do trigo. A colheita do trigo ocorria no início da festa de Pentecoste, e a colheita da cevada começava no início da páscoa, pelo que cerca de dois meses separava uma colheita da outra. Entrementes, Rute continuou a viver com Noemi. Assim sendo, ela tinha um lugar onde ficar, alimentação abundante e um relacionamento romântico que começara a desenvolver-se com Boaz. E esse último desenvolvimento haveria de resolver, definitivamente, todos os problemas delas, revertendo a tragédia que tão profundamente havia marcado as suas vidas.

Mas a pergunta que continuava sem resposta era: O que aconteceria terminado o período da colheita?

CAPÍTULO TRÊS

RUTE E BOAZ NA EIRA (3.1-18)

INSTRUÇÕES DE NOEMI A RUTE (3.1-5)

3.1

וַתֹּאמֶר לָהּ נָעֳמִי חֲמוֹתָהּ בִּתִּי הֲלֹא אֲבַקֶּשׁ־לָךְ מָנוֹחַ
אֲשֶׁר יִיטַב־לָךְ:

Não hei de eu buscar-te um lar...? Não há que duvidar que, com essas palavras, Noemi estava pensando em um novo casamento para Noemi. Era ótimo ter um lugar para habitar, e um bom suprimento de alimentos, mediante o ato da respiga; mas essa não era a espécie de condição de vida que alguém quisesse, indefinidamente, para si mesmo. Isso posto, Noemi estava planejando como fazer a vida de Rute melhorar de uma vez. Em outras palavras, ela estava pensando em conseguir para ela um casamento. Usualmente, os casamentos eram arranjados, na antiguidade, pelos pais (ver Gn 24.3; 34.4; Jz 14.2); mas visto que os pais de Rute estavam a oitenta quilômetros de distância, em Moabe, Noemi assumiu essa tarefa.

As Mulheres Valorizam Demais o Casamento. Contudo, é melhor o estado de casadas, para as mulheres, do que viverem solteiras. Alguém já disse: "É melhor viver solteira do que desejar ser solteira".

Mas melhor ainda é uma mulher ter um bom marido. Conseguir um bom marido traria descanso para a vida de Rute, conforme comentei na questão sobre o "lar", na vida de Rute, acima. Sem dúvida, um bom casamento para Rute significaria, automaticamente, uma situação melhor para Noemi, o que quer dizer que, a exemplo do que acontece com a maioria das pessoas, Noemi estava buscando, um tanto egoisticamente, seus próprios interesses, e não meramente os interesses de Rute. Mas não há nisso nada de errado, contanto que não seja a única motivação para o que fazemos em favor dos outros. O próprio "eu" é uma pessoa, e devemos amar a nós mesmos. E devemos amar ao próximo como a nós mesmos. O indivíduo deve respeitar e ajudar a si mesmo, visto que essa é a pessoa pela qual somos responsáveis, para que também nossas respectivas missões sejam devidamente cumpridas.

Ora, o mais certo é que Noemi fosse tanto pró-Rute quanto pró-Noemi. Existem *bons* motivos, *verdadeiros* motivos e motivos *ulteriores*. No caso em foco, o bom motivo era um lar e um marido para Rute. O motivo verdadeiro era, provavelmente, mais segurança e uma vida melhor para Noemi. Mas parece que o incidente estava livre de motivos ulteriores, ou seja, motivos enganadores e prejudiciais.

Além disso, não devemos esquecer-nos do motivo que envolvia os "mortos", no caso, o falecido marido de Rute. Rute seria o instrumento que proveria um herdeiro da família, por meio da *lei do levirato* (ver a respeito no *Dicionário*).

No antigo Israel, era extremamente importante a unidade e a continuidade das famílias. As heranças passavam através das linhagens e não podiam ser vendidas para outrem. Se não houvesse herdeiros masculinos, uma herança podia passar para filhas, contanto que se casassem dentro de sua própria tribo. Isso posto, elas tinham de casar-se dentro da tribo na qual tinham nascido. No caso de Rute, entretanto, não havia herdeiro algum, nem masculino nem feminino. Ver Nm 27.8; 36.6 ss.; Tobias 6.12; 7.13 quanto à herança das filhas. Uma herança, porém, acabava sendo perdida se nenhum herdeiro fosse encontrado.

3.2

וְעַתָּה הֲלֹא בֹעַז מֹדַעְתָּנוּ אֲשֶׁר הָיִית אֶת־נַעֲרוֹתָיו
הִנֵּה־הוּא זֹרֶה אֶת־גֹּרֶן הַשְּׂעֹרִים הַלָּיְלָה:

Ora, pois, não é Boaz...? Uma mulher, sob nenhuma circunstância, se não fosse esposa ou concubina, teria coragem de entrar no lugar onde um homem costumava dormir para deitar-se aos seus pés. Contudo, esse foi o plano ousado de Noemi. Ela não queria arriscar-se a esperar o curso natural dos eventos. É bem provável que já houvessem passado três meses desde que Rute e Boaz se tinham conhecido. Desenvolvera-se uma forte amizade (mas dificilmente um romance). Noemi tinha ficado alegre com a amizade entre os dois, mas isso não era suficiente. A colheita do trigo em breve terminaria. E o que aconteceria em seguida? O peixe grande poderia escapar; e Noemi precisava agir rapidamente. Por isso mesmo, ela quebrou todas as regras da etiqueta e até daquilo que era considerado apropriado.

Usualmente, as mães mostram-se boas planejadoras no que diz respeito aos arranjos do casamento de suas filhas. Dessa vez, uma sogra é que teve de ser a esquematizadora. Não obstante, apesar de todo o planejamento um tanto duvidoso de Noemi, a vontade de Deus estava cumprindo um plano superior. O rei Davi estava esperando por sua bisavó; e o Rei Messias estava esperando que surgisse mais um elo de sua linhagem humana.

Esta noite. Rute precisava agir com presteza. Os Targuns acrescentam aqui as palavras "quando o vento soprar". O ato de padejar o grão requeria a força constante do vento que soprava da banda do mar Mediterrâneo, a fim de espalhar a palha para longe, quando os grãos fossem jogados para cima. Usualmente esse vento soprava desde às cinco da tarde até o pôr do sol. Em seguida, o grão, livre assim da palha, precisava ser guardado, para que não fosse furtado. Boaz, sem dúvida, estaria presente para orientar esses atos, e ficaria por perto, cuidando do cereal. Assim sendo, Noemi saberia onde poderia encontrá-lo.

Ellicott (*in loc.*), apesar de ter taxado o plano de peculiar, procurou justificar a sua impropriedade, salientando que Boaz, como parente chegado, tinha o dever de redimir Rute. Mas isso equivale a dizer que "qualquer coisa é válida quando se tem em mira um bom propósito". Ademais, havia um parente ainda mais chegado do que Boaz. Por qual motivo Noemi não procurou esse outro parente? Provavelmente porque Boaz era um peixe maior e melhor. Ver o trecho de Rt 3.12 quanto a esse parente ainda mais chegado. Ellicott (*in loc.*), em seus comentários, como que disse, em sumário: "Oh, bem! Boaz era um homem bom. E não tiraria vantagem da bela Rute, deitada ali, aos seus pés". Mas nós retorquimos: "E daí? Dificilmente era justo tentá-lo daquele jeito, por qualquer razão que fosse!" Outros estudiosos, porém, por pensarem que tudo não passou de uma obra de ficção, creem que um pouco de intriga estranha apenas aumentaria o drama, pelo que ninguém deveria ser criticado por isso! Uma de minhas fontes informativas tem mesmo a coragem de comentar: "Talvez toda a cena tenha ocorrido *no escuro*, pelo que Boaz teve a oportunidade de rejeitar *a proposta* sem que toda a cidade ficasse sabendo do acontecido" (John W. Reed, *in loc.*). Esse autor, provavelmente, está com a razão, ao dizer que o papel desempenhado por Rute era, na verdade, uma proposta de união sexual. Mas visto que tudo ocorreu *no escuro*, tudo estaria bem se Boaz rejeitasse a proposta; pois assim ninguém chegaria a saber o que tinha acontecido. É ridículo tentar fazer a moral da história chegar ao nível da típica moralidade cristã. Na realidade, tudo aconteceu "lá no campo", onde qualquer coisa poderia acontecer. E a moralidade era a moralidade própria do "tempo da colheita".

3.3

וְרָחַצְתְּ וָסַכְתְּ וְשַׂמְתְּ שִׂמְלֹתַיִךְ עָלַיִךְ וְיָרַדְתִּי הַגֹּרֶן אַל־תִּוָּדְעִי לָאִישׁ עַד כַּלֹּתוֹ לֶאֱכֹל וְלִשְׁתּוֹת׃

Banha-te, unge-te, e põe os teus melhores vestidos. Limpa, perfumada e vestida em sua melhor camisola de dormir, conforme Noemi pensava, nenhum homem do mundo seria capaz de oferecer resistência. Os preparativos pelos quais Rute passou eram os mesmos de uma noiva para a sua noite de núpcias. Rute passaria por tudo, sem a formalidade de um documento oficial. Cf. isso com os trechos de Ez 16.9-12 e Os 2.13.

"A colheita, ao redor do mundo inteiro, tinha sido celebrada em meio a ritos de fertilidade, pelo que certas liberdades, não permitidas em nenhuma outra época do ano, agora eram permitidas. Cf. Jz 9.27; 16.1; 21.21 e Is 9.3" (Louise P. Smith, *in loc.*).

A parte final deste versículo quase certamente significa que Boaz, em consonância com o espírito festivo da colheita, deve ter bebido bastante vinho, estando assim mais inclinado para o sexo.

3.4,5

וִיהִי בְשָׁכְבוֹ וְיָדַעַתְּ אֶת־הַמָּקוֹם אֲשֶׁר יִשְׁכַּב־שָׁם וּבָאת וְגִלִּית מַרְגְּלֹתָיו וְשָׁכָבְתְּ וְהוּא יַגִּיד לָךְ אֵת אֲשֶׁר תַּעֲשִׂין׃

וַתֹּאמֶר אֵלֶיהָ כֹּל אֲשֶׁר־תֹּאמְרִי אֶעֱשֶׂה׃

Quando ele repousar. Ali estava a jovem Rute, tão bela, tão fragrante, em sua camisola de dormir, levando a efeito o plano ousado de Noemi. Observando continuamente a Boaz, ela saberia onde ele se deitaria para descansar. Ele estava longe de casa. Talvez fosse casado; mas, mediante a poligamia, poderia cumprir seus deveres como o *goel*, o parente-remidor. Ela haveria de *atacá-lo* ali. Ele estava sozinho, e talvez sexualmente carente, por estar longe de casa. Seria fácil. Se tivessem contato sexual, seria exercida pressão sobre ele para *casar-se* com ela, na esperança de que, daí por diante, fossem felizes! É verdade que ele poderia rejeitar Rute, chutando-a para fora; mas isso não seria provável. Antes, tudo seria fácil e rápido. Noemi estava cansada de "mera amizade".

E lhe descobrirás os pés. Boaz haveria de sentir que seus pés estavam descobertos, sob a brisa fresca que soprava desde o Mediterrâneo e lhe esfriava os pés. Talvez meio embriagado (vs. 7), haveria de investigar por que seus pés estavam frios, e eis! uma bela mulher estaria ali, em substituição ao seu cobertor! A natureza se encarregaria do resto, e o casamento seria consumado.

Adam Clarke tem um curioso comentário neste ponto: "Alguns dizem que as mulheres orientais, ao deitarem-se com seus maridos legítimos, por uma questão de modéstia e como sinal de sujeição, vão até os pés da cama, erguem gentilmente as cobertas e escorregam por debaixo delas, ocupando um lugar ao lado do homem". Nesse caso, isso de "descobrir os pés" é um eufemismo para "escorregar para debaixo das cobertas, de baixo para cima, até ocupar uma posição ao lado do homem". Dizendo a mesma coisa em termos mais modernos: "Rute se deitaria com Boaz".

ele te dirá o que deves fazer. Provavelmente, isso significa: "Tendo-te deitado ao lado dele, oferecendo-lhe uma proposta de natureza sexual, esperarás seu convite direto para praticares o sexo; e assim o plano será bem-sucedido". Mas há também eruditos que supõem que essas palavras, "ele te dirá o que deves fazer", teriam a ver com instruções dele atinentes ao casamento levirato; mas isso, apesar de mitigar a forte conotação sexual, provavelmente não é a opinião mais acertada. Os Targuns tolamente dizem que ela deveria "pedir os conselhos dele" acerca dos problemas da vida. Mas tudo quanto ela estava procurando era o sexo, e não explicações filosóficas sobre os dilemas da vida.

Não podemos esquecer que aquilo que Noemi aconselhou Rute a fazer era contrário a uma conduta feminina apropriada. Nenhuma mulher, exceto uma prostituta, faria o que Rute fez, aconselhada por Noemi. Naturalmente, havia aquela "liberdade própria do tempo da colheita". Parece que qualquer coisa poderia acontecer na oportunidade. Assim também, por ocasião do carnaval, no Brasil, mulheres respeitáveis praticam atos tresloucados que não fariam em nenhuma outra época do ano. Por igual modo, no tempo da colheita, algumas mulheres de respeito, em Israel, faziam coisas que nunca fariam em qualquer outro tempo do ano.

Tudo quanto me disseres, farei. Este quinto versículo frisa a obediência absoluta de Rute ao plano de Noemi. Ela banhou-se, perfumou-se e vestiu suas roupas mais atrativas. E assim, ficou irresistível. Naturalmente, ela tinha seu próprio interesse para cuidar, pelo que se sentiu inspirada a obedecer ao plano de Noemi, embora este, de acordo com os padrões cristãos, fosse um plano imoral. Podemos ter certeza de que Rute não era mais inocente do que Noemi. Por outra parte, temos de lembrar que estamos aqui tratando com "a moralidade do período dos juízes de Israel". E o que temos à nossa frente é como brincadeira de crianças em comparação com outras coisas que costumavam acontecer durante aquele período. Alguns comentadores ingênua e tolamente chegam a elogiar a obediência de Rute!

BOAZ RESOLVE SER O PARENTE-REMIDOR (3.6-15)

3.6

וַתֵּרֶד הַגֹּרֶן וַתַּעַשׂ כְּכֹל אֲשֶׁר־צִוַּתָּה חֲמוֹתָהּ׃

Então foi para a eira. As eiras eram sempre lugares altos, para permitir o máximo de exposição ao vento, o que ajudava no ato de padejar o cereal. E o chão era ligeiramente escavado, para ficar abaixo do nível do terreno em redor, a fim de ali ficar contido o grão. Nesse nível ligeiramente rebaixado é que Rute encontraria o alvo de seus esquemas. Ela se havia preparado bem, tendo feito tudo quanto fomenta a força de atração feminina. Limpa, perfumada e vestida em uma camisola reveladora. O sucesso parecia inevitável.

3.7

וַיֹּאכַל בֹּעַז וַיֵּשְׁתְּ וַיִּיטַב לִבּוֹ וַיָּבֹא לִשְׁכַּב בִּקְצֵה הָעֲרֵמָה וַתָּבֹא בַלָּט וַתְּגַל מַרְגְּלֹתָיו וַתִּשְׁכָּב׃

E se deitou. Uma vez mais, a mente cristã sente-se chocada. Tinha havido uma grande festividade. Boaz estava ligeiramente estonteado. A colheita já estava chegando no fim. Havia grandes quantidades de grãos já padejados na eira. Assim sendo, por que não celebrar? Havia grande abundância de alimentos, vinho e muitas mulheres que dançavam. Os homens também poderiam dançar, se quisessem. Pelo menos, meio embriagado, Boaz ajeitou-se perto de um montão de grãos, a fim de descansar e dormir. Os olhos de Rute seguiram-no. Ela estava ansiosa para levar adiante aquele plano agradável.

Devemos lembrar, uma vez mais, que a cultura dos hebreus caracterizava-se pelas canções, pelas danças e pelo vinho. Naturalmente, em nossos dias, a terrível música "rock" e suas danças imorais têm corrompido a própria Igreja organizada. Mas pelo menos os hebreus não corrompiam o seu lugar de adoração!

"Ele tinha comido e bebido: um pouco de conhecimento acerca da natureza humana. Ester também esperou que o rei tivesse festejado e bebido (ver Et 7.2). E Neemias adiou a apresentação de sua petição até depois que o rei já tivesse bebido o seu vinho (ver Ne 2.1)" (Louise P. Smith, *in loc.*).

Por conseguinte, ali estava Boaz, a guardar seu montão de grãos, sua mente ainda balançando por causa da música, enquanto o vinho lhe alegrava o cérebro. Poderia ele resistir à bela Rute, que se aproximava do lugar onde ele jazia a dormir? John Gill fala sobre "a alegria inocente" que era permitida na eira, naquele tempo. Mas dificilmente isso amortiza aquilo que sabemos sobre a história, especialmente, aquilo que sabemos a respeito do tempo dos juízes de Israel e da grande liberalidade que predominava no tempo da colheita do cereal.

■ 3.8

וַיְהִי֙ בַּחֲצִ֣י הַלַּ֔יְלָה וַיֶּחֱרַ֥ד הָאִ֖ישׁ וַיִּלָּפֵ֑ת וְהִנֵּ֣ה אִשָּׁ֔ה שֹׁכֶ֖בֶת מַרְגְּלֹתָֽיו׃

Sucedeu que... "O plano de Noemi é tão estranho aos nossos costumes sexuais que seria mais sábio rejeitar todo o incidente com propósitos homiléticos" (Louise P. Smith, *in loc.*). Naturalmente, os pregadores e os mestres sempre usaram esta passagem (e o livro inteiro de Rute) para apresentar sermões e lições intermináveis. Por outra parte, muitas passagens de moral duvidosa (como aquelas repletas de matanças) sempre foram usadas como base de sermões e lições.

Pela meia-noite. Quando os efeitos do vinho já haviam passado um pouco, de súbito Boaz tomou consciência de uma presença. Grande deve ter sido a sua surpresa ao descobrir uma bela mulher deitada ao seu lado! Os Targuns apresentam aqui um breve mas excelente comentário. A carne de Boaz "ficou fraca como um nabo", tão intenso foi o medo que o invadiu de súbito. Jarchi asseverou que ele ficou com medo por ter pensado que algum espírito ou demônio teria vindo deitar-se a seu lado. Ele se referia àqueles demônios que, segundo algumas crenças, se aproximam das pessoas à noite! Mas era apenas Rute, a bela moabita. Em algumas ocasiões, todavia, não há grande diferença entre uma bela mulher e um demônio.

E como foi que Boaz descobriu *o que* ou *quem* estava deitado ao seu lado? Aben Ezra explicou que a lua estaria clara o bastante para revelar o fato. E Jarchi experimenta que Boaz estendeu a mão e tateou os longos cabelos daquela pessoa, reconhecendo assim que se tratava de uma mulher.

■ 3.9

וַיֹּ֖אמֶר מִי־אָ֑תְּ וַתֹּ֗אמֶר אָנֹכִי֙ ר֣וּת אֲמָתֶ֔ךָ וּפָרַשְׂתָּ֤ כְנָפֶ֨ךָ֙ עַל־אֲמָ֣תְךָ֔ כִּ֥י גֹאֵ֖ל אָֽתָּה׃

Sou Rute, tua serva. A jovem moabita identificou-se e, sem perda de tempo, fez uma proposta de casamento. Pelo menos o pedido de ele estender a capa dele sobre ela teve esse significado. Cf. Rt 2.12 quanto à metáfora da galinha ou da ave e seus filhotes. Podemos estar certos de que a "asa" de proteção, nesse caso, era o casamento. Rute não estava esperando de Boaz menos do que isso. E nem estava ela, meramente, pedindo que Boaz a cobrisse com algum pano. Os Targuns interpretam este versículo como uma proposta de matrimônio, embora ela também pudesse estar com frio e quisesse cobrir-se com alguma coisa. Mas as palavras dela deram a entender mais do que isso.

Porque tu és resgatador. Ela pediu a proteção dele; mas, para que houvesse uma proteção verdadeira, era mister que Boaz se casasse com Rute. A referência ao *resgatador*, neste mesmo versículo, não pode indicar outro sentido à capa, senão o casamento.

Alguns estudiosos supõem que a referência à capa (no original hebraico foi usada a palavra *kanaph*, "asa") indique o ato sexual no mesmo instante, como uma garantia do *intuito de casamento*. Mas parece que essa interpretação exagera o significado do texto.

■ 3.10

וַיֹּ֗אמֶר בְּרוּכָ֨ה אַ֤תְּ לַֽיהוָה֙ בִּתִּ֔י הֵיטַ֛בְתְּ חַסְדֵּ֥ךְ הָאַחֲר֖וֹן מִן־הָרִאשׁ֑וֹן לְבִלְתִּי־לֶ֗כֶת אַחֲרֵי֙ הַבַּ֣חוּרִ֔ים אִם־דַּ֖ל וְאִם־עָשִֽׁיר׃

Disse ele. Boaz ficou muito satisfeito com o que tinha acontecido. Em primeiro lugar, sendo ele um homem um tanto idoso, sentiu-se lisonjeado diante da atenção dada por Rute. Ela não tinha procurado homens mais jovens e ricos. E, longe de ficar ofendido com o que ela tinha feito, Boaz considerou que era um ato de benevolência. Ela sempre se mostrara atenciosa e bondosa para com ele; mas naquela noite, lhe dera uma atenção pessoal muito especial. Devemos compreender que a figura feminina de Rute era tal que ela poderia conseguir homens jovens, fossem eles endinheirados ou não. Assim sendo, Boaz ficou muito feliz diante do fato de que ela o tinha escolhido, embora, verdadeiramente, tivesse feito com um *modus operandi* deveras ousado.

Boaz, Modelo de Comportamento Sexual. O texto sagrado tem o cuidado de informar-nos (vs. 11) que Rute era uma *mulher virtuosa*, um fato que todos reconheciam. Provavelmente, isso inclui a ideia de que Boaz se dominou diante de qualquer tentação que tenha sentido, e não tocou em Rute naquela noite. Esses acontecimentos são raros, embora saibamos de casos bem conhecidos através da história.

"Boaz subjugou a sua concupiscência, e agiu para com Rute conforme José fizera no caso da esposa egípcia de seu senhor; ou como Pelatiel, filho de Laís, o piedoso, fez no caso de Mical, a filha de Saul e esposa de Davi, que punha uma espada entre Mical e ele mesmo porquanto não queria aproximar-se dela" (assim comentam os Targuns acerca deste versículo).

Também temos a história de Tomás de Aquino, outro gigante moral. Ele tinha resolvido que se tornaria padre, mas seus pais queriam que ele fosse advogado. A fim de debilitarem a sua força de vontade, enviaram uma bela e jovem mulher, para visitá-lo em seu quarto. E logo ela deixou claro com qual propósito tinha vindo ali. Irado, ele apanhou um ferro quente, tirado da lareira, e foi atrás dela. Ela fugiu do quarto e bateu a porta no rosto dele. E, assim sendo, ele fez a marca da cruz pelo lado de dentro do quarto, com o ferro em brasa.

Os homens gostam de contar e escrever histórias assim porque, na verdade, não há muitas dessas histórias que possam ser registradas, e aqueles que contam essas vitórias morais obtêm uma espécie de aura moral ao seu derredor. Mas os cínicos explicam essas histórias sugerindo que esses gigantes morais eram, na realidade, homossexuais ou homens geneticamente defeituosos. A verdade da questão, entretanto, é que realmente existem alguns poucos gigantes morais; e não deveríamos desacreditar de tais relatos somente por causa de alguns maliciosos.

Epicteto foi outro desses heróis morais. No caso dele, foi-lhe possível até mesmo zombar de uma jovem que se despira diante dele, porque ele não tinha a mínima intenção de atender à solicitação dela. Em contraste com isso, houve o comandante militar, Menandro, que observou: "Uma jovem indigna fez de mim um escravo, embora nenhum adversário jamais me tivesse subjugado". Epicteto chegou a indagar: "Quando a jovem bonita foi demais para você, você saiu sem ser punido?"

■ 3.11

וְעַתָּ֣ה בִּתִּי֩ אַל־תִּ֨ירְאִ֜י כֹּ֤ל אֲשֶׁר־תֹּֽאמְרִי֙ אֶֽעֱשֶׂה־לָּ֔ךְ כִּ֤י יוֹדֵ֨עַ֙ כָּל־שַׁ֣עַר עַמִּ֔י כִּ֛י אֵ֥שֶׁת חַ֖יִל אָֽתְּ׃

Tudo quanto disseste eu te farei. Rute tinha proposto casamento a Boaz. Afinal, ela tinha o direito legal de fazer tal proposta, visto que Boaz era um parente-remidor qualificado. E Boaz, que já vinha pensando sobre o assunto, concordou imediatamente com ela, depois daquele chocante ato da meia-noite. Tanto Noemi quanto Rute estavam com pressa, mas talvez Boaz acabaria chegando à decisão que tomou, afinal. Foi ótimo que Boaz se tenha mostrado tão favorável, embora estivesse resolvido, o tempo todo, a casar-se com Rute. Ele se casaria com ela de acordo com a maneira legal, e assim sua reputação seria resguardada. E Rute seria considerada uma mulher virtuosa por todos. Boaz, como homem, simplesmente mostrou ser muito superior ao resto da matilha.

Toda a cidade. Na verdade, *portão*, o lugar onde os oficiais se assentavam e ditavam julgamento. Uma decisão favorável seria tomada; os oficiais julgariam Rute digna de casar-se com Boaz; a operação do *goel* (parente-remidor) entraria em ação. A herança seria legalmente preservada; um herdeiro manteria viva a linhagem de Elimeleque, e o seu nome não seria esquecido em Israel. Quanto ao portão, cf. Gn 19.1; 34.20,24; Dt 16.18 e 21.19. Os oficiais da cidade reconheceriam a virtude de Rute, e assim também todo o povo da cidade, que passava constantemente por aqueles portões. As coisas seriam feitas de forma decente e em boa ordem, de tal modo que nada teria de ser censurado por quem quer que fosse.

Virtuosa. No hebraico temos o vocábulo *hayil*, que significa "valor", "dignidade", "habilidade", "virtude". Essa mesma palavra hebraica foi usada para descrever o próprio Boaz (2.1). Ver também Pv 12.4; 31.10,29. *Nobre*, algumas vezes, é uma boa tradução para essa palavra.

■ **3.12**

וְעַתָּה֙ כִּ֣י אָמְנָ֔ם כִּ֥י אִ֛ם גֹּאֵ֖ל אָנֹ֑כִי וְגַ֛ם יֵ֥שׁ גֹּאֵ֖ל קָר֥וֹב מִמֶּֽנִּי׃

Outro resgatador há mais chegado do que eu. O parente mais chegado de todos tinha primazia, de acordo com a lei do levirato, e teria a primeira chance de redimir a mulher e a herança. Se ele declinasse, então chegaria a oportunidade do segundo, Boaz. O quarto capítulo conta a história dessa questão. Isso apresentou outra complicação; mas quando o destino está em jogo, todas as complicações são finalmente resolvidas. Boaz faria tudo quanto fosse possível para garantir Rute para si mesmo, embora houvesse um pequeno período de demora. É de presumir, de acordo com as fontes informativas judaicas, que Boaz e o falecido marido de Noemi fossem primos. E, nesse caso, o outro parente-remidor em potencial seria um irmão do falecido marido de Noemi, ou seja, um tio de Boaz (ver *Midrash, Ruth*, fol. 31-4; 34.2). Ver também Rt 4.3 quanto a outras ideias. É possível que todas essas informações sejam meras conjecturas; mas essa é toda a informação de que se dispõe sobre o assunto.

■ **3.13,14**

לִ֣ינִי הַלַּ֗יְלָה וְהָיָ֤ה בַבֹּ֙קֶר֙ אִם־יִגְאָלֵ֥ךְ טוֹב֙ יִגְאָ֔ל וְאִם־לֹ֨א יַחְפֹּ֧ץ לְגָאֳלֵ֛ךְ וּגְאַלְתִּ֥יךְ אָנֹ֖כִי חַי־יְהוָ֑ה שִׁכְבִ֖י עַד־הַבֹּֽקֶר׃

וַתִּשְׁכַּ֤ב מַרְגְּלוֹתָיו֙ עַד־הַבֹּ֔קֶר וַתָּ֕קָם בְּטֶ֛רֶם יַכִּ֥יר אִ֖ישׁ אֶת־רֵעֵ֑הוּ וַיֹּ֙אמֶר֙ אַל־יִוָּדַ֔ע כִּי־בָ֥אָה הָאִשָּׁ֖ה הַגֹּֽרֶן׃

Tão certo como vive o Senhor. Boaz jurou por Yahweh que ele cumpriria o seu papel de parente-remidor, se o outro parente-remidor não quisesse cumprir o dever. Entrementes, tudo quanto restava fazer naquela noite era dormir e esperar que acontecesse o melhor. Boaz manteve Rute ali pelo resto da noite; mas ainda de madrugada, quando ainda estava escuro, ela deslizou para fora, a fim de não causar maledicência e escândalo (vs. 14). Ademais, Boaz baixou ordens estritas de que não se deveria saber que uma mulher dormira ao lado dele a noite inteira, pois talvez tivesse havido testemunhas oculares, e ele agiu assim como medida preventiva.

O *texto hebraico* é assinalado com um símbolo especial, o mesmo que também se encontra na história do incesto de Ló com suas duas filhas. Esse símbolo, pois, vincula as duas passagens. Portanto, temos o ponto admirável que os moabitas, que eram resultados de um incesto, acabaram no regaço de Boaz, através de Rute. O incidente que ora comentamos teve lugar com uma descendente distante de Ló. Mas eis que nos lembramos de que essa descendente distante também ocupa um lugar nas genealogias do rei Davi e do Rei Messias. Assim sendo, o propósito de Deus opera na direção da redenção e da restauração universal; e é precisamente isso que esperamos da parte do amor de Deus. Os livros de Rute e de Jonas são uma espécie de João 3.16 do Antigo Testamento.

"... ambas essas histórias (de Ló e de Boaz) apontam para a grande providência de Deus, por fazer a luz brilhar dentre as trevas. Rute, uma antepassada de Cristo, foi resultado do incesto de Ló" (John Gill, *in loc.*). Ver no *Dicionário* o artigo intitulado *Providência de Deus*.

"Coisa alguma tinha acontecido que fosse imprópria; mas os que usam de maledicência não têm cuidado para fazer o levantamento dos fatos" (John W. Reed, *in loc.*).

■ **3.15**

וַיֹּ֗אמֶר הָ֠בִי הַמִּטְפַּ֧חַת אֲשֶׁר־עָלַ֛יִךְ וְאֶֽחֳזִי־בָ֖הּ וַתֹּ֣אחֶז בָּ֑הּ וַיָּ֤מָד שֵׁשׁ־שְׂעֹרִים֙ וַיָּ֣שֶׁת עָלֶ֔יהָ וַיָּבֹ֖א הָעִֽיר׃

Manto. Nenhuma mulher hebreia de respeito jamais pensaria em sair em público sem o manto que lhe cobria os cabelos. Preparei um artigo detalhado na *Enciclopédia de Bíblia, Teologia e Filosofia*, intitulado *Véu da Mulher*. Mas nesse caso, o manto não iria servir para cobrir Rute. A madrugada escura era adequada para isso. Antes, o manto serviria para ela transportar um bom suprimento de cereal, que Boaz lhe deu. Provavelmente, uma medida (no hebraico, *seah*) equivalia a um terço de um efa, ou seja, cerca de 4,5 quilogramas. Isso posto, ela levou para casa cerca de 27 quilogramas de cereal. Rute precisava ser uma mulher forte para transportar esse tanto até sua casa; mas ela se sentiu inspirada a fazê-lo, por causa dos acontecimentos recentes. Boaz *depositou* o peso em suas costas, e lá se foi ela, arfando debaixo da carga, mas feliz. Alguns estudiosos dizem que a carga foi posta na sua cabeça; mas poderia uma mulher levar tanto peso sobre a cabeça? Os Targuns e a Vulgata Latina dizem ambos *seah*; mas John Gill, não confiando muito na força física das mulheres, pensava que era peso demasiado. Os Targuns também ajuntam que Yahweh ajudou Rute a carregar todo aquele peso, fazendo assim o sobrenatural entrar na questão e transformando-a em um pequeno milagre. John Gill sugeriu que talvez Rute tivesse recebido o cereal pesado em ômeres, que era a décima parte de um efa. Nesse caso, a carga teria seu peso diminuído em cerca de uma terça parte, e Rute teria carregado apenas cerca de dezoito quilogramas. Todavia, sem importar qual o peso da carga transportada, o fato é que se tratava de um excelente presente, que a fazia lembrar constantemente do triunfo daquela noite, obtido mediante o plano ousado de Noemi, e executado à risca por Rute. Ver no *Dicionário* o artigo chamado *Pesos e Medidas*.

Metáforas e Símbolos Fantasiosos. Os Targuns empregaram muita imaginação, vendo nas "seis medidas" uma mensagem profética que prometia que, através de Rute, haveria seis pessoas extraordinárias: Davi, Daniel, Sadraque, Mesaque, Abede-Nego e o Rei Messias. Seja como for, é significativo que os Targuns tenham posto o Messias na linhagem de Rute, o que, sem dúvida, foi inspirado pelo fato conhecido pelo autor do comentário de que o rei Davi era descendente de Rute.

Entrou ela na cidade. A cidade era Belém. Alguns manuscritos, contudo, dizem aqui "ele", como se o sujeito da ação fosse Boaz. Na verdade, ambos entraram na cidade, pois Rt 4.1 diz que Boaz também entrou na cidade. Mas neste versículo é melhor a palavra "ela".

RUTE VOLTA A NOEMI (3.16-18)

■ **3.16**

וַתָּבוֹא֙ אֶל־חֲמוֹתָ֔הּ וַתֹּ֖אמֶר מִי־אַ֣תְּ בִּתִּ֑י וַתַּ֨גֶּד־לָ֔הּ אֵ֛ת כָּל־אֲשֶׁ֥ר עָֽשָׂה־לָ֖הּ הָאִֽישׁ׃

Rute tinha efetuado uma missão arriscada e muita nervosa, um plano ousado que estava completamente distante do que seria considerado uma conduta apropriada para uma mulher de respeito. Mas a verdade é que, algumas vezes, a vontade de Deus opera de maneiras realmente estranhas, de maneiras nada convencionais. Além disso, se Rute não tivesse experimentado executar o ousado plano, a história do livro de Rute teria sido muito menos interessante. Portanto, ali estava ela, transportando nas costas todo aquele cereal, embora feliz, ansiosa para narrar a Noemi o retumbante sucesso que havia conseguido. Ela tinha proposto casamento, e Boaz havia aceito a proposta. Que poderia haver melhor do que isso? Ver o nono versículo deste capítulo quanto à proposta de Rute, que Boaz aceitou prontamente.

No vs. 16, algumas traduções dizem: "Quem és tu?" como se ainda fosse escuro e Noemi não tivesse reconhecido Rute. Outras traduções dizem: "Como lhe passaram as cousas?" (conforme faz a nossa versão portuguesa), e isso faz melhor sentido. Noemi estava esperando ansiosamente pelas notícias, quase sem poder dormir. E perguntou imediatamente como tinha saído o plano. Rute, igualmente ansiosa, relatou a história inteira. Todos deleitam-se em contar boas-novas, especialmente quando são verazes.

■ **3.17**

וַתֹּ֕אמֶר שֵׁשׁ־הַשְּׂעֹרִ֥ים הָאֵ֖לֶּה נָ֣תַן לִ֑י כִּ֚י אָמַ֣ר אֵלַ֔י אַל־תָּב֥וֹאִי רֵיקָ֖ם אֶל־חֲמוֹתֵֽךְ׃

E disse ainda. Este versículo, que deveria relatar tudo quanto acontecera durante a noite, contenta-se com o mínimo. Ali estava todo aquele cereal, uma demonstração inequívoca da bondade e das intenções de Boaz de redimir Rute e casar-se com ela. Tudo isso fica subentendido. O relato, pois, é extremamente econômico, e espera que lembremos tudo quanto havia acontecido. O clímax da questão, o presente sob a forma de grãos, contém em si mesmo a lembrança de tudo quanto sucedera. Rute deixou o cereal aos pés de Noemi. A ela cabia administrar tudo quanto Rute estava trazendo para casa. Rute compartilhava com Noemi, uma prova de seu amor a ela.

■ 3.18

וַתֹּאמֶר שְׁבִי בִתִּי עַד אֲשֶׁר תֵּדְעִין אֵיךְ יִפֹּל דָּבָר כִּי לֹא יִשְׁקֹט הָאִישׁ כִּי־אִם־כִּלָּה הַדָּבָר הַיּוֹם׃

Aquele homem não descansará. Noemi tinha certeza das boas intenções de Boaz, quanto a redimir Rute e a herança. Noemi sabia que Boaz agiria ainda naquele mesmo dia, conforme o quarto capítulo nos mostra que sucedeu. O texto hebraico diz, literalmente, "ele não se manterá quieto". Boaz estaria agindo com diligência, procurando o parente-remidor mais chegado e apresentando a questão às autoridades constituídas. Noemi e Rute já haviam feito tudo quanto lhes era possível. Elas tinham levado a efeito seu plano ousado. Boaz havia aceitado a proposta de casamento, feita por Rute, como a "coisa certa" a fazer, para nada falarmos sobre o amor. Mas Boaz precisava agir de acordo com a lei, resolvendo a questão com aquele homem que era parente mais chegado do que ele. Ver as notas sobre o versículo 12 quanto ao relacionamento de parentesco envolvido. Conforme disse Aben Ezra, todos os decretos "descem do céu"; e os homens, algumas vezes, simplesmente precisam esperar para ver o que acontecerá. O mesmo comentador demonstrou ter fé que alguns casamentos especiais resultam de decretos especiais. Os Targuns falam aqui, igualmente, sobre os decretos celestes, que determinam muitos acontecimentos na terra. Ver no *Dicionário* os artigos chamados *Predestinação*, *Determinismo* e *Livre-arbítrio*.

CAPÍTULO QUATRO

BOAZ PREPARA-SE PARA CASAR-SE COM RUTE (4.1-12)

O PARENTE MAIS CHEGADO NEGA-SE (4.1-8)

O ousado plano de Noemi (terceiro capítulo) que levou Rute a deitar-se ao lado de Boaz, na eira, perto de um monte de grãos já padejados, produziu esplêndidos resultados. Rute propôs casamento a Boaz, o qual aceitou de imediato a proposta, pensando que o dever era ser o *goel* ou parente-remidor. Além disso, já havia grande amor no coração de Rute e de Boaz, e isso explica por qual motivo, até de maneira ansiosa, Boaz procurou providenciar tudo quanto era mister. Em primeiro lugar, ele precisava entrevistar o parente ainda mais chegado do que ele. Se aquele homem declinasse da oportunidade de redimir Rute e as terras da família (sobre as quais ele se tornaria o proprietário e administrador), então a oportunidade caberia a Boaz.

Por esse exato motivo, Boaz foi até a "porta" da cidade, na esperança de resolver toda a questão diante das autoridades constituídas.

"Essa conclusão (capítulo quarto) da narrativa contrasta lindamente com a triste introdução do livro (ver Rt 1.1-5). Uma profunda tristeza transformava-se rapidamente em uma alegria radiante; o vazio deu margem à fartura" (John W. Reed, *in loc.*).

■ 4.1

וּבֹעַז עָלָה הַשַּׁעַר וַיֵּשֶׁב שָׁם וְהִנֵּה הַגֹּאֵל עֹבֵר אֲשֶׁר דִּבֶּר־בֹּעַז וַיֹּאמֶר סוּרָה שְׁבָה־פֹּה פְּלֹנִי אַלְמֹנִי וַיָּסַר וַיֵּשֵׁב׃

Boaz subiu à porta da cidade. Ali achavam-se os anciãos da cidade. Ele tinha um caso a ser apresentado, que envolvia o cumprimento da lei do levirato (ver a respeito no *Dicionário*).

"Não são explicados os costumes antigos que serviram de base da contenção de Boaz, nem foram claramente elucidados por referências às Escrituras do Antigo Testamento. Se, na compra do terreno que tinha sido de Elimeleque, fosse necessário restaurar o nome do morto e sua herança (vs. 5), por que Boaz não planejou casar-se com a viúva de Elimeleque, e não com a nora dela?" (Louise P. Smith, *in loc.*). Podemos supor que a lei era flexível o bastante para permitir que uma viúva se retirasse voluntariamente para segundo plano, permitindo que sua nora tomasse o seu lugar. Talvez isso fosse permitido em casos de idade avançada e enfermidade, por exemplo. O trecho de Rt 1.12 mostra que Noemi se considerava idosa demais para casar-se.

Também parece indiscutível que Boaz agiu movido pela graça, visto que ele não era irmão do falecido. Embora aparentemente fosse prática comum que um parente mais distante cumprisse a função do *goel*, não há nenhuma evidência de que ele fosse obrigado a isso. Até mesmo irmãos poderiam escapar da obrigação do casamento levirato, permitindo-se ser publicamente infamados pela viúva.

Um Golpe de Boa Sorte. Quando Boaz chegou à porta da cidade, o parente mais próximo ainda ia passando. Então Boaz chamou-o, já tendo preparado os seus argumentos para tornar-se o parente-remidor. E o homem voltou-se na direção dele. Cf. Dt 16.18 quanto à porta da cidade como o lugar onde funcionava o tribunal. Aquele também era um lugar de negociações, além de ser o ponto pelo qual os habitantes de uma cidade entravam e saíam da cidade. Portanto, era sempre um lugar movimentado. Contudo, foi por mais do que mera coincidência que o parente ainda mais próximo estivesse passando por ali naquele momento, quando Boaz chegara ali especificamente para cuidar da questão, se seria ou não o *goel* ou parente-remidor.

■ 4.2

וַיִּקַּח עֲשָׂרָה אֲנָשִׁים מִזִּקְנֵי הָעִיר וַיֹּאמֶר שְׁבוּ־פֹה וַיֵּשֵׁבוּ׃

Boaz tomou dez homens. Esses dez homens foram escolhidos dentre os anciãos que tinham autoridade em Belém. Assim sendo, ele conseguiu a corte necessária para julgar o caso. No judaísmo posterior, dez homens era tanto o menor número possível para a formação de uma sinagoga como também o *quórum* necessário para uma bênção de casamento (ver *Midrash Rabbah Ruth* 7.8). Por todos os períodos da história de Israel, os anciãos sempre foram um grupo importante, dotado de ampla autoridade civil e religiosa. Em Jz 11.7,8, lemos como eles puseram a tribo de Judá sob a autoridade de Jefté. Reoboão (ver 1Rs 12.6-16) rejeitou o conselho dos anciãos com resultados desastrosos. Durante o período pós-exílico, a autoridade dos anciãos não cessou. Ver Ed 10.8; Sl 105.22; e cf. Jl 1.2; Is 24.23; Sl 107.32. Ver no *Dicionário* o artigo chamado *Ancião*, bem como o artigo mais longo, sobre o mesmo assunto, na *Enciclopédia de Bíblia, Teologia e Filosofia*.

Anciãos quanto à Idade e ao Ofício. "Não meramente quanto à idade, mas também quanto ao ofício. Eles eram cabeças de mil, de cinquenta e de dez. Dez deles formavam o *quórum* para que um tribunal pudesse funcionar, determinando questões como aquela que Boaz viera propor... Os judeus supunham que a bênção conferida a uma noiva e a um noivo, por ocasião de seu casamento, não poderia ser dada por menos do que dez dessas pessoas (*Talmude Bab. Cerubot*, fol. 7.1; *Mishnah Negillah*, cap. 4, sec. 3; *Midrash Ruth*, fol. 25.1)" (John Gill, *in loc.*).

■ 4.3

וַיֹּאמֶר לַגֹּאֵל חֶלְקַת הַשָּׂדֶה אֲשֶׁר לְאָחִינוּ לֶאֱלִימֶלֶךְ מָכְרָה נָעֳמִי הַשָּׁבָה מִשְּׂדֵה מוֹאָב׃

Aquela parte da terra. A terra aqui referida tem dado origem a várias indagações. Em primeiro lugar, o tempo verbal perfeito, no hebraico, pode significar "vendeu" (um ato no passado), ou então "resolveu vender". Ver Gn 23.13. Se o tempo passado for preferido, então a questão fica mais simples:

1. O versículo significa que Noemi *tinha vendido* a sua propriedade, provavelmente por estar em necessidade financeira, por causa da

morte do marido, Elimeleque. Por isso mesmo, o parente-remidor, a fim de recuperar as terras e redimir a herança, teria de comprar a terra. O ano do Jubileu (ver no *Dicionário*) automaticamente redimiria a terra, visto que as terras eram heranças perpétuas, que tinham de ser mantidas dentro das famílias herdeiras. Mas o ano do Jubileu podia estar muito distante ainda.

2. Porém, se o presente determinativo tiver de ser entendido, o que é seguido por algumas traduções, então é difícil ver como tal terreno poderia entrar na questão da redenção. Se Noemi não tivesse vendido o terreno, não seria mister redimi-lo. Naturalmente, é possível que ela tinha prometido vendê-lo, mas ainda não tivesse recebido o dinheiro, e a negociação fosse sentida como algo decidido, do que era impossível retroceder. Nesse caso, a venda em processo seria considerada como *já vendida*. Uma viúva não podia conservar terras sem um herdeiro, e essa era a questão que tornava tão importante o parente-remidor.

3. O terreno pertencia a Noemi, e ela queria o seu dinheiro. Ela haveria de vender o terreno, sem importar qual a sorte de Rute. Por conseguinte, as terras foram oferecidas primeiramente ao parente chegado (aquele ainda mais próximo que Boaz). Nesse caso, os direitos de herança foram transferidos de Noemi para Rute, devido à venda do terreno. Das três possibilidades, a última é a mais provável.

Disse ao resgatador. De acordo com as tradições judaicas, esse homem era irmão de Elimeleque, ao passo que Boaz era apenas um primo. Ver as notas sobre Rt 3.12. Alguns eruditos pensam que esse parente-remidor mais chegado seria um irmão mais velho de Boaz, e não seu tio. Mas ainda um terceiro grupo de estudiosos pensa que Elimeleque, Boaz e esse parente mais chegado seriam três irmãos, e este último seria o irmão mais velho. Não há como determinar a verdade do grau de parentesco exato entre eles, nem a questão se reveste de maior importância.

■ **4.4**

וַאֲנִי אָמַרְתִּי אֶגְלֶה אָזְנְךָ לֵאמֹר קְנֵה נֶגֶד הַיֹּשְׁבִים֙
וְנֶגֶד זִקְנֵי עַמִּי אִם־תִּגְאַל֙ גְּאָ֔ל וְאִם־לֹ֨א יִגְאַ֜ל הַגִּ֣ידָה
לִּ֗י וְאֵ֨דְעָ֔ה כִּ֣י אֵ֤ין זוּלָֽתְךָ֙ לִגְא֔וֹל וְאָנֹכִ֖י אַחֲרֶ֑יךָ וַיֹּ֖אמֶר
אָנֹכִ֥י אֶגְאָֽל׃

Compra-a na presença destes. Boaz exortou ostensivamente o parente-remidor mais chegado para que comprasse o terreno, antes que alguma terceira pessoa o fizesse, ou antes que a herança revertesse para os anciãos, os quais, em seguida, fariam com ela o que lhes parecesse melhor. A "presença" aqui referida seriam os anciãos e os circunstantes. Esses seriam testemunhas de tudo quanto se desenrolasse.

Sem dúvida, até para lamentação de Boaz, o parente mais chegado concordou em comprar a terra, considerando-a um bom investimento. Mas Boaz tinha outra carta do baralho escondida na manga: havia uma mulher que estava envolvida com o terreno. A situação era esta: quem comprasse o terreno teria de casar-se com a mulher.

■ **4.5,6**

וַיֹּ֣אמֶר בֹּ֗עַז בְּיוֹם־קְנוֹתְךָ֥ הַשָּׂדֶ֖ה מִיַּ֣ד נָעֳמִ֑י וּ֠מֵאֵת
ר֣וּת הַמּוֹאֲבִיָּ֤ה אֵֽשֶׁת־הַמֵּת֙ קָנִ֔יתָ לְהָקִ֥ים שֵׁם־הַמֵּ֖ת
עַל־נַחֲלָתֽוֹ׃

וַיֹּ֣אמֶר הַגֹּאֵ֗ל לֹ֤א אוּכַל֙ לִגְאָל־לִ֔י פֶּן־אַשְׁחִ֖ית
אֶת־נַחֲלָתִ֑י גְּאַל־לְךָ֤ אַתָּה֙ אֶת־גְּאֻלָּתִ֔י כִּ֥י
לֹא־אוּכַ֖ל לִגְאֹֽל׃

Também a tomarás da mão de Rute, a moabita. Por pouco não houve um desastre, arruinando tudo. O parente mais próximo inicialmente concordou em comprar o terreno (ver o versículo anterior). Mas quando Boaz apresentou a sua carta de trunfo: "Para comprares a terra, terás de casar com a mulher, que é a dona do terreno", ele desistiu. Deve-se notar que Rute, tendo entrado no lugar de Noemi como a mulher viúva a ser redimida, foi considerada proprietária do

terreno. Diante dessa condição, o parente mais próximo hesitou e desistiu. Ele queria o terreno, mas não a mulher moabita. Sem dúvida, ele já era casado, mas a poligamia permitia-lhe tomar outra mulher. Mas o fato é que ele não queria outra mulher. Queria o terreno, mas nada queria com Rute, porquanto já tinha seus compromissos, seus filhos, sua família, sua herança, e não queria esforçar-se mais ainda, tendo de cuidar de mais uma família.

Os *Targuns* e *Josefo* pressupõem que o homem já era casado. E Josefo asseverou que o homem deve ter antecipado conflito entre sua esposa e alguma nova esposa. Ademais, constituir outra família o deixaria sob tremenda pressão financeira. Foi por isso que ele empregou as palavras "para que não prejudique" a minha herança. Isso deixou Boaz inteiramente livre para cumprir ambas as condições: comprar o terreno e casar-se com Rute. Assim sendo, ele suscitaria filhos para o nome de Malom, tendo sido ele o primeiro marido de Rute (Rt 1.1,5), cujo nome e herança viveriam graças a Boaz. Ver o comentário de Josefo sobre essa passagem (*Antiq.* 1.5, cap. 9, sec. 4).

■ **4.7**

וְזֹ֨את לְפָנִ֤ים בְּיִשְׂרָאֵל֙ עַל־הַגְּאוּלָּ֣ה וְעַל־הַתְּמוּרָ֔ה
לְקַיֵּ֣ם כָּל־דָּבָ֔ר שָׁלַ֥ף אִ֛ישׁ נַעֲל֖וֹ וְנָתַ֣ן לְרֵעֵ֑הוּ וְזֹ֥את
הַתְּעוּדָ֖ה בְּיִשְׂרָאֵֽל׃

Este era outrora o costume em Israel. A lei do levirato (ver a respeito no *Dicionário*) evidentemente tinha vários modos e condições que se iam modificando lentamente com a passagem do tempo. A cerimônia com a sandália evidentemente era um antigo rito que envolvia a enunciação de um direito, passando a ser associada com a questão do *goel* (parente-remidor). Em Dt 25.9, a sandália do irmão que se negasse a fazer o seu papel para com a viúva era afrouxada, e a viúva também cuspia em seu rosto, envolvendo-o assim em opróbrio, por ter-se negado a cumprir o seu dever.

Quatro Diferenças em Rute quanto à Lei do Levirato. O livro de Rute expõe uma aplicação diferente da lei do levirato, em relação ao que se vê em outras fontes. Os críticos, por esse e por outros motivos, têm pensado que o livro é uma novela religiosa, e não uma composição histórica séria, e frisam a maneira como essa lei foi tratada no livro como evidência de um crasso erro histórico. Mas os estudiosos conservadores supõem que as respostas dadas são suficientes para salvar a historicidade do livro.

1. No livro de Rute, foi *Rute*, a nora, que foi redimida, juntamente com o terreno que nem ao menos lhe pertencia, em lugar de Noemi, a viúva do ex-proprietário, e suas terras. Isso dá a entender grande liberalidade na aplicação dessa lei, a ponto em que uma mulher podia substituir a outra, e terras podiam ser legalmente transferidas para outrem, coisas essas nunca ouvidas fora do livro de Rute.

2. Ademais, um *parente mais distante* (que não era irmão do falecido) teve a permissão de realizar a redenção, algo que só se vê no livro de Rute.

3. Rute apresentou a questão *como se* Boaz tivesse o *dever* de ser o parente-remidor; mas, se ele não era irmão do falecido, então só podia agir mediante graça e misericórdia, e nunca com base em uma obrigação, a menos que a lei tivesse adquirido aspectos que só transparecem no livro de Rute.

4. A *cerimônia da sandália* não envolve nenhum senso de vergonha no livro de Rute; mas, em Dt 25.9, o homem que não quisesse cumprir seu dever para com a cunhada viúva recebia uma cuspada em pleno rosto, como demonstração de opróbrio. No livro de Rute, de fato, não há nenhuma ideia de vergonha, e a substituição de um parente-remidor por outro solucionou totalmente os problemas relativos ao caso. Além disso, não há indício de que o parente mais chegado fosse irmão de Elimeleque, o falecido. Portanto, ele só teria de assumir o papel de parente-remidor se quisesse.

Talvez o episódio referido no livro de Rute represente um estágio histórico no desenvolvimento da lei do levirato e outros estatutos legais. Os códigos legais da Assíria e de Nuzi mostram que a cerimônia da sandália era a *renúncia a um direito*, pelo que havia ampla aplicação daquele costume. Sem dúvida, essa lei era aplicada de forma diferente de uma cultura para outra e de uma época para outra. John Gill mencionou a cerimônia com a sandália em conexão com negociações que nada tinham a ver com o problema do casamento levirato, pelo que até mesmo em Israel aquele rito era aplicado de vários modos. Cf. Dt 25.6-9.

■ 4.8

וַיֹּ֧אמֶר הַגֹּאֵ֛ל לְבֹ֖עַז קְנֵה־לָ֑ךְ וַיִּשְׁלֹ֖ף נַעֲלֽוֹ׃

E tirou o calçado. Ao descalçar-se, o parente mais chegado desistiu de seu direito de redimir Rute e as terras da família; e, ao mesmo tempo, conferiu a Boaz esse direito, que já o tinha assumido como um direito e um privilégio. Ver as notas sobre o versículo anterior, quanto à natureza desse costume. Assim sendo, aquela transação legal, devidamente testemunhada pelos anciãos da cidade e pelos circunstantes, foi selada ou legalizada pela cerimônia da sandália, e não por meio de algum documento escrito. Quando Boaz tomou a sandália do homem, isso lhe outorgou o direito e as obrigações pertinentes ao acordo feito. Ele andaria em suas terras com a sandália, ou, pelo menos, essa era a metáfora que havia por trás do rito. Cf. Dt 1.36; 11.24; Js 1.3; 14.9. O parente mais próximo desistiu de seu calçado, preferindo retirar-se para o anonimato; mas Boaz é lembrado até hoje por seu ato de amor e misericórdia, e o seu nome entrou na árvore genealógica do rei Davi e do Rei Messias. Noemi bendisse aquele homem cujo nome tornou-se famoso em Israel, em face de sua benignidade e disposição em cumprir todos os seus deveres (ver Rt 4.11).

Josefo (*Antiq*. 1.5, cap. 9, sec. 4) diz que Rute tomou a sandália do parente mais próximo e cuspiu no rosto dele, em consonância com o capítulo 25 de Deuteronômio, mas essa é uma tentativa inútil de harmonizar as duas passagens bíblicas.

O *Targum* sobre essa passagem adiciona uma *cerimônia da luva*, em que Boaz tirou uma luva da mão direita do parente mais próximo, e a *comprou*. Isso simbolizava o uso de poder, visto que a mão direita era a mão de poder. Boaz valeu-se do direito de realizar seu dever como parente-remidor. Em algum estágio da história, Israel teve esse rito da luva, embora não seja provável que isso tivesse tido papel na redenção de Rute.

BOAZ TORNA-SE O REMIDOR E CASA-SE COM RUTE (4.9-12)

■ 4.9

וַיֹּאמֶר֩ בֹּ֨עַז לַזְּקֵנִ֜ים וְכָל־הָעָ֗ם עֵדִ֤ים אַתֶּם֙ הַיּ֔וֹם כִּ֤י קָנִ֙יתִי֙ אֶת־כָּל־אֲשֶׁ֣ר לֶֽאֱלִימֶ֔לֶךְ וְאֵ֛ת כָּל־אֲשֶׁ֥ר לְכִלְי֖וֹן וּמַחְל֑וֹן מִיַּ֖ד נָעֳמִֽי׃

Boaz disse. Os dez anciãos, as testemunhas, e quaisquer circunstantes, tinham visto tudo quanto acabara de acontecer; e Boaz chamou a atenção deles para que notassem que ele havia redimido as terras de Elimeleque e a "sua esposa" (substituída no caso por Rute, nora daquela). Elimeleque teve dois filhos, Quiliom e Malom (este tinha sido o marido de Rute, a moabita). Todos eles, embora já mortos, estavam envolvidos, visto que a herança da família passava agora para as mãos de Boaz e Rute. Os nomes e a herança deles seriam perpetuados através do casal.

■ 4.10

וְגַ֣ם אֶת־ר֣וּת הַמֹּאֲבִיָּ֣ה אֵ֣שֶׁת מַחְל֡וֹן קָנִ֣יתִי לִ֣י לְאִשָּׁ֡ה לְהָקִים֩ שֵׁם־הַמֵּ֨ת עַל־נַחֲלָת֜וֹ וְלֹא־יִכָּרֵ֨ת שֵׁם־הַמֵּ֤ת מֵעִם֙ אֶחָ֔יו וּמִשַּׁ֥עַר מְקוֹמ֖וֹ עֵדִ֥ים אַתֶּ֥ם הַיּֽוֹם׃

Também tomo por mulher a Rute. Rute veio para Boaz juntamente com o terreno. Ela estava sendo redimida. De acordo com circunstâncias normais, ela não precisava de redenção. Noemi é que precisava ser redimida. Porém, devido à flexibilidade da lei do levirato, que não nos é explicada no livro, Rute foi capaz de substituir Noemi em toda essa negociação. A sorte de Noemi não foi especificamente mencionada, mas fica entendido que o casal tomaria conta dela.

A mulher moabita foi assim recebida na linhagem que produziu tanto o rei Davi quanto o Senhor Jesus, o que não é nenhum pequeno privilégio. Foi assim que, de maneira deveras significativa, a antiga lei que dizia que os moabitas não podiam ingressar na congregação do Senhor (ver Dt 23.3) foi espiritualmente revertida, ainda que não universalmente.

O Tipo. Boaz tornou-se um tipo do Senhor Jesus Cristo, o nosso universal Parente-Remidor, visto que ele é o irmão mais velho de todos os remidos. Foi ele quem corrigiu as coisas diante de Deus Pai, o qual entregou tudo em suas mãos. Em consequência, o livro de Rute, juntamente com o livro de Jonas, tornou-se uma espécie de João 3.16 do Antigo Testamento.

■ 4.11

וַיֹּ֨אמְר֜וּ כָּל־הָעָ֧ם אֲשֶׁר־בַּשַּׁ֛עַר וְהַזְּקֵנִ֖ים עֵדִ֑ים יִתֵּן֩ יְהוָ֨ה אֶֽת־הָאִשָּׁ֜ה הַבָּאָ֣ה אֶל־בֵּיתֶ֗ךָ כְּרָחֵ֤ל ׀ וּכְלֵאָה֙ אֲשֶׁ֨ר בָּנ֤וּ שְׁתֵּיהֶם֙ אֶת־בֵּ֣ית יִשְׂרָאֵ֔ל וַעֲשֵׂה־חַ֣יִל בְּאֶפְרָ֔תָה וּקְרָא־שֵׁ֖ם בְּבֵ֥ית לָֽחֶם׃

Todo o povo que estava na porta, e os anciãos, disseram. Todos testificaram acerca da validade daquela transação verbal. Ao que tudo indica, não houve a escrituração de nenhum documento. Mas eles proferiram o que parece ter sido uma bênção padronizada e muito usada, no caso de algum casamento. Eles fizeram Boaz lembrar que as duas matriarcas, Raquel e Lia, tinham *edificado* a casa de Israel; e então exortaram-no a agir de modo digno em seu próprio lugar, em Belém. A cidade não era a nação inteira de Israel, mas a representava; e era ali que Boaz haveria de constituir família. Ele seguiria a fé de Israel, criaria seus filhos nos caminhos da lei do Senhor, e de outras maneiras diversas haveria de honrar a Deus e à nação de Israel.

A exortação e a bênção enfatizavam o papel desempenhado por Boaz na comunidade e na nação. O que ele fizesse ali seria importante para a nação como um todo. Ninguém é uma ilha, nem vive realmente isolado de seus semelhantes. Se Boaz agisse corretamente, ele se tornaria famoso em Belém e em outros lugares, mesmo distantes, que ouviriam falar de seu nome e aprovariam os seus atos. Na verdade, o nome dele chegou até nós, sendo honrado no Antigo Testamento. Entrementes, o parente mais próximo, que teve a oportunidade de redimir Rute mas a negligenciou, passou para o anonimato, tendo apenas cuidado de seus pequenos e limitados negócios locais.

Os Edificadores de Família. "Eu também observaria que vós, homens, sois similares a casas; vós, pais, sois os construtores das crianças, e elas são os alicerces do edifício" (Plauto, Mostell. Ato 1, sec. 2, vs. 37).

Efrata. Ver sobre esse nome no *Dicionário*. Era um nome alternativo para Belém, que também merece um verbete no *Dicionário*. Ver Gn 35.19 e Mq 5.2.

■ 4.12

וִיהִ֤י בֵֽיתְךָ֙ כְּבֵ֣ית פֶּ֔רֶץ אֲשֶׁר־יָלְדָ֥ה תָמָ֖ר לִֽיהוּדָ֑ה מִן־הַזֶּ֗רַע אֲשֶׁ֨ר יִתֵּ֤ן יְהוָה֙ לְךָ֔ מִן־הַֽנַּעֲרָ֖ה הַזֹּֽאת׃

Como a casa de Perez. Ver sobre esse homem em Gn 38.27-30. Os outros nomes próprios que figuram neste versículo aparecem como verbetes no *Dicionário*. O texto refere-se à história de Perez e seu irmão gêmeo. Tamar deu à luz a gêmeos para Judá. O irmão gêmeo de Perez pôs a mão para fora primeiro, e recebeu um fio vermelho no pulso; mas de súbito, nasceu Perez, tendo sido assim, na realidade, o primeiro a "romper" a madre, se quisermos falar sobre o corpo inteiro. Embora não tivesse recebido o fio vermelho, foi o primeiro a nascer; e sempre se destacou, obtendo maior sucesso que seu irmão gêmeo. Foi por meio dele que a linhagem de Judá continuou. Portanto, as testemunhas diziam agora a Boaz: "Sê um vencedor, como Perez; sobressai-te em todas as coisas; honra a linhagem de Judá".

Naturalmente, conforme veremos logo adiante, o filho de Boaz deu continuidade à linhagem de Perez; e dessa linhagem foi que vieram tanto Davi quanto Jesus.

O texto está falando aqui de uma das cinco principais famílias de Judá, uma família muito numerosa. As testemunhas, pois, desejaram para Boaz e Rute uma família numerosa, que aumentaria a glória da tribo de Judá. A atitude dos hebreus sempre foi que os filhos são um presente e uma herança da parte do Senhor (ver Sl 127.3).

CONCLUSÃO: A FELICIDADE DE NOEMI (4.13-17)

4.13

וַיִּקַּ֨ח בֹּ֤עַז אֶת־רוּת֙ וַתְּהִי־ל֣וֹ לְאִשָּׁ֔ה וַיָּבֹ֖א אֵלֶ֑יהָ וַיִּתֵּ֨ן יְהוָ֥ה לָ֛הּ הֵרָי֖וֹן וַתֵּ֥לֶד בֵּֽן׃

E teve um filho. O herdeiro não demorou a aparecer. A união de Rute e Boaz foi abençoada por Deus. Rute entrou assim na linhagem de Davi e do próprio Messias, embora ela não dispusesse de meios, na ocasião, de prever as tremendas consequências de seu casamento com Boaz.

Do Mal Pode Vir o Bem. Sem ter consciência disso, Judá cumpriu a obrigação do casamento levirato no tocante a seu filho mais velho; e daquela união incestuosa veio Perez, que se tornou o cabeça da casa de Judá. Ver o capítulo 38 de Gênesis quanto à extraordinária narrativa. Em adição, uma mulher moabita foi ascendente tanto de Davi quanto do Rei Messias!

Josefo declarou que o nascimento do filho de Boaz e Rute ocorreu no fim daquele tempo, calculando desde o tempo do casamento deles (*Antiq.* 1.5, cap. 9, sec. 4).

4.14

וַתֹּאמַ֤רְנָה הַנָּשִׁים֙ אֶֽל־נָעֳמִ֔י בָּר֣וּךְ יְהוָ֔ה אֲשֶׁ֣ר לֹ֥א הִשְׁבִּ֛ית לָ֥ךְ גֹּאֵ֖ל הַיּ֑וֹם וְיִקָּרֵ֥א שְׁמ֖וֹ בְּיִשְׂרָאֵֽל׃

As mulheres disseram a Noemi. A idosa judia tinha razões especiais para estar feliz e receber bênçãos da parte de suas vizinhas. Afinal, era a linhagem dela que estava continuando, vicariamente, através de Rute, sua nora. As mulheres que bendisseram a Noemi manifestaram o desejo de que o "filho dela" fosse famoso. Pelo menos seus descendentes o foram, mesmo que talvez não ele, pessoalmente. O nome do menino era Obede, conforme nos é dito no versículo 17. Obede foi pai de Jessé, o qual, por sua vez, foi o pai de Davi. Portanto, Obede foi avô de Davi. Embora Obede tenha tido uma vida bastante comum, havia um propósito superior que operava através dele.

4.15

וְהָ֤יָה לָךְ֙ לְמֵשִׁ֣יב נֶ֔פֶשׁ וּלְכַלְכֵּ֖ל אֶת־שֵׂיבָתֵ֑ךְ כִּ֣י כַלָּתֵ֤ךְ אֲשֶׁר־אֲהֵבַ֙תֶךְ֙ יְלָדַ֔תּוּ אֲשֶׁר־הִיא֙ ט֣וֹבָה לָ֔ךְ מִשִּׁבְעָ֖ה בָּנִֽים׃

Restaurador. A referência, neste caso, é tanto a Boaz quanto ao herdeiro, Obede. Os intérpretes compreendem ou um ou outro. Não há como termos certeza. Seja como for, não há diferença, porque aquilo que Boaz foi para Noemi, o filho de Boaz também o foi.

Ela te é melhor do que sete filhos. Noemi tinha perdido dois filhos seus, Malom e Quiliom; mas *em Rute* ela conseguiu o equivalente a sete filhos, falando metaforicamente. Rute apegou-se a Noemi, pelo que qualquer coisa boa que Boaz desse a Rute, também dava a Noemi. O amor fazia ampla provisão quanto a tudo isso.

"*Sete filhos* simbolizavam a bênção suprema que poderia ser propiciada a uma família hebreia (cf. 1Sm 2.5; Jó 1.2). O valor de Rute foi relacionado à ocasião do nascimento do filho dela" (John W. Reed, *in loc.*).

4.16

וַתִּקַּ֨ח נָעֳמִ֤י אֶת־הַיֶּ֙לֶד֙ וַתְּשִׁתֵ֣הוּ בְחֵיקָ֔הּ וַתְּהִי־ל֖וֹ לְאֹמֶֽנֶת׃

Noemi tomou o menino. Talvez este versículo fale em adoção formal, de tal modo que o filho de Rute se tornou filho de Noemi, de alguma maneira legal. Seja como for, Noemi tornou-se a ama especial e guardiã de Obede. As palavras "cuidar dele", que aparecem no fim deste versículo, poderiam indicar que Noemi dava de mamar ao menino; mas o mais provável é que signifiquem que ela passou a cuidar dele de maneira especial, pois já era uma mulher idosa na ocasião. Cf. Is 49.23, onde se lê: "Reis serão os teus aios, e rainhas as tuas amas..." No hebraico, a palavra ordinariamente usada para indicar o ato de dar de mamar a uma criança, por parte de sua mãe, é diferente da que encontramos aqui. Mas é a mesma palavra usada em Is 49.23, que significa "cuidar como ama", ao passo que aquela que quer dizer dar de mamar, no hebraico, é *yanaq*, que também significa "sugar". Ver Êx 2.7. Essa palavra deriva-se do som feito por um bebê quando está mamando: *yanaq, yanaq, yanaq*.

4.17

וַתִּקְרֶ֩אנָה֩ ל֨וֹ הַשְּׁכֵנ֥וֹת שֵׁם֙ לֵאמֹ֔ר יֻלַּד־בֵּ֖ן לְנָעֳמִ֑י וַתִּקְרֶ֤אנָה שְׁמוֹ֙ עוֹבֵ֔ד ה֥וּא אֲבִי־יִשַׁ֖י אֲבִ֥י דָוִֽד׃ פ

À Noemi nasceu um filho. Sim, vicariamente. E então lhe deram o nome de Obede. Ao que parece, Rute e Boaz concordaram em dar à criança esse nome, que era um apelativo importante dentro da cultura dos hebreus. Esse nome significa "adorador", "servo" ou "escravo". Por muitas vezes, esse nome era combinado com nomes divinos, como *Obadias* (servo de Yahweh). Ver também Obede-Edom e Ebede-Meleque. Ver no *Dicionário* o artigo chamado *Obede*, o primeiro dentre uma lista de cinco pessoas que aparecem com esse nome, no Antigo Testamento.

O Avô do Rei Davi. Este versículo fornece-nos a informação de que Obede, que viveu uma vida bastante comum, acerca da qual praticamente nada se sabe, distinguiu-se por este grande fato: ele foi o pai de Jessé, o qual foi o pai do rei Davi. Os versículos 18 a 22 deste capítulo fornecem-nos a linhagem que poderia representar uma adição posterior ao livro, a fim de provar a grande linhagem que Obede encabeçava. Portanto, ele foi um homem distinto, embora em seus descendentes, e não por seus próprios méritos. Ele foi um homem-chave, genética e espiritualmente, embora não fosse importante em si mesmo. Existem pessoas assim importantes, que não se notabilizam, mas se tornam progenitores de pessoas de destaque. Há inúmeros exemplos disso.

O nome "servo" provavelmente foi dado originalmente a Obede porque ele serviu de forma tão destacada a Noemi, tornando-se o herdeiro que deu continuidade à linhagem e herança dela, e que, por isso mesmo, reverteu todos os infortúnios descritos no primeiro capítulo do livro.

Assim sendo, Noemi, a vazia (ver sobre Mara, em Rt 1.20,21), agora se tinha enriquecido, mais ainda do que quando tinha marido e vivia em Moabe. A bênção de Deus tem uma maneira de expandir-se como nem sonhávamos. Ver Ef 3.20 quanto a esse conceito. Deus faz mais por nós do que tudo quanto pedimos ou pensamos.

EPÍLOGO: GENEALOGIA DE DAVI (4.18-22)

Há na Bíblia quatro genealogias em que são mencionados os nomes de Obede (e de Davi): aquela do texto presente; aquela de 1Cr 2.4-13 (quase idêntica); a de Mt 1.5 e seu contexto; e a de Lc 3.32 e seu contexto.

Propósitos da Genealogia. Por que temos aqui uma genealogia? Consideremos os cinco pontos seguintes:

1. Outra demonstração de que Davi era descendente de Judá e tinha o direito de ser rei.
2. Uma exaltação da pessoa de Rute, que foi a bisavó de Davi.
3. Outro incidente do costume hebreu de enfatizar a importância das genealogias.
4. Uma provisão do Espírito de Deus, que quis mostrar-nos algo da origem humana de Jesus, o Cristo, o qual atrai todos os homens após si, incluindo os desprezados moabitas. Assim sendo, o livro de Rute é um João 3.16 do Antigo Testamento.
5. Um cumprimento profético: o Messias haveria de proceder da tribo de Judá (ver Gn 49.10). Isso posto, a genealogia começa com Perez, o filho de Judá que deu continuidade à sua linhagem.

É possível que essa genealogia tenha sido acrescentada por um escritor posterior, com um ou mais dos propósitos que acabamos de mencionar.

Exiguidade de Número de Nomes. A questão tem sido comentada por vários eruditos. Essa genealogia é apenas representativa, e não completa, visto que os poucos nomes mencionados dificilmente cobrem o longo período de tempo implícito nos nomes oferecidos. Muitos elos da cadeia foram propositadamente deixados de fora, como supérfluos para o propósito em mira neste ponto. Apenas alguns dos nomes mais distinguidos foram arrolados. "... se Raabe deu à luz a Salmom, ao menino Boaz, somente alguns poucos anos após o começo desse período (desde a entrada na terra de Canaã até Rute), então são cobertos cerca de 366 anos, em apenas três gerações, ou seja, Boaz, Obede, Jessé... mas isso dificilmente é crível" (Ellicott, *in loc.*). Ellicott ilustrou isso com uma parte da genealogia, mostrando que é necessário supor que o nome representa uma seleção de elos, e não a cadeia propriamente dita.

■ 4.18-22

18 : וְאֵ֙לֶּה֙ תּוֹלְד֣וֹת פָּ֔רֶץ פֶּ֖רֶץ הוֹלִ֥יד אֶת־חֶצְרֽוֹן

19 : וְחֶצְרוֹן֙ הוֹלִ֣יד אֶת־רָ֔ם וְרָ֖ם הוֹלִ֥יד אֶת־עַמִּֽינָדָֽב

20 וְעַמִּֽינָדָב֙ הוֹלִ֣יד אֶת־נַחְשׁ֔וֹן וְנַחְשׁ֖וֹן הוֹלִ֥יד
אֶת־שַׂלְמָֽה :

21 : וְשַׂלְמוֹן֙ הוֹלִ֣יד אֶת־בֹּ֔עַז וּבֹ֖עַז הוֹלִ֥יד אֶת־עוֹבֵֽד

22 : וְעֹבֵד֙ הוֹלִ֣יד אֶת־יִשָׁ֔י וְיִשַׁ֖י הוֹלִ֥יד אֶת־דָּוִֽד

São estas, pois, as gerações de Perez. Nessa genealogia aparecem *dez nomes*. Há notas expositivas sobre todos eles no *Dicionário*, excetuando Perez (ver as notas em Gn 38.27-30) e Salmom (ver sob esse nome).

Salmom (vs. 21) era filho de Naasom e antepassado de Boaz (ver Rt 4.20,21). Ver também 1Cr 2.11. Há referências neotestamentárias a ele (ver Mt 1.4,5; Lc 3.3). O que se sabe sobre ele aparece no *Dicionário* sob o título *Salma, Salmom*. A nossa versão portuguesa diz Salmom, em Mt 1.4,5; mas Salá, em Lc 3.32. Ele viveu em 1150 a.C., embora alguns digam que viveu um pouco antes disso.

Observações:

1. O tempo coberto por essa genealogia vai de 1750 a 1000 a.C. É claro que dez homens não poderiam ter vivido bastante (coletivamente falando) para cobrir todos os sete séculos e meio. Por conseguinte, a genealogia é representativa, e não completa. Ver meus comentários sobre a introdução ao versículo 18 quanto a outras observações pertinentes.
2. Uma comparação com o paralelo em 1Cr 2.25-28 revela algumas pequenas discrepâncias. Por exemplo, Rão aparece ali como filho de Jerameel, e não como filho de Hezrom.
3. Alguns estudiosos supõem que um autor posterior tenha copiado a passagem do segundo capítulo de 1Crônicas, aqui no livro de Rute. Mas também há quem pense que o autor de 1Crônicas é que copiou a genealogia de Rute.
4. Perez era filho de Judá por meio de Tamar (ver Gn 38.12-30; Rt 4.12). Hezrom estava entre aqueles que pertenciam à família de Jacó que foram para o Egito (ver Gn 46.12). Aminadabe era o sogro de Arão (Êx 6.23). Naasom era o chefe da casa de Judá (ver Nm 1.7; 7.12; 10.14). Salmom era o pai de Boaz. O trecho de Mt 1.5 diz que a mãe de Boaz era Raabe, a prostituta cananeia de Jericó; mas Raabe viveu nos dias de Josué, cerca de 250 anos antes de Boaz. Portanto, isso só pode querer dizer que Raabe era antepassada de Boaz, e não sua mãe imediata, mais ou menos do mesmo modo que falamos a respeito de "nosso pai Abraão". Ver Rm 4.12.

Obede foi o filho de Boaz e Rute, distinguindo-se pelo fato de ter sido avô do rei Davi.

Importantes Lições Morais e Espirituais do Livro de Rute:

1. No livro de Rute temos o importante tipo simbólico de Boaz, que prefigurou Cristo em sua redenção dos homens. Esse ato, de acordo com os padrões legais, não precisaria ser realizado, porquanto Boaz era um parente relativamente distante de Elimeleque. Não obstante, motivado por sua misericórdia e amor, o ato de redenção foi efetuado. Assim sendo, o livro de Rute é como se fora o João 3.16 do Antigo Testamento: "Pois Deus amou o mundo de tal maneira que..."
2. "Apesar de todas as aparências em contrário, o fiel Deus estivera agindo em favor de Rute, o tempo todo. Os crentes também deveriam estar ocupados nas atividades de seu Pai celeste. As recompensas por uma vida responsável são sempre o fruto doce da graça divina" (Jo W. Reed, *in loc.*).
3. As *dez pessoas* cuja genealogia é registrada nos últimos cinco versículos do livro de Rute podem ser encontradas na passagem de Mt 1.3-6, como formadores de elos importantes da linhagem do Messias, Jesus de Nazaré. Deus operou sobre a história para trazer o Messias a este mundo. Raabe, a meretriz, uma cananeia, estava entre suas antepassadas, tal como Rute, a moabita. Isso posto, fica subentendida a universalidade da missão de Cristo. Ver na *Enciclopédia de Bíblia, Teologia e Filosofia* o artigo intitulado *Universalidade da Missão de Cristo*. Nenhuma raça e nenhuma condição humana esteve e ou está fora do escopo do ato remidor de Jesus Cristo.
4. Lições morais e espirituais no *caráter de Rute*: dedicação religiosa (1.16); lealdade (2.11,12); generosidade (2.18); responsabilidade (2.2); determinação e diligência no trabalho (2.7); cortesia (2.10,13). Ela tinha uma aura de fé, lealdade e amor, mas isso não a fez esquecer as atividades práticas da vida diária.
5. Lições morais e espirituais no *caráter de Boaz*: fé religiosa (2.4,12); generosidade (2.15,16); senso de responsabilidade (3.12; 4.10); ações completas (3.18); cortesia (2.14).
6. Em Noemi também encontramos algumas dessas características. Contudo, é mais difícil separar o que pode ter sido motivado pelo interesse próprio e aquilo em que Noemi agiu realmente em favor do bem-estar de Rute. Mas esses dois fatores não são necessariamente contraditórios. O que era bom para Noemi era bom para Rute, e vice-versa.
7. O livro de Rute contém a verdadeira percepção de que fortes convicções na providência divina ajudam nos atos de uma pessoa e, sempre que possível, produzem resultados brilhantes.
8. O amor de Deus ultrapassa todos os limites que os homens tentam impor. Abrange todas as terras e pessoas, incluindo definidamente aqueles que não fazem parte "do grupo".
9. As boas obras de Rute se afunilaram em seu descendente distante, Jesus, o Cristo. Naturalmente, isso estava acima de toda e qualquer expectativa de Noemi, Rute e Boaz. Isso significa que Deus faz mais do que tudo quanto pedimos ou pensamos (ver Ef 3.20).

1SAMUEL

O Livro que Descreve os Passos
Iniciais da Unificação de Israel

> *Por este menino orava eu;*
> *e o Senhor me concedeu a*
> *petição, que eu fizera.*
> *Pelo que também o trago*
> *como devolvido ao Senhor,*
> *por todos os dias que viver.*
>
> 1Samuel 1.27,28

31 | Capítulos
811 | Versículos

INTRODUÇÃO

ESBOÇO:

I. Nome
II. Caracterização Geral
III. Autoria
IV. Data
V. Propósito
VI. Estado do Texto
VII. Problemas Especiais
VIII. Teologia do Livro
IX. Conteúdo e Cronologia
X. Bibliografia

I. NOME

Nossos livros de 1 e 2Samuel, no cânon hebraico, aparecem como um único volume. Isso é provado pela nota marginal, ao lado de 1Sm 28.24, que diz que ali se encontra "a metade do livro". Naturalmente essa nota posta à margem não aparece em nossa versão portuguesa. O nome do livro deriva-se de uma das três personagens principais da obra, o profeta Samuel. Ele aparece, com proeminência, nos primeiros quinze capítulos de 1Samuel. E, mesmo depois que a história passa a gravitar em torno, primeiramente, de Saul, então, de Saul e Davi, e, finalmente, de Davi apenas, Samuel continua aparecendo como uma das três personagens principais do relato, até a sua morte (ver 1Sm 25.1), inter-relacionando-se com Saul e Davi. De fato, Samuel continua a desempenhar importante papel no livro de 1Samuel. O trecho de 1Sm 28.20 é a última menção a esse grande profeta de Deus. Interessante é observar que o nome de Samuel nunca aparece no livro de 2Samuel. Isso se repete em ambos os livros de Reis. Mas o seu nome reaparece em 1Cr 6.28; 9.22; 11.3; 26.28; 29.29; 2Cr 35.18; Sl 99.6 e Jr 15.1 (no restante do Antigo Testamento); e também em At 3.24; 13.20 e Hb 11.32 (no Novo Testamento). Seu nome figura por um total de 136 vezes em toda a Bíblia, das quais 125 vezes em 1Samuel. Esse nome significa "ouvido por Deus".

Samuel era levita, filho de *Elcana* e *Ana* (ver a respeito desses nomes no *Dicionário*). Nasceu em Ramataim-Zofim, no território montanhoso de Efraim. Foi o último dos juízes e o primeiro dos profetas (depois de Moisés), uma categoria de servos de Deus que, quanto ao Antigo Testamento, prosseguiu até Malaquias, e, na verdade, até João Batista, o precursor do Senhor Jesus. Quanto a maiores detalhes sobre sua pessoa, ver no *Dicionário* o artigo sobre *Samuel*.

II. CARACTERIZAÇÃO GERAL

Como já dissemos, o cânon hebreu tinha um único livro de Samuel, que nós conhecemos como 1 e 2Samuel. Foi na Septuaginta que, pela primeira vez, apareceu a divisão em dois livros, quando eles foram chamados "Livros dos Reinos" (no grego, *bíbloi basileiõn a e b*). Foi na mesma ocasião que os livros que chamamos de 1 e 2Reis apareceram como "Livros dos Reinos III e IV", visto que o conteúdo desses dois últimos continha o relato iniciado em 1 e 2Samuel.

Jerônimo, por sua vez, afixou o título "Livros dos Reis" (no latim, *Libri Regum*) a esses *novos* quatro livros. Foi também ele quem modificou o título "Reinos" para "Reis". E, finalmente, com o tempo, a Vulgata Latina conferiu o nome "Samuel" aos dois primeiros desses quatro livros.

Os livros de Samuel, pois, historiam a transição do povo de Israel da teocracia para a monarquia. A *teocracia* (ver a respeito no *Dicionário*), que indica o governo de Deus sobre o povo de Israel, mediante homens divinamente escolhidos, como *Moisés, Josué* e os *juízes* (ver sobre esses termos também no *Dicionário*), foi iniciada no livro de Êxodo; instaurada na Terra Prometida, quando da conquista sob a liderança de Josué, e teve continuidade até os dias do próprio Samuel, que atuava como o agente escolhido por Deus para representar a teocracia. Isto posto, há um vínculo inegável entre os livros de Moisés, Josué, Juízes, Rute e 1 e 2Samuel, como se fossem elos de uma corrente. Na verdade, a corrente prossegue nos livros de Reis e de Crônicas, dentro dos quais também devemos incluir os livros proféticos pré-exílicos, os livros dos profetas pós-exílicos e, finalmente, livros como Esdras, Neemias e Ester. Os livros poéticos (Jó a Cantares de Salomão), embora também nos propiciem alguns informes históricos, têm o seu material englobado nos primeiros livros bíblicos que mencionamos, que constituem o *Pentateuco*, os Livros *Históricos* e os Livros *Proféticos* (ver a respeito no *Dicionário*). Todavia, os livros de Samuel assinalam um período histórico todo especial na vida da nação de Israel: o período do surgimento da monarquia, com Saul e Davi. Organizacionalmente, a nação galgou um degrau na evolução de sua história; espiritualmente, porém, houve algum retrocesso, que só será anulado por ocasião da segunda vindas do Senhor Jesus. Todavia, como o Senhor nunca é frustrado em seus planos eternos, a monarquia, afinal, acabou contribuindo para que o palco fosse armado para a primeira e a segunda vindas do Senhor Jesus; porquanto Cristo, quanto à carne, é descendente de Davi, o segundo e mais importante dos monarcas da nação de Israel.

III. AUTORIA

Os próprios livros históricos da Bíblia nos fornecem algumas indicações sobre a autoria de 1 e 2Samuel. Lê-se em 1Sm 10.25: "Declarou Samuel ao povo o direito do reino, escreveu-o num livro, e o pôs perante o Senhor". E também somos informados em 1Cr 29.29: "Os atos, pois, do rei Davi, assim os primeiros como os últimos, eis que estão escritos nas crônicas, registrados por Samuel, o vidente, nas crônicas do profeta Natã e nas crônicas de Gade, o vidente". Esses trechos bíblicos dão-nos a entender que, pelo menos em parte, Samuel é um dos autores do âmago da narrativa de 1Samuel e também que Natã e Gade, que viveram na geração seguinte à de Samuel, tiveram participação nessa obra. Que outros autores dos livros de Samuel (1 e 2) possam ter participado já não passa de especulação, pois a Bíblia faz total silêncio a respeito. A autoria dos livros de Samuel, pelo menos em parte, é confirmada pelo Talmude (ver *Baba Bathra* 14), que diz que esse profeta escreveu os livros de Samuel. É claro que Samuel não pode ter sido o autor da obra inteira (1 e 2Samuel, segundo o nosso cânon), porque ele morreu quando Saul ainda era rei; assim Samuel não pode ter acompanhado nem mesmo o começo do reinado de Davi, com cujo governo se ocupa o livro de 2Samuel, embora possa ter sido autor do âmago inicial de 1Samuel.

A *composição* dos livros de 1 e 2Samuel, por isso mesmo, tem dado margem a diversas teorias:

a. A alta crítica oferece mais de uma opinião acerca da origem dos livros de Samuel. Eles falam em contradições "óbvias", relatos duplicados e outras evidências de múltipla autoria. Para eles, essa múltipla autoria explicaria tais problemas, criados no decorrer de muito tempo, em que os autores envolvidos tanto teriam apelado para informes históricos dignos de confiança quanto para informes meramente orais e tradicionais. Outros estudiosos da alta crítica acham que grande parte de Deuteronômio a Reis foi reescrita entre 621 e 550 a.C., e que esses compiladores foram os responsáveis pela composição final de 1 e 2Samuel.

b. A maioria dos estudiosos acredita que 1 e 2Samuel se formaram pela mistura de várias fontes informativas, que seriam duas ou três. Eissfeldt vincula os livros de 1 e 2Samuel às fontes informativas *J.E* e *L*, as duas primeiras da teoria *J.E.D.P.(S.)* (ver a respeito no *Dicionário*), e *L* sendo uma criação dele, para denominar informantes "leigos". Todos os estudiosos que apelam para essa teoria pensam que os livros bíblicos, de Gênesis até Reis, tiveram por base essas supostas fontes informativas. A suposta fonte informativa *L* representaria opiniões populares, sem interesses teológicos, mas com a atenção concentrada na arca da aliança.

c. Bentzen expressa dúvidas se as fontes *J* e *E* realmente prosseguem nos livros de 1 e 2Samuel. Albright nega explicitamente a validade das fontes informativas *J* e *E* quanto aos livros de Samuel. De fato, ele pensava que nenhuma teoria baseada em supostas fontes informativas poderia ser formada no tocante aos livros de Samuel.

d. Segal, que também rejeitava a hipótese de tais fontes informativas documentárias, prefere pensar na combinação de duas narrativas independentes acerca de Davi. A primeira delas seria uma boa biografia; e a segunda era mais lendária quanto à sua natureza. A isso teriam sido acrescentados relatos independentes sobre a arca, sobre Saul e sobre o profeta Samuel.
e. A escola tradicional histórica enfatiza que teria havido ciclos de sagas em torno das vicissitudes sofridas pela arca da aliança, a respeito dos quais se criaram crônicas históricas um tanto desconexas entre si. Alguns membros dessa escola adiam a fase escrita dos livros de Samuel até os tempos pós-exílicos.
f. A maioria dos críticos pensa que os livros de Samuel refletem tanto fontes informativas exatas quanto meras tradições orais, pelo que seu valor histórico flutuaria muito. Muitos deles creem que os relatos fragmentares sobre Davi, de 1Sm 16 a 2Sm 8, não passam de uma novela histórica, com o propósito de glorificar Davi. Essas narrativas teriam sólida base histórica, mas com muitos adornos fantasiosos. Por outra parte, o material de 2Sm 8—20 consistiria, juntamente com os livros de 1 e 2Reis, em "narrativas de sucessão ao trono". Muitos críticos dão mais valor histórico a essa porção de Samuel (2Sm 9—20) do que a todo o restante do livro. O quadro formado pelos críticos torna-se extremamente complicado quando eles supõem ter havido um propósito "político" nos livros 1 e 2Samuel e de 1 e 2Reis. Quanto às complexas ideias desse grupo, queremos destacar apenas que eles pensam que os trechos de 1Sm 15 a 2Sm 8 representam uma "apologia" da dinastia davídica, em tudo superior à dinastia de Saul.

Preferimos ficar com a ideia de que o âmago dos livros de 1 e 2Samuel consiste nas crônicas históricas de Samuel, Natã e Gade. E, então, algum autor-compilador-editor, para nós desconhecido, formou a obra com base nos escritos daqueles três, utilizando-se também do "Livro dos Justos" (ver 2Sm 1.18), uma fonte informativa histórica que ele sem dúvida usou, pois isso ele próprio mencionou. O trabalho desse compilador talvez explique como pode ter havido uma transição suave de episódio para episódio e de seção para seção nos livros de Samuel, conferindo-lhes assim a inequívoca unidade. Por trás desses livros há um propósito único (ver a seção V, *Propósito*), e eles foram escritos em uma linguagem uniforme.

IV. DATA
A questão da data dos livros de 1 e 2Samuel depende, em muito, da questão de sua autoria. Assim, se Samuel, Natã e Gade foram os autores essenciais, então esses dois livros foram escritos durante os dias do reinado de Davi, ou imediatamente depois. Todavia, os estudiosos pensam que certas porções da obra, particularizando 2Sm 9—20, teriam sido escritas no século X a.C., ao passo que outras porções são atribuídas por eles a períodos posteriores, que se estenderiam até depois do exílio babilônico.

Mas, se a ideia de "apologia" davídica tiver de ser aceita (ver anteriormente), então, pode-se argumentar em favor de uma data anterior para aqueles capítulos. E isso porque a necessidade de tal defesa da dinastia davídica seria uma imposição nos dias do próprio Davi e nos dias de Salomão, mas especialmente durante os primeiros anos do governo de Davi, quando seu trono estava seriamente ameaçado, de sorte que apenas a tribo de Judá o aceitava como rei, ao passo que as demais tribos permaneciam em compasso de espera. Ver 2Sm 2.1—4.12. Em 1Sm 27.6 lemos que "Ziclague pertence aos reis de Judá, até o dia de hoje". Isso pode indicar ou que o livro de Samuel foi escrito durante os dias da monarquia dividida, isto é, após Salomão, ou então que essas palavras foram inseridas posteriormente.

Os eruditos conservadores fazem variar a data dos livros de Samuel desde 970 a.C. (pouco depois da época de Davi) até 722 a.C. (época em que a cidade de Samaria foi destruída pelos assírios e começou o exílio de Israel, nação do norte). Todavia, a ausência de qualquer referência à queda de Samaria prové um extremo temporal seguro. Os livros de Samuel não podem ter sido escritos após a queda de Samaria. Doutra sorte, haveria alguma alusão a esse acontecimento, por demais importante para ter sido esquecido por um autor-compilador, caso, porventura, já tivesse ocorrido.

V. PROPÓSITO
Os livros de Samuel, como já dissemos, foram escritos para apresentar uma narrativa conexa dos eventos que cercaram a instauração da monarquia em Israel. Esses livros historiam tanto a carreira do último dos juízes, que também foi o primeiro (depois de Moisés) da longa série de profetas, Samuel, quanto os acontecimentos que circundaram a vida de Saul e Davi, os dois primeiros reis de Israel. Portanto, os livros de Samuel assinalam um período crítico de transição. É com toda a razão que os livros se chamam 1 e 2Samuel, porque o papel desempenhado por esse profeta de Deus é crucial para a correta compreensão tanto da instauração da monarquia quanto do desenvolvimento do ofício profético no Antigo Testamento, que terminou com a figura fulgurante de João Batista, precursor do Senhor Jesus. Foi Samuel, o agente da teocracia, quem deu legitimidade à dinastia davídica, diante dos olhos um tanto duvidosos de toda a nação de Israel.

As lições morais e espirituais que derivamos das experiências pessoais de Samuel, de Saul e de Davi também se revestem de importância capital. Um ponto a destacar, nessas lições, é a atitude de desobediência a Yahweh, por parte de Saul. Isso o condenou aos olhos do Senhor, que o rejeitou como rei. Esse é um dos pontos altos da narrativa. "... visto que rejeitaste a palavra do Senhor, já ele te rejeitou a ti, para que não sejas rei sobre Israel" (1Sm 15.26). Outra dessas lições foi a queda de Davi, no caso de Bate-Seba, que quase lhe custou a coroa e a vida (ver 2Sm 11.1—12.25). Contudo, a despeito de seus graves defeitos, Davi era o escolhido e ungido do Senhor, pelo que a sua dinastia foi firmada. O Senhor estabeleceu com Davi o chamado pacto davídico (ver 2Sm 7.1-29). De acordo com os termos desse pacto, o Messias procederia da casa de Davi consoante as palavras do Senhor, através do profeta Natã: "Quando teus dias se cumprirem, e descansares com teus pais, então farei levantar depois de ti o teu descendente, que procederá de ti, e estabelecerei o seu reino. Este edificará uma casa ao meu nome, e eu estabelecerei para sempre o trono do seu reino" (2Sm 7.12,13).

Acrescente-se a isso que os livros de Samuel fornecem um excelente pano de fundo para alguns dos salmos. E, finalmente, vários fatos importantes acerca da cidade de Jerusalém são esclarecidos no livro. O propósito dos livros de Samuel é, pois, multifacetado.

VI. ESTADO DO TEXTO
O texto hebraico tradicional, representado pelo *texto massorético* (ver a respeito no *Dicionário*), mostra-se estranhamente defeituoso no que concerne a 1 e 2Samuel. Há mesmo casos nos quais as emendas são imperiosas, por motivo de textos muito mal preservados. Para exemplificar, temos 1Sm 13.1, que omite o número de "anos", ao descrever a idade de Saul. Nossa versão portuguesa, juntamente com outras, atrapalha ainda mais a passagem. A tradução emendada diz, conforme a NIV: "Saul tinha trinta anos de idade quando se tornou rei; e reinou em Israel por quarenta e dois anos". Entretanto, a nossa versão portuguesa diz: "Um ano reinara Saul em Israel. No segundo ano do seu reinado sobre o povo..."

Permanecem desconhecidas as razões pelas quais o texto massorético sobre os livros de Samuel apresenta maior número de dificuldades do que o texto de qualquer outro livro do Antigo Testamento. Há estudiosos, como Archer, que sugerem que o texto oficial, formulado durante o período intertestamental, dependeu de uma antiga cópia, desgastada pelo uso ou mesmo atacada por insetos. E os massoretas teriam reproduzido fielmente o texto "oficial". Outros, como Segal, creem que os livros de Samuel foram negligenciados em face da competição feita pelos livros mais populares de Crônicas. Por ser menos lido, o texto de Samuel, de alguma maneira, veio a sofrer de corrupções várias.

Interessante é que fragmentos do manuscrito dos livros de Samuel, entre os chamados *Manuscritos do mar Morto*, sobre os quais se baseou a tradução da *Septuaginta* (ver a respeito ambos os termos no *Dicionário*), mostram-se superiores à tradição massorética. Cross tem estudado várias passagens nas quais o material das cavernas de Qumran se assemelha muito com a Septuaginta, sobretudo o códex B. Isso indica que os tradutores dessa versão do Antigo Testamento para o grego manusearam o texto hebraico com extrema fidelidade, pelo que seriam mais dignos de confiança do que o foram até bem pouco tempo, entre os estudiosos. Pelo menos nos dois livros de Samuel, a versão da Septuaginta reveste-se de grande valor na determinação do verdadeiro texto de muitas passagens problemáticas.

Albright opinou que as cópias mais antigas de Samuel, entre o material encontrado nas cavernas de Qumran, exibem superioridade tanto em relação ao texto hebraico massorético quanto em relação ao texto da Septuaginta. Os estudiosos estão preparando uma edição melhorada do texto de 1 e 2Samuel, com base nesses achados de *Qumran* (ver a respeito no *Dicionário*). Esperemos, pois, por essa edição!

VII. PROBLEMAS ESPECIAIS

Os críticos geralmente apontam para três problemas especiais existentes nos livros de Samuel: a. relatos duplicados; b. a identidade de quem matou Golias; e c. dificuldades em torno da feiticeira de En-Dor. No tocante ao primeiro desses problemas, os estudiosos encontram discrepâncias e contradições no texto dos livros de Samuel. De acordo com eles, as descrições dos mesmos eventos, de duas maneiras diversas, deixa-nos "entrever" o uso de diferentes fontes informativas, ou então a existência de relatos paralelos, o que revelaria, no mínimo, a mão de mais de um autor do livro. Ver a terceira seção, sobre *Autoria*, anteriormente. Exemplos de duplicação seriam os seguintes: Por duas vezes Saul é feito rei, por duas vezes, igualmente, Davi foi apresentado a Saul; e por duas vezes os habitantes de Zife informaram a Saul acerca do local onde Davi se ocultava. Além desses casos, eles falam em várias outras duplicações. Mas, em cada um dos casos apresentados, sempre se pode encontrar uma explicação satisfatória, o que reduz a nada esses problemas especiais, criados pelos críticos.

Assim, os eventos que cercam as duas "coroações" de Saul foram acontecimentos diferentes um do outro. Na primeira ocasião, Saul foi escolhido mediante o lançamento de sortes e, então, foi apresentado ao povo. Porém, alguns "filhos de Belial" (1Sm 10.27) mostraram dúvidas quanto à sua capacidade de governar a nação, e recusaram-se a reconhecê-lo. No capítulo 11 de 1Samuel, Saul liderou o exército de Israel a obter uma vitória decisiva sobre os amonitas, e Samuel reuniu o povo em Gilgal, a fim de que renovassem o "reino" (1Sm 11.14). Então todo o povo *proclamou* Saul como seu rei (vs. 15), em meio a grandes demonstrações de regozijo e unidade. As palavras "proclamaram a Saul seu rei" não aparecem no capítulo 10; e a referência à renovação ou confirmação do reino deixa entendido que Saul havia sido previamente designado como rei.

Davi foi inicialmente apresentado a Saul (ver 1Sm 16.21). Na oportunidade, Saul recebeu-o como músico e armeiro, e o jovem Davi foi contratado para acalmar, com sua música, o perturbado monarca. Mas, depois que Davi retornou do campo de batalha, onde matara o gigante Golias, Saul indagou: "De quem é filho este jovem, Abner?" (1Sm 17.55). Mas Abner não sabia dizê-lo. Há aqueles que interpretam isso como se Saul houvesse esquecido o nome de Davi. Notemos, porém, que a dúvida não estava sobre a identidade de Davi e, sim, de seu pai. O rei repetiu a pergunta diretamente a Davi: "De quem és filho, jovem?" E Davi, havendo entendido que Saul não perguntava por seu próprio nome (de Davi) e, sim, pelo nome de seu pai, respondeu: "Filho de teu servo Jessé, belemita" (1Sm 17.56-58). Como vemos, novamente, a falta de atenção levou alguns eruditos a imaginar que Davi precisou ser apresentado por duas vezes a Saul, o que teria sido realmente estranho, para dizer o mínimo.

A indagação de Saul acerca do pai de Davi fica ainda bem compreendida em face de 1Sm 17.25-27, onde o rei prometera que o homem que matasse o gigante Golias não pagaria os impostos da casa de seu pai. Para que Saul cumprisse a promessa, era mister saber o nome do pai de Davi, que abatera ao atrevido gigante. A promessa dizia: "A quem o [ao gigante] matar, o rei cumulará de grande riqueza, e lhe dará por mulher a filha, e à casa de seu pai isentará de impostos em Israel" (vs. 25). Lembremo-nos de que, naquele período de sua vida, Davi ainda não era o famoso rei Davi e, sim, apenas um jovem cortesão, músico, proveniente de uma família que até então não havia alcançado notoriedade em Israel. Também poderíamos argumentar que a mente do rei estava tremendamente perturbada, por permissão de Deus, o que também pode ter contribuído para o seu esquecimento quanto ao nome do pai de Davi. Além disso, 1Sm 18.2 afirma que Saul, depois que Davi matou a Golias, não lhe permitiu retornar à casa paterna, sugerindo uma diferença em sua maneira de tratar o jovem, o que deve ser entendido em confronto com 1Sm 17.15.

Os dois episódios que envolveram os zifitas são também superficialmente semelhantes. Nos capítulos 23 e 26 de 1Samuel, os habitantes de Zife levaram ao conhecimento de Saul informações sobre o paradeiro de Davi. Os dois eventos, porém, envolvem circunstâncias muito diferentes, em períodos diferentes, embora o local envolvido, como esconderijo de Davi, fosse o mesmo: o outeiro de Haquilá. Um caso similar a esse foi o de Abraão, que apresentou Sara como sua irmã, por duas vezes, nos capítulos 12 e 20 do livro de Gênesis. Mas os críticos não argumentam que ali houve duplicação de narrativas, em face de fontes informativas diferentes! A impressão que se tem é de que os críticos, querendo fazer prevalecer sua opinião sobre as origens de diversos livros antigos da Bíblia, criam hipóteses que depois não são capazes de consubstanciar.

Conforme dissemos anteriormente, outro problema especial criado pelos intérpretes gira em torno da pergunta: "Quem, realmente, matou Golias?" Certos críticos pensam que houve uma versão mais popular do feito, segundo a qual o matador do gigante teria sido *Elanã*. Entretanto, na verdade, Elanã (de acordo com 2Sm 21.19) é quem teria abatido o gigante. Mas, posteriormente, o feito teria sido transferido para Davi, a fim de torná-lo uma figura heroica, capaz de ocupar o trono de Israel. Essa suposição, contudo, esbarra com dificuldades intransponíveis. Se Davi não tivesse matado Golias, como explicar o intenso ciúme de Saul? E como explicar o cântico triunfal, que atribuiu, imediatamente em seguida, o triunfo a Davi (ver 1Sm 18.7)? Essa suposta dificuldade teria sido prontamente dirimida mediante a atenção ao trecho de 1Cr 20.5, onde se lê: "... e Elanã, filho de Jair, feriu a Lami, irmão de Golias, o geteu, cuja lança tinha a haste como eixo de tecelão". Isto posto, Davi matou Golias, e Elanã matou Lami, irmão de Golias. Não há nenhuma duplicação de relatos. Evidentemente, houve um erro primitivo de transcrição em 2Sm 21.19, onde se lê: "... e Elanã, filho de Jaaré-Oregim, o belemita, feriu Golias, o geteu, cuja lança tinha a haste como eixo do tecelão". Mas essa passagem, quando comparada com aquela outra, de 1Crônicas, fica esclarecida. O que houve não foi a repetição de relatos, na qual em um deles Davi teria sido o matador de Golias, e, em outro, o matador teria sido Elanã. O que, realmente, houve, foi um erro primitivo de transcrição.

E acerca da feiticeira de En-Dor? Sobre o que objetam os críticos? Alguns declaram que, em face de certas proibições bíblicas, o contato de vivos com os mortos não pode ter acontecido. Tudo teria sido apenas um fenômeno psicológico, talvez fruto da condição perturbada de Saul. Um ponto de vista mais conservador admite que Deus permitiu que Saul visse uma forma semelhante a Samuel, embora tudo não passasse de uma visão, e não do corpo ou do espírito real daquele profeta. Entretanto, a explicação mais certa e óbvia é aquela que reconhece que Samuel realmente apareceu a Saul em forma visível, e que o profeta já morto realmente comunicou-se com Saul. O relato está no capítulo 28 de 1Samuel. A médium de En-Dor, diante da pergunta de Saul: "Não temas; que vês?", replicou: "Vejo um deus que sobe da terra" (vs. 13). Sabemos que os médiuns espíritas e outros realmente se comunicam com espíritos daqueles lugares tenebrosos. Isso é ensinado desde o livro de Gênesis, no caso dos magos do Egito. Esses médiuns, porém, não têm normalmente contato com espíritos remidos. Portanto, Deus deve ter intervindo, permitindo o aparecimento de Samuel à vidente de En-Dor. Isso surpreendeu à mulher, que gritou.

Que os mortos podem aparecer aos vivos, vê-se no caso de Moisés e Elias, que apareceram juntamente com o Senhor Jesus, quando de sua transfiguração, diante de três de seus discípulos: Pedro, Tiago e João (ver Mt 17.1-8; Mc 9.14-29 e Lc 9.37-43). Esse episódio, juntamente com o do aparecimento de Samuel após a sua morte, por intermediação da médium de En-Dor, incidentalmente prova a existência consciente dos espíritos humanos que daqui partiram, por força da morte biológica, além de ser um fortíssimo apoio à doutrina da imortalidade da alma! Por conseguinte, toda essa objeção à aparição de Samuel à feiticeira de En-Dor, e ao recado que ele deu a Saul, baseia-se naquela razão que foi dada pelo Senhor

Jesus aos saduceus: "Errais, não conhecendo as Escrituras nem o poder de Deus" (Mt 22.29).

VIII. TEOLOGIA DO LIVRO

Embora a ênfase principal dos dois livros de Samuel seja histórica, e não teológica, vários capítulos contêm importantes doutrinas, que nos são ensinadas de maneira inequívoca. Três são as lições teológicas destacadas nos livros de Samuel:

A. *A Vontade Soberana de Deus*. Muitos estudiosos ficaram perplexos diante da atitude de Deus em relação ao estabelecimento da monarquia em Israel. Indícios suficientes indicam que Deus não ficou satisfeito com o fato de que os israelitas rejeitaram o governo teocrático. Ver 1Sm 8.7, onde se lê: "Disse o Senhor a Samuel: Atende à voz do povo em tudo quanto te dizem, pois não te rejeitaram a ti, mas a mim, para eu não reinar sobre eles". Mesmo assim, o homem de Deus tentou dissuadir o povo de desejar um rei; mas a maioria esmagadora do povo mostrou-se inflexível na exigência de ter um monarca que os conduzisse às batalhas conforme sucedia aos povos em derredor. Por outro lado, antes mesmo de Saul haver sido ungido rei, Deus prometeu abençoá-lo e usá-lo para livrar seu povo dos inimigos, segundo se aprende em 1Sm 9.16: "Amanhã a estas horas te enviarei um homem da terra de Benjamim, o qual ungirás por príncipe sobre o meu povo de Israel, e ele livrará o meu povo da mão dos filisteus; porque atentei para o meu povo, pois o seu clamor chegou a mim". É evidente que devemos traçar uma distinção entre a vontade diretiva e a vontade permissiva de Deus. Assim, o desejo que os israelitas tiveram de um rei foi um desejo pecaminoso, mas o Senhor Deus contornou isso, permitindo que, ainda assim, o povo fosse abençoado.

Outro aspecto da vontade de Deus diz respeito à questão da predestinação em relação à responsabilidade humana. Depois que Saul já era rei de Israel fazia algum tempo, ele desobedeceu a Deus, oferecendo um sacrifício, privilégio reservado exclusivamente ao sacerdócio. Samuel repreendeu-o severamente por isso, anunciando que Saul havia perdido o direito de ser cabeça de uma dinastia reinante duradoura. No dizer de Samuel: "Procedeste nesciamente em não guardar o mandamento que o Senhor teu Deus te ordenou; pois teria agora o Senhor confirmado o teu reino sobre Israel para sempre" (1Sm 13.13). Mas, em vez disso, por causa desse ato de precipitação e rebeldia de Saul, o Senhor transferiu a liderança do reino a outro, a saber, Davi.

É evidente que o pecado de Saul pode ser apontado como a causa da perda de seus direitos dinásticos. No entanto, desde os dias do patriarca Jacó, estava profetizado que o "cetro não se arredará de Judá" (Gn 49.10). A tribo governante sobre o povo de Israel seria a tribo de Judá, à qual pertencia Davi, e não a tribo de Benjamim, à qual pertencia Saul. Isto posto, o cumprimento dessa predição do Espírito de Deus, por intermédio de Jacó, não exigia a desqualificação de Saul? Por outra parte, vemos que Samuel não consolou Saul, dizendo-lhe: "O pecado que cometeste não foi uma falta tua, e tinha mesmo de acontecer". Pelo contrário, Saul não foi desculpado por sua desobediência, mas foi severamente julgado. Isto posto, naturalmente, Deus tanto previu esse acontecimento quanto cuidou para que ele realmente se efetuasse; mas a responsabilidade humana permaneceu sendo um fato, e Saul foi julgado culpado, apesar de seu ato ter sido previsto desde há muito.

B. *A Doutrina do Pecado*. Os livros de 1 e 2Samuel ilustram, em vivas cores, a pecaminosidade do coração humano e os inevitáveis maus resultados do pecado. Líderes piedosos de Israel, como Eli, Davi e Samuel, não acertaram sempre, pois suas falhas também são salientadas no relato bíblico. O que é de admirar, entretanto, é que esses três homens tiveram filhos que foram rebeldes contra o Senhor. Na qualidade de pais, os três enfrentaram tremendas dificuldades para encaminhar seus filhos na senda da retidão. Assim, os filhos de Eli furtavam os sacrifícios trazidos pelo povo, blasfemavam contra Deus e cometiam fornicação, e isso no papel de sacerdotes do Senhor. Ver 1Sm 2.13-17,22; 3.13. Não admira que eles tenham sido mortos pelos filisteus. O trágico, na história de Samuel, é que foi justamente por causa dos delitos de seus filhos que o povo de Israel chegou a exigir que lhes fosse dado um monarca (1Sm 8.5).

Saul começou seu governo como homem humilde, que recebia orientação do Espírito de Deus. No entanto, à medida que seu governo avançava no tempo, ele passou a rebelar-se contra o Senhor, até que terminou sob a influência de espíritos malignos e foi atacado por acessos de inveja e fúria que nos fazem pensar em demência precoce, ou coisa pior. sua queda moral e espiritual foi tão vertiginosa que ele acabou apelando para a médium de En-Dor! Para quem chegara a receber instruções diretas da parte de Deus, isso foi como ser precipitado do céu ao inferno! Deus não mais lhe respondia. Lemos em 1Sm 28.6: "Consultou Saul o Senhor, porém este não lhe respondeu, nem por sonhos, nem por Urim, nem por profetas". Por isso, em seu desvario, desesperado, Saul perguntou onde poderia encontrar uma médium que consultasse aos mortos. Quando aconteceu a batalha dos israelitas com os filisteus, estes conseguiram cercar Saul e seus três filhos, seu escudeiro e todos os homens de guerra que estavam em sua companhia!

A experiência pecaminosa de Davi provê-nos uma triste instrução, que tem aspectos positivos e negativos. O grande rei Davi era homem segundo o coração de Deus. Mas, em um momento de falta de vigilância, deixou-se arrastar pela tentação, tendo-se envolvido em adultério secreto e homicídio cometido sob as circunstâncias mais covardes e agravantes. E isso depois de ter exibido por anos a fio grande fé e devoção ao Senhor. Todavia, tendo Davi finalmente reconhecido seus graves pecados, foi espiritualmente restaurado (ver 2Sm 12.13). O Senhor o perdoou e deu continuidade à bênção a ele prometida, demonstrando-lhe, assim, grande graça e misericórdia. Entretanto, um aspecto que não podemos esquecer da lição que esses incidentes nos ensinam é que, apesar da confissão sincera de Davi — e de haver sido ele perdoado —, ele precisou sofrer as inevitáveis consequências penais do pecado. O filhinho dele e de Bate-Seba acabou morrendo ainda tenro infante. Amom, primogênito de Davi, imitou-o e cometeu incesto com sua meio-irmã, Tamar. Isso precipitou a vingança de Absalão, que terminou, traiçoeiramente, tirando a vida de Amom. E houve várias outras tragédias na família, como a da revolta de Absalão, que violentou as mulheres de seu pai e acabou sendo morto com três dardos que lhe transpassaram o coração, estando ele preso pelos longos cabelos, enroscados em um galho de árvore pendurado cerca de um metro acima do solo.

Apesar desses pontos extremamente negativos na vida de Davi e de seus familiares mais diretos, ainda assim o Senhor muito o abençoou, assim como o seu reinado, em sua incalculável misericórdia. Deus também recuperou Bate-Seba, culpada com Davi de adultério. E o Senhor até abençoou a Salomão, outro filho que, mais tarde, Davi e Bate-Seba tiveram, escolhendo-o para ser o sucessor de seu pai no trono de Israel.

C. *O Pacto Davídico*. Este é um dos mais importantes pactos estabelecidos por Deus, em todo o Antigo Testamento. Deus firmou esse pacto com Davi (ver 2Sm 7.1-29), ampliando ainda mais as provisões do pacto abraâmico, que encontramos no livro de Gênesis. A Davi foi prometida uma linhagem permanente, um trono firme e um reino perpétuo. O direito de governar Israel sempre caberia a um de seus descendentes, promessa que antecipa e garante o reinado eterno do Senhor Jesus Cristo, o Filho maior de Davi. A fidelidade e o amor constante de Deus por seu servo Davi podem ser vistos no fato de que ele o perdoou graciosamente de seu grave pecado duplo: adultério e homicídio. Não admira, pois, que Davi se tenha regozijado diante da promessa divina feita à sua casa. As "últimas palavras" de Davi, que encontramos em 2Sm 23.1 ss., referem-se a essa *aliança eterna*. Ver no *Dicionário* o artigo sobre os *Pactos*.

Um ponto deveras tocante nos livros de 1 e 2Samuel foi a profunda e fiel amizade que se estabeleceu entre Davi e *Jônatas* (ver a respeito no *Dicionário*), filho de Saul. A amizade entre eles ilustra a responsabilidade daqueles que se compactuam de alguma maneira. Jônatas não traiu a seu amigo, Davi, em momento algum, até o último dia de sua vida, embora tivesse todas as razões para compartilhar da inveja e hostilidade que seu pai, Saul, nutria por Davi. E Davi também não se mostrou menos leal a seu amigo Jônatas. Depois que se tornou rei, Davi cuidou zelosamente do bem-estar de um filho aleijado de seu amigo Jônatas, Mefibosete (ver 2Sm 9.1-13). Em uma época sangrenta e violenta como foi a de Davi, é grato encontrarmos uma amizade como essa entre Davi e Jônatas, que redime muito daquilo que nos provoca repulsa, quando consideramos a selvageria própria do período. Os homens são fruto do meio em que vivem. Davi era um bom filho de sua época histórica, mas ele mostrou ser um homem sensível, amigo fiel, artista, poeta, músico, embora também um gênio militar, muitas vezes sanguinário e cruel. A personalidade de Davi era tão cativante que todos os israelitas, até hoje, têm como um de seus mais caros ídolos um governante como Davi.

IX. CONTEÚDO E CRONOLOGIA

Conforme dissemos na segunda seção, *Caracterização Geral*, a Bíblia dos hebreus tinha um único livro de Samuel, que englobava o que conhecemos como 1 e 2Samuel. A divisão aparecеu, inicialmente, na Septuaginta (a tradução do Antigo Testamento hebraico para o grego, terminada cerca de duzentos anos antes da eclosão do cristianismo). Mas, que há uma unidade e continuação ininterrupta na narrativa, pode-se ver claramente nas passagens sumariadoras: 1Sm 14 e 2Sm 8, que destacaremos a seguir, no decurso dos comentários sobre cada ponto importante do esboço do conteúdo. Essas passagens dão-nos as chaves para uma boa compreensão sobre a estrutura de 1 e 2Samuel. Isto posto, nosso esboço de conteúdo não observará essa divisão literária em 1 e 2Samuel, mas exibirá as vinculações óbvias entre um livro e outro, como se não houvesse dois livros de Samuel.

A. Samuel (1.1—7.17)
  1. Seu nascimento (1.1-28)
  2. O cântico de Ana, mãe de Samuel (2.1-10)
  3. O sacerdote Eli e seus filhos (2.11-36)
  4. Chamada de Samuel (3.1-21)
  5. A arca da aliança é tomada (4.1-22)
  6. A arca na Filístia (5.1-12)
  7. Devolução da arca (6.1—7.1)
  8. Exortação ao arrependimento (7.2-17)
B. Samuel e Saul (8.1—15.35)
  1. O fim da teocracia (8.1-22)
  2. Saul e Samuel encontram-se (9.1-24)
  3. Saul ungido rei (9.25—10.27)
  4. Primeiras vitórias de Saul (11.1-11)
  5. Saul é proclamado rei (11.12-15)
  6. Samuel resigna o cargo de juiz (12.1-25)
  7. Temeridade de Saul e sua reprovação (13.1-15a)
  8. Vitória sobre os filisteus (13.15b—14.52)
  9. Saul é rejeitado (15.1-35)
C. Samuel Unge a Davi (16.1-13)
D. Davi e Saul (16.14—2Sm 1.27)
  1. Davi, o músico (16.14-23)
  2. Davi e Golias (17.1-58)
  3. Davi e Jônatas (18.1-5)
  4. A inveja de Saul (18.6—19.24)
  5. Aliança entre Davi e Jônatas (20.1-43)
  6. Fuga de Davi (21.1—27.12)
  7. Saul e a médium de En-Dor (28.1-25)
  8. Davi e os filisteus (29.1—30.31)
  9. Morte de Saul (31.1-13)
  10. Davi lamenta por Saul e Jônatas (2Sm1.1-27)
E. Davi Torna-se Rei (2Sm 2.1—24.25)
  1. Sobre Judá (2.1-7)
  2. Oposição a Davi (2.8—4.12)
  3. Sobre todo o Israel (5.1-12)
  4. Feitos vários de Davi (5.13—10.19)
  5. O pecado de Davi (11.1—12.31)
  6. Consequências temporais do pecado (13.1—19.10)
  7. Davi novamente em Jerusalém (19.11—20.22)
  8. Oficiais de Davi (20.23—21.22)
  9. Ação de graças de Davi (22.1-51)
  10. Últimas palavras de Davi (23.1-7)
  11. Feitos dos maiores guerreiros de Davi (23.8-39)
  12. O recenseamento (24.1-25)

Comentários sobre o item A) Samuel (1.1—7.17)

1. Samuel nasceu como resposta graciosa de Deus às instantes orações de sua mãe, Ana. Até então, Ana tinha profunda tristeza por ser estéril. Fiel à sua promessa, Ana dedicou o filho, Samuel, já desmamado, ao Senhor.
2. O cântico de gratidão de Ana. seu salmo é chamado de "oração". Em Sl 72.20, os salmos de Davi também são chamados de "orações".
3. Os filhos de Eli eram pecaminosos. Lembremo-nos de Jo 1.12,13, que ensina que os "filhos de Deus não nasceram do sangue, nem da vontade da carne, nem da vontade do homem". A responsabilidade diante de Deus é pessoal. Ver Ez 18.1 ss., onde é estabelecido um príncipio básico: "a alma que pecar, essa morrerá".
4. O Espírito de Deus entra em contato real com o espírito humano. A experiência dos grandes homens de Deus confirma isso. O título posto acima do capítulo 3 de 1Samuel, em nossa versão portuguesa, diz "Deus fala com Samuel em sonhos". Isso é um erro. Deus apareceu a Samuel; houve uma *teofania* (ver a respeito no *Dicionário*).
5. Não somente a arca foi tomada, mas seu santuário, Silo, foi destruído. Isso foi um castigo divino, conforme se aprende em Jr 6.9 e 7.12,26. O quanto isso representou para o povo de Israel, pode-se depreender das palavras da nora de Eli: "Foi-se a glória de Israel, pois foi tomada a arca de Deus" (vs. 22).
6. Os filisteus não puderam saborear o gosto da tomada da arca. A mão do Senhor veio contra eles sob a forma de graves enfermidades. "Os homens que não morriam eram atingidos com os tumores; e o clamor da cidade (Asdode) subiu até o céu" (5.12).
7. Não há que duvidar que houve o impulso de forças divinas ou angelicais sobre as vacas que puxavam o carro em que era devolvida a arca da aliança. A arca era apenas um objeto, mas um objeto sagrado que representava muito. Setenta israelitas morreram, por terem olhado o interior da arca. A pergunta dos habitantes de Bete-Semes faz-nos pensar: "Quem poderia estar perante o Senhor, este Deus santo?" (6.20).
8. Os israelitas seriam livrados da opressão filisteia caso se arrependessem. Essa era e sempre será a condição do livramento divino. Samuel entendia isso e exortou o povo ao arrependimento. E o povo se arrependeu: "Então os filhos de Israel tiraram dentre si os baalins e os astarotes, e serviram só ao Senhor" (7.4).

Comentários sobre o item B) Samuel e Saul (8.1—15.35)

1. Findou-se um período importante no trato de Deus com o povo de Israel. O aviso de Samuel foi profético: "... naquele dia clamareis por causa do vosso rei, que houverdes escolhido; mas o Senhor não vos ouvirá naquele dia" (8.18). Só haverá novamente a teocracia por ocasião da Segunda Vinda do Senhor Jesus, mas dessa vez sobre bases muito superiores, no milênio e no estado eterno. Os israelitas queriam ser iguais aos povos vizinhos. Eles não queriam um governo justo, mas um governo militarista: "... o nosso rei poderá governar-nos, sair adiante de nós, e fazer as nossas guerras" (8.20). Mas, no milênio, não haverá mais guerra, e as nações desaprenderão a arte bíblica (ver Is 2.4).
2. O primeiro rei de Israel tinha muitas qualidades humanas, entre as quais é destacada sua beleza física: "... Saul, moço, e tão belo que entre os filhos de Israel não havia outro mais belo do que ele; desde os ombros para cima sobressaía a todo o povo" (9.2). Era, porém, defeituoso quanto às qualidades morais e espirituais, conforme deixa claro toda a narrativa bíblica sobre ele.
3. "... O Espírito de Deus se apossou de Saul, e ele profetizou no meio deles" (10.10). Alguma coisa tinha sucedido a Saul, mas não fora o novo nascimento. Isso deve ser entendido à luz de Hb 6.4-8. A unção divina, pois, é uma realidade espiritual transformadora, mas não necessariamente salvadora.
4. Um dos resultados da unção divina sobre Saul foi a sua nova habilidade militar. "E o Espírito de Deus se apossou de Saul,

quando ouviu estas palavras, e acendeu-se sobremodo a sua ira" (11.6).

5. Não temos aqui a repetição do relato sobre sua unção (ver 9.25—10.27), mas sua aclamação como monarca, sua aceitação como rei por parte do povo. Ver a seção VII, *Problemas Especiais*, segundo parágrafo.
6. Samuel terminou seu juizado de maneira vitoriosa e digna, embora triste por ter-se encerrado a teocracia. Notemos, porém, que ele não renunciou às suas funções proféticas; e nem mesmo poderia tê-lo feito, porquanto era caso escolhido por Deus para tanto, e os dons de Deus são sem arrependimento. Ver Rm 11.29.
7. A guerra de Saul foi gradativa. Primeiro ele foi reprovado por ter-se imiscuído em funções que não lhe cabiam, usurpando uma função sacerdotal. Contudo, Deus continuou dando vitórias a Israel, por meio de Saul e de Jônatas, seu príncipe herdeiro, que se mostrou um digno e honrado candidato à sucessão ao trono, quando seu pai fechasse os olhos. Mas a queda moral e espiritual de Saul prosseguiria, anulando todas as possibilidades futuras de Jônatas.
8. O voto de Saul, muito precipitado, demonstra que ele já estava perdendo o contato com o Espírito de Deus. E a decisão popular, mais sábia que o voto impetuoso de Saul, salvou a vida de Jônatas (14.45).
9. Repreendido por Samuel, Saul não deu o braço a torcer, e tentou justificar-se. As palavras de Samuel são uma lição para todas as questões: "Tem porventura o Senhor tanto prazer em holocaustos e sacrifícios quanto em que se obedeça à sua palavra? Eis que o obedecer é melhor do que o sacrificar, o atender melhor do que a gordura de carneiros. Porque a rebelião é como a idolatria e culto a ídolos do lar..." (15.22,23). Quando Saul buscou lugar de arrependimento, já era tarde. E Samuel sentenciou: "Visto que rejeitaste a palavra do Senhor, já ele te rejeitou a ti, para que não sejas rei sobre Israel" (vs. 26). Um dos pontos cruciais do livro de Samuel acha-se no vs. 28: "O Senhor rasgou hoje de ti o reino de Israel, e deu a teu próximo, que é melhor do que tu". O reino estava passando de Saul para Davi!

Comentários sobre o item C) Samuel Unge a Davi (16.1-13)

Saul era belo como nenhum outro jovem em Israel. Quando ia ungir a Davi, Samuel deve ter pensado que ungiria a um lindo moço. Mas Deus lhe ensinou uma grande lição, à qual todos devemos prestar atenção: "Não atentes para a sua aparência, nem para a sua altura, porque o rejeitei (a Eliebe, irmão mais velho de Davi), porque o Senhor não vê como vê o homem. O homem vê o exterior, porém o Senhor, o coração" (16.7). Ver também 2Co 5.16.

Por que primeiro Saul teve de ser rei, e somente então Davi? Porque um dos princípios básicos espirituais é o que se aprende em 1Co 15.46: "Mas não é primeiro o espiritual, e sim, o natural; depois o espiritual".

Comentários sobre D) Davi e Saul (1Sm 16.14—2Sm 1.27)

1. Agora, um espírito maligno perturbava Saul. Mas ele se aliviava ouvindo a harpa do jovem Davi. Os psicólogos reconhecem atualmente os efeitos benéficos ou maléficos da música. Lemos que houve profetas que profetizavam impelidos pela música. Ver 1Sm 10.5,6 e 2Rs 3.15. Mas também há música sensual e degradante. Há música que, embora não seja sacra, nem por isso é errada para um crente. Mas há música que, definitivamente, deveríamos evitar. A música mexe muito conosco, para melhor ou para pior!
2. Golias confiava em seu gigantismo e em sua armadura. Davi confiava no seu Deus. Por isso, Davi replicou ao filisteu: "Tu vens contra mim com espada e com lança e com escudo; eu, porém, vou contra ti em nome do Senhor dos Exércitos, o Deus dos exércitos de Israel, a quem tens afrontado" (17.45). Como é que o resultado daquela batalha singular poderia ter sido diferente? Os antigos, "... por meio da fé... puseram em fuga exércitos de estrangeiros..." (Hb 11.33,34)!
3. Jônatas amava a Davi "... como à sua própria alma" (18.3). Sem dúvida, existem almas gêmeas. A sincera e duradoura amizade de Jônatas deve ter sido um grande consolo para Davi, ao mesmo tempo que as perseguições de Saul eram-lhe extremamente molestas.
4. A inveja rói a alma do invejoso e é extremamente desagradável para o invejado. Nada demovia Saul de suas suspeitas ciumentas, nem a intervenção de seus próprios filhos, Jônatas e Mical. Um momento crítico foi quando Saul intentou cravar Davi na parede com sua lança enquanto este dedilhava seu instrumento de música (19.10).
5. Jônatas reconheceu que Davi era o escolhido do Senhor para ocupar o trono em lugar de seu pai, Saul. Jônatas, pois, mostrou grande abnegação. Por essa sua defesa em favor de Davi, quase Jônatas paga com a própria vida (20.33). A aliança entre Davi e Jônatas envolvia até mesmo os seus descendentes: "O Senhor seja para sempre entre mim e ti, e entre a minha descendência e a tua" (vs. 42).
6. Um longo período muito perigoso para Davi. Há muitos episódios, e não podemos comentá-los separadamente. Para piorar a situação de Davi, foi durante esse tempo que Samuel morreu (25.1). Davi respeitava Saul, seu rei e seu sogro. sua atitude para com Saul pode ser vista na observação que fez em certa ocasião: "O Senhor me guarde, de que eu estenda a mão contra o seu ungido..." (26.11). Saul estava fora de si. Reconhecia momentaneamente sua tola perseguição contra Davi, seu genro, mas o espírito maligno apossava-se dele, e ele voltava à carga contra Davi. Era uma fixação doentia!
7. Deus abandonara a Saul, e Saul abandonara o Senhor. Não sabendo para onde se voltar em busca de socorro, com medo dos filisteus, Saul resolveu consultar uma médium espírita. Foi o ponto mais baixo de toda a sua carreira. Foi a gota que fez entornar o balde. Samuel mostrou a Saul que era o ponto terminal para o primeiro rei de Israel: "...amanhã tu e teus filhos estareis comigo..." (28.19).
8. O rei dos filisteus confiava em Davi. Mas os nobres filisteus, não, porque se lembravam: "Não é este aquele Davi, de quem uns aos outros respondiam, nas danças, dizendo: Saul feriu os seus milhares, porém, Davi os seus dez milhares?" (29.5). Para eles, Davi era dez vezes mais perigoso que Saul. No caso de divisão da presa, Davi mostrou sua sensibilidade social. Ele era homem justo e equânime: "...qual é a parte dos que desceram à peleja, tal será a parte dos que ficaram com a bagagem; receberão partes iguais" (30.24).
9. Gravemente ferido, Saul acabou suicidando-se, atirando-se contra a própria espada (31.4). A batalha foi uma grande derrota para Israel. O rei, que começara seu governo com vitórias sobre os inimigos em derredor, quarenta anos mais tarde amargou sua maior derrota, pagando com a própria vida! Tudo isso lhe sucedeu porque ele se afastou do Senhor, a ponto de ficar perturbado por espíritos malignos. Uma lição horrível, para todas as gerações!
10. Só três dias depois Davi soube da morte de Saul e de seus três filhos. Não há certeza quanto às circunstâncias em que o amalequita deu o golpe de misericórdia em Saul. Mas, como todo ungido do Senhor era "intocável", o amalequita pagou com a própria vida por seu ato sacrílego (2Sm 1.11 ss.). O lamento de Davi por Saul e Jônatas é comovente. Na lamentação de Davi há um estribilho, reiterado por três vezes: "Como caíram os valentes!" Vêm-nos as lágrimas quando lemos acerca das palavras de Davi sobre Jônatas: "Angustiado estou por ti, meu irmão Jônatas; tu eras amabilíssimo para comigo! Excepcional era o teu amor, ultrapassando o amor de mulheres" (2Sm 1.26).

Comentários sobre o item E) Davi Torna-se Rei (2Sm 2.1—24.25)

1. Os judaítas foram os primeiros a reconhecer Davi como seu rei. As demais tribos ainda ficaram esperando por mais algum tempo. Ver 2Sm 2.1-7.
2. Abner, capitão do exército do falecido Saul, encabeçava a oposição a Davi, e fez de Is-Bosete, filho de Saul, um rei rival, de tal modo que "somente a casa de Judá seguia a Davi" (2.10). Seguiu-se sangrenta batalha, em que os homens de Davi levaram a melhor (2.12-32). "Durou muito tempo a guerra entre a casa de Saul e a casa de Davi..." (3.1). Contudo, a casa de Davi fortalecia-se cada vez mais, até que Abner, comandante do

exército partidário da casa de Saul, bandeou-se para o lado de Davi. O assassínio de Is-Bosete, por ex-partidários seus, foi um ato covarde e traiçoeiro (4.1-12).
3. "Então todas as tribos de Israel vieram a Davi..." (5.1) e "ungiram a Davi, rei sobre Israel" (vs. 3). Quando Hirão, rei de Tiro, enviou mensageiros a Davi, este reconheceu que "... o Senhor o confirmara rei sobre Israel e exaltara o seu reino por amor do seu povo" (vs. 12).
4. A primeira coisa que Davi fez foi tomar concubinas e mulheres, além de Ainoã e Abigail (ver 2.2; 3.2-5), Maaca, Hagite, Abital e Eglá. Em 2Sm 15.16 e 20.3, lemos que ele tinha "dez concubinas". Davi obteve grandes vitórias militares contra os inimigos tradicionais de Israel, transportou a arca da aliança para Jerusalém e projetou a construção do templo. Um ponto importante no relato fica em 2Sm 8.15: "Reinou, pois, Davi sobre todo o Israel; julgava e fazia justiça a todo o seu povo". Para isso é que ele fora levantado como rei, embora o povo pensasse mais em um heroico guerreiro como ideal da realeza. Um detalhe que mostra algo do caráter de Davi foi a sua bondade para com Mefibosete, filho de Jônatas e neto de Saul (9.1-13).
5. seu caso com Bate-Seba foi a maior mancha no caráter de Davi, que o transformou em um adúltero e assassino. Quando parecia que tudo conseguira ficar encoberto, eis que Natã é enviado por Deus para desmascarar Davi (2Sm 11.1—12.15). Deus perdooou o pecado de Davi, mas a primeira consequência adversa foi a morte de seu filho com Bate-Seba (12.15 ss.). Todavia, Davi já se casara legalmente com a viúva Bate-Seba; e um segundo filho do casal foi Salomão, destinado por Deus a ser o próximo rei de Israel (24.25).
6. Uma série de funestos acontecimentos atingiu Davi e seus familiares, como consequências temporais de seu pecado. Os capítulos 13 a 19 de 2Samuel devem ser lidos com muita atenção. Mediante essas ocorrências, Deus deixou todo o seu povo saber do pecado de Davi. O Senhor nunca se torna cúmplice dos pecados de ninguém. Uma das coisas que mais doeu a Davi foi a revolta e a morte de seu querido filho, Absalão. Quase podemos ouvir os soluços do rei, enquanto ele clamava, desconsolado: "Meu filho Absalão! Quem me dera que eu morrera por ti, Absalão, meu filho, meu filho!" (2Sm 18.33).
7. Davi voltou a Jerusalém, convidado pelos homens de Judá. "... mandaram dizer-lhe: Volta, ó rei, tu e todos os teus servos" (2Sm 19.14). Houve reconciliações e protestos de fidelidade. O caso da sedição de Seba foi gravíssimo, fazendo a nação dividir-se em duas. Lemos em 2Sm 20.2: "Então todos os homens de Israel se separaram de Davi, e seguiram Seba, filho de Bicri; porém, os homens de Judá se apegaram ao seu rei..."
8. Davi organizou melhor o reino, com oficiais civis e militares. Entrando em batalha, Davi ficou "muito fatigado" (21.15). Que idade teria ele? Efeitos prematuros de muitas privações? Seja como for, não mais deixaram Davi sair em batalha: "... para que não apagues a lâmpada de Israel" (vs. 17). Ainda restavam gigantes, quando o reinado de Davi já se aproximava do fim. Os homens de Davi mataram quatro deles. Ver 2Sm 21.19, sobre o qual já tecemos comentários na seção sétima, *Problemas Especiais*, sexto parágrafo.
9. Cronologicamente esta seção deveria estar no começo de 2Samuel, porque o cântico celebra o livramento de Davi das perseguições de Saul (2Sm 22.1).
10. Davi compõe um poema, agradecendo pela "aliança eterna" estabelecida pelo Senhor Deus com ele. Ver a oitava seção, *Teologia do Livro*, no trecho *O Pacto Davídico*.
11. Davi foi um grande homem que foi assessorado por grandes homens, sobretudo no campo militar. A lista que aqui se encontra dos "valentes" de Davi inclui 37 nomes. Um trecho paralelo — 1Cr 11.11-41 — acrescenta mais 16 nomes, totalizando 53 heróis de guerra.
12. O incidente do recenseamento mostra que o orgulho começara a tomar conta do coração do idoso rei Davi. O livro de 2Samuel termina com estas palavras positivas: "... o Senhor se tornou favorável para com a terra, e a praga cessou de sobre Israel" (2Sm 24.25). O livro termina em uma nota de reconciliação e restauração. O governo justo de Davi, apesar de falhas, dentre delas algumas graves, no seu todo era aprovado pelo Senhor.

Cronologia:
Nos livros de 1 e 2Samuel, há narrativas que nos permitem formular certa cronologia quanto aos episódios cobertos. Para exemplificar, ver 1Sm 6.1; 7.2; 8.1,5; 13.1; 25.1; 2Sm 2.10,11; 5.4,5; 14.28; 15.7. No entanto, os informes são insuficientes para que se possa formar uma cronologia precisa quanto à maioria dos eventos desse período da história de Israel. Com exceção das datas do nascimento de Davi e da duração de seu reinado, que são dados firmes (ver 2Sm 5.4,5), quase todas as demais datas têm de ser meras aproximações.

O problema textual que envolve a passagem de 1Sm 13.1, acerca da idade de Saul, quando ele se tornou monarca de Israel (ver a seção VI, *Estado do Texto*), contribui ainda mais "para essa falta de precisão cronológica, pelo menos quanto ao tempo de seu nascimento e ao começo de seu governo. Nenhuma informação nos é dada acerca do tempo do nascimento ou da morte de Samuel (1Sm 1.1 e 25.1). Porém, calcula-se que Samuel deve ter vivido desde os tempos de Sansão e de Obede, filho de Rute e Boaz, e avô de Davi. Todavia, é-nos indicado que ele já era homem bem avançado em anos quando os anciãos de Israel lhe pediram que ungisse um rei a Israel (ver 1Sm 8.1).

Um forte fator de incerteza cronológica é que o(s) autor(es) sagrado(s) nem sempre arranjou(aram) o material em estrita sequência cronológica. Ao que tudo indica, por exemplo, 2Sm 7 deveria aparecer após as conquistas militares de Davi descritas em 2Sm 8.1-14. A narrativa sobre a escassez que houve em Israel, por castigo divino, devido ao fato de que Saul violou um tratado estabelecido com os gibeonitas, o qual se acha em 2Sm 21.1-4, deveria aparecer antes do relato sobre a rebelião de Absalão, registrada em 2Sm 15—18. Em face dessa série de dificuldades, pois, oferecemos a seguir um quadro cronológico com datas aproximadas, alicerçado muito mais em deduções do que em informes bíblicos seguros:

Nascimento de Samuel (1Sm 1.20)	1105 a.C.
Nascimento de Saul	1080
Unção de Saul como rei (1Sm 10.1)	1050
Nascimento de Davi	1040
Unção de Davi para ser o próximo rei (1Sm 16.1-13)	1025
Davi começa a reinar sobre Judá (2Sm 1.1; 2.1,4,11)	1010
Davi começa a reinar sobre todo o Israel (2Sm 5)	1003
As guerras de Davi (2Sm 8.1-14)	997-992
Nascimento de Salomão (2Sm 12.23; 1Rs 3.7; 11.42)	991
O recenseamento (2Sm 24.1)	980
Fim do governo de Davi (2Sm 5.4,5; 1Rs 2.10,11)	970

X. BIBLIOGRAFIA
ALB AM ANET E I IB WBC VO Z.

Ao Leitor
Ao defrontar-se com o primeiro livro de Samuel, o leitor sério haverá de preparar o caminho para seu estudo lendo a *Introdução*, que aborda questões como nome, autoria, data, propósitos, estudo de texto, problemas especiais, teologia, conteúdo e cronologia.

Os dois livros de Samuel (1 e 2) originalmente formavam um único livro, no hebraico. As personagens principais nos são trazidas à atenção e depois nos é oferecida uma espécie de biografia de cada uma delas: Samuel, Saul e Davi. A história de Samuel é narrada em 1Samuel; a história de Saul e a de Davi aparecem em 1 e 2Samuel. Davi é apenas apresentado, e sua história realmente começa em 1Samuel 16, aproximadamente na metade do livro, e então continua em 2Samuel. Os críticos apontam fontes informativas antigas e posteriores para o livro, supondo que a edição final só tenha ocorrido após o exílio babilônico. E isso por causa de certas referências que parecem indicar uma data posterior para algumas porções do material. Esses problemas são enfrentados e discutidos no desenrolar da exposição.

EXPOSIÇÃO

CAPÍTULO UM

SAMUEL (1.1—7.17)

SEU NASCIMENTO (1.1-28)

Para pleno benefício, o leitor deve consultar a introdução do livro e os comentários adicionais, dados sob o título "Ao Leitor".

Ver no *Dicionário* o artigo detalhado chamado *Samuel*, quanto a detalhes sobre esse homem, a primeira das três grandes personagens que dominam os livros de 1 e 2Samuel. A história de Samuel é relatada nos capítulos 1 a 16, onde encontramos uma virtual biografia desse homem, ou seja, "sua vida e seus atos".

Na Septuaginta. Os livros de 1Samuel, 2Samuel, 1Reis e 2Reis são chamados de I, II, III e IV Reinos. Foi a Vulgata Latina que simplificou esses nomes para *Reis*. Os títulos no grego e no latim são um tanto mais precisos como caracterização dos livros, visto que *Samuel* foi o ator principal apenas dos capítulos 1 a 16.

Os dois livros de Samuel e os dois livros de Reis contam a história da ascensão e queda de uma nação. À semelhança de todos os grandes épicos, a narrativa passa por uma sucessão de crises, cada uma das quais solucionada de maneira total ou parcial; mas o resultado final é deveras lamentável: cativeiro e escravidão.

Foi Samuel quem deu o impulso inicial a essa fase da história de Israel, e por essa razão precisava ser um instrumento especial da vontade de Deus. Essa fase é introduzida pela história do nascimento miraculoso de Samuel, tal como a história do Novo Testamento é introduzida pelo nascimento ainda mais miraculoso de Jesus. Ambos foram servos de Yahweh em favor de Israel; mas Jesus Cristo assumiu autoridade e poder universal, e edificou o novo Israel.

■ 1.1

וַיְהִי אִישׁ אֶחָד מִן־הָרָמָתַיִם צוֹפִים מֵהַר אֶפְרָיִם וּשְׁמוֹ אֶלְקָנָה בֶּן־יְרֹחָם בֶּן־אֱלִיהוּא בֶּן־תֹּחוּ בֶן־צוּף אֶפְרָתִי׃

Houve um homem. O minucioso escritor hebreu fornece-nos materiais biográficos relacionados aos pais de Samuel. Primeiramente aparece em cena o pai de Samuel, Elcana. E então surge Ana, por meio de quem o poder miraculoso de Deus haveria de operar e produzir Samuel, o instrumento especial de Deus para aquele período da história de Israel.

Ramataim-Zofim. No hebraico, esse nome significa "vigilantes em dupla altura". Foi nesse lugar que nasceram tanto Elcana, pai de Samuel, quanto o próprio Samuel. Tornou-se a residência permanente e oficial de Samuel (ver 1Sm 7.17 e 8.4). Também foi nessa cidade que se deu o sepultamento de Samuel (ver 1Sm 25.1). O nome, em sua forma completa, figura somente neste versículo. Em outros trechos bíblicos, sempre é dada uma abreviação, Ramá. Há um artigo detalhado sobre esse nome no *Dicionário*. Foi o nome de várias cidades em locais largamente diferentes de Israel. A Ramá vinculada a Samuel é discutida sob o quarto ponto daquele artigo, onde aparecem detalhes que não foram incluídos aqui.

Todos os nomes próprios que aparecem neste versículo recebem artigos separados no *Dicionário*, portanto essa informação não é repetida aqui.

O juiz-profeta Samuel, figura-chave da história de Israel, merece assim cuidadosa introdução biográfica no livro. As minúcias naturalmente confirmam a historicidade do relato. De fato, os eruditos opinam que o Antigo Testamento mostra-se historicamente exato a partir da época de Samuel, se não mesmo antes, desde os tempos mais remotos, um fenômeno nunca igualado no caso da história das demais nações antigas do mundo, cujos primórdios perdem-se nas brumas de lendas e mitos.

Ramá (Ramataim-Zofim) ficava na região montanhosa de Efraim, cerca de 24 quilômetros ao norte de Jerusalém. Josefo identificava-a com Arimateia, onde nasceu José de Arimateia, referido no Novo Testamento. Elcana, portanto, residia no território de Efraim, mas pertencia à tribo de Levi. Logo, era levita por descendência e efraimita por residência. Foi por esse motivo que seu filho, Samuel, pôde envolver-se, sem empecilho algum, nos atos do tabernáculo.

■ 1.2

וְלוֹ שְׁתֵּי נָשִׁים שֵׁם אַחַת חַנָּה וְשֵׁם הַשֵּׁנִית פְּנִנָּה וַיְהִי לִפְנִנָּה יְלָדִים וּלְחַנָּה אֵין יְלָדִים׃

Tinha ele duas mulheres. É um anacronismo ridículo dizer, como faz uma de minhas várias fontes informativas, que essa poligamia ilustra a *iniquidade* da época e, em seguida, desculpar Elcana por sua esposa extra, com base na esterilidade de Ana. O Antigo Testamento inteiro prova como esse juízo moral é ridículo. Outras fontes, além do próprio Antigo Testamento, mostram-nos que era pouco comum um homem ter várias mulheres, como sucedeu a Jacó, Gideão, Davi e Salomão, embora a bigamia fosse bastante comum.

Os fatores limitadores da poligamia eram mais econômicos que morais. Um rei, que dispunha de muito dinheiro e autoridade, também tinha grande número de esposas e concubinas. Um homem mais pobre contentava-se com apenas duas mulheres. E um homem realmente pobre tinha uma única esposa. Ver o artigo detalhado, do *Dicionário*, chamado *Poligamia*. É verdade que, para um israelita, era um grande problema não ter filhos, pois complicaria a questão da herança das terras, que passavam de pai para filho. Mas a bigamia ultrapassava muito a gravidade desse problema. Nos Salmos e nos livros dos profetas, começa a figurar claramente nas Escrituras a noção da imortalidade pessoal. Antes disso, uma espécie de imortalidade era conseguida através da continuação da linhagem física; e um israelita temia "morrer", se sua linhagem física fosse descontinuada, devido à ausência de filhos.

Seja como for, constituía grande desastre e indignidade uma mulher não ter filhos, não tomando parte na continuação do nome e da herança da família. Quanto a essa conexão, ver Gn 16.2. Era comum que um homem continuasse vicariamente a sua linhagem por meio de outra mulher, embora os filhos resultantes dessa união não fossem biologicamente filhos da primeira. Muito curiosamente, essa questão está-se tornando um problema de nossos dias, quando mulheres têm bebês através de outras mulheres, as chamadas mães de aluguel, através de manipulações científicas.

Ver os artigos sobre as duas mulheres mencionadas neste versículo no *Dicionário*. *Ana* significa "graça", um nome que se tornou comum em todo o mundo. A mãe de Maria, a Virgem, também se chamava Ana. Ver Lc 2.36. Por sua vez, *Penina* significa "pérola" ou "coral", o que, no grego e no latim, é Margaret, um nome também bastante comum no mundo moderno. O oitavo versículo deste capítulo talvez sugira que Penina tivesse *dez* filhos. Nesse caso, a sorte de Ana era especialmente amarga. Ali estava ela, negligenciada por Deus, que a tornara estéril, ao passo que dera à sua rival todos aqueles filhos!

■ 1.3

וְעָלָה הָאִישׁ הַהוּא מֵעִירוֹ מִיָּמִים יָמִימָה לְהִשְׁתַּחֲוֹת וְלִזְבֹּחַ לַיהוָה צְבָאוֹת בְּשִׁלֹה וְשָׁם שְׁנֵי בְנֵי־עֵלִי חָפְנִי וּפִנְחָס כֹּהֲנִים לַיהוָה׃

Em Silo. Este versículo faz-nos lembrar do tabernáculo, o centro da adoração nacional. Ali estava o centro da adoração porque foi Salomão, algumas gerações mais tarde, que construiu o templo em Jerusalém. Contudo, mesmo depois da mudança para Jerusalém, Silo continuou sendo um santuário importante. Ver no *Dicionário* o artigo chamado *Silo*.

Os trechos de Êx 34.23 e Dt 16.16 estabelecem que haveria *três festividades* anuais e obrigatórias para os varões hebreus. Essas festas eram a Páscoa, o Pentecoste e os Tabernáculos. Elcana, pois, fazia pelo menos uma peregrinação anual a Silo. O trecho hebraico diz, porém, literalmente, "de ano em ano", o que pode significar que Elcana ia regularmente a Silo, três vezes por ano, conforme era requerido de todo homem israelita. Os críticos acreditam que a ida ao santuário, em todas as três festas, só foi determinada como obrigatória posteriormente. Assim sendo, a visita anual de Elcana a Silo nada tinha que ver com essa exigência. Seja como for, fica claro que ele era um homem piedoso, não se descuidando de seus deveres e privilégios religiosos. Ver Êx 23.14 quanto a detalhes sobre as três festividades religiosas obrigatórias.

Naquele tempo, os sacerdotes envolvidos no culto do tabernáculo foram Hofni e Fineias, filhos de Eli, ao passo que o próprio Eli era o sumo sacerdote. Ver sobre todos esses nomes no *Dicionário*. *Hofni e Fineias* aparecem em um único artigo. O sacerdócio tinha caído em desgraça por causa de pecados graves, pelo que coisas radicais chegaram a acontecer. Uma delas foi o começo do ofício *profético* como uma instituição mais importante que a dos sacerdotes, em Israel. E outra seria o começo da monarquia.

Senhor dos Exércitos. No hebraico, *Yahweh Sabaoth*. Temos aqui a primeira vez em que aparece o nome divino no Antigo Testamento. A menção a "exércitos" é uma referência militar. Yahweh, pois, é retratado como o comandante de um grande exército de soldados, o que enfatiza o seu tremendo poder. O próprio Yahweh é o grande General-Guerreiro. Ver o artigo detalhado, no *Dicionário*, chamado *Deus, Nomes Bíblicos de*. Tratei especificamente do nome que aqui figura, na seção III.11 daquele artigo. É evidente que Deus era adorado em Silo com esse nome. Nos livros proféticos, esse título é usado de modo muito frequente — 88 vezes somente no livro de Jeremias. O leitor pode examinar o restante de meus comentários sobre a questão no artigo referido.

Exércitos. Em primeiro lugar, estão em foco os anjos. Mas não podemos esquecer que há legiões de seres humanos que também são leais a Yahweh. Os exércitos são servos e guerreiros, e fomentam o poder e a glória de seu comandante supremo. Nesse nome há consolação, porquanto esse poderoso rei-guerreiro, que encabeça um poderoso exército de seres, é o nosso Deus, aquele que nos ajuda em nossos momentos de dificuldades. Isso nos garante a vitória nos momentos de conflito. Nada é impossível para Deus. A Septuaginta diz aqui *Kurios Pantokrator* (Senhor Onipotente), como tradução do nome hebraico para o grego.

Os *Papiros Mágicos* contêm esse nome, entre outros, na esperança de que o seu uso desencadearia acontecimentos miraculosos. Por conseguinte, temos o nome poderoso: Senhor dos Patriarcas; Pai de Todos; Pai dos Poderes do Mundo; Criador de Tudo; Deus dos Deuses — o Deus que tem os poderes do nome secreto, *Sabaoth* (*Papyri Graecae Magicae*).

■ **1.4**

וַיְהִי הַיּוֹם וַיִּזְבַּח אֶלְקָנָה וְנָתַן לִפְנִנָּה אִשְׁתּוֹ וּלְכָל־בָּנֶיהָ וּבְנוֹתֶיהָ מָנוֹת:

No dia em que Elcana oferecia o seu sacrifício. Excetuando os *holocaustos* (ver a respeito no *Dicionário*), porções dos sacrifícios eram consumidas pelos sacerdotes e por aqueles que os ofereciam. Oito porções diferentes dos sacrifícios cabiam aos sacerdotes. Ver Lv 6.26; 7.11-24; Nm 18.8. Essas porções eram compartilhadas em algumas ocasiões por aqueles que traziam animais para serem sacrificados.

Por sua parte, as ofertas pacíficas requeriam que a gordura e o sangue fossem entregues a Yahweh (sendo queimada a gordura e derramado o sangue); mas o peito e o ombro direito do animal eram porções que cabiam aos sacerdotes. O restante pertencia a quem tivesse trazido o animal para ser sacrificado e à família desse homem. Ver Dt 16.11. Isto posto, um sacrifício também era uma festividade jubilosa, do qual participava toda a família ofertante. As viúvas e os órfãos também eram convidados a tomar parte nessa festividade, o que significa que havia um aspecto comunal em toda a questão.

Este quarto versículo pode significar que Penina, por ser a esposa que dera à luz todos aqueles filhos, ocupava uma posição especial durante a festa. O quinto versículo, contudo, mostra-nos que Ana não era ignorada, mas o fato de não ter filhos representava uma tremenda derrota para ela. Ver Dt 12.5-7 e 16.10-15.

■ **1.5**

וּלְחַנָּה יִתֵּן מָנָה אַחַת אַפָּיִם כִּי אֶת־חַנָּה אָהֵב וַיהוָה סָגַר רַחְמָהּ:

A Ana, porém, dava porção dupla. Ana não ficava fora das festividades. Mas nessas ocasiões ela era uma figura de causar dó, sem filhos, ao passo que Penina obtinha toda a glória. Ademais, Penina assegurava que Ana estivesse em situação periclitante, vexando-a com observações cortantes por não ter filhos (vs. 6). E Ana permanecia amargurada diante de tudo que lhe acontecia (vs. 10). Em seu desespero, pois, pediu a Deus um filho que revertesse o seu opróbrio. Sem um filho, ela não daria um herdeiro a Elcana, e a herança da família passaria para os filhos de Penina. Outrossim, aquele tipo de imortalidade que os hebreus da época tanto cobiçavam, ou seja, a continuação através dos filhos, não se tornaria uma realidade. Acresça-se a isso a questão do julgamento de Deus, que era considerado a causa real da esterilidade de uma mulher.

■ **1.6**

וְכִעֲסַתָּה צָרָתָהּ גַּם־כַּעַס בַּעֲבוּר הַרְּעִמָהּ כִּי־סָגַר יְהוָה בְּעַד רַחְמָהּ:

A sua rival. Neste versículo, Penina é considerada "adversária" de Ana. Ana era amada por Elcana, mas não tinha filhos. Penina dispunha de menos amor da parte do marido, mas possuía filhos. E, na mente de Ana, a segunda posição era obviamente superior à primeira. Havia uma rivalidade que coisa alguma poderia terminar; mas, pelo menos, um filho de Ana remediaria a situação. Penina provocava Ana, salientando o fato de que Yahweh deveria ter alguma coisa contra Ana, enquanto favorecia Penina. Esta, pois, irritava propositadamente Ana, mantendo-a sob contínua tensão. As bofetadas eram administradas diariamente; e Ana ficava cada vez mais desesperada. Cf. o caso de Lia e Raquel (ver Gn 30.1).

Sentido da Palavra Rival. No hebraico, a palavra "rival" vem da mesma raiz do verbo "vexar". Penina vexava, e Ana era vexada.

"Ciúmes, tristeza, ira, malícia eram frutos amargos daquela maneira de viver, tão diferente do que Deus havia determinado originalmente" (Ellicott, *in loc.*).

Penina nos faz lembrar de Xantipa, a esposa do filósofo Sócrates. Sócrates disse que primeiramente ela trovejava e então chovia. Ela gritava, ralhava e então chorava. E quase sempre conseguia impor a sua vontade. Por outro lado, Sócrates dizia: "Seja como for, casa-te. Se obtiveres uma boa mulher, então isso te será muito bom. Se obtiveres uma mulher ruim, isso fará de ti um filósofo, e isso também será bom".

O Senhor lhe havia cerrado a madre. A teologia dos hebreus era deficiente quanto a causas secundárias. Todas as coisas, boas ou más, eram atribuídas a uma *única* causa, Deus. Por conseguinte, era natural que a *esterilidade* fosse considerada um juízo divino, devido a algum pecado oculto ou outra razão desconhecida. A *fertilidade*, entretanto, era considerada uma bênção dada diretamente a uma mulher, indicando que ela era aprovada por Deus. Os filhos eram muito cobiçados, não meramente para prover trabalhadores extras no campo, mas também porque cada um deles era um presente dado por Deus. Eles eram tidos como *herança do Senhor* (Sl 127.3). Esse tipo de atitude alerta-nos para a razão pela qual Ana se sentia tão desanimada quanto à questão de sua esterilidade, dispondo-se a envidar esforços heroicos para obter o favor de Yahweh, contanto que lhe fosse dado ao menos um filho especial. Naturalmente, o pedido de Ana lhe foi atendido; mas ela não sabia quão especial seria aquele filho. Ele se tornou uma chave importante na história de Israel, capaz de estabelecer tendências para toda a nação.

■ **1.7**

וְכֵן יַעֲשֶׂה שָׁנָה בְשָׁנָה מִדֵּי עֲלֹתָהּ בְּבֵית יְהוָה כֵּן תַּכְעִסֶנָּה וַתִּבְכֶּה וְלֹא תֹאכַל:

Todas as vezes que Ana subia à casa do Senhor. Embora mulheres não tivessem obrigação de fazer nenhuma das três peregrinações anuais ao tabernáculo em Silo, Ana, seguindo o exemplo de seu marido (vs. 3), mas também por sua própria vontade, fazia pelo menos uma daquelas viagens ao lugar sagrado anualmente. Aquela era uma ocasião de tomar votos e fazer promessas, a fim de que Yahweh lhe desse um filho. Penina, a outra esposa de Elcana e rival de Ana, mostrava-se especialmente amarga e cortante nessas ocasiões. Em certo ano, a perseguição movida por Penina foi tamanha que deixou Ana em frangalhos, extremamente nervosa, a ponto de apenas conseguir chorar, não lhe restando vontade nem ao menos de comer a porção dos sacrifícios que cabia aos adoradores.

Ao que parece, Penina também costumava fazer essas peregrinações em Silo; e, naturalmente, possuía filhos para exibir. As provocações de Penina durante aquela peregrinação tornaram-se especialmente intensas.

"Ana chorava diante dos insultos, das reprimendas e das zombarias lançadas contra ela por sua antagonista, chegando ao extremo de nem comer das ofertas pacíficas, embora seu marido lhe tivesse dado dupla porção" (John Gill, *in loc.*). Entre as provocações de Penina, sem dúvida estava a de que Yahweh deixara Ana estéril por causa de algum pecado espiritual.

A jornada de Ramá a Silo era de cerca de 24 quilômetros. Assim, a distância relativamente pequena permitia que a família se deslocasse anualmente naquelas peregrinações, sem grandes perturbações.

1.8

וַיֹּאמֶר לָהּ אֶלְקָנָה אִישָׁהּ חַנָּה לָמֶה תִבְכִּי וְלָמֶה לֹא תֹאכְלִי וְלָמֶה יֵרַע לְבָבֵךְ הֲלוֹא אָנֹכִי טוֹב לָךְ מֵעֲשָׂרָה בָּנִים:

Ana, por que choras? Elcana sabia bem que a razão principal da tristeza e do choro de Ana era a ausência de filhos. Mas fez a estúpida observação de que ele valia tanto quanto dez filhos para ela. Mas ter marido não solucionava todos os problemas de uma mulher em Israel. Ela era uma espécie de pária da sociedade, um objeto de ridículo, por não conseguir gerar filhos, e isso por razões que já foram oferecidas nesta exposição. O amor e a atenção de um marido não conseguiam remover o opróbrio sofrido por uma mulher estéril. A observação de Elcana foi "tocante", conforme diz uma de minhas fontes informativas; mas de modo algum resolvia o verdadeiro problema.

O número "dez" pode ser apenas um exagero da linguagem, para indicar uma família numerosa; ou pode subentender que a provocadora Penina tinha *dez* filhos, conforme supuseram algumas fontes judaicas, incluindo Jarchi.

Tristeza em Meio à Alegria. Os sacrifícios eram tempos de alegria e festividade. Mas Ana, não tendo filhos, sentia-se vencida pela tristeza.

1.9

וַתָּקָם חַנָּה אַחֲרֵי אָכְלָה בְשִׁלֹה וְאַחֲרֵי שָׁתֹה וְעֵלִי הַכֹּהֵן יֹשֵׁב עַל־הַכִּסֵּא עַל־מְזוּזַת הֵיכַל יְהוָה:

Após terem comido e bebido em Silo. Tinha terminado a festa, que consistia em comidas e bebidas. Todos estavam em atitude jubilosa, exceto Ana, que não participava da alegria reinante. O comportamento de Ana atraiu a atenção de Eli, o sumo sacerdote. Ele estava sentado perto de um dos pilares do tabernáculo, o qual, de maneira anacrônica, é chamado aqui de "templo". John Gill salientou que o tabernáculo chegou a ser chamado de "templo", conforme se vê, por exemplo, em Jr 10.20, mas essa também é uma observação anacrônica.

Os *Targuns* dizem que Eli estava sentado perto de uma das colunas da porta de entrada do átrio exterior. Presumivelmente ele tinha mandado construir um assento que fora colocado ali e era usado ocasionalmente. Dali punha-se a observar o povo que entrava e saía. E também aconselhava qualquer pessoa que precisasse receber alguma decisão judicial. Ele combinava, em si mesmo, os ofícios de sumo sacerdote e juiz. Para Eli, Ana parecia embriagada. Na verdade, porém, ela estava vencida pela tristeza, e não pelo vinho.

Eli, o sacerdote. Ver o artigo detalhado, no *Dicionário*, a respeito dele. Ele era descendente de Itamar, filho mais novo de Arão (ver 1Cr 24.3). Nessa passagem é dito que ele era neto de Itamar. Outros detalhes e informações sobre como o ofício sumo sacerdotal passou pela família de Itamar, e não pela família de Eleazar, são mencionados, embora não sejam dadas as razões para isso. Ver também, no *Dicionário*, o artigo intitulado *Itamar*, quanto a outros detalhes.

O sacerdócio havia sido degradado devido a excessos de imoralidade, nos dias de Eli e seus filhos, que eram degenerados. Todavia, parece que o próprio Eli era homem bom e sincero. Eli foi o primeiro da linhagem de Itamar a ocupar o ofício de sumo sacerdote. 1Sm 4.18 afirma que Eli atuou como juiz durante quarenta anos. Isso posto, ele era homem de longa experiência e, sem dúvida, dotado de considerável conhecimento.

1.10

וְהִיא מָרַת נָפֶשׁ וַתִּתְפַּלֵּל עַל־יְהוָה וּבָכֹה תִבְכֶּה:

Com amargura de alma, orou ao Senhor. Perseguida por Penina e esmagada em seu próprio coração, por causa de sua esterilidade, Ana estava à beira da histeria e, em um ataque de choro, misturava suas orações com sua imensa tristeza, implorando a Yahweh que revertesse a triste condição de esposa sem filhos. Os hebreus não dispunham ainda de conhecimentos científicos e métodos capazes de entender condições como a esterilidade; assim sendo, Deus era o único tribunal de apelos em caso de problemas ginecológicos. A verdade era que os hebreus não se mostravam muito favoráveis para com a medicina, por julgarem que a cura era algo que pertencia exclusivamente a Deus. No decorrer da história, os filhos de Israel encaravam a medicina como algo dirigido pelo diabo, e, para eles, consultar um médico era como consultar videntes e médiuns. Mas nos dias do Novo Testamento, as coisas tinham começado a mudar, visto que Lucas, o médico amado (ver Cl 4.14), foi aceito pelo círculo apostólico.

O VOTO DO PODER

Levantou-se Ana e, com amargura de alma, orou ao Senhor, e chorou abundantemente. E fez um voto, dizendo: Senhor dos Exércitos, se benignamente atentares para a aflição da tua serva, e de mim te lembrares e da tua serva te não esqueceres e lhe deres um filho varão, ao Senhor o darei por todos os dias da sua vida. Ela concebeu e, passando o devido tempo, teve um filho, a que chamou Samuel, pois dizia: Do Senhor o pedi.

1Samuel 1.10,11,20

AS CRIANÇAS SÃO SUAS, SENHOR

Por este menino orava eu; e o Senhor me concedeu a minha petição, que eu lhe fizera.

1Samuel 1.27

Pelo que também o trago como devolvido ao Senhor, por todos os dias que viver.

1Samuel 1.28

Deixai os pequeninos, não os embaraceis de vir a mim, porque dos tais é o reino dos céus.

Mateus 19.14

Em verdade vos digo que, se não vos converterdes e não vos tornardes como crianças, de modo algum entrareis no reino dos céus.

Mateus 18.3

Desejai ardentemente, como crianças recém-nascidas, o genuíno leite espiritual, para que por ele vos seja dado crescimento.

1Pedro 2.2

Ensina a criança no caminho em que deve andar, e ainda quando for velho não se desviará dele.

Provérbios 22.6

Como flechas não mão do guerreiro, assim os filhos da mocidade. Feliz o homem que enche deles a sua aljava.

Salmo 127.4,5

1.11

וַתִּדֹּר נֶדֶר וַתֹּאמַר יְהוָה צְבָאוֹת אִם־רָאֹה תִרְאֶה בָּעֳנִי אֲמָתֶךָ וּזְכַרְתַּנִי וְלֹא־תִשְׁכַּח אֶת־אֲמָתֶךָ וְנָתַתָּה לַאֲמָתְךָ זֶרַע אֲנָשִׁים וּנְתַתִּיו לַיהוָה כָּל־יְמֵי חַיָּיו וּמוֹרָה לֹא־יַעֲלֶה עַל־רֹאשׁוֹ:

E fez um voto. Há um artigo detalhado no *Dicionário*, denominado *Voto*. Parte do culto religioso dos hebreus consistia em fazer votos e promessas, quando almejavam alguma dádiva ou bênção especial da parte de Yahweh. E esses votos, como todos os aspectos da vida dos hebreus, eram governados por um conjunto de preceitos. O artigo mencionado é tão completo e detalhado que não tenho aqui espaço para repetir o material.

O voto feito por Ana teve um cunho espiritual. Ela prometeu a Yahweh que, se lhe fosse dado um *filho*, ela o dedicaria ao serviço do tabernáculo. E por esse motivo Samuel foi criado no tabernáculo, tendo-se envolvido no culto ao Senhor durante toda a vida. Naturalmente, aquele foi um período de preparação para sua missão como juiz e profeta do Senhor.

E sobre a sua cabeça não passará navalha. Não há dúvida de que isso significa que Samuel levaria a vida especialmente dedicada de nazireu. Ver no *Dicionário*, quanto a maiores detalhes, o artigo chamado *Nazireado (Voto do)*. Em sua completa dedicação às realidades espirituais, um nazireu precisava abster-se de vinho e de qualquer tipo de contaminação cerimonial, e jamais podia cortar os cabelos. A maior parte dos votos de nazireado perdura por certo período de tempo; mas Samuel deveria levar a vida inteira como nazireu. Samuel, descendente de Levi, era um levita; mas além disso, teria de cumprir um voto e uma missão especial.

Ana, na condição de mulher casada, não podia tomar um voto sem o consentimento de seu marido. Assim sendo, podemos supor que a questão já tivesse sido discutida com ele, e que ele houvesse aprovado o voto. Ver Nm 30.8.

■ **1.12**

וְהָיָה֙ כִּ֣י הִרְבְּתָ֔ה לְהִתְפַּלֵּ֖ל לִפְנֵ֣י יְהוָ֑ה וְעֵלִ֖י שֹׁמֵ֥ר אֶת־פִּֽיהָ׃

Demorando-se ela no orar. Eli estava sentado em seu lugar usual de descanso e começou a observar Ana enquanto ela orava em silêncio; por esse motivo, chegou a pensar que ela estivesse embriagada ou fora de si. O sacerdote estava indignado com aquela mulher que ousava vir ao tabernáculo cheia de vinho daquela maneira. Ele "observava os lábios dela em movimento, e sua fisionomia distorcida, levantando os olhos para o alto e erguendo as mãos..." (John Gill, *in loc.*).

■ **1.13**

וְחַנָּ֗ה הִ֚יא מְדַבֶּ֣רֶת עַל־לִבָּ֔הּ רַ֚ק שְׂפָתֶ֣יהָ נָּעֹ֔ות וְקֹולָ֖הּ לֹ֣א יִשָּׁמֵ֑עַ וַיַּחְשְׁבֶ֥הָ עֵלִ֖י לְשִׁכֹּרָֽה׃

Ana só no coração falava. Ela falava consigo mesma, sem pronunciar nenhum som. Eli pensou que por certo Ana estava embriagada. Ele tinha visto muitas pessoas chegar ao tabernáculo, orar em voz alta e fazer votos. Já tinha presenciado toda forma de atos de devoção, mas o que aquela mulher estava fazendo sem dúvida era diferente. Ou ela estava tonta de vinho ou estava enlouquecida; porém, mais provavelmente, estava tonta, porque tinha acabado de participar das festividades em que se servia vinho como parte das celebrações. Eli estava revoltado diante dos atos de Ana, em sua silenciosa e intensa oração, porquanto interpretava erroneamente o que estava sucedendo. De fato, algo de grande importância espiritual se passava: *Samuel* estava sendo chamado à cena terrestre, a fim de cumprir a missão que revolucionaria a história. Mas como Eli poderia saber disso?

Era costume dos hebreus orar em *voz alta*. E, de fato, esse tipo de oração, de alguma maneira, parece mais eficaz. É possível que, quando oramos em voz alta, atinjamos maior concentração. Ademais, orar em voz alta não permite que nossa mente divague ou fique sonolenta.

■ **1.14**

וַיֹּ֤אמֶר אֵלֶ֙יהָ֙ עֵלִ֔י עַד־מָתַ֖י תִּשְׁתַּכָּרִ֑ין הָסִ֥ירִי אֶת־יֵינֵ֖ךְ מֵעָלָֽיִךְ׃

Até quando estarás tu embriagada? Eli não suportava mais aquela cena. Assim sendo, aproximou-se de Ana e repreendeu-a diretamente por causa de sua suposta embriaguez. Eli estava preocupado com a honra do tabernáculo, mas mostrou-se precipitado em seu julgamento e em sua fala com Ana. A Septuaginta tenta suavizar o equívoco dele, fazendo-o enviar um servo para dizer aquelas palavras. Os Targuns dizem, muito pitorescamente: "Por quanto tempo continuarás a te conduzir como uma tola ou uma louca?" Eli, pois, exigiu que ela interrompesse o seu vício de alcoolismo, que a estava tornando uma mulher insensata. Na realidade, poucas coisas são tão estúpidas neste mundo como o vício do alcoolismo. Ver no *Dicionário* o artigo intitulado *Alcoolismo*.

■ **1.15**

וַתַּ֨עַן חַנָּ֤ה וַתֹּ֙אמֶר֙ לֹ֣א אֲדֹנִ֔י אִשָּׁ֤ה קְשַׁת־ר֙וּחַ֙ אָנֹ֔כִי וְיַ֥יִן וְשֵׁכָ֖ר לֹ֣א שָׁתִ֑יתִי וָאֶשְׁפֹּ֥ךְ אֶת־נַפְשִׁ֖י לִפְנֵ֥י יְהוָֽה׃

Não, senhor meu. O problema de Ana não era o alcoolismo, mas um coração sobrecarregado de tristeza. Ela não estava transbordando vinho, depois de muito haver bebido. Antes, derramava a tristeza acumulada no coração, diante do Senhor, e tomava um voto sério e solene. Havia pronunciado palavras sóbrias. Isso convenceu Eli, o qual, imediatamente, pôs-se ao seu lado, buscando a Yahweh, para que ela obtivesse o que tinha pedido de Deus. Ana respondeu com suavidade, mansidão e cortesia, a despeito do fato de Eli ser o sumo sacerdote, e não era coisa de somenos importância ser repreendida por ele.

O *Talmude* encerra uma observação muito amarga neste versículo, levando em consideração como o sacerdócio se desintegrou quando Eli e sua família o exerciam: "Tu não és um senhor, nem o Espírito Santo repousa sobre ti, porque suspeitaste de mim quanto a essa questão, formando uma opinião tão descariosa a meu respeito. Nem a glória *shekinah* nem o Espírito Santo estão contigo". Tal comentário, entretanto, está inteiramente fora de lugar, no contexto do primeiro capítulo de 1Samuel.

■ **1.16**

אַל־תִּתֵּן֙ אֶת־אֲמָ֣תְךָ֔ לִפְנֵ֖י בַּת־בְּלִיָּ֑עַל כִּֽי־מֵרֹ֥ב שִׂיחִ֛י וְכַעְסִ֖י דִּבַּ֥רְתִּי עַד־הֵֽנָּה׃

Não tenhas, pois, a tua serva por filha de Belial. Ter uma mulher *viciada no álcool*, dentro do tabernáculo, seria realmente uma *desgraça*. Uma mulher assim só poderia ser considerada filha de Belial; pois somente pessoas impulsionadas pelo diabo haveriam de agir daquela maneira no interior do Lugar Santo. O caso de Ana, contudo, era diferente. Longe de ser uma filha de Belial, ela estava fazendo um voto muito intenso a Yahweh, derramando diante dele a sua alma, o seu coração frustrado. Todavia, Belial realmente agia no tabernáculo, conforme vemos em 1Sm 2.22. Os filhos de Eli estavam cometendo prostituição com mulheres que ali chegavam ou trabalhavam no átrio exterior. Ana, entretanto, não cometera nenhum erro.

"Os romanos proibiam as mulheres de tomar vinho, e o alcoolismo era, no caso de mulheres, um crime capital, tão grave quanto o adultério... e, de fato, uma mulher alcoólatra inclina-se a toda forma de pecados" (John Gill, *in loc.*, fazendo referência a Plínio, em sua obra *História Natural* 1.14, cap. 13).

O termo hebraico *beliyya'al* (Belial) é usado aqui como tradução de um nome próprio, que significa "Satanás". No entanto, é provável que, nos dias de Ana, o termo tivesse a força de um adjetivo, "uma mulher vil". Nos livros do período intermediário (que foram escritos entre o Antigo e o Novo Testamento), o termo já se tinha tornado um nome próprio, usado como sinônimo para Satanás. Ver no *Dicionário* o artigo intitulado *Belial*, quanto a comentários completos a respeito.

■ **1.17**

וַיַּ֧עַן עֵלִ֛י וַיֹּ֖אמֶר לְכִ֣י לְשָׁל֑וֹם וֵאלֹהֵ֣י יִשְׂרָאֵ֗ל יִתֵּן֙ אֶת־שֵׁ֣לָתֵ֔ךְ אֲשֶׁ֥ר שָׁאַ֖לְתְּ מֵעִמּֽוֹ׃

O Deus de Israel te conceda a petição que lhe fizeste. Completamente satisfeito diante da explicação que Ana lhe dera, Eli adicionou seu peso como sumo sacerdote e pediu que *Elohim* (o Deus Todo-poderoso de Israel) concedesse a ela o pedido feito. Seria mister o *poder* de Deus para que Ana tivesse um filho, motivo pelo qual Eli usou o nome divino *El*, que aponta para o poder divino. Ver no *Dicionário* o artigo denominado *Deus, Nomes Bíblicos de.* Ver, especificamente, o ponto III.3.

O autor sagrado necessariamente pensava que a bênção de Eli havia sido parcialmente responsável pela concessão do pedido de Ana. Isso nos ensina a valiosa lição de que a cooperação de outras pessoas, que oram por nós e promovem as mesmas coisas que promovemos, tem grande valor. A *oração em grupo* é mais eficaz que a oração individual, podendo obter qualquer coisa se for persistente e estiver dentro do escopo da vontade divina.

O texto, combinado com 1Sm 2.22, dá a entender que mulheres embriagadas e sensuais costumavam vir ao tabernáculo, motivadas por desejos baixos. A vida religiosa de Israel descera a um nível perigoso naquele tempo. Ana, entretanto, não se tornara culpada de nenhuma dessas coisas. O mesmo podemos dizer a respeito de Eli: as coisas tinham fugido de seu controle apropriado, porquanto Eli não demonstrava ter pulso forte e autoridade necessária para fazer as coisas voltarem ao trilho correto.

■ 1.18

וַתֹּאמֶר תִּמְצָא שִׁפְחָתְךָ חֵן בְּעֵינֶיךָ וַתֵּלֶךְ הָאִשָּׁה לְדַרְכָּהּ וַתֹּאכַל וּפָנֶיהָ לֹא־הָיוּ־לָהּ עוֹד׃

E disse ela. Ana agradeceu a Eli pelo interesse demonstrado e também por tê-la apoiado em oração. Ela havia *achado graça* aos olhos do sumo sacerdote; e isso não era coisa de somenos valor. Na verdade, a partir daquele instante, Ana convenceu-se de que o pedido para conceber um filho lhe havia sido concedido. Assim, em confiança e alegria, pensando na dádiva que estava prestes a ser-lhe outorgada, ela seguiu o seu caminho, alimentou-se e celebrou com júbilo. Ademais, o rosto dela iluminou-se em deleitosa expectativa. Ana lançou sobre o Senhor toda a sua preocupação e partiu.

> Creio que o Senhor ouviu minha oração;
> Creio que a resposta está a caminho.
>
> Leva teu peso ao Senhor,
> e deixa-o com ele.
> Se confiares e nunca duvidares,
> ele sem dúvida te livrará.
> Leva teu peso ao Senhor
> e deixa-o com ele.
>
> C. Albert Tindley

As *festividades* relacionadas aos sacrifícios parecem ter terminado, assim a refeição tomada por Ana parece ter sido uma questão pessoal, conforme também diz a Septuaginta: "... ela seguiu caminho, entrou em seu quarto e comeu e bebeu com o marido..." Outros estudiosos, entretanto, supõem que ela tenha comido o que restava do alimento das ofertas pacíficas.

■ 1.19

וַיַּשְׁכִּמוּ בַבֹּקֶר וַיִּשְׁתַּחֲווּ לִפְנֵי יְהוָה וַיָּשֻׁבוּ וַיָּבֹאוּ אֶל־בֵּיתָם הָרָמָתָה וַיֵּדַע אֶלְקָנָה אֶת־חַנָּה אִשְׁתּוֹ וַיִּזְכְּרֶהָ יְהוָה׃

Levantaram-se de madrugada... e voltaram. No dia seguinte, após uma boa noite de descanso, Elcana, suas duas esposas e os demais, que tinham acompanhado a peregrinação até Silo, levantaram-se bem cedo e voltaram a Belém. Algum tempo depois, talvez até naquela mesma noite, Ana concebeu Samuel, visto que Yahweh aceitou o seu voto e alegrou-se em cumprir a parte divina nas condições, ou seja, conceder a Elcana e Ana o filho especial que ela havia pedido.

Chegaram a sua casa em Ramá, onde a família residia, "Ramá dos vigilantes". Ver no *Dicionário* o artigo intitulado *Ramá*, além de notas adicionais em 1Sm 1.1. Alguns estudiosos pensam que "casa", neste versículo, significa a casa de Ana, como se ela e Penina residissem em casas diferentes. Nesse caso, voltar a Ramá seria voltar às "casas"; mas, neste caso, a "casa" seria de Ana somente.

■ 1.20

וַיְהִי לִתְקֻפוֹת הַיָּמִים וַתַּהַר חַנָּה וַתֵּלֶד בֵּן וַתִּקְרָא אֶת־שְׁמוֹ שְׁמוּאֵל כִּי מֵיְהוָה שְׁאִלְתִּיו׃

Ela concebeu e, passado o devido tempo, teve um filho. O menino foi chamado "Samuel" por ter sido pedido da parte do Senhor, que é o significado dado pelo autor sagrado ao apelativo. Hillerus nos fornece o derivativo, *Saul-mul-el*, ou seja, "pedido diante de Deus" ou "pedido aos olhos de Deus", visto que o pedido e o voto tinham sido feitos no tabernáculo (*Onomastic. Sacr.* partes 418, 419 e 487). Gesênio afirmou que *Samuel* significa "o nome de Deus" e, sem dúvida, isso está certo. Obter o outro derivativo, com base no nome próprio *Saul*, é uma maneira de fazer o nome corresponder às circunstâncias do nascimento, ou seja, a petição e o voto feitos por Ana. Em outras palavras, o autor recorreu a uma *licença poética* ao dar sua interpretação ao significado do nome; mas Gesênio sem dúvida se mostrou correto quanto à derivação verdadeira. Ver no *Dicionário* o artigo detalhado chamado *Samuel*, que também inclui uma discussão sobre esse nome.

■ 1.21

וַיַּעַל הָאִישׁ אֶלְקָנָה וְכָל־בֵּיתוֹ לִזְבֹּחַ לַיהוָה אֶת־זֶבַח הַיָּמִים וְאֶת־נִדְרוֹ׃

Subiu Elcana. Esse "sacrifício anual" pode significar a páscoa ou a festa dos Tabernáculos, festividades que requeriam a presença dos varões de Israel. Muitos homens, no entanto, levavam os familiares a essas festividades de sacrifícios. A festa dos Tabernáculos era uma ocasião em que os homens se dirigiam ao lugar sagrado para agradecer pela colheita abundante que tinha sido feita. Eles iam para expressar gratidão e alegria. Ver Dt 16.10-15. Elcana também tinha feito um *voto* (ver a respeito no *Dicionário*), e alguns eruditos pensam que, em sua essência, esse voto foi idêntico ao de Ana, mas o texto nada nos informa quanto a isso. Cf. o vs. 3 quanto às festas de sacrifício anuais. Ver o artigo geral, no *Dicionário*, denominado *Festas (Festividades Judaicas)*. A festa dos Tabernáculos é discutida sob a seção II.c. As *três* festas que requeriam a presença de todos os varões de Israel eram a Páscoa, o Pentecoste e os Tabernáculos (ver Dt 16.16). Ver a exposição em Êx 23.14 quanto às três festas.

"... os votos tornaram-se uma característica da era particular dos juízes de Israel. Podemos verificar as narrativas de Sansão, de Jefté e do juramento do benjamita" (Ellicott, *in loc.*).

■ 1.22

וְחַנָּה לֹא עָלָתָה כִּי־אָמְרָה לְאִישָׁהּ עַד יִגָּמֵל הַנַּעַר וַהֲבִאֹתִיו וְנִרְאָה אֶת־פְּנֵי יְהוָה וְיָשַׁב שָׁם עַד־עוֹלָם׃

Ana, porém, não subiu. Não era uma boa ocasião para Ana ir a Silo. Mais tarde, contudo, ela foi forçada a fazê-lo, por causa de seu voto, mas naquele momento Samuel precisava dela mais do que o tabernáculo. Mais tarde, contudo, ela subiria e simplesmente entregaria Samuel aos cuidados de Eli, e ali o menino seria criado para tornar-se um juiz e profeta especial de Deus. Ana ainda dispunha de poucos meses preciosos para desfrutar da presença do filho. O voto que ela havia feito era difícil de cumprir. Nesse cumprimento, grande foi o sacrifício pessoal de Ana. Samuel precisava ser primeiramente desmamado, para que o voto fosse cumprido. Este versículo é comovente. Poucos meses agora restavam para que mãe e filho continuassem juntos. Depois disso, Yahweh se tornaria o companheiro especial de Samuel. Naturalmente, Ana tinha os direitos de uma visitante, mas essas visitas seriam bastante espaçadas. Entrementes, Ana ficaria desolada; mas nisso ela estava prestando grande serviço ao povo de Israel. Samuel foi diferente desde o começo, e foi diferente até o fim. Ele foi um filho especial, um homem especial, um formador da história.

O Desmame. Em Israel, o desmame demorava bastante. 2Macabeus 7.27 parece indicar que 3 anos era o tempo normal para isso. Os persas costumavam desmamar os meninos aos 2 anos, e as meninas aos 3. Mas logo chegaria o tempo do desmame. Samuel seria deixado para sempre no tabernáculo, para ser criado pelo sumo sacerdote e seus auxiliares.

Jarchi diz que o desmame de Samuel ocorreu ao fim de 22 meses, exatamente conforme determinavam os persas. Mas Kimchi e Ben Meleque afirmam que isso aconteceu aos 24 meses. Em Israel, porém, o costume eram mesmo 3 anos completos. Ver as notas sobre Gn 21.8, que fornecem informações adicionais às que são dadas aqui.

1.23

וַיֹּאמֶר לָהּ אֶלְקָנָה אִישָׁהּ עֲשִׂי הַטּוֹב בְּעֵינַיִךְ שְׁבִי
עַד־גָּמְלֵךְ אֹתוֹ אַךְ יָקֵם יְהוָה אֶת־דְּבָרוֹ וַתֵּשֶׁב הָאִשָּׁה
וַתֵּינֶק אֶת־בְּנָהּ עַד־גָמְלָהּ אֹתוֹ׃

Faze o que melhor te agrade. Elcana concordou em adiar o desmame de Samuel, porque o que Ana havia dito era verdade. Por outro lado, ele a fez lembrar de seu *voto*, que precisava ter cumprimento. Em Israel, os votos eram uma questão séria.

A Palavra de Yahweh Seria Estabelecida. Ambos os lados da barganha teriam cumprimento cabal. Yahweh concedera o menino Samuel a Ana, e Ana o devolveu. Além disso, o sumo sacerdote entrou na questão, rogando que Yahweh concedesse o pedido feito por Ana. E, por causa disso, o voto assumiu ainda maior seriedade.

Há uma tradição em torno dessa questão, que diz que Yahweh outorgou uma visão e uma *revelação* a respeito do destino de Samuel, o qual era conhecido por Ana. Ele seria um grande homem de Deus. Por esse motivo, as mulheres davam a seus meninos o nome de Samuel. Mas, assim que eles começavam a comportar-se de modo errado, tornava-se evidente que não eram o verdadeiro Samuel. Só haveria um verdadeiro Samuel (*Rashi*, tradições rabínicas). Ou então essa palavra de revelação fora uma profecia de Eli, o sumo sacerdote, ou mesmo uma palavra de revelação dada a outrem, mostrando a *promessa* de Yahweh de cumprir a sua palavra, ao conceder Samuel a Ana e Elcana. Elcana ansiava para que se cumprisse a palavra de Yahweh, a profecia sobre a grandeza espiritual de Samuel. Contudo, isso não poderia acontecer se Ana mudasse de atitude e, egoisticamente, mantivesse o menino em casa, descumprindo a sua parte na barganha. É como se Elcana tivesse advertido Ana: "Não impeças o propósito de Yahweh quanto a Samuel".

1.24

וַתַּעֲלֵהוּ עִמָּהּ כַּאֲשֶׁר גְּמָלַתּוּ בְּפָרִים שְׁלֹשָׁה וְאֵיפָה
אַחַת קֶמַח וְנֵבֶל יַיִן וַתְּבִאֵהוּ בֵית־יְהוָה שִׁלוֹ וְהַנַּעַר
נָעַר׃

E o apresentou à casa do Senhor. O *voto* precisava ser cumprido, acompanhado pelos ritos apropriados, que incluíam sacrifícios de animais. O texto hebraico diz aqui que *três novilhos* estiveram envolvidos no sacrifício, mas talvez tenhamos aqui uma declaração descuidada do autor sagrado. A Septuaginta está quase certamente correta ao afirmar que foi "um novilho com 3 anos de idade". O versículo seguinte fala sobre o abate de um único novilho, o que dá sustentação ao argumento. Ver Gn 15.9, quanto à idade do novilho a ser sacrificado. O rito incluía a oferta de cereais ou manjares, que consistia em um *efa* de farinha de trigo, ou seja, cerca de 28 litros. Um odre de vinho completava o material. As três coisas juntas — o novilho, a farinha de trigo e o vinho — eram os alimentos usados nos ritos de consagração. Isto posto, havia o *holocausto* (que envolvia o novilho), a *oferta de manjares* (que envolvia a farinha de trigo) e a *libação* (que envolvia o odre de vinho). Ver no *Dicionário* o artigo chamado *Libação*, como também as notas em Lv 23.13. Ver sobre as ofertas de manjares em Lv 6.14-18; e sobre os holocaustos em Lv 6.9-13. Ver também o gráfico que ilustra os três tipos gerais de sacrifícios e oferendas, imediatamente antes da exposição de Lv 1.1.

Era o menino ainda muito criança. Talvez Samuel estivesse então com 3 anos de idade. Para Ana, constituiu uma experiência angustiante deixá-lo no tabernáculo e então voltar para casa. Grandes sacrifícios sempre acompanham grandes missões. Os demais seres humanos permanecem em casa, desfrutando os pequenos prazeres da vida.

Alguns expositores defendem aqui o uso de três novilhos, dizendo que aquele que é abatido no vs. 25 constituiu o holocausto. Os outros dois teriam sido usados como sacrifícios, durante a festa anual, algo inteiramente à parte do rito de dedicação de Samuel. Mas o próprio texto não indica nada parecido com isso. Talvez o autor sagrado esperasse que deduzíssemos isso, sem que ele tivesse de mencioná-lo.

1.25

וַיִּשְׁחֲטוּ אֶת־הַפָּר וַיָּבִיאוּ אֶת־הַנַּעַר אֶל־עֵלִי׃

Imolaram o novilho. Foram efetuados os *sacrifícios apropriados*, delineados no versículo anterior. O *todo* foi referido através da mera menção ao *holocausto*. Ato contínuo, Samuel foi trazido e apresentado ao sumo sacerdote Eli. Chegara o momento do grande sacrifício pessoal de Ana. Ela havia feito um voto capaz de rasgar-lhe o coração, mas agora precisava cumpri-lo. Ela deve ter feito a apresentação com o coração carregado de tristeza. Por outro lado, Samuel tinha um destino especial a cumprir, e precisava receber uma educação especial. Samuel seria o último dos juízes de Israel e haveria de fazer entrar em eclipse, durante muito tempo por vir, o sacerdócio, inaugurando a carreira dos profetas escritores. Grandes mudanças ocorreriam por intermédio dele. Os juízes seriam substituídos por um rei, e a monarquia seria instituída em Israel.

O menino Samuel haveria de ser criado no tabernáculo, sob a supervisão de Eli. O pessoal que cuidava do tabernáculo também cuidaria do menino. Ele aprenderia todos os detalhes do culto levítico e, desde bem cedo na vida, teria certos deveres. E, quando se tornasse adulto, seus deveres aumentariam.

1.26

וַתֹּאמֶר בִּי אֲדֹנִי חֵי נַפְשְׁךָ אֲדֹנִי אֲנִי הָאִשָּׁה הַנִּצֶּבֶת
עִמְּכָה בָּזֶה לְהִתְפַּלֵּל אֶל־יְהוָה׃

E disse ela. Ana relembrou a Eli o incidente que tinha ocorrido cerca de três anos antes, registrado em 1Sm 1.10-18. "Tão certo quanto és um ser vivo, eu sou *aquela* mulher que viste, que fez um voto solene; e aqui estou para cumpri-lo".

Os *Targuns* explicam que este versículo fazia parte de uma súplica a Eli, no sentido de que ele ficasse com Samuel, de modo que o voto de Ana se cumprisse. Como é óbvio, nenhum menino de 3 anos de idade podia entrar no tabernáculo e ali fixar residência sem a expressa permissão e provisão do sumo sacerdote. Sem dúvida, Ana fez Eli lembrar como ele havia reforçado o voto dela, pedindo a Yahweh que lhe concedesse o pedido (vs. 17). O relato não afirma especificamente qual foi a petição de Eli, nem sabemos dizer se, naquela ocasião, Eli recebeu ou não alguma instrução sobre o pedido. Seja como for, *agora* ele ficou sabendo no que consistira o pedido de Ana, que *ele* tinha ajudado a ser cumprido.

1.27

אֶל־הַנַּעַר הַזֶּה הִתְפַּלָּלְתִּי וַיִּתֵּן יְהוָה לִי אֶת־שְׁאֵלָתִי
אֲשֶׁר שָׁאַלְתִּי מֵעִמּוֹ׃

Por este menino orava eu. Ana revelou assim no que consistia sua petição a Yahweh. "Prometi dedicar esta criança a Yahweh, como um nazireu perpétuo" (vs. 11). A fim de cumprir esse voto, Samuel precisava ser criado no tabernáculo. Resta-nos imaginar por nós mesmos qual foi a resposta dada por Eli, se aceitava ou não o menino. No segundo capítulo, Samuel aparece no tabernáculo, servindo ao Senhor e aprendendo (ver 1Sm 1.22).

1.28

וְגַם אָנֹכִי הִשְׁאִלְתִּהוּ לַיהוָה כָּל־הַיָּמִים אֲשֶׁר הָיָה
הוּא שָׁאוּל לַיהוָה וַיִּשְׁתַּחוּ שָׁם לַיהוָה׃ פ

Como devolvido ao Senhor. Ana procurou diminuir a tristeza que sentia na ocasião, ao falar sobre uma *dádiva absoluta* como uma *devolução*. Essa devolução tinha caráter permanente. Ana sempre teria o direito de uma visitante especial; mas haveria muitos e longos dias em sua casa vazia, entre uma e outra visita. Havia um destino especial que esperava Samuel, o qual ele jamais cumpriria se permanecesse em casa. Grandes missões requerem grandes sacrifícios. Oh, Senhor, concede-nos tal graça!

E eles adoraram ali ao Senhor. O texto hebraico diz "ele", em lugar de "eles". Isso só pode referir-se a Elcana, o marido de Ana; ou então a Eli, que teria ficado profundamente impressionado diante de tudo quanto havia acontecido, e aproveitara a oportunidade para volver seus pensamentos para Yahweh, agradecendo a ele por aquela maravilha. O próprio pequeno Samuel poderia estar em pauta. Nesse caso, ele já deveria ser alguém espiritualmente sensível, uma criança prodígio e, assim sendo, capaz de um ato especial de adoração, naquele momento. Mas a Vulgata Latina, aqui seguida pela versão portuguesa, diz "eles", dando a entender que todos os presentes, ou seja, Ana, Elcana e Eli, adoraram ao Senhor.

A Septuaginta acrescenta estas palavras, que nos levam a uma profunda comoção: "E ela o deixou ali, diante do Senhor, e foi para casa, em Ramá".

O texto sagrado poupa-nos da descrição das lágrimas que devem ter sido derramadas naquele instante. Ana partiu regozijante, diante do fato de que um filho havia sido oferecido ao Senhor, e de que ele era especial e seria um grande homem de Deus. Todavia, também partiu cortada de dor, porquanto havia perdido seu pequeno. Os olhos do menino seguiram a mãe até que ela desapareceu de sua vida. De cabeça pendida, ele mal compreendia o motivo pelo qual sua mãe o deixara ali, daquela maneira. Eli pôs a mão sobre os ombros do menino e procurou consolá-lo. Sim, grandes missões requerem grandes sacrifícios.

> Toma minha vida e que ela seja
> Consagrada, Senhor, a ti.
> Toma minhas mãos e que elas se movam
> Ao impulso do teu amor;
> Sim, ao impulso do teu amor.
>
> Francis R. Havergal

CAPÍTULO DOIS

CÂNTICO DE ANA, MÃE DE SAMUEL (2.1-10)

"Este é um dos mais antigos e mais comoventes poemas do Antigo Testamento. Tão messiânico é o texto em seu caráter que Maria, mãe de Jesus, incorporou-o em seu próprio cântico de triunfo, o *Magnificat*, em que louvou a Deus por tê-la escolhido para ser a mãe humana de Jesus, o Messias (ver Lc 1.46-55)" (Eugene H. Merrill, *in loc.*).

O *Cântico de Ana* é um salmo de louvor à providência de Deus, similar a várias composições do livro de Salmos. Esse cântico celebra a reversão do dilema humano, transformando-o em uma súbita e inesperada vitória.

"Esses verazes e belos pensamentos do Espírito do Senhor, primeiramente implantados no coração de Ana, e em seguida trazidos a seus lábios, tornaram-se um dos mais belos cânticos do povo de Israel, e tem sido transmitido de pai para filho, de geração em geração. Essas foram palavras proferidas por Ana, mãe do menino-profeta, que ela disse na quietude de sua própria casa, em Ramá dos Vigilantes" (Ellicott, *in loc.*).

2.1

וַתִּתְפַּלֵּל חַנָּה וַתֹּאמַר עָלַץ לִבִּי בַּיהוָה רָמָה קַרְנִי בַּיהוָה רָחַב פִּי עַל־אוֹיְבַי כִּי שָׂמַחְתִּי בִּישׁוּעָתֶךָ:

Então orou Ana. Temos aqui uma oração de ação de graças e louvor, um salmo de louvor. Cf. Sl 72.20 e Hc 3.1. A oração consiste, em sua maior parte, em pedir e receber, mas esses outros dois elementos — agradecimento e louvor — também desempenham seu devido papel. Ver no *Dicionário* o artigo intitulado *Oração*.

O meu coração se regozija. Embora Ana estivesse muito triste por haver deixado o pequeno Samuel no tabernáculo, tendo ele apenas cerca de 3 anos de idade na ocasião, contudo, ao cumprir a vontade de Deus, de uma maneira especial, Ana sentia intensa alegria. Assim sucedeu porque houve grandes e boas consequências no cumprimento da vontade divina. A verdadeira espiritualidade sempre tem considerações *objetivas*, e não somente considerações que afetam a vida pessoal de um indivíduo. Há coisas mais sublimes que os pequenos e passageiros prazeres de uma pessoa. "Ela exprimiu uma santa alegria. Não tinha ela recebido a bênção, afinal, pela qual todas as mães de Israel tanto anelavam?" (Ellicott, *in loc.*).

A minha força está exaltada. O original hebraico fala em "chifre", que a nossa versão portuguesa corretamente interpreta como "força". Trata-se de uma metáfora que fala sobre algum animal selvagem que mantinha a cabeça elevada, em atitude de força e triunfo. Em alguns animais, como o touro ou o veado, a força concentra-se nos chifres. Com os chifres, esses animais lutam e se protegem. O carneiro, um animal que podia ser oferecido em sacrifício, pertencia a essa categoria.

A minha boca se ri. À semelhança de um leão, que, com sua grande boca, rugidora e pronta para devorar, espalha o medo e mata suas presas. Existem animais, como o leão, cuja força concentra-se na boca. O bocejo, na antiguidade, era um gesto de desprezo (ver Sl 35.21; Is 57.4). Ana fora dotada de forças, e desprezava todos os seus adversários, visto que Yahweh tinha tomado a defesa de sua causa. A pobre Penina e todas as suas reprimendas haviam perdido todo o controle sobre ela. "A faculdade da fala é aqui despertada para expressar como Deus derrotou os seus inimigos" (Adam Clarke, *in loc.*).

2.2

אֵין־קָדוֹשׁ כַּיהוָה כִּי אֵין בִּלְתֶּךָ וְאֵין צוּר כֵּאלֹהֵינוּ:

Não há santo como o Senhor. Este versículo é *monoteísta* em todo o seu tom. Há somente um Deus. Ele é o Deus de santidade suprema, como não se pode encontrar igual em outro ser. Ele é uma rocha inabalável, poderosa, imutável. Talvez Israel tenha dado início à ideia do *henoteísmo*, ou seja, há um só Deus *para nós*, embora possa haver outros que se aplicam a outros povos. O monoteísmo, porém, neutraliza todo outro "deus", mesmo quanto à teoria. Ver o artigo geral sobre *Deus* no *Dicionário*. O monoteísmo bíblico não é mera teoria segundo a qual a pessoa *acredita* na existência de um só Deus. Antes, é uma doutrina moral segundo a qual a pessoa precisa dedicar-se a esse Deus único, conferindo-lhe plena lealdade e obediência.

O nosso Deus. No hebraico, *Elohim*. Ver sobre esse termo no *Dicionário*, como também o artigo geral denominado *Deus, Nomes Bíblicos de*. A ideia central do vocábulo *Elohim* repousa sobre a palavra *El*, "força", "poder", uma ideia que já tinha sido aludida neste versículo mediante a palavra *rocha*. A reversão na vida de Ana só poderia ter acontecido pelo poder de *Elohim*. A palavra hebraica está no plural, mas se trata do plural majestático, não sugerindo vários ou muitos deuses, o que fica comprovado pelo próprio versículo que enfatiza o monoteísmo. O termo *Senhor,* que aparece pouco antes, é tradução do vocábulo hebraico *Yahweh,* que merece um artigo em separado no *Dicionário* e também é discutido no artigo sobre os nomes de Deus.

Quanto a outros versículos no Antigo Testamento que contêm sentimentos similares aos do presente versículo, ver Os 11.9; Ez 20.41; 28.22; 36.23; Lv 10.3. Cf. Mt 6.9: "santificado seja o teu nome". 2Sm 22.2 afirma: "O Senhor é a minha rocha".

2.3

אַל־תַּרְבּוּ תְדַבְּרוּ גְּבֹהָה גְבֹהָה יֵצֵא עָתָק מִפִּיכֶם כִּי אֵל דֵּעוֹת יְהוָה וְלוֹ נִתְכְּנוּ עֲלִלוֹת:

Não multipliqueis palavras de orgulho. Se falar é barato, então que cesse toda fala. Deus sabe tudo, e conhece a diferença entre o mero falar e o agir. Ana parece estar referindo-se aqui a Penina e suas contínuas acusações. O que acontecera a Ana, ao receber um filho especial, Samuel, anulara tudo quanto Penina tinha dito, e justificara a causa de Ana. Ver 1Sm 1.6 quanto ao falatório contínuo de Penina. Somente mediante o conselho e a orientação de Deus é que podemos começar, continuar e levar à plena fruição nossas corretas ações. Ficar falando em nada contribui para cumprir os nobres alvos que só podem ser realizados mediante nossos atos. Penina falava, Deus agiu, e agora Ana e todas as pessoas que conheciam as duas sabiam qual era a diferença entre o mero falar e o agir.

"O conhecimento tem grande valor, pois aparece entre dois nomes divinos. Está escrito em 1Sm 2.3: 'Um Elohim de *conhecimento* é Yahweh'. Por conseguinte, a misericórdia será negada ao que não tem conhecimento. Pois está escrito (ver Is 27.11): 'É um povo sem compreensão, pelo que aquele que os criou não terá misericórdia deles' (*Berachoth*, fol. 33, col. 1, do *Talmude*)".

"Ocorrem mudanças que devem ser atribuídas às atividades do Justo Juiz, que recompensa os bons e castiga os culpados... Essa crença deriva-se da história das nações e foi aplicada à nação de Israel no credo do Deuteronômio (Dt 28)" (George B. Caird, *in loc.*).

Ver na *Enciclopédia de Bíblia, Teologia e Filosofia* o artigo chamado *Linguagem, Uso Apropriado da,* III.

2.4

קֶשֶׁת גִּבֹּרִים חַתִּים וְנִכְשָׁלִים אָזְרוּ חָיִל:

O arco dos fortes é quebrado. Temos aqui a grande reversão. Homens iníquos haviam saído ao redor com seus temidos arcos e flechas, matando à distância. Mas agora esse arco havia sido quebrado, o que significa que os fortes ficaram impotentes e foram envergonhados em sua fraqueza. Em contraste, os que eram fracos e tropeçavam receberam subitamente grande força que os tornou permanentemente poderosos. "Deus reverte as condições humanas, rebaixando os ímpios e elevando os justos" (Ellicott, *in loc.*). "O Senhor demonstra total soberania nas atividades humanas. É salientada especialmente a referência que Ana faz a si mesma (1Sm 1.5,6) e a Penina, respectivamente" (Eugene H. Merrill, *in loc.*).

"A base da confiança é a soberania de Deus. Os homens normalmente não têm dificuldade em reconhecer a soberania de Deus. A dificuldade ocorre quando eles se consideram irresponsáveis" (John C. Shroeder, *in loc.*). Ana foi capacitada a fazer grandes feitos mediante a soberania de Deus.

■ 2.5

שְׂבֵעִים בַּלֶּחֶם נִשְׂכָּרוּ וּרְעֵבִים חָדֵלּוּ עַד־עֲקָרָה
יָלְדָה שִׁבְעָה וְרַבַּת בָּנִים אֻמְלָלָה׃

Os que antes eram fartos. Outras aplicações acerca de grandes reversões são afirmadas neste versículo. Os que dispunham de muitos alimentos e engordavam em sua afluência, terminam famintos, sendo forçados a trabalhar para os que ganhavam menos que eles, se quisessem evitar morrer de fome. Em outras palavras, foram reduzidos à abjeta pobreza. Em contraste, os que antes padeciam fome, agora estavam repletos, porquanto Yahweh havia revertido a sorte deles.

Este versículo faz-nos lembrar das vicissitudes dos negócios humanos em Canaã, onde a vida dependia essencialmente de boas colheitas, chuvas oportunas e boas condições climáticas. Alguns poucos anos poderiam varrer para longe toda prosperidade. Consideremos o trabalho de José no Egito, com seus sete anos bons e seus sete anos de escassez. Nações inteiras, próximas do Egito, foram reduzidas a abjeta pobreza, durante os sete anos de fome. Esses acontecimentos foram usados *metaforicamente* por Ana para ilustrar as reversões repentinas da sorte humana. Ela não estava realmente dizendo que antes passava fome, ao passo que Penina comia tudo quanto queria, mas tão somente que agora a situação fora revertida.

Uma Aplicação Direta da Metáfora. Este versículo pode significar que Ana terminou tendo *sete* filhos, ao passo que Penina adoeceu e ficou débil. Uma lenda judaica (sem dúvida equivocada) diz que, cada vez em que Ana tinha um filho, dois filhos de Penina morriam. O número sete, contudo, pode ser uma metáfora que indica plenitude, e não deve ser tomado como um número exato. O vs. 21 menciona *cinco* filhos que Ana teve, além de Samuel, e isso parece indicar-nos o total. Jarchi afirma que Penina perdeu todos os seus *dez* filhos de morte prematura; e isso seria um castigo fora de proporção para as suas maldades, devendo-se antes a uma imaginação vingativa que não reflete a verdade dos fatos.

■ 2.6

יְהוָה מֵמִית וּמְחַיֶּה מוֹרִיד שְׁאוֹל וַיָּעַל׃

O Senhor é o que tira a vida, e a dá. A soberania de Deus é que determina tanto a vida quanto a morte. Só Deus pode dar vida, e só ele tem a prerrogativa de tirá-la.

Sepultura. Em algumas traduções, temos aqui a palavra *seol*. Ver no *Dicionário* os artigos chamados *Seol* e *Hades*. Não é provável que a referência seja a algum julgamento no *seol*, embora possa estar relacionada aqui a crença, que apareceu relativamente tarde no judaísmo, acerca do mundo inferior, para onde iam tanto os espíritos bons quanto os maus. Nesse caso, o argumento de Ana é que Deus não somente controla a vida e a morte, mas também envia as almas ao *seol*, cada qual a seus respectivos lugares, conforme tiver determinado a sua vontade soberana.

Possibilidades de Interpretação:
1. O *seol* indica aqui simplesmente a sepultura ou a morte (essa é a posição da maioria dos intérpretes).
2. Ou, então, na época em que foi escrito o livro de 1Samuel, a teologia dos hebreus já tinha começado a incorporar alguma espécie de doutrina da imortalidade da alma, com a suposição paralela de que a imortalidade era boa para os justos, mas ruim para os pecadores. É verdade que, no tempo dos Salmos e dos Profetas, tal doutrina já fazia, claramente, parte da teologia hebraica; mas o versículo diante de nós dificilmente pode ser usado para indicar isso. Um desenvolvimento dessa doutrina ocorreu nos livros escritos durante o período intermediário entre o Antigo e o Novo Testamento, ou seja, livros apócrifos e pseudepígrafes. No livro de 1Enoque foram acesas as chamas do *hades* pela primeira vez. Ver no *Dicionário* os artigos intitulados *Livros Apócrifos* e *Livros Pseudepígrafes*.
3. Ou, então, a descida ao *seol* precisa ser entendida como uma metáfora. Quando um homem está tão doente que parece estar prestes a morrer, então ele desce, por assim dizer, ao *seol*, à sepultura. Mas, ao melhorar de saúde, volta daquele "lugar". Em outras palavras, recuperar-se de alguma grave enfermidade também está sob a soberania de Deus. Ver Sl 88.3 quanto a essa forma de linguagem.

E faz subir. Ou seja, do *seol*.
Interpretações:
1. Para alguns estudiosos, temos aqui uma antiga referência à ressurreição.
2. O mais provável, contudo, é que esta seja uma referência ao que aparece sob o terceiro ponto, acima: ser *curado* de alguma grave enfermidade.
3. Ou então pode estar em foco a *exaltação* de alguém nesta vida. Esse sentimento reaparece no versículo seguinte.
4. O Talmude Babilônico contém aqui algo parecido com a doutrina católica romana: três classes de homens que estão no *seol*. Os completamente maus são selados no inferno para sempre... Mas aos justos é dada a vida eterna (presumivelmente em algum lugar bom, que não é definido). Os que não são nem tão bons nem tão ruins são enviados ao *seol*, onde ficam chorando e uivando durante algum tempo; mas, depois de terem sofrido o bastante, são tirados dali para se reunirem aos justos. Em outras palavras, trata-se de uma espécie de doutrina do "purgatório". Dn 12.2 e Zc 13.9 são usados como textos de prova desse ensino. Porém, até onde sou capaz de calcular as coisas, a história da descida de Cristo ao *hades* oferece esperança a *todos* os pecadores, até ao pior deles, de que a subida para fora do *hades* é possível. Ver 1Pe 3.18 ss. e 4.6, bem como o artigo intitulado *Descida de Cristo ao Hades*, na *Enciclopédia de Bíblia, Teologia e Filosofia*.

■ 2.7

יְהוָה מוֹרִישׁ וּמַעֲשִׁיר מַשְׁפִּיל אַף־מְרוֹמֵם׃

O Senhor empobrece e enriquece. Prosseguem aqui os atos próprios da soberania de Deus. Ser alguém pobre ou rico está dentro do que Deus faz em favor ou contra os homens. Pois ele rebaixa alguns, mediante as circunstâncias gerais da vida, e exalta outros. Assim sendo, *todas as condições humanas* são determinadas por ele. A teologia dos hebreus era fraca quanto a causas secundárias e tendia por fazer de Deus a *única* causa de tudo, incluindo o bem e o mal. A crença unilateral na predestinação, que nega o outro polo, ou seja, o livre-arbítrio humano, está alicerçada na aceitação errônea do conceito de que Deus é a *única* causa. Ver no *Dicionário* o artigo chamado *Predestinação*. Seja como for, para Ana era correto atribuir a grande reversão de sua vida à graça e à providência especial de Deus. Algo tinha sido feito *em seu favor* que ela mesma não teria conseguido por si mesma. Oh, Senhor, concede-nos tal graça! Ver Pv 22.2 e 30.8, que comportam conceitos similares a este.

■ 2.8

מֵקִים מֵעָפָר דָּל מֵאַשְׁפֹּת יָרִים אֶבְיוֹן לְהוֹשִׁיב
עִם־נְדִיבִים וְכִסֵּא כָבוֹד יַנְחִלֵם כִּי לַיהוָה מְצֻקֵי
אֶרֶץ וַיָּשֶׁת עֲלֵיהֶם תֵּבֵל׃

Levanta o pobre do pó. Este versículo prossegue salientando a ideia da *exaltação*, ampliando as ideias do versículo anterior. A pobreza abjeta não constitui problema para Elohim. Deus pode tirar um homem pobre do pó, e pode arrancar o esmoler do monturo. Nenhuma pobreza é tão profunda que não possa ser revertida. *Metaforicamente* falando, isso representa qualquer *condição adversa* na vida dos homens, e não apenas a falta de dinheiro ou de bens materiais.

Um indivíduo soerguido da pobreza abjeta ou de profundas condições adversas pode ser exaltado e conduzido à presença de príncipes, recebendo até mesmo uma condição de realeza, herdando algum trono de glória e tornando-se governante de homens e nações. Um rei é alguém que vive em meio à prosperidade e à glória. Deus pode fazer de qualquer homem um rei, se essa for a sua vontade.

Somos lembrados aqui sobre a história de José, filho de Jacó. Ele foi tirado de um poço seco e vendido como escravo. suas qualidades superiores (que lhe tinham sido dadas por Deus), entretanto, em breve o fizeram príncipe entre seus semelhantes, como também aquele que lhes supria alimentos. E também podemos pensar no hindu Askter, que foi tirado do monturo e elevado ao trono do Hindustani.

ele era uma estrela brilhante,
mas agora se tornou um homem.
José foi tirado da prisão
e se tornou um rei.

Extraído da história de Roushen Okther

Do Senhor são as colunas da terra. A antiga cosmologia dos hebreus apresentava a terra como se estivesse apoiada sobre colunas. Mas não explicava onde tais colunas se firmavam. Ver essa ideia de cosmologia antiga ilustrada no *Dicionário*, no artigo denominado *Astronomia*. Não sabemos dizer se, na época de Ana, essa crença literal já havia adquirido fóruns de metáfora, e se a antiga cosmologia já havia sido rejeitada.

As *colunas*, conforme usadas por Ana, talvez apenas falassem sobre uma força imensamente grande sobre a qual o mundo inteiro repousava. A manipulação de tal força, pois, é prerrogativa exclusiva de Deus, mas ele a emprega em favor dos homens. John Gill (*in loc.*) faz essas colunas simbolizarem "o poder e a providência" de Deus. Ver Jó 26.11; Sl 104.5; Pv 8.29. Outros pensam estar aqui em pauta as *montanhas* existentes nos confins da terra, nas quais o firmamento, conforme se acreditava antigamente, estaria apoiado, porque o firmamento seria uma espécie de taça sólida invertida. Não há que duvidar que assim preceituava a antiga cosmologia hebreia; mas não sabemos dizer se Ana estava fazendo alusão ou não a tal ideia. "A terra era concebida como se fora uma plataforma que repousava sobre grandes colunas" (*Oxford Annotated Bible*, comentando sobre este versículo).

■ 2.9

רַגְלֵי חֲסִידָו יִשְׁמֹר וּרְשָׁעִים בַּחֹשֶׁךְ יִדָּמּוּ כִּי־לֹא
בְכֹחַ יִגְבַּר־אִישׁ׃

ele guarda os pés dos seus santos. Os pés são os órgãos usados para muitas ações, como andar, trabalhar e cumprir nossas respectivas missões e propósitos na vida. No caso dos justos, é *Yahweh* (vs. 7) que conserva os seus pés no caminho certo, fortalecidos e caminhando retamente. Em contraste, os ímpios, perdidos nas trevas e incapazes de encontrar seu caminho ou de andar corretamente, são finalmente forçados a calar-se, destruídos. Portanto, a lição que aqui aprendemos é clara: não é o poder do homem que controla as coisas e determina os destinos. Esse poder cabe exclusivamente a Deus. A intervenção providencial de Deus na vida dos homens é o que realmente conta, em última análise. Os Targuns relacionam essa declaração aos ímpios, neste ponto. Eles começam sua carreira nas *trevas*, então *emudecem*, ou seja, são projetados no *sheol* (vs. 6). No entanto, essa parece ser uma interpretação por demais complicada para a simplicidade deste nono versículo.

Santos. No original hebraico, temos o vocábulo *hasidhim*, forma adjetivada que se deriva de *hesedh*, palavra que alude à "misericórdia" e à "lealdade". Os santos de Deus, pois, exibem "fidelidade amorosa", profunda "lealdade" a Yahweh, sendo esse o grande segredo da sua bem-aventurança. "A lealdade, e não a mera emoção religiosa, constituía o principal fator no amor pelo Senhor, que tinham os israelitas piedosos" (George B. Caird, *in loc.*).

O homem não prevalece pela força. Ou seja, pela sua própria força. Ele precisa do poder de Deus, que deve mostrar-se ativo em tudo quanto ele planeja e executa. "Não por força nem por poder, mas pelo meu Espírito, diz o Senhor dos Exércitos" (Zc 4.6). "A minha graça te basta, porque o meu poder se aperfeiçoa na fraqueza" (2Co 12.9).

■ 2.10

יְהוָה יֵחַתּוּ מְרִיבָו עָלוֹ בַּשָּׁמַיִם יַרְעֵם יְהוָה יָדִין
אַפְסֵי־אָרֶץ וְיִתֶּן־עֹז לְמַלְכּוֹ וְיָרֵם קֶרֶן מְשִׁיחוֹ׃ פ

O Senhor julga as extremidades da terra. Temos aqui um versículo escatológico, que parece "contemplar o desbarato miraculoso dos inimigos de Israel, seguido pelo retorno do Messias e pelo julgamento das nações". Todas essas questões faziam parte da escatologia posterior dos judeus.

Exalta o poder. O original hebraico diz aqui "exalta o chifre". O chifre é representação simbólica de poder, em muitas passagens do Antigo Testamento. Ver, por exemplo, Gn 22.13; Dn 7.24 e Zc 1.21. E isso sucede até no Novo Testamento (ver Lc 1.69; Ap 5.6; 9.13; 17.3,7,12,16). John Gill comentou (*in loc.*): "A alusão é aos chifres de certos animais de grande porte, onde jaz sua força, quando se defendem ou atacam os inimigos". Os intérpretes judeus, de modo geral, viam neste versículo um forte sentido messiânico.

seu ungido. O termo hebraico *messias* (ungido) foi usado acerca de reis da casa de Davi, antes mesmo do exílio babilônico; porém é mais provável que aqui o "rei", referido neste mesmo versículo, aponte para "o Filho de Davi, de quem se esperava restaurar a dinastia caída de seu pai" (George B. Caird, *in loc.*). Os estudiosos liberais datam este livro como se tivesse sido composto posteriormente, a fim de permitir que doutrinas dessa ordem naturalmente tivessem sido nele incluídas. Mas os eruditos conservadores, por sua vez, veem aqui uma genuína profecia messiânica. Ver no *Dicionário* o artigo intitulado *Profecia*.

Ver Sl 98.9 quanto ao conceito de Deus como o Juiz final de todas as coisas. "seu *rei* e seu *ungido* poderiam referir-se à monarquia histórica; contudo mais provavelmente eles contemplam o Novo Davi, o Rei ideal que apareceria no futuro. Cf. 1Sm 10.1" (*Oxford Annotated Bible*, comentando sobre este versículo). Os judeus piedosos olhavam para além de Davi e de Salomão, contemplando grandes acontecimentos no futuro de Israel.

O SACERDOTE ELI E SEUS FILHOS (2.11-36)

O autor sagrado tinha aqui em mente o grande contraste entre a piedade de Ana e de seu filho, Samuel, que haveria de revelar-se um grande homem de Deus, e a impiedade e a irreverência dos filhos de Eli. Aqueles homens ímpios mereciam uma morte violenta, porquanto haviam corrompido o próprio Lugar Santo, não se contentando com seu deboche público e privado. As maldades praticadas por aqueles dois homens são amplamente enfatizadas. Mas então, no vs. 18 deste capítulo, lemos que: "Samuel ministrava perante o Senhor". E essa declaração estabelece o contraste entre Samuel e os dois filhos de Eli. 1Sm 2.27-36 mostra-nos que a casa de Eli estava condenada, devido a seus muitos e grandes abusos.

■ 2.11

וַיֵּלֶךְ אֶלְקָנָה הָרָמָתָה עַל־בֵּיתוֹ וְהַנַּעַר הָיָה מְשָׁרֵת
אֶת־יְהוָה אֶת־פְּנֵי עֵלִי הַכֹּהֵן׃

O menino ficou servindo ao Senhor. Embora fosse menino ainda bem pequeno, Samuel começou imediatamente a ser treinado, depois que seus pais voltaram para a residência deles em Ramá (Ramataim-Zofim, no primeiro versículo deste capítulo). Samuel realizaria alguns pequenos serviços, e ali aprenderia várias coisas, iniciando seu desenvolvimento moral e espiritual (vs. 26). Ele crescia em estatura e em favor diante de Deus e dos homens, tal como sucedeu no caso de Jesus (Lc 2.52). "No começo ele não lia as Escrituras, embora, sem dúvida, tenha aprendido a ler, precisamente com essa finalidade. Mas se ocupava de cânticos espirituais e orações. Talvez tenha aprendido a tocar algum instrumento musical. Ele executava tarefas manuais e aprendia a ser bem disciplinado. E também começou a aprender a lei, porquanto um homem em sua posição precisava ser bem versado na lei. A educação geral e religiosa era muito importante, e foi-lhe conferida uma educação de primeira classe". Ver no *Dicionário* o artigo intitulado *Educação no Antigo Testamento*.

■ 2.12

וּבְנֵי עֵלִי בְּנֵי בְלִיָּעַל לֹא יָדְעוּ אֶת־יְהוָה׃

Filhos de Belial. Esse nome próprio indicava o próprio Satanás, o principal adversário de Yahweh. Ver sobre esse termo no *Dicionário*.

Mas não sabemos dizer se, naquela data tão remota, esse nome já havia adquirido tal significado. Por isso mesmo, algumas versões, como a *Revised Standard Version*, dizem algo como "homens indignos", dando ao termo uma força adjetivada. Ofereço notas sobre isso em 1Sm 1.16. Sem importar se os filhos de Eli eram inspirados pelo diabo em pessoa, o fato é que aqueles homens eram absolutamente corruptos moral e espiritualmente, e chegaram a praticar iniquidades no próprio Lugar Santo. Eles "não tinham nenhuma consideração por Yahweh". Podemos estar certos de que Eli havia treinado seus dois filhos, mas eles rejeitaram os esforços do pai, seguindo sua própria vereda pervertida. Os Targuns dizem aqui que eles "não temiam Yahweh". E Kimchi asseverou: "Eles não conheciam o caminho do Senhor", ou seja, não o conheciam *na prática*, visto que teoricamente o tinham aprendido.

Condições nos Dias dos Juízes. Naqueles dias, havia completo caos moral e espiritual, e cada qual fazia o que lhe parecia melhor, em lugar de obedecer a Yahweh (ver Jz 21.25). O próprio sacerdócio havia caído nessa armadilha, pelo que na pessoa de *Samuel* estava sendo preparado um juiz e um profeta que haveria de reverter tão indignas condições. Em Samuel, o ofício profético haveria de substituir, em grande medida, o sacerdócio corrupto, servindo como nova e vital força na vida espiritual do povo de Israel.

Aprende-se, em 1Sm 1.3, que os dois filhos de Eli se chamavam *Hofni* e *Fineias*. Providenciei um único artigo sobre os dois, sob o título de *Hofni e Fineias*, no *Dicionário*.

■ 2.13

וּמִשְׁפַּט הַכֹּהֲנִים אֶת־הָעָם כָּל־אִישׁ זֹבֵחַ זֶבַח וּבָא נַעַר הַכֹּהֵן כְּבַשֵּׁל הַבָּשָׂר וְהַמַּזְלֵג שְׁלֹשׁ־הַשִּׁנַּיִם בְּיָדוֹ:

Oferecendo alguém sacrifício. Um *holocausto* (ver a respeito no *Dicionário*) requeria que o animal inteiro fosse consumido no fogo, em honra de Yahweh, nada sendo deixado para os sacerdotes ou para alguma refeição comunal. Quanto a outros sacrifícios de animais, entretanto, certas porções cabiam aos sacerdotes, e certas porções cabiam aos ofertantes (que traziam o animal para ser sacrificado) e respectivos familiares. Nesses outros tipos de sacrifício, o sangue era derramado diante de Yahweh, à base do altar, ao mesmo tempo que a gordura era queimada, dando a entender que Yahweh aspirava o odor e se satisfazia com o sacrifício. Ver Lv 1.9; 29.18 quanto à ideia do *aroma agradável*. Ver Lv 6.26; 7.11-24,28-38; Nm 18.8 e Dt 12.17,18 quanto às *oito porções* das ofertas que ficavam com os sacerdotes.

Os filhos de Eli, porém, não acompanhavam as instruções dadas a Moisés. Antes, faziam o que bem entendessem, e comiam qualquer porção dos sacrifícios que lhes apetecesse.

"Pretendendo tomar a parte que lhes cabia por direito, eles ficavam com o que preferissem, e tanto quanto quisessem" (Adam Clarke, *in loc.*). No caso das *ofertas pacíficas*, os sacerdotes tinham direito ao ombro direito e ao peito; mas a gordura era queimada sobre o altar, em honra a Yahweh, e o sangue era vertido à base do altar.

Um garfo de três dentes. Esse instrumento era usado para extrair certas porções da carne que estivesse sendo cozinhada. Alguns estudiosos supõem que o *costume* aqui mencionado fosse anterior às especificações das *porções* que os sacerdotes podiam tomar para si mesmos, de modo que aquele garfo ficaria "pescando" em busca de partes. O sacerdote deveria mostrar-se moderado, não demonstrando cobiça nem glutonaria. A lei concedia ao ofertante e seus familiares as porções restantes, depois que o sangue, a gordura, o ombro direito e o peito tivessem sido removidos. Mas os filhos de Eli ficavam com qualquer porção que desejassem.

■ 2.14

וְהִכָּה בַכִּיּוֹר אוֹ בַדּוּד אוֹ בַקַּלַּחַת אוֹ בַפָּרוּר כֹּל אֲשֶׁר יַעֲלֶה הַמַּזְלֵג יִקַּח הַכֹּהֵן בּוֹ כָּכָה יַעֲשׂוּ לְכָל־יִשְׂרָאֵל הַבָּאִים שָׁם בְּשִׁלֹה:

Na caldeira. Não possuímos informações exatas sobre a natureza dessas "caldeiras" ou "panelas". Mas devem ter sido grandes o suficiente para cozinhar um bom pedaço de carne. O garfo de três dentes era metido ali e o que conseguisse retirar, isso pertencia aos sacerdotes. Conforme foi mencionado nas notas sobre o versículo anterior, parece que esse costume realmente antedatava a formalização das porções com as quais os sacerdotes podiam ficar. O costume somente recomendava *moderação*. Mas os filhos de Eli desconheciam o sentido desse vocábulo. A lei, uma vez formalizada, poderia ser cumprida de modo específico, por causa da tendência dos sacerdotes para a cobiça e a glutonaria.

Ellicott (*in loc.*) descreve o pecado dos filhos de Eli em tons ainda mais graves. Eles *sabiam* com quais porções de carne podiam ficar, mas propositadamente iam além do que a lei prescrevia.

■ 2.15

גַּם בְּטֶרֶם יַקְטִרוּן אֶת־הַחֵלֶב וּבָא נַעַר הַכֹּהֵן וְאָמַר לָאִישׁ הַזֹּבֵחַ תְּנָה בָשָׂר לִצְלוֹת לַכֹּהֵן וְלֹא־יִקַּח מִמְּךָ בָּשָׂר מְבֻשָּׁל כִּי אִם־חָי:

A segunda ofensa grave dos filhos de Eli era pior do que a primeira. A lei mosaica requeria que a gordura e o sangue fossem dados primeiramente a Yahweh, então parte da carne seria dada aos sacerdotes, e outra parte seria entregue ao ofertante e seus familiares. Mas aqueles dois homens, que eram glutões, chegavam a banquetear-se antes mesmo de realizarem os sacrifícios a Yahweh. Em outras palavras, eles se serviam ousadamente antes de servirem a Yahweh, um ato ímpio próprio de quem não temia a Yahweh, conforme afirmam os Targuns. Além disso, aqueles homens nem ao menos esperavam que a carne cozinhasse, mas a tomavam ainda crua. Alguns eruditos supõem que o significado seja que eles preferiam carne assada, em lugar de cozida. Talvez, tendo tirado para si mesmos as melhores porções, ainda cruas, então as assavam conforme preferiam. Seja como for, eles estavam desobedecendo a todas as regras cerimoniais.

■ 2.16

וַיֹּאמֶר אֵלָיו הָאִישׁ קַטֵּר יַקְטִירוּן כַּיּוֹם הַחֵלֶב וְקַח־לְךָ כַּאֲשֶׁר תְּאַוֶּה נַפְשֶׁךָ וְאָמַר לוֹ כִּי עַתָּה תִתֵּן וְאִם־לֹא לָקַחְתִּי בְחָזְקָה:

Se não, tomá-la-ei à força. Se algum servo, que estivesse ajudando a preparar a carne, fizesse alguma objeção, salientando que o sacrifício oferecido a Yahweh teria de vir *primeiro*, então aqueles homens arbitrários o ameaçavam com violência, não lhe deixando alternativa. Com relutância, o servo tinha de extrair para eles os melhores pedaços de carne. Isso posto, os *deuses* daqueles dois homens eram o seu ventre e o seu apetite carnal, e não Yahweh.

"... a que profundezas de insolência e impiedade haviam descido aqueles sacerdotes... tratando Deus de maneira tão desprezível" (John Gill, *in loc.*).

■ 2.17

וַתְּהִי חַטַּאת הַנְּעָרִים גְּדוֹלָה מְאֹד אֶת־פְּנֵי יְהוָה כִּי נִאֲצוּ הָאֲנָשִׁים אֵת מִנְחַת יְהוָה:

Era pois mui grande o pecado destes moços. O povo, observando os abusos praticados por aqueles dois homens ímpios, acabou desprezando o próprio ofício sacerdotal e o culto. De fato, o sacerdócio chegou a ficar tão corrompido que passou a ser alvo de zombarias. Mas alguns intérpretes pensam que o versículo significa que eram aqueles homens ímpios que desprezavam as ofertas do Senhor, tratando-as com escárnio. Os dois sacerdotes eram infiéis e inspiravam outros à infidelidade. E, assim, as práticas religiosas caíram em total desrespeito. É provável que ambos os fatores sejam verdadeiros. A total depravação do sacerdócio e do culto tornava necessário um novo movimento religioso, o qual Samuel encabeçaria.

■ 2.18

וּשְׁמוּאֵל מְשָׁרֵת אֶת־פְּנֵי יְהוָה נַעַר חָגוּר אֵפוֹד בָּד:

Samuel ministrava perante o Senhor. O autor sacro fornece-nos aqui um *contraste remidor*. Havia um homem piedoso que trabalhava no tabernáculo. Existia alguém que tinha rejeitado a apostasia dos filhos de Eli e de outros sacerdotes que imitavam o mau exemplo. Não obstante, Samuel ainda era apenas uma *criança,* e passaria muito tempo antes que a sua influência pudesse reverter as coisas. No entanto, ali estava ele, vestido em sua *estola de linho,* fazendo o que lhe cabia fazer e cumprindo o culto conforme a lei determinara.

A *estola de linho* era usada pelos sacerdotes, mas não pelos levitas em geral. Ver 1Sm 22.18; 2Sm 6.14. É significativo, portanto, que Eli tenha dado ao menino Samuel uma estola de linho, o que o identificava como um sacerdote, e não como mero levita que executava trabalhos manuais.

■ 2.19

וּמְעִיל קָטֹן תַּעֲשֶׂה־לּוֹ אִמּוֹ וְהַעַלְתָה לוֹ מִיָּמִים
יָמִימָה בַּעֲלוֹתָהּ אֶת־אִישָׁהּ לִזְבֹּחַ אֶת־זֶבַח הַיָּמִים׃

sua mãe lhe fazia uma túnica pequena. Essa túnica, elaborada com grande cuidado por Ana, era uma espécie de sobretudo, além de fazer parte de uma veste sacerdotal. A mesma palavra aqui usada é empregada para indicar uma *sobrepeliz* de sacerdote (ver Êx 28.4). O Talmude diz que tal peça do vestuário podia ser confeccionada pela mãe de um sacerdote (*Talmude Bab. Yoma,* fol. 25.1). E é provável que o exemplo dado pela túnica de Ana tenha aberto precedente para tal prática. Lemos que a túnica de Eleazar foi feita por sua mãe. O versículo indica que Samuel usava essa túnica somente durante as festividades anuais, razão pela qual Ana trazia anualmente uma túnica nova. A túnica de Samuel, no hebraico chamada de *m'il,* não tinha os ornamentos da túnica de um sumo sacerdote, mas ainda assim assemelhava-se bastante com aquela, a ponto de ser considerada uma veste sacerdotal.

Adam Clarke (*in loc.*) supunha que Ana fizesse para Samuel uma túnica nova a *cada ano,* a fim de protegê-lo do frio. "É provável que ela lhe fornecesse uma túnica *nova* a cada ano, quando chegava para a celebração de um daqueles sacrifícios anuais".

■ 2.20

וּבֵרַךְ עֵלִי אֶת־אֶלְקָנָה וְאֶת־אִשְׁתּוֹ וְאָמַר יָשֵׂם יְהוָה
לְךָ זֶרַע מִן־הָאִשָּׁה הַזֹּאת תַּחַת הַשְּׁאֵלָה אֲשֶׁר שָׁאַל
לַיהוָה וְהָלְכוּ לִמְקֹמוֹ׃

Eli abençoava a Elcana e a sua mulher. Ana e Elcana eram sempre bem recebidos e abençoados pelo sumo sacerdote, o qual parece haver desistido de corrigir seus próprios filhos, e optado por preparar Samuel para continuar a piedade no sacerdócio. Assim sendo, a devolução de Samuel ao tabernáculo, por parte de Ana, mostrava-se um fator muito importante. Ver sobre essa "devolução" em 1Sm 1.28, a qual, na realidade, era uma *dádiva* permanente.

"Eli orava por eles e os abençoava como sacerdote que era, a fim de que fossem favorecidos com outros filhos, que poderiam ser um deleite e servi-los em sua idade avançada" (John Gill, *in loc.*).

■ 2.21

כִּי־פָקַד יְהוָה אֶת־חַנָּה וַתַּהַר וַתֵּלֶד
שְׁלֹשָׁה־בָנִים וּשְׁתֵּי בָנוֹת וַיִּגְדַּל הַנַּעַר
שְׁמוּאֵל עִם־יְהוָה׃ ס

E teve três filhos e duas filhas. Algumas tradições judaicas atribuem a Ana *sete* filhos, por influência de 1Sm 2.5. O registro bíblico, entretanto, fala somente em *cinco filhos* além de Samuel, totalizando seis. Pelo menos, Samuel tinha três irmãos e duas irmãs. A bênção sumo sacerdotal de Eli garantira a Ana aqueles outros cinco filhos, pelo que ela e Elcana levavam uma vida doméstica normal, a despeito do fato de que o filho mais velho estava distante, em Silo (a cerca de 24 quilômetros de distância de onde moravam), ocupado no serviço do Senhor.

Samuel estava com seus irmãos e irmãs *em casa,* mas ele era um instrumento especial de Yahweh. E assim recebia uma educação especial na capital religiosa do país. Samuel crescia (vs. 21) e ministrava (vs. 18) perante Yahweh. Fora-lhe dada uma grande e nobre missão, e ele se preparava para cumpri-la com todas as suas potencialidades.

■ 2.22

וְעֵלִי זָקֵן מְאֹד וְשָׁמַע אֵת כָּל־אֲשֶׁר יַעֲשׂוּן בָּנָיו
לְכָל־יִשְׂרָאֵל וְאֵת אֲשֶׁר־יִשְׁכְּבוּן אֶת־הַנָּשִׁים
הַצֹּבְאוֹת פֶּתַח אֹהֶל מוֹעֵד׃

Era, porém, Eli já muito velho. Provavelmente ele tinha mais de 90 anos, visto que chegou aos 98 anos em 1Sm 4.15. A idade avançada havia diminuído suas forças, e ele estava quase incapacitado de cumprir seu ofício. Entrementes, seus dois filhos pioravam cada vez mais, fazendo do tabernáculo um bordel! Podemos estar seguros de que a maioria das mulheres com quem aqueles homens ímpios praticavam sexo não eram seduzidas e, sim, forçadas. O lugar fora transformado em um antro de práticas imorais, no qual homens e mulheres se atarefavam, desavergonhadamente, em práticas imorais. O sacerdócio e o culto haviam caído em total desgraça. Talvez Eli fosse forte quando era mais novo, mas a passagem dos anos roubou-lhe o vigor e a autoridade. Ademais, que homem é capaz de dizer a um filho adulto o que ele deve fazer?

As *mulheres* com quem os filhos de Eli praticavam imoralidades sem dúvida pertenciam a várias classes: mulheres que trabalhavam nas proximidades, limpando e mantendo as coisas em boa ordem; mulheres que traziam sacrifícios e outras coisas. É até mesmo possível que, em imitação aos templos pagãos, tivesse sido instituída ali alguma forma de prostituição sagrada, paganizando totalmente o lugar. Ver Êx 38.8 quanto a mulheres trabalhadoras que tinham deveres à porta do tabernáculo.

■ 2.23,24

וַיֹּאמֶר לָהֶם לָמָּה תַעֲשׂוּן כַּדְּבָרִים הָאֵלֶּה אֲשֶׁר אָנֹכִי
שֹׁמֵעַ אֶת־דִּבְרֵיכֶם רָעִים מֵאֵת כָּל־הָעָם אֵלֶּה׃

אַל בָּנָי כִּי לוֹא־טוֹבָה הַשְּׁמֻעָה אֲשֶׁר אָנֹכִי שֹׁמֵעַ
מַעֲבִרִים עַם־יְהוָה׃

Por que fazeis tais cousas? Eli era sempre o último a saber das profundas corrupções que os filhos perpetravam no Lugar Santo; mas finalmente ele ouvia rumores. A repreenda era firme, mas seus filhos não se dispunham a ouvir "o velho". Aqueles homens ímpios preferiam os prazeres pecaminosos ao culto a Yahweh, agindo como típicos homens profanos. Eles cometiam pecados escandalosos que mereciam muito mais que uma simples repreenda; mas Eli parecia não ser capaz de fazer mais do que apenas falar. O próprio Yahweh teria de removê-los por meio da morte (vs. 25). Coube aos filisteus matar aqueles homens, cumprindo assim a sentença de morte que havia sido proferida. Ver 1Sm 4.10,11.

John Gill (*in loc.*) considerou as palavras de Eli "por demais gentis e brandas, se levarmos em conta a ofensa da qual eles eram culpados... antes, eles mereciam ser chamados filhos de Belial, filhos do diabo... brutos miseráveis e sem-vergonha, ou coisas que tais". Mas nenhuma palavra teria feito diferença. Provavelmente o sumo sacerdote possuía autoridade para determinar a execução deles, mas estava moralmente fraco demais para fazer isso e continuava a amar os filhos renegados.

"ele tinha autoridade para expulsá-los imediatamente do lugar, ímpios e sem proveito como eram. Mas isso ele não queria fazer, e a *ruína* deles foi a consequência" (Adam Clarke, *in loc.*). Não, não é fácil aplicar a *dureza* da disciplina, pois, algumas vezes, a disciplina machuca. Porém, há ocasiões em que a *dor* é melhor que os *prazeres.*

Pecados Agravados. Hofni e Fineias não somente pecavam, mas também levavam o povo de Deus a pecar. Por isso o pecado deles era tão grande. Ensinou Jesus: "Qualquer, pois, que violar um destes mandamentos, por menor que seja, e assim *ensinar* os homens, será chamado o menor no reino dos céus; aquele, porém, que os cumprir e ensinar será chamado grande no reino dos céus" (Mt 5.19).

Eles faziam outras pessoas pecar, devido ao seu mau exemplo e também a seus atos deliberados. "A imoralidade desavergonhada deles corrompia a vida religiosa interior do povo todo" (Ellicott, *in loc.*).

2.25

אִם־יֶחֱטָא אִישׁ לְאִישׁ וּפִלְלוֹ אֱלֹהִים וְאִם לַיהוָה֙ יֶחֱטָא־אִ֔ישׁ מִ֖י יִתְפַּלֶּל־ל֑וֹ וְלֹ֤א יִשְׁמְעוּ֙ לְק֣וֹל אֲבִיהֶ֔ם כִּֽי־חָפֵ֥ץ יְהוָ֖ה לַהֲמִיתָֽם׃

Pecando o homem contra o próximo... pecando, porém, contra o Senhor. A lei provia punições para os pecados e permitia que os juízes tomassem decisões a respeito. Eles arbitravam em casos nos quais uma pessoa tivesse ofendido ou maltratado outrem. Portanto, havia um sistema próprio de repreensões e castigos, quando os casos envolviam homem contra homem. Mas os filhos de Eli haviam entrado no perigoso campo das ofensas contra o próprio Yahweh. E, nesse caso, nenhum juiz humano podia ser convocado para decidir a questão. A sentença de morte seria executada pelo próprio Yahweh, o qual haveria de usar os temidos filisteus para a execução. Podemos ter certeza de que os filisteus não mostrariam misericórdia. Eli era espiritualmente sensível para saber que algum julgamento temível estava a caminho, e tentava livrar os filhos das consequências, mediante um arrependimento genuíno e a mudança de conduta. Porém, Eli estava falando com bestas brutas, que se riam dele por dentro.

Visto que Deus tinha *resolvido* destruí-los, coisa alguma poderia convencê-los a mudar de atitude. Os pecados deles eram tais que agora só se poderia esperar o julgamento divino. E mesmo que chegassem a arrepender-se, esse ato não salvaria sua vida física, embora, como é óbvio, pudesse ajudar sua alma. Em outras palavras, aqueles homens miseráveis tinham ido longe demais, tão longe, de fato, que não havia mais possibilidade de dar meia-volta e salvar a vida. Pelo contrário, haveriam de piorar cada vez mais, até que o julgamento divino desabasse sobre eles. A lei da colheita segundo a semeadura teria cumprimento de maneira drástica. Ver no *Dicionário* o artigo intitulado *Lei Moral da Colheita segundo a Semeadura*.

> Semeai um hábito, e colhereis um caráter.
> Semeai um caráter, e colhereis um destino.
> Semeai um destino, e colhereis... Deus.
>
> Prof. Huston Smith

Ver em 1Sm 4.11 outro poema ilustrativo que se aplica a este caso.

2.26

וְהַנַּ֣עַר שְׁמוּאֵ֔ל הֹלֵ֥ךְ וְגָדֵ֖ל וָט֑וֹב גַּ֚ם עִם־יְהוָ֔ה וְגַ֖ם עִם־אֲנָשִֽׁים׃ ס

O jovem Samuel crescia. *Samuel*, em violento contraste com os filhos de Eli, obtinha favor diante de Yahweh e dos homens. Lucas citou essas palavras quase *verbatim*, aplicando-as ao jovem Jesus, em Lc 2.52. "... Samuel crescia mais e mais em todos os sentidos, e também ficava cada vez melhor, ao passo que os filhos de Eli tornavam-se cada vez piores. Esse contraste faz o primeiro brilhar e parecer ilustre, ao passo que os outros dois ficavam cada vez mais negros em seu caráter" (John Gill, *in loc.*).

Os filhos de Israel viam, com desgosto, a degradação cada vez maior dos filhos de Eli e faziam girar toda a esperança de melhoria em torno do sacerdócio de Samuel. Com essas poucas mas notáveis palavras, foi descrita a excelente qualidade do caráter jovem de Jesus. E com essas mesmas poucas palavras, Samuel foi elogiado e seus anos de juventude foram descritos.

A CONDENAÇÃO DA CASA DE ELI (2.27-36)

2.27

וַיָּבֹ֥א אִישׁ־אֱלֹהִ֖ים אֶל־עֵלִ֑י וַיֹּ֣אמֶר אֵלָ֗יו כֹּ֚ה אָמַ֣ר יְהוָ֔ה הֲנִגְלֹ֤ה נִגְלֵ֙יתִי֙ אֶל־בֵּ֣ית אָבִ֔יךָ בִּֽהְיוֹתָ֥ם בְּמִצְרַ֖יִם לְבֵ֥ית פַּרְעֹֽה׃

Veio um homem de Deus a Eli. Encontramos aqui uma fagulha de material literário que relata a missão especial de um profeta anônimo. Os críticos supõem que tenhamos aqui uma breve inserção no livro de 1Samuel, pensando que seu propósito original era fornecer um texto para justificar a exclusão dos sacerdotes da importante posição do santuário de Jerusalém, após as reformas instituídas por Josias. Os mesmos críticos também supõem que uma declaração verdadeiramente histórica de tão grande importância não teria sido apresentada por um homem de Deus *anônimo*. É por isso que eles suspeitam que tenhamos aqui um texto inventado, e não historicamente legítimo. Os estudiosos conservadores, por outra parte, acreditam que tais ideias são raciocínios subjetivos, igualmente destituídos de confirmação histórica. Os críticos frisam ainda a preservação bastante inadequada do texto sagrado como evidência de que o trecho foi um *acréscimo*, e não parte legítima do livro original. Seja como for, essa seção reveste-se de grande importância porquanto ilustra a retaliação de Yahweh contra a corrupção que havia dominado o Lugar Santo. Toda uma casa de sacerdotes foi obliterada, o que exigiu um novo começo, centralizado na pessoa de Samuel.

Yahweh Falou. O profeta desconhecido era apenas um servo de Yahweh, que recebera visão com uma importante mensagem. Yahweh é quem tinha dado à linhagem de Eli a autoridade sacerdotal. Essa linhagem vinha de Arão por meio de Itamar, seu filho mais novo. Somente descendentes diretos do próprio Arão podiam ser sacerdotes, ao mesmo tempo que os levitas eram numerosos, a saber, uma tribo inteira. Os levitas eram ajudantes dos sacerdotes, homens de ofício e autoridade secundária. Abiatar e seus descendentes foram excluídos em favor de Zadoque e seus descendentes (ver 1Rs 2.27,35). Eli era um dos antepassados de Abiatar. Os pecados de Eli e de seus filhos foram visitados em seus filhos, em consonância com o princípio exarado em Dt 5.9. Ver no *Dicionário* o verbete chamado *Abiatar*, quanto a detalhes sobre as manipulações envolvidas na questão. Por conseguinte, o que fora praticado por Eli e seus filhos teve consequências a longo termo.

O *profeta desconhecido* revelou o desprezar de Yahweh para com Eli e seus filhos, por não terem vivido à altura dos privilégios que lhes tinham sido outorgados; antes eles corromperam a casa do Senhor com pecados abusivos.

Ver no *Dicionário* o artigo detalhado chamado *Eli*, que inclui o fato de ele ser um descendente de Itamar. Eli descendia de Arão por meio de Itamar, o que transparece pelo fato de que Abiatar, que certamente era descendente linear de Eli (ver 1Rs 2.27), teve um filho, de nome Abimeleque, que aparece expressamente como um dos "filhos de Itamar" (1Cr 24.3. Ver também 1Sm 8.17).

2.28

וּבָחֹ֨ר אֹת֜וֹ מִכָּל־שִׁבְטֵ֣י יִשְׂרָאֵ֥ל לִ֛י לְכֹהֵ֖ן לַעֲל֣וֹת עַֽל־מִזְבְּחִ֗י לְהַקְטִ֥יר קְטֹ֖רֶת לָשֵׂ֣את אֵפ֣וֹד לְפָנָ֑י וָֽאֶתְּנָה֙ לְבֵ֣ית אָבִ֔יךָ אֶת־כָּל־אִשֵּׁ֖י בְּנֵ֥י יִשְׂרָאֵֽל׃

Eu o escolhi dentre todas as tribos de Israel. Arão tinha sido escolhido por Yahweh para ser o sumo sacerdote. E, depois dele, vieram seus filhos, perpetuando sua autoridade. Foi tudo um *ato da vontade de Yahweh*, que portanto tinha de ser respeitado pelo povo de Israel. O sumo sacerdote tinha seus emblemas de autoridade, como a estola sacerdotal especial e o culto distintivo no tabernáculo. Ele era o cabeça do sistema de sacrifícios e de oferendas. Possuía grandes privilégios e deveria viver mediante o cumprimento fiel e santo de sua missão. Eli e seus filhos, entretanto, haviam violado tudo isso. Ver Lv 6.25,26; 7.8-10,33-35; Nm 18.8-10, como instâncias da instituição do sistema de sacrifícios levíticos. "Essas instâncias da bondade de Deus para com a família de Arão foram mencionadas a fim de agravar os pecados de Eli e seus filhos" (John Gill, *in loc.*). Grandes privilégios recebidos requerem grande responsabilidade por parte da pessoa favorecida.

2.29

לָ֣מָּה תִבְעֲט֗וּ בְּזִבְחִי֙ וּבְמִנְחָתִ֔י אֲשֶׁ֥ר צִוִּ֖יתִי מָע֑וֹן וַתְּכַבֵּ֤ד אֶת־בָּנֶ֙יךָ֙ מִמֶּ֔נִּי לְהַבְרִֽיאֲכֶ֗ם מֵרֵאשִׁ֛ית כָּל־מִנְחַ֥ת יִשְׂרָאֵ֖ל לְעַמִּֽי׃

Pisais aos pés os meus sacrifícios. "A imagem mental está alicerçada na vida pastoril do povo de Israel. Um boi ou um jumento, se excessivamente engordado, torna-se difícil de ser conduzido e recusa-se a obedecer a seu senhor bondoso" (Ellicott, *in loc.*). Cf.

Dt 32.15. Assim como um boi cevado pisa seu dono, Eli e seus filhos chutavam os sacrifícios de Deus, em desprezo, como se nada fossem. A ideia de chutar os sacrifícios oferecidos ao Senhor indica que eles abusavam de várias maneiras de seu ofício sacerdotal.

Por que honras teus filhos mais do que a mim...? Eli opunha-se verbalmente aos filhos (ver 1Sm 2.23 ss.), aflito diante de tudo quanto eles faziam; mas mostrava-se fraco demais para agir. Destarte, ele era responsável pela continuação de um sacerdócio corrupto. Foi por isso que o profeta anônimo declarou que Eli preferia os filhos corruptos a Yahweh, conforme seus atos deixavam claro. Em consequência, ele precisou reconhecer que eles *eram culpados*. Uma prova de que o sistema sacrificial havia sido corrompido era o fato de que Eli e seus filhos tinham engordado mediante a apropriação indevida da melhor parte dos sacrifícios para si mesmos. Quanto a isso, ver 1Sm 2.13-16.

■ 2.30

לָכֵן נְאֻם־יְהוָה אֱלֹהֵי יִשְׂרָאֵל אָמוֹר אָמַרְתִּי בֵּיתְךָ
וּבֵית אָבִיךָ יִתְהַלְּכוּ לְפָנַי עַד־עוֹלָם וְעַתָּה נְאֻם־יְהוָה
חָלִילָה לִּי כִּי־מְכַבְּדַי אֲכַבֵּד וּבֹזַי יֵקָלּוּ:

Longe de mim tal cousa. Havia uma promessa divina, à casa de Eli, de que eles permaneceriam perpetuamente com o sacerdócio em Israel, dado pelo próprio *Yahweh-Elohim*, não havendo autoridade maior que a dele. Ver no *Dicionário* o artigo intitulado *Deus, Nomes Bíblicos de*. O Eterno Todo-poderoso tinha falado; mas agora "mudara de ideia". Ver Êx 32.15 quanto a como Deus se "arrepende". A promessa sobre o sacerdócio era condicional. Um descendente favorecido de Arão tinha de viver à altura das expectativas de Yahweh, sob a pena de perder sua autoridade. Se um deles falhasse, o privilégio seria transferido a outrem. Ver as notas sobre o vs. 27, quanto a mudanças que chegaram a ocorrer, passando da linhagem de um dos filhos de Arão para a linhagem de outro de seus filhos. Antes disso, porém, Eli e seus filhos seriam destruídos, e a autoridade deles seria anulada. Uma nova era começaria a partir de Samuel.

Êx 19.9; 40.15 e Nm 25.10-13 prometem que o sacerdócio haveria de continuar por meio dos descendentes de Arão, mas ocorreriam mudanças, passando a autoridade sacerdotal dos descendentes de um dos filhos de Arão para os descendentes de outro dos filhos de Arão. Alguns intérpretes veem neste versículo uma predição a longo prazo de que o sacerdócio, em Israel, acabaria eliminado, e Jesus Cristo, da linhagem de Judá (e não de Levi), substituiria a antiga ordem. Nesse caso, a profecia que temos aqui é de natureza messiânica.

■ 2.31

הִנֵּה יָמִים בָּאִים וְגָדַעְתִּי אֶת־זְרֹעֲךָ וְאֶת־זְרֹעַ בֵּית
אָבִיךָ מִהְיוֹת זָקֵן בְּבֵיתֶךָ:

Eis que vêm dias em que cortarei. Várias calamidades haveriam de atingir a família de Eli, e o resultado disso seria semelhante a um braço *decepado*, incapaz de exercer qualquer autoridade em Israel. Não haveria membros da família que vivessem até idade avançada, porque todos morreriam relativamente jovens. "Destruirei a força, o poder e a influência de tua família" (Adam Clarke, *in loc.*). O braço representa poder e força, membro usado na execução de qualquer tarefa. A família de Eli, pois, ficaria totalmente *incapacitada*. Cf. Jó 22.9 e Sl 37.17.

A Septuaginta omite os vss. 31b e 32a deste capítulo, e o texto é duvidoso no original hebraico. Porém, apesar dessas omissões, a mensagem é suficientemente clara.

■ 2.32

וְהִבַּטְתָּ צַר מָעוֹן בְּכֹל אֲשֶׁר־יֵיטִיב אֶת־יִשְׂרָאֵל
וְלֹא־יִהְיֶה זָקֵן בְּבֵיתְךָ כָּל־הַיָּמִים:

Verás o aperto da morada de Deus. Este versículo não significa que Eli veria todas as calamidades que foram prometidas. De fato, em breve ele morreria, portanto não poderia testemunhá-las. Mas ele viu a semente de tudo, que deu começo à tremenda série de calamidades. A referência direta deste versículo, evidentemente, é à captura da arca da aliança por parte dos filisteus, bem como à morte dos dois filhos de Eli, que pereceram durante a batalha. Essa foi a semente de todas as calamidades que vieram em seguida. Os filisteus deram início à agonia, e o tabernáculo sofreu juntamente com os homens, quando a arca foi tomada. Sucedeu, pois, que tanto a casa de Eli quanto a casa do Senhor tiveram de sofrer. O pecado atraíra as calamidades apropriadas, satisfazendo assim as operações da lei da colheita segundo a semeadura. Ver no *Dicionário* o verbete intitulado *Lei Moral da Colheita segundo a Semeadura*.

Com o bem que fará a Israel. Uma declaração difícil de harmonizar com o restante do texto, pois parece fora de lugar. Adam Clarke (*in loc.*) sugeriu o seguinte: "Deus tinha dito que faria bem a Israel e, no fim, faria o triunfo dos filisteus redundar na própria confusão deles; e a captura da arca lançaria os deuses deles em grande opróbrio". Dessa forma, a calamidade haveria de trazer, a seu tempo próprio, prosperidade a Israel. John Gill fazia disso parte das predições acerca dos *dias de Salomão*. Eli poderia ter sido como Salomão, mas acabou perdendo seus privilégios. Outros estudiosos veem a restauração iniciada por Samuel como o período de prosperidade aqui prometido.

■ 2.33

וְאִישׁ לֹא־אַכְרִית לְךָ מֵעִם מִזְבְּחִי לְכַלּוֹת אֶת־עֵינֶיךָ
וְלַאֲדִיב אֶת־נַפְשֶׁךָ וְכָל־מַרְבִּית בֵּיתְךָ יָמוּתוּ אֲנָשִׁים:

O homem, porém, da tua linhagem. Embora Eli e seus filhos tivessem sido expulsos do ofício sumo sacerdotal, ou como sacerdotes auxiliares, os descendentes de Eli ainda assim seriam levitas e teriam de ocupar-se em serviços manuais. Aquela família teria perdido a sua glória e chegaria até a passar necessidade e fome. O vs. 36 confirma essa interpretação. Em outras palavras, a família de Eli não somente perderia sua anterior glória e prosperidade material, mas também sofreria grandes privações, chegando a invejar os que tinham o suficiente para comer. Com tristeza nos olhos e fome no estômago, eles observariam os que tivessem riquezas e sentiriam grande inveja.

Assim sendo, mesmo que algum descendente de Eli vivesse até idade avançada, não sendo cortado desta vida ainda jovem (conforme aconteceria à maioria), tal homem viveria em grande aperto, como pagamento pelos pecados de sua família.

■ 2.34

וְזֶה־לְּךָ הָאוֹת אֲשֶׁר יָבֹא אֶל־שְׁנֵי בָנֶיךָ אֶל־חָפְנִי
וּפִינְחָס בְּיוֹם אֶחָד יָמוּתוּ שְׁנֵיהֶם:

Ser-te-á por sinal. O temível sinal de que a família de Eli cairia em tal calamidade logo seria dado. Esse sinal seria o ataque desfechado pelos filisteus, que matariam os dois filhos de Eli, Hofni e Fineias (ver a respeito deles no *Dicionário*). Essa grande calamidade seria a semente de onde brotariam todos os demais desastres. Outrossim, no mesmo dia, o próprio Eli haveria de morrer. E assim, de um único golpe, os três homens — Eli, Hofni e Fineias — seriam removidos da cena. Ver 1Sm 4.11 quanto ao cumprimento dessa terrível profecia.

■ 2.35

וַהֲקִימֹתִי לִי כֹּהֵן נֶאֱמָן כַּאֲשֶׁר בִּלְבָבִי וּבְנַפְשִׁי
יַעֲשֶׂה וּבָנִיתִי לוֹ בַּיִת נֶאֱמָן וְהִתְהַלֵּךְ לִפְנֵי־מְשִׁיחִי
כָּל־הַיָּמִים:

Suscitarei para mim um sacerdote fiel. Alguns estudiosos dizem que esse sacerdote seria Samuel; mas outros pensam em Zadoque; e outros ainda sugerem Jesus Cristo, dando um tom messiânico ao versículo. Seja como for, a profecia declara que a linhagem do sumo sacerdote passaria para a casa de Zadoque. A menção ao rei ungido (Davi) não requer a crença de que ele ainda estava no trono quando a presente seção foi escrita. Ver no *Dicionário* o artigo intitulado *Zadoque*, primeiro ponto, quanto à história completa da transição para a sua família. O rei ungido (Davi) poderia prefigurar o Cristo, o qual, afinal de contas, poria fim ao sacerdócio aarônico e se tornaria o Sumo Sacerdote da Nova Dispensação, na qual todos os crentes são sacerdotes.

Embora fosse levita, Samuel não procedia de nenhum dos filhos de Arão, portanto não poderia servir como sumo sacerdote, embora talvez tivesse, de fato, tais poderes em Israel, durante períodos de transição.

Samuel tornou-se *profeta*, e o ofício profético substituiu o sacerdócio levítico durante algum tempo. Samuel encabeçou a linhagem profética que lançou em eclipse o sacerdócio levítico por um longo tempo. Por isso mesmo é que alguns intérpretes pensam que Samuel seria o primeiro *sacerdote fiel*, ainda que outros sacerdotes, que viriam mais tarde, pudessem ser mais apropriadamente considerados como tais. Ver 1Rs 2.26,27. Abiatar foi removido por ter-se aliado a Adonias, o qual declarara a si mesmo rei, em lugar de Davi (ver 1Rs 1.7).

Diante do meu ungido para sempre. O rei ungido, aqui referido, é Davi. E, em continuação, Salomão. Mas também é possível que haja aqui uma profecia messiânica sobre o Ungido, o Rei Messias, que haveria de pôr em boa ordem o sacerdócio do Novo Testamento.

■ **2.36**

וְהָיָה כָּל־הַנּוֹתָר בְּבֵיתְךָ יָבוֹא לְהִשְׁתַּחֲוֺת לוֹ לַאֲגוֹרַת כֶּסֶף וְכִכַּר־לָחֶם וְאָמַר סְפָחֵנִי נָא אֶל־אַחַת הַכְּהֻנּוֹת לֶאֱכֹל פַּת־לָחֶם: ס

Será que todo aquele que restar da tua casa. Os empobrecidos descendentes de Eli, reduzidos à posição de levitas comuns, privados do ofício sacerdotal (e, muito mais do ofício sumo sacerdotal), estariam condenados a uma posição de necessidade, faltando-lhes até mesmo o que comer. E então eles cobiçariam qualquer ofício sacerdotal que lhes desse ao menos o suficiente para comer. Essa calamidade faria parte da profecia a longo prazo que fora dita contra a casa de Eli.

Uma moeda de prata. Provavelmente está em foco a *gerah* dos hebreus, que tinha o peso de dezesseis sementes de cevada. Valia cerca da vigésima parte de um *siclo*. Ver no *Dicionário* acerca do peso desse dinheiro, no verbete *Dinheiro*, II, e também em *Pesos e Medidas*. Ver Êx 30.13; Lv 27.25 e suas notas expositivas, para maiores detalhes. O dinheiro, ou peso de prata, requerido pelos levitas que fossem descendentes de Eli, seria insuficiente para comprar coisas além de alimentos, ou até mesmo para comprar alimentos. A quantia seria bastante pequena e mostra que os levitas esmoleres não teriam grandes aspirações.

"... esse seria um castigo apropriado e uma justa retaliação contra a posteridade de Eli. Eles se prostrariam diante de outros e se alegrariam em comer um pedaço de pão, depois de terem-se comportado tão imperiosamente para com o povo do Senhor, arrebatando-lhes à força a carne dos sacrifícios, e não se contentando com as porções que lhes cabiam, mas tirando para si mesmos os melhores pedaços de carne, engordando dessa maneira" (John Gill, *in loc.*).

A lei fazia provisões em favor de todos os levitas e sacerdotes, mas na prática isso tinha sido negligenciado.

CAPÍTULO TRÊS

CHAMADA DE SAMUEL (3.1-21)

Samuel foi chamado por meio de uma experiência mística especial, que lhe deu, *abertamente*, a palavra do Senhor. "Visões abertas" eram como aquelas que Abraão, Moisés, Josué e Manoá receberam, mas estavam rareando em Israel. Já fazia tempo que Deus se calara, mas agora, durante uma grande crise nas instituições religiosas de Israel, fez-se necessária maior manifestação espiritual. Ver no *Dicionário* o artigo chamado *Misticismo*. O quarto versículo deste capítulo diz-nos que Yahweh *chamou* Samuel, e ele recebeu alguma forma de manifestação audível, aparentemente sem nenhuma manifestação visual, embora não houvesse como equivocar-se quanto à autenticidade da experiência. Foi uma comunicação divina direta. E nos vss. 11 ss. encontramos a mensagem comunicada, após quatro visitas da voz celeste.

O texto ensina a importante lição de que há ocasiões em que se torna necessária alguma mensagem divina direta. Precisamos dessas manifestações "abertas" para orientação, as quais, além disso, também inspiram nossa fé.

■ **3.1**

וְהַנַּעַר שְׁמוּאֵל מְשָׁרֵת אֶת־יְהוָה לִפְנֵי עֵלִי וּדְבַר־יְהוָה הָיָה יָקָר בַּיָּמִים הָהֵם אֵין חָזוֹן נִפְרָץ: ס

O jovem Samuel servia ao Senhor. Por essa época, provavelmente Samuel já era um adolescente; mas o texto sagrado nada revela sobre a idade dele por ocasião da visita divina. O termo hebraico *na'ar* empregado aqui pode falar de uma criança de qualquer idade, desde um infante recém-nascido (4.21) até um homem de 40 anos (ver 2Cr 13.7). Josefo (*Antiq*. V. 10.4) disse que Samuel, por essa época, tinha 12 anos de idade. Era aos 12 anos que um menino israelita se tornava *filho da lei*, passando a ser considerado pessoalmente responsável por obedecer e seguir aquele documento. É interessante que também aos 12 anos Jesus foi ao templo e pôs-se a fazer perguntas aos doutores da lei (ver Lc 2.39 ss.).

A palavra do Senhor era mui rara. O adjetivo hebraico, neste caso, é "preciosa". Uma palavra ou revelação "aberta", da parte de Deus, naqueles dias, era rara e, portanto, ainda mais preciosa. Verdadeiramente, precisamos do toque místico em nossa vida. Não é bastante orar e ler a Bíblia. Precisamos também de santificação, boas obras e experiências espirituais abertas, ou seja, o "toque místico". Ver no *Dicionário* o artigo denominado *Vontade de Deus, como Descobri-la*.

Chegara o tempo de remover o sacerdócio das mãos de Eli e seus filhos, e a palavra de Deus reportou-se a essa questão.

■ **3.2**

וַיְהִי בַּיּוֹם הַהוּא וְעֵלִי שֹׁכֵב בִּמְקֹמוֹ וְעֵינָו הֵחֵלּוּ כֵהוֹת לֹא יוּכַל לִרְאוֹת:

Certo dia. A *arca* estava guardada em Silo fazia muito tempo. Tinha-se tornado conveniente construir apartamentos para o sumo sacerdote e outros ministros, a fim de que tivessem onde ficar. Alguns estudiosos supõem que a própria tenda houvesse sido substituída por alguma edificação permanente, o que explicaria o uso da palavra "templo", no lugar de tabernáculo, em 1Samuel. Mas isso não é muito provável. A palavra *templo* (ver 1Sm 1.9; 3.3) é um anacronismo usado por algum autor familiarizado com o templo de Salomão.

Eli, pois, estava deitado no seu apartamento, talvez do lado de dentro da parede de cortinas do próprio tabernáculo. Talvez fosse uma divisória feita por cortinas. A visão de Eli fraquejava, e as lamparinas do tabernáculo, que queimavam a noite inteira, não eram suficientes para que ele ficasse a caminhar ao redor durante a noite. Kimchi dá ao texto uma distorção metafórica. Os olhos de *sua mente e de sua alma* tinham perdido a acuidade. Samuel dormia nas proximidades, a fim de ajudar o idoso Eli em qualquer coisa de que ele precisasse durante a noite. Samuel também substituía o homem com seus olhos espirituais iluminados, a fim de trazer a Israel um dia melhor.

■ **3.3**

וְנֵר אֱלֹהִים טֶרֶם יִכְבֶּה וּשְׁמוּאֵל שֹׁכֵב בְּהֵיכַל יְהוָה אֲשֶׁר־שָׁם אֲרוֹן אֱלֹהִים: פ

Antes que a lâmpada de Deus se apagasse. Ou seja, pouco antes do *alvorecer*, porquanto era posto azeite suficiente para que o candelabro permanecesse aceso a noite inteira. Mas, no fim da madrugada, o azeite terminava. Aqui, o singular, "lâmpada", representa as sete lâmpadas do *candelabro de ouro* (ver a respeito no *Dicionário*). Samuel estava deitado "no templo", mas isso não indica o Lugar Santíssimo. O texto parece dizer que havia uma lâmpada acesa diferente no Santo dos Santos; mas sabemos que isso não é historicamente verdadeiro. Samuel dormia no átrio dos levitas, no tabernáculo, conforme nos informam os Targuns; mas o lugar em que ele dormia ficava perto de onde Eli se deitava, de modo que podia atendê-lo durante a noite. As *lamparinas* eram a única fonte luminosa que havia no tabernáculo. A arca da aliança também é mencionada neste versículo, porque esse era o lugar onde Yahweh fazia a sua presença conhecida. Foi ali que o Senhor se manifestou, sendo a arca da aliança o principal centro de atração daquele lugar. Dali vieram as quatro chamadas consecutivas a Samuel.

Uma Ocasião Propícia. Pouco antes do alvorecer, segundo tem sido demonstrado, é o momento do dia mais propício para as experiências místicas e para os sonhos de conhecimento anterior. Ovídio disse que os sonhos que preveem o futuro ocorriam mais ou menos no tempo em que as lamparinas eram apagadas.

3.4

וַיִּקְרָא יְהוָה אֶל־שְׁמוּאֵל וַיֹּאמֶר הִנֵּנִי׃

Samuel, Samuel. Este foi o primeiro chamado. É grandioso alguém ser objeto do chamado divino, sem importar se esse chamamento vem no coração, silenciosamente, ou de forma audível. Oh, Senhor, concede-nos tal graça! Yahweh chamaria Samuel por *quatro* vezes para transmitir uma importante mensagem. Nas três primeiras vezes, Samuel não compreendeu. Samuel jamais tinha passado por tal experiência; agora começava a aprender sobre os caminhos maravilhosos do Senhor. Provavelmente, a voz veio do interior do Santo dos Santos, onde se encontrava a arca da aliança, o lugar das revelações divinas. Tanto Eli quanto Samuel estavam próximos da arca. Os textos indicam que a voz foi audível, e não meramente algo que se passou dentro da mente de Samuel. A "voz na mente" é bastante eficaz, sendo tão real quanto a que chega aos nossos ouvidos. A fonte da voz é a mesma, seja como for, embora o *modus operandi* possa diferir.

Sem dúvida, Eli costumava chamar o jovem Samuel com frequência, à noite, pelo que, muito naturalmente, Samuel supôs que quem o estava chamando era Eli, e não o Senhor. E o jovem respondeu a Eli: "Eis-me aqui".

3.5

וַיָּרָץ אֶל־עֵלִי וַיֹּאמֶר הִנְנִי כִּי־קָרָאתָ לִּי וַיֹּאמֶר לֹא־קָרָאתִי שׁוּב שְׁכָב וַיֵּלֶךְ וַיִּשְׁכָּב׃ ס

Não te chamei, torna a deitar-te. Solícito, Samuel correu a Eli. Fazia parte de seu trabalho no templo servir ao idoso sumo sacerdote. Mas Samuel logo descobriu que quem o chamara não tinha sido Eli. Perplexo, ele voltou ao leito. Existe uma bem conhecida experiência psicológica na qual uma pessoa pode ouvir uma voz chamando e alguma espécie de mensagem que lhe é transmitida. Trata-se apenas da mente subconsciente e um de seus muitos truques. Mas não foi isso que aconteceu e ficou registrado nesta passagem bíblica.

A chamada também não foi um sonho, porquanto Samuel se movimentava pelo ambiente, correndo até Eli e dali de volta a seu leito, mas isso não pôs fim à estranha experiência. "O exame de qualquer história humana parece indicar que há períodos assinalados por uma percepção espiritual muito vívida, e há outros períodos em que o paganismo e o secularismo estão em ascendência" (John C. Shroeder, *in loc.*). Samuel, juiz e profeta, ainda adolescente, estava entrando em um período espiritual mais ativo, e isso mediante a ajuda da palavra de Yahweh, que veio a ele de maneira audível.

3.6

וַיֹּסֶף יְהוָה קְרֹא עוֹד שְׁמוּאֵל וַיָּקָם שְׁמוּאֵל וַיֵּלֶךְ אֶל־עֵלִי וַיֹּאמֶר הִנְנִי כִּי קָרָאתָ לִי וַיֹּאמֶר לֹא־קָרָאתִי בְנִי שׁוּב שְׁכָב׃

Samuel. Este foi o segundo chamado. Samuel tinha-se deitado de novo para dormir. Mas nem bem terminara de fazer isso, e voltou a ouvir a voz. *Yahweh* o chamava de novo. Uma vez mais, porém, ele pensou que a voz fosse de Eli e reiterou sua ação anterior, correndo até o sumo sacerdote e perguntando o que ele queria, somente para ser informado de que não estava sendo chamado. A voz divina era *persistente*, porque os homens precisam dessa *insistência divina* para poderem cumprir suas respectivas missões.

3.7

וּשְׁמוּאֵל טֶרֶם יָדַע אֶת־יְהוָה וְטֶרֶם יִגָּלֶה אֵלָיו דְּבַר־יְהוָה׃

Samuel ainda não conhecia o Senhor. "Samuel não estava acostumado a receber revelações da parte do Senhor. Ele *conhecia* e *adorava* ao Deus de Israel; mas não o conhecia como comunicador de revelações especiais" (Adam Clarke, *in loc.*). Por um longo período de tempo, os homens de Israel, de modo geral, não conheceram Yahweh dessa maneira especial. Dizem aqui os Targuns que "Samuel ainda não tinha aprendido a conhecer doutrina *da parte do Senhor*", ou seja, mediante comunicação direta. Samuel seria um *profeta*, alguém que recebia comunicações divinas especiais, mas esse tempo ainda não havia chegado.

3.8

וַיֹּסֶף יְהוָה קְרֹא־שְׁמוּאֵל בַּשְּׁלִשִׁית וַיָּקָם וַיֵּלֶךְ אֶל־עֵלִי וַיֹּאמֶר הִנְנִי כִּי קָרָאתָ לִי וַיָּבֶן עֵלִי כִּי יְהוָה קֹרֵא לַנָּעַר׃

O Senhor, pois, tornou a chamar Samuel. Temos aqui o terceiro chamado, que fez Samuel dirigir-se novamente a Eli. Nessa terceira ocasião, entretanto, Eli percebeu de súbito que era *Yahweh* quem estava chamando Samuel. Ele era homem que conhecia todas as tradições dos hebreus e sabia que Yahweh, ocasionalmente, comunicava-se de maneira direta. Eli estava deitado bem perto do Santo dos Santos, o lugar das manifestações divinas, mas não ouvira aquela voz. Assim, se estava próximo fisicamente, espiritualmente estava distante. Mas Samuel, que espacialmente estava um pouco mais longe, espiritualmente estava mais próximo, razão pela qual ouviu a voz. "A história inteira daquela noite memorável foi relatada de forma tão natural que nos esquecemos, enquanto lemos, da natureza estranha dos eventos que ficaram registrados" (Ellicott, *in loc.*).

Resposta ao Chamado. No versículo seguinte, Eli haveria de instruir Samuel a responder ao chamado divino. Isso resolveria o problema de comunicação.

3.9

וַיֹּאמֶר עֵלִי לִשְׁמוּאֵל לֵךְ שְׁכָב וְהָיָה אִם־יִקְרָא אֵלֶיךָ וְאָמַרְתָּ דַּבֵּר יְהוָה כִּי שֹׁמֵעַ עַבְדֶּךָ וַיֵּלֶךְ שְׁמוּאֵל וַיִּשְׁכַּב בִּמְקוֹמוֹ׃

Se alguém te chamar, dirás: Fala, Senhor. Era como se Eli tivesse dito a Samuel: "Se responderes, receberás uma mensagem". A lição óbvia aqui é que, por muitas vezes, Deus nos chama, de uma maneira ou de outra, mas nós não compreendemos o recado, ignoramos ou mesmo rejeitamos a chamada. O homem espiritual, porém, ouve, dá ouvidos e obedece à Palavra de Deus. Eli era mestre das realidades divinas e deu a Samuel instruções corretas, que o jovem seguiu à risca. Ver na *Enciclopédia de Bíblia, Teologia e Filosofia* o verbete denominado *Ensino*. A resposta apropriada era: "Fala, Senhor", porquanto havia um *servo* preparado para ouvir e obedecer à mensagem divina.

> Fala, Senhor, na quietude,
> Enquanto espero por ti.
> Meu coração silencia para ouvir,
> Em expectativa.
>
> Fala, ó bendito Mestre,
> Nesta hora tranquila.
> Deixa-me ver tua face, Senhor,
> Deixa-me sentir teu toque poderoso.
>
> E. May Grimes

3.10

וַיָּבֹא יְהוָה וַיִּתְיַצַּב וַיִּקְרָא כְפַעַם־בְּפַעַם שְׁמוּאֵל שְׁמוּאֵל וַיֹּאמֶר שְׁמוּאֵל דַּבֵּר כִּי שֹׁמֵעַ עַבְדֶּךָ׃ פ

Chamou como das outras vezes: Samuel, Samuel. Este foi o quarto e último chamado. As primeiras palavras deste versículo mostram-nos que o Senhor não somente chamou Samuel mediante aquela *voz* misteriosa, mas também fez sentir a sua *presença*. Todavia, tem-se a impressão de que o mesmo havia acontecido nas três vezes anteriores, embora somente aqui isso não seja dito. Nas ocasiões anteriores, Samuel ouviu mas não interpretou corretamente a voz. E também *não tomou consciência* da presença divina. sua experiência, pois, estava *crescendo* em poder, conforme avançava.

O Quarto Chamado. A voz chamara Samuel pelo nome. Nessa quarta vez, porém, Samuel foi capaz de receber a comunicação tencionada, visto que tinha obedecido às instruções dadas por Eli. Responder diretamente à "voz" permitiu-lhe receber a mensagem diretamente. O texto não indica que a glória *shekinah* de Deus se tenha manifestado, mas talvez devamos entender que assim sucedeu. Ver no *Dicionário* o artigo chamado *Shekinah*. A glória de Deus moveu-se do interior do Santo dos Santos e pôs-se ao lado do leito de Samuel. Foi assim que o Deus infinito condescendeu diante do homem finito. E essa é a própria natureza do drama divino-humano em que o ser humano está envolvido. A maior e mais eficaz de todas as condescendências divinas ocorreu quando o Logos se encarnou e se tornou um homem entre os homens (ver Jo 1.14).

"Vede o quanto Deus ama a santidade nos jovens. O menino Samuel foi preferido por ele, em lugar de Eli, o idoso sumo sacerdote e juiz" (Teodoreto).

"... quando finalmente Samuel respondeu à voz, *esta se tornou uma visão*" (George B. Caird, *in loc.*).

■ 3.11

וַיֹּאמֶר יְהוָה אֶל־שְׁמוּאֵל הִנֵּה אָנֹכִי עֹשֶׂה דָבָר בְּיִשְׂרָאֵל אֲשֶׁר כָּל־שֹׁמְעוֹ תְּצִלֶּינָה שְׁתֵּי אָזְנָיו׃

Disse o Senhor a Samuel. A mensagem transmitida foi igual, em todos os pontos essenciais, à que já tinha sido dada pelo profeta desconhecido, uma mensagem endereçada ao próprio Eli. Ver 1Sm 2.27 ss. Isto posto, Yahweh falou a Eli de duas maneiras: primeiro, através de um profeta desconhecido; em seguida, através do menino-profeta, Samuel. Eli, por sua vez, resignou-se à triste sorte que foi proferida contra ele (ver 1Sm 3.18). O sumo sacerdote era idoso demais para fazer qualquer mudança. seu erro fatal já tinha sido cometido. Não havia como convencer seus filhos ímpios a mudar. Assim, disse Eli: "Que venha o juízo de Yahweh".

Todo o que a ouvir lhe tinirão ambos os ouvidos. O recado divino foi terrível, proferindo um juízo severo que traria morte e destruição. Os que ouvissem o recado ficariam trêmulos de medo. Yahweh falou palavras traspassadoras. Todo israelita, ao ouvir as notícias, reconheceria a veracidade do que tinha sido dito, pois cada palavra dita teria cumprimento. Essa mensagem ficaria *ressoando* em seus ouvidos. A primeira calamidade seria a invasão dos filisteus, que matariam os sacerdotes desviados e levariam para longe a arca da aliança. E agora lembramos que somente nos dias de Davi aquela peça do mobiliário do tabernáculo seria devolvida a Israel. Cf. este versículo com 2Rs 21.12 e Jr 19.3, que falam sobre a destruição de Jerusalém, por tropas de Nabucodonosor.

O povo de Israel, em sua inteireza, seria "golpeado com horror e ficaria atônito, estonteado e sem saber o que pensar ou dizer, como se fossem pessoas surpreendidas pelo estalo súbito de um relâmpago... isso sucedeu no caso de Eli e sua nora, os quais, ao ouvir sobre a morte dos dois filhos de Eli, um caiu para trás e quebrou o pescoço e a outra entrou em repentino trabalho de parto e morreu" (John Gill, *in loc.*, referindo-se ao relato de 1Sm 4.11-22). E a criança que nasceu da nora de Eli foi chamada Icabode, que em hebraico significa "foi-se a glória de Israel", sumariando assim, de forma eloquente, a natureza da tragédia que desabou sobre a nação de Israel.

■ 3.12

בַּיּוֹם הַהוּא אָקִים אֶל־עֵלִי אֵת כָּל־אֲשֶׁר דִּבַּרְתִּי אֶל־בֵּיתוֹ הָחֵל וְכַלֵּה׃

Suscitarei contra Eli tudo quanto tenho falado. Sem dúvida, a alusão aqui é à profecia do profeta desconhecido, dada em 1Sm 2.27-36. O menino-profeta, Samuel, recebeu idêntica mensagem em seus pontos essenciais. Destarte, Eli foi advertido com antecedência e, segundo nossa opinião, poderia ter mudado seus caminhos. Mas ninguém poderia alterar aqueles seus filhos extremamente ímpios. As circunstâncias tinham-se desintegrado de tal modo que não havia mais cura, exceto a cura do julgamento divino. Algumas vezes, Deus pode fazer coisas melhores mediante o julgamento, do que por qualquer outro meio. Os juízos divinos, contudo, sempre envolvem, em seu bojo, o elemento de restauração. E isso inclui até mesmo o julgamento dos que estão no hades (ver 1Pe 4.6).

Haveria um *começo* do julgamento divino, a sua *continuação* e o seu *fim*. A questão toda se processaria por estágios. "... não imediatamente, nem de uma única vez, mas por etapas. Tudo começou com a morte de Hofni e Fineias, prosseguiu com a matança de Abimeleque e dos 85 sacerdotes de Nobe, no tempo de Saul, e terminou com a expulsão de Abiatar do sacerdócio, nos dias de Salomão, em decorrência da qual a família (de Eli) foi levada à desgraça e à pobreza" (John Gill, *in loc.*). Cf. Is 40.5. Ver 1Rs 1.7,8; 2.27,35 quanto aos estágios finais do juízo divino.

"Assim sendo, entre a profecia e o seu cumprimento final passaram-se mais de 130 anos. No entanto, todas as predições se cumpriram, e o sacerdócio foi transferido para Zadoque, descendente de Eleazar, filho de Arão, permanecendo assim durante toda a história subsequente de Israel" (Eugene H. Merrill, *in loc.*). Foi assim finalmente rejeitada a linhagem Itamar-Eli. Os descendentes dessa linhagem continuaram atuando como levitas auxiliares, mas não puderam mais oficiar como sacerdotes em Israel.

■ 3.13

וְהִגַּדְתִּי לוֹ כִּי־שֹׁפֵט אֲנִי אֶת־בֵּיתוֹ עַד־עוֹלָם בַּעֲוֹן אֲשֶׁר־יָדַע כִּי־מְקַלְלִים לָהֶם בָּנָיו וְלֹא כִהָה בָּם׃

seus filhos se fizeram execráveis, e ele os não repreendeu. Eli se mostrou pusilânime diante de filhos pervertidos. Essa péssima combinação de defeitos atraiu o juízo de Yahweh contra a casa de Eli, de tal maneira que a família foi reduzida à posição de simples levitas, para nunca mais exercer nenhuma espécie de ofício sacerdotal. Por isso mesmo este texto diz "para sempre". Eles perderam para sempre os direitos sacerdotais. Isso mostra a consequência de pecados descontrolados.

Não os repreendeu. Ele poderia ter usado sua autoridade paterna e judicial. Mas temeu agir, e talvez tivesse um amor paternal mal orientado por seus filhos ímpios. Ele não quis castigá-los com a disciplina necessária, o que serviu para prejudicá-los ainda mais. Seus filhos tornaram-se homens vis. Ver 1Sm 2.12-17 e 2.25 quanto a isso.

O sacerdócio continuou por ainda três gerações dentro da família de Eli (ver 1Sm 14.3). Mas a condenação já havia sido proferida e, uma vez cumprida, o dano nunca mais foi reparado. Ver 1Sm 3.12 quanto ao início, à continuação e ao fim do julgamento, versículo no qual o *processo* foi comentado.

"O exemplo fatal dado pelos sacerdotes da casa de Eli, estabelecidos em Silo, infiltrou-se por toda a população; e como resultado a incredulidade quanto ao Ser Eterno se generalizou por todo o país. A religião antiga e pura morria rapidamente no coração dos homens" (Ellicott, *in loc.*).

Yahweh proferiu a palavra de juízo lá no céu. E então cuidou para que sua decisão tivesse cumprimento cabal na terra.

■ 3.14

וְלָכֵן נִשְׁבַּעְתִּי לְבֵית עֵלִי אִם־יִתְכַּפֵּר עֲוֹן בֵּית־עֵלִי בְּזֶבַח וּבְמִנְחָה עַד־עוֹלָם׃

Nunca jamais lhe será expiada a iniquidade. Não havia remédio! A ofensa da casa de Eli foi tão grave que Yahweh não daria atenção a nenhum sacrifício que pudesse ser oferecido como expiação. Na qualidade de quem continuamente oferecia sacrifícios pelo pecado, os sacerdotes tentariam fazer expiação por si mesmos, buscando reverter o julgamento divino. Mas Deus não aceitaria essas tentativas. Não havia como expiar o pecado "voluntário" que eles haviam praticado. A eficácia dos sacrifícios da lei mosaica era limitada. A lei da colheita segundo a semeadura é mais poderosa do que qualquer sacrifício de animais. Ver no *Dicionário* os verbetes chamados *Lei Moral da Colheita segundo a Semeadura*, e *Pecado Voluntário*. Para o pecado voluntário não havia expiação, no Antigo Testamento. Essa ideia foi transferida para o Novo Testamento, conforme se vê em Hb 10.26; mas a sua base é o raciocínio de Nm 15.24-31. De acordo com os padrões veterotestamentários, somente pecados de ignorância podiam ser expiados por meio de holocaustos. Eli e seus filhos tinham-se tornado culpados do pecado voluntário, ou seja, algum pecado cometido "atrevidamente", conforme se lê na referência do livro de Números.

■ 3.15

וַיִּשְׁכַּב שְׁמוּאֵל עַד־הַבֹּקֶר וַיִּפְתַּח אֶת־דַּלְתוֹת בֵּית־יְהוָה וּשְׁמוּאֵל יָרֵא מֵהַגִּיד אֶת־הַמַּרְאָה אֶל־עֵלִי׃

Ficou Samuel deitado até pela manhã. Após ter recebido a temível mensagem da parte de Yahweh, Samuel voltou ao leito. Pela manhã, abriu o tabernáculo para as atividades diárias. Ele sabia qual era a mensagem dada por Yahweh, mas receava transmiti-la a Eli. Samuel reverenciava Eli como um pai; pois, na verdade, era isso que Eli representava para ele. Samuel não queria entristecer Eli; mas a tristeza vinha da parte de Yahweh. O mais provável é que Samuel não teria transmitido a terrível mensagem divina se Eli não o houvesse instado a fazê-lo.

Então abriu as portas da casa do Senhor. Esse ato pode dar a entender que um *edifício* de bom tamanho havia substituído a *tenda* ou o tabernáculo em Silo. Ou a expressão pode significar simplesmente que Samuel abriu as cortinas que fechavam o átrio exterior. Ver uma ilustração da planta baixa do tabernáculo, na introdução a Êx 26.1. Quanto às *três cortinas* do tabernáculo, ver Êx 26.36.

Temia relatar a visão a Eli. Samuel havia-se tornado o mensageiro de notícias tremendamente ruins. Cf. Jr 15.10; 17.15-18; 20.7-18.

■ **3.16**

וַיִּקְרָא עֵלִי אֶת־שְׁמוּאֵל וַיֹּאמֶר שְׁמוּאֵל בְּנִי וַיֹּאמֶר הִנֵּנִי׃

Chamou Eli a Samuel. Eli, curioso para saber o que acontecera naquela noite, chamou o jovem Samuel. Ele estava ciente das visitas de Yahweh e sabia que Samuel tinha alguma espécie de mensagem a transmitir. Assim sendo, o primeiro ato de Samuel como profeta foi reconhecido por ele. Dentro de momentos, ele receberia instruções da parte do jovem profeta, a despeito de seu exaltado ofício de sumo sacerdote.

■ **3.17**

וַיֹּאמֶר מָה הַדָּבָר אֲשֶׁר דִּבֶּר אֵלֶיךָ אַל־נָא תְכַחֵד מִמֶּנִּי כֹּה יַעֲשֶׂה־לְּךָ אֱלֹהִים וְכֹה יוֹסִיף אִם־תְּכַחֵד מִמֶּנִּי דָּבָר מִכָּל־הַדָּבָר אֲשֶׁר־דִּבֶּר אֵלֶיךָ׃

Que é que o Senhor te falou? Eli deve ter tido um fortíssimo pressentimento para fazer as *ameaças* que fez. Ele sabia que algo importante havia sido comunicado a Samuel, e suspeitava que o recado divino não fosse bom, porquanto disse algo como: "Se não me revelares tudo, então aquelas coisas ruins que ouviste, e mesmo mais, cairão sobre a *tua* cabeça". Em outras palavras, a maldição de Yahweh cairia sobre Samuel, por ter ele ocultado a mensagem. Essas ameaças deixaram Samuel sem alternativa. Ele precisava relatar o terrível recado do Senhor. De acordo com Josefo (*Antiq.* 1.5, cap. 10, sec. 4), Eli obrigou Samuel, mediante um juramento, a declarar-lhe o que tinha sido revelado pelo Senhor. "Foi um juramento muito solene. Ele suspeitava que Deus havia ameaçado com juízos severos, porquanto reconhecia que sua família se tinha tornado muito criminosa" (Adam Clarke, *in loc.*).

O texto sagrado não menciona a pessoa de *Yahweh* (de modo contrário ao que dizem algumas traduções); mas cumpre-nos entender que Eli sabia da parte de quem a mensagem havia sido dada (ver os vss. 8-9 deste capítulo). A Jeremias foi dito que submetesse a teste as situações de revelação, para certificar-se de que as revelações procediam mesmo do Senhor, e não de algum poder estranho (Jr 15.19). Cf. 1Jo 4.1.

■ **3.18**

וַיַּגֶּד־לוֹ שְׁמוּאֵל אֶת־כָּל־הַדְּבָרִים וְלֹא כִחֵד מִמֶּנּוּ וַיֹּאמַר יְהוָה הוּא הַטּוֹב בְּעֵינָו יַעֲשֶׂה׃ פ

Samuel lhe referiu tudo. O autor sacro não se incomoda em repetir tudo quanto já havia dito sobre a mensagem de Yahweh. Tão somente assegura-nos que Samuel relatou *tudo*, nada omitindo.

É o Senhor. A propriedade e a moralidade da mensagem convenceram a Eli, de imediato, que Yahweh era a fonte do terrível recado. Ademais, ele já tinha ouvido a mesma mensagem da boca do profeta desconhecido (ver 1Sm 2.27 ss.). Também reconheceu a justiça do juízo de morte que estava prestes a sobrevir. Talvez tenha sido até mesmo com *alívio* que ele ficou sabendo que seus filhos pervertidos e aquele sacerdócio degradado em breve terminariam. Eli havia sido reduzido a mero títere nas mãos de seus filhos, e o seu coração clamava para que aquela triste situação logo tivesse fim. Ele havia semeado o vento e agora colheria a tempestade (ver Os 8.7). As palavras ditas por Eli, pois, exibiram uma submissão piedosa e um profundo senso de sua própria indignidade. Chega um tempo em que somente o julgamento divino pode realizar alguma coisa; contudo, devemos lembrar que os juízos de Deus estão sempre sujeitos ao seu amor, de tal modo que o julgamento divino redunda em bem, até mesmo no caso das almas perdidas, encerradas no *hades* (ver 1Pe 4.6).

"Eli pode ter-se mostrado fraco, mas não era um homem maligno. Ele não se debateu, revoltado, nem sentiu que havia sido tratado com injustiça. Qualquer um que apele para a *justiça de Deus* deve estar preparado para assumir as consequências dessa crença... Um Deus verdadeiramente justo não pode ignorar as reivindicações da justiça, ainda que, em sua justiça, possa mostrar-se misericordioso. As qualidades positivas de Eli podem ser vistas em toda a sua humildade, quando ele disse: 'É o Senhor; faça o que bem lhe aprouver'" (John C. Shroeder, *in loc.*).

■ **3.19**

וַיִּגְדַּל שְׁמוּאֵל וַיהוָה הָיָה עִמּוֹ וְלֹא־הִפִּיל מִכָּל־דְּבָרָיו אָרְצָה׃

Crescia Samuel, e o Senhor era com ele. Este versículo repete o que foi dito em 1Sm 2.26, cujas palavras foram usadas, quase exatamente, em Lc 2.52, aplicadas ao jovem Jesus. Mas aqui temos o acréscimo de que, na qualidade de jovem profeta, as palavras de Samuel foram honradas por Yahweh, de tal modo que o Senhor não permitiu que nenhuma delas caísse por terra, ou seja, deixasse de ser cumprida. Desse modo, Samuel adquiria grande reputação como profeta de considerável estatura. O propósito de Deus era que Samuel se tornasse profeta-sacerdote e assim neutralizasse a maligna casa de Eli, até que houvesse uma mudança permanente na situação, o que só veio a ser realidade cerca de 130 anos mais tarde, quando Zadoque substituiu Abiatar como sumo sacerdote e a linhagem de Eli foi anulada para sempre, pelo menos no que dizia respeito ao ofício sacerdotal de Israel.

Samuel trouxe à superfície o ofício de profeta, o qual haveria de predominar até os cativeiros assírio e babilônico, com consequente diminuição da importância do ofício e da autoridade sacerdotal. As *palavras* de Samuel que não caíam por terra eram as suas profecias; mas também os seus conselhos em geral, visto que os profetas eram *mestres*, e não apenas homens que prediziam o futuro.

As palavras vãs caem por terra; mas as que são inspiradas por Yahweh têm cumprimento oportuno. Cf. Sl 33.6,9 e Jr 1.12. O resultado era que tudo quanto Samuel profetizava, acontecia (ver 1Sm 9.6). "Sua vida de jovem foi um protesto perpétuo contra a cobiça e a iniquidade" (Ellicott, *in loc.*).

■ **3.20**

וַיֵּדַע כָּל־יִשְׂרָאֵל מִדָּן וְעַד־בְּאֵר שָׁבַע כִּי נֶאֱמָן שְׁמוּאֵל לְנָבִיא לַיהוָה׃

Todo o Israel... conheceu. Samuel alcançou reputação nacional. sua fama como profeta propagou-se por todo o território dos hebreus, visto que suas palavras eram continuamente testadas e comprovadas como valiosas e precisas.

Desde Dã até Berseba. Tradicionalmente, Dã marcava a fronteira do extremo norte de Israel, ao mesmo tempo que Berseba assinalava o extremo sul. Isto posto, a expressão "desde Dã até Berseba" tornou-se proverbial, indicando "toda a extensão do território de Israel". Quanto a outras instâncias dessa expressão, ver 2Sm 3.10; 17.11; 24.2,15; 1Rs 4.25. Havia uma distância de cerca de 240 quilômetros entre esses dois pontos extremos. Forneci artigos detalhados, no *Dicionário*, sobre ambos os lugares, pelo que não repito aqui as informações dadas ali.

O ofício profético se desenvolvia na pessoa de Samuel. Havia necessidade desse aperfeiçoamento, porquanto se tratava de um importante acontecimento histórico. O ofício profético em breve assumiria proporções de grande vulto em Israel e assim continuaria por vários séculos. Samuel foi um formador de tendências históricas. E também haveria de tornar-se o juiz de Israel que inauguraria a monarquia.

3.21

וַיֹּסֶף יְהוָה לְהֵרָאֹה בְשִׁלֹה כִּי־נִגְלָה יְהוָה
אֶל־שְׁמוּאֵל בְּשִׁלוֹ בִּדְבַר יְהוָה: פ

Continuou o Senhor a aparecer em Silo. O Senhor aparecia a fim de falar com Samuel, embora os iníquos filhos de Eli continuassem a fazer tudo para impedir que a influência divina atuasse no tabernáculo. Samuel trouxe de volta o que a casa de Eli tinha perdido propositadamente. Havia aquela *palavra* que residia em Samuel e era proferida por meio dele; e Yahweh era a fonte dessa palavra profética.

Provavelmente devemos compreender que houve *repetidas instâncias* do aparecimento de Yahweh a Samuel, além do aparecimento original relatado em 1Sm 3.4 ss. Yahweh tinha chamado por ele por *quatro vezes* e continuou a chamá-lo desde então, revelando-lhe a sua vontade. Samuel, pois, estava sendo preparado para assumir uma liderança nacional que alteraria todo o curso da história de Israel. Para tanto, era mister que se manifestasse o poder divino.

Por sua palavra. Alguns estudiosos personificam aqui essa palavra, como o Anjo do Senhor, e outros pensam que estão em pauta aparecimentos veterotestamentários do Logos de Deus. Samuel tornou-se uma força unificadora que visava ao bem de Israel, reparando os danos causados pela casa de Eli. As palavras ditas por um profeta deveriam ter cumprimento para que ele fosse considerado um profeta autêntico (ver Dt 18.21,22). As credenciais de Samuel como profeta estavam sendo submetidas a teste e aprovação. "Desapareciam as revelações por meio dos sacerdotes e da estola sacerdotal, e se iniciava a revelação dada através dos profetas" (Eugene H. Merrill, *in loc.*).

CAPÍTULO QUATRO

A ARCA DA ALIANÇA É TOMADA (4.1-22)

Para compreender plenamente a seção à nossa frente, o leitor deve examinar o artigo do *Dicionário* intitulado *Arca da Aliança*.

A *Septuaginta* provê uma introdução apropriada a este quarto capítulo: "E aconteceu naqueles dias que os filisteus se reuniram para a guerra contra Israel; e Israel saiu contra eles, para combatê-los". Isso poderia ser tanto uma glosa explicativa quanto o texto original do hebraico que se tinha perdido mas que a Septuaginta preservou em sua essência.

Parte do *juízo divino* proferido contra o maligno sacerdócio da casa de Eli foi o que aconteceu com a arca. Os sacerdotes Hofni e Fineias tinham abusado do tabernáculo e de seu culto (1Sm 1.12 ss.). Por esse motivo, um profeta anônimo predissera a queda da casa de Eli (ver 1Sm 2.27), o que foi confirmado mediante revelação especial dada a Samuel (ver 1Sm 3.4 ss.). Sobreviria um tremendo juízo divino, e a remoção da arca da aliança das mãos de Israel, por parte dos filisteus, fazia parte desse juízo. Tendo usado inconvenientemente seu privilégio como sacerdotes, a casa de Eli perdeu seu direito sacerdotal. O povo de Israel, em geral, achava-se em estado de degradação, e a remoção da arca alertou toda a nação para a degradação que se tinha instalado no lugar sagrado. Devemos lembrar que Israel era uma teocracia, pelo que qualquer coisa adversa que acontecesse ao tabernáculo e a seu culto era profundamente sentida pelo país inteiro.

Os Filisteus. Esse povo tinha-se tornado o principal adversário de Israel, durante o período final dos juízes. Ver Jz 10.6-8,13-16. Eram um povo não semita que chegara à faixa litorânea da Palestina provavelmente vindo da ilha de Creta ou de alguma outra região do mar Egeu (ver Gn 10.14; Jr 47.4; Dt 2.23; Am 9.7). Vieram à terra de Canaã mediante duas grandes ondas migratórias, uma tão cedo quanto a época de Abraão (2000 a.C.), e outra por volta de 1200 a.C. Há um detalhado artigo sobre esse povo no *Dicionário,* sob o título *Filisteu, Filístia.* Esse povo contava com um grande panteão de deuses, no qual Dagom aparecia como divindade principal. A captura da arca da aliança fazia parte de um ato mediante o qual era como se eles dissessem: "Vede o que estamos fazendo com vosso Deus. Agora temos a preciosa arca. Ele é nada, e o nosso politeísmo é tudo". Também podemos ter certeza de que aquilo que eles fizeram foi um ato de escárnio contra um antigo inimigo, pois sabiam quão grande consternação causaria entre os israelitas a perda da arca.

Os filisteus, tal como os hebreus, parecem ter adotado a linguagem semita da Palestina. Estavam organizados sob cinco senhores, cada um dos quais governava uma cidade-estado: Asdode, Ecrom, Asquelom, Gaza e Gate. Naturalmente, também possuíam outras cidades menores. Ver 1Sm 6.18 e cf. 2Cr 26.6.

4.1

וַיְהִי דְבַר־שְׁמוּאֵל לְכָל־יִשְׂרָאֵל וַיֵּצֵא יִשְׂרָאֵל
לִקְרַאת פְּלִשְׁתִּים לַמִּלְחָמָה וַיַּחֲנוּ עַל־הָאֶבֶן הָעֵזֶר
וּפְלִשְׁתִּים חָנוּ בַאֲפֵק:

Veio a palavra de Samuel a todo o Israel. Essas palavras, na verdade, pertencem à conclusão do capítulo 3, onde é enfatizada a universalidade do ofício profético de Samuel. Ver 1Sm 3.19-21. Todavia, elas também servem de apta introdução ao quarto capítulo, pois o ministério profético de Samuel *começara* predizendo a queda da casa de Eli, e o capítulo que agora passamos a considerar relata como isso ocorreu.

Ebenézer... Afeque. As forças adversárias acamparam-se nesses dois lugares, cerca de 40 quilômetros a oeste de Silo. Ver no *Dicionário* os artigos sobre ambas as localidades. As duas cidades ficavam próximas uma da outra; e dali os israelitas e os filisteus lançariam ataques mútuos. *Ebenézer* significa "pedra da ajuda". Esse nome só foi dado ao lugar algum tempo depois da batalha. Assim sendo, o autor sagrado, por antecipação, usou a denominação. Samuel levantou ali uma pedra para comemorar uma vitória obtida sobre os filisteus, cerca de vinte anos mais tarde. *Afeque,* por sua vez, significa "fortaleza". Era uma cidade real dos cananeus. sua localização não foi identificada com certeza absoluta.

4.2

וַיַּעַרְכוּ פְלִשְׁתִּים לִקְרַאת יִשְׂרָאֵל וַתִּטּשׁ הַמִּלְחָמָה
וַיִּנָּגֶף יִשְׂרָאֵל לִפְנֵי פְלִשְׁתִּים וַיַּכּוּ בַמַּעֲרָכָה בַּשָּׂדֶה
כְּאַרְבַּעַת אֲלָפִים אִישׁ:

Dispuseram-se os filisteus em ordem de batalha. Não somos informados do motivo para a batalha, mas sempre havia razões que mantinham o povo de Israel em conflito armado. O grande número de guerras e suas devastações eram fatores constantes na história de Israel. Essas guerras punham fim a ciclos históricos, como no caso dos três cativeiros (o assírio, o babilônico e o romano). Ver no *Dicionário* o verbete chamado *Cativeiro (Cativeiros)*. Nessa batalha particular, as coisas foram adversas para os israelitas, que perderam cerca de quatro mil homens. A batalha teve lugar em *campo aberto,* onde os filisteus foram capazes de usar seus carros de guerra e seu equipamento superior. Assim sendo, foi natural que Israel tenha sido derrotado, sofrendo grande perda de homens. Cf. 1Sm 13.5 e 2Sm 1.6.

4.3

וַיָּבֹא הָעָם אֶל־הַמַּחֲנֶה וַיֹּאמְרוּ זִקְנֵי יִשְׂרָאֵל לָמָּה
נְגָפָנוּ יְהוָה הַיּוֹם לִפְנֵי פְלִשְׁתִּים נִקְחָה אֵלֵינוּ מִשִּׁלֹה
אֶת־אֲרוֹן בְּרִית יְהוָה וְיָבֹא בְקִרְבֵּנוּ וְיֹשִׁעֵנוּ מִכַּף
אֹיְבֵינוּ:

Tragamos de Silo a arca da aliança do Senhor. Anteriormente, Israel havia obtido a vitória mediante a presença de sacerdotes que transportavam a arca até a cena do combate. Ver Nm 31.6 e Js 6.6. No entanto, um sacerdócio corrupto tinha anulado todo poder desse ato. Isto posto, a crença deles de que a arca tinha poder de ajudar na batalha se tornara mera superstição, que não prestava auxílio algum em tempos de crise. Isso ensina que o poder se deriva de uma santidade genuína, e não de algum mero símbolo. Simbolicamente, os intérpretes veem aqui a substituição de tipos, símbolos e cerimônias pela pessoa de Cristo, o qual nos confere genuíno poder espiritual.

Eles agiram movidos pela "superstição, supondo que a presença da arca, como se fosse um encantamento de boa sorte, faria virar a maré. A arca realmente representava a presença do Senhor em batalha (ver Nm 10.35; Js 6.6), mas só funcionava quando o povo a transportava movido pela fé, de acordo com a orientação divina" (Eugene H. Merrill, *in loc.*). A princípio, os filisteus ficaram aterrorizados diante da presença da arca (ver o vs. 7 deste capítulo), mas logo recuperaram a coragem e obtiveram vitória decisiva.

Diferença pela Presença Divina. A presença do Senhor é que faz a diferença entre a derrota e a vitória, mas essa presença deve ser genuína, quando Deus aprova os atos humanos, e não quando é representada apenas por meio de símbolos.

Os *assírios* foram usados como vara na mão de Deus, a fim de castigar Israel (ver Is 10.5). E desde tempos remotos, o sucesso ou a derrota em batalha eram associados, respectivamente, à aprovação ou à desaprovação de Deus.

■ 4.4

וַיִּשְׁלַח הָעָם שִׁלֹה וַיִּשְׂאוּ מִשָּׁם אֵת אֲרוֹן בְּרִית־יְהוָה צְבָאוֹת יֹשֵׁב הַכְּרֻבִים וְשָׁם שְׁנֵי בְנֵי־עֵלִי עִם־אֲרוֹן בְּרִית הָאֱלֹהִים חָפְנִי וּפִינְחָס׃

Mandou, pois, o povo trazer de Silo a arca. Imediatamente foram enviados mensageiros para trazer a arca à cena de batalha. Mas um povo corrompido voltou-se inutilmente para Deus, porquanto o coração deles não estava verdadeiramente voltado para ele. Coisa alguma pode tomar o lugar da santidade e da espiritualidade autêntica. A santidade e a espiritualidade não podem ser substituídas por símbolos e ritos. E, no entanto, a maior parte das religiões organizadas tropeça diante dessas coisas inferiores, que não têm poder espiritual. O poder de Deus não procede das coisas que fazemos na igreja e, sim, de uma espiritualidade genuína, arraigada no coração.

Entronizado entre os querubins. O original hebraico reflete a situação original da arca no Santo dos Santos. A Septuaginta diz "entronizado", o que é refletido em algumas traduções e versões, conforme vemos em nossa versão portuguesa. Alguns eruditos supõem que, em tempos posteriores, a arca fosse um *trono* sustentado pelos querubins. O primeiro capítulo do livro de Ezequiel dá apoio a esse ponto de vista, uma vez que o trono celeste aparece ali sustentado por criaturas vivas. Ver também Sl 18.10, onde Deus aparece como quem cavalga sobre um querubim. Todavia, parece melhor seguir aqui o original hebraico, que dá a entender que o Senhor dos Exércitos "habita" entre os querubins, um reflexo da situação original a respeito da arca da aliança. Quanto ao *plano* do tabernáculo, ver as notas sobre Êx 26.36. Ver sobre os *querubins* nas notas expositivas de Êx 25.18.

Hofni e Fineias estavam ali. Eles fingiam ser figuras santas, mas eram apenas sacerdotes falsos, cuja hora de julgamento havia chegado. Estavam aparentemente seguros, contudo, perto da arca da aliança. O texto sagrado parece indicar que foram esses dois homens que a transportaram até à cena da batalha, pois o vs. 11 deste capítulo relata a morte deles perto da arca. Não há nenhuma indicação de que os filisteus tenham invadido o próprio tabernáculo, em Silo, e ali matado os dois sacerdotes renegados.

■ 4.5

וַיְהִי כְּבוֹא אֲרוֹן בְּרִית־יְהוָה אֶל־הַמַּחֲנֶה וַיָּרִעוּ כָל־יִשְׂרָאֵל תְּרוּעָה גְדוֹלָה וַתֵּהֹם הָאָרֶץ׃

Rompeu todo o Israel em grandes brados. Tudo não passou de agitação histérica, quando os soldados viram que a arca da aliança estava sendo trazida ao campo de batalha. Hofni e Fineias a tinham transportado por cerca de 40 quilômetros. O mais provável, entretanto, é que o trabalho de transporte tenha sido deixado ao encargo de levitas, e que Hofni e Fineias apenas tivessem dirigido o grupo transportador. Todo o esforço, entretanto, foi perfeitamente inútil, embora eles ainda não soubessem disso.

"Foi uma curiosa ilusão, essa esperança sem base dos anciãos, a ideia de que o Deus invisível estivesse inseparavelmente vinculado ao estranho e belo símbolo de sua presença" (Ellicott, *in loc.*). Tempos depois, Davi, provavelmente lembrando o incidente, recusou-se a trazer a arca da aliança ao campo de batalha para ajudá-lo a evitar a derrota, quando ele retrocedia diante de Absalão e fugia de Jerusalém. Ver 2Sm 15.25.

Os filhos de Israel pensavam ter recebido "reforços divinos", mas faltava-lhes a espiritualidade interior necessária para que isso se tornasse realidade. O mero *símbolo* não bastava.

John C. Schroeder (*in loc.*) aplicou, com propriedade, este texto a talismãs e outros objetos religiosos que as pessoas costumam usar em sua adoração. A cruz, para muitas pessoas hoje em dia, tornou-se o que a arca foi para Israel, uma réplica da cruz de Cristo, mas apenas um pequeno objeto feito de madeira, metal ou pedra. E as pessoas esperam receber segurança ou ajuda de alguma forma, somente por utilizarem tais objetos. Um mero símbolo, contudo, nunca é o bastante. Deve haver uma espiritualidade genuína para atrair, de fato, a atenção e o cuidado divino. Além disso, a vontade de Deus ultrapassa qualquer símbolo, e o destino de uma pessoa não é afetado por objetos de adorno, mesmo que considerados sagrados.

"Levanta-te, Senhor, e dissipados sejam os teus inimigos, e fujam diante de ti os que te odeiam" (Nm 10.35). Por assim dizer, esse foi o grito de batalha dos filhos de Israel, mas nem os brados nem a presença da arca da aliança conseguiram salvá-los naquele dia.

■ 4.6

וַיִּשְׁמְעוּ פְלִשְׁתִּים אֶת־קוֹל הַתְּרוּעָה וַיֹּאמְרוּ מֶה קוֹל הַתְּרוּעָה הַגְּדוֹלָה הַזֹּאת בְּמַחֲנֵה הָעִבְרִים וַיֵּדְעוּ כִּי אֲרוֹן יְהוָה בָּא אֶל־הַמַּחֲנֶה׃

Souberam que a arca do Senhor era vinda ao arraial. Os dois acampamentos — o de Israel e o dos filisteus – ficavam perto um do outro e parece que, momentaneamente, os dois exércitos não pelejavam, mas estavam postados, preparando-se para outro entrevero. Ou, então, bem no meio do conflito, de súbito a arca foi trazida à frente de batalha. Ouvindo os adversários gritar, os filisteus naturalmente quiseram entender o motivo da gritaria, e logo ficaram sabendo (por meio de espiões) que a arca sagrada dos israelitas estava chegando. A arca ajudaria Israel na batalha? Os filisteus muito temeram; mas logo em seguida, dominando seu temor, esforçaram-se sobremaneira e obtiveram a vitória. As lamentações dos filisteus (ver os vss. 7-8 deste capítulo) foram abafadas e substituídas por uma palavra de exortação proferida por seus comandantes. Os filisteus não queriam seguir o exemplo deixado pelos egípcios, que acabaram derrotados.

■ 4.7

וַיִּרְאוּ הַפְּלִשְׁתִּים כִּי אָמְרוּ בָּא אֱלֹהִים אֶל־הַמַּחֲנֶה וַיֹּאמְרוּ אוֹי לָנוּ כִּי לֹא הָיְתָה כָּזֹאת אֶתְמוֹל שִׁלְשֹׁם׃

Os deuses vieram ao arraial. Algumas traduções dizem aqui "Deus veio ao arraial", usando o singular. Mas outras identificam o termo hebraico para Deus, *Elohim,* como se os filisteus tivessem dito: "Os deuses vieram ao arraial", usando o plural. É que eles compartilhavam a superstição dos israelitas de que um símbolo ou ídolo, mera representação de Deus, era inseparável da própria divindade. Isto posto, já que o símbolo físico estava no acampamento de Israel, os israelitas haviam recebido reforço divino. Lutar contra homens era uma coisa; mas lutar contra deuses era demais. Portanto, foi natural que eles tivessem "temido", conforme diz o texto sagrado.

Os filisteus haviam lutado contra selvagens e já tinham combatido outros adversários, mas nada como aquilo sucedera antes. Nunca um adversário havia convocado tão vividamente a ajuda divina. Todos os povos oram a seus deuses quando vão à guerra, mas, para os filisteus, o caso de Israel representava a primeira experiência daquele tipo. As circunstâncias, naturalmente, mostram que Israel não estava habituado a levar a arca da aliança para os campos de batalha. Fora feita agora uma exceção, que tinha precedente na história mais antiga, embora não na história recente de Israel. Ver as notas sobre o vs. 3 deste capítulo.

■ 4.8

אוֹי לָנוּ מִי יַצִּילֵנוּ מִיַּד הָאֱלֹהִים הָאַדִּירִים הָאֵלֶּה אֵלֶּה הֵם הָאֱלֹהִים הַמַּכִּים אֶת־מִצְרַיִם בְּכָל־מַכָּה בַּמִּדְבָּר׃

Ai de nós! Israel contaria com "deuses" poderosos; e os filisteus lembraram como Israel, antes escravizado no Egito, tinha sido capaz de derrotar o maior poder militar da época, os egípcios, e isso somente porque o poder divino estivera presente. Notemos como o autor sacro diz que houve pragas *no deserto*, embora saibamos que as pragas foram enviadas contra o Egito. Isso pode ter sido uma observação descuidada e inexata dos filisteus, ou uma escorregadela da pena do autor hebreu. Estão em pauta, particularmente, as *dez pragas* do Egito. Ver no *Dicionário* o artigo intitulado *Pragas do Egito*. Aqueles povos antigos eram *teístas*. Eles acreditavam que poderes divinos se faziam presentes entre os homens, e esses poderes recompensavam ou puniam, intervindo nas questões humanas. Isso deve ser contrastado com o *deísmo*, que ensina que algum poder gigantesco (pessoal ou impessoal) pode ter estado envolvido na criação, mas, terminada a criação, esse poder a abandonou, deixando-a ao sabor das chamadas leis naturais. Ver no *Dicionário* os verbetes denominados *Teísmo* e *Deísmo*.

■ 4.9

הִתְחַזְּקוּ וִהְיוּ לַאֲנָשִׁים פְּלִשְׁתִּים פֶּן תַּעַבְדוּ לָעִבְרִים כַּאֲשֶׁר עָבְדוּ לָכֶם וִהְיִיתֶם לַאֲנָשִׁים וְנִלְחַמְתֶּם׃

Sede fortes, ó filisteus. Os soldados filisteus estavam em pânico quando algum líder dotado de mente sóbria fez cessar a insensatez. Ele os exortou, com fisionomia séria e palavras cortantes, dizendo que fossem fortes e agissem como homens, e não como um bando de mulheres histéricas. Um pouco de *coragem masculina* seria capaz de derrotar os deuses de Israel. A palavra-chave dessa exortação é "pelejai". Eles já tinham perdido muito tempo com suas superstições. A *luta* deveria ser reiniciada antes que Israel tivesse tempo de recuperar seus poderes. O perdedor seria esmigalhado, e quaisquer sobreviventes se tornariam *escravos* dos vencedores. Havia razões abundantes para continuar lutando e aniquilar o inimigo. Trezentos anos antes, Israel tinha derrotado os egípcios, mas, afinal, isso era passado longínquo. Não era obrigatório que se repetisse no caso dos filisteus.

■ 4.10

וַיִּלָּחֲמוּ פְלִשְׁתִּים וַיִּנָּגֶף יִשְׂרָאֵל וַיָּנֻסוּ אִישׁ לְאֹהָלָיו וַתְּהִי הַמַּכָּה גְּדוֹלָה מְאֹד וַיִּפֹּל מִיִּשְׂרָאֵל שְׁלֹשִׁים אֶלֶף רַגְלִי׃

Israel foi derrotado. Os filisteus lutaram, e Israel caiu, fugiu e pereceu. Quatro mil israelitas (ver o segundo versículo deste capítulo) já haviam sido mortos, antes da chegada da arca ao campo de batalha; mas agora houve um morticínio gigantesco de trinta mil israelitas. Em espaço aberto, os filisteus desfrutavam da vantagem de ter carros de combate e cavalos. Lanças cortantes projetavam-se dos eixos dos carros de combate e mutilavam horrivelmente as tropas de Israel, e até mesmo cortavam os homens pelo meio. O exército de Israel usualmente consistia somente em tropas de infantaria, o que prosseguiu até que Salomão adotou alguns dos métodos de combate de povos estrangeiros.

Os filisteus realizaram o morticínio, mas ao Deus de Israel foi dado o crédito de punir os israelitas, conforme está escrito no Sl 78.59,60: "... Deus se indignou e sobremodo abominou Israel. Pelo que desamparou o tabernáculo em Silo, a tenda da sua morada entre os homens, dando a sua força ao cativeiro, e a sua glória à mão do inimigo".

> Minha força é como a força de dez,
> Porque meu coração é puro.
>
> Sir Galahad, Tennyson

O mesmo não podia ser dito acerca de Israel, entretanto, razão pela qual houve aquela drástica derrota.

■ 4.11

וַאֲרוֹן אֱלֹהִים נִלְקָח וּשְׁנֵי בְנֵי־עֵלִי מֵתוּ חָפְנִי וּפִינְחָס׃

E mortos os dois filhos de Eli. A justiça fora feita. Aqueles sacerdotes iníquos, Hofni e Fineias, que tinham corrompido o lugar santo, não escaparam à sanha dos filisteus. Caíram juntamente com seus irmãos, no campo, e a ninguém foi demonstrada misericórdia. Isso cumpriu a palavra do profeta desconhecido, que disse que os dois haveriam de tombar no mesmo dia (ver 1Sm 2.34). Ademais, a temível mensagem de Samuel se cumpriu. É provável que aqueles homens miseráveis se tivessem mantido próximos da arca, esperando, até o fim, que ela os protegesse. Todavia, *eles* não tinham protegido a pureza do culto que circundava a arca da aliança, e ela, por sua vez, não os protegeu em seu dia de crise.

Os vencedores, ato contínuo, apossaram-se do prêmio que obtiveram, a *arca da aliança*. E então a arca foi levada para uma das cinco principais cidades da Filístia, Asdode (1Sm 5.1), sendo posta na casa de Dagom, o principal ídolo dos filisteus.

As profecias haviam predito a calamidade, mas os israelitas não lhe tinham dado nenhuma atenção. Uma justiça feroz interrompera o sacerdócio pecaminoso de Hofni e Fineias.

> Quer alguém durma, ande ou se assente ocioso,
> Invisível e mudo, a Justiça lhe persegue os passos.
> Acompanhando de perto seus passos,
> à direita e à esquerda.
> E o que é feito na loucura a noite não pode ocultar:
> O que fizeres, em qualquer lugar,
> Deus te contempla.
>
> E imaginas que conseguirás algum tempo vencer
> A sabedoria divina? E imaginas que conseguirás
> Que a retribuição fique distante dos mortais?
> Bem perto, embora invisível, ela vê e sabe tudo,
> E a quem deve ferir. Mas tu não sabes
> Quando, repentina e subitamente,
> Ela virá e arrebatará
> Os perversos da face da terra.
>
> Ésquilo

■ 4.12

וַיָּרָץ אִישׁ־בִּנְיָמִן מֵהַמַּעֲרָכָה וַיָּבֹא שִׁלֹה בַּיּוֹם הַהוּא וּמַדָּיו קְרֻעִים וַאֲדָמָה עַל־רֹאשׁוֹ׃

Então correu um homem de Benjamim. Se havia um homem da tribo de Benjamim, isso significa que o exército de Israel não se limitava à tribo de Efraim, onde Silo estava localizada. Talvez não fosse um exército que representasse todas as doze tribos, mas era o *exército de Israel*. Maior unidade nacional ocorreu com o rei Saul; mas a verdade é que Israel desfrutava de *alguma* unidade, mesmo na época dos juízes. O homem de Benjamim foi um dos poucos sobreviventes, e tomou sobre si a tarefa de correr até Silo, a fim de anunciar o desastre. As tradições judaicas dão-lhe o nome de Saul, mas não há como obter uma identificação específica. Usualmente essas tradições são meras especulações e adornos do texto. A natureza imaginária dessa identificação é óbvia nos detalhes que dizem que Saul, apesar de não ter podido salvar a arca da aliança, ainda assim arrebatou *de Golias* as tábuas da lei e fugiu com elas.

Trazia rasgadas as vestes e terra sobre a cabeça. Sinais usuais de tristeza e lamentação. Ver os comentários sobre Js 7.6, e, no *Dicionário*, o verbete *Vestimentas, Rasgar das*. Várias referências extraídas dos clássicos gregos e latinos confirmam o fato de que, naqueles lugares, rasgar as roupas também era sinal de tristeza profunda.

> Latino rasgou suas vestes...
> Por causa de ais públicos e privados.
> ele sujou a sua barba venerável
> E jogou pó sórdido sobre seus cabelos de prata.
>
> *Enéas*, livro xii. vs. 609

"Não é incomum, mesmo na Europa, e na maior parte civilizada, ver a tristeza expressa por atos de arrancar os cabelos, bater no peito ou rasgar as vestes, todos esses sinais ou expressões naturais de profunda e excessiva lamentação (Adam Clarke, *in loc.*, que escreveu no século XIX).

■ 4.13

וַיָּבוֹא וְהִנֵּה עֵלִי יֹשֵׁב עַל־הַכִּסֵּא יַךְ דֶּרֶךְ מְצַפֶּה כִּי־הָיָה לִבּוֹ חָרֵד עַל אֲרוֹן הָאֱלֹהִים וְהָאִישׁ בָּא לְהַגִּיד בָּעִיר וַתִּזְעַק כָּל־הָעִיר׃

Eli estava assentado numa cadeira. Eli sabia que a arca da aliança havia sido tomada, pelo que estava ao lado do tabernáculo, sentado em uma cadeira, perto da estrada por onde chegara o mensageiro, esperando pelo melhor, mas sabendo, em seu íntimo, que chegara o dia da condenação dele mesmo, de seus filhos e do culto do tabernáculo. Ele estava especialmente preocupado com a sorte da arca, o objeto santo que estava sob seus cuidados, na posição de sumo sacerdote. Mas coisa alguma poderia diminuir a tragédia daquele dia.

A *Septuaginta* diz aqui: "ao lado da porta, vigiando a estrada". Talvez essa seja uma descrição mais exata. "Eli estava em seu lugar usual, do lado de fora do tabernáculo (ver 1Sm 1.9), e a primeira coisa que ouviu sobre as novas foi o ruído causado pela chegada do mensageiro na cidade" (George B. Caird, *in loc.*). Josefo, por sua vez, disse que Eli estava em uma das portas da cidade, esperando pelas notícias sobre a batalha e sobre a sorte da arca (*Antiq.* 1.5, cap. 11, sec. 2).

"Eli conhecia perfeitamente bem o Eterno Guardião de Israel para depositar qualquer confiança real no poder de uma arca sem vida. Muito tempo havia passado, conforme o sumo sacerdote bem sabia, desde que a glória de Deus repousara sobre o propiciatório de ouro, entre os querubins silenciosos... Assim sendo, Eli esperava com pressentimentos carregados de tristeza... Retornaria a arca, algum dia, a Silo?" (Ellicott, *in loc.*).

■ 4.14

וַיִּשְׁמַ֤ע עֵלִי֙ אֶת־ק֣וֹל הַצְּעָקָ֔ה וַיֹּ֕אמֶר מֶ֛ה ק֥וֹל הֶהָמ֖וֹן הַזֶּ֑ה וְהָאִ֣ישׁ מִהַ֔ר וַיָּבֹ֖א וַיַּגֵּ֥ד לְעֵלִֽי׃

Eli, ouvindo os gritos, perguntou. Eli, quase cego, não podia enxergar muito; mas seus ouvidos eram aguçados e lhe segredavam que algo importante estava acontecendo. O tumulto anunciava a chegada do mensageiro. Gritos de desespero já enchiam os ares. Homens rasgavam as vestes e lançavam poeira sobre a cabeça. Mulheres gritavam histericamente. Enquanto Eli tremia, pressentindo o pior, de súbito chega o mensageiro e relata toda a trágica história. A narrativa é tão vívida que Ellicott imaginou poder ouvir os gritos de pesar e terror, como se testemunhasse a cena com pesar e confusão.

■ 4.15,16

וְעֵלִ֕י בֶּן־תִּשְׁעִ֥ים וּשְׁמֹנֶ֖ה שָׁנָ֑ה וְעֵינָ֣יו קָ֔מָה וְלֹ֥א יָכֹ֖ל לִרְאֽוֹת׃

וַיֹּ֨אמֶר הָאִ֜ישׁ אֶל־עֵלִ֗י אָנֹכִי֙ הַבָּ֣א מִן־הַמַּעֲרָכָ֔ה וַאֲנִ֕י מִן־הַמַּעֲרָכָ֖ה נַ֣סְתִּי הַיּ֑וֹם וַיֹּ֛אמֶר מֶֽה־הָיָ֥ה הַדָּבָ֖ר בְּנִֽי׃

Era Eli da idade de noventa e oito anos. Ele estava praticamente cego. Por isso, o mensageiro precisou identificar-se, a fim de que o idoso homem pudesse saber que estava falando com uma testemunha ocular dos acontecimentos. A mensagem era autêntica, tão terrível quanto veraz. Trinta mil homens de Israel tinham morrido; os dois filhos do sumo sacerdote estavam mortos; a arca da aliança havia sido tomada pelos filisteus. Eli, que já esperava o pior, chamou o mensageiro ternamente de *seu filho*, para que o homem se sentisse em liberdade de contar toda a horrenda história, sem ocultar coisa alguma. Havia na antiguidade o estranho costume de matar aquele que anunciava más novas, como se, de alguma maneira, ele fosse a *causa* da notícia adversa. Todavia, em Israel, isso nunca acontecia.

■ 4.17

וַיַּ֨עַן הַֽמְבַשֵּׂ֜ר וַיֹּ֗אמֶר נָ֤ס יִשְׂרָאֵל֙ לִפְנֵ֣י פְלִשְׁתִּ֔ים וְגַ֛ם מַגֵּפָ֥ה גְדוֹלָ֖ה הָיְתָ֣ה בָעָ֑ם וְגַם־שְׁנֵ֨י בָנֶ֜יךָ מֵ֗תוּ חָפְנִי֙ וּפִ֣ינְחָ֔ס וַאֲר֥וֹן הָאֱלֹהִ֖ים נִלְקָֽחָה׃ פ

Então respondeu o que trazia as novas. Derrota absoluta e tragédia foram o resultado daquele dia horrendo. Israel sofrera uma derrota contundente: trinta mil homens de Israel tinham perdido a vida; entre os mortos estavam os dois filhos de Eli, que tinham seguido com a arca para o campo de batalha; e a arca de Deus havia sido levada pelos filisteus. As notícias eram tão ruins que nada mais terrível poderia ter acontecido. Dessa maneira, cumpriram-se as profecias do profeta desconhecido (ver 1Sm 2.27 ss.) e de Samuel, que recebera a visita de Yahweh (1Sm 3.11 ss.), embora somente 130 anos mais tarde a casa de Eli fosse totalmente afastada do sacerdócio, como golpe final. É verdade que, depois disso, eles continuaram sendo levitas comuns, mas o ofício sacerdotal escapou-lhes para sempre das mãos. Ver 1Sm 3.12 quanto a maiores detalhes. O que Eli mais temia lhe tinha sobrevindo. E ele já sabia daqueles terríveis eventos desde muito tempo antes (ver 1Sm 3.18). Os eventos lançam as suas sombras diante de nós, muito antes que se tornem uma realidade. Esses eventos podem ser *lidos* nas sombras, por meio da capacidade psíquica natural ou através da profecia, inspirada pelo Espírito de Deus. Acontecimentos desnecessários, até mesmo trágicos, podem ser anulados por meio da fé e da oração. No entanto, os acontecimentos necessários acontecem mesmo, a despeito de todos os nossos esforços. Ver na *Enciclopédia de Bíblia, Teologia e Filosofia* o artigo chamado *Precognição;* e, no *Dicionário,* ver o verbete intitulado *Predestinação*.

■ 4.18

וַיְהִ֞י כְּהַזְכִּיר֣וֹ ׀ אֶת־אֲר֣וֹן הָאֱלֹהִ֗ים וַיִּפֹּ֣ל מֵֽעַל־הַכִּסֵּ֞א אֲחֹרַנִּ֗ית בְּעַד֙ ׀ יַ֣ד הַשַּׁ֔עַר וַתִּשָּׁבֵ֥ר מַפְרַקְתּ֖וֹ וַיָּמֹ֑ת כִּֽי־זָקֵ֥ן הָאִ֖ישׁ וְכָבֵ֑ד וְה֛וּא שָׁפַ֥ט אֶת־יִשְׂרָאֵ֖ל אַרְבָּעִ֥ים שָׁנָֽה׃

Ao fazer ele menção da arca de Deus, caiu Eli da cadeira. Sendo homem muito idoso, e sendo responsável pela guarda da arca da aliança, ao saber que tinha perdido, no mesmo dia, os seus dois filhos e também a arca da aliança, Eli recebeu um choque tão violento que perdeu o equilíbrio. Caindo da cadeira, Eli perdeu a vida, pois quebrou o pescoço na queda. Por ser homem idoso, seu peso ajudou a produzir-lhe a morte. Dessa maneira a casa sacerdotal de Eli, instalada no tabernáculo, caiu em um único dia, embora fossem necessários mais 130 anos para que o sacerdócio passasse da linhagem de Itamar para a de Zadoque. Quando houve essa transferência, os descendentes de Eli tornaram-se simples levitas, sem nenhuma autoridade especial em Israel. Ver as notas sobre 1Sm 3.12.

Havia ele julgado a Israel quarenta anos. Esse foi o período em que Eli serviu como juiz. A *Septuaginta* diz aqui *vinte* anos; mas todas as outras versões ficam com o original hebraico. Por conseguinte, além dos juízes cujas histórias nos são contadas no livro de Juízes, temos também Eli e, em seguida, Samuel, antes de a monarquia ser estabelecida na pessoa de Saul.

■ 4.19,20

וְכַלָּת֣וֹ אֵֽשֶׁת־פִּֽינְחָס֮ הָרָ֣ה לָלַת֒ וַתִּשְׁמַ֣ע אֶת־הַשְּׁמֻעָ֗ה אֶל־הִלָּקַח֙ אֲר֣וֹן הָאֱלֹהִ֔ים וּמֵ֥ת חָמִ֖יהָ וְאִישָׁ֑הּ וַתִּכְרַ֣ע וַתֵּ֔לֶד כִּֽי־נֶהֶפְכ֥וּ עָלֶ֖יהָ צִרֶֽיהָ׃

וּכְעֵ֣ת מוּתָ֗הּ וַתְּדַבֵּ֙רְנָה֙ הַנִּצָּב֣וֹת עָלֶ֔יהָ אַל־תִּֽירְאִ֖י כִּ֣י בֵ֣ן יָלָ֑דְתְּ וְלֹ֥א עָנְתָ֖ה וְלֹא־שָׁ֥תָה לִבָּֽהּ׃

Estando sua nora, a mulher de Fineias, grávida. Diante da tremenda tristeza de saber que a arca de Deus havia sido tomada pelos pagãos, que seu sogro tinha morrido por causa de um estúpido acidente, e que seu marido, Fineias, fora assassinado pelos filisteus, a mulher deu início a um trabalho de parto prematuro. Houve complicações no parto, e ela morreu. A criança nasceu em segurança, mas a mãe, provavelmente devido à perda de muito sangue, nem ao menos conseguiu reagir diante da notícia de que dera à luz um filho, o que, normalmente, seria algo bastante animador. Ela simplesmente ficou ali deitada e morreu. Desse modo, o infortúnio atingiu um nível visto somente nas mais severas tragédias gregas, em que o herói ou a heroína sofre tudo quanto é possível, e não somente por uma vez, mas por diversas vezes.

A *morte* de quatro pessoas, em um único dia, fez todos perceberem que tinham sido cumpridas as terríveis profecias do profeta anônimo (1Sm 2.27) e de Samuel (1Sm 3.11 ss.). O pecado ficara absolutamente fora de controle e corrompera o lugar santo. O juízo divino fatalmente sobreviria. Os filisteus foram instrumentos nas mãos de Yahweh para corrigir as coisas. Samuel era o novo homem, o homem melhor, e, por meio dele, a restauração se tornaria realidade.

4.21

וַתִּקְרָא לַנַּעַר אִי־כָבוֹד לֵאמֹר גָּלָה כָבוֹד מִיִּשְׂרָאֵל אֶל־הִלָּקַח אֲרוֹן הָאֱלֹהִים וְאֶל־חָמִיהָ וְאִישָׁהּ׃

Mas chamou ao menino Icabode. Em um impulso final de energia, a nora de Eli chamou seu próprio filho recém-nascido, sob circunstâncias tão terríveis, de Icabode. Esse nome significa "foi a glória". Os eruditos discutem sobre essa palavra, tentando encontrar significados, mas sem obter sucesso, pelo que parece melhor aceitar o que o próprio texto sagrado diz. Jarchi e Kimchi disseram que esse nome significa "nenhuma glória". Como *interpretação,* esse nome adquiriu o sentido de "glória do Senhor". E, para completar, adicionamos a isso "se foi". O contexto dos acontecimentos favorece essas interpretações, embora elas não se encontrem no nome propriamente dito. Quanto a uma discussão mais completa, ver no *Dicionário* o artigo chamado *Icabô.* Esse nome continuou a ser usado para expressar consternação diante de algo que antes tinha importância ou era promissor, mas se perdeu. O pecado é causador de perda, e até mesmo homens bons caem nessa armadilha. Eli era um homem bom, mas fraco, e perdeu o controle da situação. A referência específica é à perda da arca, onde a glória e a presença de Deus se manifestavam, mas que agora estava nas mãos dos filisteus. Ver as notas sobre o vs. 22, onde a ideia é explicada.

Ai da Glória! Essa é uma significação possível do nome do menino Icabode. É um significado apropriado, de acordo com o contexto. A glória do Senhor tinha sido perdida para Israel.

4.22

וַתֹּאמֶר גָּלָה כָבוֹד מִיִּשְׂרָאֵל כִּי נִלְקַח אֲרוֹן הָאֱלֹהִים׃ פ

Foi-se a glória de Israel. Este versículo atua como uma interpretação do nome *Icabode,* bem como um comentário sobre o que acontecera à arca da aliança. O tabernáculo perdera a glória, porquanto era na arca que se manifestava a presença do Senhor. Cf. Sl 78.59-61, onde a arca é descrita como a força e a glória de Deus. Sem a arca, o culto inteiro se esvaziou de significado, pois a arca era o centro do culto. "... a adoração e as ordenanças de Deus foram removidas do povo de Israel, e a glória foi-se deles; o Deus da glória não mais podia ser visto entre eles, sendo ele glorioso em sua natureza, perfeição e obras..." (John Gill, *in loc.*).

"A esposa daquele homem profundamente corrupto mostrou o quanto o povo de Israel estava imbuído do senso do valor do pacto estabelecido com Deus" (Von Gerlach). A arca da aliança significava uma suspensão temporária das obras da aliança, se não mesmo da própria aliança. E era isso que a esposa de Fineias lamentou profundamente, embora em seu momento de crise e morte.

CAPÍTULO CINCO

A ARCA NA FILÍSTIA (5.1-12)

Asdode, provavelmente, era a mais importante das *cinco* principais cidades dos filisteus, servindo como uma espécie de capital da nação. Por esse motivo os filisteus levaram a arca para lá. O grande prêmio ficou em exibição no templo de Dagom, um dos muitos deuses do panteão dos filisteus. Essa circunstância significou uma grandiosa vitória para eles. Conforme provaram os acontecimentos subsequentes, porém, a estadia da arca entre os filisteus lhes foi extremamente prejudicial. Muitos infortúnios lhes sobrevieram, de modo que, após algum tempo, eles se alegraram por poderem desvencilhar-se da arca. Os filisteus tinham "apostado alto", conforme diz certa expressão idiomática. Mas, na pessoa de Davi, todo o triunfo filisteu seria anulado, e os inimigos de Israel seriam varridos da face da terra.

Os filisteus foram o principal adversário de Israel na porção final do período dos juízes. Mas durante a monarquia, a ameaça representada pelos filisteus chegou ao fim. Houve, contudo, outras ameaças, e as guerras e carnificinas prosseguiriam; mas o período dos filisteus estava chegando ao fim. "O Senhor de Israel não somente era onipresente, mas também onipotente, um fato que os filisteus acabariam aprendendo" (Eugene H. Merrill, *in loc.*).

5.1

וּפְלִשְׁתִּים לָקְחוּ אֵת אֲרוֹן הָאֱלֹהִים וַיְבִאֻהוּ מֵאֶבֶן הָעֵזֶר אַשְׁדּוֹדָה׃

Tomaram a arca de Deus. Ver o quarto capítulo quanto à história da captura da arca da aliança por parte dos filisteus. Ver no *Dicionário* o artigo chamado *Arca da Aliança.*

Ebenézer... Asdode. Há artigos em separado sobre essas duas cidades no *Dicionário.* A arca foi capturada em um lugar perto de Ebenézer e foi levada para o acampamento dos filisteus em Afeque (ver 1Sm 4.1) ou, talvez, diretamente de Ebenézer para Asdode. A distância entre essas duas cidades era de cerca de 48 quilômetros, enquanto de Silo a Asdode havia cerca de 80 quilômetros. Essas distâncias não eram muito grandes, mas a recaptura da arca, mediante expedição militar, era um feito quase impossível para Israel, na ocasião. Não havia como penetrar no âmago do território dos filisteus e então prevalecer sobre eles.

5.2

וַיִּקְחוּ פְלִשְׁתִּים אֶת־אֲרוֹן הָאֱלֹהִים וַיָּבִיאוּ אֹתוֹ בֵּית דָּגוֹן וַיַּצִּיגוּ אֹתוֹ אֵצֶל דָּגוֹן׃

E a meteram na casa de Dagom, junto a este. A arca ficou exposta bem ao lado do ídolo principal dos filisteus. No *Dicionário* há um artigo detalhado sobre essa divindade pagã e seu sistema idólatra, pelo que não repito detalhes aqui. A arca da aliança foi posta perto da cauda do deus-peixe, dando a entender a vitória de Dagom sobre Yahweh, e a submissão deste a um falso culto. Como é óbvio, as coisas não podiam permanecer daquele jeito. Dagom era representado como um ser parte homem, parte peixe. Os filisteus não possuíam origem semita, embora tivessem adotado um idioma semítico e costumes próprios dos semitas. Parece que, originalmente, *Dagom* era um deus acádico da vegetação, adorado no vale do rio Eufrates; mas o culto a Dagom assumia formas diferentes em diferentes culturas. Esse culto era um dos mais importantes, extremamente generalizado; e o artigo detalhado sobre ele fornece o que se sabe a respeito.

Anos antes, Sansão, no último uso de sua força extraordinária, havia derrubado o telhado do templo de Dagom, matando na ocasião três mil filisteus. Ver Jz 16.23 ss. quanto ao relato. Agora, pois, os filisteus conseguiram vingar-se do ultraje sofrido. Essa vingança, porém, não teria vida longa.

5.3

וַיַּשְׁכִּמוּ אַשְׁדּוֹדִים מִמָּחֳרָת וְהִנֵּה דָגוֹן נֹפֵל לְפָנָיו אַרְצָה לִפְנֵי אֲרוֹן יְהוָה וַיִּקְחוּ אֶת־דָּגוֹן וַיָּשִׁבוּ אֹתוֹ לִמְקוֹמוֹ׃

Eis que estava caído Dagom. Isso aconteceu logo na manhã seguinte. Caído de seu pedestal, o ídolo estava de bruços, rosto em terra. Alguma força misteriosa o havia derrubado. Aquilo era uma novidade, embora não fosse algo tão horrendo. Os filisteus simplesmente recolocaram o ídolo em seu lugar, e não pensaram mais a respeito. No entanto, quando o fenômeno tornou a acontecer, eles ficaram intrigados. Os adoradores tinham ido honrar seu ídolo. Desgraçadamente, porém, ali estava Dagom caído de rosto em terra, o que não era coisa muito gloriosa para um alegado grande poder. Ver no *Dicionário* o artigo denominado *Deuses Falsos.*

5.4

וַיַּשְׁכִּמוּ בַבֹּקֶר מִמָּחֳרָת וְהִנֵּה דָגוֹן נֹפֵל לְפָנָיו אַרְצָה לִפְנֵי אֲרוֹן יְהוָה וְרֹאשׁ דָּגוֹן וּשְׁתֵּי כַּפּוֹת יָדָיו כְּרֻתוֹת אֶל־הַמִּפְתָּן רַק דָּגוֹן נִשְׁאַר עָלָיו׃

Levantando-se de madrugada no dia seguinte. O fenômeno repetiu-se logo no dia seguinte, mas dessa vez o ídolo estava despedaçado diante da arca. O original hebraico, na verdade, diz que os membros do ídolo tinham sido *decepados,* o que significa que seria muito difícil encontrar uma explicação para o acontecido. Dagom não havia sido apenas derrubado e despedaçado, mas também alguma força o tinha cortado. O vs. 7 mostra-nos que ninguém sugeriu que uma força natural ou humana havia causado o fenômeno. Imediatamente os filisteus concluíram que o poder de Yahweh os estava desafiando.

dele ficara apenas o tronco. "... tinha o formato de um *peixe*, a parte menos nobre, que ficou de pé; a cabeça de forma humana e as mãos estavam despedaçadas no chão" (Ellicott, *in loc.*). "Somente a forma de peixe foi deixada intacta" (Kimchi, o qual também explica que esse ídolo, do umbigo para cima, tinha a forma humana, mas, do umbigo para baixo, tinha a forma de peixe). Foi a parte que permaneceu intacta. Ver Jz 16.23.

"Essas provas do *poder* e da *autoridade* de Deus prepararam o caminho para os seus *julgamentos*" (Adam Clarke, *in loc.*).

■ 5.5

עַל־כֵּן לֹא־יִדְרְכוּ כֹהֲנֵי דָגוֹן וְכָל־הַבָּאִים בֵּית־דָּגוֹן עַל־מִפְתַּן דָּגוֹן בְּאַשְׁדּוֹד עַד הַיּוֹם הַזֶּה: ס

Os que entram no seu templo, não lhe pisam o limiar. Visto que os membros decepados caíram no *limiar* do templo de Dagom, por isso mesmo os adoradores evitavam pisar aquele lugar, temendo que o poder que causara o fenômeno também se mostrasse contrário a eles. Entre outras coisas comuns nas religiões primitivas, havia o costume de saltar por cima do limiar. Talvez aquele lugar fosse considerado especialmente sagrado, e o *salto* demonstrasse respeito. Por isso, os críticos pensam que a verdadeira razão para não pisar o limiar do templo fosse o costume antigo, e não o que havia sucedido com a arca. Cf. Sl 1.9. "Os limiares dos templos, em diversos lugares, eram considerados tão sagrados que as pessoas costumavam prostrar-se e *beijar* o lugar. Quando o cristianismo se corrompeu, a *adoração* das entradas dos templos cristãos também começou" (Adam Clarke, *in loc.*). Ver no *Dicionário* o artigo intitulado *Idolatria*.

"A idolatria sempre foi inimiga da verdadeira religião. Sem dúvida, uma maneira de identificar isso consiste em dizer que, quando os homens adoram com base em meros costumes ou dogmas, estão adorando a um ídolo, e não ao Deus inviolável" (John C. Shroeder, *in loc.*).

■ 5.6

וַתִּכְבַּד יַד־יְהוָה אֶל־הָאַשְׁדּוֹדִים וַיְשִׁמֵּם וַיַּךְ אֹתָם בָּעֳפָלִים אֶת־אַשְׁדּוֹד וְאֶת־גְּבוּלֶיהָ:

A mão do Senhor castigou duramente. Os *juízos de Yahweh* multiplicaram-se, assumindo várias formas. Talvez tenha havido pragas na Filístia, tal como antes houvera no Egito. Uma praga específica é mencionada — os "tumores", que algumas versões apontam erroneamente como "hemorroidas", ou mesmo "hemorroidas sangrentas", segundo interpretou Adam Clarke (*in loc.*). Mas apesar de termos de admitir que um ataque maligno dessa condição é uma praga para os sofredores, dificilmente tal condição de saúde pode estar aqui em foco. É provável que George B. Caird (*in loc.*) esteja correto, ao declarar que a enfermidade era a *peste bubônica*. Essa peste provoca tumores na virilha, nas axilas e também partes laterais do pescoço. Desse modo, uma vez mais, Yahweh mostrou-se mais forte que Dagom e toda a idolatria dos filisteus. A Vulgata encerra aqui um curioso eufemismo: "ele os feriu nas partes mais sagradas de suas partes posteriores". Talvez o trecho de Sl 78.66 se refira a essa praga, ao falar do "perpétuo desprezo".

A Septuaginta e a Vulgata adornam o texto, falando sobre outras pragas: "E as cidades e os campos de toda aquela região explodiram com ratos, e houve a confusão de tremendo morticínio na cidade". 1Sm 6.4 menciona os *camundongos*, e alguns estudiosos defendem a adição como representação do texto hebraico original, que manuscritos posteriores presumivelmente perderam. Mas o reverso também pode ser verdade. Aquele versículo pode ter inspirado a adição espúria que se vê aqui, em algumas versões.

Heródoto explicou que os *ratos* são símbolos de pragas, e isso talvez seja ilustrado na adição que se vê na Septuaginta e na Vulgata. Nesse caso, teriam ocorrido diversos tipos de pragas como punição imposta por Yahweh. "Ratos de ouro" (ver 1Sm 6.4), pois, teriam sido um símbolo da peste bubônica. Como se sabe, essa peste é causada pelo bacilo de Yersim, transmitidas originalmente pelas pulgas que sugam o sangue de camundongos e o transferem para o sangue humano.

■ 5.7

וַיִּרְאוּ אַנְשֵׁי־אַשְׁדּוֹד כִּי־כֵן וְאָמְרוּ לֹא־יֵשֵׁב אֲרוֹן אֱלֹהֵי יִשְׂרָאֵל עִמָּנוּ כִּי־קָשְׁתָה יָדוֹ עָלֵינוּ וְעַל דָּגוֹן אֱלֹהֵינוּ:

Vendo os homens de Asdode que assim era. As *pragas* sobrevieram súbita e poderosamente. Pessoas morriam por toda parte. Os filisteus nem se deram ao trabalho de buscar explicações naturais para o que estava sucedendo. Eles sabiam que Yahweh estava por trás de tudo aqui, e corretamente chegaram à conclusão de que a arca, representação simbólica da presença de Deus, precisava ser devolvida aos filhos de Israel.

Heródoto (1.1, cap. 105) conta uma história similar. Os citas saquearam o templo de Vênus, em Ascalom, que nos dias mais antigos era uma das cinco principais cidades dos filisteus. Depois disso, as deusas daquele lugar afligiram as mulheres com doenças venéreas (talvez a gonorreia). E isso foi considerado uma aflição causada por algum sacrilégio.

"Agora eles entenderam que não haviam prevalecido sobre Israel, que também não eram mais fortes que Yahweh. Percebiam quão facilmente Deus era capaz de confundir e destruir toda a nação filisteia" (Adam Clarke, *in loc.*).

■ 5.8

וַיִּשְׁלְחוּ וַיַּאַסְפוּ אֶת־כָּל־סַרְנֵי פְלִשְׁתִּים אֲלֵיהֶם וַיֹּאמְרוּ מַה־נַּעֲשֶׂה לַאֲרוֹן אֱלֹהֵי יִשְׂרָאֵל וַיֹּאמְרוּ גַּת יִסֹּב אֲרוֹן אֱלֹהֵי יִשְׂרָאֵל וַיַּסֵּבּוּ אֶת־אֲרוֹן אֱלֹהֵי יִשְׂרָאֵל: ס

Todos os príncipes dos filisteus. Ou seja, os "prefeitos" das cinco principais cidades da Filístia, além de outros oficiais importantes da nação. Havia um governo geral que congregava as cinco cidades. Assim, o texto sagrado nos informa que o governo central da Filístia se uniu para discutir a questão. Foi uma espécie de *assembleia nacional*.

"Parece que a federação dos filisteus era muito poderosa... envolvendo atividades marítimas e comércio exterior. Eles controlavam boa fatia dos negócios efetuados pelo mar Mediterrâneo, sendo esse mar o grande elo de ligação entre as nações ocidentais e orientais do mundo antigo. Sem dúvida, tudo isso se relacionava à adoração a Dagom, o deus-peixe... A constituição da Filístia era *oligárquica*, ou seja, o governo estava nas mãos de um colégio de príncipes, cujas decisões nunca eram desafiadas pelos cidadãos" (Ellicott, *in loc.*).

Príncipes. O original hebraico toma aqui, por empréstimo, um vocábulo, *séren*, que nunca foi usado senão em alusão aos cinco senhores filisteus. Talvez a palavra esteja etimologicamente relacionada ao grego *tyrannos* (em português, "tirano"), uma palavra que não tinha origem propriamente grega, pois talvez fosse proveniente de línguas faladas por povos do mar Egeu. Seja como for, os *príncipes* filisteus atuavam de modo bastante parecido com o dos *tiranos* gregos, embora estes últimos só tenham surgido em cena poucos séculos mais tarde. As cinco principais cidades da Filístia eram governadas de maneira similar ao que se via nas cidades-estados helenas...

Seja levada a arca do Deus de Israel até Gate. Ainda relutantes em devolver a arca da aliança e admitir sua derrota, os filisteus imaginaram tolamente que enviá-la para outra cidade (ver no *Dicionário* acerca de *Gate*) faria cessar a peste. Na verdade, porém, Deus seguiu a arca, fazendo rebentar idêntica praga, em Gate, que tinha atingido Asdode. Visto que Gate ficava apenas a cerca de 20 quilômetros de Asdode, era tolice supor que tão pequena distância produziria alguma diferença. Os homens, em sua insensatez, fazem muitas coisas tolas.

As cinco cidades principais dos filisteus eram Asdode, Gate, Asquelom, Ecrom e Gaza. O texto sagrado, pois, mostra-nos que a arca acabou visitando *três* dessas cidades (Asdode, Gate e Ecrom), antes que os filisteus finalmente se dispusessem a dela desvencilhar-se, devolvendo-a aos filhos de Israel.

5.9

וַיְהִ֞י אַחֲרֵ֣י ׀ הֵסַ֣בּוּ אֹת֗וֹ וַתְּהִ֨י יַד־יְהוָ֤ה ׀ בָּעִיר֙ מְהוּמָ֣ה גְּדוֹלָ֣ה מְאֹ֔ד וַיַּךְ֙ אֶת־אַנְשֵׁ֣י הָעִ֔יר מִקָּטֹ֖ן וְעַד־גָּד֑וֹל וַיִּשָּׂתְר֥וּ לָהֶ֖ם עֳפָלִֽים

A mão do Senhor foi contra aquela cidade. O que acontecera em Asdode agora sucedia em Gate. Uma pequena mudança de localização geográfica (cerca de 20 quilômetros) não poderia estancar o poder de Deus. Essa circunstância sugere que os filisteus pensaram insensatamente que, se a arca do Senhor fosse removida do templo de Dagom, o antagonismo cessaria.

Naturalmente, os críticos veem aqui somente a ação de causas naturais, supondo que o contágio da peste bubônica também tivesse atingido Gate. De fato, causas naturais poderiam ter afetado todo o território filisteu; mas sabemos que não estiveram envolvidas somente causas naturais. É melhor dizer que o poder de Deus não se limitava à propagação bacteriológica das pragas, e que o sobrenatural operava sobre o natural.

5.10

וַֽיְשַׁלְּח֛וּ אֶת־אֲר֥וֹן הָאֱלֹהִ֖ים עֶקְר֑וֹן וַיְהִ֗י כְּב֨וֹא אֲר֤וֹן הָאֱלֹהִים֙ עֶקְר֔וֹן וַיִּזְעֲק֨וּ הָעֶקְרֹנִ֤ים לֵאמֹר֙ הֵסַ֤בּוּ אֵלַי֙ אֶת־אֲר֣וֹן אֱלֹהֵ֣י יִשְׂרָאֵ֔ל לַהֲמִיתֵ֖נִי וְאֶת־עַמִּֽי׃

Enviaram a arca de Deus a Ecrom. A mudança seguinte foi para Ecrom. As notícias sobre pragas devastadoras já haviam chegado àquela cidade, juntamente com a ideia de a sua causa era "a presença da arca"; por esse motivo o povo daquele lugar recusou-se a receber a arca do Senhor. Essa recusa levou os príncipes filisteus a reunir-se novamente para discutir o problema, em busca de uma solução melhor do que ficar mudando a arca de cidade para cidade. Ecrom ficava cerca de 32 quilômetros quase bem ao norte de Gate e também era uma das cinco cidades principais da Filístia. Ver sobre *Ecrom* no *Dicionário*. Ali era o centro da adoração a Baalzebube, o deus das moscas, uma das muitas formas que a idolatria dos filisteus assumia. O versículo seguinte mostra-nos que a arca permaneceu em Ecrom por tempo bastante para atrair a(s) mesma(s) praga(s) que as duas cidades anteriores haviam sofrido.

5.11

וַיִּשְׁלְח֨וּ וַיַּאַסְפ֜וּ אֶת־כָּל־סַרְנֵ֣י פְלִשְׁתִּ֗ים וַיֹּֽאמְרוּ֙ שַׁלְּח֞וּ אֶת־אֲר֨וֹן אֱלֹהֵ֤י יִשְׂרָאֵל֙ וְיָשֹׁ֣ב לִמְקֹמ֔וֹ וְלֹֽא־יָמִ֥ית אֹתִ֖י וְאֶת־עַמִּ֑י כִּֽי־הָיְתָ֤ה מְהֽוּמַת־מָ֙וֶת֙ בְּכָל־הָעִ֔יר כָּבְדָ֥ה מְאֹ֛ד יַ֥ד הָאֱלֹהִ֖ים שָֽׁם׃

Devolvei a arca do Deus de Israel. Ecrom também foi vitimada por pragas, e morreu ali grande número de pessoas, embora o versículo anterior dê a entender que a arca da aliança não tenha sido bem acolhida. É evidente, contudo, que a arca ficou em Ecrom tempo suficiente para que a praga se disseminasse, com os mesmos trágicos resultados ocorridos nas duas outras cidades.

A mão de Deus. Temos aqui a declaração sobre a verdadeira causa da praga, as operações castigadoras de Yahweh. E assim os príncipes filisteus, reunidos ali ou em algum outro centro importante, tentaram decidir sobre o problema. O resultado da conferência foi que a única solução possível consistia em devolver a arca da aliança a Israel, ao seu lugar no tabernáculo em Silo. A presença da arca em território filisteu havia custado alto preço, e não valia a pena ficar com ela, mantendo uma vingança tola. Muito mais proveitoso era eliminar a presença amaldiçoadora da arca, com seu poder de atrair tremendas pragas. Ver as notas sobre o vs. 8 deste capítulo, quanto ao tipo de governo que havia na federação filisteia.

"Os senhores dos filisteus, todavia, por longo tempo hesitaram se deveriam livrar-se do mortífero troféu de sua vitória militar. Eles tinham crescido com um respeito indefinido sobre a *caixa de ouro*, que, conforme supunham, por tantas vezes havia levado o exército de Israel à vitória, nos dias de Josué, o famoso conquistador hebreu" (Ellicott, *in loc.*).

5.12

וְהָֽאֲנָשִׁים֙ אֲשֶׁ֣ר לֹא־מֵ֔תוּ הֻכּ֖וּ בָּעֳפָלִ֑ים וַתַּ֛עַל שַֽׁוְעַ֥ת הָעִ֖יר הַשָּׁמָֽיִם׃

Eram atingidos com os tumores. Este versículo alerta-nos para o fato de que mais de uma praga atacava os filisteus. As pessoas morriam de várias coisas, e não somente da praga que causava os tumores. Alguns morriam prontamente, mesmo sem os sintomas da terrível peste bubônica. Sem importar qual fosse a causa, se uma só ou diversificada, uma coisa era certa: grande número de pessoas morreu, havendo muito choro e lamentação, a ponto de os clamores chegarem ao próprio céu e, por assim dizer, aos ouvidos dos deuses. Havia grande e universal consternação. Tudo isso nos faz lembrar do que aconteceu aos egípcios, sobretudo no caso da última praga, que aniquilou todos os *primogênitos*. Ver Êx 12.

CAPÍTULO SEIS

DEVOLUÇÃO DA ARCA (6.1—7.1)

Ver o capítulo 5 quanto à grande tribulação que a arca causou aos filisteus, primeiramente em Asdode, então em Gate e finalmente em Ecrom. A principal dificuldade foi a peste bubônica (ver 1Sm 5.9); mas outras pragas, ao que parece, também estiveram envolvidas (ver 1Sm 5.12). O resultado foi devastador, porquanto muitos morreram das pragas e grande e amargo clamor subiu ao céu (ver 1Sm 5.12). Os *senhores* dos filisteus (ver 1Sm 5.8 quanto à federação dos filisteus e seus tiranos) decidiram assim enviar a caixa dourada (a arca) de volta a Israel. Antes de realmente enviar a arca, para certificar-se de que tinham tomado a decisão correta, os senhores dos filisteus consultaram seus sacerdotes e adivinhos. Eles queriam contar com orientação e sanção para o movimento. Aqueles adivinhos aconselharam os senhores a enviar uma generosa oferta de avaliação com a arca, como se isso fosse aplacar a ira de Yahweh, o Deus de Israel. Eles julgaram que uma grande ofensa tinha sido cometida, e a mera devolução da arca não seria suficiente para trazer libertação das pragas. A história ainda não havia terminado, porquanto a mão de Yahweh novamente atacava na cidade israelita de Bete-Semes (vs. 19). Mas finalmente a contenda terminou, e Israel uma vez mais obteve a posse da arca (ver 1Sm 7.1). O incidente deu a Samuel a oportunidade de tentar desviar Israel de seus pecados e de sua idolatria, para inaugurar assim um Novo Dia (ver o sétimo capítulo).

6.1

וַיְהִ֧י אֲרוֹן־יְהוָ֛ה בִּשְׂדֵ֥ה פְלִשְׁתִּ֖ים שִׁבְעָ֥ה חֳדָשִֽׁים׃

Sete meses esteve a arca do Senhor na terra dos filisteus. O autor sagrado agora nos informa que todas aquelas tragédias nas cidades de Asdode, Gate e Ecrom ocorreram no sétimo mês em que a arca estava na Filístia. Durante esse tempo, Israel agonizava devido à perda da arca e, sem dúvida, muitos oravam por sua devolução segura. Yahweh respondeu a essas orações, fazendo sua *pesada mão* oprimir os filisteus. Ver os vss. 6 e 7.

6.2

וַיִּקְרְא֣וּ פְלִשְׁתִּ֗ים לַכֹּהֲנִ֧ים וְלַקֹּסְמִ֛ים לֵאמֹ֖ר מַֽה־נַּעֲשֶׂ֣ה לַאֲר֣וֹן יְהוָ֑ה הוֹדִעֻ֕נוּ בַּמֶּ֖ה נְשַׁלְּחֶ֥נּוּ לִמְקוֹמֽוֹ׃

Estes chamaram os sacerdotes e os adivinhadores. Embora pagãos e idólatras, os filisteus, como a maioria dos povos antigos, tinham aguçada sensibilidade espiritual. Não se contentavam apenas com que os poderes *seculares* (os seus senhores, ver 1Sm 5.8) tivessem a última palavra em questões de importância nacional. Por isso mesmo, convocaram sacerdotes e adivinhadores para ratificar a decisão de devolver a arca a Israel. Não queriam cometer outro equívoco e causar mais tribulações e pragas. Ver no *Dicionário* o verbete intitulado *Adivinhação*. Cf. Dt 18.10. Não somos aqui informados de qual seria o *modus operandi* de suas adivinhações, mas, sem importar quais fossem, eles confirmavam a retidão de seus poderes seculares. "Nos conselhos de todas as nações da antiguidade, os adivinhos ocupavam lugar distinto. Ouvimos falar deles sob diferentes designações, como mágicos, feiticeiros, bruxos, áugures, oráculos etc. Eles estranhamente trabalhavam com a ajuda de flechas, entranhas de animais mortos, observação de estrelas e sinais naturais, voo das aves etc. Talvez, aqui e ali, fossem ajudados por maus espíritos... Isaías (3.2) menciona-os especialmente e considera-os entre as ordens que serviam ao estado (Ellicott, *in loc.*). O artigo mencionado acima descreve modos de adivinhação. Ver também sobre *Magia e Feitiçaria*.

■ 6.3

וַיֹּאמְר֗וּ אִֽם־מְשַׁלְּחִ֞ים אֶת־אֲר֨וֹן אֱלֹהֵ֤י יִשְׂרָאֵל֙ אַל־תְּשַׁלְּח֤וּ אֹתוֹ֙ רֵיקָ֔ם כִּֽי־הָשֵׁ֥ב תָּשִׁ֛יבוּ ל֖וֹ אָשָׁ֑ם אָ֤ז תֵּרָֽפְאוּ֙ וְנוֹדַ֣ע לָכֶ֔ם לָ֛מָּה לֹא־תָס֥וּר יָד֖וֹ מִכֶּֽם׃

Responderam eles. Os *adivinhos* concordaram que a arca tinha de ser devolvida, visto que fora cometido um *traspasso* contra Yahweh, o Deus de Israel. Outrossim, recomendaram amplo oferecimento de víveres juntamente com a arca, como uma *oferenda* pelos traspassos. A outorga de tais coisas era um ato de apaziguamento comum, quer a um deus, quer a algum rei terreno que tivesse sido ofendido.

"É uma opinião comum entre todas as pessoas que, embora o Ser Supremo de nada precise de suas criaturas, contudo ele lhes requer *total* consagração. O mesmo argumento que prova sua independência, infinitude e autossuficiência, prova também a nossa dependência e a obrigação de estar sob as suas exigências, e de oferecer-lhe dupla indicação de nossa gratidão e submissão... O próprio Deus ordenou a seu povo que não aparecesse diante dele sem uma oferenda (ver Êx 23.15). Ninguém podia aparecer de mãos *vazias*" (Adam Clarke, *in loc.*).

■ 6.4

וַיֹּאמְר֗וּ מָ֣ה הָאָשָׁם֮ אֲשֶׁ֣ר נָשִׁ֣יב לוֹ֒ וַיֹּאמְר֗וּ מִסְפַּר֙ סַרְנֵ֣י פְלִשְׁתִּ֔ים חֲמִשָּׁה֙ עָפְלֵ֣י זָהָ֔ב וַחֲמִשָּׁ֖ה עַכְבְּרֵ֣י זָהָ֑ב כִּֽי־מַגֵּפָ֥ה אַחַ֛ת לְכֻלָּ֖ם וּלְסַרְנֵיכֶֽם׃

Cinco tumores de ouro. A peste bubônica causa tumores em várias áreas do corpo, o que anoto em 1Sm 5.6. A aparência daqueles tumores deveria ser representada nos tumores de ouro. O número dado aqui, *cinco*, foi determinado pelo fato de os filisteus terem cinco cidades e cinco principais senhores que governavam sobre elas. Ali estava o coração de sua federação. Ver sobre 1Sm 5.8 quanto a essa informação. Assim, aqueles tumores de ouro diriam: "Yahweh, Deus de Israel, estamos tristes por ter tirado a arca de seu lugar. E cada tumor de ouro diz que cada senhor filisteu te pede perdão". Os cinco tumores de ouro devem ter sido distinguidos como coisas que representavam condições feias, mas, finalmente, seu simbolismo era claro. E, obviamente, seu valor monetário era considerável, pois sem dúvida eles eram feitos de ouro puro.

"Era um costume geral entre as nações da antiguidade oferecer à sua deidade, a quem a enfermidade era atribuída, a *similaridade* das partes enfermadas. Os que tinham escapado de afogamento poderiam oferecer gravuras ou vestes a Netuno, que era quem governava os mares. Os escravos e gladiadores apresentavam os braços a Hércules. Os cativos dedicavam suas correntes a alguma divindade, quando eram soltos... Votos similares continuam sendo feitos em alguns dos países católico-romanos" (Ellicott, *in loc.*).

Cinco ratos de ouro. Ratos eram as causas da praga. As pulgas transmitem as bactérias da peste bubônica aos homens, tendo primeiramente infernizado os ratos infectados. Ver sobre 1Sm 5.6. A menção aos ratos entra aqui abruptamente nos manuscritos hebreus, mas a Septuaginta e a Vulgata Latina os citam em 1Sm 5.6. Talvez essa fosse a leitura original que os manuscritos hebraicos existentes acabaram por perder. Alguns intérpretes supõem que temos em questão duas pragas: a peste bubônica e o grande excesso de ratos que passou a contaminar e comer tudo. Provavelmente devemos entender aqui duas pragas separadas, mas de alguma forma, uma *causada* pela outra. O número *cinco* tem o mesmo simbolismo, como no caso dos tumores de ouro. Portanto, havia dupla ênfase, *dois símbolos* do arrependimento filisteu por terem tirado a arca da aliança de Yahweh para fora de seu devido lugar. O vs. 5, porém, mostra-nos que a grande abundância de ratos era igualmente uma praga, e algo separado da contaminação pelas pulgas, o que os filisteus sem dúvida não compreendiam. De alguma maneira, contudo, eles tinham associado os ratos à praga. Eles sabiam que a peste bubônica sempre era acompanhada por grande abundância de ratos. A associação era clara, mesmo se eles não compreendessem o porquê.

■ 6.5

וַעֲשִׂיתֶם֩ צַלְמֵ֨י עָפְלֵיכֶ֜ם וְצַלְמֵ֣י עַכְבְּרֵיכֶ֗ם הַמַּשְׁחִיתִם֙ אֶת־הָאָ֔רֶץ וּנְתַתֶּ֛ם לֵאלֹהֵ֥י יִשְׂרָאֵ֖ל כָּב֑וֹד אוּלַ֗י יָקֵ֤ל אֶת־יָדוֹ֙ מֵֽעֲלֵיכֶ֔ם וּמֵעַ֥ל אֱלֹהֵיכֶ֖ם וּמֵעַ֥ל אַרְצְכֶֽם׃

Fazei umas imitações. Os próprios ratos eram uma grande praga. Mas de alguma maneira (misteriosamente) eram a causa das demais pragas. Embora não tivessem ciência para explicar o porquê das coisas, os filisteus tinham senso suficiente para associar a abundância dos ratos com o irrompimento da peste bubônica. Naturalmente, ambas as coisas eram atribuídas ao julgamento de Yahweh sobre eles, por ter sido removida a arca de seu legítimo lugar e exibida vulgarmente ao redor da Filístia.

Que andam destruindo a terra. Os ratos saíram a destruir todas as coisas, infestando campos, celeiros e casas. Aos antigos faltavam modos de controlar os ratos. Plínio diz-nos como os ratos campesinos destruíam safras inteiras (*Nat. Hist.* 1.10, cap. 65). Aristóteles anunciou como os ratos aumentavam de tal maneira em número que todos os grãos tinham sido comidos ou contaminados (*Hist. Animal.* 1.6, cap. 37). Aeliano informou-nos que os ratos se multiplicavam de tal modo que, em certas partes da Itália, o povo simplesmente abandonava casas e terras e mudava-se para outros lugares que não tivessem a praga dos ratos (*De Animal.* 1.17).

Além de devolver a arca e enviar os dois conjuntos de cinco imagens de ouro, o povo precisava dar "glória a Yahweh", o "Deus" de Israel, para que ele tomasse conhecimento do retorno da arca e dos oferecimentos, e assim fizesse cessar as pragas. Os filisteus, politeístas, não encontrariam problemas para acreditar que os deuses de outros povos também tinham poder e autoridade sobre certas áreas. Portanto, apesar de admitirem que Yahweh os tinha derrotado naquela questão, não abandonariam seu politeísmo e idolatria. Não seria extraordinário ter de *aplacar* divindades que não faziam parte de seu panteão. Em Js 7.19, a expressão "dá glória ao Senhor Deus de Israel" equivale a uma confissão de pecado. Vimos antes que os filisteus confessaram ter traspassado (vs. 4).

■ 6.6

וְלָ֤מָּה תְכַבְּדוּ֙ אֶת־לְבַבְכֶ֔ם כַּאֲשֶׁ֧ר כִּבְּד֛וּ מִצְרַ֥יִם וּפַרְעֹ֖ה אֶת־לִבָּ֑ם הֲלוֹא֙ כַּאֲשֶׁ֣ר הִתְעַלֵּ֣ל בָּהֶ֔ם וַֽיְשַׁלְּח֖וּם וַיֵּלֵֽכוּ׃

Por que, pois, endureceríeis o vosso coração...? *Um Exemplo Negativo*. Todos os vizinhos de Israel sabiam o que tinha acontecido no Egito e como o Faraó aumentara as tribulações e pragas do Egito, por ter continuamente *endurecido seu coração*. Naturalmente, no êxodo, algumas vezes era Deus quem endurecia o coração do Faraó, ao passo que, em outras, o próprio Faraó se mantinha irredutível. Ver Êx 7.3,14,22; 8.15,19,32; 9.12 e 10.1. Seja como for, os adivinhos aconselharam os senhores a não seguir o exemplo prejudicial do Faraó, tentando vencer Yahweh por persistência em seus erros. Ver no *Dicionário* o artigo chamado *Pragas do Egito*.

Ao Longo do Caminho. O Faraó fora obrigado a deixar Israel ir-se, porque o Egito estava sendo devastado pelas pragas. Ele teria sido muito mais sábio se os tivesse deixado ir no começo, poupando sofrimento e dor. Por esse motivo que os adivinhos disseram: "Sede mais sábios que o Faraó. Livrai-vos da arca imediatamente!" Dessa maneira, sofreriam somente *duas* pragas, e não as *dez* que o Egito experimentara.

■ 6.7

וְעַתָּ֗ה קְח֛וּ וַעֲשׂ֥וּ עֲגָלָ֖ה חֲדָשָׁ֣ה אֶחָ֑ת וּשְׁתֵּ֨י פָר֜וֹת עָלוֹת֙ אֲשֶׁ֣ר לֹֽא־עָלָ֤ה עֲלֵיהֶם֙ עֹ֔ל וַאֲסַרְתֶּ֧ם אֶת־הַפָּר֛וֹת בָּעֲגָלָ֖ה וַהֲשֵׁיבֹתֶ֧ם בְּנֵיהֶ֛ם מֵאַחֲרֵיהֶ֖ם הַבָּֽיְתָה׃

Agora, pois, fazei um carro novo. *Provisões Elaboradas.* O carro usado para transportar a arca não podia ser utilizado em nenhum outro propósito. A arca era especial e precisava ter seu próprio transporte especial. Ninguém teria empregado um carro comum e vulgar. Yahweh ficaria ofendido com isso. Ele não deteria as pragas. As duas vacas que seriam empregadas para puxar o carro precisavam ser *novas*, sem nunca terem puxado outra carga. O serviço delas teria de ser especial. Assim também todos os outros materiais para transporte tinham de ser novos e nunca usados (cf. Mc 11.2). Yahweh ficaria aborrecido com "coisas velhas". "Nosso Senhor montou em um burro sobre o qual nenhum homem tinha ainda sentado (ver Mc 11.2), e seu corpo morto foi depositado no túmulo *novo* de José, onde nenhum homem havia sido depositado (Mt 27.60)" (*Speaker's Commentary*). Quanto à suposta virtude das *coisas novas*, ver Jz 16.7-11.

■ 6.8

וּלְקַחְתֶּם אֶת־אֲרוֹן יְהוָה וּנְתַתֶּם אֹתוֹ אֶל־הָעֲגָלָה וְאֵת ׀ כְּלֵי הַזָּהָב אֲשֶׁר הֲשֵׁבֹתֶם לוֹ אָשָׁם תָּשִׂימוּ בָאַרְגַּז מִצִּדּוֹ וְשִׁלַּחְתֶּם אֹתוֹ וְהָלָךְ׃

Então tomai a arca do Senhor. A *arca* e as preciosas oferendas de ouro foram postas no carro. Os objetos de ouro foram colocados em uma caixa para que fossem carregados em segurança e não se perdessem. O versículo enfatiza o respeito com que os filisteus prepararam oferendas a Yahweh, em contraste com o descuido dos habitantes hebreus de Bete-Semes, cuja curiosidade vulgar levou a mão pesada de Yahweh a ferir uma vez mais (vs. 19).

■ 6.9

וּרְאִיתֶם אִם־דֶּרֶךְ גְּבוּלוֹ יַעֲלֶה בֵּית שֶׁמֶשׁ הוּא עָשָׂה לָנוּ אֶת־הָרָעָה הַגְּדוֹלָה הַזֹּאת וְאִם־לֹא וְיָדַעְנוּ כִּי לֹא יָדוֹ נָגְעָה בָּנוּ מִקְרֶה הוּא הָיָה לָנוּ׃

Reparai. A jornada de Ecrom a Bete-Semes (ver a esse respeito no *Dicionário*) era de apenas 36 quilômetros. Mas isso teria sido uma grande distância para vacas que nunca tinham puxado uma carga e de cujos bezerros tivessem sido separadas.

O Teste. Se aquelas duas vacas novas se dirigissem diretamente ao destino, sem causar nenhuma perturbação, então isso serviria de *sinal* de que Yahweh, de fato, havia causado toda aquela dificuldade. Mas se as vacas se rebelassem no caminho, então isso serviria de sinal de que tudo ocorrera por mero *acaso*. Se assim fosse, os senhores tomariam a questão como uma *curiosa coincidência* e reteriam a arca. Os filisteus supunham que Yahweh daria outra demonstração de poder, controlando os atos naturais rebeldes das duas vacas. Se ele queria de volta a arca, então teria de conservar as vacas em boa ordem e fazê-las mover-se ao longo de seu destino.

O texto poderia dar a impressão de que as vacas foram enviadas sozinhas até Bete-Semes, sem condutores, e somente Yahweh haveria de guiá-las. Mas o vs. 16 mostra-nos que os *cinco senhores* fizeram a viagem dirigindo as vacas.

Deus ou Mero Acaso? O teste que os adivinhos filisteus propuseram, todo homem deve enfrentar em sua própria vida. Nossa vida está sendo dirigida de acordo com algum plano divino, para algo maior que nós, ou caminha a esmo, segundo mero acaso? Ver os dois artigos na *Enciclopédia de Bíblia, Teologia e Filosofia*, ou seja, *Desígnio* e *Destino*, onde discuto questões como o acaso e o destino. Ver também sobre *Coincidência Significativa*.

> Deus está no céu,
> Tudo está correto no mundo.
>
> Browning

> Guia-me, ó grande Yahweh,
> Peregrino nessa terra infértil;
> Sou fraco, mas tu és forte,
> Segura-me com tua poderosa mão.
>
> William Williams

■ 6.10

וַיַּעֲשׂוּ הָאֲנָשִׁים כֵּן וַיִּקְחוּ שְׁתֵּי פָרוֹת עָלוֹת וַיַּאַסְרוּם בָּעֲגָלָה וְאֶת־בְּנֵיהֶם כָּלוּ בַבָּיִת׃

Assim fizeram aqueles homens. O *plano* foi seguido. As duas vacas foram colocadas juntas para puxar o carro. Seus filhotes, provavelmente ainda em período de amamentação, foram levados para algum outro lugar. O plano foi estabelecido para que as vacas ficassem irritadas e se recusassem a puxar o carro na direção de Bete-Semes. Essa era a cidade mais próxima de Israel, na fronteira com a Filístia, a somente 36 quilômetros de distância; mas aquela era uma distância enorme para duas vacas inexperientes. Se as vacas se rebelassem, então os senhores reconheceriam isso como um *sinal* de que as pragas sofridas haviam ocorrido por acaso, e não através do julgamento de Yahweh. Nesse caso, eles reteriam a arca, um troféu de seu triunfo sobre Israel.

■ 6.11

וַיָּשִׂמוּ אֶת־אֲרוֹן יְהוָה אֶל־הָעֲגָלָה וְאֵת הָאַרְגַּז וְאֵת עַכְבְּרֵי הַזָּהָב וְאֵת צַלְמֵי טְחֹרֵיהֶם׃

Puseram a arca do Senhor sobre o carro. Este versículo repete a informação do vs. 8, onde são dadas as notas. Os filisteus não foram punidos por tocarem a arca, como aconteceu com Uzá, porquanto não tinham alternativa para realizar o que tinham decidido fazer. Ver 2Sm 5.6,7. Ver o vs. 5 quanto ao simbolismo e ao significado dos *dez* objetos de ouro, que seriam oferecidos para reter a ira de Yahweh.

■ 6.12

וַיִּשַּׁרְנָה הַפָּרוֹת בַּדֶּרֶךְ עַל־דֶּרֶךְ בֵּית שֶׁמֶשׁ בִּמְסִלָּה אַחַת הָלְכוּ הָלֹךְ וְגָעוֹ וְלֹא־סָרוּ יָמִין וּשְׂמֹאול וְסַרְנֵי פְלִשְׁתִּים הֹלְכִים אַחֲרֵיהֶם עַד־גְּבוּל בֵּית שָׁמֶשׁ׃

As vacas se encaminharam diretamente para Bete-Semes. O *sinal* que os príncipes filisteus procuravam foi dado, desde o princípio até o fim da viagem. Aquelas vacas inexperientes, embora tivessem deixado seus filhotes para trás, caminharam diretamente na direção de Bete-Semes, e não se rebelaram, mantendo os olhos firmes no alvo. Isso significava que Yahweh realmente era a causa das pragas, e obviamente estava controlando os animais, a fim de obter de volta a sua arca da aliança. O versículo parece indicar que as vacas puxaram o carro sem orientação, enquanto os senhores filisteus seguiam atrás, observando a visão extraordinária. Ver o vs. 9 para o *teste* que os adivinhos filisteus tinham traçado. "Embora elas nada tivessem para guiá-las, conservaram o passo na direção de Bete-Semes... o que demonstrou que estavam sob a orientação do próprio Deus" (John Gill, *in loc.*).

Seguiam sempre por esse mesmo caminho. Como se estivessem contentes, embora distantes de seus filhotes. Não obstante, seguiram jornada sem se queixarem ou se rebelarem.

Os príncipes dos filisteus foram atrás delas. Não à frente, para guiá-las, mas atrás, como se os animais os estivessem dirigindo. Yahweh era o verdadeiro guia dos animais, essa é a mensagem central do autor sagrado.

"Os animais mudos fizeram o que os sacerdotes idólatras e os adivinhos dificilmente creram ser possível, pois a mão de Deus os guiava" (Ellicott, *in loc.*). Houve uma intervenção divina, dada pela *Providência de Deus* (ver a esse respeito no *Dicionário*).

■ 6.13

וּבֵית שֶׁמֶשׁ קֹצְרִים קְצִיר־חִטִּים בָּעֵמֶק וַיִּשְׂאוּ אֶת־עֵינֵיהֶם וַיִּרְאוּ אֶת־הָאָרוֹן וַיִּשְׂמְחוּ לִרְאוֹת׃

Andavam os de Bete-Semes fazendo a sega do trigo no vale. O carro fazia seu caminho ao longo da estrada que atravessava a terra de fazendas. Assim acontecia que os segadores que trabalhavam nos campos viam a maravilha, a arca aproximando-se no carro. Eles sabiam que a arca tinha sido furtada, e era grande a maravilha de ser trazida de volta. Os filisteus entravam em território hostil, mas escolheram *Bete-Semes* por causa de seu direito à fronteira, contudo sempre dentro do território de Israel. A arca poderia ser deixada ali sem que se arriscassem a algum golpe militar da parte de Israel. Bete-Semes era uma cidade sacerdotal que seria o local temporário da arca, pois Silo jazia em ruínas devido aos ataques filisteus. Ver no *Dicionário* detalhes que não incluo aqui. Ver Js 21.16 e 1Sm 6.15 quanto ao fato de que se tratava de uma cidade sacerdotal. Visto que era uma cidade dada aos levitas, e que eles eram versados na lei e nos costumes dos hebreus, é ainda maior a maravilha de que algumas pessoas da região, em curiosidade, tiveram coragem de tocar a arca e olhar para ela, o que produziria horrenda punição.

■ **6.14**

וְהָעֲגָלָה בָּאָה אֶל־שְׂדֵה יְהוֹשֻׁעַ בֵּית־הַשִּׁמְשִׁי וַתַּעֲמֹד שָׁם וְשָׁם אֶבֶן גְּדוֹלָה וַיְבַקְּעוּ אֶת־עֲצֵי הָעֲגָלָה וְאֶת־הַפָּרוֹת הֶעֱלוּ עֹלָה לַיהוָה: ס

O carro veio ao campo de Josué. Esse Josué era um habitante de Bete-Semes, e não o Josué do livro que leva seu nome. Provavelmente, era um sacerdote ou levita proprietário da fazenda ou pedaço de terra onde o carro agora entrava.

No campo havia uma *grande pedra* que se elevava do chão. Foi, após algum tempo, chamada de "grande pedra" (ver o vs. 18). A menção da pedra revelou como a arca veio a repousar ali, e como as gerações que se seguiram foram capazes de identificar o lugar mediante tal pedra. É possível que a pedra tenha sido usada como um altar para receber sacrifícios, e alguns judeus dizem que Abraão a erigiu (*Hieron. Trad. Hb* in lib. Reg. fol. 75), mas acerca desses detalhes não podemos ter certeza alguma.

Seja como for, a pedra era, pelo momento, usada como um *altar*; as vacas foram sacrificadas sobre ela, e o carro foi completamente destruído. A razão para isso era que os animais e outros objetos tinham sido usados com um propósito sagrado e não podiam, por isso mesmo, ser empregados em fins profanos. Portanto, um *sacrifício a Deus* era a legítima conclusão da questão. Naturalmente, foram os sacerdotes hebreus em Bete-Semes que efetuaram o ritual. A presença da arca tornou o sacrifício legítimo, embora ela não estivesse em Silo, o lugar designado. De qualquer maneira, Silo jazia em ruínas e deixara de ser o local do sítio da arca.

■ **6.15**

וְהַלְוִיִּם הוֹרִידוּ אֶת־אֲרוֹן יְהוָה וְאֶת־הָאַרְגַּז אֲשֶׁר־אִתּוֹ אֲשֶׁר־בּוֹ כְלֵי־זָהָב וַיָּשִׂמוּ אֶל־הָאֶבֶן הַגְּדוֹלָה וְאַנְשֵׁי בֵית־שֶׁמֶשׁ הֶעֱלוּ עֹלוֹת וַיִּזְבְּחוּ זְבָחִים בַּיּוֹם הַהוּא לַיהוָה:

Os levitas desceram a arca do Senhor. A arca estava sendo devolvida para pacificar Yahweh, que fora ofendido e enviara as pragas sobre os filisteus. O ato foi completado com ofertas queimadas e sacrifícios. Aquele dia foi separado para oferecer uma comemoração sacrificial especial. Os críticos, contudo, supõem que este versículo seja a interpolação de algum editor que queria fazer a sua história coincidir com os requisitos do código sacerdotal. Não é assim tão ilógico supor que os levitas do lugar simplesmente cumpriam seus deveres, e era coerente com suas funções ordenar uma condição especial de sacrifícios para celebrar a recuperação da arca. Visto que Bete-Semes era uma cidade sacerdotal, não há razão para duvidarmos que os levitas estavam ali para receber a arca, chamados pelos fazendeiros.

■ **6.16**

וַחֲמִשָּׁה סַרְנֵי־פְלִשְׁתִּים רָאוּ וַיָּשֻׁבוּ עֶקְרוֹן בַּיּוֹם הַהוּא: ס

Viram aquilo os cinco príncipes dos filisteus. Os senhores filisteus observavam os acontecimentos, incluindo os sacrifícios. Eles sabiam que tinham cumprido sua missão, seguindo todos os conselhos dos adivinhos e sacerdotes (ver 1Sm 6.2 ss.). Visto que a arca estava agora de volta nas mãos dos hebreus, e ainda mais devidamente, nas mãos dos levitas, esperavam que as pragas cessassem. Assim sendo, os cinco senhores voltaram para casa aliviados por terem cumprido seu dever e abreviado o sofrimento de seu povo.

■ **6.17**

וְאֵלֶּה טְחֹרֵי הַזָּהָב אֲשֶׁר הֵשִׁיבוּ פְלִשְׁתִּים אָשָׁם לַיהוָה לְאַשְׁדּוֹד אֶחָד לְעַזָּה אֶחָד לְאַשְׁקְלוֹן אֶחָד לְגַת אֶחָד לְעֶקְרוֹן אֶחָד: ס

São estes, pois, os tumores de ouro. O autor sagrado para por um momento para fazer-nos lembrar dos *cinco tumores* de ouro que representavam as cinco principais cidades da federação filisteia. Ele nomeia aqui todas as cinco cidades para garantir que os leitores estão plenamente informados sobre o assunto. Cada cidade recebe um artigo distinto no *Dicionário*. Ver as notas sobre o vs. 4 para maiores informações sobre os grandes tumores de ouro que faziam parte da oferenda de culpa de pecado para aplacar Yahweh.

■ **6.18**

וְעַכְבְּרֵי הַזָּהָב מִסְפַּר כָּל־עָרֵי פְלִשְׁתִּים לַחֲמֵשֶׁת הַסְּרָנִים מֵעִיר מִבְצָר וְעַד כֹּפֶר הַפְּרָזִי וְעַד אָבֵל הַגְּדוֹלָה אֲשֶׁר הִנִּיחוּ עָלֶיהָ אֵת אֲרוֹן יְהוָה עַד הַיּוֹם הַזֶּה בִּשְׂדֵה יְהוֹשֻׁעַ בֵּית־הַשִּׁמְשִׁי:

Como também os ratos de ouro. Além dos cinco tumores de ouro, havia os cinco *ratos de ouro* que representavam a causa das pragas. Este versículo repete a informação do vs. 5, onde são dadas as anotações expositivas. A arca ficara temporariamente em Asdode, Gate e Ecrom; mas alguns intérpretes pensam que ela visitara todas as cinco cidades, e por isso cinco tumores e cinco ratos eram necessários para aliviar todas as cinco cidades de suas pragas. Não havia que duvidar, a praga tinha-se estendido à terra toda, mas as cinco cidades representavam o *todo*.

A grande pedra. Algumas traduções dizem *pedra de Abel*. Alguns pensam que *Abel* é o nome da cidade e a identificam com Bete-Semes. Mas através de uma leve modificação na palavra temos a palavra hebraica que significa *grande*. A Septuaginta e o Targum caldaico dizem *grande*, em lugar de Abel, e essa é, provavelmente, a leitura original do hebraico, que foi corrompida para *Abel* nos manuscritos existentes, ao passo que *aven* (pedra) era a palavra original. Pedra de Abel significa "pedra de lamentação", ao passo que aparentemente constava no original apenas "grande pedra".

A pedra também podia ser vista na época do autor. Tinha-se tornado um memorial do evento ali ocorrido. Mas a arca foi removida para *Quiriate-Jearim* (ver o vs. 21).

■ **6.19**

וַיַּךְ בְּאַנְשֵׁי בֵית־שֶׁמֶשׁ כִּי רָאוּ בַּאֲרוֹן יְהוָה וַיַּךְ בָּעָם שִׁבְעִים אִישׁ חֲמִשִּׁים אֶלֶף אִישׁ וַיִּתְאַבְּלוּ הָעָם כִּי־הִכָּה יְהוָה בָּעָם מַכָּה גְדוֹלָה:

Feriu o Senhor os homens de Bete-Semes. *Tudo Aquilo Foi um Estúpido Sacrilégio*. Ali estavam levitas para gritar: "Mantenham-se longe da arca. Não toquem nela". Mas alguns homens de Bete-Semes (possivelmente incluindo alguns levitas!), vencidos pela curiosidade, não apenas tocaram a arca, mas olharam para dentro a fim de verificar se as tábuas da lei ainda estavam presentes. A legislação mosaica afirmava que somente os levitas poderiam manusear a arca; e até mesmo eles tinham de evitar tocar diretamente no objeto sagrado. Ver Nm 4.5,15,20. A vara era carregada sobre varais. Mas tocar nela e olhar para dentro era uma pesada transgressão. Desobediência desse tipo podia trazer a morte. Ellicott sugeriu que os principais homens da cidade, incluindo os levitas, tendo feito uma grande celebração e estando bêbados com tanto vinho, terminaram agindo estupidamente como referido neste texto. Talvez "esquentados com tanto vinho" eles tenham caído na armadilha de sacrilégio e acabaram pagando com a própria vida.

A Pesada Mão de Yahweh Administrou a Morte. O texto hebraico diz que Yahweh matou 50.070 homens. Os números em hebraico formavam-se pelo uso de letras, e era fácil fazer grandes mudanças nos números por pequenas modificações com as letras. Assim a *Revised Standard Version* diz aqui setenta homens, em lugar dos fantásticos mais de cinquenta mil. Por outro lado, o grande número pode ter sido tencionado pelo autor original, num exagero da questão. Eruditos acreditam que não havia como saber se Bete-Semes tinha tanta gente.

"Aqui fica perfeitamente claro que o presente texto hebraico... está corrompido... Bete-Semes nunca foi uma cidade grande ou importante; de fato, não havia nenhuma *grande* cidade em Israel, pois a população era sempre pequena, já que as pessoas geralmente viviam em fazendas. O Deão Pay Smith computou a população de Jerusalém, em seus melhores dias, como abaixo de setenta mil. As várias versões, como a LXX, o caldaico etc., variam na tradução desses cálculos, deixando-nos boquiabertos. Josefo, *Antiq.* vi. i, par. 4 (dá) o número de setenta. Provavelmente, esse é o número correto" (Ellicott, *in loc.*). Vemos, por conseguinte, que a *Revised Standard Version* segue a liderança de Josefo sobre a questão. Alguns manuscritos hebreus, de fato, dizem setenta, mas eles estão na minoria.

Qualquer que tenha sido o número, a *lição do texto* é bastante clara. *Sacrilégio* produz morte, e assim a pesada mão de Yahweh uma vez mais feriu. É possível que a peste bubônica tenha atacado aquelas setenta pessoas, infectadas por pulgas carregadas pelas vacas.

■ 6.20

וַיֹּאמְרוּ אַנְשֵׁי בֵית־שֶׁמֶשׁ מִי יוּכַל לַעֲמֹד לִפְנֵי יְהוָה הָאֱלֹהִים הַקָּדוֹשׁ הַזֶּה וְאֶל־מִי יַעֲלֶה מֵעָלֵינוּ: ס

Então disseram os homens de Bete-Semes. As grandes *calamidades* que sobrevieram aos filisteus sem dúvida foram ouvidas em Israel. Muitos hebreus regozijaram-se ao ouvir que Yahweh tinha punido a nação filisteia por *seu* sacrilégio. Mas agora, de súbito, Yahweh tinha punido os israelitas por *seus* sacrilégios. A arca era uma negócio sério e os homens temiam o Santo Yahweh-Elohim. Ver no *Dicionário* o artigo intitulado *Deus, Nomes Bíblicos de,* que explica esses títulos.

Os Pobres Pecadores. Tendo discernido a causa do golpe fatal que caíra sobre seus irmãos, reconheceram acertadamente que eles não eram melhores do que aqueles que tinham caído vítimas de sua infidelidade. Assim sucedeu que sobreveio grande senso de respeito mútuo e temor a *todos* os habitantes de Bete-Semes.

"O ponto, naturalmente, é que não apenas os incrédulos (os filisteus) sofreram quando a lei do Senhor foi desconsiderada. Os crentes (os israelitas) também sofreram quando não se conformaram às suas estritas exigências" (Eugene H. Merrill, *in loc.*). Eles temeram a presença da arca que, apenas pouco tempo antes, fora a causa de grande regozijo e mórbida curiosidade. Assim, convocaram homens em Quiriate-Jearim para virem e tirarem a arca dali, antes que maiores calamidades caíssem sobre eles.

■ 6.21

וַיִּשְׁלְחוּ מַלְאָכִים אֶל־יוֹשְׁבֵי קִרְיַת־יְעָרִים לֵאמֹר הֵשִׁבוּ פְלִשְׁתִּים אֶת־אֲרוֹן יְהוָה רְדוּ הַעֲלוּ אֹתוֹ אֲלֵיכֶם:

Enviaram, pois, mensageiros aos habitantes de Quiriate-Jearim. Ver um artigo detalhado sobre esse lugar no *Dicionário*. A arca ficou ali por vinte anos (ver 1Sm 7.2). Silo estava em ruínas após os filisteus a terem liquidado, e nunca mais a arca foi levada para lá, embora a cidade continuasse a ser um santuário. O homens de Quiriate-Jearim foram e tomaram a arca, e a terra repousou de pragas por algum tempo. Essa cidade leiga jazia nos bosques do território de Judá. Parece ter sido uma cidade mais importante que Bete-Semes, e um lugar mais apropriado para guardar a sagrada arca, que se tornaria o centro do culto hebreu. Vinte anos mais tarde, Davi tomou a arca dali e a levou a Jerusalém, onde ela continuou até o cativeiro babilônico, por volta de 597 a.C. Ver 2Sm 7.2; 1Cr 13.5; 2Cr 1.4.

CAPÍTULO SETE

■ 7.1

וַיָּבֹאוּ אַנְשֵׁי קִרְיַת יְעָרִים וַיַּעֲלוּ אֶת־אֲרוֹן יְהוָה וַיָּבִאוּ אֹתוֹ אֶל־בֵּית אֲבִינָדָב בַּגִּבְעָה וְאֶת־אֶלְעָזָר בְּנוֹ קִדְּשׁוּ לִשְׁמֹר אֶת־אֲרוֹן יְהוָה: פ

Este versículo pertence à seção anterior, e a nova seção começa em 1Sm 7.2.

1Sm 6.21 diz-nos como os habitantes de Bete-Semes sofreram súbito e desastroso julgamento de Yahweh pelo sacrilégio cometido contra a arca, ansiosos como estavam para transportá-la para um lugar mais apropriado. Ver as anotações em 1Sm 6.21 para maiores detalhes. Este versículo adiciona a informação de que a arca foi levada à casa de Abinadabe, onde um novo santuário foi estabelecido.

Então vieram os homens de Quiriate-Jearim. *Quiriate-Jearim* não era uma cidade levítica, mas a arca da aliança, tendo sido carregada para lá pelos levitas, tornou-a uma cidade levítica pelo espaço de vinte anos (vs. 2).

No outeiro. Ou lugar alto, uma boa localização para um culto religioso. Assim sendo, ao levita Abinadabe foi confiado o culto de Israel durante certo tempo. Josefo (*Antiq.* 1.6, cap. 1, sec. 4) diz-nos que ele era um levita, uma informação lógica.

Eleazar. Ver sobre esse título no *Dicionário*, especialmente o ponto 2. Ver também acerca de *Abinadabe*, ponto 3. A arca ficou sob a custódia da família de Abinadabe por cerca de setenta anos.

Eleazar, filho de Abinadabe, tornou-se guardião da arca. Essa condição perdurou por vinte anos (ver 1Sm 7.2). Embora o texto não afirme tal coisa, é quase certo que Abinadabe era um levita. Os nomes Eleazar e Uzá, bem como Aio (da família de Abinadabe), eram apelativos masculinos levíticos comuns. Samuel teria naturalmente insistido em que a arca ficasse sob a proteção de uma família levítica, embora o próprio autor sacro nada diga sobre a questão.

De acordo com todas as indicações, Eleazar era "um homem santo e bom, sábio e prudente, ativo e zeloso por Deus e pela verdadeira religião... uma pessoa apta para aquele posto" (John Gill, *in loc.*).

EXORTAÇÃO AO ARREPENDIMENTO (7.2-17)

"*Arrependimento Nacional.* Enquanto a arca esteve em Quiriate-Jearim, houve um período de paz entre Israel e os filisteus. Eleazar fora consagrado para tomar conta da arca da aliança. Durante todo esse período, Samuel, *profeta* da nação, deve ter servido quieta e constantemente como pastor... Aqueles anos não foram um tempo de ócio para ele, porquanto logo chegou o dia em que ele chamou o povo para um ato de arrependimento nacional (vs. 3). O motivo óbvio para qualquer reavivamento religioso parece ter sido a promessa de vitória sobre os inimigos. Contudo, por si só, isso não poderia ter produzido um arrependimento de âmbito nacional e universal" (John C. Shroeder, *in loc.*).

A mera presença da arca devolvida não era suficiente. Israel foi chamado à obediência e ao serviço ao Deus da arca. "O que era essencial era a submissão ao Deus da arca (vs. 4)" (Eugene H. Merrill, *in loc.*).

■ 7.2

וַיְהִי מִיּוֹם שֶׁבֶת הָאָרוֹן בְּקִרְיַת יְעָרִים וַיִּרְבּוּ הַיָּמִים וַיִּהְיוּ עֶשְׂרִים שָׁנָה וַיִּנָּהוּ כָּל־בֵּית יִשְׂרָאֵל אַחֲרֵי יְהוָה: ס

Sucedeu que, desde aquele dia, a arca ficou em Quiriate-Jearim. A arca foi trazida a Bete-Semes e poderia ter permanecido ali por algum tempo. Mas a pesada mão de Yahweh feriu o lugar por causa de seu sacrilégio. Assim a arca foi conduzida a Quiriate-Jearim e posta sob os cuidados da família de Abinadabe, especialmente sob o sacerdócio de Eleazar, seu filho. A arca permaneceu sob a custódia daquela família até que Davi a removeu e a colocou em Jerusalém. Portanto, a arca esteve em Quiriate-Jearim pelo espaço de vinte anos, antes de ser levada a Jerusalém. Ver as notas sobre o vs. 1, quanto a maiores detalhes.

AS ANDANÇAS DA ARCA

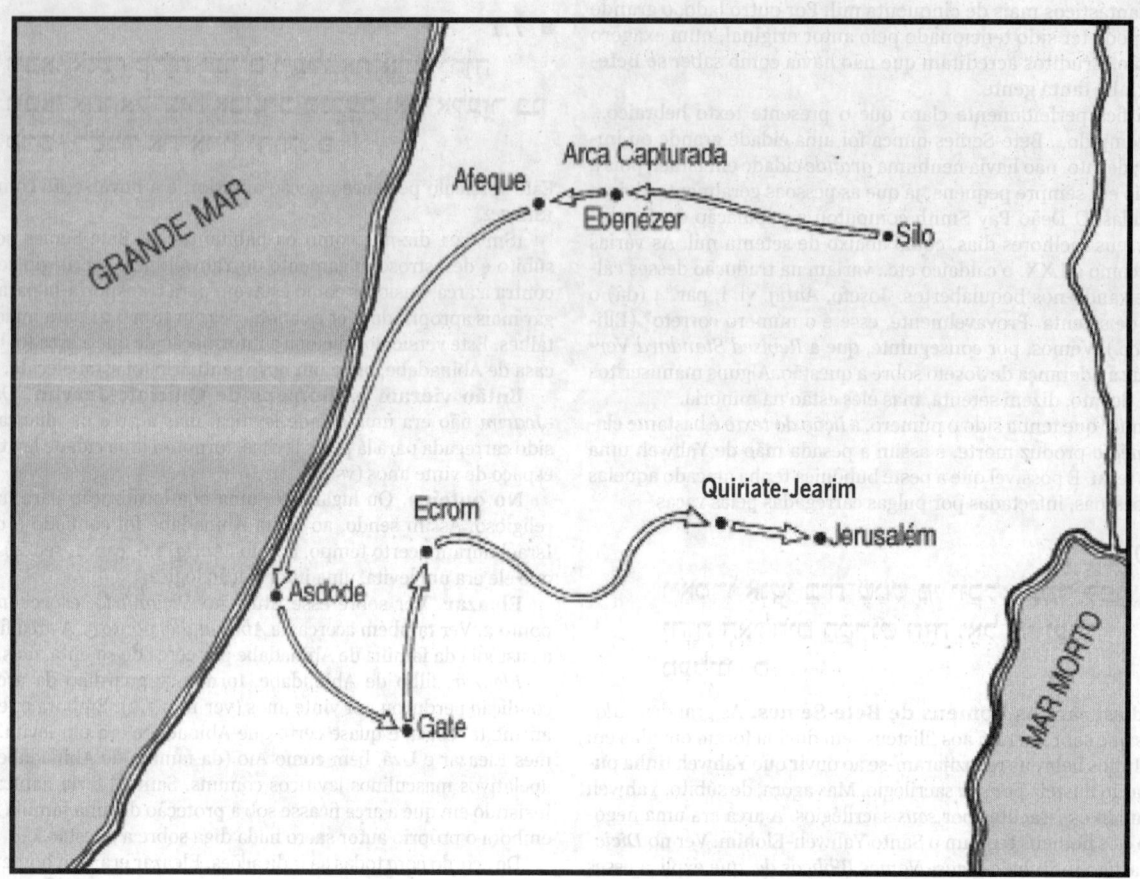

Observações:

A arca da aliança e o Tabernáculo estiveram em Silo desde a época de Josué e durante todo o tempo do profeta Samuel. Os inimigos de Israel capturaram a arca e a levaram para o templo de Dagom em Asdode. Na época de Davi, a arca foi guardada em Quiriate-Jearim. Com o estabelecimento da monarquia, à arca foi dado um lar em Jerusalém; Jerusalém tornou-se o centro do templo de Salomão.

A arca da aliança servia de lugar para a manifestação da presença de Yahweh, a presença divina. A arca foi colocada no lugar mais santo e representava o acesso à presença de Deus!

Tendo pois, irmãos, intrepidez para entrar no Santo dos Santos, pelo sangue de Jesus, pelo novo e vivo caminho que ele nos consagrou pelo véu, isto é, pela sua carne.

Hebreus 10.19,20

"Samuel, o trabalhador de Deus que não se cansava, e seu povo encontraram nos vinte anos um longo período de espera... A afirmação de 3.19, de que 'nenhuma de todas as suas palavras deixou cair em terra' pertence especialmente a esse período de atividade sem descanso... Lentamente mas com segurança, o coração do povo, seguro por seus apelos amorosos e apaixonados, foi trazido de volta a seu Eterno Amigo" (Ellicott, *in loc.*).

■ 7.3

וַיֹּאמֶר שְׁמוּאֵל אֶל־כָּל־בֵּית יִשְׂרָאֵל לֵאמֹר
אִם־בְּכָל־לְבַבְכֶם אַתֶּם שָׁבִים אֶל־יְהוָה הָסִירוּ
אֶת־אֱלֹהֵי הַנֵּכָר מִתּוֹכְכֶם וְהָעַשְׁתָּרוֹת וְהָכִינוּ
לְבַבְכֶם אֶל־יְהוָה וְעִבְדֻהוּ לְבַדּוֹ וְיַצֵּל אֶתְכֶם מִיַּד
פְּלִשְׁתִּים׃

Falou Samuel a toda a casa de Israel. Este versículo alerta-nos para o fato de que o culto em Quiriate-Jearim, embora sob a liderança sincera de Eleazar, teve pouca influência em Israel, como um todo, que estava debaixo da influência da *idolatria* (ver a respeito no *Dicionário*). Os vários cultos a Baal e a Astarote eram, essencialmente, festividades religiosas locais. Além disso, havia a maldade de Canaã, que envolvia toda espécie de práticas licenciosas, incluindo a prostituição religiosa. Também havia um sincretismo religioso e, em alguns lugares, até mesmo panteões nos quais Baal e Yahweh eram colocados lado a lado na mente do povo de Deus. Alguns chegaram a pensar que Yahweh e Baal eram dois títulos que se referiam à mesma deidade. O culto a Baal e a Astarote era a raíz de todo esse mal.

Ver no *Dicionário* os seguintes artigos: 1. *Idolatria*; 2. *Astarote, Astarte*; 3. *Baal (Baalismo)*.

Note-se o plural no vs. 4, *Baalins,* que indica vários cultos àquela divindade, um panteão. O vs. 4 também nos dá a forma plural *Astarotes,* nome que indica divindades femininas.

O apelo de Samuel, por conseguinte, era para o retorno ao *yahwismo* puro, com o abandono de todos os cultos estranhos e seus deuses multiformes. O fato de que Israel poderia ter caído em tão profunda e variegada idolatria fala sobre a total desintegração da vida religiosa nacional, em que cada homem fazia as coisas à sua maneira, em vez de seguir a lei de Moisés.

> *Naqueles dias não havia rei em Israel;*
> *cada um fazia o que parecia bom aos seus olhos.*
>
> Juízes 21.25

As tarefas de Samuel incluíam a consolidação da fé de Israel no *yahwismo*, bem como a consolidação política e social da monarquia. Samuel excitou em Israel uma sede pela restauração da fé no Deus Eterno, um retorno às raízes mosaicas. Completo arrependimento era assim necessário para reverter o curso totalmente reprovado que Israel tinha tomado.

■ **7.4**

וַיָּסִירוּ בְּנֵי יִשְׂרָאֵל אֶת־הַבְּעָלִים וְאֶת־הָעַשְׁתָּרֹת וַיַּעַבְדוּ אֶת־יְהוָה לְבַדּוֹ: פ

E serviram só ao Senhor. Temos aí a eficácia do apelo de Samuel. O autor sagrado, sem entrar em detalhes, disse-nos que os apelos e ensinamentos de Samuel tiveram seus efeitos. Nisso tornamo-nos perfeitamente cônscios de que Samuel era um *profeta poderoso*. Ele fez algo que o culto em Quiriate-Jearim não conseguiu fazer. Samuel era uma figura carismática, eloquente e persuasiva, que também estabelecia um exemplo para o povo. São necessários alguns ingredientes para que um profeta seja nacionalmente bem-sucedido. Ver o vs. 1 quanto à *variedade* idolátrica da qual Samuel teve de afastar o povo.

Tiraram dentre si os Baalins e os Astarotes. "Não duas divindades particulares, mas dois gêneros de ídolos: o primeiro, masculino, os Baalins; e o segundo, feminino, as Astarotes. Ambas as palavras estão no plural e significavam deuses e deusas" (Adam Clarke, *in loc.*).

■ **7.5**

וַיֹּאמֶר שְׁמוּאֵל קִבְצוּ אֶת־כָּל־יִשְׂרָאֵל הַמִּצְפָּתָה וְאֶתְפַּלֵּל בַּעַדְכֶם אֶל־יְהוָה:

Disse mais Samuel. *Representantes* de todo o Israel foram chamados a *Mispa* a fim de consolidar os avanços do reavivamento nacional, cumprindo assim os ritos e sacrifícios aceitos pela lei mosaica, a fim de que Yahweh ficasse satisfeito e reconfirmasse sua bênção sobre Israel. Ver o artigo sobre *Mispa*, no *Dicionário,* quanto a detalhes. Mispa ocupava o local onde se situa o moderno Nebi Samwil, ou seja, cerca de 18 quilômetros ao norte de Jerusalém. Foi provavelmente nesse lugar que importantes tradições acerca de Samuel foram preservadas. Jeremias falou sobre quão grande homem de oração Samuel era (ver Jr 15.1), e esse profeta também passou ali algum tempo, próximo do final de sua vida (ver Jr 40.6).

O profeta, com suas orações poderosas, poria Israel no curso certo. Ver sobre a *Oração*, no *Dicionário*. Cf. a intercessão eficaz de Moisés, em Nm 16.45, que apresenta uma poesia ilustrativa.

■ **7.6**

וַיִּקָּבְצוּ הַמִּצְפָּתָה וַיִּשְׁאֲבוּ־מַיִם וַיִּשְׁפְּכוּ לִפְנֵי יְהוָה וַיָּצוּמוּ בַּיּוֹם הַהוּא וַיֹּאמְרוּ שָׁם חָטָאנוּ לַיהוָה וַיִּשְׁפֹּט שְׁמוּאֵל אֶת־בְּנֵי יִשְׂרָאֵל בַּמִּצְפָּה:

Congregaram-se em Mispa. A demonstração de arrependimento nacional começou com *oblação,* continuou com *jejum* e foi guiada através de *oração*. Ver os artigos detalhados sobre os três elementos no *Dicionário*.

O ato de tirar água e derramá-la perante o Senhor era sinal de penitência, mas não temos ilustrações disso em nenhum outro lugar. Talvez a experiência no deserto estivesse por trás de tudo. No deserto, a água era realmente preciosa e indispensável para a sustentação da própria vida. Assim sendo, derramar água diante de Yahweh era um ato que dizia: "Eis aqui nossa vida. Nós a dedicamos a ti". Durante a festa dos Tabernáculos, havia também o derramamento de água do poço de Siloé, dentro do templo, no último dia da festa. Isso era feito em memória do dom de água dado no deserto, através da rocha contra a qual Moisés acabou falando e ferindo. Assim, uma pessoa em tristeza e arrependimento "derrama a sua alma", como se vê no caso de Ana (ver 1Sm 1.15). Os Targuns explicam a questão como se segue: "Eles derramaram o coração em arrependimento, como um homem que derrama água".

Entrementes, Samuel, que já era profeta e juiz, tinha estabelecido todos os seus ofícios em Mispa, por causa de sua liderança no reavivamento *nacional*. Nessa ocasião, Samuel tornou-se um líder nacional, indisputável em sua autoridade. Os juízes governaram áreas locais, não todo o Israel, mas Samuel universalizou esse ofício e preparou o caminho para a monarquia.

■ **7.7**

וַיִּשְׁמְעוּ פְלִשְׁתִּים כִּי־הִתְקַבְּצוּ בְנֵי־יִשְׂרָאֵל הַמִּצְפָּתָה וַיַּעֲלוּ סַרְנֵי־פְלִשְׁתִּים אֶל־יִשְׂרָאֵל וַיִּשְׁמְעוּ בְּנֵי יִשְׂרָאֵל וַיִּרְאוּ מִפְּנֵי פְלִשְׁתִּים:

Quando, pois, os filisteus ouviram que os filhos de Israel. Os *filisteus* interpretaram a reunião nacional em Mispa como um reavivamento do militarismo e decidiram resolver a questão antes que houvesse chance de eles obterem mais força. Assim, planejaram iniciar guerra e pôr fim à ameaça. Eles não tinham ocupado sistemática e completamente o território de Israel, embora Israel estivesse essencialmente sob seu controle.

Devemos entender, com base no contexto, que Israel tinha destruído santuários pagãos e cultuais (ver os vss. 3 e 4), algo julgado pelos filisteus como um prelúdio para a revolta social e militar.

■ **7.8**

וַיֹּאמְרוּ בְנֵי־יִשְׂרָאֵל אֶל־שְׁמוּאֵל אַל־תַּחֲרֵשׁ מִמֶּנּוּ מִזְּעֹק אֶל־יְהוָה אֱלֹהֵינוּ וְיֹשִׁעֵנוּ מִיַּד פְּלִשְׁתִּים:

Então disseram os filhos de Israel a Samuel. *Um arrependimento contínuo*, que sinceramente fizesse as pessoas voltar-se para Yahweh, garantiria vitória sobre os filisteus. Algo continuamente visto no Antigo Testamento é o fato de que Israel acreditava sempre que tanto a fé religiosa (espiritualidade de acordo com os termos mosaicos) como a vitória nas atividades militares eram necessárias para o bem-estar geral do povo. Ver 1Sm 9.16, onde as mesmas palavras são dadas, mas ali no tocante a Saul. Deus salva o seu povo através da agência humana, mas algumas vezes age com diferentes intervenções, testando dessa forma a dignidade espiritual do povo. O arrependimento, pois, requer um tipo de heroísmo moral que para muitas pessoas é difícil de obter. A maioria dos homens não pode elevar-se ao verdadeiro arrependimento; e, não obstante, é isso que a Bíblia requer de nós. Ver no *Dicionário* o artigo chamado *Arrependimento*. O verdadeiro arrependimento envolve mudança de vida, mas também *reparação*. Ver no *Dicionário* o verbete chamado *Reparação (Restituição)*.

■ **7.9**

וַיִּקַּח שְׁמוּאֵל טְלֵה חָלָב אֶחָד וַיַּעֲלֵהוּ עוֹלָה כָּלִיל לַיהוָה וַיִּזְעַק שְׁמוּאֵל אֶל־יְהוָה בְּעַד יִשְׂרָאֵל וַיַּעֲנֵהוּ יְהוָה:

Tomou, pois, Samuel um cordeiro que ainda mamava. Samuel realizou um *holocausto* (ver a respeito no *Dicionário*). Esse holocausto foi, ao mesmo tempo, uma oferta pelo pecado de todo o povo, para remover todos os obstáculos, e um ato de desespero espiritual, clamando pela ajuda de Yahweh em tempos de crise. Entrementes, ele continuou a intercessão que é comentada no vs. 5.

Um cordeiro que estivesse mamando deveria permanecer no mínimo oito dias com a sua mãe, antes que pudesse ser oferecido, uma exigência da lei mosaica (Lv 22.27). Samuel não era sacerdote, mas apesar disso exercia certos poderes sacerdotais. Alguns estudiosos sugerem que era Eleazar quem realizava os sacrifícios reais, e isso permitiria que todas as demandas capitais fossem satisfeitas pela lei. Era mentalidade dos hebreus que o favor de Yahweh poderia ser obtido através de sacrifícios apropriados, que constituíam o coração de sua fé religiosa. Assim, em tempos de crise, Samuel voltava-se para um sacrifício como meio para obter a ajuda de Yahweh.

■ 7.10

וַיְהִי שְׁמוּאֵל מַעֲלֶה הָעוֹלָה וּפְלִשְׁתִּים נִגְּשׁוּ לַמִּלְחָמָה בְּיִשְׂרָאֵל וַיַּרְעֵם יְהוָה ׀ בְּקוֹל־גָּדוֹל בַּיּוֹם הַהוּא עַל־פְּלִשְׁתִּים וַיְהֻמֵּם וַיִּנָּגְפוּ לִפְנֵי יִשְׂרָאֵל׃

Enquanto Samuel oferecia o holocausto. Enquanto Samuel oferecia o cordeiro, os filisteus se aproximaram, prontos para atacar e pôr fim à suposta revolta. Naquele momento, de súbito, houve uma espécie de intervenção divina que, ao que tudo indica, manifestou-se sob a forma de violenta tempestade que desbaratou completamente os filisteus. O versículo diz-nos que a batalha realmente ocorreu, mas temos aqui um poderoso e inspirado Israel contra um grupo evidentemente assustado de filisteus, preparados para serem postos em fuga. Ver 1Sm 2.10 quanto ao que aconteceu à profecia feita por Ana. Josefo adornou o relato incluindo um terremoto, de modo que os terrores de Yahweh viessem de baixo e de cima (ver *Antiq.* 1.6.3.2 sec. 2). John Gill embelezou o relato ao supor que a terra tivesse aberto a boca e engolido alguns filisteus, uma informação que ele obteve da parte de Josefo.

Os desanimados filisteus fugiram, e a derrota foi completa. O exército vencido entrou em pânico e refugiou-se no mesmo terreno nas vizinhanças de Afeque, onde, anos antes, os filisteus tinham obtido uma vitória notável e tomado a arca da aliança (capítulo 4). Portanto, reversão e vingança foram obtidos por Israel.

■ 7.11

וַיֵּצְאוּ אַנְשֵׁי יִשְׂרָאֵל מִן־הַמִּצְפָּה וַיִּרְדְּפוּ אֶת־פְּלִשְׁתִּים וַיַּכּוּם עַד־מִתַּחַת לְבֵית כָּר׃

Saindo de Mispa os homens de Israel. Muitas guerras antigas eram decididas em uma grande e imensa matança do inimigo, e assim sucedeu no caso do texto diante de nós. O exército de Israel perseguiu os filisteus de Mispa até perto de Bete-Car. Ver o artigo sobre esse lugar no *Dicionário*. sua localização não parece certa, mas talvez tenha sido uma cidade do território de Dã. (As versões dão diferentes nomes por tratar-se de um local desconhecido.) Talvez os filisteus tivessem construído ali uma fortaleza, e esperavam obter alguma ajuda naquele lugar. "*Car*" significa "cordeiro", e pode ter existido ali um templo, onde cordeiros eram sacrificados. Ou talvez se trate tão somente de um lugar onde as ovelhas eram criadas. Não podemos dizer, contudo, quão distante estava de Mispa, mas sabemos que grande matança dizimou os filisteus e reduziu os seus poderes a ponto de os filisteus se verem sob a ameaça de extinção.

■ 7.12

וַיִּקַּח שְׁמוּאֵל אֶבֶן אַחַת וַיָּשֶׂם בֵּין־הַמִּצְפָּה וּבֵין הַשֵּׁן וַיִּקְרָא אֶת־שְׁמָהּ אֶבֶן הָעָזֶר וַיֹּאמַר עַד־הֵנָּה עֲזָרָנוּ יְהוָה׃

E lhe chamou Ebenézer. Samuel estabeleceu um memorial para a grande vitória dada por Yahweh. O lugar ficava entre Mispa e Sem, de localização desconhecida. O nome, contudo, sugere "dente", o que indica alguma espécie de marco geográfico, uma rocha que se projetasse para fora do terreno ou alguma outra formação. Cf. 1Sm 14.4.

Samuel chamou essa pedra memorial de *Ebenézer*. Ver um artigo detalhado sobre esse nome no *Dicionário*. O nome significa "pedra de ajuda", dando a entender ajuda *divina*. George B. Caird (*in loc.*) refere-se à leitura utilizando uma leve emenda: "Este é um testemunho de que o Senhor nos tem ajudado". O sobrenatural tinha intervindo. O caso de Israel era desesperador, mas houve uma *intervenção divina*, da qual todos nós, de vez em quando, precisamos em nossa vida. Algumas vezes, enfrentamos situações que estão além de nossas forças e nossos recursos. É então que o poder de Deus vem para intervir em nosso favor. Oh, Senhor, concede-nos tal graça! Esse é o começo do total livramento de Israel dos filisteus, que só seria completado nos dias de Davi, o qual expurgou de Israel os seus inimigos.

> Ergo aqui meu Ebenézer,
> Que por tua ajuda eu chego;
> E espero por teu bom prazer,
> Chegar à minha casa.
>
> Robert Robinson

■ 7.13

וַיִּכָּנְעוּ הַפְּלִשְׁתִּים וְלֹא־יָסְפוּ עוֹד לָבוֹא בִּגְבוּל יִשְׂרָאֵל וַתְּהִי יַד־יְהוָה בַּפְּלִשְׁתִּים כֹּל יְמֵי שְׁמוּאֵל׃

Assim os filisteus foram abatidos. A ameaça dos filisteus ainda não havia terminado, mas, nesse ponto, parece que eles não mais foram capazes de dominar os territórios de Israel. Eles podiam atacar e invadir, mas não ocupar territórios. E isso representava um grande progresso e o cumprimento das profecias de Ana (ver 1Sm 2.10).

"Samuel é aqui considerado o último e maior dos juízes que livrou Israel de seus opressores" (George B. Caird, *in loc.*).

"Não foi apenas uma vitória solitária, esse sucesso de Israel em Ebenézer, mas o sinal de um novo espírito em Israel, que animou a nação durante o período de vida de Samuel" (Ellicott, *in loc.*). "... mediante intervenção miraculosa" (Adam Clarke, *in loc.*).

■ 7.14

וַתָּשֹׁבְנָה הֶעָרִים אֲשֶׁר לָקְחוּ־פְלִשְׁתִּים מֵאֵת יִשְׂרָאֵל ׀ לְיִשְׂרָאֵל מֵעֶקְרוֹן וְעַד־גַּת וְאֶת־גְּבוּלָן הִצִּיל יִשְׂרָאֵל מִיַּד פְּלִשְׁתִּים וַיְהִי שָׁלוֹם בֵּין יִשְׂרָאֵל וּבֵין הָאֱמֹרִי׃

As cidades que os filisteus haviam tomado a Israel. As cidades que tinham sido ocupadas pelos filisteus foram retomadas. Não somos informados sobre as batalhas e vitórias específicas, mas sem dúvida houve um bom número delas. Os filisteus não desistiram meramente e saíram de Israel por causa do que lhes tinha acontecido em Ebenézer. Podem ter sido necessários alguns anos para Israel recuperar aquelas cidades.

Ecrom até Gate. Fica implícito que até mesmo as cidades-fortalezas dos filisteus caíram perante Israel, pelo menos algumas das *cinco* cidades principais. Ver 1Sm 6.17 quanto a essas cidades. Ou então essas palavras podem significar que os filisteus estavam *confinados* às suas próprias cidades e não podiam mais exercer poder além delas. Ou o autor escreveu numa época em que as cinco cidades haviam sido realmente *dominadas* por Israel. Porém, não foi isso o que se deu nos tempos de Samuel.

A batalha de Ebenézer ocorreu por volta de 1084 a.C. Samuel continuou julgando por mais outros trinta anos. Então apareceu Davi e, com ele, plenas vitórias foram obtidas.

Amorreus. O autor usa esta palavra para indicar todos os *cananeus*, ou habitantes da terra, embora, estritamente falando, fossem apenas um dentre *sete* outros povos. Cf. Gn 16.16; Êx 33.21 e Dt 7.1. Ver no *Dicionário* sobre os *Amorreus*.

■ 7.15

וַיִּשְׁפֹּט שְׁמוּאֵל אֶת־יִשְׂרָאֵל כֹּל יְמֵי חַיָּיו׃

E julgou Samuel. Este breve versículo informa-nos que Samuel continuou a julgar Israel enquanto viveu. Não havia nenhum sucessor. O rei *Saul* substituiu-o como líder nacional político, mas Samuel reteve sua posição como juiz especial e profeta e, por assim dizer, era o poder por trás do trono, mesmo quando Saul foi ungido rei. Ele permaneceu o árbitro legal em Israel, mesmo quando foi instituída a monarquia, de modo que, como juiz, governou até a morte. As tradições judaicas dão a Samuel cem anos de idade, dos quais ele atuou como juiz durante sessenta anos. Ele julgou durante todo o reinado de Saul e viveu para ungir Davi como rei.

■ 7.16

וְהָלַךְ מִדֵּי שָׁנָה בְּשָׁנָה וְסָבַב בֵּית־אֵל וְהַגִּלְגָּל וְהַמִּצְפָּה וְשָׁפַט אֶת־יִשְׂרָאֵל אֵת כָּל־הַמְּקוֹמוֹת הָאֵלֶּה׃

De ano em ano fazia uma volta. Samuel foi um juiz de *circuito*, com lugares específicos que visitava periodicamente. O texto nomeia três cidades que são comentadas no *Dicionário*. Essas cidades, naturalmente, não representavam uma influência nacional, mas cumpre-nos supor que por vários meios Samuel teve ascendência nacional, como juiz e também como profeta. O capítulo 9 concorda com a descrição dada por Samuel no modo de julgar. O circuito que ele completava era de cerca de 80 quilômetros em circunferência. Ou seja, ele visitava somente pequena parcela de todo o território israelita, embora, por outros meios, estendesse seu poder por todo o Israel.

"Os lugares mencionados como centros do juizado de Samuel eram todos santas cidades em diferentes períodos do ano e, sem dúvida, eram ocupados por peregrinos vindos de lugares distantes da terra" (Ellicott, *in loc.*). Isso fazia Samuel entrar em contato com o povo de diversos outros lugares, embora ele não visitasse pessoalmente pontos mais distantes.

■ 7.17

וַתְּשֻׁבָתוֹ הָרָמָתָה כִּי־שָׁם בֵּיתוֹ וְשָׁם שָׁפָט אֶת־יִשְׂרָאֵל וַיִּבֶן־שָׁם מִזְבֵּחַ לַיהוָה: פ

Porém voltava a Ramá, porque sua casa estava ali. seu ponto de partida era esta cidade. O lugar era chamado Ramataim-Zofim em 1Sm 1.1. Assim, após completar seu circuito, ele retornava à sua cidade natal e passava a maior parte do ano ali. Ali Samuel tinha seu quartel-general, conquanto sua influência e poder fossem nacionais. Ficava a cerca de 10 quilômetros de Jerusalém, e essa era a sede de sua profecia, bem como de sua atividade como juiz. A arca da aliança e o culto do tabernáculo estavam situados em Quiriate-Jearim (ver 1Sm 7.1), que ficava cerca de 13 quilômetros ao sul de Ramá. Assim sendo, os dois centros estavam bem próximos um do outro e não ficavam muito longe de Jerusalém.

E onde edificou um altar ao Senhor. Embora não fosse sacerdote, Samuel exercia poderes espirituais e tinha um altar que foi subordinado ao culto em Quiriate-Jearim. A unificação de toda a adoração religiosa foi alcançada somente com o templo de Salomão, de modo que havia altares e santuários espalhados por todo o Israel antes desse tempo, e mesmo depois. Alguns supõem que o culto do tabernáculo tenha sido transferido para Ramá nos últimos anos de Samuel. Mas não temos informações sobre isso. Mais provavelmente, Samuel simplesmente seguia a antiga prática patriarcal ou altares privados, que, naquela época, não eram considerados ilegítimos ou em competição com o de Quiriate-Jearim. Em outras palavras, a questão continuou assim até o tempo de Salomão.

CAPÍTULO OITO

SAMUEL E SAUL (8.1—15.35)

O FIM DA TEOCRACIA (8.1-22)

O capítulo 8 de 1Samuel é uma pedra de toque na história de Israel. O período dos juízes terminou capitulando à monarquia em Israel. Os críticos supõem que este capítulo, juntamente com 1Sm 10.17-27 e 1Sm 12, contém uma narrativa posterior da instituição monárquica e seria, de fato, uma espécie de crítica histórica dessa instituição. Jz 21.25 parece assumir uma visão diferente. Confusão e falta de ordem em Israel são ali atribuídas à falta de autoridade central, na pessoa de um rei. Contudo, 1Sm 8.7 refere-se à instituição monárquica como uma *rejeição* do governo direto de Yahweh, ou seja, da *teocracia*. Provavelmente, a verdade é que vários autores hebreus não tinham a mesma visão sobre a monarquia, e assim comentários contrastantes são feitos acerca da questão. Não há dúvidas de que muitos em Israel, incluindo Samuel, eram antimonárquicos. Mas a maioria pensava ser essa instituição um ato necessário para unificar Israel e prover maior proteção para a terra de Israel. Uma força armada mais poderosa e uma adoração unificada eram aspectos importantes da monarquia.

Outras *tentativas* para estabelecer uma monarquia fracassaram (ver Jz 8.22,23; cap. 9). Samuel ficou mais velho e sua estrela começou a esmaecer. Por isso mesmo as pessoas começaram a procurar outra estrela na qual pudessem fixar sua fortuna. Dt 17.14,15 havia antecipado a monarquia, mas o tempo ainda não havia chegado. Notemos também que a passagem é favorável a tal instituição, e Yahweh seria aquele escolhido como rei. Temos aqui uma instituição nova. Yahweh seria o rei divino e quem escolheria o rei humano. Temos aqui, portanto, mais uma indicação do conflito de novas ideias, favoráveis ou contrárias à monarquia.

■ 8.1

וַיְהִי כַּאֲשֶׁר זָקֵן שְׁמוּאֵל וַיָּשֶׂם אֶת־בָּנָיו שֹׁפְטִים לְיִשְׂרָאֵל:

Tendo Samuel envelhecido. Samuel era o único juiz nacional. Os outros tinham áreas de poder limitado, geralmente suas próprias tribos. Ao ficar mais idoso, Samuel delegou autoridade e empregou a ajuda de dois de seus filhos. Eles eram juízes autênticos, mas definitivamente confinaram-se a alguma área realmente pequena. Entrementes, embora fosse homem idoso, Samuel permaneceu como verdadeiro juiz nacional. Seus filhos não foram juízes no sentido pleno, mas somente delegados de Samuel, e assim jamais estiveram arrolados entre os juízes de Israel. Samuel foi o último *juiz* de Israel, tendo exercido esse ofício até a morte. Ver 1Sm 7.15. Incrivelmente, os próprios filhos de Samuel corromperam seus caminhos e não seguiram os passos retos do pai (vs. 3).

■ 8.2

וַיְהִי שֶׁם־בְּנוֹ הַבְּכוֹר יוֹאֵל וְשֵׁם מִשְׁנֵהוּ אֲבִיָּה שֹׁפְטִים בִּבְאֵר שָׁבַע:

O primogênito chamava-se Joel, e o segundo, Abias. Este versículo menciona somente Berseba, como se ambos os filhos de Samuel exercessem poder naquela cidade e áreas adjacentes. Mas Josefo informa-nos que eles tinham poder em duas cidades, cada qual sobre uma delas, a saber: Betel e Berseba (*Antiq.* VI. 3.2). Não temos aqui como saber quão exata seria essa informação. Berseba ficava cerca de 80 quilômetros ao sul de Ramá. Era uma longa distância para Samuel viajar, de modo que seu posto sul de julgamento foi delegado a um ou dois de seus filhos.

Joel... Abias... No *Dicionário*, há artigos sobre esses dois filhos de Samuel, que apresentam o pouco que sabemos sobre eles. De fato, praticamente a única coisa que podemos dizer é como eles agiram de maneira desgraçada, quase duplicando a perversidade dos filhos de Eli.

■ 8.3

וְלֹא־הָלְכוּ בָנָיו בִּדְרָכָיו וַיִּטּוּ אַחֲרֵי הַבָּצַע וַיִּקְחוּ־שֹׁחַד וַיַּטּוּ מִשְׁפָּט: פ

Porém seus filhos não andaram pelos caminhos dele. *Os Caminhos dos Filhos de Samuel.* Este versículo faz renascer a eterna pergunta sobre como um homem bom e piedoso pode ter filhos tão pervertidos. A afirmativa de Pv 22.6, "Ensina a criança no caminho em que deve andar, e ainda quando for velho não se desviará dele", apresenta um princípio geral que admite muitas e notáveis exceções. Os estudos mostram que os pais de filhos piedosos devem receber menor crédito por isso do que se imaginava anteriormente. E os pais de filhos maus devem sentir menos culpa do que se acreditava antes. A genética dá a um filho 1.800 características, e estudos recentes indicam que essas características incluem até mesmo as atitudes morais, a escolha de profissões e muitos outros detalhes.

Mas os que acreditam na preexistência da alma supõem que a história da alma tenha poder sobre a genética, pelo que uma vida é como o capítulo de um livro, e depende do que vai antes ou depois, em outros capítulos do mesmo livro. Essa ideia é mais saudável do que aquela que supõe que tudo quanto um homem faz decorre de seu ambiente e educação.

Antes se inclinaram à avareza, e aceitaram subornos e perverteram o direito. Os filhos de Samuel corromperam seus próprios ofícios, tomando noivas e pervertendo a justiça divina. Ninguém podia chegar à corte chefiada por eles e ter certeza de um

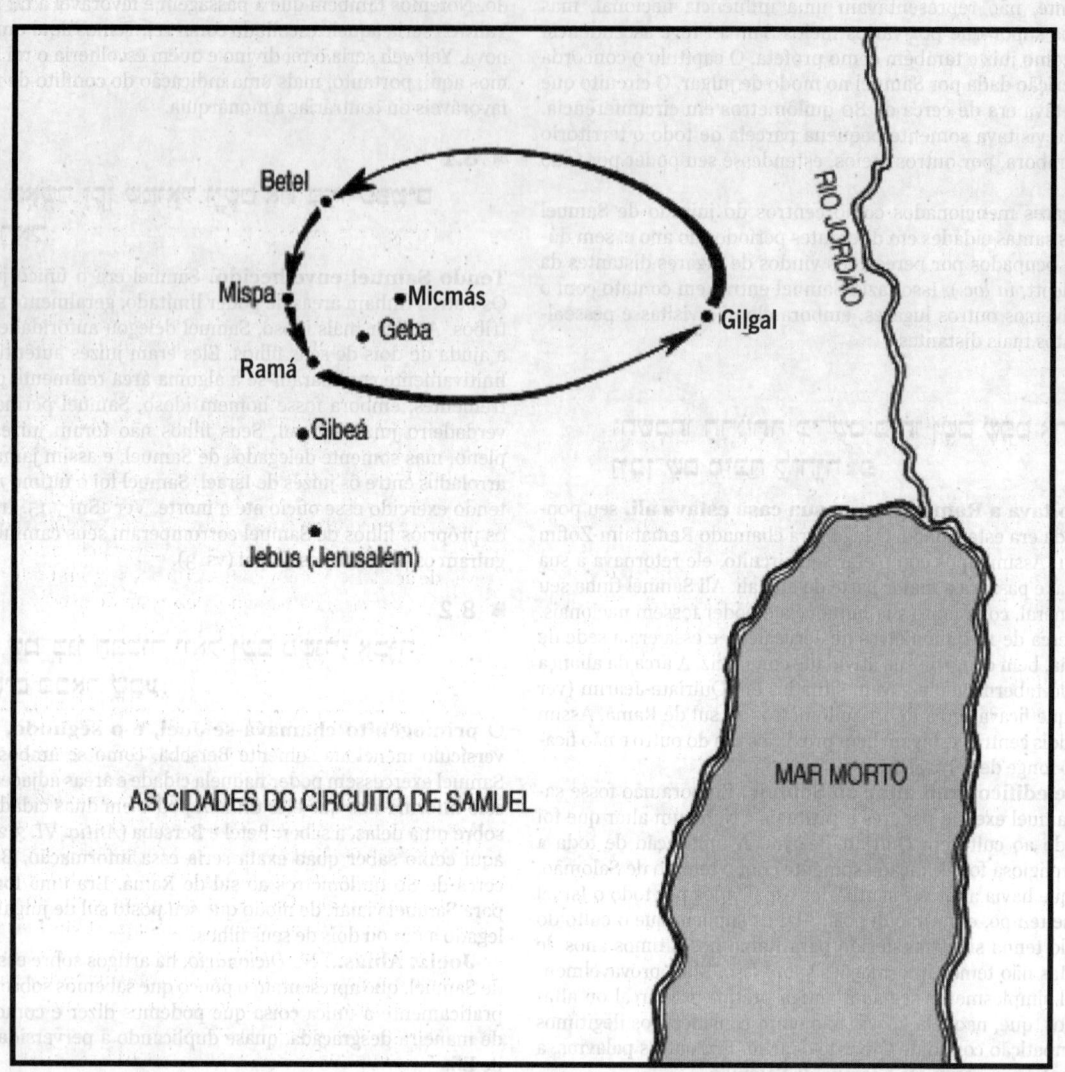

O INÍCIO DA UNIFICAÇÃO NACIONAL EM SAMUEL

AS CIDADES DO CIRCUITO DE SAMUEL

Observações:

1. Os juízes tinham autoridade sobre áreas limitadas de Israel, não cumprindo o papel de reis. Somente no tempo de Davi houve uma unidade verdadeira de Israel, norte e sul.

2. Samuel, como o último e mais universal dos juízes, contribuiu para a unificação da nação. seu circuito de cidades era bem limitado, como demonstra o gráfico.

3. O circuito incluiu Betel (da tribo de Efraim) e Mispa (provavelmente da tribo de Benjamim), Ramá (o lar de Samuel na tribo de Benjamim). É provável que Samuel tenha visitado, ocasionalmente, outras cidades mais distantes.

4. 1Sm 9.9 mostra que Samuel tinha a reputação de profeta, e sua fama se espalhou largamente em Israel. Entendemos que, como juiz-profeta, seu ofício ultrapassou o do sumo sacerdote.

5. Samuel ungiu Saul como rei (o primeiro de Israel) e também ungiu Davi (o segundo rei de Israel). Assim foi criada a monarquia. Davi unificou todo o Israel e estabeleceu Jerusalém como a capital espiritual e econômica do país. O filho de Davi, Salomão, alcançou a época áurea de Israel.

correto julgamento. Quem tinha o dinheiro era sempre aquele que vencia a disputa. Os profetas atacaram esse tipo de mal (ver Am 5.12; Is 5.23. Ver também Êx 23.6,8 e Dt 16.9). Da monarquia esperava-se pôr fim a tal perversão (ver Jz 17.6). Naturalmente, esses vícios continuaram sob a monarquia, mas as pessoas sempre esperam que a política resolva seus problemas, e sempre se desapontam porque isso não acontece.

■ **8.4,5**

וַיִּתְקַבְּצוּ כֹּל זִקְנֵי יִשְׂרָאֵל וַיָּבֹאוּ אֶל־שְׁמוּאֵל הָרָמָתָה׃

וַיֹּאמְרוּ אֵלָיו הִנֵּה אַתָּה זָקַנְתָּ וּבָנֶיךָ לֹא הָלְכוּ בִּדְרָכֶיךָ עַתָּה שִׂימָה־לָּנוּ מֶלֶךְ לְשָׁפְטֵנוּ כְּכָל־הַגּוֹיִם׃

Então os anciãos todos de Israel se congregaram. *Os filhos de Eli* voltaram na pessoa dos *filhos de Samuel!* Os anciãos de Israel não podiam tolerar tal coisa e reuniram-se para discutir o caso. Enviaram então uma delegação para conversar com Samuel.

Os que defendiam a monarquia agarraram-se ao caso dos filhos pervertidos de Samuel a fim de promover sua causa (ver o vs. 3). Era como se dissessem: "Foste um bom juiz. Mas teus filhos por certo não o são. Essa questão dos juízes precisa terminar, porque a perversão continua. Dá-nos um rei". Mas esse não foi um bom argumento, pois os reis também podem ser maus. Um ofício diferente não altera em nada o coração de um homem.

Os anciãos todos de Israel. Em outras palavras, os chefes das famílias e os principais líderes da cidade que eram dotados de autoridade e, ao que se presume, eram responsáveis por Samuel. "Temos aqui o traço claro de uma assembleia popular que parece, a todo o tempo, ter existido em Israel. Tal corpo parece ter-se reunido deliberadamente mesmo durante o cativeiro no Egito (ver Êx 3.16). Sobre esse concílio popular, sabemos pouco além de sua existência. Parece ter sido composto por representantes do povo, qualificados por nascimento ou por ofício" (Ellicott, *in loc.*).

Teocracia. No *Dicionário* forneço um detalhado artigo sobre esse assunto.

Como o têm todas as nações. Ser igual às outras nações, especialmente os pagãos, era algo que Samuel deve ter repudiado com vigor. Israel nada ganharia se imitasse outras nações. Porém, em momentos de desespero, as pessoas fazem coisas estranhas. Por outra parte, as demais nações tinham exércitos centralizados e a autoridade concentrada em um homem, o que facilitava a guerra e a defesa, e isso era de importância fundamental naqueles tempos em que se lançavam ataques selvagens a qualquer território.

■ **8.6**

וַיֵּרַע הַדָּבָר בְּעֵינֵי שְׁמוּאֵל כַּאֲשֶׁר אָמְרוּ תְּנָה־לָּנוּ
מֶלֶךְ לְשָׁפְטֵנוּ וַיִּתְפַּלֵּל שְׁמוּאֵל אֶל־יְהוָה: פ

Porém, esta palavra não agradou a Samuel. Samuel se desagradou diante da questão da monarquia e submeteu-a a Yahweh, antes de dar uma resposta aos anciãos. O tema era repulsivo a Samuel, pois, se uma monarquia fosse estabelecida, seria o fim da *teocracia*. Isto posto, embora o movimento parecesse bom, em algum sentido espiritual, a nação acabaria perecendo. Mas, como a nação perdia terreno com maus juízes e maus cidadãos, seria digno dar uma chance ao sistema monárquico.

Então Samuel orou ao Senhor. Há momentos em que um homem não sabe nada sobre a orientação divina. Usualmente, tomamos decisões racionais, condicionadas pelas circunstâncias. Mas sempre devemos buscar orientação superior para as grandes decisões. Ver no *Dicionário* o artigo sobre a *Oração.* Josefo diz-nos que Samuel não conseguia dormir, tão perturbado ficou com a questão. Logo, ele passou a noite inteira mergulhado em oração (*Antiq.* 1.6, cap. 3, sec. 1). "Muito pode, por sua eficácia, a súplica do justo" (Tg 5.16).

■ **8.7**

וַיֹּאמֶר יְהוָה אֶל־שְׁמוּאֵל שְׁמַע בְּקוֹל הָעָם לְכֹל
אֲשֶׁר־יֹאמְרוּ אֵלֶיךָ כִּי לֹא אֹתְךָ מָאָסוּ כִּי־אֹתִי מָאֲסוּ
מִמְּלֹךְ עֲלֵיהֶם:

Disse o Senhor a Samuel. Uma permissão relutante da parte do Senhor. Este versículo certamente não soa como Jz 17.6, onde o autor antecipara uma via de mudança por meio da monarquia. Ver também Jz 21.25, onde se diz a mesma coisa. Ver as notas de introdução ao presente capítulo quanto às atitudes oponentes à monarquia em Israel e quanto a diferentes posições de autores acerca da questão. O presente versículo parece ser um *protesto profético* contra a monarquia. Ou seja, os *profetas* mostraram-se contrários ao movimento.

Foi assim que Yahweh concedeu *permissão relutante* para que fosse estabelecida a monarquia, não porque ele pensou que isso seria o melhor para Israel, em teoria, mas porque as coisas se tinham desintegrado tanto que a monarquia talvez representasse uma *melhoria prática.* Os reis também seriam maus, pervertendo o julgamento, mas Israel tinha de atravessar esse período histórico. Tudo fazia parte do destino de Israel. Portanto, o *ideal* foi assim sacrificado. Os profetas, naturalmente, protestaram contra o sacrifício do ideal, mesmo que algum benefício prático viesse a ser obtido daquele modo. A vida política e a religiosa de Israel seriam separadas pela monarquia, algo idealmente reprovado. Tal separação era contrária ao ideal da *nação santa.*

■ **8.8**

כְּכָל־הַמַּעֲשִׂים אֲשֶׁר־עָשׂוּ מִיּוֹם הַעֲלֹתִי אֹתָם
מִמִּצְרַיִם וְעַד־הַיּוֹם הַזֶּה וַיַּעַזְבֻנִי וַיַּעַבְדוּ אֱלֹהִים
אֲחֵרִים כֵּן הֵמָּה עֹשִׂים גַּם־לָךְ:

Assim também o fazem a ti. Yahweh ofereceu uma breve revisão histórica, mostrando como ele vinha dirigindo Israel desde o começo, no Egito, quando fora o protetor daquele povo. Apesar desse seu esforço, porém, a *idolatria* era uma força constante entre o povo de Israel, com o consequente abandono do *yahwismo.* E agora, em concordância com isso, o Rei Yahweh teve de ser substituído pelo rei Saul, uma miserável substituição, para dizer o mínimo.

"*A Falácia Patética.* O desprazer de Samuel diante da proposta monárquica encontrou aqui expressão. Ele percebeu o que aconteceria se o povo prestasse lealdade a um governo humano, a uma regra, em vez de aceitar o Senhor como rei. Todos os lembretes do que Deus havia feito por eles, no passado, deixaram de evocar qualquer tradição responsiva" (John C. Shroeder, *in loc.*).

■ **8.9**

וְעַתָּה שְׁמַע בְּקוֹלָם אַךְ כִּי־הָעֵד תָּעִיד בָּהֶם וְהִגַּדְתָּ
לָהֶם מִשְׁפַּט הַמֶּלֶךְ אֲשֶׁר יִמְלֹךְ עֲלֵיהֶם: ס

Agora, pois, atende à sua voz, porém adverte-os. Fazer o que os anciãos do povo tinham pedido foi relutantemente aprovado por Yahweh (ver as notas sobre o vs. 7); mas essa permissão não foi dada sem um acompanhamento de reprimenda e *ameaça.* O rei não seria assim tão abençoado. Os vss. 11 e ss. fornecem uma longa lista de coisas desagradáveis que o rei demandaria. Filhos seriam perdidos na guerra; filhas seriam mantidas a conservar o luxo dos reis. Haveria serviço obrigatório, perda de liberdade, impostos pesados. Todos teriam de carregar pesado fardo. Em outras palavras, tamanha carga faria o povo clamar diante da opressão.

"Vemos aqui quão tristemente possível era para o homem, no exercício de sua liberdade, estragar a gloriosa obra arranjada para ele por seu Deus... e chegamos a ter uma visão do lamentável sentimento de tristeza (se é que podemos usar esse termo) da parte do Criador, quanto à perversa tolice de suas criaturas" (Ellicott, *in loc.*).

■ **8.10**

וַיֹּאמֶר שְׁמוּאֵל אֵת כָּל־דִּבְרֵי יְהוָה אֶל־הָעָם
הַשֹּׁאֲלִים מֵאִתּוֹ מֶלֶךְ: ס

Referiu Samuel todas as palavras do Senhor ao povo. Este versículo introduz as palavras que Yahweh deu a Samuel para transmitir ao povo. Os vss. 11-18 apresentam a divina discussão e os avisos. Mas o povo prontamente repeliu as advertências (ver o vs. 19). Coisas drásticas foram previstas. Terem os filhos de Israel um rei seria pura opressão e perda. Um rei sábio e benévolo seria uma raridade. Mas até mesmo uma monarquia generosa representa perda de liberdade, e a liberdade é a posse mais preciosa de um povo. A questão toda envolvia um mau negócio, e a história subsequente de Israel assim o provou; mas o povo de Israel estava cego por aquilo que "outras nações tinham" (vs. 5).

As *profecias de Samuel* a respeito das maldades dos reis e déspotas chegam aos nossos dias. Que há de mais opressivo que o governo? O Estado torna-se por demais organizado e por demais poderoso para dominar o povo, dia após dia, mediante seus "decretos". O povo passa a existir para o governo e suas corrupções, em vez de o governo existir para servir ao povo. Samuel advertiu o povo de que o rei estenderia sua mão e tomaria o que era de todos.

8.11

וַיֹּאמֶר זֶה יִהְיֶה מִשְׁפַּט הַמֶּלֶךְ אֲשֶׁר יִמְלֹךְ עֲלֵיכֶם אֶת־בְּנֵיכֶם יִקָּח וְשָׂם לוֹ בְּמֶרְכַּבְתּוֹ וּבְפָרָשָׁיו וְרָצוּ לִפְנֵי מֶרְכַּבְתּוֹ׃

Este será o direito do rei que houver de reinar sobre vós. O tal rei haveria primeiramente de tirar os filhos do povo e ensinar-lhes a guerrear. Ele imitaria as nações e multiplicaria cavalos e carros de guerra. Até aquele tempo, o exército de Israel era, essencialmente, uma *infantaria*, sendo esse o grande motivo pelo qual eles tinham perdido tantas batalhas: o inimigo possuía equipamento e tecnologia superior. O rei deles, pois, procuraria ter exércitos mais poderosos, mais bem equipados, e assim sendo dilapidaria a vida dos filhos de Israel em sua sede louca de guerra. Haveria guerras contínuas e rumores de guerras. O povo existiria essencialmente para fazer guerra. A antiga vida pastoral desapareceria. A guerra, em uma escala jamais vista, seria a preocupação do rei. Isso consumiria a vida humana e as coisas materiais, alarmando o povo. E, finalmente, haveria guerra, o que enviaria a parte norte do povo para o cativeiro assírio, e a parte sul para a Babilônia. Ver no *Dicionário* o artigo intitulado *Cativeiro (Cativeiros)*. Haveria assim "tirania e servidão" (John Gill, *in loc.*).

8.12

וְלָשׂוּם לוֹ שָׂרֵי אֲלָפִים וְשָׂרֵי חֲמִשִּׁים וְלַחֲרֹשׁ חֲרִישׁוֹ וְלִקְצֹר קְצִירוֹ וְלַעֲשׂוֹת כְּלֵי־מִלְחַמְתּוֹ וּכְלֵי רִכְבּוֹ׃

Exércitos *melhores e mais bem organizados* permitiriam ao rei obter sucesso nas guerras. Capitães conduziriam milhares de soldados, e outros seriam capitães de cinquenta. Os filhos de Israel que não fossem enviados à guerra seriam postos a trabalhar nas fazendas coletivas do rei, preparando a terra, semeando e colhendo para ele, a fim de manter seu elevado estilo de vida. Enquanto isso, em casa, os pais, já idosos, tentariam fazer funcionar as fazendas da família sem ajuda adequada. Os filhos estariam "lá fora", servindo ao rei em suas gigantescas fazendas. A família real viveria no luxo, e a pobreza do povo haveria de aumentar. Os filhos que não trabalhassem nas fazendas, nem fossem enviados à batalha, aprenderiam a manufaturar instrumentos de guerra. O rei teria uma *gigantesca força trabalhadora* que aprenderia todas as formas de trabalho, uma maciça máquina estadual que acabaria consumindo tudo.

8.13

וְאֶת־בְּנוֹתֵיכֶם יִקָּח לְרַקָּחוֹת וּלְטַבָּחוֹת וּלְאֹפוֹת׃

Tomará as vossas filhas. *Sem se contentar* em levar para seu serviço os filhos de Israel, o rei, com vistas a manter seus luxos, também estenderia o braço e ficaria com as filhas do povo. Elas seriam postas a trabalhar nas maciças máquinas de trabalho do rei, e seriam obrigadas a cozinhar, cozer e preparar acepipes para satisfazer os apetites exagerados da família real e seus servos.

Perfumistas. As filhas teriam o trabalho de preparar unguentos e perfumes que os orientais tanto apreciavam. Elas se tornariam especialistas na preparação de pratos exóticos com condimentos e acepipes importados. Os cidadãos odiariam a monarquia que sugaria o sangue do povo.

8.14

וְאֶת־שְׂדוֹתֵיכֶם וְאֶת־כַּרְמֵיכֶם וְזֵיתֵיכֶם הַטּוֹבִים יִקָּח וְנָתַן לַעֲבָדָיו׃

Tomará o melhor das vossas lavouras... e o dará aos seus servidores. O rei enviaria espias para checar quem possuía as melhores terras, plantações e vinhas, e deixaria o povo na pobreza. As melhores terras seriam tomadas para fazendas coletivas do rei. A agricultura era a base da economia de Israel, e o rei haveria de golpear exatamente ali para aumentar sua riqueza, e não teria piedade de ninguém, nem respeito algum pela propriedade privada. "ele se apropriaria das propriedades para seu próprio uso" (Eugene H. Merrill, *in loc.*).

8.15

וְזַרְעֵיכֶם וְכַרְמֵיכֶם יַעְשֹׂר וְנָתַן לְסָרִיסָיו וְלַעֲבָדָיו׃

As vossas sementeiras e as vossas vinhas dizimará. As terras que o rei não quisesse aproveitar seriam sujeitadas a pesados tributos, de tal modo que os servos do rei também pudessem viver no luxo, enquanto o povo se tornaria cada vez mais pobre. Seria a "política como é usual", com todos os seus abusos, o reino de terror de ganância, quando eles ganhassem poder. As pesadas taxas se tornariam uma opressão, e as obras de um homem seriam o apoio das maciças máquinas de atuar.

Os levitas e sacerdotes seriam sustentados por meio de um dízimo, mas, além desse dízimo, deveria haver outro para suportar o luxo do rei e de seus servos. Ver no *Dicionário* o artigo intitulado *Dízimo*.

8.16,17

וְאֶת־עַבְדֵיכֶם וְאֶת־שִׁפְחוֹתֵיכֶם וְאֶת־בַּחוּרֵיכֶם הַטּוֹבִים וְאֶת־חֲמוֹרֵיכֶם יִקָּח וְעָשָׂה לִמְלַאכְתּוֹ׃ צֹאנְכֶם יַעְשֹׂר וְאַתֶּם תִּהְיוּ־לוֹ לַעֲבָדִים׃

Dizimará o vosso rebanho. A ganância do rei chegaria ao extremo de tomar os *escravos* que o povo comum tinha, para usá-los como seus escravos. Em Israel, a servidão era comum. Os estrangeiros conquistados na guerra tornavam-se escravos. Os hebreus podiam vender-se como escravos, a fim de pagar dívidas. Um homem podia vender seu filho ou sua filha à escravidão; e os escravos hebreus podiam ser redimidos, e o eram, chegado o ano do jubileu. Mas não havia como remir escravos estrangeiros, exceto através da bondade ocasional de um generoso proprietário de escravos. Ver no *Dicionário* o artigo intitulado *Escravo, Escravidão*.

A Ganância do Rei Atingiria os Animais. O rei tomaria o melhor dos animais domesticados para seu próprio uso. Não somos informados nem mesmo sobre quanto o rei pagaria por eles. Se assim o fizesse, podemos estar certos de que o preço não seria justo, porque o rei seria, desde o começo, um *explorador*. O jumento era um animal impróprio para alimento ou sacrifício, mas muito adequado para o trabalho. Ver no *Dicionário* o artigo chamado *Asno*.

Seria cobrado mais um dízimo, além daquele dado aos levitas e sacerdotes e além daquele usado para sustentar o elevado estilo de vida dos servos do rei (vs. 15). Esse dízimo seria tomado mediante a décima parte dos animais, como se fossem animais para serem sacrificados e comidos, e mediante a décima parte dos escravos, que seriam postos para trabalhar a serviço do rei. A liberdade que o povo desfrutara sob os juízes terminaria. A opressão política e econômica deixaria o povo de Israel em desespero.

Observar em 1Reis 12.3 ss. como o povo se queixou e se revoltou por causa da opressão monárquica. Essa revolta, finalmente, fez o reino de Israel dividir-se em duas partes, o norte (Israel) e o sul (Judá). As dez tribos revoltaram-se contra Roboão e ungiram Jeroboão rei, de modo que a divisão se tornou então completa e permanente, baseada totalmente sobre os abusos descritos neste capítulo.

8.18

וּזְעַקְתֶּם בַּיּוֹם הַהוּא מִלִּפְנֵי מַלְכְּכֶם אֲשֶׁר בְּחַרְתֶּם לָכֶם וְלֹא־יַעֲנֶה יְהוָה אֶתְכֶם בַּיּוֹם הַהוּא׃

Então naquele dia clamareis por causa do vosso rei. O clamor do desespero. Oprimido por tiranos, o povo permaneceria castigado por estrangeiros. Yahweh nada faria para aliviar a situação. Em seguida, tiranos e estrangeiros (assírios e babilônios) os oprimiriam e os levariam para o cativeiro. Tudo isso faria parte da obra amarga dos reis.

Os ditadores esqueceram a lição da história de que os fracassos dos ditadores custaram à humanidade muito mais que qualquer fracasso temporário da democracia.

Franklin D. Roosevelt

Eu jurei sobre o altar de Deus hostilizar qualquer forma de tirania sobre a mente do homem.

Thomas Jefferson, que contudo manteve a escravidão

Uma antiga dinastia sucedeu à outra "até que o cálice da iniquidade se encheu, e Israel foi levado cativo para sempre, para fora de suas terras" (Ellicott, *in loc.*).

"Pouco depois que Saul ascendeu ao trono, muitas daquelas predições se cumpriram (14.52) e continuaram a marcar a longa história da monarquia em Israel e Judá (2Sm 15.1; 1Rs 12.12-15; 21.7)" (Eugene H. Merrill, *in loc.*).

■ 8.19

וַיְמָאֲנוּ הָעָם לִשְׁמֹעַ בְּקוֹל שְׁמוּאֵל וַיֹּאמְרוּ לֹּא כִּי
אִם־מֶלֶךְ יִהְיֶה עָלֵינוּ׃

Não, mas teremos um rei sobre nós. O povo ouviu a longa lista de advertências. O povo ouviu o grande profeta predizer desastres. Ouviu, mas não deu ouvidos. Todos os argumentos de Samuel caíram por terra. A despeito dos melhores esforços do profeta em proclamar as ameaças de Yahweh (ver o vs. 9, seus "protestos solenes"), os anciãos não se convenceram. Continuaram exigindo um rei. É típico da natureza humana não se deixar convencer quando a mente do indivíduo já está formada. O irracional não escuta a razão; a perversão não se transforma mediante exortações. Portanto, o triste curso da monarquia teve seu momento determinado. Os anciãos conduziram Israel a uma vereda temível, não por ignorância, mas de maneira voluntária e teimosa.

Eles sabiam que Samuel era profeta, e nenhuma de suas palavras jamais ficara sem cumprimento (ver 1Sm 3.19). Naquela ocasião, contudo, eles ignoraram as advertências de Samuel e persistiram em sua obstinação.

■ 8.20

וְהָיִינוּ גַם־אֲנַחְנוּ כְּכָל־הַגּוֹיִם וּשְׁפָטָנוּ מַלְכֵּנוּ וְיָצָא
לְפָנֵינוּ וְנִלְחַם אֶת־מִלְחֲמֹתֵנוּ׃

Para que sejamos também como todas as nações. As *razões* apresentadas para a obstinação de Israel é que eles queriam ser como as outras nações (ver o vs. 5) e ansiavam por maior proteção contra os inimigos que estavam sempre a atacá-los. Um rei teria um exército centralizado e mais bem equipado, com melhor treinamento e avanços bélicos: cavalos, carros de combate, máquinas de guerra aperfeiçoadas. Eles estavam dispostos a sacrificar sua liberdade, propriedades e dinheiro para obter maior proteção. Mas a história acabou demonstrando que o desespero na guerra aumentaria e culminaria nos cativeiros. Samuel foi capaz de estabelecer uma paz duradoura (ver 1Sm 7.13,14), mas os anciãos ignoraram esse fato. A perversidade dos filhos de Samuel tinha anulado seus maiores avanços aos olhos do povo. E foi assim que o povo se cansou dos juízes, responsabilizando os filhos de Samuel pelo abandono da teocracia. Naturalmente, eles representaram apenas uma dentre várias outras causas.

■ 8.21,22

וַיִּשְׁמַע שְׁמוּאֵל אֵת כָּל־דִּבְרֵי הָעָם וַיְדַבְּרֵם בְּאָזְנֵי
יְהוָה׃ פ

וַיֹּאמֶר יְהוָה אֶל־שְׁמוּאֵל שְׁמַע בְּקוֹלָם וְהִמְלַכְתָּ לָהֶם
מֶלֶךְ וַיֹּאמֶר שְׁמוּאֵל אֶל־אַנְשֵׁי יִשְׂרָאֵל לְכוּ אִישׁ
לְעִירוֹ׃ פ

Ouvindo, pois, Samuel. Samuel tomou nota de tudo quanto o povo de Israel dissera, e apresentou a questão a Yahweh, *uma vez mais*. Cf. vss. 6-7. O resultado foi o mesmo atingido no primeiro caso: Yahweh concedeu *relutante permissão*. Agora, tudo dependia do destino. A monarquia tinha de vir à existência, correr seu curso e terminar em desastre. Tudo isso se devia ao propósito divino ou à perversidade humana? Os intérpretes dão ambas as respostas ou uma combinação das duas. Ver no *Dicionário* o artigo chamado *Determinismo (Predestinação)*. Deus usa a liberdade humana sem destruí-la, mas não sabemos dizer *como* ele faz isso. Ver também sobre o *Livre-arbítrio*.

"Os homens são criaturas dotadas de livre-arbítrio, e Deus mostra-se paciente com eles. A religião do Antigo Testamento, embora nunca tenha feito vacilar sua crença no Deus Criador, jamais desenvolveu uma doutrina extrema de predestinação. Isso apareceu mais tarde, entre os zelotes. Os profetas tinham o mais agudo senso da vontade de Deus, mas não teorizaram em termos de determinismo filosófico... O Senhor foi mais paciente que Samuel. Visto que o povo queria um rei, teve o que desejava e aprendeu mediante a própria experiência" (John G. Shroeder, *in loc.*).

A antiga teologia dos hebreus era pobre quanto a causas secundárias, e tudo quanto acontecia, de bom ou de mal, era então lançado na conta da vontade de Deus. Com base nesse raciocínio, acabaram desenvolvendo-se doutrinas de predestinação. Os artigos referidos comentam ambos os lados da questão.

Os anciãos permaneceram com Samuel até ele dar a resposta final e daí partiram para vários lugares. Obtiveram a resposta que quiseram, por terem *forçado* Samuel a concordar com eles. Mas foram apropriadamente advertidos de que estavam embarcando em um curso desastroso. Samuel era homem de grande poder em Israel, e seu aval era necessário para substituir a teocracia pela monarquia. A ele, pois, caberia ungir o rei e, então, a transição estaria completa.

CAPÍTULO NOVE

Este capítulo nono inicia a história de Saul, por meio do qual se concretizou a passagem da teocracia para a monarquia.

SAUL E SAMUEL ENCONTRAM-SE (9.1-24)

Este capítulo conta, em termos favoráveis, a história do início do reinado. Somente mais tarde as coisas começaram a complicar. Saul parecia apresentar condições para ser rei, e de fato tinha suas virtudes. Contudo seus vícios e fraquezas pessoais acabariam por solapar toda a aventura. Saul tinha aparência física impressionante, era "alto" e "simpático", um líder entre os benjamitas. No entanto, sua medida espiritual não era a mesma. Ele não tinha a estatura de um monarca, conforme seria requerido de um rei de Israel. Assim, já nos dias de Saul, preparava-se o desastre que acompanharia a história monárquica conforme as predições de Samuel (ver 1Sm 8.11-18).

"O que houve de mais notável nesta seção foi a ideia do reino como algo esplêndido, uma bênção de Deus voluntariamente concedida, e não um consentimento aos desejos inapropriados do povo (9.16 e 10.1). Samuel parecia pessoalmente satisfeito com a ideia de liderança e de participação nessa liderança (9.19-24), em contraste com sua atitude no capítulo 8" (*Oxford Annotated Bible*, introdução ao capítulo 9). Essas referências, de fato, dão-nos a impressão de uma mudança radical na atitude de Samuel. Os críticos supõem que as *duas atitudes* concernentes à monarquia derivaram-se de fontes separadas, de autoria diversa. A primeira (capítulo 8) é avessa à monarquia, mas a outra concorda com versículos como Jz 21.25. Existiam as duas atitudes entre o povo de Israel. Fazia parte da mentalidade dos profetas desconfiar da monarquia. Qualquer que seja a verdade das duas fontes teóricas, a atitude no capítulo 9 difere do que se vê no capítulo 8. Talvez Samuel estivesse apenas tentando obter o melhor de uma coisa ruim, e o capítulo 9 reflita essa atitude. Ver as notas introdutórias ao capítulo 8 quanto a outras ideias sobre a questão. Ver no *Dicionário* a atitude sobre a ideia da *Teocracia*.

■ 9.1

וַיְהִי־אִישׁ מִבֶּן־יָמִין וּשְׁמוֹ קִישׁ בֶּן־אֲבִיאֵל בֶּן־צְרוֹר
בֶּן־בְּכוֹרַת בֶּן־אֲפִיחַ בֶּן־אִישׁ יְמִינִי גִּבּוֹר חָיִל׃

Havia um homem de Benjamim. *Todos* os nomes próprios mencionados neste versículo aparecem como artigos no *Dicionário*, pelo que não repito aqui essa informação. Praticamente nada se sabe acerca dessas pessoas, exceto que elas faziam parte da tribo de Benjamim, da qual saiu Saul, primeiro rei de Israel. As genealogias, uma importante questão para os hebreus, funcionavam como atestados históricos. Portanto, as personagens do Antigo Testamento eram introduzidas por uma lista de ancestrais.

Elias foi uma omissão conspícua, pelo que julgamos que essa prática nem sempre funcionava. A genealogia de Jó também não é apresentada, e alguns fazem desse livro um romance religioso devido à falta de registros genealógicos. Ver no *Dicionário* o verbete intitulado *Genealogia*.

Quis aparece como um varão forte e valoroso. Sendo esse tipo de homem, não é de admirar que ele tenha gerado Saul, que era alto e simpático, sobre quem Israel depositava sua confiança tão valentemente. O pai de Saul tinha considerável reputação, prestígio e posição, mas não nos são dados detalhes sobre isso. Seja como for, é claro que Saul veio de uma família renomada e favorecida. Ele não era um joão-ninguém.

■ 9.2

וְלוֹ־הָיָה בֵן וּשְׁמוֹ שָׁאוּל בָּחוּר וָטוֹב וְאֵין אִישׁ מִבְּנֵי יִשְׂרָאֵל טוֹב מִמֶּנּוּ מִשִּׁכְמוֹ וָמַעְלָה גָּבֹהַּ מִכָּל־הָעָם:

Tinha ele um filho, cujo nome era Saul. Ver sobre *Saul*, no *Dicionário*, quanto a maiores detalhes. Esse jovem tinha o que a maioria das pessoas considerava bom: altura, aspecto simpático, força física, juventude, vigor e entusiasmo. Possuía, porém, alma e caráter deficientes, que o haveriam de derrubar no fim. Não era necessário ter as qualidades que agradam aos homens. Deus é o único a quem devemos agradar, para sermos verdadeiramente bem-sucedidos.

"Saul tinha pouco que o recomendasse à elevada posição de *rei*, exceto por sua aparência física (1Sm 9.2). Deus precisou ser convencido de que Saul era o candidato apropriado" (Eugene H. Merrill, *in loc.*). Um caráter inferior tinha-se tornado o primeiro rei de Israel, como um prelúdio confirmatório das tenebrosas profecias que Samuel lançara contra a substituição da teocracia pela monarquia. Ver o capítulo 8 quanto a essa questão.

Heródoto informa-nos que, entre os etíopes, havia um homem que era o mais alto, o mais forte e potencialmente (se não na realidade) o maior guerreiro, e também o homem escolhido para ser o rei (*Thalia*, 1.3, cap. 20). Plínio dá-nos informações similares (*Panegyr.* cap. 4, 22). Até a deusa Diana era a mais exaltada por ser mais alta que qualquer das ninfas e deusas (Ovídio, *Metam.* 1.3, fam. 2., vss. 180, 181). Josefo diz-nos que Salomão escolhia seus atendentes constantes com base na aparência e na força física (*Antiq.* 1.8, cap. 7, sec. 3).

■ 9.3

וַתֹּאבַדְנָה הָאֲתֹנוֹת לְקִישׁ אֲבִי שָׁאוּל וַיֹּאמֶר קִישׁ אֶל־שָׁאוּל בְּנוֹ קַח־נָא אִתְּךָ אֶת־אַחַד מֵהַנְּעָרִים וְקוּם לֵךְ בַּקֵּשׁ אֶת־הָאֲתֹנֹת:

Extraviaram-se as jumentas de Quis, pai de Saul. Aqui começa a história do encontro entre Saul e Samuel, um tipo de preliminar à sua escolha como rei. As circunstâncias se desenrolaram a partir de uma questão tão trivial quanto buscar jumentos perdidos. "Que admirável sequência de acontecimentos foram conectados para levar Saul ao trono de Israel! Tudo parecia sair de acordo com o curso comum de eventos e, no entanto, tudo *conspirava* para favorecer a unção de um homem ao reino, o qual certamente não chegaria até ali pela aprovação de Deus" (Adam Clarke, *in loc.*).

Jumentas. Ver no *Dicionário* o artigo intitulado *Asno*. Era um animal impuro, proibido como alimento e não usado nos sacrifícios. Mas era um animal muito importante e útil para desempenhar funções militares. Ver Jz 5.10 quanto aos "jumentos brancos" dos ricos e oficiais militares que os exibiam como forma de ostentação. Conferir os trinta jumentos dos filhos de Jair, o juiz gileadita, o qual realizava seus deveres oficiais montado nesse tipo de animal.

Toma agora contigo um dos moços. Um hebreu, não um escravo, um subordinado do pai de Saul. Esse homem era sábio, dava conselhos (vs. 6) e cuidava do dinheiro (vs. 8), portanto era, obviamente, um homem em quem se podia confiar a missão descrita no contexto. As tradições hebreias dizem que se tratava de Doegue, o edomita, que mais tarde se tornou um dos grandes capitães do rei Saul; mas as tradições com frequência não passam de meras suposições (Ver *Hieron. Trad. Hb in Paralips.*, fol. 83).

■ 9.4

וַיַּעֲבֹר בְּהַר־אֶפְרַיִם וַיַּעֲבֹר בְּאֶרֶץ־שָׁלִשָׁה וְלֹא מָצָאוּ וַיַּעַבְרוּ בְאֶרֶץ־שַׁעֲלִים וָאַיִן וַיַּעֲבֹר בְּאֶרֶץ־יְמִינִי וְלֹא מָצָאוּ:

Então, atravessando a região montanhosa de Efraim. O itinerário da jornada não pode ser diretamente traçado, visto que são mencionados lugares desconhecidos. O *Dicionário* tem artigos sobre todos os nomes próprios citados aqui. Salisa e Saalim são locais desconhecidos para nós atualmente, embora a área geral onde estavam situados seja plenamente conhecida. O texto enfatiza o grande esforço empenhado para encontrar os jumentos perdidos, o que implica que eles eram considerados bastante valiosos. A história foi-nos contada em tantos detalhes, com o mero intuito de descrever como Samuel e Saul se encontraram — o primeiro passo importante para Saul tornar-se rei de Israel. No *Dicionário* há mais informações sobre os lugares citados.

■ 9.5

הֵמָּה בָּאוּ בְּאֶרֶץ צוּף וְשָׁאוּל אָמַר לְנַעֲרוֹ אֲשֶׁר־עִמּוֹ לְכָה וְנָשׁוּבָה פֶּן־יֶחְדַּל אָבִי מִן־הָאֲתֹנוֹת וְדָאַג לָנוּ:

Vindo eles então à terra de Zufe. A extensa jornada continuou, mas os jumentos não foram encontrados. Tanto tempo se passou que Saul começou a ficar preocupado com seu pai, que provavelmente estaria aflito com a demora. A preocupação de Saul com os sentimentos de seu pai são um indício de suas boas intenções. Mas, em vez de retornarem para casa, um servo sugeriu que consultassem um profeta que talvez fosse capaz de fornecer direções para a busca. Isso os levou diretamente ao encontro de Samuel, o melhor e mais bem conhecido profeta de toda a região.

■ 9.6

וַיֹּאמֶר לוֹ הִנֵּה־נָא אִישׁ־אֱלֹהִים בָּעִיר הַזֹּאת וְהָאִישׁ נִכְבָּד כֹּל אֲשֶׁר־יְדַבֵּר בּוֹא יָבוֹא עַתָּה נֵלֲכָה שָּׁם אוּלַי יַגִּיד לָנוּ אֶת־דַּרְכֵּנוּ אֲשֶׁר־הָלַכְנוּ עָלֶיהָ:

Nesta cidade há um homem de Deus, e é muito estimado. O homem de Deus, cujas profecias sempre se confirmavam, era, naturalmente, Samuel, reconhecido nacionalmente como juiz e vidente. Nele estava se operando a transição da teocracia para a monarquia.

Eles estavam na *cidade natal* de Samuel (1Sm 1.1), provavelmente Ramá (ver a respeito no *Dicionário*). O verdadeiro teste de um profeta era se suas profecias tinham ou não cumprimento, mas suas palavras também precisavam concordar com os ensinos de Moisés (ver Dt 18.21,22 e 13.1-3).

Samuel era "muito estimado entre os homens por sua sabedoria e conhecimento, integridade e fidelidade e, *particularmente,* por seu dom de profecia" (John Gill, *in loc.*). É por isso que o Targum diz aqui que ele "... era um homem que profetiza a verdade".

É interessante notar como o servo acreditava que o grande profeta condescenderia diante do pedido deles, quanto a alguns animais perdidos. Isso nos alerta para o fato de que os profetas eram consultados pelas questões mais mundanas e pessoais. O *trivial* misturava-se com aspectos fundamentais na vida de um grande profeta. Samuel (entre itens de grande importância, como a intenção de tornar Saul rei de Israel, posição até então ocupada por Yahweh) proferiu as palavras certas acerca dos animais. Eles já haviam sido encontrados (vs. 20). Ver no *Dicionário* os artigos gerais intitulados *Profecia, Profetas* e *Dom de Profecia.*

■ 9.7

וַיֹּאמֶר שָׁאוּל לְנַעֲרוֹ וְהִנֵּה נֵלֵךְ וּמַה־נָּבִיא לָאִישׁ כִּי הַלֶּחֶם אָזַל מִכֵּלֵינוּ וּתְשׁוּרָה אֵין־לְהָבִיא לְאִישׁ הָאֱלֹהִים מָה אִתָּנוּ:

Então Saul disse ao seu moço. Temos aqui um fato interessante. Os videntes ou profetas (vs. 9) cobravam pelos serviços prestados. Um homem deveria pagar para consultar um oráculo. Saul estava cônscio dessa prática em Israel. Por isso levantou a questão sobre quem deveria pagar a dívida. Até ali era tradicional que os videntes cobrassem pelas consultas. Estudos no campo da parapsicologia demonstram que muitas funções psíquicas, incluindo prever o futuro, são parte natural da psique humana. Prever o futuro é, de fato, a mais comum das habilidades mentais humanas. Os sonhos noturnos incluem precognição, embora nada haja de divino ou diabólico neles. Ocasionalmente, todavia, isso pode acontecer. Ver o artigo sobre *Sonhos*, no *Dicionário*, e sobre *Parapsicologia*, na *Enciclopédia de Bíblia, Teologia e Filosofia*.

Vez ou outra, porém, o diabo mete o nariz onde não foi chamado, e, às vezes, algo divino acontece. É minha opinião que grande parte do que acontece nos movimentos carismáticos é apenas natural, nem divino nem demoníaco. Em certas ocasiões, porém, há outros fatores em operação. Ver na *Enciclopédia de Bíblia, Teologia e Filosofia* sobre o *Movimento Carismático*.

Não apenas psíquicos recebem alguma espécie de dom. Pessoas importantes de todo tipo foram presenteadas com tal dádiva quando estimuladas por consultas. Cf. Gn 43.11 e 1Rs 10.10.

O texto sagrado não nos informa que Samuel tenha recebido pagamento pelo serviço, mas isso fica subentendido. Essa era a prática comum da época, independentemente da opinião do beneficiário.

■ 9.8

וַיֹּ֤סֶף הַנַּ֙עַר֙ לַעֲנ֣וֹת אֶת־שָׁא֔וּל וַיֹּ֕אמֶר הִנֵּ֛ה נִמְצָ֥א בְיָדִ֖י רֶ֣בַע שֶׁ֣קֶל כָּ֑סֶף וְנָֽתַתִּי֙ לְאִ֣ישׁ הָאֱלֹהִ֔ים וְהִגִּ֥יד לָ֖נוּ אֶת־דַּרְכֵּֽנוּ׃

Eis que tenho ainda em mão um quarto de siclo de prata. O valor a ser pago era de um quarto de siclo. Ver sobre esse *peso* (não havia ainda moedas naquela época) em Êx 30.13 e Lv 27.25. Ver também, no *Dicionário*, os artigos intitulados *Dinheiro* II e *Pesos e Medidas* IV.c. Não há como calcular o valor atual equivalente. Alguns supõem que um homem teria de trabalhar por um mês para receber um siclo de prata. Nesse caso, Samuel recebeu uma quantia equivalente ao trabalho de *sete* dias, uma boa soma para uma simples consulta.

■ 9.9

לְפָנִ֣ים ׀ בְּיִשְׂרָאֵ֗ל כֹּֽה־אָמַ֤ר הָאִישׁ֙ בְּלֶכְתּ֣וֹ לִדְר֣וֹשׁ אֱלֹהִ֔ים לְכ֥וּ וְנֵלְכָ֖ה עַד־הָרֹאֶ֑ה כִּ֤י לַנָּבִיא֙ הַיּ֔וֹם יִקָּרֵ֥א לְפָנִ֖ים הָרֹאֶֽה׃

(Antigamente em Israel...). Esta breve nota alerta-nos para o fato de que deve ter havido então abundância de videntes ou profetas. Eles eram chamados por diversos nomes, mas desempenhavam idêntica função. Eram conselheiros que ajudavam o povo a resolver problemas, podendo usar até de previsão do futuro. Provavelmente, a maioria das pessoas visitava tais videntes a fim de descobrir o que estava acontecendo, buscar encorajamento e saber se sua vida tinha tomado caminhos errados ou se permanecia estagnada.

O autor parece estar-nos dizendo que o vidente não revela o futuro necessariamente. Os realmente bons videntes, de maior estatura e poder, eram chamados *profetas*. Eram mestres, e não apenas previsores do futuro. Havia bandos de autoproclamados profetas ou videntes que se moviam pelo país fazendo a vida com suas habilidades, alegadas ou reais. Saul, pois, encontrou-se com tais homens no caminho de Ramá (ver 1Sm 10.10). Mas Samuel era verdadeiro *profeta* e estava acima de muita gente. Muitos outros videntes eram falsos, sem dúvida, e alguns tinham dons psíquicos naturais. Alguns podiam ser demoniacamente inspirados. Aqui e acolá, um bom vidente podia ser movido pela inspiração divina, pelo menos ocasionalmente. A reputação de Samuel dizia que ele era um *profeta*, um verdadeiro profeta.

Vidente. No hebraico, *roeh*, ou seja, literalmente, "alguém que vê". Mas pode estar em foco a visão psíquica, especialmente a capacidade de "ver o futuro". Esse é o primeiro texto em que aparece o termo hebraico, embora a palavra *profeta* já tenha sido usada largamente. Abraão, por exemplo, foi chamado de *profeta*. Ele podia prever o futuro, mas também era um mestre. Ver Gn 20.7 quanto ao caso que envolveu Abraão.

O profeta tinha contato com Deus, de modo que transcendia às condições humanas. O artigo sobre esse assunto, mencionado anteriormente, traz detalhes sobre a questão. O termo hebraico *nabi* (profeta) era usado muito tempo antes dos dias de Samuel e adquirira agora um tom mais elevado que o de mero *vidente*. A palavra hebraica *nabi* significa "anunciar", "declarar". Mas estão em pauta declarações de inspiração divina.

■ 9.10

וַיֹּ֨אמֶר שָׁא֜וּל לְנַעֲר֗וֹ ט֥וֹב דְּבָרְךָ֛ לְכָ֥ה ׀ נֵלֵ֖כָה וַיֵּלְכ֕וּ אֶל־הָעִ֕יר אֲשֶׁר־שָׁ֖ם אִ֥ישׁ הָאֱלֹהִֽים׃

Então disse Saul ao moço. Saul concordou prontamente com o servo de que seria uma boa ideia apelar ao oráculo como ajuda para encontrar os asnos perdidos. Samuel vivia agora em Ramá (1.1) e para lá eles se dirigiram. Samuel tinha edificado um altar naquela cidade (7.17) e ali exercia sua autoridade como juiz e profeta.

■ 9.11

הֵ֗מָּה עֹלִים֙ בְּמַעֲלֵ֣ה הָעִ֔יר וְהֵ֙מָּה֙ מָצְא֣וּ נְעָר֔וֹת יֹצְא֖וֹת לִשְׁאֹ֣ב מָ֑יִם וַיֹּאמְר֣וּ לָהֶ֔ן הֲיֵ֥שׁ בָּזֶ֖ה הָרֹאֶֽה׃

Está aqui o vidente? A *cidade* tinha sido construída em uma colina, pelo que o lugar era chamado Ramá, que significa "altura". Convenientemente, ou talvez divinamente (segundo circunstâncias ordenadas por Yahweh), ao subir a colina eles encontraram jovens que saíam para buscar água. Elas eram de Ramá e seguramente sabiam como encontrar Samuel. Tirar água era uma tarefa comum para as mulheres. Cf. Gn 24.11,15,16. O rabino Akiba observou que, sempre que um homem se encontrava com alguma jovem antes de entrar na cidade dela, esse era um *sinal* de que ele prosperaria em seus negócios ali. Ver também Gn 29.10,11 e Êx 2.16.

■ 9.12

וַתַּעֲנֶ֧ינָה אוֹתָ֛ם וַתֹּאמַ֖רְנָה יֵּ֑שׁ הִנֵּ֣ה לְפָנֶ֔יךָ מַהֵ֣ר ׀ עַתָּ֗ה כִּ֤י הַיּוֹם֙ בָּ֣א לָעִ֔יר כִּ֣י זֶ֧בַח הַיּ֛וֹם לָעָ֖ם בַּבָּמָֽה׃

Elas responderam: Está. Samuel fez de Ramá seu quartel-general, mas como era juiz de circuito viajava com frequência. Ademais, Samuel possuía uma pequena casa no interior, em um lugar chamado *Naiote* (1Sm 19.18-24), e talvez estivesse ali. Seja como for, naquele dia particular, ele tinha retornado a Ramá para participar de um sacrifício e de uma festa. Provavelmente, o lugar alto mencionado foi aquele onde Samuel havia construído o seu altar. Tais lugares eram comumente usados como altares e santuários e, embora se tivessem tornado centros de idolatria, isso não ocorria com o lugar alto de Samuel. Ver no *Dicionário* o artigo intitulado *Lugares Altos*. Ver também 1Sm 7.16 quanto à informação de que Samuel era um juiz que vivia movendo-se por Israel. Aquele lugar não abrigava o tabernáculo, mas era autorizado como local de sacrifícios. Em tempos posteriores, a adoração foi centralizada no templo em Jerusalém, e outros santuários deixaram de ser autorizados como lugar de sacrifícios, embora muitos continuassem a funcionar, a despeito da proibição. Silo, que tinha sido a residência do tabernáculo, fora destruída pelos filisteus, e assim o tabernáculo mudou-se para Quiriate-Jearim (ver 1Sm 7.1). Dali, afinal, Davi moveu o equipamento para Jerusalém. Então Salomão substituiu o tabernáculo pelo templo.

■ 9.13

כְּבֹאֲכֶ֣ם הָעִ֣יר כֵּ֣ן תִּמְצְא֣וּן אֹת֡וֹ בְּטֶרֶם֩ יַעֲלֶ֨ה הַבָּמָ֜תָה לֶאֱכֹ֗ל כִּ֠י לֹֽא־יֹאכַ֤ל הָעָם֙ עַד־בֹּא֔וֹ כִּֽי־ה֖וּא יְבָרֵ֣ךְ הַזֶּ֔בַח אַחֲרֵי־כֵ֖ן יֹאכְל֣וּ הַקְּרֻאִ֑ים וְעַתָּ֣ה עֲל֔וּ כִּֽי־אֹת֥וֹ כְהַיּ֖וֹם תִּמְצְא֥וּן אֹתֽוֹ׃

Entrando vós na cidade, logo o achareis. As *jovens* exortaram Saul e o servo a seguir rapidamente ao lugar alto. Ali certamente encontrariam Samuel, oferecendo sacrifícios. O sangue e a gordura seriam ofertados a Yahweh, mas o povo comeria o restante. É interessante observar que o povo não começaria festejando enquanto Samuel "pedisse a Yahweh bênçãos sobre o alimento", uma antiga forma de pedir bênçãos sobre uma refeição que a maioria dos cristãos atualmente põe em prática. "... a antiga instância de uma prática entre os hebreus, voltados a pedir bênçãos sobre as refeições" (Ellicott, *in loc.*). Devemos lembrar que Samuel, como sacerdote, possuía o único lugar qualificado para conduzir festas e sacrifícios, e seria ele quem pediria a Yahweh a bênção do povo em conexão com os rituais da festa.

A Refeição Comunal Compartilhada por Yahweh. Considerava-se que Yahweh estivesse presente nas cerimônias sacrificiais, embora não pudesse ser visto. Ele recebia sua porção primeiro, na qualidade da gordura e do sangue. Certas porções foram designadas para os sacerdotes, conforme anotado em Lv 6.26; 7.11-24; 7.28-38; Nm 18.8; Dt 12.17,18. O restante ia para os participantes da festividade. John Gill (*in loc.*) relembra-nos de que os hebreus devotos davam graças em qualquer refeição comum, tanto mais em uma festa sacrificial formal.

■ 9.14

וַיַּעֲלוּ הָעִיר הֵמָּה בָּאִים בְּתוֹךְ הָעִיר וְהִנֵּה שְׁמוּאֵל יֹצֵא לִקְרָאתָם לַעֲלוֹת הַבָּמָה: ס

Subiram, pois, à cidade. Conforme o destino assim determinou, Saul e seu servo teriam corrido ao encontro de Samuel, antes de ele subir ao lugar alto para oferecer os sacrifícios da festa. A história continua a contar-nos acerca das várias "coincidências" que facilitaram a questão, pelo que Samuel e Saul acabariam por encontrar-se frente a frente. Esse contato prepararia o caminho para Saul ser escolhido primeiro rei de Israel. Nada acontece por mero acaso. A trivialidade trabalha para o bem comum. Há propósito até mesmo nas coisas mais triviais. Em breve, Samuel estaria falando com Saul, convidando-o para a festa e dando-lhe um lugar especial entre os trinta convidados mais importantes. O propósito de Deus assim trabalhou entre os homens.

■ 9.15,16

וַיהוָה גָּלָה אֶת־אֹזֶן שְׁמוּאֵל יוֹם אֶחָד לִפְנֵי בוֹא־שָׁאוּל לֵאמֹר:

כָּעֵת מָחָר אֶשְׁלַח אֵלֶיךָ אִישׁ מֵאֶרֶץ בִּנְיָמִן וּמְשַׁחְתּוֹ לְנָגִיד עַל־עַמִּי יִשְׂרָאֵל וְהוֹשִׁיעַ אֶת־עַמִּי מִיַּד פְּלִשְׁתִּים כִּי רָאִיתִי אֶת־עַמִּי כִּי בָּאָה צַעֲקָתוֹ אֵלָי:

Ora, o Senhor, um dia antes de Saul chegar. *A Divina Iluminação.* Yahweh havia sussurrado no ouvido espiritual de Samuel que no dia seguinte (o dia da festividade), ele se encontraria com o primeiro rei de Israel. Foi-lhe revelado que o jovem rei viria da tribo de Benjamim. E também foi-lhe informado que a tarefa especial de Saul seria debilitar os filisteus, porquanto Yahweh libertaria Israel daquela turba sanguinária dentro em breve. Saul, contudo, não chegaria a completar a tarefa. Isso ficaria ao encargo de Davi, mas Saul daria uma contribuição realmente notável. Israel precisava libertar-se para que a monarquia pudesse ser instituída, e o propósito de Yahweh estava operando em Saul, apesar de todas as suas deficiências. Oh, Senhor, concede-nos tal graça!

O qual ungirás por príncipe. No hebraico, *naghidh,* palavra que pode significar "capitão", embora também queira dizer "príncipe", conforme vemos em algumas traduções, como a nossa própria tradução portuguesa. Esse termo é, com frequência, usado militarmente, para indicar um *capitão* que dirige "guerreiros". Nos tempos antigos, era comum crer que o rei devia ser um guerreiro habilidoso. Assim, lemos nas Ilíadas:

> Ó rei dos reis, Atrides, vês que
> Grande na guerra e grande em atos de poder.

Ungirás. Ver no *Dicionário* o artigo chamado *Unção* e também as notas na introdução a 1Sm 9.25.

Esse Príncipe Seria um Presente da Parte de Yahweh. Ele livraria os filhos de Israel dos embaraços provocados pelos filisteus. Ungido pelo profeta Samuel para essa tarefa de libertação, o novo rei também teria a tarefa de unir o povo, a fim de formar uma nação forte, não uma federação enfraquecida, em que cada indivíduo fazia o que lhe parecia melhor. Eram necessários autoridade e poder centralizados (ver Jz 21.25). Uma grande vitória tinha sido alcançada em Mispa (ver 1Sm 7.13), por parte de Samuel, sobre os filisteus; mas eles continuaram em seus ataques repentinos. Essa situação tinha de acabar.

■ 9.17

וּשְׁמוּאֵל רָאָה אֶת־שָׁאוּל וַיהוָה עָנָהוּ הִנֵּה הָאִישׁ אֲשֶׁר אָמַרְתִּי אֵלֶיךָ זֶה יַעְצֹר בְּעַמִּי:

Quando Samuel viu Saul, o Senhor lhe disse. Isso o Senhor fez sussurrando nos ouvidos espirituais de Samuel: "Este é o homem sobre o qual falei". O capítulo 8 registra a *relutante permissão* dada por Yahweh para que os israelitas tivessem um rei. O capítulo 9 mostra-nos que estava sendo feito o melhor de algo inferior. O *melhor* requeria a orientação do poder divino que ocorreu mediante direta *iluminação.* Samuel não poderia equivocar-se em assunto tão importante.

Este dominará. Uma palavra bastante ríspida. O rei assumiria a mentalidade de um tirano, o que por tantas vezes ocorre quando os homens recebem poderes que não têm sabedoria para empregar. "ele governará de maneira absoluta, de acordo com sua própria vontade e seu prazer" (John Gill, *in loc.*). "Quão rapidamente Saul começou a assumir esse seu caráter real, julgando-o mais um direito do que um privilégio"(John C. Shroeder, *in loc.*).

■ 9.18

וַיִּגַּשׁ שָׁאוּל אֶת־שְׁמוּאֵל בְּתוֹךְ הַשָּׁעַר וַיֹּאמֶר הַגִּידָה־נָּא לִי אֵי־זֶה בֵּית הָרֹאֶה:

No meio da porta. Esta é a leitura do hebraico para os manuscritos existentes, mas a Septuaginta parece corrigir com as palavras "na cidade". Teria sido fácil para o autor, ou subsequente escriba, substituir "cidade" por "porta". Parece que Saul e o servo já tinham atravessado a porta e estavam prestes a subir a colina para encontrar Samuel no lugar alto. Mas a reunião predestinada ocorreu antes de Samuel ter completado a subida.

Mostra-me, peço-te, onde é aqui a casa do vidente. Outra "coincidência"! Saul dirigiu-se diretamente a Samuel e perguntou onde podia ser encontrado o vidente, sem saber que se dirigia ao próprio homem a quem procurava. Supostas trivialidades cooperam para o bem comum. Encontramos propósito até nas coisas mais banais.

■ 9.19,20

וַיַּעַן שְׁמוּאֵל אֶת־שָׁאוּל וַיֹּאמֶר אָנֹכִי הָרֹאֶה עֲלֵה לְפָנַי הַבָּמָה וַאֲכַלְתֶּם עִמִּי הַיּוֹם וְשִׁלַּחְתִּיךָ בַבֹּקֶר וְכֹל אֲשֶׁר בִּלְבָבְךָ אַגִּיד לָךְ:

וְלָאֲתֹנוֹת הָאֹבְדוֹת לְךָ הַיּוֹם שְׁלֹשֶׁת הַיָּמִים אַל־תָּשֶׂם אֶת־לִבְּךָ לָהֶם כִּי נִמְצָאוּ וּלְמִי כָּל־חֶמְדַּת יִשְׂרָאֵל הֲלוֹא לְךָ וּלְכֹל בֵּית אָבִיךָ: ס

Samuel respondeu a Saul, e disse: Eu sou o vidente. Samuel tinha muita coisa para dizer a Saul, que teria uma grande surpresa. Saul foi o escolhido de Yahweh para assumir a posição de primeiro rei de Israel! Eles precisavam de tempo para conversar; e, por essa razão, Samuel convidou Saul para acompanhá-lo à festa do sacrifício, passando a noite com ele. Isso proveria tempo de revelar a questão de maneira conveniente e completa.

Tudo quanto está no teu coração to declararei. Esperaríamos que o texto dissesse: "Tudo quanto está no *meu* coração". Mas devemos entender que Yahweh já operava no coração de Saul inspirando-o a ser um guerreiro contra os filisteus, tornando-se assim o libertador de Israel. De fato, o "desejo de Israel" (a esperança por libertação e por um rei) repousava sobre Saul, embora, naquele momento, nem Israel nem Saul soubessem disso. Mas os eventos se aproximavam, a despeito de terem parecido *improváveis* naquele momento.

Quanto às jumentas. A perda dos animais, cuja segurança e devolução tinha inspirado a expedição, reuniria Saul e Samuel. Entre as grandes coisas que Samuel previra, revelou também que os animais passavam bem. De fato, eles já haviam sido achados. Assim sendo, aquele foi um dia de tremendo sucesso, que abrangeu desde o trivial até o sublime. O trivial encontrou meios de produzir o sublime. Alguns intérpretes supõem que tudo quanto Saul desejava era encontrar as jumentas; mas o contexto sugere algo além dessa simples preocupação. Uma tradição dos hebreus diz que Saul recebera uma visão de que ele seria rei. Isso, naturalmente, não é impossível, porque os sonhos projetam para nós não somente eventos importantes, mas até mesmo questões relativamente sem importância. De fato, os sonhos revelam de antemão quase tudo quanto nos acontece, em sentido literal ou simbólico. Ver no *Dicionário* o verbete chamado *Sonhos*. (*Hieron. Trad. Hb* em lib. Reg. fol. 75 fala sobre a visão de Saul, que o mostrava como futuro rei).

9.21

וַיַּ֨עַן שָׁא֜וּל וַיֹּ֗אמֶר הֲל֨וֹא בֶן־יְמִינִ֤י אָנֹ֙כִי֙ מִקַּטַנֵּי֙ שִׁבְטֵ֣י יִשְׂרָאֵ֔ל וּמִשְׁפַּחְתִּי֙ הַצְּעִרָ֔ה מִכָּֽל־מִשְׁפְּח֖וֹת שִׁבְטֵ֣י בִנְיָמִ֑ן וְלָ֙מָּה֙ דִּבַּ֣רְתָּ אֵלַ֔י כַּדָּבָ֖ר הַזֶּֽה׃ ס

Então respondeu Saul. Temos aqui um humilde protesto. O pai de Saul era um rico e poderoso proprietário de terras, mas pertencia à humilde tribo de Benjamim. Essa tribo não prosperou por ocasião da invasão da terra, e em seguida foi completamente destruída por ocasião do conflito devido ao abuso da esposa do levita (ver Jz 19—20). O que restou dessa tribo foi essencialmente incorporado à tribo de Judá, a tribo vizinha e muito mais poderosa. Portanto, foi estranho que o propósito de Yahweh operasse na tribo quase aniquilada de Benjamim. "Assustado, Saul apenas replicou que era indigno de tão elevada honraria. A transparência e a humildade de Saul foram evidentes no *início* de sua carreira" (Eugene H. Merrill, *in loc.*). Essa humildade haveria de transformar-se rapidamente em arrogância, contudo. "... uma elaborada arrogância era um ingrediente importante nas boas maneiras orientais" (George B. Caird, *in loc.*). Não sabemos dizer se as palavras de Saul foram sinceras ou não.

9.22

וַיִּקַּ֨ח שְׁמוּאֵ֜ל אֶת־שָׁא֣וּל וְאֶֽת־נַעֲר֗וֹ וַיְבִיאֵם֙ לִשְׁכָּ֔תָה וַיִּתֵּ֨ן לָהֶ֥ם מָקוֹם֙ בְּרֹ֣אשׁ הַקְּרוּאִ֔ים וְהֵ֖מָּה כִּשְׁלֹשִׁ֥ים אִֽישׁ׃

Samuel, tomando a Saul. Apesar do protesto (genuíno ou não, vs. 21), Saul imediatamente recebeu um lugar de honra entre os trinta convidados mais importantes para a festa de sacrifício.

Levou-os à sala de jantar. No hebraico temos aqui uma espécie de estrutura fechada, como uma barraca ou um edifício fantasioso, que serviria para a realização de sacrifícios e como lugar onde a refeição sacrificial era comida. O sacrifício era realizado ao ar livre, mas as refeições eram consumidas em estruturas fechadas.

Os *trinta anciãos* eram os homens de maior importância religiosa e civil em Ramá, e talvez de outros lugares próximos. A maioria deles era cabeça de famílias ou clãs. Assim sendo, Saul foi honrado entre a elite de Ramá, um ótimo começo para um jovem provinciano da tribo de Benjamim. Foi-lhe dado o *lugar principal* entre os participantes da festa. "Os convidados eram dispostos pelo mestre da festa, de acordo com a posição de cada um" (John Gill, *in loc.*). E isso ocorria, muito provavelmente, mediante a disposição no arranjo dos assentos, conforme observa Jarchi. A Septuaginta e Josefo (*Antiq.* 1.6, cap. 4, sec. 1) dão o número de setenta convidados especiais; mas outras versões preservam os trinta referidos no texto hebraico.

9.23,24

וַיֹּ֤אמֶר שְׁמוּאֵל֙ לַטַּבָּ֔ח תְּנָה֙ אֶת־הַמָּנָ֔ה אֲשֶׁ֥ר נָתַ֖תִּי לָ֑ךְ אֲשֶׁר֙ אָמַ֣רְתִּי אֵלֶ֔יךָ שִׂ֥ים אֹתָ֖הּ עִמָּֽךְ׃

וַיָּ֣רֶם הַטַּבָּ֗ח אֶת־הַשּׁוֹק֙ וְהֶעָלֶ֔יהָ וַיָּ֖שֶׂם לִפְנֵ֣י שָׁא֑וּל וַיֹּ֣אמֶר הִנֵּ֤ה הַנִּשְׁאָר֙ שִׂים־לְפָנֶ֣יךָ אֱכֹ֔ל כִּ֧י לַמּוֹעֵ֛ד שָֽׁמוּר־לְךָ֥ לֵאמֹ֖ר הָעָ֣ם ׀ קָרָ֑אתִי וַיֹּ֧אכַל שָׁא֛וּל עִם־שְׁמוּאֵ֖ל בַּיּ֥וֹם הַהֽוּא׃

Traze a porção que te dei. Saul, exaltado como principal convidado (ver o vs. 22), recebeu então um pedaço especial de carne, que reforçava ainda mais sua súbita honra. Em seguida, sentou-se ao lado de Samuel, outra honra inesperada.

A coxa. Uma porção usualmente reservada aos sacerdotes e talvez compartilhada por Samuel e Saul. O Targum fala no ombro e na coxa. O ombro poderia simbolizar o *governo* e, nesse caso, talvez por essa razão tenha sido dado a Saul. Ver Is 9.6: "... o governo está sobre os seus ombros..." Ver também Lv 6.26; 7.11-24; 7.28-38 quanto às partes dos animais sacrificados que eram dadas aos sacerdotes por ocasião das festividades.

SAUL UNGIDO REI (9.25—10.27)

Samuel tinha autoridade para realizar a unção, visto que era o juiz nacional de Israel e profeta reconhecido. Em outras palavras, ele era o primeiro homem em Israel. Eleazar (7.1) atuava como sumo sacerdote e usualmente era tarefa dele ungir os reis. Mas devemos lembrar que, naquela época da história de Israel, não havia reis e, portanto, não havia unção de reis. Assim sendo, Samuel, como pessoa autorizada a realizar esse ato, foi quem o efetuou. Ademais, o ofício de profeta eclipsou o ofício sumo sacerdotal durante o período monárquico.

"No Egito havia a prática de ungir os reis, e é possível que tenhamos aqui o registro de sua introdução na terra de Canaã, em uma das cartas de Tell-el-Amarna, que se refere à unção do príncipe Nukhashshe, por Tutmés III. Em Israel, a unção passou a ser associada ao dom do Espírito de Deus, tal como o batismo nos tempos cristãos (cf. Is 61.1 e At 19.5,6). Um *sacerdote* (ver Êx 29.7) ou um *profeta* (ver 1Rs 19.16) poderia ser consagrado a seu ofício mediante a unção, por um ato especial. Esse era o rito específico para a consagração de *reis*. Eles eram habitualmente conhecidos como *os ungidos do Senhor*" (George B. Caird, *in loc.*). Começando com Davi, os reis eram ungidos mediante o óleo sagrado do tabernáculo (ou templo). Ver no *Dicionário* o artigo detalhado chamado *Unção*.

9.25

וַיֵּרְד֥וּ מֵהַבָּמָ֖ה הָעִ֑יר וַיְדַבֵּ֥ר עִם־שָׁא֖וּל עַל־הַגָּֽג׃

Falou Samuel com Saul sobre o eirado. A festa do sacrifício estava terminada; Samuel e Saul desceram do lugar alto para a casa de Samuel, em Ramá. Então subiram ao eirado, para uma boa conversa. Grandes coisas estavam acontecendo, e eles tinham de discutir vários detalhes. O telhado era um lugar comum para sentar-se à noite, a fim de conversar ou dormir, por ser um lugar muito mais agradável que o interior da casa. O Antigo Testamento não nos dá outros exemplos dessa prática, contudo muitas fontes informam a respeito. Até hoje, o telhado chato (eirado) é um lugar comum de dormir no Oriente Próximo e Médio. Cf. Mt 10.27 e At 10.9, quanto à pregação e à oração no eirado das casas.

9.26

וַיַּשְׁכִּ֗מוּ וַיְהִ֞י כַּעֲל֤וֹת הַשַּׁ֙חַר֙ וַיִּקְרָ֨א שְׁמוּאֵ֤ל אֶל־שָׁאוּל֙ הַגָּ֣גָה לֵאמֹ֔ר ק֖וּמָה וַאֲשַׁלְּחֶ֑ךָּ וַיָּ֣קָם שָׁא֗וּל וַיֵּצְא֧וּ שְׁנֵיהֶ֛ם ה֥וּא וּשְׁמוּאֵ֖ל הַחֽוּצָה׃

Levantou-se Saul, e saíram ambos, ele e Samuel. Samuel e Saul tinham dormido no eirado da casa. Saul, cansado da viagem e das muitas atividades do dia anterior, não acordou ao levantar do sol. Assim Samuel precisou chamá-lo para que despertasse. Eles precisavam ter uma conversa final, que seria o prelúdio da unção de Saul como rei (10.1). Além disso, ali no eirado, Samuel pronunciaria sobre Saul a bênção preparatória para o retorno à casa de seu pai.

9.27

הֵ֗מָּה יֽוֹרְדִים֙ בִּקְצֵ֣ה הָעִ֔יר וּשְׁמוּאֵ֞ל אָמַ֣ר אֶל־שָׁא֗וּל אֱמֹ֥ר לַנַּ֛עַר וְיַעֲבֹ֥ר לְפָנֵ֖ינוּ וַֽיַּעֲבֹ֑ר וְאַתָּה֙ עֲמֹ֣ד כַּיּ֔וֹם וְאַשְׁמִיעֲךָ֖ אֶת־דְּבַ֥ר אֱלֹהִֽים׃ פ

Desciam eles para a extremidade da cidade. A bênção de despedida havia sido proferida no eirado; eles tinham descido, e Saul estava prestes a iniciar a viagem de volta. Mas Samuel tinha coisas para tratar com Saul, em particular, e estava prestes a ungi-lo como rei. Samuel pediu que o servo caminhasse um pouco à frente, deixando-os a sós. Assim, quando estavam novamente sozinhos, Samuel mostrou-lhe a "palavra de Deus", ou seja, o que Yahweh havia falado acerca de Saul. Um benjamita comparativamente desconhecido estava sendo honrado de maneira que jamais teria imaginado. *Saul* era o *rei*, o primeiro rei de Israel. Ele seria mais um elo na cadeia da liderança que o vinculava a Abraão, Jacó, Moisés, Josué e os juízes. Yahweh tinha grandes planos para Saul. Estava sendo preparado um futuro para a nação, o povo de Deus, e Saul foi convocado a unir-se aos líderes históricos.

1Sm 10.6 diz-nos que o Espírito de Deus estaria com Saul de maneira toda especial. sua missão seria debilitar os filisteus e preparar o caminho para a libertação total de Israel, sob o comando de Davi. Davi falharia bastante, mas cumpriria a essência da missão para a qual fora chamado a realizar.

CAPÍTULO DEZ

1Sm 10.1 continua a seção iniciada em 1Sm 9.25. Ver a *introdução à seção*, que aparece imediatamente antes da exposição em 9.25.

■ 10.1

וַיִּקַּ֨ח שְׁמוּאֵ֜ל אֶת־פַּ֥ךְ הַשֶּׁ֛מֶן וַיִּצֹ֥ק עַל־רֹאשׁ֖וֹ וַיִּשָּׁקֵ֑הוּ וַיֹּ֕אמֶר הֲל֗וֹא כִּֽי־מְשָׁחֲךָ֧ יְהוָ֛ה עַל־נַחֲלָת֖וֹ לְנָגִֽיד׃

Um vaso. Um frasco de vidro com longo gargalo que podia ser quebrado, permitindo que o líquido ali contido saísse. Ver Êx 29.7 quanto às razões desse rito. As tradições hebraicas deixam claro que não se tratava do mesmo santo óleo usado no tabernáculo. Samuel não tinha acesso a esse azeite. O sumo sacerdote, Eleazar (7.1), era quèm o controlava. Na época, Samuel, como homem de maior autoridade em Israel, profeta e principal juiz da nação, tinha autoridade para realizar tal ato de unção. Ademais, nunca antes um rei tinha sido ungido; e, embora, posteriormente, o *sumo sacerdote* exercesse essa função, na ocasião Samuel tinha autoridade para desempenhá-la.

Azeite. Símbolo da presença, da habitação e dos dons do Espírito Santo. O vs. 6 enfatiza que o Espírito de Deus estaria presente de modo todo especial com Saul.

Yahweh fez a nomeação, e Samuel foi usado como instrumento. Desse modo, Saul teve assegurada a origem divina e a instituição de seu ofício. Por conseguinte, antes de tudo, ele era responsável diante de Deus, porquanto do Senhor é que recebeu uma missão divina. E também era responsável diante de toda a nação e de si mesmo.

Não te ungiu...? Ver no *Dicionário* o detalhado artigo sobre esse rito. A cerimônia foi extremamente simples. Somente Samuel e Saul estavam ali, mas invisivelmente Yahweh estava presente, observando o ato. A unção foi realizada. Samuel deu um beijo de bênção em Saul; em seguida, proferiu palavras abençoadoras. Estava tudo terminado. Foi uma cerimônia simples mas eficaz, transmissora de autoridade. Ninguém duvidaria da legitimidade do ato, porquanto Samuel o havia realizado. Ver outros comentários na introdução a 9.25, e plenas informações sobre a unção no *Dicionário*.

■ 10.2

בְּלֶכְתְּךָ֤ הַיּוֹם֙ מֵעִמָּדִ֔י וּמָצָאתָ֩ שְׁנֵ֨י אֲנָשִׁ֜ים עִם־קְבֻרַ֥ת רָחֵ֛ל בִּגְב֥וּל בִּנְיָמִ֖ן בְּצֶלְצַ֑ח וְאָמְר֣וּ אֵלֶ֗יךָ נִמְצְא֤וּ הָאֲתֹנוֹת֙ אֲשֶׁ֣ר הָלַ֣כְתָּ לְבַקֵּ֔שׁ וְהִנֵּ֨ה נָטַ֤שׁ אָבִ֨יךָ֙ אֶת־דִּבְרֵ֣י הָאֲתֹנ֔וֹת וְדָאַ֤ג לָכֶם֙ לֵאמֹ֔ר מָ֥ה אֶעֱשֶׂ֖ה לִבְנִֽי׃

Quando te apartares hoje de mim. Temos aqui predições de Samuel acerca do que aconteceria a Saul naquele primeiro dia em que voltasse à casa de seu pai. Samuel continuou demonstrando seus poderes como profeta que havia dado a Saul tal autoridade e poder sobre Israel.

Junto ao sepulcro de Raquel. Ver no *Dicionário* o artigo sobre esse assunto. Não repito aqui detalhes, na esperança de que o leitor examine aquele artigo. Ver Gn 35.19.

Em Zelza. Situava-se na fronteira de Benjamim e é mencionado somente aqui. Era um lugar de parada entre Betel e Belém, dando boa visão de leste a oeste, e plena visão de *Beit Jala*, ou talvez esses dois lugares fossem idênticos. Os *dois homens* que Saul ali encontraria foram providos e previstos providencialmente. Eles teriam notícias sobre as jumentas perdidas e trariam uma palavra da parte do pai de Saul. Mas não havia motivo para preocupação. Saul seria mantido em segurança para sua missão real, e coisa alguma poderia prejudicá-lo, enquanto ele não houvesse cumprido os seus propósitos. Nada se sabe sobre o local propriamente dito, nem mesmo sua localização exata. A descrição de Jacó sobre o lugar onde Raquel foi sepultada satisfaz plenamente as exigências da presente narrativa. Ver Gn 48.7 e cf. Gn 35.19. Zelza, evidentemente, significa "sombra".

Cf. este versículo com 1Sm 9.5. Saul sabia que seu pai deveria estar preocupado com ele, pois grande fora sua demora. Portanto, havia ali amor e preocupação mútua.

■ 10.3

וְחָלַפְתָּ֨ מִשָּׁ֜ם וָהָ֗לְאָה וּבָ֨אתָ֙ עַד־אֵל֣וֹן תָּב֔וֹר וּמְצָא֤וּךָ שָּׁם֙ שְׁלֹשָׁ֣ה אֲנָשִׁ֔ים עֹלִ֥ים אֶל־הָאֱלֹהִ֖ים בֵּֽית־אֵ֑ל אֶחָ֞ד נֹשֵׂ֣א ׀ שְׁלֹשָׁ֣ה גְדָיִ֗ים וְאֶחָד֙ נֹשֵׂ֨א שְׁלֹ֣שֶׁת כִּכְּר֣וֹת לֶ֔חֶם וְאֶחָ֥ד נֹשֵׂ֖א נֵֽבֶל־יָֽיִן׃

Quando dali passares adiante. A premonição de Samuel continuou. Ele percebeu que, após o encontro com os dois homens, haveria outro encontro, então com *três* homens, ao pé do carvalho de Tabor. Apresento um artigo chamado *Tabor, Carvalho de*, no *Dicionário*. Portanto, não repito aqui os detalhes.

Esses três homens estariam carregando três cabritos, três pães e também vinho, provavelmente ingredientes para uma oferta pacífica e uma libação. Mas, visto que somente o *holocausto* requeria que toda a carne fosse oferecida a Yahweh, haveria alimento suficiente para todos. Isso posto, outra bênção de Yahweh a Saul foi essa refeição.

Que vão subindo a Deus a Betel. Temos aqui uma expressão incomum que significa, no hebraico, "subindo para sacrificar e comungar com Deus". O oferecimento seria feito em *Betel* (ver a respeito no *Dicionário*), um santuário muito antigo que permaneceu como tal quando o templo substituiu o tabernáculo, em Jerusalém. A adoração foi finalmente centralizada em Jerusalém, mas antigos lugares de adoração continuaram sendo usados, contra a vontade de algumas autoridades de Jerusalém. O Targum diz aqui: "Subindo para adorar a Deus em Betel".

Um odre de vinho. Ver no *Dicionário* o verbete chamado *Odres*, para mais informações a respeito.

A providência de Deus continuou orientando todos os detalhes da jornada. Ver no *Dicionário* o verbete intitulado *Providência de Deus*.

■ 10.4

וְשָׁאֲל֥וּ לְךָ֖ לְשָׁל֑וֹם וְנָתְנ֤וּ לְךָ֙ שְׁתֵּי־לֶ֔חֶם וְלָקַחְתָּ֖ מִיָּדָֽם׃

Eles te saudarão. Provavelmente com a usual saudação "paz seja contigo". O hebraico diz literalmente aqui: "e eles te inquirirão acerca da paz", ou seja, sobre como estarás passando. Ver no *Dicionário* sobre *Saudação*.

O Almoço Gratuito. Os três homens se mostrariam generosos. Eles estavam indo a Betel a fim de adorar e *orar* (conforme nos disse Josefo, em *Antiq.* 1.6, cap. 4, sec. 2). Sendo homens de atitudes espirituais, estariam ansiosos por demonstrar generosidade para com Saul, embora não fizessem ideia de que estavam tratando com o primeiro rei de Israel.

"O sentido das palavras do profeta é: 'Quando chegares à planície de Tabor, encontrarás três homens; não os temas. São homens amigos e demonstrarão amizade mediante saudação e por darem dois pedaços de pão, uma provisão de que precisarás para o resto da tua jornada'" (Adam Clarke, *in loc.*). Portanto, Deus, mediante sua graça e misericórdia, tomou conta deles.

■ 10.5

אַחַ֣ר כֵּ֗ן תָּבוֹא֙ גִּבְעַ֣ת הָאֱלֹהִ֔ים אֲשֶׁר־שָׁ֖ם נְצִבֵ֣י פְלִשְׁתִּ֑ים וִיהִי֩ כְבֹאֲךָ֨ שָׁ֜ם הָעִ֗יר וּפָגַעְתָּ֞ חֶ֤בֶל נְבִיאִים֙ יֹרְדִ֣ים מֵֽהַבָּמָ֔ה וְלִפְנֵיהֶ֞ם נֵ֤בֶל וְתֹף֙ וְחָלִ֣יל וְכִנּ֔וֹר וְהֵ֖מָּה מִתְנַבְּאִֽים׃

Onde está a guarnição dos filisteus. A informação dada aqui por Samuel era que o grupo de viajantes passaria pela guarnição dos filisteus, na *colina de Deus*. Diz o Talmude: em uma colina onde a arca do Senhor era guardada, um lugar alto perto de Gibeá. "Parece que esses aguerridos filisteus gradualmente, após sua grande derrota em Mispa, foram-se estabelecendo de novo em vários lugares da terra, de onde atacavam os israelitas" (Ellicott, *in loc.*). Gibeá situava-se a somente oito quilômetros de Mispa, e ambas não ficavam distantes de Quiriate-Jearim, onde a arca da aliança era agora guardada (ver 7.1). Embora houvesse perigo ali, Saul e seu grupo não foram atacados. Essa foi outra provisão da providência divina.

Perto dali, eles se encontrariam com um grupo de profetas que desceria do *lugar elevado,* ou seja, do santuário de Gibeá.

Escolas dos Profetas. Ver no *Dicionário* completas informações a respeito. Algumas dessas escolas eram dirigidas por profetas autênticos; mas outras haviam entrado em decadência. Com música alta e danças, lançavam-se em um frenesi cerebral que, presumiam, podia produzir profecias. O paralelo ao moderno *movimento carismático* é próximo demais para que o percamos de vista. Ver sobre esse assunto na *Enciclopédia de Bíblia, Teologia e Filosofia.* Estudos modernos mostram que um cérebro altamente atiçado pela música alta e pelo ruído pode produzir certas manifestações psíquicas tais como línguas, profecias etc. Entretanto, não podemos atribuir todo o movimento carismático moderno a isso. Antes, devemos examinar caso a caso, para separar o falso do verdadeiro.

Os profetas levavam *vários instrumentos musicais* com o propósito específico de criar o frenesi apropriado a estados alterados de consciência que iniciavam os fenômenos psíquicos. A música é um poder extraordinário (a mais abstrata das artes) e pode ser usada para o bem ou para o mal. Ver no *Dicionário* o verbete chamado *Música, Instrumentos Musicais.* Algumas vezes, o comportamento dos profetas era considerado *loucura* (ver 2Rs 9.11 e Jr 29.36). A conduta peculiar dos profetas, entretanto, no caso de algumas escolas, era apenas o sinal peculiar de sua atividade. De outras vezes, sob a influência de transe profético, eles eram capazes de proferir coisas solenes e profundas (ver Nm 24.2-4). Em qualquer lugar onde os fenômenos psíquicos se manifestem, porém, temos uma mistura do que é puramente *natural* e *humano,* com o que é *demoníaco* ou é *divino.* É provável que as antigas escolas dos profetas, da mesma forma que seus modernos imitadores, fossem uma mistura de todos esses aspectos.

Saltérios. No hebraico, *nebel,* talvez um instrumento de cordas, ou então, conforme outros estudiosos, uma espécie de gaita de foles, evidentemente tomada por empréstimo dos gregos e dos romanos.

Tambores. No hebraico, *toph,* címbalos ou tambores, instrumentos de percussão.

Flautas. No hebraico, *chalil,* instrumentos de sopro.

Harpas. No hebraico, *kinnor,* instrumentos de corda.

Instrumentos musicais desse tipo já existiam no Egito, e seus vizinhos, os filhos de Israel, possuíam boa variedade deles. É provável que os hebreus tomassem por empréstimo de outros povos a maioria dos instrumentos musicais, porquanto eles eram fracos nas artes e nas ciências, embora fortes na fé religiosa e na literatura.

■ 10.6

וְצָלְחָה עָלֶיךָ רוּחַ יְהוָה וְהִתְנַבִּיתָ עִמָּם וְנֶהְפַּכְתָּ לְאִישׁ אַחֵר׃

O Espírito do Senhor se apossará de ti. Samuel também predisse que o Espírito de Deus viria sobre Saul, e este (provavelmente para sua imensa surpresa) se ajuntaria ao frenesi, sendo capaz de profetizar, tal como sucedia aos outros profetas. Isso realmente aconteceu, mas Saul não viveu fazendo isso. Seja como for, a vinda do Espírito sobre ele traria outros benefícios, não limitados a declarações daquela natureza. Ele seria assim fortalecido como poderoso guerreiro, para iniciar a fase de libertação de Israel do jugo filisteu, completada posteriormente por Davi.

Os projetos obtêm mais sucesso quando há *entusiasmo,* o que, em grego, é *en* (em) e *theos* (Deus), ou seja, "cheio de Deus". Saul, pois, receberia "entusiasmo" para a tarefa. Seus inimigos se tornariam pequenos no momento em que o Espírito o inspirasse. Ele cometeria muitas falhas, mas em essência cumpriria o seu destino. A monarquia precisava ser assinalada pela *independência* diante de potências estrangeiras.

Tu serás mudado em outro homem. Haveria uma mudança radical para melhor, um comportamento acompanhado pela transformação de atitudes e por altos ideais. A tarefa se tornaria possível, pela inspiração do Espírito. Alguns estudiosos veem nisso a regeneração espiritual, segundo os termos do Novo Testamento, mas dificilmente ela está em foco aqui. "... o Espírito tornou o inexperiente e iletrado Saul *capaz* de assumir as responsabilidades reais, tal como os juízes antes dele também foram abençoados (ver Jz 6.34; 11.29; 13.25; 14.6,19; 15.14)" (Eugene H. Merrill, *in loc.*).

Alguns eruditos dão-nos a curiosa interpretação de que Saul seria capacitado a cantar, a levantar sua voz em cânticos inspirados, conforme faziam os profetas, e *isso* seria um sinal de que ele estava cheio do Espírito.

■ 10.7

וְהָיָה כִּי תָבֹאינָה הָאֹתוֹת הָאֵלֶּה לָךְ עֲשֵׂה לְךָ אֲשֶׁר תִּמְצָא יָדֶךָ כִּי הָאֱלֹהִים עִמָּךְ׃

Quando estes sinais te sucederem. Este versículo informa-nos que Saul teria essa porção especial do Espírito de Deus para ajudá-lo, e não apenas naquela ocasião. Ele teria o poder de proclamar-se rei de Israel; e ninguém duvidaria dele. De súbito, Saul se tornaria um líder poderoso, e logo o povo haveria de segui-lo. Em breve, talvez no espaço de um mês, Saul teria a oportunidade de sair como rei, conforme lemos no capítulo 11. Nessa ocasião, quando ele tivesse de asseverar sua autoridade e liderar o povo corretamente, o Espírito de Deus viria novamente e lhe garantiria o sucesso (ver 1Sm 11.6).

"Que tremenda série de circunstâncias foram previstas com exatidão! Porventura, isso não prova que Samuel estava sob a contínua inspiração do Todo-poderoso?" (Adam Clarke, *in loc.*).

■ 10.8

וְיָרַדְתָּ לְפָנַי הַגִּלְגָּל וְהִנֵּה אָנֹכִי יֹרֵד אֵלֶיךָ לְהַעֲלוֹת עֹלוֹת לִזְבֹּחַ זִבְחֵי שְׁלָמִים שִׁבְעַת יָמִים תּוֹחֵל עַד־בּוֹאִי אֵלֶיךָ וְהוֹדַעְתִּי לְךָ אֵת אֲשֶׁר תַּעֲשֶׂה׃

E eis que eu descerei a ti. Sacrifícios apropriados a Yahweh tinham de acompanhar a preparação de Saul para tornar-se rei. Devemos lembrar que a fé dos hebreus era expressa por meio do sistema sacrificial. Havia pecados que seriam expiados; havia oferendas feitas para agradar Yahweh. Desse modo, foram criadas as condições necessárias para que Saul fosse dotado por Deus (vs. 9).

Para sacrificar holocaustos. Ver, no *Dicionário,* aquele tipo de sacrifício em que o animal inteiro, exceto sua pele, era queimado. Nada do animal era comido, mas a pele ia para o sacerdote que oferecesse o animal. Esse sacrifício falava sobre a *completa dedicação* a Deus.

E para apresentar ofertas pacíficas. Ver notas completas sobre esse tipo de oferendas em Lv 7.11-23.

Após uma espera de *sete dias,* Yahweh viria a Saul e o transformaria, preparando-o mental e espiritualmente para sua elevada missão. "É provável que esses sete dias se refiram ao tempo em que Samuel veio a Saul, em Gilgal, ofereceu sacrifícios e confirmou o reino a ele, depois que ele derrotou os filhos de Amom (ver 1Sm 11.14,15)" (Adam Clarke, *in loc.*).

■ 10.9

וְהָיָה כְּהַפְנֹתוֹ שִׁכְמוֹ לָלֶכֶת מֵעִם שְׁמוּאֵל וַיַּהֲפָךְ־לוֹ אֱלֹהִים לֵב אַחֵר וַיָּבֹאוּ כָּל־הָאֹתוֹת הָאֵלֶּה בַּיּוֹם הַהוּא׃ ס

E todos esses sinais se deram naquele mesmo dia. O que foi prometido no vs. 6 deste capítulo cumpriu-se. Saul foi transformado em um novo homem, dotado pelo Espírito de Deus. O "velho Saul" não era capaz de ocupar o ofício real. O novo Saul em breve se mostraria qualificado e, apesar das muitas falhas em seu caráter e em seu labor, ele cumpriria a missão de debilitar os filisteus, ao que Davi se seguiria, completando a missão. Isso teria de ocorrer antes que a monarquia pudesse ser estabelecida. Ver os comentários sobre o vs. 6, que também se aplicam aqui. Os "sinais" haveriam de acompanhar

Saul, especialmente a obra do Espírito de Deus, que o tornaria uma nova pessoa. Também é provável que sua capacidade temporária de agir como profeta, proferindo profecias (ver o vs. 6), fizesse parte da questão dos sinais. Mas esses *sinais* incluiriam todo o complexo de circunstâncias que reuniu Samuel e Saul.

10.10

וַיָּבֹ֨אוּ שָׁ֤ם הַגִּבְעָ֙תָה֙ וְהִנֵּ֥ה חֶֽבֶל־נְבִאִ֖ים לִקְרָאת֑וֹ וַתִּצְלַ֤ח עָלָיו֙ ר֣וּחַ אֱלֹהִ֔ים וַיִּתְנַבֵּ֖א בְּתוֹכָֽם׃

Chegando eles a Gibeá. Ou seja, ao lar de Saul, a propriedade de sua família, que deveria ficar nas vizinhanças de Gibeá. Os Targuns e Josefo dizem *Gibeá*, e não "colina", conforme outras versões (ver *Antiq.* 1.6, cap. 4, sec. 2).

O Espírito de Deus se apossou de Saul. Este versículo cumpre as predições feitas no vs. 5 e descreve alguns *sinais* que mostrariam que Saul estava sendo preparado para seu ofício real. Ver as notas referentes àquele versículo, as quais também se aplicam aqui. Devemos lembrar que o ofício de profeta, em Samuel, eclipsava o ofício sumo sacerdotal. As escolas dos profetas não formavam profetas como Samuel, mas faziam parte das tradições hebreias e, em certo sentido, encobriram o trabalho dos sacerdotes. Provavelmente, alguns desses profetas também eram sacerdotes, mas com o novo ministério profético alcançaram outra dimensão em suas atividades. Esses profetas possuíam o *toque místico* e não se limitavam a ritos e sacrifícios tão somente. O povo nunca se satisfaz com meros ritos, mas, antes, é mister que haja a presença do Espírito de Deus para que o coração humano se satisfaça plenamente. Ver no *Dicionário* os artigos intitulados *Misticismo* e *Desenvolvimento Espiritual, Meios do*.

Saul não havia recebido treinamento profético. Ele não pertencia a essa tradição. Também não era levita. E, no entanto, de súbito, ei-lo a fazer coisas que os profetas faziam. Todo o povo de Israel atentaria para esse fato.

10.11

וַיְהִ֗י כָּל־יֽוֹדְעוֹ֙ מֵאִתְּמ֣וֹל שִׁלְשׁ֔וֹם וַיִּרְא֕וּ וְהִנֵּ֥ה עִם־נְבִאִ֖ים נִבָּ֑א וַיֹּ֨אמֶר הָעָ֜ם אִ֣ישׁ אֶל־רֵעֵ֗הוּ מַה־זֶּה֙ הָיָ֣ה לְבֶן־קִ֔ישׁ הֲגַ֥ם שָׁא֖וּל בַּנְּבִיאִֽים׃

Também Saul entre os profetas? A sensação estava criada. Saul entre os profetas? Como era possível? Algo estranho e excitante estava acontecendo. O Espírito foi dado com um *sinal* para o bem; um movimento independente se formava. Um novo líder havia sido escolhido. Era como se um cometa de repente atravessasse o firmamento, e toda a nação o visse e se maravilhasse. O povo ficou surpreso por ver o pouco imaginativo filho de um agricultor em tão boa companhia; ou, então, conforme supõem alguns, a surpresa foi ver o filho de um rico e poderoso fazendeiro na companhia daquele grupo de profetas itinerantes, sem grande reputação.

"Os profetas eram religiosamente respeitados por seus poderes sobrenaturais, mas socialmente desprezados. Fosse como fosse, Saul estava em meio a uma companhia inesperada" (George B. Caird, *in loc.*). Essa reação ante Saul pode ser comparada à reação diante de Jesus e seus seguidores (ver At 9.21).

10.12

וַיַּ֨עַן אִ֤ישׁ מִשָּׁם֙ וַיֹּ֔אמֶר וּמִ֖י אֲבִיהֶ֑ם עַל־כֵּן֙ הָיְתָ֣ה לְמָשָׁ֔ל הֲגַ֥ם שָׁא֖וּל בַּנְּבִאִֽים׃

Então um homem respondeu. Saul não pertencia à escola dos profetas. Era filho de um fazendeiro, e poderia ter sido rico e poderoso, mas por certo não era homem para aquelas realizações e associações. Saul, pois, era como "um peixe fora da água". Nada havia em sua formação que pudesse explicar essa súbita capacidade profética. Sim, Saul surpreendeu a todos com sua mudança nada característica. Em 1Sm 19.23, achamos Saul novamente sob a influência do Espírito, proferindo palavras estranhas (falando em línguas?), cantando hinos e agindo como se tivesse sido treinado em uma das escolas proféticas. É patente que Saul só agia assim *ocasionalmente*. Ele não se tornou um profeta nem acompanhava a escola dos profetas. Ver Gl 1.23 quanto a um paralelo no Novo Testamento. Saulo (o apóstolo Paulo) surpreendeu a todos tornando-se missionário de Jesus.

10.13

וַיְכַל֙ מֵֽהִתְנַבּ֔וֹת וַיָּבֹ֖א הַבָּמָֽה׃

Seguiu para o alto. Provavelmente não está em mira o santuário, em alguma colina, mas, conforme supõe a maioria dos estudiosos, à "sua casa", localizada em uma colina (vs. 10). Ali se encontrou com seu tio, Ner, pai de Abner (ver 1Sm 14.50). Saul, em associação com os profetas, tinha temporariamente "perdido o controle", mas agora voltara à normalidade. Contudo, não à sua antiga normalidade, pois agora era um novo homem, comissionado e dotado para uma nova missão. O "alto" ficava em Gibeá. Alguns supõem que houvesse ali um *lugar elevado*, um santuário em Gibeá, e que Saul tenha ido até ali para orar, meditar e planejar. Nesse caso, foi uma ação acertada, após a sua experiência profética. Ver no *Dicionário* o artigo chamado *Lugares Altos*. O vs. 14 mostra-nos que Saul voltou para casa.

10.14

וַיֹּאמֶר֩ דּ֨וֹד שָׁא֥וּל אֵלָ֛יו וְאֶֽל־נַעֲר֖וֹ אָ֣ן הֲלַכְתֶּ֑ם וַיֹּ֕אמֶר לְבַקֵּשׁ֙ אֶת־הָ֣אֲתֹנ֔וֹת וַנִּרְאֶ֣ה כִי־אַ֔יִן וַנָּב֖וֹא אֶל־שְׁמוּאֵֽל׃

Perguntou o tio de Saul. Provavelmente Ner, pai de Abner (14.50). Saul tinha voltado ao mundo real. A excursão atrás das jumentas de seu pai tinha-lhe permitido viver acontecimentos inesperados. Por ordem do pai, saíra em busca dos animais, mas voltara rei ungido, por ordem do Pai. Contudo, Saul ficou em silêncio e não revelou ao tio a maior parte das coisas que tinha acontecido. Ainda não era hora. As portas abrem-se pela ordem divina. O tempo de agir, de assumir autoridade real, logo chegaria. Saul ainda estava em fase de preparação. Contudo, revelou seu encontro com o profeta Samuel, mas apenas no tocante ao auxílio no caso das jumentas.

Josefo (*Antiq.* 1.6, cap. 4, sec. 2) identifica aqui o tio como Abner, e os Targuns concordam com esse parecer.

10.15

וַיֹּ֖אמֶר דּ֣וֹד שָׁא֑וּל הַגִּֽידָה־נָּ֣א לִ֔י מָֽה־אָמַ֥ר לָכֶ֖ם שְׁמוּאֵֽל׃

Então disse o tio de Saul. O fato de Saul ter encontrado o renomado profeta deve ter surpreendido Abner, fazendo-o indagar o que Samuel dissera. Não era comum que alguém se encontrasse com um homem tão ilustre.

"Abner, tio do futuro rei, homem observador, deve ter ficado impressionado com as mudanças ocorridas na vida de Saul, desde que o vira pela última vez. Daí sua pergunta" (Ellicott, *in loc.*).

10.16

וַיֹּ֥אמֶר שָׁא֖וּל אֶל־דּוֹד֑וֹ הַגֵּ֤ד הִגִּיד֙ לָ֔נוּ כִּ֥י נִמְצְא֖וּ הָאֲתֹנ֑וֹת וְאֶת־דְּבַ֤ר הַמְּלוּכָה֙ לֹֽא־הִגִּ֣יד ל֔וֹ אֲשֶׁ֥ר אָמַ֖ר שְׁמוּאֵֽל׃ פ

Informou-nos de que as jumentas foram encontradas. *Uma Resposta Mínima*. Saul revelou alguma coisa, mas não tudo o que havia acontecido. A questão das jumentas era relativamente banal. E sobre isso ele se sentiu livre para falar à vontade. Como era esperado, Samuel tinha poderes clarividentes para localizar as jumentas e aliviar a preocupação de Saul quanto à segurança dos animais. Mas o grande trabalho, sua unção como rei, não foi mencionado. Ainda não havia chegado o momento de tal revelação. Para todos os acontecimentos significativos, há um "tempo sazonado". Quão impacientes ficamos enquanto esperamos que as coisas amadureçam! Um sonho comum e um símbolo de visão quanto ao "tempo certo" é o amadurecimento das frutas. *Frutos verdes* significam que "as coisas ainda não amadureceram". *Frutos maduros* significam que as coisas "agora acontecerão conforme designado". Ver no *Dicionário* o artigo chamado *Sonhos*. Para Josefo, Saul relutou em revelar a questão maior porque pensava que seus parentes não acreditariam nele (*ut supra*); a questão, contudo, era bem mais profunda.

10.17

וַיַּצְעֵק שְׁמוּאֵל אֶת־הָעָם אֶל־יְהוָה הַמִּצְפָּה׃

Convocou Samuel o povo. Temos aqui o discurso de preparação feito por Samuel. Israel tinha vindo de longe. sua história era assinalada por intervenções divinas. Além disso, a *monarquia* estava sendo preparada. Embora o povo de Israel se mostrasse constantemente rebelde e desobediente, a vontade divina nunca os abandonou. Portanto, aquela nação moveu-se de estágio em estágio, mediante a ajuda de Deus. A *monarquia* era historicamente inevitável, embora espiritualmente inferior. Samuel, pois, relembrou-os disso (ver o vs. 19).

Em Mispa. Ver a respeito no *Dicionário*. Era o local favorito para reuniões públicas nos dias de Samuel. Cf. 1Sm 7.5,6. A *Mispa* aqui em vista não era a mesma que havia na região de Gileade, pois ficava no território da tribo de Benjamim. "Samuel fez tudo quanto estava a seu alcance para promover a grande causa. Ele convocou uma assembleia nacional em Mispa. Aqui, o local sagrado, conforme ficou dito, caiu à tribo de Benjamim, e daí, em um círculo cada vez menor, finalmente caiu sobre Saul, filho de Quis" (Ellicott, *in loc.*). Alguns supõem que o Urim e o Tumim fossem usados para tomar decisões, demonstrando que Saul era o preferido por Yahweh; mas nada foi dito acerca disso. Ademais, o uso da sorte não é especificado. Ver no *Dicionário* o artigo intitulado *Sortes*. Provavelmente, a palavra e a afirmação de Samuel seriam suficientes para que o povo aceitasse Saul como rei, e talvez isso fosse tudo quanto era necessário dizer.

Cf. Js 7.16-18 quanto à divisão dos territórios nacionais entre as tribos, por meio de sortes sagradas. Ver também Êx 18.25.

10.18

וַיֹּאמֶר אֶל־בְּנֵי יִשְׂרָאֵל פ כֹּה־אָמַר יְהוָה אֱלֹהֵי יִשְׂרָאֵל אָנֹכִי הֶעֱלֵיתִי אֶת־יִשְׂרָאֵל מִמִּצְרָיִם וָאַצִּיל אֶתְכֶם מִיַּד מִצְרַיִם וּמִיַּד כָּל־הַמַּמְלָכוֹת הַלֹּחֲצִים אֶתְכֶם׃

Fiz subir a Israel do Egito. O *livramento* do Egito requereu diversas *intervenções* divinas. Assim, Deus fez em favor de Israel o que Israel não podia fazer por si mesmo. O poder divino estava sempre presente, ultrapassando os atos humanos. No entanto, Israel era constantemente lembrado de que era um povo desobediente e rebelde. Querer um rei, na verdade, forçar a questão, fora outro ato de rebeldia, espiritualmente inferior mas historicamente inevitável. Quanto ao *livramento do Egito,* uma circunstância com frequência referida quando se queria ilustrar o poder de Yahweh, ver as notas em Nm 23.22 e Dt 4.20. O tema é reiterado por mais de vinte vezes no livro de Deuteronômio. Cf. 1Sm 8, a respeito de como Samuel, *relutantemente,* deu a Israel o seu primeiro rei, Saul.

E da mão de todos os reinos que vos oprimiam. O poder de Yahweh estendeu-se para livrar Israel de todas as nações que habitavam a terra, embora invasões e escravizações temporárias também ocorressem. Ver Êx 33.2 e Dt 7.1 quanto às *sete nações* cananeias que Israel teve de expulsar e, subsequentemente, manter em subjugação. O livro de Juízes ilustra graficamente a constante luta contra seus vizinhos. Quando Samuel disse essas palavras, os filisteus eram a principal potência que assediava Israel. A missão de Saul, portanto, seria debilitar os filisteus, e Davi daria o golpe final, libertando totalmente o povo de Israel.

10.19

וְאַתֶּם הַיּוֹם מְאַסְתֶּם אֶת־אֱלֹהֵיכֶם אֲשֶׁר־הוּא מוֹשִׁיעַ לָכֶם מִכָּל־רָעוֹתֵיכֶם וְצָרֹתֵיכֶם וַתֹּאמְרוּ לוֹ כִּי־מֶלֶךְ תָּשִׂים עָלֵינוּ וְעַתָּה הִתְיַצְּבוּ לִפְנֵי יְהוָה לְשִׁבְטֵיכֶם וּלְאַלְפֵיכֶם׃

Mas vós rejeitastes hoje a vosso Deus. Este versículo é paralelo a 1Sm 8.7-9. Embora Yahweh tivesse agido poderosamente em favor de Israel, livrando-o dos inimigos, o povo rejeitou o seu reinado, preferindo o reino de um mero homem. Por isso dizemos que a monarquia era realmente inevitável, parte necessária da história de Israel, embora fosse uma vereda espiritual inferior.

A apresentação formal de um rei precisava ser feita perante o povo, a fim de que todos os filhos de Israel lhe prestassem lealdade. Samuel buscava a unidade de opinião e de atos, e a cerimônia produziria isso.

Pelos vossos grupos de milhares. Conforme mostra o contexto, temos aqui tão somente um termo que indica clãs ou famílias, conforme se vê no vs. 2.

10.20,21

וַיַּקְרֵב שְׁמוּאֵל אֵת כָּל־שִׁבְטֵי יִשְׂרָאֵל וַיִּלָּכֵד שֵׁבֶט בִּנְיָמִן׃

וַיַּקְרֵב אֶת־שֵׁבֶט בִּנְיָמִן לְמִשְׁפְּחֹתוֹ וַתִּלָּכֵד מִשְׁפַּחַת הַמַּטְרִי וַיִּלָּכֵד שָׁאוּל בֶּן־קִישׁ וַיְבַקְשֻׁהוּ וְלֹא נִמְצָא׃

Foi indicada por sorte a de Benjamim. A apresentação foi feita por meio de tribos, clãs e famílias. Aparentemente, a sorte sagrada (ver no *Dicionário* o artigo chamado *Sortes*) foi usada primeiramente para indicar a tribo; em seguida, o clã; então, a família; e, finalmente, dentro daquela família o homem que ocuparia o trono. A sorte funcionava pelo modo simples do sim ou não. "É esta a tribo de onde o rei deve provir?", Samuel perguntaria. E a resposta obtida seria um "não". É incrível que até um apóstolo, escolhido para substituir Judas Iscariotes, tenha sido selecionado nos tempos do Novo Testamento por meio de sortes. Ver At 1.26. Ver o artigo geral sobre *Adivinhação* no *Dicionário*. O artigo intitulado *Sortes* sugere como operava o método do lançamento de sortes, ou seja, o seu *modus operandi*. Alguns intérpretes supõem que tenham sido usados o Urim e o Tumim. Ver o primeiro ponto no artigo chamado *Sortes*, no *Dicionário,* bem como o artigo em separado sobre esse assunto.

Independentemente do método usado, *Benjamim* foi finalmente revelada como tribo da qual o rei deveria vir. Então o procedimento foi repetido quanto aos clãs. Em seguida, quanto às famílias.

O *modo de proceder* então foi singularizado para o clã de *Matri* (ver a respeito no *Dicionário*). Finalmente, a família dentro do clã foi especificada, ou seja, a de Quis, o pai de Saul. A sorte última apontou para *Saul,* o filho de Quis que Yahweh escolhera para ser rei de Israel.

Não podia ser encontrado. Saul, temeroso, tinha-se ocultado. O momentoso dia havia chegado e pareceu demais para Saul, que temporariamente se assustou diante dos inesperados eventos. Ser rei nunca fora uma de suas ambições, e ele não sabia se seria capaz de ocupar o ofício, a despeito de ter sido ainda há pouco escolhido para isso. Ele se sentia esmagado pela proposta. Alguns indivíduos indignos ridicularizaram a escolha de Saul (ver o vs. 27), e ele próprio não estava seguro se essa avaliação era equivocada. Mas o tempo haveria de provar ser ele o homem certo para o cargo, apesar de suas várias falhas.

"Por modéstia ou temor, o fato foi que ele se ocultou" (Adam Clarke, *in loc.*). Saul se escondeu antes da definição das sortes, porque sabia o que aconteceria. Foi preciso outro ato de adivinhação para encontrar o futuro rei (vs. 22).

10.22

וַיִּשְׁאֲלוּ־עוֹד בַּיהוָה הֲבָא עוֹד הֲלֹם אִישׁ ס וַיֹּאמֶר יְהוָה הִנֵּה־הוּא נֶחְבָּא אֶל־הַכֵּלִים׃

Então tornaram a perguntar ao Senhor. Não é provável que tenham sido usadas sortes para encontrar Saul. O mais simples método do "sim ou não" poderia revelar o seu esconderijo, contanto que muitas perguntas fossem formuladas. Samuel poderia indagar: "Está ele em casa?" E a resposta seria "não". Outra pergunta: "Está ele escondido entre as árvores?" "Não", responderia a sorte. Finalmente, o local seria revelado mediante o processo de incansável eliminação. Para salvar Samuel do longo processo de eliminação, os eruditos supõem que algum outro método tenha sido usado para a localização final de Saul. Talvez Yahweh tenha dado a Samuel alguma intuição, ou um conselho ou uma visão em que Saul aparecia oculto no meio da bagagem. Se Samuel pôde localizar algumas jumentas perdidas, não deve ter tido dificuldade em encontrar o trêmulo Saul.

10.23

וַיָּרֻ֣צוּ וַיִּקָּחֻ֣הוּ מִשָּׁ֔ם וַיִּתְיַצֵּ֖ב בְּת֣וֹךְ הָעָ֑ם וַיִּגְבַּהּ֙
מִכָּל־הָעָ֔ם מִשִּׁכְמ֖וֹ וָמָֽעְלָה׃

Correram, e o tomaram dali. Lá estava ele, tão alto e forte, obviamente um homem que qualquer povo teria escolhido para rei. É verdade que, conforme salientamos, houve quem não concordasse com a escolha, homens malignos cujo juízo estava corrompido pelo pecado (ver o vs. 27). A escolha de Saul como rei mostra-nos que um homem cheio de defeitos pode ser eleito para um propósito especial e, embora sua missão tenha sido realizada com muitas falhas, a *essência* pôde ser cumprida. "... Grande estatura, boa aparência, conforme Kimchi observou, recomendavam à dignidade real e faziam o povo admirar-se diante de um venerável príncipe (9.2)" (John Gill, *in loc.*). "Agamenom, à semelhança de Saul, era cabeça e ombro mais alto que o povo. Como Saul, ele tinha um ar peculiar e uma dignidade expressa pela palavra hebraica geralmente traduzida por 'bom' ou 'bondoso'" (Ellicott, *in loc.*).

10.24

וַיֹּ֨אמֶר שְׁמוּאֵ֜ל אֶל־כָּל־הָעָ֗ם הַרְּאִיתֶם֙ אֲשֶׁ֣ר
בָּֽחַר־בּ֣וֹ יְהוָ֔ה כִּ֥י אֵ֛ין כָּמֹ֖הוּ בְּכָל־הָעָ֑ם וַיָּרִ֧עוּ
כָל־הָעָ֛ם וַיֹּאמְר֖וּ יְחִ֥י הַמֶּֽלֶךְ׃ פ

Então disse Samuel a todo o povo. O próprio Samuel estava entusiasmado com o novo rei e convocou o povo de Israel para observar a estatura e as maneiras de Saul. A resposta foi a proclamação quase unânime de Saul como rei, mediante a aclamação "Viva o rei!" A escolha foi feita por meio de sorte, ou por algum outro tipo de adivinhação, mas para o povo não havia nenhum acaso envolvido nessa escolha. Yahweh tinha tratado da questão, assegurando que a sua vontade fosse cumprida.

Eles desejaram longa vida a Saul e, de acordo com os Targuns, "prosperidade". No entanto, brevemente os pecados de Saul o tornariam um homem derrotado, embora ele tivesse completado a essência de sua missão em pouquíssimo tempo. "O tempo para que a casa de Jessé (Davi) chegasse a brilhar demoraria bem pouco, mas ainda não havia chegado. Saul e Jônatas, mais velozes que águias e mais fortes que leões, ainda pareciam os campeões de Israel" (Deão Stanley, *in loc.*).

10.25

וַיְדַבֵּ֨ר שְׁמוּאֵ֜ל אֶל־הָעָ֗ם אֵ֚ת מִשְׁפַּ֣ט הַמְּלֻכָ֔ה וַיִּכְתֹּ֣ב
בַּסֵּ֔פֶר וַיַּנַּ֖ח לִפְנֵ֣י יְהוָ֑ה וַיְשַׁלַּ֤ח שְׁמוּאֵל֙ אֶת־כָּל־הָעָ֔ם
אִ֖ישׁ לְבֵיתֽוֹ׃

Declarou Samuel ao povo o direito do reino. Os "direitos e deveres do rei" (*Revised Standard Version*) foram descritos diante do povo, por Samuel, para que todos soubessem como Saul deveria agir. Para ter certeza de que as coisas estavam claras, Samuel registrou tudo em um livro. Esse documento foi então posto "perante o Senhor", palavras que podem simplesmente significar "ao lado da arca", no lugar mais santo do tabernáculo, conforme supôs Josefo (*Antiq.* 1.6, cap. 5, sec. 1), com o que concordou Kimchi. Cf. Dt 31.26. Esse ato adicionou solenidade à ocasião. O rei havia sido proclamado pelo povo; mas sua primeira responsabilidade era, antes de tudo, diante de Yahweh, o que foi afirmado pelo mais solene ato que poderia envolver aquele documento escrito. A futura dinastia prometida viria através de Judá, e não de Benjamim (Gn 49.10), e dessa linhagem surgiria o próprio Messias. Por enquanto, todavia, o homem de Benjamim teria sua oportunidade de ajudar os filhos de Israel a libertar-se dos filisteus.

10.26

וְגַ֨ם־שָׁא֔וּל הָלַ֥ךְ לְבֵית֖וֹ גִּבְעָ֑תָה וַיֵּלְכ֣וּ עִמּ֔וֹ הַחַ֕יִל
אֲשֶׁר־נָגַ֥ע אֱלֹהִ֖ים בְּלִבָּֽם׃

Foi com ele uma tropa de homens. *Uma Nobre Companhia.* Saul teve um bom começo. Saiu acompanhado por um nobre grupo de homens cujo coração Yahweh tinha tocado. O Espírito de Deus estava na questão. De Saul não se esperava que carregasse sozinho toda a carga. Todos os grandes projetos envolvem um grupo de pessoas, e raramente alguma coisa grandiosa é efetuada por um único homem, sem auxílio externo. Homens distintos rodearam Saul. Alguns eram anciãos que proveriam sabedoria; outros, militares que colaborariam com seu poder. Eram conselheiros que o serviriam de diversas maneiras. A história oferece-nos textos que provam que o poder e a orientação divina são fundamentais para os grandes projetos. O poder dos homens tem suas limitações. Vontade e entusiasmo têm de estar presentes, e essas qualidades são conferidas pelo Espírito. O homem inteligente, sem uma vontade poderosa que o capacite a realizar, pode ser uma curiosidade, mas não um produtor. Um homem forte sem direção dissipa suas energias e é inútil e infeliz em seus esforços.

10.27

וּבְנֵ֧י בְלִיַּ֣עַל אָמְר֗וּ מַה־יֹּשִׁעֵ֙נוּ֙ זֶ֔ה וַיִּבְזֻ֕הוּ וְלֹֽא־הֵבִ֥יאוּ
ל֖וֹ מִנְחָ֑ה וַיְהִ֖י כְּמַחֲרִֽישׁ׃ פ

Porém Saul se fez de surdo. Pelo *lado negativo*, "certos sujeitos indignos" (*Revised Standard Version*) desprezaram Saul e não o reconheceram nem o honraram por meio de presentes pessoais. A *Revised Standard Version* muito provavelmente está correta ao traduzir o termo hebraico *belial* como um adjetivo, em vez de referir-se ao diabo. Isso faz parte de uma teologia posterior, fora de lugar em 1Samuel.

"Aqueles homens provavelmente eram príncipes e varões de destaque das grandes tribos de Judá e Efraim, descontentes diante do fato de que o rei fora escolhido da pequena e insignificante tribo de Benjamim... Eles o desprezaram porque... Saul era homem sem nenhuma cultura especial. Ele passara sua infância ajudando nas fazendas de seu pai, nas vizinhanças de Gibeá. Portanto, eles não lhe trouxeram presentes, o que, no Oriente, era sinal de submissão e homenagem. Ignoraram-lhe a autoridade. Mas Saul se fez como surdo para com eles, como se não lhes tivesse ouvido as murmurações. Essa conduta prudente revelou grande autocontrole e abnegação da parte do novo rei e de seus conselheiros" (Ellicott, *in loc.*).

"Saul era agora uma figura pública e tinha o direito de ser apoiado por parte do povo. Aqueles filhos de Belial, entretanto, recusaram-se a cumprir sua parte" (Adam Clarke, *in loc.*). É possível que a palavra "presentes", usada neste versículo, inclua a ideia de taxas ou tributos, que um rei, naturalmente, coletaria para benefício de todo o reino.

CAPÍTULO ONZE

PRIMEIRAS VITÓRIAS DE SAUL (11.1-11)

O *destino determinara* que a força de Saul seria testada logo em breve. O povo e o próprio Saul precisaram demonstrar que Yahweh dirigia o plano inteiro e era responsável por seu sucesso. A monarquia não podia começar em meio a uma derrota, embora viesse a sofrer várias derrotas ao longo do caminho.

"Este capítulo é um daqueles excitantes e encorajadores relatos que tipificam crises das quais emergem as lideranças. Os filhos de Amom ameaçaram os homens de Jabes-Gileade com a escravidão e a perda do olho direito. Os ameaçados apelaram para as tribos espalhadas de Israel. Saul demonstrou sua liderança conclamando um grande exército que aniquilou os amonitas" (John C. Shroeder, *in loc.*).

Jabes-Gileade, cerca de 40 quilômetros ao sul do mar da Galileia, a leste do rio Jordão, era uma porção distante do reino de Saul e de difícil defesa. Mas Saul ficou extremamente irado com a maneira como "aquela pobre gente" fora ameaçada. Afinal, eles eram seu povo. A circunstância deu a Saul a oportunidade de exercer liderança sob circunstâncias difíceis. Ele não contava com um exército permanente, mas logo conseguiu organizá-lo. Ademais, a diferença era que o Espírito fez uma provisão especial, guiando-o e fortalecendo-o (vs. 6). Oh, Senhor, concede-nos tal graça!

11.1

וַיַּ֗עַל נָחָשׁ֙ הָעַמּוֹנִ֔י וַיִּ֖חַן עַל־יָבֵ֣שׁ גִּלְעָ֑ד וַיֹּאמְר֞וּ
כָּל־אַנְשֵׁ֤י יָבֵישׁ֙ אֶל־נָחָ֔שׁ כְּרָת־לָ֥נוּ בְרִ֖ית וְנַעַבְדֶֽךָּ׃

Então subiu Naás. Ver o artigo no *Dicionário* sobre *Naás* e sobre o que se sabe acerca dele. É curioso que esse homem, na ocasião inimigo de Saul, posteriormente tornou-se amigo de Davi, provavelmente devido à inimizade entre Saul e Davi (ver 2Sm 10.2 e 1Cr 19.1,2).

Jabes-Gileade. Ver a respeito no *Dicionário*. Essa cidade foi assediada pelos amonitas (ver no *Dicionário* o verbete denominado *Amom (Amonitas)*). Na verdade, o aniquilamento da maioria dos habitantes e a escravização dos sobreviventes ameaçavam o lugar. Assim, representantes da cidade foram enviados a Naás para estabelecer uma espécie de acordo, com vistas a evitar o pior. No fim, Naás quis exibir tanta brutalidade quanto sua vantagem lhe oferecia. Em outras palavras, a situação de Jabes-Gileade era totalmente desesperadora.

■ 11.2

וַיֹּאמֶר אֲלֵיהֶם נָחָשׁ הָעַמּוֹנִי בְּזֹאת אֶכְרֹת לָכֶם בִּנְקוֹר לָכֶם כָּל־עֵין יָמִין וְשַׂמְתִּיהָ חֶרְפָּה עַל־כָּל־יִשְׂרָאֵל׃

Farei aliança convosco... O texto não deixa clara a razão para Naás atacar a cidade. A pilhagem sempre era uma motivação. Ademais, há pessoas que se divertem matando outras. Homens malignos gostam de ridicularizar e escravizar. Podemos ter certeza de que Naás não tinha nenhum motivo nobre por postar seu exército perto de Jabes-Gileade. Os moradores ofereceram-se ao bruto como escravos, visando a salvar a vida. Mas Naás não se contentou com isso. Resolveu infligir-lhes a perda de um olho para mostrar quão grande ele próprio era, e quão pequenos eram os conquistados. Assim, seu pequeno reino de escravos continuaria a servi-lo dotado de apenas um olho. É difícil compreender tamanha brutalidade, mas devemos lembrar que, no tempo dos juízes e da monarquia em Israel, pequenas nações gentílicas viviam vagueando ao redor, praticando atos de selvageria. Eram selvagens e alegravam-se com o sofrimento alheio, da mesma forma que tantas pessoas, hoje em dia, prejudicam os animais pelo "prazer" de vê-los sofrer.

Arrancar um olho serviria a várias finalidades. Tornaria tais homens incapazes para a guerra. E assim eles jamais poderiam levantar-se contra o tirano. Faria todo Israel temer. Naás lançaria futuras invasões, criando um fama em torno de si mesmo. Além disso, era prazeroso ridicularizar outros povos e fazê-los temer.

"Aquela horrenda crueldade... capacita-nos a discernir os bárbaros costumes daquela era imperfeitamente civilizada" (Ellicott, *in loc.*). Mas nos tempos modernos, homens, em seus massacres em massa e com armamentos indescritíveis, revelam a crueldade ainda maior das alegadas nações civilizadas.

■ 11.3

וַיֹּאמְרוּ אֵלָיו זִקְנֵי יָבֵישׁ הֶרֶף לָנוּ שִׁבְעַת יָמִים וְנִשְׁלְחָה מַלְאָכִים בְּכֹל גְּבוּל יִשְׂרָאֵל וְאִם־אֵין מוֹשִׁיעַ אֹתָנוּ וְיָצָאנוּ אֵלֶיךָ׃

Então os anciãos de Jabes lhe disseram. *Um Pedido Tolo.* Em essência, o pedido dos israelitas de Jabes foi que Naás lhes concedesse sete dias para encontrar um libertador. Diante disso, Naás concordou, por saber que não havia libertador, já que Saul não tinha exército permanente e seria quase impossível enviar um exército até Jabes-Gileade. Portanto, seria divertido contemplar os homens de Jabes-Gileade em seu desespero. Acresça-se a isso que meros sete dias eram um prazo extremamente curto para reverter a situação, por qualquer meio imaginável. No fim de sete dias, Jabes-Gileade se tornaria um pequeno reino de escravos, cada homem com seu olho direito vazado. Naás estava desfrutando o jogo tolo. Contudo, "esses planos foram estragados pelo fator incalculável da notável mudança no caráter de Saul" (George B. Caird, *in loc.*). Ellicott, *in loc.*, refere-se a petições similares feitas na Idade Média por pequenos estados secundários assediados por inimigos, e à concessão diante dessas petições. Tudo fazia parte do jogo de matar e ser morto. Naás quis desempenhar o seu jogo de espera, a fim de que pudesse insultar e ameaçar toda a nação de Israel. suas conquistas não terminariam em Jabes-Gileade.

■ 11.4

וַיָּבֹאוּ הַמַּלְאָכִים גִּבְעַת שָׁאוּל וַיְדַבְּרוּ הַדְּבָרִים בְּאָזְנֵי הָעָם וַיִּשְׂאוּ כָל־הָעָם אֶת־קוֹלָם וַיִּבְכּוּ׃

Chegando os mensageiros a Gibeá de Saul. Os representantes de Jabes-Gileade apressaram-se a comunicar sua triste sorte ao novo rei, Saul, que estava em Gibeá. Foi uma providência ditada pelo desespero, mas a única possível no momento. E o povo recebeu as notícias com voz chorosa e lamentações, reconhecendo que o caso era realmente desesperador. Conforme alguns intérpretes sugerem, talvez houvesse um estreito laço de amizade entre Jabes-Gileade e a tribo de Benjamim. Quando Israel foi convocado como "um homem" (Jz 21) para vingar-se do crime cometido pelos homens de Gibeá, somente Jabes-Gileade recusou-se a cooperar. E então, quando os benjamitas foram praticamente eliminados devido à guerra civil, Jabes forneceu esposas para os sobreviventes, a fim de que aquela tribo não fosse totalmente extinta. Ver Jz 21.14.

■ 11.5

וְהִנֵּה שָׁאוּל בָּא אַחֲרֵי הַבָּקָר מִן־הַשָּׂדֶה וַיֹּאמֶר שָׁאוּל מַה־לָּעָם כִּי יִבְכּוּ וַיְסַפְּרוּ־לוֹ אֶת־דִּבְרֵי אַנְשֵׁי יָבֵישׁ׃

Então lhe referiram as palavras dos homens de Jabes. Saul apareceu em cena, tendo deixado para trás o gado de que vinha cuidando, e indagou a causa de todo aquele choro e lamentação. Ele tomava conta dos animais domésticos de seu pai, dificilmente o trabalho de um rei. Alguns desafios significativos eram necessários para torná-lo um rei eficaz. A ameaça da invasão dos amonitas em Jabes (posteriormente expandida pela invasão de outros lugares em Israel), pois, estabeleceu o estágio para o poder de Saul. Assim sendo, o que era uma coisa ruim, para dizer o mínimo, estava sendo transformada por um bom propósito. "ele tinha sido criado para uma vida agrícola e, após a consagração como rei, retornou a ela, esperando um chamado da providência divina, que agora considerava ter recebido, na mensagem enviada pelos homens de Jabes-Gileade " (Adam Clarke, *in loc.*). Ver no *Dicionário* o verbete intitulado *Providência de Deus*. Tudo isso nos faz lembrar da história de Gideão. Gideão também trabalhava como agricultor, mas um repentino chamado divino avocou-o para sua missão salvadora. Cf. os diversos casos de Jz 3.31; 6.11 e Rt 3.2. Assim também Quinctius Cincinnatus foi tirado de trás do arado e transformado em ditador de Roma, mas, após as vitórias obtidas, ele voltou à vida de agricultor (Flor. *Hist. Roman.* 1.1, cap. 11; Aurel. Victor, de *Vir Ilustr.* cap. 20).

■ 11.6

וַתִּצְלַח רוּחַ־אֱלֹהִים עַל־שָׁאוּל בְּשָׁמְעוֹ אֶת־הַדְּבָרִים הָאֵלֶּה וַיִּחַר אַפּוֹ מְאֹד׃

E o Espírito de Deus se apossou de Saul. Outra inspiração do Espírito fez mudar a maré. Samuel havia predito exatamente isso (ver 1Sm 10.6). E o próprio Saul já tinha sido tocado pelo Espírito quando profetizou com os profetas (1Sm 10.10). Cf. o caso do juiz Otniel (Jz 3.10). Grandes obras estão associadas a grande espiritualidade. Algumas vezes, uma obra especial do Espírito é realizada através de um homem que não possui nenhuma espiritualidade ou dom especial, meramente por ser essa a vontade de Deus. Usualmente, porém, um homem que é um instrumento especial se vê envolvido. Seja como for, Saul era o homem do momento, e por isso recebeu a orientação apropriada, o entusiasmo e o poder. "... o coração de Saul ficou assim preparado para a ação. O Espírito Santo caiu sobre ele e capacitou-o com sabedoria, valor e poder extraordinários para a grande e difícil tarefa que jazia à sua frente" (Ellicott, *in loc.*).

E acendeu-se sobremodo a sua ira. O homem irado e forte é aquele que precisa ser temido. A ira de Saul foi uma justa indignação. O grandalhão Saul estava cheio de ira, e em breve os amonitas conheceriam a sua ferroada. Até mesmo as paixões humanas vis podem tornar-se nobres, transformadas em úteis instrumentos, pelo poder de Deus.

■ 11.7

וַיִּקַּח צֶמֶד בָּקָר וַיְנַתְּחֵהוּ וַיְשַׁלַּח בְּכָל־גְּבוּל יִשְׂרָאֵל בְּיַד הַמַּלְאָכִים לֵאמֹר אֲשֶׁר אֵינֶנּוּ יֹצֵא אַחֲרֵי שָׁאוּל וְאַחַר שְׁמוּאֵל כֹּה יֵעָשֶׂה לִבְקָרוֹ וַיִּפֹּל פַּחַד־יְהוָה עַל־הָעָם וַיֵּצְאוּ כְּאִישׁ אֶחָד׃

Tomou uma junta de bois. *Uma Temível Lição Objetiva.* Talvez Saul tenha sido momentaneamente cheio com o poder de Sansão. Ele abateu e cortou em pedaços uma junta de bois e enviou os pedaços por todo o Israel por meio de mensageiros, para enfatizar seu intuito de matar. Ele abateria os adversários de Israel. Outrossim, a ameaça também era contra Israel, pois qualquer israelita que se recusasse a juntar-se ao exército que Saul convocava teria mortos todos os animais domésticos, como acontecera com aqueles bois. A lição objetiva foi crua e brutal, mas eficaz. Saul, quando irado, era homem para ser temido e obedecido. Era Sansão de novo. "Esse ato simbólico de Saul comparava-se ao uso de cruzes de fogo nas terras altas da Escócia, diante da ameaça de que aqueles que permanecessem em suas casas tê-las-iam queimadas" (George B. Caird, *in loc.*, com uma referência ao livro de Sir Walter Scott, *The Lady of the Lake*, canto II, estrofes viii-xi). Cf. o ato similar do levita, em Jz 19.29.

Caiu o temor do Senhor sobre o povo. O terrível Saul havia ameaçado abater somente os animais domésticos dos desobedientes; mas ninguém poderia ter certeza se a ira do rei pararia nos animais. Saul tinha-se tornado um tirano enraivecido, violento e imprevisível, e ninguém ousava desobedecer às suas ordens. Como resultado, em pouquíssimo tempo, ele foi capaz de reunir um poderoso exército (ver o vs. 8). E foi assim que Saul pôs fim à ameaça dos amonitas e consolidou seu poder como rei. Ele deve ter parecido com um Salvador de Israel naquele momento.

■ **11.8**

וַיִּפְקְדֵם בְּבָזֶק וַיִּהְיוּ בְנֵי־יִשְׂרָאֵל שְׁלֹשׁ מֵאוֹת אֶלֶף
וְאִישׁ יְהוּדָה שְׁלֹשִׁים אָלֶף׃

Contou-os em Bezeque. Ver no *Dicionário* o artigo a respeito. O local é assinalado pela moderna Ibziq, a cerca de 21 quilômetros na parte noroeste de Siquém, na estrada que leva a Bete-Seã, um excelente local para concentrar forças antes da marcha em direção a Jabes-Gileade.

É curioso, para dizer o mínimo, que os reinos norte e sul sejam aqui mencionados, visto que essa divisão ocorreu posteriormente. É provável que o livro de 1Samuel tenha sido escrito ou, pelo menos, tenha sofrido uma compilação final após aquela divisão. Talvez a menção de Judá se deva ao fato de que essa tribo foi o maior colaborador isolado. Josefo fala em setecentos mil do norte e setenta mil do sul, com base em fontes informativas desconhecidas ou em alguma suposição (ver *Antiq.* 6, cap. 5, sec. 1). A Septuaginta fala em seiscentos mil e setenta mil, resultados semelhantes aos de Josefo. Mas não sabemos dizer por que toda essa diferença. Visto que as letras hebraicas representavam números e algumas delas poderiam ser facilmente confundidas, a exatidão quanto a números sempre gera dúvidas.

Dos filhos de Israel havia trezentos mil; dos homens de Judá trinta mil. A convocação do exército resultou em trezentos mil homens para o reino do norte, Israel, e trinta mil para o reino do sul, Judá — um número gigantesco de homens para defender uma única cidade. O autor sagrado está dizendo que as ameaças súbitas a Israel resultaram em grande prestígio para Saul como rei. Esse era exatamente o tipo de acontecimento de que ele precisava para ser lançado ao poder. Uma tarefa maior estava à sua frente, o despertamento dos filisteus, o principal inimigo de Israel na época.

■ **11.9**

וַיֹּאמְרוּ לַמַּלְאָכִים הַבָּאִים כֹּה תֹאמְרוּן לְאִישׁ יָבֵישׁ
גִּלְעָד מָחָר תִּהְיֶה־לָכֶם תְּשׁוּעָה בְּחֹם הַשָּׁמֶשׁ וַיָּבֹאוּ
הַמַּלְאָכִים וַיַּגִּידוּ לְאַנְשֵׁי יָבֵישׁ וַיִּשְׂמָחוּ׃

Amanhã. No dia seguinte, segundo a promessa, os homens de Jabes-Gileade seriam "socorridos". Mas não faziam ideia de quão grande seria a ajuda. Algumas vezes, milagres são operados em nosso favor, apanhando-nos de surpresa, de modo que "tendo sempre, em tudo, ampla suficiência, superabundeis em toda boa obra" (2Co 9.8). Josefo disse que ao "terceiro dia" foi prometida ajuda (*ut supra*, vs. 8) e era evidente que ele estava seguindo informações de uma fonte diferente daquela preservada nos manuscritos hebraicos atualmente conhecidos.

Quando aquentar o sol. Ou seja, do meio-dia em diante. O calor do dia traria salvação e vitória, e haveria de consolidar o poder de Saul como rei. A distância entre Bezeque e Jabes-Gileade era de somente 20 quilômetros, pelo que era fácil predizer o horário próximo da chegada do exército.

■ **11.10**

וַיֹּאמְרוּ אַנְשֵׁי יָבֵישׁ מָחָר נֵצֵא אֲלֵיכֶם וַעֲשִׂיתֶם לָנוּ
כְּכָל־הַטּוֹב בְּעֵינֵיכֶם׃ ס

E disseram aos amonitas. Uma pequena força foi convocada de dentro da cidade de Jabes-Gileade, a qual seria adicionada ao maciço poder que havia fora dos portões da cidade, e esse pequeno grupo estaria à disposição de Saul para ser usado conforme ele quisesse.

Mas alguns intérpretes garantem que essas palavras foram ditas a Naás, o amonita, como um truque. Elas prometiam que, no dia seguinte, os mensageiros se apresentariam àquele homem brutal e lhe permitiriam fazer o que bem quisesse, ou seja, furar-lhes o olho direito e escravizá-los. Mas Naás se encaminhava para uma grande surpresa. Ele não estava preparado para o que haveria de encontrar no dia seguinte.

■ **11.11**

וַיְהִי מִמָּחֳרָת וַיָּשֶׂם שָׁאוּל אֶת־הָעָם שְׁלֹשָׁה רָאשִׁים
וַיָּבֹאוּ בְתוֹךְ־הַמַּחֲנֶה בְּאַשְׁמֹרֶת הַבֹּקֶר וַיַּכּוּ אֶת־עַמּוֹן
עַד־חֹם הַיּוֹם וַיְהִי הַנִּשְׁאָרִים וַיָּפֻצוּ וְלֹא נִשְׁאֲרוּ־בָם
שְׁנַיִם יָחַד׃

Sucedeu que ao outro dia Saul dividiu o povo. Saul dividiu sua gente em três grupos. Isso foi absolutamente eficaz, e a maioria dos amonitas pereceu. Alguns dos que escaparam foram totalmente espalhados, de modo que não havia dois homens que pudessem aliar-se. A divisão das tropas de Saul em três grupos começou na noite daquele mesmo dia, visto que isso era considerado o começo do dia seguinte. A batalha começou na manhã seguinte e culminou à tarde, quando o sol ainda estava quente. As batalhas antigas eram, com frequência, resolvidas em um único dia, visto que se constituíam, essencialmente, no confronto total entre duas forças que lutavam até serem massacradas, como se participassem de uma luta livre. Cf. este versículo com a estratégia de Gideão, que também dividiu suas forças em três grupos (ver Jz 7.16). Abimeleque fez a mesma coisa (ver Jz 9.43).

Pela vigília da manhã. Essa vigília era a última das três em que os hebreus dividiam os seus dias. As outras duas chamavam-se "o princípio das vigílias" (Lm 2.19) e "o princípio da vigília média" (Jz 7.19). Posteriormente, o dia foi dividido em quatro vigílias. Ver no *Dicionário* o verbete intitulado *Vigílias*. Provavelmente, Saul iniciou a marcha na noite anterior e terminou-a já perto de Jabes-Gileade, desferindo o ataque com o nascer do sol.

SAUL É PROCLAMADO REI (11.12-15)

■ **11.12,13**

וַיֹּאמֶר הָעָם אֶל־שְׁמוּאֵל מִי הָאֹמֵר שָׁאוּל יִמְלֹךְ
עָלֵינוּ תְּנוּ הָאֲנָשִׁים וּנְמִיתֵם׃
וַיֹּאמֶר שָׁאוּל לֹא־יוּמַת אִישׁ בַּיּוֹם הַזֶּה כִּי הַיּוֹם
עָשָׂה־יְהוָה תְּשׁוּעָה בְּיִשְׂרָאֵל׃ ס

Os vss. 12-14 podem ter sido uma tentativa, por parte do autor ou editor, de reconciliar a proclamação de Saul como rei e outras narrativas passadas. Eles aludem, primariamente, aos sujeitos indignos já mencionados em 10.25-27, bem como à unção que ocorrera em Mispa (10.1 ss.). Por outra parte, a esta altura, o povo *reconhecera* o que tinha sido feito, por causa do súbito aparecimento de Saul como poderosa figura militar, algo que ninguém esperava. Os apoiadores de Saul estavam ansiosos para matar todos os dissidentes, porquanto era óbvio que ele agora não tinha rivais e podia demandar a lealdade de todo o povo de Israel. Saul passou por um momento de magnanimidade e não permitiu que ocorresse nenhuma matança de israelitas (ver o vs. 12). Era um dia de "salvação nacional" e teria sido totalmente impróprio que algum israelita morresse naquele dia. Se

Yahweh concedera a Saul vitória sobre os filhos de Amom, não existiria dificuldade em reconciliar os adversários políticos, fazendo-os apoiar a causa de libertar Israel dos odiados opressores, os filisteus, os principais adversários de Israel na ocasião.

"O soldado comum dificilmente é inspirado por sua vitória a atos de magnanimidade. Ele derramou sangue e assim deseja derramar ainda mais sangue!" (Adam Clarke, *in loc.*). Seria exatamente o que teria acontecido, se Saul não tivesse intervindo e não clamasse por paz e reconciliação.

■ 11.14

וַיֹּאמֶר שְׁמוּאֵל אֶל־הָעָם לְכוּ וְנֵלְכָה הַגִּלְגָּל וּנְחַדֵּשׁ שָׁם הַמְּלוּכָה׃

Disse Samuel ao povo. O que aconteceu em Mispa (10.1 ss.) foi reafirmado em Gilgal (ver a respeito no *Dicionário*). Ou então, conforme dizem alguns, temos aqui um relato distinto da unção de Saul, originário de uma fonte informativa diferente da do capítulo 10. Porém, é difícil compreender como um único autor poderia ter incorporado dois relatos separados e conflitantes em seu livro, e tão próximos um do outro como os capítulos 10 e 11. Portanto, parece estar em vista uma *reafirmação*. Saul, logo depois de sua grande vitória, seria nacionalmente *reconhecido* como rei, embora já tivesse recebido a unção de Samuel. Havia um bem conhecido santuário em Gilgal, pelo que aquele era um lugar apropriado para a unção. Não ficava no território de Benjamim, o que evitou que aquela tribo se tornasse a tribo real. Esse lugar é discutido no artigo sobre *Gilgal* (2.a). Situava-se no vale do rio Jordão, não distante de Jericó. A *renovação* do reinado de Saul ocorreria ali, e todas as forças de dissensão se uniriam a ele de tal modo que um esforço comum poderia ser efetuado, livrando Israel da opressão filisteia. Foi dessa maneira que Samuel terminou sua carreira como o principal líder de Israel, embora, sem dúvida, continuasse atuando como juiz. Mas Samuel finalmente substituiria Saul, quando este começasse a agir mal, ungindo Davi como rei. Parece que Gilgal ficava a cerca de 56 quilômetros de Jabes-Gileade.

■ 11.15

וַיֵּלְכוּ כָל־הָעָם הַגִּלְגָּל וַיַּמְלִכוּ שָׁם אֶת־שָׁאוּל לִפְנֵי יְהוָה בַּגִּלְגָּל וַיִּזְבְּחוּ־שָׁם זְבָחִים שְׁלָמִים לִפְנֵי יְהוָה וַיִּשְׂמַח שָׁם שָׁאוּל וְכָל־אַנְשֵׁי יִשְׂרָאֵל עַד־מְאֹד׃ פ

E Saul muito se alegrou ali com todos os homens de Israel. A coroação de um rei era um ato religioso, e não apenas um ato civil. Eis a razão pela qual houve sacrifícios e por que ela foi realizada em um santuário. São mencionadas somente *ofertas pacíficas*, e isso foi muito apropriado, porque essa espécie de oferta permitia que se festejassem com todas as partes dos animais sacrificados, exceto o sangue e a gordura, que iam para Yahweh. Ver em Lv 7.11-33 quanto a esse tipo de sacrifício e aos muitos regulamentos que o governavam. Ver o artigo geral sobre *Sacrifícios e Ofertas* no *Dicionário*. Além da unção e dos sacrifícios, haveria grande festividade nas celebrações.

Eugene H. Merrill (*in loc.*) sugeriu que se realizou em Gilgal uma "cerimônia de renovação do pacto, talvez por ocasião do primeiro aniversário de Saul como rei". Yahweh estava ali porque todas as coisas eram feitas *perante* ele. O sacrifício e as festividades, assim sendo, uniam Yahweh ao seu povo, e ele era o convidado invisível a cada sacrifício e festividade. Aqueles momentos, pois, eram considerados tempos de *comunhão* e de eventos espirituais, e não, na realidade, eventos meramente sociais. Yahweh festejava com seu povo e o abençoava, e haveria de abençoá-lo em todas as ocasiões futuras.

Josefo diz-nos que Samuel ungiu Saul com o óleo santo do tabernáculo, mas poderia haver outros azeites naquele tempo, antes mesmo que a adoração viesse a ser centralizada em um único santuário, em Jerusalém (*Ut supra*, sec. 4). Os filisteus tinham destruído Silo, onde residiam o tabernáculo e a arca (1Sm 4.19—5.11 ss.). Então o tabernáculo foi estabelecido em Quiriate-Jearim (7.2), onde permaneceu pelo espaço de vinte anos. Dali foi levado para Jerusalém, e, finalmente, incorporado ao templo de Salomão.

CAPÍTULO DOZE

SAMUEL RESIGNA O CARGO DE JUIZ (12.1-25)

Samuel retirou-se como cabeça de Israel, pois Saul assumiu seu lugar como líder nacional. Isso tudo fazia parte da monarquia, que foi então instituída. Este capítulo, pois, é uma espécie de discurso de despedida. Samuel relembrou o povo acerca da integridade e fidelidade de seu governo, e convidou Israel a confirmá-lo (ver 1Sm 12.1-5). Yahweh tinha feito grandes coisas por eles (vss. 6-11). Eles obtiveram o rei que desejavam e estavam comprometidos a fazer o melhor nesse novo período, por temor ao Senhor (vss. 12-15). Se não se mostrassem obedientes, a calamidade por certo os atingiria (vss. 20-25). Quanto a alegadas diferenças entre os informes referentes ao capítulo seguinte, que tem uma abordagem negativa sobre a monarquia, e outras passagens, que a encaram positivamente, ver os comentários sobre o vs. 1.

■ 12.1

וַיֹּאמֶר שְׁמוּאֵל אֶל־כָּל־יִשְׂרָאֵל הִנֵּה שָׁמַעְתִּי בְקֹלְכֶם לְכֹל אֲשֶׁר־אֲמַרְתֶּם לִי וָאַמְלִיךְ עֲלֵיכֶם מֶלֶךְ׃

Então disse Samuel a todo Israel. Com relutância, Samuel tinha provido a Israel um rei, contra seu melhor juízo e contra a vontade de Yahweh. Ver a história no capítulo 8. Os filhos de Samuel não o seguiram em seu governo justo e correto, e por isso o povo manifestou o desejo de ter um rei. O presente discurso não menciona, contudo, as falhas dos filhos de Samuel.

Constituí sobre vós um rei. Isso foi feito em Mispa (10.17 ss.) e reafirmado em Gilgal (11.14 ss.). Foi assim que Israel se moveu da teocracia (administrada por juízes) para a monarquia (administrada por uma longa série de reis, alguns bons, mas a maioria má). A monarquia levaria aos cativeiros, tanto o assírio quanto o babilônico. Ver no *Dicionário* o artigo chamado *Cativeiro (Cativeiros)*.

Este capítulo concorda com o capítulo 8 em sua avaliação negativa da monarquia, como se esta fosse o abandono da teocracia. Os críticos dizem que isso teve origem na fonte deuteronômica, que tinha visões antimonárquicas. Em contraste, temos as histórias da unção de Saul, que são bastante positivas em sua natureza e tidas como provenientes de fontes diferentes. Os capítulos 9 e 10 são bastante positivos e concordam com a avaliação de Jz 21.25, de que a monarquia era uma melhoria do período dos juízes. A reconciliação dessas diferentes abordagens pode ser feita observando-se que a teocracia administrada pelos juízes era o *ideal* cor*reto, mas a monarquia era melhor na prática, e assim se tornou uma *necessidade histórica*. As necessidades históricas nem sempre são ideais. Ver no *Dicionário* o verbete intitulado *J.E.D.P.(S.)* quanto às alegadas diferentes fontes do Pentateuco, que também figuram com algum grau nos primeiros livros do Antigo Testamento.

Samuel aponta para uma teocracia pura, ou seja, uma *teocracia ideal*, administrada por juízes. Esse tipo de teocracia era superior à monarquia, a qual, como é natural, seria corrupta desde o princípio. Mas Israel nunca atingiu uma monarquia ideal, exceto por breves períodos de conduta excepcional. O fato é que a teocracia corrupta não seria melhor que a monarquia corrupta.

■ 12.2

וְעַתָּה הִנֵּה הַמֶּלֶךְ מִתְהַלֵּךְ לִפְנֵיכֶם וַאֲנִי זָקַנְתִּי וָשַׂבְתִּי וּבָנַי הִנָּם אִתְּכֶם וַאֲנִי הִתְהַלַּכְתִּי לִפְנֵיכֶם מִנְּעֻרַי עַד־הַיּוֹם הַזֶּה׃

Agora, pois, eis que tendes o rei à vossa frente. *A Integridade do Ofício de Samuel.* Ele fizera tudo quanto fora possível, com justiça e probidade. Cumprira todos os seus deveres. Fizera tudo sem isenção. Lamentos ele teve, e não poucos, mas na verdade desprezíveis para serem mencionados. Seus filhos desviados são citados, mas não há comentários negativos, conforme se vê em 1Sm 8.3. sua *conduta* diante do povo era conhecida e cuidadosamente observada desde o tempo em que ele era criança. Ele tinha uma longa carreira, completamente aberta para o povo, por escrutínio. Ele os guiava como um pastor, corretamente. Ver no *Dicionário* o artigo chamado *Andar*, quanto à metáfora usada.

Já envelheci e estou cheio de cãs. O tempo arrebata todas as coisas. A idade remove os líderes, e líderes jovens substituem os primeiros. Chegara o tempo de Samuel ceder terreno, permitindo que Saul passasse a governar. O sucessor de Samuel não seria um de seus filhos. Se o juizado tivesse continuado como deveria, isso é o que deveria ter acontecido. Mas Israel seguira uma direção diferente. Infelizmente, nenhum dos dois filhos de Samuel era digno de substituí-lo.

■ 12.3

הִנְנִי עֲנוּ בִי נֶגֶד יְהוָה וְנֶגֶד מְשִׁיחוֹ אֶת־שׁוֹר ׀ מִי
לָקַחְתִּי וַחֲמוֹר מִי לָקַחְתִּי וְאֶת־מִי עָשַׁקְתִּי אֶת־מִי
רַצּוֹתִי וּמִיַּד־מִי לָקַחְתִּי כֹפֶר וְאַעְלִים עֵינַי בּוֹ וְאָשִׁיב לָכֶם:

Eis-me aqui. Temos aqui uma afirmação de integridade. Samuel tinha feito bem seu trabalho e em meio a absoluta justiça. Ele desafiou qualquer indivíduo que soubesse de um ato errado da parte dele a dar testemunho disso. Ele estava deixando o ofício e queria que ficasse reconhecido, publicamente, que ele cumprira bem a sua missão. E ninguém apresentou queixa alguma. Era perante Yahweh que ele tinha andado corretamente. Qualquer queixa ou acusação de fracasso tinha de ser feita perante Yahweh. Em todos os pontos ele agira de maneira certa: 1. Não furtou a propriedade de nenhum homem (animais). 2. Não fez negociatas escusas, defraudando a quem quer que fosse. 3. Não oprimiu a ninguém, embora fosse homem de poder, capacitado a fazer tal coisa. 4. Não aceitou peitas nem perverteu julgamentos. Em outras palavras, Samuel trilhou o caminho oposto da maioria dos políticos e homens de poder, os quais se deixam corromper por esse poder, enriquecem, desvirtuam julgamentos e oprimem os fracos. Em suma, seu registro público era puro. E ele estava ansioso por fazer restituição para qualquer ato de injustiça que talvez tivesse cometido inadvertidamente.

"A apologia de Samuel preocupou-se com sua conduta como juiz; todas as ofensas mencionadas foram contra a honestidade judicial" (George B. Caird, *in loc.*).

Outro crédito a favor de Samuel é que ele não tentou estabelecer seus filhos como juízes. Por terem pervertido o julgamento, eles foram removidos e perderam o privilégio da liderança.

■ 12.4

וַיֹּאמְרוּ לֹא עֲשַׁקְתָּנוּ וְלֹא רַצּוֹתָנוּ וְלֹא־לָקַחְתָּ
מִיַּד־אִישׁ מְאוּמָה:

Em nada nos defraudaste. *Uma Afirmação Pública.* Todos concordaram que Samuel tinha um registro sem mácula; ninguém se apresentou para contradizê-lo ou demandar reparo por algum erro praticado.

"Oxalá que ministros ou governadores de qualquer nação sob o céu pudessem dizer tais coisas!" (Adam Clarke, *in loc.*).

Motivações. Samuel estava mostrando que sua palavra era verdadeira e suas obras eram imaculadas. Podia-se confiar em tudo quanto ele dizia. Ele os tinha advertido contra a monarquia. Isso adicionava mais um a seus já muitos pecados (vs. 19). Mas, uma vez instituída a monarquia, eles deveriam fazer o melhor da má situação, obedecendo a Yahweh em todas as coisas (vss. 20 ss.).

■ 12.5

וַיֹּאמֶר אֲלֵיהֶם עֵד יְהוָה בָּכֶם וְעֵד מְשִׁיחוֹ הַיּוֹם הַזֶּה
כִּי לֹא מְצָאתֶם בְּיָדִי מְאוּמָה וַיֹּאמֶר עֵד: פ

O Senhor é testemunha contra vós outros. Embora Samuel sempre os tivesse guiado retamente, eles acumularam outro pecado ao exigir um rei (vs. 19). Assim sendo, Yahweh foi obrigado a enviar-lhes Saul, que inevitavelmente atrairia a calamidade. Então o povo de Israel se lembraria das instruções de Samuel, que eles tinham ignorado. Além do pecado de desejar a monarquia, o povo somou outros atos de rebeldia e apostasia. A calamidade certamente se seguiria. Samuel ansiava por evitá-la, exortando os israelitas à obediência, porquanto Yahweh não os abandonara somente porque perverteram suas instruções e se rebelaram.

De modo geral, Samuel continuou a vindicar seu ministério. Yahweh testemunhou contra qualquer homem que dissesse alguma coisa em contrário. O povo concordou que Yahweh com razão haveria de repreendê-los se alguém dissesse algo contra o imaculado registro público de Samuel.

"A razão pela qual Samuel fez tal discurso, na ocasião, quando abdicou de seu governo em favor de Saul, foi não somente garantir o seu próprio caráter, mas sugerir a Saul como *ele* deveria governar, e isso em consonância com o exemplo dado por Samuel" (John Gill, *in loc.*).

■ 12.6

וַיֹּאמֶר שְׁמוּאֵל אֶל־הָעָם יְהוָה אֲשֶׁר עָשָׂה אֶת־מֹשֶׁה
וְאֶת־אַהֲרֹן וַאֲשֶׁר הֶעֱלָה אֶת־אֲבֹתֵיכֶם מֵאֶרֶץ מִצְרָיִם:

Testemunha é o Senhor. *Yahweh* dera permissão relutante a respeito de um monarca para Israel. E assim o rei e o povo deveriam andar retamente, porquanto Yahweh sempre havia sido o grande beneficiador da nação. Fora Yahweh quem *nomeara* Moisés e Arão, e tirara do Egito o povo de Israel, permitindo-lhe formar uma nação. Ver Nm 23.22 quanto a notas sobre o livramento de Israel do Egito, um fato que sempre foi usado, dali por diante, como motivo à obediência. O livro de Deuteronômio repete esse tema mais de vinte vezes. Ver as notas a respeito em Dt 4.20.

"Tendo estabelecido o seu próprio caráter, Samuel passou a apresentar ao povo algumas das grandes coisas que Deus tinha feito por eles, formalmente e através do passado, até o presente, agravando ainda mais a ingratidão deles ao rejeitar Deus como seu Rei" (John Gill, *in loc.*).

"O Êxodo é mencionado aqui e em vários outros lugares naqueles registros antigos como o grande chamado de amor, mediante o qual o Deus eterno assumiu soberania sobre Israel" (Ellicott, *in loc.*).

■ 12.7

וְעַתָּה הִתְיַצְּבוּ וְאִשָּׁפְטָה אִתְּכֶם לִפְנֵי יְהוָה
אֵת כָּל־צִדְקוֹת יְהוָה אֲשֶׁר־עָשָׂה אִתְּכֶם
וְאֶת־אֲבוֹתֵיכֶם:

Agora, pois, ponde-vos aqui. Samuel havia vindicado o seu ministério e comprovado seu imaculado registro público como juiz; agora ele voltou sua atenção para narrar ao povo uma seleção dos grandes atos de Yahweh em favor do povo de Israel. Isso teve *dois propósitos*: 1. Mostrar-lhes a estupidez de sua insistência sobre um rei, que tiraria o Rei Yahweh de seu trono e os conduziria à calamidade nacional. 2. Mas, visto que eles haviam escolhido aquele caminho, teriam de tirar o melhor proveito obedecendo a Yahweh e às suas leis, demonstrando a lealdade apropriada ao seu governante invisível, Deus.

Samuel falou com o povo como se estivesse na presença de Yahweh, sua testemunha celeste, e diante deles, suas testemunhas terrestres. A narração que aqui se segue é virtualmente idêntica àquela dada em Jz 2.11-19. É provável que essa recontagem seletiva da história de Israel já tivesse sido padronizada quando o livro de 1Samuel foi escrito.

Relativamente a todos os seus atos de justiça. Yahweh sempre fazia o que era certo e eficaz para Israel. Ele nunca cometeu um erro de juízo nem praticou algum ato prejudicial àquela nação. Ele os julgava quando pecavam, usando seus adversários como instrumento. Ele os abençoava quando praticavam o que era certo, e então destruía os inimigos que os importunavam.

■ 12.8

כַּאֲשֶׁר־בָּא יַעֲקֹב מִצְרָיִם וַיִּזְעֲקוּ אֲבוֹתֵיכֶם
אֶל־יְהוָה וַיִּשְׁלַח יְהוָה אֶת־מֹשֶׁה וְאֶת־אַהֲרֹן
וַיּוֹצִיאוּ אֶת־אֲבֹתֵיכֶם מִמִּצְרַיִם וַיֹּשִׁבוּם בַּמָּקוֹם הַזֶּה:

Havendo entrado Jacó no Egito. *Uma Teoria da História.* A história de Israel era divinamente orientada. Homens especiais realizavam tarefas especiais, atuando como elementos do destino nacional.

Deus intervinha de tal modo que o mal era punido e o bem era recompensado. Havia um alvo: a unidade nacional, a prosperidade e a teocracia. Nisso estava a salvação, individual e nacional. Quanto a detalhes sobre a questão, ver na *Enciclopédia de Bíblia, Teologia e Filosofia* o artigo intitulado *História*, sobretudo as seções V. Filosofia da História e VI. A Bíblia e a História.

Jacó é escolhido como ponto inicial na narrativa, porquanto foi ele quem desceu ao Egito com seus filhos e assim iniciou a nação de Israel naquele lugar. Ele pertencia à linhagem dos doze filhos de Abraão-Isaque-Jacó, a qual deu origem à nação de Israel. Apesar das fraquezas e falhas de Jacó, o propósito de Deus continuou a operar nele, cumprindo assim o desígnio que o tornou parte necessária no destino de Israel.

Além disso, houve o *livramento do Egito,* de tal sorte que Israel estava livre para ocupar sua própria terra, tornando-se assim uma nação distinta. Isso requereu o livramento miraculoso de Israel do Egito, um tema muito repetido no Antigo Testamento, que figura no livro de Deuteronômio por mais de vinte vezes. Ver sobre isso em Dt 4.20 e em Nm 23.22.

Os instrumentos desse livramento do Egito foram *Moisés e Arão.*

Josué não é aqui mencionado por nome, mas por sua liderança. Israel chegou a "este lugar", ou seja, à Palestina, a terra dada à nação de Israel como herança. Isso fazia parte do chamado *Pacto Abraâmico,* que é anotado em Gn 15.18.

Todas as coisas foram assim providenciadas: a liderança apropriada e as intervenções divinas que ocorreram periodicamente, quando as condições estavam fora do controle humano. Ver as notas sobre o vs. 7 quanto às *duas razões* pelas quais Samuel narrou o esboço da história de Israel.

■ 12.9

וַיִּשְׁכְּחוּ אֶת־יְהוָה אֱלֹהֵיהֶם וַיִּמְכֹּר אֹתָם בְּיַד סִיסְרָא
שַׂר־צְבָא חָצוֹר וּבְיַד־פְּלִשְׁתִּים וּבְיַד מֶלֶךְ מוֹאָב
וַיִּלָּחֲמוּ בָּם:

Porém esqueceram-se do Senhor seu Deus. Vários castigos ocorreram aos israelitas quando faziam o que era mal. Este versículo menciona três desses castigos. Em cada caso, povos hostis foram usados para punir Israel por sua teimosia:

1. *Sísera.* Ver a respeito no *Dicionário* e em Jz 4. Ali, o nome do inimigo de Israel aparece como Jabim, rei de Canaã, pelo que devemos entender que Sísera era seu general e instrumento da destruição. Ver também sobre *Jabim* no *Dicionário.* A cidade de Hazor é mencionada como a capital dos cananeus, em Js 11.1,10,13. Ali ficava o palácio real (ver Jz 4.2).
2. *Os Filisteus.* Na época dos juízes, eles foram os principais adversários de Israel. Ver a história de Sansão em Jz 13. Os filisteus, durante longo período e através de vários líderes, assediaram Israel. Somente Davi foi capaz de pôr fim a essa ameaça. "Foi devido especialmente aos filisteus que, por tanto tempo, houve tão pouco progresso em Israel no campo artístico e civil. O progresso da nação hebreia, a partir dos dias de Samuel, foi muito rápido. Em um período extremamente curto, o povo meio bárbaro de Israel tornou-se altamente culto, rico e poderoso. Em grande medida, o rápido progresso deveu-se à completa sujeição dos filisteus ao governo de Samuel, Saul e Davi" (Ellicott, *in loc.*).
3. *Moabe.* O rei aqui referido chamava-se Eglom, o qual foi finalmente morto por Eúde, conforme o registro de Jz 3. Ver o *Dicionário* quanto aos nomes próprios e aos detalhes.

■ 12.10

וַיִּזְעֲקוּ אֶל־יְהוָה וַיֹּאמֶר חָטָאנוּ כִּי עָזַבְנוּ אֶת־יְהוָה
וַנַּעֲבֹד אֶת־הַבְּעָלִים וְאֶת־הָעַשְׁתָּרוֹת וְעַתָּה הַצִּילֵנוּ
מִיַּד אֹיְבֵינוּ וְנַעַבְדֶךָ:

E clamaram ao Senhor, e disseram. Os *julgamentos divinos* sempre levavam Israel ao arrependimento; e o arrependimento o levava ao livramento. Isso se repetiu *ad nauseum.* Mas Israel nunca aprendeu que o que lhes acontecia estava sempre alicerçado sobre quão bem ou mal eles reagiam às leis e à direção de Yahweh. Nações hostis estavam sempre próximas, para aplicar a devida punição. E Yahweh estava sempre próximo, para ouvir os gritos de angústia de Israel e livrá-lo, de modo que um novo começo pudesse ser feito.

O Principal Inimigo de Israel Era a Idolatria. Com imensa frequência, essa nação adotava as práticas idólatras de seus vizinhos. O resultado era que as corrupções internas requeriam acontecimentos calamitosos. Ver no *Dicionário* sobre *Idolatria, Baal (Baalismo)* e *Astarote, Astarte.* Ver também sobre *bálanos* e *astoretes* em Jz 2.11,13, onde aparecem notas adicionais.

Franzimos a testa diante de Israel por causa de sua estupidez, e, no entanto, nossa vida está repleta de ídolos e falsos objetos de adoração. Alguns cristãos retêm formas crassas de idolatria mediante o uso de imagens, ao passo que outros adotam formas mais sutis: dinheiro, fama, conforto e, acima de tudo, "o próprio eu".

Promessas. Quando estava em posição de inferioridade, Israel prometia adorar e servir a Yahweh; e ele nunca deixou de ouvir seus clamores. Mas logo o padrão de apostasia-punição-clamor-livramento se repetia. No Antigo Testamento, o *serviço* a Deus é o equivalente ao cumprimento da legislação mosaica, com seus muitos requisitos cerimoniais e morais. A lei de Moisés era o único código usado por Israel em sua crença e serviço a Yahweh. Esse código representava a *conduta ideal* para o homem.

Cf. o presente versículo ao trecho quase idêntico de Jz 10.10, onde há notas que também se aplicam aqui.

■ 12.11

וַיִּשְׁלַח יְהוָה אֶת־יְרֻבַּעַל וְאֶת־בְּדָן וְאֶת־יִפְתָּח
וְאֶת־שְׁמוּאֵל וַיַּצֵּל אֶתְכֶם מִיַּד אֹיְבֵיכֶם מִסָּבִיב
וַתֵּשְׁבוּ בֶּטַח:

O Senhor enviou... São mencionados aqui diversos libertadores de Israel. Em tempos de tensão e desastres nacionais, líderes e libertadores especiais eram levantados para realizar tarefas. Liberdade temporária e prosperidade eram o resultado. Mas logo se iniciava o velho ciclo de apostasia-punição-clamor-livramento. Este versículo, pois, apresenta quatro instrumentos especialmente usados por Yahweh:

Jerubaal. Este é Gideão. Ele também recebia este outro nome, que lhe foi dado por motivo de escárnio, contra a deidade fenícia: "Deixem que Baal lute ou contenda comigo, Gideão". Ver sobre esse termo no *Dicionário,* para detalhes. Ver Jz 6.31,32. Quanto à história, ver *Gideão* no *Dicionário.*

Baraque. Assim diz a nossa versão portuguesa. Outras versões dizem aqui "Bedã", conforme o texto hebraico. Mas esse nome não se acha em *Juízes,* que o autor sacro evidentemente estava seguindo. Contudo, esse nome está em 1Cr 7.17, embora não se referindo à mesma pessoa mencionada aqui. Ao usar o nome "Baraque", a versão portuguesa segue as versões da Septuaginta, árabe e siríaca. Esses dois nomes são bastante similares, e as versões aqui bem podem estar corretas, contra o texto hebraico. Os Targuns, porém, dizem que *Sansão* está em foco aqui, com o que Jerônimo concordou (*heb. Trad.* livro Reg. fol. 75). O termo Bedã pode ser interpretado como uma referência à tribo de Dã, e Sansão pertencia àquela tribo. Mas notemos que esse nome aparece antes de Jefté, ao passo que, na ordem cronológica, Jefté aparece primeiro. Outros eruditos pensam que está em pauta *Jair,* o qual governou uma parte de Israel pelo período de 22 anos. Cf. com a lista dada no livro aos Hebreus, no Novo Testamento: "... me faltará o tempo de contar de Gideão, de Baraque, de Sansão, de Jefté, de Davi, de Samuel e dos profetas" (Hb 11.32). Provavelmente (mas não sem o acompanhamento de alguma dúvida), o autor de 1Samuel tinha em mira aqui *Baraque,* ao usar o nome desconhecido Bedã. Ou então o nome hebraico original era Baraque, e um nome similar, Bedã, entrou por acidente no texto. Alguns poucos intérpretes permanecem com "Bedã", explicando que a referência é a algum herói para nós desconhecido, embora conhecido do povo de Israel nos dias de Samuel.

Jefté. Ver sobre ele no *Dicionário.* Ele teve um governo limitado em Israel, pelo espaço de sete anos (ver Jz 10.6—12.7), mas conseguiu deixar ali a sua marca registrada.

Samuel. Este foi o último dos juízes e o maior de todos, o profeta-juiz de Israel que ungiu o primeiro monarca de Israel e assim efetuou a transição do juizado para a monarquia. A versão siríaca substitui Samuel por *Sansão,* porém o mais provável é que isso represente uma mudança sem sentido, já que o presumido autor do livro foi Samuel, e ele, por modéstia, não haveria de incluir a si mesmo nessa lista. Naturalmente, Samuel não foi o autor do livro. Ver a introdução ao livro, sob a terceira seção, chamada *Autoria*.

Yahweh é quem tinha enviado esses homens, fazendo Israel passar com sucesso do juizado para a monarquia. E, não obstante, o rebelde povo de Israel continuou a desviar-se, especialmente em sua exigência por um rei (vs. 19).

■ 12.12

וַתִּרְאוּ כִּי־נָחָשׁ מֶלֶךְ בְּנֵי־עַמּוֹן בָּא עֲלֵיכֶם וַתֹּאמְרוּ לִי לֹא כִּי־מֶלֶךְ יִמְלֹךְ עָלֵינוּ וַיהוָה אֱלֹהֵיכֶם מַלְכְּכֶם:

Vendo vós que Naás. Naás conduzira o povo a acontecimentos bem recentes (capítulo 11). Ele fora o rei de Amom que ameaçara a cidade de Jabes-Gileade e permitira a Saul sair como o rei indisputado de Israel. A história é narrada no capítulo 11, pelo que não é reiterada aqui. Ver no *Dicionário* o artigo chamado *Naás*. Uma das razões pelas quais Israel queria um rei é dada aqui: na figura de um *rei*, Israel teria presumivelmente maior proteção em relação aos adversários. A fonte deuteronômica era toda contrária ao conceito de um rei, mas outra fonte informativa, de Juízes, e também 1Samuel, lhe era favorável. Discuto esse problema em 1Sm 12.1. Outra razão para isso era que o juizado se tornara inadequado quando os filhos de Samuel se tornaram juízes corruptos (ver 1Sm 8.5). Jz 21.25 supõe que maior ordem civil e moral poderia ser alcançada com a presença de um rei. Mas 1Sm 12 é definidamente antimonárquico. A aceitação dessa forma de governo representa, ao mesmo tempo, de acordo com este versículo, o abandono da *teocracia* administrada sob os juízes. Obviamente, na época dos juízes, Yahweh era continuamente desprezado e seus conselhos eram rejeitados. Esse padrão repetiu-se sob os reis, já que o povo continuou igualmente rebelde, quer sob os juízes, quer sob os reis. Mas o capítulo à nossa frente apresenta-nos a *teocracia ideal*, e não a que existia na realidade, exceto por alguns breves períodos nos quais o povo de Israel andava no caminho do Senhor. Assim sendo, era como se Samuel estivesse dizendo aqui: "A *teocracia ideal*, e não a monarquia, deve ser o vosso alvo". A substituição de uma teocracia corrupta por uma monarquia corrupta deixou Israel a debater-se na mesma massa.

■ 12.13

וְעַתָּה הִנֵּה הַמֶּלֶךְ אֲשֶׁר בְּחַרְתֶּם אֲשֶׁר שְׁאֶלְתֶּם וְהִנֵּה נָתַן יְהוָה עֲלֵיכֶם מֶלֶךְ:

E eis que o Senhor vos deu um rei. Israel tinha feito má escolha; mas, tendo escolhido, agora era forçado a fazer o melhor possível. *Yahweh* dera permissão para a monarquia. Israel obteve seu rei, e a monarquia trouxe consigo as mesmas responsabilidades que havia na antiga teocracia: seguir as leis de Yahweh, suas regras cerimoniais e morais. Samuel, pois, salientou que o *Rei Invisível* continuou governando. Fora ele quem nomeara Saul como rei. Era como se Deus tivesse dito: "Aproveitai ao máximo essa monarquia que vós mesmos escolhestes. Não vos esqueçais do Rei Invisível".

■ 12.14

אִם־תִּירְאוּ אֶת־יְהוָה וַעֲבַדְתֶּם אֹתוֹ וּשְׁמַעְתֶּם בְּקֹלוֹ וְלֹא תַמְרוּ אֶת־פִּי יְהוָה וִהְיִתֶם גַּם־אַתֶּם וְגַם־הַמֶּלֶךְ אֲשֶׁר מָלַךְ עֲלֵיכֶם אַחַר יְהוָה אֱלֹהֵיכֶם:

Nem tudo estava perdido por causa da má decisão a favor da monarquia. Reparações seriam feitas. O bem poderia provir do mal. Foram dadas várias injunções que, se seguidas, poderiam torná-la legítima. Todas elas foram sumariadas na obediência à lei mosaica, concedida por Yahweh. A lei continha todos os mandamentos cerimoniais e morais necessários à vida e ao bem-estar.

Se temerdes ao Senhor. Permanecei atentos ao Grande Poder. Obedecei a ele. Vossa vida dependerá disso. Quanto a detalhes sobre este conceito, ver o artigo detalhado sobre *Temor*, no *Dicionário*, especialmente *Temor a Deus*. Os pontos 2 e 3 também são instrutivos.

E o servirdes. Mediante a obediência aos mandamentos da lei mosaica: obediência cerimonial nos sacrifícios; atos humanitários segundo a lei do amor (Dt 6.5). Ver Dt 8.6 quanto à *obediência* aos mandamentos de Deus, a *andar* em seus caminhos e a *temê-lo*. Esses são os principais elementos do serviço a Yahweh, todos igualmente refletindo a obediência à lei do amor.

E lhe atenderdes à voz. A legislação mosaica era complexa e demandava cuidadosa atenção. Mestres eram nomeados para instruir o povo. Ninguém era sábio o bastante para saber o que Deus requeria. Livros eram escritos para esclarecer as coisas. A idolatria era desprezada. Os ritos e cerimoniais da lei eram estritamente observados.

Não lhe fordes rebeldes ao mandado. O espírito rebelde arruína o sucesso espiritual, e o fracasso espiritual sempre provoca calamidades individuais e nacionais. A maior parte das rebeliões em Israel envolvia idolatria, a mais crassa forma de rebelião.

E seguirdes ao Senhor vosso Deus. A bondade podia derivar-se da monarquia, se o Rei Invisível, o verdadeiro Rei, fosse obedecido e *seguido*, das maneiras sugeridas nos pontos primeiro a quarto.

"Os vss. 14-15 dão-nos um bom sumário da teoria histórica deuteronômica, conforme se vê, com detalhes, em Dt 28" (George B. Caird, *in loc.*). Ver as notas no vs. 8 deste capítulo, que abordam a questão da filosofia da história de Israel.

Jarchi compreendeu o vs. 14 como uma promessa de longa vida e prosperidade ao povo de Israel e ao rei, com base na obediência a Yahweh. Ver Dt 4.1,5 e 5.33 quanto à promessa de longa vida e prosperidade, alicerçada sobre a obediência.

■ 12.15

וְאִם־לֹא תִשְׁמְעוּ בְּקוֹל יְהוָה וּמְרִיתֶם אֶת־פִּי יְהוָה וְהָיְתָה יַד־יְהוָה בָּכֶם וּבַאֲבֹתֵיכֶם:

Se, porém, não derdes ouvidos. Este versículo repete os pontos essenciais do versículo anterior: dar ouvidos à voz divina e obedecer de forma estrita às suas exigências. A rebeldia, entretanto, produziria o juízo do próprio Yahweh. Yahweh seria *contrário* a Israel, mediante assédios de seus inimigos, forças da natureza e enfermidades. Eles não viveriam por muito tempo e não prosperariam. O terror final seriam os cativeiros assírio e babilônico (ver a respeito no *Dicionário*), porque Israel não fora capaz de honrar o desafio levantado pelo discurso de Samuel.

"Tanto eles como seu rei haveriam de sentir o peso da mão do Senhor, caso se rebelassem contra ele" (John Gill, *in loc.*).

■ 12.16

גַּם־עַתָּה הִתְיַצְּבוּ וּרְאוּ אֶת־הַדָּבָר הַגָּדוֹל הַזֶּה אֲשֶׁר יְהוָה עֹשֶׂה לְעֵינֵיכֶם:

Ponde-vos também agora aqui. *O Sinal Espantoso.* A fim de enfatizar suas palavras, Samuel foi capaz de produzir um temível sinal meteorológico perante o povo de Israel, uma grande chuvarada com poderosa tempestade de relâmpagos, assustadora em suas dimensões. Isso ilustrava a ira divina contra a rebeldia.

Samuel operou esse sinal através do poder de Deus e em uma ocasião em que coisa alguma desse tipo era esperada. Foi um milagre inexplicável que serviu de lição objetiva sobre o temor e a obediência a Yahweh, a fonte do poder e dos terrores. O sinal ilustrou quão profunda foi a iniquidade de Israel ao pedir um rei, servindo também de previsão de coisas por vir, que resultariam daquela má escolha.

■ 12.17

הֲלוֹא קְצִיר־חִטִּים הַיּוֹם אֶקְרָא אֶל־יְהוָה וְיִתֵּן קֹלוֹת וּמָטָר וּדְעוּ וּרְאוּ כִּי־רָעַתְכֶם רַבָּה אֲשֶׁר עֲשִׂיתֶם בְּעֵינֵי יְהוָה לִשְׁאוֹל לָכֶם מֶלֶךְ: ס

Clamarei, pois, ao Senhor, e dará trovões e chuva. *A Colheita do Trigo.* O sinal foi dado em uma época em que geralmente não havia chuvas. Na Judeia, as chuvas caem somente duas vezes por ano, chamadas de primeiras e últimas chuvas, respectivamente em meados de nisã (março) e em meados de marchesvan (outubro). Mas não havia chuvas na época da colheita (maio-junho). Ver Pv 26.1. Kimchi diz-nos que a chuva jamais caía no tempo da colheita, com o que Jerônimo concordou (ver os comentários em Am 4.7). Ver no *Dicionário* o artigo chamado *Chuvas Anteriores e Posteriores*. Jerônimo, que passou sete anos na Palestina, afirmou nunca ter visto cair chuva na época da colheita.

A chuva-relâmpago-trovoada violenta e fora de tempo serviu de sinal divino. Esse sinal visava à rebelião de Israel, que havia escolhido um monarca terreno e assim debilitou o ideal teocrático. E também serviu de medida profética para assegurar a Israel que a desobediência atrairia muitos outros tipos de tempestades, as quais abreviariam sua vida, lhes tirariam a prosperidade e, finalmente, enviariam tanto o norte (Israel) quanto o sul (Judá) para o cativeiro, sob potências estrangeiras. O povo de Israel sentiu-se gratificado por ter recebido um rei, mas haveria de *pagar caro* pela dádiva recebida.

■ 12.18

וַיִּקְרָא שְׁמוּאֵל אֶל־יְהוָה וַיִּתֵּן יְהוָה קֹלֹת וּמָטָר בַּיּוֹם הַהוּא וַיִּירָא כָל־הָעָם מְאֹד אֶת־יְהוָה וְאֶת־שְׁמוּאֵל:

Então invocou Samuel ao Senhor. *Uma Oração Eficaz.* A oração eficaz mostra-se poderosa e produz mudanças inesperadas. Oh, Senhor, concede-nos tal graça!

Muito pode, por sua eficácia, a súplica do justo.

Tiago 5.16

"A crença de que Deus realiza tais sinais em resposta à oração estava profundamente arraigada na fé do povo de Israel. Isaías ofereceu a Acaz uma escolha de qualquer sinal que ele quisesse receber, como prova da verdade de sua profecia a respeito da destruição vindoura de Damasco e de Samaria (ver Is 7.10-16 e cf. Jz 6.36-40)" (George B. Caird, *in loc.*).

Todo o povo temeu em grande maneira. "Eles se assustaram diante de sua terrível majestade; e também temeram Samuel, reconhecendo que ele tinha tanto poder diante de Deus" (Adam Clarke, *in loc.*). Cf. o poder de Elias quanto à chuva em 1Rs 18.42.

Mais coisas são feitas através da oração
Do que este mundo sonha.

Tennyson

Por isso vos digo que tudo quanto em oração pedirdes, crede que recebestes, e será assim convosco.

Marcos 11.24

■ 12.19

וַיֹּאמְרוּ כָל־הָעָם אֶל־שְׁמוּאֵל הִתְפַּלֵּל בְּעַד־עֲבָדֶיךָ אֶל־יְהוָה אֱלֹהֶיךָ וְאַל־נָמוּת כִּי־יָסַפְנוּ עַל־כָּל־חַטֹּאתֵינוּ רָעָה לִשְׁאֹל לָנוּ מֶלֶךְ: ס

Para que não venhamos a morrer. *A Ameaça da Morte.* O povo de Israel temeu, chegando a pensar que, através da violenta tempestade, todos morreriam. Portanto, pediram que Samuel orasse a fim de salvá-los, ao mesmo tempo que confessavam o pecado de desejar um rei. Naquele momento, eles estavam resolvidos a obedecer a Yahweh, a fim de que pudessem viver muito tempo e prosperar sob a monarquia.

"Nada conseguiu convencê-los de seu mal enquanto não veio aquela tempestade, e foi *então* que todos os seus pecados lhes subiram à mente. Eles tinham desprezado o profeta de Yahweh, apesar de todas as suas advertências acerca de quererem um rei" (John Gill, *in loc.*). Notemos o plural do texto, "a todos os nossos pecados". Os homens sempre têm grande abundância de pecados. O pedido por um rei apenas acrescentara mais um a uma lista já extensa de pecados.

■ 12.20

וַיֹּאמֶר שְׁמוּאֵל אֶל־הָעָם אַל־תִּירָאוּ אַתֶּם עֲשִׂיתֶם אֵת כָּל־הָרָעָה הַזֹּאת אַךְ אַל־תָּסוּרוּ מֵאַחֲרֵי יְהוָה וַעֲבַדְתֶּם אֶת־יְהוָה בְּכָל־לְבַבְכֶם:

Não temais. A tempestade não haveria de matá-los. Eles tinham acrescido mais um pecado à sua longa lista de erros, o fato de terem pedido um rei. Mas esse pecado não foi tão hediondo que Deus não teria misericórdia deles, nem o seu amor por eles haveria de ser anulado. De fato, é característica do amor e da misericórdia divina que todos os pecados humanos podem ser perdoados, e todas as suas consequências eternas podem ser eliminadas, contanto que haja verdadeiro arrependimento. Isso, contudo, não anula a lei da colheita segundo a semeadura, mas espalha a misericórdia ao redor, onde quer que ela seja necessária — e, na realidade, ela é necessária por toda a parte. Ver no *Dicionário* o verbete intitulado *Misericórdia*. O problema seria mitigado se eles se voltassem, seguissem e servissem, ou seja, se seguissem nos moldes e requisitos da legislação mosaica. O passado não podia mais ser desfeito, e o futuro estava maculado por seus atos. Ver no *Dicionário* o artigo *Lei Moral da Colheita segundo a Semeadura*. Todavia, eles poderiam mitigar os sofrimentos futuros por meio da obediência, fazendo a má escolha redundar em bem. Da mesma maneira que aquela tempestade cessou mediante a oração de Samuel, e da mesma forma que o povo de Israel resolveu obedecer, assim também os temporais futuros poderiam ser evitados.

"Nenhum pecado, naturalmente, ou nenhuma maldição por causa do pecado, é tão grande que não permita arrependimento... uma grandiosa e preciosa verdade evangélica... Isaías com frequência pregou a mesma verdade: '... ainda que os vossos pecados sejam como o escarlate, eles se tornarão brancos como a neve...'" (Ellicott, *in loc.*, com uma referência a Is 1.18).

■ 12.21

וְלֹא תָּסוּרוּ כִּי אַחֲרֵי הַתֹּהוּ אֲשֶׁר לֹא־יוֹעִילוּ וְלֹא יַצִּילוּ כִּי־תֹהוּ הֵמָּה:

Não vos desvieis. *Uma Advertência contra a Idolatria.* A expressão "vaidade vã" é uma referência direta aos *ídolos*. Esse foi o principal pecado que perturbava Israel e produzia suas apostasias, resultando em muitos e severos julgamentos divinos. Muitos desses juízos foram infligidos pelos próprios povos cuja idolatria Israel havia adotado. Ver no *Dicionário* o artigo chamado *Idolatria*. No hebraico temos aqui a palavra *hattohu*, de *tohu*, "vazio", usada também em Gn 1.2. O autor sacro aponta para a total *futilidade* da idolatria. Os ídolos não têm inteligência nem representam seres inteligentes, capazes de ajudar os seres humanos. Não podem beneficiar os homens em tempos de paz e são inúteis para livrá-los em tempos difíceis. Cf. 1Co 8.4: "... o ídolo nada é no mundo... não há senão um só Deus".

■ 12.22

כִּי לֹא־יִטֹּשׁ יְהוָה אֶת־עַמּוֹ בַּעֲבוּר שְׁמוֹ הַגָּדוֹל כִּי הוֹאִיל יְהוָה לַעֲשׂוֹת אֶתְכֶם לוֹ לְעָם:

Pois o Senhor... não desamparará o seu povo. Nem a própria *apostasia* podia fazer o Senhor afastar-se de Israel. Ele o castigava, mas sempre acabava restaurando-o. Ele havia tomado Israel como seu povo, como seu *filho* (Êx 4.22,23), libertando-o da servidão aos egípcios. O filho errado era castigado, mas, afinal, era sempre restaurado. O relacionamento Pai-filho era uma relação permanente.

"Que o Senhor sempre atua no seu nome é um conceito que foi popularizado por Ezequiel, embora tenha sua contrapartida em Deuteronômio (ver Dt 7.7,8; 9.4,5). É uma tentativa responder à pergunta: Por que Deus mostra favor para com Israel quando não o faz com outras nações? Deuteronômio rejeita a ideia de que isso se deve ao valor ou à dignidade do próprio Israel. A verdadeira causa encontra-se na vontade de Deus. Deus, por sua própria vontade, permitiu que seu nome fosse vinculado ao destino de Israel, e não retrocederá diante dessa escolha" (George B. Caird, *in loc.*). Naturalmente, devemos relembrar um dos propósitos dessa escolha, ou seja, fazer de Israel um guia espiritual para todas as nações que são tratadas como beneficiárias, dentro do pacto abraâmico (ver as notas a respeito em Gn 15.18). Em Cristo, são abandonadas as distinções, e a Igreja aparece ali como o *Novo Israel*, composto de judeus e gentios convertidos. Não obstante, continua em Israel um propósito inteiramente à parte da Igreja. Seja como for, Cristo universalizou todas as promessas e fez da redenção de *todos* os homens o alvo divino. Ver Ef 1.9,10. Esse é o mistério da vontade de Deus. Ver no *Dicionário* os artigos chamados *Mistério da Vontade de Deus; Eleição* e *Predestinação*.

■ 12.23

גַּם אָנֹכִי חָלִילָה לִּי מֵחֲטֹא לַיהוָה מֵחֲדֹל לְהִתְפַּלֵּל בַּעַדְכֶם וְהוֹרֵיתִי אֶתְכֶם בְּדֶרֶךְ הַטּוֹבָה וְהַיְשָׁרָה׃

Quanto a mim. *Israel* representava um caso difícil para Samuel, o profeta-juiz. sua contínua rebeldia e fracasso, do ponto de vista natural, o teriam inspirado a abandoná-los ao julgamento de Deus. No entanto, Samuel continuou a orar por eles, porque era seu *dever* e *privilégio*, como profeta, ajudar os outros com seu poder especial diante de Deus. Essa circunstância inspirou o autor a oferecer-nos este versículo, um dos mais conhecidos de todo o primeiro livro de Samuel. Este versículo, pois, ensina-nos a lição de que, entre os nossos *muitos* pecados, ainda há esse de não orarmos o bastante por outras pessoas. Na verdade, criticamos os outros muito mais que oramos por eles, e isso é um tremendo pecado, tanto de comissão como de omissão.

"Deus opera através das orações dos homens, tanto quanto através de suas ações. Israel foi perdoado porque Moisés orou pelo povo (ver Nm 14.20). A oração de Jesus foi a coisa mais importante que ele fez em favor de Pedro (ver Lc 22.32)" (George B. Caird, *in loc.*).

Aquele que ora com diligência por outrem está fazendo algo acima do que seus atos poderiam produzir, ou seja, convencer o poder divino a exercer seus efeitos sobre a vida daquela pessoa. Os poderes de Samuel diminuíam, pois ele estava envelhecendo. Seus atos estavam ficando cada vez mais raros, mas, em meio à fraqueza, ele continuava poderoso em suas orações.

Ensino. Além de suas orações, Samuel continuava exercendo seu ofício de mestre, orientando Israel de maneira que seguisse corretamente a vereda da obediência à legislação mosaica, suas leis e cerimônias e suas exigências morais. O caminho correto aqui contrasta com as coisas *vãs* (a idolatria) do vs. 21, que representam o caminho errado. Ver na *Enciclopédia de Bíblia, Teologia e Filosofia* o artigo intitulado *Ensino*. O caminho correto levava à prosperidade e à vida longa (ver Dt 4.1; 5.33; 6.2; Ez 20.11). O caminho errado, pelo contrário, levava à oposição, à tribulação, às necessidades e à morte.

"Embora Samuel tivesse deixado de ser juiz e principal magistrado entre eles, nunca abandonou a função de profeta, por meio de suas orações e de suas instruções" (John Gill, *in loc.*).

■ 12.24

אַךְ יְראוּ אֶת־יְהוָה וַעֲבַדְתֶּם אֹתוֹ בֶּאֱמֶת בְּכָל־לְבַבְכֶם כִּי רְאוּ אֵת אֲשֶׁר־הִגְדִּל עִמָּכֶם׃

Temei ao Senhor, e servi-o. Esse é o dever do homem diante do Senhor: servi-lo de maneira genuína, de todo o coração e em gratidão, considerando todas as coisas que ele fez e continua fazendo. Cf. Rm 2.4: "Ou desprezas a riqueza da sua bondade, e tolerância, e longanimidade, ignorando que a bondade de Deus é que te conduz ao arrependimento?"

Cf. este versículo com a similar porém mais extensa lista de obrigações do homem para com Deus, em Dt 10.12,13. Ali temos os seguintes deveres: 1. temor; 2. andar; 3. amor; 4. serviço; e 5. guardar os mandamentos. As notas ali existentes proveem abundantes ilustrações quanto aos princípios exarados no presente versículo. A base de tudo, evidentemente, é viver de acordo com a *lei do amor*, a qual é omitida neste versículo. Essa é a grande lei universal, que incorpora todas as outras leis justas (ver Rm 13.8-10).

Vede quão grandiosas cousas vos fez. "Revisa a história de teus pais; analisa a tua própria vida; vê quantas interposições de poder, misericórdia, bondade e verdade Deus tem dado a ti! Porventura, ele não te tem coberto *diariamente* com os seus benefícios?" (Adam Clarke, *in loc.*).

Grandiosas cousas. "... ao tirá-los do Egito; ao estabelecê-los na terra de Canaã; ao dar-lhes leis, estatutos, mandamentos e ordenanças; ao enviar-lhes profetas e levantar-lhes juízes; e ao conferir-lhes tantas coisas boas, na natureza, na providência e na graça" (John Gill, *in loc.*).

■ 12.25

וְאִם־הָרֵעַ תָּרֵעוּ גַּם־אַתֶּם גַּם־מַלְכְּכֶם תִּסָּפוּ׃ פ

Se, porém, perseverardes em fazer o mal, perecereis. *O Terrível Contraste*. Deus proveu-lhes em abundância e eles deveriam escolher o caminho correto (vs. 23), e não o caminho errado e da idolatria (vs. 21). A história demonstra a grande bondade de Deus.

> Até aqui teu poder me tem abençoado e,
> sem dúvida, continuará a liderar-me.
> John H. Newman

Mas estava ao alcance de Israel escolher o caminho errado. Se assim fizesse, a calamidade seguiria a lei da causa e efeito, que sempre operou com precisão e incansavelmente. O povo de Israel não ficaria isento de seu devido castigo.

"A conclusão do sermão de Samuel é uma advertência solene. sua censura contra o rei e o povo é um juízo solene e perene sobre qualquer era e sobre qualquer nação" (John C. Shroder, *in loc.*).

"Nunca houve um povo tão advertido e nunca um povo tirou pior proveito das advertências recebidas. Eles se tornaram um monumento da justiça e da paciência de Deus. Leitor, que dizer a seu respeito? Você, porventura, é um monumento similar?" (Adam Clarke, *in loc.*). O cativeiro esperava pelo povo desviado. Ver no *Dicionário* o verbete chamado *Cativeiro (Cativeiros)*.

CAPÍTULO TREZE

TEMERIDADE DE SAUL E SUA REPROVAÇÃO (13.1-15a)

Saul começara tão bem sua carreira de rei que até o profeta Samuel ficou impressionado com ele. O Espírito de Deus o abençoou (10.10), e todo o povo de Israel o ouviu. Em seguida, ele foi aprovado em seu primeiro teste, derrotando os amonitas em uma singular exibição de poder e autoridade. E isso também foi possível por meio de outra visita do Espírito (11.6). Mas a debilidade de caráter de Saul finalmente começou a manifestar-se, e ele iniciou sua longa caminhada para a ruína. As temíveis profecias de Samuel sobre a monarquia, como uma escolha ruim, começaram a provar-se verdadeiras. O capítulo 12 é uma reafirmação de quão mau foi para Israel ter escolhido a monarquia, em lugar da *teocracia ideal,* sob a orientação de juízes.

Contra toda a legislação e a prática mosaica, Saul ofereceu sacrifícios, na esperança de que esse ato ajudaria Israel em um tempo de tensão, quando eles estavam prestes a combater contra os filisteus. Mas somente as autoridades devidamente constituídas, os sacerdotes, tinham o direito de fazer isso. Isto posto, Saul demonstrou possuir mau juízo e até uma rebeldia interior contra a lei. Ele ultrapassou sua autoridade. E outros defeitos em breve se tornariam óbvios.

■ 13.1

בֶּן־שָׁנָה שָׁאוּל בְּמָלְכוֹ וּשְׁתֵּי שָׁנִים מָלַךְ עַל־יִשְׂרָאֵל׃

Um ano reinara Saul em Israel. *Saul tinha... anos de idade*. Assim diz a versão portuguesa da Imprensa Bíblica Brasileira, que é também a versão da *King James*, em inglês. A versão portuguesa Atualizada diz: "Um ano reinara Saul em Israel. No segundo ano de seu reinado sobre o povo..." É óbvio que alguma corrupção entrou no texto hebraico. Orígenes conjecturou: "Saul tinha *30* anos de idade..." Há várias outras conjecturas, mas ninguém sabe o que está em pauta aqui. Talvez o manuscrito original contivesse um equívoco de pena. Alguns eruditos sugerem que o autor sagrado não tinha informações exatas sobre o número dos anos de reinado de Saul, nesse ponto, e que então disse algo como: "Saul governara por tantos anos...", mas sem ditar um número específico. Adam Clarke (*in loc.*) fala do "grande acúmulo de trabalho perdido" pelos eruditos nesse primeiro versículo, e recusou-se a envolver-se em mais discussão inútil a respeito. A Septuaginta desiste de tudo e começa o texto no segundo versículo.

13.2

וַיִּבְחַר־לוֹ שָׁאוּל שְׁלֹשֶׁת אֲלָפִים מִיִּשְׂרָאֵל וַיִּהְיוּ
עִם־שָׁאוּל אַלְפַּיִם בְּמִכְמָשׂ וּבְהַר בֵּית־אֵל וְאֶלֶף
הָיוּ עִם־יוֹנָתָן בְּגִבְעַת בִּנְיָמִין וְיֶתֶר הָעָם שִׁלַּח אִישׁ
לְאֹהָלָיו׃

Escolheu para si três mil homens ... com Saul dois mil... e mil estavam com Jônatas. *Foi uma Guerra contra os Filisteus.* Não somos informados sobre o que provocou a guerra descrita nos versículos seguintes, mas a verdade é que havia hostilidades permanentes entre Israel e os filisteus. A guerra aqui descrita deve ter sido limitada, o que se evidencia pelo fato de que Saul só escolheu três mil homens para o combate. Dois mil ficaram com ele; e mil ficaram com seu filho, Jônatas. Saul lutou em Micmás e perto de Betel; e Jônatas combateu em Gibeá. Ver todos os nomes próprios comentados no *Dicionário*. Os lugares mencionados ficavam todos próximos uns dos outros. Gibeá era a cidade onde Saul havia nascido, cerca de 5 quilômetros ao norte de Jerusalém. Micmás ficava a 3 quilômetros de distância, mais para nordeste. Micmás e Geba ficavam separadas por uma garganta profunda, que desempenhou um papel importante na questão, conforme demonstram os versículos seguintes. Geba ficava aproximadamente a meio caminho entre Micmás e Gibeá.

Saul obteve sucesso contra os amonitas (capítulo 11), pois havia recebido unção especial do Espírito para isso. Agora ele tentava sua sorte contra os filisteus, os mais poderosos inimigos de Israel na época. A missão de Saul foi debilitar aquele povo hostil, mas somente Davi foi capaz de finalmente libertar Israel, a fim de que a monarquia prosperasse e se tornasse firmemente estabelecida. A batalha, contudo, não correu bem, e isso armou palco para o ato presunçoso de Saul oferecer pessoalmente sacrifícios a Yahweh, o que lhe era estritamente vedado, por não ser ele um sacerdote.

"Essa foi a primeira das três principais batalhas de Israel contra os filisteus durante o reinado de Saul (ver também 1Sm 17.1-54; 31.1-6)" (Eugene H. Merrill, *in loc.*).

Temos aqui o começo de um exército permanente em Israel. Tal exército forneceria maior proteção contra os vizinhos hostis, e essa era uma das razões pelas quais os filhos de Israel desejavam um rei. O primeiro exército permanente de Israel foi, realmente, modesto. Mas haveria de crescer. Contraste-se o pequeno número de três mil homens com o poderoso exército de 330 mil que Saul levara até Jabes, a fim de subjugar os filhos de Amom (11.8). Saul contava com uma força seletiva que ele esperava ser suficiente para vencer os filisteus.

13.3

וַיַּךְ יוֹנָתָן אֵת נְצִיב פְּלִשְׁתִּים אֲשֶׁר בְּגֶבַע וַיִּשְׁמְעוּ
פְלִשְׁתִּים וְשָׁאוּל תָּקַע בַּשּׁוֹפָר בְּכָל־הָאָרֶץ לֵאמֹר
יִשְׁמְעוּ הָעִבְרִים׃

Jônatas derrotou a guarnição dos filisteus. *O Sucesso de Jônatas.* Ele e seu pequeno exército de mil homens obtiveram sucesso em *Geba*, e Saul assegurou que todo Israel ouvisse falar nisso, porque o fato justificava seu trabalho como rei, encorajando todos os israelitas a libertar-se dos filisteus. Ver no *Dicionário* o artigo intitulado *Jônatas*.

"Este é o primeiro lugar onde esse bravo e excelente homem aparece; um dos homens de caráter mais amigável na Bíblia" (Adam Clarke, *in loc.*).

13.4

וְכָל־יִשְׂרָאֵל שָׁמְעוּ לֵאמֹר הִכָּה שָׁאוּל אֶת־נְצִיב
פְּלִשְׁתִּים וְגַם־נִבְאַשׁ יִשְׂרָאֵל בַּפְּלִשְׁתִּים וַיִּצָּעֲקוּ הָעָם
אַחֲרֵי שָׁאוּל הַגִּלְגָּל׃

Todo o Israel ouviu dizer. A revolta de Israel contra a opressão dos filisteus foi conhecida por todo o país. Os filhos de Israel estavam cansados da opressão, dos ataques contínuos e da escravização aos filisteus. Mas agora todo Israel se tornara "odioso" aos olhos do inimigo, pelo que haveria maiores batalhas e mais derramamento de sangue. Os filisteus reuniriam forças gigantescas para tentar pôr fim à revolta dos israelitas. Assim sendo, o sucesso de Jônatas era apenas o começo de uma guerra, um sucesso inicial em uma longa vereda de matanças. Saul reuniu mais homens em Gilgal (ver a respeito no *Dicionário*), procurando contornar a crescente ameaça.

Saul é aqui referido, em lugar de Jônatas, por ser ele o comandante-em-chefe; assim, a vitória de Jônatas foi, na realidade, uma vitória de Saul.

"O intenso ódio que os filisteus nutriam pelos hebreus é com frequência trazido à tona. Desde as primeiras conquistas de Josué, eles os consideravam intrusos. Entre esses dois povos houve guerras contínuas, até que os filisteus foram subjugados pelos maiores reis hebreus" (Ellicott, *in loc.*).

13.5

וּפְלִשְׁתִּים נֶאֶסְפוּ לְהִלָּחֵם עִם־יִשְׂרָאֵל שְׁלֹשִׁים
אֶלֶף רֶכֶב וְשֵׁשֶׁת אֲלָפִים פָּרָשִׁים וְעָם כַּחוֹל אֲשֶׁר
עַל־שְׂפַת־הַיָּם לָרֹב וַיַּעֲלוּ וַיַּחֲנוּ בְמִכְמָשׂ קִדְמַת
בֵּית אָוֶן׃

Como a areia que está à beira-mar. As imensas forças referidas aqui fazem até eruditos conservadores suporem algum erro no texto. Eugene H. Merrill (*in loc.*) diz: "As palavras hebraicas para trinta mil e para três mil são muito parecidas. E uma poderia facilmente ser tomada pela outra". Mas alguns eruditos conservadores pensam que os filisteus estavam dispostos a "acabar" com Israel, exagerando imensamente no ataque à ameaça israelita, de uma vez por todas. Há também eruditos que creem que os trinta mil se referem não aos carros de combate, mas aos homens que os tripulavam; e isso reduziria consideravelmente o total de combatentes, dependendo de quantos eram os tripulantes. As versões árabe e siríaca dizem três mil carros, e muitos eruditos supõem ser esse o número correto. Josefo, por sua vez, afirma que houve trezentos infantes; e, assim sendo, não se preocupou em reduzir a imensidão da força (*Antiq.* 1.6, cap. 6, sec. 1). Adam Clarke (*in loc.*) observou que "os maiores exércitos já levados a campo de batalha, mesmo da parte dos grandes imperadores, nunca foram guarnecidos com trinta mil carros de combate". Por isso, supôs que o texto hebraico original dissesse três mil, o que foi corrompido na transmissão do texto. Ellicott (*in loc.*) salientou que o próprio rei Salomão, em toda a sua glória, tinha somente 1.quatrocentos carros de combate (ver 1Rs 10.26) e conjecturou que a verdadeira cifra era de trezentos, modificada na transmissão do texto. Talvez esse número tenha sido propositadamente alterado. A Septuaginta fala em três mil carros de combate.

A expressão aqui usada, que fala sobre a areia, é metáfora comum para indicar um número muito grande. Cf. Gn 22.17; 32.12 e 41.49.

Ao oriente de Bete-Áven. Betel está em vista aqui. Ver a respeito de *Bete-Áven* no *Dicionário*.

13.6

וְאִישׁ יִשְׂרָאֵל רָאוּ כִּי צַר־לוֹ כִּי נִגַּשׂ הָעָם וַיִּתְחַבְּאוּ
הָעָם בַּמְּעָרוֹת וּבַחֲוָחִים וּבַסְּלָעִים וּבַצְּרִחִים
וּבַבֹּרוֹת׃

Vendo, pois, os homens de Israel. O simples envio das forças avassaladoras contra Israel levou os israelitas a ocultar-se em todo tipo de esconderijo. A vitória inicial, pois, transformou-se prontamente em temor e vergonha. Alguns fugiram (vs. 7), e todos tremeram. Josefo (*ut supra*) descreve uma hoste de exércitos estrangeiros agregada aos filisteus, com vistas ao extermínio de Israel, e isso poderia explicar os vastos números envolvidos, se é que eram mesmo os números originais das forças adversárias. A Judeia era repleta de rochas, cavernas e fendas, algo favorável àqueles que resolveram esconder-se dos filisteus. Kimchi refere-se a esses lugares como *guarnições,* mas essa explicação é obviamente fora de lugar dentro do contexto. Israel simplesmente fugiu e ocultou-se. Os israelitas não tinham guarnições onde pudessem refugiar-se.

13.7,8

וְעִבְרִים עָבְרוּ אֶת־הַיַּרְדֵּן אֶרֶץ גָּד וְגִלְעָד וְשָׁאוּל
עוֹדֶנּוּ בַגִּלְגָּל וְכָל־הָעָם חָרְדוּ אַחֲרָיו׃

וַיּוֹחֶל שִׁבְעַת יָמִים לַמּוֹעֵד אֲשֶׁר שְׁמוּאֵל וְלֹא־בָא שְׁמוּאֵל הַגִּלְגָּל וַיָּפֶץ הָעָם מֵעָלָיו:

Para a terra de Gade e Gileade. Os que não se esconderam atravessaram o rio Jordão. Da cena da batalha, esse rio ficava a cerca de 24 quilômetros mais para leste. Gilgal ficava a apenas cerca de 6,5 quilômetros do rio Jordão. Isso significa que a fuga foi fácil. Mas Saul permaneceu em Gilgal, e os que estavam com ele, que não se ocultaram ou fugiram, *tremeram*.

Ver sobre *Gade* e *Gileade*, no *Dicionário*. Esses nomes designam os territórios da Transjordânia ou da parte oriental de Israel. Samuel havia prometido ir ao encontro de Saul, em Gilgal, a fim de oferecer os sacrifícios apropriados (13.8), na esperança de que houvesse alguma espécie de intervenção divina que alterasse as circunstâncias. Por razões desconhecidas, porém, Samuel chegou ligeiramente atrasado. E isso armou palco para a primeira grande infração de Saul como rei, o oferecimento desautorizado de sacrifícios. A pequena falha de Samuel não foi vista como razão suficiente para justificar o lapso de Saul. Alguns estudiosos supõem que 13.8 deveria ser ligado a 10.8. Nesse caso, aquele versículo refere-se a uma *profecia* a longo prazo de uma reunião em Gilgal, que Saul conhecia e seguia. Porém, parece-nos melhor compreender um acordo diferente feito entre Samuel e Saul, que não é mencionado antes do texto presente. O vs. 10 mostra-nos que Samuel realmente chegou, embora um tanto tarde. Saul perdeu a confiança na promessa de Samuel e, precipitadamente, deu seu primeiro passo para a queda como rei. E muitos passos faltosos se seguiriam.

13.9

וַיֹּאמֶר שָׁאוּל הַגִּשׁוּ אֵלַי הָעֹלָה וְהַשְּׁלָמִים וַיַּעַל הָעֹלָה:

Então disse Saul. Samuel logo haveria de chegar e oferecer sacrifícios legítimos. Ele não era sacerdote, embora fosse levita. De acordo com as regras estritas da legislação mosaica, nem mesmo Samuel poderia oferecer sacrifícios, uma função idealmente confinada ao tabernáculo e a seus sacerdotes. Devemos lembrar, porém, que, antes de o culto ser centralizado em Jerusalém, havia vários altares e santuários em Israel, nos quais sacrifícios eram oferecidos aparentemente sem a menor censura. Samuel, pois, como levita e reconhecido *profeta nacional*, podia oferecer sacrifícios. Uma vez, entretanto, que o templo foi estabelecido, isso não seria mais permitido. Samuel, o profeta, tinha eclipsado o sumo sacerdócio, e o ofício de profeta assumia dimensões que reduziam a importância do sacerdócio. Mas Saul, que nem levita era, não tinha direito de oferecer sacrifícios. Contudo, em sua impaciência e no temor da imensa força dos filisteus que pusera em fuga o povo de Israel, deu prosseguimento aos sacrifícios ilegítimos.

Trazei-me aqui o holocausto. Ver no *Dicionário* o artigo sobre esse tipo de sacrifício.

E ofertas pacíficas. Ver as notas em Lv 7.11-33 quanto a esse tipo de oferenda. Era permitido o consumo humano das porções que não cabiam a Yahweh, ao passo que um holocausto era totalmente queimado a Yahweh. Saul esperava agradar a Yahweh e conseguir sua ajuda contra os filisteus, e talvez fazer expiação pelos pecados que prejudicassem Israel em seu conflito. Ver o vs. 12 deste mesmo capítulo.

"Foi um ato perfeitamente *inconstitucional*. Ele não possuía autoridade para oferecer ou ordenar o oferecimento de qualquer um dos sacrifícios ao Senhor" (Adam Clarke, *in loc.*).

13.10

וַיְהִי כְּכַלֹּתוֹ לְהַעֲלוֹת הָעֹלָה וְהִנֵּה שְׁמוּאֵל בָּא וַיֵּצֵא שָׁאוּל לִקְרָאתוֹ לְבָרֲכוֹ:

Eis que chega Samuel. A *impaciência* causou um ato tolo. Ao que parece, antes mesmo que pudessem ser feitas as ofertas pacíficas (no final da cerimônia do holocausto), Samuel chegou. Saul saiu para saudar Samuel, como se nenhum mal tivesse sido praticado. Os comentaristas cumprimentam Saul aqui por sua devoção ao profeta, mas o condenam por sua tolice. A espera de apenas uma hora teria evitado problemas. A *precipitação* é a origem de muitos erros.

13.11

וַיֹּאמֶר שְׁמוּאֵל מֶה עָשִׂיתָ וַיֹּאמֶר שָׁאוּל כִּי־רָאִיתִי כִּי־נָפַץ הָעָם מֵעָלַי וְאַתָּה לֹא־בָאתָ לְמוֹעֵד הַיָּמִים וּפְלִשְׁתִּים נֶאֱסָפִים מִכְמָשׂ:

Samuel perguntou. Vendo a fumaça e o cheiro dos animais queimados sobre o altar, Samuel reconheceu de pronto o que Saul tinha acabado de fazer, e por isso se lançou contra ele. Para os que pouco sabiam, o que Saul fez pode ter parecido coisa de somenos importância; mas, para um profeta de Deus, que vira no ato uma grave violação da lei, a questão era realmente importante. Saul, entretanto, desculpou-se apontando para a aflição em que se encontrava o povo de Israel, e como a demora de Samuel o levara a cometer tal ato. Ele exagerou ao comentar que Samuel não chegara dentro dos "dias" aprazados, embora (pelo menos segundo alguns intérpretes) Samuel estivesse apenas ligeiramente atrasado.

Alguns intérpretes, entretanto, supõem que o sacrifício oferecido por Saul tenha ocorrido um dia após o tempo determinado para a chegada de Samuel. Nesse caso, Samuel deixou de observar o tempo determinado. Mesmo assim, o fato não justificava a violação da lei. A falha de Samuel era apenas trivial, pois o atraso de um dia era quase insignificante, mas a falha de Saul era uma direta violação da lei. Nada havia de santo sobre o acordo acerca de *sete dias*, mas havia algo de santo que envolvia o sacrifício. Ao que tudo indica, soldados estavam abandonando o exército de Saul, e isso deve ter parecido uma questão séria para ele. Mesmo assim, não havia desculpa que justificasse a violação das leis do sacerdócio.

13.12

וָאֹמַר עַתָּה יֵרְדוּ פְלִשְׁתִּים אֵלַי הַגִּלְגָּל וּפְנֵי יְהוָה לֹא חִלִּיתִי וָאֶתְאַפַּק וָאַעֲלֶה הָעֹלָה: ס

Forçado pelas circunstâncias ofereci holocaustos. Os filisteus estavam em *Micmás*, e Saul temia que eles chegassem a Gilgal, que ficava cerca de 30 quilômetros a nordeste. Assim sendo, Saul e o restante de seu exército poderiam ser atacados a qualquer momento na sua própria base de operações, e uma total destruição poderia facilmente ser efetuada. Aquele lugar era uma das três cidades incluídas no circuito de Samuel como juiz (ver 1Sm 7.16). Saul tinha usado aquele lugar como quartel-general nas operações contra os amalequitas. Se os filisteus atacassem Saul em Gilgal, todo Israel se perderia no ataque. O perigo era iminente. Saul deve ter desejado obter a ajuda de Yahweh *prontamente,* acreditando que os sacrifícios trariam auxílio imediato.

Forçado. Esta palavra indica que Saul sabia que havia agido mal. Ele se *forçou* a realizar os ritos, contra a voz de sua consciência, por causa do perigo em que se achava. Mostrou-se *relutante* acerca da questão, mas foi *obrigado* pelas circunstâncias.

13.13

וַיֹּאמֶר שְׁמוּאֵל אֶל־שָׁאוּל נִסְכָּלְתָּ לֹא שָׁמַרְתָּ אֶת־מִצְוַת יְהוָה אֱלֹהֶיךָ אֲשֶׁר צִוָּךְ כִּי עַתָּה הֵכִין יְהוָה אֶת־מַמְלַכְתְּךָ אֶל־יִשְׂרָאֵל עַד־עוֹלָם:

Procedeste nesciamente. As desculpas de Saul de nada adiantaram. Ele tinha feito o papel de um tolo. Ele sabia o que a lei requeria e o que a lei proibia. Estava consciente dos *mandamentos* que restringiam a oferta de sacrifícios aos sacerdotes. Ele tinha violado um importante aspecto da lei e, apesar de seu reino poder continuar para sempre, ele mesmo seria rejeitado como rei, e nenhum filho seu haveria de tornar-se rei. "Por causa *daquele ato*... a dinastia de Saul chegaria ao fim... e outro homem tomaria seu lugar" (Eugene H. Merrill, *in loc.*). Além desse ato tolo de imiscuir-se no ofício sacerdotal, ele também demonstrara desprezo pelo profeta de Deus, Samuel, mediante sua impaciência; mas pelo primeiro erro foi repreendido e julgado. Alguns pensam que o mandamento aqui referido era a ordem de Samuel para Saul esperar até sua chegada; mas isso parece trivial em comparação com a violação das leis concernentes ao ofício sacerdotal. Ver Lv 6.8-13. Os sacrifícios e as ofertas estavam limitados a Arão e seus filhos.

Alguns intérpretes, no entanto, apontam para reis como partícipes nas funções sacerdotais. Estariam em foco passagens como 1Sm 14.31-35 (Saul), 2Sm 6.12-19; 24.25 (Davi) e 1Rs 3.15 (Salomão). Mas em 2Sm 6.18 temos Davi ordenando que autoridades devidamente constituídas efetuassem oferendas e sacrifícios; e outro tanto se deu no caso de Salomão. Em contraste, Saul não teve acesso aos oficiais religiosos em Gilgal. Corriam tempos difíceis e, antes da instituição do santuário central em Jerusalém, isso significa que aquilo que Saul fez não era permitido pela legislação mosaica. Assim sendo, mesmo que Davi e Salomão tivessem feito coisas contrárias à lei, isso dificilmente desculpava Saul. Sem embargo, alguns intérpretes insistem que o pecado de Saul não foi oferecer pessoalmente sacrifícios, mas não esperar a chegada de Samuel, com o que eles tinham concordado de antemão.

Uma Solução? Alguns críticos asseveram que a contradição se acha nas próprias *fontes informativas*. Pois algumas fontes refletem a proibição de ritos por qualquer um que não fosse sacerdote. Mas outras fontes não estabelecem essa distinção. Isso significaria que 1Samuel contém fontes informativas diversas em alguns pontos. Essa diversidade refletiria (conforme dizem os críticos) diferentes períodos da história e diferentes práticas. Assim, qual seria precisamente o pecado cometido por Saul é algo que não pode ser determinado sem disputas.

■ 13.14

וְעַתָּה מַמְלַכְתְּךָ לֹא־תָקוּם בִּקֵּשׁ יְהוָה לוֹ אִישׁ כִּלְבָבוֹ וַיְצַוֵּהוּ יְהוָה לְנָגִיד עַל־עַמּוֹ כִּי לֹא שָׁמַרְתָּ אֵת אֲשֶׁר־צִוְּךָ יְהוָה׃ פ

Já agora não subsistirá o teu reino. *O Devastador Juízo Divino.* Saul estava exaltado e no ápice de sua glória. O Espírito descia periodicamente sobre ele, a fim de inspirá-lo e dotá-lo de poder. Ele se havia tornado *outro homem* (10.6). Mas por causa daquele ato insensato (ver as notas sobre o versículo anterior), sua dinastia terminaria com ele. Nenhum filho seu assumiria poderes de rei. Assim, o que parecia ser tão grande subitamente transformou-se em nada. Esse foi um caso clássico de oportunidade perdida, em face de algum erro sério. Ao agir por livre iniciativa, o homem é capaz de distorcer um bom destino, embora tenhamos fé para crer que, em algum ponto, de alguma maneira, as oportunidades são renovadas para que o indivíduo recupere seu pleno potencial espiritual, ou aqui nesta terra, ou nas esferas espirituais.

Um homem que lhe agrada. Sem dúvida, essa é uma referência óbvia a Davi, por parte de algum autor, que já sabia quem tomaria a posição de Saul. Esta parte do versículo aponta para a superioridade de Davi sobre Saul. O coração desse homem estaria com Yahweh. Seus *motivos íntimos*, suas *qualidades espirituais* eram superiores aos de Saul: 1. Ele daria estrita atenção às leis de Deus. 2. Ele seria o rei que realizaria bem sua missão e libertaria Israel sob a direção de Yahweh, pois seu coração estava *sintonizado* com a vontade e direção divina. 3. Ele não violaria ou alteraria a constituição de Israel, mas, antes, levaria o culto divino a Jerusalém, sua capital. 4. Ele realizaria todo o seu ministério público em consonância com os ditames de Yahweh, ainda que em sua *vida pessoal* houvesse falhas graves. Embora cometesse horrendos lapsos morais na esfera da vida privada, como *rei* ele estabeleceria um exemplo para todos.

■ 13.15a

וַיָּקָם שְׁמוּאֵל וַיַּעַל מִן־הַגִּלְגָּל גִּבְעַת בִּנְיָמִן

Então se levantou Samuel. Após a *tirada* contra Saul, após a horrível predição acerca do fim breve daquela dinastia, Samuel foi por seu caminho para *Gibeá*, onde tinha outros negócios. Esta ficava cerca de 16 quilômetros a oeste de Gilgal. Entrementes, Saul contou os soldados que lhe restavam e verificou que eles tinham sido reduzidos a miseráveis seiscentos homens, tudo o que sobrava de seu exército permanente. Jônatas estava em Gibeá, e é possível que Samuel tenha ido até lá para encorajá-lo. Saul tinha nascido ali, e provavelmente Jônatas ainda tinha consigo alguns soldados. Seja como for, os quatro mil homens originais do exército permanente (13.2) tinham sido quase inteiramente dispersos. Essa circunstância era agoureira. Davi, a essa altura, começava a cumprir o que Saul faria somente em parte: a libertação de Israel dos filisteus.

VITÓRIA SOBRE OS FILISTEUS (13.15b—14.52)

A graça e o propósito de Deus não permitiriam que o fiasco inicial dos israelitas (13.1-15) arruinasse tudo. Havia graça divina suficiente para reverter a situação. Saul havia concentrado sua pequena força em um fortim em Gilgal. Entrementes, os filisteus tentaram reduzir Israel a nada, mediante sistemática devastação, incluindo a destruição de suprimentos alimentares. Israel estava em grande desvantagem, pois lhe faltava a tecnologia bélica dos filisteus, incluindo o uso do ferro. A despeito de todas essas dificuldades, Saul, no cumprimento de sua missão divina, *debilitaria* os filisteus, embora a verdadeira libertação ficasse ao encargo de Davi.

Jônatas, por iniciativa pessoal, tomou em mãos uma missão secreta e obteve vitória notável (embora preliminar), que encorajou os israelitas a continuar lutando. Ver 1Sm 14.1. O capítulo 14 registra a história de seus atos audaciosos.

■ 13.15b,16

וַיִּפְקֹד שָׁאוּל אֶת־הָעָם הַנִּמְצְאִים עִמּוֹ כְּשֵׁשׁ מֵאוֹת אִישׁ׃

וְשָׁאוּל וְיוֹנָתָן בְּנוֹ וְהָעָם הַנִּמְצָא עִמָּם יֹשְׁבִים בְּגֶבַע בִּנְיָמִן וּפְלִשְׁתִּים חָנוּ בְמִכְמָשׂ׃

Logo Saul contou o povo. Saul não se desencorajou diante da predição de Samuel sobre o fim de sua dinastia e a queda de sua casa. O fato de ter corajosamente enfrentado o que poderia parecer uma causa perdida, foi um ponto a seu favor. Ele possuía qualidades e, embora falhasse com frequência, foi capaz de realizar a essência de sua missão, embora talvez não os detalhes. O filho de Saul, Jônatas, era homem poderoso e entusiasmado, e agia de moto próprio, como se fosse um general. Jônatas, pois, chegou a Gibeá e ajudou a estabelecer as forças dos israelitas. Os filisteus tinham sua força principal em *Micmás*, que ficava a cerca de 10 quilômetros dali, mais para o norte. O fato era que os filisteus possuíam virtualmente todo o território de Israel. A tarefa de combatê-los parecia impossível, pois eles eram dotados de tecnologia superior, mas o rei Saul saiu a combatê-los, e para isso precisou de grande coragem. As coisas estavam complicadas para Saul, porquanto seus homens não possuíam espadas nem lanças e tinham de usar instrumentos agrícolas improvisados como armas (vss. 19 ss.).

■ 13.17

וַיֵּצֵא הַמַּשְׁחִית מִמַּחֲנֵה פְלִשְׁתִּים שְׁלֹשָׁה רָאשִׁים הָרֹאשׁ אֶחָד יִפְנֶה אֶל־דֶּרֶךְ עָפְרָה אֶל־אֶרֶץ שׁוּעָל׃

Os saqueadores saíram do campo dos filisteus em três tropas. *A Política da Terra Arrasada.* Os filisteus tomaram a iniciativa. Enviaram três grupos de saqueadores, soldados bem equipados e bem treinados. A missão deles era destruir as plantações e assim cortar os suprimentos de boca. Israel teria de ser reduzido a nada, e assim abandonaria sua rebeldia. Seus sonhos de liberdade estavam sendo sistematicamente esmagados. Aqueles homens malignos também roubavam, matavam e praticavam violências sexuais, pois esses sempre serão atos que acompanham as guerras. "As três companhias de salteadores seguiram para o norte, para o oeste e para o leste. Saul estava guardando o caminho para o sul" (George B. Caird, *in loc.*).

Uma delas tomou o caminho de Ofra à terra de Sual. Este lugar ficava a norte de *Micmás*. sua localização é incerta para nós. Alguns as situam apenas 16 quilômetros ao norte de Micmás, embora outros falem em algo como 50 quilômetros mais ao norte. Ver sobre *Sual* no *Dicionário*. A divisão do exército dos filisteus em três companhias deixou Micmás relativamente desprotegida. Assim sendo, Jônatas armou um ataque de surpresa contra esse lugar e obteve notável vitória, conforme indica o capítulo 14.

■ 13.18

וְהָרֹאשׁ אֶחָד יִפְנֶה דֶּרֶךְ בֵּית חֹרוֹן וְהָרֹאשׁ אֶחָד יִפְנֶה דֶּרֶךְ הַגְּבוּל הַנִּשְׁקָף עַל־גֵּי הַצְּבֹעִים הַמִּדְבָּרָה׃ ס

Outra tomou o caminho de Bete-Horom. Ver no *Dicionário* o artigo sobre Bete-Horom. Esse lugar ficava na direção quase oeste a partir de Micmás, a cerca de 11 quilômetros de distância. Assim, uma das três companhias dos filisteus atuava em missão destruidora a oeste.

Zeboim. Ver sobre esta cidade no *Dicionário*. Ficava no vale do Jordão, para leste, perto de Sodoma e Gomorra, no deserto do Jordão. Distava cerca de 30 quilômetros de Micmás. Assim sendo, os confiantes filisteus enviaram forças em diferentes direções, para efetuar missões de pilhagem, assédios sexuais, assassínios e destruição das plantações, deixando a própria Micmás relativamente desprotegida.

■ **13.19**

וְחָרָשׁ לֹא יִמָּצֵא בְּכֹל אֶרֶץ יִשְׂרָאֵל כִּי־אָמַר פְּלִשְׁתִּים פֶּן יַעֲשׂוּ הָעִבְרִים חֶרֶב אוֹ חֲנִית׃

Em toda a terra de Israel nem um ferreiro se achava. Os eruditos dizem-nos que a idade do ferro estava apenas começando naquela região. Os filisteus possuíam tecnologia bastante avançada em relação aos israelitas, o que significa que dispunham de muitos artefatos de guerra feitos desse metal, como lanças, espadas, escudos e carros de combate. Visto que os filisteus essencialmente controlavam o povo de Israel, os soldados israelitas tinham pouco acesso ao fabrico de instrumentos de guerra, o que significa que estavam pouco equipados para a batalha. Assim, apesar de não estar desarmado, Israel estava relativamente desarmado em comparação com os filisteus. Israel nunca foi bom nas artes industriais. Em contraste, os filisteus ao que parece aprenderam essas técnicas dos hititas e outras populações da Anatólia, com os quais entravam em contato no comércio. Esse contato resultava das migrações dos chamados "povos do mar", que tinham vindo do mar Egeu para o território de Canaã, em cerca de 1200 a.C. Israel, pois, dependia da tecnologia dos filisteus quanto a novas armas de guerra, feitas de ferro (vs. 20).

Os filisteus tinham levado de Israel os ferreiros para trabalhar para eles, deixando Israel sem operários habilidosos. Uma opressão desse naipe estabelece-se em todo controle de terras, em todas as épocas.

■ **13.20**

וַיֵּרְדוּ כָל־יִשְׂרָאֵל הַפְּלִשְׁתִּים לִלְטוֹשׁ אִישׁ אֶת־מַחֲרַשְׁתּוֹ וְאֶת־אֵתוֹ וְאֶת־קַרְדֻּמּוֹ וְאֵת מַחֲרֵשָׁתוֹ׃

Todo Israel tinha de descer aos filisteus para amolar. Os filisteus permitiam aos israelitas o acesso aos lugares onde eles podiam amolar seus implementos agrícolas. É possível que os soldados israelitas usassem implementos agrícolas como armas de guerra, embora o texto sagrado não nos diga isso especificamente. Os historiadores relatam que os romanos atuavam da mesma maneira. Os povos que eles conquistavam não recebiam permissão para fabricar instrumentos de guerra, embora instrumentos agrícolas lhes fossem permitidos (ver Plínio, *Hist. Nat.* 1.34, cap. 14).

Os instrumentos agrícolas mencionados neste versículo são o arado, a enxada, o machado (para derrubar árvores e prover lenha) e a foice.

■ **13.21**

וְהָיְתָה הַפְּצִירָה פִים לַמַּחֲרֵשֹׁת וְלָאֵתִים וְלִשְׁלֹשׁ קִלְּשׁוֹן וּלְהַקַּרְדֻּמִּים וּלְהַצִּיב הַדָּרְבָן׃

Estavam, pois, embotados os fios. Além dos instrumentos agrícolas básicos, aos israelitas também era permitido ter limas, com as quais podiam manter o fio de seus instrumentos. Os filisteus, pois, não eram totalmente insensíveis. Ao que tudo indica, não tinham por propósito o aniquilamento total dos israelitas. Afinal, eles poderiam servir como escravos e como fontes de mulheres. Mas queriam-nos em condições tão debilitadas que seriam como escravos que lhes produzissem boas coisas, incluindo produtos agrícolas. O versículo pode dar a entender que, até para afiar os instrumentos agrícolas, os israelitas eram forçados a procurar filisteus habilitados. Para Adam Clarke não estão aqui em vista limas, mas, sim, pedras de amolar.

A *Septuaginta* tem um texto muito diferente para este vs. 21: "A vindima estava pronta para ser colhida, e os instrumentos custavam um terço de um siclo para serem afiados, e o machado e a foice custavam o mesmo preço". Exatamente como traduzir o texto hebraico é o que está em dúvida. E a Septuaginta ignorou o texto hebraico. Entretanto, a *Revised Standard Version* dá a tradução da Septuaginta aqui.

■ **13.22**

וְהָיָה בְּיוֹם מִלְחֶמֶת וְלֹא נִמְצָא חֶרֶב וַחֲנִית בְּיַד כָּל־הָעָם אֲשֶׁר אֶת־שָׁאוּל וְאֶת־יוֹנָתָן וַתִּמָּצֵא לְשָׁאוּל וּלְיוֹנָתָן בְּנוֹ׃

Sucedeu que, no dia da peleja, não se achou espada, nem lança. Saul e Jônatas tinham conseguido preservar certo número de instrumentos de guerra, como espadas e lanças, mas instrumentos idênticos não puderam ser encontrados em parte alguma de Israel. Dessa forma, os filisteus tinham tornado quase impossível a revolta, embora o conflito ainda assim continuasse. Tendo sido um povo nômade, e tendo-se adaptado apenas recentemente a uma vida agrícola, fixa à terra, Israel não atingira grande progresso nas artes e nas habilidades industriais. Também não desenvolvera instrumentos de ferro, o que deixava os israelitas em grande desvantagem para tempos de guerra. O arco, a flecha e a funda eram suas principais armas de guerra, e eles não acompanharam o progresso de seus adversários no campo das armas bélicas. Ellicott (*in loc.*) adverte-nos a não tomar literalmente as informações dadas por este versículo, visto que Israel havia obtido grandes vitórias, sendo provável que tivesse recolhido um bom número de armas de ferro de seus inimigos.

■ **13.23**

וַיֵּצֵא מַצַּב פְּלִשְׁתִּים אֶל־מַעֲבַר מִכְמָשׂ׃ ס

Ao desfiladeiro de Micmás. Quanto a esta cidade, ver o *Dicionário*. Era o quartel-general dos filisteus, embora, ainda recentemente, três companhias tivessem saído nas direções leste, oeste e norte, para atacar Israel, destruir as plantações e lançar a confusão a fim de reduzir Israel à escravidão. Ver sobre 1Sm 3.17. Por esse motivo, Micmás ficou essencialmente desprotegida. Esse fator armou palco para a história narrada no capítulo 14.

"Enquanto as companhias dos filisteus estavam longe, a guarnição deixada para proteger o acampamento moveu-se mais para baixo, a um ponto que olhava diretamente para a frente do precipício do wadi" (George B. Caird, *in loc.*). Os filisteus enviaram para a frente uma guarnição armada ou avançada, além do campo de Micmás, a fim de evitar ataques de surpresa. Mas Jônatas estaria lá, realizando uma missão heroica.

CAPÍTULO CATORZE

Este capítulo continua a seção iniciada em 13.15b, onde ofereço as notas de introdução. 1Sm 14.1-46 registra, especificamente, os feitos de Jônatas, que estava operando como principal e, talvez, único general de Saul. Em termos militares, seus feitos foram preliminares, mas renovaram a coragem dos israelitas. Entrementes, ele estava acampado em Gibeá, com cerca de seiscentos homens (vs. 2). A missão de Jônatas era secreta, uma questão de iniciativa pessoal.

■ **14.1**

וַיְהִי הַיּוֹם וַיֹּאמֶר יוֹנָתָן בֶּן־שָׁאוּל אֶל־הַנַּעַר נֹשֵׂא כֵלָיו לְכָה וְנַעְבְּרָה אֶל־מַצַּב פְּלִשְׁתִּים אֲשֶׁר מֵעֵבֶר הַלָּז וּלְאָבִיו לֹא הִגִּיד׃

Sucedeu que um dia disse Jônatas. Jônatas e seu escudeiro realizaram uma missão perigosa, desconhecida por Saul. "Jônatas era um típico guerreiro daquela época selvagem e aventurosa – destemido, bravo, cavalheiresco e generoso, dotado de vasta força física e grande habilidade em todos os exercícios de guerra. Ele estava animado por uma fé intensa na boa vontade e no poder do Deus Eterno para ajudar Israel. Essa fé poderosa na eterna presença do Deus de Israel era a mola mestra do poder vitorioso de todos os heróis hebreus, homens como Josué, Gideão, Baraque e Sansão. Davi, o maior de todos, conforme veremos, possuía esse sublime espírito de fé, em grau proeminente" (Ellicott, *in loc.*).

Escudeiro. Geralmente um jovem que servia de aprendiz das artes militares, acompanhando algum guerreiro já notável e aprendendo suas habilidades mediante a observação e a prática na arte de matar. Jônatas, sem dúvida, inspirava o senso de lealdade entre os jovens soldados e era seu líder natural.

Passemos à guarnição. Ou seja, a companhia dos filisteus estacionada em Micmás, que fora deixada essencialmente desprotegida. Quanto aos movimentos desses homens, ver sobre 1Sm 13.23.

■ **14.2**

וְשָׁאוּל יוֹשֵׁב בִּקְצֵה הַגִּבְעָה תַּחַת הָרִמּוֹן אֲשֶׁר בְּמִגְרוֹן וְהָעָם אֲשֶׁר עִמּוֹ כְּשֵׁשׁ מֵאוֹת אִישׁ׃

Saul se encontrava na extremidade de Gibeá. Saul não foi informado por seu filho Jônatas sobre a missão secreta e permaneceu estacionado em Gibeá com seu minúsculo exército permanente de apenas seiscentos homens. Foi esse número que restou após o exército ter-se espalhado e fugido por temor aos filisteus, o que ficou registrado em 1Sm 13.55 ss. De um total de quatro mil homens, restaram apenas seiscentos. Alguns chegaram a atravessar para o outro lado do rio Jordão, abandonando assim a causa de Israel (1Sm 13.7).

Saul, que parecia apreciar árvores (cf. este versículo com 1Sm 22.6), tinha em Gibeá o seu pequeno exército permanente e, em seus momentos livres, sentava-se sob sua *romeira favorita*. Temos também o caso de Débora, que havia feito seu trabalho de juíza à sombra de uma palmeira, em Betel (ver Jz 4.5). E houve o *carvalho* de Jacó (ver Gn 25.4,8) e o *carvalho* de Josué (ver Js 24.26), onde um santuário do Senhor foi estabelecido. Os lugares altos tinham santuários erigidos no meio dos bosques. Parecia haver a crença no valor místico das árvores. Algumas tribos indígenas americanas atribuíam alma às árvores.

> Poemas são feitos por tolos como eu,
> Mas só Deus pode criar uma árvore.
>
> Joyce Kilmer

Em Migrom. Ver sobre este lugar no *Dicionário*. Aparentemente era um campo, perto de Gibeá, que fazia parte daquele lugar. Mas alguns dizem que Migrom era uma cidade ou aldeia separada, próxima de Gibeá. Outros, porém, afirmam que se tratava de uma "eira". Portanto, a referência permanece na dúvida.

■ **14.3**

וַאֲחִיָּה בֶן־אֲחִטוּב אֲחִי אִיכָבוֹד ׀ בֶּן־פִּינְחָס בֶּן־עֵלִי כֹּהֵן ׀ יְהוָה בְּשִׁלוֹ נֹשֵׂא אֵפוֹד וְהָעָם לֹא יָדַע כִּי הָלַךְ יוֹנָתָן׃

Aías, filho de Aitube. Além do pequeno grupo de seiscentos homens, Saul contava com a notável presença de *Aías*, o sumo sacerdote de Silo, que havia sido destruída. O tabernáculo tinha sido transferido para Quiriate-Jearim (ver 1Sm 7.27), onde permanecera por vinte anos. Dali, foi levado para Jerusalém, por parte de Davi, e então incorporado ao templo de Salomão. Naquele tempo, o culto a Yahweh foi centralizado na capital, e outros santuários foram proibidos, embora vários tivessem continuado a funcionar, a despeito da proibição. *Aías* (ver a respeito dele no *Dicionário*) era descendente de Eli, cujo sacerdócio fora condenado à extinção por parte de Samuel (ver 1Sm 3.15 ss.). Mas por algum tempo o sacerdócio prosseguiu naquele ramo. Nos dias de Davi, contudo, o sacerdócio foi transferido para outro ramo da família de Arão. No vs. 18, vemos *Aías* na posse da arca, e Saul a usava em batalha como um chamariz de boa sorte. Ver as notas sobre aquele versículo quanto aos detalhes. *Aías* é o nome de nove pessoas mencionadas no Antigo Testamento, e o Aías do presente texto é o segundo da lista. seu nome é uma forma abreviada de *Aimeleque*, que alguns eruditos têm confundido com o nome de *Abimeleque*. Ver detalhes no artigo, que não são reiterados aqui.

A estola sacerdotal. Esta era a veste apropriada que o sumo sacerdote usava, e consistia no peitoral cheio de gemas preciosas, e nos misteriosos *Urim* e *Tumim*, mediante os quais eram realizadas adivinhações. Ver no *Dicionário* o verbete intitulado *Sacerdotes, Vestimentas dos*, sob *Estola*, no seu segundo ponto. Quanto a maiores detalhes, ver o artigo chamado *Estola*.

■ **14.4**

וּבֵין הַמַּעְבְּרוֹת אֲשֶׁר בִּקֵּשׁ יוֹנָתָן לַעֲבֹר עַל־מַצַּב פְּלִשְׁתִּים שֵׁן־הַסֶּלַע מֵהָעֵבֶר מִזֶּה וְשֵׁן־הַסֶּלַע מֵהָעֵבֶר מִזֶּה וְשֵׁם הָאֶחָד בּוֹצֵץ וְשֵׁם הָאֶחָד סֶנֶּה׃

Entre os desfiladeiros. Jônatas e seu escudeiro moviam-se através de uma estreita passagem entre duas rochas elevadas, uma delas chamada *Bozez* e a outra *Sené*. O primeiro desses nomes significa "escorregadio"; e o outro, "descida". Contudo, o sentido do texto não é claro. Há quem diga que Bozez significa "brilhante", e Sené quer dizer "espinhento". Essas elevações rochosas foram mencionadas aqui simplesmente porque ocultaram a aproximação de Jônatas e seu escudeiro, permitindo-lhes desfechar um ataque de surpresa.

■ **14.5**

הַשֵּׁן הָאֶחָד מָצוּק מִצָּפוֹן מוּל מִכְמָשׂ וְהָאֶחָד מִנֶּגֶב מוּל גָּבַע׃ ס

Uma delas se erguia. A primeira dessas elevações, que a *Revised Standard Version* chama de "penhasco", ficava defronte de Micmás; e a segunda ficava ao sul, defronte dela. Assim sendo, os dois homens puderam caminhar ao longo das elevações sem serem vistos, e tiveram em seu favor a surpresa do ataque.

■ **14.6**

וַיֹּאמֶר יְהוֹנָתָן אֶל־הַנַּעַר ׀ נֹשֵׂא כֵלָיו לְכָה וְנַעְבְּרָה אֶל־מַצַּב הָעֲרֵלִים הָאֵלֶּה אוּלַי יַעֲשֶׂה יְהוָה לָנוּ כִּי אֵין לַיהוָה מַעְצוֹר לְהוֹשִׁיעַ בְּרַב אוֹ בִמְעָט׃

Vem, passemos à guarnição desses incircuncisos. Jônatas avançara na expectativa de que algo significativo seria feito em favor dele da parte de Yahweh, contra aqueles miseráveis *incircuncisos* pagãos, conforme ele os chamou em atitude de derrisão. Ver no *Dicionário* o artigo chamado *Incircuncisão*.

1Macabeus 3.16-22 oferece uma exposição mais ampla do tipo de fé que se vê neste texto. Havia confiança em Yahweh de que, em tempos de tensão, qualquer coisa poderia ser realizada através da fé e da coragem. Yahweh era uma força divina que poderia dar a alguns *poucos* grande vitória sobre *muitos*. A matemática divina não se assemelha à matemática humana. Lembremos do caso de Gideão. Os Targuns falam de um *milagre* ou *sinal* da parte do Senhor, pelo qual eles estavam esperando. "Para ele não é difícil salvar mediante poucos, nem coisa alguma pode impedi-lo" (John Gill, *in loc.*).

"Não existem restrições para o Senhor. Esse é um excelente sentimento. Onde existe uma promessa de defesa e apoio, dos mais fracos em face dos mais fortes inimigos, aqueles podem depender com o máximo de confiança" (Adam Clarke, *in loc.*). Oh, Senhor, conceda-nos tal graça! Nesta narrativa, não há nenhuma menção do Espírito de Deus vir sobre Jônatas, como no caso de outros que realizaram feitos notáveis, por exemplo Gideão (Jz 6.34) e Saul (1Sm 11.6). Mas podemos ter certeza de que o autor tinha isso em mente quando registrou a história neste capítulo. Ver também o caso de Otniel (Jz 3.10). Lembremos o que Sansão, sozinho, foi capaz de fazer contra forças avassaladoras.

■ **14.7**

וַיֹּאמֶר לוֹ נֹשֵׂא כֵלָיו עֲשֵׂה כָּל־אֲשֶׁר בִּלְבָבֶךָ נְטֵה לָךְ הִנְנִי עִמְּךָ כִּלְבָבֶךָ׃ ס

Faze tudo segundo inclinar o teu coração. A *cooperação absoluta* do escudeiro serviu de fator encorajador para Jônatas. Grandes projetos raramente são efetuados por uma só pessoa. Sempre há aqueles dispostos a ajudar. A vida compõe-se de princípios conflitantes que são finalmente resolvidos em uma unidade, mediante os esforços heroicos dos participantes. Aquele que não tem nenhum conflito pode estar divertindo-se, mas não está vivendo. A vontade é uma força primária original que é mais profunda que o cérebro e a razão. A vontade está sempre por trás de grandes esforços. Somos seres multidimensionais. Nossa consciência tem acesso às realidades não ordinárias que são tão reais como o nosso mundo físico. Assim sendo, o homem bom tem acesso ao poder do alto.

■ 14.8

וַיֹּאמֶר יְהוֹנָתָן הִנֵּה אֲנַחְנוּ עֹבְרִים אֶל־הָאֲנָשִׁים וְנִגְלִינוּ אֲלֵיהֶם׃

Disse, pois, Jônatas. O *ataque* deveria ser desfechado de surpresa. Já era um feito corajoso estar perto daqueles ferozes filisteus com todos os seus carros de combate, cavaleiros e números superiores. Mas *dois homens* produziriam um acontecimento incomum, o qual representaria uma significativa vitória para Israel. Eles tinham de passar por uma profunda ravina, mas conseguiram fazê-lo com sucesso, ocultados pelas duas rochas lado a lado. Se usassem o bom senso, deveriam estar fugindo com todo o resto do exército. Mas algumas vezes não é de bom senso usar o bom senso.

■ 14.9,10

אִם־כֹּה יֹאמְרוּ אֵלֵינוּ דֹּמּוּ עַד־הַגִּיעֵנוּ אֲלֵיכֶם וְעָמַדְנוּ תַחְתֵּינוּ וְלֹא נַעֲלֶה אֲלֵיהֶם׃

וְאִם־כֹּה יֹאמְרוּ עֲלוּ עָלֵינוּ וְעָלִינוּ כִּי־נְתָנָם יְהוָה בְּיָדֵנוּ וְזֶה־לָּנוּ הָאוֹת׃

Se nos disserem assim. Finalmente, Jônatas e seu escudeiro teriam de revelar-se aos inimigos que estavam prestes a atacar. Jônatas não sabia exatamente o que fazer. Portanto, inventou um sinal. Uma vez defronte dos inimigos, eles observariam as ações dos homens da guarnição. Talvez, conforme diz o vs. 9, o inimigo dissesse: "Vocês, ratos, nós os pegaremos". Nesse caso, eles avançariam e atacariam à distância de suas próprias fortificações. Se isso acontecesse, seria um sinal de que Yahweh os estaria ajudando, fazendo os filisteus aproximar-se dos dois homens, pelos quais seriam mortos. Por outra parte, conforme o vs. 10, se os inimigos permanecessem onde estavam e convidassem os dois homens a tentar sua habilidade como guerreiros, descendo ao acampamento do inimigo, nesse caso, os dois saberiam que Yahweh tinha provocado *esse* acontecimento e, de alguma maneira, daria poder para a vitória ali mesmo, na fortaleza do inimigo.

Assim, ali estavam os dois homens, preparados para escalar a elevação e enfrentar, sozinhos, a guarnição filisteia, esperando a reação do inimigo, a fim de que, de alguma maneira, com a ajuda de Yahweh, obtivessem uma vitória impossível. "Jônatas anelava por um sinal sobrenatural que confirmasse que o impulso que o levara àquele feito de extrema ousadia era, de fato, uma voz descida do céu" (Ellicott, *in loc.*). Alguns intérpretes supõem que, se os filisteus não os convidassem para subir a colina e combater, os dois deveriam desistir totalmente do plano; mas não parece ser isso que está em vista. Eles estavam ali para lutar, e não para voltar para trás, mas queriam um sinal para saber como poderiam combater *melhor*. Algumas vezes precisamos de *sinais sobrenaturais* que nos mostrem como agir quando estamos em um dilema. Cf. o texto com Gn 24.14; 1Sm 6.7 e 12.17, para algo singular na busca de sinais.

■ 14.11

וַיִּגָּלוּ שְׁנֵיהֶם אֶל־מַצַּב פְּלִשְׁתִּים וַיֹּאמְרוּ פְלִשְׁתִּים הִנֵּה עִבְרִים יֹצְאִים מִן־הַחֹרִים אֲשֶׁר הִתְחַבְּאוּ־שָׁם׃

Dando-se, pois, ambos a conhecer à guarnição. Os *dois homens* revelaram-se aos filisteus, os quais se divertiram diante da visão daquelas duas criaturas miseráveis saídas de buracos onde se tinham ocultado. Para eles, tudo foi muito engraçado. Eles poderiam ter feito rolar pedras sobre os dois homens que subiam pela ladeira acima, mas em vez disso riram-se zombeteiramente. "Ri melhor quem ri por último" (provérbio do século XVIII). Na verdade, os filisteus não tinham ideia do que aqueles dois miseráveis seriam capazes de fazer. Aos filisteus pareciam dois homens que, sem alimentos e sem água, em desespero, agora saíam de seus buracos, esperando por uma reversão da fortuna.

■ 14.12

וַיַּעֲנוּ אַנְשֵׁי הַמַּצָּבָה אֶת־יוֹנָתָן וְאֶת־נֹשֵׂא כֵלָיו וַיֹּאמְרוּ עֲלוּ אֵלֵינוּ וְנוֹדִיעָה אֶתְכֶם דָּבָר פ וַיֹּאמֶר יוֹנָתָן אֶל־נֹשֵׂא כֵלָיו עֲלֵה אַחֲרַי כִּי־נְתָנָם יְהוָה בְּיַד יִשְׂרָאֵל׃

Subi a nós. *O Sinal Pedido Foi Concedido.* Dentre as duas possibilidades (apresentadas nos vss. 9 e 10), venceu a segunda. Os filisteus não rolaram pedras sobre os dois idiotas que escalavam a ladeira, mas os convidaram para subir e combater. Estavam certos de que poderiam mostrar-lhes uma coisa ou duas, talvez, o que é ser morto por espadas afiadas.

Jônatas, por sua vez, estava certo de que o sinal pedido lhe fora confiado, e quem veria uma ou duas coisas seriam os filisteus. Portanto, Jônatas encorajou seu escudeiro a partir para a vitória, *divinamente concedida*. Era uma fé realmente ousada.

■ 14.13

וַיַּעַל יוֹנָתָן עַל־יָדָיו וְעַל־רַגְלָיו וְנֹשֵׂא כֵלָיו אַחֲרָיו וַיִּפְּלוּ לִפְנֵי יוֹנָתָן וְנֹשֵׂא כֵלָיו מְמוֹתֵת אַחֲרָיו׃

Então trepou Jônatas de gatinhas. Os filisteus riram-se ao observar os dois tolos subindo pela ladeira. Afinal, havia uns vinte deles naquele posto avançado. O que poderiam fazer dois homens contra vinte? O resultado era óbvio: mais dois hebreus seriam mortos. Isso não representaria um avanço muito grande, mas pelo menos seria o começo do fim daquele jogo tolo.

Os filisteus haviam desafiado sarcasticamente os dois hebreus e, para sua surpresa, os dois hebreus aceitaram o desafio e vieram à luta. Havia algo de divino em toda a questão, pois os filisteus ficaram como que paralisados. Jônatas matou-os um por um, e seu escudeiro vinha logo atrás, aplicando-lhes o *golpe de misericórdia*. Talvez o texto indique que, de algum modo não explicado, os dois foram capazes de tomar os filisteus de surpresa. Mais provavelmente, porém, devemos entender que Yahweh estava presente, levando-os a perder os nervos e falhar. Homens que eram habilidosos para matar tornaram-se um bando de crianças desajeitadas. Aquela foi a segunda intervenção divina. A primeira foi o *sinal* que lhes disse como deveriam lutar *melhor*.

■ 14.14

וַתְּהִי הַמַּכָּה הָרִאשֹׁנָה אֲשֶׁר הִכָּה יוֹנָתָן וְנֹשֵׂא כֵלָיו כְּעֶשְׂרִים אִישׁ כְּבַחֲצִי מַעֲנָה צֶמֶד שָׂדֶה׃

Sucedeu esta primeira derrota. *O campo de batalha* foi uma área relativamente pequena, cerca de *meia jeira* de terras. Os antigos mediam a terra pela quantidade de terra que um par de bois pudesse arar em um dia; e as terras tinham cerca de metade dessa medida. Mas não sabemos com exatidão que quantidade de terras estaria em pauta. O sentido geral, porém, é suficientemente claro: o campo de batalha era uma pequena porção de terras e, dentro daquela área relativamente pequena, Jônatas conseguiu matar cerca de vinte homens, com a ajuda de seu escudeiro. John Gill (*in loc.*) relata que a área do *actus* romano, 120 pés quadrados, quando dobrada, formava um acre. A isso os romanos chamavam de *jugerum*, a área de terras que uma junta de bois podia arar em um dia. Plínio dizia que um acre de terra media 74 x 37 metros, ou seja, 28.800 pés quadrados romanos.

■ 14.15

וַתְּהִי חֲרָדָה בַמַּחֲנֶה בַשָּׂדֶה וּבְכָל־הָעָם הַמַּצָּב וְהַמַּשְׁחִית חָרְדוּ גַּם־הֵמָּה וַתִּרְגַּז הָאָרֶץ וַתְּהִי לְחֶרְדַּת אֱלֹהִים׃

Tudo passou a ser um terror de Deus. Aconteceu o *terceiro sinal*. O primeiro foi o aviso de como seria melhor lutar (vs. 12). O segundo foi a inesperada vitória, a morte de vinte guerreiros por somente dois homens, sem dúvida mediante intervenção divina. Em terceiro lugar, a notícia da calamidade (para os filisteus) espalhou-se rapidamente e fez a guarnição inteira estremecer. Um temor horrendo apossou-se deles e tornou-os inúteis para a batalha. O *pânico* foi um instrumento divino contra homens insolentes, que tinham confiado em suas próprias forças. Gideão obteve notável vitória por meio do *pânico* (divinamente inspirado) que afligiu seus inimigos (Jz 7).

E o quarto sinal foi um terremoto que aumentou ainda mais o pavor. "Os gregos davam o nome de *pânico* a qualquer *terror súbito*, porquanto acreditavam que ele era causado pelo deus Pan" (George B. Caird, *in loc.*). Pan não significa pânico, mas está relacionado à palavra *panis*, "pastor". Àquele deus era atribuído qualquer terror súbito. De acordo com as tradições gregas, os persas foram postos em fuga, durante a batalha de Maratona, por Pan e seu pânico.

Os poderes da natureza foram convocados para ajudar Jônatas naquele dia, como no caso do êxodo do Egito (Êx 14.26,27), da luta de Josué contra os cananeus em Bete-Horom (Js 10.11), e do ataque de Baraque a Sísera, em Quisom (Jz 5.21).

■ 14.16

וַיִּרְא֤וּ הַצֹּפִים֙ לְשָׁא֔וּל בְּגִבְעַ֖ת בִּנְיָמִ֑ן וְהִנֵּ֧ה הֶהָמ֛וֹן נָמ֖וֹג וַיֵּ֥לֶךְ וַהֲלֹֽם׃ פ

Eis que a multidão se dissolvia. Somente cerca de três quilômetros separavam os postos avançados de Israel, em Gibeá, dos postos avançados dos filisteus, em Micmás, pelo que foi possível que sentinelas estacionadas ali por Saul vissem a confusão no acampamento inimigo. Eles podiam ver como os filisteus, em seu pânico, voltaram-se uns contra os outros, resultando daí grande matança. A notícia foi rapidamente dada a Saul, o qual se mostrou sábio o bastante para lançar um ataque imediato e piorar o estado já terrível dos filisteus. Do nada, tinha surgido uma chance de obter grande vitória. Isso é muito verdadeiro no tocante à experiência humana: "Que diferença pode fazer um dia", diz a canção popular.

O fato de Gibeá ser edificada sobre uma colina e de seus postos avançados (sem dúvida) serem colocados nos lugares mais altos possibilitou a visão da cena. Yahweh estava agindo em favor de Israel naquele dia, fazendo coisas que Israel era fraco demais para produzir por si mesmo.

■ 14.17

וַיֹּ֣אמֶר שָׁא֗וּל לָעָם֙ אֲשֶׁ֣ר אִתּ֔וֹ פִּקְדוּ־נָ֣א וּרְא֔וּ מִ֥י הָלַ֖ךְ מֵעִמָּ֑נוּ וַֽיִּפְקְד֔וּ וְהִנֵּ֛ה אֵ֥ין יוֹנָתָ֖ן וְנֹשֵׂ֥א כֵלָֽיו׃

Então disse Saul ao povo que estava com ele. Saul suspeitou de pronto que a *causa* do desastre entre os filisteus poderia ser alguns soldados hebreus. A chamada que ele ordenou logo descobriu que Jônatas e seu escudeiro estavam ausentes; e assim, de alguma maneira desconhecida, *eles* tinham sido a causa. Somente então ficou-se sabendo que Jônatas havia empreendido uma missão secreta sem ao menos consultar o pai, o chefe do exército. Algumas vezes nossos filhos fazem grandes coisas que nos surpreendem.

■ 14.18

וַיֹּ֤אמֶר שָׁאוּל֙ לַֽאֲחִיָּ֔ה הַגִּ֖ישָׁה אֲר֣וֹן הָאֱלֹהִ֑ים כִּֽי־הָיָ֞ה אֲר֧וֹן הָאֱלֹהִ֛ים בַּיּ֥וֹם הַה֖וּא וּבְנֵ֥י יִשְׂרָאֵֽל׃

Traze aqui a arca de Deus. Esse foi o reforço da arca da aliança. Antes de mais nada, Saul pediu que o sumo sacerdote trouxesse a arca, a fim de consultar a vontade de Deus, talvez mediante o *Urim* e o *Tumim* (ver a respeito no *Dicionário*). A arca estivera em Silo por muito tempo, mas após a destruição do lugar, foi levada para Quiriate-Jearim (7.2). Ficou ali por vinte anos e então foi transportada para Jerusalém, assim como todo o tabernáculo. Isso foi feito por Davi quando ele tornou Jerusalém sua capital. Em seguida, Salomão, seu filho, incorporou o tabernáculo e seu culto ao templo. Mas parece que, antes mesmo desse tempo, a arca da aliança foi transferida por algum motivo especial. É possível que apenas a sua *presença* servisse de encorajamento para Saul e seu pequeno exército, ajudando-os em sua tentativa de atacar os filisteus que estavam em estado de total confusão. Ou então o intuito de Saul era levar a arca para fora da batalha, conforme se fazia algumas vezes. Ver 1Sm 4.3. Alguns conjecturam que a arca sagrada não podia ser movimentada dessa forma, pelo que uma duplicata serviu ao propósito especial, embora não haja evidências históricas em favor dessa ideia.

A Septuaginta ignora qualquer menção à arca e fala antes na *estola sacerdotal* (ver a respeito no *Dicionário*; e ver notas adicionais em 14.3). Nesse caso, Saul meramente quis consultar Samuel, por meio de adivinhação (mediante o uso do *Urim* e do *Tumim*). Alguns eruditos modernos preferem o texto conforme aparece na Septuaginta. Josefo seguiu manuscritos que concordavam com a Septuaginta ou talvez até a própria Septuaginta (*Antiq.* vi. par. 3).

■ 14.19

וַיְהִ֗י עַ֣ד דִּבֶּ֤ר שָׁאוּל֙ אֶל־הַכֹּהֵ֔ן וְהֶהָמ֗וֹן אֲשֶׁר֙ בְּמַחֲנֵ֣ה פְלִשְׁתִּ֔ים וַיֵּ֥לֶךְ הָל֖וֹךְ וָרָ֑ב פ וַיֹּ֧אמֶר שָׁא֛וּל אֶל־הַכֹּהֵ֖ן אֱסֹ֥ף יָדֶֽךָ׃

Disse Saul ao sacerdote: Desiste de trazer a arca. Enquanto Saul consultava o sacerdote, o ruído e a confusão no acampamento dos filisteus aumentavam. A consulta ao *Urim* e o *Tumim* requeria algum tempo e, quando Saul percebeu que tinha uma oportunidade de ouro para atacar, interrompeu a consulta e pôs-se a agir prontamente. suas palavras "desiste de trazer a arca" equivalem a "não tragas as pedras preciosas de adivinhação; não temos tempo para isso; já tenho a resposta, que é atacar imediatamente". "... desiste de trazer a estola e abrir o peitoral do *Urim* e do *Tumim*, colocando-te defronte da arca na posição apropriada para fazeres indagações, ou levantando ambas as mãos em oração, pedindo orientação. Saul, mediante o ruído, concluiu que o exército dos filisteus estava derrotado, pelo que não havia necessidade de consultar o Senhor" (John Gill, *in loc.*).

■ 14.20

וַיִּזָּעֵ֣ק שָׁא֗וּל וְכָל־הָעָם֙ אֲשֶׁ֣ר אִתּ֔וֹ וַיָּבֹ֖אוּ עַד־הַמִּלְחָמָ֑ה וְהִנֵּ֨ה הָיְתָ֜ה חֶ֤רֶב אִישׁ֙ בְּרֵעֵ֔הוּ מְהוּמָ֖ה גְּדוֹלָ֥ה מְאֹֽד׃

E vieram à peleja. Rapidamente, Saul reuniu seus seiscentos homens e entrou em batalha. Chegando ao local, encontrou os filisteus matando-se uns aos outros, pelo que adicionou sua contribuição; e naquele dia houve grande matança de filisteus. Houve "intenso... ruído, tumulto, confusão, matança e destruição" (John Gill, *in loc.*).

■ 14.21

וְהָעִבְרִ֗ים הָי֤וּ לַפְּלִשְׁתִּים֙ כְּאֶתְמ֣וֹל שִׁלְשׁ֔וֹם אֲשֶׁ֨ר עָל֥וּ עִמָּ֛ם בַּֽמַּחֲנֶ֖ה סָבִ֑יב וְגַם־הֵ֗מָּה לִֽהְיוֹת֙ עִם־יִשְׂרָאֵ֔ל אֲשֶׁ֥ר עִם־שָׁא֖וּל וְיוֹנָתָֽן׃

Havia hebreus. O texto, contudo, não explica quem seriam esses hebreus que estavam no acampamento dos filisteus. Poderiam ser *desertores* que se tinham passado para o lado do inimigo, na esperança de serem deixados com vida e até servirem ao exército filisteu. 2. Poderiam ser *prisioneiros de guerra*, os quais, no meio da confusão, adicionaram suas forças aos que tinham chegado, apanharam espadas e começaram a matar seus captores. 3. Poderiam incluir pessoas sequestradas das vilas que os filisteus tinham pilhado. A Septuaginta diz "escravos", em vez de "hebreus", apoiando a terceira posição.

Cf. 1Sm 29.3, que concorda com a primeira dessas três ideias. Seja como for, sua presença tornou-se uma maldição para os filisteus, e o poder deles acrescentou-se aos atacantes. Os filisteus tinham semeado o vento e acabaram colhendo a tempestade (ver Os 8.7).

■ 14.22

וְכֹל֩ אִ֨ישׁ יִשְׂרָאֵ֜ל הַמִּֽתְחַבְּאִ֤ים בְּהַר־אֶפְרַ֙יִם֙ שָֽׁמְע֔וּ כִּֽי־נָ֖סוּ פְּלִשְׁתִּ֑ים וַֽיַּדְבְּק֥וּ גַם־הֵ֛מָּה אַחֲרֵיהֶ֖ם בַּמִּלְחָמָֽה׃

Eles também os perseguiram de perto na peleja. Outra fonte de atacantes de Israel contra os filisteus era o bando de homens refugiados nas rochas e cavernas. Ver 1Sm 13.6. Provavelmente essa fonte proveu o maior número de atacantes de Israel. A Vulgata Latina e a Septuaginta afirmam que a força total de Saul atingiu dez mil homens, mas não sabemos dizer se essa informação é exata ou não. Josefo repete a informação (*Antiq.* 116, cap. 6, sec. 3).

■ 14.23

וַיּ֨וֹשַׁע יְהוָ֜ה בַּיּ֥וֹם הַה֛וּא אֶת־יִשְׂרָאֵ֖ל וְהַ֨מִּלְחָמָ֔ה עָבְרָ֖ה אֶת־בֵּ֥ית אָֽוֶן׃

Assim livrou o Senhor a Israel. Assim Yahweh concedeu naquele dia *sucesso absoluto* a Israel, o que, para os filisteus, significou grande matança. Saul estava cumprindo a missão de enfraquecer os filisteus, mas Davi é quem viria em seguida, libertando completamente o povo de Israel da opressão estrangeira, ação necessária para que a monarquia tivesse êxito e para que se cumprissem os propósitos de Deus em Israel.

Além de Bete-Áven. Ver a respeito no *Dicionário*. A batalha espalhou-se para aquele lugar, até onde os filisteus foram perseguidos e derrotados. Bete-Áven era uma alcunha aplicada a *Betel*. Ficava cerca de 5 quilômetros ao norte de Micmás, pelo que a fuga não se estendeu para muito longe. 1Sm 13.5 diz que ficava a *leste* de Micmás, mas os mapas mostram Betel ao norte, levemente a oeste. Isso nos alerta para o fato da precária identificação das áreas. *Ai* tem sido identificada com Bete-Áven, mas esta também ficava a noroeste de Micmás.

■ 14.24

וְאִישׁ־יִשְׂרָאֵ֥ל נִגַּ֖שׂ בַּיּ֣וֹם הַה֑וּא וַיֹּאֶל֩ שָׁא֨וּל אֶת־הָעָ֜ם לֵאמֹ֗ר אָר֣וּר הָ֠אִישׁ אֲשֶׁר־יֹ֨אכַל לֶ֜חֶם עַד־הָעֶ֗רֶב וְנִקַּמְתִּי֙ מֵאֹ֣יְבַ֔י וְלֹֽא־טָעַ֥ם כָּל־הָעָ֖ם לָֽחֶם׃ ס

Maldito o homem que comer pão antes de anoitecer. *Um Fator de Perturbação.* As coisas tinham corrido bem para Israel naquele dia, mas havia um fator que ameaçava a felicidade do povo. Saul havia feito um voto tolo e precipitado, em seu entusiasmo pela vitória. Ele comprometeu todo o povo de Israel ao jejum, como forma de implorar a Yahweh o sucesso em batalha. Devemos lembrar que a questão dos votos era seriamente considerada em Israel, visto que os votos eram feitos a *Yahweh* e tidos como espiritualmente obrigatórios. O *juízo* divino sobreviria aos que ousassem quebrá-los. Ver no *Dicionário* o artigo chamado *Voto*. Cf. Jz 11.30,31 quanto ao tolo voto feito por Jefté, e 11.34 quanto ao fato de que a maldição caiu sobre a própria filha, a qual foi devidamente morta. No caso presente, por semelhante modo, *Jônatas*, filho de Saul, foi quem quebrou o voto, sem saber da promessa do pai (vss. 27 ss.). Jônatas deveria ser morto por seu ato, embora o tivesse feito por ignorância, mas o povo o salvou. Ele foi finalmente morto em batalha, e algumas pessoas supersticiosas provavelmente supuseram que essa sorte lhe sobreveio por haver quebrado o voto do pai.

■ 14.25

וְכָל־הָאָ֖רֶץ בָּ֣אוּ בַיָּ֑עַר וַיְהִ֥י דְבַ֖שׁ עַל־פְּנֵ֥י הַשָּׂדֶֽה׃

Onde havia mel no chão. "Havia muitas abelhas selvagens naquela região, e sobre a Judeia fora expressamente dito ser uma terra onde fluía leite e mel" (Adam Clarke, *in loc.*). Esse fator armou palco para a quebra do voto: um alimento inesperado e fácil (mel) jazia à plena vista de todos. Soldados que tinham lutado com Saul e Jônatas naturalmente passaram por aquele caminho, onde havia um *bosque* localizado entre *Bete-Áven* e *Aijalom*. Ver o vs. 31 deste capítulo. "As abelhas silvícolas, conforme se vê com frequência nas florestas americanas, enchem as árvores ocas com mel, até que os favos, quebrando-o com o peso, deixam o mel escorrer pelo chão" (Ellicott, *in loc.*).

■ 14.26,27

וַיָּבֹ֤א הָעָם֙ אֶל־הַיַּ֔עַר וְהִנֵּ֖ה הֵ֣לֶךְ דְּבָ֑שׁ וְאֵין־מַשִּׂ֤יג יָדוֹ֙ אֶל־פִּ֔יו כִּֽי־יָרֵ֥א הָעָ֖ם אֶת־הַשְּׁבֻעָֽה׃

וְיוֹנָתָ֣ן לֹֽא־שָׁמַ֗ע בְּהַשְׁבִּ֣יעַ אָבִיו֮ אֶת־הָעָם֒ וַיִּשְׁלַ֗ח אֶת־קְצֵ֤ה הַמַּטֶּה֙ אֲשֶׁ֣ר בְּיָד֔וֹ וַיִּטְבֹּ֥ל אוֹתָ֖הּ בְּיַעְרַ֣ת הַדְּבָ֑שׁ וַיָּ֤שֶׁב יָדוֹ֙ אֶל־פִּ֔יו וַתָּאֹ֖רְנָה עֵינָֽיו׃

Jônatas, porém, não tinha ouvido quando seu pai conjurara o povo. Os que tinham ouvido falar no voto, embora famintos devido aos rigores da batalha, não ousaram tocar no mel. Mas Jônatas, sem nada saber do voto, imediatamente serviu-se, pensando ter tropeçado em um pouco de sorte. O fato de que seus olhos "tornaram a brilhar" provavelmente significa que o mel era de excelente qualidade e que o cansaço havia abatido seus olhos; mas aquele pouco de mel lhe restaurou dramaticamente as forças, fazendo a energia brilhar através de seus olhos. O Talmude comenta neste ponto: "Todo aquele que sofrer os efeitos de fome intensa, que coma mel ou outra coisa doce, pois esses alimentos são eficazes em restaurar o brilho dos olhos" (Tratado *Yoma,* fol. 83, col. 2, com uma referência ao texto diante de nós).

Estendeu a ponta da vara. Talvez esteja em pauta uma bengala ou uma lança, um modo conveniente embora dificilmente higiênico de levar alimento à boca.

■ 14.28

וַיַּ֩עַן֩ אִ֨ישׁ מֵֽהָעָ֜ם וַיֹּ֗אמֶר הַשְׁבֵּ֣עַ הִשְׁבִּיעַ֩ אָבִ֨יךָ אֶת־הָעָ֜ם לֵאמֹ֗ר אָר֥וּר הָ֛אִישׁ אֲשֶׁר־יֹ֥אכַל לֶ֖חֶם הַיּ֑וֹם וַיָּ֖עַף הָעָֽם׃

Então respondeu um do povo. *A Terrível Informação.* "Estás condenado, Jônatas. teu pai votou a Yahweh que, se alguém comesse algo hoje, ficaria sob a maldição divina, e isso só pode significar execução, provavelmente por apedrejamento". O resultado foi que os soldados *quase desmaiaram*. Primeiro por causa da fome e do esforço despendido; e, em segundo lugar, porque seu herói, que tinha dado ímpeto à vitória, agora teria de ser executado. O corpo e a mente daqueles homens desmaiavam. Sem dúvida, Jônatas havia convidado outros soldados para provar do maravilhoso mel; mas eles, atemorizados, preferiram permanecer famintos e abatidos.

■ 14.29

וַיֹּ֙אמֶר֙ יֽוֹנָתָ֔ן עָכַ֥ר אָבִ֖י אֶת־הָאָ֑רֶץ רְאוּ־נָא֙ כִּֽי־אֹ֣רוּ עֵינַ֔י כִּ֣י טָעַ֔מְתִּי מְעַ֖ט דְּבַ֥שׁ הַזֶּֽה׃

Meu pai turbou a terra. Os bons resultados de Jônatas ter comido o mel claramente levaram à conclusão de que o voto de Saul era estúpido e tolo. Foi ótimo que Jônatas assim dissesse e também *verdadeiro*, mas a verdade nem sempre ganha. Existe toda espécie de ideias tolas que se tornam dogmas religiosos sérios. Parece ser boa coisa fazer voto como incentivo a uma boa ação e então levá-lo a sério. Mas quando alguém ajunta a *pena de morte* contra aquele que ousa quebrar tal voto, então a fé religiosa torna-se negativa. Algumas vezes, pois, a fé acredita naquilo que não é verdadeiro. "O ritual de uma religião imatura é complicado e não corresponde a nenhum requisito ético real... Infrações de leis cerimoniais exigiam penas extremas. Não admira, pois, que profetas posteriores tenham condenado tais requisitos absurdos e impossíveis de ser observados (ver Is 1.11 e Mq 6.7,8)" (John C. Shroeder, *in loc.*).

■ 14.30

אַ֗ף כִּ֤י לוּא֙ אָכֹ֨ל אָכַ֤ל הַיּוֹם֙ הָעָ֔ם מִשְּׁלַ֥ל אֹיְבָ֖יו אֲשֶׁ֣ר מָצָ֑א כִּ֥י עַתָּ֛ה לֹֽא־רָבְתָ֥ה מַכָּ֖ה בַּפְּלִשְׁתִּֽים׃

Porém desta vez não foi tão grande a derrota dos filisteus. Conforme Jônatas comentou, teria sido melhor se os soldados de Israel se tivessem banqueteado naquele dia, em lugar de jejuarem, pois isso teria permitido que Israel fizesse mais. Afinal, houve todo aquele despojo tomado dos filisteus, incluindo animais que podiam ser comidos, conforme permissão dada pela legislação mosaica. Jônatas asseverou que Israel teria sido capaz de efetuar maior matança de filisteus, se os guerreiros não estivessem fracos de fome. Por isso ele afirmou que seu pai "perturbou a terra" (vs. 29), mediante um voto supersticioso. Esse foi um juízo correto, mas podemos ter certeza de que ninguém lhe deu ouvidos. O *temor* a Saul e a Yahweh venceu o bom senso.

■ 14.31

וַיַּכּוּ בַּיּוֹם הַהוּא בַּפְּלִשְׁתִּים מִמִּכְמָשׂ אַיָּלֹנָה וַיָּעַף
הָעָם מְאֹד׃

Desde Micmás até Aijalom. Embora desmaiado de fome e exaustão, Israel obteve grande vitória naquele dia, estendendo o campo de batalha de Micmás a Aijalom, o equivalente a cerca de 24 quilômetros. Os filisteus fugiram de uma a outra extremidade, e muitos milhares caíram ao longo do caminho. Jônatas se queixara sobre quão débeis estavam os soldados de Israel, mas, a despeito disso, a derrota dos filisteus foi esmagadora. Este versículo menciona novamente a fadiga dos soldados, pelo que só podemos supor que algum ato sobrenatural lhes tenha dado vitória naquele dia. O *homem espiritual* algumas vezes faz coisas além de suas expectativas, porque o divino se faz presente.

Ver no *Dicionário* sobre *Aijalom*. Uma cidade assim chamada ficava no território de Dã, e no vale próximo àquele lugar ocorrera a famosa "lua parada" da época de Josué (Js 10.12; 19.42). O artigo no *Dicionário* fornece detalhes sobre as cidades chamadas por esse nome.

■ 14.32

וַיַּעַשׂ הָעָם אֶל־שָׁלָל וַיִּקְחוּ צֹאן וּבָקָר וּבְנֵי בָקָר
וַיִּשְׁחֲטוּ־אָרְצָה וַיֹּאכַל הָעָם עַל־הַדָּם׃

E os comeram com sangue. A *imprudência* foi a força que impulsionou os soldados, em sua extrema fome e fadiga, a "lançar-se" sobre ovelhas, vacas e bezerros e a fazer uma festa selvagem ali mesmo. Em desespero, eles esqueceram totalmente a lei mosaica que proibia comer a carne de animais cujo sangue não fora devidamente drenado.

O texto não nos diz *por que* os soldados não caíram sob a maldição de Saul, tal como sucedera a Jônatas por haver comido mel (vss. 24 ss.). Talvez devamos entender que o voto fora suspenso, ou que a batalha se estendera até o dia seguinte, e somente *um dia* de jejum estava comprometido. Nesse caso, uma vez que se passara aquele dia, o voto não continuava em vigor.

A legislação mosaica proibia a ingestão de várias espécies de carnes. Ver no *Dicionário* o verbete chamado *Limpo e Imundo*. Os animais mencionados neste versículo podiam ser tanto sacrificados quanto usados como alimento, mas o sangue deveria ser devidamente drenado. Ver no versículo seguinte a respeito da lei do sangue. O voto precipitado de Saul causara aquele imprudente banquete, porque os soldados perderam o controle em sua fome e fizeram o que era proibido.

■ 14.33,34

וַיַּגִּידוּ לְשָׁאוּל לֵאמֹר הִנֵּה הָעָם חֹטִאים לַיהוָה
לֶאֱכֹל עַל־הַדָּם וַיֹּאמֶר בְּגַדְתֶּם גֹּלּוּ־אֵלַי הַיּוֹם
אֶבֶן גְּדוֹלָה׃

וַיֹּאמֶר שָׁאוּל פֻּצוּ בָעָם וַאֲמַרְתֶּם לָהֶם הַגִּישׁוּ
אֵלַי אִישׁ שׁוֹרוֹ וְאִישׁ שְׂיֵהוּ וּשְׁחַטְתֶּם בָּזֶה
וַאֲכַלְתֶּם וְלֹא־תֶחֶטְאוּ לַיהוָה לֶאֱכֹל אֶל־
הַדָּם וַיַּגִּשׁוּ כָל־הָעָם אִישׁ שׁוֹרוֹ בְיָדוֹ הַלַּיְלָה
וַיִּשְׁחֲטוּ־שָׁם׃

Eis que o povo peca contra o Senhor. Saul era sensível diante da lei, mas não suficientemente sensível diante das coisas espirituais, e por isso tomou aquele voto insensato. Para permitir que o povo continuasse em sua festa, Saul teve de mandar drenar o sangue dos animais e criar um altar improvisado para oferecer sacrifícios. Ver Lv 17.10-14 quanto à lei da drenagem do sangue. *Yahweh* tinha de receber primeiramente *suas porções* de gordura e sangue. A gordura era queimada sobre o altar, e o sangue era derramado à base do mesmo altar. O sangue era considerado a sede da vida, sagrado e completamente impróprio para o consumo humano. Quanto às leis sobre o sangue e a gordura, ver Lv 3.17. Ver também Dt 12.16 e Lv 19.26 quanto às leis sobre o sangue.

Originalmente, os animais apropriados para serem sacrificados não serviam para consumo humano. Ver Lv 1.14-16 sobre os *cinco animais* apropriados para os sacrifícios. As pessoas, contudo, podiam comer esses animais depois de terem sido sacrificados. Somente nos *holocaustos* (ver a respeito no *Dicionário*) era requerido que o animal inteiro (exceto o couro, que era dado ao sacerdote oficiante) fosse totalmente consumido pelas chamas, no altar. Outros sacrifícios proviam porções para os sacerdotes e para os ofertantes. Ver Lv 6.26; 7.11-24; 7.28-38; Nm 18.8; Dt 1.17,18 quanto às *oito* porções reservadas para alimento dos sacerdotes. Uma vez que Israel ficou em segurança na Terra Prometida e houve grande produção de animais a serem sacrificados, esses foram liberados para consumo humano. O ato de Saul, aqui, fala na obediência à lei original. Ele só permitiu o consumo uma vez que houve sacrifício e as porções apropriadas foram destinadas a Yahweh. Os críticos, pois, supõem que a proibição aqui é realmente a mais antiga, ao passo que as de Deuteronômio e Levítico só apareceram posteriormente, na suposição de que esses livros tenham sido escritos bem depois das datas atribuídas pelos eruditos conservadores.

A lei original só permitia que a morte dos animais a serem sacrificados ocorresse no tabernáculo. Então o banquete era efetuado ali, não em fazendas privadas. Ao construir seu altar improvisado, Saul tentou *imitar* isso, visto que o tabernáculo estava distante. Não sendo sacerdote, ele não era a pessoa apropriada a oferecer tais sacrifícios, mas o mais provável é que ele tenha chamado algum sacerdote para efetuar o serviço. Ou então ele mesmo ofereceu o sacrifício, pois as leis concernentes ao ofício dos sacerdotes nem sempre eram seguidas. Samuel ofereceu sacrifícios, embora não fosse sacerdote (ver 1Sm 11.15). Mas pelo menos era levita. Como profeta nacional, contudo, Samuel tinha eclipsado o ofício sumo sacerdotal e evidentemente era considerado qualificado a oferecer sacrifícios. Ver 1Sm 13.9,13 quanto a uma discussão sobre a questão das pessoas autorizadas a oferecer sacrifícios, e se os reis podiam ou não agir desse modo.

■ 14.35

וַיִּבֶן שָׁאוּל מִזְבֵּחַ לַיהוָה אֹתוֹ הֵחֵל לִבְנוֹת מִזְבֵּחַ
לַיהוָה׃ פ

Edificou Saul um altar. Ver sobre esse assunto no *Dicionário*. Conforme vemos aqui, o altar era simplesmente uma grande e conveniente pedra. Saul imitou os ritos do tabernáculo e possivelmente usou um sacerdote para oferecer os sacrifícios. Ver a discussão sobre os vss. 33 e 34, que falam das várias leis que governavam os sacrifícios e o sangue, no tocante ao altar e aos sacrifícios de Saul. Muitas personagens do Antigo Testamento, antes de Moisés, edificaram altares, conforme o artigo demonstra. Assim sendo, Saul também teve sua chance e edificou aquele altar, o *primeiro* em sua carreira, o que parece implicar que houve outros posteriormente. Ou a referência pode ser ao sacrifício feito em Gilgal. Ele ofereceu sacrifícios ali, mas não erigiu o altar que foi usado naquela ocasião. Portanto, ele edificou seu *primeiro altar* na ocasião presente, o qual pode ter sido também o *último*. Ver 13.9 ss. quanto à sua realização anterior de sacrifícios.

Saul é representado aqui como homem de fé sincera (embora, algumas vezes, mal orientada). Mas em 1Sm 16.14 somos informados sobre uma súbita mudança em seu caráter. Então ele não estava mais apto a ser rei. Alguma coisa maligna o dominou. O Espírito do Senhor afastou-se e um *espírito maligno* o substituiu. Ver aquele versículo quanto a explicações.

■ 14.36

וַיֹּאמֶר שָׁאוּל נֵרְדָה אַחֲרֵי פְלִשְׁתִּים לַיְלָה וְנָבֹזָה
בָהֶם עַד־אוֹר הַבֹּקֶר וְלֹא־נַשְׁאֵר בָּהֶם אִישׁ וַיֹּאמְרוּ
כָּל־הַטּוֹב בְּעֵינֶיךָ עֲשֵׂה ס וַיֹּאמֶר הַכֹּהֵן נִקְרְבָה הֲלֹם
אֶל־הָאֱלֹהִים׃

Desçamos esta noite no encalço dos filisteus. De acordo com os cálculos de Saul, seria um equívoco deixar os filisteus em paz após a obtenção de tão grande vitória. Ele ansiava por continuar com os saques e a matança. Saul planejava desfechar um ataque noturno, aparentemente na mesma noite em que os sacrifícios foram oferecidos. seu zelo tornou-se ativo mediante a recente vitória. O sumo sacerdote Aías, porém, quis consultar o oráculo para garantir que tal ato não seria uma tolice. Talvez um ataque mais bem planejado fosse indicado, embora exigisse um pouco mais de tempo, mas com menor perda de vidas para Israel. O *Urim* e o *Tumim* deveriam ser consultados, e assim Yahweh daria *sua* resposta, em lugar de Saul.

■ **14.37**

וַיִּשְׁאַ֤ל שָׁאוּל֙ בֵּֽאלֹהִ֔ים הַֽאֵרֵד֙ אַחֲרֵ֣י פְלִשְׁתִּ֔ים הֲתִתְּנֵ֖ם בְּיַ֣ד יִשְׂרָאֵ֑ל וְלֹ֧א עָנָ֛הוּ בַּיּ֥וֹם הַהֽוּא׃

Porém aquele dia o Senhor não lhe respondeu. Saul era o solicitador, mas Aías era o mediador, empregando o *modus operandi* de seu ofício. O oráculo foi consultado, mas não houve resposta. Portanto, temos aqui o equivalente a uma "oração sem resposta". O *silêncio*, nesse caso, indicava *adiamento*; e isso evidentemente fazia parte da vontade divina. Há uma ocasião propícia para a ação, e as portas não podem ser abertas antes disso. Deus tem um cronograma que governa as operações de sua vontade. Diz o hino:

> Ensina-me as lutas da alma a suportá-las;
> Verifica a dúvida que se ergue, o arfar rebelde;
> Ensina-me a paciência da oração não respondida.
>
> George Croly

Saul chegou à conclusão de que a demora, o silêncio de Yahweh, significavam que havia pecado no acampamento, e sua investigação demonstrou que seu filho Jônatas, ao comer mel, tinha quebrado o voto de Saul (ver 14.27 quanto à história). Se o povo não tivesse intervindo, Saul teria executado Jônatas ali mesmo.

■ **14.38**

וַיֹּ֣אמֶר שָׁא֗וּל גֹּ֚שֽׁוּ הֲלֹ֔ם כֹּ֖ל פִּנּ֣וֹת הָעָ֑ם וּדְע֣וּ וּרְא֔וּ בַּמָּ֗ה הָיְתָ֛ה הַחַטָּ֥את הַזֹּ֖את הַיּֽוֹם׃

Chegai-vos para aqui. Saul ordenou uma investigação sob a forma do lançamento de sortes (vs. 41). Ver no *Dicionário* o verbete chamado *Sortes*. Era, essencialmente, um procedimento de "sim" ou "não", pois as sortes davam respostas positivas ou negativas a uma sucessão de perguntas. Era um método cru de *adivinhação* (ver a respeito no *Dicionário*) frequentemente usado, no qual o povo depositava grande confiança, crendo que Yahweh governaria o lançamento das sortes e daria verdadeira resposta. Ver Js 13.6 ss.; 18.11; 19.1,10 quanto a outros usos das sortes. O mais conspícuo dos exemplos foi a escolha de um dos apóstolos para tomar o lugar do apóstata Judas Iscariotes (At 1.26). Portanto, ali estava Saul, evidentemente parado perto de seu altar, lançando sortes e esperando descobrir quem deveria ser executado por haver desobedecido a seu tolo voto.

■ **14.39**

כִּ֣י חַי־יְהוָ֗ה הַמּוֹשִׁ֙יעַ֙ אֶת־יִשְׂרָאֵ֔ל כִּ֧י אִם־יֶשְׁנ֛וֹ בְּיוֹנָתָ֥ן בְּנִ֖י כִּ֣י מ֣וֹת יָמ֑וּת וְאֵ֥ין עֹנֵ֖הוּ מִכָּל־הָעָֽם׃

Ainda que com meu filho Jônatas esteja a culpa, seja morto. Saul estava tão certo de que fizera um voto justo, o qual contribuíra para a obtenção da grande vitória sobre os filisteus, que jurou tirar a vida ao homem que o tivesse violado. Mediante esse ato, ele esperava obter a resposta de Yahweh, acerca da continuação da luta, e também sua ajuda para obtenção de uma vitória definitiva sobre os filisteus. Para Saul, o sacrifício de uma vida hebreia não significava nada. Ele cria na justiça de sua causa e, no entanto, estava enganado, conforme ocorre tão frequentemente às pessoas em seu zelo falso. Ver no *Dicionário* o artigo chamado *Voto*, quanto à seriedade com que a questão foi tratada em Israel. Saul chamou o povo para que apontasse o "culpado". Eles sabiam quem era, mas mantiveram o silêncio. Por isso Saul teve de apelar para as sortes. "Houve um horrendo silêncio entre o povo aterrorizado" (Ellicott, *in loc.*), porquanto todos sabiam que Saul se obrigara a matar o próprio filho.

■ **14.40**

וַיֹּ֣אמֶר אֶל־כָּל־יִשְׂרָאֵ֗ל אַתֶּם֙ תִּֽהְיוּ֙ לְעֵ֣בֶר אֶחָ֔ד וַאֲנִ֛י וְיוֹנָתָ֥ן בְּנִ֖י נִהְיֶ֣ה לְעֵ֣בֶר אֶחָ֑ד וַיֹּאמְר֤וּ הָעָם֙ אֶל־שָׁא֔וּל הַטּ֥וֹב בְּעֵינֶ֖יךָ עֲשֵֽׂה׃ ס

Disse mais a todo Israel. As sortes deveriam primeiramente indicar algo geral, se o culpado estava com Saul, em um lado, ou se estaria com a massa do povo.

"Assim dividiram-se para a direita e para a esquerda, para um lado e para outro. Conforme disse Kimchi, havia duas caixas ou urnas, em uma das quais estavam os nomes de Saul e Jônatas e, na outra, o restante dos israelitas... Isso não combinava com o método de lançar sortes, o que significa que Saul provavelmente suspeitava que Jônatas era o culpado" (John Gill, *in loc.*). A primeira sorte meramente indicou de que lado (com Saul ou com a massa do povo) estaria o homem culpado.

■ **14.41,42**

וַיֹּ֣אמֶר שָׁא֗וּל אֶל־יְהוָ֛ה אֱלֹהֵ֥י יִשְׂרָאֵ֖ל הָ֣בָה תָמִ֑ים וַיִּלָּכֵ֧ד יוֹנָתָ֛ן וְשָׁא֖וּל וְהָעָ֥ם יָצָֽאוּ׃

וַיֹּ֣אמֶר שָׁא֔וּל הַפִּ֕ילוּ בֵּינִ֕י וּבֵ֖ין יוֹנָתָ֣ן בְּנִ֑י וַיִּלָּכֵ֖ד יוֹנָתָֽן׃

Mostra a verdade. Yahweh foi conclamado a determinar quem era o "culpado" de ter quebrado o voto feito por Saul (1Sm 14.24). Imediatamente as sortes mostraram que a massa do povo, de pé em um dos lados, não abrigava o homem responsável, mas ou Saul ou Jônatas (de pé do outro lado) era o culpado. Saul sabia que ele não era o culpado, pelo que somente Jônatas poderia ter quebrado o voto.

As palavras "mostra a verdade" indicam que Saul queria absoluta precisão quanto ao desmascaramento do homem culpado. Esperava-se que Yahweh favorecesse os homens com respostas corretas quando eles usassem esse (ou outro) sistema de adivinhação. Alguns intérpretes supõem que o modo de adivinhação aqui usado tenha sido o *Urim* e *Tumim*, e não as sortes, embora os resultados fossem iguais.

O rabino Kimchi interpreta essas palavras como "dá uma sorte perfeita". Mas o significado à margem, que aparece em alguns manuscritos hebreus, "mostra a pessoa inocente", poderia refletir o sentido original. Essa demonstração poderia ser feita pelo *Urim* e pelo *Tumim*, e não pelas sortes. Nossa versão portuguesa, que diz "mostra a verdade", deixa em dúvida a questão do *modus operandi*. Mas o vs. 42 parece demandar o sistema de sortes, embora o hebraico fale em "jogada" e não em sortes. Entretanto, "jogada" pode indicar a jogada de sortes. Seja como for, no segundo lançamento, Jônatas foi denunciado, pelo que Saul tinha engatilhada sua terrível resposta: *seu filho* havia quebrado o voto, embora sem sabê-lo. sua ignorância, contudo, não lhe salvaria a vida, segundo a opinião de Saul. A justiça era questão secundária. Votos precipitados e tolos dificilmente seriam aprovados por Yahweh, a despeito da fé absoluta dos hebreus nesses votos. Algumas vezes a fé consiste em crer em algo que não corresponde à verdade. Ver 1Sm 14.24 quanto a uma discussão mais detalhada sobre os problemas morais e éticos envolvidos nesse lance. Ver também sobre o vs. 29 deste capítulo quanto aos erros das *religiões imaturas*, que dependem de coisas assim.

■ **14.43**

וַיֹּ֤אמֶר שָׁאוּל֙ אֶל־י֣וֹנָתָ֔ן הַגִּ֥ידָה לִּ֖י מֶ֣ה עָשִׂ֑יתָה וַיַּגֶּד־ל֣וֹ יוֹנָתָ֗ן וַיֹּאמֶר֩ טָעֹ֨ם טָעַ֜מְתִּי בִּקְצֵ֨ה הַמַּטֶּ֧ה אֲשֶׁר־בְּיָדִ֛י מְעַ֥ט דְּבַ֖שׁ הִנְנִ֥י אָמֽוּת׃

Eis-me aqui; estou pronto a morrer. *A Confissão Forçada.* Jônatas, apanhado pelas sortes, foi obrigado a confessar-se "culpado". Assim, declarou que comera um *pouco* de mel e perguntou em incredulidade: "Devo morrer por isso?" A espiritualidade imatura de Saul forçara uma situação ridícula. Ele pensava estar prestando um serviço a Yahweh ao assumir um voto ridículo e então segui-lo à sua drástica conclusão: qualquer indivíduo culpado deveria morrer. E creu tolamente estar em seu poder decretar a execução por uma razão trivial, pensando, em sua ignorância, que Yahweh concordava e cooperava com tal propósito. Todos os credos e fés contêm alguns itens tolos e irracionais. Até atos imorais terminam sendo cometidos, como no caso dos que proíbem transfusões de sangue, porque, para eles, isso é uma forma de "comer sangue" proibida no Antigo Testamento. Da mesma forma a criança que morre por causa de uma transfusão de sangue poderia dizer: "Devo morrer por isso?" Josefo ridiculamente distorceu o texto, tal como fizeram alguns comentadores judeus, supondo que Jônatas se sujeitou voluntariamente às temíveis consequências de ter experimentado aquele pouco de mel: "A morte é doce para mim se a questão é manter nossa piedade e religião" (*Antiq.* 1.6, cap. 6, sec. 4).

■ 14.44

וַיֹּאמֶר שָׁאוּל כֹּה־יַעֲשֶׂה אֱלֹהִים וְכֹה יוֹסִף כִּי־מוֹת תָּמוּת יוֹנָתָן׃

É certo que morrerás, Jônatas. Ao matar um homem, não se pode fazer mais que isso, mas Saul apresentou o caso hipotético: "Matar-lhe eu devo, e faria mais que isso ainda, se pudesse". Ficamos chocados com essa imoralidade apresentada como espiritualidade superior. Mas os homens sempre mataram em nome de Deus; eles têm torturado, lançado em prisões e exilado por causa de infrações minúsculas. Tomemos o caso de João Calvino, que mandou executar muitos, aprisionou e exilou por diferenças mínimas de *crenças*. Ver no *Dicionário* o artigo chamado *Tolerância*, quanto a esse tipo de loucura. Saul chegou a incluir Deus em sua tola tirada contra o próprio filho, como se matá-lo fosse um ato do próprio Deus, delegado através dele. Ele até reivindicou o julgamento de Deus sobre si mesmo, caso não cumprisse o compromisso de matar o próprio filho. O rei Herodes fez um voto precipitado, e isso terminou com a decapitação de João Batista. Cf. o caso do juiz Jefté (ver Jz 11.30,31,34).

■ 14.45

וַיֹּאמֶר הָעָם אֶל־שָׁאוּל הֲיוֹנָתָן יָמוּת אֲשֶׁר עָשָׂה הַיְשׁוּעָה הַגְּדוֹלָה הַזֹּאת בְּיִשְׂרָאֵל חָלִילָה חַי־יְהוָה אִם־יִפֹּל מִשַּׂעֲרַת רֹאשׁוֹ אַרְצָה כִּי־עִם־אֱלֹהִים עָשָׂה הַיּוֹם הַזֶּה וַיִּפְדּוּ הָעָם אֶת־יוֹנָתָן וְלֹא־מֵת׃ ס

Tal não suceda. *A Intervenção Popular.* O povo fez uma contraproposta, também a Yahweh. O herói deles, Jônatas, não morreria. Eles garantiram que nenhum fio de cabelo dele sofreria dano. Houve um levante popular imediato. Os soldados brandiram suas espadas de maneira ameaçadora. Encararam Saul com homicídio nos olhos. Saul viu que não seria possível cumprir sua vontade com aqueles ferozes soldados defendendo Jônatas e fazendo aquelas ameaças. Assim sendo, esqueceu tudo, convenientemente.

> Não faças voto à toa,
> Algum voto inflexível como o de Saul.
> É melhor dizer: "Fiz mal",
> E retirar seu tolo intuito.
>
> Russell Champlin

Há uma profunda lição espiritual aqui. Os homens podem cometer erros ao tentar realizar supostas boas coisas. É fácil enganar-nos e fazer uma viagem pelo "ego", ou ocultar o ódio sob a capa da espiritualidade. É fácil destruir e então dizer: "Fiz isso para Deus". Entrementes, a única lei universal, a do amor, é esquecida.

"Aqui estava um júri reto e imparcial, o qual trouxe um veredicto de acordo com as evidências. Ninguém deveria morrer por causa de uma brecha da lei de Deus. Jônatas não havia quebrado nenhum mandamento divino. Por conseguinte, não morreria. Visto que não deveria morrer, ele portanto não morreria" (Adam Clarke, *in loc.*).

■ 14.46

וַיַּעַל שָׁאוּל מֵאַחֲרֵי פְּלִשְׁתִּים וּפְלִשְׁתִּים הָלְכוּ לִמְקוֹמָם׃

Saul deixou de perseguir os filisteus. O incidente com Jônatas estava esquecido, aparentemente sem ajuda da parte do oráculo (vs. 37). Saul esqueceu, pelo menos momentaneamente, a campanha contra os filisteus. Ele retornou a Gibeá, e os filisteus a Micmás, onde tinham seu quartel-general. E, provisoriamente, houve paz. Mas um novo dia produziria novas batalhas. O silêncio do oráculo foi tomado como uma resposta negativa. Yahweh não estava interessado em promover mais guerra naquele dia. Seja como for, de acordo com Josefo, Saul havia matado cerca de sessenta mil filisteus, o suficiente para qualquer campanha militar (*Antiq.* 1.6, cap. 5).

■ 14.47

וְשָׁאוּל לָכַד הַמְּלוּכָה עַל־יִשְׂרָאֵל וַיִּלָּחֶם סָבִיב בְּכָל־אֹיְבָיו בְּמוֹאָב וּבִבְנֵי־עַמּוֹן וּבֶאֱדוֹם וּבְמַלְכֵי צוֹבָה וּבַפְּלִשְׁתִּים וּבְכֹל אֲשֶׁר־יִפְנֶה יַרְשִׁיעַ׃

Pelejou contra todos os seus inimigos em redor. Muitos inimigos, e não somente os filisteus, tornavam a vida de Israel miserável, e este versículo lista esses inimigos. Saul, na qualidade de rei, tinha o dever de defender Israel, e essa era a sua tarefa pelo resto da vida. Saul, pois, saiu ao redor "vexando" aqueles povos, sem dar-lhes um momento de descanso. Listo todos eles e dou artigos separados no *Dicionário*, razão pela qual não repito aqui a informação.

A grande vitória sobre os filisteus (embora parcial e preliminar) serviu para confirmar a autoridade de Saul como rei. Ele então resolveu debilitar todos os inimigos de Israel. O que Saul começou, Davi terminaria, fazendo com que a monarquia desfrutasse um período de triunfo. Então Israel cairia em *guerra civil*, enquanto os cativeiros, por poderes estrangeiros (Assíria e Babilônia), já ameaçavam o futuro próximo. Mas os inimigos, *na Palestina,* foram finalmente conquistados.

Este versículo menciona os inimigos que apertavam Israel por todos os lados: Moabe e Amom ao oriente; Edom pelo sul; os filisteus no ocidente e ao longo das costas do mar Mediterrâneo. Zobá era um distrito da Síria, a noroeste das doze tribos. Por onde quer que o homem olhasse, encontraria algum povo hostil a Israel. Saul, pois, continuava procurando e lutando, e este versículo provavelmente espera que entendamos que ele fez isso por um bom e longo tempo. Para onde quer que Saul se voltasse, obtinha vitórias. Na verdade, ele era uma terrível máquina de matar. Não obstante, seria preciso esperar Davi para concluir o propósito. Os reis antigos usualmente eram avaliados por quão bem guerreavam. E sempre havia guerras mil.

Os Targuns dizem: "ele os condenou" como indignos e merecedores de destruição. Ele fez "guerra santa". Ver sobre isso em Dt 7.1-5 e 20.10-18.

■ 14.48

וַיַּעַשׂ חַיִל וַיַּךְ אֶת־עֲמָלֵק וַיַּצֵּל אֶת־יִשְׂרָאֵל מִיַּד שֹׁסֵהוּ׃ ס

Libertou Israel da mão dos que o saqueavam. O versículo anterior dá-nos uma lista dos inimigos de Israel nos quatro pontos cardeais, dando a entender que, durante considerável período, Saul atacava e debilitava todos. Este versículo enfatiza a vitória sobre os *amalequitas* (ver a respeito no *Dicionário*). Foi assim que os constantes ataques e assédios daquele povo chegaram ao fim. O capítulo que vem a seguir dá-nos maiores informações sobre essa guerra particular. Foi essa guerra que levou Saul a cair em outro lapso. Ele poupou Agague e alguns animais e incorreu na ira de Samuel. Esse erro logo resultaria em sua própria morte, e Davi entraria em cena para concluir a missão destruidora de Saul.

■ 14.49

וַיִּהְיוּ בְּנֵי שָׁאוּל יוֹנָתָן וְיִשְׁוִי וּמַלְכִּי־שׁוּעַ וְשֵׁם שְׁתֵּי בְנֹתָיו שֵׁם הַבְּכִירָה מֵרַב וְשֵׁם הַקְּטַנָּה מִיכַל׃

Os filhos de Saul. Jônatas era filho guerreiro de nota especial, e somente aqui ouvimos falar em outros filhos e filhas de Saul. No *Dicionário* há artigos sobre cada um deles, pelo que não repito aqui a informação. Dos cinco filhos aqui citados, Jônatas e Mical recebem nota especial. O primeiro era o amigo mais chegado de Davi (mais chegado que um irmão), e Mical tornou-se sua esposa, embora no fim ele a tivesse perdido para outro. O filho de Saul, *Isbosete,* não é mencionado, talvez por ser o mais jovem e incapaz de ir à guerra; mas então perguntamos por que suas filhas e sua esposa (vs. 50) foram mencionadas. Talvez o autor sacro simplesmente tenha esquecido o caçula, deixando-o de fora por mero lapso da memória. Os outros três filhos pereceram todos com Saul, na batalha do monte Gilboa. Merabe e Mical eram mulheres relacionadas a Davi, a primeira por ter-lhe sido prometida como esposa, e a segunda por ter-se tornado realmente sua esposa. Ver 1Sm 18.17-21.

■ 14.50,51

וְשֵׁם אֵשֶׁת שָׁאוּל אֲחִינֹעַם בַּת־אֲחִימָעַץ וְשֵׁם שַׂר־צְבָאוֹ אֲבִינֵר בֶּן־נֵר דּוֹד שָׁאוּל:

וְקִישׁ אֲבִי־שָׁאוּל וְנֵר אֲבִי־אַבְנֵר בֶּן־אֲבִיאֵל: ס

Ainoã. *A Esposa de Saul.* A maioria dos reis daquele período abraçava a poligamia. Não há tal informação sobre Saul. Seja como for, sua única ou principal esposa era *Ainoã,* que recebe um artigo no *Dicionário.* Ela foi a primeira rainha de Israel e, por essa razão, recebe menção honrosa aqui. O pai dela chamava-se *Aimaás* (ver a respeito no *Dicionário*). Ele foi citado para prover uma breve genealogia da notável mulher. *Abner,* importante militar, era filho de Ner, tio de Saul. O vs. 51 foi acrescentado para explicar o relacionamento entre Abner e Saul. Todos esses nomes recebem artigos no *Dicionário.*

Portanto, temos:
- Ner
- Quis
- Abner
- Saul

Cf. com 1Cr 8.33, que faz de *Ner* avô de Saul. Ver naquele versículo explicações para a discrepância. Este versículo faz de *Abiel* o avô de Saul. Em 1Cr 9.35,36, Abiel é aparentemente chamado de *Jeiel.* Ver as notas expositivas ali. Não há maneira segura de resolver o problema do parentesco aqui. Cf. todas essas referências com 1Sm 9.1.

■ 14.52

וַתְּהִי הַמִּלְחָמָה חֲזָקָה עַל־פְּלִשְׁתִּים כֹּל יְמֵי שָׁאוּל וְרָאָה שָׁאוּל כָּל־אִישׁ גִּבּוֹר וְכָל־בֶּן־חַיִל וַיַּאַסְפֵהוּ אֵלָיו: ס

Por todos os dias de Saul houve forte guerra. Embora sofrendo fortes derrotas, os filisteus sempre conseguiam voltar e causar maior perturbação. Todos os esforços de Saul (que foram muitos e extensos) não puderam derrotá-los definitivamente. Isso posto, coube a Davi acabar com os filisteus e finalmente eliminar todos os adversários de Israel na Palestina. Em seguida, houve a ameaça de guerra civil e o ataque de alguns povos mais distantes, como os assírios (contra Israel, o reino do norte) e os babilônios (contra Judá, o reino do sul). Os cativeiros, pois, levaram tudo ao seu fim.

Saul, em seus muitos conflitos, sempre esteve atento para observar qualquer guerreiro especial, ao qual chamava para engrossar seu exército. Este pequeno comentário prepara o caminho para a história de *Davi,* o qual foi o maior guerreiro que Saul havia encontrado. Este versículo deve ser vinculado a 1Sm 16.14. Explica-nos que Saul estava pronto para receber Davi por causa de entusiasmadas recomendações de um amigo da corte. Saul precisou recrutar homens *eficazes,* pois, de outra sorte, a causa de Israel estaria perdida. Ele não poderia fazer o trabalho sozinho.

CAPÍTULO QUINZE

SAUL É REJEITADO (15.1-35)

Por causa de uma infração anterior, Samuel amaldiçoou a dinastia de Saul. De sua família, somente o próprio Saul haveria de reinar. O segundo rei viria de outra família. Ver 1Sm 13.13,14. Apesar dessa circunstância, Saul continuou a atuar com valentia, derrotando ou debilitando os inimigos de Israel (ver 1Sm 14.47). Os filisteus continuavam sendo o principal inimigo, mas havia outros. Somente Davi foi capaz de, finalmente, derrotá-los. Saul era dotado de fé firme e sincera, mas havia um defeito fatal em seu caráter que o levava a lapsos ocasionais e sérios. seu caráter decaiu gradualmente, e o conflito com Davi selou sua condenação. Assim como ele nasceu para a espada e matou muitos, também precisou morrer à espada. Então a linhagem real passaria a Davi, que foi o segundo rei de Israel.

A campanha de Saul contra os amalequitas proveu oportunidade para outro *lapso,* e relatar isso é o principal propósito deste capítulo. Os amalequitas eram antigos inimigos de Israel. Cf. Êx 17.8-16. No deserto, aquele povo atacara Israel pelas costas, e uma maldição divina fora proferida contra eles. Algum dia Yahweh tomaria vingança deles, e o capítulo à nossa frente conta-nos pelo menos parte disso.

■ 15.1

וַיֹּאמֶר שְׁמוּאֵל אֶל־שָׁאוּל אֹתִי שָׁלַח יְהוָה לִמְשָׁחֳךָ לְמֶלֶךְ עַל־עַמּוֹ עַל־יִשְׂרָאֵל וְעַתָּה שְׁמַע לְקוֹל דִּבְרֵי יְהוָה: ס

Disse Samuel a Saul. *A Tirada contra os Amalequitas.* A maldade praticada por esse povo durante as perambulações de Israel pelo deserto (ver o vs. 21) nunca foi esquecida. Samuel salientou a questão na expectativa de que Saul fizesse algo a respeito. Ele seria o instrumento de Deus na vingança. A *guerra santa* (ver as notas em Dt 7.1-5; 20.10-18) tinha por ideal destruir totalmente os adversários de Israel, e não somente obter alguma vantagem estratégica. Na maldição de Yahweh contra os amalequitas, Samuel proferiu uma severa tirada contra eles. Posteriormente, o profeta exigiu que Saul, como rei, cumprisse a antiga maldição e fizesse guerra santa contra eles. Entre aqueles povos antigos, o ofício dos reis era guerrear e derrotar os inimigos, que eram tribos selvagens que viviam promovendo conflito constante, além de saque e terror.

Yahweh ordenara que Saul fosse ungido por Samuel, assim este último tinha o direito de insistir sobre a guerra. Ademais, o povo de Israel havia solicitado um rei para defender-se melhor dos inimigos.

Às palavras. Conforme o tempo passava, a teologia de Israel começou a evitar antropomorfismos (ver a respeito no *Dicionário*) crassos. Por isso mesmo, o termo "palavra" é usado aqui para evitar a ideia de contato direto de Yahweh com Samuel. Cf. Ez 1.28. Algumas vezes, para evitar os antropomorfismos, eram usadas as palavras *anjo* (ver Êx 14.19), *face* (ver Êx 33.14) ou *nome* (Êx 23.21). No Novo Testamento aprendemos que nenhum homem jamais viu a Deus (Jo 1.18). Mas certas passagens antropomórficas do Antigo Testamento parecem contradizer esse fato. Elas são reflexo de uma teologia mais antiga.

A história que se segue tem como um de seus propósitos declarar *por que* Saul foi finalmente rejeitado como rei de Israel. Cf. 1Sm 13.13,14 e as notas introdutórias à presente seção.

■ 15.2

כֹּה אָמַר יְהוָה צְבָאוֹת פָּקַדְתִּי אֵת אֲשֶׁר־עָשָׂה עֲמָלֵק לְיִשְׂרָאֵל אֲשֶׁר־שָׂם לוֹ בַּדֶּרֶךְ בַּעֲלֹתוֹ מִמִּצְרָיִם:

Castigarei Amaleque. *Yahweh Falou.* A infração dos amalequitas nunca seria esquecida. Eles atacaram Israel quando o povo mais necessitava de ajuda, e não de empecilhos. Ver a história em Êx 17.8-16. Eles atacaram os refugiados do Egito que estavam passando pelo deserto, a caminho da Terra Prometida, e bloquearam o caminho (Nm 14.45). Em Dt 25.17-19, "eles foram denunciados por terem atacado os que se atrasavam na marcha, na coluna de Israel" (George B. Caird, *in loc.*). Yahweh nunca esqueceu o ultraje; Israel também nunca esqueceu; Samuel, movido por igual sentimento, conclamou Saul a recordar o fato e fazer algo a respeito, pois ele ocupava o posto máximo de defensor de Israel. "Na profecia de Balaão, os amalequitas são aludidos como a primeira das nações a fazer oposição ao povo do Senhor. Durante as eras tempestuosas que se seguiram, as mãos dos filhos de Amaleque parecem ter estado constantemente erguidas contra Israel" (Ellicott, *in loc.*). Ver no *Dicionário* o artigo intitulado *Amalequitas.*

15.3

עַתָּה֩ לֵ֨ךְ וְהִכִּיתָ֜ה אֶת־עֲמָלֵ֗ק וְהַחֲרַמְתֶּם֙ אֶת־כָּל־אֲשֶׁר־ל֔וֹ וְלֹ֥א תַחְמֹ֖ל עָלָ֑יו וְהֵמַתָּ֞ה מֵאִ֣ישׁ עַד־אִשָּׁ֗ה מֵֽעֹלֵל֙ וְעַד־יוֹנֵ֔ק מִשּׁ֣וֹר וְעַד־שֶׂ֔ה מִגָּמָ֖ל וְעַד־חֲמֽוֹר׃ ס

Fere a Amaleque. A *guerra santa* requeria a *destruição total* da vida humana, de homens, mulheres e crianças, e até dos animais. Também não permitia que se ficassem com despojos. Era um *holocausto* (ver a respeito no *Dicionário*), o que significa que a matança completa era dedicada a Yahweh como oferenda. Os inimigos de Yahweh tornavam-se sacrifícios (holocaustos) diante dele. Não haveria prisioneiros de guerra nem escravos. Fora da Palestina, povos podiam ser sujeitos a tributos ou escravizados, mas dentro da Palestina havia guerra santa. Ilustro essa questão em Dt 7.1-5 e 20.10-18. Esse tipo de guerra era visto como um serviço religioso. O seu propósito era dar a Palestina a Israel, sem nenhuma interferência. Nem mesmo casamentos mistos eram permitidos. Desses povos não podia haver remanescentes. Israel não tentava converter esses povos ao *yahwismo*. Antes, eles tinham de ser obliterados. Ver Êx 33.2 e Dt 7.1, quanto às *sete nações* que deveriam ser totalmente aniquiladas na Palestina.

Os críticos, por essa altura, naturalmente voltam-se contra a matança brutal, mas os estudiosos conservadores a louvam baseados principalmente no fato de que esses povos *mereciam* tal forma de tratamento, por causa de sua avassaladora maldade. Aquilo que lhes era feito, eles tinham feito a outros. Assim, a espada do Senhor voltava-se contra todos eles.

15.4

וַיְשַׁמַּ֤ע שָׁאוּל֙ אֶת־הָעָ֔ם וַיִּפְקְדֵם֙ בַּטְּלָאִ֔ים מָאתַ֥יִם אֶ֖לֶף רַגְלִ֑י וַעֲשֶׂ֥רֶת אֲלָפִ֖ים אֶת־אִ֥ישׁ יְהוּדָֽה׃

E os contou em Telaim. Provavelmente temos aqui o mesmo lugar que Telém, de Js 15.24. Essa cidade ficava na fronteira sul de Judá, localizada entre Zife e Bealote. A única informação que temos sobre ela é a do presente texto. Foi ali que Saul reuniu seu exército para atacar os amalequitas. Esse nome significa "cordeirinhos".

O texto hebraico diz-nos que Saul reuniu duzentos mil homens do resto de Israel, e dez mil só da tribo de Judá. A Septuaginta, porém, fala, respectivamente, em quatrocentos mil e trinta mil. Josefo segue a Septuaginta (ver *Antiq.* 1.6, cap. 7, sec. 2). As outras versões seguem o texto hebraico. Os críticos pensam que houve um grande exagero no texto da Bíblia hebraica, ou por parte do autor original ou por parte dos copistas. Se o número está correto, então temos um exército *imenso*, contra o qual o inimigo não poderia resistir. Judá parece ter sido mencionada separadamente do restante de Israel, sendo essa a tribo mais poderosa. É natural que, quando o norte e o sul se dividiram, *Judá* se tenha tornado uma nação distinta, porquanto Benjamim (do sul) era virtualmente nada na época em que essa divisão ocorreu. Contudo, foi Judá que deu origem ao Israel pós-exílico, e depois ao moderno Israel, porquanto praticamente todos os judeus de hoje descendem dessa tribo. As dez tribos do norte perderam-se totalmente no cativeiro assírio, mas um remanescente de Judá voltou do cativeiro babilônico. Ver no *Dicionário* o verbete intitulado *Cativeiro (Cativeiros)*.

15.5

וַיָּבֹ֥א שָׁא֖וּל עַד־עִ֣יר עֲמָלֵ֑ק וַיָּ֖רֶב בַּנָּֽחַל׃

Cidade de Amaleque. Ver no *Dicionário* quanto aos detalhes. Era uma tribo de beduínos que vivia ao sul de Judá, e uma cidade com esse nome era seu quartel-general. Era ali que esse povo tinha seus exércitos, e a Saul cabia atacá-los onde eles eram mais fortes, a fim de aniquilá-los. Ver os vss. 2 e 3 quanto às ofensas históricas desse povo contra Israel. No wadi perto do quartel-general dos amalequitas, Saul estabeleceu o seu acampamento, esperando pelo momento certo de atacar.

15.6

וַיֹּ֣אמֶר שָׁא֣וּל אֶל־הַקֵּינִ֡י לְכוּ֩ סֻּ֨רוּ רְד֜וּ מִתּ֣וֹךְ עֲמָלֵקִ֗י פֶּן־אֹֽסִפְךָ֙ עִמּ֔וֹ וְאַתָּ֞ה עָשִׂ֤יתָה חֶ֨סֶד֙ עִם־כָּל־בְּנֵ֣י יִשְׂרָאֵ֔ל בַּעֲלוֹתָ֖ם מִמִּצְרָ֑יִם וַיָּ֥סַר קֵינִ֖י מִתּ֥וֹךְ עֲמָלֵֽק׃

E disse aos queneus. Ver a respeito no *Dicionário*. Esse foi um dos povos amigos com quem os israelitas entraram em contato. O sogro de Moisés era queneu. Ver Jz 1.16 e 4.11 quanto à conexão de Moisés com esse povo. Eles eram uma tribo nômade, como acontecia a todos os povos que habitavam no deserto. Jz 1.16 mostra que os queneus e os amalequitas tinham estreitas conexões sociais. O texto não revela como Saul conseguiu advertir aqueles povos, sem que eles soubessem que existia uma emboscada para os amalequitas, mas afirma que eles aceitaram o conselho de Saul e abandonaram a área. Hobabe, filho de Jetro, tinha servido como guia de Israel através do deserto. Ou talvez, por meio de Hobabe, Jetro esteja em foco. Seja como for, anterior bondade e ajuda não foram esquecidas, tanto quanto toda a maldade passada. A lei da colheita segundo a semeadura prevaleceu. Ver no *Dicionário* o artigo chamado *Lei Moral da Colheita segundo a Semeadura*.

15.7

וַיַּ֥ךְ שָׁא֖וּל אֶת־עֲמָלֵ֑ק מֵֽחֲוִילָה֙ בּוֹאֲךָ֣ שׁ֔וּר אֲשֶׁ֖ר עַל־פְּנֵ֥י מִצְרָֽיִם׃

Então feriu Saul os amalequitas. Saul foi imediatamente bem-sucedido e perseguiu os amalequitas todo o caminho desde Havilá até Sur (ver sobre ambos os nomes no *Dicionário*). Os mesmos lugares são dados em Gn 25.18, e eles definem a extensão do território dos ismaelitas. O termo *Havilá* é tido no presente versículo como não histórico, visto que esse lugar ficava na Arábia, distante do território dos amalequitas. Alguns supõem que eles se tinham espalhado até ali. Estamos tratando somente com cerca de 160 quilômetros, pelo que é facilmente concebível que os amalequitas se tivessem espalhado tanto. O intuito deste versículo é bastante claro: Saul conseguiu varrer o inimigo do país todo, praticamente destruindo um povo inteiro.

15.8

וַיִּתְפֹּ֛שׂ אֶת־אֲגַ֥ג מֶֽלֶךְ־עֲמָלֵ֖ק חָ֑י וְאֶת־כָּל־הָעָ֖ם הֶחֱרִ֥ים לְפִי־חָֽרֶב׃

Tomou vivo a Agague, rei dos amalequitas. A *guerra santa* não permitia que se poupasse sequer uma vida, humana ou animal, pelo que Saul fez o que era contrário a toda a norma de Israel, desde que havia entrado na Palestina. Ver as notas expositivas sobre a *guerra santa* em Dt 7.1-5 e 20.10-18. Nem mesmo o saque era permitido naquela forma de guerra, em que o vencedor ficava com os despojos do vencido. Um *holocausto* era exigido, considerado um serviço religioso a Yahweh, um *sacrifício* a ele oferecido, a ser totalmente queimado como se fosse um animal sacrificado por inteiro.

Assim, o fato de Agague ter sido poupado, juntamente com alguns animais, representou séria infração da guerra santa, que os hebreus tinham certeza de que fora ordenada por Yahweh. Quanto a uma infração anterior, Samuel já havia predito que a linhagem de Saul não continuaria na monarquia (ver 1Sm 13.13) e, agora, o novo lapso garantia o cumprimento da profecia, bem como a morte próxima de Saul.

1Cr 4.43 registra o completo, final e definitivo aniquilamento dos amalequitas. Ver no *Dicionário* sobre *Agague*.

15.9

וַיַּחְמֹל֩ שָׁא֨וּל וְהָעָ֜ם עַל־אֲגָ֗ג וְעַל־מֵיטַ֣ב הַצֹּאן וְהַבָּקָ֤ר וְהַמִּשְׁנִים֙ וְעַל־הַכָּרִ֔ים וְעַל־כָּל־הַטּ֖וֹב וְלֹ֣א אָב֣וּ הַחֲרִימָ֑ם וְכָל־הַמְּלָאכָ֛ה נְמִבְזָ֥ה וְנָמֵ֖ס אֹתָ֥הּ הֶחֱרִֽימוּ׃ פ

E não os quiseram destruir. Este versículo repete a mensagem do versículo anterior, adicionando o fato de que Saul, além de poupar o rei Agague, também manteve vivos os melhores animais a serem sacrificados, como as ovelhas, os bois e os cordeiros, mas tudo quanto era vil ele destruiu. Talvez Saul tenha pensado que esses animais seriam úteis a Yahweh, mas podemos estar certos de que ele também estava ansioso para usá-los em um banquete.

"Se Agague, rei de Amaleque, fosse morto, Saul não teria nenhum *troféu* da vitória. Se os melhores animais fossem mortos, seria um trágico desperdício. Se ao menos a vida pudesse ser reduzida a simples equações morais! Mas não pode. O José bebe demais, mas ele é um homem bondoso. O Silva é um homem duro, mas é bastante responsável. O Barbosa é corajoso, mas não tem consideração pelas outras pessoas. O João é tolerante, mas também indeciso... Toda situação humana, por melhor que seja, tem sua própria perversão. Amizades tornam-se interesseiras; o amor torna-se possessivo; a ordem política torna-se opressora" (John C. Shroeder, *in loc.*).

"... a cobiça parece ter sugerido a preservação do melhor gado, e o orgulho provavelmente induziu o rei hebreu a poupar a vida de Agague, a fim de que ele pudesse exibir um cativo *real* ao povo" (Ellicott, *in loc.*).

1Sm 27.9 e 30.1 mostram que os amalequitas, em grande número, sobreviveram, tendo fugido ou se escondido do ataque de Saul. Somente mais tarde seu aniquilamento de fato ocorreria (ver 1Cr 4.43).

■ **15.10,11**

וַיְהִי֙ דְּבַר־יְהוָ֔ה אֶל־שְׁמוּאֵ֖ל לֵאמֹֽר׃

נִחַ֗מְתִּי כִּֽי־הִמְלַ֤כְתִּי אֶת־שָׁאוּל֙ לְמֶ֔לֶךְ כִּי־שָׁב֙ מֵאַֽחֲרַ֔י וְאֶת־דְּבָרַ֖י לֹ֣א הֵקִ֑ים וַיִּ֙חַר֙ לִשְׁמוּאֵ֔ל וַיִּזְעַ֥ק אֶל־יְהוָ֖ה כָּל־הַלָּֽיְלָה׃

Arrependo-me de haver constituído rei a Saul. *O Arrependimento de Yahweh.* Em termos *antropomórficos,* o autor sacro fala do desprazer divino causado pela desobediência de Saul por não ter cumprido perfeitamente os termos da guerra santa (ver as notas a respeito em Dt 7.1-5 e 20.10-15). Ver 1Sm 15.3 quanto a ideias adicionais. "Deus não sente a dor do remorso e jamais se engana, a ponto de desejar *corrigir* alguma coisa que tenha feito anteriormente. Mas assim como um *homem* deseja fazer uma modificação ou arrepender-se, assim também as Escrituras dizem que Deus se arrepende, pelo que podemos esperar uma mudança de sua parte. Ele modificou o reino de Saul ao dizer que se arrependia de tê-lo feito rei" (Bispo Wordsworth, com uma referência ao comentário de Agostinho ao Sl 131). Ver no *Dicionário* o artigo intitulado *Antropomorfismo.* Ver sobre o *arrependimento* de Yahweh, em Êx 32.14.

A *mudança* que estava prestes a ocorrer, diante do "arrependimento" de Yahweh, foi comunicada a Samuel, o instrumento que repreenderia Saul, bem como a pessoa que em breve ungiria o novo rei — Davi — para ocupar o lugar de Saul. Essa comunicação veio através do método provável de uma visão, uma voz audível sem imagens, um sonho ou uma mensagem intuitiva interior. Ver sobre o *Misticismo* no *Dicionário.* Isso subentende que Deus pode e realmente se comunica com os homens. Isso é *teísmo* em contraste com o *deísmo.* Ver sobre ambos os termos no *Dicionário.* O teísmo ensina que Deus criou e mantém seu interesse pelas vidas humanas, que ele castiga, recompensa e intervém. O deísmo supõe que uma força criadora (pessoal ou impessoal) abandonou sua criação, deixando-a ao sabor das leis naturais.

Não executou as minhas palavras. Estão em pauta, especificamente, as recomendações divinas sobre a *guerra santa.*

Então Samuel se contristou. Samuel tinha o coração preso ao que acontecia em Israel. Ficou muito triste pela reversão na monarquia, devido à rejeição de Saul, embora ele mesmo tivesse predito que isso aconteceria (ver 1Sm 13.13). A profundidade de sua tristeza é demonstrada pelo fato de que ele chorou "toda a noite" pelo que acabara de suceder. A desobediência de Saul era motivo de intensa preocupação, visto que ele era o ungido de Deus e recebera todo o seu apoio pessoal. Esse *fracasso* haveria de prejudicar a nação de Israel. Abarbanel diz-nos que Samuel estava "irado" e "insatisfeito", porquanto "amava a Saul e sua beleza, e seu magnífico heroísmo". Portanto, orou e chorou a noite toda. Ele ainda não sabia exatamente qual pecado Saul havia cometido, mas em breve saberia.

■ **15.12**

וַיַּשְׁכֵּ֧ם שְׁמוּאֵ֛ל לִקְרַ֥את שָׁא֖וּל בַּבֹּ֑קֶר וַיֻּגַּ֨ד לִשְׁמוּאֵ֜ל לֵאמֹ֗ר בָּֽא־שָׁא֤וּל הַכַּרְמֶ֙לָה֙ וְהִנֵּ֙ה מַצִּ֥יב לוֹ֙ יָ֔ד וַיִּסֹּב֙ וַֽיַּעֲבֹ֔ר וַיֵּ֖רֶד הַגִּלְגָּֽל׃

Madrugou Samuel para encontrar Saul. Levantando-se bem cedo, Samuel tinha a necessidade de descobrir que grande pecado Saul tinha cometido, a ponto de Yahweh entregar sua mensagem arrasadora e fazer tal pronunciamento. Ele soube que Saul tinha levantado para si mesmo um monumento no Carmelo, mas então havia descido a Gilgal. Podemos apenas imaginar a natureza exata desse monumento. Pode ter sido uma espécie de coluna com instruções que comemoravam a grande vitória sobre os amalequitas. Jarchi diz que Saul erigiu ali um altar e fez sacrifícios em gratidão pela ajuda de Yahweh. A Vulgata Latina fala sobre um "arco de triunfo". Talvez fosse um obelisco. Jerônimo menciona arcos de murta, palmeira e ramos de oliveiras trançados para comemorar algum evento especial ou triunfo. Cf. a coluna erigida por Absalão, em 2Sm 18.18. O termo literal, no hebraico, diz "mão" para indicar tanto o caso de Saul quanto o de Absalão, mas temos aí um uso específico da palavra.

Dali Saul marchou em triunfo e ostentação, exibindo o rei Agague e recebendo o louvor e a admiração do povo israelita. Mas Samuel em breve poria fim às celebrações, por sua terrível maldição e profecia.

■ **15.13**

וַיָּבֹ֥א שְׁמוּאֵ֖ל אֶל־שָׁא֑וּל וַיֹּ֧אמֶר ל֣וֹ שָׁא֗וּל בָּר֤וּךְ אַתָּה֙ לַֽיהוָ֔ה הֲקִימֹ֖תִי אֶת־דְּבַ֥ר יְהוָֽה׃

Veio, pois, Samuel a Saul. Samuel conseguiu encontrar-se com Saul em Gilgal. Saul, como se nada houvesse acontecido, abençoou Samuel e em seguida informou-o de que havia cumprido seu dever, tendo obedecido ao *mandamento* de Deus. Com isso quis dizer que cumprira a ordem que lhe fora dada para destruir os amalequitas, que o próprio Samuel tinha transmitido. Ver sobre essa ordem em 1Sm 15.2,3. A antiga maldição de Yahweh contra aquele povo, que tinha abusado de Israel na fuga do Egito, demandava vingança e aniquilamento. Embora tendo obtido uma notável vitória, Saul não tinha obedecido a todas as estipulações do *mandamento.*

"Saul é apresentado sob a pior luz possível. *Primeiramente,* ele afirmou ter cumprido o que lhe fora ordenado; *em seguida,* lançou sobre o povo de Israel a culpa; e, *afinal,* adicionou a desculpa esfarrapada de que reservara o melhor dos despojos para ser usado em *sacrifício,* o que era incompatível com o banimento, o qual, seja como for, não se aplicava a Agague... (e em seguida) é reduzido a um estágio mais profundo de ignomínia, sendo representado como ocupado em uma nauseante orgia de penitência a fim de abrandar o antagonismo de Samuel" (George B. Caird, *in loc.*).

"... as palavras de Saul de autocongratulação eram, evidentemente, fingidas; em seu coração ele sabia que tinha sido infiel" (Ellicott, *in loc.*).

■ **15.14**

וַיֹּ֣אמֶר שְׁמוּאֵ֔ל וּמֶ֛ה קֽוֹל־הַצֹּ֥אן הַזֶּ֖ה בְּאָזְנָ֑י וְק֣וֹל הַבָּקָ֔ר אֲשֶׁ֥ר אָנֹכִ֖י שֹׁמֵֽעַ׃

Que balido, pois, de ovelhas é este...? O ruído dos animais chamava Saul de mentiroso. As palavras de Samuel foram ao âmago da questão. A *guerra santa* não permitia a captura de animais ou de qualquer tipo de vida, nem mesmo a tomada de despojos. "Saul foi convencido de falsidade pelas *vozes* dos animais que ele havia poupado, contra a ordem de Deus. O modo de Samuel citá-los contra Saul, pela pergunta que fez, 'Que significam essas vozes?', tem um ar de humor santo e cortante ironia" (Lange, *in loc.*).

■ **15.15**

וַיֹּ֨אמֶר שָׁא֜וּל מֵעֲמָלֵקִ֣י הֱבִיא֗וּם אֲשֶׁ֨ר חָמַ֤ל הָעָם֙ עַל־מֵיטַ֤ב הַצֹּאן֙ וְהַבָּקָ֔ר לְמַ֥עַן זְבֹ֖חַ לַיהוָ֣ה אֱלֹהֶ֑יךָ וְאֶת־הַיּוֹתֵ֖ר הֶחֱרַֽמְנוּ׃ ס

O povo poupou o melhor das ovelhas e dos bois. Saul agiu como se ele, o rei, não tivesse poder de impedir o povo de agir, um absurdo para dizer o mínimo. Em seguida, conforme Saul continuou, o povo fizera isso "para os sacrificar ao Senhor", embora o resto dos animais tivesse sido totalmente destruído. Os argumentos de Saul constituíam uma idiotice. Saul teria agido como um covarde, ao tentar transferir a culpa para o povo que ele controlava de modo absoluto. Ele, que era tão corajoso em batalha, diante de quem nenhum inimigo era capaz de resistir, ocultou-se por trás do próprio povo, tentando escapar ao impacto das palavras de Samuel. Aquele que era um herói na guerra revelou-se um covarde moral.

15.16

וַיֹּאמֶר שְׁמוּאֵל אֶל־שָׁאוּל הֶרֶף וְאַגִּידָה לְּךָ אֵת אֲשֶׁר דִּבֶּר יְהוָה אֵלַי הַלָּיְלָה וַיֹּאמְרוּ לוֹ דַּבֵּר: ס

Então disse Samuel a Saul. *Essa Foi a Tirada de Samuel.* Ele fez um discurso que corrigiu a questão conforme tinha de ser feito. A culpa de Saul tinha de ser vista como a *rebelião que era.* Nenhum homem assim rebelde poderia permanecer como rei ungido de Israel. O povo merecia mais que isso. Apesar de Saul ser uma magnificente máquina de matar e homem de inquestionável heroísmo e coragem, caíra no erro moral. Uma ordem direta de Yahweh tinha sido desobedecida. A tirada de Samuel, pois, estava baseada na mensagem de Yahweh da noite anterior. Portanto, ele falou com autoridade divina.

Espera. O mais provável é que Saul tivesse voltado as costas e se estivesse afastando, supondo que a repreensão inicial de Samuel fosse tudo quanto ele precisasse escutar. Mas Samuel chamou-o de volta porque tinha um longo e amargo discurso para entregar. "O rei, provavelmente, desejava partir, ansioso por encerrar uma entrevista que, para ele, era plena de amargura, mas foi impedido de continuar, pelas palavras solenes" (Ellicott, *in loc.*).

15.17

וַיֹּאמֶר שְׁמוּאֵל הֲלוֹא אִם־קָטֹן אַתָּה בְּעֵינֶיךָ רֹאשׁ שִׁבְטֵי יִשְׂרָאֵל אָתָּה וַיִּמְשָׁחֲךָ יְהוָה לְמֶלֶךְ עַל־יִשְׂרָאֵל:

Sendo tu pequeno aos teus olhos. Houve tempo (conforme Samuel relembrou a Saul) em que ele era "pequeno aos próprios olhos", considerando-se indigno de ser rei. Ele não buscara o ofício. Não tinha elevadas pretensões. Chegara mesmo a esconder-se entre os suprimentos e os vagões (ver 1Sm 10.22), por motivo de genuína modéstia, no dia em que fora ungido rei na presença do povo, de modo que Samuel não pôde exibi-lo publicamente. Mas agora as coisas tinham mudado. Saul mostrava-se arrogante e rebelde, e ousou desobedecer às ordens de Yahweh, apesar do desprazer do profeta Samuel.

A despeito de sua pequenez, ele fora altamente exaltado pela ordem de Yahweh e da unção do profeta. E se tornara o primeiro homem de Israel. Ele deveria ter correspondido à elevada posição, mediante estrita obediência a todas as leis conhecidas que governavam a conduta dos reis. Em lugar disso, agira como um "pequeno homem moral", desobedecendo ao mandamento e então lançando a culpa sobre o povo.

Cf. com 1Sm 9.2, quanto ao reconhecimento de Saul de sua própria insignificância. Embora fizesse bem a maioria das coisas e combatesse corajosamente, Saul não vivia à altura de alguns requisitos básicos de seu elevado ofício. Ele era como a maioria de nós: bom em algumas coisas, mau em outras. Mas Saul era mau quanto a questões sérias e não poderia permanecer rei por muito mais tempo. "Exuberante com o sucesso, ele estava confiando somente em sua força, sem a ajuda divina, e desobedecia abertamente aos mandamentos divinos" (Ellicott, *in loc.*).

15.18

וַיִּשְׁלָחֲךָ יְהוָה בְּדָרֶךְ וַיֹּאמֶר לֵךְ וְהַחֲרַמְתָּה אֶת־הַחַטָּאִים אֶת־עֲמָלֵק וְנִלְחַמְתָּ בוֹ עַד כַּלּוֹתָם אֹתָם:

Vai, e destrói totalmente estes pecadores. Saul, pois, não podia pleitear ignorância. Fora o próprio Yahweh quem o enviara em campanha militar contra os amalequitas, e quem deixara claro que um holocausto (ver a respeito no *Dicionário*) tinha de ser feito daquele povo, com tudo quanto lhe pertencia.

Fosse como fosse, Saul não pleiteara ignorância; antes, ele transferira a *culpa.* Ele não disse "Pequei por ignorância", mas "Não pequei de maneira alguma. Foi o povo que cometeu o erro". Yahweh enviara Saul para destruir os "pecadores". Eles mereciam ser aniquilados por causa do que tinham feito contra Israel (ver Êx 17.8 ss.).

Justiça fora ordenada por Deus, mas Saul preferiu ignorá-la, satisfazendo a si mesmo e culpando o povo. Cf. Gn 13.13, o caso de Sodoma. Eles eram "pecadores" na presença do Senhor. O argumento inicial de Saul é que ele tinha pecado *deliberadamente,* o que só agravava a questão. "... as ordens eram claras, e não podia haver engano nenhum a respeito" (John Gill, *in loc.*).

15.19,20

וְלָמָּה לֹא־שָׁמַעְתָּ בְּקוֹל יְהוָה וַתַּעַט אֶל־הַשָּׁלָל וַתַּעַשׂ הָרַע בְּעֵינֵי יְהוָה: ס

וַיֹּאמֶר שָׁאוּל אֶל־שְׁמוּאֵל אֲשֶׁר שָׁמַעְתִּי בְּקוֹל יְהוָה וָאֵלֵךְ בַּדֶּרֶךְ אֲשֶׁר־שְׁלָחַנִי יְהוָה וָאָבִיא אֶת־אֲגַג מֶלֶךְ עֲמָלֵק וְאֶת־עֲמָלֵק הֶחֱרַמְתִּי:

Pelo contrário, dei ouvido à voz do Senhor. Samuel responsabilizou Saul, mas este continuou a lançar a culpa ao povo (ver o vs. 21). Saul afirmou ter feito bem *todas as coisas* (ver o vs. 20). Ele havia obtido grande vitória e exibido notável bravura e coragem. De fato, Saul foi um dos maiores heróis militares de Israel (ver o vs. 20). Um herói como ele deveria ter permissão de salvar a vida do rei dos amalequitas, como um troféu por seu triunfo. E que diferença faria se o povo trouxesse de volta alguns poucos cordeiros e vacas "para serem sacrificados"? Saul mostrou assim notável insensibilidade diante do mandamento de Yahweh, interpretando-o conforme melhor *lhe* agradasse.

O vs. 19 mostra-nos que Saul e o povo tinham "voado" gananciosamente sobre os despojos. Eles demonstraram "fome gananciosa" pela questão. Estavam mais interessados no lucro pessoal e em festejos do que em obedecer. Tiveram uma "cobiça tremenda", que os encaminhou para o erro. Atiraram-se sobre os despojos como urubus famintos e tomaram-nos para si mesmos, em lugar de oferecê-los como holocausto a Yahweh.

O vs. 20 mostra que a *obediência parcial* de Saul (aos seus próprios olhos) foi tão grande que qualquer lapso sobre a questão deveria ser negligenciado. "ele asseverou sua própria integridade de propósito e seu grande zelo pelos sacrifícios públicos a Deus, sabendo o tempo todo que mesquinhas razões pessoais tinham inspirado a sua conduta. Ele reiterara o apelo de que aquilo que fizera estava em acordo com a voz do povo, mas consciente o tempo todo de que o apelo era falso" (Ellicott, *in loc.*).

15.21

וַיִּקַּח הָעָם מֵהַשָּׁלָל צֹאן וּבָקָר רֵאשִׁית הַחֵרֶם לִזְבֹּחַ לַיהוָה אֱלֹהֶיךָ בַּגִּלְגָּל:

Mas o povo tomou do despojo. Saul não se cansava de seu argumento falaz; esforçava-se para transferir a culpa ao povo. Estava fazendo-se ridículo perante o profeta. Yahweh não estava interessado nos "melhores" animais dos amalequitas. O interesse dele era o total aniquilamento, o *holocausto,* um sacrifício que deveria ser feito no campo de batalha. Yahweh queria ter suas *primícias* e *sacrifícios* da parte de Israel, e não da parte de pagãos. Essas seriam as coisas que Israel traria ao tabernáculo, de acordo com a legislação mosaica. Mas os pagãos e tudo quanto eles possuíam seriam um sacrifício oferecido no campo de batalha, e não em algum santuário de Israel. O argumento de Saul, neste versículo, tem o absurdo adicional de tentar justificar os israelitas pelo erro que *eles* teriam cometido. Presumivelmente, segundo a estimativa de Saul, era bom para o povo fazer sacrifícios de animais pagãos a Yahweh, em Gilgal.

15.22

וַיֹּאמֶר שְׁמוּאֵל הַחֵפֶץ לַיהוָה בְּעֹלוֹת וּזְבָחִים כִּשְׁמֹעַ בְּקוֹל יְהוָה הִנֵּה שְׁמֹעַ מִזֶּבַח טוֹב לְהַקְשִׁיב מֵחֵלֶב אֵילִים:

Tanto prazer em holocaustos e sacrifícios...? Ultrapassando as percepções e a compreensão de um sumo sacerdote, o profeta via claramente que a espiritualidade é mais bem compreendida em termos de retidão nas atitudes e no coração, que na realização dos sacrifícios.

A antiga fé hebreia era um sistema altamente ritualista, sacrifical, mas os profetas trouxeram uma luz mais forte acerca do que Deus requeria dos homens. Um desses requisitos era a *obediência*. Ver sobre esse termo no *Dicionário*, quanto a plenas explicações e ilustrações.

"Este versículo contém a mais fina expressão da crítica profética dos sacrifícios (cf. Am 5.21-27; Os 6.6; Is 1.11-15). E mesmo que duvidemos de que Deus teria dado ordens para aniquilar um povo inteiro, isso não invalida o princípio aqui enunciado" (George B. Caird, *in loc.*).

"Não é a obediência à vontade de Deus a finalidade para a qual apontam todas as fés religiosas, ritos e cerimônias?" (Adam Clarke, *in loc.*).

Irineu (*Haer.* iv.32) corretamente comentou que essa grande declaração de Samuel claramente previu o dia em que o sistema sacrifical chegaria ao fim. "Nos sacrifícios, um homem oferece somente carne estranha, ao passo que, na obediência, oferece sua própria vontade" (Gregório, *Morais*, xxxv.10).

Tipologia. No sacrifício de Cristo, todos os demais, de fato todo o sistema do Antigo Testamento, encontrou cumprimento, o que explica sua descontinuação.

O princípio da obediência em lugar de sacrifício "é fora do tempo em sua aplicação" (Eugene H. Merrill, *in loc.*). "O nublado moral é levantado por um momento, e Samuel fala como fizeram os grandes profetas do século VIII a.C." (John C. Shroeder, *in loc.*).

■ **15.23**

כִּי חַטַּאת־קֶסֶם מֶרִי וְאָוֶן וּתְרָפִים הַפְצַר יַעַן מָאַסְתָּ
אֶת־דְּבַר יְהוָה וַיִּמְאָסְךָ מִמֶּלֶךְ: ס

Idolatria. A palavra hebraica por trás dessa tradução é *teraphim*, que evidentemente fala do uso de imagens consagradas nos encantamentos e adivinhações. Alguns eruditos corrigem isso para *estola*, supondo que alguma corrupção tenha entrado no texto neste ponto. Outros corrigem para *awen* (iniquidade), a palavra *aron* (arca). Mas *teraphim* eram pequenos objetos usados na cerimônia sagrada das sortes, que alguns identificam com o *Urim* e o *Tumim*; e há outros ainda que pensam ter havido diferentes formas de adivinhação. *Awen* (traduzida por "iniquidade") pode significar *vazio*, uma palavra comum para um *ídolo*, que é como nada. A teimosia é um ídolo, porquanto põe a vontade humana em contraste com a vontade divina e requer respeito pela própria *estupidez*, como se fosse algo para ser venerado.

Visto que rejeitaste a palavra do Senhor. O *pecado de Saul* foi visto como uma *rebelião*, uma vez que ele, propositada e conscientemente, quebrou as regras da guerra santa, salvando tanto vida humana como vida animal, quando o mandamento era aniquilar tudo. Ver no *Dicionário* o artigo chamado *Rebelião*, para plenas descrições. A profundidade desse pecado foi ilustrada por Samuel, que o comparou à adivinhação. Samuel apontou para a variedade pagã da adivinhação, visto que ele mesmo era adivinho e vidente, e o uso de sortes (1Sm 14.41) e o *Urim* e o *Tumim* (ver no *Dicionário*) eram formas aceitas de adivinhação, quando realizadas pelos hebreus. Se os mesmos modos fossem utilizados por outros povos, eram automaticamente denunciados, supostamente dependentes de poderes sinistros, e não do poder de Yahweh. Ver no *Dicionário* o artigo chamado *Adivinhação*, onde há plenas explicações. Os próprios apóstolos apelaram para o uso de sortes quando da substituição de Judas Iscariotes (ver At 1.26).

■ **15.24**

וַיֹּאמֶר שָׁאוּל אֶל־שְׁמוּאֵל חָטָאתִי כִּי־עָבַרְתִּי
אֶת־פִּי־יְהוָה וְאֶת־דְּבָרֶיךָ כִּי יָרֵאתִי אֶת־הָעָם
וָאֶשְׁמַע בְּקוֹלָם:

Pequei, pois transgredi o mandamento do Senhor e as tuas palavras. Saul, pois, é humilhado. As palavras do profeta humilharam o rei, forçando-o a concordar com as palavras que Samuel tinha proferido. Saul acabou reconhecendo sua *transgressão* contra um mandamento conhecido de Yahweh. Mas continuou culpando o povo, que presumivelmente tinha insistido em ficar com certos animais e, sem dúvida, havia pressionado o rei a fazê-lo. Ele cedera às pressões, mas nem sonhara em cometer o erro pessoalmente. Toda essa explicação, contudo, nada tinha a ver com manter Agague vivo, o que

certamente foi uma ideia de Saul. O que ele queria era um *troféu* para mostrar ao povo. Seja como for, é temível obedecer à voz dos homens, em lugar de seguir a voz de Deus (ver At 5.29). "A grave condenação do profeta deixou o rei boquiaberto. As bases da rejeição divina evidentemente calaram fundo no coração de Saul" (Ellicott, *in loc.*).

"Se ele temesse mais Deus, temeria menos o povo" (Adam Clarke, *in loc.*). John Gill (*in loc.*) rejeitou a *desculpa* de Saul dizendo que aquele homem não temia os homens. *Ele* é quem quisera aqueles excelentes animais para festejar e celebrar.

■ **15.25**

וְעַתָּה שָׂא נָא אֶת־חַטָּאתִי וְשׁוּב עִמִּי וְאֶשְׁתַּחֲוֶה
לַיהוָה:

Perdoa-me o meu pecado. Todos os pecados podem ser perdoados, mas usualmente a cadeia de eventos posta em movimento pelo pecado percorre o seu curso. Assim sendo, Saul foi *perdoado*, mas mesmo assim sofreu a *rejeição* de continuar sendo rei. Essa é a *Lei Moral da Colheita segundo a Semeadura* (ver a respeito no *Dicionário*). Saul quis ser perdoado para ter maior capacidade de adorar a Yahweh, cessando em sua rebeldia. Desse modo, ele esperava plena restauração para que pudesse continuar como rei de Israel. Coisa alguma poderia impedir sua restauração à adoração apropriada, mas coisa alguma poderia restaurá-lo a ser o correto rei de Israel. Esse *privilégio*, ele acabara de perder. Em outras palavras, o pecado é uma questão séria, que finalmente cobra seu preço.

Espalhar-se-ia a palavra de que Saul havia sido rejeitado (vs. 30). Ele perderia seu lugar de honra e prestígio diante dos *anciãos*, que eram subautoridades. Saul queria preservar seu favor e poder, e desejava que Samuel confirmasse isso diante daqueles homens. Mas isso não haveria de acontecer. Saul perdera o apoio de Yahweh, perdera o apoio de Samuel e agora acabara de perder o apoio dos anciãos. Em breve, perderia a própria vida, e Davi tomaria o seu lugar.

Gregório (*in loc.*) duvida da sinceridade do arrependimento de Saul, dizendo: "Se Saul estivesse, realmente, arrependido, ele teria orado para ser *humilde*, em vez de pedir para ser honrado".

Volta comigo. Ou seja, a Gilgal, para mostrar diante do povo que ele continuava rei e sob a aprovação de Yahweh. Ao retornar a Gilgal, Saul dirigiria a adoração pública, com os sacrifícios apropriados, para agradecer a Yahweh por tudo quanto ele havia feito e pela vitória sobre os amalequitas.

■ **15.26**

וַיֹּאמֶר שְׁמוּאֵל אֶל־שָׁאוּל לֹא אָשׁוּב עִמָּךְ כִּי
מָאַסְתָּה אֶת־דְּבַר יְהוָה וַיִּמְאָסְךָ יְהוָה מִהְיוֹת מֶלֶךְ
עַל־יִשְׂרָאֵל: ס

Samuel Recusa-se a Apoiar Saul. Samuel não quis voltar a Gilgal. Saul seria deixado em desgraça pública, sem as honrarias que desejava. Haveria de perder o apoio dos anciãos (vs. 30). Primeiramente, foi rejeitado por Yahweh, então pelo profeta Samuel, depois pelos anciãos e, finalmente, pelo povo comum. O vs. 31 mostra-nos que Samuel consentiu em adorar publicamente com Saul, mas isso foi o máximo a que ele quis chegar. Ele não mais apoiaria publicamente o rei, conforme tinha feito antes.

■ **15.27**

וַיִּסֹּב שְׁמוּאֵל לָלֶכֶת וַיַּחֲזֵק בִּכְנַף־מְעִילוֹ וַיִּקָּרַע:

A rejeição de Samuel a Saul foi severa e final. Saul ficou arruinado e, em um ato de desespero, agarrou-se às vestes de Samuel com força tal que estas se rasgaram. Com esse ato ele esperava deter Samuel e fazê-lo mudar de ideia, acompanhando-o de volta a Gilgal para adoração pública e ação de graças. sua persistência foi recompensada; porém, conforme demonstra o versículo seguinte, isso não quis dizer que sua rejeição tinha sido anulada. O ato de Saul revelou uma mente desesperada. Ele rasgou a *manta* do profeta, o *addereth*, uma peça distintiva do vestuário que o profeta usava. Alguns intérpretes, porém, pensam que essa vestimenta distintiva só começou a ser usada pelos profetas posteriormente. Samuel transformou o incidente da rasgadura da capa em um sinal da *rasgadura* que Saul haveria de sofrer (vs. 28).

15.28

וַיֹּאמֶר אֵלָיו שְׁמוּאֵל קָרַע יְהוָה אֶת־מַמְלְכוּת יִשְׂרָאֵל מֵעָלֶיךָ הַיּוֹם וּנְתָנָהּ לְרֵעֲךָ הַטּוֹב מִמֶּךָּ׃

Um Sinal. Da mesma maneira que Saul rasgou a vestimenta de Samuel, assim o reino de Israel foi rasgado do poder de Saul pelo poder de Yahweh. Isso indicava completa e irreversível *rejeição*. O reino, tomado de Saul, seria entregue a outro, a Davi, homem melhor que Saul. A vestimenta rasgada, pois, tornou-se mau *presságio* para Saul. Ele seria removido pela *violência*. Morreria no campo de batalha, por ato dos amalequitas (ver 2Sm 1.8,9).

15.29

וְגַם נֵצַח יִשְׂרָאֵל לֹא יְשַׁקֵּר וְלֹא יִנָּחֵם כִּי לֹא אָדָם הוּא לְהִנָּחֵם׃

A Glória de Israel não mente nem se arrepende. Uma referência a Yahweh, em seu reino celeste e em sua glória. Esse ser glorioso e celestial não muda de ideia, conforme fazem os homens. Embora possa parecer que ele tenha "mudado de ideia" ao substituir Saul por Davi, esse sempre foi o plano de Deus. Ademais, seu decreto imutável foi o instrumento que removeu Saul, e não havia remédio que pudesse anular isso. 1Sm 15.11 fala no *arrependimento* de Yahweh por ter instituído Saul como rei, mas essa é uma expressão antropomórfica. Ver as notas ali pela dificuldade do arrependimento de Deus. Ver também a discussão em Êx 32.14. Algumas traduções dizem aqui "a Força de Israel", em lugar de "a Glória de Israel". Cf. 4.21, a "Glória de Israel". A palavra hebraica correspondente, *netsach*, pode ser traduzida de ambas as maneiras, e assim os tradutores preferem a tradução que lhes parece mais apropriada no contexto.

Os homens mudam de ideia. Eles degeneram e abandonam nobres propósitos. Saul havia degenerado. Mas Yahweh não haveria de acompanhá-lo em tais atos.

15.30,31

וַיֹּאמֶר חָטָאתִי עַתָּה כַּבְּדֵנִי נָא נֶגֶד זִקְנֵי־עַמִּי וְנֶגֶד יִשְׂרָאֵל וְשׁוּב עִמִּי וְהִשְׁתַּחֲוֵיתִי לַיהוָה אֱלֹהֶיךָ׃
וַיָּשָׁב שְׁמוּאֵל אַחֲרֵי שָׁאוּל וַיִּשְׁתַּחוּ שָׁאוּל לַיהוָה׃ ס

Saul Precisava da Honra e do Apoio dos Anciãos. Nenhum homem poderia manter-se no poder sem esse apoio. Por isso, o rei ansiava ser visto com Samuel em Gilgal, participando dos mesmos sacrifícios a Yahweh, como ato de ação de graças pela vitória obtida sobre os amalequitas. Samuel concedeu a Saul o seu pedido. Ele não se recusaria àquele ato de ação de graças. Mas deixaria claro que estava retirando o apoio ao rei Saul. De fato, Saul continuaria rei, mas não por muito tempo. Seus dias estavam definitivamente contados. A morte à espada não estava longe. Os resultados de sua rebelião logo recairiam sobre o rei. Ele colheria o que havia semeado. Nenhum de seus filhos assumiria o trono, que passaria a outra linhagem.

"O perdão não implica que as penas não sejam cobradas pelo fracasso de satisfazer as reivindicações de alguma obrigação. Com demasiada frequência, os homens esperam que o arrependimento fácil os absolva das penas devidas pelo fracasso" (John C. Shroeder, *in loc.*).

Saul continuava buscando honrarias. Um verdadeiro arrependimento provavelmente o teria feito aceitar graciosamente a humilhação. No vs. 26, Samuel disse que não acompanharia Saul a Gilgal. Mas o profeta mudou de parecer, após uma consideração mais madura. Isso, contudo, não removeria a maldição que havia sido pronunciada sobre Saul e sobre o seu reinado.

15.32

וַיֹּאמֶר שְׁמוּאֵל הַגִּישׁוּ אֵלַי אֶת־אֲגַג מֶלֶךְ עֲמָלֵק וַיֵּלֶךְ אֵלָיו אֲגַג מַעֲדַנֹּת וַיֹּאמֶר אֲגָג אָכֵן סָר מַר־הַמָּוֶת׃ ס

A Má Sorte de Agague. Samuel tinha mais uma questão para resolver. O brutal Agague foi chamado à presença de Samuel. Ele veio todo alegre, como se tudo não passasse de uma brincadeira. Ele não temia, porque não antecipava o terror que o havia atingido. A Septuaginta diz que ele veio "tremendo", mas não é isso o que diz o versículo. A RSV fala *cheerfully* (alegremente), como se tudo fosse um jogo divertido. A Vulgata diz "gordo e trêmulo", mas essa observação está fora de lugar. O texto hebraico enfatiza a *frivolidade* do homem na ocasião. A Septuaginta e a Vulgata devem ter seguido manuscritos hebraicos dotados de um texto diferente, que não aparecem nos manuscritos ora existentes. A versão siríaca ignora completamente o advérbio, talvez na suposição de que não combinava Agague vir brincando naquele momento tão solene, mas parece que era precisamente isso o que ele estava fazendo.

Certamente já se foi a amargura da morte. *Agague Fez seu Apelo.* Em ocasiões anteriores, ele realizara seus atos de matança com grande prazer. Mas ao chegar a sua vez de sofrer a violência, queria esquecer o terrível jogo da morte.

15.33

וַיֹּאמֶר שְׁמוּאֵל כַּאֲשֶׁר שִׁכְּלָה נָשִׁים חַרְבֶּךָ כֵּן־תִּשְׁכַּל מִנָּשִׁים אִמֶּךָ וַיְשַׁסֵּף שְׁמוּאֵל אֶת־אֲגָג לִפְנֵי יְהוָה בַּגִּלְגָּל׃ ס

Samuel, o Executor Público. Samuel não precisou levar a efeito um julgamento nem recorrer à ajuda de algum executor oficialmente nomeado. Ele tinha autoridade para agir pelo estado de Israel, e não hesitou. O caso de Agague era uma questão de registro público. Ele tinha deixado muitas mães sem filhos por seus ataques insensatos, caracterizados por matanças e caos. Ele havia semeado e agora colheria. Tinha vivido pela espada, e agora morreria pela espada (Mt 26.52). Portanto, enquanto nos sentimos chocados ao contemplar o profeta de Deus a cortar o homem em fatias, e enquanto sacudimos a cabeça diante da brutalidade da época, reconhecemos que Samuel possuía autoridade para executar um criminoso como Agague. Ver no *Dicionário* o artigo chamado *Punição Capital*.

"Podemos ver o pobre Agague vindo todo alegre ao salão, proferindo as palavras 'Certamente já se foi a amargura da morte', somente para enfrentar a morte quando menos a esperava" (John C. Schroeder, *in loc.*). "A morte era a retribuição por suas crueldades" (Adam Clarke, *in loc.*).

15.34

וַיֵּלֶךְ שְׁמוּאֵל הָרָמָתָה וְשָׁאוּל עָלָה אֶל־בֵּיתוֹ גִּבְעַת שָׁאוּל׃

Cada Homem Voltou à sua Própria Casa. Samuel foi para Ramá, e Saul foi para Gilgal. Os acontecimentos daquele dia foram suficientes. A glória estava ali; o terror e a brutalidade também estavam ali. Todas essas coisas que os homens apreciam tinham-se misturado naquele dia. Os dois homens nunca mais haveriam de encontrar-se (vs. 35), pois o profeta nada mais teve que ver com o rei rejeitado. As circunstâncias tomariam conta de Saul. Nenhuma outra intervenção da parte de Samuel foi necessária para garantir a vontade de Yahweh sobre a questão.

15.35

וְלֹא־יָסַף שְׁמוּאֵל לִרְאוֹת אֶת־שָׁאוּל עַד־יוֹם מוֹתוֹ כִּי־הִתְאַבֵּל שְׁמוּאֵל אֶל־שָׁאוּל וַיהוָה נִחָם כִּי־הִמְלִיךְ אֶת־שָׁאוּל עַל־יִשְׂרָאֵל׃ פ

Nunca mais viu Samuel a Saul. Embora Samuel e Saul não mais tivessem contato, até o dia de sua morte Samuel *chorou* pelo rei, lamentando seus deslizes, quedas e equívocos. Como Samuel desejava que as coisas tivessem sido diferentes!

> Dentre todas as tristes palavras ditas ou escritas,
> As mais tristes são estas: "Poderia ter sido".
> John Greenleaf Whittier

O Senhor se arrependeu. Em 1Sm 15.29 é dito claramente que Yahweh não é como o homem, que pode arrepender-se. Contudo, no vs. 11 deste capítulo nós o vemos arrependido por haver constituído Saul como rei, e neste versículo o tema é reiterado. Ver as notas sobre a questão levantada em 1Sm 15.10,11 e Êx 32.14.

Uma Discrepância? Este versículo afirma que os dois homens nunca mais se encontraram; mas 1Sm 19.23,24 relata outra entrevista entre os dois. Os críticos explicam a questão dizendo que a passagem é de origem tardia e escrita por outro autor. O editor não se importou em reconciliar as duas passagens. Ou talvez haja um deslocamento de materiais, e a declaração do capítulo 19 realmente tenha ocorrido antes desta.

"Sentimos inclinados a entristecer-nos por Saul, em vez de ficarmos irados com ele. Ele foi um homem que desempenhou uma função demasiado pesada. Foi um homem que, ao enfrentar suas responsabilidades, se tornava frenético e ansioso, o que despedaçava a sua confiança em si mesmo e em sua missão. A história é implacável em seus juízos sobre os fracassos da vida" (John C. Shroeder, *in loc.*). Por outro lado, Saul cumpriu essencialmente a sua missão. Em contraste com os juízes de Israel, ele debilitou os inimigos de Israel em uma base nacional (ver 1Sm 14.47), enquanto eles tinham somente poder local e obtiveram vitórias regionais. O fato de Saul ter feito o que fez permitiu a Davi terminar a tarefa.

CAPÍTULO DEZESSEIS

SAMUEL UNGE DAVI (16.1-13)

Desde bem cedo na carreira de Saul (antes mesmo de suas grandes vitórias militares), foi predito que seu reinado seria substituído e nenhum de seus filhos ocuparia o trono de Israel (ver 1Sm 13.13,14). E mesmo nessa passagem temos uma alusão a Davi, o homem "segundo o coração de Deus". Isso significava que o reinado passaria para a linhagem de Davi e ali permaneceria para sempre, visto que o Rei Messias é descendente de Davi. Samuel, tendo-se desfeito de um rei, teve de substituí-lo por outro. A monarquia precisava continuar, e agora em mãos melhores. Israel precisava ser libertado de todos os inimigos internos, para que a monarquia fosse bem-sucedida. Essa tarefa foi entregue a Davi. "A rejeição de Saul não forçou o Senhor a um novo curso de ação. Antes, o ato de Deus seguiu seu plano onisciente de tal modo que a desobediência de Saul foi a ocasião terrena para a implementação desse plano superior... Deus provou a superioridade de sua própria sabedoria ao levantar um rei que agiria em cumprimento à sua perfeita vontade" (Eugene M. Merrill, *in loc.*).

■ **16.1**

וַיֹּאמֶר יְהוָה אֶל־שְׁמוּאֵל עַד־מָתַי אַתָּה מִתְאַבֵּל אֶל־שָׁאוּל וַאֲנִי מְאַסְתִּיו מִמְּלֹךְ עַל־יִשְׂרָאֵל מַלֵּא קַרְנְךָ שֶׁמֶן וְלֵךְ אֶשְׁלָחֲךָ אֶל־יִשַׁי בֵּית־הַלַּחְמִי כִּי־רָאִיתִי בְּבָנָיו לִי מֶלֶךְ׃

Disse o Senhor a Samuel. Talvez em um sonho, uma visão, uma inspiração intuitiva. Ele tornou sua vontade conhecida de maneira incomum, ao que Samuel, como profeta de Deus, era ocasionalmente sujeitado. Primeiro, ele repreendeu Samuel por reclamar excessivamente. Saul tinha terminado. Ele havia cumprido a essência de sua missão; era inútil retê-lo quando, de fato, fora rejeitado e logo seria substituído. Os psicólogos advertem-nos contra as lamentações excessivas, quaisquer que sejam as causas. A alma perturbada arruína os propósitos, e devemos sempre dar continuidade às nossas missões. "Há ocasiões em que os juízos decisivos, por mais que firam, são mais sábios que as evasões sentimentais" (John C. Shroeder, *in loc.*).

Enche um chifre de azeite. Os reis deviam ser ungidos mediante o óleo santo, tirado do tabernáculo. Mas não há indício de que Samuel tenha usado esse óleo. Ele possuía autoridade para usar um azeite diferente sem incorrer em infração. Ver no *Dicionário* o artigo chamado *Unção* e cf. 1Sm 10.1 (a unção de Saul), onde adiciono alguns detalhes. Ver também 1Sm 9.25 quanto à autoridade de Samuel realizar o rito, que cabia ao sumo sacerdote, conforme costume posterior.

Um chifre. Os chifres eram usados como vasos de beber e para guardar líquidos preciosos empregados em algum ato ou cerimônia.

A Jessé. Ver no *Dicionário* o artigo sobre esse homem. Ele foi pai de Davi. Um de seus filhos seria levantado à alta posição que Saul perdera. "Daquele dia em diante, a aldeia de *Belém* (ver a respeito no *Dicionário*) obteve estranha notoriedade nos anais do mundo. Davi amava a aldeia onde seu pai, muito provavelmente, era o xeque ou cabeça. Belém também foi o berço do descendente maior de Davi, Jesus, o Cristo. Uma tradição maometana faz de Jessé um homem rico, não meramente em suas fazendas, mas também na produção de roupas (de pelo e de pano de saco).

■ **16.2**

וַיֹּאמֶר שְׁמוּאֵל אֵיךְ אֵלֵךְ וְשָׁמַע שָׁאוּל וַהֲרָגָנִי ס וַיֹּאמֶר יְהוָה עֶגְלַת בָּקָר תִּקַּח בְּיָדֶךָ וְאָמַרְתָּ לִזְבֹּחַ לַיהוָה בָּאתִי׃

Samuel Temia Saul. O texto já nos havia preparado para a mensagem deste versículo. A última vez que vimos Saul (capítulo 15), ele era um homem humilhado. Mas agora sua humildade havia dado lugar à hostilidade e ao ódio, tanto que Samuel acreditava que Saul seria capaz até mesmo de assassinar o profeta do Senhor, e por isso o *temia*. Saul era um homem selvagem, uma máquina de matar. Algumas poucas vítimas a mais não fariam diferença para ele. Certos estudiosos supõem que a mente de Saul havia sido afetada e alguma estranha desordem mental começara a persegui-lo por causa das constantes guerras, matanças e perigos que ele teve de enfrentar. Se seus caminhos se cruzassem, o idoso profeta seria uma vítima fácil para Saul.

Yahweh tentou aliviar os temores de Samuel, mostrando-lhe que nenhuma unção *pública* de Davi seria efetuada, o que certamente faria Saul enraivecer-se, tornando-se mais perigoso do que nunca. A unção seria uma questão privada, doméstica, que não chamaria a atenção de ninguém, pelo menos no presente.

Samuel deveria tomar um novilho para ser oferecido como *sacrifício*, mas não deveria fazer propaganda do fato de que, juntamente com o sacrifício, também ocorreria a unção de um novo rei. Não havia nada de errado em agir secretamente. Samuel não devia a Saul explicação por suas ações. Samuel "não era obrigado a contar toda a verdade" (Adam Clarke, *in loc.*).

■ **16.3**

וְקָרָאתָ לְיִשַׁי בַּזָּבַח וְאָנֹכִי אוֹדִיעֲךָ אֵת אֲשֶׁר־תַּעֲשֶׂה וּמָשַׁחְתָּ לִי אֵת אֲשֶׁר־אֹמַר אֵלֶיךָ׃

Convidarás Jessé ao sacrifício. O *sacrifício* reuniria Jessé e seus familiares para uma espécie de culto de adoração particular. No meio disso, algo mais importante ocorreria. A Samuel seria demonstrado qual dos filhos de Jessé seria o novo *rei ungido*. Esse ato apanharia todos de surpresa, ao mesmo tempo que tudo seria ocultado pelo sacrifício, como se essa fosse a única razão pela qual Samuel visitava a família de Jessé.

"Grandes homens sempre despertam bulício. Isso não significa que eles sejam perturbadores da boa ordem. Mas todos os grandes homens são pontos focais de grandes modificações, e isso desperta tribulações. O papel da religião não é dar paz mental às pessoas" (John C. Shroeder, *in loc.*). O avanço na fé religiosa e na espiritualidade esmaga as ortodoxias confortáveis. O pioneiro é sempre considerado um herege. Assim, Samuel tinha algo novo para anunciar, algo que causaria tribulação em Israel até que a transição de Saul para Davi estivesse terminada.

■ **16.4**

וַיַּעַשׂ שְׁמוּאֵל אֵת אֲשֶׁר דִּבֶּר יְהוָה וַיָּבֹא בֵּית לָחֶם וַיֶּחֶרְדוּ זִקְנֵי הָעִיר לִקְרָאתוֹ וַיֹּאמֶר שָׁלֹם בּוֹאֶךָ׃

Samuel Obedeceu a Yahweh. Samuel foi homem poderoso. Grandes coisas aconteciam em sua presença. Ele conhecia a vida de maneira especial. Possuía pré-conhecimento e poderes proféticos e sacerdotais. O povo o temia. Eles sabiam de seu conflito com Saul e pensavam que sua visita a Belém poderia fazer Saul extinguir a cidade inteira. Por isso, ansiavam saber se sua missão era de *paz* e que eles não seriam perturbados.

O nome e o aparecimento do idoso vidente eram bem conhecidos em todo o território de Israel. Por que ele surgira de repente entre eles? Estaria ali para castigar algum pecado desconhecido? Por que tão grande homem iria à pequena aldeia de Belém?

Belém ficava a cerca de 24 quilômetros de Ramá (onde Samuel residia). Se Samuel fizera uma viagem tão longa, na idade dele, alguma razão importante cercava a questão.

■ 16.5

וַיֹּאמְרוּ שָׁלוֹם לִזְבֹּחַ לַיהוָה בָּאתִי הִתְקַדְּשׁוּ וּבָאתֶם אִתִּי בַּזָּבַח וַיְקַדֵּשׁ אֶת־יִשַׁי וְאֶת־בָּנָיו וַיִּקְרָא לָהֶם לַזָּבַח׃

O Sacrifício Foi Efetuado. A missão de Samuel em Belém era de paz. Nenhuma infração precisava ser corrigida. Ele não atrairia os homens selvagens de Saul ao lugarejo. Apenas fora instruído por Yahweh a oferecer ali um sacrifício (vs. 2). Os habitantes do lugar, e especialmente Jessé e sua família, tinham de estar presentes, pelo que Samuel baixou ordens nesse sentido. Todos os sacrifícios eram acompanhados por algum banquete, exceto os *holocaustos* (ver a respeito no *Dicionário*), nos quais as vítimas sacrificadas eram inteiramente queimadas. Todos os demais sacrifícios permitiam que se comessem partes dos animais, excetuando o sangue e a gordura, que eram oferecidos a Yahweh, o companheiro invisível de cada sacrifício feito em Israel. Portanto, o sacrifício que Samuel estava prestes a oferecer seria também um tempo de banquete e regozijo. Haveria uma pequena festividade comunitária associada.

O *sacrifício* também serviria ao propósito de remover qualquer contaminação de ordem cerimonial e moral, a fim de que a unção pudesse ocorrer na atmosfera apropriada. Portanto, o sacrifício não era meramente um pretexto para a visita de Samuel. Faria *parte* da questão relacionada à unção.

Santificai-vos. Isto posto, as vestes das pessoas seriam lavadas; elas precisavam estar cerimonialmente limpas mediante o *banho*. Ver quanto a isso em Lv 14.8,15,16; 17.15; Nm 8.7; 19.7,19.

■ 16.6

וַיְהִי בְּבוֹאָם וַיַּרְא אֶת־אֱלִיאָב וַיֹּאמֶר אַךְ נֶגֶד יְהוָה מְשִׁיחוֹ׃

Os Filhos de Jessé Estavam Presentes. As ordens de Samuel foram obedecidas. Samuel observava cada um e tentava imaginar a qual dos filhos de Jessé Yahweh teria escolhido. "Por certo deve ser Eliabe", disse Samuel a si mesmo. Ele era um belo homem, à semelhança de Saul. Ver sobre ele no *Dicionário*, no terceiro ponto. Eliabe era o irmão mais velho de Davi (ver 1Cr 2.13), o filho mais velho de Jessé. Seria a escolha *natural*, mas não a escolha *divina*.

■ 16.7

וַיֹּאמֶר יְהוָה אֶל־שְׁמוּאֵל אַל־תַּבֵּט אֶל־מַרְאֵהוּ וְאֶל־גְּבֹהַּ קוֹמָתוֹ כִּי מְאַסְתִּיהוּ כִּי לֹא אֲשֶׁר יִרְאֶה הָאָדָם כִּי הָאָדָם יִרְאֶה לַעֵינַיִם וַיהוָה יִרְאֶה לַלֵּבָב׃

Não atentes para a sua aparência. *Saul* era homem de elevada estatura, algo muito apreciado pelos antigos. Ver os comentários sobre 1Sm 9.2 e 10.23. Samuel estava caindo no erro de julgar um homem por sua aparência física. Samuel não estava olhando para o interior, mas Yahweh era *observador dos corações*.

Há a *aparência* e há a *realidade*. O homem vê a aparência de uma pessoa ou coisa, e assim faz julgamentos precipitados. Mas Deus vê a realidade do homem ou coisa, e faz um juízo verdadeiro. Samuel tinha de ajustar-se à maneira divina de avaliar pessoas e coisas. É frequentemente verdadeiro que as aparências *enganam*. Os homens são facilmente enganados e atos tolos ocorrem por causa de decepções. A questão da escolha do segundo rei de Israel era muito importante para ser feita de acordo com sua aparência física. Por isso mesmo, Yahweh teve de intervir desde o começo, certificando-se de que Davi fosse ungido. O coração de Eliabe não era tão bom quanto a sua aparência física. Ele não era um candidato apropriado.

■ 16.8

וַיִּקְרָא יִשַׁי אֶל־אֲבִינָדָב וַיַּעֲבִרֵהוּ לִפְנֵי שְׁמוּאֵל וַיֹּאמֶר גַּם־בָּזֶה לֹא־בָחַר יְהוָה׃

Abinadabe. Ver sobre ele no *Dicionário*. Também não era o escolhido de Yahweh. É provável que os filhos de Jessé tivessem passado diante de Samuel em ordem de idade, visto que isso era algo importante aos olhos dos hebreus. "Os filhos de Jessé foram passados em revista, perante Samuel. Todos foram rejeitados, até o clímax dramático, quando Davi foi chamado, estando ele a cuidar das ovelhas" (John C. Shroeder, *in loc.*). Foram momentos críticos. Momentos de decisão, pelo que Yahweh teve de inspirar diretamente quanto à questão. Oh, Senhor, concede-nos tal graça!

Samuel Não Explicou o que Estava Fazendo. Ele somente permitiu que a questão fosse compreendida como uma espécie de preparação para o sacrifício. Ninguém, até ali, vira preparação *semelhante* para um sacrifício. Mas Samuel tinha o direito de inovar, se assim desejasse fazê-lo. 1Sm 17.13 mostra-nos que Abinadabe era o *segundo* filho de Jessé, pelo que o repasse processou-se segundo a ordem de idade.

■ 16.9,10

וַיַּעֲבֵר יִשַׁי שַׁמָּה וַיֹּאמֶר גַּם־בָּזֶה לֹא־בָחַר יְהוָה׃

וַיַּעֲבֵר יִשַׁי שִׁבְעַת בָּנָיו לִפְנֵי שְׁמוּאֵל וַיֹּאמֶר שְׁמוּאֵל אֶל־יִשַׁי לֹא־בָחַר יְהוָה בָּאֵלֶּה׃

Samá. Ver a respeito dele no *Dicionário*. Era o terceiro filho mais velho de Jessé, conforme ficamos sabendo em 1Sm 17.13. O autor sacro poupa-nos da *repetição* da cena quanto aos outros filhos de Jessé, embora devamos compreender que ela tenha ocorrido (vs. 10), mas sem que nenhum fosse chamado especificamente. Sete filhos de Jessé passaram defronte dele, mas um oitavo (Davi) não estava presente, porquanto cuidava das ovelhas nos campos.

Em 1Cr 2.13-15 somente sete filhos de Jessé são mencionados, incluindo Davi. Ao que tudo indica, um deles tinha morrido antes que o texto fosse escrito, ou temos uma simples omissão sem razão específica.

■ 16.11

וַיֹּאמֶר שְׁמוּאֵל אֶל־יִשַׁי הֲתַמּוּ הַנְּעָרִים וַיֹּאמֶר עוֹד שָׁאַר הַקָּטָן וְהִנֵּה רֹעֶה בַּצֹּאן וַיֹּאמֶר שְׁמוּאֵל אֶל־יִשַׁי שִׁלְחָה וְקָחֶנּוּ כִּי לֹא־נָסֹב עַד־בֹּאוֹ פֹה׃

Acabaram-se os teus filhos? Nenhum *sacrifício* poderia ocorrer enquanto *Davi* não fosse chamado dos campos. Samuel compreendeu, pela rejeição dos sete filhos mais velhos de Jessé, que a salvação de Israel estava no campo, na figura de Davi. Os juízos humanos são, quase sempre, superficiais. Os que são fisicamente atraentes têm muitas vantagens tolas. A escolha de um cônjuge por muitas vezes só leva em conta esse fator. Davi era simpático, mas nada que se comparasse a Eliabe; porém, possuía beleza de coração e de alma como seus irmãos mais velhos não tinham. No entanto, não fora considerado importante para ser chamado a fazer parte da festa-sacrifício. De acordo com Jessé, cuidar das ovelhas era mais importante. Ele facilmente poderia ter nomeado um servo para cuidar de uma questão relativamente banal, fazendo seu filho mais novo presente ao ajuntamento. Yahweh, por meio de Samuel, precisou corrigir o julgamento ineficiente de Jessé.

> Errar é humano; perdoar é divino.
>
> Alexander Pope

Jessé e os anciãos da aldeia pensaram que Davi era muito mais insignificante que seus irmãos. Jessé não o considerara importante para fazer parte do sacrifício e ser apresentado diante de Samuel. A aldeia inteira foi despertada para uma rude realidade: "*Aquele* era o homem" a quem Yahweh tinha escolhido. Davi não fora deixado de lado por ser apenas uma criança. As fontes judaicas dizem que ele tinha cerca de 29 anos na época, uma idade que parece demasiado avançada (*Seder Olam Rabba*, cap. 13, par. 36). John Gill conjecturou que na época ele teria uns 20 anos de idade. Raramente um jovem dessa idade seria feito *rei*, mas era suficiente para o plano divino.

■ **16.12**

וַיִּשְׁלַח וַיְבִיאֵהוּ וְהוּא אַדְמוֹנִי עִם־יְפֵה עֵינַיִם וְטוֹב
רֹאִי פ וַיֹּאמֶר יְהוָה קוּם מְשָׁחֵהוּ כִּי־זֶה הוּא׃

Davi Era Simpático. Não era tão alto quanto Eliabe, mas tinha boa aparência. Tinha belos olhos e era ruivo, devido ao seu trabalho nos campos e à exposição ao sol. A nossa versão portuguesa diz "ruivo", embora não pareça ser a melhor escolha de palavras. Adam Clarke, entretanto, supõe que *ruivo* é a verdadeira tradução, ou que talvez ele fosse loiro, em contraste com seus irmãos de tez mais escura. John Gill, entretanto, prefere ficar com a tradução "ruivo". Seu rosto era avermelhado devido à exposição ao sol. Seja como for, Davi era simpático, mas não era o padrão físico que os homens escolheriam como um *rei*. Mas Samuel, inspirado por Yahweh, compreendeu imediatamente que havia encontrado o seu homem e disse: "Este é ele!" Davi é quem tinha as qualidades físicas, espirituais e mentais necessárias para libertar com sucesso Israel, em sentido absoluto, de seus inimigos internos (os que habitavam a Palestina). Ele teria sucesso superior ao alcançado por Saul.

John C. Schroeder (*in loc*.) observou como, no decurso da história, os feios Lincolns devem ter ultrapassado em número às belas Helenas. Mas a magnífica beleza de Helena foi o que levou gregos e troianos à tribulação. Enquanto isso, o feio Lincoln liberou os escravos e foi o instrumento na transformação do curso de uma nação.

■ **16.13**

וַיִּקַּח שְׁמוּאֵל אֶת־קֶרֶן הַשֶּׁמֶן וַיִּמְשַׁח אֹתוֹ בְּקֶרֶב אֶחָיו
וַתִּצְלַח רוּחַ־יְהוָה אֶל־דָּוִד מֵהַיּוֹם הַהוּא וָמָעְלָה
וַיָּקָם שְׁמוּאֵל וַיֵּלֶךְ הָרָמָתָה׃ ס

Davi é Ungido. O óleo santo (ver 1Sm 9.25; 10.1 e 16.1) foi usado para ungir o *segundo* dos reis de Israel. Ver no *Dicionário* o artigo denominado *Unção*. Mediante esse ato, o reinado de Saul foi formalmente substituído, embora ele ainda continuasse no poder por algum tempo, a fim de cuidar do restante dos acontecimentos necessários em sua vida. Como no caso de Saul, o Espírito de Deus veio sobre Davi para capacitá-lo à missão. Ver 1Sm 10.6,10; 11.6. O Espírito, no tempo do Antigo Testamento, ia e vinha, ajudando e capacitando em tempos de crise e momentos especiais. O fraseado do versículo, "daquele dia em diante", pode significar a *presença contínua* do Espírito, ou que a vinda do Espírito sobre Davi era constante, tendo havido muitos incidentes semelhantes. Através dessa unção espiritual, que se seguiu à unção com azeite, as qualidades necessárias para o reinado foram transmitidas a Davi.

"O efeito da *descida* do Espírito do Senhor sobre Davi foi que o jovem pastor cresceu para tornar-se um herói, um estadista, um erudito, um sábio, um rei de profunda visão" (Ellicott, *in loc*.).

"Essa era a autenticação sobrenatural da vontade de Deus. Posteriormente, Davi foi ungido rei de Judá (ver 2Sm 2.4) e, mais tarde ainda, de todo o Israel (ver 2Sm 5.3)" (Eugene M. Merrill, *in loc*.). Foi assim que o poder espiritual pousou sobre aqueles a quem Deus escolheu para seu serviço. Cf. Jz 3.10; 6.34; 14.6; 1Sm 10.10; 16.13.

Davi, filho de Jessé, era neto de Rute e Boaz (ver Rt 4.18-21) e estava na linhagem da promessa, descendendo de Abraão através de Isaque e Jacó. A dinastia real deveria vir através de Rute (4.11). Ver uma ilustração da linhagem de Davi em 1Sm 17.12. Ver o artigo geral sobre *Davi* no *Dicionário*.

E foi para Ramá. Tendo cumprido a ordem do Senhor (ver 1Sm 16.1-3), Samuel voltou para casa. Um novo estágio na história de Israel havia começado.

DAVI E SAUL (1Sm 16.14—2Sm 1.27)

DAVI, O MÚSICO (16.14-23)

Enquanto a estrela de Davi se levantava (em breve ele se tornaria nacionalmente conhecido), a estrela de Saul descia. Saul mergulhou em progressiva deterioração, que envolveu tanto *má disposição* (ou fraqueza mental) diante da qual ele perdeu o controle, quanto a influência de um *espírito maligno*, um demônio. Não sabemos identificar o avanço da teologia ou demonologia de Israel na época, portanto é impossível determinar exatamente o que o autor sacro quis dizer aqui. A teologia judaica posterior falava em seres malignos ou demônios. Ver no *Dicionário* o verbete chamado *Demônio, Demonologia*. Foi assim que Saul, que antes recebera o impulso do Espírito de Deus, agora, em sua degradação, contava com um espírito maligno que vexava sua mente e o transformava em nada. O deslize que o afetou, todavia, foi gradual, como ocorre no caso da maioria das deteriorações. "O efeito da partida do Espírito Santo foi que, daquela hora em diante, o generoso rei tornou-se presa de forte melancolia e vítima de uma inveja torturante, que só aumentava conforme o tempo passava. Isso o espicaçava à loucura, arruinando sua vida e maculando a ótima promessa de seus primeiros anos" (Ellicott, *in loc*.).

Os servos de Saul sugeriram que boa música poderia ajudá-lo em suas condições, e por isso Davi, reputado como excelente músico, foi convidado a servir ao rei. Assim, as circunstâncias cooperaram juntamente para trazer Davi perante os oficiais da corte real, levando-o a atrair a atenção dos anciãos. Ele precisaria desse apoio para subir ao trono.

■ **16.14**

וְרוּחַ יְהוָה סָרָה מֵעִם שָׁאוּל וּבִעֲתַתּוּ רוּחַ־רָעָה מֵאֵת
יְהוָה׃

As notas de introdução a esta seção apresentam os comentários essenciais a este versículo.

Saul tinha sido ungido com azeite, e então pelo Espírito de Deus. Isso fizera dele um homem diferente (ver 1Sm 10.6). Mas sua desintegração progressiva, um fracasso acrescentado a outro, verteu seu bom curso. Então um *mau espírito* (sob o controle de Yahweh, a causa de *todas* as coisas) anulou todo o bem que havia nele, substituindo-o pelo mal. Josefo apresentou Saul como possuído pelo demônio, por meio de quem, em certa ocasião, quase foi sufocado e estrangulado. Ele foi distraído em seus conselhos, perdeu a coragem e a grandeza mental, tornou-se fraco e tolo, temeroso e medroso, cheio de inveja, suspeita, ira e desespero (*Antiq*. 1.6, cap. 8, sec. 2).

A teologia judaica era débil quanto a causas secundárias. Assim sendo, todas as coisas eram conferidas a Deus, incluindo fatores que hoje dificilmente atribuiríamos a Deus. Diríamos que as condições deterioradas de Saul *permitiram* que o mau espírito assumisse o controle de sua vida, e *Yahweh* estabeleceu a lei da colheita segundo a semeadura, que transformou isso em realidade. Ver no *Dicionário* o verbete chamado *Lei Moral da Colheita segundo a Semeadura*.

"Satanás deleita-se em pescar em águas perturbadas e a situação mental de Saul dava-lhe muitas vantagens para efetuar sua obra maligna" (Adam Clarke, *in loc*.).

Assim como o amor é a grande lei universal do bem, o ódio é o que opera toda a espécie de confusão. Os que conhecem os fatos sobre os poderes demoníacos dizem-nos que a possessão é algo quase impossível, a menos que haja *ódio* em algum lugar. Ver na *Enciclopédia de Bíblia, Teologia e Filosofia* o verbete intitulado *Possessão Demoníaca*.

■ **16.15**

וַיֹּאמְרוּ עַבְדֵי־שָׁאוּל אֵלָיו הִנֵּה־נָא רוּחַ־אֱלֹהִים רָעָה
מְבַעִתֶּךָ׃

A profunda melancolia de Saul (verdadeiramente, um sinal de influência demoníaca) era evidente a todos. Seus servos acreditavam que a música suave poderia ajudá-lo. A música é a mais sutil e abstrata das artes e tem poderes especiais sobre as emoções. Ver no *Dicionário* o artigo chamado *Música, Instrumentos Musicais*.

"A música era eficaz para despertar o êxtase profético (ver 1Sm 10.5; 2Rs 3.15) e igualmente eficaz para suavizar o estado mórbido no qual Saul tinha caído" (George B. Caird, *in loc*.). A experiência tem demonstrado que a música pode ajudar *algumas* pessoas a atingir estados alterados da consciência, nos quais se manifestam as experiências místicas.

> A música tem encantos para amansar uma besta selvagem,
> Para suavizar rochas ou dobrar um carvalho como nós.
> William Congreve

Adam Clarke (*in loc*.) conta-nos uma interessante história. "Um músico foi levado a tocar seu instrumento, enquanto homens alimentavam um *leão selvagem* na torre de Londres. O animal largou imediatamente o alimento, chegou perto das barras de sua jaula e começou a movimentar-se ao ritmo da música. Quando o músico parou de tocar, o leão retornou ao alimento. Quando o músico recomeçou a tocar, o leão abandonou novamente o alimento e veio balançar-se ao ritmo da música. Isso foi repetido, sempre com os mesmos efeitos".

■ 16.16

יֹאמַר־נָא אֲדֹנֵנוּ עֲבָדֶיךָ לְפָנֶיךָ יְבַקְשׁוּ אִישׁ יֹדֵעַ מְנַגֵּן בַּכִּנּוֹר וְהָיָה בִּהְיוֹת עָלֶיךָ רוּחַ־אֱלֹהִים רָעָה וְנִגֵּן בְּיָדוֹ וְטוֹב לָךְ׃ פ

Busquem um homem que saiba tocar harpa. *Davi* tinha reputação de ser um tocador de harpa habilitado e chamara a atenção de alguns dos servos de Saul. Foi recomendado para a tarefa de abrandar o ânimo de Saul com a sua música. Isto posto, Davi subiu de jovem pastor para a posição de músico da corte, tocando diante do rei, porquanto a vontade de Deus estava com ele. Hoje existe o que se chama de "terapia da música", e os praticantes dessa arte utilizam a música nas curas. Há alguma evidência em favor de sua eficácia. Pitágoras (Sêneca, *de Ira*, 1.3 cap. 9), quando queria que sua mente se enchesse de pensamentos divinos, pedia que um harpista tocasse para ele antes de dormir. Esculápio, músico da Grécia antiga, usava a terapia musical. Portanto, há evidências históricas e científicas quanto à eficácia da música como fator de cura.

Quando buscava alguma revelação da parte do Senhor, Eliseu pedia que um harpista tocasse para ele (2Rs 3.15). Ver também os casos de Asafe, Hemã e Jedutum, em 1Cr 25.1. E vimos algo semelhante em 1Sm 10.5, que torna a acontecer em 2Rs 3.15.

■ 16.17

וַיֹּאמֶר שָׁאוּל אֶל־עֲבָדָיו רְאוּ־נָא לִי אִישׁ מֵיטִיב לְנַגֵּן וַהֲבִיאוֹתֶם אֵלָי׃

Buscai-me, pois, um homem que saiba tocar bem. Saul estava disposto a tentar tudo que pudesse ajudá-lo, pelo que ordenou que Davi fosse trazido para tocar. Pouco sabia ele que o músico que seria trazido à corte em breve haveria de substituí-lo como rei!

> Deus move-se de maneiras misteriosas,
> A fim de realizar suas maravilhas.
>
> William Cowper

"Davi possuía dotes raros como poeta e, sem dúvida, como músico. É provável que alguns de seus primeiros salmos tenham sido compostos enquanto observava as ovelhas do pai nas colinas e vales perto de Belém... Dons poéticos e musicais eram cultivados e desenvolvidos nos profetas da escola de Samuel" (Ellicott, *in loc.*).

■ 16.18

וַיַּעַן אֶחָד מֵהַנְּעָרִים וַיֹּאמֶר הִנֵּה רָאִיתִי בֵּן לְיִשַׁי בֵּית הַלַּחְמִי יֹדֵעַ נַגֵּן וְגִבּוֹר חַיִל וְאִישׁ מִלְחָמָה וּנְבוֹן דָּבָר וְאִישׁ תֹּאַר וַיהוָה עִמּוֹ׃

Conheço um filho de Jessé. Saul sairia premiado, porque Davi não era apenas um músico apto. Era também bravo guerreiro e poderoso soldado, e Saul andava grandemente necessitado dessa espécie de homem. Davi também se tornara conhecido por sua sabedoria e aparência pessoal. Tão altas recomendações imediatamente convenceram Saul a chamar o jovem Davi. A princípio, Davi tornou-se armeiro de Saul. Nessa função, ele haveria de aprender a arte de matar. Ver o vs. 21 deste capítulo e cf. com 1Sm 14.1,13, o caso de Jônatas. Os críticos salientam que o que é dito aqui acerca de Davi foi, pelo menos em parte, uma antecipação. *Naquele ponto*, Davi ainda não tivera tempo de provar seu valor como homem de guerra. Alguns se referem à bravura de Davi ao tratar com animais selvagens enquanto cuidava de suas ovelhas (ver 1Sm 17.34,35). Sem dúvida, foram atos de bravura. Não era coisa de pouca monta enfrentar um urso ou um leão, mas isso dificilmente se aplica à questão de ele ser um *guerreiro*.

■ 16.19

וַיִּשְׁלַח שָׁאוּל מַלְאָכִים אֶל־יִשָׁי וַיֹּאמֶר שִׁלְחָה אֵלַי אֶת־דָּוִד בִּנְךָ אֲשֶׁר בַּצֹּאן׃

Davi Surpreendia a Todos. Ele tinha sido deixado fora do banquete-sacrifício por seu pai, mas terminou sendo ungido rei (ver 1Sm 16.6 ss.). E continuava cuidando das ovelhas, pois nenhuma oportunidade ainda se tinha apresentado para ele trocar de ocupação. Assim, quando Davi foi convocado pelo rei Saul, ainda se ocupava das ovelhas. *De súbito*, estava na corte, exercendo sua habilidade musical especial. Quando a vontade de Deus está envolvida, mudanças podem ser súbitas e radicais, e para o bem da missão de alguém. Oh, Deus, concede-nos tal graça!

Não era uma desgraça alguém trabalhar como pastor. Filo conta que jovens de ambos os sexos das mais ilustres famílias eram assim empregados durante a juventude (*De Vita Mosis*, 1.1, par. 610). Somos informados sobre um senador romano que cuidava de suas próprias ovelhas (Ovid. *Fast.* 1.1). Para Davi, entretanto, houve ocasião em que essa ocupação se tornou para sempre parte do passado.

■ 16.20

וַיִּקַּח יִשַׁי חֲמוֹר לֶחֶם וְנֹאד יַיִן וּגְדִי עִזִּים אֶחָד וַיִּשְׁלַח בְּיַד־דָּוִד בְּנוֹ אֶל־שָׁאוּל׃

Sem dúvida surpreendido pelos eventos, Jessé enviou seu filho, Davi, à corte do rei. É admirável quando nossos filhos nos surpreendem e fazem mais do que esperamos deles. Geralmente acontece o oposto. Poderíamos imaginar que as coisas que Davi levou (o vinho, o cabrito e o pão) lhe serviriam de provisão na viagem. Antes, porém, eram *presentes* para o rei. Isso demonstra a simplicidade da questão. Jessé não tinha grandes pretensões nem estava interessado em ostentação, mesmo que fosse para impressionar o rei. Talvez ele tenha enviado o que de melhor possuía. Nesse caso, Jessé não era homem rico, embora possa ter sido um líder da pequena aldeia de Belém. "A natureza dos presentes enviados por Jessé mostra quão simples e primitivos eram os costumes do povo hebreu naquela época" (Ellicott, *in loc.*).

■ 16.21

וַיָּבֹא דָוִד אֶל־שָׁאוּל וַיַּעֲמֹד לְפָנָיו וַיֶּאֱהָבֵהוּ מְאֹד וַיְהִי־לוֹ נֹשֵׂא כֵלִים׃

Saul... o amou muito, e o fez seu escudeiro. *Davi Aplicou suas Habilidades.* Saul sentiu-se muito melhor. Desenvolveu-se uma profunda amizade, que posteriormente seria contaminada pela inveja de Saul. Saul amou Davi de maneira especial. Mas esse bem seria corrompido pelo mal, porquanto Saul tinha um demônio que o perturbava.

Davi tornou-se escudeiro de Saul. Como jovem que acompanhava um guerreiro experimentado, Davi aprendeu, em primeira mão (e da parte de alguém capaz) a arte de matar, que era a principal da época. Cf. o caso do escudeiro de Jônatas, registrado em 1Sm 14.1. Ali há informações que não são repetidas aqui.

■ 16.22

וַיִּשְׁלַח שָׁאוּל אֶל־יִשַׁי לֵאמֹר יַעֲמָד־נָא דָוִד לְפָנַי כִּי־מָצָא חֵן בְּעֵינָי׃

Deixa estar a Davi perante mim. *Davi* estivera em período de prova. E ele se saiu tão bem que Saul pediu a Jessé que deixasse o filho na corte. O autor espera que suponhamos que o pedido tenha sido atendido. Davi continuou seu trabalho como músico da corte, mas Saul, apesar de ser ajudado, não foi curado (vs. 23). Se tivesse havido cura, Saul não teria mais tarde perseguido Davi, inspirado pelo demônio.

■ 16.23

וְהָיָה בִּהְיוֹת רוּחַ־אֱלֹהִים אֶל־שָׁאוּל וְלָקַח דָּוִד אֶת־הַכִּנּוֹר וְנִגֵּן בְּיָדוֹ וְרָוַח לְשָׁאוּל וְטוֹב לוֹ וְסָרָה מֵעָלָיו רוּחַ הָרָעָה׃ פ

Houve algum bem, mas, no caso de Saul, o mal triunfaria no final das contas. O *espírito* que vexava Saul foi temporariamente afastado pela música de Davi. O texto hebraico não diz "maligno" como um adjetivo adicionado à palavra "espírito", mas é assim que devemos entender, sendo esse o texto da Septuaginta, da Vulgata Latina e das versões siríaca e árabe, e essa palavra é usada nos Targuns. O espírito maligno vinha da parte "de Deus", conforme vemos no vs. 14 deste capítulo, cujos comentários tratam de como coisas más eram atribuídas a Yahweh. A teologia dos hebreus era fraca sobre *causas secundárias.*

A maior parte dos casos de possessão demoníaca requer um *convite* da parte da pessoa possuída ou influenciada. Esse convite pode consistir em uma vida dissoluta, nas drogas, na imoralidade, em certas formas de degradação etc. Conheci pessoalmente um caso de possessão no qual ao exorcista o demônio disse: "Fui convidado". A isso o exorcista replicou: "Então estás convidado a sair!" E foi o que o demônio fez. A pessoa possuída, em questão, era a esposa de um importante homem de Manaus, Amazonas. seu marido já a havia levado à Europa e a outros países, em busca de ajuda médica e psiquiátrica. Finalmente, ele apelou para o exorcismo, e foi o que a salvou.

Naturalmente, há casos em que nenhum *convite* é possível, como acontece com crianças possuídas. O poder do maligno, algumas vezes, ataca as pessoas de surpresa. Mas quase sempre há *ódio* presente, mesmo que não exercido pela própria vítima.

Saul Havia Iniciado Bem sua Carreira. Mas a vida de selvagem violência sem dúvida corrompeu-lhe a alma. Além disso, ele violou propositadamente os mandamentos de Yahweh. Todas essas condições, juntamente, podem ter sido a causa de seu "convite" ao poder maligno. Os resultados foram desastrosos para todos os envolvidos. Certamente Saul se destaca como uma lição para todos. Ver na *Enciclopédia de Bíblia, Teologia e Filosofia* os artigos chamados *Exorcismo* e *Possessão Demoníaca.*

CAPÍTULO DEZESSETE

DAVI E GOLIAS (17.1-58)

Por antecipação, o autor sagrado falou sobre o poder de Davi como guerreiro (ver 1Sm 16.18). Agora encontramos o registro de seu primeiro feito militar. Ele usou um simples objeto da arte do pastoreio, uma *funda,* para derrubar Golias, o campeão filisteu. Esse incidente facilitou a substituição de Saul por Davi como rei, e foi um elemento que despertou a inveja de Saul, levando-o a efetuar diversos atos tolos. Sem dúvida, o espírito que vexava Saul aproveitava todas as situações para aprofundar sua influência. Ver 1Sm 16.14 ss. E até uma grande vitória em favor de Israel foi transformada em questão para amargurar ainda mais a alma de Saul.

Problemas de Fontes Originárias. Os vss. 55-58 deste capítulo declaram que Saul não conhecia Davi, mas fomos informados anteriormente que ele o conhecia (ver 1Sm 16.21-23). Algo parece ter perturbado a ordem cronológica da narrativa. É possível que diferentes fontes estejam envolvidas, não tendo o editor juntado os textos exatamente como a cronologia ditava. Talvez o capítulo 17 não tenha vindo da mesma fonte que menciona o chamado de Davi para tocar harpa na corte, a fim de ajudar Saul em sua melancolia. Outro problema reside no fato de que 2Sm 21.19 tem Elanã, um dos guerreiros de Davi, como aquele que matou Golias. Ver essa referência quanto a possíveis explicações.

■ 17.1

וַיַּאַסְפוּ פְלִשְׁתִּים אֶת־מַחֲנֵיהֶם לַמִּלְחָמָה וַיֵּאָסְפוּ
שֹׂכֹה אֲשֶׁר לִיהוּדָה וַיַּחֲנוּ בֵּין־שׂוֹכֹה וּבֵין־עֲזֵקָה
בְּאֶפֶס דַּמִּים׃

Ajuntaram os filisteus. Ver no *Dicionário* o verbete intitulado *Filisteus, Filístia.* Na época de Saul (e na de Davi), os filisteus eram o pior adversário de Israel, embora tenha havido muitos outros inimigos (ver 1Sm 14.47). Grandes vitórias já tinham sido obtidas sobre eles, no tempo dos juízes (como Sansão) e de Saul (capítulo 14). Saul estava sempre à espreita de algum excepcional jovem guerreiro que pudesse ajudá-lo em sua tarefa de exterminar a ameaça filisteia (ver 1Sm 14.52). Mas os filisteus eram um povo feroz. Agora seria a vez de Davi livrar Israel de todos os seus inimigos internos (aqueles que ocupavam o território da Palestina). A paz finalmente chegaria no tempo de Salomão.

Socó... Azeca... Efes-Damim. Ver os artigos sobre todos esses lugares no *Dicionário.* Socó é a moderna *Shuweikeh,* não distante de Belém, no sentido oeste. Não há certeza acerca da localização dos outros pontos mencionados. A hostilidade ficava próxima do local onde Davi morava, isto é, cerca de 35 quilômetros de distância, em Socó. Assim sendo, Davi estava sempre disponível para a guerra. Não recebemos nenhuma cronologia sobre como o capítulo 17 se relaciona ao capítulo 16. Alguns estudiosos calculam que doze anos se haviam passado. 1Sm 14.52 diz-nos que "todos" os dias de Saul estiveram envolvidos em conflitos periódicos contra os filisteus.

■ 17.2

וְשָׁאוּל וְאִישׁ־יִשְׂרָאֵל נֶאֶסְפוּ וַיַּחֲנוּ בְּעֵמֶק הָאֵלָה
וַיַּעַרְכוּ מִלְחָמָה לִקְרַאת פְּלִשְׁתִּים׃

No vale de Elá. Ver a respeito no *Dicionário.* Os exércitos dos filisteus estavam acampados em Socó. Os exércitos israelitas estavam acampados em Elá, um vale exatamente a oeste de Socó.

"... intimidados mutuamente, eles resolveram que o resultado seria determinado por uma batalha de campeões, em combate singular" (Eugene M. Merrill, *in loc.*).

"Elá" significa "carvalho", e provavelmente está em vista algum carvalho especial, uma árvore distinta, talvez sagrada, local de algum oráculo. Cf. Gn 13.18 e Jz 3.37 quanto a carvalhos especiais. Talvez o vale estivesse povoado de carvalhos, tornando-se assim uma das principais características que o identificavam.

■ 17.3

וּפְלִשְׁתִּים עֹמְדִים אֶל־הָהָר מִזֶּה וְיִשְׂרָאֵל עֹמְדִים
אֶל־הָהָר מִזֶּה וְהַגַּיְא בֵּינֵיהֶם׃

E entre eles o vale. Os dois exércitos se defrontavam, cada qual em seu monte, e o vale os separava. Logo eles se lançariam à matança. Mas pelo menos a morte de um único homem resolveria a questão. As duas colinas, embora separadas pelo vale, aparentemente estavam tão próximas uma da outra que os dois exércitos podiam gritar ameaças e ser ouvidos.

■ 17.4

וַיֵּצֵא אִישׁ־הַבֵּנַיִם מִמַּחֲנוֹת פְּלִשְׁתִּים גָּלְיָת שְׁמוֹ מִגַּת
גָּבְהוֹ שֵׁשׁ אַמּוֹת וָזָרֶת׃

Golias, de Gate, da altura de seis côvados e um palmo. O formidável campeão dos filisteus era Golias, de quem o mundo nunca se esqueceu, embora ele perdesse a luta. Ele tinha 2,75 metros de altura, o que os críticos acreditam ser um grande exagero. Conheci um lutador profissional que tinha 2,45 metros, portanto, o que são mais 30 centímetros? Ver no *Dicionário* sobre *Golias,* quanto a descrições completas de tudo quanto se sabe sobre ele. No entanto, essa montanha de homem foi derrubada por uma pequena pedra, porque Deus estava envolvido na questão. A pedra foi tão poderosa porque era manipulada por *Davi,* cuja estrela estava em ascensão. 2Sm 21.19 diz-nos que Elanã matou Golias. Ali ofereço explicações sobre a aparente discrepância. Esse versículo tem sido usado pelos críticos para duvidar da historicidade deste relato.

Côvados. Côvado era a medida do cotovelo ao fim do dedo médio, cerca de 44,5 centímetros. O palmo era a largura da mão, ou seja, cerca de 8 centímetros. Embora o povo hebreu fosse comparativamente pequeno, e o côvado deles pudesse ter apenas 43 centímetros, há fundamento em crer que Golias tinha 2,75 metros. 2Sm 21.15-22 indica que os filisteus contavam com certo número de homens excepcionalmente altos, provavelmente descendentes dos *gigantes* de antanho. Ver explicações sobre *Gigantes* no *Dicionário.* "O campeão dos filisteus pertencia a uma raça de gigantes, o remanescente dos filhos de Anaque (ver Js 11.22), que habitavam em Gate, Gaza e Asdode" (Ellicott, *in loc.*). "Esse homem era pleno de selvagem insolência, incapaz de entender como alguém poderia lutar contra sua força bruta, revestida de uma inexpugnável panóplia" (Dean Stanley).

■ 17.5

וְכ֤וֹבַע נְחֹ֙שֶׁת֙ עַל־רֹאשׁ֔וֹ וְשִׁרְי֥וֹן קַשְׂקַשִּׂ֖ים ה֣וּא לָב֑וּשׁ וּמִשְׁקַל֙ הַשִּׁרְי֔וֹן חֲמֵשֶׁת־אֲלָפִ֥ים שְׁקָלִ֖ים נְחֹֽשֶׁת׃

Além de sua imensa estatura, Golias estava protegido por uma inexpugnável armadura, que um homem ordinário dificilmente poderia carregar. Mas havia um defeito. sua testa ficava desprotegida. Isso era tudo de que Davi precisava para obter inesperada vitória sobre a força bruta.

Golias estava vestido de *uma couraça de escamas,* literalmente, conforme indica o hebraico. Devemos imaginar várias camadas de bronze formando uma imensa peça de metal, que pesava cerca de cinco mil siclos de metal, ou seja, aproximadamente 56 quilos. Tudo em Golias era grande e espantoso. Para proteger-lhe a cabeça, ele usava um *capacete* que nenhum projétil da época era capaz de furar. Mas sua testa permanecia nua e vulnerável. "O peso das diferentes peças da armadura gigante ultrapassava o peso das armaduras medievais" (Ellicott, *in loc.*).

As peças da armadura eram, provavelmente, feitas de bronze, pois esse é o metal citado no versículo. Era também feita de bronze a maior parte das armaduras dos gregos e romanos. Contudo, armaduras de ferro não eram desconhecidas naquela época, nem mesmo entre os gregos e romanos. Armaduras inferiores eram feitas de peles de animais, algumas vezes com reforços de metal. Ver na *Enciclopédia de Bíblia, Teologia e Filosofia* o detalhado artigo intitulado *Armadura, Armas.*

■ 17.6

וּמִצְחַ֤ת נְחֹ֙שֶׁת֙ עַל־רַגְלָ֔יו וְכִיד֥וֹן נְחֹ֖שֶׁת בֵּ֥ין כְּתֵפָֽיו׃

Golias tinha um aspecto medonho, um modelo de poder, ali de pé, com sua pesadíssima armadura e seu tamanho gigantesco.

Caneleiras. "Essa espécie de peça de armadura aparece em muitos monumentos antigos. Era uma peça de bronze (algumas vezes formada por *lâminas,* como no caso do peitoral do sumo sacerdote) que cobria as canelas, ou a parte posterior da perna, desde o joelho até à junção da perna com o pé, e era amarrada com tiras de couro, por trás da perna. Pelos monumentos antigos descobrimos que era comumente usada apenas sobre uma das pernas" (Adam Clarke, *in loc.*).

Um dardo de bronze. Alguns estudiosos fazem dessa peça uma "cobertura" para os ombros; outros pensam tratar-se de uma cabeça; e ainda outros apostam em uma espada. Seja como for, deve ser distinguido do escudo do vs. 41 e também da "lança" do vs. 7. Os Targuns dizem uma "lança". Mas há também eruditos que pensam tratar-se de uma espécie de proteção para o pescoço. "... um corselete de bronze, usado entre o capacete e a couraça, para defesa do pescoço. Supostamente pesava cerca de 14 quilos" (John Gill, *in loc.*). "Essa cota de malhas ou corselete era flexível e cobria as costas e os lados de quem a usasse" (Ellicott, *in loc.*). O sentido da palavra hebraica envolvida no original, *kiydown,* sem dúvida está em pauta.

■ 17.7

וְחֵ֣ץ חֲנִית֗וֹ כִּמְנוֹר֙ אֹֽרְגִ֔ים וְלַהֶ֣בֶת חֲנִית֔וֹ שֵׁשׁ־מֵא֥וֹת שְׁקָלִ֖ים בַּרְזֶ֑ל וְנֹשֵׂ֥א הַצִּנָּ֖ה הֹלֵ֥ךְ לְפָנָֽיו׃

A haste da sua lança. A haste da lança de Golias era tão gigantesca que se parecia mais com o eixo de um tecelão do que com a haste de uma arma. A ponta era feita de ferro e pesava cerca de 7 quilos! John Gill (*in loc.*) supõe que a haste da lança de Golias deveria ter cerca de 8 metros de comprimento, visto que homens "pequenos" como Hector, na Ilíada de Homero, usavam uma lança cuja haste media cerca de 5 metros (*Ilíad.,* parte 18). John Gill calcula que o peso total da armadura de Golias era de aproximadamente 115 quilos.

Plutarco informa-nos que a armadura de um soldado, em seus dias, pesava cerca de um *talento,* ou seja, 27 quilos. Alcimo, do exército de Demétrio, era considerado homem prodigioso, porquanto usava uma armadura com o peso de dois talentos, mais ou menos a metade da armadura de Golias.

Note-se que o *ferro* já estava então em uso. A história paralela conta-nos que a era do ferro tinha começado. Hesíodo diz que as armaduras dos soldados gregos eram feitas de bronze, enquanto Lucrécio (*De rerum natura,* 1.5) afirma que o bronze foi usado antes do ferro no fabrico de armas de guerra e armaduras.

■ 17.8

וַֽיַּעֲמֹ֗ד וַיִּקְרָא֙ אֶל־מַעַרְכֹ֣ת יִשְׂרָאֵ֔ל וַיֹּ֣אמֶר לָהֶ֔ם לָ֥מָּה תֵצְא֖וּ לַעֲרֹ֣ךְ מִלְחָמָ֑ה הֲל֧וֹא אָנֹכִ֣י הַפְּלִשְׁתִּ֗י וְאַתֶּם֙ עֲבָדִ֣ים לְשָׁא֔וּל בְּרוּ־לָכֶ֥ם אִ֖ישׁ וְיֵרֵ֥ד אֵלָֽי׃

Escolhei dentre vós um homem que desça contra mim. O herói dos filisteus, Golias, já havia matado muitos, e pessoas notáveis mortas por ele incluíam os dois filhos de Eli, Hofni e Fineias, conforme dizem os Targuns. Ver 1Sm 4 quanto a essa história. Golias, segundo tudo parece, era apenas um soldado comum. Não era general dos filisteus; e, no entanto, desafiou qualquer homem de Israel a combatê-lo, para que assim ficasse resolvida a disputa entre os dois povos. Presume-se que o perdedor se tornaria escravo do lado vitorioso, mas sua vida seria poupada (vs. 9). Esse desafio para resolver a questão por meio de um desafio entre dois campeões tem paralelo na história. A Ilíada de Homero fala de uma luta como essa em VII.65 ss. Mas o fato de que Golias prometera poupar a vida de seus adversários não significa que, uma vez que Israel concordasse com as condições, sua promessa seria cumprida.

"Nenhum de vós, guerreiros famosos, servos daquele famoso homem, Saul, virá combater-me?", ele desafiava. Jarchi diz-nos que Golias era um soldado comum, não sendo nem mesmo o cabeça de uma tropa de mil homens; e, no entanto, foi capaz de lançar tal desafio a Israel. Em contraste, Saul era famoso guerreiro. Não ousaria Saul apresentar-se? Caso contrário, não enviaria ele um de seus tolos homens?

■ 17.9

אִם־יוּכַ֞ל לְהִלָּחֵ֤ם אִתִּי֙ וְהִכָּ֔נִי וְהָיִ֥ינוּ לָכֶ֖ם לַעֲבָדִ֑ים וְאִם־אֲנִ֤י אֽוּכַל־לוֹ֙ וְהִכִּיתִ֔יו וִהְיִ֥יתֶם לָ֛נוּ לַעֲבָדִ֖ים וַעֲבַדְתֶּ֥ם אֹתָֽנוּ׃

O acordo, ditado por Golias, era que o vencedor representaria todo o seu povo, e o mesmo aconteceria ao perdedor. Os que perdessem a batalha, na figura do campeão derrotado, se tornariam *escravos* do povo vitorioso. Cf. isso com 1Sm 11.1 ss., onde Naás pouparia Jabes-Gileade da destruição *se* o povo se submetesse a Naás e o deixasse furar o olho direito dos guerreiros. Saul salvou aquela cidade de tão terrível sorte, mas, nesta história, não foi ele o salvador, e, sim, Davi, que estava destinado a ser o segundo rei de Israel. Golias não era o general do exército filisteu, mas deve ter sido autorizado a propor o acordo. Se tal acordo seria respeitado, caso Golias vencesse a luta singular, é algo que permanece duvidoso.

■ 17.10

וַיֹּ֙אמֶר֙ הַפְּלִשְׁתִּ֔י אֲנִ֗י חֵרַ֛פְתִּי אֶת־מַעַרְכ֥וֹת יִשְׂרָאֵ֖ל הַיּ֣וֹם הַזֶּ֑ה תְּנוּ־לִ֣י אִ֔ישׁ וְנִֽלָּחֲמָ֖ה יָֽחַד׃

Hoje afronto as tropas de Israel. O gigante filisteu era desafiador, arrogante e excessivamente exigente, porquanto não imaginava que poderia perder. Não havia equilíbrio possível entre as forças, e todas as vantagens estavam ao seu lado. O exército inteiro de Israel estava aterrorizado diante de Golias, pelo que não se apresentaram voluntários, até que Davi finalmente se ofereceu. A Ilíada de Homero (VII.65 ss.) conta a história de uma batalha resolvida pelo combate singular de dois campeões, e na história moderna testemunhamos algo similar. Adi Amim desafiou outro líder africano a uma *luta de boxe,* a fim de resolver a pendência entre as duas nações. Naturalmente, ele havia sido boxeador amador, e não havia como pudesse perder para o proposto oponente.

■ 17.11

וַיִּשְׁמַ֤ע שָׁאוּל֙ וְכָל־יִשְׂרָאֵ֔ל אֶת־דִּבְרֵ֥י הַפְּלִשְׁתִּ֖י הָאֵ֑לֶּה וַיֵּחַ֥תּוּ וַיִּֽרְא֖וּ מְאֹֽד׃ פ

Ouvindo Saul. Não muito tempo antes, provavelmente Saul teria aceito o duelo com o gigante, mas agora acovardava-se diante do

GENEALOGIA DE DAVI, DESDE ABRAÃO

Períodos Envolvidos	Pessoas Envolvidas
Tempo dos Patriarcas	• Abraão • Isaque • Jacó • Judá
Exílio no Egito	• Peres • Esrom • Arão • Aminadade • Nasom
Conquista da Terra e os Juízes	• Salmon • Boaz • Obede • Jessé • Davi

TABELA GENEALÓGICA DA FAMÍLIA DE DAVI

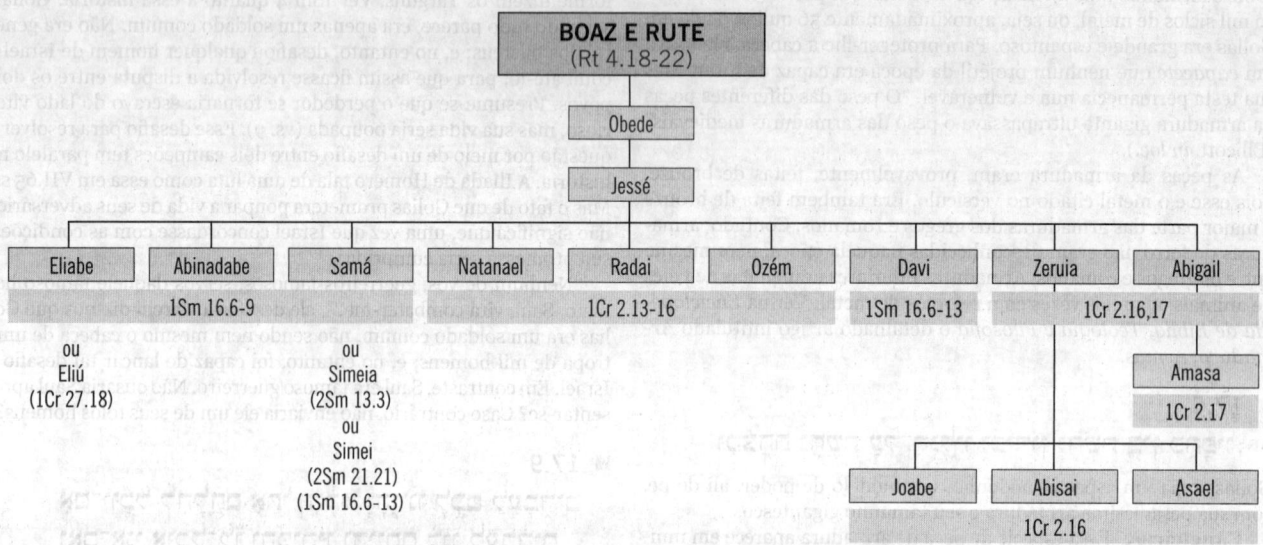

Somos obrigados a seguir a árvore genealógica de Davi através das várias mulheres que ele teve em diferentes períodos de sua vida. Isso pode ser demonstrado pelo gráfico abaixo.

ESPOSAS DE DAVI

I. Esposas das Vagueações (1Sm 27.3; 1Cr 3.1)

II. Esposas de Hebrom (1Sm 27.3; 1Cr 3.1)

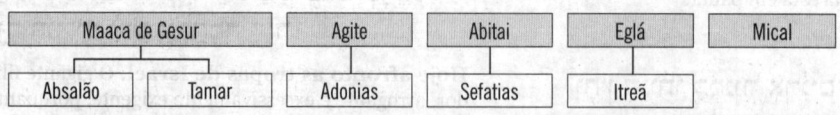

III. Esposas em Jerusalém — nomes não dados (2Sm 5.13-16; 1Cr 3.5-8; 14.4-7)

• Ibar • Elisama • Elifelete • Nogá • Nefegue • Jafia • Elisama • Eliada • Elifelte • Jerimote

IV. Bate-Seba (1Cr 3.5)

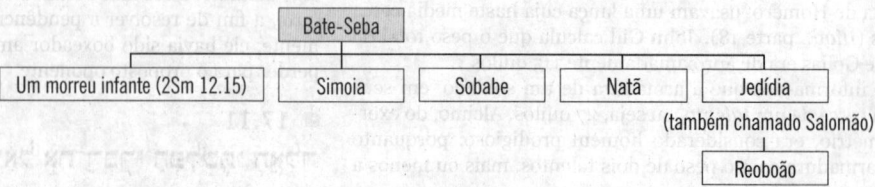

Além destas esposas oficiais, Davi dispôs de dez concubinas no período (2Sm 5.13; 15.16).

desafio, porque seu estado de melancolia lhe furtara a vontade e o poder de combater. Ver 1Sm 16.14. Ele havia antes exibido magnífico heroísmo e coragem incomum contra os filisteus, tal como seu filho Jônatas (1Sm 11). Mas agora nenhum deles ousou aceitar o desafio do gigante. Isso deixou Israel sem um campeão capaz, até que o jovem pastor, Davi, deu um passo à frente. Israel, porém, continuou em silêncio, enquanto o gigante prosseguiu em suas bravatas. Ninguém chamou o sumo sacerdote para dar direção por intermédio do *Urim* e do *Tumim*. Ninguém orou. Estavam todos paralisados e estupefatos. Abner, tio de Saul, tinha reputação de ser um homem corajoso, mas também não deu um passo à frente, a despeito de ser ele o general do exército de Israel. Israel, definitivamente, estava de maré baixa.

■ 17.12

וְדָוִד֩ בֶּן־אִ֨ישׁ אֶפְרָתִ֜י הַזֶּ֗ה מִבֵּ֥ית לֶ֨חֶם֙ יְהוּדָ֔ה וּשְׁמ֣וֹ יִשַׁ֔י וְל֖וֹ שְׁמֹנָ֣ה בָנִ֑ים וְהָאִישׁ֙ בִּימֵ֣י שָׁא֔וּל זָקֵ֖ן בָּ֥א בַאֲנָשִֽׁים׃

Os vss. 12-31 deste capítulo representam uma história suplementar, adicionada de outra fonte e incluída na narrativa por algum editor. Há vários problemas de harmonia com a narrativa mais antiga, que anotaremos à medida que aparecerem. A seção inteira está ausente da Septuaginta, tal como os vss. 41 e 54, até o fim. Também há evidências de fontes diferentes dos materiais.

Muitos eruditos têm trabalhado sobre esse suplemento, tratando inclusive de problemas cronológicos, mas sem sucesso absoluto. Sobre essa questão, Adam Clarke (*in loc.*) comentou: "Se o trecho acima (vss. 12-31) for tomado como genuíno, o engenho do homem falhou em livrar o total de contradições e absurdos. Devo confessar que onde todos os demais falharam, não tenho esperança de ser bem-sucedido. Portanto, devo abandonar todas as tentativas para justificar a cronologia". O que Clarke não antecipava é que a seção era genuína mas proveniente de outra fonte, o que cria certos problemas quando comparada à fonte da história de Davi e Golias. O vs. 32 oferece a continuação de onde a narrativa parou no vs. 11, pelo que o trecho intermediário é um suplemento que não pode ser visto como representando *somente* o que aconteceu depois que Golias lançou seu desafio.

"A sequência apropriada ao vs. 11 é o vs. 32, onde Davi responde ao desafio. O que há entre esses dois versículos é uma narrativa independente dos mesmos eventos, que um harmonista tentou assimilar no contexto, mas sem obter sucesso notório" (George B. Caird, *in loc.*). "Os vss. 32-40 continuam, naturalmente, o vs. 11" (*Oxford Annotated Bible,* comentando sobre o vs. 32).

A fonte suplementar primeiramente nos fornece uma pequena genealogia de Davi, como se dissesse: "Este é aquele Davi que aceitou com sucesso o desafio de Golias". Jessé, homem idoso nos dias de Davi, tinha oito filhos. Cf. 1Sm 16.6 ss. Embora fosse o mais novo deles (ver 1Sm 16.11), Davi aceitou com sucesso o desafio lançado por Golias e tornou-se o segundo rei de Israel. Ver somente *sete* filhos de Jessé listados em 1Cr 2.13-15. Talvez um deles tenha morrido.

Mt 1.6 mostra que foi justamente através da linhagem de Bate-Seba que o Messias nasceu. A graça de Deus venceu a situação errônea e produziu o maior de todos.

Efrateu. O significado dessa palavra é "pertencente a Efraim", mas Davi não pertencia à tribo de Efraim. O autor confundiu esse termo com outro que identificaria Davi com a cidade de Efrata (Belém). Belém ficava no território de Judá, e não de Efraim. Mas muitos eruditos não identificam Belém com Efrata. Ver Gn 35.19.

Cujo nome era Jessé. Jessé era homem idoso e não se prestava para a guerra. Ele não poderia ter respondido ao desafio de Golias. Mas seu filho mais novo pôde fazê-lo. Talvez Jessé já fosse idoso quando o suplemento foi escrito, mas não tão idoso quando os eventos historiados realmente aconteceram. Seja como for, as notas genealógicas têm por propósito introduzir Davi, e não desculpar Jessé por não ter aceitado o desafio de Golias.

■ 17.13,14

וַיֵּ֨לְכ֜וּ שְׁלֹ֤שֶׁת בְּנֵֽי־יִשַׁי֙ הַגְּדֹלִ֔ים הָלְכ֥וּ אַחֲרֵי־שָׁא֖וּל לַמִּלְחָמָ֑ה וְשֵׁ֣ם ׀ שְׁלֹ֣שֶׁת בָּנָ֗יו אֲשֶׁ֤ר הָלְכוּ֙ בַּמִּלְחָמָ֔ה אֱלִיאָ֣ב הַבְּכ֗וֹר וּמִשְׁנֵ֨הוּ֙ אֲבִ֣ינָדָ֔ב וְהַשְּׁלִשִׁ֖י שַׁמָּֽה׃

וְדָוִ֖ד ה֣וּא הַקָּטָ֑ן וּשְׁלֹשָׁה֙ הַגְּדֹלִ֔ים הָלְכ֖וּ אַחֲרֵ֥י שָׁאֽוּל׃ ס

Apresentaram-se os três filhos mais velhos de Jessé. Eles já foram mencionados em 1Sm 16.6,8,9, cujas notas expositivas também se aplicam aqui. O suplemento (vss. 12-31) adiciona a informação de que esses três irmãos de Davi eram soldados no exército de Saul; mas Davi (vs. 14) nem ainda era soldado, por ser muito jovem. Não parece haver nenhuma intenção, por parte do autor sagrado, de desgraçar os irmãos de Davi por eles não terem aceitado o desafio do gigante. Mas parece haver o intuito de mostrar que Davi era o *mais jovem* dos filhos de Jessé, o *menos provável* para a tarefa e o qual terminou por derrotar Golias. 1Cr 2.13-15 lista somente *sete* dos filhos de Jessé, aparentemente deixando fora da lista um deles, o qual ou morreu ou foi acidentalmente esquecido. No entanto, 1Sm 17.5 afirma que Jessé tinha *oito filhos.*

■ 17.15

וְדָוִ֛ד הֹלֵ֥ךְ וָשָׁ֖ב מֵעַ֣ל שָׁא֑וּל לִרְע֛וֹת אֶת־צֹ֥אן אָבִ֖יו בֵּֽית־לָֽחֶם׃

Sendo jovem demais para tomar parte no exército, Davi continuava trabalhando como pastor de seu pai. Mas, conforme 1Sm 16.14-23, Davi também trabalhava como músico da corte. Os vss. 15 e 16 deste capítulo parecem ser uma tentativa, da parte de algum editor posterior, de reconciliar o suplemento (vss. 12-31) à história original, especificamente 17.15,16 a 16.14-23.

Supostamente, Davi continuava cuidando das ovelhas, *além* de trabalhar como músico na corte. Os críticos pensam que esta foi uma inserção editorial para tentar fazer o material suplementar concordar com a fonte original da história. Este vs. 15 dificilmente significa que Davi havia abandonado seu trabalho como músico da corte. Meramente assevera que Davi dividia o tempo entre os deveres domésticos e o dever de tocar harpa para Saul na corte. E entrementes Davi se tornara armeiro de Saul (ver 1Sm 16.21) e esperava-se que ele acompanhasse Saul naquela confusão com o gigante filisteu. O suplemento, pois, foi introduzido de modo bastante desajeitado, deixando muitas questões por serem resolvidas.

■ 17.16

וַיִּגַּ֥שׁ הַפְּלִשְׁתִּ֖י הַשְׁכֵּ֣ם וְהַעֲרֵ֑ב וַיִּתְיַצֵּ֖ב אַרְבָּעִ֥ים יֽוֹם׃ פ

O filisteu... apresentou-se por quarenta dias. O *gigante Golias* foi como uma peste de quarenta dias, mas não conseguiu convencer nenhum israelita a lutar com ele. sua insistência por esse longo período criou a circunstância para que *Davi,* finalmente, ouvisse as ameaças e, assim, imediatamente respondesse.

■ 17.17

וַיֹּ֨אמֶר יִשַׁ֜י לְדָוִ֣ד בְּנ֗וֹ קַח־נָ֤א לְאַחֶ֨יךָ֙ אֵיפַ֤ת הַקָּלִיא֙ הַזֶּ֔ה וַעֲשָׂרָ֥ה לֶ֖חֶם הַזֶּ֑ה וְהָרֵ֥ץ הַֽמַּחֲנֶ֖ה לְאַחֶֽיךָ׃

Disse Jessé a Davi. O vs. 13 informou-nos que os três irmãos de Davi serviam no exército de Saul. Um exército permanente precisava constantemente de suprimentos e este versículo diz, incidentalmente, que uma das fontes de suprimentos provinha de cada família, para atender às necessidades do soldado que estivesse servindo. O suprimento de Jessé era humilde: um *efa* de grãos tostados, o que equivalia a dez ômeres (ver Êx 16.16,36), ou seja, dez quilos, visto que o ômer pesava cerca de um quilo. John Gill diz que essa quantidade de grãos podia alimentar dez homens por um dia. Portanto, isso representa cerca de três dias de suprimento para os três irmãos de Davi. Mas alguns estudiosos insistem que o ômer passava pouco mais de dois quilos. Nesse caso, o suprimento era o dobro. Ver no *Dicionário* o artigo sobre *Pesos e Medidas.* Além do grão, foram levados dez pães.

O acampamento de Israel ficava talvez a cerca de 6,5 quilômetros da fazenda de Jessé, pelo que a distância não era grande.

17.18

וְאֵ֞ת עֲשֶׂ֤רֶת חֲרִצֵי֙ הֶֽחָלָ֣ב הָאֵ֔לֶּה תָּבִ֕יא לְשַׂר־הָאָ֑לֶף
וְאֶת־אַחֶ֙יךָ֙ תִּפְקֹ֣ד לְשָׁל֔וֹם וְאֶת־עֲרֻבָּתָ֖ם תִּקָּֽח׃

Mediante um ato de cortesia e generosidade, Jessé também enviou um presente de queijos ao comandante de suas tropas de mil homens. Dez queijos foram enviados, o que deve ter sido um presente apropriado para homens acampados, sem a conveniência de um lar. Os queijos antigos não se assemelhavam aos nossos, mas pareciam uma espécie de coalhada. Eram transportados em cestas de ramos e eram salgados para tornar-se de gosto mais agradável. Ver no *Dicionário* sobre *Queijo*. Além de enviar os suprimentos, Jessé ansiava obter uma palavra sobre como seus filhos estariam passando.

Analogia Patrística. Assim como Davi foi enviado a seus irmãos, até perto de Belém, assim também Jesus Cristo, o Filho, foi enviado ao mesmo lugar, para ser o redentor de seu povo, provendo "suprimento espiritual". Assim certos pais da Igreja aplicaram este texto.

17.19

וְשָׁא֤וּל וְהֵ֙מָּה֙ וְכָל־אִ֣ישׁ יִשְׂרָאֵ֔ל בְּעֵ֖מֶק הָֽאֵלָ֑ה
נִלְחָמִ֖ים עִם־פְּלִשְׁתִּֽים׃

Pelejando com os filisteus. Acontecia uma luta no vale de Elá (ver a respeito no *Dicionário*). Israel e os filisteus estavam ocupados em matar-se uns aos outros, enquanto Golias gritava diariamente seus insultos aos oponentes aquartelados na colina do outro lado do vale. *Elá* estava localizada cerca de 18 quilômetros a sudoeste de Jerusalém. Era ali que Golias seria morto (1Sm 17.2; 21.9). O moderno wadi es-Sunt assinala o local. Alguns intérpretes negam que já estivesse havendo luta, e explicam que os dois exércitos se preparavam para a batalha, embora não estivessem engajados em combate real. Essa explicação não se ajusta ao fraseado do versículo, embora concorde com as indicações do contexto. Foi a esse vale que Davi foi enviado. Isso armou palco para que ele ouvisse o desafio de Golias e o aceitasse.

17.20

וַיַּשְׁכֵּ֨ם דָּוִ֜ד בַּבֹּ֗קֶר וַיִּטֹּ֤שׁ אֶת־הַצֹּאן֙ עַל־שֹׁמֵ֔ר וַיִּשָּׂ֣א
וַיֵּ֔לֶךְ כַּאֲשֶׁ֥ר צִוָּ֖הוּ יִשָׁ֑י וַיָּבֹא֙ הַמַּעְגָּ֔לָה וְהַחַ֣יִל הַיֹּצֵ֔א
אֶל־הַמַּֽעֲרָכָ֖ה וְהֵרֵ֥עוּ בַּמִּלְחָמָֽה׃

Davi, pois, no dia seguinte. Tendo recebido suas instruções, logo pela manhã Davi levou os suprimentos a seus três irmãos e ao comandante de suas tropas (vss. 17 e 18). Deixou suas ovelhas ao encargo de alguém e assim, temporariamente, livrou-se de seus deveres domésticos. Ele não imaginava o que iria enfrentar, e menos ainda a grande vitória sobre o gigante filisteu. Mas seu destino o estava conduzindo aos inevitáveis eventos que finalmente o transformariam no rei de todo o Israel. E Davi encontrou os israelitas ou lutando (vs. 19) ou preparando-se para o combate, em meio a gritos e preparativos psicológicos para matar ou ser morto. Os *preparativos psicológicos* consistiam em gritos, no entrechoque de escudos e lanças e em qualquer coisa que fizesse muito barulho e excitasse o espírito para o combate.

Acampamento. Literalmente, "trincheira de vagões", provavelmente um círculo formado por vagões, que constituíam uma crua fortificação das tropas hebreias.

17.21

וַתַּעֲרֹ֧ךְ יִשְׂרָאֵ֛ל וּפְלִשְׁתִּ֖ים מַעֲרָכָ֥ה לִקְרַ֥את מַעֲרָכָֽה׃

Este versículo fornece a mesma informação de 1Sm 17.1,2, embora sem referências a localizações geográficas. "Os dois exércitos estavam alinhados opostamente e prestes a confrontar-se. Entrementes, Golias fazia suas jornadas diárias à frente, bradando insultos e desafios. Eles se formaram em ordem de batalha, exército contra exército, fileira contra fileira, batalhão contra batalhão" (John Gill, *in loc.*).

17.22

וַיִּטֹּשׁ֩ דָּוִ֨ד אֶת־הַכֵּלִ֜ים מֵעָלָ֗יו עַל־יַד֙ שׁוֹמֵ֣ר הַכֵּלִ֔ים
וַיָּ֖רָץ הַמַּעֲרָכָ֑ה וַיָּבֹ֕א וַיִּשְׁאַ֥ל לְאֶחָ֖יו לְשָׁלֽוֹם׃

Correu à batalha. Davi foi de carroça puxada por cavalos e assim não demorou a chegar à cena do confronto. Tinha um auxiliar que ficou cuidando do veículo, enquanto ele saiu ao encontro dos irmãos. Logo os encontrou e saudou com as palavras apropriadas. Ver no *Dicionário* o artigo chamado *Saudação*, quanto às fórmulas comuns.

Bagagem. Esta é uma palavra traduzida por alguns como "carroça", dando a entender um veículo; outros estudiosos preferem a tradução "bagagem". Nesse caso, devemos entender que Davi e seu ajudante foram a pé (provavelmente). Por isso mesmo, John Gill (*in loc.*) mencionou "sua carga de provisões".

17.23

וְה֣וּא ׀ מְדַבֵּ֣ר עִמָּ֗ם וְהִנֵּ֣ה אִ֣ישׁ הַבֵּנַ֡יִם עוֹלֶ֞ה גָּלְיָת֩
הַפְּלִשְׁתִּ֨י שְׁמ֤וֹ מִגַּת֙ מִמַּֽעֲר֣וֹת פְּלִשְׁתִּ֔ים וַיְדַבֵּ֖ר
כַּדְּבָרִ֣ים הָאֵ֑לֶּה וַיִּשְׁמַ֖ע דָּוִֽד׃

Estando Davi ainda a falar com eles. Foi exatamente naquele momento que o duelista, Golias, fez sua aparição diária e começou a berrar insultos e desafios. Assim, essa circunstância cooperou para juntar os dois: de um lado a máquina de matar, um gigante com 2,75 metros de altura; e do outro um jovem, uma *formiga* em comparação, mas muito bom no uso da funda. Golias veio completamente armado, mas com a testa descoberta, e esse último detalhe selaria sua queda.

E falou as mesmas cousas. Isto é, a fala registrada nos vss. 8-10. Tais palavras, que aterrorizavam todo o exército de Israel, só deixaram Davi enraivecido. Havia no jovem uma coragem que não media consequências, mas a graça de Deus estaria com ele naquela crise. Ellicott, comentando sobre este versículo, relembra que 2Sm 21.19 diz que Golias foi morto por Elanã, filho de Jaaré-Oregim. Ele sugere então que o termo "Golias" era usado para os monstruosos descendentes de Anaque, de Gate, e não era o nome próprio de um único homem. Minhas notas em 2Sm 21.19 discutem essa questão, oferecendo várias explicações. Se Ellicott está certo, então Davi matou um gigante e Elanã matou outro. Os críticos, porém, preferem lançar a culpa pela discrepância em alegadas fontes históricas independentes, as quais não concordavam em todos os pontos.

George B. Caird (*in loc.*) diz que o nome "Golias", na história de Davi, pode ser uma glosa feita por um editor posterior. Nesse caso, nunca teria sido afirmado que Davi matou *aquele* gigante. Mas há poucas evidências para essa suposição, e o âmago da história é contrário. Davi obtivera grande vitória sobre um bem conhecido gigante, de nome *Golias*.

17.24

וְכֹל֙ אִ֣ישׁ יִשְׂרָאֵ֔ל בִּרְאוֹתָ֖ם אֶת־הָאִ֑ישׁ וַיָּנֻ֙סוּ֙ מִפָּנָ֔יו
וַיִּֽירְא֖וּ מְאֹֽד׃

Todos os israelitas... fugiam de diante dele. Os soldados hebreus aterrorizavam-se a cada aparição do gigante, e tremiam de pavor. O autor destaca assim a *desesperança* da situação, exceto pelo fato de que agora Davi estava presente. O vs. 11 deste capítulo é paralelo a este versículo e fala no "lamento" de Israel diante das ameaças do superdotado filisteu.

John Gill (*in loc.*) observa o ridículo de um *exército inteiro* a fugir de *um* único homem gigantesco. Por outra parte, ele não estava presente para vê-lo! Os que o *viam* sabiam por que estavam fugindo. Ellicott tem uma explicação para essa fuga: "Um torpor acovardado descera sobre Saul, punição por sua voluntariedade e desobediência, e a desamparada letargia do rei descera sobre o coração de seus soldados".

17.25

וַיֹּ֣אמֶר ׀ אִ֣ישׁ יִשְׂרָאֵ֗ל הַרְּאִיתֶם֙ הָאִ֤ישׁ הָעֹלֶה֙ הַזֶּ֔ה
כִּ֛י לְחָרֵ֥ף אֶת־יִשְׂרָאֵ֖ל עֹלֶ֑ה וְֽ֠הָיָה הָאִ֨ישׁ אֲשֶׁר־יַכֶּ֜נּוּ
יַעְשְׁרֶ֥נּוּ הַמֶּ֣לֶךְ ׀ עֹ֣שֶׁר גָּד֗וֹל וְאֶת־בִּתּוֹ֙ יִתֶּן־ל֔וֹ וְאֵת֙ בֵּ֣ית
אָבִ֔יו יַעֲשֶׂ֥ה חָפְשִׁ֖י בְּיִשְׂרָאֵֽל׃

E diziam uns aos outros. Davi, sem dúvida, ansiava por saber tudo sobre o insolente gigante e as circunstâncias que rodeavam seu aparecimento diário para ridicularizar Israel. E, assim, foi informado de como o rei Saul havia prometido que qualquer um que matasse o gigante seria cumulado de riquezas e também tomaria sua filha em casamento por haver livrado Israel daquela maldição particular. Grandes riquezas e casamentos com a filha do rei são motivações antigas na história. As obras de ficção estampam repetidamente esse motivo, e não há por que duvidar que, na realidade, embora ocasionalmente, tais oferecimentos fossem feitos por reis ansiosos por livrar-se de pestes famosas, tais como um animal (como um dragão) ou um homem (algum feroz inimigo pessoal que fizesse parte das fileiras de algum exército opositor).

"É isso típico de todos os relatos românticos, nos quais um jovem valente ganha, como recompensa por seus feitos, a mão da filha do rei e as riquezas da terra. Os elementos românticos continuavam. O papel de Eliabe é o da irmã feia de *Cinderela*. O jovem Davi tinha de defender sua presunção perante o rei (vss. 31-37)" (John C. Schroeder, *in loc.*). O motivo presta-se muito bem para obras de ficção e tem inspirado muitas histórias, mas não há razão para supor que tais coisas não acontecessem realmente, embora apenas vez ou outra.

À casa de seu pai isentará de impostos em Israel. Em outras palavras, a família que se tornasse assim vitoriosa não se submeteria a impostos e outras obrigações fiscais, estando assim liberada de pesada carga. Samuel havia previsto que pesados impostos fariam parte da monarquia. Ver 1Sm 8.10-17, quanto a uma elaborada lista de muitos tipos de "obrigações" que um rei imporia ao povo. Essas cargas iam além da taxação. O rei tomaria os filhos e as filhas de hebreus, e os poria a trabalhar em seus empreendimentos reais, enviando alguns à guerra e sobrecarregando a todos.

■ **17.26,27**

וַיֹּאמֶר דָּוִד אֶל־הָאֲנָשִׁים הָעֹמְדִים עִמּוֹ לֵאמֹר
מַה־יֵּעָשֶׂה לָאִישׁ אֲשֶׁר יַכֶּה אֶת־הַפְּלִשְׁתִּי הַלָּז
וְהֵסִיר חֶרְפָּה מֵעַל יִשְׂרָאֵל כִּי מִי הַפְּלִשְׁתִּי הֶעָרֵל
הַזֶּה כִּי חֵרֵף מַעַרְכוֹת אֱלֹהִים חַיִּים׃

וַיֹּאמֶר לוֹ הָעָם כַּדָּבָר הַזֶּה לֵאמֹר כֹּה יֵעָשֶׂה לָאִישׁ
אֲשֶׁר יַכֶּנּוּ׃

Então falou Davi aos homens. A fim de confirmar o que acabara de ouvir, Davi pediu informações de outros que estavam por ali. E eles sustentaram o que tinha sido dito a Davi, segundo se vê nas notas sobre o versículo anterior. Para Davi, aquele gigante era um "zé-ninguém" que ameaçava o exército e o povo de Deus. Davi, pois, era um jovem cheio de autoconfiança, que lançava uma sombra de reprimenda sobre os soldados de Israel, trêmulos de medo. Ele embaraçava os outros israelitas. É verdade que ele só falara bravas *palavras*. Ele ainda não havia entrado em ação. Mas ninguém, entre os israelitas, ao menos proferia palavras de coragem. Yahweh era por Israel e, visto que Israel estava sendo insultado, Yahweh também estava sendo insultado. Davi não suportava tal insolência.

■ **17.28**

וַיִּשְׁמַע אֱלִיאָב אָחִיו הַגָּדוֹל בְּדַבְּרוֹ אֶל־הָאֲנָשִׁים
וַיִּחַר־אַף אֱלִיאָב בְּדָוִד וַיֹּאמֶר לָמָּה־זֶּה יָרַדְתָּ
וְעַל־מִי נָטַשְׁתָּ מְעַט הַצֹּאן הָהֵנָּה בַּמִּדְבָּר אֲנִי יָדַעְתִּי
אֶת־זְדֹנְךָ וְאֵת רֹעַ לְבָבֶךָ כִּי לְמַעַן רְאוֹת הַמִּלְחָמָה
יָרָדְתָּ׃

Ouvindo-o Eliabe, seu irmão mais velho. As corajosas palavras de Davi repreendiam *tacitamente* Eliabe, seu irmão mais velho (ver 1Sm 16.6). Eliabe compreendeu prontamente a implicação. O irmão caçula acabara de cuidar das ovelhas, jovem demais e fraco demais para ir à guerra, mas falava palavras bombásticas contra o gigante, dizendo quão ridículo era que ninguém em Israel aceitasse o desafio do filisteu. Esse "ninguém" incluía o próprio Eliabe, que se sentiu insultado pelo discurso do irmão e assim proferiu palavras sarcásticas contra ele. Acusou seu irmão mais novo de motivos estúpidos. Ele apenas queria ver uma luta pela excitação do momento. Mas tinha *maldade* no coração. Ele criticava os outros, mas na verdade apenas falava palavras tolas que nada significavam.

Alguns intérpretes questionam a autenticidade dessa parte da história, indagando como Eliabe poderia repreender o ungido do Senhor, que estava destinado a ser o próximo rei. Os críticos supõem que as duas fontes, alinhavadas uma à outra, naturalmente tinham partes apenas remendadas que dificilmente concordariam em todos os pontos. Por outro lado, nenhum homem é grande em sua própria família, embora possa ser grande perante os olhos de outros. Lembremos a família de Jesus. Eles por certo não reconheceram a sua grandeza (ver Jo 7.3-5). Quanto à unção anterior de Davi, ver 1Sm 16.13.

"A ira invejosa, sem dúvida, não era nenhuma novidade em Eliabe. A menção casual (vs. 34) à coragem do jovem, quando o leão e o urso atacaram o rebanho de seu pai, mostra-nos que a meninice de Davi não fora ordinária, e a disposição invejosa de Eliabe sem dúvida já havia sido despertada... Haveria ele, Davi agora... de realizar algum feito ousado e admirável?" (Ellicott, *in loc.*).

■ **17.29**

וַיֹּאמֶר דָּוִד מֶה עָשִׂיתִי עָתָּה הֲלוֹא דָּבָר הוּא׃

Fiz somente uma pergunta. Muitos sermões se baseiam nessas palavras simples. Davi encontrara uma *causa digna* para sua ousadia e para testar sua fé e coragem. Um homem bom é alguém que reconhece uma causa digna. Mas é preciso um homem bom *e* corajoso para aproveitar a ocasião e realizar o que deve ser feito. Cada geração precisa provar seu próprio valor espiritual. Cada indivíduo tem sua própria *prova* pessoal a enfrentar. Ninguém pode repousar sobre a glória de seus antepassados ou sobre o valor de seus pais. Cada homem tem sua própria batalha particular a combater, e o seu próprio destino a cumprir.

> Devo eu ser carregado para os céus,
> Em leitos floridos de lazer,
> Enquanto outros lutam para conquistar o prêmio,
> E velejam sobre mares sangrentos?
>
> Isaac Watts

"Pareces amargamente desagradado diante de meu zelo sobre esta questão, mas certamente não há uma *boa causa* por trás de minha apaixonada emoção neste caso? Um grande insulto foi desfechado contra o nosso Deus" (Ellicott, *in loc.*).

■ **17.30,31**

וַיִּסֹּב מֵאֶצְלוֹ אֶל־מוּל אַחֵר וַיֹּאמֶר כַּדָּבָר הַזֶּה
וַיְשִׁבֻהוּ הָעָם דָּבָר כַּדָּבָר הָרִאשׁוֹן׃
וַיִּשָּׁמְעוּ הַדְּבָרִים אֲשֶׁר דִּבֶּר דָּוִד וַיַּגִּדוּ לִפְנֵי־שָׁאוּל
וַיִּקָּחֵהוּ׃

Desviou-se dele para outro. Outra confirmação foi dada a Davi. Ora, se Saul realmente havia prometido riquezas e uma filha sua ao homem que derrotasse o gigante, Davi estava pronto para lutar com o filisteu. Cf. os vss. 25 e 26, para as primeiras duas afirmações. O vs. 31 parece indicar que as repetidas indagações de Davi tinham o propósito de chamar a atenção de Saul. Assim Saul acabaria perguntando: "Quem é o jovem que está indagando sobre a questão? Trazei-o à minha presença. Quero saber por que ele está tão interessado".

Seja como for, Saul acabou ouvindo falar no "jovem indagador" e ordenou que seus atendentes o trouxessem à sua presença. Assim, as circunstâncias operavam para que Davi obtivesse sua grande vitória e, finalmente, se tornasse o segundo rei de Israel. O texto sagrado, contudo, apresenta a óbvia dificuldade de que Davi aparece aqui como um *desconhecido* para Saul, ao passo que, previamente, já o vimos desempenhando o papel de músico da corte, a entreter o rei. Talvez a ordem cronológica dos relatos tenha sido perturbada, e a atual história tenha antecedido a outra. Os críticos supõem, pois, que a passagem anterior (até o capítulo 17) tenha vindo de uma fonte separada da presente história de Davi e Golias, e que certos detalhes estivessem em conflito tal que nenhuma manipulação foi capaz de resolver. Ver as notas expositivas no vs. 12, quanto a mais explicações. A Septuaginta não contém os vss. 12-31, que parecem ser um suplemento adicionado a partir de outra fonte informativa.

■ **17.32**

וַיֹּאמֶר דָּוִד אֶל־שָׁאוּל אַל־יִפֹּל לֵב־אָדָם עָלָיו עַבְדְּךָ יֵלֵךְ וְנִלְחַם עִם־הַפְּלִשְׁתִּי הַזֶּה׃

Davi disse a Saul. Davi consolou Saul. Todo o exército de Saul lamentava-se por causa do gigante (ver 1Sm 17.11). Saul havia caído em fraqueza e temia desafiar Golias, que não parecia desistir. Davi, porém, não temia o filisteu e já havia assegurado a Saul que poderia terminar com ele. "Davi sentia a força sobrenatural que lhe havia sido comunicada pelo Espírito de Deus, no dia de sua unção (1Sm 16.13), e é provável que já tivesse falado de seu intenso desejo de enfrentar o temido adversário, face a face. E isso já fora noticiado a Saul" (Ellicott, *in loc.*).

Este versículo reinicia a narrativa que havia sido cortada no vs. 12, pelo suplemento adicionado de outra fonte. O suplemento (vss. 12-31) provavelmente teve origem posterior. Saul, embora tivesse sido antes um homem corajoso, gradualmente retrocedera para as sombras. O *espírito* que o vexara lhe roubara a iniciativa (1Sm 11.6). Agora, ele dependia dos outros para realizar a tarefa. Assim, Davi foi uma adição bem-vinda ao seu exército, já se tendo tornado seu escudeiro (ver 1Sm 16.21).

■ **17.33**

וַיֹּאמֶר שָׁאוּל אֶל־דָּוִד לֹא תוּכַל לָלֶכֶת אֶל־הַפְּלִשְׁתִּי הַזֶּה לְהִלָּחֵם עִמּוֹ כִּי־נַעַר אַתָּה וְהוּא אִישׁ מִלְחָמָה מִנְּעֻרָיו׃ ס

Porém Saul disse a Davi. Saul não viu em Davi nada que o identificasse com um campeão que pudesse enfrentar o gigante. De fato, para ele, Davi era apenas um jovem ambicioso e atrevido, ao passo que o gigante era um guerreiro experimentado na arte da matança. As *aparências* o enganaram. Ele não sabia que estava na presença do próximo rei de Israel, que seria capaz de libertar o povo da dominação e da influência estrangeira, livrando a terra daquelas *sete nações* que ainda a ocupavam (ver Êx 33.2 e Dt 7.1 quanto a esses sete povos). Ele não sabia que estava diante do maior dos reis de Israel, o antepassado distante do próprio Messias. Isso está em consonância com a descrição sobre o menino pastor, que aparece em 1Sm 16.14-23.

Na ocasião, Davi provavelmente tinha por volta de 20 anos, embora seja impossível determinar sua idade com precisão. Alguns estudiosos calculam que ele teria apenas 14 anos, mas isso já é um exagero.

■ **17.34,35**

וַיֹּאמֶר דָּוִד אֶל־שָׁאוּל רֹעֶה הָיָה עַבְדְּךָ לְאָבִיו בַּצֹּאן וּבָא הָאֲרִי וְאֶת־הַדּוֹב וְנָשָׂא שֶׂה מֵהָעֵדֶר׃

וְיָצָאתִי אַחֲרָיו וְהִכִּתִיו וְהִצַּלְתִּי מִפִּיו וַיָּקָם עָלַי וְהֶחֱזַקְתִּי בִּזְקָנוֹ וְהִכִּתִיו וַהֲמִיתִּיו׃

Respondeu Davi a Saul. Os perigos da vida de um pastor são indicados em Gn 31.39,40 e Am 3.12. É verdade que Davi tinha experiência de matar apenas ursos e leões, mas certamente esses animais eram tão perigosos quanto o gigante filisteu. Certa ocasião, um urso veio e tomou um cordeiro. Davi não hesitou. Tomou o pobre animal de dentro da boca do urso. Então, em outra ocasião, um leão fizera a mesma coisa, e Davi repetira o bravo feito. O texto não indica quais *armas* Davi usava nessas aventuras. Sansão, com sua imensa força física, havia usado suas mãos nuas, mas não há nenhuma reivindicação de que Davi fosse outro Sansão. Ver Jz 14 quanto à história de Sansão e o leão; o vs. 14.5 atribui o feito de Sansão, naquela oportunidade, ao "Espírito de Deus", e o texto presente aparentemente quer que suponhamos que Davi só enfrentaria tamanho desafio por intervenção divina. Oh, Senhor, concede-nos tal graça!

No tempo de Davi a área em redor de Belém era densamente arborizada, e havia ali tanto leões quanto ursos em abundância. Esses animais perseguiam os rebanhos. Até hoje, há ursos em algumas áreas da Palestina. Ver no *Dicionário* os verbetes intitulados *Urso* e *Leão*.

■ **17.36**

גַּם אֶת־הָאֲרִי גַּם־הַדּוֹב הִכָּה עַבְדֶּךָ וְהָיָה הַפְּלִשְׁתִּי הֶעָרֵל הַזֶּה כְּאַחַד מֵהֶם כִּי חֵרֵף מַעַרְכֹת אֱלֹהִים חַיִּים׃ ס

O gigante filisteu seria adicionado aos grandes feitos de Davi. O elemento divino se faria presente, visto que *Yahweh* estava sendo alvo de zombarias por parte de Golias. A identificação entre Yahweh e Israel era tão próxima que o que acontecesse a um automaticamente acontecia ao outro. Isso reflete o *teísmo* (ver a respeito no *Dicionário*). Deus não somente criou o mundo, mas está presente para intervir, recompensar e dirigir, para abençoar e amaldiçoar. O *deísmo* (ver a respeito no *Dicionário*), em contraste, ensina-nos que há um poder criativo, pessoal ou impessoal, o qual abandonou o universo, deixando-o à mercê das leis naturais. A filosofia do Antigo e do Novo Testamento é altamente teísta.

Este incircunciso filisteu. Ou seja, um pagão que não tinha parte no Pacto Abraâmico (ver as notas em Gn 15.18), cujo sinal era a circuncisão. Ver no *Dicionário* o artigo chamado *Circuncisão*, para completas informações, incluindo os simbolismos. Um homem incircunciso não contava com o favor de Deus, como os hebreus. Portanto, Golias seria divinamente desfavorecido, mas Davi seria divinamente *favorecido*, e isso faria toda a diferença em tempos de crise.

"ele, o idólatra, deveria reconhecer que não estava tratando com um mero homem, mas com Deus; e com um *Deus vivo*, e não um ídolo sem vida" (Bíblia de Berlegurger).

"... Ele era um selvagem, cruel e imundo... e seria morto como eles (os animais) tinham sido" (John Gill, *in loc.*).

■ **17.37**

וַיֹּאמֶר דָּוִד יְהוָה אֲשֶׁר הִצִּילַנִי מִיַּד הָאֲרִי וּמִיַּד הַדֹּב הוּא יַצִּילֵנִי מִיַּד הַפְּלִשְׁתִּי הַזֶּה ס וַיֹּאמֶר שָׁאוּל אֶל־דָּוִד לֵךְ וַיהוָה יִהְיֶה עִמָּךְ׃

O Senhor me livrou. Não era pouca coisa entrar em combate pessoal com um urso ou um leão. Yahweh recebeu o crédito por ter *livrado* Davi daquelas feras. Por semelhante modo, Davi seria libertado daquele terror, o gigante. Se a tarefa é *de Deus*, então o sucesso está garantido, pois não há tarefa difícil demais para ele. Os homens tornam-se recebedores do que ele provê. Eles *compartilham dos feitos divinos*. É grande confiar no braço de Deus. Saul havia participado desse tipo de confiança e assim foi convencido pelos argumentos de Davi. Então proferiu sua bênção sobre Davi, implorando a ajuda divina para a tarefa. Os textos sagrados insistem em informar que houve algo de divino na coragem de Davi, ficando entendido que era assim que a vida humana deveria ser preservada.

■ **17.38,39**

וַיַּלְבֵּשׁ שָׁאוּל אֶת־דָּוִד מַדָּיו וְנָתַן קוֹבַע נְחֹשֶׁת עַל־רֹאשׁוֹ וַיַּלְבֵּשׁ אֹתוֹ שִׁרְיוֹן׃

וַיַּחְגֹּר דָּוִד אֶת־חַרְבּוֹ מֵעַל לְמַדָּיו וַיֹּאֶל לָלֶכֶת כִּי לֹא־נִסָּה וַיֹּאמֶר דָּוִד אֶל־שָׁאוּל לֹא אוּכַל לָלֶכֶת בָּאֵלֶּה כִּי לֹא נִסִּיתִי וַיְסִרֵם דָּוִד מֵעָלָיו׃

Saul Fez o Melhor que Pôde. Deu a Davi sua própria e preciosa armadura. Aquilo era a melhor coisa que Saul tinha, e não a reteve. Mas o *melhor do homem,* naquele momento, não era suficiente. De fato, o melhor de Saul só serviu para atrapalhar Davi. A armadura era por demais pesada. Impedia os movimentos do jovem. O melhor do homem, naquela crise, era pouco demais e insuficiente para a tarefa. Mas pelo menos, Saul fez o que estava a seu alcance e merece o crédito por isso. Muitas pessoas, lá fora, estão fazendo pouco ou nada pela causa da justiça. Saul era um homem muito alto e pesado, embora não se comparasse ao gigante filisteu. sua armadura servia apenas de estorvo, e sua lança era por demais longa e pesada. Eram boas para Saul, mas não para Davi. Os Targuns dizem, muito pitorescamente, que "não havia milagre nelas" (referindo-se à armadura e à lança de

Saul). Era necessário um *milagre* para a ocasião, e isso não podia ser encontrado nas provisões de Saul. Há ocasiões em que somente a *provisão divina* é adequada para uma tarefa. Todos os homens enfrentam tais situações. Feliz é o homem cujo Deus é o Senhor.

■ 17.40

וַיִּקַּח מַקְלוֹ בְּיָדוֹ וַיִּבְחַר־לוֹ חֲמִשָּׁה חַלֻּקֵי־אֲבָנִים ׀ מִן־הַנַּחַל וַיָּשֶׂם אֹתָם בִּכְלִי הָרֹעִים אֲשֶׁר־לוֹ וּבַיַּלְקוּט וְקַלְעוֹ בְיָדוֹ וַיִּגַּשׁ אֶל־הַפְּלִשְׁתִּי׃

Escolheu para si cinco pedras lisas do ribeiro. Este versículo é bastante original. Davi saiu ao encontro do gigante, armado somente com seu equipamento de pastor, além da *funda,* que podemos supor que também era usada para defender suas ovelhas. Ele levava ainda seu *cajado* de pastor, que seria uma arma ridícula para usar contra um gigante, que a quebraria com imensa facilidade. E carregava também seu *alforje de pastor,* no qual guardou cinco pedras escolhidas. Ao que parece, era um pequeno receptáculo onde os pastores carregavam provisões básicas. Há intérpretes que supõem que a referência seja a um pedaço de couro usado para segurar as pedras a serem atiradas, ao qual estavam seguras cordas de couro.

Funda. Ver no *Dicionário* sobre a *Funda.* Entre os hebreus, os gregos e os romanos, esse item era usado como arma; e, nas mãos de um homem habilidoso, era um arma verdadeiramente mortífera. Era motivo de chacotas, entre os romanos, que alguns homens pudessem enviar uma pedra ou um pedaço de metal com tamanha força, usando uma funda, a ponto de esse pedaço se dissolver por causa da fricção com o ar! Os benjamitas, em Israel, eram especialmente habilidosos em seu uso (Jz 20.16).

Espiritualização dos Pais. Há alguns comentários curiosos nos escritos dos pais da Igreja sobre esse texto. As *cinco pedras* representam os cinco livros de Moisés, que fluem da correntesa principal do judaísmo. Pedras tiradas das águas do ribeiro de Deus podem matar Satanás e suas tentações. "A funda e as pedras", nas mãos do crente, simbolizam "está escrito", pois dependem da Palavra de Deus quanto ao seu poder.

■ 17.41

וַיֵּלֶךְ הַפְּלִשְׁתִּי הֹלֵךְ וְקָרֵב אֶל־דָּוִד וְהָאִישׁ נֹשֵׂא הַצִּנָּה לְפָנָיו׃

O filisteu. Finalmente, Golias encontrara adversário. Ele estava felicíssimo por alguém ter aceitado seu desafio. Agora teria oportunidade de mostrar quão forte era, impressionando as pessoas e fazendo-as temer sua ferocidade e sua habilidade de matar. seu escudeiro vinha à frente, mas no momento exato entregaria o escudo ao combatente. Ali estava o filisteu, com 2,75 metros de altura e uma armadura de cerca de 115 quilos, segurando aquela lança gigantesca que parecia mais com o eixo de um tecelão (vs. 7). Em contraste, o jovem Davi aproximava-se sem nenhuma armadura, sem lança, mas apenas com aquela ridícula funda. A cena parecia mais um ato de comédia que uma cena de batalha séria.

■ 17.42

וַיַּבֵּט הַפְּלִשְׁתִּי וַיִּרְאֶה אֶת־דָּוִד וַיִּבְזֵהוּ כִּי־הָיָה נַעַר וְאַדְמֹנִי עִם־יְפֵה מַרְאֶה׃

Olhando o filisteu... o desprezou. O terrível filisteu não acreditava no que estava vendo. seu adversário era apenas um jovem, não um guerreiro experimentado. Era apenas um belo rapaz, cuja tez avermelhava sob a exposição ao sol, um menino dos campos de pastores (ver 1Sm 16.12 e suas notas expositivas, quanto à aparência física de Davi).

Sem dúvida não era uma situação de *duelo.* Um matador torna-se campeão ao enfrentar fortes oponentes e vencê-los. Nenhum campeão torna-se tal por matar jovens adolescentes. O filisteu sentiu-se insultado por toda a situação e então *desprezou* Davi. Pouco imaginava que estava enfrentando um jovem destinado a tornar-se o maior matador de todos, o qual livraria Israel do assédio de seus adversários, consolidaria a monarquia e faria de Jerusalém a sua capital.

■ 17.43

וַיֹּאמֶר הַפְּלִשְׁתִּי אֶל־דָּוִד הֲכֶלֶב אָנֹכִי כִּי־אַתָּה בָא־אֵלַי בַּמַּקְלוֹת וַיְקַלֵּל הַפְּלִשְׁתִּי אֶת־דָּוִד בֵּאלֹהָיו׃

Disse o filisteu a Davi. O gigante sentiu-se insultado pelo rapazinho que comparecia diante dele com aquele tolo cajado de pastor e aquela funda. Seria o temível Golias comparado a um *cão* que Davi poria em fuga jogando pedras? Os cães são animais considerados desprezíveis em muitas partes do Oriente. Eles ficam vagando em bandos pelas redondezas, sem disciplina, a maioria sem dono, empestados, ladrando e lutando por pequenos pedaços de alimento.

Golias Amaldiçoou Davi. Mediante palavras insolentes, Golias amaldiçoou Davi. Ele solicitou a seus deuses que amaldiçoassem o jovem que causava cena tão ridícula. "Os heróis de Homero geralmente tinham uma altercação antes de entrar em batalha" (Adam Clarke, *in loc.*). Será que jovem atrevido tentaria bater nele com seu cajado de pastor, como faria com um cão? Davi parecia implorar a morte, e os deuses somaram-se ao seu poder, não porque Golias necessitasse deles para a ocasião, mas porque seria apenas *adequado* Davi ser totalmente amaldiçoado pelos deuses e homens.

■ 17.44

וַיֹּאמֶר הַפְּלִשְׁתִּי אֶל־דָּוִד לְכָה אֵלַי וְאֶתְּנָה אֶת־בְּשָׂרְךָ לְעוֹף הַשָּׁמַיִם וּלְבֶהֱמַת הַשָּׂדֶה׃ ס

Vem a mim. Assim disse o gigante, dando uma ordem a Davi. "Vamos terminar com esta brincadeira. Tu, jovem atrevido, logo serás alimento para os urubus e para as bestas do campo. É isso tudo quanto vales, e eu apressarei o teu destino". Era uma desgraça para a maioria dos antigos (e certamente para os hebreus) que um cadáver fosse deixado sem sepultamento, tornando-se alimento de animais ferozes. Golias garantiria o *insulto final* para o "campeão" de Israel. O corpo desmembrado *não* seria entregue a Israel para sepultamento, mas seria abandonado em campo aberto.

Encontramos algo similar na *Ilíada* de Homero (xiii.1053), em que Heitor se dirigiu a Ajax mais ou menos com as mesmas palavras. Ele disse que as aves do céu se alimentariam da *gordura e dos ossos* do corpo de Ajax.

■ 17.45

וַיֹּאמֶר דָּוִד אֶל־הַפְּלִשְׁתִּי אַתָּה בָּא אֵלַי בְּחֶרֶב וּבַחֲנִית וּבְכִידוֹן וְאָנֹכִי בָא־אֵלֶיךָ בְּשֵׁם יְהוָה צְבָאוֹת אֱלֹהֵי מַעַרְכוֹת יִשְׂרָאֵל אֲשֶׁר חֵרַפְתָּ׃

Davi, porém, disse ao filisteu. A magnificente armadura de Golias não representava muita coisa, porquanto Davi viera à batalha como representante de Yahweh, para defender a honra e o bem-estar de Israel. As aves do céu e os animais ferozes iriam se banquetear, mas com o corpo que o gigante proveria.

Yahweh Sabaoth, o "Senhor dos Exércitos" é o nome divino usado aqui para retratar Yahweh como o general do exército de Israel. Ver no *Dicionário* o artigo intitulado *Deus, Nomes Bíblicos de.* "O que Golias esperava de suas armas, Davi esperava da parte do nome inefável" (Adam Clarke, *in loc.*). "Davi, o mensageiro de Deus, veio em seu nome, destinado a provocar a queda de Golias" (John Gill, *in loc.*).

■ 17.46

הַיּוֹם הַזֶּה יְסַגֶּרְךָ יְהוָה בְּיָדִי וְהִכִּיתִךָ וַהֲסִרֹתִי אֶת־רֹאשְׁךָ מֵעָלֶיךָ וְנָתַתִּי פֶּגֶר מַחֲנֵה פְלִשְׁתִּים הַיּוֹם הַזֶּה לְעוֹף הַשָּׁמַיִם וּלְחַיַּת הָאָרֶץ וְיֵדְעוּ כָּל־הָאָרֶץ כִּי יֵשׁ אֱלֹהִים לְיִשְׂרָאֵל׃

Hoje mesmo o Senhor te entregará na minha mão. Foi uma vitória global. Em um momento de inspiração, Davi pôde vislumbrar não somente sua iminente vitória pessoal sobre Golias, mas também o fato de que, subsequentemente, e muito em breve, todo o exército dos filisteus seria derrotado, tornando-se alimento para as aves e feras. O episódio provaria existir um Deus vivo e poderoso *em Israel*, contrastando com os ídolos mortos dos pagãos. Chegava rapidamente o dia em que Davi libertaria todo o povo de Israel dos sofrimentos impostos pelos pagãos, o que nem Josué nem homem algum fora capaz de fazer, pois era tarefa destinada a Davi.

Toda a terra saberá que há Deus em Israel. Realmente, a mensagem teísta do Antigo Testamento tem-se espalhado pelo mundo inteiro, e essa é *a mensagem* que permanece como o grande memorial da esmagadora vitória de Davi, uma ilustração do poder divino em favor de Israel. A imediata referência de Davi são os inimigos de Israel, dentro e em redor da Palestina. Aquela era a "sua terra".

■ 17.47

וְיֵדְעוּ כָּל־הַקָּהָל הַזֶּה כִּי־לֹא בְּחֶרֶב וּבַחֲנִית יְהוֹשִׁיעַ יְהוָה כִּי לַיהוָה הַמִּלְחָמָה וְנָתַן אֶתְכֶם בְּיָדֵנוּ:

Saberá toda esta multidão. A referência aqui é à congregação de Israel, a Igreja do Deus vivo do Antigo Testamento. Especialmente essa multidão haveria de celebrar a vitória.

Não com espada, nem com lança. O autor sacro cria no poder da intervenção divina através da agência humana e acreditava mais nisso que nas poderosas agências humanas.

Os Targuns dizem aqui: "Pois do Senhor vem a vitória na terra; ele a dá a quem ele quiser".

> *Não por força nem por poder, mas pelo meu Espírito, diz o Senhor dos Exércitos.*
>
> Zacarias 4.6

> *Que o poder pertence a Deus.*
>
> Salmo 62.11

> *Não confio no meu arco, e não é a minha espada que me salva. Pois tu nos salvaste dos nossos inimigos, e cobriste de vergonha os que nos odeiam.*
>
> Salmo 44.6,7

> *Não há rei que se salve com o poder dos seus exércitos; nem por sua muita força se livra o valente.*
>
> Salmo 33.16

■ 17.48

וְהָיָה כִּי־קָם הַפְּלִשְׁתִּי וַיֵּלֶךְ וַיִּקְרַב לִקְרַאת דָּוִד וַיְמַהֵר דָּוִד וַיָּרָץ הַמַּעֲרָכָה לִקְרַאת הַפְּלִשְׁתִּי:

Davi... correu de encontro ao filisteu. Em contraste com seus compatriotas, que se aterrorizaram simplesmente ao ver o gigante, Davi correu para enfrentá-lo com uma coragem a toda prova, o que deve ter surpreendido todos os circunstantes. O tempo das ameaças mútuas havia chegado ao fim. Ações agora poriam fim à questão. Foi um momento de grande coragem para o jovem saído dos campos.

> Com frequência, a prova da coragem
> não é morrer e, sim, viver.
>
> Vittorio Alfieri

> Atacaremos e atacaremos até estarmos exaustos.
> E então atacaremos novamente.
>
> General George Patton

■ 17.49

וַיִּשְׁלַח דָּוִד אֶת־יָדוֹ אֶל־הַכֶּלִי וַיִּקַּח מִשָּׁם אֶבֶן וַיְקַלַּע וַיַּךְ אֶת־הַפְּלִשְׁתִּי אֶל־מִצְחוֹ וַתִּטְבַּע הָאֶבֶן בְּמִצְחוֹ וַיִּפֹּל עַל־פָּנָיו אָרְצָה:

A Vitória Simples. O que fora tão complexo e aterrorizante, Davi, com algumas simples voltas de funda, tornara tão simples. seu primeiro tiro foi um acerto direto e tão poderoso que a pedra se afundou na cabeça do gigante. Golias nem ficou sabendo o que o havia atingido. Ele caiu de uma vez. O autor sacro dá-nos o final de forma extremamente simples. O que pareceu ser uma tarefa gigantesca e avassaladora foi resolvido num segundo pelo poder divino. Os espectadores, esperando ver um conflito longo e agonizante, ficaram ali, de boca aberta. Deus havia completado a tarefa de maneira tão rápida, tão simples e tão definitiva. Oh, Senhor, concede-nos tal graça!

> A coragem consiste em sermos iguais ao problema que temos à nossa frente.
>
> Ralph Waldo Emerson

A *Septuaginta* exagera a questão aqui ao dizer que a pedra passou *através* do capacete de Golias. Adam Clarke, *in loc.*, defende que essa leitura é possível, ao citar Diodoro Sículo, livro 5, cap. 18, par. 287, o qual afirma que alguns projéteis enviados por fundas eram capazes de partir toda espécie de escudos, capacetes e "toda espécie de armadura". Mas o texto não sugere isso, um detalhe notável que não poderia faltar na narrativa.

■ 17.50

וַיֶּחֱזַק דָּוִד מִן־הַפְּלִשְׁתִּי בַּקֶּלַע וּבָאֶבֶן וַיַּךְ אֶת־הַפְּלִשְׁתִּי וַיְמִיתֵהוּ וְחֶרֶב אֵין בְּיַד־דָּוִד:

Com uma funda e com uma pedra. Davi não possuía armadura pesada nem espada, nada do que era considerado necessário para enfrentar o perigo. Dispunha apenas de uma funda e cinco pedras lisas, mas usou apenas *uma*. Com o *poder de Deus,* sua pequena pedra foi suficiente para a tarefa. Assim é que do nosso pouco, Deus faz o suficiente para que cumpramos nossa missão. Isso ocasionalmente requer a intervenção divina, quando o *muito* de Deus substitui o nosso pouco.

A história mostra-nos que as elaboradas armaduras de ferro do feudalismo caíram subitamente diante das armas de fogo. E assim o que tinha sido usado por tanto tempo e tido como necessário para a guerra foi substituído por algo melhor, tornando-se prontamente obsoleto. O poder de Deus também tornou o poder de Golias de uma hora para outra obsoleto.

■ 17.51

וַיָּרָץ דָּוִד וַיַּעֲמֹד אֶל־הַפְּלִשְׁתִּי וַיִּקַּח אֶת־חַרְבּוֹ וַיִּשְׁלְפָהּ מִתַּעְרָהּ וַיְמֹתְתֵהוּ וַיִּכְרָת־בָּהּ אֶת־רֹאשׁוֹ וַיִּרְאוּ הַפְּלִשְׁתִּים כִּי־מֵת גִּבּוֹרָם וַיָּנֻסוּ:

E o matou, cortando-lhe com ela a cabeça. Podemos entender neste versículo que a pedra apenas estonteou Golias, dando a Davi tempo para cortar a cabeça do inimigo com a própria espada que Golias carregava. Os críticos contendem, desnecessariamente, pelo contraste entre os vss. 50 e 51, supondo que cada um proveio de fonte diferente. Assim, o vs. 50 falaria sobre a funda, e o vs. 51 falaria sobre a espada. Essa é apenas uma complicação da história, emprestando às coisas uma sutileza desnecessária. É inútil tentar determinar exatamente o que matou o gigante. É provável que o próprio Davi não soubesse se o homem estava morto ou vivo, quando lhe decepou a cabeça.

A Fuga dos Filisteus. Vendo seu supostamente invencível campeão tão facilmente destruído por um jovem armado com uma única funda, os filisteus foram tomados por um pânico repentino, que os pôs em fuga em um instante. O que mais Yahweh teria preparado para eles naquele dia?

Pânico. Essa palavra vem do nome do deus grego *Pan*. Uma das suas funções era lançar um medo súbito no coração de um exército que o deus quisesse ver derrotado, para que o exército contrário obtivesse fácil vitória. Pan recebeu o crédito por ter posto os persas em fuga, em Maratona, quando o exército grego alcançou o que parecia ser uma vitória impossível.

■ 17.52

וַיָּקֻמוּ אַנְשֵׁי יִשְׂרָאֵל וִיהוּדָה וַיָּרִעוּ וַיִּרְדְּפוּ אֶת־הַפְּלִשְׁתִּים עַד־בּוֹאֲךָ גַיְא וְעַד שַׁעֲרֵי עֶקְרוֹן וַיִּפְּלוּ חַלְלֵי פְלִשְׁתִּים בְּדֶרֶךְ שַׁעֲרַיִם וְעַד־גַּת וְעַד־עֶקְרוֹן:

Então os homens de Israel e Judá. Os israelitas tomaram vantagem imediata da situação, matando os filisteus ao longo do caminho. A batalha estendeu-se assim até as portas de Ecrom, que ficava cerca de 29 quilômetros quase a oeste de Belém. Ver 1Sm 17.1,2 quanto ao lugar onde houve o confronto. Embora *Socó* (ver 1Sm 17.1) ainda não tenha sido localizada com exatidão, deve ter estado menos de 32 quilômetros a oeste de Belém, e dali, a noroeste, ficava Ecrom, a cerca de 29 quilômetros. Belém, Socó e Ecrom formavam um triângulo cru, de ponta-cabeça (com a ponta apontando para o sul). Feridos e mortos ficaram espalhados diante de *Saarim* e *Gate* (ver a respeito no *Dicionário*). Esses lugares ficavam ao sul de Ecrom, a apenas alguns quilômetros de distância. Ver Js 15.36 quanto a outra Saraim (Saaraim), que alguns estudiosos identificam com a do texto presente. Josefo afirma que trinta mil filisteus foram mortos, e o *dobro* desse número foi ferido (*Antiq.* 1.6, cap. 9, sec. 5). Nesse caso, eles sofreram uma derrota humilhante naquele dia. Coube a Davi levar os filisteus à total extinção, livrando Israel para sempre dos ataques molestos.

■ **17.53**

וַיָּשֻׁבוּ בְּנֵי יִשְׂרָאֵל מִדְּלֹק אַחֲרֵי פְלִשְׁתִּים וַיָּשֹׁסּוּ אֶת־מַחֲנֵיהֶם׃

E lhes despojaram os acampamentos. Como era comum nas guerras da época, houve despojos das habitações e dos acampamentos do exército derrotado. As guerras santas (ver as notas a respeito em Dt 7.1-5 e 20.10-18) não permitiam que se tomassem despojos, nem que fossem feitos prisioneiros. É provável que absolutamente todos os feridos tenham sido mortos. Mas parece ter havido uma exceção a essa regra, pois aos israelitas foi permitido ficar com os despojos. Usualmente, porém, todas as coisas, mercadorias, vida humana e vida animal eram oferecidas como um grande *holocausto* (ver no *Dicionário*) a Yahweh. O dia dos filisteus ainda não havia terminado, mas agora isso não estava tão distante. Eles ainda haveriam de sofrer o látego de Davi, em outras ocasiões.

■ **17.54**

וַיִּקַּח דָּוִד אֶת־רֹאשׁ הַפְּלִשְׁתִּי וַיְבִאֵהוּ יְרוּשָׁלָ͏ִם וְאֶת־כֵּלָיו שָׂם בְּאָהֳלוֹ׃ ס

Tomou Davi a cabeça do filisteu. *O troféu horrendo,* a cabeça de Golias, foi levado para ser exibido em Jerusalém, mas a armadura de Golias foi posta em uma tenda. As pessoas também desejariam ver essa armadura, por ser notável em tamanho e peso. Certamente era uma curiosidade que inspiraria respeito.

E a trouxe a Jerusalém. Os críticos salientam que *Jerusalém* ainda não estava nas mãos de Israel, e sugerem que essa palavra seja substituída pelo termo "Saul". Isso faz bom sentido e remove a dificuldade, mas é apenas uma conjectura. Ellicott explica que, embora a *fortaleza de Jebus* ainda continuasse nas mãos dos jebusitas (ou seja, o monte Sião ainda não tinha sido conquistado por Israel), a cidade de Jerusalém propriamente dita já fora tomada. Cf. Js 15.63 e Jz 1.21. Isso solucionaria a dificuldade, mas não sabemos dizer se a conjectura está ou não com a razão.

Pô-las Davi na sua tenda. Provavelmente isso aponta para o lugar onde Davi habitava, em Belém. Alguns estudiosos dizem que está em mira aqui o tabernáculo, mas não há o menor indício sobre isso no texto sacro.

■ **17.55,56**

וְכִרְאוֹת שָׁאוּל אֶת־דָּוִד יֹצֵא לִקְרַאת הַפְּלִשְׁתִּי אָמַר אֶל־אַבְנֵר שַׂר הַצָּבָא בֶּן־מִי־זֶה הַנַּעַר אַבְנֵר וַיֹּאמֶר אַבְנֵר חֵי־נַפְשְׁךָ הַמֶּלֶךְ אִם־יָדָעְתִּי׃

וַיֹּאמֶר הַמֶּלֶךְ שְׁאַל אַתָּה בֶּן־מִי־זֶה הָעָלֶם׃ ס

Busca-se a Identidade de Davi. Este versículo diz-nos que Saul não sabia nada sobre a família de Davi, dando a entender que também não sabia muita coisa sobre o próprio Davi. No entanto, fomos informados antes que Davi era músico da corte e Jessé tinha mandado presentes a Saul, o que significa que lhe era conhecido. Ver 1Sm 16.18-23. Os críticos explicam que estamos tratando com *duas fontes informativas,* e elas não concordam em todos os pontos. Os conservadores supõem que tenha havido um distúrbio cronológico, e, quando Saul fez a declaração deste versículo, ele ainda não conhecia Davi ou sua família. Nesse caso, Davi tornou-se músico da corte somente *depois* de ter matado Golias. No entanto, nada há no livro de 1Samuel para a veracidade desse argumento. A Septuaginta simplesmente deixa de fora os vss. 55-58, removendo a dificuldade. Já notamos que, por razões similares, são deixados de fora os vss. 12-31 do capítulo presente. Provavelmente, os críticos estão com a razão neste caso. Estaríamos tratando com uma fonte separada, provavelmente posterior, que simplesmente não concorda, em todos os pontos, com a fonte mais antiga.

Eugene M. Merrill (*in loc.*) sugeriu que o trabalho de Davi como músico da corte fora breve e intermitente, e diversos anos se passaram desde que Saul o vira pela última vez. Nesse caso, Saul simplesmente esquecera Davi, e não mais o reconheceria. Mas essa explicação fica muito a dever. Nada no texto apoia tal coisa. Trata-se de uma solução *ad hoc* que dificilmente pode ter base na realidade. Algumas vezes a fé consiste em crer em algo que não é verdade, por consolo mental ou por alguma outra razão subjetiva. Seja como for, questões como essa nada têm que ver com a fé religiosa e só deixam perturbadas a duas classes: os ultraconservadores, que buscam harmonia a *qualquer* preço, nem que seja à custa da honestidade; e os céticos, que se aproveitam de qualquer coisa para justificar seu ceticismo.

Abner (ver a respeito no *Dicionário*) recebeu a tarefa de descobrir tudo quanto pudesse a respeito de Davi. E, no entanto, 1Sm 16.21 informa-nos que Davi já era escudeiro de Saul. A dificuldade, portanto, persiste. Abner era tio de Saul e oficial de seu exército. Ver 1Sm 14.50. Neste versículo, ele é representado como aquele que conduziu Davi à presença de Saul.

■ **17.57**

וּכְשׁוּב דָּוִד מֵהַכּוֹת אֶת־הַפְּלִשְׁתִּי וַיִּקַּח אֹתוֹ אַבְנֵר וַיְבִאֵהוּ לִפְנֵי שָׁאוּל וְרֹאשׁ הַפְּלִשְׁתִּי בְּיָדוֹ׃

Abner o tomou e o levou à presença de Saul. 1Sm 13.15 apresenta Saul em Gibeá, onde, presumivelmente, estavam sua corte e seu quartel-general, pois Jerusalém ainda não fora conquistada por Israel. Este versículo, contudo, diz que Davi conduziu a cabeça de Golias até Saul (presumivelmente à sua corte). Mas em 1Sm 17.54 a informação é de que Davi havia levado o horrendo troféu a Jerusalém. Devemos supor, portanto, que Davi carregou a cabeça decepada de Golias de Jerusalém a Gibeá, uma distância de aproximadamente 10 quilômetros.

Davi é representado como participante de atividades militares, de tal maneira que, tendo matado Golias, foi ao campo de batalha ajudar os israelitas a liquidar os filisteus.

■ **17.58**

וַיֹּאמֶר אֵלָיו שָׁאוּל בֶּן־מִי אַתָּה הַנָּעַר וַיֹּאמֶר דָּוִד בֶּן־עַבְדְּךָ יִשַׁי בֵּית הַלַּחְמִי׃

Filho de teu servo Jessé, belemita. Davi revelou sua identidade a Saul, como se o fizesse pela primeira vez. A passagem de 1Sm 16.18-23, porém, já havia afirmado que isso ocorrera quando Davi se tornou músico da corte. E 1Sm 16.21 diz que Davi se transformou em escudeiro de Saul. Ver essas dificuldades discutidas nos comentários dos vss. 55,56. Essa entrevista, provavelmente, aconteceu em Gibeá, lugar do nascimento de Saul e seu quartel-general. É tolice imaginar que Davi tenha "refrescado a memória de Saul", presumindo-se que o rei tivesse esquecido o músico ou que sua condição mental estivesse deteriorada a ponto de, repentinamente, ele esquecer até detalhes importantes. Rejeitemos a harmonia a qualquer preço, a bem da honestidade.

CAPÍTULO DEZOITO

DAVI E JÔNATAS (18.1-5)

"O acordo estabelecido entre Davi e Jônatas por certo é histórico. Embora a fonte primária pareça não incluir nenhuma menção a esse pacto, alguma descrição sem dúvida fazia parte do documento original, antes de ser misturado com o material posterior, porquanto existem *três* passagens que contêm referências a essa amizade (1Sm 22.8; 2Sm 1.17-27; 19.1-13)" (George B. Caird, *in loc.*).

Davi estava sendo preparado para sua elevada missão como segundo rei de Israel. Como pastor, aprendera a arte de proteger os fracos e obter vitória sobre inimigos fortes. Ele tinha uma personalidade bem formada e era músico respeitado. Tornou-se escudeiro de Saul (ver 1Sm 16.21) e estava aprendendo a arte de ser soldado e comandante. Na corte aprendia a ser estadista. Mas, acima de tudo, conforme informam os versículos seguintes, Davi estava colocando em prática a lei do amor, tornando-se amigo especial de Jônatas, um dos filhos de Saul. O amor é a lei universal que sumaria toda lei justa (ver Rm 13.8 ss.).

■ 18.1

וַיְהִי כְּכַלֹּתוֹ לְדַבֵּר אֶל־שָׁאוּל וְנֶפֶשׁ יְהוֹנָתָן נִקְשְׁרָה בְּנֶפֶשׁ דָּוִד וַיֶּאֱהָבוֹ יְהוֹנָתָן כְּנַפְשׁוֹ:

Entrevista entre Davi e Saul, na corte deste, em Gibeá (17.58), pôs Davi em contato com um amigo especial, Jônatas. Uma poderosa amizade desenvolveu-se entre os dois, de tal modo que a alma deles foi "costurada" uma à outra, e eles se amaram como amavam a própria alma.

"Eis aí o começo de uma *amizade* clássica. A própria palavra incorpora um milagre que o judaísmo e o cristianismo muito apreciam. Interpretações puramente materialistas da vida podem ser refutadas de muitas maneiras, mas por certo a amizade humana é um poderoso elemento para qualquer compreensão espiritual da experiência" (John C. Schroeder, *in loc.*).

> Feliz é a casa que abriga um amigo.
> Um amigo é uma pessoa com quem sou sincero.
> Diante dele, posso pensar em voz alta.
> Um amigo pode ser considerado
> uma obra-prima da natureza.
>
> Ralph Waldo Emerson

> Tenho amado meus amigos conforme tenho amado
> virtualmente a minha alma, meu Deus.
>
> Sir Thomas Browne

> Um amigo é outro "eu".
>
> Aristóteles

> Nunca injuries um amigo, nem mesmo por brincadeira.
>
> Cícero

> A única maneira para ter um amigo é ser um.
>
> Ralph Waldo Emerson

> Não há deserto como aquele que não tem amigos.
>
> Baltasar Gracián

■ 18.2

וַיִּקָּחֵהוּ שָׁאוּל בַּיּוֹם הַהוּא וְלֹא נְתָנוֹ לָשׁוּב בֵּית אָבִיו:

Saul naquele dia o tomou. Daquele dia em diante, Davi tornou-se residente permanente da corte de Saul, em Gibeá. Este versículo pode ser a tentativa, da parte de algum editor, para reconciliar duas fontes informativas que foram misturadas em 1Samuel. Já vimos que Davi era músico da corte e escudeiro de Saul (ver 1Sm 16.18-23), mas então se disse que ele chamou a atenção de Saul, *como que* pela primeira vez (ver 1Sm 17.55-58). Este versículo dá a entender que Davi já não trocava de residência entre os campos de Jessé e a corte de Saul. Cf. 1Sm 17.15, onde vemos Davi fazendo essa troca. Em breve, Davi se casaria com a filha de Saul, de acordo com a promessa do rei ao vitorioso na luta com Golias (ver 1Sm 17.25).

■ 18.3

וַיִּכְרֹת יְהוֹנָתָן וְדָוִד בְּרִית בְּאַהֲבָתוֹ אֹתוֹ כְּנַפְשׁוֹ:

Jônatas e Davi fizeram aliança. *A Aliança de Amizade.* Eles juraram amizade e lealdade, apoio, proteção e ajuda mútua, e "formalizaram" seu acordo mediante uma espécie de troca de objetos de valor, que se tornaram o sinal de sua profunda amizade. "... apoiariam os interesses mútuos, tanto em vida quanto na morte, sem importar quem fosse o sobrevivente" (John Gill, *in loc.*). Essa amizade incomum pode ter sido *um* dos fatores pelos quais Saul se voltou contra Davi, embora certamente não a razão principal. Havia muitos motivos para Saul ter inveja de Davi, e essa inveja cresceu até tornar-se um plano maligno que buscava tirar a vida de Davi.

■ 18.4

וַיִּתְפַּשֵּׁט יְהוֹנָתָן אֶת־הַמְּעִיל אֲשֶׁר עָלָיו וַיִּתְּנֵהוּ לְדָוִד וּמַדָּיו וְעַד־חַרְבּוֹ וְעַד־קַשְׁתּוֹ וְעַד־חֲגֹרוֹ:

Houve Troca de Objetos Valiosos. É de presumir-se que eles tenham trocado objetos valiosos, embora este versículo mencione apenas os presentes de Jônatas a Davi. Jônatas deu coisas que lhe eram importantes como soldado, e provavelmente peças de roupa. Homero (*Ilíada*, VI. 230) ilustra o fato de que a troca de armadura ou de peças do vestuário era uma maneira comum de selar novas amizades. Portanto, temos as seguintes palavras:

> Agora, troquem as armas e provem um ao outro
> Que guardamos a amizade de que nos jactamos.

"... para que possam parecer como *um,* tanto no corpo quanto nas vestes e nos hábitos" (John Gill, *in loc.*).

■ 18.5

וַיֵּצֵא דָוִד בְּכֹל אֲשֶׁר יִשְׁלָחֶנּוּ שָׁאוּל יַשְׂכִּיל וַיְשִׂמֵהוּ שָׁאוּל עַל אַנְשֵׁי הַמִּלְחָמָה וַיִּיטַב בְּעֵינֵי כָל־הָעָם וְגַם בְּעֵינֵי עַבְדֵי שָׁאוּל: פ

Saul o pôs sobre tropas do seu exército. *Davi, o Capitão.* Primeiramente, Davi tornou-se soldado e mensageiro de Saul. Em seguida tornou-se capitão, talvez um comandante de mil. Ele se conduzia sabiamente, e logo obteve o favor de seus amigos soldados e também do povo comum. sua estrela subia, enquanto a de Saul se punha. Davi passava por um período de preparação para tornar-se rei. Cf. o vs. 13, que diz especificamente que ele conduzia mil homens.

"O historiador chama aqui nossa atenção especial para o estranho poder que Davi exercia sobre o coração dos homens. Não foi somente sobre Saul e seu valoroso filho que Davi conquistou rápida influência, mas também sobre a corte e sobre o exército... Seu rápido soerguimento à alta posição era apreciado com favor geral" (Ellicott, *in loc.*).

A INVEJA DE SAUL (18.6—19.24)

A *inveja profissional* é algo terrível. O desejo de ser o primeiro e o mais destacado inspira muitas pessoas a criticar e realizar coisas contra os semelhantes. Mas a inveja de Saul era tanto profissional quanto pessoal, e o historiador sagrado demora-se por longo tempo sobre o assunto. Davi foi finalmente obrigado a fugir, por causa da inveja de Saul, que se tinha transformado em ira, e a ira se transforma no desejo e no esforço de matar (ver 1Sm 21.1—27.12). Saul temia Davi (vs. 12) e admirava-se diante dele (vs. 15), pelo que seus temores crescentes o transformaram em um matador. Saul, a princípio, declinara a função de rei e até fugira de tal responsabilidade (ver 1Sm 10.22); mas, uma vez que adquirira o poder real, depois de obter notáveis vitórias na guerra, por nada deste mundo desistiria de sua posição, prestígio e poder. Davi, pois, parecia-lhe uma ameaça, e a morte de Davi tornou-se extremamente desejável. Tudo isso fez parte da degradação de Saul, que sem dúvida só pode ser explicada como resultado da influência do espírito maligno, que viera para vexá-lo (ver 1Sm 16.14,15,23).

"Tão enraivecido estava Saul diante da diminuição de sua glória que, inspirado pelo espírito demoníaco (vs. 10; cf. com 1Sm 16.14-16; 19.9), tentou golpear de morte Davi, com sua lança (ver 1Sm 18.10,11; 19.9,10). Mas *Deus* livrou Davi e deu-lhe ainda maior popularidade (1Sm 18.12-16)" (Eugene M. Merrill, *in loc.*).

18.6

וַיְהִי בְּבוֹאָם בְּשׁוּב דָּוִד מֵהַכּוֹת אֶת־הַפְּלִשְׁתִּי וַתֵּצֶאנָה הַנָּשִׁים מִכָּל־עָרֵי יִשְׂרָאֵל לָשׁיר וְהַמְּחֹלוֹת לִקְרַאת שָׁאוּל הַמֶּלֶךְ בְּתֻפִּים בְּשִׂמְחָה וּבְשָׁלִשִׁים׃

As mulheres de todas as cidades de Israel. As mulheres têm uma tendência especial para a glorificação de heróis populares. Atualmente elas são os elementos mais importantes dos fãs-clubes, que adulam atores e figuras esportivas famosas. É realmente engraçado (e desgostoso) vê-las a chorar e gritar quando seus heróis fazem alguma aparição. Até meninas pequenas são apanhadas nesse jogo tolo. Atualmente, os heróis militares tornam-se presidentes, mas as mulheres não iniciam fãs-clubes para eles. Nos dias de Davi, entretanto, um grande matador que tornasse a vida mais segura era objeto de profunda admiração. Ademais, esperava-se que os reis fossem grandes matadores, porque a sobrevivência de um povo dependia do êxito na guerra quase interminável. Miriã liderou as mulheres israelitas em cânticos e danças para celebrar a travessia do mar Vermelho (ver Êx 15.20). Cf. 2Sm 1.20.

"Charles Doughty viu mulheres beduínas dançando e cantando ao encontro de seus guerreiros, que retornavam de um ataque" (*Travels in Arabia Deserta*, I, 499). O cântico que vemos aqui é um exemplo do exagero oriental, que não deve ser entendido literalmente. Nesse estágio inicial, Davi apenas começava sua carreira militar" (George B. Caird, *in loc.*).

Uma contagem dos mortos, nessa altura dos acontecimentos, teria demonstrado que Saul ainda estava muito à frente de Davi no jogo da matança.

Saul e Davi estavam ali, sendo louvados pelos cânticos das mulheres. Elas davam crédito a Saul pela parte que lhe cabia, mas o jovem e simpático Davi era o principal objeto dos cânticos e danças.

E com instrumentos de música. Especialmente harpas e flautas, coisas que elas tangiam com as mãos, instrumentos de cordas e instrumentos de sopro. Ver no *Dicionário* o verbete chamado *Música, Instrumentos Musicais*.

Se "a música tem encantos que suavizam as feras e abrandam as rochas" (William Congreve), nesse caso, a fera selvagem que havia em Saul foi ainda mais despertada pelos cânticos e pelas danças femininas.

18.7

וַתַּעֲנֶינָה הַנָּשִׁים הַמְשַׂחֲקוֹת וַתֹּאמַרְןָ הִכָּה שָׁאוּל בַּאֲלָפָו וְדָוִד בְּרִבְבֹתָיו׃

As mulheres se alegravam. Elas formavam dois grupos e cantavam em uma espécie de intercâmbio, em que uma respondia à outra, ou adicionava ao que a outra tinha cantado. Para aborrecimento de Saul, o diálogo pervertia a verdade. Saul é quem tinha matado dez mil, e Davi somente mil. Mas aquelas mulheres, em sua adulação ao jovem soldado, não estavam interessadas na exatidão histórica e na contagem de mortos. Essas palavras são repetidas em 1Sm 19.5, e parece que se tornaram populares e proverbiais. Talvez essas palavras não fossem originais, mas tivessem sido tomadas por empréstimo de antigos cânticos nacionais ou populares.

18.8

וַיִּחַר לְשָׁאוּל מְאֹד וַיֵּרַע בְּעֵינָיו הַדָּבָר הַזֶּה וַיֹּאמֶר נָתְנוּ לְדָוִד רְבָבוֹת וְלִי נָתְנוּ הָאֲלָפִים וְעוֹד לוֹ אַךְ הַמְּלוּכָה׃

Então se indignou muito. Saul reconheceu imediatamente a adulação das mulheres como uma ameaça ao seu reinado. Samuel havia predito que ele seria substituído e nenhum de seus filhos ocuparia o trono. De uma família diferente seria levantado um rei (ver 1Sm 13.14 e 15.23). Justamente diante de seus olhos, formavam-se as circunstâncias que levariam a profecia de Samuel a pleno cumprimento. Saul, assim sendo, tornou-se vítima das próprias circunstâncias que tinha cultivado e ajudado a formar. Estava colhendo o que havia semeado. Ver no *Dicionário* o artigo chamado *Lei Moral da Colheita segundo a Semeadura*.

18.9

וַיְהִי שָׁאוּל עָוֵן אֶת־דָּוִד מֵהַיּוֹם הַהוּא וָהָלְאָה׃ ס

Saul não via Davi com bons olhos. Esta é uma tradução quase literal do original hebraico. Embora antes Saul tanto tivesse favorecido Davi, agora o fitava com fúria humicida nos olhos. A primeira tentativa de despachá-lo com sua lança ocorreria logo em breve, ou seja, no dia seguinte (vss. 10 e 11). Os Targuns dizem que Saul "se pôs à espreita" a fim de matar Davi.

"Emocional e socialmente inseguro, o rei logo se traiu. Não é de admirar que a *inveja* seja um dos pecados mortais. Exige grande espiritualidade da parte de quem quer que seja, particularmente se essa pessoa está revestida de grande responsabilidade, reconhecer que alguém mais jovem é mais capaz. Uma vez que a inveja comece, rebenta como um mato e não pode ser extraído, senão através das mais heroicas medidas... Saul não era maduro o suficiente; também era por demais egoísta, por demais assustado acerca de seu estado, para considerar o sucesso de Davi com qualquer outra coisa senão com temor" (John C. Schroeder, *in loc.*).

18.10,11

וַיְהִי מִמָּחֳרָת וַתִּצְלַח רוּחַ אֱלֹהִים רָעָה אֶל־שָׁאוּל וַיִּתְנַבֵּא בְתוֹךְ־הַבַּיִת וְדָוִד מְנַגֵּן בְּיָדוֹ כְּיוֹם בְּיוֹם וְהַחֲנִית בְּיַד־שָׁאוּל׃

וַיָּטֶל שָׁאוּל אֶת־הַחֲנִית וַיֹּאמֶר אַכֶּה בְדָוִד וּבַקִּיר וַיִּסֹּב דָּוִד מִפָּנָיו פַּעֲמָיִם׃

No dia seguinte um espírito maligno. O espírito maligno que viera para vexar Saul (ver 1Sm 16.14-16 e 19.9) cansara de fazer o rei apenas mal-humorado e desanimado. Agora o demônio queria *ação*, pelo que o inspirou a assassinar Davi. Isso concordava com a degradação em que Saul estava mergulhado e na qual se afundava cada vez mais. A influência demoníaca caracteriza-se pela ruína gradual. Algumas vezes, mais de uma entidade está envolvida nessa questão. Ver na *Enciclopédia de Bíblia, Teologia e Filosofia* o verbete intitulado *Possessão Demoníaca*, e no *Dicionário* o verbete intitulado *Demônio, Demonologia*.

Encravarei Davi na parede. É interessante observar como o demônio inspirava Saul a profecias e declarações diabólicas: "Destruirei meus inimigos; preservarei minha autoridade; ficarei livre de Davi" etc. Entrementes, Davi tocava sua harpa tentando acalmar o espírito de Saul; mas agora a música de nada mais adiantava. É que Saul vivia no frenesi do assassinato, e exatamente ali, enquanto Davi tocava, Saul tentou atravessá-lo com sua lança e espetá-lo na parede. Saul fez *duas tentativas*. Ou sua pontaria era ruim, ou Davi era ligeiro demais. Foi assim que Davi escapou às tentativas assassinas da parte de Saul.

"Que tremenda queda para o rei-herói de Israel, o ungido do Senhor, cujo reinado tinha começado com tanto brilho e sucesso!" (Ellicott, *in loc.*). O mesmo autor sugeriu que, em seu frenesi, Saul era um homem possuído, proferindo palavras que nem mesmo ele entendia. Se Ellicott está com a razão, então Saul estava engajado em uma espécie de falar em línguas diabólico.

A lança era um emblema de autoridade real, e os reis antigos sempre estavam acompanhados por essa arma. Os monumentos antigos documentam o fato com abundância. Assim Saul tinha sua lança real preparada para cometer um desatino.

Os Targuns mostram Saul agindo como um louco, proferindo maldições e fazendo gestos selvagens. De súbito, o louco projetou sua lança, mas errou. Tentou outra vez, mas tornou a errar. Então Davi desertou do palácio real, para evitar outras tentativas.

18.12

וַיִּרָא שָׁאוּל מִלִּפְנֵי דָוִד כִּי־הָיָה יְהוָה עִמּוֹ וּמֵעִם שָׁאוּל סָר׃

Saul temia Davi. A *presença divina* com Davi o tornava um candidato óbvio ao trono, um homem que Saul temia. Além disso, o poder divino se afastara de Saul, deixando-o confuso e temeroso (ver 1Sm

16.14). A lição deste versículo é universal e pessoal. Aquele homem, inspirado pelo Espírito, era dotado de uma missão. Sem o Espírito, porém, era apenas um joão-ninguém.

> *Não por força nem por poder, mas pelo meu Espírito, diz o Senhor dos Exércitos.*
>
> Zacarias 4.6

> *Uma vez falou Deus, duas vezes ouvi isto:*
> *Que o poder pertence a Deus.*
>
> Salmo 62.11

O herói que havia tirado a vida de milhares de pessoas não era capaz de matar um único homem em seu dormitório, com a lança que se recusava a atingir o alvo. O antigo vigor e habilidade de Saul o haviam abandonado. Mas ele continuaria tentando destruir Davi e o poria em fuga, até o dia em que a morte atingisse Saul e Jônatas no campo de batalha.

■ 18.13

וַיְסִרֵהוּ שָׁאוּל מֵעִמּוֹ וַיְשִׂמֵהוּ לוֹ שַׂר־אָלֶף וַיֵּצֵא וַיָּבֹא לִפְנֵי הָעָם׃ פ

Saul o afastou de si, e o pôs por chefe de mil. Ao tentar refrear suas intenções assassinas, Saul removeu Davi de sua corte e nomeou-o capitão de mil. Dessa maneira, Davi teve oportunidade de mostrar sua bravura, obtendo ainda maior favor diante do exército; ou, o que muito agradaria a Saul, talvez fosse morto em alguma batalha. Saul estava disposto a assumir o risco. Conforme as coisas ocorreram, Davi aumentou sua reputação e irritou ainda mais a Saul, o qual, por sua vez, pôs Davi em fuga. Saul não tinha motivos mistos. Ele queria livrar-se de Davi por qualquer ato que fosse necessário.

Entrementes, Davi fazia "saídas e entradas militares" diante do povo, conduzindo suas tropas de mil a batalhas, das quais sempre retornava, para desânimo de Saul. A população em geral observava suas saídas e entradas, aprovando tudo quanto Davi fazia.

■ 18.14

וַיְהִי דָוִד לְכָל־דְּרָכָו מַשְׂכִּיל וַיהוָה עִמּוֹ׃

Davi lograva bom êxito. Em contraste com Saul, Davi fazia tudo direito; mostrava-se prudente e sábio; e também corajoso e bem-sucedido em batalha. Ele era uma demonstração viva de como um homem age quando acompanhado pelo Senhor. "Tanto na corte quanto no campo de batalha, em qualquer serviço em que fosse empregado, Davi prosperava" (John Gill, *in loc.*). Ele era um tipo de Cristo (ver Is 52.13) e, como no caso de seu descendente distante, o Messias, "o Senhor estava com ele". Os Targuns dizem: "A palavra do Senhor era sua ajuda".

■ 18.15

וַיַּרְא שָׁאוּל אֲשֶׁר־הוּא מַשְׂכִּיל מְאֹד וַיָּגָר מִפָּנָיו׃

Tinha medo dele. O sucesso incomum de Davi, sua crescente popularidade, o fato de fazer tudo bem, somente agravavam as condições de Saul, de modo que sua inveja crescia e ele temia Davi, cada vez mais, conforme o tempo passava. "Saul via que, mediante sua conduta prudente, a cada dia a influência de Davi crescia" (Adam Clarke, *in loc.*). O temor de Saul incluía o fato de que algum dia, não muito distante, Davi seria rei em seu lugar, em consonância com a profecia de Samuel (ver 1Sm 13.14 e 15.23). Saul desejava ser o *grande homem* em Israel, e não toleraria que outro homem ocupasse essa posição.

■ 18.16

וְכָל־יִשְׂרָאֵל וִיהוּדָה אֹהֵב אֶת־דָּוִד כִּי־הוּא יוֹצֵא וָבָא לִפְנֵיהֶם׃ פ

Todo Israel e Judá amavam Davi. Davi merecia o *amor* de homens bons, da parte do exército, e até da população em geral, ao mesmo tempo que Saul diariamente perdia prestígio. As pessoas sabiam que, se Davi se saísse bem, isso significava maior segurança para todos. Davi derrotava os inimigos que mantinham o povo de Israel em constante sobressalto. sua tarefa era livrar Israel de todos os inimigos, aniquilando as *sete nações* (ver Dt 7.1) que não davam a Israel um momento sequer de paz. Davi progredia nessa tarefa e, finalmente, obteria pleno sucesso. E então Israel desfrutaria descanso e paz.

Israel e Judá. Essa divisão entre o norte e o sul de Israel provavelmente é um anacronismo. Ao que tudo indica, o autor sacro escreveu depois que a divisão se tornou realidade. Naturalmente, pode-se argumentar que *Judá*, a maior e mais forte das tribos, já era, por assim dizer, uma nação separada, pelo que podia ser mencionada independentemente do restante de Israel.

■ 18.17

וַיֹּאמֶר שָׁאוּל אֶל־דָּוִד הִנֵּה בִתִּי הַגְּדוֹלָה מֵרַב אֹתָהּ אֶתֶּן־לְךָ לְאִשָּׁה אַךְ הֱיֵה־לִּי לְבֶן־חַיִל וְהִלָּחֵם מִלְחֲמוֹת יְהוָה וְשָׁאוּל אָמַר אַל־תְּהִי יָדִי בּוֹ וּתְהִי־בוֹ יַד־פְּלִשְׁתִּים׃ ס

Disse Saul a Davi. A *colheita dos benefícios* por ter matado o gigante Golias incluía ganhar como esposa a filha do rei (Saul). Ver 1Sm 17.25 quanto a essa informação. Assim, de acordo com o costume, a filha mais velha de Saul, *Merabe* (ver a respeito no *Dicionário*) deveria tornar-se esposa de Davi. Mas por circunstâncias não explicadas pelo autor, essa mulher tornou-se esposa de Adriel (vs. 19). Assim Mical (vs. 20) tornou-se esposa de Davi. Esse casamento começou como uma das grandes histórias de amor da antiguidade, mas teve um final absolutamente infeliz. Ver no *Dicionário* o artigo chamado *Mical*.

Saul, por sua vez, não foi infiel à promessa e resolveu que seria melhor não matar Davi pessoalmente, mas deixar essa tarefa nas mãos dos odiados filisteus, que poderiam fazer-lhe esse favor, algum dia. Posteriormente, não tendo isso ocorrido, Saul reiniciou a missão pessoalmente. É significativo que o desejo de Saul para que Davi fosse morto pelos filisteus foi seu próprio destino final (ver 1Sm 31.4). Foi um caso de colheita segundo a semeadura. Ver no *Dicionário* o artigo chamado *Lei Moral da Colheita segundo a Semeadura*.

■ 18.18

וַיֹּאמֶר דָּוִד אֶל־שָׁאוּל מִי אָנֹכִי וּמִי חַיַּי מִשְׁפַּחַת אָבִי בְּיִשְׂרָאֵל כִּי־אֶהְיֶה חָתָן לַמֶּלֶךְ׃

Respondeu Davi a Saul. Embora severamente perseguido e sob ameaça de ser assassinado, Davi declinou tornar-se genro do rei, o ungido do Senhor. Isso era genuína humildade, não apenas por seu respeito ao rei terreno, mas porque *Yahweh* estava em toda a questão. E mesmo quando da morte de Saul, o que solucionou muitos problemas para Davi, ele ficou consternado diante do fato de que o ungido do Senhor fora morto. Ver 2Sm 1.11 ss. Davi reconheceu a humildade de sua própria pessoa e família. Nada havia de *real* neles, portanto ele não era digno de tornar-se aparentado com o rei. Mas a profecia e o destino ultrapassavam suas próprias expectativas. É assim que opera a vontade de Deus. Recebemos mais que aquilo que esperamos. Ver Ef 3.20.

■ 18.19

וַיְהִי בְּעֵת תֵּת אֶת־מֵרַב בַּת־שָׁאוּל לְדָוִד וְהִיא נִתְּנָה לְעַדְרִיאֵל הַמְּחֹלָתִי לְאִשָּׁה׃

Merabe... foi dada por mulher a Adriel, meolatita. A filha mais velha, de acordo com os costumes hebreus, tinha de casar primeiro, assim *Merabe*, segundo todas as aparências, seria a esposa de Davi. Mas circunstâncias não explicadas pelo autor sagrado impediram esse acontecimento. Ao que tudo indica, Saul já havia renegado uma de suas promessas maritais a Davi (ver 1Sm 17.25), pelo que talvez tivesse mudado de ideia, entregando a filha a outro homem. "A natureza volúvel e caprichosa de Saul, tão dolorosamente proeminente no final de seu reinado, exibiu-se nessa mudança súbita de propósito" (Ellicott, *in loc.*). É provável que Adriel tenha oferecido a Saul melhor negociação, como objetos de valor de vários tipos. Presentes dados a um sogro, em troca do casamento com uma sua filha, eram um costume comum. O casamento de Adriel foi desastroso. Ele, sua esposa e cinco filhos caíram todos vítimas da vingança do sangue cobrada dos gibeonitas da família de Saul. Ver 2Sm 21.9 e seu contexto. Ver também, no *Dicionário*, o artigo chamado *Adriel*, para maiores detalhes.

Seja como for, a vontade de Yahweh funcionou em favor de Mical e Davi, e essa foi a escolha do Senhor para os dois. Nossos pensamentos não correspondem necessariamente aos dele, nem os dele aos nossos. A obra do Espírito é conformar nossas ideias à mente divina. E é isso que devemos buscar.

■ 18.20,21

וַתֶּאֱהַב מִיכַל בַּת־שָׁאוּל אֶת־דָּוִד וַיַּגִּדוּ לְשָׁאוּל וַיִּשַׁר הַדָּבָר בְּעֵינָיו:

וַיֹּאמֶר שָׁאוּל אֶתְּנֶנָּה לּוֹ וּתְהִי־לוֹ לְמוֹקֵשׁ וּתְהִי־בוֹ יַד־פְּלִשְׁתִּים וַיֹּאמֶר שָׁאוּל אֶל־דָּוִד בִּשְׁתַּיִם תִּתְחַתֵּן בִּי הַיּוֹם:

Mas Mical, a outra filha de Saul. *Mical* tomou a iniciativa porque crescera um grande amor em seu coração. Contaram isso a Saul. E, visto que ele tinha feito um negócio sujo, por ter negado a filha mais velha a Davi (ver o vs. 19), alegrou-se com o que estava acontecendo e prontamente entregou Mical a Davi. Uma grande história de amor assim se iniciou, mas o casamento haveria de terminar de modo excessivamente amargo. No entanto, houve alguns anos de alegria. Mas a mente distorcida de Saul levou-o a entregar Mical a Davi com maus motivos, na esperança de que ela lhe desse oportunidade para ferir o genro (vs. 21). Os vss. 25 ss. mostram-nos *como* Saul tentou matar Davi, fazendo-o "ganhar" Mical. Mais um truque sujo, visto que Davi havia matado Golias e tudo se conformava à promessa do rei (ver 1Sm 17.25).

O amor de Mical por Davi foi utilizado por Saul para tentar expor Davi a um combate mortal com os filisteus. Assim era a política da época. Mas infelizmente o próprio Davi, anos mais tarde, *similarmente* levou o bravo Urias à morte, para ficar com sua esposa, Bate-Seba, finalmente mãe de Salomão. Ver 2Sm 11.

> Ai! O amor das mulheres! É conhecido
> Como coisa amável e temível.
>
> Lord Byron

■ 18.22

וַיְצַו שָׁאוּל אֶת־עֲבָדָו דַּבְּרוּ אֶל־דָּוִד בַּלָּט לֵאמֹר הִנֵּה חָפֵץ בְּךָ הַמֶּלֶךְ וְכָל־עֲבָדָיו אֲהֵבוּךָ וְעַתָּה הִתְחַתֵּן בַּמֶּלֶךְ:

Consente, pois, em ser genro do rei. *Uma Influência Sutil.* Saul tinha servos (homens, sem dúvida, conhecidos por Davi) para convencer Davi das boas intenções do futuro sogro, ao entregar-lhe Mical por esposa. Depois de Saul ter tentado matá-lo, Davi sem dúvida mostrava-se cauteloso a respeito de qualquer palavra enviada diretamente pelo rei. Mas Davi nem desconfiava que estava sendo envolvido em um conluio de morte. Ele não sabia que Mical era uma viúva-negra em potencial, não por seus atos voluntários, mas pelas circunstâncias do casamento.

Lange (*in loc.*) fala pitorescamente sobre "...o tom de lisonja e conciliação usado em tais círculos", pois a política sempre foi corrupta e a palco de muitos enganos e truques sujos. Davi foi totalmente iludido pelos planos de Saul, mas Yahweh cuidou para que Davi não fosse prejudicado, sendo ele Todo-poderoso e capaz de cumprir as condições "impossíveis" estabelecidas por Saul (vs. 25), do mesmo modo que fez Davi derrotar o "invencível" Golias.

■ 18.23

וַיְדַבְּרוּ עַבְדֵי שָׁאוּל בְּאָזְנֵי דָוִד אֶת־הַדְּבָרִים הָאֵלֶּה וַיֹּאמֶר דָּוִד הַנְקַלָּה בְעֵינֵיכֶם הִתְחַתֵּן בַּמֶּלֶךְ וְאָנֹכִי אִישׁ־רָשׁ וְנִקְלֶה:

Os servos de Saul falaram estas palavras a Davi. O truque envolvido no plano convenceu a Davi. Os servos falaram palavras de lisonja, de mentiras, aos "seus ouvidos", mediante sussurros e insinuações.

A recusa inicial de Davi baseava-se em sua *indignidade* para ser o genro do rei, o ungido de Yahweh. seu segundo argumento era a *pobreza*. Pobre como era, Davi não tinha recursos para dar ao rei um dote à altura de sua filha. Ver as notas sobre os vss. 24 e 25 quanto à questão. Era muito caro comprar uma princesa. Davi não poderia dar-se a esse luxo, mesmo que a questão lhe fosse imposta. Mas Saul estava *facilitando* o pagamento. Este seria o âmago do seu plano para matar Davi. Mesmo que Jessé fosse um xeque local relativamente rico, Davi não seria capaz de satisfazer as exigências da corte real. Mical só poderia casar-se com um homem muito rico, preferivelmente rico *e* poderoso, para adicionar prestígio a Saul e à sua corte.

■ 18.24,25

וַיַּגִּדוּ עַבְדֵי שָׁאוּל לוֹ לֵאמֹר כַּדְּבָרִים הָאֵלֶּה דִּבֶּר דָּוִד: פ

וַיֹּאמֶר שָׁאוּל כֹּה־תֹאמְרוּ לְדָוִד אֵין־חֵפֶץ לַמֶּלֶךְ בְּמֹהַר כִּי בְּמֵאָה עָרְלוֹת פְּלִשְׁתִּים לְהִנָּקֵם בְּאֹיְבֵי הַמֶּלֶךְ וְשָׁאוּל חָשַׁב לְהַפִּיל אֶת־דָּוִד בְּיַד־פְּלִשְׁתִּים:

Tais foram as palavras que falou Davi. *Os servos de confiança de Saul* transmitiram-lhe as palavras humildes de Davi, as razões pelas quais lhe parecia impossível casar com a filha do rei. Mas nenhuma das objeções de Davi impressionou Saul. Ele tentava armar uma armadilha mortal para Davi, e essas desculpas não tiveram peso algum.

Em lugar de um *dote,* Saul requereu *troféus horrendos,* ou seja, cem prepúcios de soldados filisteus. Saul sabia que tais homens não entregariam os prepúcios sem combater até a morte; então, a fim de adquiri-los, Davi teria de matá-los. Davi matara *um gigante,* mas Saul duvidava que ele tivesse a capacidade (e a boa sorte) de combater *cem* filisteus e matá-los. Saul apresentou essa estranha condição para entregar Mical a Davi, *como se* a razão fosse livrar-se dos filisteus, o que, afinal, era da vontade de Yahweh. Era verdade, naturalmente, que muitos israelitas foram mortos, apodrecendo em seus túmulos, por causa dos odiados filisteus, e a *vingança* estava sempre na ordem do dia. Portanto, Davi realizaria um serviço divino e um serviço patriótico, os quais lhe trariam benefício pessoal e também agradariam ao futuro sogro. Essa era uma oferta que Davi não rejeitaria. Estava armado o laço para apanhá-lo.

■ 18.26

וַיַּגִּדוּ עֲבָדָיו לְדָוִד אֶת־הַדְּבָרִים הָאֵלֶּה וַיִּשַׁר הַדָּבָר בְּעֵינֵי דָוִד לְהִתְחַתֵּן בַּמֶּלֶךְ וְלֹא מָלְאוּ הַיָּמִים:

Agradou-se este [Davi] de que viesse a ser genro do rei. *É incrível* que Davi tenha considerado positivamente a oferta de Saul. Dessa forma, Davi estaria servindo a Yahweh e à sua nação, livrando-se daqueles pestíferos filisteus, e ainda ganharia um grande prêmio: *Mical*, a filha do rei.

Três Tipos de Dotes. Um sogro potencial daria presentes a um jovem, induzindo-o a desposar sua filha. Esses presentes também serviriam para ajudar o casal a estabelecer-se. Ou então o genro potencial oferecia presentes ao futuro sogro, a fim de, por assim dizer, comprar sua noiva. Em última instância, havia a compra direta de mulheres para efeito de casamento. Todos esses três tipos de casamentos eram comuns entre os povos antigos. Ver o detalhado artigo do *Dicionário* intitulado *Matrimônio*. Davi, pois, ofereceu um dos mais estranhos presentes de casamento que um sogro já recebeu!

Heródoto (*Hist*. I.196) descreve duas formas de dotes. Ele menciona a estranha prática de *elevados preços* pagos a sogros potenciais pelas jovens mais *belas*. Mas *parte* do dinheiro era usado para prover dotes pelas jovens menos dotadas. Assim, as jovens mais belas ajudavam as que não eram tão belas.

Antes de vencido o prazo. É patente que Saul deu a Davi um limite de tempo para realizar a tarefa. Davi teria de terminar o trabalho dentro de certo tempo, ou a oferta seria anulada. Alguns estudiosos veem o "prazo" aqui mencionado como a indicação da consumação do casamento. Mical não seria realmente dada a Davi enquanto ele não cumprisse sua parte na barganha; mas a primeira das duas ideias parece ser a que é especificada no contexto.

■ 18.27

וַיָּ֣קָם דָּוִ֣ד וַיֵּ֣לֶךְ ׀ ה֣וּא וַאֲנָשָׁ֗יו וַיַּ֣ךְ בַּפְּלִשְׁתִּים֮ מָאתַ֣יִם אִישׁ֒ וַיָּבֵ֤א דָוִד֙ אֶת־עָרְלֹ֣תֵיהֶ֔ם וַיְמַלְא֣וּם לַמֶּ֔לֶךְ לְהִתְחַתֵּ֖ן בַּמֶּ֑לֶךְ וַיִּתֶּן־ל֥וֹ שָׁא֛וּל אֶת־מִיכַ֥ל בִּתּ֖וֹ לְאִשָּֽׁה׃ ס

Feriram dentre os filisteus duzentos homens. *O Segundo Grande Triunfo de Davi.* Nesse segundo feito, Davi não saiu sozinho ao campo de batalha. Ele tinha homens de confiança, que o ajudaram na matança. Em vez de matar os cem homens requeridos, eles tiraram a vida de duzentos filisteus. Uma vez realizada a tarefa, trouxeram os prepúcios e apresentaram-nos a Saul. Podemos estar certos de que Saul não ficou satisfeito com o sucesso de Davi. Outra armadilha havia sido desmanchada. A fim de preservar a pouca reputação que lhe restava, Saul deu Mical a Davi como esposa. Foi assim que Davi cumpriu dois grandes feitos, muito bem propagados: a morte de Golias e a morte dos duzentos homens filisteus. A reputação de Davi crescia, ao mesmo tempo que declinava a de Saul; a estrela de Davi brilhava cada vez mais, enquanto a de Saul precipitava-se ao chão.

"O estado selvagem e bárbaro da época fica aqui em evidência, quando refletimos sobre a feroz crueldade de que tal oferecimento tivesse sido *feito* e *aceito,* para em seguida ser *efetuado* com o dobro de vítimas requeridas" (Ellicott, *in loc.*).

A Septuaginta diz que somente *cem* filisteus foram sacrificados, com o que concorda a passagem de 2Sm 3.14, pelo que, afinal, assim disse o trecho original. Josefo, todavia, exagerou a questão ao dizer que Davi matou *seiscentos* filisteus, cortou-lhes a cabeça e trouxe-as a Saul (*Antiq.* 1.6, cap. 10, sec. 3).

John Gill (*in loc.*) vê aqui uma *tipologia* em ação. Davi representaria Cristo; a irmã mais velha de Mical seria a nação de Israel, que não se tornou sua noiva espiritual; a filha mais jovem representaria a Igreja cristã, a legítima noiva de Cristo (ver Ef 5.23 ss.).

■ 18.28

וַיַּ֣רְא שָׁא֗וּל וַיֵּ֕דַע כִּ֥י יְהוָ֖ה עִם־דָּוִ֑ד וּמִיכַ֥ל בַּת־שָׁא֖וּל אֲהֵבַֽתְהוּ׃

Reconheceu que o Senhor era com Davi. *O invejoso Saul* em nada apreciou o sucesso de Davi. Bem pelo contrário. Podemos estar certos de que, embora Saul tivesse reconhecido que Yahweh estava com Davi, o que explicava seus feitos, isso somente o tornava ainda mais amargurado. Nem mesmo o fato de sua filha Mical amar Davi fez alguma diferença. Saul estava sob o poder do mal, moral e espiritualmente falando, e um espírito maligno controlava quase absolutamente sua vida.

Davi já havia sido severamente testado por duas vezes: a primeira, quando precisou enfrentar Golias, o gigante; e a segunda, quando teve de sair e arranjar duzentos prepúcios de guerreiros filisteus. Ele obteve fácil sucesso em ambas as tentativas, e Saul foi esperto o suficiente para reconhecer que havia algo sobrenatural em tudo isso. seu ódio invejoso desenvolveu-se em uma inimizade pelo resto de sua vida, tornando-se uma condição incurável.

Os Targuns comentam aqui: "A Palavra do Senhor era em favor de Davi".

■ 18.29

וַיֹּ֣אסֶף שָׁא֗וּל לֵרֹ֛א מִפְּנֵ֥י דָוִ֖ד ע֑וֹד וַיְהִ֥י שָׁא֛וּל אֹיֵ֥ב אֶת־דָּוִ֖ד כָּל־הַיָּמִֽים׃ ס

Saul temeu ainda mais Davi. *A ajuda divina* em nada alterou os planos de Saul matar Davi. Tudo quanto conseguiu foi fazê-lo odiar ainda mais Davi e tornar-se seu inimigo. O autor sagrado diz que esse ódio estava completamente fora do controle de Saul e crescia a cada dia. O mal que falhamos em controlar cresce a ponto de perdermos a capacidade de dominá-lo. A vontade é debilitada e tornamo-nos vítimas de nossas próprias perversões. Toda a experiência humana ilustra esse ponto.

■ 18.30

וַיֵּצְא֖וּ שָׂרֵ֣י פְלִשְׁתִּ֑ים וַיְהִ֣י ׀ מִדֵּ֣י צֵאתָ֗ם שָׂכַ֤ל דָּוִד֙ מִכֹּל֙ עַבְדֵ֣י שָׁא֔וּל וַיִּיקַ֥ר שְׁמ֖וֹ מְאֹֽד׃ ס

O seu nome se tornou muito estimado. Davi obtinha seguido sucesso em todos os seus conflitos contra os filisteus, e o povo de Israel continuava a notá-lo e estimá-lo mais ainda. "suas habilidades militares eram maiores, e seu sucesso era proporcional a essas habilidades e coragem. Por isso mesmo é dito que Davi se comportava mais *sabiamente* que todos os servos de Saul. A RSV diz aqui "lograva maior êxito", em lugar de "sabiamente", com o que concorda nossa versão portuguesa.

"... Davi mostrava-se mais habilidoso na arte da guerra, formando desígnios com maior sabedoria e prudência, os quais ele executava com propriedade" (John Gill, *in loc.*). Os Targuns contêm a palavra "prudência" no que tange aos atos de Davi. Davi prometia, realmente, pôr fim a todos os inimigos de Israel, trazendo a única verdadeira paz que a terra já havia experimentado desde Josué. Em tempo algum, antes de Davi, alguém tinha sido capaz de livrar completamente o território de Israel. Antes, as *sete nações* (ver Dt 7.1) continuamente assediavam o povo de Israel.

CAPÍTULO DEZENOVE

O capítulo 19 dá prosseguimento à seção geral iniciada em 1Sm 18.6, onde são dadas as notas de introdução. O assunto geral é a *inveja de Saul,* que se manifestava de diversos modos. Há tentativas de reconciliação mediadas por Jônatas, filho de Saul e amigo especial de Davi. Havia promessas, mas o espírito maligno cuidou para que a boa resolução de não matar Davi não perdurasse (vss. 9 ss.). Estudos mostram que as vítimas de influência e possessão demoníaca têm certos períodos de descanso, mas a tendência é piorar conforme o tempo passa. Saul nada tinha que esperar, exceto uma morte miserável em campo de batalha. Ele não permitiu que as forças divinas o salvassem de tal fim. seu caminho, despenhadeiro abaixo, levou-o inexoravelmente à destruição.

Neste capítulo vemos Davi de volta à corte real, cumprindo sua arte musical. Isso deu a Saul oportunidade de tentar matá-lo de novo com a lança (cf. 1Sm 18.11 para a primeira tentativa). Após essa tentativa, Davi foi removido da corte e enviado como comandante militar de mil homens e, como é evidente, vivia em batalhas constantes. O fato de ter voltado à corte (por razões que não são explicadas) só serviu para agravar a condição de Saul.

■ 19.1

וַיְדַבֵּ֣ר שָׁא֗וּל אֶל־יוֹנָתָ֤ן בְּנוֹ֙ וְאֶל־כָּל־עֲבָדָ֔יו לְהָמִ֖ית אֶת־דָּוִ֑ד וִיהֽוֹנָתָן֙ בֶּן־שָׁא֔וּל חָפֵ֥ץ בְּדָוִ֖ד מְאֹֽד׃

A degradação de Saul levou-o a tentar obter toda espécie de ajuda para o plano de matar Davi. Ele chegou a falar com Jônatas, amigo especial de Davi, encorajando-o a executar o crime. E outros membros da corte foram solicitados por Saul a fazê-lo.

"Saul, por esse tempo, começara a tornar-se patológico em seu ódio e temor de Davi. Ele não podia mais conservar esse sentimento negativo consigo mesmo e traiu-se diante de Jônatas, o qual procurou dissuadir o pai de matar Davi. Mas embora os temores de Saul tenham sido momentaneamente aplacados e até tenha havido uma reconciliação entre Davi e Saul, é óbvio que tais paliativos foram pouco mais que inúteis" (John C. Schroeder, *in loc.*).

A *inveja* cega um homem para os fatos. Nenhum bem pode ser visto em um inimigo. Não é de admirar que a inveja tenha sido listada entre os pecados *mortais.* Ver no *Dicionário* o artigo intitulado *Inveja.*

"Nada menos que a interposição especial de Jônatas poderia ter salvado a vida de Davi, quando todos os oficiais que rodeavam o rei receberam ordens para despachá-lo" (Adam Clarke, *in loc.*).

■ 19.2

וַיַּגֵּ֤ד יְהֽוֹנָתָן֙ לְדָוִ֣ד לֵאמֹ֔ר מְבַקֵּ֛שׁ שָׁא֥וּל אָבִ֖י לַהֲמִיתֶ֑ךָ וְעַתָּה֙ הִשָּׁ֣מֶר־נָ֣א בַבֹּ֔קֶר וְיָשַׁבְתָּ֥ בַסֵּ֖תֶר וְנַחְבֵּֽאתָ׃

Jônatas, informado dos planos loucos do pai, interveio. Enviou Davi temporariamente a um esconderijo e usou esse tempo para tentar modificar a ideia do pai. Ele fez isso por *amor à justiça*, porquanto Davi era um homem inocente. Ele não se envolveu em nenhuma conspiração para substituir a Saul. Era leal. Não havia *razão* para Davi ser morto. Além disso, Jônatas agiu assim *por causa da amizade entre ele e Davi*. Cf. a informação dada em 18.1 ss. Eles tinham estabelecido um acordo de ajuda mútua e haviam trocado de armadura e vestes (ver 1Sm 18.4), um antigo costume envolvido nos pactos.

Muitos servos de Saul se alegrariam com a oportunidade de matar o rival de seu mestre. Ganhariam fama e dinheiro. O ato poderia ter sido cometido naquele mesmo dia, o que explica a ação rápida de Jônatas em favor de Davi.

Fica num lugar oculto. Davi não podia mais dormir no próprio leito, em algum lugar da corte, conforme era seu costume. O *lugar secreto* evidentemente significa alguma parte no campo, como demonstram os versículos seguintes.

■ 19.3

וַאֲנִי אֵצֵא וְעָמַדְתִּי לְיַד־אָבִי בַּשָּׂדֶה אֲשֶׁר אַתָּה שָׁם וַאֲנִי אֲדַבֵּר בְּךָ אֶל־אָבִי וְרָאִיתִי מָה וְהִגַּדְתִּי לָךְ׃ ס

No campo. "Sem dúvida, algum jardim ou lugar tranquilo, para onde o rei tinha o hábito de retirar-se, com seus amigos e conselheiros" (Ellicott, *in loc.*).

Davi ouviria a conversa, e então Jônatas, com vista a garantir a questão, falaria diretamente a ele, esclarecendo quaisquer dúvidas que porventura surgissem.

Verei o que houver, e te farei saber. Davi deveria *esconder-se no campo*. Jônatas levaria o pai perto do lugar do esconderijo de Davi, a fim de que a sua conversa com Saul pudesse ser ouvida por Davi. Desse modo, Davi saberia exatamente o que tinha acontecido e perceberia o perigo presente. E então teria meios de proteger-se. A esperança de Jônatas era obter completa e permanente reconciliação. seu alvo era elevado, mas os atos subsequentes de Saul mostraram, a ele e a Davi, que esses esforços haviam sido inúteis.

■ 19.4

וַיְדַבֵּר יְהוֹנָתָן בְּדָוִד טוֹב אֶל־שָׁאוּל אָבִיו וַיֹּאמֶר אֵלָיו אַל־יֶחֱטָא הַמֶּלֶךְ בְּעַבְדּוֹ בְדָוִד כִּי לוֹא חָטָא לָךְ וְכִי מַעֲשָׂיו טוֹב־לְךָ מְאֹד׃

Jônatas falou bem de Davi. Por motivo de *justiça* e *longa amizade* (ver os comentários sobre o vs. 2 deste capítulo), Jônatas falou favoravelmente sobre Davi. Afinal, havia muita coisa boa a ser dita. Davi era guerreiro selvagem e matador, que estava usando suas habilidades para livrar a nação dos inimigos de Israel. Ele tinha um talento especial para isso e deveria ser apreciado por Saul, que foi um dos melhores defensores de Israel em toda a história, apesar de seus fracassos e seu fim trágico. Jônatas também rotulou os intuitos assassinos de Saul daquilo que eles realmente eram, "pecado". Tal ato seria contra o código moral que Yahweh havia dado, e isso só podia levar ao julgamento divino. Davi não era um rival que conspirava pelo trono. Também não havia traído a Saul. Muito pelo contrário, com grande risco para a sua própria vida, tinha incansavelmente livrado Saul.

Jônatas era herdeiro presuntivo do trono, e Davi jamais tentara prejudicá-lo e tomar sua posição. Além disso, Davi tinha feito o que estava ao seu alcance para livrar Saul de sua possessão demoníaca, tocando habilidosamente a harpa, outro serviço prestado de bom grado ao rei.

■ 19.5

וַיָּשֶׂם אֶת־נַפְשׁוֹ בְכַפּוֹ וַיַּךְ אֶת־הַפְּלִשְׁתִּי וַיַּעַשׂ יְהוָה תְּשׁוּעָה גְדוֹלָה לְכָל־יִשְׂרָאֵל רָאִיתָ וַתִּשְׂמָח וְלָמָּה תֶחֱטָא בְּדָם נָקִי לְהָמִית אֶת־דָּוִד חִנָּם׃

Arriscando ele a sua vida. Isso Davi fizera em várias ocasiões, em favor de Saul e do povo de Israel. Não poupara nada de si mesmo e de seu serviço. O caso mais conspícuo ocorreu no confronto com o gigante filisteu Golias, o que nenhum outro israelita teve coragem de fazer. O próprio Saul havia abençoado Davi pela realização desse ato e lhe emprestara a própria armadura como proteção (ver 1Sm 17.37,38). Como, pois, tal homem poderia ter-se tornado objeto de tanto ódio? Os argumentos de Jônatas eram *irretorquíveis*.

"Os apelos constantes deste versículo, embora breves, são extremamente coerentes; e a argumentação foi tal que não houve resistência" (Adam Clarke, *in loc.*). Saul estava cônscio do desígnio divino de livrar Israel dos inimigos. Davi era parte vital desse plano. Seria grande pecado prejudicar o *homem de Yahweh*.

■ 19.6

וַיִּשְׁמַע שָׁאוּל בְּקוֹל יְהוֹנָתָן וַיִּשָּׁבַע שָׁאוּל חַי־יְהוָה אִם־יוּמָת׃

Saul atendeu à voz de Jônatas, e jurou. Convencido pelos argumentos de Jônatas, Saul não somente concordou em abandonar seus planos para matar Davi, mas até fez um juramento a Yahweh. Ver no *Dicionário* o artigo intitulado *Juramentos*. Os hebreus levavam a sério os juramentos, e muito mais quando o nome divino estava envolvido. No entanto, neste caso, o espírito maligno não demorou a estragar tudo.

"A comovente eloquência de Jônatas moveu o coração de Saul" (Ellicott, *in loc.*). Mas coisa alguma haveria de fazer Saul mudar, exceto uma transformação radical de sua *vida interior,* e isso nunca aconteceu. Saul já havia degenerado a um ponto sem retorno. É provável, contudo, que Saul tenha baixado ordens cancelando suas instruções anteriores para matar Davi. Mas, sob a influência do espírito maligno, retomou pessoalmente a tarefa de tirar a vida de Davi (vs. 9).

■ 19.7

וַיִּקְרָא יְהוֹנָתָן לְדָוִד וַיַּגֶּד־לוֹ יְהוֹנָתָן אֵת כָּל־הַדְּבָרִים הָאֵלֶּה וַיָּבֵא יְהוֹנָתָן אֶת־דָּוִד אֶל־שָׁאוּל וַיְהִי לְפָנָיו כְּאֶתְמוֹל שִׁלְשׁוֹם׃ ס

E esteve Davi perante este [Saul] como dantes. A *reconciliação* parecia completa. Houve um breve período de paz. Jônatas informou Davi a respeito das boas intenções de Saul. Davi foi trazido de volta à corte e prosseguiu em seu serviço de música, "como nos tempos anteriores". A tempestade parecia aplacada. Mas outra tempestade já se formava no horizonte. Aprendemos aqui a lição de que os raciocínios e atos humanos têm pouco poder contra o mal profundo. Deve haver uma operação radical no homem interior para que qualquer mudança seja permanente.

■ 19.8

וַתּוֹסֶף הַמִּלְחָמָה לִהְיוֹת וַיֵּצֵא דָוִד וַיִּלָּחֶם בַּפְּלִשְׁתִּים וַיַּךְ בָּהֶם מַכָּה גְדוֹלָה וַיָּנֻסוּ מִפָּנָיו׃

Tornou a haver guerra. *Novas vitórias de Davi* fizeram reaparecer as hostilidades de Saul. Os odiados filisteus continuaram a ser objeto das habilidades guerreiras de Davi, que efetuava grandes *matanças* entre os inimigos. Davi estava preparando os filisteus para um golpe mortífero. Eles, em total confusão e desespero, *fugiam* de Davi. Ninguém podia postar-se diante do poderoso guerreiro. O propósito de Yahweh, de livrar Israel de todos os inimigos na Palestina, progredia esplendidamente. Todo o povo de Israel estava satisfeito, com a única exceção de Saul, porquanto o crescimento do prestígio de Davi só podia significar que Saul desceria do trono, em cumprimento às temidas profecias de Samuel (ver 1Sm 15.23).

"Davi obteve vitórias críticas sobre os filisteus, mas o juízo de Saul estava de tal modo envenenado pela inveja de seu rival que ele continuou a tentar matá-lo... O ódio só consegue conviver consigo mesmo. O ódio alimenta a si mesmo. Trata-se de um parasita que, finalmente, acaba por matar seu hospedeiro" (John C. Schroeder, *in loc.*).

Assim como o amor é a lei universal do princípio da justiça, *o ódio* é a lei universal do princípio maligno. A possessão demoníaca é quase impossível, a menos que haja ódio operando sobre a vida da pessoa possuída, ou na vida daqueles que a rodeiam.

Nota ao Leitor. O Antigo Testamento contém 23.148 versículos. De Gn 1.1 a 1Sm 19.8 há 7.716 versículos, ou seja, a terça parte do total. Portanto, neste ponto, ao completar a exposição do vs. 8 deste capítulo, terei completado a terça parte da exposição do Antigo Testamento. O Novo Testamento contém 7.808 versículos, ou seja, temos aqui quase o mesmo número de versículos do Antigo Testamento. Naturalmente, os comentários sobre o Novo Testamento geralmente inspiram exposições maiores. Assim, comentar um terço do Antigo Testamento não nos fornece o mesmo volume que trata da totalidade do Novo Testamento.

Contudo, não é pequeno o feito de termos chegado a este ponto. Portanto, agradeço a Deus pelas forças e pela saúde necessária, pela força de vontade, pelo dinheiro necessário, pela ajuda de outras pessoas que têm dedicado seu tempo e energia a este trabalho. Registro esta palavra de agradecimento a 20 de abril de 1994, ao término da exposição sobre o vs. 8.

Cá meu "Ebenézer" ergo,
Pois Jesus me socorreu;
E, por sua graça, espero
Transportar-me para o céu.

Robert Robinson

■ **19.9**

וַתְּהִי רוּחַ יְהוָה רָעָה אֶל־שָׁאוּל וְהוּא בְּבֵיתוֹ יוֹשֵׁב וַחֲנִיתוֹ בְיָדוֹ וְדָוִד מְנַגֵּן בְּיָד:

O espírito maligno da parte do Senhor tornou sobre Saul. Após a libertação temporária de Saul das influências demoníacas, ajudado pelos persuasivos argumentos de Jônatas, Davi teve um breve período de paz. Mas logo o mal se apossou novamente de Saul, sob a forma de um espírito demoníaco que o vexava. Em seu estado degenerado, Saul era impotente contra o ataque, pelo que brevemente, de lança em punho, ele fez pontaria e lançou-a a Davi, esperando espetá-lo contra a parede. Davi, sentado a tocar sua harpa, precisou da proteção divina para escapar do ataque, tal como já havia acontecido por duas vezes (ver 1Sm 18.11). Ver 1Sm 16.14 quanto ao fato de que Saul foi vítima do espírito maligno, e ver 1Sm 18.10 quanto à contínua má influência desse espírito sobre ele.

Os críticos supõem que o capítulo 19 repita o mesmo incidente ocorrido no capítulo 18, afirmando que se trata de um relato duplo da história, mas não há como submeter a teste essa teoria.

Os reis antigos traziam lanças como sinais de seu ofício e carregavam sempre uma lança na mão, o que serviu de súbita tentação para outra tentativa baldada de Saul ferir e matar Davi.

■ **19.10**

וַיְבַקֵּשׁ שָׁאוּל לְהַכּוֹת בַּחֲנִית בְּדָוִד וּבַקִּיר וַיִּפְטַר מִפְּנֵי שָׁאוּל וַיַּךְ אֶת־הַחֲנִית בַּקִּיר וְדָוִד נָס וַיִּמָּלֵט בַּלַּיְלָה הוּא: פ

Procurou Saul encravar Davi na parede. A longa lança, projetada com força demoníaca pelo degenerado Saul, teria atravessado facilmente o corpo de Davi, espetando-o contra a parede. Saul quis ver *essa cena sanguinolenta,* porque era inspirado por um demônio. Os estudos modernos demonstram que pessoas possuídas e influenciadas chegam ao ponto de deleitar-se e ter *prazer* em atrocidades. Podemos estar certos de que Saul *apreciava* esse jogo doentio quando o poder o controlava. Certo matador em série de crianças gravava seus crimes e gostava de repassar as fitas gravadas, a fim de ouvir, cheio de prazer, os gritos desesperados das vítimas. Tal é a malignidade do pecado, quando foge do controle. O diabo foi assassino desde o começo (ver Jo 8.44).

■ **19.11**

וַיִּשְׁלַח שָׁאוּל מַלְאָכִים אֶל־בֵּית דָּוִד לְשָׁמְרוֹ וְלַהֲמִיתוֹ בַּבֹּקֶר וַתַּגֵּד לְדָוִד מִיכַל אִשְׁתּוֹ לֵאמֹר אִם־אֵינְךָ מְמַלֵּט אֶת־נַפְשְׁךָ הַלַּיְלָה מָחָר אַתָּה מוּמָת:

Saul, naquela mesma noite. Saul ordenou que seus homens vigiassem Davi até sua casa, onde abrigava sua jovem noiva, Mical, filha de Saul. Os homens de confiança de Saul receberam ordens de fazer essa guarda, e a casa de Davi era o lugar onde poderiam guardá-lo. Mas Mical, que a essa altura ainda amava Davi, consciente do que sucedia, enviou-o ao exílio. Foi por causa desse exílio que o casamento se deteriorou. Portanto, naquele momento, tudo trabalhava contra Davi. Mas seu destino haveria de resguardá-lo do pior. Ele era um instrumento especial do Espírito e coisa alguma poderia impedi-lo.

Esta noite. Provavelmente estava em mira a *primeira noite* de seu casamento com Mical. Sem dúvida Davi estaria em casa *naquela noite* e, ao consumar o casamento, seria uma vítima fácil. A perversidade de Saul desconhecia limites. Talvez essa ocasião tenha inspirado Davi a compor o Salmo 59. Por outra parte, Davi passou muitas situações similares, nas quais a *traição* esteve envolvida.

■ **19.12**

וַתֹּרֶד מִיכַל אֶת־דָּוִד בְּעַד הַחַלּוֹן וַיֵּלֶךְ וַיִּבְרַח וַיִּמָּלֵט:

Mical desceu Davi por uma janela. Ao que tudo indica, a casa estava sendo vigiada, ou havia assassinos ocultos nas proximidades. Assim sendo, Mical fez Davi descer por uma janela, com o auxílio de alguma espécie de corda. E lá se foi Davi para o exílio, o que constituiu um período de agonia e provação. Mas a morte no campo de batalha esperava o insano Saul, e Davi seria libertado de todas as provações e tomaria conta do reino. Podemos estar certos, entretanto, de que a separação entre Davi e Mical, e a total necessidade de Davi manter-se distante de sua casa, foi questão de profunda tristeza e frustração para ambos.

"Com essa desesperada fuga começaram as longas e cansativas perambulações, os riscos perpétuos de vida que prosseguiram até que a morte do rei Saul livrou Davi de seu mortal inimigo" (Ellicott, *in loc.*).

Quanto a outras escapadas por meio de uma janela, cf. a história de Raabe (ver Js 2.15) e de Paulo (ver 2Co 11.31).

■ **19.13**

וַתִּקַּח מִיכַל אֶת־הַתְּרָפִים וַתָּשֶׂם אֶל־הַמִּטָּה וְאֵת כְּבִיר הָעִזִּים שָׂמָה מְרַאֲשֹׁתָיו וַתְּכַס בַּבָּגֶד: ס

Mical tomou um ídolo do lar. No hebraico, *teraphim*. Essa palavra hebraica é usada para designar deidades domésticas. Cf. a história de Raquel e seus *ídolos* domésticos (ver Gn 31.34). São referências curiosas que empregam a mesma palavra, associando alguns desses itens à *estola* sumo sacerdotal. Embora Israel professasse o monoteísmo, isto é, a consideração de que só *Yahweh* é Deus, oficialmente, havia uma idolatria que penetrava até os lares mais piedosos, tornando praticamente impossível livrar o povo de Israel da idolatria. A arqueologia tem desenterrado muitos *pequenos* ídolos; mas o fato de que Mical tinha um ídolo grande o bastante para imitar um corpo humano que jazia na cama causa dificuldades aos intérpretes. Até agora a arqueologia não descobriu *nenhum* ídolo tão grande, o que só pode indicar que não havia muitos deles. Talvez somente os mais piedosos se importassem em ter no lar deuses em tamanho natural. Ver o artigo no *Dicionário* chamado *Terafins,* quanto a detalhes a respeito. Os *terafins* eram posses familiares, e aquele que os detivesse tinha a herança sob o seu controle. Além disso, esses itens eram usados nas adivinhações.

Pôs-lhe à cabeça um tecido de pelos de cabra. As palavras assim vertidas representam um hebraico que não pode ser facilmente traduzido, e os eruditos se desesperam acerca da correta compreensão. Várias traduções dizem "um travesseiro de pelos de cabra". O hebraico parece dizer, literalmente, "um pelo de cabra em torno de sua cabeça", e a versão siríaca e a Vulgata Latina preservam o original, o qual não parece fazer muito sentido. Alguns afirmam que a pele de cabra tinha sido posta mais ou menos onde era a cabeça do ídolo, imitando cabelos, e essa pode ser uma ideia melhor que aludir a um travesseiro. A Septuaginta substituiu a palavra, dando a entender um *fígado*. Josefo reteve esse texto e deu-nos a ideia altamente improvável de que Mical usou um fígado que palpitava na cama, para imitar a *respiração* de um ser humano! Para Josefo, o fígado extraído do corpo de uma cabra fica palpitando durante bastante tempo e, mesmo que isso seja cientificamente exato, parece bastante improvável que Mical tenha colocado um fígado sangrento em seu leito!

19.14,15

וַיִּשְׁלַח שָׁאוּל מַלְאָכִים לָקַחַת אֶת־דָּוִד וַתֹּאמֶר חֹלָה הוּא׃ פ

וַיִּשְׁלַח שָׁאוּל אֶת־הַמַּלְאָכִים לִרְאוֹת אֶת־דָּוִד לֵאמֹר הַעֲלוּ אֹתוֹ בַמִּטָּה אֵלַי לַהֲמִתוֹ׃

Uma Mentira para Salvar o Dia. Os soldados de Saul chegaram à casa de Davi ávidos por cumprir seus intuitos assassinos. Mas Mical bloqueou o caminho deles e disse que Davi estava enfermo e não podia receber visitantes. Assim, devido ao respeito pela *princesa*, eles se retiraram da casa. Mas Saul não estava interessado em fazer parte do jogo da princesa, e assim enviou os assassinos potenciais de volta à casa, ordenando-lhes que trouxessem Davi, com cama e tudo. Eles deveriam envolver ou amarrar Davi em seu leito e trazer todo o conjunto. Presumivelmente, Davi estava doente o bastante para não resistir ao bizarro ato dos soldados.

19.16

וַיָּבֹאוּ הַמַּלְאָכִים וְהִנֵּה הַתְּרָפִים אֶל־הַמִּטָּה וּכְבִיר הָעִזִּים מְרַאֲשֹׁתָיו׃

Dessa vez, a história de Mical sobre a doença de Davi, e o respeito natural deles pela princesa, não detiveram os assassinos. Eles penetraram no dormitório, ignorando os protestos de Mical. Mas tudo quanto encontraram foi uma tola imagem vestida para imitar um homem. E talvez também tenham encontrado aquele fígado de cabra palpitante, que imitava a respiração de um homem. Independentemente do que tenham encontrado, podemos estar certos de que eles ficaram revoltados. O plano deles tinha falhado. E agora teriam de enfrentar a ira de Saul.

19.17

וַיֹּאמֶר שָׁאוּל אֶל־מִיכַל לָמָּה כָּכָה רִמִּיתִנִי וַתְּשַׁלְּחִי אֶת־אֹיְבִי וַיִּמָּלֵט וַתֹּאמֶר מִיכַל אֶל־שָׁאוּל הוּא־אָמַר אֵלַי שַׁלְּחִנִי לָמָה אֲמִיתֵךְ׃

Então disse Saul a Mical. Este texto talvez indique que Saul acompanhou os homicidas potenciais, para certificar-se de que suas ordens seriam cumpridas e as objeções de Mical falhariam. Porém o mais provável é que Saul, recebendo da parte dos soldados as "más novas" da fuga de Davi, tenha corrido à casa de Mical para repreendê-la em seu ódio. Parecia-lhe intolerável que sua *própria filha* o tivesse enganado, embora fosse perfeitamente tolerável que ele procurasse matar um homem inocente. Tal é a obra do pecado, que perverte a mente de um homem!

Deixa-me ir, se não eu te mato. Outra mentira fez Mical escapar da situação. Ela afirmou que Davi lhe havia ameaçado a vida, obrigando-a a ajudá-lo a escapar! Ela pensava rápido e era uma mentirosa hábil; mas as situações que ameaçam a sobrevivência fazem qualquer um tornar-se um mentiroso.

Os teólogos discutem a propriedade da mentira de Mical. Mas os filósofos falam em mentiras *não morais*. Tomemos, por exemplo, o caso do padre católico romano que, durante a guerra, era um espião em favor dos aliados. Apanhado pelos nazistas e indagado se era um espião, confessou e disse: "Não posso dizer uma mentira. Sou um espião". Dessa maneira, muitas vidas foram postas em perigo. Portanto, temos aí um caso claro de uma verdade moralmente ruim, ao passo que uma mentira teria sido moralmente boa e salvado vidas. Pensemos agora em um médico que mente a um paciente em processo terminal a respeito de sua condição, com vistas a ajudá-lo a morrer em maior paz. Os médicos julgam cada caso segundo seu próprio mérito e não hesitam em dizer "mentiras misericordiosas".

> Inverdades cruas causam mais males do que falsidades bem disfarçadas.
>
> Alexander Pope

Naturalmente não estamos encorajando o ato de mentir, uma vez que obviamente a maioria das mentiras é de natureza moralmente má. Ver no *Dicionário* o artigo chamado *Mentir (Mentiroso)*.

19.18

וְדָוִד בָּרַח וַיִּמָּלֵט וַיָּבֹא אֶל־שְׁמוּאֵל הָרָמָתָה וַיַּגֶּד־לוֹ אֵת כָּל־אֲשֶׁר עָשָׂה־לוֹ שָׁאוּל וַיֵּלֶךְ הוּא וּשְׁמוּאֵל וַיֵּשְׁבוּ בְּנָוִית׃

E veio a Samuel, a Ramá. *Foi apenas natural* que Davi tivesse fugido para Ramá, onde estava Samuel, em busca de conselho e talvez aproveitando para consultar o oráculo. Ele então deve ter indagado: "O que saiu errado? Como poderia um homem ungido para ser o próximo rei enfrentar aquela espécie de tribulação?" Todo homem, por várias vezes em sua vida, admira-se diante das circunstâncias, que parecem ser insensatas e prejudiciais.

E ficaram na casa dos profetas. No hebraico temos aqui o termo *naiote*. Os intérpretes não estão seguros do que isso quer dizer. Mas o hebraico parece indicar algo como "residências". Talvez esteja em vista a habitação da escola dos profetas, que funcionava sob a liderança de Samuel. Talvez esses profetas tivessem algumas poucas casas dentro de Ramá ou nas proximidades da cidade. Nenhuma aldeia com esse nome foi descoberta. No *Dicionário* há um artigo detalhado sobre essa palavra, no qual várias conjecturas são discutidas.

Os Targuns dizem aqui "escola dos profetas" e referem-se a Ramá como a "casa da doutrina".

19.19,20

וַיֻּגַּד לְשָׁאוּל לֵאמֹר הִנֵּה דָוִד בְּנָוִית בָּרָמָה׃

וַיִּשְׁלַח שָׁאוּל מַלְאָכִים לָקַחַת אֶת־דָּוִד וַיַּרְא אֶת־לַהֲקַת הַנְּבִיאִים נִבְּאִים וּשְׁמוּאֵל עֹמֵד נִצָּב עֲלֵיהֶם וַתְּהִי עַל־מַלְאֲכֵי שָׁאוּל רוּחַ אֱלֹהִים וַיִּתְנַבְּאוּ גַּם־הֵמָּה׃

E também eles profetizaram. Saul tinha muita ajuda para localizar Davi. Muitos homens se alegrariam em ajudá-lo a matar Davi se pudessem extrair alguma vantagem pessoal. O fato de que Saul estava atrás de Davi para matá-lo, e de que Davi tinha fugido e estava no exílio, era conhecido por todos. Portanto, Davi não teria um momento sequer de paz. Somente a morte de Saul poria fim à louca perseguição. Sabedor de que Davi estava em Ramá, Saul enviou executores até lá. Eles chegaram ali, mas, para sua própria surpresa, estando Samuel na companhia dos profetas, fê-los profetizar, e o assassinato fugiu da mente daqueles homens. Havia algo de contagioso na companhia dos profetas que levava a estados alterados de consciência, talvez falar em línguas e certamente alguma espécie de *declarações proféticas em estado de êxtase*. Assassinos potenciais foram assim transformados em profetas temporários. Essa foi uma intervenção do Espírito para salvar a vida de Davi, sem que fique subentendida nenhuma espiritualidade da parte daqueles que tinham chegado com um propósito assassino. O texto subentende, embora não ensine dogmaticamente, que todo homem carnal e traiçoeiro, por alguma razão, pode ser apanhado em profecia, através da agência do Espírito de Deus. Mas devemos notar aqui que essas circunstâncias eram próprias do Antigo Testamento, nada tendo a ver com as regras que governam a Igreja cristã. 1Sm 18.10 mostra que Saul chegou a profetizar pelo poder de um *demônio*. É possível que isso tenha sido atribuído ao Espírito de Deus, com base no fato de que a teologia hebraica era fraca quanto a causas secundárias, pois concebia uma única causa, Deus. Portanto, se o espírito demoníaco foi capaz de inspirar Saul a profetizar, devemos supor que o Espírito de Deus estava por trás desse acontecimento. A teologia neotestamentária nos iluminou quanto a esse ponto, mostrando que há causas que nada têm a ver com Deus e são malignas em sua origem e operação.

Os *agentes de Saul*, "... mais e mais poderosamente atraídos pelo mesmo Espírito para dentro do círculo encantado, irromperam em palavras e gestos similares, e então, desfazendo-se de suas vestes mais externas, juntaram-se à dança e à música, e caíram em êxtase, trêmulos, esquecendo totalmente seu espírito hostil" (Ewald, *in loc.*). Ver o vs. 24 quanto à retirada das vestes nesse estado de êxtase. Isso facilitava as danças frenéticas.

19.21

וַיַּגִּדוּ לְשָׁאוּל וַיִּשְׁלַח מַלְאָכִים אֲחֵרִים וַיִּתְנַבְּאוּ
גַּם־הֵמָּה וַיֹּסֶף שָׁאוּל וַיִּשְׁלַח מַלְאָכִים שְׁלִשִׁים
וַיִּתְנַבְּאוּ גַּם־הֵמָּה׃

A Estranha Repetição. Outros assassinos potenciais foram enviados, mas caíram sob o mesmo encanto, com idênticos resultados. A liturgia da Igreja Anglicana tem usado o trecho de 1Sm 19.18, e daí até o fim do capítulo, para ilustrar a existência e as operações do Espírito, em liberdade e poder, antes dos tempos do evangelho e de maneiras improváveis e inesperadas. Cf. Nm 11.26-31.

19.22

וַיֵּלֶךְ גַּם־הוּא הָרָמָתָה וַיָּבֹא עַד־בּוֹר הַגָּדוֹל אֲשֶׁר
בַּשֶּׂכוּ וַיִּשְׁאַל וַיֹּאמֶר אֵיפֹה שְׁמוּאֵל וְדָוִד וַיֹּאמֶר הִנֵּה
בְּנָיוֹת בָּרָמָה׃

Saul, consternado pelo fracasso de seus dois bandos de assassinos, resolveu realizar a tarefa pessoalmente, e dirigiu-se a Ramá. Chegou a um poço chamado *Secu* (ver a respeito no *Dicionário*). Conjecturas sobre esse nome dizem que era um homem, um poço ou uma localidade em Ramá ou nas vizinhanças. Seja como for, ao chegar naquele lugar, Saul obteve orientação adequada para encontrar Samuel e Davi, e prosseguiu em sua jornada.

19.23

וַיֵּלֶךְ שָׁם אֶל־נָוִית בָּרָמָה וַתְּהִי עָלָיו גַּם־הוּא רוּחַ
אֱלֹהִים וַיֵּלֶךְ הָלוֹךְ וַיִּתְנַבֵּא עַד־בֹּאוֹ בְּנָיוֹת בָּרָמָה׃

E o mesmo Espírito de Deus veio sobre ele. Inesperadamente e contra toda a razão, o próprio Saul foi vencido pela influência do Espírito, e isso ocorreu antes mesmo que ele chegasse à escola dos profetas. Parece que o Espírito se apossou dele em Secu, e devemos compreender que Saul prosseguiu seu caminho "orando, cantando louvores e profetizando", conforme diz Adam Clarke (*in loc.*). Cf. 1Sm 10.5 ss. quanto ao incidente anterior dessa possessão pelo Espírito, na experiência de Saul. 1Sm 18.10 mostra-nos que Saul profetizou sob a influência de um espírito maligno. Ver as notas no vs. 20, quanto a explicações sobre esse paradoxo.

19.24

וַיִּפְשַׁט גַּם־הוּא בְּגָדָיו וַיִּתְנַבֵּא גַם־הוּא לִפְנֵי שְׁמוּאֵל
וַיִּפֹּל עָרֹם כָּל־הַיּוֹם הַהוּא וְכָל־הַלַּיְלָה עַל־כֵּן
יֹאמְרוּ הֲגַם שָׁאוּל בַּנְּבִיאִם׃ פ

Também ele despiu a sua túnica e profetizou. *A dança frenética* que acompanhava essas sessões era mais bem efetuada sem, pelo menos, a roupa mais externa. Alguns intérpretes supõem que Saul tenha ficado totalmente despido, mas Adam Clarke provavelmente está correto ao dizer que ele "lançou fora seus robes reais ou suas vestes militares, retendo apenas as peças interiores". Jarchi diz que Saul tirou suas vestes reais e cobriu-se com a veste dos profetas. Então, continuou por um dia e uma noite naquele êxtase, o que requeria um estado alterado de consciência. Sem dúvida, Saul falou em línguas e proferiu profecias, entoou louvores e canções espirituais, tudo sob a influência do Espírito, mais ou menos como se vê no movimento carismático moderno. Ver na *Enciclopédia de Bíblia, Teologia e Filosofia* o artigo chamado *Movimento Carismático*.

Também Saul está entre os profetas? Ver 1Sm 10.11, onde ocorre a mesma expressão. O fato de que Saul, com desejos de assassinato no coração, tenha ainda assim sido sujeitado a tal movimentação, por parte do Espírito de Deus, toma-nos de surpresa. Ver as notas sobre o vs. 20 deste capítulo quanto a possíveis explicações. Naturalmente, esse acontecimento salvou eficazmente a vida de Davi, pois enquanto Saul permanecia ali, preso a um estado místico, Davi estava a caminho da segurança. Essa condição "imobilizou-os e tornou-os incapazes de realizar suas más intenções" (Eugene M. Merrill, *in loc.*). Isso faz parte da explicação, porém mais coisas estavam em operação do que supõe essa declaração.

Deus movimenta-se de maneiras maravilhosas
para realizar suas maravilhas.

William Cowper

CAPÍTULO VINTE

ALIANÇA ENTRE DAVI E JÔNATAS (20.1-43)

A profunda hostilidade de Saul contra Davi foi testada mediante um arranjo entre Davi e Jônatas. Davi quis saber se haveria algum meio de reconciliação. O "tosão" que eles apresentaram foi se Saul ficaria aborrecido ou não pela ausência de Davi na festa da lua nova (vs. 5), efetuada no primeiro dia de cada mês (ver Nm 28.11-15). Se Saul ficasse aborrecido, então Davi e Jônatas saberiam que nenhuma reconciliação poderia ser efetuada. Se ele não se aborrecesse, a reconciliação ainda seria possível. Mas Saul ficou extremamente aborrecido, e isso deu a indicação final. Se quisesse salvar a vida, Davi teria de continuar fugindo. Os intérpretes não sabem como reconciliar a seção seguinte com a informação dada anteriormente sobre como Mical salvou a vida de Davi (19.12 ss.). Parece que isso seria evidência suficiente. A passagem à nossa frente parece dar a entender que Jônatas não tinha consciência do extremo ódio de seu pai e de suas tentativas de assassinato. Alguns críticos sugerem que houve algum deslocamento de material, e que a seção que se segue pertence a um tempo anterior à história de Mical. Note-se especialmente o vs. 5. Davi, tendo sofrido várias tentativas de assassinato, dificilmente seria convidado a comer em companhia de Saul. Nem se sentiria inclinado a aceitar tal convite. Esse material, pois, quase certamente aponta para uma ocasião anterior aos drásticos eventos descritos no capítulo 19.

20.1

וַיִּבְרַח דָּוִד מִנָּוֹית בָּרָמָה וַיָּבֹא וַיֹּאמֶר לִפְנֵי יְהוֹנָתָן
מֶה עָשִׂיתִי מֶה־עֲוֺנִי וּמֶה־חַטָּאתִי לִפְנֵי אָבִיךָ כִּי
מְבַקֵּשׁ אֶת־נַפְשִׁי׃

Então fugiu Davi da casa dos profetas. Este texto pode ter sido suprido por um editor a fim de ligar o vs. 19.24 à história prestes a ser narrada, embora, na realidade, o material que se segue pertença a um tempo anterior aos acontecimentos do capítulo 19. Ver a introdução ao capítulo 20. O material a seguir quase certamente aponta para uma época anterior ao exílio de Davi, quando ainda não havia sido determinado quão profundo era o ódio de Saul e quais seriam as consequências desse ódio. A reconciliação ainda era vista como algo *possível*.

Casa dos profetas. Ver sobre *naiote* nas notas em 1Sm 19.18. Provavelmente está em foco a localização da fraternidade dos profetas, que ficava em Ramá. Davi é aqui retratado a procurar Jônatas para com ele discutir o assédio assassino de Saul, indagando se ainda seria possível alguma espécie de reconciliação. Alguns intérpretes imaginam que o próprio Samuel tenha procurado estabelecer alguma forma de reconciliação, depois dos notáveis incidentes na casa dos profetas, onde Saul profetizou pelo poder do Espírito. Talvez *aquela experiência* tenha alterado a ideia de Saul no tocante a seus planos homicidas.

20.2

וַיֹּאמֶר לוֹ חָלִילָה לֹא תָמוּת הִנֵּה לֹא עָשָׂה אָבִי דָּבָר
גָּדוֹל אוֹ דָּבָר קָטֹן וְלֹא יִגְלֶה אֶת־אָזְנִי וּמַדּוּעַ יַסְתִּיר
אָבִי מִמֶּנִּי אֶת־הַדָּבָר הַזֶּה אֵין זֹאת׃

ele lhe respondeu. Jônatas assegurou a Davi seu apoio. Este versículo supõe que Jônatas agia como *confidente* do pai. Portanto, qualquer coisa tão drástica como um plano para matar Davi seria primeiramente comunicada a Jônatas. Em 1Sm 19.6 Saul fez um juramento em favor de Davi. Mas esse juramento já fora quebrado por várias tentativas de assassinato. Este versículo parece dizer que Jônatas não tinha conhecimento dos atos mais recentes do pai. Ou então os críticos estão certos ao supor que este material reflita um tempo anterior aos incidentes registrados no capítulo 19.

20.3

וַיִּשָּׁבַע עוֹד דָּוִד וַיֹּאמֶר יָדֹעַ יָדַע אָבִיךָ כִּי־מָצָאתִי
חֵן בְּעֵינֶיךָ וַיֹּאמֶר אַל־יֵדַע־זֹאת יְהוֹנָתָן פֶּן־יֵעָצֵב
וְאוּלָם חַי־יְהוָה וְחֵי נַפְשֶׁךָ כִּי כְפֶשַׂע בֵּינִי וּבֵין
הַמָּוֶת:

Então Davi respondeu enfaticamente. Havia uma *amizade especial* entre Davi e Jônatas, conforme descrito em 1Sm 18.1 ss. Davi, pois, supôs que, por causa dessa amizade especial, Saul havia ocultado de Jônatas seus intuitos assassinos no tocante a Davi. Em outras palavras, Jônatas não era o *confidente* do pai, conforme o filho pensava. Davi, portanto, continuou a insistir que sua vida corria grande risco, sem importar se Jônatas concordava ou não. "Minha vida está em perigo iminente. teu pai certamente resolveu tirar-me a vida".

Uma Linguagem Simbólica. Davi referiu-se ao minúsculo *passo* que havia entre ele e a morte, uma figura simbólica também encontrada nos escritos de Juvenal, que satirizou os que arriscavam a vida realizando viagens perigosas com o intuito de enriquecer-se. (Ver *Sat.* xii. vs. 57).

20.4

וַיֹּאמֶר יְהוֹנָתָן אֶל־דָּוִד מַה־תֹּאמַר נַפְשְׁךָ
וְאֶעֱשֶׂה־לָּךְ: פ

O que tu desejares, eu te farei. *Plena Cooperação.* Jônatas acabou concordando que poderia haver algo de que ele não sabia. Davi poderia estar, realmente, em perigo mortal, e Saul poderia ter conservado para si mesmo esse segredo. Portanto, Jônatas estava ansioso por cooperar com Davi de qualquer maneira, para testar a situação. Ademais, faria tudo quanto estivesse ao seu alcance para pacificar seu pai e produzir a reconciliação.

20.5

וַיֹּאמֶר דָּוִד אֶל־יְהוֹנָתָן הִנֵּה־חֹדֶשׁ מָחָר וְאָנֹכִי
יָשֹׁב־אֵשֵׁב עִם־הַמֶּלֶךְ לֶאֱכוֹל וְשִׁלַּחְתַּנִי וְנִסְתַּרְתִּי
בַשָּׂדֶה עַד הָעֶרֶב הַשְּׁלִשִׁית:

Davi haveria de comer com o rei, por ocasião da lua nova. Ver no *Dicionário* acerca da *Lua Nova*, quanto a detalhes completos que não são repetidos aqui. Se Saul sentisse a ausência de Davi, porquanto o queria por perto e disponível para ser morto, quando se apresentasse a oportunidade certa, então ficaria muito aborrecido. Mas se a ausência de Davi não fizesse grande diferença para Saul, então o julgamento dos dois seria de que o rei não tinha nenhum desígnio maldoso contra a vida de Davi. Foi um *teste psicológico* e, conforme as coisas se passaram, mostrou-se extremamente eficaz. Foram providas indicações óbvias das intenções básicas de Saul. O vs. 25 mostra-nos que Davi tinha um lugar regular na mesa do rei, pelo que sua ausência seria certamente notada. Além disso, Davi, na qualidade de genro do rei, seria convidado ao banquete que fazia parte das festividades da lua nova.

Esconder-me-ei no campo. Davi acharia um bom lugar para ocultar-se no campo, talvez uma caverna, onde se demoraria até o anoitecer do *terceiro dia*. Os antigos hebreus usavam cálculos inclusivos contando com o dia em que um período começava, e também o dia em que ocorresse um acontecimento. Portanto, temos aqui "o dia depois de amanhã".

20.6

אִם־פָּקֹד יִפְקְדֵנִי אָבִיךָ וְאָמַרְתָּ נִשְׁאֹל נִשְׁאַל מִמֶּנִּי
דָוִד לָרוּץ בֵּית־לֶחֶם עִירוֹ כִּי זֶבַח הַיָּמִים שָׁם
לְכָל־הַמִּשְׁפָּחָה:

Ir a toda pressa a Belém. *A desculpa de Davi* quanto à sua ausência seria um *sacrifício anual* a ser realizado em Belém, sua terra, que tomava precedência sobre o ano novo em Gibeá, terra de Saul, onde estava a sua corte. Davi se ausentaria do acontecimento menor para comparecer ao acontecimento maior. Diante disso, a quebra de etiqueta de Davi seria desprezada por Saul, caso ele não estivesse planejando matá-lo. Mas se estivesse arquitetando o pior, Saul ficaria muito infeliz com a questão.

"Uma *festividade anual familiar* era uma instituição regular naqueles tempos, e podemos acreditar que foi isso que Elcana disse que celebraria (1.4)" (George B. Caird, *in loc.*). O autor não se importa em informar-nos se havia ou não tal festividade em Belém, mas sabemos que Davi não compareceria, mesmo *se houvesse* tal festividade. Ele se ocultaria em algum lugar, no campo. Ver Dt 12.5 ss. quanto às festas anuais obrigatórias. Fica aberto à discussão o tipo de festival que aparece no presente texto. Provavelmente está em foco alguma festividade da família de Davi. Ver John Gill (*in loc.*): "Era costumeiro que *a família de Jessé*... celebrasse uma festa de aniversário como meio de expressar gratidão e ação de graças pelas misericórdias recebidas no ano anterior".

20.7

אִם־כֹּה יֹאמַר טוֹב שָׁלוֹם לְעַבְדֶּךָ וְאִם־חָרֹה יֶחֱרֶה
לוֹ דַּע כִּי־כָלְתָה הָרָעָה מֵעִמּוֹ:

Se disser assim. A reação de Saul diante da ausência de Davi revelaria seus verdadeiros sentimentos. Se ele proferisse *paz* sobre Davi, então tudo iria bem. Saul também negligenciaria a quebra de etiqueta por parte de Davi. Mas se ficasse indignado, isso seria um sinal de que ele não queria que Davi se ausentasse. Davi precisava estar disponível de modo que surgisse uma boa oportunidade para o assassinato.

20.8

וְעָשִׂיתָ חֶסֶד עַל־עַבְדֶּךָ כִּי בִּבְרִית יְהוָה הֵבֵאתָ
אֶת־עַבְדְּךָ עִמָּךְ וְאִם־יֶשׁ־בִּי עָוֹן הֲמִיתֵנִי אַתָּה
וְעַד־אָבִיךָ לָמָּה־זֶּה תְבִיאֵנִי: פ

Davi rogou a Jônatas que fizesse tudo com precisão, a fim de que se revelasse o coração de Saul. E apelou para a sua própria inocência. Se ele era *culpado* de algum grande crime, convidou Jônatas a que o matasse pessoalmente, se houvesse nisso justa causa. Davi também rogou a Jônatas que usasse de "misericórdia" para com ele, cumprindo assim o acordo firmado entre eles. A "aliança" referida aqui pode refletir a que é descrita em 1Sm 18.1 ss., mas parece ser a referente ao teste das intenções de Saul para com Davi. Mas há intérpretes que vinculam este versículo a 1Sm 18.1 ss. e acreditam que houve um desdobramento específico dessa aliança. Esses mesmos intérpretes vinculam cronologicamente as duas passagens, supondo que as circunstâncias referidas no capítulo 20 reflitam um tempo anterior ao dos acontecimentos narrados no capítulo 19.

20.9

וַיֹּאמֶר יְהוֹנָתָן חָלִילָה לָּךְ כִּי אִם־יָדֹעַ אֵדַע
כִּי־כָלְתָה הָרָעָה מֵעִם אָבִי לָבוֹא עָלֶיךָ וְלֹא
אֹתָהּ אַגִּיד לָךְ: ס

Longe de ti tal cousa. "Não aconteça contigo tal coisa! Não tenho intuito de matar-te e, se meu pai assim quiser fazer, então eu te informarei. Podes confiar em mim com toda a segurança, sob quaisquer circunstâncias". Foi nesses termos que Jônatas falou. "Essas fortes expressões dão testemunho enfático da crença implícita de Jônatas sobre a lealdade sem mácula de seu amigo" (Ellicott, *in loc.*). Davi era um homem inocente. Ninguém tinha o direito de tirar-lhe a vida.

20.10

וַיֹּאמֶר דָּוִד אֶל־יְהוֹנָתָן מִי יַגִּיד לִי אוֹ מַה־יַּעַנְךָ
אָבִיךָ קָשָׁה: ס

Perguntou Davi a Jônatas. Davi precisava saber qual havia sido a reação psicológica de Saul ao teste. Ele necessitava dessa informação. Apelou para que Jônatas lhe garantisse a informação e, naturalmente, Jônatas deixou claro que ele mesmo seria o informante. Davi seria o segundo rei de Israel, e Jônatas sabia disso. sua vida precisava ser preservada a fim de que o plano de Yahweh fosse efetuado. Jônatas não seria um empecilho para o plano divino. Os vss. 15 e 16 mostram a antecipação de uma mudança na realeza. A casa de Davi haveria de lançar raízes em Israel. Por isso, haveria um teste de tiros de flechas, para dar a Davi a informação de que ele precisava. Ver os vss. 20 ss.

■ 20.11

וַיֹּאמֶר יְהוֹנָתָן אֶל־דָּוִד לְכָה וְנֵצֵא הַשָּׂדֶה וַיֵּצְאוּ שְׁנֵיהֶם הַשָּׂדֶה: ס

Vem, e saiamos ao campo. Jônatas acompanhou Davi ao campo para encontrar um bom lugar onde Davi pudesse esconder-se. No tempo certo, o sinal seria dado, informando a Davi se ele deveria voltar a Gibeá e à corte, ou fugir daquele lugar pois Saul lhe estava ameaçando a vida.

■ 20.12

וַיֹּאמֶר יְהוֹנָתָן אֶל־דָּוִד יְהוָה אֱלֹהֵי יִשְׂרָאֵל כִּי־אֶחְקֹר אֶת־אָבִי כָּעֵת מָחָר הַשְּׁלִשִׁית וְהִנֵּה־טוֹב אֶל־דָּוִד וְלֹא־אָז אֶשְׁלַח אֵלֶיךָ וְגָלִיתִי אֶת־אָזְנֶךָ:

Se algo houver favorável a Davi. Se Saul estivesse bem disposto para com Davi, não haveria razão para este continuar escondido. Jônatas mandaria as boas-novas de que ele podia retornar a Gibeá, a fim de prosseguir com seus deveres normais na corte. Jônatas então fez um juramento por *Yahweh-Elohim*, uma questão realmente séria. Por dois importantes nomes divinos, Jônatas prometeu fazer o que era certo para Davi, informando-o seja sobre a boa vontade de Saul, seja sobre sua ira que punha em perigo a vida do amigo. Ver no *Dicionário* o artigo chamado *Juramentos*. Várias traduções, como a nossa própria tradução portuguesa, sugerem que se adicionem as palavras "seja testemunha": "o Senhor seja testemunha" do juramento feito por Jônatas. Esse é um acréscimo das versões siríaca e árabe. A Septuaginta diz: "assim como o Senhor Deus *vive*". Uma inclusão como essa é necessária para facilitar o sentido. O que fica óbvio é que Jônatas fez um juramento sério, apelando a nomes divinos.

Eu to mandarei dizer. Em outras palavras, Jônatas enviaria um *mensageiro* com as notícias do bom espírito de Saul. Nesse caso, o temporal teria passado, e Davi estaria seguro e poderia sair do exílio.

■ 20.13

כֹּה־יַעֲשֶׂה יְהוָה לִיהוֹנָתָן וְכֹה יֹסִיף כִּי־יֵיטִב אֶל־אָבִי אֶת־הָרָעָה עָלֶיךָ וְגָלִיתִי אֶת־אָזְנֶךָ וְשִׁלַּחְתִּיךָ וְהָלַכְתָּ לְשָׁלוֹם וִיהִי יְהוָה עִמָּךְ כַּאֲשֶׁר הָיָה עִם־אָבִי:

Por outra parte, se Saul permanecesse traiçoeiro em seus desígnios, e a vida de Davi continuasse em perigo, isso também Jônatas comunicaria pelo sinal das flechas, a fim de que não houvesse contato direto entre os dois, pondo em perigo tanto o esconderijo de Davi quanto sua própria vida. Jônatas fez outro juramento, dessa vez desejando que ele mesmo fosse prejudicado por algum juízo de Yahweh, se não comunicasse a Davi a mensagem amarga, deixando-o assim despreparado para enfrentar algum ataque de Saul.

Uma Mensagem Negativa Enviaria Davi ao Exílio. E se isso viesse a acontecer, Jônatas invocaria sobre Davi a *paz de Deus*, para que ele pudesse atravessar sua provação em segurança e algum dia se libertasse inteiramente de toda a ameaça. Ora, Davi já estava no exílio, de acordo com a mensagem do capítulo 19. Provavelmente os críticos estão certos ao supor que o material deste capítulo 20 deveria ser, cronologicamente falando, posto antes do material do capítulo 19. De outra sorte, teremos de entender que Davi *voltou* ao exílio após um período de relativa segurança, ao passo que Saul hesitava devido à ação do Espírito que o fizera profetizar (ver 1Sm 19.23,24).

E seja o Senhor contigo, como tem sido com meu pai. Esta parte do versículo supõe que Jônatas soubesse da unção de Davi como rei, em *substituição* a seu pai. Algum dia, terminaria o exílio de Davi e então ele triunfaria como segundo rei de Israel.

■ 20.14,15

וְלֹא אִם־עוֹדֶנִּי חָי וְלֹא־תַעֲשֶׂה עִמָּדִי חֶסֶד יְהוָה וְלֹא אָמוּת:

וְלֹא־תַכְרִת אֶת־חַסְדְּךָ מֵעִם בֵּיתִי עַד־עוֹלָם וְלֹא בְּהַכְרִת יְהוָה אֶת־אֹיְבֵי דָוִד אִישׁ מֵעַל פְּנֵי הָאֲדָמָה:

Se eu então ainda viver. Quando um rei substituía outro, se tivesse havido hostilidade entre os dois, era comum o novo rei tomar vingança contra a família do rei anterior. Jônatas, antecipando que Davi tomaria o lugar de seu pai, apelou para que ele esquecesse antigos rancores entre as famílias. Pediu que Davi lhe jurasse amizade pessoal e misericórdia para com a sua família. Yahweh haveria de cortar todos os inimigos de Davi, mas Jônatas apelou para que esse corte não incluísse a violência contra a casa de Saul. Em outras palavras, Jônatas encarava como inevitável o poder de Davi e sabia que estaria em suas mãos extinguir a família de Saul. Assim pediu-lhe que usasse de atitude *magnânima*, evitando violência e matança desnecessária. Davi deveria evitar o absurdo de deixar filhos sem terras e órfãos sem lar.

"O sentido dado por Jônatas era que o acordo entre eles deveria incluir não somente os dois, pessoalmente, mas também a respectiva posteridade" (John Gill, *in loc.*).

■ 20.16

וַיִּכְרֹת יְהוֹנָתָן עִם־בֵּית דָּוִד וּבִקֵּשׁ יְהוָה מִיַּד אֹיְבֵי דָוִד:

Fez Jônatas aliança com a casa de Davi. Certamente haveria vingança e matanças contra os inimigos de Davi quando ele subisse ao poder, mas essa política de arrasar a terra não atingiria a casa de Jônatas (casa de Saul). Por amizade a Jônatas, Davi fez o acordo. Alguns estudiosos entendem que este versículo afirma que a própria casa de Jônatas sofreria a ira de Davi, *se* eles se opusessem ao seu reinado, mas isso parece contrário ao sentido geral da mensagem do vs. 16.

■ 20.17

וַיּוֹסֶף יְהוֹנָתָן לְהַשְׁבִּיעַ אֶת־דָּוִד בְּאַהֲבָתוֹ אֹתוֹ כִּי־אַהֲבַת נַפְשׁוֹ אֲהֵבוֹ: ס

Porque Jônatas o amava com todo o amor da sua alma. O grande *amor mútuo* entre Jônatas e Davi (eles eram uma alma só em dois corpos) fez desse acordo um fato. Foi ratificado entre os dois e teria cumprimento. Somos ordenados a amar a Deus de toda a nossa alma (ver a exposição sobre Dt 6.5). Praticamente ninguém atinge isso por causa de nossa (in)capacidade humana. Praticamente ninguém ama outro ser com toda a sua alma. Isso também está acima de nossa capacidade. Mas esse é o *ideal*, e o amor é a única verdadeira lei universal que incorpora em si mesmo todas as outras leis justas (ver Rm 13.8 ss.). A essência da espiritualidade consiste em amar, e essa é a própria condição de estarmos regenerados (ver 1Jo 4.7). Amar demonstra que amamos a Deus. Não amar demonstra que não conhecemos a Deus, a despeito de todos os nossos credos e doutrinas. Ver no *Dicionário* o artigo chamado *Amor*, ilustrado com notáveis citações e poemas. Foi assim que Jônatas dependeu do grande amor entre ele e Davi como garantia do cumprimento daquela aliança. Juramentos mútuos foram proferidos para selar o acordo. Mas, sem amor, todas as alianças estão sujeitas a desintegração e mudanças. Cf. 18.1 ss.

Jônatas temia o que poderia acontecer a seus filhos órfãos. Era costume no Oriente, em todas as épocas, quando uma dinastia era violentamente mudada, o novo rei tirar a vida de toda a família do ex-monarca.

Napoleão Bonaparte foi homem violento e traiçoeiro. seu jogo era matar. Entendemos melhor por que ele agia assim quando consideramos o que ele disse a respeito do *amor*:

> Nunca amei a ninguém... exceto, talvez,
> Josefina — um pouco.

Mas a verdade espiritual é que

> Todos nós nascemos para o amor...
> Esse é o princípio da existência,
> e também seu único fim.

Benjamim Disraeli

20.18

וַיֹּאמֶר־לוֹ יְהוֹנָתָן מָחָר חֹדֶשׁ וְנִפְקַדְתָּ כִּי יִפָּקֵד מוֹשָׁבֶךָ׃

Porque o teu lugar estará vazio. *Davi* tinha um lugar cativo à mesa de Saul. Se não comparecesse, sua ausência seria notada, especialmente em um dia de festa, como o da lua nova. Ver as notas sobre o vs. 5. Saul notaria a ausência de Davi e *inevitavelmente* perguntaria a Jônatas, seu filho e amigo especial de Davi, onde ele estaria. Essa circunstância proveria as condições necessárias para o *teste psicológico*, a saber, a reação de Saul, positiva ou negativa, diante da ausência de Davi. Jônatas, como amigo especial de Davi, saberia onde Davi estava e lhe daria resposta. Este versículo, como todo o conteúdo do capítulo 20, deveria ser cronologicamente posto antes do capítulo 19, onde vemos Saul tentando matar Davi, e Davi enviado ao exílio. De outra sorte, temos de supor que Saul teve um período de paz depois que o Espírito o fez profetizar, quando Davi foi temporariamente restaurado à corte real. Mas 1Samuel não informa coisa alguma sobre isso.

20.19

וְשִׁלַּשְׁתָּ תֵּרֵד מְאֹד וּבָאתָ אֶל־הַמָּקוֹם אֲשֶׁר־נִסְתַּרְתָּ שָּׁם בְּיוֹם הַמַּעֲשֶׂה וְיָשַׁבְתָּ אֵצֶל הָאֶבֶן הָאָזֶל׃

Ao terceiro dia. Ou seja, depois de amanhã. Quanto a esse cálculo, ver as notas expositivas sobre o vs. 5. Davi estava oculto, mas naquele dia iria para um certo *montão de pedras*. Jônatas, sabedor de onde Davi estava, soltaria flechas para dar-lhe um sinal sobre a disposição de Saul. Algumas traduções (como a nossa versão portuguesa) dão o nome próprio "pedra de Ezel", como se fosse um lugar específico e bem conhecido. Mas parece melhor entender isso apenas como um montão de pedras. Ver o breve artigo sobre *Ezel* no *Dicionário*. Alguns outros estudiosos identificam esse nome com uma pedra particular, talvez uma pedra maciça que havia nos campos, não longe de Gibeá. Alguns comentaristas judeus dizem que *Ezel* era uma pedra pela qual os viajantes se orientavam, mas isso é apenas uma conjectura.

No dia do ajuste. Estas palavras traduzem um original hebraico de difícil compreensão, que permite várias explicações. Alguns aceitam o que diz nossa versão, isto é, o dia em que Saul decidiria prosseguir ou não com seus planos assassinos. Ou então um dia que não fosse feriado, antes ou depois da lua nova. Assim a Septuaginta diz "no dia de trabalho", ou seja, um dia no qual se pudesse executar algum trabalho. Os Targuns concordam com a última interpretação e dizem "em um dia comum". Ou então o sentido do original seria o dia em que Davi saísse ao campo.

20.20

וַאֲנִי שְׁלֹשֶׁת הַחִצִּים צִדָּה אוֹרֶה לְשַׁלַּח־לִי לְמַטָּרָה׃

Atirarei três flechas. *O Sinal das Flechas*. Jônatas fingiria estar atirando flechas contra algum alvo. Mas na realidade estaria dirigindo as flechas para um lugar específico, à frente ou além da pilha de pedras onde Davi estaria escondido. O local exato onde as flechas cairiam revelaria se Davi poderia retornar a Gibeá ou deveria exilar-se e fugir da área. sua *volta a Gibeá* ocorreria se Saul se lhe tivesse tornado favorável. E sua *fuga* ocorreria se Saul renovasse seus planos assassinos.

20.21,22

וְהִנֵּה אֶשְׁלַח אֶת־הַנַּעַר לֵךְ מְצָא אֶת־הַחִצִּים אִם־אָמֹר אֹמַר לַנַּעַר הִנֵּה הַחִצִּים מִמְּךָ וָהֵנָּה קָחֶנּוּ וָבֹאָה כִּי־שָׁלוֹם לְךָ וְאֵין דָּבָר חַי־יְהוָה׃
וְאִם־כֹּה אֹמַר לָעֶלֶם הִנֵּה הַחִצִּים מִמְּךָ וָהָלְאָה לֵךְ כִּי שִׁלַּחֲךָ יְהוָה׃

Jônatas empregaria a ajuda de um jovem, provavelmente seu escudeiro. Jônatas gritaria ordens para o jovem, a respeito de onde as flechas teriam pousado, dizendo-lhe que as fosse buscar. Davi ouviria os gritos e saberia, por esse meio, exatamente onde as flechas tinham caído. Se Davi ouvisse Jônatas dizer ao jovem para ir buscar as flechas *defronte* da pilha de rochas onde Davi estava escondido, isso serviria de sinal de que "Vem, *nesta* direção; volta a Gibeá, pois Saul está favoravelmente disposto para contigo". Mas se ele ouvisse Jônatas gritar: "As flechas caíram para lá da pilha de rochas", então essas palavras serviriam de sinal: "Corre para salvares a tua vida, Davi. Meu pai está atrás de ti para matar-te. Vai na direção oposta, para além de onde estás". O sinal das flechas permitiria a Jônatas comunicar a mensagem sem ter de encontrar pessoalmente a Davi. Ele iria acompanhado por um dos soldados de Saul. Era preciso realizar a missão sem ser *notado*. E foi exatamente isso que sucedeu.

"A descoberta da ideia de Saul em relação a Davi também seria tida como uma revelação da vontade de Yahweh. Todo evento na vida humana tem duas causas, pois, onde quer que a mão do homem esteja em ação, a mão do Senhor não estará ociosa. Ele pode fazer a ira do homem ser uma revelação de sua vontade. Estamos acostumados com a ideia de que "todas as cousas cooperam para o bem daqueles que amam a Deus" (Rm 8.28). Mas a Bíblia ensina-nos que ele também faz o bem através dos que lhe são desobedientes. Os homens podem pensar mal uns dos outros; mas Deus faz tudo redundar em bem (ver Gn 50.20)" (George B. Caird, com uma observação perspicaz. Oh, Senhor, concede-nos tal graça!).

Porque o Senhor te manda ir. A fuga de Davi, por mais desagradável que parecesse, fora ordenada por Yahweh. seu destino haveria de produzir um dia melhor. Em breve ele seria rei de Israel. Pelo presente, sua tarefa era manter-se longe de Saul, para que este não conseguisse matá-lo. Isso era parte necessária do plano divino e, quando chegasse a hora certa, Davi compreenderia *por que* tivera de exilar-se. Além disso, ele aprenderia algumas lições importantes nesse período.

A virtude da adversidade é a fortaleza.
Francis Bacon

Na adversidade, o homem é salvo pela esperança.
Menandro

Grandes homens regozijam-se diante da adversidade,
tal como soldados bravos triunfam na guerra.
Sêneca

20.23

וְהַדָּבָר אֲשֶׁר דִּבַּרְנוּ אֲנִי וָאָתָּה הִנֵּה יְהוָה בֵּינִי וּבֵינְךָ עַד־עוֹלָם׃ ס

Quanto àquilo de que eu e tu falamos. Em outras palavras, a *aliança* que os dois haviam feito, de amizade eterna e bondade para com a posteridade de ambos (ver as notas sobre os vss. 16,17). Yahweh estaria presente como testemunha e executor desse pacto. Ele selaria o acordo de amizade e cuidaria para que a aliança fosse observada em todas as suas condições. E se vingaria se alguém a violasse.

A amizade é um santo laço que se torna mais
sagrado diante da adversidade.
John Dryden

20.24

וַיִּסָּתֵר דָּוִד בַּשָּׂדֶה וַיְהִי הַחֹדֶשׁ וַיֵּשֶׁב הַמֶּלֶךְ אֶל־הַלֶּחֶם לֶאֱכוֹל׃

Escondeu-se, pois, Davi no campo. *O Desdobramento do Plano*. Davi estava oculto no campo, esperando pelo *sinal das flechas* de Jônatas. A lua nova chegou, e os importantes da corte reuniram-se em torno da mesa de Saul a fim de celebrarem a festividade. Todos os convidados e o próprio rei sentaram-se nos lugares costumeiros. Qualquer pessoa ausente seria imediatamente percebida, visto que seu lugar estaria vazio.

20.25

וַיֵּשֶׁב הַמֶּלֶךְ עַל־מוֹשָׁבוֹ כְּפַעַם בְּפַעַם אֶל־מוֹשַׁב הַקִּיר וַיָּקָם יְהוֹנָתָן וַיֵּשֶׁב אַבְנֵר מִצַּד שָׁאוּל וַיִּפָּקֵד מְקוֹם דָּוִד׃

Três Pessoas Proeminentes. Na festa havia o próprio rei, seu tio Abner e seu filho Jônatas. O rei tomou seu lugar usual, perto da parede. Isso é curioso, porque os testes demonstram que as pessoas, ao entrar em um restaurante, vão imediatamente a um lugar próximo a alguma parede. Isso lhes oferece uma espécie de consolo psicológico, porque as afasta de lugares conspícuos e abertos. Jônatas sentou-se à mesma mesa, aparentemente no lado oposto. Ao que tudo indica, Davi normalmente sentava-se à mesma mesa, pelo que seu assento vazio tornou-se imediatamente conspícuo. Estou conjecturando que ele se assentava ao lado de Jônatas, defronte de Saul e Abner. Josefo, entretanto, coloca Jônatas e Abner à direita e à esquerda, respectivamente, de Saul (ver os comentários sobre Êx 12).

Defronte dele. Em outras palavras, Jônatas sentou-se no lado oposto da mesa, a mesma tradução da RSV, embora o texto hebraico original diga "Jônatas levantou-se". Não sabemos dizer o que isso significa. Talvez tudo quanto esteja em foco é que Jônatas se tinha sentado, mas, quando Saul e Abner chegaram, ele se levantou respeitosamente e então tornou a sentar-se. Há outras conjecturas a respeito, mas a questão não se reveste de grande importância.

■ 20.26

וְלֹא־דִבֶּר שָׁאוּל מְאוּמָה בַּיּוֹם הַהוּא כִּי אָמַר מִקְרֶה הוּא בִּלְתִּי טָהוֹר הוּא כִּי־לֹא טָהוֹר׃ ס

Naquele dia não disse Saul nada. Embora notando a ausência de Davi, naquele dia, o dia da lua nova, Saul nada perguntou, supondo, talvez, que o músico houvesse contraído algum tipo de imundícia cerimonial que lhe impedia de estar à mesa em uma festa sagrada, em dia de sábado. Ver no *Dicionário* o verbete chamado *Limpo e Imundo*. Aquela refeição fazia parte de uma festa religiosa, da qual somente pessoas cerimonialmente limpas podiam participar. Saul deve ter pensado que Davi fora descuidado e não comparecera porque deveria passar primeiro pelos ritos de purificação apropriados, caso estivesse poluído por ter entrado em contato com alguma coisa proibida, como o corpo de um animal morto etc. Havia muitas maneiras pelas quais ele poderia ter-se contaminado, conforme o artigo demonstra. Foi assim que, no primeiro dia da ausência de Davi, Saul nem ao menos se preocupou em perguntar por ele. No dia seguinte, porém, o rei compreendeu que por alguma outra razão Davi se ausentava de sua mesa, conforme demonstram os versículos que se seguem.

■ 20.27

וַיְהִי מִמָּחֳרַת הַחֹדֶשׁ הַשֵּׁנִי וַיִּפָּקֵד מְקוֹם דָּוִד ס וַיֹּאמֶר שָׁאוּל אֶל־יְהוֹנָתָן בְּנוֹ מַדּוּעַ לֹא־בָא בֶן־יִשַׁי גַּם־תְּמוֹל גַּם־הַיּוֹם אֶל־הַלָּחֶם׃

Sucedeu também ao outro dia. No segundo dia da ausência de Davi, que era também o segundo dia do mês, após a lua nova, Saul subitamente entendeu que a ausência de Davi não se devia a nenhuma imundícia cerimonial adquirida. E também estava certo de que o amigo especial de Davi, seu filho Jônatas, sabia onde Davi estava, pelo que lhe pediu a informação, não aceitando que a ausência continuasse. Saul vigiava Davi e precisava saber onde ele estava, a fim de que, na ocasião apropriada, pudesse tirar-lhe a vida.

Nenhum descuido a respeito da imundícia cerimonial poderia explicar a ausência de Davi, porquanto um único dia, terminado com os sacrifícios apropriados e o banho cerimonial, poria fim à necessidade de sua ausência. Ver sobre *banho cerimonial* nas notas de Lv 14.8; 15.16 e Nm 8.7.

■ 20.28

וַיַּעַן יְהוֹנָתָן אֶת־שָׁאוּל נִשְׁאֹל נִשְׁאַל דָּוִד מֵעִמָּדִי עַד־בֵּית לָחֶם׃

Respondeu Jônatas a Saul. Davi havia pedido permissão (ou talvez bênção) a Jônatas para uma visita a Belém, para os sacrifícios anuais da família, onde haveria um festival. Ver o vs. 6 deste capítulo quanto a isso, o que pode ter sido uma realidade; mas, no caso de Davi, as palavras envolviam uma mentira que testaria as intenções de Saul a seu respeito. Parece que Jônatas, na qualidade de filho do rei, estava autorizado a conceder tais permissões aos servos da corte, em lugar de seu pai, especialmente se Saul estivesse ausente.

■ 20.29

וַיֹּאמֶר שַׁלְּחֵנִי נָא כִּי זֶבַח מִשְׁפָּחָה לָנוּ בָּעִיר וְהוּא צִוָּה־לִי אָחִי וְעַתָּה אִם־מָצָאתִי חֵן בְּעֵינֶיךָ אִמָּלְטָה נָּא וְאֶרְאֶה אֶת־אֶחָי עַל־כֵּן לֹא־בָא אֶל־שֻׁלְחַן הַמֶּלֶךְ׃ ס

Por isso não veio à mesa do rei. A *desculpa* do sacrifício e da festividade no lar de Davi (Belém) supostamente enganaria Saul e proveria uma razão adequada para a ausência de Davi. Presumivelmente, Eliabe, o irmão mais velho de Davi, tinha *baixado ordens* para ele estar presente. Eliabe teria agido com base na autoridade de Jessé, pai de ambos. Essa parte do engodo foi mencionada somente aqui e adicionada para tornar a mentira mais plausível. Assim, alegadamente, Davi estava *sob pressão* para fazer-se ausente. Cf. 1Sm 19.14-17 quanto às mentiras de Mical que permitiram a Davi escapar das tentativas de assassinato de Saul. No vs. 17, discuto as *mentiras não morais*. Será justo dizer uma mentira em alguma situação?

O versículo pode sugerir que Jessé estava por demais idoso para cuidar dos negócios familiares, ou então que ele havia morrido. Portanto, Eliabe assumira a liderança da família. Isso pode ter sido verdade, embora a proposta viagem de Davi não o fosse. 1Sm 17.12 diz-nos que Jessé já estava muito idoso, mas 1Sm 22.3 informa-nos que ele continuava vivo.

■ 20.30

וַיִּחַר־אַף שָׁאוּל בִּיהוֹנָתָן וַיֹּאמֶר לוֹ בֶּן־נַעֲוַת הַמַּרְדּוּת הֲלוֹא יָדַעְתִּי כִּי־בֹחֵר אַתָּה לְבֶן־יִשַׁי לְבָשְׁתְּךָ וּלְבֹשֶׁת עֶרְוַת אִמֶּךָ׃

Filho de mulher perversa e rebelde. Saul culpou a mãe de Jônatas de "perversa" e "rebelde", porquanto estava certo de que, como seu pai, não poderia ter passado para o filho características que o fizessem agir daquela forma. Assim também dizemos, ocasionalmente, às nossas esposas: "teu filho fez isto e aquilo", sugerindo que qualquer defeito certamente veio da mãe, e não do pai, o qual, por alguns momentos, assume a posição de espectador e não de verdadeiro pai.

De acordo com Saul, o primeiro equívoco de Jônatas foi escolher Davi como amigo especial. Aí começara uma série de dificuldades. Isso Jônatas fez para produzir *confusão* e *vergonha* à nudez de sua mãe, um eufemismo para ela estar despida quando o concebera e trouxera à luz. Foi tudo como se Saul dissesse: "Tu és uma desgraça, e tua mãe foi uma desgraçada ao dar-te o nascimento. Ela foi uma desgraçada por ter tido um filho como tu, e tu continuas a desgraçá-la com teus atos".

"Insultar um homem através dos pais é um método comum de abuso." Há outra instância de atacar um homem através da nudez de sua mãe. Cf. *Travels in Arabia Deserta*, I, 312, por Doughty. "Uma linguagem abusiva sempre revela o coração mau, fraco e malévolo de um homem" (Adam Clarke, *in loc.*), e isso era óbvio no caso de Saul.

É verdade que a fala de Saul era contrária ao espírito familiar dos hebreus, mas outro tanto é o assassinato de um genro, e Saul não hesitou em contemplar tal possibilidade. Portanto, não devemos ficar admirados de que ele tivesse abusado da esposa com palavras, ao mesmo tempo que abusava do filho.

■ 20.31

כִּי כָל־הַיָּמִים אֲשֶׁר בֶּן־יִשַׁי חַי עַל־הָאֲדָמָה לֹא תִכּוֹן אַתָּה וּמַלְכוּתֶךָ וְעַתָּה שְׁלַח וְקַח אֹתוֹ אֵלַי כִּי בֶן־מָוֶת הוּא׃ ס

Pois enquanto o filho de Jessé viver sobre a terra. A *profecia de Samuel*, de que a linhagem de Saul seria substituída por outra, naturalmente significa que Jônatas jamais seria rei. Portanto, de acordo com o raciocínio de Saul, era óbvio que matar Davi seria um *favor* feito a Jônatas, e não somente a Saul. De fato, toda a família de Saul seria beneficiada com a execução. Ver em 1Sm 15.23 comentários da profecia de Samuel.

Saul deixou entendido que Davi havia cometido alguma forma de traição e planejava destroná-lo. Era dever de Jônatas, pois, como herdeiro presuntivo do trono, livrar-se daquele homem traiçoeiro. Os Targuns dizem aqui: "ele é um filho da morte", ou seja, Davi merecia morrer. Alegadamente, Davi estava em Belém, e Jônatas deveria viajar até lá e despachá-lo. Isso demonstra a profundidade do ódio de Saul contra Davi, justamente o que o teste psicológico pretendia revelar. Davi e Jônatas tinham conseguido o seu propósito. Não era mais seguro para Davi estar perto de Saul. Ele precisava fugir. Saul ter profetizado sob a influência do Espírito (ver 1Sm 19.23,24) não lhe suavizara o coração.

■ 20.32

וַיַּעַן יְהוֹנָתָן אֶת־שָׁאוּל אָבִיו וַיֹּאמֶר אֵלָיו לָמָּה יוּמַת
מֶה עָשָׂה׃

Por que há de ele morrer? A *inocência de Davi*, afirmada enfaticamente por Jônatas, não impressionou o homem cuja mente o espírito maligno havia distorcido. Algumas vezes as pessoas praticam o mal como se fosse um bem, e ainda se vangloriam e recebem o louvor de outros por seus maus feitos. Esse fora o caso de Saul. Há muito tempo, ele havia perdido o contato com a própria consciência.

■ 20.33

וַיָּטֶל שָׁאוּל אֶת־הַחֲנִית עָלָיו לְהַכֹּתוֹ וַיֵּדַע יְהוֹנָתָן
כִּי־כָלָה הִיא מֵעִם אָבִיו לְהָמִית אֶת־דָּוִד׃ ס

Saul atirou-lhe com a lança. *Um Ato de Perversão Final*. Por duas vezes antes, Saul tentara matar Davi com a lança que sempre trazia ao seu lado. Neste versículo, porém, vemos Saul, tomado por um ataque de ira, tentando matar o próprio filho. seu caráter moral havia degenerado de todo. A possessão demoníaca usualmente reduz mais e mais suas vítimas, a ponto de fazer desaparecer qualquer consciência do que é errado. Algumas pessoas, nesse estado, fazem do sofrimento de outras pessoas o seu prazer, como ocorre, com frequência, no caso dos matadores em série. Algumas formas de insanidade por certo são provocadas pela influência e pela possessão demoníaca. Ver no *Dicionário* o artigo chamado *Demônio, Demonologia*; e na *Enciclopédia de Bíblia, Teologia e Filosofia* o verbete intitulado *Possessão Demoníaca*.

Jônatas finalmente convenceu-se de que não havia remédio para o ódio do pai contra Davi. Portanto, a única coisa que lhe restava era advertir Davi e enviá-lo ao exílio, a fim de que, algum dia, ele pudesse continuar combatendo os inimigos de Israel. Jônatas foi um agente na vida de Davi para ajudá-lo a manter um fio de esperança, até o dia em que se tornasse o rei.

■ 20.34

וַיָּקָם יְהוֹנָתָן מֵעִם הַשֻּׁלְחָן בָּחֳרִי־אָף וְלֹא־אָכַל
בְּיוֹם־הַחֹדֶשׁ הַשֵּׁנִי לֶחֶם כִּי נֶעְצַב אֶל־דָּוִד כִּי
הִכְלִמוֹ אָבִיו׃ ס

Pelo que Jônatas, todo encolerizado. Saul acabou com o apetite de Jônatas. Em feroz ira, Jônatas levantou-se e partiu, e não comeu naquele dia. Ele temia que Davi fosse sujeitado à ira satânica de seu pai. Saul havia agido *vergonhosamente* em relação a Davi e ao próprio filho. "A grande lança levantada para golpear, seguida por palavras amargas e cortantes, foi um ato que não seria esquecido tão cedo pelos espectadores... A amarga injustiça praticada contra Davi, amigo de Jônatas, sem dúvida foi o que mais o atingiu" (Ellicott, *in loc.*).

"Jônatas aparece aqui como homem de estatura moral realmente grande. Talvez lhe faltassem as qualidades que faziam de Davi um líder dinâmico e bem-sucedido... mas sua lealdade e integridade mais do que compensavam qualquer limite de capacidade" (John C. Schroeder, *in loc.*).

■ 20.35

וַיְהִי בַבֹּקֶר וַיֵּצֵא יְהוֹנָתָן הַשָּׂדֶה לְמוֹעֵד דָּוִד וְנַעַר
קָטֹן עִמּוֹ׃

Na manhã seguinte. *O Sinal Combinado*. Jônatas e Davi tinham "sondado as águas". Era claro agora que Saul nunca mais favoreceria Davi e, em sua loucura, manteria a perseguição até que ele mesmo ou Davi morresse. Foi assim que o sinal combinado das flechas deu a triste mensagem a Davi: *Foge!* Jônatas saiu ao campo, levando consigo um jovem, provavelmente seu próprio escudeiro. Ele estaria sendo vigiado. O pai não mais confiava nele. Portanto, não tinha mais liberdade para sair, entrar em contato com Davi e dizer o que havia acontecido. Era necessário transmitir a mensagem através do sinal das flechas. Nem mesmo seu escudeiro desconfiaria do que estava acontecendo. Pareceria que Jônatas estava apenas praticando a arte do arqueiro (ver o vs. 20). Depois de atirar as flechas, ele gritaria ao jovem, revelando a Davi o resultado do teste. Ver os vss. 20-22 quanto ao sinal combinado de antemão.

■ 20.36

וַיֹּאמֶר לְנַעֲרוֹ רֻץ מְצָא נָא אֶת־הַחִצִּים אֲשֶׁר אָנֹכִי
מוֹרֶה הַנַּעַר רָץ וְהוּא־יָרָה הַחֵצִי לְהַעֲבִרוֹ׃

Jônatas atirou as flechas para além do lugar onde Davi se escondia (ver o vs. 22), ao mesmo tempo que gritava para o jovem onde as flechas tinham caído, a fim de informar Davi. A direção em que caíra a flecha, ultrapassando o esconderijo de Davi, significaria: "Foge *naquela* direção. Não voltes a Gibeá". O presente texto menciona o lançamento de uma única flecha, ao passo que é dito antes que Jônatas atiraria *três* flechas (vs. 20). Este versículo menciona *flechas*, mas registra a projeção de uma única flecha. Talvez tenha sido isso o que realmente aconteceu. Jônatas não se incomodaria em atirar as três, embora isso tivesse sido combinado dias antes. Ou o autor sacro não se incomodou quanto à exatidão da narrativa. Mas o vs. 38 dá novamente o plural.

"As palavras de Jônatas foram ditas ao jovem, mas visavam a Davi. Quando as ouvisse, Davi deveria ir embora sem mostrar-se" (John C. Schroeder, *in loc.*).

■ 20.37,38

וַיָּבֹא הַנַּעַר עַד־מְקוֹם הַחֵצִי אֲשֶׁר יָרָה יְהוֹנָתָן
וַיִּקְרָא יְהוֹנָתָן אַחֲרֵי הַנַּעַר וַיֹּאמֶר הֲלוֹא הַחֵצִי מִמְּךָ
וָהָלְאָה׃

וַיִּקְרָא יְהוֹנָתָן אַחֲרֵי הַנַּעַר מְהֵרָה חוּשָׁה אַל־תַּעֲמֹד
וַיְלַקֵּט נַעַר יְהוֹנָתָן אֶת־הַחֵצִי וַיָּבֹא אֶל־אֲדֹנָיו׃

Uma Flecha Havia Sido Atirada. O jovem foi apanhá-la. Aparentemente, Jônatas atirou uma segunda, mais longe ainda, pelo que lá se foi o jovem apanhá-la também. As flechas foram lançadas cada vez mais longe, e isso instruiu Davi a abandonar o lugar e fugir para bem longe do iracundo Saul. Ao que tudo indica, embora o texto não o diga explicitamente, uma terceira flecha foi atirada. Então foi ordenado ao jovem que juntasse as flechas, dando a entender que Davi deveria fugir dali. Jônatas não queria que seu escudeiro visse Davi fugindo, pelo que teria de fazê-lo sair das cercanias onde Davi se ocultava. E o jovem obedeceu à ordem de Jônatas, abandonando a área onde as flechas tinham caído. Isso deixou Davi sozinho para escapar. Dois corações estavam muito pesados; dois corações estavam tristes. Jônatas em breve morreria no campo de batalha, e aquela grande amizade não teria oportunidade de expressar-se de novo, exceto pelo fato de que Davi, quando subisse ao poder, seria generoso com a família do amigo. Naturalmente, no outro lugar da porta a que chamamos de "morte", as amizades são sempre renovadas e exaltadas. Assim sendo, a morte nunca é vitoriosa (ver 1Co 15.54,55).

■ 20.39

וְהַנַּעַר לֹא־יָדַע מְאוּמָה אַךְ יְהוֹנָתָן וְדָוִד יָדְעוּ
אֶת־הַדָּבָר׃

O rapaz não entendeu cousa alguma. Embora fosse escudeiro de Jônatas e provavelmente um homem honrado, eles não se arriscaram. Nem mesmo esse homem entendeu coisa alguma. Ele só seguira instruções. As pessoas fazem coisas engraçadas em troca de dinheiro, e *Saul* continuava no trono. Ele poderia enriquecer um traidor. Uma tentação para o jovem teria estragado tudo.

20.40

וַיִּתֵּן יְהוֹנָתָן אֶת־כֵּלָיו אֶל־הַנַּעַר אֲשֶׁר־לוֹ וַיֹּאמֶר לוֹ לֵךְ הָבֵיא הָעִיר:

Jônatas deu as suas armas ao rapaz. O jovem foi enviado à cidade, levando as armas de Jônatas. Isso permitiu que Jônatas se despedisse de Davi. O encontro não foi observado por ninguém, o que garantiu a segurança necessária.

O artifício das flechas permitiu que Davi e Jônatas não fossem vistos juntos em público. Contudo, os sentimentos acabaram vencendo a cautela. Eles se concederam uma última despedida. Mas aquela não foi a última vez que se viram. Ver 1Sm 23.16. O destino orientou que em breve Jônatas perderia a vida no campo de batalha, combatendo os temidos filisteus. Alguns críticos supõem que um editor posterior tenha providenciado essa última história de despedida, porém o mais provável é que Davi deixou seu esconderijo para fugir, sem que houvesse nenhum outro encontro com o amigo. Não há como submeter a teste essa teoria.

20.41

הַנַּעַר בָּא וְדָוִד קָם מֵאֵצֶל הַנֶּגֶב וַיִּפֹּל לְאַפָּיו אַרְצָה וַיִּשְׁתַּחוּ שָׁלֹשׁ פְּעָמִים וַיִּשְּׁקוּ אִישׁ אֶת־רֵעֵהוּ וַיִּבְכּוּ אִישׁ אֶת־רֵעֵהוּ עַד־דָּוִד הִגְדִּיל:

Prostrou-se rosto em terra três vezes. Segundo somos informados, essa era uma homenagem apropriada somente no caso de um *rei*. O que esteve envolvido foi uma total prostração no solo. Xenofonte atribuiu a Ciro a invenção do ato de três prostrações (*Cyropaedia*, 1.8, cap. 23), mas o presente texto mostra-nos que o ato já existia, subentendendo ser um *costume* usado em ocasiões especiais.

Choraram juntos, Davi, porém, muito mais. Davi tinha para Jônatas uma dívida de gratidão, e o fato de ter-se prostrado, rosto em terra três vezes, perante Jônatas, ilustrou seus sentimentos. Davi homenageou o homem que arriscara a vida por ele. Os dois grandes guerreiros, sozinhos ali no campo, choraram muito e se abraçaram. Assim é que a história de Davi e Jônatas ocupa lugar ao lado dos mais significativos contos de amizade da literatura antiga. Josefo diz que Davi "prestou homenagem e chamou Jônatas de salvador de sua vida". Eles prorromperam em lágrimas "completamente vencidos pela tristeza" (Payne Smith, *in loc.*). Davi havia perdido a esposa, o amigo especial e o lar, e foi enviado para fugir de Saul, que poderia estar à espreita, com o intuito de matá-lo.

20.42,43

וַיֹּאמֶר יְהוֹנָתָן לְדָוִד לֵךְ לְשָׁלוֹם אֲשֶׁר נִשְׁבַּעְנוּ שְׁנֵינוּ אֲנַחְנוּ בְּשֵׁם יְהוָה לֵאמֹר יְהוָה יִהְיֶה בֵּינִי וּבֵינֶךָ וּבֵין זַרְעִי וּבֵין זַרְעֲךָ עַד־עוֹלָם: פ

וַיָּקָם וַיֵּלֵךְ וִיהוֹנָתָן בָּא הָעִיר:

Vai-te em paz. A pacífica bênção de Yahweh foi proferida por Jônatas sobre Davi. Eles relembraram a *aliança* que haviam firmado. Davi inevitavelmente chegaria ao trono, e ele conservaria sua promessa para com a família de Jônatas, demonstrando amor e misericórdia. Eles concordaram com o que era expressão de sua amizade especial. Ver os vss. 15-17,23 quanto à *aliança* e suas condições. Yahweh era o *avalista* do acordo, visto que testemunhara a aliança. Ele continuaria entre as duas famílias, a de Davi e a de Jônatas, observando se permaneceriam ou não em paz uma com a outra. Não poderia haver matança entre elas. O novo rei não poderia extinguir a antiga família real para consolidar seu poder, uma prática comum no Oriente.

"As flechas transmitiram a mensagem; a advertência fora dada; e, em uma cena tocante, Jônatas despediu-se do amigo" (John C. Schroeder, *in loc.*).

"Nenhum outro escritor da antiguidade mostrou tão nobre exemplo de um estado humano tão altruísta, sentido no coração, tão humano, e nenhum com tão inteira verdade em todas as suas relações e com tão completo e profundo conhecimento do coração humano" (Phillipson, *in loc.*).

Foi assim que Davi partiu para um destino desconhecido e Jônatas retornou a Gibeá, o lugar onde sua família residia e onde Saul mantinha sua corte.

> Os mais queridos amigos são separados
> por abismos intransponíveis.
>
> Ralph Waldo Emerson

Isso é verdade na cena terrestre, mas, para além da porta de Deus, a que chamamos de morte, a reunião de todos os amigos está garantida. A eternidade devora toda a temporalidade e suas condições.

> Alguma manhã gloriosa, a tristeza cessará;
> Alguma manhã gloriosa, tudo será paz.
> Dores do coração cessarão, dias escolares chegarão ao fim.
> O céu abrir-se-á — Jesus terá voltado.
>
> Algum áureo romper do dia, Jesus voltará.
> Algum áureo romper do dia, as batalhas
> serão todas ganhas.
> ele gritará a vitória e romperá a tristeza.
> Algum áureo romper do dia, para mim, para ti.
>
> C. A. Blackmore

CAPÍTULO VINTE E UM

A FUGA DE DAVI (21.1—27.12)

DAVI EM NOBE (21.1-9)

"Este capítulo relata que Davi foi a Nobe e, fingindo estar em um negócio secreto para o rei, obteve os pães da proposição e a espada de Golias da parte de Aimeleque, o sacerdote (vss. 1-9); passando dali para diante, foi a Gate, onde era conhecido e, temeroso, fingiu-se louco e assim dali escapou (vss. 10-15)" (John Gill, *in loc.*).

Alguns críticos supõem que o material que se segue venha cronologicamente depois de 1Sm 19.17, onde Davi escapa precipitadamente de sua casa, na noite do casamento, fugindo dos mensageiros assassinos de Saul. A seção anterior (capítulo 20) é assim vista como pertencente a um tempo anterior.

"Expulso para a área do deserto de Judá, lugar logicamente mais familiar, Davi viveu uma espécie de existência de 'Robin Hood' por quase dez anos" (Eugene M. Merrill, *in loc.*). Os eruditos supõem que Davi tivesse apenas 20 anos de idade quando iniciou seu período de exílio e por volta de 30 quando começou a governar em Judá, em Hebrom (ver 2Sm 5.4), imediatamente após a morte de Saul (2Sm 2.10,11). Davi passou cerca de um ano e meio entre os filisteus, imediatamente antes desse evento (ver 1Sm 27.7). Ele experimentou muitas coisas que podem ter inspirado vários de seus salmos, talvez incluindo os de número 18, 34, 52, 54, 56 e 57. Mas todas as coisas cooperavam juntamente para o bem, preparando Davi para ser rei. A adversidade preparava um rei capaz.

21.1

וַיָּבֹא דָוִד נֹבֶה אֶל־אֲחִימֶלֶךְ הַכֹּהֵן וַיֶּחֱרַד אֲחִימֶלֶךְ לִקְרַאת דָּוִד וַיֹּאמֶר לוֹ מַדּוּעַ אַתָּה לְבַדֶּךָ וְאִישׁ אֵין אִתָּךְ:

Veio Davi a Nobe. Ver sobre esta localidade no *Dicionário*. Segundo Ne 11.34 ela ficava no território de Benjamim, e conforme Is 10.32 ficava entre Anatote e Jerusalém, a apenas alguns quilômetros de Gibeá, o lar de Saul (onde ele mantinha a sua corte) e de onde Davi fugira. A localização precisa, entretanto, é disputada.

Evidentemente, Saul transferira o tabernáculo para aquele lugar, depois de estar em Quiriate-Jearim por vinte anos. Nobe e aquele lugar distavam um do outro cerca de 16 quilômetros, e Nobe ficava a leste. Ver os comentários sobre a mudança do tabernáculo em 1Sm 22.11. Ver também 1Sm 7.1,2.

Aimeleque. Ver sobre ele no *Dicionário*. Ele era filho de Aitube, o principal sacerdote. Segundo 1Sm 14.3, era bisneto de Eli. A maldição imposta sobre a casa de Eli finalmente removeria sua linhagem do sumo sacerdócio, mas isso ainda não tinha acontecido. Ver 1Sm 2.31 ss. e 3.13 ss. quanto às melancólicas profecias sobre a casa de Eli.

O *súbito aparecimento* do poderoso guerreiro Davi, o homem que tinha enfrentado Golias com sucesso, deixou o sacerdote assustado. Ele ficou surpreso com o fato de que Davi estava desarmado e sozinho, algo incomum para um viajante, para nada dizer sobre um oficial do exército. Além de estar atrás de alimentos, Davi queria consultar o oráculo para receber orientação quanto à fuga (ver 1Sm 22.13). O texto supõe que o sacerdote não soubesse do conflito entre Saul e Davi e por certo não soubesse também que Davi havia sido lançado ao exílio.

■ 21.2

וַיֹּאמֶר דָּוִד לַאֲחִימֶלֶךְ הַכֹּהֵן הַמֶּלֶךְ צִוַּנִי דָבָר
וַיֹּאמֶר אֵלַי אִישׁ אַל־יֵדַע מְאוּמָה אֶת־הַדָּבָר
אֲשֶׁר־אָנֹכִי שֹׁלֵחֲךָ וַאֲשֶׁר צִוִּיתִךָ וְאֶת־הַנְּעָרִים
יוֹדַעְתִּי אֶל־מְקוֹם פְּלֹנִי אַלְמוֹנִי׃

Outra Mentira Não moral. Cf. 1Sm 19.17, onde falo sobre as mentiras não morais. Ver também as mentiras não morais de Davi e Jônatas em 1Sm 20.6,28,29. Davi estava em fuga e faminto. sua localização não podia ser revelada a Saul, pois isso lhe poria a vida em perigo. Por isso mesmo, Davi mentiu ao sumo sacerdote quanto à razão real de sua presença em Nobe. Davi, presumivelmente ocupado em uma missão secreta, não trouxera ninguém em sua companhia, nem estava armado, para que ninguém suspeitasse de que teria intenções violentas. A história dizia que ele ocultara assistentes em algum lugar e teria um encontro com eles, posteriormente. Assim sendo, Davi inventou uma mentira complexa a fim de salvar a própria vida.

> Considero correto dizer uma mentira,
> para prover pela minha segurança pessoal;
> nada deveria ser evitado a fim de salvar a minha vida.
>
> Difilo

"É um fato bem conhecido que, desde a antiguidade, não era considerado crime dizer uma mentira para salvar a própria vida" (Adam Clarke, *in loc.*). Vários intérpretes modernos, naturalmente, acusam Davi por suas mentiras, mas sem dúvida isso é um moralismo exagerado quando aplicado a casos tão desesperados.

Homens na Companhia de Davi? Não somos informados de que Davi, àquela altura dos acontecimentos, tivesse homens em sua companhia. Talvez houvesse alguns poucos seguidores ou alguns poucos servos de confiança. Posteriormente, entretanto, alguns homens viajaram em sua companhia, guarda-costas pessoais que compartilhavam de seu exílio.

Sacerdote Aimeleque. sua linhagem era esta (ver 1Sm 22.19,20):
- Eli (que morreu em Silo, de um acidente)
- Fineias
- Aitube
- Aimeleque (sumo sacerdote nos dias de Saul)
- Abiatar (sumo sacerdote nos dias de Davi)

■ 21.3,4

וְעַתָּה מַה־יֵּשׁ תַּחַת־יָדְךָ חֲמִשָּׁה־לֶחֶם תְּנָה בְיָדִי אוֹ
הַנִּמְצָא׃

וַיַּעַן הַכֹּהֵן אֶת־דָּוִד וַיֹּאמֶר אֵין־לֶחֶם חֹל אֶל־תַּחַת
יָדִי כִּי־אִם־לֶחֶם קֹדֶשׁ יֵשׁ אִם־נִשְׁמְרוּ הַנְּעָרִים אַךְ
מֵאִשָּׁה׃ פ

Dá-me cinco pães. A fim de obter suprimento de pães por alguns poucos dias, Davi pediu cinco pães e agiu como se o alimento se destinasse a ele *e* a seus homens, os quais, na realidade, não existiam. Davi sabia que o sumo sacerdote sempre tinha consigo os sagrados pães da proposição, pelo que era a pessoa lógica a ser visitada. O sumo sacerdote também provia segurança, porque, se Davi lhe pedisse para não revelar a visita, ela não seria revelada. Os pães da proposição eram para consumo exclusivo dos sacerdotes. Mas o texto mostra que havia exceções. Jesus referiu-se a esse incidente (ver Mt 12.3,4) para denunciar as leis rígidas e farisaicas acerca do sábado. As leis eram feitas para beneficiar os homens e podiam ser quebradas se maior *benefício humano* fosse assim alcançado. Ver Mt 12.3,4 nas notas expositivas do *Novo Testamento Interpretado,* quanto ao uso que Jesus fez dessa narrativa.

Os *pães da proposição* (vs. 4) consistiam em doze pães, cada qual representando uma das tribos de Israel. Eram substituídos por novos pães no tabernáculo, a cada sábado, quando então os anteriores eram consumidos pelos sacerdotes; a ingestão, contudo, só podia ocorrer no tabernáculo, visto que nenhuma coisa sagrada podia ser conduzida a outro lugar. Ver no *Dicionário* o artigo intitulado *Pães da Proposição,* quanto a maiores detalhes. O sumo sacerdote não dispunha, na ocasião, de nenhum outro pão, isto é, pão que não fosse tirado da mesa sagrada, pelo que foi forçado, por razões humanitárias, a dar-lhe cinco pães santos.

Um Presente Preso a uma Condição. Ao dar o pão santo a Davi, o sumo sacerdote Aimeleque fez apenas uma restrição. Nem Davi nem seus homens podiam engajar-se em atos sexuais recentes. O ato sexual desqualificava um homem para participar de qualquer cerimônia religiosa, até que o homem e a mulher se purificassem mediante ritos especiais. Isso os tornava *limpos* e, assim, capazes de ocupar-se em ritos sagrados. Essa regra inflexível aplicava-se até às expedições militares (ver 2Sm 11.11-13). Um banho ritual deveria ser tomado na manhã seguinte por todos quantos tivessem mantido relações sexuais na noite anterior. Somente depois desse banho é que se poderia participar de ritos religiosos em Israel. Ver Lv 15.16,18. Até hoje, os maometanos requerem o banho cerimonial depois do sexo para ser lavada qualquer impureza.

■ 21.5

וַיַּעַן דָּוִד אֶת־הַכֹּהֵן וַיֹּאמֶר לוֹ כִּי אִם־אִשָּׁה
עֲצֻרָה־לָנוּ כִּתְמוֹל שִׁלְשֹׁם בְּצֵאתִי וַיִּהְיוּ
כְלֵי־הַנְּעָרִים קֹדֶשׁ וְהוּא דֶּרֶךְ חֹל וְאַף כִּי
הַיּוֹם יִקְדַּשׁ בַּכֶּלִי׃

Davi ampliou sua mentira não moral incluindo a invenção de que "os homens que viajavam com ele" tinham-se abstido sexualmente fazia três dias e assim estavam limpos para comer o pão santo. E ficou subentendido que eles haviam tomado o banho cerimonial após o último ato sexual, pelo que estavam livres de qualquer imundícia. E Davi acrescentou que ele sempre agia dessa maneira em suas expedições. Ele e seus homens se abstinham do sexo durante tais períodos (ver 2Sm 11.11-13). Davi estava atarefado em uma missão *comum,* e não em uma missão militar, mas vinha observando a mesma regra. Ele ainda argumentou que, ao comer o pão santo, aqueles que já estavam santos se tornariam mais santos ainda. Não é provável que os doutos da lei hebraica tivessem aceitado esse argumento, mas o sumo sacerdote, naquela ocasião, foi aparentemente obrigado a aceitá-lo, porquanto Davi continuava insistindo. Ele era um homem faminto capaz de inventar qualquer argumento. Os homens temiam Davi, e, além disso, havia soldados ocultos nas proximidades (de acordo com a história contada por Davi). Foi assim que o sumo sacerdote não ousou recusar-lhe os pães, mesmo que sua consciência lhe dissesse que aquela ação era um tanto *irregular*.

Os corpos dos homens. Provavelmente uma menção às vestes e qualquer outro equipamento que os alegados soldados estivessem transportando. Isso tudo também estava limpo, não tendo entrado em contato com sangue, cadáveres etc. Alguns supõem que Davi tenha conseguido alguns seguidores ao longo do caminho, e assim havia realmente alguns poucos para alimentar. A declaração de Jesus, em Mt 12.3,4, é usada para confirmar isso.

■ 21.6

וַיִּתֶּן־לוֹ הַכֹּהֵן קֹדֶשׁ כִּי לֹא־הָיָה שָׁם לֶחֶם
כִּי־אִם־לֶחֶם הַפָּנִים הַמּוּסָרִים מִלִּפְנֵי יְהוָה
לָשׂוּם לֶחֶם חֹם בְּיוֹם הִלָּקְחוֹ׃

Deu-lhe, pois, o sacerdote o pão sagrado. *Não tendo pão comum* e cedendo diante da insistência de Davi, o sumo sacerdote entregou a Davi os pães da proposição. Isso era estritamente contrário às regras, mas talvez tenha sido feito com base em sentimentos humanitários ou por temor. Os doze pães eram, naturalmente, substituídos a cada sábado, mas Davi não esperou por esse acontecimento. O sacerdote seria forçado a substituir os cinco pães antes, o que, embora também fosse irregular, não foi tão irregular quanto a doação a Davi.

Ver Lv 24.9 quanto ao destino dos pães da proposição: "E será de Arão e de seus filhos, os quais o comerão no lugar santo".

John Gill (*in loc.*) supunha que toda essa negociação tenha acontecido justamente num sábado, pelo que os pães antigos foram entregues a Davi, ao passo que pão quente os substituiu imediatamente.

■ **21.7**

וְשָׁם אִישׁ מֵעַבְדֵי שָׁאוּל בַּיּוֹם הַהוּא נֶעְצָר לִפְנֵי יְהוָה וּשְׁמוֹ דֹּאֵג הָאֲדֹמִי אַבִּיר הָרֹעִים אֲשֶׁר לְשָׁאוּל׃

Doegue. Ver a respeito no *Dicionário*. Ele é aqui mencionado a fim de preparar-nos para a informação, dada mais adiante, de que esse homem traiu a visita sagrada de Davi ao tabernáculo. Ver 1Sm 22.9. Em retaliação à ajuda prestada a Davi, Saul matou 85 sacerdotes. O Salmo 52, se seu título está historicamente correto, foi composto nessa oportunidade. Doegue, pois, estava detido no tabernáculo, talvez cumprindo alguma espécie de voto, e ficou ali com esse propósito. Ou estava ali em um período de preparação ou purificação, ou então para oferecer um sacrifício qualquer. Qualquer que fosse a razão, essa circunstância o tornou testemunha ocular do que Davi fizera ali.

Esse homem era idumeu, mas sem dúvida se convertera ao *yahwismo*. Saul lhe dera um elevado encargo, ou seja, o de pastor-em-chefe. Essa circunstância tornava-o inimigo resoluto de Davi. Josefo disse que esse homem "alimentava as mulas do rei" (*Antiq.* 1.6, cap. 12, sec. 1), mas ele era mais do que isso.

■ **21.8**

וַיֹּאמֶר דָּוִד לַאֲחִימֶלֶךְ וְאִין יֶשׁ־פֹּה תַחַת־יָדְךָ חֲנִית אוֹ־חָרֶב כִּי גַם־חַרְבִּי וְגַם־כֵּלַי לֹא־לָקַחְתִּי בְיָדִי כִּי־הָיָה דְבַר־הַמֶּלֶךְ נָחוּץ׃ ס

Não tens aqui à mão lança ou espada alguma? *Davi Arma-se.* Em sua pressa para escapar de Saul, Davi saíra para o exílio totalmente desprovido de instrumentos de guerra. Portanto, vendo Doegue ali, pensou primeiro que talvez tivesse de defender a vida no tabernáculo. Caso contrário, os homens de Saul poderiam alcançá-lo a qualquer momento, e ele precisava de uma espada ou uma lança como defesa. Davi, pois, explicou a ausência de equipamento militar com mais uma mentira. Estando em negócio urgente em favor de Saul, ele simplesmente havia esquecido de armar-se. Quando Davi foi lutar contra Golias, recusara espadas e lanças, e até uma armadura. Ele não estava então treinado a usar armas de guerra e precisara recorrer à humilde funda. Mas agora, como homem de mais idade, já era experiente nas lides bélicas e costumava usar instrumentos regulares de guerra. Não sabemos dizer por que Jônatas não proveu a Davi uma espada e uma lança.

■ **21.9**

וַיֹּאמֶר הַכֹּהֵן חֶרֶב גָּלְיָת הַפְּלִשְׁתִּי אֲשֶׁר־הִכִּיתָ בְּעֵמֶק הָאֵלָה הִנֵּה־הִיא לוּטָה בַשִּׂמְלָה אַחֲרֵי הָאֵפוֹד אִם־אֹתָהּ תִּקַּח־לְךָ קָח כִּי אֵין אַחֶרֶת זוּלָתָהּ בָּזֶה וַיֹּאמֶר דָּוִד אֵין כָּמוֹהָ תְּנֶנָּה לִּי׃

A espada de Golias, o filisteu. O *tabernáculo* não era lugar onde alguém pudesse encontrar instrumentos de guerra. A única razão pela qual a espada de Golias estava ali era porque fora transformada em uma espécie de troféu, provavelmente pendurado em uma parede, a fim de que todos olhassem a espada e, admirados, dissessem: "Davi matou o gigante que usava aquela espada, e fê-lo apenas com uma funda!" Isso encorajaria os homens a confiar em Yahweh, que pode dar a vitória contra qualquer espécie de oposição. Talvez o pano que embrulhava a espada fosse a capa de Golias ainda manchada de sangue, e não algum pano sacerdotal. Vários intérpretes creem que a estola do sumo sacerdote fosse usada para embrulhar a espada de Golias ou, pelo menos, que a espada estivesse pendurada *atrás* do lugar onde aquela peça do vestuário do sumo sacerdote também estava pendurada. Ou, mais provável ainda, a espada fora envolta em um pedaço de pano e então posta por trás da estola. Ver no *Dicionário* o artigo chamado *Estola*.

Aquela espada era singular. Não havia outra como ela. Assim, Davi recebeu aquela incomum armadura para ajudá-lo a defender-se durante a jornada. Mais tarde, sem dúvida, ele conseguiu outro equipamento.

■ **21.10**

וַיָּקָם דָּוִד וַיִּבְרַח בַּיּוֹם־הַהוּא מִפְּנֵי שָׁאוּל וַיָּבֹא אֶל־אָכִישׁ מֶלֶךְ גַּת׃

Levantou-se Davi... e foi a Aquis, rei de Gate. *Naquele mesmo dia,* temendo que Doegue causasse dificuldades, Davi seguiu caminho, fugindo diante da ira de Saul. Esse foi o começo de um exílio que aparentemente durou cerca de dez anos.

Aquis. Era rei vassalo de *Gate,* uma das principais cidades filisteias. Ver sobre ambos os nomes no *Dicionário*. Davi aparentemente raciocinou que estaria livre de Saul se se refugiasse com o odiado inimigo, bem no meio de uma de suas cidades-fortalezas. Ele faria amizade temporária com o filisteu e procuraria *asilo*. Foi o plano ousado de um homem desesperado, e o fato de que Davi agiu assim nos mostra sob quão grande ameaça estava sua vida no território de Israel. Nenhum inimigo, naquele momento, poderia equiparar-se a Saul.

"Aquele era o pior lugar para onde ele poderia ter ido. Era a própria cidade de Golias, ao qual ele matara e cuja espada ele agora detinha" (Adam Clarke, *in loc.*). Gate era a cidade filisteia mais próxima de Nobe (ver o vs. 1), e isso explica por que Davi preferiu aquele lugar tão contrário.

■ **21.11**

וַיֹּאמְרוּ עַבְדֵי אָכִישׁ אֵלָיו הֲלוֹא־זֶה דָוִד מֶלֶךְ הָאָרֶץ הֲלוֹא לָזֶה יַעֲנוּ בַמְּחֹלוֹת לֵאמֹר הִכָּה שָׁאוּל בַּאֲלָפָו וְדָוִד בְּרִבְבֹתָו׃

Este não é Davi o rei da sua terra? *Infelizmente para Davi,* ele foi imediatamente reconhecido pelos servos de Aquis, possivelmente membros de sua guarda pessoal. Prontamente recitaram o cântico de vitória de como Saul tinha matado milhares, mas Davi dez milhares. Ver em 1Sm 18.7 quanto a essa declaração incorporada em um cântico popular de vitória. Essas palavras são reiteradas em 1Sm 29.5. O presente versículo mostra que a fama de Davi se espalhara por toda a Palestina. sua estrela se elevava. Em breve ele seria o segundo rei de Israel, a despeito de seu retrocesso temporário no exílio. Note-se que este versículo chama Davi de *rei*. Isso se deu como uma *antecipação* até da parte dos inimigos de Israel, embora ainda não fosse uma realidade. Ou então essa palavra foi incluída no texto sagrado de forma anacrônica por algum autor sagrado.

■ **21.12,13**

וַיָּשֶׂם דָּוִד אֶת־הַדְּבָרִים הָאֵלֶּה בִּלְבָבוֹ וַיִּרָא מְאֹד מִפְּנֵי אָכִישׁ מֶלֶךְ־גַּת׃

וַיְשַׁנּוֹ אֶת־טַעְמוֹ בְּעֵינֵיהֶם וַיִּתְהֹלֵל בְּיָדָם וַיְתָו עַל־דַּלְתוֹת הַשַּׁעַר וַיּוֹרֶד רִירוֹ אֶל־זְקָנוֹ׃

Em cujas mãos se fingia doido. As palavras proferidas pelo inimigo, quando eles o reconheceram, atingiram Davi diretamente entre os olhos, conforme diz a moderna expressão idiomática. Essas palavras penetraram em seu coração e causaram-lhe grande medo. sua ida a Gate fora um grande equívoco, mas ali estava ele, impotente. Foi assim que, para salvar a própria vida, ele teve de agir como se tivesse perdido o juízo. Aquele lugar já tinha um número suficiente de loucos, pelo que um a mais não era grande novidade, não merecendo a atenção do rei Aquis (ver o vs. 15). Diante disso, a história assume um aspecto engraçado. Davi se transformara em um idiota, e nenhum idiota babão causaria dano em Gate.

"Davi caiu nas mãos de Aquis, rei de Gate, foi identificado e salvou a vida fingindo-se doido. Aquis não temia nenhum doido (vs. 14). Tivesse sido mais esperto e perceberia que aquele louco era precisamente quem ele mais deveria temer. Em um sentido profundo, todo governante deveria sempre vigiar os loucos, que são entusiastas conduzidos por uma ideia fixa. Um governante jamais precisa preocupar-se com pessoas prudentes" (John C. Schroeder, *in loc.*).

O ato de Davi pareceu perfeitamente ridículo. Ele deve ter-se sentido um perfeito idiota, fingindo daquele modo, mas qualquer espetáculo é legítimo se salva vidas. Ele ficava fazendo marcas nas portas do portão e deixava escorrer a saliva barba abaixo. seu ato foi tão convincente quanto nojento.

Devemos lembrar que os antigos atribuíam aos lunáticos respeito especial, crendo que eles estivessem possuídos por espírito. Sabedor desse fato, Davi talvez imitasse, pelo menos em parte, a êxtase fanática dos profetas. Ver 1Sm 19.18-24. Alguns supõem que a loucura de Davi fosse pelo menos parcialmente fingida e parcialmente autêntica. Por causa do terror em que se achava, Davi naturalmente agia como louco. A Septuaginta chama-o aqui de *epiléptico*. Conforme já dissemos, os antigos pensavam que essa condição era causada pela atividade dos espíritos. A Vulgata Latina diz que ele "batia" nos portões, em vez de escrever sobre eles.

■ 21.14,15

וַיֹּאמֶר אָכִישׁ אֶל־עֲבָדָיו הִנֵּה תִרְאוּ אִישׁ מִשְׁתַּגֵּעַ לָמָּה תָּבִיאוּ אֹתוֹ אֵלָי׃

חֲסַר מְשֻׁגָּעִים אָנִי כִּי־הֲבֵאתֶם אֶת־זֶה לְהִשְׁתַּגֵּעַ עָלָי הֲזֶה יָבוֹא אֶל־בֵּיתִי׃ ס

Então disse Aquis aos seus servos. Os servos (soldados) de Aquis levaram Davi à presença do rei de Gate, porquanto o tinham reconhecido como o grande campeão de Israel, que havia matado Golias e muitos filisteus. Mas os atos enlouquecidos de Davi convenceram o rei imediatamente. E o rei mostrou-se impaciente com os servos, porque o estavam fazendo perder tempo. Afinal, a cidade de Gate já não contava com muitos doidos? Que faria ele com mais um? O rei quis dar a entender loucos literais, mas há um toque de *ironia* em suas palavras. Ele estava dizendo que governava um bando de idiotas, e de que adiantava trazer-lhe mais um idiota? Gate já estava repleta de loucos e idiotas literais. Nenhum deles merecia um segundo do tempo do rei.

Já que estamos falando em desperdiçar tempo, devo observar que vários intérpretes têm atacado Davi por sua falta de sinceridade. Para mim, *isso* é uma perda de tempo. Ver as notas sobre 1Sm 19.17 acerca das *mentiras não morais*. Adam Clarke deixou escrito: "Não sou eu quem vai defender a falta de sinceridade ou a mentira". Mas tal declaração dificilmente pode aplicar-se ao texto que temos à nossa frente.

O Talmude (*Sanhedrin*, fol. 95, cols. 1 e 2) tem uma lenda ilustrativa associada a este texto. Conta-se ali a história de que *Satanás,* sob a forma de uma gazela, apareceu a Davi. Davi saiu atrás da gazela. Era bom alimento potencial. Mas o animal conduziu Davi a Gate, e foi ali que ele acabou chegando, por um engano de Satanás. Então o irmão de Golias, Isbi-Benobe, viu Davi e o reconheceu, e foi atrás para matá-lo. Davi conseguiu matar o homem e, por uma complexa combinação de ajuda miraculosa e humana, finalmente chegou a Gate em segurança.

CAPÍTULO 22

SAUL MASSACRA OS SACERDOTES EM NOBE (22.1-23)

Esta *seção geral* (21.1 — 27.2) inclui a história do brutal e incrível massacre, por parte de Saul, de praticamente toda a casta sacerdotal que servia no templo. Isso Saul fez meramente para vingar-se de o sumo sacerdote ter ajudado Davi em seu momento de necessidade. A história ilustra o ódio feroz e satânico de Saul por Davi, que o levou ao extremo de matar os sacerdotes de Yahweh. O poder divino, afinal, usaria os filisteus para derrotar Saul, o que reequilibraria a escala moral.

Davi conseguiu escapar de Gate, fingindo-se de doido (capítulo 21). Ele então mudou-se para Adulão, cerca de 32 quilômetros a sudoeste de Jerusalém e a metade disso de Gate. Ali se refugiou com cerca de quatrocentos homens, os quais, por várias razões, estavam refugiados (vs. 2). Posto em posição de ilegitimidade pelo poder real, Davi seria perseguido, mas sua família também corria perigo. Portanto, Davi transferiu-os para Moabe (vss. 3 e 4). Lembremos que Rute, a bisavó de Davi, era moabita, pelo que havia antigos laços familiares naquele lugar, e é provável que isso tenha encorajado Davi a enviar seus familiares para lá.

Entrementes, Davi aproveitou o descontentamento dos quatrocentos refugiados e formou um pequeno exército, tornando-se o líder.

■ 22.1,2

וַיֵּלֶךְ דָּוִד מִשָּׁם וַיִּמָּלֵט אֶל־מְעָרַת עֲדֻלָּם וַיִּשְׁמְעוּ אֶחָיו וְכָל־בֵּית אָבִיו וַיֵּרְדוּ אֵלָיו שָׁמָּה׃

וַיִּתְקַבְּצוּ אֵלָיו כָּל־אִישׁ מָצוֹק וְכָל־אִישׁ אֲשֶׁר־לוֹ נֹשֶׁא וְכָל־אִישׁ מַר־נֶפֶשׁ וַיְהִי עֲלֵיהֶם לְשָׂר וַיִּהְיוּ עִמּוֹ כְּאַרְבַּע מֵאוֹת אִישׁ׃

Caverna de Adulão. Ver sobre este nome no *Dicionário*. Davi ali se refugiou. O nome significa "fortaleza", mas uma corrupção do termo hebraico nos brindou com o sentido de "caverna". Tornou-se um lugar de retiro para Davi, tanto antes como depois da captura de Jerusalém (ver 2Sm 23.13-17). Os parentes de Davi, em perigo, uniram-se a ele no exército. Jessé e sua esposa são mencionados neste texto, pelo que é evidente que eles não morreram antes dos eventos relatados no capítulo 22. No mesmo lugar estavam refugiados os descontentes, a maioria adversários de Saul, pelo que não foi difícil reuni-los em uma força anti-Saul. O "rei" Davi, portanto, já tinha um núcleo de poder, que funcionou como uma elite de guarda-costas para Davi, favorecendo o soerguimento de sua estrela.

"Davi, pois, tornou-se um fora da lei, vivendo na fortaleza de Adulão com os parentes e aqueles quatrocentos descontentes, que se reuniram ao seu redor. Davi tornou-se uma espécie de Robin Hood" (John C. Schroeder, *in loc.*).

"A situação do país, que se tornava cada vez mais melancólica sob Saul, levou os homens a buscar um líder que representasse uma esperança para o futuro. Davi não dispensou esses refugiados, muitos deles israelitas distinguidos e proeminentes, mas, antes, organizou-os em uma força militar" (Ellicott, *in loc.*).

A palavra "aperto" implica perseguição. Davi não era o único de quem Saul abusava. Alguns dos refugiados estavam em dívida e tinham escapado do aprisionamento e da escravidão. Embora existissem leis para proteger os desafortunados (ver Êx 22.25; Lv 25.36 e Dt 23.19), havia muitos abusos. Os devedores eram reduzidos à servidão. Talvez entre aqueles quatrocentos seguidores originais de Davi houvesse aqueles *três* famosos elementos mencionados em 2Sm 23.13,14 e 1Cr 11.15,16.

■ 22.3

וַיֵּלֶךְ דָּוִד מִשָּׁם מִצְפֵּה מוֹאָב וַיֹּאמֶר אֶל־מֶלֶךְ מוֹאָב יֵצֵא־נָא אָבִי וְאִמִּי אִתְּכֶם עַד אֲשֶׁר אֵדַע מַה־יַּעֲשֶׂה־לִּי אֱלֹהִים׃

Mispa. Ver no *Dicionário* o artigo com esse nome. A Mispa presente é a terceira da lista. Não tem sido identificada sem debates. Alguns estudiosos a associam com *Quir. Rute*, bisavó de Davi, era moabita e deu a Davi algumas conexões com o lugar. Ele pensava que seus parentes poderiam permanecer no lugar até que terminasse a perseguição movida por Saul. Ver Rt 4.17. Mais tarde, Davi tratou severamente com os moabitas dominados (ver 2Sm 8.2), e alguns pensam que não foi muito elegante, por parte de Davi, agir dessa forma, depois que eles deram refúgio à sua família, em tempo de pressão. Outros, com base na passagem de 2Samuel, questionam a autenticidade da notícia no capítulo 22, de que a família de Davi se deslocou para lá. Mas muitas circunstâncias históricas foram ignoradas, e não podemos solucionar todos os problemas relacionados a textos aparentemente contraditórios.

"Davi não podia deixar seus parentes ao alcance de Saul, e achou inconveniente que eles passassem por todas as fadigas da vida militar. Por isso, pediu ao rei de Moabe que lhes desse abrigo. Esse rei, um dos adversários de Saul, de bom grado acatou o pedido, tendo este vindo de uma pessoa da parte de quem esperaria amizade e consideráveis vantagens" (Adam Clarke, *in loc.*).

A palavra *Mispa* significa *"torre de vigia"*. Provavelmente era uma fortaleza na região montanhosa de Moabe. A distância entre Mispa e o sul de Judá não era grande, pelo que era um lugar conveniente para os refugiados ficarem em asilo temporário.

Davi agora esperava o que "Deus faria por ele". Não acreditava que as circunstâncias adversas perdurassem para sempre. A vontade de Deus haveria de tirá-lo daquela crise. Entrementes, ele tinha lições para aprender dessa adversidade.

Na adversidade, um homem é salvo pela esperança.

Menandro

■ 22.4

וַיַּנְחֵם אֶת־פְּנֵי מֶלֶךְ מוֹאָב וַיֵּשְׁבוּ עִמּוֹ כָּל־יְמֵי
הֱיוֹת־דָּוִד בַּמְּצוּדָה: ס

E com este moraram. Enquanto Davi esteve na fortaleza de *Adulão*, seus familiares permaneceram a salvo da violência de Saul, junto ao rei de Moabe. Alguns supõem que tenha sido em *Mispa* que Davi passou a maior parte do exílio. Não lemos novamente sobre os parentes de Davi. Há uma teoria que afirma que o rei de Moabe matou a todos eles, mas não existe nenhuma verdade histórica nisso. Ver *Bemidbar Rabba*, sec. 14, fol. 212.1.

■ 22.5

וַיֹּאמֶר גָּד הַנָּבִיא אֶל־דָּוִד לֹא תֵשֵׁב בַּמְּצוּדָה
לֵךְ וּבָאתָ־לְּךָ אֶרֶץ יְהוּדָה וַיֵּלֶךְ דָּוִד וַיָּבֹא
יַעַר חָרֶת: ס

Então Davi saiu e foi para o bosque de Herete. Davi poderia ter ficado indefinidamente em Adulão (ou Mispa), se um profeta de Yahweh, *Gade*, não lhe tivesse dado iluminação especial, por meio de uma profecia. Algumas vezes, para fazermos o que é certo, precisamos de *iluminação*, de modo que não fiquemos presos em nossas próprias ideias e situações. Oh, Senhor, concede-nos tal graça! Nenhum homem é tão espiritual que não precise, ocasionalmente, de ajuda divina. Ver no *Dicionário* o artigo intitulado *Desenvolvimento Espiritual, Meios do*.

Ver no *Dicionário* o artigo sobre os vários homens chamados *Gade*, nas páginas do Antigo Testamento. Este aqui mencionado é discutido sob o número 4, onde há informações completas. Davi encontraria segurança no território de Judá, que seria uma base melhor para suas operações do que Moabe. Davi estava sendo liderado passo a passo. Ele estava sob tensão, mas essa própria tensão cooperava com o plano divino.

Não fiques neste lugar. Esta fora a ordem baixada pelo profeta. "O sábio conselho do profeta sugeriu, por *influência divina*, que Davi não se alienasse de seu país e povo, permanecendo em um país estrangeiro, mas retornasse com sua gente para os recônditos mais selvagens de Judá. Ali haveria trabalho para ele e seus seguidores, naqueles distritos afastados e naquela terra devoluta" (Ellicott, *in loc.*).

Herete. Ver no *Dicionário* o que se sabe sobre o lugar. A Septuaginta e Josefo dizem "a cidade de Harete". São usadas as duas formas da palavra, Herete e Harete. Investigações modernas não encontraram nenhum vestígio de florestas à beira da cadeia montanhosa de Hebrom. Mas há *tufos* de arbustos que continuam assinalando a área. Além disso, florestas antigas desapareceram da Palestina, que era muito mais densamente arborizada que hoje. Kimchi afirma que o lugar era seco e estéril, mas, *por causa de Davi*, produziu florestas. Mas isso é um embelezamento tolo do texto.

■ 22.6

וַיִּשְׁמַע שָׁאוּל כִּי נוֹדַע דָּוִד וַאֲנָשִׁים אֲשֶׁר אִתּוֹ וְשָׁאוּל
יוֹשֵׁב בַּגִּבְעָה תַּחַת־הָאֶשֶׁל בָּרָמָה וַחֲנִיתוֹ בְיָדוֹ
וְכָל־עֲבָדָיו נִצָּבִים עָלָיו:

Ouviu Saul. Enquanto Davi passava por vários estágios dramáticos no exílio, Saul usufruía o conforto de seu lar em Gibeá, sempre com sua lança de confiança na mão, sinal do poder real. Cf. 19.7 e 20.33. Saul ouviu (provavelmente da parte de algum mensageiro) que seu inimigo, Davi, estivera em Moabe, mas agora voltava à Judeia, pelo que representava uma ameaça contra Saul. O rei lutava duramente para preservar a lealdade de servos e soldados, parcialmente mediante ofertas de posição e poder, conforme demonstram os versículos seguintes. Saul contava com sua *árvore sagrada*, sob a qual algumas vezes efetuava seu tribunal e para a qual se retirava a fim de apelar para a adivinhação. A árvore sagrada ficava em um *lugar alto*. Ver no *Dicionário* o artigo chamado *Lugares Altos*.

Numa colina. Ou seja, um bosque sagrado existente em algum lugar elevado, e não *Ramá*, conforme dizem algumas traduções.

Saul sentia-se tanto mais ansioso para consolidar a lealdade de seus súditos, especialmente as figuras militares, visto que agora se sabia que Davi tinha reunido um pequeno exército. Haveria muita tribulação e matança antes que o drama terminasse.

■ 22.7

וַיֹּאמֶר שָׁאוּל לַעֲבָדָיו הַנִּצָּבִים עָלָיו שִׁמְעוּ־נָא בְּנֵי
יְמִינִי גַּם־לְכֻלְּכֶם יִתֵּן בֶּן־יִשַׁי שָׂדוֹת וּכְרָמִים לְכֻלְּכֶם
יָשִׂים שָׂרֵי אֲלָפִים וְשָׂרֵי מֵאוֹת:

Peço-vos, filhos de Benjamim. Os *cortesãos de Saul* eram todos homens de Benjamim, o que pode subentender que o poder de Saul estivesse restrito àquela tribo, e sua influência não era grande em outras partes de Israel. O mesmo ocorrera com o poder dos *juízes*, que também não foram líderes nacionais. Eles tinham suas respectivas esferas de influência, mas nada além de áreas geográficas restritas. Ou talvez Saul favorecesse os homens de Benjamim acima de outros israelitas, enquanto mantinha poder sobre todas as tribos, pelo menos até certo ponto. Benjamim era a tribo de Saul. Na política, nada é mais comum que o favorecimento dos "meninos da casa". Saul tinha investido nos homens de sua cidade favorita e assegurou-lhes que o filho de Jessé não os favoreceria da mesma maneira. Portanto, eles deveriam permanecer leais a Saul.

Além de tê-los cumulado de altas posições, Saul também os havia *enriquecido*, conferindo-lhes terras e vinhas. Por igual modo, os políticos modernos se enriquecem, junto com seus associados, às expensas do povo. Podemos estar certos de que o modo de agir de Saul enfurecera muitos cidadãos de Israel, porquanto o que o rei fazia representava opressão *para eles*.

■ 22.8

כִּי קְשַׁרְתֶּם כֻּלְּכֶם עָלַי וְאֵין־גֹּלֶה אֶת־אָזְנִי
בִּכְרָת־בְּנִי עִם־בֶּן־יִשַׁי וְאֵין־חֹלֶה מִכֶּם עָלַי וְגֹלֶה
אֶת־אָזְנִי כִּי הֵקִים בְּנִי אֶת־עַבְדִּי עָלַי לְאֹרֵב כַּיּוֹם
הַזֶּה: ס

Deslealdade. Saul acusou até seus subchefes e comandantes militares de terem conspirado contra ele. Eles não o haviam informado de quão íntimos eram Davi e Jônatas (seu filho) e como tinham firmado um pacto de ajuda mútua (ver 20.8 e ss.). Agindo assim, tinham permitido que uma situação de traição crescesse, incluindo até o seu próprio filho. Saul acusou Jônatas injustamente de despertar Davi contra ele, a fim de destroná-lo. Ninguém se compadecera de Saul. Todo homem favorecia Davi, secretamente, em seu coração. Foi assim que Saul se entristeceu e distorceu os fatos. "Os homens atraem uma precária situação moral quando se sentem tristes por si mesmos. Eles apresentam desculpas por suas falhas. E buscam incitar a piedade de outras pessoas. Começam a ver as pessoas com suspeita. Talvez seja mais difícil sermos honestos conosco mesmos do que com os outros. O jargão psicológico contemporâneo nos brindou com uma palavra *racionalização* para indicar essa condição. As pessoas 'racionalizam' sem saber o que estão fazendo" (John C. Schroeder, *in loc.*).

Foi assim que a mente enferma e atormentada de forma demoníaca assediava Saul. Ele via perigos por toda parte; a traição de todos; a deslealdade do próprio filho. Cultivava um inferno particular e julgava a vida toda pelo tumulto que rugia dentro dele.

■ 22.9,10

וַיַּעַן דֹּאֵג הָאֲדֹמִי וְהוּא נִצָּב עַל־עַבְדֵי־שָׁאוּל וַיֹּאמַר רָאִיתִי אֶת־בֶּן־יִשַׁי בָּא נֹבֶה אֶל־אֲחִימֶלֶךְ בֶּן־אֲחִטוּב׃
וַיִּשְׁאַל־לוֹ בַּיהוָה וְצֵידָה נָתַן לוֹ וְאֵת חֶרֶב גָּלְיָת הַפְּלִשְׁתִּי נָתַן לוֹ׃

Então respondeu Doegue. Ver sobre esse homem no *Dicionário* e em 21.7. Doegue aproveitou a amarga diatribe de Saul contra seus próprios súditos a fim de ganhar vantagem. Ele procuraria obter mais terras mostrando-se mais leal que o restante dos homens de Saul. Não é provável que Doegue, um edomita, fosse o chefe de todos os auxiliares de Saul, mas podemos ter certeza de que mantinha elevada posição em sua corte. E aproveitou a oportunidade para revelar, naquele instante, que vira Davi em Nobe, em companhia do sumo sacerdote *Aimeleque*. Davi estivera ali consultando o oráculo e obtendo um pequeno suprimento de boca. É provável que tenha sido *justamente nesse momento* que Doegue lembrou o incidente. Ele não havia negado propositadamente a informação a Saul. Apenas não dera ao incidente a importância devida. E assim, percebendo agora a importância do incidente, revelou-o prontamente.

Somente aqui é mencionado que Davi consultou o oráculo. O relato original, do capítulo 21, não fala nisso. Todavia, é possível que Doegue tenha adicionado aqui o detalhe, presumindo que tenha acontecido, quando, na realidade, Davi estava interessado somente em alimento, e não em obter orientação especial. Seja como for, Doegue também havia observado que o sumo sacerdote entregara a Davi a espada de Golias. Isso parecia uma *clara indicação* de que o sumo sacerdote era aliado de Davi, um participante da traição. Certamente deveria ser executado, e Saul cuidaria para que a execução fosse efetuada, e em breve.

■ 22.11

וַיִּשְׁלַח הַמֶּלֶךְ לִקְרֹא אֶת־אֲחִימֶלֶךְ בֶּן־אֲחִיטוּב הַכֹּהֵן וְאֵת כָּל־בֵּית אָבִיו הַכֹּהֲנִים אֲשֶׁר בְּנֹב וַיָּבֹאוּ כֻלָּם אֶל־הַמֶּלֶךְ׃ ס

Então o rei mandou chamar Aimeleque. Saul não se importou em ir a Nobe para investigar a questão, embora aquele lugar ficasse somente a cerca de 6,5 quilômetros de Gibeá. Antes, ordenou que toda a classe sacerdotal viesse a ele. Saul provavelmente havia removido o tabernáculo de Nobe, que segundo certas fontes havia permanecido em Gibeá por 57 anos (Maimônides e Bartenora, em Mishnah Zebachim, cap. 14, sec. 7). 1Sm 7.1,2 diz que o tabernáculo permaneceu em *Quiriate-Jearim* por vinte anos. Não é fácil reconciliar tais notícias, nem compreender o motivo pelo qual o tabernáculo fora transferido de um lugar para outro. Quiriate-Jearim ficava cerca de 16 quilômetros a oeste de Nobe.

Quando Davi conquistou Jerusalém, transferiu o tabernáculo para essa cidade. Anos depois, Salomão incorporou o tabernáculo ao templo. Dessa forma, a adoração foi centralizada em Jerusalém, e o tabernáculo cessou suas perambulações. Mas, antes de descansar em Jerusalém, o tabernáculo esteve em vários lugares. Isso é comentado no *Dicionário*, no artigo intitulado *Tabernáculo,* seção V. De Nobe (após a destruição da casta sacerdotal), o tabernáculo foi para Gibeom (1Cr 16.39 ss.).

Sem suspeitar de perigo e obedecendo à ordem do rei, o sumo sacerdote e todo o sacerdócio partiram de Nobe em direção a Gibeá.

■ 22.12

וַיֹּאמֶר שָׁאוּל שְׁמַע־נָא בֶּן־אֲחִיטוּב וַיֹּאמֶר הִנְנִי אֲדֹנִי׃

Disse Saul. Saul queria ter certeza de que havia apanhado o homem certo, chamando-o de "filho de Aitube". O sumo sacerdote garantiu-lhe ser o homem certo e chamou Saul de "senhor", conforme qualquer súdito leal teria feito, a despeito de toda a confusão que Saul causara em Israel.

Saul desprezou Aimeleque não o chamando pelo nome nem pelo título de sumo sacerdote. Saul estava prestes a efetuar um ato de grande vergonha, e não estava aplicando nenhuma gentileza no tocante à hospitalidade. Mas o sumo sacerdote pagou a devida honra ao rei, embora não tivesse sido honrado.

■ 22.13

וַיֹּאמֶר אֵלָיו שָׁאוּל לָמָּה קְשַׁרְתֶּם עָלַי אַתָּה וּבֶן־יִשָׁי בְּתִתְּךָ לוֹ לֶחֶם וְחֶרֶב וְשָׁאוֹל לוֹ בֵּאלֹהִים לָקוּם אֵלַי לְאֹרֵב כַּיּוֹם הַזֶּה׃ ס

As Acusações. Saul não estava ali para ocupar-se de conversas polidas. Antes, bradou suas acusações contra Aimeleque: "Você é o homem que ajudou o traiçoeiro Davi. Você lhe deu suprimento de alimentos; você ajudou o exército dele; você lhe deu armas". Saul estava disposto a matar, e não aceitaria desculpas, e nenhum pronunciamento da *verdade* (Davi tinha enganado o sumo sacerdote) seria aceito. A ira sempre distorce ou ignora a verdade.

O pior de tudo era que o sumo sacerdote havia ajudado Davi dizendo-lhe para onde ir com sua traição, na tentativa de destronar Saul. O vs. 15, que fazia parte da defesa do sumo sacerdote, não deixou claro se o sacerdote deu a Davi um oráculo e, *se* ele o fez, qual era o conteúdo. Mas certamente ele negou que houvesse traição envolvida na questão.

■ 22.14

וַיַּעַן אֲחִימֶלֶךְ אֶת־הַמֶּלֶךְ וַיֹּאמַר וּמִי בְכָל־עֲבָדֶיךָ כְּדָוִד נֶאֱמָן וַחֲתַן הַמֶּלֶךְ וְסָר אֶל־מִשְׁמַעְתֶּךָ וְנִכְבָּד בְּבֵיתֶךָ׃

Davi é Reconhecido como Fiel Auxiliar do Rei Saul. Ele era o homem que servira supremamente a Saul e a toda a nação de Israel matando Golias, e, subsequentemente, adquiriu elevada reputação ao matar os temidos filisteus (21.8). Nenhum homem, em todo o reino, era súdito mais leal a Saul, capaz de ser-lhe tão benéfico, como Davi. Por conseguinte, o argumento de Aimeleque insistia: Como poderia alguém suspeitar dele? Se Davi tinha cometido algum erro, o sumo sacerdote não tinha consciência disso, e o havia ajudado na ignorância, e não em conluio contra Saul. Mas foi inútil tentar alguma defesa. Saul já tinha executado o sumo sacerdote e o sacerdócio em seu coração, e em breve seu intuito seria uma realidade. Davi era *genro* do rei e homem de inquestionável lealdade. O sumo sacerdote ficou espantado de que alguém pusesse em dúvida essa lealdade.

■ 22.15

הַיּוֹם הַחִלֹּתִי לִשְׁאָול־לוֹ בֵאלֹהִים חָלִילָה לִּי אַל־יָשֵׂם הַמֶּלֶךְ בְּעַבְדּוֹ דָבָר בְּכָל־בֵּית אָבִי כִּי לֹא־יָדַע עַבְדְּךָ בְּכָל־זֹאת דָּבָר קָטֹן אוֹ גָדוֹל׃

O texto hebraico deste versículo tem sido variegadamente interpretado, com o resultado de que permanecemos na incerteza sobre qual foi exatamente a defesa do sumo sacerdote Aimeleque no tocante à alegada consulta de Davi ao oráculo de Nobe. As várias interpretações dizem o seguinte:

1. O hebraico diz aqui, literalmente: "Comecei a consultar a Deus por ele?" *A pergunta pode ser retórica,* como se dissesse: "Eu, de fato, não indaguei dele. Isso foi um mal-entendido de Doegue".

2. Mas a palavra "começar" pode indicar que Davi, em várias ocasiões, tinha consultado o oráculo, pelo que o sumo sacerdote não tinha como saber quando, *uma vez mais,* Davi o fez. O sumo sacerdote pode ter dito em tantas palavras: "O que você pensa? Você acha que somente naquela ocasião dei consultas a Davi? O fato é que já fiz isso para ele diversas vezes. Portanto, nada houve de novo ou incomum acerca da consulta. Eu não podia suspeitar de algum mal no caso".

3. Abarbanel apresenta a tradução: "Esse foi o primeiro dia em que perguntei a Deus por ele e nada fiz que fosse desagradável a ti". Longe disso, Davi afirmou estar em uma missão especial para Saul, pelo que o sacerdote deveria dar tratamento especial a Davi, incluindo a consulta do oráculo.

■ 22.16

וַיֹּאמֶר הַמֶּלֶךְ מוֹת תָּמוּת אֲחִימֶלֶךְ אַתָּה וְכָל־בֵּית אָבִיךָ:

Respondeu o rei. *Saul* se acostumara a ignorar os clamores dos inocentes, e o sumo sacerdote e seus amigos sacerdotes seriam tratados como um bando de animais, mortos sem piedade. Além disso, toda a família de Aimeleque seria morta, em consonância com o costume oriental em que a competição era eliminada, em vez de aplacada. Homens brutais não se preocupam com a justiça. Nisso, o quase extermínio da casa de Eli seria efetuado, e a linhagem sacerdotal em breve passaria para outro descendente de Arão. Ver 1Sm 3.10 ss. quanto à maldição contra a família de Eli.

■ 22.17

וַיֹּאמֶר הַמֶּלֶךְ לָרָצִים הַנִּצָּבִים עָלָיו סֹבּוּ וְהָמִיתוּ כֹּהֲנֵי יְהוָה כִּי גַם־יָדָם עִם־דָּוִד וְכִי יָדְעוּ כִּי־בֹרֵחַ הוּא וְלֹא גָלוּ אֶת־אָזְנִו וְלֹא־אָבוּ עַבְדֵי הַמֶּלֶךְ לִשְׁלֹחַ אֶת־יָדָם לִפְגֹעַ בְּכֹהֲנֵי יְהוָה: ס

Guarda. Literalmente, corredores. sua função era correr diante da carruagem real. Cf. 2Sm 15.1. Eram os auxiliares usuais de um rei no oriente. Um exemplo do valor dessas corridas é dado em 1Rs 18.46. Elias correu à frente da carruagem de Acabe.

Matai os sacerdotes do Senhor. A ordem de Saul aos guardas pessoais e soldados para matar o sumo sacerdote e todo o grupo de sacerdotes do tabernáculo *não foi obedecida*. Isso poderia ser fatal para os soldados, mas eles estavam dispostos a correr o risco, em lugar de matar os ungidos de Yahweh. A loucura de Saul, entretanto, não foi impedida por nenhuma preocupação "teológica". "Eles ousaram desobedecer às ordens do rei em um caso de tal injustiça, desumanidade e irreligião" (Adam Clarke, *in loc.*). As tradições judaicas dizem que Abner e Amasa estavam entre os corredores (guardas) (*Midrash Tillim*, apud Abarbanel, *in loc.*). Mas Kimchi corretamente observa que eles eram príncipes, e não homens que combatiam a pé.

■ 22.18

וַיֹּאמֶר הַמֶּלֶךְ לְדוֹיֵג סֹב אַתָּה וּפְגַע בַּכֹּהֲנִים וַיִּסֹּב דּוֹיֵג הָאֲדֹמִי וַיִּפְגַּע־הוּא בַּכֹּהֲנִים וַיָּמֶת בַּיּוֹם הַהוּא שְׁמֹנִים וַחֲמִשָּׁה אִישׁ נֹשֵׂא אֵפוֹד בָּד:

Doegue era idumeu, provavelmente um convertido ao *yahwismo*, mas faltava-lhe o respeito hebreu que os outros tinham. Ele não temia o julgamento de Yahweh. Matar os sacerdotes era apenas outro ataque assassino para ele, pelo que estava ansioso para servir e agradar a Saul. De fato, Doegue gostava de matar. Ele teria um melhor dia de matança, matando 85 sacerdotes que estavam diante dele desarmados e indefesos. Assim a degradação de Saul chegara a um ponto inacreditável. Nada mais era sagrado para ele. Ele só cuidava de manter seu poder e realizou atrocidades inimagináveis para manter por breve tempo sua autoridade, que Yahweh lhe tiraria em mero instante.

Vestiam estola sacerdotal de linho. A Septuaginta ignora a palavra "linho". Nem todo sacerdote tinha uma estola, mas eles, como sacerdotes, estavam qualificados para levar a estola do santuário de Nobe e dar respostas oraculares (ver 1Sm 14.18,19). Ver no *Dicionário* o artigo chamado *Estola*, quanto a informações completas. Os sacerdotes tinham suas próprias vestes de linho como sinal de seu ofício, mas havia a veste especial do sumo sacerdote, na qual eram guardados o *Urim* e o *Tumim*, com base nos quais eram dados oráculos. Ver no *Dicionário* os artigos gerais chamados *Estola* e *Sacerdotes, Vestimentas de*.

A Septuaginta e Josefo falam sobre o número de sacerdotes mortos como 305 e 385, respectivamente, e Josefo fala sobre a ajuda que Doegue obteve da parte de homens ímpios, iguais a ele. A matança não acabou com a casta sacerdotal, conforme nos informa o versículo seguinte. Ver Josefo (*Antiq*. 1.6, cap. 12).

■ 22.19

וְאֵת נֹב עִיר־הַכֹּהֲנִים הִכָּה לְפִי־חֶרֶב מֵאִישׁ וְעַד־אִשָּׁה מֵעוֹלֵל וְעַד־יוֹנֵק וְשׁוֹר וַחֲמוֹר וָשֶׂה לְפִי־חָרֶב:

Passou ao fio da espada. *A Atrocidade.* Em um ataque de fúria, Saul ordenou e provavelmente também executou pessoalmente a matança dos cidadãos de Nobe, que não pertenciam à casta sacerdotal e nada tinham a ver com o incidente que envolveu Davi. Saul, pois, efetuou *guerra santa* contra sua própria gente, não poupando nem mulheres nem infantes, e obliterou toda vida animal, não poupando absolutamente nada. Essas eram as demandas da *guerra santa* sobre as quais comento em Dt 7.1-5 e 20.10-18.

> Enquanto a humanidade continuar a prestar mais louvores a seus destruidores do que a seus benfeitores, a guerra permanecerá como busca principal das mentes ambiciosas.
> Edward Gibbon, na obra *Declínio e Queda do Império Romano*

> Nas artes da vida, o homem nada inventa.
> Mas na arte da morte ele ultrapassa a própria natureza.
> George Bernard Shaw

"O mau gênio de Saul levou-o a um final ato desastroso de injustiça, mediante o qual perdeu o apoio dos sacerdotes. A partir dali, um curto passo levaria à queda final" (John C. Schroeder, *in loc.*).

Os filisteus haviam perpetrado uma atrocidade relativamente pequena contra os sacerdotes do tabernáculo em Silo. Mas agora vemos o próprio rei de Israel efetuando atrocidade maior novamente contra o tabernáculo que tinha permanecido em Nobe. Quanto aos vários lugares onde o tabernáculo fora localizado antes de descansar em Jerusalém, ver *Tabernáculo*, no *Dicionário*, seção V. De Nobe, o tabernáculo foi transferido para Gibeom (ver 1Cr 16.39 ss.).

■ 22.20

וַיִּמָּלֵט בֵּן־אֶחָד לַאֲחִימֶלֶךְ בֶּן־אֲחִטוּב וּשְׁמוֹ אֶבְיָתָר וַיִּבְרַח אַחֲרֵי דָוִד:

Um só. Um único filho do sumo sacerdote, *Abiatar*, escapou da matança e procurou Davi para contar-lhe sobre o desastre de Nobe. Ver no *Dicionário* quanto a *Abiatar*, para detalhes. Ele conseguiu levar a estola sacerdotal, de acordo com 1Sm 23.6,9, e isso tornou-o candidato a ser o próximo sumo sacerdote. Mas até mesmo ele seria finalmente substituído, por causa da maldição contra a casa de Eli (ver 1Sm 3.10 ss.). Salomão, filho de Davi, removeu-o do ofício e mandou-o para o exílio (ver 1Rs 2.26,27). Isso pôs fim à casa de Eli no sumo sacerdócio. A linhagem passou para *Zadoque*, que era descendente de Arão por outra linhagem. Abiatar sempre foi fiel a Davi, mas a política o lançou em desfavor diante de Salomão. Provavelmente Abiatar escapou porque foi deixado no tabernáculo em Nobe e, quando a matança espalhou-se daquele lugar para Gibeá, teve tempo de fugir, levando as vestes do sumo sacerdote. Podemos estar certos de que ninguém sobreviveu em Gibeá.

■ 22.21

וַיַּגֵּד אֶבְיָתָר לְדָוִד כִּי הָרַג שָׁאוּל אֵת כֹּהֲנֵי יְהוָה:

E lhe anunciou que Saul tinha matado os sacerdotes do Senhor. *Abiatar* foi o portador da amarga mensagem, ou seja, a incrível matança da casta sacerdotal e de todos os habitantes de Nobe. "sua mensagem foi triste e chocante" (John Gill, *in loc.*).

■ 22.22

וַיֹּאמֶר דָּוִד לְאֶבְיָתָר יָדַעְתִּי בַּיּוֹם הַהוּא כִּי־שָׁם דּוֹיֵג הָאֲדֹמִי כִּי־הַגֵּד יַגִּיד לְשָׁאוּל אָנֹכִי סַבֹּתִי בְּכָל־נֶפֶשׁ בֵּית אָבִיךָ:

Davi havia antecipado alguma desgraça da parte do idumeu, Doegue, e culpou a si mesmo por ter causado a morte dos sacerdotes. Agora, pois, reconheceu que seria melhor ter evitado Nobe. Ele poderia ter conseguido alimentos e armas em algum outro lugar. Ele tinha tomado o curso mais fácil. Assim, o curso fácil com frequência torna-se o mais caro, afinal. Mas Davi dificilmente poderia ter antecipado até que ponto de degradação Saul se rebaixara. Foi assim que Davi se tornou a "causa inocente" (Adam Clarke) do que aconteceu em Nobe. O Talmude diz que, muito antes desse tempo, já se tinha criado forte desconfiança entre Davi e Doegue. É provável que já fazia tempo que Doegue competia com Davi pelo favor do rei. O Talmude faz do jovem que acompanhava Saul desde o começo (capítulo 9), bem como do servo de 1Sm 16.18, Doegue. Ele pode ter louvado Davi e buscado sua ajuda para aliviar a loucura de Saul com a música, mas "todos os seus louvores a Davi, em 1Sm 16.18, tinham um objetivo malicioso" (conforme o *Sanhedrin,* fol. 93, col. 2).

Da casa de teu pai. Nem todos os sacerdotes de Nobe pertenciam à casa de Aimeleque, embora todos descendessem de Arão. O autor sagrado, pois, falou com certa inexatidão.

■ **22.23**

שְׁבָה אִתִּי אַל־תִּירָא כִּי אֲשֶׁר־יְבַקֵּשׁ אֶת־נַפְשִׁי יְבַקֵּשׁ אֶת־נַפְשֶׁךָ כִּי־מִשְׁמֶרֶת אַתָּה עִמָּדִי׃

Companheiros no Exílio. Davi e Abiatar ficariam juntos, e juntos enfrentariam a ira de Saul. Davi prometeu a esse homem o seu apoio, e em breve o reconheceria e o empregaria como sumo sacerdote. Ver as notas expositivas sobre o vs. 20. Davi defenderia o novo sumo sacerdote com a própria vida, parcialmente por causa de seu erro ao provocar a ira de Saul contra a casta sacerdotal em Nobe. Além disso, era nele que a vontade de Yahweh continuaria a ser revelada, e isso Davi precisava defender. Alguns estudiosos sugerem que nesse ponto da história Davi compôs o Salmo 52.

CAPÍTULO VINTE E TRÊS

DAVI DEFENDE QUEILA (23.1-13)

Davi, mediante iluminação direta de Yahweh, arriscou a própria vida ao aventurar-se para fora do exílio e atacar os filisteus que assediavam *Queila*. Essa foi a orientação dada pelo novo sumo sacerdote, *Abiatar,* a Davi, que em breve seria o segundo rei de Israel. Os filisteus estavam à cata dos armazéns de cereais da cidade e trouxeram animais para carregar o cereal (vs. 5).

Queila ficava a somente 5,5 quilômetros de Adulão. Logo, em termos de distância, a tarefa de Davi era fácil. Mas essa era a única coisa em seu favor, exceto, naturalmente, a ajuda divina que salvou o dia.

A presença de Abiatar com Davi (1Sm 22.23) assinalou o começo do poder sacerdotal de Davi, e o capítulo 23 registra o primeiro uso desse poder. O vs. 6 cita nominalmente o sumo sacerdote e faz dele a fonte da iluminação necessária. "Apesar de estar fugindo de Saul, Davi fez mais do que permanecer oculto. Ele também combateu contra os sempre ameaçadores filisteus" (Eugene M. Merrill, *in loc.*).

■ **23.1**

וַיַּגִּדוּ לְדָוִד לֵאמֹר הִנֵּה פְלִשְׁתִּים נִלְחָמִים בִּקְעִילָה וְהֵמָּה שֹׁסִים אֶת־הַגֳּרָנוֹת׃

Eis que os filisteus pelejam contra Queila. Ver no *Dicionário* o artigo sobre *Queila*. O local antigo é assinalado pela moderna Khirbet Quilâ, a cerca de 5,5 quilômetros de Adulão. A distância entre o quartel-general de Davi e aquele lugar era pequena, pelo menos um fator favorável. Davi apenas não sabia se tinha forças suficientes para resistir às hostes filisteias com um grupo de seiscentos homens (ver 23.13). Para tanto, precisava de iluminação especial da parte de Yahweh, algo possibilitado pela presença do novo sumo sacerdote, Abiatar (ver o vs. 6).

Furtar cereal das eiras era uma prática antiga dos vizinhos de Israel. Ver Jz 6.4. "Quando o grão estava maduro para ser colhido e submetido ao padejamento, era reunido nas eiras que sempre havia em campo aberto. Portanto, era fácil para os adversários vir e levar a colheita" (Adam Clarke, *in loc.*).

■ **23.2**

וַיִּשְׁאַל דָּוִד בַּיהוָה לֵאמֹר הַאֵלֵךְ וְהִכֵּיתִי בַּפְּלִשְׁתִּים הָאֵלֶּה ס וַיֹּאמֶר יְהוָה אֶל־דָּוִד לֵךְ וְהִכִּיתָ בַפְּלִשְׁתִּים וְהוֹשַׁעְתָּ אֶת־קְעִילָה׃

Consultou Davi ao Senhor. *Algumas vezes* torna-se mister a iluminação divina para o cumprimento apropriado dos projetos. Davi enfrentava um dilema. Estava próximo, mas relativamente fraco. E não possuía muitas armas. Ele e seus soldados poderiam ser todos mortos. Foi por isso que Davi consultou o oráculo, através do novo sumo sacerdote, Abiatar (vs. 6). Este tinha trazido as vestes sagradas, inclusive a *estola* e o *Urim* e o *Tumim* (ver o vs. 6), proporcionando as condições necessárias para a consulta. Talvez isso tenha sido feito mediante o lançamento das sortes. Ver no *Dicionário* os artigos chamados *Sortes* e *Urim e Tumim*. Seja como for, o resultado foi positivo: "Vai, luta. A vitória será tua". Temos aqui uma "instância rara de heroísmo desinteressado" (Adam Clarke, *in loc.*). Isso porque Davi nada tinha a ganhar pessoalmente através desse ato. De fato, porém, ele ganhou, porque trouxe muito despojo da batalha. Mas ele não tinha ido com esse propósito.

É possível que Davi tenha feito essa inquirição através do profeta Gade (ver 1Sm 22.5), e não através de Abiatar. A presença dos dois homens com Davi garantia correta orientação.

■ **23.3**

וַיֹּאמְרוּ אַנְשֵׁי דָוִד אֵלָיו הִנֵּה אֲנַחְנוּ פֹה בִּיהוּדָה יְרֵאִים וְאַף כִּי־נֵלֵךְ קְעִלָה אֶל־מַעַרְכוֹת פְּלִשְׁתִּים׃ ס

Os Homens de Davi Estavam Temerosos. E com toda a razão. Somente uma intervenção divina poderia dar-lhes a vitória naquele dia. Eles temiam estar em *Judá*, o território de Israel, por causa de Saul. Quanto mais se avançassem ao encontro dos filisteus na fronteira! Ao que tudo indica, *Queila* ficava dentro das fronteiras de Judá, mas tão perto do território filisteu que todos corriam grande perigo. Ademais, os filisteus sem dúvida controlavam toda aquela área e eram, para todos os efeitos práticos, um exército de ocupação.

■ **23.4**

וַיֹּסֶף עוֹד דָּוִד לִשְׁאֹל בַּיהוָה ס וַיַּעֲנֵהוּ יְהוָה וַיֹּאמֶר קוּם רֵד קְעִילָה כִּי־אֲנִי נֹתֵן אֶת־פְּלִשְׁתִּים בְּיָדֶךָ׃

Dispõe-te, desce a Queila. O grande temor dos homens tornou Davi cauteloso e fê-lo consultar novamente o oráculo, para certificar-se de que receberia a resposta correta. Yahweh mostrou-se paciente com a hesitação de Davi, e deu-lhe a mesma resposta da primeira consulta, isto é, a certeza de vitória. Isso satisfez não somente o próprio Davi, mas igualmente seus homens. E assim as coisas logo foram postas em movimento para o ataque. A *iluminação divina* provê entusiasmo e confiança para efetuarmos tarefas difíceis. E todos nós, ocasionalmente, carecemos dessa espécie de assistência divina. Oh, Senhor, concede-nos tal graça! Apesar do benefício de ler a Bíblia e orar, algumas vezes precisamos do toque místico do Espírito de Deus. E isso também faz parte do nosso desenvolvimento espiritual. Ver no *Dicionário* o verbete chamado *Desenvolvimento Espiritual, Meios de*.

■ **23.5**

וַיֵּלֶךְ דָּוִד וַאֲנָשָׁיו קְעִילָה וַיִּלָּחֶם בַּפְּלִשְׁתִּים וַיִּנְהַג אֶת־מִקְנֵיהֶם וַיַּךְ בָּהֶם מַכָּה גְדוֹלָה וַיֹּשַׁע דָּוִד אֵת יֹשְׁבֵי קְעִילָה׃ ס

Partiu Davi com seus homens a Queila. O *sucesso* não foi fácil, mas estava garantido. Os temidos filisteus foram obliterados. Seus bens e seu gado acabaram passando para as mãos de Davi, e ele precisava daquelas *provisões* para seu pequeno exército. Portanto, a vitória deu a Davi a satisfação de ter salvado uma cidade dos filisteus atacantes e ter tirado benefício para si próprio e para seus homens. Isso significa que ele foi fortalecido para buscar *outras* vitórias.

Deus pode fazer-vos abundar em toda graça, a fim de que, tendo, sempre, em tudo, ampla suficiência, superabundeis em toda boa obra.

2Coríntios 9.8

■ 23.6

וַיְהִ֗י בִּבְרֹ֛חַ אֶבְיָתָ֥ר בֶּן־אֲחִימֶ֖לֶךְ אֶל־דָּוִ֣ד קְעִילָ֑ה אֵפ֖וֹד יָרַ֥ד בְּיָדֽוֹ׃

Ao que parece, este versículo foi inserido para nos informar três coisas: 1. Que Davi foi capaz de consultar o oráculo e assim obter a iluminação divina para a vitória em Queila; 2. Que a Davi fora dado um sumo sacerdote, Abiatar, sobrevivente do massacre dos sacerdotes em Nobe (22.20). Desse modo, um culto religioso apropriado passou para Davi e abandonou o selvagem Saul. Quando Davi se tornou o segundo rei de Israel, Abiatar tornou-se sumo sacerdote em Jerusalém. Salomão, porém, por razões políticas, acabou por removê-lo. Ver no *Dicionário* sobre *Abiatar*, quanto aos detalhes. 3. O *equipamento apropriado* a ser usado pelo sumo sacerdote fora trazido de Nobe por Abiatar. Davi não pôde colocar as mãos nesse equipamento, pelo que qualquer sacerdote substituto que pudesse ter levado não estaria equipado com os instrumentos sagrados e ungido para uso, pela autoridade de Yahweh. Davi poderia consultar Yahweh através de Gade, o profeta (22.5), mas o modo normal seria através do sumo sacerdote. Ver no *Dicionário* o artigo chamado *Estola*.

■ 23.7

וַיֻּגַּ֣ד לְשָׁא֔וּל כִּי־בָ֥א דָוִ֖ד קְעִילָ֑ה וַיֹּ֣אמֶר שָׁא֗וּל נִכַּ֨ר אֹת֤וֹ אֱלֹהִים֙ בְּיָדִ֔י כִּ֚י נִסְגַּ֣ר לָב֔וֹא בְּעִ֖יר דְּלָתַ֥יִם וּבְרִֽיחַ׃

Foi anunciado a Saul que Davi tinha ido a Queila. Fazia tempo que Saul caçava Davi, mas Davi sabia ocultar-se. Ele tinha seus esconderijos e sua fortaleza privada em Adulão (22.1). Por isso Saul se deleitou com o fato de Davi ter "saído a campo aberto". Quando Saul ouviu que Davi estava em uma posição vulnerável, em Queila, imediatamente lançou de Gibeá um ataque. Os dois lugares estavam separados por apenas 32 quilômetros, de modo que o ataque foi facilitado. Note-se o admirável detalhe: Saul deu a *Elohim* o crédito por ter trazido Davi a campo aberto, onde poderia atacá-lo! Homens autoiludidos estão realmente enganados! ele supôs que Davi tivesse sido reprovado por Deus, meramente por ser seu próprio inimigo. É fácil lançar a culpa das coisas a Deus, quando nossa própria espiritualidade está degradada.

■ 23.8

וַיְשַׁמַּ֥ע שָׁא֛וּל אֶת־כָּל־הָעָ֖ם לַמִּלְחָמָ֑ה לָרֶ֣דֶת קְעִילָ֔ה לָצ֥וּר אֶל־דָּוִ֖ד וְאֶל־אֲנָשָֽׁיו׃

Saul mandou chamar todo o povo à peleja. Podemos ter certeza de que Saul reuniu um *exército imenso*. Ele não queria arriscar-se com Davi, homem cheio de truques. Como rei, Saul tinha direito de forçar os homens a lutar, quisessem eles ou não fazê-lo. Davi, em contraste, dependia de seu pequeno exército voluntário.

■ 23.9

וַיֵּ֣דַע דָּוִ֔ד כִּ֣י עָלָ֔יו שָׁא֖וּל מַחֲרִ֣ישׁ הָרָעָ֑ה וַיֹּ֙אמֶר֙ אֶל־אֶבְיָתָ֣ר הַכֹּהֵ֔ן הַגִּ֖ישָׁה הָאֵפֽוֹד׃ ס

Sabedor, porém, Davi. Davi também foi informado das intenções e dos movimentos de Saul. Portanto, Davi tornou a consultar o oráculo. A menção aqui à estola e a Abiatar mostra-nos que ele usou os meios normais ou as *sortes* sagradas (ver no *Dicionário*) ou o *Urim e o Tumim* (ver também no *Dicionário*). Isso subentende que sua consulta anterior também foi feita desse modo. É possível que Jônatas, em seu grande e contínuo amor por Deus, tivesse encontrado algum mensageiro para manter Davi informado sobre os movimentos de Saul.

■ 23.10

וַיֹּאמֶר֮ דָּוִד֒ יְהוָ֞ה אֱלֹהֵ֣י יִשְׂרָאֵ֗ל שָׁמֹ֤עַ שָׁמַע֙ עַבְדְּךָ֔ כִּֽי־מְבַקֵּ֥שׁ שָׁא֖וּל לָב֣וֹא אֶל־קְעִילָ֑ה לְשַׁחֵ֥ת לָעִ֖יר בַּעֲבוּרִֽי׃

Orou Davi. Saul vinha a caminho para destruir a cidade de *Queila,* juntamente com Davi e seus homens, a menos que eles cooperassem entregando Davi. sua brutalidade não permitiria piedade. Com base nas experiências passadas, Davi sabia que a cidade corria perigo de ser obliterada e suspeitou (corretamente) que seus habitantes não tentariam combater Saul. Primeiro, seria inútil resistir. Além disso, eles preferiram sobreviver a ver Davi sobreviver.

■ 23.11,12

הֲיַסְגִּרֻ֣נִי בַעֲלֵי֩ קְעִילָ֨ה בְיָד֜וֹ הֲיֵרֵ֣ד שָׁא֗וּל כַּאֲשֶׁר֙ שָׁמַ֣ע עַבְדֶּ֔ךָ יְהוָה֙ אֱלֹהֵ֣י יִשְׂרָאֵ֔ל הַגֶּד־נָ֖א לְעַבְדֶּ֑ךָ ס וַיֹּ֥אמֶר יְהוָ֖ה יֵרֵֽד׃

וַיֹּ֣אמֶר דָּוִ֔ד הֲיַסְגִּ֜רוּ בַּעֲלֵ֧י קְעִילָ֛ה אֹתִ֥י וְאֶת־אֲנָשַׁ֖י בְּיַד־שָׁא֑וּל וַיֹּ֥אמֶר יְהוָ֖ה יַסְגִּֽירוּ׃ ס

Estes dois versículos respondem a duas perguntas críticas que Davi tinha feito: 1. Descerá Saul conforme fui informado? 2. Se ele descer mesmo, os habitantes da cidade me entregarão à morte? E o oráculo respondeu afirmativamente a ambas as perguntas. "Saul está a caminho, e tu serás um homem morto se permaneceres aqui". O oráculo só podia responder a *uma pergunta* por vez, pois dizia "sim" ou "não" a cada pergunta. Foi por isso que Davi perguntou primeiro sobre a descida de Saul. "Sim, ele descerá". Então a segunda pergunta: "A cidade me entregará a ele?" "Sim, eles te entregarão."

Os intérpretes queixam-se aqui sobre a deslealdade da cidade ao herói que acabara de livrá-la dos filisteus. Por outra parte, os homens farão (quase) qualquer coisa para sobreviver. A cidade não haveria de querer sacrificar-se, com seus homens, mulheres e crianças, diante do exército de Saul, apenas para salvar Davi e seu pequeno bando. *Fugir* era, definitivamente, a ordem do dia.

■ 23.13

וַיָּקָם֩ דָּוִ֨ד וַאֲנָשָׁ֜יו כְּשֵׁשׁ־מֵא֣וֹת אִ֗ישׁ וַיֵּצְאוּ֙ מִקְּעִלָ֔ה וַיִּֽתְהַלְּכ֖וּ בַּאֲשֶׁ֣ר יִתְהַלָּ֑כוּ וּלְשָׁא֣וּל הֻגַּ֗ד כִּֽי־נִמְלַ֤ט דָּוִד֙ מִקְּעִילָ֔ה וַיֶּחְדַּ֖ל לָצֵֽאת׃

Então se dispôs Davi com os seus homens. O bando de homens que acompanhava Davi havia crescido. Ele começou com cerca de quatrocentos homens (ver 1Sm 22.2), mas tinha seiscentos homens em Queila. Esse aumento, contudo, não era suficiente para enfrentar Saul e seus loucos matadores. Davi simplesmente abandonou a cidade. Ele não tinha mais nenhum negócio ali. Por algum tempo havia desfrutado as conveniências da vida em uma cidade, mas agora precisava voltar ao deserto. seu tempo ainda não havia chegado. Ele precisava continuar no exílio. Ele se assemelhava a Moisés, que ficou no deserto por quarenta anos. O dia de Davi chegaria. É quase impossível abrir portas antes do tempo. Portanto, paciência!

Ensina-me a resistir aos conflitos da alma,
A verificar a dúvida que sobe, a visão rebelde;
Ensina-me a paciência da oração não respondida.

George Croly

■ 23.14

וַיֵּ֧שֶׁב דָּוִ֛ד בַּמִּדְבָּ֖ר בַּמְּצָד֑וֹת וַיֵּ֥שֶׁב בָּהָ֖ר בְּמִדְבַּר־זִ֑יף וַיְבַקְשֵׁ֤הוּ שָׁאוּל֙ כָּל־הַיָּמִ֔ים וְלֹֽא־נְתָנ֥וֹ אֱלֹהִ֖ים בְּיָדֽוֹ׃

Davi ficou perambulando pelos arredores com astúcia. Uma montanha no deserto de *Zife* proveu-lhe bom esconderijo. Ver no *Dicionário* o artigo chamado *Zife, Zifitas,* quarto ponto. Posteriormente, nessa mesma região, Davi apossou-se da lança e da botija de água de Saul, mas lhe poupou a vida (1Sm 26.1,2,7,12). Durante longo tempo,

Saul continuou envidando esforços para localizar Davi e despachá-lo, mas Davi sempre escapava. "Embora Saul estivesse armado com todo o poder de rei de Israel, ele se mostrava impotente, porquanto o Rei invisível declinava de entregar o odiado Davi em suas mãos" (Ellicott, *in loc.*).

■ 23.15

וַיַּרְא דָוִד כִּי־יָצָא שָׁאוּל לְבַקֵּשׁ אֶת־נַפְשׁוֹ וְדָוִד בְּמִדְבַּר־זִיף בַּחֹרְשָׁה: ס

Vendo, pois, Davi. Ao que tudo indica, Davi sempre esteve ciente de todos os movimentos de Saul e suas tropas, no deserto de Zife, e foi capaz de evitar o contato direto, que seria fatal. Talvez Jônatas lhe enviasse informações, ou a providência divina, sem nenhuma ajuda humana, simplesmente mantivesse Davi fora de contato com Saul. Ver no *Dicionário* o artigo chamado *Providência de Deus*. No tempo de Davi, a Palestina possuía muito mais árvores que hoje. Não restam florestas na região de Zife, mas isso não nos surpreende. Séculos obliteraram qualquer sinal de floresta natural. A maioria das árvores da Palestina foi destruída pela estupidez humana.

"... o grande homem foi obrigado a mudar-se constantemente, por motivo de segurança" (John Gill, *in loc.*).

■ 23.16

וַיָּקָם יְהוֹנָתָן בֶּן־שָׁאוּל וַיֵּלֶךְ אֶל־דָּוִד חֹרְשָׁה וַיְחַזֵּק אֶת־יָדוֹ בֵּאלֹהִים:

E lhe fortaleceu a confiança em Deus. Em 1Sm 20.41,42 lemos sobre a despedida chorosa dos dois amigos especiais, Davi e Jônatas. Poderíamos pensar que eles nunca mais se encontrariam. Os críticos, por sua vez, creem que a passagem aqui em vista não é histórica, mas baseada em sentimentos, e que o capítulo 20 registrou mesmo uma despedida definitiva. Por outra parte, não seria impossível para Jônatas encontrar pelo menos *uma ocasião* para visitar o amigo. E as Escrituras, de fato, relatam apenas um desses acontecimentos. Assim Davi e Jônatas, que eram dois corpos e uma só alma, puderam estar juntos mais uma vez, antes da morte de Jônatas em campo de batalha (capítulo 31). O propósito de Jônatas, nessa visita, era fortalecer Davi. Algumas versões portuguesas dão aqui a expressão "fortaleceu sua mão". Mas nossa versão diz "fortaleceu-lhe a confiança em Deus". Palavras de consolo foram proferidas. Jônatas *encorajou* Davi a suportar o exílio com coragem e denodo.

■ 23.17

וַיֹּאמֶר אֵלָיו אַל־תִּירָא כִּי לֹא תִמְצָאֲךָ יַד שָׁאוּל אָבִי וְאַתָּה תִּמְלֹךְ עַל־יִשְׂרָאֵל וְאָנֹכִי אֶהְיֶה־לְּךָ לְמִשְׁנֶה וְגַם־שָׁאוּל אָבִי יֹדֵעַ כֵּן:

Tu reinarás em Israel. Jônatas percebia claramente que Davi, e não ele mesmo, seria o segundo rei de Israel. Neste ponto, já tão perto da própria morte, Jônatas expressou o desejo de ver isso cumprido. Se permanecesse vivo, segundo Jônatas ainda expressou, ele seria o segundo homem depois de Davi — "eu serei contigo o segundo". A amizade deles seria renovada na casa real de Davi, e Jônatas estaria presente para servir a Davi. Mas isso nunca aconteceu. A morte eliminou Jônatas, mas nem por isso uma amizade sincera se perdeu. No outro lado da porta de Deus, à qual chamamos de "morte", os antigos amigos se reúnem. Ver as notas sobre tais questões em 1Sm 20.40,41. Saul sabia que essa amizade era impossível de ser quebrada. E também sabia que Jônatas seria um elevado oficial na corte de Davi. seu ódio não fora capaz de destruir esse laço de amor.

> Os estoicos definem o amor como o esforço para formar uma amizade inspirada pela beleza.
> Cícero

> O amor concede em um momento o que a labuta dificilmente pode alcançar em uma era.
> Goethe

O *conhecimento* de Saul sem dúvida incluía o fato de que Samuel ungira Davi como o próximo rei (ver o capítulo 16). Saul sabia disso, mas não queria acreditar que Davi, finalmente, o substituiria.

■ 23.18

וַיִּכְרְתוּ שְׁנֵיהֶם בְּרִית לִפְנֵי יְהוָה וַיֵּשֶׁב דָּוִד בַּחֹרְשָׁה וִיהוֹנָתָן הָלַךְ לְבֵיתוֹ: ס

E ambos fizeram aliança perante o Senhor. Sem dúvida, uma repetição e confirmação da primeira aliança, sobre a qual lemos em 1Sm 20.14-16,42. Kimchi e Abarbanel supõem que a expressão "perante o Senhor" implique que o pacto foi renovado na presença do sumo sacerdote *Abiatar*, e com a sua bênção. Jerônimo ajuntou que o profeta Gade também foi testemunha dessa aliança (*Trad. Hb*, in lib. Reg. fol. 76K). Mas suponho que a última reunião entre Davi e Jônatas tenha sido uma questão sagrada e privada, testemunhada somente por Yahweh, e que seja esse o significado de "perante o Senhor".

■ 23.19

וַיַּעֲלוּ זִפִים אֶל־שָׁאוּל הַגִּבְעָתָה לֵאמֹר הֲלוֹא דָוִד מִסְתַּתֵּר עִמָּנוּ בַמְּצָדוֹת בַּחֹרְשָׁה בְּגִבְעַת הַחֲכִילָה אֲשֶׁר מִימִין הַיְשִׁימוֹן:

Então subiram os zifeus a Saul. Ver no *Dicionário* o artigo chamado *Zife, Zifitas*, quanto ao que se sabe sobre esse povo e a área onde eles viviam. Eles não gostavam de Davi e seus homens percorrendo o território, por razões não informadas pelo autor sacro. É provável que Davi tenha exigido provisões dos habitantes ou de outras formas os tenha pressionado. Ou talvez eles quisessem simplesmente agradar Saul e obter vantagens, traindo Davi e entregando-o a Saul para que fosse executado. Cf. o capítulo 25, onde vemos Davi requerendo ajuda para o sustento pessoal e de seu pequeno exército. O deserto de *Zife* é um platô rochoso ao sul de Hebrom. Existem ali muitas cavernas de pedras calcárias, nas quais um bom número de homens poderia esconder-se, quase indefinidamente. Assim Davi e seus homens estavam em relativa segurança, mas os zifitas cansaram-se de tê-los por perto. Além disso, Saul poderia mostrar-se bárbaro o suficiente para vingar-se deles somente porque Davi se escondera naquela área. Certamente os zifeus não agiram por amor ao selvagem Saul.

Haquilá... Jesimom. Ver sobre esses dois lugares anotados no *Dicionário*.

■ 23.20

וְעַתָּה לְכָל־אַוַּת נַפְשְׁךָ הַמֶּלֶךְ לָרֶדֶת רֵד וְלָנוּ הַסְגִּירוֹ בְּיַד הַמֶּלֶךְ:

Desce conforme te impõe o coração. *A Conspiração*. Os exércitos de Saul obteriam dos zifeus informações sobre onde Davi se ocultava. E eles facilitariam sua captura e execução. Os zifeus tinham a informação, e Saul tinha o poder, de modo que, juntos, representavam o fim de Davi. Isso eles fariam por vantagens mútuas. Talvez até a captura real de Davi fosse entregue aos cuidados dos zifeus. O pequeno exército de Davi sem dúvida se dispersaria se o capitão fosse morto, e a rebeldia crescente seria ceifada antes que pudesse crescer ainda mais.

■ 23.21

וַיֹּאמֶר שָׁאוּל בְּרוּכִים אַתֶּם לַיהוָה כִּי חֲמַלְתֶּם עָלָי:

Uma Incrível Cegueira. Cf. com o vs. 7 deste mesmo capítulo. Em ambos os versículos vemos a incrível cegueira de Saul. Ele deu a Yahweh-Elohim crédito pelas oportunidades de matar Davi. O engano próprio é capaz de realizações deveras estranhas. Saul chegou a considerar um ato de compaixão o fato de que os zifeus quisessem ajudá-lo a livrar-se de seu inimigo, e podemos estar certos de que, se isso tivesse mesmo acontecido, os zifeus teriam sido abençoados com posses materiais em nome de Yahweh! Ver também o vs. 8. Saul sentia-se triste por si mesmo, supondo que todos, até os mais íntimos assistentes, "conspiravam" contra ele.

Nunca somos enganados.
Enganamos a nós mesmos.
                                                    Goethe

Devedor à tua graça
Cada dia e hora sou.
                                            Robert Robinson

■ 23.22

לְכוּ־נָ֣א הָכִ֣ינוּ ע֗וֹד וּדְע֤וּ וּרְאוּ֙ אֶת־מְקוֹמוֹ֙ אֲשֶׁ֣ר תִּֽהְיֶ֣ה רַגְל֔וֹ מִ֥י רָאָ֖הוּ שָׁ֑ם כִּ֚י אָמַ֣ר אֵלַ֔י עָר֥וֹם יַעְרִ֖ם הֽוּא׃

Informai-vos ainda melhor. Davi era homem *astucioso* e sempre conseguia escapar às armadilhas de Saul. Este recomendou que os zifeus agissem astuciosamente com Davi, observassem o lugar onde ele se escondia e o capturassem por meio de um golpe sagaz. Saul cria que Deus os ajudaria nessa captura.

Saul já havia enviado grupos de busca antes, sem resultados positivos. Davi mostrara-se mais astuto que eles. sua sobrevivência dependia dessa astúcia. Saul já havia recebido grandes evidências dessa qualidade de Davi e advertiu os zifeus a serem tão astuciosos quanto Davi, se quisessem capturá-lo.

■ 23.23

וּרְא֣וּ וּדְע֗וּ מִכֹּ֤ל הַמַּֽחֲבֹאִים֙ אֲשֶׁ֣ר יִתְחַבֵּ֣א שָׁ֔ם וְשַׁבְתֶּ֤ם אֵלַי֙ אֶל־נָכ֔וֹן וְהָלַכְתִּ֖י אִתְּכֶ֑ם וְהָיָה֙ אִם־יֶשְׁנ֣וֹ בָאָ֔רֶץ וְחִפַּשְׂתִּ֣י אֹת֔וֹ בְּכֹ֖ל אַלְפֵ֥י יְהוּדָֽה׃

Informai-vos acerca de todos os esconderijos. A *primeira tarefa* dos zifeus seria procurar os esconderijos de Davi. A *segunda* seria informar Saul, para que este descesse em segredo e surpreendesse Davi. Embora Judá tivesse *milhares* de habitantes, se o jogo fosse jogado com esperteza, a localização exata de Davi e seus homens poderia ser determinada. Portanto, o que poderia parecer uma tarefa impossível seria concretizado com um pouco de planejamento, e Davi não mais poderia ocultar-se entre os milhares de judaítas. Nm 1.16 e 10.4 informam-nos que Judá era uma tribo muito populosa. As tribos eram enumeradas aos *milhares,* o que explica a expressão aqui usada, "entre todos os milhares de Judá". Ver Nm 1.2 quanto ao recenseamento, que mostra que Judá era a tribo mais numerosa.

■ 23.24

וַיָּק֛וּמוּ וַיֵּלְכ֥וּ זִ֖יפָה לִפְנֵ֣י שָׁא֑וּל וְדָוִ֣ד וַאֲנָשָׁ֗יו בְּמִדְבַּ֤ר מָעוֹן֙ בָּעֲרָבָ֔ה אֶ֖ל יְמִ֥ין הַיְשִׁימֽוֹן׃

Então se levantaram eles. Os zifeus partiram para cumprir as ordens de Saul. Davi foi localizado ao sul de Jesimom e não demoraria a ser detectado.

deserto de Maom. Ver sobre este local no *Dicionário*. Ficava na região montanhosa de Judá (ver Js 15.55) e tem sido identificado com a moderna Tell Ma"in, ao sul de Zife.

■ 23.25

וַיֵּ֨לֶךְ שָׁא֤וּל וַאֲנָשָׁיו֙ לְבַקֵּ֔שׁ וַיַּגִּ֖דוּ לְדָוִ֑ד וַיֵּ֣רֶד הַסֶּ֗לַע וַיֵּ֙שֶׁב֙ בְּמִדְבַּ֣ר מָע֔וֹן וַיִּשְׁמַ֣ע שָׁא֔וּל וַיִּרְדֹּ֥ף אַחֲרֵי־דָוִ֖ד מִדְבַּ֥ר מָעֽוֹן׃

E isto foi dito a Davi. Não sabemos como Davi foi informado sobre os movimentos de Saul. Sem dúvida havia *traidores* entre os homens de Saul, os quais mantinham Davi bem informado sobre as ações de Saul. O fato, porém, foi que Davi fugiu para certa área rochosa em Maom, provavelmente um lugar de cavernas, e ali se ocultou. Seus homens o acompanharam, como deixa claro o vs. 26. "ele escapou para o deserto de Maom, 16 quilômetros a sudeste de Hebrom. Saul, contudo, perseguiu-o até ali, mas foi temporariamente chamado de volta para defender Israel de outro ataque desfechado pelos filisteus (vss. 27 e 28). Isso deu a Davi a oportunidade de ir a En-Gedi (vs. 29), um oásis 16 quilômetros ao norte da Massada do mar Morto" (Eugene M. Merrill, *in loc.*). Assim os passos de Davi foram encaminhados pelo Senhor, para que ele cumprisse o seu destino.

■ 23.26,27

וַיֵּ֨לֶךְ שָׁא֜וּל מִצַּ֤ד הָהָר֙ מִזֶּ֔ה וְדָוִ֧ד וַאֲנָשָׁ֛יו מִצַּ֥ד הָהָ֖ר מִזֶּ֑ה וַיְהִ֨י דָוִ֤ד נֶחְפָּז֙ לָלֶ֣כֶת מִפְּנֵ֣י שָׁא֔וּל וְשָׁא֣וּל וַאֲנָשָׁ֗יו עֹֽטְרִ֛ים אֶל־דָּוִ֥ד וְאֶל־אֲנָשָׁ֖יו לְתָפְשָֽׂם׃

וּמַלְאָ֣ךְ בָּ֔א אֶל־שָׁא֖וּל לֵאמֹ֑ר מַהֲרָ֣ה וְלֵ֔כָה כִּֽי־פָשְׁט֥וּ פְלִשְׁתִּ֖ים עַל־הָאָֽרֶץ׃

Saul ia duma banda do monte, e Davi e os seus homens da outra. Uma pequena distância separava os homens de Saul dos homens de Davi. Nessa oportunidade, Saul quase conseguiu apanhar Davi. Este passou momentos de aguda ansiedade. O exército de Saul por pouco não cercou o pequeno exército de Davi, o que lhe teria cortado qualquer possibilidade de escape. "Saul virtualmente o apanhou no deserto de Maom, quando chegaram notícias de um ataque dos filisteus contra Israel (vs. 27), o que deu a Davi oportunidade de escapar" (John C. Schroeder, *in loc.*). O *monte* onde Davi se tinha refugiado de súbito foi cercado pelo exército de Saul. Somente uma intervenção divina poderia salvar Davi. Os filisteus, porém, fizeram um ataque contra Israel, e isso proveu a ajuda divina necessária para a ocasião.

Os filisteus imediatamente tiraram proveito da retirada de Saul para o sul, para lançarem um ataque de surpresa. Ver no *Dicionário* o artigo chamado *Providência de Deus*. As tradições judaicas dizem que o anjo do Senhor estava envolvido no caso, manipulando as coisas e protegendo Davi do quase sucesso de Saul (*Midrash* apud Yalkut, *in loc.*).

■ 23.28

וַיָּ֣שָׁב שָׁא֗וּל מִרְדֹף֙ אַחֲרֵ֣י דָוִ֔ד וַיֵּ֖לֶךְ לִקְרַ֣את פְּלִשְׁתִּ֑ים עַל־כֵּ֗ן קָֽרְאוּ֙ לַמָּק֣וֹם הַה֔וּא סֶ֖לַע הַֽמַּחְלְקֽוֹת׃

Saul desistiu de perseguir Davi. Resolvendo ocupar-se de uma tarefa mais urgente, Saul fez o que já era esperado e foi enfrentar os filisteus. seu caso com Davi poderia esperar. Ele teria outras oportunidades para seu golpe traiçoeiro.

As circunstâncias fizeram o lugar onde Davi escapara ser chamado de *Pedra de Escape* (no hebraico, *Selá-Hamalecote*). Mas o significado dessas palavras também pode ser "colina das divisões", isto é, o lugar pedregoso onde, pela providência de Deus, as forças de Saul se separaram das de Davi. Nenhum ponto específico foi identificado com esse lugar, embora a área geral seja conhecida. Ficava na área rochosa geral de Maom. Os Targuns dão-nos uma possível explicação: "... o coração do rei ficou *dividido* entre ir para cá ou para lá". O ataque de surpresa desfechado pelos filisteus dividiu o coração de Saul entre o que ele tinha de fazer ali mesmo e enfrentar o inimigo. Mas ele foi obrigado a deixar a tarefa nefanda de perseguir Davi para enfrentar a tarefa mais urgente. Se entendermos uma derivação diferente, a palavra hebraica também significa "suavidade", dando a ideia de "escorregar para longe", ou seja, escapar.

■ 23.29

וַיַּ֥עַל דָּוִ֖ד מִשָּׁ֑ם וַיֵּ֖שֶׁב בִּמְצָד֥וֹת עֵֽין־גֶּֽדִי׃

Ficou nos lugares seguros de En-Gedi. Davi e seus homens abandonaram o lugar, que não era mais seguro para eles. E foram-se para *En-Gedi* (ver a respeito no *Dicionário*). Esse nome significa "fonte do cabrito". Atualmente chama-se "Ain Jidi". Situava-se na rampa íngreme da parte oeste do mar Morto, que se elevava cerca de 180 metros acima daquele corpo de água. O lugar tornou-se célebre por suas vinhas (Ct 1.14), bem como por seu bálsamo usado para propósitos de cura. É uma área repleta de cavernas e, portanto, um ótimo lugar para Davi e seu pequeno exército. Saul haveria de retornar. Em En-Gedi, Davi continuava no território da tribo de Judá. Alguns estudiosos creem que foi ali que Davi compôs o Salmo 63. Cf. Js 15.62.

CAPÍTULO VINTE E QUATRO

Este capítulo não forma uma divisão separada do livro, mas apenas prossegue com a história terminada em 1Sm 23.25. Saul foi temporariamente chamado da perseguição contra Davi, mediante um ataque de surpresa da parte dos filisteus. Mas, quando se viu livre dos filisteus, voltou à nefanda tarefa de perseguir Davi, com o intuito de executá-lo e assim livrar-se de um rival ao trono. Somente a morte poderia deter a loucura de Saul, e, por isso, ele precisava morrer.

Dupla Narrativa. De acordo com os críticos, os capítulos 24 e 26 são duas narrativas (apresentadas por diferentes autores ou editores), de *um único* acontecimento. Eles supõem que o capítulo 26 seja mais antigo e mais digno de confiança, historicamente falando. Ver as notas em 1Sm 26.1 quanto às similaridades entre as duas histórias, e a introdução a esse mesmo capítulo, quanto a outras ideias.

Saul demonstrou empenho em apanhar Davi com uma tropa de três mil homens. Foi uma providência desesperada.

24.1

וַיְהִי כַּאֲשֶׁר שָׁב שָׁאוּל מֵאַחֲרֵי פְּלִשְׁתִּים וַיַּגִּדוּ לוֹ לֵאמֹר הִנֵּה דָוִד בְּמִדְבַּר עֵין גֶּדִי׃ ס

Eis que Davi está no deserto de En-Gedi. Saul tinha cuidado rapidamente da questão do ataque filisteu. "Provavelmente se tratava apenas de um pequeno ataque de saqueadores, que fizera uma excursão na fronteira de Israel, invasão que foi rapidamente suprimida" (Adam Clarke, *in loc.*). Desse modo, Saul logo estava livre para continuar sua incansável perseguição contra Davi, sem dar-lhe um momento de paz.

24.2,3

וַיִּקַּח שָׁאוּל שְׁלֹשֶׁת אֲלָפִים אִישׁ בָּחוּר מִכָּל־יִשְׂרָאֵל וַיֵּלֶךְ לְבַקֵּשׁ אֶת־דָּוִד וַאֲנָשָׁיו עַל־פְּנֵי צוּרֵי הַיְּעֵלִים׃

וַיָּבֹא אֶל־גִּדְרוֹת הַצֹּאן עַל־הַדֶּרֶךְ וְשָׁם מְעָרָה וַיָּבֹא שָׁאוּל לְהָסֵךְ אֶת־רַגְלָיו וְדָוִד וַאֲנָשָׁיו בְּיַרְכְּתֵי הַמְּעָרָה יֹשְׁבִים׃

Tomou então Saul três mil homens. Isso demonstra a firmeza de propósito de Saul. Ele seria capaz de cumprir a tarefa com um número muito menor de guerreiros. Mas ele confiava na superioridade numérica para apanhar o astucioso Davi. seu quase "acerto" em Maom encorajava-o a continuar a tentativa em En-Gedi.

Nas faldas das pedras das cabras montesas. Nossa versão portuguesa, uma vez mais, concorda com a *Revised Standard Version*, que aponta para um lugar chamado de "pedras das cabras monteses". "Esse lugar ainda não foi identificado, mas o *íbex* continua abundante por toda aquela região. Provavelmente as cabras se abrigavam em cavernas que tinham uma espécie de parede na frente para proteger os animais das condições atmosféricas. Os pastores traziam até ali os rebanhos à noite, em busca de proteção contra as feras do deserto, e eles mesmos se deitavam atravessando a entrada (quanto ao eufemismo, ver Jz 3.24)" (George B. Caird, *in loc.*).

Conforme determinou o destino, Saul novamente chegou bem perto de Davi, tendo-se abrigado na mesma caverna em que estavam Davi e alguns de seus homens, só que em outra parte.

Entrou nela Saul, a aliviar o ventre. Uma tradução mais direta do hebraico diz "para cobrir os pés". Essa tradução corresponde a uma expressão tipicamente portuguesa. Os povos orientais costumavam usar vestes longas e esvoaçantes. Quando tinham de aliviar o ventre, eles enrolavam essas vestes em torno do corpo para que nenhuma parte ficasse exposta. Por isso, dizia-se em hebraico "cobrir os pés", isto é, uma parte do todo. Não somente eram cobertos os pés, mas também todo o resto do corpo.

O texto deixa-nos entender que Saul, depois de ter feito suas necessidades, deitou-se para descansar. Foi assim que ele dormiu e ficou vulnerável a qualquer ataque. As versões siríaca e árabe dizem-nos especificamente que ele *dormiu*. Saul era observado por *alguns* homens de Davi. Não é necessário supor que todos os seiscentos homens de Davi estivessem abrigados em uma só caverna, conforme pensam alguns intérpretes.

24.4

וַיֹּאמְרוּ אַנְשֵׁי דָוִד אֵלָיו הִנֵּה הַיּוֹם אֲשֶׁר־אָמַר יְהוָה אֵלֶיךָ הִנֵּה אָנֹכִי נֹתֵן אֶת־אֹיִבְךָ בְּיָדֶךָ וְעָשִׂיתָ לּוֹ כַּאֲשֶׁר יִטַב בְּעֵינֶיךָ וַיָּקָם דָּוִד וַיִּכְרֹת אֶת־כְּנַף־הַמְּעִיל אֲשֶׁר־לְשָׁאוּל בַּלָּט׃

Levantou-se Davi, e... cortou a orla do manto de Saul. Yahweh recebeu o crédito pelas circunstâncias daquele dia. Ali estava Saul a *dormir,* juntamente com alguns de seus homens. Qualquer guerreiro teria tirado vantagem da situação para despachar seu inimigo perseguidor e assassino, e Davi foi exortado a fazê-lo, em reconhecimento à misericórdia de Yahweh, que o entregara em suas mãos, para livrá-lo de seu exílio e de seus sofrimentos.

Mas Davi pensava de forma diferente e meramente cortou um pedaço da orla do manto ou veste externa do rei. Isso foi feito para transmitir uma mensagem a Saul: " Saul, eu estive aqui. Tu me tens perseguido durante todo esse tempo e tens tentado matar-me. Eu tive a oportunidade de matar-te, mas não o fiz por temer Yahweh, visto que és o rei de Israel, o *ungido*". Ele esperava que isso fosse suficiente para alterar a mente doentia do rei, o qual abandonaria seu louco propósito. Assim, de fato, aconteceu. Mas apenas por breve tempo. Não havia cura para o homem influenciado pelo demônio.

A *promessa* de cuidado divino especial e proteção provavelmente reflete textos como 1Sm 15.28 e 16.1,22. Davi estava destinado a ser rei. Ele não podia ser morto, e os que se levantassem contra ele naturalmente deveriam ser eliminados, para que operasse a promessa divina.

24.5

וַיְהִי אַחֲרֵי־כֵן וַיַּךְ לֵב־דָּוִד אֹתוֹ עַל אֲשֶׁר כָּרַת אֶת־כָּנָף אֲשֶׁר לְשָׁאוּל׃ ס

Depois sentiu Davi bater-lhe o coração. Talvez essas palavras indiquem que Davi se aproximou de Saul com a finalidade de matá-lo, mas mudou de ideia. Então seu coração se *suavizou* tanto que ele se arrependeu de ter ousadamente cortado um pedaço das vestes de Saul. O texto demonstra o *imenso* respeito que Davi tinha pelas instituições de Israel, que eram consideradas como impostas e dirigidas pelo próprio Yahweh, ou seja, eram *divinas.* Saul fora *ungido* rei pelo profeta de Yahweh, Samuel, e isso era muito importante para Davi. Por isso, Davi viu com horror que havia cortado um pedaço das vestes de Saul, tão sensível era ele para com as coisas do Senhor.

"Não há que duvidar que uma das mais belas características da natureza multifacetada de Davi foi sua permanente lealdade a Saul e à casa de Saul. Nem a inveja nem as amargas injúrias poderiam afetar aquele afeto... Anos mais tarde, estando Saul já no túmulo, Davi deu as mais conspícuas provas de sua amizade, quando perdoou Mefibosete, neto de Saul, por sua suspeita traição na revolta causada por Absalão, tendo-lhe devolvido larga porção de suas terras perdidas (2Sm 19.24-29)" (Ellicott, *in loc.*).

24.6

וַיֹּאמֶר לַאֲנָשָׁיו חָלִילָה לִּי מֵיהוָה אִם־אֶעֱשֶׂה אֶת־הַדָּבָר הַזֶּה לַאדֹנִי לִמְשִׁיחַ יְהוָה לִשְׁלֹחַ יָדִי בּוֹ כִּי־מְשִׁיחַ יְהוָה הוּא׃

O Senhor me guarde de que eu faça tal cousa ao meu senhor. *Yahweh era o dono da vida de Davi,* e seu coração acusou-o desse ato, porquanto Davi pensou que aquele poderia ser um ato ofensivo à mente divina, que tinha colocado Saul naquela posição. "Davi temeu que Saul tomasse isso, embora fosse um sinal claro de sua magnanimidade, sob um ângulo mau, considerando-o uma violação da majestade real" (Clericus, *in loc.*). Até mesmo alguns rabinos comentam desfavoravelmente este texto, criticando Davi por seu ato; e, com suas críticas, ensinam a intensa reverência com que os líderes e mestres deveriam ser considerados em Israel. Eles pensam que tais atos deveriam ser punidos por Deus, mais cedo ou mais tarde. Por trás desse raciocínio, naturalmente, está a ideia de que *Yahweh* é aquele que coloca homens em posição de poder, e só ele pode derrubá-los dentre a comunidade dos justos. E o instrumento usado por Yahweh para pôr fim à carreira de Saul foram os filisteus.

■ 24.7

וַיְשַׁסַּע דָּוִד אֶת־אֲנָשָׁיו בַּדְּבָרִים וְלֹא נְתָנָם לָקוּם אֶל־שָׁאוּל וְשָׁאוּל קָם מֵהַמְּעָרָה וַיֵּלֶךְ בַּדָּרֶךְ: ס

Davi conteve os seus homens. Se Davi não quis despachar Saul, muitos de seus homens estavam ansiosos por fazê-lo. Eles não tinham o coração suave e meigo nem respeito por aquele réprobo, ainda que Samuel o tivesse ungido como rei. Davi, entretanto, não permitiu que ninguém se aproximasse de Saul, sem dúvida para consternação de muitos.

> Os reis são supremos sobre seus súditos;
> Jove é supremo sobre os reis.
>
> Horácio, *Odar*, lib. iii

O *direito divino* dos reis é ensinado em Rm 13 e tem sido uma doutrina muito forte na história. "Era considerado coisa terrível matar um rei" (Adam Clarke, *in loc.*). Ver na *Enciclopédia de Bíblia, Teologia e Filosofia* o artigo intitulado *Reis, Direito Divino dos,* quanto à história dessa ideia e comentários pertinentes.

■ 24.8

וַיָּקָם דָּוִד אַחֲרֵי־כֵן וַיֵּצֵא מִן־הַמְּעָרָה וַיִּקְרָא אַחֲרֵי־שָׁאוּל לֵאמֹר אֲדֹנִי הַמֶּלֶךְ וַיַּבֵּט שָׁאוּל אַחֲרָיו וַיִּקֹּד דָּוִד אַפַּיִם אַרְצָה וַיִּשְׁתָּחוּ: ס

Davi se levantou e, saindo da caverna, gritou. A cena seguinte no texto sacro apanha-nos completamente de surpresa. O grande guerreiro Davi, que tão facilmente despachara o gigante Golias, é agora retratado a pleitear inocência diante do louco Saul. Davi chegou a chorar diante de Saul, ali à distância, chamando-se de uma pulga e de um cachorro morto. Ele era tão *insignificante* que Saul estava gastando tempo em persegui-lo. Saul olhou para trás e viu o grande Davi, prostrado de rosto em terra, fazendo seu apelo comovente. A cena tocou Saul que, pelo momento, desistiu de seu intento de perseguir e assassinar Davi. Mas o louco haveria de voltar. "Davi prostrou-se rosto em terra, prestando reverência e honrarias a ele como um rei. Ver sobre 20.41" (John Gill, *in loc.*). Isso é totalmente *estranho* para a mente moderna, condicionada como está pelas instituições democráticas.

■ 24.9

וַיֹּאמֶר דָּוִד לְשָׁאוּל לָמָּה תִשְׁמַע אֶת־דִּבְרֵי אָדָם לֵאמֹר הִנֵּה דָוִד מְבַקֵּשׁ רָעָתֶךָ:

Por que dás tu ouvidos às palavras dos homens...? Em sua atitude incrivelmente generosa e ingênua, Davi atribuiu os maus desígnios e atos de Saul a maus conselheiros. Ou então Davi falou inspirado por caridade, a fim de agradar Saul e dar-lhe o benefício da dúvida. "Davi, com sua usual infalível generosidade, atribuiu a culpa da conduta de Saul para com ele próprio a seus maus conselheiros" (George B. Caird, *in loc.*). Podemos estar certos de que havia homens que desempenhavam esse triste papel, mas Saul havia caído na degeneração, e isso não era culpa de ninguém, senão dele mesmo. Davi, sem dúvida, tinha vários inimigos na corte de Saul, mas eles não poderiam fazer nada a menos que Saul tivesse promovido a causa perversa. Falsas acusações, principalmente de *traição*, teriam sido investigadas por um Saul dotado de mente sã.

■ 24.10

הִנֵּה הַיּוֹם הַזֶּה רָאוּ עֵינֶיךָ אֵת אֲשֶׁר־נְתָנְךָ יְהוָה הַיּוֹם בְּיָדִי בַּמְּעָרָה וְאָמַר לַהֲרָגְךָ וַתָּחָס עָלֶיךָ וָאֹמַר לֹא־אֶשְׁלַח יָדִי בַּאדֹנִי כִּי־מְשִׁיחַ יְהוָה הוּא:

O Senhor te pôs em minhas mãos nesta caverna. Davi concordou que fora Yahweh quem entregara Saul, de forma totalmente inesperada, à sua mercê, e que Davi poderia ter-lhe tirado a vida. Além disso, Davi disse a Saul que alguns de seus homens o haviam exortado a fazer isso. Saul só sobreviveu devido à *magnanimidade* de Davi. E Yahweh recebeu o crédito por essa atitude. Davi estava mais interessado em agradar a Deus do que em livrar-se das ameaças e perseguições de Saul. Davi julgara que a presença de Saul na caverna fora arranjada por Yahweh por *outra razão*, e não para que houvesse morte. Essa razão era a *reconciliação*, com o abandono dos intuitos assassinos de Saul, conforme sugerem os versículos que se seguem.

■ 24.11

וְאָבִי רְאֵה גַּם רְאֵה אֶת־כְּנַף מְעִילְךָ בְּיָדִי כִּי בְּכָרְתִי אֶת־כְּנַף מְעִילְךָ וְלֹא הֲרַגְתִּיךָ דַּע וּרְאֵה כִּי אֵין בְּיָדִי רָעָה וָפֶשַׁע וְלֹא־חָטָאתִי לָךְ וְאַתָּה צֹדֶה אֶת־נַפְשִׁי לְקַחְתָּהּ:

Olha, pois, meu pai. É admirável que Davi tenha chamado Saul de "meu pai", mostrando-lhe o respeito de um filho. Ele havia cortado um pedaço de seu manto e, naquele momento, pode ter sido tentado a matá-lo, conforme diz Ben Gersom. Mas Yahweh o impedira de maltratar o ungido, embora por certo Saul merecesse tal tratamento. As ações provaram que Davi não tinha cometido erro algum. Ele não era nenhum traidor. Um traidor teria matado Saul sem hesitação, para apoderar-se do trono. O pecado estava do lado de Saul, que "caçava a vida de Davi", conforme o texto sagrado diz.

"A expressão *meu pai* é a reverência do jovem por um homem de idade, ou de um súdito *leal* pelo seu soberano" (Ellicott, *in loc.*).

"Sem dúvida é um *instinto sadio* aquele que impede os homens de tratar com desprezo seus governantes. Uma doutrina como a do direito divino dos reis, ou a deificação real de governantes, como se via no antigo Egito ou em Roma, parece quase uma tolice para o cidadão de uma república. Bem pelo contrário e muito apropriadamente, ele sabe que o seu direito é desafiar as ações de um governante. Não obstante, o *regicídio* é um crime particularmente sério" (John C. Schroeder, *in loc.*).

Ao comentar sobre este versículo, os Targuns sugerem que foi depois dessa cena que Davi escreveu o Salmo 7.

■ 24.12

יִשְׁפֹּט יְהוָה בֵּינִי וּבֵינֶךָ וּנְקָמַנִי יְהוָה מִמֶּךָּ וְיָדִי לֹא תִהְיֶה־בָּךְ:

Julgue o Senhor entre mim e ti. Yahweh é aqui invocado como testemunha da situação e para afirmar o julgamento de Davi sobre o caso. Davi não se vingaria. Mas sabia que Yahweh faria isso, no tempo certo. Davi tinha grande fé na lei da colheita segundo a semeadura e de que nada acontece por mero acaso. Ver no *Dicionário* o verbete intitulado *Lei Moral da Colheita segundo a Semeadura*. O filósofo Emanuel Kant tinha um sentimento tão forte em relação a essa lei moral que compôs um argumento racional tanto em favor da existência de Deus como em favor da alma humana. A *justiça* precisa ser feita. Mas ela não é feita na terra. Portanto, para corrigir os erros, esse princípio é seguido pela verdade das almas que *sobrevivem* no pós-túmulo. Elas precisam ser julgadas, recebendo o bem pelo bem e o mal pelo mal que tiverem praticado. Então, deve haver um Juiz capaz de garantir a justiça do julgamento, de castigar ou recompensar. E somente *Deus* é capaz de julgar dessa maneira. Portanto, Deus deve existir, para satisfazer a um princípio moral.

"Davi não desculpou o fracasso ou injustiça de Saul. Nem se influ diante de sua própria superioridade. Antes, deixou seu caso ao encargo do julgamento divino, vs. 15" (John C. Schroeder, *in loc.*). "Apelos para esse tipo de Deus são o refúgio comum dos pobres e oprimidos" (Adam Clarke, *in loc.*).

■ 24.13

כַּאֲשֶׁר יֹאמַר מְשַׁל הַקַּדְמֹנִי מֵרְשָׁעִים יֵצֵא רֶשַׁע וְיָדִי לֹא תִהְיֶה־בָּךְ:

Dos perversos procede a perversidade. A confiança na *retribuição divina* alivia um homem de vingar-se pessoalmente. O sentimento expresso aqui por Davi concorda com o trecho de Rm 12.19: "Não vos vingueis a vós mesmos, amados, mas dai lugar à ira; porque está escrito: A mim me pertence a vingança; eu retribuirei, diz o Senhor".

Paulo citou o trecho de Dt 32.35. "O mal retrocede sobre a cabeça do culpado, pelo que nenhum ato por parte de Davi era necessário... O provérbio significa que atos perversos são cometidos pelos pervertidos, mas eles pagarão por isso, no final" (George B. Caird, *in loc.*). Ver no *Dicionário* o artigo detalhado chamado *Retribuição*.

O Provérbio. Davi citou um provérbio conhecido desde tempos antigos. Minhas fontes não informam a origem desse provérbio, mas há um provérbio grego parcialmente paralelo: "De um corvo ruim sai um ovo mau".

24.14

אַחֲרֵי מִי יָצָא מֶלֶךְ יִשְׂרָאֵל אַחֲרֵי מִי אַתָּה רֹדֵף
אַחֲרֵי כֶּלֶב מֵת אַחֲרֵי פַּרְעֹשׁ אֶחָד:

Após quem saiu o rei de Israel? O que Saul esperava conseguir com a morte de Davi? Se ele o tivesse matado, teria livrado de uma criatura tão vil como uma pulga ou um cão morto. A linguagem aqui usada por Davi é extremamente autodepreciadora, mas presumimos que é sincera. A maior parte das autodepreciações é uma tentativa de *obter favor* diante de outra pessoa. De fato, usualmente é uma forma de louvor enganador. Saul não se deixaria enganar por tais palavras, fossem elas sinceras ou não. Pois ele sabia que, de fato, Davi era um grande guerreiro, uma pessoa carismática que havia sido ungida para ser o próximo rei. Saul estava apenas tentando derrotar a profecia através da violência. Nem tudo quanto um profeta diz acaba tornando-se realidade. Isso posto, Saul procurava injetar um pouco de erro na incomum habilidade de Samuel prever o futuro. Lemos em 1Sm 9.6 que "tudo" quando ele previa se tornava realidade. Essa era a reputação de Samuel.

Essas símiles domésticas mas vívidas são muito comuns nas conversas diárias orientais. Por certo Davi, em seus protestos de lealdade, dificilmente poderia humilhar-se mais do que se referindo a si mesmo como um *cachorro morto,* em comparação com a grandeza de Saul. Davi também era apenas como uma *pulga*. É extremamente difícil apanhar uma pulga e, se não for apanhada, ela continuará sendo apenas uma pulga. Caso a pulga seja apanhada, seu perseguidor a mata instantaneamente. Portanto, quer livre, quer capturado, Davi não era nenhuma ameaça para Saul. "... uma pulga, um animalzinho pequeno e desprezível, que não pode ser apanhado facilmente... e, quando apanhado, de nada serve" (John Gill, *in loc.*).

24.15

וְהָיָה יְהוָה לְדַיָּן וְשָׁפַט בֵּינִי וּבֵינֶךָ וְיֵרֶא וְיָרֵב
אֶת־רִיבִי וְיִשְׁפְּטֵנִי מִיָּדֶךָ: פ

Seja o Senhor o meu juiz. *Novamente,* Davi invoca Deus como testemunha (cf. o vs. 12) de que suas palavras estavam corretas, e repreende Saul por suas intenções perseguidoras e assassinas. *Yahweh* é quem defenderia a causa de Davi, com o resultado de que este não precisaria vingar-se do selvagem Saul. Parte da inocência demonstrada por Davi era o fato de que Yahweh o livrara das mãos de Saul. Seus planos seriam reduzidos a nada. "Contentar-me-ei em esperar pela providência de Deus e permanecerei nas tristes condições em que me encontro, até que agrade a ele delas tirar-me" (Bispo Sanderson, citado por Wordsworth, *in loc.*). "Que Deus determine quem é o culpado" (Adam Clarke, *in loc.*). Cf. com Sl 7.6,8-11.

24.16

וַיְהִי כְּכַלּוֹת דָּוִד לְדַבֵּר אֶת־הַדְּבָרִים הָאֵלֶּה
אֶל־שָׁאוּל וַיֹּאמֶר שָׁאוּל הֲקֹלְךָ זֶה בְּנִי דָוִד וַיִּשָּׂא
שָׁאוּל קֹלוֹ וַיֵּבְךְּ:

E chorou Saul em voz alta. A emoção do momento. Até mesmo em sua degradação, Saul tinha bons momentos. Cf. 1Sm 19.6, quando, certa ocasião, Jônatas foi capaz de convencer o pai a abandonar sua loucura. Mas pouco depois, a despeito de sua boa resolução, Saul já havia tentado novamente contra a vida de Davi (19.9), o que o autor sagrado atribuiu à influência de algum espírito maligno. Foi assim que, mediante uma emoção positiva e momentânea, Saul chorou e abandonou (temporariamente) a perseguição contra Davi. Ele até proferiu uma bênção sobre o servo, da parte de Yahweh, e chamou-o de "meu filho", por causa do que Davi tinha feito naquele dia, mostrando bondade quando ele nada merecia (vs. 19).

Temos aqui uma ótima lição espiritual. Em momentos de emoção, tomamos boas resoluções que posteriormente abandonamos. A espiritualidade, porém, precisa ser mais profunda que as emoções. Por isso, veremos Saul novamente perseguindo Davi. Ele nunca desistiu, senão quando a morte o colheu. 1Sm 26.17 é paralelo a este versículo, e alguns críticos pensam que o presente trecho é uma duplicação do capítulo 26, ou seja, um relato diferente da mesma história. Mas os detalhes são suficientemente divergentes para indicar um mesmo acontecimento. Em ambos os casos, Davi foi identificado por sua *voz*, enquanto ele e Saul gritavam um para o outro.

"Nada há de estranho nessa súbita mudança de sentimentos, em alguém tão nervoso e excitável quanto Saul... mas a triste sequela mostrou que a impressão havia sido apenas transitória" (Ellicott, *in loc.*).

"A magnanimidade de Davi causou profunda impressão em Saul. O homem derrotado enfrentou realisticamente a superioridade de seu rival. Ele agora reconhecia que Davi seria rei e pleiteou em favor de sua família, para que fosse poupada de aniquilamento" (John C. Schroeder, *in loc.*).

24.17

וַיֹּאמֶר אֶל־דָּוִד צַדִּיק אַתָּה מִמֶּנִּי כִּי אַתָּה גְּמַלְתַּנִי
הַטּוֹבָה וַאֲנִי גְּמַלְתִּיךָ הָרָעָה:

Disse a Davi. Não fazia muito tempo que Saul estava tão cego por sua loucura que chegou a supor que *Yahweh* o ajudava em sua caçada a Davi e em seu intuito de ceifar-lhe a vida (ver 1Sm 23.7,20,21). Mas agora, repentinamente, ele mudou de ideia sobre a *retidão* de suas intenções e atos. E viu a si mesmo como realmente era: um degenerado que sucumbira em sérios crimes. Entrementes, o caráter moral de Davi resplandecia, revelando assim as trevas do coração de Saul. É algo particularmente desgostoso quando alguém faz mal a um amigo que nada fez senão o bem. Saul havia caído em uma série de desgraças com suas tentativas insanas de preservar a autoridade em Israel.

24.18

וְאַתָּ הִגַּדְתָּ הַיּוֹם אֵת אֲשֶׁר־עָשִׂיתָה אִתִּי טוֹבָה אֵת
אֲשֶׁר סִגְּרַנִי יְהוָה בְּיָדְךָ וְלֹא הֲרַגְתָּנִי:

Mostraste hoje que me fizeste bem. *O ato misericordioso de Davi* naquele dia teve o condão de iluminar a mente de Saul, mostrando-lhe quão bem Davi o havia tratado o tempo todo. Agora Saul dava a *Yahweh* o crédito por tê-lo entregado nas mãos de Davi, e reconheceu que esse mesmo poder divino não permitira que Davi o matasse.

"É triste ver um homem despedaçar-se. Aqui, por um momento, Saul pareceu ter enfrentado honestamente a si mesmo, após todos os equívocos e enganos... Essa foi uma das mais elevadas experiências da vida de Saul. Se ao menos o restante de suas experiências tivesse sido equivalente a isso!" (John C. Schroeder, *in loc.*).

Esse reconhecimento deveria ter sido o fim de um triste caso. Mas em breve (capítulo 26) veremos Saul de volta aos antigos caminhos de perseguição a Davi.

24.19

וְכִי־יִמְצָא אִישׁ אֶת־אֹיְבוֹ וְשִׁלְּחוֹ בְּדֶרֶךְ טוֹבָה וַיהוָה
יְשַׁלֶּמְךָ טוֹבָה תַּחַת הַיּוֹם הַזֶּה אֲשֶׁר עָשִׂיתָה לִי:

A pergunta retórica constante neste versículo mostra-nos que Saul antecipava um "não" como resposta. Nenhum homem, tendo tido a oportunidade de matar um inimigo, lhe permitiria escapar. No entanto, foi exatamente o que Davi havia feito, e Saul era o beneficiário da ação. O coração endurecido de Saul deixou-se comover por esse exemplo de bondade desmerecida. Saul era homem de batalhas e matanças. Já havia enfrentado muitos inimigos cuja única intenção era matá-lo, se tivessem a oportunidade. E ele mesmo, quando surgira uma boa oportunidade, nunca deixara um inimigo escapar, dando-lhe a chance de armar um contra-ataque em ocasião oportuna. Saul despachara todos eles, sem hesitação. O fato de que Davi não atacara, deixara Saul embasbacado. Essa era uma espécie diferente de moralidade, com a qual ele não estava acostumado.

As versões siríaca e árabe têm um interessante texto alternativo que alguns estudiosos supõem refletir o texto hebraico original: "Se um homem encontra seu inimigo e o deixa ir-se, o Senhor o recompensará, pelo que o Senhor te recompense (ó Davi)".

24.20

וְעַתָּה הִנֵּה יָדַעְתִּי כִּי מָלֹךְ תִּמְלוֹךְ וְקָמָה בְּיָדְךָ
מַמְלֶכֶת יִשְׂרָאֵל׃

Tenho certeza de que serás rei. Saul reconhece o que ele mais temia: Davi, de fato, seria o segundo rei, enquanto ele mesmo seria substituído, o que também significava que seus familiares não continuariam na realeza. Era disso que Samuel sabia o tempo todo e comunicara a Davi quando o ungiu como rei (1Sm 16.10-13). Além do mais, o profeta do Senhor tinha dito antes que Saul seria substituído e sua família não continuaria ocupando o trono (15.28 ss.). Jônatas também estava ciente dessa mudança e a aceitara, tendo apenas pedido a Davi que sua família não fosse aniquilada pela nova linhagem real (20.13-16). Saul sabia o que aconteceria, mas não se conformou. Pensou que poderia derrotar e anular a profecia através da violência, eliminando o rival. Agora Saul reconhecia o *inevitável* e, pelo menos momentaneamente, submeteu-se ao seu destino.

24.21

וְעַתָּה הִשָּׁבְעָה לִּי בַּיהוָה אִם־תַּכְרִית אֶת־זַרְעִי אַחֲרָי
וְאִם־תַּשְׁמִיד אֶת־שְׁמִי מִבֵּית אָבִי׃

Jura-me pelo Senhor que não eliminarás a minha descendência. Era costume no Oriente que novas dinastias reais, especialmente se o poder tivesse sido obtido por meios violentos, aniquilassem os membros da dinastia anterior, para pôr fim a toda a competição. Se Davi tivesse sido um homem como Saul, não hesitaria em fazer precisamente isso. Jônatas, filho de Saul, já havia estabelecido uma *aliança* com Davi, que incluía a proteção para a sua família. Ver 1Sm 20.15-17. Essa aliança foi renovada (1Sm 20.42). É provável que a renovação do *acordo*, ainda em outra ocasião (ver 1Sm 23.18), incluísse a promessa de não aniquilamento da antiga linhagem real. Agora foi a vez de Saul extrair de Davi o mesmo juramento, conforme demonstra o presente versículo. Embora Saul fosse uma máquina de matar, ele não queria que a violência chegasse à sua própria família. Restava-lhe algum afeto natural, mesmo que ele não exercitasse misericórdia com seus inimigos.

Como exemplos de matanças da antiga dinastia, em *Israel*, ver 1Rs 15.29; 16.11 e 2Rs 10. A última referência narra a história de como os súditos futuros de Jeú mataram toda a família de Acabe e puseram as cabeças de *setenta príncipes* em cestos, apresentando-as ao novo rei como um horrendo troféu de sua obediência. Saul conhecia esse costume, pelo que seu temor em relação ao futuro de sua família não era vão. "Sem dúvida, o temor de alguma terrível catástrofe que sobreviesse aos próprios filhos e amigos fazia parte da punição que Saul estava sofrendo" (Ellicott, *in loc.*).

24.22

וַיִּשָּׁבַע דָּוִד לְשָׁאוּל וַיֵּלֶךְ שָׁאוּל אֶל־בֵּיתוֹ וְדָוִד
וַאֲנָשָׁיו עָלוּ עַל־הַמְּצוּדָה׃

Então jurou Davi a Saul. Davi fez um juramento solene diante de Saul: ele pouparia a família de seu desafeto e não seguiria o costume bárbaro. Diante disso, Saul voltou à sua casa (em *Gibeá*), e, ao que tudo indica, Davi permaneceu em Adulão, ou foi para Mispa, conforme dizem as versões siríaca e árabe. Cf. 1Sm 22.1,3. Talvez ele tenha ido para En-Gedi (1Sm 23.29). É possível que nessa época tenha sido composto o Salmo 57.

O livro de 2Samuel mostra-nos que Davi não cumpriu sua palavra em um sentido absoluto. Sete filhos de Saul foram mortos, por causa da insistência dos gibeonitas. Mas Davi poupou Mefibosete, por causa do juramento que tinha feito a Saul (1Sm 21.7). John Gill explicou que Yahweh não estava limitado pelos juramentos humanos, e o que aconteceu teve o concurso da vontade de Deus; mas essa é uma explicação bastante dúbia. Antes, parece que a antiga violência obteve outra vitória, apesar das boas resoluções dos homens.

Crisóstomo (tomo iv. parte 761) tem um eloquente comentário sobre o exemplo magnânimo de Davi, ilustrado pela história seguinte:

"Davi pregou um sermão pelo seu exemplo e ofereceu um *sacrifício autêntico*, o sacrifício espiritual de sua própria pessoa e de sua própria ira... Oferecendo aquelas vítimas, ele obteve gloriosa vitória".

CAPÍTULO VINTE E CINCO

A MORTE DE SAMUEL: DAVI E ABIGAIL (25.1-44)

"*A Morte de Samuel*." A história de Nabal e Abigail: um incidente que ilustra a vida que Davi levava quando era capitão dos fora da lei; Abigail torna-se esposa de Davi" (Ellicott, *in loc.*).

25.1

וַיָּמָת שְׁמוּאֵל וַיִּקָּבְצוּ כָל־יִשְׂרָאֵל וַיִּסְפְּדוּ־לוֹ
וַיִּקְבְּרֻהוּ בְּבֵיתוֹ בָּרָמָה וַיָּקָם דָּוִד וַיֵּרֶד אֶל־מִדְבַּר
פָּארָן׃ ס

Admiravelmente, o autor sacro relata a morte e o sepultamento de Samuel em um *único* versículo, ao mesmo tempo que descreve com detalhes eventos de *importância apenas relativa* na vida de Davi, enquanto este continuava no exílio. Alguns críticos supõem que até este único versículo sobre Samuel tenha sido adicionado por algum editor posterior. Talvez a história original da morte de Samuel tenha sido perdida, e a mera menção teve de ser suficiente.

A Morte de Samuel. "O breve obituário de um grande homem! Samuel entrou em cena quando Israel era um grupo de tribos dispersas, sem nenhuma organização em comum, unidas pela fugidia e caprichosa lealdade a Yahweh. sua devoção ao Senhor sempre colocou Samuel no centro da vida do povo. A religião forçava-o para dentro de todos os problemas de seus dias. Ele pode ter hesitado ocasionalmente, mas nunca abandonou sua lealdade a Deus. Para melhor ou para pior, ele viu seu povo organizar-se em uma nação. Pressagiou o advento dos grandes e éticos *profetas*. Como vidente e profeta, transpôs o abismo entre o politeísmo primitivo e a religião ética que haveria de resultar no monoteísmo moral" (John C. Schroeder, *in loc.*).

Sucesso. "Obteve sucesso quem viveu bem, quem riu com frequência e quem amou muito; quem obteve o respeito de homens inteligentes e o amor das criancinhas; quem preencheu o seu lugar e realizou a sua tarefa, quer se trate de uma papoula aprimorada, de um perfeito poema ou de uma alma liberta; a quem nunca faltou apreciação pelas belezas terrenas, nem deixou de expressá-la; quem buscou o melhor que há nos outros, quem deu o melhor que possuía; cuja vida foi uma inspiração e cuja memória é uma bênção" (Robert Louis Stevenson).

Todo o Israel. sua grandeza tinha elevado Samuel acima da massa, transformando-o em uma figura nacional, o precursor do período dos profetas, que lançou em eclipse os sumos sacerdotes como líderes nacionais.

E o prantearam. Ver no *Dicionário* o verbete chamado *Lamentação*.

E o sepultaram. Ver no *Dicionário* o artigo chamado *Sepultamento, Costumes de*.

Fontes judaicas dizem-nos que Samuel morreu quatro meses antes de Saul, mas alguns intérpretes falam em *sete meses* (Kimchi e Abarbanel, *in loc.*). Presumivelmente Samuel viveu até os 99 anos de idade e governou Israel de dezesseis a vinte anos. Ver no *Dicionário* o artigo geral chamado *Samuel*.

Entrementes, Davi foi para *Parã*. Ver sobre *El-Parã*, em Gn 14.6. Sabiamente, Davi continuava fugindo de Saul, a despeito da resolução momentânea deste último de abandonar as perseguições (ver 1Sm 24.17 ss.).

A HISTÓRIA DE NABAL E ABIGAIL (25.2-43)

■ 25.2

וְאִ֨ישׁ בְּמָע֜וֹן וּמַעֲשֵׂ֣הוּ בַכַּרְמֶ֗ל וְהָאִישׁ֙ גָּד֣וֹל מְאֹ֔ד וְל֖וֹ
צֹ֣אן שְׁלֹֽשֶׁת־אֲלָפִ֗ים וְאֶ֛לֶף עִזִּ֖ים וַיְהִ֛י בִּגְזֹ֥ז אֶת־צֹאנ֖וֹ
בַּכַּרְמֶֽל׃

Havia um homem em Maom. *O autor sagrado* deixou-nos um breve obituário para Samuel e então apressou-se a contar a história de como Abigail se tornou esposa de Davi. Ela era casada com aquele estúpido homem, *Nabal*, mas a providência operou, impedindo atos apressados e violentos da parte de Davi.

Maom. Ver no *Dicionário* e cf. 1Sm 23.24,25. Davi já havia perambulado pela região e agora retornou ao local. Davi continuava no exílio, fugindo de Saul.

Carmelo. Não se trata do famoso *Carmelo* (ver a respeito no *Dicionário*) e, sim, de um lugar com o mesmo nome, entre Zife e Maom. Ver também 1Sm 15.12. Ver o terceiro ponto do artigo sobre *Carmelo*, quanto à cidade que aparece no texto presente. Nabal residia ali. Ele era considerado rico e poderoso. Possuía três mil ovelhas e mil cabras (consideradas riquezas naquele tempo) e, sem dúvida, era um xeque local revestido de considerável poder. Provavelmente tinha seu pequeno exército privado, pelo que era um homem a ser temido. O poder usualmente acompanha o dinheiro, e Nabal, tendo ambas as coisas, podia tornar a vida de alguém miserável. Considerando suas riquezas, o pedido de ajuda que Davi estava prestes a fazer não era grande.

Estava tosquiando as suas ovelhas. "A missão de Davi a Nabal ocorreu durante a tosquia das ovelhas do rico pecuarista, uma ocasião acompanhada por grandes celebrações e festejos" (Ellicott, *in loc.*). O tempo da tosquia era junho-julho. Plínio diz-nos que, em seu tempo, as ovelhas eram tosquiadas em lugares especiais, e essa era uma atividade comunitária (*Hist. Nat.* 1.8, cap. 48).

■ 25.3

וְשֵׁ֤ם הָאִישׁ֙ נָבָ֔ל וְשֵׁ֥ם אִשְׁתּ֖וֹ אֲבִגָ֑יִל וְהָאִשָּׁ֤ה
טֽוֹבַת־שֶׂ֙כֶל֙ וִ֣יפַת תֹּ֔אַר וְהָאִ֥ישׁ קָשֶׁ֖ה וְרַ֣ע
מַעֲלָלִ֑ים וְה֖וּא כָלִבּֽוֹ

Nabal. Ver no *Dicionário* o artigo sobre esse nome, quanto a detalhes completos. sua esposa era Abigail (que também aparece no mesmo artigo). "Nabal" significava "estúpido", conforme salientou Abigail (vs. 25). Ele era homem de más disposições e atos violentos, de modo que a própria esposa disse que ele era homem de Belial. Em outras palavras, Abigail vivia com uma besta-fera. Mas o tempo de sofrimentos dela estava terminando.

O autor sacro mostrou-se muito generoso com Abigail, tendo-a descrito como mulher bela de alma e de corpo. Ela era o oposto do seu marido, o qual se caracterizava como mal disposto, egoísta, duro e maligno. Palavras como essas nos dão a entender que, provavelmente, ele obteve suas riquezas através da violência, enganando e matando.

O homem descendia do famoso *Calebe*, companheiro de Josué, e esse fato só agravava a sua condição. Ele rejeitara os nobres ascendentes e se transformara em um patife. A palavra *Calebe*, no hebraico, significa "cão", e assim a Septuaginta chama-o de homem *cão*, supondo que essa palavra, neste ponto, devesse ser assim entendida. Mas o que o autor sagrado queria dizer era que Nabal, embora de fidalgo nascimento, estava longe de ser generoso e nobre.

Abigail, a bela mulher, estava casada com um homem rústico, provavelmente por causa de suas riquezas e de seu poder. Muitas mulheres dignas são sacrificadas por homens desse naipe.

■ 25.4,5

וַיִּשְׁמַ֥ע דָּוִ֖ד בַּמִּדְבָּ֑ר כִּֽי־גֹזֵ֥ז נָבָ֖ל אֶת־צֹאנֽוֹ׃

וַיִּשְׁלַ֥ח דָּוִ֖ד עֲשָׂרָ֣ה נְעָרִ֑ים וַיֹּ֨אמֶר דָּוִ֜ד לַנְּעָרִ֗ים
עֲל֤וּ כַרְמֶ֙לָה֙ וּבָאתֶ֣ם אֶל־נָבָ֔ל וּשְׁאֶלְתֶּם־ל֥וֹ בִשְׁמִ֖י
לְשָׁלֽוֹם׃

Ouvindo Davi no deserto. Davi já conhecia Nabal indiretamente, por associações anteriores (vs. 7), e precisava de ajuda material para seu bando. Ele pensou que um homem rico oferecería prontamente a ajuda de que precisava, especialmente diante do fato de que ele agira bondosamente para com os homens de seu pastoreio de ovelhas, quando entrara em contato com eles. Davi não foi pessoalmente, mas enviou representantes para apresentar a Nabal a sua causa. A medida de um homem é a sua *generosidade*, e Nabal haveria de provar em breve que não possuía muito dessa qualidade. Essencialmente, o que Davi pedia era dinheiro pela proteção que havia dado aos pastores de Nabal, crendo que uma troca de favores seria apenas razoável. Davi agira como uma espécie de força policial não oficial, no deserto, e Nabal se beneficiara de seus atos.

Sem dúvida, contribuições oferecidas pelos fazendeiros e pelos criadores de ovelhas ajudavam Davi e seus homens. Por sua parte, Davi os protegia de ataques por parte dos filisteus e árabes. Provavelmente, em algumas ocasiões, tais contribuições eram cobradas sem importar se os criadores e fazendeiros concordavam ou não. As ameaças de Davi os obrigariam a pagar; caso não o fizessem, o bando de Davi provavelmente apelava para a violência, conforme sugere o texto presente.

■ 25.6

וַאֲמַרְתֶּ֥ם כֹּ֖ה לֶחָ֑י וְאַתָּ֤ה שָׁלוֹם֙ וּבֵיתְךָ֣ שָׁל֔וֹם וְכֹ֥ל
אֲשֶׁר־לְךָ֖ שָׁלֽוֹם׃

Direis àquele próspero. *Davi* enviou uma original saudação a Nabal, mostrando-lhe cortesia e desejando todas as coisas boas para ele, seus familiares e servos. Mas não podia esconder um fato: *Davi estava precisando de dinheiro.* O homem rico, Nabal, que havia juntado sua fortuna mediante a combinação de engano, matança e trabalho árduo, não quis dar a Davi um centavo sequer. Ver no *Dicionário* o verbete chamado *Saudação*, quanto às fórmulas de saudação e seu significado.

Davi não se mostrara ameaçador, o que se poderia esperar de um guerreiro que perambulava pela vizinhança com seiscentos homens. De fato, em ocasiões anteriores, ele chegara mesmo a dar proteção (vss. 15-17). Porém, não nos enganemos a respeito. Ele precisava de sustento para si mesmo e para seu pequeno exército.

■ 25.7

וְעַתָּ֣ה שָׁמַ֔עְתִּי כִּ֥י גֹזְזִ֖ים לָ֑ךְ עַתָּ֗ה הָרֹעִ֤ים אֲשֶׁר־לְךָ֙
הָי֣וּ עִמָּ֔נוּ לֹ֣א הֶכְלַמְנ֔וּם וְלֹֽא־נִפְקַ֥ד לָהֶ֖ם מְא֑וּמָה
כָּל־יְמֵ֥י הֱיוֹתָ֖ם בַּכַּרְמֶֽל׃

Os teus pastores estiveram conosco. Para reforçar o pedido, Davi relembrou a Nabal que, embora nunca se tivessem encontrado pessoalmente, ele e seu exército tinham entrado em contato com os pastores dele e seus rebanhos. Os homens de Davi não lhes haviam feito nenhum mal nem os tinham furtado. E podemos supor que tenham dado proteção contra atacantes, mormente contra os temíveis filisteus, que tinham o mau hábito de atacar pessoas que de nada suspeitavam.

Havia Festas na Casa de Nabal. Os tosquiadores estavam trabalhando. Era costume, no Oriente, que ricos fazendeiros fossem generosos em tais festividades. Portanto, Davi tinha certo "direito" em esperar ajuda da parte de Nabal. Mas Nabal era um homem mesquinho, mesmo em tempos de festa. Nem mesmo o pouco de vinho que ele havia bebido amoleceria seu duro coração.

"Davi tinha uma reivindicação sobre Nabal pelos serviços essenciais realizados em favor de seus pastores, em Carmelo. Davi não somente não fizera mal a eles nem os furtara, mas, antes, os protegera da rapacidade de outros... Naqueles dias, e até hoje, hordas de árabes vagabundos, sob vários pequenos chefes, pensam ter o direito de cobrar contribuições" (Adam Clarke, *in loc.*).

■ 25.8

שְׁאַ֥ל אֶת־נְעָרֶ֖יךָ וְיַגִּ֣ידוּ לָ֑ךְ וְיִמְצְא֨וּ הַנְּעָרִ֥ים חֵ֛ן
בְּעֵינֶ֖יךָ כִּֽי־עַל־י֣וֹם טֹ֣וב בָּ֑נוּ תְּנָה־נָּ֗א אֵת֩ אֲשֶׁ֨ר תִּמְצָ֤א
יָֽדְךָ֙ לַעֲבָדֶ֔יךָ וּלְבִנְךָ֖ לְדָוִֽד׃

Pergunta aos teus moços. Davi havia mandado dez jovens para coletar a contribuição, e eles também serviriam de *testemunhas* do que Davi havia mandado dizer. Davi pleiteou com o homem duro para *favorecê-lo* com o que tivesse à mão, porque ele fora correto e bom vizinho. Ademais, Davi relembrou a Nabal que o pedido estava sendo feito em um *dia bom,* ou seja, em meio a uma ocasião em que Nabal se tornava mais rico, com a tosquia de seu rebanho, e entre festas e celebrações. Davi pediu "qualquer coisa" de que Nabal dispusesse, mas esperava, naturalmente, que este fosse generoso. Imaginem o que seria necessário para sustentar seiscentos homens (ver 1Sm 23.13) no deserto! Muitos ricos fazendeiros tinham de "contribuir", ou os soldados seriam forçados a saquear e matar, o que, naturalmente, era o que a maioria dos exércitos antigos fazia em campanha militar. Por isso os indianos dizem: "Ó pai, enche a barriga de teu filho. Ele está em necessidade angustiosa". Note o leitor que Davi chamou a si mesmo de *filho* de Nabal.

■ **25.9**

וַיָּבֹאוּ נַעֲרֵי דָוִד וַיְדַבְּרוּ אֶל־נָבָל כְּכָל־הַדְּבָרִים הָאֵלֶּה בְּשֵׁם דָּוִד וַיָּנוּחוּ׃

Chegando, pois, os moços de Davi. Os *embaixadores de Davi,* os moços, apresentaram sua fala decorada, nada omitindo de tudo quanto Davi lhes dissera e cuja essência aparece nos vss. 6-8. Eles tornaram a questão simples e clara. Não era possível nenhum mal-entendido. A essência do recado era: "Precisamos de dinheiro!", e isso só poderia ser ofensivo para um homem mesquinho.

Terminando de dar o recado, eles se *calaram* e se sentaram, esperando uma boa palavra da parte de Nabal. Não imaginaram o que se seguiria.

■ **25.10**

וַיַּעַן נָבָל אֶת־עַבְדֵי דָוִד וַיֹּאמֶר מִי דָוִד וּמִי בֶן־יִשָׁי הַיּוֹם רַבּוּ עֲבָדִים הַמִּתְפָּרְצִים אִישׁ מִפְּנֵי אֲדֹנָיו׃

Quem é Davi...? A resposta de Nabal aos polidos homens de Davi foi dura. "A resposta de Nabal foi que Davi era um *ninguém,* e seus homens eram apenas escravos fugidos" (George B. Caird, *in loc.*).

Nabal sabia sobre Davi e seu pai, Jessé. Já se espalhara a mensagem de que Davi era um homem rebelde que fugira de Saul e entrara no deserto com outros descontentes e desertores. Nabal não queria apoiar esse tipo de rebelião insensata, nem sancionar uma pequena guerra civil que Davi promovia contra o legítimo rei de Israel. Naturalmente, nada disso tinha importância para Nabal. Ele não queria contribuir e precisava de alguma desculpa para sua mesquinhez.

"Esse insulto indica que Nabal pertencia à facção de Saul... e deveria ser considerado entre os que odiavam Davi... A notícia de suas palavras excitou Davi até a cólera" (Ellicott, *in loc.*). Nabal, pois, era outro Doegue que servia a Saul para prejudicar a terceiros. Agora Davi haveria de caçar Nabal, arrancaria tudo o que lhe pertencia e ficaria com o que quisesse. Ele estava prestes a mostrar àquele homem mesquinho quem era Davi.

Ver 1Sm 22.2 quanto aos tipos de homens que se tinham reunido a Davi, justificando, em parte, o que Nabal dissera sobre os renegados.

■ **25.11**

וְלָקַחְתִּי אֶת־לַחְמִי וְאֶת־מֵימַי וְאֵת טִבְחָתִי אֲשֶׁר טָבַחְתִּי לְגֹזְזָי וְנָתַתִּי לַאֲנָשִׁים אֲשֶׁר לֹא יָדַעְתִּי אֵי מִזֶּה הֵמָּה׃

A minha água. Nabal não daria de sua *água,* recurso escasso no deserto. A Septuaginta diz aqui "vinho", mas a água era mais preciosa do que o vinho naquela região. Cf. Js 15.19, sobre o pedido de terras que contavam com água própria, uma grande possessão em certas regiões da Palestina. Os tradutores gregos substituíram "água" por "vinho", sem pensar sobre quão preciosa era a água no local onde ocorreu o drama entre Davi e Nabal.

E o daria a homens que eu não sei donde vêm? Seria razoável a Nabal tomar os essenciais de sua família, de seus servos e de seus amigos, perante quem ele era responsável, para dá-los àqueles renegados que eram nulos, enganadores, matadores e escravos infiéis? Nabal não demonstrava paciência para com aquela turbamulta nem para com seu líder traidor, Davi.

■ **25.12**

וַיַּהַפְכוּ נַעֲרֵי־דָוִד לְדַרְכָּם וַיָּשֻׁבוּ וַיָּבֹאוּ וַיַּגִּדוּ לוֹ כְּכֹל הַדְּבָרִים הָאֵלֶּה׃

Contaram tudo segundo todas estas palavras. *Foi um Relatório Consternador.* Nabal deveria saber que não se trata um guerreiro selvagem daquela maneira. Ele não passava, porém, de um homem *estúpido,* conforme o próprio nome indica. Em breve, Davi avançaria contra Nabal, em meio às suas festividades, e não de forma amigável. Davi por certo se vingaria da afronta.

■ **25.13**

וַיֹּאמֶר דָּוִד לַאֲנָשָׁיו חִגְרוּ אִישׁ אֶת־חַרְבּוֹ וַיַּחְגְּרוּ אִישׁ אֶת־חַרְבּוֹ וַיַּחְגֹּר גַּם־דָּוִד אֶת־חַרְבּוֹ וַיַּעֲלוּ אַחֲרֵי דָוִד כְּאַרְבַּע מֵאוֹת אִישׁ וּמָאתַיִם יָשְׁבוּ עַל־הַכֵּלִים׃

Disse Davi aos seus homens. *Uma Ação Imediata.* O equipamento de guerra foi recolhido e os homens prepararam-se para a ação. Davi não esperaria até o dia seguinte para vingar-se; reuniu quatrocentos de seus seiscentos homens, deixando duzentos na guarda do acampamento. Quatrocentos guerreiros treinados acabariam com os festejadores, estivessem eles preparados ou não para o ataque.

■ **25.14**

וְלַאֲבִיגַיִל אֵשֶׁת נָבָל הִגִּיד נַעַר־אֶחָד מֵהַנְּעָרִים לֵאמֹר הִנֵּה שָׁלַח דָּוִד מַלְאָכִים מֵהַמִּדְבָּר לְבָרֵךְ אֶת־אֲדֹנֵינוּ וַיָּעַט בָּהֶם׃

Um dentre os moços de Nabal. Um dos jovens que servia a Nabal correu para contar a Abigail o que seu marido acabara de fazer, confirmando a bondade anterior de Davi para com eles e o insultuoso tratamento que os mensageiros de Davi tinham recebido. Eles sabiam o que Nabal aparentemente não sabia: Davi logo chegaria com seu exército, e um grande massacre seria efetuado. Sem dúvida, Abigail, em muitas ocasiões, já havia agido como pacificadora entre o marido e as pessoas que ele ofendera. Ela era uma mulher que falava suavemente e sem dúvida obtivera sucesso em suas mediações. Seus serviços eram novamente necessários e com toda a urgência.

Ela usaria mais que meras palavras. Tomaria suprimentos alimentares suficientes para satisfazer as necessidades imediatas de Davi, e isso o acalmaria e o levaria a ouvir suas palavras de paz (ver os vss. 14-19). É provável que em várias ocasiões ela já tivesse feito *reparos* aos atos de seu estúpido marido, e esse era um dos fatores que o mantinham rico e abastado. Ele sempre se livrava dos problemas graças à esposa prudente.

■ **25.15**

וְהָאֲנָשִׁים טֹבִים לָנוּ מְאֹד וְלֹא הָכְלַמְנוּ וְלֹא־פָקַדְנוּ מְאוּמָה כָּל־יְמֵי הִתְהַלַּכְנוּ אִתָּם בִּהְיוֹתֵנוּ בַּשָּׂדֶה׃

Aqueles homens, porém, nos têm sido muito bons. A bondade de Davi para com os pastores de Nabal (cf. o vs. 7) deveria ter sido causa suficiente para ele conceder, feliz, mantimentos para o bando. Mas o homem estúpido não era conhecido por sua gratidão. Em vez de fazer-lhes algum mal ou furtá-los, apelando para a violência, Davi provavelmente os protegera de atacantes árabes e filisteus. Mas Nabal olhava noutra direção nessa ocasião. O modo de agir de Davi foi ainda mais notável quando consideramos o tipo de homens que ele havia reunido em seu pequeno exército. Sem dúvida havia entre eles muitos homens violentos e indisciplinados. Mas Davi os manteve em boa conduta e não permitiu que cometessem injustiças. Ele usava a habilidade de liderança e a bondade interior como guias.

■ **25.16**

חוֹמָה הָיוּ עָלֵינוּ גַּם־לַיְלָה גַּם־יוֹמָם כָּל־יְמֵי הֱיוֹתֵנוּ עִמָּם רֹעִים הַצֹּאן׃

De muro em redor nos serviram. Proteção foi dada aos pastores, que estavam muito vulneráveis em campo aberto, com suas ovelhas. O texto implica proteção contra as feras e os atacantes humanos. A proteção que Davi oferecera era como um "muro" entre aqueles homens e os vários perigos que os ameaçavam.

"Sabemos de ataques contra duas cidades muradas naquela região sul, uma da parte dos filisteus (ver 1Sm 23.1-5) e outra da parte dos amalequitas (30.1,2). Quanto mais pastores com suas ovelhas, em campo aberto, teriam estado em perigo constante, ameaçados por saqueadores, a menos que contassem com alguém como Davi, que lhes servisse de *muro* protetor" (George B. Caird, *in loc.*). Proteção contra as "... incursões dos árabes, que viviam no deserto de Parã (posteridade de Ismael), os quais se dedicavam à pilhagem, e contra os animais ferozes do deserto, que, de outra sorte, teriam levado embora suas ovelhas e cordeiros, de dia ou de noite" (John Gill, *in loc.*).

■ 25.17

וְעַתָּה דְּעִי וּרְאִי מָה־תַּעֲשִׂי כִּי־כָלְתָה הָרָעָה אֶל־אֲדֹנֵינוּ וְעַל כָּל־בֵּיתוֹ וְהוּא בֶּן־בְּלִיַּעַל מִדַּבֵּר אֵלָיו:

Ele é filho de Belial. Esta é a tradução que aparece em algumas versões. Mas muitos eruditos pensam que os hebreus ainda não tinham incluído em sua teologia a ideia de um diabo pessoal. Portanto, a expressão "filho de Belial" deve ser tomada como adjetivo, e não como nome próprio, sendo traduzida por "dotado de má natureza" ou alguma expressão paralela. A nossa versão portuguesa retém a referência pessoal ao príncipe da malignidade. Ellicott (*in loc.*), todavia, quase certamente está correto ao dizer: "Belial não era um nome próprio, embora subsequentemente viesse a ser assim considerado. seu sentido simplesmente é o de 'falta de valor'. Um filho de Belial é uma *pessoa* má e sem valor". Ver no *Dicionário* o artigo chamado *Belial*.

Nabal era mestre do mau humor. sua disposição era tão má que "ninguém" podia dirigir-lhe a palavra. Ele incorrera no grave equívoco de não se conter ao falar com os mensageiros de Davi, e o guerreiro não demoraria a descer contra Nabal e toda a sua casa, pondo fim à questão.

■ 25.18

וַתְּמַהֵר אֲבוֹגַיִל וַתִּקַּח מָאתַיִם לֶחֶם וּשְׁנַיִם נִבְלֵי־יַיִן וְחָמֵשׁ צֹאן עֲשׂוּוֹת וְחָמֵשׁ סְאִים קָלִי וּמֵאָה צִמֻּקִים וּמָאתַיִם דְּבֵלִים וַתָּשֶׂם עַל־הַחֲמֹרִים:

Então Abigail tomou, a toda pressa. *Provisões para Davi e sua Gente.* Abigail não se demorou em preparar para Davi e seus homens uma pequena provisão, em substituição à verdadeira provisão que Davi esperava de Nabal. O fato de que ela pôde fazer isso mostra-nos as riquezas de Nabal, que davam a Abigail relativa liberdade de agir de moto próprio. Provavelmente, ela fora obrigada a casar com Nabal, mas mantinha certa dose de independência. "Abigail, à semelhança de Jacó (Gn 32.16), enviou o presente aplacador à frente. Mas o plano deve ter abortado de alguma maneira, porquanto ela mesma foi ter com Davi de repente, justamente quando ele estava jurando vingar-se de Nabal e toda a sua casa" (George B. Caird, *in loc.*).

Essas provisões eram todas algo para comer. Sem dúvida eram necessárias muitas manipulações e "contribuições forçadas" para *Davi* manter os seiscentos homens no deserto. O que foi oferecido por Abigail era apenas um sinal de boa vontade, mas algo menos do que suficiente para aplacar Davi. Ele teria de cobrar suas "contribuições" de outros fazendeiros e criadores de ovelhas da área. O que Abigail ofereceu era mais um *presente liberal* que uma provisão. Mas isso, juntamente com o rosto bonito de Abigail, teve o efeito desejado sobre Davi.

■ 25.19

וַתֹּאמֶר לִנְעָרֶיהָ עִבְרוּ לְפָנַי הִנְנִי אַחֲרֵיכֶם בָּאָה וּלְאִישָׁהּ נָבָל לֹא הִגִּידָה:

Nada disse ela a seu marido. Abigail mandou o presente a Davi, por intermédio de seus servos, sem o conhecimento de Nabal. De outra sorte, seria severamente castigada por seu ato de independência. Eles partiram na frente, mas ela deve ter mudado de ideia acerca do *modus operandi* de sua missão. Abigail considerou ser importante ir pessoalmente, e foi o que fez. Moralistas exagerados comentam este versículo, informando-nos que não era correto para uma mulher agir pelas costas do marido, sem informá-lo de suas providências. John Gill (*in loc.*) justifica os atos de Abigail argumentando que "o Espírito de Deus a orientou". Contudo, não precisamos desculpá-la. Ela foi em uma missão salva-vidas e fez a coisa certa agindo sem perturbar, por meio de consultas, o ignorante e obstinado Nabal.

■ 25.20

וְהָיָה הִיא רֹכֶבֶת עַל־הַחֲמוֹר וְיֹרֶדֶת בְּסֵתֶר הָהָר וְהִנֵּה דָוִד וַאֲנָשָׁיו יֹרְדִים לִקְרָאתָהּ וַתִּפְגֹּשׁ אֹתָם:

Enquanto ela, cavalgando um jumento, descia. *Abigail* tomou seu próprio veículo, um jumento de passos firmes, e correu à frente dos servos, como se por acaso (não existe coisa como o mero acaso) pudesse encontrar-se com Davi e seus homens. sua missão de misericórdia teve um bom começo. Havia *orientação* naquilo que ela estava fazendo. Ela não podia cometer um erro sequer. Vidas dependiam de seu sucesso.

Encoberta. Algum lugar "oculto" no monte, provavelmente um vale ou espaço entre dois picos ou entre uma descida e uma subida íngreme.

■ 25.21,22

וְדָוִד אָמַר אַךְ לַשֶּׁקֶר שָׁמַרְתִּי אֶת־כָּל־אֲשֶׁר לָזֶה בַּמִּדְבָּר וְלֹא־נִפְקַד מִכָּל־אֲשֶׁר־לוֹ מְאוּמָה וַיָּשֶׁב־לִי רָעָה תַּחַת טוֹבָה:

כֹּה־יַעֲשֶׂה אֱלֹהִים לְאֹיְבֵי דָוִד וְכֹה יֹסִיף אִם־אַשְׁאִיר מִכָּל־אֲשֶׁר־לוֹ עַד־הַבֹּקֶר מַשְׁתִּין בְּקִיר:

Ora Davi dissera. Abigail aproximou-se de Davi exatamente no momento em que ele se queixava amargamente sobre o erro de Nabal e sua recusa em prover suprimentos para ele e seus homens. Davi queixou-se de que fora bondoso sem nenhum propósito. Ele tinha dado proteção aos rebanhos e pastores de Nabal, sem ser reconhecido por suas boas obras. Ele nada furtara, quando poderia ter roubado tudo. O patife só devolvera o mal pelo bem. Em breve os gritos de Davi se transformariam em uma maldição de destruição, trazendo *Elohim* à cena (vs. 22).

Davi tinha planos de morticínio em mente. Nabal e toda a sua casa seriam brutalmente assassinados. Davi chegou a fazer um juramento por Elohim nesse sentido de que, *se* ele próprio não cumprisse sua maldição, que Elohim fizesse com Davi tudo quanto ele planejava fazer a Nabal. Algumas traduções, como a nossa versão portuguesa, dizem: "Faça Deus aos inimigos de Davi se...", o que concorda com o texto original hebraico. Mas as versões siríaca, árabe e a Septuaginta fazem de Davi o objeto da *ira* de Elohim, caso Davi não levasse a cabo Nabal e toda a sua casa. Provavelmente assim dizia o texto hebraico original, que editores e escribas posteriores pensaram ser impossível. Pois poderia Davi amaldiçoar a si mesmo? Mas foi exatamente isso que ele fez.

Em momentos de grande excitação e irritação, muitas vezes dizemos e fazemos coisas que de outro modo não diríamos nem faríamos. Davi estava exagerando. Herodes Antipas fez um voto precipitado, e isso custou a cabeça de João Batista. "Coisa alguma pode justificar essa parte da conduta de Davi... o próprio Davi acabou condenando sua conduta precipitada e sem fundamento, e agradeceu a Deus por tê-lo impedido de efetuar o mal que tinha planejado" (Adam Clarke, *in loc.*). Alguns intérpretes judeus, entretanto, discordam de Clarke e supõem que Nabal e seus homens tenham sido culpados de *traição*. Eles sabiam que Davi fora ungido rei e, no entanto, negaram-lhe sua ajuda. Portanto, de acordo com esses intérpretes, eles "mereciam morrer". Quanto a esse ponto, fico com Clarke.

Um só do sexo masculino dentre os seus. A nossa versão portuguesa evita o texto hebraico bastante cru neste ponto, que é "urinar na parede", em lugar de "um só do sexo masculino". Homens e cães urinam nas paredes porque isso impede os salpicos. Adam Clarke (*in loc.*) diz-nos que esse cru hebraico não deve ser traduzido literalmente, e os tradutores da Bíblia em português concordaram com ele. Clarke criticou os expositores que insistem em reter o original e chegam a explicar as palavras. Mas essa é uma crítica mal orientada. Matar é muito pior que urinar em uma parede, e ninguém deve tirar isso do texto hebraico. O que Davi quis dizer é que sua matança seria tão completa que nenhum macho, homem ou animal, escaparia com vida.

■ 25.23

וַתֵּרֶא אֲבִיגַיִל אֶת־דָּוִד וַתְּמַהֵר וַתֵּרֶד מֵעַל הַחֲמוֹר וַתִּפֹּל לְאַפֵּי דָוִד עַל־פָּנֶיהָ וַתִּשְׁתַּחוּ אָרֶץ׃

Vendo, pois, Abigail a Davi. Abigail fez o que Nabal deveria ter feito. Prostrou-se com o rosto em terra, em homenagem ao futuro rei. E Davi, diante daquela mulher prostrada no chão, tão humilde e tão bela, deve ter tido uma visão impressionante. Davi era um guerreiro selvagem, mas possuía um coração terno, conforme ficara demonstrado em sua conduta diante de Saul, quando poderia tê-lo matado, mas não o fez (24.12 ss.). O coração de Davi se compungiu, e sua ira alçou voo. Abigail já tinha ganhado sua causa.

■ 25.24

וַתִּפֹּל עַל־רַגְלָיו וַתֹּאמֶר בִּי־אֲנִי אֲדֹנִי הֶעָוֹן וּתְדַבֶּר־נָא אֲמָתְךָ בְּאָזְנֶיךָ וּשְׁמַע אֵת דִּבְרֵי אֲמָתֶךָ׃

Permite falar a tua serva contigo. Ela pediu uma chance de apresentar a sua causa. Ciente de que se tratava da *esposa* de Nabal, Davi poderia tê-la executado ali mesmo. Ou o mero fato de tratar-se de uma mulher seria o bastante para deixar Davi ainda mais irado, em vez de convencê-lo de qualquer coisa. Mulheres existiam para serem oprimidas, e não para se misturarem nos negócios masculinos. Mas, naturalmente, mulheres verdadeiramente belas representavam exceções a essa regra. Além disso, aquela bela mulher se humilhara e declarava ser *escrava* de Davi. Esse tipo de linguagem é agradável aos homens.

■ 25.25

אַל־נָא יָשִׂים אֲדֹנִי אֶת־לִבּוֹ אֶל־אִישׁ הַבְּלִיַּעַל הַזֶּה עַל־נָבָל כִּי כִשְׁמוֹ כֶּן־הוּא נָבָל שְׁמוֹ וּנְבָלָה עִמּוֹ וַאֲנִי אֲמָתְךָ לֹא רָאִיתִי אֶת־נַעֲרֵי אֲדֹנִי אֲשֶׁר שָׁלָחְתָּ׃

Não se importe o meu senhor com este homem de Belial. "Nabal" significa "tolo", e Abigail assegurou a Davi que o homem fazia jus ao nome. Ele vivia causando tribulação desnecessária e fazendo inimigos por onde quer que fosse. Além disso, Abigail não vira os mensageiros de Davi. Se *ela* os tivesse visto, teria atendido ao pedido, e em breve os suprimentos estariam a caminho de Davi e seu exército. Assim sendo, Davi deveria considerar que suas boas intenções não se realizaram porque Nabal se intrometera, conforme sempre fazia. Ela estava dizendo: "Não mates os inocentes e aqueles dotados de boa vontade, somente porque, com boa razão, estás aborrecido com Nabal".

■ 25.26

וְעַתָּה אֲדֹנִי חַי־יְהוָה וְחֵי־נַפְשְׁךָ אֲשֶׁר מְנָעֲךָ יְהוָה מִבּוֹא בְדָמִים וְהוֹשֵׁעַ יָדְךָ לָךְ וְעַתָּה יִהְיוּ כְנָבָל אֹיְבֶיךָ וְהַמְבַקְשִׁים אֶל־אֲדֹנִי רָעָה׃

A Barganha Divina. O sentido do que Abigail dizia era: "Homens tolos como Nabal são, na verdade, impotentes diante de ti. Nesse caso, por que se preocupar em matar a ele e às pessoas inocentes que com ele estão? Apresento-te uma *barganha divina* que afirmo no nome de Yahweh. Se te refreares de matar àqueles homens sem valor (Nabal e seus servos), então que Yahweh torne todos os teus inimigos impotentes diante de ti, conforme Nabal na verdade é". "Nabal era um insensato que não merecia nenhuma atenção" (George B. Caird, *in loc.*). Davi lutava as batalhas de Yahweh. Deveria libertar Israel de seus verdadeiros adversários, como os filisteus. Por que haveria de perder tempo com tolos como Nabal?

Como vive o Senhor e a tua alma. O juramento divino foi feito pela própria alma de Davi e por Yahweh, causando forte impacto.

Mais ou menos na época de Davi, entrava na teologia dos hebreus a ideia da existência de uma alma imaterial que sobrevivia à morte física, e é possível que Abigail tenha jurado pelo princípio da vida no homem, a alma imortal. Ver as notas expositivas em Gn 1.26 e 2.7, quanto ao termo hebraico *nephesh* (alma) e como originalmente a teologia dos hebreus não concebia uma porção imortal do homem que sobrevivesse à morte. Mas finalmente a verdade brilhou na teologia judaica, embora, durante séculos, fizesse parte das religiões e filosofias antigas, do Oriente e do Ocidente. Ver no *Dicionário* o verbete intitulado *Alma*.

■ 25.27

וְעַתָּה הַבְּרָכָה הַזֹּאת אֲשֶׁר־הֵבִיא שִׁפְחָתְךָ לַאדֹנִי וְנִתְּנָה לַנְּעָרִים הַמִּתְהַלְּכִים בְּרַגְלֵי אֲדֹנִי׃

Este é o presente que trouxe a tua serva a meu senhor. Além de seus argumentos, os servos de Abigail trouxeram como presente comestíveis para o bando de Davi (ver o vs. 18). Os argumentos dela eram irretorquíveis, e os alimentos eram deliciosos. Além disso, Abigail era extremamente bonita. Davi esqueceu, pois, sua ira, e a maldição assassina foi interrompida. Abigail ganhou a sua causa naquela ocasião, provavelmente como acontecera em outras oportunidades. Ela era uma embaixadora particular do tolo Nabal, livrando-o das tribulações que ele mesmo cavava. Naturalmente, era costume que um mensageiro ou visitante se aproximasse de um superior com presentes. Seria grande descortesia não ouvir ao menos tal mensageiro.

"Abigail era não somente encantadora e sensível, mas também astuta" (John C. Schroeder, *in loc.*).

■ 25.28

שָׂא נָא לְפֶשַׁע אֲמָתֶךָ כִּי עָשֹׂה־יַעֲשֶׂה יְהוָה לַאדֹנִי בַּיִת נֶאֱמָן כִּי־מִלְחֲמוֹת יְהוָה אֲדֹנִי נִלְחָם וְרָעָה לֹא־תִמָּצֵא בְךָ מִיָּמֶיךָ׃

Perdoa a transgressão da tua serva. *Um Golpe de Mestre.* Em seu espírito astuto, Abigail assumiu a culpa do marido como se fosse sua. Não é provável que ela tivesse confessado que não lhe era *apropriado*, como mulher, estar ali na presença de todos aqueles homens, prostrada diante do chefe dos fora da lei. Antes, ela estava dizendo: "Considera a culpa do meu marido como minha, pois, afinal, ele é meu marido, e o que fizeres com ele farás comigo". Ao identificar-se com o marido daquela forma, ela virtualmente obrigou Davi a esquecer as intenções assassinas. Essas palavras foram seu *golpe de mestre*. Abigail também assegurou a Davi que um ato de perdão beneficiaria também a ela, e não somente a Nabal. Pela bondade de Davi, "ser-lhe-ia perdoado o delito".

A Promessa Gloriosa. Em nome de Yahweh, Abigail prometeu a Davi tudo quanto ele pudesse desejar, *caso* ele esquecesse suas intenções homicidas. O poder de Yahweh estabeleceria a sua casa, que se tornaria a *casa real*. Davi deveria lutar, mas suas pelejas deveriam ser efetuadas em favor de Israel; seriam as batalhas de Yahweh, e ele alcançaria sucesso em todas elas, a ponto de livrar Israel de todos os inimigos. Mas, para obter tal glória, Davi teria de ignorar tolos como Nabal, ocupando-se de batalhas verdadeiras contra inimigos reais. Se ele começasse a vingar-se por motivos triviais, não poderia esperar que o poder de Yahweh o acompanhasse. De fato, Davi começaria a agir como Saul, homem influenciado por um espírito maligno. Até ali, Davi não agira como Saul, cometendo injustiças e assassínios. Ele não deveria imitar tais homens, pois era grande demais para rebaixar-se dessa forma.

■ 25.29

וַיָּקָם אָדָם לִרְדָפְךָ וּלְבַקֵּשׁ אֶת־נַפְשֶׁךָ וְהָיְתָה נֶפֶשׁ אֲדֹנִי צְרוּרָה בִּצְרוֹר הַחַיִּים אֵת יְהוָה אֱלֹהֶיךָ וְאֵת נֶפֶשׁ אֹיְבֶיךָ יְקַלְּעֶנָּה בְּתוֹךְ כַּף הַקָּלַע׃

Então a tua vida será atada no feixe dos que vivem com o Senhor. Este belo versículo exprime um excelente sentimento, que evidentemente queria falar da *nephesh* (alma) como a *pessoa* *imortal,* em contraste com o mero corpo físico. Há um tesouro de almas imortais com o Senhor, e ele as guarda em bondade e amor, sendo protegidas para sempre. É como disse Sócrates: "Nenhum mal pode sobrevir a um homem bom".

> Oh, segura à Rocha que é mais alta que eu,
> Minha alma, em seus conflitos e tristezas voará.
> ...
> Ocultando-me em ti. Ocultando-me em ti.
> Tu, bendita Rocha dos séculos. Estou oculto em ti.
> William O. Cushing

"A figura simbólica aqui é a de posses preciosas, enroladas em um feixe, de modo que não podem perder-se" (George B. Caird, *in loc.*). Ver as notas no vs. 26 quanto a ideias sobre o termo hebraico *nephesh* (alma). À época de Davi, esse vocábulo começou a referir-se à parte imaterial do homem, à alma imortal, sendo provável que Abigail já tivesse alguma crença como essa.

Os Targuns dizem: "A alma do meu senhor será entesourada na vida eterna, diante do Senhor teu Deus". Maimônides compreendia este versículo como o que acontece à pessoa após a morte. Cf. versículos do Novo Testamento como Cl 3.3 e Ap 6.9.

Em contraste, a alma dos homens malignos será lançada fora, desprezivelmente, para a inutilidade e o nada, da mesma maneira que um homem lança pedras mediante uma funda. Ver Jr 10.18. Esta parte do sentimento expresso por Abigail tem sido ultrapassada por certos ensinos neotestamentários, nos quais vemos a graça de Deus a operar além do que a maioria dos homens espera. Ver no *Dicionário* os artigos intitulados *Mistério da Vontade de Deus* e *Julgamento de Deus dos Homens Perdidos*. E, no *Novo Testamento Interpretado,* examinar a exposição sobre 1Pe 4.6.

Alguns intérpretes supõem ser anacrônica a força das ideias destes versículos acerca da vida eterna e do julgamento de Deus para além da vida física. Eles creem que a teologia dos hebreus ainda não havia avançado até esse ponto. É verdade, naturalmente, que tais doutrinas se desenvolveram durante o período intermediário entre o Antigo e o Novo Testamentos, ou seja, nos livros apócrifos e pseudepígrafos. O próprio Novo Testamento reflete esse desenvolvimento. Contudo, Ellicott (*in loc.*) disse: "Essa é uma das mais antigas e mais definidas expressões de uma crença segura no futuro eterno na presença de Deus... Atualmente é uma inscrição favorita e comum nas lápides judaicas". "A alma dos justos está escondida debaixo do trono de Deus" (Rabino Ezra, *Shabbath,* fol. 152). Ap 6.9, naturalmente, reflete esse antigo sentimento dos hebreus.

■ 25.30

וְהָיָה כִּי־יַעֲשֶׂה יְהוָה לַאדֹנִי כְּכֹל אֲשֶׁר־דִּבֶּר אֶת־הַטּוֹבָה עָלֶיךָ וְצִוְּךָ לְנָגִיד עַל־יִשְׂרָאֵל׃

E há de ser que. Abigail sabia que Davi fora ungido como futuro rei e supunha que ele não seria capaz de alcançar o que fora planejado se começasse a matar por razões inadequadas, como para silenciar o insensato Nabal. O plano divino iria se desdobrar em estágios. Davi tinha de agir corretamente para chegar ao clímax das bênçãos de Yahweh. No tempo certo, todos os seus adversários seriam silenciados, e então ele cumpriria a missão que lhe fora atribuída. Notícias sobre sua unção como segundo rei de Israel devem ter-se espalhado por todo o território de Israel, e talvez as escolas dos profetas disseminassem a palavra, preparando assim o povo.

■ 25.31

וְלֹא תִהְיֶה זֹאת לְךָ לְפוּקָה וּלְמִכְשׁוֹל לֵב לַאדֹנִי וְלִשְׁפָּךְ־דָּם חִנָּם וּלְהוֹשִׁיעַ אֲדֹנִי לוֹ וְהֵיטִב יְהוָה לַאדֹנִי וְזָכַרְתָּ אֶת־אֲמָתֶךָ׃ ס

Não te será por tropeço. Isso equivale a: "Não tomes vingança insensata! Não derrames sangue sem uma causa justa! Não cries situações que te deem razões para sentires remorso mais tarde! Não macules teu futuro reinado! E quando Yahweh te puser como rei, lembra-te de mim!" Essas foram as exortações de Abigail a Davi. Um homem a quem Yahweh usava especialmente pode dar-se ao luxo de ser generoso e não vingar-se por injúrias pessoais que tenha sofrido.

> *Não vos vingueis a vós mesmos, amados,*
> *mas dai lugar à ira de Deus, porque está escrito:*
> *Minha é a vingança, eu retribuirei, diz o Senhor.*
> Romanos 12.19, citando Levítico 19.18

Ver também Pv 24.29; 25.21; Dt 32.35; Hb 10.30 e Mt 5.44.

"Com estranha graça, Abigail terminou seu simples e intenso apelo ao futuro rei, com uma referência ao período em que viriam dias felizes... Chegado aquele tempo, Davi não deveria olhar para trás e ver atos de violência, paixão furiosa e derramamento de sangue. Quando o tempo dourado chegasse, como certamente aconteceria, ele deveria lembrar de *Abigail...* o salvara de cometer um ato selvagem e pecaminoso e, em grata memória pelos bons serviços, deveria olhar bondosamente para ela, sentado em seu trono" (Ellicott, *in loc.*).

■ 25.32

וַיֹּאמֶר דָּוִד לַאֲבִיגַל בָּרוּךְ יְהוָה אֱלֹהֵי יִשְׂרָאֵל אֲשֶׁר שְׁלָחֵךְ הַיּוֹם הַזֶּה לִקְרָאתִי׃

Então Davi disse a Abigail. *Davi deu crédito a Yahweh* por ter inspirado Abigail a dizer o que disse. A sabedoria das palavras dela raiou em sua mente. Seja como for, com ou sem inspiração divina, as mulheres usualmente estão com a razão.

"É uma verdadeira fé religiosa a que pode encontrar a atividade de Deus não apenas nos eventos extraordinários, mas também nos eventos e nas ações comuns da vida diária" (George B. Caird, *in loc.*).

"... Ele foi vencido pela retórica e pelos poderosos argumentos de Abigail" (John Gill, *in loc.*). Os Targuns dizem que ela falou com discrição, prudência e entendimento.

■ 25.33

וּבָרוּךְ טַעְמֵךְ וּבְרוּכָה אָתְּ אֲשֶׁר כְּלִתִנִי הַיּוֹם הַזֶּה מִבּוֹא בְדָמִים וְהֹשֵׁעַ יָדִי לִי׃

Que hoje me tolheste de derramar sangue. Davi resolveu que somente um insensato como Nabal se vingaria pessoalmente de um homem pelo que tinha acontecido naquele dia. Assim, esforçando-se para não ser tolo, Davi abandonou todo pensamento de vingança e deixou tudo nas mãos de Yahweh. Deus é quem endireitaria as contas. Ver as referências dadas na exposição sobre o vs. 31. Ver no *Dicionário* o artigo chamado *Vingança*. "Davi, com sua usual e franca generosidade, admitiu que estava errado ao deixar-se arrastar por uma paixão selvática e ingovernável, e confessou abertamente que, se Abigail não tivesse vindo ao encontro dele e o convencido, ele teria realizado seu propósito e manchado sua fama justa com um crime terrível" (Ellicott, *in loc.*).

■ 25.34

וְאוּלָם חַי־יְהוָה אֱלֹהֵי יִשְׂרָאֵל אֲשֶׁר מְנָעַנִי מֵהָרַע אֹתָךְ כִּי לוּלֵי מִהַרְתְּ וַתָּבֹאתִי לִקְרָאתִי כִּי אִם־נוֹתַר לְנָבָל עַד־אוֹר הַבֹּקֶר מַשְׁתִּין בְּקִיר׃

Não teria ficado a Nabal até ao amanhecer nem um sequer do sexo masculino. Ferindo Nabal, Davi também teria ferido Abigail, e isso era agora a última coisa que Davi gostaria de fazer. Portanto, ele agradeceu a Yahweh por tê-lo detido a tempo. De fato, antes do amanhecer do dia seguinte, teria havido uma grande matança, e nem um único homem teria sobrevivido. Temos aqui uma repetição do hebraico cru já visto no vs. 22. Homens e cães urinam contra paredes, a fim de evitar os respingos. Davi mataria todos os que "urinavam em paredes". A nossa versão portuguesa novamente evita a crueza do texto hebraico e dá a tradução "nem um sequer do sexo masculino". Ver as notas sobre o vs. 22 quanto a plenas explicações dessa expressão. Supomos que Davi se referisse somente aos *homens,* mas poderia estar-se referindo a toda a vida humana, ou até mesmo a toda a vida humana e animal. Ele poderia ter indicado que efetuaria *guerra santa,* o que requeria aniquilamento de *toda vida.* Ver sobre a *guerra santa* em Dt 7.1-5 e 20.10-18.

25.35

וַיִּקַּח דָּוִד מִיָּדָהּ אֵת אֲשֶׁר־הֵבִיאָה לוֹ וְלָהּ אָמַר עֲלִי לְשָׁלוֹם לְבֵיתֵךְ רְאִי שָׁמַעְתִּי בְקוֹלֵךְ וָאֶשָּׂא פָּנָיִךְ׃

Então Davi recebeu da mão de Abigail. Ao receber o bondoso presente de Abigail (vs. 18), Davi assegurou-lhe que ela havia pleiteado com sucesso em causa própria. Ele já havia abandonado qualquer ideia de vingança. Abigail tinha falado bem, e Davi agiria bem. Isso nos faz lembrar do caso do voto apressado de Jefté, um dos juízes de Israel, que custou a vida de sua amada filha. Ver Jz 11.34,40. Além disso, Saul quase matara Jônatas por causa de um voto tolo (ver 1Sm 14). Mas o povo salvara a vida de Jônatas, anulando a loucura de Saul. Os hebreus levavam muito a sério os seus votos, porquanto sentiam que desonrariam Yahweh se os violassem, e a maioria dos votos incluía alguma espécie de promessa a Yahweh. Ver no *Dicionário* o artigo chamado *Voto*. Davi fora impedido de cumprir um voto tolo que incluía matança desnecessária, e deu a Abigail o devido crédito. Cf. Jó 42.8,9.

25.36

וַתָּבֹא אֲבִיגַיִל אֶל־נָבָל וְהִנֵּה־לוֹ מִשְׁתֶּה בְּבֵיתוֹ כְּמִשְׁתֵּה הַמֶּלֶךְ וְלֵב נָבָל טוֹב עָלָיו וְהוּא שִׁכֹּר עַד־מְאֹד וְלֹא־הִגִּידָה לּוֹ דָּבָר קָטֹן וְגָדוֹל עַד־אוֹר הַבֹּקֶר׃

Voltou Abigail a Nabal. Ao retornar, Abigail encontrou a festa em plena atividade; o vinho fluía como o rio Amazonas. Nabal estava "bêbado como uma pessoa vil", conforme dizemos em certa expressão inglesa, e assim também estavam todos os seus auxiliares. Eles ganhariam muitas riquezas com a tosquia das ovelhas. Estavam todos com boa saúde; prosperavam e, *naquele dia,* divertiam-se. Abigail observou todos os folguedos e resolveu nada dizer sobre a entrevista com Davi. O dia seguinte seria o momento certo para contar a Nabal que ele quase se tornara um homem morto. O dia seguinte seria um bom tempo para dizer-lhe que sua arrogante insensatez quase lhe custara a vida, bem como a vida de seus familiares e de seus amigos.

"Ao que tudo indica, beber pesadamente era bastante usual durante a tosquia das ovelhas, tal como em outros festivais (cf. 1Sm 1.13). Após uma orgia de bebedeira, Nabal foi apanhado por um ataque de apoplexia, e, dez dias depois, por outro ataque fatal. Esses ataques foram atribuídos à agência direta de Deus" (George B. Caird, *in loc.*). A cultura dos hebreus caracterizava-se por cânticos e danças, o que é confirmado por várias referências bíblicas.

25.37

וַיְהִי בַבֹּקֶר בְּצֵאת הַיַּיִן מִנָּבָל וַתַּגֶּד־לוֹ אִשְׁתּוֹ אֶת־הַדְּבָרִים הָאֵלֶּה וַיָּמָת לִבּוֹ בְּקִרְבּוֹ וְהוּא הָיָה לְאָבֶן׃

Estando Nabal já livre do vinho. Todo o vinho que Nabal bombeara para dentro de seu sistema orgânico agora tinha sido bombeado para fora por seu sistema excretor, e ali estava ele sóbrio, embora com a dor de cabeça usual. Abigail aproveitou o momento para contar a história das intenções assassinas de Davi, de como ela interceptara o exército de Davi no caminho, e de como somente mediante os apelos mais eloquentes ela conseguira evitar a matança. Nabal, em terríveis condições por causa de seus excessos, foi atingido tão fortemente pela notícia que teve uma hemorragia cerebral ali mesmo e "ficou ele como pedra", o que provavelmente significa que ficou paralisado pelo derrame.

Os interpretes debatem-se quanto à causa do derrame:

1. *Temor* do perigo, que estivera tão próximo e era constante ameaça. Quem poderia afirmar o que Davi finalmente faria?
2. *Degradação física,* produzida pelos excessos com o vinho, subitamente agravados pelas temíveis notícias dadas por Abigail.
3. *Ataque súbito de raiva* diante do que Abigail acabara de revelar, uma "furiosa explosão de ira" (Ellicott, *in loc.*), que serviu somente para agravar sua condição física já debilitada.
4. *Julgamento direto da parte de Yahweh,* que se cansara de Nabal e suas tolices. Seja como for, a teologia dos hebreus, fraca quanto a causas secundárias, considerava Yahweh a *única causa* de tudo quanto sucedia. Essa mesma fraqueza na teologia atual leva os homens a exagerar a predestinação, esquecidos do livre-arbítrio humano, que é um dom divino e também tema das Escrituras. Ver no *Dicionário* o artigo chamado *Predestinação (e Livre-arbítrio).* Ver também os comentários sobre o versículo seguinte.

25.38

וַיְהִי כַּעֲשֶׂרֶת הַיָּמִים וַיִּגֹּף יְהוָה אֶת־נָבָל וַיָּמֹת׃

Passados uns dez dias. O julgamento de Deus iniciado no primeiro derrame completou a tarefa. Nabal agora estava morto. As causas possíveis (listadas nos comentários sobre o versículo anterior) poderiam ser mencionadas. Mas aqui o autor sacro diz especificamente que foi *Yahweh* quem desfechou o golpe fatal, provavelmente, uma vez mais, com base na fraqueza da teologia hebraica quanto às causas secundárias. Por outro lado, é possível que Deus tenha metido a mão na questão, a fim de livrar Abigail daquela fera.

"Na linguagem dos autores antigos e divinamente inspirados, a enfermidade e os acidentes com frequência são referidos como 'flechas especiais atiradas pelo Altíssimo'" (Ellicott, *in loc.*). A esse sentimento, o comentador adiciona: "pois de fato assim são essas coisas". Isso significa que nada ocorre por acaso, e algum plano divino governa esta terra desértica.

25.39

וַיִּשְׁמַע דָּוִד כִּי מֵת נָבָל וַיֹּאמֶר בָּרוּךְ יְהוָה אֲשֶׁר רָב אֶת־רִיב חֶרְפָּתִי מִיַּד נָבָל וְאֶת־עַבְדּוֹ חָשַׂךְ מֵרָעָה וְאֵת רָעַת נָבָל הֵשִׁיב יְהוָה בְּרֹאשׁוֹ וַיִּשְׁלַח דָּוִד וַיְדַבֵּר בַּאֲבִיגַיִל לְקַחְתָּהּ לוֹ לְאִשָּׁה׃

Ouvindo Davi que Nabal morrera. Davi alegrou-se com a morte de Nabal. E *bendisse a Yahweh* por ter feito o que ele próprio tencionara fazer. A diferença foi que Yahweh destacou o culpado e terminou com ele, ao passo que Davi teria matado muitas pessoas inocentes juntamente com Nabal. Davi também estava alegre porque Yahweh o havia impedido de vingar-se pessoalmente. A *solução perfeita* fora dada. Nabal não deveria ter ofendido o homem de Yahweh, chamando-o de um "ninguém" (ver o vs. 10 deste capítulo). Agora, o próprio Nabal era menos que um ninguém.

Sem demora nem hesitação, Davi tomou Abigail como esposa. Ele lhe mandou recado nesse sentido, e podemos estar certos de que ela aceitou desde o começo. Na maioria dos países modernos, uma viúva deve esperar algum tempo antes de casar-se de novo, mas era comum, no Oriente, que as viúvas se casassem logo após a morte do marido. Foi assim que Davi não violou nenhum costume social com esse ato.

Poligamia. O artigo no *Dicionário* intitulado *Davi* mostra que, por onde Davi ia, tomava uma ou duas novas esposas. Ele já era casado com Mical, filha de Saul, e não há notícia de que ela fora dada por Saul a algum outro homem, ao menos por aquela ocasião. Ver o vs. 44. Davi não precisava de justificativa para tomar outra esposa. O Israel antigo era uma sociedade polígama; e, quanto mais alta fosse a posição de um homem, ou quanto mais dinheiro e poder ele tivesse, maior era o número de mulheres que ele tomava. O homem de classe média podia ter somente duas ou três esposas. O homem de classe média baixa teria, no máximo, duas. Os monógamos eram somente os mais pobres dentre o povo, mas isso apenas por falta de poder de compra. Ver no *Dicionário* o artigo intitulado *Poligamia.* Em breve (vs. 43), Davi tomaria uma outra (terceira) esposa. O vs. 44 diz que Saul, provavelmente por vingança, deu a primeira esposa de Davi, Mical, a outro homem. Finalmente, Davi a recuperaria, mas as coisas com ela nunca mais seriam as mesmas. Esse casamento degringolaria cada vez mais. Os intérpretes criticam Davi por ele ter tomado várias esposas, mas essas críticas são anacrônicas. As sociedades *patriarcais* não se preocupavam com as alegadas vantagens da *monogamia* (ver a respeito no *Dicionário*).

O que Davi fez revestia-se de certa lógica. Afinal, desposara uma viúva rica! Isso aprimorou a sua sorte, consideravelmente, bem como a sorte de seus seiscentos homens.

25.40,41

וַיָּבֹאוּ עַבְדֵי דָוִד אֶל־אֲבִיגַיִל הַכַּרְמֶלָה וַיְדַבְּרוּ
אֵלֶיהָ לֵאמֹר דָּוִד שְׁלָחָנוּ אֵלַיִךְ לְקַחְתֵּךְ לוֹ לְאִשָּׁה׃

וַתָּקָם וַתִּשְׁתַּחוּ אַפַּיִם אָרְצָה וַתֹּאמֶר הִנֵּה אֲמָתְךָ
לְשִׁפְחָה לִרְחֹץ רַגְלֵי עַבְדֵי אֲדֹנִי׃

Para te levar por sua mulher. Davi e Abigail tinham concordado quanto ao casamento. Davi então mandou que seus servos a trouxessem para a celebração. Em um belo ato de submissão, embora fosse rica viúva, ela se prostrou com o rosto em terra e lavou os pés dos servos de Davi! As coisas eram realmente diferentes naqueles dias! Além disso, notemos como ela chamou Davi de *senhor*. A antiga nação de Israel era obviamente uma sociedade patriarcal. A condição das mulheres não era muito elevada em Israel. Ver no *Dicionário* o artigo chamado *Mulher,* para informações completas a respeito.

"Lavar os pés de outrem era a tarefa mais braçal que um servo realizava (Mc 1.7; Jo 13.3-17)" (George B. Caird, *in loc.*). Mas a sábia e rica Abigail não hesitou em realizar o ato. E nem Jesus! O grande homem, no final das contas, é o que serve aos outros, e não o que é servido. Ver na *Enciclopédia de Bíblia, Teologia e Filosofia* o verbete denominado *Lava-pés*.

A Bela História. "O triângulo formado por Nabal, Abigail e Davi não constitui uma história moral. Mas tal como todos os romances agradáveis, tem um final feliz. O marido grosseiro foi felizmente removido; a encantadora e sábia esposa obteve seu galardão; o corajoso rapaz ficou com a garota. De fato, Davi obteve mais uma mulher, embora tivesse perdido outra, ao mesmo tempo. Ainoã foi adicionada ao harém de Davi, ao passo que Mical, que amava o marido, foi dada por seu pai a Palti" (John C. Schroeder, *in loc.*).

Tipologia. Alguns pais da Igreja viam nessa história um tipo do que tem acontecido à Igreja. A união da Igreja (o mundo gentílico) a Cristo só se deu depois que a Igreja abandonou o paganismo, e isso foi efetuado por um ato da vontade divina. Deus removeu o paganismo da Igreja, tornando possível a nova união. Ver as notas sobre o vs. 42 quanto a outras ideias.

25.42

וַתְּמַהֵר וַתָּקָם אֲבִיגַיִל וַתִּרְכַּב עַל־הַחֲמוֹר וְחָמֵשׁ
נַעֲרֹתֶיהָ הַהֹלְכוֹת לְרַגְלָהּ וַתֵּלֶךְ אַחֲרֵי מַלְאֲכֵי דָוִד
וַתְּהִי־לוֹ לְאִשָּׁה׃

Abigail se apressou. Ela tomou alguns objetos pessoais e suas servas mais próximas (jovens e belas mulheres, sem dúvida). Sacrificando sua antiga maneira de viver, saiu de casa para viver com Davi no deserto. Seus companheiros mais constantes seriam agora soldados brutos, e sua vida seria uma rotina de exílio. Este versículo acrescenta ideias que se adaptam muito bem à *tipologia* referida nas notas do versículo anterior. A Igreja teve de abandonar a vida antiga e sair para viver no campo, com Cristo, exilando-se assim deste mundo. Cf. Hb 13.13. Ver no *Dicionário* o artigo chamado *Matrimônio,* quanto aos costumes que prevaleciam na antiga nação de Israel.

25.43

וְאֶת־אֲחִינֹעַם לָקַח דָּוִד מִיִּזְרְעֶאל וַתִּהְיֶיןָ גַּם־שְׁתֵּיהֶן
לוֹ לְנָשִׁים׃ ס

Também tomou Davi a Ainoã. *O Harém de Davi Aumentava.* Tudo quanto se sabe sobre essa outra esposa de Davi aparece no *Dicionário*. Ver também sobre *Poligamia* e as notas expositivas que providenciei no vs. 9 deste capítulo. Essa mulher é sempre mencionada em primeiro lugar na lista das esposas de Davi, sendo possível que ele tenha casado com ela primeiro (logo depois de Mical). Ainoã foi a mãe de seu filho mais velho, *Amom*.

Ellicott (*in loc.*) salienta que a poligamia sempre estabeleceu palco para intrigas e assassinatos dentro da linhagem real, por causa da competição entre mulheres e filhos, por poder e riquezas. "... uma safra abundante de intrigas, crimes e assassínios no palácio real foram os frutos tristes de Davi ter cedido diante dessa prática miserável, que sempre foi uma das maldições do Oriente". É verdade, mas a monogamia praticada em outras regiões do mundo não tem conseguido deter as intrigas e matanças.

De Jezreel. Ver no *Dicionário* a respeito. Mais de um lugar do Antigo Testamento era assim chamado. O Jezreel do texto presente não era o local pertencente à tribo de Issacar (ver Js 19.18), mas, sim, uma cidade na parte sul da terra de Canaã, situada na região montanhosa de Judá, perto de Maom.

25.44

וְשָׁאוּל נָתַן אֶת־מִיכַל בִּתּוֹ אֵשֶׁת דָּוִד לְפַלְטִי בֶן־לַיִשׁ
אֲשֶׁר מִגַּלִּים׃

Duas Esposas Ganhas; Uma Esposa Perdida. Na corte real em Gibeá, Saul podia fazer o que bem quisesse. Assim, em seu ódio, entregou a amada de Davi a outro homem. Isso significa que Saul adicionou ainda outro crime à sua crescente lista de transgressões. Mical permaneceu sem filhos até morrer (ver 2Sm 6.23), o que era uma desgraça para as mulheres israelitas na época. Posteriormente, quando Davi ascendeu ao trono, ele tomou Mical de volta, mas o casamento já se havia desintegrado e nunca mais recuperou a graça original. Em meio à confusão, às matanças, aos jogos de poder e ao ódio, perdeu-se um grande amor.

Palti. Ver no *Dicionário* quanto ao que se sabe sobre esse homem. Ver também sobre *Galim*. Davi retomou Mical de Palti, mas, o que parecia bom revelou-se um erro. Davi deveria ter deixado Mical onde estava, por sua própria causa, e não por causa dela. Algumas perdas não podem ser recuperadas; algumas situações simplesmente não podem ser revertidas de modo satisfatório.

CAPÍTULO VINTE E SEIS

ÚLTIMA TENTATIVA DE SAUL CONTRA A VIDA DE DAVI; MAGNANIMIDADE DE DAVI (26.1-25)

Saul fora o grande rei de Israel, pelo menos de certo ponto de vista: ele debilitou enormemente os inimigos de Israel. Saul era um mestre guerreiro e uma máquina de matar. suas bem-sucedidas campanhas muito ajudaram Davi, que o sucedeu como rei. Desde Moisés, ninguém tinha feito mais do que Davi, no campo militar, livrando Israel de todos os inimigos da Palestina. Mas os conflitos civis (hebreus contra hebreus) continuaram; e também havia os inimigos externos, os assírios e os babilônios, que levariam Israel em cativeiro. Mas pelo menos por essa época, Israel cresceu em forças sob a monarquia, e esse foi um estágio necessário de sua história.

A Despeito de seus Sucessos, Saul Tinha Grandes Defeitos Pessoais. Para agravá-los, a partir de determinado ponto de sua vida, um espírito maligno começou a atacá-lo, e isso o fez atravessar períodos de ira e matança indiscriminada. Davi tornou-se o principal alvo de suas intenções assassinas. Por *duas* ocasiões, Saul foi convencido a abandonar esse propósito maligno. A *primeira* vez foi quando Jônatas o persuadiu a respeito de sua iniquidade (1Sm 19.6). Mas quase imediatamente depois, Saul tentou matar Davi com uma lança, ao sofrer um ataque do espírito maligno (o que é relatado no mesmo capítulo). Em seguida, diante de uma ótima oportunidade de matar Saul, Davi poupou-lhe a vida. Então Saul, reconhecendo a retidão superior de Davi e sua própria condição odiosa, resolveu abandonar a caçada (ver o capítulo 24 quanto a esse relato).

Este capítulo 26 registra a última tentativa de Saul contra a vida de Davi. Os críticos supõem que o capítulo 26 seja uma duplicação do capítulo 24, isto é, uma narração diferente de um só e mesmo evento. Eles também creem que o capítulo 26 apresenta o original, e uma versão historicamente mais exata da história. Por outra parte, é perfeitamente possível que os *dois eventos similares* tenham realmente acontecido. Admite-se alguns notáveis paralelos entre as duas narrativas, que são comentados ao longo do caminho.

26.1

וַיָּבֹאוּ הַזִּפִים אֶל־שָׁאוּל הַגִּבְעָתָה לֵאמֹר הֲלוֹא דָוִד
מִסְתַּתֵּר בְּגִבְעַת הַחֲכִילָה עַל פְּנֵי הַיְשִׁימֹן׃

Os zifeus. Ver no *Dicionário* o artigo chamado *Zife, Zifitas*. "Uma vez mais, Saul soube pelos zifeus acerca do esconderijo de Davi, pelo que o rei e três mil homens escolhidos subiram a colina de Haquilá (cf. 1Sm 23.19), no deserto de Zife, em busca de Davi. Uma vez mais, o Senhor livrou miraculosamente o seu escolhido" (Eugene M. Merrill, *in loc.*). Conforme já dissemos, os críticos veem um relato *duplo* neste capítulo 26, ou seja, uma narrativa que descreve os mesmos eventos apresentados no capítulo 24, e supõem que o primeiro seja o mais antigo e exato dos relatos. Ver a introdução a este capítulo; e ver também os comentários que se seguem.

Haquilá... Jesimom. Ver os dois lugares comentados no *Dicionário*. *Jesimom* é o território estéril entre as colinas de Judá e o mar Morto, alternativamente chamado de "o deserto de Judá". Talvez *Haquilá* possa ser corretamente identificado com a moderna *El-Kolah*, aproximadamente a 9,5 quilômetros de Zife, na beirada oriental do deserto, onde começa sua descida para o mar Morto. Davi e seus homens continuavam naquele território estéril, ainda fugindo dos planos assassinos de Saul.

O Relato Duplo. Os capítulos 24 e 26 são narrativas diferentes (de diferentes autores) de um mesmo evento? Consideremos as similaridades em ambos os relatos:

1. O mesmo povo, os zifeus, informou Saul sobre o esconderijo de Davi.
2. Saul saiu com três mil homens escolhidos para caçar Davi.
3. Davi teve a oportunidade incomum de livrar-se de Saul, matando-o no próprio local.
4. Dotado de mente nobre, Davi recusou a oportunidade de matar seu desafeto, a despeito das exortações de seus companheiros.
5. Saul estava *dormindo*, o que permitia a Davi despachá-lo.
6. Davi não agiu por temer Yahweh, que tinha ungido Saul como rei.
7. Davi tomou algo de Saul para mostrar que tinha estado ali e poderia tê-lo matado.
8. Por meio de gritos, Davi informou Saul de sua presença e de como poderia tê-lo facilmente despachado.
9. Saul reconheceu a voz de Davi e chamou-o de *meu filho*.
10. Davi, pelo menos parcialmente, desculpou Saul por suas más intenções, acusando antes os maus conselheiros do rei.
11. Saul ficou impressionado com o nobre ato e as justas palavras de Davi, confessou seus pecados e arrependeu-se de suas intenções.

Naturalmente, há diferenças, mas a impressionante lista acima apresenta similaridades óbvias.

26.2

וַיָּ֣קָם שָׁא֗וּל וַיֵּ֙רֶד֙ אֶל־מִדְבַּר־זִ֔יף וְאִתּ֖וֹ שְׁלֹ֣שֶׁת־אֲלָפִ֥ים אִ֖ישׁ בְּחוּרֵ֣י יִשְׂרָאֵ֑ל לְבַקֵּ֥שׁ אֶת־דָּוִ֖ד בְּמִדְבַּר־זִֽיף׃

Este versículo é paralelo a 1Sm 24.2. Saul reuniu três mil homens escolhidos para tentar encontrar Davi e matá-lo. Ver as notas em 1Sm 24.2, que também se aplicam aqui. É provável que Saul tivesse uma espécie de *pequeno exército*, uma força armada permanente em Gibeá, a qual podia ser ativada para missões de emergência a curto prazo.

26.3

וַיִּ֨חַן שָׁא֜וּל בְּגִבְעַ֤ת הַחֲכִילָה֙ אֲשֶׁ֣ר עַל־פְּנֵ֣י הַיְשִׁימֹ֔ן עַל־הַדָּ֑רֶךְ וְדָוִד֙ יֹשֵׁ֣ב בַּמִּדְבָּ֔ר וַיַּ֕רְא כִּ֛י בָ֥א שָׁא֖וּל אַחֲרָ֥יו הַמִּדְבָּֽרָה׃

Os dois exércitos, o de Saul com três mil homens, e o de Davi com seiscentos, de súbito estavam próximos um do outro, e havia escoteiros correndo para frente e para trás, mantendo ambas as partes informadas sobre as movimentações inimigas. Saul foi ao lugar onde os zifeus afirmaram que Davi estava (vs. 1) e descobriu a informação era correta. Assim, ao que tudo indica, surgiu outra grande oportunidade para Saul livrar-se do odiado e astucioso Davi.

26.4

וַיִּשְׁלַ֥ח דָּוִ֖ד מְרַגְּלִ֑ים וַיֵּ֕דַע כִּי־בָ֥א שָׁא֖וּל אֶל־נָכֽוֹן׃

Davi ouviu rumores de que Saul estava nas proximidades de novo, com suas satânicas intenções, e espias logo confirmaram a verdade de seus temores.

E soube. "Essas palavras por certo são a corrupção do nome de um lugar onde Saul tinha chegado, e Davi descobriu a verdade da informação; mas o nome não pôde mais ser restaurado" (George B. Caird, *in loc.*).

26.5,6

וַיָּ֣קָם דָּוִ֗ד וַיָּבֹא֮ אֶֽל־הַמָּקוֹם֮ אֲשֶׁ֣ר חָנָה־שָׁ֣ם שָׁאוּל֒ וַיַּ֣רְא דָּוִ֗ד אֶת־הַמָּקוֹם֙ אֲשֶׁ֣ר שָֽׁכַב־שָׁ֣ם שָׁא֔וּל וְאַבְנֵ֥ר בֶּן־נֵ֖ר שַׂר־צְבָא֑וֹ וְשָׁאוּל֙ שֹׁכֵ֣ב בַּמַּעְגָּ֔ל וְהָעָ֖ם חֹנִ֥ים סְבִיבֹתָֽיו׃

וַיַּ֣עַן דָּוִ֗ד וַיֹּ֣אמֶר ׀ אֶל־אֲחִימֶ֣לֶךְ הַחִתִּ֡י וְאֶל־אֲבִישַׁ֨י בֶּן־צְרוּיָ֜ה אֲחִ֤י יוֹאָב֙ לֵאמֹ֔ר מִֽי־יֵרֵ֥ד אִתִּ֛י אֶל־שָׁא֖וּל אֶל־הַֽמַּחֲנֶ֑ה וַיֹּ֣אמֶר אֲבִישַׁ֔י אֲנִ֖י אֵרֵ֥ד עִמָּֽךְ׃

Tendo recebido o relatório sobre o lugar em que Saul estava, Davi foi pessoalmente verificar a situação; e, a bem da verdade, ali estavam Saul e Abner, cercados por tropas seletas. No relato paralelo do capítulo 24, Saul está em uma caverna, aproximando-se de onde estava Davi; mas aqui, Davi sai para checar onde Saul estava (vs. 6). Davi quis que alguém o acompanhasse. Portanto, ele deu oportunidade a Aimeleque, o heteu, e a Abisai, sobre os quais o *Dicionário* fornece dados pessoais. Foi *Abisai* quem levou Davi até onde estava Saul e assim se expôs a grave perigo. Mas ele era o principal general do exército de Davi, um homem de coragem que vivia exposto a situações perigosas. Como é óbvio, Davi não poderia levar consigo muitos homens. Eles fariam muito ruído, e isso facilitaria serem detectados. Nessa missão, levar apenas um homem em sua companhia seria o ideal.

Heteu. Ver no *Dicionário* o verbete *Hititas, Heteus*. Esse povo era, originalmente, indo-europeu. Mas eles migraram para a Palestina e se misturaram com povos semíticos. É um fato curioso da história que os mais antigos remanescentes de línguas indo-europeias vieram das inscrições dos heteus ou hititas. Na época de Abraão, eles já eram classificados como um dos povos cananeus e viviam perto de Hebrom (ver Gn 15.20). Urias, o homem de quem Davi tirou a vida, para poder casar com a esposa, Bate-Seba, era um importante heteu no exército de Davi.

Zeruia era irmã de Davi (1Cr 2.15,16), pelo que Abisai era sobrinho de Davi, tal como o era Joabe. Davi tinha atraído alguns de seus parentes próximos para serem seus companheiros de exílio.

26.7

וַיָּבֹא֩ דָוִ֨ד וַאֲבִישַׁ֥י ׀ אֶל־הָעָם֮ לַיְלָה֒ וְהִנֵּ֣ה שָׁא֗וּל שֹׁכֵ֤ב יָשֵׁן֙ בַּמַּעְגָּ֔ל וַחֲנִית֥וֹ מְעוּכָֽה־בָאָ֖רֶץ מְרַאֲשֹׁתָ֑יו וְאַבְנֵ֣ר וְהָעָ֔ם שֹׁכְבִ֖ים סְבִיבֹתָֽיו׃

Vieram, pois, Davi e Abisai de noite. Davi e Abisai chegaram onde estavam Saul e seus auxiliares, que estavam dormindo. Esse é um paralelo da narrativa de 1Sm 24.3,4, mas naquele relato o evento teve lugar em uma caverna, e não em uma trincheira militar, como aqui. Convenientemente, a famosa lança de Saul, que ele tinha usado nas duas tentativas de matar Davi (ver 18.10,11 e 19.9,10), estava fincada verticalmente no chão. Davi, por justiça poética, poderia ter usado a própria lança de Saul para tirar-lhe a vida. "De acordo com Doughty, a lança na vertical (fincada no chão) ainda na sua época era usada como sinal do quartel-general do xeque (*Travels in Arabia Deserta*, I.262)" (George B. Caird, *in loc.*). Ademais, a lança ou a espada serviam de sinal do ofício real e estavam sempre ao lado do rei, para uso imediato, mas também para comunicar a mensagem: "Eis-me aqui, eu sou o rei. Vede meu símbolo".

26.8

וַיֹּ֤אמֶר אֲבִישַׁי֙ אֶל־דָּוִ֔ד סִגַּ֨ר אֱלֹהִ֥ים הַיּ֛וֹם אֶת־אוֹיִבְךָ֖ בְּיָדֶ֑ךָ וְעַתָּה֩ אַכֶּ֨נּוּ נָ֜א בַּחֲנִ֤ית וּבָאָ֙רֶץ֙ פַּ֣עַם אַחַ֔ת וְלֹ֥א אֶשְׁנֶ֖ה לֽוֹ׃

Abisai exortou Davi a aproveitar a singular oportunidade de matar Saul. Esse item é um dos paralelos na história de 1Sm 24.4. Em ambos os relatos, *Yahweh* recebeu o crédito pela oportunidade incomum. Mas aqui o nome divino usado é *Elohim*. Ver o artigo do *Dicionário* chamado *Deus, Nomes Bíblicos de*. Do vs. 9 em diante, Davi usou o nome bíblico divino de *Yahweh*.

Note-se também que o próprio *Abisai* quis matar o rei. E ele completaria a tarefa tão bem que não seria necessário atravessar Saul por uma segunda vez. "Eu o espetarei no chão tão plenamente, com *um golpe só*, que não será preciso outro para matá-lo" (Lange, *in loc.*). No paralelo, não é indicado quem efetuaria a matança.

■ 26.9

וַיֹּ֨אמֶר דָּוִ֜ד אֶל־אֲבִישַׁ֗י אַל־תַּשְׁחִיתֵ֑הוּ כִּ֣י מִ֥י שָׁלַ֛ח יָד֛וֹ בִּמְשִׁ֥יחַ יְהוָ֖ה וְנִקָּֽה׃ פ

Não o mates. Davi estava exercendo sua magnanimidade, mas também temia matar o ungido rei de Yahweh: "Davi foi impelido não tanto por sua magnanimidade como pela sua convicção de que Saul era o homem nomeado por Yahweh. Matar Saul seria violar a vontade do Senhor" (John C. Schroeder, *in loc.*). Davi temia tomar as questões da vida e da morte nas próprias mãos. Matar na guerra era uma coisa, mas o assassínio pessoal de um rei era algo inteiramente diferente. Além disso, fora o próprio Yahweh quem enviara Israel para matar os inimigos (ver sobre a *guerra santa* em Dt 7.1-5 e 20.10-18). Mas Deus não baixara ordem alguma para que Saul fosse morto. Os filisteus seriam os instrumentos de Deus para isso (capítulo 31). Davi poderia esperar esse acontecimento, e algum dia seu destino o ergueria como segundo rei de Israel. Cf. os paralelos em 1Sm 24.4,7.

■ 26.10

וַיֹּ֤אמֶר דָּוִד֙ חַי־יְהוָ֔ה כִּ֥י אִם־יְהוָ֖ה יִגָּפֶ֑נּוּ אֽוֹ־יוֹמ֤וֹ יָבוֹא֙ וָמֵ֔ת א֧וֹ בַמִּלְחָמָ֛ה יֵרֵ֖ד וְנִסְפָּֽה׃

O destino de Saul seria desferido pelo próprio Yahweh, por meio de alguma enfermidade, algum acidente pela *agência humana*. Foi exatamente o que sucedeu. Os filisteus fizeram um bom trabalho. Ou então, segundo raciocinava Davi, Saul morreria de morte natural. Entrementes, Davi esperaria pelo cumprimento de tudo quanto Samuel havia profetizado. seu *destino* não dependia de Saul, mas de Yahweh, e Davi repousava seu caso nessa suposição. "Temos aqui discernimento moral. Sem dúvida, Davi sentia que fora tratado injustamente, mas seu senso de justiça não lhe dava direito sobre a vida e a morte... Suas ações eram determinadas não tanto por seu senso de certo e errado, mas por sua crença de que havia uma lei maior que ele mesmo" (John C. Schroeder, *in loc.*). A vingança pertence a Deus (Rm 12.19; Dt 32.35). Ver as notas sobre 1Sm 24.7, que incluem comentários sobre a doutrina do *direito divino de reis*. Ver em 1Sm 24.13 notas sobre a *vingança*, prerrogativa de Deus, e não dos homens.

■ 26.11

חָלִ֨ילָה לִּ֤י מֵֽיהוָה֙ מִשְּׁלֹ֣חַ יָדִ֔י בִּמְשִׁ֖יחַ יְהוָ֑ה וְעַתָּ֡ה קַח־נָ֠א אֶת־הַחֲנִ֨ית אֲשֶׁ֧ר מְרַאֲשֹׁתָ֛יו וְאֶת־צַפַּ֥חַת הַמַּ֖יִם וְנֵ֥לֲכָה לָּֽנוּ׃

Este versículo é um paralelo de 1Sm 24.4. *Algo foi tirado* de Saul a fim de que ele soubesse que Davi estivera ali, mas fora misericordioso e poupara a sua vida. No caso anterior, Davi cortou um pedaço da orla do manto real. Aqui ele tomou sua famosa lança e uma bilha de água. Quanto ao problema de este capítulo 26 ser uma duplicação do capítulo 24 (o cap. 26 seria, de acordo com os críticos, a versão mais antiga da mesma história), ver a introdução ao presente capítulo e as notas do vs. 1.

"Um costume muito antigo explica *por que* a botija de água aqui recebe tal proeminência. De acordo com esse costume, algum alto dignitário sempre carregava um vaso apropriado com água, para as abluções necessárias do rei, e era especialmente seu dever levar a botija com ele, apresentando-a ao rei durante as campanhas militares ou outras jornadas, pelo que seu desaparecimento envolveria uma desgraça quase tão grande como se o rei tivesse perdido o cetro" (Ewald, comentando sobre Sl 50.8). Essa botija de água podia ser feita de pele de animal, conforme supõem alguns, ou de metal ou louça. Lemos que Filipe, rei da Macedônia, sempre tinha uma taça de ouro e dormia com ela debaixo do travesseiro; mas essa taça era usada para finalidades religiosas, e não meramente como vaso de beber (Plínio, *Hist. Nat.* 1.33, cap. 3).

■ 26.12

וַיִּקַּח֩ דָּוִ֨ד אֶֽת־הַחֲנִ֜ית וְאֶת־צַפַּ֤חַת הַמַּ֙יִם֙ מֵרַאֲשֹׁתֵ֣י שָׁא֔וּל וַיֵּלְכ֖וּ לָהֶ֑ם וְאֵ֣ין רֹאֶה֩ וְאֵ֨ין יוֹדֵ֜עַ וְאֵ֣ין מֵקִ֗יץ כִּ֤י כֻלָּם֙ יְשֵׁנִ֔ים כִּ֚י תַּרְדֵּמַ֣ת יְהוָ֔ה נָפְלָ֖ה עֲלֵיהֶֽם׃

Não deve ter sido fácil para Davi e Abisai fazer tudo quanto fizeram sem despertar uma única pessoa. Por isso mesmo, o autor sagrado diz-nos que Yahweh causou um profundo sono em todos. Desse modo, a operação foi facilitada, pela graça divina, o que algumas vezes é necessário para débeis seres humanos. O hebraico é bastante gráfico aqui: "Ninguém viu; ninguém soube; ninguém despertou".

Algumas vezes, mostramo-nos fortes; e então Deus usa a nossa força. De outras vezes, mostramo-nos fracos, então Deus facilita as coisas, levando em conta as nossas limitações.

A lança e a bilha de água. Ou seja, os símbolos do poder de Saul e de sua dignidade real. A lança fora espetada no chão, perto do lugar onde Saul jazia dormindo. Esse era o sinal de seu ofício real. Ver também o vs. 7 deste capítulo quanto à questão. Era a mesma lança que Saul tinha usado por duas vezes na tentativa de matar Davi.

■ 26.13

וַֽיַּעֲבֹ֤ר דָּוִד֙ הָעֵ֔בֶר וַיַּעֲמֹ֥ד עַל־רֹאשׁ־הָהָ֖ר מֵֽרָחֹ֑ק רַ֥ב הַמָּק֖וֹם בֵּינֵיהֶֽם׃

Entre eles havia grande distância. Cumpre-nos aqui imaginar uma profunda ravina que separava duas colinas. Davi e Abisai atravessaram a ravina e subiram pela colina oposta. Portanto, o som dos gritos cruzava uma garganta. As duas colinas eram distantes, se levarmos em conta a viagem de uma colina para outra, mas não tão grande de acordo com "o voo do corvo".

"Davi, Abner e Saul eram todos capazes de fazer a voz atravessar longa distância, e a voz de Davi era reconhecida quando ele assim fazia. Essa faculdade ainda é possuída pelos árabes. Sob tais circunstâncias, é mais natural que Saul tivesse reconhecido Davi por sua voz, do que de acordo com a outra versão da história (capítulo 24), onde ele podia vê-lo claramente (1Sm 24.16)" (George B. Caird, *in loc.*). Assim dizendo, o autor sacro supõe que o capítulo 26 contenha o relato mais antigo e mais exato (ver as notas sobre o vs. 1 deste capítulo).

■ 26.14

וַיִּקְרָ֨א דָוִ֜ד אֶל־הָעָ֗ם וְאֶל־אַבְנֵ֤ר בֶּן־נֵר֙ לֵאמֹ֔ר הֲל֥וֹא תַעֲנֶ֖ה אַבְנֵ֑ר וַיַּ֤עַן אַבְנֵר֙ וַיֹּ֔אמֶר מִ֥י אַתָּ֖ה קָרָ֥אתָ אֶל־הַמֶּֽלֶךְ׃ פ

Não respondes, Abner? Davi dirigiu-se ao povo e a Abner, o principal general de Saul e responsável pela segurança do rei. Abner ouviu e respondeu. Ele ficou irritado porque certamente não era polido tentar entrar em contato com o *rei* de Israel gritando de outra colina. A cortesia teria exigido um contato pessoal, seguindo as formalidades apropriadas. Por isso a Vulgata Latina diz: "Quem és tu, que gritas e perturbas o rei?" Devemos lembrar que Saul dormia, e isso fez a situação tornar-se mais impolida ainda.

■ 26.15

וַיֹּ֨אמֶר דָּוִ֜ד אֶל־אַבְנֵ֗ר הֲלוֹא־אִ֤ישׁ אַתָּה֙ וּמִ֣י כָמ֔וֹךָ בְּיִשְׂרָאֵ֔ל וְלָ֙מָּה֙ לֹ֣א שָׁמַ֔רְתָּ אֶל־אֲדֹנֶ֖יךָ הַמֶּ֑לֶךְ כִּי־בָא֙ אַחַ֣ד הָעָ֔ם לְהַשְׁחִ֖ית אֶת־הַמֶּ֥לֶךְ אֲדֹנֶֽיךָ׃

Porventura não és homem? Davi aproveitou a oportunidade para ralhar com Abner. Este tinha reputação de ser um homem poderoso, corajoso e mau; mas ali estava a dormir, deixando o rei de Israel sem proteção diante do inimigo que poderia passar pelo acampamento e matar o rei. Podemos pensar que Davi estava sendo *sarcástico,* porém o mais provável é que ele se mostrava muito sério sobre a questão, considerando o grande respeito que tinha pelo rei ungido de Israel (vs. 9). Naturalmente, havia ironia em suas palavras, mas não sarcasmo.

"A generosidade real e a nobreza de caráter de Davi eram bem conhecidas em sua subsequente amizade com Abner, e por sua profunda tristeza pela morte fora de tempo daquele grande capitão (ver 2Sm 3)" (Ellicott, *in loc.*).

■ 26.16

לֹא־טוֹב הַדָּבָר הַזֶּה אֲשֶׁר עָשִׂיתָ חַי־יְהוָה כִּי
בְנֵי־מָוֶת אַתֶּם אֲשֶׁר לֹא־שְׁמַרְתֶּם עַל־אֲדֹנֵיכֶם
עַל־מְשִׁיחַ יְהוָה וְעַתָּה רְאֵה אֵי־חֲנִית הַמֶּלֶךְ
וְאֶת־צַפַּחַת הַמַּיִם אֲשֶׁר מְרַאֲשֹׁתָו

Não é bom isso, que fizeste. Abner agira de modo negligente. Ele preferira dormir a cuidar do rei. Sabia dos perigos potenciais dos seiscentos homens de Davi. De fato, o que ele fizera era tão grave que era considerado "filho de morte", conforme diz o trecho hebraico, ou seja, era "digno de morte". Ele deixara de cumprir um dever e um privilégio muito importante. O rei teria razão para mandar executá-lo. Também devemos entender que Abner deveria ter homens postos de sentinela a noite inteira. E mesmo que ele próprio não fosse o responsável pela guarda do rei, era responsável por prover sentinelas apropriadas. Dormir enquanto de sentinela sempre foi considerado um sério crime militar. O paralelo do capítulo 24 não admite nenhuma participação ativa de Abner.

■ 26.17

וַיַּכֵּר שָׁאוּל אֶת־קוֹל דָּוִד וַיֹּאמֶר הֲקוֹלְךָ זֶה בְּנִי דָוִד
וַיֹּאמֶר דָּוִד קוֹלִי אֲדֹנִי הַמֶּלֶךְ:

Reconheceu Saul a voz de Davi. Saul foi acordado com aquela gritaria e de pronto reconheceu a voz de Davi. Foi então que o chamou de "meu filho" e dirigiu-se diretamente a ele. Ambos os itens são paralelos à história relatada no capítulo 24 (vs. 16). Davi replicou, afirmando que era ele mesmo, *Davi,* quem estava falando e, por respeito, chamou o rei de "meu senhor". Davi ainda ansiava por submeter-se a Saul, obedecendo-lhe como rei ungido por Yahweh. Porém, era tarde demais para tudo isso. A hora de Saul tinha quase chegado. O julgamento de Deus estava prestes a atingi-lo. Ele tinha de morrer tendo alcançado sucesso apenas parcial, tendo cumprido sua missão apenas em parte. As coisas, contudo, poderiam ter sido diferentes.

> Dentre todas as palavras da língua ou da pena,
> As mais tristes são: Poderia ter sido!
> John Greenleaf Whittier

■ 26.18

וַיֹּאמֶר לָמָּה זֶּה אֲדֹנִי רֹדֵף אַחֲרֵי עַבְדּוֹ כִּי מֶה
עָשִׂיתִי וּמַה־בְּיָדִי רָעָה:

Por que persegue o meu senhor assim seu servo? Davi não era capaz de entender a louca perseguição que Saul movia contra ele. Davi era inocente. Nada fizera digno de morte nem tinha más intenções contra Saul. Este versículo é paralelo de 1Sm 24.11-16, que apresenta uma fala mais elaborada da parte de Davi, intensamente reverente e amorosa, dirigida a um homem que não merecia tamanho respeito. Davi mostrou que era "abaixo da dignidade de Saul" engajar-se na perseguição louca contra um homem inocente, que nunca lhe fizera mal nem tinha intenção de fazê-lo. Ele era tratado como um *traidor,* mas na verdade era um súdito leal e respeitoso, um servo do rei. Davi, pois, tinha a consciência limpa, mas certamente esse não era o caso de Saul.

■ 26.19

וְעַתָּה יִשְׁמַע־נָא אֲדֹנִי הַמֶּלֶךְ אֵת דִּבְרֵי עַבְדּוֹ
אִם־יְהוָה הֱסִיתְךָ בִי יָרַח מִנְחָה וְאִם בְּנֵי הָאָדָם

אֲרוּרִים הֵם לִפְנֵי יְהוָה כִּי־גֵרְשׁוּנִי הַיּוֹם מֵהִסְתַּפֵּחַ
בְּנַחֲלַת יְהוָה לֵאמֹר לֵךְ עֲבֹד אֱלֹהִים אֲחֵרִים:

Se é o Senhor que te incita contra mim. Davi propôs, *hipoteticamente,* que fora Yahweh quem tinha inspirado Saul para efetuar tal perseguição. Nesse caso, deveria ser-lhe oferecido um sacrifício, a saber, o *próprio Davi.* Davi deveria ser morto como uma oferenda a Yahweh, *se* ele fosse a causa da louca perseguição encetada por Saul. Mas se eram homens (os conselheiros de Saul) que tinha estimulado Saul àqueles atos, então esses homens deveriam ser amaldiçoados diante de Yahweh. Davi mostrou-se muito generoso, supondo que Saul recebia influência de *maus conselheiros,* e não que ele pessoalmente estivesse planejando suas intenções assassinas. Isso é paralelo aos vss. 13 ss. do capítulo 24. A *maldição* de Yahweh deveria repousar sobre esses maus conselheiros, e *eles,* e não Davi, deveriam sofrer o julgamento de Deus e ser sacrificados, embora esta última parte da ideia não tenha sido explicitamente dita.

Isso foi traduzido literalmente como está no hebraico, com a imagem de Yahweh aspirando o odor da carne sobre o altar, a queimar, e deleitando-se com esse odor. Ver sobre o *aroma agradável* em Lv 1.9 e 29.18.

Aceite ele a oferta de manjares. O comentário dos Targuns dá aqui o sentido: se eu tiver transgredido contra o rei, e Yahweh é quem está indicando isso, então *eu* farei uma oferenda de manjares, em expiação por meu pecado. Mas não é esse o sentido literal da passagem, no hebraico, mas aquele dado no primeiro parágrafo dos comentários sobre este versículo.

Vai, serve a outros deuses. Os inimigos de Davi forçavam-no a ir a lugares onde predominavam os pagãos, tornando-o potencialmente sujeito à idolatria, porquanto o tinham forçado a deixar Israel, onde somente Yahweh era adorado. A teologia posterior dos hebreus ensinava que morrer em uma terra estrangeira era a pior sorte possível para um israelita, pois então ele não seria recolhido aos seus antepassados, mas desceria ao *sheol* (o sepulcro), destituído dos cuidados de Deus. Davi, nem por isso, deu a entender que houvesse outros deuses, que realmente existissem. É provável que, nessa época, o verdadeiro *monoteísmo* já fosse a teologia oficial de Israel, e não o *henoteísmo.*

■ 26.20

וְעַתָּה אַל־יִפֹּל דָּמִי אַרְצָה מִנֶּגֶד פְּנֵי יְהוָה כִּי־יָצָא
מֶלֶךְ יִשְׂרָאֵל לְבַקֵּשׁ אֶת־פַּרְעֹשׁ אֶחָד כַּאֲשֶׁר יִרְדֹּף
הַקֹּרֵא בֶּהָרִים:

Em busca duma pulga. Teria sido ridículo Saul gastar tanto esforço para matar uma mera pulga. Davi não merecia a atenção do rei, e o derramamento de seu sangue diante de Yahweh não teria o menor significado. Davi era tão desprezível que Yahweh nem prestaria atenção a um derramamento de sangue daquela ordem. Este versículo tem paralelo em 1Sm 24.14, onde Davi se chama tanto de pulga quanto de cão morto. As notas expositivas ali também são aplicáveis aqui. Ao mencionar o derramamento de seu sangue diante de Yahweh, Davi continuou a hipótese do versículo anterior, de que Yahweh poderia querê-lo como sacrifício e assim vindicar a causa de Saul. Ele já havia rejeitado essa possibilidade, porém, e supunha agora que Yahweh não o queria por sacrifício, uma vez que seu sangue derramado nada significaria.

Como quem persegue uma perdiz. Minhas fontes informativas dizem que era questão fácil caçar e apanhar a perdiz, porque essa ave, uma vez cercada, logo se cansa e não consegue continuar a voar. Portanto, se alguém correr atrás dela, logo a verá exausta no chão, pronta para ser morta e comida. Assim também Saul, mediante suas repetidas caças, esperava que Davi se exaurisse e se tornasse presa fácil. Ao chamar-se de *perdiz,* Davi enfatizou sua debilidade e seu estado humilde. Ele não era como uma ave, capaz de voar alto e escapar de todo dano. Era apenas uma humilde perdiz. O texto paralelo, 1Sm 24.14, que se refere a um *cão morto,* diz mais ou menos a mesma coisa. Davi, pois, salientou sua fraqueza e inutilidade. Davi não merecia a atenção de Saul.

"Entre as rochas cobertas por cabras monteses, bandos de *ibexes* podem ser vistos ainda, perambulando ao redor, e a perdiz continua

26.21

וַיֹּ֣אמֶר שָׁאוּל֮ חָטָאתִי֒ שׁ֣וּב בְּנִֽי־דָוִ֗ד כִּ֠י לֹֽא־אָרַ֨ע לְךָ֥ ע֛וֹד תַּ֗חַת אֲשֶׁ֨ר יָקְרָ֤ה נַפְשִׁי֙ בְּעֵינֶ֣יךָ הַיּ֣וֹם הַזֶּ֔ה הִנֵּ֥ה הִסְכַּ֛לְתִּי וָאֶשְׁגֶּ֖ה הַרְבֵּ֥ה מְאֹֽד׃

O arrependimento de Saul, neste texto, é semelhante ao registrado em 1Sm 24.17 ss. Saul confessou ter sido um tolo (capítulo 26) e reconheceu que Davi era *mais justo* que ele (capítulo 24). Em ambos os casos, Saul prometeu abandonar suas loucas intenções de assassínio, especificamente porque Davi havia poupado sua vida, quando teria sido tão fácil despachá-la (1Sm 24.18 e 26.21). A fala no capítulo 24 de 1Samuel é mais elaborada e inclui o legítimo direito de Davi ao trono, o que é aqui ignorado. Talvez o vs. 25 deste capítulo antecipe isso sem dizê-lo abertamente.

Se o capítulo 26 representa um incidente separado (não sendo um paralelo do capítulo 24 nem recontando a mesma história), então temos *três arrependimentos* de Saul no tocante a Davi: 1Sm 19.6; 24.19 e 26.21. Talvez Saul tenha mantido sua derradeira resolução, pois não há mais relatos de Saul a perseguir a Davi. Por outro lado, ele em breve encontrou a morte às mãos dos filisteus (capítulo 31), sendo possível que simplesmente não tenha tido mais nenhuma oportunidade de atacar Davi. Seja como for, o relato mais entristecedor da vida de Saul, seu maior fracasso, foi sua estúpida perseguição contra Davi. O autor sagrado lançou a um espírito maligno a culpa por esses atos (ver 1Sm 19.9).

Volta, meu filho Davi. Com essas palavras, Saul convidou Davi a voltar à corte em Gibeá, mas isso não haveria de acontecer. Ambos se apressariam, cada qual a seu respectivo destino: Saul para a morte prematura, e Davi para ser o segundo rei de Israel.

26.22

וַיַּ֤עַן דָּוִד֙ וַיֹּ֔אמֶר הִנֵּ֖ה הַחֲנִ֣ית הַמֶּ֑לֶךְ וְיַעֲבֹ֥ר אֶחָ֛ד מֵהַנְּעָרִ֖ים וְיִקָּחֶֽהָ׃

Eis aqui a lança, ó rei. A famosa lança de Saul foi-lhe devolvida. Pertencia ao rei e era seu emblema de autoridade. Ele a havia usado mal, mas era dele, e não de Davi. E quando Davi se tornasse rei, teria sua própria lança para exibir autoridade. Saul tinha feito papel de tolo com seu poder, mas isso era um problema entre ele e Yahweh. Um dos moços, um auxiliar de confiança do rei, veio tomar de volta a lança. Provavelmente, Davi não queria arriscar-se, pois o espírito maligno de repente poderia apossar-se de Saul, levando-o a atacar Davi.

26.23

וַֽיהוָה֙ יָשִׁ֣יב לָאִ֔ישׁ אֶת־צִדְקָת֖וֹ וְאֶת־אֱמֻנָת֑וֹ אֲשֶׁר֩ נְתָנְךָ֨ יְהוָ֤ה ׀ הַיּוֹם֙ בְּיָ֔ד וְלֹ֣א אָבִ֔יתִי לִשְׁלֹ֥חַ יָדִ֖י בִּמְשִׁ֥יחַ יְהוָֽה׃

Pague... o Senhor a cada um a sua justiça. Uma justa recompensa ou castigo deve seguir-se aos atos dos homens, algo que Saul, em seus momentos de sobriedade, também reconhecia (ver o vs. 25). Ver no *Dicionário* sobre a *Lei Moral da Colheita segundo a Semeadura*. Davi podia invocar a operação da lei da colheita segundo a semeadura a seu favor, porquanto tinha semeado bem ao poupar a vida de Saul. Portanto, sua colheita seria boa. O temor de Yahweh inspirara os atos de Davi, conforme vimos no vs. 9 e no trecho paralelo de 1Sm 24.5,6.

26.24

וְהִנֵּ֗ה כַּאֲשֶׁ֨ר גָּדְלָ֧ה נַפְשְׁךָ֛ הַיּ֥וֹם הַזֶּ֖ה בְּעֵינָ֑י כֵּ֣ן תִּגְדַּ֤ל נַפְשִׁי֙ בְּעֵינֵ֣י יְהוָ֔ה וְיַצִּלֵ֖נִי מִכָּל־צָרָֽה׃ פ

Gentileza por Gentileza. A vida de Saul foi *preciosa* aos olhos de Davi naquele dia, e ele não podia terminar a vida do rei com um golpe de lança. E por isso mesmo Davi pediu que Saul considerasse sua vida preciosa, pondo fim imediato à louca perseguição. Ambos os atos seriam feitos "diante de Yahweh", observados e aprovados por ele, feitos para agradá-lo. Davi anelava pôr um fim ao longo período de tribulações que ele passava no deserto.

"Não somente o homem que causara o mal, mas também o que recebera o mal, sentiam que tinham perdido o seu Deus" (John C. Schroeder, *in loc.*).

O fato de que Deus recompensa o bem e pune o mal faz parte do *teísmo,* em contraste com o *deísmo.* Este consiste na ideia de que Deus abandonou o universo depois de havê-lo criado, deixando-o entregue aos cuidados das leis naturais. Ver no *Dicionário* sobre ambos os temas.

26.25

וַיֹּ֨אמֶר שָׁא֜וּל אֶל־דָּוִ֗ד בָּר֤וּךְ אַתָּה֙ בְּנִ֣י דָוִ֔ד גַּ֚ם עָשֹׂ֣ה תַעֲשֶׂ֔ה וְגַ֖ם יָכֹ֣ל תּוּכָ֑ל וַיֵּ֤לֶךְ דָּוִד֙ לְדַרְכּ֔וֹ וְשָׁא֖וּל שָׁ֥ב לִמְקוֹמֽוֹ׃ פ

Então Saul disse a Davi. Uma vez mais, Saul reconheceu que a sua causa era injusta, e Davi era o abençoado de Yahweh. Esse reconhecimento inspirou seu *terceiro arrependimento* (ver 1Sm 19.6; 24.19 e 26.21,25). A predição de Saul, de que Davi haveria de *prevalecer* e *prosperar,* parece indicar que ele se tornaria o segundo rei de Israel e floresceria em seu ofício. Se esse é um dos significados do versículo, então seu paralelo é 1Sm 24.20.

"O encontro pareceu ter terminado em reconciliação, mas Davi não retornou à corte, pelo que essa reconciliação deve ter sido mais aparente que real" (John C. Schroeder, *in loc.*). Por duas vezes antes, Saul pareceu arrepender-se, somente para, pouco depois, retornar à sua missão assassina.

"Saul acha-se aqui, uma vez mais, 'entre os profetas', e prediz a exaltação de Davi e sua vitória. 'Vincisti Nazarene!' foi a exclamação do imperador Juliano" (Bispo Wordsworth, *in loc.*).

Os Targuns dizem: "... mesmo reinando reinarás, e mesmo prosperando prosperarás".

CAPÍTULO VINTE E SETE

OS FILISTEUS GUERREIAM CONTRA SAUL (27.1—31.13)

CONTINUA O EXÍLIO DE DAVI; SUA VASSALAGEM A AQUIS (27.1—28.2)

Saul já se arrependera de perseguir Davi por nada menos de *três vezes* e prometera abandonar a loucura de caçar Davi para matá-lo. Ver 1Sm 19.6; 24.19 e 26.21,25. Mas cada nobre resolução era arruinada por súbitos ataques de loucura, que o enviavam de volta à sua missão de matança. Davi foi convidado a voltar à corte, por ocasião do terceiro arrependimento de Saul (ver 1Sm 26.21). Mas declinou o convite e continuou fugindo (1Sm 26.25). Como é óbvio, Davi não confiava mais em Saul. Ademais, Saul era sujeito a súbitos ataques de um espírito maligno (1Sm 16.14; 18.10 e 19.9), de tal modo que, sem aviso prévio, era possuído por acessos de raiva e mantinha a lança real nas proximidades, pronto a matar qualquer um a qualquer momento.

Uma Medida Desesperadora. Parece evidente que Saul pensou em lançar outro ataque contra Davi (1Sm 27.4), mas dessa vez Davi estava em segurança com o rei vassalo dos filisteus, Aquis. Ele se tornara voluntariamente súdito daquele pagão para manter Saul à distância. Custaria demais para Saul invadir o território de Aquis, meramente para tentar matar Davi. Portanto, de uma vez por todas, Saul abandonou as intenções assassinas contra Davi e foi combater os filisteus. Isso, em breve, custaria a sua própria vida e abriria caminho para Davi chegar ao trono, e o plano de Yahweh progrediria no tocante à nação de Israel. Somente Davi seria capaz de livrar Israel, em sentido absoluto, de todos os inimigos residentes na Palestina. Mas a guerra civil e os inimigos externos atacariam Israel e o levariam para o cativeiro (os assírios e os babilônios). Mas pelo menos a monarquia prosperaria por um bom e longo tempo, livre de perturbações internas.

27.1

וַיֹּאמֶר דָּוִד אֶל־לִבּוֹ עַתָּה אֶסָּפֶה יוֹם־אֶחָד בְּיַד־שָׁאוּל אֵין־לִי טוֹב כִּי הִמָּלֵט אִמָּלֵט אֶל־אֶרֶץ פְּלִשְׁתִּים וְנוֹאַשׁ מִמֶּנִּי שָׁאוּל לְבַקְשֵׁנִי עוֹד בְּכָל־גְּבוּל יִשְׂרָאֵל וְנִמְלַטְתִּי מִיָּדוֹ׃

Disse, porém, Davi consigo mesmo. *Uma Providência Desesperada.* Davi tornou-se súdito de Aquis, rei dos filisteus, para que Saul não mais pudesse alcançá-lo. Sabedor desse movimento desesperado porém eficaz, Saul abandonou definitivamente a perseguição contra Davi (vs. 4). Ver a introdução a este capítulo quanto a detalhes que levaram à escapada final de Davi. Esse ato de Davi tem sido interpretado por alguns como uma traição. Pensem nisso! Davi uniu forças com o inimigo! Mas, se lermos o relato bíblico, descobriremos que em nada Davi ajudou Aquis. Além disso, manteve sua luta contra os inimigos de Israel, embora tivesse de ocultar isso de Aquis, fazendo-o pensar que seus ataques de matança eram contra Israel (ver 1Sm 27.8 ss.). Podemos dizer que Davi se tornou perito "em operações camufladas", visando ao bem de Israel.

Surpreende-nos que Aquis, rei de Gate, tenha abrigado Davi, desde 1Sm 21.10-15, no mesmo lugar onde Davi quase perdeu a vida. Aquele era o território de *Golias.* Mas, com o passar do tempo, passam também as antigas paixões. Um novo dia trouxera uma nova situação, e podemos estar certos de que Aquis orgulhava-se de ter como "súdito" o grande guerreiro Davi, que estava agora sob o seu controle.

27.2

וַיָּקָם דָּוִד וַיַּעֲבֹר הוּא וְשֵׁשׁ־מֵאוֹת אִישׁ אֲשֶׁר עִמּוֹ אֶל־אָכִישׁ בֶּן־מָעוֹךְ מֶלֶךְ גַּת׃

Passou a Aquis. Cf. 1Sm 21.10 e ss., onde o autor sacro já havia mencionado Aquis e seu povo. Aqui o autor sagrado cita o nome do pai de Aquis, acerca de quem não possuímos nenhuma informação. Ver no *Dicionário* acerca de *Gate.* O rei vassalo dos filisteus teria de suportar o pequeno exército de Davi, mas esperava que os benefícios trazidos por Davi compensassem as perdas. Além disso, Davi providenciaria a maior parte de suas próprias necessidades através de saques aos povos vizinhos (ver os vss. 8 ss.). Ver no *Dicionário* sobre *Aquis.*

Os seiscentos Homens de Davi. Enquanto estavam no campo, seiscentos era o número dos homens de Davi. Ou esse número permaneceu estável, ou houve perdas e ganhos, capazes de manter o total. Alguns estudiosos supõem que o grupo tenha crescido consideravelmente, mas a Bíblia continue a falar nos seiscentos homens, como um número já conhecido. Ver 14.2.

27.3

וַיֵּשֶׁב דָּוִד עִם־אָכִישׁ בְּגַת הוּא וַאֲנָשָׁיו אִישׁ וּבֵיתוֹ דָּוִד וּשְׁתֵּי נָשָׁיו אֲחִינֹעַם הַיִּזְרְעֵאלִית וַאֲבִיגַיִל אֵשֶׁת־נָבָל הַכַּרְמְלִית׃

Cada um com a sua família. Vemos aqui que Abigail e Ainoã (esposas de Davi) não eram as únicas mulheres que estavam no grupo dos seiscentos. Ao que tudo indica, havia um bom número de *famílias* formadas pelos soldados de Davi, os quais, seguindo seu exemplo, adquiriram esposas. Deduzimos que o movimento de Davi para Gate foi baseado, pelo menos em parte, na presença de mulheres e crianças no acampamento. Essa circunstância os enfraqueceu como exército, tornando-os mais semelhantes a um grupo de famílias a perambular pelo deserto. Mas, se ele mesmo tinha tomado duas esposas, dificilmente poderia negar o mesmo direito a seus homens.

Davi fora expulso e corria o perigo de servir a outros deuses (ver 1Sm 26.19), mas teve de arriscar corromper-se espiritualmente em Gate. A sobrevivência era a consideração máxima. Posteriormente, ele colocaria a situação em melhor ordem.

"... Ele havia procurado lar e abrigo entre os mais figadais de seus adversários" (Ellicott, *in loc.*). Uma estranha distorção nos eventos, para dizer o mínimo.

Ver no *Dicionário* e nas notas expositivas de 1Sm 25.40 ss. sobre as duas esposas de Davi, Abigail e Ainoã. No meio dos acontecimentos, ele perdera a primeira esposa, Mical, filha de Saul, porquanto o rei a entregara a outro homem, na ausência de Davi (1Sm 25.44).

27.4

וַיֻּגַּד לְשָׁאוּל כִּי־בָרַח דָּוִד גַּת וְלֹא־יוֹסַף עוֹד לְבַקְשׁוֹ׃ ס

Desistiu de o perseguir. *O Fim da Perseguição.* A principal razão pela qual Davi se asilou em Gate, humilhando-se diante de Aquis, foi escapar dos planos assassinos de Saul. Ao ouvir que Davi estava em Gate, Saul desistiu, de modo absoluto, da intenção de caçá-lo e matá-lo. Custaria demais a Saul atacar Aquis, o qual por certo defenderia Davi, seu novo e ilustre súdito. Além disso, Saul não tinha forças suficientes para tanto. O destino, pois, pusera Davi a salvo de Saul. O versículo implica que, não fora essa fuga de Davi para Gate, Saul teria continuado seus ataques, tal como Davi suspeitava (vs. 1).

27.5

וַיֹּאמֶר דָּוִד אֶל־אָכִישׁ אִם־נָא מָצָאתִי חֵן בְּעֵינֶיךָ יִתְּנוּ־לִי מָקוֹם בְּאַחַת עָרֵי הַשָּׂדֶה וְאֵשְׁבָה שָּׁם וְלָמָּה יֵשֵׁב עַבְדְּךָ בְּעִיר הַמַּמְלָכָה עִמָּךְ׃

Uma Ideia Inteligente. Davi quis sair de Gate. Ele queria ter sua própria pequena cidade, na qual pudesse estacionar seu pequeno exército e as famílias que se haviam formado. Em outras palavras, ele pediu para Aquis *doar-lhe* uma aldeia, concordando em permanecer seu súdito, como parte da barganha. Ele não prepararia ataques de surpresa, mas estaria sob escrutínio e controle. Gate não era cidade grande o bastante para dois grandes homens. Davi também não queria que sua gente perdesse a identidade nacional. Além disso, seria muito melhor ter privacidade e certa autonomia. "... dois principados na mesma cidade eram demais. Aquis sentiu a *propriedade* da proposta e deu-lhe Ziclague" (Adam Clarke, *in loc.*).

Aquis preparava uma grande ofensiva contra Saul e seria bom ter Davi, o grande guerreiro, em segurança em Ziclague. Portanto, essa lhe pareceu outra vantagem na proposta de Davi.

27.6

וַיִּתֶּן־לוֹ אָכִישׁ בַּיּוֹם הַהוּא אֶת־צִקְלָג לָכֵן הָיְתָה צִקְלַג לְמַלְכֵי יְהוּדָה עַד הַיּוֹם הַזֶּה׃ פ

A cidade de Ziclague. Ver no *Dicionário* o artigo chamado *Ziclague.* Hodiernamente, não se sabe o local exato dessa cidade. Mas se sabe que ficava no território de Judá, conforme é dito aqui. Ou, melhor dizendo, veio a pertencer a Judá (ou seja, a parte sul de Israel), que o autor conhecia e incluiu aqui num anacronismo. Em lugar de "aos reis de Judá", alguns dizem "à tribo de Judá", mas isso é menos provável. Alguns supõem que esta seja a declaração adicional de algum editor posterior. A tribo de Simeão fora a possuidora de Ziclague (ver Js 15.31 e 19.5). Os filisteus, entretanto, se tinham apossado dela, pelo que Aquis foi capaz de concedê-la a Davi como quartel-general. Quando Israel se dividiu em dois reinos (o do norte e o do sul), Ziclague tornou-se parte de Judá, até o cativeiro babilônico. Quanto a outros detalhes, ver o artigo com o nome dessa cidade. O livro de 1Samuel chegou ao estado em que está após a divisão entre as partes norte e sul da nação, embora, sem dúvida, seu âmago seja bem mais antigo.

27.7

וַיְהִי מִסְפַּר הַיָּמִים אֲשֶׁר־יָשַׁב דָּוִד בִּשְׂדֵה פְלִשְׁתִּים יָמִים וְאַרְבָּעָה חֳדָשִׁים׃

Foi um ano e quatro meses. O texto massorético (ver no *Dicionário* o artigo intitulado *Massora (Massorah); Texto Massorético)* também diz que a permanência de Davi em Ziclague foi de um ano e quatro meses; mas a Septuaginta fala em apenas quatro meses. Ambos os períodos parecem curtos demais para explicar 1Sm 29.3. Ver as notas expositivas ali. Podemos ter certeza de que esse período (parte do exílio) foi o mais negro da vida de Davi. Foi repleto de matanças, tensões e sujeição a um poder estrangeiro. Ademais, na corte de Saul, ele sem dúvida era citado como um *traidor,* por estar servindo a Aquis!

ele estava debilitando os inimigos de Israel (excetuando os filisteus, cuja vez chegaria mais tarde). Portanto, de um ângulo militar, estava contribuindo com Israel. Mas agir como um saqueador dificilmente seria considerado situação desejável. Ver os vss. 8 ss.

■ **27.8**

וַיַּעַל דָּוִד וַאֲנָשָׁיו וַיִּפְשְׁטוּ אֶל־הַגְּשׁוּרִי וְהַגִּרְזִי וְהָעֲמָלֵקִי כִּי הֵנָּה יֹשְׁבוֹת הָאָרֶץ אֲשֶׁר מֵעוֹלָם בּוֹאֲךָ שׁוּרָה וְעַד־אֶרֶץ מִצְרָיִם:

Subia. "Esse verbo é absolutamente exato. As tribos nômades contra as quais suas expedições eram direcionadas habitavam território mais alto que aquele em que ficava Ziclague, o quartel-general de Davi, aparentemente na larga extensão do platô montanhoso, a nordeste do deserto de Parã" (Ellicott, *in loc.*). As tribos atacadas formavam antigos látegos contra Israel. Os artigos mencionados acima dão as identificações raciais. Ver Dt 7.1 quanto às sete nações que Israel deveria expulsar de seu território. Na verdade, Israel tinha mais adversários que aquelas sete nações. Os *girsitas* eram um povo associado aos outros dois mencionados. A associação de Davi com eles e seus ataques exterminadores são toda a informação de que dispomos a respeito. O nome varia de forma entre *girsitas* e *gersitas*. Talvez estejam em foco os habitantes de Gezer, mas essa cidade parece estar muito distante para ser a do presente texto. Parece que os amorreus haviam tomado a maior parte dos seus territórios, e Davi os exterminou completamente ou quase completamente com seus ataques.

Os gesuritas, os gersitas e os amalequitas. Os três povos aqui mencionados (ver artigos sobre cada um deles no *Dicionário*), antigos inimigos de Israel, eram os objetos dos ataques de Davi. Ele se sustentava pelo saque e estava empenhado na *guerra santa* (ver as notas sobre Dt 7.1-5 e 20.10-18), aniquilando toda vida humana. Davi não podia permitir que Aquis soubesse quais eram seus planos. Para Aquis, Davi estava guerreando contra os filhos de Israel. É que Davi passava ao fio da espada todos os habitantes dos lugares que atacava, para que não houvesse testemunhas oculares.

Desde Telã na direção de Sur até a terra do Egito. Nossa versão portuguesa supõe que "Telã" fosse algum lugar conhecido, quando, na realidade, faz parte de uma frase hebraica que significa "até", ou seja, "até Sur". Ver no *Dicionário* o verbete intitulado "Sur".

Vale a pena citar aqui um pequeno trecho do livro *Introdução ao Antigo Testamento*, da autoria de Edward J. Young, lançado pelas Edições Vida Nova, 1964: "Algumas passagens difíceis dessa seção talvez sejam devidas à condição do texto... O texto hebraico não tem sido transmitido em tão boa condição conforme o caso da maior parte dos demais livros do Antigo Testamento, mas a Septuaginta frequentemente nos fornece um precioso auxílio quanto a essas questões. Tais dificuldades textuais secundárias, entretanto, *não são evidências de autoria composta*. Tais evidências, segundo cremos, faltam inteiramente nos livros de Samuel".

■ **27.9**

וְהִכָּה דָוִד אֶת־הָאָרֶץ וְלֹא יְחַיֶּה אִישׁ וְאִשָּׁה וְלָקַח צֹאן וּבָקָר וַחֲמֹרִים וּגְמַלִּים וּבְגָדִים וַיָּשָׁב וַיָּבֹא אֶל־אָכִישׁ:

Não deixava com vida nem homem nem mulher. A *guerra santa* requeria que se ceifasse toda vida, de seres humanos e animais, porquanto essa matança era considerada um sacrifício (holocausto) a Yahweh. Mas Davi tomava dos animais para sustento seu e do seu exército. Podemos ter certeza de que ele pensava que estava prestando um serviço a Yahweh, porquanto estava debilitando os inimigos de Israel.

Vinha a Aquis. Isso não significa que Davi estivesse vivendo em Gate. Antes, fazia viagens periódicas para compartilhar dos despojos que, sem dúvida, faziam parte do acordo com o rei vassalo dos filisteus. Entretanto, depois de ter compartilhado o produto de seus saques, ele voltava a Ziclague (ver o vs. 6), onde estava o seu quartel-general. Alguns intérpretes, todavia, supõem que Davi tenha tido um período de quarentena e vivido em Gate durante algum tempo. Somente depois de ter sido aprovado mediante partilha fiel dos despojos, ele recebeu habitação separada em Ziclague. Contudo, se essa é a verdade da questão, então temos uma perturbação na cronologia do texto, e os vss. 8 e ss. pertenceriam a um período anterior ao do vs. 6.

"Esses atos de feroz barbaridade são simplesmente indesculpáveis. A *razão* para eles é dada no vs. 11. Nenhum cativo deveria permanecer vivo para contar os acontecimentos ao rei Aquis, o qual vivia sob a ilusão de que as campanhas militares de Davi eram efetuadas contra seu próprio povo [Israel]" (Ellicott, *in loc.*], que não fala em termos de *guerra santa*, efetuada sob a direção de Yahweh). A maioria dos intérpretes conservadores, porém, prefere a ideia da guerra santa, citando referências bíblicas como Dt 7.2 e 25.19.

■ **27.10**

וַיֹּאמֶר אָכִישׁ אַל־פְּשַׁטְתֶּם הַיּוֹם וַיֹּאמֶר דָּוִד עַל־נֶגֶב יְהוּדָה וְעַל־נֶגֶב הַיְּרַחְמְאֵלִי וְאֶל־נֶגֶב הַקֵּינִי:

Contra quem deste hoje? Aquis, sem dúvida, admirava a habilidade de matar de Davi e vivia curioso sobre *qual povo* ele atacava. Ele desejava a Davi todo sucesso, porque compartilhava os despojos. Davi, por sua vez, mantinha Aquis na ilusão de que estava sendo servido fielmente, o que ocorreria para sempre (vs. 12).

As Respostas de Davi Eram Mentirosas. Segundo Davi dizia, ele operava na parte sul de Judá, o que significava que israelitas eram mortos ali. E então ele misturava na sua salada mentirosa dois outros povos, os *jerameelitas* e os *queneus* (ver a respeito no *Dicionário*), os quais, na verdade, não eram povos que sofressem seus ataques. A parte *sul* de Judá é o Negueb, o "país seco", um termo que continua sendo usado até hoje. É a região de estepe ao sul da Palestina, estendendo-se de Berseba, ao norte, até Cades-Barneia, já na beira do deserto. O artigo sobre esse lugar, no *Dicionário*, fornece detalhes completos. "Esses ataques se davam na região da moderna faixa de Gaza, em direção ao deserto de Sur (vs. 8), mas Davi dizia que os ataques eram desfechados contra a própria tribo de Judá, ou contra Jerameel ou os queneus, fabricações essas que o tornavam ainda mais querido dos filisteus, persuadindo-os de que ele era um súdito verdadeiro e leal de Aquis (vs. 12)" (Eugene M. Merrill, *in loc.*). Portanto, Davi adicionava vergonhosas mentiras a uma matança ainda mais vergonhosa.

■ **27.11**

וְאִישׁ וְאִשָּׁה לֹא־יְחַיֶּה דָוִד לְהָבִיא גַת לֵאמֹר פֶּן־יַגִּדוּ עָלֵינוּ לֵאמֹר כֹּה־עָשָׂה דָוִד וְכֹה מִשְׁפָּטוֹ כָּל־הַיָּמִים אֲשֶׁר יָשַׁב בִּשְׂדֵה פְלִשְׁתִּים:

A *verdadeira razão* do total aniquilamento daquelas populações não era a *guerra santa* e, sim, um artifício para enganar Aquis. Davi não queria que algum sobrevivente contasse a Aquis o que realmente acontecia.

A razão usual dada para tal extermínio era o *herem*, a dedicação de tudo a Yahweh, como holocausto. A razão real de Davi era prática. Ele precisava sobreviver, e isso dependia do engano pespegado a Aquis a respeito da natureza exata de seus extermínios.

Ellicott (*in loc.*) pensava que os "atrozes atos de matança" efetuados por Davi resultavam da falta de influência de Samuel sobre ele. O profeta do Senhor havia morrido ainda recentemente, e sua boa influência se perdera. Davi, pois, agia como um bárbaro selvagem, tentando manter o favor de Aquis.

■ **27.12**

וַיַּאֲמֵן אָכִישׁ בְּדָוִד לֵאמֹר הַבְאֵשׁ הִבְאִישׁ בְּעַמּוֹ בְיִשְׂרָאֵל וְהָיָה לִי לְעֶבֶד עוֹלָם: פ

Aquis confiava em Davi. Aquis era totalmente ludibriado pelas mentiras de Davi acerca de suas atividades, supondo que agora Israel era totalmente abominado por Davi, e Davi por Israel. O resultado (de acordo com a ilusão na qual Aquis vivia) era que Davi permaneceria para sempre com ele, servindo-o e dividindo os despojos.

Alguns intérpretes continuam a desculpar a conduta de Davi e chegam mesmo a defendê-la. Mas Adam Clarke (*in loc.*), mais corretamente, diz: "Caia a vergonha sobre aquele que se tornar um apólogo de tal conduta... toda falsidade é uma abominação contra o Senhor".

CAPÍTULO VINTE E OITO

SAUL E A MÉDIUM DE EN-DOR (28.1-25)

Os filisteus preparavam-se para exterminar Saul e Israel, e estavam prestes a lançar uma grande ofensiva. Davi, que cuidadosamente enganara Aquis, fazendo-o crer que se tornara inimigo de Israel, agora deveria realmente lutar contra Israel. Davi precisava pensar rapidamente para sair da confusão. À semelhança de um bom político, deu uma resposta ambígua. Ele parecia prosseguir com o plano dos filisteus, mas fazia provisões para não ter de combater contra o próprio povo. Davi foi então feito guarda pessoal de Aquis, o que somente lhe adicionou vexame. O capítulo ignora essa história e passa a contar-nos da visita de Saul à médium de En-Dor.

■ 28.1

וַיְהִי֙ בַּיָּמִ֣ים הָהֵ֔ם וַיִּקְבְּצ֧וּ פְלִשְׁתִּ֛ים אֶת־מַחֲנֵיהֶ֖ם לַצָּבָ֑א לְהִלָּחֵ֖ם בְּיִשְׂרָאֵ֑ל וַיֹּ֤אמֶר אָכִישׁ֙ אֶל־דָּוִ֔ד יָדֹ֣עַ תֵּדַ֔ע כִּ֥י אִתִּ֛י תֵּצֵ֥א בַֽמַּחֲנֶ֖ה אַתָּ֥ה וַאֲנָשֶֽׁיךָ׃

Disse Aquis a Davi. Aquis era o rei vassalo de Gate, e essa era uma das cinco principais cidades fortalezas dos filisteus. Se os filisteus tivessem de combater contra Israel, não haveria como Aquis escapar à participação, mesmo que desejasse fazê-lo. Além disso, visto que Davi era poderoso guerreiro, tendo-se tornado súdito de Aquis, não havia como Davi deixar de participar do ataque filisteu contra Israel. Isso deixava Davi em uma situação extremamente ridícula e perigosa. Ele tinha fingido atacar seu próprio povo no sul do território de Judá (ver 27.10), e agora esse engano o apanhava em cheio. Aquis, pois, ajudaria Davi a ventilar sua ira contra o próprio povo de Israel.

A morte de Saul e a alegada traição de Davi contra o próprio povo, vinculadas ao fato de que Saul estava envelhecendo e não era mais o grande guerreiro do passado, eram todas mudanças que favoreciam os filisteus no conflito contra Israel. Eles estavam atrás do golpe definitivo. Josefo observou, neste ponto, que os filisteus não planejavam nenhuma batalha ordinária. Eles saíram para dar fim a Israel.

■ 28.2

וַיֹּ֤אמֶר דָּוִד֙ אֶל־אָכִ֔ישׁ לָכֵן֙ אַתָּ֣ה תֵדַ֔ע אֵ֥ת אֲשֶׁר־יַעֲשֶׂ֖ה עַבְדֶּ֑ךָ וַיֹּ֤אמֶר אָכִישׁ֙ אֶל־דָּוִ֔ד לָכֵ֗ן שֹׁמֵ֧ר לְרֹאשִׁ֛י אֲשִֽׂימְךָ֖ כָּל־הַיָּמִֽים׃ פ

Saberás quanto pode o teu servo fazer. A resposta de Davi a Aquis foi bastante ambígua, embora parecesse a Aquis que Davi estava disposto a agir como súdito leal. Davi dissera que "faria bem qualquer coisa que lhe fosse dada a fazer", mas não disse especificamente que faria "isso" contra o povo de Israel. Mas foi assim, naturalmente, que Aquis entendeu. Por esse tempo, o filisteu estava tão seguro da lealdade de Davi que fizera dele seu próprio guarda pessoal. Dessa forma, o logro pespegado por Davi começou a complicar-se e somente pela graça de Deus ele não precisou entrar em batalha, em favor ou contra Israel. "Davi... estava perdido, sem saber o que fazer, esperando que Deus, em sua providência, o tirasse daquela dificuldade" (John Gill, *in loc.*).

■ 28.3

וּשְׁמוּאֵ֣ל מֵ֔ת וַיִּסְפְּדוּ־לוֹ֙ כָּל־יִשְׂרָאֵ֔ל וַיִּקְבְּרֻ֥הוּ בָרָמָ֖ה וּבְעִיר֑וֹ וְשָׁא֗וּל הֵסִ֛יר הָאֹב֥וֹת וְאֶת־הַיִּדְּעֹנִ֖ים מֵהָאָֽרֶץ׃

O autor sacro deixa-nos a perguntar como Davi escaparia da confusão que ele mesmo havia criado, e então volta a atenção para outra história interessante. Saul resolveu consultar um oráculo pagão, proibido para Israel. Lembremos que Saul havia matado virtualmente todo o sacerdócio de Israel, sacrificando a orientação que poderia ser-lhe dada pelas sortes sagradas ou pelo *Urim* e *Tumim*. Ver o capítulo 22 quanto à matança insensata do sacerdócio de Yahweh. Não podendo tirar vantagem das *adivinhações* "aprovadas" (ver a respeito no *Dicionário*), Saul teve de buscar orientação para seus negócios militares da parte de um oráculo proibido.

De um ângulo teológico, esta seção é particularmente interessante:
1. Até onde sou capaz de entender, ensina absolutamente que Israel, na época, acreditava que os espíritos dos mortos podiam ser chamados para efeito de consulta.
2. Não há indício de que a médium se tenha mostrado fraudulenta. Não há indicação de que um demônio tenha aparecido, imitando Samuel. Interpretações dessa ordem, da parte de cristãos modernos, deixam muito a desejar. Em outras palavras, os intérpretes supõem que a crença dos antigos hebreus fosse semelhante à dos cristãos modernos, de que a consulta a espíritos não pode ocorrer. A experiência ensina-nos que isso é *possível* e, *algumas vezes*, ocorre. Mas isso não quer dizer que devamos buscar contatos com os espíritos ou fazer uma religião de tais atos, como se vê no *Espiritismo*. Ver na *Enciclopédia de Bíblia, Teologia e Filosofia* o detalhado artigo intitulado *Espiritismo*.

A maioria dos intérpretes conservadores modernos acredita na possibilidade do contato com os espíritos de pessoas mortas, mas nem por isso crê que essa prática seja desejável. E quando isso acontece (e isso é frequente o bastante), então se fala em concessões *especiais* da parte de Deus. Ao longo do caminho, ilustro essa declaração. Conheço pessoalmente vários evangélicos que recebem visitas dos espíritos de entes queridos que partiram daqui. Mas nenhum deles faz isso transformar-se em uma religião, ou promove tal coisa como experiência que deva estar acontecendo. No entanto, aqueles a quem isso sucedeu acreditam que essa experiência lhes foi *benéfica*, pelo menos na ocasião em que o fenômeno ocorreu.

3. O texto diante de nós é uma prova de que, na época em que a história foi escrita, havia a crença na sobrevivência da alma diante da morte física, isto é, sobrevivência da parte imaterial do homem, o seu "eu" real. Ver na *Enciclopédia de Bíblia, Teologia e Filosofia* o artigo chamado *Imortalidade*. E ver também no *Dicionário* o verbete chamado *Alma*. No Pentateuco, contudo, a doutrina da imortalidade não aparece claramente. Ver as notas em Gn 1.26,27 quanto a comentários sobre essa questão. Mas ela já começara a aparecer nos dias dos Salmos e dos Profetas. Durante o período intermediário, quando os livros apócrifos e pseudepígrafos foram escritos, a doutrina da imortalidade da alma alcançou maior desenvolvimento, o qual atingiu o clímax nos ensinos do Novo Testamento. Ver os comentários adicionais a respeito no vs. 7.

"A aparição de Samuel, aqui, é explicada pela intervenção do Senhor, que graciosamente permitiu que Saul tivesse um último encontro com o profeta a quem procurara fazia agora tanto tempo, quando buscava as jumentas de seu pai (15.7-26)" (Eugene M. Merrill, *in loc.*, que expressou assim a opinião comum dos evangélicos sobre esta passagem).

Já Samuel era morto. 1Sm 25.1 diz, em um único versículo, como Samuel tinha morrido e fora lamentado. Ver as notas expositivas ali. Ele foi sepultado em sua cidade natal, Ramá, conforme informa o mesmo versículo.

Extermínio dos Espíritas. Em consonância com as injunções de Êx 22.18, Lv 20.27 e Dt 18.10, Saul procurara exterminar os que ousassem estabelecer um oráculo para competir com o do tabernáculo, tentando utilizar-se dos espíritos dos mortos como *modus operandi*. Mas alguns deles conseguiram escapar do expurgo, e Saul agora ficara sabendo de uma famosa médium que habitava em En-Dor. Tendo exterminado o sacerdócio de Yahweh (capítulo 22), Saul agora apelava para uma médium, diante dos planos selvagens dos filisteus de colocar um ponto final na questão com Israel.

"O ponto dessa narrativa patética é que Saul perdera de tal maneira o contato com Deus e chegara a tal estado de pânico, que se viu forçado a apelar para uma prática que, em seus melhores momentos, condenara fervorosamente" (George B. Caird, *in loc.*).

■ 28.4

וַיִּקָּבְצ֣וּ פְלִשְׁתִּ֔ים וַיָּבֹ֖אוּ וַיַּחֲנ֣וּ בְשׁוּנֵ֑ם וַיִּקְבֹּ֣ץ שָׁא֗וּל אֶת־כָּל־יִשְׂרָאֵ֖ל וַיַּחֲנ֥וּ בַּגִּלְבֹּֽעַ׃

Ajuntaram-se os filisteus. Os dois exércitos acamparam-se em Suném (os filisteus) e em Gilboa (Israel), defrontando-se assim através da extremidade oriental da planície de Esdrelom. Ver no

Dicionário os artigos a respeito. Esses lugares estavam separados um do outro por cerca de 16 quilômetros. "Os filisteus tinham penetrado no âmago da Palestina, cruzado o vale de Jezreel e tomado forte posição na descida sul-ocidental do 'pequeno Hermom', perto da cidade de Suném" (Ellicott, *in loc.*).

■ 28.5

וַיַּרְא שָׁאוּל אֶת־מַחֲנֵה פְלִשְׁתִּים וַיִּרָא וַיֶּחֱרַד לִבּוֹ
מְאֹד:

Saul... foi tomado de medo. *Saul,* agora um idoso guerreiro, e já sabendo no íntimo que seu tempo era curto, entrou em pânico quando viu o exército dos filisteus. Estudos sobre sonhos mostram que todos sabem quando é chegada a hora da morte, pelo menos com um ano de antecedência, por meio de diversos sonhos precognitivos. O conhecimento prévio faz parte natural das funções psíquicas do ser humano. Ver no *Dicionário* o artigo intitulado *Sonhos;* e, na *Enciclopédia de Bíblia, Teologia e Filosofia,* ver sobre *Precognição.*

Em seu temor e ansiedade sobre a batalha contra os filisteus, Saul foi inspirado a consultar a médium de En-Dor, esperando uma boa "leitura".

É provável que Israel estivesse apequenado em números, ou que os filisteus fossem mais bem equipados militarmente. Mas a verdade é que o próprio coração de Saul o tornava um medroso. A profecia de Samuel sem dúvida passou por sua cabeça (ver 1Sm 15.23). Ele sabia que as palavras do idoso profeta finalmente tinham atingido o tempo e o lugar apropriado para seu cumprimento.

■ 28.6

וַיִּשְׁאַל שָׁאוּל בַּיהוָה וְלֹא עָנָהוּ יְהוָה גַּם בַּחֲלֹמוֹת גַּם
בָּאוּרִים גַּם בַּנְּבִיאִם:

Consultou Saul o Senhor. *Em desespero,* Saul consultou o Senhor. Ele deve ter buscado alegados profetas. Possivelmente Saul tinha estabelecido o seu próprio sacerdócio com algum descendente de Levi. (ele havia matado todo o sacerdócio do tabernáculo; ver o capítulo 22). Saul procurou localizar alguém que lhe indicasse a vontade de Deus, e alguma orientação específica acerca da batalha contra os filisteus. Ele tentou provocar alguma espécie de sonho revelador. Mas tudo quanto obteve foi um silêncio de pedra. Yahweh não ouvia mais o idoso rei. Ele tentou todos os caminhos "ortodoxos", mas sem nenhum resultado. As possibilidades de obter informação, segundo o próprio Saul, eram os sonhos, o *Urim* e o *Tumim,* e os profetas. Esses eram os meios de adivinhação aprovados em Israel.

■ 28.7

וַיֹּאמֶר שָׁאוּל לַעֲבָדָיו בַּקְּשׁוּ־לִי אֵשֶׁת בַּעֲלַת־אוֹב
וְאֵלְכָה אֵלֶיהָ וְאֶדְרְשָׁה־בָּהּ וַיֹּאמְרוּ עֲבָדָיו אֵלָיו הִנֵּה
אֵשֶׁת בַּעֲלַת־אוֹב בְּעֵין דּוֹר:

Apontai-me uma mulher que seja médium. *Quando a ortodoxia fracassou,* Saul decidiu voltar-se para aquela heterodoxia que ele mesmo havia perseguido tão amargamente. Seus expurgos de médiuns e necromantes, entretanto, não tinham sido absolutos. Continuavam existindo alguns poucos praticantes em Israel. O próprio Saul desconhecia *sobreviventes,* mas um ou mais de seus servos tinham ouvido falar da notável médium de En-Dor, e ela tinha reputação de obter bons resultados. Ver no *Dicionário* sobre *En-Dor.* Muito convenientemente para Saul, aquele lugar ficava apenas cerca de 5 quilômetros ao norte de Suném, onde os filisteus estavam acampados. De Gilboa ao acampamento de Israel, Saul tinha de viajar cerca de 19 quilômetros na direção norte.

Foi assim que Saul resolveu quebrar *as regras* que ele mesmo tão brutalmente tinha estabelecido. "É típico da natureza humana um indivíduo acreditar ter o direito de quebrar uma regra moral obrigatória para todas as outras pessoas... A maioria dos homens é capaz de ver o valor e a verdade das regras morais, mas parece incapaz de entender por que eles mesmos não são capazes de quebrá-las sem prejuízo pessoal" (John C. Schroeder, *in loc.*).

Espírito Familiar. O termo hebraico *ob,* que aponta para um alegado guia, provavelmente concebia um espírito humano desencarnado ou, talvez, uma deidade secundária. É um anacronismo achar que os médiuns pensavam estar invocando espíritos de demônios, mas era natural que outros atribuíssem seu trabalho a tais espíritos. Saul tinha um espírito maligno que o perturbava, e parece que os hebreus, na época, possuíam uma teologia rudimentar do *demonismo.* Quanto ao *espírito maligno* de Saul, ver 1Sm 16.14. O espírito guia de uma médium era chamado "familiar" por estar em boas relações com a mulher, como se fosse um membro de sua família. A teologia hebreia dos tempos de Jesus falava dos demônios como se fossem espíritos de pessoas mortas, negativos, ao passo que certos hebreus achavam que pelo menos alguns desses espíritos eram demônios, e não espíritos de pessoas que haviam partido da terra.

A ideia prevaleceu até a época de Crisóstomo (século V d.C.). Esse homem, que exerceu grande influência sobre a teologia da Igreja, supunha que os demônios fossem anjos caídos, ideia que se tornou a mais comum, subsequentemente, na teologia cristã. Entretanto, as pesquisas modernas têm demonstrado que há muitos *níveis* de seres espirituais que podem influenciar, positiva ou negativamente, os seres humanos, e somente alguns deles são anjos caídos. Ver no *Dicionário* o artigo chamado *Demônio, Demonologia.* O mundo espiritual provavelmente é tão diversamente povoado quanto o mundo físico, pelo que *muitas espécies* de espíritos poderiam estar envolvidas nas comunicações e nas influências. Nossa ignorância quanto a esse campo é certamente grande o bastante para ainda termos de aprender muito. E as simplificações sobre tais questões não conseguem explicá-las.

Keil (*in loc.*) pensava que os médiuns realmente chamavam e invocavam os espíritos de pessoas mortas, desde o *hades.* As evidências demonstram que, pelo menos ocasionalmente, isso pode ser feito, mas tal prática não é desejável.

Para que eu me encontre com ela. O *sheol* era concebido como abaixo da superfície da terra. Ver sobre esse termo no *Dicionário;* e ver também ali sobre *Hades* e *Adivinhação.* Os hebreus pensavam que seus *tipos* eram tanto moralmente aceitáveis quanto desejáveis. Os próprios apóstolos lançaram *sortes* (ver a respeito no *Dicionário*), na tentativa de descobrir a vontade de Deus acerca de quem deveria substituir Judas Iscariotes como apóstolo (ver At 1.26). A maior parte das adivinhações é moralmente indiferente, e usualmente tão ineficaz quanto insignificante. Mas existem forças malignas que devem ser evitadas.

■ 28.8

וַיִּתְחַפֵּשׂ שָׁאוּל וַיִּלְבַּשׁ בְּגָדִים אֲחֵרִים וַיֵּלֶךְ הוּא וּשְׁנֵי
אֲנָשִׁים עִמּוֹ וַיָּבֹאוּ אֶל־הָאִשָּׁה לָיְלָה וַיֹּאמֶר קָסֳמִי־נָא
לִי בָּאוֹב וְהַעֲלִי לִי אֵת אֲשֶׁר־אֹמַר אֵלָיִךְ:

Saul disfarçou-se. Ele, o matador de médiuns e necromantes, foi consultar uma médium. Saul se disfarçou para ocultar sua identidade. E, para assegurar uma reunião secreta, marcou a consulta *à noite.* Saul levou consigo dois servos de confiança, que a ninguém diriam o que ele havia feito. Com grandes expectativas de que receberia um bom oráculo (mas de coração pesado, porque, na realidade, não acreditava naquilo), Saul foi-se. Ele confiava que a mulher realmente traria um espírito para dar-lhe conselho. Ele queria falar com o espírito de *Samuel,* que tinha a reputação de ser 100% bem-sucedido nas suas adivinhações (1Sm 9.6). E Saul precisava realmente de uma leitura exata naquela ocasião. A teologia hebreia da época incluía a ideia da volta possível dos espíritos dos mortos, a fim de prestar conselho e predizer o futuro. Ver na *Enciclopédia de Bíblia, Teologia e Filosofia* o verbete intitulado *Espiritismo.* Ver as notas nos vss. 3 e 7, para comentários adicionais. Ver no *Dicionário* o artigo chamado *Necromancia.*

■ 28.9

וַתֹּאמֶר הָאִשָּׁה אֵלָיו הִנֵּה אַתָּה יָדַעְתָּ אֵת אֲשֶׁר־
עָשָׂה שָׁאוּל אֲשֶׁר הִכְרִית אֶת־הָאֹבוֹת וְאֶת־הַיִּדְּעֹנִי
מִן־הָאָרֶץ וְלָמָה אַתָּה מִתְנַקֵּשׁ בְּנַפְשִׁי לַהֲמִיתֵנִי:

Respondeu-lhe a mulher. A mulher, sem saber que era o próprio Saul que se sentava diante dela, em sua mesa de adivinhação, lembrou a confusão que Saul havia causado a pessoas de sua classe. Se Saul descobrisse o que ela estava fazendo, ela correria perigo. Ela pode ter pensado que o homem era um espião enviado por Saul para descobri-la e então denunciá-la às autoridades. Ao assim dizer, ela estava procurando a *segurança* da figura desconhecida, de que ele não era algum agente do governo.

■ **28.10**

וַיִּשָּׁבַע לָהּ שָׁאוּל בַּיהוָה לֵאמֹר חַי־יְהוָה אִם־יִקְּרֵךְ עָוֺן בַּדָּבָר הַזֶּה:

Nenhum castigo te sobrevirá por isso. Para garantir que a mulher não seria castigada, Saul teve coragem de jurar por Yahweh, embora soubesse que fora o mesmo Yahweh que o tinha instruído a matar todas as médiuns e necromantes, de acordo com as Escrituras (ver Êx 22.18; Lv 20.7 e Dt 18.10). Nada existe de mais comum na experiência humana do que cair em contradições, em tempos de grande tensão e crise. Algumas vezes chegamos a invocar Deus para que nos ajude a fazer algo que ele mesmo proibiu. Isso mostra quão fracos são os seres humanos e como estamos sujeitos a influências que nos distorcem a mente.

■ **28.11**

וַתֹּאמֶר הָאִשָּׁה אֶת־מִי אַעֲלֶה־לָּךְ וַיֹּאמֶר אֶת־שְׁמוּאֵל הַעֲלִי־לִי:

Quem te farei subir? A mulher confiava que poderia fazer subir qualquer espírito que lhe fosse solicitado. Isso não quer dizer que ela sempre pudesse fazê-lo. Provavelmente, na maior parte das vezes, aparecia algum espírito que se fazia passar por outrem, enganando os consultantes, o que às vezes acontece nas práticas espíritas. De outras vezes, porém, ela obtinha sucesso genuíno e sem dúvida cria ser mais bem-sucedida do que realmente era. Vários intérpretes supõem que o guia da mulher (espírito familiar) imitaria qualquer espírito, e há grande probabilidade de que isso usualmente acontecia. Mas há também notáveis exceções.

Ellicott (*in loc.*) cita o Talmude Babilônico para demonstrar que as escolas rabínicas, em contraste com os evangélicos modernos, acreditavam que essa mulher realmente tinha o poder que afirmava possuir. Há uma muito curiosa citação que ilustra esse ponto. Um saduceu cético disse certa feita ao rabino Ami Abhu: "Você afirma que as almas dos justos estão guardadas sob o trono da glória. Como, pois, a bruxa de En-Dor teve poder de trazer o profeta Samuel mediante necromancia?" O honorável rabino respondeu: "Porque aquilo ocorreu antes de completar um ano da morte dele. Somos ensinados que, após certo tempo, após a morte do corpo, a alma sobe para nunca mais retornar" (Tratado *Shabbath*, fol. 88, col. 2). Outras tradições rabínicas limitam o período a apenas quatro dias, durante os quais o espírito perambula e pode comunicar-se sob certas circunstâncias.

Alguns intérpretes modernos falam em termos de *permissão*. Todas essas coisas estão sob o controle divino. Ele pode permitir e até mesmo prover tais comunicações para pessoas especiais, sob circunstâncias especiais. Sem dúvida isso está correto. Porém, parece haver mais comunicações do que o permitido. O estado da alma não é fixado no mundo intermediário, e podemos entrar em contato com ela. Há muitos perigos ocultos por trás dessa questão e não devemos forçá-la. Mas quando tal fenômeno acontece espontaneamente, podemos aceitá-lo como um ato de Deus, em nosso favor e com certos propósitos. Ver na *Enciclopédia de Bíblia, Teologia e Filosofia* os verbetes intitulados *Estado Intermediário*; *Experiências Perto da Morte* e *Mortos, Estado dos*. Minha crença pessoal é que o estado das almas dos mortos não será fixado senão na Segunda Vinda de Cristo, se é que será. *Estagnação* não é uma palavra que combina com Deus.

■ **28.12**

וַתֵּרֶא הָאִשָּׁה אֶת־שְׁמוּאֵל וַתִּזְעַק בְּקוֹל גָּדוֹל וַתֹּאמֶר הָאִשָּׁה אֶל־שָׁאוּל לֵאמֹר לָמָּה רִמִּיתָנִי וְאַתָּה שָׁאוּל:

Duas Coisas Aconteceram Então. Em primeiro lugar, a mulher foi tomada de súbito pânico ao ver Samuel. Os intérpretes apanham esse detalhe e supõem que ela tenha ficado mais surpresa que todos os outros, ao perceber que o rito fora eficaz, pois usualmente enganava as pessoas sobre a questão. A *coisa real* a assustou deveras. Mas minha opinião é que ela conseguia mais sucessos que qualquer intérprete quer admitir. Além disso, Samuel era um *grande poder* e, quando esse poder se manifestou na sala (em contraste com os pequenos poderes das cerimônias usuais), isso a assustou. Em segundo lugar, a ela também foi dado *conhecimento psíquico*. Pois ela reconheceu, de súbito, que era Saul que estava ali, diante dela, e isso aumentou em muito seu grande pavor.

"Que Samuel *realmente apareceu* naquela ocasião, evidencia-se através do texto. Isso não pode ser negado por nenhum modo legítimo de interpretação" (Adam Clarke, *in loc.*). O mesmo autor prossegue dizendo que a coisa genuína surpreendeu a médium, porquanto não era o que ela esperava acontecer. A mulher quedou-se "admirada e assustada" pela visão (Ellicott, *in loc.*). Keil sugere que a mulher caiu em um estado de clarividência, e assim foi capaz de reconhecer Saul. Josefo (*Antiq.* vi.14,2) asseverou que Samuel revelou quem era o consultante. O texto também é embelezado pelos escritores judaicos, incluindo os aparecimentos de poderosos juízes e até do próprio Yahweh.

Reconhecendo que fora *enganada*, a mulher pôs-se a tremer, porquanto o brutal Saul estava ali à sua frente, e ela não sabia se sobreviveria à situação.

■ **28.13**

וַיֹּאמֶר לָהּ הַמֶּלֶךְ אַל־תִּירְאִי כִּי מָה רָאִית וַתֹּאמֶר הָאִשָּׁה אֶל־שָׁאוּל אֱלֹהִים רָאִיתִי עֹלִים מִן־הָאָרֶץ:

Respondeu-lhe o rei: Não temas; que vês? Como fizera no vs. 10, Saul reassegurou à mulher que ela não corria perigo. Ele não havia mudado de ideia e não haveria de fazer mal à mulher, pois dela esperava uma boa palavra, enviando-o à batalha contra os filisteus em confiança, e não em estado de pânico.

Dadas as garantias, Saul quis saber *tudo* quanto a médium estava vendo. Além de Samuel, ela viu também *elohim*, isto é, "deuses", provavelmente referindo-se a certa variedade de espíritos poderosos que nem ela nem ninguém seria capaz de identificar. Alguns intérpretes judeus fazem desses espíritos elevados os juízes espirituais dos homens; e alguns supõem que até o próprio Yahweh se tenha manifestado, mas isso já é um exagero. Os *deuses* "subiram da terra", e isso os identificou com os espíritos que haviam subido do *hades* ou *sheol* (ver a respeito no *Dicionário*). O termo "deus" provavelmente implica mais do que um espírito humano desencarnado, mas é provável que a mulher mesma não tivesse ideia de como identificar esses espíritos. A versão caldaica fala de um *anjo do Senhor*, mas essa é uma interpretação exagerada. O Talmude Babilônico acha que a palavra hebraica que está no plural, *elohim*, deve ser interpretada no singular, referindo-se a Samuel e algum outro espírito (que não foi identificado). As opiniões incluem *Moisés* ou outra personagem antiga do Antigo Testamento. Alguns escritores do Talmude insistem na ideia de um *anjo*, mas isso não passa de opinião. Seja como for, houve maravilhosa manifestação de poder espiritual, que aterrorizou a mulher.

■ **28.14**

וַיֹּאמֶר לָהּ מַה־תָּאֳרוֹ וַתֹּאמֶר אִישׁ זָקֵן עֹלֶה וְהוּא עֹטֶה מְעִיל וַיֵּדַע שָׁאוּל כִּי־שְׁמוּאֵל הוּא וַיִּקֹּד אַפַּיִם אַרְצָה וַיִּשְׁתָּחוּ: ס

Ao Menos Samuel Foi Identificado. Ele apareceu com seu manto de profeta. Os espíritos dos mortos têm a capacidade de aparecer de qualquer maneira, com quaisquer vestes. Eles se adaptam às nossas expectativas. Samuel, querendo ser identificado para poder transmitir a dura mensagem a Saul, apareceu sob uma forma *reconhecível*. Assim sendo, a médium e Saul obtiveram o que queriam e ficaram ali, trêmulos, na presença de Samuel. Nenhum bem procederia daquela situação. Os intérpretes rabínicos falam de como os espíritos podem manifestar-se sob formas reconhecíveis para o nosso benefício, pelo que não temos de pensar em termos de vestes literais. Antes, são representações visionárias. "Deus designou que o espírito de Samuel fosse reconhecido pelos olhos humanos" (Bispo Wordsworth, *in loc.*).

Extremamente afetado pela visão, Saul prostrou-se no chão, em temor e reverência, algo comum nas experiências místicas. Ver na *Enciclopédia de Bíblia, Teologia e Filosofia* o artigo chamado *Misticismo*.

■ 28.15

וַיֹּאמֶר שְׁמוּאֵל אֶל־שָׁאוּל לָמָּה הִרְגַּזְתַּנִי לְהַעֲלוֹת
אֹתִי וַיֹּאמֶר שָׁאוּל צַר־לִי מְאֹד וּפְלִשְׁתִּים ׀ נִלְחָמִים בִּי
וֵאלֹהִים סָר מֵעָלַי וְלֹא־עָנָנִי עוֹד גַּם בְּיַד־הַנְּבִיאִם
גַּם־בַּחֲלֹמוֹת וָאֶקְרָאֶה לְךָ לְהוֹדִיעֵנִי מָה אֶעֱשֶׂה: ס

Por que me inquietaste...? Para alguns intérpretes, essas palavras subentendem que Samuel deveria estar dormindo no *sheol*, e Saul o despertara. Nesse caso, ainda não havia entrado na teologia dos hebreus a crença na sobrevivência de uma alma vital. Ver Gn 1.26,27 quanto à discussão de que o Pentateuco não contém nenhuma ideia da alma separada do corpo. Foi na época dos Salmos e Profetas que essa crença entrou na teologia dos hebreus. Por outro lado, é possível que essa doutrina, à época de Saul, tenha avançado mais do que supõem alguns intérpretes. Nesse caso, o fato de Saul ter inquietado Samuel envolveu também perturbar a sua paz em algum lugar melhor. Ver no *Dicionário* o artigo intitulado *Alma*, e na *Enciclopédia de Bíblia, Teologia e Filosofia*, o verbete chamado *Imortalidade*.

Saul havia tentado todos os *meios ortodoxos* para obter orientação divina. Mas nada tinha funcionado. Isso repete as ideias do vs. 6, onde são dadas notas expositivas. Assim sendo, a mente de Saul naturalmente voltou-se para Samuel; e Saul creu que, assim como o profeta o tinha guiado enquanto estava vivo, ainda poderia guiá-lo se fosse *contatado*. Saul também acreditava que a médium poderia conseguir tal contato, e, de fato, o havia conseguido. Assim tirou vantagem do acontecimento para perguntar o que deveria fazer em relação à guerra com os filisteus, a razão pela qual inicialmente havia procurado a médium (ver o vs. 7).

"Para o galante Saul, desesperar era realmente estranho, mas esse triste pressentimento, antes do campo fatal de Gilboa, onde em breve perderia a vida e a coroa, foi tristemente confirmado pela sequência" (Ellicott, *in loc.*).

Fez parte da loucura de Saul achar que, quando Deus o abandonara, Samuel lhe daria uma mensagem contrária. Mas todos devemos lembrar que a última coisa a morrer é a *esperança*. Saul continuava esperando algum tipo de reversão em sua sorte.

> Vivo na esperança, e isso, segundo penso, é o que fazem
> todos quantos entram neste mundo.
>
> Robert Bridges

> A esperança brota, eterna, no peito humano...
> O homem nunca o é, mas sempre espera ser abençoado.
>
> Alexander Pope

■ 28.16

וַיֹּאמֶר שְׁמוּאֵל וְלָמָּה תִּשְׁאָלֵנִי וַיהוָה סָר מֵעָלֶיךָ וַיְהִי
עָרֶךָ:

Visto que o Senhor te desamparou e se fez teu inimigo? *A Rejeição de Saul, por Parte de Yahweh, Era Final.* Era inútil para Saul buscar uma mensagem contrária à que havia sido dada. De fato, o caso de Saul era desesperador. *Yahweh* tornara-se seu inimigo. Os filisteus eram nada em comparação, e seriam o instrumento de Yahweh para que Saul encontrasse seu fim. Samuel era apenas o porta-voz de Yahweh, incapaz de distorcer a palavra divina. Dessa forma, as esperanças perdidas de Saul foram lançadas ao pó.

■ 28.17

וַיַּעַשׂ יְהוָה לוֹ כַּאֲשֶׁר דִּבֶּר בְּיָדִי וַיִּקְרַע יְהוָה
אֶת־הַמַּמְלָכָה מִיָּדֶךָ וַיִּתְּנָהּ לְרֵעֲךָ לְדָוִד:

Tirou o reino da tua mão, e o deu ao teu companheiro Davi. *A sentença dada* era clara e definitiva. Nenhuma força, no céu ou na terra, era capaz de alterá-la. A referência é a passagens como 1Sm 15.24-31. O que Samuel havia dito, por inspiração de Yahweh, enquanto estava vivo, não seria revertido pelo mesmo Samuel, meramente porque agora estava em espírito. Davi, fatalmente e em breve, seria o segundo rei de Israel. A mesma vontade divina que decretara a queda de Saul garantia a ascendência de Davi ao trono.

■ 28.18

כַּאֲשֶׁר לֹא־שָׁמַעְתָּ בְּקוֹל יְהוָה וְלֹא־עָשִׂיתָ חֲרוֹן־אַפּוֹ
בַּעֲמָלֵק עַל־כֵּן הַדָּבָר הַזֶּה עָשָׂה־לְךָ יְהוָה הַיּוֹם
הַזֶּה:

Como tu não deste ouvidos à voz do Senhor. *Saul Tivera Muitas Fraquezas.* A principal delas, que provocara o Senhor à ira, a ponto de rejeitar Saul como rei, fora o caso envolvendo os filhos de Amaleque. A história aparece em 1Sm 15. A Saul fora ordenado que fizesse *guerra santa*, o que significava que todo ser humano e todo animal deveriam ser destruídos. Ver em Dt 7.1-5 e 20.10-18 quanto aos requisitos da guerra santa. Como troféu de seu sucesso, Saul tomou o rei de Amaleque vivo para mostrá-lo ao povo. E também guardou alguns animais de corte. O resto ele destruiu, o que significa que obedecera somente em parte, o que equivalia a desobedecer. Com isso, Saul se desqualificara como rei, e a *maldição divina* incluía sua morte próxima às mãos dos filisteus (capítulo 31). E quando Saul começou a perseguir Davi, o ungido de Yahweh para ser o segundo rei, eliminou qualquer chance de mudança mental. sua rejeição fora final e agora coisa alguma poderia reverter a maldição que, voluntariamente, ele atraíra sobre si.

Talvez o versículo queira incluir a infração de Saul em Gilgal, registrada em 1Sm 13.5-14. Saul teve contra si outra desgraça, que foi a matança de todo o sacerdócio de Yahweh (1Sm 22). 1Cr 10.13,14 dá-nos várias razões pelas quais Saul foi morto pelos filisteus. 1. Ele foi infiel (em várias ocasiões) e não cumpriu os mandamentos de Yahweh (o que inclui infrações registradas nos capítulos 13 e 15). 2. Ele buscou a orientação de uma médium (presente capítulo), rejeitando a orientação de Yahweh. A perseguição a Davi não é mencionada, mas isso fazia parte de sua infidelidade e desobediência à vontade de Yahweh.

■ 28.19

וְיִתֵּן יְהוָה גַּם אֶת־יִשְׂרָאֵל עִמְּךָ בְּיַד־פְּלִשְׁתִּים וּמָחָר
אַתָּה וּבָנֶיךָ עִמִּי גַּם אֶת־מַחֲנֵה יִשְׂרָאֵל יִתֵּן יְהוָה
בְּיַד־פְּלִשְׁתִּים:

Amanhã tu e teus filhos estareis comigo. Isto é, no *sheol*. Era uma mensagem terrível. Fazia muito tempo que Saul tinha obedecido a Yahweh e depois havia iniciado sua carreira descendente. Parece que 35 anos se passaram entre os eventos registrados no capítulo 13 e os do presente capítulo. Mas a consulta com a médium de En-Dor ocorreu um dia antes da morte de Saul. Samuel predisse que no "dia seguinte" Saul e seus filhos estariam com ele, ou seja, no *sheol*, o lugar dos espíritos que partem deste mundo. Notemos que, se a teologia hebreia havia avançado a ponto de contemplar um pós-vida no qual a alma (separada do corpo) continuava a existir, ela ainda não incluía nada semelhante a "céu e inferno". Essas doutrinas desenvolveram-se essencialmente no período intermediário entre o Antigo e o Novo Testamento, nos livros apócrifos e pseudepígrafos. E o Novo Testamento retomou esse desenvolvimento e adicionou um detalhe ainda mais vital ao quadro. Continuamos tendo bem pouco conhecimento acerca da vida vindoura, embora o assunto seja muito otimista. Ver no *Dicionário* os artigos chamados *Salvação* e *Julgamento de Deus dos Homens Perdidos*, e na *Enciclopédia de Bíblia, Teologia e Filosofia*, o verbete denominado *Mortos, Estado dos*.

Alguns intérpretes supõem que as palavras "estareis comigo", neste versículo, signifiquem apenas "no estado da morte", sem nenhuma referência à sobrevivência da alma. Mas isso parece labutar contra todo o espírito do capítulo. Samuel fora trazido e falara com Saul. Samuel aparece como um ser inteligente, dotado de memória e de razão, e capaz de predizer o futuro. Samuel continuava sendo Samuel. Este capítulo não reflete a doutrina judaica posterior do *sheol*, dividida em dois compartimentos, um para os bons e outro para os maus. Esse também foi um desenvolvimento posterior dessa doutrina. Ver no *Dicionário* sobre *Sheol*, quanto aos detalhes.

Disse Agostinho: "Estareis comigo não no que se refere à igualdade na bênção, mas em igual condição, na morte". Isso é verdade, mas tal coisa ainda não tinha sido definida na teologia hebreia, de modo que a interpretação de Agostinho é anacrônica quanto ao presente capítulo.

O fato de Jônatas estar envolvido na sorte de Saul traz a "mais aguda angústia do coração" (Adam Clarke, *in loc.*). A vontade de Deus é, algumas vezes, insondável. Mas, conforme disse Sócrates, sabemos que "nenhum mal pode sobrevir a um homem bom", falando-se em termos *finais*, e não em termos das vicissitudes da vida.

Charles Wesley escreveu sobre o acontecimento algumas linhas ótimas, embora, à semelhança de Agostinho, anacrônicas. Falando da situação em que Samuel, Saul e Jônatas estariam todos *juntos*, ele escreveu:

> Onde querem chegar essas palavras solenes?
> Um raio de esperança quando a vida terminar.
> Tu e teus filhos, embora mortos, estareis
> Amanhã, em repouso, comigo.
> Não em um estado de dor infernal,
> Se Saul com Samuel permanecer.
> Não em um estado de condenado desespero,
> Se o amoroso Jônatas estiver ali.

Por conseguinte, Adam Clarke comentou: "Saul cometeu o pecado até a morte... mas a misericórdia de Deus estendeu-se até a sua alma". Amém à misericórdia de Deus, que opera mediante o amor! Naturalmente, há uma *Lei Moral da Colheita segundo a Semeadura* (ver o *Dicionário* quanto a esse título). Saul teve de coligir o que fez de errado e de aprender pelo que coligiu. Mas todos os juízos de Deus são remediadores. Eles fazem o bem em favor dos julgados. Ver na *Enciclopédia de Bíblia, Teologia e Filosofia* o verbete *Restauração*, sobre como suponho que tudo isso opera. E ver no *Dicionário* o verbete chamado *Mistério da Vontade de Deus*.

Não podemos usar uma passagem como esta para fazer declarações dogmáticas sobre o pós-vida. Contudo, não é errado vislumbrar um "raio de esperança" nesta passagem, conforme fez Charles Wesley. O Novo Testamento projeta muitos raios de esperança nesse quadro melancólico.

> ... esperança que manda um raio brilhante
> pelo caminho alargado do futuro adentro.
> Washington Gladden

■ 28.20

וַיְמַהֵר שָׁאוּל וַיִּפֹּל מְלֹא־קוֹמָתוֹ אַרְצָה וַיִּרָא מְאֹד
מִדִּבְרֵי שְׁמוּאֵל גַּם־כֹּחַ לֹא־הָיָה בוֹ כִּי לֹא אָכַל לֶחֶם
כָּל־הַיּוֹם וְכָל־הַלָּיְלָה:

O *faminto Saul*, que nada tinha comido nas últimas 24 horas, ferido pela temível mensagem que Samuel lhe dera, desmaiou e caiu no chão. Toda força evadiu-se do poderoso guerreiro. "Acima da exaustão física e da tensão emocional, o choque causado pelas palavras de Samuel levou Saul a perder os sentidos. Saul, pois, era um homem derrotado antes mesmo de entrar no campo de batalha" (George B. Caird, *in loc.*).

"Em nosso tempo, descreveríamos Saul como uma pessoa patética, neurótica e insegura. Ele parece ter sido vítima de Samuel, avassalado pelo poder daquela personalidade dominante que tentava agradar; mas, ao encarar a realidade, Saul tornou-se desesperado e frenético" (John C. Schroeder, *in loc.*, com um comentário perspicaz, mas que deixa de lado os muitos *pecados* debilitadores que tinham entrado na vida de Saul). Saul foi "esmagado pelo terror e pelo desalento" (Ellicott, *in loc.*). Ele foi "atingido por um raio, como se tivesse sido atravessado por um dardo ou por uma lança" (John Gill, *in loc.*).

■ 28.21,22

וַתָּבוֹא הָאִשָּׁה אֶל־שָׁאוּל וַתֵּרֶא כִּי־נִבְהַל מְאֹד
וַתֹּאמֶר אֵלָיו הִנֵּה שָׁמְעָה שִׁפְחָתְךָ בְּקוֹלֶךָ וָאָשִׂים
נַפְשִׁי בְּכַפִּי וָאֶשְׁמַע אֶת־דְּבָרֶיךָ אֲשֶׁר דִּבַּרְתָּ אֵלָי:

וְעַתָּה שְׁמַע־נָא גַם־אַתָּה בְּקוֹל שִׁפְחָתְךָ וְאָשִׂמָה
לְפָנֶיךָ פַּת־לֶחֶם וֶאֱכוֹל וִיהִי בְךָ כֹּחַ כִּי תֵלֵךְ בַּדָּרֶךְ:

A bondade e a gentileza da médium nos comovem. Ela acabara de arriscar a vida para apresentar a Saul aquela sessão, e foi até o final para agradá-lo. Agora, angustiava-se por vê-lo naquela situação e fez o que foi possível para consolá-lo. "... ela ofereceu-lhe os socorros que a humanidade dita" (Adam Clarke, *in loc.*). Demonstrou piedade feminina pelo homem ferido "com palavras e atos bondosos, e fez o melhor que estava ao seu alcance para recuperá-lo do desmaio semelhante à morte, em que o impotente homem havia caído" (Ellicott, *in loc.*). Ela teve muito trabalho para reavivar o homem faminto e perturbado (vss. 24 e 25). Algumas vezes a bondade está onde ninguém imagina. E de outras vezes não é encontrada onde a esperamos. Mas a generosidade é a medida de um homem.

■ 28.23

וַיְמָאֵן וַיֹּאמֶר לֹא אֹכַל וַיִּפְרְצוּ־בוֹ עֲבָדָיו וְגַם־הָאִשָּׁה
וַיִּשְׁמַע לְקֹלָם וַיָּקָם מֵהָאָרֶץ וַיֵּשֶׁב אֶל־הַמִּטָּה:

Não comerei. Saul havia perdido tanto o apetite quanto as forças físicas. No começo, recusou-se a comer. Mas seus servos e a mulher continuaram insistindo, até que ele cedeu diante das solicitações. E ele se levantou do chão, onde caíra por causa do desmaio, e sentou-se à beira da cama, onde comeu. A *cama*, muito provavelmente, era um assento acolchoado ou um divã que percorria a parede em redor, como acontecia nas habitações do Oriente.

■ 28.24,25

וְלָאִשָּׁה עֵגֶל־מַרְבֵּק בַּבַּיִת וַתְּמַהֵר וַתִּזְבָּחֵהוּ
וַתִּקַּח־קֶמַח וַתָּלָשׁ וַתֹּפֵהוּ מַצּוֹת:

וַתַּגֵּשׁ לִפְנֵי־שָׁאוּל וְלִפְנֵי עֲבָדָיו וַיֹּאכֵלוּ וַיָּקֻמוּ וַיֵּלְכוּ
בַּלַּיְלָה הַהוּא: פ

A *Última Refeição de Saul*. O homem que deveria ser executado pelos filisteus, mediante o decreto de Yahweh, teve sua última refeição. A mulher preparou uma ótima refeição, um bezerro cevado e pão recém-cozido. Esse era "um excelente prato naqueles países" (John Gill, *in loc.*). Saul preferia morrer de fome a ser entregue à espada dos filisteus, mas ele e seus homens não podiam rejeitar a hospitalidade da médium. Foi uma refeição digna de um rei, e também a última refeição para *aquele rei*. Ele teve de comer pão sem fermento, pois não havia tempo para preparar pão levedado.

E se foram naquela mesma noite. Na mesma noite em que haviam chegado (vs. 8), abrigados pelas trevas, em segredo. Saul havia feito o que tinha proibido a todos. E partiram ocultos pelas mesmas trevas. Fora uma sessão espírita despertadora ali em En-Dor. Saul não tinha recebido a "boa palavra" que esperava. Bem pelo contrário, Samuel lhe dera, pessoalmente, uma predição de morte, e para o dia seguinte. Talvez Saul se tenha arrependido de seus erros, talvez não. Fosse como fosse, um homem completamente derrotado voltava a Gibeá. Ele caminhou atônito ao encontro do destino, incapaz de fazer coisa alguma a respeito. "Em parva estupidez ele foi encontrar-se com seu destino. Esse foi o fim terrível daquele a quem o Espírito de Deus tomara em possessão e a quem tornara outro homem" (O. von Gerlach, *in loc.*).

CAPÍTULO VINTE E NOVE

DAVI E OS FILISTEUS (29.1—30.31)

"Tal como em ocasiões anteriores (4.1), os filisteus reuniram-se em Afeque, um lugar não identificado, embora usualmente posto em algum lugar na planície de Sarom. Saul estava em uma *fonte* que tem sido identificada como *'Ain Jalûd*, ao pé do monte Gilboa, chamada em Jz 7.1 de 'fonte de Harode'" (George G. Caird, *in loc.*).

Davi, tendo sido convocado a combater contra Israel ao lado dos filisteus, sob o comando de Aquis, que lhe dera asilo, foi livrado de sua enrascada por um meio inesperado: *outros filisteus* não confiavam nele e não lhe permitiram ir à batalha. No calor da refrega, Davi poderia voltar-se contra eles. E disseram: "Não, é melhor que ele fique em casa. Podemos derrotar Israel sem a ajuda dele". E assim, efetivamente, sucedeu. Davi havia persuadido Aquis de sua lealdade, principalmente por meios ilusórios, mas outros filisteus não caíram no ardil. Davi haveria de cuidar de seus próprios interesses, e não do interesse dos filisteus. Mesmo que fosse leal, ele facilmente poderia trocar de lado, quando visse seu próprio povo sendo morto. Aquis havia sido ludibriado pelos discursos de Davi, mas os outros filisteus não eram tão ingênuos.

■ 29.1

וַיִּקְבְּצוּ פְלִשְׁתִּים אֶת־כָּל־מַחֲנֵיהֶם אֲפֵקָה וְיִשְׂרָאֵל חֹנִים בַּעַיִן אֲשֶׁר בְּיִזְרְעֶאל׃

Ver todos os nomes próprios deste versículo nos artigos do *Dicionário*. "No dia anterior à batalha, os filisteus se posicionaram precisamente onde haviam derrotado Israel e capturado a arca, cerca de noventa anos antes (4.10,11). Israel assumiu posição no monte Gilboa, perto da fonte de Jezreel, cerca de 65 quilômetros a nordeste de Afeque. Entre as tropas de Aquis, senhor de Gate, estavam Davi e seus homens" (Eugene M. Merrill, *in loc.*).

■ 29.2

וְסַרְנֵי פְלִשְׁתִּים עֹבְרִים לְמֵאוֹת וְלַאֲלָפִים וְדָוִד וַאֲנָשָׁיו עֹבְרִים בָּאַחֲרֹנָה עִם־אָכִישׁ׃

Os príncipes dos filisteus se foram para lá. Os governantes das cinco principais cidades da Filístia ordenaram seus exércitos em grupos de cem e de mil; e Aquis, de Gate, era um deles. Davi e seus homens vinham na retaguarda do exército de Aquis. Ver 1Sm 5.8 e 6.4,16 quanto aos cinco senhores filisteus e suas cidades. Ver também em Js 13.3 notas adicionais.

Os grupos de cem e de mil tinham, cada um, o seu líder, todos sujeitos ao príncipe, que atuava como general.

O texto não nos informa sobre os sentimentos e as intenções de Davi. Alguns estudiosos pensam que ele estava disposto a ajudar Aquis; outros, que ele planejava um ataque de surpresa contra os filisteus; e outros, que ele ainda não sabia o que fazer, esperando por algum tipo de intervenção divina que o tirasse daquela enrascada. Essa terceira ideia é, provavelmente, a correta. Davi precisava de iluminação divina para aquela hora.

■ 29.3

וַיֹּאמְרוּ שָׂרֵי פְלִשְׁתִּים מָה הָעִבְרִים הָאֵלֶּה וַיֹּאמֶר אָכִישׁ אֶל־שָׂרֵי פְלִשְׁתִּים הֲלוֹא־זֶה דָוִד עֶבֶד שָׁאוּל מֶלֶךְ־יִשְׂרָאֵל אֲשֶׁר הָיָה אִתִּי זֶה יָמִים אוֹ־זֶה שָׁנִים וְלֹא־מָצָאתִי בוֹ מְאוּמָה מִיּוֹם נָפְלוֹ עַד־הַיּוֹם הַזֶּה׃ פ

Aquis Defende a Lealdade de Davi. Afinal, Davi já estava com Aquis fazia "anos" e jamais dera indicação de deslealdade ou traição. Mas suas bravas palavras nada fizeram para acalmar os temores dos outros filisteus. Imagine a situação! Ali estava o homem que tinha matado seu herói, Golias, agora unido com os filisteus para combater contra a sua própria gente. Era uma situação absurda, que só poderia significar desastre no calor da batalha.

Não se pode determinar exatamente quanto tempo Davi estava com Aquis. 1Sm 27.7 dá-nos um ano e parte de outro, mas algum tempo mais pode ter passado desde que essa informação foi dada.

■ 29.4

וַיִּקְצְפוּ עָלָיו שָׂרֵי פְלִשְׁתִּים וַיֹּאמְרוּ לוֹ שָׂרֵי פְלִשְׁתִּים הָשֵׁב אֶת־הָאִישׁ וְיָשֹׁב אֶל־מְקוֹמוֹ אֲשֶׁר הִפְקַדְתּוֹ שָׁם וְלֹא־יֵרֵד עִמָּנוּ בַּמִּלְחָמָה וְלֹא־יִהְיֶה־לָּנוּ לְשָׂטָן בַּמִּלְחָמָה וּבַמֶּה יִתְרַצֶּה זֶה אֶל־אֲדֹנָיו הֲלוֹא בְּרָאשֵׁי הָאֲנָשִׁים הָהֵם׃

Faze voltar a este homem. *Quatro dos príncipes filisteus* (Aquis era o quinto) ficaram indignados com Aquis por sua ingenuidade. Talvez Davi fosse leal e tivesse permanecido com Aquis por mais de um ano. Mas, quando a matança começasse, ele poderia esquecer qualquer obrigação para com Aquis, e passaria a matar filisteus, na tentativa de *reconciliar-se* com Saul, o inimigo deles. Em outras palavras, para os filisteus Davi parecia perigoso e imprevisível, e sua ajuda não compensaria as terríveis consequências potenciais. Em outra ocasião, forças hebreias tinham desertado em um momento de crise (1Sm 14.21). "Davi, com toda a possibilidade, teria voltado contra seu protetor (Aquis), ferindo-o nas costas" (John C. Schroeder, *in loc.*). Se Aquis não tivesse aceitado o conselho dos outros príncipes filisteus, é possível que a batalha corresse em favor de Israel. Mas Saul tinha de morrer naquele dia, e Israel tinha de sair derrotado da refrega. Essa era a vontade de Yahweh. Davi precisava ser mandado de volta para casa, de modo que se cumprisse o plano divino. Algumas vezes, a vontade de Deus cumpre-se de maneiras inesperadas.

■ 29.5

הֲלוֹא־זֶה דָוִד אֲשֶׁר יַעֲנוּ־לוֹ בַּמְּחֹלוֹת לֵאמֹר הִכָּה שָׁאוּל בַּאֲלָפָיו וְדָוִד בְּרִבְבֹתָו׃

Não é este aquele Davi. *A reputação de Davi* em nada encorajava os filisteus a permitir-lhe entrada na batalha. Davi fora um grande matador de filisteus, a tal grau que crescera um provérbio louvando seu valor como exterminador. Ver esse provérbio e as notas expositivas em 1Sm 18.7 e 21.11.

■ 29.6,7

וַיִּקְרָא אָכִישׁ אֶל־דָּוִד וַיֹּאמֶר אֵלָיו חַי־יְהוָה כִּי־יָשָׁר אַתָּה וְטוֹב בְּעֵינַי צֵאתְךָ וּבֹאֲךָ אִתִּי בַּמַּחֲנֶה כִּי לֹא־מָצָאתִי בְךָ רָעָה מִיּוֹם בֹּאֲךָ אֵלַי עַד־הַיּוֹם הַזֶּה וּבְעֵינֵי הַסְּרָנִים לֹא־טוֹב אָתָּה׃

וְעַתָּה שׁוּב וְלֵךְ בְּשָׁלוֹם וְלֹא־תַעֲשֶׂה רָע בְּעֵינֵי סַרְנֵי פְלִשְׁתִּים׃ ס

Então Aquis chamou Davi e lhe disse. O homem louvou Davi por sua conduta leal, honestidade e justiça. Ele não tinha queixas de Davi. Continuava a confiar em Davi e pensava que seria apropriado e útil que ele marchasse ao lado dos filisteus. Mas quatro votos contra um anulavam qualquer vontade e intenções. E foi assim que Aquis pediu polidamente a Davi que retornasse à sua casa. Naturalmente, Davi protestou em altas vozes (vs. 8), mas podemos estar certos de que ele se alegrou em seu íntimo e retirou-se assim que possível, antes que os príncipes filisteus mudassem de ideia. Ele havia conseguido a intervenção divina de que precisava naquela hora crítica. Oh, Senhor, concede-nos tal graça.

Tão certo como vive o Senhor. Ao afirmar sua aprovação e confiança em Davi, Aquis jurou por *Yahweh*. A fé religiosa sincretista pode ter inspirado um homem como Aquis a incluir Yahweh em seu panteão. Por outra parte, Aquis pode ter apenas usado um juramento apreciado por Davi.

■ 29.8

וַיֹּאמֶר דָּוִד אֶל־אָכִישׁ כִּי מֶה עָשִׂיתִי וּמַה־מָּצָאתָ בְעַבְדְּךָ מִיּוֹם אֲשֶׁר הָיִיתִי לְפָנֶיךָ עַד הַיּוֹם הַזֶּה כִּי לֹא אָבוֹא וְנִלְחַמְתִּי בְּאֹיְבֵי אֲדֹנִי הַמֶּלֶךְ׃

Os protestos de Davi sem dúvida foram fingidos, como fingida tinha sido sua absoluta lealdade a Aquis. Ele havia enganado esse homem a ponto de fazê-lo acreditar que Davi havia matado muitos dentre sua própria gente (ver 1Sm 27.10-12). O tempo todo, porém, Davi vinha matando gente potencialmente perigosa para Israel. E sobrevivia com os despojos desses ataques assassinos. Davi fingiu tanto que se referiu aos inimigos de Aquis (Israel) como se fossem seus próprios inimigos, visto que simulava lealdade a esse homem. Davi, porém, enganava Aquis dessa forma a fim de sobreviver.

Foi por ordem da graciosa providência divina que os príncipes filisteus se recusaram a deixar Davi participar da batalha. Tivesse ele ido à guerra, e teria de escolher entre dois pecados: se lutasse em favor dos filisteus, estaria lutando contra Deus e contra seu próprio país; se lutasse em favor de Israel e contra Aquis, trairia a quem lhe oferecera hospitalidade em um momento crítico de sua vida. Ver no *Dicionário* o artigo chamado *Providência de Deus*.

"A generosa confiança do cavalheiresco Aquis faz doloroso contraste com a dissimulação do chefe israelita, Davi" (Ellicott, *in loc.*).

29.9

וַיַּעַן אָכִישׁ וַיֹּאמֶר אֶל־דָּוִד יָדַעְתִּי כִּי טוֹב אַתָּה בְּעֵינַי כְּמַלְאַךְ אֱלֹהִים אַךְ שָׂרֵי פְלִשְׁתִּים אָמְרוּ לֹא־יַעֲלֶה עִמָּנוּ בַּמִּלְחָמָה׃

És bom como um anjo de Deus. Aquis estava tão iludido com os discursos de Davi (de fato com sua fala e com sua conduta durante o ano que se passara) que o considerava um "anjo de Deus". Não há que duvidar que ele tomara essa símile por empréstimo da teologia dos hebreus, sabedor de que Davi apreciaria e compreenderia o seu "empréstimo". Alguns estudiosos, como Adam Clarke (*in loc.*), supõem que essa referência a Yahweh (vs. 6), e agora ao *anjo de Deus*, revelasse estar Aquis favoravelmente disposto à teologia hebreia, se não fosse mesmo um convertido ao *yahwismo*. Ou então, conforme já dissemos, ele simplesmente usou essas referências para agradar Davi e ser por ele compreendido.

"É possível que ele tivesse aprendido muitas verdades importantes com Davi, durante o tempo em que jornadeavam" (Adam Clarke, *in loc.*).

29.10

וְעַתָּה הַשְׁכֵּם בַּבֹּקֶר וְעַבְדֵי אֲדֹנֶיךָ אֲשֶׁר־בָּאוּ אִתָּךְ וְהִשְׁכַּמְתֶּם בַּבֹּקֶר וְאוֹר לָכֶם וָלֵכוּ׃

Levanta-te, pois, amanhã de manhã. Para onde? Para Ziclague (30.1), a cidade que Aquis tinha dado a Davi e seus homens como asilo. Ver sobre essa questão em 1Sm 27.6. Bem cedo pela manhã e regozijando-se diante da intervenção divina, Davi partiu da cena da batalha. Mas havia outra surpresa esperando por ele. Em sua ausência, os amalequitas tinham saqueado e incendiado sua cidade! (30.1).

Com os teus servos. Uma provável referência aos seiscentos homens de Davi. Eles também eram servos de Aquis porque Davi se tornara vassalo daquele homem. Não parece provável que Aquis achasse necessário enviar alguns de seus próprios homens (filisteus) com Davi. Entretanto, alguns estudiosos pensam que a referência aqui seja a Saul, o qual, como rei de Davi, era seu senhor. Assim sendo, os homens de Davi, em um sentido secundário, eram servos de Saul, rei de Israel.

Foi-lhes dito que voltassem para casa *cedo pela manhã*, não somente por sua conveniência, mas talvez para escaparem de qualquer ataque dos filisteus, que estavam preparados para a guerra e seriam capazes de qualquer atrocidade.

29.11

וַיַּשְׁכֵּם דָּוִד הוּא וַאֲנָשָׁיו לָלֶכֶת בַּבֹּקֶר לָשׁוּב אֶל־אֶרֶץ פְּלִשְׁתִּים וּפְלִשְׁתִּים עָלוּ יִזְרְעֶאל׃ ס

Então Davi de madrugada se levantou. Obediente às ordens de Aquis e deixando-o com sua bênção, Davi partiu cedo para Ziclague. Entrementes, os filisteus subiram a *Jezreel* para iniciarem a batalha. Ver sobre esse lugar no *Dicionário*. Afeque (29.1), onde os filisteus se acamparam, ficava próximo de Jezreel. Ver sobre esse local no *Dicionário*. Havia várias cidades com esse nome na Palestina. A cidade aqui mencionada é a quarta da lista, no artigo do *Dicionário*. Ziclague, por outra parte, ficava cerca de 145 quilômetros ao sul de Jezreel. Davi e seus homens desceram felizes pelo caminho, não antecipando a cena de horror que encontrariam em Ziclague, conforme descrito em 1Sm 30.1 ss.

CAPÍTULO TRINTA

A seção a que pertence este capítulo começa em 1Sm 29.1, onde são apresentadas as notas de introdução. Tendo sido livrado pela intervenção divina de ter de lutar com os filisteus e contra Israel, Davi voltou a Ziclague, a cidade que Aquis lhe tinha dado para ali fazer seu quartel-general (ver 1Sm 27.6).

"A narrativa do capítulo 29 deixa os dois exércitos defronte um do outro, e segue as fortunas de Davi, que retornou a casa, para descobrir que os amalequitas haviam aproveitado sua ausência e a de seu exército para vingar-se dos ataques efetuados durante o período passado a serviço do rei Aquis" (George B. Cair, *in loc.*).

30.1,2

וַיְהִי בְּבֹא דָוִד וַאֲנָשָׁיו צִקְלַג בַּיּוֹם הַשְּׁלִישִׁי וַעֲמָלֵקִי פָשְׁטוּ אֶל־נֶגֶב וְאֶל־צִקְלַג וַיַּכּוּ אֶת־צִקְלַג וַיִּשְׂרְפוּ אֹתָהּ בָּאֵשׁ׃

וַיִּשְׁבּוּ אֶת־הַנָּשִׁים אֲשֶׁר־בָּהּ מִקָּטֹן וְעַד־גָּדוֹל לֹא הֵמִיתוּ אִישׁ וַיִּנְהֲגוּ וַיֵּלְכוּ לְדַרְכָּם׃

Chegando... ao terceiro dia a Ziclague. A jornada levou três dias (estando Ziclague a cerca de 145 quilômetros de Jezreel). A cidade estava consumida pelas chamas e restara somente uma cidade fantasma. *Todas* as mulheres tinham sido levadas cativas. Este segundo versículo é um tanto vago. Poderia significar que todos, exceto as mulheres, tinham sido mortos, mas elas foram poupadas. Ou nenhuma pessoa tinha sida morta, e é isso que entendemos em nossa versão portuguesa. Nesse caso, os homens e algumas das mulheres provavelmente foram levados aos mercados de escravos do Egito, onde podiam ser vendidos por um bom preço. As melhores e mais belas mulheres seriam conservadas para aumentar os haréns dos chefes e soldados amalequitas. A maioria dos homens tinha ido com Davi e Aquis para lutar contra Israel. É possível que os poucos que Davi deixara ali, incapazes de oferecer resistência, foram tomados juntamente com as mulheres para serem vendidos como escravos.

30.3

וַיָּבֹא דָוִד וַאֲנָשָׁיו אֶל־הָעִיר וְהִנֵּה שְׂרוּפָה בָאֵשׁ וּנְשֵׁיהֶם וּבְנֵיהֶם וּבְנֹתֵיהֶם נִשְׁבּוּ׃

Davi e os seus homens vieram à cidade. Este versículo reitera a informação de que as mulheres foram levadas cativas, adiciona as crianças, e inclui o fato de que a cidade foi incendiada. "Uma terrível recepção para Davi e seus guerreiros, no retorno da má expedição em companhia do grande exército filisteu (capítulo 29)" (Ellicott, *in loc.*). Os amalequitas tinham conseguido vingar-se naquele dia. Ver 1Sm 27.8 ss. sobre as invasões e matanças efetuadas por Davi contra esse povo. Ele matara toda vida humana, mas poupara os animais; os sobreviventes, porém, não tardaram a vingar-se. É possível que grupos de amalequitas tivessem permanecido intocados. Seja como for, finalmente, eles obtiveram a chance de acertar as contas com Davi.

30.4

וַיִּשָּׂא דָוִד וְהָעָם אֲשֶׁר־אִתּוֹ אֶת־קוֹלָם וַיִּבְכּוּ עַד אֲשֶׁר אֵין־בָּהֶם כֹּחַ לִבְכּוֹת׃

E choraram, até não terem mais forças para chorar. O *grande choro* os exauriu até não poderem mais chorar. Os orientais entregam-se às lágrimas e a profundas lamentações mais do que os ocidentais, em um lamento que acompanha todas as cenas de perda. O choro, porém, tem certo valor terapêutico. O consolo sempre tem algum valor. Por outra parte, coisa alguma pode aliviar completamente grandes tristezas senão o passar do tempo.

> Não há tristeza que a passagem do tempo
> não diminua e não abrande.
>
> Cícero

> Quando as tristezas chegam, não chegam como
> espiões isolados; chegam como batalhões.
>
> Shakespeare

Mas o homem nasce para o enfado como as faíscas das brasas voam para cima.

Jó 5.7

E alguém já disse: "E as faíscas não parecem voar noutra direção".

30.5

וּשְׁתֵּ֧י נְשֵֽׁי־דָוִ֛ד נִשְׁבּ֖וּ אֲחִינֹ֣עַם הַיִּזְרְעֵלִ֑ית וַאֲבִיגַ֕יִל אֵ֖שֶׁת נָבָ֥ל הַֽכַּרְמְלִֽי׃

As duas mulheres de Davi. Entre as mulheres que foram levadas cativas, estavam as duas esposas de Davi, Ainoã e Abigail, a quem o autor sacro apresentou no capítulo 25. Tornou-se costume de Davi assumir novas esposas por onde quer que fosse, até ter um harém de bom tamanho. Ver sobre ele no *Dicionário*, onde a questão é ilustrada. Ver também sobre *Poligamia*. O autor menciona o fato de que até as esposas de Davi foram levadas, aumentando o impacto emocional. Nem mesmo o chefe, Davi, fora poupado da desgraça, "o que podemos observar como *uma das causas* da aflição particular de Davi, e o versículo seguinte acrescenta outra razão" (John Gill, *in loc.*).

30.6

וַתֵּ֨צֶר לְדָוִ֜ד מְאֹ֗ד כִּֽי־אָמְר֤וּ הָעָם֙ לְסָקְל֔וֹ כִּֽי־מָ֨רָה֙ נֶ֣פֶשׁ כָּל־הָעָ֔ם אִ֖ישׁ עַל־בנו [בָּנָ֣יו] וְעַל־בְּנֹתָ֑יו וַיִּתְחַזֵּ֣ק דָּוִ֔ד בַּיהוָ֖ה אֱלֹהָֽיו׃ ס

Davi muito se angustiou. *Rebelião.* O exército selvagem fora da lei (ver 1Sm 22.2) culpou Davi pelo erro estratégico. Ele tinha deixado a cidade desamparada. Como capitão, porém, Davi deveria ter sido prudente o bastante para não seguir Aquis com *todos* os homens. Em sua crise de nervos, eles quase apedrejaram Davi, isto é, quase o *executaram* por causa de seu erro estúpido. Na tristeza por ter perdido esposas e filhos, e temendo os próprios homens, Davi voltou-se para Yahweh, rogando ajuda. Era uma situação que requeria outra intervenção divina. Ter mais uma intervenção divina era algo que não exauriria o estoque. Sempre é cedo para desistir. Davi preservou o domínio sobre seu pequeno exército pela sua força de vontade superior. Momentos de crise, entretanto, poderiam transformar os homens de Davi em matadores, e ele não estaria isento dessa ira. Todos os homens espirituais socorrem-se em Deus para receber ajuda em tempos de crise. O registro mostra que em Deus sempre há ajuda.

Nossa alma espera no Senhor, nosso auxílio e escudo.
Nele o nosso coração se alegra,
pois confiamos no seu santo nome.

Salmo 33.20,21

30.7

וַיֹּ֣אמֶר דָּוִ֗ד אֶל־אֶבְיָתָ֤ר הַכֹּהֵן֙ בֶּן־אֲחִימֶ֔לֶךְ הַגִּֽישָׁה־נָּ֥א לִ֖י הָאֵפֹ֑ד וַיַּגֵּ֧שׁ אֶבְיָתָ֛ר אֶת־הָאֵפֹ֖ד אֶל־דָּוִֽד׃

Traze-me aqui a estola sacerdotal. *Abiatar* (ver a respeito no *Dicionário*) escapara à matança do sacerdócio provocada por Saul, fugira e se juntara a Davi. Em vista disso, Davi fez daquele homem (descendente de Eli) seu sumo sacerdote e iniciou seu próprio oráculo no exílio. Ocasionalmente, ele consultava o homem que usava seu *Urim e Tumim* (ver a respeito no *Dicionário*) para obter respostas. Ver no *Dicionário* o artigo chamado *Adivinhação*.

A estola. Ver a respeito no *Dicionário*. Era na estola que eram guardados o *Urim* e o *Tumim*. Tanto estes quanto as sortes sagradas só podiam responder "sim" ou "não" às perguntas formuladas. O texto registra duas perguntas e três respostas, pois o autor não se mostrou exato nas explicações (ver o versículo seguinte).

30.8

וַיִּשְׁאַ֨ל דָּוִ֤ד בַּֽיהוָה֙ לֵאמֹ֔ר אֶרְדֹּ֛ף אַחֲרֵ֥י הַגְּדוּד־הַזֶּ֖ה הַֽאַשִּׂגֶ֑נּוּ וַיֹּ֤אמֶר לוֹ֙ רְדֹ֔ף כִּֽי־הַשֵּׂ֥ג תַּשִּׂ֖יג וְהַצֵּ֥ל תַּצִּֽיל׃

Então consultou Davi o Senhor. As duas perguntas de Davi foram: 1. Devo perseguir os amalequitas? 2. Alcançá-los-ei? A essas duas perguntas foram dadas três respostas: 1. Sim, persegue; 2. Sim, tu os alcançarás; 3. Recuperarás todas as perdas. Com respostas tão encorajadoras, Davi não vacilou. E logo se pôs a caminho.

30.9,10

וַיֵּ֣לֶךְ דָּוִ֗ד ה֚וּא וְשֵׁשׁ־מֵא֥וֹת אִישׁ֙ אֲשֶׁ֣ר אִתּ֔וֹ וַיָּבֹ֖אוּ עַד־נַ֣חַל הַבְּשׂ֑וֹר וְהַנּֽוֹתָרִ֖ים עָמָֽדוּ׃

וַיִּרְדֹּ֣ף דָּוִ֔ד ה֖וּא וְאַרְבַּע־מֵא֣וֹת אִ֑ישׁ וַיַּעַמְדוּ֙ מָאתַ֣יִם אִ֔ישׁ אֲשֶׁ֣ר פִּגְּר֔וּ מֵעֲבֹ֖ר אֶת־נַ֥חַל הַבְּשֽׂוֹר׃

Partiu, pois, Davi. Lá se foi Davi, com seus seiscentos homens. Nada restara na cidade de Ziclague para ser protegido. Uma dura batalha poderia estar esperando por eles, e eles precisariam de todas as forças que pudessem reunir.

Ao ribeiro de Besor. Ver a respeito no *Dicionário*. A perseguição foi muito cansativa, e Davi decidiu que era contraproducente prosseguir com todos os seiscentos homens. Por isso, deixou para trás duzentos homens, tão exaustos que não podiam mais avançar. Isso mostra que nem todos os seiscentos homens de Davi eram guerreiros experientes. Nem todos eram soldados aptos. Podiam lutar quando necessário, mas não eram bons em grandes marchas pelo deserto. Essa informação também diz que Davi, em sua ansiedade, efetuou uma *marcha forçada* que somente os soldados mais jovens suportavam. Temos de lembrar, igualmente, que eles tinham acabado de chegar a Ziclague, após uma longa marcha de 145 quilômetros. Eles chegaram exauridos e agora perseguiam os amalequitas em exaustão. "Diante da longa marcha que já tinham completado para chegar a Ziclague, é surpreendente o número (quatrocentos) dos que foram capazes de continuar" (George B. Caird, *in loc.*). Davi também deixou sua bagagem com os duzentos, a fim de viajar mais rapidamente, conforme diz o vs. 24.

30.11

וַֽיִּמְצְא֤וּ אִישׁ־מִצְרִי֙ בַּשָּׂדֶ֔ה וַיִּקְח֥וּ אֹת֖וֹ אֶל־דָּוִ֑ד וַיִּתְּנוּ־ל֥וֹ לֶ֨חֶם֙ וַיֹּ֔אכַל וַיַּשְׁקֻ֖הוּ מָֽיִם׃

Acharam no campo um homem egípcio. *Pela providência divina* (pois nada ocorre por mero acaso), um soldado do exército amalequita, provavelmente um mercenário ou escravo egípcio, tinha ficado doente, e fora deixado para trás pelas hordas em fuga, as quais, entre outras atrocidades, haviam incendiado a cidade de Ziclague. Esse homem, achado no campo, foi conduzido a Davi. E forneceu valiosas informações sobre como perseguir os amalequitas. O homem teve de falar, pois, de outro modo, seria morto. Davi jurou que não o mataria nem o entregaria a seu senhor amalequita, o qual por certo não o perdoaria por haver cooperado com Davi.

O *egípcio* estava enfermo e, para aumentar as dificuldades, nada comera ou bebera por três dias e três noites. Essa informação diz-nos que os selvagens amalequitas tinham abandonado o homem, sem lhe prover coisa alguma para comer ou beber. Esse tipo de tratamento também deve ter encorajado o egípcio a ajudar Davi. Se o homem tivesse sido escravizado pelos amalequitas, que também costumavam assaltar as fronteiras do Egito, então por certo ele estaria mais ansioso para prover as informações apropriadas ao grupo de busca de Davi. Em tudo isso podemos aprender algo da natureza selvagem dos não amansados filhos do deserto. Eles eram rudes, cruéis, látegos do deserto, e não seguiam nenhuma lei.

30.12

וַיִּתְּנוּ־לוֹ֩ פֶ֨לַח דְּבֵלָ֜ה וּשְׁנֵ֤י צִמֻּקִים֙ וַיֹּ֔אכַל וַתָּ֥שָׁב ר֖וּחוֹ אֵלָ֑יו כִּ֠י לֹא־אָ֤כַל לֶ֨חֶם֙ וְלֹא־שָׁ֣תָה מַ֔יִם שְׁלֹשָׁ֥ה יָמִ֖ים וּשְׁלֹשָׁ֥ה לֵילֽוֹת׃ ס

Recobrou então o alento. Davi restaurou o "alento" do egípcio servindo-lhe uma boa refeição no deserto, com muita água e, provavelmente, até uma porção de vinho. Em outras palavras, Davi salvou a vida do homem, o qual *continuaria vivo* provendo informações que garantiriam a captura dos bárbaros amalequitas.

30.13

וַיֹּ֨אמֶר ל֤וֹ דָוִד֙ לְמִי־אַ֔תָּה וְאֵ֥י מִזֶּ֖ה אָ֑תָּה וַיֹּ֜אמֶר נַ֧עַר מִצְרִ֣י אָנֹ֗כִי עֶ֚בֶד לְאִ֣ישׁ עֲמָלֵקִ֔י וַיַּעַזְבֵ֧נִי אֲדֹנִ֛י כִּ֥י חָלִ֖יתִי הַיּ֥וֹם שְׁלֹשָֽׁה׃

Então lhe perguntou Davi. Restaurado e pronto para ser interrogado, o egípcio logo se tornou um informante de importância. Davi ficou sabendo que o homem estivera realmente entre os saqueadores amalequitas; que era um egípcio, mercenário ou escravo forçado a tornar-se um soldado. Ou ele pode ter sido vendido aos amalequitas por outros saqueadores que tiravam proveito da escravidão. Ele adoecera, porém, e simplesmente fora abandonado no deserto, sem nenhuma provisão de alimento ou água. Ele já estava ali fazia três dias e certamente não continuaria vivo por muito mais tempo.

"Fora um ato extremamente desumano. Embora eles tivessem tomado muito despojo e sem dúvida tivessem jumentos suficientes para transportar os inválidos, deixaram o homem no deserto para que perecesse. Mas Deus os visitou com seu juízo, fazendo do homem o meio de sua destruição" (Adam Clarke, *in loc.*). Ver no *Dicionário* os artigos *Lei Moral da Colheita segundo a Semeadura* e também *Providência de Deus*. Além da ajuda divina, Davi também recebeu outra intervenção de Yahweh, pois, do contrário, jamais teria encontrado aqueles ardilosos amalequitas.

■ 30.14

אֲנַחְנוּ פָּשַׁטְנוּ נֶגֶב הַכְּרֵתִי וְעַל־אֲשֶׁר לִיהוּדָה
וְעַל־נֶגֶב כָּלֵב וְאֶת־צִקְלַג שָׂרַפְנוּ בָאֵשׁ׃

Todos os nomes próprios que aparecem neste versículo merecem artigos no *Dicionário*, razão pela qual não repito aqui as informações. Ver 1Sm 27.10 quanto aos ataques de matanças efetuados por Davi, na mesma área onde os amalequitas operavam.

Contra a banda do sul de Calebe. Estão em foco as possessões desse homem, por ocasião da divisão da Terra Prometida, perto de Hebrom e Quiriate-Sefer. Um distrito do Neguebe, ou "país do sul", fora dado a Calebe, companheiro de Josué, como recompensa por sua fé e coragem. sua porção acabou conhecida pelo seu nome, *Calebe*.

Pusemos fogo a Ziclague. Esta era a informação que Davi queria ouvir. sua testemunha e informante estivera, realmente, entre os assaltantes que, recentemente, tinham queimado a cidade de Davi e levado as mulheres. Os amalequitas haviam tirado sua vingança, mas não muitos continuariam vivos para jactar-se disso, conforme informam os versículos seguintes.

■ 30.15

וַיֹּאמֶר אֵלָיו דָּוִד הֲתוֹרִדֵנִי אֶל־הַגְּדוּד הַזֶּה וַיֹּאמֶר
הִשָּׁבְעָה לִּי בֵאלֹהִים אִם־תְּמִיתֵנִי וְאִם־תַּסְגִּרֵנִי
בְּיַד־אֲדֹנִי וְאוֹרִדְךָ אֶל־הַגְּדוּד הַזֶּה׃

Poderias, descendo, guiar-me a esse bando? *Temos Aí a Barganha.* O egípcio, que se tornara um dos saqueadores dos amalequitas, sabia por onde conduzir Davi para atacar aqueles homens selvagens. E o faria *se* sua vida fosse garantida; primeiramente, contra qualquer ato bárbaro do próprio Davi, e, em segundo lugar, se não fosse entregue às mãos de seu senhor amalequita, o qual certamente o mataria como um traidor. Notemos que Davi jurou por seu Deus (Elohim), sabendo que esse nome seria respeitado. Ver no *Dicionário* o artigo chamado *Deus, Nomes Bíblicos de.*

Fés religiosas sincretistas sem dúvida espalharam-se em torno dos nomes divinos, inclusive entre os hebreus; portanto, nenhum indício aqui aponta que o homem seguia a fé dos hebreus. Ele já conhecia a vereda que os amalequitas seguiriam, os quais já tinham estado ali em várias ocasiões, saqueando e matando.

As versões da Vulgata Latina e do siríaco adicionam o que o texto hebraico deixa de mencionar. Davi *jurou* por Elohim e assim completou a barganha com o egípcio.

■ 30.16

וַיֹּרִדֵהוּ וְהִנֵּה נְטֻשִׁים עַל־פְּנֵי כָל־הָאָרֶץ אֹכְלִים
וְשֹׁתִים וְחֹגְגִים בְּכֹל הַשָּׁלָל הַגָּדוֹל אֲשֶׁר לָקְחוּ מֵאֶרֶץ
פְּלִשְׁתִּים וּמֵאֶרֶץ יְהוּדָה׃

Eis que estavam espalhados sobre toda a região. Isso é dito a respeito dos amalequitas, que estavam assim *despreparados* para a ação militar, pois participavam de um grande festim. O vinho fluía como o rio Amazonas. Havia música, danças e mulheres. Eles seguiam o antigo ditado: "Onde houver música, vinho e mulheres, é errado não agir errado". Portanto, tornaram-se presa fácil para Davi e seus quatrocentos homens. Havia todo aquele despojo que os amalequitas comemoravam. Eles estavam *ricos*. Mas a hora havia chegado. Coisa alguma poderia ajudá-los quando o exército de Davi atacasse.

"Temos aqui um quadro vívido da licença selvagem que aqueles bárbaros davam a si mesmos, agora que estavam seguros, conforme pensavam, de toda a perseguição" (Ellicott, *in loc.*).

As palavras "espalhados em toda a região" indicam que eles não estavam em formação militar e não havia sentinelas postadas. Estavam totalmente entregues ao inimigo, e nem ao menos sabiam que o inimigo já os vigiava em sua festança.

■ 30.17

וַיַּכֵּם דָּוִד מֵהַנֶּשֶׁף וְעַד־הָעֶרֶב לְמָחֳרָתָם וְלֹא־נִמְלַט
מֵהֶם אִישׁ כִּי אִם־אַרְבַּע מֵאוֹת אִישׁ־נַעַר אֲשֶׁר־רָכְבוּ
עַל־הַגְּמַלִּים וַיָּנֻסוּ׃

Desde o crepúsculo vespertino até a tarde do dia seguinte. O que deve ter acontecido é que Davi chegou à noitinha, mas esperou pelo amanhecer para o ataque, iniciado quando o sol surgiu no horizonte. E terminou o massacre na noite do dia seguinte.

Os intérpretes falam dos amalequitas como um povo "prescrito", isto é, condenado a extermínio mediante o decreto de Yahweh. Ver Dt 7.1 ss. Os amalequitas não estavam entre os habitantes da Palestina que Israel deveria exterminar, mas não precisamos considerar aquela lista absoluta. Samuel tinha ordenado que Saul executasse o extermínio (ver 1Sm 15), o que teria acertado as velhas contas de abusos daquela gente contra Israel.

E nenhum deles escapou, senão só quatrocentos moços. É patente que o número dos homens de Davi era bem menor que o de amalequitas, pois, após grande matança que tomou um dia inteiro, o mesmo número de jovens amalequitas escapou, montado em seus camelos. Mas isso tudo ocorreu em uma época em que números superiores não faziam grande diferença. Tomados de surpresa e no deserto, provavelmente estando a maioria deles bêbada, os amalequitas foram um adversário muito fácil de vencer. Davi, pois, ofereceu-os em *holocausto*, em sacrifício a Yahweh. Ver sobre a *guerra santa* nas notas expositivas de Dt 7.1-5 e 20.10-18.

■ 30.18

וַיַּצֵּל דָּוִד אֵת כָּל־אֲשֶׁר לָקְחוּ עֲמָלֵק וְאֶת־שְׁתֵּי נָשָׁיו
הִצִּיל דָּוִד׃

Davi salvou tudo quanto haviam tomado os amalequitas. Houve recuperação de tudo quanto os amalequitas tinham tomado, pelo que o sucesso foi absolutamente completo, tal e qual o oráculo (vs. 8) prometera.

Porque quantas são as promessas de Deus tantas têm nele o sim; porquanto também por ele é o amém para glória de Deus, por nosso intermédio.

2Coríntios 1.20

Também salvou as suas duas mulheres. As amadas esposas de Davi são destacadas, pois eram a sua maior preocupação. Cf. o vs. 5, onde se menciona especificamente que elas foram tomadas entre os cativos.

■ 30.19

וְלֹא נֶעְדַּר־לָהֶם מִן־הַקָּטֹן וְעַד־הַגָּדוֹל וְעַד־בָּנִים
וּבָנוֹת וּמִשָּׁלָל וְעַד כָּל־אֲשֶׁר לָקְחוּ לָהֶם הַכֹּל הֵשִׁיב
דָּוִד׃

Não lhes faltou cousa alguma. Nada se perdeu, nem mulher, nem homem, nem criança tinham sido mortos. Este versículo repete, para efeito de ênfase, o que já tinha sido dito no versículo anterior. "Davi recuperou tudo." A maioria das vitórias é acompanhada por alguma perda, algum sacrifício, mas temos aqui uma exceção.

30.20

וַיִּקַּח דָּוִד אֶת־כָּל־הַצֹּאן וְהַבָּקָר נָהֲגוּ לִפְנֵי הַמִּקְנֶה הַהוּא וַיֹּאמְרוּ זֶה שְׁלַל דָּוִד׃

Este é o despojo de Davi. Estas palavras poderiam indicar que Davi ficou com um grande despojo exclusivamente para si mesmo. Mas devemos compreendê-las como indicando Davi *e seus homens*. Os versículos seguintes mostram claramente que os despojos foram compartilhados, até mesmo com os que permaneceram guardando as coisas. Portanto, Davi recuperou absolutamente tudo quanto os amalequitas haviam tomado, além de grande quantidade de bens e gado que os amalequitas tinham roubado de outras pessoas. A guerra era um ótimo negócio. Entretanto, alguns eruditos pensam que "o despojo de Davi" (ou seja, sua *partilha* dos despojos) foi especificamente o gado mencionado neste versículo. Todo o resto, camelos, joias etc., foi dividido entre os seus homens. Esse tipo de partilha (que incluía tanto os que participavam da batalha real como os que ficavam guardando a bagagem) veio a tornar-se uma lei em Israel (ver o vs. 25).

30.21

וַיָּבֹא דָוִד אֶל־מָאתַיִם הָאֲנָשִׁים אֲשֶׁר־פִּגְּרוּ מִלֶּכֶת אַחֲרֵי דָוִד וַיֹּשִׁיבֻם בְּנַחַל הַבְּשׂוֹר וַיֵּצְאוּ לִקְרַאת דָּוִד וְלִקְרַאת הָעָם אֲשֶׁר־אִתּוֹ וַיִּגַּשׁ דָּוִד אֶת־הָעָם וַיִּשְׁאַל לָהֶם לְשָׁלוֹם׃ ס

Davi, aproximando-se destes os saudou cordialmente. Foram momentos de grande alegria. Os duzentos homens que, cansados, não puderam prosseguir viagem, vieram correndo ao encontro do triunfante Davi, regozijando-se por verem esposas e filhos, e todos os bens recuperados. Estavam felizes por terem em Davi o seu capitão, porquanto agora as coisas começavam realmente a melhorar. A vitória era deles, e em breve seu capitão seria o rei de Israel.

30.22

וַיַּעַן כָּל־אִישׁ־רָע וּבְלִיַּעַל מֵהָאֲנָשִׁים אֲשֶׁר הָלְכוּ עִם־דָּוִד וַיֹּאמְרוּ יַעַן אֲשֶׁר לֹא־הָלְכוּ עִמִּי לֹא־נִתֵּן לָהֶם מֵהַשָּׁלָל אֲשֶׁר הִצַּלְנוּ כִּי־אִם־אִישׁ אֶת־אִשְׁתּוֹ וְאֶת־בָּנָיו וְיִנְהֲגוּ וְיֵלֵכוּ׃ ס

Para compreender este versículo, devemos lembrar que Davi tinha um exército formado por descontentes, alguns dos quais, sem dúvida, eram violentos fora da lei que tinham fugido para salvar a vida. Ver 1Sm 22.2. No vs. 6 vemos uma rebelião que poderia ter custado a vida de Davi. Agora, aqueles mesmos homens de Belial não se dispunham a compartilhar os despojos com os que tinham permanecido tomando conta da bagagem, mas apenas se dispunham a devolver-lhes as mulheres (e, presumivelmente, o que tinham perdido no ataque dos amalequitas).

Os maus e filhos de Belial. É melhor compreendermos estas palavras como *adjetivos*, ou seja, como "baixos" ou "perversos", e não como nomes próprios, referindo-se a Satanás. Essa ideia só entrou na teologia dos hebreus mais tarde. Ver no *Dicionário* o artigo chamado *Belial*. "... Belial, denotando o amargo, o encrespado, o severo e o profano" (Adam Clarke, *in loc.*).

Os elementos mais baixos do exército de Davi exibiram aqui uma "cobiça sem coração" (Ellicott, *in loc.*), esquecendo facilmente a contribuição anterior daqueles duzentos homens que tinham ficado para trás devido ao excessivo cansaço. Além disso, simples razões humanitárias ditavam que a *generosidade* era a ordem do dia, após tão notável batalha, que não havia incorrido em nenhuma perda. Mas os cobiçosos acumulam bens sem nunca ter um momento sequer de generosidade. A medida de um homem é a sua generosidade, um outro nome para *amor*, sobre o qual ver no *Dicionário*. E na *Enciclopédia de Bíblia, Teologia e Filosofia*, ver os artigos *Liberalidade* e *Generosidade*.

30.23

וַיֹּאמֶר דָּוִד לֹא־תַעֲשׂוּ כֵן אֶחָי אֵת אֲשֶׁר־נָתַן יְהוָה לָנוּ וַיִּשְׁמֹר אֹתָנוּ וַיִּתֵּן אֶת־הַגְּדוּד הַבָּא עָלֵינוּ בְּיָדֵנוּ׃

Não fareis assim, irmãos meus. Davi não permitiu que os renegados que faziam parte de seu exército ditassem regras. Era sempre melhor dar demais do que dar pouco demais. A vontade divina promete dádivas ao doador. Uma notável passagem sobre esse princípio é 1Co 9.8 ss. Ver também 2Co 9.6 ss. O homem que semeia pouco também colherá pouco. Mas Deus é capaz de prover abundância, para que possamos abundar em toda boa obra. Eis por que queremos ter abundância, para que possamos compartilhar e engajar-nos em boas obras que beneficiem *outras pessoas*. Fazer o bem a outras pessoas é o primeiro dever de um cristão. Ver no *Dicionário* o verbete *Lei Moral da Colheita segundo a Semeadura*. Essa lei garante que o homem generoso receberá de volta, com juros, tudo o que der. Depósitos no banco celestial rendem *verdadeiros juros*, e não pseudojuros, como nos bancos terrenos. O doador está imitando Deus, que "deu" seu próprio Filho em nosso benefício (ver Jo 3.16). No presente texto, Davi relembrou aos renegados que fora *Yahweh* quem os capacitara a obter todos aqueles despojos e a receber de volta esposas e filhos, com segurança. Outros passavam necessidade, e não somente os renegados. Os amalequitas eram muito mais numerosos do que o pequeno exército de Davi. De fato, quatrocentos jovens amalequitas fugiram em seus camelos; e só esse número era igual aos homens que Davi levou à batalha. Portanto, ficou claro que a vitória fora dada pela provisão divina. Em consequência, a gratidão e a generosidade estavam na ordem do dia.

30.24

וּמִי יִשְׁמַע לָכֶם לַדָּבָר הַזֶּה כִּי כְּחֵלֶק הַיֹּרֵד בַּמִּלְחָמָה וּכְחֵלֶק הַיֹּשֵׁב עַל־הַכֵּלִים יַחְדָּו יַחֲלֹקוּ׃ ס

Receberão partes iguais. *Davi Estabelece a Última Regra.* Os que guardaram a bagagem deviam compartilhar igualmente com os que saíram à batalha. Este pequeno versículo tem sido muito usado pelos missionários para encorajar a contribuição financeira às missões. Através dele, os missionários asseguram às pessoas que permanecem em casa, apoiando financeiramente as missões, que elas compartilharão igualmente da recompensa que virá pelos esforços missionários. Presume-se naturalmente que os que permanecem em casa também se dedicam à oração e ajudam espiritualmente, e não apenas financeiramente.

Ademais, dos doadores às missões espera-se que contribuam também para as igrejas locais. Mais que dinheiro está envolvido em tais promessas, conforme deve ser óbvio para qualquer pessoa que pensa. Os homens de Davi tinham um registro do que costumavam contribuir. Eles estavam no exílio juntamente com Davi. Todos eles tinham passado sacrifícios. Todos eles engajaram-se em batalhas. O não participar de uma única batalha não os desqualificava da partilha, naquela ocasião particular. Portanto, espera-se também do soldado cristão que se engaje na guerra espiritual, de tal modo que, quer ele saia em um campo missionário, quer não, compartilhe dos esforços missionários com aqueles que vão à frente. Seja como for, cada país é um campo missionário.

30.25

וַיְהִי מֵהַיּוֹם הַהוּא וָמָעְלָה וַיְשִׂמֶהָ לְחֹק וּלְמִשְׁפָּט לְיִשְׂרָאֵל עַד הַיּוֹם הַזֶּה׃ פ

Foi isso estabelecido por estatuto e direito em Israel. O que Davi fez naquele dia tornou-se regra geral que governa *todo* o bem-estar em Israel. Políbio (*Hist.* 1.10, par. 365) informa-nos que, após a captura da Nova Cartago, Públio Cipião decidiu que os despojos seriam divididos igualmente entre os reservas e os enfermos, juntamente com os soldados que lutaram na batalha. Isso aconteceu *naquela ocasião*, mas não há provas de que essa tenha sido a regra orientadora em todas as guerras encetadas pelos romanos.

"Moisés, ao *orar* na colina, contribuiu para a vitória sobre Amaleque, mais do que Josué lutando na planície" (Ellicott, *in loc.*, referindo-se a Êx 17.11).

"Alguns cristãos lutam as batalhas do Senhor nas refregas da vida ativa; outros, homens e mulheres idosos, lutam com as armas pacíficas da oração e das lágrimas. Cristo é onipotente e misericordioso. Ele recompensa os que permanecem, pacientemente, a guardar as bagagens, bem como os que saem para lutar valentemente na batalha" (Bispo Hall).

Israel tomava por empréstimo leis e regras de seus vizinhos, como dos babilônios e até dos cananeus. Mas essa regra da "partilha igual" que governava a guerra evidentemente foi criação de Davi. Alguns estudiosos, contudo, apontando para Gn 14.24 e Nm 31.27, supõem que Abraão e, mais tarde, Moisés tenham estabelecido o *precedente* para essa forma de agir.

■ 30.26

וַיָּבֹא דָוִד אֶל־צִקְלַג וַיְשַׁלַּח מֵהַשָּׁלָל לְזִקְנֵי יְהוּדָה לְרֵעֵהוּ לֵאמֹר הִנֵּה לָכֶם בְּרָכָה מִשְּׁלַל אֹיְבֵי יְהוָה׃

Enviou do despojo aos anciãos de Judá. Outra partilha foi o *presente* que Davi enviou aos anciãos em Ziclague. Aquele lugar estava em má forma e precisava de todas as doações que pudesse obter; mas as doações de Davi estenderam-se também a outros locais, conforme vemos através dos versículos que se seguem. Davi, por certo, estava removendo toda dúvida sobre a lealdade ao seu povo, ao mostrar-se generoso para com eles. Pode ter-se espalhado que Davi marchava com Aquis contra Israel. Davi precisou contrabalançar esses rumores. Adam Clarke (*in loc.*) supõe que Davi tenha sido particularmente generoso com todos os que o ajudaram no exílio. A *gratidão* estava na ordem do dia. Ver sobre esse tema no *Dicionário*. O fato de que Davi foi capaz de compartilhar em tal medida demonstra que os despojos, realmente, tinham sido grandes.

"O golpe de mestre diplomático de Davi foi a devolução das propriedades que tinham sido furtadas pelos amalequitas das cidades e aldeias de Judá (vss. 26-31). Eles nunca mais esqueceriam dos cuidados de Davi e, quando chegou o tempo de declarar seu reinado em Hebrom, sem dúvida ele desfrutou de entusiasmado apoio" (Eugene M. Merrill, *in loc.*).

■ 30.27

לַאֲשֶׁר בְּבֵית־אֵל וְלַאֲשֶׁר בְּרָמוֹת־נֶגֶב וְלַאֲשֶׁר בְּיַתִּר׃

Betel... Ramote... Jatir. No *Dicionário* há artigos sobre os três lugares. Todos eles eram cidades de Judá que, segundo suponho, tinham ajudado Davi em algum grau, durante o exílio. Todas elas ficavam no Neguebe. A generosidade de Davi para com elas removeu todas as dúvidas quanto à sua lealdade para com Israel. A "Betel" de algumas versões portuguesas na realidade é "Betuel", anotada sobre esse nome sob o número 1.

■ 30.28

וְלַאֲשֶׁר בַּעֲרֹעֵר וְלַאֲשֶׁר בְּשִׂפְמוֹת וְלַאֲשֶׁר בְּאֶשְׁתְּמֹעַ׃ ס

Aroer... Sifmote... Estemoa. Mais três cidades mencionadas, igualmente comentadas no *Dicionário*. Elas também ficavam no Neguebe. O bispo Harvey chama a atenção para esses versículos como prova notável da natureza e da generosidade agradecida de Davi. Ele não esqueceu seus amigos e ansiava por demonstrar a sua lealdade.

■ 30.29

וְלַאֲשֶׁר בְּרָכָל וְלַאֲשֶׁר בְּעָרֵי הַיְּרַחְמְאֵלִי וְלַאֲשֶׁר בְּעָרֵי הַקֵּינִי׃

Um número indeterminado de cidades é aqui mencionado, pois se fala nas cidades dos *jerameelitas* e nas cidades dos *queneus*. Somente *Racal* é aqui chamada por nome, e esse lugar é anotado no *Dicionário*. Todos esses pontos também tinham sido objetos da generosidade de Davi. Todos ficavam no Neguebe, ao sul de Judá.

■ 30.30,31

וְלַאֲשֶׁר בְּחָרְמָה וְלַאֲשֶׁר בְּבוֹר־עָשָׁן וְלַאֲשֶׁר בַּעֲתָךְ׃
וְלַאֲשֶׁר בְּחֶבְרוֹן וּלְכָל־הַמְּקֹמוֹת אֲשֶׁר־הִתְהַלֶּךְ־שָׁם דָּוִד הוּא וַאֲנָשָׁיו׃ פ

Hormá... Corasã, Atace... Hebrom. Estes dois versículos mencionam outras *quatro cidades,* todas as quais são comentadas no *Dicionário*. Elas também ficavam no Neguebe, ao sul de Judá. O vs. 31 informa-nos que Davi e seu pequeno exército estavam *acostumados* a frequentar aqueles lugares durante o exílio. Sem dúvida cooperavam com ele, embora com isso pudessem ter incorrido na ira de Saul. Foi desse modo que Davi demonstrou gratidão, generosidade e bondade. O fato de ele ter recompensado tantos lugares mostra que seus despojos, tomados dos amalequitas, devem ter sido muito volumosos. Sem dúvida estavam inclusos mais que o acampamento onde ele apanhara os saqueadores amalequitas. Muito provavelmente, Davi atacou toda aquela região e saqueou outros lugares que pertenciam àqueles povos.

Estes versículos também revelam que Davi esteve em muitos lugares não mencionados no relato de 1Samuel. Ele "perambulou" (RSV) por vários locais. Ele caçou (KJV) os inimigos. Ele "andara" (nossa versão portuguesa).

Logo terminariam as andanças de Davi. Ele havia cumprido essa porção de sua vida, o equivalente aos quarenta anos de Moisés pelo deserto. seu tempo de preparação para tornar-se rei estava quase completo. Em breve ele seria o segundo rei de Israel e libertaria a Palestina de todos os inimigos de Israel.

CAPÍTULO TRINTA E UM

MORTE DE SAUL (31.1-13)

As três grandes figuras da história de Israel apresentadas pelos livros de 1 e 2Samuel são Samuel, Saul e Davi. Cada uma dessas personagens, à sua maneira e com sua própria mescla de sucessos e fracassos, serviu a Israel. O capítulo à nossa frente registra a agonizante morte de Saul, primeiro rei de Israel. Ele estava encarregado de uma missão de matanças e debilitou bastante os inimigos de Israel, facilitando o trabalho de varredura que Davi haveria de realizar. Ficou ao encargo do segundo rei de Israel, Davi, a tarefa de livrar a Palestina dos inimigos de Israel, algo que Josué não conseguira efetuar (ver Js 13.1 ss.).

A batalha na qual Saul e seus filhos encontraram a morte seguiu-se "na manhã depois da consulta de Saul com a médium de En-Dor (capítulo 28). Podemos imaginar com quais sentimentos de condenação ele entrou em sua batalha final" (George B. Caird, *in loc.*). É como diz certa canção: "E agora o fim está perto e enfrento a cortina final".

"Tal como Samuel havia profetizado (1Sm 28.19), os filisteus rápida e facilmente derrotaram Israel nas largas planícies do vale de Jezreel, onde eles, com seus carros de combate (ver 2Sm 1.6), detinham a vantagem tática (cf. Js 17.16; Jz 4.3,13 quanto ao uso de carros de combate de ferro, pelos cananeus, naquela mesma área" (Eugene M. Merrill, *in loc.*).

■ 31.1

וּפְלִשְׁתִּים נִלְחָמִים בְּיִשְׂרָאֵל וַיָּנֻסוּ אַנְשֵׁי יִשְׂרָאֵל מִפְּנֵי פְלִשְׁתִּים וַיִּפְּלוּ חֲלָלִים בְּהַר הַגִּלְבֹּעַ׃

Nesses comenos os filisteus pelejaram contra Israel. Foi de modo simples que o autor sacro narrou a total derrota de Israel, que comento na introdução que se segue ao capítulo. O monte Gilboa assinalou o lugar da morte de muitos homens das tropas de Saul. Israel foi posto em fuga e confusão. Yahweh definitivamente não estava favorável a seu povo. Foi um dia de derrota, o dia em que Saul, o primeiro rei de Israel, e seus filhos, incluindo o amável Jônatas, encontraram o seu fim.

"O narrador mostra-se aqui muito abrupto. Não há que duvidar que ele foi um devotado patriota e que foi muito amargo para ele registrar a história daquele dia fatal em Gilboa. Contudo, houve certas coisas pertinentes àquele dia fatal que era necessário todo filho de Israel saber. Foi *correto* que a *punição* do rejeitado rei fosse *conhecida*" (Ellicott, *in loc.*).

■ 31.2

וַיַּדְבְּקוּ פְלִשְׁתִּים אֶת־שָׁאוּל וְאֶת־בָּנָיו וַיַּכּוּ פְלִשְׁתִּים אֶת־יְהוֹנָתָן וְאֶת־אֲבִינָדָב וְאֶת־מַלְכִּי־שׁוּעַ בְּנֵי שָׁאוּל׃

Os filisteus apertaram com Saul e seus filhos. Saul, vendo a inutilidade da batalha, fugiu juntamente com seus filhos, os quais o serviram fielmente até o fim. Mas a fuga foi tão fútil quanto a batalha. Saul estava destinado a morrer naquele dia. Nada poderia impedir isso. Com dor, o autor diz que três de seus filhos foram primeiramente alcançados e mortos. Nem o amado Jônatas conseguiu escapar. Todas as três personagens são comentadas no *Dicionário*. Tudo se perdeu, mas Saul continuou sua fuga. Saul teve o seu dia. Ele foi uma máquina de matar poderosa e agora precisava morrer à espada, porque tinha vivido à espada (ver Mt 26.52).

O autor mostrou-se aqui bastante austero. Ele não derramou lágrimas. Mas o perdido livro dos Justos leva-nos a sentir a paixão que houve na ocasião:

> *Saul e Jônatas, queridos e amáveis, tanto na vida como na morte não se separaram! Eram mais ligeiros do que as águias, mais fortes do que os leões.*
>
> 2Samuel 1.23

"Parece que defenderam fielmente até o fim a casa real de Saul (vs. 6) e, defendendo o rei até o fim, caíram" (Ellicott, *in loc.*).

Somente *Is-Bosete* foi poupado. Ele permaneceu em casa, pois não era capaz de combater.

31.3

וַתִּכְבַּד הַמִּלְחָמָה אֶל־שָׁאוּל וַיִּמְצָאֻהוּ הַמּוֹרִים אֲנָשִׁים בַּקָּשֶׁת וַיָּחֶל מְאֹד מֵהַמּוֹרִים:

Agravou-se a peleja contra Saul. O *ferimento fatal* que terminou com Saul foi desfechado por um arqueiro, embora o golpe final, de misericórdia, tenha sido administrado por sua própria espada (vs. 4).

"Gradualmente enfraquecido pela perda de sangue, e talvez com as palavras de Samuel a retinir-lhe nos ouvidos, 'amanhã tu e teus filhos estareis comigo', a grande e inflexível coragem de Saul desapareceu, e assim ele se voltou para seu escudeiro, para que este lhe aplicasse o golpe de misericórdia" (Ellicott, *in loc.*).

Este relato, naturalmente, não concorda com 2Samuel 1, onde se lê que um amalequita lhe administrou o golpe fatal. Ou duas fontes estão envolvidas, contando a história de formas diferentes, ou a história contada pelo amalequita foi fictícia, talvez inventada para efeito de autoglorificação. Cf. 2Sm 4.9,10, onde é mencionada a história do amalequita, que, ao que tudo indica, é confirmada pelos críticos como proveniente de uma fonte anterior. Os eruditos tentam várias reconciliações das narrativas, mas nenhuma delas é absolutamente convincente. O seguro é que mais de uma história circulava sobre a morte de Saul, e essas histórias não concordavam em todos os detalhes. O autor de 1 e 2Samuel registrou essas versões sem tentar reconciliá-las.

31.4

וַיֹּאמֶר שָׁאוּל לְנֹשֵׂא כֵלָיו שְׁלֹף חַרְבְּךָ וְדָקְרֵנִי בָהּ פֶּן־יָבוֹאוּ הָעֲרֵלִים הָאֵלֶּה וּדְקָרֻנִי וְהִתְעַלְּלוּ־בִי וְלֹא אָבָה נֹשֵׂא כֵלָיו כִּי יָרֵא מְאֹד וַיִּקַּח שָׁאוּל אֶת־הַחֶרֶב וַיִּפֹּל עָלֶיהָ:

Arranca a tua espada, e atravessa-me com ela. Foi pedido um golpe de misericórdia. Sangrando quase até morrer, Saul pediu que seu escudeiro pusesse fim à sua história. Ele temia as torturas e as desgraças às quais os filisteus o submeteriam se o apanhassem vivo. Aqueles pagãos *incircuncisos*, que não temiam Deus nem os homens, teriam certeza de que ele morreria com tanta miséria quanta fosse possível.

Mas o *escudeiro* de Saul rejeitou realizar o serviço solicitado. Ele temeu tirar a vida ao rei de Israel, mesmo que isso fosse considerado um ato de misericórdia. Portanto, Saul cometeu *suicídio*, o que, naturalmente, não concorda com as histórias relatadas em 2Sm 1 e 4.9,10, que discuti anteriormente e na introdução ao primeiro capítulo de 2Samuel. O *suicídio* de Saul era mais uma *matança de misericórdia* auto-infligida. Saul teria morrido lentamente, por causa do ferimento com a flecha, mas talvez não a tempo de evitar cair nas mãos dos assassinos filisteus. Portanto, ele teve pressa em acabar com a própria vida. O texto não diz especificamente que Saul caiu sobre a própria espada, mas evidentemente é isso que devemos entender. Assim sendo, a mesma espada que havia matado tantas pessoas tornou-se o instrumento do golpe de misericórdia que pôs fim à vida do primeiro rei de Israel.

Suicídio na Bíblia. Temos ali os seguintes casos: 1. Saul, no presente versículo; 2. o escudeiro de Saul, também neste versículo; 3. Aitofel (2Sm 17.23); 4. Zinri (1Rs 16.18); 5. Sansão (Jz 16.30); 6. Judas Iscariotes (Mt 27.5). Nos livros apócrifos, temos os casos de Ptolomeu Macom (2Macabeus 10.13) e Razis (2Macabeus 14.41-46). Josefo, em sua obra *Guerras dos Judeus* (III.8.5), falou sobre esse ato como um *crime*. A Igreja Católica Romana tem uma opinião muito severa a respeito. Até o *assassinato,* afinal, pode ser perdoado. O apóstolo Paulo foi um assassino, mas se tornou o grande apóstolo dos gentios. Mas quem pode dizer que uma pessoa não pode arrepender-se do suicídio no pós-túmulo? Suponho que um suicida possa arrepender-se sob o ministério de Cristo no *hades* (ver 1Pe 3.18—4.6), onde os destinos humanos podem ser revertidos. Ver na *Enciclopédia de Bíblia, Teologia e Filosofia* os verbetes chamados *Descida de Cristo ao Hades* e *Suicídio*. Os textos do Antigo Testamento não entram em especulações sobre o destino espiritual dos suicidas, visto que a crença no pós-vida, embora começando em 1Samuel, nos Salmos e nos livros proféticos, ainda não estava bem desenvolvida. O suicídio, naturalmente, está relacionado à *eutanásia,* que discuto no quarto ponto do artigo sobre *Suicídio,* e também em um artigo em separado.

31.5

וַיַּרְא נֹשֵׂא־כֵלָיו כִּי מֵת שָׁאוּל וַיִּפֹּל גַּם־הוּא עַל־חַרְבּוֹ וַיָּמָת עִמּוֹ:

Vendo, pois, o seu escudeiro. O escudeiro de Saul, embora sem coragem para matar o ferido Saul, foi bravo o bastante (conduzido por total desespero) para matar-se. Em certo sentido, embora não absoluto, esperava-se dele a defesa do homem cujas armas transportava. Embora o escudeiro não tivesse falhado, talvez pensasse ter, ao menos em parte, culpa pela morte de Saul. Assim, desesperado, ele também se suicidou. Cf. 1Sm 26.15, onde Davi ralhou com Abner por não ter guardado devidamente o rei. Assim também o escudeiro de Saul poderia ser acusado da morte do rei, caso Davi aproveitasse a situação para despachá-lo.

Algumas tradições judaicas pensam que o escudeiro de Saul é o infame *Doegue* (ver 1Sm 21.7; 22.9,18,22). Ver também Heron., *Trad. Hb,* lib. Reg. fol. 77.b. Mas parece que, se tão infame homem estivesse envolvido, o autor teria feito questão de informar o detalhe. Pois Saul e Doegue foram as principais personagens na matança dos sacerdotes de Nobe e mereciam morrer daquela maneira. Ver o capítulo 22 quanto ao relato da matança dos sacerdotes.

"A Bíblia encerra o registro da vida e deixa o destino do primeiro grande rei de Israel, do primeiro ungido do Senhor como rei, nas mãos de Deus" (Ellicott, *in loc.*).

31.6

וַיָּמָת שָׁאוּל וּשְׁלֹשֶׁת בָּנָיו וְנֹשֵׂא כֵלָיו גַּם כָּל־אֲנָשָׁיו בַּיּוֹם הַהוּא יַחְדָּו:

Morreu, pois, Saul, e seus três filhos, e o seu escudeiro. O autor sacro enfatiza como tantos grandes homens de Israel morreram *juntos* em um mesmo dia. A história, porém, é contada com excessiva frieza, sem o derramamento de uma lágrima e sem lamentação. A estrela de Saul caíra. A estrela de Davi, porém, estava subindo. Justiça fora feita. A lei da colheita segundo a semeadura teve cumprimento. Ver no *Dicionário* o verbete chamado *Lei Moral da Colheita segundo a Semeadura*.

> Dentre os bravos e dotados de coração galante
> Que enviaste embora, com orações,
> Nenhum único homem partiu do lado
> De seu rei no dia de ontem.
>
> Aytoun

Não houve desertores. Todos preferiram morrer juntamente com Saul naquele dia, e ao lado dele enfrentaram o fim da vida.

Josefo diz-nos que Saul reinou por dezoito anos durante o tempo de vida de Samuel; e por 22 anos viveu após a morte daquele profeta, assumindo o reinado de Israel por *quarenta anos* (*Antiq.* 1.6, cap. 14, sec. 7). Ver também At 13.21.

31.7

וַיִּרְאוּ אַנְשֵׁי־יִשְׂרָאֵל אֲשֶׁר־בְּעֵבֶר הָעֵמֶק וַאֲשֶׁר
בְּעֵבֶר הַיַּרְדֵּן כִּי־נָסוּ אַנְשֵׁי יִשְׂרָאֵל וְכִי־מֵתוּ שָׁאוּל
וּבָנָיו וַיַּעַזְבוּ אֶת־הֶעָרִים וַיָּנֻסוּ וַיָּבֹאוּ פְלִשְׁתִּים וַיֵּשְׁבוּ
בָּהֶן׃ ס

Vendo os homens de Israel. *O Campeão Deles Estava Morto.* Seus filhos também tinham morrido. O exército de Israel estava totalmente desarrumado. Foi então que os filisteus ocuparam muitas cidades de Israel e até alguma parte a leste do rio Jordão (na Transjordânia). Isso nos mostra quão grande foi a vitória dos filisteus. Não somos informados sobre quais cidades foram completamente abandonadas pelos judaítas, mas fica subentendido que o abandono foi generalizado. Também não temos notícia do lugar para onde foram os refugiados.

"O suicídio de Saul era inevitável, não porque ele fosse um covarde, mas porque havia atingido o próprio pico da autoconsciência. Ele não havia tratado as dificuldades como desafios a serem solucionados, mas como tribulações a serem evitadas. Ele enfocava agudamente a si mesmo" (John C. Schroeder, *in loc.*).

> suas últimas ilusões levaram-no a perder
> A paciência com o empreendimento humano.
> O fim chegara. Ele se juntou à maioria.
>
> W. H. Auden

31.8

וַיְהִי מִמָּחֳרָת וַיָּבֹאוּ פְלִשְׁתִּים לְפַשֵּׁט אֶת־הַחֲלָלִים
וַיִּמְצְאוּ אֶת־שָׁאוּל וְאֶת־שְׁלֹשֶׁת בָּנָיו נֹפְלִים בְּהַר
הַגִּלְבֹּעַ׃

Sucedeu, pois, que vindo os filisteus. O *saque* dos exércitos antigos e modernos inclui tirar dos corpos objetos valiosos e tomar armas. Entre os mortos estavam o rei e seus filhos, e os itens deles roubados sem dúvida foram considerados dotados de especial valor, mostrados aos amigos como *troféus* por muitos anos.

> Oh, Saul, poderoso rei,
> Quão espectral parecias,
> Atravessado ali com tua própria espada,
> Morrendo em Gilboa. Daquele tempo em diante
> Nem chuva nem orvalho molharam aquele lugar tão miserável.

31.9,10

וַיִּכְרְתוּ אֶת־רֹאשׁוֹ וַיַּפְשִׁיטוּ אֶת־כֵּלָיו וַיְשַׁלְּחוּ
בְאֶרֶץ־פְּלִשְׁתִּים סָבִיב לְבַשֵּׂר בֵּית עֲצַבֵּיהֶם
וְאֶת־הָעָם׃

וַיָּשִׂמוּ אֶת־כֵּלָיו בֵּית עַשְׁתָּרוֹת וְאֶת־גְּוִיָּתוֹ תָּקְעוּ
בְּחוֹמַת בֵּית שָׁן׃

Cortaram a cabeça a Saul. *Atos bárbaros* foram cometidos em desprezo ao rei de Israel, agora morto. sua armadura foi tomada como troféu. Ela foi então primeiramente mostrada aos filisteus para anunciar a grande vitória que eles tinham obtido. Finalmente, a armadura foi posta no templo de *Astarote* (ver a respeito no *Dicionário*), demonstrando gratidão para aquele deus que, presumivelmente, havia ajudado os filisteus em seu feito miserável. Então, como insulto final, o corpo de Saul foi pendurado em um muro de Bete-Seã. Provavelmente isso foi feito mediante a utilização de ganchos. 2Sm 21.12 diz que o corpo de Saul e os de seus filhos foram pendurados naquela cidade. Essa expressão, como é provável, originou-se da maneira frouxa como a história foi contada. O muro estava em uma das ruas da cidade, pelo que falar em muro ou em parede não faz grande diferença. Josefo diz que o corpo de Saul foi *crucificado* na parede (*Antiq.* 1.6, cap. 14, sec. 7).

"O historiador sacro com extrema brevidade registrou o tratamento selvagem dado à casa real, o que era, afinal, uma *vingança*. Aquela mesma geração acompanhara um procedimento bárbaro no caso de Golias, o grande campeão dos filisteus!" (Ellicott, *in loc.*, referindo-se a 1Sm 17.54 ss.).

Bete-Seã. Ver a respeito no *Dicionário*. Era uma importante cidade na parte oriental das faldas do monte Gilboa, dando frente para o vale do rio Jordão. Portanto, era conveniente exibir o corpo de Saul ali.

31.11,12

וַיִּשְׁמְעוּ אֵלָיו יֹשְׁבֵי יָבֵישׁ גִּלְעָד אֵת אֲשֶׁר־עָשׂוּ
פְלִשְׁתִּים לְשָׁאוּל׃

וַיָּקוּמוּ כָּל־אִישׁ חַיִל וַיֵּלְכוּ כָל־הַלַּיְלָה וַיִּקְחוּ
אֶת־גְּוִיַּת שָׁאוּל וְאֵת גְּוִיֹּת בָּנָיו מֵחוֹמַת בֵּית שָׁן
וַיָּבֹאוּ יָבֵשָׁה וַיִּשְׂרְפוּ אֹתָם שָׁם׃

Então ouvindo isto os moradores de Jabes-Gileade. Esta cidade ficava somente 18 quilômetros ao sul de Bete-Seã, onde o corpo de Saul fora pendurado em um muro. Portanto, os habitantes daquele lugar resolveram dar a Saul um sepultamento decente. Foram a Bete-Seã e removeram do muro o corpo dos quatro homens mortos. O autor sacro diz que eles caminharam a noite inteira para chegar ali, escapando de qualquer ataque. Foi um plano inteligente que teve bom resultado.

"...Contudo, há corações humanos bondosos. Os filisteus vilipendiaram o corpo inanimado de Saul e procuraram humilhá-lo, pondo sua armadura no templo de Astarote e pendurando-o em um muro na cidade de Bete-Seã. Mas seus amigos salvaram-lhe o corpo e os corpos de seus filhos, concedendo-lhes um sepultamento decente. Foi assim, tristemente, que a triste vida de Saul chegou ao fim e, com isso, sua dinastia entrou em colapso" (John C. Schroeder, *in loc.*). Assim também as profecias de Samuel se cumpriram, embora tivesse sido necessário certo número de anos para que se desfechasse o golpe final. Ver 1Sm 13.13 e 15.10-23, quanto à rejeição de Saul por parte de Yahweh, que decretara sua queda final.

Um Ato de Gratidão. Os habitantes de Jabes-Gileade nunca esqueceram como Saul fora seu benfeitor e como os livrara das ameaças insolentes dos filhos de Amom. E pagaram sua dívida conferindo-lhe um sepultamento decente. Ver 1Sm 11.

> Feitos bons são imortais — não podem morrer
> Permanecem intocados por luzes invejosas, e
> Não são tocados pelo gelo do inverno.
> Eles prosseguem vivos, afloram
> e os homens continuam
> A participar de seu frescor, e assim
> São fortalecidos.
>
> Aytoun

Os queimaram. Em Israel não havia o costume de cremar os cadáveres, exceto no caso de criminosos (ver Lv 20.14). Os judeus sempre sepultavam os seus mortos. Mas é possível que os corpos estivessem em condições tão bárbaras, já apodrecendo, que os morados de Jabes-Gileade simplesmente preferiram submetê-los ao fogo. No entanto, seus *ossos* foram sepultados (vs. 13). Para evitar a presumível discrepância histórica (que ia contra os costumes dos hebreus), a versão caldaica diz que *especiarias,* e não os cadáveres, foram queimadas. Isso se tornou uma cerimônia que, posteriormente, foi realizada em favor dos reis de Judá (2Cr 16.14; 21.19; Jr 34.5). Mas a emenda do texto é obviamente falsa. Os Targuns seguem a versão caldaica, falando de especiarias que foram "queimadas" sobre os corpos, em vez da cremação dos próprios corpos.

31.13

וַיִּקְחוּ אֶת־עַצְמֹתֵיהֶם וַיִּקְבְּרוּ תַחַת־הָאֶשֶׁל בְּיָבֵשָׁה
וַיָּצֻמוּ שִׁבְעַת יָמִים׃ פ

Tomaram-lhes os ossos. *A carne apodrecida foi completamente queimada,* deixando os ossos limpos. Esses ossos foram sepultados com reverência em Israel, sob uma árvore, em *Jabes,* na cidade que Saul, agora fazia tanto tempo, havia livrado dos filhos de Amom (ver 1Sm 11). "A própria tribo de Saul, Benjamim, encontrou muito de suas recentes origens históricas em Jabes-Gileade (Jz 21.8-12)... as corajosas ações daquela gente não seriam esquecidas por Davi, quando finalmente ele subiu ao trono (2Sm 2.4-7). Posteriormente, Davi exumou os ossos de Saul e Jônatas, e os sepultou novamente no território de Benjamim (2Sm 21.11-14)" (Eugene M. Merrill, *in loc.*).

Visto que houve uma calamidade nacional, um período de jejum de *sete dias* foi observado, em respeito ao rei caído e seus valentes homens. Esse período foi o tempo durante o qual os filhos de Israel lamentaram Jacó (ver Gn 1.10). Ao que tudo parece, tratava-se de um antigo costume em Israel, pelo menos no que diz respeito à morte de homens proeminentes. Citações do Talmude mostram que isso se tornou uma regra nas lamentações pelos mortos. O Talmude Babilônico dá-nos uma curiosa razão para esse período de luto. O *Rav. Chisda* diz que, durante esse tempo, a alma fica pairando sobre o lugar, esperando uma oportunidade para retornar ao corpo, e Jó 14.22 é dado como texto de prova. Rav. Jehudah afirma que, certa ocasião, a alma de uma pessoa que morrera lhe apareceu, após os sete dias, e o consolou (*Shabbath,* fol. 152, col. 2).

Debaixo dum arvoredo. "Esse arvoredo aparece como um carvalho (ver 1Cr 10.12). Por igual modo, Débora, a ama de Rebeca, foi sepultada sob um carvalho (Gn 35.8). Os judeus, sempre que podiam, sepultavam seus mortos ao pé de algum carvalho... pois essas árvores, embora aparentemente mortas durante o inverno, ressurgem na primavera. Assim também os ossos secos dos homens receberão nova seiva, no dia do julgamento" (John Gill, *in loc.*). A isso podemos adicionar que os antigos hebreus tinham uma crença nos poderes místicos das árvores, símbolos de vida e prosperidade, pelo que também seriam lugares apropriados para o sepultamento dos mortos. Cf. os *bosques* dos lugares altos, onde era conduzida a adoração, ortodoxa ou não. Ver no *Dicionário* o artigo intitulado *Lugares Altos.*

Assim terminou o agitado mas não inútil reinado de Saul, o primeiro rei de Israel. O que ele deixara de fazer, Davi terminaria. Os inimigos de Israel finalmente seriam expulsos da Palestina, concedendo assim tempo para a monarquia florescer.

> Ó capitão! Meu capitão! Nossa temível viagem terminou,
> O navio teve estragadas as suas tábuas,
> O prêmio que buscávamos foi conquistado.
> O porto está próximo, ouço os sinos;
> Toda a população está exultante.
>
> Walt Whitman

A pena registrara para todas as gerações vindouras os atos de valentia de Saul, o ungido de Samuel. Tu foste o primeiro, ó Saul, ó homem poderoso. Agradecemos a Deus por ti. E, a despeito de todas as tuas falhas, agora estás entre as almas que entesouram o altar de Deus (1Sm 25.29).

2SAMUEL

O Livro que Descreve a Unificação de Israel pelo Rei Davi

> *Assim diz o Senhor dos Exércitos: Tomei-te da malhada, de detrás das ovelhas, para que fosses príncipe sobre o meu povo, sobre Israel.*
>
> 2Samuel 7.8

24	Capítulos
695	Versículos

INTRODUÇÃO

Ao Leitor

A Bíblia dos hebreus não separava 1 e 2Samuel conforme fazem nossas Bíblias hoje. A versão da Septuaginta foi o primeiro dos documentos históricos a apresentar esses dois livros separadamente. Essa divisão foi seguida por outras versões e também adotada pela Bíblia em português.

Apresentei uma única introdução a 1 e 2Samuel, pelo que o leitor deve consultar a introdução àquele livro.

O leitor sério, ao analisar 2Samuel, preparará o caminho para o estudo lendo a introdução, que aborda questões como: nome, autoria, data, propósitos, estado do texto, problemas especiais, teologia, conteúdo e cronologia.

Em 1 e 2Samuel são traçados os pontos históricos de *três* personagens principais, quase como em uma biografia: Samuel, o último dos juízes de Israel, que foi também o precursor da era dos profetas; Saul, o primeiro rei de Israel; e Davi, o segundo rei de Israel. A história de Saul está contida em 1Samuel, mas a história de Davi acha-se tanto em 1 quanto em 2Samuel. Os críticos identificam várias fontes informativas para os livros, algumas antigas e outras tardias, e atribuem a compilação final dos livros à época seguinte ao exílio babilônico, porquanto certas referências pertencem, historicamente, àquele período. Esses problemas são discutidos conforme progride a exposição.

A Scofield Reference Bible faz os seguintes comentários sobre 2Samuel: "Assim como 1Samuel assinala o fracasso dos homens em Eli, Saul e até no próprio Samuel, 2Samuel assinala a restauração da ordem através da entronização do rei divino, Davi. Esse livro também registra o estabelecimento do centro político de Israel em Jerusalém (5.6-12), e de seu centro religioso em Sião (5.7; 6.1-17). Quando tudo estava assim ordenado, Yahweh firmou o grande *Pacto Davídico* (7.8-17; 23.1-7), a partir do qual, doravante, toda a verdade sobre o reino é desenvolvida. Em suas *palavras finais* (23.1-7), Davi descreve o reino milenar que ainda surgiria".

"O livro de 2Samuel relata o governo de Davi, primeiramente como rei apenas sobre Judá (capítulos 1 a 4), e então como rei sobre Judá e Israel (capítulos 5 a 24). Os capítulos 9 a 20 dizem respeito particularmente às tribulações domésticas e políticas do reinado de Davi. Os capítulos 21 a 24 formam uma espécie de apêndice, constituído de *dois hinos* (22; 23.1-7), além de vários eventos que, cronologicamente, foram escritos fora de ordem. Visto que tão grande parte de 2Samuel pertence à *fonte mais antiga*, essa classificação será acompanhada nos comentários, a menos que se anote de outra forma. Graças ao gênio do autor dessa fonte primitiva, 2Samuel é um dos mais claramente escritos, mais homogêneos e mais compreendidos livros bíblicos. Isso se dá especialmente com os capítulos 9 a 20, nos quais o autor sacro parecia estar escrevendo com base em seu conhecimento pessoal. Por toda a narrativa do reinado de Davi, brilha a convicção de que Israel é o povo do Senhor e de que sua providência está em ação na história deles" (Introdução a 2Samuel da *Oxford Annotated Bible*).

EXPOSIÇÃO

CAPÍTULO UM

DAVI LAMENTA A MORTE DE SAUL E JÔNATAS (1.1-27)

Conforme já afirmamos, na Bíblia hebraica, havia um único livro que mais tarde foi dividido em dois, como aparece hoje na Bíblia em português. Ver a introdução antes destes comentários.

O capítulo final de 1Samuel registra as mortes trágicas de Saul e seus filhos. O primeiro capítulo de 2Samuel continua essa história, relatando como Davi lamentou essas mortes.

O leitor também poderá observar várias discrepâncias na história aqui exposta sobre a morte de Saul, quando comparada a 1Sm 31. Muitas tentativas de reconciliação têm sido feitas, mas nenhuma delas é realmente satisfatória. A principal diferença é que 1Sm 31 diz-nos que Saul cometeu suicídio, depois de ter sido ferozmente atingido por uma flecha, para impedir sua tortura e humilhação às mãos dos filisteus. Mas o presente capítulo diz-nos que *certo amalequita* foi quem deu o golpe de misericórdia que pôs fim à vida de Saul. Os críticos supõem que 1Sm 31 seja o relato mais acurado, historicamente falando, e que, *se* algum amalequita esteve envolvido, então o próprio amalequita inventou a história, tendo em vista sua autoglorificação e talvez em uma tentativa de agradar a Davi e obter dele benefícios, visto que Saul, por longo tempo, havia atacado aquele homem. Mas, se esse foi o seu propósito, então o plano inteiro do amalequita foi um tiro pela culatra, pois Davi, irado que tal homem tivesse assassinado o "ungido do Senhor", matou-o no mesmo local. 1Sm 4.9,10 também menciona o amalequita. Isso posto, 1 e 2Samuel registram duas histórias da morte de Saul, sem nenhuma tentativa de reconciliação entre elas.

Tentativas de Reconciliação:

1. *Muitos críticos* supõem que é impossível e desnecessário reconciliar os dois relatos. Eles acreditam que essas narrativas baseiam-se em *fontes informativas* diferentes, que eram simplesmente contraditórias. A maioria dos críticos considera a narrativa de 1Samuel mais exatamente histórica.

2. *Muitos estudiosos conservadores* "reconciliam" os dois relatos supondo que a história contada pelo amalequita tenha sido uma *fabricação*, e não reflita o que realmente aconteceu. O homem teria inventado a história para agradar Davi, que se tornara conhecido inimigo de Saul. A dificuldade dessa "reconciliação" é que o compilador de 1 e 2Samuel não afirma tal coisa. Ele não dá nenhuma indicação de que o amalequita estivesse mentindo, e, por isso mesmo, relatando uma história contraditória.

3. *Podemos tentar* uma reconciliação entre os dois relatos supondo que eles sejam *suplementares*, e não contraditórios. Talvez a questão toda tenha acontecido como se segue:

   a. Saul foi ferido por uma flecha e, potencialmente, ferido de morte. Ele sangraria até morrer.

   b. Temendo a tortura às mãos dos filisteus, caso o encontrassem ferido (embora ainda não morto), Saul pediu que o escudeiro terminasse com sua vida. Mas o escudeiro, temeroso de tratar dessa maneira o ungido de Yahweh, recusou-se a atender ao pedido.

   c. Diante disso, Saul *tentou suicidar-se,* mas realizou um trabalho inepto. Tudo quanto conseguiu foi outro ferimento horrível, dessa vez por meio de sua própria espada.

   d. A essa altura do drama, chegou o amalequita e encontrou Saul agonizante (ver 2Sm 1.9). Saul pediu que o homem pusesse fim à sua vida, ao que o amalequita atendeu, presumivelmente usando sua espada ou lança (ver 2Sm 1.10).

Isso nos fornece alguma reconciliação, mas de *nossa própria invenção*, e não uma reconciliação provida pelo autor (ou pelos autores) de 1 e 2Samuel. Naturalmente, não há razão alguma para nos preocuparmos em reconciliar os relatos. A fé religiosa não depende desses detalhes, nem de uma harmonia absoluta, que geralmente é obtida através de alguma *manipulação desonesta*. Somente conservadores fanáticos e os céticos creem que tal atividade é importante, os primeiros na tentativa de provar que as Escrituras não contêm erro, e os outros para mostrar todos os erros das Escrituras. Ambos acabam recorrendo à categoria das manipulações desonestas.

■ 1.1

וַיְהִי אַחֲרֵי מוֹת שָׁאוּל וְדָוִד שָׁב מֵהַכּוֹת אֶת־הָעֲמָלֵק וַיֵּשֶׁב דָּוִד בְּצִקְלָג יָמִים שְׁנָיִם:

Depois da morte de Saul. Dessa maneira, 2Samuel começa vinculando seu material ao último capítulo de 1Samuel, como uma continuação do livro anterior. Na Bíblia dos hebreus, 1 e 2Samuel formavam um só livro. Assim sendo, o primeiro capítulo de 2Samuel é simplesmente outro *parágrafo* do relato de Saul e seus filhos, a respeito de como eles morreram, e não um livro independente de 1Samuel.

A menção do retorno de Davi depois de ter matado os amalequitas leva-nos de volta à história de 1Sm 30. Davi retornou a Ziclague com Aquis, um príncipe filisteu que lhe fornecera quartel-general em seu território. Quanto a isso, ver 1Sm 27.6. Davi tinha fugido para o território estrangeiro, a fim de escapar da incansável perseguição movida por Saul, em suas intenções assassinas. O centro do príncipe Aquis era *Gate,* uma das cinco principais cidades dos filisteus. Por algum tempo, Davi se fizera vassalo daquele homem e passara eliminando populações inimigas de Israel, na parte sul do país, sobrevivendo do saque. Ver no *Dicionário* o verbete intitulado *Ziclague.*

■ 1.2

וַיְהִי בַּיּוֹם הַשְּׁלִישִׁי וְהִנֵּה אִישׁ בָּא מִן־הַמַּחֲנֶה מֵעִם שָׁאוּל וּבְגָדָיו קְרֻעִים וַאֲדָמָה עַל־רֹאשׁוֹ וַיְהִי בְּבֹאוֹ אֶל־דָּוִד וַיִּפֹּל אַרְצָה וַיִּשְׁתָּחוּ׃

Sucedeu ao terceiro dia. Isso após o retorno de Davi, depois de ele ter matado em massa aos amalequitas (ver 1Sm 30). O homem amalequita veio do campo de batalha, sobre o monte Gilboa, e trouxe as notícias da morte de Saul e seus dois filhos. Ele chegou com as roupas rasgadas (supostamente como sinal de consternação pela morte do rei de Israel) e com pó sobre a cabeça (outro sinal de luto). Ele prestou homenagem a Davi, caindo prostrado sobre o solo. Trazia uma solene mensagem. A história contada por ele não concordava com o relato da morte de Saul em 1Sm 31, e o autor (compilador) não procurou reconciliar as duas narrativas. Ver a introdução ao presente capítulo, a respeito do que os eruditos dizem sobre a questão, e de como alguns tentam obter alguma reconciliação.

Supomos que esse amalequita fosse membro do exército de Saul, razão pela qual estava presente por ocasião da morte do primeiro rei de Israel. Por outra parte, ele pode ter sido um habitante daquela região do país, sem nenhuma relação com o exército dos filisteus ou com o exército de Saul. Aconteceu-lhe chegar por acaso à sangrenta cena da morte de Saul e matá-lo como um ato de misericórdia, a pedido do próprio rei. Ele também conhecia Davi e sua rivalidade com Saul, e sabia que Davi desejava notícias a respeito de Saul, pelo que pronunciou a terrível mensagem.

Alguns comentadores judeus identificam o homem amalequita com *Doegue,* o idumeu (*Pesikta,* em Jarchi, *in loc.*). Mas isso é pura fantasia. Os amalequitas, contudo, eram uma das raças idumeias, pelo que a conjectura não representa grande contradição.

Cf. 1Sm 4.12 quanto aos rituais de lamentação também registrados neste versículo. Ver no *Dicionário* sobre *Lamentação,* especialmente a seção III, *Alguns Modos e Costumes de Lamentação.* "A recepção das notícias da derrota, por parte de Davi, deveria ser comparada com 1Sm 4, com o que tem muito em comum, tanto quanto ao estilo como quanto aos detalhes" (John George B. Caird, *in loc.*).

■ 1.3

וַיֹּאמֶר לוֹ דָוִד אֵי מִזֶּה תָּבוֹא וַיֹּאמֶר אֵלָיו מִמַּחֲנֵה יִשְׂרָאֵל נִמְלָטְתִּי׃

Fugi do arraial de Israel. Isso subentende que o amalequita estivera no exército de Saul. Por outra parte, ser apanhado na cena de uma batalha selvagem teria sido perigoso para qualquer um, estivesse ou não esse alguém diretamente envolvido na guerra. As palavras "por acaso", no vs. 6 deste capítulo, podem dar a entender que o homem simplesmente estava no monte Gilboa quando a batalha ocorreu. Ou podem indicar que foi por acaso que ele apareceu na cena em que Saul agonizava. Não importa, porém, determinar exatamente o sentido dessas palavras. Além disso, o amalequita pode ter inventado a história toda para obter favor diante de Davi, passando por um herói que eliminara o seu principal inimigo.

■ 1.4

וַיֹּאמֶר אֵלָיו דָּוִד מֶה־הָיָה הַדָּבָר הַגֶּד־נָא לִי וַיֹּאמֶר אֲשֶׁר־נָס הָעָם מִן־הַמִּלְחָמָה וְגַם־הַרְבֵּה נָפַל מִן־הָעָם וַיָּמֻתוּ וְגַם שָׁאוּל וִיהוֹנָתָן בְּנוֹ מֵתוּ׃

Como foi lá isso? Davi indagou, ansioso, sobre "como ocorrera a batalha", somente para ouvir as espantosas notícias de que Israel havia sofrido grande derrota, fugira em confusão, e Saul e seus filhos, incluindo Jônatas, haviam sido mortos. *Yahweh* tinha voltado as costas a Israel naquele dia. Chegara a hora de Saul. Ele encontrou sua sorte merecida. Coisa alguma tinha acontecido por acaso. Saul e sua dinastia estavam acabados.

■ 1.5

וַיֹּאמֶר דָּוִד אֶל־הַנַּעַר הַמַּגִּיד לוֹ אֵיךְ יָדַעְתָּ כִּי־מֵת שָׁאוּל וִיהוֹנָתָן בְּנוֹ׃

Como sabes tu que Saul e Jônatas... são mortos? Davi pressionou o amalequita quanto a maiores informações, especificamente *como ele sabia* tanto sobre o que havia acontecido. Isso o forçou a confessar (ou a jactar-se) como havia dado em Saul o golpe de misericórdia que o livrara de sua agonia. Mas essa confissão, longe de agradar a Davi, custou ao amalequita a própria vida (vs. 15).

■ 1.6

וַיֹּאמֶר הַנַּעַר הַמַּגִּיד לוֹ נִקְרֹא נִקְרֵיתִי בְּהַר הַגִּלְבֹּעַ וְהִנֵּה שָׁאוּל נִשְׁעָן עַל־חֲנִיתוֹ וְהִנֵּה הָרֶכֶב וּבַעֲלֵי הַפָּרָשִׁים הִדְבִּקֻהוּ׃

Cheguei por acaso à montanha. Sucedeu que o homem passou pelo monte Gilboa quando Saul agonizava. O amalequita podia ou não fazer parte do exército de Saul. Ver a discussão no vs. 3. A expressão "Saul estava apoiado sobre a sua lança" provavelmente significa apenas que Saul, cansado de fugir, tinha-se apoiado em sua lança para descansar. Alguns estudiosos sugerem que esse apoio significava uma tentativa de suicídio, mas 1Sm 31.4 diz-nos que Saul se suicidou com sua espada. Ellicott (*in loc.*) considera a história de 1Sm 31 o "verdadeiro relato", ao mesmo tempo que supõe que a história do amalequita tenha sido uma invenção. Quanto a uma discussão sobre as discrepâncias nos dois relatos da morte de Saul, ver as notas de introdução a 1.1 deste livro. Ali ofereço as reconciliações possíveis entre as duas narrativas.

A batalha começou em *Jezreel,* mas foi apenas natural que Israel, derrotado, tivesse procurado refugiar-se no monte Gilboa. Ver 1Sm 31.1 e cf. 29.1.

■ 1.7

וַיִּפֶן אַחֲרָיו וַיִּרְאֵנִי וַיִּקְרָא אֵלָי וָאֹמַר הִנֵּנִי׃

Viu-me e chamou-me. Em sua agonia, Saul viu o amalequita nas proximidades e chamou-o implorando que o matasse. 2Samuel nada nos diz sobre a flecha do arqueiro que feriu a Saul, nem sobre a tentativa de suicídio; mas este versículo apresenta indícios de que ele havia sido gravemente ferido, embora não corresse perigo de morte iminente (vs. 9). O relato de 2Samuel também nada diz sobre o temor de Saul de que os filisteus o encontrassem vivo e o sujeitassem a torturas (ver 31.4), o que representava a exata razão pela qual ele desejava morrer imediatamente.

■ 1.8

וַיֹּאמֶר לִי מִי־אָתָּה וָאֹמַר אֵלָיו עֲמָלֵקִי אָנֹכִי׃

Saul queria saber quem era aquele homem desconhecido que estava nas proximidades, se era um amigo ou um inimigo. Talvez o amalequita fosse membro do exército de Saul, alguém que poderia dar o golpe de misericórdia. Se fosse um filisteu, Saul não lhe teria feito tal pedido. Se fosse um israelita, sem dúvida poderia tê-lo feito. Ele havia implorado ao escudeiro que executasse o trabalho, mas este havia recusado (ver 1Sm 31.4). O amalequita era uma espécie de figura neutra, capaz de terminar com a agonia de Saul. Os amalequitas, antigos inimigos de Israel, haviam atacado os israelitas quando estes tinham acabado de deixar o Egito (ver Êx 17.8-13), e assim carregavam sobre si a maldição de Yahweh, o que significava que seriam aniquilados de forma absoluta. Ademais, eles abusaram dos filhos de Israel em várias ocasiões. Ver Dt 25.18; Jz 3.13; 6.3. Saul havia administrado uma contundente derrota sobre os amalequitas, não fazia muito tempo (ver 1Sm 15.4-9). Essa louca história, que sempre mantivera Israel e os amalequitas em conflito, não importava a Saul naquele momento.

Saul queria apenas morrer, e qualquer um serviria como matador, exceto um filisteu.

■ 1.9

וַיֹּאמֶר אֵלַי עֲמָד־נָא עָלַי וּמֹתְתֵנִי כִּי אֲחָזַנִי הַשָּׁבָץ
כִּי־כָל־עוֹד נַפְשִׁי בִּי׃

Os vss. 9 e 10 dizem-nos definitivamente que Saul estava ferido, mas não corria o perigo de morrer imediatamente. Mais provavelmente ficaria sangrando até morrer. A história aqui não fala sobre a flecha do arqueiro nem sobre o suicídio de Saul, detalhes que figuram na história de 1Sm 31. Saul estava em *angústia*, agonizante, mas a história de 2Samuel, em seu primeiro capítulo, não nos explica por quê. Talvez o autor espere que nos lembremos da primeira narrativa, pelo que não seria necessário repetir os detalhes. Alguns intérpretes, entretanto, salientam que a palavra "me sinto vencido de cãibra" (ou alguma outra tradução) é uma tentativa de traduzir um termo hebraico desconhecido, o qual implicaria que Saul estava mortalmente ferido. Talvez ele apenas estivesse "estonteado" (conforme certa versão portuguesa diz, "uma vertigem se apoderou de mim"). Mas o vs. 10 é contrário a isso. O amalequita estava certo de que Saul não sobreviveria por muito tempo, e isso só pode ser explicado pela suposição de que ele havia sido ferido de morte.

■ 1.10

וָאֶעֱמֹד עָלָיו וַאֲמֹתְתֵהוּ כִּי יָדַעְתִּי כִּי לֹא יִחְיֶה אַחֲרֵי
נִפְלוֹ וָאֶקַּח הַנֵּזֶר אֲשֶׁר עַל־רֹאשׁוֹ וְאֶצְעָדָה אֲשֶׁר
עַל־זְרֹעוֹ וָאֲבִיאֵם אֶל־אֲדֹנִי הֵנָּה׃

Com uma espada ou lança, o amalequita atendeu à solicitação de Saul e tirou-lhe a vida. Dessa forma Saul escapou do alcance dos temidos filisteus. Ainda assim mutilaram-lhe o corpo, deceparam-lhe a cabeça e penduraram o seu tronco em uma parede, em Bete-Seã. Ver 1Sm 31.9,10. Isso foi algo brutal e drástico da parte dos filisteus, mas Davi fez a mesma coisa com Golias (ver 1Sm 17.54 ss.).

"Saul morrera pela mão de um membro da tribo contra quem (no começo de seu reinado) ele falhara em executar o juízo divino (ver 1Sm 15). Ele foi rejeitado por sua desobediência, e por causa disso Davi foi secretamente ungido rei. Agora o julgamento completara o círculo, e um membro do povo de Agague foi o homem que matou a Saul" (Ganse Little, *in loc.*).

Tomei-lhe a coroa... e o bracelete. Essas eram insígnias da realeza, conforme dito em 2Rs 11.12. Isso implica pelo menos três coisas: 1. O amalequita queria prova de que havia matado o rei de Israel; 2. provavelmente ele queria obter o favor de Davi, recebendo uma recompensa por aquele ato, visto que Saul, por tanto tempo, havia perseguido Davi como se este fosse um animal, com intuitos assassinos, e era conhecido como o arquirrival que não lhe dava um momento de sossego; 3. e, finalmente, é possível que ao trazer as insígnias reais ele estava reconhecendo Davi como o novo rei de Israel. Poderíamos esperar que um filho de Saul herdasse o trono, mas Samuel já havia anulado essa possibilidade (ver 1Sm 13.13,14). Ademais, Samuel é quem tinha nomeado Saul como rei, e estava dentro de seu direito nomear outro rei. De fato, ele assim fez, tendo ungido a Davi como rei quando Saul estava no auge do poder (ver 1Sm 16). Talvez todos esses fatos fossem largamente conhecidos.

Josefo diz-nos que tanto homens quanto mulheres usavam joias (ver *Antiq.* 1.6, cap. 14), e as joias de Saul eram feitas de "ouro", de conformidade com os comentários de Josefo. Cf. Gn 38.18; Ez 23.42 quanto ao uso de joias. Os militares apreciavam muito certas peças de joalheria que os adornavam nas batalhas (Vid. Liv. *Hist.* Decad. 1.1.10, cap. 44). Ver no *Dicionário* o artigo intitulado *Joias e Pedras Preciosas*.

■ 1.11

וַיַּחֲזֵק דָּוִד בִּבְגָדָיו וַיִּקְרָעֵם וְגַם כָּל־הָאֲנָשִׁים אֲשֶׁר
אִתּוֹ׃

Apanhou Davi as suas próprias vestes e as rasgou. Esse ato de rasgar as roupas era *sinal comum* de lamentação ou consternação.

Ver no *Dicionário* o artigo chamado *Vestimentas, Rasgar das*. Ver também sobre *Lamentação*, sobretudo a seção III, quanto a informações sobre os costumes de lamentação. Os homens de Davi imitaram seus atos, e um terrível acesso de choro e lamentação seguiu-se durante horas. Cf. Gn 37.34, onde vemos que esses atos de lamentação eram esperados no caso de pessoas proeminentes.

■ 1.12

וַיִּסְפְּדוּ וַיִּבְכּוּ וַיָּצֻמוּ עַד־הָעָרֶב עַל־שָׁאוּל
וְעַל־יְהוֹנָתָן בְּנוֹ וְעַל־עַם יְהוָה וְעַל־בֵּית
יִשְׂרָאֵל כִּי נָפְלוּ בֶּחָרֶב׃ ס

Jejuar fazia parte dos ritos de lamentação, e o cenário aqui, podemos ter certeza, abrangia mais que mero jejum, não somente porque o temido Saul e o amado Jônatas haviam morrido, mas também porque o povo de Israel tinha sofrido grave derrota naquele dia, e muitos jaziam mortos no campo de batalha. Ver no *Dicionário* o artigo intitulado *Jejum*.

A narrativa mostra-nos que Davi não somente era um patriota, mas também que ele se entristeceu diante da morte de Saul, a despeito de aquele homem, por muito tempo, tê-lo perseguido da maneira mais desgraçada. Ademais, Jônatas era o amigo mais querido de Davi (ver 1Sm 18.1-3). Eles se amavam mutuamente "como às suas próprias almas". A morte de Jônatas foi especialmente sentida, e nada havia de apenas ritualista ou fingido sobre as lamentações que perduraram até o pôr do sol.

■ 1.13

וַיֹּאמֶר דָּוִד אֶל־הַנַּעַר הַמַּגִּיד לוֹ אֵי מִזֶּה אָתָּה וַיֹּאמֶר
בֶּן־אִישׁ גֵּר עֲמָלֵקִי אָנֹכִי׃

Perguntou Davi ao moço portador das notícias. O texto dá a entender que somente depois de todo aquele terrível choro e lamentação Davi dirigiu novamente sua atenção ao amalequita. Ou talvez isso tenha sido feito imediatamente antes das lamentações. Seja como for, o pobre mensageiro de más notícias, que pensou estar fazendo um favor a Davi, não sobreviveu ao incidente. Outras perguntas de Davi revelaram que se tratava de um amalequita, um representante do povo amaldiçoado por Yahweh, por causa de seus atos terroristas contra Israel, durante todo o curso de sua história. O artigo intitulado *Amalequitas*, no *Dicionário*, conta a história inteira. Ver 1Sm 15, quanto a como Saul foi envolvido na maldição contra aquele povo e falhou em cumprir todo o seu dever, em razão do que foi rejeitado como rei de Israel.

Sou filho de um homem estrangeiro, amalequita. O pai do homem aparentemente tornara-se um prosélito da fé hebraica, o yahwismo. Tais pessoas tornavam-se virtuais cidadãos em Israel, pela força das leis que favoreciam o *ger*, o *estrangeiro* que vivia em Israel como imigrante. Os estrangeiros desfrutavam de proteção, mas não de plenos direitos civis. Eram favorecidos pelo descanso sabático (Êx 20.10; 23.12; Dt 5.14) e esperava-se que observassem os costumes religiosos sem nenhuma infração (Dt 16.10,11,13,14; 26.11). Um estrangeiro também estava sujeito a atos de caridade (Dt 14.28,29; 24.14,19,20). Ver o artigo intitulado *Peregrino*, no *Dicionário*, quanto a detalhes completos. Ali o termo hebraico *ger* é discutido juntamente com outros, que também são traduzidos como "peregrinos", nas páginas do Antigo Testamento.

Podemos *presumir* que esse filho de um prosélito também era adepto da fé hebreia, mas nem isso salvou a sua vida. De fato, ainda que um israelita tivesse levantado a mão contra um dos reis de Israel, sua vida não seria poupada.

■ 1.14

וַיֹּאמֶר אֵלָיו דָּוִד אֵיךְ לֹא יָרֵאתָ לִשְׁלֹחַ יָדְךָ לְשַׁחֵת
אֶת־מְשִׁיחַ יְהוָה׃

Como não temeste estender a mão...? O armeiro de Saul teve *medo* de estender a mão para matar o ungido do Senhor (ver 1Sm 31.4), embora Saul lhe tivesse ordenado aplicar o *golpe de misericórdia*. Como, pois, o amalequita (um cidadão de segunda classe) imaginou cometer tal ato sem retaliação? O desejo de morrer de Saul e sua necessidade de auxílio para fazer isso, configurando o que seria uma *matança por misericórdia,* impressionam nossa mente. Assim, parece injusto que o homem tivesse sido morto por haver obedecido ao rei. Mas Davi não pensava da nossa maneira. Para ele, era um crime permitir que o amalequita continuasse vivo. "Davi agiu aqui sob o impulso de um sentimento religioso genuíno, chocado por um ato de *sacrilégio* aberto e desavergonhado" (George B. Caird, *in loc.*).

"Aos olhos de Davi, o regicídio não era apenas um crime político; ele tinha demonstrado em mais de uma ocasião de grande tentação (ver 1Sm 24.6; 26.9,11,16) que considerava tirar a vida do 'ungido do Senhor' uma *ofensa religiosa* da maior magnitude. Portanto, foi um crime especialmente grave para um estrangeiro, um *amalequita,* matar àquele a quem Deus ungira como o monarca de Israel" (Ellicott, *in loc.*). Esse sentimento não foi mitigado na mente de Davi (como talvez seja mitigado em nossa própria mente) pelo fato de que Saul já estava mortalmente ferido, e a execução final era tanto misericordiosa quanto salvara Saul de qualquer outra desgraça nas mãos dos filisteus.

■ **1.15**

וַיִּקְרָא דָוִד לְאַחַד מֵהַנְּעָרִים וַיֹּאמֶר גַּשׁ פְּגַע־בּוֹ וַיַּכֵּהוּ וַיָּמֹת:

Então chamou Davi a um dos moços. Davi despachou o pobre amalequita por meio de um jovem soldado, que assim adicionou outra vítima a seus registros. Pessoalmente, parece-me difícil ver como essa ação pode ser considerada correta. Parece ter sido o produto de uma mente bem intencionada mas primitiva, para a qual tirar a vida alheia era uma questão cotidiana e aprovada como ato de heroísmo ou mesmo de serviço prestado a Deus. Davi e seu bando de seiscentos fora da lei estavam acostumados a viver pela espada e, assim, alguém que fosse supostamente culpado de *alta traição* dificilmente teria oportunidade de continuar vivo, após cair em suas mãos. É anacrônico discutir se Davi tinha ou não o direito de ordenar a punição capital. Homens dotados de autoridade, real ou militar, não estavam sujeitos ao julgamento dos tribunais e dos juízes.

■ **1.16**

וַיֹּאמֶר אֵלָיו דָּוִד דָּמֶיךָ עַל־רֹאשֶׁךָ כִּי פִיךָ עָנָה בְךָ לֵאמֹר אָנֹכִי מֹתַתִּי אֶת־מְשִׁיחַ יְהוָה: ס

O teu sangue seja sobre a tua cabeça. O homem *era culpado* de alta traição e do ato sacrílego máximo — a morte do rei ungido de Israel. suas palavras foram testemunho suficiente contra ele. Não foi nem mesmo necessário convocar testemunhas e nomear um tribunal. Davi ignorou quaisquer apelos do amalequita, que necessariamente incluíram o fato de que o próprio Saul desejara morrer, antes que os filisteus o apanhassem vivo. Saul precisava morrer, mas o amalequita não tinha o direito de cumprir as horrendas profecias que pairavam contra o rei e sua casa. Para mim, é um absurdo fazer *deste texto* um ponto de discussão sobre o problema da predestinação/livre-arbítrio, conforme acontece com Mt 18.7: "Ai do mundo, por causa dos escândalos; porque é inevitável que venham escândalos, mas ai do homem pelo qual vem o escândalo". Assim também Jesus precisou ser traído para que o plano divino de sua morte pudesse operar, mas aí de Judas! Ver no *Dicionário* o artigo intitulado Predestinação (e *Livre-arbítrio*). Ver também o artigo separado chamado *Livre-arbítrio.* "Deus prova sua inclinação por fazer a ira dos homens louvá-lo, e de usar o egoísmo dos homens para realizar a sua vontade (Ganse Little, *in loc.*).

O POEMA DE LAMENTAÇÃO DE DAVI (1.17-27)

■ **1.17**

וַיְקֹנֵן דָּוִד אֶת־הַקִּינָה הַזֹּאת עַל־שָׁאוּל וְעַל־יְהוֹנָתָן בְּנוֹ:

O texto sagrado sintetiza a história das lamentações em favor de Saul e Jônatas, levando-nos de volta ao vs. 12. Ver nas notas do vs. 11 referências a artigos que tratam de costumes relacionados às lamentações. Segue-se um belo e breve poema que captura a consternação de Davi em choro por Saul e Jônatas. Até os críticos dizem que podemos atribuir "com segurança" este poema a Davi, o qual tinha altas qualidades como poeta, conforme demonstra o livro de Salmos. Também já sabemos que Davi era músico de elevada estirpe (ver 1Sm 16.16 ss.). "Sobre os méritos desse breve trabalho poético, Davi tem o direito de ser colocado entre os maiores poetas líricos do mundo" (George B. Caird, *in loc.*). Davi "compôs a elegia que se segue por causa da morte de seus amigos, e cantou-a com uma música apropriada, ele e os homens que o acompanhavam" (John Gill, *in loc.*). "Essa é uma das mais excelentes odes do Antigo Testamento, plena de nobres sentimentos e originada de uma emoção profunda e santificada, na qual, sem nenhuma alusão à sua própria relação para com o rei caído, Davi celebrou, sem o menor laivo de inveja, a bravura e as virtudes tanto de Saul como de seu filho, Jônatas, e lamentou amargamente a perda de ambos" (Keil, *in loc.*). Cf. 2Sm 3.33,34 (a lamentação pela morte de Abner) e 2Cr 35.25 (a morte de Josias, lamentada por Jeremias), que foram poemas "seculares" similares no Antigo Testamento.

■ **1.18**

וַיֹּאמֶר לְלַמֵּד בְּנֵי־יְהוּדָה קָשֶׁת הִנֵּה כְתוּבָה עַל־סֵפֶר הַיָּשָׁר:

O Hino ao Arco. *Davi,* poeta e músico, ensinou Israel a usar a poesia e a musicá-la. O texto hebraico também diz como Davi ensinou até mesmo as crianças a usar o *arco* (habilidades militares), o que a Septuaginta omite, considerando-o deslocado do contexto. Essa omissão é seguida pela *Revised Standard Version.* Mas a tradução Atualizada, em português, tem o *Hino ao Arco* entre as coisas que foram ensinadas por Davi. Todavia, a tradução da Imprensa Bíblica Brasileira também omite a referência militar.

Davi, o herói militar, deixou os legados da poesia, da música e das artes militares, quanto aos quais ele era um especialista, e nada há de estranho em que todas as três artes sejam mencionadas juntas no presente versículo.

Ellicott corta o nó górdio ao interpretar que a elegia que se segue foi chamada de "Hino ao Arco", porquanto falava da guerra na qual Saul e Jônatas encontrariam a morte, e a tradução portuguesa que usamos está de acordo com isso. Presumivelmente, o pequeno poema que se segue foi chamado por esse nome. Nesse caso, há uma referência ao ensino das artes militares por parte de Davi. Mas a questão permanece em discussão. O poema pode ter sido uma "ode marcial", conforme também sugeriu Ellicott.

No Livro dos Justos. Ver as notas em Js 10.13. Este livro foi, ao que tudo indica, uma antologia de poemas anteriores de Israel. Além do texto presente, o livro também é mencionado em 1Rs 8.13. Muitas composições literárias não devem ter encontrado espaço no Antigo Testamento, tornando-se livros extracanônicos. Ver Nm 21.14, quanto ao livro chamado "Guerras do Senhor". No hebraico, temos aqui a palavra "Jasar", que significa "o Justo", e algumas versões dão como título "o Livro do Reto". Ver o artigo geral, no *Dicionário,* denominado *Livros Perdidos da Bíblia.*

O Poder Transformador da Literatura. Escreveu certo autor: "Todos os livros que tenho lido me transformaram pelo menos um pouco, preenchendo espaços vazios em meu cérebro com novas informações". Esse mesmo autor prossegue dizendo como livros específicos ajudaram-no de formas específicas, começando com os livros infantis que ele leu quando ainda era um infante. Por certo o *anti-intelectualismo* (ver a respeito no *Dicionário*) é uma ideia pervertida, promovida por religiosos que dependem exclusivamente das experiências místicas para sua inspiração. O intelecto é o guardião que permanece à porta e nos poupa de muitas veredas absurdas na vida religiosa. Ver no *Dicionário* o artigo chamado *Desenvolvimento Espiritual, Meios do.* Há vários modos de desenvolvimento espiritual. O intelecto é uma parcela importante desse desenvolvimento, e a literatura muito ajuda o intelecto. O homem é um ser multifacetado, e a abordagem multifacetada do desenvolvimento espiritual é a mais frutífera.

O POEMA (1.19-27)

■ **1.19**

הַצְּבִי יִשְׂרָאֵל עַל־בָּמוֹתֶיךָ חָלָל אֵיךְ נָפְלוּ גִבּוֹרִים:

A tua glória, ó Israel. Temos aqui uma referência a Saul e a Jônatas. Quão gracioso e generoso foi Davi ao incluir o violento Saul em suas referências à demonstração da *glória* de Israel. Seja como for, Saul foi um homem valente que, a despeito de seus erros, cumpriu a essência de sua missão como rei, ou seja, debilitou os inimigos de Israel. Ficou a cargo de Davi a tarefa de realmente libertar Israel de todos os inimigos no território da Palestina. As ameaças passaram a ser, então, as potências externas (a Assíria e a Babilônia) e a guerra civil interna, além dos fracassos morais que levaram a nação de Israel a um fim prematuro, tanto na porção norte (as dez tribos) quanto na porção sul (Judá).

Sobre os teus altos. Em outras palavras, essa glória era vista elevada sobre as colinas de Israel. A expressão é metafórica. "Vê-los glorificados ali, no alto! tão conspícuo e tão belo!" Cf. os vss. 21 e 25. A glória de Israel, pois, *foi morta* nos lugares elevados, o que também afirma o versículo presente. Dois dos mais poderosos homens de Israel, o rei Saul e o seu general, Jônatas, foram derrubados nas alturas do monte Gilboa.

O cântico de Davi começa e termina com o choroso refrão: "Como caíram os valentes!" (vss. 19 e 27, que devem ser comparados a 2Sm 1.25).

■ **1.20**

אַל־תַּגִּידוּ בְגַת אַל־תְּבַשְּׂרוּ בְּחוּצֹת אַשְׁקְלוֹן
פֶּן־תִּשְׂמַחְנָה בְּנוֹת פְּלִשְׁתִּים פֶּן־תַּעֲלֹזְנָה בְּנוֹת הָעֲרֵלִים׃

As notícias da temível vitória dos filisteus, que desgraçou os homens mais fortes de Israel, espalhar-se-iam como fogo fátuo. O poeta preocupava-se com que a questão permanecesse desconhecida das cidades filisteias, para que as filhas dos filisteus não saíssem às ruas cantando e dançando, celebrando a tremenda vitória. Essa celebração acrescentaria insulto à injúria. Os pagãos *incircuncisos,* que não respeitavam nem Israel nem Yahweh, o Deus de Israel, mostrar-se-iam extremamente desgraçados em seus gritos de vitória, às expensas de Israel. "As mulheres dos filisteus, assim faziam como as mulheres de Israel, sairiam cantando e dançando para receber seus guerreiros de volta à casa, vitoriosos, após a batalha. Cf. 1Sm 18.6" (George B. Caird, *in loc.*).

O poeta não queria ouvir os gritos de vitória do inimigo, nem mulheres exultando sobre a derrota de Israel, com seus cânticos e suas danças.

Filhas dos incircuncisos. Os "incircuncisos" eram pagãos que não participavam do *sinal* do pacto abraâmico, o que significa que eram estrangeiros e ímpios. Ver nas notas expositivas de Gn 15.18 sobre o *Pacto Abraâmico*. Nos livros históricos, o termo "incircuncisos" é usado para indicar exclusivamente os filisteus. Cf. Jz 14.3; 15.18; 1Sm 14.6; 17.26,36; 31.4; 1Cr 10.4. Ver no *Dicionário* o artigo denominado *Circuncisão*. Todos os nomes próprios que aparecem neste versículo recebem artigos no *Dicionário*. Ver Gn 17.10-14 para a circuncisão como o sinal do pacto abraâmico.

Havia *cinco* principais cidades entre os filisteus. As duas aqui mencionadas representam a totalidade. Ver 1Sm 6.17 quanto às cinco cidades.

■ **1.21**

הָרֵי בַגִּלְבֹּעַ אַל־טַל וְאַל־מָטָר עֲלֵיכֶם וּשְׂדֵי תְרוּמֹת
כִּי שָׁם נִגְעַל מָגֵן גִּבּוֹרִים מָגֵן שָׁאוּל בְּלִי מָשִׁיחַ בַּשָּׁמֶן׃

Montes de Gilboa. O lugar onde os poderosos tinham caído mortos foi amaldiçoado pelo poeta. Não mais seria um lugar frutífero. Se tornaria estéril. Foi ali que o escudo de proteção de Saul perdeu valor. Foi lançado fora, inútil. Tinha-se mostrado ineficaz para proteção do rei. Tinha sido lançado fora pelo inimigo, que dominava a situação. Era como nada e deixara desprotegido o próprio ungido de Yahweh. O *escudo* tornou-se um símbolo de desespero. Tinha falhado em seus propósitos. A unção de Yahweh deveria ter sido suficiente para proteger o rei, mas suas próprias falhas haviam anulado essa proteção.

Foi nos "montes de Gilboa" que Saul, Jônatas e muitos dos guerreiros de Israel foram mortos (ver 1Sm 31.1; 2Sm 1.16). Esse lugar servira como "um estágio para Saul e Jônatas em sua defesa heroica mas infrutífera contra o inimigo, 2Sm 1.21,22" (Eugene H. Merrill, *in loc.*).

■ **1.22**

מִדַּם חֲלָלִים מֵחֵלֶב גִּבּוֹרִים קֶשֶׁת יְהוֹנָתָן לֹא נָשׂוֹג
אָחוֹר וְחֶרֶב שָׁאוּל לֹא תָשׁוּב רֵיקָם׃

O arco de Jônatas... a espada de Saul. O poeta retratou a flecha e a espada como devoradoras de monstros, que bebiam o sangue e comiam a gordura dos adversários. Antes de Saul e Jônatas terem sido mortos, ambos haviam cumprido a contento suas respectivas missões: a flecha tinha bebido o sangue de muitos inimigos; a espada havia comido a gordura de muitos dentre eles. Saul e Jônatas eram grandes matadores, e suas habilidades tinham sido aplicadas durante muitos anos, e novamente nas batalhas de Jezreel e de Gilboa, mas isso não impediu que se tornassem finalmente vítimas. Cf. 2Sm 2.26; 11.25; 18.8 e Dt 32.42. O mesmo simbolismo é usado acerca do fogo, em 1Rs 18.38, bem como acerca da fome e da pestilência (ver Ez 7.15) e também acerca da seca (Gn 31.40).

■ **1.23**

שָׁאוּל וִיהוֹנָתָן הַנֶּאֱהָבִים וְהַנְּעִימִם בְּחַיֵּיהֶם וּבְמוֹתָם
לֹא נִפְרָדוּ מִנְּשָׁרִים קַלּוּ מֵאֲרָיוֹת גָּבֵרוּ׃

Saul e Jônatas. Embora Saul e Jônatas tivessem diferenças de opinião a respeito de Davi (ver 1Sm 20.30 ss.), de modo geral, estavam unidos em todas as suas realizações, permanecendo juntos até a morte. O poeta não poupa descrições de louvor quanto a ambos: eles eram "queridos", "amáveis", "ligeiros" (as águias) e "fortes" (os leões). Graciosamente, Davi não pronunciou nenhuma palavra negativa. Ele não falou sobre como fora odiado e perseguido sem descanso. Referiu-se a Saul como se fosse um homem impoluto e digno de encômios em todos os aspectos.

"Estranhas foram essas palavras de tributo incandescente, proferidas por um homem mais nobre que Saul, mas que, apesar disso, foi incapaz de despertar, em qualquer de seus filhos, lealdade correspondente à de Jônatas. Em certo sentido, a casa de Davi nunca mostrou ser uma verdadeira casa real, pois nunca foi uma casa leal" (Ganse Little, *in loc.*).

■ **1.24**

בְּנוֹת יִשְׂרָאֵל אֶל־שָׁאוּל בְּכֶינָה הַמַּלְבִּשְׁכֶם שָׁנִי
עִם־עֲדָנִים הַמַּעֲלֶה עֲדִי זָהָב עַל לְבוּשְׁכֶן׃

Entre suas realizações, Saul tinha enriquecido a Israel. As filhas de Israel foram convocadas a chorar pelo homem que lhes trouxera excelentes trajes e joias, e as beneficiara e ornamentara. Ele lhes dera muitos despojos de guerra. Ele havia participado de muitas campanhas militares bem-sucedidas. Israel engordara com o saque.

"Os filisteus, os amonitas, os amalequitas e outros tinham sentido o poder do braço de Saul, e a relação entre Israel e as nações circunvizinhas havia mudado admiravelmente para melhor durante o seu reinado" (Ellicott, *in loc.*). Cf. este versículo com Is 3.18-23 e Ez 16.10-13 quanto a descrições das excelências da vida dos ricos, expressas sob a forma de vestes e joias.

■ **1.25**

אֵיךְ נָפְלוּ גִבֹּרִים בְּתוֹךְ הַמִּלְחָמָה יְהוֹנָתָן
עַל־בָּמוֹתֶיךָ חָלָל׃

Este versículo repete o refrão "Como caíram os valentes", com o qual começou o cântico (vs. 19), por uma vez mais se repete no fim do poema (vs. 27). E também repete a afirmação de que Jônatas (amigo de Davi) caiu nos lugares altos de Israel, o que já fora dito acerca tanto de Saul como de Jônatas, nos vss. 19 e 21. Houve *emoção* especial e pungente no fato de que Jônatas não havia escapado ao terror em Gilboa.

"Um grande tema foi tocado nesse clamor pungente de Davi, onde ele lamenta a morte do melhor amigo. A amizade é um dos mais preciosos dons de Deus... A vida prova, por vezes sem conta, essa gloriosa verdade. 'Mas há amigo mais chegado do que um irmão' (Pv 18.24). As experiências de guerra intensificam a convicção dos homens de que podem significar tudo e podem fazer tudo, incluindo morrer, uns pelos outros, sem um único pensamento quanto a si mesmos" (Ganse Little, *in loc.*). Ver na *Enciclopédia de Bíblia, Teologia e Filosofia* o artigo chamado *Amigo, Amizade*.

■ 1.26

צַר־לִי עָלֶיךָ אָחִי יְהוֹנָתָן נָעַמְתָּ לִּי מְאֹד נִפְלְאַתָה אַהֲבָתְךָ לִי מֵאַהֲבַת נָשִׁים׃

"... foi Jônatas que Davi celebrou com emoção especial. Todos os anos de sua inquebrantável amizade foram capturados neste tributo imorredouro: 'Excepcional era o teu amor, ultrapassando o amor de mulheres'" (Eugene H. Merrill, *in loc.*).

> Um amigo em uma vida é muito;
> Dois é muito; três é dificilmente possível.
> Henry Adams

> Nunca injuries a um amigo, nem mesmo de brincadeira.
> Cícero

> A única maneira em que poderás ter um amigo, é sendo um.
> Ralph Waldo Emerson

> Se tens um verdadeiro amigo, tens mais do que tua partilha.
> Thomas Fuller

> Não há deserto como não ter amigos.
> Baltasar Gracián

"Eles passaram juntos muitas horas agradáveis, mas agora não veriam mais um ao outro, face a face, neste mundo" (John Gill, *in loc.*).

Jônatas esperava estar com Davi quando este se tornasse rei de Israel, estar perto dele e ser seu melhor amigo (1Sm 23.17). Seu destino não lhe concedeu o cumprimento desse desejo, mas a eternidade os reunirá novamente. Algum dia, Davi juntou-se a seu amigo. A morte só separa temporariamente.

■ 1.27

אֵיךְ נָפְלוּ גִבּוֹרִים וַיֹּאבְדוּ כְּלֵי מִלְחָמָה׃ פ

Este versículo reitera, pela *terceira vez*, as palavras: "Como caíram os valentes", com as quais o poema começara (vs. 19) e que se repetiram no vs. 25. Ver a exposição naqueles versículos. Mas aqui o autor adiciona que as armas de guerra também tinham perecido, indicando, provavelmente, que elas deveriam ter protegido Saul e Jônatas da morte, mas falharam em sua tarefa, e, assim, pereceram juntamente com eles. Ou então temos um paralelismo poético, que fazia de Jônatas e Saul as próprias armas de guerra.

"Os melhores elementos do país tinham sido mortos: a riqueza da nação foi consumida; os recursos naturais da nação foram desviados para um uso improdutivo, e coisa alguma isso resolveu. Restava agora os filisteus serem derrotados por Davi, e tanto a Filístia quanto Israel haveriam de curvar-se diante de exércitos ainda mais fortes, sendo absorvidos em maiores impérios" (Ganse Little, *in loc.*). O mesmo autor concluiu seus comentários do capítulo, ao dizer: "Para que a guerra seja abolida, precisamos mais do que da mente de Davi sobre a questão — precisamos da mente de Cristo!"

Pereceram as armas de guerra! "O autor poderia estar pensando em Saul e Jônatas, os quais, visto serem os escudos do povo, por isso mesmo eram as *verdadeiras armas* e os *instrumentos de guerra*, e assim toda a glória militar pereceu" (John Gill, *in loc.*).

CAPÍTULO DOIS

DAVI TORNA-SE REI (2.1—24.25)

SOBRE JUDÁ (2.1-7)

Saul e sua potencial dinastia pereceram no monte Gilboa (1.21), e isso fez de Davi, na ocasião já ungido rei por Samuel (1Sm 16), o rei potencial que agora se tornava o *segundo rei de Israel*. Gradualmente, Davi assumiu poder sobre todo o Israel, começando pela tribo de Judá, o assunto dos sete versículos à nossa frente. Mas ele não se tornou rei sem consultar o oráculo. Ele queria certificar-se de que todas as coisas seriam feitas decentemente e em boa ordem. Davi não estava interessado em autoglorificação. Ele realmente queria fazer a coisa certa. Tinha sido ungido por Samuel cerca de quinze anos antes, e agora finalmente chegara o seu dia, após grande miséria e temor. Com a morte de Saul, houve um vácuo de poder especialmente em Judá, e Davi seguiu adiante para cumprir isso. Havia descendentes de Saul que poderiam tentar ocupar o reinado. Por conseguinte, era crucial agir em concordância com a vontade de Yahweh.

■ 2.1

וַיְהִי אַחֲרֵי־כֵן וַיִּשְׁאַל דָּוִד בַּיהוָה לֵאמֹר הַאֶעֱלֶה בְּאַחַת עָרֵי יְהוּדָה וַיֹּאמֶר יְהוָה אֵלָיו עֲלֵה וַיֹּאמֶר דָּוִד אָנָה אֶעֱלֶה וַיֹּאמֶר חֶבְרֹנָה׃

Consultou Davi ao Senhor. Davi precisava descobrir o que fazer e como fazer, pelo que buscou as respostas da parte de Yahweh, o verdadeiro rei de Israel. sua própria unção (ver 1Sm 16) pode ter sido resposta suficiente; mas Davi precisava de confirmação e orientação quanto ao *modus operandi* pelo qual subiria ao trono. Presume-se que ele tenha pedido que Abiatar consultasse o *Urim e o Tumim* (ver a respeito no *Dicionário*) ou lançasse as *sortes sagradas* (ver a respeito no *Dicionário*), que deram respostas positivas às suas indagações. Acreditava-se que as respostas dadas por esses métodos eram sempre corretas, contanto que o coração do inquiridor fosse puro. Cf. 1Sm 30.7 ss. quanto a outra ocasião em que Davi consultou o oráculo.

Para Hebrom. Ver a respeito dessa cidade no *Dicionário*. Foi um local razoável no qual Davi deveria começar a consolidar seu poder, e sair do exílio e entrar na correnteza principal da vida de Israel. Portanto, é provável que Davi, com isso já em mente, tenha indagado se deveria avançar na direção do território de Israel. E a resposta foi "sim". Então ele perguntou se deveria ir a Hebrom. E, novamente, a resposta foi "sim".

"A pergunta mais importante de nossa vida é: 'O que Deus quer de mim?'... A maioria das pessoas, incluindo os crentes, erroneamente supõe que o mais difícil de descobrir é 'a coisa certa', ou seja, qual é 'a vontade de Deus'. Na verdade, o difícil é chegar ao ponto de fazer honestamente essa pergunta. O coração que estiver voluntariamente disposto a fazer a coisa certa não terá muita dificuldade para descobrir qual é a coisa certa... Deus reserva suas respostas aos que realmente desejam fazer o que é certo. A determinação honesta de *cumprir* a vontade de Deus... usualmente a descobre" (Ganse Little, *in loc.*). Ó Senhor, concede-nos tal graça! Ver no *Dicionário* o artigo intitulado *Vontade de Deus, como Descobri-la*.

Hebrom é uma das mais antigas cidades do mundo, situada em um vale entre as colinas do sul da Judeia. Era um dos abrigos dos patriarcas de Israel. Fica cerca de 36 quilômetros a sudoeste de Jerusalém. Quanto a maiores detalhes, ver o artigo sobre esse lugar no *Dicionário*. Era um bom lugar para um quartel-general de onde alguém poderia assumir o poder em Judá.

Foi assim que Davi deixou sua residência em Ziclague, que o príncipe filisteu, Aquis, lhe dera como quartel-general quando ele estava no exílio, fugindo de Saul. Ver 1Sm 27.6.

■ 2.2

וַיַּעַל שָׁם דָּוִד וְגַם שְׁתֵּי נָשָׁיו אֲחִינֹעַם הַיִּזְרְעֵאלִית וַאֲבִיגַיִל אֵשֶׁת נָבָל הַכַּרְמְלִי׃

Subiu Davi para lá. Davi tomou tudo quanto possuía a fim de mudar-se, todo o saque que tinha juntado em seus ataques, matando e saqueando na região do sul (ver 1Sm 27.8 ss. quanto a essa atividade). Ele também tinha ganhado duas esposas nominalmente mencionadas aqui. Ver 1Sm 25.42,43 quanto a uma citação prévia dessas duas mulheres. Ele primeiramente se casara com Mical, filha de Saul, mas Saul a entregara a outro homem, na ausência de Davi. Ver 1Sm 25.24 quanto a esse fato. Davi foi buscar Mical de volta, mas isso não consertou a situação. O antigo amor nunca mais reviveu. Teria sido melhor deixá-la com o segundo marido. Ver no *Dicionário* o artigo denominado *Poligamia*.

2.3

וַאֲנָשָׁיו אֲשֶׁר־עִמּוֹ הֶעֱלָה דָוִד אִישׁ וּבֵיתוֹ וַיֵּשְׁבוּ בְּעָרֵי חֶבְרוֹן:

Fez Davi subir os homens que estavam com ele. Davi também levou consigo os seiscentos homens que o acompanharam no exílio. Eles também tinham esposas, e podemos imaginar que havia muitas crianças que também foram para Hebrom. Eles se apossaram de Hebrom e também das aldeias circundantes. Ver 1Sm 22.2 quanto aos quatrocentos homens originais que tinham formado o exército de fora da lei de Davi. Esse número crescera para seiscentos, conforme sabemos com base em 1Sm 23.13. É bem provável que, na época em que Davi se mudou para Hebrom, esse número de seguidores tivesse aumentado consideravelmente, embora, no presente texto, não sejamos informados sobre isso. 1Cr 12 nos dá várias outras informações sobre o exército de Davi, e como ele foi ainda mais engrossado por deserções do exército de Saul.

O pequeno exército de renegados de Davi, pois, desenvolveu-se em um poder de elite, com generais renovados e guerreiros bem treinados. Assim sendo, Davi avançou em poder e logo estabeleceu sua autoridade sobre todo o Israel, a começar por Judá.

2.4

וַיָּבֹאוּ אַנְשֵׁי יְהוּדָה וַיִּמְשְׁחוּ־שָׁם אֶת־דָּוִד לְמֶלֶךְ עַל־בֵּית יְהוּדָה וַיַּגִּדוּ לְדָוִד לֵאמֹר אַנְשֵׁי יָבֵישׁ גִּלְעָד אֲשֶׁר קָבְרוּ אֶת־שָׁאוּל: ס

Então vieram os homens de Judá. Os anciãos de Judá acolheram Davi e o ungiram pela segunda vez como rei. 1Sm 30.26 ss. mostra-nos como Davi foi generoso com muitos lugares de Judá, compartilhando com eles os despojos tomados. Torna-se assim evidente que a consolidação do poder de Davi sobre Judá não se deu mediante a força das armas, mas pelo consentimento unânime do povo e de seus anciãos. Coisa alguma é dita acerca dos filisteus. Teria Davi permanecido, pelo menos nominalmente, sob o poder de Aquis? Por que lhe fora permitida tão grande liberdade logo após a morte de Saul? Talvez Aquis continuasse a confiar nele, e não esperasse que ele se tornasse tão poderoso inimigo dos filisteus a ponto de aniquilá-los e libertar Israel completamente do poder deles. Ver 1Sm 29.3 ss. quanto à grande confiança de Aquis em Davi. Davi, naturalmente, tinha orquestrado cuidadosamente a questão, e não era um súdito leal como Aquis imaginava.

Em Hebrom Davi ficou sabendo que a população de Jabes-Gileade havia dado aos ossos de Saul um sepultamento decente, após ter removido seu corpo da parede em Bete-Seã. Ver o relato em 1Sm 31.11 ss. Davi queria estender sua autoridade àquele lugar, obtendo sua lealdade e sujeição. *Jabes-Gileade* (ver a respeito no *Dicionário*) pertencia à tribo de Manassés. Portanto, ao avizinhar-se daquela gente, Davi procurava estender sua autoridade para o norte (Israel). Mas começava a formar-se uma frente de oposição em torno de Abner, e uma guerra civil estava prestes a estourar.

2.5

וַיִּשְׁלַח דָּוִד מַלְאָכִים אֶל־אַנְשֵׁי יָבֵישׁ גִּלְעָד וַיֹּאמֶר אֲלֵיהֶם בְּרֻכִים אַתֶּם לַיהוָה אֲשֶׁר עֲשִׂיתֶם הַחֶסֶד הַזֶּה עִם־אֲדֹנֵיכֶם עִם־שָׁאוּל וַתִּקְבְּרוּ אֹתוֹ:

Enviou Davi mensageiros. Eram mensageiros de confiança, enviados na tentativa de estender seu poder para o norte (o território que se tornara Israel, em contraste com Judá, ao sul), depois que o reino foi dividido em duas nações distintas. Em seus esforços diplomáticos, Davi primeiro congratulou os habitantes de Jabes-Gileade por seu ato humanitário de dar aos ossos de Saul um sepultamento decente. Pronunciou sobre eles a sua bênção, e invocou sobre eles a bênção de Yahweh. Não há razão para supor que ele não tivesse sido sincero em todos esses atos. Pois ele, mesmo quando caçado pelo assassino Saul, continuou a respeitá-lo como ungido do Senhor.

Humanidade. No hebraico, *hesedh*, que pode significar tanto "bondade" quanto "lealdade" (1Sm 2.9; 20.8). O povo de Jabes-Gileade demonstrara ambas as qualidades. Saul tinha sido o benfeitor deles, libertando-os do inimigo, quando eles foram ameaçados de ser transformados em escravos. Ver o relato em 1Sm 11. Em gratidão, eles honraram Saul em seu sepultamento. "Para os judeus, sepultar os mortos sempre foi considerado uma instância de humanidade e bondade e, realmente, de *piedade*, um ato feito em imitação ao próprio Deus, que sepultara a Moisés (ver Dt 34.6). Esperava-se que esse ato fosse acompanhado pela bênção divina" (John Gill, *in loc.*).

2.6

וְעַתָּה יַעַשׂ־יְהוָה עִמָּכֶם חֶסֶד וֶאֱמֶת וְגַם אָנֹכִי אֶעֱשֶׂה אִתְּכֶם הַטּוֹבָה הַזֹּאת אֲשֶׁר עֲשִׂיתֶם הַדָּבָר הַזֶּה:

O Senhor use convosco de misericórdia e fidelidade. Visto que tinham demonstrado *bondade* para com Saul (ver o versículo anterior), assim também Yahweh usaria de misericórdia e fidelidade para com eles. Ver no *Dicionário* o verbete intitulado *Lei Moral da Colheita segundo a Semeadura*. Uma das fontes dessa bondade divina seria o próprio Davi, que garantiria a segurança deles contra os ataques dos filisteus ou dos antigos seguidores de Saul. Davi agiria em bondade com seus *súditos*, conforme é mostrado nos versículos seguintes. Eles seriam abençoados *sob* esse poder, e não em separação ou oposição a ele. Mas aquela gente, estando tão distante no norte, não seria capaz de aceitar as ordens de Davi por um bom tempo ainda por vir. Teria de haver primeiramente uma guerra civil, por causa de dois reis, Davi no sul, e Is-Bosete (um dos filhos de Saul) no norte. Ver as notas expositivas sobre o vs. 8.

2.7

וְעַתָּה תֶּחֱזַקְנָה יְדֵיכֶם וִהְיוּ לִבְנֵי־חַיִל כִּי־מֵת אֲדֹנֵיכֶם שָׁאוּל וְגַם־אֹתִי מָשְׁחוּ בֵית־יְהוּדָה לְמֶלֶךְ עֲלֵיהֶם: פ

Sejam fortes as vossas mãos. Eles haviam sido e continuavam sendo homens *valentes*. Tinham arriscado a vida para retirar o corpo de Saul de Bete-Seã. Mas agora, afinal, seu senhor, Saul, estava morto, e eles seriam forçados a prestar a outro rei — Davi — a sua lealdade. Em Hebrom, e, de fato, em todo o território de Judá, a lealdade já tinha sido dada a Davi. Portanto, ele os exorta aqui a usar de bom senso e entrar na linha, aceitando o novo poder. Davi não apelou por ter sido ungido por Samuel, o que teria sido um bom e convincente argumento. Davi exortou-os a ser "valentes", fortalecendo as mãos, ou seja, eles precisavam de coragem para juntar-se ao novo rei. Ele lhes prometeu proteção dos inimigos, incluindo os que agora tentariam perpetuar o poder de Saul através de outro rei. Além disso, havia os temidos filisteus, que precisavam ser derrotados. Todo Israel necessitava de um único rei que eliminasse a ameaça filisteia.

OPOSIÇÃO A DAVI (2.8—4.12)

A estrada para o governo de Davi não foi fácil. Houve uma guerra civil. Abner tentou elevar ao trono o filho mais jovem de Saul, de forma que a autoridade continuasse nas mãos da família de Saul. Mas a vontade de Yahweh favorecia a Davi, pelo que Is-Bosete estava destinado ao fracasso. A linhagem de Saul havia sido amaldiçoada por Yahweh, através de Samuel (ver 1Sm 13.13,14). Davi, já ungido rei (ver 1Sm 16), através de muitas dores e lutas, haveria de cumprir o seu destino.

2.8

וְאַבְנֵר בֶּן־נֵר שַׂר־צָבָא אֲשֶׁר לְשָׁאוּל לָקַח אֶת־אִישׁ בֹּשֶׁת בֶּן־שָׁאוּל וַיַּעֲבִרֵהוּ מַחֲנָיִם:

Abner, filho de Ner. Quando todo o Israel deveria unir-se contra a ameaça comum, Abner, braço direito de Saul, quis continuar montado em um cavalo morto. Ele não estava pronto para admitir que seu herói havia morrido e desaparecido, e que era inútil tentar prosseguir com sua dinastia rejeitada. Ele estava provocando a guerra civil, mas sua causa falharia, a despeito de seu entusiasmo. Abner era tio de Saul, e esse fato sem dúvida o encorajou a tentar propagar o poder real *na família.* Ver o artigo detalhado sobre *Abner* no *Dicionário*. Cf. 1Cr 9.35, onde Ner é chamado de irmão de Quis, pai de Saul.

Is-Bosete. (Ver sobre *Es-Baal* no *dicionário*.) Como quarto filho de Saul, foi o escolhido de Abner para ser o rei, embora não fosse o escolhido de Yahweh. Essa circunstância só poderia significar tragédia; Abner, porém, estava mais interessado no poder do que em evitar um sofrimento inevitável.

Em 1Cr 8.33 e 9.39, Is-Bosete é chamado de *Esbaal* (o fogo de Baal). Seu sobrinho, *Mefibosete* (2Sm 4.4) também era chamado de *Meribaal*, e até Gideão tivera por sobrenome *Jerubaal* (ver Jz 6.32 e 8.35). Isto posto, o povo do norte (Israel) não hesitava em usar nomes pagãos compostos por *Baal* (ver a respeito no *Dicionário*). *Is-Bosete*, ao que parece, indica "homem de vergonha". Não sabemos dizer por que ele foi assim chamado. Algumas vezes os nomes eram escolhidos sem razão aparente, da mesma forma que atualmente a maioria das mães batiza os filhos sem a menor ideia do que os nomes significam.

Abner, em seu tolo desejo de manter a realeza na família, cedeu à tentação de fazer de seu sobrinho, Is-Bosete, o rei. Mais tarde, porém, Abner mudou de ideia e tornou-se leal a Davi. Is-Bosete nunca atraiu grande apoio popular e terminou sendo assassinado.

Maanaim. Ver sobre esse lugar no *Dicionário*. Famosa localidade na história de Jacó (Gn 32.2), a leste do Jordão, não muito distante do ribeiro do Jaboque, foi uma cidade dada aos levitas (ver Js 21.38) e gozava de comparativa segurança da ameaça dos filisteus. Por esse motivo, foi escolhida como o lugar da coroação do rei espúrio, Is-Bosete. Maanaim ficava no território da tribo de Gade, na fronteira da meia tribo de Manassés, um lugar na Transjordânia. Maanaim era a capital da região de Gileade, que encabeçaria a federação.

■ 2.9

וַיַּמְלִכֵהוּ אֶל־הַגִּלְעָד וְאֶל־הָאֲשׁוּרִי וְאֶל־יִזְרְעֶאל וְעַל־אֶפְרַיִם וְעַל־בִּנְיָמִן וְעַל־יִשְׂרָאֵל כֻּלֹּה׃ פ

E sobre todo o Israel. Desde esse tempo já havia uma espécie de divisão natural entre o norte e o sul, que acabaria por resultar na formação de duas nações distintas, Israel (ao norte) e Judá (ao sul). O versículo diz-nos que Abner tinha autoridade suficiente para fazer "todo o Israel" (isto é, o norte, exceptuando Judá) submeter-se ao rei temporário, Is-Bosete. Este versículo menciona alguns dos mais importantes centros de autoridade que se submeteriam a Is-Bosete: Gileade, os assuritas, Jezreel, Efraim e também Benjamim. Ver no *Dicionário* verbetes sobre todos esses lugares.

É provável que este versículo também expresse a *expansão gradual* do território governado por Is-Bosete, presumivelmente conforme os filisteus foram sendo derrotados naqueles lugares. É provável que se tenha passado um longo período de tempo na realização de todos esses acontecimentos.

Assuritas. O Targum chama-os de aseritas, provavelmente indicando a tribo de *Asur*. Temos aqui mera suposição a respeito do nome, mas nenhuma explicação satisfatória foi dada ao significado do termo. A Vulgata Latina dá o nome de *gesuritas*, o que é apenas outra adivinhação.

■ 2.10

בֶּן־אַרְבָּעִים שָׁנָה אִישׁ־בֹּשֶׁת בֶּן־שָׁאוּל בְּמָלְכוֹ עַל־יִשְׂרָאֵל וּשְׁתַּיִם שָׁנִים מָלָךְ אַךְ בֵּית יְהוּדָה הָיוּ אַחֲרֵי דָוִד׃

E reinou dois anos. Não somos informados sobre por quanto tempo o reino de Is-Bosete foi preparado, mas este versículo parece dizer que ele, realmente, reinou por apenas *dois anos*. O autor sacro não se deu ao trabalho de esclarecer os processos históricos envolvidos. Entrementes, Davi reinou no sul (Judá) por sete anos e meio, pelo que possivelmente houve alguma espécie de vácuo de poder no norte, durante esse período. Não sabemos dizer por que Is-Bosete não estava com seu pai, Saul, no monte Gilboa, quando este último morreu. Seria ele ainda menor de idade, despreparado para a guerra? Nesse caso, que se passou durante todo aquele período até ele atingir os 40 anos de idade? Is-Bosete era o mais jovem dos filhos de Saul. Encontramos, pois, aqui, outro quarenta bíblico (ver no *Dicionário*), que alguns críticos tomam como artificial no presente contexto, e que não retrata, de fato, a idade real do homem. Outros dizem que os dois anos mencionados aqui antecederam aos sete anos e meio de Davi, como rei de Judá. O autor não satisfaz nossa curiosidade acerca da cronologia envolvida na história, nem é importante que ela seja satisfeita acerca de tais questões. Ben Gerson observa que Is-Bosete reinou não por um total de dois anos, mas havia reinado por dois anos quando ocorreram os eventos prestes a ser descritos. Nesse caso, não sabemos dizer precisamente qual foi a duração de seu reinado.

■ 2.11

וַיְהִי מִסְפַּר הַיָּמִים אֲשֶׁר הָיָה דָוִד מֶלֶךְ בְּחֶבְרוֹן עַל־בֵּית יְהוּדָה שֶׁבַע שָׁנִים וְשִׁשָּׁה חֳדָשִׁים׃ ס

O tempo que Davi reinou em Hebrom. Entrementes, enquanto todas aquelas manipulações ocorriam na parte norte da nação (vss. 8-10), Davi reinava em paz em Judá, por sete anos e seis meses. O dia de Davi tinha parcialmente chegado. Ele havia obtido poder no sul, mas estava sendo necessário muito tempo e esforço para que sua autoridade alcançasse a parte norte da nação. Ele tinha de lidar com processos históricos que obedeciam ao cronograma divino. O relógio de Deus, por isso mesmo, não estava parado. O tempo estava chegando. "Paciência era a palavra de ordem." Cf. este versículo com 2Sm 5.5, onde temos uma nota cronológica. É difícil esperar que o cronograma de Deus opere o que é melhor. Mas devemos lembrar que há um *poder* no cronograma divino, e não há poder fora dele. O reinado de Davi haveria de estender-se por quarenta anos e seis meses, arredondados para o número quarenta, que incluíam os sete anos e meio referidos nesta passagem. Ver 2Sm 5.4,5 e 1Rs 2.11. Deus o levou à fruição no tempo devido, no tempo *certo*. Esta é uma lição que nos compete observar.

■ 2.12

וַיֵּצֵא אַבְנֵר בֶּן־נֵר וְעַבְדֵי אִישׁ־בֹּשֶׁת בֶּן־שָׁאוּל מִמַּחֲנַיִם גִּבְעוֹנָה׃

Todos os nomes próprios referidos neste versículo aparecem comentados no *Dicionário*, pelo que a informação não é repetida aqui. A primeira providência para promover o reinado de Is-Bosete, e assim preservar a dinastia de Saul, foi submeter a tribo de Benjamim à sua autoridade. Os generais do novo monarca reuniram-se em Gibeom, na tribo de Benjamim, cerca de 10 quilômetros a noroeste de Jerusalém. Os "homens" aqui citados eram os oficiais permanentes da corte, os cabeças de divisões de um pequeno exército permanente. Ver Js 28.25.

■ 2.13

וְיוֹאָב בֶּן־צְרוּיָה וְעַבְדֵי דָוִד יָצְאוּ וַיִּפְגְּשׁוּם עַל־בְּרֵכַת גִּבְעוֹן יַחְדָּו וַיֵּשְׁבוּ אֵלֶּה עַל־הַבְּרֵכָה מִזֶּה וְאֵלֶּה עַל־הַבְּרֵכָה מִזֶּה׃

Perto do açude de Gibeom. Esse açude existe até hoje (cf. Jr 41.12). Foi ali que os oficiais de Is-Bosete se encontraram com alguns amigos de Davi, incluindo o temível *Joabe*, um homem matador e selvagem que haveria de tornar-se o principal general de Davi. Ver sobre ele no *Dicionário*. O antigo local de Gibeom é atualmente a moderna ej-Jib.

É neste versículo que nos encontramos pela primeira vez com Joabe, sobrinho de Davi (ver 1Sm 26.6), que desempenhou importante papel na história subsequente de Davi. Ele prestava a Davi feroz e inquestionável lealdade. Nenhuma tarefa lhe parecia por demais perigosa e difícil. Ele possuía aquele tipo de coragem que desconsidera completamente os resultados de seus atos. Ele aspirava a um *segundo lugar* no reino, e não permitia quem ninguém o lançasse em eclipse. Mas esse segundo lugar existia somente para promover o *primeiro lugar* de Davi. Joabe sempre foi dominado por uma disposição tempestuosa, capaz de poderosos atos de amor ou ódio.

O texto sagrado não deixa isso claro, mas talvez o que tenha acontecido é que Abner esperava ganhar Davi para a sua causa. E Davi, em contraste, queria ganhar Abner para a sua própria causa, e unificar o reino de Israel sob um único rei. Joabe, contudo, ao que tudo indica, tinha um plano traiçoeiro. Estava ali naquele dia a fim de matar, e tentaria enfraquecer Abner e sua causa ao destruir alguns de seus melhores homens. Joabe, pois, não estava interessado em transigir ou firmar alianças com Abner. seu homem era Davi, este haveria de ser rei, a despeito da quantidade de violência necessária para levar isso a bom termo. Ver os comentários sobre o vs. 14 quanto a uma interpretação dessa questão.

■ 2.14

וַיֹּ֤אמֶר אַבְנֵר֙ אֶל־יוֹאָ֔ב יָק֤וּמוּ נָא֙ הַנְּעָרִ֔ים וִֽישַׂחֲק֖וּ לְפָנֵ֑ינוּ וַיֹּ֥אמֶר יוֹאָ֖ב יָקֻֽמוּ׃

Disse Abner a Joabe. Não sabemos o que realmente aconteceu diante do açude de Gibeom. Aparentemente planejou-se um torneio ou competição de alguma espécie, em que Joabe acabou por matar doze homens escolhidos do exército de Abner, todos da mesma maneira e ao mesmo tempo.

Ellicott (*in loc.*) rejeita a ideia de que eles deveriam *brincar* (conforme diz a versão inglesa da *King James*). Ele acredita que a competição era de morte, uma espécie de circo romano no qual doze dos melhores homens de Davi lutariam contra doze dos melhores homens de Abner, e, presumivelmente, o vitorioso ganharia Israel como recompensa. Isso pouparia muito derramamento de sangue. Nesse caso, temos a mesma situação que se desenrolou entre Golias e Davi. Da competição surgiria um campeão, e qualquer outra guerra seria esquecida. Hervy, no *Speaker's Commentary*, relata um acontecimento similar entre os Horácios e os Curiáceos (*Lívio*, I. cap. 10.25), que também haveria de determinar o vencedor, sem que houvesse derramamento de sangue generalizado.

John Gill, concordando com a ideia de Ellicott, refere-se ao torneio a ser realizado com *espadas,* no qual os lutadores agiriam como gladiadores ou duelistas: "A esse sanguinário e bárbaro exercício, Abner chamou de 'brincadeira', como se fosse uma diversão e um passatempo, no qual veria homens a ferir e matar uns aos outros". Joabe aceitou o desafio de Abner, e logo seus homens mataram todos os competidores do inimigo.

■ 2.15

וַיָּקֻ֖מוּ וַיַּעַבְר֣וּ בְמִסְפָּ֑ר שְׁנֵ֧ים עָשָׂ֣ר לְבִנְיָמִ֗ן וּלְאִ֥ישׁ בֹּ֙שֶׁת֙ בֶּן־שָׁא֔וּל וּשְׁנֵ֥ים עָשָׂ֖ר מֵעַבְדֵ֥י דָוִֽד׃

E doze dos homens de Davi. Esses homens eram soldados escolhidos, provavelmente oficiais dos exércitos em oposição. A atividade deles era matar, e não servir na corte real, realizando tarefas de mensageiros para o rei. "Tropas de elite", foi o comentário de Eugene H. Merrill (*in loc.*), e sem dúvida sua opinião está correta. O mesmo comentarista sugeriu que a competição era uma espécie de luta livre que terminou com o uso de adagas, quando os temperamentos explodiram, mas isso é apenas uma conjectura.

■ 2.16

וַֽיַּחֲזִ֜קוּ אִ֣ישׁ ׀ בְּרֹ֣אשׁ רֵעֵ֗הוּ וְחַרְבּוֹ֙ בְּצַ֣ד רֵעֵ֔הוּ וַֽיִּפְּל֖וּ יַחְדָּ֑ו וַיִּקְרָא֙ לַמָּק֣וֹם הַה֔וּא חֶלְקַ֥ת הַצֻּרִ֖ים אֲשֶׁ֥ר בְּגִבְעֽוֹן׃

Cada um lançou mão da cabeça do outro. Os homens de Abner realizaram o feito quase inacreditável de matar cada um o seu oponente, subitamente e ao mesmo tempo, a saber, mediante um golpe súbito da adaga na pleura do inimigo, cada um segurando sua vítima pelos cabelos. Assim, todos eles caíram juntos. Isso, presumivelmente, deveria ter posto fim à disputa, e Davi deveria ter sido declarado rei de todo o Israel. Mas, em vez disso, os soldados restantes dos dois lados imediatamente entraram em ação, e houve uma matança generalizada.

Adam Clarke pensa que a "cabeça" aqui referida era antes a "barba". Nesse caso, os homens de Joabe tomaram a barba dos homens de Abner com uma das mãos enquanto, com a outra, aplicaram o golpe com a adaga. O ato até parece ter sido *treinado*. O astucioso e violento Joabe deu prosseguimento ao plano que se mostrou bem-sucedido quando submetido ao teste.

"Alexandre ordenou que todos os macedônios rapassem a barba. Quando Parmênio lhe perguntou por quê, ele respondeu: 'Você não sabia que na batalha não há melhor agarre do que a barba?'" (Adam Clarke, *in loc.*).

Campo das Espadas. No hebraico, *Helcate-Hazurim*. Os eruditos não têm certeza do que essas palavras realmente significam, pelo que damos várias conjecturas. Elas poderiam significar "campo de rochas", e, nesse caso, as rochas são uma metáfora aos *homens fortes* que tombaram naquele dia. Outros dizem "campo dos fios amolados", referindo-se às adagas ou espadas que foram usadas na matança. Ver no *Dicionário* explicações possíveis sobre o termo. Os *Targuns* dizem aqui "a herança dos que foram mortos", aparentemente considerando herança o *campo* onde seriam sepultados.

■ 2.17

וַתְּהִ֧י הַמִּלְחָמָ֛ה קָשָׁ֥ה עַד־מְאֹ֖ד בַּיּ֣וֹם הַה֑וּא וַיִּנָּ֤גֶף אַבְנֵר֙ וְאַנְשֵׁ֣י יִשְׂרָאֵ֔ל לִפְנֵ֖י עַבְדֵ֥י דָוִֽד׃

Seguiu-se crua peleja naquele dia. A batalha que houve era desnecessária. Os soldados escolhidos de Joabe já haviam vencido a disputa. Mas isso não foi aceito, pelo que houve uma batalha generalizada, da qual resultaram muitos mortos, enquanto Abner recebeu forte derrota naquele dia. Mas isso não encerrou a questão. Uma "longa guerra" entre a casa de Saul e a casa de Davi deveria seguir-se, conforme aprendemos de 2Sm 3.1. Em um só dia, dezenove dos homens de Davi e 360 homens escolhidos de Abner morreram, mas este foi apenas um exemplo dos derramamentos de sangue ocorridos. Ver os números nos vss. 30 e 31.

■ 2.18

וַיִּֽהְיוּ־שָׁ֗ם שְׁלֹשָׁה֙ בְּנֵ֣י צְרוּיָ֔ה יוֹאָ֥ב וַאֲבִישַׁ֖י וַעֲשָׂהאֵ֑ל וַעֲשָׂהאֵל֙ קַ֣ל בְּרַגְלָ֔יו כְּאַחַ֥ד הַצְּבָיִ֖ם אֲשֶׁ֥ר בַּשָּׂדֶֽה׃

Os três filhos de Zeruia. Aqui o autor nos dá o nome da mãe de Joabe, chamada *Zeruia* (ver a respeito no *Dicionário*). Ela era filha de Jessé e irmã de Davi, e mãe dos grandes oficiais militares de Davi: Joabe, Abisai e Asael (sobrinhos de Davi). Ver 1Cr 2.16. Cada um desses três filhos é comentado separadamente em artigos no *Dicionário*. *Asael* recebeu o comentário especial que afirmou sua excepcional capacidade de correr. Ele era tão rápido quanto uma *gazela selvagem*, o equivalente hebraico do grego *Aquiles*, aquele que tinha os pés rápidos, conforme disse Homero (Ilíada 1.15). Segundo é dito, os soldados romanos treinavam para serem capazes de correr rapidamente e por muito tempo, e também para nadar com desenvoltura. Tais habilidades podiam salvar muitas vidas no calor da batalha. Mas, naquele dia, a velocidade excepcional de Asael com os pés significaria a sua morte. Ele perseguiu e alcançou o homem errado, a saber, Abner.

■ 2.19

וַיִּרְדֹּ֥ף עֲשָׂהאֵ֖ל אַחֲרֵ֣י אַבְנֵ֑ר וְלֹֽא־נָטָ֣ה לָלֶ֗כֶת עַל־הַיָּמִין֙ וְעַֽל־הַשְּׂמֹ֔אול מֵאַחֲרֵ֖י אַבְנֵֽר׃

Asael perseguiu Abner. Asael perseguiu um grande prêmio a ser morto, Abner. Teria sido um tremendo feito matar o principal general do exército opositor. Asael mostrou-se incansável, e sua excepcional velocidade garantiu que alcançasse o oponente. Abner parecia uma presa fácil para ele, mas *na realidade,* ocorreu exatamente o contrário. Ele se deixou entusiasmar e superestimou suas habilidades. Ele tinha capacidade de alcançar Abner, mas não a capacidade de despachar aquele guerreiro superior. "A corrida nem sempre pertence aos mais rápidos" (John Gill, *in loc.*). Abner era um guerreiro veterano, e Asael era um jovem que só tinha entusiasmo. A experiência venceria o entusiasmo.

■ 2.20,21

וַיִּ֤פֶן אַבְנֵר֙ אַֽחֲרָ֔יו וַיֹּ֕אמֶר הַאַתָּ֥ה זֶ֖ה עֲשָׂהאֵ֑ל וַיֹּ֖אמֶר אָנֹֽכִי׃

וַיֹּ֧אמֶר ל֣וֹ אַבְנֵ֗ר נְטֵ֤ה לְךָ֙ עַל־יְמִֽינְךָ֙ א֣וֹ עַל־שְׂמֹאלֶ֔ךָ וֶאֱחֹ֣ז לְךָ֗ אֶחָד֙ מֵֽהַנְּעָרִ֔ים וְקַח־לְךָ֖ אֶת־חֲלִצָת֑וֹ וְלֹֽא־אָבָ֣ה עֲשָׂהאֵ֔ל לָס֖וּר מֵאַחֲרָֽיו׃

O incansável Asael tinha um único objetivo: despachar Abner, o homem número um do inimigo. Abner olhou para trás e reconheceu o jovem, mas, para certificar-se, perguntou: "És tu, Asael?" O jovem confirmou sua identidade. Abner, enquanto continuava correndo, tentou convencer o entusiasmado Asael a escolher um prêmio menor, como um de seus jovens soldados, que seria relativamente fácil de matar. Esse seria um prêmio suficiente. Ele poderia ficar com a armadura do jovem e exibi-la como troféu de vitória. Mas o entusiasmo de Asael havia-se transformado em *estupidez,* o que por tantas vezes ocorre com os jovens. Ele continuou sua corrida fatal, fatal para ele, e não para Abner.

> Os jovens servem mais para inventar do que
> para julgar; são mais apropriados para execução
> do que para prestar conselho.
>
> Francis Bacon

> Jovem, quando eu era verde no julgamento.
>
> Shakespeare

> Quão diferente dos homens presentes eram
> os jovens de dias anteriores!
>
> Ovídio

Razões pelas quais Abner Não Queria Matar Asael. Talvez ele simplesmente tivesse sido tomado por um momento de misericórdia. Ele sabia que o jovem entusiasmado não resistiria à sua superior experiência. Ele sentiu uma ponta de piedade. Lemos que, algumas vezes, no calor da batalha, homens pouparam o inimigo quando poderiam tê-lo matado com tanta facilidade. Alguns intérpretes, entretanto, supõem que Abner agiu movido por sabedoria militar. *Joabe* era irmão de Asael, e homem tão poderoso que ninguém tinha coragem de enfrentá-lo. Se Abner matasse Asael, teria de preocupar-se com *Joabe* pelo resto da vida. Um amargo choque de famílias seria o resultado. Joabe era totalmente violento. Abner não o queria como inimigo especial. Conforme as coisas acabaram ocorrendo, Abner finalmente reconciliou-se com Davi, que chegou a honrá-lo nomeando-o chefe do exército. Mas Joabe acabou transformando tudo isso ao matar Abner. Joabe, o vingador do sangue, escapou à punição (2Sm 3.6-39).

Embora motivado por essas razões, Abner foi obrigado a matar o atrevido Asael.

■ 2.22

וַיֹּסֶף עוֹד אַבְנֵר לֵאמֹר אֶל־עֲשָׂהאֵל סוּר לְךָ מֵאַחֲרָי לָמָּה אַכֶּכָּה אַרְצָה וְאֵיךְ אֶשָּׂא פָנַי אֶל־יוֹאָב אָחִיךָ׃

Então Abner tornou a dizer-lhe. Abner continuou seus apelos a Asael: "Desiste desta coisa. Ou serei obrigado a matar-te!" Mas Asael, em seu estúpido entusiasmo, continuou sua perseguição. "... pouco valor há em um entusiasmo mal orientado. Os equívocos da inexperiência geralmente mostram-se desastrosos. Asael não era páreo para Abner, e sua morte foi um sacrifício estéril. Deus certamente tinha algo de melhor para ele. *Mais que isso:* por meio de sua presunção e teimosia, ele pôs em chamas uma inimizade de sangue entre Joabe e Abner, que permaneceu por uma geração para servir de praga a Davi e à causa do reino unificado (2Sm 3 e 1Rs 2.5 ss.)" (Ganse Little, *in loc.*).

Lembramos que Moisés, frustrado no deserto do Sinai, após o uso tolo de violência, no Egito, aprendeu a autodisciplina. Na sarça ardente (ver Êx 3.3), ele descobriu o caminho de Deus. É melhor permanecer vivo do que sofrer uma inútil vida de mártir, embora os homens sempre louvem os mártires.

■ 2.23

וַיְמָאֵן לָסוּר וַיַּכֵּהוּ אַבְנֵר בְּאַחֲרֵי הַחֲנִית אֶל־הַחֹמֶשׁ וַתֵּצֵא הַחֲנִית מֵאַחֲרָיו וַיִּפָּל־שָׁם וַיָּמָת תַּחְתָּו וַיְהִי כָּל־הַבָּא אֶל־הַמָּקוֹם אֲשֶׁר־נָפַל שָׁם עֲשָׂהאֵל וַיָּמָת וַיַּעֲמֹדוּ׃

Abner foi assim forçado a matar para não ser morto, pois entre as duas escolhas drásticas preferiu viver e lutar outro dia, e então

enfrentar Joabe. Mas sua vez de ser morto logo chegaria. Assim o hábil matador Abner administrou um único golpe e atravessou o tolo Asael com sua lança. O jovem provavelmente ficou surpreso de que estivera enganado o tempo todo.

Paravam. O choque de ver Asael morto ali, com seu terrível ferimento, perdendo sangue em profusão, parou a busca. Os soldados de Davi paravam, de queixo caído. Mas os dois irmãos de Asael continuaram a busca, inutilmente. Aquele não seria o dia em que Abner morreria.

"Quando os homens de Davi chegavam ao local e viam Asael morto, não tinham mais ânimo de continuar a busca, tão perturbados e tristes ficavam diante de sua morte" (John Gill, *in loc.*).

■ 2.24

וַיִּרְדְּפוּ יוֹאָב וַאֲבִישַׁי אַחֲרֵי אַבְנֵר וְהַשֶּׁמֶשׁ בָּאָה וְהֵמָּה בָּאוּ עַד־גִּבְעַת אַמָּה אֲשֶׁר עַל־פְּנֵי־גִיחַ דֶּרֶךְ מִדְבַּר גִּבְעוֹן׃

Indignados de tristeza e ira, Joabe e Abisai continuaram a perseguição, decididos a terminar com a vida de Abner naquele mesmo dia. Eles continuaram correndo até a noite, quando se tornou impraticável prosseguir. E foi assim que chegaram a uma colina chamada Amá, que ficava perto de Gia, na estrada deserta de Gibeom. Ver todos esses lugares comentados no *Dicionário*. Com exceção de Gibeom, os lugares mencionados têm identificação incerta, mas fica claro que eles eram próximos daquela aldeia. A espada nunca se satisfaz com suas festas. Há sempre mais para matar. Quão moderno é tudo isso. O homem é um animal predador, caçador e assassino. Para ele, a paz significa tédio.

■ 2.25

וַיִּתְקַבְּצוּ בְנֵי־בִנְיָמִן אַחֲרֵי אַבְנֵר וַיִּהְיוּ לַאֲגֻדָּה אֶחָת וַיַּעַמְדוּ עַל רֹאשׁ־גִּבְעָה אֶחָת׃

Puseram-se no cume de um outeiro. Entrementes, Abner e os que estavam com ele pararam em uma colina (não identificada), à distância de um grito de Amá, onde Joabe e seus homens haviam parado. Joabe estava tão próximo e, no entanto, tão distante; seu propósito de despachar Abner não teria cumprimento naquele dia. Ele deveria esperar por outra ocasião. Assim fez, e sua oportunidade acabou chegando. Ele, finalmente, despachou Abner e consolidou sua posição como chefe do exército de Davi. Esse tempo demoraria a chegar, mas Joabe jamais esqueceu o ocorrido. seu tempo tinha de ser vingado.

A maior parte das forças de Abner havia sido morta ou irremediavelmente dispersa, mas ele reteve consigo alguns poucos homens valentes. Seria preciso reconstituir o exército, mas os homens gostam de ocupar-se dessa atividade, na expectativa de outro dia de matança.

■ 2.26

וַיִּקְרָא אַבְנֵר אֶל־יוֹאָב וַיֹּאמֶר הֲלָנֶצַח תֹּאכַל חֶרֶב הֲלוֹא יָדַעְתָּה כִּי־מָרָה תִהְיֶה בָּאַחֲרוֹנָה וְעַד־מָתַי לֹא־תֹאמַר לָעָם לָשׁוּב מֵאַחֲרֵי אֲחֵיהֶם׃

Então Abner gritou. Isto é, de uma colina para outra, e dirigiu-se ao destemido Joabe. Ele tinha uma mensagem que o inimigo ouviria e seguiria. Haviam ocorrido matanças suficientes naquele dia. O próprio Joabe estava cansado daquilo tudo, conforme demonstra o versículo seguinte.

Consumirá a espada para sempre? As palavras de Abner tocam nas cordas de toda a história da humanidade. Os implementos de guerra mataram, continuaram a matar, estão matando e permanecerão nesse intento. Isso nunca terminará? O general George Patton, do exército americano, durante a Segunda Guerra Mundial, nunca sofreu uma derrota. Ele era um soldado porquanto se deleitava nas artes da matança. Acreditava em reencarnação e supunha que durante todas as várias vidas fora sempre sido um soldado e estivera sempre envolvido em guerras. Ele escreveu à sua esposa, durante a guerra: "Eu gosto das guerras e estou me divertindo". Outros homens dizem "A guerra é um inferno", e professam não gostar delas. Mas as guerras nunca cessam.

Na guerra não há vencedores.

Neville Chamberlain

Como eu gostaria que as coisas fossem arranjadas de tal maneira que aqueles que declarassem a guerra também tivessem de lutar.

Finley Peter Dunne

A guerra é a pior praga que pode afligir a humanidade. Qualquer praga é preferível à guerra.

Martinho Lutero

Guerras e rumores de guerra.

Mateus 24.6

■ 2.27

וַיֹּאמֶר יוֹאָב חַי הָאֱלֹהִים כִּי לוּלֵא דִּבַּרְתָּ כִּי אָז מֵהַבֹּקֶר נַעֲלָה הָעָם אִישׁ מֵאַחֲרֵי אָחִיו׃

Respondeu Joabe. *Joabe* estava prestes a desistir da perseguição, e teria feito isso mesmo que Abner não tivesse falado aquelas sábias palavras. Ele jurou esse fato a Elohim. Ele não cessara a perseguição para agradar Abner ou provar a sabedoria das palavras do inimigo. Simplesmente ele não foi capaz de cumprir seus desejos naquele mesmo dia. Mas ele voltaria e, *algum dia,* haveria de matar Abner, e também ajudaria Davi a tornar-se o único poder em Israel. Joabe era um homem selvagem, ansioso por matar e resolver disputas através da violência, mas também tinha bom senso suficiente para, em certas ocasiões, preferir descansar a seguir o jogo da morte.

Alguns intérpretes veem outra (menos provável) interpretação. Eles se referem às *palavras* de Abner como se ele tivesse sugerido que os oficiais mais jovens lutassem até a morte. Abner sugerira, e Joabe concordara (ver o vs. 14). Fora isso que dera início às hostilidades, pelo que Joabe lançou a culpa sobre Abner por toda a confusão.

■ 2.28,29

וַיִּתְקַע יוֹאָב בַּשּׁוֹפָר וַיַּעַמְדוּ כָּל־הָעָם וְלֹא־יִרְדְּפוּ עוֹד אַחֲרֵי יִשְׂרָאֵל וְלֹא־יָסְפוּ עוֹד לְהִלָּחֵם׃

וְאַבְנֵר וַאֲנָשָׁיו הָלְכוּ בָּעֲרָבָה כֹּל הַלַּיְלָה הַהוּא וַיַּעַבְרוּ אֶת־הַיַּרְדֵּן וַיֵּלְכוּ כָּל־הַבִּתְרוֹן וַיָּבֹאוּ מַחֲנָיִם׃

Embora eles houvessem combatido o dia inteiro e perseguido Abner e seus soldados, Joabe e seus homens ainda tiveram força para caminhar a noite toda, passar por parte do deserto de Arabá, atravessar o Jordão, atravessar a ravina chamada Bitrom e, finalmente, descansar em Maanaim (vs. 29). Joabe convocara para a caminhada noturna o que deveria ter sido um exército extremamente cansado, e eles ainda faziam soar a trombeta (vs. 28)! Que condicionamento físico! E tanto maior se a palavra que aparece em certas versões — Bitrom, uma localidade desconhecida — for traduzida como "toda a manhã", conforme alguns entendem o termo (conforme diz a *Revised Standard Version* e a nossa própria versão portuguesa, com base na conjectura de W. R. Arnold, discutida no *American Journal of Semitic Languages,* XXVIII, 274-283). Isso significaria que eles caminharam a noite inteira e parte do dia seguinte.

Ver os nomes próprios que aparecem nestes versículos no *Dicionário,* quanto a detalhes que não figuram aqui.

De Gibeom a Maanaim, supõe-se que a distância tenha sido de 65 quilômetros. Parece impossível que até um exército moderno, descansado, pudesse ter viajado por uma noite e parte do dia seguinte. Talvez o autor sagrado tenha deixado de mencionar, em suas descrições, um dia.

■ 2.30,31

וְיוֹאָב שָׁב מֵאַחֲרֵי אַבְנֵר וַיִּקְבֹּץ אֶת־כָּל־הָעָם וַיִּפָּקְדוּ מֵעַבְדֵי דָוִד תִּשְׁעָה־עָשָׂר אִישׁ וַעֲשָׂה־אֵל׃

וְעַבְדֵי דָוִד הִכּוּ מִבִּנְיָמִן וּבְאַנְשֵׁי אַבְנֵר שְׁלֹשׁ־מֵאוֹת וְשִׁשִּׁים אִישׁ מֵתוּ׃

Joabe deixou de perseguir a Abner. A primeira batalha da guerra civil estava terminada, mas muito mais haveria de ocorrer (3.2). Essa batalha custou a Davi apenas dezenove homens, mas quando falamos sobre a perda insensata de vidas humanas, dificilmente poderemos usar a palavra "apenas". Abner, por sua vez, perdera 360 homens, uma considerável perda, quando consideramos que o texto está falando em tropas de elite. Observemos também que Saul e Jônatas, e grande número de seus homens, tinham perdido a vida no monte Gilboa (1Sm 31). O norte (Israel) estava sendo enfraquecido. Era apenas uma questão de tempo até que Davi, tendo o selvagem Joabe como general, assumisse o poder total e governasse o Israel unido sob uma única monarquia. Isso fez parte necessária da história de Israel, sob a orientação de Yahweh. Abner e seu cisma não poderiam resistir diante do *propósito divino*. Ellicott (*in loc.*) afirma que a vitória de Davi foi fácil porque ele lutava contra os *remanescentes de um exército derrotado*.

Na história de Roma há um notável paralelo. Júlio César matou em três acampamentos (Juba, Cipião e Labienus) dez mil homens, e perdeu apenas cinquenta! (Hirtius, *de Bello African,* cap. 86). Se acreditarmos em *Diodor. Sic.* (I. 15. par. 333), saberemos que houve um acontecimento ainda mais admirável. Diz-se ali que os espartanos mataram dez mil arcadianos sem sofrerem a perda de um único homem!

■ 2.32

וַיִּשְׂאוּ אֶת־עֲשָׂהאֵל וַיִּקְבְּרֻהוּ בְּקֶבֶר אָבִיו אֲשֶׁר בֵּית לָחֶם וַיֵּלְכוּ כָל־הַלַּיְלָה יוֹאָב וַאֲנָשָׁיו וַיֵּאֹר לָהֶם בְּחֶבְרוֹן׃

Levaram a Asael e o enterraram. O cadáver de Asael, a quem Abner matara (vs. 23), foi levado e recebeu honroso sepultamento no sepulcro de seu pai, em Belém. Não se sabe dizer quem foi seu pai, o qual, é provável, morreu prematuramente, algo demonstrado pela circunstância de que os três irmãos (Joabe, Abisai e Asael, vs. 18) são sempre chamados de filhos de *Zeruia,* a mãe deles.

Joabe e seu irmão Abisai, e outros soldados de Davi, estavam presentes para o sepultamento; e imediatamente eles encetaram viagem, à noite, para Hebrom, chegando ali ao romper do dia. Essa viagem foi por cerca de 36 quilômetros. Em Hebrom, Davi esperava pelo "grupo fúnebre" e, por ocasião da chegada de Joabe, o exército reuniu-se novamente.

"A batalha estava terminada, mas não a guerra" (Eugene H. Merrill, *in loc.*).

CAPÍTULO TRÊS

Este capítulo dá continuação à seção iniciada em 2.8. Ver as notas de introdução naquele ponto. O capítulo começa com o comentário editorial sobre o prosseguimento por longo tempo da guerra civil entre Abner/Is-Bosete e Davi (o norte, Israel, contra o sul, Judá). Não sabemos dizer quantas batalhas ocorreram, pois isso não nos foi informado.

■ 3.1

וַתְּהִי הַמִּלְחָמָה אֲרֻכָּה בֵּין בֵּית שָׁאוּל וּבֵין בֵּית דָּוִד וְדָוִד הֹלֵךְ וְחָזֵק וּבֵית שָׁאוּל הֹלְכִים וְדַלִּים׃ ס

Durou muito tempo a guerra. Mas a vontade de Yahweh estava sendo cumprida por meio das batalhas. Era uma infelicidade que Abner continuasse insistindo em montar um cavalo morto. Ele lutava contra a correnteza histórica e, quando foi assassinado por Joabe (3.27), toda a sua ambição por poder cessou. Antes disso, porém, ele continuou em sua insensata guerra civil, empurrando seu pato aleijado, Is-Bosete. Quanto maior era a matança, mais a parte norte da nação se enfraquecia, e mais o sul se fortalecia. Abner era o real poder do norte. Os intérpretes provavelmente estão corretos ao chamar Is-Bosete de "incompetente".

"1Cr 12.19-22 relata uma importante passagem para Davi, por parte da tribo de Manassés, às vésperas da batalha final de Saul, e faz outra menção de contínua passagem para Davi, 'dia após dia'. Como resultado dessa constante transferência de forças para Davi, 'a casa de Saul foi ficando cada vez mais fraca'" (Ellicott, *in loc.*). O que nos admira é que a disputa tenha durado tanto tempo. O vs. 6 mostra que Abner era o real poder no norte. O seu desejo era limitar o reinado de Davi ao sul (Judá).

Infelizmente, tudo isso fazia parte da guerra e era necessário nas transições históricas.

> Não é mal. Que eles brinquem.
> Que os canhões ladrem e o avião de bombardeio
> Fale suas prodigiosas blasfêmias.
> ...
> Quem se lembraria do rosto de Helena,
> Sem aquele terrível halo de lanças?
> ...
> Nunca chores. Que eles brinquem.
> A antiga violência não é antiga demais
> A ponto de não poder gerar novos valores.
>
> Robinson Jeffers

■ 3.2

וַיִּלְדוּ לְדָוִד בָּנִים בְּחֶבְרוֹן וַיְהִי בְכוֹרוֹ אַמְנוֹן לַאֲחִינֹעַם הַיִּזְרְעֵאלִת:

Famílias de Davi. O autor volta momentaneamente sua atenção para informar-nos sobre as famílias de Davi. *Famílias,* sim, porquanto a *poligamia* (ver a respeito no *Dicionário*) era a regra da época. Somente um homem pobre e sem poder possuía apenas uma esposa. Em meu artigo sobre *Davi* (ver no *Dicionário*), provi um gráfico que retrata a genealogia de Davi, e outro que mostra quantas esposas ele teve e onde as conseguiu. O fato é que, por onde quer que Davi andasse, escolhia uma ou duas esposas para somar a seu *harém,* algo que representava grande prestígio entre os reis do Oriente naquela época. Além de suas esposas, Davi tinha no mínimo *dez* concubinas (ver 2Sm 5.13) e, portanto, muitos filhos que os narradores da história de Davi nem se deram ao trabalho de nomear.

Davi tinha esposas de cada área geográfica pelas quais ele passava; lugares por onde vagueara; esposas de Hebrom e esposas de Jerusalém.

Lemos em 1Sm 25.43 que Davi primeiramente tomou Abigail e Ainoã como esposas, estando ainda no exílio, embora sua verdadeira primeira esposa fosse Mical, uma das filhas de Saul. Mas eles não tiveram filhos, e ela acabou sendo dada a outro homem, na ausência de Davi (1Sm 25.44). O filho primogênito de Davi foi Amnom, filho de Ainoã. Ver os nomes próprios no *Dicionário,* quanto a detalhes. Embora essas duas esposas tivessem sido tomadas na época do exílio, seus filhos nasceram em Hebrom, que Davi transformara em seu quartel-general ao começar a consolidar o seu poder como rei (ver 2Sm 2.1 ss.). O filho primogênito de Davi terminou em desgraça e tristeza (ver 2Sm 13), morto por seu meio-irmão, Absalão.

■ 3.3

וּמִשְׁנֵהוּ כִלְאָב לַאֲבִיגַל אֵשֶׁת נָבָל הַכַּרְמְלִי וְהַשְּׁלִשִׁי אַבְשָׁלוֹם בֶּן־מַעֲכָה בַּת־תַּלְמַי מֶלֶךְ גְּשׁוּר:

Abigail deu a Davi o filho aqui mencionado, Quileabe; e então *Maaca* deu à luz ao rebelde Absalão, que tentou arrebatar o trono de seu pai, e, por isso mesmo, também terminou mal. Ver no *Dicionário* os nomes próprios referidos neste versículo. Ficamos admirados com a maneira pela qual os filhos de Davi se portaram. Quanto a isso, Saul deu-se melhor. sua família parece ter estado unida na vida e na morte, apesar dos estúpidos erros cometidos pelo pai. Ver 2Sm 1.23. Em contraste, quase tudo saiu errado nas *famílias* de Davi.

Uma das consternações que os pais precisam suportar são as coisas tolas que seus filhos fazem, e nenhum treinamento parece ser suficiente para impedir desgraças. Estudos da genética moderna nos mostram uma razão para tudo isso. Em certo sentido, a "genética acaba prevalecendo", tanto positiva quanto negativamente. A bagagem genética que uma criança traz consigo (boa ou má) é muito poderosa. Os *gêmeos,* se separados por ocasião do nascimento e criados por pais diferentes, são e fazem coisas admiravelmente similares, a despeito das diferenças de meio ambiente e educação.

Além disso, há a bagagem *espiritual,* e não somente a bagagem física. Isso não quer dizer que a criança não deva ser rigorosamente educada. Mas significa que os pais devem receber menos crédito (do que usualmente acontece) se seus filhos se saírem mal. Certamente existe uma bagagem espiritual que acompanha as famílias, além de uma herança meramente física. O *aprimoramento* moral e espiritual, que todos devemos buscar com diligência, acontece gradualmente, e não de forma instantânea e miraculosa. O ensino é importante; o exemplo é ainda mais importante. Três coisas um pai deve a seus filhos: exemplo, exemplo e exemplo. Ver o verbete chamado *Educação,* no *Dicionário,* e o artigo maior ainda, sobre o mesmo assunto, na *Enciclopédia de Bíblia, Teologia e Filosofia.*

■ 3.4

וְהָרְבִיעִי אֲדֹנִיָּה בֶן־חַגִּית וְהַחֲמִישִׁי שְׁפַטְיָה בֶן־אֲבִיטָל:

Continuamos aqui a tratar com as esposas e os filhos de Davi em *Hebrom.* Ver o artigo sobre Davi no *Dicionário,* onde apresento um gráfico de suas esposas e seus filhos de diferentes áreas geográficas. Todos os nomes próprios que figuram neste versículo são comentados no *Dicionário.* Após a morte dos três irmãos mais velhos, Adonias considerou-se o legítimo herdeiro ao trono e, por rebeldia, amargurou os anos finais da vida de Davi. Ver 1Rs 1. seu meio-irmão, Salomão, mandou executá-lo (1Rs 2.25). Nada se sabe sobre Sefatias, porquanto não há nada de especial sobre ele.

■ 3.5

וְהַשִּׁשִּׁי יִתְרְעָם לְעֶגְלָה אֵשֶׁת דָּוִד אֵלֶּה יֻלְּדוּ לְדָוִד בְּחֶבְרוֹן: פ

Coisa alguma se sabe sobre a esposa de Davi mencionada neste versículo, Eglá, nem sobre o filho dela, Itreão. Uma absurda tradição identifica Eglá com a primeira esposa de Davi, Mical, mas sabemos que Mical não teve filhos. Ver o artigo sobre ela no *Dicionário.* Outra tradição absurda é a que faz de Eglá viúva de Saul. Quanto a essas duas tradições, ver o *Talmude Babilônico Sanhedrim,* fol. 21.1 e *Kimchi* e *Ben Gerson,* em seus comentários sobre o texto.

■ 3.6,7

וַיְהִי בִּהְיוֹת הַמִּלְחָמָה בֵּין בֵּית שָׁאוּל וּבֵין בֵּית דָּוִד וְאַבְנֵר הָיָה מִתְחַזֵּק בְּבֵית שָׁאוּל:

וּלְשָׁאוּל פִּלֶגֶשׁ וּשְׁמָהּ רִצְפָּה בַת־אַיָּה וַיֹּאמֶר אֶל־אַבְנֵר מַדּוּעַ בָּאתָה אֶל־פִּילֶגֶשׁ אָבִי:

Abner se fez poderoso na casa de Saul. O autor sacro, depois de ter-nos concedido algumas notas sobre a vida pessoal e familiar de Davi, retornou à questão da guerra civil. O começo dessa guerra é descrito no segundo capítulo, e o fato de que ela se prolongou por muito tempo não é contado no primeiro versículo deste capítulo. Agora recapitulamos o que já sabíamos: *Abner,* e não Is-Bosete, é quem realmente governava a parte norte da nação, Israel. A menção a esse fato introduz a breve história que se segue. Is-Bosete estava sob obrigação para com Abner, quanto a tudo o que possuía. Que importava se Abner quisesse tirar vantagem de certa concubina de Saul? Provavelmente, Is-Bosete pensava que todo o harém de Saul era sua propriedade. Mas ele apenas queria criar confusão. Pois a mulher por certo não era sua progenitora.

Rispa era o nome da mulher, indubitavelmente bonita, mas sem nada mais que a distinguisse. Ela é novamente mencionada em 2Sm 21.1-14. Ver no *Dicionário* o artigo *Rispa,* quanto ao que pode ser dito sobre ela.

O *costume usual* era que o harém de um rei passava para seu sucessor, neste caso Is-Bosete. Cf. 2Sm 16.22 e 1Rs 2.22. Abner, porém, tratou a questão como se a objeção tivesse sido feita sobre bases *morais* e despachou-a como um assunto de somenos. Ele não via moralidade alguma misturada à questão. Além disso, não tinha ficado com o harém inteiro, apenas com uma mulher, e nem parecia que queria conservá-la indefinidamente. Ele estava apenas satisfazendo suas paixões momentâneas.

■ 3.8

וַיִּחַר לְאַבְנֵר מְאֹד עַל־דִּבְרֵי אִישׁ־בֹּשֶׁת וַיֹּאמֶר הֲרֹאשׁ כֶּלֶב אָנֹכִי אֲשֶׁר לִיהוּדָה הַיּוֹם אֶעֱשֶׂה־חֶסֶד עִם־בֵּית שָׁאוּל אָבִיךָ אֶל־אֶחָיו וְאֶל־מֵרֵעֵהוּ וְלֹא הִמְצִיתִךָ בְּיַד־דָּוִד וַתִּפְקֹד עָלַי עֲוֹן הָאִשָּׁה הַיּוֹם׃

Então se irou muito Abner. Abner conseguiu realmente ficar indignado com a questão, como se seu títere, Is-Bosete, tivesse algum direito de regulamentar sua conduta. Então acusou o "rei" de tentar reduzi-lo a nada mais que uma "cabeça de cão" (ou seja, algo totalmente inútil e desprezível), ao fazer objeções à sua ação. Afinal, fora ele quem defendera o norte do sul e impedira que o selvagem Davi tomasse posse de tudo. Se Davi obtivesse a vitória sobre Is-Bosete, este seria executado, conforme era o costume de reis que vencessem a outros monarcas. Somente Abner se interpunha entre Davi e Is-Bosete e protegia o último da execução.

Sou eu cabeça de cão para Judá? "... uma pessoa má, vil, desprezível, não melhor que um cão, e tão inútil e sem préstimos como um cão morto... cf. 1Sm 24.14 e 2Sm 9.8" (John Gill, *in loc.*).

Abner ignorou a real acusação de Is-Bosete: "Ela é minha, visto que sou o rei e possuo o harém de meu pai", transformando a questão inteira em uma questão moral de segunda categoria. Mas o fato é que o verdadeiro rei era Abner, e ele tinha direitos sobre qualquer mulher que desejasse.

■ 3.9,10

כֹּה־יַעֲשֶׂה אֱלֹהִים לְאַבְנֵר וְכֹה יֹסִיף לוֹ כִּי כַּאֲשֶׁר נִשְׁבַּע יְהוָה לְדָוִד כִּי־כֵן אֶעֱשֶׂה־לּוֹ׃

לְהַעֲבִיר הַמַּמְלָכָה מִבֵּית שָׁאוּל וּלְהָקִים אֶת־כִּסֵּא דָוִד עַל־יִשְׂרָאֵל וְעַל־יְהוּדָה מִדָּן וְעַד־בְּאֵר שָׁבַע׃

Assim faça Deus segundo lhe parecer a Abner. Ao que tudo indica, Abner refere-se aqui a um oráculo ou profecia não registrado, que garantia a Davi o reino inteiro de Israel. Abner estava em posição de ajudar essa profecia a frutificar. Nesse caso, Is-Bosete seria certamente executado. Assim, em um sentido bem real, Abner ameaçou Is-Bosete, fazendo-o saber que ele próprio era o único poder que poderia mantê-lo vivo.

Alguns intérpretes relacionam a profecia às palavras de Samuel, em 1Sm 16.1-13, quando, em Belém, Davi foi ungido rei. Outros estudiosos referem-se ao oráculo de Aimeleque, o sacerdote, em 1Sm 22.9,10. Seja como for, ficara largamente conhecido que Davi seria o segundo rei de Israel, e vários oráculos podem ter predito esse fato. Ver também 1Sm 15.28,29.

Desde Dã até Berseba. Ou seja, do extremo norte (Dã) ao extremo sul (Berseba). Isso aponta para todo o território de Israel, como diz o versículo, incluindo Judá, onde Davi já julgava, e Israel (a parte norte da nação), onde Abner governava controlando seu títere, Is-Bosete. A declaração "desde Dã até Berseba" tornou-se proverbial para indicar *todo o território de Israel*. Ver também Jz 20.1; 1Sm 3.20 e 2Sm 17.11.

■ 3.11

וְלֹא־יָכֹל עוֹד לְהָשִׁיב אֶת־אַבְנֵר דָּבָר מִיִּרְאָתוֹ אֹתוֹ׃ ס

E nenhuma palavra pôde Is-Bosete responder. Is-Bosete, contudo, não se convenceu com os argumentos de Abner. Eles não eram irretorquíveis, mas, por outro lado, Abner era homem perigoso e facilmente poderia pôr fim à falsa dinastia que Is-Bosete supostamente encabeçava. O que tem o poder de tirar a vida de outro não precisa de argumentos convincentes. E não demorou muito para que Abner buscasse obter o favor de Davi e assim livrar-se de Is-Bosete, conforme demonstram os versículos seguintes. Finalmente, Abner conseguiu fazer seu intento, somente para cair pela espada de Joabe. Assim sendo, ele deu o mal e recebeu o mal. Ver no *Dicionário* o verbete chamado *Lei Moral da Colheita segundo a Semeadura*.

■ 3.12

וַיִּשְׁלַח אַבְנֵר מַלְאָכִים אֶל־דָּוִד תַּחְתָּו לֵאמֹר לְמִי־אָרֶץ לֵאמֹר כָּרְתָה בְרִיתְךָ אִתִּי וְהִנֵּה יָדִי עִמָּךְ לְהָסֵב אֵלֶיךָ אֶת־כָּל־יִשְׂרָאֵל׃

O ato de Abner, ao tentar obter o favor de Davi, com o intuito de que as profecias fossem cumpridas (Davi se tornar o único governante de Israel), pode ter sido provocado, ao menos em parte, pelo incidente com a concubina de Saul (vss. 7-11). Por outro lado, a razão mais provável é que Abner estava cansado da farsa do norte e percebera que a guerra civil em nada o favorecia. Ele ganharia muito mais se Davi reinasse sobre todo o Israel, enquanto ele, Abner, naturalmente, seria seu braço direito. suas riquezas aumentariam, bem como sua glória pessoal. Portanto, chegara o tempo em que Abner decidira livrar-se de Is-Bosete, esquecer a dinastia condenada de Saul e prosseguir com as negociações conforme elas deveriam ser administradas. Abner, pois, reconheceu ter cometido um equívoco: sua rebeldia custara a Israel muito derramamento de sangue e o pusera sob a ameaça constante do sul; em resumo, a situação era desvantajosa para ele. Portanto, ele buscou firmar um acordo com Davi, prometendo-lhe entregar o norte da nação, para assim unificar o reino sob o governo davídico.

De quem é a terra? Isso, sem dúvida, significa: "Davi, eu sou o proprietário das terras do norte. Está em meu poder dá-las a ti, se ao menos pudermos chegar a um acordo". Ou então poderia significar: "Sei que toda a terra de Israel te pertence, porque Yahweh prometeu dá-la a ti. Agora estou preparado para ajudar-te a atingir esse ideal, se pudermos chegar a um acordo". Seja como for, Abner era uma importante personagem no drama. Ele só queria um favor de Davi, uma vez que este passasse a exercer a autoridade universal sobre todo o país.

■ 3.13

וַיֹּאמֶר טוֹב אֲנִי אֶכְרֹת אִתְּךָ בְּרִית אַךְ דָּבָר אֶחָד אָנֹכִי שֹׁאֵל מֵאִתְּךָ לֵאמֹר לֹא־תִרְאֶה אֶת־פָּנַי כִּי אִם־לִפְנֵי הֱבִיאֲךָ אֵת מִיכַל בַּת־שָׁאוּל בְּבֹאֲךָ לִרְאוֹת אֶת־פָּנָי׃ ס

Bem, eu farei aliança contigo. Davi estava disposto a firmar um pacto com Abner. Afinal, ambos se conheciam havia muitos anos, e Abner poderia tornar-se um elemento importante no reino unificado. Davi daria a Abner a posição de general-em-chefe e lhe concederia grande autoridade, e ambos seriam beneficiados com o acordo. Mas Davi tinha *uma condição:* ele queria receber de volta sua antiga esposa, Mical. Saul, pai de Mical, a havia dado a outro homem, durante a ausência de Davi, sem dúvida, a fim de espicaçá-lo. Ver 1Sm 25.44. Davi teria seu pedido atendido, mas o antigo amor havia morrido, pelo menos por parte de Mical, e ela só lhe seria motivo de tribulação. Algumas vezes, a despeito de boas intenções, é impossível restaurar antigas circunstâncias. As coisas morrem e, em alguns casos, é melhor deixá-las mortas. Havia uma lei (ver Dt 24.1-4) que pregava que um homem não deveria tomar de volta uma esposa que, ao depois, havia-se casado com outro homem. Mas o rei Davi não quis que essa legislação interferisse em sua vida. Os rabinos desculpam Davi assumindo, absurdamente, que o casamento entre Mical e Paltiel nunca fora consumado. 2Sm 6.20-23 mostra como Mical não foi capaz de renovar seu amor a Davi. Provavelmente Paltiel era um homem bom, e agora ela sentia falta dele, tendo transferido para ele o seu amor.

■ 3.14

וַיִּשְׁלַח דָּוִד מַלְאָכִים אֶל־אִישׁ־בֹּשֶׁת בֶּן־שָׁאוּל לֵאמֹר תְּנָה אֶת־אִשְׁתִּי אֶת־מִיכַל אֲשֶׁר אֵרַשְׂתִּי לִי בְּמֵאָה עָרְלוֹת פְּלִשְׁתִּים׃

Também enviou Davi mensageiros a Is-Bosete. Davi sabia que o filho de Saul, Is-Bosete, teria algum poder sobre a questão, pelo que lhe enviou mensageiros, requerendo que Mical lhe fosse restaurada. Davi enfatizou o fato de que ele havia *ganhado* Mical por justiça, tendo matado duzentos filisteus e trazendo deles os prepúcios, um ato requerido por Saul para que Mical lhe fosse entregue por esposa. Ver 1Sm 18.25 ss. quanto ao relato. Na verdade, Saul só havia exigido cem prepúcios, mas Davi fora além da conta e trouxera duzentos prepúcios. Josefo, porém, diz-nos que ele obtivera seiscentos prepúcios (*Antiq.* 1.7, cap. 1, sec. 4), no que é seguido pelas versões siríaca e árabe. Mas não é provável que Davi tivesse exagerado *tanto*.

Is-Bosete atendeu prontamente ao pedido de Davi e devolveu-lhe Mical. Talvez tenha reconhecido que a causa de Davi era justa, porém o mais provável é que tenha agido movido pelo temor, tanto de Abner quanto de Davi. O texto não nos deixa subentender que Is-Bosete sabia que o pedido fazia parte de um acordo com Abner que poria fim ao seu poder. Provavelmente ele não tinha conhecimento do plano entre Davi e Abner.

■ 3.15,16

וַיִּשְׁלַ֣ח אִ֣ישׁ בֹּ֔שֶׁת וַיִּקָּחֶ֖הָ מֵעִ֣ם אִ֑ישׁ מֵעִ֖ם פַּלְטִיאֵ֥ל בֶּן־לָֽיִשׁ׃

וַיֵּ֨לֶךְ אִתָּ֥הּ אִישָׁ֛הּ הָל֥וֹךְ וּבָכֹ֖ה אַחֲרֶ֑יהָ עַד־בַּֽחֻרִ֑ים וַיֹּ֧אמֶר אֵלָ֛יו אַבְנֵ֖ר לֵ֥ךְ שׁ֖וּב וַיָּשֹֽׁב׃

Encontramos aqui um drama patético. Abner agiu como o homem que faria Mical voltar a Davi. Is-Bosete, o rei títere, baixou a ordem. Mical foi removida da casa de Paltiel. Paltiel objetou a isso e seguiu Mical por algum tempo. Ele a seguiu debulhado em lágrimas, mas ninguém se importou com isso. Abner, com cara feia, ordenou que Paltiel "desaparecesse", conforme uma expressão idiomática popular. Se ele não obedecesse, Abner o teria despachado ali mesmo. Podemos sentir-nos tristes por Paltiel, mas devemos lembrar que ele havia recebido Mical por meio de um ato injusto. Por conseguinte, foi em consonância com a lei da colheita segundo a semeadura que a estava perdendo, mesmo que agora parecesse injustiçado. Por outro lado, de um ângulo *prático*, pela história que se seguiu sabemos que teria sido melhor para Davi, Mical e Paltiel se Davi tivesse deixado as coisas conforme estavam.

Baurim. Ver no *Dicionário* o artigo chamado *Baurim, Barumita*, onde há boa quantidade de informações que não repito aqui.

"Se não mais existia afeto genuíno entre Davi e Mical, foi uma pena tirá-la de Paltiel... No entanto, Davi tinha direito legal sobre ela, pois nunca se divorciara dela, e ela lhe fora tirada à força" (Adam Clarke, *in loc.*).

"É evidente que Is-Bosete cedeu diante do inevitável e tentou fazer o melhor de um mau negócio... Maridos, esposas, pais, mães, filhos, mestres, oficiais executivos, obreiros de igreja, todos impõem uns sobre outros ditaduras sob as quais todos eles estremecem e se sentem infelizes... 'Vinde a mim, vós que labutais e andais sobrecarregados, e eu vos darei descanso' (Mt 11.28)" (Ganse Little, *in loc.*).

■ 3.17,18

וּדְבַר־אַבְנֵ֣ר הָיָ֔ה עִם־זִקְנֵ֥י יִשְׂרָאֵ֖ל לֵאמֹ֑ר גַּם־תְּמ֣וֹל גַּם־שִׁלְשֹׁ֗ם הֱיִיתֶ֛ם מְבַקְשִׁ֥ים אֶת־דָּוִ֖ד לְמֶ֥לֶךְ עֲלֵיכֶֽם׃

וְעַתָּ֖ה עֲשׂ֑וּ כִּ֣י יְהוָ֗ה אָמַ֤ר אֶל־דָּוִד֙ לֵאמֹ֔ר בְּיַ֣ד ׀ דָּוִ֣ד עַבְדִּ֗י הוֹשִׁ֜יעַ אֶת־עַמִּ֤י יִשְׂרָאֵל֙ מִיַּ֣ד פְּלִשְׁתִּ֔ים וּמִיַּ֖ד כָּל־אֹיְבֵיהֶֽם׃

Falou Abner com os anciãos de Israel. *A Comunicação de Abner.* Tendo cumprido a condição de Davi, que era devolver-lhe Mical, Abner promoveu o reinado de Davi perante todos os anciãos (norte). É admirável ver quão facilmente se resolveu a questão. Eles simplesmente concordaram com a mudança de poder. Is-Bosete em breve seria assassinado (4.6), e o restante da casa de Saul seria colocado em fuga, excetuando Mefibosete (4.4), o filho de Jônatas a quem Davi protegeu. A guerra civil tinha terminado, e Davi tornou-se rei sobre todo o povo de Israel.

Os Argumentos Irretorquíveis de Abner:

1. Davi já gozava de largo apoio no norte, pelo que, de certa maneira, ele se tornou rei pela vontade de muitos, se não mesmo da maioria. Portanto, Abner argumentou: "Que seja assim. Que Davi seja feito rei de uma vez por todas". Is-Bosete, o rei títere, provavelmente tinha pouca influência, excetuando a que Abner lhe emprestava. Portanto, uma vez removida essa influência, não havia razão para continuar a farsa.

Abner disse: "*Agora*, façam o que vocês sempre desejaram. Façam de Davi o vosso rei" (vs. 18).

"1Sm 18.5,7,16,30 e 1Cr 11.1-3 testificam, de modo suficiente, a grande popularidade de Davi em toda a nação, e a confiança do povo em seu valor e sabedoria. Fora a influência e a atividade de Abner que até ali tinham impedido seu reconhecimento geral como rei" (Ellicott, *in loc.*).

2. A vontade de Yahweh é que Davi fosse rei de Israel. Ver as notas sobre os vss. 9 e 10, que oferecem referências quanto a isso. Abner não explicou por que *ele* fizera tudo quanto era possível para não permitir que a vontade de Yahweh se cumprisse. Um *homem falso* proferiu *palavras verdadeiras*, o que, algumas vezes, acontece.

3. Como escolhido de Yahweh, Davi estaria em posição de terminar a ameaça filisteia (e outros adversários de Yahweh), o que constituiria grande benefício para toda a nação de Israel. Naqueles dias de guerras e matanças constantes, a *qualificação primária* de um rei era sua capacidade de proteger o povo dos constantes assaltos dos inimigos. Abner não se sentia capaz de cumprir a tarefa, e era óbvio que Is-Bosete também não tinha essa capacidade. Portanto, que as fortunas de toda a nação de Israel fossem deixadas nas mãos de Davi.

Embora nenhum trecho das Escrituras contenha, com exatidão, as palavras de Abner, isso fica implícito nas Escrituras com que contamos. As palavras de Abner baseavam-se em "uma *inferência* razoável de algumas profecias que tinham sido prometidas" (Ellicott, *in loc.*), pelo que não temos aqui referências às profecias sobre Davi, que não foram incluídas nas Escrituras canônicas, mas que podem ter sido *proferidas* ou escritas em outras fontes.

■ 3.19,20

וַיְדַבֵּ֨ר גַּם־אַבְנֵ֜ר בְּאָזְנֵ֣י בִנְיָמִ֑ין וַיֵּ֣לֶךְ גַּם־אַבְנֵ֗ר לְדַבֵּ֞ר בְּאָזְנֵ֤י דָוִד֙ בְּחֶבְר֔וֹן אֵ֣ת כָּל־אֲשֶׁר־ט֔וֹב בְּעֵינֵ֖י יִשְׂרָאֵ֑ל וּבְעֵינֵ֖י כָּל־בֵּ֥ית בִּנְיָמִֽן׃

וַיָּבֹ֨א אַבְנֵ֤ר אֶל־דָּוִד֙ חֶבְר֔וֹן וְאִתּ֖וֹ עֶשְׂרִ֣ים אֲנָשִׁ֑ים וַיַּ֨עַשׂ דָּוִ֧ד לְאַבְנֵ֛ר וְלָאֲנָשִׁ֥ים אֲשֶׁר־אִתּ֖וֹ מִשְׁתֶּֽה׃

Abner era um homem ocupado, manipulava o tratado entre o norte e o sul, e negociava diretamente com as tribos, a fim de promover a unidade. Em primeiro lugar ele convenceu a tribo de Saul, Benjamim; em seguida, conferenciou com Davi e, finalmente, com todo o povo de Israel. As coisas estavam correndo a contento; tudo se ajustava. Assim, a fim de celebrar, Abner tomou vinte de seus conselheiros e dirigiu-se a Hebrom. Ali ele e Davi, e seus atendentes especiais, tiveram uma celebração festiva. A guerra civil tinha terminado, e a paz e a unidade haviam sido estabelecidas. Abner demonstrara ser um *diplomata* capaz. A maior dificuldade poderia dar-se com Benjamim, a tribo de Saul; mas o próprio Abner também pertencia a essa tribo, pelo que começou com a tarefa mais árdua e terminou com a melhor, a grande festividade que ocorreu em Hebrom.

A festividade não visou apenas celebrar. Também envolveu os sacrifícios necessários que consagraram todos os tratados firmados. Cf. Gn 16.30; 31.54 e 1Rs 3.15. Foi uma observância tanto religiosa quanto civil, um ato solene que incluiu o *pacto* de paz e unidade.

Ao mostrar-se tão habilidoso diplomata (ele já era conhecido como guerreiro valente), Abner naturalmente tornou-se, na mente de Davi, o segundo homem de Israel, mas esse soerguimento de sua pessoa lhe custaria a própria vida.

■ 3.21

וַיֹּ֣אמֶר אַבְנֵ֣ר אֶל־דָּוִ֗ד אָק֤וּמָה ׀ וְאֵלֵ֙כָה֙ וְאֶקְבְּצָ֞ה אֶל־אֲדֹנִ֤י הַמֶּ֙לֶךְ֙ אֶת־כָּל־יִשְׂרָאֵ֔ל וְיִכְרְת֥וּ אִתְּךָ֖ בְּרִ֑ית וּמָ֣לַכְתָּ֔ בְּכֹ֥ל אֲשֶׁר־תְּאַוֶּ֖ה נַפְשֶׁ֑ךָ וַיְשַׁלַּ֥ח דָּוִ֛ד אֶת־אַבְנֵ֖ר וַיֵּ֥לֶךְ בְּשָׁלֽוֹם׃

Então disse Abner a Davi. Houve pelo menos um homem que, ao ouvir sobre a questão, franziu o cenho, a saber, *Joabe*. Ele nunca esqueceu o fato de que aquele "diplomata" é quem havia matado seu irmão, *Asael* (ver 2Sm 2.19 ss.). Na qualidade de "vingador do sangue" (ver a respeito no *Dicionário*), ele tinha o direito de matar Abner. Além disso, estava muito perturbado diante de toda a atenção que Davi dispensava ao "inimigo". Joabe, pois, haveria de resolver o caso com violência, o modo usual de resolver os problemas na época.

Tendo firmado o tratado e o pacto preliminar, Abner percorreu todo o Israel para explicar a situação e consolidar o acordo. Outros pactos teriam de ser firmados com tribos individuais. Abner não podia falar por todas as tribos, mas o seu sucesso, até aquele ponto, dava boas indicações de que ele cumpriria todos os seus desejos.

■ **3.22,23**

וְהִנֵּה עַבְדֵי דָוִד וְיוֹאָב בָּא מֵהַגְּדוּד וְשָׁלָל רַב עִמָּם הֵבִיאוּ וְאַבְנֵר אֵינֶנּוּ עִם־דָּוִד בְּחֶבְרוֹן כִּי שִׁלְּחוֹ וַיֵּלֶךְ בְּשָׁלוֹם:

וְיוֹאָב וְכָל־הַצָּבָא אֲשֶׁר־אִתּוֹ בָּאוּ וַיַּגִּדוּ לְיוֹאָב לֵאמֹר בָּא־אַבְנֵר בֶּן־נֵר אֶל־הַמֶּלֶךְ וַיְשַׁלְּחֵהוּ וַיֵּלֶךְ בְּשָׁלוֹם:

Joabe estivera fora, em uma missão de matança, perseguindo o inimigo. Ao terminar a missão, ele voltou, somente para ouvir a muito desagradável mensagem de que seu arqui-inimigo, Abner, firmara aliança com Davi. Naquele momento, nem mesmo os grandes despojos que ele havia tomado ao inimigo lhe serviram de consolo. Pensemos nisso! Enquanto ele estivera arriscando a vida contra algum inimigo, como os filisteus, os amalequitas ou algum dos outros adversários de Judá, estava sendo efetuado um ato de *traição*. Ele praticamente não podia acreditar que seu senhor, Davi, a quem vinha servindo há tanto tempo e com tanta lealdade, poderia ter algo a ver com o assassino e cismático *Abner*. Deve ter parecido incompreensível a Joabe que Davi recebesse *aquele homem*, fizesse acordos com ele e o enviasse em paz. Além disso, era bastante evidente que Davi tirara vantagem da ausência de Joabe para entreter Abner, de modo que os acordos não se estragassem. Joabe era capaz de iniciar uma batalha, ali mesmo, em meio às festividades. Davi não podia dar chance ao quente temperamento de Joabe que, a qualquer momento, poderia rebentar em atos de violência.

■ **3.24,25**

וַיָּבֹא יוֹאָב אֶל־הַמֶּלֶךְ וַיֹּאמֶר מֶה עָשִׂיתָה הִנֵּה־בָא אַבְנֵר אֵלֶיךָ לָמָּה־זֶּה שִׁלַּחְתּוֹ וַיֵּלֶךְ הָלוֹךְ:

יָדַעְתָּ אֶת־אַבְנֵר בֶּן־נֵר כִּי לְפַתֹּתְךָ בָּא וְלָדַעַת אֶת־מוֹצָאֲךָ וְאֶת־מוֹבָאֶךָ וְלָדַעַת אֵת כָּל־אֲשֶׁר אַתָּה עֹשֶׂה:

Que fizeste? Foi essa a tentativa de dissuasão de Joabe. Ele acusou Abner de má-fé e Davi de ingenuidade. Abner era, sem dúvida, um *espião*, e Davi, em sua inocência, providenciara um bom espetáculo que lhe permitiria atacar com mais facilidade. Joabe estava irado com os atos estúpidos de Davi, por receber o arqui-inimigo em seu próprio acampamento, tratá-lo bem e despedi-lo em paz, além de firmar importantes acordos com ele. Alguns intérpretes supõem que Joabe estava certo. Mas nunca o saberemos com certeza. Joabe matou Abner antes que ele tivesse chance de fazer qualquer coisa. Se Abner tinha boas intenções, elas se foram com ele. Se tinha más intenções, elas também desapareceram com ele. Foi assim que Joabe tentou envenenar a mente de Davi acerca de Abner, esperando reverter a questão da unificação da qual Abner era o principal ator.

"Joabe sabia que ele era indispensável para Davi e tirou vantagem disso tanto na liberdade do discurso que proferiu a Davi quanto com respeito à sua frequente desconsideração para com as ordens de Davi. Não há razão para supormos que Abner merecesse os ataques caluniadores de Joabe" (George B. Caird, *in loc.*).

■ **3.26**

וַיֵּצֵא יוֹאָב מֵעִם דָּוִד וַיִּשְׁלַח מַלְאָכִים אַחֲרֵי אַבְנֵר וַיָּשִׁבוּ אֹתוֹ מִבּוֹר הַסִּרָה וְדָוִד לֹא יָדָע:

Enviou mensageiros após Abner. Joabe agiu com rapidez e sem o conhecimento de Davi. Enviou mensageiros que conseguiram alcançar Abner. Encontraram-no no poço de *Sirá* (ver a respeito no *Dicionário*). O autor não nos informa se os mensageiros de Joabe enganaram Abner, dizendo-lhe mentiras para induzi-lo a voltar, do tipo: "Meu senhor, Davi, precisa vê-lo imediatamente. Ele precisa discutir coisas com você". Ou talvez eles tenham obrigado Abner a voltar. Essa é, provavelmente, a possibilidade mais remota, pois, nesse caso, certamente teria havido uma pequena luta.

O "poço de Sirá" não ficava longe de Hebrom, pelo que podemos deduzir que Joabe conseguiu alcançar Abner, assim que este deixou a presença de Davi. Essa circunstância custou a vida de Abner. Por outra parte, com o selvagem Joabe por perto, buscando vingança, a morte violenta de Abner era inevitável.

■ **3.27**

וַיָּשָׁב אַבְנֵר חֶבְרוֹן וַיַּטֵּהוּ יוֹאָב אֶל־תּוֹךְ הַשַּׁעַר לְדַבֵּר אִתּוֹ בַּשֶּׁלִי וַיַּכֵּהוּ שָׁם הַחֹמֶשׁ וַיָּמָת בְּדַם עֲשָׂה־אֵל אָחִיו:

No interior da porta. Joabe nem ao menos foi discreto. Matou Abner bem no portão de Hebrom, onde o ato deve ter sido testemunhado por várias pessoas. A Septuaginta tenta suavizar a ação de Joabe, dizendo "ao lado do portão", como se Joabe, pelo menos, tivesse conduzido Abner a alguma distância do portão. Hebrom era uma cidade de refúgio, mas Abner não era um refugiado.

E ali o feriu no abdômen. O autor sacro não se importa em dar-nos uma descrição longa. Joabe assassinou Abner, e isso foi tudo. Vários intérpretes queixam-se da traição praticada por Joabe, mas devemos lembrar que, de acordo com a lei do vingador do sangue (ver a respeito no *Dicionário*), ele estava com a razão. Contra o que poderíamos supor, na guerra essa lei dificilmente teria qualquer aplicação. Ver 1Rs 2.5 e os comentários sobre o vs. 20 deste capítulo. "A moralidade tribal requeria que a vingança do sangue fosse executada pelo parente mais próximo (o *goel*). Mas, ao efetuar seu dever, Joabe pode ter sido impulsionado pelo temor ciumento de ser suplantado por um rival e também por sua apreensão quanto aos melhores interesses de Davi. seu ato precipitado foi um golpe severo no esquema proposto de união, e facilmente poderia ter custado a Davi a lealdade das tribos nortistas" (George B. Caird, *in loc.*).

Em vingança do sangue de seu irmão Asael. Esta parte do versículo mostra-nos que o ato foi um ato do vingador de sangue, portanto, legal e impunível, conforme provam os eventos subsequentes.

Adam Clarke julga severamente Joabe: "Esse assassinato foi um dos menos provocados e mais ímpios. Tal foi o poder e a influência daquele nefário general, que o rei não ousou levá-lo à justiça. Por igual modo, ele matou Amasa, algum tempo depois (2Sm 22.10). Joabe era um homicida de sangue frio, um assassino consumado. 'Traição e assassínio sempre andam juntos, como dois demônios ligados'". Por outra parte, era assim que as coisas corriam naqueles dias, em meio a uma matança constante. O próprio Davi cometera diversos assassinatos insensatos (2Sm 27.8 ss.). Portanto, que significava mais um assassínio? A maioria dos homicídios nunca era castigada. Sempre havia um argumento para justificá-los.

■ **3.28,29**

וַיִּשְׁמַע דָּוִד מֵאַחֲרֵי כֵן וַיֹּאמֶר נָקִי אָנֹכִי וּמַמְלַכְתִּי מֵעִם יְהוָה עַד־עוֹלָם מִדְּמֵי אַבְנֵר בֶּן־נֵר:

יָחֻלוּ עַל־רֹאשׁ יוֹאָב וְאֶל כָּל־בֵּית אָבִיו וְאַל־יִכָּרֵת מִבֵּית יוֹאָב זָב וּמְצֹרָע וּמַחֲזִיק בַּפֶּלֶךְ וְנֹפֵל בַּחֶרֶב וַחֲסַר־לָחֶם:

Sabendo-o depois Davi, disse. Sabedor do que acontecera, a despeito da lei do vingador de sangue, Davi reconheceu que fora cometido um assassínio por inveja, o qual ele jamais poderia aprovar. Assim, Davi declarou a si mesmo e ao seu governo inocente do ato. E chegou ao extremo de invocar uma *maldição* contra Joabe. sua família seria plena de terríveis enfermidades, incluindo a temível *saraat*, uma doença cutânea de várias espécies, que incluía a lepra. A família de Joabe sofreria a morte pela espada e até pela fome. Nem mesmo o *goel* podia matar sem que houvesse um julgamento para determinar sua culpa ou inocência. Mas o cabeça quente Joabe não estava interessado em tais formalidades.

Quem tenha fluxo. Isto é, a gonorreia, considerada infame e imunda, que tornava as vítimas imundas para a adoração. Ver no *Dicionário* o verbete chamado *Limpo e Imundo,* e as muitas causas que provocavam a imundície.

Quem se apoie em muleta. O sentido mais provável destas palavras é alguém incapacitado para a guerra, aleijado ou enfermo.

Quem caia à espada. O sentido mais provável destas palavras é que haveria *suicidas* na família de Joabe, embora a referência possa indicar apenas mortes violentas. Não havia como o violento Joabe pudesse escapar a uma morte violenta. De fato, foi mediante um ato de violência que ele morreu (1Rs 2.31-35). Estranhamente, foi por ordem de Salomão que Joabe encontrou seu fim.

Quem necessite de pão. A pobreza que leva à falta de comida.

A vontade de Yahweh, contudo, foi realizada. Abner precisava morrer. Por isso John Gill (*in loc.*) afirmou: "Foi pura vingança da parte do Senhor contra Abner por ter ele lutado contra Deus e agido contra os ditames de sua própria consciência; por sua rebeldia contra Davi e por sua perfídia contra Is-Bosete, e por ter sido causa de tanto derramamento de sangue em Israel".

■ 3.30

וְיוֹאָב֙ וַאֲבִישַׁ֣י אָחִ֔יו הָרְג֖וּ לְאַבְנֵ֑ר עַל֩ אֲשֶׁ֨ר הֵמִ֧ית אֶת־עֲשָׂהאֵ֛ל אֲחִיהֶ֖ם בְּגִבְע֥וֹן בַּמִּלְחָמָֽה׃ פ

O autor sagrado fornece-nos um pequeno sumário do incidente, repetindo o que já havia dito: Joabe agiu por vingança. Ele agiu como o vingador do sangue, conforme anotado no vs. 27 deste capítulo.

Davi confessou sua *fraqueza*. Os filhos de *Zeruia* eram fortes demais para ele (vs. 39). Ele não podia punir Joabe conforme gostaria de fazê-lo. Em seu leito de morte, porém, Davi encarregou Salomão de corrigir esse e outros erros que o selvagem Joabe havia cometido (1Rs 2.5). Salomão teria o poder de fazer o que o fraco Davi não conseguira efetuar. Joabe seria morto de forma violenta por sua violência estúpida e infundada. Este versículo parece indicar que o assassinato no *processo da guerra* não era corretamente punido pelo vingador de sangue. A matança em guerra é uma espécie de matança legalizada que até os homens *louvam*. Mas ela não deveria ocorrer no estado de paz. Se assim acontecesse, se tornaria *homicídio*.

E seu irmão Abisai. Embora Joabe tenha efetuado o homicídio, ele contava com o apoio e o encorajamento do irmão, *Abisai*. Josefo diz-nos que tal homem estivera presente por ocasião do assassínio (*Antiq.* 1.7, cap. 1, sec. 5).

■ 3.31

וַיֹּאמֶר֩ דָּוִ֨ד אֶל־יוֹאָ֜ב וְאֶל־כָּל־הָעָ֣ם אֲשֶׁר־אִתּ֗וֹ קִרְע֤וּ בִגְדֵיכֶם֙ וְחִגְר֣וּ שַׂקִּ֔ים וְסִפְד֖וּ לִפְנֵ֣י אַבְנֵ֑ר וְהַמֶּ֣לֶךְ דָּוִ֔ד הֹלֵ֖ךְ אַחֲרֵ֥י הַמִּטָּֽה׃

Rasgai as vossas vestes. Davi tinha autoridade suficiente para forçar o selvático Joabe a participar nas *lamentações* por Abner. O modo usual das lamentações foi seguido, com as roupas rasgadas, o vestir do cilício e as lamentações. Mas aqui não se diz que eles lançaram *pó sobre a cabeça*, que também fazia parte do ritual (ver 1Sm 4.12; 2Sm 1.2). Ver o artigo geral sobre *Lamentação*, no *Dicionário*, especialmente a terceira seção, quanto aos modos de lamentação.

Davi tomou toda precaução para dissociar-se do ato traiçoeiro de Joabe. Ele ainda tinha de preocupar-se com a unificação do reino. O fato de ter dado a Abner o correto ato de lamentação e sepultamento cooperou para seus propósitos políticos, embora não haja razão para duvidarmos de sua sinceridade.

Talvez o fato de que Joabe teve de lamentar juntamente com outras pessoas a morte de Abner fosse visto como um ato de penitência pública; e, nesse caso, por mais hipócrita que tivesse sido, poderia ajudar a causa da unificação defendida por Davi. "O próprio Davi acompanhou o esquife, como o principal lamentador" (Ellicott, *in loc.*).

Ia seguindo o féretro. Abner era um homem rico. sua família proveu o melhor para ele. seu esquife era impressionante. Alguns esquifes mortuários eram dourados. Outros eram feitos de marfim. O esquife de Herodes era inteiramente feito de ouro, e incrustado de pedras preciosas, e grandes multidões o seguiram até o local de seu sepultamento (Josefo, *Guerras*, 1.1, cap. 33, sec. 9). Ver no *Dicionário* o verbete intitulado *Féretro*, quanto a detalhes. A palavra hebraica para "féretro", *mittah,* é usada exclusivamente neste versículo. Alguns intérpretes veem aqui somente uma cama leve ou colchão, um veículo comum para sepultamentos na antiga nação de Israel, tanto para ricos quanto para pobres. Ver Lc 7.14.

■ 3.32

וַיִּקְבְּר֥וּ אֶת־אַבְנֵ֖ר בְּחֶבְר֑וֹן וַיִּשָּׂ֧א הַמֶּ֣לֶךְ אֶת־קוֹל֗וֹ וַיֵּ֙בְךְּ֙ אֶל־קֶ֣בֶר אַבְנֵ֔ר וַיִּבְכּ֖וּ כָּל־הָעָֽם׃ פ

Hebrom. Este foi o quartel-general de Abraão e de outros antigos patriarcas, e se tornou o lugar de descanso de Abner, um homem como a maioria de nós, que mesclava características boas e más, pontos fortes e fracos. Uma grande lamentação nacional despediu sua alma. As estúpidas circunstâncias de sua morte agravaram ainda mais a sensação de tristeza. Parecia tão desnecessário que Abner tivesse morrido como morreu.

Gibeom (ver 1Cr 7.29,33; 9.33) tinha sido o lugar do nascimento de Abner e era a terra de sua família. Não sabemos dizer por que ele não foi sepultado ali. Talvez Is-Bosete, agora seu oponente, controlasse o local. As tradições judaicas indicam que ele nasceu *dentro* da cidade, e não fora (*Cippi Hb*, parte 8), mas isso teria sido um desvio radical das leis do puro e do imundo, dificilmente possível para hebreus piedosos.

■ 3.33,34

וַיְקֹנֵ֥ן הַמֶּ֛לֶךְ אֶל־אַבְנֵ֖ר וַיֹּאמַ֑ר הַכְּמ֥וֹת נָבָ֖ל יָמ֥וּת אַבְנֵֽר׃

יָדֶ֣ךָ לֹא־אֲסֻר֗וֹת וְרַגְלֶ֙יךָ֙ לֹא־לִנְחֻשְׁתַּ֣יִם הֻגָּ֔שׁוּ כִּנְפ֛וֹל לִפְנֵ֥י בְנֵֽי־עַוְלָ֖ה נָפָ֑לְתָּ וַיֹּסִ֥פוּ כָל־הָעָ֖ם לִבְכּ֥וֹת עָלָֽיו׃

E o rei, pranteando a Abner, disse. Nessa ocasião, o poético e musical Davi criou uma pequena elegia para Abner. Queixava-se da maneira traiçoeira, estúpida, aparentemente insensata em que um grande campeão de Israel tinha morrido. E demonstra a profunda emoção e a *consternação* que Davi sentiu sobre a questão. Adam Clarke (*in loc.*) dá-nos uma excelente paráfrase da composição:

> Abner morreu
> de uma morte como de um vilão?
> suas mãos não foram amarradas,
> nem foram aplicadas algemas aos seus pés.
> Como cai alguém perante os filhos da culpa,
> Assim caíste?

ele não foi colhido por um ato da lei, nem caiu em batalha, que teria sido uma morte honrosa para um homem como ele; mas foi morto como um vilão, pela traição de um rival. Ele caiu como um tolo que não sabia defender-se.

"Abner, tão valente na guerra, com as mãos livres para defender-se, e com os pés sem correntes, sem suspeitar do mal, caiu pelo ato traiçoeiro de um homem ímpio, súbita e inesperadamente" (Ellicott, *in loc.*). Foi assim que um ato vil de Joabe furtou o velho guerreiro de uma morte respeitável, e levou-o a morrer como se fosse um cão.

■ 3.35

וַיָּבֹ֣א כָל־הָעָ֗ם לְהַבְר֧וֹת אֶת־דָּוִ֛ד לֶ֖חֶם בְּע֣וֹד הַיּ֑וֹם וַיִּשָּׁבַ֨ע דָּוִ֜ד לֵאמֹ֗ר כֹּ֣ה יַעֲשֶׂה־לִּ֤י אֱלֹהִים֙ וְכֹ֣ה יֹסִ֔יף כִּ֣י אִם־לִפְנֵ֧י בוֹא־הַשֶּׁ֛מֶשׁ אֶטְעַם־לֶ֖חֶם א֥וֹ כָל־מְאֽוּמָה׃

Então veio todo o povo fazer que Davi comesse. Inconsolável, Davi nada comeu, a despeito da insistência das ofertas. Por motivo de respeito e tristeza, ele resolveu que jejuaria até o pôr do sol (ou seja, até o dia seguinte, segundo o modo hebraico de computar as horas do dia). Ver o artigo geral, no *Dicionário*, sobre *Lamentação,* quanto aos costumes associados.

O costume era lamentar até a noite, quando então aos lamentadores era servida uma refeição. Os sepultamentos sempre ocorriam durante as horas do dia. Os gregos e os romanos tinham costumes similares (Kirchman, *De Funer. Roman.* 1.4, caps. 5 e 6). Em Israel, uma refeição com frequência assinalava o fim das lamentações oficiais, mas nunca no mesmo dia (*Mish. Sanhedrin,* cap. 2, sec. 3).

■ 3.36

וְכָל־הָעָם הִכִּירוּ וַיִּיטַב בְּעֵינֵיהֶם כְּכֹל אֲשֶׁר עָשָׂה הַמֶּלֶךְ בְּעֵינֵי כָל־הָעָם טוֹב׃

Todo o povo notou isso. O povo aprovou a tristeza genuína de Davi, apesar do fato de que ele tinha sido um rival de Abner, e por tanto tempo sofrera oposição da parte dele. "O narrador teve o cuidado de mostrar que Davi foi inteiramente inocentado aos olhos do povo" (George B. Caird, *in loc.*). Isso o ajudou a consolidar o poder sobre todo o Israel, incluindo a parte norte da nação, onde a morte de Abner foi, muito naturalmente, agudamente sentida e lamentada.

Eles estariam dispostos a suportar o temível Joabe, enquanto Davi fosse o rei. E não lançaram a culpa sobre Davi pelos atos selvagens daquele homem. Além disso, qual homem melhor poderia estar ao seu lado, numa luta contra os filisteus?

O autor sagrado aproveita essa ocasião para enfatizar que Davi agradou ao povo *em todas as coisas,* em todos os atos, e isso sempre ocorreu em sua vida. A despeito do que tinha acontecido com Abner, eles ansiavam ter Davi como rei.

■ 3.37

וַיֵּדְעוּ כָל־הָעָם וְכָל־יִשְׂרָאֵל בַּיּוֹם הַהוּא כִּי לֹא הָיְתָה מֵהַמֶּלֶךְ לְהָמִית אֶת־אַבְנֵר בֶּן־נֵר׃ פ

Ficaram sabendo que não procedera do rei que matassem a Abner. Embora consternados por toda a questão, eles não lançaram sobre Davi a culpa pela morte de Abner. Eles já conheciam Joabe. Coisa alguma que ele fizesse haveria de surpreendê-los. Ele tinha agido sem autorização. O que passara era lamentável, mas não ocorrera por vontade de Davi. O autor sacro continua a enfatizar que não houve recuo nos planos de unificação. Israel poderia passar sem Abner, mas não sem Davi. Este tinha um papel a desempenhar, um missão a cumprir, e ninguém poderia impedi-lo de fazer isso. Os Targuns enfatizam que o ato assassino de Joabe foi efetuado "sem o conhecimento de Davi, e sem o seu consentimento e sim, de modo contrário à sua vontade e mente".

■ 3.38

וַיֹּאמֶר הַמֶּלֶךְ אֶל־עֲבָדָיו הֲלוֹא תֵדְעוּ כִּי־שַׂר וְגָדוֹל נָפַל הַיּוֹם הַזֶּה בְּיִשְׂרָאֵל׃

Hoje caiu em Israel um príncipe e um grande homem? Sim, um grande homem havia tombado naquele dia. Cf. a lamentação sobre Saul e Jônatas: "Como caíram os valentes!" (2Sm 1.19,25,27), o refrão tríplice da elegia por aqueles dois homens. "A compaixão e o espírito perdoador de Davi são evidentes aqui, qualidades que o separavam dos homens ordinários" (Eugene H. Merrill, *in loc.*).

Abner era tio de Saul e, por conseguinte, pertencia à família real; fora valente guerreiro; era muito habilidoso e notável comandante. De acordo com os padrões antigos daquele povo guerreiro, ele era um homem excelente, de todas as maneiras superior. Davi, em sua generosidade, deixou de mencionar todas as coisas más em que Abner se envolvera e que tinham levado Israel a envolver-se em uma guerra civil, durante a qual houve muito derramamento de sangue insensato.

■ 3.39

וְאָנֹכִי הַיּוֹם רַךְ וּמָשׁוּחַ מֶלֶךְ וְהָאֲנָשִׁים הָאֵלֶּה בְּנֵי צְרוּיָה קָשִׁים מִמֶּנִּי יְשַׁלֵּם יְהוָה לְעֹשֵׂה הָרָעָה כְּרָעָתוֹ׃ פ

Retribua o Senhor ao que fez mal. Normalmente, Davi teria matado o vilão, conforme fizera em outras oportunidades. Ver 2Sm 1.5 e 4.12 como exemplos. Mas ele aqui confessou a sua incapacidade de tratar com Joabe, o filho de Zeruia. Joabe era um mafioso, que aterrorizava todos, incluindo o poderoso Davi. Portanto, com um suspiro de resignação, Davi entregou o selvagem Joabe ao julgamento de Yahweh, que certamente ocorreria. Ironicamente, Joabe morreu por ordem baixada por Salomão (ver 1Rs 2).

Joabe, aquele homem de singular violência e força, sem dúvida foi dotado de grande influência no exército de Davi. Davi poderia envolver-se em uma amotinação se tivesse ordenado a execução de Joabe. Ademais, o homem tinha agido como vingador do sangue (ver a respeito no *Dicionário*), e, de acordo com uma antiga lei dos hebreus, tinha o *direito* de matar Abner. Pelo menos, muita gente poderia ter interpretado a questão por esse prisma. Ver os comentários sobre 2Sm 3.30 quanto a outras observações. Ver também as notas relativas ao vs. 27 deste capítulo. Joabe e Abisai, seu irmão, eram filhos de uma das irmãs de Davi, Zeruia. A violência era a especialidade da família.

CAPÍTULO QUATRO

Este capítulo dá continuação à seção iniciada em 2Sm 2.8, onde aparecem as notas de introdução. A morte de Abner logo tomou de Is-Bosete toda a força que ele possuía, porquanto ele próprio exercia pouquíssima influência. A morte de Abner foi a execução de Is-Bosete. Os reis antigos seguiam o exemplo de violência de seus antecessores, eliminando qualquer possível cooperação. Is-Bosete era, virtualmente, um homem morto. Davi poderia ter eliminado a maior parte da família de Saul. Porém, havia prometido a Saul que não faria isso (1Sm 24.21,22). Mas, quando chegou a hora, Davi quebrou sua promessa (ver 2Sm 21.4 ss.). Naturalmente, a narrativa que temos à frente não lança a culpa sobre Davi. Certos entusiastas tomaram a questão em suas mãos e assim tentaram obter favor diante de Davi.

■ 4.1

וַיִּשְׁמַע בֶּן־שָׁאוּל כִּי מֵת אַבְנֵר בְּחֶבְרוֹן וַיִּרְפּוּ יָדָיו וְכָל־יִשְׂרָאֵל נִבְהָלוּ׃

"Abner tinha sido não somente a coluna mestra do reino, mas também seu administrador. Com sua morte, *fracassou a coragem* de Is-Bosete, e os negócios do estado caíram em total confusão" (George B. Caird, *in loc.*). O pânico se abateu sobre todos. Isso facilitou mais ainda a Davi assumir autoridade na região norte da nação. Davi era por demais poderoso para alguém oferecer-lhe resistência e tinha ao seu lado o temível Joabe, que havia tirado a vida de Abner (capítulo 3). Portanto, a providência divina abrira caminho para a unificação em Israel. E Davi era o rei inevitável. Ver no *Dicionário* o artigo chamado *Providência de Deus.*

■ 4.2

וּשְׁנֵי אֲנָשִׁים שָׂרֵי־גְדוּדִים הָיוּ בֶן־שָׁאוּל שֵׁם הָאֶחָד בַּעֲנָה וְשֵׁם הַשֵּׁנִי רֵכָב בְּנֵי רִמּוֹן הַבְּאֵרֹתִי מִבְּנֵי בִנְיָמִן כִּי גַּם־בְּאֵרוֹת תֵּחָשֵׁב עַל־בִּנְיָמִן׃

Houve dois oficiais militares, no exército de Saul, que perceberam claramente que Is-Bosete não resistiria por muito tempo. Eles queriam alcançar glória matando aquele homem, esperando obter favor diante de Davi, o qual, obviamente, em breve seria o seu rei. Eles eram irmãos e se chamavam *Baaná* e *Recabe,* e merecem artigos separados no *Dicionário*. Todos os demais nomes próprios deste versículo também são comentados no *Dicionário*.

Beerote. Esta cidade era, originalmente, membro da liga gibeonita de cidades cananeias que tinham mantido independência de Israel (ver Js 9.17). Quatro cidades faziam parte da liga. A região foi alocada à tribo de Benjamim (Js 28.25) e eventualmente caiu nas mãos daquela tribo.

■ 4.3

וַיִּבְרְחוּ הַבְּאֵרֹתִים גִּתָּיְמָה וַיִּהְיוּ־שָׁם גָּרִים עַד הַיּוֹם הַזֶּה: ס

Tinham fugido os beerotitas para Gitaim. O autor sacro não nos informa por que os habitantes de Beerote desertaram da própria cidade e fugiram para uma cidade de Benjamim, chamada Gitaim (ver a respeito no *Dicionário*). Sem dúvida foram atacados por algum povo guerreiro e fugiram para salvar a própria vida. Presumimos que a cidade deserta tenha sido subsequentemente ocupada pelos benjamitas. Cf. Ne 11.33. Beerote tem sido identificada com a moderna el-Bireh, 14,5 quilômetros ao norte de Jerusalém, na estrada para Betel. Talvez os ataques ao lugar estivessem associados àquele que Saul fez contra os gibeonitas (21.1-14), mas nesse caso não fica claro por que eles fugiram para uma cidade de Israel.

■ 4.4

וְלִיהוֹנָתָן בֶּן־שָׁאוּל בֵּן נְכֵה רַגְלָיִם בֶּן־חָמֵשׁ שָׁנִים הָיָה בְּבֹא שְׁמֻעַת שָׁאוּל וִיהוֹנָתָן מִיִּזְרְעֶאל וַתִּשָּׂאֵהוּ אֹמַנְתּוֹ וַתָּנֹס וַיְהִי בְּחָפְזָהּ לָנוּס וַיִּפֹּל וַיִּפָּסֵחַ וּשְׁמוֹ מְפִיבֹשֶׁת:

A Exceção. A casa de Saul seria totalmente removida, ou pela matança ou pela fuga. Uma exceção seria feita, a saber, Mefibosete, filho de Jônatas. Davi havia prometido a Jônatas que trataria bondosamente os seus descendentes quando subisse ao trono (1Sm 18.3; 20.14-17. Ver também 2Sm 9). O procedimento normal, seguido pelos antigos reis orientais, era matar a casa real anterior, a fim de remover qualquer eventual competição. Isso foi, essencialmente, o que aconteceu a Davi quando ele subiu ao trono, mas não rigidamente por sua própria ordem. Havia muitos homens violentos que cuidariam da tarefa. Não obstante, Davi também participou do expurgo.

Mefibosete, aos 5 anos de idade, tornara-se um aleijado dos pés devido a uma queda fatal. Quando Saul e Jônatas foram mortos em Jezreel (ver 1Sm 31), sua ama deu início a uma fuga, esperando salvar Mefibosete do assassínio por parte de atacantes filisteus, e, em sua pressa, deixou a criança cair, provocando o aleijamento. Fisicamente ferido, ele não estava preparado para tornar-se rei, mas a bondade de Davi não lhe foi estendida meramente por não ser ele um competidor. O amor de Davi por Jônatas, que inspirou um pacto entre eles, levou-o a agir bondosamente para com o pobre menino aleijado. Ele escapou do expurgo de Davi contra a família de Saul (ver 2Sm 21.4 ss.). Supomos que aquele não foi o único expurgo efetuado por ordem de Davi.

Ver no *Dicionário* o artigo sobre *Mefibosete*, quanto a maiores detalhes. seu nome original era *Meribe-Baal* (ver 1Cr 8.34). A casa de Saul foi reduzida de tal maneira que coisa alguma, além de um menino aleijado, poderia ter continuado a sua dinastia. Foi assim que se cumpriu a maldição de Samuel contra a linhagem de Saul. Ver 1Sm 13.13,14.

"A mudança no nome é similar à mudança de Esbaal para Is-Bosete, mas aqui a mudança foi de "Baal contende" para "da boca da vergonha"" (Eugene H. Merrill, *in loc.*). A *vergonha* em foco provavelmente é a vergonha dos ídolos, os deuses falsos adorados pelos pagãos.

■ 4.5

וַיֵּלְכוּ בְּנֵי־רִמּוֹן הַבְּאֵרֹתִי רֵכָב וּבַעֲנָה וַיָּבֹאוּ כְּחֹם הַיּוֹם אֶל־בֵּית אִישׁ בֹּשֶׁת וְהוּא שֹׁכֵב אֵת מִשְׁכַּב הַצָּהֳרָיִם:

Voltando agora à história do assassinato de Is-Bosete, são vistos em ação os dois valentes, *Recabe* e *Baaná*. Matar o rei do norte, um pato aleijado, seria fácil, além do que, conforme pensavam, esse ato agradaria a Davi, que os recompensaria grandemente por sua "coragem".

Porém, assim como Davi havia matado o amalequita que tirara a vida de Saul (ver 2Sm 1), da mesma forma despacharia aqueles homens ímpios (vs. 12) que tinham ousado matar um homem muito menos maligno, considerado por Davi "justo" (vs. 11). Davi tinha o costume de falar bem dos que morriam. Is-Bosete não era nenhum santo. Ele tomara parte na rebeldia, mesmo que Abner tenha sido a força principal por trás de tudo. Seja como for, Davi não apreciou o "serviço" que os dois vilões realizaram, presumivelmente *em favor do rei*. Davi não se mostrara capaz de tratar com o selvagem Joabe, mas os dois patifes não apresentavam problema.

Estando este a dormir, ao meio-dia. Era costumeiro, em todos os países quentes, trabalhar ou viajar muito cedo e muito tarde, mas descansar ao meio-dia, no calor do dia" (Adam Clarke, *in loc.*).

Os Targuns falam aqui de maneira deveras pitoresca: "ele estava dormindo o sono dos reis", pois tinha direito à sua sesta do meio-dia. John Gill (*in loc.*) criticou Is-Bosete por sua *preguiça*. Por outra parte, John Gill vivia na fria Inglaterra, e não entendia a utilidade das sestas, conforme se vê nos países de clima quente.

■ 4.6

וְהִנֵּה בָּאוּ עַד־תּוֹךְ הַבַּיִת לֹקְחֵי חִטִּים וַיַּכֻּהוּ אֶל־הַחֹמֶשׁ וְרֵכָב וּבַעֲנָה אָחִיו נִמְלָטוּ:

Fingindo que estavam à procura de provisões, os dois patifes traiçoeiros foram direto ao dormitório de Is-Bosete, na parte mais fresca da casa, e o apanharam dormindo; então, sem dizer palavra, despacharam-no enquanto ele dormia. Ele nunca soube o que o atingira, e sua alma foi surpreendida por acordar fora de seu corpo, a caminho dos mundos da luz. Ninguém testemunhou o ato atrevido, e os dois assassinos escaparam facilmente da casa sem serem flagrados.

Como que vindo buscar trigo. Os armazéns de Is-Bosete provavelmente ficavam perto de sua residência, ou talvez no mesmo complexo de edificações. Os dois assassinos provavelmente tinham, como parte de seus deveres, buscar provisões; e assim foi fácil cumprir a missão assassina. A Septuaginta enfeita o texto, falando sobre uma mulher que cuidava dos armazéns, a qual também estava dormindo, pelo que não foi testemunha ocular do homicídio.

■ 4.7

וַיָּבֹאוּ הַבַּיִת וְהוּא־שֹׁכֵב עַל־מִטָּתוֹ בַּחֲדַר מִשְׁכָּבוֹ וַיַּכֻּהוּ וַיְמִתֻהוּ וַיָּסִירוּ אֶת־רֹאשׁוֹ וַיִּקְחוּ אֶת־רֹאשׁוֹ וַיֵּלְכוּ דֶּרֶךְ הָעֲרָבָה כָּל־הַלָּיְלָה:

Cortaram-lhe depois a cabeça. 1. Davi cortou a cabeça de Golias e fez dela um espetáculo público, exibindo assim seu desgosto com o gigante. Foi um troféu horrendo (ver 1Sm 17.41 ss.). 2. Em retaliação, os filisteus cortaram a cabeça de Saul e fizeram disso um espetáculo, demonstrando seu ódio e deleitando-se no horrível troféu (ver 1Sm 31.9). 3. Assim também os dois bandidos deceparam e levaram a cabeça de Is-Bosete a Davi, supondo que o rei se alegraria ao ver a cabeça do rival. A cabeça serviria de prova absoluta da matança. Para os dois, aquilo era o *troféu da traição*.

Andando toda a noite pelo caminho da planície. Ou seja, a planície de Arabá, na direção de Hebrom. Era natural tomar esse caminho para quem ia de Maanaim para Hebrom, e ninguém os perseguiu porque ninguém sabia do ocorrido. Foi um crime perfeito, até que eles mesmos o revelaram a Davi. A jornada foi de cerca de 110 quilômetros, pelo que fizeram um considerável sacrifício para cumprir o seu desígnio.

■ 4.8

וַיָּבִאוּ אֶת־רֹאשׁ אִישׁ־בֹּשֶׁת אֶל־דָּוִד חֶבְרוֹן וַיֹּאמְרוּ אֶל־הַמֶּלֶךְ הִנֵּה־רֹאשׁ אִישׁ־בֹּשֶׁת בֶּן־שָׁאוּל אֹיִבְךָ אֲשֶׁר בִּקֵּשׁ אֶת־נַפְשֶׁךָ וַיִּתֵּן יְהוָה לַאדֹנִי הַמֶּלֶךְ נְקָמוֹת הַיּוֹם הַזֶּה מִשָּׁאוּל וּמִזַּרְעוֹ: ס

Assim o Senhor vingou hoje ao rei meu senhor. Os dois assassinos lançaram a culpa toda sobre Yahweh. Os homens têm o terrível hábito de invocar a Deus para justificar seus malfeitos. Os homens usam a palavra "Deus" com imensa facilidade e geralmente de forma abusiva. Contraste-se isso com o antigo uso hebraico em que o *tetragrama*, YGWH, nunca era vocalizado, ou, se vocalizado, era corrompido de tal modo que o nome sagrado jamais era proferido pelos lábios dos homens. Os dois bandidos, pois, disseram: "Foi obra de Yahweh. Você deveria alegrar-se. seu arqui-inimigo está morto, e nós somos os heróis que cumprimos esse feito. Quão grande será a recompensa que darás a nós por esse grande serviço?" Tais foram os pensamentos e as palavras dos dois patifes. Seja como for, a profecia de Samuel estava sendo cumprida, de modo que a linhagem de Saul não continuaria no poder. Não haveria nenhuma linhagem real de Saul. Mas haveria uma casa real de Davi. Ver 1Sm 13.13,14.

"Mediante um verdadeiro estilo oriental, os assassinos fizeram do Senhor cúmplice de seu crime... Isso ilustra o perigo constante da religião de Israel — uma crença na predestinação... um determinismo que dizia que tudo quanto acontecia era algum ato direto da parte de Deus" (George G. Caird, *in loc.*). A teologia dos hebreus era fraca quanto a causas secundárias (humanas), tendendo a atribuir tudo a Deus, tornando-o assim a causa do mal, e não meramente do bem. As modernas teorias da predestinação continuam a cometer o mesmo erro. Ver no *Dicionário* os artigos chamados *Predestinação (e Livre-arbítrio)* e também *Livre-arbítrio,* quanto a uma discussão dos problemas envolvidos.

Quão triste é quando más ações são atribuídas à divindade. Tal é a perversão da mente humana. Até os mais corruptos entre os políticos falam sobre Deus. Os sistemas opressivos são chamados justos, supostamente determinados e dirigidos pela sorte.

■ 4.9,10

וַיַּ֨עַן דָּוִ֜ד אֶת־רֵכָ֣ב ׀ וְאֶת־בַּעֲנָ֣ה אָחִ֗יו בְּנֵ֛י רִמּ֥וֹן הַבְּאֵֽרֹתִי֙ וַיֹּ֣אמֶר לָהֶ֔ם חַי־יְהוָ֕ה אֲשֶׁר־פָּדָ֥ה אֶת־נַפְשִׁ֖י מִכָּל־צָרָֽה׃

כִּ֣י הַמַּגִּ֣יד לִ֗י לֵאמֹר֙ הִנֵּה־מֵ֣ת שָׁא֔וּל וְהֽוּא־הָיָ֥ה כִמְבַשֵּׂ֖ר בְּעֵינָ֑יו וָאֹחֲזָ֣ה ב֔וֹ וָאֶהְרְגֵ֖הוּ בְּצִֽקְלָ֑ג אֲשֶׁ֥ר לְתִתִּי־ל֖וֹ בְּשֹׂרָֽה׃

Tão certo como vive o Senhor. Em sua resposta, Davi também usou a palavra *Yahweh*. De fato, o poder divino o tinha libertado de todos os seus inimigos. Aquele homem maligno, Saul, havia recebido o fim merecido, mas o amalequita que assim agiu foi executado imediatamente por Davi. Não havia *adversidade* que pudesse subjugar a Davi. Entretanto, ele não precisava de atos assassinos para ajudá-lo em seu programa. Os dois patifes não se dariam melhor do que o amalequita que agira da mesma maneira e com o mesmo propósito (ver 2Sm 1 quanto à narrativa). Tanto o amalequita quanto os dois patifes estavam atrás de *recompensa*; e ambos tinham julgado muito mal quais seriam os sentimentos de Davi; ambos subestimaram seu espírito religioso, e como ele respeitava e até temia qualquer autoridade constituída por Yahweh. "Eles pensavam, como fizera o pobre e mentiroso amalequita, que agradariam Davi com aquele ato abominável" (Adam Clarke, *in loc.*). No vs. 10, a Septuaginta usa a famosa palavra grega, *euangelis* (boa notícia), o singular sendo o evangelho do Novo Testamento.

Os Targuns falam sobre o *simpático presente* que aqueles indivíduos malvados esperavam receber da parte de Davi. Eles queriam dinheiro e posição social.

"Quão terrível e estranha é a propensão de homens pecaminosos a encobrir os crimes mais ultrajantes com o cobertor blasfemo que diz 'Esta foi a vontade de Deus!'... mas isso não engana Deus... 'Eu te vomitarei da minha boca' (Ap 3.16)" (Ganse Little, *in loc.*).

■ 4.11

אַ֣ף כִּֽי־אֲנָשִׁ֣ים רְשָׁעִ֗ים הָרְג֧וּ אֶת־אִישׁ־צַדִּ֛יק בְּבֵית֖וֹ עַל־מִשְׁכָּב֑וֹ וְעַתָּ֗ה הֲל֨וֹא אֲבַקֵּ֤שׁ אֶת־דָּמוֹ֙ מִיֶּדְכֶ֔ם וּבִעַרְתִּ֥י אֶתְכֶ֖ם מִן־הָאָֽרֶץ׃

Mataram a um homem justo. Quando falava sobre os mortos, Davi tinha o hábito de exagerar em seus louvores. Até mesmo quando escreveu a elegia a Saul (2Sm 1.19 ss.), ele deixou de lado todas as coisas que o primeiro rei de Israel tinha feito e falou como se nada houvesse de mal nele. Is-Bosete participou do plano de impedir Davi de chegar ao trono, agindo de modo contrário à profecia de Samuel. Is-Bosete era um homem fraco que obedecia a Abner e não fizera objeção à guerra civil, *se* esse fosse o meio pelo qual ele se manteria no poder. Em comparação com Saul, ele era um homem bom, mas isso é o máximo que podemos dizer a seu respeito.

Seja como for, se o amalequita que matara um óbvio homem ruim teve de morrer, o mesmo também aconteceria aos dois patifes, que mataram um homem *comparativamente* bom. Ambos tinham estendido a mão contra um rei de Israel. Ademais, no caso de Is-Bosete, tratava-se de um ato covarde. Eles surpreenderam o pobre rei durante o sono. Ele não tivera chance de defesa. Foi assim que Davi "requereu o sangue do homem inocente das mãos deles", isto é, eles tiveram de *pagar* por seu crime com a própria vida. Ver no *Dicionário* o artigo chamado *Lei Moral da Colheita segundo a Semeadura*.

■ 4.12

וַיְצַו֩ דָּוִ֨ד אֶת־הַנְּעָרִ֜ים וַיַּהַרְג֗וּם וַֽיְקַצְּצ֤וּ אֶת־יְדֵיהֶם֙ וְאֶת־רַגְלֵיהֶ֔ם וַיִּתְל֥וּ עַל־הַבְּרֵכָ֖ה בְּחֶבְר֑וֹן וְאֵ֨ת רֹ֤אשׁ אִֽישׁ־בֹּ֙שֶׁת֙ לָקָ֔חוּ וַיִּקְבְּר֥וּ בְקֶֽבֶר־אַבְנֵ֖ר בְּחֶבְרֽוֹן׃ פ

Brutalidade foi o nome do jogo. Uma vez que Davi ordenou a execução dos dois assassinos, ele mandou decepar suas mãos e seus pés, aos quais pendurou perto do açude de Hebrom. E se dizia a todos quantos passavam por ali: "Estais vendo estas mãos e estes pés? Eles pertenceram aos dois assassinos de Is-Bosete, o filho de Saul. Cuidado para que coisa semelhante não vos aconteça, se fizerdes a mesma coisa tola". Decepar mãos e pés era, essencialmente, o mesmo que cortar a cabeça e servia ao mesmo propósito.

A *mutilação* era uma maneira de lançar o inimigo na desgraça. Os criminosos também eram mutilados, tal como acontece até hoje nos países islâmicos. Por outra parte, à cabeça de Is-Bosete foi dado um sepultamento decente, no sepulcro de Abner, que fora amigo e aliado de Is-Bosete.

Suas *mãos* tinham praticado aquele ato atrevido. Seus *pés* tinham-nos levado a derramar "sangue inocente". Portanto, foi apropriado que aquelas partes de seu corpo fossem exibidas em desgraça.

Davi se mostrara fraco demais ao punir o ímpio Joabe, por ter matado Abner (ver 2Sm 3.39). Tivera de deixar a questão nas mãos do Senhor. Algum dia, o poder de Deus haveria de equilibrar essa *conta*. Usualmente, porém, Davi despachava conspícuos pecadores sem demonstrar misericórdia. Cf. este versículo com 2Sm 1.15.

Alguns intérpretes entendem que foram os *corpos* dos dois patifes que foram pendurados em exibição. Se essa é a verdade do caso, então não sabemos o que sucedeu às suas mãos e pés. Seja como for, o ato de *mutilação* serviu de advertência a todos.

CAPÍTULO CINCO

SOBRE TODO O ISRAEL (5.1-12)

O *autor* foi cuidadoso em relatar, detalhadamente, como Davi consolidou o seu poder sobre todo o povo de Israel, depois que Saul foi morto, e ele próprio se mudou para Hebrom. Em primeiro lugar, Davi exerceu poder em Judá, na parte sul da nação (2.1-7). Seguiu-se uma guerra civil com a parte norte, sob o comando de Abner, que promovia a continuação da linhagem de Saul através do rei temporário e títere Is-Bosete. Essa guerra civil prolongou-se por bastante tempo (ver 2Sm 3.1). Mas Abner gradualmente percebeu que ele estava apoiando o homem errado, e que Davi, de acordo com as profecias de Samuel (ver 1Sm 16), eventual e inevitavelmente, seria o rei de toda a nação. Cf. isso com a admissão do fato por parte de Abner (2Sm 3.17,18). Assim, Abner fez primeiramente um acordo com o próprio Davi (um acordo de boas intenções), e então passou a promover ativamente o reinado de Davi, o que é descrito no capítulo 3. Naturalmente, Abner abandonou Is-Bosete, que não tardou a ser assassinado (2Sm 4), e isso significou o fim de qualquer oposição sistemática à subida de Davi ao trono. Todo o Israel tornou-se, dessa maneira, seu domínio, quando a parte norte da nação (Israel), através de seus anciãos, estabeleceu um pacto com Davi em Hebrom (2Sm 5.1-3). Davi tinha 30 anos de idade quando isso sucedeu, e reinou por um total de quarenta anos, incluindo os sete anos e meio em que reinou sobre Judá (ver 2Sm 5.4,5).

■ 5.1

וַיָּבֹאוּ כָּל־שִׁבְטֵי יִשְׂרָאֵל אֶל־דָּוִד חֶבְרוֹנָה וַיֹּאמְרוּ
לֵאמֹר הִנְנוּ עַצְמְךָ וּבְשָׂרְךָ אֲנָחְנוּ׃

Todas as tribos de Israel vieram a Davi, a Hebrom. Os anciãos de Israel (vs. 3), representantes das tribos do norte (Israel), vieram a Hebrom (vs. 1) e admitiram formalmente o direito de Davi governar sobre todo o território de Israel. Reconheceram o seu *reinado* (como alguém do mesmo sangue e da mesma carne). Ele não era um estrangeiro. Samuel tinha prometido o reino a Davi, e o havia ungido exatamente com essa finalidade (1Sm 16). Davi tinha todas as qualificações e era o único homem em Israel que poderia derrotar todos os seus inimigos, algo que Josué não fora capaz de fazer. Sansão e Saul tinham debilitado àqueles inimigos, mas coube a Davi concluir o trabalho. 1Cr 12.23-40 informa-nos que a comissão enviada a Hebrom, pelas tribos do norte, foi numerosa, e grandes ajuntamentos de guerreiros também estando envolvidos. Multidões de Judá juntaram-se ao grupo e assim ocorreu uma grande assembleia com numerosas representações vindas tanto do norte quanto do sul, algo que este capítulo não afirma.

■ 5.2

גַּם־אֶתְמוֹל גַּם־שִׁלְשׁוֹם בִּהְיוֹת שָׁאוּל מֶלֶךְ עָלֵינוּ
אַתָּה הָיִיתָה מוֹצִיא וְהַמֵּבִי אֶת־יִשְׂרָאֵל וַיֹּאמֶר יְהוָה
לְךָ אַתָּה תִרְעֶה אֶת־עַמִּי אֶת־יִשְׂרָאֵל וְאַתָּה תִּהְיֶה
לְנָגִיד עַל־יִשְׂרָאֵל׃

Razões pelas quais Davi Assumiu o Reino. suas credenciais:
1. Davi era parente deles. Cf. Gn 29.14 e Jz 9.2. Ele não era um estrangeiro, vs. 1.
2. Até mesmo durante o reinado de Saul, Davi fora um poderoso comandante de Israel e até ultrapassara a capacidade de Saul abater inimigos, pois matara dez mil, enquanto Saul matara mil (1Sm 18.7; 21.11 e 29.5).
3. ele era o escolhido de Yahweh, tendo sido ungido rei por Samuel (ver 1Sm 16). O fraseado exato deste versículo não aparece em nenhuma promessa concernente a Davi, mas pode ser deduzido de passagens como 2Sm 3.18. Talvez haja referência aqui a alguma promessa não registrada por escrito, que era mais parecida com o presente versículo.

Os reis eram chamados *pastores* e realmente o eram, em um sentido metafórico. Estão em vista a proteção e o suprimento, os deveres de um pastor. Ver Sl 78.71,72; Ez 34.23,24 e 37.24.

■ 5.3

וַיָּבֹאוּ כָּל־זִקְנֵי יִשְׂרָאֵל אֶל־הַמֶּלֶךְ חֶבְרוֹנָה וַיִּכְרֹת
לָהֶם הַמֶּלֶךְ דָּוִד בְּרִית בְּחֶבְרוֹן לִפְנֵי יְהוָה וַיִּמְשְׁחוּ
אֶת־דָּוִד לְמֶלֶךְ עַל־יִשְׂרָאֵל׃ פ

Ungiram a Davi, rei sobre Israel. Foi grande o dia em que o norte adicionou sua unção à de Samuel e à de Judá (2Sm 2.4). Com essas três unções, pois, Davi estava supremamente qualificado para ocupar o ofício de rei, tendo obtido reconhecimento universal. Isso foi efetuado como um culto religioso (assim foi aos olhos de Yahweh), não sendo apenas uma cerimônia civil. Ver no *Dicionário* o artigo chamado *Unção*, onde falamos sobre todos os atos e costumes que circundavam a ocasião. O pacto davídico sem dúvida envolvia um juramento para que se fizesse tudo quanto Moisés havia ordenado a respeito dos reis de Israel (ver Dt 17.14-20).

A *presente passagem* não nos fornece os termos do acordo, mas sabemos que coisa alguma foi negada a Davi. Ele se tornou monarca absoluto, com poder absoluto, governado somente pelas restrições da lei mosaica. Cf. 1Cr 12. O vs. 3 nos dá um relato sem enfeites do que aconteceu.

■ 5.4,5

בֶּן־שְׁלֹשִׁים שָׁנָה דָּוִד בְּמָלְכוֹ אַרְבָּעִים שָׁנָה מָלָךְ׃
בְּחֶבְרוֹן מָלַךְ עַל־יְהוּדָה שֶׁבַע שָׁנִים וְשִׁשָּׁה חֳדָשִׁים
וּבִירוּשָׁלַםִ מָלַךְ שְׁלֹשִׁים וְשָׁלֹשׁ שָׁנָה עַל כָּל־יִשְׂרָאֵל
וִיהוּדָה׃

O autor, que escreveu após a morte de Davi, diz, antecipadamente, quando duraria o reinado de Davi. Encontramos aqui outro *quarenta* bíblico. Esse número foi conseguido mediante a adição aos sete anos e meio nos quais Davi reinara somente sobre Judá. Parece que Davi tinha 30 anos quando começou a reinar sobre todo o Israel. "Os quarenta anos de seu reinado cabem dentro da cronologia geral do livro dos Juízes, que é dividido por períodos regulares de *quarenta anos*" (George B. Caird, *in loc.*). 2Sm 2.11 já nos havia informado sobre os sete anos e meio durante os quais Davi havia governado somente sobre a tribo de Judá, mas não sobre toda a nação de Israel. Ver no *Dicionário* o artigo chamado *Quarenta*.

Da idade de trinta anos era Davi. A mesma idade com a qual os sacerdotes começavam a servir (Nm 4.3; 1Cr 23.3). Cf. os números que aparecem em 1Cr 29.26,27. Davi morreu aos 70 anos de idade (1Cr 29.28).

JERUSALÉM TORNA-SE A CAPITAL DE DAVI (5.6-16)

■ 5.6

וַיֵּלֶךְ הַמֶּלֶךְ וַאֲנָשָׁיו יְרוּשָׁלַםִ אֶל־הַיְבֻסִי יוֹשֵׁב
הָאָרֶץ וַיֹּאמֶר לְדָוִד לֵאמֹר לֹא־תָבוֹא הֵנָּה כִּי
אִם־הֱסִירְךָ הַעִוְרִים וְהַפִּסְחִים לֵאמֹר לֹא־יָבוֹא
דָוִד הֵנָּה׃

Partiu o rei... para Jerusalém. Davi, agora rei sobre todo o Israel, desejava em seu coração fazer de Jerusalém a sua capital. E como ele conseguiu isso, é descrito nos vss. 6 a 16 deste capítulo. O texto representa a captura de Jerusalém como o primeiro ato digno de nota do reinado de Davi. Seja como for, esse foi um acontecimento que afetaria toda a história subsequente de Israel, incluindo a da moderna nação de Israel.

"Visto que Jerusalém tinha permanecido sob o controle dos jebuseus desde os dias de Josué (ver Js 15.63), era considerada *neutra*. Assim a residência de Davi ali demonstraria imparcialidade tribal. Mas o próprio fato de que Jerusalém permanecera nas mãos dos jebuseus indicava sua *segurança* e inexpugnabilidade. Isso é visto claramente na resposta zombadora de seus cidadãos ao cerco da cidade por Davi: 'Não entrarás aqui, porque os cegos e os coxos te repelirão', disseram eles" (Eugene H. Merrill, *in loc.*). Ver no *Dicionário* o verbete intitulado *Jebuseus*. O rei de Jerusalém havia sido derrotado e morto por Josué (Js 10.23-26 e 12.10). Judá a havia conquistado (Jz 1.7,8), mas caíra de novo sob o controle dos jebuseus (ver Jz 19.11,12) e assim permaneceu até os dias de Davi. Davi viu a necessidade de deslocar os antigos habitantes cananeus daquela área se quisesse consolidar o reino em todo o Israel.

■ 5.7

וַיִּלְכֹּד דָּוִד אֵת מְצֻדַת צִיּוֹן הִיא עִיר דָּוִד׃

Esta é a cidade de Davi. Depois que Davi tomou a cidade, ela passou a ser conhecida como "a cidade de Davi", informação repetida no vs. 9. Era ele quem tinha o poder de fazer o que outros não tinham conseguido efetuar, pelo que seu nome veio a ser vinculado à cidade. Em primeiro lugar, ele conquistou uma fortaleza que ficava fora da cidade, e assim assumiu uma posição de poder. Mas a cidade era tão inexpugnavelmente fortificada que era preciso encontrar uma maneira especial de acesso. Eles não podiam fazê-lo através de um de seus portões, da muralha ou sobre a muralha. Todos esses lugares eram extraordinariamente fortificados. O vs. 8 narra como esse acesso foi obtido. A arqueologia ilumina a questão.

5.8

וַיֹּאמֶר דָּוִד בַּיּוֹם הַהוּא כָּל־מַכֵּה יְבֻסִי וְיִגַּע בַּצִּנּוֹר
וְאֶת־הַפִּסְחִים וְאֶת־הַעִוְרִים שְׂנֻאוֹ נֶפֶשׁ דָּוִד עַל־כֵּן
יֹאמְרוּ עִוֵּר וּפִסֵּחַ לֹא יָבוֹא אֶל־הַבָּיִת׃

Davi naquele dia mandou dizer. Este versículo, corrompido e quase impossível de ser entendido no hebraico, comunica sua mensagem como segue. Davi prometeu que qualquer um que fosse inteligente o bastante para descobrir como entrar na cidade seria promovido a comandante-em-chefe de seu exército. Em 1Cr 11.6, lemos que Joabe encontrou a chave para o sucesso, passando pelo túnel que ligava Jerusalém a uma fonte de onde vinha água para os reservatórios da cidade, conforme indica o versículo. Esse túnel subia pela *rocha* sobre a qual a cidade estava edificada. Os reservatórios eram alimentados pela fonte da Virgem, defronte da aldeia de Siloé, sendo a única fonte de água natural disponível para a cidade. O túnel, quase na vertical, cortava a rocha e possibilitava a obtenção de água sem que alguém tivesse de deixar as muralhas ou atravessar um dos portões da cidade. Tratava-se de uma fenda perpendicular, que percorria a rocha por um espaço de 13,40 metros, então em uma subida íngreme, a 45°, por uma distância de 13,72 metros. A seguir percorria, quase na horizontal, uma distância de mais 12,20 metros e subia por mais 15,25 metros, terminando no topo de um colina. Juntando este trecho com 1Cr 11.5,6, parece razoável supor que Joabe descobriu a chave e conduziu seus homens através desse túnel. Alguns eruditos, entretanto, duvidam que isso tenha realmente sucedido. Não obstante, a *Revised Standard Version*, em inglês, diz *water shaft*, "canal de água", um sinal positivo em favor dessa teoria. John Gill, duzentos anos atrás, citou o autor hebreu Áquilo, que afirmou que a captura da cidade se deu por meio de um *aqueduto*. E Dio Cassins (*Hist.* 1.66) fala em passagens subterrâneas através das quais os judeus escaparam de Jerusalém, quando a cidade foi assediada. Isso significa que haveria mais de uma dessas construções, mas a passagem em questão, no versículo presente, era um canal de água, conforme descrevemos aqui.

Nem cego nem coxo. Tornou-se proverbial que todos os inimigos de Davi se compunham de somente cegos e coxos, tão impotentes mostravam-se diante dele. Esse dito foi criado à base da circunstância do cerco de Jerusalém. Davi referiu-se, sarcasticamente, a *todos* os habitantes (jebuseus) de Jerusalém como aleijados impotentes e pessoas cegas que não lhe podiam resistir. A alma de Davi *odiava* a todas essas pessoas, por causa de suas zombarias, e o fim delas, nas mãos dele, era a morte.

"Elas eram aleijadas no espírito e cegas na imaginação. Confiavam na inviolabilidade do *status quo*" (Ganse Little, *in loc.*). A história ensina que a única coisa permanente é a *mudança*, conforme disse Heráclito: *panta rei*, "tudo está em fluxo".

5.9

וַיֵּשֶׁב דָּוִד בַּמְּצֻדָה וַיִּקְרָא־לָהּ עִיר דָּוִד וַיִּבֶן דָּוִד
סָבִיב מִן־הַמִּלּוֹא וָבָיְתָה׃

Assim habitou Davi na fortaleza. Este versículo parece indicar que a *fortaleza* que Davi ocupou era a própria cidade, e não uma fortaleza fora dela. Se isso está correto, então o vs. 7 já nos havia dado a informação de que a *cidade* fora capturada, e o vs. 8 faz uma digressão para dizer-nos como isso *tinha acontecido*. Essa fortaleza veio a ser conhecida como "a cidade de Davi" desde que ele ganhara fama por separar o que não podia ser separado. Ver esse nome também em 2Sm 6.12 e 1Rs 2.10.

Desde Milo e para dentro. Os eruditos esforçam-se por entender o que significa a palavra Milo. A NIV (uma versão inglesa da Bíblia) diz aqui "terraços de apoio". A própria palavra hebraica significa "enchimento", o que poderia querer dizer uma área entre as colinas da cidade. Talvez esse vale tivesse sido preenchido com vistas a facilitar sua ocupação. Mas alguns estudiosos fazem a palavra referir-se ao *aterro* ali levantado para proteger a cidade de ataques vindos do norte, conforme também se lê em 1Rs 9.15,24. Salomão fechou o *hiato* entre as colinas, conforme lemos em 1Rs 11.27, e isso poderia estar em vista aqui. O parapeito norte da cidade estava dividido por uma fossa, e Salomão parece ter preenchido essa depressão. Mas não estamos seguros se é isso que está em foco neste versículo. O que é claro é que Davi fortificou a cidade e estabeleceu algumas grandes mudanças em sua topografia, uma vez que ali estabeleceu sua capital. Josefo, por sua vez, chamou *Milo* de fortaleza, e disse que Davi a ligou ao restante da cidade mediante mudanças topográficas, erigindo uma muralha ao redor do conjunto (*Antiq.* 1.7, cap. 3, sec. 2).

5.10

וַיֵּלֶךְ דָּוִד הָלוֹךְ וְגָדוֹל וַיהוָה אֱלֹהֵי צְבָאוֹת עִמּוֹ׃ פ

Ia Davi crescendo em poder cada vez mais. Tendo realizado o impossível, a captura de *Jerusalém*, Davi continuou a crescer, surpreendendo a todos com suas realizações. Definitivamente, ele era o homem da hora! Estava fazendo coisas que Josué, Sansão e Saul só realizaram em parte. sua fama cresceu de acordo com isso, e o povo via que *Yahweh* era o poder por trás dele. O Espírito o tornara um novo homem. Os Targuns dizem aqui que "a Palavra do Senhor era sua ajudadora".

5.11

וַיִּשְׁלַח חִירָם מֶלֶךְ־צֹר מַלְאָכִים אֶל־דָּוִד וַעֲצֵי
אֲרָזִים וְחָרָשֵׁי עֵץ וְחָרָשֵׁי אֶבֶן קִיר וַיִּבְנוּ־בַיִת לְדָוִד׃

Hirão. Ver o artigo sobre esse homem no *Dicionário*. 1Rs 5.1 diz-nos que ele tinha um afeto especial por Davi, e podemos presumir que eles já se conhecessem há muito, chegado o tempo de Hirão edificar uma casa para Davi. John Gill supunha que o Hirão do presente texto fosse o *pai* do homem do mesmo nome que esteve associado a Salomão.

"É evidente que os israelitas tinham pouca habilidade arquitetônica, visto que dependeram dos fenícios quanto a pedreiros e outros operários na construção deste palácio, e nas construções de Salomão e do templo" (Ellicott, *in loc.*).

Que edificaram uma casa a Davi. O povo de Israel não era muito bom nas belas artes, na tecnologia e na arquitetura. Assim, quando Davi resolveu construir a *sua casa*, precisou contratar ajuda estrangeira. Em uma ocasião posterior, Hirão, rei de Tiro, também ajudou Salomão como a força principal na edificação do primeiro templo. A casa que aparece aqui em questão era uma residência para o próprio Davi, e não um templo ou tabernáculo. "Provavelmente essa foi a primeira casa real de tijolos e madeira na qual Davi vivera. sua possessão tornou-se sinal da *segurança firmada* que, finalmente, lhe fora concedida, após tantos anos de perambulação no exílio. Tal é sempre o valor de uma casa própria... Não obstante, a segurança espiritual nunca se deriva de coisas que nos pertencem, mas somente daquilo ao que *pertencemos*" (Ganse Little, *in loc.*).

Jesus assegurou-nos que há mansões na *casa do Pai*, e essas são nossas reais residências (Jo 14.2). Até o corpo de um homem é comparado a uma *tenda*, ou seja, uma residência temporária. Mas existe uma *casa*, lá nos céus, eterna, não feita por mãos humanas (ver 2Co 5.1). Ver na *Enciclopédia de Bíblia, Teologia e Filosofia* os vários artigos sob o título *Imortalidade*.

5.12

וַיֵּדַע דָּוִד כִּי־הֱכִינוֹ יְהוָה לְמֶלֶךְ עַל־יִשְׂרָאֵל וְכִי
נִשֵּׂא מַמְלַכְתּוֹ בַּעֲבוּר עַמּוֹ יִשְׂרָאֵל׃ ס

Reconheceu Davi que o Senhor o confirmara rei. Davi estava em uma excelente fase. Mas reconheceu que *Yahweh* lhe dera tudo quanto possuía, e que ele fora exaltado e recebera poder, não por sua causa pessoal, mas por causa de *Israel*.

... que tens tu que não tenhas recebido? e, se o recebeste, por que te vanglorias, como se o não tiveras recebido?

1Coríntios 4.7

Isso significa que tudo quanto temos foi-nos dado pela providência divina. Ver sobre a *Providência de Deus* no *Dicionário*. Deus estava operando através de Davi. Ele libertaria Israel de todos os inimigos dentro do território da Palestina, e sobre esse fato a monarquia israelense prosperaria e Israel chegaria à frutificação como nação.

Uma Importante Lição Espiritual. Este versículo ensina-nos que tudo quanto nos é dado, tudo quanto somos, servem ao próprio propósito de capacitar-nos a servir ao próximo. Essa é a lei do amor, a maior de todas as leis, que incorpora todas as demais em si mesma (ver Rm 13.8 ss.). Ver no *Dicionário* o verbete chamado *Amor*.

VÁRIOS FEITOS DE DAVI (5.13—10.19)

■ 5.13

וַיִּקַּח דָּוִד עוֹד פִּלַגְשִׁים וְנָשִׁים מִירוּשָׁלַםִ אַחֲרֵי בֹּאוֹ מֵחֶבְרוֹן וַיִּוָּלְדוּ עוֹד לְדָוִד בָּנִים וּבָנוֹת:

Certo número de incidentes miscelâneos na vida de Davi é apresentado aqui, não necessariamente na ordem cronológica. Por toda a exposição, são oferecidos subtítulos a cada um desses feitos.

Davi Amplia o seu Harém (vss. 13-16). Ao longo do caminho, enquanto Davi fazia grandes coisas, não negligenciava as mulheres. Por onde quer que fosse, adicionava mulheres a seu harém. Ver no *Dicionário* o artigo chamado *Poligamia*. O artigo sobre Davi provê um gráfico que ilustra como o harém de Davi crescia, e lista suas esposas e seus filhos. Mas ele tinha muitas concubinas e filhos que não são mencionados por nome. Davi possuía pelo menos *dez* concubinas cujos nomes não são citados (ver 2Sm 5.13 e 15.16). E possuía tantos filhos que os autores que os mencionam nem se importam em fornecer seus nomes. Ver 2Sm 3.2-5 quanto a outra passagem que aborda a questão e provê comentários adicionais. Ao chegar em Jerusalém e desfrutar, pelo momento, de relativa paz, Davi decidiu tomar algumas mulheres daquela região. Devemos lembrar que os monarcas orientais obtinham fama e reputação devido a seus grandes haréns. "Ao multiplicar mulheres, Davi estava conformando-se ao uso do Oriente, onde o prestígio de um governante era proporcional ao tamanho de seu harém" (George B. Caird, *in loc.*).

■ 5.14-16

וְאֵלֶּה שְׁמוֹת הַיִּלֹּדִים לוֹ בִּירוּשָׁלָםִ שַׁמּוּעַ וְשׁוֹבָב וְנָתָן וּשְׁלֹמֹה:

וְיִבְחָר וֶאֱלִישׁוּעַ וְנֶפֶג וְיָפִיעַ:

וֶאֱלִישָׁמָע וְאֶלְיָדָע וֶאֱלִיפָלֶט: פ

O texto hebraico lista *onze* filhos nestes três versículos (14-16), mas a Septuaginta fala em nada menos que 24 filhos! Isso pode estar historicamente exato, repousando sobre manuscritos hebraicos mais antigos do que os que estão disponíveis para nós hoje em dia. A mesma lista (como a do presente texto hebraico) é dada em 1Cr 3.5-8; 14.5-7, com variações realmente pequenas. A passagem de 1Cr 3.5 diz-nos que os primeiros quatro filhos mencionados eram filhos de Bate-Seba, os quais, na verdade, nasceram posteriormente durante o reinado de Davi. As genealogias de Mateus e de Lucas mencionam Salomão e Natã como os dois filhos de Davi por meio dos quais a genealogia de Jesus pode ser traçada. Embora Salomão figure em último lugar na presente lista, ele parece ter sido o mais velho dos filhos de Bate-Seba, de acordo com as informações dadas em 2Sm 12.24. Os manuscritos hebraicos apresentam os nomes com diversas variações, o que tem dado origem a várias confusões. Acerca de todos os nomes próprios que figuram nesses três versículos, há artigos no *Dicionário*, razão pela qual não repito aqui essa informação.

DAVI OBTÉM VITÓRIA SOBRE OS FILISTEUS (5.17-25)

Davi deixou o seu harém (vss. 13-16) por tempo suficiente para ocupar-se, de novo, em uma batalha contra os filisteus. sua estrela estava ascendendo, pelo que ele foi bem-sucedido. Davi foi rei de Israel por ter lutado e destruído os inimigos de Israel, o que significa que ele não negligenciou seus deveres.

■ 5.17

וַיִּשְׁמְעוּ פְלִשְׁתִּים כִּי־מָשְׁחוּ אֶת־דָּוִד לְמֶלֶךְ עַל־יִשְׂרָאֵל וַיַּעֲלוּ כָל־פְּלִשְׁתִּים לְבַקֵּשׁ אֶת־דָּוִד וַיִּשְׁמַע דָּוִד וַיֵּרֶד אֶל־הַמְּצוּדָה:

"Os filisteus observaram com especial atenção a prosperidade de Davi. Talvez por todos os seus anos em *Hebrom*, ele fosse considerado um rei vassalo dos filisteus (ver 1Sm 27.5-7; 29.3,6-9). Agora, entretanto, eles sabiam, acima de qualquer dúvida, que Davi, como sucessor de Saul, era um adversário implacável. Após obter a promessa da bênção divina (ver 2Sm 5.19), Davi marchou contra os filisteus que se tinham reunido para a batalha, no vale de Refaim, que ficava a somente 5 ou 6 quilômetros a sudoeste de Jerusalém, e ali lhes administrou uma ressonante derrota" (Eugene H. Merrill, *in loc.*).

Desceu Davi à fortaleza. Ou seja, à sua elevada fortaleza, a cidadela de Sião. Mas alguns estudiosos dizem que a fortaleza de Sião, à qual ele desceu, foi a caverna de Adulão, que ficava cerca de 13 quilômetros a sudeste de Belém. O autor não se refere a detalhes como a derrota de Saul pelos filisteus, que assim tinham tomado boa parcela do território de Israel. Davi anularia gradualmente essa situação.

■ 5.18

וּפְלִשְׁתִּים בָּאוּ וַיִּנָּטְשׁוּ בְּעֵמֶק רְפָאִים:

Vale de Refaim. Ver o artigo detalhado no *Dicionário* sobre o local. Este vale tem sido identificado com a moderna planície de *el Baqa*, que corre para sudoeste de Jerusalém. Js 15.8 traduz a palavra como "vale dos gigantes", identificando-o com a fortaleza de alguma antiga raça de gigantes. Era um vale frutífero, cerca de cinco milhas ao sudoeste de Jerusalém. Separava-se do vale de Hinom por uma estreita serra. O lugar era espaçoso o suficiente para prover um amplo acampamento. Foi ali que os filisteus estacionaram suas forças, e logo outra gigantesca matança umedeceria o terreno com sangue.

■ 5.19

וַיִּשְׁאַל דָּוִד בַּיהוָה לֵאמֹר הַאֶעֱלֶה אֶל־פְּלִשְׁתִּים הֲתִתְּנֵם בְּיָדִי וַיֹּאמֶר יְהוָה אֶל־דָּוִד עֲלֵה כִּי־נָתֹן אֶתֵּן אֶת־הַפְּלִשְׁתִּים בְּיָדֶךָ:

Ali estavam, uma vez mais, as hordas filisteias. Eles nunca desistiam. Uma batalha ganha significava apenas outra batalha a ser ganha. Uma batalha perdida significava que haveria outra a ser efetuada. Mas Davi transformaria tudo isso. Ele acabaria por aniquilar os filisteus, de uma vez por todas.

Antes de qualquer movimento importante, Davi consultava o oráculo, usualmente através do *Urim* e do *Tumim* (ver a respeito no *Dicionário*). Eram supridas respostas "sim" ou "não" e, mediante a manipulação de perguntas, todas as respostas desejadas podiam ser obtidas. Ver o artigo do *Dicionário* intitulado *Adivinhação*. Yahweh era o superior de Davi. Ele mesmo era o comandante-em-chefe de Israel. Mas Davi não se poria em movimento sem a direção de seu superior. Isso representa o *teísmo*, e não o *deísmo* (ambos os termos são explicados no *Dicionário*). Deus é visto como o Criador, mas também está presente para recompensar, punir e guiar. O deísmo retrata um Deus ausente (deus, ou poder cósmico), que abandonou a sua criação, submetendo-a às leis naturais em todas as coisas.

■ 5.20

וַיָּבֹא דָוִד בְּבַעַל־פְּרָצִים וַיַּכֵּם שָׁם דָּוִד וַיֹּאמֶר פָּרַץ יְהוָה אֶת־אֹיְבַי לְפָנַי כְּפֶרֶץ מָיִם עַל־כֵּן קָרָא שֵׁם־הַמָּקוֹם הַהוּא בַּעַל פְּרָצִים:

Baal-Perazim. Quanto a informes completos a respeito, ver o *Dicionário*. Provavelmente era uma antiga aldeia cananeia, a julgar por seu nome, que significa "Baal irrompe", referência a uma fonte divina. Davi empregou o nome para falar sobre uma *brecha* que ele conseguiria fazer através das forças de defesa dos filisteus, derrotando assim os exércitos inimigos. Davi deflagrara um ataque repentino e levara de roldão o inimigo à sua frente. Séculos mais tarde, a localidade foi relembrada como o local de uma grande vitória alcançada por Davi (ver Is 28.21). Na boca de Davi, *baal* era palavra que significava apenas "senhor" (cf. com 2Sm 2.8). Embora pareça que foi Davi quem deu ao lugar esse nome, é mais provável que Davi tenha dado ao nome uma nova significação. Parece muito difícil que ele tenha nomeado algum lugar com a palavra *baal*, embora possa ter atribuído ao nome um novo significado, para servir a seu próprio propósito.

Os filisteus tinham-se acampado em *Refaim*, mas depois avançaram para esse lugar, não muito distante do primeiro, para a batalha real. O local não tem sido identificado com certeza.

■ 5.21

וַיַּעַזְבוּ־שָׁם אֶת־עֲצַבֵּיהֶם וַיִּשָּׂאֵם דָּוִד וַאֲנָשָׁיו: פ

Os *filisteus* tomaram com eles os seus *deuses,* tal como, às vezes, Israel tomava a arca como proteção e meio de invocar a presença e o poder de Yahweh em seu favor (ver 1Sm 4.3). Os filisteus tiveram o infortúnio de ter suas imagens cativadas em meio à batalha, o que, em sua atitude mental supersticiosa, deve ter-lhes parecido um grande golpe. Isso significava que seus deuses não tinham sido capazes de protegê-los e, de fato, tinham desertado. "Era costume da maioria das nações antigas transportar seus deuses às batalhas" (Adam Clarke, *in loc.*), o qual também conjecturou que Israel levava a arca às batalhas, em *imitação* aos costumes dos pagãos.

Davi e seus homens os levaram. A *King James Version* da Bíblia em inglês diz que "Davi e seus homens os queimaram". Essa versão está certa. Isso foi feito em acordo com a lei de Dt 7.5,25. Cf. 1Cr 14.12. O mal era associado a esses ídolos, reais ou imaginários, e o "fogo" tem eficácia (simbólica) contra os ídolos.

■ 5.22

וַיֹּסִפוּ עוֹד פְּלִשְׁתִּים לַעֲלוֹת וַיִּנָּטְשׁוּ בְּעֵמֶק רְפָאִים:

Os filisteus tornaram a subir. Os filisteus tornaram a experimentar a sorte, reagruparam-se, formaram uma nova linha de defesa na Refaim próxima, e esperaram, dessa vez, alcançar melhor resultado. Josefo informa-nos que eles receberam auxílio e agora tinham forças *três vezes* mais poderosas (*Antiq.* 1.7, cap. 4, sec. 1).

■ 5.23

וַיִּשְׁאַל דָּוִד בַּיהוָה וַיֹּאמֶר לֹא תַעֲלֶה הָסֵב אֶל־אַחֲרֵיהֶם וּבָאתָ לָהֶם מִמּוּל בְּכָאִים:

Davi consultou o Senhor. Davi sentiu necessidade de consultar novamente o oráculo, tal como ocorrera no vs. 19 (ver as notas expositivas). Se Josefo estava com a razão, isto é, se as forças filisteias tinham aumentado em três vezes, então podemos compreender o *porquê* da nova consulta. Uma vitória não garantia a seguinte, especialmente quando alguém estava lidando com aqueles selvagens filisteus. A informação detalhada deste versículo, que apresenta os estratagemas da batalha, parece ir além do *modus operandi* de um simples "sim" ou "não" do *Urim* e do *Tumim* como respostas. É assim que certos intérpretes supõem que tais instruções tenham sido dadas por algum *profeta*. As instruções foram ao arriscar-se a um confronto direto, mas fazer uma manobra hábil pela retaguarda, próximo de algumas amoreiras. Ver no *Dicionário* o artigo chamado *Amoreiras*.

■ 5.24

וִיהִי בְּשָׁמְעֲךָ אֶת־קוֹל צְעָדָה בְּרָאשֵׁי הַבְּכָאִים אָז תֶּחֱרָץ כִּי אָז יָצָא יְהוָה לְפָנֶיךָ לְהַכּוֹת בְּמַחֲנֵה פְלִשְׁתִּים:

Ao que tudo indica, este versículo quer dar a entender um milagre. No alto das árvores, os israelitas ouviram uma espécie de som farfalhante, como a marcha de um exército. Isso serviria de sinal para avançar e atacar. Podemos presumir que Yahweh estaria controlando os ventos ou enviando um vento divino para produzir o som apropriado. A palavra aqui traduzida por "estrondo" é usada em Jz 5.4 e Sl 68.7 para a marcha dos exércitos do Senhor. Ao ouvir o tal ruído, Davi deveria mostrar-se "apressado", isto é, alerta e enérgico, e atacar imediatamente. A versão árabe diz aqui "o ruído de cascos de cavalos", mas isso parece dramático demais. Outros estudiosos opinam que o estrondo seria feito por um exército de anjos, que ajudariam os filhos de Israel na batalha. Pelo menos é assim que dizem os Targuns, mas isso parece ir além da intenção do texto sagrado.

■ 5.25

וַיַּעַשׂ דָּוִד כֵּן כַּאֲשֶׁר צִוָּהוּ יְהוָה וַיַּךְ אֶת־פְּלִשְׁתִּים מִגֶּבַע עַד־בֹּאֲךָ גָזֶר: פ

Fez Davi como o Senhor lhe ordenara. A um *obediente* Davi foi dada uma vitória singular, talvez auxiliada pelos anjos, conforme supõem alguns intérpretes. O campo de batalha estendeu-se de Geba até Gezer, tendo havido grande fuga dos filisteus, que corriam à frente dos israelitas. Esses dois lugares estavam separados por cerca de 36 quilômetros, estando Gezer a oeste do outro lugar. Ver sobre ambos os locais no *Dicionário*. Gezer é a moderna *Tell Jezer*. Ficava na fronteira com a Palestina. As cartas de Tell el-Amarna (ver no *Dicionário* um detalhado artigo a respeito) mencionam o lugar. As escavações arqueológicas têm demonstrado que aquele local foi habitado desde, pelo menos, os tempos neolíticos.

"Davi obedeceu pontualmente às orientações do Senhor, e *por isso* todas as coisas sucederam segundo a sua vontade" (Adam Clarke, *in loc.*).

> Quando caminhamos com o Senhor,
> À luz de sua Palavra,
> Que glória ele derrama em nosso caminho!
>
> J. H. Sammis

Alguns intérpretes insistem que Geba deveria ser Gibeom, o que significa que a perseguição ocorreu pelo espaço de 19 quilômetros, e não por 36 quilômetros. "Se estamos certos ao identificar o vale de Refaim com o platô a noroeste de Jerusalém, então *Gibeom* seria um lugar mais apropriado para o começo da fuga dos filisteus do que Geba" (George B. Caird, *in loc.*). 1Cr 14.6 indica que Gibeom era, realmente, o lugar.

"Assim sendo, amigos e adversários podiam ver a evidência da proteção e do poder de Deus sobre Davi e seu reinado" (Eugene H. Merrill, *in loc.*).

CAPÍTULO SEIS

A ARCA DA ALIANÇA LEVADA A JERUSALÉM (6.1-23)

Esta passagem pertence à seção iniciada em 2Sm 5.13, onde há uma pequena introdução. Estamos tratando com certo número de incidentes relativos à vida de Davi, que não foram apresentados, necessariamente, na ordem cronológica correta. O incidente diante de nós relata como a arca da aliança foi levada à nova capital, Jerusalém. Davi estava consolidando seu poder ali, e, obviamente, o tabernáculo tinha de ser movido para aquele lugar, de modo que ali ficasse centralizada a adoração de Israel. Essa centralização se tornaria tão forte que outros oráculos seriam, finalmente, proibidos. Mas esse foi um ideal que nunca se concretizou completamente.

Por ato de Salomão, o tabernáculo em breve seria incorporado ao templo, e cessariam suas vagueações. O artigo sobre o tabernáculo demonstra como ele foi deslocado de lugar para lugar, acompanhando as vicissitudes históricas de Israel. Mas, no templo, o tabernáculo ficaria ligado a um *edifício permanente*. A *tenda,* que podia ser desmontada e movida de lugar em lugar, deixaria de existir, mas tudo quanto havia nela acabou incorporado ao templo, à sua estrutura e a seus rituais.

"O primeiro passo dado por Davi para fomentar as reivindicações de Jerusalém, como o novo centro nacional, foi conduzir a arca para lá... Nenhuma resposta satisfatória foi dada à questão de *por que* os israelitas se satisfizeram em deixar a arca, por tanto tempo, na obscuridade, em Quiriate-Jearim (ver 1Sm 6.21)" (George B. Caird, *in loc.*).

O tabernáculo, eventualmente, foi erigido sobre o monte Sião, a arca foi posta dentro dele, e assim Jerusalém se tornou o novo centro nacional de adoração, iniciando uma nova era.

Ver o relato mais completo sobre esse episódio nos capítulos 13 a 16 de 1Crônicas. É evidente que o tabernáculo foi construído em Jerusalém em tempos posteriores, depois que a arca foi trazida. Parece que a arca da aliança ficou separada do tabernáculo por cerca de cem anos. Foi efetuada, portanto, uma reunião em Jerusalém. Zadoque exerceu seu ofício sumo sacerdotal no tabernáculo, em Gibeom (1Cr

16.39). Mas Abiatar tinha a arca em sua companhia; e disso resultou certa rivalidade. No templo, porém, todas as questões disputadas seriam colocadas em harmonia.

Talvez os Salmos 15, 24, 26 e 101 tenham sido compostos (ou, pelo menos, utilizados em parte) para celebrar o episódio narrado no presente capítulo.

> Davi foi um tipo de Cristo como rei. Com ele e seu filho, Salomão, o reino de Israel alcançou seu território maior. Salomão trouxe a *época áurea* do país. Com Cristo, o reino será universalizado e espiritualizado.
>
> *Estas cousas diz o santo, o verdadeiro, aquele que tem a chave de Davi, que abre e ninguém fechará, e que fecha e ninguém abre.*
>
> Apocalipse 3.7

■ 6.1

וַיֹּ֨סֶף ע֥וֹד דָּוִ֛ד אֶת־כָּל־בָּח֥וּר בְּיִשְׂרָאֵ֖ל שְׁלֹשִׁ֥ים אָֽלֶף׃

Tornou Davi a ajuntar. Davi tinha uma importante tarefa a realizar. Ele tomou consigo trinta mil homens, a fim de que o transporte da arca para Jerusalém não sofresse nenhum percalço, como o ataque de alguma força inimiga, que se deleitaria em interferir em questão tão importante para Davi. Ele transformou a ocasião em um imenso *acontecimento nacional*. A Septuaginta, porém, aumenta o número desses homens para setenta mil, mas dificilmente isso corresponde à realidade. 1Cr 13.1 mostra-nos que Davi juntou essa grande força armada por conselho de seus oficiais, os quais queriam proteção contra qualquer perigo oculto.

■ 6.2

וַיָּ֣קָם ׀ וַיֵּ֣לֶךְ דָּוִ֗ד וְכָל־הָעָם֙ אֲשֶׁ֣ר אִתּ֔וֹ מִֽבַּעֲלֵ֖י יְהוּדָ֑ה לְהַעֲל֣וֹת מִשָּׁ֗ם אֵ֚ת אֲר֣וֹן הָאֱלֹהִ֔ים אֲשֶׁר־נִקְרָא־שֵׁ֗ם שֵׁ֣ם יְהוָ֧ה צְבָא֛וֹת יֹשֵׁ֥ב הַכְּרֻבִ֖ים עָלָֽיו׃

Dispôs-se e, com todo o povo. Tropas especiais de Judá haveriam de ajudar na empreitada. Talvez essas tropas fizessem parte dos trinta mil homens mencionados no vs. 1, ou eram tropas adicionais.

Partiu para Baalim de Judá. Este nome significa "senhores de Judá". Por isso, alguns intérpretes supõem que estejam em foco os senhores (oficiais, anciãos etc.) que Davi tomou de Judá para ajudar no transporte da arca. Mas muitos estudiosos, como os que estão por trás de nossa versão portuguesa, creem que está em foco alguma localidade. Nesse caso, temos aqui algumas dificuldades. Alguns dizem que se trata do mesmo lugar que é chamado, em Js 15.9 e em 1Cr 13.5,6 de *Baalá*. E esses mesmos intérpretes o identificam com Quiriate-Jearim, localizado na estrada que liga Jerusalém a Jope. Os críticos apontam para o fato de que Baalá era uma cidade de Judá (Js 18.14), ao passo que Quiriate-Jearim ficava no território de Benjamim (Js 18.28), e supõem que os dois nomes não possam referir-se ao mesmo lugar. Esses críticos supõem que o lugar em pauta seja Quiriate-Jearim, e o outro nome tenha entrado por equívoco no texto sagrado. Mas 1Cr 13.6 identifica os dois nomes como um único lugar. Não dispomos de uma explicação absolutamente adequada, nem ela é necessária à nossa fé.

A arca era chamada pelo nome de Yahweh e representava seu lugar de habitação, ou seja, onde ele se manifestava, entre as figuras dos querubins. Não há, contudo, certeza de que Abiatar foi capaz de levar o aparato inteiro quando fugia diante de Saul e se juntou a Davi no exílio (ver 1Sm 22.20). Os querubins faziam parte da estrutura da arca e, provavelmente, o aparato tinha permanecido inteiro, a despeito de suas perambulações.

■ 6.3

וַיַּרְכִּ֜בוּ אֶת־אֲר֤וֹן הָֽאֱלֹהִים֙ אֶל־עֲגָלָ֣ה חֲדָשָׁ֔ה וַיִּשָּׂאֻ֕הוּ מִבֵּ֥ית אֲבִינָדָ֖ב אֲשֶׁ֣ר בַּגִּבְעָ֑ה וְעֻזָּ֣א וְאַחְי֗וֹ בְּנֵי֙ אֲבִ֣ינָדָ֔ב נֹהֲגִ֖ים אֶת־הָעֲגָלָ֥ה חֲדָשָֽׁה׃

Puseram a arca de Deus num carro novo. Um carro novo foi construído para transportar a arca. O carro teria essa única função a desempenhar e seria então destruído, para nunca mais ser usado de novo. Isso foi feito por respeito à sua missão singular. Era um carro santo e assim continuaria, pois não mais seria usado em outra missão de transporte. Ou então seria queimado como um sacrifício a Yahweh.

Ver 1Sm 7.1 quanto a como a arca tinha sido trazida para a casa de Abinadabe, em Quiriate-Jearim. Eleazar foi santificado por seu uso ali, e um oráculo foi estabelecido.

Que estava no outeiro. Algumas traduções dizem aqui *Gibeá*, o que, presumivelmente, era uma colina próxima a Quiriate-Jearim.

De acordo com as regras originais, somente os levitas poderiam transportar a arca, e sobre os ombros. Isso significa que provavelmente Davi cometeu um grosseiro erro (sem dúvida, por descuido) ao preparar um carro para seu transporte. Mas 1Cr 15.2 mostra-nos que Davi, mais tarde, reconheceu sua falta e a corrigiu.

Uzá... Aiô. Eram filhos de Abinadabe, e irmãos mais jovens de Eleazar. Provavelmente, tanto o pai como o irmão mais velho tinham morrido, e o serviço sagrado passou aos irmãos mais novos. *Uzá* haveria de morrer por causa do transporte da arca por intermédio do *carro,* conforme a história passa a contar. A palavra *Aiô*, por uma leve alteração do hebraico, pode significar "irmão". Nesse caso, o autor sagrado diz-nos que Uzá efetuou o serviço sagrado no lugar de seu irmão, Eleazar, mas falhou em dar-nos o nome. Alguns fazem o irmão ser Zadoque, que parece ter sido o guardião da arca.

■ 6.4

וַיִּשָּׂאֻ֗הוּ מִבֵּ֤ית אֲבִֽינָדָב֙ אֲשֶׁ֣ר בַּגִּבְעָ֔ה עִ֖ם אֲר֣וֹן הָאֱלֹהִ֑ים וְאַחְי֕וֹ הֹלֵ֖ךְ לִפְנֵ֥י הָאָרֽוֹן׃

Presumivelmente, se houve mesmo o envolvimento de dois irmãos, então um deles, Uzá, seguia atrás, e Aiô seguia na frente, enquanto a arca era transportada. Mas novamente, poderíamos ler "irmão" em lugar de Aiô, e então compreenderíamos o trecho como: "O irmão (ou seja, o irmão de Eleazar, isto é, Uzá) seguia na frente da arca". A arca foi removida da casa de Abinadabe, que ficava localizada na colina (Gibeá) de Quiriate-Jearim.

O versículo parece supérfluo e há linhas omitidas na Septuaginta. Este versículo também não aparece no paralelo de 1Cr 13. O vs. 2 já nos dera essa informação.

■ 6.5

וְדָוִ֣ד ׀ וְכָל־בֵּ֣ית יִשְׂרָאֵ֗ל מְשַׂחֲקִים֙ לִפְנֵ֣י יְהוָ֔ה בְּכֹ֖ל עֲצֵ֣י בְרוֹשִׁ֑ים וּבְכִנֹּר֤וֹת וּבִנְבָלִים֙ וּבְתֻפִּ֔ים וּבִמְנַֽעַנְעִ֖ים וּֽבְצֶלְצֶלִֽים׃

Alegravam-se perante o Senhor. *Uma grande celebração* foi ajudada pelo sonido de instrumentos musicais de várias espécies, enumeradas neste versículo. Ver no *Dicionário* o verbete intitulado *Música, Instrumentos Musicais,* quanto a uma descrição desses instrumentos. Havia muito pelo que os israelitas poderiam sentir gratidão. Havia muita coisa a celebrar. A nação estava unificada sob a liderança única de Davi. Jerusalém havia sido capturada dos tenazes jebuseus e transformada na nova capital de Israel. A arca estava sendo transportada para a nova capital, a fim de que o culto religioso pudesse ser ali unificado.

"O uso de instrumentos musicais era comum na adoração de Israel, conforme constatamos, por exemplo, em 2Sm 6.5. Ver também o Sl 150, onde é listada a maior parte dos instrumentos usados no culto religioso. Ver também o paralelo em 1Cr 13.8.

Com pandeiros. Palavra usada somente neste versículo. A julgar por sua etimologia, parece tratar-se de um instrumento de metal, talvez com sinetas, que emitiam som quando sacudidas. 1Cr 13.8 diz "trombetas".

■ 6.6

וַיָּבֹ֖אוּ עַד־גֹּ֣רֶן נָכ֑וֹן וַיִּשְׁלַ֨ח עֻזָּ֜א אֶל־אֲר֤וֹן הָֽאֱלֹהִים֙ וַיֹּ֣אחֶז בּ֔וֹ כִּ֥י שָׁמְט֖וּ הַבָּקָֽר׃

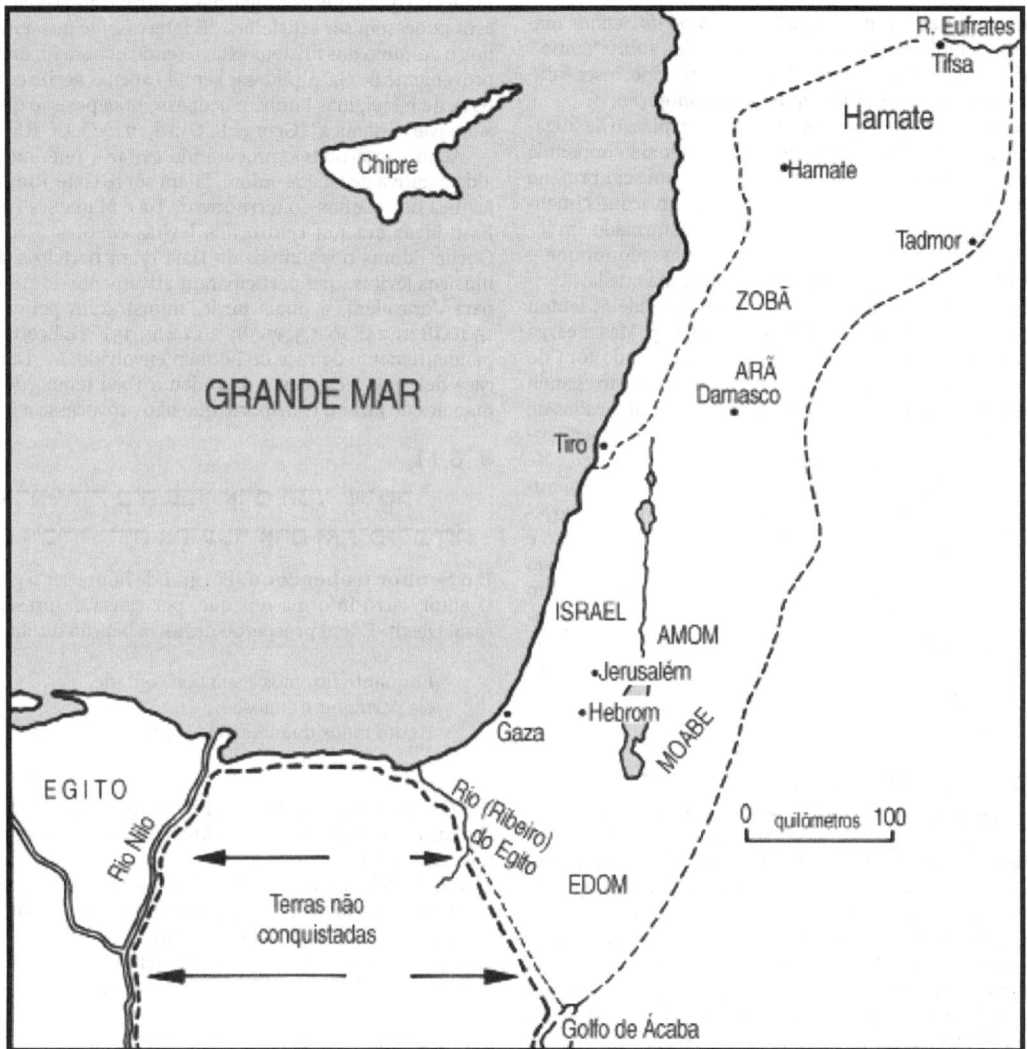

EXTENSÃO DO REINO DE DAVI COMPARADA ÀS TERRAS PROMETIDAS NO PACTO ABRAÂMICO

Observações:

1. As terras indicadas com linhas quebradas e setas entre o Nilo e o Rio (Ribeiro) do Egito foram prometidas a Abraão, mas Israel nunca as possuiu. A fronteira ocidental, o Rio do Egito (o Nilo, Gn 15.18), permaneceu fora do alcance de Israel.

2. A fronteira do norte, o rio Eufrates, também não foi alcançada, embora pareça que Salomão tivesse alguma representação militar naquela região. Também não sabemos até onde a fronteira deveria ter corrido ao longo do Eufrates.

3. A fronteira do leste nunca foi definida, nem no Pacto Abraâmico nem em qualquer época da história de Israel.

4. A fronteira sudoeste de Davi foi marcada com o Ribeiro do Egito, também chamado de Rio do Egito, que foi confundido com o Rio do Egito, o Nilo.

O Erro Fatal de Uzá. No original hebraico, este versículo é bastante obscuro. As palavras "a mão" não se acham no original, e aparentemente foram supridas em 1Cr 13.9 como uma emenda, na tentativa de dar sentido à frase. Os bois fizeram alguma coisa (o que também não fica claro no original hebraico) que perturbou o equilíbrio da arca. A Vulgata Latina diz "tropeçaram". A Septuaginta indica um "impulso para a frente". A *King James Version*, em inglês, diz "sacudiram". A *Revised Standard Version* segue a Vulgata. Independentemente do que tenha acontecido, Uzá aparentemente estendeu a mão ou, em algum outro sentido, tentou segurar a arca. Ele tocou na *caixa sagrada,* o que não era permitido. De fato, a arca nem ao menos deveria ter sido transportada em um carro, mas nos ombros dos levitas. A questão tinha começado com erro e terminou com erro e um homem morto jazendo no caminho.

À eira de Nacom. O autor sacro informa aqui onde ocorreu o incidente com a arca, mas os comentadores, desconhecendo essa eira, não conseguem identificá-la. Para complicar ainda mais a questão, o trecho paralelo em 1Cr 13.9 diz "eira de Quidom". O vs. 8 deste capítulo dá-nos como equivalente (quanto ao lugar onde o episódio ocorreu) o nome Perez-Uzá. Esse nome significa "o irrompimento sobre Uzá", referindo-se a seu julgamento e morte súbita. Mas este texto em nada nos ajuda a identificar o local. Os comentadores judaicos preferem o texto de 1Cr 13.9. Ver no *Dicionário* o artigo chamado *Quidom*.

6.7

וַיִּחַר־אַף יְהוָה בְּעֻזָּה וַיַּכֵּהוּ שָׁם הָאֱלֹהִים עַל־הַשַּׁל
וַיָּמָת שָׁם עִם אֲרוֹן הָאֱלֹהִים:

A ira do Senhor se acendeu contra Uzá. O *anjo do Senhor* matou Uzá ali mesmo, embora não sejamos informados sobre "como". Uzá foi culpado de grande sacrilégio. Ele havia tratado insensatamente o item mais sagrado de Israel, embora sem intenção.

Encontramos aqui a ira de Deus em uma súbita explosão de julgamento. A morte de Uzá foi desnecessária e poderia ter sido impedida pelo conhecimento aplicado. Uzá envolveu-se no manuseio profano do divino. Naturalmente, alguns críticos veem aqui um acontecimento natural, que as tradições dos hebreus teriam transformado em incidente divino. Pois talvez tudo quanto se tenha passado foi que o carro caiu e esmagou Uzá quando este tentou impedir a queda.

Eu soube de um caso dessa espécie. Um jovem fazendeiro tentou amparar um peso em um vagão que ameaçava tombar. Mas a carga tombou, e o homem morreu esmagado, por não ter pulado fora do caminho da carga. Seja como for, os levitas deveriam estar carregando a arca sobre os ombros, presa em varas que passavam por laçadas de metal. Dessa maneira, eles carregavam a arca evitando qualquer contato físico. Uzá, pois, quebrou uma regra sagrada.

"Uzá tornou-se um tipo de todos os que, com boas intenções, humanamente falando, embora com mentes não santificadas, *interferem* nos negócios do reino de Deus, supondo que estão em perigo e esperando salvar-se" (O. von Gerlach, *in loc.*). Naturalmente, é óbvio que juízos dessa natureza eram temporais e nada tinham a ver com o bem-estar da alma nas esferas celestiais. "ele cometera um pecado para morte, mas sem dúvida a misericórdia de Deus atingiu sua alma" (Adam Clarke, *in loc.*, numa alusão a 1Jo 5.16, que comento ricamente no *Novo Testamento Interpretado*).

6.8

וַיִּחַר לְדָוִד עַל אֲשֶׁר פָּרַץ יְהוָה פֶּרֶץ בְּעֻזָּה וַיִּקְרָא
לַמָּקוֹם הַהוּא פֶּרֶץ עֻזָּה עַד הַיּוֹם הַזֶּה:

Desgostou-se Davi. Davi ficou desagradado porque Yahweh se tinha "voltado contra Uzá", a ponto de matá-lo, quando tudo o que ele estava fazendo era cumprir ordens. Em Êx 19.22 a mesma palavra é usada para indicar um súbito julgamento divino, por motivo de irreverência. A expressão, contudo, não define *como* o anjo despachou o homem, a não ser que algum poder súbito lhe tirou a vida. Alguns intérpretes veem aqui Davi rebelando-se contra Yahweh. Ele teria achado que o juízo divino fora desnecessário e injusto. Outros supõem, contudo, que Davi se tenha indignado com as circunstâncias, e não com Yahweh. Seja como for, a questão inteira foi terrivelmente desagradável e vexou a alma de Davi ao máximo.

6.9

וַיִּרָא דָוִד אֶת־יְהוָה בַּיּוֹם הַהוּא וַיֹּאמֶר אֵיךְ יָבוֹא
אֵלַי אֲרוֹן יְהוָה:

Temeu Davi ao Senhor. O temor lançou Davi em um dilema. Ele conduzia a arca a Jerusalém e agira como acreditava ser adequado. No entanto, eis que um homem é repentinamente morto. Yahweh continuaria a tratar a ele e a seu pessoal daquela maneira? Que outros golpes de morte o Senhor teria em reserva, que poderia empregar subitamente? ele ficou muito temeroso de que Yahweh, em seus juízos, matasse até pessoas de boas intenções, dedicadas ao serviço divino. "A dureza da disciplina do Senhor deve ter sido aplicada à luz de sua absoluta santidade, que requeria que as tarefas sagradas fossem feitas de maneira sagrada (cf. 1Sm 6.19—7.2)" (Eugene H. Merrill, *in loc.*).

6.10

וְלֹא־אָבָה דָוִד לְהָסִיר אֵלָיו אֶת־אֲרוֹן יְהוָה עַל־עִיר
דָּוִד וַיַּטֵּהוּ דָוִד בֵּית עֹבֵד־אֱדוֹם הַגִּתִּי:

Mas a fez levar à casa de Obede-Edom. Foi um adiamento temporário. Para ganhar tempo de pensar sobre um *modus operandi* diferente de conduzir a arca a Jerusalém, Davi temporariamente deixou a arca depositada na casa de Obede-Edom, o geteu. Ver sobre esses nomes próprios no *Dicionário*. O homem, sem dúvida, era um *ger* (um estranho, um estrangeiro), que tinha sido admitido à adoração sagrada como prosélito. Tradições posteriores, entretanto, fazem dele um *levita*, para que as exigências doutrinárias acerca do manuseio da arca pudessem ser satisfeitas. "É interessante que, em uma época em que o domínio dos filisteus estava sendo quebrado, um colono *filisteu*, proveniente de Gate, pudesse ser não apenas aceito como morador na terra de Israel, mas também ocupasse uma posição que envolvia considerável confiança" (George B. Caird, *in loc.*). Cf. 1Cr 15.16 ss.

Alguns intérpretes, procurando evitar a referência a Gate como aldeia nativa de Obede-Edom, falam sobre Gate-Rimom, uma cidade levítica nos confins do território de Dã e Manassés (ver Js 21.24,25). Esse lugar era um centro dos levitas coatitas (ver Js 21.20). "Os Obede-Edoms dos tempos de Davi eram porteiros do tabernáculo, músicos levitas, que participavam ativamente do transporte da arca para Jerusalém, e, mais tarde, ministraram perante ela (ver 1Cr 15.16,18,21,24; 16.4,5,37,38; 26.1,4,13-15)" (Ellicott, *in loc.*). Independentemente da raça do homem envolvido, a arca permaneceu na casa dele por três meses. Isso deu a Davi tempo de planejar outra maneira de fazer o transporte que não provocasse a ira divina.

6.11

וַיֵּשֶׁב אֲרוֹן יְהוָה בֵּית עֹבֵד אֱדֹם הַגִּתִּי שְׁלֹשָׁה
חֳדָשִׁים וַיְבָרֶךְ יְהוָה אֶת־עֹבֵד אֱדֹם וְאֶת־כָּל־בֵּיתוֹ:

E o Senhor o abençoou. Foi grande honra ser o guardião da arca. O autor sacro informa-nos que, por causa da presença da arca na casa, Obede-Edom prosperou devido à bênção direta de Yahweh.

> Enquanto fazemos a sua boa vontade,
> ele permanece conosco,
> E com todos quantos nele confiam e obedecem.
>
> J. H. Sammis

"Quem quer que entretenha os mensageiros de Deus ou consagre sua casa ao serviço de Deus, *infalivelmente* receberá as bênçãos divinas" (Adam Clarke, *in loc.*).

Josefo informa-nos que Obede-Edom era muito pobre antes desse incidente, mas logo em seguida se tornou extremamente muito rico, e a questão ficou conhecida por toda a nação de Israel (*Antiq.* 1.7, cap. 4, sec. 2). A mente dos hebreus sempre vinculava a prosperidade material à piedade, e não há nisso nada errado.

> *Deus pode fazer-vos abundar em toda graça,*
> *a fim de que, tendo sempre, em tudo,*
> *ampla suficiência, superabundeis em toda boa obra.*
> 2Coríntios 9.8

Qualquer labor espiritual é mais bem promovido quando há abundantes recursos materiais que o suportam. Oh, Senhor, concede-nos tal graça!

E a toda a sua casa. O suprimento abundante da graça divina ampliou-se ao homem *e* à sua família, o que constitui para nós uma excelente promessa. Que os crentes tenham abundância espiritual e material, para que abundem quanto a toda boa obra.

6.12

וַיֻּגַּד לַמֶּלֶךְ דָּוִד לֵאמֹר בֵּרַךְ יְהוָה אֶת־בֵּית עֹבֵד
אֱדֹם וְאֶת־כָּל־אֲשֶׁר־לוֹ בַּעֲבוּר אֲרוֹן הָאֱלֹהִים וַיֵּלֶךְ
דָּוִד וַיַּעַל אֶת־אֲרוֹן הָאֱלֹהִים מִבֵּית עֹבֵד אֱדֹם עִיר
דָּוִד בְּשִׂמְחָה:

Então avisaram a Davi. Ao ouvir dizer que Obede-Edom e seus familiares estavam desfrutando prosperidade, porque a arca estava com eles, Davi tomou isso como um *sinal* de que Yahweh estava satisfeito e era chegado o tempo de fazer outra tentativa de transportar a arca para Jerusalém. O tempo parecia ter suavizado a ira divina, e as bênçãos de Deus estavam fluindo de novo.

Com alegria. Talvez haja uma influência exercida pelo vs. 5. Algumas versões (a Vulgata Latina e a Septuaginta) informam-nos que tudo foi feito em meio a grandes celebrações, com o uso de instrumentos de música, sacrifícios etc. As versões siríaca e caldaica, porém, ficam com a simplicidade do texto em hebraico. Dessa vez, Davi obedeceu às regras de transporte da arca, conforme mostram os versículos seguintes.

■ 6.13,14

וַיְהִי כִּי צָעֲדוּ נֹשְׂאֵי אֲרוֹן־יְהוָה שִׁשָּׁה צְעָדִים וַיִּזְבַּח שׁוֹר וּמְרִיא׃

וְדָוִד מְכַרְכֵּר בְּכָל־עֹז לִפְנֵי יְהוָה וְדָוִד חָגוּר אֵפוֹד בָּד׃

Estes dois versículos não afirmam, especificamente, que o transporte da arca foi feito de acordo com a lei mosaica, mas a nós cumpre compreender isso. 1Cr 15, entretanto, nos fornece um relato detalhado de tudo isso. Sacerdotes e levitas foram santificados com o propósito específico e passaram a cumprir o seu dever. *Ninguém mais pôde carregar a arca, salvo os santificados com essa finalidade* (ver 1Cr 15.2). Ver os vss. 12-15 quanto aos elementos específicos da narrativa do transporte. Tudo foi feito "como Moisés tinha ordenado" (vs. 15). Ver Nm 7.9 e Êx 25.14 ss. quanto às leis originais acerca da questão.

Tinham dado seis passos. Os transportadores da arca avançavam, de cada vez, apenas seis passos. Davi, por assim dizer, estava "testando as águas". Ele queria checar se, dessa vez, Yahweh abençoaria a empreitada. Ele não queria ferir os carregadores com algum julgamento fatal. Eles avançaram seis passos e nada sucedeu, pelo que grandes gritos de júbilos subiam, a música tocava, eles começavam a dançar e realizar sacrifícios, celebrando assim a aprovação de Yahweh.

Estava cingido duma estola sacerdotal de linho. Em outras palavras, Davi usou vestes sacerdotais e, ao que tudo indica, atuou diretamente nos sacrifícios. "O fato de que Davi não somente usava uma estola sacerdotal, mas também ofereceu sacrifícios e também proferiu bênçãos sobre o povo (vs. 18) mostra-nos que as funções sacerdotais ainda não tinham sido limitadas a uma classe de homens consagrados com tal finalidade (George B. Caird, *in loc.*). Alguns intérpretes, entretanto, supõem que tudo isso tenha sido feito através de agentes sacerdotais, por ordem de Davi, pelo que esses atos foram atribuídos a ele. Mas isso parece ser contra a compreensão simples do texto.

As danças, por ocasião da adoração religiosa, são estranhas à maioria dos crentes modernos, mas devemos lembrar que os hebreus eram (e continuam sendo) um povo do vinho, dos cânticos e das danças, e essas atividades faziam parte de seu culto religioso. Ver no *Dicionário* o artigo chamado *Dança*. A dança é uma expressão de alegria animal, sensual ou não, mas também pode exprimir alegria espiritual. O artigo dá detalhes sobre a questão, os quais não repito aqui. Alguns usam danças para produzir um estado de transe, envolvendo assim a questão nas experiências místicas. Ver no *Dicionário* o verbete chamado *Misticismo*.

Davi, pois, dançou *com todas as suas forças,* e isso *diante do Senhor,* prestando-lhe honra e louvor. Podemos acreditar que Davi realmente vivia um *frenesi* de alegria. Ver também sobre a dança religiosa em Êx 15.20,21; Jz 11.34; 1Sm 18.6.

■ 6.15

וְדָוִד וְכָל־בֵּית יִשְׂרָאֵל מַעֲלִים אֶת־אֲרוֹן יְהוָה בִּתְרוּעָה וּבְקוֹל שׁוֹפָר׃

Com júbilo, e ao som de trombetas. Davi continuou sua dança e seus gritos selvagens, talvez fazendo-se acompanhar por algum tipo de instrumentos de cordas (conforme apontam várias versões). *Todo o Israel* juntou-se à exultação de Davi. As trombetas soavam, as danças eram frenéticas, o ar estava cheio de gritos de louvor. 1Cr 15.25 diz que todos os anciãos e capitães de milhares estiveram envolvidos. 1Cr 15.27,28 conta acerca do envolvimento de instrumentos musicais. Josefo fala sobre sete corpos de cantores treinados, que iam à frente do cortejo (*Antiq.* 1.7, cap. 4, sec. 2).

■ 6.16

וְהָיָה אֲרוֹן יְהוָה בָּא עִיר דָּוִד וּמִיכַל בַּת־שָׁאוּל נִשְׁקְפָה בְּעַד הַחַלּוֹן וַתֵּרֶא אֶת־הַמֶּלֶךְ דָּוִד מְפַזֵּז וּמְכַרְכֵּר לִפְנֵי יְהוָה וַתִּבֶז לוֹ בְּלִבָּהּ׃

Mical, filha de Saul. *A Amarga Mical.* Em meio a toda essa celebração, a expressão de alegria e de triunfo nacional, Mical, esposa de Davi e filha de Saul, encontrou oportunidade de ser *amarga*. Ela viu Davi aproximando-se em meio a todo aquele barulho, dançando como um louco. Alguns intérpretes sugerem que tudo quanto ele estava usando era a *estola sacerdotal* (vs. 14), e, ocasionalmente, suas partes íntimas podiam ser vistas claramente. Era uma desgraça, conforme Mical pensava. Ver o vs. 20. Mical certamente objetava à *nudez* comparativa de Davi. Por outra parte, provavelmente o amor que houvera entre eles já tinha morrido; ela teria preferido permanecer com Palti, seu segundo marido (1Sm 25.44); e encontrava muitas ocasiões para expressar sua frustração, que se transformara em *ódio*. Casais alienados tiram vantagem de toda ocasião possível para dar vazão ao seu descontentamento. Mical tinha-se apaixonado por Davi quando ele ainda era um soldado-herói. Mas agora tudo isso tinha passado. O pai dela estava morto, juntamente com a maior parte de sua família. E o restante da família tinha sido dispersa. Não é possível que ela não sentisse tudo isso. Mical não se preocupava com a pompa e a dignidade real que Davi tivesse violado. O problema dela era um casamento que havia azedado.

"Mical pode ter ficado ressentida por haver sido separada de seu marido, Paltiel (2Sm 3.15,16), ou diante da descoberta de que era apenas uma dentre as muitas mulheres de Davi, ou diante do declínio da fortuna de sua família (vss. 16,20)" (*Oxford Annotated Bible, in loc.*).

■ 6.17

וַיָּבִאוּ אֶת־אֲרוֹן יְהוָה וַיַּצִּגוּ אֹתוֹ בִּמְקוֹמוֹ בְּתוֹךְ הָאֹהֶל אֲשֶׁר נָטָה־לוֹ דָּוִד וַיַּעַל דָּוִד עֹלוֹת לִפְנֵי יְהוָה וּשְׁלָמִים׃

Introduziram a arca do Senhor. O cortejo havia chegado a Jerusalém, e Davi pôs a arca em seu lugar provisório, enquanto ela esperava ser colocada no templo que seu filho, Salomão, construiria para a unificação da adoração nacional.

O Lugar. "Não era aquele o tabernáculo de Davi... este continuava em Gibeom, onde permaneceu até o tempo de Salomão (1Cr 21.29; 2Cr 1.3,4). Era um lugar onde Davi havia pendurado uma ou mais cortinas em torno da arca... não era, igualmente, sua própria casa, pois é dito que ele foi para ali, *depois,* mas era algum ponto na cidade de Davi" (John Gill, *in loc.*).

Davi ordenou grande celebração, efetuada *através dos sacerdotes,* oferecendo as ofertas adequadas e os ritos que eram próprios à ocasião. Em primeiro lugar, Yahweh foi honrado com as porções das oferendas que lhe cabiam, o sangue e a gordura. Então o resto, juntamente com outros dons de alimento, era distribuído aos participantes, incluindo o povo comum (vs. 19).

■ 6.18

וַיְכַל דָּוִד מֵהַעֲלוֹת הָעוֹלָה וְהַשְּׁלָמִים וַיְבָרֶךְ אֶת־הָעָם בְּשֵׁם יְהוָה צְבָאוֹת׃

Tendo Davi trazido holocaustos e ofertas pacíficas. *Tipos de Ofertas.* Ver sobre isso nas notas expositivas de Lv 7.37. Ver no *Dicionário* os artigos chamados *Sacrifícios* e *Sacrifícios e Ofertas*. Ver o gráfico ilustrativo dos sacrifícios e seus significados imediatamente antes da exposição sobre Lv 1.1. Quanto às oferendas *pacíficas* ou *de cereais,* ver Lv 6.14-18; e, quanto às *ofertas queimadas,* ver Lv 1.3-17 e 6.9-13. Ver sobre *sacrifícios de paz* em Lv 7.11-33.

Bênçãos e louvores foram primeiramente endereçados a Yahweh e então ao povo. Foi uma celebração religiosa séria para enfatizar que *algo importante* tinha acontecido. A arca foi posta em Jerusalém. Ver no *Dicionário* sobre *Arca da Aliança*.

Alguns intérpretes supõem que Davi tenha participado pessoalmente das oferendas em algum tipo de cerimônia oficial, porquanto as funções sacerdotais ainda não eram claramente restritas à casta sacerdotal. Por ocasião da dedicação do templo (1Rs 18.14,55), Salomão pronunciou a bênção real, conforme Davi fez aqui. Então havia a *bênção sacerdotal,* cuja forma aparece em Nm 6.22-26, para não ser confundida com as bênçãos de Davi e Salomão. Mas Clarke (*in loc.*) supõe que Davi, naquela ocasião, tenha agido como se fosse um sacerdote.

■ **6.19**

וַיְחַלֵּק לְכָל־הָעָם לְכָל־הֲמוֹן יִשְׂרָאֵל לְמֵאִישׁ
וְעַד־אִשָּׁה לְאִישׁ חַלַּת לֶחֶם אַחַת וְאֶשְׁפָּר אֶחָד
וַאֲשִׁישָׁה אֶחָת וַיֵּלֶךְ כָּל־הָעָם אִישׁ לְבֵיתוֹ:

E repartiu a todo o povo. Certas porções das oferendas só podiam ir, em primeiro lugar, a *Yahweh*, e, em segundo lugar, aos *sacerdotes*. Ver Lv 3.17 quanto às regras sobre *o sangue e a gordura* (as porções pertencentes a Yahweh). Ver as *oito porções* que eram atribuídas aos sacerdotes, em Lv 6.26; 7.11-24; 7.28,38; Nm 18.8; Dt 12.17,18. O restante podia ser dado aos adoradores, e é possível que, nessa ocasião, outros produtos de alimentos fossem providos.

Um bolo de pão. Talvez um tipo de pão, cozido sem fermento, que era bastante fino (Adam Clarke, *in loc.*).

Um bom pedaço de carne. Porções dos sacrifícios permitidos ao povo, e talvez de outros animais sacrificados na ocasião.

Passas. Não uma "garrafa de vinho", conforme dizem algumas versões. Outras versões dizem um "cacho de uvas". A palavra "vinho" não está no hebraico original.

Tendo terminado as celebrações, o povo teve sua refeição comunal, através da generosidade de Davi. E então cada pessoa voltou à sua residência. Algo grandioso havia acontecido em Israel. A arca foi posta em Jerusalém e, nos dias de Salomão, descansaria permanentemente no templo que ele ainda construiria ali.

■ **6.20**

וַיָּשָׁב דָּוִד לְבָרֵךְ אֶת־בֵּיתוֹ וַתֵּצֵא מִיכַל בַּת־שָׁאוּל
לִקְרַאת דָּוִד וַתֹּאמֶר מַה־נִּכְבַּד הַיּוֹם מֶלֶךְ יִשְׂרָאֵל
אֲשֶׁר נִגְלָה הַיּוֹם לְעֵינֵי אַמְהוֹת עֲבָדָיו כְּהִגָּלוֹת נִגְלוֹת
אַחַד הָרֵקִים:

Voltando Davi para abençoar a sua casa. Davi havia desempenhado seu papel diante do Senhor. Ele não se sentia um desgraçado. Antes, havia cumprido uma grande tarefa. Mas Mical, filha de Saul e esposa de Davi, estava esperando por ele, para repreendê-lo duramente. Mical acusou-o de desavergonhada *nudez* diante de qualquer mulher que estivesse nas celebrações. Ela o comparou àqueles tipos de perversos que se satisfazem com exibições, uma perversão sexual comum, geralmente inofensiva, mas que, apesar de tudo, é sem pejo. Alguns intérpretes tentam desculpar Davi, supondo que ele apenas deixara entrever a roupa de baixo. Mas dificilmente isso satisfaz os amargos queixumes de Mical. Ver o vs. 16 quanto às *razões* para as *reais diatribes* de Mical. Mical acusou-o de um *espetáculo de nudismo*. John Gill acusou Mical de um "exagero apaixonado". Mas podemos estar certos de que Mical não se estava queixando por nada.

■ **6.21,22**

וַיֹּאמֶר דָּוִד אֶל־מִיכַל לִפְנֵי יְהוָה אֲשֶׁר בָּחַר־בִּי
מֵאָבִיךְ וּמִכָּל־בֵּיתוֹ לְצַוֹּת אֹתִי נָגִיד עַל־עַם יְהוָה
עַל־יִשְׂרָאֵל וְשִׂחַקְתִּי לִפְנֵי יְהוָה:

וּנְקַלֹּתִי עוֹד מִזֹּאת וְהָיִיתִי שָׁפָל בְּעֵינָי וְעִם־הָאֲמָהוֹת
אֲשֶׁר אָמַרְתְּ עִמָּם אִכָּבֵדָה:

Disse, porém, Davi a Mical. Davi apenas defendeu os motivos de sua dança de nudez. Ele fizera tudo "perante Yahweh", não para ser visto por mulheres insensatas que poderiam estar ali. Ele dançara de alegria porque Yahweh lhe dera grande vitória. E o que aconteceria se alguma mulher tivesse visto seu órgão genital? Para agradar a Yahweh, Davi estava disposto a ser "mais vil" do que jamais fora. E relembrou a Mical que ele fora escolhido para tomar o lugar do pai dela. Isto posto, ele era o homem da hora, o vaso escolhido, e não merecia as reprimendas da esposa. O eclipse familiar, provavelmente, era parte da razão *real* do espírito amargurado de Mical. Ela não estava preocupada somente com a nudez de Davi. A *maioria* das brigas de família ocorre por falsas razões, e as causas reais continuam ocultas.

"Não me envergonho de humilhar-me diante do Deus que rejeitou a teu pai, por causa de sua obstinação e orgulho... e até as servas, ao saberem o *motivo* de minha conduta, reconhecerão que ela foi própria, e me tratarão com um respeito adicional" (Adam Clarke, *in loc.*).

■ **6.23**

וּלְמִיכַל בַּת־שָׁאוּל לֹא־הָיָה לָהּ יָלֶד עַד יוֹם
מוֹתָהּ׃ פ

Algumas versões trazem aqui o errôneo "portanto", antes de dizerem que Mical permaneceu sem filhos, como se essa fosse a razão de sua esterilidade, ou seja, um resultado direto de sua arrogância, que levou Davi a evitá-la como mulher. Essa palavra, "portanto", não se acha no original hebraico. Apesar disso, porém, o versículo parece ser uma nota acrescentada à anterior "briga familiar", para dizer-nos que Mical foi punida por Deus com a esterilidade. Entre os israelitas, a esterilidade feminina era a pior calamidade que poderia acontecer às mulheres, sempre tida como um julgamento divino. Por conseguinte, era como se o autor sagrado dissesse que Mical estava "sob maldição", e que Deus tinha boas razões para puni-la. "A falta de filhos era considerada grande infortúnio. Cf. Gn 30.1 e 1Sm 1.6-11" (*Oxford Annotated Bible, in loc.*). Mical criou filhos, mas não os seus próprios. Ver 2Sm 21.8. Alguns intérpretes supõem que a esterilidade de Mical tenha sido um julgamento de Deus contra a linhagem de Saul. Sob nenhuma circunstância os filhos *de Mical* poderiam competir com os filhos de outras mulheres, que poderiam ocupar o trono após Davi. Alguns supõem que Davi tenha passado a rejeitar Mical como mulher, a partir daquele momento, devido à sua arrogância, o que garantiria que ela não teria filhos que competissem, mais tarde, pelo trono.

CAPÍTULO SETE

A PROFECIA DE NATÃ (7.1-29)

A seção geral à qual a história que se segue pertence começa em 2Sm 5.13, intitulada *Vários Feitos de Davi,* a qual se prolonga até 2Sm 10.19. Entre suas diversas experiências houve aquela narrada no capítulo que ora começa, vagueando em temor e geralmente padecendo alguma necessidade. Tudo isso agora pertencia ao passado. Davi agora vivia no luxo, e isso em contraste com o estado relativamente empobrecido do culto religioso durante o qual os instrumentos divinos permaneciam abrigados na tenda, no deserto. *Natã,* o profeta, aparentemente repreendeu a Davi por seu luxo, enquanto a casa do Senhor continuava sendo apenas uma tenda. O tabernáculo em vista é aquele improvisado quando Davi transportou a arca para Jerusalém (capítulo 6); mas podemos estar certos de que, em Gibeom, a tenda do deserto também foi contrastada com a *casa de cedro* de Davi. Ver 1Cr 21.29; 2Cr 1.3,4 quanto ao fato de que o tabernáculo de Moisés continuava existindo nessa época. Chegara o tempo de uma grande mudança. Reinava uma paz relativa e algo mais adequado tinha de ser feito a respeito do culto religioso. Isso seria realizado por Salomão, filho de Davi, que construiria o *primeiro templo*. A arca e todos os implementos do antigo tabernáculo descansariam naquele magnificente edifício.

Os *críticos* veem problemas de unidade no capítulo à nossa frente, supondo que haja porções antigas e mais recentes. Em outras palavras, eles acreditam que um editor posterior compilou seu conteúdo. Por exemplo, os vss. 8b, 9a, 10, 12 e 14-16 são tidos como partes de um antigo problema que vieram a ser incorporadas na narrativa. Os críticos observam a exagerada *verbosidade* da prosa e não veem como o escritor principal de 1Samuel poderia estar envolvido nisso. A despeito desse problema, o capítulo aponta para a importância da unificação do culto de Israel, por meio da construção de um templo em Jerusalém. Outros santuários supostamente cessariam de funcionar. Mas, embora eles fossem diminuindo, coisa alguma livrou Israel de certa diversidade de adoração, porquanto a centralização, embora fosse o ideal, nunca se tornou realidade plena. E foram retidos alguns santuários, como o de Betel.

O *templo de Jerusalém,* nos dias do cristianismo, foi substituído pelos homens individuais que se tornam templos de Deus, certamente um avanço na espiritualidade. Ver Ef 2 e 1Co 6.19.

"Depois que Davi se estabelecera firmemente em Jerusalém e desfrutava um período de paz, seus pensamentos voltaram-se à ideia de edificar uma estrutura mais permanente onde o Senhor pudesse residir entre o povo. A *tenda,* conforme Davi pensava, não era mais apropriada, especialmente em comparação com seu próprio elaborado palácio de cedro (5.11)" (Eugene M. Merrill, *in loc.*).

■ **7.1**

וַיְהִי כִּי־יָשַׁב הַמֶּלֶךְ בְּבֵיתוֹ וַיהוָה הֵנִיחַ־לוֹ מִסָּבִיב מִכָּל־אֹיְבָיו׃

Em sua própria casa. Em contraste com todas as perambulações pelo deserto, fugas de Saul, perigo constante, fome e cansaço. Em lugar de tudo quanto ele tinha sofrido, agora Davi vivia no luxo, pelo que aprendera a andar humilhado e a abundar em recursos materiais (ver Fp 4.12).

Tendo-lhe o Senhor dado descanso. Foram necessários cerca de quinhentos anos para livrar a Palestina das *sete nações* cananeias que ocupavam o território quando os israelitas ali chegaram. Foi Davi quem, finalmente, concretizou esse feito. E, embora ele não tenha obliterado completamente todas aquelas populações, pelo menos foi capaz de confiar nas que ainda não tinha destruído. O resultado foi a completa liberação da terra, o que abriu o caminho para a instituição da monarquia e o crescimento e a prosperidade de Israel como nação. Isso foi necessário para o propósito que Deus tinha planejado realizar naquela nação. O território pátrio que fora prometido a Abraão finalmente tornou-se realidade. Ver em Gn 15.18 informações completas sobre o *pacto abraâmico.*

Hirão, rei de Tiro, construiu a casa de Davi (2Sm 5.11). Os filhos de Israel nunca foram muito bons nas lides da arquitetura. O próprio Salomão precisou valer-se da ajuda estrangeira, a fim de construir o templo. Sobre aquele homem, ver o artigo no *Dicionário* chamado *Hirão.* Ver Êx 33.2 e Dt 7.1 quanto às *sete nações* que precisaram ser expulsas da Palestina.

■ **7.2**

וַיֹּאמֶר הַמֶּלֶךְ אֶל־נָתָן הַנָּבִיא רְאֵה נָא אָנֹכִי יוֹשֵׁב בְּבֵית אֲרָזִים וַאֲרוֹן הָאֱלֹהִים יֹשֵׁב בְּתוֹךְ הַיְרִיעָה׃

Porventura, Natã, o profeta, repreendeu a Davi? É provável que ele tivesse feito observações que levaram Davi a sentir-se desconfortável com todas as suas riquezas e seu lazer na vida, enquanto o culto divino continuava a ser processado em uma mera tenda. Seja como for, Davi, inspirado pelo Espírito Santo e/ou pela presença e pela atividade de Natã, reconheceu o grande contraste entre seu estilo de vida e o que se passava com a adoração divina. Isso o inspirou a agir em favor da *casa de Deus.* Mas seria Salomão quem realizaria tudo quanto estava no coração de Davi, porquanto Yahweh não entregaria a um homem de guerra e de derramamento de sangue a tarefa de edificar seu templo. Quanto ao que se sabe e se especula acerca de *Natã,* ver o detalhado artigo sobre ele no *Dicionário.*

Em casa de cedros. Ver no *Dicionário* o artigo chamado *Cedro.* O cedro era uma notável madeira de construção, usada no fabrico de casas para os ricos, entre muitas outras aplicações. Essa madeira nobre (da casa de Davi) é aqui contrastada com as humildes *peles de animais* usadas no fabrico da *tenda* do culto. Ver Êx 16 quanto às cortinas do tabernáculo. Ver também Êx 36.

... se acha numa tenda. Ou seja, a tenda provisória que Davi fizera para abrigar a arca da aliança, e não o tabernáculo construído no deserto, que ainda estava em Gibeom. Ver 1Cr 21.29 e 2Cr 1.3,4. Ver também as notas em 2Sm 6.17 quanto à tenda provisória.

■ **7.3**

וַיֹּאמֶר נָתָן אֶל־הַמֶּלֶךְ כֹּל אֲשֶׁר בִּלְבָבְךָ לֵךְ עֲשֵׂה כִּי יְהוָה עִמָּךְ׃ ס

Vai, faze tudo quanto está no teu coração. Natã reconheceu o propósito divino que operava em Davi, pelo que, entusiasmado, encorajou-o a prosseguir com o projeto. Natã, portanto, deu um bom exemplo a ser seguido. Devemos encorajar ativamente os outros não somente a ter boas qualidades na vida, mas também a ocupar-se em boas obras que se aplicam espiritualmente à vida diária. Tal como no caso de Davi, há um destino e um propósito espiritual em tudo. Primeiramente, Natã deu um bom *exemplo.* Ele era um homem espiritual que pensava e agia de modo espiritual. Ele era homem pacífico. Davi tornara-se igualmente pacífico, e agora estava preparado para dedicar-se a um novo projeto. Ele tinha sido um superguerreiro. Agora seria um superconstrutor, embora Salomão viesse a ser o real construtor.

É evidente que Davi *consultou* Natã para obter sua opinião e instrução. Ele cria que o Espírito lhe daria orientação através do profeta. Consultou um conselheiro positivo e obteve uma ideia positiva, embora não lhe fosse concedido concluir a construção real.

Talvez tenha sido nessa época que Davi compôs o Salmo 132, que fala sobre o juramento e o voto de encontrar um lugar para a construção.

O PACTO DAVÍDICO (7.4-15)

■ **7.4**

וַיְהִי בַּלַּיְלָה הַהוּא וַיְהִי דְּבַר־יְהוָה אֶל־נָתָן לֵאמֹר׃

Os vss. 4-15 nos dão os elementos essenciais do *pacto davídico,* o sétimo dos pactos bíblicos. Ver no *Dicionário* o verbete chamado *Pactos.* O pacto davídico ocupa o quinto lugar dentro desses pactos. Os outros são: edênico (Gn 1.23); adâmico (Gn 3.15); noaico (Gn 9.1); abraâmico (Gn 15.18); mosaico (Êx 19.25); palestínico (Dt 30.3); novo (Hb 8.8). Dou plenos comentários sobre o pacto palestínico nas notas de introdução a Dt 29.

Davi tinha consultado Natã quanto ao seu desejo de construir um lugar permanente para a arca da aliança (e, naturalmente, para o restante do tabernáculo, onde se processava o culto divino). Isso provocou uma revelação divina direta ao profeta, de modo que Davi pudesse receber instruções apropriadas para a tarefa.

Nessa barganha, Davi (através de Salomão) construiria uma casa para Yahweh, e Yahweh edificaria uma casa para Davi (seu reino, que traria o Messias, o Rei, a este mundo).

Naquela mesma noite. A mensagem não veio pela consulta ao Urim e ao Tumim, mas por meio de uma visão (visual e audível), em um sonho vívido e divino. Questões importantes estavam em jogo, e coisa alguma poderia ser deixada ao acaso.

■ **7.5**

לֵךְ וְאָמַרְתָּ אֶל־עַבְדִּי אֶל־דָּוִד כֹּה אָמַר יְהוָה הַאַתָּה תִּבְנֶה־לִּי בַיִת לְשִׁבְתִּי׃

Assim diz o Senhor. Uma expressão-chave do Pentateuco, que nos fala sobre a realidade da inspiração divina. Ver as notas em Lv 1.1 e 4.1. A revelação fala conosco acerca do *teísmo,* em confronto com o *deísmo.* O Criador não abandonou o universo, mas está presente a fim de recompensar, castigar e orientar. O deísmo ensina que uma força criativa qualquer abandonou a criação às leis naturais e não faz nenhuma intervenção. Ver no *Dicionário* os artigos chamados *Teísmo* e *Deísmo.*

"Com frequência, professores e pregadores, em sua sinceridade, passaram juízo errôneo sobre os planos e propósitos humanos" (George B. Caird, *in loc.*). Por causa dessa verdade foi necessário a Natã receber instrução divina direta, que ele transmitiu para Davi. Oh, Senhor, concede-nos tal graça!

A mensagem de Natã aprovou, grosso modo, a ideia de Davi, mas salientou que ele mesmo, como homem de guerra e derramamento de sangue, não poderia dedicar-se à construção do templo. Não obstante, ele seria o inspirador da construção, enquanto seu filho, Salomão, faria o trabalho real de construção. O homem que *inspira uma ideia* é, com frequência, tão ou mais importante que aquele que a efetua. Cf. 1Cr 17.4, onde uma resposta negativa foi especificamente dada à ideia de Davi enfocada, pessoalmente, em si mesmo.

Eupolemus (Apud Eusêb. *Evang. Praepar.* 1.9, cap. 20, par. 447) referiu-se ao *anjo do Senhor* que falou diretamente a Davi, e afirmou que nenhum homem poluído com sangue humano (como o era o guerreiro Davi) teria permissão de erigir o altar de Yahweh.

7.6

כִּי לֹא יָשַׁבְתִּי בְּבַיִת לְמִיּוֹם הַעֲלֹתִי אֶת־בְּנֵי יִשְׂרָאֵל מִמִּצְרַיִם וְעַד הַיּוֹם הַזֶּה וָאֶהְיֶה מִתְהַלֵּךְ בְּאֹהֶל וּבְמִשְׁכָּן׃

Porque em casa nenhuma habitei. Em toda a história passada, desde o êxodo do Egito até o dia presente, Yahweh tivera somente a sua tenda, o humilde *tabernáculo* (ver a respeito no *Dicionário*). No período de transição de Israel, antes de o império ser formado na Palestina, com a capital Jerusalém, Yahweh nunca exigiu mais do que a tenda. Israel era, então, humilde; a habitação de Yahweh era humilde. Mas agora, tudo isso havia mudado. Israel não era mais um pequeno país. Bem pelo contrário, eles tinham tomado toda a Palestina. Portanto, o culto divino não deveria continuar sob condições humildes. Mas Davi não era o homem apropriado para a construção, embora tivesse sido o homem a inspirar a ideia.

"A tenda era formada pelas cortinas de pelos de cabra, e o tabernáculo era formado pelas cortinas de linho. Ver Êx 16.1,6,11-13. Em 1Cr 17.5, vemos a expressão "tenho andado de tenda em tenda", a qual não visa falar sobre uma variedade de tabernáculos, mas da mudança de lugares onde a tenda repousara" (John Gill, *in loc.*).

7.7

בְּכֹל אֲשֶׁר־הִתְהַלַּכְתִּי בְּכָל־בְּנֵי יִשְׂרָאֵל הֲדָבָר דִּבַּרְתִּי אֶת־אַחַד שִׁבְטֵי יִשְׂרָאֵל אֲשֶׁר צִוִּיתִי לִרְעוֹת אֶת־עַמִּי אֶת־יִשְׂרָאֵל לֵאמֹר לָמָּה לֹא־בְנִיתֶם לִי בֵּית אֲרָזִים׃

Em todo lugar em que andei. Vendo o estado humilde de Israel e as mudanças constantes em meio à hostilidade, *Yahweh* nunca fez nenhuma exigência desarrazoada. Assim, Deus jamais ordenara que os filhos de Israel construíssem uma casa de cedro para seu culto. Agora, com o soerguimento da nação de Israel, Yahweh tornava-se mais exigente. É possível que tenha havido alguma espécie de edifício substancial em Silo (ver 1Sm 2.22), e, nesse caso, o autor ignora o incidente, que foi atípico. A presença de Deus sempre acompanhava o povo, com ou sem a tenda, mas era útil ter um local específico de manifestação, ritos e culto.

A quem mandei apascentar o meu povo. Os líderes (cujos nomes não são especificamente declarados no texto) recebiam ordens para cuidar do povo. Cada tribo tinha um líder. Seus deveres eram espirituais, humanitários e materiais. Por ordem de Yahweh, as tribos receberam cuidado, mas Deus não exigiu coisa alguma para si mesmo.

Tribos. Mediante uma leve modificação dessa palavra hebraica, temos o termo *juízes*; algumas traduções adotam esse texto como se ele fizesse mais sentido, e assim ignoram a tradução *tribos*. Cf. 1Cr 17.6, onde a palavra "juízes" aparece no texto hebraico.

7.8

וְעַתָּה כֹּה־תֹאמַר לְעַבְדִּי לְדָוִד כֹּה אָמַר יְהוָה צְבָאוֹת אֲנִי לְקַחְתִּיךָ מִן־הַנָּוֶה מֵאַחַר הַצֹּאן לִהְיוֹת נָגִיד עַל־עַמִּי עַל־יִשְׂרָאֵל׃

História Passada. Por intermédio de Natã, Yahweh relembrou a Davi as origens humildes *dele,* deixando entendido que se não fora pela graça e pelo poder divino, Davi continuaria cuidando de ovelhas, seu trabalho original. Yahweh estava mostrando a Davi como a vontade e o propósito divino dominam, pois, sem isso, ninguém pode fazer coisa alguma de valor. Assim sendo, um mero pastor foi transformado em rei, um feito que somente Deus poderia ter realizado. Davi era um instrumento divino, e não o operador dos milagres. Esse mesmo poder divino, após a morte de Davi, realizaria, por meio de seu filho, Salomão, o que estava em seu coração para realizar. Por conseguinte, era inútil Davi encher-se de ansiedades, porque as coisas são inspiradas, orientadas e efetuadas pelo poder de Deus. Há um propósito a ser cumprido. Deus é o autor do propósito, e devemos deixar-nos *arrebatar* por esse propósito. Por isso, agradecemos. É grande fazer *parte* de algo que *Deus* faz.

Este versículo parece ser (em parte) um excerto de um antigo poema que louvava a eternidade do reino de Davi. Ver as notas de introdução a este capítulo quanto a outros alegados fragmentos do suposto poema.

O grande Agamenom, em Homero (*Ilíada*, 2), foi chamado de *pastor* do povo, pelo que a palavra era empregada para indicar os grandes líderes que cuidavam das respectivas nações, como se elas fossem suas ovelhas. Jesus é o grande líder espiritual (Jo 10).

7.9

וָאֶהְיֶה עִמְּךָ בְּכֹל אֲשֶׁר הָלַכְתָּ וָאַכְרִתָה אֶת־כָּל־אֹיְבֶיךָ מִפָּנֶיךָ וְעָשִׂתִי לְךָ שֵׁם גָּדוֹל כְּשֵׁם הַגְּדֹלִים אֲשֶׁר בָּאָרֶץ׃

E fui contigo, por onde quer que andaste. A mensagem de Yahweh, dada por intermédio de Natã, o profeta, oferece-nos um breve sumário de todas as orientações de Deus, ao conduzir Davi, passo a passo, em sua peregrinação de pastor a rei. Ele teve de enfrentar e derrotar inúmeros inimigos para chegar àquele lugar exaltado. Mas sempre houve graça divina e poder suficiente para aquela que era uma tarefa quase impossível. *Tarefas impossíveis* tornam-se *possíveis* por uma longa série de *passos* ou estágios divinamente orientados, e assim acontece com todo homem espiritual que tenta fazer algo que aparentemente está "acima dele mesmo". A ideia de Davi edificar o templo era uma grande ideia, mas muito avançada quanto ao tempo. Contudo, em seu filho, Salomão, a mesma graça e poder divino operariam de tal maneira que a nobre edificação se tornaria realidade.

O passado era a garantia do futuro. Davi havia derrotado Golias e substituído o violento e assassino Saul. Agora, ele tinha expulsado os inimigos de Israel. O poder sempre estivera presente e continuava ali. Residiria também no filho de Davi, Salomão. O propósito de Deus era firme.

7.10

וְשַׂמְתִּי מָקוֹם לְעַמִּי לְיִשְׂרָאֵל וּנְטַעְתִּיו וְשָׁכַן תַּחְתָּיו וְלֹא יִרְגַּז עוֹד וְלֹא־יֹסִיפוּ בְנֵי־עַוְלָה לְעַנּוֹתוֹ כַּאֲשֶׁר בָּרִאשׁוֹנָה׃

Prepararei lugar para o meu povo. O *pacto abraâmico* (comentado em Gn 15.18) garantia que, afinal, Israel teria seu território e seu reino. Davi foi um dos maiores instrumentos para produzir isso. Ainda recentemente, ele havia conquistado Jerusalém, uma das últimas fortalezas dos pagãos na Palestina. Aos adversários de Israel que Davi não pôde obliterar, ele confinou a bolsões. Embora nem todo o território que tinha sido prometido a Abraão tenha se tornado de Davi, *quase todo* esse território era dele. Israel nunca se estendeu até o "rio do Egito", o rio Nilo, que fazia parte da promessa, mas de maneira geral e essencialmente Davi conquistou toda a terra prometida no pacto. Ver Gn 15.18, onde é mencionado o rio do Egito, juntamente com o rio Eufrates, que formavam a fronteira nordeste *ideal* da terra prometida. A influência de Salomão parece ter atingido tal ponto, ainda que ele não tenha chegado a possuir, realmente, todo o território. Alguns estudiosos supõem que no reino milenar as fronteiras de Israel atingirão essas fronteiras ideais. Seja como for, alguns veem aqui uma profecia sobre as condições milenares, e não meramente uma certeza de que o reino davídico se estabeleceria sobre as terras prometidas a Abraão.

7.11

וּלְמִן־הַיּוֹם אֲשֶׁר צִוִּיתִי שֹׁפְטִים עַל־עַמִּי יִשְׂרָאֵל וַהֲנִיחֹתִי לְךָ מִכָּל־אֹיְבֶיךָ וְהִגִּיד לְךָ יְהוָה כִּי־בַיִת יַעֲשֶׂה־לְּךָ יְהוָה׃

Desde o dia em que mandei houvesse juízes. São mencionados aqui outros *estágios* dos tratos de Yahweh com Israel. Yahweh tomou conta de seu povo nos dias dos juízes. Outros governantes poderiam também estar incluídos nesse termo. Yahweh sempre tivera os seus *líderes* para cuidar de seu povo. A tarefa de Davi, de entregar a Palestina nas mãos de Israel, estava bem adiantada. A porção que restava ser feita não permaneceria inconclusa. Seguindo-se, pois, haveria a *monarquia*. Portanto, temos aqui três estágios distintos de realização: os juízes; a plena conquista do território que cabia a Israel (deixada incompleta por Josué, ver Js 13); e o estabelecimento do reino davídico. O plano divino movia-se de estágio para estágio de modo *infalível*. Não havia razão para ansiedades. Mas o plano requeria a cooperação humana e grande quantidade de trabalho árduo.

Este versículo, que faz parte de um poema utilizado pelo autor sagrado, provavelmente deve ser entendido como um trecho *messiânico*, e não meramente como uma história dos tempos de Davi. A casa e o reino perdurariam *para sempre* (vs. 13), e isso só pode ser verdade no tocante à administração do reino, por parte do Messias. O próprio Jesus era o *templo vivo* que podia ser destruído, mas que voltaria à vida ao terceiro dia (ver Mc 14.58; 15.29; Jo 2.19).

■ 7.12

כִּי יִמְלְאוּ יָמֶיךָ וְשָׁכַבְתָּ אֶת־אֲבֹתֶיךָ וַהֲקִימֹתִי
אֶת־זַרְעֲךָ אַחֲרֶיךָ אֲשֶׁר יֵצֵא מִמֵּעֶיךָ וַהֲכִינֹתִי
אֶת־מַמְלַכְתּוֹ׃

Farei levantar depois de ti o teu descendente. Em *Salomão*, o propósito divino continuaria. A morte de um indivíduo não surte efeito sobre a continuação dos propósitos de Deus, e o reino era um grande propósito divino. Em lugar de "descendente", o original hebraico diz *semente*, e não "filho", como aparece, erroneamente, em algumas traduções. Daí o propósito, embora efetuado em Salomão, também ser maior que Salomão e estender-se até o Rei Messias, e não meramente através de algum mero membro da família. A maioria das grandes tarefas espirituais consiste em *esforços de equipe*, pelo que ninguém tem motivo algum para mostrar-se arrogante.

"A promessa de que Davi e sua *semente* seriam *reis* cumpriu a bênção ainda mais antiga do pacto abraâmico, de que os patriarcas seriam pais de reis (Gn 17.6,16; 35.11)" (Eugene H. Merrill, *in loc.*).

■ 7.13

הוּא יִבְנֶה־בַּיִת לִשְׁמִי וְכֹנַנְתִּי אֶת־כִּסֵּא מַמְלַכְתּוֹ
עַד־עוֹלָם׃

Este edificará uma casa ao meu nome. Está em pauta o *templo* a ser edificado pelo filho de Davi, *Salomão*. Ver no *Dicionário* o artigo chamado *Templo*. A mensagem divinamente inspirada a Natã, a ser transmitida a Davi, era prova de que este estava sendo impulsionado pelo Espírito de Deus para cuidar do projeto do templo, embora ele mesmo não fosse digno da sua construção. No entanto, Davi inspiraria seu filho, Salomão, a cumprir tudo quanto estava em seu coração. Sem profecia ou visão, o povo perece (ver Pv 29.18). Davi, pois, recebera a visão. Salomão estaria qualificado para o trabalho a ser feito. O presente versículo era conhecido pelo autor de 1Reis, conforme lemos em 5.5; 6.12,13 e 8.14-21. sua mensagem da parte de Yahweh foi propagada por todo o Israel, e assim a nação estava preparada para o avanço no culto espiritual, com a centralização da fé e a prática do yahwismo em Jerusalém, a nova capital.

seu reino. Com a casa de Davi, seria iniciado o *reino eterno* do Messias, o Filho maior de Davi. As palavras "para sempre" que figuram aqui certamente fazem dessa passagem um trecho messiânico e têm sido universal e tradicionalmente tratadas como tal. Cf. com 2Sm 23.5. Naquele versículo, a questão aparece vinculada ao *pacto davídico*. Ver sobre *Pactos* no *Dicionário*, quinta seção. Naturalmente, esse pacto dependia do pacto abraâmico (seção IV daquele artigo), visto que todas as bênçãos fluíam do fato de Yahweh ter escolhido Abraão e sua semente para fazer deles uma grande nação.

Cf. este versículo com Is 9.7, que apresenta uma mensagem similar de forma mais poética e completa. Ver sobre *Reino de Deus* no *Dicionário*. Ver também Lc 1.32,33.

■ 7.14,15

אֲנִי אֶהְיֶה־לּוֹ לְאָב וְהוּא יִהְיֶה־לִּי לְבֵן אֲשֶׁר בְּהַעֲוֹתוֹ
וְהֹכַחְתִּיו בְּשֵׁבֶט אֲנָשִׁים וּבְנִגְעֵי בְּנֵי אָדָם׃

וְחַסְדִּי לֹא־יָסוּר מִמֶּנּוּ כַּאֲשֶׁר הֲסִרֹתִי מֵעִם שָׁאוּל
אֲשֶׁר הֲסִרֹתִי מִלְּפָנֶיךָ׃

Eu lhe serei por pai. Esta promessa aponta tanto para Salomão como para seu descendente maior, o Messias. Estes versículos também preveem que Salomão cometeria sérios erros, como parte integral da profecia de Natã. Contudo, isso não anularia o reino de Salomão, conforme aconteceu a Saul. Haveria uma relação ativa de pai e filho que garantiria que Yahweh, como Pai, trataria de Salomão de forma gentil, embora eficaz. seu reino perduraria somente por quarenta anos, mas seria perpetuado através de sua linhagem e, finalmente, desembocaria no aspecto eterno do Messias, o Filho maior de Davi.

"Saul sofreu uma punição direta da parte do céu, porquanto *perdeu* todo contato com o Deus de quem dependia quanto à orientação. Se *qualquer* dos descendentes de Davi viesse a pecar, Deus usaria agentes humanos para castigá-lo, mas de maneira mais suave e gentil" (George B. Caird, *in loc.*).

A *Lei Moral da Colheita segundo a Semeadura* (ver a respeito no *Dicionário*) continuaria necessariamente em vigor, mas isso com vistas a construir, e não a destruir, que é a razão pela qual Deus castiga seus filhos (ver Hb 12.8).

"Deus será sempre o Pai que acha, nos tesouros de seu próprio grande amor, os meios pelos quais pune, tolera e perdoa os pecados de seus filhos" (Ganse Little, *in loc.*).

Todos os julgamentos divinos são *remediadores*, e não apenas retributivos, mesmo no caso dos perdidos. Ver 1Pe 4.6 e o artigo do *Dicionário*, intitulado *Julgamento de Deus dos Homens Perdidos*. E na *Enciclopédia de Bíblia, Teologia e Filosofia*, ver o verbete *Descida de Cristo ao Hades*, como uma demonstração desse aspecto dos juízos de Deus. Esse aspecto do juízo divino sempre fez parte da teologia da Igreja Ortodoxa Oriental, para nada dizermos sobre outras tradições religiosas. A cruz foi um terrível julgamento de Deus contra o pecado, mas dali flui a graça salvadora de Deus.

"A Palavra divina olha para a frente, para uma longa sucessão de *profetas humanos* ou cabeças da teocracia que, por algum tempo, e sempre que possível, preenchem o lugar do verdadeiro Profeta e Rei, tudo culminando, finalmente, nele, que faria a vontade do Pai e cumpriria plenamente o reino" (Ellicott, *in loc.*, que também pede que comparemos essa passagem com Lc 1.32,33).

■ 7.16

וְנֶאְמַן בֵּיתְךָ וּמַמְלַכְתְּךָ עַד־עוֹלָם לְפָנֶיךָ כִּסְאֲךָ
יִהְיֶה נָכוֹן עַד־עוֹלָם׃

Porém a tua casa e o teu reino. Este versículo enfatiza novamente o aspecto eterno do reino, repetindo o que já havíamos visto no vs. 13. As notas expositivas que ali aparecem também se aplicam aqui. O *trono* do reino fala de sua *autoridade* e *poder*, e também devemos dar atenção ao fato de que esse poder pertence a Yahweh, aquele que fizera a promessa. Ver sobre *Trono*, no *Dicionário*, quanto aos significados e simbolismos envolvidos. Todas essas provisões fazem parte do *pacto davídico* (ver no *Dicionário* sobre *Pactos*, quinta seção).

A mais bem conhecida declaração bíblica acerca da eternidade do reino de Davi acha-se em Is 11.1-9. Essa crença, ao que tudo indica, vem dos dias do próprio Davi, e persistiu mesmo quando não mais existia o reino davídico. seu reino literal e terrestre terminou em 587 a.C., diante do cativeiro babilônico. Essa crença, necessariamente, tornou-se messiânica, pois de outro modo não teria significado. A promessa primeva dizia: "... o seu descendente. Este te ferirá a cabeça, e tu lhe ferirás o calcanhar" (Gn 3.15). Essa mesma promessa foi feita de modo mais específico a Davi, o instrumento do reino. A princípio ela foi limitada aos descendentes literais de Abraão (ver Gn 22.18), mas o próprio pacto abraâmico já vislumbrava a universalidade, porquanto, em Abraão, *todas as nações* da terra seriam abençoadas. Ver Gn 15.18 quanto ao *Pacto Abraâmico*. Cf. 1Cr 17.14.

O texto ensina-nos que, naturalmente, "Deus está na história" (John C. Schroeder); e isso reflete a posição do *teísmo*, em contraste com o *deísmo* (ver ambos os termos no *Dicionário*). Deus usa o mundo como um palco, para demonstrar seus propósitos e sua vontade. Deus intervém e *entra na história*, sem importar se essa história enfoca o mundo ou algum indivíduo.

7.17

כְּכֹל֙ הַדְּבָרִ֣ים הָאֵ֔לֶּה וּכְכֹ֖ל הַחִזָּי֣וֹן הַזֶּ֑ה כֵּ֛ן דִּבֶּ֥ר נָתָ֖ן אֶל־דָּוִֽד׃ ס

Assim falou Natã a Davi. O profeta Natã mostrava-se sensível para com a palavra de Yahweh; ele recebia visões e sonhos reveladores. Portanto, foi por meio dele que a mensagem chegou a Davi. Natã cumpriu sua tarefa entregando tudo quanto lhe fora dito. Dessa forma, Davi foi informado quanto à vontade de Deus, de que o templo de Jerusalém fosse construído, centralizando assim o culto religioso na capital do reino, um grande acontecimento em Israel. Ver no *Dicionário* o artigo chamado *Visão (Visões)* para descrições completas sobre essa forma de experiência mística. Ver também *Misticismo*. A fé religiosa nunca se restringe ao estudo e à oração. Precisamos desse *toque divino* em nossa vida. Ver também, no *Dicionário,* o verbete chamado *Desenvolvimento Espiritual, Meios do*. Há várias maneiras de crescer espiritualmente e de obter informações espirituais. O intelecto (estudo) é importante, mas a oração e a meditação são igualmente importantes. As experiências místicas diretas (as experiências espirituais) também são necessárias para o pleno crescimento do homem de Deus. E essas experiências não se limitam aos profetas. Mas deixo que os artigos desenvolvam o tema.

7.18

וַיָּבֹא֙ הַמֶּ֣לֶךְ דָּוִ֔ד וַיֵּ֖שֶׁב לִפְנֵ֣י יְהוָ֑ה וַיֹּ֗אמֶר מִ֣י אָנֹכִ֞י אֲדֹנָ֤י יְהוִה֙ וּמִ֣י בֵיתִ֔י כִּ֥י הֲבִיאֹתַ֖נִי עַד־הֲלֹֽם׃

Então entrou o rei Davi na casa do Senhor. O *impacto* da profecia foi grande sobre Davi, que, de pronto, reconheceu sua indignidade em ter sido escolhido para iniciar tal reino, como Natã acabara de descrever. Quanto mais um homem é um instrumento nas mãos de Deus, *mais* humilde ele se sente, porquanto sabe que foi *apanhado* em algo muito maior do que ele mesmo.

Sentimos que nada somos, pois tudo és tu e em ti;
Sentimos que algo somos, isso também vem de ti;
Sabemos que nada somos — mas tu nos ajudas a ser algo.
Bendito seja o teu nome. Aleluia!
Alfred Lord Tennyson, *The Human Cry*

Ficou perante ele, e disse. Talvez no mesmo lugar onde havia provido um descanso temporário para a arca, que estava recoberta por cortinas. Ver 2Sm 6.17 quanto à tenda provisória. Talvez a declaração "perante ele" signifique "ajoelhado", ou em alguma outra posição, em oração e humildade, buscando a presença de Yahweh.

A *King James Version,* versão inglesa da Bíblia, diz aqui "sentou-se". Isso pode favorecer a ideia da postura de Davi diante da arca. Ou então está em pauta a noção de ajoelhar-se: Davi sentou-se sobre seus calcanhares, estando na posição ajoelhada.

7.19

וַתִּקְטַן֩ ע֨וֹד זֹ֤את בְּעֵינֶ֙יךָ֙ אֲדֹנָ֣י יְהוִ֔ה וַתְּדַבֵּ֛ר גַּ֥ם אֶל־בֵּֽית־עַבְדְּךָ֖ לְמֵֽרָח֑וֹק וְזֹ֛את תּוֹרַ֥ת הָאָדָ֖ם אֲדֹנָ֥י יְהוִֽה׃

Foi isso ainda pouco aos teus olhos. A revelação foi surpreendente, levando Davi a maravilhar-se de como ele, um simples pastor, poderia ter sido feito partícipe de um plano divino que envolvia o reino *eterno*. Tais negociações podem ser *simples* na mente divina, mas são gigantescas para a mente humana Cf. 1Cr 17.18. Davi foi tratado como homem de elevada posição, e assim, de fato, aconteceria. Mas a escolha dele, por parte de Yahweh, ocorreu em um tempo em que ninguém teria imaginado quão importante ele se tornaria. Foi uma obra divina, e não humana. Os homens prestam favores a seus *superiores*. Mas Yahweh conferiu suas bênçãos sobre um *pastorzinho,* que então se tornou superior a suas capacidades pessoais. Davi foi um homem envolvido em um destino especial. Isso, naturalmente, ocorre com todos os homens, embora não seja evidente. Se um homem for transformado segundo a imagem de Cristo (que é o sentido essencial da salvação), será maior que qualquer rei terreno. Ver Rm 8.29. Ver na *Enciclopédia de Bíblia, Teologia e Filosofia* o verbete intitulado *Transformação segundo a Imagem de Cristo*. É assim que os homens chegam a compartilhar da natureza divina (2Pe 1.4), um dos temas do artigo mencionado.

7.20

וּמַה־יּוֹסִ֥יף דָּוִ֛ד ע֖וֹד לְדַבֵּ֣ר אֵלֶ֑יךָ וְאַתָּ֛ה יָדַ֥עְתָּ אֶֽת־עַבְדְּךָ֖ אֲדֹנָ֥י יְהוִֽה׃

Que mais ainda te poderá dizer Davi? Davi ficou mudo diante do que havia acontecido, porque não havia o que dizer a Yahweh sobre o caso. Qualquer coisa que ele dissesse seria, essencialmente, tola. "À guisa de auto-aviltamento ou em agradecimento por tão admiráveis favores... faltaram-lhe as palavras" (John Gill, *in loc.*). Era como se ele tivesse dito: "Yahweh sabe do meu estado", dando a entender que ele era realmente humilde, pleno de pecados e violência, faltando-lhe as qualidades pelas quais os grandes são julgados. "Como posso exprimir diante de ti as minhas *obrigações*?", disse ele, conforme observou Adam Clarke. Todos os homens acham-se na mesma situação, porque todos os homens tocados pelo amor e pela misericórdia de Deus nada merecem.

A mensagem essencial do evangelho é que os que *nada merecem* são justamente os favorecidos. O amor é a maior força do universo, e qualquer amor humano é a imitação do amor divino, porquanto os homens remidos compartilham a imagem divina.

7.21

בַּעֲב֤וּר דְּבָֽרְךָ֙ וּֽכְלִבְּךָ֔ עָשִׂ֕יתָ אֵ֥ת כָּל־הַגְּדוּלָּ֖ה הַזֹּ֑את לְהוֹדִ֖יעַ אֶת־עַבְדֶּֽךָ׃

Por causa da tua palavra. Em toda essa transação, a vontade divina ocupava o primeiro lugar. Ver no *Dicionário* os verbetes *Predestinação* e *Determinismo*. A Bíblia ensina essas verdades. Mas a Bíblia também ensina o livre-arbítrio. Ver no *Dicionário* o verbete chamado *Livre-arbítrio*. Esses são polos de uma verdade maior que não compreendemos plenamente. Estão equivocados os homens que enfatizam uma verdade às expensas da verdade contrária. Deus usa o livre-arbítrio humano sem destruí-lo, embora não *saibamos* dizer como ele faz isso. Para nós, parecem duas verdades contrárias, mas na *mente divina* as duas coisas se reconciliam. Algum dia, porém, haveremos de entender essa reconciliação. Entrementes, fazemo-nos de tolos teológicos ensinando uma delas e negligenciando a outra. Ademais, muitos distorcem versículos que ensinam claramente uma ou outra dessas verdades aparentemente contraditórias, por não possuirmos poder mental de reconciliar as duas. Essa é uma atividade desonesta.

Yahweh operou a grandeza que Davi vislumbrava e então levou-o a tomar *conhecimento* dela. Não foi Davi quem operou essas maravilhas. Ele não merecia o grande favor divino de que era alvo. Ele foi apanhado no propósito divino, não arbitrariamente, como é óbvio, porquanto Deus não age caprichosamente. Mas *por que* Davi foi um instrumento especial é algo que fica sem explicação, e as nossas justificativas não afastam o mistério das operações de Deus.

Quem, pois, conheceu a mente do Senhor?
Ou quem foi o seu conselheiro?
Romanos 11.34

Davi dirigiu-se a Yahweh como Soberano Senhor (vss. 18-20,28,29, em um total de *sete vezes*), e o texto fala sobre essa soberania. Outros textos, porém, falam do papel dos homens, e como suas vontades são livres para escolher e efetuar, ou para não escolher e não efetuar. Por *dez vezes,* Davi chamou a si mesmo de *servo* de Deus (vss. 19-21,25-29), e assim assumiu a postura conveniente diante da soberania divina.

7.22

עַל־כֵּ֥ן גָּדַ֖לְתָּ אֲדֹנָ֣י יְהוִ֑ה כִּֽי־אֵ֣ין כָּמ֗וֹךָ וְאֵ֤ין אֱלֹהִים֙ זוּלָתֶ֔ךָ בְּכֹ֥ל אֲשֶׁר־שָׁמַ֖עְנוּ בְּאָזְנֵֽינוּ׃

Grandíssimo és, ó Senhor Deus. Este versículo é uma clássica declaração veterotestamentária da grandeza de Deus (Elohim), vinculada ao ensino do *monoteísmo* (ver a respeito no *Dicionário,* juntamente com o artigo geral, *Deus.* E ver também os artigos *Deus, Nomes Bíblicos de* e *Atributos de Deus*). Davi viu *grandeza* de pessoa e grandeza de amor demonstradas juntamente com a realização de grandes propósitos. Talvez seja verdade que a fé dos hebreus fosse, originalmente, o *enoteísmo,* em lugar do monoteísmo. Em outras palavras, para nós há somente um Deus, ainda que teoricamente existam outros, e talvez, realmente, existam outros poderes divinos, aos quais não nos sujeitamos, mas outros povos se submetem. Quanto ao *enoteísmo,* ver a seção III.2 no artigo sobre *Deus.* Qualquer que seja a verdade quanto a isso, parece seguro que na época de Davi um verdadeiro monoteísmo já se tornara realidade na teologia dos hebreus, pelo menos no que toca à teologia central da nação. Alguns eruditos rejeitam o monoteísmo no texto presente, supondo que ele ensine apenas que o Deus único de Israel era seu Deus, por tê-los escolhido em amor, ao passo que os deuses dos pagãos (reais ou imaginários) estavam ligados a seus respectivos povos pela *própria escolha deles.* Em outras palavras, os pagãos criavam ou escolhiam os seus deuses, e assim produziam a relação, mas Elohim havia escolhido, por amor, a Israel.

Seja como for, o versículo refere-se ao avanço religioso ou espiritual no qual Deus amorosamente se tornara pessoal ao povo de Israel. Antigas divindades impessoais não eram mais suficientes para o homem espiritual, capaz de pensar. É nesse ponto que temos o encontro divino-humano ao qual os teólogos se têm referido, como a relação do *eu-tu,* de Emil Brunner.

Segundo tudo o que nós mesmos temos ouvido. As descobertas de Davi eram, na realidade, afirmações de um corpo teológico que já existia nas tradições escritas e orais dos hebreus, incluindo os livros sacros, aquelas porções do Antigo Testamento que antecediam o livro de 2Samuel. Cf. Dt 6.6; 2Rs 17.14; 18.12 e Ne 9.28. O registro histórico que mostra o surgimento de Israel como nação serve para mostrar como seu Deus pessoal, poderoso e amoroso fizera deles aquilo em que se tinham tornado. Cf. este versículo com 1Sm 2.2, que é similar e que tem notas adicionais ao que foi dito aqui.

■ **7.23**

וּמִי כְעַמְּךָ כְּיִשְׂרָאֵל גּוֹי אֶחָד בָּאָרֶץ אֲשֶׁר
הָלְכוּ־אֱלֹהִים לִפְדּוֹת־לוֹ לְעָם וְלָשׂוּם לוֹ שֵׁם
וְלַעֲשׂוֹת לָכֶם הַגְּדוּלָּה וְנֹרָאוֹת לְאַרְצֶךָ מִפְּנֵי
עַמְּךָ אֲשֶׁר פָּדִיתָ לְּךָ מִמִּצְרַיִם גּוֹיִם וֵאלֹהָיו:

Quem há como o teu povo...? O Deus único de Israel era um Deus teísta, um *Redentor,* como enfatiza este versículo. Todas as nações dependiam dos atos de seus deuses para alcançarem o que precisavam. Elas tinham deuses teístas, dotados de expectativas teístas. Mas Israel tinha uma história especial, um drama de redenção. O autor não está falando sobre a redenção em termos do Novo Testamento, que é um aspecto da salvação da alma. Antes, sua redenção é terrena e histórica — a história de como Deus tirou a nação de Israel do Egito e lhes deu uma terra pátria, cumprindo assim as profecias feitas no pacto abraâmico. Assim sendo, Davi viu certa *superioridade* no Deus de Israel, devido a seus atos redentores, que, segundo ele pensava, faltava à história de outros povos.

Israel, como *povo especial,* é um tema comum no Antigo Testamento, que foi transportado para o Novo Testamento quando se fala sobre o Novo Israel, a Igreja. Uma das melhores passagens do Antigo Testamento sobre o *caráter distintivo* de Israel é Dt 4.4-8, que adiciona detalhes ao presente versículo. Israel era um povo privilegiado, sábio, compreensivo e grande (naquela passagem), essencialmente por causa do dom da lei dado por intermédio de Moisés. O fato de que Israel fora tirado "para fora do Egito", através do ato remidor de Deus, também é muito enfatizado. Ver as notas expositivas a respeito em Dt 4.20. Ocorre por mais de vinte vezes no livro de Deuteronômio.

"A totalidade desse aspecto da oração (a redenção do Egito) evidentemente se funda sobre Dt 4.7,32-34" (Ellicott, *in loc.*).

■ **7.24**

וַתְּכוֹנֵן לְךָ אֶת־עַמְּךָ יִשְׂרָאֵל לְךָ לְעָם עַד־עוֹלָם
וְאַתָּה יְהוָה הָיִיתָ לָהֶם לֵאלֹהִים: ס

O ato remidor de Deus fez de Israel uma nação especial para um Deus especial, ou, conforme pensavam os hebreus, a única verdadeira nação (em contraste com os povos pagãos) para o único e verdadeiro Deus.

"Deus só se faz Deus de Israel à medida que cada indivíduo, dentro da *comunidade amada,* aceita o privilégio e a responsabilidade de uma relação pessoal com Deus... O chamado filho pródigo (do Novo Testamento) não pôde admitir voltar para casa enquanto não reconheceu a relação eu-tu com o pai. Mas seu irmão foi, igualmente, um filho desviado, porquanto recusou-se a entrar na relação eu-tu com seu próprio irmão, colocando assim seriamente em dúvida a validade de seu relacionamento com o pai" (Ganse Little, *in loc.*).

Amados, amemo-nos uns aos outros, porque o amor procede de Deus: e todo aquele que ama é nascido de Deus, e conhece a Deus. Aquele que não ama não conhece a Deus, pois Deus é amor.

1João 4.7,8

Ver sobre a *relação eu-tu* no artigo da *Enciclopédia de Bíblia, Teologia e Filosofia,* intitulado *Buber, Martim.*

"... o Senhor havia-se tornado o seu *Deus do pacto,* porque eles o aceitaram como seu Deus, e ele os aceitou como seu povo, ver Dt 26.17,18" (John Gill, *in loc.*).

■ **7.25**

וְעַתָּה יְהוָה אֱלֹהִים הַדָּבָר אֲשֶׁר דִּבַּרְתָּ עַל־עַבְדְּךָ
וְעַל־בֵּיתוֹ הָקֵם עַד־עוֹלָם וַעֲשֵׂה כַּאֲשֶׁר דִּבַּרְתָּ:

Confirma-a para sempre, e faze como falaste. Davi terminou seu discurso de louvor e admiração fazendo um pedido especial por *tudo* quanto Deus havia falado mediante Natã, o profeta, de que suas palavras se cumprissem e fossem estabelecidas. A profecia nada é, a menos que tenha cumprimento, mas não pode ter cumprimento sem o poder divino. Portanto, o que Davi solicitou aqui foi que Yahweh injetasse poder nas palavras proféticas e as cumprisse.

"De confissões de indignidade e da bondade de Deus, e de um recital de favores conferidos a ele e ao povo de Israel, Davi passou a fazer algumas petições... a realização firme da promessa de Deus acerca de si mesmo e de sua família, e a estabilidade e perpétua continuação do reino... e teve uma preocupação especial com o Messias, o descendente prometido" (John Gill, *in loc.*). A *eleição* divina estava em operação e tinha de ser efetuada. Cf. Dt 7.7,8 e 9.4,5, onde esse tema é elaborado. Ver no *Dicionário* o artigo chamado *Eleição.*

■ **7.26**

וְיִגְדַּל שִׁמְךָ עַד־עוֹלָם לֵאמֹר יְהוָה צְבָאוֹת אֱלֹהִים
עַל־יִשְׂרָאֵל וּבֵית עַבְדְּךָ דָוִד יִהְיֶה נָכוֹן לְפָנֶיךָ:

Este versículo reitera, para efeito de ênfase, coisas que já haviam sido ditas: 1. *O nome de Yahweh-Elohim* devia ser exaltado e magnificado, pois ele é a fonte de toda vida e de todas as bênçãos. Ele age como um pai para seus filhos, e esses filhos são o povo especial de Israel. seu motivo é o amor, e sua benevolência é abundante. 2. *Ele é o Senhor dos Exércitos* (ver comentários sobre o vs. 27), isto é, das forças celestiais, e sua força conferiu o território a Israel, mediante a conquista militar. Deus foi o general que liderou o caminho dos israelitas em toda batalha, em toda vitória. 3. *Ele operaria* agora através da casa de Davi, transformada em uma dinastia permanente, que jamais poderia terminar, porquanto o Messias, o Filho maior de Davi, garantiria a sua perpetuidade.

"Davi desejava a concretização dessas coisas não tanto por sua própria causa, mas por causa de sua família, o que contribuiria para a glória de Deus. sua grande preocupação era que Deus fosse magnificado e sua grandeza exibida ao fazer dele, Davi, e de sua família, grandes" (John Gill, *in loc.*). "Davi, aqui, no espírito da oração do Pai Nosso, pôs na frente de sua petição o 'santificado seja o teu nome' (Mt 6.9), e essa foi a característica mais notável de toda a sua vida, a despeito dos pecados que, algumas vezes, o derrotaram" (Ellicott, *in loc.*). Ver as notas expositivas no vs. 16 deste capítulo quanto a comentários sobre a porção final daquele versículo, que aborda a questão do reino eterno.

7.27

כִּי־אַתָּה יְהוָה צְבָאוֹת אֱלֹהֵי יִשְׂרָאֵל גָּלִיתָה אֶת־אֹזֶן
עַבְדְּךָ לֵאמֹר בַּיִת אֶבְנֶה־לָּךְ עַל־כֵּן מָצָא עַבְדְּךָ
אֶת־לִבּוֹ לְהִתְפַּלֵּל אֵלֶיךָ אֶת־הַתְּפִלָּה הַזֹּאת:

Ó Senhor dos Exércitos. Ou seja, o Capitão dos Exércitos, o *Elohim Sabaoth*, conforme diz o original hebraico, que conquistara para Israel o seu território pátrio, mediante vitórias militares. Metaforicamente, o termo aponta para a grandeza e o poder de Deus, mas com frequência isso se reveste de um sentido literal. Israel pensava que Yahweh liderava seus exércitos da maneira mais literal e assim garantia a vitória na guerra. *El* é um nome divino que fala de poder, e o poder que governava e utilizava os exércitos de Israel era seu general-em-chefe. A expressão ocorre com grande frequência no Antigo Testamento, aparecendo por cerca de 150 vezes ali. Também temos *Yahweh Sabaoth* como um dos nomes divinos, isto é, "Senhor dos Exércitos". Esse nome figura em 1Sm 1.3. Mas *Elohim* é o nome divino quase sempre usado nessa combinação de termos. Ver o artigo geral no *Dicionário* intitulado *Deus, Nomes Bíblicos de*.

O General dos Exércitos de Israel estabeleceu o reino depois que todos os inimigos foram obliterados ou confinados. Esse *El*, o grande Poder, agiria assim em favor de Davi, que foi inspirado a fazer essa oração, no texto presente. A oração de um crente repousa não somente na teoria, mas sobre fatos, isto é, aquelas coisas que o poder de Deus realiza e que são claramente vistas. O ato de *ver* inspira o ato de *crer*, e faz o crente *pedir mais favores* ainda. Qualquer um que ora sabe o que isso significa. William James disse que uma ideia precisa ter "valor de compra", ou seja, produzir algo de valor, para que seja válida. A oração prova ter "valor de compra".

7.28

וְעַתָּה אֲדֹנָי יְהוִה אַתָּה־הוּא הָאֱלֹהִים וּדְבָרֶיךָ יִהְיוּ
אֱמֶת וַתְּדַבֵּר אֶל־עַבְדְּךָ אֶת־הַטּוֹבָה הַזֹּאת:

No hebraico, o nome divino que aqui aparece é *Yahweh-Elohim*, ou seja, o Eterno Todo-poderoso. suas palavras são verazes e seu poder faz com que todas elas sejam cumpridas na realidade. suas palavras foram *promessas*, e elas têm cumprimento em seus filhos. O *amor* é a força inspiradora de todo o processo. Ver no *Dicionário* o artigo detalhado denominado *Amor*. Ver também ali o artigo chamado *Oração*. A oração é a *arma* ofensiva do crente, que lhe possibilita alterar as circunstâncias. Dessa maneira, o homem que ora não é uma vítima das circunstâncias. Ele pode ter uma vida *criativa* e, mediante o poder de Deus, pode moldar seu próprio destino. Mas isso, naturalmente, só pode ser feito através das orientações imprimidas pela vontade de Deus.

7.29

וְעַתָּה הוֹאֵל וּבָרֵךְ אֶת־בֵּית עַבְדְּךָ לִהְיוֹת לְעוֹלָם
לְפָנֶיךָ כִּי־אַתָּה אֲדֹנָי יְהוִה דִּבַּרְתָּ וּמִבִּרְכָתְךָ יְבֹרַךְ
בֵּית־עַבְדְּךָ לְעוֹלָם: פ

Este versículo repete, uma vez mais, os elementos da oração anterior: 1. A casa de Davi foi estabelecida pelo poder de Deus. 2. O amor divino abençoara essa casa. 3. Parte da bênção era que a casa-reino de Davi continuaria para sempre, na pessoa de seu Filho maior, o Messias. 4. A Palavra de Deus estava por trás de todas as promessas que a tornavam segura e operante. 5. A bênção divina deveria prosseguir para sempre.

A Oração do Pai. Os pais preocupam-se com o conforto material dos filhos, que eles tenham lares, empregos e o suficiente para todas as necessidades. Alguns pais também anelam que os filhos tenham poder e fama. Os pais ricos garantem tais coisas comprando outras pessoas com dinheiro e favores, contanto que os filhos possam elevar-se na sociedade. Os pais também preocupam-se com a saúde dos filhos, e desejam para eles uma longa vida física. E alguns pais têm espiritualidade suficiente para se preocuparem, *acima de tudo*, com o bem-estar e crescimento espiritual dos filhos. O pior erro que um pai pode cometer é conhecer os ensinos da espiritualidade e da verdade, mas não os transmitir aos filhos. Outrossim, o *exemplo* será sempre uma questão crítica.

"Vãs são as orações que buscam riqueza e prestígio... E não são mais importantes as orações que pedem um mínimo de segurança, saúde e segurança. Mas que nossos filhos e netos possam *continuar diante de Deus*, nisso consiste o apelo de um pai que conhece que a realização de um grande caráter espiritual é de máxima importância" (Ganse Little, *in loc.*, com algumas adaptações).

CAPÍTULO OITO

VITÓRIAS MILITARES DE DAVI E O ESTABELECIMENTO DO REINO (8.1-18)

Esta seção geral, iniciada em 2Sm 5.13, estende-se até 2Sm 10.19 e descreve vários feitos de Davi. Este oitavo capítulo fornece-nos um *sumário* das muitas *conquistas militares* de Davi, mencionando algumas vitórias-chaves que serviram de instrumento na obliteração ou no confinamento dos povos inimigos, de modo que Israel, afinal, veio a possuir e controlar a totalidade do território da Palestina. As vitórias de Davi, contudo, não ampliaram o reino até o rio do Egito (o Nilo), nem até o rio Eufrates, pelo menos de conformidade com alguns eruditos. Portanto, as fronteiras sul-ocidental e norte-oriental de seu reino nunca atingiram o que foi prometido no pacto abraâmico (mas ver o vs. 3 deste capítulo). Ver Gn 15.18.

No entanto, as vitórias foram o suficiente para que a *essência* do que Deus prometera a Abraão fosse cumprida por Davi. As realizações de Davi tornaram possível a *monarquia*. O reino de Saul foi anulado pela palavra de Yahweh, em razão de sua desobediência, arrogância e desconsideração à lei. O reino de Davi, em contraste, deveria perdurar para sempre. Embora tenha terminado em 587 a.C., pelo cativeiro babilônico, que levou Judá e Benjamim (as tribos do sul) para o exílio, esse reino está destinado a ser renovado no rei Messias, durante a era milenar e eterna. Essa é a esperança que continua, embora alguns intérpretes vejam essa questão por um ângulo espiritual, e não esperem nenhum reino terreno literal. Eles consideram a realização desse reino na Igreja, o novo Israel. O capítulo anterior nos deu indicações sobre a natureza e a extensão desse reino, e sobre como Yahweh prometera a Davi tal coisa, que seria realizada através de sua família.

Os críticos supõem que o sumário deste capítulo tenha sido compilado pelo autor *D* das fontes originárias *J.E.D.P.(S.)*. Ver o artigo sobre essas alegadas fontes no *Dicionário*.

8.1

וַיְהִי אַחֲרֵי־כֵן וַיַּךְ דָּוִד אֶת־פְּלִשְׁתִּים וַיַּכְנִיעֵם וַיִּקַּח
דָּוִד אֶת־מֶתֶג הָאַמָּה מִיַּד פְּלִשְׁתִּים:

Depois disto feriu Davi os filisteus. Parte do *pacto davídico* (ver sobre *Pactos*, seção V, no *Dicionário*) rezava que ele obteria sucesso contra todos os inimigos. Ele seria o vitorioso universal, e então toda a Palestina ficaria sob o controle de seu reino. Ver 2Sm 7.11 quanto a essa provisão. Josué havia deixado muita coisa por fazer em suas conquistas, conforme lemos em Js 13. Davi, pois, terminou a tarefa iniciada por Josué. Assim, foram necessários cerca de quinhentos anos para que a conquista da Palestina se tornasse uma realidade completa.

Filisteus. Dentre todos os adversários de Israel, ninguém foi mais feroz e mais persistente, mais brutal e mais sem misericórdia do que os filisteus. Portanto, a vitória de Davi sobre esse inimigo é posta na lista dos vencidos em primeiro lugar. A inimizade (e as batalhas constantes) entre os filisteus e Israel ocuparam cerca de 125 anos. Havia *sete* nações a serem expulsas (ver Êx 33.2 e Dt 7.1), e nenhuma delas era mais terrível que os filisteus. Quanto a completas informações, ver *Filisteus, Filístia* no *Dicionário*.

As rédeas da metrópole. Assim diz a nossa versão portuguesa, em lugar do nome próprio locativo Metegue-Ama, conforme aparece na *King James Version*. A grande maioria dos nomes próprios que aparece neste capítulo conta com artigos no *Dicionário* ou descrições neste comentário.

Alguns eruditos, entretanto, pensam estar em foco a cidade de *Gate*. O hebraico original desse nome é "rédeas da mãe", ou

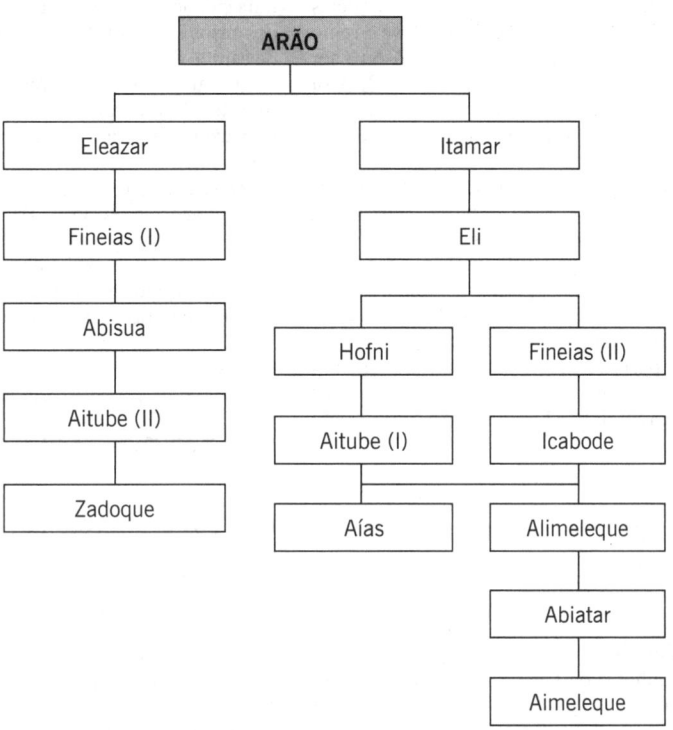

A LINHAGEM SACERDOTAL QUE RESULTOU EM ZADOQUE E ABIATAR

OBSERVAÇÕES:

Samuel profetizou que a linhagem de Eli terminaria (1Sm 3.10-14).

Através da linhagem de Zadoque (que teve início com Eleazar), o sacerdócio continuou até o fim do Antigo Testamento.

A linhagem sacerdotal tornou-se obsoleta com a chegada de Jesus, o Cristo. Ele assumiu a responsabilidade de ser o único mediador entre Deus e os homens.

Porquanto há um só Deus e um só mediador entre Deus e os homens, Cristo Jesus, homem.

1Timóteo 2.5

Tu és sacerdote para sempre segundo a ordem de Melquisedeque.

Hebreus 5.6

"cidade-mãe, a metrópole", e isso ajusta-se a Gate. 1Cr 18.1 parece provar que Gate está mesmo em foco, por ser trecho paralelo à presente passagem. Há outras especulações sobre a identidade desse lugar. Ver no *Dicionário* os artigos chamados *Metegue-Ama* e *Gate*. Seja como for, alguma grande vitória final entregou os filisteus nas mãos de Davi, de tal sorte que, dali por diante, esse povo cessou de ser uma ameaça para seu recém-formado reino. Nos dias de Salomão, o remanescente dos filisteus era sujeito a Israel (ver 1Rs 4.21,24). Parece que *Gate* se tornou a principal dentre as *cinco* mais poderosas cidades dos filisteus, e sua derrota deu a Davi uma espécie de vitória final no muito prolongado conflito entre os filisteus e os israelitas.

■ 8.2

וַיַּ֤ךְ אֶת־מוֹאָב֙ וַֽיְמַדְּדֵ֣ם בַּחֶ֔בֶל הַשְׁכֵּ֥ב אוֹתָ֖ם אָ֑רְצָה
וַיְמַדֵּ֤ד שְׁנֵֽי־חֲבָלִים֙ לְהָמִ֔ית וּמְלֹ֥א הַחֶ֖בֶל לְהַחֲי֑וֹת
וַתְּהִ֤י מוֹאָב֙ לְדָוִ֔ד לַעֲבָדִ֖ים נֹשְׂאֵ֥י מִנְחָֽה׃

Também derrotou os moabitas. Ver no *Dicionário* o artigo chamado *Moabe, Moabitas*. O texto parece indicar que Davi dizimou esse povo, matando cerca de dois terços deles e submetendo o outro terço a trabalhos forçados e tributos. Dois terços da população moabita foram sujeitados a holocausto, sendo oferecidos a Yahweh como oferenda. Em outras palavras, os moabitas foram *completamente obliterados* como parte da *guerra santa* (ver as notas a respeito em Dt 7.1-5 e 20.10-18). O sentido poderia ser que o *exército* moabita que ameaçara a Israel foi tratado assim, e não a população em geral. Mas é impossível determinar o que realmente sucedeu. Seja como for, o tratamento dado aos moabitas foi muito severo. Moabe tornou-se estado vassalo a Davi, mas houve períodos de revolta, como por exemplo após a morte do rei Acabe (ver 2Rs 1.1). Não sabemos dizer, por igual modo, por quanto tempo, durante a linhagem de Davi, os moabitas lhe foram tributários. Davi tinha raízes ancestrais em Moabe, mas isso não o inspirou a tratá-los com mais favor que a outros inimigos de Israel. Ver 1Sm 22.3,4.

E os mediu: duas vezes um cordel. Davi fez isso para decidir quais seriam mortos e quais seriam transformados em escravos. Davi utilizou-se de um cordel para fazer algum tipo de medição com linhas. Mas não sabemos dizer exatamente como isso foi feito. Por esse motivo, alguns estudiosos pensam que temos aqui uma descrição metafórica, e não literal. A tradição reza que Davi tratou os moabitas com tamanha severidade por terem matado o seu pai, mãe e irmão, aos quais deixara em segurança nas mãos do rei de Moabe, quando ele fugia de Saul (ver 1Sm 22.3). Essa informação consta em *Bemidbar Rabba*, 1.14, col. 212, mas não sabemos quão exata ela é.

■ 8.3

וַיַּ֤ךְ דָּוִד֙ אֶת־הֲדַדְעֶ֣זֶר בֶּן־רְחֹ֔ב מֶ֖לֶךְ צוֹבָ֑ה
בְּלֶכְתּ֕וֹ לְהָשִׁ֥יב יָד֖וֹ בִּנְהַֽר׃

Também Hadadezer, filho de Reobe, rei de Zobá. Este versículo parece dizer que Davi foi capaz de estender sua fronteira nordeste até o rio Eufrates, tal como havia prometido o pacto abraâmico. Mas muitos eruditos afirmam que, apesar de ele ter exercido *influência* até ali, faltam evidências históricas de que ele tenha ocupado esses territórios do norte. Ver Gn 15.18 quanto à promessa feita a Abraão. Os vss. 3-8 são um sumário dos eventos descritos em 10.6-19. É possível que tenha havido ocupação ou vassalagem, mas, nesse caso, nenhuma das duas coisas foi duradoura o bastante para tornar aquelas regiões parte do reino de Davi. Seja como for, Salomão reteve o reino de Davi como uma unidade. Mas o reino de Davi não demorou a ser dividido, tornando-se duas nações distintas (o norte e o sul), para todos os propósitos práticos. Ato contínuo, ambos foram levados por potências estrangeiras (o norte pela Assíria em 722 a.C.; e o sul pela Babilônia em 587 a.C.).

Independentemente do que tenha acontecido, no clímax do poder, Davi foi capaz de derrotar os arameus (sírios) ao norte. Zobá ficava ao norte de Damasco, pelo que Davi ultrapassou a capital síria. Todos os nomes próprios que aparecem neste versículo recebem artigos detalhados no *Dicionário*. As vantagens conseguidas por Davi, naquela direção, permaneceram nos dias de Salomão (ver 1Rs 4.21-24). O "rio" do vs. 21 é uma referência ao Eufrates. Mas continua em disputa exatamente quanto Davi e posteriormente Salomão *controlaram* as áreas ao norte. Qualquer que tenha sido o controle, ele se perdeu quando o reino foi dividido. Israel tinha chegado longe demais para exercer controle até esse ponto.

■ 8.4

וַיִּלְכֹּד דָּוִד מִמֶּנּוּ אֶלֶף וּשְׁבַע־מֵאוֹת פָּרָשִׁים וְעֶשְׂרִים אֶלֶף אִישׁ רַגְלִי וַיְעַקֵּר דָּוִד אֶת־כָּל־הָרֶכֶב וַיּוֹתֵר מִמֶּנּוּ מֵאָה רָכֶב׃

Jarretou a todos os cavalos dos carros. Os carros de combate eram inúteis nas terras montanhosas da Palestina, mas no norte podiam ser empregados. Até esse tempo, Israel não fora um povo habilitado a guerrear com cavalos e carros de combate; suas forças armadas limitavam-se às atividades de infantaria. Mas Davi modificou isso até certo ponto. *Mil* carros de combate são um número considerável. Mas, de acordo com algumas versões, esse foi o número que o autor diz que Davi capturou do inimigo, o rei Hadadezer. Ele jarretou a maioria dos cavalos tomados, mas manteve em operação cem carruagens, e com elas foi à batalha. As traduções variam quanto a isso. Alguns pensam que os carros de combate tomados foram cem, e que mil era o número de cavaleiros, pelo que temos de adicionar os mil a setecentos outros, dando-nos um total de mil e setecentos cavaleiros. Isso parece ser uma maneira melhor de compreender o texto. Seja como for, os números mostram-nos que Davi obteve enorme vitória no norte, e derrogou um poderoso exército segundo os padrões antigos.

Uma diferença numérica aparece no presente texto, em comparação com o trecho paralelo de 1Cr 18.4 e com a versão da Septuaginta. Isso ocorre com frequência nas narrativas do Antigo Testamento, e o número original (e/ou verdadeiro) fica na dúvida. Cf. 2Sm 10.18, onde é fornecido um jogo diferente de números. Os intérpretes desesperam-se diante de tudo isso, quando esperam conseguir a certeza numérica, mas isso não envolve nenhuma questão de fé. Conforme disse corretamente Adam Clarke (*in loc.*): "É difícil determinar os números certos neste e em outros lugares semelhantes". E esse mesmo autor passa a observar como o sistema numérico empregado pelos hebreus encorajava o erro quando se tratava de números. É melhor, por isso mesmo, confessar que há erros numéricos no texto sagrado do Antigo Testamento do que tentar reconciliação a qualquer custo, mesmo que à custa da honestidade. 1Cr 18.4 fala em "mil carros", e isso é confuso, para dizermos o mínimo, quando, no texto presente, esse número parece referir-se aos cavaleiros, e não aos carros de combate, conforme a maioria das traduções compreende a questão. Questões dessa espécie têm importância somente para os que querem conseguir harmonia a qualquer custo, ou para os céticos, que se deleitam em encontrar erros nas Escrituras. Pessoalmente, não sou nenhuma coisa nem outra, pelo que não me deixo perturbar por tais questões.

■ 8.5

וַתָּבֹא אֲרַם דַּמֶּשֶׂק לַעְזֹר לַהֲדַדְעֶזֶר מֶלֶךְ צוֹבָה וַיַּךְ דָּוִד בַּאֲרָם עֶשְׂרִים־וּשְׁנַיִם אֶלֶף אִישׁ׃

Vieram os siros de Damasco. Estes e aqueles que eram governados por Hadadezer pertenciam à mesma cepa racial aramaica, e, embora não formassem uma nação consolidada, tinham uma espécie de aliança e amizade frouxa. Assim sendo, foi natural que o exército de Damasco fosse enviado a Zobá, nome que indica um reino, e não uma cidade. A distância (para o norte) não era grande. A maior parte dos sírios era controlada por Damasco, que atuava como uma espécie de capital da região.

"Os arameus... consistiam em uma federação frouxa de cidades-estados, levantaram-se à proeminência, ao mesmo tempo em que a monarquia de Israel se levantava sob Saul e Davi" (Eugene M. Merrill, *in loc.*).

Mas os que vieram em ajuda ao rei Hadadezer se encontraram com o furioso e selvagem Davi, que não demorou a aniquilar 22 mil deles, uma horrenda perda para qualquer exército antigo. O autor sacro nos poupou os detalhes, mas esse número diz que Davi e seu exército formavam uma temível máquina de matar, habilidosa em grandes matanças e totalmente mortífera.

■ 8.6

וַיָּשֶׂם דָּוִד נְצִבִים בַּאֲרַם דַּמֶּשֶׂק וַתְּהִי אֲרָם לְדָוִד לַעֲבָדִים נוֹשְׂאֵי מִנְחָה וַיֹּשַׁע יְהוָה אֶת־דָּוִד בְּכֹל אֲשֶׁר הָלָךְ׃

Davi pôs guarnições na Síria de Damasco. Tendo derrotado completamente os exércitos do rei Hadadezer e dos sírios de Damasco, Davi sujeitou facilmente a tributo todo o país. As ameaças "Cuidado! Voltarei para fazer mais matanças!" mantiveram os sírios em cheque e sob o jugo dos impostos. Salomão prece ter seguido a mesma orientação política. Portanto, é correto falarmos sobre a "influência" de Israel no norte, mas não sobre a conquista de territórios e de uma província sujeitada. É possível que, periodicamente, Davi enviasse agentes políticos para garantir que nenhuma revolta estava sendo planejada e que os impostos estavam sendo recolhidos. Davi colocou no norte *guarnições militares* para assegurar sua vitória e seu avanço econômico, o que significa que ele tinha comandantes militares que cuidavam de seus interesses, mas ele não parece ter colocado ali reis. Ele permitiu que os sírios se autogovernassem, mas sob certo preço.

■ 8.7

וַיִּקַּח דָּוִד אֵת שִׁלְטֵי הַזָּהָב אֲשֶׁר הָיוּ אֶל עַבְדֵי הֲדַדְעָזֶר וַיְבִיאֵם יְרוּשָׁלָ͏ִם׃

As guerras sempre produzem despojos para os vitoriosos, e um despojo incomum da guerra, na ocasião da luta contra os arameus, foram seus escudos de *ouro*. De fato, vários povos antigos faziam escudos de ouro. Era um ato de ostentação, visto que o ouro é um metal mole demais para ser usado no fabrico de implementos de guerra. Salomão, que gostava de ostentar-se quanto a várias outras coisas, como na multiplicação de cavalos e de mulheres, também teve escudos de ouro (ver 1Rs 14.25-28). É provável que somente certos chefes militares tivessem tais escudos. Pois é difícil imaginar um soldado comum a usar um escudo de ouro. A Septuaginta diz aqui *braceletes* de ouro, e o siríaco diz *aljavas* de ouro, reduzindo assim a riqueza do exército. Jardim e R. Isaiah dizem aljavas, tal como faz Josefo, ao comentar sobre este versículo (*Antiq.* 1.7, cap. 5, sec. 1). Isso nos deixa em dúvida se *escudos* é, realmente, o verdadeiro texto. As versões da Septuaginta e do siríaco poderiam ter preservado o original hebraico, em contradição com os manuscritos hebraicos que possuímos.

■ 8.8

וּמִבֶּטַח וּמִבֵּרֹתַי עָרֵי הֲדַדְעָזֶר לָקַח הַמֶּלֶךְ דָּוִד נְחֹשֶׁת הַרְבֵּה מְאֹד׃ ס

Mui grande quantidade de bronze. Tendo vencido a batalha, Davi tirou vantagem de sua superioridade militar para saquear certas cidades sírias, como as duas aqui citadas, *Betá* e *Berotai*. Quanto ao que se sabe (e o que não se sabe) sobre esses dois lugares, ver o *Dicionário*. Entre muitas coisas de valor que Davi deve ter tomado daqueles lugares, destacavam-se itens feitos de bronze, o que pode significar apenas *cobre*. O bronze é apenas uma mistura de cobre e zinco que resulta em um metal mais forte. Em 1Cr 18.8, lemos que

Salomão fez o mar de bronze e os pilares de seu templo de bronze. Ele possuía grandes minas de cobre. Ver o artigo chamado *Minas do Rei Salomão* no *Dicionário*. O autor sagrado nada diz exatamente a respeito de quais itens de bronze Davi se apossou, mas podemos afirmar que esses itens eram de paz e de guerra, de ornamentação, para construção ou armas de guerra. Talvez, conforme supõem alguns intérpretes, muito desse bronze tenha terminado na edificação do templo, o que pode estar implícito em 1Cr 18.8. Ver também o vs. 11 deste capítulo. Portanto, nem todo esse metal redundou no salário para os soldados. Davi lembrou-se do novo projeto, o templo, e já estava recolhendo material para a construção.

■ 8.9

וַיִּשְׁמַ֗ע תֹּ֚עִי מֶ֣לֶךְ חֲמָ֔ת כִּ֚י הִכָּ֣ה דָוִ֔ד אֵ֖ת כָּל־חֵ֥יל הֲדַדְעָֽזֶר׃

Ouvindo Toí, rei de Hamate. Ver sobre esses dois nomes no *Dicionário*. Toí era um antigo inimigo de Hadadezer e provavelmente havia sofrido muitos atos de violência da parte dele. Certamente ficou alegre por Hadadezer ter sofrido tão má sorte, mas também estava ansioso por evitar o mesmo tipo de tratamento. Assim, procurou *aplacar* Davi enviando-lhe seu próprio filho em embaixada de paz, e muitos ricos presentes para garantir o efeito de aplacamento. *Hamate* também era uma cidade-estado dos arameus, o que significa que tinha havido competição e guerras entre eles. Toí decidiu que seria melhor tornar-se vassalo de Davi e pagar-lhe impostos anuais, do que sofrer violência e derrota na terra. 1Co 18.3 informa-nos que o reino de Toí ficava bem perto do lugar onde Davi obtivera vitória sobre o rei Hadadezer, pelo que ele tinha de agir rapidamente. Zobá e Hamate desfrutavam de uma fronteira comum.

■ 8.10

וַיִּשְׁלַ֣ח תֹּ֣עִי אֶת־יֽוֹרָם־בְּנ֣וֹ אֶל־הַמֶּֽלֶךְ־דָּ֠וִד לִשְׁאָל־ל֨וֹ לְשָׁל֜וֹם וּֽלְבָרֲכ֗וֹ עַל֩ אֲשֶׁ֨ר נִלְחַ֤ם בַּהֲדַדְעֶ֙זֶר֙ וַיַּכֵּ֔הוּ כִּי־אִ֛ישׁ מִלְחֲמ֥וֹת תֹּ֖עִי הָיָ֣ה הֲדַדְעָ֑זֶר וּבְיָד֗וֹ הָי֛וּ כְּלֵֽי־כֶ֥סֶף וּכְלֵֽי־זָהָ֖ב וּכְלֵ֥י נְחֹֽשֶׁת׃

Mandou seu filho Jorão. Toí não foi mediar a paz com o próprio Davi, mas enviou seu filho Jorão, o segundo homem de seu reino, que provavelmente ocuparia o trono depois dele. Jorão, pois, tinha autoridade de fazer qualquer tipo de negócio com Davi. 1Cr 18.10 dá o nome dele como *Hadorão*. O artigo sobre o homem, no *Dicionário*, foi dado sob esse segundo nome, sendo ele o segundo da lista. Provavelmente, o nome Jorão era uma contração de Hadorão. Esse nome contém uma referência ao deus-temporal dos sírios, e esperava-se que qualquer um assim chamado fosse um homem de guerra.

Hamate ficava às margens do rio Orontes e talvez pertencesse ao império hitita. Nesse caso, era de povos indo-europeus, e isso talvez explique o antagonismo com o rei Hadadezer, que era um semita. Mas os lugares antigos trocavam tão rapidamente de mãos, por motivo da guerra, e a maioria dos lugares permanecia com populações misturadas etnicamente.

Ricos presentes de metais preciosos tiveram poder de convencimento, e Davi, pensando em todas as coisas de que o templo precisaria (vs. 11), não se mostrou difícil de convencer. Ele estava recolhendo os despojos de várias conquistas, conforme nos diz o versículo seguinte.

■ 8.11

גַּם־אֹתָ֕ם הִקְדִּ֥ישׁ הַמֶּ֖לֶךְ דָּוִ֑ד לַיהוָ֑ה עִם־הַכֶּ֣סֶף וְהַזָּהָ֗ב אֲשֶׁ֤ר הִקְדִּישׁ֙ מִכָּל־הַגּוֹיִ֔ם אֲשֶׁ֖ר כִּבֵּֽשׁ׃

Embora não seja dito especificamente que todos os benefícios dos saques que Davi havia realizado contra seus inimigos (em suas muitas conquistas militares) destinavam-se à construção do templo, isso certamente fica implícito. Seja como for, Davi investiu grandes somas no *culto divino*. Ele não se mostrou um mero dizimista. Ele dava pesadamente, o que é, com frequência, o sinal de um homem espiritual que não raciona seus fundos no tocante à espiritualidade. "Davi, proibido de construir pessoalmente o templo, fez toda provisão para a sua construção" (Ellicott, *in loc.*). Cf. este versículo com 1Cr 18 e 19, que falam especificamente sobre as riquezas que Davi ajuntou nos saques e dedicou à construção do templo.

■ 8.12

מֵאֲרָ֤ם וּמִמּוֹאָב֙ וּמִבְּנֵ֣י עַמּ֔וֹן וּמִפְּלִשְׁתִּ֖ים וּמֵעֲמָלֵ֑ק וּמִשְּׁלַ֛ל הֲדַדְעֶ֥זֶר בֶּן־רְחֹ֖ב מֶ֥לֶךְ צוֹבָֽה׃

O autor sacro apresenta novamente os nomes dos vários inimigos que Davi tinha derrotado, alguns dos quais já haviam sido descritos neste capítulo. Ele adicionou aqui os amonitas (ver no *Dicionário* o artigo intitulado *Amom (Amonitas)* quanto a detalhes completos). Também mencionou os *amalequitas* (ver a respeito no *Dicionário*). Somente aqui temos alusão à batalha contra eles, uma vez que Davi se tornara rei. O escritor pagão Eupolemo confirmou a informação do presente versículo e acrescentou vários outros povos que o escritor bíblico não cita como inimigos derrotados por Davi: idumeus (edomitas), nabateus (árabes), Siron, rei de Tiro e da Fenícia (Apud. Euséb. *Praepar. Evan.* 1.9, cap. 30, par. 447). As conquistas de Davi foram extensas, e dessa forma ele terminou a tarefa que Josué tinha deixado por fazer (ver Js 13), cerca de quinhentos anos antes. Isso preparou o caminho para o estabelecimento da monarquia, um aspecto necessário do plano divino.

■ 8.13

וַיַּ֤עַשׂ דָּוִד֙ שֵׁ֔ם בְּשֻׁבוֹ֕ מֵהַכּוֹת֥וֹ אֶת־אֲרָ֖ם בְּגֵיא־מֶ֑לַח שְׁמוֹנָ֖ה עָשָׂ֥ר אָֽלֶף׃

Ganhou Davi renome. Davi tornou-se um guerreiro incansável, e isso o ajudou a consolidar seus ganhos e impedir o ataque de potências estrangeiras. As coisas caminhavam para a paz relativa que caracterizaria o reinado de Salomão. E então grande riqueza estava tomando conta de Israel. Os dias de humilhação tinham passado. Dias de glória estavam chegando.

Os siros. Algumas traduções dizem aqui os edomitas. O hebraico diz "os siros", mas a Septuaginta diz os "edomitas", o que é adotado pela maioria das traduções modernas. Mas outras versões dão apoio aos edomitas, juntamente com alguns manuscritos hebraicos. Essa é a informação que temos também no trecho paralelo de 1Cr 18.12. A diferença, no original hebraico, é apenas a substituição do *d*, em Edom, pelo *r*, em Aram. Davi novamente prevaleceu em batalha e despachou dezoito mil pobres almas.

Vale do Sal. Ver no *Dicionário* o artigo chamado *Sal, Vale do*. Talvez esteja em pauta o wadi el-Milh, perto de Berseba. Cf. 2Rs 14.7. Essa vitória foi incorporada no título do Salmo 60, atribuído a Joabe. 1Cr 18.12 dá crédito a Abisai por isso. Davi obteve o crédito, porque aqueles homens foram seus instrumentos, como generais de seu exército. O Vale do Sal é variegadamente localizado, conforme demonstra aquele artigo.

■ 8.14

וַיָּ֧שֶׂם בֶּאֱד֛וֹם נְצִבִ֖ים בְּכָל־אֱד֣וֹם שָׂ֣ם נְצִבִ֑ים וַיְהִ֤י כָל־אֱדוֹם֙ עֲבָדִ֣ים לְדָוִ֔ד וַיּ֤וֹשַׁע יְהוָה֙ אֶת־דָּוִ֔ד בְּכֹ֖ל אֲשֶׁ֥ר הָלָֽךְ׃

Pôs guarnições em Edom. Davi manuseou o território dos idumeus da mesma maneira que havia manuseado os arameus (vs. 6). Ele não colocou ali um governante político, mas controlava a área com seu poder militar e sem dúvida arrecadava tributos. Tudo quanto ele fazia era enriquecer seu reino e preparar o caminho para a paz e a prosperidade que haveria nos tempos de Salomão.

Edom tornou-se servo de Davi, "cumprindo assim o oráculo entregue a Rebeca e a bênção profética de Isaque, Gn 25.23; 27.29,40" (John Gill, *in loc.*). Yahweh esteve presente em tudo, conforme o autor sagrado afirma aqui. Era tempo da ascensão de Israel. A derrota ocultava-se para séculos vindouros. A vitória final viria pelo Messias, quando Israel seria transformado no novo Israel.

8.15

וַיִּמְלֹךְ דָּוִד עַל־כָּל־יִשְׂרָאֵל וַיְהִי דָוִד עֹשֶׂה מִשְׁפָּט
וּצְדָקָה לְכָל־עַמּוֹ:

Reinou, pois, Davi sobre todo o Israel. O autor sagrado terminou sua revisão das guerras e vitórias de Davi e agora volta a atenção para os negócios de seu governo. Estamos certos de que o governo de Davi era justo e eficaz. Ele era mais do que um temido guerreiro. Ele era um estadista.

"Neste sumário do reinado de Davi, o historiador chama nossa atenção para as guerras e vitórias de Davi sobre outras nações, para os negócios internos de seu reino. Substancialmente a mesma lista de *oficiais* aparece em 2Sm 20.23-26" (Ellicott, *in loc.*).

Embora o império de Israel fosse pequeno para os padrões modernos (o território era menor que o Estado de São Paulo), era extenso o bastante para requerer muitos governantes subordinados e para "a criação de uma burocracia para administrar seus negócios" (Eugene H. Merrill, *in loc.*).

8.16

וְיוֹאָב בֶּן־צְרוּיָה עַל־הַצָּבָא וִיהוֹשָׁפָט בֶּן־אֲחִילוּד
מַזְכִּיר:

Ver todos os nomes próprios da lista no *Dicionário*. Uma informação substancial não é repetida aqui. Joabe era quase tão grande guerreiro quanto Davi e, naturalmente, como general-em-chefe, foi honrado em tempos de paz com uma posição de poder. Ele se tornou, por assim dizer, ministro da defesa e continuou a exercer sua autoridade sobre o exército. Os inimigos de Israel pensariam duas vezes antes de irritar o selvagem Joabe.

Josafá, filho de Ailude. Ailude era o cronista, no hebraico, *mazkir*, o "relembrador", alguém que conservava registros estritos dos acontecimentos no reino e das operações do exército. Era um ofício diferente do de um escriba (um serviço realizado por *Seraías*, vs. 17). Cf. 2Rs 18.18-37 e 2Cr 34.8. Podemos imaginar que Ailude era também uma espécie de *conselheiro do rei*. E ainda uma espécie de *historiador* contemporâneo, que tinha o cuidado de anotar registros exatos de todos os eventos supostamente importantes para a época e para Israel, mostrando as lições do passado. R. Isaiah chamou-o de "conselheiro do rei".

8.17

וְצָדוֹק בֶּן־אֲחִיטוּב וַאֲחִימֶלֶךְ בֶּן־אֶבְיָתָר כֹּהֲנִים
וּשְׂרָיָה סוֹפֵר:

Zadoque (ver no *Dicionário*) era o sumo sacerdote. Davi não negligenciava o culto divino. A leitura do texto pode dar a impressão de que havia dois sumos sacerdotes. *Aimeleque* (de acordo com alguns intérpretes) era o segundo encarregado, sendo o primeiro deputado do sumo sacerdote. Mas John Gill salientou que *ambos* eram sumos sacerdotes, mas em tempos diferentes. Nos dias de Davi, *Abiatar* era o sumo sacerdote e permaneceu assim até que Salomão o destituiu, e então *Zadoque* foi nomeado em seu lugar. E então *Aimeleque* se tornou também sumo sacerdote nos tempos de Salomão.

A *confusão* parece ter entrado na história dos sumos sacerdotes, e não posso fazer melhor do que dar a explicação de Ellicott, que pode ou não ser inteiramente correta: "Aimeleque, filho de Abiatar. Assim Aimeleque também é descrito em 1Cr 18.16; 24.6. Por outra parte, lemos expressamente na narrativa de 1Sm 22.20-23 que Abiatar era filho de Aimeleque. Essa dificuldade aumenta devido às notícias dos homens que tinham esses nomes. Aimeleque certamente era o sumo sacerdote que dera dos pães da proposição a Davi e foi morto, em consequência disso, por Saul (ver 1Sm 21 e 22). E Abiatar, que fugira para Davi e mais tarde se tornara o sumo sacerdote, e finalmente fora tirado do sumo sacerdócio por Salomão (ver 1Rs 1 e 2), certamente era filho dele. Por outra parte, em 1Cr 24.3,6,31, Aimeleque aparece como co-sacerdote de Zadoque, durante o reinado de Davi, e nosso Senhor disse que Davi comeu dos pães da proposição nos dias de 'Abiatar, o sumo sacerdote' (Lc 2.26). Esses fatos aparentemente conflitantes têm ocasionado desnecessária perplexidade. A solução simples para essa dificuldade parece ser que *ambos* eram nomes de pai e filho, de forma que ambos são referidos, algumas vezes por um nome e, de outras vezes, por outro dos nomes".

Devemos salientar, entretanto, que a sugestão de dois nomes idênticos em operação para indicar duas pessoas diferentes é um antigo truque dos que buscam harmonia a qualquer preço. Outras tentativas de harmonia são feitas pelos antigos e pelos modernos, sem nenhum resultado certo, e nenhum resultado certo tem grande importância. "ele (Zadoque) aparece como colega de Abiatar, em custódia da arca (ver 2Sm 15.24-29). E quando Abiatar foi deposto por Salomão, ele se tornou o único sacerdote e o ancestral dos sacerdotes de Jerusalém que, após a reforma instituída por Josias, tornou-se o único sacerdote legítimo de Israel (1Rs 2.27; 2Rs 23.9)" (George B. Caird, *in loc.*).

Seraías era o *escrivão* de Davi. Ver sobre ambos os termos no *Dicionário*. O escrivão guardava, produzia e reproduzia documentos oficiais, e poderia estar envolvido na escritura de alguns registros históricos.

8.18

וּבְנָיָהוּ בֶּן־יְהוֹיָדָע וְהַכְּרֵתִי וְהַפְּלֵתִי וּבְנֵי דָוִד
כֹּהֲנִים הָיוּ: פ

Benaia. sua tarefa era encabeçar um corpo de guarda-costas composto por mercenários estrangeiros. Esse corpo de guarda-costas formava tropas de elite que serviam o rei de maneira especial. Eles pareciam estar relacionados aos filisteus. Davi não hesitava em utilizar-se do serviço deles porque se tinham distinguido como soldados habilidosos e, sem dúvida, se tinham convertido à fé dos hebreus. Além disso, eles tinham uma história anterior de serviço prestado a Davi, que os separara para serem recompensados quando chegassem tempos de paz.

Os filhos de Davi... eram seus ministros. Algumas versões dizem aqui "sacerdotes", mas nossa versão portuguesa e outras dizem "ministros", a fim de evitar a ideia de que quaisquer filhos de Davi (que não eram da tribo de Levi) pudessem ter servido como sacerdotes. O trecho paralelo de 2Sm 20.26 deixa de lado tal informação, mas menciona que *Ira* era um sacerdote dos tempos de Davi. Talvez o termo hebraico *cohen* (a palavra aqui usada, e que significa "sacerdote") seja uma reminiscência dos tempos anteriores, quando os cabeças das tribos também funcionavam como sacerdotes. Embora esse uso se tenha tornado obsoleto quando um sacerdócio anterior foi estabelecido, a palavra ainda pode ter sido usada ocasionalmente, no sentido mais lato, e o texto presente pode ser uma instância disso. Ver sobre 2Sm 20.26 quanto a outros comentários a respeito.

CAPÍTULO NOVE

A seção geral a que pertence este capítulo 9 começou em 2Sm 5.13, e estende-se até 10.19, descrevendo os vários feitos de Davi. O nono capítulo fala sobre a preocupação de Davi com quaisquer sobreviventes da família de Saul. Nas monarquias orientais, era costume à nova família real, ao assumir o poder, matar os membros da família real antecedente. Davi havia jurado a Jônatas que nunca esqueceria a amizade especial que os unia, e trataria bondosamente aos seus descendentes (ver 1Sm 20.14-17). Davi também fizera uma promessa similar a Saul (ver 1Sm 24.21,22), embora esse juramento não tivesse sido cumprido em nenhum grau. 2Sm 21 relata que Davi executou um bom número de filhos e descendentes de Saul. O juramento de Davi foi debilitado por forças externas que impediram o cumprimento cabal da promessa. Quanto a outras instâncias em que uma antiga linhagem foi morta por um novo rei em Israel, ver 1Rs 15.29; 16.11 e 2Rs 10. Pelo menos Davi honrou sua promessa a Jônatas, e este capítulo é o relato das circunstâncias relacionadas à questão.

Os *críticos* atribuem o material deste capítulo a uma fonte muito antiga e supõem que, cronologicamente, este capítulo siga logicamente a 2Sm 21.1-14, que relata a história de como Davi quebrou seu voto a Saul e permitiu que os gibeonitas matassem alguns da família real. O capítulo 9, pois, informa-nos que o voto foi parcialmente cumprido, por amor de Davi a Jônatas.

9.1

וַיֹּאמֶר דָּוִד הֲכִי יֶשׁ־עוֹד אֲשֶׁר נוֹתַר לְבֵית שָׁאוּל וְאֶעֱשֶׂה עִמּוֹ חֶסֶד בַּעֲבוּר יְהוֹנָתָן׃

Resta ainda, porventura, alguém. Para compreender este versículo, cumpre-nos ver a introdução acima. Muitos membros da família de Saul foram mortos. Davi procurava algum sobrevivente, a fim de favorecê-lo, por amor a Jônatas. Jônatas tinha sido um amigo especial de Davi, e um voto entre os dois incluía o tratamento bondoso dos membros da família sobrevivente, especialmente quando Davi assumisse o poder e pudesse matar, de forma absoluta, os membros da família real anterior, a fim de consolidar seu reino e não sofrer interferência e conluios.

Bondade. No hebraico, *hesedh* (cf. 1Sm 20.8). Havia em Davi um amor que buscava expressão e estava baseado na obrigação criada pelo voto feito (ver 1Sm 20.14-17).

Alguns críticos pensam que este capítulo abriga a mais antiga história autêntica do Antigo Testamento, e muitos observam sua qualidade literária: "Como narrativa, ela não pode ser ultrapassada em intensidade dramática e frequência tocante" (Ganse Little, *in loc.*). "Uma obra prima de peça em prosa do Antigo Testamento" (*Oxford Annotated Bible,* sobre o primeiro versículo deste capítulo).

Os capítulos 9 a 20 algumas vezes são chamados de Narrativa da Sucessão. "seu propósito é mostrar os passos que Davi tomou para suceder a Saul e garantir a permanência de sua própria dinastia. O primeiro passo de Davi foi solicitar o apoio das tribos do norte, estendendo favor aos membros sobreviventes da casa de Saul" (Eugene H. Merrill, *in loc.*).

Mefibosete tinha apenas 5 anos quando seu pai foi morto (2Sm 4.4). Agora ele tinha um jovem filho (vs. 12), o que significa que um bom número de anos se passara, desde que Davi começara a reinar em Jerusalém.

9.2

וּלְבֵית שָׁאוּל עֶבֶד וּשְׁמוֹ צִיבָא וַיִּקְרְאוּ־לוֹ אֶל־דָּוִד וַיֹּאמֶר הַמֶּלֶךְ אֵלָיו הַאַתָּה צִיבָא וַיֹּאמֶר עַבְדֶּךָ׃

Ziba. Ver no *Dicionário* o que se sabe sobre este homem. Ele tinha sido servo do rei Saul e agora atendia a Mefibosete, filho de Jônatas. Portanto, Ziba deveria saber informar com precisão sobre o assunto que interessava a Davi: Havia algum sobrevivente da casa de Saul, que ele, Davi, poderia favorecer por amor a Jônatas? Ver 1Sm 20.42.

Josefo ajunta que Ziba era de ascendência cananeia, um escravo que fora libertado por Saul quando demonstrou ser um servo especial (*Antiq.* 1.7, cap. 5, sec. 1). Não sabemos, porém, quão exata é essa informação. Talvez o homem se tenha tornado servo de Davi ou de seus familiares. Seja como for, era alguém conhecido, e foi fácil entrar em contato com ele para obter a informação necessária.

9.3

וַיֹּאמֶר הַמֶּלֶךְ הַאֶפֶס עוֹד אִישׁ לְבֵית שָׁאוּל וְאֶעֱשֶׂה עִמּוֹ חֶסֶד אֱלֹהִים וַיֹּאמֶר צִיבָא אֶל־הַמֶּלֶךְ עוֹד בֵּן לִיהוֹנָתָן נְכֵה רַגְלָיִם׃

Disse-lhe o rei. Davi indagou pessoalmente a Ziba, inclinado como estava por demonstrar bondade, conforme as notas expositivas no vs. 1. E Ziba deu a informação de que Davi precisava.

Ainda há um filho de Jônatas. Mefibosete tinha apenas 5 anos de idade quando Jônatas morreu (ver 2Sm 4.4), mas agora tinha um filho seu (vs. 12). Ele não nascera aleijado por defeito genético, mas como infante havia sofrido uma queda severa que injuriou, de forma permanente, ambos os seus pés. Quanto a isso, ver 2Sm 4.4. Há algo de irônico no fato de que o único a quem Davi encontrou para demonstrar bondade era um homem incapacitado para a guerra, um homem humilde e aleijado. O forte há muito tinha perecido. E o fraco colheria os benefícios da amizade de Davi com Jônatas. A história subsequente de Mefibosete não foi plenamente brilhante, porquanto, ao que parece, ele se envolveu em um conluio para livrar-se de Davi como rei. O artigo sobre ele no *Dicionário* fornece os detalhes. Mas Mefibosete jurou inocência, e talvez tenha dito a verdade. Seja como for, Davi poupou a sua vida, porquanto não havia certezas razoáveis quanto a um ato traiçoeiro da parte dele.

Mefibosete, conhecedor pleno do costume original de "matar todos os membros da família real anterior", vivia em completa obscuridade e só foi achado devido à informação prestada por Ziba, que estava presente desde o começo e permaneceu informado sobre os membros antigos da corte de Saul e de sua família sobrevivente.

9.4

וַיֹּאמֶר־לוֹ הַמֶּלֶךְ אֵיפֹה הוּא וַיֹּאמֶר צִיבָא אֶל־הַמֶּלֶךְ הִנֵּה־הוּא בֵּית מָכִיר בֶּן־עַמִּיאֵל בְּלוֹ דְבָר׃

Está na casa de Maquir. Ziba sabia de todos os detalhes sobre Mefibosete. Sabia onde Mefibosete vivia e na casa de quem. Ver os nomes próprios deste versículo no *Dicionário,* quanto aos detalhes. Maquir era homem rico e influente, conforme aprendemos em 17.27. Lo-Debar ficava no lado oriental do rio Jordão, 8 quilômetros ao sul do wadi Yarmuk. Provavelmente deve ser identificada com Debir (ver Js 13.26), em Gileade, ao norte do ribeiro do Jaboque, não distante de Maanaim, a residência de Amiel, cujo filho, Maquir, entretinha Mefibosete. O lugar tem sido identificado com a moderna Ummed-Dabar, que fica ao sul do wadi el 'Arab, a leste do rio Jordão.

É provável que Maquir tivesse sido um simpatizante da causa de Saul, mas Davi logo o conquistou para defender o novo regime. Quando, mais tarde, Davi sofreu perseguição de seu próprio filho, Absalão, que queria tomar o lugar dele como rei, Maquir provou ser amigo fiel e útil. Ver 2Sm 17.27-29.

9.5

וַיִּשְׁלַח הַמֶּלֶךְ דָּוִד וַיִּקָּחֵהוּ מִבֵּית מָכִיר בֶּן־עַמִּיאֵל מִלּוֹ דְבָר׃

Então mandou o rei Davi trazê-lo de Lo-Debar. Tendo recebido a informação necessária, Davi enviou representantes para trazer Mefibosete à corte de Jerusalém. Mefibosete veio tremendo por sua vida, a despeito dos esforços por mostrar-se tranquilo. Ele "fora achado". Talvez Ziba tivesse ido como guia para garantir que o homem seria facilmente localizado.

9.6

וַיָּבֹא מְפִיבֹשֶׁת בֶּן־יְהוֹנָתָן בֶּן־שָׁאוּל אֶל־דָּוִד וַיִּפֹּל עַל־פָּנָיו וַיִּשְׁתָּחוּ וַיֹּאמֶר דָּוִד מְפִיבֹשֶׁת וַיֹּאמֶר הִנֵּה עַבְדֶּךָ׃

Prostrando-se com o rosto em terra. Mefibosete prostrou-se diante dos pés de Davi, temendo por sua vida diante do brutal e poderoso guerreiro que havia sujeitado a nação inteira de Israel à sua vontade. Mas seus temores eram infundados. Na verdade, ele estava prestes a receber favores especiais, embora ainda não soubesse disso. Portanto, ali estava Mefibosete, como um cão morto, diante de Davi, chamando-se de "escravo" do rei. Algumas vezes, obtemos o que queremos mostrando-nos arrogantes e auto-assertivos. Mas em outras oportunidades, a humildade serve-nos melhor. E então, em raras ocasiões, as pessoas são realmente humildes, bem à parte da autoglorificação.

Ver sobre o outro nome de Mefibosete, *Meribe-Baal,* em 1Cr 8.34 e 9.40. Provi um artigo separado sobre esse nome alternativo no *Dicionário*. Esse nome significa "Baal é advogado" e mostra que nomes pagãos eram dados a filhos israelitas, até mesmo na família real. Cf. Is-Bosete e sua variação (2Sm 2.8 e 1Cr 8.33).

9.7

וַיֹּאמֶר לוֹ דָוִד אַל־תִּירָא כִּי עָשֹׂה אֶעֱשֶׂה עִמְּךָ חֶסֶד בַּעֲבוּר יְהוֹנָתָן אָבִיךָ וַהֲשִׁבֹתִי לְךָ אֶת־כָּל־שְׂדֵה שָׁאוּל אָבִיךָ וְאַתָּה תֹּאכַל לֶחֶם עַל־שֻׁלְחָנִי תָּמִיד׃

Não temas, porque usarei de bondade para contigo. A generosidade de Davi para com Mefibosete, por amor a Jônatas, imediatamente aliviou os temores do aleijado. Ele receberia de volta as terras reais que tinham sido tiradas da família de Saul durante a transição para o reino de Davi. E também obteria uma pensão permanente da nova casa real, como se fosse um filho daquela casa. Embora ainda fosse um jovem, receberia uma aposentadoria parcial, e assim, de súbito, se tornaria um rico proprietário. Contraste-se esse tratamento com a matança dos filhos de Saul, permitida por Davi (ver 2Sm 21.1-14). Alguns intérpretes supõem que esse evento já tivesse ocorrido antes de a presente passagem ter sido escrita, e, nesse caso, Mefibosete tinha boas razões para mostrar-se temeroso.

"Comer na mesa do rei (isto é, receber suprimentos da parte da família real), sem importar se a pessoa vivia ou não com a família, era uma grande honraria no antigo Oriente. Foi assim que Mefibosete obteve grande prestígio, bem como dinheiro, suprimentos e terras. Cf. Lc 22.30". John Gill supõe que lhe tenha sido dado um apartamento na corte real, e que Mefibosete passou a residir no palácio real.

■ 9.8

וַיִּשְׁתַּחוּ וַיֹּאמֶר מֶה עַבְדֶּךָ כִּי פָנִיתָ אֶל־הַכֶּלֶב הַמֵּת אֲשֶׁר כָּמוֹנִי׃

Quem é teu servo...? Favores especiais e inesperados sempre humilham quem os recebe, e Mefibosete não se mostrou diferente disso. Ele se sentiu avassalado pela generosidade de Davi e por sua súbita boa sorte. Ele havia recebido repentina e abundante vitória, que serviria a ele e à sua família pelo resto da vida. Oh, Senhor, concede-nos tal graça!

Um cão morto. Sentimos grande piedade por um cão que acaba de ser atropelado na rua, pois, em um instante, foi reduzido a nada. Assim também a expressão "cão morto" significa algo inteiramente inútil, sem valor algum. O próprio Davi passara por tal humilhação quando Yahweh o tornou rei e lhe prometeu, com sua família, uma casa eterna (ver 2Sm 7). O próprio Davi chamou-se de *cão morto* diante do temível Saul, que procurava tirar-lhe a vida (ver 1Sm 24.14; e cf. 1Sm 17.43 e 2Sm 3.8 e 16.9).

■ 9.9

וַיִּקְרָא הַמֶּלֶךְ אֶל־צִיבָא נַעַר שָׁאוּל וַיֹּאמֶר אֵלָיו כֹּל אֲשֶׁר הָיָה לְשָׁאוּל וּלְכָל־בֵּיתוֹ נָתַתִּי לְבֶן־אֲדֹנֶיךָ׃

Chamou Davi a Ziba. Ziba foi prontamente informado da generosidade de Davi para com Mefibosete. Ziba, naquele momento, foi encarregado de continuar como servo da casa de Saul e, mais especificamente, de Mefibosete. Desse modo, compartilharia da generosidade de Davi e receberia uma tarefa vitalícia. sua segurança estava garantida. Ele e Mefibosete, finalmente, entrariam em conflito, fazendo sérias acusações mútuas, que envolviam traição contra Davi. Mas Davi nunca tomou de volta o que havia dado e, visto que agora havia uma dúvida, não prejudicou a nenhum deles nem tomou suas terras. Ver no *Dicionário* o artigo intitulado *Mefibosete*, onde essa história é relatada.

"Embora ele tivesse de comer na mesa do rei, como marca de honraria assinalada, Meribaal naturalmente teria uma casa sua na cidade, e seria para conservá-la que ele receberia rendimentos das propriedades de seu avô" (George B. Caird, *in loc.*).

Foi assim que o Senhor preparou uma mesa para Mefibosete, na presença de seus supostos inimigos (ver Is 23.5).

Analogia. O evangelho provê para nós um lugar na mesa do Rei, e a eucaristia é um símbolo disso. Mefibosete, pois, tornou-se um dos filhos de Davi (vs. 11), e essa é também a experiência do crente (Jo 1.12).

■ 9.10

וְעָבַדְתָּ לּוֹ אֶת־הָאֲדָמָה אַתָּה וּבָנֶיךָ וַעֲבָדֶיךָ וְהֵבֵאתָ וְהָיָה לְבֶן־אֲדֹנֶיךָ לֶּחֶם וַאֲכָלוֹ וּמְפִיבֹשֶׁת בֶּן־אֲדֹנֶיךָ יֹאכַל תָּמִיד לֶחֶם עַל־שֻׁלְחָנִי וּלְצִיבָא חֲמִשָּׁה עָשָׂר בָּנִים וְעֶשְׂרִים עֲבָדִים׃

Trabalhar-lhe-ás, pois, a terra, tu e teus filhos. Ziba tinha quinze filhos e vinte servos, e Davi ordenou que, com toda a sua casa, servisse a Mefibosete, trabalhando em seus campos e, de modo geral, cuidando de suas propriedades e negócios. Ziba, pois, tornou-se uma espécie de mordomo geral, cuja responsabilidade seria cuidar para que a bondade de Davi fosse plenamente cumprida. Além dessa provisão, Mefibosete continuaria recebendo suprimentos especiais diretamente da nova família real. Aprendemos aqui a lição da *abundância* suprida pelo amor. Mefibosete foi tanto honrado quanto bem suprido com todas as coisas boas.

Analogia. O homem espiritual recebe os suprimentos físicos mesmos em abundância, a fim de poder abundar em toda boa obra (ver 2Co 9.8). O amor é o inspirador da *generosidade,* que é o seu modo natural de ação. O coração regenerado, naturalmente, ama. O amor provê, naturalmente, para as necessidades e até para os prazeres.

A verdadeira bondade origina-se no próprio coração do homem.

Confúcio

A coisa mais importante, em qualquer relacionamento, não é aquilo que você obtém, mas sim, aquilo com o que você entra.

Eleanor Roosevelt

■ 9.11

וַיֹּאמֶר צִיבָא אֶל־הַמֶּלֶךְ כְּכֹל אֲשֶׁר יְצַוֶּה אֲדֹנִי הַמֶּלֶךְ אֶת־עַבְדּוֹ כֵּן יַעֲשֶׂה עַבְדֶּךָ וּמְפִיבֹשֶׁת אֹכֵל עַל־שֻׁלְחָנִי כְּאַחַד מִבְּנֵי הַמֶּלֶךְ׃

Disse Ziba ao rei. Davi, o soberano, não poderia ser desobedecido; e, seja como for, Ziba anelava por realizar tudo quanto lhe havia sido ordenado. Assim sucedeu que o que foi planejado foi colocado em prática. *Mefibosete* tornou-se assim um rico proprietário de terras e tinha abundância de servos, incluindo os quinze filhos de Ziba e seus vinte servos, e também a honra de ter acesso diário à mesa do rei. O amor foi o autor daqueles notáveis acontecimentos. O amor é a única lei universal. E todas as demais leis fazem parte da lei do amor, conforme aprendemos em Rm 13.8 ss. Eis a razão pela qual Deus é chamado de *amor* (ver 1Jo 4.8). Ver no *Dicionário* o artigo intitulado *Amor.*

■ 9.12

וְלִמְפִיבֹשֶׁת בֵּן־קָטָן וּשְׁמוֹ מִיכָא וְכֹל מוֹשַׁב בֵּית־צִיבָא עֲבָדִים לִמְפִיבֹשֶׁת׃

Tinha Mefibosete um filho... cujo nome era Mica. Alguns estudiosos pensam que a nota sobre o filho de Mefibosete foi adicionada por antecipação, sendo ele muito jovem para ter um filho por essa época. Outros eruditos supõem que tempo bastante se tinha passado desde que Davi se tornara rei. Mas não há como ter certeza sobre a questão, visto que a cronologia do texto não pode ser determinada com precisão.

Mica. Este é um nome masculino comum nas páginas do Antigo Testamento. O homem do presente texto é comentado em terceiro lugar no artigo *Mica* que há no *Dicionário.* Coisa alguma se sabe sobre ele, exceto o simples fato de que era filho de Mefibosete, e as tradições coisa alguma adicionam. Cf. 1Cr 8.35 e 9.40-44. O único filho de Mefibosete a ser registrado por nome foi Mica, mas este teve alguns filhos. Mefibosete e seus netos foram bem servidos por Ziba por longuíssimo tempo.

■ 9.13

וּמְפִיבֹשֶׁת יֹשֵׁב בִּירוּשָׁלִַם כִּי עַל־שֻׁלְחַן הַמֶּלֶךְ תָּמִיד הוּא אֹכֵל וְהוּא פִּסֵּחַ שְׁתֵּי רַגְלָיו׃ פ

Este é um pequeno versículo de sumário: Mefibosete mudou-se para Jerusalém; continuou a ser servido na mesa do rei; era aleijado de ambos os pés, uma circunstância causada por um acidente quando ele era um bebê de colo. Ver o vs. 3 deste capítulo. Tais coisas compõem sua simples descrição. Ele não se destacou em nenhuma outra coisa, exceto pelo fato de que, posteriormente, foi acusado de ter-se envolvido em um conluio contra o próprio Davi. Ver o artigo no *Dicionário*, quanto a tudo o que se sabe a respeito dele.

Mefibosete. Ele é símbolo da criança sofredora. Durante toda a sua vida, sofreu o aleijão causado por um tolo acidente, algo que ele mesmo não havia provocado. Embora inocente, ele sofreu. Contudo, houve graça abundante que o tornou um homem abastado. Quantas crianças, através da história violenta de nossa raça, têm sofrido aleijões e ficado incapacitadas devido a atos estúpidos e violentos de outros, ou através de enfermidades e tragédias provocadas por uma natureza aparentemente insensível. Nossa fé ensina-nos que todas essas coisas são revertidas, finalmente, pela graça de Deus. Ver no *Dicionário* o verbete chamado *Problema do Mal*. Por que os homens sofrem, e por que eles sofrem da maneira como sofrem? O artigo citado oferece os tipos de respostas que são dadas a essa pergunta.

CAPÍTULO DEZ

Este capítulo faz parte da seção geral que começa em 2Sm 5.13 e comenta os vários feitos de Davi. O autor dos livros de Samuel não estava interessado em prover somente uma crônica das guerras, e de como Davi sempre se mostrou vitorioso. Ele também estava interessado na vida particular de Davi e enfatizou muitas lições morais e espirituais que dela podem ser derivadas. Mas o capítulo diante de nós fala de guerra, do começo ao fim, algo que, infelizmente, era constante na vida de Davi. O fato de que ele foi um guerreiro brutal e bem-sucedido possibilitou o estabelecimento do reino. Na época de Davi, não havia como conquistar reinos através de paz e diplomacia.

Os *pactos* eram firmados com frequência, mas com igual frequência eram quebrados (por causa dos interesses próprios dos partidos envolvidos). Portanto, amizades declaradas muitas vezes revertiam em inimizades.

"Outro aspecto da sucessão de Davi eram suas relações internacionais. Davi havia sujeitado muitas nações em derredor a pagar tributos (2Sm 8.12). Incluída entre elas estava Amom, um reino diretamente a leste do rio Jordão" (Eugene H. Merrill, *in loc.*).

Naás mantinha relações de amizade com Davi, mas, quando seu filho subiu ao trono, seus conselheiros lançaram dúvidas sobre essa amizade e logo o tornaram hostil a Davi. Quanto à história de Naás, ver 1Sm 11. Temores estúpidos e suspeitas azedavam as coisas.

"Há uma inata incapacidade da mente pequena, carregada de suspeitas e egoísmo, em confiar no pacto com outros, porque ela sabe que, quando sua própria palavra mantida interfere nos interesses próprios, toda a amizade é ultrapassada... Somente a graça de Deus no coração dos homens e nos líderes de homens pode deter a maré do cinismo" (Ganse Little, *in loc.*).

■ 10.1,2

וַיְהִי אַחֲרֵי־כֵן וַיָּמָת מֶלֶךְ בְּנֵי עַמּוֹן וַיִּמְלֹךְ חָנוּן בְּנוֹ תַּחְתָּיו:

וַיֹּאמֶר דָּוִד אֶעֱשֶׂה־חֶסֶד עִם־חָנוּן בֶּן־נָחָשׁ כַּאֲשֶׁר עָשָׂה אָבִיו עִמָּדִי חֶסֶד וַיִּשְׁלַח דָּוִד לְנַחֲמוֹ בְּיַד־עֲבָדָיו אֶל־אָבִיו וַיָּבֹאוּ עַבְדֵי דָוִד אֶרֶץ בְּנֵי עַמּוֹן:

Morreu o rei dos filhos de Amom. Ver no *Dicionário* o verbete intitulado *Amom (Amonitas)*, quanto a informações completas sobre o reino desse povo e seu relacionamento com Israel. Houve uma longa história de hostilidades entre esse povo e os israelitas, interrompida por algum período ocasional de harmonia. O Amom original era filho de Ló (ver Gn 19.38). Os descendentes desse homem ocuparam uma faixa de terras a leste dos amorreus, vivendo separados dos moabitas pelo rio Arnom. Os amonitas tomaram um território antes ocupado por uma raça de gigantes (ver Dt 2.20). Quanto a outros detalhes, consultar o artigo.

Rei dos filhos de Amom. (ver o vs. 2). Ver o artigo sobre *Naás* no *Dicionário*. Saul derrotou esse homem, mas ele tratou bem a Davi, e uma amizade se desenvolveu entre eles. Davi, agora, quis retribuir a bondade. Ver 2Sm 10.2 e 1Cr 19.1,2. Ver como Saul derrotou a Naás e sua gente em 1Sm 11.1-11; 12.12. O texto bíblico não nos diz exatamente como Naás se mostrou bondoso para com Davi, mas as referências dadas reafirmam o fato. Talvez ele tenha ajudado Davi quando este fugiu de Saul e ficou a perambular pelo deserto.

Hanum. Quanto ao que se sabe sobre este homem, ver o artigo no *Dicionário*. Por causa da bondade do pai de Hanum, Naás (alguns dizem que Naás foi avô de Hanum), Davi resolveu mostrar-se bondoso para com ele, estabelecendo laços de amizade e ajuda mútua. Para facilitar as coisas, enviou representantes, levando sua mensagem de paz.

Para os consolar acerca de seu pai. Ou seja, devido à morte de Naás. Este foi o primeiro ato de bondade de Davi. Outros se seguiriam, se Hanum resolvesse tornar-se amigo de Davi, conforme ocorrera com seu pai. É possível que já houvesse um tratado entre Davi e Naás, e era desejo de Davi que esse tratado continuasse.

■ 10.3

וַיֹּאמְרוּ שָׂרֵי בְנֵי־עַמּוֹן אֶל־חָנוּן אֲדֹנֵיהֶם הַמְכַבֵּד דָּוִד אֶת־אָבִיךָ בְּעֵינֶיךָ כִּי־שָׁלַח לְךָ מְנַחֲמִים הֲלוֹא בַּעֲבוּר חֲקוֹר אֶת־הָעִיר וּלְרַגְּלָהּ וּלְהָפְכָהּ שָׁלַח דָּוִד אֶת־עֲבָדָיו אֵלֶיךָ:

Mas os príncipes dos filhos de Amom. Hanum provavelmente teria sido conquistado amigavelmente por Davi, mas ele tinha *maus conselheiros*. Eles se lembraram do violento Saul, que havia matado muitos amonitas. E não esperavam tratamento melhor da parte de Davi. Por muito tempo, os amonitas e os israelitas haviam sido inimigos, e períodos de hostilidade tinham irrompido. Assim sendo, os príncipes amonitas não esperavam nada de bom da parte de Davi, e acusaram seus embaixadores de ser espiões. Eles tinham certeza de que algum truque estava sendo efetuado. Pensavam que eram sábios, mas sua estupidez logo prejudicou toda a nação. Eram homens de mentes fechadas e pequenas. E assim lançaram fora um valioso tratado, ocasionando grande derramamento de sangue. Quando os povos agem motivados pelos interesses próprios, todos os tratados tornam-se inúteis, meros papéis rotos. A retribuição está sempre presente, para tomar vingança dos que tratam com menosprezo as ofertas bem intencionadas.

Por causa de ofensas anteriores, os amonitas não tiveram permissão de entrar na congregação de Israel por dez gerações (ver Dt 23.3,6). As coisas haviam mudado tanto que Davi resolvera mostrar-se amigável para com eles? "É uma questão de justas queixas que, por toda a história da humanidade, tem havido pouca sinceridade nas cortes reais" (Adam Clarke, *in loc.*). Portanto, a suspeita usualmente é a atitude correta. Davi era uma exceção à lei do engano, mas os amonitas não queriam acreditar nisso.

■ 10.4

וַיִּקַּח חָנוּן אֶת־עַבְדֵי דָוִד וַיְגַלַּח אֶת־חֲצִי זְקָנָם וַיִּכְרֹת אֶת־מַדְוֵיהֶם בַּחֵצִי עַד שְׁתוֹתֵיהֶם וַיְשַׁלְּחֵם:

Tomou então Hanum os servos de Davi. Foi um ato humilhante. Os embaixadores não foram fisicamente feridos, mas foram psicologicamente humilhados e desmoralizados. Eles devem ter parecido uma visão engraçada, com metade da barba raspada e as roupas cortadas pela metade! *Lançar mãos* sobre um embaixador, de acordo com os costumes antigos, era uma ofensa. Rapar qualquer porção da barba era um sinal de *efeminação* nos países do Oriente Próximo e Médio. E rapar metade da barba era um *insulto* nunca antes ouvido. Além disse, houve a indecente exposição acerca da qual os povos semitas sempre se mostraram muito sensíveis. Nadar publicamente, praticamente sem roupas, era uma vergonha indizível. Dentre os povos antigos, somente os gregos eram liberais quando à exposição do corpo. Para os árabes, a barba era um sinal de honra e, para os povos semíticos, um símbolo da própria dignidade. Heródoto tem uma história um tanto paralela ao texto presente. Um ladrão tentava capturar o cadáver de seu irmão, para ser sepultado, o qual estava retido na casa do tesouro do rei Rampsinito. Ele conseguiu embebedar os guardas e, quando estes estavam no seu estupor, ele rapou o lado direito de seus rostos, removendo metade da barba. Isso foi um insulto para eles e para o rei, e configurou parte do sucesso do homem em vingar a morte de seu irmão (Ver *Hist.* II.121). Shakespeare, em *Hamlet*, ato

II, cena dois, tem algo similar. Cf. Is 15.2 e 20.4 quanto à vergonha da barba rapada, da cabeça rapada e do corpo exposto. A barba só era aparada como sinal de luto. Esse era um ornamento masculino que demandava respeito da parte dos orientais. Somente escravos ou criminosos seriam tratados como o foram os embaixadores de Davi. Lemos também que soldados romanos eram *punidos* por meio de tais atos (Valer. *Maxim,* 12, cap. 2).

Os amonitas enviaram-nos de volta a Davi, dessa maneira ridícula, zombando deles, sem a menor sombra de dúvida.

■ 10.5

וַיַּגִּ֣דוּ לְדָוִ֗ד וַיִּשְׁלַ֤ח לִקְרָאתָם֙ כִּֽי־הָי֣וּ הָאֲנָשִׁ֔ים נִכְלָמִ֖ים מְאֹ֑ד וַיֹּ֤אמֶר הַמֶּ֙לֶךְ֙ שְׁב֣וּ בִֽירֵח֔וֹ עַד־יְצַמַּ֥ח זְקַנְכֶ֖ם וְשַׁבְתֶּֽם׃

Estavam sobremaneira envergonhados. Os embaixadores enviados por Davi estavam tão envergonhados (pelas razões explicadas nos comentários sobre o versículo anterior), que Davi lhes permitiu ficar em Jericó, até que suas barbas crescessem de novo. Isso significa que eles não circulavam em público, tendo de suportar os sorrisos e zombarias de outros, que achassem sua aparência tão engraçada. No tempo em que essas palavras foram escritas, a cidade de Jericó ainda não havia sido reconstruída, mas na área havia cabanas de pastores e outras habitações. Alguns intérpretes supõem que o tempo real da escrita do livro tenha ocorrido depois que aquela cidade já havia sido reconstruída. Ver no *Dicionário* o artigo sobre *Jericó*. A cidade fora destruída por ocasião da invasão original de Israel e esperava agora ser reconstruída. Hiel, o betelita, tentou reconstruir o lugar, e a maldição imposta a quem a reconstruísse caiu sobre ele (ver 1Rs 16.34). Isso ocorreu um século após a época de Davi. Jz 1.16 e 3.13 parece indicar que sempre houve *algumas* habitações ali.

■ 10.6

וַיִּרְאוּ֙ בְּנֵ֣י עַמּ֔וֹן כִּ֥י נִבְאֲשׁ֖וּ בְּדָוִ֑ד וַיִּשְׁלְח֣וּ בְנֵֽי־עַמּ֡וֹן וַיִּשְׂכְּר֣וּ אֶת־אֲרַם֩ בֵּ֨ית־רְח֜וֹב וְאֶת־אֲרַ֣ם צוֹבָ֗א עֶשְׂרִ֥ים אֶ֙לֶף֙ רַגְלִ֔י וְאֶת־מֶ֤לֶךְ מַֽעֲכָה֙ אֶ֣לֶף אִ֔ישׁ וְאִ֣ישׁ ט֔וֹב שְׁנֵים־עָשָׂ֥ר אֶ֖לֶף אִֽישׁ׃

Vendo, pois, os filhos de Amom. Davi não tomou ação imediata para punir os ofensores. Mas os amonitas, antecipando a vingança, tentaram fortificar-se, apelando para a ajuda dos sírios. A invasão tornou-se inevitável, e eles queriam estar preparados. Os amonitas sabiam que não seriam adversários suficientes para Davi. Assim sendo, alugaram um exército que orçava em 33 mil homens, de diferentes reis vassalos da área.

Bete-Reobe. Ver no *Dicionário* acerca desse lugar. Era uma cidade no distrito dos arameus, perto de Laís (Dã). Talvez seja corretamente identificada com a moderna Banias, mas o local exato é desconhecido.

Zobá. Provi um artigo detalhado sobre o lugar no *Dicionário*, pelo que não amplio aqui a questão. O rei também se chamava Zobá e é mencionado várias vezes no Antigo Testamento (livros de Samuel, Reis e Crônicas).

Maaca. Oito diferentes pessoas e lugares são assim chamados no Antigo Testamento, e todos são comentados no *Dicionário*. Esta Maaca é comentada em primeiro lugar na lista.

Tobe. Este era o nome de um distrito e de uma cidade na Síria, anotados no *Dicionário*. Portanto, os amonitas congregaram um exército bastante numeroso, todos da Síria, na esperança de deter a fúria de Davi e seu general selvático, Joabe. A *retribuição*, pois, haveria de transformar aqueles soldados em polpa.

Em 1Cr 19.6,7 temos a informação adicional de que custou mil talentos de prata alugar o exército que eles equiparam com carros de combate. O número dado ali é de 32 mil carros de combate. Ver o artigo geral sobre *Dinheiro*, quanto ao valor monetário do talento de prata. Ver também sobre *Pesos e Medidas*, seção IV, A. *Talento*. Mil talentos de prata pesavam cerca de 37 toneladas e, se estamos corretos (em 1Cr 19.6), então uma soma prodigiosa em dinheiro foi paga por aqueles mercenários. Ver as notas sobre esses versículos quanto a detalhes. O talento era a mais pesada medida entre os hebreus.

Alguns estudiosos afirmam que o talento de prata valia cerca de dois mil dólares, mas não há como comparar o dinheiro moderno com os antigos valores em pesos de metais. O talento podia ser de bronze, de prata ou de ouro, com diferentes valores correspondentes.

1Cr 19.1-19 dá detalhes (quanto às forças reunidas) que não fazem parte do presente capítulo.

■ 10.7

וַיִּשְׁמַ֖ע דָּוִ֑ד וַיִּשְׁלַח֙ אֶת־יוֹאָ֔ב וְאֵ֥ת כָּל־הַצָּבָ֖א הַגִּבֹּרִֽים׃

Enviou contra eles a Joabe. Joabe era o mais forte, mais capaz e mais feroz dos generais de Israel, pelo que Davi entregou a ele a tarefa de acabar com as forças sírias. Ver sobre *Joabe* no artigo do *Dicionário*. Podemos estar certos de que ele se alegrou com a oportunidade de fazer o melhor possível o que sempre lhe havia rendido os mais altos louvores: matar e aniquilar.

O exército dos valentes. Havia três corpos armados militares em Israel: 1. o exército (8.16) sobre o qual Joabe tinha controle direto; 2. os valentes, um exército permanente de veteranos; e 3. a guarda pessoal, tropas de elite que serviam pessoalmente a Davi. Ver 2Sm 20.7 quanto a esse corpo de elite. Parece que os dois primeiros corpos foram dados a Joabe para serem utilizados na guerra. O texto indica que a Joabe foi entregue a "flor do exército" de Israel (Adam Clarke, *in loc.*).

■ 10.8,9

וַיֵּֽצְאוּ֙ בְּנֵ֣י עַמּ֔וֹן וַיַּעַרְכ֥וּ מִלְחָמָ֖ה פֶּ֣תַח הַשָּׁ֑עַר וַאֲרַ֨ם צוֹבָ֤א וּרְחוֹב֙ וְאִֽישׁ־ט֣וֹב וּמַעֲכָ֔ה לְבַדָּ֖ם בַּשָּׂדֶֽה׃

וַיַּ֣רְא יוֹאָ֗ב כִּֽי־הָיְתָ֤ה אֵלָיו֙ פְּנֵ֣י הַמִּלְחָמָ֔ה מִפָּנִ֖ים וּמֵֽאָח֑וֹר וַיִּבְחַ֗ר מִכֹּל֙ בְּחוּרֵ֣י בְיִשְׂרָאֵ֔ל וַֽיַּעֲרֹ֖ךְ לִקְרַ֥את אֲרָֽם׃

O exército sírio e os amonitas formaram dois grupos e vieram contra Joabe pela frente e por trás, para apanhá-lo no meio de duas pinças. Uma das forças estava estacionada no portão de Medeba (ver 1Cr 19.7). A outra permanecia à distância, no campo, tendo obtido uma posição atrás de Joabe e de seu exército.

"Apanhado entre dois fogos, Joabe percebeu que a chave da batalha era a derrota dos sírios, pelo que separou uma força escolhida do exército" (George B. Caird, *in loc.*). O restante do exército foi enviado após o outro grupo, que Joabe entregou ao comando de Abisai, seu irmão (ver o vs. 10). Abisai também era um guerreiro destemido e temido, pelo que Joabe não precisou temer não estar dirigindo pessoalmente aquela parte do exército. Ver no *Dicionário* os verbetes intitulados *Joabe* e *Abisai*.

Joabe tomou sobre si mesmo a tarefa de enfrentar a força mais poderosa (os sírios) e fê-lo com os melhores soldados de Israel. A tarefa menor foi entregue a Abisai, que comandava um exército um tanto menos habilidoso. E a decisão foi eficaz, conforme a narrativa passa a relatar-nos. Naturalmente, *Yahweh* (ver o vs. 12) estava com ambos os exércitos (o de Joabe e o de Abisai), e essa era a garantia da vitória.

■ 10.10

וְאֵת֙ יֶ֣תֶר הָעָ֔ם נָתַ֕ן בְּיַ֖ד אַבְשַׁ֣י אָחִ֑יו וַיַּעֲרֹ֕ךְ לִקְרַ֖את בְּנֵ֥י עַמּֽוֹן׃

Os filhos de *Amom* haviam iniciado a confusão e, percebendo sua comparativa fraqueza, tiveram de contratar aquele bando de mercenários, os 33 mil homens com seus 32 mil carros de combate. Quão melhor teria sido simplesmente aceitar a amizade oferecida por Davi, mas a sorte ditava que eles cairiam, e que Davi continuaria a subir. A estrela de Davi estava definitivamente em ascensão e continuaria assim por muito tempo ainda. Dessa forma a monarquia de Israel se firmaria e Davi conseguiria controlar a totalidade da Palestina e as áreas fronteiriças ao redor.

Abisai, terrível matador, não muito inferior a Joabe, seu irmão, é quem cuidaria dos amonitas. Se a batalha se agravasse para Joabe ou para Abisai, um correria em socorro do outro para fazer mudar a maré. Portanto, houve um plano de ajuda mútua, se isso se tornasse necessário (vs. 11). Mas Yahweh não permitiria nenhum fracasso naquele tempo de crise (vs. 12). Ele era o verdadeiro general do exército de Israel, o *Senhor dos Exércitos*.

■ 10.11

וַיֹּאמֶר אִם־תֶּחֱזַק אֲרָם מִמֶּנִּי וְהָיִתָה לִּי לִישׁוּעָה וְאִם־בְּנֵי עַמּוֹן יֶחֱזְקוּ מִמְּךָ וְהָלַכְתִּי לְהוֹשִׁיעַ לָךְ׃

Ajuda Mútua. A maior parte dos grandes projetos é realizada mediante um *esforço de equipe*.

> A vida não é meramente continuar vivo,
> Mas é estar bem.
>
> Marcial

E esse "estar bem" com frequência significa que há outros prestando ajuda e forças. A força de um indivíduo geralmente é pequena demais para produzir o que sua mente diz que deve ser feito. Portanto, esse indivíduo precisa ser ajudado por outros, que adicionam sua força à força dele. Além disso, há a força do alto. Recolhemos energia dos seres espirituais, que cuidam de nós, chamando-os pelo nome de anjos guardiães ou por algum outro nome. Isto posto, nossas forças não são meramente nossas. Elas se compõem também das forças que obtemos de outros seres, visíveis e invisíveis.

Joabe era homem poderoso e temível, mas não concluiu sua tarefa, naquele momento, sem seu irmão, Abisai. As forças deles, combinadas, mostraram ser suficientes para qualquer tarefa.

■ 10.12

חֲזַק וְנִתְחַזַּק בְּעַד־עַמֵּנוּ וּבְעַד עָרֵי אֱלֹהֵינוּ וַיהוָה יַעֲשֶׂה הַטּוֹב בְּעֵינָיו׃

As forças de Davi vinham de *El*, o Deus Todo-poderoso, de Elohim, o nome de dupla dignidade. suas forças vinham de Yahweh, o Deus eterno. Joabe mostrou-se forte por estar associado a Davi e à sua estrela ascendente, e sua estrela ascendia porque Yahweh assim desejava, com algum elevado propósito, a saber, o estabelecimento do povo de Israel em seu território pátrio.

> *Elevo os olhos para os montes;*
> *de onde me virá o socorro?*
> *O meu socorro vem do Senhor,*
> *que fez o céu e a terra.*
>
> Salmo 121.1,2

Pelas cidades. No hebraico, essas palavras, com leve modificação, podem significar "pela arca", sendo mesmo possível que, no original hebraico, a referência fosse à arca que com frequência era levada à batalha para assegurar o sucesso. Quanto a essa prática, ver 1Sm 4.3.

> O heroísmo sente e nunca raciocina, pelo que também está sempre com a razão.
>
> Ralph Waldo Emerson

■ 10.13

וַיִּגַּשׁ יוֹאָב וְהָעָם אֲשֶׁר עִמּוֹ לַמִּלְחָמָה בַּאֲרָם וַיָּנֻסוּ מִפָּנָיו׃

E travaram peleja contra os siros. Joabe obteve tremenda vitória. Os sírios, embora mais poderosos, cederam diante dele e de suas forças e, apesar do número impressionante de carros de combate, fugiram do campo de batalha. Assim, aconteceu tal e qual Joabe sabia em seu coração que aconteceria. Os hebreus, nas cidades e fazendas, ficaram mais seguros naquele dia, por causa do que ocorreu no campo de batalha.

> Nunca, no campo do conflito humano, tanto foi devido a tão poucos.
>
> Winston Churchill, referindo-se à defesa da Inglaterra pela Royal Air Force, durante a Segunda Guerra Mundial

Josefo forneceu-nos uma descrição mais detalhada dessa batalha sangrenta, fazendo observações sobre o longo tempo que ela perdurou (*Antiq.* 1.7, cap. 6, sec. 2).

■ 10.14

וּבְנֵי עַמּוֹן רָאוּ כִּי־נָס אֲרָם וַיָּנֻסוּ מִפְּנֵי אֲבִישַׁי וַיָּבֹאוּ הָעִיר וַיָּשָׁב יוֹאָב מֵעַל בְּנֵי עַמּוֹן וַיָּבֹא יְרוּשָׁלִָם׃

Também eles fugiram de diante de Abisai. *Abisai*, pois, duplicou o feito de Joabe, pois os amonitas, mais fracos que os sírios, fugiram de diante deles ao ver os mercenários sírios derrotados. Não sabemos por que os dois irmãos não reuniram forças para saquear a cidade. Talvez já tivesse havido matança suficiente para um dia, e nada seria ganho se houvesse maior pressão.

Tendo feito tudo quanto pensavam que deveria ser feito, os dois irmãos e suas forças retornaram a Jerusalém, para contar a alegre história da vitória. Eles voltaram "em triunfo, para narrar a Davi a vitória que ele (através deles) tinha obtido" (John Gill, *in loc.*).

■ 10.15,16

וַיַּרְא אֲרָם כִּי נִגַּף לִפְנֵי יִשְׂרָאֵל וַיֵּאָסְפוּ יָחַד׃

וַיִּשְׁלַח הֲדַדְעֶזֶר וַיֹּצֵא אֶת־אֲרָם אֲשֶׁר מֵעֵבֶר הַנָּהָר וַיָּבֹאוּ חֵילָם וְשׁוֹבַךְ שַׂר־צְבָא הֲדַדְעֶזֶר לִפְנֵיהֶם׃

As Guerras Nunca Terminam. Os sírios haviam sofrido uma derrota severa e devastadora, mas imediatamente se recompuseram, no remanescente de suas forças, a fim de continuar a guerra. seu *orgulho* não permitia que eles considerassem a questão uma má ideia, o que realmente era. Eles não tinham *razão* alguma em defender os insensatos amonitas. Tão ansiosos estavam para continuar a matança e ser mortos que enviaram mensageiros para além do rio, ou seja, além do Eufrates, profundamente ao território do norte, para obter a ajuda de *Sobaque, do Helã*. Ver no *Dicionário* sobre os nomes próprios desses dois versículos. Comentários sobre o homem são dados sob o artigo *Soboque*. Ele era outro sírio (aramaico). O pobre homem não haveria de sobreviver à guerra. sua participação seria fatal. Portanto, outro erro estúpido foi adicionado ao primeiro, cometido pelos filhos de Amom.

Não se sabe a localização exata de Helã, mas ao que tudo indica não ficava muito longe além do rio Eufrates. Ez 47.16 põe-na ao norte de Damasco, mas nenhuma declaração precisa é dada. Talvez esteja em vista a moderna *Alma* (antiga *Alema*). Ver 1Macabeus 5.26.

Davi e Salomão exerceram *influência* até o rio Eufrates, embora não pareça que seu governo tenha sido exercido ali de forma direta. Guarnições militares foram estabelecidas naquelas áreas do extremo norte para manter as coisas em ordem e impedir revoltas. Ver as notas sobre 2Sm 8.6. Assim a maior parte do território prometido a Abraão, no pacto abraâmico (ver as notas em Gn 15.18), foi garantida por Davi, excetuando a área no extremo sudeste, que se estendia até o Nilo, a qual Israel nunca conquistou.

Josefo informa-nos que as forças sírias combinadas, com os reforços vindos do extremo norte, chegavam a oitenta mil infantes, dez mil cavaleiros e grande número de carros de combate (*Antiq.* 1.7, cap. 6, sec. 2). Mas não dispomos de meios para averiguar a exatidão dessa informação. Seja como for, Davi estava enfrentando outra crise, quando os sírios desistiram da guerra contra Israel.

Hadadezer. Pudemos vê-lo descrito no capítulo 8 deste livro de 2Samuel, mesmo porque as guerras anteriores de Davi, no norte, foram feitas contra ele. Ver o artigo sobre ele no *Dicionário*. O que aconteceu foi uma força síria virtualmente universal, reunida contra Israel, em grande frente unida.

■ 10.17

וַיֻּגַּד לְדָוִד ס וַיֶּאֱסֹף אֶת־כָּל־יִשְׂרָאֵל וַיַּעֲבֹר אֶת־הַיַּרְדֵּן וַיָּבֹא חֵלָאמָה וַיַּעַרְכוּ אֲרָם לִקְרַאת דָּוִד וַיִּלָּחֲמוּ עִמּוֹ׃

Ao enfrentar o poder sírio universal, Davi foi forçado a convocar "todo o Israel" para ajudá-lo na empreitada. Aquela não era apenas mais uma confrontação local. Era "nação contra nação". Também não seria uma batalha local, mas uma guerra total. Podemos estar certos de que, enquanto Davi foi para a frente da batalha, para dirigir a guerra, os temíveis e selvagens Joabe e Abisai também estavam presentes para emprestar a Israel suas habilidades na matança.

10.18

וַיָּ֣נָס אֲרָ֗ם מִפְּנֵי֮ יִשְׂרָאֵל֒ וַיַּהֲרֹ֨ג דָּוִ֜ד מֵאֲרָ֗ם שְׁבַ֤ע מֵאוֹת֙ רֶ֔כֶב וְאַרְבָּעִ֥ים אֶ֖לֶף פָּרָשִׁ֑ים וְאֵ֨ת שׁוֹבַ֧ךְ שַׂר־צְבָא֛וֹ הִכָּ֖ה וַיָּ֥מָת שָֽׁם׃

Porém os siros fugiram de diante de Israel. O autor sagrado poupa-nos dos detalhes. A batalha deve ter sido longa e amarga, e uma notável matança foi efetuada. Davi matou os dirigentes de setecentos carros de combate e quarenta mil cavaleiros, além de não se sabe quantos soldados da infantaria síria. As guerras antigas eram, com frequência, resolvidas em uma única batalha, no espaço de um dia ou poucos dias. A estratégia principal era simplesmente matar o maior número possível de soldados, tornando inviável o exército inimigo. O notável general sírio Soboque foi uma das incontáveis vítimas, pelo que houve uma espécie de sobremesa, terminado aquele tremendo dia de guerra total, no qual Israel obteve vitória esmagadora.

Quanto aos setecentos homens dos carros de combate, 1Cr 19.18 fala em sete mil. Os números variam conforme as versões e os escritos de Josefo. Já vimos que os números, no texto hebraico, estavam sujeitos a erros, visto que *letras* parecidas eram usadas em lugar de números. Muitos erros eram assim efetuados, gostemos disso ou não. Questões assim são triviais e nada têm a ver com a fé religiosa, e só as notamos por causa dos harmonistas que desejam harmonia a qualquer preço (até o preço da honestidade), e por causa dos críticos, que se apegam a qualquer coisa para promover suas doutrinas de dúvidas. O trecho paralelo de 1Cr 19 fala em quarenta mil soldados a pé, enquanto aqui os quarenta mil homens são cavaleiros. Não há *razão* alguma para tentar harmonizar essas discrepâncias, nem há motivo para dizer que elas não existem. Os harmonistas e os críticos são irracionais em sua abordagem, mas elas não merecem a nossa atenção.

Adam Clarke confessa, quanto a esse trecho, que existem *erros* no texto hebraico com respeito aos números, e mostra-nos, no presente caso, como exatamente as letras hebraicas, sendo bastante parecidas entre si, eram confundidas. John Gill tem uma infeliz "reconciliação", ao supor que houve setecentos carros de combate que continham sete mil homens. Mas isso faria haver dez homens para cada carro de combate, algo que simplesmente não era verdade nos tempos antigos. *Kimchi* tentou outros meios de reconciliar as declarações, tentativas igualmente inúteis e fúteis. Todas essas propostas reconciliações apenas contradizem as simples declarações dos textos hebraicos, em 2Sm 10 e 1Cr 19.

A mensagem deste versículo é clara, embora não sejam claros os números envolvidos. A grande matança pôs fim à ameaça síria, e logo todos aqueles povos se tornaram vassalos de Israel (vs. 19).

10.19

וַיִּרְא֨וּ כָל־הַמְּלָכִ֜ים עַבְדֵ֣י הֲדַדְעֶ֗זֶר כִּ֤י נִגְּפוּ֙ לִפְנֵ֣י יִשְׂרָאֵ֔ל וַיַּשְׁלִ֥מוּ אֶת־יִשְׂרָאֵ֖ל וַיַּֽעַבְד֑וּם וַיִּֽרְא֣וּ אֲרָ֔ם לְהוֹשִׁ֥יעַ ע֖וֹד אֶת־בְּנֵ֥י עַמּֽוֹן׃ פ

E temeram os siros de ainda socorrer aos filhos de Amom. Os tolos sírios continuaram a pagar por sua errada decisão de aliar-se aos amonitas. Davi fez deles vassalos. Eles foram pesadamente taxados com impostos. Outrossim, os amonitas foram permanentemente postos em seu lugar. Depois disso, nenhum outro povo correu para socorrer os filhos de Amom.

Os próprios amonitas foram virtualmente destruídos em quase sua totalidade (ver 11.1). Dessa maneira, Davi consolidou seu poder até as margens do rio Eufrates, conforme comento em 2Sm 8.6 e nos vss. 15 e 16 do presente capítulo.

No espaço de cerca de dezenove a vinte anos, Davi enfrentou e ganhou *oito guerras:*
1. A guerra civil contra Is-Bosete.
2. A vitória sobre os jebuseus, o que possibilitou o estabelecimento da capital de Israel em Jerusalém.
3. A maioria dos filisteus e seus aliados foram derrotados, e o que permaneceu deles foi confinado, deixando de ser uma força ameaçadora.
4. Guerras adicionais somente contra os filisteus, que consolidaram as vitórias anteriores.
5. Os moabitas foram derrotados.
6. Hadadezer foi derrotado, a primeira vitória importante no extremo norte.
7. Os idumeus foram conquistados.
8. Os amonitas e as forças sírias em geral foram destruídos e os que restaram foram sujeitados a pagar tributo. 2Sm 8 descreve as vitórias iniciais sobre os sírios, e o capítulo 10 fornece-nos a consolidação e extensão dessas vitórias.

CAPÍTULO ONZE

O primeiro versículo deste capítulo pertence ao material do capítulo 10, a vitória final sobre vários inimigos, que deu a Davi seu vasto reino, em concordância com as promessas do pacto abraâmico (anotado em Gn 15.18). E o segundo versículo inicia uma nova seção.

O PECADO DE DAVI (11.1—12.31)

"Agora deixamos para trás a *primeira porção* do livro, na qual encontramos o Davi grande, glorioso e piedoso. E aqui chegamos à *segunda porção*, na qual observaremos como ele se desviou de Deus, como sua alma ficou contaminada no pó por crimes da natureza mais atroz. Aquele que pensa que está de pé, tenha cuidado para que não caia" (Adam Clarke, *in loc.*).

"Nesta altura da narrativa, o autor inicia o retrato íntimo das tribulações domésticas e políticas pelas quais a família real e a corte de Israel passaram, com toda a sua sordidez e trágicas consequências... O notável realismo da narrativa só poderia ser conseguido por uma pessoa que tivesse conhecimento dos fatos em primeira mão. Tal escritor não poderia mesmo omitir o pecado de Davi e Bate-Seba (como em 1Cr 20.1-3) ou tê-lo interpretado (conforme se vê em 1Sm 13.14)" (*Oxford Annotated Bible*, introdução a este capítulo 11).

Isso posto, temos neste capítulo um exemplo da antiga história, "grandes homens, grandes vícios", dos quais nenhum homem está imune.

Três Lições Teológicas que Podem Ser Extraídas da História de Davi. Ver essas três lições esboçadas nos comentários sobre o vs. 2 deste capítulo.

Orígenes nos deu valiosas sugestões quanto à interpretação do Antigo Testamento. Ele sugeriu que a interpretação segue os elementos do corpo e do espírito, conforme combinados no homem:
- *O corpo:* Interpretações literais.
- *A alma-mente:* Ensinos éticos.
- *O espírito:* Interpretações místicas.

Orígenes acreditava que, com frequência, nas páginas do Antigo Testamento, não podemos obter muita vantagem da interpretação literal, que aborda questões (por exemplo) nas quais Yahweh alegadamente envia pessoas para matar outras pessoas e fazer coisas que poderiam ser consideradas duvidosas, eticamente falando. Mas sempre podemos encontrar ensinos éticos que correspondem à alma-humana. E, ainda de outras vezes, podemos encontrar lições místicas e espirituais, mesmo em meio a passagens empapadas de sangue. Em um livro como o Apocalipse, no Novo Testamento, geralmente temos de ignorar o que seria uma interpretação literal e ir diretamente ao sentido místico, visto que o livro é uma colcha feita de retalhos de símbolos e visões. Ver na *Enciclopédia de Bíblia, Teologia e Filosofia* o artigo denominado *Interpretação Alegórica*.

Nesta altura, exorto o leitor a ler a introdução a este capítulo, que tem materiais que apresentam a seção. O vs. 1 deste capítulo pertence ao capítulo anterior, que descreve as muitas guerras encetadas por Davi para consolidar o reino. O vs. 2, entretanto, começa a história pessoal e doméstica da vida e dos problemas de Davi.

Enquanto Joabe esteve em Amom, guerreando contra os amonitas, a *oitava guerra* em que Davi se viu envolvido em um período entre dezenove e vinte anos (ver as notas no fim do primeiro capítulo), Davi, em relativo período de paz, permaneceu em Jerusalém. Isso armou palco para o seu pecado com *Bate-Seba.* Estando em descanso, ele resolveu brincar, mas brincou demais, e isso preparou terreno para problemas muito sérios. sua alma desceu ao lamaçal da degradação e ele praticou coisas irracionais e estúpidas. As narrativas dos capítulos 11 e 12 nos ensinam valiosas lições, mas principalmente as seguintes:

Três Lições Teológicas:

I. *O Problema do Mal.* Ofereço, no *Dicionário,* um artigo detalhado sobre isso. Por que os homens sofrem, e por que sofrem da *maneira* como sofrem? Muitos ateus são ateus por causa do sofrimento humano, causado pela natureza: incêndios, inundações, enfermidades, desastres naturais, como os terremotos (o mal natural); ou males causados pela desumanidade do homem (o mal moral). O indivíduo ateu pergunta: "Onde está Deus? Como pode existir um Deus, quando tais coisas acontecem? Onde está o poder de Deus? Onde está o seu amor?" O que espera pelo homem é a *morte,* que parece ser o pior de todos os males, resultado tanto do mal natural quanto do mal moral.

Um caso brasileiro ilustra esse ponto: Uma jovem teve uma festa de aniversário. sua família e seus amigos reuniram-se e houve um tempo de alegria. No dia seguinte, ela foi atropelada por um caminhão e morreu. Onde estava Deus? Um tio dela tornou-se ateu naquele momento.

O filho recém-nascido de Davi morreu. A morte foi lançada na conta de Davi, mas por que a *criança* foi tratada daquela maneira? A criança, porventura, era culpada? Há mortes de crianças que não podemos lançar na conta do pecado. Deve haver alguma outra coisa em operação. A morte de uma criança é uma instância pungente do problema do mal.

O artigo sobre o *Problema do Mal* apresenta argumentos e razões a respeito do *porquê* do sofrimento humano.

II. *A Morte de Crianças.* A morte de uma criança nos deixa chocados. Tendemos a ficar amargurados diante da morte de um pequenino. D. Scott Rogo fez muitas pesquisas a respeito da questão, e coletou várias experiências de quase-morte que envolveram crianças. Também coligiu visões de crianças antes de morrerem. Ele concluiu que existem elevados poderes espirituais que cuidam de crianças, e elas se vão deste mundo em felicidade e alegria. Ele declarou: "Esses estudos ajudaram-me a não ficar tão amargurado diante da morte de crianças". Apesar de isso ser bonito, muitas pessoas deixam de derivar consolo de estudos feitos por outras pessoas. A morte de uma criança, para sua mãe, permanece uma experiência muito amarga, um golpe esmagador.

Na *Enciclopédia de Bíblia, Teologia e Filosofia,* apresento artigos sobre *Experiências Perto da Morte,* e, pelo dr. D. Scott Rogo, *O Mundo Psíquico de Crianças Moribundas,* que é o décimo artigo do artigo geral intitulado *Parapsicologia.*

Por que as Crianças Morrem?

1. Em muitos casos, não podemos descobrir uma razão para tais eventos. Não encontramos pecados envolvidos na criança ou em seus pais que expliquem essas mortes. Dizemos, então: "Seja feita a vontade de Deus", mas isso é vago demais para nos satisfazer.
2. Em alguns casos, pode haver julgamento contra o pecado. Mas isso deve ser a grande minoria dos casos de morte infantil, considerando quão comum ela é. Davi pensou que seu filho recém-nascido tinha morrido por causa de seu ato de adultério. Mas perguntamos: E que dizer sobre a *criança?* Por que a criança de Davi foi tratada daquele modo? Seria ela culpada de algum crime hediondo? Pode o destino brincar tão superficialmente com uma criança, no tocante à sua vida, por causa do pecado de seus pais? Os discípulos de Jesus pensaram que certo homem, cego de nascença, tinha assim nascido por causa de algum pecado dele mesmo ou de seus pais (Jo 9). Naquele caso particular, segundo disse Jesus, não estava em pauta pecado algum. Antes, havia um propósito de Deus (algo positivo) que estava sendo operado no cego. Assim pode acontecer, por igual modo, na morte das crianças. Somente Deus sabe quais propósitos podem estar envolvidos.
3. A Igreja Ortodoxa Oriental ensina a *preexistência da alma* e encontra na eternidade passada (na história da alma) razões para muitos acontecimentos funestos entre as crianças, inclusive o caso de mortes de crianças ou de adultos, quando tais mortes tomam deste mundo a vida de uma pessoa, *antes* que sua tarefa de vida esteja terminada. Essa é uma ideia razoável, que não pode ser desprezada negligentemente. Ver sobre a *Origem da Alma,* no artigo chamado *Alma,* em sua seção I, no *Dicionário.*
4. Algumas pessoas fazem da *reencarnação* parte das experiências de vida da alma preexistente. Provi um artigo detalhado sobre esse assunto na *Enciclopédia de Bíblia, Teologia e Filosofia.* Os que se apegam a essa ideia veem, em vidas anteriores, as razões para a morte de uma criança na vida atual. A reencarnação, embora rejeitada emocional e calorosamente por muitos cristãos, é uma questão que precisa ser investigada, e não rejeitada, à base de dogmas. Ela pode prover respostas inesperadas para certos problemas difíceis.
5. *Caos.* Alguns supõem que haja um *estado caótico* neste mundo, e muitas coisas que acontecem são desesperadas e desprovidas de razão. Alguns radicais defendem essa teoria tão fortemente que acreditam que perdemos tempo ao investigar o problema do mal em geral, e a morte de crianças em particular. Admitamos simplesmente que vivemos em um mundo terrível e hostil, e topamos constantemente com tragédias irracionais, que fazem parte da própria natureza do ambiente em que vivemos. Paulo admite a existência de *caos* no mundo, no terceiro capítulo de Romanos, mas vê até nisso um fator para os homens a buscar a Deus. Seja como for, há boas evidências para afirmar que, se o caos existe, não é o poder que governa esta vida. Há poderes mais altos em operação.
6. *O Caos Transformado em Propósito.* Alguns estudiosos supõem que, na qualidade de pessoas criativas, podemos transformar o caos em eventos dotados de propósito. Esses eventos não são caóticos por si mesmos. Mas podemos transformá-los em acontecimentos caóticos mediante nossas reações. Para tanto, contudo, é preciso mais poder que a maioria das pessoas possui.
7. Temos de manter fé no *amor* e nos *propósitos de Deus,* e algumas das sugestões dadas acima fornecem meios para aplicarmos esses princípios. Se Deus tem consciência e está preocupado até com a queda de um humilde pardal, então por certo ele se preocupa com todas as *crianças.* Ver Mt 10.29-31.

III. *Que Dizer sobre a Alma da Criança que Morre?* Ela estará salva? Será enviada ao inferno? Será enviada ao limbo? Será reencarnada? Provi detalhado artigo sobre esse assunto, pelo que não entro em detalhes aqui. Ver no *Dicionário* o verbete intitulado *Infantes, Morte e Salvação dos.* Esse artigo provê *oito* respostas possíveis a esse dilema.

■ **11.1**

וַיְהִי לִתְשׁוּבַת הַשָּׁנָה לְעֵת צֵאת הַמַּלְאָכִים וַיִּשְׁלַח
דָּוִד אֶת־יוֹאָב וְאֶת־עֲבָדָיו עִמּוֹ וְאֶת־כָּל־יִשְׂרָאֵל
וַיַּשְׁחִתוּ אֶת־בְּנֵי עַמּוֹן וַיָּצֻרוּ עַל־רַבָּה וְדָוִד יוֹשֵׁב
בִּירוּשָׁלִָם: ס

Davi envolveu-se em *oito* guerras separadas durante um período de dezenove a vinte anos, a fim de consolidar seu reino e obliterar os inimigos ou confiná-los, a fim de deixarem de ser ameaças contra Israel. Ver as notas sobre isso no fim dos comentários sobre o capítulo 10 deste livro.

Este versículo mostra-nos as *oito* guerras. Tendo derrotado os mercenários sírios que os amonitas haviam contratado para ajudar a enfrentar Davi (o que é descrito no capítulo 10 deste livro), Davi deu a seu principal general, Joabe, a tarefa de exterminar os amonitas. Eles eram antigos inimigos de Israel, e o artigo do *Dicionário, Amom (Amonitas),* conta a história inteira. O capítulo 10 fornece detalhes sobre como *Davi* estava relacionado pelo sangue àquela gente.

O autor sacro poupa-nos dos detalhes sangrentos, informando apenas que Joabe foi altamente bem-sucedido, de modo geral, e especificamente cercou, derrotou e saqueou a principal cidade deles, *Rabá.* Quanto a detalhes sobre esse lugar, ver o artigo com esse nome no *Dicionário.* Se os reis lideravam suas forças às batalhas, naqueles dias, pois os reis vassalos usualmente eram os mais poderosos militares, Davi, entretanto, permaneceu em Jerusalém, a fim de cuidar dos negócios do reino. Ter *Joabe* na frente de batalha era tão bom quanto estar ali em pessoa.

Decorrido um ano. "Literalmente... *no fim do ano.* Isso se refere a 2Sm 10.14. Joabe tinha passado o inverno ou a estação chuvosa em Jerusalém. Agora, porém, retornava a Amom. Davi evidentemente tinha apressado sua campanha contra Hadadezer, para impedi-lo de juntar forças com seus aliados, e Joabe, muito provavelmente, tinha sido enviado, a princípio, com apenas uma pequena força para manter os filhos de Amom sob controle... o grosso do exército agora foi com Joabe" (Ellicott, *in loc.*).

Está em foco o mês de adar (fevereiro). Visto que nesse mês termina o período chuvoso, o mês seguinte, nisã, era uma boa ocasião para iniciar campanhas militares.

Rabá. Ver a respeito desta cidade no *Dicionário*. Essa era a capital dos filhos de Amom, e atualmente a moderna cidade de Amã marca o local. Ficava cerca de 36 quilômetros a leste do rio Jordão, no desaguar do wadi Amman.

■ 11.2

וַיְהִ֣י לְעֵ֣ת הָעֶ֗רֶב וַיָּ֨קָם דָּוִ֜ד מֵעַ֣ל מִשְׁכָּב֮וֹ וַיִּתְהַלֵּ֣ךְ
עַל־גַּ֣ג בֵּית־הַמֶּ֔לֶךְ וַיַּ֥רְא אִשָּׁ֛ה רֹחֶ֖צֶת מֵעַ֣ל הַגָּ֑ג
וְהָ֣אִשָּׁ֔ה טוֹבַ֥ת מַרְאֶ֖ה מְאֹֽד׃

Andava passeando no terraço da casa real. O palácio de Davi ficava em uma colina, de onde ele via o restante da cidade, e daquela elevada posição podia olhar e ver os quintais de outras habitações. "O novo palácio de Davi, na colina oriental, dominava a vista das casas lá embaixo" (George B. Caird, *in loc.*).

Se a casa de Urias fosse como as casas típicas da Palestina, então havia um pátio central em torno do qual os edifícios eram construídos. Esse pátio era aberto para o céu, e alguém que estivesse em posição elevada veria tudo quanto acontecesse dentro dele.

"*Uma tarde*, desassossegado em seu leito, Davi levantou-se, foi para o terraço do palácio e dali observou Bate-Seba, a esposa de seu vizinho, Urias, tomando um banho ao ar livre" (Eugene H. Merrill, *in loc.*).

É provável que Davi, no fim da tarde, tenha ido para o terraço de seu palácio para relaxar ou tomar uma sesta, e, naquele momento, presenciou o espetáculo inesperado. A mulher era de incontestável beleza física, e Davi, cansado da batalha e em um período de relaxamento, não pôde resistir à tentação.

■ 11.3

וַיִּשְׁלַ֣ח דָּוִ֔ד וַיִּדְרֹ֖שׁ לָאִשָּׁ֑ה וַיֹּ֗אמֶר הֲלוֹא־זֹאת֙
בַּת־שֶׁ֣בַע בַּת־אֱלִיעָ֔ם אֵ֖שֶׁת אוּרִיָּ֥ה הַחִתִּֽי׃

Davi mandou perguntar quem era. Devemos entender que Davi havia construído recentemente o seu palácio, ou que Urias e sua esposa recentemente se tinham mudado para perto do palácio. Isso aconteceu porque Davi não sabia quem ela era, embora, como fosse óbvio, conhecesse Urias, um de seus principais guerreiros. Davi mandou investigar o caso e logo soube quem era a mulher. Foram-lhe dados completos detalhes, incluindo o fato de que ela era uma mulher casada e exigiria o respeito dele. Quanto aos nomes próprios que aparecem neste versículo, ver o *Dicionário*.

Eliã. Em 2Sm 23.34 temos a informação de que este homem era filho de *Aitofel*. Considerando o que Davi tinha feito com sua neta, compreendemos a hostilidade posterior de Aitofel contra Davi, e como ele tomou o lado de Absalão na disputa pelo poder.

Urias. Este era um dos combatentes estrangeiros que servia a Davi e ocupava elevada posição no exército de Israel (ver 2Sm 23.39). O homem, sem dúvida um convertido à fé dos hebreus, tinha-se casado com uma mulher de Israel, Bate-Seba. É possível que Urias originalmente fosse um *ger*, um perambulador que eventualmente se tornou uma cidadão pleno de Israel. As regras que se aplicaram posteriormente na época de Neemias e Esdras, sobre os estrangeiros e sobre o casamento, ainda não estavam em vigor. Urias era um dos *trinta* soldados da elite de Davi (ver 2Sm 23.39).

O heteu. Ver no *Dicionário* o artigo chamado *Hititas, Heteus*.

Talvez a intenção original de Davi fosse incorporar a mulher ao seu harém. Por onde quer que ele fosse, aumentava o número de mulheres que o serviam e se deitavam com ele. Mas, mesmo quando descobriu que ela era uma mulher *casada*, isso não o impediu de manter relações sexuais com ela.

A parte mais lamentável da história foi que Urias era um dos *trinta* guerreiros de maior capacidade e de confiança de Davi, e nem mesmo esse fato fez parar as intenções e os atos de Davi. Isto posto, ele traiu alguém que o servia por tanto tempo e com tanta lealdade, e que, por várias vezes, tinha arriscado a própria vida pelo rei. Quanto a detalhes, ver os vários artigos no *Dicionário*, sobre os nomes próprios.

■ 11.4

וַיִּשְׁלַח֩ דָּוִ֨ד מַלְאָכִ֜ים וַיִּקָּחֶ֗הָ וַתָּב֤וֹא אֵלָיו֙ וַיִּשְׁכַּ֣ב
עִמָּ֔הּ וְהִ֥יא מִתְקַדֶּ֖שֶׁת מִטֻּמְאָתָ֑הּ וַתָּ֖שָׁב אֶל־בֵּיתָֽהּ׃

Enviou Davi mensageiros, que a trouxessem. Davi não perdeu tempo. Embora informado de que a mulher era casada, e a despeito de saber que era esposa de Urias, ele a mandou buscar imediatamente. A natureza virulenta de seu crime foi demonstrada pela frieza com que ele agiu, contra toda a razão e contra toda a propriedade. Se o rei lhe está chamando, você irá; portanto, Bate-Seba foi. Ela não tinha escolha. Portanto, o que Davi fez foi violência sexual. É difícil imaginar que ela não tenha protestado. Ela se rebelou, mas Davi estava inclinado ao mal. Embora ele talvez tivesse quarenta mulheres em seu harém, na oportunidade, *aquela* mulher em particular tinha de ser dele; *aquela mulher* proibida foi exatamente a que ele quis ter como sua.

O autor sagrado ousou contar aqui exatamente como a história aconteceu. Ele não a disfarçou (conforme se vê em 1Sm 13.14), nem omitiu coisa alguma (como na passagem paralela de 1Cr 20.1-3). Davi, um grande homem, tinha grandes vícios. Ele possuía grande força e grandes fraquezas. seu ato para com Bate-Seba tem sido comentado com horror em lições de escola dominical, sermões e textos escritos. Ele cometeu um erro inacreditável. E haveria de praticar um crime ainda pior. Faria com que Urias, seu fiel companheiro de armas, fosse assassinado! O pecado estava em franca progressão em sua vida: de espiar, para inquirir, para forçar a mulher e para matar o marido dela.

Alguns comentadores tentam diminuir a culpa de Davi com observações como: "Bate-Seba não deveria estar-se expondo aos olhares de outros". A pobre senhora não sabia, contudo, que algum *voyer* a observava do alto do terraço do palácio real! Alguns (como Eugene H. Merrill, *in loc.*) chegaram mesmo a lançar a culpa sobre ela. Disse ele: "Bate-Seba, sabendo da proximidade de seu pátio do palácio real, *provavelmente* abrigava desígnios interiores para com o rei". Isso significa, conforme suponho, que Bate-Seba provocou *propositadamente* o ataque de Davi e se alegrou quando ele avançou. Mas tal ideia é por demais absurda para ser levada a sério. John Gill, normalmente um venerável comentador, supôs que Bate-Seba não tenha sido forçada, mas consentiu com todo o processo! É melhor dizer, porém, que a corrupta natureza humana algumas vezes prevalece sobre o melhor dos homens.

Alguns pensam que o banho que Bate-Seba tomou foi aquele referido em Lv 15.19, uma purificação das poluções menstruais, mas não há informação bíblica que o confirme, nem isso faz parte da história ou tem alguma importância. Ver no *Dicionário* o artigo chamado *Limpo e Imundo*.

Os tanques de água para banhos não eram mantidos no interior das casas, mas nos pátios. Portanto, Bate-Seba teve de tomar seu banho ali.

■ 11.5

וַתַּ֖הַר הָאִשָּׁ֑ה וַתִּשְׁלַח֙ וַתַּגֵּ֣ד לְדָוִ֔ד וַתֹּ֖אמֶר הָרָ֥ה אָנֹֽכִי׃

Estou grávida. Algum tempo se passou, e a notícia terrível chegou: Bate-Seba estava grávida. Provavelmente houve outros encontros com o rei, que não ficaram registrados, pois a gravidez raramente ocorre de um único encontro. Temos de compreender que Urias estava fora o tempo todo (ver o vs. 6 deste capítulo), pois, de outro modo, poderia ter sido natural para ela supor que o agente de sua gravidez fosse seu marido, e não Davi. Por outra parte, as mulheres parecem saber quem é o indivíduo "culpado", quando há mais de um companheiro sexual. Nesse caso, contudo, não havia dúvidas, porquanto Urias, cumprindo seu dever como era usual, estava lutando na guerra, ao lado de Joabe, contra os amonitas (conforme aprendemos no vs. 1 deste capítulo).

As notícias da gravidez de Bate-Seba fizeram Davi esquematizar um plano. Em primeiro lugar, ele mandou buscar Urias, para tentar transferir a culpa para ele, supondo, naturalmente, que haveria sexo entre marido e mulher. Mas tendo esse plano falhado, Davi simplesmente ordenou um plano diabólico no qual Urias sucumbiria diante do inimigo. Não podemos imaginar um homem agindo daquela maneira, mas Davi estava mergulhado na degradação, e nunca se recuperaria disso, nem de seus tremendos efeitos.

Davi não permitiria que seu pecado fosse "desmascarado", pelo que qualquer medida era aceitável naquele momento. E também seria difícil para Bate-Seba se fosse descoberto que ela havia cometido adultério, mesmo que seu companheiro de sexo fosse o próprio rei. De acordo com as provisões da lei mosaica, ela poderia ter sido executada por apedrejamento. De fato, *ambos* os adúlteros teriam sido punidos com o apedrejamento (ver Lv 20.10). Ver no *Dicionário* os artigos chamados *Apedrejamento* e *Adultério*.

■ 11.6

וַיִּשְׁלַח דָּוִד אֶל־יוֹאָב שְׁלַח אֵלַי אֶת־אוּרִיָּה הַחִתִּי
וַיִּשְׁלַח יוֹאָב אֶת־אוּרִיָּה אֶל־דָּוִד:

Manda-me Urias, o heteu. Este estava engajado, sob as ordens de Joabe, na guerra contra os filhos de Amom. Era um dos mais poderosos homens de Davi, pertencente a um grupo de tropas de elite de 37 guerreiros (23.39). Estivera com Davi desde os dias em que este fugia de Saul, temendo por sua vida. Agora, porém, Urias seria sacrificado sobre o altar da loucura de Davi. O primeiro plano foi simplesmente enviá-lo para casa, na suposição de que ele faria sexo com sua esposa, e então poderia ser responsabilizado pela gravidez.

Mas Davi esquecera de Yahweh, ou seja, seu Juiz Final. Haveria uma prestação de contas.

> Este é o mundo de meu Pai,
> Que eu nunca me esqueça disso:
> Que embora o erro pareça tão forte,
> Deus continua sendo o governante.
> De um hino de Maltbie D. Babcock

Davi tentou legitimar a gravidez, mas as coisas não operariam como ele tinha planejado. Agora, ele teria de apelar para medidas mais drásticas.

De Rabá a Jerusalém distavam apenas 103 quilômetros, mas essa era uma grande distância para os antigos, pelo que um homem que estivesse na guerra não retornaria para casa a menos que houvesse uma razão muito especial. Ver o vs. 1 deste capítulo quanto à cena da batalha, e ver no *Dicionário* o artigo intitulado *Rabá*.

■ 11.7

וַיָּבֹא אוּרִיָּה אֵלָיו וַיִּשְׁאַל דָּוִד לִשְׁלוֹם יוֹאָב וְלִשְׁלוֹם הָעָם וְלִשְׁלוֹם הַמִּלְחָמָה:

O plano ardiloso de Davi foi perguntar a Urias como iam as coisas na frente de batalha. Provavelmente não ocorreu a Urias que era estranho que ele fosse chamado para prestar tal informação. "Davi pareceu estar meio perdido sobre o que diria a Urias. Essas perguntas eram banais e poderiam ter dado a Urias, com justiça, causa para suspeitas... Davi, sem dúvida, recebia informes diários sobre o progresso da guerra" (John Gill, *in loc.*).

■ 11.8

וַיֹּאמֶר דָּוִד לְאוּרִיָּה רֵד לְבֵיתְךָ וּרְחַץ רַגְלֶיךָ וַיֵּצֵא אוּרִיָּה מִבֵּית הַמֶּלֶךְ וַתֵּצֵא אַחֲרָיו מַשְׂאַת הַמֶּלֶךְ:

Davi ordenou que Urias fosse para casa e até "bondosamente" enviou-lhe um "presente", que algumas traduções definem como uma provisão alimentar. Supostamente, Urias teria uma refeição romântica, à luz de velas, e então o sexo que se seguiria armaria o palco para a suposição de que *ele* era o pai da criança que estava a caminho.

Presente. Assim dizem a *Revised Standard Version* e nossa versão portuguesa, embora a *King James Version* diga uma "porção de carne". A nossa versão portuguesa, entretanto, prefere ficar com a tradução literal, "presente". Gn 43.34 usa a mesma palavra que este versículo e evidentemente indica que foi enviado algum prato escolhido. Urias estava sendo honrado pelo rei. Mas a cena toda foi uma farsa.

"... um prato delicioso, para comer com sua esposa antes de ir para a cama, para excitar ainda mais o desejo por ela. Esse acepipe consistia, de acordo com Abarbinel, em pão, vinho e carne" (John Gill, *in loc.*).

Nesse ponto do drama, Davi não tinha a intenção de matar Urias, nem tentaria trazer Bate-Seba para seu harém. Davi simplesmente queria resolver o "problema da gravidez". As coisas estavam indo de mal a pior, e acabariam em assassinato.

■ 11.9

וַיִּשְׁכַּב אוּרִיָּה פֶּתַח בֵּית הַמֶּלֶךְ אֵת כָּל־עַבְדֵי אֲדֹנָיו
וְלֹא יָרַד אֶל־בֵּיתוֹ:

À porta da casa real. "Provavelmente na câmara da guarda, na entrada do palácio. Cf. com 1Rs 14.27,28" (Ellicott, *in loc.*). Havia guardas estacionados para vigiar o palácio à noite. Urias usou um dos apartamentos dos guardas como lugar para dormir.

E não desceu para sua casa. Urias, sentindo que se estava furtando de seu dever como soldado, concluiu que não seria apropriado descer à sua casa e desfrutar de tempo com sua mulher, enquanto outros soldados estavam em Rabá arriscando a vida pelo reino. Assim, em vez de ir para casa, ele dormiu com os servos do rei, em abjeta humilhação. "O senso de lealdade de Urias por seus camaradas prevaleceu sobre o desejo por sua esposa" (Eugene H. Merrill, *in loc.*). Ele nem ao menos saiu dos recintos do palácio real.

> Haveria eu de ser levado aos céus,
> Nos canteiros floridos do lazer,
> Enquanto outros lutam para ganhar o prêmio,
> E velejam através de mares sangrentos?
> Isaac Watts, em um hino

■ 11.10,11

וַיַּגִּדוּ לְדָוִד לֵאמֹר לֹא־יָרַד אוּרִיָּה אֶל־בֵּיתוֹ
וַיֹּאמֶר דָּוִד אֶל־אוּרִיָּה הֲלוֹא מִדֶּרֶךְ אַתָּה בָא
מַדּוּעַ לֹא־יָרַדְתָּ אֶל־בֵּיתֶךָ:
וַיֹּאמֶר אוּרִיָּה אֶל־דָּוִד הָאָרוֹן וְיִשְׂרָאֵל וִיהוּדָה
יֹשְׁבִים בַּסֻּכּוֹת וַאדֹנִי יוֹאָב וְעַבְדֵי אֲדֹנִי עַל־פְּנֵי
הַשָּׂדֶה חֹנִים וַאֲנִי אָבוֹא אֶל־בֵּיתִי לֶאֱכֹל וְלִשְׁתּוֹת
וְלִשְׁכַּב עִם־אִשְׁתִּי חַיֶּךָ וְחֵי נַפְשֶׁךָ אִם־אֶעֱשֶׂה
אֶת־הַדָּבָר הַזֶּה:

O Primeiro Plano de Davi Falhou. E logo ele soube por quê. Urias tinha um senso incomum de dever e propriedade. Até a *arca bendita* do pacto continuava abrigada em uma tenda portátil (ver 2Sm 7.2), e muitos em Judá e Israel ainda não tinham habitações mais sólidas, mas abrigavam-se em tendas. Os soldados que cercavam Rabá (Joabe e os demais) dormiam em campo aberto. Considerando tais condições, Urias julgou impróprio para ele, como membro das tropas de elite de Davi (2Sm 23.39), desfrutar de uma vida doméstica pacífica e prazeres físicos com a esposa. O rei havia ordenado que Urias fosse para casa (vs. 10), mas seu coração estava entregue a uma ordem superior. Urias tinha percorrido os 103 quilômetros desde Rabá à capital e precisava de descanso. Teria sido ótimo ir para casa e descansar *ali*. Mas Urias preferiu a humilde casa da guarda e deitar-se no chão. O coração e a consciência de Davi devem ter palpitado diante de tal demonstração de dedicação e lealdade, enquanto, a todo o tempo, ele planejava um horrendo esquema contra Urias, o homem de suprema devoção. "Aquela reação de Urias deveria ter ferido Davi na consciência, mas sua consciência estava tão amortecida pelo pecado que o único efeito foi conduzi-lo a meios ainda mais baixos de ocultamento do pecado" (Ellicott, *in loc.*).

■ 11.12,13

וַיֹּאמֶר דָּוִד אֶל־אוּרִיָּה שֵׁב בָּזֶה גַּם־הַיּוֹם וּמָחָר
אֲשַׁלְּחֶךָּ וַיֵּשֶׁב אוּרִיָּה בִירוּשָׁלַםִ בַּיּוֹם הַהוּא
וּמִמָּחֳרָת׃

וַיִּקְרָא־לוֹ דָוִד וַיֹּאכַל לְפָנָיו וַיֵּשְׁתְּ וַיְשַׁכְּרֵהוּ וַיֵּצֵא
בָעֶרֶב לִשְׁכַּב בְּמִשְׁכָּבוֹ עִם־עַבְדֵי אֲדֹנָיו וְאֶל־בֵּיתוֹ
לֹא יָרָד׃

Outro Plano. Davi percebeu que a dedicação de Urias à causa do reino era tão grande que nada o convenceria a voltar para casa. Não sabemos dizer por que Davi simplesmente não *ordenou* que ele fosse para casa, de modo que não pudesse ser desobedecido. Aparentemente, Davi estava tentando mostrar-se "diplomático" acerca da questão. Davi agiu como se estivesse enviando Urias de volta à frente da batalha, onde deveria permanecer, mas demorou-se a mandá-lo por mais um dia. seu plano era fazer Urias embebedar-se, para que, nessa *condição*, com a vontade enfraquecida (conforme Davi pensava), ele procurasse sua casa e sua esposa. De fato, Davi conseguiu fazer o homem embebedar-se, ao comer com ele no palácio; mas, mesmo *nessas condições*, Urias, uma vez mais, dormiu na casa da guarda, e não voltou para casa. Mesmo intoxicado pelo excesso de vinho, Urias reteve sua leal determinação. O autor sacro poupa-nos, no relato, de saber quão irado Davi deve ter ficado, mas podemos ter certeza de que ele perdeu toda a paciência com a diplomacia e passou à abordagem direta: o *homicídio*.

■ 11.14

וַיְהִי בַבֹּקֶר וַיִּכְתֹּב דָּוִד סֵפֶר אֶל־יוֹאָב וַיִּשְׁלַח בְּיַד
אוּרִיָּה׃

Pela manhã Davi escreveu uma carta a Joabe. Quase não podemos acreditar no que lemos neste e nos próximos versículos. Pois não somente Davi enviou uma carta, dando orientações a Joabe sobre como fazer com que Urias fosse morto, mas também usou Urias como o portador da carta: "Isso foi o cúmulo da traição e da vilania" (Adam Clarke, *in loc.*). Foi assim que Urias transportou seu seguro de morte. Urias levou sua própria e injusta condenação.

Uma História Paralela. Belerofon era filho de Glauco, rei de Efira. Ele estava visitando o rei Proetus, rei de Argives. Esse homem tinha uma bela esposa, a rainha Estenoboea, que se apaixonou pelo visitante Belerofon e fez avanços amorosos. Mas ele a recusou de forma terminante. Isso a enfureceu, pelo que ela o acusou falsamente perante o marido, dizendo que Belerofon tinha tentado seduzi-la. Proetus resolveu não matar o homem em sua própria casa, o que teria sido uma violação das regras da hospitalidade e teria irado o rei Glauco, provocando uma guerra. Portanto, Proetus enviou Belerofon como portador de uma carta a Jobates, rei da Lícia, que era pai de Estenoboea. A ordem dada ali era a de matar o homem, por causa de sua alegada tentativa criminosa contra a rainha. Mas, em lugar de matá-lo, ele o enviou em um ataque perigoso e sem solução contra um poderoso povo chamado solimi. Para surpresa de todos, porém, Belerofon obteve notável vitória. Vendo isso, Jobates enviou-o a outras missões igualmente perigosas e impossíveis. De cada vez, porém, Belerofon surpreendia a todos mediante suas notáveis vitórias. Jobates, pois, chegou a perceber que Belerofon era homem valioso demais para morrer. Portanto, entregou-lhe como esposa uma de suas filhas. Isso o manteve próximo para outras expedições militares. A maldosa Estenoboea ouviu o que tinha acontecido e suicidou-se!

Da história de Belerofon foi que surgiu o provérbio que diz: "Bellerophontis literas portare", ou seja "levar a própria condenação". Essa história foi contada por *Apollodorus de Deorum Orig.*, 1.2, parte 70.

Belerofon definitivamente saiu-se melhor do que o pobre Urias.

■ 11.15

וַיִּכְתֹּב בַּסֵּפֶר לֵאמֹר הָבוּ אֶת־אוּרִיָּה אֶל־מוּל פְּנֵי
הַמִּלְחָמָה הַחֲזָקָה וְשַׁבְתֶּם מֵאַחֲרָיו וְנִכָּה וָמֵת׃ ס

Ponde a Urias na frente... da maior peleja. Joabe deveria esperar um momento de dura peleja, em que os exércitos se estivessem entrechocando e cada soldado estivesse dependendo que o restante fizesse a sua parte, a fim de que pelo menos um bom número de soldados pudesse sobreviver. Exatamente quando Urias necessitasse mais de seus companheiros, eles deveriam retirar-se, deixando-o sozinho, a fim de que os filhos de Amom o atacassem em massa, garantindo a sua morte. Naturalmente, esse plano era *assassinato*.

Joabe era o tipo de homem que obedeceria ao amigo de vida inteira, a despeito do que ele lhe ordenasse fazer. Também era um parente próximo de Davi, sendo filho de uma meia-irmã de Davi, chamada Zeruia (ver 2Sm 2.18). Joabe, como sobrinho de Davi, teria razões adicionais para obedecer-lhe. Ademais, era um homem selvagem e essencialmente destituído de escrúpulos. "Joabe era do tipo de homem que faria qualquer coisa que Davi lhe pedisse, sem perguntas esquisitas" (George B. Caird, in loc.). "... o inescrupuloso general obedeceu sem fazer qualquer pergunta" (adaptado de Ellicott, *in loc.*).

■ 11.16

וַיְהִי בִּשְׁמוֹר יוֹאָב אֶל־הָעִיר וַיִּתֵּן אֶת־אוּרִיָּה
אֶל־הַמָּקוֹם אֲשֶׁר יָדַע כִּי אַנְשֵׁי־חַיִל שָׁם׃

Pôs a Urias no lugar onde sabia que estavam homens valentes. Joabe inventou um esquema eficaz para garantir a morte de Urias. Infelizmente, outros atacantes também seriam mortos, porque o ataque seria próximo demais da muralha de onde seriam atirados mísseis, fazendo vítimas fáceis. Mas que importava se alguns poucos outros também morressem, contanto que Urias estivesse entre eles? Davi lamentaria ao ouvir que uma batalha bastante insensata tinha custado a vida de valiosos soldados, mas se alegraria ao saber que Urias estava entre eles.

Foi desse modo que Joabe se tornou cúmplice de assassinato. Mas, afinal, eram apenas negócios. Os arqueiros sobre as muralhas forçaram Joabe a recuar um pouco, matando alguns pobres soldados israelitas que estavam muito avançados, entre eles, Urias. Portanto, houve mais que um único homicídio naquele dia.

■ 11.17

וַיֵּצְאוּ אַנְשֵׁי הָעִיר וַיִּלָּחֲמוּ אֶת־יוֹאָב וַיִּפֹּל מִן־הָעָם
מֵעַבְדֵי דָוִד וַיָּמָת גַּם אוּרִיָּה הַחִתִּי׃

E morreu também Urias, o heteu. É evidente que isso significa que certo número de homens de Joabe, juntamente com Urias, aproximou-se demais da muralha, e os arqueiros não demoraram a acabar com eles, o que compreendemos examinando, mais adiante, o vs. 20. Davi teria ficado muito infeliz com Joabe se ele não tivesse cuidado sobre uma providência básica: permanecer longe das muralhas. Mas Joabe estava disposto a sacrificar alguns homens, a fim de livrar-se de Urias, conforme Davi havia ordenado. Sabendo que seu propósito tinha sido cumprido, Davi deixaria de lado a "estupidez" de Joabe. Como é óbvio, Urias não poderia ter ficado sozinho em um lugar tão perigoso. A traição teria sido óbvia demais, nesse caso. Supostamente eles deveriam retirar-se de Urias e deixá-lo vulnerável, mas ao que tudo indica essa parte do plano (vs. 15) não funcionou como esperado.

■ 11.18

וַיִּשְׁלַח יוֹאָב וַיַּגֵּד לְדָוִד אֶת־כָּל־דִּבְרֵי הַמִּלְחָמָה׃

E fez saber a Davi tudo o que se dera na batalha. Joabe tinha recebido ordens e agora as cumpriria. Davi esperava ansiosamente pelo relatório. O relatório era bom: Urias estava morto. Mas o relatório também tinha um aspecto negativo: outros soldados de Israel haviam morrido, por causa da manobra que fora posta em operação.

■ 11.19

וַיְצַו אֶת־הַמַּלְאָךְ לֵאמֹר כְּכַלּוֹתְךָ אֵת כָּל־דִּבְרֵי
הַמִּלְחָמָה לְדַבֵּר אֶל־הַמֶּלֶךְ׃

O relatório foi cuidadosamente avaliado. Joabe esperava que houvesse desprazer da parte de Davi, em face do que havia acontecido, mas ele também supôs que a ira de Davi seria aplacada quando soubesse que seu objetivo fora cumprido.

11.20

וְהָיָ֗ה אִֽם־תַּעֲלֶה֙ חֲמַ֣ת הַמֶּ֔לֶךְ וְאָמַ֥ר לְךָ֖ מַדּ֑וּעַ נִגַּשְׁתֶּ֤ם אֶל־הָעִיר֙ לְהִלָּחֵ֔ם הֲל֣וֹא יְדַעְתֶּ֔ם אֵ֥ת אֲשֶׁר־יֹר֖וּ מֵעַ֥ל הַחוֹמָֽה׃

Não sabíeis vós que haviam de atirar do muro? *Houve certa lógica* na aparente estupidez de Joabe. Nenhum bom general haveria de enviar seus homens até tão próximo de uma muralha, pois ali seriam alvos fáceis dos arqueiros inimigos. Mas Joabe queria que *Urias* fosse um alvo fácil e dispôs-se a sacrificar alguns soldados escolhidos para que o "trabalho" fosse feito. O rei certamente ficaria ao mesmo tempo desagradado e agradado, mas com Urias fora do caminho ele não faria uma cena por causa da questão.

11.21

מִֽי־הִכָּ֞ה אֶת־אֲבִימֶ֣לֶךְ בֶּן־יְרֻבֶּ֗שֶׁת הֲלֽוֹא־אִשָּׁ֡ה הִשְׁלִ֣יכָה עָלָיו֩ פֶּ֨לַח רֶ֜כֶב מֵעַ֤ל הַֽחוֹמָה֙ וַיָּ֣מָת בְּתֵבֵ֔ץ לָ֥מָּה נִגַּשְׁתֶּ֖ם אֶל־הַֽחוֹמָ֑ה וְאָ֣מַרְתָּ֔ גַּ֗ם עַבְדְּךָ֛ אוּרִיָּ֥ה הַחִתִּ֖י מֵֽת׃

Tebes. Ver no *Dicionário* sobre este e todos os nomes próprios que figuram neste versículo.

11.22

וַיֵּ֖לֶךְ הַמַּלְאָ֑ךְ וַיָּבֹא֙ וַיַּגֵּ֣ד לְדָוִ֔ד אֵ֛ת כָּל־אֲשֶׁ֥ר שְׁלָח֖וֹ יוֹאָֽב׃

Este versículo *sumaria* o conteúdo dos vss. 18 a 21. O mensageiro cumpriu seu dever e apresentou a Davi o relatório decorado. Os versículos seguintes repetem a matéria, conforme dita pela boca do mensageiro. Esse homem tinha uma missão nervosa e potencialmente perigosa. Deveria anunciar notícias más e boas, e não tinha ideia de como Davi reagiria. Ele poderia matar o homem, conforme fora feito a outros mensageiros (ver 2Sm 1). Ele fez a viagem de Rabá a Jerusalém (103 quilômetros de distância) e deve ter passado grande ansiedade.

A *Septuaginta* tem aqui um texto mais longo, que põe na boca de Davi as perguntas que Joabe pensava que ele diria. Esse acréscimo pinta um Davi muito indignado. Mas sua ira já estava prevista nas respostas decoradas. Alguns eruditos pensam que a Septuaginta, quanto a isso, representa o texto original, que algum editor, ao preparar manuscritos em hebraico, abreviou por causa das repetições.

11.23,24

וַיֹּ֤אמֶר הַמַּלְאָךְ֙ אֶל־דָּוִ֔ד כִּֽי־גָבְר֥וּ עָלֵ֖ינוּ הָאֲנָשִׁ֑ים וַיֵּצְא֤וּ אֵלֵ֙ינוּ֙ הַשָּׂדֶ֔ה וַנִּהְיֶ֥ה עֲלֵיהֶ֖ם עַד־פֶּ֥תַח הַשָּֽׁעַר׃

וַיֹּר֨וּ הַמּוֹרִ֤אים אֶל־עֲבָדֶ֙ךָ֙ מֵעַ֣ל הַחוֹמָ֔ה וַיָּמ֖וּתוּ מֵעַבְדֵ֣י הַמֶּ֑לֶךְ וְגַ֗ם עַבְדְּךָ֛ אוּרִיָּ֥ה הַחִתִּ֖י מֵֽת׃ ס

Estes versículos deixam de fora a aproximação demasiada da muralha, mas o fato de que os arqueiros mataram alguns homens, quando se aproximaram, sugere tal coisa. Talvez o mensageiro tenha abreviado o relato na esperança de evitar a ira de Davi, por não dizer-lhe toda a verdade. Seja como for, os filhos de Amom evidentemente lutaram melhor do que se havia antecipado. E muitos mataram ou foram mortos naquele dia. Por enquanto, pois, a batalha favorecia os amonitas, o que talvez continuasse dessa maneira até o tempo em que a história foi contada. Portanto, Davi encorajou o mensageiro a voltar e desafiar Joabe a atos mais bravos de heroísmo, para salvar o dia (vs. 25). Contar com detalhes a Davi quão terrível fora a batalha funcionaria como meio de fazê-lo ficar muito preocupado com as perdas em vidas, sem importar quantas tivessem ocorrido. A guerra é uma coisa *terrível*. Aceitemo-la conforme ela é. Com frequência é inútil "esperar o melhor" quando os homens estão lá fora, brincando seu jogo de matar.

11.25

וַיֹּ֨אמֶר דָּוִ֜ד אֶל־הַמַּלְאָ֗ךְ כֹּֽה־תֹאמַ֣ר אֶל־יוֹאָב֮ אַל־יֵרַ֣ע בְּעֵינֶ֙יךָ֙ אֶת־הַדָּבָ֣ר הַזֶּ֔ה כִּֽי־כָזֹ֥ה וְכָזֶ֖ה תֹּאכַ֣ל הֶחָ֑רֶב הַחֲזֵ֨ק מִלְחַמְתְּךָ֧ אֶל־הָעִ֛יר וְהָרְסָ֖הּ וְחַזְּקֵֽהוּ׃

Davi ficou tão comovido com o relatório do mensageiro que, longe de levantar perguntas sobre o que aconteceu, simplesmente encorajou Joabe a fazer o melhor que pudesse. Davi mostrou-se filosófico sobre a questão inteira: "A guerra é assim mesmo. A espada devora a muitos, e é difícil dizer a quem ela devorará em seguida. A espada não escolhe. Simplesmente devora. Portanto, aceita essas grandes perdas com bom espírito". A *verdade* da questão, porém, era que Davi estava antes tremendamente *aliviado* com a morte de Urias. E que importava se tantos outros também tinham morrido?

O que *importava agora* era que Joabe demonstrasse suas brilhantes habilidades como guerreiro e revertesse a maré da batalha derrotando os amonitas de uma vez por todas. Isso daria a Davi sua *oitava* vitória na guerra, conferindo-lhe o controle total sobre a Palestina. Os inimigos que ele não obliterou, conteve em áreas restritas. Quanto a isso, ver o comentário no final do capítulo 10 de 2Samuel.

A espada devora "tanto oficiais quanto meros soldados; tanto os fortes quanto os fracos; tanto os valentes e corajosos como os timoratos. Os eventos da guerra são variegados e incertos, e devemos submeter-nos a eles, em lugar de revoltar-nos... O coração de Davi estava endurecido por causa do pecado, pelo que ele desprezou a morte de seus soldados" (John Gill, *in loc.*).

"Que abominável hipocrisia temos aqui!" (Adam Clarke, *in loc.*).

11.26

וַתִּשְׁמַע֙ אֵ֣שֶׁת אֽוּרִיָּ֔ה כִּי־מֵ֖ת אוּרִיָּ֣ה אִישָׁ֑הּ וַתִּסְפֹּ֖ד עַל־בַּעְלָֽהּ׃

Ela o pranteou. Os *comentadores* geralmente zombam das lamentações de Bate-Seba como se esse lamento não fosse real. Não nos são fornecidos detalhes, mas podemos ter certeza de que ela estava muito triste diante de tudo quanto aconteceu, e que, finalmente, causou a morte de seu marido. Sem dúvida haveria remorso pelo resto de sua vida, embora a situação lhe tivesse sido imposta. Em minha opinião, Adam Clarke está completamente equivocado quanto a seus comentários: "Ela derramou lágrimas com relutância e forjou lamentações de um coração relutante".

O período usual de lamentações era de *sete dias* (Gn 1.10; 1Sm 31.13). Algumas vezes, as viúvas lamentavam aos maridos por mais tempo. Ver no *Dicionário* o artigo intitulado *Lamentação*, cuja seção III dá detalhes sobre os *modos* e os *costumes*.

11.27

וַיַּעֲבֹ֣ר הָאֵ֗בֶל וַיִּשְׁלַ֨ח דָּוִ֜ד וַיַּאַסְפָ֤הּ אֶל־בֵּיתוֹ֙ וַתְּהִי־ל֣וֹ לְאִשָּׁ֔ה וַתֵּ֥לֶד ל֖וֹ בֵּ֑ן וַיֵּ֧רַע הַדָּבָ֛ר אֲשֶׁר־עָשָׂ֥ה דָוִ֖ד בְּעֵינֵ֥י יְהוָֽה׃ פ

Passado o luto, Davi mandou buscá-la. Davi não perdeu tempo. Presumimos que imediatamente após os sete dias de lamentação, ele mandou buscar Bate-Seba para seu palácio, e então ela se tornou membro de seu harém. Muitas pessoas devem ter suspeitado de alguma coisa, e provavelmente a maioria soube que o filho era de Davi, quando a criança nasceu. Urias estava morto. Davi e Bate-Seba estavam felizes. Mas *Yahweh* estava indignado. Uma retaliação haveria de ocorrer. Entrementes, podemos estar certos de que o coração endurecido de Davi começara a amolecer, quando ele, pouco a pouco, passou a perceber as coisas terríveis que havia praticado.

Em tempos posteriores, certa viúva lamentou-se por noventa dias (ver *Mish. Yebamot*, cap. 11, sec. 6), mas parece que há muito isso deixara de ser costume, nos tempos de Davi. Talvez ele tenha esperado mais de uma semana para fazer as coisas parecerem normais, enganando as pessoas acerca da questão.

De acordo com a legislação de Lv 20.10, Davi e Bate-Seba deveriam ter sido executados, mas podemos ter certeza de que, mesmo que os crimes de Davi fossem conhecidos, ele teria sido poupado. No momento, ninguém poderia tocar em Davi, cuja estrela estava em ascendência. Mas eventos que o próprio Davi pusera em movimento acabariam por apanhá-lo, em um final que assinalaria sua vida com remorso, enquanto ele vivesse.

CAPÍTULO DOZE

A *história de Davi e Bate-Seba* começa em 2Sm 11, pelo que a introdução aparece no começo do capítulo 11. Quanto a uma completa compreensão das implicações da história, consultar aquele material, que inclui importantes questões teológicas. Ver também, nos comentários ao capítulo 17 de 1Samuel, os gráficos. "Genealogia de Davi, desde Abraão" e "Tabela Genealógica da Família de Davi", para maiores esclarecimentos a respeito.

As Três Lições Teológicas. 1. O problema do mal; 2. a morte das crianças; e 3. o que acontece à alma das crianças que morrem na infância é abordado em 11.2, que também contém outras notas de introdução à história. Vários artigos no *Dicionário* proveem detalhes adicionais a essas questões.

■ **12.1**

וַיִּשְׁלַח יְהוָה אֶת־נָתָן אֶל־דָּוִד וַיָּבֹא אֵלָיו וַיֹּאמֶר לוֹ
שְׁנֵי אֲנָשִׁים הָיוּ בְּעִיר אֶחָת אֶחָד עָשִׁיר וְאֶחָד רָאשׁ׃

O Senhor enviou Natã a Davi. Visto que o rei era também juiz do superior tribunal da nação, nada haveria de estranho em Natã ter ido falar com Davi ostensivamente. O caso era o do próprio Davi, mas o fato só lhe foi revelado quando ele deu sua opinião franca sobre o homem que agira tão maldosamente, tudo dito como se fosse uma parábola.

O texto ensina-nos que os profetas de Yahweh não hesitavam em repreender aos reis, visto que não deviam ter respeito por pessoas. Eram os falsos profetas que sempre falavam bem aos reis, pensando assim em ganhar-lhes o favor.

"A famosa parábola da cordeira, narrada por Natã. O profeta demonstrou ter coragem, mas não originalidade. Davi tinha praticado o erro, mas de acordo com os padrões da época. Posteriormente, Natã tornou-se um apoiador ativo de Bate-Seba (ver 1Rs 1.5-11)" (*Oxford Annotated Bible*, comentando sobre este versículo).

"Essa história é uma obra-prima de sentimentos e piedade. Assemelha-se às parábolas de Jesus como um instrumento eficaz para perturbar a consciência e produzir arrependimento" (Ganse Little, *in loc.*).

Natã. Quanto a notas completas sobre ele, ver o artigo no *Dicionário*.

■ **12.2**

לְעָשִׁיר הָיָה צֹאן וּבָקָר הַרְבֵּה מְאֹד׃

Tinha o rico. A parábola de Natã foi simples, direta e óbvia. Mas Davi, endurecido em seu pecado, precisou que alguém a explicasse. seu senso espiritual havia sido amortecido por seus atos degradantes. *Dois homens* (vs. 1) formavam a base da história, um deles rico e poderoso, e outro pobre e fraco. O rico era o próprio Davi. O pobre era Urias, vítima de Davi. Contrastes violentos haveriam de destacar a incrível depravação dos *atos violentos* de Davi.

Ver no *Dicionário* o artigo chamado *Parábola*, bem como o artigo maior sobre o mesmo assunto na *Enciclopédia de Bíblia, Teologia e Filosofia*.

Gado em grande número. As riquezas, antigamente, compunham-se, pelo menos em parte, de animais domesticados e grandes plantações e, em alguns casos, quase exclusivamente de coisas assim. Aquele homem rico também tinha muita prata e ouro, e outras formas de riquezas, embora Natã não se tenha importado em mencionar.

Além de todo o seu gado, terras e ouro, aquele homem rico também tinha um grande *harém*. O artigo sobre *Davi*, no *Dicionário*, ilustra esse fato. Por onde quer que Davi fosse, adicionava mulheres a seu harém; assim sendo, ele era "geograficamente" enriquecido em todos os seus movimentos. Naqueles tempos, ter muitas mulheres era sinal de prestígio e riqueza, como é, em certa medida, até hoje. No mormonismo, que praticou a poligamia no século XIX, várias mulheres eram permitidas aos que pudessem assumir a responsabilidade de ter várias famílias, e isso só podia acontecer se um homem possuísse muito dinheiro. O resultado disso era que a maioria dos mórmons não praticava a poligamia, por razões financeiras, mesmo que hão houvesse outra razão. As mulheres, naturalmente, não tinham direitos equivalentes.

■ **12.3**

וְלָרָשׁ אֵין־כֹּל כִּי אִם־כִּבְשָׂה אַחַת קְטַנָּה אֲשֶׁר קָנָה
וַיְחַיֶּהָ וַתִּגְדַּל עִמּוֹ וְעִם־בָּנָיו יַחְדָּו מִפִּתּוֹ תֹאכַל
וּמִכֹּסוֹ תִשְׁתֶּה וּבְחֵיקוֹ תִשְׁכָּב וַתְּהִי־לוֹ כְּבַת׃

Mas o pobre não tinha cousa nenhuma. Isso formava um violento contraste que atingia o pobre em todas as coisas. Ele não tinha terras, nem rabanhos, nem ouro. Tinha apenas uma possessão significativa: uma excelente cordeira, que na parábola representa *Bate-Seba*. Alguns intérpretes, por isso mesmo, supõem que os vastos rebanhos de Davi representavam suas *muitas esposas* na parábola. A cordeira crescera com ele, ou, em outras palavras, era uma possessão vitalícia, e, portanto, muito amada. Isso pode significar, se aplicarmos estritamente cada detalhe da parábola, que Urias e Bate-Seba se tinham conhecido fazia longo tempo, talvez desde a infância, e então, finalmente, se casaram. Fazer violência a *esse tipo* de relacionamento era algo especialmente maligno, foi a mensagem de Natã. Essa cordeira era como uma filha e compartilhava de todos os aspectos da vida dele, comendo de sua mesa, bebendo de seu copo e até deitando-se com ele na mesma cama.

Essas várias expressões referem-se "... aos cuidados, à gentileza, ao amor e à ternura de um marido carinhoso, cujos afetos... tinham feito sua esposa uma participante de tudo quanto ele possuía" (John Gill, *in loc.*). Bochart (*Hierozoc.* parte 1.12, cap. 46) dá exemplo de casos em que cordeiros eram, realmente, tratados de maneira especial, como bichinhos de estimação.

"Eles cresceram juntos. Todas essas circunstâncias são estranhamente misturadas para aumentar a pena do ouvinte quanto ao indivíduo *oprimido*, e fazer crescer sua indignação contra o *opressor*" (*Speaker's Commentary*).

■ **12.4**

וַיָּבֹא הֵלֶךְ לְאִישׁ הֶעָשִׁיר וַיַּחְמֹל לָקַחַת מִצֹּאנוֹ
וּמִבְּקָרוֹ לַעֲשׂוֹת לָאֹרֵחַ הַבָּא־לוֹ וַיִּקַּח אֶת־כִּבְשַׂת
הָאִישׁ הָרָאשׁ וַיַּעֲשֶׂהָ לָאִישׁ הַבָּא אֵלָיו׃

Vindo um viajante ao homem. O rico era tão ganancioso e tão pão-duro que, quando recebeu um visitante e teve a responsabilidade de alimentar e cuidar dele por algum tempo, não se dispôs a tomar uma sequer de suas cordeiras, dentre seus vastos rebanhos, mas sacrificou a única ovelha do homem pobre. Isso fala do adultério e do assassínio praticado por Davi, atos incompreensíveis de ganância e malignidade. Por assim dizer, ele havia matado tanto Bate-Seba quanto Urias.

Alguns estudiosos pensam que o viajante era o próprio Satanás. Foi por causa *dele* que Davi cometera todas aquelas monstruosidades, mas isso parece ser ver demais em cada detalhe da parábola. Outros acreditam que o viajante tenha sido uma *má imaginação*, um coração depravado, apetites de concupiscência etc.

Davi tinha muitas esposas e concubinas. Quando desejou Bate-Seba, poderia ter escolhido uma ou mais delas para satisfazer seus desejos. Pelo contrário, estendeu a mão e apanhou a cordeira única de Urias. Natã salientou que Davi não tinha nem necessidade e nem direito de procurar Bate-Seba. Ele já era um homem de grandes excessos sexuais, e não havia limite para o número de mulheres que pudesse ter legalmente e com a aprovação de todos os homens que *admirassem* um harém numeroso.

■ **12.5**

וַיִּחַר־אַף דָּוִד בָּאִישׁ מְאֹד וַיֹּאמֶר אֶל־נָתָן חַי־יְהוָה
כִּי בֶן־מָוֶת הָאִישׁ הָעֹשֶׂה זֹאת׃

Então o furor de Davi se acendeu. Isso aconteceu quando ele ouviu a parábola contada por Natã. Até aquele momento, a mente de Davi estava por demais embotada para compreender que Natã falava sobre *o próprio Davi*, o tempo todo. Assim, com grande indignação, o rei pronunciou a execução do rico. Ele merecia a morte e deveria morrer! Talvez Davi passasse a sentença sobre o homem em uma corte de justiça (1Sm 26.16). O mais provável ainda é que saísse atrás do homem pessoalmente, ou enviasse seus melhores soldados para despedaçá-lo. De acordo com a lei, uma *ovelha* furtada ou morta tinha de ser substituída por *sete vezes* (conforme determina a Septuaginta), ou por *quatro vezes* (conforme determina o Antigo Testamento no original hebraico, em Êx 22.1). Mas Davi, como rei, poderia decretar qualquer punição que achasse justa. Ele não estava atrás de *restauração*. Ele queria o homem morto.

"Quão facilmente nosso ressentimento se acende em casos de injustiça óbvia... que não dizem respeito, diretamente, à nossa própria segurança, orgulho ou posição, ou nossos próprios desejos egoístas? Quão facilmente, todo o tempo, praticamos nossas próprias formas de injustiça!" (Ganse Little, *in loc.*). O temperamento fogoso de Davi imediatamente fez acender sua ira, conforme por muitas vezes aconteceu com ele (ver 1Sm 25.13,22,33); e, no entanto, ele não estava irado consigo mesmo, o *ofensor* da parábola. Ele estava ansioso para dirigir seu desprazer contra *outra* pessoa. Assim, externamente, desculpamos em nós mesmos o que condenamos, com *veemência,* em outras pessoas.

■ **12.6**

וְאֶת־הַכִּבְשָׂה יְשַׁלֵּם אַרְבַּעְתָּיִם עֵקֶב אֲשֶׁר עָשָׂה אֶת־הַדָּבָר הַזֶּה וְעַל אֲשֶׁר לֹא־חָמָל׃

Pela cordeirinha restituirá quatro vezes. Além de ser *executado,* o homem também faria restituição ao pobre, quanto ao que ele perdera, ou seja, *quatro vezes mais,* conforme requeria a lei (Êx 22.1). Em outras palavras, Davi providenciaria para que fosse feita justiça completa, chegando mesmo a ultrapassar a lei. Kimchi observou que o número aqui usado, no hebraico, é *dual,* e isso poderia significar o dobro do que a lei exigia, ou seja, *oito vezes mais.* Os hebreus duplicavam o número dual até que viesse a significar sete. Portanto, dois significava quatro; quatro significava oito; cinco significava dez etc.

A Perda de Crianças. Os intérpretes judeus salientam que Davi perdeu exatamente *quatro filhos,* por meios violentos e morte prematura, a saber, o filho que nasceu de Bate-Seba; Amnom; Tamar; e Absalão. Ben Gerson substituiu Tamar, uma filha, por Adonias, preservando assim o número quatro e fazendo todos eles filhos homens.

■ **12.7**

וַיֹּאמֶר נָתָן אֶל־דָּוִד אַתָּה הָאִישׁ כֹּה־אָמַר יְהוָה אֱלֹהֵי יִשְׂרָאֵל אָנֹכִי מְשַׁחְתִּיךָ לְמֶלֶךְ עַל־יִשְׂרָאֵל וְאָנֹכִי הִצַּלְתִּיךָ מִיַּד שָׁאוּל׃

tu és o homem. Esta é a interpretação direta da parábola. De súbito, o coração endurecido e embotado de Davi foi iluminado pela interpretação direta da parábola. O homem ofendido era Urias; o ofensor era Davi; a cordeira era Bate-Seba. O truque de Davi de súbito assumiu terrível *aura.* Tudo quanto ele havia feito era a forma mais crassa de depravação. Ele havia quebrado dois importantes mandamentos. Ver sobre os *Dez Mandamentos* no *Dicionário.*

Bondade Esquecida. A fim de prover um pano de fundo para sua denúncia, Natã repassou diante de Davi tudo quanto Yahweh tinha feito por ele. Fora *Yahweh,* o *Elohim* de Israel, que tinha agido em seu favor. *O Eterno, o Todo-poderoso Deus.* Ver esses nomes divinos explicados no *Dicionário,* no artigo chamado *Deus, Nomes Bíblicos de.* Deus primeiramente ordenara sua unção para que Davi tivesse poder divino de ocupar o alto ofício de rei (ver 1Sm 16.1,12,13). Isso não foi pouca coisa para um menino pastor. Ver no *Dicionário* o artigo chamado *Unção.* Em seguida, quando o poderoso e assassino Saul o perseguiu pelo deserto, Davi foi continuamente livrado da morte, recebendo o poder de superar cada crise com sucesso. Essa foi outra conspícua evidência dos cuidados e do propósito divino.

"Quanto a reprimendas proféticas similares a ofensores reais, ver 1Sm 15.21-23; 1Rs 21.21-24; Is 7.3-25; Mt 14.3-5" (Ellicott, *in loc.*).

■ **12.8**

וָאֶתְּנָה לְךָ אֶת־בֵּית אֲדֹנֶיךָ וְאֶת־נְשֵׁי אֲדֹנֶיךָ בְּחֵיקֶךָ וָאֶתְּנָה לְךָ אֶת־בֵּית יִשְׂרָאֵל וִיהוּדָה וְאִם־מְעָט וְאֹסִפָה לְּךָ כָּהֵנָּה וְכָהֵנָּה׃

Dei-te a casa de teu senhor. Continua aqui a lista das coisas que Deus havia dado a Davi. Por causa desse acúmulo de bênçãos dadas por Yahweh, não haveria fim de suas tribulações. Davi seria chamado a passar por uma grande variedade de testes, medidas punitivas e disciplinadoras, a fim de que ele pagasse por seus pecados. Ver no *Dicionário* o verbete chamado *Lei Moral da Colheita segundo a Semeadura.* Embora fosse rei, um homem com poder sobre os homens, Davi não tinha mais poder que o de Deus. Ele teria de pagar de forma adequada pelo que havia feito. Platão disse que a pior coisa que poderia acontecer a um homem era cometer um erro e não pagar por ele. Dessa forma, sua própria alma se corrompe.

Davi tinha agora muitas mulheres, mas com o tempo as perderia para outros. Ele mesmo havia ganhado o harém de Saul. Era prerrogativa de um rei ficar com o harém de seu antecessor (ver 2Sm 16.21,22; 1Rs 2.17-25). Que Davi teve o "privilégio" de assim acontecer-lhe, ao tornar-se rei, foi citado pelo profeta Natã como um dos *benefícios* que ele recebera ao tornar-se rei. Portanto, desde o começo ele tivera muitas mulheres e as adicionava continuamente a seu harém; mas nada disso o satisfez. Ele teve de possuir também Bate-Seba.

E, se isto fora pouco. Se ainda faltasse alguma coisa a Davi, incluindo mulheres, essas poderiam ser-lhe acrescentadas. Mas uma mulher estava fora de seu alcance, exatamente a que ele pensara que poderia ter. Portanto, o desastre lhe sobreviria.

O Antigo Testamento não registra como Davi se apropriou de tudo quanto Saul possuía. Não somos informados sobre alguma transferência de harém. Talvez, já possuindo muitas mulheres, ele preferiu não tomar mais nenhuma. Talvez tenha ficado com algumas poucas mulheres de Saul. Seja como for, toda a casa de Saul, o que sobrevivera dela, tornou-se sujeito a Davi, para fazer como melhor lhe parecesse.

■ **12.9**

מַדּוּעַ בָּזִיתָ אֶת־דְּבַר יְהוָה לַעֲשׂוֹת הָרַע בְּעֵינַי אֵת אוּרִיָּה הַחִתִּי הִכִּיתָ בַחֶרֶב וְאֶת־אִשְׁתּוֹ לָקַחְתָּ לְּךָ לְאִשָּׁה וְאֹתוֹ הָרַגְתָּ בְּחֶרֶב בְּנֵי עַמּוֹן׃

Por que, pois, desprezaste a palavra do Senhor. Temos aqui a aplicação de tudo. Visto que Davi possuía riquezas e potencial ilimitado, por que ele precisou tomar a *única coisa* que não poderia ser dele? Por que ele mandou que se assassinasse um de seus principais soldados, membro de suas tropas de elite, um dos seus melhores trinta homens (ver 2Sm 23.18,24)? Urias o acompanhara por muitos anos e havia compartilhado de todos os perigos da guerra, quando Davi estava consolidando o seu reino. Ver as notas sobre o fim do capítulo 10, quanto às *oito guerras* que Davi precisou desfechar a fim de consolidar o reino e estabelecer Israel em toda a Palestina. Ver no *Dicionário* o verbete denominado *Urias,* quanto aos muitos anos de serviço altruísta por ele prestado.

Embora conhecesse bem a lei mosaica, Davi havia violado o sexto e o sétimo dos *Dez Mandamentos* (ver a respeito no *Dicionário*). Ele não tinha vivido à altura da luz que possuía. Por causa de ambas as violações, ele deveria ter sido executado. Mas foi poupado da execução porque seu pecado lhe fora *perdoado* (ver o vs. 13). Assim sendo, sua vida foi poupada pelo próprio Yahweh, que tinha o direito de assim fazer, embora os homens nunca admitissem tal coisa. Davi ainda tinha de cumprir uma parte de sua missão, pelo que valia mais para Yahweh (fisicamente) vivo que morto. Ver sobre o vs. 13.

É verdade que os amonitas é que tinham matado Urias, mas foi o plano astucioso de Davi que provocara o acontecimento, pelo que Davi era o verdadeiro assassino. 2Sm 11.2 ss. descreve a questão com detalhes.

■ **12.10**

וְעַתָּה לֹא־תָסוּר חֶרֶב מִבֵּיתְךָ עַד־עוֹלָם עֵקֶב כִּי בְזִתָנִי וַתִּקַּח אֶת־אֵשֶׁת אוּרִיָּה הַחִתִּי לִהְיוֹת לְךָ לְאִשָּׁה׃ ס

Não se apartará a espada jamais da tua casa. O rude e violento Davi seria tratado com rudeza e violência, por pessoas de dentro e de fora de sua casa. "Durante a sua vida, e conforme apareceu na matança de seus filhos Amnom e Absalão, antes da morte de Davi, e Adonias, pouco depois, e em sua posteridade, através de guerras com outras pessoas" (John Gill, *in loc.*). Haveria longa sucessão de amargos ais pelos quais Davi teria de passar, que demonstrariam como opera a lei da colheita segundo a semeadura.

12.11

כֹּה֙ אָמַ֣ר יְהוָ֗ה הִנְנִ֨י מֵקִ֥ים עָלֶ֛יךָ רָעָ֖ה מִבֵּיתֶ֑ךָ
וְלָקַחְתִּ֤י אֶת־נָשֶׁ֙יךָ֙ לְעֵינֶ֔יךָ וְנָתַתִּ֖י לְרֵעֶ֑יךָ וְשָׁכַב֙
עִם־נָשֶׁ֔יךָ לְעֵינֵ֖י הַשֶּׁ֥מֶשׁ הַזֹּֽאת׃

Eis que da tua própria casa suscitarei o mal. O profeta Natã previu dois incidentes. Falou especificamente da revolta da própria casa de Davi, por meio de Absalão, seu filho, que tentou arrebatar-lhe o poder, fazendo-se, ele mesmo, rei. Além disso, esse mesmo filho fez sexo com várias das concubinas de Davi, da maneira mais gritante e pública (ver 2Sm 16.22). Essas calamidades aconteceriam em plena luz do sol, tornando tudo público diante de todos, ao passo que Davi, em seu caso com Bate-Seba, fizera o mal secretamente, procurando ocultar seus feitos atrevidos. A possessão das concubinas era um *sinal* de que Absalão, como filho do rei, já estava tomando o reino de seu antecessor. O fato de esse antecessor ser o próprio pai tornava a questão um escândalo público, feito de propósito para debilitar a autoridade de Davi entre o povo de Israel.

Homero, poeticamente, descreveu o sol como "aquele que vê todas as coisas" (*Odyss.* 11, vs. 119; 12, vs. 39). Assim, à luz do sol, todo o povo de Israel veria as desgraças de Davi.

12.12

כִּ֥י אַתָּ֖ה עָשִׂ֣יתָ בַסָּ֑תֶר וַאֲנִ֗י אֶֽעֱשֶׂה֙ אֶת־הַדָּבָ֣ר הַזֶּ֔ה
נֶ֥גֶד כָּל־יִשְׂרָאֵ֖ל וְנֶ֥גֶד הַשָּֽׁמֶשׁ׃ ס

Porque tu o fizeste em oculto. "... sabei que o vosso pecado vos há de achar" (Nm 32.23).

Embora os pecados de Davi tivessem sido praticados em segredo e supostamente sem poder, eles se levantariam de seu lugar oculto e marchariam em público para desgraça de Davi. E também trariam com eles todos aqueles acontecimentos miseráveis que Natã havia predito.

"Há um sentido no qual todos os pecados humanos estão em lugares elevados. Deus fez o homem 'por um pouco, menor do que Deus, de glória e de honra o coroaste' (Sl 8.5). O homem está infinitamente acima dos animais e, quando peca, inevitavelmente viola a imagem de Deus que há dentro dele... 'Não sabeis que sois santuário de Deus, e que o Espírito de Deus habita em vós?' (1Co 3.16). Ser alguém humano, e não apenas um animal irracional, já é elevada coisa. Não desista de sua humanidade em prol da satisfação de instintos animais que revertem o propósito de Deus no homem. Escreva a palavra pecado com *P* inicial maiúsculo. O castigo é grande porque o pecado é grande" (Ganse Little, *in loc.*).

12.13

וַיֹּ֤אמֶר דָּוִד֙ אֶל־נָתָ֔ן חָטָ֖אתִי לַיהוָ֑ה ס וַיֹּ֨אמֶר נָתָ֜ן
אֶל־דָּוִ֗ד גַּם־יְהוָ֛ה הֶעֱבִ֥יר חַטָּאתְךָ֖ לֹ֥א תָמֽוּת׃

Pequei contra o Senhor. Davi havia quebrado duas provisões principais da lei mosaica: adultério e assassínio, e isso era punível mediante execução capital. Como rei, ele escaparia da punição, mas não escaparia da intervenção direta de Yahweh, contra quem, em última análise, ele havia pecado.

Davi havia anulado sua dignidade humana e, durante algum tempo, vendara os olhos para o elevado privilégio e para o destino reservado aos homens: "A dignidade humana não é uma palavra vã. Quando um homem não está convencido disso, e nem tenta atingir a condição de sua dignidade, ele se rebaixa ao nível dos animais ferozes" (Lecomte du Nouy, em seu tratado intitulado *Human Destiny*).

Davi exercera as prerrogativas de reis pagãos e esquecera que ser rei de Israel era algo diferente. Ademais, ele havia assaltado a soberania de Deus. 1. Na qualidade de *filho* de Deus, ele fora desobediente. Não demonstrara amor pelo Pai. Rebelara-se contra as demandas corretas de seu *Pai*. 2. Ele era um instrumento escolhido da vontade de Deus, mas agira contra seu alto chamamento e esquecera seus privilégios especiais. 3. Ele se mostrara violento em sua conduta para com terceiros, cometendo crimes hediondos contra seu irmão e sua irmã da fé hebraica. Ele havia desconsiderado os cuidados que Deus tem por *outras pessoas,* e se tornara o centro de toda a sua atenção. Nisso ele violara a lei do amor ao próximo. Portanto, ele quebrou a própria intenção da lei: o amor a Deus e ao homem (ver Rm 13.8 ss.). Diariamente, a maioria de nós faz a mesma coisa, embora não envolva males tão óbvios, profundos e malignos. Contudo, diariamente, violamos o espírito tencionado da lei, por falta de amor. Ver no *Dicionário* o artigo chamado *Amor.*

Perdão e Vida Nova. O perdão divino foi estendido a Davi e isso o manteve vivo. Ele poderia retomar sua vida e trabalhar na direção de seu destino. Contudo, seus pecados haveriam de caçá-lo até o fim, trazendo uma amarga colheita.

As misericórdias do Senhor são a causa de não sermos consumidos, porque as suas misericórdias não têm fim.

Lamentações 3.22

O adultério poderia ter causado a execução capital de Davi (ver Lv 20.10), e igual seria o julgamento do homicídio (ver Lv 24.17). Mas houve a intervenção misericordiosa e amorosa de Deus. A ideia inteira do evangelho é a intervenção divina na vida humana. Isso reflete o *teísmo,* em vez do *deísmo.* Deus cria, é imanente em sua criação, guia, pune e recompensa, e não abandona a sua criação conforme ensina o deísmo. Ver sobre ambos os termos no *Dicionário.*

Muitos eruditos supõem que, após a entrevista com Natã, Davi compôs o famoso Salmo 51, o salmo de arrependimento e de perdão.

"Os pecados de Davi foram hediondos, mas a graça divina foi mais que suficiente para *perdoá-lo* e *restaurá-lo*" (Eugene H. Merrill, *in loc.*). Ver no *Dicionário* os artigos intitulados *Pecado* e *Perdão.*

12.14

אֶ֗פֶס כִּֽי־נִאֵ֤ץ נִאַ֙צְתָּ֙ אֶת־אֹיְבֵ֣י יְהוָ֔ה בַּדָּבָ֖ר הַזֶּ֑ה גַּ֗ם
הַבֵּ֛ן הַיִּלּ֥וֹד לְךָ֖ מ֥וֹת יָמֽוּת׃

O filho que te nasceu morrerá. Esta foi a punição imediata. O pecado de Davi fora complicado porque havia dado aos inimigos de Yahweh ocasião de blasfemar contra o nome divino e a fé estabelecida entre o povo hebreu. seu pecado não foi uma transgressão privada; também foi *pública* (comunitária) e *cósmica,* chegando a afetar o nome divino.

"A integridade de Deus é quase irreparavelmente atingida pelo comportamento dos que professam estar dedicados ao seu serviço. Há muito de hipocrisia no argumento do homem secular que critica a igreja por causa dos hipócritas que há nela. Muito tragicamente, porém, a conduta diária de um número muito grande de cristãos torna-os exatamente isso" (Ganse Little, *in loc.*). Naturalmente, *todo* homem espiritualmente sério, bem como o que não se mostra sério, é em certo grau hipócrita, porquanto nenhum homem espiritual vive segundo o padrão que estabeleceu para si mesmo, quanto menos de acordo com o padrão divino.

Notemos a diferença nas traduções. Nossa versão portuguesa diz que os *inimigos* de Yahweh é que tinham blasfemado contra seu santo nome. Mas a verdadeira tradução é a da *Revised Standard Version.* Fora *o próprio Davi* quem blasfemara do nome divino. Alguns escribas posteriores não conseguiram resistir à tentação de colocar a *blasfêmia* de Davi sobre os inimigos dos hebreus. Nossa versão portuguesa, pois, mantém erroneamente a palavra "inimigos".

Talvez o *terrível castigo* da morte de um filho infante não fosse grande coisa em uma corte oriental, onde havia tantas mulheres e tantos filhos. Mas Davi era um dedicado homem de família, apesar de seus vários defeitos de personalidade, e sentiu agudamente esse castigo, a ponto, provavelmente, de querer morrer em lugar daquele filho (conforme lhe aconteceu, posteriormente, por ocasião da morte de Absalão, 2Sm 18.33).

Três Grandes Problemas Teológicos. Em 2Sm 11.2 (parágrafo de introdução), examinei os três grandes problemas teológicos que essa história sugere: 1. O problema do mal: por que os homens sofrem e por que sofrem da maneira como sofrem. 2. A morte das crianças: por que essas mortes ocorrem? Que esperança há quanto a essa questão? 3. Que dizer sobre a *alma* dos infantes que morrem? Que acontece com ela?

■ 12.15

וַיֵּלֶךְ נָתָן אֶל־בֵּיתוֹ וַיִּגֹּף יְהוָה אֶת־הַיֶּלֶד אֲשֶׁר יָלְדָה אֵשֶׁת־אוּרִיָּה לְדָוִד וַיֵּאָנַשׁ׃

E a criança adoeceu gravemente. *Pouco depois* da predição condenatória feita por Natã, o filho de Davi e Bate-Seba adoeceu e nenhuma medida fez diferença alguma (vs. 14); até a oração, naquela oportunidade, foi inútil (vs. 16). Davi passou a noite inteira em oração e jejum. Aparentemente, ele continuou sua oração e jejum por sete dias, até que a criança morreu (vs. 18). Parece certo dizer que Davi nunca buscou a Yahweh com tanta diligência, por coisa alguma na vida, como fez pela vida de seu filho. Esse zelo em oração e esse amor por seu filho revelam-nos certas qualidades positivas da espiritualidade de Davi.

Na grande maioria das mortes infantis, não há envolvimento de nenhum pecado, nem dos pais e muito menos da criança (cf. Jo 9.1-3). Ademais, a grande maioria das crianças que nascem de mães solteiras não morre, como é evidenciado no Brasil, onde quase metade dos nascidos origina-se dessas mães. Por conseguinte, é precário tentar estabelecer qualquer tipo de regra geral a respeito das circunstâncias que cercaram o caso de Davi. Minha discussão sobre os três problemas teológicos que a história que temos à frente apresenta, entra em detalhes sobre a questão.

Crescimento Doutrinário. A fé dos hebreus sempre viu punições de pecados nos eventos trágicos. Existem, de fato, tais casos, mas não na grande extensão em que via a fé dos hebreus. Cf. o presente versículo com a maior iluminação refletida em Mq 6.7: "Agradar-se-á o Senhor de milhares de carneiros? de dez mil ribeiros de azeite? Darei o meu primogênito pela minha transgressão? o fruto do meu corpo pelo pecado da minha alma?" Um filho tem o direito de viver. Ele tem um destino inteiramente independente de seus pais e não morrerá por causa dos pecados deles. Ele é diretamente responsável, diante de Deus, por *seus próprios pecados,* e terá de satisfazer às demandas de *seu próprio destino.* Um ônibus repleto de evangelistas, ainda recentemente (1994), no Brasil, sofreu um desastre, e sua carga de gente foi morta, aparentemente de forma desnecessária. Onde estava Deus? Aí temos alguns mistérios, mas devemos continuar confiando no destino. Além disso, na Bíblia, temos o caso de certos galileus que foram mortos por Pilatos, e os pecados deles serviram de explicação, diante do povo judeu. Mas Jesus afirmou que eles não eram pecadores piores que outros homens, e outros homens não sofrem mortes violentas e aparentemente inúteis (ver Lc 13.2,3). Portanto, muito ainda temos de aprender sobre os *porquês* da vida e da morte, e minhas declarações em 2Sm 11.2 e nos artigos do *Dicionário* que abordam essas difíceis questões tentam lançar *alguma luz* sobre elas.

■ 12.16

וַיְבַקֵּשׁ דָּוִד אֶת־הָאֱלֹהִים בְּעַד הַנָּעַר וַיָּצָם דָּוִד צוֹם וּבָא וְלָן וְשָׁכַב אָרְצָה׃

Passou a noite prostrado em terra. Ficamos impressionados diante da misericórdia, da intensidade e do amor de Davi. Ele tinha tantas mulheres e tantos filhos; e, no entanto, a vida daquele recém-nascido, uma vez ameaçada, ocupou sua vida por uma semana inteira, antes de a criança morrer. "A real importância da passagem jaz na sua evidência por uma crença antiga no poder da oração intercessória" (George B. Caird, *in loc.*). Ver no *Dicionário* os verbetes chamados *Oração* e *Intercessão.*

O fato de que Davi passou a noite inteira em exercícios espirituais de humilhação demonstrou sua coragem espiritual em ação. Davi não se recolheu ao leito. Ele jazeu na terra dura e fria e continuou orando para que Yahweh impedisse a morte de seu filho e desfizesse a profecia condenatória de Natã. Muitas profecias são condicionais e podem *ser revertidas,* e, algumas vezes, somos reduzidos a tentar revertê-las mediante a oração. Algumas pessoas vão a santuários e fazem promessas especiais, aparentemente com algum sucesso.

A oração é mais forte que a profecia e pode anulá-la. A misericórdia de Deus governa todas as coisas, e o seu amor é sempre forte. Algumas profecias, porém, cumprem-se, a despeito das orações e das promessas feitas. Mas outras são, realmente, anuladas. Davi estava testando as águas espirituais. Ele falhou, mas muitos são bem-sucedidos. Oh, Senhor, concede-nos a graça do sucesso, quando estivermos enfrentando profecias de condenação. Dá-nos vida, não a morte! Dá-nos a presença dos seres amados, que continuem conosco, e não saudades por aqueles que se foram antes.

"O profundo amor de Davi pela criança não deve ser negligenciado" (Ellicott, *in loc.*).

■ 12.17

וַיָּקֻמוּ זִקְנֵי בֵיתוֹ עָלָיו לַהֲקִימוֹ מִן־הָאָרֶץ וְלֹא אָבָה וְלֹא־בָרָא אִתָּם לָחֶם׃

Então os anciãos da sua casa. Os ajudadores queriam aliviar a tristeza de Davi, levantando-o daquele chão úmido; mas ele repeliu todos os convites. Ele tinha negócios a tratar com Yahweh. A vida de seu filho estava pendurada na balança. Nada mais tinha importância, naquele momento, quanto menos o seu conforto. Os *anciãos,* pois, cuidavam de Davi. Eles não queriam continuar vendo o rei sofrer. Mas naqueles dias, Davi não cuidou de si mesmo. Um grande amor estava ali. Davi, hoje em dia, está com seu filho! Portanto, louvado seja Deus, que reverte todas as tristezas.

Esses "anciãos", muito provavelmente, eram oficiais de sua corte, seus mais elevados subordinados. Talvez pensassem que os negócios do Estado deveriam ocupar os pensamentos do rei. Davi, entretanto, não concordava com essa atitude. Contraste isso com um acontecimento que ocorreu na vida de Mussolini (ditador da Itália durante os tempos da Segunda Guerra Mundial). Um dia em que ele, em sua limusine, estava sendo transportado ao palácio para trabalhar com seus oficiais, uma criança, de súbito, correu à frente do carro. A criança foi esmagada e morta. Mas Mussolini ordenou que o motorista do carro não parasse. E comentou: "O que é uma vida, em comparação com os negócios do Estado?" Davi, em contraste, deixou que os oficiais esperassem por causa da vida de uma criança.

■ 12.18

וַיְהִי בַּיּוֹם הַשְּׁבִיעִי וַיָּמָת הַיָּלֶד וַיִּרְאוּ עַבְדֵי דָוִד לְהַגִּיד לוֹ כִּי־מֵת הַיֶּלֶד כִּי אָמְרוּ הִנֵּה בִהְיוֹת הַיֶּלֶד חַי דִּבַּרְנוּ אֵלָיו וְלֹא־שָׁמַע בְּקוֹלֵנוּ וְאֵיךְ נֹאמַר אֵלָיו מֵת הַיֶּלֶד וְעָשָׂה רָעָה׃

Ao sétimo dia morreu a criança. Somente a morte da criança pôs fim ao jejum e às intercessões fanáticas de Davi. Ele, porém, não foi informado imediatamente do fato, visto que seus servos temiam suas reações. Se Davi estivera tão terrivelmente quebrado pela crise antes da morte da criança, poderia agora ser completamente esmagado, e suas reações seriam imprevisíveis.

Três Grandes Problemas Teológicos. Esses três problemas que a história presente sugere são comentados em 2Sm 11.2 (parágrafo de introdução). Ver também os comentários sobre o vs. 15, quanto a ideias adicionais. Ver ainda os artigos no *Dicionário*, referidos nas notas sobre 2Sm 11.2. Nenhuma pessoa vive para si mesma, e ninguém morre para si mesmo (ver Rm 14.7). Existe uma comunidade na vida e na morte. Jesus nos ensinou acerca do sofrimento vicário, e esse é o tema de Is 53. Por outra parte, é difícil entender por que a criança teve de pagar pelo pecado de Davi, a menos que a preexistência (e/ou) a reencarnação esteja em pauta. Dizemos levianamente: "Seja feita a vontade de Deus"; mas queremos lançar alguma luz sobre os *porquês* e as operações da vontade divina, para que possamos compreendê-las melhor. Por que os homens sofrem, e por que sofrem conforme sofrem? Ver o artigo *Problema do Mal* no *Dicionário*. A morte de uma criança é especialmente triste. Precisamos de maior luz sobre esse problema. A imortalidade já é uma grande luz, mas admiramo-nos por que Deus, algumas vezes, age com tanta pressa. "Os bons morrem cedo", mas por que *tão* cedo? A morte "é a cura de todas as enfermidades" (sir Thomas Browne), mas por que deve uma criança ser curada tão cedo? O camelo negro da morte ajoelha-se, finalmente, diante de todos os homens, a fim de levá-los embora; mas por que alguns se vão tão cedo? Será verdade, conforme disse John Donne, que os que morrem não morrem, realmente? Ver na *Enciclopédia de Bíblia, Teologia e Filosofia* o artigo chamado *Imortalidade;* e no *Dicionário* o verbete chamado *Alma.* Mas por que alguns não recebem mais chances para viver aqui e cumprir uma missão? Talvez eles vão para outras esferas da vida e façam as mesmas coisas. É provável que essa seja uma das respostas. Outros pensam que a *reencarnação* (ver na *Enciclopédia*) é outra dessas respostas. Continuamos dando respostas e fazendo perguntas. Ver na *Enciclopédia* os artigos chamado *Morte* e *Experiências Perto da Morte.*

Aqueles a quem os deuses amam morrem cedo.

Menandro

Essas palavras de *Menandro* podem indicar uma verdade, pelo menos em alguns casos. Mas por que tão jovens? A verdade maior é esta:

Onde está, ó morte, a tua vitória?
onde está, ó morte, o teu aguilhão?

1Coríntios 15.55

12.19

וַיַּרְא דָּוִד כִּי עֲבָדָיו מִתְלַחֲשִׁים וַיָּבֶן דָּוִד כִּי מֵת הַיָּלֶד וַיֹּאמֶר דָּוִד אֶל־עֲבָדָיו הֲמֵת הַיֶּלֶד וַיֹּאמְרוּ מֵת׃

Davi, observando os servos, seus olhares furtivos e seus sussurros, sabia que seu filhinho tinha morrido. Portanto, fez a pergunta direta: "ele morreu?" E obteve a resposta direta: "Sim". O que ele tanto temia acontecera. Mas a alma da criança estaria bem. D. Scott Rogo compilou impressionantes evidências científicas de que tudo vai bem com as crianças que morrem. Ver na *Enciclopédia de Bíblia, Teologia e Filosofia* o artigo intitulado *Parapsicologia*, seção X, intitulada "O Mundo Psíquico de Crianças Moribundas", quanto à esperança que Rogo encontrou na morte dos infantes. Ele estivera "amargurado" pela morte de infantes, mas suas pesquisas lhe deram razões para não se sentir "tão amargurado". Nós, os crentes, temos contudo a fé bíblica. A alma das criancinhas que morrem fica bem. Doutrinas filosóficas também escudam a nossa fé. O *limbo* católico romano é um "tudo está bem com as crianças *ad hoc*", uma doutrina que surgiu mediante o raciocínio filosófico. A "idade da responsabilidade", dos grupos evangélicos, é outro raciocínio *ad hoc* em favor de algumas crianças. *Ad hoc* significa "inventado" exatamente com algum propósito em mira, ou seja, um *argumento* inventado para satisfazer um problema específico, em contraste com as *evidências*, que podem ser achadas na tentativa de solucionar um problema.

12.20

וַיָּקָם דָּוִד מֵהָאָרֶץ וַיִּרְחַץ וַיָּסֶךְ וַיְחַלֵּף שִׂמְלֹתָו וַיָּבֹא בֵית־יְהוָה וַיִּשְׁתָּחוּ וַיָּבֹא אֶל־בֵּיתוֹ וַיִּשְׁאַל וַיָּשִׂימוּ לוֹ לֶחֶם וַיֹּאכַל׃

Então Davi se levantou da terra. As lamentações de Davi cessaram. O costume usual era lamentar após a morte de uma pessoa. Davi, entretanto, reverteu o costume. A morte de seu filho assinalou o fim de suas lamentações. Portanto, ele não se desfigurou, nem se vestiu de cilício, nem jogou cinzas sobre a cabeça. Pelo contrário, ele se lavou, pôs roupas limpas e dirigiu-se ao tabernáculo para adorar. sua alma voltara a Yahweh. Então ele foi para casa. A tristeza não havia passado, mas a lamentação sim. Ver no *Dicionário* o artigo chamado *Lamentação,* quanto a detalhes sobre a questão. Talvez o que mais o tenha ajudado foi a certeza da imortalidade. Tudo estava bem com a alma de seu filho. Ver os comentários sobre o vs. 23. Algumas vezes, temos apenas de voltar à fé. É comum as pessoas perderem a fé em grandes tragédias. Mas não se preocupe com isso. A fé retorna conforme a dor passa.

A fé jaz morta com os olhos fechados para a luz do dia.
Imortalidade, uma grande verdade, dizem,
Aquela grande esperança, promessa dele.
Fé sem visão, diante de nada reage,
Contudo, não é menos verdade que isso.

Russell Champlin

Sabemos que Davi havia construído um tabernáculo temporário em Jerusalém. Por enquanto, ele não havia trazido o tabernáculo erigido no deserto para aquele lugar. Antes, tinha estabelecido a adoração em um tabernáculo provisório, enquanto esperava que o templo fosse construído por Salomão, seu filho. Ver em 2Sm 6 o transporte da arca para Jerusalém. O vs. 17 daquele capítulo mostra-nos que Davi construíra um tabernáculo temporário, que não era o mesmo que fora erigido no deserto. O tabernáculo do deserto (erigido por Moisés) aparentemente ficara em Gibeom, onde prosseguiu até o tempo de Salomão (ver 1Cr 21.29 e 2Cr 1.3,4). Ver as notas expositivas sobre 2Sm 6.17.

12.21

וַיֹּאמְרוּ עֲבָדָיו אֵלָיו מָה־הַדָּבָר הַזֶּה אֲשֶׁר עָשִׂיתָה בַּעֲבוּר הַיֶּלֶד חַי צַמְתָּ וַתֵּבְךְּ וְכַאֲשֶׁר מֵת הַיֶּלֶד קַמְתָּ וַתֹּאכַל לָחֶם׃

Disseram-lhe seus servos. Talvez fossem os mesmos "anciãos" referidos no vs. 17. Estes ficaram perplexos com a súbita recuperação de Davi, de sua profunda tristeza, e por ele não ter *começado* um período de lamentações. Mas Davi, naquele momento, seguia os ditames de seu coração, e não os ditames dos costumes da época. sua lamentação estava feita, conforme vimos no vs. 20. Podemos ter certeza, porém, de que seu coração ainda estava apertado, mas a grande crise havia passado. O tempo cura. Os servos, pois, perguntaram o *porquê* do fenômeno, cuja resposta aparece no vs. 22.

12.22

וַיֹּאמֶר בְּעוֹד הַיֶּלֶד חַי צַמְתִּי וָאֶבְכֶּה כִּי אָמַרְתִּי מִי יוֹדֵעַ יְחָנַּנִי יְהוָה וְחַי הַיָּלֶד׃

Respondeu ele. O *raciocínio de Davi* foi que a profecia poderia ter sido revertida ou anulada por sua oração. A profecia de Natã não era, necessariamente, irreversível. E ele precisava testar as águas. Ver como, algumas vezes, Yahweh muda de ideia (Êx 32.14).

O que Davi mais temia aconteceu. Agora nada mais ele tinha para temer. Há ocasiões em que tememos o próprio temor. E há ocasiões em que recebemos graça divina especial para suportar o que tememos. Por outra parte, tendo deixado o temor de lado, que cada homem viva a sua missão! A *esperança* de Davi era que a criança continuasse a viver; mas agora ela fora substituída pela esperança de que, embora "morta", a criança continuasse "viva" (vs. 23). Esse pensamento o reconfortava. Cf. este versículo com Jl 2.13,14 e Jn 3.9,10, quanto a uma esperança potencial que empresta coragem. O arrependimento pode trazer reversão da fortuna. O arrependimento *pode anular* profecias de condenação.

Naquele caso, a morte do filho de Davi era irrevogável. Deus seria gracioso com a alma da criança em algum mundo espiritual. E assim, consolando-se nesse pensamento, Davi foi capaz de suportar a morte irrevogável do filho. Davi exibiu admirável fortaleza de ânimo naquela hora, mas não foi uma fortaleza sem causa. O perdão provocara bons frutos, embora não exatamente o que Davi esperava.

"Quando a criança morreu, Davi humilhou-se diante da poderosa mão de Deus e descansou, satisfeito, com a sua graça, sem entregar-se a uma dor infrutífera" (O. von Gerlach, citado por Keil, *in loc.*).

12.23

וְעַתָּה מֵת לָמָּה זֶּה אֲנִי צָם הַאוּכַל לַהֲשִׁיבוֹ עוֹד אֲנִי הֹלֵךְ אֵלָיו וְהוּא לֹא־יָשׁוּב אֵלָי׃

Eu irei a ela, porém ela não voltará para mim. *Luz para o Meu Caminho.* Em meio a uma história negra, este versículo lança alguma luz.

Na esperança de que envie um raio brilhante
Para dentro do caminho que se alarga do futuro.

Washington Gladden

Alguns intérpretes, antigos e modernos, não acreditam que este versículo seja uma declaração favorável à imortalidade. Antes, eles destacam que o Pentateuco não contém nenhuma declaração distinta sobre esse assunto, e supõem que, a essa época, mais ou menos 1000 a.C., a fé dos hebreus ainda não havia incorporado a doutrina da imortalidade. *Nesse caso,* a declaração de Davi, de que sairia ao encontro do filho, mas que o filho não retornaria a ele, significaria apenas que, algum dia, ele também morreria e se juntaria aos mortos, em seus sepulcros, ou em algum hades sombrio, onde os espíritos pairam sem inteligência ou identidade pessoal, como entidades destituídas de "mente". Este versículo ensina um vago "ser reunido aos pais", expressão que significa, simplesmente, uma passagem para o estado dos mortos, e não para um estado de vida superior e melhor.

Quanto a "ser recolhido aos pais" ou ao "próprio povo", ver Gn 25.8,17 e 35.29,33.

Contra Essa Interpretação. Deve-se entender que, na época dos Salmos e Profetas, a doutrina da imortalidade da alma já havia entrado na fé dos hebreus. Considere-se a história da feiticeira de En-Dor. Ela certamente tem em mira a possibilidade de um espírito humano morto ser inteligente e ter identidade pessoal. Ver as notas expositivas sobre 1Sm 28.7,8,11,12, que comentam aquele caso particular e outros, além de dar referências a artigos, no *Dicionário,* que proveem informações adicionais. Ver os vários artigos sobre *Imortalidade,* na *Enciclopédia de Bíblia, Teologia e Filosofia.* O artigo sobre *Alma,* no *Dicionário,* dá uma lista de referências bíblicas, extraídas tanto do Antigo quanto do Novo Testamento, que apoiam esse conceito. Essa lista aparece na seção IV, sob o sexto ponto. Quando lemos os Salmos (a maior parte dos quais composta por Davi), encontramos, aqui e ali, claras referências à crença na alma. Considerando essas coisas, creio que é seguro supor que Davi, na declaração que estamos considerando, esperava encontrar-se de novo com seu filho, em alguma terra de luz. Naturalmente, não havia nessa época definições exatas sobre a vida pós-morte, dentro da fé dos hebreus. Essa tarefa foi deixada aos livros apócrifos e pseudepígrafos, que levaram avante e desenvolveram as tradições hebraicas. Contudo, a luz da imortalidade havia raiado sobre a mente de Davi e de outros hebreus, naquele antigo período.

> Quando eu chegar ao lado do Senhor,
> Que me tirou do abismo onde eu perecia,
> Haverei de ir para onde ele for —
> Imorredoura então será minha alegria.
> Ao atravessar a porta da cidade,
> Onde só entrarão os crentes em Jesus,
> Oh! quanta felicidade!
> Participarei eternamente em sua luz!
> Transformado, em um novo corpo
> Eu viverei, com ele!
>
> Hino de João M. Bentes

"Pouco a pouco ele se reuniria à sua criança" (Kennedy, em seu livro sobre *Samuel,* pág. 248).

"... para o céu e a felicidade eterna, onde a sua alma estava, conforme Davi confortadamente esperava e cria" (John Gill, *in loc.*).

"... essas palavras... dificilmente podem significar qualquer outra coisa senão uma expressão de *confiança* em uma vida de consciência no além-túmulo, e do futuro reconhecimento dos que amávamos na terra" (Ellicott, *in loc.*).

"Ó dia feliz, quando poderei abandonar esta multidão impura e corrupta e me reunir com aquela companhia divina que saiu desta terra antes de mim! No outro mundo encontrarei não somente as almas ilustres, mas também meu amigo Cato, um dos melhores homens que andou nesta esfera, um homem de virtude e piedade. Fui *eu* que coloquei o corpo dele na pilha funeral, para ser queimado, enquanto teria preferido que alguém assim me tivesse deitado. Ele viajou, mas nunca me abandonou, está naquele país além me esperando. Conforto-me com esta esperança. Depois de algum intervalo, estaremos juntos de novo" (Cícero, *De Senectute*).

A Idade da Responsabilidade? Alguns intérpretes cristãos têm usado o presente versículo para ensinar a doutrina duvidosa da *idade da responsabilidade,* isto é, aquelas pessoas (crianças) que morrem antes de certa idade não são responsáveis pelos seus pecados. O grupo incluiria débeis mentais ou pessoas insanas. Todavia, é difícil imaginar que uma pessoa, porque teve a sorte de morrer antes de certa idade (digamos 8 anos), iria diretamente para os céus. Mais difícil ainda é imaginar que tal alma iria para o inferno. A Igreja Católica Romana inventou, arbitrariamente, a doutrina do *limbo* para receber essas almas. A Igreja Ortodoxa Oriental acredita que tais pessoas continuam nem no inferno nem no céu, mas com plena oportunidade para ter fé na mensagem de Cristo, não aceitando a morte biológica como o fim da oportunidade para *qualquer alma.* Outros acham que essas almas reencarnarão para começar tudo de novo, *nesta terra.* Ver a investigação do problema no artigo detalhado, no *Dicionário,* chamado *Infantes, Morte e Salvação dos.* Infelizmente, as próprias Escrituras não fornecem informações sobre este problema, permitindo-nos adivinhar ou aplicar dogmas duvidosos. De qualquer maneira, a doutrina da "idade da responsabilidade" é racional, não bíblica.

■ 12.24

וַיְנַחֵם דָּוִד אֵת בַּת־שֶׁבַע אִשְׁתּוֹ וַיָּבֹא אֵלֶיהָ וַיִּשְׁכַּב עִמָּהּ וַתֵּלֶד בֵּן וַיִּקְרָא אֶת־שְׁמוֹ שְׁלֹמֹה וַיהוָה אֲהֵבוֹ׃

Conforto. Bate-Seba foi, moralmente, estuprada por Davi, para enfrentar depois uma tragédia que ela não causou. A causa da sua miséria, Davi, correu para o lado dela para confortá-la. Angústia compartilhada diminui, pelo efeito de uma lei psicológica que pouco entendemos. A mulher entrou no harém de Davi e tornou-se mãe de Salomão, um antepassado direto do Messias, Jesus, o Cristo, e assim o plano divino operou através de circunstâncias contrárias.

Salomão se tornou um instrumento especial de Yahweh, o construtor do templo, e a força que propiciou a *idade áurea* de Israel. Foi um homem grande com grandes vícios, mas a despeito de suas fraquezas, cumpriu sua missão divina. Raramente um grande filho segue um grande pai, mas ele foi uma exceção. Ver *Salomão* no *Dicionário.*

> Ai daquele que nunca vê
> As estrelas brilharem por entre os ciprestes!
> Os quais, sem esperança, sepultam seus mortos
> E não contemplam o novo dia que raia
> Do outro lado dos mármores coloridos da manhã;
> Esses não aprenderam, em horas de fé,
> A verdade desconhecida da carne e dos sentidos,
> Que a vida sempre é Senhora da morte,
> E que a morte nunca perde os seus!
>
> John Greenleaf Whittier

■ 12.25

וַיִּשְׁלַח בְּיַד נָתָן הַנָּבִיא וַיִּקְרָא אֶת־שְׁמוֹ יְדִידְיָהּ בַּעֲבוּר יְהוָה׃ פ

Um Nome Especial. Este versículo não é claro e as traduções variam. Alguns intérpretes acreditam que Natã tenha recebido a tarefa de criar Salomão. Mas provavelmente, a ideia é que Yahweh (vs. 24) inspirou Natã a mandar um mensageiro a Davi, dando ordens para ele chamar o recém-nascido de *Jedidias.* O resultado foi Salomão ter dois nomes, uma circunstância comum em Israel. *Jedidias* significa "amado de Yahweh", o Eterno Deus que lhe concedeu privilégios especiais. Este outro nome de Salomão não aparece mais nas Escrituras, e provavelmente era pouco usado.

Uma Lição do Texto. O poder de Deus é adequado para reverter qualquer erro ou deslize, operando maravilhas na vida dos piores pecadores.

A GUERRA CONTRA OS AMONITAS TERMINA (12.26-31)

A poderosa e terrível máquina de guerra, Joabe, o general de Davi, continuou sua guerra contra os amonitas. Este trecho dá prosseguimento à história que estava sendo contada antes do episódio de Bate-Seba (cap. 10). O inimigo foi vencido e fugiu para sua capital, Rabá, que era uma cidade altamente fortificada (11.1). Davi venceu *oito* mininações (ver as notas ao fim da exposição sobre o cap. 10). Os amonitas foram a última nação a ser subjugada, passando Davi a ganhar controle de toda a Palestina. Aqueles que não foram aniquilados se tornaram escravos e assim iniciou-se para Salomão um tempo de paz. Jerusalém ficou sendo a capital de Israel, e com os esforços de Salomão foi efetivada a *Idade Áurea*, um tempo de grande prosperidade e expansão de território. Por um tempo curto, Israel tornou-se *chefe* das nações daquela parte do mundo.

■ 12.26

וַיִּלָּחֶם יוֹאָב בְּרַבַּת בְּנֵי עַמּוֹן וַיִּלְכֹּד אֶת־עִיר
הַמְּלוּכָה׃

Cidade real. Melhor traduzir-se *fortaleza de água*, referindo-se às fortificações que defenderam o fornecimento de água para a cidade. Políbio (*Hist.* v.71) explica como Antíoco, em 218 a.C., capturou as fontes do fornecimento de água de Rabate-Amom e, assim, logo fez a cidade se render. Ver o texto paralelo do presente trecho, em 1Cr 20.2. "Rabate se situava em um vale estreito na parte superior do rio Jaboque, ocupando os dois lados do riacho. sua fortaleza se localizava no topo de um rochedo íngreme no lado norte" (Ellicott, *in loc.*).

■ 12.27,28

וַיִּשְׁלַח יוֹאָב מַלְאָכִים אֶל־דָּוִד וַיֹּאמֶר נִלְחַמְתִּי
בְרַבָּה גַּם־לָכַדְתִּי אֶת־עִיר הַמָּיִם׃
וְעַתָּה אֱסֹף אֶת־יֶתֶר הָעָם וַחֲנֵה עַל־הָעִיר וְלָכְדָהּ
פֶּן־אֶלְכֹּד אֲנִי אֶת־הָעִיר וְנִקְרָא שְׁמִי עָלֶיהָ׃

A Situação. Joabe, aquele guerreiro bravo e brutal, aquela *máquina mortífera*, quase tinha acabado com os amonitas, mas quis dar a Davi o crédito pela vitória final. Assim foi que o próprio Davi comandou o ataque derradeiro. Naturalmente, fora ele que durante muitos anos havia lutado contra os *oito inimigos* de Israel, como está anotado no fim dos comentários sobre o cap. 10. Assim, ele mereceu o *crédito* da vitória final. Joabe não quis o crédito e nem aceitaria uma mudança no nome de *Rabá* para *Joabeville*. Joabe quis ficar no segundo lugar, sendo o general, não o rei; por muitos anos ele ocuparia essa posição com orgulho.

A história romana apresenta um paralelo, um incidente semelhante. O general Aulo Plauto invadiu a Britânia em 43 d.C. e ganhou muitas batalhas sangrentas. Quando viu que a guerra logo terminaria com grande sucesso, mandou uma mensagem para Cláudio, o imperador, para acorrer ao local da batalha e liderar o ataque final, o que de fato sucedeu. Aulo cumpriu sua missão gloriosamente, mas não tinha pretensões políticas.

Outro Exemplo Histórico. "Cratero, na batalha de Artacacua, prestes a capturá-la, esperou a chegada de Alexandre, para que ele pudesse receber a glória e o crédito da vitória" (John Gill, referindo-se a *Curt. Hist.*, 1.6.c.6).

■ 12.29

וַיֶּאֱסֹף דָּוִד אֶת־כָּל־הָעָם וַיֵּלֶךְ רַבָּתָה וַיִּלָּחֶם בָּהּ
וַיִּלְכְּדָהּ׃

Davi Fez a sua Parte. O que Joabe não realizou por completo, Davi concretizou em um tipo de *operação de limpeza*. Davi recebeu o crédito da vitória final, como Joabe tanto quis. Ver os comentários sobre os vss. 27-28.

A Lição. Nenhum grande homem vence sozinho, sempre tem a ajuda de pessoas-chaves que representam uma variedade de talentos.

■ 12.30

וַיִּקַּח אֶת־עֲטֶרֶת־מַלְכָּם מֵעַל רֹאשׁוֹ וּמִשְׁקָלָהּ כִּכַּר
זָהָב וְאֶבֶן יְקָרָה וַתְּהִי עַל־רֹאשׁ דָּוִד וּשְׁלַל הָעִיר
הוֹצִיא הַרְבֵּה מְאֹד׃

Recolhendo os Benefícios. Finda a batalha, o exército de Joabe e Davi efetuou pilhagem considerável. O tesouro nacional dos amonitas passou às mãos de Davi, inclusive a coroa do rei daquele povo, que havia cometido erros irreversíveis ao rejeitar a amizade de Davi (10.1 ss.), ceifando uma colheita amarga. A coroa rica foi perdida, bem como todos os bens do povo.

Talento de ouro. Naquela época, antes do uso de moedas, *pesos* de metais preciosos serviam como padrões de valores. O talento de ouro pesava cerca de 30 kg. Algumas versões informam que era o *ídolo principal* dos amonitas que "usava" esta coroa, não o rei; mas o Texto Massorético "coloca" esta coroa extremamente pesada na cabeça do rei. (Ver sobre *Massora (Massorah); Texto Massorético*, no *Dicionário*). É difícil imaginar um homem usando uma coroa daquele peso por mais de alguns segundos. De qualquer maneira, era o tesouro principal daquele povo e, no presente texto, representa a perda geral dos amonitas. Ver sobre *Pesos e Medidas* no *Dicionário*, e também sobre *Dinheiro*.

Rei. No hebraico, *malkam*, uma substituição proposital da palavra comum, referindo-se a *Moleque*, que era a divindade principal daquele povo. O *malkam* era o representante de *Moleque* (ver no *Dicionário*).

A coroa foi colocada na cabeça de Davi, o que o tornava rei dos amonitas; seu poder era assim demonstrado e sua pessoa glorificada; ele consolidou suas vitórias nessa cerimônia. Sendo rei, ele assumiu controle sobre todas as riquezas dos amonitas; matou a maioria dos homens; levou cativa a maioria das mulheres, para aumentar os haréns de Israel. Provavelmente, parte da riqueza adquirida foi destinada à construção do templo.

■ 12.31

וְאֶת־הָעָם אֲשֶׁר־בָּהּ הוֹצִיא וַיָּשֶׂם בַּמְּגֵרָה וּבַחֲרִצֵי
הַבַּרְזֶל וּבְמַגְזְרֹת הַבַּרְזֶל וְהֶעֱבִיר אוֹתָם בַּמַּלְבֵּן
וְכֵן יַעֲשֶׂה לְכֹל עָרֵי בְנֵי־עַמּוֹן וַיָּשָׁב דָּוִד וְכָל־הָעָם
יְרוּשָׁלִָם׃ פ

Trabalho de Escravo. Os sobreviventes da guerra, normalmente, tornavam-se escravos do povo conquistador. Sempre havia muito trabalho pesado em construções e escavações. Rabá tornou-se um acampamento de escravos, assim como outras cidades dos amonitas. Aquele povo se ajuntou aos outros sete vencidos, como uma fonte de trabalho escravo, e Salomão, construindo seu império, os utilizou nas suas muitas obras. Todas as classes do povo fundiram-se numa só: a escrava. Ninguém se preocupou com a dignidade humana, e grandes massas de pessoas viveram em condições piores do que os animais. Ver no *Dicionário* os artigos *Escravidão* e *Escravo, Escravidão*.

Serras. O paralelo 1Cr 20.3 traz "ele os cortou com serras"; alguns veem estes homens usando serras para trabalhar, e não sendo cortados por elas. Provavelmente, as duas coisas aconteceram: alguns foram sacrificados brutalmente enquanto outros trabalharam exaustivamente com serras.

Machados de ferro. Isto é, instrumentos pesados feitos de ferro, frequentemente equipados com pontos agudos nos lados inferiores, para fazê-los instrumentos apropriados para debulhar grãos. Trabalho duro de fazendas está em vista.

Fornos de tijolos. À margem do texto hebraico lê-se "através de *Malkam*" o que poderia significar que Davi forçou alguns dos cativos a passar através de fornos, isto é, para serem queimados vivos, porque eram idólatras. Eles passaram através dos fogos de *Moleque*, do mesmo modo que outros foram forçados a fazer. Outros intérpretes acham que esta referência somente fala do trabalho de fabricar tijolos. Talvez as duas coisas fossem praticadas, ou seja, alguns morreram (executados) brutalmente, enquanto outros trabalharam fazendo tijolos e construindo edifícios. Ver *Moleque, Moloque*, no *Dicionário*.

Tendo realizado suas conquistas e obtido vitória final sobre os oito povos idólatras, Davi voltou para Jerusalém para, sentado no seu trono, administrar o reino.

CAPÍTULO TREZE

CONSEQUÊNCIAS TEMPORAIS DO PECADO (13.1—19.10)

... o vosso pecado os há de atingir...

Números 32.23

A alma de Davi escapou de um julgamento, pelo perdão de Yahweh e pelo princípio da graça. Mas a *Lei Moral da Colheita segundo a*

Semeadura (ver no *Dicionário*) traria muitas misérias para a vida do rei. seu adultério e o assassinato de um inocente exigiam sofrimentos drásticos. Davi ia pagar por seus pecados e sofrer como ele havia feito outros sofrerem. O profeta Natã profetizou a respeito disso (12.10,11) e tudo precisava ser cumprido para satisfazer a justiça de Deus.

A família de Davi ia sofrer sob a espada do Senhor, como Natã havia falado (12.10); ele destruiu uma família e a sua também seria destruída. A *lex talionis*, pagamento em gênero, seria satisfeita. Ver esse título no *Dicionário*. Compare-se com Êx 21.23-25; Lv 24.19-21; Dt 19.21, onde a operação daquela lei se ilustra.

Absalão matou seu meio-irmão, Amnom, vingando o estupro de uma irmã. Absalão se exilou por causa deste ato, receando vingança por parte do rei. Restaurado, não recebeu o favor do rei e se rebelou contra ele, procurando assumir o controle do reino. O sempre fiel general de Davi, Joabe, a máquina de matanças, matou Absalão, o que causou grande sofrimento para o seu pai. Davi, que venceu oito inimigos poderosos, perdeu a batalha de disciplina na sua própria família. Assim, sofreu dores de cabeça e de coração, provocadas por seus filhos, rebeldes pecadores.

"Por causa de seu caso com Bate-Seba, Natã informou Davi que a espada nunca sairia de sua casa (12.10). Logo o rei sofreu o que fora predito: um coração partido, estupro e assassinato no seio de sua família" (Eugene H. Merrill, *in loc.*).

■ **13.1**

וַיְהִי אַחֲרֵי־כֵן וּלְאַבְשָׁלוֹם בֶּן־דָּוִד אָחוֹת יָפָה וּשְׁמָהּ תָּמָר וַיֶּאֱהָבֶהָ אַמְנוֹן בֶּן־דָּוִד׃

Absalão. Ver sobre este título no *Dicionário*.

Tamar. Ver no *Dicionário*. Davi tinha muitas esposas e muitos filhos e filhas, que eram inumeráveis meios-irmãos. Essa circunstância armou o palco para certas atrocidades de meio-irmão contra meia-irmã, e meio-irmão contra meio-irmão. Amnom estuprou Tamar (uma meia-irmã); Absalão matou Amnom, seu meio-irmão. Faltou amor na família de Davi; faltou disciplina; faltou decência. Davi, o grande guerreiro, ganhou todas as vitórias contra os inimigos de Israel, mas perdeu a batalha na sua própria casa.

Amnom. Era o filho mais velho de Davi e Ainoã (3.2). Absalão e Tamar eram filhos de Davi com sua esposa *Maacá* (ver no *Dicionário* sob ponto 2).

A lei proibia relações sexuais entre meios-irmãos (Lv 18.9), mas, na prática, a despeito da proibição, isso era comum. Ver Gn 11.29; 20.12. Infelizmente, Amnom *ficou doente*, devido ao amor por Tamar, e morreria se não a possuísse (ou assim havia pensado). Ele não tinha planos de se casar com ela, apenas diminuiria o valor da mulher, com um ou mais atos sexuais. Se tivesse proposto casamento no início, provavelmente isto não lhe teria sido negado. Mas, como todos os *machos*, quis sexo primeiro, para pensar em reparação depois. Não houve tempo para pensar, logo foi assassinado e não pensaria em mais nada. Ver sobre *Incesto*, no gráfico que acompanha Lv 18, que relata toda a legislação mosaica sobre esse assunto.

Tamar era, sem dúvida, uma moça muita bonita, e a beleza feminina enlouquece os homens. Amnom ficou "louco e doente", contemplando a beleza da mulher, e logo caiu em fatalidade. Sendo um sedutor experiente, não teve problema em cumprir seus planos desgraçados.

... a amou. "...não de maneira honrada, para fazer dela sua esposa, mas de maneira concupiscente. Quis fazer dela uma prostituta, não uma esposa" (John Gill, *in loc.*).

■ **13.2**

וַיֵּצֶר לְאַמְנוֹן לְהִתְחַלּוֹת בַּעֲבוּר תָּמָר אֲחֹתוֹ כִּי בְתוּלָה הִיא וַיִּפָּלֵא בְּעֵינֵי אַמְנוֹן לַעֲשׂוֹת לָהּ מְאוּמָה׃

Angustiou-se Amnom... O homem "se fez doente" (RSV), com olhares e imaginações devassas, seu desejo perverso ficou fora de controle e ele foi vítima de seu lado animal. Ela era, além de bela, virgem, o que sempre atrai a atenção dos lobos-sedutores-predadores. Qualquer moça hebreia solteira era considerada virgem. A palavra *alma* significa tanto *moça* como *virgem*, embora, primariamente, significasse *moça*.

Uma moça da casa real teria pouca liberdade, portanto, Amnom teve de inventar uma ação extraordinária para ter acesso à presença da mulher, *sozinho*. Sendo um sedutor experiente, um pouco de maquinação forneceu-lhe um plano perfeito.

Um Paralelo Estranho. Antíoco era filho de Seleuco. Ele começou a amar loucamente sua madrasta, adoeceu e desesperou-se por causa desse amor (pode-se acreditar nisto?). O pai, esperando curar o filho de sua loucura, entregou-lhe a mulher para com ela ter sexo. Minha fonte de informações não informa se o plano funcionou ou não.

Troilus era outro doente de amor; não podia dormir mais, nem comer, ficou parecendo um velho, de tanto auto-abuso (Chaucer, *Troilus e Criseyde*, liv. 1,11. 494-497).

Filo nos informa (*In Flaceum*, par. 977) que na sociedade judaica de seus dias, as virgens eram vigiadas com muito cuidado, para não permitir a aproximação dos *lobos*. *Focilides* declarou que as virgens devem ser confinadas e vigiadas para evitar dores de cabeça e desgraças múltiplas. (*Poem admon*. v. 203,204)

A segregação de Tamar na casa de sua mãe não deu oportunidade para Amnom aproximar-se e realizar suas loucuras. Mas Amnom criou suas próprias oportunidades, enganando o próprio pai. Era traidor da família. Obviamente, o texto indica que cada esposa do rei tinha sua própria casa e sua família com ela, enquanto o rei *circulava* entre casas e esposas.

■ **13.3**

וּלְאַמְנוֹן רֵעַ וּשְׁמוֹ יוֹנָדָב בֶּן־שִׁמְעָה אֲחִי דָוִד וְיוֹנָדָב אִישׁ חָכָם מְאֹד׃

O Plano Audacioso. Nada podia vencer o sedutor-predador Amnom. Lá estava Tamar confinada na casa da mãe, com guardas dando olhares nada amigáveis para qualquer homem que se aproximasse. As moças davam risadinhas com a aproximação dos rapazes, e lançavam olhares sugestivos para eles, que os recebiam com olhares idênticos, mas nada mais sério ocorria. "Os velhos" sempre arruinavam a diversão. Ninguém chegava perto da bela Tamar, até que Jonadabe, primo de Amnom, imaginou um plano diabólico que desfaria a segurança da casa da mãe de Tamar.

Jonadabe era um malandro confesso e muito astuto, tendo seduzido um número recorde de mulheres, inclusive virgens. Por ser sobrinho de Davi, Tamar teria alguma confiança nele como "membro" da família real. Tradicionalmente, as mulheres são fáceis de se enganar, portanto Tamar logo cairia em sua lábia. Se ela não aceitasse a aproximação sexual de Amnom, ele resolveria o caso com um estupro. Tradicionalmente, as mulheres ficam sabendo tarde demais a verdadeira natureza dos "candidatos ao casamento".

Simeia. Era pai de Jonadabe e o terceiro filho de Jessé (1Sm 16.9, onde se chama *Samá*), portanto irmão de Davi. Ver no *Dicionário*.

A Situação Estranha. Um primo traiu uma prima (Tamar) em favor de outro primo (Amnom), o qual partiu o coração do rei Davi, o patriarca da família. A família inteira tornou-se desgraçada. Jonadabe era homem inescrupuloso e cheio de truques, causando muitas dificuldades. Daí resultou, afinal, uma guerra civil, com a consequente brecha política em Israel.

■ **13.4**

וַיֹּאמֶר לוֹ מַדּוּעַ אַתָּה כָּכָה דַּל בֶּן־הַמֶּלֶךְ בַּבֹּקֶר בַּבֹּקֶר הֲלוֹא תַּגִּיד לִי וַיֹּאמֶר לוֹ אַמְנוֹן אֶת־תָּמָר אֲחוֹת אַבְשָׁלֹם אָחִי אֲנִי אֹהֵב׃

Amnom, doente e louco de concupiscência, piorava a cada dia; ganhou aparência de uma pessoa doida; parou de dormir e emagrecia a olhos vistos. Como Schopenhauer comentou, "O amor é uma insanidade curável pelo casamento". Todavia, Amnom ia testar a "cura" através de estupro, não do casamento. Ele tinha pressa de se curar. Jonadabe não entendeu como o príncipe e filho mais velho do rei podia ter chegado ao ponto onde estava, mental e fisicamente. Afinal, Tamar era somente uma mulher e não merecia toda aquela agonia. Ela era a *raiz* do problema, e Jonadabe decidiu arrancar a raiz do chão, realizando um ato de "misericórdia" em favor do "pobre" Amnom. Ele era o filho mais velho do rei, herdeiro do trono, e era intolerável estar doente, meramente por causa de uma mulher. O bom senso exigia a cura da doença de Amnom, para breve. Note-se que ele chamou Tamar de irmã de Jonadabe, não de sua irmã e, presumivelmente, essa observação diminuiu seu "crime em formação".

13.5

וַיֹּ֤אמֶר ל֣וֹ יְהוֹנָדָב֮ שְׁכַ֣ב עַל־מִשְׁכָּבְךָ֮ וְהִתְחָ֒ל֒ וּבָ֣א אָבִ֣יךָ לִרְאוֹתֶ֔ךָ וְאָמַרְתָּ֣ אֵלָ֗יו תָּ֣בֹא נָ֞א תָמָ֣ר אֲחוֹתִ֗י וְתַבְרֵ֙נִי֙ לֶ֔חֶם וְעָשְׂתָ֤ה לְעֵינַי֙ אֶת־הַבִּרְיָ֔ה לְמַ֙עַן֙ אֲשֶׁ֣ר אֶרְאֶ֔ה וְאָכַלְתִּ֖י מִיָּדָֽהּ׃

Uma "Doença" Agiu como Salvação. O "pobre" Amnom, de súbito, ficou *realmente doente* e precisava de ajuda urgente. Ajuda adequada podia surgir somente de Tamar; ela foi eleita para servir *o monstro*. Jonadabe apelou para o espírito humanitário de Tamar, como enfermeira. Ela ia servir Amnom, seu meio-irmão, um privilégio, porque, afinal, ele seria rei algum dia. Grande seria a surpresa dela, descobrindo que Amnom estava doente de concupiscência, o que fizera dele uma besta que a devoraria.

"Não diga que os *dias antigos* eram melhores do que os nossos. Joga fora todos aqueles dias! Devemos agradecer a Deus porque são *passados* e orar para que nunca voltem" (Adam Clarke, *in loc.*).

Pai. A primeira pessoa a ser enganada foi o próprio rei, pai da moça. Somente ele tinha autoridade para deixar Amnom se aproximar de Tamar. Enganado, ele "permitiu a matança da cordeira".

13.6

וַיִּשְׁכַּ֥ב אַמְנ֖וֹן וַיִּתְחָ֑ל וַיָּבֹ֨א הַמֶּ֜לֶךְ לִרְאוֹת֗וֹ וַיֹּ֨אמֶר אַמְנ֜וֹן אֶל־הַמֶּ֗לֶךְ תָּֽבוֹא־נָ֞א תָּמָ֤ר אֲחֹתִי֙ וּתְלַבֵּ֣ב לְעֵינַ֔י שְׁתֵּ֣י לְבִב֔וֹת וְאֶבְרֶ֖ה מִיָּדָֽהּ׃

Davi visitou seu filho "doente" para confortá-lo. Sentiu pena dele, não percebendo que era um devasso pronto a cometer um crime contra a própria irmã. Amnom era doente, sim, mas era a sua alma que sofria das doenças do demônio. Foi fácil enganar Davi que, sem o saber, deu a "ordem fatal" que permitiu o prosseguimento do plano diabólico. A profecia de Natã contra a família de Davi começou a se realizar. A primeira de uma série de desgraças estava prestes a acontecer. Ver 12.10,11. O próprio rei era culpado de adultério e assassinato por causa de *sua* concupiscência, e seu filho estava seguindo o mesmo caminho. Um pai deve ao seu filho três coisas: *exemplo; exemplo; exemplo.* Davi tinha dado um exemplo que Amnom seguiu, um exemplo perverso e poderoso.

13.7

וַיִּשְׁלַ֥ח דָּוִ֛ד אֶל־תָּמָ֖ר הַבַּ֣יְתָה לֵאמֹ֑ר לְכִ֣י נָ֗א בֵּ֚ית אַמְנ֣וֹן אָחִ֔יךְ וַעֲשִׂי־ל֖וֹ הַבִּרְיָֽה׃

Davi mandou um mensageiro à casa da mãe de Tamar, onde a moça morava, e deu uma *ordem* para que ela servisse Amnom. Cada filho do rei tinha sua própria casa e serventes; as esposas do rei tinham suas casas e certa autonomia para cuidar de seus afazeres. Mas a casa da mãe de Tamar ia *emprestar* Tamar para servir o monstro, limpando, cozinhando e fazendo o papel de enfermeira. O processo ia levar diversos dias. Ficamos atônitos lendo que Amnom estuprou a pobre Tamar no *primeiro* dia. O diabo tem pressa. Ver os vss. 9 ss. A imaginação carnal não tem paciência, exigindo satisfação imediata.

13.8

וַתֵּ֣לֶךְ תָּמָ֗ר בֵּ֚ית אַמְנ֣וֹן אָחִ֔יהָ וְה֖וּא שֹׁכֵ֑ב וַתִּקַּ֨ח אֶת־הַבָּצֵ֤ק וַתָּ֙לָשׁ֙ וַתְּלַבֵּ֣ב לְעֵינָ֔יו וַתְּבַשֵּׁ֖ל אֶת־הַלְּבִבֽוֹת׃

Tamar, de nada suspeitando, começou as suas tarefas, inclusive preparando as refeições do malandro-predador. Ele a olhava, seu desejo perverso crescendo a cada segundo. O Talmude (T. Bab. Sanhedrin, fol. 21.1) supõe que ela estivesse preparando um pão leve que não levaria muito tempo para fazer, porque o "pobrezinho" estava com fome. O plano do perverso Jonadabe estava dando certo. Ele tinha um talento especial no tratamento com mulheres. A pobre Tamar não teve chance desde o início.

"A nossa mocidade deve ser advertida contra 'amigos espertos'. Tenha cuidado com aquele 'amigo' que sabe obter, com facilidade, coisas ilegais. Afinal, Jonadabe não era tão esperto como pensava: ele ajudou Amnom a cometer um crime, mas depois não soube evitar as consequências desastrosas de seu ato tolo" (Ganse Little, *in loc.*). Tamar foi estuprada, mas no final Amnom foi executado.

13.9

וַתִּקַּ֤ח אֶת־הַמַּשְׂרֵת֙ וַתִּצֹ֣ק לְפָנָ֔יו וַיְמָאֵ֖ן לֶאֱכ֑וֹל וַיֹּ֣אמֶר אַמְנ֗וֹן הוֹצִ֤יאוּ כָל־אִישׁ֙ מֵֽעָלַ֔י וַיֵּצְא֥וּ כָל־אִ֖ישׁ מֵעָלָֽיו׃

Amnom desenvolveu *grande apetite* que o abalava, não para comer, mas para estuprar uma virgem. Naquela hora, a comida não o atraiu, porque ele tinha outro *prato* para consumir, bem mais interessante. A fim de não haver interferência na execução de sua violência, ele mandou todos para fora da casa, menos Tamar. Fingiu dormir e não quis que o perturbassem. Pendurou uma placa com os dizeres "Não perturbe", na porta. Ficou sozinho com Tamar e seu desejo perverso se inflamou. Tamar, com sua mente inocente, não suspeitou de nada, nem quando Amnom havia mandado todo mundo embora.

13.10

וַיֹּ֨אמֶר אַמְנ֜וֹן אֶל־תָּמָ֗ר הָבִ֧יאִי הַבִּרְיָ֛ה הַחֶ֖דֶר וְאֶבְרֶ֣ה מִיָּדֵ֑ךְ וַתִּקַּ֣ח תָּמָ֗ר אֶת־הַלְּבִבוֹת֙ אֲשֶׁ֣ר עָשָׂ֔תָה וַתָּבֵ֛א לְאַמְנ֥וֹן אָחִ֖יהָ הֶחָֽדְרָה׃

Tamar entrou no quarto do monstro-predador, quando ele a mandou trazer pão. Amnom estava tão "doente" que nem podia se levantar para pegar o pão. Tamar tinha que colocar a comida na boca dele. Ainda de nada suspeitando, obedeceu a todas as ordens dele. Afinal, quando o filho do rei chama, obedece-se.

13.11

וַתַּגֵּ֥שׁ אֵלָ֖יו לֶאֱכֹ֑ל וַיַּֽחֲזֶק־בָּהּ֙ וַיֹּ֣אמֶר לָ֔הּ בּ֛וֹאִי שִׁכְבִ֥י עִמִּ֖י אֲחוֹתִֽי׃

Tamar se aproximou da cama, e logo Amnom a agarrou. Ele não empregou nenhuma sutileza, como Jonadabe provavelmente teria empregado. Amnom, queimando de desejo, não tinha tempo para o jogo da sedução: *estupro* era o nome do seu jogo. Jonadabe, com sua língua falaz, teria tentado seduzir, um ato mais "gentil". Todavia, sedução é uma forma de estupro.

13.12

וַתֹּ֣אמֶר ל֗וֹ אַל־אָחִי֙ אַל־תְּעַנֵּ֔נִי כִּ֛י לֹא־יֵעָשֶׂ֥ה כֵ֖ן בְּיִשְׂרָאֵ֑ל אַֽל־תַּעֲשֵׂ֖ה אֶת־הַנְּבָלָ֥ה הַזֹּֽאת׃

O Crime de Estupro. Tal ato é uma violação, não meramente contra o corpo de uma mulher, mas contra sua própria pessoa. Vítimas de estupro quase sempre informam a natureza odiosa do ato e como ele causa desgosto, receio e depressão por longo tempo. Amnom perpetrou dois crimes: estupro e incesto ao mesmo tempo. O castigo contra estupro e incesto era execução judicial (Lv 20.17). Tamar estava livre de culpa, porque fora forçada (Dt 22.25-29). Na sociedade hebraica, a perda da virgindade antes do casamento era considerada *maldição* (Dt 22.13-21). Podia ser parcialmente "consertada" se o homem envolvido casasse com a mulher. Ver as anotações sobre Gn 4.7, que relatam alguma coisa semelhante ao presente texto.

Loucura. Foi a palavra que Tamar usou para descrever o ato de Amnom, mas não sabia a extensão dos danos que aquela loucura traria. O próprio Amnom seria executado por um irmão. sua loucura o esmagou e iniciou um período de desintegração da família real.

Ainda hoje, em alguns lugares no mundo (como em alguns Estados do sul dos EUA), estupradores são executados. Podemos pensar que isto é radical, mas em muitos lugares o *aborto* é legal. Também, a maioria dos países permite o aborto para vítimas de estupro. As leis do antigo Israel consideravam estupro um crime menor, no caso de mulheres solteiras não virgens. Era considerado mais sério estuprar uma mulher casada ou uma virgem. Leis modernas não concordam com estas distinções. Uma mulher estuprada é uma mulher estuprada. Infelizmente, vítimas de estupro (em muitos lugares) não são tratadas com o devido respeito, com o resultado de que um grande número de vítimas desta violência não informa às autoridades que foram violadas. Também, a grande maioria dos estupradores nunca sofreu mal nenhum.

■ 13.13

וַאֲנִ֗י אָ֤נָה אוֹלִיךְ֙ אֶת־חֶרְפָּתִ֔י וְאַתָּ֗ה תִּהְיֶ֛ה כְּאַחַ֥ד הַנְּבָלִ֖ים בְּיִשְׂרָאֵ֑ל וְעַתָּה֙ דַּבֶּר־נָ֣א אֶל־הַמֶּ֔לֶךְ כִּ֛י לֹ֥א יִמְנָעֵ֖נִי מִמֶּֽךָּ׃

Opróbrio. A jovem que perdia a virgindade antes do casamento não tinha muitas chances de se casar, no antigo Israel. Se aquela atitude continuasse hoje, os casamentos seriam bem raros. As viúvas, em contraste, se casavam facilmente em Israel, sendo *reconduzidas* para o *mercado do casamento*. A poligamia ajudava nesta circunstância, pois muitos homens admitiam as viúvas *razoáveis* em seus haréns. Considere-se o caso de Rute, casável, mesmo sendo estrangeira. Mulheres seduzidas e estupradas frequentemente faziam *carreira* como prostitutas.

Insensatos. Tamar carregaria sua vergonha e Amnom ganharia a reputação de tolo controlado por instintos animais. "...ele seria considerado um homem vil e seria abandonado pela nação" (John Gill, *in loc.*). Mesmo se não fosse assassinado, ele havia sacrificado qualquer chance de se tornar rei. Davi nunca aceitaria tal homem como substituto. Somente um tolo faria o que ele fez, mas a paixão continua produzindo muitos tolos no nosso mundo de hoje.

Porque ele não me negará a ti. As mulheres, instintivamente, associam sexo com casamento; portanto, Amnom, querendo sexo, devia estar querendo casar, *afinal* – então *espere*, ela poderia ter dito, raciocinando da maneira que uma mulher faria. Tamar promovia um *mito* feminino: o futuro de amar e casar, pensam *elas*.

Casamento entre Irmãos. A prática, na antiguidade, era comum, até entre os hebreus, como no caso de Abraão e Sara. A legislação mosaica (Lv 20.17) proibiu o ato, mas o povo ignorou as regras. Provavelmente, no tempo de Davi (com sua poligamia largamente praticada), meios-irmãos se casavam, mas não irmãos nascidos do mesmo pai e da mesma mãe. Lv 18.9 é contra casamentos entre irmãos de qualquer grau. Ofereço um gráfico ilustrativo sobre *incesto*, na introdução a Lv 18. O Talmude, evitando a verdade do caso, propõe que Tamar era filha de um casamento anterior de Maacá, não sendo, portanto, meia-irmã de Amnom (*R. Moses Kotzensis*, 122).

■ 13.14

וְלֹ֥א אָבָ֖ה לִשְׁמֹ֣עַ בְּקוֹלָ֑הּ וַיֶּחֱזַ֤ק מִמֶּ֙נָּה֙ וַיְעַנֶּ֔הָ וַיִּשְׁכַּ֖ב אֹתָֽהּ׃

Amnom, queimando de desejo sexual, não quis ouvir nem esperar ou casar. Não escutou os gritos da moça nem os de sua própria consciência. A mulher era inocente, estava sendo forçada (Dt 22.25-29); Amnom pagaria pelo crime de estupro (ver o vs. 12) com a sua própria vida.

O Poder é Direito. Em um de seus diálogos, Platão rejeitou a ideia de que alguma coisa é certa quando resulta de um poder superior, praticado contra uma pessoa mais fraca. Hume rejeitou a *falácia natural* que afirma que "o que é, deve ser". Se certas tribos africanas abandonam os velhos para morrer no mato, então, para elas, "abandonar os velhos" é uma verdade, já que é um costume seu. Outras culturas, com razão, rejeitam este costume como perverso. Ver *Naturalismo*, último parágrafo, sob o título *Falácia Naturalista*, na Enciclopédia de Bíblia, Teologia e Filosofia.

■ 13.15

וַיִּשְׂנָאֶ֤הָ אַמְנוֹן֙ שִׂנְאָ֣ה גְדוֹלָ֣ה מְאֹ֔ד כִּ֣י גְדוֹלָ֗ה הַשִּׂנְאָה֙ אֲשֶׁ֣ר שְׂנֵאָ֔הּ מֵאַהֲבָ֖ה אֲשֶׁ֣ר אֲהֵבָ֑הּ וַיֹּֽאמֶר־לָ֥הּ אַמְנ֖וֹן ק֥וּמִי לֵֽכִי׃

A experiência humana nos ensina que, frequentemente, o amor rejeitado torna-se *ódio*. O *amor criminoso* de Amnom logo se tornou um *ódio criminoso*. Ele não se casaria com Tamar, mesmo se Davi, o rei, insistisse. "A gratificação de suas paixões violentas foi seguida por uma aversão igualmente violenta e irracional. A poesia de amor do mundo é cheia deste tipo de reação. As fontes do amor e do ódio se situam próximas" (George B. Caird, *in loc.*).

Ganse Little, *in loc.*, fala corretamente sobre o fenômeno da *reação da culpa*. A culpa perverte o bom senso e o raciocínio e pratica muitos males. A paixão proibida tira a "tampa da lata de ódio", e todo o seu conteúdo sai com força. Existe a maldição da *consciência violada* que inspira perversidades. A novela de Conrad, *Lord Jim*, ilustra bem como o homem assombrado por uma consciência violada continua praticando seus ultrajes contra outros. Pessoas que detestam a si mesmas são elementos perigosos na sociedade.

A possessão demoníaca é quase impossível sem o ambiente do ódio, que o Diabo usa para substituir o amor de Deus. O amor é a essência da espiritualidade (1Jo 4.8 ss.); o ódio é a "espiritualidade" do demônio. Ver sobre *Ódio* no *Dicionário*. Existe também o *Odium Theologicum* (também anotado no *Dicionário*) que pessoas "espirituais" praticam com entusiasmo. Qualquer tipo de ódio é uma doença da alma.

"É característica da natureza humana odiar alguém a quem se tem prejudicado" (Tácito).

O verdadeiro amor não se modifica, e muito menos torna-se ódio, mas paixão sexual não é amor. O caminho desse tipo de paixão para o ódio é curto. Amnom fez esta viagem em segundos.

> Amor não é amor
> Se se altera quando encontra alterações.
> ...
> Oh, não! É um alvo sempre fixo.
>
> Shakespeare

Levanta-te, e vai-te. Com estas palavras patéticas e cruéis, Amnom, com raiva, mandou a pobre Tamar embora. Para ele, ela tinha se tornado *nada*, e ele quis livrar-se dela para sempre. Semeou semente amarga e colheria sua própria morte, a morte prematura que os hebreus tanto receavam.

■ 13.16

וַתֹּ֣אמֶר ל֗וֹ אַל־אוֹדֹ֞ת הָרָעָ֤ה הַגְּדוֹלָה֙ הַזֹּ֔את מֵאַחֶ֕רֶת אֲשֶׁר־עָשִׂ֥יתָ עִמִּ֖י לְשַׁלְּחֵ֑נִי וְלֹ֥א אָבָ֖ה לִשְׁמֹ֥עַ לָֽהּ׃

Tamar não quis ir; não quis fazer uma viagem para uma vida vergonhosa. Ela esperava que Amnom mudasse de ideia, propondo-lhe casamento. Para ela, lançar fora uma mulher violada era pior do que a própria violação. Sofreu uma desgraça secreta que logo se tornaria pública. Ela não aguentou a antecipação de mais um ultraje, pois já estava esmagada pela dor. Amnom a rejeitou violentamente, e a sociedade hebraica ia fazer o mesmo. Nenhum homem a quereria.

Amnom humilhou uma virgem e a lei exigia que se casasse com ela, mas tendo violado uma lei ele não hesitaria em violar outra. (Ver Dt 22.29.)

Maior seria este mal... Estuprar era um mal muito grande, mas o ato de rejeitar Tamar e mandá-la embora era mal ainda maior. Desgraça pública seria inevitável para ela na sociedade hebraica. Nenhum casamento ia ser possível; talvez uma vida de prostituição resultasse do ultraje. O casamento poderia curar a situação, mas Amnom era um destruidor, não um curador.

■ 13.17

וַיִּקְרָ֗א אֶֽת־נַעֲרוֹ֙ מְשָׁ֣רְת֔וֹ וַיֹּ֕אמֶר שִׁלְחוּ־נָ֥א אֶת־זֹ֖את מֵעָלַ֣י הַח֑וּצָה וּנְעֹ֥ל הַדֶּ֖לֶת אַחֲרֶֽיהָ׃

Amnom expulsou Tamar enquanto ela implorava por misericórdia. O verdadeiro amor abre o coração para praticar o bem pelos outros, mas o ódio fecha o coração e inspira atos desumanos. O amor restaura e exalta, mas o ódio condena e destrói. O amor opera pela fé e pela bondade; o amor é racional. O ódio é irracional e tem prazer na dor alheia. O amor vive pelo outro; o ódio vive somente pela pessoa que odeia. O ódio prolongado age como um *parasita* que finalmente mata tanto a pessoa que odeia como a pessoa odiada. A espada do ódio de Amnom executou Tamar.

Amnom até procurou a ajuda de um guarda para expulsar Tamar, que não desistiu de implorar misericórdia. Ela foi lançada fora como lixo; estuprada pela força, foi expulsa da mesma maneira. Amnom pagaria um alto preço exigido pela *Lei Moral da Colheita segundo a Semeadura* (ver no *Dicionário*).

Tamar, sendo expulsa, daria a impressão de que *fora ela* que tinha cometido algum tipo de ofensa contra Amnom. A farsa se tornaria uma espada que cortaria Amnom em pedaços, afinal.

■ 13.18

וְעָלֶיהָ כְּתֹנֶת פַּסִּים כִּי כֵן תִּלְבַּשְׁןָ בְנוֹת־הַמֶּלֶךְ הַבְּתוּלֹת מְעִילִים וַיֹּצֵא אוֹתָהּ מְשָׁרְתוֹ הַחוּץ וְנָעַל הַדֶּלֶת אַחֲרֶיהָ׃

Túnica talar de mangas compridas. As roupas reais identificavam Tamar como membro da família real. Para qualquer homem, ela teria sido uma esposa digna de muito respeito. A roupa real tinha mangas longas para distinguir das roupas comuns. As roupas reais eram feitas de materiais excelentes e caros, e quem as usava era uma pessoa incomum. Mas Amnom fez lixo de uma princesa. Compare-se com Gn 37.3. O servente, às ordens do monstro-predador, lançou a princesa fora, com suas roupas finas que não tinham mais significado. Compare-se com as roupas especiais de José, em Gn 37.

■ 13.19

וַתִּקַּח תָּמָר אֵפֶר עַל־רֹאשָׁהּ וּכְתֹנֶת הַפַּסִּים אֲשֶׁר עָלֶיהָ קָרָעָה וַתָּשֶׂם יָדָהּ עַל־רֹאשָׁהּ וַתֵּלֶךְ הָלוֹךְ וְזָעָקָה׃

Tamar rasgou suas roupas reais, do mesmo modo que sua virgindade havia sido rasgada. Toda esperança estava perdida com a destruição das roupas. A mulher entrou em estado de lamentação; moral e socialmente ela havia morrido. Jogou cinzas na cabeça e continuou chorando amargamente, ruidosamente, mas ninguém prestou-lhe a mínima atenção. Ver *Lamentação*, no *Dicionário*, que descreve os costumes dessa prática. O hebraico aqui é gráfico: ela foi indo e chorando, no caminho do desespero. Compare-se com o vs. 31 do presente capítulo, e com Jó 2.12. "sua lamentação demonstrava a intensidade de sua dor e tristeza; ela tinha perdido sua virgindade, o respeito, e qualquer esperança de um bom casamento" (Eugene H. Merrill, *in loc.*). Compare-se com Js 7.6 e Jr 2.27.

■ 13.20

וַיֹּאמֶר אֵלֶיהָ אַבְשָׁלוֹם אָחִיהָ הַאֲמִינוֹן אָחִיךְ הָיָה עִמָּךְ וְעַתָּה אֲחוֹתִי הַחֲרִישִׁי אָחִיךְ הוּא אַל־תָּשִׁיתִי אֶת־לִבֵּךְ לַדָּבָר הַזֶּה וַתֵּשֶׁב תָּמָר וְשֹׁמֵמָה בֵּית אַבְשָׁלוֹם אָחִיהָ׃

Absalão, o irmão de Tamar por parte de pai e mãe, ouviu a respeito do que tinha acontecido a Tamar, e *fingiu* não ter se impressionado; mas no seu coração, já começara a planejar o assassinato de Amnom. Absalão advertiu Tamar para não fazer grande alarde do acontecimento, porque Amnom, como filho mais velho do rei, tinha muitos poderes e poderia criar maior confusão. A morte de Amnom seria efetuada em um momento de descuido, com Absalão atacando feito cobra, sem aviso. Sem dúvida, Amnom tinha guarda-costas e sua execução só poderia ser realizada com astúcia, não através de confronto. O fraco Davi não faria nada contra o primogênito, assim, a ação seria efetivada sem sua ajuda. Davi não ia defender uma mulher contra um filho, nem essa mulher sendo uma de suas filhas. A responsabilidade e vingança ficaram com Absalão, que faria o serviço com habilidade e sem misericórdia.

■ 13.21

וְהַמֶּלֶךְ דָּוִד שָׁמַע אֵת כָּל־הַדְּבָרִים הָאֵלֶּה וַיִּחַר לוֹ מְאֹד׃

O episódio "acendeu a ira" de Davi, o rei, mas isto não resultou em nenhuma ação, justamente como Absalão havia antecipado. Provavelmente, Davi se lembrou de seus próprios crimes sexuais e não sentia autoridade para punir um filho que o seguiu nas suas maldades.

suas ações contra Bate-Seba, e o assassinato de seu marido (arranjado pelo rei), roubaram de Davi qualquer autoridade como pai. Pregadores, frequentemente, gritam mais alto contra os pecados dos outros do que os cometidos por eles mesmos. De qualquer maneira, gritos de pregadores não reformam pessoas. Davi deu um mau exemplo e isto era *gritante*. Amnom, já pervertido, não precisava de ajuda para o corromper, de qualquer maneira.

A *Septuaginta* acrescenta a este versículo: "...não puniu Amnom, seu filho, porque o amava por ele ser seu primogênito", mas estas palavras não representam o texto original, sendo uma anotação explicativa. Segundo a legislação, Amnom devia ter sido executado (Lv 20.17), mas ele tinha "impunidade diplomática", como filho do rei. O "homem humilde" da sociedade teria sido executado, demonstrando que, muitas vezes, "poder é direito", e quem não tem poder sofre a *raiva da lei*, enquanto os poderosos continuam intocáveis. É a velha história da política. A sociedade judaica, em tempos posteriores, criou leis duras contra o estupro de virgens, justamente por causa do episódio que ora estamos comentando (T. Bab. Sanhedrin, fol. 21.1).

■ 13.22

וְלֹא־דִבֶּר אַבְשָׁלוֹם עִם־אַמְנוֹן לְמֵרָע וְעַד־טוֹב כִּי־שָׂנֵא אַבְשָׁלוֹם אֶת־אַמְנוֹן עַל־דְּבַר אֲשֶׁר עִנָּה אֵת תָּמָר אֲחֹתוֹ׃ פ

Absalão continuava com sua indiferença, sem mesmo falar duro com Amnom, mas seu coração era duro como pedra e cheio do ódio que, afinal, destruiria seu irmão, o monstro-predador. Um Absalão barulhento poderia ter sido executado pelos guarda-costas de Amnom, ou até por ordem da lei. Ninguém podia opor-se ao primogênito do rei sem sofrer consequências drásticas. Amnom cairia no tempo apropriado. De fato, sua queda chegou cerca de dois anos depois do estupro de Tamar. A sentença de execução já estava escrita na mente de Absalão e não falharia.

■ 13.23

וַיְהִי לִשְׁנָתַיִם יָמִים וַיִּהְיוּ גֹזְזִים לְאַבְשָׁלוֹם בְּבַעַל חָצוֹר אֲשֶׁר עִם־אֶפְרָיִם וַיִּקְרָא אַבְשָׁלוֹם לְכָל־בְּנֵי הַמֶּלֶךְ׃

A Oportunidade. Absalão nunca esqueceu o ultraje; nunca desistiu de seu plano de matar Amnom; planejava e esperava uma boa oportunidade. Dois anos depois do estupro de Tamar, no tempo da tosquia das ovelhas, uma ocasião favorável para o assassinato chegou. Uma boa parte dos membros da família real se reuniu para comemorar a tosquia, que era um acontecimento muito celebrado. De fato, era um acontecimento social de grande importância, e os hebreus, um povo de dança, música e vinho, aproveitavam tais acontecimentos para beber, ficar bêbedos e se divertirem à beça. Amnom estaria à procura de outras virgens, continuando seu deboche. Como uma aranha, Absalão continuava olhando para o malandro, pronto para atacar e matar. sua teia estava preparada, e logo, Amnom seria sua presa para ser devorada. Ver 1Sm 25.4 quanto à celebração da tosquia. Amnom, cheio de vinho, logo estaria coberto de seu próprio sangue.

Baal-Hazor... Efraim... Ver os artigos sobre estes nomes no *Dicionário*. Hazor se localizava cerca de 6 milhas (10 km) de Silo. Amnom estaria longe de Jerusalém e da proteção da capital. Ele levaria alguns homens, mas Absalão teria mais ajudantes para garantir o êxito da execução. Os dois *irmãos* juntos eram bons amigos, não eram? Assim, todos pensavam, e ninguém mais se lembrou da pobre Tamar, menos Absalão, que nunca esqueceu o que ela havia sofrido. Absalão se tinha mostrado pacífico até na hora de crise e ninguém suporia que ele tivesse planos assassinos no coração. A atividade da tosquia era um acontecimento de *fraternidade* e ninguém suspeitaria que, durante essa festividade, um irmão mataria outro. Ver sobre *Tosquiadores* no *Dicionário*.

■ 13.24

וַיָּבֹא אַבְשָׁלוֹם אֶל־הַמֶּלֶךְ וַיֹּאמֶר הִנֵּה־נָא גֹזְזִים לְעַבְדֶּךָ יֵלֶךְ־נָא הַמֶּלֶךְ וַעֲבָדָיו עִם־עַבְדֶּךָ׃

A Farsa. Absalão convidou Davi e seus homens para a festa, esperando, desesperadamente, que ele não aceitasse o convite; ficou muito aliviado quando recebeu o "não" do rei. O convite era parte do plano diabólico, dando a aparência de boa vontade para com todos, enquanto a morte guiava seus pensamentos e seu coração. Amnom seria mandado como *representante* do rei (por sugestão de Absalão), e logo a sentença de morte seria efetuada.

■ 13.25

וַיֹּ֨אמֶר הַמֶּ֜לֶךְ אֶל־אַבְשָׁל֗וֹם אַל־בְּנִי֙ אַל־נָ֣א נֵלֵ֣ךְ כֻּלָּ֔נוּ וְלֹ֥א נִכְבַּ֖ד עָלֶ֑יךָ וַיִּפְרָץ־בּ֛וֹ וְלֹֽא־אָבָ֥ה לָלֶ֖כֶת וַֽיְבָרֲכֵֽהוּ׃

O rei pediu desculpas, liberando-se de participar da festa; ele realmente não queria ir, o que agradou Absalão, porque sua recusa era uma parte essencial do plano da execução de seu irmão. O rei, sem dúvida, tinha muitas responsabilidades que exigiam sua presença na capital, mas também estava cansado de tantas festividades que o povo sempre estava ansioso para preparar.

A presença do rei exigiria a preparação de comidas especiais, tornando a ocasião mais difícil de se realizar. Para tirar o "peso" da sua presença, o rei mandaria um representante menos ilustre. O convidado menos ilustre seria Amnom; com isto, o palco do massacre estava efetivamente armado. Nem Amnom podia ir sem a permissão do rei, mas sendo generoso, o rei sacrificou a presença de seu primogênito na capital, honrando a festividade em Baal-Hazor.

■ 13.26,27

וַיֹּ֙אמֶר֙ אַבְשָׁל֔וֹם וָלֹ֕א יֵֽלֶךְ־נָ֥א אִתָּ֖נוּ אַמְנ֣וֹן אָחִ֑י וַיֹּ֤אמֶר ל֙וֹ הַמֶּ֔לֶךְ לָ֥מָּה יֵלֵ֖ךְ עִמָּֽךְ׃

וַיִּפְרָץ־בּ֖וֹ אַבְשָׁל֑וֹם וַיִּשְׁלַ֤ח אִתּוֹ֙ אֶת־אַמְנ֔וֹן וְאֵ֖ת כָּל־בְּנֵ֥י הַמֶּֽלֶךְ׃ ס

O rei, presumivelmente, *desapontou* Absalão, recusando seu convite, mas, na realidade, o alegrou com sua "negligência". Para suavizar, por sugestão de Absalão, ele mandou Amnom como seu representante. Logo a execução seria efetuada, para consternação do rei, que de nada suspeitava. Para ser ainda mais generoso, o rei mandou outros filhos seus com Amnom. Absalão *insistiu* na presença de Amnom na festa, o que poderia ter levantado suspeitas sobre o motivo verdadeiro, mas o texto não dá nenhuma indicação de que o rei tivesse noção da farsa de Absalão. O próprio Amnom estava ansioso por encontrar-se em qualquer lugar onde houvesse vinho, canções e mulheres.

Absalão, de sua parte, mostrou ansiedade em ter *todos* os filhos do rei na festividade. Talvez ele já planejasse eliminar seus rivais para tomar o trono de Davi e reinar no seu lugar. Pouco depois, ele entraria em plena rebelião contra seu pai, procurando tornar-se rei.

As profecias de desastres feitas por Natã contra Davi e sua família estavam se realizando. Ver 2Sm 12.10.

■ 13.28

וַיְצַו֩ אַבְשָׁל֨וֹם אֶת־נְעָרָ֜יו לֵאמֹ֗ר רְא֣וּ נָ֠א כְּט֨וֹב לֵב־אַמְנ֤וֹן בַּיַּ֙יִן֙ וְאָמַרְתִּ֣י אֲלֵיכֶ֔ם הַכּ֥וּ אֶת־אַמְנ֖וֹן וַהֲמִתֶּ֣ם אֹת֑וֹ אַל־תִּירָ֕אוּ הֲל֗וֹא כִּ֤י אָֽנֹכִי֙ צִוִּ֣יתִי אֶתְכֶ֔ם חִזְק֖וּ וִהְי֥וּ לִבְנֵי־חָֽיִל׃

A Septuaginta acrescenta, imediatamente antes deste versículo, "e Absalão fez uma festa de rei", isto é, a festividade era tão elaborada que se tornou "real" e gloriosa; alguma coisa que somente um rei poderia realizar. No meio daquela festividade magnificente, Amnom, de súbito, perderia sua vida, e a vingança do estupro de Tamar seria realizada, brutalmente, do mesmo modo que Amnom tinha agido contra sua irmã.

Não temais. Absalão garantiu para seus homens, que o ajudariam a matar Amnom, que eles não sofreriam nenhuma retaliação do rei. Teria sido "ele", o grande Absalão, o futuro rei, quem teria dado ordens, pois na mente daquele homem, brevemente ele assumiria o poder como rei. Assim, a rebelião de Absalão contra Davi já estava florescendo.

Foi natural para os homens de Absalão obedecer, por ele ser um príncipe em Israel e um homem de autoridade. Provavelmente, já teria havido conversa entre eles sobre a "boa" possibilidade de que Absalão logo seria o rei. Matar pelo futuro rei era um privilégio para eles, não um crime.

■ 13.29

וַֽיַּעֲשׂ֞וּ נַעֲרֵ֤י אַבְשָׁלוֹם֙ לְאַמְנ֔וֹן כַּאֲשֶׁ֥ר צִוָּ֖ה אַבְשָׁל֑וֹם וַיָּקֻ֣מוּ ׀ כָּל־בְּנֵ֣י הַמֶּ֗לֶךְ וַֽיִּרְכְּב֛וּ אִ֥ישׁ עַל־פִּרְדּ֖וֹ וַיָּנֻֽסוּ׃

O ato terrível foi realizado com facilidade surpreendente, e com brutalidade típica dos tempos. A maioria dos outros filhos do rei, se não todos, vendo o que estava acontecendo, fugiu, cavalgando seus asnos. O vs. 27 nos mostra que Absalão quis todos os filhos do rei na festividade, provavelmente com a intenção de matar todos. Se isto fosse parte de seu plano, então Absalão se frustrara, mas o objetivo principal de seu plano teve final esplêndido. Ainda restavam alguns rivais, mas o sábio matador podia cuidar deles em outras ocasiões. De qualquer maneira, era procedimento comum em famílias reais do Oriente, em caso de *matanças*, determinar quem seria o sucessor do rei. Compare-se com os casos de Abimeleque, Jeú e Atalia. Ver Jz 9.5; 2Rs 10.1-7; 11.1. De fato, famílias reais do Oriente se comportavam como um bando de selvagens para obter e reter poder. Laços familiares tinham pouca importância.

Mulo. Este animal era muito utilizado em Israel, no lugar do cavalo, inclusive na família real. Mulos eram os "veículos" de pessoas distintas, como 2Sm 18.9; 1Rs 1.33 e 38 nos informam. A lei mosaica proibia a criação de cavalos (Lv 19.19), mas os judeus não hesitaram em importá-los. Davi tinha cavalos adquiridos como parte dos espólios de guerra. Nos tempos de Salomão, a criação de cavalos tornou-se importante, especialmente para o próprio rei. A *multiplicação* de cavalos era proibida pela lei (Dt 17.16; 2Cr 9.24,25), mas Salomão ignorou muitas regras da lei, inclusive essa.

■ 13.30

וַֽיְהִי֙ הֵ֣מָּה בַדֶּ֔רֶךְ וְהַשְּׁמֻעָ֣ה בָ֔אָה אֶל־דָּוִ֖ד לֵאמֹ֑ר הִכָּ֤ה אַבְשָׁלוֹם֙ אֶת־כָּל־בְּנֵ֣י הַמֶּ֔לֶךְ וְלֹא־נוֹתַ֥ר מֵהֶ֖ם אֶחָֽד׃ ס

A história sobre a matança, que chegou a Davi, exagerou a realidade, afirmando que *todos* os filhos do rei haviam sido mortos, enquanto somente Amnom havia caído (ver o vs. 29). A maioria das histórias ganha detalhes fictícios enquanto circula. A mente humana ama o exagero; uma boa história pode ser feita melhor, e uma história trágica pode ser feita mais dramática, com detalhes bárbaros. Todas as histórias de interesse ganham força no ato de publicação. Considere-se a observação de Virgílio sobre este fenômeno:

O boato é tremendo! Sem demora
Corre através das cidades;
Corre como uma praga, aumentando no caminho,
Ganhando nova força e vigor enquanto caminha.

■ 13.31

וַיָּ֧קָם הַמֶּ֛לֶךְ וַיִּקְרַ֥ע אֶת־בְּגָדָ֖יו וַיִּשְׁכַּ֣ב אָ֑רְצָה וְכָל־עֲבָדָ֥יו נִצָּבִ֖ים קְרֻעֵ֥י בְגָדִֽים׃ ס

Davi não meramente caiu triste, mas mergulhou em angústia sem limites. Algum tempo antes, ele se regozijara quando soubera da morte de Urias, o marido de Bate-Seba. Fora *ele* quem planejara aquele assassinato, quando havia roubado a mulher de Urias. Por contraste, o ultraje de Absalão trouxe-lhe terror, e assim ele continuava ceifando os resultados de seus crimes. Davi rolava no chão gritando e chorando, e os seus assistentes rasgaram as próprias roupas, participando da amarga lamentação.

A Lei Moral da Colheita Segundo a Semeadura (ver no *Dicionário*) golpeou pesadamente o rei. As profecias de Natã contra ele e sua família se realizaram sem misericórdia; ver 2Sm 12.10.

Embora os moinhos de Deus moam devagar,
Moem com extrema precisão.

Embora com paciência ele fique esperando,
Com exatidão executa tudo, afinal.

■ 13.32

וַיַּ֣עַן יוֹנָדָ֣ב בֶּן־שִׁמְעָ֣ה אֲחִֽי־דָוִד֮ וַיֹּאמֶר֒ אַל־יֹאמַ֣ר
אֲדֹנִ֗י אֵ֣ת כָּל־הַנְּעָרִ֤ים בְּנֵֽי־הַמֶּ֙לֶךְ֙ הֵמִ֔יתוּ כִּֽי־אַמְנ֥וֹן
לְבַדּ֖וֹ מֵ֑ת כִּֽי־עַל־פִּ֤י אַבְשָׁלוֹם֙ הָיְתָ֣ה שׂוּמָ֔ה מִיּוֹם֙
עַנֹּת֔וֹ אֵ֖ת תָּמָ֥ר אֲחֹתֽוֹ׃

A Volta do Planejador Esperto. Jonadabe, tendo criado as circunstâncias que produziram, afinal, a tragédia (ele facilitou o estupro de Tamar por Amnom), vendo como seus conselhos criaram desastre, procurava evitar a explosão de tudo, apontando para o fato de que somente Amnom tinha morrido, implicando que ele havia merecido morrer, por causa do estupro de Tamar. Ver os vss. 3 ss. Também informou Davi que Absalão planejava o assassinato há muito tempo e que sabia daquele detalhe através de boatos, ou pela jactância de Absalão concernente à sua "façanha". Aquela informação, sem dúvida, escapou do pequeno círculo de Absalão, entrando no círculo maior da família do rei.

Jonadabe falava com tanta confiança que parece que ele sabia, o tempo todo, do plano de assassinato. Até é possível que ele tenha ajudado Absalão a formular o plano diabólico, pois Jonadabe era homem de maldade singular. "Jonadabe era um homem muito maldoso, falando tão friamente daquele a quem *ele* próprio ajudou a cometer crimes" (Adam Clarke, *in loc.*).

■ 13.33

וְעַתָּ֡ה אַל־יָשֵׂם֩ אֲדֹנִ֨י הַמֶּ֤לֶךְ אֶל־לִבּוֹ֙ דָּבָ֣ר לֵאמֹ֔ר
כָּל־בְּנֵ֥י הַמֶּ֖לֶךְ מֵ֑תוּ כִּֽי־אִם־אַמְנ֥וֹן לְבַדּ֖וֹ מֵֽת׃ פ

"Um homem morreu, mas os outros escaparam" era uma mensagem de conforto muito estranha, considerando-se que o morto era o primogênito do próprio rei. Todavia, aquele que morreu merecia, então pode-se concluir que *Deus* fora o autor do acontecimento. A vontade de Deus seja realizada, mesmo se trouxer consternação. Há um conforto perverso nessa fé, embora, às vezes, "fé" seja acreditar-se em alguma coisa que não é verdadeira. O argumento de Jonadabe tinha certa lógica para a mentalidade hebraica que fazia de Deus a "única causa", do bem e do mal, sem nenhuma exceção. Davi, deitado no chão, lamentando a morte do primogênito, não pensou nos seus outros filhos e esposas. Aquele dia era de grande dor; outro dia haveria de devolver ao rei o espírito que tinha fugido com Amnom.

■ 13.34

וַיִּבְרַ֖ח אַבְשָׁל֑וֹם וַיִּשָּׂ֞א הַנַּ֤עַר הַצֹּפֶה֙ אֶת־עֵינָ֔יו וַיַּ֗רְא
וְהִנֵּ֨ה עַם־רַ֤ב הֹלְכִים֙ מִדֶּ֣רֶךְ אַחֲרָ֔יו מִצַּ֖ד הָהָֽר׃

Absalão fugiu. O que é que o rei faria? O que fariam os militantes de Amnom? Qual vingança procurariam efetuar? Enquanto tais perguntas se levantaram e pairavam no ar, a verdade da declaração de Jonadabe ficou comprovada: os outros filhos de Davi chegaram sãos e salvos. Com a chegada daqueles homens, uma explosão generalizada foi evitada, e aos poucos, tudo se normalizou. Sem dúvida, o crime de Amnom era o fator principal na pacificação de todos os envolvidos no drama. Afinal, Tamar era filha do rei e merecia ser vingada.

Caminho por detrás. Algumas traduções dizem a *Estrada Horonaim*, traduzindo o hebraico literalmente. "Horonaim é uma forma dual no hebraico, isto é, um plural que indica *dois*. A palavra ocorre somente aqui e provavelmente se refere às duas Horons, a superior e a inferior, chamadas Bete-Horom Superior e Bete-Horom Inferior" (George B. Caird, *in loc.*). A estrada que levava às duas cidades se chamava *Horonaim*. Ver esse título no *Dicionário*.

■ 13.35

וַיֹּ֤אמֶר יֽוֹנָדָב֙ אֶל־הַמֶּ֔לֶךְ הִנֵּ֥ה בְנֵֽי־הַמֶּ֖לֶךְ בָּ֑אוּ כִּדְבַ֥ר
עַבְדְּךָ֖ כֵּ֥ן הָיָֽה׃

Jonadabe, o centro das conversações, foi o primeiro a ver os filhos do rei (acompanhados por muitos outros) chegando, e sua "predição" logo se mostrou correta: somente Amnom havia morrido. O malandro aproveitou-se da situação para jactar-se da precisão de seu entendimento da situação. O texto não explica *como* ele sabia tanto, talvez tivesse sorte ou precognição de algum tipo. Ver as anotações sobre o vs. 32.

■ 13.36

וַיְהִ֣י ׀ כְּכַלֹּת֣וֹ לְדַבֵּ֗ר וְהִנֵּ֤ה בְנֵֽי־הַמֶּ֙לֶךְ֙ בָּ֔אוּ וַיִּשְׂא֥וּ
קוֹלָ֖ם וַיִּבְכּ֑וּ וְגַם־הַמֶּ֙לֶךְ֙ וְכָל־עֲבָדָ֔יו בָּכ֕וּ בְּכִ֖י גָּד֥וֹל
מְאֹֽד׃

A Grande Lamentação. Muitos gritos, choros e lágrimas acompanharam o reencontro de Davi com seus filhos sobreviventes. Davi tinha sofrido uma perda grande e inesperada. Naquele momento, o miserável Amnom tornou-se um santo e todos iam sentir saudades de suas maquinações. Para um pai ou mãe, até a morte de um filho criminoso é um evento duro. Também devemos nos lembrar que Jesus chegou neste mundo perverso para salvar *os pecadores* e por eles foi ao *hades*, 1Pe 3.19; 4.6, que é uma das histórias mais triunfantes do evangelho.

O abismo é profundo demais,
No entanto, Jesus, o Salvador,
Pode recuperar almas perdidas.
Contemplai esses homens erguidos por Cristo!

Russell Champlin

Ver *Descida de Cristo ao Hades* na *Enciclopédia de Bíblia, Teologia e Filosofia*.

■ 13.37-39

וְאַבְשָׁל֣וֹם בָּרַ֔ח וַיֵּ֛לֶךְ אֶל־תַּלְמַ֥י בֶּן־עַמִּיה֖וּד מֶ֣לֶךְ
גְּשׁ֑וּר וַיִּתְאַבֵּ֥ל עַל־בְּנ֖וֹ כָּל־הַיָּמִֽים׃

וְאַבְשָׁל֥וֹם בָּרַ֖ח וַיֵּ֣לֶךְ גְּשׁ֑וּר וַיְהִי־שָׁ֖ם שָׁלֹ֥שׁ שָׁנִֽים׃

וַתְּכַל֙ דָּוִ֣ד הַמֶּ֔לֶךְ לָצֵ֖את אֶל־אַבְשָׁל֑וֹם כִּֽי־נִחַ֥ם
עַל־אַמְנ֖וֹן כִּי־מֵֽת׃ ס

Talmai. Ver este título no *Dicionário*. Era o avô materno de Absalão e morava em *Gesur* (ver no *Dicionário*). Essa cidade se localizava a leste e norte do mar da Galileia. Assim foi que Absalão viajou cerca de 160 quilômetros. para escapar de qualquer tentativa de vingança da parte de seus inimigos. seu avô o protegeria, garantindo sua segurança. Ficaria em Gesur três longos anos, preparando-se para tirar o trono de seu pai. A rebelião de Absalão contra Davi seria mais um castigo contra ele e sua família, por causa de seus crimes contra Bate-Seba e Urias, cumprindo parte das profecias do profeta Natã, ver 2Sm 12.10.

Com o tempo passando e Absalão ausente, a dor que Davi sentia por causa da morte de Amnom diminuiu, e a vida voltou à rotina. O tempo sara todas as feridas, o que é uma misericórdia divina. Davi continuava esperando obter algum tipo de restauração e reconciliação no seio de sua família lacerada, mas sua esperança se realizou somente com a morte de Absalão. *O julgamento de Deus* pairava sobre a família real; era um tempo de sofrimento.

Quer alguém durma, ande ou esteja à vontade,
A justiça, invisível e muda, lhe segue os passos,
Ferindo sua vereda, à direita e à esquerda,
Pois todo o erro, nem a noite esconderá!
O que fizeres, de algum lugar, Deus te vê.
E pensas que a retribuição jaz remota, longe dos mortais?
Bem perto, invisível, sabe muito bem a quem deve ferir.
Mas tu não sabes a hora quando, rápida e repentinamente,
Ela virá e varrerá da terra os iníquos.

Ésquilo

Este versículo implica que Davi fez alguns esforços para vingar a morte de Amnom, procurando punir Absalão, mas com o passar do tempo sentiu certo conforto, e afinal, abandonou qualquer desejo de prejudicar o assassino. Esperava ver um novo dia, um dia melhor, porque os homens vivem na esperança, até nas noites mais escuras. Ver *Consolo, Consolação* no *Dicionário*.

A prosperidade não existe sem receios e perturbações;
A adversidade nunca é totalmente sem conforto e esperança.
Francis Bacon

CAPÍTULO CATORZE

Este capítulo continua a *seção* iniciada em 2Sm 13.1. Estende-se até 2Sm 19.10, com o título de *Consequências Temporais do Pecado de Davi*, pecado que ele cometeu contra Bate-Seba e Urias. "... sabei que o vosso pecado vos há de achar..." (Nm 32.23). Natã, o profeta, tinha previsto que a casa e a família de Davi seriam pesadamente atingidas pela retribuição divina, por causa dos pecados de Davi (ver 2Sm 12.10,11). No capítulo 13 temos a morte de Amnom (por haver violentado a Tamar) e seu assassinato por Absalão, seu meio-irmão. Além disso, temos o exílio de Absalão em Gesur, onde ele ficou por três anos (ver 2Sm 13.37,38). A *lex talionis* (pagamento conforme a transgressão) estava em operação. Davi tinha destruído uma família, pelo que *sua família* sofreria por causa disso. A *espada* jamais haveria de deixar sua família. Ele sofreria muitas dores e tragédias.

Este capítulo põe à nossa frente outras vicissitudes que contribuiriam para a punição de Davi. Agora chegaria a vez de Absalão ser removido violentamente, e Joabe seria o instrumento dessa execução. Este capítulo, pois, começa a história de como isso aconteceu.

■ 14.1

וַיֵּדַע יוֹאָב בֶּן־צְרֻיָה כִּי־לֵב הַמֶּלֶךְ עַל־אַבְשָׁלוֹם׃

Percebendo, pois, Joabe. Ver o artigo sobre ele no *Dicionário*. "Esse incidente é outra manifestação do poder e da influência de Joabe, que apreciava tomar nas próprias mãos as questões, embora permanecesse cuidadosamente subserviente a Davi (ver o vs. 22; 12.28)" (*Oxford Annotated Bible*, comentando sobre este versículo).

Joabe observou com consternação o apego de Davi a Absalão, apesar de ele ter matado Amnom, seu filho primogênito. Ele sabia que Absalão só criaria dificuldades, e pode ter suspeitado de ele, finalmente, se rebelaria e até tentaria tomar o trono do pai. Não obstante, ele estava interessado em livrar Davi e resolver suas saudades e anelo prolongado por ver Absalão. Assim, Joabe traçou um plano mediante o qual Absalão seria tirado de seu exílio e reconciliado com o pai. Conforme as coisas aconteceram, porém, isso serviu somente para ajudar Absalão a tentar apossar-se do trono. Foi bom que Joabe se tivesse preocupado com a questão, mas seu ato de bondade produziu maus resultados.

Os Targuns distorcem este versículo. Retratam Davi como alguém *contrário* a Absalão, pronto a tomar vingança do assassinato de Amnom, e, presumivelmente, foi para remover essa *inimizade* que Joabe agira. Os Targuns chegam a dizer que durante *dois anos* Davi nem ao menos olhava para o rosto de Absalão, embora este tivesse retornado do exílio. A proposição hebraica usada pode ter um sentido favorável ou desfavorável.

■ 14.2

וַיִּשְׁלַח יוֹאָב תְּקוֹעָה וַיִּקַּח מִשָּׁם אִשָּׁה חֲכָמָה וַיֹּאמֶר אֵלֶיהָ הִתְאַבְּלִי־נָא וְלִבְשִׁי־נָא בִגְדֵי־אֵבֶל וְאַל־תָּסוּכִי שֶׁמֶן וְהָיִית כְּאִשָּׁה זֶה יָמִים רַבִּים מִתְאַבֶּלֶת עַל־מֵת׃

Mandou trazer de Tecoa uma mulher sábia. Ver sobre *Tecoa* no *Dicionário*. Esse foi o lugar do nascimento de Amós, o profeta. Ficava cerca de 10 quilômetros ao sul de Belém, ou seja, próximo de Jerusalém. Foi nesse lugar que Joabe pediu uma mulher conhecida por sua sabedoria, que o ajudasse a realizar o *ardil* que ele tinha em mente para tentar reconciliar Davi e Absalão. Joabe traçou a história e a pôs na boca da mulher.

Fazia parte importante do ato que a mulher se apresentasse como alguém que se lamentava pelos mortos. Ver no *Dicionário* o artigo chamado *Lamentação*. De acordo com Josefo (*Antiq.* 1.7, cap. 8), essa mulher era sábia por seus muitos anos de vida e experiência. As tradições judaicas fazem da mulher a avó do profeta Amós, mas não temos como aprovar a ideia. Seja como for, talvez ela tivesse experiência na profissão de lamentadora, pelo que estava equipada para enganar Davi. Belém era onde Joabe morava, e assim ele estava familiarizado com a vila próxima, Tecoa. Provavelmente, ele já conhecia antes a mulher e sabia que ela desempenharia bem um papel que lhe fosse dado. Não há indício no texto sagrado de que ela fosse uma *feiticeira*, conforme conjecturam alguns intérpretes.

A *parábola* que Joabe pôs na boca dela fazia da mulher: 1. uma viúva; 2. alguém que vivia distante de Jerusalém; 3. uma mulher avançada em anos; 4. uma mulher que estivesse em período de lamentação; 5. alguém que representava a situação de Absalão; 6. alguém que deixaria claro o paralelismo entre sua história e a história de Absalão, mas não de forma tão óbvia demais que estragasse todo o ardil. Tomados juntamente, seus atos e suas palavras dissuadiriam o coração do rei e produziriam sua reconciliação com Absalão.

■ 14.3

וּבָאת אֶל־הַמֶּלֶךְ וְדִבַּרְתְּ אֵלָיו כַּדָּבָר הַזֶּה וַיָּשֶׂם יוֹאָב אֶת־הַדְּבָרִים בְּפִיהָ׃

Quanto à maneira de falar, ver o último parágrafo das notas sobre o versículo anterior. O pequeno ato teatral foi a invenção que Joabe queria que seu senhor assistisse para sair da depressão e reconciliar-se com seu filho, Absalão.

■ 14.4

וַתֹּאמֶר הָאִשָּׁה הַתְּקֹעִית אֶל־הַמֶּלֶךְ וַתִּפֹּל עַל־אַפֶּיהָ אַרְצָה וַתִּשְׁתָּחוּ וַתֹּאמֶר הוֹשִׁעָה הַמֶּלֶךְ׃ ס

O ato da mulher começou com as dramáticas honrarias que ela realizou, caída de rosto em terra, a face voltada para baixo, chorando e clamando ao rei por ajuda. Isso deve ter chamado a atenção de Davi! Mas não sabemos dizer como ela conseguiu aproximar-se do rei. Talvez o próprio Joabe tenha rogado ao rei que ouvisse o caso dela. As saudações normais devem ter sido: "Deus salve o rei! Que viva o rei!", ou alguma outra expressão similar. E isso foi seguido pelo ato do desmaio.

■ 14.5

וַיֹּאמֶר־לָהּ הַמֶּלֶךְ מַה־לָּךְ וַתֹּאמֶר אֲבָל אִשָּׁה־אַלְמָנָה אָנִי וַיָּמָת אִישִׁי׃

Perguntou-lhe o rei. O *rei*, já sentindo tristeza pela mulher, interrompeu o choro da atriz indagando qual era o seu problema. Ela anunciou que seu marido havia morrido. A *viuvez* era sempre algo que atraía a misericordiosa atenção dos hebreus, que faziam provisões para essa gente impotente em sua lei. Ela pertencia a uma classe que merecia e recebia atenção especial. Ver 2Sm 1.13. "Joabe mostrou grande engenho ao inventar um caso que por certo atrairia tanto o interesse quanto a simpatia do rei. A perda da posteridade que poderia manter vivo o nome de seu marido, significava a perda da única imortalidade conhecida pelos antigos israelitas" (John Cair, *in loc.*). Naturalmente, à época de Davi, a doutrina da imortalidade pessoal tinha entrado na fé dos hebreus. Quanto a isso, ver 2Sm 12.23. Sem importar se ela acreditasse ou não na imortalidade, a sorte da mulher era desesperadora, de acordo com os padrões dos hebreus. Ver no *Dicionário* o verbete chamado *Viúva*, quanto a detalhes sobre as implicações do texto sagrado.

■ 14.6

וּלְשִׁפְחָתְךָ שְׁנֵי בָנִים וַיִּנָּצוּ שְׁנֵיהֶם בַּשָּׂדֶה וְאֵין מַצִּיל בֵּינֵיהֶם וַיַּכּוֹ הָאֶחָד אֶת־הָאֶחָד וַיָּמֶת אֹתוֹ׃

Tinha a tua serva dois filhos. *A morte de um irmão* e filho foi o *segundo* item da parábola que Joabe pôs na boca da mulher. Portanto, a mulher primeiramente havia perdido o marido e então um filho amado. Essa *calamidade* era a base de sua queixa e a "razão"

pela qual ela alegadamente buscava a ajuda de Davi. A situação dos *dois irmãos* representava Amnom (o filho assassinado) e Absalão (o matador), conforme Davi haveria de adivinhar não muito tempo depois. Os detalhes foram diferentes o bastante apenas para enganar Davi por algum tempo, permitindo-lhe absorver a mensagem que a mulher sábia estava comunicando. O fratricídio de que a mulher falou fora provocado sem premeditação e malícia, o que era bastante diferente do caso que envolvia Amnom e Absalão.

■ 14.7

וְהִנֵּה֩ קָ֨מָה כָֽל־הַמִּשְׁפָּחָ֜ה עַל־שִׁפְחָתֶ֗ךָ וַיֹּֽאמְרוּ֙ תְּנִ֣י ׀ אֶת־מַכֵּ֣ה אָחִ֗יו וּנְמִתֵ֙הוּ֙ בְּנֶ֤פֶשׁ אָחִיו֙ אֲשֶׁ֣ר הָרָ֔ג וְנַשְׁמִ֖ידָה גַּ֣ם אֶת־הַיּוֹרֵ֑שׁ וְכִבּ֗וּ אֶת־גַּֽחַלְתִּי֙ אֲשֶׁ֣ר נִשְׁאָ֔רָה לְבִלְתִּ֧י שִׂים־לְאִישִׁ֛י שֵׁ֥ם וּשְׁאֵרִ֖ית עַל־פְּנֵ֥י הָאֲדָמָֽה׃ פ

O *terceiro item* da parábola da mulher era a interferência da família na questão, que desejava executar o assassino por causa de seu crime, o que privaria de outro filho amado. Isso deixaria a viúva sem qualquer herdeiro, e nenhum filho para continuar a linhagem de seu pai. Qualquer *brasa* deixada a queimar na fogueira da mulher seria apagada, dando a entender que qualquer *valor* que sua vida ainda tivesse seria obliterado. E então ela ficaria absolutamente desolada. Ela perderia todos os entes queridos, sua fonte de sustento e o nome de família. Dificilmente poderia ser imaginado algo pior do que isso. Talvez haja uma alusão à possibilidade de que Absalão levasse avante a linhagem real de Davi, sendo ele não somente herdeiro, mas herdeiro ao trono.

É provável que encontremos aqui uma referência ao costume do *Vingador de Sangue* (ver no *Dicionário*).

■ 14.8

וַיֹּ֧אמֶר הַמֶּ֛לֶךְ אֶל־הָאִשָּׁ֖ה לְכִ֣י לְבֵיתֵ֑ךְ וַאֲנִ֖י אֲצַוֶּ֥ה עָלָֽיִךְ׃

Vai para a tua casa. Pelo momento Davi foi enganado. Ele enviou a mulher para casa, assegurando-lhe que *interviria* no caso, especificamente acalmando a família a fim de que não executassem o irmão restante, e trazendo-o do exílio, a fim de que a mulher pudesse reiniciar uma vida normal.

■ 14.9

וַתֹּ֜אמֶר הָאִשָּׁ֤ה הַתְּקוֹעִית֙ אֶל־הַמֶּ֔לֶךְ עָלַ֖י אֲדֹנִ֣י הַמֶּ֑לֶךְ הֶעָוֺ֖ן וְעַל־בֵּ֣ית אָבִ֑י וְהַמֶּ֥לֶךְ וְכִסְא֖וֹ נָקִֽי׃ ס

A *mulher* tinha apresentado o seu caso, mas continuava insistindo, e a insistência dela tornava cada vez mais claro que estava em foco o caso de Davi, até que, finalmente, ele entendeu o ardil. Agora isso falaria da iniquidade que prejudicaria uma família, tendo como paralelo a maldição que a profecia de Natã fizera recair sobre a família de Davi (ver 2Sm 12.10). Mas a mulher esperava que essa maldição não afetasse o filho remanescente, Absalão, herdeiro aparente do trono de Davi. A *culpa* precisava repousar sobre alguém (2Sm 12.13), mas ela queria que o filho matador fosse livrado de toda a culpa. A mulher quis dizer que a culpa tinha de cair sobre alguém, e cairia sobre Davi e seu *trono*. Isso aconteceria através das ações da família irada, que, tendo recebido ordens para não tocar no filho ofensor, voltaria sua ira contra o próprio rei e sua casa, talvez tentando matar o herdeiro do trono. A mulher, pois, prolongava a entrevista, numa tentativa de pressionar Davi com relação às condições de seu próprio dilema acerca de Absalão, levando-o a tomar alguma providência e pôr fim ao exílio de Absalão.

■ 14.10

וַיֹּ֣אמֶר הַמֶּ֔לֶךְ הַֽמְדַבֵּ֥ר אֵלַ֖יִךְ וַהֲבֵאת֣וֹ אֵלַ֑י וְלֹֽא־יֹסִ֥יף ע֖וֹד לָגַ֥עַת בָּֽךְ׃

Disse o rei. Davi garantiu à mulher que nenhum homem seria contrário às ordens do rei e obteria bom resultado. Tudo quanto a mulher tinha para fazer era notificar ao rei quem a estava perturbando, e ele podia tal pessoa em seu lugar, em termos nada incertos. Portanto, Davi deu à mulher *solene* garantia de que ele estaria ao lado dela para pôr fim aos seus sofrimentos. "Entregue-se o perturbador às mãos do oficial apropriado, para que ele seja trazido à minha presença, e eu o castigarei por sua interferência" (John Gill, *in loc.*).

■ 14.11

וַתֹּאמֶר֩ יִזְכָּר־נָ֨א הַמֶּ֜לֶךְ אֶת־יְהוָ֣ה אֱלֹהֶ֗יךָ מֵהַרְבִּ֞ית גֹּאֵ֤ל הַדָּם֙ לְשַׁחֵ֔ת וְלֹ֥א יַשְׁמִ֖ידוּ אֶת־בְּנִ֑י וַיֹּ֕אמֶר חַי־יְהוָ֕ה אִם־יִפֹּ֛ל מִשַּׂעֲרַ֥ת בְּנֵ֖ךְ אָֽרְצָה׃

Disse ela. Pacientemente, Davi continuou a ouvir, enquanto a mulher prosseguia, falando mais e mais, enfatizando os possíveis riscos do caso, o filho em perigo, a família violenta que o perseguia para tirar vingança, pois o vingador do sangue nunca desistia. A paciência de Davi estava acabando, mas ele tolerava a conversa com a maior fortaleza possível. A mulher continuava, naturalmente, com o propósito de, finalmente, forçar Davi a enxergar a própria situação, dentro da parábola, e fazer algo a respeito. Essa era a real razão da visita dela e da recitação da parábola. A mulher chegou a envolver *Yahweh-Elohim* na questão, como se o Senhor estivesse interessado no bem-estar dela (e, por conseguinte, no bem-estar dele). Ver no *Dicionário* o artigo chamado *Deus, Nomes Bíblicos de*.

Ao ouvir a mulher proferir os nomes divinos, Davi jurou por *Yahweh* que cumpriria a promessa. Nenhum dano sobreviria à mulher e a seu filho remanescente. Nenhum vingador do sangue teria permissão de causar perturbação em uma família que já havia sofrido o bastante. Ver no *Dicionário* o artigo chamado *Juramentos*. Felizmente, o juramento feito em favor da mulher finalmente se aplicaria a ele mesmo, no tocante a Absalão.

■ 14.12

וַתֹּ֙אמֶר֙ הָֽאִשָּׁ֔ה תְּדַבֶּר־נָ֤א שִׁפְחָֽתְךָ֙ אֶל־אֲדֹנִ֣י הַמֶּ֔לֶךְ דָּבָ֑ר וַיֹּ֖אמֶר דַּבֵּֽרִי׃ ס

Então disse a mulher. Quase não podemos acreditar no que lemos aqui. A mulher continuava a falar. Ela não parava. Era campeã da fala. Entrementes, Davi era o ouvinte campeão. Ele dizia, resignado: "Fala", permitindo-lhe continuar com a sua tirada. Mas agora Davi estava examinando o relógio, perguntando-se quando aquilo terminaria. Ele olhava nervosamente ao redor da sala, inclinando-se e metendo a cabeça entre as mãos. Enquanto isso, a mulher prosseguia, falando sem parar. A mulher já havia conseguido tudo quanto tinha pedido. Ela agora contava com um decreto real ao seu lado, além de um juramento feito em nome da divindade. Que mais haveria de querer?

■ 14.13

וַתֹּ֙אמֶר֙ הָֽאִשָּׁ֔ה וְלָ֧מָּה חָשַׁ֛בְתָּה כָּזֹ֖את עַל־עַ֣ם אֱלֹהִ֑ים וּמִדַּבֵּ֨ר הַמֶּ֜לֶךְ הַדָּבָ֣ר הַזֶּה֮ כְּאָשֵׁם֒ לְבִלְתִּ֛י הָשִׁ֥יב הַמֶּ֖לֶךְ אֶֽת־נִדְּחֽוֹ׃

Prosseguiu a mulher. De repente, a mulher chocou Davi revelando o propósito de estar ali, bem como o significado da palavra. "Estou falando sobre ti, ó rei. Que pensas em fazer com todo esse dano contra Israel, continuando com a inimizade em tua própria família? Se concedeste tão grandes favores a uma total estranha e para seu filho de mentira, por que não aplicas tais questões a ti mesmo e à tua própria família, por causa de Israel, bem como por causa de ti mesmo?" "... manter Absalão no banimento era privar o povo de Israel de seu herdeiro ao trono. Coisa alguma poderia trazer Amnon de volta à vida, e Deus, nesse ínterim, ficaria privado de um servo e de um adorador, visto que Absalão estava fora das fronteiras de Israel, fora da esfera da adoração e do culto" (George Caird, *in loc.*).

"Há circunstâncias, disse ela, sob as quais a pena de morte não precisa ser aplicada, particularmente onde não houve premeditação (ver Nm 35.15). Embora isso não fosse relevante aqui, porquanto Absalão havia planejado a morte de Amnom com grande antecedência, ainda havia o princípio da misericórdia" (Eugene M. Merrill, *in loc.*).

14.14

כִּי־מ֣וֹת נָמ֔וּת וְכַמַּ֙יִם֙ הַנִּגָּרִ֣ים אַ֔רְצָה אֲשֶׁ֖ר לֹ֣א יֵאָסֵ֑פוּ וְלֹֽא־יִשָּׂ֤א אֱלֹהִים֙ נֶ֔פֶשׁ וְחָשַׁב֙ מַֽחֲשָׁב֔וֹת לְבִלְתִּ֛י יִדַּ֥ח מִמֶּ֖נּוּ נִדָּֽח׃

A Vida é Incerta. Absalão poderia morrer no exílio e nunca ter a chance de subir ao trono. Davi poderia morrer e deixar as coisas no ar. Israel sofreria assim por causa das incertezas da vida e da morte, e da inércia do rei em solucionar as coisas no tempo próprio e antes que ocorressem calamidades irreparáveis. A vida derrama-se como um líquido no solo. Esse líquido, uma vez derramado, não pode ser devolvido ao vaso. Um dano irreparável será assim cometido.

> Quem quer que sejas, a morte te alcançará.
> Embora estejas em torres elevadas.
>
> O Alcorão

> A morte tem mil portas que deixam escapar a vida.
> Encontrarei uma delas.
>
> Philip Massinger

> Nada prometo: os amigos se separarão!
> Todas as coisas terminam, pois todas começam.
>
> A. E. Housman

> A alma fugiu. A fé se perde, a honra morre.
> O homem está morto.

> A vida é o dia de hoje.
> A vida é ai que mal soa.
> A vida é sombra que foge,
> A vida é nuvem que voa.
> A vida é sonho que leve,
> Que se desfaz como a neve.
> ...
> A vida é sopro suave,
> A vida é estrela cadente.
>
> João de Deus

Os Argumentos da Mulher Prosseguem. Apesar de ser verdade que Deus não respeita pessoas, também é verdade que ele é pleno de misericórdia e amor, e restaura até os culpados. Não há razão para pensarmos que Absalão estava além do alcance divino. "Deus, em sua ira, lembra-se da misericórdia e não pressiona sua punição a extremos" (Ellicott, *in loc.*). A morte de Absalão seria uma "punição extremada", e a mulher assegurou a Davi que as coisas não deveriam chegar a esse ponto. Portanto, ele deveria agir e restaurar Absalão, o que ela julgava ser a vontade de Deus. Naturalmente, ela não antecipava a temível "restauração sem reforma" que haveria de caracterizar o caso de Absalão. Mas a mulher aconselhou Davi a *imitar* o Deus misericordioso e liberar seu filho.

14.15

וְעַתָּ֡ה אֲשֶׁר־בָּ֣אתִי לְדַבֵּ֣ר אֶל־הַמֶּ֩לֶךְ֩ אֲדֹנִ֨י אֶת־הַדָּבָ֤ר הַזֶּה֙ כִּ֣י יֵֽרְאֻ֣נִי הָעָ֔ם וַתֹּ֤אמֶר שִׁפְחָֽתְךָ֙ אֲדַבְּרָה־נָּ֣א אֶל־הַמֶּ֔לֶךְ אוּלַ֛י יַֽעֲשֶׂ֥ה הַמֶּ֖לֶךְ אֶת־דְּבַ֥ר אֲמָתֽוֹ׃

Nos vss. 15-17 a mulher retorna à sua (alegada) situação pessoal. A mulher tentou voltar ao seu ardil e falar de seu próprio perigo, mas Davi já havia entendido a real intenção da visita. Várias pessoas, cujos nomes não nos são dados (certamente incluindo membros da própria família da mulher), de acordo com a parábola, "tornavam-na temerosa", fazendo-a sentir-se ameaçada em sua vida e na vida do filho sobrevivente. Ela invocou novamente a Davi para salvar a vida do filho e garantir a restauração, o fim do exílio. Isso pode ter sido verdadeiro, mas os versículos à nossa frente (15-17) revertem à parábola. Ela apelou ao "rei" atrás de uma solução para seu problema *pessoal* e, indiretamente, para uma solução para o problema *nacional*, que circundava Absalão.

14.16

כִּ֣י יִשְׁמַ֣ע הַמֶּ֔לֶךְ לְהַצִּ֥יל אֶת־אֲמָת֖וֹ מִכַּ֣ף הָאִ֑ישׁ לְהַשְׁמִ֨יד אֹתִ֤י וְאֶת־בְּנִי֙ יַ֔חַד מִנַּחֲלַ֖ת אֱלֹהִֽים׃

Porque o rei atenderá. A mulher prosseguiu em seus argumentos, promovendo o *ardil* que Joabe lhe incumbira representar. Ela repetia a si mesma, por muitas e muitas vezes. Forças malignas "lá fora" buscavam prejudicá-la. Ela e seu filho (que tinha matado ao irmão) eram os objetos do ódio e da destruição. A "herança" dada por Yahweh, que pertencia à sua família, perder-se-ia. O vingador do sangue ocultava-se então em meio às trevas para cumprir sua missão de assassinato. Somente Davi poderia impedir todas essas coisas más.

14.17

וַתֹּ֙אמֶר֙ שִׁפְחָתְךָ֔ יִֽהְיֶה־נָּ֛א דְּבַר־אֲדֹנִ֥י הַמֶּ֖לֶךְ לִמְנוּחָ֑ה כִּ֣י כְּמַלְאַ֤ךְ הָאֱלֹהִים֙ כֵּ֣ן אֲדֹנִ֣י הַמֶּ֔לֶךְ לִשְׁמֹ֙עַ֙ הַטּ֣וֹב וְהָרָ֔ע וַיהוָ֥ה אֱלֹהֶ֖יךָ יְהִ֥י עִמָּֽךְ׃ פ

Seja agora a palavra do rei meu senhor. Davi era o *senhor e rei da mulher* e tinha poder para salvá-la. Era o "anjo de Deus" que poderia beneficiá-la. Se Davi *e Yahweh* pleiteassem a sua causa, por certo ela triunfaria em sua provação. A mulher, pois, buscava *descanso* de sua perturbação e agitação mental. Ela queria que seus temores fossem *aquietados*. Davi, como se fosse o anjo de Deus (Elohim), veria perfeitamente que sua causa era *justa*, pelo que merecia atenção. Finalmente, ela expressou o desejo de que Yahweh estivesse com Davi e lhe desse sabedoria e poder para agir.

Os Targuns dizem aqui: "A Palavra do Senhor teu Deus esteja contigo para ajudar-te". Quanto ao anjo do Senhor, cf. 1Sm 29.9; 2Sm 19.27 e o vs. 20 deste capítulo. Ver no *Dicionário* o artigo chamado *Anjo*.

14.18

וַיַּ֣עַן הַמֶּ֗לֶךְ וַיֹּ֙אמֶר֙ אֶל־הָ֣אִשָּׁ֔ה אַל־נָ֥א תְכַחֲדִ֛י מִמֶּ֖נִּי דָּבָ֑ר אֲשֶׁ֥ר אָנֹכִ֖י שֹׁאֵ֣ל אֹתָ֑ךְ וַתֹּ֙אמֶר֙ הָֽאִשָּׁ֔ה יְדַבֶּר־נָ֖א אֲדֹנִ֥י הַמֶּֽלֶךְ׃

Peço-te que não me encubras o que eu te perguntar. Conforme diz uma expressão popular: "ele não podia meter uma palavra", ou seja, dificilmente Davi tivera a oportunidade de manifestar-se, pois a mulher prosseguia falando, sem cessar, sempre pensando em algo novo para dizer ou interminavelmente repetindo coisas que já havia dito. Finalmente, porém, Davi *demandou* a sua vez de dizer alguma coisa. Afinal, ele havia compreendido o ardil, reconhecendo que Absalão era o real objeto da diatribe da mulher, e não o alegado filho dela, que teria matado o irmão.

14.19

וַיֹּ֣אמֶר הַמֶּ֗לֶךְ הֲיַ֥ד יוֹאָ֛ב אִתָּ֖ךְ בְּכָל־זֹ֑את וַתַּ֣עַן הָאִשָּׁ֣ה וַתֹּ֡אמֶר חֵֽי־נַפְשְׁךָ֩ אֲדֹנִ֨י הַמֶּ֜לֶךְ אִם־אִ֣שׁ ׀ לְהֵמִ֣ין וּלְהַשְׂמִ֗יל מִכֹּ֤ל אֲשֶׁר־דִּבֶּר֙ אֲדֹנִ֣י הַמֶּ֔לֶךְ כִּֽי־עַבְדְּךָ֤ יוֹאָב֙ ה֣וּא צִוָּ֔נִי וְה֗וּא שָׂ֚ם בְּפִ֣י שִׁפְחָֽתְךָ֔ אֵ֥ת כָּל־הַדְּבָרִ֖ים הָאֵֽלֶּה׃

Joabe, teu servo, é quem me deu ordem. *A Parábola era Criação de Joabe.* A verdade, finalmente, raiou no cérebro de Davi. Agora tudo ficou claro. Absalão estava sendo promovido por *Joabe,* aquele astuto planejador, "seu voluntarioso general, político e inescrupuloso" (Ellicott, *in loc.*). Nesse ponto, Joabe pode ter tido algum interesse pelo bem-estar de Absalão. Mas o mais provável era que *tudo* quanto ele fazia era por causa de Davi, por quem tinha feroz e *inquestionável* lealdade e devoção. seu posterior tratamento a Absalão mostra que ele realmente tinha os interesses de Davi no coração. Qualquer coisa que se ajustasse a esses interesses, Joabe promoveria. E o que não coubesse dentro desse molde, ele tentaria destruir. Foi ele que decretou o fim de Absalão, que teve finalmente de perecer, por causa de Davi, e foi o próprio Joabe quem tomou a questão nas mãos.

A mulher foi forçada a confessar que representara um papel, inventado por Joabe, e não por ela mesma. "... Ele me deu suas ordens, dirigiu-me quanto ao que eu deveria dizer ao rei e como conduzir toda a questão" (John Gill, *in loc.*). Não há que duvidar que Davi já estava cônscio da esperança que Joabe nutria de que Absalão fosse tirado do exílio, e foi esse um dos fatores que o levaram a reconhecer a autoria da parábola contada pela mulher.

■ 14.20

לְבַעֲב֗וּר סַבֵּב֙ אֶת־פְּנֵ֣י הַדָּבָ֔ר עָשָׂ֖ה עַבְדְּךָ֣ יוֹאָ֑ב
אֶת־הַדָּבָ֣ר הַזֶּ֑ה וַאדֹנִ֣י חָכָ֗ם כְּחָכְמַת֙ מַלְאַ֣ךְ
הָאֱלֹהִ֔ים לָדַ֖עַת אֶת־כָּל־אֲשֶׁ֥ר בָּאָֽרֶץ׃ ס

Sábio é meu senhor. A mulher atribuiu a súbita percepção de Davi sobre a verdade à inerente sabedoria do rei e também à presença do anjo do Senhor, que pairava perto dele e o inspirava, sempre que necessário. Ver no *Dicionário* os artigos chamados *Iluminação* e *Anjo*. Ela exagerou em sua declaração, conferindo a Davi uma sabedoria universal, que se estendia a *todas as coisas* que acontecem na terra. A palavra "terra", usada no final do versículo, contudo, poderia indicar *Israel*. Davi, pois, seria inspirado a saber o que era melhor para toda a nação sobre a qual ele se tornara rei. "Isso está bem de acordo com o estilo das *lisonjas* asiáticas" (Adam Clarke, *in loc.*). Ver o verbete intitulado *Sabedoria* no *Dicionário*.

■ 14.21

וַיֹּ֤אמֶר הַמֶּ֙לֶךְ֙ אֶל־יוֹאָ֔ב הִנֵּה־נָ֥א עָשִׂ֖יתִי אֶת־הַדָּבָ֣ר
הַזֶּ֑ה וְלֵ֛ךְ הָשֵׁ֥ב אֶת־הַנַּ֖עַר אֶת־אַבְשָׁלֽוֹם׃

Então o rei disse a Joabe: Atendi ao teu pedido. A questão já tinha chegado à mente do rei, antes daquele momento, e, de fato, em breve ele a teria posto em execução. À margem do texto hebraico há as palavras "tu o fizeste", referindo-se a Joabe, mas essa era uma mudança desnecessária. Joabe estava presente à entrevista com a mulher, ou, mais provavelmente, Davi logo haveria de chamá-lo, informando que o seu esquema havia produzido os resultados pretendidos, e Davi convocaria Absalão do exílio, em busca de reconciliação. Isso poria fim à tristeza de Davi (ver 2Sm 13.39) e melhoraria as coisas na corte real e na nação. A Joabe, pois, foi dada a tarefa de trazer Absalão, e ele tinha homens e recursos à disposição para tanto. O vs. 23 mostra que Joabe cuidou *pessoalmente* da questão.

■ 14.22

וַיִּפֹּ֙ל יוֹאָ֤ב אֶל־פָּנָיו֙ אַ֔רְצָה וַיִּשְׁתַּ֖חוּ וַיְבָ֣רֶךְ אֶת־הַמֶּ֑לֶךְ
וַיֹּ֣אמֶר יוֹאָ֡ב הַיּוֹם֩ יָדַ֨ע עַבְדְּךָ֜ כִּי־מָצָ֤אתִי חֵן֙ בְּעֵינֶ֔יךָ
אֲדֹנִ֣י הַמֶּ֔לֶךְ אֲשֶׁר־עָשָׂ֥ה הַמֶּ֖לֶךְ אֶת־דְּבַ֥ר עַבְדּֽוֹ׃

Inclinando-se Joabe, prostrou-se em terra. Joabe era humilde quando isso lhe convinha, e essa, naturalmente, é uma boa norma para o homem pragmático. Assim, Joabe prostrou-se em terra, com o rosto voltado para o chão, e agradeceu ao rei por ter atendido aos seus esforços por tirar Absalão do exílio. Podemos estar certos, porém, de que os interesses de Joabe visavam o bem-estar de Davi, e não o de Absalão. Ele faria qualquer coisa, até o exagero, em favor de Davi. Era um servo fanático e dotado de poder, que não hesitava em usar sempre que Davi precisasse. Joabe tinha devoção fanática pelo rei, o que, algumas vezes, chegava às raias da insanidade. Ver no *Dicionário* o verbete intitulado *Devoção, Devotar*.

■ 14.23

וַיָּ֥קָם יוֹאָ֖ב וַיֵּ֣לֶךְ גְּשׁ֑וּרָה וַיָּבֵ֥א אֶת־אַבְשָׁל֖וֹם
יְרוּשָׁלִָֽם׃ פ

Levantou-se Joabe. Joabe fez pessoalmente a viagem a Gesur, para contatar Absalão e escoltá-lo até Jerusalém. Ver 2Sm 13.37,38 quanto ao fato de que Absalão estava em Gesur, vivendo e sendo protegido por seu avô materno. A distância era de cerca de 145 quilômetros, pelo que, ida e volta, somavam cerca de 290 quilômetros, uma grande distância a ser percorrida naqueles dias. Joabe dispunha-se a fazer qualquer sacrifício pelo senhor ilustre, por quem sua devoção desconhecia limites.

■ 14.24

וַיֹּ֤אמֶר הַמֶּ֙לֶךְ֙ יִסֹּ֣ב אֶל־בֵּית֔וֹ וּפָנַ֖י לֹ֣א יִרְאֶ֑ה וַיִּסֹּ֤ב
אַבְשָׁלוֹם֙ אֶל־בֵּית֔וֹ וּפְנֵ֥י הַמֶּ֖לֶךְ לֹ֥א רָאָֽה׃ ס

Torne para a sua casa, e não veja a minha face. Davi não recebeu Absalão imediatamente. Certamente seria uma reunião nervosa. Afinal, Absalão tinha *assassinado* o filho primogênito de Davi. O rei, pois, adiou esse momento de tensão. Talvez não estivesse inteiramente reconciliado com ele, a despeito de ter concordado com o fim do exílio. "A reconciliação ainda não estava completa. Quando Davi deveria ter exercido disciplina, ele se mostrara lasso. Mas agora que deveria estender perdão, mostrava-se severo. O *excesso de disciplina*, algumas vezes, pode ser falta tão grande quanto a escassez de disciplina" (George Caird, *in loc.*). "Nem as condições espirituais de Davi nem o coração de Absalão estavam preparados para o retorno de Absalão. Restauração sem reforma é algo fatal. Quão antitética a essa volta para casa foi a do filho pródigo, quando se reconciliou com o pai" (Ganse Little, *in loc.*). Ver em Lc 15.11 a história que contrasta com este caso de Absalão.

■ 14.25

וּכְאַבְשָׁל֗וֹם לֹא־הָיָ֧ה אִישׁ־יָפֶ֛ה בְּכָל־יִשְׂרָאֵ֖ל לְהַלֵּ֣ל
מְאֹ֑ד מִכַּ֤ף רַגְלוֹ֙ וְעַ֣ד קָדְקֳד֔וֹ לֹא־הָ֥יָה ב֖וֹ מֽוּם׃

Não havia, porém, em todo o Israel homem tão celebrado por sua beleza como Absalão. Absalão não era um homem comum. Por esse motivo, o autor-editor agora interrompe a narrativa para dar-nos material de apoio sobre como Absalão, afinal, se rebelou contra seu pai e quase conseguiu tomar-lhe o trono.

Para começar, Absalão era o homem mais simpático de todo o Israel, não tinha defeito físico de nenhuma espécie que pudesse detratar de sua incontestável beleza física. Por causa disso, era muito "louvado" por todos quantos supunham que a beleza externa deveria indicar pureza e graça interior. Nisso, todos se equivocavam, mas é popular estar redondamente enganado. Ademais, é tradicional julgar um homem ou uma mulher por sua beleza física. Esse *modus operandi* de julgar uma pessoa é uma ilusão, mas eis que é um poderoso método de avaliação. É também tradicional para o público julgar mediante juízos ilusórios, tornar importantes coisas que não têm importância, e ignorar os valores reais. Considerada a adulação prestada aos astros de cinema e atletas e, infelizmente, até aos *políticos*. Uma face bonita tem efeitos poderosos, e se a isso adicionarmos palavras certas, a combinação pode enganar a qualquer multidão. Conforme se dizia, Helena era tão bonita que tudo quanto precisava fazer era mostrar o rosto, e mil navios se lançavam à guerra. Absalão, ao mostrar o rosto, era um homem que comandava o poder popular, e não demorou para ele usar a beleza física a fim de promover o mal.

"... a grande massa do público é sempre apanhada e conduzida pelas *aparências* externas" (Adam Clarke, *in loc.*). Apesar de toda a sua beleza, porém, Absalão terminou morto, pendurado pelos cabelos a uma árvore.

O Talmude também dá a Absalão *estatura gigantesca* e força física extraordinária; mas isso parece ser apenas um embelezamento. Se o homem tivesse sido dotado dessa maneira, nosso autor provavelmente estaria ansioso para informar-nos acerca do detalhe.

■ 14.26

וּֽבְגַלְּחוֹ֮ אֶת־רֹאשׁוֹ֒ וְֽהָיָ֗ה מִקֵּ֤ץ יָמִים֙ לַיָּמִ֔ים אֲשֶׁ֥ר
יְגַלֵּ֖חַ כִּֽי־כָבֵ֣ד עָלָ֑יו וְגִלְּח֕וֹ וְשָׁקַל֙ אֶת־שְׂעַ֣ר רֹאשׁ֔וֹ
מָאתַ֥יִם שְׁקָלִ֖ים בְּאֶ֥בֶן הַמֶּֽלֶךְ׃

Quando cortava o cabelo. Ver no *Dicionário* o verbete chamado *Cabelos*, que dá informações sobre os costumes de várias nações. Somente os egípcios odiavam os cabelos e até rapavam a cabeça (pelo menos a classe sacerdotal). Paulo proibiu os homens de ter longos cabelos (ver 1Co 11.14), acreditando que isso seria "degradante" para o sexo masculino. Tal declaração tem deixado os intérpretes perplexos, à luz das pesquisas históricas. Parece que era costume dos gregos que os homens evitassem cabelos longos, embora saibamos que nos tempos de Homero, pelo menos, os soldados espartanos usavam cabelos compridos. Em Israel, na época de Paulo, somente uma prostituta cortaria os cabelos como os de um homem, mas em Corinto, cidade cosmopolita, outras mulheres imitavam o que normalmente se confinava às prostitutas. A história de Absalão mostra-nos que não era incomum os homens jovens trazerem cabelos longos. A representação artística de Jesus com cabelos compridos é, provavelmente, historicamente acurada. Alguns intérpretes judeus dizem que Absalão era um nazireu perpétuo, e isso explica seus cabelos compridos (*Maimôn. e Bartenora*, em *Misn. Nazir*, cap. 1, sec. 2), mas essa informação não parece historicamente exata. Os jovens de ambos os sexos usavam longos cabelos soltos (ver 2Sm 14.26 e Ct 5.11). Para outros detalhes, ver o artigo chamado *Cabelos*.

Absalão cortava os cabelos apenas uma vez por ano, e então havia uma grande massa de cabelos cortados para mostrar, e eles pesavam cerca de um quilo e meio. Foram os longos cabelos de Absalão que, em ocasião posterior, o levaram a ficar pendurado no galho de uma árvore, onde Joabe o alcançou e deu ordens de atravessá-lo com dardos. Portanto, o que era uma de suas glórias terminou por fazê-lo chegar ao fim.

Segundo o peso real. "Havia pelo menos dois padrões de peso naqueles tempos, o comum e o real, ou seja, o *peso do rei*. Este último era um tanto mais pesado" (*Oxford Annotated Bible*, em comentário referente a este versículo). Ver no *Dicionário* o artigo intitulado *Pesos e Medidas*, seção IV.

■ 14.27

וַיִּוָּלְד֤וּ לְאַבְשָׁלוֹם֙ שְׁלוֹשָׁ֣ה בָנִ֔ים וּבַ֥ת אַחַ֖ת וּשְׁמָ֣הּ
תָּמָ֑ר הִ֣יא הָיְתָ֔ה אִשָּׁ֖ה יְפַ֥ת מַרְאֶֽה׃ פ

Três filhos, e uma filha. *A Família de Absalão.* O fato de que ele teve três filhos parece estar em contradição com o que lemos em 2Sm 18.18: "Filho nenhum tenho para conservar a memória do meu nome". Alguns críticos supõem que isso tenha vindo de diferentes fontes, e que essa informação é contraditória com a que temos aqui. Outros explicam que seus filhos devem ter morrido na infância, e quando 2Sm 18.18 foi escrito eles não mais existiam.

Tamar. O fato de que Absalão deu à sua filha o nome de sua irmã (que fora sexualmente violentada por Amnom) indica que ele tinha uma devoção especial por ela e, subsequentemente, pela filha. *Ambas* eram mulheres extraordinariamente belas e, visto que o próprio Absalão era conhecido por sua beleza física, podemos entender a questão em termos de genética.

A Septuaginta diz aqui que Tamar se tornou esposa de Reoboão, filho de Salomão, e lhe deu Abia por filho. Mas de acordo com 1Rs 15.2, a esposa de Reoboão chamava-se Maaca e era filha de Absalão. Algum tipo de erro, pois, entrou na história. Josefo concordava com a Septuaginta (*Antiq.* 1.7, cap. 8, sec. 5). Cf. Mt 1.7. Ver também 2Cr 11.20-22. Quanto a detalhes, ver sobre *Tamar* no *Dicionário*, em seu terceiro ponto.

■ 14.28

וַיֵּ֧שֶׁב אַבְשָׁל֛וֹם בִּירוּשָׁלַ֖ם שְׁנָתַ֣יִם יָמִ֑ים וּפְנֵ֥י הַמֶּ֖לֶךְ
לֹ֥א רָאָֽה׃

Tendo ficado Absalão dois anos em Jerusalém. Esse foi o tempo em que Absalão viveu em sua própria casa de Jerusalém, e nem uma vez sequer viu seu pai face a face. Provavelmente isso se deu por ordem de Davi, e Absalão até pode ter ficado sob uma espécie de prisão domiciliar. Tais condições, sem dúvida, contribuíram para seu espírito de rebelião. Davi havia agradado Joabe, que pensou que a presença de Absalão ajudaria o rei a sair de sua depressão (ver 2Sm 13.39), mas a coisa inteira estava ficando amarga. Entrementes, Absalão ganhava popularidade diante do povo, enquanto a fama de Davi se diluía. Afinal, ele não estava mais no campo de batalha, matando e conquistando inimigos (oito deles, ver 2Sm 10.19), em cuja circunstância grande parte de sua fama se originou. O assassínio de Amnom, filho primogênito de Davi, por Absalão, deixara no coração do rei feridas que nunca sararam completamente, pelo que sua relação com Absalão jamais atingiu verdadeira reconciliação.

■ 14.29

וַיִּשְׁלַ֨ח אַבְשָׁל֜וֹם אֶל־יוֹאָ֗ב לִשְׁלֹ֤חַ אֹתוֹ֙ אֶל־הַמֶּ֔לֶךְ
וְלֹ֥א אָבָ֖ה לָב֣וֹא אֵלָ֑יו וַיִּשְׁלַ֥ח ע֛וֹד שֵׁנִ֖ית וְלֹ֥א אָבָ֥ה
לָבֽוֹא׃

Mandou ele chamar a Joabe. *Absalão* fizera um esforço honesto para reconciliar-se com o pai, mas como nunca foi chamado a visitá-lo, tentou usar Joabe como intermediário, visto ter sido *esse* homem quem arranjara as coisas para o seu exílio chegar ao fim. Mas Joabe, provavelmente sob ordens de Davi, ou em consonância com a política geral que Davi impusera em relação ao filho, simplesmente ignorou os pedidos de Absalão para obter uma audiência com o pai. Como é óbvio, Joabe preferia obedecer a *Davi,* o que concordava com seu modo inflexível de agir, em lugar de satisfazer os pedidos de Absalão. Essa atitude, pois, deixou Absalão cada vez mais irado. Alguns supõem que ele tivesse algum propósito *sinistro* ao querer ver o rei, e não estivesse realmente interessado em reconciliação, embora o texto sacro não ventile essa possibilidade.

■ 14.30

וַיֹּ֣אמֶר אֶל־עֲבָדָ֗יו רְאוּ֩ חֶלְקַ֨ת יוֹאָ֤ב אֶל־יָדִי֙ וְלוֹ־שָׁ֣ם
שְׂעֹרִ֔ים לְכ֖וּ וְהוֹצִת֣וּהָ בָאֵ֑שׁ וַיַּצִּ֜תוּ עַבְדֵ֧י אַבְשָׁל֛וֹם
אֶת־הַחֶלְקָ֖ה בָּאֵֽשׁ׃ פ

Ide, e metei-lhe fogo. *O Incêndio que Chamou a Atenção de Joabe.* Irado e desgostoso, Absalão mandou incendiar o campo plantado com cevada, pertencente a Joabe, sabedor de que isso o levaria a uma visita apressada. Os campos de Absalão e Joabe eram contíguos, pelo que a tarefa foi fácil para os servos de Absalão. Os executores do incêndio precisaram realmente ser homens corajosos, para fazerem aquilo com Joabe; mas era tradicional que os servos fizessem qualquer coisa que seus senhores lhes ordenassem, deixando a responsabilidade de seus atos com os senhores. Cf. a informação de como os servos de Absalão mataram Amnom, embora este fosse o primogênito do rei (ver 2Sm 13.23 ss.).

■ 14.31,32

וַיָּ֣קָם יוֹאָ֗ב וַיָּבֹ֧א אֶל־אַבְשָׁל֛וֹם הַבָּ֖יְתָה וַיֹּ֣אמֶר אֵלָ֑יו
לָ֣מָּה הִצִּ֧יתוּ עֲבָדֶ֛ךָ אֶת־הַחֶלְקָ֥ה אֲשֶׁר־לִ֖י בָּאֵֽשׁ׃

וַיֹּ֣אמֶר אַבְשָׁל֣וֹם אֶל־יוֹאָ֡ב הִנֵּ֣ה שָׁלַ֣חְתִּי אֵלֶיךָ֩ לֵאמֹ֨ר
בֹּ֣א הֵ֗נָּה וְאֶשְׁלְחָה֩ אֹתְךָ֨ אֶל־הַמֶּ֜לֶךְ לֵאמֹ֗ר לָ֤מָּה בָּ֨אתִי֙
מִגְּשׁ֔וּר ט֥וֹב לִ֖י עֹ֣ד אֲנִי־שָׁ֑ם וְעַתָּ֗ה אֶרְאֶה֙ פְּנֵ֣י הַמֶּ֔לֶךְ
וְאִם־יֶשׁ־בִּ֥י עָוֺ֖ן וֶהֱמִיתָֽנִי׃

Joabe não reagiu com violência. Ele deve ter reconhecido a justiça da queixa de Absalão. O ato de Absalão era injurioso e, ao que parecia, malicioso; mas igualmente injurioso era o tratamento que Davi lhe dispensava, deixando mofar em sua própria casa. Se ele queria tratar o filho daquela maneira, por que o tirou de Gesur?

Absalão salientou, diante de Joabe, que se ele fora tirado do exílio em Gesur, na verdade continuava exilado. E estaria muito melhor se tivesse permanecido em Gesur. Outrossim, se ele fosse tão grande pecador, e se o assassinato de Amnom nunca receberia perdão (embora tivesse sido provocado por causa do crime sexual de Amnom), então Davi deveria prosseguir e mandar *executá-lo*, em lugar de deixá-lo a enregelar em sua própria casa. Absalão, pois, clamava por justiça e esperava, de forma genuína, que houvesse alguma forma de reconciliação com o pai. Absalão não confessou sua culpa, mas exigiu que, *se fosse considerado culpado*, recebesse perdão ou execução. O que ele não podia resistir era ao *status quo.* "ele preferiu morrer a viver uma vida como a que estava vivendo" (John Gill, *in loc.*).

■ 14.33

וַיָּבֹ֨א יוֹאָ֣ב אֶל־הַמֶּלֶךְ֮ וַיַּגֶּד־לוֹ֒ וַיִּקְרָ֣א אֶל־אַבְשָׁל֗וֹם
וַיָּבֹ֤א אֶל־הַמֶּ֨לֶךְ֙ וַיִּשְׁתַּ֧חוּ ל֛וֹ עַל־אַפָּ֖יו אַ֣רְצָה לִפְנֵ֣י
הַמֶּ֑לֶךְ וַיִּשַּׁ֥ק הַמֶּ֖לֶךְ לְאַבְשָׁלֽוֹם׃ פ

Então Joabe foi ao rei. Joabe conseguiu uma entrevista entre Davi e Absalão. Absalão prostrou-se em sinal de obediência, o que era mesmo de esperar-se. Davi beijou Absalão, conforme se esperava de um pai. Mas não sabemos dizer quão genuína foi essa reconciliação. Se houve algum grau de reconciliação, entretanto, ela não perdurou por muito tempo. Pois logo Absalão estavam em plena revolta contra seu pai.

"A reunião foi ao menos superficialmente cordial, mas, conforme demonstraram os eventos subsequentes, a longamente adiada aceitação de Davi ao filho ocorreu tarde demais. Absalão estava amargurado e decidido a fazer o que fosse necessário para que Davi pagasse por sua intransigência" (Eugene H. Merrill, *in loc.*).

"A tentativa de restaurar corretas relações entre *dois pecadores* deve estar alicerçada sobre a mútua admissão de pecado, sobre a mútua determinação de tirar proveito dos erros cometidos, sobre a mútua devoção a um propósito mais elevado que os interesse pessoais de qualquer das partes envolvidas" (Ganse Little, *in loc.*).

CAPÍTULO QUINZE

A REBELIÃO DE ABSALÃO (15.1,2)

Este parágrafo faz parte da seção maior de 2Sm 13.1–19.10.

Consequências Naturais do Pecado. Davi nunca ficaria inteiramente livre das temíveis consequências de ter adulterado com Bate-Seba e de ter mandado assassinar seu marido Urias. Natã, o profeta, tinha proferido uma maldição contra a família de Davi, que garantiria esse resultado (ver 2Sm 12.10). Em *primeiro lugar*, o filho infante com Bate-Seba morreria uma semana após ter nascido (cap. 13). Em *segundo lugar*, Amnom havia praticado incesto e violência sexual contra Tamar, sua meia-irmã (que era irmã de Absalão) (cap. 13). Em *terceiro lugar*, Absalão assassinara Amnom (que era o primogênito de Davi) (13.23 ss.). Em *quarto lugar*, essa circunstância enviou Absalão para o exílio, privando Davi de outro filho (13.34 ss.). Em *quinto lugar*, embora restaurado a Jerusalém, nenhuma verdadeira reconciliação entre Davi e seu filho, Absalão, foi possível, embora tivesse havido uma tentativa abortada (cap. 14).

Absalão, amargurado pelo que lhe havia acontecido desde que deixara o exílio em Gesur (embora tivesse voltado a viver em Jerusalém, por dois anos seu pai se recusara uma visita sequer, ver 2Sm 14.28), tomou passos para tornar-se uma força em oposição a Davi. Absalão haveria de tirar vingança disso. Ele reuniu um pequeno exército que se tornou o núcleo de sua rebelião (15.1). Embora esse exército fosse pouco mais do que uma força guarda-costas, era um começo. Ato contínuo, ele se estabeleceu como uma espécie de juiz, assumindo uma autoridade que não lhe pertence (ver 2Sm 15.5 ss.). Então se proclamou o rei vassalo de Hebrom, e assim a rebelião tomou algum vulto (ver 2Sm 15.10). Em breve havia uma conspiração generalizada em Israel, que tinha por objetivo a substituição de Davi por Absalão no trono. Davi foi obrigado a fugir de Jerusalém (2Sm 15.14). Mas o selvagem Joabe estava presente, ansioso para resolver imediata e definitivamente a questão.

15.1

וַיְהִי מֵאַחֲרֵי כֵן וַיַּעַשׂ לוֹ אַבְשָׁלוֹם מֶרְכָּבָה וְסֻסִים
וַחֲמִשִּׁים אִישׁ רָצִים לְפָנָיו׃

Um carro e cavalos, e cinquenta homens. Absalão preparou para si mesmo uma guarda pessoal, grande o bastante para ser o núcleo de um pequeno exército. "Adquirir uma guarda pessoal usualmente é o *primeiro passo* do homem que pretende usurpar o poder. A mesma norma política foi seguida por Adonias (ver 1Rs 1.5), e também pelos tiranos gregos. Para exemplificar, Pisístrato tornou-se tirano de Atenas ao aparecer no mercado coberto de ferimentos e afirmando ter sido atacado por oponentes políticos. Os atenienses entregaram-lhe então uma guarda pessoal de cinquenta homens, com cuja ajuda ele foi capaz de apossar-se da Acrópole e da cidade inteira" (Heródoto, *Hist.*, I, 59)" (John Caird, *in loc.*). Quando morreram Saul e Jônatas, abriu-se o caminho para um rei de Israel que não viesse da linhagem real anterior. A Absalão, porém, não foi garantida coisa alguma como herdeiro do trono de Israel. Além disso, ele estava longe do favor daqueles que ocupavam o poder, pelo que começou a movimentar-se para vir a sentar-se no trono, e não se arriscar diante das vicissitudes da vida. Não era sempre que o filho primogênito de um rei acabava ocupando o trono, mesmo quando uma dinastia prevalecia (ver Dt 21.15-17), e isso adicionava confusão à sucessão.

Ostentação. Os carros de combate e os homens de Absalão corriam à frente dele, e dessa maneira ele obtinha glória. Somos informados de que Nero, o imperador romano, nunca fazia uma viagem com menos de mil homens a acompanhá-lo (Suetônio, em *Vit. Neron*, cap. 30).

Foi assim que os planos e atos de Absalão se ajustaram à tremenda profecia de Natã (ver 2Sm 12.10), que rezava que, por causa de seus pecados, Davi nunca ficaria livre de dificuldades em sua própria família. Ver a introdução a este capítulo sobre como essa profecia se cumpriu em variadas maneiras.

15.2

וְהִשְׁכִּים אַבְשָׁלוֹם וְעָמַד עַל־יַד דֶּרֶךְ הַשָּׁעַר וַיְהִי
כָּל־הָאִישׁ אֲשֶׁר־יִהְיֶה־לּוֹ־רִיב לָבוֹא אֶל־הַמֶּלֶךְ
לַמִּשְׁפָּט וַיִּקְרָא אַבְשָׁלוֹם אֵלָיו וַיֹּאמֶר אֵי־מִזֶּה עִיר
אַתָּה וַיֹּאמֶר מֵאַחַד שִׁבְטֵי־יִשְׂרָאֵל עַבְדֶּךָ׃

Levantando-se Absalão pela manhã. *Brincando de juiz.* "Meu pai, Davi, está muito ocupado", dizia ele às pessoas que vinham apresentar casos e queixas, "e ele não pode dar a todos atenção pessoal. Por outra parte, sou um homem do povo, pronto e ansioso por ajudar. Tragam a mim as suas queixas". Foi assim que Absalão passou a ocupar, arbitrariamente, uma função que cabia exclusivamente ao rei, e ninguém o deteve em suas atividades. Devemos lembrar que o ofício de juiz era parte importante do ofício de um governante, e Israel tivera *juízes* em lugar de reis. Os reis, pois, absorveram essa função judicial.

Absalão usava a função de *juiz* a fim de obter popularidade. Ele era um pretendente, um falso protetor do povo, um falso sábio que sempre sabia o que deveria ser feito. O quanto ele realmente cuidava do povo pode ser julgado pelo tratamento que conferiu a Joabe (ver 2Sm 14.28-33). O *novel político* era industrioso, sábio, diligente, acordava cedo e continuava a trabalhar até altas horas da noite, cuidando dos interesses populares. Em outras palavras, ele fazia política, como é usual.

Porta. O portão principal de uma cidade era o lugar próprio para julgamentos, e com frequência o local conveniente para reunir concílios. Naturalmente, havia o palácio do rei, onde Davi ouvia os casos, mas o portão de uma cidade era sempre um lugar para ouvir casos e fazer julgamentos.

ele sempre indagava "De que cidade és tu?" ou "De qual tribo és tu?" antes de iniciar qualquer conversa. Tal como costumamos dizer "Onde nasceste?" ou "De que Estado você é?", algo que as pessoas estão sempre ansiosas a discutir. Absalão também pertencia a uma das tribos de Israel, um bom vizinho e irmão de todos os demais. Ele era da tribo de Judá, a mais poderosa de Israel, e isso lhe aumentava o prestígio.

15.3

וַיֹּאמֶר אֵלָיו אַבְשָׁלוֹם רְאֵה דְבָרֶךָ טוֹבִים וּנְכֹחִים
וְשֹׁמֵעַ אֵין־לְךָ מֵאֵת הַמֶּלֶךְ׃

Olha, a tua causa é boa e reta. Absalão sempre afirmava que aqueles que vinham *a ele* tinham o direito de ser ouvidos, pois sempre apresentavam *causas justas*. Mas o rei estava ocupado demais para ouvir as pessoas, sendo essa a razão pela qual Absalão julgava no portão. Ele ouvia alegremente os queixosos, e logo se tornou uma figura paternal diante das massas populares.

Além disso, era Absalão que estava ali para ajudar as pessoas, e *não* algum outro filho de Davi. Desse modo, ele se distanciava dos "outros candidatos" ao trono de Israel. "Absalão usava as mesmas 'artes' que têm sido empregadas pelos demagogos de todos os séculos. Ele não acusava o rei de estar errado, mas insinuava que o sistema de governo era defeituoso e expressava seu desejo de endireitar as coisas" (Ellicott, *in loc.*).

15.4

וַיֹּאמֶר אַבְשָׁלוֹם מִי־יְשִׂמֵנִי שֹׁפֵט בָּאָרֶץ וְעָלַי יָבוֹא
כָל־אִישׁ אֲשֶׁר־יִהְיֶה־לּוֹ־רִיב וּמִשְׁפָּט וְהִצְדַּקְתִּיו׃

Quem me dera ser juiz na terra! Em sua falsa humildade, Absalão desejava (provavelmente acompanhado por um juramento divino) tornar-se juiz *oficial*, a fim de que pudesse cumprir seus planos de governo. Nesse caso, ele sempre estaria pronto a *fazer justiça*, algo de que o povo precisava desesperadamente. Nisso, ele projetava seu desejo de tornar-se o *rei oficial*, que absorveria em si mesmo os deveres dos juízes. O texto sugeria que Israel não tinha um sistema eficaz de juízes, ou, pelo menos, não tinha um *juiz-em-chefe,* cujo ofício fora absorvido na função geral de rei.

15.5

וְהָיָה בִּקְרָב־אִישׁ לְהִשְׁתַּחֲוֺת לוֹ וְשָׁלַח אֶת־יָדוֹ
וְהֶחֱזִיק לוֹ וְנָשַׁק לוֹ׃

E o beijava. *O Antigo Jogo dos Ósculos*. Os políticos são contumazes "beijoqueiros"; não porque realmente gostem dessa atividade sem sentido, mas porque os beijos, presumivelmente, emprestam um toque de familiaridade e calor humano. Mas não era a mão de Absalão que era beijada. Absalão era quem beijava. "Mediante essa maneira gratuita, familiar, afável e cortês, estranhamente ele conquistava os afetos do povo" (John Gill, *in loc.*). Os homens de posição (até mesmo figuras eclesiásticas) estendem suas mãos para serem beijadas, ou então é o anel no dedo que é beijado; e alguns intérpretes pensam que isso é o que está em foco no versículo (conforme Fortunatus Schacchus, *Elaechrism. Myrothe*. 1.3, cap. 34), mas tal opinião não concorda com a tradução fiel do hebraico. "Absalão mostrava ao povo grande afeto por oscular às pessoas, quando chegavam defronte dele" (Eugene H. Merrill, *in loc.*).

15.6

וַיַּעַשׂ אַבְשָׁלוֹם כַּדָּבָר הַזֶּה לְכָל־יִשְׂרָאֵל אֲשֶׁר־יָבֹאוּ
לַמִּשְׁפָּט אֶל־הַמֶּלֶךְ וַיְגַנֵּב אַבְשָׁלוֹם אֶת־לֵב אַנְשֵׁי
יִשְׂרָאֵל׃ פ

Desta maneira fazia Absalão. Através desses métodos, incluindo o jogo dos beijos (ver o vs. 5), Absalão logo conseguiu o apoio das massas populares. Ele era seu pai político, o *candidato* do povo a ocupar o trono. Mas Absalão não esperaria nenhuma sucessão leal ou pacífica. Ele estava jogando o seu jogo a fim de tornar uma revolução imediata possível e aceitável aos olhos do povo. Absalão, pois, *enganava* o povo. A palavra aqui usada é a mesma empregada em Gn 31.20,25.

O coração. De acordo com o idioma hebraico, o coração é a sede do intelecto e da vontade, e não meramente das emoções.

15.7

וַיְהִי מִקֵּץ אַרְבָּעִים שָׁנָה וַיֹּאמֶר אַבְשָׁלוֹם אֶל־הַמֶּלֶךְ
אֵלֲכָה נָּא וַאֲשַׁלֵּם אֶת־נִדְרִי אֲשֶׁר־נָדַרְתִּי לַיהוָה
בְּחֶבְרוֹן׃

Ao cabo de quatro anos. O texto hebraico fala em *quarenta anos*, mas é evidente que se trata de um erro. Os hebreus usavam letras para representar algarismos, e a leve diferença no formato dessas letras ocasionalmente provocava erros numéricos nos textos sacros, que precisamos reconhecer. Além disso, a fé religiosa não depende dessas coisas, e, como é óbvio, esses (e outros) tipos de erros existem nos manuscritos originais, a despeito do que dizem os ultraconservadores. Somente os céticos (que tentam encontrar erros em tudo) e os ultraconservadores (que tolamente não conseguem descobrir erros em nenhum trecho bíblico) se preocupam com essas questões. Qualquer coisa que tenha passado através da mente e das mãos humanas pode conter erros, e isso não somente quanto a coisas mecânicas (como os números), mas também quanto a *ideias*. O Novo Testamento deixou de lado muitas *ideias* do Antigo Testamento, e isso é uma demonstração regular de que as ideias mudam na revelação, avançando do antigo para o moderno, do inferior para o superior, e assim será *sempre*. Somente a *pessoa de Deus* é infalível. Todas as demais coisas alegadamente infalíveis tornam-se ídolos e compõem parte da *idolatria piedosa*. Piedosa, sim, mas ainda assim *idolatria* (ver a respeito no *Dicionário*).

Josefo diz aqui *quatro anos* (ver *Antiq*. 1.7, cap. 9), tanto quanto as versões siríaca e árabe. Mas a antiga versão de João Ferreira de Almeida e a *King James Version* apegam-se aos quarenta anos, o que força alguns intérpretes a toda espécie de contorção para defender o texto sacro, como começar a contagem de vários pontos de partida diferentes. O próprio John Gill (*in loc.*), que usualmente tenta, com toda a sua força, reconciliar tais coisas, diz sobre o caso presente: "... (aquelas) tentativas para explicar o número quarenta, no texto, não são inteiramente satisfatórias. Portanto, uma pessoa pode ser tentada a concluir que deve ter havido um equívoco em alguma cópia, estando indisposta a admitir que o autor original teria provocado o erro".

O Voto Alegado de Absalão. Absalão não hesitou em mentir ao pai acerca da verdadeira razão de querer ir a Hebrom. Ele fizera um *voto*, afirmara, e esse voto era uma promessa a Yahweh acerca de sua saída do exílio. E Davi deixou-se enganar pela alegação de Absalão. Assim, chegando àquele lugar, Absalão afastou-se consideravelmente da capital. Ver no *Dicionário* o verbete chamado *Voto*. Esse era um negócio sério entre os hebreus, pelo que Davi hesitaria em negar a Absalão a oportunidade de cumprir uma promessa que ele tivesse feito com relação a algum voto.

Logo, encontramos aqui o velho absurdo: "Revolução no nome do Senhor". Hoje em dia, as pessoas fazem de Jesus um revolucionário, na tentativa de angariar apoio para suas causas. A revolução em nome da religião é um "método honrado pelo tempo, pelos charlatães e traidores" (Ganse Little, *in loc.*). A alegada "verdadeira religião" é, com frequência, o inimigo da democracia e da sanidade política, quando essa verdadeira religião é a arma dos revolucionários e dos fanáticos. Foi assim que Adolf Hitler reviveu os antigos mitos religiosos dos alemães em ajuda à causa que ele defendia, e o comunismo russo transformou em heróis certas figuras tais quais Ivã, o Terrível, e Catarina, a Grande, como alegados precursores de sua revolução.

Atualmente, alguns fazem da própria *Bíblia* um texto de provas para apoiar o comunismo, ao mesmo tempo que negam a existência de Deus, o direito à propriedade pessoal e outros princípios honrados pela Bíblia. Entrementes, seus heróis modernos, os originadores desses movimentos, são assassinos em massa que procuram destruir a igreja e suas instituições.

15.8

כִּי־נֵדֶר נָדַר עַבְדְּךָ בְּשִׁבְתִּי בִגְשׁוּר בַּאֲרָם לֵאמֹר
אִם־יָשׁוֹב יְשִׁיבֵנִי יְהוָה יְרוּשָׁלִַם וְעָבַדְתִּי אֶת־יְהוָה׃

Gesur. Ver 2Sm 13.37,38. Esse fora o lugar do exílio de Absalão.

Se o Senhor me fizer tornar a Jerusalém. Não é impossível que Absalão, na realidade, tenha feito esse voto. Nesse caso, pois, ele se tornava duplamente pecador por distorcer suas intenções de ontem, ao promover, *então*, sua revolução, mediante uma viagem a Hebrom, em lugar de simplesmente dar ação de graças por terem sido satisfeitos os seus desejos. O mais provável é que ele estivesse mentindo do começo ao fim. seu alegado voto era pura invenção para tocar nos sentimentos de Davi, de modo que o rei lhe desse permissão de ir a Hebrom, a fim de traçar melhor os detalhes de sua rebeldia.

A *arca da aliança* estava, durante esse período, em Jerusalém, e a adoração se centralizava naquele lugar. Mas outros *antigos santuários* nunca tinham morrido, e continuavam sendo objetos de peregrinações. Davi nada via de errado em um homem ir a Hebrom com propósitos religiosos. Afinal, esse era um dos quartéis-generais do patriarca Abraão. Até antigos e rígidos presbiterianos escoceses nada viam de errado em cantar sobre "o Deus de Betel". A presença de Deus não se restringe a um único lugar, a um único santuário, a um único centro e a uma única religião. É natural que as experiências místicas e espirituais estejam associadas aos *lugares* onde ocorreram, contanto que um homem não adore um lugar ou qualquer outro objeto físico. Há um hino que fala sobre "andar hoje por onde Jesus andou e sentir ali a sua *presença*". Pessoas oram ao lado dos sepulcros de pessoas amadas e esperam que, de alguma maneira, tais orações tenham poder. Enquanto nosso coração e nossa mente estiverem fixados sobre o Deus Eterno (Yahweh), não haverá nada de errado em irmos em lugares especiais a fim de buscá-lo.

"Servirei a Yahweh", disse Absalão, quanto ao voto que tinha feito. Mas a verdade é que ele iria a Hebrom para promover uma campanha de ódio e destruição contra o próprio pai e contra Israel. É provável que em Hebrom houvesse descontentes prontos a colaborar com a causa de Absalão.

"Hebrom era o lugar do nascimento e da infância de Absalão, além de ser uma cidade santa desde há muito tempo e, assim sendo, local apropriado para o desempenho de seu voto... Tal como muitos outros culpados, Absalão velou seu crime sob uma capa religiosa" (Ellicott, in loc.).

15.9

וַיֹּאמֶר־לוֹ הַמֶּלֶךְ לֵךְ בְּשָׁלוֹם וַיָּקָם וַיֵּלֶךְ חֶבְרוֹנָה: פ

Vai-te em paz. Assim respondeu ao filho o rei Davi, completamente enganado. Davi havia procurado reconciliação muito tarde. As sementes do ódio tinham sido implementadas no coração de Absalão. Ver as notas em 2Sm 14.33 sobre a questão. *Hebrom* teria sido um bom lugar para pagar a promessa feita em conexão a um voto, conforme anotado nos versículos anteriores. Portanto, Davi não fez objeções. Absalão foi com duzentos homens (vs. 11), um grande grupo para um homem que queria apenas pagar um voto!

15.10

וַיִּשְׁלַח אַבְשָׁלוֹם מְרַגְּלִים בְּכָל־שִׁבְטֵי יִשְׂרָאֵל לֵאמֹר כְּשָׁמְעֲכֶם אֶת־קוֹל הַשֹּׁפָר וַאֲמַרְתֶּם מָלַךְ אַבְשָׁלוֹם בְּחֶבְרוֹן:

Absalão é rei em Hebrom. Seria em Hebrom que Absalão se proclamaria rei. Mas seu movimento era nacional. Seus emissários obteriam apoio em todas as tribos; no momento certo, o *novo rei* seria proclamado, e o antigo teria de fugir mais uma vez. Mas o selvagem Joabe esperava por trás dos bastidores, para pôr as coisas no seu devido lugar de novo. Podemos presumir que o plano de Absalão estava sendo planejado por *quatro* anos (ver o vs. 7), e o autor sacro informa-nos apenas os atos finais. Absalão trabalhara subterraneamente.

"Todos os ditadores surgem em cena pelos mesmos métodos. Quão diferentes são os meios empregados por Deus em Cristo, para conquistar o mundo! Jesus foi crucificado por recusar-se a prometer falsamente, a todos os homens, que seu reino faria justiça automática a todas as injustiças pessoais... Um reino duradouro só pode ser edificado sobre o coração de homens *livres*, atraídos gratuitamente pela verdade... A história assevera esse fato central" (Ganse Little, *in loc.*).

15.11

וְאֶת־אַבְשָׁלוֹם הָלְכוּ מָאתַיִם אִישׁ מִירוּשָׁלַםִ קְרֻאִים וְהֹלְכִים לְתֻמָּם וְלֹא יָדְעוּ כָּל־דָּבָר:

Absalão levou consigo os duzentos homens, mas eles não foram informados do plano. Nisso ele se mostrou sábio, porque se tivesse levado consigo sua guarda pessoal treinada, Davi poderia suspeitar que algum mal estava sendo planejado. E aqueles duzentos homens podiam passar para a sua causa, uma vez que chegasse o tempo certo. Os homens, sem dúvida, eram soldados e nutriam certa simpatia por Absalão, embora não soubessem da *extensão de seus planos*. Também é possível que aqueles homens fizessem parte de sua guarda pessoal, e que o texto sagrado signifique apenas que, embora estando com Absalão em tudo, eles ignoravam seus planos a longo prazo. Ou então os duzentos homens eram figuras exponenciais de Jerusalém, juntamente com soldados, cujo apoio para a rebelião Absalão tentaria obter no tempo certo.

15.12

וַיִּשְׁלַח אַבְשָׁלוֹם אֶת־אֲחִיתֹפֶל הַגִּילֹנִי יוֹעֵץ דָּוִד מֵעִירוֹ מִגִּלֹה בְּזָבְחוֹ אֶת־הַזְּבָחִים וַיְהִי הַקֶּשֶׁר אַמִּץ וְהָעָם הוֹלֵךְ וָרָב אֶת־אַבְשָׁלוֹם:

Aitofel, o gilonita. Quanto a notas completas sobre ele, examinar o *Dicionário*. Esse homem era conhecido por sua sabedoria especial, e, se fosse ganho para a causa de Absalão, exerceria larga influência e faria com que muitos o seguissem. Ele mediu as probabilidades e decidiu que a estrela de Absalão estava ascendendo, e a de Davi estava em declínio; portanto, movido por interesses pessoais, passou a apoiar o homem mais jovem. Ver o vs. 31. Aitofel acabou suicidando-se. Ver os detalhes no artigo sobre ele. Ele era o avô de Bate-Seba. Talvez parte da razão de ter apoiado a Absalão tenha sido a vingança contra Davi, pelo que o rei fizera com Bate-Seba e seu marido, Urias. Nesse caso, seria outra evidência de que a família de Davi permanecia sob a maldição da profecia de Natã (ver 2Sm 12.10).

Gilonita. Ver no *Dicionário* o verbete chamado *Giló, Gilonita*. Giló era uma cidade da região montanhosa de Judá (ver Js 15.51). Talvez a moderna Jâla, a 8 quilômetros de Hebrom, marque o local. Durante muito tempo, Silo foi importante santuário onde a arca permaneceu. Mas a adoração centralizada em Jerusalém não anulou os antigos santuários. Absalão dirigiu-se (ostensivamente) a Hebrom para pagar um voto que tomara, e Hebrom também era um antigo santuário de Israel. Ver as notas sobre o vs. 8 deste capítulo, quanto a essa circunstância que acompanhava muitos santuários. Aitofel era um homem piedoso, que atendia a atos religiosos em Silo, tendo sido chamado daquele lugar para conferenciar com Absalão. Sem dúvida, Absalão também angariou o apoio de outros líderes importantes. sua "campanha por tornar-se rei" não ignorou nenhum detalhe.

Crescia em número o povo. Absalão obteve muito apoio do povo comum. sua rebelião tornou-se *popular*. O movimento em favor à sua entronização fortalecia-se a cada dia.

"Quando Absalão conseguiu o apoio de Aitofel, ele, com efeito, obteve o *primeiro-ministro* do reino" (Adam Clarke, *in loc.*).

15.13

וַיָּבֹא הַמַּגִּיד אֶל־דָּוִד לֵאמֹר הָיָה לֶב־אִישׁ יִשְׂרָאֵל אַחֲרֵי אַבְשָׁלוֹם:

Conforme diz um ditado popular, "Davi foi o último a saber" do plano rebelde. Informaram-no não somente acerca do plano, mas também do grande apoio a Absalão, até mesmo entre o povo comum. É evidente que Davi foi apanhado de surpresa. Jerusalém era uma cidade fortificada e poderia ter resistido, mas o resultado seria uma sangrenta guerra civil. Davi achou por bem fugir, pelo menos por enquanto, a fim de pensar, planejar e lançar uma contraofensiva, no momento certo. Portanto, temos aí um grande *absurdo*. O poderoso Davi novamente em fuga, tal e qual havia feito, durante muito tempo, diante de Saul, antes de apossar-se do trono, embora tivesse sido *ungido* rei pelo profeta Samuel. Visto que Absalão contava com tamanho apoio, é provável que Davi também temesse ser traído, *dentro* de Jerusalém. Era melhor fugir a fim de combater em algum outro dia. Davi era agora homem de idade e faltavam-lhe as chamas da juventude. Isso torna os seres humanos *cautelosos*. Joabe estava presente e sempre poderia ajudar no combate, mas agora ele também estava ficando velho, e não era mais senhor de todas as suas forças físicas. Além disso, Joabe era arrogante e opressor, e sua mera presença provavelmente irritara a muitos em Jerusalém. Além de todas essas razões, havia uma *maldição divina* contra a família de Davi (ver 2Sm 12.10). Era mister, porém, que Davi superasse todos esses problemas. Ele terminaria vencedor, mas a grande custo. Embora não tivesse sido abandonado, havia tornado sua própria vida dificultosa. Seria preciso lutar para obter cada vitória, no meio de toda essa disciplina.

15.14

וַיֹּאמֶר דָּוִד לְכָל־עֲבָדָיו אֲשֶׁר־אִתּוֹ בִירוּשָׁלַםִ קוּמוּ וְנִבְרָחָה כִּי לֹא־תִהְיֶה־לָּנוּ פְלֵיטָה מִפְּנֵי אַבְשָׁלוֹם מַהֲרוּ לָלֶכֶת פֶּן־יְמַהֵר וְהִשִּׂגָנוּ וְהִדִּיחַ עָלֵינוּ אֶת־הָרָעָה וְהִכָּה הָעִיר לְפִי־חָרֶב:

Disse, pois, Davi a todos os seus homens. Davi reuniu seus soldados e conselheiros de maior confiança e exortou-os a fugir com ele, antes da chegada de Absalão na cidade, que os executaria a todos. Nos tempos antigos, incluindo a nação de Israel, lemos continuamente sobre como pai matava filho, e como filho matava pai ou irmãos, em meio às lutas pelo poder. Podemos estar certos de que a estimativa de Davi estava correta. Ele não seria poupado por seu filho. Estaria entre as vítimas, e o jovem cuidaria para que houvesse grande matança. Enquanto lemos os primeiros relatos do Antigo Testamento, ficamos impressionados com que *tribos selvagens* são descritas, a despeito da espiritualidade que fora implantada entre eles, e embora todos estivessem crescendo na direção de *"um dia melhor"*. Mas, por enquanto, antes do "dia melhor", o que imperava era "sangue e tripas", conforme diz certo ditado popular. Ver o vs. 18 quanto ao núcleo dos apoiadores de Davi, que estavam dispostos a arriscar-se na companhia do velho rei. Eles o tinham visto triunfar contra grandes adversidades, e ainda não eram velhos o bastante para vê-lo sucumbir definitivamente.

■ 15.15

וַיֹּאמְרוּ עַבְדֵי־הַמֶּלֶךְ אֶל־הַמֶּלֶךְ כְּכֹל אֲשֶׁר־יִבְחַר אֲדֹנִי הַמֶּלֶךְ הִנֵּה עֲבָדֶיךָ:

Eis aqui os teus servos. *Lealdade era a palavra* de poucos, pelo que Davi levou consigo aqueles poucos. O restante, em Jerusalém, provavelmente aceitaria de bom grado a mudança no poder. Os poucos haveriam de ficar para defender a cidade, ou para unir-se a Davi em seu novo exílio, ou para fazer qualquer coisa a que ele os instruísse. Eles puseram todos os seus ovos em uma única cesta: a lealdade a Davi, sem importar as consequências que isso pudesse trazer.

■ 15.16

וַיֵּצֵא הַמֶּלֶךְ וְכָל־בֵּיתוֹ בְּרַגְלָיו וַיַּעֲזֹב הַמֶּלֶךְ אֵת עֶשֶׂר נָשִׁים פִּלַגְשִׁים לִשְׁמֹר הַבָּיִת:

Saiu o rei. A casa de Davi era de considerável tamanho. Ver no *Dicionário* o artigo sobre ele, que apresenta um gráfico de todas as suas concubinas, as quais ele havia reunido enquanto se mudava de lugar para lugar. Mas ele deixou *dez* dessas concubinas para cuidar das coisas em sua ausência. Essas mulheres, naturalmente, e seus filhos (se Davi os deixasse para trás) seriam alvos de abusos pelo novo poder que estava tomando Jerusalém, e *nisso* haveria outro cumprimento da maldição divina sobre a família de Davi (ver 2Sm 12.10). Ver 2Sm 16.21,22 sobre como Absalão, a conselho de Aitofel, abusou, aberta e publicamente, das concubinas de Davi, a fim de envergonhar o pai e assim trazer descrédito à sua causa. Era costume que um novo rei tomasse o harém do antigo monarca, sendo esse um sinal do seu êxito ao obter o comando.

■ 15.17

וַיֵּצֵא הַמֶּלֶךְ וְכָל־הָעָם בְּרַגְלָיו וַיַּעַמְדוּ בֵּית הַמֶּרְחָק:

Tendo, pois, saído o rei com todo o povo. A *caravana do rei* saiu de Jerusalém e demorou-se em um lugar não muito distante. Ali estava o poderoso Davi na estrada novamente. "Davi e seus cortesãos saíram primeiro e pararam na última casa para ver o restante do exército marchar e passar por eles. Então seguiu-se a milícia e, finalmente, passaram os mercenários" (George B. Caird, *in loc.*). Davi esperou com paciência até que viu todos os seus amigos e apoiadores em segurança, fora da cidade. Foi assim que ele reuniu suas forças e iniciou a fuga, esperando um dia melhor no qual pudesse lançar sua contraofensiva.

■ 15.18

וְכָל־עֲבָדָיו עֹבְרִים עַל־יָדוֹ וְכָל־הַכְּרֵתִי וְכָל־הַפְּלֵתִי וְכָל־הַגִּתִּים שֵׁשׁ־מֵאוֹת אִישׁ אֲשֶׁר־בָּאוּ בְרַגְלוֹ מִגַּת עֹבְרִים עַל־פְּנֵי הַמֶּלֶךְ:

É descrito agora o *núcleo* do novo exército de Davi.
A guarda real. Ver o artigo sobre os *quereteus* no *Dicionário*. Ver 1Sm 4.1 e 30.14. Os quereteus tinham alguma espécie de associação com os filisteus (ver Sf 2.5 e Ez 25.16). É provável que eles fossem uma tribo cananeia que tinha ocupado partes de Israel antes mesmo dos filisteus. Alguns desses homens tornaram-se soldados leais do exército de Davi.
Os peleteus. Ver sobre eles no *Dicionário*, sob o título *Peletitas*. Talvez eles fossem um grupo de *filisteus*, que se tinham tornado parte da comunidade de Israel, através das vicissitudes da guerra e da paz. O artigo sobre os *quereteus* oferece maiores detalhes.
Os geteus. Ver no *Dicionário* o artigo sob o título de *gititas*. Eram filisteus que haviam seguido Davi desde *Gate* (ver a respeito no *Dicionário*). "Homens fiéis que o seguiram de Gate, na Filístia, quando ele estava sendo perseguido por Saul: ver 1Sm 23.13; 27.2 e 30.9. Eles também fugiram com Davi" (Eugene H. Merrill, *in loc.*).

Alguns intérpretes supõem que esses homens não fossem filisteus de Gate, mas forças que acompanhavam Davi quando ele combateu ali, e então o seguiram quando ele se mudou de lugar. Ver 1Sm 27.2,3. Nesse caso, tais homens eram israelitas, mas israelitas que tinham estado com Davi em Gate. É assim que Josefo afirma que aqueles homens eram *campeões* de Davi em sua primeira fuga de Saul (*Antiq.* 1.8, cap. 1, sec. 5). Aqueles homens tinham-se juntado a Davi enquanto ele fugia da presença de Saul, vindos de vários lugares (ver 1Sm 22.1,2; 23.13; 25.13; 27.3). Eles compartilhavam da vida e dos feitos de Davi (ver 1Sm 27.8; 29.2; 30.1-9). Foram com ele a Hebrom (ver 2Sm 2.3) e, finalmente, a Jerusalém (ver 2Sm 5.6). Tornaram-se seus principais heróis, seus "homens poderosos" (ver 2Sm 10.7; 16.6; 20.7 e 1Rs 1.8). Podemos, pois, dizer que a *antiga guarda* continuava com Davi, ainda compartilhando de sua fortuna, fosse ela boa ou má.

■ 15.19

וַיֹּאמֶר הַמֶּלֶךְ אֶל־אִתַּי הַגִּתִּי לָמָּה תֵלֵךְ גַּם־אַתָּה אִתָּנוּ שׁוּב וְשֵׁב עִם־הַמֶּלֶךְ כִּי־נָכְרִי אַתָּה וְגַם־גֹּלֶה אַתָּה לִמְקוֹמֶךָ:

Itai, o geteu. Ver sobre ele no *Dicionário* e também o verbete *Gitita*. Provavelmente ele era um mercenário, e Davi o aconselhou a buscar empreendimentos mais frutíferos. O novo rei, Absalão, teria algum trabalho para ele. Ele era um estrangeiro e não tinha obrigação de compartilhar da nova e precária vida de Davi. O vs. 20 mostra-nos que ele acabara de chegar a Jerusalém, provavelmente em busca de trabalho como soldado. Por alguma razão desconhecida e não declarada, ele se mantinha leal a Davi. Talvez Davi fosse seu herói, por sua poderosa e generalizada reputação. Seja como for, Itai entregou-se à causa de Davi. Talvez, como antigo guerreiro, ele tivesse alguma *intuição* sobre a guerra e, mediante algum sentimento inexplicável, ele sentia que Davi acabaria vencendo a disputa. Itai logo recebeu o comando da terça parte das forças de Davi (ver 2Sm 18.2). Talvez ele fosse um general experiente, e Davi precisava dele.

■ 15.20

תְּמוֹל בּוֹאֶךָ וְהַיּוֹם אֲנוֹעֲךָ עִמָּנוּ לָלֶכֶת וַאֲנִי הוֹלֵךְ עַל אֲשֶׁר־אֲנִי הוֹלֵךְ שׁוּב וְהָשֵׁב אֶת־אַחֶיךָ עִמָּךְ חֶסֶד וֶאֱמֶת:

Chegaste ontem. O poderoso Itai, que logo se tornaria um importante elemento do exército de Davi, chegara no dia anterior, em busca de trabalho como soldado. Sempre havia algo ocorrendo em Israel, e ele esperava encontrar ali um trabalho proveitoso. Além disso, na ocasião, Israel vivia o auge das vitórias militares sobre as nações vizinhas, e sempre seria melhor estar no lado vencedor. O fato de Israel estar entrando em uma guerra civil provavelmente o tomou de surpresa. Contudo, para apressar seu negócio, e com Davi a fugir, e planejando mais tarde entrar em combate, haveria muito trabalho e também muito despojo. Davi sugerira que ele permanecesse em Jerusalém e ajudasse Absalão, o "novo rei". Mas Itai já tinha ouvido falar da fama de Davi e queria fazer parte das forças *dele*. Davi, pois, aconselhou-o a servir Absalão (ver o versículo anterior), ou então voltar e levar consigo seus compatriotas. E proferiu a bênção de Yahweh sobre ele, por causa de seu bom espírito.

■ 15.21

וַיַּעַן אִתַּי אֶת־הַמֶּלֶךְ וַיֹּאמַר חַי־יְהוָה וְחֵי אֲדֹנִי הַמֶּלֶךְ כִּי אִם־בִּמְקוֹם אֲשֶׁר יִהְיֶה־שָּׁם אֲדֹנִי הַמֶּלֶךְ אִם־לְמָוֶת אִם־לְחַיִּים כִּי־שָׁם יִהְיֶה עַבְדֶּךָ:

Inexplicável Lealdade. É difícil dizer por que Itai, o soldado mercenário estrangeiro, desenvolveu tão rapidamente forte lealdade a

Davi. Talvez isso se devesse ao fato de que ele tinha ouvido falar do "poderoso Davi". Ou porque, uma vez em sua presença, tenha sentido a forte atração de sua personalidade e caráter. "ele observara o suficiente para sentir a irresistível atração de sua personalidade, que constantemente ganhava para si a imorredoura devoção de todos quantos entravam em seu serviço" (George B. Caird, *in loc.*). Pense o leitor sobre Joabe e sua inflexível lealdade! Grandes poderes nunca deixam indiferentes aqueles com quem se encontram. Esses grandes poderes nos inspiram ou nos repelem. Ademais, devemos levar em conta a vontade de Deus. Embora Davi tivesse de pagar por seus pecados, em *sentido algum* fora abandonado por Deus. Deus fizera provisão por ele em todas as suas dificuldades, e o general Itai era uma dessas provisões. Itai fez um juramento de lealdade a seu novo comandante, e em breve estava servindo por muito mais do que mero dinheiro. Cf. a atitude de Itai com a de Rute (ver Rt 1.16,17).

■ **15.22**

וַיֹּאמֶר דָּוִד אֶל־אִתַּי לֵךְ וַעֲבֹר וַיַּעֲבֹר אִתַּי הַגִּתִּי וְכָל־אֲנָשָׁיו וְכָל־הַטַּף אֲשֶׁר אִתּוֹ׃

Assim passou Itai... e todos os seus homens. Ou Itai trouxera consigo os seus homens, ou informalmente comandava uma companhia de israelitas. Esses homens podiam ser os seiscentos mencionados no vs. 18, os "geteus", ou aqueles que tinham combatido com Davi em Gate. Se esses homens também eram geteus, então era apenas natural que Itai se tornasse o general deles, pertencente à mesma raça e falando a mesma língua. Ver sobre 2Sm 8.1 quanto à batalha contra os filisteus. Alguns estudiosos creem que Itai era filho de Aquis, rei de Gate, que já se sentia apegado a Davi e fora banido da corte do pai, por causa dessa lealdade. Mas não há como submeter a teste essa informação. Quanto às vitórias de Davi sobre *oito inimigos*, ver as notas expositivas em 2Sm 10.19.

■ **15.23**

וְכָל־הָאָרֶץ בּוֹכִים קוֹל גָּדוֹל וְכָל־הָעָם עֹבְרִים וְהַמֶּלֶךְ עֹבֵר בְּנַחַל קִדְרוֹן וְכָל־הָעָם עֹבְרִים עַל־פְּנֵי־דֶרֶךְ אֶת־הַמִּדְבָּר׃

O texto hebraico deste versículo é difícil de seguir e evidentemente está corrompido. Com a ajuda do texto de Luciano, podemos ler: "E todo o país chorava em altas vozes, enquanto o rei se punha de pé no vale do Cedrom, e todo o povo passava por ele na estrada do deserto das oliveiras". Davi permaneceu ali parado, enquanto o povo passava por ele, em algum conhecido marco terrestre, a "última casa". Finalmente, o próprio Davi atravessou o ribeiro do Cedrom. Ali estava ele, novamente no exílio, deixando sua amada Jerusalém, que somente ele fora forte o bastante para arrancar das mãos dos jebuseus. O tempo permitira que Davi conquistasse e fortificasse a cidade de Jerusalém. O tempo o removeu daquele lugar, obrigando-o a fugir do *próprio filho*. "A tristeza da população, enquanto Davi e seus exércitos saíam da cidade, mostrou que o sucesso de Absalão teve seus limites" (George B. Caird, *in loc.*).

Ver no *Dicionário* sobre o ribeiro do *Cedrom*. Esse ribeiro era, na realidade, um *wadi*, tendo água somente no inverno, quando chegavam as chuvas. Ficava bem próximo a Jerusalém, no lado leste, entre a cidade e o monte das Oliveiras.

"O povo saiu das aldeias em redor, ao ouvir que o rei estava deixando Jerusalém por causa da conspiração de seu filho. Quando o viram naquelas circunstâncias, eles choraram" (John Gill, *in loc.*).

O caminho do deserto. Que corria entre Jerusalém e Jericó, ou o texto hebraico tem aqui o intuito apenas de indicar uma direção geral, "na direção do deserto".

■ **15.24**

וְהִנֵּה גַם־צָדוֹק וְכָל־הַלְוִיִּם אִתּוֹ נֹשְׂאִים אֶת־אֲרוֹן בְּרִית הָאֱלֹהִים וַיַּצִּקוּ אֶת־אֲרוֹן הָאֱלֹהִים וַיַּעַל אֶבְיָתָר עַד־תֹּם כָּל־הָעָם לַעֲבוֹר מִן־הָעִיר׃

Abiatar... Zadoque. Ver sobre eles em artigos separados no *Dicionário*. Davi, como é evidente, tinha o apoio do sacerdócio ou, pelo menos, dos oficiais maiores daquela classe. Eles marcharam com a arca, depois de Davi. Talvez pensassem que, se a arca fosse levada ao campo da batalha, a vitória de Davi estaria garantida. Quanto a essa prática, ver 1Sm 4.3 e as anotações naquele lugar.

A introdução da palavra *levitas* neste ponto, conforme se vê no hebraico, provavelmente foi uma mudança deliberada por razões doutrinárias, um anacronismo. Ver Dt 10.8; Nm 3.31. Aos levitas estava atribuída a tarefa de transportar a arca da aliança, e talvez *Abiatar* se tenha sentido impróprio para realizar esse transporte. A *King James Version* e a tradução de Almeida dizem levitas, mas a maioria das traduções modernas deixa essa palavra de fora. O vs. 27 menciona *Abiatar,* e esse é o texto geral dos manuscritos, e o mesmo nome aparece no fim do vs. 24. Mas os levitas foram trazidos à cena para fazer o texto concordar com a legislação mosaica sobre as movimentações da arca da aliança. Os *sacerdotes* tinham consciência de que Davi fora *ungido* rei. Ele era o líder reconhecido, e eles continuaram a prestar-lhe apoio, rejeitando o autonomeado Absalão.

■ **15.25**

וַיֹּאמֶר הַמֶּלֶךְ לְצָדוֹק הָשֵׁב אֶת־אֲרוֹן הָאֱלֹהִים הָעִיר אִם־אֶמְצָא חֵן בְּעֵינֵי יְהוָה וֶהֱשִׁבַנִי וְהִרְאַנִי אֹתוֹ וְאֶת־נָוֵהוּ׃

Então disse o rei a Zadoque. Davi confiou no favor de Yahweh, mesmo sem a ajuda da casta sacerdotal, levando a arca da aliança à batalha. Yahweh votaria contra ou a favor de Davi, e isso determinaria o resultado da rebelião de Absalão. Os sacerdotes não eram militares e seriam de pouco uso no campo de batalha. Absalão mataria a todos, como fizera Saul quando se sentira ofendido por eles (ver 1Sm 22.13 ss.). Se os sacerdotes quisessem fazer algo por Davi, sendo eles videntes, que inquirissem sobre as batalhas por vir e sobre como Davi se sairia na guerra civil. Eles poderiam enviar-lhe uma palavra de encorajamento, caso Yahweh desse tal recado a ele (ver o vs. 28). Uma *boa* profecia pode animar um homem que esteja enfrentando uma crise, e Davi esperava esse tipo de estímulo. Talvez o fato de Davi enviar a arca da aliança de volta a Jerusalém tenha marcado certo progresso na fé hebreia. Essa fé estava ficando mais independente de formas e símbolos externos. Mas, por outro lado, certamente houve outra razão. Seria vantajoso para Davi ter alguns amigos em Jerusalém que pudessem agir como espias, mantendo-o informado do que estava sendo planejado ali. Os sacerdotes tinham boas razões para estar no novo centro de fé e atividades religiosas. Talvez Absalão não suspeitasse dos sacerdotes. Além disso, talvez Davi pensasse que a arca da aliança era um item por demais precioso para ser exposto à guerra e à matança, acontecimentos relativamente vulgares. A arca da aliança, em meio à batalha, poderia ser destruída, o que seria uma verdadeira catástrofe. Enquanto isso, Davi teria de confiar que Yahweh cuidaria da arca na presença dos conspiradores.

■ **15.26**

וְאִם כֹּה יֹאמַר לֹא חָפַצְתִּי בָּךְ הִנְנִי יַעֲשֶׂה־לִּי כַּאֲשֶׁר טוֹב בְּעֵינָיו׃ ס

Yahweh estava disciplinando Davi, por causa de seus pecados no caso de Bate-Seba e Urias (ver 2Sm 12.10). Talvez essa disciplina reclamasse agora a vida de Davi, e ele encontraria seu fim durante a batalha, em lugar de esperar que alguma enfermidade o ceifasse. Tudo dependeria da escolha de Yahweh. Davi, pois, submeteu-se ao elemento destrutivo. Ele prosperaria ou falharia, viveria ou morreria, de conformidade com a vontade de Yahweh. Portanto, deixou as coisas nesse pé. A vontade de Yahweh seria boa, sem importar o que ele fizesse de negativo ou de positivo; e, tendo tal fé, Davi entregou o caso nas mãos de Deus. Ele não haveria de marchar em companhia da arca para melhorar suas chances. Com Yahweh não há *chances*. A vontade de Deus seria feita.

Nunca penso sobre o futuro. Este chega bem cedo.

Albert Einstein

Nem sentado diante de sua lareira, em casa,
Um homem escapa de sua condenação apontada.

Ésquilo

Aquilo que Deus escreveu em tua testa,
A isso chegarás.

O Alcorão

A sorte lidera o bem-disposto e arrasta consigo
Aqueles que ficam para trás.

Sêneca

■ 15.27,28

וַיֹּ֣אמֶר הַמֶּ֡לֶךְ אֶל־צָד֣וֹק הַכֹּהֵן֩ הֲרוֹאֶ֨ה אַתָּ֜ה שֻׁ֤בָה
הָעִיר֙ בְּשָׁל֔וֹם וַאֲחִימַ֥עַץ בִּנְךָ֛ וִיהוֹנָתָ֥ן בֶּן־אֶבְיָתָ֖ר שְׁנֵ֣י
בְנֵיכֶ֑ם אִתְּכֶֽם׃

רְא֗וּ אָנֹכִ֤י מִתְמַהְמֵ֙הַּ֙ בְּעַֽבְר֣וֹת הַמִּדְבָּ֔ר עַ֣ד בּ֥וֹא דָבָ֛ר
מֵעִמָּכֶ֖ם לְהַגִּ֥יד לִֽי׃

Ó vidente. Ver no *Dicionário* o artigo intitulado *Profecia, Profetas*. Davi estava resignado com a sua sorte. Por outra parte, gostaria de receber uma palavra de encorajamento que um dos sacerdotes recebesse da parte de Yahweh. A maioria das pessoas procura *videntes* com o propósito específico de receber alguma palavra encorajadora, que as ajude a enfrentar algum problema. Ver no *Dicionário* o artigo chamado *Adivinhação*. O povo hebreu era dado a adivinhações, envolvendo tanto o que efetuavam as práticas do tabernáculo-templo, como aqueles que não as seguiam, conforme demonstra o artigo. Toda mente humana tem potencialidade de prever o futuro, conforme provam amplamente os estudos dos sonhos. Ver no *Dicionário* o verbete chamado *Sonhos*. De fato, temos cerca de vinte a trinta sonhos por noite, e neles o nosso futuro é claramente delineado. Portanto, nesse sentido menor mas real, somos todos profetas. O espírito humano, sem a ajuda do Ser divino, ou de seres diabólicos, é capaz de ter *conhecimento prévio* (ver a respeito disso na *Enciclopédia de Bíblia, Teologia e Filosofia*). Davi esperava ouvir o que Yahweh tinha dito aos sacerdotes: "Tudo estará bem contigo, afinal, uma vez que passe esta provação".

"Quanto aos vários nomes próprios referidos no vs. 27, ver os artigos separados no *Dicionário*. *Jônatas*, filho de Abiatar, ocupa o terceiro lugar na lista dos muitos Jônatas do Antigo Testamento. Supunha-se que a casta sacerdotal tivesse habilidades psíquicas e espirituais acima das massas populares. Além disso, havia o *Urim* e o *Tumim* (ver a respeito no *Dicionário*), dos quais podiam ser extraídas informações.

Até que me venham informações vossas. Mediante: 1. *declarações proféticas*, conforme sugerido acima; 2. e/ou trabalho de espionagem acerca de Absalão e seus oficiais. Portanto, cumpria-lhes trabalhar secretamente em favor de Davi, em Jerusalém, durante a sua ausência.

Os dedos em movimento escrevem, e tendo escrito,
Movem-se. Nem toda a sua piedade e esperteza
Haverão de fazê-lo cancelar meia linha.

Rubaiyat de Omar Khayyám

■ 15.29

וַיָּ֨שֶׁב צָד֤וֹק וְאֶבְיָתָר֙ אֶת־אֲר֣וֹן הָאֱלֹהִ֔ים יְרוּשָׁלָ֑͏ִם
וַיֵּשְׁב֖וּ שָֽׁם׃

Os sacerdotes obedeceram às ordens de Davi e voltaram a Jerusalém com a arca. Sem dúvida, eles o acompanhavam com boas intenções: buscariam oráculos para proveito de Davi; fariam espionagem e tudo quanto pudessem para ajudar a sua causa e produzir finalmente a derrota de Absalão.

■ 15.30

וְדָוִ֡ד עֹלֶה֩ בְמַעֲלֵ֨ה הַזֵּיתִ֜ים עֹלֶ֣ה ׀ וּבוֹכֶ֗ה וְרֹ֥אשׁ ל֙וֹ
חָפ֔וּי וְה֖וּא הֹלֵ֣ךְ יָחֵ֑ף וְכָל־הָעָ֣ם אֲשֶׁר־אִתּ֗וֹ חָפוּ֙ אִ֣ישׁ
רֹאשׁ֔וֹ וְעָל֥וּ עָלֹ֖ה וּבָכֹֽה׃

Tinha a cabeça coberta e caminhava descalço. Esses eram sinais de lamentação, conforme ficamos sabendo através de Jr 14.3 e Ez 24.17. Cf. 2Sm 13.19. Ver o detalhado artigo do *Dicionário* chamado *Lamentação*. Davi tinha razão em lamentar-se por seus pecados e pela maneira dura em que a profecia condenatória de Natã estava sendo cumprida (2Sm 12.10). Ele não sabia até onde essa profecia o levaria, afinal. Talvez ele acabasse perdendo a vida em algum campo de batalha, não muito longe no futuro. Entrementes, os rebeldes, encabeçados por seu próprio filho, devastavam o país motivados por razões egoístas.

"Uma sugestiva *comparação* nos sobe à mente, entre as tristezas de Davi e a agonia de Cristo. Davi estava em angústia por causa de seu próprio pecado e suas trágicas consequências. Jesus chorou pelos pecados do mundo inteiro. A tristeza de Davi era piedosa... mas não remidora. A tristeza de Cristo... era pela 'cura das nações' (Ap 22.2)" (Ganse Little, *in loc.*).

Enquanto Davi avançava, com a cabeça coberta e os pés descalços, "... estava não somente na atitude de alguém que se lamentava, mas até na atitude de um *réu*. Usualmente os réus cobriam a cabeça quando eram condenados (Et 7.8)" (Adam Clarke, *in loc.*).

"Davi e seus leais apoiadores... caminharam para leste, atravessando o vale do Cedrom e subindo o monte das Oliveiras" (Eugene H. Merrill, *in loc.*). Ver no *Dicionário* sobre *monte das Oliveiras*. Ficava a cerca de 1,5 quilômetro de Jerusalém.

"Os egípcios cobriam a cabeça quando se lamentavam, tal como faziam os romanos em tempos posteriores (Vid. *Solerium de Pileo*, sec. 2, pars. 14,19); assim também Megara, sob circunstâncias difíceis, é representada como tendo a cabeça coberta com um pano (Sêneca, *Hercul. furens*, act 2)" (John Gill, *in loc.*).

■ 15.31

וְדָוִד֙ הִגִּ֣יד לֵאמֹ֔ר אֲחִיתֹ֥פֶל בַּקֹּשְׁרִ֖ים עִם־אַבְשָׁל֑וֹם
וַיֹּ֣אמֶר דָּוִ֔ד סַכֶּל־נָ֛א אֶת־עֲצַ֥ת אֲחִיתֹ֖פֶל יְהוָֽה׃

Aitofel está entre os que conspiram. Davi teve um péssimo dia. Bem em meio à triste retirada de Jerusalém, ele recebeu a perturbadora notícia de que seu conselheiro de confiança, Aitofel (ver a respeito no *Dicionário*), tinha-se aliado a Absalão. Ver o vs. 12 deste capítulo. Essa má notícia fez Davi orar prontamente e em alta voz: "Ó Senhor, peço-te que transtornes em loucura o conselho de Aitofel". Sim, Davi acreditava no poder da oração para transformar as coisas. Cf. 2Sm 12.22.

Mais coisas são feitas pela oração
Do que sonha este mundo.

Tennyson

Ver o detalhado artigo do *Dicionário* chamado *Oração*.

"Aitofel era um homem sábio e versado nas questões do Estado. Somente Deus poderia confundir os *seus* conselhos" (Adam Clarke, *in loc.*). "Deus pode e algumas vezes realmente faz confundir os esquemas de conselheiros maliciosos... Jó 5.12,13. A oração de Davi foi respondida, 2Sm 17.14,23" (John Gill, *in loc.*).

■ 15.32

וַיְהִ֤י דָוִד֙ בָּ֣א עַד־הָרֹ֔אשׁ אֲשֶׁר־יִשְׁתַּחֲוֶ֥ה שָׁ֖ם לֵאלֹהִ֑ים
וְהִנֵּ֤ה לִקְרָאתוֹ֙ חוּשַׁ֣י הָאַרְכִּ֔י קָר֙וּעַ֙ כֻּתָּנְתּ֔וֹ וַאֲדָמָ֖ה
עַל־רֹאשֽׁוֹ׃

Husai, o arquita. *O Homem Certo no Momento Certo*. Aitofel era homem de sabedoria e agora bandeara-se para o lado de Absalão. Ele prejudicaria Davi, mediante a aplicação de sua sabedoria ao sucesso da revolta. Por essa razão, porque a vontade divina não estava ao lado de Absalão, Yahweh enviou a Davi outro conselheiro, alguém a quem Absalão ouviria, a saber, Husai (ver sobre ele no *Dicionário*). Ele era um arquita. Talvez estejam em vista os *arqueus*. Essa gente formava outro ramo dos cananeus (ver Gn 10.17; 1Cr 1.15). Eles habitavam em *Arca*, modernamente *Tell 'arqa*, cerca de 19 quilômetros a nordeste de Trípoli, na Síria.

Husai daria conselhos contrários que anulariam a sabedoria de Aitofel, e foi exatamente o que sucedeu, conforme se vê em 2Sm 17.14,23. De acordo com a Septuaginta, esse homem era *amigo* de Davi.

Alguns intérpretes referem-se ao lugar de nascimento de Husai como estando a oeste de Betel, em consonância com Js 16.2, isto é, o lugar chamado *Atarote*. Ver o artigo que contém todos os lugares do Antigo Testamento assim chamados. Isso provavelmente é correto, em lugar de Arques, mencionada anteriormente. A geografia envolvida favorece esse ponto de vista. Seja como for, está em pauta um povoado gentílico não distante de Betel. "Husai veio a Davi naquele momento, como resposta à oração (vs. 31), e sua vinda sugeriu como ele poderia anular Absalão usando o seu próprio jogo" (George B. Caird, *in loc.*).

Em meio à sua provação mais severa, Davi investiu tempo para adorar e orar. Precisamos desesperadamente da ajuda e orientação divina, voltados para a única fonte dessas coisas, Yahweh. "Leitor, você age assim?" (Adam Clarke, *in loc.*).

■ 15.33

וַיֹּאמֶר לוֹ דָּוִד אִם עָבַרְתָּ אִתִּי וְהָיִתָ עָלַי לְמַשָּׂא׃

Se aquele homem *divinamente escolhido* fosse com Davi, seria uma *carga* para ele. Mas se ele voltasse a Jerusalém, ser-lhe-ia entregue o poder capaz de fazer virar a maré da batalha. Não nos é dito *por que* Husai seria uma carga. Talvez ele fosse velho demais para resistir aos rigores da vida do exército no campo. Husai era um homem sábio, mas não um guerreiro, e era de guerreiros que Davi precisava no campo de batalha.

■ 15.34

וְאִם־הָעִיר תָּשׁוּב וְאָמַרְתָּ לְאַבְשָׁלוֹם עַבְדְּךָ אֲנִי הַמֶּלֶךְ אֶהְיֶה עֶבֶד אָבִיךָ וַאֲנִי מֵאָז וְעַתָּה וַאֲנִי עַבְדֶּךָ וְהֵפַרְתָּה לִי אֵת עֲצַת אֲחִיתֹפֶל׃

Dissipar-me-ás então o conselho de Aitofel. *Husai* fora um valioso servo de Davi, homem de boa reputação e cheio de sabedoria, por certo capaz de ajudar Absalão. Mas ele fingiria estar prestando ajuda, enquanto, o tempo todo, estaria esperando oportunidades para desacreditar os conselhos de Aitofel. Ele daria conselhos que, de fato, favoreceriam Davi, pois, se fossem seguidos, enfraqueceriam Absalão e seus esquemas. 2Sm 17.14,23 mostra que ele obtivera sucesso e fora uma figura-chave para conferir a Davi vitória final sobre os rebeldes. Naturalmente, devemos entender que Yahweh estava por trás dos bastidores, ajudando a Davi e impedindo Absalão. Deus tinha instrumentos que podiam ajudar ou servir de empecilho.

"Davi aconselhou aqui a fraude e a traição, e Husai aceitou voluntariamente a parte que lhe foi confiada, a fim de distorcer os conselhos de Aitofel e debilitar a rebelião de Absalão" (Ellicott, *in loc.*).

■ 15.35

וַהֲלוֹא עִמְּךָ שָׁם צָדוֹק וְאֶבְיָתָר הַכֹּהֲנִים וְהָיָה כָּל־הַדָּבָר אֲשֶׁר תִּשְׁמַע מִבֵּית הַמֶּלֶךְ תַּגִּיד לְצָדוֹק וּלְאֶבְיָתָר הַכֹּהֲנִים׃

Tens lá contigo Zadoque e Abiatar. *Husai* juntaria forças aos sacerdotes espiões de Davi (vss. 24-28) e, unidos, eles feririam a Absalão. A "conspiração" de Davi contra Absalão não teria muitos ajudadores, mas alguns homens bem colocados fariam maravilhas em seu favor. Os sacerdotes agiriam livres de suspeita, pelo que teriam caminho aberto de informações com Husai, e por algum modo secreto, utilizando-se dos filhos dos sacerdotes (vs. 36), seriam capazes de enviar a Davi toda a informação que fossem capazes de recolher sobre as intenções e os movimentos de Absalão. Com esse conhecimento, Davi saberia como derrubar o movimento rebelde e recuperar o trono em Jerusalém.

■ 15.36

הִנֵּה־שָׁם עִמָּם שְׁנֵי בְנֵיהֶם אֲחִימַעַץ לְצָדוֹק וִיהוֹנָתָן לְאֶבְיָתָר וּשְׁלַחְתֶּם בְּיָדָם אֵלַי כָּל־דָּבָר אֲשֶׁר תִּשְׁמָעוּ׃

Aimaás... Jônatas. Esses seriam os correios. Os *filhos* dos dois principais sacerdote (Aimaás, filho de Zadoque, e Jônatas, filho de Abiatar; ver o vs. 27) assumiriam a tarefa de levar a Davi as informações recolhidas.

Deus ajuda àqueles que ajudam a si mesmos.
Benjamim Franklin

Embora supondo que Yahweh fosse aquele que guia os destinos, e que ele próprio não seria restaurado ao trono nem continuaria vivo, a menos que a vontade divina concordasse com isso, ainda assim Davi fez o que pôde, usando a própria inteligência e recursos para realizar os seus propósitos. Ver os vss. 25 e 26.

Esses filhos dos sacerdotes não estavam na cidade, mas *próximos* dela (ver 2Sm 17.17), e havia frequente comunicação. Era um "bom esquema de inteligência e simples de ser posto em execução" (John Gill, *in loc.*).

■ 15.37

וַיָּבֹא חוּשַׁי רֵעֶה דָוִד הָעִיר וְאַבְשָׁלוֹם יָבֹא יְרוּשָׁלָ͏ִם׃

Husai... Absalão. Tanto um como outro desses homens dirigiu-se a Jerusalém; e assim as sementes do fracasso de Absalão estavam ali, esperando por ele. Ele não era o único capaz de planejar e esquematizar. seu esquema seria ultrapassado por esquemas superiores. Seus planos seriam ultrapassados por planos superiores. sua rebelião sofreria a ação de rebeliões superiores.

As Tristes Vicissitudes da Vida. "Leitor, contemple o caso de Davi e as tristes vicissitudes dos negócios humanos, prova temível de sua *instabilidade*. Contemple um rei, o maior que já viveu, poderoso político, hábil general, poeta de gênio sublime... profeta do Altíssimo e libertador da nação, expulso de seus domínios pelo próprio filho, abandonado por seu povo inconstante e, por algum tempo, pelo seu próprio Deus... Em todos os casos, é coisa temerosa e amarga pecar contra o Senhor" (Adam Clarke, *in loc.*).

Ver 2Sm 16.15 ss. sobre como Absalão confiaria em Husai, e não somente em Aitofel. Husai, ao que tudo indica, já se entregara à causa de Absalão.

CAPÍTULO DEZESSEIS

Este capítulo continua a seção geral iniciada em 13.1: *Consequências Temporais do Pecado* (13.1—19.10). Davi jamais seria capaz de livrar-se inteiramente das consequências de seu adultério com Bate-Seba e do homicídio do marido de Urias (capítulos 11 e 12). Em *primeiro lugar*, seu filho infante (de Bate-Seba) morreu uma semana após ter nascido (capítulo 12); em *segundo lugar*, Amnom violentou Tamar, sua meia-irmã (irmã de Absalão) (capítulo 13); em *terceiro lugar*, Absalão matou Amnom (o primogênito de Davi) (13.23 ss.); em *quarto lugar*, essa circunstância lançou Absalão no exílio, privando Davi de outro filho (13.34 ss.); em *quinto lugar*, embora restaurado a Jerusalém, nenhuma verdadeira reconciliação entre Davi e Absalão foi possível, embora tivesse havido uma tentativa abortiva (capítulo 14); em *sexto lugar*, Absalão, amargurado pelo que acontecera (durante dois anos seu pai recusara-se a ver seu rosto, embora Absalão já estivesse vivendo de novo em Jerusalém), não tardou a planejar tomar o trono, e por algum tempo conseguiu realizar o seu propósito (capítulo 15); e, em *sétimo lugar*, rebentou uma guerra civil que perturbou todo o reino (capítulo 16). Portanto, a espada nunca se desviou da família de Davi, tal e qual Natã havia predito, quando a amaldiçoou por ordem divina (2Sm 12.10).

"A fuga forçada de Davi, de Jerusalém, não somente pôs em perigo o seu próprio governo, mas também abriu a porta para novas contenções pelo trono, entre as dinastias de Saul e de Davi. Absalão, ao que parece, estava no processo de ocupar o trono em *Jerusalém*, mas isso de forma alguma subentendia que ele também poderia obter o controle das tribos nortistas. De fato, o abalo na família de Davi começou a reavivar a esperança dos saulitas de que seriam capazes de recuperar o reino para si mesmos" (Eugene H. Merrill, *in loc.*).

■ 16.1

וְדָוִד עָבַר מְעַט מֵהָרֹאשׁ וְהִנֵּה צִיבָא נַעַר מְפִי־בֹשֶׁת לִקְרָאתוֹ וְצֶמֶד חֲמֹרִים חֲבֻשִׁים וַעֲלֵיהֶם מָאתַיִם לֶחֶם וּמֵאָה צִמּוּקִים וּמֵאָה קַיִץ וְנֵבֶל יָיִן׃

Ziba, servo de Mefibosete. Ao longo do caminho, *Ziba* (ver a respeito no *Dicionário*), servo de Mefibosete, trouxe algumas provisões para o rei em fuga, as quais são enumeradas neste versículo. No exílio, Davi e sua companhia tinham grande necessidade desses *presentes* e, embora o que Ziba trouxe fosse pouco para tantos, era pelo menos alguma coisa. As coisas trazidas provavelmente seriam consumidas por Davi e seus conselheiros imediatos. Outros meios (como despojos e *ofertas forçadas*) dariam conta das necessidades do restante do grupo. Além dos suprimentos alimentares, dois jumentos foram providos para Davi e sua companhia imediata. "Tais (suprimentos) nada teriam significado em tal companhia" (John Gill, *in loc.*). Mas havia uma razão sinistra por trás de tudo. Ziba tentava obter o favor de Davi, contra Mefibosete (filho de Jônatas), a quem Davi demonstrara grande bondade e dera provisões, por causa de Jônatas. Este era filho de Saul, e tinha estado muito próximo de Davi por muitos anos (ver 1Sm 18—20). Quanto à promessa de Davi a Jônatas, de que favoreceria os seus descendentes, ver 1Sm 20.42.

Mefibosete se tornara um homem rico, por causa de Davi (ver 2Sm 9). De acordo com a história de Ziba, a despeito de toda a bondade de Davi para com ele, Mefibosete (filho de Jônatas) tentava obter vantagem das perturbações causadas por Absalão, lançando uma revolta pessoal para recuperar o reino para a linhagem de Saul. Mas Ziba, entrementes, apostava em Davi, tanto contra Absalão quanto contra Mefibosete. Ele esperava tornar-se um homem rico, mediante os presentes generosos de Davi, por causa de sua "lealdade"; e foi exatamente isso que Davi lhe prometeu, pois, quando a poeira se assentasse, tudo quanto fora de Mefibosete seria dele (vs. 4).

A *história contraditória* de Mefibosete é registrada em 2Sm 19.25-27. Ele se declarou inocente de qualquer plano de rebeldia. Se realmente esse era o caso, então Ziba estaria mentindo. Finalmente, quando recuperou o poder e quando todos os planos rebeldes chegaram ao fim, Davi não sabia o que fazer, nem em quem acreditar. Portanto, ele simplesmente dividiu os bens entre Mefibosete e Ziba. Dessa forma, Ziba saiu ganhando, embora em proporções menores do que tinha esperado (ver 2Sm 19.29). Aquele era um tempo próprio para planos rebeldes. Era tempo para traidores, e os traidores surgiam de todos os lados.

Os *intérpretes* estão divididos quanto a essa questão. Alguns pensam que Ziba disse a verdade; mas outros opinam que quem disse a verdade foi Mefibosete. O próprio Davi não conseguiu determinar quem dos dois era o mentiroso, e ninguém pode ter certeza. Talvez houvesse um pouco de verdade e de mentira de ambas as partes.

■ **16.2**

וַיֹּ֤אמֶר הַמֶּ֙לֶךְ֙ אֶל־צִיבָ֔א מָה־אֵ֖לֶּה לָּ֑ךְ וַיֹּ֣אמֶר צִיבָ֡א הַחֲמוֹרִים֩ לְבֵית־הַמֶּ֨לֶךְ לִרְכֹּ֜ב וְהַלֶּ֣חֶם וְהַקַּ֗יִץ לֶאֱכ֤וֹל הַנְּעָרִים֙ וְהַיַּ֔יִן לִשְׁתּ֥וֹת הַיָּעֵ֖ף בַּמִּדְבָּֽר׃

Que pretendes com isto? *Davi Ficou Surpreendido com os Presentes.* Por qual motivo Ziba se mostrara tão generoso? Ziba declarou-se simplesmente generoso ao rei, em sua fuga, mas estava atrás de um ato de contrabondade, que o tornaria rico, conforme Davi fizera a Mefibosete. *Dinheiro* era o nome daquele jogo, e da maioria dos jogos.

Apresentar presentes era a maneira oriental de falar. Um grande homem era saudado com presentes, antes de qualquer palavra ser dita. Os presentes, segundo esperava-se, fariam as palavras tornar-se mais eficazes.

■ **16.3**

וַיֹּ֣אמֶר הַמֶּ֔לֶךְ וְאַיֵּ֖ה בֶּן־אֲדֹנֶ֑יךָ וַיֹּ֨אמֶר צִיבָ֜א אֶל־הַמֶּ֗לֶךְ הִנֵּה֙ יוֹשֵׁ֣ב בִּירוּשָׁלַ֔͏ִם כִּ֣י אָמַ֔ר הַיּ֗וֹם יָשִׁ֤יבוּ לִי֙ בֵּ֣ית יִשְׂרָאֵ֔ל אֵ֖ת מַמְלְכ֥וּת אָבִֽי׃

Então disse o rei. *Outra Rebeldia.* Justamente quando Davi já estava ocupado com a rebeldia de Absalão, foi informado de outra rebeldia. Presumivelmente, se pudermos acreditar na história de Ziba, Mefibosete esperava restaurar a dinastia de Saul, e ele, sem dúvida, seria o novo rei. Podemos presumir que as tribos nortistas teriam apoiado tal reversão da fortuna, e Mefibosete, como filho de Jônatas e neto de Saul, teria sido rei temporário, até que se encontrasse um candidato superior ao trono. Visto que era aleijado de ambos os pés (9.3), não permaneceria como rei por muito tempo. Somente o rei-guerreiro poderia perdurar no trono. Israel precisava de um rei que saísse ao redor derrotando os inimigos, e Mefibosete, com os pés aleijados, não estava equipado para essa tarefa.

"Quão vil e safado era Ziba! E quão infundada era essa acusação contra o pacífico, leal e inocente Mefibosete!" (Adam Clarke, que assim comentou por acreditar que Mefibosete fora *caluniado*, como, em ocasião posterior, ele afirmou ser verdadeiro, ver 2Sm 19.27).

Por outra parte, temos a opinião de Eugene H. Merrill (*in loc.*): "Ziba trouxe a Davi a triste notícia que Mefibosete se tinha voltado contra ele, na esperança de que, em meio à turbulência ocasionada pela revolução, pudesse recuperar o antigo trono de Saul (16.3; mas cf. 2Sm 19.24-30). Davi retirou então de Mefibosete a generosa pensão que anteriormente lhe dera e entregou-a inteira a Ziba (cf. 2Sm 9.7,13)".

■ **16.4**

וַיֹּ֤אמֶר הַמֶּ֙לֶךְ֙ לְצִבָ֔א הִנֵּ֣ה לְךָ֔ כֹּ֖ל אֲשֶׁ֣ר לִמְפִי־בֹ֑שֶׁת וַיֹּ֣אמֶר צִיבָ֗א הִֽשְׁתַּחֲוֵ֙יתִי֙ אֶמְצָא־חֵ֣ן בְּעֵינֶ֔יךָ אֲדֹנִ֖י הַמֶּֽלֶךְ׃

teu é tudo que pertence a Mefibosete. *Essa Foi a Transferência da Generosa Pensão.* Ziba sabia que Davi (e não Absalão nem Mefibosete) acabaria triunfando. Ele estava pondo todos os seus ovos em uma mesma cesta. Se (conforme afirmava Ziba) Mefibosete também estava envolvido em uma revolta, ele sabia que coisa alguma de bom poderia resultar disso. Saul e sua dinastia tinham tido sua época. Além disso, ele deve ter suposto que a estrela de Absalão logo sofreria violenta queda. Isso permitiria a Davi dar-lhe toda espécie de presentes, propriedades e dinheiro, por causa de sua lealdade em um momento difícil. Mefibosete mostrou-se um tanto acovardado. Absalão era como um meteorito que faiscaria pelo firmamento para logo desintegrar-se no nada. Mas Davi era a estrela permanente que Israel seguiria por ainda muito tempo.

Davi acreditou na história de Ziba e imediatamente decretou que, quando toda aquela confusão estivesse resolvida, as propriedades de Mefibosete passassem a ele. Esta seria uma recompensa apropriada para o "bom homem, Ziba".

Tudo fora feito para "enegrecer o caráter de Mefibosete e obter as suas propriedades. Pois não havia a mínima probabilidade de o reino ser transferido para Mefibosete" (John Gill, *in loc.*).

"A conduta de Davi foi muito precipitada. Ele despojou um homem honroso para recompensar um vilão, não se dando tempo para examinar as circunstâncias do caso" (Adam Clarke, *in loc.*).

■ **16.5**

וּבָ֛א הַמֶּ֥לֶךְ דָּוִ֖ד עַד־בַּֽחוּרִ֑ים וְהִנֵּ֣ה מִשָּׁם֩ אִ֨ישׁ יוֹצֵ֜א מִמִּשְׁפַּ֣חַת בֵּית־שָׁא֗וּל וּשְׁמוֹ֙ שִׁמְעִ֣י בֶן־גֵּרָ֔א יֹצֵ֥א יָצ֖וֹא וּמְקַלֵּֽל׃

Simei... saiu, e ia amaldiçoando. *Um Encontro Desgraçado.* Ao longo do caminho, Davi recebia toda espécie de encontros surpresa e aventuras interessantes. Chegando a Baurim (imediatamente a leste do monte das Oliveiras), Davi foi, de súbito, interpelado por um certo *Simei*, fanático apoiador do antigo rei Saul. De fato, o homem era aparentado de Saul, embora não saibamos dizer em que grau. Ele estava tão furioso e tão encorajado por sua queda aparente, que tomou sobre si a tarefa de amaldiçoá-lo, enquanto acompanhava o cortejo. E, conforme o amaldiçoava, lançava-lhe pedras, dificilmente uma maneira de injuriar um inimigo. Pois sabia que não podia causar contra Davi nenhum real dano. Tão somente aproveitava-se da vantagem de Davi estar passando, para amaldiçoá-lo e lançar pedras contra ele, chamando-o de homem do diabo, devido à maneira pela qual ele havia matado a alguns da casa de Saul. Mas quando Davi voltou a ocupar o trono, Simei expressou seu arrependimento. Salomão, filho de Davi, finalmente, executou o homem. Ver amplos detalhes sobre ele no *Dicionário*.

"A atitude de Simei contra Davi deve ter sido bastante comum entre os membros da tribo de Benjamim, onde continuava a lealdade a

Saul (2Sm 20.1). Mas pelo menos havia alguns elementos dessa tribo que não compartilhavam de atitude tão amargamente contrária a Davi (ver 2Sm 17.18). Os parentes de Saul não estavam inclinados a dar a Davi o benefício da dúvida, mas deve ter havido algum fator remidor de tais incidentes, como a vingança dos gibeonitas (ver 2Sm 21.1-14) contra os filhos de Saul" (George B. Caird, *in loc.*). Lembremos que Saul pertencia à tribo de Benjamim.

"Simei representa o tipo de antagonismo latente contra todo regime que está em operação tempo suficiente para cometer alguns enganos, e para ser creditado com fracassos" (Ganse Little, *in loc.*).

■ 16.6

וַיְסַקֵּל בָּאֲבָנִים אֶת־דָּוִד וְאֶת־כָּל־עַבְדֵי הַמֶּלֶךְ דָּוִד וְכָל־הָעָם וְכָל־הַגִּבֹּרִים מִימִינוֹ וּמִשְּׂמֹאלוֹ׃

Atirava pedras contra Davi e contra todos os seus servos. Era Simei, aquele homem ridículo, que tentava apedrejar Davi e seus atendentes, ao mesmo tempo que um pequeno exército de homens o observava. Isso nos mostra quão enlouquecido ele estava, por causa de seu ódio a Davi. Mas ninguém o levou a sério como uma verdadeira ameaça. A maioria de outros homens simplesmente o teria executado no local. Mais tarde, acompanhado por um *milhar* de benjamitas, aquele homem pediu desculpas a Davi por sua conduta vergonhosa (ver 2Sm 19.16-23).

"Simei continuou acompanhando os fugitivos, fora de alcance, mas facilmente ouvido e capaz de aborrecê-los com suas pedradas" (Ellicott, *in loc.*).

■ 16.7

וְכֹה־אָמַר שִׁמְעִי בְּקַלְלוֹ צֵא צֵא אִישׁ הַדָּמִים וְאִישׁ הַבְּלִיָּעַל׃

Fora daqui... homem de Belial. Segundo Simei, o sanguinário Davi era também instrumento de *Belial*, por haver matado a família de Saul e arrebatado o trono que, realmente, pertencia àquela família. Davi seria um diabólico "usurpador". Talvez o homem também tenha lembrado Davi quanto ao tratamento dispensado a Bate-Seba e Urias como prova de suas acusações e maldições. O próprio fato de que Absalão se revoltara contra Davi comprovava a veracidade das maldições de Simei.

Era como se Simei dissesse: "Sai daqui! Sai de Israel! Estás indo para o exílio com justiça. Continua avançando até que ninguém mais ouça sobre ti novamente!"

■ 16.8

הֵשִׁיב עָלֶיךָ יְהוָה כֹּל דְּמֵי בֵית־שָׁאוּל אֲשֶׁר מָלַכְתָּ תַּחְתָּיו וַיִּתֵּן יְהוָה אֶת־הַמְּלוּכָה בְּיַד אַבְשָׁלוֹם בְּנֶךָ וְהִנְּךָ בְּרָעָתֶךָ כִּי אִישׁ דָּמִים אָתָּה׃

O Senhor te deu agora a paga de todo o sangue da casa de Saul. *A Vingança de Yahweh.* Era essa a ideia de Simei, ao crer que Davi havia caído por causa de seus pecados. O vs. 11 mostra que Davi aparentemente concordava com ele, pelo que tudo suportou com paciência, como se Simei tivesse sido enviado por Yahweh para falar aquelas coisas violentas. Visto que, supostamente, Davi teria usurpado o reino de Saul, era apenas justo que agora Absalão usurpasse o reino de Davi. Para Simei, aquele era um notável incidente da *Lei Moral da Colheita segundo a Semeadura* (ver a respeito no *Dicionário*).

■ 16.9

וַיֹּאמֶר אֲבִישַׁי בֶּן־צְרוּיָה אֶל־הַמֶּלֶךְ לָמָּה יְקַלֵּל הַכֶּלֶב הַמֵּת הַזֶּה אֶת־אֲדֹנִי הַמֶּלֶךְ אֶעְבְּרָה־נָּא וְאָסִירָה אֶת־רֹאשׁוֹ׃ ס

Então Abisai, filho de Zeruia. Esse homem, que era sobrinho e guarda pessoal de Davi (ver sobre ele no *Dicionário*), cansou-se de toda aquela arenga de Simei e estava pronto a arrancar a cabeça do insolente, que falava tão abusivamente do rei. Aquele homem era apenas um "cão morto", fedorento e inútil (cf. 2Sm 9.8). Era detestável e abominável, e seguia o cortejo de Davi *ladrando* como um idiota e jogando pedras tolas contra o exército. Quanto à metáfora do *cão morto,* ver 1Sm 24.14 e 2Sm 9.8.

■ 16.10

וַיֹּאמֶר הַמֶּלֶךְ מַה־לִּי וְלָכֶם בְּנֵי צְרֻיָה כִּי יְקַלֵּל וְכִי יְהוָה אָמַר לוֹ קַלֵּל אֶת־דָּוִד וּמִי יֹאמַר מַדּוּעַ עָשִׂיתָה כֵּן׃ ס

Que tenho eu convosco, filhos de Zeruia? *Abisai tivera boa intenção,* mas Davi teria agido mal se seguisse as sugestões dele com respeito àquela questão. Conforme Davi pensava, *Yahweh* poderia estar por trás das maldições de Simei, não porque ele tivesse arrebatado o trono de Saul, mas porque, verdadeiramente, era homem cheio de pecados e crimes e merecia boas maldições de um inferior. Em outras palavras, era Yahweh quem o estava castigando, e as maldições eram um modo de relembrá-lo desse fato. "Davi aceitou o assalto com completa resignação... porquanto pensava que o Senhor estava usando o veneno de Simei para castigá-lo pelos pecados dos quais ele era, realmente, culpado" (George B. Caird, *in loc.*). Davi, infelizmente, tinha sido incapaz de reter o afeto de sua própria família, embora tivesse derrotado os adversários com possibilidades diminutas. É como alguém já disse: "Coisa alguma pode compensar um fracasso no próprio lar". Ademais, ele havia destruído uma família, em especial a família de um homem que, por longo tempo, bem o servira. Portanto, Davi estava suportando a maldição por causa de seus pecados e equívocos. "Deixai que Simei expresse a sua ira. Essa é a voz de Yahweh", como que disse Davi. Quanto a *Zeruia,* que era irmã de Davi, ver o *Dicionário* e notas em 2Sm 19.22.

"A humildade de espírito de Davi derivava-se do autoconhecimento. As acusações de Simei podiam ser malfundadas, mas Davi conhecia-se bem o bastante para saber que não estava acima da reprimenda. Esse é um conhecimento salvador em um ministro ou em qualquer outro líder de causas e de homens" (Ganse Little, *in loc.*).

Amaldiçoar um governante era contra a lei (ver Êx 22.28), e Simei poderia ter sido executado por esse crime. Mas Davi não exigiu o cumprimento da lei naquele momento.

■ 16.11

וַיֹּאמֶר דָּוִד אֶל־אֲבִישַׁי וְאֶל־כָּל־עֲבָדָיו הִנֵּה בְנִי אֲשֶׁר־יָצָא מִמֵּעַי מְבַקֵּשׁ אֶת־נַפְשִׁי וְאַף כִּי־עַתָּה בֶּן־הַיְמִינִי הַנִּחוּ לוֹ וִיקַלֵּל כִּי אָמַר־לוֹ יְהוָה׃

Eis que meu próprio filho procura tirar-me a vida. Absalão era a verdadeira maldição da vida de Davi, tanto que estava procurando o pai para matá-lo e então tomar o trono! Assim, que diferença fazia que aquele insignificante benjamita procurasse matar Davi, quanto menos amaldiçoá-lo e jogar-lhe algumas pedras? Foi um argumento do maior para o menor. O maior era a maldição de Absalão. O menor era a maldição do benjamita. Se existia o maior, por que se preocupar com o menor? Além disso, era evidente que Yahweh tinha determinado que o homem amaldiçoasse Davi, e este, com paciência, permitia que as coisas seguissem o curso determinado. Simei foi assim livrado de qualquer repreensão, por palavra ou por ato violento. E lá se foi ele, amaldiçoando, jogando pedras e lançando sujeira no ar. Era inofensivo, embora procurasse ofender. Essa foi a menor das perturbações pelas quais Davi teve de passar naquele dia.

Embora livre do sangue de Saul...
ele não repreendeu às acusações.
A acusação sobre Urias foi mantida;
Urias contra ele clamava.

Deixai que Simei amaldiçoe. A vara que ele traz
Por pecados que a misericórdia havia perdoado.
...
Aceitai o erro complicado
Da mão e da língua de Simei.
Aceitai como suaves repreensões de tua parte.

Charles Wesley

16.12

אוּלַ֞י יִרְאֶ֤ה יְהוָה֙ בְּעֵינִ֔י וְהֵשִׁ֨יב יְהוָ֥ה לִי֙ טוֹבָ֔ה תַּ֖חַת קִלְלָת֥וֹ הַיּ֖וֹם הַזֶּֽה׃

Talvez o Senhor olhará para a minha aflição. *A Esperança.* Davi suportou com paciência as maldições de Simei, esperando que nelas haveria algum elemento remidor. De alguma maneira, tendo sido amaldiçoado através de Simei, no futuro, Davi seria abençoado com o bem. Se Davi suportasse a punição com paciência e em bom espírito, então, algum dia, a tristeza poderia transformar-se em alegria.

O texto hebraico à margem diz, em lugar das palavras "minha aflição", "meu olho". Yahweh veria escorrer as lágrimas dos olhos de Davi, e "presenciaria seu genuíno arrependimento. E em vez de angústia lhe daria alegria, algum dia no futuro.

> ... uma coroa em vez de cinzas, óleo de alegria em vez de pranto, veste de louvor em vez de espírito amargurado.
> Isaías 61.3

16.13

וַיֵּ֧לֶךְ דָּוִ֛ד וַאֲנָשָׁ֖יו בַּדָּ֑רֶךְ ס וְשִׁמְעִ֡י הֹלֵךְ֩ בְּצֵ֨לַע הָהָ֜ר לְעֻמָּת֗וֹ הָלוֹךְ֙ וַיְקַלֵּ֔ל וַיְסַקֵּ֤ל בָּֽאֲבָנִים֙ לְעֻמָּת֔וֹ וְעִפַּ֖ר בֶּעָפָֽר׃ פ

Também Simei ia ao longo do monte. Este versículo reitera a informação que já fora dada, exceto pelo fato de que agora vemos o desgraçado Simei a lançar poeira no ar, fazendo de si mesmo um tolo, enquanto seguia o cortejo de Davi. A despeito das provocações, Davi continuou a ignorar as ações do benjamita e a considerar Yahweh fonte da desgraça. Davi e seu pequeno exército caminhavam ao longo da planície, e Simei ao longo da crista de uma colina, uma cadeia montanhosa baixa que seguia através da estrada. Encorajado pela paciência e pela inércia de Davi, Simei ficava cada vez mais atrevido em seus insultos. Por causa disso, talvez, ou de alguma circunstância semelhante, Davi escreveu o Salmo 7.

16.14

וַיָּבֹ֥א הַמֶּ֛לֶךְ וְכָל־הָעָ֥ם אֲשֶׁר־אִתּ֖וֹ עֲיֵפִ֑ים וַיִּנָּפֵ֖שׁ שָֽׁם׃

Finalmente, o grupo que seguia com Davi se distanciou do inconveniente Simei, prosseguiu e alcançou *Baurim* (ver o vs. 5). Ali eles puderam descansar. Josefo (*Antiq.* 1.7, cap. 9, sec. 4) revela-nos que esse lugar ficava bem próximo de Jerusalém. Alguns falam em apenas 1,5 quilômetro. Ver o *Dicionário* quanto a detalhes. Mas outros falam em 5 quilômetros. Seja como for, o grupo saíra de Jerusalém e estava a caminho.

16.15

וְאַבְשָׁל֗וֹם וְכָל־הָעָם֙ אִ֣ישׁ יִשְׂרָאֵ֔ל בָּ֖אוּ יְרוּשָׁלִָ֑ם וַאֲחִיתֹ֖פֶל אִתּֽוֹ׃

Absalão... e com ele Aitofel. Enquanto Davi escapava, Absalão estava a caminho de Jerusalém para tomar a capital e o ofício de rei, o que ele esperava ser um arranjo permanente. O traidor, *Aitofel,* estava com ele, sendo um homem sábio que se tornaria seu principal conselheiro. Ver sobre esse homem no *Dicionário.* Note o leitor que "todo o povo, homens de Israel" estava com ele. O apoio popular de que ele gozava era grande. A maioria tinha abandonado o antigo rei, Davi. Aitofel fora um dos principais conselheiros de Davi (2Sm 15.12), mas agora promovia a rebeldia. Talvez Davi tenha feito referência a ele no Sl 55.12-14.

16.16

וַיְהִ֗י כַּֽאֲשֶׁר־בָּ֞א חוּשַׁ֧י הָאַרְכִּ֛י רֵעֶ֥ה דָוִ֖ד אֶל־אַבְשָׁל֑וֹם וַיֹּ֤אמֶר חוּשַׁי֙ אֶל־אַבְשָׁלֹ֔ם יְחִ֥י הַמֶּ֖לֶךְ יְחִ֥י הַמֶּֽלֶךְ׃

Husai, o arquita. Obedecendo às instruções baixadas por Davi, ele se juntou a Absalão como espião e contraconselheiro, na tentativa de contradizer e anular os sábios conselhos de Aitofel. Somente dessa maneira o rebelde Absalão cometeria graves equívocos que ajudariam Davi a reconquistar o poder. Ver 2Sm 15.32 ss. quanto ao entendimento entre Davi e Husai. Detalhes completos são dados a respeito dele no *Dicionário.* Ele teria sucesso em seus contraconselhos, conforme se vê em 2Sm 17.14,23. 2Sm 15.34 mostra que ele fora um valioso servo e conselheiro de Davi. Agora, Husai continuaria seus serviços sob circunstâncias bem mais difíceis.

Husai chamou Absalão de "rei", dando início assim a seu logro esperto. E ao usar o título, Husai chamou a atenção favorável de Absalão. Absalão ficou surpreso diante dessa visita, pois Husai tinha reputação de ser amigo de Davi. Mas visto que aqueles eram dias de traição, por que o fiel Husai também não seria um traidor?

16.17

וַיֹּ֤אמֶר אַבְשָׁלוֹם֙ אֶל־חוּשַׁ֔י זֶ֥ה חַסְדְּךָ֖ אֶת־רֵעֶ֑ךָ לָ֥מָּה לֹֽא־הָלַ֖כְתָּ אֶת־רֵעֶֽךָ׃

É assim a tua fidelidade para com o teu amigo Davi? Estupidamente, ao que parece, Absalão indagou sobre a *propriedade* do ato de Husai, sem pensar que ele próprio agia de modo ainda pior, contra o próprio pai. Por outra parte, um homem que se rebelara contra o próprio pai, e sem dúvida intentava matá-lo, não teria dificuldades em aceitar um homem que abandonara seu amigo.

Absalão falou não como quem estava "desagradado com ele, mas, antes, tomado de alegria porque um amigo de confiança de Davi, e um de seus sábios conselheiros, o havia abandonado e se bandeado para o seu lado" (John Gill, *in loc.*).

16.18

וַיֹּ֨אמֶר חוּשַׁ֜י אֶל־אַבְשָׁלֹ֗ם לֹ֚א כִּי֩ אֲשֶׁ֨ר בָּחַ֧ר יְהוָ֛ה וְהָעָ֥ם הַזֶּ֖ה וְכָל־אִ֣ישׁ יִשְׂרָאֵ֑ל לֹ֥א אֶהְיֶ֖ה וְאִתּ֥וֹ אֵשֵֽׁב׃

Respondeu Husai a Absalão. *Husai* declarou-se *sem culpa* de traição, com base no fato de que ele estava seguindo apenas o que tanto *Yahweh* quanto o *povo* tinham decidido, a saber, abandonar Davi e aceitar Absalão como o novo rei. Quem era Husai para manter-se em oposição à vontade de Deus? Cumprir os desígnios divinos era mais importante que manter a lealdade a um antigo amigo, e Husai tomara sua decisão em favor da *vontade divina.* Isso incluía "estar com Absalão", o escolhido de Deus para ser o novo rei de Israel. Absalão, sem dúvida, ficou satisfeito com o apoio evidente de Husai. Tanto Deus como o povo assim queriam. Isso, sem dúvida, lisonjeou o homem vão. E, assim, eliminou qualquer suspeita de Absalão acerca de Husai.

16.19

וְהַשֵּׁנִ֗ית לְמִ֚י אֲנִ֣י אֶֽעֱבֹ֔ד הֲל֖וֹא לִפְנֵ֣י בְנ֑וֹ כַּאֲשֶׁ֤ר עָבַ֨דְתִּי֙ לִפְנֵ֣י אָבִ֔יךָ כֵּ֖ן אֶהְיֶ֥ה לְפָנֶֽיךָ׃ פ

A quem serviria eu? Husai tinha servido a Davi enquanto este era merecedor da honra. Mas agora que Deus havia colocado Absalão como novo rei, Husai prestaria serviços ao novo rei. A transferência de lealdade também significava transferência de serviços, e Husai estava ali para "servir". Pelo menos era isso o que ele afirmava. O que ele estava fazendo ali era enganar, mentir e dar contraconselhos, a fim de derrotar os sábios conselhos de Aitofel. Ele estava ocupado da traição, tal como sucedia a Absalão, mas não contra a mesma pessoa. De fato, o traiçoeiro Absalão recebia traição por seu engano, mas não o sabia. Era a política, como é usual.

16.20

וַיֹּ֥אמֶר אַבְשָׁל֖וֹם אֶל־אֲחִיתֹ֑פֶל הָב֥וּ לָכֶ֛ם עֵצָ֖ה מַֽה־נַּעֲשֶֽׂה׃

Então disse Absalão a Aitofel. Começa aqui um novo parágrafo da história. O autor não diz que Absalão aceitou Husai como outro conselheiro, mas é isso que devemos entender. Absalão convocou seu primeiro-ministro, Aitofel, e começou a pedir conselhos. Husai vigiava tudo atentamente, observando como desfaria o "bem" que Aitofel aconselharia a Absalão. O "bem", na verdade, seria um "mal", se chegasse a ser realizado. Assim, para derrotar o "mal", Husai estava agindo "bem". Husai, contudo, não foi capaz de desfazer o primeiro conselho dado por Aitofel: "Coabita com as concubinas de teu pai" (vs. 21). Absalão, em sua rebeldia, não consultou o Urim e o Tumim (ver no *Dicionário*), mas seguiu cegamente seus conselheiros.

■ **16.21**

וַיֹּאמֶר אֲחִיתֹפֶל אֶל־אַבְשָׁלֹם בּוֹא אֶל־פִּלַגְשֵׁי
אָבִיךָ אֲשֶׁר הִנִּיחַ לִשְׁמוֹר הַבָּיִת וְשָׁמַע כָּל־יִשְׂרָאֵל
כִּי־נִבְאַשְׁתָּ אֶת־אָבִיךָ וְחָזְקוּ יְדֵי כָּל־אֲשֶׁר אִתָּךְ׃

Ao fugir, Davi deixara dez de suas concubinas em casa (ver 2Sm 15.16) para tomar conta das coisas. Ele esperava retornar. Podemos estar certos de que ele levou consigo mais de dez mulheres. Mas sacrificara aquelas dez para propósitos domésticos em Jerusalém. Que Absalão havia tomado pelo menos parte do harém de Davi era *evidência* da legitimidade de sua sucessão, porque assim ditavam os costumes da época. Cf. 2Sm 3.6,7. O fato de Absalão ousada e abertamente tomar as concubinas mostrava que ele *odiava* seu pai, e não meramente que ele era o legítimo novo rei. O povo comum, sabedor de que os novos reis se apossavam do harém de seus antecessores, compreenderia o ato de Absalão como outra *evidência* de sua vitória. Um homem que agisse como ele agira necessariamente "estaria exercendo as prerrogativas como sucessor ao trono" (George B. Caird, *in loc.*). Ele era rei, *de fato*, a despeito de ainda não ter sido ungido formalmente como rei. Nessa ocasião, vemos outra circunstância da punição do adultério de Davi com Bate-Seba e do assassinato do marido dela, Urias. Visto que ele tinha *destruído* uma família, assim também parte de sua família seria *destruída*. "A providência divina ordenou aquele conselho para que se cumprisse a profecia que Natã havia proferido, em 2Sm 12.11" (John Gill, *in loc.*).

■ **16.22**

וַיַּטּוּ לְאַבְשָׁלוֹם הָאֹהֶל עַל־הַגָּג וַיָּבֹא אַבְשָׁלוֹם
אֶל־פִּלַגְשֵׁי אָבִיו לְעֵינֵי כָּל־יִשְׂרָאֵל׃

Armaram, pois, para Absalão. A *tenda*, armada no alto do eirado, era a "tenda nupcial", uma prática dos povos semitas. Mas aquela tenda foi armada ali para que todo o povo de Israel soubesse que Absalão estava ali com uma (e depois outra, e depois outra, e depois outra etc.) mulher de Davi. Desse modo, Absalão debochou de forma absoluta da família de Davi e criou ódio permanente entre pai e filho, e uma ruptura completa em suas relações. Ver Sl 19.4,5 e Jl 2.16 quanto à tenda nupcial.

Tudo isso sucedeu no palácio de Davi, que Absalão havia invadido e agora controlava. Assim também Absalão usava as mulheres de seu pai no eirado do palácio de Davi. Princípios morais como esses nos abalam, mas isso fazia parte dos costumes da época. Daquele lugar Davi tinha visto Bate-Seba e a desejara, trazendo sobre si mesmo e sobre ela a ruína.

O *Targum* diz aqui "dossel". A tenda nupcial, de acordo com Jarchi, era um dossel espalhado entre quatro colunas, o qual, pendurado por quatro pontos, formava cortinas que circundavam a estrutura.

"As esposas dos reis conquistados eram sempre propriedade do conquistador... Heródoto (*Hist.* iii., cap. 68) informa-nos que Smerdis, tendo ocupado o trono da Pérsia, tomou todas as esposas de seu antecessor. Mas um *filho* ficar com as esposas do pai era o cúmulo da abominação e, de acordo com Lv 20.11, tal ato merecia pena de morte... A conduta de Absalão foi orgulhosa, vingativa, adúltera, incestuosa e parricida... réproba quanto a toda boa palavra e boa obra" (Adam Clarke, *in loc.*).

■ **16.23**

וַעֲצַת אֲחִיתֹפֶל אֲשֶׁר יָעַץ בַּיָּמִים הָהֵם כַּאֲשֶׁר
יִשְׁאַל־אִישׁ בִּדְבַר הָאֱלֹהִים כֵּן כָּל־עֲצַת אֲחִיתֹפֶל
גַּם־לְדָוִד גַּם לְאַבְשָׁלֹם׃ ס

O conselho que Aitofel dava. Aitofel tinha notável reputação de homem de sabedoria e de superconselheiro, tanto em relação a Davi quanto em relação a Absalão. Contudo, vemos *esse* homem dando o conselho registrado nos vss. 21 e 22. sua sabedoria agora se corrompera. Ele terminou sua carreira suicidando-se, quando Absalão

recusou-se a continuar dando-lhe ouvidos. As más escolhas finalmente produziram mau resultado. Aitofel era altamente considerado, mas Husai, trabalhando em favor de Davi, conseguiu anulá-lo. "Absalão recebia maus conselhos que, contudo, o agradavam" (John Gill, *in loc.*).

CAPÍTULO DEZESSETE

Este capítulo dá continuidade à seção iniciada em 2Sm 13.1 (*Consequências Temporais do Pecado* (13.1—19.10). Davi jamais seria capaz de livrar-se da maldição que Natã proferira (12.10), por causa do adultério com Bate-Seba e do assassinato do marido dela, Urias. *A família de Davi* foi duramente atingida, de diferentes maneiras:

• *Primeira:* seu filho com Bate-Seba, ainda infante, morreu uma semana após o nascimento (capítulo 12).
• *Segunda:* Amnon desvirginou sua meia-irmã, Tamar, que também era irmã de Absalão (capítulo 13).
• *Terceira:* Absalão assassinou Amnom em vingança contra o ataque sexual a Tamar (13.23 ss.).
• *Quarta:* Absalão foi forçado a exilar-se (13.34 ss.).
• *Quinta:* Embora restaurado a Jerusalém, ele e seu pai retiveram amarga alienação (capítulo 14).
• *Sexta:* Amargurado pelo que havia acontecido, Absalão revoltou-se e tentou tomar o poder em Israel (capítulo 15).
• *Sétima:* Rebentou uma guerra civil que perturbou o reino inteiro (capítulo 16).
• *Oitava:* A fim de consolidar o seu poder em Jerusalém, Absalão corrompeu a família de Davi, tomando dez de suas concubinas que haviam ficado em Jerusalém. Assim sucedeu que Davi, que tinha corrompido a família de outro homem, teve sua própria família corrompida. Estava em operação a *Lei Moral da Colheita segundo a Semeadura* (ver a respeito no *Dicionário*).

O capítulo que se segue registra como Absalão continuou tentando consolidar seu poder, dependendo de Aitofel, cujos conselhos eram anulados por Husai, agente de Davi e contraconselheiro; ver 2Sm 15.32 ss. O capítulo que ora se inicia mostra como Husai obteve sucesso em sua missão, enfraquecendo assim a causa de Absalão e promovendo o retorno eventual de Davi à capital da nação.

■ **17.1**

וַיֹּאמֶר אֲחִיתֹפֶל אֶל־אַבְשָׁלֹם אֶבְחֲרָה נָּא שְׁנֵים־עָשָׂר
אֶלֶף אִישׁ וְאָקוּמָה וְאֶרְדְּפָה אַחֲרֵי־דָוִד הַלָּיְלָה׃

Disse ainda Aitofel a Absalão. Aitofel estava com a razão. Absalão deveria ter-se lançado *imediatamente* em perseguição contra Davi. Se Absalão tivesse feito assim, provavelmente teria prevalecido contra ele. *Aitofel* pôs essa ideia na mente de Absalão, mas Husai, cheio de truques como era, conseguiu anular o conselho, levando Absalão a uma *cautela* nada característica. Ele aconselhou uma convocação geral, em lugar de enviar uma força armada limitada de doze mil homens, conforme sugestão de Aitofel.

Esta noite. Ou seja, a mesma noite em que Davi fugira de Jerusalém. Absalão havia caído na degradação de querer matar o próprio pai e proveu meios para garantir isso.

"Doze mil homens armados que viessem contra Davi, em seu estado totalmente despreparado, logo teriam tomado conta dos negócios do reino" (Adam Clarke, *in loc.*).

■ **17.2,3**

וְאָבוֹא עָלָיו וְהוּא יָגֵעַ וּרְפֵה יָדַיִם וְהַחֲרַדְתִּי אֹתוֹ וְנָס
כָּל־הָעָם אֲשֶׁר־אִתּוֹ וְהִכֵּיתִי אֶת־הַמֶּלֶךְ לְבַדּוֹ׃

וְאָשִׁיבָה כָל־הָעָם אֵלֶיךָ כְּשׁוּב הַכֹּל הָאִישׁ אֲשֶׁר
אַתָּה מְבַקֵּשׁ כָּל־הָעָם יִהְיֶה שָׁלוֹם׃

Em sua traição, *Aitofel* planejou trazer de volta a maioria dos homens de Davi e reconciliá-los com Absalão. Eles eram "por demais valiosos" para serem perdidos. Mas ao velho rei ele mataria, e esse seria o fim da história. Tendo executado o homem que fora seu amigo e rei, ele traria *paz* sobre Israel, pondo fim à guerra civil. Então o iníquo Absalão seria o novo mas falso rei, que controlaria tudo. "Aitofel era apenas um idoso e amargo político, refletindo apenas remanescentes do estadista que havia sido. Quão perigosa é a política de buscar conselho de homens alegadamente sábios mas completamente despidos de lealdade espiritual. Aitofel era um falso profeta político" (Ganse Little, *in loc.*). O fato de que Absalão se dispôs a adotar, sem nenhum reclamo da consciência, aquele plano atrevido, mostra-nos quão grande fora a sua degradação. "Destrói Davi, e os restantes se submeterão" (Adam Clarke, *in loc.*).

■ 17.4

וַיִּישַׁר הַדָּבָר בְּעֵינֵי אַבְשָׁלֹם וּבְעֵינֵי כָּל־זִקְנֵי יִשְׂרָאֵל: ס

O parecer agradou a Absalão. Absalão, lisonjeado pela atenção e pelos conselhos de Aitofel e sentindo que teria sucesso, não hesitou. Ele aceitou o plano de Aitofel, incluindo a parte *essencial* de que seu pai, Davi, seria morto. Sem isso, a guerra civil poderia continuar por longo tempo. Se Davi fosse morto, *os demais se reconciliariam.*

"Foi um esquema bem planejado surpreender Davi e seus homens *durante a noite,* na condição enfraquecida em que se achavam, tirando proveito da oportunidade e agindo com prontidão sobre um desígnio vilão" (John Gill, *in loc.*).

■ 17.5

וַיֹּאמֶר אַבְשָׁלוֹם קְרָא נָא גַּם לְחוּשַׁי הָאַרְכִּי וְנִשְׁמְעָה מַה־בְּפִיו גַּם־הוּא:

Embora feliz com o que Aitofel havia aconselhado, Absalão também chamou Husai para obter uma *segunda opinião.* Este foi seu equívoco fatal, porquanto Husai era realmente um traidor, inclinado a trazer Davi de volta ao poder e a livrar-se de Absalão. A providência divina também se fazia presente cegando a mente de Absalão para que ele visse maior sentido no conselho de *cautela* de Husai que no conselho de "nocaute com um único golpe" de Aitofel. O conselho de Husai permitiria a Davi e seu pequeno exército se reagrupar, planejar e se fortalecer. De acordo com Aitofel, Absalão haveria de vencer por nocaute, logo no primeiro *round.* De acordo com Husai, Davi ganharia por nocaute em um *round* posterior.

■ 17.6

וַיָּבֹא חוּשַׁי אֶל־אַבְשָׁלוֹם וַיֹּאמֶר אַבְשָׁלוֹם אֵלָיו לֵאמֹר כַּדָּבָר הַזֶּה דִּבֶּר אֲחִיתֹפֶל הֲנַעֲשֶׂה אֶת־דְּבָרוֹ אִם־אַיִן אַתָּה דַבֵּר: ס

Desta maneira falou Aitofel. Absalão contou a Husai o conselho de Aitofel (a saber, as informações dadas nos vss. 1-3). Foi como se Absalão dissesse: "O que você [Husai] pensa sobre o plano? Concorda? O que você adicionaria?" Ele certamente não supunha que Husai derrubaria a ideia inteira e apresentaria um plano substituto. Ali estava a *primeira* reviravolta na batalha, em favor de Davi, sendo aquela a própria razão pela qual Husai estava ali, para prestar seus conselhos enganadores (ver 15.32 ss.).

■ 17.7

וַיֹּאמֶר חוּשַׁי אֶל־אַבְשָׁלוֹם לֹא־טוֹבָה הָעֵצָה אֲשֶׁר־יָעַץ אֲחִיתֹפֶל בַּפַּעַם הַזֹּאת:

Husai foi tão diplomático quanto possível, a fim de não provocar suspeitas. Em tese, Husai afirmou: "Talvez, em essência, o conselho de Aitofel seja bom, mas não bom para ser executado *imediatamente*". O conselho de Husai foi longo e complicado, ocupando os vss. 8-13. Ele apresentou seu caso tão bem e com tão exatos detalhes, que convenceu não somente a Absalão, mas também a todos os líderes e conselheiros.

A Essência do Conselho de Husai:

1. A *precipitação* deveria ser rejeitada. Um ataque desfechado na mesma noite e com apenas doze mil homens seria um equívoco e poderia terminar em amarga derrota (vs. 7).

2. Davi era um experiente *homem de guerra.* E tinha consigo alguns poderosos homens de guerra; eles estavam alertas, como um urso provocado pela perseguição, e se mostrariam valentes em defender sua causa, tal como um urso defende seus filhotes; Davi também se mostraria ardiloso. Ninguém poderia encontrá-lo em uma cidade. Ele estaria lá fora, esquematizando no campo de batalha, e seria um inimigo difícil de enfrentar (vs. 8).

3. Davi se esconderia em lugares insuspeitos, pronto para atacar *de surpresa.* Ele mataria alguns dos homens de Absalão, mas espalharia o rumor de que houvera grande matança. O povo de Israel temeria e abandonaria a causa de Absalão (vs. 9).

4. Até os homens mais valentes teriam o coração desmanchado de medo, ao ouvir os rumores de que o selvagem Davi uma vez mais enfrentava possibilidades muito negativas, mas vencia, como *sempre fazia.* Além de Davi, havia ao seu lado alguns dos mais hábeis guerreiros de Israel, e todos estariam ansiosos em dar prosseguimento à matança (vs. 10).

5. Para derrotar Davi, seria inútil enviar meros doze mil homens (vs. 11). Absalão deveria fazer uma convocação geral, de Dã a Berseba, do extremo norte ao extremo sul, ou seja, por todo o Israel, reunindo um poderoso e esmagador exército, que Davi não pudesse derrotar (vs. 11).

6. Com esse poder esmagador, "nós" (disse Husai, em suas palavras enganadoras) finalmente surpreenderemos a Davi, e então poderemos cair sobre ele e terminar com seu poder. Além disso, era imperativo matar os homens de Davi. Pois eles só poderiam causar dificuldades. Não deveria haver nenhuma tentativa de reconciliá-los com Absalão. Eles também deveriam ser sacrificados (vs. 12).

7. Se Davi se refugiasse em alguma cidade, o lugar inteiro deveria ser aniquilado, e todos os habitantes deveriam ser mortos, por terem oferecido abrigo àquele homem maligno (vs. 13).

■ 17.8

וַיֹּאמֶר חוּשַׁי אַתָּה יָדַעְתָּ אֶת־אָבִיךָ וְאֶת־אֲנָשָׁיו כִּי גִבֹּרִים הֵמָּה וּמָרֵי נֶפֶשׁ הֵמָּה כְּדֹב שַׁכּוּל בַּשָּׂדֶה וְאָבִיךָ אִישׁ מִלְחָמָה וְלֹא יָלִין אֶת־הָעָם:

Continuou Husai. Husai falou com eloquência, com gestos e expressões faciais apropriadas. sua voz subia e descia de tom, com a paixão de um homem cuja sabedoria não poderia ser derrotada. Ele apresentou sua opinião com *poder,* embora soubesse, o tempo todo, que Aitofel é que falara com verdadeira sabedoria, embora com menos eloquência e vigor.

Quanto a um *sumário* dos argumentos de Husai, ver as notas sobre o vs. 7. Ver também este e os próximos cinco versículos (onde sua argumentação foi apresentada), aos quais adiciono alguns comentários.

O *poderoso* Davi sempre enfrentara questões dificílimas e saíra vitorioso. Até mesmo como jovem pastor, ele tinha derrotado o gigante campeão dos filisteus. Não seria tarefa fácil enfrentá-lo, estando ele agitado e furioso, como um urso perseguido, cujos filhotes estivessem correndo perigo. Quem haveria de querer enfrentar esse *tipo* de Davi? Outrossim, ele tinha matadores ferozes em sua companhia, como Joabe. Eles estavam prontos e ansiosos por encontrar um maior número de vítimas. Quem haveria de querer sair atrás deles sem a preparação apropriada? "As tropas maduras de Davi, cercadas, formariam um inimigo temível" (George B. Caird, *in loc.*). Eles não entrariam em pânico. De fato, se houvesse pânico, isso seria entre os homens de Absalão. Husai bem poderia estar com a razão! "... enraivecidos, cheios de ira diante da rebelião... obrigados a abandonar suas habitações... desesperados... Suas esposas e filhos correndo perigo... Eles lutariam furiosamente na defesa do rei e de si mesmos" (John Gill, *in loc.*).

seus cachorros. Aqui, metaforicamente, estão em pauta as famílias e as possessões daqueles homens de Davi que tinham fugido de Jerusalém. Eles defenderiam, furiosamente, tudo quanto lhes pertencia.

■ 17.9

הִנֵּה עַתָּה הוּא־נֶחְבָּא בְּאַחַת הַפְּחָתִים אוֹ בְּאַחַד הַמְּקוֹמֹת וְהָיָה כִּנְפֹל בָּהֶם בַּתְּחִלָּה וְשָׁמַע הַשֹּׁמֵעַ וְאָמַר הָיְתָה מַגֵּפָה בָּעָם אֲשֶׁר אַחֲרֵי אַבְשָׁלֹם:

Quanto a um sumário dos argumentos de Husai, ver as notas expositivas no vs. 7.

Eis que agora estará de espreita. Os truques e a astúcia fariam parte da defesa e da ofensiva de Davi. Ninguém o acharia em cidade alguma. Ele estaria nos campos, pronto a matar. Ele haveria de atacar o inimigo de surpresa, obtendo uma vantagem inicial e matando alguns soldados do adversário. Espalhar-se-iam rumores de que ele obtivera grande vitória e efetuara grande matança. Até mesmo homens valentes perderiam a coragem e abandonariam a causa de Absalão. Davi estaria em algum lugar, à espreita. "ele estava acostumado com esses lugares, desde que fugia de Saul" (John Gill, *in loc.*). Absalão seria o novo Saul, perseguindo um Davi incapaz de ser encontrado, sofrendo perdas o tempo todo.

■ 17.10

וְה֣וּא גַם־בֶּן־חַ֗יִל אֲשֶׁ֨ר לִבּ֜וֹ כְּלֵ֤ב הָאַרְיֵה֙ הִמֵּ֣ס יִמָּ֔ס כִּֽי־יֹדֵ֤עַ כָּל־יִשְׂרָאֵל֙ כִּֽי־גִבּ֣וֹר אָבִ֔יךָ וּבְנֵי־חַ֖יִל אֲשֶׁ֥ר אִתּֽוֹ׃

Até o homem valente. Os dotados de coração de leão em Israel, que tivessem decidido apoiar Absalão, ao ouvirem as vitórias do invencível e antigo guerreiro Davi, pensariam melhor e se voltariam contra Absalão. Ver as notas expositivas em 2Sm 10.18 quanto aos *oito povos* que Davi havia derrotado. As pessoas também haveriam de lembrar que fora Davi quem livrara Israel de tantos adversários. O coração delas se confrangeria, quando subitamente elas percebessem que se tinham voltado contra aquele terrível e invencível homem, para apoiar a seu filho acovardado, Absalão.

Como o de leões. Um leão é um animal selvagem conhecido por sua coragem e força, por sua audácia e habilidade como matador. É um animal de feroz catadura e de rugido assustador. Os leões são corajosos e destemidos. Mas Davi era o *verdadeiro leão* de Israel. Outros homens haveriam de desmaiar quando ele estivesse avançando. Ver no *Dicionário* o verbete chamado *Leão*.

■ 17.11

כִּ֣י יָעַ֗צְתִּי הֵאָסֹ֨ף יֵאָסֵ֥ף עָלֶ֛יךָ כָל־יִשְׂרָאֵ֖ל מִדָּ֣ן וְעַד־בְּאֵ֣ר שֶׁ֗בַע כַּח֛וֹל אֲשֶׁר־עַל־הַיָּ֖ם לָרֹ֑ב וּפָנֶ֖יךָ הֹלְכִ֥ים בַּקְרָֽב׃

Eu, porém, aconselho. Doze mil homens não seriam capazes de vencer aquela guerra, conforme Husai acabara de descrever. Por conseguinte, ele aconselhou que Absalão ordenasse uma convocação geral, por todo o país, do extremo norte (Dã) até o extremo sul (Berseba). Quanto à frequente metáfora "de Dã a Berseba", ver as notas em 1Sm 3.20.

Como a areia do mar. Temos aqui uma metáfora que indica um grande número. Tanta gente que era como "a areia das praias do mar". Quanto a essa metáfora, ver Gn 22.17; 32.12; 41.49; Js 11.4; 1Sm 13.5; 1Rs 4.20; Jó 29.18; Sl 78.27; Os 1.10; Rm 9.27; Hb 11.12; Ap 13.1 e 20.8.

Somente um *poder esmagador*, numeroso como a areia do mar, seria eficaz para derrotar um homem como Davi. Nenhum homem jamais conseguira derrotá-lo. Absalão não seria esse homem se corresse precipitadamente ao encontro de Davi, com seu pequeno exército de doze mil homens.

E que tu em pessoa vás no meio deles. Absalão deveria liderar aquele grande exército. Ele tinha de mostrar que também era um grande guerreiro e *digno* de ser o rei. Todos os reis da época, em Israel ou em outros lugares, eram *reis* por serem *guerreiros* de distinção.

Seria preciso muito tempo para Absalão convocar tão grande exército; e Davi *precisava de tempo* para armar sua contraofensiva. Daí a *razão* do conselho de Husai.

■ 17.12

וּבָ֣אנוּ אֵלָ֗יו בְּאַחַ֤ת הַמְּקוֹמֹת֙ אֲשֶׁ֣ר נִמְצָ֣א שָׁ֔ם וְנַ֣חְנוּ עָלָ֔יו כַּאֲשֶׁ֛ר יִפֹּ֥ל הַטַּ֖ל עַל־הָאֲדָמָ֑ה וְלֹֽא־נ֥וֹתַר בּ֛וֹ וּבְכָל־הָאֲנָשִׁ֥ים אֲשֶׁר־אִתּ֖וֹ גַּם־אֶחָֽד׃

Então iremos a ele em qualquer lugar em que se achar. Marchando à testa de tão imenso exército, seria inevitável que algum dia, em algum lugar, Absalão encontrasse Davi. E, então, uma vez descoberto, Davi seria despachado sem misericórdia. Tão grande seria o exército encabeçado por Absalão que seria universal como o orvalho que umedece o solo pela manhã. Não haveria lugar onde Davi pudesse esconder-se do "exército-orvalho". O gigantesco exército faria Davi e seus homens parecer formigas, e então Davi seria esmigalhado. Seria contraproducente tentar reconciliar aqueles homens selvagens com Absalão. Eles sempre seriam como espinhos em sua ilharga. Portanto, fora errado Aitofel falar em termos de *reconciliação* com os homens de Davi, uma vez que o rei deles fosse morto (vs. 3).

O numeroso exército reunido por Absalão se espalharia por toda parte e não poderia deixar de encontrar Davi. Enquanto isso, um exército de doze mil homens poderia procurar Davi por longo tempo, sem nunca encontrá-lo. As gotículas de orvalho são inúmeras, não havendo lugar na terra onde alguém se possa delas ocultar. Portanto, um vasto exército acabaria encontrando Davi em seu esconderijo.

■ 17.13

וְאִם־אֶל־עִ֣יר יֵאָסֵ֔ף וְהִשִּׂ֧יאוּ כָל־יִשְׂרָאֵ֛ל אֶל־הָעִ֥יר הַהִ֖יא חֲבָלִ֑ים וְסָחַ֤בְנוּ אֹתוֹ֙ עַד־הַנַּ֔חַל עַ֛ד אֲשֶֽׁר־לֹא־נִמְצָ֥א שָׁ֖ם גַּם־צְרֽוֹר׃ פ

Se ele se retirar para alguma cidade. Se, ao fugir dos campos, Davi se refugiasse em alguma cidade, então o vasto exército de Absalão avançaria para aquela cidade e a transformaria em lixo, matando todos os habitantes e livrando-se de Davi para sempre.

Levará cordas. Os intérpretes admiram-se dessas palavras. Talvez Husai as tenha proferido metaforicamente: o exército gigantesco de Absalão viria e puxaria aquela cidade, por meio de cordas, para um rio. A cidade inteira seria desmanchada e seus habitantes obliterados, por terem ousado dar apoio ao antigo rei. Ou, então, alguma coisa literal estava em sua mente. Tácito falou sobre a *vincula tormentorum,* isto é, as cordas das máquinas de guerra que eram postas nas muralhas, a fim de demoli-las. Mas Israel não dispunha dos tipos de máquinas de guerra que os romanos possuíam, em tempos bem posteriores. Talvez Husai tenha falado de cordas somente para escalar as muralhas, obtendo assim acesso ao interior, a fim de destruí-las. A palavra caldaica significa "torres", e alguns supõem que estejam em vista torres para escalar muralhas.

Ribeiro. Algumas traduções dizem "vale", e essa parece ser uma melhor tradução.

A descrição de Husai de um *poder invencível*, liderado pessoalmente por Absalão, lisonjeou o ego do jovem. E assim o plano mais sábio porém menos espetacular de Aitofel entrou em eclipse. O plano foi "agradável à vaidade e deslumbrante à imaginação de Absalão" (Ellicott, *in loc.*).

■ 17.14

וַיֹּ֤אמֶר אַבְשָׁלוֹם֙ וְכָל־אִ֣ישׁ יִשְׂרָאֵ֔ל טוֹבָ֗ה עֲצַ֛ת חוּשַׁ֥י הָאַרְכִּ֖י מֵעֲצַ֣ת אֲחִיתֹ֑פֶל וַיהוָ֣ה צִוָּ֗ה לְהָפֵ֞ר אֶת־עֲצַ֤ת אֲחִיתֹ֙פֶל֙ הַטּוֹבָ֔ה לְבַֽעֲב֗וּר הָבִ֧יא יְהוָ֛ה אֶל־אַבְשָׁל֖וֹם אֶת־הָרָעָֽה׃ ס

Melhor é o conselho de Husai. Absalão relutava em tomar uma decisão pessoal referente a uma causa tão momentosa. Por isso convocou seus líderes e conselheiros para discutir *qual* plano (o de Aitofel ou o de Husai) era o melhor. O conselho apoiou a decisão errada. A proposta de Husai prevaleceu. O autor informa-nos que *Yahweh* estava nos bastidores, trabalhando na mente dos rebelados, levando-os a votar em favor de Husai, por ser esse o plano melhor para Davi, e pior para Absalão. A vontade divina continuava favorável a Davi. Ele estava sendo castigado pelos seus pecados, mas suas reversões não seriam permanentes. Seria melhor para Israel que o castigado Davi voltasse a governar. Yahweh estava prestes a "trazer desastre contra Absalão" (Eugene H. Merrill, *in loc.*).

Muitos propósitos há no coração do homem,
mas o desígnio do Senhor permanecerá.

Provérbios 19.21

17.15

וַיֹּאמֶר חוּשַׁי אֶל־צָדוֹק וְאֶל־אֶבְיָתָר הַכֹּהֲנִים כָּזֹאת
וְכָזֹאת יָעַץ אֲחִיתֹפֶל אֶת־אַבְשָׁלֹם וְאֵת זִקְנֵי יִשְׂרָאֵל
וְכָזֹאת וְכָזֹאת יָעַצְתִּי אָנִי׃

Disse Husai a Zadoque e a Abiatar, sacerdotes. Conforme tinha sido arranjado anteriormente, Husai comunicou aos sacerdotes o que estava ocorrendo, para que eles, por sua vez, levassem a informação a Davi. Ver 2Sm 15.35,36. Os filhos dos sacerdotes seriam os correios que levariam a informação. Este versículo sugere que a decisão em favor do conselho de Husai levou algum tempo. Ele deixou que Davi soubesse do que estava acontecendo, a fim de que pudesse planejar quanto a qualquer eventualidade.

"Assim sempre se deu na luta entre as nações. Desde os dias de Raabe, a meretriz, até as emocionantes escapadas do movimento de resistência da Holanda durante a Segunda Guerra Mundial, as vitórias externas, ganhas pelas forças das armas, sempre dependeram criticamente das *informações* obtidas por bravos homens e mulheres que espionavam dentro da cidadela inimiga. Uma vez mais, vemos quão dependente a causa da verdade é da valente cooperação de todos os tipos de classes de pessoas" (Ganse Little, *in loc.*).

17.16

וְעַתָּה שִׁלְחוּ מְהֵרָה וְהַגִּידוּ לְדָוִד לֵאמֹר אַל־תָּלֶן
הַלַּיְלָה בְּעַרְבוֹת הַמִּדְבָּר וְגַם עָבוֹר תַּעֲבוֹר פֶּן
יְבֻלַּע לַמֶּלֶךְ וּלְכָל־הָעָם אֲשֶׁר אִתּוֹ׃

Este versículo pressupõe que o plano de Aitofel poderia ter sido posto em ação. Nesse caso, Davi e seus homens teriam de evacuar a área de modo que os doze mil homens não os alcançassem e os massacrassem.

Nos vaus do deserto. Que se estendiam de Jerusalém a Jericó, cerca de 36 quilômetros ao nordeste. Davi foi aconselhado a cruzar o rio Jordão, onde estaria em maior segurança e fora do alcance imediato do exército de Absalão. Davi seria sábio o bastante para pôr o rio Jordão entre ele mesmo e os rebeldes. Pois Absalão, mesmo que a princípio aceitasse os conselhos de Husai, poderia mudar de ideia e enviar, de súbito, os doze mil homens.

17.17

וִיהוֹנָתָן וַאֲחִימַעַץ עֹמְדִים בְּעֵין־רֹגֵל וְהָלְכָה הַשִּׁפְחָה
וְהִגִּידָה לָהֶם וְהֵם יֵלְכוּ וְהִגִּידוּ לַמֶּלֶךְ דָּוִד כִּי לֹא
יוּכְלוּ לְהֵרָאוֹת לָבוֹא הָעִירָה׃

Entrementes, os filhos dos sacerdotes, Jônatas e Aimaás (ver sobre eles no *Dicionário* e em 15.36), estavam em *En-Rogel* (ver a respeito no *Dicionário*) a fim de não despertar suspeita de que ajudavam Davi através das mensagens enviadas por seus pais. En-Rogel era uma fonte imediatamente fora da cidade, que jazia na fronteira entre as tribos de Benjamim e Judá (ver Js 15.7 e 18.16). Situa-se bem ao sul de Jerusalém, no vale do Cedrom. Nos tempos antigos, esse manancial era ativo e suas águas borbotavam espontaneamente à superfície. Atualmente, as águas sobem através de bombas. Ver outros detalhes no artigo citado.

"O esconderijo deles era bem escolhido, visto que as mulheres, naturalmente, corriam àquele lugar para buscar água. Assim, a comunicação era efetuada sem atrair atenção" (Ellicott, *in loc.*). O sistema funcionava assim: os sacerdotes davam a uma mulher a mensagem, que então a transferia aos filhos dos sacerdotes, que a contavam a Davi.

17.18

וַיַּרְא אֹתָם נַעַר וַיַּגֵּד לְאַבְשָׁלֹם וַיֵּלְכוּ שְׁנֵיהֶם מְהֵרָה
וַיָּבֹאוּ אֶל־בֵּית־אִישׁ בְּבַחוּרִים וְלוֹ בְאֵר בַּחֲצֵרוֹ
וַיֵּרְדוּ שָׁם׃

Viu-os, porém, um moço. Um jovem observou a operação, e suspeitoso, comunicou a Absalão o que estava acontecendo. Entretanto, uma rápida investigação nada descobriu, visto que os filhos dos sacerdotes se esconderam em um poço sem água, na cidade de *Baurim* (ver a respeito no *Dicionário*), que ficava próxima. Por meio deste versículo compreendemos que Davi tinha apoiadores secretos em todos os lugares críticos, e estes o ajudavam em seus planos. A mulher levara a mensagem aos filhos dos sacerdotes, os quais, uma vez detectados, correram para uma casa cujo quintal tinha um poço; a mulher que havia levado a mensagem, ao que tudo indica, conduziu-os à casa do homem e então cobriu a boca do poço com um pano (vs. 19). Esse era o sistema subterrâneo de Davi, cru mas eficaz. Josefo adiciona que uma mulher os ajudou a entrar no poço com o auxílio de uma corda (*Antiq.* 1.7, cap. 9, sec. 7).

Simei era de Baurim. Fora ele quem, com tanta insolência, zombara de Davi (ver 2Sm 16.5 ss.). E outros, da mesma localidade, ajudavam Davi.

17.19

וַתִּקַּח הָאִשָּׁה וַתִּפְרֹשׂ אֶת־הַמָּסָךְ עַל־פְּנֵי הַבְּאֵר
וַתִּשְׁטַח עָלָיו הָרִפוֹת וְלֹא נוֹדַע דָּבָר׃

A mulher desse homem. Ao que parece, a mesma mulher que havia levado a mensagem aos filhos dos sacerdotes. Ela arriscara a vida pela causa de Davi, pois, se fosse flagrada, Absalão não hesitaria em matá-la. Mas alguns eruditos supõem que a mulher fosse a esposa do dono da casa. Seja como for, essa "mulher" cobriu a boca do poço com um pano e espalhou grãos de cereal por cima. Josefo afirma que ela usou *flocos de lã* para esse propósito (*Antiq.* 1.7, cap. 9, sec. 7). O uso dos artigos definidos nos vss. 17 e 19 provavelmente indica que a(s) mulher(es) era(m) pessoa(s) bem conhecida(s) na região. Este versículo também supõe que as mulheres não viviam tão reclusas no tempo de Davi.

17.20

וַיָּבֹאוּ עַבְדֵי אַבְשָׁלוֹם אֶל־הָאִשָּׁה הַבַּיְתָה וַיֹּאמְרוּ
אַיֵּה אֲחִימַעַץ וִיהוֹנָתָן וַתֹּאמֶר לָהֶם הָאִשָּׁה עָבְרוּ
מִיכַל הַמָּיִם וַיְבַקְשׁוּ וְלֹא מָצָאוּ וַיָּשֻׁבוּ יְרוּשָׁלִָם׃ ס

Chegando, pois, os servos de Absalão à mulher. *Uma Mulher em Perigo.* Absalão e o jovem chegaram à casa e indagaram sobre o paradeiro dos filhos dos sacerdotes. A mulher da casa contou-lhes uma grossa mentira e informou ao rebelde que os homens já tinham ido embora da área e atravessado o "vau das águas", ou seja, o rio Jordão. John Gill (*in loc.*), juntamente com comentadores mais antigos, diz que a "mentira não teve justificativa". Mas a fim de salvar a vida de Davi e restaurá-lo a Israel, aquela *mentira* não tinha nenhum *conteúdo moral*. A mulher, contudo, arriscara a própria vida, pois, se sua mentira tivesse sido descoberta, ela teria sido executada no próprio local. Cf. Js 2.4-7 e 1Sm 19.12-17 quanto a outros enganos pespegados por mulheres.

O vau das águas. Está em pauta o rio Jordão ou algum outro ribeiro não identificado. A palavra hebraica aqui usada tem um sentido duvidoso, e por isso não há certeza se está em foco um riacho. Talvez a palavra indique um nome próprio, o que explicaria por que o riacho se chamava *Michal* (a palavra em questão).

17.21

וַיְהִי אַחֲרֵי לֶכְתָּם וַיַּעֲלוּ מֵהַבְּאֵר וַיֵּלְכוּ
וַיַּגִּדוּ לַמֶּלֶךְ דָּוִד וַיֹּאמְרוּ אֶל־דָּוִד קוּמוּ
וְעִבְרוּ מְהֵרָה אֶת־הַמַּיִם כִּי־כָכָה יָעַץ עֲלֵיכֶם
אֲחִיתֹפֶל׃

Passado o perigo (Absalão engolira o engano), as duas mulheres, tendo completado sua tarefa, entraram em contato com Davi e transmitiram a mensagem de Husai para que eles evacuassem a região. Davi estava próximo ao rio Jordão e foi aconselhado a pôr aquele rio entre ele mesmo e o exército dos doze mil homens, que poderiam sair atrás dele. Josefo acrescenta que as *mulheres* retiraram os homens de dentro do poço com a ajuda de uma corda e assim cumpriram sua parte da tarefa (*Antiq.* 1.7, cap. 9, sec. 7).

17.22

וַיָּקָם דָּוִד וְכָל־הָעָם אֲשֶׁר אִתּוֹ וַיַּעַבְרוּ אֶת־הַיַּרְדֵּן עַד־אוֹר הַבֹּקֶר עַד־אַחַד לֹא נֶעְדָּר אֲשֶׁר לֹא־עָבַר אֶת־הַיַּרְדֵּן׃

Davi... se levantou, e passaram o Jordão. Foi uma completa evacuação. Davi e seus homens cruzaram o rio Jordão naquela noite. Quando o sol nasceu, não brilhou sobre nenhum dos homens de Davi no lado ocidental do rio. Embora não tenha ocorrido nenhum ataque, Davi não desperdiçara o seu tempo, porquanto se encaminhava naquela direção, afinal de contas. O que aconteceu essencialmente é que, após um *dia muito ruim,* ele também perdera o sono durante a noite. O sistema de comunicação foi testado e provado eficaz. Talvez tenha sido nessa ocasião (ou relembrando o incidente) que Davi compôs os Salmos 42 e 43.

17.23

וַאֲחִיתֹפֶל רָאָה כִּי לֹא נֶעֶשְׂתָה עֲצָתוֹ וַיַּחֲבֹשׁ אֶת־הַחֲמוֹר וַיָּקָם וַיֵּלֶךְ אֶל־בֵּיתוֹ אֶל־עִירוֹ וַיְצַו אֶל־בֵּיתוֹ וַיֵּחָנַק וַיָּמָת וַיִּקָּבֵר בְּקֶבֶר אָבִיו׃ ס

Vendo, pois, Aitofel. O rejeitado Aitofel ficou desanimado. Ele pusera todos os seus ovos em uma única cesta: obter o favor de Absalão. Aitofel, de fato, obtivera um favor preliminar, mas, quando seu plano para eliminar a Davi foi rejeitado, ele se sentiu inútil. Mas talvez ele já estivesse desencantado e aquilo que aconteceu foi apenas a gota final que o empurrou ladeira abaixo. É provável que seu apoio insano a Absalão demonstrasse apenas que ele se tornara um homem psicologicamente perturbado. Portanto, ele semeou insensatez e pagou por isso com a própria vida. Ver no *Dicionário* sobre *Lei Moral da Colheita segundo a Semeadura.* O sábio Aitofel provavelmente reconheceu que, uma vez que Absalão preferira seguir os conselhos de Husai, Davi logo estaria de volta ao poder, e ele mesmo só poderia esperar execução às mãos do antigo rei. "Aitofel era um traidor e encontrou o fim trágico de um traidor" (Ganse Little, *in loc.*). Com razão ele considerou o pecado de Davi com Bate-Seba (sua neta) como algo nojento. Mas então ele mesmo aconselhou Absalão a arruinar a família de Davi, apossando-se de dez concubinas que tinham ficado em Jerusalém. Portanto, Aitofel também não era nenhum grande exemplo moral. Talvez Davi fosse capaz de perdoar a lealdade "temporária" de Aitofel a Absalão, mas não a confusão que ele havia causado à sua família em Jerusalém. Assim sendo, ele teve de escolher entre executar a si mesmo ou deixar que Davi o fizesse. E escolheu a mais fácil das duas difíceis escolhas.

Comparar isso com o suicídio de Judas Iscariotes, também por haver traído o homem errado.

Foi para casa e para a sua cidade. Isto é, Giló, da tribo de Judá (15.12). Ver sobre este lugar no *Dicionário.*

17.24

וְדָוִד בָּא מַחֲנָיְמָה וְאַבְשָׁלֹם עָבַר אֶת־הַיַּרְדֵּן הוּא וְכָל־אִישׁ יִשְׂרָאֵל עִמּוֹ׃

Davi chegou a Maanaim. A salvo de qualquer embaraço imediato, Davi chegou a *Maanaim* (ver a respeito no *Dicionário*), uma cidade do outro lado (leste) do rio Jordão, na tribo de Gade (Js 13.26,30). Era famosa como o lugar onde o anjo de Elohim se encontrara com Jacó (Gn 32.1,2). Ali também fora o local de residência do filho rebelde de Saul, Is-Bosete. Ver sobre 2Sm 2.8. Absalão, por sua parte, tendo falhado em encontrar os dois homens que levaram uma mensagem a Davi, retornara a Jerusalém.

17.25

וְאֶת־עֲמָשָׂא שָׂם אַבְשָׁלֹם תַּחַת יוֹאָב עַל־הַצָּבָא וַעֲמָשָׂא בֶן־אִישׁ וּשְׁמוֹ יִתְרָא הַיִּשְׂרְאֵלִי אֲשֶׁר־בָּא אֶל־אֲבִיגַל בַּת־נָחָשׁ אֲחוֹת צְרוּיָה אֵם יוֹאָב׃

Constituiu a Amasa em lugar de Joabe. Assim fez Absalão. Joabe, sempre fiel a Davi, estava na retirada com ele pelo momento. Por isso Absalão teve de escolher um novo comandante do exército, e a escolha recaiu sobre *Amasa* (ver a respeito no *Dicionário*).

Itra, o ismaelita. O texto hebraico original chama esse homem de israelita. Mas o trecho paralelo de 1Cr 2.17 chama-o de ismaelita.

Confusão. "Não fica claro, pelo restante da sentença, se Abigail ou Naás é descrita como a *irmã* de Zeruia. O cronista, contudo, sai em nosso socorro (ver 1Cr 2.16). De acordo com ele, tanto Abigail quanto Zeruia eram filhas de Jessé. Se aceitarmos o seu testemunho, há três possibilidades. O nome de Naás pode ter entrado no versículo no lugar de Jessé. Ou pode ter sido o nome de uma mulher (a primeira esposa de Jessé). E uma terceira possibilidade é que Naás fosse o famoso rei de Amom (vs. 27; 1Sm 11.1). Nesse caso, Jessé teria casado na família de Naás, sob um sistema de casamento em que o marido ia viver com a família da esposa, e os filhos eram considerados pertencentes à família dela. Se esse sistema prevalecesse entre os amonitas, e se Zeruia se tivesse casado sob essa circunstância, isso explicaria por que os três filhos dela eram sempre chamados pelo nome da mãe, e não do pai. Essa teoria também proveria um laço entre Davi e Naás, explicando ainda o desejo de Davi de renovar a aliança com Hanum (ver 2Sm 10.2). Mas admitimos estar no terreno das conjecturas" (George B. Caird, *in loc.*).

Seja como for, o novo comandante, *Amasa,* tal como Joabe, era sobrinho de Davi. Joabe e Amasa, pois, eram primos. Absalão também era primo de Amasa.

17.26

וַיִּחַן יִשְׂרָאֵל וְאַבְשָׁלֹם אֶרֶץ הַגִּלְעָד׃ ס

Acamparam-se na terra de Gileade. Isso para oferecerem batalha a Davi. Absalão e suas forças acamparam-se em *Gileade,* uma faixa de terras no lado leste do rio Jordão, estendendo-se desde a terra de Moabe, ao sul, até Basã, ao norte. Quanto a maiores detalhes sobre a região, ver o artigo sobre ela no *Dicionário.* As tribos de Rúben, Gade e a meia tribo de Manassés compartilharam dessa área.

17.27

וַיְהִי כְּבוֹא דָוִד מַחֲנָיְמָה וְשֹׁבִי בֶן־נָחָשׁ מֵרַבַּת בְּנֵי־עַמּוֹן וּמָכִיר בֶּן־עַמִּיאֵל מִלֹּא דְבָר וּבַרְזִלַּי הַגִּלְעָדִי מֵרֹגְלִים׃

Ver em artigos separados no *Dicionário* todos os *nomes próprios* que figuram neste versículo. A menção dos vários nomes sem dúvida é uma autenticação da historicidade da narrativa bíblica. Os nomes também asseguram que Davi ainda tinha um bom número de apoiadores.

Maanaim era uma cidade fortificada e, portanto, apropriada para ser usada por Davi. Servira como capital de Israel sob Is-Bosete (2.8). *Sobi,* ao que parece, era o vice-rei no lugar de seu irmão Hanum, a quem Davi tinha derrotado, depois de ter capturado Rabá. *Maquir* era o nome de um dos clãs da tribo de Manassés que se tinham estabelecido a leste do rio Jordão (ver Nm 26.29). Ele tinha servido como anfitrião de Mefibosete (2Sm 9.4). *Barzilai,* ao que parece, era de ascendência aramaica, conforme o nome parece sugerir. "A reação dos amigos de Davi ao seu infortúnio presta forte testemunho do notável poder que ele tinha de conquistar os afetos dos homens. Se fosse julgado pela opinião de seus amigos, Davi sem dúvida seria uma figura importante da história" (George B. Cair, *in loc.*).

17.28,29

מִשְׁכָּב וְסַפּוֹת וּכְלִי יוֹצֵר וְחִטִּים וּשְׂעֹרִים וְקֶמַח וְקָלִי וּפוֹל וַעֲדָשִׁים וְקָלִי׃

וּדְבַשׁ וְחֶמְאָה וְצֹאן וּשְׁפוֹת בָּקָר הִגִּישׁוּ לְדָוִד וְלָעָם אֲשֶׁר אִתּוֹ לֶאֱכוֹל כִּי אָמְרוּ הָעָם רָעֵב וְעָיֵף וְצָמֵא בַּמִּדְבָּר׃

Tomaram. *Produtos agrícolas e animais* foram trazidos para que todos os homens de Davi tivessem fartas refeições. Ele e seu grupo foram reduzidos a "comer" da terra, o que incluía os artigos nomeados nesses dois versículos. Ou o povo ajudava voluntariamente, ou o grupo seria forçado a tomar suprimentos. Eles não tinham base de suprimento em Jerusalém ou em outra cidade qualquer. Era dessa forma que muitos exércitos antigos eram obrigados a marchar. Eis uma das razões para tanto saque relacionado às guerras antigas.

"Somos aqui testemunhas dos dividendos da generosidade passada... Davi deixara de retribuir contra os amonitas pelo insulto feito aos seus embaixadores (2Sm 10.4,5), e, ao invés disso, negociou um tratado de paz. Tal generosidade o pusera agora em uma boa situação. Os amonitas recusaram-se a tirar vantagem da guerra civil de Davi" (Ganse Little, *in loc.*).

É digno de nota que Davi teve apoiadores leais de diversas áreas e raças, tal como Jesus Cristo atrai todos os homens a si mesmo (Jo 12.32). Cf. Ap 7.9,10.

"Esses três homens (vs. 27) eram chefes tributários a Davi, ligados a ele por laços de lealdade e obrigação. Barzilai era idoso e rico (19.32). Além disso, eles devem ter preferido lançar sua sorte com Davi, que era uma quantidade conhecida, em oposição a Absalão, uma quantidade desconhecida" (Eugene H. Merrill, *in loc.*).

Camas. Colchões de alguma espécie, a fim de terem lugares decentes onde dormir e descansar, tão necessárias eram essas coisas no momento.

CAPÍTULO DEZOITO

Este capítulo continua a seção iniciada em 2Sm 13.1 (*Consequências Temporais do Pecado,* 13.1—19.10). Davi jamais seria capaz de livrar-se da maldição que Natã proferira contra ele (ver 2Sm 12.10), por causa do adultério com Bate-Seba e do assassinato do marido dela, Urias. A *família de Davi,* bem como o próprio rei, foi duramente atingida.

Na introdução ao capítulo 17 listo *oito* maneiras pelas quais Davi foi punido. A elas (que não reitero aqui) devemos adicionar outras duas:

Nona: Davi foi enviado ao exílio, onde ficou vagueando e dependendo de outros quanto a seu suprimento alimentar diário (17.28,29). Era uma lamentável maneira de viver para um rei. Ele tinha vivido dessa maneira antes, quando fugia de Saul; mas agora ele estava mais velho e suportava com mais dificuldade os rigores da vida ao ar livre.

Décima: Davi foi obrigado a guerrear contra os próprios filhos e contra seus irmãos israelitas. Nessa guerra, Absalão seria morto, pelo que haveria outro duro golpe contra a família de Davi. Os vss. 1-19 deste capítulo registram *A Derrota e a Morte de Absalão,* o que, conforme demonstra o texto, foi um acontecimento amargo e angustioso para Davi.

"Davi, agora em segurança e com suprimentos em abundância, tomou medidas imediatas para reorganizar as tropas e prepará-las para a batalha inevitável contra Absalão" (Eugene H. Merrill, *in loc.*).

Supervisionando o campo da batalha, Yahweh deu sua aprovação a Davi. Os dias de Absalão estavam numerados. Restava-lhe pouco tempo de vida. Ele tinha cometido um erro fatal.

18.1

וַיִּפְקֹד דָּוִד אֶת־הָעָם אֲשֶׁר אִתּוֹ וַיָּשֶׂם עֲלֵיהֶם שָׂרֵי אֲלָפִים וְשָׂרֵי מֵאוֹת:

Contou Davi o povo. Davi perguntou a si mesmo: "De quantas forças disponho?" Então contou seus homens. E proveu comandantes para eles. Traçou planos. O velho guerreiro que tinha derrotado oito potências estrangeiras para livrar Israel dos opressores (2Sm 10.19) agora precisava dirigir uma *guerra civil* na qual o adversário seria o seu próprio filho. Infelizmente, aquele homem era agora opressor de Israel e precisava ser detido.

"Davi esteve por algum tempo em Maanaim, organizando as forças que *continuamente se juntavam* a ele" (Ellicott, *in loc.*). As forças leais a Davi cresceram em Maanaim. Ele não ficou dependendo somente das forças que levara até lá, quando fugira apressadamente.

Josefo diz que Davi tinha *quatro mil homens* a essa altura dos acontecimentos; mas não sabemos quão exata é essa informação (*Antiq.* 1.7, cap. 10, sec. 1). Seja como for, Davi dividiu o exército em companhias de mil e cem, com seus respectivos comandantes.

18.2

וַיְשַׁלַּח דָּוִד אֶת־הָעָם הַשְּׁלִשִׁית בְּיַד־יוֹאָב וְהַשְּׁלִשִׁית בְּיַד אֲבִישַׁי בֶּן־צְרוּיָה אֲחִי יוֹאָב וְהַשְּׁלִשִׁת בְּיַד אִתַּי הַגִּתִּי ס וַיֹּאמֶר הַמֶּלֶךְ אֶל־הָעָם יָצֹא אֵצֵא גַּם־אֲנִי עִמָּכֶם:

Davi nomeou três generais para que dessem ordens às várias companhias de tropas: Joabe, Abisai (irmão de Joabe) e Itai, o geteu. Ver os artigos separados sobre eles no *Dicionário*. Se Joabe estava presente, o temor caiu sobre todos ao redor. Joabe era uma magnificente máquina de matar, e seu irmão, Abisai, não lhe era muito inferior. Itai, por sua vez, era um antigo soldado e homem de renome, pois de outra sorte não teria chamado a atenção de Davi. Não fazia muito tempo que ele procurava Davi, buscando trabalhar como mercenário (ver 2Sm 15.19 ss. quanto à história). Ele queria trabalhar; e agora teria todo o trabalho que pudesse manusear. Essa era a sua profissão, e ele haveria de desfrutá-la a cada minuto.

O arranjo de um exército com *três divisões* era comum tanto entre os israelitas (ver Jz 7.16; 11.43; 1Sm 11.11) como entre os seus inimigos (1Sm 13.17). Ver também 2Rs 11.5,6. Davi propôs-se a liderar as três divisões como marechal" (Ellicott, *in loc.*).

18.3

וַיֹּאמֶר הָעָם לֹא תֵצֵא כִּי אִם־נֹס נָנוּס לֹא־יָשִׂימוּ אֵלֵינוּ לֵב וְאִם־יָמֻתוּ חֶצְיֵנוּ לֹא־יָשִׂימוּ אֵלֵינוּ לֵב כִּי־עַתָּה כָמֹנוּ עֲשָׂרָה אֲלָפִים וְעַתָּה טוֹב כִּי־תִהְיֶה־לָּנוּ מֵעִיר לַעְזִיר:

Não sairás. Davi foi assim dissuadido. Seus generais o aconselharam a não entrar em batalha. Provavelmente, isso não se devia ao fato de ser ele muito velho para combater. Antes, não seria bom para ele, como rei, matar pessoalmente os próprios súditos. Além disso, havia Absalão. Ele seria morto. Nenhum grupo de soldados ficaria de pé diante de Joabe, Abisai e Itai. Absalão cairia. Seria melhor que o velho rei não testemunhasse a morte do filho. A razão apresentada era que Davi era *por demais valioso* para arriscar-se naquelas batalhas preliminares. Ele precisava manter-se seguro, a fim de assumir o comando quando a questão fosse resolvida. Ele valia por dez mil homens! Em certo sentido, isso era uma verdade. Davi era quem *inspirava* os homens. seu ofício não poderia ser reduzido a mera máquina mortífera.

"Se a metade deles morresse, a guerra continuaria. Mas se Davi morresse, a causa estaria perdida. Com relutância, pois, Davi concordou em ficar para trás, mas ordenou a seus oficiais que não ferissem Absalão" (Eugene H. Merrill, *in loc.*). Joabe, porém, não obedeceria a essa ordem. Ele garantiria que o rebelde Absalão não sobrevivesse à batalha, a fim de que sua causa se perdesse para sempre. Joabe sempre cuidava dos interesses de Davi com feroz lealdade, mas nas ocasiões em que Davi pensava algo contrário aos seus próprios interesses, Joabe simplesmente o desconsiderava. Ele sempre fazia o que era melhor, em última instância.

18.4,5

וַיֹּאמֶר אֲלֵיהֶם הַמֶּלֶךְ אֲשֶׁר־יִיטַב בְּעֵינֵיכֶם אֶעֱשֶׂה וַיַּעֲמֹד הַמֶּלֶךְ אֶל־יַד הַשַּׁעַר וְכָל־הָעָם יָצְאוּ לְמֵאוֹת וְלַאֲלָפִים:

וַיְצַו הַמֶּלֶךְ אֶת־יוֹאָב וְאֶת־אֲבִישַׁי וְאֶת־אִתַּי לֵאמֹר לְאַט־לִי לַנַּעַר לְאַבְשָׁלוֹם וְכָל־הָעָם שָׁמְעוּ בְּצַוֹּת הַמֶּלֶךְ אֶת־כָּל־הַשָּׂרִים עַל־דְּבַר אַבְשָׁלוֹם:

Foi assim que, com o *coração pesado,* Davi pôs-se à entrada da cidade, enquanto suas tropas passavam. Ele gostaria muito de acompanhá-las. Calculando o que seria melhor para todos, o idoso rei sabia que *seus homens* tinham de sair vitoriosos por causa de Israel, e não por causa dele mesmo. Mas seu coração sofria por Absalão. Portanto, ordenou aos generais que tratassem bondosamente o jovem. Afinal, ele era culpado apenas de uma *indiscrição juvenil*. O amor de Davi pelo filho cegava-lhe a mente sobre quão terrível e rebelde era Absalão. Qualquer outro homem que fizesse o que Absalão tinha feito seria objeto da ira implacável de Davi, e não de sua paciência e indulgência. Davi era um pai amoroso mas indulgente, ao mesmo tempo que tratava com outros severamente, se fossem culpados de alguma infração. "Davi era o pai daquele *indigno* jovem" (Adam Clarke, *in loc.*), e eis por que ele agiu como agiu.

"Se, por um lado, Absalão se desfizera de cada laivo de piedade e afeto filial, estando preparado para matar o próprio pai, a fim de promover a própria ambição, Davi continuava a pensar nele como 'seu rapaz', com a exclusão dos outros membros de sua família e dos interesses do país" (George B. Caird, *in loc.*). Joabe, porém, não toleraria tamanha insensatez.

Adam Clarke pergunta aqui qual *pai* não agiria da mesma maneira, sob circunstâncias similares?

18.6

וַיֵּצֵא הָעָם הַשָּׂדֶה לִקְרַאת יִשְׂרָאֵל וַתְּהִי הַמִּלְחָמָה בְּיַעַר אֶפְרָיִם:

E deu-se a batalha no bosque de Efraim. *Começara a Guerra.* Não sabemos dizer por que eles escolheram uma área florestada, em lugar de um campo aberto para o encontro. Essa floresta era um lugar desértico nas vizinhanças de Maanaim (2Sm 17.24,27), mas atualmente não pode ser positivamente identificada. A maior parte das florestas de Israel desapareceu há muito tempo, graças ao espírito predatório dos homens. Josefo diz-nos que a área tinha um grande campo com uma floresta *por trás* (*Antiq.* 1.7, cap. 10, sec. 1); e, se essa informação está correta, então podemos compreender melhor o que estava envolvido. Ambos os exércitos encontravam-se na área, embora o autor sagrado não nos tenha informado sobre a marcha até ali.

18.7

וַיִּנָּגְפוּ שָׁם עַם יִשְׂרָאֵל לִפְנֵי עַבְדֵי דָוִד וַתְּהִי־שָׁם הַמַּגֵּפָה גְדוֹלָה בַּיּוֹם הַהוּא עֶשְׂרִים אָלֶף:

O autor poupou-nos dos detalhes mais sangrentos. Somos informados apenas de que houve grande matança, e que Israel (as tropas de Absalão) levara a pior. Em um único dia, foram mortos vinte mil homens. Muitos outros, sem dúvida, ficaram permanente e irreparavelmente mutilados.

Na guerra, não há vencedores.

Neville Chamberlain

A guerra é a maior praga que pode afligir a humanidade.
Qualquer outra é preferível a ela.

Martinho Lutero

A guerra é um inferno...
Olho para a guerra com grande horror.

William T. Sherman

Enquanto a humanidade continuar a prestar mais louvores a seus destruidores que a seus benfeitores, a guerra permanecerá sendo a principal ambição das mentes ambiciosas.

Edward Gibbon

Provavelmente, a cifra de vinte mil homens refere-se somente às perdas de Absalão. Não somos informados sobre quanto custou a vitória ao exército de Davi. Mas podemos estar certos de que qualquer custo foi vergonhoso.

18.8

וַתְּהִי־שָׁם הַמִּלְחָמָה נָפֹצֶית עַל־פְּנֵי כָל־הָאָרֶץ וַיֶּרֶב הַיַּעַר לֶאֱכֹל בָּעָם מֵאֲשֶׁר אָכְלָה הַחֶרֶב בַּיּוֹם הַהוּא:

E o bosque naquele dia consumiu mais gente do que a espada. *Em pânico total,* as forças restantes de Absalão corriam sem rumo pelo bosque, onde ou caíam de exaustão ou morriam de quedas no terreno rochoso. Eles tinham aprendido a terrível lição. Não deveriam ter submetido a teste o terrível Joabe. Maior número de homens morreu na retirada que os que tinham caído durante a batalha e, se essa declaração é a verdadeira, então mais de quarenta mil homens encontraram o seu fim, somente no exército de Israel. Essa parte da batalha provavelmente durou alguns poucos dias. Aqueles pobres homens tiveram tempo para correr, somente para acabarem finalmente mortos. Devemos entender que o exército de Davi se saiu melhor na corrida através do terreno íngreme e foi matando muitos à espada enquanto avançava. Seja como for, tanto o bosque como a espada tiveram grande refeição naquele dia, devorando a milhares de homens. Os Targuns sobre o texto mencionam também as *feras*, que obtiveram sua partilha. Com isso concordam tanto a versão siríaca quanto a versão árabe.

18.9

וַיִּקָּרֵא אַבְשָׁלוֹם לִפְנֵי עַבְדֵי דָוִד וְאַבְשָׁלוֹם רֹכֵב עַל־הַפֶּרֶד וַיָּבֹא הַפֶּרֶד תַּחַת שׂוֹבֶךְ הָאֵלָה הַגְּדוֹלָה וַיֶּחֱזַק רֹאשׁוֹ בָאֵלָה וַיֻּתַּן בֵּין הַשָּׁמַיִם וּבֵין הָאָרֶץ וְהַפֶּרֶד אֲשֶׁר־תַּחְתָּיו עָבָר:

Indo Absalão montado no seu mulo. Ao que parece, Absalão também estava em fuga, e aconteceu-lhe encontrar alguns dos homens de Davi. A sorte estava contra ele. Ele não seria poupado, conforme Davi esperava que acontecesse. Não existe coisa como a sorte. Yahweh observava Absalão de *soslaio*. Chegara a sua hora. Ele não merecia misericórdia.

Aquilo que Deus escreveu em tua testa,
A isso chegarás.

Alcorão

Nossa hora está marcada, e ninguém pode
reivindicar um momento de vida além daquilo
a que a sorte nos predestinou.

Napoleão Bonaparte

"Em meio ao pânico geral, Absalão defrontou-se com os veteranos de Davi; pôs-se em fuga, perdeu o controle sobre a sua mula e foi lançado com tanta força que sua cabeça ficou presa entre dois galhos de uma árvore" (George B. Caird, *in loc.*).

Notemos que o texto diz que ele ficou "preso nele pela cabeça", e não pelos cabelos, que é a explicação popular. "A imaginação poética o tem retratado preso pelos *cabelos,* dos quais tanto se orgulhava, mas não há justificação para isso" (Caird, continuando seus comentários). Foi Josefo (ao que parece) quem lançou a ideia dos cabelos (*Antiq.* 1.7, cap. 10, sec. 1). "... Sua cabeça ficou presa entre a forquilha de um carvalho" (John Gill, *in loc.*). Naturalmente, os longos cabelos não o ajudaram naquelas condições.

18.10,11

וַיַּרְא אִישׁ אֶחָד וַיַּגֵּד לְיוֹאָב וַיֹּאמֶר הִנֵּה רָאִיתִי אֶת־אַבְשָׁלֹם תָּלוּי בָּאֵלָה:

וַיֹּאמֶר יוֹאָב לָאִישׁ הַמַּגִּיד לוֹ וְהִנֵּה רָאִיתָ וּמַדּוּעַ לֹא־הִכִּיתוֹ שָׁם אָרְצָה וְעָלַי לָתֶת לְךָ עֲשָׂרָה כֶסֶף וַחֲגֹרָה אֶחָת:

Um dos soldados de Davi viu a situação de Absalão e comunicou-a imediatamente a Joabe. Diante disso, Absalão perdeu toda a esperança de escapar. Ele não sairia vivo daquela árvore. O homem que descobrira Absalão temeu pôr a mão sobre *o filho do rei*. Ele sabia que ordens específicas tinham sido dadas aos generais de Davi para que a vida do jovem fosse poupada. Joabe, entretanto, não estava interessado em ordens específicas da parte de Davi. Antes, repreendeu amargamente o soldado por não ter matado a Absalão no local, sem misericórdia. Se ele tivesse feito isso, Joabe sem dúvida o teria *recompensado* com alguma soma em dinheiro. Ademais, ter-lhe-ia dado um *cinturão militar*, um sinal de estima. Ver 1Sm 18.4. Ajaz dera tal item a Hector, como sinal de seu mais alto respeito (Homero, *Ilíada,* vii. vs. 305).

Dez moedas de prata. Ver no *Dicionário* o verbete chamado *Dinheiro* quanto aos vários valores do siclo. Ver também sobre *Pesos e Medidas,* seção VII. Abraão pagou pelo campo de Macpela quatrocentos siclos. Não se pode atribuir nenhum valor moderno de compra a esse peso.

■ 18.12

וַיֹּ֤אמֶר הָאִישׁ֙ אֶל־יוֹאָ֔ב וְל֨וּא אָנֹכִ֤י שֹׁקֵל֙ עַל־כַּפַּ֔י אֶ֖לֶף כֶּ֑סֶף לֹֽא־אֶשְׁלַ֥ח יָדִ֖י אֶל־בֶּן־הַמֶּ֑לֶךְ כִּ֣י בְאָזְנֵ֜ינוּ צִוָּ֣ה הַמֶּ֗לֶךְ אֹתְךָ֤ וְאֶת־אֲבִישַׁי֙ וְאֶת־אִתַּ֔י לֵאמֹ֕ר שִׁמְרוּ־מִ֕י בַּנַּ֖עַר בְּאַבְשָׁלֽוֹם׃

O obstinado homem nada faria contra o filho do rei, especialmente diante do fato de que o monarca fizera um pedido especial para que não o ferissem. Nem mesmo uma grande soma em dinheiro, que lhe desse independência financeira pelo resto da vida, poderia induzi-lo a tal ato de *traição,* ainda que fosse contra o *traiçoeiro* Absalão. O homem envolvido ouvira com os próprios ouvidos o apelo de Davi e esperava agora que Joabe cumprisse os desejos do rei. Mas Joabe era homem por demais poderoso, muito seguro de sua posição e de seus direitos para deixar-se mover por promessas insensatas feitas a Davi.

■ 18.13

אוֹ־עָשִׂ֤יתִי בְנַפְשִׁי֙ שֶׁ֔קֶר וְכָל־דָּבָ֖ר לֹא־יִכָּחֵ֣ד מִן־הַמֶּ֑לֶךְ וְאַתָּ֖ה תִּתְיַצֵּ֥ב מִנֶּֽגֶד׃

Se eu tivesse procedido traiçoeiramente. O homem alegou outros argumentos em sua defesa por não querer cometer dano contra Absalão. sua própria vida correria perigo. Em outras palavras, Davi o mandaria executar. Provavelmente isso é verdade, mas nenhum homem, nem mesmo o rei, ousaria pesar a mão sobre o poderoso *Joabe.* O homem tinha um "argumento imbatível", combinando a lealdade ao interesse pessoal, mas nada faria Joabe mudar seus desígnios. O *idealismo* do homem servia à causa errada. Os *ideais,* mesmo quando defendidos com sinceridade, nem sempre são justos, nem sempre são verdadeiros, nem sempre são dignos. Joabe não haveria de seguir um falso idealismo somente para afastar-se do dever real a Davi e a Israel.

■ 18.14

וַיֹּ֣אמֶר יוֹאָ֔ב לֹא־כֵ֖ן אֹחִ֣ילָה לְפָנֶ֑יךָ וַיִּקַּ֞ח שְׁלֹשָׁ֤ה שְׁבָטִים֙ בְּכַפּ֔וֹ וַיִּתְקָעֵם֙ בְּלֵ֣ב אַבְשָׁל֔וֹם עוֹדֶ֥נּוּ חַ֖י בְּלֵ֥ב הָאֵלָֽה׃

Então disse Joabe. Joabe não tinha tempo para argumentos ridículos que só adiavam um resultado positivo para a guerra. Absalão estava ali, naquele dia, *para morrer;* e Joabe garantiria esse resultado. Absalão estava pendurado na árvore, estonteado, mas ainda vivo. Joabe, sabendo onde encontrá-lo, sem um único segundo de demora, correu diretamente na direção dele e atravessou-o com três dardos. *Três* porque o queria certamente morto; *três* porque Absalão merecia mais de um golpe fatal; *três* por ser necessário que todos soubessem que ele fora brutalmente assassinado, lançando o temor em todos. Três dardos atravessaram o *coração* de Absalão, não havendo chance de sobrevivência.

O propósito único de Joabe era aterrorizante em sua brutalidade. Sem um segundo sequer de hesitação, ele dependeu novamente da força bruta. Note-se que, embora tivesse agido em oposição à ordem expressa do rei, agiu em favor dos interesses do rei.

■ 18.15

וַיָּסֹ֙בּוּ֙ עֲשָׂרָ֣ה נְעָרִ֔ים נֹשְׂאֵ֖י כְּלֵ֣י יוֹאָ֑ב וַיַּכּ֥וּ אֶת־אַבְשָׁל֖וֹם וַיְמִיתֻֽהוּ׃

Muitos estudiosos consideram este versículo uma interpolação, embora não haja evidências nos manuscritos para tal opinião. Dez dos homens de Joabe, sem saber que Absalão já estava morto, traspassaram-no com outras flechadas, na hipótese de que talvez ainda lhe restasse alguma vida. Em outras palavras, eles mutilaram o seu corpo com fúria. O culpado estava morto e desgraçado, e agora a história se espalharia por toda a parte, e todos temeriam Davi, ao qual adversário nenhum jamais derrotou em campo de batalha.

Embelezamentos Judaicos do Texto. "Os judeus observam (*Mishn. Sotah,* cap. 1, sec. 8) que Absalão pagou, medida por medida, seus crimes. Ele tinha orgulho de seus cabelos. Portanto, ficou pendurado por eles. Ele se deitara com *dez* das concubinas de Davi. Portanto, seu corpo foi mutilado por dez homens. Ele furtara *três* corações (de seu pai, do sinédrio e do povo de Israel). Portanto, *três* dardos acabaram com a sua vida" (John Gill, *in loc.*).

■ 18.16

וַיִּתְקַ֤ע יוֹאָב֙ בַּשֹּׁפָ֔ר וַיָּ֣שָׁב הָעָ֔ם מִרְדֹ֖ף אַחֲרֵ֣י יִשְׂרָאֵ֑ל כִּֽי־חָשַׂ֥ךְ יוֹאָ֖ב אֶת־הָעָֽם׃

Então tocou Joabe a trombeta. Era o suficiente para um único dia. Absalão estava morto, e a rebelião acabara. Talvez ainda houvesse alguns entrechoques, mas o resultado já estava determinado. Por conseguinte, Joabe tocou a trombeta e convocou os soldados para interromper a batalha. Joabe precisou constranger seus homens. Eles estavam ansiosos por continuar a matança. Quanto ao uso da trombeta em batalha, cf. 2Sm 2.28 e 20.22. Joabe não se importou em tomar prisioneiros ou continuar uma matança inútil. Isso significaria um maior número ainda de israelitas mortos. Esses tinham sido *seduzidos* pelo poder de atração de Absalão. Mas agora que aquele homem cheio de truques estava morto, eles devolveriam sua lealdade a Davi, e talvez até estivessem alegres com o rumo que as coisas haviam tomado. Quem se sentiria bem por rebelar-se contra o homem que libertara Israel de todos os seus inimigos (10.18; ver as notas expositivas)?

■ 18.17

וַיִּקְח֣וּ אֶת־אַבְשָׁל֗וֹם וַיַּשְׁלִ֤יכוּ אֹתוֹ֙ בַיַּ֔עַר אֶל־הַפַּ֣חַת הַגָּד֔וֹל וַיַּצִּ֧בוּ עָלָ֛יו גַּל־אֲבָנִ֖ים גָּד֣וֹל מְאֹ֑ד וְכָל־יִשְׂרָאֵ֔ל נָ֖סוּ אִ֥ישׁ לְאֹהָלָֽיו׃

Levaram Absalão, e o lançaram no bosque. *Um Sepultamento Decente.* Um dos modos de sepultamento é retratado neste versículo. Em lugar de ser enterrado em um buraco, um corpo podia ser sepultado sob as pedras. Algumas vezes, um buraco era escavado, e então pedras eram postas sobre a terra jogada diretamente sobre o cadáver. No caso presente, aparentemente já existia um buraco. Eles lançaram o cadáver de Absalão ali e cobriram-no com uma pilha de pedras. E a grande pilha tornou-se um triste *memorial* ao homem que ousara fazer oposição a Davi. Ele era filho de Davi, mas nem esse relacionamento o ajudou na hora da *retribuição.* É possível que Davi tenha visitado o memorial, diante do qual chorou. Era tão inútil que Absalão houvesse desperdiçado a vida da maneira como fez. Mas em algum lugar, de alguma maneira, a graça de Deus o teria alcançado, ou ainda haveria de alcançar — disso podemos estar certos. Ver 1Pe 4.6 e as notas sobre esse versículo, no *Novo Testamento Interpretado.* Ver no *Dicionário* o artigo intitulado *Sepultamento, Costumes de.*

Absalão tinha erigido um memorial ao seu próprio nome, chamado Monumento de Absalão, no vale do rei (vs. 18). Mas seu verdadeiro memorial era aquela pilha de pedras que cobria o seu cadáver, na floresta de Efraim.

Absalão primeiramente ficou enganchado pela cabeça a uma árvore; em seguida, foi atravessado por três dardos. Ato contínuo, seu corpo foi mutilado. Então foi sepultado em um triste memorial, sob pedras. Assim a justiça foi servida, de modo parecido com o que se lê em Dt 21.21, a morte por apedrejamento de um filho rebelde. Quanto a monumentos sepulcrais, ver Js 7.26 e 8.29.

Adam Clarke (*in loc.*) comentou sobre a universalidade das pilhas de pedras memoriais como lugares de sepultamento. Onde não havia pedras disponíveis, as pilhas eram feitas de terra.

Terminado todo esse evento, os soldados que tinham combatido por Absalão voltaram para casa. Os demais também voltaram para seus lares. Cf. Dt 16.7; Js 22.4-8; 1Sm 13.2; 2Sm 19.8; 20.1,22. Mas a palavra "fugiu", usada aqui, aponta especificamente para os rebeldes.

18.18

וְאַבְשָׁלֹם לָקַח וַיַּצֶּב־לוֹ בְחַיָּו אֶת־מַצֶּבֶת אֲשֶׁר בְּעֵמֶק־הַמֶּלֶךְ כִּי אָמַר אֵין־לִי בֵן בַּעֲבוּר הַזְכִּיר שְׁמִי וַיִּקְרָא לַמַּצֶּבֶת עַל־שְׁמוֹ וַיִּקָּרֵא לָהּ יַד אַבְשָׁלֹם עַד הַיּוֹם הַזֶּה: ס

Talvez Absalão tivesse erigido a coluna para perpetuar seu nome (ele não possuía filhos que pudessem fazer isso) com a intenção de transformá-la em um memorial de sepultamento. Nesse caso, o pobre Absalão nem ao menos teve o luxo de repousar no túmulo que havia preparado para si mesmo. sua rebelião furtou-o até mesmo disso. 2Sm 14.27 fala sobre filhos de Absalão. Isso poderia ser uma simples contradição com 2Sm 18.18 e 14.27, derivada de outras fontes informativas. Ou então esses filhos tinham morrido ainda jovens, deixando-o sem herdeiro.

Vale do rei. Tradicionalmente é o vale do Cedro, a leste de Jerusalém. Josefo diz-nos que a coluna existia em seus dias. Ela era de mármore, postada a cerca de quatrocentos metros de Jerusalém (*Antiq.* 1.7, cap. 10, sec. 3). Ver no *Dicionário* o verbete *Vale do Rei*.

Os monumentos sepulcrais eram comuns entre todos os povos. Minerva aconselhou Telêmaco a tentar encontrar seu pai. Mas, se não pudesse encontrá-lo, então que erigisse um monumento em sua memória (Homero, *Odisseia*, 1, vs. 297).

18.19,20

וַאֲחִימַעַץ בֶּן־צָדוֹק אָמַר אָרוּצָה נָּא וַאֲבַשְּׂרָה אֶת־הַמֶּלֶךְ כִּי־שְׁפָטוֹ יְהוָה מִיַּד אֹיְבָיו:

וַיֹּאמֶר לוֹ יוֹאָב לֹא אִישׁ בְּשֹׂרָה אַתָּה הַיּוֹם הַזֶּה וּבִשַּׂרְתָּ בְּיוֹם אַחֵר וְהַיּוֹם הַזֶּה לֹא תְבַשֵּׂר כִּי־עַל־בֶּן־הַמֶּלֶךְ מֵת:

Então disse Aimaás. Ver sobre ele no *Dicionário*. Esse jovem (filho de um sacerdote; ver 2Sm 15.36; 17.17 ss.), cheio de entusiasmo por causa da grande vitória obtida naquele dia, queria ser o transmissor das boas-novas a Davi. Em sua atitude precipitada, nem lhe ocorreu que ele seria o portador da terrível notícia de que Absalão havia sido morto. Foi por isso que Joabe precisou impedi-lo de levar a mensagem. Era uma notícia por demais solene para ser dada naquele dia. Algum outro dia seria mais apropriado para a terrível tarefa. Mas logo Joabe mudou de ideia e convocou outro homem para levar a mensagem. Evidentemente, era homem mais apropriado para levar a mensagem que o jovem Aimaás. Aimaás fora o portador de mensagens mandadas ao rei, conforme demonstram as referências acima. Não sabemos dizer por que ele foi rejeitado como o mensageiro da morte de Absalão, quando outro jovem foi imediatamente enviado para fazer a mesma coisa. Aqueles, porém, eram momentos de *confusão*, e isso pode explicar o episódio. Mas ver outras ideias sobre a questão nas notas expositivas do vs. 21.

18.21

וַיֹּאמֶר יוֹאָב לַכּוּשִׁי לֵךְ הַגֵּד לַמֶּלֶךְ אֲשֶׁר רָאִיתָה וַיִּשְׁתַּחוּ כוּשִׁי לְיוֹאָב וַיָּרֹץ:

Joabe entregou a tarefa de dar as notícias ao rei, sobre a batalha (incluindo novas sobre a trágica morte de Absalão), a um cuxita, um estrangeiro, homem desconhecido de Davi. E não permitiu que Aimaás levasse a mesma mensagem. Aimaás era amigo pessoal de Joabe e Davi. Talvez Joabe não concordasse que um amigo deveria levar tal mensagem, e, se outra pessoa transportasse as notícias, o golpe seria menos rude para Davi. Nossos costumes, porém, são diferentes dos costumes antigos. Presume-se que, quando um amigo leva más novas, isso ajuda o endereçado a suportar melhor as notícias, porquanto conta com a simpatia do amigo. A tragédia, partilhada de alguma maneira, tem seu impacto reduzido. Seja como for, o cuxita recebeu a desagradável tarefa. Mas ele não informou Davi que Joabe era o assassino de Absalão. Davi, no entanto, em breve o descobriria. O rei não precisava saber disso naquele mesmo dia. Ele teria de absorver um golpe por vez.

Os Corredores. Naqueles dias em que não havia veículos a motor, ou outros meios mais rápidos de transporte, eram empregados *corredores* para desempenhar a tarefa de mensageiro. Homens eram treinados com esse propósito e eram capazes de desenvolver grande resistência e considerável velocidade. Até no recente século XIX, homens montados a cavalo serviam ao mesmo propósito. Então apareceram os trens e, finalmente, os motores de combustão interna para pequenos veículos, o telégrafo, o telefone e o rádio. Agora temos a comunicação instantânea e internacional, sob forma escrita, através do fax e correio eletrônico. Assim sendo, os modos de os homens transmitirem mensagens têm sido aprimorados imensamente; mas as notícias tristes ainda perturbam o coração dos homens, e alguém precisa ser o mensageiro.

"O cuxita era um etíope, provavelmente um escravo, e assim sendo, uma pessoa mais apropriada para a desagradável tarefa" (George B. Caird, *in loc.*). Alguns estudiosos identificam-no com o cuxita do título do Salmo 7, e outros, tolamente, fazem dele o homem que encontrou Absalão pendurado na árvore (vs. 10). Mas todas essas informações são apenas imaginárias. Seja como for, ele primeiramente saudou a Joabe, prostrando-se diante dele, e então saiu correndo para desincumbir-se de seu dever.

18.22

וַיֹּסֶף עוֹד אֲחִימַעַץ בֶּן־צָדוֹק וַיֹּאמֶר אֶל־יוֹאָב וִיהִי מָה אָרֻצָה־נָּא גַם־אָנִי אַחֲרֵי הַכּוּשִׁי וַיֹּאמֶר יוֹאָב לָמָּה־זֶּה אַתָּה רָץ בְּנִי וּלְכָה אֵין־בְּשׂוֹרָה מֹצֵאת:

Aimaás, porém, continuou insistindo. Ele tinha de ir. Joabe permitiu que fosse, mas lembrou-o de que ele não era o encarregado de dar a Davi as tristes notícias. Portanto, lá se foi Aimaás em um "passeio", conforme alguns diriam. As palavras "não terás recompensas das novas" podem significar que Aimaás esperava alguma espécie de recompensa pelas boas notícias da derrota de Absalão. Mas a Vulgata Latina provavelmente está certa ao traduzir o difícil texto original em hebraico por "não serás o portador de boas-novas". As notícias eram, ao mesmo tempo, boas e más; e Aimaás simplesmente não recebeu a tarefa de levá-las a Davi, conforme discutido na exposição sobre os vss. 20 e 21.

18.23

וִיהִי־מָה אָרוּץ וַיֹּאמֶר לוֹ רוּץ וַיָּרָץ אֲחִימַעַץ דֶּרֶךְ הַכִּכָּר וַיַּעֲבֹר אֶת־הַכּוּשִׁי:

Tendo recebido a permissão de Joabe de seguir juntamente com o portador das notícias (mas não de levar a mensagem), Aimaás alcançou o cuxita, talvez conhecendo melhor o terreno e tomando um atalho. Imagino que o homem correu *com alegria,* a despeito do impacto que a mensagem teria sobre Davi. Afinal, Aimaás ajudara Davi desde o começo, sendo um rapaz de recados que transmitia e possibilitava comunicações entre Husai, os sacerdotes e Davi. Ele realizou bem a sua tarefa, ao risco da própria vida. Embora ele mesmo não tivesse mensagem a ser dada a Davi, de que a vitória fora obtida, quis ter o prazer de estar presente quando as grandes novas fossem comunicadas. E então mereceu um "agrado" da parte do seu senhor.

Pelo caminho da planície. Provavelmente uma rota mais longa mas menos íngreme, enquanto o cuxita percorria as colinas.

18.24

וְדָוִד יוֹשֵׁב בֵּין־שְׁנֵי הַשְּׁעָרִים וַיֵּלֶךְ הַצֹּפֶה אֶל־גַּג הַשַּׁעַר אֶל־הַחוֹמָה וַיִּשָּׂא אֶת־עֵינָיו וַיַּרְא וְהִנֵּה־אִישׁ רָץ לְבַדּוֹ:

Davi estava assentado. Davi esperava ansiosamente por notícias sobre a batalha. A sentinela estava postada em seu devido lugar. De súbito, aconteceu o que fora antecipado por tanto tempo. Um *corredor* (ver o vs. 21) foi visto. As expectativas eram grandes: estavam chegando notícias sobre a batalha.

Entre as duas portas da entrada. Provavelmente isso se refere a uma espessa muralha com duas portas paralelas, uma pelo lado de fora e outra pelo lado de dentro. Davi se posicionara entre as duas portas da entrada. Acima estava a sala da sentinela, que podia ser alcançada mediante uma escada. Visto que Aimaás era homem bom e leal, se poderia presumir que ele estava trazendo boas-novas.

■ 18.25,26

וַיִּקְרָא הַצֹּפֶה וַיַּגֵּד לַמֶּלֶךְ וַיֹּאמֶר הַמֶּלֶךְ אִם־לְבַדּוֹ בְּשׂוֹרָה בְּפִיו וַיֵּלֶךְ הָלוֹךְ וְקָרֵב׃

וַיַּרְא הַצֹּפֶה אִישׁ־אַחֵר רָץ וַיִּקְרָא הַצֹּפֶה אֶל־הַשֹּׁעֵר וַיֹּאמֶר הִנֵּה־אִישׁ רָץ לְבַדּוֹ וַיֹּאמֶר הַמֶּלֶךְ גַּם־זֶה מְבַשֵּׂר׃

O *corredor* devia ser um mensageiro que trazia notícias da batalha ou então um *fugitivo*. Mas *fugitivos* (plural) provavelmente escapariam, pelo que deveria haver pelo menos um pequeno grupo deles. Se houvesse apenas um corredor, então seria um mensageiro. Isso poderia ser dito com relação a até dois corredores, porém não mais que isso. A princípio, a sentinela viu apenas um homem. Eis que então (vs. 26) reconheceu outro homem; mas Davi corretamente julgou que ele também deveria ser um mensageiro. Com tais descrições, sem dúvida em harmonia com a história, o autor sacro aumenta a nossa ansiedade. Que tipo de mensagem estariam trazendo os corredores? A batalha tinha sido ganha, a rebelião havia terminado. Mas *Absalão* estava entre as vítimas.

■ 18.27

וַיֹּאמֶר הַצֹּפֶה אֲנִי רֹאֶה אֶת־מְרוּצַת הָרִאשׁוֹן כִּמְרֻצַת אֲחִימַעַץ בֶּן־צָדוֹק וַיֹּאמֶר הַמֶּלֶךְ אִישׁ־טוֹב זֶה וְאֶל־בְּשׂוֹרָה טוֹבָה יָבוֹא׃

Parece ser o correr de Aimaás. Aimaás estava chegando na frente, a quem a sentinela reconheceu devido ao estilo de corrida. Davi sentiu-se feliz com a notícia, porque Aimaás era um homem bom, que traria boas notícias, ou pelo menos era disso que Davi tentava convencer-se, impossibilitado de receber más notícias. A confiança de Davi de que Aimaás trazia boas notícias sem dúvida se baseava em um desejo interior. Mas também se alicerçava sobre a ideia que Joabe havia expressado, de que um *amigo* traria boas notícias e se apressaria em transmitir a mensagem. Ver as notas no vs. 21 quanto a esse particular.

■ 18.28

וַיִּקְרָא אֲחִימַעַץ וַיֹּאמֶר אֶל־הַמֶּלֶךְ שָׁלוֹם וַיִּשְׁתַּחוּ לַמֶּלֶךְ לְאַפָּיו אָרְצָה ס וַיֹּאמֶר בָּרוּךְ יְהוָה אֱלֹהֶיךָ אֲשֶׁר סִגַּר אֶת־הָאֲנָשִׁים אֲשֶׁר־נָשְׂאוּ אֶת־יָדָם בַּאדֹנִי הַמֶּלֶךְ׃

Paz. Esse foi o grito de Aimaás. E sem dúvida o coração do rei pulou de alegria. A batalha tinha resultado em tranquilidade para o rei. A palavra foi usada como saudação, mas sem dúvida tinha por intuito comunicar uma mensagem acerca da batalha. A Yahweh foi dado o crédito por fazer a batalha voltar-se em favor de Davi. E os rebeldes tinham sido absolutamente derrotados. Yahweh feriria àqueles que tinham ferido a Davi.

"ele atribuiu a vitória não a Joabe e seu exército, mas ao Senhor, a quem prestou agradecimentos, e isso concorda com o caráter de um homem bom e de um sacerdote do Senhor" (John Gill, *in loc.*).

■ 18.29

וַיֹּאמֶר הַמֶּלֶךְ שָׁלוֹם לַנַּעַר לְאַבְשָׁלוֹם וַיֹּאמֶר אֲחִימַעַץ רָאִיתִי הֶהָמוֹן הַגָּדוֹל לִשְׁלֹחַ אֶת־עֶבֶד הַמֶּלֶךְ יוֹאָב וְאֶת־עַבְדֶּךָ וְלֹא יָדַעְתִּי מָה׃

Vai bem o jovem Absalão? Foi uma pergunta que perturbou a paz. Esta era uma indagação que Aimaás não queria ouvir e à qual fora proibido de responder. Que dizer sobre Absalão? Estava ele em segurança? *Aimaás mentiu.* Ele sabia a resposta à pergunta, mas como amigo de Davi não podia proferir a resposta. Assim sendo, reivindicou apenas ter visto grande confusão e tumulto, mas não sabia o que havia acontecido a Absalão. "Espertamente, mas sem veracidade, Aimaás escapou da pergunta" (Ellicott, *in loc.*). Afeito às questões políticas, ele estava treinado a mentir "quando necessário".

■ 18.30,31

וַיֹּאמֶר הַמֶּלֶךְ סֹב הִתְיַצֵּב כֹּה וַיִּסֹּב וַיַּעֲמֹד׃

וְהִנֵּה הַכּוּשִׁי בָּא וַיֹּאמֶר הַכּוּשִׁי יִתְבַּשֵּׂר אֲדֹנִי הַמֶּלֶךְ כִּי־שְׁפָטְךָ יְהוָה הַיּוֹם מִיַּד כָּל־הַקָּמִים עָלֶיךָ׃ ס

Disse o rei. Aimaás não tinha toda a notícia que Davi queria ouvir. Portanto, recebeu ordens para pôr-se de lado, mas não para ir-se embora. Assim, seu relato podia ser comparado ao relato do cuxita. Logo chegou o segundo homem (vs. 31) e entregou a mesma mensagem: "Boas-novas ao rei meu senhor". Novamente, Yahweh recebeu todo o crédito. *Vingança* era a palavra para aquele dia. Todos quantos se tinham rebelado estavam derrotados. Os que não haviam sido mortos fugiram e se dispersaram. A rebelião tinha terminado.

■ 18.32

וַיֹּאמֶר הַמֶּלֶךְ אֶל־הַכּוּשִׁי הֲשָׁלוֹם לַנַּעַר לְאַבְשָׁלוֹם וַיֹּאמֶר הַכּוּשִׁי יִהְיוּ כַנַּעַר אֹיְבֵי אֲדֹנִי הַמֶּלֶךְ וְכֹל אֲשֶׁר־קָמוּ עָלֶיךָ לְרָעָה׃ ס

Em lugar de pular de satisfação, Davi fez a terrível pergunta: "Vai bem o jovem Absalão?" Somente o amor de um pai podia explicar tal preocupação. "Esta é uma das mais tristes cenas de toda a literatura mundial. A angústia de Davi surgiu não somente da tragédia, mas também de seu próprio fracasso como pai. Esse fracasso ele reconhecia e admitia em seu clamor do fundo do coração" (Ganse Little, *in loc.*).

Absalão havia sido brutalmente morto por aqueles três dardos, e então seu corpo fora mutilado. O cuxita desejou que a todos os inimigos de Davi acontecesse o mesmo que se abatera sobre Absalão: ser morto e ter o corpo mutilado, obliterado da face da terra. Foi uma maneira indireta de dar a Davi a notícia da morte de seu filho Absalão.

Aquele momento de júbilo, então, de súbito transformou-se no silêncio e na melancolia de um túmulo.

Em Absalão concentrava-se toda a preocupação de Davi. Que diziam sobre Absalão? ele estava mais preocupado com o filho do que com o resultado da batalha: "... bem que merecia a reprimenda que Joabe deu a Davi, em 2Sm 19.5" (Adam Clarke, *in loc.*). Joabe disse a Davi: "Hoje envergonhaste a face de todos os teus servos, que livraram hoje a tua vida, e a vida de teus filhos, e de tuas filhas, e a vida de tuas mulheres, e de tuas concubinas" (2Sm 19.5). Contudo, o amor paterno é o amor paterno. Não requer explicações racionais. É incondicional, e é assim que *todo* amor deveria ser. Somente um amor *incondicional* é o verdadeiro amor *agape*. Isto posto, Davi deu-nos uma lição sobre o amor, que não deve ser subestimada. Ver no *Dicionário* o artigo intitulado *Amor*.

■ 18.33

וַיִּרְגַּז הַמֶּלֶךְ וַיַּעַל עַל־עֲלִיַּת הַשַּׁעַר וַיֵּבְךְּ וְכֹה אָמַר בְּלֶכְתּוֹ בְּנִי אַבְשָׁלוֹם בְּנִי בְנִי אַבְשָׁלוֹם מִי־יִתֵּן מוּתִי אֲנִי תַחְתֶּיךָ אַבְשָׁלוֹם בְּנִי בְנִי׃

"Avassalado, o rei retirou-se para um quarto superior, onde verteu seu coração, na presença de Deus, em tristeza que não se deixava consolar. As profundezas do amor por seu filho rebelde se ocultaram no lamento: 'Quem me dera que eu morrera por ti, Absalão, meu filho, meu filho!' Dois dos filhos de Davi, Amnom (2Sm 13.28-39) e Absalão (18.15), morreram mortes violentas, em consequência do pecado de Davi (12.10)" (Eugene H. Merrill, *in loc.*).

"A maioria dos mais hábeis comentadores admite que essa lamentação foi excessivamente patética" (Adam Clarke, *in loc.*).

"A tristeza de Davi... pode ter ficado mais pungente diante do pensamento, que com frequência deve ter-lhe ocorrido durante o progresso da rebelião, de que todo esse pecado e erro ocorreram por causa de seu próprio grande pecado" (Ellicott, *in loc.*).

"Ele se apressou a ir à câmara... por sobre o portão da cidade, onde estava a sentinela... e assim, enquanto subia as escadas, soluçava repetidamente: 'Meu filho Absalão. Absalão, meu filho, meu filho!' Essa repetição exprimia a veemência de seus afetos, e quão inconsolável estava ele diante da morte do filho" (John Gill, *in loc.*).

Haverá Alguma Esperança para Absalão? Que dizer sobre a alma dele? Adam Clarke (*in loc.*) foi quem fez essa indagação. Davi consolou-se diante da esperança de que o jovem se arrependera no último momento, tal como aconteceu ao ladrão na cruz. O dr. Clarke estava limitado por sua teologia metodista, tal como a maioria dos evangélicos e católicos está limitada por suas teologias. Mas os luminares da Igreja Cristã Oriental e da Igreja Anglicana não têm dificuldades em assumir que a graça de Deus já atingiu Absalão, para além do sepulcro. E esses mostram como prova para isso a história da descida de Cristo ao hades, mediante a qual ele fez o lugar tornar-se um campo missionário. Assim sendo, "sem importar onde estejam os homens, Jesus pode ali atingi-los". Ver 1Pe 4.6 no *Novo Testamento Interpretado*, e na *Enciclopédia de Bíblia, Teologia e Filosofia*, ver o verbete intitulado *Descida de Cristo ao Hades*.

Por que os homens relutam tanto a ponto de apagar toda a esperança? Por que eles insistem sobre uma teologia ultrapassada que corta a esperança por ocasião da morte biológica do corpo? As próprias Escrituras ultrapassam essa marca! Por que os homens preferem a condenação e o desespero, e não a esperança que as Escrituras nos trouxeram?

CAPÍTULO DEZENOVE

Este capítulo, até o vs. 10, continua a seção iniciada em 13.1 (*Consequências Temporais do Pecado:* 13.1—19.10). Considere o leitor a *Lei Moral da Colheita segundo a Semeadura* (ver esse artigo no *Dicionário*). Davi jamais seria capaz de libertar-se da maldição que Natã, o profeta, lhe impusera (2Sm 12.10) por haver adulterado com Bate-Seba e assassinado o marido dela, Urias. A família de Davi foi pesadamente atingida; Davi foi pesadamente atingido; a nação de Israel foi pesadamente atingida.

Na introdução ao capítulo 17, listo *oito* maneiras pelas quais Davi foi castigado. E na introdução ao capítulo 18, acrescento outras *duas*. A essas dez maneiras, acrescento aqui as seguintes:

Décima Primeira: Agora, no capítulo que temos à frente, há outros fatores. Davi viveu a angústia de lamentar a morte de Absalão. Isso fez a vitória sobre os rebeldes e sua restauração ao poder algo ao mesmo tempo doce e amargo. Até seu grande momento de triunfo foi contaminado.

Décima Segunda: O inescrupuloso mas sempre fiel Joabe repreendeu Davi por sua atitude, salientando que seus homens tinham combatido por ele, arriscando a própria vida. Mas Davi com nada se importava naquele momento, exceto com o rebelde Absalão. Assim sendo, a relação entre Davi e seus homens mais fiéis e de maior confiança ficou estremecida. Além disso, todo o povo de Israel (2Sm 19.9) foi lançado em confusão.

Décima Terceira: Tão amargurado ficou com a morte do filho (e provavelmente já descobrira que Joabe fora o assassino de Absalão), que Davi estabeleceu Amasa como general de seu exército, em lugar de Joabe (vs. 13). Mas isso só causaria tristeza ainda maior, pois Joabe finalmente mataria Amasa (2Sm 20.10). Ninguém podia com o selvagem Joabe, nem mesmo o próprio Davi.

■ 19.1

וַיֻּגַּד לְיוֹאָב הִנֵּה הַמֶּלֶךְ בֹּכֶה וַיִּתְאַבֵּל עַל־אַבְשָׁלֹם׃

"Aquele que poderia ter sido um dia de alegria triunfal para Davi tornou-se um dia de profunda tristeza. seu júbilo por ter recuperado o reino foi cortado pelo desespero de ter perdido um filho. Tão confusos sentiram-se os soldados de Davi que escaparam para fora de Maanaim como se tivessem sido os perdedores, e não os vencedores" (Eugene H. Merrill, *in loc.*).

Ali estava Davi, compreensivelmente triste por causa da morte de Absalão, mas " repreendido por Joabe por ter-se entregado a tão profunda tristeza" (John Gill, *in loc.*). Ele se esqueceu de regozijar-se pela singular e imediata vitória que seus homens lhe haviam dado, demonstrando-lhes alguma *gratidão*. Na verdade, Davi exagerou em sua tristeza e não disse uma única palavra de agradecimento aos fiéis soldados que lhe tinham devolvido o trono e apagado a sua desgraça. Davi, pois, manuseou a situação de forma inteiramente desequilibrada.

■ 19.2,3

וַתְּהִי הַתְּשֻׁעָה בַּיּוֹם הַהוּא לְאֵבֶל לְכָל־הָעָם כִּי־שָׁמַע הָעָם בַּיּוֹם הַהוּא לֵאמֹר נֶעֱצַב הַמֶּלֶךְ עַל־בְּנוֹ׃

וַיִּתְגַּנֵּב הָעָם בַּיּוֹם הַהוּא לָבוֹא הָעִיר כַּאֲשֶׁר יִתְגַּנֵּב הָעָם הַנִּכְלָמִים בְּנוּסָם בַּמִּלְחָמָה׃

A vitória se transformara em lamentação; os vencedores foram reduzidos à condição de perdedores; a tristeza tomou conta de tudo, e a gratidão se perdeu. Nas ruas, deveriam estar sendo ouvidos gritos de vitória. Deveria haver vinho, cânticos e danças. Pelo contrário, Maanaim tornou-se semelhante a um túmulo. Nenhum homem ousava alegrar-se; nenhum homem ousava celebrar a ocasião, pois o rei lamentava a perda de Absalão.

"A tristeza pessoal corria o perigo de sabotar o bem público. Como um pai de consciência pesada, Davi só podia lamentar-se com a falta de restrição aqui descrita. Mas Joabe tinha toda a razão. O trono de Davi fora preservado pela ação corajosa de tropas leais. Davi não deveria dar a impressão de que a ira pela morte do filho rebelde pesava mais que sua gratidão pela salvação do reino" (Ganse Little, *in loc.*).

Maanaim, onde grandes celebrações deveriam estar tendo lugar, era agora uma cidade-fantasma. As pessoas que entravam e saíam da cidade faziam-no com tanto cuidado como se tivessem sido derrotadas, em lugar de terem sido vitoriosas. Poderiam também ser castigadas pelo rei se demonstrassem alegria, pois ele estava inclinado somente à tristeza e à lamentação. Agiam como um bando de covardes, quando deveriam estar passando arrogantemente através das ruas, em paradas vitoriosas. "Eles se lamentavam por seu próprio sucesso" (Adam Clarke, *in loc.*).

■ 19.4

וְהַמֶּלֶךְ לָאַט אֶת־פָּנָיו וַיִּזְעַק הַמֶּלֶךְ קוֹל גָּדוֹל בְּנִי אַבְשָׁלוֹם אַבְשָׁלוֹם בְּנִי בְנִי׃ ס

Tendo o rei coberto o rosto exclamava. O rei perdeu completamente o controle. Ele continuava clamando o desesperado refrão: "Meu filho Absalão, Absalão, meu filho, meu filho!" Calmet disse corretamente aqui que a frequente repetição do nome do morto era comum na linguagem das lamentações.

Ali estava o rei, envolto em seu manto (um costume próprio das lamentações), chorando e pranteando, abalando a casa inteira com suas amargas lamentações.

■ 19.5

וַיָּבֹא יוֹאָב אֶל־הַמֶּלֶךְ הַבָּיִת וַיֹּאמֶר הֹבַשְׁתָּ הַיּוֹם אֶת־פְּנֵי כָל־עֲבָדֶיךָ הַמְמַלְּטִים אֶת־נַפְשְׁךָ הַיּוֹם וְאֵת נֶפֶשׁ בָּנֶיךָ וּבְנֹתֶיךָ וְנֶפֶשׁ נָשֶׁיךָ וְנֶפֶשׁ פִּלַגְשֶׁיךָ׃

Então Joabe entrou na casa do rei. Era terrível quando Joabe se irava. O próprio rei Davi tremia quando ele estava nessa condição. Em outras oportunidades, Joabe sofrera frustrações por fazer o que ele cria estar certo, somente para que o rei se voltasse contra ele (ver 2Sm 3.27-39; 14.28-33). Foi assim que Joabe entrou, num repente, na sala do rei, sem ao menos bater na porta, e iniciou sua tirada contra Davi.

Naturalmente, a tirada de Joabe era exagerada. As coisas, porém, não eram tão ruins quanto ele deu a entender. Quem não diz *absurdos* quando está irado?

Joabe e seus homens tinham sido *salvadores*. Eles tinham salvado Davi da vergonha e da destruição. De modo geral, sua família, que poderia ter sido destruída pelo rebelde Absalão, agora estava segura, seus filhos e filhas, suas esposas e concubinas. Os próprios *salvadores,* que Davi deveria estar louvando por tudo quanto tinham feito, ao risco da própria vida, Davi os estava *envergonhando*. Ele agora os tratava como se tivessem cometido um engano, ao ganharem a batalha para ele. Em lugar de celebrar a vitória, eles tinham de entrar e sair da cidade como se fossem um bando de criminosos.

"Joabe tratou o rei com completa insolência e com um ar de superioridade. Não obstante, aconselhou-o para seu próprio bem-estar" (Ellicott, *in loc.*)

Se a rebelião de Absalão tivesse obtido sucesso, então, em consonância com os costumes orientais, a família de Davi seria destruída, para que não restassem rivais candidatos ao trono (ver Jz 9.5; 1Rs 15.29; 16.11; 2Rs 10.6,7 e 11.1). Mas o bom Joabe agiu como lhe era costumeiro. "ele era um bom soldado, mas em tudo mais era um homem mau, um súdito perigoso" (Adam Clarke, *in loc.*).

■ 19.6

לְאַהֲבָה אֶת־שֹׂנְאֶיךָ וְלִשְׂנֹא אֶת־אֹהֲבֶיךָ כִּי הִגַּדְתָּ הַיּוֹם כִּי אֵין לְךָ שָׂרִים וַעֲבָדִים כִּי יָדַעְתִּי הַיּוֹם כִּי לֹא אַבְשָׁלוֹם חַי וְכֻלָּנוּ הַיּוֹם מֵתִים כִּי־אָז יָשָׁר בְּעֵינֶיךָ׃

Então estarias contente. *Joabe exagerou consideravelmente,* em consonância com a mente semítica que tendia (e tende) a pensar nas coisas em termos de preto e branco, "sim" ou "não", sem áreas cinzentas e intermediárias. "ele estava apenas exemplificando a formação habitual da mente semítica, que vê todas as coisas em extremos de negro e branco, sem os delicados tons pastel que estão acostumadas a ver entre a verdade e a falsidade, a crença e a incredulidade, o amor e o ódio" (George B. Caird, *in loc.*). Foram momentos críticos para Israel. Joabe falou de forma exagerada, mas com energia, para o bem de Davi e para o bem de todo o povo de Israel. Absalão havia distorcido a maneira de Davi pensar, pelo que transformara todos os seus amigos em perdedores, quando eram vencedores, e o fizera odiar (por assim dizer) seus amigos, mas amar seus inimigos; desejando que Absalão continuasse vivo, mesmo que isso significasse a morte de Joabe e das tropas que haviam obtido tamanha vitória em tão pouco tempo.

■ 19.7

וְעַתָּה קוּם צֵא וְדַבֵּר עַל־לֵב עֲבָדֶיךָ כִּי בַיהוָה נִשְׁבַּעְתִּי כִּי־אֵינְךָ יוֹצֵא אִם־יָלִין אִישׁ אִתְּךָ הַלַּיְלָה וְרָעָה לְךָ זֹאת מִכָּל־הָרָעָה אֲשֶׁר־בָּאָה עָלֶיךָ מִנְּעֻרֶיךָ עַד־עָתָּה׃ ס

Levanta-te agora, sai, e fala. Ergue o teu rosto! Vai lá fora e consola os servos e amigos que estás desgraçando com seus tolos atos e atitudes!

A Ameaça. Se Davi não agisse conforme Joabe ordenava, ele provocaria outra rebelião. Todo o exército de Israel marcharia para fora da cidade e deixaria Davi *sozinho.* Se ele tivera dificuldades com Absalão, maior ainda seria sua dificuldade com o selvagem Joabe a encabeçar uma revolta *real.*

Fala segundo o coração de teus servos. Louva-os pela vitória obtida; assegura-lhes a tua gratidão; recomenda-os pela coragem; agradece-lhes por tudo quanto fizeram, arriscando a vida no campo de batalha.

Davi havia sofrido muitos males desde a juventude; mas Joabe prometeu-lhe que nenhum mal seria tão terrível como aquele que ele sofreria agora, se não recuperasse o bom senso.

■ 19.8

וַיָּקָם הַמֶּלֶךְ וַיֵּשֶׁב בַּשָּׁעַר וּלְכָל־הָעָם הִגִּידוּ לֵאמֹר הִנֵּה הַמֶּלֶךְ יוֹשֵׁב בַּשַּׁעַר וַיָּבֹא כָל־הָעָם לִפְנֵי הַמֶּלֶךְ וְיִשְׂרָאֵל נָס אִישׁ לְאֹהָלָיו׃ ס

Então o rei se levantou, e se assentou à porta. *Davi Obedeceu a Joabe!* ele se levantou, parou suas lamentações, tomou lugar no assento dos juízes e recebeu em bom espírito a todos os que vieram a ele. Em suma, reassumiu seus deveres como rei-juiz e assim reconquistou o povo.

Israel havia fugido. Esta parte do versículo deveria ser o início do versículo seguinte, onde começa um novo parágrafo. Os que fugiram tinha imitado os apoiadores de Absalão, os quais, por ocasião de sua morte, escaparam para suas casas, conforme vimos em 2Sm 18.17. Por toda a narrativa da rebelião de Absalão, Israel aponta para seus apoiadores, ou seja, a maior parte do povo de Israel. Cf. 2Sm 16.15; 17.5,14,15,24,26; 18.6,7,16,17.

■ 19.9

וַיְהִי כָל־הָעָם נָדוֹן בְּכָל־שִׁבְטֵי יִשְׂרָאֵל לֵאמֹר הַמֶּלֶךְ הִצִּילָנוּ מִכַּף אֹיְבֵינוּ וְהוּא מִלְּטָנוּ מִכַּף פְּלִשְׁתִּים וְעַתָּה בָּרַח מִן־הָאָרֶץ מֵעַל אַבְשָׁלוֹם׃

Em todas as tribos de Israel. Ou seja, os apoiadores de Absalão, de fato todas as tribos, incluindo Judá (19.11), estavam em confusão e conflito sobre: "Que haverá de acontecer agora? Absalão está morto. Perdemos o nosso líder. Que faremos com Davi? Iremos devolvê-lo ao trono? Renovaremos com ele a nossa lealdade?" Os pecados de Davi tinham lançado Israel na confusão. Quanto aos *treze* resultados dos pecados de Davi, ver a introdução a este capítulo.

Argumentos em Favor de Davi (de que todos os homens deveriam prestar-lhe lealdade). Esses argumentos estavam alicerçados sobre a história. Não fora ele quem libertara Israel de todos os seus opressores? Quanto ao fato de que Davi derrotou oito nações inimigas, ver as notas em 2Sm 10.19. Embora ele tivesse feito tudo isso, o povo tolamente apoiara o rebelde Absalão, fazendo seu verdadeiro campeão fugir. Eles tinham de reparar a brecha causada trazendo-o de volta e restaurando a normalidade.

"Com o colapso da rebelião, a paixão acompanhante passara, e o povo começou a relembrar tudo quanto devia a Davi" (Ellicott, *in loc.*).

■ 19.10

וְאַבְשָׁלוֹם אֲשֶׁר מָשַׁחְנוּ עָלֵינוּ מֵת בַּמִּלְחָמָה וְעַתָּה לָמָה אַתֶּם מַחֲרִשִׁים לְהָשִׁיב אֶת־הַמֶּלֶךְ׃ ס

Absalão estava morto e, com ele, a rebelião e a paixão pela sua causa. Somente aqui somos informados de que ele havia sido ungido. Ver no *Dicionário* o artigo chamado *Unção.* É difícil acreditar que os sacerdotes (que apoiavam Davi) tivessem realizado a cerimônia em favor de Absalão. "Isso pode ter sido feito por algum profeta, ou essa é apenas uma expressão que significa... ter sido *nomeado*" (Ellicott, *in loc.*).

O *consenso geral* era trazer Davi de seu exílio e estabelecê-lo como rei. Naturalmente, isso aconteceria de qualquer maneira, mas era conveniente que Davi obtivesse apoio. Assim sendo, uma vez que Absalão foi retirado do caminho, não demorou muito para que o povo se voltasse novamente para Davi, com um renovado sentimento de gratidão por tudo quanto ele havia feito por Israel. Não obstante, eles hesitaram, embaraçados. Ademais, Davi facilmente poderia ter tirado alguma espécie de vingança do povo, especialmente dos anciãos e líderes que haviam transferido seu apoio para Absalão. Isso, sem dúvida, dava-lhes alguma razão para hesitar em restaurar a antiga ordem.

DAVI DE NOVO EM JERUSALÉM (19.11—20.22)

O autor informou-nos, longamente, como os pecados de Davi com Bate-Seba e Urias (adultério e assassinato) lhe causaram um sem-fim de tribulações, tal e qual Natã, o profeta, havia predito que aconteceria (ver 2Sm 12.10). Ver na introdução ao capítulo 19 os *treze* resultados desses pecados. Naturalmente, até o fim da vida, Davi continuou a pagar por seus crimes. Ver no *Dicionário* o artigo chamado *Lei Moral da Colheita segundo a Semeadura.* E agora a atenção do autor sagrado volta a relatar como o poder de Davi, uma vez mais, estava sendo restaurado por todo o Israel, incluindo Jerusalém, depois que a rebeldia de Absalão fora esmagada e aquele homem fora morto.

■ 19.11

וְהַמֶּלֶךְ דָּוִד שָׁלַח אֶל־צָדוֹק וְאֶל־אֶבְיָתָר הַכֹּהֲנִים לֵאמֹר דַּבְּרוּ אֶל־זִקְנֵי יְהוּדָה לֵאמֹר לָמָּה תִהְיוּ אַחֲרֹנִים לְהָשִׁיב אֶת־הַמֶּלֶךְ אֶל־בֵּיתוֹ וּדְבַר כָּל־יִשְׂרָאֵל בָּא אֶל־הַמֶּלֶךְ אֶל־בֵּיתוֹ׃

Então o rei Davi mandou dizer a Zadoque e a Abiatar. Davi pertencia à tribo de Judá, mas até mesmo essa tribo hesitava em trazer Davi de volta a Jerusalém para reassumir o governo. Já fomos informados sobre a confusão em que *Israel* fora colocado (as tribos além de Judá), em 2Sm 19.9,10. Era necessário que Davi tomasse a iniciativa e enviasse um mensageiro aos sacerdotes Zadoque e Abiatar (ver os artigos sobre eles no *Dicionário*), perguntando-lhes o que estava acontecendo. Pois o *resto* de Israel já havia agido favoravelmente a Davi.

"A opinião pública estava na frente dos líderes. A razão pela qual *Judá* hesitava era, naturalmente, que eles tinham sido os líderes da rebelião" (George B. Caird, *in loc.*). Davi, entretanto, revelou-se um diplomata e não salientou o fato. Ele simplesmente exortou aquela tribo a apressar o processo, a fim de que a normalidade retornasse ao país. O norte e o sul demonstraram uma tendência de separação, o que, finalmente, aconteceu, após o reinado de Salomão. Neste ponto, Davi tentou preservar a unidade e não lançou Judá contra o norte, mas lembrou-lhes diplomaticamente que as outras tribos já tinham agido.

■ **19.12**

אַחַי אַתֶּם עַצְמִי וּבְשָׂרִי אַתֶּם וְלָמָּה תִהְיוּ אַחֲרֹנִים לְהָשִׁיב אֶת־הַמֶּלֶךְ׃

Vós sois meus irmãos. Os argumentos de Davi foram: "Somos da mesma tribo; somos da mesma família, somos irmãos de uma maneira toda especial". Davi continuou em sua diplomacia. Eles tinham ligações de sangue mais estreitas do que o resto de Israel. Essa seria uma boa razão para Judá assumir a liderança, em vez de demorar-se para apoiar a volta de Davi ao trono, normalizando as coisas após a confusão causada pela rebelião encabeçada por Absalão. O rei *reconheceu* sua relação especial com aquela tribo, e esse fato foi calculado para encorajá-los a apressar a reentronização de Davi.

■ **19.13**

וְלַעֲמָשָׂא תֹּמְרוּ הֲלוֹא עַצְמִי וּבְשָׂרִי אָתָּה כֹּה יַעֲשֶׂה־לִּי אֱלֹהִים וְכֹה יוֹסִיף אִם־לֹא שַׂר־צָבָא תִּהְיֶה לְפָנַי כָּל־הַיָּמִים תַּחַת יוֹאָב׃

Uma Grande Concessão. Segundo tudo indicava, Davi estava tanto disposto (por causa de Judá) quanto ansioso (por sua própria causa) a depor Joabe como principal general do exército, nomeando Amasa em seu lugar. Esse homem seria mais agradável para Judá, que certamente tinha feito muitos inimigos, e, sem dúvida, também para Israel. Além disso, Davi fora insultado pelas duras palavras de Joabe, quando este lhe ordenara parar suas lamentações por Absalão e continuar a governar (ver 2Sm 19.5-7). Davi anelava contar com um homem que fosse um instrumento de paz naquele momento.

A parte ridícula de toda a situação era que Amasa tinha sido o principal general dos exércitos de Absalão (ver 2Sm 17.25), de modo que Davi continuava com dificuldade para distinguir amigos de inimigos, acusação que Joabe lançara sobre ele (ver 2Sm 19.6).

"Fazia muito que Davi estava em desassossego por causa da fortíssima influência de Joabe (ver 2Sm 19.22; 16.10 e 3.30) e agora, desde que ele havia matado Absalão, decidira livrar-se dele" (Ellicott, *in loc.*). Naturalmente, Amasa deveria ter sido punido por *traição!* Segundo as condições antigas, isso significava execução. Além disso, Davi subestimou Joabe, o que não era algo fácil. O que Davi realmente conseguiu foi provocar o assassinato de Amasa por Joabe (ver 2Sm 20.10), o que seria previsível. Joabe não tinha ambições políticas, mas era muito zeloso quanto à questão de quem seria o chefe do exército de Israel.

Não és tu meu osso e minha carne? Tanto Joabe quanto Amasa eram sobrinhos de Davi. Amasa era filho de uma das irmãs de Davi. Quanto ao relacionamento entre Davi e Amasa, ver 2Sm 17.25; 1Cr 2.17 e 1Rs 2.5,32.

■ **19.14**

וַיַּט אֶת־לְבַב כָּל־אִישׁ־יְהוּדָה כְּאִישׁ אֶחָד וַיִּשְׁלְחוּ אֶל־הַמֶּלֶךְ שׁוּב אַתָּה וְכָל־עֲבָדֶיךָ׃

Davi era um homem que sabia *realmente conquistar* o coração de outros homens, e foi exatamente o que fez com Judá. Como se fossem um só homem, a lealdade deles foi recuperada. Logo uma mensagem estava a caminho do rei: "Volta. És bem acolhido". Era tempo de reconciliação, e não de acusações. O conflito terminara com a morte de Absalão. Mas agora eles deveriam preocupar-se com o bem-estar de Israel, e Davi era o homem ideal para promovê-lo. "Põe a confiança nas pessoas tanto quanto você puder, e isso não falhará em excitar a confiança delas para com você" (Adam Clarke, *in loc.*).

Quanto maior for o homem, maior será a cortesia.
Tennyson

Falar bondosamente não fere a língua.
Provérbio francês

A polidez nada custa e ganha tudo.
Lady Mary Montagu

■ **19.15**

וַיָּשָׁב הַמֶּלֶךְ וַיָּבֹא עַד־הַיַּרְדֵּן וִיהוּדָה בָּא הַגִּלְגָּלָה לָלֶכֶת לִקְרַאת הַמֶּלֶךְ לְהַעֲבִיר אֶת־הַמֶּלֶךְ אֶת־הַיַּרְדֵּן׃

O cortês Davi foi cortesmente tratado por Judá. A tribo de Judá enviou uma delegação ao encontro dele em Gilgal, para acompanhá-lo quando ele atravessasse o rio Jordão; e então, desde a margem do rio Jordão, eles o escoltaram até Jerusalém. Portanto, Judá "caminhou a milha extra". A diplomacia rendera dividendos.

Nenhum grau de conhecimento atingível pelo homem é capaz de pô-lo acima da necessidade da ajuda a cada hora.
Samuel Johnson

Todos dependemos uns dos outros, cada alma de nós, na terra.
George Bernard Shaw

Gilgal ficava a cerca de 19 quilômetros de Jerusalém, e uma terça parte disso do rio Jordão. Portanto, as distâncias envolvidas não eram grandes. Mas o espírito do ato era bom para todas as pessoas envolvidas.

■ **19.16**

וַיְמַהֵר שִׁמְעִי בֶן־גֵּרָא בֶּן־הַיְמִינִי אֲשֶׁר מִבַּחוּרִים וַיֵּרֶד עִם־אִישׁ יְהוּדָה לִקְרַאת הַמֶּלֶךְ דָּוִד׃

Apressou-se Simei. *A Volta de Simei.* Fora esse homem quem amaldiçoara Davi e jogara pedras contra ele e seus homens, quando eles fugiam de Absalão. Quanto a isso, ver 2Sm 16.5-8. Agora ele toma parte na delegação enviada para acompanhar Davi! Talvez ele estivesse realmente arrependido do que havia feito. Por outro lado, ele poderia ter agido em interesse próprio. Sem dúvida não soubera conquistar a amizade de Davi e o incidente poderia custar-lhe a vida. Simei, percebendo o perigo em que agora se encontrava, diante da restauração de Davi ao trono, prostrou-se perante o rei e buscou o seu perdão, um favor que Davi concedeu temporariamente, contra as objeções de Abisai (19.21-23).

1Rs 1.8,9 mostra que Salomão não deveria considerar Simei inocente, embora Davi tenha assegurado ao homem que não o mataria. Eventualmente, Salomão colocou-o sob prisão na cidade, proibindo-o de sair de Jerusalém. Por três anos, ele não deixou a cidade, mas, quando alguns de seus escravos fugiram, ele os perseguiu. Isso o fez sair da cidade. Salomão, pois, executou-o por ter desobedecido a ordens (1Rs 2.32-46). Assim era a brutalidade da época. Ver o artigo sobre *Simei* quanto a maiores detalhes.

■ **19.17**

וְאֶלֶף אִישׁ עִמּוֹ מִבִּנְיָמִן וְצִיבָא נַעַר בֵּית שָׁאוּל וַחֲמֵשֶׁת עָשָׂר בָּנָיו וְעֶשְׂרִים עֲבָדָיו אִתּוֹ וְצָלְחוּ הַיַּרְדֵּן לִפְנֵי הַמֶּלֶךְ׃

O fato de que Simei comandava mil homens mostra-nos que ele era homem dotado de algum poder. Embora não fosse inimigo dos principais, merecia atenção, o que Salomão fez, a fim de melhor controlá-lo. Eventualmente, Salomão simplesmente livrou-se da ameaça potencial. Entretanto, isso pode ter acontecido como simples vingança, pois não lemos que Simei se tenha metido em alguma dificuldade.

Ziba, que tinha ajudado com suprimentos, quando Davi fugia de diante de Absalão, também acompanhou os homens de Judá. Provavelmente ele havia mentido sobre Mefibosete ter-se tornado um traidor, a fim de obter riquezas e terras (a saber, aquelas originalmente dadas a Mefibosete, filho de Jônatas). Ver a história em 2Sm 16.1 ss. Ver a versão de Mefibosete da história em 2Sm 19.25-27. Sem saber em quem acreditar, Davi simplesmente dividiu as riquezas entre os dois. Ver sobre ambos os homens no *Dicionário,* quanto a maiores detalhes. Assim sendo, observamos cada caráter entrar na cena, e o que nos impressiona é o interesse próprio geral de quase todos eles. Eles esqueceram a lei do amor, o mais elevado princípio de todos, buscando o máximo possível para si mesmos. No entanto, o *coração da lei* (ver Rm 13.8 ss.) e da espiritualidade é o amor (1Jo 4.7 ss.). Ver no *Dicionário* o verbete intitulado *Amor.*

Ziba apressou-se para novamente valer-se do favor de Davi. Ele sabia que em breve o rei estaria ouvindo o lado de Mefibosete na história, e então haveria dificuldades. Ele levou consigo uma impressionante delegação, incluindo quinze filhos e vinte servos. Não enviou seu vice-presidente, conforme faria a maioria dos homens de poder. Mas foi pessoalmente e levou consigo boa parte de sua família.

■ 19.18

וְעָבְרָה הָעֲבָרָה לַעֲבִיר אֶת־בֵּית הַמֶּלֶךְ וְלַעֲשׂוֹת
הַטּוֹב בְּעֵינָו וְשִׁמְעִי בֶן־גֵּרָא נָפַל לִפְנֵי הַמֶּלֶךְ בְּעָבְרוֹ
בַּיַּרְדֵּן:

E o atravessaram. A *King James Version* dá a impressão de que alguma espécie de jangada foi usada para a travessia. Talvez tenha sido usada uma espécie de ponte feita de barcos interligados. Mas outras traduções não transmitem tal ideia. Seja como for, a travessia feita por Davi foi facilitada pela delegação de tal modo que ele, suas esposas, seus filhos e mercadorias foram levados, em grande estilo, para o outro lado do rio.

Simei aproveitou-se da oportunidade para pedir perdão de seus pecados a Davi. O texto assegura-nos que ele fez tudo com grande talento. sua vida dependia de causar a impressão certa sobre Davi, pelo que ele fez tudo direitinho. Ele queria que Davi esquecesse a cena das maldições e pedradas. Ele cometera um ato estúpido, e agora estava arrependido ou, pelo menos, assim afirmava.

■ 19.19

וַיֹּאמֶר אֶל־הַמֶּלֶךְ אַל־יַחֲשָׁב־לִי אֲדֹנִי עָוֹן וְאַל־תִּזְכֹּר
אֵת אֲשֶׁר הֶעֱוָה עַבְדְּךָ בַּיּוֹם אֲשֶׁר־יָצָא אֲדֹנִי־הַמֶּלֶךְ
מִירוּשָׁלָיִם לָשׂוּם הַמֶּלֶךְ אֶל־לִבּוֹ:

Simei, pelo menos, não tentou executar-se por causa do que fizera, conforme fazem muitos dos que confessam seu erro. Ele simplesmente se atirou na misericórdia de Davi. Ver no *Dicionário* os verbetes chamados *Perdão* e *Misericórdia.*

> Há uma amplitude na misericórdia de Deus
> Como a amplitude do mar;
> Pois o amor de Deus é mais lato
> Que a medida da mente humana.
> E o coração do Deus Eterno
> É maravilhosamente bondoso.
>
> Frederick W. Faber

"A não imputação de pecado é, na verdade, o seu perdão" (John Gill, *in loc.*). Na hora da necessidade (quando Davi fugia de diante de Absalão), Simei tinha sido cruel. Esse homem agora implorava ao rei, prostrado diante de seus pés, não ser tratado conforme ele mesmo havia agido. Davi era homem grande o bastante para não retribuir a Simei os seus atos, embora fosse isso o que ele merecia.

As misericórdias do Senhor são a causa de não sermos consumidos, porque as suas misericórdias não têm fim.
Lamentações 3.22

Não me imputes, senhor. O pecado foi reconhecido, mas não houve nenhuma apresentação de desculpas; perdão simples, baseado na misericórdia, foi solicitado. Simei reivindicou apenas uma distinção que mitigava o seu pecado. Ele estivera entre os primeiros a encontrar Davi. Demonstrou sua ansiedade em estar ali, quando Davi atravessou o Jordão, a fim de prestar os devidos respeitos.

■ 19.20

כִּי יָדַע עַבְדְּךָ כִּי אֲנִי חָטָאתִי וְהִנֵּה־בָאתִי הַיּוֹם
רִאשׁוֹן לְכָל־בֵּית יוֹסֵף לָרֶדֶת לִקְרַאת אֲדֹנִי
הַמֶּלֶךְ: ס

A casa de José. Simei pertencia à tribo de Benjamim; mas Kimchi diz-nos que, de uma maneira frouxa, Benjamim, Efraim e Manassés eram todos chamados de "casa de José". Estreitos laços históricos tornavam isso possível: Efraim e Manassés eram filhos de José, e Benjamim era seu irmão favorito. Portanto, todas as especulações a respeito de Benjamim não tinham caráter histórico, e tudo quanto se pode dizer sobre como se originou o nome dessa tribo está fora de ordem e é desnecessário.

No Sl 80.1 José representa todo o povo de Israel, visto que, historicamente, foi uma figura-chave da história israelita e era o filho favorito de Jacó.

■ 19.21

וַיַּעַן אֲבִישַׁי בֶּן־צְרוּיָה וַיֹּאמֶר הֲתַחַת זֹאת לֹא יוּמַת
שִׁמְעִי כִּי קִלֵּל אֶת־מְשִׁיחַ יְהוָה: ס

Então respondeu Abisai. Ver no *Dicionário* acerca de *Abisai,* um homem leal a Davi do começo ao fim (e não somente quando enfrentava tribulação), que objetou a qualquer liberalidade no trato com Simei. Fora ele quem teria saído em socorro de Davi para cortar a cabeça de Simei quando este amaldiçoava o rei (ver 2Sm 16.9). Abisai era sobrinho de Davi, filho de Zeruia, uma das irmãs de Davi.

■ 19.22

וַיֹּאמֶר דָּוִד מַה־לִּי וְלָכֶם בְּנֵי צְרוּיָה כִּי־תִהְיוּ־לִי
הַיּוֹם לְשָׂטָן הַיּוֹם יוּמַת אִישׁ בְּיִשְׂרָאֵל כִּי הֲלוֹא
יָדַעְתִּי כִּי הַיּוֹם אֲנִי־מֶלֶךְ עַל־יִשְׂרָאֵל:

Davi queria poupar Simei, para enfatizar a ideia de que ele estava em busca de *reconciliação,* e não vingança. Isso era o melhor para Israel naquele momento. Ele já demonstrara desejos radicais (e até mesmo estúpidos) de obter reconciliação, quando pôs Amasa como general-em-chefe, em lugar de Joabe. Se ele foi capaz de fazer *isso,* muito mais poderia perdoar Simei, por causa de suas zombarias.

Dar atenção a Abisai e seguir-lhe os seus desejos poderia perturbar os planos de reconciliação. Davi chegou ao ponto de chamar o fiel Abisai de *adversário potencial.* De fato, ele se tornaria adversário de Davi e de Israel se *perturbasse* a reconciliação que o rei arquitetava com tanto zelo.

A palavra para "adversário", neste ponto, é *satan*; e poderíamos traduzir que Abisai se estava tornando um satanás para Davi, mas isso seria um anacronismo, porquanto a teologia judaica ainda não havia desenvolvido um diabo pessoal, que é como entendemos essa palavra. Cf. o espírito desse texto com Mc 8.33, onde Jesus falou com Pedro da mesma maneira, quando este sugeriu algo que não concordava com a vontade de Deus. Cf. a introdução ao livro de Jó e Sl 109.6.

Filhos de Zeruia. Ver sobre 2Sm 16.10 e, no *Dicionário,* o artigo chamado *Zeruia.* Ela foi a mãe de três grandes oficiais militares de Davi: Joabe, Abisai e Asael. Todos os três eram sobrinhos de Davi. 1Cr 2.16 diz-nos que ela era irmã de Davi.

■ 19.23

וַיֹּאמֶר הַמֶּלֶךְ אֶל־שִׁמְעִי לֹא תָמוּת וַיִּשָּׁבַע לוֹ
הַמֶּלֶךְ: ס

Davi perdoou Simei por pura graça, e isso porque queria dar outra demonstração de liberalidade que favorecesse a reconciliação. Ele o perdoou *daquela* ofensa, ou seja, das zombarias (ver 2Sm 16.5 e contexto). Talvez não o perdoasse de outras ofensas. Salomão finalmente executou Simei, quando ele desobedeceu às suas ordens (1Rs 2.38-46).

Simei fora culpado de traição, mas havia recebido perdão real. Mas Salomão, finalmente, garantiria que Simei fosse executado. O homem era um cabeça quente e uma constante ameaça, embora nunca tivesse feito nada de mal. Entretanto, ele, sem dúvida, apoiou Absalão, embora sua principal esperança fosse que a casa de Saul voltasse ao poder (2Sm 16.8).

MEFIBOSETE DECLARA INOCÊNCIA (19.24-30)

■ 19.24

וּמְפִבֹשֶׁת בֶּן־שָׁאוּל יָרַד לִקְרַאת הַמֶּלֶךְ
וְלֹא־עָשָׂה רַגְלָיו וְלֹא־עָשָׂה שְׂפָמוֹ וְאֶת־בְּגָדָיו
לֹא כִבֵּס לְמִן־הַיּוֹם לֶכֶת הַמֶּלֶךְ עַד־הַיּוֹם
אֲשֶׁר־בָּא בְשָׁלוֹם׃

Em 2Sm 16.1 ss. temos a história de como Ziba colaborou com Davi quando ele fugia de Absalão. Ziba tinha um motivo secundário: obter o favor de Davi, na esperança de apossar-se das riquezas que o rei havia dado a Mefibosete, filho de Jônatas. Ver as notas em 16.1 (que não repito aqui), sobre o pano de fundo do texto presente. Por amor a Jônatas, Davi favoreceu seu filho Mefibosete, tornando-o um homem rico. Posteriormente, Ziba acusou Mefibosete de *traição*. O texto à nossa frente contém a resposta de Mefibosete às acusações de Ziba.

Parece que a mentira de Ziba agora o apanhava; ou seria mesmo uma mentira? Os intérpretes não conseguem decidir, nem o pôde fazer Davi, que terminou dividindo as terras e as riquezas entre os dois homens, um mentiroso, e o outro inocente. Ou talvez houvesse verdade e mentira de ambos os lados.

Sinais Notáveis de Tristeza. Entristecido pelo infortúnio de Davi, ao ser tirado do trono por seu rebelde filho Absalão, Mefibosete não fez o seguinte:

1. *Ajeitar seus pés:* ele era aleijado e devia fazer alguma coisa para aliviar a dor. O Targum diz que ele não *lavava* os pés o tempo todo! Pense só nisso!
2. *ele não aparava a barba,* o que constituía sinal de lamentação. Ver no *Dicionário* o artigo chamado *Lamentação.*
3. *ele não lavava suas roupas,* interrompendo assim os procedimentos normais da vida, porque estava acontecendo algo que não permitia que o programa normal tivesse continuidade.

Alguns intérpretes pensam que esse sinais de lamentação se aplicaram quando o homem viu que Davi havia triunfado e voltaria ao poder, pelo que chorou pela boa sorte de Davi; mas o versículo é contra tal interpretação. O autor estava dizendo que Ziba (2Sm 16.1 ss.) mentira a respeito de Mefibosete. De fato, Mefibosete era um súdito muito leal e lamentava-se profundamente pelo infortúnio de Davi, quando o rebelde Absalão o afastou do trono por algum tempo.

■ 19.25

וַיְהִי כִּי־בָא יְרוּשָׁלַםִ לִקְרַאת הַמֶּלֶךְ וַיֹּאמֶר לוֹ
הַמֶּלֶךְ לָמָּה לֹא־הָלַכְתָּ עִמִּי מְפִיבֹשֶׁת׃

Tendo ele chegado a Jerusalém. Está em pauta Mefibosete. Davi já tinha chegado a Jerusalém. Mefibosete fora até ali para defender sua causa: ele era inocente das acusações de Ziba. Davi perguntou por que Mefibosete não o acompanhara no exílio, se era assim tão leal. Davi, pois, repreendeu o homem gentilmente. Ele já suspeitava que a história de Ziba era uma invenção.

■ 19.26

וַיֹּאמַר אֲדֹנִי הַמֶּלֶךְ עַבְדִּי רִמָּנִי כִּי־אָמַר עַבְדְּךָ
אֶחְבְּשָׁה־לִּי הַחֲמוֹר וְאֶרְכַּב עָלֶיהָ וְאֵלֵךְ אֶת־הַמֶּלֶךְ
כִּי פִסֵּחַ עַבְדֶּךָ׃

Mefibosete acusou Ziba de estar mentindo desde o começo. Quando Davi fugia de Jerusalém, Mefibosete queria preparar um animal para fugir com ele. Mas Ziba, ao que tudo indica, desencorajou-o do ato. Pelo contrário, foi pessoalmente e aproveitou a oportunidade para dizer mentiras acerca do filho de Jônatas, acusando-o de traição por querer fazer a casa de Saul voltar ao poder (ver 2Sm 16.1 ss.). Embora aleijado de ambos os pés (ver 2Sm 4.4 e 9.3,13), ele faria o esforço, mas Ziba o dissuadira.

"Ficara claro agora que os dois jumentos carregados de provisões que Ziba trouxera a Davi, em sua fuga (ver 2Sm 16.1,2), eram os animais que ele fora ordenado a preparar para seu senhor. Quando Ziba partiu com os animais, Mefibosete ficou impotente, com seu aleijão" (Ellicott, *in loc.*).

■ 19.27

וַיְרַגֵּל בְּעַבְדְּךָ אֶל־אֲדֹנִי הַמֶּלֶךְ וַאדֹנִי הַמֶּלֶךְ
כְּמַלְאַךְ הָאֱלֹהִים וַעֲשֵׂה הַטּוֹב בְּעֵינֶיךָ׃

ele falsamente me acusou a mim. Temos aqui uma calúnia da pior espécie. "Aquele Mefibosete a quem enriqueceste esqueceu-se da gratidão e voltou-se contra ti, promovendo a causa da casa de Saul" (ver 2Sm 16.3). A verdade, conforme Mefibosete desvendava agora, era que ele fizera o esforço de acompanhar a Davi, longe de ser o traidor denunciado. O autor sacro diz-nos que ele entrou em período de lamentação por causa do infortúnio de Davi (2Sm 19.24).

O Simples e Humilde Apelo. Mefibosete não se importou em pleitear. Antes, chamou Davi de *anjo de Deus* (instrumento especial de Deus, homem altamente espiritual, pleno de *sabedoria,* tal como se esperava que os anjos fossem). E confiava que Davi saberia o que fazer. sua defesa foi inteiramente sem dramaticidade; antes, foi simples e direta. Ele descansou seu caso sobre algumas poucas e simples palavras. Certas vezes a simplicidade, ajudada pela sinceridade, é a maior demonstração de eloquência.

■ 19.28

כִּי לֹא הָיָה כָּל־בֵּית אָבִי כִּי אִם־אַנְשֵׁי־מָוֶת לַאדֹנִי
הַמֶּלֶךְ וַתָּשֶׁת אֶת־עַבְדְּךָ בְּאֹכְלֵי שֻׁלְחָנֶךָ וּמַה־יֶּשׁ־לִי
עוֹד צְדָקָה וְלִזְעֹק עוֹד אֶל־הַמֶּלֶךְ׃ פ

Que direito, pois, tenho eu de clamar ao rei? Uma revolta encabeçada por ele seria obviamente estúpida e falsa. Davi sabia como a casa de Saul havia sido reduzida a nada. Somente para um louco ela poderia ser levantada de novo. Mefibosete afirmou não ser esse *louco.* A casa de Saul estava *morta,* e ele não estava interessado em ressurreições. Mas, embora a casa de Saul estivesse em ruínas, e os membros dessa casa corressem perigo de morte, bem no meio dessas condições, Davi fizera de Mefibosete (neto de Saul) membro honrado de sua casa, além de um homem rico (ver 2Sm 9). Tão grande fora a misericórdia e a graça de Davi ao jovem que ele pensou ser fora de propósito fazer qualquer apelo, exceto dizer "Sou inocente das acusações", e deixar que Davi decidisse o resto. Ele deixou subentendido, naturalmente, que tinha somente gratidão por tudo quanto Davi lhe havia feito, e jamais seria capaz de trair o seu benfeitor.

■ 19.29

וַיֹּאמֶר לוֹ הַמֶּלֶךְ לָמָּה תְּדַבֵּר עוֹד דְּבָרֶיךָ אָמַרְתִּי
אַתָּה וְצִיבָא תַּחְלְקוּ אֶת־הַשָּׂדֶה׃

Resolvo que repartas com Ziba as terras. Davi estava parcialmente convencido da inocência de Mefibosete, e parcialmente convencido das acusações de Ziba. Portanto, dividiu as terras e as riquezas entre os dois. Isso foi um excelente *negócio* para Ziba, e não tão ruim para Mefibosete, porquanto poderia ter perdido tudo, incluindo a própria vida. Além disso, ele provavelmente poderia ter multiplicado suas riquezas durante os anos, pelo que perder agora a metade para Ziba não as diminuiria de modo significativo. As probabilidades são que Davi simplesmente o perdoaria, por causa de Jônatas, mesmo que ele fosse culpado de todas as acusações. Afinal, Davi nomeara o traidor Amasa cabeça de seu exército, em lugar do fiel Joabe, e perdoara o arrogante Simei de suas blasfêmias. Portanto, por que Davi não perdoaria a Mefibosete, mesmo que este fosse culpado? A atitude de reconciliação continuou, a fim de que houvesse *restauração* em Israel, após a ruptura causada por Absalão. Havia abundância para todos, algo sempre desejável. Por conseguinte, que cada homem se regozijasse naquilo que possuía.

■ 19.30

וַיֹּאמֶר מְפִיבֹשֶׁת אֶל־הַמֶּלֶךְ גַּם אֶת־הַכֹּל יִקָּח אַחֲרֵי
אֲשֶׁר־בָּא אֲדֹנִי הַמֶּלֶךְ בְּשָׁלוֹם אֶל־בֵּיתוֹ: ס

Disse Mefibosete ao rei. *Generosidade por Demais?* Foi conforme disse Shakespeare: "Penso que você protesta *demais!*" Talvez Mefibosete tivesse a natureza de um homem generoso e sem egoísmo, e não se importasse em ter toda aquela riqueza. Portanto, que "Ziba ficasse com tudo. Eu já tenho a minha recompensa, meu senhor, meu rei voltou, e isso era tudo aquilo o que eu estava esperando". Essa fala lança em dúvida a sua declaração. Ela parece por demais generosa, por demais forçada. Por outra parte, talvez Mefibosete tenha ido a Davi tremendo de medo de perder a própria vida. Nesse caso, grandemente aliviado, *naquele momento* ele não se importava com o dinheiro. Antes, era como um homem que foge de uma casa que se está incendiando. Naquele momento, salvar a vida é, realmente, tudo quanto importa.

Não percamos de vista um *ponto possível* na história. Mefibosete realmente poderia ter devoção e lealdade *singular* a Davi, tal como acontecera com seu pai, Jônatas. Talvez ele não estivesse mentindo. Tendo Davi agora voltado ao trono, essa era a única recompensa ou benefício de que ele precisava. *Ocasionalmente,* encontramos algum grande amor que consome toda a vida. Talvez estejamos diante de um caso como esse. Ver no *Dicionário* o verbete intitulado *Amor.* Esse é o cumprimento de toda a lei (ver Rm 13.8 ss.), bem como a própria essência da espiritualidade (ver 1Jo 4.7 ss.).

> Todos nós nascemos para o amor...
> Esse é o princípio da existência e sua única finalidade.
> Benjamim Disraeli

> Por teu mandato, eu mudaria não apenas meus costumes, mas até a minha própria alma... Tenho procurado a ti, e não os teus dons.
> Heloísa a Abelardo, uma das grandes histórias de amor já contadas

A DEVOÇÃO INCOMUM DE BARZILAI (19.31-39)

■ 19.31

וּבַרְזִלַּי הַגִּלְעָדִי יָרַד מֵרֹגְלִים וַיַּעֲבֹר אֶת־הַמֶּלֶךְ
הַיַּרְדֵּן לְשַׁלְּחוֹ אֶת־בַּיַּרְדֵּן:

Ao ler as histórias concernentes a Davi, percebemos que ele era um homem que provocava ou devoção extrema ou ódio extremo, uma coisa da parte de algumas pessoas, e a outra da parte de outras. Acabamos de ler a história de Mefibosete (vss. 24-30). Talvez ele tenha sido outro homem dotado de extrema devoção e lealdade a Davi (ver as notas expositivas sobre o vs. 30). Mas também houve Saul, Absalão e Simei, que desenvolveram imenso ódio contra Davi e ficariam muito felizes se ele morresse, ou se o matassem pessoalmente, caso houvesse oportunidade. Pois ali estava Davi, como um grande magneto atraindo a alguns e repelindo a outros. Assim sempre acontece com homens fortes, especialmente com gênios criativos, independentemente do campo de atividades. Consideremos a Jesus Cristo, que foi o maior de todos os magnetos, atraindo e repelindo. Na verdade, sabemos que finalmente ele atrairá todos os homens (ver Jo 12.32), para que se cumpra o mistério da vontade de Deus (ver Ef 1.9,10), tornando-se tudo para todos (ver Ef 4.10). Dessa maneira, ele ultrapassará todos os gigantes que atraem ou repelem.

Quanto a este vs. 31, ver todos os nomes próprios que aqui aparecem no *Dicionário*. Barzilai veio a Davi em Jerusalém (vs. 25), mas estivera entre os que se encontraram com Davi para ajudá-lo a atravessar o rio Jordão e acompanhá-lo ao longo do caminho. Davi, pois, convidou-o a acompanhá-lo a Jerusalém e viver ali em abundância (devido à generosidade do rei), mas Barzilai queria somente saudar o rei e expressar felicidade diante de sua restauração, para então voltar para casa. Ele era homem idoso e morreria em breve, e não tinha paciência com coisas que agradam a homens mais jovens. Ele só queria paz para os seus últimos dias. E isso lhe foi concedido. Esse homem assegurou que Davi e seu grupo teriam abundância enquanto permanecessem em Maanaim (vs. 32), pelo que ele já tinha abundância e não precisava de mais nada. Oh, Senhor, concede-nos tal graça!

Quanto ao lugar da habitação de Barzilai, ver as notas sobre 2Sm 17.27. Ver no *Dicionário* o artigo chamado *Gileade.*

■ 19.32

וּבַרְזִלַּי זָקֵן מְאֹד בֶּן־שְׁמֹנִים שָׁנָה וְהוּא־כִלְכַּל
אֶת־הַמֶּלֶךְ בְשִׁיבָתוֹ בְמַחֲנַיִם כִּי־אִישׁ גָּדוֹל הוּא
מְאֹד:

Cf. 2Sm 17.27-29, onde vemos que *Barzilai* foi um daqueles que sustentou Davi e seu exército em Maanaim. Ver todos os nomes próprios no *Dicionário*.

Barzilai tinha 80 anos de idade (vs. 35), fora um grande homem (vs. 32) e era *generoso,* conforme diz o presente versículo. A medida de um homem é a sua *generosidade*, e essa é uma lição difícil de ser aprendida, e, no entanto, reside no auge dos ensinos espirituais. A generosidade é uma expressão da lei do amor. Ver no *Dicionário* os verbetes chamados *Amor* e *Lei do Amor,* e ver na *Enciclopédia de Bíblia, Teologia e Filosofia* o verbete intitulado *Liberalidade e Generosidade.* A liberalidade com outras pessoas provoca a generosidade divina que nos faz tão ricos e abundantes em toda boa obra.

> *Deus pode fazer-vos abundar em toda graça, a fim de que, tendo sempre, em tudo, ampla suficiência, superabundeis em toda boa obra.*
> 2Coríntios 9.8

"Barzilai é o mais raro dos indivíduos consagrados. Ele era o homem cuja generosidade não reivindicava nenhum favor em retorno. Ele ajudava simplesmente porque queria fazê-lo" (Ganse Little, *in loc.*).

"... um *grande homem,* em bens e riquezas, um homem muito liberal, um homem de grande sabedoria e bom senso, um homem dotado de graça profunda..." (John Gill, *in loc.*).

■ 19.33

וַיֹּאמֶר הַמֶּלֶךְ אֶל־בַּרְזִלַּי אַתָּה עֲבֹר אִתִּי וְכִלְכַּלְתִּי
אֹתְךָ עִמָּדִי בִּירוּשָׁלָ‍ִם:

Davi anelava por retribuir a Barzilai seus favores, em Jerusalém, onde estaria reinando e teria toda a sua autoridade restaurada. Davi foi realmente capaz de compensar Barzilai por muitas vezes. Mas Barzilai era homem destituído de egoísmo e não pediu nenhuma devolução de favores, tal como figuras como Madame Curie e seu marido, Pierre Curie ou madre Teresa de Calcutá, que serviam com magnificência, livres de qualquer interesse pessoal. Essa é uma área onde a Igreja Católica Romana tem brilhado, enquanto as igrejas evangélicas têm sido tradicionalmente fracas: no campo da *caridade*. Além disso, temos figuras como a irmã Dulce, do Brasil, que espantava com sua caridade cristã, uma figura dedicada em grau supremo aos pobres.

Inácio de Loyola pediu, em sua oração sem igual: "Ensina-nos, bom Senhor, a servir-te como mereces; dar sem contar o custo; lutar e não prestar atenção em nossos ferimentos; labutar e não buscar descanso; trabalhar sem procurar recompensa, salvo a de saber que estamos cumprindo a tua vontade; através de Jesus Cristo, nosso Senhor" (Morgan P. Noyes, *Prayers for Services,* pág. 118).

Tais palavras inspiram-nos a ser melhores do que somos. O exemplo de Barzilai ensinou outros a ser melhores do que eram. Barzilai espantou Davi com seu espírito altruísta. Todas as pessoas altruístas nos surpreendem, porque são extremamente raras.

■ 19.34

וַיֹּאמֶר בַּרְזִלַּי אֶל־הַמֶּלֶךְ כַּמָּה יְמֵי שְׁנֵי חַיַּי
כִּי־אֶעֱלֶה אֶת־הַמֶּלֶךְ יְרוּשָׁלָ‍ִם:

Barzilai tinha quase terminado seu curso; havia cumprido a sua missão. Ele nada mais precisava provar; poucos anos de vida lhe restavam. De que lhe adiantaria viver suntuosamente na companhia do rei, em glória e honra, e com abundância de bens? Barzilai não estava interessado nisso. Uma vida de dedicação a outras pessoas era o que o fazia sentir-se grande (vs. 32), e ele deixava seu caso descansar aí. Ele não seria grande somente porque o rei lhe dera muito dinheiro. Barzilai preferia morrer em suas próprias terras, entre sua gente, em paz. Não estava interessado em viver na capital.

■ 19.35

בֶּן־שְׁמֹנִים שָׁנָה אָנֹכִי הַיּוֹם הַאֵדַע בֵּין־טוֹב לְרָע
אִם־יִטְעַם עַבְדְּךָ אֶת־אֲשֶׁר אֹכַל וְאֶת־אֲשֶׁר אֶשְׁתֶּה
אִם־אֶשְׁמַע עוֹד בְּקוֹל שָׁרִים וְשָׁרוֹת וְלָמָּה יִהְיֶה
עַבְדְּךָ עוֹד לְמַשָּׂא אֶל־אֲדֹנִי הַמֶּלֶךְ׃

As Fraquezas de Barzilai:
1. *"Poderia eu discernir...?"* É evidente que, com essas palavras, Barzilai se referia ao fato de que sua capacidade intelectual tinha diminuído por causa da idade avençada. Dificilmente ele estaria referindo-se à sua sensibilidade moral. Ele não teria uso para Davi, em sua idade avançada. Ficaria ali apenas recebendo, sem nada dar, e isso não lhe agradava.
2. Davi proveria bom alimento e bebida, mas, em sua idade, a percepção dos sentidos tinha diminuído tanto que ele deixaria de apreciar tais acepipes. De fato, os alimentos provavelmente deixariam seu estômago enjoado. Portanto, ele não estava interessado em coisas que teria de provar e beber.
3. Na corte de Davi haveria vinho, mulheres e canções, e danças frenéticas e graciosas. Mas que faria um octogenário com tudo isso? seus dias tinham passado. Ele preferia descansar em seu leito e esperar que o anjo de Deus viesse buscá-lo para a terra gloriosa.

> Que as cãs aprovem a juventude, e que a morte a complete.
> Robert Browning

> Os jovens pensam que os homens de idade são insensatos. Mas os homens de idade sabem que os jovens é que são insensatos.
> George Chapman

4. Barzilai se tornaria um peso para Davi, e isso era a última coisa que ele desejava ser.

> Viveu tempo demais aquele que viveu até todos o aborrecerem.
> Henry George Bohn

Conforme minha mãe costumava dizer: "As pessoas de idade apenas atrapalham". Uma das coisas que ela mais desejava na vida era morrer cedo o bastante para não ser uma carga a quem quer que fosse. Conforme as coisas aconteceram no fim, ela viveu em minha companhia somente por seis semanas, e de modo inteiramente dependente. Portanto, acredito que as coisas se passaram como ela desejava, embora tenha lutado com o câncer por cerca de quatro anos e meio. Na maior parte do tempo, ela conseguiu viver em sua própria casa.

■ 19.36

כִּמְעַט יַעֲבֹר עַבְדְּךָ אֶת־הַיַּרְדֵּן אֶת־הַמֶּלֶךְ וְלָמָּה
יִגְמְלֵנִי הַמֶּלֶךְ הַגְּמוּלָה הַזֹּאת׃

Ambições Humildes. Barzilai não estava interessado na capital. Ele só queria saudar Davi, que estava retornando a Jerusalém e ao trono. Também não queria recompensas por sua boa folha corrida do passado. Queria apenas voltar para casa. Isso era recompensa suficiente para ele. Haveria entretenimentos esplêndidos na corte real, mas Barzilai preferia a calma e a paz de sua casa.

■ 19.37

יָשָׁב־נָא עַבְדְּךָ וְאָמֻת בְּעִירִי עִם קֶבֶר אָבִי וְאִמִּי
וְהִנֵּה עַבְדְּךָ כִמְהָם יַעֲבֹר עִם־אֲדֹנִי הַמֶּלֶךְ וַעֲשֵׂה־לוֹ
אֵת אֲשֶׁר־טוֹב בְּעֵינֶיךָ׃ ס

Morrerei na minha cidade. Os psicólogos observam como as pessoas olham para casa como o lugar onde querem passar seus anos finais e morrer. Elas podem querer visitar o mundo quando são jovens, mas na idade avançada buscam sua casa.

> Estou pronto para ir ao encontro de meu Criador. Se meu Criador está preparado para a grande tarefa de encontrar-se comigo, já é outra questão.
> Winston Churchill, em observação feita às vésperas de seu 75º aniversário

Quimã. Este era um dos servos de maior confiança de Barzilai, um homem que o havia servido bem. Visto que Davi parecia mostrar-se tão generoso, Barzilai sugeriu que Davi lhe desse um "cheque em branco". Que lhe fosse dada a liberdade de escolha! Quimã era jovem bastante para tirar proveito da capital e de todas as suas vantagens. Ver o *Dicionário* sobre o que se sabe sobre *Quimã*. 1Rs 2.7 sugere que ele era filho de Barzilai. Seja como for, o texto mostra-nos que Davi cuidou dos filhos de Barzilai, sem importar se Quimã era um deles ou não.

Jr 41.17 fala sobre os "habitantes de Quimã", que ficava perto de Belém, pelo que talvez ele tenha sido generosamente recompensado com uma propriedade.

A versão siríaca chama Quimã, no texto presente, de *filho* de Barzilai, mas se essa notícia tem exatidão histórica é outra questão, de difícil solução.

■ 19.38

וַיֹּאמֶר הַמֶּלֶךְ אִתִּי יַעֲבֹר כִּמְהָם וַאֲנִי אֶעֱשֶׂה־לּוֹ אֶת־
הַטּוֹב בְּעֵינֶיךָ וְכֹל אֲשֶׁר־תִּבְחַר עָלַי אֶעֱשֶׂה־לָּךְ׃

Davi concordou com a sugestão de Barzilai e deu a Quimã o "cheque em branco". Dali fluíram muitas graças reais, uma boa vida, uma propriedade, provisões de toda espécie, coisas que o próprio Barzilai teria desfrutado se ainda fosse jovem o bastante. Davi deu a Barzilai um "cheque em branco", permitindo-lhe preencher como quisesse, para benefício de Quimã. Isso certamente soa como se tudo tivesse sido feito para um filho. Por outro lado, um amigo e servo fiel poderia tornar-se como um filho para Barzilai e receber tais benefícios, embora não houvesse laço de sangue entre eles.

■ 19.39

וַיַּעֲבֹר כָּל־הָעָם אֶת־הַיַּרְדֵּן וְהַמֶּלֶךְ עָבָר וַיִּשַּׁק
הַמֶּלֶךְ לְבַרְזִלַּי וַיְבָרֲכֵהוּ וַיָּשָׁב לִמְקֹמוֹ׃ ס

Havendo, pois, todo o povo passado o Jordão. E foi assim que todo o grupo que estava com Davi, incluindo sua família, servos e pequeno exército, atravessaram o Jordão, ajudados pela companhia que tinha vindo ali com esse propósito (vss. 17 ss.). Foi um momento de triunfo. Davi estava deixando o exílio e voltando para casa.

Mas Barzilai foi enviado à sua casa, com um ósculo e a bênção de Davi. Alegremente, Quimã juntou-se ao grupo do rei e foi viver uma nova vida. Foi assim que cada indivíduo, naquele dia, recebeu exatamente o que queria. Não há muitos dias assim. Sê feliz, portanto, quando qualquer dia particular for o *teu dia*. A graça de Deus é suficiente para o resto dos dias. Barzilai, pois, voltou para Rogelim, *sua cidade* (vs. 31), e nenhuma outra coisa poderia tê-lo agradado tanto.

Sucesso. "Obteve sucesso quem viveu bem, quem riu com frequência e quem amou muito; quem obteve o respeito de homens inteligentes e o amor das criancinhas; quem preencheu o seu lugar e realizou a sua tarefa, quer se trate de uma papoula aprimorada, de um perfeito poema ou de uma alma libertada; a quem nunca faltou apreciação pelas belezas terrenas, nem deixou de expressá-las; quem buscou o melhor que há nos outros, e deu o melhor que possuía; cuja vida foi uma inspiração e cuja memória é uma bênção" (Robert Louis Stevenson).

■ 19.40

וַיַּעֲבֹר הַמֶּלֶךְ הַגִּלְגָּלָה וְכִמְהָן עָבַר עִמּוֹ וְכָל־עַם
יְהוּדָה וַיַּעֲבִרוּ אֶת־הַמֶּלֶךְ וְגַם חֲצִי עַם יִשְׂרָאֵל׃

Dali passou o rei a Gilgal. O rei e seu grupo (agora incluindo Quimã) movimentaram-se para Gilgal, que ficava a cerca de 3 quilômetros das margens do rio Jordão, a caminho de Jerusalém. A distância de Maanaim para Gilgal era de cerca de 40 quilômetros na direção quase diretamente sul. Mas Gilgal ficava ligeiramente a oeste. Jerusalém situava-se a cerca de 32 quilômetros de Gilgal, na direção sudoeste. Uma numerosa representação da tribo de Judá acompanhava o rei. Provavelmente isso significa que, conforme o grupo de Davi se aproximou de Jerusalém, grande número de pessoas juntou-se a ele, em uma espécie de cortejo triunfal.

Metade do povo de Israel. George B. Caird (*in loc.*) supôs que tenhamos aí uma "tola interpolação" que não representa o texto original, mas seja a inserção de algum editor posterior. Isso parece referir-se à parte *norte* da nação, em contraste com a tribo de Judá, e significaria que "um largo número" (como se fosse a metade) do povo de Israel se reuniu ao cortejo triunfal. O versículo seguinte quase certamente concorda com a ideia de Caird. Levantou-se uma querela entre facções de Israel, por causa da maneira como o cortejo estava ocorrendo. Os "homens de Israel" objetaram por Judá estar obtendo toda a glória por trazer o rei de volta para casa. Mas *se* um tão grande número vindo das tribos do norte também participou, por que essa disputa? E assim temos a estranha cena de Israel e Judá a disputar sobre quem teria a glória de acompanhar o rei de volta para casa, o mesmo rei a quem, tão recentemente, eles haviam *rejeitado!*

John Gill (*in loc.*) cortou o nó górdio, sugerindo que mil benjamitas (vs. 17) formavam a *metade* referida, por serem uma representação bastante grande vinda do norte. Se isso é verdade, então estamos lidando com um uso muito estranho da língua hebraica, que se perdeu para nós.

■ 19.41

וְהִנֵּה כָּל־אִישׁ יִשְׂרָאֵל בָּאִים אֶל־הַמֶּלֶךְ וַיֹּאמְרוּ
אֶל־הַמֶּלֶךְ מַדּוּעַ גְּנָבוּךָ אַחֵינוּ אִישׁ יְהוּדָה וַיַּעֲבִרוּ
אֶת־הַמֶּלֶךְ וְאֶת־בֵּיתוֹ אֶת־הַיַּרְדֵּן וְכָל־אַנְשֵׁי דָוִד
עִמּוֹ: ס

Eis que todos os homens de Israel. Ou seja, um grande corpo representativo veio registrar queixa contra os representantes da tribo de Judá, que havia trazido Davi de volta a Jerusalém, ficando com toda a glória. Isso eles fizeram, embora pouco antes tivessem *rejeitado* o rei. "Ciúmes entre as tribos, especialmente entre Judá, por um lado, e então as dez tribos (Israel), por outro, sempre existiram, e a tribo de Efraim sentia-se especialmente sensível (ver Jz 8.1 e 12.1). Mediante as guerras bem-sucedidas de Saul, esses ciúmes foram mantidos sob controle, mas romperam-se em separação nacional por ocasião de sua morte. Após sete anos e meio, esses ciúmes estavam em parte curados por Davi e foram controlados por Salomão, mas por ocasião da morte deste último, rebentaram mais uma vez, com vigor renovado. Tal circunstância desmembrou a nação para sempre" (Ellicott, *in loc.*). E assim vieram à existência, após o tempo de Salomão, as dez tribos (de Israel), como uma nação, em oposição às duas tribos (Judá e Benjamim), como outra. Essa ruptura só foi curada quando as dez tribos se perderam para sempre devido ao cativeiro assírio, e Judá (tendo absorvido a minúscula tribo de Benjamim) tornou-se a única sobrevivente da comunidade, progenitora do "Israel futuro".

■ 19.42

וַיַּעַן כָּל־אִישׁ יְהוּדָה עַל־אִישׁ יִשְׂרָאֵל כִּי־קָרוֹב
הַמֶּלֶךְ אֵלַי וְלָמָּה זֶּה חָרָה לְךָ עַל־הַדָּבָר הַזֶּה
הֶאָכוֹל אָכַלְנוּ מִן־הַמֶּלֶךְ אִם־נִשֵּׂאת נִשָּׂא לָנוּ: ס

Então responderam todos os homens de Judá. Judá replicou que, uma vez que Davi pertencia à tribo de Judá, era apenas apropriado que eles acompanhassem o rei. Outro argumento foi que eles não tinham recebido favores especiais da parte do rei (não tinham comido do *bolso dele*), nem quaisquer presentes especiais pela atenção que lhe dispensavam. Em outras palavras, eles estavam agindo daquela maneira simplesmente porque queriam fazê-lo (e também porque era apropriado que o fizessem, mesmo sem nada ganhar da parte do rei).

■ 19.43

וַיַּעַן אִישׁ־יִשְׂרָאֵל אֶת־אִישׁ יְהוּדָה וַיֹּאמֶר עֶשֶׂר־
יָדוֹת לִי בַמֶּלֶךְ וְגַם־בְּדָוִד אֲנִי מִמְּךָ וּמַדּוּעַ הֱקִלֹּתַנִי
וְלֹא־הָיָה דְבָרִי רִאשׁוֹן לִי לְהָשִׁיב אֶת־מַלְכִּי וַיִּקֶשׁ
דְּבַר־אִישׁ יְהוּדָה מִדְּבַר אִישׁ יִשְׂרָאֵל: ס

A resposta de Israel foi que eles tinham *superioridade numérica*, formando dez tribos, e não apenas duas. Portanto, eles "possuíam" Davi mais do que Judá. Em outras palavras, tinham "mais direitos" à atenção real e podiam prestar-lhe aquele serviço com mais propriedade do que as tribos do sul. Além disso, não apreciaram a atitude desprezíva de Judá, como se eles fossem inferiores. E, adicionalmente, Israel fora o primeiro a insistir quanto ao retorno de Davi e, contudo, foi deixado de fora do cortejo que o trouxera de volta. Eles deveriam ter sido avisados quanto ao fato, sendo-lhes permitida a participação. Cf. os vss. 9 e 10, que parecem apoiar essa reivindicação.

"O argumento revela a volubilidade do povo que havia cedido diante da rebelião de Absalão, se não mesmo o apoiado ativamente, mas que *agora* clamava ser o *primeiro* a acompanhar Davi de volta. Isso também indicava a profundidade do cisma que se estava desenvolvendo entre Israel e Judá, o qual eventualmente produziu dois reinos separados" (Eugene H. Merrill, *in loc.*).

"A soberba precede a ruína, e a altivez do espírito, a queda" (Pv 16.18). Essa fútil, infrutífera e insensata briga pressagiava a tragédia do reino dividido entre Reobão e Jeroboão. Israel, devido a uma consciência pesada, ficou para trás ao apresentar novamente lealdade ao seu rei e então acusou Judá de furtar-lhe o monarca" (Ganse Little, *in loc.*).

CAPÍTULO VINTE

Este capítulo continua a seção iniciada em 2Sm 19.11. Ver as notas de introdução ao capítulo anterior.

A REVOLTA DE SEBA (20.1-26)

Primeiro Absalão revoltou-se; mais tarde foi a vez de Seba. Davi ainda não encontrara paz em seu reino, embora mantivesse todas as coisas sob relativo controle. Mas aquele homem, Seba, um benjamita, homem maligno e diabólico, apreciava a confusão. Ele era importante o suficiente para atrair um bom número de seguidores. Isso, uma vez mais, lançou o norte contra o sul (as dez tribos contra as duas tribos). Amasa recebeu a tarefa de abafar a rebelião. Joabe, ainda um dos principais generais, foi com eles e aproveitou a oportunidade para matar Amasa (vs. 10), o que o tornou comandante-em-chefe do exército. Portanto, o selvagem Joabe estava novamente no centro das lides da guerra. E o safado Seba em breve estaria morto. A Joabe, entretanto, foi poupada a tribulação, por parte de uma mulher sábia, que convenceu os seguidores de Seba a livrar-se do homem que causava perturbação. Eles lhe deceparam a cabeça e a entregaram a Joabe, por sobre a muralha da cidade. Esse foi o fim daquela rebelião particular.

Mas, ai, o clamor guerreiro de Seba foi renovado por Jeroboão (ver 2Rs 12.16), que separou com sucesso o norte do sul, de modo que surgiram duas nações onde havia antes uma só.

A "revolução" de Seba (ver 2Sm 20.1) desenvolveu-se das querelas entre Israel (o norte) e Judá (o sul), sobre o incidente de trazer Davi de volta ao poder (ver 2Sm 19.16 ss. e especialmente os vss. 41 a 43). O espírito de ciúmes e contendas cresceria a ponto de, finalmente, a antes única nação de Israel se dividir em duas para sempre. Somente quando as dez tribos do norte foram levadas ao cativeiro pelos assírios (722 a.C.), para nunca mais retornarem, foi curada a ruptura. Judá (tendo absorvido Benjamim) tornou-se a única fonte da nova nação de Israel. Ver no *Dicionário* o verbete chamado *Cativeiro Assírio*. O *Cativeiro Babilônico* (ver a respeito no *Dicionário*), de 597 a.C., levou Judá para o exílio. Mas dessa tribo isolada, um remanescente retornou a Jerusalém, o que resultou, finalmente, na restauração de Israel.

20.1

וְשָׁ֗ם נִקְרָ֞א אִ֣ישׁ בְּלִיַּ֗עַל וּשְׁמ֛וֹ שֶׁ֥בַע בֶּן־בִּכְרִ֖י אִ֣ישׁ
יְמִינִ֑י וַיִּתְקַ֣ע בַּשֹּׁפָ֗ר וַ֠יֹּאמֶר אֵֽין־לָ֨נוּ חֵ֜לֶק בְּדָוִ֗ד וְלֹ֤א
נַֽחֲלָה־לָ֨נוּ֙ בְּבֶן־יִשַׁ֔י אִ֥ישׁ לְאֹֽהָלָ֖יו יִשְׂרָאֵֽל׃

Homem de Belial. Talvez fosse melhor traduzir esse nome com inicial minúscula. Não parece haver aqui referência a um diabo pessoal, chefe dos demônios, conforme veio a fazer parte da teologia posterior de Israel. Antes, a palavra deveria ser tratada como um adjetivo. Ver a *Revised Standard Version*, que diz "um sujeito indigno". "O Targum diz aqui um homem mau; um homem ímpio, sem senso de obrigação... sem proveito, inútil, maldoso e pernicioso" (John Gill, *in loc.*).

Cujo nome era Seba. Quanto ao que se sabe sobre ele, ver o *Dicionário*. Profundos sentimentos de rancor inspiraram esse homem da tribo do norte a, uma vez mais, rejeitar Davi como rei. Parece evidente que ele usou a disputa sobre o retorno de Davi como desculpa para promover nova *revolta*. Quanto a essa disputa, ver 2Sm 19.41-43. Visto que havia fortes sentimentos no ar, e o norte e o sul gradualmente se aproximavam de uma ruptura permanente, é fácil ver Seba a ganhar apoio popular. E embora ele tivesse fracassado dentro de pouco tempo, seu *grito de guerra* foi renovado por Jeroboão (1Rs 12.16), até que a divisão finalmente tornou-se realidade. "Todo o contingente de Israel, que viera saudar Davi, virou-se para Seba, fazendo Davi temer uma revolta geral das tribos do norte" (George G. Caird, *in loc.*).

O qual tocou a trombeta. Cada indivíduo foi para a "sua tenda", uma expressão comum. Ver em 1Rs 12.16. Desgostosos, abandonaram a causa de Davi e abraçaram a causa de outrem, usando seus lares, no norte, como quartéis-generais.

20.2

וַיַּ֜עַל כָּל־אִ֤ישׁ יִשְׂרָאֵל֙ מֵאַחֲרֵ֣י דָוִ֔ד אַחֲרֵ֖י שֶׁ֣בַע
בֶּן־בִּכְרִ֑י וְאִ֤ישׁ יְהוּדָה֙ דָּבְק֣וּ בְמַלְכָּ֔ם מִן־הַיַּרְדֵּ֖ן
וְעַד־יְרוּשָׁלִָֽם׃

Todos os homens de Israel. Israel passou a indicar as tribos do *norte*, em contraste com Judá, como se um só homem se tivesse afastado de Davi, tomado de desgosto, para promover ainda outra revolta. Talvez Seba pertencesse à família de Saul, e, nesse caso, essa foi outra inspiração para rejeitar Davi, na tentativa de conseguir outro rei. Davi era um grande magneto que atraía amor poderoso, mas causava, por outra parte, grande *repulsa*. Quanto a esse conceito, ver 2Sm 19.31 e as notas ali existentes. Judá e Benjamim, as duas tribos do sul, permaneceram com Davi, com singular devoção. Eles já tinham passado por bastante confusão. Judá, naturalmente, absorveu a Benjamim, pelo que somente *uma tribo se tornou o sul*.

20.3

וַיָּבֹ֨א דָוִ֣ד אֶל־בֵּיתוֹ֮ יְרוּשָׁלִַם֒ וַיִּקַּ֣ח הַמֶּ֡לֶךְ אֵ֣ת
עֶֽשֶׂר־נָשִׁ֣ים פִּֽלַגְשִׁ֗ים אֲשֶׁ֣ר הִנִּיחַ֮ לִשְׁמֹ֣ר הַבַּיִת֒
וַֽיִּתְּנֵ֤ם בֵּית־מִשְׁמֶ֨רֶת֙ וַֽיְכַלְכְּלֵ֔ם וַאֲלֵיהֶ֖ם לֹא־בָ֑א
וַתִּהְיֶ֧ינָה צְרֻר֛וֹת עַד־י֥וֹם מֻתָ֖ן אַלְמְנ֥וּת חַיּֽוּת׃ ס

Vindo, pois, Davi para sua casa. *Davi Cuida de seu Harém.* Absalão, já contando em ser rei, tomou as dez mulheres que Davi havia deixado em Jerusalém, embora elas fossem apenas uma representação simbólica do harém paterno. Essa apropriação era prática comum na antiguidade. Ver a história em 2Sm 15.16 (Davi havia deixado as dez mulheres em Jerusalém para cuidarem das coisas). Em 2Sm 16.21 lemos que Absalão as possuiu. Essas mulheres secundárias tornaram-se, por assim dizer, "viúvas", porquanto não mais faziam parte como porção ativa do harém. Davi continuou provendo-as do necessário, mas nunca mais fez sexo com elas, tendo sido poluídas por seu filho, Absalão. Não obstante, aceitá-las de volta era sinal de que ele havia reconquistado a autoridade de rei e revertido a maldade de Absalão.

O Dilema. "ele não podia divorciar-se delas; ele não podia puni-las, visto que não tinham transgredido; ele não podia mais ser familiar com elas, uma vez que haviam sido contaminadas por seu filho; ele não podia casá-las com outros homens, visto que isso poderia ser considerado perigoso para o Estado. Portanto, ele as encerrou, alimentou-as e deu-lhes conforto, e elas continuaram a viver como viúvas" (Adam Clarke, *in loc.*).

20.4

וַיֹּ֤אמֶר הַמֶּ֨לֶךְ֙ אֶל־עֲמָשָׂ֔א הַזְעֶק־לִ֥י אֶת־אִישׁ־יְהוּדָ֖ה
שְׁלֹ֣שֶׁת יָמִ֑ים וְאַתָּ֖ה פֹּ֥ה עֲמֹֽד׃

Amasa. Um dos sobrinhos de Davi fora feito chefe do exército, tomando o lugar de *Joabe*, outro de seus sobrinhos. Ver a mudança efetuada em 2Sm 19.13. A parte ridícula de tudo é que Amasa foi o principal general de Absalão e líder de sua revolução! Davi tomara uma decisão precipitada, esperando livrar-se do selvagem Joabe, que havia matado Absalão. Mas isso condenara Amasa ao assassinato, por parte de Joabe, o qual voltaria a qualquer custo à sua posição de poder. Ver amplos detalhes sobre *Amasa* no *Dicionário*.

Na qualidade de novo general-em-chefe, tornou-se tarefa de Amasa abafar a rebeldia de Seba, restaurando a unidade a Israel. Mas faltava-lhe poder de decisão e uma natureza selvagem e brutal. Ele não era o homem para a tarefa.

20.5

וַיֵּ֥לֶךְ עֲמָשָׂ֖א לְהַזְעִ֣יק אֶת־יְהוּדָ֑ה וַיִּ֕וֹחֶר מִן־הַמּוֹעֵ֖ד
אֲשֶׁ֥ר יְעָדֽוֹ׃ ס

Demorou-se. *Amasa* começou sua tarefa, mas era inepto. Ultrapassou o tempo determinado para a convocação, deixando Seba livre para lançar suas sementes de dissensão. Joabe (ver o vs. 11) insinuou que Amasa não era realmente leal. Talvez Amasa não tivesse seu coração no jogo da guerra, conforme Joabe sempre fizera. Talvez estivesse simplesmente cansado de tanta matança. "Amasa não tinha a iniciativa para ocupar o lugar do enérgico Joabe" (George B. Caird, *in loc.*). Talvez o povo estivesse indisposto a seguir Amasa, que tinha colaborado na revolta sem sucesso de Absalão. Ninguém se dispunha a seguir aquele homem. Além disso, o povo, de modo geral, estava cansado da guerra e relutava em deixar-se envolver *uma vez mais*.

20.6

וַיֹּ֤אמֶר דָּוִד֙ אֶל־אֲבִישַׁ֔י עַתָּ֗ה יֵ֥רַֽע לָ֛נוּ שֶׁ֥בַע
בֶּן־בִּכְרִ֖י מִן־אַבְשָׁל֑וֹם אַתָּ֡ה קַח֩ אֶת־עַבְדֵ֨י
אֲדֹנֶ֤יךָ וּרְדֹ֣ף אַחֲרָ֔יו פֶּן־מָ֥צָא ל֛וֹ עָרִ֥ים בְּצֻר֖וֹת
וְהִצִּ֥יל עֵינֵֽנוּ׃

Mais mal agora nos fará Seba. Davi percebeu que havia escolhido o homem errado para o posto, e teve de apelar a Abisai (outro de seus generais) para reunir tropas de elite e fazer algo sobre a revolta, antes que esta se tornasse pior do que a encabeçada por Absalão. *Abisai* era irmão de Joabe, pelo que enviá-lo significaria que Joabe também iria. Se Joabe fosse, então as dificuldades de Davi logo chegariam ao fim. E embora insultado por ter sido substituído por Amasa, Joabe encontraria um meio de voltar ao poder. Portanto, ele estaria ansioso por dirigir-se à guerra. Ele só combatia por aquilo que era direito *e* divertido. Davi conquistara sua lealdade, sem importar os insultos e as circunstâncias adversas. Davi sempre contou com seu apoio. Nem bem a expedição começou, e Joabe assumiu o comando. Josefo (*Antiq.* 1.7, cap. 11, sec. 6) disse-nos que Davi fez um apelo direto a Joabe pedindo ajuda; mas a verdade parece ser que Joabe nem ao menos foi convidado. Ele tomou parte da expedição e logo tornou-se o "líder" não oficial do exército. O pobre Seba logo teria o encontro fatal com Joabe.

Cidades fortificadas. Qualquer demora (como aquela causada por Amasa) poderia complicar as coisas. Seba teria tempo de fortificar certas cidades e tornar a vitória mais difícil para Davi.

20.7

וַיֵּצְא֣וּ אַחֲרָ֗יו אַנְשֵׁ֤י יוֹאָב֙ וְהַכְּרֵתִ֣י וְהַפְּלֵתִ֔י
וְכָל־הַגִּבֹּרִ֑ים וַיֵּֽצְאוּ֙ מִיר֣וּשָׁלִַ֔ם לִרְדֹּ֕ף אַחֲרֵ֖י
שֶׁ֥בַע בֶּן־בִּכְרִֽי׃

Então o perseguiram os homens de Joabe. Forças terríveis foram reunidas, começando com Abisai, irmão de Joabe, então Joabe, homem que lançava terror no coração de qualquer um, e as tropas de elite de Joabe. Joabe era sábio na batalha, homem de sangue e de tutano, violento, treinado e experiente na matança.

20.8

הֵ֗ם עִם־הָאֶ֤בֶן הַגְּדוֹלָה֙ אֲשֶׁ֣ר בְּגִבְע֔וֹן וַעֲמָשָׂ֖א בָּ֣א
לִפְנֵיהֶ֑ם וְיוֹאָ֞ב חָג֣וּר ׀ מִדּ֣וֹ לְבֻשׁ֗וֹ וְעָלָ֞יו חֲג֥וֹר חֶ֙רֶב֙
מְצֻמֶּ֤דֶת עַל־מָתְנָיו֙ בְּתַעְרָ֔הּ וְה֥וּא יָצָ֖א וַתִּפֹּֽל׃ ס

À pedra grande. Essa pedra era alguma espécie de marco fronteiriço. Talvez fosse um obelisco. Só nos resta especular. Seja como for, onde essa pedra estava localizada, em *Gibeom*, havia um ponto de encontro das tropas de Davi, que seria fatal para Amasa. Gibeom ficava cerca de 16 quilômetros a noroeste de Jericó, pelo que o grupo mal tinha começado a viagem, quando Joabe já estava pondo em execução o seu plano traiçoeiro.

É difícil imaginar o que realmente aconteceu. A espada que *caiu* poderia ter sido aquela que Joabe usou para matar Amasa. Nesse caso, Amasa, não suspeitando de traição alguma, não se alarmaria com a espada carregada por um homem que saía à guerra. Ou talvez uma segunda e escondida adaga estivesse oculta nas dobras do manto de Joabe, a qual ele usou para assassinar Amasa. Alguns intérpretes supõem que Joabe tenha provocado deliberadamente a queda da espada a fim de atrair a atenção de Amasa. Naquele momento de distração, Joabe usou outra arma branca para matar o oponente. Mas o vs. 10 parece indicar que uma única arma foi vista por Amasa, embora ele não a tivesse temido.

20.9

וַיֹּ֤אמֶר יוֹאָב֙ לַעֲמָשָׂ֔א הֲשָׁל֥וֹם אַתָּ֖ה אָחִ֑י וַתֹּ֜חֶז יַד־יְמִ֥ין
יוֹאָ֛ב בִּזְקַ֥ן עֲמָשָׂ֖א לִנְשָׁק־לֽוֹ׃

Outro Beijo Traiçoeiro. Não estamos acostumados com a cena de um homem beijando a outro homem, mas alguns povos têm esse costume, um ósculo *na barba,* não no rosto. Esse beijo pode ser comparado ao de Judas Iscariotes (ver Lc 22.27,48). Aparentemente, o que aconteceu foi que Joabe, fingindo um ósculo de saudação, segurou com a mão direita a barba de Amasa, e então, com a espada na mão esquerda, golpeou o ventre de Amasa. Ele o matou com um único golpe, sinal de um matador experiente. A menos que Joabe fosse canhoto, o fato de matar com a mão esquerda demonstrou incomum habilidade. Imagino que ele podia matar com eficácia com ambas as mãos.

Passagens retiradas dos poetas gregos demonstram que, quando um homem queria pedir favor a outro, segurava sua barba com a mão direita e seu joelho com a esquerda. Talvez Joabe tenha assumido tal postura. Ver no *Dicionário* o verbete intitulado *Beijo*.

20.10

וַעֲמָשָׂ֨א לֹֽא־נִשְׁמַ֜ר בַּחֶ֣רֶב ׀ אֲשֶׁ֣ר בְּיַד־יוֹאָ֗ב וַיַּכֵּ֤הוּ בָהּ֙
אֶל־הַחֹ֔מֶשׁ וַיִּשְׁפֹּ֨ךְ מֵעָ֥יו אַ֛רְצָה וְלֹא־שָׁ֥נָה ל֖וֹ וַיָּמֹ֑ת ס
וְיוֹאָב֙ וַאֲבִישַׁ֣י אָחִ֔יו רָדַ֕ף אַחֲרֵ֖י שֶׁ֥בַע בֶּן־בִּכְרִֽי׃

Amasa não temeu a espada de um general do exército que estava indo para a guerra, pelo que não tinha razão aparente para reagir. Por isso mesmo, antes que tivesse oportunidade de defender-se, a espada ou adaga abriu-lhe o abdômen, e suas entranhas escorreram para fora. Nenhum segundo golpe se fez necessário, e não houve nenhum milagre, pondo de volta no lugar os seus intestinos ou curando o ferimento. Portanto, Amasa morreu ali, miseravelmente.

Sem tomar profunda respiração, o autor diz-nos que Joabe e seu irmão, Abisai, em seguida saíram em perseguição a Seba. Alguma outra pessoa teria de limpar a sujeira. Os dois selvagens tinham coisas mais importantes a fazer. Ademais, Amasa tinha sido traiçoeiro para com Davi, ajudando Absalão em sua revolta, e, sem dúvida, matara pessoalmente a muitos homens. Portanto, ele colheu o que havia semeado, algo que acontecia com frequência no antigo povo de Israel. Ver no *Dicionário* o artigo chamado *Lei Moral da Colheita segundo a Semeadura.* Aquele que tinha vivido pela espada morreu à espada.

Agora Joabe era, de fato, o chefe do exército, e mais tarde seria oficialmente reintegrado (ver 2Sm 20.23).

20.11

וְאִישׁ֙ עָמַ֣ד עָלָ֔יו מִֽנַּעֲרֵ֖י יוֹאָ֑ב וַיֹּ֗אמֶר מִי֩ אֲשֶׁ֨ר חָפֵ֤ץ
בְּיוֹאָב֙ וּמִ֣י אֲשֶׁר־לְדָוִ֔ד אַחֲרֵ֖י יוֹאָֽב׃

O Porta-voz. Ali estava Amasa no chão, agonizante, mas a batalha precisava continuar. O porta-voz de Joabe indagou: "Quem agora é favorável a ter Joabe como chefe do exército? Todos os que forem a favor, sigam a Joabe agora que ele voltou à sua antiga posição de chefe do exército". E todos se puseram a segui-lo. Não era o momento certo para desagradar Joabe. Na verdade, nunca era o momento certo para desagradar aquele temível homem. Por conseguinte, a transferência de um comandante para outro foi imediata e indolor para todos, exceto para Amasa. "Joabe prontamente assumiu o comando, como se nada houvesse acontecido" (Eugene H. Merrill, *in loc.*). Seja como for, ser leal a Joabe era a mesma coisa que ser leal a Davi, e isso era um fator que não podia ser esquecido. "O motivo real pelo qual Joabe assassinou Amasa, tanto quanto assassinou Abner (ver 2Sm 3.27) era ciúme pessoal e ambição" (Ellicott, *in loc.*). Mas por que isso nos surpreenderia?

20.12

וַעֲמָשָׂ֛א מִתְגֹּלֵ֥ל בַּדָּ֖ם בְּת֣וֹךְ הַֽמְסִלָּ֑ה וַיַּ֨רְא הָאִ֜ישׁ כִּֽי־
עָמַ֣ד כָּל־הָעָ֗ם וַיַּסֵּ֣ב אֶת־עֲמָשָׂ֞א מִן־הַֽמְסִלָּה֙ הַשָּׂדֶ֔ה
וַיַּשְׁלֵ֤ךְ עָלָיו֙ בֶּ֔גֶד כַּאֲשֶׁ֣ר רָאָ֔ה כָּל־הַבָּ֥א עָלָ֖יו וְעָמָֽד׃

Amasa atraiu a atenção de muitos soldados curiosos. Ele ficara à beira da estrada agonizando em seu sangue. E os soldados paravam e contemplavam a cena, quando passavam marchando pelo local. Mas certo homem, vendo-os naquele ridículo ato de curiosidade, removeu o corpo e o transportou a um campo, colocando um pano sobre o cadáver. Isso pôs fim ao jogo de contemplação, e agora os soldados passavam sem parar, saindo em perseguição a Seba. Aparentemente, nenhum sepultamento foi concedido ao "traidor", o que ele, naturalmente, era. Mas isso representava um sinal de vergonha, um insulto para o morto.

O moço. O uso do artigo definido antes da palavra "moço" parece indicar que foi o próprio Joabe quem arrastou o cadáver para o campo e o cobriu com um pano, a fim de impedir os olhares curiosos dos soldados. Ou então Joabe convocou algum auxiliar particular para fazer o trabalho. Foi um ato "sem coração", mas a própria guerra é sem coração. Assim acontecera com a traição de Absalão, da qual Amasa havia participado.

20.13

כַּאֲשֶׁ֥ר הֹגָ֖ה מִן־הַֽמְסִלָּ֑ה עָבַ֤ר כָּל־אִישׁ֙ אַחֲרֵ֣י יוֹאָ֔ב
לִרְדֹּ֕ף אַחֲרֵ֖י שֶׁ֥בַע בֶּן־בִּכְרִֽי׃

Terminado esse drama lateral, o exército se pôs em marcha, em perseguição a Seba, tendo Joabe como chefe restaurado. Joabe (convocado por seu irmão, Abisai) e as tropas que Amasa havia convocado estavam novamente juntos. E o infeliz Seba em breve estaria morto.

20.14

וַֽיַּעֲבֹ֞ר בְּכָל־שִׁבְטֵ֣י יִשְׂרָאֵ֗ל אָבֵ֛לָה וּבֵ֥ית מַעֲכָ֖ה
וְכָל־הַבֵּרִ֑ים ס וַיִּקָּ֕לֻהוּ וַיָּבֹ֖אוּ אַף־אַחֲרָֽיו׃

Houve então uma longa marcha a partir de Gibeom. Eram cerca de 190 quilômetros de Gibeom a Abel e Bete-Maaca, ou como alguns dizem, até Abel de Bete-Maaca. Ver sobre ambos os termos no *Dicionário.* No *Dicionário* trato esses nomes próprios como

Abel-Bete-Maaca, que são traduzidos como "prado da casa da opressão". Essa localidade é identificada com a moderna Abi-el-Qamh. "... ficava na parte do extremo norte de Israel, ocupada pela tribo de Naftali, não distante do monte Hermom, já perto das fronteiras com a Fenícia. O fato de que Joabe perseguiu Seba às próprias periferias do reinado de Davi ilustra seu zelo e bom julgamento. A revolta de Seba tinha fracassado. Agora ele parecia ser um problema extremamente secundário, incapaz de criar qualquer dificuldade real. Mas Joabe sabia do efeito salutar que a perseguição laboriosa e a morte de um líder tão secundário teria sobre *todas as outras* rebeliões latentes" (Ganse Little, *in loc.*).

Os beritas. Ver no *Dicionário* sobre esse povo, mencionado somente neste versículo da Bíblia. Não há informação certa sobre eles. Mas, quanto ao que se pode especular, ver o artigo com esse nome.

Seba conseguiu um bom número de seguidores naquela área e, quando ouviu falar no avanço de Joabe, encerrou-se na cidade de Abel, preparando-se para sofrer um longo cerco. Infelizmente, Seba morreria naquele mesmo dia, outra obra de arte de Joabe.

■ 20.15

וַיָּבֹאוּ וַיָּצֻרוּ עָלָיו בְּאָבֵלָה בֵּית הַמַּעֲכָה וַיִּשְׁפְּכוּ סֹלְלָה אֶל־הָעִיר וַתַּעֲמֹד בַּחֵל וְכָל־הָעָם אֲשֶׁר אֶת־יוֹאָב מַשְׁחִיתִם לְהַפִּיל הַחוֹמָה׃

O cerco lançado por Joabe foi adequado para que houvesse uma invasão da cidade em breve. Como usual, os habitantes seriam dizimados. Os seguidores de Seba seriam aniquilados. Ver sobre *Guerra* no *Dicionário*, quanto aos modos de guerrear e os equipamentos usados nas guerras antigas.

Um montão. Esta palavra pode significar uma máquina de guerra, um aríete, para derrubar as muralhas da cidade. Porém o mais provável é que esteja em vista um montão de terra, a fim de que os homens de Davi pudessem escalar as muralhas, ou de onde as muralhas pudessem sofrer a ação do aríete. Ou também poderia ser um montão artificial, do qual flechas e outros mísseis seriam lançados contra a cidade. Os soldados de César construíam grandes montões. Em certa ocasião, em 25 dias, eles construíram um montão de 100 metros de largura por 24,5 metros de altura (*Palestina Ilustrada*, tom 2, p. 519), e isso anulou as muralhas do lugar que estavam cercando. Portanto, no caso em foco, uma cidade inteira estava sofrendo, por causa do homem que conseguira obter ali um bom número de seguidores.

■ 20.16

וַתִּקְרָא אִשָּׁה חֲכָמָה מִן־הָעִיר שִׁמְעוּ שִׁמְעוּ אִמְרוּ־נָא אֶל־יוֹאָב קְרַב עַד־הֵנָּה וַאֲדַבְּרָה אֵלֶיךָ׃

Então uma mulher sábia gritou. *Foi a Intervenção de um Único Homem.* Havia na cidade uma mulher dotada de sabedoria e influência especial. Talvez ela fosse uma juíza, ou a única juíza, do lugar. Fosse como fosse, exercia grande poder sobre os habitantes. Ela sabia que era Joabe quem liderava aquela frenética atividade de derrubar as muralhas, entrando o mais rapidamente possível na cidade e lançando-a ao caos. Assim sendo, para interromper essa ação, ela foi até a beira da muralha e conseguiu localizar o selvagem Joabe. Se se tratasse de um homem, provavelmente Joabe teria feito um dardo atravessar-lhe o coração, mas como se tratava de uma mulher, Joabe ouviu com respeito o apelo proferido. Adam Clarke supunha que a mulher, por haver sido tachada de "sábia", fosse, na realidade, uma governanta. Talvez ela fosse uma vidente, alguém de quem o povo buscava conselhos.

■ 20.17

וַיִּקְרַב אֵלֶיהָ וַתֹּאמֶר הָאִשָּׁה הַאַתָּה יוֹאָב וַיֹּאמֶר אָנִי וַתֹּאמֶר לוֹ שְׁמַע דִּבְרֵי אֲמָתֶךָ וַיֹּאמֶר שֹׁמֵעַ אָנֹכִי׃

Em primeiro lugar, ela garantiu que estava falando ao general-em-chefe, Joabe, pois somente ele teria autoridade de seguir o plano dela; somente ele poderia controlar aquelas forças loucas que estavam ansiosas por fazer a maior matança, livrando assim Israel do novo rebelde. A mulher assumiu a posição de subordinada a Joabe, até mesmo de sua *criada*, porque, afinal, ela estava fazendo mera petição, e Joabe tinha poder para aceitar a ideia ou não. Ela se mostrou extremamente humilde. Algumas vezes, mostrar-se humilde é o melhor plano para a autopromoção. "Ouça", disse ela, quando Joabe assegurou que "estava ouvindo". A única linguagem que os fanáticos como Seba entendem é a violência, e algumas vezes esses fanáticos são mentalmente doentes, até mesmo insanos. Nenhuma diplomacia pode afetá-los; portanto, que se continuasse com a violência, que é a única coisa que eles entendem. Somente porque um homem é mentalmente desequilibrado, ou mesmo insano, isso não significa que ele não tenha grandes poderes de raciocínio e não seja capaz de influenciar outras pessoas. Somos informados de que Hitler tinha uma insanidade incipiente devido à sífilis, e Stalin, definitivamente, não tinha boas condições psicológicas. As mesmas acusações são feitas contra Kadafi e Saddam Hussein. Desperdiçamos a nossa diplomacia quando estamos tratando com tais pessoas. Mas em Abel-Bete-Maaca havia aquela *mulher sábia* que tinha poder suficiente para reverter a maré da batalha, e isso salvou muitas vidas. Para alguns assassinos, a *diplomacia* é apenas um meio de ganhar tempo, a fim de inventarem planos ainda mais diabólicos.

■ 20.18

וַתֹּאמֶר לֵאמֹר דַּבֵּר יְדַבְּרוּ בָרִאשֹׁנָה לֵאמֹר שָׁאֹל יְשָׁאֲלוּ בְּאָבֵל וְכֵן הֵתַמּוּ׃

Neste versículo estamos tratando com um provérbio popular, que fala da sabedoria incomum das pessoas que viviam em Abel. Ou, pelo menos, aquele lugar sempre teve líderes sábios, capazes de prestar bons conselhos. Talvez esse local incluísse um oráculo, do qual as pessoas podiam obter ajuda. Em referência a Dt 20.10, o Targum diz: "Lembre-se do que está escrito no livro da lei, para primeiramente buscar paz com uma cidade que você estiver assediando. Você deveria ter perguntado dos habitantes de Abel: Vocês querem a paz?"

John Gill sugeriu (*in loc.*) que, quando partidos em disputa queriam solução para algum problema mas não eram capazes de encontrá-la, iam a Abel para obter uma terceira opinião, ou alguém que servisse de árbitro. O rabino Isaías mencionou essa tradição, e agora ela estava realmente funcionando. O Targum sobre Dt 20.10 sugeriu que em todos os casos a paz deveria ser buscada em primeiro lugar, e a guerra só deveria seguir-se quando esforços em favor da paz tivessem fracassado. Isso se tornou um *conceito da lei,* embora nem sempre seguido.

■ 20.19

אָנֹכִי שְׁלֻמֵי אֱמוּנֵי יִשְׂרָאֵל אַתָּה מְבַקֵּשׁ לְהָמִית עִיר וְאֵם בְּיִשְׂרָאֵל לָמָּה תְבַלַּע נַחֲלַת יְהוָה׃ פ

A *mulher sábia* era, igualmente, uma mulher de paz e orgulhava-se por estar entre homens de paz, que não apelavam à violência para solucionar os problemas. Ela salientou que a violência destruiria a herança do Senhor, pelo menos aquela parte que ficava em Abel. Além disso, ela, como mãe de Israel, pereceria juntamente com a cidade. Porventura tais considerações não tinham peso para Joabe?

Uma mãe em Israel. Essas palavras poderiam ser uma referência à mulher sábia, ou à *cidade de Abel,* a qual tinha *filhas* (aldeias) que a circundavam e dela dependiam. Ver Nm 21.25.

Essa mulher e os homens de paz que a circundavam sempre tinham sido leais a Yahweh e ao povo de Israel. Joabe estava em grave erro ao trazer sua máquina de guerra a Abel. A cidade era *inocente*. Havia ali um homem que era *culpado*.

■ 20.20

וַיַּעַן יוֹאָב וַיֹּאמַר חָלִילָה חָלִילָה לִי אִם־אֲבַלַּע וְאִם־אַשְׁחִית׃

O selvagem Joabe havia deixado todos *chocados* ao declarar que promoveria uma violência excessiva e desnecessária! Naturalmente, ele estava disposto e até ansioso por arbitrar o caso. Ele não tinha nenhum desejo de destruir inutilmente uma porção da herança de Yahweh ou de matar uma mãe inocente de Israel, ou uma cidade-mãe.

"É digno de nota que a sábia mulher de Abel era afortunada para tratar com um sábio general, chegado de Jerusalém. Joabe nunca hesitara em derramar sangue que julgasse inocente. Mas ele era sábio o bastante para perceber a insensatez de derramar o sangue inocente dos habitantes de Abel" (Ganse Little, *in loc.*, que prosseguiu louvando os poucos generais que também são diplomatas).

■ 20.21

לֹא־כֵן הַדָּבָר כִּי אִישׁ מֵהַר אֶפְרַיִם שֶׁבַע בֶּן־בִּכְרִי שְׁמוֹ נָשָׂא יָדוֹ בַּמֶּלֶךְ בְּדָוִד תְּנוּ־אֹתוֹ לְבַדּוֹ וְאֵלְכָה מֵעַל הָעִיר וַתֹּאמֶר הָאִשָּׁה אֶל־יוֹאָב הִנֵּה רֹאשׁוֹ מֻשְׁלָךְ אֵלֶיךָ בְּעַד הַחוֹמָה׃

A Cidade Era Inocente. Apenas um homem da cidade era *culpado*, e Joabe exigia que ele fosse entregue. Sob *essa condição*, o general levantaria o cerco da cidade e pouparia a vida de todos os demais. A mulher sabia, de modo absoluto, que poderia cumprir as exigências de Joabe e reconheceu que elas eram justas. "Espera um minuto", disse ela, "e verás a cabeça de Seba ser lançada a ti!" Só podemos imaginar que, de fato, ela tinha grande poder na cidade, muito maior que o poder de Seba. Seba era culpado de traição. Ele era um rebelde perturbado, que não poderia continuar vivo. Davi estava tentando consolidar a paz e, com homens como Seba por perto, isso era impossível. Não obstante, poucos anos depois, Jeroboão apareceria no palco da história, e a ruptura entre o norte e o sul de Israel estaria completa.

Um homem da região montanhosa de Efraim. Ver no *Dicionário* o artigo intitulado *monte Efraim*.

É evidente, por meio deste versículo, que a rebeldia encabeçada por Seba já havia perdido o impulso inicial. Seus seguidores em Abel seriam facilmente persuadidos a desistir da empreitada. Que importava se o "líder" deles tivesse a cabeça decepada, contanto que os habitantes da cidade escapassem, e não tivessem de guerrear contra *Joabe*?

■ 20.22

וַתָּבוֹא הָאִשָּׁה אֶל־כָּל־הָעָם בְּחָכְמָתָהּ וַיִּכְרְתוּ אֶת־רֹאשׁ שֶׁבַע בֶּן־בִּכְרִי וַיַּשְׁלִכוּ אֶל־יוֹאָב וַיִּתְקַע בַּשּׁוֹפָר וַיָּפֻצוּ מֵעַל־הָעִיר אִישׁ לְאֹהָלָיו וְיוֹאָב שָׁב יְרוּשָׁלִַם אֶל־הַמֶּלֶךְ׃ ס

E cortaram a cabeça de Seba. A mulher cumpriu sua parte de convencer os outros. Todos sabiam que ela era dotada de uma sabedoria toda especial, e, afinal, estavam cansados daquela história de rebelião. Portanto, certos homens fortes agarraram Seba e o executaram no local, decepando-lhe a cabeça. O pobre "rei" terminou um corpo acéfalo, para que todos os demais habitantes de Israel vissem o que acontecia a tais pretendentes ao trono. Não haveria modificações radicais em Israel, enquanto a dupla Davi-Joabe estivesse presente.

Ao ver a cabeça de Seba cair no chão, Joabe soube que a "batalha" tinha terminado. Não havia mais necessidade de assediar a cidade, pelo que ele tocou a trombeta, assinalando a retirada das tropas. As tropas retiraram-se de perto das muralhas, e cada homem voltou para sua casa (ou sua tenda). Cf. 2Sm 18.17; 20.1 e 1Rs 12.16.

Joabe, por sua parte, deu notícias ao rei Davi acerca dos acontecimentos. Como ele ocupara a função de chefe do exército, nessa capacidade, pois, enviou notícias a Davi. Joabe não se manteve rancoroso por haver sido temporariamente deslocado da chefia do exército por parte de Davi, que entregara a posição a Amasa. Antes, permaneceu em sua feroz lealdade a Davi. Ele não tinha ambições políticas, mas encabeçar o exército lhe era muito importante. Ninguém, nem mesmo Davi, podia impedi-lo de ocupar esse posto.

"Os filhos de Zeruia talvez fossem duros demais para Davi, mas a firme resolução deles, naqueles dias de confusão e rebeliões, salvou o reino. É um fato deveras curioso que, se Davi não podia matar por meio de truques, no interesse da intriga política, ele podia e realmente assassinava por procuração, a fim de satisfazer seus desejos pessoais" (Ganse Little, *in loc.*, referindo-se ao assassinato por procuração do heteu Urias, marido de Bate-Seba). É um erro fazer de Joabe um homem melhor do que ele era. Por outro lado, "dê-se ao diabo o que ele merece". O propósito de Deus, operando através de Davi, requeria que Joabe estivesse presente, para ocupar-se das tarefas difíceis e sanguinárias que o próprio Davi jamais poderia realizar. Joabe era homem com mão de ferro, vontade dura como o aço e lealdade a toda prova, o verdadeiro "capitão das hostes", como nenhum outro homem jamais foi.

OFICIAIS DE DAVI (20.23—21.22)

■ 20.23

וְיוֹאָב אֶל כָּל־הַצָּבָא יִשְׂרָאֵל וּבְנָיָה בֶּן־יְהוֹיָדָע עַל־הַכְּרֵתִי וְעַל־הַפְּלֵתִי׃

Ver o paralelo abreviado em 2Sm 8.15 ss. Os capítulos 21 a 24 formam uma espécie de apêndice a 2Samuel. A narrativa do reinado de Davi é retomada no livro de 1Reis. O apêndice é introduzido com um novo sumário dos oficiais de Davi, ao que se seguem materiais miscelâneos.

O Novo Arranjo. Não somos informados de que Davi, formal e *oficialmente,* fez novamente de Joabe capitão das hostes, general-em-chefe. Talvez isso não fosse necessário. Pois Joabe estava presente. Ele era o general-em-chefe. E Joabe tinha um general secundário, Benaia, que era chefe dos *quereteus* e dos *peleteus*. Benaia controlava as tropas especiais de elite. Benaia já tinha esse posto e continuou a ocupá-lo. Ver as notas sobre 2Sm 8.18 quanto a essa informação. Ver todos os nomes próprios que aparecem nestes quatro versículos, no *Dicionário*, para detalhes. Portanto, o novo arranjo era simplesmente o antigo arranjo, que agora se perpetuava.

Os vss. 23-26 apresentam *sumários* de oficiais no reino de Davi, o que já vimos, em essência, no oitavo capítulo.

Joabe aparece em *primeiro lugar* na lista dos administradores reais de Davi, os quais tinham diferentes tarefas a cumprir, em diferentes postos. Devemos entender que Davi tolerou o assassinato de Amasa por parte de Joabe, e não fez mais nenhum esforço para substituí-lo.

■ 20.24

וַאֲדֹרָם עַל־הַמַּס וִיהוֹשָׁפָט בֶּן־אֲחִילוּד הַמַּזְכִּיר׃

Adorão. Este era o principal cobrador de impostos, que também controlava os "sujeitos a trabalhos forçados". Havia certo número de oficiais subordinados a ele, tanto dentre os cidadãos como dentre os estrangeiros. Este homem não é mencionado no paralelo de 2Sm 8.16 ss., e sua autoridade representava uma mudança ou um crescimento no complexo administrativo de Davi.

Josafá. No paralelo de 2Sm 8.16, apresento notas expositivas sobre ele e sobre a natureza de seu ofício.

■ 20.25

וּשְׁיָא סֹפֵר וְצָדוֹק וְאֶבְיָתָר כֹּהֲנִים׃

Seva. Era o escrivão. Ver as notas sobre a natureza desse ofício, que provavelmente incluía ser secretário particular do rei. No paralelo do capítulo 8 (vs. 17), *Seraías* aparece como o escrivão. Talvez Seva fosse o mesmo Seraías, dois nomes para um só homem. Ver no *Dicionário* o artigo chamado *Seva*.

Zadoque e Abiatar. Eles continuaram como sumos sacerdotes, uma informação paralela com 2Sm 8.17, onde há notas expositivas sobre a questão.

■ 20.26

וְגַם עִירָא הַיָּאִרִי הָיָה כֹהֵן לְדָוִד׃ ס

Ira, o jairita. Este versículo é paralelo ao capítulo 8, vss. 15-18. Ver sobre *Ira* (o número 3 das pessoas listadas) no *Dicionário*. De acordo com algumas traduções, ele era sacerdote, embora pertencesse à tribo de Manassés, o que parece impossível. Por isso, algumas traduções dizem "governante-em-chefe" (*King James Version*), ao passo que nossa versão portuguesa fala em "ministro". Talvez ele fosse uma espécie de conselheiro religioso de Davi, e não um oficial sacerdote levítico. Na verdade, o termo hebraico *hoken* usualmente se refere a um "sacerdote". Talvez o uso da palavra aqui realmente se refira a um sacerdote, uma reminiscência dos primeiros tempos quando os chefes tribais também eram sacerdotes, antes de os levitas terem sido estabelecidos como uma tribo de sacerdotes. Essa palavra talvez continuasse a ser usada em um *sentido lato,* para indicar um homem de alguma função sacerdotal que não pertencesse à tribo de Levi. Ver as notas expositivas sobre 2Sm 8.18. Ali os filhos de Davi são chamados "ministros" (no hebraico, *hoken*), a mesma palavra usada aqui e, provavelmente, com o mesmo sentido não específico.

"Ira, um itrita, acha-se na lista dos 37 heróis de Davi (ver 2Sm 23.38). Mas não há base para identificar os dois homens" (Ellicott, *in loc.*).

CAPÍTULO VINTE E UM

Este capítulo continua a seção iniciada em 2Sm 20.23, onde uma breve nota de introdução é apresentada. Os capítulos 21 a 24 funcionam como uma espécie de apêndice, pois interrompem a narrativa sobre o reinado de Davi, que é reiniciada em 1Reis.

É possível que 2Sm 21.1-14 tenha sido deslocado cronologicamente, porquanto cabe melhor antes do capítulo 9. Uma grande fome afligia a terra e Davi inquiriu que Yahweh determinasse a causa. Alguma restituição tinha de ser feita, porque Saul havia matado os gibeonitas. *Sete dos filhos* de Saul tinham de ser sacrificados, para que fosse feita a justiça e assim estancasse a fome.

Este capítulo repousa sobre a fé em uma *Lei Moral da Colheita segundo a Semeadura* (ver a respeito no *Dicionário*).

O ato de Saul contra os gibeonitas não ficou registrado (exceto por alusão aqui), mas isso não é razão para duvidar da veracidade dos acontecimentos.

■ 21.1

וַיְהִי רָעָב בִּימֵי דָוִד שָׁלֹשׁ שָׁנִים שָׁנָה אַחֲרֵי שָׁנָה וַיְבַקֵּשׁ דָּוִד אֶת־פְּנֵי יְהוָה ס וַיֹּאמֶר יְהוָה אֶל־שָׁאוּל וְאֶל־בֵּית הַדָּמִים עַל־אֲשֶׁר־הֵמִית אֶת־הַגִּבְעֹנִים׃

Uma fome de três anos consecutivos. Três anos de fome inspiraram Davi a consultar o oráculo, provavelmente através do Urim e do Tumim (ver a respeito no *Dicionário*), mediante a agência de um dos sumos sacerdotes (ver 2Sm 20.25). Era doutrina padrão, em Israel, que Yahweh controlava as condições atmosféricas e que a agricultura do país estava sob seu poder direto.

O oráculo informou a Davi que uma matança injusta dos gibeonitas (ver a respeito no *Dicionário*), por parte de Saul, era a causa da fome. Não existe registro bíblico desse acontecimento, mas não há razão para duvidarmos de sua historicidade. A casa de Saul era uma *casa de sangue,* violenta e corrupta, e o sangue de suas vítimas clamava do solo por uma vingança apropriada.

Js 9.15-21 mostra-nos que, nos dias de Josué, fora firmada uma aliança entre Israel e aquele povo, e que eles deveriam ter sido isentados dos selvagens ataques de Saul.

Os *pagãos* também acreditavam que a esterilidade, a falta de frutos da terra e a fome, bem como os abortos, eram resultado da punição dos deuses contra os homens, por causa dos seus pecados. Filostratus (*Vita Apollon. Tyan.* 1.3, cap. 6) conta-nos que, por causa do assassinato do poderoso *Ganges* (rei dos etíopes), houve seca, fome, abortos etc., até que os assassinos do rei foram castigados.

Em Israel, a seca era sempre o resultado de chuvas insuficientes durante o inverno, um fenômeno comum. Ver no *Dicionário* o verbete chamado *Seca*. A seca sempre trazia *fome* (ver esse artigo no *Dicionário*).

Na mente do povo hebreu, os *pactos* eram questões sérias e, embora o pacto feito com os gibeonitas tivesse ocorrido através de fingimento por parte deles, o pacto em si era considerado válido. A norma que estava sendo seguida no trato com estrangeiros era a da *guerra santa* (ver sobre Dt 7.1-5 e 20.10-18). Para escapar de seus efeitos, os gibeonitas usaram de astúcia.

■ 21.2

וַיִּקְרָא הַמֶּלֶךְ לַגִּבְעֹנִים וַיֹּאמֶר אֲלֵיהֶם וְהַגִּבְעֹנִים לֹא מִבְּנֵי יִשְׂרָאֵל הֵמָּה כִּי אִם־מִיֶּתֶר הָאֱמֹרִי וּבְנֵי יִשְׂרָאֵל נִשְׁבְּעוּ לָהֶם וַיְבַקֵּשׁ שָׁאוּל לְהַכֹּתָם בְּקַנֹּאתוֹ לִבְנֵי־יִשְׂרָאֵל וִיהוּדָה׃

Os gibeonitas não eram dos filhos de Israel. O autor sagrado faz uma pausa para explicar que os gibeonitas eram um ramo da nação dos amorreus, não pertencente ao povo de Israel. Ainda assim, uma aliança firmada com eles deveria ter sido respeitada. Mas Saul, no *zelo* de libertar Israel de *todos* os inimigos, decidiu destruir aquela população. Saul, pois, revoltou-se contra os costumes sociais e contra a teologia. Yahweh desagradou-se diante da *presunção* de Saul. Não estava sob sua autoridade quebrar costumes antigos e *inovar.*

Quanto a detalhes sobre o pano de fundo racial dos gibeonitas, ver no *Dicionário* o verbete intitulado *Amorreus.* "Eles eram remanescentes dos antigos cananeus, os quais, algumas vezes, eram chamados amorreus e, de outras, heveus. Ver Js 9.7 e 11.19" (John Gill, *in loc.*). Ver sobre os *heveus* no *Dicionário.* "Os gibeonitas eram heveus, e não amorreus, conforme aparece em Js 11.19, mas o termo 'amorreus', que significa 'montanheses' era com frequência aplicado aos cananeus em geral. Ver Gn 15.16 e Am 2.9" (Adam Clarke, *in loc.*).

■ 21.3

וַיֹּאמֶר דָּוִד אֶל־הַגִּבְעֹנִים מָה אֶעֱשֶׂה לָכֶם וּבַמָּה אֲכַפֵּר וּבָרְכוּ אֶת־נַחֲלַת יְהוָה׃

Que quereis que eu vos faça? Davi reconheceu as justas reivindicações dos gibeonitas, mas estava na dúvida sobre como aplicar devidamente a vingança. Ele desejava não somente justiça, mas também que aquele povo tivesse boas relações com Israel, e assim "abençoasse a herança de Yahweh", em lugar de opor-se a ela e atacá-la.

É curioso que a justiça havia esperado por tão longo tempo, mas, para Yahweh, o tempo não é calculado pelos padrões humanos. Há exatidão nos julgamentos divinos, e eles ocorrem quando devido.

> Embora os moinhos de Deus moam lentamente,
> Contudo, moem excessivamente fino.
> Embora, com paciência, ele fique a esperar,
> Com exatidão ele mói a todos.
>
> Henry Wadsworth Longfellow

Ver no *Dicionário* o artigo chamado *Lei Moral da Colheita segundo a Semeadura.*

Os gibeonitas queriam receber "satisfação pelas injustiças cometidas" (John Gill, *in loc.*). Esse é um princípio moral correto. O julgamento não deveria consistir somente em *vingança,* mas também em *cura.* Mas não nos enganemos a respeito, pois todo erro cometido deve ser corrigido com a punição apropriada. O argumento de que pena de morte não diminui a taxa de criminalidade não é suficiente. Também deve haver "satisfação pelas injustiças cometidas". Ver no *Dicionário* o artigo chamado *Punição Capital.* Ver Êx 21.23-25 quanto à doutrina do "olho por olho e dente por dente", que é a *lex talionis,* ou seja, vingança de acordo com o crime cometido.

Davi havia honrado Mefibosete porquanto fizera um acordo com o pai dele, Jônatas (ver 1Sm 20.15,16), e assim também aconteceria ao pacto feito por Josué com os gibeonitas; caso contrário, os ofensores seriam castigados.

Que resgate vos darei? "Resgate", aqui, vem do vocábulo hebraico que significa "cobrir". É a mesma palavra usada teologicamente para apontar para a "expiação pelo pecado". Ao fazer a justiça, Davi "cobriria os vergonhosos assassinatos cometidos por Saul" com ações apropriadas, e assim os *esconderia* de Yahweh. O resultado seria o fim da seca. Ver no *Dicionário* o verbete intitulado *Expiação.*

■ 21.4

וַיֹּאמְרוּ לוֹ הַגִּבְעֹנִים אֵין־לִי כֶּסֶף וְזָהָב עִם־שָׁאוּל וְעִם־בֵּיתוֹ וְאֵין־לָנוּ אִישׁ לְהָמִית בְּיִשְׂרָאֵל וַיֹּאמֶר מָה־אַתֶּם אֹמְרִים אֶעֱשֶׂה לָכֶם׃

Havia muitas possibilidades de fazer justiça. Poderia haver indenização por meio de dinheiro ou terras, mas os gibeonitas não estavam interessados nesse método de ajuste. *Ouro ou prata* poderia ter sido tirado diretamente dos sobreviventes de Saul, o que expressaria, pelo menos em parte, a *lex talionis.* Mas os gibeonitas também não desejavam empobrecer essa família. Eles não queriam punir a algum indivíduo em Israel, mediante a execução, que não pertencesse à casa de

Saul. Nem queriam fazer guerra e tirar vingança de Israel em geral. O povo de Israel não era culpado. *Saul* era o culpado.

21.5

וַיֹּאמְרוּ אֶל־הַמֶּלֶךְ הָאִישׁ אֲשֶׁר כִּלָּנוּ וַאֲשֶׁר דִּמָּה־לָנוּ
נִשְׁמַדְנוּ מֵהִתְיַצֵּב בְּכָל־גְּבֻל יִשְׂרָאֵל׃

Os gibeonitas queriam vingança contra *aquele homem, Saul,* o qual tentara obliterá-los da terra de Israel quando fez *guerra santa* contra eles. Quanto a esse tipo de guerra, ver as notas expositivas em Dt 7.1-5 e 20.10-18. A guerra santa fora ordenada por Yahweh, mas houve a *intervenção de tratados,* ainda que esses tivessem sido feitos de forma apressada e enganosa. Não há nenhum registro histórico quanto a esse acontecimento, exceto a alusão no presente capítulo. Isso, entretanto, não nos dá razão para duvidarmos de sua historicidade. Saul deve ter efetuado *muitas* campanhas militares sangrentas que não foram mencionadas pelos historiadores.

21.6

יֻתַּן־לָנוּ שִׁבְעָה אֲנָשִׁים מִבָּנָיו וְהוֹקַעֲנוּם לַיהוָה
בְּגִבְעַת שָׁאוּל בְּחִיר יְהוָה ס וַיֹּאמֶר הַמֶּלֶךְ אֲנִי אֶתֵּן׃

Sete filhos de Saul seriam executados por causa da maldade feita pelo *pai* deles. Isso não prejudicaria Israel de forma especial, mas seria uma *vingança direta* contra a família do homem que não respeitara a aliança firmada com Josué. "O cabeça e sua casa estavam intimamente identificados em todas as ideias da antiguidade. Estando Saul morto, seus descendentes masculinos eram considerados como 'quem estava em seu lugar', apresentando-se como responsáveis por seus atos" (Ellicott, *in loc.*). O número *sete* seria apenas o número de filhos de Saul, embora fosse um número bastante grande para fazer essa família sentir e lamentar-se. O número sete sempre teve associações secretas, como se, de alguma maneira, falasse de perfeição e divindade. Talvez alguma noção parecida com isso também estivesse por trás da escolha de sete filhos. Ver sobre o número *Sete* no *Dicionário*, no artigo chamado *Número (Numeral, Numerologia)*, seção III. 1. e 2. Matar os filhos (ou descendentes) de um homem por seus crimes (quando ele mesmo ficara impune) era uma forma comum de aplicar a *lex talionis*. Até hoje se toma vingança da família dos ofensores, mas isso contraria a ética cristã.

> *Cada um, porém, será morto pela sua iniquidade.*
> Jeremias 31.30

> *Os pais não serão mortos em lugar dos filhos, nem os filhos em lugar dos pais: cada qual será morto pelo seu pecado.*
> Deuteronômio 24.16

Em contraste, a crença na *responsabilidade coletiva* era muito forte. Ver Dt 5.9. O código de Hamurabi (lei 230) permitia a morte vicária de um filho por um pai ou de um pai por um filho. Mas não há nenhum registro histórico do cumprimento dessa lei. Quanto a notas expositivas completas, ver a exposição sobre Dt 24.16. Provavelmente ambos os conceitos coexistiam, pelo que, em certas ocasiões, era aplicado o primeiro e, em outras, o segundo. Alguns intérpretes sugerem, no presente texto, que os filhos de Saul haviam participado nos crimes de Saul, pelo que mereciam o que receberam, por causa de seus pecados pessoais; mas não temos nenhum registro disso, e é sempre precário interpretar com *base no silêncio*.

21.7

וַיַּחְמֹל הַמֶּלֶךְ עַל־מְפִי־בֹשֶׁת בֶּן־יְהוֹנָתָן בֶּן־שָׁאוּל
עַל־שְׁבֻעַת יְהוָה אֲשֶׁר בֵּינֹתָם בֵּין דָּוִד וּבֵין יְהוֹנָתָן
בֶּן־שָׁאוּל׃

O rei poupou a Mefibosete. Mefibosete era homem de propriedade e de posição, porquanto *Davi* o fizera tal por causa de Jônatas, seu pai. Davi e Jônatas tinham feito um pacto mediante o qual o sobrevivente trataria bem os descendentes do outro. Esse acordo afirmava especificamente que, quando Davi chegasse ao trono, trataria bondosamente a família de Jônatas (ver 1Sm 18.3; 20.14-17; 2Sm 9). A casa de Saul sofreria total remoção, mediante matança ou mediante fuga. O modo de proceder normal, no Oriente Próximo e Médio, era que um novo rei destruía a família de seu antecessor. Mas Mefibosete era uma exceção desde o começo e agora continuava sendo uma exceção, sob as graças do rei. Ver a história dele em 2Sm 4.4 e 9.6 ss.

O Pacto entre Davi e Saul. Davi havia prometido que, quando subisse ao trono, não destruiria a família de Saul (1Sm 24.21,22). Foi possivelmente com alguma lamentação que Davi descobriu ser necessário quebrar a promessa. Seja como for, a promessa foi essencialmente, mas não absolutamente, quebrada. Se não fora a queixa dos gibeonitas, ela teria sido essencialmente cumprida.

21.8

וַיִּקַּח הַמֶּלֶךְ אֶת־שְׁנֵי בְּנֵי רִצְפָּה בַת־אַיָּה
אֲשֶׁר יָלְדָה לְשָׁאוּל אֶת־אַרְמֹנִי וְאֶת־מְפִבֹשֶׁת
וְאֶת־חֲמֵשֶׁת בְּנֵי מִיכַל בַּת־שָׁאוּל אֲשֶׁר יָלְדָה
לְעַדְרִיאֵל בֶּן־בַּרְזִלַּי הַמְּחֹלָתִי׃

A Triste Lista das Vítimas. A parte temível dessa lista foi que uma única mulher perdeu *cinco* filhos na matança. Ver todos os nomes próprios no *Dicionário*.

Mical. Esta mulher, filha de Saul, tinha sido esposa de Davi. Se lermos o texto hebraico do modo como ele se encontra, então não poderemos escapar da mensagem de que esta mulher, que havia zombado de Davi, sofreu, finalmente, uma grande dor. Entretanto, o versículo diz que ela "deu à luz" aos cinco filhos a Adriel, que não era seu marido. A verdadeira mãe era *Merabe,* conforme figura em dois manuscritos em hebraico e na Septuaginta. Mas alguns eruditos (seguidos pela *Revised Standard Version*) simplesmente substituem Mical por Merabe, supondo que algum erro primitivo tivesse entrado no texto massorético. Ver no *Dicionário* o artigo chamado *Massora (Massorah); Texto Massorético.* Os textos sírio e árabe dizem aqui *Nadabe.* Fazer Mical criar os filhos de outra mulher (Merabe, irmã dela) provavelmente é outra glosa antiga do texto, que cortou o nó górdio, visto que sabemos que Mical não podia ter filhos (ver 2Sm 6.23). 1Sm 18.19 refere-se a Merabe como filha de Saul. Ver na *Enciclopédia de Bíblia, Teologia e Filosofia* o artigo chamado *Nó;* e, no último parágrafo desse artigo, *Cortando o Nó Górdio.*

De conformidade com as tradições judaicas (*T. Hieros. Kiddushin,* fol. 65.2), as vítimas eram homens simples, e não soldados ou homens perigosos. Dois eram rachadores de lenha; dois eram coletores de água; um deles era guardador em uma sinagoga; outro era escriba e o último era um servo. Se a informação está correta, então toda a narrativa é patética. Aqueles homens comuns e despretensiosos tornaram-se vítimas de uma violência insensata.

21.9

וַיִּתְּנֵם בְּיַד הַגִּבְעֹנִים וַיֹּקִיעֻם בָּהָר לִפְנֵי יְהוָה וַיִּפְּלוּ
שְׁבַעְתָּיִם יָחַד וְהֵם הֻמְתוּ בִּימֵי קָצִיר בָּרִאשֹׁנִים
תְּחִלַּת קְצִיר שְׂעֹרִים׃

Os quais os enforcaram no monte. Ver no *Dicionário* o verbete chamado *Enforcamento.* A historicidade do evento foi confirmada pela exatidão da linguagem. O autor sacro diz-nos quando isso ocorreu, a saber, no começo da colheita da cevada, ou seja, na Judeia, no começo do equinócio vernal, ou 21 de março. Isso teria acontecido imediatamente após a páscoa (ver Lv 23.10,11); e alguns situam o fato em meados de abril, e não no mês de março.

Perante o Senhor. Assim foi escrito pelo autor sagrado porque o ato foi tido como uma vingança justa, aprovada pelo Senhor, de tal modo que ele estancou a seca que assolava a terra há nada menos de três anos (vs. 1).

21.10

וַתִּקַּח רִצְפָּה בַת־אַיָּה אֶת־הַשַּׂק וַתַּטֵּהוּ לָהּ אֶל־
הַצּוּר מִתְּחִלַּת קָצִיר עַד נִתַּךְ־מַיִם עֲלֵיהֶם מִן־
הַשָּׁמָיִם וְלֹא־נָתְנָה עוֹף הַשָּׁמַיִם לָנוּחַ עֲלֵיהֶם יוֹמָם
וְאֶת־חַיַּת הַשָּׂדֶה לָיְלָה׃

Então Rispa, filha de Aiá. *Esta Foi a Patética Lamentação de Rispa.* Ela havia perdido *dois* filhos e não permitiu que seus cadáveres fossem sepultados, mas armou uma vigia, cobrindo-se com pano de cilício (provavelmente com a forma de uma tenda), como sinal de *lamentação* (ver a respeito no *Dicionário*). E impediu que se aproximassem as aves e os animais ferozes dos cadáveres.

Os intérpretes batem a cabeça sobre esse ato, mas para mim a razão para isso é perfeitamente clara. Aquela *mãe* queria que os corpos continuassem a ser vistos publicamente, como um protesto contra a violência insensata. Era como se ela dissesse: "Estão vendo os corpos de meus filhos, jazendo ali? Vocês estão vendo quão cruel é tudo isso? O que eles tiveram a ver com os atos de Saul?" Alguns intérpretes (estupidamente, em minha opinião) pensam que o que ela fez foi um ato de piedade, em concordância com o que havia sido feito, deixando os corpos ali como lições objetivas sobre como a justiça de Deus deveria operar! Isso é um absurdo. Adam Clarke (*in loc.*) mostra-se correto ao lamentar toda a questão e ao perguntar se não poderia ser achada outra maneira de satisfazer os gibeonitas, sugerindo que o que fora dito de modo algum poderia ter sido um oráculo de Deus. E então ele ajunta: "Deus não aceita o sangue do homem em sacrifício, tal como não quer o sangue de porcos. A fome poderia ter sido removida da terra devidamente expurgada, oferecendo-se os sacrifícios prescritos pela lei, e com a humilhação geral do povo".

Os corpos continuaram pendurados ali até que começou a chover, sinal de que a terrível prova tinha terminado. Mesmo assim, a mãe nada fez. Foi Davi quem sepultou os ossos deles, conforme nos relata a história.

As chuvas de outono começaram em outubro, e assim podemos calcular que a vigília de Rispa atravessou os meses, talvez nada menos de seis meses. Dt 21.23 diz-nos que qualquer um que fosse pendurado em uma árvore era maldito (ver 21.23), contanto que fosse executado por tal maneira. Assim, aquele estado amaldiçoado perdurou por longo tempo e deve ter atraído muita atenção.

Sobre uma penha. Ou ela pôs o pano sobre uma rocha e viveu ali por todos aqueles meses, nada tendo senão o pano sobre o qual assentar-se e sobre o qual dormir; ou devemos compreender que ela fez uma espécie de tenda com o pano, e ali viveu durante aqueles dias.

■ 21.11,12

וַיֻּגַּד לְדָוִד אֵת אֲשֶׁר־עָשְׂתָה רִצְפָּה בַת־אַיָּה פִּלֶגֶשׁ שָׁאוּל:

וַיֵּלֶךְ דָּוִד וַיִּקַּח אֶת־עַצְמוֹת שָׁאוּל וְאֶת־עַצְמוֹת יְהוֹנָתָן בְּנוֹ מֵאֵת בַּעֲלֵי יָבֵישׁ גִּלְעָד אֲשֶׁר גָּנְבוּ אֹתָם מֵרְחֹב בֵּית־שַׁן אֲשֶׁר תְּלָאוּם שָׁם הַפְּלִשְׁתִּים בְּיוֹם הַכּוֹת פְּלִשְׁתִּים אֶת־שָׁאוּל בַּגִּלְבֹּעַ:

Após um longo tempo, Rispa chamou a atenção de Davi. Ele não podia permitir que tal espetáculo continuasse. Então juntou os ossos de Jônatas e Saul, e os ossos daqueles homens, e (evidentemente) sepultou-os em um sepulcro comum, embora o texto mencione somente os ossos de Saul e Jônatas no ato de sepultamento. Talvez diferentes sepulcros tenham sido usados, mas o texto não deixa isso claro. Seja como for, um sepultamento decente foi finalmente provido, o que era importantíssimo na cultura dos hebreus.

Recolhendo os Ossos de Saul e Jônatas. Ver a história em 1Sm 31.11-13 sobre como as entranhas de Saul e de seu filho Jônatas foram expostas na parede de Bete-Seã como sinal de ódio. O povo de Jabes-Gileade tinha tomado os corpos da parede e os sepultara em sua cidade, muito distante de Gibeá, onde morava a família de Saul. Davi, pois, resolveu trazer os ossos de volta de Jabes-Gileade e sepultá-los no sepulcro do pai de Saul, Quis, em Zela, no território de Benjamim (vs. 14). Ver também Js 18.28.

Ver no *Dicionário* o artigo geral sobre *Sepultamento, Costumes de.*

■ 21.13,14

וַיַּעַל מִשָּׁם אֶת־עַצְמוֹת שָׁאוּל וְאֶת־עַצְמוֹת יְהוֹנָתָן בְּנוֹ וַיַּאַסְפוּ אֶת־עַצְמוֹת הַמּוּקָעִים:

וַיִּקְבְּרוּ אֶת־עַצְמוֹת־שָׁאוּל וִיהוֹנָתָן־בְּנוֹ בְּאֶרֶץ בִּנְיָמִן בְּצֵלָע בְּקֶבֶר קִישׁ אָבִיו וַיַּעֲשׂוּ כֹּל אֲשֶׁר־צִוָּה הַמֶּלֶךְ וַיֵּעָתֵר אֱלֹהִים לָאָרֶץ אַחֲרֵי־כֵן: פ

Dali, transportou os ossos de Saul, e os ossos de Jônatas, seu filho. Uma vez reunidos todos os ossos, incluindo os ossos dos homens enforcados, receberam um sepultamento decente, onde quer que tenha parecido apropriado. Não se diz que os ossos dos dois netos de Saul foram sepultados com os de Saul e de Jônatas, mas é isso que, provavelmente, devemos entender. O sepultamento ocorreu em Zela, local desconhecido, mas provavelmente próximo de *Gibeá*, a aldeia natal de Saul, pelo que ter sido sepultado em Zela era a mesma coisa que ter sido sepultado em Gibeá. Há alguma coisa em um homem que o faz querer ser sepultado no lugar onde nasceu e foi criado. Davi reconheceu que esse desejo era apropriado e cumpriu o que Saul, sem dúvida, desejaria.

O novo local de sepultamento ficava cerca de 113 quilômetros a sudoeste de Jabes, envolvendo uma mudança de localização tribal, de Manassés para Benjamim.

A vingança foi eficaz, e Yahweh ouviu as orações de Israel. E o resultado foi que as chuvas retornaram, a seca passou e as plantações foram salvas.

FEITOS DAS TROPAS DE ELITE DE DAVI (21.15-22)

■ 21.15

וַתְּהִי־עוֹד מִלְחָמָה לַפְּלִשְׁתִּים אֶת־יִשְׂרָאֵל וַיֵּרֶד דָּוִד וַעֲבָדָיו עִמּוֹ וַיִּלָּחֲמוּ אֶת־פְּלִשְׁתִּים וַיָּעַף דָּוִד:

Uma revolta que perturbava o recém-consolidado reino de Davi teve de ser abafada. Os filisteus, antigos inimigos de Israel, sem dúvida não demorariam a produzir mais problemas. Ver no *Dicionário* o artigo chamado *Filisteus, Filístia.* O vs. 17 sugere que Davi era rei, mas homem idoso, já fraco e realmente impossibilitado para a batalha. Nenhum paralelo da presente narrativa realmente aparece em 1Crônicas, que é paralelo à maior parte de 2Samuel. Esse pouco de "tradição flutuante" repousou na sequência errada do livro, não se ajustando ao seu lugar exato.

■ 21.16

וְיִשְׁבִּי בְּנֹב אֲשֶׁר בִּילִידֵי הָרָפָה וּמִשְׁקַל קֵינוֹ שְׁלֹשׁ מֵאוֹת מִשְׁקַל נְחֹשֶׁת וְהוּא חָגוּר חֲדָשָׁה וַיֹּאמֶר לְהַכּוֹת אֶת־דָּוִד:

Isbi-Benobe. Ver o artigo sobre ele no *Dicionário.* Era membro da raça dos gigantes, que Israel finalmente destruiu. Ver no *Dicionário* o artigo chamado *Gigantes.* A ponta de sua lança pesava cerca de trezentos siclos de bronze. Isso orçava em cerca de 3,4 quilos, pois o siclo tinha cerca de 11,4 gramas. Ver no *Dicionário* sobre *Pesos e Medidas,* seção VII. Além da pesada lança, o gigante trazia uma *espada,* conforme indicam algumas traduções, ou alguma "nova arma", conforme o original hebraico poderia ser traduzido. Provavelmente está em vista uma "nova espada", mas a nova arma poderia ser um dardo ou outra arma letal. O Targum de Jarchi diz aqui meramente um "novo cinto", em vez de uma arma, supondo que o homem fosse vaidoso de suas roupas. Seja como for, o homem tinha intenções assassinas e esperava matar Davi, provavelmente com a sua lança.

■ 21.17

וַיַּעֲזָר־לוֹ אֲבִישַׁי בֶּן־צְרוּיָה וַיַּךְ אֶת־הַפְּלִשְׁתִּי וַיְמִיתֵהוּ אָז נִשְׁבְּעוּ אַנְשֵׁי־דָוִד לוֹ לֵאמֹר לֹא־תֵצֵא עוֹד אִתָּנוּ לַמִּלְחָמָה וְלֹא תְכַבֶּה אֶת־נֵר יִשְׂרָאֵל: פ

A Vida de Davi Estava em Perigo. Agora Davi era um homem de mais idade, já debilitado (vs. 15) por tantas batalhas e tanta matança. No momento, era fácil matá-lo, e o gigante avançou a fim de acabar com sua vida. Mas *Abisai,* irmão de Joabe, um dos que pertenciam às tropas de elite de Davi (e que servia como um de seus generais; ver sobre ele no *Dicionário*), veio em socorro do rei, e logo despachou o homem, a despeito de seu tamanho e força. E Yahweh, sem dúvida, obteve o crédito por esse feito.

Os homens de Davi preocupavam-se com seu bem-estar. Ele era o rei de Israel e muito recentemente tinha chegado ao poder. Era a *luz de Israel*, o homem que representava todas as esperanças. Davi era o *salvador nacional* que livrara Israel de todos os inimigos estrangeiros. Davi, pois, foi exortado a esquecer a guerra, deixando as batalhas para os mais jovens e preocupando-se com os negócios do governo, sua *nova missão*. sua antiga missão terminara. Ver 2Sm 10.19 quanto à vitória de Davi sobre os *oito inimigos* de Israel.

"A morte de Davi significaria o fim de sua liderança, uma tragédia sinônima a apagar a *lâmpada de Israel*, pois em e através de Davi as bênçãos da aliança divina haveriam de cumprir-se (ver 1Rs 11.36; 15.4; 2Rs 8.19)" (Eugene H. Merrill, *in loc.*).

O homem confiava em sua grande espada, a qual, afinal, tinha apenas metade do peso da de Golias (ver 1Sm 17.7). Mas ele não contava com o súbito aparecimento de Abisai. Davi estava destinado a viver ainda bastante tempo, pelo que não pôde ser liquidado nessa ocasião. O mesmo acontece a todos os que, honestamente, tentam cumprir o propósito divino em sua vida. Há um anjo guardião que os protege. Ver no *Dicionário* os verbetes intitulados *Anjo* e *Anjo da Guarda*.

21.18

וַיְהִי אַחֲרֵי־כֵן וַתְּהִי־עוֹד הַמִּלְחָמָה בְּגוֹב עִם־פְּלִשְׁתִּים אָז הִכָּה סִבְּכַי הַחֻשָׁתִי אֶת־סַף אֲשֶׁר בִּילִדֵי הָרָפָה פ

Houve ainda em Gobe outra peleja contra os filisteus. O propósito do autor é ilustrar os feitos das tropas de elite de Davi, e ele escolheu várias batalhas com essa finalidade.

Ver no *Dicionário* os vários nomes próprios que figuram neste versículo. Gobe é chamada de Gezer em 1Cr 20.4. Sibecai, um dos heróis de Davi, conseguiu despachar *Safe*, outro membro da raça dos gigantes que Israel finalmente exterminou. Ver no *Dicionário* o verbete chamado *Gigantes*. Esse gigante é chamado Sipai em 1Cr 20.4. Sibecai estava entre os trinta poderosos guerreiros de Davi (ver 1Cr 11.29). Era capitão da oitava divisão do exército (1Cr 27.11). Mediante tais vitórias, os filisteus foram subjugados, conforme nos diz o paralelo de 1Crônicas.

21.19

וַתְּהִי־עוֹד הַמִּלְחָמָה בְגוֹב עִם־פְּלִשְׁתִּים וַיַּךְ אֶלְחָנָן בֶּן־יַעְרֵי אֹרְגִים בֵּית הַלַּחְמִי אֵת גָּלְיָת הַגִּתִּי וְעֵץ חֲנִיתוֹ כִּמְנוֹר אֹרְגִים ס

Houve ainda em Gobe. Na mesma Gobe, houve outra notável vitória alcançada por um dos heróis de Davi. *Elanã* (ver no *Dicionário*) matou o temível *Golias*. Esse relato tem causado alegria entre os críticos e consternação entre os eruditos conservadores. Ele anula ou põe em dúvida toda a história de Davi e Golias (registrada em 1Sm 17). Ver sobre *Elanã* no *Dicionário*.
Explicações:
1. Alguns estudiosos supõem que tenhamos duas histórias contraditórias da morte de Golias. Elanã seria o herói de uma das histórias; e Davi seria o herói da outra. Alguns também dizem que Davi recebeu glória por uma vitória que não foi, realmente, de sua autoria. Algumas versões portuguesas dizem *Hel-Hanã*.
2. Algumas traduções, desonestamente, suprem as palavras "irmão de". Ou seja, o gigante morto por Elanã, por meio desse truque, seria, na verdade, irmão de Golias (assim diz a *King James Version*). 1Cr 20.5 diz: "E Elanã, filho de Jair, feriu a Lami, irmão de Golias, o geteu". Mas essas palavras podem ser uma tentativa de harmonização com o texto presente. Ademais, seu pai é chamado ali de "Jair", e isso poderia significar que um Elanã diferente está em foco. Quanto a detalhes, ver a exposição em 1Cr 20.5. Mesmo que seja historicamente verdadeiro que Elanã matou o irmão de Golias, não é isso o que diz 2Sm 21.19.
3. Alguns inventam *dois* Golias: Elanã matou um, e Davi matou outro.
4. Alguns supõem que em 2Samuel haja um erro primitivo no texto hebraico, supondo que o verdadeiro original não contivesse o nome de Elanã. Mas esse é um argumento baseado em mera conjectura e, sem dúvida, errôneo.
5. Talvez Elanã tenha efetuado a morte de Golias, mas Davi recebeu o crédito, porquanto Elanã servia a Davi. Essa explicação, porém, não tem sentido, considerando que 1Sm 17 conta longamente a história, e nenhum Elanã é mencionado ali.
6. Alguns supõem que o relato de 1Sm 17 não seja histórico, mas foi *inventado* propositadamente para mostrar que Davi era digno de tornar-se rei. Nesse caso, o autor de 1Samuel teria distorcido a história com o intuito de glorificar Davi.
7. Golias era um nome *genérico* e podia referir-se a vários homens, talvez todos os que pertencessem à raça dos gigantes.
8. Uma tradição preservada por Jerônimo, em *Quest. Hb in Libros Regnum*, faz de Elanã um nome alternativo para o próprio Davi. Mas é muito difícil que o poderoso Davi viesse a ser chamado assim, em conexão com a história de Golias, sem uma única palavra de advertência, da parte do autor sacro, para evitar confusão.
9. Ou, de acordo com outros, o nomes *Golias* (em 1Sm 17) é uma interpolação feita por um editor posterior. Nesse caso, o gigante que Davi matou não foi nomeado no texto hebraico original da história. Mas uma vez mais caímos em conjectura, o que dificilmente resolve o dilema.

A verdade da questão parece ser que não há explicação adequada para a contradição. Isso perturba a vida de *duas* classes: os *críticos radicais*, que gostam de alegram-se por qualquer coisa, motivados pelo seu ceticismo; e os *conservadores radicais*, que supõem que as Escrituras não podem conter contradições e fazem todo esforço para removê-las.

Jaaré-Oregim. Era o pai de Elanã, acerca de quem não dispomos de informação, exceto a sugerida pelo texto presente. O pouco que pode ser dito dele e das circunstâncias que o envolveram é registrado no artigo sobre ele no *Dicionário*. 1Cr 20.5 dá o nome desse homem como *Jair*, ou então temos aí outra contradição. Ver as notas nesse ponto quanto a observações sobre as contradições do texto.

21.20

וַתְּהִי־עוֹד מִלְחָמָה בְּגַת וַיְהִי אִישׁ מדין וְאֶצְבְּעֹת יָדָיו וְאֶצְבְּעֹת רַגְלָיו שֵׁשׁ וָשֵׁשׁ עֶשְׂרִים וְאַרְבַּע מִסְפָּר וְגַם־הוּא יֻלַּד לְהָרָפָה

Ainda outro feito foi a morte de um gigante que tinha como anormalidade (geneticamente herdada) seis dedos e seis artelhos nas mãos e nos pés. Foi morto por *Jônatas*, irmão de Davi. Anoto dezoito homens com o nome de Jônatas no *Dicionário*. Esse Jônatas, que alguns fazem de tio, outros fazem de sobrinho de Davi, aparece sob o ponto oitavo. Dois homens diferentes, entretanto, podem estar em vista nas várias referências citadas.

Essas porções supérfluas podem ter sido bastante comuns naquela época. Lv 21.18 inclui uma lista de deformidades que não permitiam a um homem servir no templo.

"As características genéticas que produzem o gigantismo também podem ter causado essa deformidade" (Eugene H. Merrill, *in loc.*). O fenômeno, entretanto, continua comum. Atualmente, os membros extras são cortados na sala de parto, e não se permite que a pobre criança sofra diante de seus companheiros.

21.21

וַיְחָרֵף אֶת־יִשְׂרָאֵל וַיַּכֵּהוּ יְהוֹנָתָן בֶּן־שִׁמְעִי אֲחִי דָוִד

Quando ele injuriava a Israel. *O Ato de Golias*. Esse homem, tal e qual o Golias de 1Sm 17, "atacava" Israel, mas logo foi silenciado por um guerreiro superior.

Embora o breve comentário deste versículo nos traga à memória o que Golias fez contra Israel e contra Davi (ver 1Sm 17), e embora um famoso gigante dos filisteus fosse o autor dos picantes comentários, não há razão para pensar que qualquer uma das histórias também tivesse sido criada. É perfeitamente possível que tais incidentes ocorressem em ocasiões diversas. Ver 1Sm 16.9 e 1Cr 2.13 quanto a nomes alternativos desse "irmão" de Davi. Se ele fosse filho de *Simei*, então seria sobrinho de Davi. Ou seria ele o voluntarioso Jonadabe de 13.3? O relacionamento exato que ele tinha com Davi permanece em dúvida, o que discuti no vs. 20. Adam Clarke chama nossa atenção para o fato de que o texto sofreu vários erros, emendas etc., presumivelmente por parte de copistas. Algumas tradições chegam a fazer desse homem o profeta Natã, o que, manifestamente, é um absurdo (*Hieron. Trad. Hb,* fol. 76D).

■ **21.22**

אֶת־אַרְבַּעַת אֵלֶּה יֻלְּדוּ לְהָרָפָה בְּגַת וַיִּפְּלוּ בְיַד־דָּוִד וּבְיַד עֲבָדָיו: פ

Estes quatro nasceram dos gigantes. Os gigantes de Gate tiveram uma sorte terrível ao se encontrarem com Davi e seus superguerreiros, em uma época em que a força e a habilidade pessoal na matança eram os fatores decisivos na guerra. A Septuaginta diz: "Eles eram a prole dos gigantes de Gate, cuja família era *Rafa*". Abarbinel faz de Rafa uma mulher das filhas dos gigantes. O Talmude a chama de *Orfa* (Rt 1.4). Provavelmente eles descendiam dos anaquins (ver no *Dicionário* o artigo intitulado *Anaque (Anaquim)*. Ver também sobre os *Gigantes*). Esses gigantes ficaram em Gate, depois que Josué os retirou de outros lugares (ver Js 11.22). Primeiramente Isbi-Benobe (vs. 16) caiu por Abisai e Davi, e então temos os outros *três*, derrotados conforme a descrição dos vss. 18 ss.

CAPÍTULO 22

AÇÃO DE GRAÇAS DE DAVI (22.1-51)

O capítulo à nossa frente contém um célebre salmo de ação de graças quase idêntico ao Salmo 18, onde faço anotações adicionais. Ali o subtítulo é diferente e atribui o salmo a Davi, além de citar a ocasião particular de sua composição... Trata-se de um belíssimo salmo, majestático em seu louvor e ação de graças, em suas representações simbólicas do poder e da graça de Deus, e em sua humildade. Segue-se uma útil divisão do assunto:

a. Um grito a Deus, em meio à aflição (vss. 1-7)
b. Manifestação do poder de Deus (vss. 8-16)
c. Salvação atribuída ao justo merecedor (vss. 17-29)

Nos vss. 26,27 Deus é revelado de maneira importantíssima como ser "tudo para com todos (ver 1Co 9.22)" (Ganse Little, *in loc.*).

O título do Salmo 18 é o seguinte: "Ao mestre de canto: Salmo de Davi, servo do Senhor, o qual dirigiu ao Senhor as palavras deste cântico no dia em que o Senhor o livrou de todos os seus inimigos, e das mãos de Saul".

"Essa composição, colocada no relato das guerras de Davi contra os filisteus (2Sm 21.15-22) e em sua lista de heróis (23.8-39), é um poema que celebra a providência de Deus ao livrá-lo de *todos os seus inimigos* (cf. vs. 4). Acha-se em palavras quase idênticas no Salmo 18, uma peça geralmente classificada como *hino real de agradecimento*" (Eugene H. Merrill, *in loc.*).

Não se pode demarcar nenhum tempo definido para a composição deste salmo, e não podemos fazer melhor do que seguir as sugestões do subtítulo, no que tange a esta questão. Ademais, as discussões dos eruditos quanto à autoria, sobre quanto realmente se originou de Davi, e quanto mais pode ter sido adicionado por outros salmistas, incluindo editores, é uma discussão inútil e cheia de pareceres pessoais.

■ **22.1**

וַיְדַבֵּר דָּוִד לַיהוָה אֶת־דִּבְרֵי הַשִּׁירָה הַזֹּאת בְּיוֹם הִצִּיל יְהוָה אֹתוֹ מִכַּף כָּל־אֹיְבָיו וּמִכַּף שָׁאוּל:

Falou Davi ao Senhor as palavras deste cântico. Este versículo é essencialmente idêntico ao título do Salmo 18. Tenta estabelecer um tempo particular em que Davi compôs o salmo, o qual, finalmente, foi reunido na coletânea a que chamamos de *Salmos*, a maioria dos quais é atribuída a Davi. Ver a introdução a esta seção, acima, quanto aos detalhes concernentes à composição.

Jarchi diz-nos que o salmo foi composto na idade avançada de Davi, quando ele *considerava* sua vida passada. Kimchi concordou com a avaliação. "... provavelmente já nos seus últimos dias, Davi revisou a composição e adaptou-a às circunstâncias em geral, enviando-a com o restante de seus salmos ao músico-chefe" (John Gill, *in loc.*). Se essa observação está correta, isso poderia explicar algumas diferenças entre esta versão da composição e aquela do Salmo 18.

■ **22.2**

וַיֹּאמַר יְהוָה סַלְעִי וּמְצֻדָתִי וּמְפַלְטִי־לִי:

O Senhor é a minha rocha. Yahweh é o verdadeiro tema do poema. Ali, o que ele faz por nós é razão para agradecermos. Nossa proteção vem da parte dele. Nossos benefícios são enviados por ele. Ver no *Dicionário* os artigos intitulados *Deus, Nomes Bíblicos de* e *Yahweh*.

"Uma série de designações é dada: rocha... fortaleza... libertador... escudo... força da salvação (ver 1Sm 22.2,3). Todos os feitos de Deus no passado e todas as suas promessas para o futuro dependem de *quem ele é*. Essas descrições do Senhor (Yahweh) são especialmente apropriadas à luz dos pontos altos do cântico, ou seja, a fuga, o conflito e a vitória" (Eugene H. Merrill, *in loc.*).

Rocha. Proteção contra ataques, nas montanhas; esconderijo; fonte de águas como no milagre de Moisés; sólido fundamento para a vida; força divinamente conferida; firme alicerce sobre o qual nossas esperanças podem ser edificadas; base da própria vida. Ver Cristo como a *Rocha,* em 1Co 10.4. Ver Deus como uma guarnição armada, em 1Pe 1.5. Cf. Sl 61.23; Is 32.2; 33.3 e Mt 16.18. O paralelo está no Salmo 18 (vs. 2), que diz "a minha rocha"; e à margem, "meu Deus, minha rocha". Ver no *Dicionário* os artigos chamados *Rocha* e *Rocha Espiritual*.

Cidadela. Os filhos de Deus são resguardados em um lugar fortificado, protegido, livre do poder de qualquer inimigo. Ver 1Pe 1.5 e comentários adicionais em Sl 18.2.

Libertador. De todos os *oito* inimigos que Davi finalmente derrotou (ver 2Sm 10.19). E, mais especificamente, Saul, que o perseguiu quando ele se pôs a vaguear pelo deserto; mas também em um sentido geral, em todas as vicissitudes de sua vida, sempre tão repletas de violência. Ver Sl 18.2 quanto a outros comentários.

■ **22.3**

אֱלֹהֵי צוּרִי אֶחֱסֶה־בּוֹ מָגִנִּי וְקֶרֶן יִשְׁעִי מִשְׂגַּבִּי וּמְנוּסִי מֹשִׁעִי מֵחָמָס תֹּשִׁעֵנִי:

Agora *Elohim* é chamado de *Rocha* divina em favor de Davi, um paralelismo com o vs. 2 e o Sl 18.2. *Elohim* é o Deus de poder e força (conforme se vê na palavra hebraica *El*). *Yahweh* é o *Deus eterno.* O Deus Todo-poderoso e eterno inspira *confiança* e certeza do livramento de todo *mal*.

Escudo. O escudo era um artigo vital de defesa nas guerras antigas. Paulo também listou o escudo entre as peças da armadura que os crentes devem carregar para seu bem espiritual (ver Ef 6.16). É o poder defensivo da fé que pode apagar todos os dardos inflamados que o diabo despede contra nós. Ver os comentários desse versículo em *O Novo Testamento Interpretado,* quanto a explicações completas sobre a metáfora. No *Dicionário,* ver o artigo *Fé.*

Força (ou chifre) da minha salvação. O paralelismo com o Sl 18.2 continua. O *chifre* é a arma ofensiva de vários animais. Davi atirava-se contra os inimigos, e não vivia somente fugindo. Cf. Lc 1.69. Os chifres do altar eram o lugar de abrigo daqueles que fugiam de assassinos potenciais e o lugar onde o sangue era esfregado. Ver sobre *Chifre* no *Dicionário,* quanto a amplas implicações da metáfora.

Da violência, tu me salvas. Essas palavras acham-se somente aqui, e não no Salmo 18, nem mesmo através de alguma designação específica.

■ **22.4**

מְהֻלָּל אֶקְרָא יְהוָה וּמֵאֹיְבַי אִוָּשֵׁעַ:

Invoco o Senhor. A *eficácia da oração* era parte óbvia da crença de Davi, conforme testificam muitos salmos. Ver no *Dicionário* o artigo chamado *Oração.* Em Ef 6.18, a oração é enfatizada em relação à batalha do crente contra o mal, para a qual ele precisa de *toda* a armadura de Deus. Um homem em perigo mortal pode ser livrado pelo poder da oração, e essa é a sua principal arma ofensiva contra todas as manifestações do mal. O paralelo acha-se no Sl 18.3. O Deus que livra é digno de louvor, pelo que o louvor mistura-se aqui às petições por livramento. Ver no *Dicionário* o artigo chamado *Louvor*.

■ 22.5

כִּי אֲפָפֻנִי מִשְׁבְּרֵי־מָוֶת נַחֲלֵי בְלִיַּעַל יְבַעֲתֻנִי׃

A *morte* é apresentada como um dilúvio furioso, como as ondas do mar ou como algum grande rio que venha contra a alma. *Águas espumantes* são uma força temível, usadas simbolicamente para indicar os grandes testes e perigos nos sonhos e nas visões. Os inimigos de Davi eram as águas revoltas; eles se aproximavam como se fossem um dilúvio. Só Deus tinha poder para deter tal força. O Sl 18.4 diz "laços de morte" que têm o poder de atar suas vítimas e esmagá-las. Assim, em português temos "laços da morte" e "tramas de morte" (Sl 18.4 e 5). Somente a providência de Deus é suficientemente forte para salvar uma alma desesperada. Ver no *Dicionário* sobre *Providência de Deus*. O temor será sempre parte de um grande perigo, até mesmo para os corajosos. Esse é um poder debilitador que a graça de Deus pode anular e realmente anula.

■ 22.6

חֶבְלֵי שְׁאוֹל סַבֻּנִי קִדְּמֻנִי מֹקְשֵׁי־מָוֶת׃

Cadeias infernais. Ver o paralelo no Sl 18.5. Essas são as consequências dos laços da morte. Ver no *Dicionário* o verbete intitulado *Seol*. É provável que, nos dias de Davi, nenhuma ideia fixa sobre o céu ou o inferno (hades) já tivesse sido formulada na teologia dos hebreus, pelo que o termo *seol*, aqui usado, se refere somente à extinção da vida física. A doutrina da imortalidade pessoal entrou na teologia hebraica nos Salmos e nos Profetas, mas as condições dessa imortalidade, e onde ela seria passada, não estavam ainda bem definidas. Os livros apócrifos e pseudepígrafos (escritos durante o período intermediário entre o Antigo e o Novo Testamento) é que trouxeram essa definição, e parte dela foi adotada no Novo Testamento. Este último documento, naturalmente, ampliou grandemente o assunto. Ver no *Dicionário* os artigos chamados *Alma* e *Imortalidade*, e os mesmos títulos quanto a maiores artigos e discussões na *Enciclopédia de Bíblia, Teologia e Filosofia*.

Davi preferia viver a morrer. A imortalidade poderia esperar. Ele tinha uma missão a cumprir nesta esfera física, e precisava de uma longa vida para cumpri-la. Oh, Senhor, concede-nos tal graça!

Os *paralelismos poéticos* identificam os laços da morte com as cadeias infernais.

■ 22.7

בַּצַּר־לִי אֶקְרָא יְהוָה וְאֶל־אֱלֹהַי אֶקְרָא וַיִּשְׁמַע מֵהֵיכָלוֹ קוֹלִי וְשַׁוְעָתִי בְּאָזְנָיו׃

A *eficácia da oração* é novamente enfatizada. Ver o vs. 4. Ambos os nomes divinos, *Yahweh* e *Elohim*, são empregados no tocante a essa questão. O Deus Todo-poderoso e Eterno é quem responde às nossas orações e nos fornece segurança e livramento. Por sua própria escolha voluntária, Deus faz provisão para os homens, incluindo a provisão de sua *presença*. Deus está no seu *templo*, tanto o celestial quanto o terreno. Ele está ali para ouvir e responder às nossas orações. Sl 19.6 é o paralelo, onde adiciono outros comentários. Temos aqui o conceito do *teísmo*, em contraposição ao *deísmo* (ver sobre ambos no *Dicionário*). Deus não somente criou, mas também se mantém próximo; ele é imanente, recompensa e castiga. Ele ouve e responde às nossas orações. Ele pune o ímpio e o opressor. Mas não abandona o seu universo (a sua criação), conforme ensina o deísmo. O poder de Deus, contudo, não deve ser confundido com os poderes da natureza, como o trovão, o relâmpago, os terremotos, os dilúvios, os cataclismos. Deus atua diretamente e em todas as circunstâncias da vida. Ocasionalmente, além disso, realiza um ato benévolo ou um *milagre misericordioso* (ver a respeito no *Dicionário*).

O original hebraico literal diz aqui: "Meu clamor chegou perante ele, isto é, em seus ouvidos", uma forte expressão do teísmo.

> Mais coisas são operadas pela oração
> Do que este mundo sonha.
>
> Tennyson

■ 22.8

וַתִּגְעַשׁ וַתִּרְעַשׁ הָאָרֶץ מוֹסְדוֹת הַשָּׁמַיִם יִרְגָּזוּ וַיִּתְגָּעֲשׁוּ כִּי־חָרָה לוֹ׃

Então a terra... os fundamentos dos céus... Deus pode fazer coisas acontecerem na natureza, aqueles cataclismos terríveis, como os gigantescos abalos sísmicos, que fazem a terra estremecer. sua *ira* provoca tais eventos, mas Davi falava em sentido *metafórico*. Deus abalou os inimigos de Davi com a sua ira e enviou-os à confusão e à obliteração. Em outras palavras, há um *poder* por trás de seu amor e de sua preocupação com o seu povo. "Há um grande poder na oração."

O paralelo está no Sl 18.7. Cf. Sl 14.32; 77.16-18 e Êx 19.18. Os alicerces das colinas são abalados. Cf. Hc 2.6,7; Hb 12.26,27; Ap 6.12,14 e 11.13. Terremotos metafóricos e literais fazem parte do arsenal de Deus, que ele usa ocasionalmente, quando a necessidade se torna grande. Quando Deus se *ira* diante de condições adversas, ele faz coisas terríveis. Esse uso é, naturalmente, antropomórfico. Atribuímos a Deus nossos sentimentos (*antropopatismo*), bem como nossas características (*antropomorfismo*). Ver ambos os termos discutidos no *Dicionário*. Tal *humanização* de Deus pode fazer-nos desviar de uma verdadeira compreensão metafísica de sua pessoa, mas essa humanização é *útil*, porquanto ilustra questões práticas. Deus está ali; ele ouve as nossas orações; ele julga o mal e recompensa o bem.

Céus. No trecho paralelo do Sl 18.7, *montes*. "Os montes são referidos como os pilares do céu (cf. Jó 16.11)." A antiga cosmologia hebreia pintava o firmamento como uma taça invertida, de natureza sólida, tocante na terra na região dos montes e descansando sobre eles. Ver na *Enciclopédia de Bíblia, Teologia e Filosofia* o artigo *Astronomia*, quanto a informações sobre essas crenças antigas. Em qual ponto da história os hebreus viam, *literalmente*, os montes e os alicerces do céu, não sabemos dizer. Ver na *Enciclopédia de Bíblia, Teologia e Filosofia*, o verbete chamado *Cosmologia*.

■ 22.9

עָלָה עָשָׁן בְּאַפּוֹ וְאֵשׁ מִפִּיו תֹּאכֵל גֶּחָלִים בָּעֲרוּ מִמֶּנּוּ׃

As Metáforas Têm Prosseguimento. O *fogo* é algo espantoso. Deus é aqui retratado como quem solta fogo das narinas e da boca, uma força consumidora que castiga os homens ímpios por aquilo que pensam, tentam fazer e fazem. O paralelo é Sl 18.8.

"A majestade de Deus é demonstrada mais ou menos na mesma linguagem que foi usada para descrever o leviatã, em Jó 41.19-21" (John Gill, *in loc.*). Cf. Êx 19.16,18, onde tais fenômenos são apresentados como *literais*, quando a presença de Deus se manifesta. Em certas ocasiões é justo que Deus exiba sua indignação e ira. A vingança divina deve atingir certos pecados e atos hediondos. Cf. Sl 97.2-5. Ver sobre *Ira de Deus* no *Dicionário*.

■ 22.10

וַיֵּט שָׁמַיִם וַיֵּרַד וַעֲרָפֶל תַּחַת רַגְלָיו׃

Baixou ele os céus e desceu. Os próprios céus são rebaixados para que ele desça e efetue julgamento sobre a terra, descendo sobre nuvens escuras. O paralelo está no Sl 18.9. A linguagem aqui é altamente metafórica e antropomórfica. O autor sacro cita coisas que os homens poderiam fazer, se tivessem o celebrado poder de Deus. Ver Gn 11.4 e seus comentários, quanto à ideia primitiva dos *céus de* Deus. Ver sobre o *Céu no Dicionário*. O Targum diz "nuvem escura" como o veículo da descida de Deus. "É Yahweh quem está entronizado nos céus e reduz toda a criação ao seu serviço" (Eugene H. Merrill, *in loc.*). A descida divina tinha por propósito específico executar julgamento contra os inimigos de Davi, que o avassalaram como um dilúvio. Davi precisava continuar vivo para cumprir a sua missão em prol do povo de Israel. Uma nação unificada tinha de emergir, livre dos assédios dos inimigos, e Davi livre do assassino Saul. Davi, morto em algum campo de batalha, dificilmente poderia cumprir a missão que lhe fora dada. Portanto, ele teria forças para passar todo o tempo necessário na terra. sua vida não podia ser cortada prematuramente.

> A sorte guia os bem dispostos e arrasta após si os que se deixam ficar para trás.
>
> Sêneca

Há a divindade, que dá forma aos nossos fins.

Shakespeare

É a sorte que lança os dados e, quando ela é lançada, faz reis de aldeões, e aldeões de reis.

John Dryden

Como os teus dias durará a tua paz.

Deuteronômio 33.25

22.11

וַיִּרְכַּב עַל־כְּרוּב וַיָּעֹף וַיֵּרָא עַל־כַּנְפֵי־רוּחַ׃

Cavalgava um querubim. O veículo de Deus era um poderoso ser angelical, o *querubim* (ver a respeito no *Dicionário*). Ver também sobre Anjo. O *vento* também servia de asas para Deus, pelo que a sua majestade era vista por todos os quadrantes da terra. O paralelo é o Sl 18.10. Aqui temos as palavras "foi visto", mas no paralelo temos "voou". Essas duas palavras, "foi visto" e "voou", no original hebraico, são bastante parecidas, e uma delas, sendo copiada da outra, poderia ter sofrido a substituição.

O Antigo Testamento usa o termo hebraico *ruah* (vento) como um agente especial de Deus. Isso ocorre por 37 vezes. seu arsenal é composto por todas as forças naturais do fogo, do dilúvio, do vento, do terremoto etc. Mas podem ser também veículos de sua manifestação, e não de sua força destruidora. Cf. Jo 3.8 e At 2.2, usos neotestamentários da metáfora do "vento".

O Targum, a Septuaginta e as versões siríaca e árabe dizem *cherubim* (plural), em lugar do singular, conforme se vê no hebraico. A metáfora de grande ruído de carruagens e cavalos nos é apresentada, mas esses são seres poderosos e divinos que fazem parte do séquito de Yahweh. Cf. Zc 6.5; Sl 58.17 e Is 6.2.

22.12

וַיָּשֶׁת חֹשֶׁךְ סְבִיבֹתָיו סֻכּוֹת חַשְׁרַת־מַיִם עָבֵי שְׁחָקִים׃

Por pavilhão. O pavilhão de Deus são densas trevas, são nuvens celestiais, mas dentre elas sua glória brilha de repente (vs. 13). O paralelo é o Sl 18.11. As nuvens escuras são ameaçadoras porque estão repletas das *águas* da ira de Deus, prontas para serem enviadas em dilúvio que leve os ímpios de roldão.

O texto diz aqui "por pavilhão pôs, ao redor de si, trevas". Mas o trecho paralelo diz: "Das trevas fez um manto em que se ocultou". Novamente, há pequenas discrepâncias no original hebraico, que explicam as diferenças que um copista poderia ter produzido.

22.13

מִנֹּגַהּ נֶגְדּוֹ בָּעֲרוּ גַּחֲלֵי־אֵשׁ׃

Do resplendor que diante dele havia. Embora encoberta pelas trevas (vs. 12), a glória irrompeu sob a forma de esplendorosa luz, um *brilho* que riscou o firmamento como grande cometa enquanto ele voava através dos céus. Esse resplendor tocou fogo em tudo quando se aproximava e espalhou terror entre os inimigos de Deus.

O *paralelo* (Sl 18.12) é mais completo e emprega mais elementos do arsenal divino: "Do resplendor que diante dele havia, as densas nuvens se desfizeram, em granizo e brasas chamejantes". Talvez a saraiva seja, ela mesma, retratada como uma chuva de mísseis de fogo que cai sobre a terra em temerosa exibição de poder. O brilho nos faz lembrar do *relâmpago*, mas a tempestade descrita é divina, fracamente sugerida pelos elementos naturais da tempestade. Cf. Ap 8.7 e 16.1 ss.

22.14

יַרְעֵם מִן־שָׁמַיִם יְהוָה וְעֶלְיוֹן יִתֵּן קוֹלוֹ׃

Trovejou o Senhor desde os céus. A tempestade celestial incluía o *trovão* de Yahweh, um ruído assustador que lançou o terror no coração de seus inimigos. O paralelo está no Sl 18.13. O poderoso trovão é a voz de Yahweh, que brada o grito de guerra. Aqui ele é chamado de "o Altíssimo", o que corresponde ao paralelo.

Quanto ao *trovão* como a voz de Deus, ver Jó 37.4; 40.9; Sl 29.3-9. Ver também o Sl 68. O Targum diz aqui "ele levantou sua palavra", isto é, enviou seu trovão a todos os lugares da terra.

22.15

וַיִּשְׁלַח חִצִּים וַיְפִיצֵם בָּרָק וַיְהֻמֵּם׃

Despediu setas. Setas também fazem parte do arsenal divino e, lançadas em um número prodigioso, espalham os inimigos de Deus, enquanto o relâmpago corisca ao redor, pondo em fuga a todos. O trecho paralelo é Sl 18.14, não havendo diferenças substanciais nas duas versões do poema, neste ponto. Cf. Sl 77.17,18 e 14.6. As armas de Deus "perturbaram, aterrorizaram e deixaram aflitos" os inimigos de Deus (John Gill, sobre o trecho paralelo).

O Deus da criação, por assim dizer, foi rearranjado por Davi. A natureza e a divindade vieram em seu socorro. Houve uma "intervenção divina", da qual todos necessitamos ocasionalmente, quando as forças externas e internas se tornam demasiadas para nós.

22.16

וַיֵּרָאוּ אֲפִקֵי יָם יִגָּלוּ מֹסְדוֹת תֵּבֵל בְּגַעֲרַת יְהוָה מִנִּשְׁמַת רוּחַ אַפּוֹ׃

As forças físicas terrenas reagiram diante da tempestade celestial. Os canais do mar foram vistos. O que está em pauta é o leito do mar ou das águas. A ira de Deus *desnudou* o que está por baixo das águas. O paralelo é o Sl 18.15. Talvez estejam em vista águas se secando, ou forças tais que movem as águas para longe de seu curso natural. Talvez a alusão seja ao mar Vermelho e ao milagre de Moisés ali, quando Israel escapou do Egito. Ver Êx 14.26 ss. e o capítulo 15, que encerra uma celebração poética dessa vitória.

Quando Israel saiu de sua escravidão,
Jazia diante deles o mar;
O Senhor baixou sua poderosa mão,
E afastou o mar.

H. J. Zelley

Foram descobertos os próprios *fundamentos* da terra, e a terra não continuou servindo de obstáculo à limpeza divina. No artigo sobre a *Astronomia,* no *Dicionário,* ilustrei aquilo em que os antigos hebreus acreditavam sobre tais coisas. Naturalmente, aqui as expressões são poéticas.

A *reprimenda* do Senhor vem através das chamas e da fumaça que saem de suas narinas e sua boca, conforme dito no vs. 9. O autor sagrado retrata os poderes divinos sob maneiras poéticas, assegurando que o homem bom conta com a proteção ativa de Yahweh. Há também aquele poder ofensivo que espalha os malignos e dá aos bons paz e vitória.

22.17

יִשְׁלַח מִמָּרוֹם יִקָּחֵנִי יַמְשֵׁנִי מִמַּיִם רַבִּים׃

Aqui a figura, como é evidente, é Israel, tirado das águas que afogaram os egípcios. Esse julgamento foi terrível e fatal, mas Israel foi salvo. O paralelo está no Sl 18.16. O texto diz aqui "tirou-me das muitas águas". Em nossa versão portuguesa, o paralelo concorda plenamente com isso. Talvez haja alusão à salvação de Moisés, dentre as águas, para que ele pudesse cumprir sua missão (ver Êx 2.10), pelo que todos os homens bons estão igualmente protegidos de forças sinistras. Cf. Sl 69.1,2. As águas referem-se aos ataques dos inimigos e a todas as formas de aflição e tristeza. O homem bom é, finalmente, libertado *de* tais desgraças, enquanto o ímpio *nelas* perece.

22.18

יַצִּילֵנִי מֵאֹיְבִי עָז מִשֹּׂנְאַי כִּי אָמְצוּ מִמֶּנִּי׃

Um *inimigo* impossível de manusear, impossível de derrotar, fora derrotado pelo poder de Yahweh. O homem bom tem *recursos* desconhecidos pelos ímpios. suas orações podem salvá-lo (vs. 7). O paralelo é o Sl 18.17, virtualmente idêntico ao presente versículo. Davi tinha também muitos inimigos *impossíveis* de enfrentar. Em sua experiência houve muitos *Golias,* mas o poder salvador de Yahweh nunca lhe foi negado.

■ 22.19

יְקַדְּמֻנִי בְּיוֹם אֵידִי וַיְהִי יְהוָה מִשְׁעָן לִי׃

Davi teve de enfrentar muitos dias de *calamidades;* precisou vencer oito nações inimigas distintas (ver as notas expositivas em 2Sm 10.19). Mas quando a calamidade o ameaçava, o poder salvador de Yahweh estava presente. Yahweh era sempre o seu *amparo* quando as coisas fugiam de controle. O paralelo é o Sl 18.18. Cf. Is 42.1; 50.7-9; 49.7,8. O Targum diz aqui: "A Palavra de Yahweh era meu suporte".

■ 22.20

וַיֹּצֵא לַמֶּרְחָב אֹתִי יְחַלְּצֵנִי כִּי־חָפֵץ בִּי׃

Trouxe-me para um lugar espaçoso. Davi foi retirado dos espinheiros, de lugares perigosos onde estava sujeito a golpes e corria perigo, para um *lugar espaçoso,* onde estava seguro e o inimigo não podia encantoná-lo. O paralelo é o Sl 18.19. Não há diferenças substanciais nos dois versículos. Cf. Sl 31.8 e 118.5. O adjetivo "espaçoso" contém a ideia de um lugar de amplo suprimento, de graças superabundantes e bênçãos multiplicadas.

Yahweh deleitava-se em Davi, e *por essa razão* eram feitas por ele as coisas enumeradas neste poema. O *amor* de Deus é a fonte de todas as bênçãos. Esse amor é ativo, dando ao homem tudo aquilo de que ele precisa, mas também fazendo dele tudo quando ele deve ser, finalmente, para que o propósito divino possa ser cumprido. Yahweh amava Davi, operava nele, através dele e salvava sua vida por uma série de importantes razões. "... porquanto Davi era homem segundo seu próprio coração, em quem ele se deleitava" (John Gill, sobre 1Sm 13.14).

As muitas águas não poderiam apagar o amor, nem os rios afogá-lo.

Cantares 8.7

■ 22.21

יִגְמְלֵנִי יְהוָה כְּצִדְקָתִי כְּבֹר יָדַי יָשִׁיב לִי׃

Retribuiu-me o Senhor. *O Coração de Davi Estava Certo.* Ele era homem de guerras e matanças. Mas matava os inimigos de Yahweh, promovendo *guerras santas* (ver as notas expositivas em Dt 7.1-5). Portanto, do ponto de vista daquela filosofia, ele possuía mãos limpas, embora elas tivessem derramado muito sangue. Era porque seu coração estava correto e suas mãos estavam limpas que Yahweh o abençoava, cuidando para que nenhum mal o atingisse, a despeito de ele ter de enfrentar inimigos formidáveis. Além disso, Davi seguia a justiça da lei, algo que seus inimigos não faziam. Seus pecados eram perdoados através de sacrifícios apropriados. Ele estava continuamente engajado no culto. O paralelo é o Sl 18.20. "O livramento de Deus a Davi era seguido por suas bênçãos, e recompensas divinas acompanhavam a retidão de Davi... os benefícios de Deus são obtidos nesta vida mediante a fiel perseverança na piedade. Ele guardava os caminhos de Deus (vs. 22), sua lei (vs. 23) e seus decretos (vs. 23) e refreava-se da iniquidade (vs. 24)" (Eugene H. Merrill, *in loc.*).

Os intérpretes cristãos injetam aqui a justificação pela fé, lembrando que as bênçãos divinas não são recebidas por nós por causa do mérito humano. Isso é um anacronismo, entretanto. Davi conhecia muito pouco de tais conceitos. suas esperanças firmavam-se na lei, que era a essência do judaísmo antigo.

■ 22.22

כִּי שָׁמַרְתִּי דַּרְכֵי יְהוָה וְלֹא רָשַׁעְתִּי מֵאֱלֹהָי׃

Pois tenho guardado os caminhos do Senhor. Os caminhos do Senhor foram definidos pelas exigências da lei. Davi tinha o cuidado de realizar todos os sacrifícios e rituais prescritos. Ele havia estabelecido um novo tabernáculo em Jerusalém e (através de seu filho, Salomão) haveria de edificar o templo, que seria o centro do culto religioso em Israel. (Ver 2Sm 6.15 ss. e o capítulo 7.) Davi se mostrava zeloso pela lei, e através disso obtivera seu estado distintivo e abençoado. Sobre como a lei *dá vida,* ver Dt 4.1 e 5.33. Quanto ao caráter *distintivo* de Israel, alicerçado essencialmente sobre a lei, ver Dt 4.4-8.

Em contraste, os inimigos de Davi eram irremediavelmente ímpios, e nada sabiam sobre a lei e seus benefícios. Foi assim que aqueles homens malignos foram impedidos em suas tentativas de ferir Davi.

O paralelo é o Sl 18.21. Davi era um elemento conservador que seguiu todas as tradições dadas por Moisés. Ele não trouxe inovações, mas permanecia nos caminhos antigos. Nisso, segundo ele pensava, consistia a retidão. Yahweh *recompensou-o* por sua diligência em relação à lei e às tradições dos hebreus (vs. 25).

■ 22.23

כִּי כָל־מִשְׁפָּטָיו לְנֶגְדִּי וְחֻקֹּתָיו לֹא־אָסוּר מִמֶּנָּה׃

Porque todos os seus juízos... Seus estatutos... Há várias maneiras de referir-se à lei. Este versículo encerra duas delas: *juízos* e *estatutos*. Ver sobre a tríplice designação da lei em Dt 6.1: *mandamentos; estatutos* e *juízos*. As diferenças que podemos fazer desses termos são exploradas naquela exposição. Os hebreus não seguiam nossa maneira artificial de separar a lei em aspectos morais e cerimoniais. Para eles, a lei *inteira* continha obrigações morais. Portanto, quer a lei dissesse "Faze isso", "Não faças aquilo" ou "Realiza este ritual", tudo era parte da moralidade, à qual Davi observava.

O paralelo é o Sl 18.22, onde ofereço comentários adicionais.

... me estão presentes. Ou seja, estão continuamente em minha mente, são sempre observados, sempre praticados, fazem parte diariamente da minha mentalidade e dos meus pensamentos. Em outras palavras, Davi vivia saturado com a lei. Ele "se deleitava, respeitava, amava e tinha prazer na lei" (John Gill, no paralelo). Davi nunca se tornou culpado de negligenciar a lei. Ele nunca se afastou da lei, a rejeitou ou negligenciou. seu zelo nunca falhou nem diminuiu de intensidade.

■ 22.24

וָאֶהְיֶה תָמִים לוֹ וָאֶשְׁתַּמְּרָה מֵעֲוֹנִי׃

Também fui inculpável. Davi aplicava a lei a todos os aspectos e a todas as avenidas de sua vida, e assim era guardado de qualquer forma de iniquidade, permanecendo *inculpável diante* da presença de Yahweh. Entrementes, o poder divino mantinha Davi ativamente afastado dos pecados que, de outra sorte, ele teria cometido. O paralelo é o Sl 18.23. Ele era "reto no coração e na conversação, sendo sincero e fiel" (John Gill, no paralelo).

Davi não mencionou aqui todos os grandes pecados que ele havia cometido e devido aos quais havia sofrido tão longa série de punições divinas (o caso de adultério com Bate-Seba e o assassinato de Urias). Mas esses pecados também foram expiados pelos sacrifícios apropriados. Seja como for, essas infrações e desvios sérios não eram parte *característica* de Davi, e ele, no presente poema, refere-se ao que era geralmente peculiar à sua vida.

■ 22.25

וַיָּשֶׁב יְהוָה לִי כְּצִדְקָתִי כְּבֹרִי לְנֶגֶד עֵינָיו׃

Este versículo refraseia o vs. 24. O paralelo é o Sl 18.24. Temos aqui, simplesmente, "a minha pureza", em contraste com o paralelo, que diz "a pureza das minhas mãos". Ou seja, as mãos de Davi não foram sujas por atos sujos de violência, crimes, más obras etc. A retidão de um homem ocorre "diante dos seus olhos", o que se refere ao escrutínio divino e ao julgamento devido.

Os olhos do Senhor repousam sobre os justos, e os seus ouvidos estão abertos ao seu clamor.

Salmo 34.15

■ 22.26

עִם־חָסִיד תִּתְחַסָּד עִם־גִּבּוֹר תָּמִים תִּתַּמָּם׃

Está em vista aqui a lei da colheita segundo a semeadura. Ver no *Dicionário* a *Lei Moral da Colheita segundo a Semeadura*. Só Deus pode ser o Juiz apropriado. sua misericórdia estende-se aos misericordiosos; a justiça divina recompensa os que são verdadeiramente justos. O paralelo é o Sl 18.25. Os intérpretes cristãos continuam insistindo, conforme fazem ao longo deste poema, em que a justiça de um homem não pode ser a sua própria justiça, e que Deus não recompensa a retidão humana; essas observações, contudo, são anacrônicas. Davi estava falando sobre a retidão da lei, conforme se vê nos vss. 22 e 23. Tendo sido cuidadoso em todas as questões de lei e rituais, conforme prescrito por Moisés, Davi não tinha dúvidas sobre a sua retidão e esperava o favor divino por causa do que ele era e fazia. Jesus enfatizou que a vontade misericordiosa receberá misericórdia da parte de Deus (ver Mt 5.7 ss.). A recompensa do puro é a plena revelação de Deus. Desse modo, a doutrina foi elevada a um plano superior. Ver sobre *Visão Beatífica* na *Enciclopédia de Bíblia, Teologia e Filosofia*.

Cf. este versículo com Is 53.10-12; Jo 17.4,5; Fp 2.9,10. As verdadeiras bênçãos são divinamente administradas e dadas especificamente através do Filho. Deus torna-se tudo para todos (ver 1Co 9.22).

■ 22.27

עִם־נָבָר תִּתָּבָר וְעִם־עִקֵּשׁ תִּתַּפָּל׃

Aquele que é puro de coração tem uma visão divina especial (ver Mt 5.8). Ver este versículo anotado (*in loc.*) no *Novo Testamento Interpretado*, onde as explicações são abundantes. Aqui a *pureza humana* é fomentada pela santidade divina, e a recompensa é que isso toca em todos os aspectos da vida humana. Ver no *Dicionário* sobre *Santidade*. O homem *perverso*, em contraste, deve enfrentar o desprezar e a reversão divina e, assim, cumpre-lhe humilhar-se e ser esmagado.

O paralelo é o Sl 18.26. Ofereci alguns comentários suplementares nas notas sobre o Salmo 18. Cf. esta parte do versículo com Sl 32.5,20; Mt 17.17; Lv 26.27,28. Existe aquela "verdadeira luz que, vinda ao mundo, ilumina a todo homem" (Jo 1.9). Mas a perversidade humana é capaz de bloquear a luz. Deus, contudo, é persistente, e assim, afinal, a luz brilha sobre os ímpios (Is 9.2). Dessa forma, em um sentido bem real, a Luz de Cristo vence todas as trevas, operando *restauração* (ver a respeito na *Enciclopédia de Bíblia, Teologia e Filosofia*). Não obstante, amargos juízos seguem-se nas veredas dos que resistem à luz e preferem andar em caminhos perversos. Ver sobre *Julgamento de Deus dos Homens Perdidos*, no *Dicionário*, quanto ao *modus operandi* desse juízo.

■ 22.28

וְאֶת־עַם עָנִי תּוֹשִׁיעַ וְעֵינֶיךָ עַל־רָמִים תַּשְׁפִּיל׃

Prossegue aqui a interação entre o humano e o divino. O divino encontra-se com o humano. Os aflitos (por causa da justiça, os que são esbofeteados no mundo) são *libertados* de suas aflições. Ver Mt 5.4,10,11 quanto a ideias paralelas no Novo Testamento. O paralelo é o Sl 18.27. Os humildes são exaltados, mas os arrogantes são humilhados, um conceito comum tanto do Antigo quanto do Novo Testamento. Ver Is 2.11. Ver no *Dicionário* o artigo intitulado *Humildade*.

"... Ele derrubará olhares altivos ou homens orgulhosos... a esses ele aborrece, resiste a eles, lança-se contra eles, espalha e destrói" (John Gill, sobre o Sl 18.27).

■ 22.29

כִּי־אַתָּה נֵירִי יְהוָה וַיהוָה יַגִּיהַּ חָשְׁכִּי׃

A iluminação pertence aos justos. Ver sobre essa palavra no *Dicionário*.

> Ó Mestre, deixa-me andar contigo,
> Em veredas humildes de serviço livre.
> Conta-me teu segredo, ajuda-me a suportar
> A tensão da labuta, a preocupação dos cuidados.
> ...
> Em uma esperança que envia um raio brilhante,
> Pelo caminho alargado futuro a dentro.
>
> Washington Gladden

> Lidera-nos, ó Pai, pelas veredas da retidão;
> Cegamente tropeçamos quando andamos sozinhos.
>
> William Hanry Burleigh

O paralelo é o Sl 18.28. Cf. Sl 27.1. Ali, Deus *acende a candeia* do homem justo. Na versão do poema em 2Samuel, Deus é *a lâmpada* do homem. Seja como for, Deus é Luz e envia luz. Ver no *Dicionário* os artigos chamados *Luz, A Metáfora de* e *Luz, Deus como*, onde há abundantes materiais ilustrativos.

Mt 5.14 mostra-nos que homens iluminados tornam-se, eles mesmos, luzes neste mundo escuro. Jo 1.9 mostra-nos que o Logos, na missão de Cristo, é a luz do mundo e ilumina todos os homens que vêm a este mundo. Ver a explicação sobre esse versículo no *Novo Testamento Interpretado*.

■ 22.30

כִּי בְכָה אָרוּץ גְּדוּד בֵּאלֹהַי אֲדַלֶּג־שׁוּר׃

Os justos são capazes de feitos prodigiosos por causa da ajuda divina de que desfrutam. Um homem no campo seria morto por uma tropa de soldados opositores, mas o homem justo pode *atravessar* isso sem sofrer nenhum dano. Um ímpio seria apanhado por seus perseguidores, mas o justo pode saltar sobre uma muralha e sair em segurança. Ou então, se ele estiver atacando, pode saltar sobre uma muralha e entrar em batalha com seus adversários. A *Revised Standard Version* diz "esmagar uma tropa". Contra grandes possibilidades, um homem poderia obter notável vitória, a despeito dos números envolvidos.

O paralelo é o Sl 18.29. Alguns interpretam as palavras "desbarato exércitos" como "ponho em fuga grande número de homens". Assim sendo, Davi perseguiu as tropas de Ziclague (1Sm 30.8). Os autores judeus dizem-nos que a raiz da palavra envolvida aqui é "quebrar", pelo que a *Revised Standard Version* provavelmente está correta com sua ideia de "desbaratar". Assim disseram Kimchi e Ben Melech. Apolinário chamou de "salto sobre a muralha" o ato de subjugar cidades fortificadas. Jarchi aplicou esse significado ao fato de que Davi conquistou a fortaleza de Jerusalém, pertencente aos jebuseus. A referência primária é uma guerra literal. Os *soldados* de Yahweh eram favorecidos nas guerras, mesmo que fosse uma *guerra santa*, que indicava a total obliteração do inimigo (ver as notas sobre Dt 7.1-5; 20.10-18). A aplicação secundária é como o homem justo vence todos os conflitos da vida, como obtém triunfo pela graça e pelo poder divino.

■ 22.31

הָאֵל תָּמִים דַּרְכּוֹ אִמְרַת יְהוָה צְרוּפָה מָגֵן הוּא לְכֹל הַחֹסִים בּוֹ׃

O *Ajudador* é perfeito tanto em si mesmo como em seus caminhos. sua Palavra fora submetida a teste e provada perfeita e imperecível. O Senhor (Yahweh) é o *escudo* do homem justo. Ver o vs. 3 quanto à explicação para a *metáfora do escudo*.

O paralelo é o Sl 18.30, onde há comentários adicionais com base em outras fontes. Na presente exposição, listo e discuto as *diferenças* entre as duas versões do poema.

Deus nunca se equivoca. Seus atos são justos, e o caminho que ele toma é sempre correto. Em contraste, o homem esforça-se por encontrar um caminho e mesmo assim incorre em muitos equívocos.

Ver no *Dicionário* o artigo chamado *Perfeito, Perfeccionismo*. Somente Deus é perfeito, e a perfeição, aplicada a qualquer pessoa ou a qualquer coisa é uma forma de idolatria. A perfeição é um dos atributos divinos. Ver no *Dicionário* o artigo *Atributos de Deus*. O verdadeiro Deus mantém *todos os seus atributos* em perfeito grau e estado. Tomás de Aquino fez da *perfeição última* uma prova da existência de Deus. Quanto às coisas menores, *graus* de perfeição podem ser vistos, o que sugere a Perfeição Final, e nessa sugestão encontramos uma prova racional da existência de Deus. Este é o argumento chamado *axiológico*, ou seja, com base no *valor*. Ver no *Dicionário* o verbete *Deus*, V.5, quanto a uma discussão. Todos os valores sugerem valores finais.

A palavra do Senhor é provada. Algumas traduções, como a *King James Version*, dizem aqui "a promessa de Deus". As promessas representam parte da Palavra de Deus. Tal como um calor extremo refina metais preciosos, isto é, "submete-os a teste", assim também todas as promessas de Deus têm sido testadas e provadas fidedignas e verazes. Ver no *Dicionário* o verbete intitulado *Promessa*.

> *Porque quantas são as promessas de Deus tantas têm nele o sim; porquanto também por ele é o amém para glória de Deus, por nosso intermédio.*
>
> 2Coríntios 1.20

22.32

כִּי מִי־אֵל מִבַּלְעֲדֵי יְהוָה וּמִי צוּר מִבַּלְעֲדֵי אֱלֹהֵינוּ:

Pois quem é Deus senão o Senhor? Em hebraico ele é *Elohim*, um plural de glorificação. Somente Deus é *El* (poder). É também *Yahweh*, o Deus eterno. Ele é a nossa *Rocha*, conforme discutimos no vs. 2. Ver no *Dicionário* os verbetes denominados *Deus* e *Deus, Nomes Bíblicos de*. Somente o único e verdadeiro Deus é uma Rocha para os que nele confiam. Outros homens, que confiam nos *deuses*, acham-se sobre a areia movediça.

O paralelo é o Sl 18.31, onde são oferecidas anotações adicionais.

Rochedo. Para termos abrigo e proteção; ou para confiar e edificar sobre ele; em quem temos vida eterna e salvação. Os deuses falsos são rochedos. Assim Apolo de Delfos é chamado de rochedo delfiano (Sophoclis Oedipus, vs. 272)" (John Gill, sobre Sl 18.31). Ver a exposição sobre o vs. 2, quanto a detalhes sobre a *metáfora do rochedo*.

Repetições vieram à mente do autor conforme ele foi desenvolvendo o seu tema. Assim, *Elohim*, o Todo-poderoso, é o mesmo Deus *Yahweh* dos hebreus. Dessa maneira são repetidos os dois nomes divinos ao longo do poema.

22.33

הָאֵל מָעוּזִּי חָיִל וַיַּתֵּר תָּמִים דַּרְכּוֹ:

Deus é *El* (ou *Elohim*), o Deus de Poder, que dá forças aos homens que nele confiam. Tornar perfeito o caminho de um homem diante dos olhos divinos faz parte do seu labor.

O paralelo é o Sl 18.32. Ali Deus é visto a *envolver* o homem com a sua força. Aqui Deus é a fortaleza do homem. O vs. 40 da atual versão do poema abriga a ideia do *envolver com forças*. Ver Ef 6.14. O cinto de envolvimento é a *verdade*.

Um homem punha o cinto para entrar na guerra. Ver o vs. 40 quanto a uma exposição mais completa sobre o assunto. Um homem tem uma cidade fortificada como proteção. Termos militares são usados aqui porque Davi precisava de forças para derrotar todos os seus inimigos (todos os *oito adversários*, ver 2Sm 10.18). Mas também podemos aceitar metaforicamente os termos.

Deus é nosso refúgio e fortaleza,
Socorro bem presente na angústia.

Salmo 46.1

Cf. 1Sm 2.4; Sl 80.17 e 89.21.

22.34

מְשַׁוֶּה רַגְלָיו כָּאַיָּלוֹת וְעַל בָּמוֹתַי יַעֲמִדֵנִי:

Velocidade e agilidade são vantagens importantes na batalha, e a vida de um homem pode depender dessas qualidades. A *corça* não é um animal poderoso, mas é ligeiro e ágil.

Nas minhas alturas. Ver no *Dicionário* essa expressão. Os cultos religiosos eram conduzidos em tais lugares, que frequentemente caíam na idolatria. Mas o versículo presente não se refere a esse tipo de lugar alto. Antes, estão em foco as torres e fortificações nos lugares altos; cidades fortificadas, edificadas sobre as colinas, que eram difíceis de atacar. Cf. Hc 3.19 e Is 33.16 quanto a aplicações espirituais.

O paralelo é o Sl 18.33, onde comentários adicionais são oferecidos.

Os altos são das cabras montesinhas e as rochas o refúgio dos arganazes.

Salmo 104.18

Elevo os meus olhos para os montes; de onde me virá o socorro?
O meu socorro vem do Senhor.

Salmo 121.1,2

22.35

מְלַמֵּד יָדַי לַמִּלְחָמָה וְנִחַת קֶשֶׁת־נְחוּשָׁה זְרֹעֹתָי:

ele adestrou as minhas mãos para o combate. O homem forte, o matador, com braços de aço, o homem capacitado a usar o arco, a espada e o dardo, esse era o vitorioso na hora do teste. Davi deu a *Yahweh* o crédito por tê-lo tornado o homem de guerra que ele era.

O paralelo é o Sl 18.34. Alguns intérpretes veem nesse versículo um *texto de prova* que justifica a guerra. "... a guerra, em alguns casos, é legítima. Toda a habilidade, a arte de treinar homens para a guerra, o uso da armadura, a reunião de tropas, o lançar cercos etc., tudo vem de Deus" (John Gill, *in loc.*). Naturalmente é isso o que os hebreus pensavam quando promoviam o aniquilamento associado à *guerra santa* (ver as notas expositivas sobre Dt 7.1-5; 20.10-18). Em tempos mais *civilizados*, foram inventadas armas de guerra mais poderosas, e os homens continuavam a falar em "guerras justas" e até em "guerras santas". Maior espiritualidade ocorreu quando tais conceitos, que pertenciam ao homem primitivo, começaram a emergir.

Um arco de bronze. Algumas versões falam aqui em arco de ferro ou aço. Kimchi e Ben Melech disseram, aqui "aço", mas Apollinarus preferiu o "bronze". O Targum, por sua vez, diz "aço". Cf. Jó 20.24. Os braços dos guerreiros ficavam tão fortes, devido ao exercício e às artes guerreiras, que pareciam feitos de aço ou bronze. A *King James Version* fala em braços tão fortes que eram capazes de *quebrar* um arco de aço. Mas a *Revised Standard Version*, tal como a nossa versão portuguesa, fala de braços fortes o suficiente apenas para vergarem os formidáveis arcos de metal usados para atirar flechas. Um homem comum não seria forte o bastante para usar um arco de metal. Teria de apelar para um arco feito de madeira.

22.36

וַתִּתֶּן־לִי מָגֵן יִשְׁעֶךָ וַעֲנֹתְךָ תַּרְבֵּנִי:

O escudo. A principal arma de defesa era o "escudo", que já havia entrado no texto no vs. 3, onde damos as notas expositivas a respeito. Aqui o escudo é chamado de "escudo do teu salvamento". O vs. 3 é similar, mas ali aparece com a forma de "a força da minha salvação". Paulo (ver Ef 6.16) faz do "escudo" uma representação da *fé*. Ver no *Dicionário* o verbete chamado *Escudo*.

O paralelo é o Sl 18.35. Além do escudo, que anula as armas ofensivas dos inimigos, há a intervenção direta do *braço direito* de Deus. Em meio a isso tudo, temos a estranha observação (e, aparentemente, fora de lugar) de que é a clemência de Deus que torna grande um guerreiro. Mas a *Revised Standard Version* tem a frase mais provável: "eles me ajudam a ficar grande", tornando a segunda parte do versículo um paralelo da primeira. Deus salva através de seu escudo; Deus dá poder para a vitória por meio de sua *ajuda*. A palavra em questão (clemência ou ajuda) pode significar "tua resposta", ou seja, a ajuda dada por causa da *oração*, da qual já tratamos no vs. 7. O homem em batalha, em perigo de perder a vida e ansioso por obter a vitória, estava sempre invocando a Deus. Coisa alguma é mais comum nas descrições de guerra, gregas e latinas, do que homens que pedem a seus deuses ajuda em meio à batalha. Assim o *sucesso* na batalha quase sempre se devia à intervenção dos deuses.

Há uma paráfrase no caldaico, que diz "tua espada me aumentou". O rabino Jonah relaciona essa parte do versículo à *providência de Deus* (ver a respeito no *Dicionário*).

22.37

תַּרְחִיב צַעֲדִי תַּחְתֵּנִי וְלֹא מָעֲדוּ קַרְסֻלָּי:

Em meio a uma batalha, um homem podia sofrer um escorregão do pé e dar vantagem ao inimigo que o estava atacando. Mas é Yahweh quem firma os pés dos guerreiros, dando-lhes o *espaço largo* (*Revised Standard Version*) sobre o qual firmar os pés.

O paralelo é o Sl 18.36. A versão portuguesa diz ali: "Alargaste sob meus passos o caminho". Com a ajuda divina, o guerreiro nunca é apanhado em um lugar estreito ou difícil. É livre para mover-se e lutar. Pode acabar escapando, mas sempre acha um caminho para escapar. Cf. Sl 31.8 e Pv 4.12. Um guerreiro pode estar em lugares escorregadios, mas seus pés são mantidos firmes pelo poder de Deus. "Os meus pés não resvalam." Cercado por touros e cães (inimigos formidáveis), no perigo de enterrar-se no charco, sempre haverá provisão divina para impedir o desastre. Cf. Sl 22.22,16 e 69.2. Cf. o vs. 19 quanto a sentimentos similares.

22.38

אֶרְדְּפָה אֹיְבַי וָאַשְׁמִידֵם וְלֹא אָשׁוּב עַד־כַּלּוֹתָם:

Protegido de todas as vicissitudes da batalha, o vitorioso guerreiro de Yahweh era capaz de pôr em fuga os seus adversários e persegui-los com insistência. Algumas vezes, a batalha ficava crítica. O homem bom poderia ser morto em meio à refrega. Mas de súbito Yahweh daria a vitória, e os inimigos bateriam em retirada, correndo para escapar com vida.

O paralelo é o Sl 18.37. A *perseguição* seria tão determinada e bem-sucedida que os inimigos seriam totalmente obliterados, de modo que não sobreviveriam por mais um dia. Ver 1Sm 30.8,10, que fala da vitória de Davi sobre os amalequitas, quando essas palavras foram compostas. Davi tinha muitos inimigos que não tiveram melhor fim que essa gente, pelo que esses inimigos foram aniquilados ou confinados, ao passo que Davi entregou a seu filho e sucessor, Salomão, um reino que essencialmente desfrutava paz.

22.39

וָאֲכַלֵּם וָאֶמְחָצֵם וְלֹא יְקוּמוּן וַיִּפְּלוּ תַּחַת רַגְלָי׃

Acabei com eles. O caráter definitivo da vitória aparece aqui. Quando Davi perseguia seus inimigos, poucos dentre eles escapavam. Ele *destruía exércitos,* e não meramente ganhava vitórias. Ele não recuava (vs. 38) enquanto seus inimigos não fossem aniquilados (vs. 39).

O paralelo é o Sl 18.38. Os *pés* de Davi os esmagavam, uma metáfora que indica vitória total sobre um povo *humilhado.* O paralelo diz apenas "esmaguei-os...", eliminando as palavras iniciais "acabei com eles", embora fosse isso o que Davi fez quando os alcançou. Ambas as versões do poema, porém, falam do esmagamento sob os pés, a total obliteração do inimigo. Ver em 2Sm 8 uma ilustração de tal vitória. Ver também Sl 110.6.

22.40

וַתַּזְרֵנִי חַיִל לַמִּלְחָמָה תַּכְרִיעַ קָמַי תַּחְתֵּנִי׃

O Sl 18.32 diz "o Deus que me revestiu de força". Seu paralelo é 2Sm 22.33, onde o leitor deve observar as notas expositivas. Ora, o vs. 40, da atual versão do poema, apresenta esse "envolvimento" com forças. O paralelo, Sl 18.39, reitera a ideia do cinto de forças. Em Ef 6.14 o cinto significa a "verdade". Quanto a amplas explicações, ver a exposição sobre esse versículo no *Novo Testamento Interpretado.* Esse simbolismo se alicerça em Is 11.5, onde a verdade também é retratada como um cinturão. O *cinto* não era apenas um adorno do soldado. Passado ao redor da cintura, na extremidade inferior do peitoral, também era usado para sustentar a espada e a combinação das peças da armadura, segurando-as em seu devido lugar.

Os atacantes do bom guerreiro não tinham chance de fazer-lhe mal, porque a *ajuda divina* operava em favor dele. Os inimigos eram subjugados sob os pés do bom guerreiro, sendo assim reiterada a expressão do vs. 39. Cf. Sl 110.1, onde se lê: "Assenta-te à minha direita, até que eu ponha os teus inimigos por escabelo dos teus pés".

22.41

וְאֹיְבַי תַּתָּה לִּי עֹרֶף מְשַׂנְאַי וָאַצְמִיתֵם׃

O inimigo, totalmente derrotado, jazia agora prostrado no solo, pisado no pescoço, uma brutalidade que indicava morte mediante tortura. Dessa forma, os *odiadores* eram odiados e derrotados.

O paralelo está no Sl 18.40. Os que *fugiam* voltavam as costas para o perseguidor, e é isso que diz o Salmo, ao referir-se ao pescoço. Ver Js 7.8. A *Revised Standard Version,* à semelhança da nossa versão portuguesa, tem o mesmo texto do Salmo 18. Cf. Jr 18.17 e Sl 21.12.

22.42

יִשְׁעוּ וְאֵין מֹשִׁיעַ אֶל־יְהוָה וְלֹא עָנָם׃

Mas ninguém lhes acudiu. sua busca por aliados era inútil, e eles chegaram a clamar a Yahweh, pedindo ajuda na hora do desespero; mas não obtiveram proveito. Pereceram todos miseravelmente na presença de Davi. A fuga deles fora inútil, e suas orações de desespero caíram por terra sem alcançar os ouvidos de Yahweh.

O paralelo é o Sl 18.41. 2Samuel diz "olharam", ao passo que o salmo diz "gritaram". Houve uma busca inútil por aliados e gritos vãos aos que poderiam ajudar. Eles olharam em agonia e clamaram em angústia, cenas de matança e morte. Jarchi fá-los clamar aos seus ídolos, o que, sem dúvida, aconteceu em alguns casos. Saul clamou futilmente a Yahweh (ver 1Sm 18.6), porquanto é assim que Deus trata com os réprobos. Ver Pv 18.28 e Zc 7.13.

22.43

וְאֶשְׁחָקֵם כַּעֲפַר־אָרֶץ כְּטִיט־חוּצוֹת אֲדִקֵּם אֶרְקָעֵם׃

Espancamentos, golpes, esmagamentos, tudo em meio à violência e ao ódio, à mutilação de corpos humanos nas guerras antigas — é isso que é descrito aqui. Agora deixamos às bombas e aos canhões fazer o trabalho sujo.

O paralelo é o Sl 18.42. Temos aqui o "pó da terra". Mas no Salmo 18 temos "pó ao léu do vento", tudo o que se refere ao aniquilamento cabal dos inimigos. Mas de fora ficam as palavras do Salmo 18: "como a lama das ruas os amassei", substituídas por "lancei-os fora como a lama das ruas".

"É descrita aqui a destruição das quatro monarquias, aquela imagem feita de ferro, barro, bronze, prata e ouro, quebrada em pedaços e transformada na poeira das eiras do verão, transportados pelo vento, para que não se achasse mais o seu lugar (ver Dn 2.35)" (John Gill, falando sobre o Sl 18).

Foram reduzidos a pó como a lama nas ruas, sem valor algum. Ninguém se importou com eles. Ver Is 10.6 e Mq 7.10.

22.44

וַתְּפַלְּטֵנִי מֵרִיבֵי עַמִּי תִּשְׁמְרֵנִי לְרֹאשׁ גּוֹיִם עַם לֹא־יָדַעְתִּי יַעַבְדֻנִי׃

E me fizeste cabeça das nações. *A Dupla Vitória.* Davi foi libertado dos conflitos internos de Israel, a despeito das rebeliões que surgiram, incluindo a revolta encabeçada por seu próprio filho Absalão. Assim diz o texto hebraico, mas na primeira cláusula a Septuaginta fala em "povos". Nesse caso (se assim dizia o texto original), a segunda cláusula, "me fizeste cabeça das nações", é paralela à primeira. Davi subjugou *dez* povos, aniquilando-os, confinando-os ou submetendo-os ao pagamento de tributos. Ver sobre isso em 2Sm 10.19. Dessa maneira, ele obteve paz interna e externa, e foi capaz de entregar a seu filho, Salomão, um reino unido. Mas logo esse reino unificado se despedaçou, devido à rebelião de Jeroboão. O norte separou-se do sul, e os dois reinos, até hoje, não foram reunidos, estando destinados a unir-se de novo por ocasião do milênio. Ver Is 11.13.

O paralelo é o Sl 18.43. É provável que Davi seja um tipo de Cristo quanto a esse ponto: todos os povos lhe estavam sujeitos (ver Fp 2.10). Mas no caso do Rei-Messias, a sujeição visa o próprio bem deles, para que o Logos se torne tudo para todos (ver Ef 1.10), quando finalmente efetivar-se o *mistério da vontade de Deus* (ver sobre isso no *Dicionário*). O destino de Israel dependia da vitória absoluta de Davi, e o bem de todos os homens depende da vitória absoluta de Cristo, o cumprimento de todas as suas três missões: na terra; no hades e nos céus. Ver sobre *Missão Universal do Logos (Cristo),* na *Enciclopédia de Bíblia, Teologia e Filosofia.* Ver Is 54.4,5 e Ef 4.8-10.

Em 2Samuel Davi foi conservado como cabeça das nações. Em Sl 18.43 ele foi "feito", mas ambas as coisas apontam para a mesma circunstância, embora de maneiras levemente diferentes.

22.45

בְּנֵי נֵכָר יִתְכַּחֲשׁוּ־לִי לִשְׁמוֹעַ אֹזֶן יִשָּׁמְעוּ לִי׃

Os estrangeiros. Eles tinham ouvido a marcha incansável de Davi e vieram a ele clamando, ansiosos por entrar em acordo ou simplesmente oferecendo-se para pagar-lhe tributo.

O paralelo é o Sl 18.44. Eles louvaram sua captura proferindo palavras falsas, porquanto sabiam que Davi podia esmagá-los num instante. Eles lhe prestaram "uma obediência fingida, ver Sl 66.3... alguns habitantes prontamente se submeteram, mas outros apenas fingiram, mediante o temor, e forçados a fazê-lo por um poder superior" (John Gill, sobre os Salmos).

22.46

בְּנֵי נֵכָר יִבֹּלוּ וְיַחְגְּרוּ מִמִּסְגְּרוֹתָם׃

Sumiram-se os estrangeiros. Na *Revised Standard Version*, eles "perderam a coragem". E, não tendo lugar de segurança no qual confiar, chegaram clamando de seus esconderijos e submeteram-se a Davi antes que ele os encontrasse e os esmagasse. Eles saíram ao ar livre pedindo misericórdia.

O paralelo é o Sl 18.45. Na primeira cláusula, a *King James Version*, em 2Samuel, apresenta "sumiram-se os estrangeiros", como as folhas de outono, quando elas caem e perecem, terminado o seu dia, e eles foram exterminados e reduzidos a nada. Ver Jd 12. A segunda cláusula tem sido interpretada por algumas autoridades judaicas como se os inimigos tivessem ficado aleijados, injuriados e tropeçando sozinhos, por estarem feridos e por terem correntes presas às pernas, sendo tangidos em meio a grande opróbrio. E foram tirados de seus esconderijos em condições assim vergonhosas.

22.47

חַי־יְהוָה וּבָרוּךְ צוּרִי וְיָרֻם אֱלֹהֵי צוּר יִשְׁעִי׃

Yahweh é o Deus Eterno (conforme o nome dá a entender) e também é o *Deus Vivo*. Cf. Dt 5.26; Js 3.10; Sl 42.4; Jr 10.10; Dn 6.20; Mt 26.63; At 15.15; Rm 9.26; 1Ts 1.9; Hb 3.12; Ap 7.2. Os ídolos eram deuses mortos, e não ouviam, nem respondiam, nem ajudavam. Em contraste, o Deus vivo é uma ajuda sempre presente em tempos de tribulação (ver Sl 46.1). Deus é a fonte de toda vida; em outras palavras, ele não pode não existir. sua independência é um de seus atributos. Ver no *Dicionário* o verbete intitulado *Deus, Atributos de*, e também o artigo geral sobre *Deus*. Em Cristo, esse tipo de vida é dado aos cristãos, porquanto ter a vida eterna é ter o próprio tipo de vida de Deus, e não meramente existir para sempre. Ver na *Enciclopédia de Bíblia, Teologia e Filosofia* o artigo chamado *Vida Eterna*. O Pai tem "vida em si mesmo", autoexistência, vida independente (Jo 5.26; ver sobre esse versículo no *Novo Testamento Interpretado*). Essa vida ele dá ao Filho, e através dele aos filhos de Deus. Ver na *Enciclopédia de Bíblia, Teologia e Filosofia* os artigos intitulados *Ser Necessário* e *Independência de Deus*.

O *Deus Vivo* vive para ajudar aos outros. Isso é o *teísmo* (ver a respeito no *Dicionário*). Deus recompensa, pune e intervém; ele não se divorciou do universo, conforme ensina o *deísmo* (ver a respeito no *Dicionário*).

Rocha. Esta é a terceira vez em que esse tema é repetido no poema. Ver 22.2 (onde é dada a exposição) e, novamente, no vs. 32.

O paralelo é o Sl 18.46. O Deus Vivo também é o Salvador. Ele exerce o seu poder em favor de outros. Ver no *Dicionário* o artigo chamado *Salvação*. No presente contexto, está em foco a salvação temporal (livramento dos inimigos), e não a salvação da alma. Mas alguns intérpretes veem aqui as duas coisas. "Deus era o Deus de salvação em um sentido temporal, livrando-o de seus muitos inimigos; e em um sentido espiritual, por ser o Planejador, Autor e Aplicador da salvação. Ele atribuía o total da salvação a ele" (John Gill, sobre o Sl 18).

22.48

הָאֵל הַנֹּתֵן נְקָמֹת לִי וּמוֹרִיד עַמִּים תַּחְתֵּנִי׃

O Deus Vivo, a Rocha, o Deus teísta, o Deus eterno, Yahweh, é aquele que tinha aplicações práticas na vida de Davi. Também era o Vingador que operava contra os inimigos de Israel a fim de que os elevados propósitos para a nação se tornassem eficazes. Ver no *Dicionário* o verbete chamado *Vingança*.

> *Não vos vingueis a vós mesmos, amados, mas dai lugar à ira;*
> *porque está escrito: A mim me pertence a vingança;*
> *eu retribuirei, diz o Senhor.*
> Romanos 12.19, citando Levítico 19.18,
> Provérbios 24.29 e Deuteronômio 32.35

O paralelo é o Sl 18.47. "Vingança particular não deve ser exercida por ninguém. A vingança pública contra os delinquentes pode ser exercida pelos magistrados civis, a quem Deus conferiu poder e autoridade (Rm 13.4) (John Gill, sobre o Sl 18). Cf. Is 61.2 e 63.4. A vingança de Deus garantia a vitória de Davi sobre todos os seus oito inimigos (ver 2Sm 10.19), e isso consolidou seu reino (ver 2Sm 22.45,46).

22.49

וּמוֹצִיאִי מֵאֹיְבָי וּמִקָּמַי תְּרוֹמְמֵנִי מֵאִישׁ חֲמָסִים תַּצִּילֵנִי׃

Este versículo é uma espécie de *sumário* sobre como Davi foi libertado de *todos* os seus inimigos. Davi reconhecia, em todas as batalhas e vitórias, a mão divina, a ajuda que Deus lhe dava. A violência era derrotada pela violência. Os que se elevavam acima de Davi viam-no subir mais e mais, enquanto eles eram subjugados e humilhados.

O paralelo é o Sl 18.48. Davi tinha inimigos internos e externos: Saul, Abner, Is-Bosete e até um de seus filhos, Absalão. Além disso, havia todos aqueles povos violentos que constantemente assediavam Israel, as oito nações cananeias que ele derrotou (ver 2Sm 10.19).

22.50

עַל־כֵּן אוֹדְךָ יְהוָה בַּגּוֹיִם וּלְשִׁמְךָ אֲזַמֵּר׃

Uma vitória universal exigia "cânticos do mais elevado louvor":

> Correntes de misericórdia, incessantes,
> Requerem cânticos do mais elevado louvor.
> Cá meu Ebenézer ergo,
> Para ali chegar com tua ajuda.
> E espero que por teu bel-prazer,
> Seguramente chegarei no meu lar.
>
> Robert Robinson

Ver sobre *Louvor* no *Dicionário*.

O paralelo é o Sl 18.49. Não somente Israel, mas também os povos conquistados, e quaisquer outros povos pagãos, ouviriam os cânticos de louvor de Davi. Este versículo foi citado por Paulo em Rm 15.9, onde é anotado longamente no *Novo Testamento Interpretado*. No poema de 2Samuel e no Salmo 18, a aplicação é a cânticos de louvor, ouvidos por aqueles que tinham sido derrotados e humilhados, confinados e sujeitos a tributos, bem como a "quaisquer outros" que poderiam querer ouvir falar nas glórias militares de Davi. Paulo faz uma aplicação evangélica universal a essas palavras: a salvação foi trazida aos pagãos. Cânticos de louvor à salvação outorgada por Deus devem ser ouvidos por todos os povos. As guerras de Davi eram feitas na paz do Messias. A destruição transformava-se em salvação. Os espezinhados são levantados. Os derrotados são glorificados; os inimigos são transformados em filhos. Essa é a diferença que Cristo faz.

22.51

מִגְדִּיל יְשׁוּעוֹת מַלְכּוֹ וְעֹשֶׂה־חֶסֶד לִמְשִׁיחוֹ לְדָוִד וּלְזַרְעוֹ עַד־עוֹלָם׃ פ

Um texto hebraico aqui diz: "ele é a torre da minha salvação" (assim diz a *King James Version*). Outro texto diz: "Grandes triunfos dá ele ao seu rei" (*Revised Standard Version*). Assim fala o texto em nossa versão portuguesa. Seja como for, a salvação de Deus é exaltada. Novamente (conforme se vê no vs. 47), a salvação temporal pode estar exclusivamente em foco, porém alguns intérpretes veem aqui tanto a salvação temporal quanto a salvação eterna. A salvação assemelha-se a uma torre que aponta para o céu, um lugar de vigiar inimigos que poderiam atacar, um mecanismo de defesa.

O paralelo é o Sl 18.50. Davi viu um poder de longa duração nos atos de Deus. seu reino passaria a seus descendentes, mas somente no Rei-Messias, seu Filho distante, teriam cumprimento todas as provisões e promessas. A unção de Davi tinha de resultar na unção de Jesus, que era o Ungido (o Cristo). Ver no *Dicionário* o verbete intitulado *Unção*. Cf. este versículo com Ez 34.23,24; 37.24,25; Os 3.5. A misericórdia é eterna. Cf. Sl 89.28.

"Este salmo é uma grande oferta de ações de graça de Davi pelas muitas misericórdias que ele recebera — uma completa e confiante expressão de sua confiança em Deus, sob todas as circunstâncias, e bem assegurada declaração de sua confiança nas promessas de Deus sobre a perpetuidade do seu reino, através da vinda daquele 'em quem todas as famílias da terra seriam abençoadas'" (Ellicott, *in loc.*).

Ver sobre *Pacto Davídico*, em 2Sm 7.4, e sobre *Pacto Abraâmico*, ao qual Ellicott se referiu, em Gn 15.18. Ver no *Dicionário* o artigo geral chamado *Pactos*.

CAPÍTULO VINTE E TRÊS

ÚLTIMAS PALAVRAS DE DAVI (23.1-7)

O capítulo 22 apresentou um poema ou salmo que é, essencialmente, o Salmo 18. Agora segue-se outro poema, muito mais breve, mas dotado de eloquência própria. "Este poema muito tem em comum com os poemas da fonte informativa *J*, em Nm 24, que pode ser tão antigo quanto o século X a.C. O texto está tremendamente corrompido, o que pode dever-se à antiguidade do poema" (George B. Caird, *in loc.*). Ver no *Dicionário* o verbete *J.E.D.P.(S.)* quanto à teoria das fontes múltiplas do Pentateuco.

"A lista dos homens poderosos de Davi é antecedida por um breve poema (vss. 1b-7) intitulado "as últimas palavras de Davi". Na primeira estância (vs. 1), Davi se identificou como filho de Jessé, o homem que "foi exaltado", o "ungido do Deus de Jacó", o "mavioso salmista de Israel". Houve notável progresso desde o filho humilde de um cidadão comum de Belém até o maravilhosamente dotado rei de Israel, o que Davi atribuiu ao fato de ter sido escolhido e ungido pelo Senhor. sua consciência de ser um *instrumento* de Deus é clara na segunda estrofe (vss. 2-4), onde ele reconhece que Deus lhe *falara*... Na terceira estrofe (vss. 5-7), Davi enfatizou sua atenção sobre o pacto davídico, através do qual Deus o escolheu e o abençoou. Deus fez a Davi uma promessa eterna" (Eugene H. Merrill, *in loc.*).

■ 23.1

וְאֵלֶּה דִּבְרֵי דָוִד הָאַחֲרֹנִים נְאֻם דָּוִד בֶּן־יִשַׁי וּנְאֻם הַגֶּבֶר הֻקַם עָל מְשִׁיחַ אֱלֹהֵי יַעֲקֹב וּנְעִים זְמִרוֹת יִשְׂרָאֵל:

Palavras de Davi. Este poema é chamado de *oráculo*, uma declaração divinamente inspirada sob forma poética. Ele representa as últimas palavras (poéticas) de Davi, conforme utilizadas neste livro, mas nenhuma comparação é feita com outras palavras que ele escreveu nos salmos, muitas das quais sem dúvida vieram depois do presente poema. Até mesmo neste livro seguem-se outras palavras de Davi, embora não sob forma poética. Por essa razão, alguns intérpretes pensam que essas palavras poéticas foram últimas em comparação com seus escritos poéticos inteiros, formando uma espécie de apêndice aos seus salmos. Outros estudiosos pensam essas "últimas palavras" serem suas últimas "declarações inspiradas" no livro de 2Samuel, ou seja, palavras que formavam uma espécie de apêndice aos salmos. Seja como for, este poema não tem paralelo nos salmos, pois nunca fez parte daquela coleção.

O humilde menino pastor, filho de um homem relativamente desconhecido, foi exaltado pelo poder divino e feito rei em um período crítico da história de Israel. Ver a introdução a este capítulo para um desenvolvimento sobre o tema.

Ungido. Está em pauta a unção divinamente conferida (ver a respeito no *Dicionário*), que aponta para o Filho maior de Davi, o Rei-Messias, o qual haveria de confirmar o poder real da linhagem davídica e dar-lhe absoluta *universalidade*, por ser ele o *Cristo*, o Ungido.

Mavioso salmista de Israel. De acordo com a opinião dos críticos, ele teria sido o autor da maioria dos salmos; mas, conforme a tradição hebraica e conservadora, ele escreveu todos os salmos. Seus escritos eram maviosos por serem deleitosos ao ouvido e consoladores ao coração. suas composições também incluíam profecias messiânicas que confortavam os homens até o tempo de Cristo, falando da salvação e das bênçãos celestiais.

■ 23.2

רוּחַ יְהוָה דִּבֶּר־בִּי וּמִלָּתוֹ עַל־לְשׁוֹנִי:

Inspiração divina é reivindicada pelo pequeno poema que se segue e, por extensão, pelos demais poemas que Davi compôs. Ver no *Dicionário* os artigos denominados *Inspiração* e *Espírito*. A inspiração foi reduzida à forma escrita, para que as pessoas tivessem acesso conveniente às mensagens e uma obra permanente para consultas posteriores. Davi foi contado entre os profetas. Ver At 1.16 e 2.30.

Davi tinha *consciência* de ser um instrumento do Espírito para comunicar mensagens vitais.

■ 23.3

אָמַר אֱלֹהֵי יִשְׂרָאֵל לִי דִבֶּר צוּר יִשְׂרָאֵל מוֹשֵׁל בָּאָדָם צַדִּיק מוֹשֵׁל יִרְאַת אֱלֹהִים:

Este versículo reafirma a inspiração divina do poema, mas agora foi o Elohim de Israel que proveu essa inspiração. *El* aponta para poder. O poder divino produziu mensagens divinas para os homens.

Rocha. Quanto a este título de Deus, ver 2Sm 22.2. Quanto a maiores detalhes, ver no *Dicionário* os artigos *Rocha* e *Rocha Espiritual*. O refúgio e a força de Israel, o seu esconderijo, a sua fonte de poder, era o revelador. Ele era El (o Poder), quem *governava* sobre os homens como verdadeiro Rei, postado por trás do rei Davi, para inspirá-lo enquanto ele escrevia. seu governo se daria, afinal, através do Rei Messias, que continuaria a casa real de Davi. Ver sobre o *Pacto Davídico* em 2Sm 7.4, quanto a maiores detalhes. Cf. Jr 23.5,6; Zc 9.9. O Targum diz aqui: "um verdadeiro Juiz disse que ele me apontaria como Rei, que é o Messias, que governará e governará no temor do Senhor". Cf. Mt 28.18-20.

No temor de Deus. Ver no *Dicionário* o artigo chamado *Temor*. Está em pauta um temor real, mas também a reverência. Eis aí um grande poder para julgar, mas também sempre pronto a abençoar. Os reis inspiram temor porque têm o poder de agir. Quanto mais o Rei dos reis!

"É mediante o temor de Deus que Jesus Cristo governa o coração de todos os seus seguidores! E aquele que não tem temor de Deus perante os seus olhos nunca poderá ser um verdadeiro crente" (Adam Clarke, *in loc.*).

■ 23.4

וּכְאוֹר בֹּקֶר יִזְרַח־שָׁמֶשׁ בֹּקֶר לֹא עָבוֹת מִנֹּגַהּ מִמָּטָר דֶּשֶׁא מֵאָרֶץ:

Elohim é a fonte de toda vida e da própria existência, a bênção da vida diária e a esperança do homem quanto ao futuro. O poema apresentado por Davi enfatizou precisamente esses fatos.

> ele brilha como a luz matinal,
> Como o sol em uma manhã sem nuvens,
> Que faz a terra verde resplandecer após a chuva.
>
> Nathaniel Micklem

Toda vida física depende do sol e da chuva. Por igual modo, toda vida espiritual depende de Deus como a Luz, bem como de suas bênçãos espirituais, que se assemelham à chuva, dada em sua misericórdia e graça. Ver no *Dicionário* os artigos intitulados *Luz, A Metáfora da* e *Luz, Deus como*. Ver também o artigo chamado *Chuva*.

O governo de Davi haveria de trazer esses fatores a Israel, em consonância com a profecia de Natã (2Sm 7). Alguns pensam que essas linhas dizem respeito a Davi e ao seu governo, mas isso é verdade apenas em um sentido secundário. Davi era luz e chuva para Israel, mas somente porque Elohim era Luz e Chuva. Alguns intérpretes cristãos fazem o versículo referir-se ao Messias. "... um governante que governa em justiça e no temor de Deus, ele é a luz e a glória de seu povo, tornando-os animados e confortáveis" (John Gill, *in loc.*). E também existe a Verdadeira Luz, a Estrela da Manhã, o Sol da Justiça. Ver Os 6.3. nele encontramos o dia do evangelho. Cf. Sl 72.7 e Is 30.26. Ver Ml 4.2 quanto ao Sol da Justiça.

■ 23.5

כִּי־לֹא־כֵן בֵּיתִי עִם־אֵל כִּי בְרִית עוֹלָם שָׂם לִי עֲרוּכָה בַכֹּל וּשְׁמֻרָה כִּי־כָל־יִשְׁעִי וְכָל־חֵפֶץ כִּי־לֹא יַצְמִיחַ:

Não está assim com Deus a minha casa? A casa de Davi permanecia pelo poder de Deus. Havia a ordenação divina, a predestinação a ser cumprida no Filho maior de Davi, o Messias. Para garantir que a vontade de Deus seria cumprida, o *pacto davídico* foi estabelecido.

Ver plenas explicações sobre esse pacto em 2Sm 7.4, e ver o artigo geral sobre os *Pactos* no *Dicionário*. Foi assim que a eternidade da casa de Davi foi prometida e será efetuada. Trata-se de uma obra do Deus Todo-poderoso, a saber, de *Elohim* (ver no *Dicionário* o artigo chamado *Deus, Nomes Bíblicos de*).

"Tudo está seguro relativamente ao meu *sucessor espiritual*, embora ele ainda não tenha aparecido. O pacto está firme, e dará fruto no devido tempo" (Adam Clarke, *in loc.*).

Algumas traduções e intérpretes dão à primeira cláusula o sentido de declaração, em lugar de interrogação. Nesse caso, Davi reconheceu que *sua casa* nada era, mas somente o pacto davídico (a ser administrado através do Messias) poderia ter alguma utilidade. Leia-se, pois: "Embora minha casa nada seja, contudo, ele estabeleceu um pacto eterno". A ideia é que, apesar de a casa de Davi nada ser, contudo, através do pacto, essa casa foi engrandecida. Portanto, Davi disse, por causa desse fato: "Não é grande a minha casa, por que Deus fez o pacto?"

■ 23.6

וּבְלִיַּעַל כְּקוֹץ מֻנָד כֻּלָּהַם כִּי־לֹא בְיָד יִקָּחוּ׃

Em contraste com Davi e sua casa, havia os *oponentes* da graça e do propósito divino, os *filhos de Belial*. É provável que, nesse estágio da teologia hebreia, Davi não estivesse contemplando um diabo pessoal com suas legiões de auxiliares demoníacos. Talvez fosse melhor traduzir (juntamente com a *Revised Standard Version*) simplesmente por "homens ímpios". Esses homens eram como *espinhos* inúteis, que precisavam ser lançados fora, porquanto ninguém podia tocar neles. Eram *perigosos* e tinham de ser eliminados. "Os ímpios prejudicam qualquer coisa que neles tocar, mas algum meio seria encontrado para seguramente pô-los fora do caminho" (Ellicott, *in loc.*). Dessa forma, homens ímpios não podiam impedir o propósito de Deus que operava através da casa de Davi. Ele foi capaz de vencer aqueles *oito* adversários pagãos (ver 2Sm 10.19) e acalmar toda a contenda interna que ameaçava a unidade de Israel, consolidando assim sua casa e o bem-estar de Israel.

"Uma metáfora baseada no ato de *sachar*. O trabalhador separa os espinhos com um instrumento de alguma espécie, ou com a mão protegida por um tipo de punhete ou luva. E então, ao chegar às raízes, ele as corta" (Adam Clarke, *in loc.*). "Os homens malignos, tal como os espinhos, serão jogados fora e consumidos pelo julgamento de Deus (cf. Mt 13.30,41)" (Eugene H. Merrill, *in loc.*).

■ 23.7

וְאִישׁ יִגַּע בָּהֶם יִמָּלֵא בַרְזֶל וְעֵץ חֲנִית וּבָאֵשׁ שָׂרוֹף יִשָּׂרְפוּ בַּשָּׁבֶת׃ פ

Mas qualquer para os tocar. Homens que têm de tocar os espinhos (homens malignos, vs. 6) devem ter proteção apropriada, um equipamento defensivo contra as picadas, bem como um equipamento ofensivo para destruir esses espinhos. A alusão é à ação militar, que era o que Davi sempre empregava para livrar a si mesmo e a Israel de seus inimigos. Assim como os espinhos eram *queimados* (ver Mt 13.40,41), também o soldado de Yahweh deve queimar as cidades e consumir os inimigos a fogo, enquanto faz *guerra santa* contra eles (ver as notas em Dt 7.5 e 20.10-18).

Os espinhos precisavam ser manuseados com ganchos de ferro, presos à ponta de uma lança ou cajado. Alguns intérpretes judeus viam no versículo uma profecia messiânica concernente à eliminação dos inimigos de Deus, mediante seus terríveis julgamentos. Deus tem o equipamento apropriado para lidar com os espinhos. Pessoas espinhosas, como Saul, Abner, Absalão e Jeroboão, tinham de sofrer diante das habilidades de remoção dos soldados de Deus, e então seriam finalmente removidos pelo próprio Messias.

FEITOS DOS MAIORES GUERREIROS DE DAVI (23.8-39)

A seção à nossa frente verdadeiramente consiste em "sangue e entranhas", conforme uma expressão idiomática que fala em total destruição e violência. Devemos lembrar que o *soldado individual* era muito importante em uma época em que não havia armas sofisticadas. Davi contava com temíveis e formidáveis heróis individuais em seu exército; e agora encontramos uma lista deles, com a breve descrição da inacreditável coragem e das coisas terríveis que eles (como indivíduos) eram capazes de fazer.

"Esta passagem é uma continuação de 2Sm 21.15-22. Ela é reproduzida em 1Cr 11.11-47, onde o texto está mais bem preservado" (George B. Caird, *in loc.*).

"A galeria dos heróis de Davi consistia em 37 homens (vs. 39), os quais se distinguiram por poderosos feitos no serviço de Deus e de Israel, e, evidentemente, compunham as tropas de elite de Davi" (Eugene H. Merrill, *in loc.*). O trecho paralelo adiciona outros dezesseis nomes.

A Natureza da Lista:

1. *Joabe,* o maior de todos os heróis, não figura na lista. É impossível pensar que ele tenha sido propositadamente deixado de lado apenas porque, certa ocasião, causou a Davi alguma tribulação com seus atos unilaterais. Ele era o comandante-em-chefe do exército, e talvez o autor da lista pensasse que sua reputação era tão grande que dispensava qualquer menção especial. Joabe foi o principal general de Davi (ver 2Sm 20.23).

Mas os dois irmãos de Joabe, Abisai e Asael, são listados (vss. 18 e 24). Somos informados de que eles eram irmãos de Joabe, pelo que seu nome é citado, embora desacompanhado de qualquer descrição.

2. *Três* principais generais são mencionados (vss. 8-17).
3. *Dois* subchefes, generais inferiores, são mencionados (vss. 18-23).
4. Então seguem-se outros 32 nomes, e a lista mais longa deles aparece nos vss. 24-39.
5. Há diferenças na forma da escrita dos nomes, quando comparamos as listas de 2Samuel e 1Crônicas, mas usualmente se podem conseguir paralelos. A lista em 1Crônicas é a mais longa, incluindo nomes de dezesseis outros guerreiros especiais. Alguns deles podem ter substituído nomes da lista de 2Samuel, por terem sido mortos em batalha ou se terem retirado das ações militares.

■ 23.8

אֵלֶּה שְׁמוֹת הַגִּבֹּרִים אֲשֶׁר לְדָוִד יֹשֵׁב בַּשֶּׁבֶת
תַּחְכְּמֹנִי רֹאשׁ הַשָּׁלִשִׁי הוּא עֲדִינוֹ הָעֶצְנוֹ עַל־שְׁמֹנֶה
מֵאוֹת חָלָל בְּפַעַם אֶחָד׃

Os nomes dos valentes de Davi. Ver a introdução, antes dos comentários gerais sobre a lista. Todos os nomes que aparecem na lista recebem artigos separados no *Dicionário*.

Josebe-Bassebete. Sob o comando de *Joabe* (que não é listado) agia como homem, um dos *três* principais generais. Ver o artigo sobre ele no *Dicionário*. Ele era tão poderoso que, em certa ocasião, conseguiu matar, sozinho, oitocentos homens. E esse feito angariou para ele o primeiro lugar (após Joabe) na lista dos heróis de Israel. Ver 1Cr 11.11.

■ 23.9,10

וְאַחֲרָו אֶלְעָזָר בֶּן־דֹּדִי בֶּן־אֲחֹחִי בִּשְׁלֹשָׁה גִבֹּרִים
עִם־דָּוִד בְּחָרְפָם בַּפְּלִשְׁתִּים נֶאֶסְפוּ־שָׁם לַמִּלְחָמָה
וַיַּעֲלוּ אִישׁ יִשְׂרָאֵל׃

הוּא קָם וַיַּךְ בַּפְּלִשְׁתִּים עַד כִּי־יָגְעָה יָדוֹ וַתִּדְבַּק יָדוֹ
אֶל־הַחֶרֶב וַיַּעַשׂ יְהוָה תְּשׁוּעָה גְדוֹלָה בַּיּוֹם הַהוּא
וְהָעָם יָשֻׁבוּ אַחֲרָיו אַךְ־לְפַשֵּׁט׃ ס

Eleazar. Ver sobre ele no *Dicionário*. Foi um dos *três* principais generais de Joabe. Ver a introdução a esta seção quanto à estrutura da lista. Não somos informados sobre quantos homens Eleazar matou, em nenhuma ocasião; mas ele foi um homem terrível e feroz, capaz de combater da manhã à noite, sem se cansar. Ele se distinguiu especialmente na ocasião descrita: quando os filisteus forçaram Israel à luta, de súbito, esse homem, *sozinho,* fez virar a maré da batalha, de modo que foi obtida grande vitória. Ele ficou com cãibra na mão, mas isso não o deteve. Em vez das cãibras, Josefo sugere que tanto sangue se juntou em torno de sua mão, braço e espada que a massa de sangue, endurecendo, fez a mão apegar-se à espada (*Antiq.* 1.7, cap. 12, sec. 4). Israel teve muitas batalhas contra os filisteus, e esta batalha particular só foi mencionada aqui. Ver 1Cr 8.4 quanto a variantes do nome desse homem. Ver também 1Cr 11.12, que é o trecho paralelo.

23.11,12

וְאַחֲרָיו שַׁמָּא בֶן־אָגֵא הָרָרִי וַיֵּאָסְפוּ פְלִשְׁתִּים לַחַיָּה וַתְּהִי־שָׁם חֶלְקַת הַשָּׂדֶה מְלֵאָה עֲדָשִׁים וְהָעָם נָס מִפְּנֵי פְלִשְׁתִּים:

וַיִּתְיַצֵּב בְּתוֹךְ־הַחֶלְקָה וַיַּצִּילֶהָ וַיַּךְ אֶת־פְּלִשְׁתִּים וַיַּעַשׂ יְהוָה תְּשׁוּעָה גְדוֹלָה: ס

Samá. Ver o trecho paralelo em 1Cr 11.15-19, embora o nome deste homem não seja especificamente mencionado ali. Ele foi um dos *três principais generais* de Joabe. Ver sobre ele no *Dicionário*.

À semelhança de Eleazar, Samá também deteve uma retirada de Israel por seu feito singular, revertendo a maré da batalha. Isso sucedeu em Leí (ver no *Dicionário* o verbete a respeito). Foi outra daquelas batalhas contra os filisteus, mencionada especificamente somente neste texto. Yahweh recebeu o crédito por haver inspirado e ajudado Samá a fazer o que ele fez. Ver o artigo chamado *Guerra Santa*, nas notas expositivas sobre Dt 7.1-5 e 20.10-18.

Era típico das nações antigas atribuir as vitórias na guerra aos seus deuses, e nós nos perguntamos até que ponto as guerras podem ser inspiradas por Deus. Ver na *Enciclopédia de Bíblia, Teologia e Filosofia* o verbete chamado *Guerra Justa, Critérios de uma*.

> Deve-se entender plenamente que as terras perdidas nunca serão conquistadas de volta por apelos solenes ao bom Deus, nem pelas esperanças de qualquer Liga das Nações, mas somente pela força das armas.
>
> Adolfo Hitler, *Mein Kampf*

> Nós, por nosso lado, oramos para que ele que nos dê a vitória, porquanto cremos que estamos com a razão. Por outro lado, os que estão no lado oposto também oram a ele pedindo a vitória, crentes de que estão com a razão. O que ele deve estar pensando de nós?
>
> Abraham Lincoln, em referência à Guerra Civil Americana

Essa última citação torna-se mais memorável quando percebemos que a maioria das pessoas que oravam (1861-1865) compunha-se de evangélicos!

23.13

וַיֵּרְדוּ שְׁלֹשִׁים מֵהַשְּׁלֹשִׁים רֹאשׁ וַיָּבֹאוּ אֶל־קָצִיר אֶל־דָּוִד אֶל־מְעָרַת עֲדֻלָּם וְחַיַּת פְּלִשְׁתִּים חֹנָה בְּעֵמֶק רְפָאִים:

Os vss. 8-12 nos dão alguns poucos detalhes dos feitos heroicos dos três principais generais do exército de Davi que trabalhavam sob Joabe, o comandante-em-chefe. Agora ficamos sabendo que, desde o começo do exílio de Davi, quando ele fugiu de Saul, aqueles homens já serviam ao futuro rei de Israel.

Trinta. Este é um número arredondado. A lista tem 37 nomes (vs. 39). 1Cr 11 adiciona dezesseis nomes, sem dúvida referindo-se, em alguns casos, a substituições dos homens citados neste capítulo. A palavra "trinta" poderia ter-se tornado uma espécie de termo técnico para indicar as "tropas de elite" que, originalmente, tinham sido cerca de trinta.

Adulão... Refaim. Ver sobre estes dois lugares no *Dicionário*. Talvez 2Sm 5.17 e contexto falem da batalha aqui mencionada.

E assim continuam os feitos dos grandes matadores. "Certamente as histórias, contadas na íntegra, seriam comparáradas aos contos dos cavaleiros do rei Artur. Houve certa feita um muito eficaz mestre de escola dominical que entretinha uma classe de rapazes com um curso de estudo bíblico em inglês que comparava os feitos de Davi e seus valentes guerreiros... com os atos heroicos de Robin Hood" (Ganse Little, *in loc.*).

Naturalmente, os escritos de Homero (a Ilíada, a Odisseia) conferem-nos algo da mais eloquente literatura do mundo, embora falem do começo ao fim, de matanças. Verdadeiramente, coisas nobres perdem-se no meio do sangue e das entranhas da guerra.

"Não quando Davi estava ali, fugindo de Saul (1Sm 22.1), mas depois que se tornou rei, ocupado na guerra com os filisteus" (John Gill, *in loc.*). Ver Js 15.8 (e o *Dicionário*) quanto ao vale de *Refaim*.

23.14

וְדָוִד אָז בַּמְּצוּדָה וּמַצַּב פְּלִשְׁתִּים אָז בֵּית לָחֶם:

Davi estava na fortaleza. Um lugar fortificado, o quartel-general de onde ele lançava seus ataques. Alguns falam na fortaleza de Sião, como Josefo (*Antiq.* 1.7, cap. 12, sec. 4). Mas outros preferem pensar na caverna de Adulão (1Cr 11.15). A guarnição dos filisteus estava a cerca de 10 quilômetros de Jerusalém, no vale de Refaim.

O tempo era o da colheita do trigo, durante o verão (vs. 13). O paralelo deixa de fora esse detalhe, bem como a rocha (1Cr 11.15), ou seja, algum lugar próximo à caverna de Adulão onde havia uma formação rochosa que favorecia a segurança das tropas de Davi.

23.15

וַיִּתְאַוֶּה דָוִד וַיֹּאמַר מִי יַשְׁקֵנִי מַיִם מִבֹּאר בֵּית־לֶחֶם אֲשֶׁר בַּשָּׁעַר:

Quem me dera beber água do poço. *A História da Sede de Davi.* Um pequeno mas notável acontecimento ocorreu no meio da confrontação entre Israel e os filisteus. Davi teve um súbito desejo de beber água do poço de Belém, que ficava localizado defronte de seu portão principal. Sem dúvida, o lugar era bem conhecido. "Davi estava cansado de beber da água empoçada dos tanques e anelou beber da água viva de sua fonte nativa. Mas quando a água do poço lhe foi trazida, o *risco da vida* envolvido fez a água transformar-se em sangue, aos seus olhos" (George B. Caird, *in loc.*). E o resultado disso foi que ele fez da água um sacrifício oferecido a Yahweh, e dela não bebeu.

"... era a estação do verão, quando prevalecia um tempo quente, e Davi estava com sede... a água do poço era excelente, sugeriu Kimchi. Esse poço ficava a cerca de 1,5 quilômetro de Belém e atualmente é chamado de poço de Davi" (John Gill, *in loc.*). Somos informados de que se tratava de um poço grande, com três bocas, ligeiramente fora da estrada, não distante do lugar onde Raquel fora sepultada.

23.16

וַיִּבְקְעוּ שְׁלֹשֶׁת הַגִּבֹּרִים בְּמַחֲנֵה פְלִשְׁתִּים וַיִּשְׁאֲבוּ־מַיִם מִבֹּאר בֵּית־לֶחֶם אֲשֶׁר בַּשַּׁעַר וַיִּשְׂאוּ וַיָּבִאוּ אֶל־דָּוִד וְלֹא אָבָה לִשְׁתּוֹתָם וַיַּסֵּךְ אֹתָם לַיהוָה:

Os *três generais* (descritos nos vss. 8-13) estiveram envolvidos no drama da água do poço de Belém. Isso lhes deu a oportunidade de mostrar ousadia e valor, algo que os jovens anseiam por fazer. Foi assim que conseguiram penetrar, sem ser detectados, nas fileiras dos filisteus, chegaram a Belém e tiraram água do poço. Foi, de fato, uma água preciosa. De fato tão preciosa que só Yahweh a mereceu. Aos olhos de Davi, essa água se transforma em sangue, por causa do risco de vida envolvido na sua obtenção. Portanto, foi como sangue que a água foi vertida na presença de Yahweh, como sacrifício. O sangue e a gordura pertenciam a Yahweh, e ele sempre obtinha a sua porção em primeiro lugar (ver Lv 3.17 quanto às leis sobre a questão). A água preciosa tornou-se assim uma *libação* (ver a respeito no *Dicionário*). "Gersom pensa que corria então a festa dos tabernáculos, quando era colhida a produção da terra. Grandes quantidades de água eram então tiradas e derramadas sobre o altar, algo feito para obter as bençãos das chuvas anteriores. Ver Jo 7.37,38" (John Gill, *in loc.*). Podemos ter certeza de que Davi orou a Yahweh através dessa oferta pelo sucesso na batalha contra os filisteus. Os intérpretes cristãos fazem questão de falar aqui sobre Jesus Cristo, a *água da vida*, (Jo 4.10,11). Ver no *Dicionário* o artigo denominado *Água*, quanto aos sentidos simbólicos.

Conta-se uma história similar sobre Alexandre, o Grande, que recebeu água especial para matar a sede, mas que ordenou levá-la de

OS TRINTA HOMENS VALENTES DE DAVI
Comparação de 2Samuel 23 com 1Crônicas 11

2Samuel 23	1Crônicas 11
Os Três Principais	
Josebe-Bassebete, filho de Taquemoni, o principal de três: vs. 8	Jasobeão, o hacmonita: vs. 11
Eleazar, filho de Dodô: vs. 9	vs. 12
Samá, filho de Agé, o hararita: vs. 11	Omitido; talvez implicado nos vss. 15-19
Outros Especialmente Honrados	
Abisai, irmão de Joabe, filho de Zeruia: vs. 18	vs. 20
Benaia, filho de Joiada: vs. 20	vs. 22
Os Trinta	
Asael, irmão de Joabe: vs. 24	vs. 26
Elenã, filho de Dodô: vs. 24	vs. 26
Samá, o harodita: vs. 25	Samote, o harorita: vs. 27
Elica, o harodita: vs. 25	Omitido
Helez, o paltita: vs. 26	Helez, o pelonita: vs. 27
Ira, filho de Iques: vs. 26	vs. 26
Abiezer, o anatotita: vs. 27	vs. 28
Mebunai, o husatita: vs. 27	Sibecai, o husatita: vs. 29
Zalmom, o aoíta: vs. 28	Ilai, o aoíta: vs. 29
Maarai, o netofatita: vs. 28	vs. 30
Helede (Helebe), filho de Baaná: vs. 29	vs. 30
Itai, filho de Ribai: vs. 29	vs. 31
Benaia, o piratonita: vs. 30	vs. 31
Hidai, do ribeiro de Gaás: vs. 30	Hurai, do ribeiro de Gaás: vs. 32
Abi-Albom, o arbatita: vs. 31	Abiel, o arbatita: vs. 32
Azmavete, o barumita: vs. 31	Azmavete, o baarumita: vs. 33
Eliaba, o saalbonita: vs. 32	vs. 33
Bene-Jásen: vs. 32	Bené-Hasém: vs. 34
Jônatas: vs. 32	Jônatas, filho de Sage: vs. 34
Samá, o hararita: vs. 33	Omitido
Aião, filho de Sarar: vs. 33	Aião, filho de Sacar: vs. 35
Elifelete, filho de Aasbai: vs. 34	Elifal, filho de Ur: vs. 35
Eliã, filho de Aitofel: vs. 34	Omitido
Hezrai, o carmelita: vs. 35	vs. 37
Paarai, o arbita: vs. 35	Naarai, filho de Ezbai: vs. 37
Igal, filho de Natã: vs. 36	Omitido
Bani, o gadita: vs. 36	Mibar, filho de Hagri: vs. 38
Zeleque, o amonita: vs. 37	vs. 39
Naarai, o beerotita: vs. 37	vs. 39
Ira, o itrita: vs. 38	vs. 40
Garebe, o itrita: vs. 38	vs. 40
Urias, o heteu: vs. 39	vs. 41

Observações:

1. O número trinta tornou-se um termo técnico para indicar "os valentes", em quantidade indefinida. Diferenças nos nomes podem ser meras variações de soletração. Ao longo do caminho, quando alguns dos valentes foram mortos em batalhas, eram substituídos. O número, naturalmente, cresceu.

2. Joabe é mencionado nestas listas somente como irmão de Abisai e Asael, mas sabemos que ele era o mais valente de todos e tornou-se o general do exército de Davi durante seu reinado (ver 2Sm 5.6-10; 1Cr 11.5-8).

3. Adições em 1Crônicas 11: Héfer, o mequeratita, e Aías, o pelonita (vs. 36); Joel, irmão de Natã (vs. 38); Zabade, filho de Alai (vs. 41); Adina, filho de Siza (vs. 42); Hanã, filho de Maaca, e Josafá, o mitanita (vs. 43); o mitanita (vs. 43); Uzia, o asteratita, e Sama e Jeiel, filhos de Hotão (vs.44); Jediael, filho de Siniri, e Joa, irmão de Jediael (vs. 45); Eliel, o maarita, Jeribai e Josavias, filhos de Elnaão, e Itma, o moabita (vs. 46); Eliel, Obede e Joasiel, filhos de Zoba (vs. 47).

volta, explicando que a quantidade era tão pequena para todas as suas tropas, que ele não haveria de beber sozinho (*Arriano,* livro vi).

■ 23.17

וַיֹּאמֶר חָלִילָה לִּי יְהוָה מֵעֲשֹׂתִי זֹאת הֲדַם הָאֲנָשִׁים
הַהֹלְכִים בְּנַפְשׁוֹתָם וְלֹא אָבָה לִשְׁתּוֹתָם אֵלֶּה עָשׂוּ
שְׁלֹשֶׁת הַגִּבֹּרִים: ס

A água era muito preciosa para ser usada meramente para matar a sede. Tinha sido obtida por um ato extraordinário de devoção e mordomia. Davi era semelhante a um grande ímã que atraía a poderosa devoção de alguns, mas repelia a outros com igual energia. "Incontáveis vidas tinham sido sacrificadas para que possuíssemos nosso atual tesouro de verdades científicas, médicas, morais e filosóficas. Tudo quanto somos e temos são dons que muito custaram aos que nos têm servido fielmente, tanto quanto a Deus" (Ganse Little, *in loc.*).

"Não é isto sangue? Beberei o sangue desses homens? Não, o sangue irá para Yahweh como um sacrifício, sob a forma de uma libação." Esses eram os sentimentos de Davi.

■ 23.18

וַאֲבִישַׁי אֲחִי יוֹאָב בֶּן־צְרוּיָה הוּא רֹאשׁ הַשְּׁלֹשִׁי
וְהוּא עוֹרֵר אֶת־חֲנִיתוֹ עַל־שְׁלֹשׁ מֵאוֹת חָלָל וְלוֹ־שֵׁם
בַּשְּׁלֹשָׁה:

A *breve história* sobre a água tinha interrompido os relatos de matança. Agora o autor volta às histórias dos feitos das tropas de elite de Davi, os *trinta*.

Após os *três* generais principais, figuram *dois* subgenerais de especial nota. Ver a introdução (vs. 8) quanto a comentários sobre a estrutura da seção. Os dois subgenerais são descritos nos vss. 18-23.

Abisai. Era um dos dois subgenerais, irmão de Joabe, comandante-em-chefe do exército. Estranhamente, o próprio Joabe nunca é descrito. Talvez seus feitos fossem tão grandes e tão conhecidos que o autor sacro não deu detalhes sobre ele. Por outra parte (conforme supõem alguns), ele foi omitido propositadamente por ter causado um transtorno ocasional a Davi. "A omissão do nome de Joabe constitui a *ingratidão* coroadora de uma dinastia que devia mais a ele do que a qualquer outro gênio militar, mas estava determinada a apagar o seu próprio nome do livro das lembranças." "Como os poderosos estão caídos" (1.19) (Ganse Little, *in loc.*).

Ver o detalhado artigo sobre *Abisai* no *Dicionário*. Um de seus feitos heroicos não poderia mesmo ser esquecido. Em certa ocasião, ele conseguiu, sozinho, matar trezentos homens, e assim herdou um grande nome "além dos três que já tinham sido louvados", e ocupou uma posição gloriosa, por assim dizer, próxima a eles.

Talvez, conforme explicou George B. Caird (*in loc.*), Joabe não tenha sido descrito porque pertencia a "uma classe por si mesmo", sendo tão grande que não foi posto junto com homens menores. Por outra parte, o fato de que foi ele quem matou Absalão, o filho do rei (ver 2Sm 19.13), pode ter sido razão suficiente para deixá-lo fora da lista dos heróis de Davi. Além disso, houve sua infeliz passagem de lado para a facção errada, em uma disputa sobre o trono (ver 1Rs 1.7). Não possuímos resposta para esse dilema. Cf. 1Sm 26.6-12 quanto a um feito similar de ousadia.

■ 23.19

מִן־הַשְּׁלֹשָׁה הֲכִי נִכְבָּד וַיְהִי לָהֶם לְשָׂר
וְעַד־הַשְּׁלֹשָׁה לֹא־בָא: ס

ele era mais nobre do que os trinta. A *King James Version* diz aqui: "o mais honroso dos três", o que faz de Abisai o mais honroso dos *três* principais generais. Mas os vss. 8-11 já tinham dado os três: Josebe-Bassebete, Eleazar e Samá. É possível que várias versões dessa seção existissem e, quando o editor as compilou, ele cometeu um descuido, mencionando três (entre os quais Abisai não foi contado), e então reconhecendo que o mesmo Abisai era maior do que eles. Mas algumas traduções (como a *Revised Standard Version* e a nossa versão portuguesa) falam em *trinta*. Porém, se preferirmos o texto mais *difícil*, ficaremos com os *três*. Talvez isso tenha sido alterado para *trinta* a fim de aliviar a contradição. Além disso, note-se que o próprio editor, desajeitadamente, tentou aliviar a contradição. Primeiramente ele nos disse que Abisai era o mais honrado dos três, e em seguida diz que ele não alcançou a posição ocupada por aquele grupo seleto. Ou então devemos entender que ele era mais nobre do que os três, embora não pertencesse ao grupo. Mas o problema inteiro é solucionado pelo texto que diz: "ele tinha mais renome do que os trinta", aparecendo em segundo lugar depois dos três primeiros.

Talvez o texto (desajeitadamente) queira dizer-nos que havia dois grupos de *três* heróis, os mencionados nos vss. 8-11, e então outro grupo, Abisai, Benaia e um terceiro homem, cujo nome não é fornecido. Essa explicação aliviaria o problema, mas pode ser apenas imaginária. Não há como resolver o problema com certeza, nem é tão importante fazê-lo.

■ 23.20

וּבְנָיָהוּ בֶן־יְהוֹיָדָע בֶּן־אִישׁ־חַי רַב־פְּעָלִים מִקַּבְצְאֵל
הוּא הִכָּה אֵת שְׁנֵי אֲרִאֵל מוֹאָב וְהוּא יָרַד וְהִכָּה
אֶת־הָאֲרִי בְּתוֹךְ הַבֹּאר בְּיוֹם הַשָּׁלֶג:

Benaia. Ver sobre ele no *Dicionário*. Era um grande matador de homens e feras, tendo chegado a duplicar o feito de Sansão, que matou um leão (vs. 20). Seu ponto forte foi matar anti-heróis especiais, em lugar de matar muitos homens ao mesmo tempo. Antes de ter matado o leão, ele matou os dois filhos de Ariel, de Moabe, um acontecimento notável, porque aqueles dois homens eram conhecidos como ferozes e formidáveis guerreiros, tal como Davi matou Golias. Benaia era o general da terceira divisão do exército de Davi (1Cr 27.5,6) e obteve essa posição por sua ousadia e feitos. Também era o comandante dos quereteus e peleteus (ver 2Sm 8.18; 20.23), que provavelmente pertenciam à terceira divisão. Quanto a outros detalhes sobre ele e sua família, ver aquele artigo.

Cabzeel. Ver sobre este lugar no *Dicionário*. Ficava no extremo sul do território de Judá, na fronteira com Edom (ver Js 15.21).

A *Revised Standard Version* diz "ele matou dois ariéis", não fazendo referência ao pai do homem morto e observando que o sentido da palavra é desconhecido. Ellicott diz "homens como leões", tentando adivinhar o significado da palavra "ariel". Essa interpretação pode estar de acordo com a verdade dos fatos. Isso parece ter lembrado ao autor da crônica que ele deveria mencionar a morte do leão literal, em algum tempo durante o inverno, quando havia neve. O Targum faz a palavra significar *príncipes*, talvez filhos do rei, o que teria feito a morte deles parecer especialmente notória.

O paralelo é 1Cr 11.22. Esse texto, no hebraico, também inclui a palavra "ariels". As versões siríaca e árabe dizem "gigantes", procurando adivinhar o sentido da palavra.

■ 23.21

וְהוּא־הִכָּה אֶת־אִישׁ מִצְרִי אֲשֶׁר מַרְאֶה וּבְיַד הַמִּצְרִי
חֲנִית וַיֵּרֶד אֵלָיו בַּשָּׁבֶט וַיִּגְזֹל אֶת־הַחֲנִית מִיַּד
הַמִּצְרִי וַיַּהַרְגֵהוּ בַּחֲנִיתוֹ:

Benaia também efetuou outro notável abatimento de um único homem, a saber, algum egípcio notório cujo nome não é mencionado. O que houve de incomum nessa morte foi que Benaia estava armado somente com um cajado, mas conseguiu tomar com o cajado a lança do egípcio, e com essa arma o matou. A história, sem dúvida alguma, foi recontada diversas vezes por Benaia e por outros. O egípcio era homem de *terrível aspecto,* mas isso não assustou Benaia, embora outros, sem dúvida, tivessem temido combatê-lo.

O paralelo, 1Cr 11.22,23, faz o egípcio ser um gigante, um homem com cinco côvados, ou seja, cerca de 2,30 metros. Esse paralelo também observa o imenso tamanho da lança do gigante egípcio, mais ou menos do tamanho da lança de Golias. Cf. 1Sm 17.7.

■ 23.22,23

אֵלֶּה עָשָׂה בְּנָיָהוּ בֶּן־יְהוֹיָדָע וְלוֹ־שֵׁם בַּשְּׁלֹשָׁה
הַגִּבֹּרִים:

מִן־הַשְּׁלֹשִׁים נִכְבָּד וְאֶל־הַשְּׁלֹשָׁה לֹא־בָא וַיְשִׂמֵהוּ
דָוִד אֶל־מִשְׁמַעְתּוֹ: ס

Entre os primeiros três valentes. Estes versículos sugerem que um *segundo grupo de três* está sendo explorado. Quanto ao problema, ver o vs. 19. Nesse caso, os *primeiros três* eram Josebe-Bassebete (vs. 8), Eleazar (vs. 9) e Samá (vs. 11). Em seguida, os segundos três notáveis generais, embora não tão notáveis quanto os primeiros, eram Abisai (vs. 18), Benaia (vs. 20) e um terceiro homem cujo nome não é dado. O maior desses segundos três era Abisai (vs. 18). Os intérpretes judeus têm várias ideias sobre o terceiro homem, como Adina (1Cr 11.42). Os *dois trios* eram tidos em mais alta estima do que os trinta, mas os segundos três eram inferiores aos primeiros.

Davi fez de Benaia chefe sobre sua *guarda pessoal*, provavelmente para selecionar os homens que dela fariam parte, incluindo os quereteus e peleteus (ver 2Sm 18.18; 20.23). O texto hebraico chama-os de "seus ouvidos", porque ele estava sempre pronto a ouvir e cumprir as ordens de Davi, seu chefe, capitão e rei.

Ninguém podia competir com os primeiros três (vss. 8-11). E também havia o segundo grupo de três; e esses eram mais honrosos do que os trinta, o que significa que eram mais poderosos na batalha, matadores mais habilidosos, *salvadores* de Israel em um tempo em que a terra estava sendo conquistada e os inimigos de Israel estavam sendo neutralizados. "Se em 1Cr 27.34 Joiada, é um erro em lugar de Benaia, filho de Joiada, o fato de que ele tinha esse ofício (na guarda pessoal de Davi) também é mencionado ali" (Ellicott, *in loc.*).

23.24

עֲשָׂה־אֵל אֲחִי־יוֹאָב בַּשְּׁלֹשִׁים אֶלְחָנָן בֶּן־דֹּדוֹ בֵּית לָחֶם׃

Asael. Ver a respeito dele no *Dicionário*. Outro dos irmãos de Joabe, fazia parte da elite dos *trinta*, não estando entre os três (ou seis) mais talentosos matadores, apesar de ser um feroz, incansável e formidável adversário em batalha. Joabe, Abisai e Asael eram sobrinhos de Davi. Asael era filho de uma das irmãs de Davi, Zeruia, e irmão de Joabe e Abisai (ver 2Sm 2.18 e 1Cr 2.16).

O restante deste capítulo dá a lista das tropas de elite de Davi, sem mencionar feitos específicos. Mas em todos os casos devemos compreender que houve grandes realizações em campo de batalha. Asael foi morto por Abner quando Davi ainda reinava somente sobre o sul (Judá). O que se sabe sobre esses homens é dado nos artigos do *Dicionário* sobre cada um deles. O trecho paralelo é 1Cr 11.26.

Elanã. Ver sobre seu nome no *Dicionário*. Ele era de Belém, cidade natal de Davi. Alguns textos atribuem a morte de Golias a ele, e não a Davi, o que é discutido nesse artigo e nas notas expositivas sobre 2Sm 21.19. O trecho paralelo é 1Cr 11.26.

23.25

שַׁמָּה הַחֲרֹדִי אֱלִיקָא הַחֲרֹדִי׃ ס

Samá. Um homem com o mesmo nome que um dos *três chefes* (vs. 12). Talvez seja o mesmo Samute, o izraíta, capitão da quinta divisão do exército de Israel (1Cr 27.8). Ver detalhes sobre ele no *Dicionário*.

O paralelo é 1Cr 11.27, que tem uma leve variação na grafia do nome, onde as letras correspondentes a R e D são intercambiáveis, um fenômeno comum, de acordo com John Gill (*in loc.*).

Elica. O que se sabe sobre ele é mencionado no artigo do *Dicionário*. seu nome, contudo, não é mencionado no paralelo em 1Cr 11, mas aquela lista tem dezesseis nomes que não figuram aqui.

23.26

חֶלֶץ הַפַּלְטִי עִירָא בֶן־עִקֵּשׁ הַתְּקוֹעִי׃ ס

Helez. O trecho paralelo é 1Cr 11.27, onde ele é chamado de *pelonita*. As diferenças na grafia são consideráveis quando se comparam as duas listas, e, em alguns casos, lugares de origens ou laços éticos diferentes são atribuídos a uma mesma pessoa. O Targum fala sobre um lugar chamado *Pelete*, razão pela qual este homem é chamado de *paltita*. Esse homem era general da sétima divisão do exército de Israel (ver 1Cr 27.10).

Ira. O trecho paralelo é 1Cr 11.28. Ele era natural da cidade de Tecoa, a cidade nativa do profeta Amós, uma cidade famosa por seu azeite, a qual ficava a cerca de 19 quilômetros de Jerusalém. Três homens são assim chamados no Antigo Testamento, e o que figura neste versículo é o segundo da lista.

23.27

אֲבִיעֶזֶר הָעַנְּתֹתִי מְבֻנַּי הַחֻשָׁתִי׃ ס

Abiezer. O trecho paralelo é 1Cr 11.28. sua cidade natal era Anatote, na tribo de Benjamim, que também era o lugar de nascimento do profeta Jeremias.

Mebunai. O trecho paralelo é 1Cr 11.29, mas ali temos Sibecai, o husatita. Presume-se, pois, que a mesma pessoa tivesse dois nomes, mas não é impossível que a variação indique pessoas diferentes. Os dois nomes são muito semelhantes no hebraico e podem ter sido confundidos. Esse homem matou o gigante Safe (ver 2Sm 21.18) e era um dos generais do exército de Israel (ver 1Cr 27.11).

23.28

צַלְמוֹן הָאֲחֹחִי מַהְרַי הַנְּטֹפָתִי׃ ס

Zalmom. O paralelo é 1Cr 11.29, mas ali temos Ilai, o aoíta. Novamente, presume-se que estamos tratando com dois nomes diferentes de um mesmo homem. O termo *aoíta* refere-se aos descendentes de Aoá, neto de Benjamim (ver 2Cr 8.4). Consultar o artigo do *Dicionário* sobre *Zalmom*.

Maarai. O paralelo é 1Cr 11.30. Ele era da cidade de Netofa, da tribo de Judá, mencionada juntamente com Belém, em Ne 7.26. Esse homem comandava a décima divisão do exército de Israel (ver 1Cr 27.13).

23.29

חֵלֶב בֶּן־בַּעֲנָה הַנְּטֹפָתִי סאתי בֶּן־רִיבַי מִגִּבְעַת בְּנֵי בִנְיָמִן׃ ס

Helebe. O paralelo é 1Cr 11.30. Os manuscritos e as traduções dão a variante Helede. Ver sobre *Heldai (Helede)* no *Dicionário*. *Helebe* parece ser um erro de cópia. 1Crônicas diz Helede. Ver Heldai, em 1Cr 27.15. Ele era o general do exército no décimo segundo mês.

Itai. O paralelo é 1Cr 11.31. sua cidade natal era Gibeá, onde também nasceu o rei Saul. Ele era, pois, da tribo de Benjamim. Esse homem deve ser distinguido de Itai, o geteu (ver 2Sm 15.19).

23.30

בְּנָיָהוּ פִּרְעָתֹנִי הִדַּי מִנַּחֲלֵי גָעַשׁ׃ ס

Benaia. O paralelo é 1Cr 11.31. Ele deve ser distinguido do homem do mesmo nome, que fazia parte do segundo grupo de três, mais distinguido que os trinta. Ver os vss. 20-23. O Benaia do presente versículo era de Piratom, da tribo de Efraim, e general do décimo primeiro mês (ver 1Cr 27.14).

23.31

אֲבִי־עַלְבוֹן הָעַרְבָתִי עַזְמָוֶת הַבַּרְחֻמִי׃ ס

Abi-Albom. O paralelo é 1Cr 11.32, que dá seu nome como Abiel. Era natural de Bete-Arabá (ver Js 15.6,7), da tribo de Benjamim. Ver também Js 18.18,22. Talvez o Albom tenha sido um erro clerical segundo o qual o olho do copista caiu dali para um *saalbonita* (vs. 32), incorporado, por descuido, essa parte ao nome deste versículo.

Azmavete. O paralelo é 1Cr 11.33, no qual o nome do lugar de onde ele veio é diferente, provavelmente devido ao erro de um copista. Ele era cidadão de Baurim. Ver também 2Sm 3.16 e 19.16.

23.32

אֶלְיַחְבָּא הַשַּׁעַלְבֹנִי בְּנֵי יָשֵׁן יְהוֹנָתָן׃ ס

Eliaba. O paralelo é 1Cr 11.33. Ele era de Saalabim, uma cidade de Dã (Js 19.42). Ou era de Ilbonitis, conforme disse Josefo (*De Bello Jud.* 1.3, cap. 3, sec. 3).

Bené-Jásen. O paralelo é 1Cr 11.34. A nota poderia significar que Eliaba era filho de Jásen, ou um homem separado pode estar em foco.

Jônatas. Ver no *Dicionário* o número 5 da lista. O texto poderia significar que ele era "filho de Samá".

23.33

שַׁמָּה הַהֲרָרִי אֲחִיאָם בֶּן־שָׁרָר הָאֲרָרִי׃ ס

Samá. Deve ser distinguido de outros homens com o mesmo nome, mencionados nos vss. 12 e 25. Esse homem era chamado de *hararita*, o que dá a entender uma região montanhosa. As versões árabe e siríaca dizem aqui "o monte das Oliveiras". Ele era filho de Agé, o hararita. Alguns intérpretes fazem-no ser o mesmo homem dos vss. 23 e 25, mas isso tornaria difícil explicar por que seu nome foi repetido.

Aião. O paralelo é 1Cr 11.35. Conforme diz o Targum, ele era "da montanha alta". Este versículo pode ser paralelo ao vs. 11 deste mesmo capítulo, fazendo os dois nomes referir-se ao mesmo homem, mas isso nos daria uma repetição difícil de explicar, visto que a lista é dos *trinta*, e não dos três principais. Em 1Cr 11.35 ele é chamado de filho de Sacar, provavelmente uma variante do mesmo nome.

■ 23.34

אֱלִיפֶלֶט בֶּן־אֲחַסְבַּי בֶּן־הַמַּעֲכָתִי ס אֱלִיעָם
בֶּן־אֲחִיתֹפֶל הַגִּלֹנִי׃ ס

Elifelete. O paralelo é 1Cr 11.35, onde um nome diferente é dado a seu pai (Ur). Neste ponto, o trecho paralelo adiciona dois nomes, Héfer e Aías (vs. 36). As tropas de elite provavelmente formavam uma guarda pessoal que se mantinha com cerca de trinta homens. Mas conforme o tempo passava e alguns morriam e tinham de ser substituídos, o número *total* excedeu os trinta. É por isso que 1Cr 11.41-47 adiciona dezesseis nomes, além daqueles que, ao longo do caminho, foram sendo acrescentados. Em todos os casos, os artigos do *Dicionário* contêm detalhes que não repito aqui.

Eliã. O paralelo é 1Cr 11, que, contudo, não menciona esse homem. Por essa razão alguns poucos nomes aparecem na lista, em 2Samuel, que não estão contidos no trecho paralelo, aumentando o número total de nomes listados para mais de cinquenta, ou talvez até sessenta. As tradições judaicas fazem esse homem ser o pai de Bate-Seba, mas a idade dele parece ser um fator contrário a essa conjectura. Hillerus (*Onamistic. Sacr.* par. 906) diz-nos que esse era o mesmo homem chamado Aías, o pelonita, adicionado pelo trecho paralelo. Ver acima o primeiro parágrafo das explicações sobre este versículo. Não há como testar essa identificação. Ele era filho de *Aitofel*, o astuto conselheiro de Davi, que o abandonou quando Absalão se rebelou, tornando-se seu conselheiro, com resultados desastrosos. Ver sobre ele no *Dicionário*, quanto ao relato. Compreendemos que o filho do traidor permaneceu fiel a Davi, não seguindo o exemplo paterno.

■ 23.35

חֶצְרוֹ הַכַּרְמְלִי פַּעֲרַי הָאַרְבִּי׃ ס

Hezrai. O paralelo é 1Cr 11.37. O nome no paralelo é levemente diferente. Ele era do Carmelo, a cerca de 11 quilômetros de Hebrom. O Targum dá seu lugar de nascimento como Carmela.

Paarai. O paralelo é 1Cr 11.37, que dá o nome de seu pai, Ezbai. Outra forma do nome de Paarai era Naarai. Ezbai faz-nos lembrar a palavra arbita, no hebraico, e pode ter sido um erro de substituição cometido por algum copista. O homem era de Arba, cidade da tribo de Judá. Ver Js 15.52.

■ 23.36

יִגְאָל בֶּן־נָתָן מִצֹּבָה ס בָּנִי הַגָּדִי׃ ס

Jigeal. O nome desse homem não é incluído no paralelo, que apresenta dezesseis nomes que não se encontram em 2Samuel. Portanto, cerca de sessenta nomes foram incluídos na lista de heróis, a qual provavelmente representa a história daqueles guerreiros de elite, incluindo substituições ocorridas ao longo do caminho, a fim de que os *trinta* nomes tradicionais (número arredondado) fossem mantidos. Alguns estudiosos supõem que o Joel que aparece no trecho paralelo se refere a esse homem (ver 1Cr 11.38), conforme Hillerus diz em *Onom. Sacrd.* par. 499. Aqui ele é chamado de filho de Natã, mas o trecho paralelo diz que Joel era irmão desse homem. Há variantes nos manuscritos hebraicos. Ver o artigo sobre o homem, quanto a detalhes. Alguns dizem que Ainatã era o nome do pai (irmão) desse homem.

Bani. O paralelo é 1Cr 11.38, mas a identificação é duvidosa. Alguns intérpretes identificam o Mibar daquele texto com este homem. Ver no *Dicionário* sobre *Bani*, número 1.

■ 23.37

צֶלֶק הָעַמֹּנִי ס נַחְרַי הַבְּאֵרֹתִי נֹשֵׂא כְּלֵי יוֹאָב
בֶּן־צְרֻיָה׃ ס

Zeleque. O paralelo é 1Cr 11.39. Ele era um amonita e presumivelmente um prosélito da fé hebreia. É a única pessoa do Antigo Testamento a ser assim chamado. Ver o artigo do *Dicionário* com o seu nome.

Naari. O paralelo é 1Cr 11.39. Ele era nativo de Beerote (Js 18.15) e um dos dez escudeiros de Joabe. Talvez fosse o chefe dos escudeiros (ver 2Sm 18.15). Isso nos mostra quão grande era Joabe. Seja como for, além de ser um servo direto de Joabe, Naari era tão grande guerreiro, por seus méritos pessoais, que tinha um lugar entre a elite dos *trinta*.

■ 23.38

עִירָא הַיִּתְרִי גָּרֵב הַיִּתְרִי׃ ס

Ira. O paralelo é 1Cr 11.40. Um dos trinta também tinha esse nome (vs. 26). Ele era itrita. Ver sobre *itritas* no *Dicionário* quanto a detalhes. Dentre os trinta, dois eram dessa gente referida neste versículo, que também identifica o guerreiro seguinte como itrita. Mas alguns supõem que a derivação seja do lugar chamado Jatir, um distrito montanhoso do território de Judá. É isso que diz o presente versículo nos Targuns. Jeter, o homem, descendia de Calebe, da tribo de Judá (1Cr 2.50,53; 4.15,17).

Garebe. O trecho paralelo é 1Cr 11.40, e o que foi dito sobre Ira, o nome anterior, aplica-se também a esse homem. Ver sobre *Garebe*, no *Dicionário*, em seu segundo ponto.

■ 23.39

אוּרִיָּה הַחִתִּי כֹּל שְׁלֹשִׁים וְשִׁבְעָה׃ פ

Urias. Sentimos dor ao escrever sobre este homem, um dos *trinta*, que foi traído por Davi, sendo deixado para morrer na frente de batalha, por ordem direta e abandono de Joabe. Ele foi o marido de Bate-Seba, a mulher com quem Davi cometeu adultério. Para ocultar a gravidez resultante, Davi ordenou que Urias fosse morto. Portanto, ele adicionou o assassinato ao adultério. Que um dos fiéis trinta heróis tenha sido tratado dessa maneira pelo próprio rei é uma das páginas mais dolorosas do Antigo Testamento. Quanto à história, ver 2Sm 11. Ver os nomes próprios no *Dicionário*.

O paralelo é 1Cr 11.41. O homem era heteu. Ver sobre *Hititas, Heteus*. Presume-se que ele fosse um convertido à fé hebraica. Bate-Seba tornou-se a mãe do rei Salomão.

Ao todo trinta e sete. O livro de 1Crônicas adiciona outros dezesseis nomes, e, ao longo do caminho, há alguns poucos nomes, em 2Samuel, que 1Crônicas não contém, e alguns poucos nomes que 1Crônicas apresenta 2Samuel não contém. Talvez nada menos de sessenta nomes sejam referidos na lista total de heróis. Esse número, sem dúvida, representa a história das tropas de elite de Davi, incluindo as substituições feitas ao longo do caminho, para os que tinham morrido ou se retirado do serviço ativo. "A lista completa deve ter incluído a todos quantos pertenciam à ordem dos heróis de Israel. O número era mantido mais ou menos em *trinta* nomes, e os lugares vagos foram sendo preenchidos conforme iam ocorrendo. A lista começa com Asael, que foi morto durante o reinado de Davi em Hebrom, pelo que a ordem dos heróis deve ter sido iniciada no começo do reinado de Davi"(George B. Caird, *in loc.*). Naturalmente, alguns desses homens serviram Davi quando ele fugia de Saul, antes de ter-se tornado o segundo rei de Israel.

Estar preparado para a guerra é um dos meios mais eficazes de preservar a paz.
George Washington

A guerra é um inferno... olho para a guerra horrorizado.
William T. Sherman

CAPÍTULO VINTE E QUATRO

O RECENSEAMENTO (24.1-25)

É difícil datar este tanto flutuante de tradições que o autor sacro escolheu para colocar no final de sua produção em 1 e 2Samuel. O paralelo, 1Crônicas 21, situa essa tradição imediatamente antes das instruções de Davi a Salomão sobre a construção do templo de Jerusalém. Seja como for, o recenseamento provavelmente ocorreu no fim do reinado de Davi, não muito antes de Salomão ter chegado ao poder. Yahweh, pois, novamente *irou-se* com Israel. Essa palavra provavelmente refere-se a 2Sm 21.1-14, ocasião em que uma *fome* foi a punição contra os pecados. Os maus-tratos dos gibeonitas por Saul foram o pecado a ser punido. Yahweh haveria de punir Israel, mas queria adicionar combustível às chamas da ira divina, pelo que *incitou* (*Revised Standard Version*) Davi a realizar um ato de orgulho e arrogância, ao contar o povo para ver quão numerosos eles se tinham tornado. Feito isso, outro julgamento divino sobreviria. Uma variedade de julgamentos poderia ter remediado a situação, e a Davi foi dado escolher o *tipo* de castigo que Yahweh aplicaria (vs. 13). Ele escolheu *um ato de Deus, em lugar de falhar nas mãos de seus inimigos, pelo que a pestilência caiu do céu* (vs. 15). Cerca de setenta mil pessoas pereceram, aplacando assim a ira de Yahweh.

É *curioso* que Yahweh, ao "incitar" Davi a recensear o povo, somente para ter ainda maior razão para castigá-los, ofendeu o cronista, que lançou a culpa toda sobre Satanás (ver 1Cr 21.1). Essa circunstância tem criado toda espécie de dificuldades para os intérpretes. Mas devemos lembrar que a teologia dos hebreus era fraca quanto a causas secundárias, pelo que todas as coisas foram atribuídas a Yahweh, tanto o bem quanto o mal. Ao longo do caminho, os intérpretes começaram a perceber que Deus, realmente, não era culpado de todas as coisas que aconteciam, conforme os antigos pensavam. Há outras causas por trás dos acontecimentos. Ilustrando a situação, temos a história do rabino que se riu publicamente diante de um homem deformado. Mas logo caiu no arrependimento e pediu que Yahweh o perdoasse, visto que, afinal, em sua teologia, *Deus* era a causa da deformidade daquele homem, bem como de todas as demais calamidades.

Meus amigos, quero dizer que a ênfase extrema sobre a *predestinação,* que continua corrente no calvinismo radical hoje em dia, é outra instância do *absolutismo* no qual as causas secundárias não são reconhecidas. Em outras palavras, alguns cristãos continuam presos ao antigo absolutismo dos hebreus, de acordo com os quais Deus, alegadamente, é a causa de todas as coisas. Isso é uma teologia primitiva, para dizer o mínimo. Encontrar textos de prova quanto a esse tipo de predestinação não alivia o problema. Ver no *Dicionário* os artigos chamados *Predestinação (e Livre-arbítrio)* e *Determinismo (Predestinação).* Além disso, há o artigo intitulado *Livre-arbítrio,* que acrescenta informações sobre o assunto e seus problemas.

Cf. Êx 14.4,8, onde encontramos a mesma circunstância. Rm 9 não está isento do problema, ainda que em *outros textos,* Paulo nos apresente um ponto de vista mais equilibrado.

Visto que o fiel e superior guerreiro, *Joabe,* foi convocado a efetuar o recenseamento (vs. 2), ficou implícito que, originalmente, o censo seria feito com propósitos militares, para saber quão grande era Israel. Assim se poderia saber quão grande exército podia ser convocado em qualquer emergência. O *orgulho* era o pecado envolvido, e também havia a ofensa inominável que Yahweh puniria juntamente com o novo pecado de arrogância.

24.1

וַיֹּסֶף אַף־יְהוָה לַחֲרוֹת בְּיִשְׂרָאֵל וַיָּסֶת אֶת־דָּוִד בָּהֶם
לֵאמֹר לֵךְ מְנֵה אֶת־יִשְׂרָאֵל וְאֶת־יְהוּדָה׃

Tornou a ira do Senhor a acender-se. *O Pecado Desconhecido.* Não somos informados *por que* Yahweh "novamente" ficou irado com seu povo. A palavra "tornou" muito provavelmente refere-se à *outra* ocasião em que ele ficou infeliz com o que Saul havia feito contra os gibeonitas. Ver 2Sm 21.1-14.

O julgamento tinha de cair contra alguma ofensa *não mencionada*; e, para *agravar* a ofensa, de modo que um grande juízo pudesse ser administrado, Yahweh instigou Davi a fazer a contagem do povo. Isso envolveria orgulho e arrogância, e assim adicionaria combustível à fúria divina. Quanto aos problemas lógicos e morais envolvidos no incitamento divino, para que um homem praticasse o mal, somente para que o mal fosse divinamente julgado, ver a introdução a este capítulo, anteriormente. Não solucionamos o problema sugerindo que Deus *permitiu* a Satanás tentar a Davi. A verdade é que "Deus não pode ser tentado pelo mal, e ele mesmo a ninguém tenta" (Tg 1.13), o que reflete uma teologia mais recente, a qual já reconhece as *causas secundárias.* Deus, pois, não é a causa de *todas* as coisas, conforme alguns supõem tolamente. Os intérpretes passam por toda espécie de contorções a fim de explicar como Yahweh incitou (encorajou, inspirou) Davi a fazer coisas erradas. É melhor dizer simplesmente que o cronista estava certo. Algumas coisas são inspiradas pelo mal, e os homens estão sujeitos às más sugestões. Por outro lado, é uma teologia primitiva aquela preservada em 2Sm 24.1, que o cronista não podia deixar conforme a achou. Não podemos tolerá-la, nem devemos perturbar a nossa mente tentando "explicar" isso com toda espécie de argumentos sutis (e estúpidos).

24.2

וַיֹּאמֶר הַמֶּלֶךְ אֶל־יוֹאָב שַׂר־הַחַיִל אֲשֶׁר־אִתּוֹ
שׁוּט־נָא בְּכָל־שִׁבְטֵי יִשְׂרָאֵל מִדָּן וְעַד־בְּאֵר שֶׁבַע
וּפִקְדוּ אֶת־הָעָם וְיָדַעְתִּי אֵת מִסְפַּר הָעָם׃ ס

Disse, pois, o rei a Joabe. O fato de que *Joabe* recebeu a tarefa de fazer o recenseamento sugere que ele foi, originalmente, feito com propósitos militares: Quão grande é Israel? Quão numeroso exército poderíamos convocar em um momento de emergência? A glória de Deus não estava em vista, e tudo servia de inspiração para orgulho e arrogância. Essa circunstância daria a Yahweh *outra* razão para castigar Israel, porquanto o Senhor faria isso de qualquer maneira e queria que algo mais inspirasse o seu juízo. O primeiro versículo deste capítulo menciona algum outro pecado que seria julgado, mas não informa qual seria. Talvez a razão do recenseamento tenha sido econômica. Davi poderia aplicar um novo imposto e queria saber o potencial para tanto. Nm 1.1-4 refere-se a um censo que mereceu a aprovação divina. Houve outro recenseamento em Nm 26.1-4, e por razões legítimas. Mas o censo aqui mencionado foi motivado por alguma forma de mal, como o orgulho, a arrogância ou a ganância. Talvez um labor forçado estivesse envolvido na questão. Davi talvez quisesse saber quantos escravos poderia fazer trabalhar em seu reino, para torná-lo grande e glorioso perante os olhos dos homens. O vs. 10 mostra-nos que a consciência de Davi o feriu, por causa de sua motivação ao ordenar o censo, mas não nos é dito qual(is) pecado(s) estava(m) envolvido(s).

De Dã até Berseba. A extensão do recenseamento, ou seja, do extremo norte ao extremo sul. Esta expressão é frequentemente usada no Antigo Testamento para indicar "todo o Israel". Ver as notas a respeito em 1Sm 3.20. Os autores sacros não se importavam em dar-nos designação de distâncias de oeste para leste.

24.3,4

וַיֹּאמֶר יוֹאָב אֶל־הַמֶּלֶךְ וְיוֹסֵף יְהוָה אֱלֹהֶיךָ אֶל־הָעָם
כָּהֵם וְכָהֵם מֵאָה פְעָמִים וְעֵינֵי אֲדֹנִי־הַמֶּלֶךְ רֹאוֹת
וַאדֹנִי הַמֶּלֶךְ לָמָּה חָפֵץ בַּדָּבָר הַזֶּה׃

וַיֶּחֱזַק דְּבַר־הַמֶּלֶךְ אֶל־יוֹאָב וְעַל שָׂרֵי הֶחָיִל וַיֵּצֵא
יוֹאָב וְשָׂרֵי הַחַיִל לִפְנֵי הַמֶּלֶךְ לִפְקֹד אֶת־הָעָם
אֶת־יִשְׂרָאֵל׃

Então disse Joabe ao rei. De imediato, *Joabe* se opôs à má ideia do rei, defendendo assim a espiritualidade. Ele percebeu os motivos de Davi. Por que agora o rei, "sendo velho, dar-se-ia licença a tal curiosidade, orgulho e vaidade? Ademais, o projeto era inteiramente desnecessário e inútil" (John Gill, *in loc.*). O trecho paralelo também deixa de lado qualquer menção a essas objeções. Joabe antecipou que tal providência poderia atrair o julgamento divino e queria livrar o povo de Israel de qualquer transtorno.

"Até aos olhos do inescrupuloso Joabe, o ato de Davi pareceu abominável... Sua esperteza natural foi suficiente para mostrar-lhe que o ato de Davi discordava do princípio fundamental da existência nacional" (Ellicott, *in loc.*).

Davi utilizou-se das forças armadas para efetuar o recenseamento. "ele enviou recenseadores por toda terra" (Eugene H. Merrill, *in loc.*).

■ 24.5

וַיַּעַבְרוּ אֶת־הַיַּרְדֵּן וַיַּחֲנוּ בַעֲרוֹעֵר יְמִין הָעִיר אֲשֶׁר בְּתוֹךְ־הַנַּחַל הַגָּד וְאֶל־יַעְזֵר:

Tendo eles passado o Jordão. O recenseamento foi feito na direção anti-horária, começando pela Transjordânia, na parte norte até Dã, então na direção oeste, e então a sudoeste, para Sidom e Tiro, através das planícies e vales de populações cananeias e heveias, e daí na direção sul, até Berseba. O processo tomou nove meses e vinte dias, e então foi apresentado o relatório final.

Todos os nomes próprios recebem artigos separados no *Dicionário*, pelo que não damos aqui detalhes. Ver também sobre a *Transjordânia*. Aroer ficava na margem norte do rio Arnon, que formava a fronteira sul entre a Transjordânia e Israel. Tinha o formato de uma ferradura e seguia caminho até Berseba, a cidade mais ao sul de Israel. Gade era uma das tribos hebreias da Transjordânia, e *Jazer* ficava na fronteira daquele território (Js 13.25). Dali eles partiram para *Gileade*. Jazer era uma cidade dada aos gaditas (ver Nm 23.3,35) e ficava a cerca de 26 quilômetros de Aroer.

■ 24.6

וַיָּבֹאוּ הַגִּלְעָדָה וְאֶל־אֶרֶץ תַּחְתִּים חָדְשִׁי וַיָּבֹאוּ דָנָה יַּעַן וְסָבִיב אֶל־צִידוֹן:

Os quatro nomes próprios locativos deste versículo recebem artigos no *Dicionário*. Metade de Gileade pertencia às tribos de Rúben e Gade, e a outra metade à meia tribo de Manassés. A Transjordânia continua aqui a ser descrita. Ver Dt 3.12,13.

Cades na terra dos heteus. Assim diz a *Revised Standard Version*, seguida pela nossa versão portuguesa. Outras versões dizem *Tatim-Hodsi*, como única menção na Bíblia. Esta cidade parecia localizar-se entre Gileade e Dã-Jaã (outro nome para Dã). Os intérpretes ficam perplexos pelo fato de o nome talvez referir-se aos "heteus de Cades". O Targum chama o lugar de terra sulista de Hodsi, perto da cidade de Corzin, no território da meia tribo de Manassés, a cerca de 80 quilômetros de Jerusalém. Mas *Tatim* parece ser uma forma corrupta dos *hititas*, envolvendo a mudança de uma única letra consoante. A palavra poderia significar "território recém-conquistado". O sentido exato da referência permanece na dúvida.

Dã-Jaã. Por certo temos aqui uma referência ao território de Dã; mas os intérpretes disputam o que seria a palavra adicional "Jaã", e não chegam a nenhuma conclusão definitiva. Contudo, a Vulgata Latina diz "Dã-Jaar", ou seja, "Dã na floresta". E talvez este seja o seu sentido, afinal. seu nome anterior era Laquis e assinalava a ponta mais ao norte do território de Israel. Ver sobre a expressão *de Dã até Berseba*, nas notas expositivas de 1Sm 3.20.

■ 24.7

וַיָּבֹאוּ מִבְצַר־צֹר וְכָל־עָרֵי הַחִוִּי וְהַכְּנַעֲנִי וַיֵּצְאוּ אֶל־נֶגֶב יְהוּדָה בְּאֵר שָׁבַע:

O extenso círculo tomado pelos recenseadores levou-os até Tiro e várias cidades ocupadas pelos heveus, sobre os quais Davi exercia controle e os quais, sem dúvida, pagavam-lhe tributo. A mesma coisa deve ser dita em relação aos *cananeus*. Aqueles que Davi não conseguiu obliterar (dentre as oito nações; ver 1Sm 10.19), ele confinou e sujeitou a tributo. "Se é verdade que foram até Cades, na terra dos heteus, às margens do rio Orontes, então o recenseamento deve ter sido feito depois das guerras sírias de Davi, que lhe deram possessão daquele território até o extremo norte" (George B. Caird, *in loc.*).

Finalmente, ao completar o circuito na direção anti-horária, os recenseadores chegaram à extremidade sul de Israel, *Berseba*.

■ 24.8

וַיָּשֻׁטוּ בְּכָל־הָאָרֶץ וַיָּבֹאוּ מִקְצֵה תִשְׁעָה חֳדָשִׁים וְעֶשְׂרִים יוֹם יְרוּשָׁלָ͏ִם:

Ao cabo de nove meses e vinte dias. Esse foi o tempo necessário para completar o recenseamento, *de Dã até Berseba* (ver as notas expositivas em 1Sm 3.20). Terminaram o trabalho em Jerusalém e entregaram a Davi o relatório completo. 1Cr 21.6 e 27.24 sugerem que a tarefa, de fato, não se completou, mas podemos estar certos de que os recenseadores chegaram perto desse alvo. Davi estava decidido a *saber* o resultado. Mas a tarefa não se completou porque Joabe continuava resistindo à ideia.

■ 24.9

וַיִּתֵּן יוֹאָב אֶת־מִסְפַּר מִפְקַד־הָעָם אֶל־הַמֶּלֶךְ וַתְּהִי יִשְׂרָאֵל שְׁמֹנֶה מֵאוֹת אֶלֶף אִישׁ־חַיִל שֹׁלֵף חֶרֶב וְאִישׁ יְהוּדָה חֲמֵשׁ־מֵאוֹת אֶלֶף אִישׁ:

Oitocentos mil homens de guerra... quinhentos mil. Esses homens eram capazes de ir à guerra em Israel (parte norte do país), e em Judá (parte sul do país), respectivamente. O total era de 1.300.000 homens capazes de ir à guerra. O mesmo critério foi usado pelos outros recenseamentos (ver Nm 1.3). Ver Nm 1.2 quanto a um gráfico que mostra os resultados numéricos nos outros dois censos.

O números que aparecem em 1Cr 21 não concordam com os do presente texto. Ali se afirma que em Israel (parte norte da nação) havia 1.100.000 homens capazes de ir à guerra, e em Judá (a parte sul da nação) havia 470.000. Os intérpretes gastam muito tempo e energias na tentativa de reconciliar esses números. Um modo possível de fazê-lo consiste em dizer que 2Samuel contém um relatório mais completo acerca de Judá, mas menos completo no tocante a Israel. 1Cr 21.5,6 diz-nos que os levitas e os homens de Benjamim não foram contados. Quiçá em uma das versões do recenseamento eles foram incluídos, e isso foi aproveitado pelo cronista. Talvez os *exércitos permanentes* não tenham sido incluídos nos números de uma dessas versões. Por exemplo, talvez os quinhentos mil de Judá incluíssem os trinta mil do exército profissional, ao passo que os números do cronista não concordavam com esse critério. Basta adicionar os trinta mil aos 470.000, e obtém-se quinhentos mil. Mas tais modos de reconciliação são apenas conjecturas, e não é importante reconciliar os números. É claro que mais de um resultado circulou, porém a maneira como cada resultado foi conseguido permanece em dúvida. Não há razão para supor que corrupções penetraram no texto. Havia simplesmente duas versões do recenseamento, que resultaram em números diferentes, embora não saibamos dizer *como* isso se deu.

Talvez a população total de Israel, incluindo os que não tinham idade para servir ao exército, os que não podiam ir à guerra, as mulheres e crianças, os sacerdotes etc., fosse de cerca de seis milhões de pessoas. Mas isso também não passa de conjectura. Fazendo-se a comparação desse recenseamento com os resultados dos dois outros (anotados em Nm 1.2), vemos que a população de Israel tinha quase *dobrado* desde os dias de Josué, e isso é surpreendente, considerando-se quantos homens devem ter sido mortos nas muitas guerras em que Israel esteve ocupado.

■ 24.10

וַיַּךְ לֵב־דָּוִד אֹתוֹ אַחֲרֵי־כֵן סָפַר אֶת־הָעָם ס וַיֹּאמֶר דָּוִד אֶל־יְהוָה חָטָאתִי מְאֹד אֲשֶׁר עָשִׂיתִי וְעַתָּה יְהוָה הַעֲבֶר־נָא אֶת־עֲוֹן עַבְדְּךָ כִּי נִסְכַּלְתִּי מְאֹד:

Sentiu Davi bater-lhe o coração. *Um Toque da Consciência.* Tendo obtido o que tanto queria, Davi notou subitamente que a providência era inútil e pecaminosa, pelo que a consciência lhe palpitou, e ele confessou seu *pecado* a Yahweh. Ele pediu *perdão* (ver a respeito no *Dicionário*) e esperou que nenhum julgamento divino sobreviesse por causa de seu ato apressado e estúpido. Quão humano tudo isso é. Faça o que você quiser, e arrisque-se a merecer o desagrado de Deus depois! Também é muito humano um homem obter o que ele quiser, embora seu coração lhe diga que tal coisa é errada, para mais tarde reconhecer que todo o esforço despendido não valeu a pena.

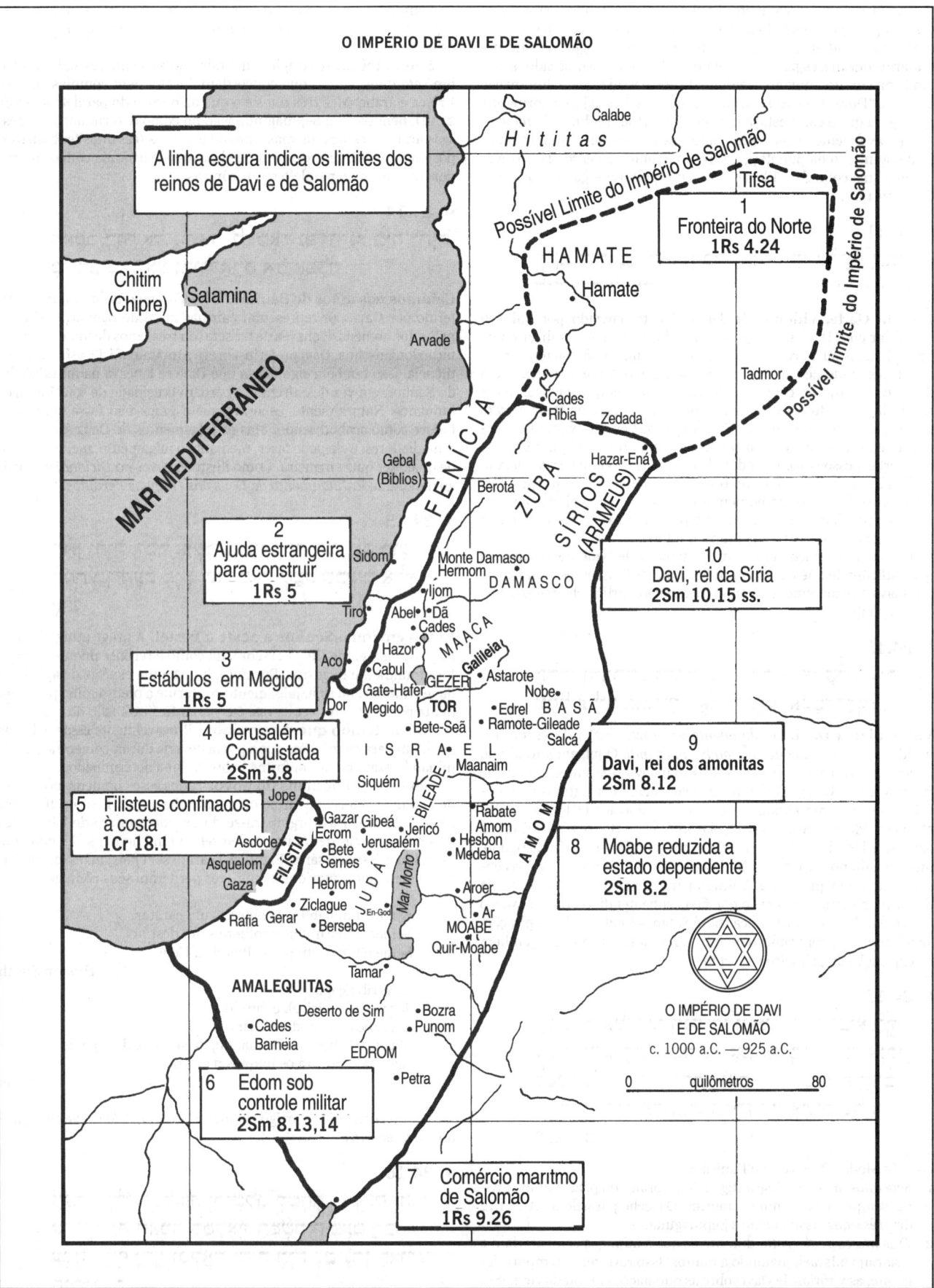

"Ao fazer o recenseamento, Davi estava enganando a si mesmo, crendo que a possessão do poder de um homem é a origem e a substância da grandeza de seu reino" (Ganse Little, *in loc.*). Foram necessários dez meses para que Davi reconhecesse o seu pecado, e isso também é muito humano. Nenhum de nós possui grande iluminação celestial. "Durante nove a dez meses, sua consciência jazeu dormente, mas agora que a coisa estava feita ela despertou" (John Gill, *in loc.*).

Provavelmente o recenseamento era de natureza militar, mas, com o aumento da população, Davi aumentaria suas rendas através de impostos cobrados. Ele se mostrou orgulhoso e ganancioso. Ver Êx 30.12,13.

■ 24.11

וַיָּקׇם דָּוִד בַּבֹּקֶר פ וּדְבַר־יְהוָה הָיָה אֶל־גָּד הַנָּבִיא חֹזֵה דָוִד לֵאמֹר׃

Profeta Gade, vidente de Davi. Ele foi enviado por Yahweh para falar com Davi acerca de seu pecado. Não sabemos dizer como Yahweh inspirou o profeta. Talvez mediante uma visão ou um sonho, ou em resultado de sua consulta a um oráculo. Israel contava, além da casta sacerdotal, com os *videntes* e *profetas* que supostamente mantinham agudo discernimento quanto à vontade de Deus e eram capazes de predizer o futuro. Há estudos que comprovam que o conhecimento anterior é uma possessão comum da psique humana, mas certas pessoas são mais dotadas que outras. Ver na *Enciclopédia de Bíblia, Teologia e Filosofia* o verbete chamado *Precognição*. Um verdadeiro vidente é um homem espiritual que pode ajudar aos outros com problemas, compreensão espiritual e a vida em geral, e não apenas uma pessoa capaz de prever o futuro.

O homem em foco neste texto é chamado de "vidente de Davi", o que subentende que o homem tinha contatos frequentes com Davi e o ajudava ocasionalmente. Ver no *Dicionário* o artigo chamado *Gade*, quarto ponto.

■ 24.12

הָלוֹךְ וְדִבַּרְתָּ אֶל־דָּוִד כֹּה אָמַר יְהוָה שָׁלֹשׁ אָנֹכִי נוֹטֵל עָלֶיךָ בְּחַר־לְךָ אַחַת־מֵהֶם וְאֶעֱשֶׂה־לָּךְ׃

Vai, e dize a Davi. *O julgamento era certo*, mas a Davi foi permitido fazer a escolha de seu *modus operandi*. O julgamento divino poderia ocorrer de uma dentre três maneiras diferentes, conforme nos informa o vs. 13. Talvez forçar Davi a *escolher* entre três possíveis punições o impressionasse com a pecaminosidade de seu ato. *Ele* seria considerado responsável pelas muitas mortes que haveriam de ocorrer. Além disso, havia aquele *outro* pecado que seria castigado, mencionado no vs. 1, mas não descrito. De fato, a questão do recenseamento foi inspirada por Yahweh para que ele tivesse razão ainda maior para castigar a Davi, o que ficou subentendido no vs. 1. Mas o trecho paralelo, 1Cr 21.1, lança sobre Satanás a culpa pela inspiração. Já abordei essa contradição na introdução a este capítulo e também na exposição do primeiro versículo.

■ 24.13

וַיָּבֹא־גָד אֶל־דָּוִד וַיַּגֶּד־לוֹ וַיֹּאמֶר לוֹ הֲתָבוֹא לְךָ שֶׁבַע שָׁנִים רָעָב בְּאַרְצֶךָ אִם־שְׁלֹשָׁה חֳדָשִׁים נֻסְךָ לִפְנֵי־צָרֶיךָ וְהוּא רֹדְפֶךָ וְאִם־הֱיוֹת שְׁלֹשֶׁת יָמִים דֶּבֶר בְּאַרְצֶךָ עַתָּה דַּע וּרְאֵה מָה־אָשִׁיב שֹׁלְחִי דָּבָר׃ ס

Os Três Modos Possíveis de Punição:
1. *Sete anos de fome*. Esse antigo látego, brandido pela vontade divina, sempre deixava muitos mortos. O trecho paralelo de 1Cr 21.12 diz *três anos*, assim como a Septuaginta.
2. *Três meses de derrota*, durante os quais inimigos combateriam e vexariam a Israel, matando a muitos. Isso reverteria, temporariamente, as vitórias de Davi sobre as oito nações (anotadas em 2Sm 10.19). Como é óbvio, isso significava a morte de muitos em Israel.
3. *Três dias de pestilência*. Uma pestilência tão violenta que muitos morreriam. Não perduraria por muito tempo, mas seria uma grande calamidade.

Sem importar como Davi fosse castigado, haveria grande devastação. Isso aconteceria em um tempo maior ou menor, mas teria de acontecer.

Sete... três... No original hebraico do presente texto, lemos sobre *sete anos*, com o que concordam Josefo, bem como as versões siríaca e árabe. Mas *três anos* é o que dá o texto do paralelo (ver 1Cr 21.12), bem como a Septuaginta. Não há como determinar qual dessas variantes está certa, mas é provável que os *três anos* tenham sido postos no presente texto para que houvesse harmonia com os outros dois *três*, e com o paralelo em 1Crônicas.

■ 24.14

וַיֹּאמֶר דָּוִד אֶל־גָּד צַר־לִי מְאֹד נִפְּלָה־נָּא בְיַד־יְהוָה כִּי־רַבִּים רַחֲמָו וּבְיַד־אָדָם אַל־אֶפֹּלָה׃

Caiamos nas mãos do Senhor. O terceiro *modus operandi* foi preferido por Davi, por representar cair nas mãos do Senhor, e não nas mãos dos homens. E em vez de ter sete (ou três) anos de fome, uma punição longuíssima, Davi preferiu a breve e totalmente devastadora pestilência. Isso também significava que Davi se lançava na misericórdia do Senhor, em vez de enfrentar a bárbara crueldade de seus inimigos humanos. Naturalmente, esperava que a praga não fosse tão devastadora como acabou sendo. Mas os julgamentos de Deus são sempre remediadores, e ele pode fazer, mediante o julgamento, melhor do que de qualquer outra maneira. Como ilustração, ver no *Dicionário* o artigo denominado *Julgamento de Deus dos Homens Perdidos*.

■ 24.15

וַיִּתֵּן יְהוָה דֶּבֶר בְּיִשְׂרָאֵל מֵהַבֹּקֶר וְעַד־עֵת מוֹעֵד וַיָּמׇת מִן־הָעָם מִדָּן וְעַד־בְּאֵר שֶׁבַע שִׁבְעִים אֶלֶף אִישׁ׃

Então enviou o Senhor a peste a Israel. A praga atingiu toda a nação de Israel (de Dã a Berseba), tal como o recenseamento de Davi fora totalmente inclusivo. Portanto, houve uma espécie de aplicação da *lex talionis*, ou seja, julgamento conforme a ofensa: olho por olho, dente por dente etc. Ver os vss. 6 e 7 quanto à *extensão* do censo.

Até ao tempo que determinou. Provavelmente essas palavras apontam para os *três dias* que a praga deveria durar, começando e terminando exatamente conforme Yahweh tinha determinado.

Setenta mil homens do povo. Todos esses homens morreram de alguma bactéria ou vírus, ou quem sabe o quê. Essa bactéria era toda-poderosa! Davi orgulhara-se do grande número de habitantes de seu reino, mas de súbito perdeu setenta mil homens, de modo tão estúpido e desnecessário. Famílias ficaram sem pais; mães foram deixadas sem filhos; maridos e mulheres perderam seus cônjuges.

Semeai um hábito, e colhereis um caráter.
Semeai um caráter, e colhereis um destino.
Semeai um destino, e colhereis... Deus.

Huston Smith

... retribuição...
Jaz perto, invisível, contudo,
Ela sabe a quem deve ferir.
Mas não sabes a hora quando, de súbito e de repente,
Ela virá e varrerá os iníquos da terra.

Ésquilo

Ver no *Dicionário* o artigo chamado *Lei Moral da Colheita segundo a Semeadura*.

■ 24.16

וַיִּשְׁלַח יָדוֹ הַמַּלְאָךְ יְרוּשָׁלַם לְשַׁחֲתָהּ וַיִּנָּחֶם יְהוָה אֶל־הָרָעָה וַיֹּאמֶר לַמַּלְאָךְ הַמַּשְׁחִית בָּעָם רַב עַתָּה הֶרֶף יָדֶךָ וּמַלְאַךְ יְהוָה הָיָה עִם־גֹּרֶן הָאֲרַוְנָה הַיְבֻסִי׃ ס

Basta, retira a tua mão. A praga estava prestes a atingir Jerusalém, a cidade mais populosa de Israel e sua capital. Mas foi então que Yahweh se *arrependeu* e ordenou ao anjo (que estava espalhando a destruição) que parasse. Quanto ao *arrependimento de Yahweh*, ver Êx 32.14. Uma grande epidemia de cólera, na Inglaterra, foi interrompida meramente cobrindo os poços (que estavam contaminados), forçando assim as pessoas a buscar outros suprimentos de água potável. Não sabemos dizer de que maneira o anjo deteve a praga, nem como a começou. Mas o fato é que a praga terminou tão repentinamente quanto se iniciou. Os setenta mil homens que morreram foram suficientes para satisfazer a ira de Yahweh. Naturalmente, em tudo isso temos o *antropomorfismo* e o *antropopatismo*. Ver sobre esses termos no *Dicionário*. Atribuímos a Deus nossas características, atributos e emoções. Tais atos, sem dúvida, distorcem a verdadeira natureza de Deus, mas estamos no dilema humano, que nos força a falar sobre Deus de tais maneiras. Ver no *Dicionário* o artigo chamado *Ira de Deus*. Talvez a praga seja aqui *personificada* pelo termo "anjo". Cf. 2Rs 19.35. Naquele caso não precisamos pensar na intervenção pessoal do ser angelical. Ver no *Dicionário* o artigo chamado *Anjo*.

O tempo era o da colheita do trigo. Por isso mesmo o autor mencionou a eira de *Araúna*, o jebuseu. Foi ali que ocorreu a manifestação do anjo, e presume-se que não apenas Davi a viu. Foi um fenômeno notável.

1Cr 21.12 pitorescamente representa o anjo de pé por cima de Jerusalém, com a espada desembainhada, pronto para golpear. Misericordiosamente, Yahweh deteve seu guerreiro celestial e assim Jerusalém foi poupada da terrível espada do anjo.

■ 24.17

וַיֹּאמֶר דָּוִד אֶל־יְהוָה בִּרְאֹתוֹ אֶת־הַמַּלְאָךְ הַמַּכֶּה בָעָם וַיֹּאמֶר הִנֵּה אָנֹכִי חָטָאתִי וְאָנֹכִי הֶעֱוֵיתִי וְאֵלֶּה הַצֹּאן מֶה עָשׂוּ תְּהִי נָא יָדְךָ בִּי וּבְבֵית אָבִי: פ

Vendo Davi ao anjo. A *Davi* foi dada a visão da realidade do caso. Havia, realmente, um ser celeste ali, espalhando a destruição. Por conseguinte, Davi clamou a Yahweh, pedindo misericórdia e confessando seus pecados, a fim de que Israel não continuasse a sofrer por culpa *dele*. Mas também houve aquele outro pecado que estava sendo julgado, o qual não é identificado (ver o vs. 1), sendo um pensamento razoável pensarmos que Israel estava envolvido nesse pecado, pelo que o povo israelita *merecia* o que estava sucedendo. Isso quer dizer que Yahweh estava irado com *Israel* (vs. 1), e não meramente com Davi. Seja como for, Yahweh ouviu a oração de Davi e fez cessar a temível praga. E foi assim que o povo morreu *por seus próprios pecados* (através daqueles representantes). Ver sobre isso em Dt 24.16. "O salário do pecado é a morte" (Rm 6.23). Ver no *Dicionário* o artigo chamado *Intercessão*. É patente que Davi acreditava nos efeitos da oração intercessória.

■ 24.18

וַיָּבֹא־גָד אֶל־דָּוִד בַּיּוֹם הַהוּא וַיֹּאמֶר לוֹ עֲלֵה הָקֵם לַיהוָה מִזְבֵּחַ בְּגֹרֶן אֲרָנְיָה הַיְבֻסִי:

Naquele mesmo dia veio Gade. *Outro Serviço Espiritual Prestado por Gade*. Podemos presumir que Yahweh tenha falado com ele novamente (através de um anjo), instruindo para que ordenasse a Davi que erigisse um altar em honra a Yahweh, o que serviria de memorial do terrível evento que acabara de ocorrer. Em *primeiro lugar*, seria um *local apropriado* para fazer as oferendas e os sacrifícios que aplacariam a ira de Yahweh. Seria um lugar apropriado porque *ali* o anjo fora visto por Davi e talvez por outras pessoas. Gade foi dirigido pelo anjo (ver 1Cr 21.18).

"O local da teofania deve, como é usual, ser consagrado... O local da eira evidentemente deve ser identificado com o local do templo de Salomão, mas dificilmente é o local da atual Dome of the Rock, conforme atualmente aparece, pois é um terreno por demais irregular para aquele propósito. Mas pode ter sido *próximo* da rocha, e essa rocha ainda pode estar no lugar do altar de Davi" (George B. Caird, *in loc.*).

Araúna. Ver o artigo sobre ele no *Dicionário*, quanto à história completa e detalhes que não foram incluídos aqui.

■ 24.19

וַיַּעַל דָּוִד כִּדְבַר־גָּד כַּאֲשֶׁר צִוָּה יְהוָה:

Davi subiu. Davi, temeroso em desobedecer a Yahweh e causar alguma outra calamidade, agiu rapidamente para obter a eira de Araúna. Era propriedade particular de um cidadão, e Davi não podia simplesmente apossar-se dela, sem nada pagar. Ele desapropriaria o terreno por um preço justo, algo que ele tinha o direito de fazer.

■ 24.20

וַיַּשְׁקֵף אֲרַוְנָה וַיַּרְא אֶת־הַמֶּלֶךְ וְאֶת־עֲבָדָיו עֹבְרִים עָלָיו וַיֵּצֵא אֲרַוְנָה וַיִּשְׁתַּחוּ לַמֶּלֶךְ אַפָּיו אָרְצָה:

Olhou Araúna do alto. Sem dúvida Araúna ficou espantado, ao ver aproximar-se o próprio rei e seus oficiais e soldados. Imediatamente fez-se de tão humilde quanto lhe era possível, inclinando-se com o rosto em terra e mostrando ser um súdito leal, a despeito de ser um jebuseu, um dos habitantes de Jerusalém, antes que Davi tivesse tomado o lugar. Provavelmente devemos entender que o homem se convertera à fé dos hebreus. 1Cr 21.20 fornece-nos o detalhe de que esse homem e seu filho tinham visto a teofania e se haviam ocultado. Mas agora eles saíram de seu esconderijo e Araúna adiantou-se ao encontro de Davi.

■ 24.21

וַיֹּאמֶר אֲרַוְנָה מַדּוּעַ בָּא אֲדֹנִי־הַמֶּלֶךְ אֶל־עַבְדּוֹ וַיֹּאמֶר דָּוִד לִקְנוֹת מֵעִמְּךָ אֶת־הַגֹּרֶן לִבְנוֹת מִזְבֵּחַ לַיהוָה וְתֵעָצַר הַמַּגֵּפָה מֵעַל הָעָם:

Por que vem o rei meu senhor ao seu servo. *Qual o Motivo Daquela Visita?* Essa foi a pergunta do proprietário da eira, porquanto não era todos os dias que o próprio rei fazia tal visita. Muitas coisas devem ter atravessado sua mente. Qual *ofensa* sua poderia ter atraído o rei naquela visita? O que poderia haver de errado? Que malefício poderia advir de tão temível visita? Mas o rei só estava ali para fazer-lhe uma generosa oferta por seu terreno, a fim de que pudesse oferecer os sacrifícios apropriados e assim deter a praga. A maioria de nossos temores nunca se materializa, e, com frequência, em lugar deles, obtemos grandes vitórias. Oh, Senhor, concede-nos tal graça!

A oferenda ou sacrifício era necessário, porquanto havia *pecado* a ser expiado e perdoado. Ver no *Dicionário* os artigos intitulados *Perdão*; *Expiação*; *Sacrifícios* e *Sacrifícios e Ofertas*.

■ 24.22

וַיֹּאמֶר אֲרַוְנָה אֶל־דָּוִד יִקַּח וְיַעַל אֲדֹנִי הַמֶּלֶךְ הַטּוֹב בְּעֵינָיו רְאֵה הַבָּקָר לָעֹלָה וְהַמֹּרִגִּים וּכְלֵי הַבָּקָר לָעֵצִים:

Então disse Araúna ao rei. Além de dispor-se a vender a eira por *qualquer* preço que o rei oferecesse, Araúna trouxe o material necessário para os sacrifícios, dentre suas próprias possessões. E também deu a Davi os instrumentos usados na eira, para o caso de o rei querer continuar a usar o lugar com *aquele* propósito, ou como um santuário de memorial, por causa da teofania que ali ocorrera. Ver no *Dicionário* o artigo chamado *Teofania*. Quanto à eira como cenário de um ato de adoração, ver Os 9.1.

Os trilhos. Isto é, as tábuas chatas com nós de ferro na parte de baixo, que eram puxadas sobre o grão pelos bois, para separar a palha do grão. Além desses instrumentos, ele também trouxe os jugos para os bois, que poderiam ser usados no processo. John Gill (*in loc.*) explica que os trilhos eram carroças equipadas com dentes de ferro na parte inferior que passavam sobre o grão colhido. As carroças eram carregadas de pedras.

■ 24.23

הַכֹּל נָתַן אֲרַוְנָה הַמֶּלֶךְ לַמֶּלֶךְ ס וַיֹּאמֶר אֲרַוְנָה אֶל־הַמֶּלֶךְ יְהוָה אֱלֹהֶיךָ יִרְצֶךָ:

Tudo isto, ó rei, Araúna oferece ao rei. Araúna ofereceu-se para dar ao rei todas aquelas coisas, incluindo o próprio terreno da eira. Talvez ele se tenha sentido tão aliviado de que sua vida não corria perigo que, alegremente, se dispôs a dar ao rei *qualquer* coisa material. Ou então se mostrara apenas generoso e contou como honra ser capaz de "contribuir" como pudesse para estancar a praga. Cf. 1Cr 21.23. O texto adiciona ainda grãos para a oferta de cereais, pelo que o homem estava pensando em *tudo*. Ver no *Dicionário* o artigo chamado *Sacrifícios e Ofertas*. Quanto aos *tipos de ofertas*, ver a exposição sobre Lv 7.37. Sem dúvida, o fato de que Araúna também vira a teofania encorajara sua generosidade.

■ 24.24

וַיֹּאמֶר הַמֶּלֶךְ אֶל־אֲרַוְנָה לֹא כִּי־קָנוֹ אֶקְנֶה מֵאוֹתְךָ בִּמְחִיר וְלֹא אַעֲלֶה לַיהוָה אֱלֹהַי עֹלוֹת חִנָּם וַיִּקֶן דָּוִד אֶת־הַגֹּרֶן וְאֶת־הַבָּקָר בְּכֶסֶף שְׁקָלִים חֲמִשִּׁים׃

Porém o rei disse a Araúna. Davi comprou a eira e tudo quanto Araúna trouxera. O presente texto dá o preço admiravelmente baixo de apenas cinquenta siclos. Esse valor (um peso) é explicado no *Dicionário*, no artigo chamado *Dinheiro*, especificamente na sua seção II. Ver também o artigo *Pesos e Medidas*, seção VII. Cinquenta siclos representavam apenas 567,5 gramas de prata. Mas 1Cr 21.25 redime a questão, informando-nos que Davi pagou seiscentos siclos de ouro, ou seja, cerca de 6,81 gramas de ouro. E isso dá à propriedade considerável valor.

Ao tentar reconciliar as quantias contraditórias mencionadas nos dois relatos, alguns intérpretes judeus supõem que os "cinquenta" siclos representavam cada tribo de Israel. Assim, 12 x 50 = seiscentos, o número de siclos que aparece em 1Cr 21. Essa é uma explicação engenhosa, mas dificilmente merece a nossa atenção. O autor sacro certamente nos teria informado sobre tão complicada transação. Além disso, por que Davi misturaria todas as tribos de Israel na negociação? ele simplesmente daria a Araúna o que ele merecia receber. É melhor supor que Davi comprou todo o território de Araúna pelo preço maior, e que o preço menor se refere somente à eira e seu equipamento. Mas essa é apenas uma ideia nossa. Seja como for, podemos estar certos de que Davi ansiava por mostrar-se justo e generoso, tal como Araúna demonstrara ser. A medida de um homem é a sua generosidade, outro nome para o amor. Ver na *Enciclopédia de Bíblia, Teologia e Filosofia* o artigo denominado *Liberalidade e Generosidade*.

Provavelmente, a importância comprou o terreno onde havia a eira, e o terreno poderia ter vários acres de área. Uma larga fatia do monte Moriá pode ter sido assim comprada, e tornou-se um bom local para Salomão, mais tarde, construir o templo de Jerusalém. A teofania ali manifestada aumentou o prestígio do lugar, para que ali se fizesse uma construção.

■ 24.25

וַיִּבֶן שָׁם דָּוִד מִזְבֵּחַ לַיהוָה וַיַּעַל עֹלוֹת וּשְׁלָמִים וַיֵּעָתֵר יְהוָה לָאָרֶץ וַתֵּעָצַר הַמַּגֵּפָה מֵעַל יִשְׂרָאֵל׃

Edificou ali Davi ao Senhor um altar. O terreno foi adquirido, a eira e todo o seu território em redor, bem como os instrumentos mencionados no vs. 22. Davi realizou imediatamente os sacrifícios que aplacariam Yahweh e fariam cessar a praga que já tinha matado setenta mil pessoas. "Foi no monte Moriá que Abraão oferecera Isaque (ver Gn 22.2). E no mesmo local, Salomão mais tarde construiu seu magnificente templo (1Cr 22.1,2; 2Cr 3.1)" (Eugene H. Merrill, *in loc.*). Portanto, o bem saiu do mal. O trecho paralelo de 1Cr 21.29,30 lembra-nos que o tabernáculo (onde Davi mais apropriadamente poderia ter realizado os sacrifícios ali oferecidos) continuava em Gibeom. Mas Davi não foi até lá, porque temia que o anjo brandisse novamente sua espada e ceifasse sua própria vida. Assim sendo, ele realizou o sacrifício em um lugar próximo.

"Assim, com o arrependimento de Davi e a reconciliação dele com Deus, após o seu segundo grande pecado, o autor sagrado encerrou essa narrativa e o seu livro. O reinado e a vida de Davi tinham chegado substancialmente ao fim, um testemunho a todos os tempos do poder da graça divina sobre a fragilidade e o pecado humano, bem como da fidelidade e da misericórdia de Deus para com aqueles que nele confiam, a despeito de grandes e graves falhas" (Ellicott, *in loc.*).

AS REALIZAÇÕES DE DAVI PREPARAM O CAMINHO PARA A ÉPOCA ÁUREA QUE SEU FILHO, SALOMÃO, ADMINISTROU

Davi derrotou, de modo decisivo, os filisteus (2Sm 5.17-25; 21.15-22; 1Cr 18.1). Além disso, os amonitas, os idumeus, os moabitas, os arameus e os amalequitas foram subjugados (2Sm 8.10; 12.26-32), e um império substancial foi estabelecido sob as ordens de Davi. Estendia-se desde Ezion-Geber, no extremo sul do golfo de Ácaba, até a região de Hums, perto da cidade de Hamate, no extremo norte. Trechos bíblicos, como 1Cr 22.17 ss., comentam as habilidades diplomáticas e militares de Davi, e, ocasionalmente, há vislumbres da sua espiritualidade.

Ver sobre os *oito inimigos* vencidos por Davi, nas notas oferecidas em 2Sm 10.19. Ver também sobre Davi, o rei ideal de Israel, em 1Rs 15.3.

1REIS

O Livro que Conta Histórias dos Reis de Israel e Judá

> *Se vós e vossos filhos de qualquer maneira vos apartardes de mim, e não guardardes os meus mandamentos, e os estatutos, que vos prescrevi, mas fordes, e servirdes a outros deuses... então destruirei a Israel da terra...*
>
> 1Reis 9.6,7

22 | Capítulos
817 | Versículos

INTRODUÇÃO

ESBOÇO

I. Caracterização Geral
II. Antigas Formas Desses Livros
III. Autoria
IV. Fontes
V. Data
VI. Proveniência
VII. Motivos e Propósito
VIII. Cronologia
IX. Cânon
X. Conteúdo e Mensagem
XI. Gráfico dos Reis

I. CARACTERIZAÇÃO GERAL

Os livros de 1 e 2Reis, que formavam um único livro de acordo com o cânon hebreu, são livros históricos do Antigo Testamento, incluídos entre os profetas anteriores, ou seja, os livros de Josué até 2Reis, que se seguem ao Pentateuco. Esses livros narram a história de Israel desde a conquista da terra de Canaã (século XIII a.C.) até a queda de Jerusalém, em 586 a.C. A história sempre foi importante para os hebreus. Nesses livros há um autêntico material histórico, conforme admitem até mesmo os mais liberais eruditos. Os livros de 1 e 2Reis fornecem-nos a história de Israel desde os últimos dias de Davi e da ascensão de Salomão (cerca de 970 a.C.) até o aprisionamento do rei Jeoaquim, em uma prisão na Babilônia, por Amel-Marduque, em cerca de 561 a.C. Muitos estudiosos creem que esses livros, conforme os temos atualmente, incorporam duas edições, a primeira das quais teria sido publicada em cerca de seiscentos a.C., escrita por um historiador deuteronômico, e a segunda, que conteria material suplementar, relativo principalmente à nação do norte, Israel, que teria sido produzida cerca de cinquenta anos mais tarde (ver sobre *Data*, abaixo). Esses livros mencionam várias fontes informativas, pelo que o autor sagrado, mesmo que tenha sido contemporâneo de alguns dos eventos históricos, foi, essencialmente, um compilador. Ver abaixo sobre as *Fontes Informativas*. Os historiadores respeitam esses livros canônicos como obras sérias, embora supondo alguns que ali há um certo colorido, com propósitos pessoais e teológicos. Por serem complementares do livro de Deuteronômio, eles expõem os grandes ideais da doutrina deuteronômica, como a centralização de toda a adoração sacrificial no templo de Jerusalém, ou como a doutrina da retribuição divina segundo os feitos humanos, bons ou maus.

Esses livros recebem seu nome devido à palavra inicial, no texto hebraico, do livro de 1Reis, *wehammelek,* isto é, "e o rei", bem como ao fato de que essa porção das Escrituras trata principalmente da descrição dos feitos e do caráter dos monarcas de Israel e de Judá.

II. ANTIGAS FORMAS DESSES LIVROS

Na Bíblia em hebraico, esses dois livros formavam um único volume, ou rolo. A divisão do livro em dois ocorreu na Septuaginta, por razões práticas. O hebraico, que era escrito somente com as consoantes, ocupa muito menos espaço do que o grego, que tem vogais como letras separadas. Quando esse livro foi traduzido para o grego, pois, ocupava tanto espaço que não era prático deixá-lo sob a forma de um só rolo ou volume. Por isso, foi dividido em duas porções. A divisão não apareceu na Bíblia hebraica senão quando Bomberg imprimiu a Bíblia hebraica, em Veneza, em 1516-1517. Essa divisão também apareceu na Vulgata Latina impressa. Na Vulgata Latina e na Septuaginta, os livros de 1 e 2Samuel, 1 e 2Reis são tratados como uma história contínua, pelo que ali temos os livros de I, II, III e IV Reis. Embora a divisão entre 1 e 2Reis seja totalmente arbitrária, tem sido preservada nas versões das línguas vernáculas. Essa arbitrária divisão corta bem pelo meio a narrativa sobre o reinado de Acazias. O primeiro capítulo de 2Reis termina a narrativa sobre o seu governo. Ainda mais estranho é que a história do profeta Elias, e a unção de Eliseu, aparecem em 1Reis; mas o final dramático do ministério de Elias aparece em 2Reis.

III. AUTORIA

A tradição judaica piedosa, segundo é refletida no Talmude (Baba Bathra 14b), diz que Jeremias foi o autor desses livros. Essa ideia é defendida por alguns estudiosos com base no fato de que parte desse livro (2Rs 25.27-30; atribuída por alguns a um outro autor, que teria começado a escrever em 2Rs 23.26) poderia ter sido escrita por Jeremias, para nada dizermos sobre a primeira porção, porquanto a tradição judaica afirma que Nabucodonosor levou esse profeta para a Babilônia, depois que aquele monarca conquistou o Egito, em 568 a.C. Na Babilônia, conforme prossegue a história, Jeremias morreu quando já tinha mais de 90 anos de idade. Segundo esse ponto de vista, a compilação em duas porções fica justificada (ver sobre Fontes, quarto ponto). E a avançada idade de Jeremias teria sido suficiente para satisfazer a cronologia envolvida. Naturalmente, precisamos depender da tradição, a fim de encontrar apoio para essa posição. E muitos duvidam da precisão desta tradição. Por esse motivo, outros eruditos opinam que tenha havido dois distintos autores-compiladores, defensores das tradições teológicas do livro de Deuteronômio, pelo que foram chamados de autores deuteronômicos.

A linguagem usada por Isaías, por Jeremias e pelo autor do livro de Deuteronômio assemelha-se à dos livros de Reis, por conterem um tipo comum de admoestação, de exortação, de reprimenda e de encorajamento, reiterando os mesmos grandes temas da centralização da adoração, no templo de Jerusalém, e da doutrina da retribuição divina, juntamente com uma rígida avaliação espiritual das personagens descritas. Os eventos ali registrados cobrem um período de quatrocentos anos; mas sabemos, com base nas fontes informativas usadas, que tudo foi um trabalho de compilação, em sua maior parte, e que o autor sagrado foi contemporâneo apenas de uma pequena parte dos eventos registrados. Mesmo que Jeremias não tenha sido o autor, é perfeitamente possível que, pelo menos, uma parte dos eventos tenha ocorrido durante a vida do autor sagrado. Provavelmente esse autor foi um profeta, o que se reflete no espírito profético com que esses livros foram escritos. Em cada geração do povo de Israel, parece que os profetas mostraram-se ativos, sempre intervindo na política da nação, e não apenas no culto religioso de Israel. Houve um número muito maior de profetas que escreveram narrativas, do que aqueles cujos livros foram incluídos no cânon hebreu. Ver os comentários sobre Fontes, quarto ponto.

IV. FONTES

Com base em informes nos próprios livros de Reis, sabemos que a porção maior de 1Reis (pelo presumível primeiro autor-compilador) dependeu pesadamente de fontes informativas já existentes:
1. O livro da história de Salomão (1Rs 11.41).
2. O livro da história dos reis de Israel (1Rs 14.19).
3. O livro da história dos reis de Judá (1Rs 14.29).

   A primeira dessas obras era uma espécie de louvor a grandes homens, com o propósito de salientar a sabedoria, a magnificência e o resplendor do reinado de Salomão. Trata-se de algo similar às memórias dos reis persas. Todos os detalhes foram arranjados de tal modo que fazem os adversários de Salomão parecerem uns anões, em contraste com ele. As outras duas fontes informativas são mais históricas do que biográficas e religiosas, provavelmente representando anais oficiais reais. Os hebreus sempre mostraram ser muito sensíveis para com a história, e esses anais foram cuidadosamente compilados.
4. Alguns eruditos propõem que os capítulos sexto a oitavo de 1Reis constituam o reflexo de uma fonte informativa independente, provendo informações sobre a construção do templo de Jerusalém, sua forma de culto e sua dedicação, embora outros duvidem que isso corresponda à realidade dos fatos.
5. Parece que o autor sagrado também tinha acesso a algum tipo de coleção de livros a respeito de Isaías, narrando sobretudo o tempo em que ele era amigo e conselheiro de certos reis (2Rs 18.13-20 e capítulo dezenove).

6. A história do reino sobrevivente de Judá, mediante a soltura, no exílio, do rei Jeoaquim (2Rs 18—25), que se alicerçaria sobre uma fonte ou fontes informativas distintas, embora não identificadas. Grande parte dessa fonte deve ter sido constituída por narrativas de testemunhas pessoais, compiladas pelo próprio autor sagrado ou por aqueles cujo material escrito foi aproveitado.

Os profetas e seus livros. As diversas fontes informativas por trás dos livros dos Reis dizem-nos aquilo que também nos é dito em outras fontes, ou seja, que houve uma grande atividade de crônica em Israel, com o envolvimento de vários profetas, de cujos escritos o Antigo Testamento é apenas uma representação parcial. Sabe-se da existência de vários livros de profetas como: a. Crônicas registradas por Samuel, o vidente (1Cr 29.29). b. Crônicas de Gade, o vidente (1Cr 29.29). c. Livro da história de Natã, o profeta (2Cr 9.29). d. A profecia de Aías, o silonita (2Cr 9.29). e. Livro da história de Ido, o vidente (2Cr 12.15). f. Livro da história de Semaías, o profeta (2Cr 12.15). g. História do profeta Ido (2Cr 13.22). h. Os atos de Uzias, escritos pelo profeta Isaías (2Cr 26.22).

V. DATA
Como é óbvio, todo o material tomado por empréstimo foi escrito antes de ter sido usado na compilação que há nos livros dos Reis. Como uma unidade, a data não pode ser anterior a 562 a.C., quando, ao que sabemos, Jeoaquim foi liberado de sua prisão, na Babilônia (2Rs 25.27-30). Esse informe histórico fala sobre os favores que lhe foram prestados no fim de sua vida, pelo que o autor sagrado estava escrevendo alguns anos após a soltura de Jeoaquim. É possível que a compilação final tenha ocorrido em cerca de 550 a.C. Entretanto, esse dado pode ter sido adicionado a uma composição escrita anterior. É possível que a porção maior desse livro tenha sido escrita durante o cativeiro babilônico, ou seja, entre 587 e 538 a.C. Alguns estudiosos, porém, acham que devemos pensar em uma data após a morte de Josias (609-seiscentos a.C.), pois supõem que o autor sagrado tenha sido o primeiro a usar o material histórico derivado do recém-descoberto livro de Deuteronômio que, ao que se presume, apareceu em 621 a.C. A lei, sem-par, do santuário central, que figura no décimo segundo capítulo de Deuteronômio, supostamente, seria o princípio avaliador dos reis, conforme é salientado nos livros dos Reis. Esses eruditos também afirmam que um segundo escritor deuteronomista acrescentou a narrativa sobre a liberação do rei Jeoaquim, que seria a seção de 2Rs 25.27-30. Essas teorias, porém, não passam de especulações, não havendo maneira histórica, digna de confiança, que nos permita confirmá-las ou rejeitá-las.

VI. PROVENIÊNCIA
Já pudemos notar que os livros de Reis estão intimamente relacionados às atividades literárias dos profetas hebreus. Tendo sido esse o caso, é provável que esses livros tenham sido escritos em uma das cidades onde essa atividade aconteceu. Os centros proféticos estavam localizados nas áreas fronteiriças, entre as nações de Israel, ao norte, e Judá, ao sul. Lugares como Betel, Gilgal e Mispa eram centros de ensino nos dias de Samuel (1Sm 7.16). Essas cidades, além de Jericó, eram centros dessa natureza, nos dias de Elias e Eliseu. As duas capitais, Samaria (de Israel, ao norte) e Jerusalém (de Judá, ao sul), ficavam cerca de 65 quilômetros uma da outra, e as cidades das fronteiras eram suficientemente distantes para que um profeta pudesse expressar ideias, mas não tão distantes que não tivesse informações exatas sobre o que estava ocorrendo em ambas as capitais. Portanto, uma das cidades acima mencionadas pode ter sido o local da compilação de nossos livros de Reis. Entretanto, um lugar como uma cidade da Babilônia também conta com pontos em seu favor, se os livros de Reis foram escritos durante o cativeiro babilônico.

VII. MOTIVOS E PROPÓSITO
O autor da suposta primeira edição de livros dos Reis era admirador do rei Josias, o modelo perfeito de rei aos moldes deuteronômicos. Ele também se entusiasmava diante da grandeza de Salomão, pelo que lançou mão da fonte que descrevia os resplendores do reinado salomônico. Porém, os livros de Reis não estão interessados em meros registros históricos. Há ali tentativas de avaliar a espiritualidade dos reis envolvidos, e, nessa avaliação, projetar aos leitores o tipo de líderes espirituais que convém ao povo. A espiritualidade sofreu um retrocesso, diante da divisão em duas nações, Israel e Judá. A correta adoração era aquela que se efetuava no templo de Jerusalém. As divisões e hostilidades entre os homens servem como empecilhos aos propósitos divinos, felizmente transponíveis. Os homens têm de pagar um preço por causa disso, porquanto Deus é um rígido avaliador e juiz das ações humanas. O propósito do autor sagrado é claramente revelado em 1Rs 2.3,4, nas instruções finais dadas por Davi a Salomão: "Guarda os preceitos do Senhor teu Deus, para andares nos seus caminhos, para guardares os seus estatutos, e os seus mandamentos, e os seus juízos, e os seus testemunhos, como está escrito na lei de Moisés, para que prosperes em tudo quanto fizeres, e por onde quer que fores; para que o Senhor confirme a palavra que falou de mim..."

Há um só Deus, como também um único santuário. Todos os homens são responsáveis diante de Deus. A lei da colheita segundo a semeadura haverá de prevalecer. A vida dos homens prova esses fatos. Contudo, a misericórdia divina e o destino da alma têm prosseguimento. A narrativa da soltura de Jeoaquim não deve ser considerada um mero apêndice. Antes, é uma nota de esperança. Deus, embora muito severo em seus juízos, nunca abandonou o seu povo. Ele exilou o seu povo em razão de seus pecados; mas não deixou de restaurá-los. A linha davídica não fora finalmente rejeitada. A história da redenção tinha prosseguimento.

VIII. CRONOLOGIA
O leitor poderá consultar o artigo sobre a *Cronologia do Antigo Testamento*. Ali fica demonstrado que as cronologias antigas não tinham a finalidade de serem exatas, historicamente falando. Havia outras forças por trás delas. Em primeiro lugar, há simetria. Anos foram adicionados ou subtraídos, a fim de emprestar simetria às listas cronológicas. Em segundo lugar, interesses pessoais, crenças etc. podem ter alterado as listas. Um indivíduo ímpio, assim sendo, era eliminado de uma lista por razão de sua iniquidade. Em terceiro lugar, as cronologias, tal como as genealogias, eram apenas representativas, e não absolutas. Especificamente, no que diz respeito aos livros de Reis, o período da monarquia dividida é apresentado juntamente com um cuidadoso sistema de referências cruzadas, entre os reis de Judá e de Israel. Apesar disso, evidentemente está em operação a atividade simetrista, porquanto a soma dos anos de governo dos reis de Israel, em um dado período, não corresponde à soma dos anos de governo dos reis de Judá, durante o mesmo período. O período desde a subida ao trono de Reoboão até a morte de Azarias aparece como 95 anos, mas o período correspondente em Israel, de Jeroboão até a morte de Jorão, aparece como 98 anos. Além disso, o total de anos de governo desde Atalias até o sexto ano do reinado de Ezequias é de 165 anos; mas o mesmo período em Israel, de Jeú até a queda de Samaria, aparece como 143 anos e sete meses. Parte dessa discrepância pode ser explicada pela contagem de parte de anos como se fossem anos inteiros. Também há o problema da co-regência, onde pai e filhos compartilhavam do trono por certo número de anos, embora esses anos fossem subsequentemente alistados em separado, nos cálculos cronológicos. Ver os casos de Davi e Salomão (1Rs 1.34,35) e de Azarias e Jotão (2Rs 15.5).

A isso podemos acrescentar o problema do uso de dois tipos de calendário em Israel, o civil e o religioso, que eram diferentes um do outro. Ver sobre o *Calendário*, onde damos um gráfico sobre o calendário judaico, ilustrando a questão. Várias obras descrevem em detalhes as razões possíveis dessas discrepâncias cronológicas, sendo fácil negligenciarmos a mais grave delas, a saber, que os antigos autores simplesmente não se preocupavam com cronologias exatas, conforme os modernos historiadores fazem, pelo que nenhum exame e manipulação podem explicar as coisas que aparecem nessas genealogias bíblicas. O artigo no *Dicionário* ilustra abundantemente essa declaração.

Seja como for, as listas e as datas dos reis de Israel e de Judá, incluindo as comparações entre essas listas, aparecem no artigo sobre *Cronologia*, em seu quinto ponto, Períodos Bíblicos Específicos. f. Da fundação do Templo de Salomão até a sua Destruição.

IX. CÂNON

Provemos no *Dicionário* um artigo sobre o assunto, no caso do Antigo e do Novo Testamento, onde oferecemos detalhes. A questão é complexa, porquanto, em nosso cânon sagrado, há livros, de ambos os Testamentos, que por muito tempo não foram universalmente aceitos. Porém, no que tange aos livros de Reis, que, originalmente, eram apenas um rolo ou livro, o cânon hebraico nunca os omitiu. De acordo com Josefo, o cânon dos judeus ficou completo por volta de quatrocentos a.C., composto de 22 livros, que correspondem exatamente aos 39 livros do Antigo Testamento de edição protestante, ainda que a ordem desses livros não seja a mesma na Bíblia hebraica e na Bíblia cristã. Para os hebreus, os livros de Reis fazem parte dos escritos dos profetas. Nos arranjos posteriores, porém, os nossos livros de Reis aparecem entre os livros históricos.

X. CONTEÚDO E MENSAGEM

1. Salomão, o rei (1Rs 1.1—11.43)
   a. Subida ao trono (1.1-53)
   b. Recomendações de Davi (2.1-46)
   c. Casamento e sabedoria (3.1-28)
   d. sua administração (4.1-34)
   e. suas atividades como construtor (5.1—8.66)
   f. sua prosperidade e esplendor (9.1—10.29)
   g. sua apostasia (11.43)
2. Reinados comparativos de reis em Israel e em Judá (1Rs 12.1—2Reis 17.41)
   a. Reoboão-Josafá (1Rs 12—22)
   b. Jeorão-Acaz (2Rs 8—16)
   c. Ezequias-Amom (2Rs 18-21)
   d. Josias-Zedequias (2Rs 22—25)
3. Reis de Judá, após a queda de Samaria, até a queda de Jerusalém (2Rs 18.1—25.26)
   a. Ezequias (18.1—20.21)
   b. Manassés (21.1-18)
   c. Amom (21.19-26)
   d. Josias (22.1—23.30)
   e. Jeoacaz (23.31-35)
   f. Joaquim (23.36—24.7)
   g. Jeoaquim (24.7-17 e 25.27-30)
   h. Zedequias (24.18—25.26)

Julgamentos de Valor e História. O autor sagrado não temia fazer julgamentos de valores. Mostrou-se sempre cônscio das operações de Deus entre os homens, bem como da responsabilidade dos homens diante de Deus. Os principais aspectos de sua mensagem são bons para qualquer época. Há um só Deus. Deus é severo e inflexível em relação ao pecado. Para o autor sagrado, devemos ter uma visão teísta de Deus, um Deus que galardoa e castiga. Deus é imanente em sua criação. Ver no *Dicionário* os artigos *Teísmo*, em contraste com o *Deísmo*. O pecado é uma questão séria, que resulta em desastre para a alma, conforme a história dos livros de Reis o demonstra. A comunidade dos homens é considerada responsável, e não apenas o indivíduo. Há misericórdia divina e restauração, porquanto Deus está esperando para acolher àqueles que se voltam para ele de todo o coração, de toda a alma (1Rs 8.48). O cativeiro foi revertido por meio do retorno.

As realizações religiosas dos reis parecem mais importantes para o autor sagrado do que seus feitos políticos e militares. Dois desses reis, Onri e Jeroboão II, que obtiveram o maior sucesso econômico e político, merecem breves comentários apenas. Os historiadores seculares, porém, ter-se-iam demorado mais sobre esses dois. Mas o autor dos livros de Reis não se interessou muito por eles. A Acabe e seus filhos foram dedicadas várias páginas, não porque foram bons, como reis ou como homens, mas por causa de seus conflitos com Elias e Eliseu. E o autor sagrado anelava por contar essa história com pormenores. Reis como Josafá, Ezequias, e Josias recebem descrições entusiasmadas, porquanto lideraram movimentos de reforma religiosa.

Teologicamente falando, esses livros complementam a narrativa da história de Israel, sob a orientação divina, conforme vemos nos livros de Êxodo, Josué, Juízes e 1 e 2Samuel. O autor sagrado deve ter sido um profeta-historiador, e o resultado de seus esforços foi uma história de forte cunho religioso.

XI. GRÁFICOS DOS REIS: VER 16.9

Ao Leitor

O leitor sério que examinar o livro de 1Reis preparará o caminho para seu estudo pela leitura da introdução ao livro. Ela aborda questões como caracterização geral, formas antigas de 1 e 2Reis, autoria, fontes informativas, data, proveniência, motivos e propósitos, cronologia, cânon, conteúdo da mensagem e um gráfico dos reis.

Preparei uma única introdução para os livros de 1 e 2Reis. Na Bíblia hebraica, esses dois livros formavam uma única unidade. A divisão em dois livros começou na versão da Septuaginta, e esse modo de manusear o material foi adotado pelas traduções modernas. Mas naquela versão, esses dois livros são III e IV Reis, ao passo que 1 e 2Samuel são 1 e 2Reis.

Título. Os dois livros foram chamados *Reis* porque registram e interpretam o reinado de todos os reis de Israel e Judá, excetuando Saul. Os *dias finais* de Davi também foram registrados, ao passo que sua história aparece em 1 e 2Samuel. A maior parte dos eventos de seu reinado é apresentada nos capítulos 2—24 de 2Samuel e nos capítulos 11—29 de 1Crônicas. O título *Reis* apareceu primeiramente na tradução latina feita por Jerônimo, cerca de seis séculos após a Septuaginta.

Escopo. 1 e 2Reis registram a história de Israel desde o começo do movimento para colocar Salomão no trono, até o fim do reinado de Zedequias, o último rei de Judá. Foi nos dias de Zedequias que ocorreu o cativeiro babilônico (597 a.C.). Ver no *Dicionário* os artigos *Cativeiros, Cativeiro Assírio* e *cativeiro babilônico*. Ver também *Rei, Realeza*, quanto a informações sobre os reis, incluindo um gráfico em que todos eles e suas respectivas datas são listados.

"1Reis registra a morte de Davi, o reinado de Salomão, a edificação do templo, a morte de Salomão, a divisão do reino sob Reoboão e Jeroboão, e a história dos dois reinos até o reinado de Jeorão sobre Judá e Acazias sobre Samaria. O livro inclui o poderoso ministério de Elias... Os eventos registrados no livro cobrem 118 anos (Ussher)" (*Scofield Reference Bible*, introdução).

Citações no Novo Testamento:
- Lucas: 4.26 (1Rs 17.9)
- Atos: 7.47 (1Rs 6.1,3); 13.36 (1Rs 2.10)
- Romanos: 11.3 (1Rs 19.10); 11.4 (1Rs 19.18)
- Apocalipse: 11.6 (1Rs 17.1); 11.19 (1Rs 8.1,6)

EXPOSIÇÃO

CAPÍTULO UM

SALOMÃO, O REI (1.1—11.43)

SUBIDA AO TRONO (1.1-53)

Os capítulos 1—2 de 1Reis formam uma seção que originalmente era a continuação dos capítulos 9—20 de 2Samuel. Estes capítulos foram separados daquele material e tornaram-se uma digna introdução à história do reinado de Salomão. O material forma uma boa prosa, e o autor parece ter disposto de fontes de informação de primeira mão. Portanto, estava bem consciente dos enredos e contra-enredos da vida na corte. Os livros de Crônicas, que tão frequentemente *contêm paralelos* dos materiais de 2Samuel e dos livros de Reis, não apresentam esses capítulos introdutórios. Talvez o autor quisesse deixar de fora qualquer *dúvida* que circundasse a questão de que Salomão deveria ou não ser o sucessor de Davi.

Os vss. 1-53 do primeiro capítulo relatam sobre os *rivais* do trono de Davi. Parece que Adonias seria o herdeiro legítimo, se a idade dos filhos de Davi tivesse sido seguida. Adonias era o mais velho entre os filhos sobreviventes de Davi. A maioria dos oficiais da corte o apoiava. Além disso, havia o problema de Salomão ser filho de Bate-Seba, que fora esposa de Urias. Isso, por certo, foi um fator contrário à subida de Salomão ao trono, aos olhos de muitos. A posição de rainha-mãe era de grande prestígio, e assim Bate-Seba sempre apoiou ativamente o filho para que subisse ao trono. Cf. 1Rs 15.13. Natã, o profeta, também o apoiava ativamente (ver 1Rs 1.10 e ss.) e apelou para a ajuda de Bate-Seba na promoção da causa de Salomão. Presumivelmente ele possuía informações, da parte de Yahweh, de que Salomão deveria ser o próximo rei.

■ 1.1,2

וְהַמֶּ֤לֶךְ דָּוִד֙ זָקֵ֔ן בָּ֖א בַּיָּמִ֑ים וַיְכַסֻּ֙הוּ֙ בַּבְּגָדִ֔ים וְלֹ֥א יִחַ֖ם לֽוֹ׃

וַיֹּ֧אמְרוּ ל֣וֹ עֲבָדָ֗יו יְבַקְשׁ֞וּ לַאדֹנִ֤י הַמֶּ֙לֶךְ֙ נַעֲרָ֣ה בְתוּלָ֔ה וְעָֽמְדָה֙ לִפְנֵ֣י הַמֶּ֔לֶךְ וּתְהִי־ל֖וֹ סֹכֶ֑נֶת וְשָֽׁכְבָ֣ה בְחֵיקֶ֔ךָ וְחַ֖ם לַאדֹנִ֥י הַמֶּֽלֶךְ׃

Sendo o rei Davi já velho. Davi era muito idoso e sua saúde já estava abalada. Era óbvio que a morte o rondava. Finalmente, ele morreu, com a idade de 70 anos (ver 2Sm 5.4). Imediatamente antes de morrer, enfrentou péssimas condições de saúde. Por causa de sua baixa temperatura, ele precisava de alguém que o *aquecesse* em seu leito. Portanto, em lugar de dormir com uma de suas muitas esposas, Davi teve o privilégio de contar com uma bela e jovem virgem para mantê-lo aquecido. Naturalmente, a situação era verdadeiramente ridícula. Mas o rei tinha privilégios especiais (e algumas vezes ridículos). Sem dúvida, a jovem mulher, embora tivesse permanecido virgem, tornou-se outro membro do harém de Davi; portanto, do ponto de vista moral, nada houve de errado com isso. No entanto, a questão inteira era bastante grotesca. *Por outra parte,* o idoso homem teve seus dias finais iluminados por aquela bela e jovem mulher, em lugar de uma *idosa* esposa, podendo derivar algum calor do corpo dela nas noites frias. E o que ilumina os anos ou dias finais de um homem idoso não pode ser desprezado.

Tanto *Josefo* quanto *Galeno,* o médico grego, sempre incentivaram a prática terapêutica de trazer mulheres jovens aos dormitórios de homens idosos. A jovem mulher também seria enfermeira de Davi. Uma de minhas fontes informativas surpreende-me ao dizer que essa prática continuou até a Idade Média, e estou conjecturando que tenha sido a Igreja Católica que a desencorajou. Portanto, o que era uma boa terapia foi finalmente considerado moralmente mau.

Vigor Sexual. A fertilidade em um rei era considerada fonte de prosperidade para a nação inteira. Um *rei,* afinal de contas, não deveria ser um homem impotente. Alguns comentadores sugerem que a jovem mulher supostamente deveria rejuvenescer o idoso homem, mas tal esforço estava fadado ao fracasso. A ideia dos antigos era que o corpo jovem de uma bela mulher transmitiria a um idoso saúde e vigor, e não somente calor. Não acredito que isso funcione, mas valia a pena o esforço. A experiência precisava ser feita e a teoria tinha de ser submetida a teste.

Um Davi impotente não estava mais qualificado para ser rei, e o fato de ter caído nessa desgraça significava que ele estava prestes a ser substituído.

"Não há nenhum ponto importante na história de 1Rs 2.12-25, a menos que Abisague (a jovem mulher em questão) fosse mais do que mera enfermeira do idoso Davi. Ela deve ter sido considerada esposa de Davi, ou Salomão não teria interpretado o pedido de Adonias (de ter a mulher como sua esposa, depois da morte de Davi) como uma tentativa de ele chegar ao trono" (Normal H. Snaith, in *loc.*).

Debilidade e Força. O antes poderoso Davi tornara-se débil, velho e impotente. É como meu médico me disse recentemente: "Coma bem. Com o tempo, isso é tudo quanto você terá!" A vida segue esse curso, e nos lamentamos. Isso nos ensina a não investir no que é material, e sempre manter os valores espirituais perante nossos olhos, como a verdadeira orientação para a existência diária.

    Algum dia partir-se-á o fio de prata,
    E não mais, como agora, cantarei;
    Mas, oh, a alegria, quando eu despertar,
    Dentro do palácio do Rei!

    E eu o verei face a face,
    E contarei a história: Salvo pela graça.

Fanny J. Crosby

■ 1.3

וַיְבַקְשׁוּ֙ נַעֲרָ֣ה יָפָ֔ה בְּכֹ֖ל גְּב֣וּל יִשְׂרָאֵ֑ל וַֽיִּמְצְא֗וּ אֶת־אֲבִישַׁג֙ הַשּׁ֣וּנַמִּ֔ית וַיָּבִ֥אוּ אֹתָ֖הּ לַמֶּֽלֶךְ׃

Acharam Abisague, sunamita. A jovem escolhida era a encantadora e virgem Abisague, enfermeira, aquecedora e nova esposa de Davi. Ver o artigo detalhado sobre ela no *Dicionário*. Não reitero os detalhes dados ali.

Sunamita. Em outras palavras, Abisague era natural da cidade de *Suném,* um local próximo ao pé do monte Tabor, no território de Issacar, 11 quilômetros a noroeste de Nazaré. Ver no *Dicionário* os verbetes intitulados *Sulamita* e *Suném;* esses são artigos detalhados, pelo que não repito aqui essas informações. Parece que a beleza da jovem mulher chegou a cativar o coração de Salomão (ver Ct 6.13, que pode referir-se a ela sob um nome alternativo). Mas a conexão talvez seja apenas uma conjectura.

Adam Clarke informa-nos (*in loc.*) que certo frade Bacan pensava que a cura para a idade avançada de um homem era ter uma bela jovem deitada perto dele. Sempre valeu a pena experimentar a teoria, *em nome da ciência,* naturalmente.

John Gill (*in loc.*) comentou que a jovem tinha de ser *bela,* pois Davi não suportaria a *visão* de uma mulher velha, deformada e decrépita, e *muito menos a toleraria deitada em seu leito*. Esse tipo de enfermeira só faria um homem doente tornar-se ainda mais doente.

■ 1.4

וְהַֽנַּעֲרָ֖ה יָפָ֣ה עַד־מְאֹ֑ד וַתְּהִ֨י לַמֶּ֤לֶךְ סֹכֶ֙נֶת֙ וַתְּשָׁ֣רְתֵ֔הוּ וְהַמֶּ֖לֶךְ לֹ֥א יְדָעָֽהּ׃

Cuidava do rei e o servia. Sempre me admira ver como uma jovem mulher realmente pode sentir alguma coisa por um homem velho. Mas parece que isso, realmente, acontece. Nesse caso, a jovem não está somente à cata de dinheiro. Por isso, o autor sacro teve o cuidado de dizer-nos que Abisague realmente veio cuidar do idoso Davi. Assim diz a *King James Version*. A *Revised Standard Version* diz apenas que Abisague servia ao idoso rei, e a nossa versão portuguesa segue essa representação menor dos sentimentos da jovem.

O rei não a possuiu. Em outras palavras, o casamento nunca foi consumado, pelo simples fato de que o idoso Davi era impotente. A *terapia* não deu certo. Ela apenas lhe transmitiu calor corporal, mas não saúde e vigor. O idoso corpo físico de Davi continuava a desintegrar-se. Uma de minhas fontes informativas diz que eles não praticaram o sexo "porque essa não era a função dela". Abisague era apenas a enfermeira de Davi. Mas Thomas L. Constable está certamente equivocado nesse comentário. O sexo era considerado parte do processo de rejuvenescimento, para mostrar que o antes poderoso Davi não estava totalmente decrépito. Ver meus comentários sobre o segundo versículo deste capítulo, quanto a maiores detalhes sobre a "terapia" que estava sendo aplicada.

Vale a pena relembrar que o rei Davi, no auge da juventude, havia abusado do vigor sexual. Teve um número exagerado de mulheres. Além disso, caiu no adultério e no homicídio. Agora que havia uma jovem e bela mulher deitada ao lado dele, na cama, à noite, ele se mostrava impotente para consumar seu casamento mais recente! Penso que essa é uma justiça poética.

Por que Essa História sobre Abisague? Um dos motivos do relato é que o incidente é interessante e atrai a nossa atenção. Mas a verdadeira razão era mostrar que Davi tinha de ser substituído como rei. Nenhuma terapia poderia rejuvenescê-lo. Por conseguinte, surgiu uma rivalidade em torno da questão sucessória. Um dos pretendentes ao trono era um filho de Davi que queria ter Abisague como esposa, depois que Davi morresse. Mas isso foi interpretado como uma tentativa de apossar-se do trono, visto que novos reis tomavam para si os haréns dos anteriores. O homem, Adonias, foi executado por ordem de Salomão, devido a essa circunstância (ver 1Rs 2.23-25).

■ 1.5

וַאֲדֹנִיָּ֤ה בֶן־חַגִּית֙ מִתְנַשֵּׂ֣א לֵאמֹ֔ר אֲנִ֖י אֶמְלֹ֑ךְ וַיַּ֣עַשׂ ל֗וֹ רֶ֚כֶב וּפָ֣רָשִׁ֔ים וַחֲמִשִּׁ֥ים אִ֖ישׁ רָצִ֥ים לְפָנָֽיו׃

Então Adonias, filho de Hagite. Adonias era o filho sobrevivente mais velho de Davi (ver o artigo sobre ele no *Dicionário*). Declarou suas intenções de ser o próximo rei. Era uma reivindicação razoável, mas ele acabaria sendo executado por Salomão, conforme explicado nas notas sobre o versículo anterior. As preparações para subir ao trono incluíam a reunião de uma guarda pessoal, um pequeno destacamento de homens equipados com carros de combate e cavaleiros, e cinquenta homens para correr diante do pequeno "exército" e impressionar o povo com a importância do movimento. Em sua tentativa de ficar com o trono, Absalão fizera algo similar (ver 2Sm 15.1). Davi não detivera Absalão naquela circunstância, nem fizera Adonias parar agora. Talvez Davi pensasse em Absalão como o herdeiro legítimo do trono, e então, após a morte de Absalão, Adonias seria o homem certo para o posto. Mas *a estrela de Salomão* começava a elevar-se agora, e ele perturbaria essa programação. Estritamente falando, Adonias era o quarto filho nascido a Davi (ver 2Sm 3.4), sendo provável que estivesse agora com cerca de 33 anos de idade. 1Rs 2.22 mostra-nos que a senioridade era um fator na sucessão ao trono.

Hagite. A mãe de Adonias era um membro obscuro do harém de Davi. É mencionada por cinco vezes no Antigo Testamento, o que mostro no artigo sobre ela no *Dicionário*.

■ **1.6**

וְלֹא־עֲצָבוֹ אָבִיו מִיָּמָיו לֵאמֹר מַדּוּעַ כָּכָה עָשִׂיתָ וְגַם־הוּא טוֹב־תֹּאַר מְאֹד וְאֹתוֹ יָלְדָה אַחֲרֵי אַבְשָׁלוֹם׃

Jamais seu pai o contrariou. Ao que tudo indica, mesmo enquanto vivia, Davi não encorajou o filho a lutar pelo trono, mas também nunca o desencorajou. Provavelmente, ele pensava que Adonias era um bom candidato e o herdeiro natural (como filho mais velho). Adonias também era bastante simpático e de maneiras agradáveis. "É evidente que tanto Absalão quanto Adonias tinham o bom aspecto de seu pai e maneiras atraentes. Adonias e seus amigos tiveram uma festa sacrificial na qual, ao que parece (vss. 9 e 13), Adonias foi proclamado rei" (Norman H. Snaith, *in loc.*).

"A semelhança entre Adonias e Absalão, com respeito à beleza pessoal, favorecida por um pai por demais indulgente, ambicioso e confiante na popularidade, evidentemente é sugerida pela narrativa, que os coloca em íntima conexão, embora nascidos de mães diferentes" (Ellicott, *in loc.*).

"*O Fracasso de um Pai*. Estaria Davi tão ocupado com os negócios públicos que negligenciara a criação apropriada de seu filho, que em tempo algum o desagradou perguntando-lhe: Por que fizeste isto ou aquilo?" (Ralph W. Sockman, *in loc.*).

Um oficial universitário queixou-se sobre os problemas criados pelo "lar centrado nas crianças", em que os pequeninos governam e os pais os seguem. Os filhos crescem sem aprender a restrição, a moderação e o jogo limpo com outras pessoas. A família é o primeiro campo de treinamento. Um pai deve a seus filhos três coisas: exemplo, exemplo, exemplo.

Davi "sempre o divertira em todas as coisas, deixando-o fazer a sua vontade e caminho, e concedendo-lhe o que ele desejava, nunca o corrigindo por suas falhas, ou nunca o envergonhando, conforme nos dizem os Targuns... Isso não foi feito para crédito de Davi, o qual se tornou assim culpado do mesmo pecado de Eli, em relação aos filhos" (John Gill, *in loc.*).

■ **1.7**

וַיִּהְיוּ דְבָרָיו עִם יוֹאָב בֶּן־צְרוּיָה וְעִם אֶבְיָתָר הַכֹּהֵן וַיַּעְזְרוּ אַחֲרֵי אֲדֹנִיָּה׃

Joabe. Agora um homem avançado em anos, ainda exerce larga influência. Continuava sendo o comandante-em-chefe do exército e estava cercado por homens leais. Era urgente obter seu apoio para o programa real de Adonias. Joabe haveria de perder a vida por ter apoiado Adonias (2.34), e presumivelmente esse foi um daqueles casos de colheita segundo a semeadura, em que o matador foi morto. Seja como for, chegara a sua hora e ele precisava ir-se. Ser sobrinho de Davi não o salvou. Adonias não tinha nenhum controle sobre o exército que comandava, porquanto quem o exercia era Benaia, capitão da guarda pessoal de Davi, que se colocou ao lado de Salomão. Este foi um fator decisivo no processo da sucessão.

Abiatar. Este era outro homem de cujo apoio Adonias precisava. Foi o único sobrevivente do massacre de Saul contra os sacerdotes da casa de Eli, os sacerdotes hereditários da arca de Silo. Ver 1Sm 2.27,28; 22.20. Este homem havia compartilhado toda a vida de Davi, os altos e os baixos, as vitórias e as derrotas. Mas quando Davi chegou ao poder, ele nomeou Zadoque co-sacerdote, durante algum tempo, pelo que houve então dois sumos sacerdotes. Entretanto, a profecia anunciara que os filhos de Eli deixariam de ser sacerdotes, isto é, deixariam o *sumo sacerdócio*, e isso fez com que a família de Zadoque ocupasse a posição. Ver o artigo sobre *Abiatar* quanto a detalhes. Os descendentes de Zadoque foram sacerdotes em Jerusalém durante todo o período em que o templo existiu. Mesmo depois do exílio, os sacerdotes eram chamados de "os sacerdotes dos filhos de Arão, dois terços deles eram zadoquitas" (1Cr 24.4). Ver sobre *Zadoque* no *Dicionário*, quanto a detalhes.

Uma de minhas fontes informativas sugere que Joabe e Abiatar se mostraram assim *desleais* para com Davi, mas não parece que algo já estivesse decidido, e Salomão ainda não havia sido aprovado para suceder Davi. Portanto, não houve deslealdade envolvida. O movimento de oposição, mais tarde, quando Salomão recebeu a aprovação de Davi, tornou-se desleal, por não ter atendido aos desejos do rei.

■ **1.8**

וְצָדוֹק הַכֹּהֵן וּבְנָיָהוּ בֶן־יְהוֹיָדָע וְנָתָן הַנָּבִיא וְשִׁמְעִי וְרֵעִי וְהַגִּבּוֹרִים אֲשֶׁר לְדָוִד לֹא הָיוּ עִם־אֲדֹנִיָּהוּ׃

Zadoque. Ver os comentários sobre o sétimo versículo quanto à relação entre Abiatar e Zadoque. Esse homem era um dos sumos sacerdotes da época, e ele e Benaia tomaram o partido de Salomão. Também contavam com a companhia e o apoio do profeta Natã, bem como dos notáveis líderes militares, Simei e Reí. Ver no *Dicionário* os artigos sobre eles. *Reí* era uma figura obscura, pelo menos da perspectiva do registro bíblico, mas é óbvio que deve ter sido um homem importante, ou Salomão jamais teria buscado seu apoio.

Natã. Este profeta tinha considerável influência. Ver 2Sm 7.5-17 e 12.1-15 quanto a histórias anteriores sobre ele. Esteve especialmente interessado em Salomão desde o nascimento dele, e naturalmente o apoiava como o futuro rei. Ver 2Sm 12.25. A *rivalidade* era, essencialmente, entre os que tinham sido camaradas de Davi (e apoiavam Adonias) e os que se tornaram fortes nos anos posteriores de Davi (e apoiavam Salomão). Ver no *Dicionário* o artigo intitulado *Natã*. Ele tinha chamado Salomão de Jedididas, "amado de Yahweh" (ver 2Sm 12.25), o que demonstrava o afeto especial por Salomão desde o começo.

■ **1.9**

וַיִּזְבַּח אֲדֹנִיָּהוּ צֹאן וּבָקָר וּמְרִיא עִם אֶבֶן הַזֹּחֶלֶת אֲשֶׁר־אֵצֶל עֵין רֹגֵל וַיִּקְרָא אֶת־כָּל־אֶחָיו בְּנֵי הַמֶּלֶךְ וּלְכָל־אַנְשֵׁי יְהוּדָה עַבְדֵי הַמֶּלֶךְ׃

Imolou Adonias ovelhas e bois. Foi uma festividade, mas também um tempo de sacrifícios especiais, indicando uma espécie de coroação formal de Adonias, com a participação de seus principais apoiadores, incluindo o pequeno exército que ele havia reunido. Uma regular representação da família real (os filhos do rei) também se fez presente à festa, como também muitos servos do rei, militares e civis. Eles não sabiam que estavam apoiando um cavalo morto.

Zoelete... Rogel. Ver sobre esses nomes no *Dicionário*. A pedra de Zoelete é mencionada somente neste versículo. Era uma pedra ou rocha que havia perto de Rogel, uma das fontes próximas de Jerusalém, no vale do Cedrom. Rogel era uma fonte sagrada, provavelmente identificada com a fonte de Jacó (Bir Ayyub), e não com a fonte da Virgem, em Giom, onde se deu a coroação de Salomão (vs. 33). *Giom* ficava mais perto de Jerusalém, fora de vista do poço de Jacó, mas não muito distante. Ver detalhes sobre essa fonte no *Dicionário*.

■ **1.10**

וְאֶת־נָתָן הַנָּבִיא וּבְנָיָהוּ וְאֶת־הַגִּבּוֹרִים וְאֶת־שְׁלֹמֹה אָחִיו לֹא קָרָא׃

Os Não-Convidados. A rivalidade já era um fato consumado, e assim, naturalmente, Adonias teve o cuidado de não convidar a oposição. Salomão, meio-irmão de Adonias, não recebeu convite; nem Benaia, o principal chefe militar que lhe dava apoio, nem os muitos *homens poderosos* (civis e militares) que apoiavam Salomão. E, naturalmente, Natã, o profeta, também não foi convidado.

■ 1.11

וַיֹּאמֶר נָתָן אֶל־בַּת־שֶׁבַע אֵם־שְׁלֹמֹה לֵאמֹר הֲלוֹא שָׁמַעַתְּ כִּי מָלַךְ אֲדֹנִיָּהוּ בֶן־חַגִּית וַאֲדֹנֵינוּ דָוִד לֹא יָדָע׃

Disse Natã a Bate-Seba. Natã estava alarmado pelos acontecimentos recentes e falou sobre Adonias como se ele já estivesse reinando. O velho e decrépito Davi, jazendo no leito com sua jovem mulher aquecedora, não estava cônscio do que ocorria, mas ainda tinha poder, pelo que foi informado imediatamente. Ademais, Natã reconheceu que seu apoio a Salomão tinha de ser urgente, a fim de que a onda de maré criada por Adonias cessasse.

Bate-Seba. A mãe de Salomão sem dúvida ainda era a esposa favorita de Davi, a despeito do fato de que a nova virgem estava cuidando dele. Bate-Seba exercia grande influência junto a Davi, e Natã tinha de aproveitar esse potencial em benefício de Salomão. Presumimos que o autor sagrado queria que pensássemos que *Yahweh* inspirava seu profeta a fazer Adonias parar. Ao que tudo indica, Davi fizera um *voto* em favor de Salomão, embora tal coisa não tenha ficado registrada (exceto aqui). Natã exortaria Davi, através de Bate-Seba, a conservar esse voto, que era considerado algo *sagrado* em Israel. Ver no *Dicionário* o verbete chamado *Voto.* Ver o vs. 18 do presente capítulo sobre a ignorância de Davi a respeito de toda a questão. É um erro falar aqui sobre Adonias a *usurpar* o trono (ver John Gill, *in loc.*). Se Salomão tivesse encarado as coisas dessa maneira, teria executado a Adonias por *essa* razão, o que ele não fez (ver 1Rs 1.51-53). Adonias só foi executado mais tarde, quando tentou conseguir Abisague como esposa, atitude considerada uma tentativa de apropriação do harém do antigo rei, ou seja, uma tentativa de obter o trono (ver 1Rs 2.23-25).

■ 1.12

וְעַתָּה לְכִי אִיעָצֵךְ נָא עֵצָה וּמַלְּטִי אֶת־נַפְשֵׁךְ וְאֶת־נֶפֶשׁ בְּנֵךְ שְׁלֹמֹה׃

Permite que eu te dê um conselho. Natã, talvez em nome de Yahweh, que era seu guia, sentiu quão urgente era que Bate-Seba interviesse na questão sucessória do trono. Ela precisava defender a causa de Salomão, o que talvez representasse defender a vida de ambos. Adonias, à maneira dos reis orientais, provavelmente eliminaria a oposição, uma vez que subisse ao trono, e Salomão e sua mãe seriam as primeiras vítimas desses esforços consolidadores.

"O sucesso de Adonias por certo envolveria a execução, mais cedo ou mais tarde, do candidato rival e de seus apoiadores conhecidos. No fim, tanto Adonias quanto Joabe perderam a vida, e essa teria sido também a sorte de Abiatar, não fora ele um sacerdote e, portanto, uma pessoa sagrada e inviolável" (Norman H. Snaith, *in loc.*). Cf. este versículo com 2Cr 21.4.

"Ó maldita concupiscência pelo poder! Um pai destrói ao próprio filho, um filho depõe ao próprio pai, um irmão assassina a outro irmão, tudo a fim de obter uma coroa!" (Adam Clarke, *in loc.*). Ver Jz 9.5.

■ 1.13

לְכִי וּבֹאִי אֶל־הַמֶּלֶךְ דָּוִד וְאָמַרְתְּ אֵלָיו הֲלֹא־אַתָּה אֲדֹנִי הַמֶּלֶךְ נִשְׁבַּעְתָּ לַאֲמָתְךָ לֵאמֹר כִּי־שְׁלֹמֹה בְנֵךְ יִמְלֹךְ אַחֲרַי וְהוּא יֵשֵׁב עַל־כִּסְאִי וּמַדּוּעַ מָלַךְ אֲדֹנִיָּהוּ׃

Davi estava idoso e decrépito, e dormir com a bela e jovem virgem não lhe fizera bem algum. Por outra parte, ele continuava sendo rei, e uma apreciável porção do exército o apoiava. Portanto, estava em seu poder escolher qual de seus filhos se tornaria o rei. E era tarefa de Bate-Seba levá-lo a optar por Salomão. O vs. 17 deste capítulo refere-se a um voto que Davi fizera de que tornaria Salomão o seu sucessor. Não há registro bíblico de que Davi tenha feito esse voto. Mas se isso é verdade, então Natã e Bate-Seba tinham, definitivamente, uma vantagem inicial.

Se *Salomão* era o filho escolhido para ser rei, então por que Adonias se meteu na questão? Como é que coisa alguma fora feita para interromper a sua "coroação" (vs. 9)? Bate-Seba falou sobre Adonias como se ele já estivesse reinando, e por isso Davi deve ter levado a sério o movimento encabeçado por Adonias. Algo precisava ser feito imediatamente para parar o que estava acontecendo, e somente Davi (a menos que houvesse uma guerra civil) tinha o poder de fazer isso. Bate-Seba, sem dúvida, por muitos anos, havia sido a esposa favorita de Davi, sendo provável que, em muitas ocasiões, tivesse influenciado as decisões do rei. Uma vez mais, ela usaria seus poderes de persuasão.

■ 1.14

הִנֵּה עוֹדָךְ מְדַבֶּרֶת שָׁם עִם־הַמֶּלֶךְ וַאֲנִי אָבוֹא אַחֲרַיִךְ וּמִלֵּאתִי אֶת־דְּבָרָיִךְ׃

Eu também entrarei depois de ti. Natã entraria no dormitório de Davi somente no momento certo, interrompendo a conversa particular que Bate-Seba estaria tendo com Davi, ou pouco depois que ela terminasse. Então Natã se faria presente para fortalecer os argumentos dela. A ansiedade maternal pavimentaria o caminho, então Natã traria sua palavra autorizada como homem de Deus. Ele poderia até falar sobre como Yahweh o estava inspirando. Cf. Et 4.10-16.

"Natã sabia que era da vontade de Deus que Salomão fosse o rei seguinte... Ver 2Sm 7.12; 1Cr 21.8,9. Contudo, na qualidade de homem sábio e bom, julgou ser correto fazer uso de todos os meios apropriados para atingir essa finalidade" (John Gill, *in loc.*).

■ 1.15

וַתָּבֹא בַת־שֶׁבַע אֶל־הַמֶּלֶךְ הַחַדְרָה וְהַמֶּלֶךְ זָקֵן מְאֹד וַאֲבִישַׁג הַשּׁוּנַמִּית מְשָׁרַת אֶת־הַמֶּלֶךְ׃

Bate-Seba tinha acesso ao rei como uma de suas principais esposas, e o fato de que as coisas tinham mudado e de que a bela virgem Abisague dele cuidava não alterou a situação de forma alguma. A maior parte das rivalidades nos haréns antigos envolvia qual mulher tinha o maior número de filhos, pois essa possuiria maior prestígio diante do marido e da sociedade. Portanto, não parece que Bate-Seba ou Abisague tenham ficado embaraçadas, para dizer o mínimo, pela entrevista, embora ambas estivessem na presença de Davi. Era evidente que Davi estava confinado ao seu leito. O fim estava, verdadeiramente, próximo, o que aumentava a urgência da questão. Davi estava "decrépito, vergado pelas enfermidades da idade avançada, embora tivesse apenas 70 anos de idade" (John Gill, *in loc.*). Davi tinha vivido o tipo de vida selvagem que fazia dele um homem realmente velho naquela idade.

■ 1.16

וַתִּקֹּד בַּת־שֶׁבַע וַתִּשְׁתַּחוּ לַמֶּלֶךְ וַיֹּאמֶר הַמֶּלֶךְ מַה־לָּךְ׃

Bate-Seba inclinou a cabeça. *Embora fosse esposa,* Bate-Seba também era súdita do rei, e aproximou-se dele com a mesma reverência que seria demonstrada por qualquer outra pessoa. Verdadeiramente, as coisas tinham mudado. Ele era soberano e, embora idoso e próximo do fim, ainda tinha *autoridade.* Em suas mãos estavam os poderes de vida e de morte, e o exército obedeceria a qualquer ordem que ele desse. Ademais, era imperativo que Bate-Seba causasse boa impressão sobre Davi, visto que iria solicitar um favor significativo.

■ 1.17

וַתֹּאמֶר לוֹ אֲדֹנִי אַתָּה נִשְׁבַּעְתָּ בַּיהוָה אֱלֹהֶיךָ לַאֲמָתֶךָ כִּי־שְׁלֹמֹה בְנֵךְ יִמְלֹךְ אַחֲרָי וְהוּא יֵשֵׁב עַל־כִּסְאִי׃

O Alegado Voto de Davi. Davi estava idoso, e é até possível que Bate-Seba tivesse inventado o alegado voto que, supostamente, o rei fizera em algum tempo no passado. Não há registro de voto dessa natureza que Davi tenha feito em favor de Salomão, mas isso anularia a possibilidade de ela ser atendida. Os votos eram considerados sagrados em Israel, ou seja, se Davi tivesse feito tal afirmação (o que sempre trazia Yahweh à questão, na qualidade de testemunha), então Bate-Seba já era a vencedora em seu caso. Ver no *Dicionário* o artigo intitulado *Voto*. Bate-Seba afirmou que o voto era tão sério que ela trouxe à tona dois dos três nomes divinos no Antigo Testamento: Yahweh e Elohim. Ver no *Dicionário* o artigo chamado *Deus, Nomes Bíblicos de*. Davi tinha escrito:

Cumprirei os meus votos ao Senhor,
na presença de todo o seu povo.

Salmo 116.14

"O respeito de Davi por seu voto ao Senhor, por mais que sua mente senil tenha sido manipulada por cortesões espertos, revela uma pedra fundamental na tradição hebraico-cristã que sublinha a lei civil com a soberania divina" (Ralph W. Sockman, *in loc.*).

■ 1.18

וְעַתָּה הִנֵּה אֲדֹנִיָּה מָלָךְ וְעַתָּה אֲדֹנִי הַמֶּלֶךְ לֹא יָדָעְתָּ:

Jazendo enfermo em seu leito, Davi não se envolvia mais nos negócios diários do Estado, nem ao menos estava consciente de que Adonias lutava para apossar-se do trono e havia chegado ao ponto de ter sido "coroado". Entre outras razões, Bate-Seba deixou entendido que, *se* Davi soubesse do que estava ocorrendo, já teria agido em favor de Salomão, para impedir toda aquela tentativa de Adonias. É pelo menos curioso que Adonias tivesse feito tudo aquilo sem ao menos consultar seu pai, o rei, o qual, como é óbvio, teria algo a dizer sobre a propriedade da questão. O fato de que Adonias nem ao menos comunicou a Davi seus planos mostra-nos que ele tinha pouco respeito por seu velho pai. O desrespeito e a desobediência estavam envolvidos na questão.

■ 1.19

וַיִּזְבַּח שׁוֹר וּמְרִיא־וְצֹאן לָרֹב וַיִּקְרָא לְכָל־בְּנֵי הַמֶּלֶךְ וּלְאֶבְיָתָר הַכֹּהֵן וּלְיֹאָב שַׂר הַצָּבָא וְלִשְׁלֹמֹה עַבְדְּךָ לֹא קָרָא:

Imolou bois e animais. A coroação de Adonias (ver o vs. 9) deve ter perturbado violentamente a Davi. Ele não havia expressado aprovação, nem havia dado ordens a respeito. Não havia apoiado o movimento em favor de Adonias (o mais velho filho sobrevivente). Este versículo repete a lista de apoiadores de Adonias, que já tinha sido dada e comentada nas notas sobre o vs. 7. O autor menciona novamente o óbvio: Salomão, meio-irmão de Adonias, um rival ao trono, não fora convidado à festa. Ver o décimo versículo deste capítulo. Ele também não se importou de convidar os apoiadores de Salomão (vs. 8).

■ 1.20

וְאַתָּה אֲדֹנִי הַמֶּלֶךְ עֵינֵי כָל־יִשְׂרָאֵל עָלֶיךָ לְהַגִּיד לָהֶם מִי יֵשֵׁב עַל־כִּסֵּא אֲדֹנִי־הַמֶּלֶךְ אַחֲרָיו:

Os Olhos de Todo o Povo de Israel Estavam Fixos sobre Davi. Ele estava idoso e próximo da morte, mas a sua palavra ainda era toda-importante. Ele podia deter a maré que tinha varrido a terra de Israel em favor de Adonias. Podia forçar a coroação de Salomão, mesmo que a maioria dos cidadãos de Israel não o desejasse como rei. Havia rivais, cada qual envolvido em sua própria campanha para ganhar o poder. Davi, pois, tinha *responsabilidade* de pôr fim à confusão e salvar Israel através de Salomão, a escolha divina para o trono.

"A monarquia de Israel não era (estritamente) nem hereditária nem eletiva. O rei simplesmente nomeava o seu sucessor. Era assim que a coisa funcionava, mais ou menos, nos tempos antigos, na maioria dos países" (Adam Clarke, *in loc.*). Naturalmente, guerras intermináveis mudavam as coisas. Havia reis que se levantavam por terem matado seus rivais, e não por serem nomeados por reis anteriores.

Uma Lição Moral. Todos os olhos, em Israel, estavam voltados para Davi. Em um sentido secundário, olhos seguem-nos para ver o que faremos, e mentes julgam a propriedade (ou falta de propriedade) de nossos atos. Assim sendo, todos nós, tais e quais Davi, somos submetidos a constante teste.

"Eles não somente o consideravam dotado de autoridade para nomear seu sucessor, o que posteriormente foi feito por Reoboão, mas alguém que tinha a revelação da mente de Deus" (John Gill, *in loc.*).

■ 1.21

וְהָיָה כִּשְׁכַב אֲדֹנִי־הַמֶּלֶךְ עִם־אֲבֹתָיו וְהָיִיתִי אֲנִי וּבְנִי שְׁלֹמֹה חַטָּאִים:

Jazer com seus pais. No Antigo Testamento, esta é uma expressão comum para indicar a *morte*. Originalmente não denotava que um homem possuísse uma alma imaterial, a qual, por ocasião da morte, iria unir-se a outras almas imateriais. Provavelmente significava uma vida para além da sepultura, onde as pessoas se encontram com seus já falecidos entes amados. Na época dos Salmos e dos profetas, desenvolveu-se na teologia dos hebreus uma doutrina da imortalidade. Mas mesmo assim a doutrina não estava ainda bem definida. No ínterim entre o Antigo e o Novo Testamento, houve uma melhor definição; e, nos dias do Novo Testamento, a doutrina foi aperfeiçoada, completada. Mas grandes mistérios ainda restam, e a própria ciência nos tem dado alguma iluminação. Ver na *Enciclopédia de Bíblia, Teologia e Filosofia* o verbete intitulado *Experiências Perto da Morte,* quanto a informações provenientes da ciência. Ver também no *Dicionário* os verbetes chamados *Imortalidade* e *Alma*.

Cf. este versículo com Dt 31.16 e 2Sm 7.12, quanto à expressão "dormir com os pais", onde são dadas notas expositivas adicionais.

Culpados. Bate-Seba falou do perigo de morte que ela, a amada esposa de Davi, e Salomão, seu filho especial, corriam, uma vez que Adonias assumisse o poder. Eles seriam considerados *ofensores* por terem apoiado um movimento real.

Seol. A questão da vida pós-túmulo e o *seol* não eram doutrinas muito antigas em Israel, mas ideias que estavam em desenvolvimento. Na seção IV.7 do artigo sobre *Alma,* dou uma lista de citações bíblicas que falam sobre a alma imortal que sobrevive à morte do corpo biológico. Os críticos radicais supõem que, no Antigo Testamento, somente os trechos de Is 26.19 e Dn 12.2, *sem dúvida,* contenham tal referência. As ideias sobre o céu e o inferno também eram noções crescentes que o Antigo Testamento deixa subentender, mas nunca define. Novamente, a definição chegou ao mundo entre os dois Testamentos, nos livros apócrifos e pseudepígrafos, e alcançou sua melhor definição nas páginas do Novo Testamento. A teologia e a verdade são ciências que nunca chegaram ao clímax. São antes *aventuras* assinaladas com súbitos aprimoramentos, através da revelação, tanto natural como sobrenatural. Portanto, podemos continuar buscando e aprendendo, e divertindo-nos muito ao longo do processo.

■ 1.22

וְהִנֵּה עוֹדֶנָּה מְדַבֶּרֶת עִם־הַמֶּלֶךְ וְנָתָן הַנָּבִיא בָּא:

Estando ela ainda a falar com o rei. O plano corria conforme Natã tinha determinado. Estando Bate-Seba ainda a falar com o rei, eis que Natã entrou no dormitório, adicionando assim seu pedido ao requerimento. Ver o vs. 14 quanto a esse aspecto do plano. Talvez Natã estivesse à porta do dormitório, ouvindo a conversa. Ao perceber que Bate-Seba terminava o apelo, naquele momento exato ele entrou.

■ 1.23

וַיַּגִּידוּ לַמֶּלֶךְ לֵאמֹר הִנֵּה נָתָן הַנָּבִיא וַיָּבֹא לִפְנֵי הַמֶּלֶךְ וַיִּשְׁתַּחוּ לַמֶּלֶךְ עַל־אַפָּיו אָרְצָה:

E o fizeram saber ao rei. Os servos do palácio deram a Natã o direito de entrar, e ninguém negaria entrada a um bem-conhecido profeta que tivera muitas transações com o rei no passado. Ele, tal como Bate-Seba fizera, realizou o ato apropriado de obediência, que era um procedimento padrão para qualquer um que chegasse à presença do rei. "... mostrando-lhe a mesma reverência, embora Davi estivesse no leito, que lhe seria demonstrada se ele estivesse sentado no trono" (John Gill, *in loc.*).

■ **1.24**

וַיֹּאמֶר נָתָן אֲדֹנִי הַמֶּלֶךְ אַתָּה אָמַרְתָּ אֲדֹנִיָּהוּ יִמְלֹךְ אַחֲרָי וְהוּא יֵשֵׁב עַל־כִּסְאִי:

"Que é isso que está acontecendo com Adonias?", perguntou ele. "Deste-lhe autoridade para tanto?" Eram perguntas retóricas. Natã já sabia a resposta. Davi nem ao menos tomara conhecimento do que estava acontecendo (vs. 18), e não havia dado sua bênção ao movimento encabeçado por Adonias. Natã, pois, trouxe ao conhecimento de Davi a *impropriedade* dos atos de Adonias. O homem havia agido unilateralmente, sem ter consultado o pai, e em oposição aos que, corretamente, queriam ver Salomão sentado no trono.

■ **1.25**

כִּי יָרַד הַיּוֹם וַיִּזְבַּח שׁוֹר וּמְרִיא וְצֹאן לָרֹב וַיִּקְרָא לְכָל־בְּנֵי הַמֶּלֶךְ וּלְשָׂרֵי הַצָּבָא וּלְאֶבְיָתָר הַכֹּהֵן וְהִנָּם אֹכְלִים וְשֹׁתִים לְפָנָיו וַיֹּאמְרוּ יְחִי הַמֶּלֶךְ אֲדֹנִיָּהוּ:

Este versículo, pela terceira vez neste primeiro capítulo, fala da *coroação* de Adonias. Cf. os vss. 9 e 19. É novamente enfatizado que o filho sobrevivente mais velho de Davi (Adonias) organizara sua festa, e era rival de Salomão, o qual havia recebido a promessa do rei de que seria seu sucessor. Entre os apoiadores do movimento impróprio figuravam o grande Joabe e o sacerdote Abiatar. Eles estavam entusiasmados e continuavam clamando: "Viva o rei Adonias!" Davi, no entanto, que tinha autoridade para nomear o sucessor, nem ao menos sabia o que estava acontecendo. Isso, obviamente, era algo impróprio e perigoso. O sucessor, nesse caso, não seria o escolhido de Davi.

Viva o rei Adonias! Cf. 1Sm 10.24; 2Sm 16.16; Ne 2.3; Dn 2.4 e 3.9. O Targum diz: "Que o rei prospere!" Ver também o vs. 34 do presente capítulo.

■ **1.26**

וְלִי אֲנִי־עַבְדֶּךָ וּלְצָדֹק הַכֹּהֵן וְלִבְנָיָהוּ בֶן־יְהוֹיָדָע וְלִשְׁלֹמֹה עַבְדְּךָ לֹא קָרָא:

Os Convidados Rejeitados. Natã, tal como Bate-Seba, enfatizou que certas pessoas dignas nem ao menos tinham sido convidadas para a "coroação". A saber, Zadoque (o outro sumo sacerdote), Benaia, um dos principais generais do exército, ele mesmo e, naturalmente (acima de todos), Salomão, o sucessor apropriado ao trono. Este versículo repete a informação que já havia sido dada nos vss. 8 e 19. O oitavo versículo tem a mais completa lista de convivas rejeitados. Natã disse, com todas as palavras, que uma *sedição* estava sendo efetuada, e que as pessoas que deveriam estar presentes à coroação eram exatamente as que tinham sido excluídas, porquanto aquela coroação não era legítima. Natã fez o que havia prometido (vs. 14): apoiou as palavras de Bate-Seba e adicionou alguns comentários pessoais, para fortalecer a causa em favor de Salomão.

■ **1.27**

אִם מֵאֵת אֲדֹנִי הַמֶּלֶךְ נִהְיָה הַדָּבָר הַזֶּה וְלֹא הוֹדַעְתָּ אֶת־עַבְדְּךָ מִי יֵשֵׁב עַל־כִּסֵּא אֲדֹנִי־הַמֶּלֶךְ אַחֲרָיו: ס

A grande pergunta era *se* Davi havia ordenado (ou abençoado) ou dado permissão a tudo quanto estava sucedendo. Caso contrário, como se poderia permitir que aquilo tivesse prosseguimento? Era o rei quem deveria *nomear* o seu sucessor. Nenhum homem, nem mesmo o filho mais velho do rei, tinha o direito de apossar-se da realeza, enquanto o presente rei nem ao menos tivesse sido informado de suas intenções. Se o rei não havia ordenado nem abençoado o movimento encabeçado por Adonias, então o ato deste era claramente ilegítimo e *rebelde*. Davi, por certo, nada havia dito aos "servos" fiéis que foram apanhados de surpresa pelo que estava acontecendo. E ao que tudo indica, ele também não havia dado sua bênção ao movimento rebelde.

■ **1.28**

וַיַּעַן הַמֶּלֶךְ דָּוִד וַיֹּאמֶר קִרְאוּ־לִי לְבַת־שָׁבַע וַתָּבֹא לִפְנֵי הַמֶּלֶךְ וַתַּעֲמֹד לִפְנֵי הַמֶּלֶךְ:

O rei reviveu e começou a reverter a maré. Ele chamou de novo Bate-Seba, que tinha saído quando Natã entrara. Ela voltou e, dessa vez, apenas ficou de pé na presença do rei, já tendo prestado a ele seu rito de obediência (vs. 16). Davi estava prestes a renovar seu voto em favor de Salomão, e pôs em movimento ações que dariam fim às ambições de Adonias. O rei agiu através de Bate-Seba, a mãe de Salomão, em vez de fazê-lo através de Natã, e isso foi bastante apropriado. Afinal, ela era a rainha-mãe, bem como a mãe do novo rei, Salomão.

■ **1.29**

וַיִּשָּׁבַע הַמֶּלֶךְ וַיֹּאמַר חַי־יְהוָה אֲשֶׁר־פָּדָה אֶת־נַפְשִׁי מִכָּל־צָרָה:

O Juramento de Davi. O rei fez um juramento decisivo e claro como cristal em favor de Salomão. Ele jurou por Yahweh, o que tornou o juramento absolutamente obrigatório. Ele jurou pelo poder de Elohim, o que tornou o juramento absolutamente eficaz. Ele lembrou tudo quanto Yahweh-Elohim tinha feito por ele, conduzindo-o em segurança até aquele dia, dando-lhe uma longa vida e segurança por todo o caminho. Toda aflição fora superada sem nenhuma tragédia indevida. O Deus que o fizera prosperar também o havia protegido e lhe dado todas as coisas atinentes à vida, e agora era chamado como testemunha de seu *juramento*. Ver no *Dicionário* o verbete chamado *Juramentos,* quanto a informações sobre essa prática entre os hebreus e outros povos. O juramento confirmou seu outro voto e juramento, que ele já tinha feito em favor de Salomão (vss. 17 e 30).

Cf. 2Sm 4.9 quanto a esse juramento característico. Cf. Sl 19.14 quanto ao sentimento expresso pelo juramento:

As palavras dos meus lábios
e o meditar do meu coração
sejam agradáveis na tua presença,
Senhor, rocha minha e redentor meu!

Esse juramento foi feito em *grata memória* às bênçãos passadas, à ajuda passada, olhando para um futuro próspero e melhor para Israel. Deus é o Criador de todas as coisas (tema do Sl 19), e é em gratidão por tudo quanto ele faz que nossa boca profere louvores.

Ergo aqui meu Ebenézer,
Ali por tua ajuda chegarei,
E espero por teu bom prazer
chegar seguramente em meu lar.

Robert Robinson

Tão certo como vive o Senhor. A eternidade do Deus vivo torna-se a base da eficácia de todo juramento feito em nome do Senhor. Tão certamente quanto Yahweh vive, assim seguro é o juramento que estou fazendo agora. Essas palavras acham-se por catorze vezes em 1 e 2Reis. Ver 1Rs 1.29; 2.24; 17.1,12; 18.10,15; 22.14; 2Rs 2.2,4,6; 3.14; 4.30; 5.16,20.

■ **1.30**

כִּי כַּאֲשֶׁר נִשְׁבַּעְתִּי לָךְ בַּיהוָה אֱלֹהֵי יִשְׂרָאֵל לֵאמֹר כִּי־שְׁלֹמֹה בְנֵךְ יִמְלֹךְ אַחֲרַי וְהוּא יֵשֵׁב עַל־כִּסְאִי תַּחְתָּי כִּי כֵּן אֶעֱשֶׂה הַיּוֹם הַזֶּה:

Este juramento confirmou o juramento anterior (vss. 13 e 17). Fora feito um voto que não poderia ser quebrado. Todo juramento feito em nome de Yahweh era absolutamente obrigatório. Portanto, Adonias estava completamente fora de lugar. Salomão seria o terceiro rei de Israel.

O *juramento anterior* não foi previamente registrado por nenhum autor dos livros históricos, mas é *agora* mencionado, e não há razão para duvidarmos de sua historicidade. Embora Davi fosse um homem idoso, cuja memória estava fraquejando, não se esqueceria de questão tão importante como a sucessão ao trono.

1.31

וַתִּקֹּד בַּת־שֶׁבַע אַפַּיִם אֶרֶץ וַתִּשְׁתַּחוּ לַמֶּלֶךְ וַתֹּאמֶר יְחִי אֲדֹנִי הַמֶּלֶךְ דָּוִד לְעֹלָם: פ

Então Bate-Seba se inclinou. Uma vez mais, Bate-Seba prestou obediência (ver o vs. 16). Seu coração estava repleto de gratidão pelo fato de o rei ter reafirmado seu juramento e prometido colocar Salomão no trono de Israel. Ela compreendeu então, sem sombra de dúvida, que o propósito real seria cumprido. Ela abençoou ao rei e desejou que ele vivesse *para sempre*. Embora se tratasse de uma afirmação padronizada a ser feita a um rei, podemos estar certos de que esse era o verdadeiro desejo do coração dela. O que desejamos não está garantido somente porque o desejamos, mas é bom ter pensamentos nobres, mesmo que eles não possam cumprir-se. "... que o rei viva para sempre — o que, embora seja uma forma comum de saudação aos reis, não somente em Israel... não deve ser considerado um mero cumprimento, mas a expressão de desejos verdadeiros e de afeição do coração, em respeito ao rei... ou, então, vendo que agora ele era um homem quase moribundo, sua oração era que a alma dele vivesse para sempre no mundo vindouro, conforme interpretou Kimchi" (John Gill, *in loc.*). Visto que a doutrina da imortalidade da alma entrou na teologia hebraica somente na época dos Salmos e dos profetas do Antigo Testamento, é possível que o desejo expresso por Bate-Seba incluísse essa questão. Ver as notas sobre o vs. 21 quanto a comentários sobre o assunto. Cf. Ne 2.3.

1.32

וַיֹּאמֶר הַמֶּלֶךְ דָּוִד קִרְאוּ־לִי לְצָדוֹק הַכֹּהֵן וּלְנָתָן הַנָּבִיא וְלִבְנָיָהוּ בֶּן־יְהוֹיָדָע וַיָּבֹאוּ לִפְנֵי הַמֶּלֶךְ:

Chamai-me a Zadoque... Natã... e Benaia. Os principais apoiadores de Salomão foram chamados por Davi. Ele tinha instruções a dar-lhes. Seria responsabilidade deles cuidar para que Salomão fosse devidamente coroado, e espalhar a palavra no sentido de que "o rei determinou que *ele* fosse o seu sucessor no trono". Tal palavra se propagaria como fogo selvagem, e em breve o movimento encabeçado por Adonias se ressecaria. A lista dos apoiadores é a mesma que aparece no vs. 8, mas deixa de lado dois nomes: Simei e Reí. Sem dúvida havia outros que também ajudariam no movimento de coroação de Salomão, mas esses três eram os principais. Eles seriam os *líderes*. O *exército* se faria presente, garantindo que Adonias seria incapaz de instigar uma guerra civil por causa da questão. Benaia teria suas tropas prontas. Haveria uma demonstração de força. O movimento rival logo desistiria de sua causa como sem esperança.

"Esse súbito relâmpago da antiga energia de Davi, e as orientações claras e diretas que ele deu para que fossem efetuadas todas as ações necessárias para a inauguração da realeza de Salomão... faz súbito contraste com a timidez e o desânimo com os quais (embora fosse então muito mais jovem) ele havia recebido as notícias sobre a rebelião de Absalão. Mas agora ele sabia o que se tinha passado, e que Deus estava ao seu lado. Na ocasião anterior, Davi sabia que estava sofrendo um castigo divino" (Ellicott, *in loc.*).

1.33

וַיֹּאמֶר הַמֶּלֶךְ לָהֶם קְחוּ עִמָּכֶם אֶת־עַבְדֵי אֲדֹנֵיכֶם וְהִרְכַּבְתֶּם אֶת־שְׁלֹמֹה בְנִי עַל־הַפִּרְדָּה אֲשֶׁר־לִי וְהוֹרַדְתֶּם אֹתוֹ אֶל־גִּחוֹן:

Fazei montar o meu filho Salomão na minha mula. A mula era a montaria apropriada para o rei e seus filhos (ver 2Sm 13.29; 18.9). Davi tinha seu próprio animal que servia como um dos *sinais* de seu governo. Ninguém, sem sua permissão, poderia montar aquele animal. Cavalos foram introduzidos em grandes quantidades do Egito, por parte de Salomão, e mesmo assim visavam mais propósitos agrícolas e militares do que transporte ou passeio. Mas a montaria de pessoas de prestígio era a mula. Pessoas ordinárias montavam em jumentos. Assim sendo, a mula tinha mais prestígio do que o jumento, e o cavalo era para o soldado, em ocasiões de batalha. A lei mosaica proibia o rei de multiplicar cavalos (ver Dt 17.16), mas Salomão não se importou em observá-la (ver 1Rs 4.26). A mula é um híbrido estéril entre o jumento e o cavalo. Provavelmente esses animais eram repelidos e vendidos a baixo custo, por países em que eram criados cavalos, como animais indignos de atenção, e um grande número deles terminou em Israel. Por outra parte, parece haver na questão mais do que isso. "Os reis montavam em mulas no antigo Oriente Próximo e Médio", pelo que deveria haver algum respeito especial pelo animal, que era reservado a pessoas dotadas de prestígio. Criar mulas era proibido pela lei mosaica (ver Lv 19.19), como algo contrário à natureza (produzir um animal estéril). Mas faziam parte do *comércio* (1Rs 10.25).

A Salomão foi dado montar na mula de Davi, o que servia de sinal: "Este homem, que está montando minha mula, será o próximo rei". Os cânones judaicos proibiam que uma mula servisse de montaria, em tempos posteriores, pelo que os judeus consideraram este caso de Davi e Salomão uma exceção (ver *Mishn. Celaim.* cap. 8,m sec. 1). Mas tal legislação apareceu posteriormente, nada tendo a ver com o ano de 1000 a.C.

Levai-o a Giom. Ver no *Dicionário* sobre esta fonte. Duas fontes forneciam água à cidade de Jerusalém: Giom e Rogel (ver o vs. 9 deste capítulo). Giom ficava cerca de oitocentos metros a nordeste de Jerusalém, fora das muralhas da cidade. Rogel ficava a sudoeste de Jerusalém. Portanto, temos aqui o espetáculo de um grupo fazendo ruído e proclamações em uma das fontes, enquanto outro grupo fazia ruído e proclamações na outra fonte. As fontes eram lugares públicos, de modo que as demonstrações seriam observadas por muita gente, e a palavra se espalharia facilmente. Talvez se pensasse que uma *fonte de água* (do que toda a vida depende) era um lugar apropriado para a proclamação de um rei, o qual, segundo se esperava, seria uma fonte de bênção e vida para todo o povo.

1.34

וּמָשַׁח אֹתוֹ שָׁם צָדוֹק הַכֹּהֵן וְנָתָן הַנָּבִיא לְמֶלֶךְ עַל־יִשְׂרָאֵל וּתְקַעְתֶּם בַּשּׁוֹפָר וַאֲמַרְתֶּם יְחִי הַמֶּלֶךְ שְׁלֹמֹה:

Ali o ungirão rei sobre Israel. A coroação de Salomão seria efetuada pelas pessoas certas. O sumo sacerdote realizaria os ritos religiosos devidos, e o profeta estaria presente para invocar a bênção de Deus sobre o novo rei e para profetizar o seu sucesso. Representantes do exército estariam presentes e diriam: "É melhor todos obedecerem!" Haveria grande ruído, gritos, música, cântico e danças. A trombeta seria tocada em proclamação oficial: "Viva para sempre o rei Salomão!" É evidente que a coroação de Salomão foi efetuada sem o acompanhamento de uma festa, mas podemos estar certos de que os sacrifícios apropriados foram efetuados, para atrair o apoio de Yahweh ao novo rei. Cf. o vs. 9. Cf. o vs. 31 quanto ao desejo de que o rei Davi tivesse longa vida, embora seja Bate-Seba quem ali tenha desejado isso para o rei. Cf. 1Sm 10.24; 2Sm 16.16; 1Rs 1.25,39; 2Cr 23.11 e Dn 2.4 e 3.9, quanto ao desejo de uma longa vida ao rei.

O vs. 36 demonstra que Benaia também se fez presente. Ele pôs o exército em apoio às exigências de Davi, pelo que Adonias não teve chance e precisou desistir de suas ambições ou morrer.

1.35

וַעֲלִיתֶם אַחֲרָיו וּבָא וְיָשַׁב עַל־כִּסְאִי וְהוּא יִמְלֹךְ תַּחְתָּי וְאֹתוֹ צִוִּיתִי לִהְיוֹת נָגִיד עַל־יִשְׂרָאֵל וְעַל־יְהוּדָה:

Porque ordenei seja ele príncipe sobre Israel e sobre Judá. Salomão seria acompanhado pelas pessoas apropriadas, pessoas de respeito e investidas de autoridade, e elas o conduziriam diretamente ao trono de Davi. E assim Salomão se tornaria rei sobre *todo* o Israel e Judá, pois somente nos dias do filho de Salomão, Reoboão, houve a cisão de Israel em duas partes (norte e sul). Os atos providenciados por Davi não deixariam dúvidas a respeito de sobre quem recaía a escolha para ser seu sucessor.

Sem dúvida, houve quem *usasse* o movimento em prol de Salomão para seu próprio benefício. Esse foi o caso do partido favorável a Adonias. As pessoas também usam o cristianismo em apoio aos seus *ismos*, encabeçando movimentos paralelos para assim ganhar prestígio.

O próprio comunismo tenta encontrar prestígio citando versículos da Bíblia para ensinar suas doutrinas! Alguns tentam fazer Deus apoiar as causas deles. Pregadores acumulam riquezas fazendo pregações. Alguns indivíduos chegam a *vender* sua religião, agradando suas congregações, em vez de dar-lhes verdadeira orientação quanto ao certo e ao errado. Muitos pregam de acordo com os desejos das pessoas, em lugar de atender às suas necessidades espirituais. Mas Jesus veio para salvar as pessoas, e não para satisfazer os caprichos humanos. A despeito desses possíveis defeitos, podemos estar certos de que o grupo que apoiava a Salomão agia essencialmente em consonância com os princípios espirituais da vontade de Yahweh.

"Israel e Judá foram aqui distinguidos (cf. 4.20,25) porque o livro de 1Reis foi escrito depois da divisão do reino, em 931 a.C., e/ou porque já era evidente uma cisão entre as partes norte e sul do reino (cf. 2Sm 19.41—20.2)" (Thomas L. Constable, *in loc.*).

Garantias de Davi de que Salomão Seria o Rei: 1. Salomão montaria a mula real. 2. O profeta e o sacerdote efetuariam os ritos religiosos apropriados. (Ver no *Dicionário* o verbete chamado *Unção*.) 3. A trombeta oficial seria tocada e anunciaria: "Salomão é o rei!" 4. Salomão sentar-se-ia solenemente no trono de Davi. O povo todo ouviria falar sobre essas coisas, e muitos seriam testemunhas oculares dos acontecimentos.

■ 1.36

וַיַּעַן בְּנָיָהוּ בֶן־יְהוֹיָדָע אֶת־הַמֶּלֶךְ וַיֹּאמֶר אָמֵן כֵּן יֹאמַר יְהוָה אֱלֹהֵי אֲדֹנִי הַמֶּלֶךְ:

Então Benaia... respondeu ao rei. *O Exército Falou!* Benaia, um dos principais generais do exército, estava presente para proferir o *amém* a tudo quanto Davi dissera, garantindo que a autoridade do rei seria respeitada, e toda a sua vontade seria cumprida. Adonias não ousaria promover uma guerra civil. Ele simplesmente desistiria. Sob Salomão, Benaia foi nomeado comandante-em-chefe do exército, assumindo assim o lugar de Joabe (ver 1Rs 2.35 e 4.4). Ver sobre *Benaia* no *Dicionário*. Note-se que nas várias versões portuguesas da Bíblia há uma variante na soletração do nome dele: Benaia ou Benaias.

■ 1.37

כַּאֲשֶׁר הָיָה יְהוָה עִם־אֲדֹנִי הַמֶּלֶךְ כֵּן יְהִי עִם־שְׁלֹמֹה וִיגַדֵּל אֶת־כִּסְאוֹ מִכִּסֵּא אֲדֹנִי הַמֶּלֶךְ דָּוִד:

Como o Senhor foi com o rei meu senhor. O poder e a intervenção divina tinham feito Davi tornar-se grande. Ele fora conduzido até aquele ponto, recebera longa vida, vitória em todas as guerras, e por isso foi capaz de estabelecer a paz, tendo derrotado a oito nações específicas (ver as notas expositivas em 2Sm 10.19). O mesmo poder divino atenderia a Salomão e o faria tornar-se ainda maior que seu pai, o que, quanto a vários aspectos, foi exatamente o que aconteceu. Por certo, quanto às riquezas materiais, Salomão foi muito maior do que Davi. Além disso, Salomão recebeu uma *sabedoria* especial, que ultrapassou em muito à sabedoria de Davi. Ele gozou de *paz* e estendeu as fronteiras de Israel para o norte, até as margens do Eufrates, quase cumprindo a *expansão* que satisfaria o Pacto Abraâmico no tocante às terras prometidas ao patriarca. Ver Gn 15.18 quanto a esse fator.

Claudiano (De Quarto Consulatu Honorri Augusti, vs. 428) tem algo similar:

Eis que o desejo está cumprido. Agora mesmo teu filho te iguala em valor e, o que é ainda mais desejável, te ultrapassa.

Então, ao edificar o templo, que consolidou e centralizou a adoração de Israel, Salomão realmente tornou-se maior do que Davi. Mas suas *falhas* também se tornaram evidentes, especialmente na questão de suas muitas esposas estrangeiras, as quais corromperam o culto de Israel.

■ 1.38

וַיֵּרֶד צָדוֹק הַכֹּהֵן וְנָתָן הַנָּבִיא וּבְנָיָהוּ בֶן־יְהוֹיָדָע וְהַכְּרֵתִי וְהַפְּלֵתִי וַיַּרְכִּבוּ אֶת־שְׁלֹמֹה עַל־פִּרְדַּת הַמֶּלֶךְ דָּוִד וַיֹּלִכוּ אֹתוֹ עַל־גִּחוֹן:

Ver no *Dicionário* todos os nomes próprios deste versículo, os quais já tínhamos encontrado antes na história da ascensão de Salomão ao trono de Israel. Cf. os vss. 32-34 do presente capítulo. Os *quereteus* e os *peleteus* faziam parte da guarda de elite de Davi, e agora foram dados a Salomão para formar sua guarda de elite. Benaia tinha sido comandante deles, mas logo seria o comandante-em-chefe de todo o exército. (Ver 1Rs 2.35 e 4.4.) A unção de Salomão aconteceria em Giom, mas o Targum dos judeus diz *Silo*. Ver no *Dicionário* esses dois nomes locativos. As tradições judaicas dizem que as unções não ocorriam perto de fontes, e chamam de exceção o que aconteceu neste primeiro capítulo de 1Reis. Mas essa é uma observação anacrônica. (Ver *Mishn. Sanh.* cap. 2, sec. 5.)

■ 1.39

וַיִּקַּח צָדוֹק הַכֹּהֵן אֶת־קֶרֶן הַשֶּׁמֶן מִן־הָאֹהֶל וַיִּמְשַׁח אֶת־שְׁלֹמֹה וַיִּתְקְעוּ בַּשּׁוֹפָר וַיֹּאמְרוּ כָּל־הָעָם יְחִי הַמֶּלֶךְ שְׁלֹמֹה:

E ungiu a Salomão. Profetas, sacerdotes e reis eram ungidos de acordo com as orientações da lei. Ver no *Dicionário* o artigo chamado *Unção*, quanto a detalhes completos sobre essa questão.

Portanto, em *Giom*, a principal fonte de água potável de Jerusalém, Salomão foi ungido. Essa fonte ficava situada a oeste da cidade, no vale do Cedrom, fora das muralhas. Um chifre de animal foi usado como frasco para o azeite, a substância usada nas unções. O azeite simbolizava o poder de Deus, através de seu Espírito, e representava o direito do rei ao poder, como um homem iluminado por Deus.

O rito não aconteceu no tabernáculo, que continuava em Gibeom (ver 1Cr 21.28). Mas logo o tabernáculo seria incorporado ao templo propriamente dito. Posteriormente, as unções seriam efetuadas ali, no próprio templo. Kimchi, comentador deste versículo, supõe que o azeite da unção tenha sido trazido do tabernáculo como o único azeite apropriado para a cerimônia.

Tocaram a trombeta. Para chamar a atenção do povo e para fazer uma proclamação pública. Foi o "som oficial" do evento, e dizia tal qual a fumaça que é expelida no Vaticano (quando da proclamação de algum novo papa): "Temos um novo rei".

"Entre os hebreus, essa fanfarra era tocada no *sophar*, uma trombeta recurvada, feita do chifre de um carneiro. A trombeta também era tocada para servir de sinal de alarme (ver Am 3.6), para reunir soldados para a batalha (Sf 1.16) e, nos tempos posteriores do Novo Testamento, em ocasiões religiosas especiais (ver Lv 25.9). Ver o artigo detalhado, no *Dicionário*, sobre o verbete denominado *Trombeta*. Quanto ao azeite sagrado, ver Êx 30.22-30; e, no *Dicionário*, ver o artigo chamado *Templo de Jerusalém*.

■ 1.40

וַיַּעֲלוּ כָל־הָעָם אַחֲרָיו וְהָעָם מְחַלְלִים בַּחֲלִלִים וּשְׂמֵחִים שִׂמְחָה גְדוֹלָה וַתִּבָּקַע הָאָרֶץ בְּקוֹלָם:

Após ele subiu todo o povo. Grande multidão representativa de todo o Israel reuniu-se para a cerimônia e para as festividades. Houve cânticos, danças e o toque de gaitas, além de outros instrumentos musicais, sem dúvida. Sabemos que os hebreus dispunham de diversos instrumentos musicais. As várias versões embelezam o texto aqui, incluindo órgãos (latim antigo), sistros (siríaco), harpas (os Targuns), coros e cânticos (uma alternativa do texto do latim antigo). "Quaisquer instrumentos que eles tenham usado, fizeram um *grande ruído*" (Norman H. Snaith, *in loc.*). Ver o artigo detalhado no *Dicionário* chamado *Música, Instrumentos Musicais*. O texto hebraico diz que "a terra rachou-se" devido ao tremendo barulho.

"Foi um dia glorioso na história de Israel, e o povo celebrou com entusiasmo, de tal modo que o solo estremeceu" (Ralph W. Sockman, *in loc.*).

A *Septuaginta* diz que eles "dançaram com danças", o que nos fornece uma cena gráfica da aclamação do novo rei pelo povo de Israel. Foi dada mais do que uma mera lealdade convencional ao novo rei. O coração do povo estava ali. Salomão desfrutou do apoio popular.

1.41

וַיִּשְׁמַע אֲדֹנִיָּהוּ וְכָל־הַקְּרֻאִים אֲשֶׁר אִתּוֹ וְהֵם כִּלּוּ לֶאֱכֹל וַיִּשְׁמַע יוֹאָב אֶת־קוֹל הַשּׁוֹפָר וַיֹּאמֶר מַדּוּעַ קוֹל־הַקִּרְיָה הוֹמָה:

Adonias e todos os convidados... o ouviram. Houve um poderoso ruído ouvido pelo grupo de oposição, que participava de celebrações de inauguração de Adonias, em Rogel. "As más novas do que estava acontecendo em Giom logo chegaram aos ouvidos de Adonias e seus apoiadores, em Rogel. O movimento de Adonias entrou imediatamente em colapso, e todos os participantes fugiram para preservar-se em vida. O próprio Adonias procurou ocultar-se, e sua vida foi poupada sob *condição*, dependendo de seu bom comportamento futuro" (Norman H. Snaith, *in loc.*).

A *grande celebração* em torno de Salomão, que logo se tornou conhecida, indicava que Davi a havia autorizado, juntamente com a coroação. Isso significava que continuar no partido de oposição poderia significar execução capital. Salomão não haveria de tolerar facções, logo no início de seu governo.

Foi o velho guerreiro, Joabe, que ouviu, por assim dizer, o grito de batalha, e deduziu que coisa alguma além de tribulação poderia resultar daquilo. Ele tinha apoiado o cavalo errado. Havia apostado alto demais. Em breve seria executado, e Benaia tomaria o seu lugar como comandante-em-chefe do exército de Israel.

1.42

עוֹדֶנּוּ מְדַבֵּר וְהִנֵּה יוֹנָתָן בֶּן־אֶבְיָתָר הַכֹּהֵן בָּא וַיֹּאמֶר אֲדֹנִיָּהוּ בֹּא כִּי אִישׁ חַיִל אַתָּה וְטוֹב תְּבַשֵּׂר:

Entra, porque... trazes boas-novas. Adonias tolamente pensou que era "seu dia", e que Jônatas, que acabara de chegar, só poderia trazer boas notícias. Jônatas era filho de Abiatar, o sumo sacerdote, que apoiava a causa de Adonias. Por isso, Adonias disse a Jônatas: "Corre até mim, homem valente, e dize-me as boas-novas que estás trazendo!" Porém, não havia boas-novas para Adonias naquele dia. seu meio-irmão, Salomão, era o verdadeiro rei de Israel, ao passo que ele, Adonias, dentro de pouco tempo seria executado.

Esse *Jônatas* era um corredor de longa distância. As notícias eram propagadas por homens dotados de velocidade e resistência extraordinária. Ele e Aimaás tinham realizado serviços que envolviam mensagens levadas a Davi. Ver 2Sm 15.27; 17.17; 18.27. Evidentemente, Jônatas estivera na cidade e fora testemunha ocular do que havia acontecido. E tomou sobre si mesmo a tarefa de ir avisar ao partido de oposição, reunido em Rogel, sobre o que estava sucedendo. Ele sabia que os rebeldes corriam perigo de morte, se ali permanecessem a promover o rei "errado". "É curioso que uma saudação similar a seu companheiro, Aimaás, tenha sido usada por Davi, em 2Sm 18.27 — talvez como uma espécie de presságio de boa fortuna" (Ellicott, *in loc.*).

1.43

וַיַּעַן יוֹנָתָן וַיֹּאמֶר לַאֲדֹנִיָּהוּ אֲבָל אֲדֹנֵינוּ הַמֶּלֶךְ־דָּוִד הִמְלִיךְ אֶת־שְׁלֹמֹה:

Nosso senhor, o rei Davi, constituiu rei a Salomão. O rei Davi é aqui chamado de "nosso senhor", aquele cuja palavra não podia sofrer contradição. Davi, pois, nomeara rei a Salomão, e isso colocava fim à disputa. O que restava era que o partido de oposição a Salomão corresse para salvar a vida. A *execução capital* esperava por eles, caso continuassem em sua "rebelião", e, fosse como fosse, *alguns* seriam mesmo executados. O corredor que se tornara observador e espião trouxera más novas, na verdade. Aquela foi a sua última corrida.

1.44

וַיִּשְׁלַח אִתּוֹ־הַמֶּלֶךְ אֶת־צָדוֹק הַכֹּהֵן וְאֶת־נָתָן הַנָּבִיא וּבְנָיָהוּ בֶּן־יְהוֹיָדָע וְהַכְּרֵתִי וְהַפְּלֵתִי וַיַּרְכִּבוּ אֹתוֹ עַל פִּרְדַּת הַמֶּלֶךְ:

E o fizeram montar na mula que era do rei. Este versículo repete as "credenciais" do novo rei, coisas que vimos e comentamos em outros versículos. Ver os vss. 32,33,34 e 38. Salomão contava com o respaldo de seu devidamente autorizado sumo sacerdote, de seu profeta especial de Deus, de sua guarda pessoal de elite, e montava a mula oficial do rei, o veículo real. Contava também com o apoio e a autorização do próprio rei Davi. Jônatas não deixou espaço para perguntas. A coroação de Salomão era oficial e definitiva.

1.45

וַיִּמְשְׁחוּ אֹתוֹ צָדוֹק הַכֹּהֵן וְנָתָן הַנָּבִיא לְמֶלֶךְ בְּגִחוֹן וַיַּעֲלוּ מִשָּׁם שְׂמֵחִים וַתֵּהֹם הַקִּרְיָה הוּא הַקּוֹל אֲשֶׁר שְׁמַעְתֶּם:

... o ungiram rei em Giom. Houve um rito de unção oficial; e houve apoio popular; a cidade inteira ficou vibrando com os cânticos, as danças e os instrumentos musicais de acompanhamento. Este versículo revisa o que já tínhamos visto no vs. 40, onde o leitor deve examinar os detalhes.

1.46

וְגַם יָשַׁב שְׁלֹמֹה עַל כִּסֵּא הַמְּלוּכָה:

Salomão já está assentado no trono. Esse foi o ato *final* do drama. Se ainda restasse alguma dúvida sobre a finalidade do acontecimento, esse ato a removeria. Somente um tolo continuaria em Rogel promovendo o "rei errado", à espera dos executores do novo rei. "O entronizamento público no palácio (ordenado por Davi, vs. 35) seguiu-se à unção de Salomão e foi aceito pela aclamação do povo, como um aspecto integral da inauguração da realeza" (Ellicott, *in loc.*).

1.47

וְגַם־בָּאוּ עַבְדֵי הַמֶּלֶךְ לְבָרֵךְ אֶת־אֲדֹנֵינוּ הַמֶּלֶךְ דָּוִד לֵאמֹר יֵיטֵב אֱלֹהֶיךָ אֶת־שֵׁם שְׁלֹמֹה מִשְּׁמֶךָ וִיגַדֵּל אֶת־כִּסְאוֹ מִכִּסְאֶךָ וַיִּשְׁתַּחוּ הַמֶּלֶךְ עַל־הַמִּשְׁכָּב:

Ademais os oficiais do rei Davi vieram congratular-se com ele. Este versículo repete a mensagem do vs. 37, as palavras de Benaia, mas agora postas na boca dos servos especiais de Davi. Salomão, mediante a graça e a bênção de Deus, seria maior homem e rei que seu pai, Davi, tinha sido. O povo pediu essa bênção da parte de Yahweh.

E o rei se inclinou sobre o leito. Isto é, em atitude de oração. Atualmente as pessoas se ajoelham ao lado da cama, a fim de orar. Parece que Davi não saiu da cama para ajoelhar-se, mas assumiu uma espécie de postura, *em cima* da cama, que era apropriada para a oração. Cf. Gn 47.31.

1.48

וְגַם־כָּכָה אָמַר הַמֶּלֶךְ בָּרוּךְ יְהוָה אֱלֹהֵי יִשְׂרָאֵל אֲשֶׁר נָתַן הַיּוֹם יֹשֵׁב עַל־כִּסְאִי וְעֵינַי רֹאוֹת:

Também disse o rei assim. *Davi Era Homem de Oração.* Isso é demonstrado pelo próprio relato sacro. Assim, uma vez mais o encontramos a oferecer ações de graça e petições a Yahweh. Ver no *Dicionário* o verbete chamado *Oração*. Foi com grande alegria que ele viu seu filho, Salomão, que seria um homem verdadeiramente grande, assentar-se como rei. sua missão estava terminada, e Yahweh permitiu-lhe testemunhar seu filho assumir a *missão* real. Oh, Senhor, concede-nos tal graça!

"Caracteristicamente, Davi louvou a Deus por mais aquela bênção: dar-lhe tempo suficiente de vida para ver seu sucessor sentado no trono" (Thomas L. Constable, *in loc.*). O pequeno pastor tinha percorrido uma longa distância. Ele estava terminando a vida com sucesso, e viu o filho carregando o pendão para o futuro.

A providência de Deus tinha tomado o controle de toda a situação. Ver no *Dicionário* o artigo chamado *Providência de Deus*.

1.49

וַיֶּחֶרְדוּ וַיָּקֻמוּ כָּל־הַקְּרֻאִים אֲשֶׁר לַאֲדֹנִיָּהוּ וַיֵּלְכוּ אִישׁ לְדַרְכּוֹ:

Então estremeceram e se levantaram todos os convidados que estavam com Adonias. *Desmanchou-se Assim o Partido de Oposição a Salomão.* Nenhum só restou; nada lhes restou a fazer senão fugir e chegar em casa o mais breve possível, esperando que o novo rei os tratasse bondosamente, a despeito da "rebelião". Temos aqui uma cena notável: o súbito e humilhante colapso do movimento em favor de Adonias. seu triunfo não deveria mesmo acontecer. Yahweh não permitiria jamais que o homem errado se saísse vencedor.

■ 1.50

וַאֲדֹנִיָּהוּ יָרֵא מִפְּנֵי שְׁלֹמֹה וַיָּקָם וַיֵּלֶךְ וַיַּחֲזֵק בְּקַרְנוֹת הַמִּזְבֵּחַ:

Adonias... foi, e pegou das pontas do altar. Acima de qualquer outra pessoa, Adonias tinha razões para *temer* a Salomão. Mas conforme as coisas acabaram ocorrendo, o novo rei mostrou uma atitude misericordiosa para com o meio-irmão, embora em breve o viesse a executar por causa de *outra* infração dele, ao tentar ficar com a bela Abisague, a jovem esposa aquecedora de Davi (ver os vss. 1 ss. deste capítulo). Ver 1Rs 2.25 e seu contexto. O ato foi, ao que tudo indica, interpretado como outra tentativa de obter poder, visto que era costume de novos reis ficar com os haréns dos reis anteriores. Ou talvez Salomão simplesmente tivesse pensado que a petição de Adonias era muito imprópria e merecia execução capital.

Esperando obter segurança no santuário, Adonias correu para o tabernáculo improvisado (ver 2Cr 1.4), ou talvez, agarrado aos chifres do altar, permaneceu homiziado no tabernáculo que continuava em Gibeom (ver 1Cr 21.28). Isso supostamente lhe proveria proteção, da parte do poder divino, embora o ato nem sempre funcionasse. Os *chifres* do altar representavam chifres de touro e simbolizavam a força da deidade. Eram a parte mais sagrada do altar. Todos os altares primitivos tinham chifres. Os chifres no alto do zigurate (templo piramidal), na Babilônia, eram feitos de bronze, o que também ocorria no caso de estruturas similares achadas em Nínive. Algumas vezes, esses chifres transformavam-se em botões, para que pudessem ser agarrados de modo conveniente. O fato de Joabe ter-se agarrado aos chifres do altar de nada lhe valeu. Ele foi executado no local (ver 2.29,34). Ver no *Dicionário* o verbete intitulado *Altar*.

"O altar era uma espécie de asilo ou refúgio para os que tivessem cometido algum crime digno de morte, não por nomeação divina, mas por *costume*, supondo-se que ninguém contaminaria com sangue o que era sagrado ao Senhor" (John Gill, *in loc.*). O trecho de Êx 21.14 mostra-nos que o truque do altar nem sempre dava certo, pois ocasionalmente algum homem culpado era executado ali mesmo, a despeito da crença popular a respeito do altar.

O altar como lugar de asilo era prática de muitos povos antigos, e até hoje uma igreja algumas vezes serve ao mesmo propósito.

■ 1.51

וַיֻּגַּד לִשְׁלֹמֹה לֵאמֹר הִנֵּה אֲדֹנִיָּהוּ יָרֵא אֶת־הַמֶּלֶךְ שְׁלֹמֹה וְהִנֵּה אָחַז בְּקַרְנוֹת הַמִּזְבֵּחַ לֵאמֹר יִשָּׁבַע־לִי כַיּוֹם הַמֶּלֶךְ שְׁלֹמֹה אִם־יָמִית אֶת־עַבְדּוֹ בֶּחָרֶב:

Eis que Adonias tem medo de ti. Alguém da corte informou Salomão a respeito da presença de Adonias no tabernáculo, onde ele segurava os chifres do altar e pleiteava pela própria vida, enviando a mensagem a Salomão de que pedia misericórdia, de que o tinha como seu senhor e rei e de que a sua "rebeldia" estava terminada. Ver no *Dicionário* o verbete chamado *Juramentos*. Adonias, em sua humildade forçada, que, pelo menos no momento, era genuína, chamou-se de *escravo* de Salomão. Ele faria qualquer coisa para salvar a própria vida. Mas dentro de pouco tempo Adonias estaria cobiçando a bela Abisague, e isso lhe seria fatal, ao passo que encabeçar o movimento de oposição a Salomão não o fora.

■ 1.52

וַיֹּאמֶר שְׁלֹמֹה אִם יִהְיֶה לְבֶן־חַיִל לֹא־יִפֹּל מִשַּׂעֲרָתוֹ אָרְצָה וְאִם־רָעָה תִמָּצֵא־בוֹ וָמֵת:

Salomão estava em atitude de generosidade. Ele tinha vencido o contexto. Ele gozara do apoio de seu pai, Davi, bem como de todo o povo de Israel. Adonias tinha deixado de ser uma ameaça; portanto, para que o matar? Adonias não ousaria opor-se às forças que se tinham reunido em redor de Salomão. Além disso, ele era seu meio-irmão. Isso, sem dúvida, tinha algum peso.

Assim sendo, Salomão fez o juramento que Adonias esperava ouvir (vs. 51). Não cairia no chão nem um fio de cabelo da cabeça do pobre homem, *se* ele se comportasse. Mas esse *se* não demorou a ser violado. Andar atrás da linda Abisague foi contado como iniquidade suficiente para a execução do príncipe Adonias. Assim, se por um lado, em um dia, Salomão revelou-se um homem digno, generoso e misericordioso, no dia seguinte ele haveria de mostrar-se brutal. Ele não hesitaria em matar ao próprio irmão. Sabiamente começou o seu reinado sem assassinatos, mas não demoraria muito para ele derramar sangue da antiga maneira dos reis. Alguns intérpretes tomam o trecho de 1Rs 2.13-25 como se falasse de uma *conspiração*, desculpando o ato executor, ordenado por Salomão, por causa disso.

"O perdão estendido por Salomão, de acordo com as ideias originais, foi um ato de graça extraordinária, e, no entanto, foi caracteristicamente cauteloso e condicional, a ser retirado de acordo com a primeira tentativa de renovação das pretensões de Adonias" (Ellicott, *in loc.*).

■ 1.53

וַיִּשְׁלַח הַמֶּלֶךְ שְׁלֹמֹה וַיֹּרִדֻהוּ מֵעַל הַמִּזְבֵּחַ וַיָּבֹא וַיִּשְׁתַּחוּ לַמֶּלֶךְ שְׁלֹמֹה וַיֹּאמֶר־לוֹ שְׁלֹמֹה לֵךְ לְבֵיתֶךָ: פ

A Misericórdia Temporária de Salomão Restaurou a Adonias. Mensageiros aproximaram-se de Adonias e disseram-lhe que Salomão fizera o juramento pelo qual ele estivera esperando. Ele foi tirado do templo e enviado em segurança para casa. Antes de voltar, entretanto, Adonias foi à presença de Salomão para mostrar que se tornara um *súdito* leal, em vez de ser o líder de um partido de oposição. Definitivamente, Adonias deveria permanecer afastado da política, e seu pedido em favor de Abisague pode ter sido interpretado como outra tentativa de chegar ao poder. Ver 1Rs 2.13 ss. quanto à narrativa. "Em breve Adonias conspirou de novo e, como resultado, perdeu a própria vida" (Thomas L. Constable, *in loc.*).

CAPÍTULO DOIS

RECOMENDAÇÕES DE DAVI (2.1-46)

"A mensagem de despedida de Davi a Salomão compôs-se de duas seções distintas. Essas duas seções eram muito diferentes em tom e estilo: a primeira dando sábios conselhos do tipo ortodoxo do século XVII; a segunda dando conselhos práticos de acordo com a moda de uma era anterior e mais brutal" (Norman H. Snaith, *in loc.*).

Portanto, temos nos vss. 1-4 coisas de importância primária. E então, os vss. 5-9 mostram como Salomão deveria tratar com homens específicos que poderiam transformar-se em causadores de dificuldades. O selvagem mas sempre *fiel* Joabe deveria ser executado, algo que compreendemos do ponto de vista daquela época, mas que nos é chocante, para dizermos o mínimo. Outros, porém, que tinham agido bem, seriam tratados bondosamente e com recompensas. *Simei* também seria executado. seu tempo de colheita havia chegado.

O capítulo à nossa frente fala de somente dois assassinatos políticos e de um banimento. Mas esses três casos provavelmente foram apenas típicos de muitos atos parecidos. Por meio deles, Salomão foi capaz de estabelecer firmemente o seu reino e foi contado sábio quanto a seus atos. Ver o vs. 46 e suas notas expositivas. Naturalmente, também houve atos sem sangue que contribuíram para a paz e a prosperidade.

A *morte de Davi* foi registrada nos vss. 10-12. Então veio o pedido fatal de Adonias para que fosse concedida Abisague, a esposa aquecedora de Davi (1.1 ss.). O trecho de 1Rs 2.28 ss. contém a triste história da execução de Joabe.

■ 2.1

וַיִּקְרְבוּ יְמֵי־דָוִד לָמוּת וַיְצַו אֶת־שְׁלֹמֹה בְנוֹ לֵאמֹר:

Deu ele ordens a Salomão. Quanto à natureza da *incumbência* dada por Davi a seu filho, Salomão, acerca de como ele deveria agir quando iniciasse sua carreira de rei, ver a introdução a este capítulo.

O conselho contido nos vss. 2-4 é uma espécie de prefácio à história dos reis, e não meramente à história referente a Davi. Tem sido sugerido que Davi foi um *rei modelo* e que, em Salomão, a sua glória atingiu os ideais que permeariam todos os esforços dos reis de Israel. Ver no *Dicionário* o artigo chamado *Rei, Realeza*. Cf. Dt 17.14 ss. quanto a outra passagem bíblica que trata do *rei ideal* em Israel.

SETE PERÍODOS DISTINTOS DA HISTÓRIA DE ISRAEL

1. De Abrão ao êxodo: Gn 12—Êx 1.22.
2. Do êxodo até a morte de Josué: Êxodo, Josué.
3. A época dos juízes: desde a morte de Josué até o início da monarquia: Jz 1.1—2Rs 17.6.
4. Da monarquia até os cativeiros: 1Sm 11.1—2Rs 17.6.
5. Os cativeiros (assírio para Israel; babilônico para Judá): Ester; partes históricas de Daniel.
6. A comunidade restaurada; o fim dos setenta anos na Babilônia; o retorno do remanescente; a construção do segundo templo; o cativeiro romano, de 132 a.C. até nossos dias.
7. O milênio (os livros proféticos).

"Os reis que se seguiriam deveriam ser julgados segundo a maneira como obedecessem ou desobedecessem às ordens de Davi (cf. 1Rs 15.3 ss.). O tema é que o homem que obedecesse à lei deuteronômica com pleno zelo prosperaria em tudo quanto realizasse. Ele deveria adorar a Deus fielmente e em Jerusalém. Deveria abominar todos os cultos imorais e nada ter a ver com deuses estrangeiros. Deveria cuidar dos pobres e não privilegiados a fim de que a justiça de Deus fosse estabelecida na terra. Finalmente, enquanto os reis obedecessem a esses comandos, sempre haveria um herdeiro de Davi no trono, para governar em Jerusalém" (Norman H. Snaith, *in loc.*).

Morte, o Alvo. Davi, embora antes um grande guerreiro, agora estava velho e decrépito. seu filho, Salomão, já o tinha substituído no trono. Davi cumpriria o seu *dever de morrer*. Mas havia à sua espera uma vida gloriosa, para além do túmulo. Portanto, embora a morte seja um alvo, viver no após-túmulo é um resultado inevitável. E nisso há glória. Ver na *Enciclopédia de Bíblia, Teologia e Filosofia* o artigo chamado *Imortalidade;* e no *Dicionário*, ver *Alma*.

■ 2.2

אָנֹכִ֣י הֹלֵ֔ךְ בְּדֶ֖רֶךְ כָּל־הָאָ֑רֶץ וְחָזַקְתָּ֖ וְהָיִ֥יתָ לְאִֽישׁ׃

Vou pelo caminho de todos os mortais. Essa é uma pitoresca descrição da morte. Davi foi apenas realista. Ele sabia que em breve morreria, por isso traçou planos que incluíam o aconselhamento dado a seu sucessor. "Suas ordens se assemelham aos conselhos de Moisés a Josué, em Dt 31.23" (Thomas L. Constable, *in loc.*).

"O caminho de todos os mortais... Uma vereda que é a vereda da morte, pela qual todos passam, reis e aldeões, altos e baixos, ricos e pobres, grandes e pequenos, bons e ruins. Ninguém é isentado, todos devem morrer e morrem. É determinação de Deus, um decreto que não pode ser revertido. Toda a experiência confirma isso" (John Gill, *in loc.*). As únicas exceções serão os que não morrerão, mas serão transformados por ocasião da segunda vinda de Cristo (ver 1Co 15.51,52; 1Ts 4.16,17) e, no Antigo Testamento, Enoque e Elias. Portanto, Sócrates disse o óbvio: "Todos os homens são mortais". Ver no *Dicionário* o artigo chamado *Morte*.

Com igual paz, a sorte imparcial
Bate à porta do palácio e da cabana.

Francisco de Assis

A morte é o conselho esperto da natureza para obtermos o máximo da vida.

Goethe

A morte nivela todas as coisas.

Claudiano

A morte é o cabelo negro que se ajoelha nos portões de todos.

Abel-el-Kader

■ 2.3

וְשָׁמַרְתָּ֞ אֶת־מִשְׁמֶ֣רֶת ׀ יְהוָ֣ה אֱלֹהֶ֗יךָ לָלֶ֤כֶת בִּדְרָכָיו֙ לִשְׁמֹ֨ר חֻקֹּתָ֤יו מִצְוֺתָיו֙ וּמִשְׁפָּטָ֣יו וְעֵדְוֺתָ֔יו כַּכָּת֖וּב בְּתוֹרַ֣ת מֹשֶׁ֑ה לְמַ֣עַן תַּשְׂכִּ֗יל אֵ֤ת כָּל־אֲשֶׁ֣ר תַּעֲשֶׂ֔ה וְאֵ֛ת כָּל־אֲשֶׁ֥ר תִּפְנֶ֖ה שָֽׁם׃

Para andares nos seus caminhos. Quanto a notas completas da vida como um *andar,* ver na *Enciclopédia de Bíblia, Teologia e Filosofia* o artigo intitulado *Andar, Metáfora do*. O "andar" (conduta) de um rei digno deveria ser o andar na Lei do Senhor, o que é expresso de várias maneiras: caminhos, estatutos, mandamentos, preceitos, testemunhos etc. Estão em pauta todas as coisas escritas na lei de Moisés. Ver no *Dicionário* os artigos intitulados *Lei no Antigo Testamento* e *Lei Cerimonial e Moral*. Comparar a presente passagem para o rei ideal com a passagem similar de Dt 17.14 ss. Os críticos supõem que um mesmo autor-editor tenha produzido ambas as passagens, o que explicaria a grande similaridade dos dois trechos. Quanto à *tríplice* designação da lei (mandamentos, estatutos e preceitos), ver Dt 6.1. O versículo presente adiciona a palavra geral, *caminhos,* isto é, a vida geral do rei, tudo quanto ele fizesse, tudo quanto ele tentasse, tudo quanto ele fosse. Mas também temos os *testemunhos,* palavra que provavelmente aponta para todos os elementos da lei que atuam como testemunho e orientação dada ao rei ideal.

"Esta seção é plena de frases deuteronômicas. Isso foi acrescentado pelo editor para agir como prefácio para a história inteira dos reis, a fim de sugerir que Davi era o modelo de rei deuteronômico. Os reis que se seguiriam seriam julgados de acordo com a maneira como obedecessem ou desobedecessem aos mandamentos de Davi (cf. 15.3 etc.)" (Norman H. Snaith, *in loc.*).

"A obediência à revelação proposicional de Deus garantiria o sucesso... A bênção de Deus dependeria da obediência de seu povo à lei... A obediência pessoal de Salomão resultaria em Deus cumprir as suas promessas aos descendentes de Davi que viriam a ocupar o trono de Davi (ver 2Sm 7.12-16)" (Thomas L. Constable, *in loc.*).

■ 2.4

לְמַעַן֩ יָקִ֨ים יְהוָ֜ה אֶת־דְּבָר֗וֹ אֲשֶׁ֨ר דִּבֶּ֣ר עָלַי֮ לֵאמֹר֒ אִם־יִשְׁמְר֨וּ בָנֶ֜יךָ אֶת־דַּרְכָּ֗ם לָלֶ֤כֶת לְפָנַי֙ בֶּאֱמֶ֔ת בְּכָל־לְבָבָ֖ם וּבְכָל־נַפְשָׁ֑ם לֵאמֹ֕ר לֹֽא־יִכָּרֵ֤ת לְךָ֙ אִ֔ישׁ מֵעַ֖ל כִּסֵּ֥א יִשְׂרָאֵֽל׃

Se teus filhos guardarem o seu caminho. A continuação do ofício real dependeria da obediência dos reis e do povo comum. Não muito distante, em relação ao tempo, haveria o cativeiro assírio (722 a.C.), que poria fim ao reino do norte, ou Israel, incluindo seus governantes. Então, em 597 a.C., o reino do sul, ou Judá, sofreria um cativeiro (por parte dos babilônios). Esses acontecimentos efetivamente destruíram Israel e suas instituições, embora um remanescente tivesse retornado da Babilônia e continuado a nação de Israel em pequenos termos. A desobediência estava à raiz de toda aquela consternação. Ver no *Dicionário* os artigos chamados *Cativeiros, Cativeiro Assírio* e *cativeiro babilônico*.

Fielmente. Ou seja, fidelidade à verdade da palavra revelada de Deus, a lei que se tornou o padrão dos atos e crenças dos homens.

De todo o seu coração e de toda a sua alma. Ou seja, uma obediência que repousasse sobre a conversão interior e profunda espiritualidade, e não meramente em obediência à letra da lei. Naturalmente, o *cumprimento ideal* de tudo isso se encontraria no *Messias,* para quem os outros reis apontariam, porquanto ele seria o Filho maior de Davi, que adicionava dimensões espirituais e eternas ao reinado em Israel.

AMPLA VARREDURA DA HISTÓRIA NO ANTIGO TESTAMENTO

- **CRIAÇÃO (Gênesis)** — Data indeterminada
- **JACÓ NO EGITO (Gênesis)** — 1876 a.C
- **ISRAEL NO EGITO (Êxodo)** — 430 anos
- **ANDANÇAS PELO DESERTO (Êxodo)** — 1446-1406 a.C.
- **ISRAEL ATRAVESSA O JORDÃO** — 1406 a.C.
- **CONQUISTA COMPLETADA (Josué)** — 1399 a.C.
- **JUÍZES COM AUTORIDADE LOCAL (Juízes)** — Início em cerca de 1350 a.C.
- **PERÍODO DOS JUÍZES E DE RUTE** — Cerca de 299 anos
- **INÍCIO DA MONARQUIA (1Samuel)** — Início do reinado de Saul: c. 1020 a.C.
- **IMPÉRIO DE DAVI (2Samuel; 1Crônicas)** — 1011 a.C. — Davi reinou por quarenta anos
- **IMPÉRIO DE SALOMÃO (1Reis)** — 971 a.C. — Salomão reinou por quarenta anos
- **REINO DIVIDIDO**
  - ISRAEL (1Reis 12 — 2Reis 17) — *209 anos* — Cativeiro assírio — 722 a.C.
  - JUDÁ (1Reis 12 — 2Reis 24) — *345 anos* — Cativeiro babilônico — 586 a.C.
- **EXÍLIO BABILÔNICO (Judá)** — setenta anos
- **TEMPLO RECONSTRUÍDO** — 515 a.C.
- **FIM DO PERÍODO DO ANTIGO TESTAMENTO** — Cerca de 430 a.C.

2.5

וְגַם אַתָּה יָדַעְתָּ אֵת אֲשֶׁר־עָשָׂה לִי יוֹאָב בֶּן־צְרוּיָה
אֲשֶׁר עָשָׂה לִשְׁנֵי־שָׂרֵי צִבְאוֹת יִשְׂרָאֵל לְאַבְנֵר בֶּן־נֵר
וְלַעֲמָשָׂא בֶן־יֶתֶר וַיַּהַרְגֵם וַיָּשֶׂם דְּמֵי־מִלְחָמָה בְּשָׁלֹם
וַיִּתֵּן דְּמֵי מִלְחָמָה בַּחֲגֹרָתוֹ אֲשֶׁר בְּמָתְנָיו וּבְנַעֲלוֹ
אֲשֶׁר בְּרַגְלָיו׃

Também tu sabes o que me fez Joabe. A partir deste versículo começam os conselhos específicos acerca de pessoas determinadas. Algumas delas tinham sido boas; outras tinham sido más. Salomão, em sua sabedoria, cuidaria de cada uma delas para fazer justiça e alcançar paz e sucesso em seu governo. Os vss. 3 e 4 exprimem princípios gerais de nobreza. Os vss. 5-12 tratam do legado de Davi que Salomão teria de solucionar. Ele teria de ser brutal, conforme eram os antigos reis-heróis, guerreiros que extirpavam seus inimigos a fim de manter a autoridade.

A *segunda seção* das incumbências dadas por Davi é bastante diferente da primeira (vss. 3 e 4). Alguns críticos atribuem as duas seções a fontes informativas diferentes, supondo que um editor as tenha alinhavado para produzir uma unidade. À seção a seguir falta o fator deuteronômico, e isso pode ser uma confirmação da ideia das "duas fontes informativas".

Joabe. Era um homem selvagem e brutal, totalmente áspero. Ele tinha tão grande poder que seria capaz de contradizer os desejos de Davi e escapar das consequências. Ele matara os traidores Abner e Absalão contra as ordens de Davi. Davi lhes tinha dado um salvo-conduto. Joabe, entretanto, percebeu que somente a morte poria fim aos esquemas dos dois homens. Davi mostrou-se fraco, vacilante e temeroso em agir. Joabe agiu por ele de maneira eficaz. Mas Davi nunca esqueceu que aquele selvagem Joabe tinha "ultrapassado" suas ordens, agindo conforme melhor lhe pareceu. Portanto, Salomão estaria em melhor situação caso se livrasse de Joabe. Portanto, a *execução* foi ordenada.

Amasa. Este era o homem a quem Davi fizera (temporariamente) chefe do exército, em lugar de Joabe. Pessoalmente, porém, Joabe matou o homem que obtivera seu posto no exército, e recuperou sua posição. Esse fora um ato justo, porquanto Amasa havia apoiado a rebelião encabeçada por Absalão, e teria sido realmente um erro e um ato estúpido aceitá-lo de volta e fazer dele o comandante-em-chefe do exército. Ver o artigo sobre *Amasa,* no *Dicionário,* quanto a maiores detalhes. Ver 2Sm 20.4-14 quanto à história de como Joabe assassinou Amasa. Ver 2Sm 3.26 ss. quanto ao assassinato de Abner.

Conspícua por sua ausência é a menção ao assassinato de Absalão, por Joabe. Absalão era filho de Davi. Sem dúvida, embora não seja mencionado neste ponto, essa era a principal razão pela qual Davi queria que Joabe fosse executado. Quanto à história do assassinato, ver o trecho de 2Sm 18.9 ss.

Todos os homicídios praticados por Joabe foram cenas horrendas e sangrentas, conforme ilustra o presente versículo. Davi fez de Joabe o responsável pelo derramamento de sangue "inocente", ou, no mínimo, por haver realizado matanças não autorizadas.

"Derramava o sangue de guerra sobre seu cinto e sobre seus sapatos, atacando-os enquanto pretendia abraçá-los, de modo que o sangue deles esguichava em seu cinto e caía em seus calçados! Esse era o pior agravo mais abominável de seus crimes" (Adam Clarke, *in loc.*). É evidente que o relato feito por Davi dizia respeito a Joabe. Ele estava tão próximo de suas vítimas que o sangue delas o cobria por inteiro. Completamente coberto de sangue, Joabe marchava para outras matanças. "O sangue o cobria, demonstrando a sua culpa" (Thomas L. Constable, *in loc.*).

2.6

וְעָשִׂיתָ כְּחָכְמָתֶךָ וְלֹא־תוֹרֵד שֵׂיבָתוֹ בְּשָׁלֹם שְׁאֹל׃ ס

Faze, pois, segundo a tua sabedoria. *"Sê Sábio! Executa o Homem!"* Não lhe permitas morrer uma morte natural, a morte de um homem idoso e encanecido. Não permitas que ele morra em paz, em seu próprio sangue. Faze a ele conforme ele fez às vítimas, todo cortado pela espada, para que sangue dele o cubra, conforme as vítimas "inocentes" foram cobertas de sangue. Aquilo que Davi fora fraco demais para fazer, aconselhou ao filho, Salomão, que fizesse. Joabe tinha vivido muito tempo por empréstimo. Davi mostrara-se débil demais para efetuar a justiça. Mas o dia final de Joabe aproximava-se rapidamente.

A discussão deixa de lado o fato contundente de que Joabe tinha realizado justiça ao cuidar dos traidores. Agora Davi exigia justiça por causa do assassinato dos traidores? Provavelmente, não. Maus argumentos sempre *deixam* evidências contrárias e fatos que os enfraquecem.

Joabe era agora um homem idoso, provavelmente tão idoso quanto Davi. Ele fora comandante-em-chefe do exército de Israel por quarenta anos. Ver 2Sm 2.13. Portanto, ao ser morto, ele tinha cabelos encanecidos, mas sem dúvida ainda era varão vigoroso, a despeito de sua idade avançada, em contraste com o decrépito Davi.

■ 2.7

וְלִבְנֵי בַרְזִלַּי הַגִּלְעָדִי תַּעֲשֶׂה־חֶסֶד וְהָיוּ בְּאֹכְלֵי שֻׁלְחָנֶךָ כִּי־כֵן קָרְבוּ אֵלַי בְּבָרְחִי מִפְּנֵי אַבְשָׁלוֹם אָחִיךָ׃

Com os filhos de Barzilai... usarás de benevolência. Em contraste com homens como Joabe, havia o bondoso e generoso Barzilai. Ver no *Dicionário* sobre ele, bem como sobre a história de seu ato de bondade a Davi, antes e quando ele retornava de fugir de Absalão, em 2Sm 17.27-29 e 19.31-39. Um filho de Barzilai foi levado a morar na corte real, visto que o próprio Barzilai, sendo já homem de idade avançada, não queria deixar a própria casa. Um *pacto* foi celebrado entre Davi e o homem e sua família, que Davi agora ansiava por cumprir. A bondade foi satisfeita com bondade a longo prazo. As bênçãos continuaram a fluir sobre a família de Barzilai. "Davi queria que o filho de Barzilai colhesse o que seu pai tinha semeado" (Thomas L. Constable, *in loc*.). Ver no *Dicionário* o artigo chamado *Lei Moral da Colheita segundo a Semeadura*. Salomão foi aconselhado a continuar dando ao filho do homem a sua pensão na corte do rei. Sem dúvida, ele foi feito um homem rico.

■ 2.8

וְהִנֵּה עִמְּךָ שִׁמְעִי בֶן־גֵּרָא בֶן־הַיְמִינִי מִבַּחֻרִים וְהוּא קִלְלַנִי קְלָלָה נִמְרֶצֶת בְּיוֹם לֶכְתִּי מַחֲנָיִם וְהוּא־יָרַד לִקְרָאתִי הַיַּרְדֵּן וָאֶשָּׁבַע לוֹ בַיהוָה לֵאמֹר אִם־אֲמִיתְךָ בֶּחָרֶב׃

Simei... que me maldisse. Quanto à história de como esse homem zombou de Davi quando ele fugia de Absalão, proferindo maldições e dele zombando, ver 2Sm 16.5 ss. Davi não se vingou de Simei porque reconheceu que ele estava *certo* ao proferir aquelas maldições, porquanto Yahweh o estava julgando por causa de seu adultério com Bate-Seba, e do assassinato do marido dela, Urias; ver 2Sm 11. Quando Davi voltou ao poder, aquele homem humilhou-se diante do rei e recebeu perdão e o juramento de que não seria prejudicado (ver 2Sm 19.16 ss.). Contudo, o homem era um causador de dificuldades e teve poder suficiente para infligir tristeza a Salomão. Assim sendo, Davi ordenou sua execução, e Salomão ficou à espera de uma oportunidade apropriada. Dessa maneira, embora Davi não tenha feito o trabalho pessoalmente, violou o seu pacto, mas uma infração relativamente pequena foi usada como desculpa para a execução de Simei (ver 1Rs 2.42-46). Simei era "... poderoso e um defensor assumido da casa caída de Saul. Mas houve inequívocos traços de rancor no coração de Davi, que nos fazem lembrar do amargor de salmos como o de número 69" (Ellicott, *in loc.*).

■ 2.9

וְעַתָּה אַל־תְּנַקֵּהוּ כִּי אִישׁ חָכָם אָתָּה וְיָדַעְתָּ אֵת אֲשֶׁר תַּעֲשֶׂה־לּוֹ וְהוֹרַדְתָּ אֶת־שֵׂיבָתוֹ בְּדָם שְׁאוֹל׃

És homem prudente. *O sábio Salomão* ignoraria o juramento de Davi e não contaria Simei como "inculpável". De fato, ele encontraria uma maneira de executar o homem, pagando-lhe por aquilo que fora feito contra Davi. O ato removeria um súdito potencialmente poderoso, que poderia apoiar alguma espécie de rebelião contra o jovem Salomão, talvez promovendo a causa morta da casa de Saul. Novamente, Davi pensou ser errado que tal homem tivesse uma morte pacífica e morresse como homem idoso em seu leito, com cabelos brancos, um sinal de longa vida que ele não merecia. Portanto, Davi disse com efeito: "Abate-o antes que ele fique velho e tenha a chance de morrer em paz".

■ 2.10

וַיִּשְׁכַּב דָּוִד עִם־אֲבֹתָיו וַיִּקָּבֵר בְּעִיר דָּוִד׃ פ

Davi descansou com seus pais. *De súbito,* o autor simplesmente nos informa sobre a morte do grande rei, Davi. "ele descansou com seus pais." Ver em 1Rs 1.21 as notas expositivas sobre essa frequente expressão do Antigo Testamento. Na época de Davi, isso poderia significar que ele caminhou para uma vida gloriosa após-túmulo, em companhia dos antepassados que o tinham precedido na morte, mas continuavam vivendo. Antes dos Salmos e dos profetas, isso significava meramente a extinção da vida física, o lugar das almas desincorporadas. Ver sobre a *Imortalidade* na *Enciclopédia de Bíblia, Teologia e Filosofia*, e, no *Dicionário*, ver o artigo chamado *Alma*. Quanto a uma excelente citação de Cícero, na esperança de ir para um lugar abençoado e encontrar aqueles que já tinham partido, ver 2Sm 12.23.

Ó Capitão, meu Capitão, nossa temível viagem terminou,
O navio atravessou cada escolho,
O prêmio que buscávamos foi conquistado,
O porto está próximo, já ouço os sinos,
E todo o povo exulta.

Walt Whitman

Sucesso: "Obteve sucesso quem viveu bem, quem riu com frequência e quem amou muito; quem obteve o respeito de homens inteligentes e o amor das criancinhas; quem preencheu o seu lugar e realizou a sua tarefa, quer se trate de uma papoula aprimorada, de um perfeito poema ou de uma alma liberta; a quem nunca faltou apreciação pelas belezas terrenas, nem deixou de expressá-las; quem buscou o melhor que há nos outros, quem deu o melhor que possuía; cuja vida foi uma inspiração e cuja memória é uma bênção". (Robert Louis Stevenson).

Certamente Davi "preencheu o seu lugar e realizou a sua tarefa", consolidando o reino de Israel e trazendo paz, embora através da guerra e da violência. seu Filho maior, o Messias, continua reinando em seu trono e o seu reino não terá fim.

"sua vida foi uma vida de providências notáveis, de grande piedade e profunda utilidade pública. De modo geral, ele viveu bem, sendo evidente que também morreu bem" (Adam Clarke, *in loc.*).

O registro histórico não deixou de lado as falhas e os graves crimes de Davi. Mas seus salmos revelam uma espiritualidade interior de considerável poder, a despeito da brutalidade de sua época. O livro dos Salmos é o livro do Antigo Testamento mais citado no Novo Testamento.

Foi sepultado na cidade de Davi. Não em Belém, que também foi chamada assim, por ter sido o lugar do nascimento de Davi, mas em *Jerusalém*, a capital da nação, que ele conquistara dos jebuseus. Ele fez de Jerusalém a capital dos negócios tanto civis quanto religiosos, e consolidou e uniu a nação de Israel. Em Ne 3.16 temos a menção ao sepulcro de Davi. Cf. Ez 43.7,9. Os túmulos dos reis estavam em Jerusalém. Ver no *Dicionário* os verbetes chamados *Sepulcro de Davi* e *Sepulcro dos Reis*.

Josefo, general e historiador judeu de uma geração depois da de Cristo, diz-nos que Salomão depositou um vasto tesouro junto com Davi, em seu sepulcro, e que Hircano violou o túmulo e tirou-lhe as riquezas, cerca de 1.trezentos anos mais tarde. O sepulcro de Davi continuava conhecido nos tempos de Jesus. Ver At 2.29 e as notas expositivas sobre esse versículo, no *Novo Testamento Interpretado*.

Quanto a outras referências à "cidade de Davi", ver 1Rs 3.1; 8.1; 9.24; 11.27; 15.8,24 e 22.50. Nos dias de Davi, a cidade era bastante pequena e ocupava uma península de terreno elevado, ladeado a leste, sul e oeste por vales. Salomão ampliou a cidade para o norte, e outros reis expandiram-na mais ainda.

2.11

וְהַיָּמִ֗ים אֲשֶׁ֨ר מָלַ֤ךְ דָּוִד֙ עַל־יִשְׂרָאֵ֔ל אַרְבָּעִ֖ים שָׁנָ֑ה
בְּחֶבְר֤וֹן מָלַךְ֙ שֶׁ֣בַע שָׁנִ֔ים וּבִירוּשָׁלַ֣͏ִם מָלַ֔ךְ שְׁלֹשִׁ֥ים
וְשָׁלֹ֖שׁ שָׁנִֽים׃

Quarenta anos. Davi foi rei durante quarenta anos. Quanto a esse significativo número bíblico, ver no *Dicionário* o artigo chamado *Quarenta*. Ver também *Número (Numeral; Numerologia)*. Desses quarenta anos, sete Davi governou em Hebrom, em Judá, antes de chegar a exercer plena autoridade sobre todo o Israel, e então fez de Jerusalém a sua capital. Então, por 33 anos, governou na nova capital do país.

Davi tinha cerca de 70 anos de idade ao morrer, conforme vemos em 2Sm 5.4. "Davi foi homem notável em muitos aspectos: guerreiro, poeta, músico, gênio militar, administrador e homem de Deus. Ele experimentou notáveis sucessos e esmagadoras falhas. Estendeu grandemente as fronteiras e a influência de seu país. Foi grandemente amado e grandemente odiado durante seu período de vida. Mas talvez sua mais significativa característica tenha sido o coração dedicado a Deus. seu filho, Salomão, sucedeu-o e desfrutou um reinado marcado pela paz" (Thomas L. Constable, *in loc.*).

Davi foi um *imenso magneto* que atraiu a alguns poderosamente, mas também repeliu a outros com idêntico poder, o que sempre se dá no caso de homens fortes, de gênios e de pessoas altamente criativas, em qualquer campo de trabalho humano.

2.12

וּשְׁלֹמֹ֗ה יָשַׁב֙ עַל־כִּסֵּ֣א דָּוִ֣ד אָבִ֔יו וַתִּכֹּ֥ן מַלְכֻת֖וֹ מְאֹֽד׃

Salomão assentou-se no trono de Davi. Embora já tivesse sido coroado e estivesse simbolicamente sentado no trono de Davi (ver 1Rs 1.33,34,38 ss.), Salomão agora se tornava o único e Todo-poderoso rei de Israel. Ele haveria de expandir o território de Israel até quase as dimensões que haviam sido prometidas no Pacto Abraâmico (ver as notas a respeito em Gn 15.18). Salomão seria o mais sábio e mais rico dos reis de Israel. Ver o artigo sobre ele no *Dicionário*, quanto aos detalhes. Davi o deixara bem situado. Inimigos externos e internos estavam subjugados. Tendo dedicado tempo à construção civil, Salomão edificou o templo e assim cumpriu o grande desejo de Davi (ver 2Sm 7), que não lhe foi permitido cumprir. Ver no *Dicionário* o artigo chamado *Templo de Jerusalém*. A morte de Davi evidentemente abriu o caminho para tentativas de rebelião (1Rs 11.14-25), mas Salomão detinha autoridade suficiente para manter a unidade e a paz, exercendo poder absoluto em Israel por longo tempo.

O TRÁGICO ERRO DE CÁLCULO DE ADONIAS (2.13-25)

2.13

וַיָּבֹ֞א אֲדֹנִיָּ֧הוּ בֶן־חַגִּ֛ית אֶל־בַּת־שֶׁ֖בַע אֵם־שְׁלֹמֹ֑ה
וַתֹּ֤אמֶר הֲשָׁל֣וֹם בֹּאֶ֔ךָ וַיֹּ֖אמֶר שָׁלֽוֹם׃

Adonias. Este homem, meio-irmão de Salomão, estendera a mão para o trono, mas perdera (ver 1Rs 1.5 ss.). Davi deu seu apoio a Salomão, que ganhou na rivalidade com seu irmão. A vida de Adonias foi poupada por um ato magnânimo do meio-irmão (1.51 ss.), sob a condição de bom comportamento. Mas agora Adonias cometeu seu segundo erro de cálculo. Apaixonou-se pela bela virgem, a saber, Abisague, que fora dada a Davi como aquecedora, a qual, supostamente, deveria transmitir a Davi boa saúde. Ver a história em 1Rs 1.2 ss.

Tendo perdido o reino, Adonias agora queria receber um prêmio de consolação. Desejava ter Abisague como esposa. Ora, novos reis com frequência ficavam com os haréns dos reis anteriores. Esse era o costume, e talvez Salomão tenha visto o pedido de Adonias por Abisague como outra tentativa de roubar o poder. Por outra parte, Salomão pode ter sentido que o pedido de Adonias era uma desgraça altamente imprópria, e por isso Adonias deveria ser executado (e realmente o foi). Homens eram executados por razões inferiores.

Na realidade, o que encontramos até o vs. 46 são os expurgos de Salomão. Adonias fez parte desses expurgos. A verdade da questão é que qualquer desculpa para executar Adonias teria sido suficiente.

Bate-Seba. Ela estava agindo como rainha-mãe e como mãe de Salomão. Ela exercia influência sobre Salomão e (presumivelmente) poderia tê-lo convencido a entregar Abisague a Adonias. Mas o fato foi que Adonias "apostou alto demais" e, em consequência, perdeu a vida no jogo. Ver 1Rs 1.28 ss. quanto à influência de Bate-Seba sobre Davi.

Paz. O homem viera em paz. Ele não tinha nenhum plano acerca do poder. Agora Adonias era um mero cidadão. Não é provável que ele tivesse alguma intenção de renovar sua "rebelião". Thomas L. Constable, *in loc.*, fala sobre o esperto plano de Adonias e suas manobras, mas isso dificilmente se ajusta ao texto quanto à realidade da situação. Tudo quanto ele queria era a bela Abisague. Adonias estava em busca de um *prêmio de consolação*, e não atrás do "prêmio".

Quanto ao costume semita de um homem herdar o harém do rei anterior, ao se tornar seu sucessor, ver 2Sm 3.7; 12.8; 16.20-23. Esse era, verdadeiramente, um costume, mas Salomão simplesmente tirou vantagem da insensatez de Adonias a fim de justificar a execução.

2.14,15

וַיֹּ֕אמֶר דָּבָ֥ר לִ֖י אֵלָ֑יִךְ וַתֹּ֖אמֶר דַּבֵּֽר׃

וַיֹּ֗אמֶר אַ֤תְּ יָדַ֙עַתְּ֙ כִּי־לִי֙ הָיְתָ֣ה הַמְּלוּכָ֔ה וְעָלַ֞י שָׂ֧מוּ
כָֽל־יִשְׂרָאֵ֛ל פְּנֵיהֶ֖ם לִמְלֹ֑ךְ וַתִּסֹּ֤ב הַמְּלוּכָה֙ וַתְּהִ֣י
לְאָחִ֔י כִּ֥י מֵיְהוָ֖ה הָ֥יְתָה לּֽוֹ׃

Adonias havia preparado o seu discurso; treinara a sua apresentação; ele realmente queria como esposa a bela virgem; estava apaixonado e temporariamente "insano". Conforme disse Schopenhauer: "O amor é uma insanidade curável pelo casamento".

O reino era meu. Adonias tinha sido um "quase-rei", no entanto, perdera tudo por uma súbita mudança na sorte. Fora uma *vítima* da má sorte. Por esse motivo, merecia o prêmio de consolação, a saber, a bela Abisague, o que não era um pedido exagerado para um quase-rei. Naturalmente, Adonias se excedeu na apresentação. Nem "todo o Israel" o desejava como rei. Além disso, ele exagerou ao tentar ficar com Abisague, o que haveria de custar-lhe a própria vida.

Adonias tinha o direito de primogenitura, embora com frequência esse direito fosse ultrapassado pela força das armas ou pela manipulação. Ele realmente obtivera algum apoio popular, mas lhe faltava a autenticidade necessária para ser rei. É evidente que a providência divina interveio nos planos de Adonias. Ver no *Dicionário* o verbete chamado *Providência de Deus*.

2.16,17

וְעַתָּ֗ה שְׁאֵלָ֤ה אַחַת֙ אָֽנֹכִי֙ שֹׁאֵ֣ל מֵֽאִתָּ֔ךְ אַל־תָּשִׁ֖בִי
אֶת־פָּנָ֑י וַתֹּ֥אמֶר אֵלָ֖יו דַּבֵּֽר׃

וַיֹּ֗אמֶר אִמְרִי־נָא֙ לִשְׁלֹמֹ֣ה הַמֶּ֔לֶךְ כִּ֥י לֹֽא־יָשִׁ֖יב
אֶת־פָּנָ֑יִךְ וְיִתֶּן־לִ֛י אֶת־אֲבִישַׁ֥ג הַשּׁוּנַמִּ֖ית לְאִשָּֽׁה׃

Tendo perdido tudo, embora fosse um quase-rei, Adonias sentia que merecia ao menos *uma coisa*. Ele realmente desejava a encantadora Abisague, a virgem aquecedora de Davi, que lhe tinha sido enviada para rejuvenescê-lo. Ver a história no primeiro capítulo de 1Reis.

> Ai! o amor das mulheres! Sabe-se que isso é algo amorável e terrível.
>
> Lord Byron

Adonias cometeu um tremendo erro de cálculo. Ele foi capaz de ganhar a cooperação de Bate-Seba, e isso deveria ter sido suficiente para convencer Salomão a dar-lhe Abisague como esposa. Mas Salomão, longe de deixar-se convencer, usou a questão como desculpa para *executá-lo*. Assim sendo, Adam Clarke (*in loc.*) está certo quando diz que não havia evidência alguma de que, na tentativa de ficar com Abisague, Adonias planejasse reconquistar o trono com base no costume de que um novo rei ficaria com o harém do antigo. E por certo também não há nenhuma prova de que Joabe e Abiatar estivessem ao lado dele em um conluio. Antes, Adonias estava apenas "apaixonado", e Salomão usou a circunstância como um "pretexto leve" para derramar o sangue de seu meio-irmão, provavelmente em *retaliação* à abortada de o homem obter o reino para si, e também como uma *preventiva* para garantir que ele não se envolveria em nenhum outro movimento de rebelião.

Talvez Salomão tenha ficado tão chocado diante da impropriedade da petição de Adonias que pensou que coisa assim vergonhosa não deveria ser permitida em seu reino, de modo que o executou sobre bases *morais*. Mas isso não é muito provável.

■ 2.18

וַתֹּאמֶר בַּת־שֶׁבַע טוֹב אָנֹכִי אֲדַבֵּר עָלֶיךָ אֶל־הַמֶּלֶךְ׃

Bate-Seba julgou que o pedido de Adonias era razoável, não ficou chocada com a questão, e evidentemente julgou que tinha boa chance de convencer Salomão a atendê-lo. Talvez ela tivesse sentido pena do desafortunado homem e, por compaixão, apresentou a Salomão o caso dele, ainda que se tratasse de algo moralmente duvidoso.

■ 2.19

וַתָּבֹא בַת־שֶׁבַע אֶל־הַמֶּלֶךְ שְׁלֹמֹה לְדַבֶּר־לוֹ עַל־אֲדֹנִיָּהוּ וַיָּקָם הַמֶּלֶךְ לִקְרָאתָהּ וַיִּשְׁתַּחוּ לָהּ וַיֵּשֶׁב עַל־כִּסְאוֹ וַיָּשֶׂם כִּסֵּא לְאֵם הַמֶּלֶךְ וַתֵּשֶׁב לִימִינוֹ׃

Foram seguidas as formalidades usuais. Salomão agora era o *rei* e merecia todo o respeito que Davi tinha recebido. Portanto, Bate-Seba aproximou-se de Salomão da mesma maneira que sempre fizera com Davi, disse as palavras certas e demonstrou a humildade apropriada. Cf. com sua abordagem a Davi (ver 1Rs 1.16). Salomão ordenou que uma cadeira especial lhe fosse trazida, em respeito à sua mãe, embora ela fosse, primeiramente e antes de tudo, uma súdita do rei. Bate-Seba sentou-se ao *lado direito* de Salomão, o lado de honra e prestígio. Cf. At 7.56; Hb 1.13.

Nero permitiu que Tiridates, rei da Armênia, ficasse à sua direita, o lugar de honra e prestígio (Suetônio em *Vit. Neron*, cap. 13), pois esse era o costume antigo.

■ 2.20

וַתֹּאמֶר שְׁאֵלָה אַחַת קְטַנָּה אָנֹכִי שֹׁאֶלֶת מֵאִתָּךְ אַל־תָּשֶׁב אֶת־פָּנָי וַיֹּאמֶר־לָהּ הַמֶּלֶךְ שַׁאֲלִי אִמִּי כִּי לֹא־אָשִׁיב אֶת־פָּנָיִךְ׃

Confiança era a palavra-chave da abordagem de Bate-Seba. Ela estava certa de que o rei não lhe negaria tão *pequena petição*. E, naquele momento, Salomão chegou a dizer que não lhe negaria uma petição, antes mesmo que ela a formulasse. As pessoas ocupam-se no tolo jogo de obter um "sim" de outrem, antes de o pedido ter sido feito. Mas isso é apenas um jogo.

■ 2.21

וַתֹּאמֶר יֻתַּן אֶת־אֲבִישַׁג הַשֻּׁנַמִּית לַאֲדֹנִיָּהוּ אָחִיךָ לְאִשָּׁה׃

Dê-se Abisague, a sunamita, a Adonias. O pedido foi feito mediante uma única e ousada declaração, um pequeno pedido: apenas uma mulher para ser esposa de Adonias. Naqueles dias de poligamia generalizada, não significava nada ajuntar mais uma mulher ao harém de um homem. Podemos ter certeza de que Adonias já dispunha de um bom suprimento de mulheres. Mas *aquela* mulher, Abisague, provocaria nele uma dor fatal, mesmo sem se tornar sua esposa. Bate-Seba obviamente era sincera no pedido e ansiava por ajudar Adonias a cumprir seus desejos. Sem querer, ela expediu a ordem de execução, no momento em que mencionou o nome da encantadora Abisague.

■ 2.22

וַיַּעַן הַמֶּלֶךְ שְׁלֹמֹה וַיֹּאמֶר לְאִמּוֹ וְלָמָה אַתְּ שֹׁאֶלֶת אֶת־אֲבִישַׁג הַשֻּׁנַמִּית לַאֲדֹנִיָּהוּ וְשַׁאֲלִי־לוֹ אֶת־הַמְּלוּכָה כִּי הוּא אָחִי הַגָּדוֹל מִמֶּנִּי וְלוֹ וּלְאֶבְיָתָר הַכֹּהֵן וּלְיוֹאָב בֶּן־צְרוּיָה׃ פ

Salomão ficou furioso com o pedido e chegou a pensar que se tratava de uma tentativa por parte de Adonias, seu irmão mais velho, de ficar com o reino. Esse fato poderia dar-lhe forças como um rei mais apropriado. Naturalmente, muitos comentadores usam esse versículo para tentar alinhar o pedido pela mulher com um conluio para obter o reino, arrancando-o de Salomão, com base no antigo costume de que um novo rei ficava com o harém de seu predecessor. Mas parece que Salomão falou exageradamente. Adonias era apenas um pato manco. Ele não tinha poder para assumir o trono. sua petição por Abisague foi um pouco vergonhosa, mas certamente não fazia parte de um conluio em busca do trono. Posteriormente, houve um costume em que a ex-esposa de um rei falecido não podia casar-se com um homem comum, mas devia manter-se na linha da realeza se quisesse casar-se de novo (ver Maimônides, *Hilchot Sanh.*, cap. 2, sec. 1). Parece que tal costume ainda não tinha surgido nos dias de Salomão; se já existisse, porém, de acordo com essa teoria, ao casar-se com qualquer um, Abisague faria do marido um rei.

Visto que Bate-Seba estava presente para defender a causa de inimigos de Salomão, por que ela não tomou a defesa de Joabe e Abiatar, que tinham apoiado Adonias? É precisamente nesse ponto que temos a chave para compreender o versículo. Salomão encarou o pedido de Bate-Seba como um ato de passar-se para o lado dos inimigos, ou seja, obter favores para eles, às expensas do rei. Ele ficou furioso com esse potencial em favor de seu inimigo, Adonias, e mandou executá-lo prontamente. Salomão por certo não demonstrou boa vontade para com o ex-partido de oposição, e eliminaria todos os envolvidos assim que pudesse fazê-lo.

"Na resposta de Salomão há certo amargor, que se expressou sob a forma de ironia. Misturava a dignidade real com um sentimento apaixonado, não diferente das explosões de paixão de Davi, como se deu no caso de Nabal (ver 1Sm 25.21,22). Ele viu a mão de conspiradores na petição e agiu vingativamente, de acordo com seus sentimentos" (Ellicott, *in loc.*). O Targum diz: "Não estão ele e Abiatar, o sacerdote, e Joabe... de pleno acordo?", fazendo a questão toda parecer um conluio para reconquistar o reino.

■ 2.23

וַיִּשָּׁבַע הַמֶּלֶךְ שְׁלֹמֹה בַּיהוָה לֵאמֹר כֹּה יַעֲשֶׂה־לִּי אֱלֹהִים וְכֹה יוֹסִיף כִּי בְנַפְשׁוֹ דִּבֶּר אֲדֹנִיָּהוּ אֶת־הַדָּבָר הַזֶּה׃

"Se eu não matar Adonias, então que Yahweh-Elohim me mate." Salomão prestou juramento pelos nomes divinos e jurou, exatamente naquele instante, que executaria Adonias. Ver sobre *Juramentos* no *Dicionário*. Adonias não continuaria vivo até o pôr do sol (vs. 24). Vemos que o poder intoxicador de ser rei distorceu a mente de Salomão. Ele sem dúvida se tornou sábio, mas naquele dia agiu como o homicida de seu próprio meio-irmão.

Quão triste foi que o primeiro ato de Salomão (seu primeiro decreto) como rei tenha sido uma medida de execução!

"Prontamente encontramos uma desculpa para tudo quanto nos determinamos a fazer. Aquele que tentar justificar a conduta de Salomão, apelando para a *necessidade* ou para algum *mandamento divino*, de conformidade com o que penso, é um inimigo da causa de Deus e da verdade" (Adam Clarke, *in loc.*). Naturalmente, a afirmação do dr. Clarke é demasiado severa, mas em sua essência certamente está correta.

"ele agiu como um bom mordomo do reino que lhe fora entregue por Deus" (Thomas L. Constable, *in loc.*, que assim se tornou culpado daquilo que chocara de tal modo o dr. Clarke).

Naturalmente, a questão inteira foi apenas "negócios, como era usual", dentro da política do antigo povo de Israel. Contudo, assassinato é assassinato. E coisa alguma pode justificá-lo.

Para John Gill, por meio daquele pedido, Adonias "tornou-se um homem perigoso, em quem ninguém mais podia confiar", pelo que também mereceu ser executado, e essa execução fez-se necessária para a consolidação do reino. Pessoalmente, estou com o dr. Clarke, embora sem a radicalidade que ele atrelou à questão referente a comentadores que fizeram declarações adversas.

2.24

וְעַתָּ֗ה חַי־יְהוָה֙ אֲשֶׁ֣ר הֱכִינַ֔נִי וַיּֽוֹשִׁיבַ֙נִי֙ עַל־כִּסֵּא֙ דָּוִ֣ד
אָבִ֔י וַאֲשֶׁ֧ר עָֽשָׂה־לִ֛י בַּ֖יִת כַּאֲשֶׁ֣ר דִּבֵּ֑ר כִּ֣י הַיּ֔וֹם יוּמַ֖ת
אֲדֹנִיָּֽהוּ׃

Hoje morrerá Adonias. E isso tão certamente quanto Yahweh havia escolhido Salomão para ocupar o trono de seu pai e assim fazer avançar a causa real em Israel. O rei, como é evidente, indicou isso por um juramento *adicional* de que, assim como Yahweh o tinha estabelecido no trono, também o havia inspirado para executar seu meio-irmão, Adonias — um castigo justo por sua anterior rebelião, que lhe impediria de pensar em qualquer outro conluio. Ver a promessa de Natã a Davi, acerca de seu reino e seu caráter perpétuo, em 2Sm 7.11-13. O propósito de Deus operava em Salomão, mas seu poder dificilmente permitira um ato de tamanha barbárie.

2.25

וַיִּשְׁלַח֙ הַמֶּ֣לֶךְ שְׁלֹמֹ֔ה בְּיַ֖ד בְּנָיָ֣הוּ בֶן־יְהוֹיָדָ֑ע
וַיִּפְגַּע־בּ֖וֹ וַיָּמֹֽת׃ ס

Benaia... o qual arremeteu contra ele, de sorte que morreu. *Que Outro Ensanguente suas Mãos!* Benaia era o comandante-em-chefe do exército de Israel, como substituto de Joabe. Benaia havia matado incontáveis homens e visto o sangue escorrer em tantas ocasiões que matar mais um não lhe seria custoso. Assim, pois, o pobre Adonias foi morto por um campeão matador, numa execução de *alto nível* efetuada pelo chefe do exército.

"O chefe da guarda pessoal do rei era o chefe dos executores (cf. 1Rs 1.38). Aparentemente, no caso de grandes criminosos, esse homem é que executava a sentença com as próprias mãos" (Ellicott, *in loc.*). Cf. Jz 8.20,21. Adonias também deve ter tido sua parcela de mortes, pelo que o matador foi morto, repetindo o antigo círculo vicioso que caracterizava a história da antiguidade.

Benaia repetiria seus atos terríveis (ver os vss. 34 e 36). Na qualidade de *generalíssimo* de todas as forças armadas de Israel, também estava acostumado a livrar Salomão de seus mais odiados adversários. Adam Clarke (*in loc.*) comparou Benaia a certo famoso general-carniceiro dos turcos, a saber, o temido Susarrow. Adonias caiu assim sob suspeita, foi condenado e morto sem ao menos ter sido ouvido, e certamente sem poder defender-se. Mas assim ditavam os costumes da época. Clarke conclamou seus leitores (os ingleses) a agradecer a Deus por seu "rei constitucional", que não tinha permissão para realizar tais barbaridades! Por outra parte, até mesmo presidentes eleitos engajam-se no jogo da morte, embora por trás da cena.

ABIATAR É BANIDO (2.26,27)

2.26

וּלְאֶבְיָתָ֨ר הַכֹּהֵ֜ן אָמַ֣ר הַמֶּ֗לֶךְ עֲנָתֹת֙ לֵ֣ךְ עַל־שָׂדֶ֔יךָ
כִּ֛י אִ֥ישׁ מָ֖וֶת אָ֑תָּה וּבַיּ֤וֹם הַזֶּה֙ לֹ֣א אֲמִיתֶ֔ךָ כִּֽי־נָשָׂ֜אתָ
אֶת־אֲר֨וֹן אֲדֹנָ֤י יְהוִה֙ לִפְנֵי֙ דָּוִ֣ד אָבִ֔י וְכִ֣י הִתְעַנִּ֔יתָ
בְּכֹ֥ל אֲשֶֽׁר־הִתְעַנָּ֖ה אָבִֽי׃

E a Abiatar, o sacerdote, disse o rei. Sob hipótese alguma Salomão repetiria o erro de Saul, executando sacerdotes do Senhor (ver 1Sm 22). Abiatar fora o único sacerdote a escapar da matança, e Davi fizera dele o sumo sacerdote. Ele serviu fielmente e por longo tempo a Davi, mas infelizmente apoiou o pobre Adonias contra Salomão. Assim sendo, apesar de não ser executado, seria banido por seu erro de cálculo. Isso cumpriu uma profecia de que a linhagem de Eli finalmente cessaria de suprir sumos sacerdotes. Ver 1Sm 2.30 ss. Diante desse ato de Salomão, foi a linhagem de Zadoque que continuou a suprir sumos sacerdotes. Abiatar, naturalmente, era descendente direto de Eli e, com ele, aquela linhagem perdeu sua maior glória. Quanto à história inteira, ver no *Dicionário* o artigo chamado *Abiatar*. Por algum tempo houve dois sumos sacerdotes, Abiatar e Zadoque. Agora somente o último, da linhagem do filho mais velho de Arão, assumiria o cargo. Desse modo, chegou ao fim o domínio da casa de Eli.

"O que Salomão não era capaz de fazer, ele o fez. Ele exilou Abiatar do santuário real e dos círculos da corte, e ordenou-lhe que retornasse à propriedade de seus ancestrais, em Anatote, onde deveria permanecer. Essa aldeia ficava 4 quilômetros ao norte de Jerusalém, logo adiante de Nobe, onde Saul tinha massacrado a casa de Eli. Jeremias, o profeta, descendia dos sacerdotes de Anatote (ver Jr 1.1 e 32.7)" (Norman H. Snaith, *in loc.*). Ver no *Dicionário* o artigo detalhado sobre *Anatote*.

Foi Dado Crédito. É verdade que Abiatar havia compartilhado das dificuldades de Davi e o tinha servido bem. Salomão lhe deu o crédito por isso e não ameaçou a vida dele. Além disso, Abiatar era um homem sagrado, que havia transportado a arca de Deus, e provavelmente Salomão não ansiava provocar a ira de Yahweh executando tal homem. Ver 1Sm 23.9,10; 30.7 sobre como Abiatar servira a Davi quando este fugia de diante de Saul. Ver 2Sm 15 quanto ao seu apoio a Davi, contra Absalão.

2.27

וַיְגָ֤רֶשׁ שְׁלֹמֹה֙ אֶת־אֶבְיָתָ֔ר מִהְי֥וֹת כֹּהֵ֖ן לַיהוָ֑ה לְמַלֵּ֗א
אֶת־דְּבַ֤ר יְהוָה֙ אֲשֶׁ֣ר דִּבֶּ֔ר עַל־בֵּ֥ית עֵלִ֖י בְּשִׁלֹֽה׃ פ

Expulsou, pois, Salomão a Abiatar. Cumpriu-se assim a profecia que dizia que a linhagem de Eli finalmente deixaria de prover sumos sacerdotes (ver 1Sm 2.30 ss.); e Abiatar foi castigado por haver apoiado Adonias, contrariamente à compreensão divina que fizera rei a Salomão, e a despeito de seu serviço fiel a Davi. As coisas mudam. Todas as coisas *terminam,* porquanto todas as coisas tiveram um *começo*.

> É a sorte que lança os dados e, quando ela lança,
> de reis faz aldeões, e de aldeões reis.
>
> John Dryden

> Aquilo que Deus escreveu em tua testa,
> É isso que serás.
>
> Alcorão

Também há a questão dos *ciclos*. Quando começa um ciclo, nossas estrelas surgem no céu; com o início de um novo ciclo, nossas estrelas começam a desaparecer. Mas algum dia, em algum outro lugar e circunstância, nossas estrelas se levantarão de novo. Um antigo ciclo termina com uma "morte". Um novo ciclo é um "novo nascimento", pelo que o nascimento vem da morte, e temos de aprender a antecipar e aceitar esse processo em andamento.

> Há uma divindade que amolda nossos fins...
>
> Shakespeare

A Estrela de Zadoque Começava a Brilhar. Ele tinha mantido o tabernáculo em Gibeom, enquanto Abiatar cuidava do tabernáculo provisório em Jerusalém (ver 2Sm 6.17). E foi assim que a adoração foi finalmente consolidada e centralizada em Jerusalém, sob Zadoque e sob sua linhagem, até o cativeiro.

A palavra que o Senhor havia dito. Isto é, através das profecias, registradas em 1Sm 2.31-36 e 3.12-14.

A EXECUÇÃO DE JOABE (2.28-34)

2.28

וְהַשְּׁמֻעָה֙ בָּ֣אָה עַד־יוֹאָ֔ב כִּ֣י יוֹאָ֗ב נָטָה֙ אַחֲרֵ֣י אֲדֹנִיָּ֔ה
וְאַחֲרֵ֥י אַבְשָׁל֖וֹם לֹ֣א נָטָ֑ה וַיָּ֤נָס יוֹאָב֙ אֶל־אֹ֣הֶל יְהוָ֔ה
וַֽיַּחֲזֵ֖ק בְּקַרְנ֥וֹת הַמִּזְבֵּֽחַ׃

Chegando esta notícia a Joabe. Joabe sempre havia sido um poderoso matador, um homem diante do qual, quando decidido a fazer algo, nem mesmo Davi podia resistir. Joabe não hesitava em contradizer e agir contra Davi, quando pensava que isso era melhor para o rei. Sempre foi totalmente devotado e fiel a Davi, a despeito de alguns erros graves. No entanto, apoiara tolamente a Adonias para ser rei, deixando Salomão de lado. Mas quando Salomão subiu ao trono, seus primeiros atos consistiram em consolidar o reino, livrando-se de potenciais oponentes. Adonias foi morto por Benaia, sob um pretexto (ver 1Rs 2.13-25). Abiatar foi banido; e Joabe soube que chegara a *vez dele*. Tal como Adonias já havia feito (ver 1Rs 1.50), Joabe fugiu para o altar e segurou os chifres, esperando que isso lhe provesse segurança. Pode um homem derramar sangue humano sobre o altar de Deus, reservado para os sacrifícios de animais? Alguns pensariam que isso não poderia acontecer. Não obstante, aconteceu! Ver as notas sobre 1Rs 1.50, quanto aos detalhes das tradições envolvidas.

"Nenhum santuário poderia proteger um assassino voluntarioso e traiçoeiro. O sangue inocente, deixado sem vingança, poluiria a terra (ver Êx 21.14; Nm 35.33). Portanto, o altar não era, automaticamente, um lugar de refúgio. Joabe havia servido por longos quarenta anos em sua carreira como comandante-em-chefe do exército de Israel, mas agora sua estrela desaparecia de forma absoluta. Salomão simplesmente não queria mais por perto aquele idoso homem. Ele se juntaria a Davi, no outro lado da existência.

Joabe, pois, morreria sob a sombra do Deus Todo-poderoso, e não no campo de batalha.

■ 2.29

וַיֻּגַּד לַמֶּלֶךְ שְׁלֹמֹה כִּי נָס יוֹאָב אֶל־אֹהֶל יְהוָה וְהִנֵּה אֵצֶל הַמִּזְבֵּחַ וַיִּשְׁלַח שְׁלֹמֹה אֶת־בְּנָיָהוּ בֶן־יְהוֹיָדָע לֵאמֹר לֵךְ פְּגַע־בּוֹ׃

Salomão foi avisado de que Joabe estava diante do altar no tabernáculo improvisado em Jerusalém (ver 2Sm 6.17). O lugar fora estabelecido por Davi para abrigar a arca da aliança, pelo que era um lugar *oficial* de adoração e ritos religiosos. Salomão, porém, construiria um templo ao qual *incorporaria* o tabernáculo em um meio ambiente permanente. Joabe, pois, correu para o tabernáculo improvisado esperando que, de alguma maneira, seria poupado; mas lá no seu coração ele sabia que chegara a sua hora de morrer. Novamente Benaia (tal como no caso de Adonias, ver 1Rs 2.25) seria o carniceiro. Josefo diz-nos que as ordens eram para decepar-lhe a cabeça (ver *Antiq.* 1.8, sec. 1), mas não sabemos afirmar se essa informação é exata ou não. O Targum está certamente errado aqui, ao projetar a ideia de que Joabe primeiramente deveria ser detido, e não morto no tabernáculo.

■ 2.30

וַיָּבֹא בְנָיָהוּ אֶל־אֹהֶל יְהוָה וַיֹּאמֶר אֵלָיו כֹּה־אָמַר הַמֶּלֶךְ צֵא וַיֹּאמֶר לֹא כִּי פֹה אָמוּת וַיָּשֶׁב בְּנָיָהוּ אֶת־הַמֶּלֶךְ דָּבָר לֵאמֹר כֹּה־דִבֶּר יוֹאָב וְכֹה עָנָנִי׃

Assim diz o rei: Sai daí. Benaia relutou em executar Joabe diante do altar, portanto o chamou para sair dali. Joabe sabia muito bem por que o homem estava ali, e preferiu morrer defronte do altar. Benaia hesitou e voltou para dizer a Salomão qual era a situação. Salomão teria de decidir se Joabe morreria ou não diante do altar.

■ 2.31,32

וַיֹּאמֶר לוֹ הַמֶּלֶךְ עֲשֵׂה כַּאֲשֶׁר דִּבֶּר וּפְגַע־בּוֹ וּקְבַרְתּוֹ וַהֲסִירֹתָ דְּמֵי חִנָּם אֲשֶׁר שָׁפַךְ יוֹאָב מֵעָלַי וּמֵעַל בֵּית אָבִי׃

וְהֵשִׁיב יְהוָה אֶת־דָּמוֹ עַל־רֹאשׁוֹ אֲשֶׁר פָּגַע בִּשְׁנֵי־אֲנָשִׁים צַדִּקִים וְטֹבִים מִמֶּנּוּ וַיַּהַרְגֵם בַּחֶרֶב וְאָבִי דָוִד לֹא יָדָע אֶת־אַבְנֵר בֶּן־נֵר שַׂר־צְבָא יִשְׂרָאֵל וְאֶת־עֲמָשָׂא בֶן־יֶתֶר שַׂר־צְבָא יְהוּדָה׃

Arremete contra ele e sepulta-o. Salomão, porém, não tinha dúvidas a respeito da questão. Ele tratou Joabe como um assassino comum. Como é natural, o próprio Davi convenientemente esqueceu que ele também era um assassino, pois matara seu meio-irmão, Adonias, a pretexto (1Rs 2.25). É verdade que, contra as ordens de Davi, Joabe havia matado os rebeldes Abner, Amasa e Absalão, o que o tornava um assassino, embora ele tivesse agido em cumprimento do dever e de acordo com o bom senso. Fosse como fosse, Joabe tinha contradito audaciosamente o rei, e deveria sofrer por isso. Ele precisava ser submetido a uma morte humilhante. A lei não protegia nenhum assassino sobre o altar. Antes, ordenava que os tais fossem arrastados e mortos. Ver Êx 21.14.

Quanto aos três assassinatos, ver: Abner (2Sm 3.22-30); Absalão (2Sm 1.15); e Amasa (2Sm 20.8-10).

E foi assim que morreu o homem injusto (vs. 32). É curioso que a morte de Absalão não seja registrada no texto presente. Esse deve ter sido o ato de Joabe que mais enraiveceu a Davi. Há um *paralelo* próximo na literatura grega: "Se um homem injusto, valendo-se da lei, viesse a reivindicar proteção diante do próprio altar, eu o arrastaria para a justiça, e não temeria a ira dos deuses; pois é necessário que todo homem iníquo sofra por seus crimes" (Eurípedes, fragm. 42).

Joabe tinha agido contra as ordens estritas de Davi. Aqueles homens não deveriam ter sido mortos. Assim sendo, foram assassinados sem o conhecimento de Davi, e isso tornava aquelas execuções crimes, e não matanças na guerra, as quais eram até glorificadas, longe de ser consideradas erradas.

■ 2.33

וְשָׁבוּ דְמֵיהֶם בְּרֹאשׁ יוֹאָב וּבְרֹאשׁ זַרְעוֹ לְעֹלָם וּלְדָוִד וּלְזַרְעוֹ וּלְבֵיתוֹ וּלְכִסְאוֹ יִהְיֶה שָׁלוֹם עַד־עוֹלָם מֵעִם יְהוָה׃

Recairá o sangue destes sobre a cabeça de Joabe. O assassino Joabe foi morto em desgraça, e Salomão proferiu uma maldição contra os seus descendentes. Eles continuariam a sofrer violência e retrocessos. Em contraste, a família de Davi continuaria a governar em *paz*. "Nenhuma culpa de sangue houve no derramamento do sangue de Joabe. Ele foi executado com justiça, especialmente diante do fato de que ele dissera a Benaia que preferia morrer ali, diante do altar" (Norman H. Snaith, *in loc.*). Cf. 2Sm 3.29. Davi, desagradado diante do assassinato de Abner, há muito proferira uma maldição contra a descendência de Joabe. Como é óbvio, a segunda parte do versículo consiste em uma profecia messiânica. Somente no Filho maior de Davi, o Messias, poderiam ser cumpridas as profecias antecipadas por Salomão. Ver Is 9.7 e Sl 72.7.

■ 2.34

וַיַּעַל בְּנָיָהוּ בֶּן־יְהוֹיָדָע וַיִּפְגַּע־בּוֹ וַיְמִתֵהוּ וַיִּקָּבֵר בְּבֵיתוֹ בַּמִּדְבָּר׃

E o matou. O ato de execução de Joabe foi efetuado. Joabe não resistiu. A sorte o havia alcançado. Ele morreu sem oferecer resistência, diante do altar. Recebeu um sepultamento decente, o que era considerado importante em Israel. O corpo de Joabe foi tomado e sepultado na propriedade dele, no deserto. Provavelmente está em foco o deserto da Judeia, a leste de Belém. "Ser sepultado na própria propriedade foi uma honra prestada a Joabe, por seu longo serviço a Davi" (Thomas L. Constable, *in loc.*). Ninguém havia servido a Davi com tanta fidelidade e de todo o coração. É verdade que ele cometeu seus erros. Aqueles a quem ele matara tinham sido *traidores* de Davi, enquanto o matador (Joabe) se mostrou sempre fiel. Alguns comentadores balançam a cabeça, desolados, diante de tudo isso. A justiça estaria realmente sendo feita, ou Salomão estaria simplesmente consolidando seu reino a qualquer custo? Joabe fora quem mais havia ajudado Davi a obter vitória sobre as *oito* nações inimigas (ver 2Sm 10.19), impondo assim a paz que agora Salomão desfrutava. Entrementes, os mortos tinham feito de tudo para derrotar Davi; no entanto, por causa deles, o fiel Joabe foi morto diante do altar. Estou supondo que a morte de Joabe foi outro assassínio no registro da vida de Salomão. Algum dia, Salomão haveria de pagar por isso, aqui ou na outra vida.

■ 2.35

וַיִּתֵּן הַמֶּלֶךְ אֶת־בְּנָיָהוּ בֶן־יְהוֹיָדָע תַּחְתָּיו עַל־הַצָּבָא וְאֶת־צָדוֹק הַכֹּהֵן נָתַן הַמֶּלֶךְ תַּחַת אֶבְיָתָר׃

Em lugar de Joabe... Benaia. Benaia já havia servido a Davi, fielmente, por algum tempo. Salomão, pois, elevou-o a comandante-em-chefe do exército, em substituição a Joabe. Quanto à carreira de Benaia, ver o artigo sobre ele no *Dicionário*.

O presente versículo registra duas mudanças vitais: o sumo sacerdócio foi tomado por Zadoque (e sua linhagem), e Benaia tornou-se o comandante-em-chefe do exército de Israel. Salomão estava "pondo a casa em ordem", em favor de seu reino. O que era antigo estava sendo varrido; o que era novo estava sendo levantado. John Gill (*in loc.*) diz-nos que foram necessários oitenta anos para que a profecia sobre a queda da casa de Eli se cumprisse!

O moinho de Deus mói lenta mas seguramente.

Provérbio grego

Embora os moinhos de Deus moam lentamente, contudo moem extremamente fino.

Longfellow

A SORTE AMARGA DE SIMEI (2.36-46)

■ 2.36

וַיִּשְׁלַ֤ח הַמֶּ֙לֶךְ֙ וַיִּקְרָ֣א לְשִׁמְעִ֔י וַיֹּ֣אמֶר ל֔וֹ בְּנֵֽה־לְךָ֥ בַ֙יִת֙ בִּיר֣וּשָׁלִַ֔ם וְיָשַׁבְתָּ֖ שָׁ֑ם וְלֹֽא־תֵצֵ֥א מִשָּׁ֖ם אָ֥נֶה וָאָֽנָה׃

Simei cometera o erro de zombar de Davi quando este fugia de Absalão. Simei era um incansável apoiador da família de Saul, e não apreciara o fato de a linhagem de Davi ter substituído a linhagem de Saul, com a usual violência da época. Ver a história em 2Sm 16.5-10. Em uma tentativa de reparar as coisas, quando Davi voltou ao poder, Simei se tinha humilhado perante Davi e recebido perdão condicional (ver 2Sm 19.16-23). Contudo, Davi deve ter considerado Simei potencialmente perigoso, a ponto de advertir Salomão sobre o homem (ver 1Rs 2.8 ss.). Salomão, seguindo o conselho de Davi, avisou Simei que mantivesse boa conduta. Simei teria de viver em Jerusalém, sem nunca sair da cidade. Salomão não queria vê-lo "lá fora", criando confusão. Se ele saísse de Jerusalém, haveria de morrer. Agora, ele estava condenado à morte, embora tivesse saído de Jerusalém em uma missão inteiramente inocente (tentando recapturar dois escravos fugitivos, vs. 39).

Podemos estar certos de que Salomão ansiava livrar-se de Simei, qualquer que fosse o pretexto. Tudo quanto Salomão precisava era dizer: "Erraste!", e o homem estaria morto.

Mandou o rei chamar a Simei. Simei vivia então em Baurim. Ver no *Dicionário* o artigo chamado *Baurim, Barumita*. Um dos *trinta heróis* de Davi era de Baurim (ver 2Sm 23.31), cidade de Judá (alguns dizem de Benjamim), na estrada que ia de Jerusalém a Jericó (e ao rio Jordão), a leste do monte das Oliveiras (ver 2Sm 3.16). Ficava a menos de 16 quilômetros de Jerusalém.

■ 2.37

וְהָיָ֣ה ׀ בְּי֣וֹם צֵאתְךָ֗ וְעָבַרְתָּ֙ אֶת־נַ֣חַל קִדְר֔וֹן יָדֹ֥עַ תֵּדַ֖ע כִּ֣י מ֣וֹת תָּמ֑וּת דָּמְךָ֖ יִהְיֶ֥ה בְרֹאשֶֽׁךָ׃

No dia em que saíres e passares o ribeiro de Cedrom. Simei foi submetido a uma prisão "citadina", sendo-lhe permitido bem pouco espaço para movimentar-se. De fato, ele estava exilado, tal como um homem que tivesse escapado para alguma das cidades de refúgio. Ver no *Dicionário* o verbete chamado *Cidades de Refúgio*. O vale do Cedrom ficava a leste de Jerusalém e servia agora de "limite fatal" além do qual Simei não podia ultrapassar. A *execução* foi claramente prometida *caso* Simei ultrapassasse aquele limite. Se o homem tentasse voltar para seu lar, naturalmente teria de atravessar o vale. Mas a ordem de Salomão não era meramente que Simei não podia voltar para casa; ele simplesmente não podia pôr-se em movimento. Estava preso em Jerusalém. Ele tinha muito dinheiro, e nisso residia o seu problema. Mas havia perdido a liberdade, o que é muito sério para qualquer ser humano. Ellicott (*in loc.*) provavelmente está certo ao supor que as ordens de Salomão constituíram uma "armadilha". O rei estava quase certo de que Simei, mais cedo ou mais tarde, haveria de "esquecer" a ordem real e desobedeceria às restrições de Salomão.

■ 2.38,39

וַיֹּ֨אמֶר שִׁמְעִ֜י לַמֶּ֗לֶךְ ט֤וֹב הַדָּבָר֙ כַּאֲשֶׁ֣ר דִּבֶּר֙ אֲדֹנִ֣י הַמֶּ֔לֶךְ כֵּ֚ן יַעֲשֶׂ֣ה עַבְדֶּ֔ךָ וַיֵּ֧שֶׁב שִׁמְעִ֛י בִּירוּשָׁלִַ֖ם יָמִ֥ים רַבִּֽים׃ ס

וַיְהִ֗י מִקֵּץ֙ שָׁלֹ֣שׁ שָׁנִ֔ים וַיִּבְרְח֤וּ שְׁנֵֽי־עֲבָדִים֙ לְשִׁמְעִ֔י אֶל־אָכִ֥ישׁ בֶּֽן־מַעֲכָ֖ה מֶ֣לֶךְ גַּ֑ת וַיַּגִּ֤ידוּ לְשִׁמְעִי֙ לֵאמֹ֔ר הִנֵּ֥ה עֲבָדֶ֖יךָ בְּגַֽת׃

Boa é essa palavra. Simei não exprimiu objeção às restrições impostas por Salomão. Sem dúvida já ouvira sobre como Adonias e Joabe tinham sido executados, e agora temia pela própria vida. Portanto, sentiu-se aliviado quando foi somente posto sob "prisão citadina". Simei foi capaz de cumprir essas condições por três anos (vs. 39), mas depois caiu em um lapso fatal. Dois escravos dele fugiram e refugiaram-se com Aquis, filho de Maaca, rei de Gate. Procurando-os, Simei saiu de Jerusalém e foi a Gate. Gate ficava cerca de 65 quilômetros a sudoeste de Jerusalém. Agora não havia como ocultar o fato de que Simei tinha violado as ordens de Salomão. Esse ato livrou Salomão de todos os tabus e condições que rodeavam o homem, porquanto Davi tinha prometido não matá-lo. Tirando proveito da ocasião, Salomão logo mandou executar Simei. seu *ardil* tinha funcionado como previsto — o rato estava esmagado. Ver no *Dicionário* todos os nomes próprios que aparecem nestes dois versículos, quanto aos detalhes sobre eles.

■ 2.40

וַיָּ֣קָם שִׁמְעִ֗י וַֽיַּחֲבֹשׁ֙ אֶת־חֲמֹר֔וֹ וַיֵּ֥לֶךְ גַּ֖תָה אֶל־אָכִ֑ישׁ לְבַקֵּ֖שׁ אֶת־עֲבָדָ֑יו וַיֵּ֣לֶךְ שִׁמְעִ֔י וַיָּבֵ֥א אֶת־עֲבָדָ֖יו מִגַּֽת׃

E trouxe de Gate os seus escravos. A missão de Simei foi bem-sucedida. Ele trouxe de Gate os dois escravos fugidos. Mas também perdeu a vida por seu estúpido erro de cálculo. Ele tinha subestimado o serviço de espionagem de Salomão e a correspondente brutalidade. Assim o homem que havia *zombado* de Davi foi executado. Isso também nos ajuda a compreender que os filisteus foram confinados a uma área restrita, e a partir dali não mais ameaçavam a paz de Israel. Aqueles a quem Davi não podia aniquilar, ele os confinava. Ver em 2Sm 10.19 quanto às oito nações inimigas que ele derrotou.

Talvez *Simei* tivesse uma "visão inferior da autoridade de Salomão" (Thomas L. Constable, *in loc.*) e, por isso mesmo, arriscou-se dessa maneira. Ou talvez como um homem de idade, ele simplesmente *esqueceu* que estava exilado, em sua ansiedade de trazer de volta os dois escravos fugitivos.

■ 2.41

וַיֻּגַּ֣ד לִשְׁלֹמֹ֔ה כִּי־הָלַ֥ךְ שִׁמְעִ֛י מִירוּשָׁלִַ֖ם גַּ֑ת וַיָּשֹֽׁב׃

Foi Salomão avisado. Salomão soube do ato de Simei. Sem dúvida ele tinha seus espias vigiando não somente aquele homem, mas outros considerados potencialmente perigosos. O vs. 46 deste capítulo diz-nos que o reino foi "firmado" pela execução de Simei. Devemos entender que esforços eram continuamente efetuados para detectar os rebeldes potenciais em Israel. Salomão, pois, estava *neutralizando* todos os inimigos e inimigos potenciais, uma atividade usual no antigo mundo do Extremo e Médio Oriente.

■ 2.42

וַיִּשְׁלַ֤ח הַמֶּ֙לֶךְ֙ וַיִּקְרָ֣א לְשִׁמְעִ֔י וַיֹּ֣אמֶר אֵלָ֗יו הֲל֨וֹא הִשְׁבַּעְתִּ֣יךָ בַֽיהוָה֮ וָאָעִ֣ד בְּךָ֣ לֵאמֹר֒ בְּי֣וֹם צֵאתְךָ֗ וְהָֽלַכְתָּ֙ אָ֣נֶה וָאָ֔נָה יָדֹ֥עַ תֵּדַ֖ע כִּ֣י מ֣וֹת תָּמ֑וּת וַתֹּ֥אמֶר אֵלַ֛י ט֥וֹב הַדָּבָ֖ר שָׁמָֽעְתִּי׃

Não te protestei, dizendo. As condições tinham sido deixadas cristalinamente claras por Salomão a Simei, e este, alegre por ter visto salva a sua vida, havia concordado inteiramente. Qualquer saída de Jerusalém, onde Simei estava sob "prisão citadina", poderia significar execução. Ver os vss. 36 e 37 deste capítulo, onde são mencionadas essas condições e cujas notas expositivas também se aplicam aqui.

"O castigo por pecados antigos não será cancelado quando a misericórdia é deixada em branco, por um descuido desprezador" (Ralph W. Sockman, *in loc.*).

Sem dúvida, Simei tinha alguma espécie de defesa. Ele poderia ter protestado que sua viagem para fora de Jerusalém havia sido inocente; ou que o castigo ultrapassava grandemente o seu "crime". Nisso ele teria razão, mas seus argumentos não seriam suficientes para salvar-lhe a vida. Platão, no diálogo intitulado *Trasímico*, apresenta a doutrina do que "poderia estar certo". E esse é um princípio utilizado pela política. Salomão possuía a autoridade, de modo que estava automaticamente certo, independentemente do que possamos pensar sobre a moralidade.

■ 2.43

וּמַדּ֖וּעַ לֹ֣א שָׁמַ֔רְתָּ אֵ֖ת שְׁבֻעַ֣ת יְהוָ֑ה וְאֶת־הַמִּצְוָ֖ה אֲשֶׁר־צִוִּ֥יתִי עָלֶֽיךָ׃

Por que, pois, não guardaste o juramento do Senhor? Um juramento fora feito por Salomão, e devemos entender que as palavras do vs. 37 indicavam um juramento, embora isso não fique claro ali. Ver no *Dicionário* o artigo chamado *Juramentos*. No antigo Israel, fazer um juramento era uma questão muito séria. Salomão usou esse juramento como pretexto para livrar-se de outro de seus oponentes políticos potenciais.

■ 2.44

וַיֹּ֨אמֶר הַמֶּ֜לֶךְ אֶל־שִׁמְעִ֗י אַתָּ֤ה יָדַ֙עְתָּ֙ אֵ֣ת כָּל־הָרָעָ֗ה אֲשֶׁ֤ר יָדַ֣ע לְבָבְךָ֔ אֲשֶׁ֥ר עָשִׂ֖יתָ לְדָוִ֣ד אָבִ֑י וְהֵשִׁ֧יב יְהוָ֛ה אֶת־רָעָתְךָ֖ בְּרֹאשֶֽׁךָ׃

Bem sabes toda a maldade que o teu coração reconhece que fizeste a Davi. *Salomão Desenterrou o Passado.* As maldições de Simei contra Davi, quando este fugia de Absalão, nunca foram esquecidas. Embora Davi, no tempo em que fora assim humilhado, tivesse recebido tudo como se viesse diretamente de Yahweh (ver 2Sm 16.10), com a passagem dos anos, ao lembrar a questão, ficava amargurado. Salomão também tinha rancor sobre a questão. Houve certo grau de perdão, mas a família real não esqueceu jamais o incidente. Salomão estava preparado para solucionar as antigas desavenças e livrar-se dos perturbadores potenciais que pertencessem ao mesmo clã da família de Saul e tivessem apoiado ao governo daquele primeiro rei de Israel. Ver 2Sm 16.5. Ver no *Dicionário* o artigo chamado *Lei Moral da Colheita segundo a Semeadura*. Essa lei, pois, finalmente apanhou a Simei.

"Os hebreus antigos afirmavam que tanto bênçãos quanto maldições, uma vez proferidas, tinham uma vida toda sua, e estavam destinadas, inevitavelmente, a cumprir-se na sorte do indivíduo contra quem fossem atiradas, ou contra a sua descendência. Somente uma ação especial poderia impedir isso (cf. Jz 17.3). De outro modo, coisa alguma que um homem fizesse poderia alterar a incidência da bênção ou da maldição... O ponto inteiro da história foi que Simei se pôs em perigo, ao não observar o juramento que Salomão havia feito sobre ele (vs. 43)... Ter tomado alguma providência contra Simei, *antes* de ele haver cometido uma falta como a que cometeu, teria sido equivalente a interferir no ato de Deus" (Norman H. Snaith, *in loc.*).

■ 2.45

וְהַמֶּ֥לֶךְ שְׁלֹמֹ֖ה בָּר֑וּךְ וְכִסֵּ֣א דָוִ֗ד יִהְיֶ֥ה נָכ֛וֹן לִפְנֵ֥י יְהוָ֖ה עַד־עוֹלָֽם׃

Este versículo repete os elementos do vs. 33, onde notas expositivas são apresentadas. A maldição repousava sobre Simei, mas a bênção repousava sobre a família real. Isso traria a Salomão paz, eternidade e bênçãos. E só poderia ser totalmente verdade no maior cumprimento messiânico. Algo que poderia ajudar na administração da bênção seria Salomão desvencilhar-se dos perturbadores, como Simei, que poderiam atrapalhar o fluxo das bênçãos. Ver sobre 1Rs 2.4 quanto à antecipação de Davi sobre essa bênção inevitável e interminável. Ver no *Dicionário* o artigo chamado *Reino de Deus*.

■ 2.46

וַיְצַ֣ו הַמֶּ֗לֶךְ אֶת־בְּנָיָ֙הוּ֙ בֶּן־יְה֣וֹיָדָ֔ע וַיֵּצֵ֖א וַיִּפְגַּע־בּ֑וֹ וַיָּמֹ֑ת וְהַמַּמְלָכָ֥ה נָכ֛וֹנָה בְּיַד־שְׁלֹמֹֽה׃

O rei deu ordem a Benaia. Ele foi, uma vez mais, o *executor real*. Os grandes criminosos eram executados pelo grande executor, o chefe do exército. Ver sobre isso em 1Rs 2.25.

O Reino Foi Firmado. Ou seja, pelo menos parcialmente, pelos expurgos executados por Salomão. Neste capítulo, somos informados somente sobre duas execuções e um banimento, mas provavelmente estaríamos certos ao compreender que os casos narrados foram apenas típicos dentre muitos. É difícil acreditar que em todo o Israel Salomão tivesse apenas três inimigos significativos. Tais atos eram provas da *sabedoria* de Salomão. Ele sabia o que fazer com potenciais revolucionários.

"A *sabedoria* de Salomão nesse caso (de Simei) tornou-se conhecida por todo o reino, pelo que foi admirado como sábio administrador da justiça" (Thomas L. Constable, *in loc.*).

"... não restou ninguém capaz de continuar perturbando. Por isso, Salomão se assentava tranquilo e quieto em seu trono..." (John Gill, *in loc.*).

"Salomão removeu a culpa de sangue que repousava sobre a sua casa e, mediante a sua sabedoria, foi capaz de neutralizar a maldição que Simei havia proferido nos dias passados" (Normal H. Snaith, *in loc.*).

CAPÍTULO TRÊS

CASAMENTO E SABEDORIA DE SALOMÃO (3.1-28)

É *realmente estranho* que a história da aquisição de grande sabedoria, por parte de Salomão, tenha sido prefaciada pela história de seu expediente político. Uma vez que Salomão havia firmado seu reino pela remoção dos adversários (mediante execução ou banimento), ele tomou sobre si a tarefa de fortalecer suas amizades com potências estrangeiras. Um rei casar-se com a filha de outro rei era um ato comum de um monarca que quisesse *cimentar* boas relações de amizade entre as nações.

"A sabedoria de Salomão, já evidente no registro de seus tratos com os inimigos políticos, foi reenfatizada no terceiro capítulo" (Thomas L. Constable, *in loc.*).

A narrativa da visita de Salomão a Gibeom, onde ele recebeu sua visão (ou sonho, vs. 5), que lhe permitiu escolher entre vantagens terrenas e sabedoria, é a principal mensagem deste terceiro capítulo e, de fato, um dos principais episódios da vida de Salomão, que o fez ser o que era, um dos homens mais sábios que já viveu. Salomão começou com uma escolha sábia: "Dá-me sabedoria". Foi assim que ele recebeu discernimento sobrenatural conferido pelo próprio *Yahweh*. Deve-se notar, todavia, que essa sabedoria só era operativa se fosse *usada* no meio de um caminhar segundo a lei de Moisés (vs. 14). Assim, a experiência mística de Salomão não o impediu de obedecer às demandas morais da lei de Moisés. De fato, as duas coisas estavam em um único pacote. Ver no *Dicionário* o artigo chamado *Misticismo*. Ver também sobre *Lei no Antigo Testamento*. É errôneo insuflar elementos de espiritualidade em oposição uns aos outros. O que é intelectual não contradiz as experiências místicas. Ambas as coisas mostram-se ativas, tornando-nos mais espirituais. Ver no *Dicionário* o verbete chamado *Desenvolvimento Espiritual, Meios do*.

Não tendo ainda construído o templo, Salomão ofereceu sacrifícios de animais em Gibeom, onde estava o antigo tabernáculo. Mas afinal a adoração seria centralizada na capital do país, Jerusalém. Isso não significava, contudo, que os antigos santuários desapareciam. Isso não aconteceu, mas a importância deles diminuiu, sem dúvida. Gibeom ficava a apenas 8 quilômetros de Jerusalém.

■ 3.1

וַיִּתְחַתֵּ֣ן שְׁלֹמֹ֔ה אֶת־פַּרְעֹ֖ה מֶ֣לֶךְ מִצְרָ֑יִם וַיִּקַּ֞ח אֶת־בַּת־פַּרְעֹה֙ וַיְבִיאֶ֙הָ֙ אֶל־עִ֣יר דָּוִ֔ד עַ֖ד כַּלֹּת֑וֹ לִבְנ֤וֹת אֶת־בֵּיתוֹ֙ וְאֶת־בֵּ֣ית יְהוָ֔ה וְאֶת־חוֹמַ֥ת יְרוּשָׁלִַ֖ם סָבִֽיב׃

Salomão aparentou-se com Faraó. Nesse lance, Salomão agiu contra a lei mosaica, que proibia casamentos com pagãos, especificamente para evitar a *idolatria* (ver a respeito no *Dicionário*). O terceiro versículo deixa claro que Salomão não abandonou o culto a Yahweh, e até mesmo *amava* a deidade suprema, mas cometeu seu primeiro deslize. O povo de Israel começou a sacrificar nos lugares altos, o que significava que passou a crescer um ecletismo que só poderia ser prejudicial ao povo de Israel.

Os estudiosos conjecturam que o Faraó com quem Salomão entrou em aliança foi Siamon, da XXI dinastia. Esse casamento foi político, mas, por outro lado, ter uma princesa egípcia em seu harém era ao mesmo tempo agradável e prestigioso. Salomão, pois, teve paz no sul (o Egito), durante o seu reinado, o que lhe deu tempo e energia para ocupar-se de outras coisas, em vez de ter de guerrear com inimigos intermináveis. Salomão envolveu-se em projetos de construção, conforme vemos em 1Rs 7.2-7, e edificou um palácio especial para sua princesa egípcia (1Rs 7.8). Ele também construiu o templo, conforme diz o presente versículo, mas essa declaração talvez projete o que Salomão estava prestes a fazer, e não o que ele acabara de fazer. Ver sobre *Faraó* no *Dicionário*.

"Essa não foi a primeira esposa de Salomão. Ele era casado com Naamá, a amonita, antes de ter-se tornado rei. Foi ela quem lhe deu Reoboão, um ano antes, visto que Salomão reinou por quarenta anos e Reoboão tinha 41 anos de idade quando começou a reinar (11.41 e 14.21)" (John Gill, *in loc.*). Ben Gerson diz que a princesa egípcia se converteu à fé dos hebreus, o que é muito provável; mas a influência dela foi duvidosa, quanto ao ecletismo que fez Israel adorar nos lugares altos (vs. 2). Ver 1Rs 11.1-8 quanto ao florescimento da idolatria em Israel, por causa das alianças de casamento e das muitas mulheres estrangeiras. Ver Êx 34.16 e Dt 7.3,4 quanto às leis contra casamentos mistos com os pagãos.

3.2

רַק הָעָם מְזַבְּחִים בַּבָּמוֹת כִּי לֹא־נִבְנָה בַיִת לְשֵׁם
יְהוָה עַד הַיָּמִים הָהֵם: פ

O povo oferecia sacrifícios sobre os altos. Projetos dignos eram efetuados e completados, mas também existiam os *lugares altos* (ver a respeito no *Dicionário*) que haveriam de trazer consternação a Israel, bem como a invasão de rituais pagãos. Visto que meu artigo oferece muitos detalhes sobre esse problema, não repito essa informação aqui. Não havia pecado nenhum em ter lugares especiais de adoração nos lugares elevados, mas vários santuários, longe do templo, tendiam por permitir a entrada do ecletismo. Havia lugares altos em Gibeom, Gilgal, Silo, Hebrom, Quiriate-Jearim e outros locais, antes da construção do templo. Mas uma das ideias da centralização de toda adoração em Jerusalém era evitar as perversões que, naturalmente, vieram a ligar-se a "um número demasiadamente elevado de lugares de adoração". Era costume dos cananeus oferecer sacrifícios nesses lugares altos, e Israel, por espírito de imitação, adquiriu tal prática. Lv 17.3,4 proibia o culto em lugares distantes do tabernáculo, mas essa legislação nunca foi observada. Cf. Dt 12.5,6. Alguns eruditos supõem que, quanto à ordem cronológica, o vs. 2 deveria anteceder ao primeiro versículo. O *templo* ainda não fora construído, e isso encorajara "muitos santuários" espalhados por todo o Israel.

A passagem de 1Rs 18.32 tem Elias a reconstruir o altar do monte Carmelo e a receber louvores por essa obra. Cf. Jz 6.26 e 1Sm 9.10-14. Alguns eruditos fazem das proibições contra essa prática uma legislação posterior, e a centralização em Jerusalém sempre mais ideal do que real. Quanto a detalhes sobre a questão, ver no *Dicionário* o artigo chamado *Lugares Altos*.

3.3

וַיֶּאֱהַב שְׁלֹמֹה אֶת־יְהוָה לָלֶכֶת בְּחֻקּוֹת דָּוִד אָבִיו רַק
בַּבָּמוֹת הוּא מְזַבֵּחַ וּמַקְטִיר:

Salomão amava ao Senhor. Este versículo impressiona-nos com quão puras eram as *intenções* de Salomão e de quão profundo era o seu amor por Yahweh. Ele estava intimamente ligado à fé dos hebreus e era um praticante diário. No entanto, estava cedendo diante da tentação ao ecletismo; passeava pelos estágios iniciais de ser influenciado por deuses estrangeiros; namorava com a idolatria. Isso, afinal, haveria de macular toda a sua vida (ver 1Rs 11.1-8). Ele sacrificava no tabernáculo (e posteriormente no templo), mas *também* sacrificava nos lugares altos, sem dúvida a Yahweh, pelo menos no começo. Gradualmente, porém, os sacrifícios pagãos foram entrando no quadro, e a *idolatria* realizava seu desserviço insidioso.

E queimava incenso. Os eruditos do hebraico dizem-nos que a palavra hebraica assim traduzida não recebeu o sentido de *queimar incenso* senão já nos tempos pós-exílicos, de modo que é melhor traduzi-la por "queimava sacrifícios". Ver no *Dicionário* os artigos denominados *Sacrifícios; Sacrifícios e Ofertas* e *Incenso*.

Os *lugares altos* de Salomão ficavam perto de Gibeom, onde estava o tabernáculo. Próximo de Jerusalém, esse era um local conveniente para tal propósito.

3.4

וַיֵּלֶךְ הַמֶּלֶךְ גִּבְעֹנָה לִזְבֹּחַ שָׁם כִּי הִיא הַבָּמָה
הַגְּדוֹלָה אֶלֶף עֹלוֹת יַעֲלֶה שְׁלֹמֹה עַל הַמִּזְבֵּחַ הַהוּא:

Foi o rei a Gibeom. Ver a respeito no *Dicionário*. Gibeom ficava cerca de 16 quilômetros a noroeste de Jerusalém, sendo um lugar onde Salomão podia facilmente realizar seus ritos sem se afastar por muito tempo da capital. Dali também se via o tabernáculo, de modo que podemos imaginar Salomão a fazer muitas viagens piedosas para oferecer sacrifícios. Isso incluía tanto adoração no tabernáculo quanto nos lugares altos, que ficavam próximos. A imensa piedade de Salomão é demonstrada pelo número *total* de sacrifícios feitos nos lugares altos, a saber, mil. O texto dificilmente pode significar que Salomão tenha feito tantos sacrifícios em uma única oportunidade.

Holocaustos. Em Lv 7.37 listo as várias modalidades de oferendas que eram feitas, bem como as passagens bíblicas que as descrevem. Ver sobre os *cinco tipos de animais* usados nos sacrifícios, em Lv 1.1,14-16. Jarchi diz que ele fez isso em um único dia; outros falam em um período de vários dias. Talvez na dedicação do templo de Jerusalém, tão imenso número de animais tenha sido oferecido (1Rs 8.63,64), mas o mais provável é que o número *mil* represente aqui apenas um sumário.

O maior de todos os lugares altos ficava, naturalmente, perto do tabernáculo.

A EXPERIÊNCIA MÍSTICA DE SALOMÃO E SUA SÁBIA ESCOLHA (3.5-15)

3.5

בְּגִבְעוֹן נִרְאָה יְהוָה אֶל־שְׁלֹמֹה בַּחֲלוֹם הַלָּיְלָה
וַיֹּאמֶר אֱלֹהִים שְׁאַל מָה אֶתֶּן־לָךְ:

O autor sagrado acabara de informar-nos sobre a imensa piedade de Salomão. Provavelmente nenhum outro rei, em toda a história de Israel, mostrou-se tão ativo dentro do sistema sacrificial. Agora somos informados sobre como sua espiritualidade rendeu bons resultados naturais. Salomão deveria tornar-se o mais sábio homem da terra, por dom divino, inspiração e iluminação. Mas isso ocorreria somente se ele tomasse as decisões certas. Fama mundial, riquezas e poder representavam tentação para qualquer monarca. Mas Salomão, embora pudesse ter escolhido e recebido essas coisas, preferiu a sabedoria. Visto ter feito a opção certa, todas as outras coisas lhe foram acrescentadas.

Esse *relato* mostra-nos que o segredo da grandeza de Salomão foi que, bem no começo de seu reinado, ele fez as escolhas certas, além de ter permanecido ligado a Yahweh mediante uma piedade sincera. Em outras palavras, a *espiritualidade* de Salomão tinha poder de torná-lo grande em tudo quanto ele era, e foi exatamente o que aconteceu. Ver no *Dicionário* o artigo chamado *Desenvolvimento Espiritual, Meios do*. O texto mostra-nos que não devemos rejeitar as experiências místicas. Quanto a uma definição sobre essa questão (não muito bem compreendida em minha igreja evangélica), ver no *Dicionário* o artigo chamado *Misticismo*.

Ver no *Dicionário* o artigo intitulado *Sonhos*. A experiência mostra-nos que existem sonhos espirituais ou mesmo divinamente inspirados. A maioria das culturas tem, corretamente, acreditado nessa possibilidade. Os exageros na questão não são contrários às manifestações genuínas. Meu artigo descreve os vários tipos de sonhos. Nem todo sonho é igual. O artigo também lista os vários sonhos bíblicos e sua significação. Usualmente, um sonho tem menos poder e é de menos iluminação do que uma visão, mas esse nem sempre é o caso, necessariamente. Ver At 2.17 (explicado no *Novo Testamento Interpretado*), onde os homens de idade é que receberiam os sonhos espirituais, ao passo que os jovens teriam as visões, embora ambas as experiências venham da parte do Senhor. Novamente, os exageros de pessoas que brincam com as experiências místicas não desmerecem as manifestações autênticas.

Em Gibeom. Salomão estava atarefado em sacrifícios piedosos, e podemos supor seguramente que orações tenham feito parte dos ritos. Assim, sua mente estava condicionada para a "visão noturna" (John Gill) que haveria de seguir-se. Precisamos ter maior condicionamento espiritual, mais cultivo do espírito e da mente, para estarmos sujeitos a movimentos incomuns do Espírito. Isso nos ajuda a crescer espiritualmente e a mostrar-nos mais eficazes.

Pede-me o que queres que eu te dê. O autor sacro não se deu ao trabalho de mencionar as coisas que Salomão poderia ter pedido. Mas havia o óbvio que quase todas as pessoas procuram: dinheiro, prestígio, fama, poder e consolo. Yahweh apresentou um cheque em branco que Salomão preencheria conforme lhe agradasse. *Mas a sabedoria estava em sua mente, e foi a sabedoria que ele pôs no cheque.*

"Parece haver uma relação de causa e efeito entre a amorosa generosidade de Salomão ao fazer sua oferenda ao Senhor e a amorosa generosidade de Deus ao fazer a Salomão essa oferta" (Thomas L. Constable, *in loc.*).

■ **3.6**

וַיֹּאמֶר שְׁלֹמֹה אַתָּה עָשִׂיתָ עִם־עַבְדְּךָ דָוִד אָבִי חֶסֶד גָּדוֹל כַּאֲשֶׁר הָלַךְ לְפָנֶיךָ בֶּאֱמֶת וּבִצְדָקָה וּבְיִשְׁרַת לֵבָב עִמָּךְ וַתִּשְׁמָר־לוֹ אֶת־הַחֶסֶד הַגָּדוֹל הַזֶּה וַתִּתֶּן־לוֹ בֵן יֹשֵׁב עַל־כִּסְאוֹ כַּיּוֹם הַזֶּה׃

De grande benevolência usaste para com teu servo Davi. Salomão, o filho observador, estava bem consciente de tudo quanto Deus fizera por seu pai, Davi. Ele sabia como Davi havia consolidado a nação de Israel, como havia derrotado seus adversários em um grau que nenhum outro homem (nem mesmo Josué) fora capaz de fazer. Quem Davi não aniquilara, ele confinara. Ver as notas em 2Sm 10.19 quanto às *oito* nações subjugadas. Ele tinha obtido essas vitórias por causa de seu andar diante de Yahweh, de acordo com as ordenanças e os rituais da lei mosaica. Ele tinha sido um rei *ideal*, em consonância com as instruções de Dt 17.14 ss. As bênçãos e o favor divino haveriam de fluir em conformidade com a observância à lei. Ver Dt 6.1 quanto a uma ilustração.

O *andar* de Davi foi demonstrado por Salomão pelo uso de várias descrições: era um andar de acordo com a *verdade*; em *retidão*; em *justiça* do coração. Ele tinha observado 1. os mandamentos; 2. os estatutos; e 3. os preceitos do Senhor (Dt 6.1). Mas sua espiritualidade não era superficial: ele era homem segundo o próprio coração de Deus (ver 1Sm 13.14). Ver no *Dicionário* o artigo chamado *Andar*, quanto a essa metáfora.

Esta grande benevolência. "Salomão reconheceu que a bondade de Deus para com Davi devia-se à fidelidade de seu pai a Deus, que se manifestava através de ações retas e atitudes justas no coração. E o rei também reconheceu sua própria falta de maturidade e sua carência da sabedoria de Deus. Ele tinha cerca de 20 anos de idade quando subiu ao trono" (Thomas L. Constable, *in loc.*).

O fato de que a Salomão fora dado o trono, e que Davi tinha *testemunhado* isso com os seus próprios olhos fora uma bondade adicional que Yahweh havia conferido ao idoso homem, por sua fidelidade. Os pais anelam por ver seus filhos sair-se bem. É uma grande bênção ver um filho estabelecido em sua *missão*. Ver 2Sm 7.12. Davi recebera a promessa específica de que um filho seu subiria ao trono.

O *Pacto Davídico* (ver as notas a respeito em 2Sm 7.4) estava prestes a ser cumprido.

■ **3.7**

וְעַתָּה יְהוָה אֱלֹהָי אַתָּה הִמְלַכְתָּ אֶת־עַבְדְּךָ תַּחַת דָּוִד אָבִי וְאָנֹכִי נַעַר קָטֹן לֹא אֵדַע צֵאת וָבֹא׃

Salomão, o Rei-menino. Fora a providência divina que fizera Salomão tornar-se o rei de Israel, mas ele ainda era "verde", ainda estava "imaturo", ainda era uma "criança". Ver no *Dicionário* o artigo intitulado *Providência de Deus*, e comparar isso com as passagens de 1.37 e 2.4 quanto ao propósito divino que operava na vida de Salomão. Ele se tornou parte integral do pacto davídico, o primeiro a perpetuar sua linhagem, que apontava para o rei Messias, o Filho maior de Davi.

Notemos os títulos divinos: fora *Yahweh-Elohim* quem fizera Salomão ser rei. Esse é o *Deus Eterno e Todo-poderoso*. Ver no *Dicionário* o artigo intitulado *Deus, Nomes Bíblicos de*.

"Jeremias falou sobre si mesmo como uma *criança* por causa de sua chamada (Jr 1.6), e Salomão, por semelhante modo, referiu-se a si mesmo como uma "criança". Essa palavra tenciona, pelo menos em parte, denotar a humildade da inexperiência, mas em parte enfatiza o senso de chamado divino de Salomão a uma tarefa mais do que humana" (Norman H. Snaith, *in loc.*). Algumas versões e intérpretes mais antigos tomavam a expressão literalmente, pensando que Salomão teria começado a reinar ainda muito jovem. A Septuaginta declara que ele tinha apenas 12 anos de idade. Para Josefo (ver *Antiq.* VIII.7.8) ele tinha 14 anos e reinou por oitenta anos! Provavelmente ele tinha cerca de 20 anos, uma idade muito tenra para a tarefa de ser rei. Ele nasceu mais ou menos no tempo da guerra contra os amonitas (ver 2Sm 12.24), e provavelmente isso ocorreu em meados do quinquagésimo aniversário de Davi.

Comparar este versículo com 1Cr 22.5 e 29.1. Salomão não sabia como administrar, como sair e entrar, como um pastor agia com suas ovelhas. Ele estava livre de inimigos principais, o que tinha sido obra de Davi (ver 2Sm 10.19).

■ **3.8**

וְעַבְדְּךָ בְּתוֹךְ עַמְּךָ אֲשֶׁר בָּחָרְתָּ עַם־רָב אֲשֶׁר לֹא־יִמָּנֶה וְלֹא יִסָּפֵר מֵרֹב׃ פ

teu servo está no meio do teu povo. *O Peso da Responsabilidade de Salomão.* O rei-criança (metaforicamente falando) estava enfrentando uma tarefa formidável. Cabia-lhe governar um povo *divinamente escolhido,* um povo muito numeroso. O último recenseamento feito por Davi mostrou que havia cerca de 1.300.000 capazes de ir à guerra (ver 2Sm 24.9), o que indicaria que a população total de Israel, incluindo homens fora da idade militar, mulheres e crianças, era de cerca de seis milhões de habitantes. Assim sendo, apesar de esse número dificilmente justificar as palavras "tão numeroso que se não pode contar", era, contudo, suficientemente grande para deixar consternada a mente de Salomão. *Ele era responsável por toda essa gente!* Comparar as expressões "como a areia do mar" (ver 2Sm 17.11) e "como as estrelas do céu" (ver Êx 32.13). Parte do *Pacto Abraâmico* (ver as notas expositivas a respeito em Gn 15.18) dizia que seus descendentes seriam numerosíssimos. Quanto ao caráter *distintivo* dos israelitas, que incluía o fato de terem sido divinamente escolhidos, ver as notas expositivas em Dt 4.4-8. A *grande responsabilidade* de Salomão levou-o a buscar sabedoria acima de todas as coisas, acima de todas as outras vantagens, e seu pedido lhe foi concedido.

■ **3.9**

וְנָתַתָּ לְעַבְדְּךָ לֵב שֹׁמֵעַ לִשְׁפֹּט אֶת־עַמְּךָ לְהָבִין בֵּין־טוֹב לְרָע כִּי מִי יוּכַל לִשְׁפֹּט אֶת־עַמְּךָ הַכָּבֵד הַזֶּה׃

Dá, pois, ao teu servo coração compreensivo. Não somente com vistas à administração e para manter em cheque os inimigos de Israel; nem somente visando à expansão e à prosperidade econômica, coisas que realmente caracterizaram o seu reinado. Mas especial e especificamente para que Salomão pudesse julgar Israel com *justiça* (ver no *Dicionário*). Assumida a posição de juiz, o rei era um superjuiz que tinha de enfrentar diariamente inúmeros problemas relativos ao bem-estar do povo e tomar delicadas decisões. Ele seria forçado a decidir sobre questões criminais; relativas a disputas de terras; relativas a casos de fraude. Mães e filhos olhariam para que ele fizesse justiça contra os ataques de homens iníquos e desarrazoados.

Salomão precisaria de um "coração ouvinte", que é a tradução literal do hebraico, aqui traduzido por "coração compreensivo". Salomão precisaria daquele tipo de coração que podia ouvir o som ciciante a dizer: "Esta é a vereda. Anda por ela". Ver 1Rs 19.12.

Coração. Essa palavra "representa o âmago interior de uma pessoa, e assim pode ser usada para referir-se à sede do intelecto, da vontade e das emoções" (Norman H. Snaith, *in loc.*). Salomão, pois, queria um "coração condicionado por Deus", isto é, dotado de suprema sabedoria e dedicação, para sempre fazer o que era certo. Ver no *Dicionário* o artigo chamado *Coração*. Salomão queria receber a "verdadeira ciência do governo" (Adam Clarke, *in loc.*). Ele procurava poderes e sabedoria sobre-humanos, que o tornassem preparado para a tarefa que tinha à frente.

■ 3.10

וַיִּיטַב הַדָּבָר בְּעֵינֵי אֲדֹנָי כִּי שָׁאַל שְׁלֹמֹה אֶת־הַדָּבָר הַזֶּה׃

Yahweh ficou satisfeito com o pedido de Salomão. Ele se agradou de que o rei não estava preocupado com questões tais como riquezas materiais, fama e poder. Mas Salomão, pela misericórdia divina, haveria de receber todas essas coisas como *brindes*. Para Salomão, o que realmente importava era a *sabedoria*.

> *Porque o Senhor dá a sabedoria, da sua boca vem a inteligência e o entendimento.*
>
> Provérbios 2.6

> *Feliz o homem que acha sabedoria, e o homem que adquire conhecimento.*
>
> Provérbios 3.13

> *Adquire a sabedoria, adquire o entendimento.*
>
> Provérbios 4.4

"Da perspectiva divina, seus valores estavam no lugar certo. Portanto, Deus prometeu dar-lhe o que ele requereu" (Thomas L. Constable, *in loc.*).

> Os sábios, embora todas as leis fossem abolidas, levariam a mesma vida.
>
> Aristófanes

"... visando a honra e a glória de Deus, que o tinha estabelecido sobre o seu povo escolhido, e sendo ele o vice-regente" (John Gill, *in loc.*).

■ 3.11

וַיֹּאמֶר אֱלֹהִים אֵלָיו יַעַן אֲשֶׁר שָׁאַלְתָּ אֶת־הַדָּבָר הַזֶּה וְלֹא־שָׁאַלְתָּ לְּךָ יָמִים רַבִּים וְלֹא־שָׁאַלְתָּ לְּךָ עֹשֶׁר וְלֹא שָׁאַלְתָּ נֶפֶשׁ אֹיְבֶיךָ וְשָׁאַלְתָּ לְּךָ הָבִין לִשְׁמֹעַ מִשְׁפָּט׃

Yahweh não se incomodou em prover uma longa lista das coisas que Salomão poderia ter pedido, pois eram coisas que os homens, de modo geral, pediriam. Isso tudo Salomão obteria como brinde por levar uma vida espiritual e por cumprir bem a sua tarefa, a qual requeria a sabedoria especial que ele havia solicitado.

A Lista: vida longa; riquezas materiais; vitória sobre os inimigos. Por tais coisas os homens gastam a vida inteira num esforço contínuo de busca. No entanto, tais coisas são meras *bolhas* que logo rebentam e deixam o homem vazio.

> A sabedoria não é, finalmente, testada nas escolas.
> A sabedoria não pode passar daquele que a tem,
> Para outrem que não a possui.
> A sabedoria é da alma. Não está suscetível à prova.
> Ela é a sua própria prova.
>
> Walt Whitman

A palavra de Deus, a *Torá*, era o que Salomão buscava. Essa palavra refere-se à sorte sagrada que determinava as coisas, a *yarah*, ou seja, o "lançamento". Portanto, a sabedoria vem da alma, da intervenção divina no coração do homem *dando-lhe algo do divino*. A *Torá* requer "o ouvir e obedecer", isto é, a *mishpat*. Portanto, o divino encontra-se com o humano e produz resultados práticos. "A compreensão é mais do que receber informações... Uma mente compreensiva é capaz de pôr-se no lugar dos outros, e então agir de conformidade com isso" (Ralph W. Sockman, *in loc.*).

■ 3.12

הִנֵּה עָשִׂיתִי כִּדְבָרֶיךָ הִנֵּה נָתַתִּי לְךָ לֵב חָכָם וְנָבוֹן אֲשֶׁר כָּמוֹךָ לֹא־הָיָה לְפָנֶיךָ וְאַחֲרֶיךָ לֹא־יָקוּם כָּמוֹךָ׃

Eis que faço segundo as tuas palavras. O *Mais Sábio de Todos os Homens. Yahweh* fez abundantemente mais do que tudo quanto Salomão tinha pedido ou pensado (ver Ef 3.20). Ele fez de Salomão "o príncipe dos homens sábios", e não somente um sábio entre outros sábios. seu coração foi "divinamente condicionado": sua mente era o reflexo da mente divina. Foi-lhe dada tremenda *iluminação* (ver a respeito no *Dicionário*). Seu intelecto, vontade e emoções (essas três coisas compõem o *coração*) estavam sob *significativa influência divina*. O Deus Todo-sábio fez de Salomão um homem todo-sábio.

"Dei-te uma mente capaz, capaz de saber muita coisa: faze uso de teus poderes, sob a orientação do meu Espírito, e ultrapassarás em sabedoria a todos quantos existiram antes de ti; e depois de ti não se levantará homem que se compare a ti" (Adam Clarke, *in loc.*). Apesar de tudo isso, Salomão posteriormente caiu em grosseira estupidez, quando fomentou a idolatria, por causa de suas mil mulheres! Contudo, o registro é claro: Salomão foi o mais sábio de todos os homens, a despeito de suas grosseiras falhas. sua vida foi um misto de sucesso e fracasso, e ele se tornou o espelho de todos os homens que alternam entre o bem e o mal, o sucesso e o fracasso, a sabedoria e a estupidez. Esses termos descrevem a *condição humana*, da qual todos os homens participam.

> Quão silenciosa, quão silenciosamente
> É dado o maravilhoso dom!
> Assim Deus dá ao coração humano
> As bênçãos de seu céu.
> Nenhum ouvido ouve a sua vinda,
> Mas neste mundo de pecado,
> Onde almas mansas o recebem, ainda assim
> O caro Cristo entra.
>
> Philips Brooks

> ... *Cristo, poder de Deus e sabedoria de Deus ... o qual se nos tornou, da parte de Deus, sabedoria, e justiça e santificação, e redenção.*
>
> 1Coríntios 1.24,30

Ver no *Dicionário* o detalhado artigo chamado *Sabedoria*.

■ 3.13

וְגַם אֲשֶׁר לֹא־שָׁאַלְתָּ נָתַתִּי לָךְ גַּם־עֹשֶׁר גַּם־כָּבוֹד אֲשֶׁר לֹא־הָיָה כָמוֹךָ אִישׁ בַּמְּלָכִים כָּל־יָמֶיךָ׃

Também até o que não me pediste eu te dou. Obtendo o que Não Pediu. Salomão obteve seu principal pedido, a *sabedoria*. Em seguida, Deus adicionou todas as coisas de que ele precisava para ter uma vida física abundante, a saber, tudo aquilo que ele não pediu. Cf. Mt 6.33: "Buscai, pois, em primeiro lugar, o seu reino e a sua justiça, e todas estas cousas vos serão acrescentadas".

Salomão desfrutaria longa vida, riquezas materiais e honrarias. seu nome ficaria registrado para sempre na história mundial. Ele seria um rei digno e expandiria o império de Israel além de tudo quanto outros homens tinham sido capazes de fazer, chegando *quase* às dimensões prometidas no *Pacto Abraâmico* (ver as notas expositivas sobre Gn 15.18). Acima de tudo, porém, seria relembrado como homem de uma soberba e divinamente inspirada *sabedoria*.

> *O temor do Senhor é o princípio da sabedoria.*
>
> Salmo 11.10

Salomão começou a andar bem, dentro dessa sabedoria, conforme vemos em 1Rs 3.3, mas foi crescendo, e assim subiu acima de todos os demais em qualidades espirituais.

■ 3.14

וְאִ֣ם ׀ תֵּלֵ֣ךְ בִּדְרָכַ֗י לִשְׁמֹ֤ר חֻקַּי֙ וּמִצְוֺתַ֔י כַּאֲשֶׁ֥ר הָלַ֖ךְ דָּוִ֣יד אָבִ֑יךָ וְהַאַרַכְתִּ֖י אֶת־יָמֶֽיךָ׃ ס

Comparar este versículo com 1Rs 3.6. Salomão foi chamado a agir conforme agira seu pai, Davi. Deveria haver uma conduta em consonância com as estipulações e o espírito da lei de Moisés. Ver Dt 6.1, quanto à *tríplice* designação da lei, duas das quais são repetidas neste versículo.

Vida Longa. A observância da lei era a condição de uma longa vida. Ver as promessas específicas acerca de uma vida longa, em Dt 5.16; 22.6,7 e 25.15. A longevidade vinha mediante a observância da lei, conforme ela é dada em Dt 4.1; 5.23 e 6.2. É significativo que, em todas as referências, está em vista a *vida física.* O judaísmo e então o cristianismo fizeram dela a vida eterna. No judaísmo posterior, a vida eterna foi condicionada à guarda da lei mosaica. No cristianismo, negou-se que a vida espiritual pode ser assim adquirida, de modo que a graça, a fé e o ministério de Cristo nos evangelhos substituíram o antigo conceito.

> *Porque se fosse promulgada uma lei que pudesse dar vida, a justiça, na verdade, seria procedente de lei.*
> Gálatas 3.21

Isso reflete a boa teologia paulina, mas não concorda com Moisés. Note-se, porém, que o presente versículo não fala sobre a vida eterna, embora muitos comentadores lhe tenham emprestado esse sentido. Jamais, em todo o Pentateuco, a vida eterna é prometida como resultado da obediência à lei. Nem há ameaça de julgamento contra os desobedientes, em alguma existência pós-túmulo. Essas doutrinas, incluindo a do céu e a do inferno, entraram no judaísmo posterior, e não foram definidas em nenhum sentido especial senão já nos livros do período que ficava entre o Antigo e o Novo Testamento (os livros apócrifos e pseudepígrafos).

Embora a doutrina da alma tenha entrado na teologia judaica mais ou menos na época dos Salmos e dos profetas, o texto presente não está entre os que implicam essa doutrina. Ver no *Dicionário* o artigo chamado *Alma*, onde dou uma lista de versículos que ensinam essa doutrina, incluindo alguns extraídos do Antigo Testamento. Ver IV.7 daquele artigo quanto a essa lista. "As únicas passagens que, por acordo comum, referem-se à vida para além do sepulcro (no Antigo Testamento) são Is 26.19 e Dn 12.2" (Norman H. Snaith, comentando sobre 1Rs 1.21. Ver a exposição ali). Embora o juízo do dr. Snaith seja bastante severo (pois há *outros* versículos como aqueles dois), é verdade que a doutrina da imortalidade da alma apareceu já bem tarde no Antigo Testamento. O ponto de vista original do Antigo Testamento era igual ao dos adventistas de nossos dias: "A alma não existe". Então surgiram a ressurreição e a alma como doutrinas posteriores, mas os adventistas, infelizmente, vão contra a correnteza principal dos ensinos neotestamentários ao continuar defendendo a *teologia antiga* do Antigo Testamento, no tocante à alma. Ver sobre *Imortalidade* (vários artigos), na Enciclopédia de Bíblia, Teologia e Filosofia.

Nenhuma informação é dada acerca da idade de Salomão quando de sua morte. Um bom cálculo é que ele teria 60 anos, visto que começou a reinar mais ou menos com 20 anos, e reinou por quarenta anos; e isso resulta em 60 anos. Josefo por certo exagerou ao dar-lhe oitenta anos de reinado, o que seria, verdadeiramente, uma longa vida, *se*, conforme ele mesmo disse, Salomão tivesse começado a reinar aos 12 anos de idade. Se essas especulações estão corretas, então ele morreu aos 92 anos de idade, mas poucos intérpretes supõem que isso esteja correto.

■ 3.15

וַיִּקַ֣ץ שְׁלֹמֹ֔ה וְהִנֵּ֖ה חֲל֑וֹם וַיָּב֨וֹא יְרוּשָׁלִַ֜ם וַֽיַּעֲמֹ֣ד ׀ לִפְנֵ֣י ׀ אֲר֣וֹן בְּרִית־אֲדֹנָ֗י וַיַּ֤עַל עֹלוֹת֙ וַיַּ֣עַשׂ שְׁלָמִ֔ים וַיַּ֥עַשׂ מִשְׁתֶּ֖ה לְכָל־עֲבָדָֽיו׃ פ

E eis que era sonho. Deus se comunicara com Salomão através de uma *visão noturna*, de um sonho divinamente inspirado. Ver minhas notas sobre o vs. 5, onde dou uma introdução à seção: *A Experiência Mística de Salomão e sua Sábia Escolha*. Ver no *Dicionário* o artigo chamado *Sonhos*.

Mais Sacrifícios. Cf. este versículo aos vss. 3-4, onde vemos os extensos ritos sacrificais efetuados por Salomão, uma parte importante da espiritualidade, segundo o Antigo Testamento. Ele começou o seu reinado em meio aos ritos da lei e deu prosseguimento a eles após seu sonho-visão especial, provavelmente como um ato de agradecimento às promessas de Yahweh de longa vida, bênçãos abundantes, liberdade do poder dos inimigos e, acima de tudo, *sabedoria*. Seus sacrifícios foram feitos no tabernáculo *provisório* (ver 2Sm 6.17 quanto a essa estrutura). O tabernáculo de Moisés continuava estacionado em Gibeom. Mas Salomão em breve edificaria o templo e centralizaria a adoração de Israel em Jerusalém. O templo incorporaria a estrutura do antigo *tabernáculo* (ver a respeito no *Dicionário*).

A arca da aliança. Ver sobre isso no *Dicionário*. Davi tinha trazido a arca a Jerusalém e fez seu tabernáculo temporário abrigá-la, conforme tenho indicado nos comentários anteriores. 2Sm 16 conta a história.

Deu um banquete. Os sacrifícios do Antigo Testamento não eram apenas rituais frios. Também eram ocasiões festivas de regozijo. Os sacerdotes tinham suas porções (oito delas; ver Lv 6.26; 7.11-24; 7.28-38; Nm 18.8; Dt 12.17,18), e então o que sobrasse era dado aos que tinham oferecido os sacrifícios e a seus familiares. Mas aqui, ao que tudo indica, temos um banquete geral, associado aos sacrifícios oferecidos por Salomão. Ver no *Dicionário* os artigos intitulados *Sacrifícios e Ofertas* e *Festas (Festividades) Judaicas*.

"O alvo (dos sacrifícios) provavelmente visava garantir o *shalom*, que apontava não somente para a paz, mas também para a boa sorte, a saúde e a prosperidade, sendo essas coisas garantidas pela participação no que havia sido consagrado e, portanto, no alimento divino" (Norman H. Snaith, *in loc*.).

Salomão tinha estado em Gibeom (vs. 5) e oferecido ali muitos sacrifícios. Em seguida, ele subiu a Jerusalém e ofereceu mais sacrifícios ainda no tabernáculo improvisado da capital.

TESTE DA SABEDORIA DE SALOMÃO (3.16-28)

■ 3.16

אָ֣ז תָּבֹ֗אנָה שְׁתַּ֛יִם נָשִׁ֥ים זֹנ֖וֹת אֶל־הַמֶּ֑לֶךְ וַֽתַּעֲמֹ֖דְנָה לְפָנָֽיו׃

A sabedoria de Salomão não demorou a ser testada. A história diante de nós é uma *narrativa exemplar* dentre as muitas que poderiam ter sido selecionadas. Salomão foi capaz de decidir sobre o caso com grande agudeza, e assim mostrou a todos como o Espírito operava sobre a sua mente e a sua alma, para o bem de Israel e em consonância com a promessa que ele havia recebido na visão noturna (ver 1Rs 3.1-15). Ver especialmente o vs. 12, a declaração da promessa.

Uma *história similar* é contada sobre um rei da Trácia que teve de escolher entre *três homens*, todos os quais afirmavam ser filho e herdeiro de um rei cimério já morto. Ele lhes ordenou atravessar o corpo do rei morto com uma lança. O homem que se recusou a fazê-lo (devido ao respeito que tinha pelo cadáver do pai) era *o filho*. (Otto Thenius, *Die Bucher der Konige*). Histórias de sabedoria vindas dos países orientais, na antiguidade, enfatizam a sabedoria prática, que opera a sabedoria diária, e não a sabedoria envolvida em finas abstrações mentais. Os hebreus estavam interessados no caráter humano, e em como ele se manifestava na sociedade. Estavam interessados na sabedoria deste mundo.

Duas Prostitutas Tiveram, Cada Uma, seu Filho. A história é posta no nível mais baixo que uma mulher pode assumir, mas mesmo assim há um amor material que se revelaria a chave para a solução do problema. As duas mulheres viviam na mesma casa (vs. 17). Como já dissemos, ambas tiveram um filho, mas uma das crianças morreu, restando somente a outra. O amor materno fez a verdadeira mãe apegar-se ao filho sobrevivente, enquanto a mãe da criança que tinha morrido quis apossar-se da criança viva para satisfazer seus anelos maternais. Como é óbvio, a mãe verdadeira amava mais a criança, e Salomão usou esse fator para descobrir de quem era a criança.

Note-se que o povo comum, mesmo das camadas inferiores (e até das classes desprezadas), tinha acesso direto ao rei, como continua sendo verdade em alguns países árabes.

Essa história demonstrou um "conhecimento de como arriscar o fracasso, em lugar de ceder diante da impotência; como ir direto ao âmago da dificuldade, quando as abordagens lentas e regulares da ciência são simplesmente impossíveis... um 'toque de gênio' foi demonstrado... naquilo que as Escrituras chamam de sabedoria de Deus" (Ellicott, *in loc.*). Atualmente temos o DNA, que poderia demonstrar facilmente quem era a mãe da criança. Faltando-lhe qualquer coisa dessa natureza, Salomão solucionou o caso por sua sabedoria prática.

Prostitutas. Assim dizem quase todas as traduções. Mas Adam Clarke (*in loc.*) argumentou que a palavra hebraica *zoonoth* seria mais bem traduzida no caldaico como "taberneiras". Talvez seja assim, mas o raciocínio de que Salomão não receberia mulheres de classe tão baixa é contrário à natureza expansiva das antigas cortes orientais. Todavia, devemos confessar que essa é a tradução que o Targum dá sobre a passagem. Ben Gersom faz das mulheres "vendedoras de alimentos". Quanto a mim, prefiro as traduções tradicionais.

■ 3.17

וַתֹּאמֶר הָאִשָּׁה הָאַחַת בִּי אֲדֹנִי אֲנִי וְהָאִשָּׁה הַזֹּאת יֹשְׁבֹת בְּבַיִת אֶחָד וָאֵלֵד עִמָּהּ בַּבָּיִת:

Disse-lhe uma das mulheres. *A verdadeira mãe* veio apresentar a queixa. Ela deu detalhes sobre como um dos recém-nascidos (as duas mulheres tinham dado à luz com pequena diferença de tempo) havia morrido (vs. 19). A outra mulher presumivelmente contou a mesma história, constituindo um dilema para Salomão. Quem seria a verdadeira mãe? Ambas as mulheres viviam em uma mesma casa. Ambas tinham parido com um espaço de três dias de diferença. Os vizinhos sem dúvida conheciam as circunstâncias, mas não podiam ser de utilidade para solucionar o caso, porquanto os dois infantes tinham nascido praticamente ao mesmo tempo. Não há menção de nenhuma parteira que fosse capaz de distinguir entre os dois infantes.

■ 3.18

וַיְהִי בַּיּוֹם הַשְּׁלִישִׁי לְלִדְתִּי וַתֵּלֶד גַּם־הָאִשָּׁה הַזֹּאת וַאֲנַחְנוּ יַחְדָּו אֵין־זָר אִתָּנוּ בַּבַּיִת זוּלָתִי שְׁתַּיִם־אֲנַחְנוּ בַּבָּיִת:

Nenhuma outra pessoa se achava conosco na casa. Não havia outrem na casa com as duas mulheres, nem mesmo seus clientes. Era óbvio que naqueles dias elas não estavam pondo em prática sua profissão. Portanto, não havia testemunhas do drama. "Nesse julgamento, *nenhuma evidência* podia ser apresentada pelo outro lado" (John Gill, *in loc.*). Salomão dependeu exclusivamente de seu instinto, mas a inspiração divina o estava influenciando.

■ 3.19

וַיָּמָת בֶּן־הָאִשָּׁה הַזֹּאת לָיְלָה אֲשֶׁר שָׁכְבָה עָלָיו:

De noite morreu o filho desta mulher. É uma característica interessante desse relato que a criança tenha morrido de uma maneira muito comum aos infantes. Os pais com frequência dormem com seus filhinhos recém-nascidos e, tal como nesta história, um ou outro dos pais, por acidente, deita-se sobre o bebê, o qual morre sufocado. Ainda recentemente, li uma história que ocorreu precisamente assim. O pai do infante foi dormir a sesta, e aconteceu-lhe deitar o braço sobre a criança. Bastou o peso do braço para sufocar a criança. Assim sendo, sempre é recomendado deixar os infantes dormir no próprio berço.

■ 3.20,21

וַתָּקָם בְּתוֹךְ הַלַּיְלָה וַתִּקַּח אֶת־בְּנִי מֵאֶצְלִי וַאֲמָתְךָ יְשֵׁנָה וַתַּשְׁכִּיבֵהוּ בְּחֵיקָהּ וְאֶת־בְּנָהּ הַמֵּת הִשְׁכִּיבָה בְחֵיקִי:

וָאָקֻם בַּבֹּקֶר לְהֵינִיק אֶת־בְּנִי וְהִנֵּה־מֵת וָאֶתְבּוֹנֵן אֵלָיו בַּבֹּקֶר וְהִנֵּה לֹא־הָיָה בְנִי אֲשֶׁר יָלָדְתִּי:

Levantou-se à meia-noite. *A troca dos bebês.* Uma das mães, horrorizada, descobriu que acidentalmente tinha sufocado sua criança durante a noite. Portanto, à "meia-noite", ela se levantou e trocou a criança morta pela criança viva e tornou a deitar-se. Podemos imaginar a consternação da mãe da criança sobrevivente, ao acordar e descobrir a criança, e então *reconhecer* que a criança que estava com ela não era a sua! Um ultraje havia sido cometido, mas como prová-lo? A mãe da criança morta, em sua tristeza, tinha cometido um *crime*. Nenhuma espécie de amor maternal pela criança que não lhe pertencia compensaria seu ato vil. A verdadeira mãe não permitiria que tal injustiça prevalecesse. Ela resolveu, ali mesmo, levar o caso ao rei. Ele saberia o que devia ser feito. Harry Truman, homem de origens humildes, tornou-se presidente dos Estados Unidos da América. Era conhecido por sua sabedoria incomum. Foi ele quem deu as ordens sobre como reconstruir a Europa, devastada pela Segunda Guerra Mundial. Churchill confessou a ele que o "desprezara" quando veio tomar o lugar do prestigioso Roosevelt, de quem Truman fora vice-presidente. Mas quando Churchill viu como Truman tomava sábias decisões, e como realizava um grande serviço em favor da Europa, o inglês mudou de parecer. Após a sua morte, foi lançado um cântico popular sobre o presidente Truman, que dizia: "Se ele estivesse ali, *saberia* o que fazer". O país tinha entrado em um tempo de dificuldades e carecia de decisões sábias. O povo americano relembrava a sabedoria de Truman.

■ 3.22

וַתֹּאמֶר הָאִשָּׁה הָאַחֶרֶת לֹא כִי בְּנִי הַחַי וּבְנֵךְ הַמֵּת וְזֹאת אֹמֶרֶת לֹא כִי בְּנֵךְ הַמֵּת וּבְנִי הֶחָי וַתְּדַבֵּרְנָה לִפְנֵי הַמֶּלֶךְ:

O autor sagrado poupa-nos de ouvir de novo todos os detalhes "da outra mulher", mas meramente enfatizou como elas disputaram sobre a questão na presença de Salomão. O rei, somente por ouvi-las e observar-lhes as expressões faciais, não foi capaz de determinar qual era a verdadeira mãe da criança sobrevivente. Portanto, ele tinha de "arriscar o fracasso, em lugar de submeter-se à impotência", iniciando uma infrutífera e longa investigação. Nenhuma das mulheres podia dar provas de suas assertivas. A sabedoria de Salomão estava sendo submetida a teste. Ele não podia agir com base na mera racionalidade.

■ 3.23-25

וַיֹּאמֶר הַמֶּלֶךְ זֹאת אֹמֶרֶת זֶה־בְּנִי הַחַי וּבְנֵךְ הַמֵּת וְזֹאת אֹמֶרֶת לֹא כִי בְּנֵךְ הַמֵּת וּבְנִי הֶחָי: פ

וַיֹּאמֶר הַמֶּלֶךְ קְחוּ לִי־חָרֶב וַיָּבִאוּ הַחֶרֶב לִפְנֵי הַמֶּלֶךְ:

וַיֹּאמֶר הַמֶּלֶךְ גִּזְרוּ אֶת־הַיֶּלֶד הַחַי לִשְׁנָיִם וּתְנוּ אֶת־הַחֲצִי לְאַחַת וְאֶת־הַחֲצִי לְאֶחָת:

Uma Solução Surpreendente e Improvável. Porventura o rei Salomão realmente cortaria o recém-nascido pelo meio, à espada, na presença daquelas duas mulheres? Estaria ele blefando? Falaria a sério? Estou calculando que ele, sério em toda a sua aparência, demonstrasse que realmente queria que a criança fosse morta ali mesmo, e que cada uma das mulheres ficaria com metade da criança. Ele precisou agir de maneira tão *radical* porque não via evidências, mas somente ouvia histórias contraditórias, contadas repetidamente pelas duas mulheres (vs. 23). Dramaticamente ele fez entrar um oficial do exército que, com a espada erguida, estava prestes a cortar o infante pela metade, com um único golpe sem misericórdia (vs. 24). Algumas vezes, as *soluções* só podem ser atingidas por meio de atos ousados, radicais e corajosos. Mas para ocupar-nos dessas soluções, precisamos de *sabedoria* para não derrubarmos a casa inutilmente. Oh, Senhor, concede-nos tal graça! Assim sendo, Salomão proferiu as palavras terríveis: "Dividi em duas partes o menino vivo, e dai metade a uma, e metade a outra" (vs. 25).

Um curioso "caso de maternidade" foi contado por Suetônio acerca da vida do imperador Cláudio (cap. xv). Esse homem era célebre por sua sabedoria incomum. Certa mulher recusava-se a reconhecer que um jovem não era filho dela (por razões que não nos foram ditas). Assim sendo, o imperador ordenou que a mulher se casasse com o jovem. Em lugar de cometer tal *incesto,* ela confessou a verdade.

> Faz da sabedoria tua provisão para a jornada da juventude à idade avançada. Ela servirá de apoio, melhor do que todas as demais possessões.
>
> Bias

■ 3.26

וַתֹּאמֶר הָאִשָּׁה אֲשֶׁר־בְּנָהּ הַחַי אֶל־הַמֶּלֶךְ כִּי־נִכְמְרוּ רַחֲמֶיהָ עַל־בְּנָהּ וַתֹּאמֶר בִּי אֲדֹנִי תְּנוּ־לָהּ אֶת־הַיָּלוּד הַחַי וְהָמֵת אַל־תְּמִיתֻהוּ וְזֹאת אֹמֶרֶת גַּם־לִי גַם־לָךְ לֹא יִהְיֶה גְּזֹרוּ׃

Dai-lhe o menino vivo, e por modo nenhum o mateis. Temos aqui um caso de reação natural e incrível. Não ficamos surpreendidos que a mãe verdadeira tenha preferido entregar seu filho à outra, *se* fosse necessário salvar a vida da criança. Mas é quase inacreditável que a outra mulher se tenha mostrado tão sem coração a ponto de dizer a Salomão: "Adiante! Cortai a criança pela metade e dai-me a minha parte!" Por outro lado, ela poderia ter agido assim impulsionada pelo ódio e pelo despeito, preferindo isso a *perder o caso* de modo definitivo. Além disso, sua ação pode ter sido um ato de *vingança* contra a mãe que insistira em levar o caso ao rei. Seja como for, estava em operação o ódio, e talvez a simples *insanidade.* Talvez ter perdido sua criança daquela maneira insensata (ela a tinha sufocado!) a deixara temporariamente descontrolada. Mas a compaixão comprovou qual era a verdadeira mãe. E a crueldade potencial revelou quem era a mentirosa.

■ 3.27

וַיַּעַן הַמֶּלֶךְ וַיֹּאמֶר תְּנוּ־לָהּ אֶת־הַיָּלוּד הַחַי וְהָמֵת לֹא תְמִיתֻהוּ הִיא אִמּוֹ׃

Não o mateis, porque esta é a sua mãe. *A Correta e Sábia Decisão.* Salomão agiu radical mas sabiamente. seu plano deu certo. Seria tudo um golpe? Suponho que não, e que ambas as mulheres sabiam que estavam prestes a ver uma cena sangrenta. Foi uma medida radical, mas eficiente. Com demasiada frequência, em nosso mundo, é o radical que realiza as coisas, boas ou más. São os radicais que fazem o trabalho. O homem cauteloso e racionalizador hesita, mas há ocasiões em que hesitar é equivalente a perder-se.

> O covarde considera-se cauteloso.
>
> Publilius Syrus

> Ver o que é certo e não fazê-lo é falta de coragem.
>
> Confúcio

> Os covardes escondem-se para morrer.
> Os corajosos continuam a viver.
>
> George Sewell

> A coragem é a virtude que defende a causa do direito.
>
> Cícero

Até a muitos homens bons falta convicção, ao mesmo tempo que, infelizmente, os homens maus são frequentemente cheios de uma *vontade* feroz de realizar coisas.

> Aos melhores falta a convicção.
> Os piores são cheios de intensa paixão.
>
> William Bubler Yeats

■ 3.28

וַיִּשְׁמְעוּ כָל־יִשְׂרָאֵל אֶת־הַמִּשְׁפָּט אֲשֶׁר שָׁפַט הַמֶּלֶךְ וַיִּרְאוּ מִפְּנֵי הַמֶּלֶךְ כִּי רָאוּ כִּי־חָכְמַת אֱלֹהִים בְּקִרְבּוֹ לַעֲשׂוֹת מִשְׁפָּט׃ ס

Todo o Israel ouviu a sentença que o rei havia proferido. *Uma Merecida Reputação.* A história acima, que ilustra a sabedoria de Salomão, era apenas uma dentre as muitas que circulavam por todo o Israel, mostrando a todos que eles tinham por rei a um homem sábio, em cumprimento à *promessa divina* (ver 1Rs 3.12). Salomão mostrava-se tão sábio que por toda parte se reconhecia que o Espírito de Deus o inspirava. Havia algo de sobrenatural em sua sabedoria. Ver no *Dicionário* o artigo chamado *Sabedoria.*

A justiça divina é dispensada pelo Deus Pai, que é infinitamente sábio e compreensivo. Ele olha para o coração. Ele vê os propósitos ainda não firmados, os instintos imaturos. Ele compreende o misto de influências em que cada criança que erra está envolvida. Ele toma consciência de que nossos pecados fluem juntos como as águas se misturam à corrente. Nossa pequena mente finita não pode compreender a plenitude da compaixão divina, mas cantamos com fé, juntamente com Fredrick W. Faber:

> Há uma largueza na misericórdia de Deus,
> Como a amplitude do mar;
> Há uma bondade em sua justiça,
> Que ultrapassa à liberdade.

"A misericórdia é parte integral da verdadeira justiça" (Ralph W. Sockman, *in loc.*).

No caso de Salomão, como em todos os outros casos, a verdadeira justiça requer uma sabedoria incomum por trás dela. A justiça é um dedo de amor; e o julgamento é um dedo da mão amorosa de Deus. Há um arco-íris que circunda o trono de Deus (ver Ap 4.3). Deus governa de um trono de graça. A sua *sabedoria* ordenou que as coisas operassem *dessa* maneira, pois, de outra sorte, nenhum homem poderia ficar de pé na presença dele.

CAPÍTULO QUATRO

A ADMINISTRAÇÃO DE SALOMÃO (4.1-34)

Salomão precisava de ajuda para governar todo o povo de Israel (vs. 1), pelo que escolheu, em sua sabedoria, certo número de subordinados (vss. 2 ss.). Por isso encontramos tão grande lista de auxiliares de Salomão. De modo geral, a *grandeza* de Salomão é enfatizada porque ele e sua equipe, corretamente escolhida, agiam corretamente. A Septuaginta, após 1Rs 2.23, tem uma longa lista de tais auxiliares. As diferenças entre essa lista e a do presente capítulo são profundas e com frequência nos deixam perplexos. Como é óbvio, mais de uma fonte está por trás desses materiais, e os editores não se deram ao trabalho de procurar harmonizá-las. Alguns estudiosos sugerem que a lista que aparece na Septuaginta refere-se a subordinados de Salomão que labutaram no final de seu reinado, ao passo que a lista do presente capítulo refere-se aos que atuaram no começo de seu reinado; mas essa sugestão é apenas uma conjectura e nada resolve. Ao longo do caminho, identifico alguns dos problemas mais difíceis. O reinado de Salomão foi cercado por um halo feliz. O povo de Israel estava comendo, bebendo e divertindo-se em meio à prosperidade e à paz (vs. 20). E alguns deles começaram a encontrar tempo para dedicar-se à idolatria; mas essa já é outra história, não abordada no presente capítulo. O conhecimento da sabedoria incomum de Salomão espalhou-se entre países vizinhos, e muitos vieram para investigar o fenômeno (vs. 34). Salomão foi autor de provérbios e cânticos. Ele era tão versátil quanto o seu pai (vs. 32). De modo geral, este capítulo exalta o homem. Por certo ele foi o filho extraordinário de um pai extraordinário.

"A delegação de autoridade é um sinal de sabedoria" (Thomas L. Constable, *in loc.*). Foi assim que Salomão manifestou sabedoria em sua maneira de administrar. Ele não tentava fazer tudo sozinho, como costumam fazer os ditadores. Ele sabia delegar autoridade, e sabia escolher bons delegados.

4.1

וַיְהִי הַמֶּלֶךְ שְׁלֹמֹה מֶלֶךְ עַל־כָּל־יִשְׂרָאֵל: ס

O rei Salomão reinou sobre todo o Israel. *Rei sobre Todo o Israel*. Durante o reinado de Reoboão, filho do rei Salomão, o reino de Israel em breve seria dividido em reinos do norte (Israel) e do sul (Judá). Finalmente, cada uma dessas duas facções seria levada para o cativeiro por inimigos estrangeiros (a Assíria e a Babilônia, respectivamente). Mas no tempo de Salomão houve *unidade* e liberdade tanto de inimigos externos quanto de inimigos internos, graças aos sucessos de Davi na guerra (ver 2Sm 10.19 quanto às *oito* nações inimigas que Davi derrotou).

Salomão tornou-se "famoso; ele reinou pelo consentimento de todos e no coração de todo o povo de Israel" (John Gill, *in loc.*). "A ênfase que calca o *todos* era característica de um escritor sacro que compilou o seu livro após a divisão do reino em dois" (Ellicott, *in loc.*).

4.2

וְאֵלֶּה הַשָּׂרִים אֲשֶׁר־לוֹ עֲזַרְיָהוּ בֶן־צָדוֹק הַכֹּהֵן: ס

Eram estes os seus homens principais. A delegação de autoridade era uma demonstração da *sabedoria* de Salomão, tão vividamente enfatizada no capítulo anterior. Ele nomeou *onze* principais oficiais sobre o seu governo. Três deles eram sacerdotes, a saber: Azarias (vs. 2); Zadoque e Abiatar (vs. 4). Azarias era filho, ou melhor, neto de Zadoque (ver 1Cr 6.8,9).

A *todos* os nomes próprios da lista deste quarto capítulo são conferidos artigos separados no *Dicionário*, de modo que meus comentários aqui se limitam ao escopo e aos detalhes.

Homens principais. A *Revised Standard Version* diz aqui "altos oficiais". "Esses eram os homens grandes, chefes ou principais, nenhum deles um príncipe no sentido comum da palavra" (Adam Clarke, *in loc.*).

"Os oficiais aqui descritos estavam divididos em duas classes: os ligados à corte de Salomão, e os investidos de autoridade local" (Ellicott, *in loc.*). Provavelmente, o primeiro a ser nomeado, Azarias, era seu primeiro-ministro, por haver sido mencionado no alto da lista.

4.3

אֱלִיחֹרֶף וַאֲחִיָּה בְּנֵי שִׁישָׁא סֹפְרִים יְהוֹשָׁפָט בֶּן־אֲחִילוּד הַמַּזְכִּיר:

Todos os nomes próprios que figuram neste versículo recebem artigos separados no *Dicionário*, de modo que meus comentários aqui são breves. Sabemos bem pouco sobre a maioria deles.

Eliorefe. Era filho de *Sisa*, um dos escribas do reinado de Salomão.

Aías. Irmão do primeiro, Aías era o outro escriba ou secretário. As denominações certamente são os nomes pessoais dos indivíduos, e não títulos. Os escribas preparavam editos reais, documentos de comércio, registros oficiais, cartas a respeito da correspondência real. Em suma, qualquer coisa que tivesse de ser guardada por escrito, que fosse de interesse do rei, era responsabilidade deles. Eram uma espécie de *secretários do Estado*.

Josafá. Este era o *cronista*. Mantinha registro de todos os negócios importantes diários do reino. Também havia servido nessa capacidade sob Davi. Ver 2Sm 8.16 e 20.24 quanto a versículos paralelos que fornecem maiores detalhes sobre os ofícios envolvidos. Ver no *Dicionário* os verbetes chamados *Escriba* e *Cronista*.

4.4

וּבְנָיָהוּ בֶן־יְהוֹיָדָע עַל־הַצָּבָא וְצָדוֹק וְאֶבְיָתָר כֹּהֲנִים: ס

Benaia. Ver o artigo detalhado sobre ele no *Dicionário*. Ele tomara o lugar de Joabe como comandante-em-chefe do exército e já tinha realizado certo número de missões difíceis para Salomão, como as execuções de Joabe e Simei (capítulo 2). O chefe do exército era também o principal executor, que despachava os principais criminosos ou rivais do rei.

Zadoque... Abiatar... Sob Davi, esses dois homens desempenharam conjuntamente o ofício de sumos sacerdotes. Mas, quando Abiatar tomou o partido de Adonias na luta pelo trono, ele foi deposto e exilado por Salomão (1Rs 2.26,27). Quando isso aconteceu, a linhagem de Eli (de quem Abiatar era descendente) deixou de produzir sumos sacerdotes, e esse ofício passou para a linhagem de Zadoque. O curso da linhagem de Eli foi assim cumprido. Dou plenos detalhes sobre essa questão no texto que acabamos de mencionar e nos dois artigos sobre aqueles homens, no *Dicionário*. A presente notícia foi escrita antes da queda de Abiatar, ou talvez ele ainda retivesse o título de sumo sacerdote e atuasse como um sacerdote comum, apesar de seu exílio e queda do favor de Salomão, tal como Anás (no Novo Testamento) continuou sendo chamado *sumo sacerdote*, mesmo depois que fora deposto de seu ofício pelos romanos.

4.5

וַעֲזַרְיָהוּ בֶן־נָתָן עַל־הַנִּצָּבִים וְזָבוּד בֶּן־נָתָן כֹּהֵן רֵעֶה הַמֶּלֶךְ:

Azarias. Também mencionado no segundo versículo, era o superintendente dos oficiais, uma espécie de primeiro-ministro perante o qual os outros oficiais eram responsáveis, tal como ele mesmo era responsável diante do rei. Talvez ele fosse filho de *Natã*, o profeta, sobre quem comentamos longamente no *Dicionário*. Mas alguns intérpretes acreditam que o Natã desse versículo não era o profeta. Talvez ele fosse filho de Davi e irmão de Salomão (ver 1Cr 3.5).

Zabude. Não podemos determinar qual *Natã* está em pauta aqui, se o profeta ou se um filho de Davi. Mas sabemos que o termo hebraico *cohen* (oficial) aqui usado para Zabude é expressamente atribuído, em 2Sm 8.18, aos *filhos de Davi*. É verdade que o termo pode significar "sacerdote", embora também quisesse dizer *ministro*. Na referência de 2Sm 8.18 dou detalhes sobre o significado e o uso dessa palavra.

Intendente-chefe. Um dos ministros-chefes sujeito a Azarias, mas um grande homem, dotado de grande responsabilidade por seu próprio direito, e amigo pessoal de Salomão. O original hebraico diz *cohen*, conforme se vê no comentário mais acima. Os deveres desse homem não foram descritos, mas o fato é que ele estava profundamente envolvido nos negócios do Estado. Nos dias de Davi, era *Husai* quem cumpria essa posição (ver 2Sm 15.37; 16.16). Esse título figura nas cartas de Tell el-Amarna (ver sobre esse assunto no *Dicionário*). Mas ali se refere a um ofício inferior nas cortes da Palestina, no decorrer do século XIV a.C. Na qualidade de elevado oficial e também amigo do rei, esse homem era uma espécie de "conselheiro particular" do rei. A Septuaginta e a versão de Luciano omitem a tradução do termo hebraico *cohen* no tocante a Zabude.

4.6

וַאֲחִישָׁר עַל־הַבָּיִת וַאֲדֹנִירָם בֶּן־עַבְדָּא עַל־הַמַּס: ס

Aisar. Era o principal *mordomo* da corte real. Cf. 2Rs 18.18, onde os mesmos ofícios que aparecem no presente texto são mencionados, e onde *Eliaquim* é chamado de "o mordomo". Ver no *Dicionário* sobre esse termo. Parte do ofício desse homem era supervisionar os servos e trabalhadores da corte do rei, e daqueles relacionados aos seus negócios pessoais.

Adonirão. Nos dias de Davi ele tinha servido como chefe das equipes de *trabalho forçado* (ver 2Sm 20.24). Salomão usava-o como chefe de seus projetos de construção. Ele também era o chefe do tesouro e da cobrança de impostos, de modo que ele era um homem muito atarefado e com diversas responsabilidades. Ver *detalhes* sobre ele no segundo ponto do artigo com seu nome, no *Dicionário*. O Targum sobre o presente versículo diz que o homem recolhia tributos. Ele se assegurava de que o tesouro do rei sempre tivesse grandes recursos armazenados.

GOVERNADORES PROVINCIAIS DE SALOMÃO (4.7-19)

4.7

וְלִשְׁלֹמֹה שְׁנֵים־עָשָׂר נִצָּבִים עַל־כָּל־יִשְׂרָאֵל וְכִלְכְּלוּ אֶת־הַמֶּלֶךְ וְאֶת־בֵּיתוֹ חֹדֶשׁ בַּשָּׁנָה יִהְיֶה עַל־הָאֶחָד לְכַלְכֵּל: ס

A Lista de Doze Nomes. Os homens cujos nomes aparecem na atual lista estavam ocupados no governo de distritos e em conseguir alimentos para o palácio real. Cada um deles ocupava-se do ofício por um mês durante o ano. Podemos imaginar que a corte de Salomão era uma pequena cidade, onde havia um elevado nível de vida. Os alimentos precisavam ser importados. Artigos de luxo eram a regra, e não a exceção. "Essa lista dá os nomes de doze oficiais administrativos e seus respectivos distritos. Cada *governador* provia suprimentos para o estabelecimento de Salomão durante um mês por ano. A lista é importante por duas razões. Em *primeiro lugar*, os limites não eram equivalentes às antigas fronteiras das tribos. Antes, pensa-se que isso fazia parte das normas deliberadas de Salomão, mediante as quais ele tentou quebrar as antigas lealdades tribais, a fim de consolidar seu próprio governo real. Se isso é realmente verdade, então temos aqui *uma* das causas da queda do reino unido, por ocasião da morte de Salomão. *Segundo,* não havia governador sobre nenhuma parte de Judá. Isso é significativo, visto que o principal dever do governador para com o rei era prover suprimentos para a corte e para o exército permanente de carros de combate e cavalos (vss. 22,23; 27,28). Judá, ao que tudo indica, estava *isento* dessa cobrança, pelo que foi dispensado, em contraste com o restante do país. E quando percebemos que Judá também não deveria participar do trabalho forçado, podemos ver que o chamado reino *unido* de Judá e Israel era dominado quase inteiramente por Judá" (Norman H. Snaith, *in loc.*).

Naturalmente, além de seus deveres para com o rei (descritos na exposição anterior), eles precisavam cuidar de seus próprios distritos como governadores. A capital era muito *exigente,* e isso servia de grande *dreno de ouro* nas economias locais, o que sempre será uma fonte de dificuldades e divisões.

■ 4.8

וְאֵלֶּה שְׁמוֹתָם בֶּן־חוּר בְּהַר אֶפְרָיִם: ס

"É interessante que dois dos governadores eram genros de Salomão (vss. 11,14). Todos os doze, exceto Aimaás (vs. 15), são mencionados somente aqui na Bíblia. Aimaás, muito provavelmente, era filho de Zadoque, o sacerdote (cf. 2Sm 15.27)" (Thomas L. Constable, *in loc.*). É óbvio que, visto que esses homens são mencionados somente aqui na Bíblia, como uma exceção, praticamente nada se conhece sobre eles, exceto o que podemos colher do presente contexto.

Ver o mapa quanto aos doze distritos e como eles faziam fronteiras com as terras de outros povos. Note-se que o mapa não mostra que Judá tenha sido incluído nos *impostos,* e que as antigas fronteiras tribais tenham sido respeitadas. Alguns intérpretes supõem que as doze tribos prosseguiram conforme era usual, e aqueles distritos foram criados somente para efeito de cobrança de impostos, ao passo que os negócios das tribos continuavam da forma usual. No entanto, parece antes que Salomão simplesmente rearranjou as "fronteiras das tribos" e produziu doze distritos que tomaram o lugar das doze tribos, para todos os efeitos práticos.

Portanto, temos aqui *governadores de províncias*, em lugar de chefes tribais.

Uma Distinta Peculiaridade da Lista. São dados os nomes dos "pais" dos governadores, e não os nomes dos próprios governadores, em quase todos os casos. Os intérpretes ficam perplexos diante dessa peculiaridade, mas não fornecem argumentos convincentes sobre *por que* o autor manuseou a questão dessa forma. Dificilmente há chances de que os nomes se tenham "perdido", e, assim sendo, tiveram de ser supridos os nomes das famílias. Houve alguma *razão* por trás da omissão, mas não sabemos determinar qual.

Primeiro Distrito. Correspondia mais ou menos à tribo de Efraim, embora não seguisse exatamente as fronteiras da tribo. Ver o mapa da área envolvida. John Gill supõe que cada distrito fosse uma área *dentro da tribo* envolvida, embora não pudesse ser identificada exatamente com a própria tribo. Alguns dos distritos, entretanto, não corresponderiam de maneira alguma às antigas fronteiras tribais, como se tornará evidente conforme a exposição prosseguir.

Ben-Hur. O *filho* desse homem era o governador do primeiro distrito. Não sabemos dizer por que o autor não deu simplesmente o nome do homem. Ver os comentários anteriores sobre essa característica da lista. Em todos os casos, ver os nomes próprios no *Dicionário* quanto aos detalhes que temos das pessoas mencionadas, que não são muitos, na maioria dos casos. Algumas traduções dizem Ben-Hur como se fosse o nome do próprio governador, mas é evidente que não foi esse o intuito do autor sagrado. Ver sobre *Hur,* ponto quarto, quanto a detalhes e discussões.

■ 4.9

בֶּן־דֶּקֶר בְּמָקַץ וּבְשַׁעַלְבִים וּבֵית שֶׁמֶשׁ וְאֵילוֹן בֵּית חָנָן: ס

Segundo Distrito. Nenhuma equivalência tribal é dada, mas somente várias cidades principais do distrito, todas as quais são comentadas no *Dicionário*. Ver no mapa a área marcada com o número 2. A maioria dos lugares mencionados pertencia ao território de Dã, mas o território de Benjamim também parece estar envolvido. Talvez até um trecho de Judá tenha entrado nesse segundo distrito.

A maior parte da *área* sugerida estava sob as mãos dos filisteus, mas Davi os havia confinado a uma área menor ainda. Salomão continuou a exercer autoridade nos lugares que Davi havia conquistado ou submetido ao pagamento de tributos. Cf. Js 19.41-43 quanto aos nomes locativos. *Macaz* é mencionada somente aqui. Alguns situam essa localidade em Judá. Se uma cidade está em pauta, pode ser a moderna Khirbet el-Mukheizin, ao sul de Ecrom. Mas pode estar em vista uma área, e não uma cidade.

Ben-Dequer. "Filho de Dequer". Dequer vem de uma raiz hebraica que significa "atravessar", "transfixar".

■ 4.10

בֶּן־חֶסֶד בָּאֲרֻבּוֹת לוֹ שֹׂכֹה וְכָל־אֶרֶץ חֵפֶר: ס

Terceiro Distrito. Os nomes associados a esse distrito são *Socó* e *Hefer*. Ver o número 3 no mapa. Esses lugares ficavam na planície de Sarom, que pertencia à tribo de Manassés, mas a somente uma pequena parte daquele território, sugerindo que o terceiro distrito de Salomão era apenas uma parte do sul do território de Manassés.

Ben-Hesede. Era o governador do terceiro distrito. Algumas versões, entretanto, dizem apenas Hesede. Certos comentadores pensam que Ben-Hesede é um nome improvável, pois é difícil que todos os governadores tivessem o nome começado com a palavra hebraica *Ben,* "filho". As próprias versões portuguesas nem sempre usam essa palavra hebraica no começo de cada nome, mas antes dizem "filho de", como um prefixo para os nomes supostos dos governadores envolvidos.

■ 4.11

בֶּן־אֲבִינָדָב כָּל־נָפַת דֹּאר טָפַת בַּת־שְׁלֹמֹה הָיְתָה לּוֹ לְאִשָּׁה: ס

Quarto Distrito. Esse distrito é identificado com a área em redor de *Dor,* que pertencia à tribo de *Aser.* Mas o nome refere-se somente a um trecho do sul daquela tribo, e não o equivalente ao território total. Alguns afirmam que Dor pertencia a Manassés (Js 17.11), e originalmente isso era a verdade. Finalmente, ficou pertencendo a Efraim (ver 1Cr 7.29). Ver os detalhes no *Dicionário*. Os mapas mostram que esse distrito ficava em Aser, muito perto da fronteira com Efraim. O delineamento exato das fronteiras era um problema em Israel, no tocante às aldeias fronteiriças.

Ben-Abinadabe. Ele foi o pai do quarto governador. Algumas versões, como no caso anterior, dizem apenas *Abinadabe*. Este homem era genro de Salomão. O nome de sua esposa nos é fornecido, *Tafate*. Nada se sabe a respeito dela, exceto o que é sugerido no presente versículo. O governador do quarto distrito teve a distinção de casar com uma das muitas filhas de Salomão.

■ 4.12

בַּעֲנָא בֶּן־אֲחִילוּד תַּעְנַךְ וּמְגִדּוֹ וְכָל־בֵּית שְׁאָן אֲשֶׁר אֵצֶל צָרְתַנָה מִתַּחַת לְיִזְרְעֶאל מִבֵּית שְׁאָן עַד אָבֵל מְחוֹלָה עַד מֵעֵבֶר לְיָקְמְעָם: ס

Quinto Distrito. Como em todos os casos, ver o mapa das tribos que acompanha esta exposição. Este distrito era formado de modo muito irregular, pois ocupava parte dos territórios das tribos de Manassés,

Issacar e Zebulom (a área para além de Jocneão). Ver todos os nomes próprios no *Dicionário,* quanto a detalhes. Cf. este versículo com Js 3.26; 17.11 e 19.11.

Baaná, filho de Ailude. Ele é mencionado por seu próprio nome, em contraste com a maioria dos governadores, que têm o nome paterno. Não sabemos dizer por que o autor sagrado abordou a questão dessa forma. Ver as notas sobre o vs. 8, "uma peculiaridade distintiva da lista". Ver sobre *Baaná,* primeiro ponto, a respeito do que se sabe sobre esse homem.

4.13

בֶּן־גֶּבֶר בְּרָמֹת גִּלְעָד לוֹ חַוֹּת יָאִיר בֶּן־מְנַשֶּׁה אֲשֶׁר בַּגִּלְעָד לוֹ חֶבֶל אַרְגֹּב אֲשֶׁר בַּבָּשָׁן שִׁשִּׁים עָרִים גְּדֹלוֹת חוֹמָה וּבְרִיחַ נְחֹשֶׁת: ס

Sexto Distrito. Este território ficava para além do Jordão, ou seja, na *Transjordânia* (ver a respeito no *Dicionário*). Partes das meias tribos de Manassés e Gade foram incluídas. Todos os nomes próprios receberam artigos separados com detalhes que não são repetidos aqui. A área, como era evidente, estendia-se para além das fronteiras normais da tribo de Manassés.

Ben-Geder. O filho deste homem era governador do território que formava uma elevada área fértil e era altamente fortificada nos tempos antigos. Havia ali sessenta cidades fortificadas. Seus portões e barras eram cobertos com placas de bronze, como os portões do palácio de Príamo, na história de Virgílio (ver Eneida, livro ii. vs. 479).

4.14

אֲחִינָדָב בֶּן־עִדֹּא מַחֲנָיְמָה:

Sétimo Distrito. Este distrito, tal como o sexto, ficava na *Transjordânia* e estendia-se por todo o caminho desde o mar da Galileia até o mar Morto, ocupando partes dos territórios de Manassés e Gade. Ver no *Dicionário* sobre *Maanaim.* Cf. Gn 32.22, que fala de sua localização. Tal como era verdade no caso das tribos de Israel, fronteiras específicas eram frequentemente inúteis, a menos que um rio as formasse. Nomes de cidades e lugares são dados, e isso nos fornece uma vaga ideia da *extensão,* embora não uma noção precisa de seus limites. Em muitos casos, naturalmente, não havia fronteiras específicas, tal como acontece nas cidades modernas (municípios), condados, estados e países. Assim sendo, as fronteiras do norte, do leste e do sul de Israel não eram delineadas, ao passo que a oeste o limite natural era o mar Mediterrâneo. O rio Jordão provia uma fronteira entre o Israel ocidental (este lado do rio Jordão) e a Transjordânia (para além do Jordão).

Ainadabe, filho de Ido. Este era o governador do sétimo distrito. Tal como no vs. 12, o nome do governador é dado sem o prefixo hebraico *Ben,* "filho". O pouco que se sabe sobre este homem aparece no artigo sobre ele no *Dicionário.*

4.15

אֲחִימַעַץ בְּנַפְתָּלִי גַּם־הוּא לָקַח אֶת־בָּשְׂמַת בַּת־שְׁלֹמֹה לְאִשָּׁה:

Oitavo Distrito. Este distrito aproveitava-se de parte do território de Naftali, embora o quanto e exatamente qual parte não nos tenham sido designados. Mas sabe-se que era a parte mais alta do vale do rio Jordão, ao sul do monte Hermom, e incluía parte da costa noroeste do mar da Galileia e as águas de Merom. Dentro desse distrito estava Hazor, o centro da confederação do norte, e a cidade levítica de refúgio, Cades-Naftali (ver Js 12.22; 19.37; Jz 4.6). O mapa mostra vários outros lugares da região. O presente texto não nos fornece nomes locativos envolvidos.

Aimaás. Era o governador do oitavo distrito, que tinha a distinção de ser genro de Salomão, casado com uma das filhas do rei, de nome Basemate. Cf. o vs. 11. O governador do quarto distrito também era genro de Salomão. Ver sobre *Aimaás* no *Dicionário,* ponto 2, sobre o pouco que se sabe sobre esse homem. A maior parte dos nomes das pessoas listadas encontra-se somente aqui na Bíblia, faltando-nos tradições acerca deles.

4.16

בַּעֲנָא בֶן־חוּשָׁי בְּאָשֵׁר וּבְעָלוֹת: ס

Nono Distrito. Esse distrito ficava no território de *Aser.*

Bealote. Esta palavra significa *ascensões,* ou seja, montes que subiam em degraus. Perto deste lugar havia um alto monte chamado Escada de Tiro. Talvez haja aqui uma alusão a este lugar ou a lugares adjacentes. A área fazia fronteira com o território sírio e estendia-se para o norte desde o monte Carmelo, primeiramente ao longo da costa e então por trás da cadeia do Líbano. O trecho de Jz 1.31,32 diz-nos que Aser deixou desocupada grande porção de seu território, mas no tempo de Davi todo o território estava ocupado, e Salomão fez maiores expansões, especialmente para o norte.

Baaná. Era o governador do nono distrito. Ver no vs. 12 como outro homem do mesmo nome governava o quinto distrito. O Baaná deste distrito é discutido sob o ponto 2 no artigo do *Dicionário* que tem esse nome. Coisa alguma é conhecida sobre ele, exceto o que se pode supor com base neste versículo.

4.17

יְהוֹשָׁפָט בֶּן־פָּרוּחַ בְּיִשָׂשכָר: ס

Décimo Distrito. Este distrito ocupava uma parcela não especificada do território de Issacar. Ficava intimamente relacionado ao quinto distrito, sendo provável que as fronteiras não fossem claramente definidas. Não é dado nenhum nome locativo que nos ajude a delinear a área.

Josafá, filho de Parua. Ele era o governador do décimo distrito. Uma grafia alternativa de seu nome, em português, é Jeosafá. Coisa alguma se sabe sobre ele, exceto o que se depreende deste texto.

4.18

שִׁמְעִי בֶן־אֵלָא בְּבִנְיָמִן: ס

Décimo Primeiro Distrito. Ficava localizado na tribo de Benjamim, mas nenhum nome locativo nos é dado para ajudar a delinear o território. Parece que o autor sagrado, conforme progredia, foi-se cansando, de modo que passou a dar descrições cada vez mais curtas sobre os distritos, até que, no fim, meramente disse em que tribo os distritos estavam localizados. Talvez seu território incluísse Jerusalém, embora Judá estivesse isento do imposto. A área envolvida era pequena mas populosa, e incluía lugares como Jericó, Betel, Gibeom e Ramá, estendendo-se desde Judá até Efraim.

Simei, filho de Elá. Simei era o nome do governador deste distrito. Não era o Simei que amaldiçoou a Davi e ao qual Salomão mandou executar (ver 1Rs 2). Coisa alguma se sabe sobre ele, exceto o que nos é sugerido pelo texto.

4.19

גֶּבֶר בֶּן־אֻרִי בְּאֶרֶץ גִּלְעָד אֶרֶץ סִיחוֹן מֶלֶךְ הָאֱמֹרִי וְעֹג מֶלֶךְ הַבָּשָׁן וּנְצִיב אֶחָד אֲשֶׁר בָּאָרֶץ:

Décimo Segundo Distrito. Esta área ficava a leste do rio Jordão (Transjordânia) e ocupava parte do território das tribos de Rúben e Gade, na fronteira com os moabitas. A fronteira oriental permanecia vaga, mas o limite ocidental era o mar Morto. Até onde se estendia pelo território de Moabe, ao sul, permanece um ponto duvidoso. O versículo narra parte da história do território, dando os nomes dos reis que controlavam a região antes da conquista feita por Israel. Ver sobre os nomes próprios no *Dicionário,* quanto a maiores informações. Ver especialmente sobre *Gileade.*

Judá é conspícuo por sua ausência. Alguns intérpretes supõem que a tribo não podia ter sido dispensada do imposto para a corte real, mas isso é pura conjectura. Temos razões por supor que o autor deixaria Judá de lado se, de fato, essa tribo tivesse participado do imposto. Quanto ao que fica implícito nessa omissão, ver as notas sobre os vss. 7,8 deste capítulo.

Geber, filho de Uri. Era o governador do território. Ver sobre esse nome no *Dicionário,* no primeiro ponto. Houve um Ben-Geder (mencionado no vs. 13 deste capítulo), que era governador do sexto distrito.

O ESPLENDOR DE SALOMÃO (4.20-28)

■ 4.20

יְהוּדָה וְיִשְׂרָאֵל רַבִּים כַּחוֹל אֲשֶׁר־עַל־הַיָּם לָרֹב אֹכְלִים וְשֹׁתִים וּשְׂמֵחִים׃

Eram, pois, os de Judá e Israel muitos. Tendo acabado de descrever como Salomão havia organizado sabiamente o território de Israel em doze distritos (vss. 7-19), os quais tinham de suprir sua corte de todas as coisas necessárias e em abundância, o *autor sagrado* passa agora a contar a glória geral e as riquezas materiais que acompanharam a sabedoria incomum de Salomão. De tudo o rei era suprido, pelo lado de fora e pelo lado de dentro. Ele foi o mais glorioso dos reis de Israel. "Esses versículos nos fornecem um quadro da felicidade idílica que prevalecia por todo o reino. Em adição, dispomos de detalhes da magnificência de Salomão, que falam sobre as dimensões de seu estabelecimento e a quantidade de provisões necessárias para o passadio diário. A ordem dos versículos que aparece na Septuaginta e em Luciano é diferente da que aparece no texto massorético. Os vss. 20,21,25,26 estão incluídos na longa interpolação da Septuaginta que aparece após 1Rs 2.46. A ordem que aparece na Septuaginta provavelmente é a original, pois os detalhes ali são muito menos confusos. É evidente que um editor esteve bastante ocupado, aparentemente durante o período pós-exílico (ver o vs. 24 deste capítulo). Ele desejava exaltar a grandeza de Salomão e pintar um quadro impressionante sobre a felicidade geral por todo o norte e por todo o sul, sob o seu governo" (Normal H. Snaith, *in loc.*).

Os *hebreus* eram sensíveis para com a importância da história, e registros foram cuidadosamente guardados. Um autor como o dos livros dos Reis teria acesso a muito material e faria as seleções apropriadas ao propósito e desígnio de seu livro.

É-nos assegurado que o reino de Salomão era forte, próspero e gozava de paz. Além disso, houve significativo aumento populacional desde os dias de Davi. Israel continuava unificado sob Salomão, mas não muito depois de seus dias, quando seu filho, *Reoboão,* subiu ao trono, após a divisão entre o norte (chamado então Israel) e o sul (Judá).

A Divisão Estabelecida. O alto estilo de vida de Salomão e seu interminável número de empregados públicos impuseram grande carga financeira, que o *norte* pagava sozinho. Podemos ter certeza de que esse foi um fator que, finalmente, conduziu à divisão entre o norte e o sul do país.

Judá e Israel, respectivamente o sul e o norte (de um único país até os dias de Reoboão, filho de Salomão), eram muito populosos. Não nos é fornecida nenhuma cifra, mas devemos compreender que ocorrera significativo aumento populacional desde o recenseamento de Davi, registrado em 2Sm 24. Aquele censo demonstrou que havia cerca de 1.300.000 homens em idade de prestar serviço militar. Isso significava, por sua vez, que a população total de Israel deveria ser de seis milhões de habitantes na época. Ver as notas sobre 1Rs 3.8. Naquele versículo, Israel aparece como inumerável, devido à sua multidão. Aqui temos uma expressão familiar, "a areia que está à beira do mar". Quanto a essa expressão, ver 2Sm 17.11. E temos a expressão "como as estrelas do céu" (Êx 32.13). Parte do *Pacto Abraâmico* (ver as notas a respeito em Gn 15.18) dizia que Israel seria um país muito numeroso, formado pelos descendentes de Abraão. Além disso, esse povo seria distinto (ver as notas expositivas sobre Dt 4.4-8). A responsabilidade de Salomão era, realmente, grande, e ele efetuou isso com magnificência.

Israel, nos tempos de Salomão, e por causa dele, estava vivendo em "alto nível", conforme certa expressão moderna. Isso incluía muita diversão, música e dança, canções, vinho e mulheres. Os hebreus eram um povo de cânticos e danças. Sem dúvida, as pessoas continuavam trabalhando arduamente, mas o lado "divertido" da vida definidamente tinha um lado risonho no tempo de Salomão. Ter mais dinheiro permite que as pessoas se divirtam mais, viajem, comam melhor e brinquem.

"Os israelitas tinham o bastante para comer e beber, ser felizes, desfrutar os confortos básicos da vida (cf. 1Rs 4.25)" (Thomas L. Constable, *in loc.*).

"*Quando Deus Faz Prosperar.* A 'glória de Salomão' tornou-se proverbial. O brilho de seu esplendor reflete-se nas páginas do Novo Testamento. O cronista não somente orgulhava-se de contar a magnificência da corte de Salomão, mas para os intérpretes isso serve de *prova* do favor divino. O perigo das riquezas é interpretado pela suposição de que Israel estava sendo recompensado por sua retidão. Para dizer a verdade, a fé hebraico-cristã instila em nós as qualidades da indústria, da integridade e do trabalho árduo, coisas que tendem por provocar o sucesso material. Mas também há verdade no provérbio que diz: 'O amor ao dinheiro é a raiz de todos os males' (1Tm 6.10)" (Ralph W. Sockman, *in loc.*).

Por outra parte, alguém já disse (com alguma verdade) que "a *falta* de dinheiro é a raiz de todos os males". E o Novo Testamento abriga o princípio de que temos toda a abundância de graça, em todas as coisas, para que abundemos em toda boa obra (ver 2Co 9.8). Aprendemos por meio desse versículo que Deus nos faz prosperar, especificamente, para que possamos abundar em toda boa obra. É nesse sentido que o dinheiro é bem-vindo.

■ 4.21

וּשְׁלֹמֹה הָיָה מוֹשֵׁל בְּכָל־הַמַּמְלָכוֹת מִן־הַנָּהָר אֶרֶץ פְּלִשְׁתִּים וְעַד גְּבוּל מִצְרָיִם מַגִּשִׁים מִנְחָה וְעֹבְדִים אֶת־שְׁלֹמֹה כָּל־יְמֵי חַיָּיו׃ פ

Dominava Salomão sobre todos os reinos. *O Reino de Salomão Estendia-se Até Longe.* O autor nos fornece uma breve nota sobre isso, mas não dá muitos detalhes a respeito. Eufrates é o *rio* mencionado, formando a fronteira norte de Israel. Além disso, Salomão governava as terras antigas dos filisteus, que davam para o sul. Não sabemos dizer exatamente até que ponto o território de Israel estendia-se para o norte nos dias de Davi, nem nos dias de Salomão. O próprio Egito, até as margens do rio Nilo, não foi ocupado, conforme prometido no *Pacto Abraâmico* (ver as notas expositivas a respeito em Gn 15.18), mas Israel conseguiu ampliar seu território para o sul, até as fronteiras com o Egito, se não até o rio do Egito (o Nilo).

Até ao termo do Egito. Provavelmente está em vista o wadi el'Arish, também chamado de ribeiro (ou rio) do Egito. Ver no *Dicionário* o artigo chamado *Ribeiro do Egito,* quanto a referências bíblicas e informações de ordem geral. Essa fronteira ficava mais ou menos a meio caminho entre Gaza e o istmo de Suez. Salomão, contudo, perderia o controle sobre Damasco (ver 2Rs 11.24,25). Os limites norte e sul tradicionais em Israel iam de Dã a Berseba (ver 1Rs 4.25), mas Salomão os estendeu para mais além, pelo menos por algum tempo.

■ 4.22,23

וַיְהִי לֶחֶם־שְׁלֹמֹה לְיוֹם אֶחָד שְׁלֹשִׁים כֹּר סֹלֶת וְשִׁשִּׁים כֹּר קָמַח׃

עֲשָׂרָה בָקָר בְּרִאִים וְעֶשְׂרִים בָּקָר רְעִי וּמֵאָה צֹאן לְבַד מֵאַיָּל וּצְבִי וְיַחְמוּר וּבַרְבֻּרִים אֲבוּסִים׃

Era, pois, o provimento diário. Para impressionar-nos com a grandeza de Salomão, o autor diz algo sobre a quantidade e a qualidade do cardápio de Salomão. Estamos abordando as necessidades da corte de Salomão e também a vasta quantidade de cavalos que ele conseguiu reunir. Quanto aos grãos, Salomão precisava de trinta coros de farinha de trigo bem fina (6.730 litros) por dia, além do dobro disso de farinha de trigo mais grossa. Ver no *Dicionário* o artigo geral sobre *Pesos e Medidas.* Ver, especificamente o ponto III, *Medidas de Capacidade,* B.2, *Coro.* Ver também 6. *Ômer.*

Quanto a carnes, ele precisava de trinta bois diários, cem ovelhas e bodes, e caça selvagem tal como veados, gazelas, corços e aves cevadas. Portanto, Salomão dispunha de grande variedade de comestíveis, que fariam inveja a muitos milionários da atualidade.

Não nos é dito quantas pessoas eram alimentadas por toda essa provisão diária; mas o fato é que Salomão mantinha quarenta mil cavalos e doze mil cavaleiros, e todos eles precisavam ser alimentados. Por conseguinte, as quantidades mencionadas não eram excessivas, embora ricas e de grande variedade. Ver o vs. 26 quanto aos cavalos e cavaleiros de Salomão.

"A capacidade da nação de dar a Salomão as provisões diárias (cf. com o vs. 7) testifica sua prosperidade" (Thomas L. Constable, *in loc.*). Os *doze distritos* formados por Salomão (ver os vss. 7-19 deste capítulo) tinham de suprir a mesa de Salomão, cada distrito durante um mês. Isso era distribuído por todo o território de Israel, excetuando a tribo de Judá, por motivos que podemos tão somente imaginar. Ver os vss. 7-8 deste capítulo.

"Quão imenso deve ter sido o número de pessoas que eram alimentadas diariamente no palácio do rei israelita! Vilalpandus calcula um número nunca inferior a 48 mil pessoas; mas Calvisius pensava em 54 mil pessoas!" (Adam Clarke, *in loc.*). As tradições judaicas, entretanto, falam em sessenta mil pessoas (*Shalshalet, Hakabala,* fol. 8.2). Esses eram os *funcionários* públicos de Salomão, algo que sempre foi uma praga para todos os governos.

O Norte e o Sul se Separam. As tribos do norte (Israel) estavam pagando a conta dos luxos de Salomão e do número imenso de seus funcionários. Havia uma tremenda sobrecarga. Podemos ter certeza de que *uma* das razões pelas quais o norte e o sul, finalmente, se separaram, formando dois reinos, era essa sobrecarga que Salomão impusera às tribos do norte, da qual ele isentara Judá, o sul.

■ 4.24

כִּי־ה֞וּא רֹדֶ֣ה ׀ בְּכָל־עֵ֣בֶר הַנָּהָ֗ר מִתִּפְסַ֙ח֙ וְעַד־עַזָּ֔ה בְּכָל־מַלְכֵ֖י עֵ֣בֶר הַנָּהָ֑ר וְשָׁל֗וֹם הָ֥יָה ל֛וֹ מִכָּל־עֲבָרָ֖יו מִסָּבִֽיב׃

Sobre todos os reis aquém do Eufrates. Ou seja, a oeste desse rio. "O autor sacro, neste versículo, vivia a leste do rio Eufrates; e isso deixa claro que temos aqui o trabalho de um editor exilado" (Norman H. Snaith, *in loc.*).

Tifsa. Esta cidade ficava à margem norte do rio Eufrates.

Gaza. Esta era uma das cidades filisteias, no sul (cf. o vs. 21). Portanto, temos aqui outra afirmação concernente à extensão do reino de Salomão, de norte a sul. Ver sobre *Tifsa* e *Gaza* no *Dicionário*. A paz tinha sido estabelecida, graças às conquistas de Davi sobre as *oito* nações cananeias (ver as notas em 2Sm 10.19). Desfrutando de paz e de muito dinheiro, e de toda a sabedoria de que dispunha, não é de admirar que Salomão tenha conseguido fazer Israel subir à sua maior glória. Ver o artigo chamado *Salomão* como ilustração.

■ 4.25

וַיֵּ֩שֶׁב֩ יְהוּדָ֨ה וְיִשְׂרָאֵ֜ל לָבֶ֗טַח אִ֣ישׁ תַּ֤חַת גַּפְנוֹ֙ וְתַ֣חַת תְּאֵנָת֔וֹ מִדָּ֖ן וְעַד־בְּאֵ֣ר שָׁ֑בַע כֹּ֖ל יְמֵ֥י שְׁלֹמֹֽה׃ ס

Judá e Israel habitavam confiados. O autor sacro enfatiza novamente a *unidade* do país. Tanto o norte quanto o sul participavam de todos os benefícios do governo salomônico. Ele também quis dar a entender que cada homem era um proprietário, e tinha suas próprias provisões, de modo que, para todos os efeitos práticos, gozava de independência financeira. Cada qual possuía suas próprias terras, com sua produção de uvas e figos (e *todas* as demais coisas necessárias para um bom suprimento alimentar, embora essas coisas não sejam especificamente mencionadas).

"Cada indivíduo vivia sob sua videira e sua figueira (vs. 25). Essa é uma expressão figurada que indica paz e prosperidade (cf. Mq 4.4 e Zc 3.10). Tanto a videira quanto a figueira eram símbolos da nação de Israel e retratavam a abundância agrícola que havia na Terra Prometida" (Thomas L. Constable, *in loc.*).

"Os filhos de Israel não eram mais obrigados a habitar em *cidades fortificadas,* por temor a seus adversários. Antes, espalharam-se por todo o território do país, que eles cultivavam em todos os rincões. Eles sempre tinham o privilégio de comer os frutos de seus próprios labores" (Adam Clarke, *in loc.*).

Tipologia. Em Cristo, há abundância espiritual e pleno suprimento para a alma.

Desde Dã até Berseba. Em outras palavras, em *todas* as terras. Estes dois lugares falam sobre o extremo norte e o extremo sul do território de Israel. Ver as notas em 1Sm 3.20 sobre essa expressão. A distância entre esses lugares era apenas de 240 quilômetros, o que significa que Israel era menor do que o Estado de São Paulo. Naturalmente, Salomão ampliou seu reino muito mais ao norte do que Dã, mas a expressão, proverbial que era, continuou a falar sobre a *totalidade* de Israel.

■ 4.26

וַיְהִ֣י לִשְׁלֹמֹ֗ה אַרְבָּעִ֥ים אֶ֛לֶף אֻרְוֺ֥ת סוּסִ֖ים לְמֶרְכָּב֑וֹ וּשְׁנֵים־עָשָׂ֥ר אֶ֖לֶף פָּרָשִֽׁים׃

Tinha também Salomão quarenta mil cavalos. A lei contra a multiplicação de cavalos para o *rei ideal* (Dt 17.16) não foi observada por Salomão. Um rei, poderoso por causa de seus cavalos, carros de combate e outros implementos de guerra, suporia não precisar de Yahweh como seu Capitão. Ele obteria suas *próprias* vitórias. Talvez agora, que Salomão tinha paz e que todos os inimigos de Israel haviam sido subjugados, a lei acerca de cavalos não faria mais sentido. Este texto dá quarenta mil estábulos para cavalos; e 2Crônicas fala em 1.quatrocentos carros de combate e doze mil cavaleiros. Essa massa de cavalos, homens e carros de combate não era guardada em um único lugar, mas sim em lugares chamados *cidades para os carros* (ver 2Cr 9.25; cf. 1Rs 9.19). Muitos eruditos pensam que o número imenso de quarenta mil cavalos deveria dizer quatro mil, supondo a ocorrência de um erro escribal neste ponto do texto. O trecho de 2Cr 9.25 diz 4.000 cavalos, o que provavelmente está incorreto. Vários intérpretes procuram reconciliar os dois números, mediante toda espécie de truques e contorções. É melhor, porém, confessar que um erro entrou no texto de 1Reis devido ao fato de que as letras hebraicas eram usadas em lugar de algarismos. E era fácil trocar uma letra por outra, ou escrever uma em lugar de outra, pois algumas eram extremamente parecidas. O total de quatro mil estábulos seria suficiente para doze mil cavalos!

Tradicionalmente, Israel contava com forças armadas de infantes; e, para derrotar seus formidáveis inimigos, Israel precisava do poder interventor de Yahweh. Este sempre se fizera presente. Mas agora que estava seguro na terra, Israel tornou-se uma potência militar como seus vizinhos, completa com cavalaria, carros de combate etc. Se poderia argumentar que, uma vez que o exército de Salomão era *defensivo,* os cavalos eram permitidos. Mas é melhor ainda dizer que a antiga lei se tornara obsoleta.

Ben Gersom, ao procurar reconciliar entre si os números quarenta mil e quatro mil, supunha que o primeiro representava o número de cavalos, e o segundo, o número de estábulos onde os cavalos eram guardados. Isso é possível, mas não é o que diz o original hebraico, e as reconciliações servem ao propósito de não confessar que erros posteriores conseguiram macular o texto sagrado. Além disso, outros lançam a culpa pelo erro a algum escriba subsequente, e assim aliviam o texto *original* de qualquer equívoco. Mas isso é, igualmente, uma reconciliação insensata a qualquer preço, mesmo que seja à custa da honestidade. Tais questões nada têm a ver com a fé religiosa e constituem problemas somente para os céticos (que *precisam* encontrar erros para sentir-se felizes), ou para os ultraconservadores, que *precisam,* a qualquer custo, não encontrar erros na Bíblia.

■ 4.27

וְכִלְכְּלוּ֩ הַנִּצָּבִ֨ים הָאֵ֜לֶּה אֶת־הַמֶּ֣לֶךְ שְׁלֹמֹ֗ה וְאֵ֧ת כָּל־הַקָּרֵ֛ב אֶל־שֻׁלְחַ֥ן הַמֶּֽלֶךְ־שְׁלֹמֹ֖ה אִ֣ישׁ חָדְשׁ֑וֹ לֹ֥א יְעַדְּר֖וּ דָּבָֽר׃

Forneciam, pois, os intendentes provisões. Mediante essas palavras, o autor sacro faz-nos voltar aos *doze governadores* dos *doze distritos* que ele havia descrito longamente nos vss. 7-19 deste capítulo. Cada um deles teve a responsabilidade de suprir o imenso aparato de funcionários públicos com alimentos por um mês. Ver os comentários sobre o vs. 7. Essa imposição cabia às tribos do norte, pois Judá (que formava o sul) estava isento. E é possível que esse fator tenha sido uma das causas da divisão que, afinal, ocorreu entre o norte e o sul. O povo cansou-se de sustentar o elevado estilo de vida de Salomão. Seja como for, o sistema que Salomão criou trabalhava tão bem que nunca havia ausência do necessário, em momento algum. O vs. 25 mostra-nos que o país inteiro, a despeito de possíveis abusos, prosperava, de modo que nada faltava a homem algum. Israel tornara-se uma nação materialmente próspera, muito além de qualquer coisa antes experimentada.

■ 4.28

וְהַשְּׂעֹרִ֣ים וְהַתֶּ֔בֶן לַסּוּסִ֖ים וְלָרָ֑כֶשׁ יָבִ֗אוּ אֶל־הַמָּקוֹם֙ אֲשֶׁ֣ר יִֽהְיֶה־שָּׁ֔ם אִ֖ישׁ כְּמִשְׁפָּטֽוֹ׃ ס

Também levavam a cevada e a palha para os cavalos e os ginetes. Os próprios cavalos, ainda que fossem somente quatro mil, ou mesmo doze mil (um cavalo para cada cavaleiro), tinham de comer. A Septuaginta diz quatro mil garanhões. As versões árabe e siríaca omitem o vs. 27 (e suas estatísticas), por causa da confusão que entrara no texto sagrado. Além dos cavalos, também são mencionados camelos; mas não nos é dito quantos camelos eram criados por Salomão. Porém, a *Revised Standard Version*, em lugar de camelos, fala em "garanhões velozes", ou seja, cavalos especialmente velozes; e o hebraico original admite essa tradução. A Vulgata Latina talvez tenha a tradução mais correta, ou seja, "bestas de carga". A versão caldaica diz "cavalos de corrida". Talvez Salomão usasse esses cavalos especiais no serviço de comunicação, mais ou menos como os "pony-expresses" da história dos Estados Unidos. A invenção do trem finalmente anulou qualquer necessidade de cavalos ligeiros para transporte dos correios e outras mensagens. John Gill (*in loc.*) pensava que esses outros animais fossem mulas e apontou para 2Cr 9.24. Nesse caso, a ideia da Vulgata Latina está correta, visto que a mula era um animal especialmente usado no transporte de cargas. Mas Ellicott (*in loc.*) declarou aqui: "... provavelmente os cavalos dos mensageiros reais, em distinção aos cavalos usados na guerra". Seja como for, esses incontáveis animais consumiam imensas quantidades de alimentos, e isso fazia parte da provisão que os doze governadores eram obrigados a fornecer a Salomão.

■ 4.29

וַיִּתֵּן אֱלֹהִים חָכְמָה לִשְׁלֹמֹה וּתְבוּנָה הַרְבֵּה מְאֹד וְרֹחַב לֵב כַּחוֹל אֲשֶׁר עַל־שְׂפַת הַיָּם:

Salomão Era Tão Generoso Quanto Sábio. Ver 1Rs 3.1-15 quanto à escolha da sabedoria, por parte de Salomão, em lugar de qualquer outra coisa. Mas tendo escolhido a sabedoria, ele obteve tudo — fama, riquezas, poder e vida longa. Salomão era tão generoso que seu coração fez muitos favores a seus semelhantes, como se fosse a areia dos mares. Essa expressão foi usada para indicar a grande população de Israel (ver 2Sm 7.11 e suas notas comparativas; cf. o vs. 20 do presente capítulo). Ele obteve sua sabedoria da fonte de toda sabedoria (ver Tg 1.5). Ele também conseguiu um coração generoso da mesma fonte, o amor de Deus, e assim comprovou a genuinidade de sua espiritualidade (ver 1Jo 4.7). O homem que nasce de Deus é um homem generoso, pois a generosidade é apenas outro nome para o amor. Ver no *Dicionário* o artigo chamado *Amor*; e na *Enciclopédia de Bíblia, Teologia e Filosofia* o verbete intitulado *Liberalidade, Generosidade*. A ausência da generosidade atrai maldições (ver Pv 28.27) e prova que não amamos a Deus (ver 1Jo 3.17). Também comprova que não temos fé (ver Tg 2.14-16). Somos exortados à generosidade (ver Lc 3.11; 11.41; At 20.35; 1Co 16.1 e 1Tm 6.17,18). Salomão, pois, era um exemplo de homem generoso; mas a missão de Cristo é um exemplo da generosidade divina (Jo 3.16). A generosidade é o amor em ação, um dos aspectos do fruto do Espírito (ver Gl 2.22,23), o solo onde todas as demais virtudes medram e prosperam.

Note-se, neste versículo, quão intimamente estão ligadas a sabedoria e a generosidade. Um homem sábio também se mostra generoso. Salomão era dotado de um conhecimento enciclopédico, mas também fazia doações enciclopédicas. A mente de Salomão continha um oceano de conhecimento, mas esse conhecimento não era estéril. Estendia-se a outros sob a forma de boas obras.

Alguns intérpretes fazem do entendimento a sua "grandeza de coração", referindo-se somente à imensa sabedoria de Salomão, e não veem nenhuma referência à generosidade. Nesse caso, perdemos um significado precioso deste versículo. Mas não perdemos a correção espiritual do conceito. Precisamos considerar outros textos para mostrar quão sábio é sermos generosos, conforme ilustrei anteriormente.

■ 4.30

וַתֵּרֶב חָכְמַת שְׁלֹמֹה מֵחָכְמַת כָּל־בְּנֵי־קֶדֶם וּמִכֹּל חָכְמַת מִצְרָיִם:

Era a sabedoria de Salomão maior do que a de todos os do Oriente. *A sabedoria vem do Oriente*, e a tecnologia vem do Ocidente, "até que o Japão" foi adicionado. Fosse como fosse, o Oriente era conhecido por seus sábios, seus astrólogos, seus mestres espirituais. Israel não tinha nenhum homem que se comparasse com os do Oriente, até que Salomão surgiu e ultrapassou a todos eles. O Egito era uma grande civilização (em sua XIII[a] dinastia), quando Abraão subiu à Palestina como um nômade. Heródoto disse que, para acreditar em todas as maravilhas que existiam no Egito, era mister que o indivíduo fosse até lá para ver as coisas por si mesmo. Mas não havia um único sábio no Egito que se pudesse comparar com Salomão. Naturalmente, tudo era uma obra divina, dada pelo Espírito Santo. Salomão alcançara tamanha sabedoria por concessão de Yahweh, porque fizera uma sábia escolha *e também* porque sua missão em Israel requeria tal sabedoria. Os *Bene Qédhen* (os *filhos do Oriente*) algumas vezes são limitados às tribos árabe-edomitas do sudeste do mar Morto. "A Arábia-Edom era o lar tradicional da sabedoria epigramática que os hebreus tanto admiravam. Cf. Jó 1.3, onde 'todos os do Oriente' são os senhores do deserto da Arábia" (Norman H. Snaith, *in loc.*).

No presente versículo, em que o autor fala sobre o rio Eufrates, a fronteira do extremo norte de Israel (vs. 24), provavelmente o autor também tinha em mente a sabedoria dos assírios, os quais haviam edificado um grande império que, finalmente, acabaria levando a nação do norte (Israel) para o cativeiro. Ver no *Dicionário* o artigo chamado *Cativeiros*.

Estão em pauta os "caldeus, os persas e os árabes, os quais, juntamente com os egípcios, eram famosos por sua sabedoria e conhecimento" (Adam Clarke, *in loc.*). O Egito era a mãe de muitas das artes e ciências, e o mundo subsequente estaria endividado naquele lugar por longo tempo ainda.

■ 4.31

וַיֶּחְכַּם מִכָּל־הָאָדָם מֵאֵיתָן הָאֶזְרָחִי וְהֵימָן וְכַלְכֹּל וְדַרְדַּע בְּנֵי מָחוֹל וַיְהִי־שְׁמוֹ בְכָל־הַגּוֹיִם סָבִיב:

Era mais sábio do que todos os homens. Agora o autor sagrado selecionou alguns indivíduos especialmente sábios, cujos nomes eram conhecidos por qualquer pessoa bem educada. Esses nomes representam várias áreas geográficas, mas nem um deles podia comparar-se a Salomão.

Etã. Este é o nome de várias personagens bíblicas. Entre elas, um renomado sábio, mencionado somente aqui e no título do Sl 89. Tratava-se de um *ezraíta*, o patronímico dos levitas Hemã e Etã (ver 1Rs 4.31). W. F. Albright interpretou a palavra com o sentido de *aborígene*, uma referência a povos pré-israelitas. Alguns daqueles povos antigos foram incorporados a Israel, e alguns deles tornaram-se, com o tempo, levitas.

Hemã, Calcol e Darda, filhos de Maol. O autor sacro estava falando sobre uma gente acerca da qual conhecemos bem pouco, mas que deve ter sido bem conhecida naquela época. Talvez *Hemã* fosse o mesmo filho de Zerá e neto de Judá (ver 1Cr 2.6). *Calcol* era o quarto dentre cinco filhos (ou descendentes) de Zerá (ver 1Cr 2.6). *Darda* era outro de seus filhos, mas no presente texto temos o nome do pai como *Maol*. Os eruditos debatem a identidade de Zerá e Maol, e a maioria deles presume que os dois sejam um só homem, embora não haja prova disso. Ellicott, entretanto, supõe que não deveríamos identificar os dois, e o fato de ambos terem tido filhos de um mesmo nome é pura coincidência. Nesse caso, não temos informações sobre aqueles homens, excetuando o item óbvio de que eram conhecidos por sua sabedoria, embora Salomão ultrapassasse a ambos. Adam Clarke sugeriu que *Maol* é uma referência à "dança", pelo que seriam "filhos da dança", ou seja, especializados nessa arte. Salomão era excelente na poesia, e talvez na música também, mas mesmo nessas artes (se a conjectura de Clarke está com a razão) Salomão os ultrapassava. Ademais, a reputação de Salomão era universal, estando sujeita à discussão em todas as nações em derredor.

Uma antiga tradição judaica fazia Etã ser Abraão; Hemã, Moisés; e Calcol, José. Mas essa é uma interpretação muito fantasiosa (e sem dúvida errônea). (Ver *Hieron. trad. Hb* em 2 Reg. fol. 80.1.)

■ 4.32

וַיְדַבֵּר שְׁלֹשֶׁת אֲלָפִים מָשָׁל וַיְהִי שִׁירוֹ חֲמִשָּׁה וָאָלֶף:

Grande corpo literário e canções foram atribuídos a Salomão, já que ele tinha as habilidades poéticas e musicais de seu pai, através da herança genética e da observação e imitação prática. Talvez os livros canônicos do Antigo Testamento como Provérbios e o Cantares de Salomão contenham uma porção desse corpo literário, mas parece precário fazer as duas coisas meramente idênticas. Estamos imaginando que esses livros bíblicos contêm *seleções* desse corpo maior de literatura. Os intérpretes, naturalmente, veem a inspiração divina nesses livros, e não meramente a habilidade de algum escritor bem dotado. O livro de Eclesiastes (também atribuído a Salomão) contém igualmente algumas das sábias declarações às quais o autor pode ter-se referido no versículo atual. A produção literária de Salomão foi evidentemente prolífica. Salomão chegou a escrever sobre botânica e zoologia (vs. 33). Se esses informes estão corretos, então estamos tratando com uma mente universal, a qual, em certos lugares, digamos a Grécia, teria sido ainda mais produtiva. Israel não era um lugar muito propício para um gênio literário, mas Salomão conseguiu elevar-se muito acima das limitações culturais de seu próprio país.

O *livro de Provérbios* contém apenas cerca de novecentos provérbios distintos, e os primeiros nove capítulos parecem ter sido de um autor diferente. Portanto, esse livro dificilmente pode ser equiparado à totalidade da produção literária de Salomão. Nesse caso, talvez o livro de *Cantares* tenha sido um só livro dentre muitos, o único que sobreviveu e entrou em nossa Bíblia. Naturalmente, Salomão não escreveu mil *cânticos* tão extensos como o livro de Cantares. Talvez estejam em pauta cânticos musicados, pelo menos em parte. Nesse caso, ele produziu muitas composições que foram musicadas, tal como sucedeu aos salmos de Davi. Salomão era uma figura cosmopolita, e muitas de suas composições foram de natureza completamente secular, impróprias para participar de uma coletânea religiosa como o Antigo Testamento.

■ 4.33

וַיְדַבֵּר֘ עַל־הָעֵצִים֒ מִן־הָאֶ֗רֶז אֲשֶׁ֣ר בַּלְּבָנ֔וֹן וְעַד֙ הָאֵז֔וֹב אֲשֶׁ֥ר יֹצֵ֖א בַּקִּ֑יר וַיְדַבֵּר֙ עַל־הַבְּהֵמָ֣ה וְעַל־הָע֔וֹף וְעַל־הָרֶ֖מֶשׂ וְעַל־הַדָּגִֽים׃

Discorreu sobre todas as plantas... também falou dos animais e das aves... *Botânica e Zoologia.* Não é necessário supor que Salomão se tenha tornado um cientista nesses dois campos. suas referências às plantas e aos animais podem ter sido inteiramente poéticas, e não científicas (em contraste com os escritos de homens como Aristóteles, que estavam interessados nas *ciências* conhecidas por esses dois títulos). O autor talvez estivesse apenas salientando que a poesia de Salomão era rica em referências às coisas da natureza, o que é típico de uma boa poesia. Israel não era um bom lugar para um cientista nascer. A tecnologia e a ciência que Israel possuía eram tomadas por empréstimo de países vizinhos. Israel era poderoso em literatura e fé religiosa, e deixava as questões *seculares* para outras nações explorarem.

Adam Clarke (*in loc.*) provavelmente exagerou ao referir-se a Salomão como o *primeiro historiador natural.* Se ele tivesse feito um trabalho valioso quanto a *esse tipo* de literatura, então, muito provavelmente, essa obra teria sido preservada na Bíblia. Não temos, porém, nenhum traço dessa atividade literária. Clarke continua em seus exageros, ao supor que os grandes historiadores naturais (alguns poucos que ele cita por nome) deveriam sentir grande tristeza porque as obras de Salomão se perderam! A verdade é que, provavelmente, tais obras nunca foram escritas, pelo que não poderiam ter-se perdido. A providência de Deus é acusada como o fator que causou a perda dessas obras, mas, ao fazer essa declaração, esse intérprete usualmente nobre caiu no ridículo. A fantasia judaica mostra-se criativa aqui, a ponto de supor que as obras científicas de Aristóteles quanto a essas áreas foram, na verdade, escritas por Salomão, e posteriormente o filósofo grego se declarou o autor. Quão ridículos podemos ser! Salomão foi um homem grande o bastante e pode ser louvado sem precisarmos entrar nessa espécie de contorções. Alguma tradução judaica chegou a dizer que Salomão escreveu sobre outras ciências, como a medicina. Com tais comentários, entramos no terreno da mitologia. Josefo (*Antiq.* viii. cap. 2, par. 5) mostra-se mais sábio ao dizer que as referências de Salomão foram alegóricas e simbólicas, embora ele tivesse tratado dessas coisas como se fosse um *filósofo*. Os autores judaicos da Idade Média chegaram a atribuir a Salomão obras de conhecimento oculto, obras místicas, tratados mágicos, escritos esotéricos etc.

■ 4.34

וַיָּבֹ֙אוּ֙ מִכָּל־הָ֣עַמִּ֔ים לִשְׁמֹ֖עַ אֵ֣ת חָכְמַ֣ת שְׁלֹמֹ֑ה מֵאֵת֙ כָּל־מַלְכֵ֣י הָאָ֔רֶץ אֲשֶׁ֥ר שָׁמְע֖וּ אֶת־חָכְמָתֽוֹ׃ ס

De todos os povos vinha gente a ouvir a sabedoria de Salomão. Temos aqui uma hipérbole tipicamente oriental, mas podemos estar certos de que todas as nações em redor ouviram quão grande e sábio homem era Salomão. Durante seus dias de vida, peregrinações eram feitas a Israel para ver e ouvir o grande homem. Embaixadores eram-lhe enviados para fazer perguntas sobre problemas que, esperava-se, Salomão resolveria. suas "soluções" tornavam-se a alegria dos reis estrangeiros, que tinham menor sabedoria, mas cujos problemas eram tão grandes quanto os de Salomão.

"ele foi reconhecido como o homem mais sábio de seus dias, tal como Deus prometera que seria" (Thomas L. Constable, *in loc.*).

O capítulo 10 de 1Reis ilustra essa declaração com a visita da famosa rainha de Sabá. Parece evidente que Salomão dava aos visitantes livre acesso à sua sabedoria e ensinamentos. Ele deve ter sido um homem ocupado, por ter recebido tantos visitantes! Isso para nada dizermos sobre todas as outras coisas em que ele precisava engajar-se para manter o reino em boa ordem.

CAPÍTULO CINCO

AS ATIVIDADES DE SALOMÃO COMO CONSTRUTOR (5.1—8.53)

O rico Salomão, aumentando cada vez mais em bens materiais, e cheio de zelo da juventude, iniciou uma série de programas de edificação que engrandeceram a Israel e trouxeram fama para o próprio rei. seu primeiro grande projeto de construção foi o templo que Davi quis edificar, mas não recebeu permissão para completar (ver 2Sm 7). Davi tinha provido grande parte do material com antecedência, e o que ainda faltava, Salomão providenciou. Israel não era muito bom quanto às ciências e à tecnologia de construção, por isso teve de contratar potências estrangeiras, e o mesmo se deu quanto a boa parte do material para a construção. Foi Hirão, rei de Tiro, quem prestou a maior parte dessa ajuda. Como resultado, o templo de Israel ficou bastante semelhante ao templo de povos pagãos. Ver no *Dicionário* o artigo chamado *Templo,* quanto aos detalhes. Ver também ali estes três verbetes: *Tiro, Hirão* e *Fenícia*.

"Salomão arranjou com Hirão, de Tiro, a entrega de madeira como cedro e cipreste. Hirão faria flutuar a madeira pela costa do Mediterrâneo, em grandes jangadas, e então desmancharia as jangadas em um lugar combinado. Os homens de Hirão derrubaram as árvores, mas Salomão proveu o trabalho não especializado. Salomão combinou pagar, anualmente, grandes quantidades de trigo e azeite. E também conseguiu as pedras nas pedreiras do território de Efraim. Ou, então, contratou pedreiros fenícios para fazer o corte real das pedras. Esses especialistas eram de Gebal (Biblos), 36 quilômetros ao norte de Beirute" (Norman H. Snaith, *in loc.*).

O *templo* serviria para centralizar a adoração de Israel na capital do país, Jerusalém, e isso foi realizado em grande medida. Entretanto, os antigos santuários como os de Betel e Gibeom continuaram a ser importantes centros de adoração. O antigo tabernáculo foi incorporado ao desenho do templo, de maneira que a tenda, antes levada de um lugar para outro durante as vagueações nômades de Israel, deixou de ser transportada, para tornar-se uma estrutura permanente e fixa. Israel passou então a ser uma nação, e não mais um conjunto de tribos andarilhas pelo deserto.

Hirão era um antigo amigo de Davi (ver 2Sm 5.11,12), e isso facilitou o acordo da construção. Quanto a maiores detalhes, ver os vários artigos mencionados que explicam toda a história.

■ 5.1

וַיִּשְׁלַ֡ח חִירָם֩ מֶ֨לֶךְ־צ֤וֹר אֶת־עֲבָדָיו֙ אֶל־שְׁלֹמֹ֔ה כִּ֣י שָׁמַ֔ע כִּ֥י אֹת֛וֹ מָשְׁח֥וּ לְמֶ֖לֶךְ תַּ֣חַת אָבִ֑יהוּ כִּ֣י אֹהֵ֥ב הָיָ֛ה חִירָ֥ם לְדָוִ֖ד כָּל־הַיָּמִֽים׃ ס

Enviou também Hirão, rei de Tiro. Ver os nomes próprios no *Dicionário*. Uma antiga amizade entre Davi e Hirão facilitou o propósito de Salomão na construção do templo. Ver 2Sm 5.11,12 quanto ao pano de fundo. Ver o artigo chamado *Templo de Jerusalém,* quanto à planta horizontal e outros detalhes concernentes à questão.

De suas duas principais cidades, Tiro e Sidom, os fenícios efetuavam uma vasta aventura marítima, havendo evidências de que eles tenham chegado às Américas. Seus dois principais artigos de comércio eram a madeira de cedro e a tintura de cor púrpura (da qual eles derivavam seu nome). Cerca de um século depois do reinado de Salomão, eles estabeleceram a cidade fenícia mais famosa, *Cartago,* ao norte do continente africano, a qual daria tanto trabalho aos romanos, séculos mais tarde.

O nome *Tiro* significa "rocha". Esta cidade foi construída em uma espécie de ilhota rochosa a cerca de 800 metros de distância da praia do mar Mediterrâneo. A rocha tinha cerca de 1.seiscentos metros de comprimento por 1.duzentos metros de largura. Tiro tinha um porto duplo, um ao norte e outro ao sul, e era acessível em qualquer das estações do ano. Para conquistar o lugar, Alexandre, o Grande, foi obrigado a edificar um caminho elevado com 60 metros de largura para chegar à cidade. Até então, a cidade havia resistido a todas as tentativas de cerco, inclusive por parte dos babilônios. Desde os tempos antigos, a areia foi ocupando a bacia de águas entre o continente e a ilhota rochosa, pelo que o hiato acabou cheio com o tempo.

A *Septuaginta* e a versão de Luciano têm uma nota de como Hirão enviou seus servos para ungir a Salomão, um costume descrito nos tabletes de Tell El-Amarna (ver a respeito no *Dicionário*). Mas não sabemos se essa informação é historicamente exata ou se é fantasia de algum editor posterior. Ver no *Dicionário* o artigo chamado *Fenícia*.

■ 5.2,3

וַיִּשְׁלַח שְׁלֹמֹה אֶל־חִירָם לֵאמֹר׃

אַתָּה יָדַעְתָּ אֶת־דָּוִד אָבִי כִּי לֹא יָכֹל לִבְנוֹת בַּיִת לְשֵׁם יְהוָה אֱלֹהָיו מִפְּנֵי הַמִּלְחָמָה אֲשֶׁר סְבָבֻהוּ עַד תֵּת־יְהוָה אֹתָם תַּחַת כַּפּוֹת רַגְלָו

Então Salomão enviou mensageiros a Hirão. Sendo um antigo amigo de Davi, *Hirão* sabia do seu desejo de construir o templo de Jerusalém. E também sabia que o homem de guerra, Davi, não recebeu permissão, da parte de Yahweh, para realizar a construção. Sem dúvida, Hirão era simpático ao propósito, e Salomão não precisou apelar para nenhum argumento a fim de conseguir a ajuda dele. Precisou apenas relembrar ao homem sua antiga amizade com Davi.

Davi tinha conseguido vencer todos os seus inimigos. Aqueles aos quais não tinha podido obliterar, ele os confinou em seus territórios. Ver 2Sm 10.19 quanto às *oito* nações inimigas que Davi vencera. Terminada essa tarefa, chegou o tempo propício para seu filho, Salomão, prosseguir com os programas de edificação, que dificilmente poderiam começar enquanto Israel estivesse cercado por povos inimigos. Ver em 1Rs 4.24,25 quando a paz prevaleceu. Yahweh havia aprovado o plano, e Salomão foi o instrumento humano para a construção do templo. Outras figuras ajudaram no projeto, o que é sempre necessário quando alguma grande obra está sendo realizada.

1Cr 22.4 fala-nos do acúmulo de materiais, feito por Davi, para a construção do templo, portanto, embora não tivesse sido ele o construtor do templo, efetuara o trabalho de preparação necessário. Hirão, sem dúvida, já havia contribuído com parte apreciável do material. Davi havia construído um tabernáculo temporário em Jerusalém. O antigo tabernáculo continuava em Gibeom. Ver sobre o *tabernáculo provisório* em 2Sm 3.7. Agora o templo uniria as funções sagradas na capital do país, Jerusalém, mas os antigos santuários continuariam a ter sua importância. Ver 1Cr 22.8 quanto à explicação de que Davi fora um homem que tinha derramado muito sangue, e por isso não estava qualificado a edificar o templo. O vs. 3 não toca nessa razão, mas apenas afirma que Davi estava muito ocupado em várias guerras para atarefar-se com os programas de construção.

■ 5.4

וְעַתָּה הֵנִיחַ יְהוָה אֱלֹהַי לִי מִסָּבִיב אֵין שָׂטָן וְאֵין פֶּגַע רָע׃

O Senhor meu Deus me tem dado descanso. Salomão tinha alguns assassinatos pesando em sua consciência, por meio de seus *expurgos,* quando estava firmando o reinado (ver 1Rs 2). Suponho que seria difícil encontrar um homem em idade de guerra e de capacidade guerreira, em Israel, que não tivesse matado alguém. Em comparação a outros, porém, Salomão estava *limpo.* E também desfrutava o descanso e a paz que as conquistas de Davi haviam permitido. Ademais, ele era o *instrumento* divinamente escolhido para a tarefa de construir o templo e expandir o reino. Portanto, ele ansiava prosseguir com a tarefa.

Os projetos de construção requeriam cronogramas e condições apropriadas. Os projetos de Salomão foram concluídos porque a Mente Divina proveu *todas* as condições necessárias. Oh, Senhor, concede-nos tal graça!

Não há nem inimigo. No hebraico, essa última palavra é *satan,* mas um diabo pessoal não é o que está em pauta aqui. Antes, a menção é a qualquer adversário humano que poderia perturbar as coisas. No livro de Jó, *Satanás* é achado no palácio de Deus, e tinha por dever verificar quão bons ou malignos eram os homens, a fim de submetê-los a teste. Obviamente, a doutrina de *Satanás* desenvolveu-se. Ver no *Dicionário* o verbete chamado *Satanás.* Ver 1Cr 21.1 (cf. 2Sm 24.1), onde o termo já parece ter-se tornado um nome próprio.

■ 5.5

וְהִנְנִי אֹמֵר לִבְנוֹת בַּיִת לְשֵׁם יְהוָה אֱלֹהָי כַּאֲשֶׁר דִּבֶּר יְהוָה אֶל־דָּוִד אָבִי לֵאמֹר בִּנְךָ אֲשֶׁר אֶתֵּן תַּחְתֶּיךָ עַל־כִּסְאֶךָ הוּא־יִבְנֶה הַבַּיִת לִשְׁמִי׃

Pelo que intento edificar uma casa ao nome do Senhor. Yahweh ficara agradado com o desejo de Davi edificar o templo e dera sua palavra de aprovação ao projeto. Mas o tempo da construção ainda não havia chegado. Salomão seria o correto instrumento no tempo certo. Ver em 2Sm 7 o desejo original de Davi e a permissão divina acerca da construção do templo. Natã, o profeta, proferiu essa boa palavra.

Senhor meu Deus. No hebraico, *Yahweh-Elohim,* ou seja, o Deus Todo-poderoso e eterno, que tinha baixado as ordens de aprovação do plano de Davi. Ver no *Dicionário* o verbete chamado *Deus, Nomes Bíblicos de.*

O templo seria um *memorial* de Salomão.

O melhor memorial para um homem poderoso consiste em ganhar honra antes de morrer.

Beowulf

A Salomão foram dados o privilégio e a honra de ver seu grande projeto realizado.

Bem-aventurados os pacificadores.

Mateus 5.9

Paz na terra entre os homens, a quem ele quer bem.

Lucas 2.14

Nem aprenderão mais a guerra.

Isaías 2.4

■ 5.6

וְעַתָּה צַוֵּה וְיִכְרְתוּ־לִי אֲרָזִים מִן־הַלְּבָנוֹן וַעֲבָדַי יִהְיוּ עִם־עֲבָדֶיךָ וּשְׂכַר עֲבָדֶיךָ אֶתֵּן לְךָ כְּכֹל אֲשֶׁר תֹּאמֵר כִּי אַתָּה יָדַעְתָּ כִּי אֵין בָּנוּ אִישׁ יֹדֵעַ לִכְרָת־עֵצִים כַּצִּדֹנִים׃

Do Líbano me cortem cedros. Ver no *Dicionário* o verbete intitulado *Cedro.* O Líbano, naturalmente, era famoso por seus cedros, e os fenícios usavam-no como um dos principais produtos de seu comércio. Eles tinham ótimos cortadores de cedro. Salomão proveria trabalhadores sem especialização, mas não podia competir com as habilidades dos artífices estrangeiros. Quanto ao *cedro do Líbano,* ver a quarta seção do artigo chamado *Cedro.* Essa madeira

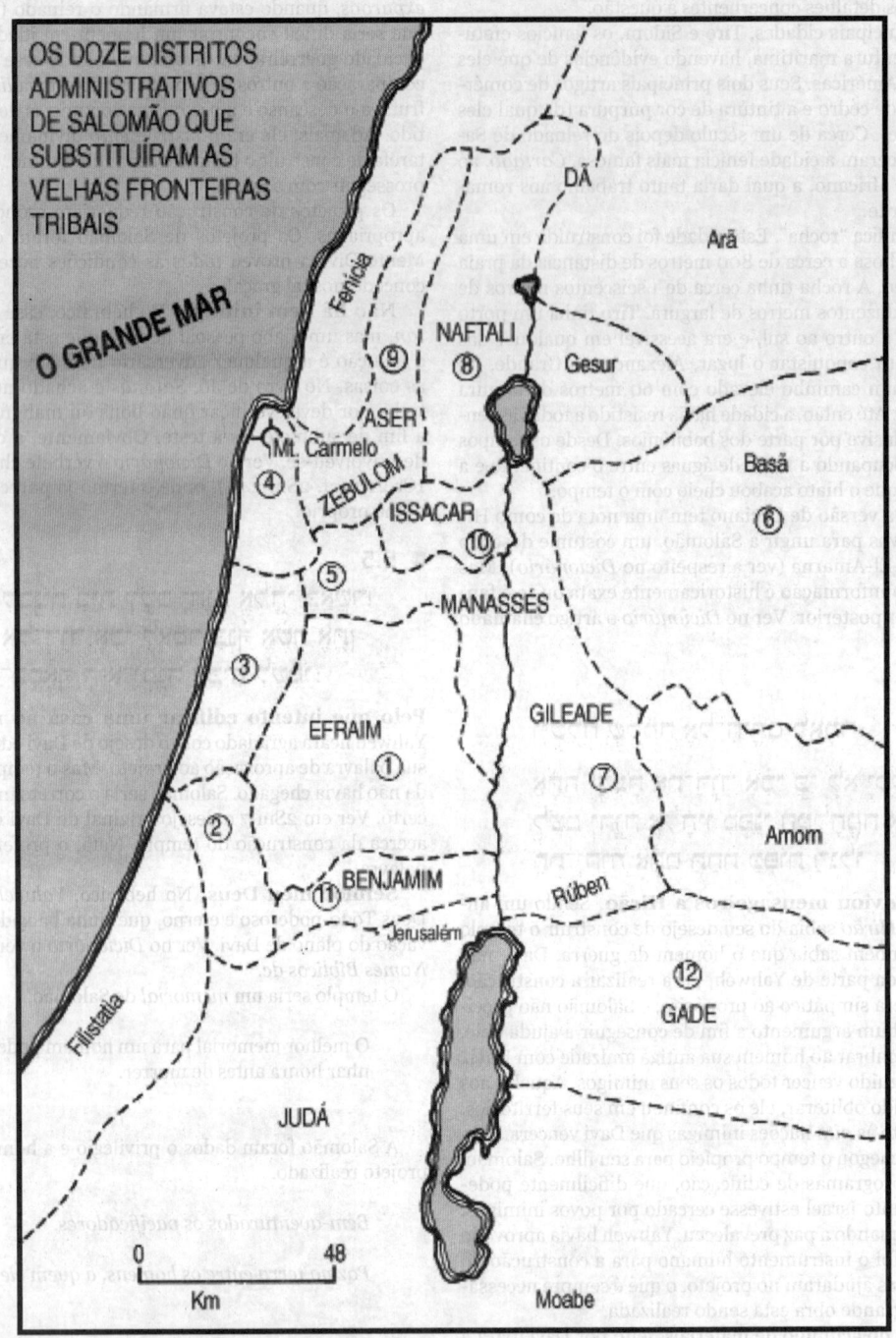

AS VELHAS TRIBOS E OS NOVOS DISTRITOS

Israel conquistou a Palestina, tirando as terras de sete nações pela força, e então as dividiu entre as doze tribos de Israel. Cada tribo, clã, família e indivíduo recebeu suas heranças de terra. Não houve pessoas *sem-terra* em Israel. A instituição das tribos perdurou do tempo de Josué (cerca 1440 a.C.) até o cativeiro assírio (722 a.C.).

Salomão achou conveniente dividir a terra em doze distritos que não retiveram as velhas fronteiras tribais. 1Reis 4.7 mostra que a função dos distritos era fornecer alimentos e conforto para a vasta máquina administrativa de Salomão, que vivia no maior luxo possível. A família real, os nobres e os governantes dos níveis mais altos receberam tratamento real pelos pobres súditos. Este arranjo enfraqueceu as lealdades tribais, o que ajudou Salomão a unificar o país segundo o agrado dele. Israel foi nacionalizado. O filho de Salomão, que se tornou rei depois dele, o inepto Reoboão, continuou os excessos de seu pai sem nenhum exercício de sua sabedoria e logo causou a divisão do reino em norte (Israel) e sul (Judá).

O cativeiro assírio terminou com a existência das dez tribos. Judá continuou a história de Israel.

era usada na construção de templos, como os de Diana e Apolo, e essa madeira também era usada popularmente para residências de luxo. Além disso, era empregada em veículos de guerra e instrumentos vários.

"Os cedros do Líbano eram famosos desde a antiguidade, sua madeira era dura e, assim, resistente ao apodrecimento e aos insetos. De acordo com Plínio, um teto feito de cedro, num templo em Éfeso, perdurou por quatrocentos anos. A madeira tem uma granulação fina, pelo que se presta admiravelmente a trabalhos de entalhe. sua fragrância é notável. Houve tempo em que os cedros cobriam a totalidade do território libanês, o Antilíbano e, na direção do norte para o oeste, chegava às montanhas do Tauro. Era uma madeira muito cobiçada por todo o Oriente Próximo e Médio, onde havia largas faixas de terras sem árvores. O avanço dos assírios na direção do mar Mediterrâneo, a partir do século XII a.C. tinha, como um dos objetivos, a possessão dessas árvores de cedro" (Norman H. Snaith, *in loc.*). Restam agora poucas árvores de cedro naquela área, antes completamente recoberta. Grandes são os crimes ecológicos do homem.

Referências literárias atestam a habilidade dos sidônios com a madeira, bem como em trabalhos de artífice de toda espécie. Os robes bordados de Andromache e a taça de prata de Aquiles eram atribuídos à produção deles (Homero, *Ilíada*, VI.290; xxiii.741-744).

■ 5.7

וַיְהִ֞י כִּשְׁמֹ֧עַ חִירָ֛ם אֶת־דִּבְרֵ֥י שְׁלֹמֹ֖ה וַיִּשְׂמַ֣ח מְאֹ֑ד וַיֹּ֗אמֶר בָּר֤וּךְ יְהוָה֙ הַיּ֔וֹם אֲשֶׁ֨ר נָתַ֤ן לְדָוִד֙ בֵּ֣ן חָכָ֔ם עַל־הָעָ֥ם הָרָ֖ב הַזֶּֽה׃

Hirão, longe de mostrar-se mesquinho ou parcimonioso, ficou muito satisfeito com a mensagem e a proposta de Salomão. Davi fora seu amigo, e ele queria que Salomão também o fosse. Além disso, Hirão mostrou-se *entusiasmado* com os projetos de Salomão e desejava tomar parte na construção. Hirão chegou a abençoar Yahweh por haver dado a Davi um filho tão sábio quanto Salomão. Ele poderia ter um inimigo amargurado mais ao sul de seu território. Em vez disso, sua amizade com Israel foi confirmada. Ele reconhecia que Israel se tornara um *grande povo*. Quanto a isso, ver 1Rs 3.8 e 4.20. Ele estava ansioso por cooperar em paz e trabalhar tendo em vista objetivos e realizações comuns.

As referências religiosas de Hirão (o reconhecimento de Yahweh) podem indicar que ele o tinha incluído em sua fé sincretista, embora não seja provável que ele se tenha convertido à fé dos hebreus. Cf. isso com a declaração mais forte de 2Cr 2.12-16. "seu reconhecimento de Yahweh serviu como sinal de sua deferência para com Israel, e não como uma clara aceitação dele como o verdadeiro Deus" (Ellicott, *in loc.*). Se tivesse havido mais do que isso na questão, o autor sagrado sem dúvida teria registrado especificamente.

■ 5.8

וַיִּשְׁלַ֤ח חִירָם֙ אֶל־שְׁלֹמֹ֣ה לֵאמֹ֔ר שָׁמַ֕עְתִּי אֵ֥ת אֲשֶׁר־שָׁלַ֖חְתָּ אֵלָ֑י אֲנִ֤י אֶֽעֱשֶׂה֙ אֶת־כָּל־חֶפְצְךָ֔ בַּעֲצֵ֥י אֲרָזִ֖ים וּבַעֲצֵ֥י בְרוֹשִֽׁים׃

Farei toda a tua vontade. Hirão faria tudo quanto Salomão havia pedido. Os cedros e ciprestes necessários seriam providos. Salomão não tinha mencionado essas outras árvores, os ciprestes, ou a apresentação feita pelo autor sacro fora abreviada. Seja como for, haveria um suprimento abundante de materiais de construção, bem como de operários especializados (vs. 9). Ver no *Dicionário* o artigo chamado *Cipreste*. A madeira dessa árvore também era odorífera, resistente e durável. A apresentação de Josefo da mensagem de Salomão incluía essa madeira de cipreste (*Antiq.* 1.8, cap. 2, sec. 3). Mas alguns intérpretes veem aqui uma espécie de *pinheiro*, e não o cipreste.

■ 5.9

עֲבָדַ֞י יֹרִ֤דוּ מִן־הַלְּבָנוֹן֙ יָ֔מָּה וַ֠אֲנִי אֲשִׂימֵ֨ם דֹּבְר֤וֹת בַּיָּם֙ עַֽד־הַמָּק֖וֹם אֲשֶׁר־תִּשְׁלַ֣ח אֵלַ֑י וְנִפַּצְתִּ֣ים שָׁ֔ם וְאַתָּ֖ה תִּשָּׂ֑א וְאַתָּה֙ תַּעֲשֶׂ֣ה אֶת־חֶפְצִ֔י לָתֵ֖ת לֶ֥חֶם בֵּיתִֽי׃

Os meus servos os levarão. Um trabalho de especialistas. Não bastava ter o material. Seriam necessários homens especializados para a derrubada e o transporte das árvores. Os fenícios tinham especialistas em ambos os campos de atividade, ao passo que Israel não possuía nem madeireiros nem marinheiros. O *suprimento de Deus* de toda espécie estava ali, porque a vontade divina estava envolvida na questão. *Jangadas* foram escolhidas como o meio apropriado de transporte para a madeira. Essas jangadas seriam desamarradas ao chegarem ao destino certo, e então a madeira assim transportada seria utilizada. Se o material fosse embarcado em Tiro, a viagem pelo mar percorreria cerca de 210 quilômetros. Então a madeira teria de ser transportada por terra por cerca de 56 quilômetros. Mas alguns estudiosos pensam em Jope como o lugar de onde a madeira seria enviada até Jerusalém, por via terrestre. Isso significa que, pela água, o transporte seria feito de Tiro a Jope. E, por terra, de Jope a Jerusalém.

Dando provisões à minha casa. *Pagamento.* Hirão tinha muita madeira, mas seu suprimento de boca era deficiente. Em contraste com isso, Salomão desfrutava grandes colheitas e tinha abundância de víveres, conforme demonstra o quarto capítulo de 1Reis. Portanto, como pagamento pela madeira e pelo trabalho de seus homens, Hirão queria parte dessa abundância para o palácio real e para seus empregados. Os vss. 10,11 deste capítulo mostram que o acordo foi firmado e as trocas foram feitas. Posteriormente, Israel continuou a suprir alimentos para os fenícios. Ver Ed 3.7; Ez 27.17; At 12.20. Israel supria as regiões do norte com alimentos diversos, trigo, mel, azeite e bálsamo.

■ 5.10

וַיְהִ֣י חִיר֗וֹם נֹתֵ֤ן לִשְׁלֹמֹה֙ עֲצֵ֣י אֲרָזִ֔ים וַעֲצֵ֖י בְרוֹשִׁ֑ים כָּל־חֶפְצֽוֹ׃

O Suprimento Foi Grande. Salomão recebeu material de construção em abundância. Nada lhe faltou.

> *Deus pode fazer-vos abundar em toda graça, a fim de que, tendo sempre, em tudo, ampla suficiência, superabundeis em toda boa obra.*
>
> 2Coríntios 9.8

■ 5.11

וּשְׁלֹמֹה֩ נָתַ֨ן לְחִירָ֜ם עֶשְׂרִ֨ים אֶ֤לֶף כֹּר֙ חִטִּים֙ מַכֹּ֣לֶת לְבֵית֔וֹ וְעֶשְׂרִ֥ים כֹּ֖ר שֶׁ֣מֶן כָּתִ֑ית כֹּֽה־יִתֵּ֧ן שְׁלֹמֹ֛ה לְחִירָ֖ם שָׁנָ֥ה בְשָׁנָֽה׃ פ

Vinte mil coros de trigo. Cada coro valia, aproximadamente, 189 litros. Isso equivalia a 3.780 toneladas por ano. Ver o artigo *Pesos e Medidas*, especificamente a seção IIIB. 2 e 6, no *Dicionário*.

Vinte coros de azeite batido. Assim dizem o texto massorético e o antigo texto hebraico. Ver no *Dicionário* os verbetes chamados *Massora (Massorah)* e *Texto Massorético*. Quanto a informações gerais sobre os manuscritos, ver o artigo *Manuscritos do Antigo Testamento*, no *Dicionário*. A Septuaginta, a versão de Luciano, de Josefo e a versão siríaca, bem como 2Cr 2.10, dizem "vinte mil coros". Isso equivalia a 3,780 toneladas de azeite por ano. Essa quantidade, sem dúvida, está historicamente correta. Os "vinte" podem ser erro de um escriba copista, ou talvez do autor original. Os números são sempre problemáticos no hebraico, pois eram usadas letras hebraicas para representar os números, e algumas delas eram muito parecidas entre si. O óleo era *batido* em um pilão, e isso provia um azeite de melhor qualidade do que o processo de extraí-lo com os pés, em um lagar. 1Cr 2.10 menciona também a cevada e o vinho como parte do negócio.

"A informação deste versículo sobre as quantidades pagas anualmente a Hirão é deficiente, devendo ser suplementada por 2Cr 2.10. Notemos, porém, que em 2Crônicas é usada a medida *bato*" (Adam Clarke, *in loc.*). O bato era a décima parte do coro. Portanto, ficamos aqui na dúvida sobre de quanto era o pagamento anual que Salomão fazia a Hirão. Ver no *Dicionário* o artigo chamado *Pesos e Medidas*, seção IIA.1, quanto ao *bato*. Não podemos ter certeza sobre quanto valia essa medida, sendo provável que ela variasse de tempo para tempo.

5.12

וַיהוָה נָתַן חָכְמָה לִשְׁלֹמֹה כַּאֲשֶׁר דִּבֶּר־לוֹ וַיְהִי שָׁלֹם בֵּין חִירָם וּבֵין שְׁלֹמֹה וַיִּכְרְתוּ בְרִית שְׁנֵיהֶם׃

Além da troca econômica, uma aliança foi estabelecida entre Salomão e Hirão, e a paz entre Israel e a Fenícia ficou garantida durante o período em que eles viveram. Salomão continuou a demonstrar sua sabedoria incomum e houve paz e prosperidade generalizada. O hebraico diz aqui *cortar um tratado.* Havia o costume de cortar um javali em pedaços, entre os quais passavam as pessoas envolvidas no pacto, e esse sacrifício e ritual davam testemunho do acordo entre os dois lados. A ideia era que os dois lados, identificando-se com a vida do animal sacrificado, tornavam-se participantes dessa mesma vida. Ver Gn 15.9-21 quanto a uma passagem paralela que envolve esse ritual. Cf. também Jr 24.18. Naquela passagem, uma vaca foi cortada em dois pedaços. Os romanos falavam em "ferir um tratado". A ideia nesse caso era que Júpiter, a testemunha celeste do tratado, feriria a parte que quebrasse o acordo. Em antecipação a esse ferimento, havia o ferimento do animal pelo sacerdote, que o dividia com uma face de pedra sílex. Portanto, a face de pedra sílex era contra a infidelidade nos tratados.

Salomão fez paz com Hirão, o que era contrário às demandas da lei acerca da *guerra santa,* por meio da qual Israel deveria aniquilar todos os seus inimigos. Quanto a esse tipo de guerra, ver Dt 7.1-5 e 20.10-18. Os tírios não faziam parte das *sete* nações com quem era proibido estabelecer alianças. Ver uma lista das nações a serem expulsas ou aniquiladas em Êx 33.2 e Dt 7.1.

5.13

וַיַּעַל הַמֶּלֶךְ שְׁלֹמֹה מַס מִכָּל־יִשְׂרָאֵל וַיְהִי הַמַּס שְׁלֹשִׁים אֶלֶף אִישׁ׃

Uma leva de trabalhadores. Salomão enviou homens para fazer o trabalho não especializado, ajudando aos operários especializados em madeira, de Hirão. Eles também ajudariam a carregar as jangadas e a desamarrá-las em Jope, de onde o transporte seria feito por terra, até Jerusalém. Os intérpretes supõem que alguns desses trabalhadores fossem escravos e que o trabalho seria forçado. Ver 1Rs 9.15. Que Salomão tinha operários escravos, sem dúvida é verdade.

"A descrição (ver os vss. 13 e 14) sugere — o que é confirmado pela história do Êxodo, pelos monumentos do Egito e pelas descrições de Heródoto, sobre a edificação das pirâmides — que havia vastos sacrifícios de vidas humanas nesse tipo de labor, através do qual (por causa da ausência de máquinas) os grandes monumentos do mundo antigo foram construídos" (Ellicott, *in loc.*). O trabalho forçado de Salomão envolveu a vida de muitos não hebreus, conforme vemos em 2Cr 8.7,8. O trabalho forçado era desagradável para os hebreus (ver 1Rs 12.18).

5.14

וַיִּשְׁלָחֵם לְבָנוֹנָה עֲשֶׂרֶת אֲלָפִים בַּחֹדֶשׁ חֲלִיפוֹת חֹדֶשׁ יִהְיוּ בַלְּבָנוֹן שְׁנַיִם חֳדָשִׁים בְּבֵיתוֹ וַאֲדֹנִירָם עַל־הַמַּס׃ ס

Eles trabalhavam por turnos, de modo que trabalhavam um mês e descansavam dois. Isso sugere a grande e laboriosa obra que estava sendo efetuada. Cada turno consistia em dez mil homens, o que demonstra, por sua vez, que o método de Salomão era mais humanitário que os usados por outros povos. Se escravos estavam mesmo envolvidos, então até eles recebiam benefícios do *modus operandi* de Salomão. Mas o vs. 14 provavelmente fala sobre os hebreus, ao passo que o vs. 15 põe os escravos dentro do quadro.

Adonirão dirigia a leva. Este homem era o grande chefe do projeto no tocante à parte realizada pelos hebreus. Talvez estivesse em vista o mesmo homem responsável pelo recolhimento de impostos (ver em 1Rs 4.6 quanto a notas e informações). Ver o artigo sobre ele, no *Dicionário,* quanto a detalhes completos.

5.15

וַיְהִי לִשְׁלֹמֹה שִׁבְעִים אֶלֶף נֹשֵׂא סַבָּל וּשְׁמֹנִים אֶלֶף חֹצֵב בָּהָר׃

Setenta mil. Estes homens também foram forçados a trabalhar como *carregadores,* realizando assim o trabalho capaz de quebrar as costas. Havia também oitenta mil homens que trabalhavam como tiradores de pedras, outro trabalho árduo. 2Cr 2.17,18 nos dá a entender que esses oitenta mil homens eram estrangeiros, e provavelmente escravos. Alguns estudiosos acreditam que eles eram convertidos à fé hebraica, mas mesmo assim estou sugerindo que eles desempenhavam as tarefas pesadas que os hebreus evitavam, e que, na realidade, eram escravos. Também não é dito claramente que esses trabalhavam por um tempo e descansavam por outro (como sucedia com aqueles mencionados no vs. 14). Isso pode significar que o vs. 14 descreve *hebreus,* em contraste com os estrangeiros do vs. 15. As condições de trabalho não são iguais para os cidadãos e para os estrangeiros que eram residentes permanentes.

Provavelmente, as pedras eram extraídas das colinas ao redor de Jerusalém. Jacob Leon diz-nos que o número de trabalhadores na edificação do templo (por sete anos) foi de 163 mil. Mas há os que pensam que esse número total seja ainda mais alto. Maciços quadrados de pedra calcária eram retirados e transportados a Jerusalém, novamente através do labor humano, com a ajuda de animais.

5.16

לְבַד מִשָּׂרֵי הַנִּצָּבִים לִשְׁלֹמֹה אֲשֶׁר עַל־הַמְּלָאכָה שְׁלֹשֶׁת אֲלָפִים וּשְׁלֹשׁ מֵאוֹת הָרֹדִים בָּעָם הָעֹשִׂים בַּמְּלָאכָה׃

Adonirão era o grande chefe dos trabalhadores. Além disso, havia subordinados, oficiais, chefes, capatazes, cujo total alcançava 3.trezentos homens. Todos deviam prestar contas a Adonirão, e cada homem tinha sua própria missão a cumprir. A *organização* tornaria o trabalho mais leve e rápido. O trecho paralelo, 2Cr 2.18, fala em 3.seiscentos homens, e esse é o número que aponta a Septuaginta. Não há um meio seguro de reconciliar as figuras, e tal reconciliação não tem nenhuma importância. Mas é provável que devamos entender que aqueles trezentos homens sejam os *mestres de obras* que figuram no começo do versículo e não foram aqui numerados. Mas note-se o singular, "chefe", que aparece em algumas versões (embora nossa versão portuguesa diga "chefes"). A tradução correta continua em dúvida, e também há incerteza quanto ao número total dos trabalhadores.

5.17

וַיְצַו הַמֶּלֶךְ וַיַּסִּעוּ אֲבָנִים גְּדֹלוֹת אֲבָנִים יְקָרוֹת לְיַסֵּד הַבָּיִת אַבְנֵי גָזִית׃

Que trouxessem pedras grandes e pedras preciosas. Pedras grandes e caras eram escavadas das colinas em torno de Jerusalém, e isso por ordem do rei. Ele era o grande supervisor da tarefa e tomou conta de todos os detalhes. Afinal, o projeto era *dele.* Yahweh lhe tinha atribuído a missão. Mas ele precisava de muita ajuda. A maioria dos grandes projetos consiste, necessariamente, em esforços de equipe.

"Tais pedras eram necessárias, não tanto para o alicerce do templo, que era pequeno, mas para a substrutura da área, formada como um quadrado no cume irregular do monte Moriá. Nessa substrutura grandes pedras ainda podem ser vistas e são referidas por muitas autoridades. O trabalho de transporte deve ter sido enorme" (Ellicott, *in loc.*).

O projeto inteiro era *caro,* no que diz respeito a trabalho, tempo e dinheiro.

Tipologia. Alguns eruditos veem aqui o alicerce da Igreja de Cristo, custoso, preciso (ver Is 54.11 e Ap 21.19).

5.18

וַיִּפְסְלוּ בֹּנֵי שְׁלֹמֹה וּבֹנֵי חִירוֹם וְהַגִּבְלִים וַיָּכִינוּ הָעֵצִים וְהָאֲבָנִים לִבְנוֹת הַבָּיִת׃ פ

O esforço de cooperação rendeu resultados positivos.

Os giblitas. Ver sobre *Gebal* no *Dicionário*. "Os homens de Gebal (moderna Biblos, 21 quilômetros ao norte de Beirute e pouco mais de 96 quilômetros ao norte de Tiro) deram uma significativa contribuição ao preparar madeira e pedras juntamente com os artífices de Salomão e Hirão" (Thomas L. Constable, *in loc.*).

Os homens de Gebal estavam sob a autoridade de Hirão, e podem ter sido submetidos a um regime de trabalho forçado. Eles eram conhecidos como operários habilidosos naquele tipo de trabalho. Cf. Ez 27.9. Alguns identificam os gentios da Igreja com os homens de Gebal, levados ao templo espiritual, a Igreja do Novo Testamento. Ver Zc 6.15. "Visto que o número de estrangeiros que trabalharam no templo era muito maior do que o número de israelitas, isso pode, realmente, denotar o grande número de gentios na igreja-estado do evangelho" (John Gill, *in loc.*).

CAPÍTULO SEIS

Continuamos aqui na seção iniciada em 1Rs 5.1, mas agora chegamos à construção real do templo de Jerusalém (ver 1Rs 6.1-38). Provi no *Dicionário* um artigo detalhado sobre o *Templo de Jerusalém,* o qual permite que meus comentários aqui sejam breves.

O Grande Programa de Edificação de Salomão. "O templo fazia parte de um esquema maior que envolveu, ao todo, vinte anos de trabalho (cf. 1Rs 9.10). O conjunto inteiro de edificações ficava encerrado dentro de um grande átrio, circundado por três fileiras de pedras lavradas e uma fileira de vigas de madeira. O átrio do templo ficava no lado norte. No lado sul do templo havia o átrio do palácio, que continha a *casa real,* com a casa da filha do Faraó imediatamente atrás, no canto noroeste. No lado sul do átrio do palácio havia a sala do trono, com uma entrada através de colunas. Novamente no sul, e isolada de todo o resto dos edifícios, havia a Casa da Floresta do Líbano (7.2). As fundações de todos os edifícios eram feitas de pedras gigantescas, com paredes de pedras lavradas, recobertas de cedro por dentro, do soalho ao teto, com colunas de cedro na casa de colunas e três fileiras de quinze colunas cada na casa da Floresta do Líbano" (Norman H. Snaith, sobre a introdução ao sétimo capítulo).

O *templo* não era meramente um grande monumento arquitetônico. Ele tornou possível a *centralização* da adoração e do ritual dos hebreus na capital, Jerusalém. Antigos santuários, como os de Betel e de Gibeom, continuavam retendo alguma importância, mas os rituais do antigo tabernáculo foram incorporados ao novo templo, agora considerado o santuário de número um. Foi assim que Jerusalém se tornou a capital em todos os sentidos, social, econômico e religioso.

Os hebreus tinham sido um povo nômade. Agora haviam fortificado cidades e contavam com uma grande estrutura religiosa que alterou completamente seu modo de vida. Cf. o 2Sm 7. Davi primeiramente construiu sua própria casa de cedro. Em seguida, quis construir um templo permanente para Yahweh, mas tal missão não lhe foi confiada. Foi confiada, sim, a Salomão, seu filho, o agente divino para tal propósito. Comparativamente, Salomão não era homem de sangue como seu pai, e desfrutava a paz e a prosperidade necessária para levar avante o extenso programa de edificações, que incluía, como seu alvo central, o templo. Ver as notas expositivas em 1Reis 5.3.

É provável que um *documento especial do templo* tenha sido a origem do material do autor para os capítulos 6 e 7 de 1Rs. Os hebreus mostravam-se cuidadosos sobre os registros históricos, e é difícil imaginar que não tivesse sido escrito nenhum documento especial a respeito do programa de edificações de Salomão. Parece ter havido alguma mistura de materiais que se aplicava ao segundo templo, inserido por editores posteriores, e tais questões serão comentadas conforme a exposição avançar.

Colinas. Pensava-se ser apropriado que templos fossem edificados sobre colinas, e também Salomão seguiu o costume. Pensava-se que os deuses ou Deus estivesse "lá em cima em algum lugar", e nós mesmos continuamos a falar sobre o céu como "lá em cima". As colinas parecem mais próximas de Deus, por isso são tidas como lugares apropriados para a construção de edifícios sagrados e locais de rituais e de sacrifícios.

O Côvado. Tinha aproximadamente 46 centímetros. O templo tinha um plano retangular, com cerca de 27,45 por 9,15 metros, e aproximadamente 13,72 metros de altura. Havia três salas: o vestíbulo ou entrada, com cerca de 9,15 metros de largura por metade disso de fundo; a nave ou sala principal, com cerca de 18,30 metros de extensão (vs. 17); e o *santuário mais interior,* também conhecido como Santo dos Santos, um cubo perfeito de 9,15 metros cúbicos (vs. 20). "Câmaras laterais ladeavam a nave e o santuário mais interior" (*Oxford Annotated Bible,* na introdução ao capítulo 6).

Quanto a detalhes, incluindo a planta horizontal e a concepção dos artistas sobre a aparência do templo, ver o artigo no *Dicionário*.

O primeiro versículo deste capítulo fornece uma nota cronológica importante, no que diz respeito à história de Israel, e trato disso nos comentários sobre o versículo.

6.1

וַיְהִי בִשְׁמוֹנִים שָׁנָה וְאַרְבַּע מֵאוֹת שָׁנָה לְצֵאת
בְּנֵי־יִשְׂרָאֵל מֵאֶרֶץ־מִצְרַיִם בַּשָּׁנָה הָרְבִיעִית
בְּחֹדֶשׁ זִו הוּא הַחֹדֶשׁ הַשֵּׁנִי לִמְלֹךְ שְׁלֹמֹה
עַל־יִשְׂרָאֵל וַיִּבֶן הַבַּיִת לַיהוָה׃

Nota Cronológica. Esta nota histórica ajuda-nos a estabelecer certas datas na história de Israel. O reinado de Salomão ocorreu, aproximadamente, entre os anos 971 e 931 a.C. Foi no quarto ano de seu reinado que Salomão iniciou a construção do templo. O êxodo ocorreu 480 anos antes (1446 a.C.). O mês de *zive* corresponde aos nossos meses de abril e maio. "É interessante que a reconstrução do templo, que se deu 430 anos mais tarde, sob Zorobabel (536 a.C.), também tenha começado no segundo mês (ver Ed 3.8)" (Thomas L. Constable, *in loc.*).

Os *críticos* encontram certas complicações na nota histórica e duvidam da autenticidade da data do êxodo, supondo que a data fornecida aqui seja demasiado antecipada. Na Septuaginta, a nota é dada dois versículos antes e, no lugar da nota neste ponto, temos os vss. 37-38 do presente capítulo. Isso pode evidenciar que estava em jogo uma tradição diferente com a qual os editores se ocuparam. A própria nota é considerada pós-exílica, e isso se baseia no fato de que, no primeiro versículo, é usada uma palavra diferente da empregada no restante do capítulo. A palavra para indicar o *mês* pertencia ao período pós-exílico, e não ao tempo historiado pelo livro de 1Reis. *Zive* era o oitavo mês do calendário pré-exílico e aproximadamente o segundo mês do calendário pós-exílico, de modo que isso serve de outra evidência da data tardia da nota. "O total de 480 anos é obtido adicionando-se cinquenta anos do exílio babilônico ao total de anos atribuídos pelo editor deuteronômico aos reis de Judá (430 anos). A sugestão é que um editor do período do Código Sacerdotal se tenha ocupado em criar um padrão *regular* para a história após o modelo numérico exato, usual para aquela escola de escritores. Dessa maneira, ele fez o tempo do êxodo referente à construção do templo como exatamente igual ao tempo da construção do primeiro templo nos primórdios da edificação do segundo templo, de acordo com Ed 5.16. Se este versículo é, realmente, *tardio,* o que se deveria a esses cálculos, então não há mais nenhuma *evidência interna* para a data anterior da invasão de Canaã, sob Josué (cerca de 1407 a.C.)" (Norman H. Snaith, *in loc.*). Ver no *Dicionário* o artigo chamado J.E.D.P.(S.) quanto à teoria das fontes múltiplas do Pentateuco.

Quando estavam exilados na Babilônia, os judeus adotaram o calendário babilônico e começaram a contar os meses da lua nova da primavera, e isso fez o mês de *zive,* que antes era o oitavo mês, tornar-se o segundo. Antes do exílio, esse mês (provavelmente) começava com a lua cheia, mas após o exílio começava com a lua nova. Nesse caso, o novo dia do mês de *zive* era equivalente ao décimo quinto dia de iyar, o nome pós-exílico para o segundo mês do ano babilônico. Ver no *Dicionário* o artigo chamado *Calendário Judaico*.

6.2

וְהַבַּיִת אֲשֶׁר בָּנָה הַמֶּלֶךְ שְׁלֹמֹה לַיהוָה שִׁשִּׁים־אַמָּה
אָרְכּוֹ וְעֶשְׂרִים רָחְבּוֹ וּשְׁלֹשִׁים אַמָּה קוֹמָתוֹ׃

Sessenta côvados de comprimento. O "côvado" tinha, aproximadamente, 46 centímetros, pelo que o templo tinha cerca de 27,45 por 9,15 metros entre comprimento e largura. A altura era de cerca de 13,72 metros. Quanto a uma breve descrição do templo, ver a introdução a este capítulo. Para detalhes, ver no *Dicionário* o artigo chamado *Templo de Jerusalém*, que inclui ilustrações da aparência do templo. Visto que os fenícios (Hirão e seus operários especializados) eram responsáveis pela arquitetura, o templo de Salomão era similar às estruturas cananeias. Os fenícios pertenciam à raça cananeia. Israel era fraco na arquitetura e nas ciências, razão pela qual fora necessária ajuda estrangeira para o projeto.

Conforme podemos ver, o templo não era grande. Tinha uma área de aproximadamente 250 metros quadrados. Mas era um belo monumento de pedras calcárias brancas e cedro, com decorações de ouro no interior. Tinha uma grande pórtico que adicionava 4,60 metros a seu comprimento. Em comparação com alguns templos pagãos, seria considerado humilde, mas era funcional e servia a todas as necessidades de Israel. Incorporava o tabernáculo e suas funções e centralizava o culto religioso em Jerusalém. Antigos santuários, como o de Betel e o de Gibeom (onde o tabernáculo esteve por longo tempo), ainda tinham importância, e eram visitados por peregrinos.

"O templo era, de fato, somente um santuário para os sacerdotes ministrantes. O átrio exterior era o lugar da grande assembleia da congregação. Dependia de sua magnificência, e não de suas dimensões, mais o preço altíssimo do material e da riqueza de sua decoração" (Ellicott, *in loc.*).

■ 6.3

וְהָאוּלָם עַל־פְּנֵי הֵיכַל הַבַּיִת עֶשְׂרִים אַמָּה אָרְכּוֹ עַל־פְּנֵי רֹחַב הַבָּיִת עֶשֶׂר בָּאַמָּה רָחְבּוֹ עַל־פְּנֵי הַבָּיִת׃

O pórtico diante do templo. O *templo* foi construído em *três partes*: o vestíbulo ou entrada, que é o pórtico do presente versículo; a sala maior, ou *nave;* e o santuário interior, ou *Santo dos Santos.* Ver a introdução a este capítulo quanto aos detalhes. O pórtico tinha cerca de 4,60 por 9,20 metros. Diferentes concepções de sua estrutura têm produzido ideias muito diferentes quanto à aparência do templo, mesmo porque qualquer ilustração do templo é apenas mera tentativa. A altura da estrutura não é dada neste versículo, mas o trecho de 2Cr 3.4, seguido pela Septuaginta e por Josefo, dá uma altura gigantesca de 54,90 metros! Esse tipo de estrutura não é ilustrado na antiguidade e assemelha-se mais às grandes torres de algumas igrejas góticas da era cristã.

■ 6.4

וַיַּעַשׂ לַבָּיִת חַלּוֹנֵי שְׁקֻפִים אֲטֻמִים׃

Para a casa fez janelas. O original hebraico deste versículo é duvidoso e não nos dá segurança sobre o que está sendo descrito. Provavelmente devemos compreender aberturas que eram largas pelo lado de dentro da estrutura, mas iam estreitando-se conforme saíam, e chegavam do lado de fora bastante estreitas. Algumas janelas dos castelos medievais eram feitas assim, de maneira que se podiam atirar flechas de dentro para fora, e havia o perigo mínimo de que se pudessem atirá-las de fora para dentro. Naturalmente, tais janelas não permitiam a entrada de muita luz, mas alguma luz era melhor do que nenhuma. Além disso, o interior do templo teria sua própria iluminação.

"Janelas oblíquas, mas que tipo de janelas poderiam ser?" (Adam Clarke, *in loc.*), tentando arrancar da descrição no hebraico algum sentido). A leitura à margem do texto hebraico tenta esclarecer a questão: "Janelas largas pelo lado de dentro e estreitas pelo lado de fora". Mas alguns estudiosos preferem: "Janelas com vigas fixas, ou seja, como uma espécie de gelosia, mais para ventilação do que para iluminação". Usando de muita fantasia, John Gill (*in loc.*) via o estado judaico como a *entrada estreita*, e a Igreja como as aberturas *largas* pelo lado de dentro, tecendo referências sobre Ct 2.9 e Is 60.8.

■ 6.5

וַיִּבֶן עַל־קִיר הַבַּיִת יָצוּעַ סָבִיב אֶת־קִירוֹת הַבַּיִת סָבִיב לַהֵיכָל וְלַדְּבִיר וַיַּעַשׂ צְלָעוֹת סָבִיב׃

Edificou andares ao redor. Foram construídas *câmaras* ao longo do comprimento da sala principal e do santuário mais interior, mas não ao redor do pórtico. Essas estruturas naturalmente adicionavam à largura da estrutura total. O original hebraico é novamente obscuro aqui e deixa-nos a indagar exatamente o que estava sendo descrito. Alguns estudiosos, porém, pensam que isso se refere a contrafortes contínuos, edificados para suportar as paredes laterais, uma espécie de barragem de apoio. Mas o Targum fala em *edifícios laterais,* associados ao edifício central. A maioria dos eruditos fala de câmaras que poderiam ter sido usadas como armazéns e também para as festividades familiares. Cf. 1Sm 1.18 e 9.22. No segundo templo existiam câmaras similares, usadas como depósitos (ver 1Cr 9.26; Ed 8.29; Ne 10.38). Talvez a maioria dessas câmaras servisse de residência para os sacerdotes. A primeira palavra aqui traduzida por "câmara" (no começo do versículo) figura no singular. Então temos o plural, "câmaras", na parte final do versículo. Provavelmente devemos pensar em uma *estrutura contínua,* que contava com paredes de separação, sendo assim criadas várias câmaras independentes. Josefo diz-nos que havia um total de trinta dessas câmaras (*Antiq.* 1.8, cap. 3, sec. 2), mas não sabemos se essa informação é exata ou não. Algumas autoridades falam em nada menos de noventa câmaras, mas isso certamente parece impossível, considerando a relativa pequenez do templo ao qual elas estavam ligadas. Outros retrucam que isso é possível, pois haveria *três pisos,* ou seja, seriam quinze câmaras lado a lado, de cada lado do templo e por andar. Em outras palavras, teríamos uma espécie de edifício de apartamentos com três pisos. Ver o versículo seguinte e o trecho de Ez 41.6.

■ 6.6

הַיָּצוּעַ הַתַּחְתֹּנָה חָמֵשׁ בָּאַמָּה רָחְבָּהּ וְהַתִּיכֹנָה שֵׁשׁ בָּאַמָּה רָחְבָּהּ וְהַשְּׁלִישִׁית שֶׁבַע בָּאַמָּה רָחְבָּהּ כִּי מִגְרָעוֹת נָתַן לַבַּיִת סָבִיב חוּצָה לְבִלְתִּי אֲחֹז בְּקִירוֹת־הַבָּיִת׃

Este versículo parece apoiar a ideia de *três pisos,* o que é sugerido na exposição do vs. 5. Os pisos não tinham as mesmas dimensões, pois o primeiro tinha cerca de 2,28 metros; o segundo, cerca de 2,75 metros; e o terceiro, cerca de 3,20 metros. Não é necessário pensar que a estrutura se abria para cima, pois isso seria contrário a um desenho sensato de edifício. É provável que, pelo lado de dentro das câmaras, o espaço tivesse sempre as mesmas dimensões, de parede a parede, desde o primeiro até o terceiro piso. O que ocupava parte da área, nas câmaras, não é explicado. Como é óbvio, os intérpretes não concordam sobre como isso foi feito exatamente. Talvez os três pisos atingissem de altura nada menos que 7,62 a 9,15 metros, pelo que o espaço entre o piso e o teto seria de cerca de 2,28 metros (ver o vs. 10). Os intérpretes lutam com a descrição, a ponto de Adam Clarke suspender seus comentários neste versículo.

Vigas de apoio foram construídas pelo lado de fora dos edifícios de apartamentos, de tal maneira que a viga não penetrava nas paredes do próprio templo.

■ 6.7

וְהַבַּיִת בְּהִבָּנֹתוֹ אֶבֶן־שְׁלֵמָה מַסָּע נִבְנָה וּמַקָּבוֹת וְהַגַּרְזֶן כָּל־כְּלִי בַרְזֶל לֹא־נִשְׁמַע בַּבַּיִת בְּהִבָּנֹתוֹ׃

Nem martelo, nem machado, nem instrumento algum de ferro se ouviu na casa. O *respeito* pela sacralidade do templo não permitia que atividade ou *ruído* se fizesse na preparação das pedras para a estrutura do templo propriamente dito. As pedras já chegavam lavradas, e isso requeria considerável planejamento e habilidade arquitetural, por parte dos artífices fenícios. A casa do Senhor requeria *silêncio,* conforme é verdade em algumas grandes igrejas dos dias atuais. Entretanto, algumas pessoas atualmente pensam que quanto mais ruído, melhor! Os altares, nos tempos antigos, tinham de ser erguidos com pedras não lavradas. O templo não possuía tais pedras, mas as pedras eram lavradas em algum outro lugar. As superstições antigas diziam que o deus estava nas pedras, e bebia o sangue do sacrifício que era absorvido pela rocha. Como é óbvio, não se podia cortar a pedra sem cortar o deus! Mas se tais superstições não estavam envolvidas no pensamento dos hebreus da época de Salomão, a ideia da *sacralidade* das pedras sem dúvida permaneceu. As pedras não podiam ser *cortadas* no terreno onde ficava a estrutura sagrada. Elas tinham de ser trazidas prontas para serem colocadas em seu devido lugar.

"Aparentemente, Salomão sentia que o *ruído* da construção não era apropriado para o templo, em vista do seu propósito" (Thomas L. Constable, *in loc.*). Ver 1Rs 5.18 quanto aos lavradores das pedras. John Gill (*in loc.*) observou sobre a quietude e a atmosfera pacífica que deveriam caracterizar as igrejas, "... sem clamor, contenção, estridor e tumultos".

Tipologia. Talvez estejam tipificadas as *pedras vivas*, especialmente preparadas pelo Espírito Santo para compor a Igreja de Cristo (ver 1Pe 2.4,5).

■ **6.8**

פֶּתַח הַצֵּלָע הַתִּיכֹנָה אֶל־כֶּתֶף הַבַּיִת הַיְמָנִית
וּבְלוּלִּים יַעֲלוּ עַל־הַתִּיכֹנָה וּמִן־הַתִּיכֹנָה אֶל־
הַשְּׁלִשִׁים׃

Por caracóis se subia ao segundo, e deste ao terceiro. *A Escada.* As câmaras laterais de todos os pisos estavam ligadas, as de baixo com as de cima, por um sistema interno de escadas e passagens. John Gill (*in loc.*) diz que a escada foi construída pelo lado de fora do edifício de apartamentos e fala dela como se subisse em caracol, mais ou menos como vemos nos edifícios modernos atuais. Seja como for, havia comunicação entre os andares. A Vulgata Latina fala da escada como a forma de uma concha de caracol, e Estrabão (*Geogra.* 1.17. par. 547) fornece-nos uma descrição similar do templo de Pã, em Alexandria.

Havia uma entrada para o edifício de apartamentos no piso inferior, e isso ficava no lado *sul* da estrutura. O templo tinha a fachada voltada para o lado leste, e sua entrada ficava nessa direção.

■ **6.9**

וַיִּבֶן אֶת־הַבַּיִת וַיְכַלֵּהוּ וַיִּסְפֹּן אֶת־הַבַּיִת גֵּבִים
וּשְׂדֵרֹת בָּאֲרָזִים׃

O Teto. Esse era feito de madeira preciosa de cedro do Líbano, tal como eram as peças de reforço. Cf. 1Rs 5.6, onde dou informações sobre essa madeira. "Os costumes orientais eram muito diferentes dos nossos. Nossos tetos são feitos com gesso, e nossos pisos são feitos de madeira. Eles faziam os pisos de gesso e cerâmica pintada, e os tetos eram feitos de madeira" (Adam Clarke, *in loc.*, o qual também observou que o Westminster Hall foi feito de acordo com o costume oriental).

Alguns intérpretes pensam que o teto aqui referido é o do lado de fora, e dão ao templo um telhado de cedro. John Gill (*in loc.*) fala sobre tetos em arco, feitos de cedro, que "o tornavam grandioso e belo". Então, ele fala em câmaras construídas sobre o templo, e cedro que cobria o topo, formando uma espécie de telhado-piso que serviria de telhado para o templo e de teto para as câmaras sobre ele (vs. 10). Mas outros intérpretes fazem dessas câmaras as mesmas descritas nos vss. 5, 6 e 8; e isso parece preferível. O original hebraico, uma vez mais, deixa-nos na dúvida. A Septuaginta e Luciano põem esse versículo após o vs. 10. Ewald diz: "um teto ornamental em quadrados, com pequenas peças de madeira de cedro como divisórias", que é o sentido que ele consegue arrancar do original hebraico, mas outros usam a tradução "vigas e tábuas".

■ **6.10**

וַיִּבֶן אֶת־הַיָּצוּעַ עַל־כָּל־הַבַּיִת חָמֵשׁ אַמּוֹת קוֹמָתוֹ
וַיֶּאֱחֹז אֶת־הַבַּיִת בַּעֲצֵי אֲרָזִים׃ פ

Este versículo quase certamente nos leva de volta aos vss. 5,6, adicionando informações de que os pisos das câmaras eram de 5 côvados de altura. Ver o vs. 6 quanto à área das câmaras dos três pisos. Alguns intérpretes, contudo, põem essas câmaras no alto do telhado do templo, como câmaras separadas, e não as que rodeavam lateralmente o templo. Nenhum viga era inserida nas paredes do templo (vs. 6), mas de alguma maneira ligavam as câmaras laterais do edifício à estrutura principal.

■ **6.11,12**

וַיְהִי דְּבַר־יְהוָה אֶל־שְׁלֹמֹה לֵאמֹר׃
הַבַּיִת הַזֶּה אֲשֶׁר־אַתָּה בֹנֶה אִם־תֵּלֵךְ בְּחֻקֹּתַי
וְאֶת־מִשְׁפָּטַי תַּעֲשֶׂה וְשָׁמַרְתָּ אֶת־כָּל־מִצְוֹתַי לָלֶכֶת
בָּהֶם וַהֲקִמֹתִי אֶת־דְּבָרִי אִתָּךְ אֲשֶׁר דִּבַּרְתִּי אֶל־
דָּוִד אָבִיךָ׃

Ao que tudo indica, bem no meio da construção, ou quando ela estava terminando, Salomão recebeu uma instrução especial da parte de Yahweh. Talvez essa instrução tenha sido dada em uma visão noturna, um sonho espiritual similar ao dado em 1Rs 3.5 ss., quando ele recebeu sabedoria distintiva. O propósito da construção do templo era facilitar a adoração prestada pelo povo de Israel, de acordo com a lei mosaica. Cf. este versículo com a *tríplice* designação da lei, em Dt 6.1. Ali também temos as designações específicas de estatutos, preceitos e mandamentos, embora em uma ordem diferente. Os homens espirituais deveriam "fazer" as coisas ordenadas por Deus (Dt 6.1), e "andar" conforme suas ordenanças (1Rs 6.12). Ver a metáfora do *andar* no *Dicionário*.

Uma promessa tinha sido feita a Davi (ver 2Sm 7). Agora, a promessa estava cumprida por meio de Salomão, que tinha a responsabilidade de garantir que o propósito do templo fosse observado. A *desobediência*, da parte de Salomão e dos reis vindouros, enviaria o povo de Israel ao cativeiro na Assíria (de onde o povo de Israel nunca voltaria) e ao cativeiro na Babilônia (de onde o povo de Judá voltaria como um pequeno remanescente). Ver no *Dicionário* o artigo chamado *Cativeiros*. O próprio templo seria destruído. Um segundo templo teria de ser construído, de glória inferior ao primeiro, para sermos exatos.

Cf. o vs. 12 do presente capítulo com 1Rs 9.3-9, que lhe é similar e serviu ao mesmo propósito. Ver também 2Sm 7.10-15 e Jr 18.5-10. Consulte ainda Êx 25.8 quanto a algo similar. "... no caso de cada geração, o desfrute das bênçãos dependeria da fé e da obediência. De tempos em tempos essa bênção seria perdida, até a destruição final de Israel como uma nação. No entanto, até mesmo agora, conforme ensina o apóstolo Paulo (ver Rm 11.29), para Israel há ainda esperança quanto à antiga promessa de bênção" (Ellicott, *in loc.*).

Quando andamos com o Senhor, à luz de sua Palavra,
Que glória ele derrama em nosso caminho,
Quando fazemos a sua boa vontade,
ele habita conosco ainda,
E com todos quantos confiam e obedecem.
Confia e obedece, pois não há outra maneira
De ser feliz em Jesus, senão confiando e obedecendo.

J. H. Sammis

■ **6.13**

וְשָׁכַנְתִּי בְּתוֹךְ בְּנֵי יִשְׂרָאֵל וְלֹא אֶעֱזֹב אֶת־עַמִּי
יִשְׂרָאֵל׃ ס

O *templo de Jerusalém* seria um lugar visível onde a presença invisível de Deus se manifestaria. Haveria a glória visível da *shekinah*. Ver no *Dicionário* o artigo denominado *Shekinah*. O sucesso de Israel, o cumprimento de seu destino, só poderia tornar-se realidade *se* a presença divina se manifestasse, guiando, inspirando e protegendo. Isso corresponde ao *teísmo* (ver a respeito no *Dicionário*). Deus criou e não abandonou a sua criação. Ele está presente para recompensar e punir, guiar e proteger. Contraste-se isso com o *deísmo* (ver também no *Dicionário*), no qual Deus aparece como uma força, pessoal ou impessoal, que deu origem ao universo, mas abandonou sua criação, deixando-a entregue às leis naturais. Cf. Êx 25.8, onde a presença divina foi prometida em relação ao tabernáculo, agora incorporado ao templo. Israel não ficaria à mercê de seus inimigos. Haveria um poder protetor divino. Israel não ficaria entregue somente à letra da lei. O Espírito de Deus se faria presente. Haveria o toque místico de que todos precisamos para nossa espiritualidade. Ver no *Dicionário* o artigo intitulado *Misticismo*. Ver também ali o artigo chamado *Presença de Deus*.

6.14

וַיִּבֶן שְׁלֹמֹה אֶת־הַבַּיִת וַיְכַלֵּהוּ׃

O autor sagrado repete aqui o que já havia dito no nono versículo. E, tal como fizera ali, depois de dizer que o trabalho estava *terminado*, prosseguiu com mais descrições. O texto dá evidências de ter sido obra de um editor, que juntou mais de uma fonte informativa, de modo que ele chega à conclusão mais de uma vez. Os críticos pensam que os vss. 11-14 são uma inserção tardia feita por um editor diferente, que usou fontes informativas diferentes. A prova dessa ideia está no fato de que a Septuaginta omite esses quatro versículos, pois o texto hebraico do qual foi feita a tradução não os continha.

6.15

וַיִּבֶן אֶת־קִירוֹת הַבַּיִת מִבַּיְתָה בְּצַלְעוֹת אֲרָזִים מִקַּרְקַע הַבַּיִת עַד־קִירוֹת הַסִּפֻּן צִפָּה עֵץ מִבָּיִת וַיְצַף אֶת־קַרְקַע הַבַּיִת בְּצַלְעוֹת בְּרוֹשִׁים׃

As paredes de pedra foram "recobertas" com tábuas de cedro. As tábuas estendiam-se do soalho ao teto, que também estava recoberto de madeira de cedro. Mas o soalho era coberto com madeira de cipreste. Ver o vs. 8 quanto ao fato de que esses dois tipos de madeira foram trazidos do Líbano. Ver 2Cr 3.5. Em lugar de cipreste, alguns estudiosos entendem *pinheiro*, e essa é a ideia de algumas autoridades antigas, que falam em *tigurine*, uma espécie de pinheiro.

6.16

וַיִּבֶן אֶת־עֶשְׂרִים אַמָּה מִיַּרְכּוֹתֵי הַבַּיִת בְּצַלְעוֹת אֲרָזִים מִן־הַקַּרְקַע עַד־הַקִּירוֹת וַיִּבֶן לוֹ מִבַּיִת לִדְבִיר לְקֹדֶשׁ הַקֳּדָשִׁים׃

Com tábuas de cedro. A parte de trás da casa, pelo lado de dentro, também foi recoberta com madeira de cedro, isto é, com painéis de cedro. Estamos aqui tratando do santuário mais interior, o Santo dos Santos. Essa parte da casa foi recoberta do soalho ao teto. Ver no *Dicionário* o artigo chamado *Lugar Mais Santo*, quanto a detalhes completos a respeito. Esse lugar era um cubo com 9,15 metros cúbicos. O texto do vs. 18 informa-nos que o lugar era decorado com figuras de colocíntidas e flores abertas que formavam grinaldas floridas em curva, conforme o estilo dos antigos. Ou o todo era equipado com grinaldas de flores. Ver o vs. 20. Alguns críticos pensam que as descrições são do segundo templo, terminado depois do cativeiro babilônico, argumentando que isso se dava somente no segundo templo, e mesmo assim apenas na parte principal da edificação. Por outra parte, o Santo dos Santos, no tabernáculo, era completamente encoberto por dentro com cortinas, e esse plano pode ter sido seguido no templo de Salomão (o primeiro templo).

6.17

וְאַרְבָּעִים בָּאַמָּה הָיָה הַבָּיִת הוּא הַהֵיכָל לִפְנָי׃

Era, pois, o Santo Lugar... de quarenta côvados. Até o Santo dos Santos, a nave estendia-se por 18,30 metros e, com o Santo dos Santos, por mais 9,15 metros, num total de 27,45 metros. Um edifício bastante pequeno para um templo. Mas era luxuosamente decorado e ricos materiais foram ali usados, e isso fazia da estrutura, embora relativamente pequena, uma grande realização arquitetural. Os críticos veem editores em ação nos vss. 17-22, misturando itens que pertenciam ao segundo templo, mas não ao primeiro. Alguns deles supõem que o vs. 17 era totalmente sobre o documento original (descrição do primeiro templo), e os vss. 18-22 pertenciam ao segundo templo. A Septuaginta posta-se como testemunha quanto a parte dessa teoria, pois omite os vss. 20-22. Presumivelmente, os manuscritos hebraicos mais antigos, que foram seguidos, não continham esses versículos, ou não temos como explicar por que não foram traduzidos. As *grandes quantidades de ouro* usadas para cobrir por inteiro o Santo dos Santos (além de outros itens da nave) revelam a riqueza de Salomão. Mas se os críticos estão com a razão, então tais descrições aplicavam-se ao segundo templo. Talvez essas quantidades (vss. 21 e 22) digam respeito à pintura em ouro, pelo que a quantidade de metal não seria tanta.

6.18

וְאֶרֶז אֶל־הַבַּיִת פְּנִימָה מִקְלַעַת פְּקָעִים וּפְטוּרֵי צִצִּים הַכֹּל אֶרֶז אֵין אֶבֶן נִרְאָה׃

Trabalho decorativo foi aplicado às tábuas de cedro, sob a forma de colocíntidas e flores, de modo que nenhuma pedra era vista através desses ornamentos artísticos. Dou maiores informações sobre esse aspecto da obra nos comentários sobre o vs. 16. O Targum diz que as colocíntidas eram redondas, dando a aparência de ovos, e que vários tipos de flores abertas (não botões) apareciam nos entalhes.

6.19

וּדְבִיר בְּתוֹךְ־הַבַּיִת מִפְּנִימָה הֵכִין לְתִתֵּן שָׁם אֶת־אֲרוֹן בְּרִית יְהוָה׃

No mais interior da casa. O Santo dos Santos foi preparado para receber o mais precioso item do tabernáculo (e agora do templo) — a *arca da aliança* (ver o artigo a respeito no *Dicionário*). Davi havia guardado a arca temporariamente no tabernáculo provisório em Jerusalém, ao passo que o tabernáculo propriamente dito, menos a arca, permaneceu em Gibeom. Ver sobre o tabernáculo provisório em 2Sm 6.17. Deve ter sido em meio a grande alegria popular que o templo acolheu a arca. Isso fez o lugar tornar-se *operacional*, pois, afinal, era essencialmente um lugar de sacrifício, e supunha-se que Yahweh viesse ao encontro do sumo sacerdote, quando este entrava no Santo dos Santos nos ritos anuais. A arca da aliança era a mesma que tinha acompanhado Israel pelo deserto, cerca de quinhentos anos atrás. Ver no *Dicionário* o artigo chamado *Tabernáculo*. O fato de ser a mesma arca que Moisés carregara para cá e para lá, pelo deserto, dava-lhe um valor incalculável aos olhos dos hebreus. O Santo dos Santos tinha duas portas (vss. 31 e 32), uma cortina e uma obra de corrente protetora de ouro (vs. 21). Ver 2Cr 3.14.

6.20

וְלִפְנֵי הַדְּבִיר עֶשְׂרִים אַמָּה אֹרֶךְ וְעֶשְׂרִים אַמָּה רֹחַב וְעֶשְׂרִים אַמָּה קוֹמָתוֹ וַיְצַפֵּהוּ זָהָב סָגוּר וַיְצַף מִזְבֵּחַ אָרֶז׃

O cubo todo de 9,15 metros cúbicos, que era o Santo dos Santos, foi recoberto de ouro. Talvez fosse pintura dourada. Por outra parte, homens que constroem templos, supõe-se inspirados pelos poderes divinos, sacrificam tudo para construir seus edifícios, e isso é amplamente ilustrado pelas grandiosas e luxuosas igrejas da era cristã. A própria arca da aliança era um item humilde, uma simples caixa de madeira com as dimensões de 1,10 por 0,70 metro. As descrições originais dizem que a caixa era feita de madeira de acácia. Talvez Salomão a tivesse embelezado, mas o mais provável é que a deixou como era. "Caixas sagradas estavam em uso entre outros povos da antiguidade e serviam como receptáculos para o ídolo, ou o símbolo do ídolo, e para as relíquias sagradas" (Unger, *Unger Bible Dictionary*).

Ouro puro. Esse metal falava sobre a excelência e preciosidade do templo, visto que quase todo o interior recebeu uma camada do metal. Esse é o metal que representa a deidade. O santuário era a residência de Yahweh. Ver no *Dicionário* o artigo denominado *Ouro*, quanto a completas explicações.

Altar. Ou seja, o altar do incenso, que ficava imediatamente à entrada do Santo dos Santos, mas pelo lado de fora. Estava intimamente associado ao santuário mais interior, o Santo dos Santos, mas não fazia parte dele. Ver no *Dicionário* o artigo detalhado intitulado *Altar do Incenso*. Esse altar era feito de cedro e recoberto de ouro (vs. 22). Originalmente, o altar era feito de madeira de acácia. Talvez Salomão o tenha recoberto primeiramente com cedro (dando-lhe uma camada dessa madeira) e depois revestido o móvel renovado com uma camada de ouro. Ou também é possível que ele tivesse mandado confeccionar um novo altar de cedro. Ele pode ter feito isso com o altar do incenso, mas não ousou substituir a arca da aliança. Talvez o novo altar do incenso tivesse sido feito de pedra, recoberto de cedro e posteriormente de ouro.

6.21

וַיְצַ֨ף שְׁלֹמֹ֤ה אֶת־הַבַּ֙יִת֙ מִפְּנִ֣ימָה זָהָ֣ב סָג֔וּר וַיְעַבֵּ֞ר בְּרַתִּיק֤וֹת זָהָב֙ לִפְנֵ֣י הַדְּבִ֔יר וַיְצַפֵּ֖הוּ זָהָֽב׃

Por dentro Salomão revestiu a casa de ouro puro. Parece estar em pauta a nave ou Lugar Santo, ou seja, a sala principal, que tinha as dimensões de 18,30 por 9,15 metros. Já fomos informados de que o Santo dos Santos tinha sido inteiramente recoberto de ouro. Agora, o autor sagrado informa-nos que o Lugar Santo também fora recoberto de ouro. A menos que alguma espécie de pintura dourada tenha sido usada (conforme sugerem alguns intérpretes), isso nos dá uma ideia dos gastos imensos investidos no templo de Jerusalém.

Então, na frente do Santo dos Santos, Salomão mandou fazer cadeias de ouro penduradas, como que a dizer: "Não entre aqui. Pois somente o sumo sacerdote pode entrar, e isso uma única vez por ano". Note o plural, "cadeias de ouro". Está em pauta algum complexo de cadeias de ouro entrançadas. A Septuaginta, porém, omite essas cadeias, de modo que alguns críticos supõem que elas pertencessem ao segundo templo, mas foram inseridas neste lugar numa edição posterior. O original hebraico é difícil e a Septuaginta pode tê-lo ignorado como impossível de ser traduzido. Não sabemos dizer se o véu, que ficava pendurado no tabernáculo para separar o Lugar Santo do Santo dos Santos, foi retido ou não. O trecho de 2Cr 3.14 fala de um véu, e talvez isso indique que havia uma nova cortina, preparada exatamente para o templo. Os vss. 31,32 falam de *duas portas*, feitas para fechar o Santo dos Santos. Portanto, havia quádrupla proteção para a entrada: as cadeias de ouro, o véu e as portas duplas.

6.22

וְאֶת־כָּל־הַבַּ֛יִת צִפָּ֥ה זָהָ֖ב עַד־תֹּ֣ם כָּל־הַבָּ֑יִת וְכָל־הַמִּזְבֵּ֥חַ אֲשֶׁר־לַדְּבִ֖יר צִפָּ֥ה זָהָֽב׃

Cobriu de ouro toda a casa. Este versículo reitera que a casa inteira foi recoberta de ouro, e que o altar do incenso recebeu tratamento similar (o que não fora dito no vs. 20). Neste caso, as palavras "toda a casa" provavelmente referem-se à estrutura de 27,45 por 9,15 metros, incluindo o Lugar Santo e o Santo dos Santos, conforme já tínhamos sido informados nos versículos anteriores. O altar do incenso veio assim a ser chamado de "altar de ouro", por causa de sua cobertura de ouro.

Eupolemos (apud Euseb. *Praepar. Evangel.* 1.9, cap. 34, par. 450) diz-nos que a casa inteira, do soalho ao teto, estava coberta de ouro, bem como de madeira de cedro e cipreste, de modo que em parte alguma aparecia a pedra. "É impossível calcular as despesas, ou a quantidade de ouro empregada nesse edifício sagrado" (Adam Clarke, *in loc.*). 2Cr 3.8,9 dá-nos uma ideia sobre as despesas, mas os cálculos ali se aplicam somente ao Santo dos Santos.

Tipologia. O altar do incenso refere-se à excelente e eficaz mediação e intercessão de Cristo. Ver Ap 3.3,4.

6.23

וַיַּ֣עַשׂ בַּדְּבִ֔יר שְׁנֵ֥י כְרוּבִ֖ים עֲצֵי־שָׁ֑מֶן עֶ֥שֶׂר אַמּ֖וֹת קוֹמָתֽוֹ׃

Os vss. 23-28 deste capítulo são considerados originais das descrições, e o texto é confirmado pela Septuaginta.

"Os querubins eram anjos esculpidos, feitos de oliveira. suas asas estavam estendidas, de modo que cobriam todos os 9,15 metros da parede norte à parede sul do Santo dos Santos. Cf. 2Cr 3.13. Uma camada de ouro encobria igualmente os querubins" (Thomas L. Constable, *in loc.*). Ver no *Dicionário* o artigo detalhado intitulado *Querubim*.

Objetos esculpidos usualmente não eram permitidos, mas os querubins no Santo dos Santos eram exceções. Note-se, entretanto, que não eram objetos de adoração. Ao entrar no Santo dos Santos, o sumo sacerdote não lhes oferecia adoração nem orações. Ver Êx 20.4 quanto à proibição sobre os ídolos.

Os *querubins* do templo de Salomão não eram os mesmos do tabernáculo. Eram muito maiores. "Esses dois querubins podiam ser emblemas dos anjos, em sua grandeza e glória, sempre na presença de Deus, a contemplar a sua face e sempre prontos a cumprir a sua vontade. Ou poderão ser *duas testemunhas,* como as duas oliveiras que estarão de pé perante o Deus da terra inteira (ver Ap 11.3,4), dotadas de ousadia para entrar no Santo dos Santos, que têm sempre diante dos olhos o conhecimento dos mistérios dos céus e falam os oráculos de Deus. Aparecem como criaturas (2Cr 3.10) de vários tipos, com o rosto de homem, de leão, de boi e de águia (Ez 1.10). Cada um deles tinha cerca de 4,60 m de altura, a metade da altura do Santo dos Santos. E serviam de emblemas dos elevados anjos, aqueles tronos, domínios, principados e poderes" (John Gill, *in loc.*). Cf. Êx 25.18-20 e 37.7-9. Ver no *Dicionário* o artigo chamado *Querubim*, especialmente no ponto 5, *Usos no Templo de Jerusalém*. As notas expositivas ali existentes distinguem os querubins do templo de Salomão e os da arca da aliança. Ver o ponto 8 quanto ao *simbolismo* envolvido.

"Os querubins apareciam de duas formas nas tradições dos hebreus. Havia o querubim, que podia ser um ou mais, que era o guardião do lugar sagrado (cf. Gn 3.24; Ez 28.14), e certamente tinha origem mesopotâmica. E também havia *pares* de querubins, personificações dos *espíritos gêmeos* da tempestade (comparáveis a Castor e Polux dos mitos romanos, e a associação geral dos gêmeos com o trovão). Nesse caso, o par dos querubins que estava no Santo dos Santos era sobrevivente das descrições do Senhor como o Deus da tempestade, montado nas nuvens do temporal, vindo dos desertos do sul (ver o terceiro capítulo do livro de Habacuque e Sl 18.10-17)" (Norman H. Snaith, *in loc.*).

6.24

וְחָמֵ֣שׁ אַמּ֗וֹת כְּנַ֤ף הַכְּרוּב֙ הָֽאֶחָ֔ת וְחָמֵ֥שׁ אַמּ֖וֹת כְּנַ֣ף הַכְּר֣וּב הַשֵּׁנִ֑ית עֶ֣שֶׂר אַמּ֔וֹת מִקְצ֥וֹת כְּנָפָ֖יו וְעַד־קְצ֥וֹת כְּנָפָֽיו׃

As Dimensões dos Querubins. Postas juntas, as duas imagens ocupavam surpreendentes 9,15 metros de extensão dentro do Santo dos Santos, enchendo a sala em forma de cubo. Os querubins da arca da aliança tão somente pairavam por cima da tampa daquela caixa. No templo de Salomão, as asas deles estendiam-se das paredes norte e sul do Santo dos Santos, pelo que eram figuras impressionantes. Não sabemos dizer por que eram figuras tão grandes, embora o tamanho gigantesco usualmente sirva para criar uma forte impressão na mente dos homens.

"Querubins. Estes dois querubins foram copiados do tabernáculo, mas havia algumas diferenças, sem falarmos no tamanho ampliado e na mudança do material de ouro sólido para madeira de oliveira recoberta de ouro. Em Êx 25.18-20 e 27.7-9 eles são descritos com o rosto voltado na direção do propiciatório, encobrindo-o com as suas asas. Aqui, a partir da cuidadosa descrição das asas estendidas de 10 côvados no caso de cada querubim, que se encontravam no meio do Santo dos Santos e tocavam as paredes, parece que eles tinham o rosto voltado na direção da *entrada*. Os querubins sobre a arca da aliança foram descritos em seis lugares diferentes do Antigo Testamento, ou seja, nas passagens do livro de Êxodo citadas anteriormente, na presente passagem, no paralelo de 2Cr 3.10-13 e em Ez 1.4-25 e 10.1-22. O simbolismo que aparece em Apocalipse está baseado em Ezequiel" (Ellicott, *in loc.*).

6.25

וְעֶ֙שֶׂר֙ בָּֽאַמָּ֔ה הַכְּר֖וּב הַשֵּׁנִ֑י מִדָּ֥ה אַחַ֛ת וְקֶ֥צֶב אֶחָ֖ד לִשְׁנֵ֥י הַכְּרֻבִֽים׃

Era de dez côvados o outro querubim. Os dois querubins tinham as mesmas dimensões e provavelmente eram idênticos, ou quase idênticos, em todos os aspectos. Eram feitos como outros ídolos, segundo lemos em 2Cr 3.10, provavelmente com a forma de homens dotados de asas, da maneira que os anjos são usualmente retratados pelos artistas. Mas Ezequiel dá a entender que eles tinham as formas variegadas de um homem, de um leão, de um boi e de uma águia. Essas formas acabaram por representar os quatro evangelhos nos antigos manuscritos do Novo Testamento.

6.26

קוֹמַת֙ הַכְּר֣וּב הָֽאֶחָ֔ד עֶ֖שֶׂר בָּֽאַמָּ֑ה וְכֵ֖ן הַכְּר֥וּב הַשֵּׁנִֽי׃

A altura dum querubim era de dez côvados. *As Dimensões Imensas dos Querubins.* Eles tinham 4,60 metros de altura, uma informação repetida com base no vs. 23. Portanto, quando o sumo sacerdote entrava no Santo dos Santos, via as duas gigantescas imagens, cujas asas estendidas abrangiam toda a largura do Santo dos Santos, isto é, 9,15 metros. Eles tinham, portanto, "dimensões extraordinárias" (John Gill, *in loc.*). Sem dúvida, isso visava impressionar o sumo sacerdote com a *grandeza de Deus* e com o poder de seus auxiliares angelicais. Ver Êx 25.19 ss. quanto à pequenez comparativa dos querubins do tabernáculo. Eles eram *guardiães* do Santo dos Santos, representantes do poder de Deus usado em favor de seu povo. A intercessão feita diante de Deus realizava *qualquer coisa*. Oh, Senhor, concede-nos tal graça! Há poder na presença de Deus que pode ser aproveitado pelo homem espiritual.

■ **6.27**

וַיִּתֵּן אֶת־הַכְּרוּבִים בְּתוֹךְ הַבַּיִת הַפְּנִימִי וַיִּפְרְשׂוּ
אֶת־כַּנְפֵי הַכְּרֻבִים וַתִּגַּע כְּנַף־הָאֶחָד בַּקִּיר וּכְנַף
הַכְּרוּב הַשֵּׁנִי נֹגַעַת בַּקִּיר הַשֵּׁנִי וְכַנְפֵיהֶם אֶל־תּוֹךְ
הַבַּיִת נֹגְעֹת כָּנָף אֶל־כָּנָף:

No mais interior da casa. Ou seja, no santuário interior, o Santo dos Santos. As asas dos querubins, juntas, estendiam-se de parede a parede, numa distância de 9,15 metros, conforme explicado na exposição sobre o versículo anterior. No meio do Santo dos Santos, as asas dos dois querubins se tocavam. Ver as notas sobre o vs. 24, quanto ao tamanho das asas. O trecho de 2Cr 3.13 diz que o rosto dos querubins estava virado para o Santo Lugar, ou seja, na direção da entrada do Santo dos Santos. Quando o sumo sacerdote entrava ali, dava de frente com aquelas gigantescas imagens.

■ **6.28**

וַיְצַף אֶת־הַכְּרוּבִים זָהָב:

E cobriu de ouro os querubins. Não somente os querubins eram recobertos de ouro, pois todo o interior do templo fora assim recoberto.

Naturalmente, o *ouro* fala de excelência e preciosidade, e isso pode simbolizar os dons valiosos e as graças do Espírito Santo. O ouro é, igualmente, o metal que simboliza a divindade, e isso significa que ali ficava a residência do Ser divino, o santo e sagrado santuário. Ver no *Dicionário* explicações completas no verbete chamado *Ouro*.

■ **6.29**

וְאֵת כָּל־קִירוֹת הַבַּיִת מֵסַב קָלַע פִּתּוּחֵי מִקְלְעוֹת
כְּרוּבִים וְתִמֹרֹת וּפְטוּרֵי צִצִּים מִלִּפְנִים וְלַחִיצוֹן:

Entalhes de querubins, palmeiras e flores abertas. *Adornos Diversos.* O interior do templo foi ornamentado. Não era suficiente ter toda aquela cobertura de ouro. Havia também entalhes de querubins, palmeiras e flores que foram esculpidos nas paredes. Ou então devemos compreender que foram esculpidas imagens naquelas formas, para depois serem presas às paredes. O simbolismo original da palmeira era a fertilidade, conforme se vê nas descobertas arqueológicas dos antigos templos de muitos povos. Não é de surpreender que, visto terem sido os fenícios (uma raça cananeia) os executores da maior parte do trabalho de artífices, certos itens fossem comuns aos templos fenícios e ao templo de Jerusalém. O espírito da lei contra as imagens (ver Êx 20.4) não foi violado, visto que, em nenhum sentido, aqueles foram objetos de adoração e nem se lhes dirigiu oração alguma. John Gill (*in loc.*) fala das esculturas, "que eram muito ornamentais e emblemáticas (ver Ez 41.17-20)".

■ **6.30**

וְאֶת־קַרְקַע הַבַּיִת צִפָּה זָהָב לִפְנִימָה וְלַחִיצוֹן:

Também cobriu de ouro o soalho. *Tanto* o soalho do Santo dos Santos como da nave principal, o Lugar Santo, recebeu uma cobertura de ouro. Ver no vs. 28 quanto aos simbolismos do *ouro*. Cf. as ruas da nova Jerusalém, em Ap 21.21. Virtualmente todo o *interior* do templo era recoberto de ouro.

■ **6.31**

וְאֵת פֶּתַח הַדְּבִיר עָשָׂה דַּלְתוֹת עֲצֵי־שָׁמֶן הָאַיִל
מְזוּזוֹת חֲמִשִׁית:

Para entrada do Santo dos Santos. "A porta do Santo dos Santos era uma porta de dobrar de folhas duplas, feita de madeira de oliveira, tipificando Cristo, a porta da Igreja acima e abaixo, o caminho para o céu e para a vida eterna, a verdadeira oliveira. A ombreira e as vergas das portas eram uma quinta parte da parede, pois tinham 4 côvados, ao passo que a largura do Santo dos Santos era de 20 côvados (vs. 20)" (John Gill, *in loc.*). Se as portas fossem postas lado a lado, então cada qual teria 1,83 metro de altura por 91,5 centímetros de largura e, juntas, formavam uma entrada de 1,83 metro de largura. O original hebraico é um tanto obscuro, não se sabendo com certeza o que é dito, realmente. A *Revised Standard Version* diz que "a verga com as ombreiras formavam uma porta pentagonal", o que nossa versão portuguesa também segue. Alguns intérpretes fazem as portas ser de "correr", mas isso parece um anacronismo. Ver Ez 41.24, onde lemos que havia "duas folhas dobráveis".

■ **6.32**

וּשְׁתֵּי דַּלְתוֹת עֲצֵי־שֶׁמֶן וְקָלַע עֲלֵיהֶם מִקְלְעוֹת
כְּרוּבִים וְתִמֹרוֹת וּפְטוּרֵי צִצִּים וְצִפָּה זָהָב וַיָּרֶד
עַל־הַכְּרוּבִים וְעַל־הַתִּמֹרוֹת אֶת־הַזָּהָב:

Duas folhas. Isto é, as portas eram feitas de duas folhas de madeira. Tal como nas paredes do Lugar Santo, assim também as *portas* eram similarmente decoradas com querubins, flores e palmeiras. Ver a exposição sobre o vs. 29 quanto a explicações. E, como no caso das portas, as decorações foram cobertas de ouro. Ver no vs. 20 o uso do ouro. Ver no *Dicionário* o verbete intitulado *Ouro*. Os vss. 32 e 35 podem representar adições posteriores ao material original, variantes que subentendem a mesma coisa.

■ **6.33**

וְכֵן עָשָׂה לְפֶתַח הַהֵיכָל מְזוּזוֹת עֲצֵי־שֶׁמֶן מֵאֵת
רְבִעִית:

Fez para entrada do Santo Lugar... entrada quadrilateral. O Santo Lugar também contava com uma entrada especialmente aparelhada, uma porta decorativa. As ombreiras e a verga da porta formavam um quadrado, e a porta era de madeira de oliveira. Essa porta quadrada tinha 2,29 metros quadrados, ou seja, um quarto da altura da parede, que era de 9,15 metros. Note o leitor que essa porta (vs. 34) era mais larga que as portas do Santo dos Santos. Um número maior de pessoas entraria por ali, e dimensões maiores facilitariam o movimento.

■ **6.34**

וּשְׁתֵּי דַלְתוֹת עֲצֵי בְרוֹשִׁים שְׁנֵי צְלָעִים הַדֶּלֶת הָאַחַת
גְּלִילִים וּשְׁנֵי קְלָעִים הַדֶּלֶת הַשֵּׁנִית גְּלִילִים:

E as duas tábuas de cada folha eram dobradiças. Novamente, devemos pensar (tal como no vs. 32) em portas dobráveis, duas folhas postas lado a lado, formando um quadrado de 2,29 metros quadrados, em contraste com o tamanho menor das portas do Santo dos Santos, que formavam um quadrado de 1,83 metro quadrado. Essas portas eram feitas de madeira de cipreste. Ver 1Rs 5.8, que fala sobre as árvores que deveriam ser cortadas. A verga e as ombreiras das portas eram feitas de madeira de oliveira, mas as folhas das portas propriamente ditas eram feitas de madeira de cipreste. Cf. Ez 41.24, que fala em portas "dobradiças".

■ **6.35**

וְקָלַע כְּרוּבִים וְתִמֹרוֹת וּפְטֻרֵי צִצִּים וְצִפָּה זָהָב
מְיֻשָּׁר עַל־הַמְּחֻקֶּה:

As portas do Lugar Santo eram decoradas da mesma maneira que as paredes e as portas do Santo dos Santos, isto é, com flores, palmeiras e querubins. Ver a exposição sobre os vss. 29 e 32. E também dispunham de cobertura de ouro sobre as decorações, tal como acontecia com outros itens decorados. Cf. Ez 41.25.

■ 6.36

וַיִּ֙בֶן֙ אֶת־הֶחָצֵ֣ר הַפְּנִימִ֔ית שְׁלֹשָׁ֖ה טוּרֵ֣י גָזִ֑ית וְט֖וּר כְּרֻתֹ֥ת אֲרָזִֽים׃

Também edificou o átrio interior. "Provavelmente era o mesmo *átrio superior* de Jr 36.10... foi construído em redor do templo propriamente dito, evidentemente correspondendo ao átrio exterior do tabernáculo. Visto que esse átrio era (comparar com Êx 27.9-13) de 50 por 100 côvados, pode-se inferir que, mediante uma *duplicação similar* à de todas as dimensões do templo, o átrio de Salomão teria 45,75 por 91,50 metros. Este versículo tem sido interpretado de duas maneiras: ou o piso do átrio foi elevado por três fileiras de pedras e coberto por um entabuamento de cedro, ou então (conforme disse Josefo) o átrio estava *fechado* por uma parede baixa de três fileiras de pedras, encimadas por um telhado de madeira de cedro. Esta última opinião parece ser a mais correta" (Ellicott, *in loc.*).

"O interior do átrio era uma praça aberta que rodeava o templo. Também havia um átrio externo, não mencionado aqui (cf. 2Cr 4.9), que também era mais baixo quanto à sua elevação do que o átrio interior... Esse átrio interior (também chamado de 'átrio dos sacerdotes', 2Cr 4.9) era separado do outro átrio (maior) pela parede aqui descrita. A parede consistia em três fileiras de pedras cortadas (pedra calcária) e por uma fileira de vigas de cedro. O átrio externo também estava rodeado por uma parede. As dimensões do átrio interior não nos são dadas, mas se as dimensões dos átrios do templo eram proporcionais às dimensões do átrio do tabernáculo... então suas dimensões também eram de 45,75 por 91,50 metros" (Thomas L. Constable, *in loc.*). O povo reunia-se no átrio exterior, e os sacerdotes reuniam-se no átrio interior, o referido no presente versículo.

No segundo templo de Jerusalém, conforme dizia Maimônides (*Hilchot Beth Hc* cap. 6, sec. 3), o átrio dos sacerdotes era 2,5 côvados mais elevado que o átrio de Israel. 2Cr 4.9 é o trecho que nos diz acerca do átrio dos sacerdotes e do átrio "maior", o de Israel, ou do povo em geral.

■ 6.37

בַּשָּׁנָה֙ הָֽרְבִיעִ֔ית יֻסַּ֖ד בֵּ֣ית יְהוָ֑ה בְּיֶ֖רַח זִֽו׃

No ano quarto. Temos aqui uma declaração *original* acerca da data do início da construção do templo. O versículo primeiro dá uma versão expandida dessa simples declaração, que provavelmente foi obra de um editor posterior. Ver a exposição do vs. 1 quanto a detalhes sobre a questão.

■ 6.38

וּבַשָּׁנָה֩ הָאַחַ֨ת עֶשְׂרֵ֜ה בְּיֶ֣רַח בּ֗וּל ה֚וּא הַחֹ֣דֶשׁ הַשְּׁמִינִ֔י כָּלָ֣ה הַבַּ֔יִת לְכָל־דְּבָרָ֖יו וּלְכָל־מִשְׁפָּטָ֑יו וַיִּבְנֵ֖הוּ שֶׁ֥בַע שָׁנִֽים׃

E no ano undécimo, no mês de bul. Foram necessários sete anos e meio para construir o templo, o qual foi terminado durante o outono, com atraso de um mês para a grande festa de outono do recolhimento dos frutos, que era celebrada por ocasião da lua cheia da colheita. *Bul* era o segundo mês do calendário pré-exílico, mais ou menos equivalente ao oitavo mês, ou hesvan, do calendário pós-exílico" (Norman H. Snaith, *in loc.*). Ver no *Dicionário* o artigo chamado *Calendário Judaico*. O fato de o mês de *bul* ser chamado *oitavo mês* neste versículo mostra que essa nota aconteceu em um tempo pós-exílico, visto que, antes do exílio, aquele era o segundo mês do calendário. Os críticos supõem que o livro de 1Reis tenha sido escrito após o exílio babilônico. Ver sobre *V. Data*, na introdução ao livro. Mas a compilação, se ocorreu após o exílio, sem dúvida usou fontes informativas anteriores e, presumivelmente, pelo menos em certas partes do livro, materiais dos registros dos próprios tempos de Salomão.

"A dedicação só ocorreu no ano seguinte, o décimo segundo do reinado de Salomão, porque foi *então*, de acordo com o arcebispo Usher, que o jubileu aconteceu" (Adam Clarke, *in loc.*).

O mês de *bul* correspondia a nosso outubro-novembro. *Marcesvan*, outro nome para o mesmo mês, referia-se às *chuvas* que caíam naquela época do ano. A palavra *bul* parece querer dizer *dilúvio*, chuvas pesadas. O dilúvio de Noé no original hebraico é chamado *mabbul*, uma palavra cognata.

CAPÍTULO SETE

Este sétimo capítulo dá prosseguimento às descrições sobre Salomão, o construtor, iniciadas em 1Rs 5.1.

O *templo* foi apenas uma dentre várias outras construções que absorveram muito do tempo e da energia de Salomão. Na introdução a 1Rs 6, sob o título *O Grande Programa de Edificações de Salomão*, provi para o leitor uma declaração sobre os vários projetos dos quais Salomão se ocupou. Se o templo (cuja construção é descrita no sexto capítulo) foi a mais importante de suas construções, no terreno do templo ou em suas proximidades ele também levantou vários outros edifícios que mencionei nas notas referidas. Isso posto, o templo foi uma parte do esquema maior de construções que consumiu cerca de vinte anos de trabalho intenso. O templo propriamente dito levou mais de sete anos para ser erguido (ver 1Rs 6.37). As descrições deste capítulo são similares a outras que abordam mansões orientais, palácios e complexos de edificações reais. Homens ricos e poderosos tinham o cuidado de exibir suas riquezas e poder mediante impressionantes complexos de edificações que adornavam os terrenos pertencentes à coroa. Salomão, pois, não foi exceção a essa regra. Em vida, ele foi um dos mais ricos e mais poderosos monarcas do Oriente Próximo, e precisava revelar sua grandeza por meio de edifícios luxuosamente decorados. Ele levou a nação de Israel à sua *época áurea*. Depois dele, tudo foi declínio, no tocante às riquezas e ao poder.

O *palácio de Salomão* exigiu mais tempo para ser construído do que o templo; de fato, era uma construção *maior*. Esse palácio recebeu um título pomposo — Palácio do Bosque do Líbano — não por haver sido erguido nesse local, mas por terem sido usados cedros do Líbano (ver 1Rs 7.2,3) na construção, também o principal material usado na edificação do templo. "O palácio e o complexo administrativo levaram *treze anos* para serem terminados, ao passo que o templo precisou apenas de sete anos (6.38; cf. 9.10)" (*Oxford Annotated Bible*, em introdução ao presente capítulo).

Pagando os Impostos. O trecho de 1Rs 4.7-19 mostra-nos que Salomão cobrou pesados impostos a fim de pagar seus luxos, incluindo o interminável número de servos públicos (empregados). E vemos que ele cobrou esses impostos somente da parte norte do país (Israel), pois a parte sul (Judá) estava isenta do pagamento de taxas. Este capítulo não nos diz quem pagou a conta por todos os luxos de Salomão, mas podemos imaginar que muitos, em Israel, ficaram infelizes diante dessas tributações.

Samuel havia advertido o povo de Israel que, se eles insistissem em ter um rei, altos impostos lhes seriam cobrados (ver 1Sm 8.10 ss.). Sua predição, dada por Yahweh, certamente cumpriu-se no caso de Salomão. Muito provavelmente, a cobrança de impostos para financiar os luxos de Salomão foi *uma* das causas da divisão do reino em duas nações, Israel (a parte norte) e Judá (a parte sul). É possível que o norte tivesse pagado o grosso da conta e desejasse libertar-se desse jugo.

■ 7.1

וְאֶת־בֵּיתוֹ֙ בָּנָ֣ה שְׁלֹמֹ֔ה שְׁלֹ֥שׁ עֶשְׂרֵ֖ה שָׁנָ֑ה וַיְכַ֖ל אֶת־כָּל־בֵּיתֽוֹ׃

Edificou Salomão os seus palácios. Os vss. 1-12 deste capítulo informam-nos que Salomão construiu um luxuoso palácio para si mesmo, além de outras edificações, os quais levaram treze anos para serem terminados, em contraste com os sete anos e pouco necessários na construção do templo. Cf. com 1Rs 6.38. Salomão construiu perto de seu próprio palácio uma casa para uma de suas esposas, uma princesa egípcia (vs. 8). Vinte anos, ao todo, foram consumidos nesses projetos iniciais de construção (9.10).

"Quando Salomão cumpriu o sonho de seu pai de erguer a casa do Senhor, passou sete anos a construí-la e então gastou mais treze anos construindo sua própria casa. O Senhor nunca ocupou tão largo espaço no coração do filho como tinha ocupado no coração do pai. O eclipse espiritual já havia começado" (Ralph W. Sockman, *in loc.*).

Naturalmente, há uma qualidade religiosa (espiritual) no trabalho bem feito, e Salomão só se satisfazia com o melhor. Por outro lado, sem dúvida, ele *exagerou*.

■ 7.2

וַיִּבֶן אֶת־בֵּית יַעַר הַלְּבָנוֹן מֵאָה אַמָּה אָרְכּוֹ וַחֲמִשִּׁים
אַמָּה רָחְבּוֹ וּשְׁלֹשִׁים אַמָּה קוֹמָתוֹ עַל אַרְבָּעָה טוּרֵי
עַמּוּדֵי אֲרָזִים וּכְרֻתוֹת אֲרָזִים עַל־הָעַמּוּדִים׃

Edificou a Casa do Bosque do Líbano. O *templo* era apenas uma parte de um grande programa de edificações. Ver as introduções aos capítulos 6 e 7 deste livro quanto a isso. A Casa do Bosque do Líbano foi erguida ao sul do templo. Era a residência pessoal de Salomão, assim chamada porque os nobres cedros ali usados vieram do Líbano, e não por ter sido construída no Líbano. O templo e outras construções faziam parte de um mesmo complexo, um costume dos reis antigos. Foram assim construídas vastas propriedades, incluindo vários edifícios reais.

O versículo nos fornece as dimensões dessa casa especial, a qual, sem dúvida, era uma construção caracterizada pela ostentação. Note-se que ela tinha 45,75 metros de comprimento por 22,87 metros de largura e 13,72 metros de altura. Era, portanto, bem maior que o templo (27,45 metros de comprimento por 9,15 metros de largura). Sua planta baixa cobria uma área quatro vezes maior que a área do templo de Jerusalém!

A *estrutura* foi construída sobre três fileiras de colunas de cedro, com vigas sobre as colunas, um tipo de alicerce incomum e caro. Mas alguns estudiosos pensam que essa descrição diz respeito a uma espécie de colunata (um passadiço coberto) que circundava o pátio, o qual contava com um pórtico fronteiriço. John Gill (*in loc.*) supunha que as vigas servissem para um segundo piso, que formava um teto para o primeiro piso e, ao mesmo tempo, um soalho para o segundo. Os tradutores da Septuaginta, talvez não tendo compreendido o texto original hebraico, variaram bastante o texto. Os intérpretes lutam com o texto, tentando imaginar o seu significado, com diferentes resultados.

Propósito do Edifício. Era um depósito de armas (1Rs 10.7) e também um lugar de julgamento. Ver o versículo 7 deste capítulo.

■ 7.3

וְסָפֻן בָּאֶרֶז מִמַּעַל עַל־הַצְּלָעוֹת אֲשֶׁר עַל־הָעַמּוּדִים
אַרְבָּעִים וַחֲמִשָּׁה חֲמִשָּׁה עָשָׂר הַטּוּר׃

As câmaras laterais em número de quarenta e cinco, quinze em cada andar. Esta passagem mostra que havia três pisos na construção, e não apenas dois, como imaginou John Gill. "No segundo piso havia três fileiras de colunas, quinze por andar, totalizando 45, que ficavam a leste, norte e sul, e sobre essas colunas, vigas, que formavam o piso de um terceiro andar, tudo coberto por um telhado de madeira de cedro" (John Gill, *in loc.*). Essa é uma possível interpretação do versículo, o que nos permite perceber que John Gill admitiu aqui uma segunda interpretação. Ou então a descrição pertence à suposta colunata que havia próximo e circundava o pátio, sendo parte do mesmo complexo de construções que compunham a Casa do Bosque do Líbano.

■ 7.4

וּשְׁקֻפִים שְׁלֹשָׁה טוּרִים וּמֶחֱזָה אֶל־מֶחֱזָה שָׁלֹשׁ
פְּעָמִים׃

Havia janelas em três ordens. Presume-se que a função dessas janelas era permitir a entrada de luz e ventilação para o segundo e o terceiro piso que havia a leste, norte e sul; mas não haveria janelas no lado oeste, onde o pórtico fora construído. As janelas possibilitavam a entrada da luz de cada lado da construção e eram paralelas umas às outras. Novamente, os intérpretes fazem muita ginástica tentando imaginar como isso foi conseguido, mas ainda não chegaram a um resultado definitivo.

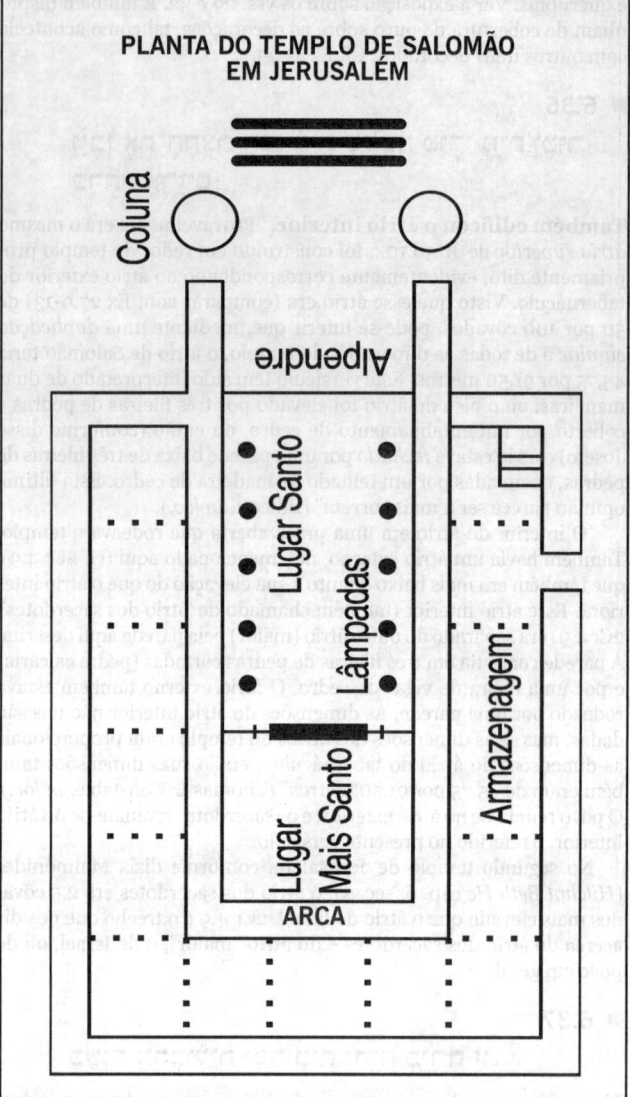

■ 7.5

וְכָל־הַפְּתָחִים וְהַמְּזוּזוֹת רְבֻעִים שָׁקֶף וּמוּל מֶחֱזָה
אֶל־מֶחֱזָה שָׁלֹשׁ פְּעָמִים׃

A *figura geométrica* usada para as portas e janelas da construção era o *quadrado*. Somos novamente lembrados de que havia "janela oposta a janela", o que parece significar que as janelas foram construídas umas defronte das outras, de forma que a luz que entrava por uma janela encontrava-se com a luz que entrava pela janela do lado oposto. Algumas traduções dizem aqui "em três fileiras", como se dá com nossa versão portuguesa; mas outras preferem dizer "pisos", voltando à ideia dos andares. Novamente, o original hebraico nos deixa em situação difícil, pois nosso conhecimento a respeito não é exato o bastante para nos permitir compreender as descrições do autor sagrado. Devemos lembrar que o hebraico, na antiguidade, era escrito somente com as consoantes, e só no período cristão foi inventado o sistema de pontos e linhas que proviam os sons vocálicos. Assim, hoje em dia, somente Bíblias e gramáticas em hebraico têm essas indicações vocálicas, ao passo que o restante da literatura hebraica continua a ser escrito somente com as consoantes. Isso contribuiu para grande dificuldade quanto à compreensão. O sistema de pontos e linhas que representam os sons vocálicos só entrou em vigor no século VI d.C.!

"Tanto as portas para os vários andares e apartamentos, quanto as suas ombreiras e vergas, assim como as janelas, formavam quadrados; além disso, a iluminação entrava por janelas postas uma em oposição a outra. Uma janela correspondia a outra janela, no lado oposto da construção" (John Gill, *in loc.*).

EQUIPAMENTO DO TEMPLO DE SALOMÃO

Candeeiro de Ouro

Dez Pias de Cobre

Candeeiro de Ouro levado para Roma, 70 d.C.

Incensário

A magnificente Casa do Bosque do Líbano era, em sua essência, um depósito para armas e equipamento militar (ver 1Rs 10.17), mas era também um tribunal de justiça, se entendermos que o versículo descreve outra estrutura, embora associada à Casa do Bosque do Líbano.

7.6

וְאֵת אוּלָם הָעַמּוּדִים עָשָׂה חֲמִשִּׁים אַמָּה אָרְכּוֹ וּשְׁלֹשִׁים אַמָּה רָחְבּוֹ וְאוּלָם עַל־פְּנֵיהֶם וְעַמֻּדִים וְעָב עַל־פְּנֵיהֶם׃

O Salão das Colunas. "Esse pórtico foi construído na extremidade ocidental da casa. seu comprimento era de 23 metros, correspondente à largura da casa; e sua largura era de 13,80 metros, que, adicionados ao comprimento da casa, totalizavam 59,80 metros. O pórtico ficava *defronte do salão*, ou seja, as quatro fileiras de colunas de cedro da casa (vs. 2). Nesse pórtico os guardas montavam sentinela, ou ali os cortesãos caminhavam, visto que era um abrigo contra a chuva. Ou, talvez, o pórtico tenha sido construído somente para efeito de grandeza e magnificência. As colunas do pórtico, sobre as quais se apoiavam as vigas, serviam para dar sustentação ao andar de cima, e assim por diante" (John Gill, *in loc.*, que nos dá uma interpretação possível de um texto que deixa os intérpretes confusos). "Embora algumas autoridades afirmem ser esse um edifício separado, parece que, de acordo com uma exata concordância de dimensões... era uma espécie de abertura ou vestíbulo para a entrada da propriedade (vs. 6)" (Ellicott, *in loc.*). O pórtico corresponde à entrada do templo.

7.7

וְאוּלָם הַכִּסֵּא אֲשֶׁר יִשְׁפָּט־שָׁם אֻלָם הַמִּשְׁפָּט עָשָׂה וְסָפוּן בָּאֶרֶז מֵהַקַּרְקַע עַד־הַקַּרְקָע׃

Também fez a Sala do Trono. Esta sala também era chamada Sala do Julgamento. Ali Salomão tinha um trono de marfim (1Rs 10.18) no qual se assentava e julgava, deixando as pessoas admiradas com sua sabedoria e mantendo as coisas em ordem em Israel. Talvez esta sala fizesse parte da Casa do Bosque do Líbano, ou então, conforme parece mais provável, de um edifício separado para Salomão fazer julgamentos. Alguns eruditos, entretanto, pensam que esta sala era parte do próprio palácio de Salomão.

"O pórtico do julgamento era, como é claro, um edifício separado, não descrito no texto, exceto pelo fato de que tinha um soalho e um teto de cedro. Fergusson, comparando-o com 'as ruínas de exemplares assírios e persas', supunha que o pórtico tinha um formato quadrado, apoiado por quatro colunas no centro, entre as quais ficava o trono, e havia aberturas pelos quatro lados para o público, o rei e seus oficiais" (Ellicott, *in loc.*).

7.8

וּבֵיתוֹ אֲשֶׁר־יֵשֶׁב שָׁם חָצֵר הָאַחֶרֶת מִבֵּית לָאוּלָם כַּמַּעֲשֶׂה הַזֶּה הָיָה וּבַיִת יַעֲשֶׂה לְבַת־פַּרְעֹה אֲשֶׁר לָקַח שְׁלֹמֹה כָּאוּלָם הַזֶּה:

A sua casa, em que moraria. Essa era a residência do rei e de sua esposa especial, a rainha-mãe, princesa do Egito. A única descrição é que ela se localizava dentro do pórtico, ou seja, na parte de trás do outro átrio, e obedecia à mesma construção já ilustrada em outras estruturas. Esposas de menor importância e concubinas viviam em apartamentos, em alguma casa, ou em algumas casas grandes, e não tinham a mesma glória da rainha-mãe.

Noutro pátio. Outro átrio, além dos previamente descritos, chamado de "pátio novo" (2Cr 20.5). Josefo diz-nos que esse pátio era uma estrutura magnificente, adornada com árvores e fontes, e uma colunata em derredor. Ele também nos supriu vívidas descrições sobre o interior dos vários edifícios, seu mármore polido, a folhagem de metal, várias cores misturadas, e as fileiras de nobres cedros pintados de vermelhão. Cf. Jr 22.14. Algumas descobertas arqueológicas proveem a informação de que decorações semelhantes eram usadas em Nínive.

7.9

כָּל־אֵלֶּה אֲבָנִים יְקָרֹת כְּמִדֹּת גָּזִית מְגֹרָרוֹת בַּמְּגֵרָה מִבַּיִת וּמִחוּץ וּמִמַּסָּד עַד־הַטְּפָחוֹת וּמִחוּץ עַד־הֶחָצֵר הַגְּדוֹלָה:

Todas estas construções eram de pedras de valor. "Os alicerces de todos esses edifícios eram feitos de pedras grandes, com paredes de pedras lavradas, apaineladas com cedro por dentro, do soalho ao teto, com colunas de cedro na casa das colunas e três fileiras de quinze colunas cada, na casa do bosque do Líbano" (Norman H. Snaith, *in loc.*).

Cortadas. A *Revised Standard Version* diz aqui "serradas". As pedras calcárias da Palestina são moles o suficiente para serem cortadas a serrote; mas, uma vez expostas ao ar livre, endurecem, e logo ficam tão resistentes que só podem ser cortadas com um formão.

7.10

וּמְיֻסָּד אֲבָנִים יְקָרוֹת אֲבָנִים גְּדֹלוֹת אַבְנֵי עֶשֶׂר אַמּוֹת וְאַבְנֵי שְׁמֹנֶה אַמּוֹת:

As *pedras do alicerce* eram grandes e nobres, sendo escolhidas somente as melhores e mais bem preparadas para fazer parte das edificações da propriedade real. Havia pedras de 3,66 metros (quadradas?) e de 4,57 metros (quadradas?); ou estaria o autor sagrado referindo-se a cubos dessas dimensões? John Gill (*in loc.*) supõe que as medidas dadas aqui correspondem ao comprimento, e a largura e a altura não são mencionadas. A preparação de tais pedras era cara e trabalhosa, mas a filosofia de Salomão era "o melhor para o Altíssimo". O Rei Yahweh merecia o melhor. Outro tanto podia ser dito sobre sua bela e jovem esposa, a rainha-mãe egípcia e esposa de número um. As outras esposas teriam de contentar-se com outros aposentos reais.

7.11

וּמִלְמַעְלָה אֲבָנִים יְקָרוֹת כְּמִדּוֹת גָּזִית וָאָרֶז:

Por cima delas pedras de valor. Salomão precisou contratar força de trabalho estrangeira, visto que Israel nunca foi muito bom quanto à arquitetura e às ciências. Os homens de Hirão tiveram de fazer o trabalho, a um custo bastante elevado; mas Salomão, com sua cobrança de impostos, seria capaz de pagar quanto eles pedissem. Ver 1Rs 5.6 ss. quanto à ajuda estrangeira que se fez mister nas construções de Salomão. Ver também 1Rs 7.13 quanto à ajuda estrangeira empregada nos adornos das construções salomônicas.

Por cima delas. Por cima do quê? Por cima das pedras das paredes que subiam desde os alicerces. Essas pedras também eram caras, recobertas de madeira de cedro e, pelo menos no templo, com ouro, a ornamentação que aparecia à superfície. Kimchi diz-nos que as paredes de pedra tinham cinco larguras de mão quanto à espessura, ou seja, por volta de 50 centímetros. Uma vez recobertas ou apaineladas com madeira de cedro, isso lhes emprestava uma boa espessura que isolaria a casa durante o clima quente. Foi um trabalho gigantesco serrar todas aquelas pedras para as paredes, o que aumentou grandemente o custo já elevado da produção. Os pedreiros de Hirão fizeram todo o trabalho, enquanto os súditos de Salomão (provavelmente a maioria vinda da parte norte da nação, Israel) pagavam a conta.

7.12

וְחָצֵר הַגְּדוֹלָה סָבִיב שְׁלֹשָׁה טוּרִים גָּזִית וְטוּר כְּרֻתֹת אֲרָזִים וְלַחֲצַר בֵּית־יְהוָה הַפְּנִימִית וּלְאֻלָם הַבָּיִת: פ

"O grande pátio do palácio era protegido por uma parede similar em desenho àquela que havia em torno do átrio interior do templo (cf. 1Rs 6.36). Muito provavelmente, o palácio foi construído perto (talvez ao sul) do templo, embora nenhum remanescente tenha sido encontrado pelos arqueólogos" (Thomas L. Constable, *in loc.*).

Este vs. 12 trata da residência pessoal de Salomão. "Finalmente, 'o grande átrio' ao derredor é declarado parecido com o 'átrio interior' do templo, dotado de uma cerca de três fileiras de pedras, provavelmente de tamanho maior, recobertas de cedro. Parece evidente que assim ficava encerrado todo o palácio, contendo aposentos para os guardas e para a criadagem. Naturalmente, deve ter havido pátios interiores, em redor dos quais tanto o povo como as edificações mais particulares do palácio se agrupavam" (Ellicott, *in loc.*).

O TRABALHO DE HIRÃO (7.13-47)

7.13

וַיִּשְׁלַח הַמֶּלֶךְ שְׁלֹמֹה וַיִּקַּח אֶת־חִירָם מִצֹּר:

Esse *Hirão* não deve ser confundido com Hirão, rei de Tiro (ver 1Rs 5.1). Era um homem diferente com o mesmo nome. Ver no *Dicionário*, sob o ponto 2, *Hirão*, quanto ao que se sabe sobre esse homem, o artífice de 1Rs 7. O primeiro ponto daquele artigo descreve o rei de Tiro. O homem aqui em foco era um artífice de nomeada, de tão grande habilidade que sua reputação se espalhara por toda a região. A mãe dele pertencia à tribo de Dã, pelo que sua família materna era conhecida em Israel. O autor sagrado prefere não dizer como Salomão veio a conhecê-lo. Seja como for, o talento especial do homem era trabalhar com bronze, uma liga que levava cobre. A ele foi atribuída a gigantesca tarefa de fazer os vasos de bronze do templo, bem como todos os demais objetos usados no ritual. Alguns supõem que seu verdadeiro nome fosse Huram-abhi (Huram é meu pai). Cf. 2Cr 2.13 e 3.14. O trecho paralelo de 2Cr 2.14 informa que sua mãe era uma mulher danita. Mas o vs. 14 do presente capítulo diz que a tribo da mãe de Hirão era de *Naftali*. Talvez ela tenha nascido em Dã, mas residido por algum tempo no território da tribo de Naftali.

7.14

בֶּן־אִשָּׁה אַלְמָנָה הוּא מִמַּטֵּה נַפְתָּלִי וְאָבִיו אִישׁ־צֹרִי חֹרֵשׁ נְחֹשֶׁת וַיִּמָּלֵא אֶת־הַחָכְמָה וְאֶת־הַתְּבוּנָה וְאֶת־הַדַּעַת לַעֲשׂוֹת כָּל־מְלָאכָה בַּנְּחֹשֶׁת וַיָּבוֹא אֶל־הַמֶּלֶךְ שְׁלֹמֹה וַיַּעַשׂ אֶת־כָּל־מְלַאכְתּוֹ:

Sabedoria e Entendimento Especial. Hirão era especialista em sua profissão e, de fato, o melhor artífice conhecido em toda aquela área, e por isso foi convidado pelo sábio Salomão, que compreendia o que significa ser um especialista no próprio campo de atividades. Conhecer bem a própria profissão, mesmo que isso envolvesse um duro labor físico, foi chamado pelo autor sacro de "sabedoria e compreensão". Fazer o próprio trabalho eximiamente e com bons propósitos é um *serviço espiritual,* mesmo que esse trabalho nada tenha a ver com o "ministério do evangelho". Cometemos um erro ao separar o divino do humano, o chamado espiritual do chamado secular. Se um homem estiver cumprindo a sua missão, contribuindo para a glória de Deus, independentemente de qual seja o seu trabalho, ele estará realizando um serviço divino. Qualquer profissão ou negócio é uma escola na qual um homem aprende as lições da vida. Para trabalhar bem, uma pessoa deve servir a outras, e não somente a si mesma, porquanto a *lei do amor* é a diretriz de *toda* a vida. Ver no *Dicionário* o artigo chamado *Amor.*

Da tribo de Naftali. Esta pode ter sido a tribo adotada pela mãe de Hirão, ao passo que ele figura como alguém da tribo de Dã (ver 2Cr 2.14). Não há necessidade de solucionar a discrepância, e nem temos como fazê-lo. Esta observação foi feita para informar-nos que Hirão era um hebreu, pelo menos pelo lado materno, e por isso estava qualificado a trabalhar na casa do Senhor. Ou então, sabendo que quase todo o labor havia sido feito com ajuda estrangeira, o autor sagrado diz-nos aqui que pelo menos um homem *habilidoso* era meio hebreu. Alguns estudiosos fazem de Naftali a tribo do pai de Hirão, explicando que seu pai migrara para a cidade de Tiro, mas não era nativo daquele lugar. Isso, porém, não passa de uma conjectura inútil. O Targum diz exatamente a mesma coisa, em seu comentário sobre 2Cr 2.14, contudo o mais provável é que não haja nenhuma validade histórica nessa afirmação.

"sua parentela *mista* capacitava-o a entrar no espírito da adoração tipicamente israelita, mas com a habilidade prática de um artífice tírio" (Ellicott, *in loc.*).

■ **7.15**

וַיָּצַר אֶת־שְׁנֵי הָעַמּוּדִים נְחֹשֶׁת שְׁמֹנֶה עֶשְׂרֵה אַמָּה קוֹמַת הָעַמּוּד הָאֶחָד וְחוּט שְׁתֵּים־עֶשְׂרֵה אַמָּה יָסֹב אֶת־הָעַמּוּד הַשֵּׁנִי:

Entre as maravilhas confeccionadas havia duas gigantescas colunas de bronze, com 8,23 metros de altura. A circunferência dessas colunas também era de 8,23 metros. O trecho paralelo de 2Cr 3.15 diz que a altura das colunas era de 15,86 metros, mas isso poderia significar a altura conjunta das duas colunas de bronze, o que nos daria algo ligeiramente maior do que as cifras do presente versículo. Eupelemus fala em 4,60 metros como a altura dessas colunas (Apud. *Prepar. Evan.* 1.9, 34, par. 450), mas isso certamente implica erro. Os versículos seguintes continuam a descrição dessas colunas. Elas foram levantadas de cada lado do pórtico do templo (o pórtico fronteiriço sem teto; vs. 21). Não há nenhuma evidência para a conjectura de que as duas colunas representavam duas divindades, uma masculina e outra feminina. É verdade que colunas geralmente representavam divindades. Mas num jogo de duas divindades, uma masculina e outra feminina, provavelmente os artífices teriam confeccionado uma de pedra e outra de madeira, estabelecendo alguma distinção entre os sexos. Essas conjecturas, no entanto, estão fora de lugar no contexto monoteísta da sociedade hebraica da época.

De bronze. Isto é, cobre endurecido mediante a adição de estanho, ao passo que o bronze moderno é uma mistura de cobre e zinco.

■ **7.16**

וּשְׁתֵּי כֹתָרֹת עָשָׂה לָתֵת עַל־רָאשֵׁי הָעַמּוּדִים מֻצַק נְחֹשֶׁת חָמֵשׁ אַמּוֹת קוֹמַת הַכֹּתֶרֶת הָאֶחָת וְחָמֵשׁ אַמּוֹת קוֹמַת הַכֹּתֶרֶת הַשֵּׁנִית:

Também fez dois capitéis de fundição de bronze. Esses capitéis tinham 2,29 metros de altura, elevando a altura total das duas colunas para 10,52 metros. Os capitéis tinham o formato de uma coroa oval, como a própria palavra dá a entender no hebraico. Ben Gersom diz que os capitéis eram como duas coroas reunidas, ou algo semelhante a taças (vs. 41). 2Rs 25.17, entretanto, diz que a altura desses capitéis era de apenas 13,72 metros, mas isso parece referir-se somente à ornamentação neles contida. O presente versículo inclui a parte que recebeu a ornamentação, pelo que a altura total era de 2,29 metros.

■ **7.17**

שְׂבָכִים מַעֲשֵׂה שְׂבָכָה גְּדִלִים מַעֲשֵׂה שַׁרְשְׁרוֹת לַכֹּתָרֹת אֲשֶׁר עַל־רֹאשׁ הָעַמּוּדִים שִׁבְעָה לַכֹּתֶרֶת הָאֶחָת וְשִׁבְעָה לַכֹּתֶרֶת הַשֵּׁנִית:

Este versículo descreve o trabalho em metal, muito fantasioso, que foi usado para ornamentar os capitéis. Note a variante textual quanto à palavra *sete* (King James Version). Uma melhor tradução seria "rede", conforme lemos em nossa versão portuguesa. Assim dizem a Septuaginta e Luciano. O texto massorético diz *sete,* e a palavra hebraica pode significar "sete", com a mudança de uma única letra. Ver no *Dicionário* sobre os artigos *Massora (Massorah); Texto Massorético* e *Manuscritos do Antigo Testamento.*

"Estes eram os ornamentos dos capitéis; os primeiros como grossos galhos de árvores, com seus ramos e folhas curiosamente trançados, conforme a palavra deixa entendido; e os últimos como fímbrias, parecidos com as que os judeus usavam na beira de suas vestes" (John Gill, *in loc.*).

■ **7.18**

וַיַּעַשׂ אֶת־הָעַמּוּדִים וּשְׁנֵי טוּרִים סָבִיב עַל־הַשְּׂבָכָה הָאֶחָת לְכַסּוֹת אֶת־הַכֹּתָרֹת אֲשֶׁר עַל־רֹאשׁ הָרִמֹּנִים וְכֵן עָשָׂה לַכֹּתֶרֶת הַשֵּׁנִית:

O autor sagrado prossegue aqui a descrição da ornamentação dos capitéis. Parece ter sido indicado que havia duas fileiras de *figuras* que se assemelhavam a romãs sobre a rede ou trabalho de ramos (vs. 17), que cobriam os capitéis. Kimchi informa-nos que alguns manuscritos hebraicos dizem "no alto das colunas", e não "romãs". Mas isso, muito provavelmente, está incorreto. Sem ver uma representação do trabalho que foi feito, é difícil imaginar exatamente como ele era. É evidente, porém, que se trata de um impressionante trabalho de ornamentação feito em metal.

■ **7.19**

וְכֹתָרֹת אֲשֶׁר עַל־רֹאשׁ הָעַמּוּדִים מַעֲשֵׂה שׁוּשַׁן בָּאוּלָם אַרְבַּע אַמּוֹת:

Nos vss. 19-22 deste capítulo, a confusão entra no texto. A Septuaginta e Luciano fazem os vss. 19 e 20 seguirem-se ao vs. 21, ao passo que o vs. 22 é deixado de fora. "Um editor pós-exílico fez uma assimilação do texto para torná-lo coincidente com o que ele sabia sobre o segundo templo. A julgar pelo trecho de Jr 52.23, para cada coluna havia duas obras de lírios, cada uma das quais composta por cem romãs, semelhantes a grinaldas, de forma que quatro eram presas e 96 pendiam livremente. No topo de cada coluna havia um colar de bronze e, acima disso, uma flor de bronze com muitas pétalas, abertas na direção do céu" (Norman H. Snaith, *in loc.*).

E de quatro côvados. Dos cinco côvados, quatro eram ocupados pela decoração de um trabalho de lírios. O dr. Lightfoot imaginou que, no alto de cada coluna, havia uma beirada ou círculo de trabalho de lírios, os quais baixavam por quatro côvados sobre o capitel, um círculo de quatro côvados de largura, segundo a maneira de lírios espalhados.

■ **7.20**

וְכֹתָרֹת עַל־שְׁנֵי הָעַמּוּדִים גַּם־מִמַּעַל מִלְּעֻמַּת הַבֶּטֶן אֲשֶׁר לְעֵבֶר הַשְּׂבָכָה וְהָרִמּוֹנִים מָאתַיִם טֻרִים סָבִיב עַל הַכֹּתֶרֶת הַשֵּׁנִית:

Ver os comentários sobre o versículo anterior, a citação de Snaith, que tenta extrair algum sentido dessas descrições apelando para o trecho de Jr 52.23. Mas sem um modelo é difícil imaginar o que estava sendo descrito. "Em Jr 52.23 é dito que havia 96 romãs de cada lado e, no entanto, que havia cem ao redor. O sentido disso é que ou havia 24 para cada direção (norte, sul, leste e oeste) e havia quatro nos quatro ângulos, ou seja, um total de cem romãs; ou então, conforme disse Lightfoot, quando as colunas foram encostadas na parede, somente 96 romãs apareciam em uma fileira, pois quatro delas ficavam escondidas pela parede' (John Gill, *in loc.*). Portanto, se os especialistas na interpretação não têm certeza sobre o que estava sendo descrito, por certo nós também não podemos fazê-lo. Entendemos, contudo, que uma obra magnificente foi feita, e que Hirão se mostrou à altura de todas as expectativas.

■ 7.21

וַיָּ֙קֶם֙ אֶת־הָעַמֻּדִ֔ים לְאֻלָ֖ם הַהֵיכָ֑ל וַיָּ֜קֶם אֶת־הָעַמּ֣וּד הַיְמָנִ֗י וַיִּקְרָ֤א אֶת־שְׁמוֹ֙ יָכִ֔ין וַיָּ֙קֶם֙ אֶת־הָעַמּ֣וּד הַשְּׂמָאלִ֔י וַיִּקְרָ֥א אֶת־שְׁמ֖וֹ בֹּֽעַז׃

Levantou as colunas no pórtico do templo. Aqui aprendemos que as duas colunas foram erguidas na entrada do pórtico do templo, uma em cada lado. Esse pórtico era destituído de teto, mas provia uma impressionante decoração defronte do templo propriamente dito.

Os Nomes das Colunas. A coluna da direita era chamada *Jaquim*, que significa "ele (Yahweh) estabelece", referindo-se ao templo e à sua adoração. E a coluna da esquerda era chamada *Boaz*, que quer dizer "nele (em Yahweh) há forças", no sentido de que Israel, seu templo e sua adoração não podiam ser derrotados, pois a manifestação divina sempre estaria presente para conferir significado e estabilidade. Esperava-se que o Senhor (Yahweh) residisse no templo e manifestasse ali sua força em favor de Israel. É provável que Salomão tenha dado pessoalmente os nomes às duas colunas. Ou então o criador desses nomes foi o sumo sacerdote. Somente eles teriam tal autoridade. As colunas não sustentavam coisa alguma. Eram meras peças decorativas que simbolizavam Yahweh e suas provisões. Aqui, "direita" significa sul, e "esquerda" indica norte, quando alguém se voltava na direção do templo. A fachada do templo era voltada para o oriente.

■ 7.22

וְעַ֛ל רֹ֥אשׁ הָעַמּוּדִ֖ים מַעֲשֵׂ֣ה שׁוֹשָׁ֑ן וַתִּתֹּ֖ם מְלֶ֥אכֶת הָעַמּוּדִֽים׃

Este versículo é deixado de fora na Septuaginta e em Luciano, como uma espécie de repetição desnecessária do que já havia sido descrito detalhadamente. Ver o vs. 19 e suas notas expositivas. O próprio John Gill, que usualmente gostava de fazer comentários longos e detalhados, não se importou em repetir nada aqui, e somente recomendou que examinássemos o vs. 19.

O MAR DE FUNDIÇÃO (7.23-26)

■ 7.23

וַיַּ֥עַשׂ אֶת־הַיָּ֖ם מוּצָ֑ק עֶ֣שֶׂר בָּ֠אַמָּה מִשְּׂפָת֨וֹ עַד־שְׂפָת֜וֹ עָגֹ֣ל ׀ סָבִ֗יב וְחָמֵ֤שׁ בָּֽאַמָּה֙ קוֹמָת֔וֹ וּקְוֵה֙ שְׁלֹשִׁ֣ים בָּֽאַמָּ֔ה יָסֹ֥ב אֹת֖וֹ סָבִֽיב׃

Já forneci um detalhado artigo sobre este item do templo no *Dicionário*, com o título de *mar de Fundição (de Bronze)*. Quanto aos detalhes, ver aquele artigo.

Alguns críticos supõem que esse mar de fundição ou bacia de bronze fosse a representação do oceano primevo da criação segundo os moldes mesopotâmicos que os hebreus tomaram emprestados. "Antes que o mundo tivesse começado... e os céus tivessem sido formados, houve grande luta entre o deus-herói e o monstro marinho, o Caos. Os hebreus costumavam usar material primitivo para seus próprios propósitos religiosos. Eles fizeram esse antigo mito contar a história da grande luta entre Deus e os poderes do mal. Mais ainda, teceram esse relato em sua própria história, de modo que se tornou a história do trabalho do Deus-Salvador" (Norman H. Snaith, *in loc.*).

Ainda com respeito à questão de um possível empréstimo de material, podemos dizer que, na expiação, "o antigo relato foi estabelecido há muito tempo", conforme disse o compositor de certo hino. Portanto, as forças do mal e o caos foram derrotados pelo poder purificador do Cordeiro de Deus. Quanto a maiores detalhes e quanto ao simbolismo, ver o artigo no *Dicionário*.

O mar de fundição era uma bacia gigantesca, com cerca de 2,15 metros de diâmetro e com pouco mais de 90 centímetros de profundidade. Ao redor de sua beirada havia uma dupla fileira de colocíntidas, similar ao trabalho de lavor do segundo templo (ver 1Rs 6.18). A *espessura* do material do mar de fundição era a largura de uma mão, ou seja, cerca de 7,5 centímetros, a mesma do material das duas colunas de bronze que ficavam na entrada do pórtico, defronte do templo.

Hirão, o esperto artífice de Tiro, também criou aquele impressionante mar de fundição. Ver as notas sobre 1Rs 7.13,14 quanto ao que se sabe a respeito dele.

Os *sacerdotes levíticos* precisavam lavar as mãos e os pés sempre que estivessem atarefados em suas ministrações públicas e, embora o lavatório do tabernáculo fosse diferente do lavatório do templo, a função de ambos era a mesma. O pesado mar de fundição substituiu a bacia de bronze do tabernáculo. Havia lavatórios menores, em número de dez (vss. 27-39). Nesses ritos de lavagem estavam em foco a *purificação*, algo necessário no culto e ritual divino.

Tipologia. Está em pauta o sangue de Cristo, que nos purifica de todo pecado. Ver Jo 13.2-10 e Ef 5.25-27.

■ 7.24

וּפְקָעִ֗ים מִתַּ֤חַת לִשְׂפָתוֹ֙ ׀ סָבִיב֙ סֹבְבִ֣ים אֹת֔וֹ עֶ֚שֶׂר בָּֽאַמָּ֔ה מַקִּפִ֥ים אֶת־הַיָּ֖ם סָבִ֑יב שְׁנֵ֤י טוּרִים֙ הַפְּקָעִ֔ים יְצֻקִ֖ים בִּיצֻקָתֽוֹ׃

Por baixo da sua borda em redor. Naquela altura, pelo lado de fora do mar de fundição, havia colocíntidas decorativas, um enfeite que também foi empregado para embelezar as paredes interiores do templo (ver 1Rs 6.18). Essas colocíntidas formavam duas fileiras e foram moldadas juntamente com a bacia, mediante algum processo técnico que não foi descrito. Havia *dez* colocíntidas por côvado. Mas a *Revised Standard Version* diz simplesmente "por 30 côvados", sem especificar quantas colocíntidas por côvado foram formadas. Isso, que corresponde ao texto da Septuaginta, refere-se à circunferência completa da bacia de bronze. Mediante essa tradução, ficamos sabendo que, ao redor da bacia, as colocíntidas foram empregadas como decoração. No texto hebraico, *dez* é a quantidade correta de colocíntidas, pelo que havia, em cada fileira, cerca de trezentas colocíntidas, ou seja, seiscentas nas duas fileiras. Esse único item da decoração do templo exigiu um trabalho imenso.

■ 7.25

עֹמֵ֞ד עַל־שְׁנֵ֧י עָשָׂ֣ר בָּקָ֗ר שְׁלֹשָׁ֣ה פֹנִים֩ ׀ צָפ֨וֹנָה וּשְׁלֹשָׁ֜ה פֹנִ֣ים ׀ יָ֗מָּה וּשְׁלֹשָׁ֤ה ׀ פֹּנִים֙ נֶ֔גְבָּה וּשְׁלֹשָׁ֖ה פֹּנִ֣ים מִזְרָ֑חָה וְהַיָּ֤ם עֲלֵיהֶם֙ מִלְמָ֔עְלָה וְכָל־אֲחֹֽרֵיהֶ֖ם בָּֽיְתָה׃

Assentava-se o mar sobre doze bois. Os doze bois estavam divididos em quatro grupos de três, voltados na direção dos quatro pontos cardeais. Na antiga adoração dos hebreus, antes de a idolatria ter sido finalmente confinada, os hebreus adoraram o touro em Betel e em Dã ou, pelo menos, o animal era símbolo de sua adoração. Estamos familiarizados com o uso desse animal nas práticas idólatras egípcias. Touros vivos eram usados na adoração e simbolizavam a fertilidade e a força. Sabemos, naturalmente, que vários templos antigos estiveram comprometidos com o culto da fertilidade. Muitos eruditos negam que o templo de Jerusalém pudesse estar envolvido em tais práticas pagãs, de modo que veem nos touros debaixo da bacia de bronze uma função simbólica que não infringia a adoração sagrada a Yahweh e o monoteísmo dela decorrente. Todavia, devemos lembrar que os artífices empregados na construção do templo eram pagãos; assim, não nos deveria surpreender o fato de essas coisas serem semelhantes às que existiam nos templos dos cananeus. A própria estrutura era similar à de templos pagãos do Oriente Próximo e Médio. Isso não significa, porém, que o culto do templo tivesse sido contaminado por rituais e simbolismos pagãos. Nas mãos dos hebreus, os símbolos antigos vieram a ter outros significados, sujeitos ao Yahwismo.

Alguns explicam que os doze touros representam as doze tribos de Israel. Nesse caso, talvez esteja em pauta a *força de Israel*. Ver no *Dicionário* o verbete chamado *Ápis*, nome do deus-touro do Egito.

Jacob Leon (em sua obra, *Relation of Memorable Things in the Temple*, capítulo 4, pág. 21) calculou que o peso total dessa gigantesca bacia de bronze, com seus doze touros, tenha sido de 389.305 quilos (20.430 quilos para a própria bacia, e 368.875 quilos para os touros). Seja como for, os babilônios levaram para a sua terra esse bronze, quando Judá entrou no cativeiro. Ver 2Rs 25.13. O cálculo do dr. Leon parece exagerado, mas é a única estimativa do peso em bronze que encontrei em minhas fontes informativas.

■ 7.26

וְעָבְיוֹ טֶפַח וּשְׂפָתוֹ כְּמַעֲשֵׂה שְׂפַת־כּוֹס פֶּרַח שׁוֹשָׁן
אַלְפַּיִם בַּת יָכִיל׃ פ

A grossura dele era de quatro dedos. Ou seja, cerca de 7,5 centímetros. As colocíntidas foram postas logo abaixo da beirada (vs. 25), e na própria beirada havia a representação de lírios que também foram usados para decorar os capitéis de colunas postas à entrada do pórtico do templo (vs. 19).

Capacidade. A gigantesca bacia de bronze era capaz de conter cerca de 66 mil litros. Ver no *Dicionário* o artigo chamado *Pesos e Medidas*. Mas alguns dizem que a capacidade do mar de fundição era de somente 43.530 litros (ver NIV, margem).

Batos. Nossa versão portuguesa fala em dois mil batos como a capacidade do mar de fundição. "O bato era uma medida para líquidos que equivalia a cerca de 22,710 litros" (*Oxford Annotated Bible, in loc.*).

OS DEZ LAVATÓRIOS DE BRONZE SOBRE RODAS (7.27-39)

■ 7.27

וַיַּעַשׂ אֶת־הַמְּכֹנוֹת עֶשֶׂר נְחֹשֶׁת אַרְבַּע בָּאַמָּה אֹרֶךְ
הַמְּכוֹנָה הָאֶחָת וְאַרְבַּע בָּאַמָּה רָחְבָּהּ וְשָׁלֹשׁ בָּאַמָּה
קוֹמָתָהּ׃

Esta seção dá evidências de se tratar de dois relatos entremeados, com certos detalhes diferenciados que criam confusão quanto à interpretação. Os arqueólogos descobriram um suporte com rodas em Larnaca, ilha de Chipre, similar aos do relato à nossa frente. Os lavatórios de Salomão eram bastante grandes, tendo 1,37 metro de altura por 1,83 metro em quadrado. 2Cr 4.6 diz-nos que eles serviam para a lavagem dos materiais consumidos nos holocaustos, bem como para a higiene dos sacerdotes. Esses lavatórios pertenciam ao mar de fundição (vss. 23-26). Os críticos supõem que o mar de fundição tenha alcançado um sentido de *purificação* na época do segundo templo, mas buscam outro significado no tocante ao templo de Salomão, o que é sugerido nas notas de introdução ao vs. 23.

"Os suportes móveis de bronze evidentemente eram usados no abate dos animais a serem sacrificados. Na superfície de cada suporte havia uma *bacia* (vs. 38) que continha cerca de 870 litros de água. Aparentemente, outra bacia (vs. 30) drenava água para um tanque circular, abaixo, através de uma abertura. Cada um daqueles suportes tinha painéis decorados de ambos os lados, e quatro rodas de bronze. Esses dez lavatórios ambulantes podiam ser postos em movimento em redor do átrio interior (embora com alguma dificuldade), conforme fosse necessário. Cinco deles ficavam postados no lado sul do templo, e cinco no lado norte" (Thomas L. Constable, *in loc.*).

Conforme se dá com outros itens do templo, os intérpretes lutam para imaginar exatamente o que significam as descrições sobre os vários artigos.

Dimensões. Os lavatórios tinham 1,83 metro de comprimento, a mesma medida de largura e cerca de 1,37 metro de altura. O pesado material de que eram feitos, o bronze, quase impossibilitava a locomoção. Podemos estar certos de que eram necessários vários homens para movimentá-los pelo átrio interior, a menos que as rodas de bronze tivessem alguma forma eficaz de rolamentos.

■ 7.28

וְזֶה מַעֲשֵׂה הַמְּכוֹנָה מִסְגְּרֹת לָהֶם וּמִסְגְּרֹת בֵּין
הַשְׁלַבִּים׃

Tinham painéis, que estavam entre molduras. Esses painéis, como é evidente, eram chapas de bronze que circundavam o objeto pelos lados. Os intérpretes esforçam-se por imaginar exatamente o que indicam tais descrições. Alguns deles nem se dão ao trabalho de comentá-las. O que fica claro é que eram vagões de bronze altamente ornamentados, sobre os quais havia bacias. O restante dos detalhes é questionável.

■ 7.29

וְעַל־הַמִּסְגְּרוֹת אֲשֶׁר בֵּין הַשְׁלַבִּים אֲרָיוֹת בָּקָר
וּכְרוּבִים וְעַל־הַשְׁלַבִּים כֵּן מִמָּעַל וּמִתַּחַת לָאֲרָיוֹת
וְלַבָּקָר לֹיוֹת מַעֲשֵׂה מוֹרָד׃

Havia leões, bois e querubins. Os painéis eram decorados com essas figuras. Josefo adicionou homens e águias, apelando para o trecho de Ez 1.10. Uma peça chata de bronze era posta no alto, para servir de base à bacia de água. John Gill, procurando interpretar as descrições, confessou que estava seguindo o dr. Lightfoot, e confesso que estou seguindo John Gill. Talvez se trate de um caso de cegos guiando outros cegos. Ellicott fala sobre a descrição *conjectural* como uma fonte a ser seguida. Adam Clarke simplesmente ignora os vss. 28-37 em seus comentários.

Festões pendentes. A *Revised Standard Version* diz aqui: "grinaldas de trabalho chanfrado". A *King James Version* diz: "certas adições de trabalho fino". Seja como for, um trabalho fino e delicado estava sendo realizado por Hirão, o grande artífice de Tiro.

■ 7.30

וְאַרְבָּעָה אוֹפַנֵּי נְחֹשֶׁת לַמְּכוֹנָה הָאַחַת וְסַרְנֵי נְחֹשֶׁת
וְאַרְבָּעָה פַעֲמֹתָיו כְּתֵפֹת לָהֶם מִתַּחַת לַכִּיֹּר הַכְּתֵפֹת
יְצֻקוֹת מֵעֵבֶר אִישׁ לֹיוֹת׃

Tinha cada suporte quatro rodas de bronze. Este versículo é bastante claro. O veículo tornava-se móvel graças a quatro rodas de bronze presas a eixos feitos do mesmo material. Os suportes eram fortificados nos quatro cantos a fim de suportar o peso das bacias cheias de água que ficavam no topo. Nos cantos também havia grinaldas decorativas. Assim, a ornamentação caracterizava todo o trabalho de Hirão. Ver 1Rs 7.13,14 quanto ao que se sabe acerca desse homem, o principal decorador de interiores a serviço de Salomão.

■ 7.31

וּפִיהוּ מִבֵּית לַכֹּתֶרֶת וָמַעְלָה בָּאַמָּה וּפִיהָ עָגֹל
מַעֲשֵׂה־כֵן אַמָּה וַחֲצִי הָאַמָּה וְגַם־עַל־פִּיהָ מִקְלָעוֹת
וּמִסְגְּרֹתֵיהֶם מְרֻבָּעוֹת לֹא עֲגֻלּוֹת׃

A sua boca estava dentro de uma guarnição. Contrastando com o versículo anterior, este versículo torna-se quase incompreensível. As traduções várias deixam-nos confusos. Portanto, volto a depender de John Gill: "Na tampa da base elevava-se uma base menor, chamada 'coroa', que era circular como uma pequena coroa, conforme também a palavra dá a entender. O lado de dentro era oco, para que a parte inferior da bacia ali descansasse. Subia reto por meio côvado e então se alargava, subia meio côvado mais, e assim em sua altura total era de um côvado. sua circunferência, chamada 'boca' da base e onde os pés do lavatório eram colocados, tinha a medida de um côvado e meio, que alguns estudiosos pensam ser a circunferência, mas outros falam no diâmetro do objeto. Havia entalhes sobre as bordas da boca, que eram quadradas e não redondas. Embora a boca fosse redonda, a beirada formava um quadrado, o qual tinha figuras gravadas, talvez as mesmas aplicadas aos painéis, isto é, leões, bois e querubins". Ellicott (*in loc.*), ao comentar sobre esse versículo, disse: "Essa é a porção mais obscura, e nossa versão (a *King James Version*) a deixa ininteligível". Citando Keil, ele tenta arrancar dessas descrições algum sentido.

■ 7.32

וְאַרְבַּעַת הָאוֹפַנִּים לְמִתַּחַת לַמִּסְגְּרוֹת וִידוֹת הָאוֹפַנִּים
בַּמְּכוֹנָה וְקוֹמַת הָאוֹפַן הָאֶחָד אַמָּה וַחֲצִי הָאַמָּה׃

As quatro rodas estavam debaixo dos painéis. Isso nos leva de volta ao vs. 29. Sob os painéis estavam as quatro rodas. Eixos tinham sido providos para as rodas, que parecem ter sido fundidas como uma única peça com os suportes. As rodas tinham 8,23 metros de diâmetro.

■ **7.33**

וּמַעֲשֵׂה֙ הָא֣וֹפַנִּ֔ים כְּמַעֲשֵׂ֖ה אוֹפַ֣ן הַמֶּרְכָּבָ֑ה יְד֣וֹתָ֔ם
וְגַבֵּיהֶ֧ם וְחִשֻּׁקֵיהֶ֛ם וְחִשֻּׁרֵיהֶ֖ם הַכֹּ֥ל מוּצָֽק׃

As rodas pareciam-se com as de uma carruagem, dotadas de eixos, bordas, raios e cubos, todos feitos de bronze fundido. O Targum embelezou o texto dizendo "como uma carruagem de glória", ou seja, algo esplêndido, curiosamente produzido. Parece que as rodas e todas as suas partes foram fundidas formando uma única peça.

■ **7.34**

וְאַרְבַּ֣ע כְּתֵפ֗וֹת אֶ֚ל אַרְבַּ֣ע פִּנּ֔וֹת הַמְּכֹנָ֖ה הָאֶחָ֑ת
מִן־הַמְּכֹנָ֖ה כְּתֵפֶֽיהָ׃

Os suportes que davam sustentação ao conjunto, nos quatro cantos, foram fundidos formando uma única peça. Portanto, não estavam presos aos cantos, mas formavam, por assim dizer, parte deles. Cf. o vs. 30. "Foram fundidos juntamente e formavam uma única peça de metal" (John Gill, *in loc.*).

■ **7.35**

וּבְרֹ֣אשׁ הַמְּכוֹנָ֗ה חֲצִ֧י הָאַמָּ֛ה קוֹמָ֖ה עָגֹ֣ל ׀ סָבִ֑יב וְעַ֨ל
רֹ֤אשׁ הַמְּכֹנָה֙ יְדֹתֶ֔יהָ וּמִסְגְּרֹתֶ֖יהָ מִמֶּֽנָּה׃

No alto da base havia um cilindro redondo, com meio côvado de altura. A *Revised Standard Version* diz aqui uma *tira redonda*. Cf. a boca do vs. 31, com a qual os intérpretes identificam essa tira. Esta se elevava reta por meio côvado e se alargava para cima por outro meio côvado. O alto da base, as beiradas a ela vinculadas e as bordas eram uma única peça de fundição.

■ **7.36**

וַיְפַתַּ֤ח עַל־הַלֻּחֹת֙ יְדֹתֶ֔יהָ וְעַל֙ וּמִסְגְּרֹתֶ֔יהָ כְּרוּבִ֖ים
אֲרָי֣וֹת וְתִמֹרֹ֑ת כְּמַֽעַר־אִ֖ישׁ וְלֹי֥וֹת סָבִֽיב׃

Os vários itens da máquina eram decorados com figuras de querubins, leões e palmeiras, itens já usados como ornamentação em vários lugares do templo. O Targum aponta eixos, rodas, bordas como os itens decorados. Para Procópio Gazaeus, as bases tinham, na parte superior, as formas de mãos que seguravam um círculo semelhante a uma coroa.

■ **7.37**

כָּזֹ֣את עָשָׂ֔ה אֵ֖ת עֶ֣שֶׂר הַמְּכֹנ֑וֹת מוּצָ֨ק אֶחָ֜ד מִדָּ֥ה אַחַ֛ת
קֶ֥צֶב אֶחָ֖ד לְכֻלָּֽהְנָה׃ ס

Este versículo recapitula a descrição anterior, assegurando-nos que os dez suportes e as bacias que neles havia eram idênticos e feitos com tanta arte que, por um estranho trabalho, eram fundidos como se fossem uma só peça com seus elementos diferentes. Isso dá a entender que nenhuma peça foi adicionada aos objetos mediante solda ou algum outro processo. Isso talvez fale sobre a *unidade* divina, o monoteísmo sagrado, e não meramente sobre a unidade do trabalho técnico feito por Hirão, o artífice de Tiro (ver 1Rs 7.13,14).

■ **7.38**

וַיַּ֕עַשׂ עֲשָׂרָ֖ה כִּיֹּר֣וֹת נְחֹ֑שֶׁת אַרְבָּעִ֨ים בַּ֜ת יָכִ֣יל ׀
הַכִּיּ֣וֹר הָאֶחָ֗ד אַרְבַּ֤ע בָּֽאַמָּה֙ הַכִּיּ֣וֹר הָאֶחָ֔ד כִּיּ֤וֹר
אֶחָד֙ עַל־הַמְּכֹנָ֣ה הָאַחַ֔ת לְעֶ֖שֶׂר הַמְּכֹנֽוֹת׃

Também fez dez pias de bronze. Estão aqui em foco as bacias de bronze que repousavam sobre os suportes, conforme descrito nos vss. 27-37. Elas tinham capacidade de conter cerca de 870 litros de água. Ver no *Dicionário* o artigo *Pesos e Medidas*. As opiniões variam quanto à capacidade exata do bato, e alguns dizem que comportava até sete galões, ou seja, 26,497 litros.

Quatro côvados. Ou seja, 1,83 metro. Ao que tudo indica, o autor sagrado pensava no *diâmetro* das bacias. Cada suporte estava equipado com uma bacia idêntica. Os materiais dos sacrifícios eram lavados ali, tal como eram lavadas as mãos dos sacerdotes oficiantes. Está em foco a purificação, e os autores cristãos veem aqui o sangue de Cristo tipificado. Ver minhas explicações nos vss. 23 e 27. Alguns pensam que o mar de fundição era para a lavagem dos sacerdotes, e que os dez lavatórios serviam para os animais a serem sacrificados. Ver 2Cr 4.6. Ver Rm 12.1 e Ap 7.13 quanto às aplicações cristãs.

■ **7.39**

וַיִּתֵּן֙ אֶת־הַמְּכֹנ֔וֹת חָמֵ֛שׁ עַל־כֶּ֥תֶף הַבַּ֖יִת מִיָּמִ֑ין וְחָמֵ֕שׁ
עַל־כֶּ֥תֶף הַבַּ֖יִת מִשְּׂמֹאל֑וֹ וְאֶת־הַיָּ֗ם נָתַ֞ן מִכֶּ֨תֶף הַבַּ֧יִת
הַיְמָנִ֛ית קֵ֖דְמָה מִמּ֥וּל נֶֽגֶב׃ ס

Pôs cinco suportes. *Localização*. Cinco dos suportes, com suas bacias, foram postos no lado sul (direito) do templo, e cinco no lado norte (esquerdo). O templo propriamente dito dava frente para o oriente. O mar de fundição foi posto no canto sudeste, ao lado do altar grande. Ver a planta baixa do templo, no artigo sobre esse assunto, no *Dicionário*. Ver também a planta baixa mais detalhada e as cercanias do templo na ilustração dada na exposição sobre 1Rs 6.2.

SUMÁRIO DOS OBJETOS DE BRONZE FEITOS POR HIRÃO (7.40-47)

■ **7.40**

וַיַּ֣עַשׂ חִיר֗וֹם אֶת־הַכִּיֹּר֛וֹת וְאֶת־הַיָּעִ֖ים וְאֶת־הַמִּזְרָק֑וֹת
וַיְכַ֣ל חִירָ֗ם לַעֲשׂוֹת֙ אֶת־כָּל־הַמְּלָאכָ֔ה אֲשֶׁ֥ר עָשָׂ֛ה
לַמֶּ֥לֶךְ שְׁלֹמֹ֖ה בֵּ֥ית יְהוָֽה׃

Encontramos aqui um breve sumário de todos os objetos de bronze que Hirão, o artífice de Tiro, fez para o templo e suas cerimônias. Ver sobre Hirão em 1Rs 7.13,14 e no artigo assim denominado, no *Dicionário*. A Septuaginta adiciona alguns particulares ao vs. 45, referindo-se às 48 colunas feitas para o palácio do rei e para o templo. Não temos outras informações sobre esses objetos, nem sabemos dizer coisa alguma sobre sua função e seus simbolismos.

A lista dada aqui sobre os objetos de bronze feitos por Hirão não menciona o grande altar de bronze citado em 2Cr 4.11. Ver no *Dicionário* sobre o *Altar de Bronze*, bem como as notas em 2Crônicas. Cf. Êx 27.1 quanto ao altar original de bronze.

Os caldeirões. Cf. o vs. 45, onde esses e outros objetos são mencionados, e também 2Cr 4.11. Esses vasos serviam como receptáculos para as cinzas tiradas do altar dos holocaustos. Em outras palavras, serviam para os detalhes de limpeza, terminados os sacrifícios.

As pás. Instrumentos usados para recolher as cinzas.

As bacias. Eram os receptáculos usados para recolher o sangue dos sacrifícios, a fim de que o líquido pudesse então ser usado nos rituais de aspersão.

Hirão fizera bem, e com grande prontidão, o trabalho que lhe fora determinado, de forma que participou da construção do templo e tem sido lembrado desde então por essa contribuição. No culto prestado a Deus, uma contribuição jamais é esquecida.

■ **7.41**

עַמֻּדִ֣ים שְׁנַ֗יִם וְגֻלֹּ֧ת הַכֹּתָרֹ֛ת אֲשֶׁר־עַל־רֹ֥אשׁ הָעַמּוּדִ֖ים
שְׁתָּ֑יִם וְהַשְּׂבָכ֣וֹת שְׁתַּ֔יִם לְכַסּ֗וֹת אֶת־שְׁתֵּי֙ גֻּלֹּ֣ת
הַכֹּֽתָרֹ֔ת אֲשֶׁ֖ר עַל־רֹ֥אשׁ הָעַמּוּדִֽים׃

Este versículo menciona a informação dada, com detalhes, nos vss. 15-22.

7.42

וְאֶת־הָרִמֹּנִים אַרְבַּע מֵאוֹת לִשְׁתֵּי הַשְּׂבָכוֹת שְׁנֵי־טוּרִים רִמֹּנִים לַשְּׂבָכָה הָאֶחָת לְכַסּוֹת אֶת־שְׁתֵּי גֻּלֹּת הַכֹּתָרֹת אֲשֶׁר עַל־פְּנֵי הָעַמּוּדִים׃

Este versículo menciona a informação dada, com detalhes, no vs. 20.

7.43

וְאֶת־הַמְּכֹנוֹת עָשֶׂר וְאֶת־הַכִּיֹּרֹת עֲשָׂרָה עַל־הַמְּכֹנוֹת׃

Este versículo menciona a informação dada, com detalhes, nos vss. 27-37.

7.44

וְאֶת־הַיָּם הָאֶחָד וְאֶת־הַבָּקָר שְׁנֵים־עָשָׂר תַּחַת הַיָּם׃

Este versículo menciona a informação dada, com detalhes, nos vss. 23-26; mas no primeiro relato, isso é posto antes da informação dos vss. 27-37, ao passo que a *menção* a essas obras (vss. 43 e 44) as apresenta na ordem inversa. Essa reversão não tem propósito algum.

7.45

וְאֶת־הַסִּירוֹת וְאֶת־הַיָּעִים וְאֶת־הַמִּזְרָקוֹת וְאֵת כָּל־הַכֵּלִים הָאֹהֶל אֲשֶׁר עָשָׂה חִירָם לַמֶּלֶךְ שְׁלֹמֹה בֵּית יְהוָה נְחֹשֶׁת מְמֹרָט׃

Este versículo menciona a informação dada, com detalhes, no vs. 40, assegurando-nos que o bronze usado era bronze polido. Hirão trabalhava sob as ordens de Salomão, o qual, por sua vez, trabalhava sob as ordens de Yahweh, pois o templo visava o serviço espiritual e os ritos do Senhor, conforme aprendemos em 1Rs 6.2. O ideal de Davi foi realizado, de forma magnificente, por seu filho, Salomão. Ver 2Sm 7, quanto ao desejo de Davi de edificar o templo. Ele já havia estabelecido um tabernáculo provisório em Jerusalém (ver 2Sm 6.17). Foi Salomão quem trouxe a permanência e a estabilidade. Assim sendo, a adoração foi centralizada em Jerusalém, que se tornou a capital de Israel em todos os sentidos. Ver a introdução 1Rs 6, e também o detalhado artigo do *Dicionário*, chamado *Templo*.

7.46

בְּכִכַּר הַיַּרְדֵּן יְצָקָם הַמֶּלֶךְ בְּמַעֲבֵה הָאֲדָמָה בֵּין סֻכּוֹת וּבֵין צָרְתָן׃

A fundição desses objetos de bronze foi feita no vale do Jordão, e não no local do templo, onde o *ruído* de ferramentas era proibido (ver 1Rs 6.7). O vale do rio Jordão era o lugar mais próximo que tinha argila suficiente para ser usada nos moldes em que o bronze deveria ser fundido. O vale estava localizado entre Sucote e Zaretã. Ver os artigos sobre esses lugares no *Dicionário*. Fica cerca de 56 quilômetros ao norte do mar Morto, e a leste do rio Jordão. Ver no *Dicionário* o verbete intitulado *Jordão (Vale)*. Sucote ficava no lado oriental do rio Jordão, no território da tribo de Gade (ver Gn 33.17; Js 13.27 e Jz 8.5). Zaretã ficava no lado ocidental do rio Jordão, no território de Manassés, não distante de Bete-Seã, onde talvez estivesse localizada a fundição usada por Hirão.

7.47

וַיַּנַּח שְׁלֹמֹה אֶת־כָּל־הַכֵּלִים מֵרֹב מְאֹד מְאֹד לֹא נֶחְקַר מִשְׁקַל הַנְּחֹשֶׁת׃

Deixou Salomão de pesar. O peso do bronze era tão grande que exigiria muito tempo e esforço para ser calculado com precisão, e Salomão simplesmente desistiu da tarefa. Tudo quanto precisamos saber foi que "houve muito bronze no templo", e Hirão, o artífice especialista, desempenhou muito bem sua função. Como resultado, o templo foi magnificentemente decorado com aquele metal, além das outras ornamentações anteriormente descritas. O Targum informa-nos que os objetos de bronze foram trazidos ao local do templo já terminados, e não foram submetidos à pesagem.

1Cr 18.8 informa-nos que Davi havia tirado de *Tibate* e *Cum* o bronze utilizado no templo, armazenando-o para uso futuro. Essas cidades do território de Zobá devem ter sido ricas em bronze (cobre), ou eram centros de seu comércio. Nas proximidades havia antigas minas de cobre onde os egípcios haviam trabalhado. Os egípcios mostravam-se ativos nessa extração em muitos lugares, incluindo a península do Sinai.

OS OBJETOS DE OURO (7.48-51)

Tendo-nos informado sobre os objetos de bronze que haviam sido preparados por Hirão, de Tiro (ver 1Rs 7.13 ss.), para o templo de Jerusalém, o autor sagrado agora fala sobre os objetos de ouro que faziam parte dos instrumentos do templo. Não somos informados sobre o nome do(s) artífice(s) responsável(is) pelos objetos. E também não sabemos se isso foi feito mediante a ajuda de operários especializados estrangeiros.

O texto massorético (ver sobre *Massora (Massorah)* no *Dicionário*) difere, em vários trechos, da Septuaginta e do texto de Luciano, os quais sugerem que estavam disponíveis várias fontes informativas, e que nem todos os itens foram incluídos no texto hebraico que chegou até nós. Devemos lembrar que a Septuaginta algumas vezes chega mais perto do texto hebraico dos rolos do mar Morto do que de nosso presente texto hebraico. O texto massorético, portanto, pelo menos em alguns trechos, preserva textos mais antigos do que os manuscritos hebraicos disponíveis hoje em dia. Ver no *Dicionário* os artigos *Manuscritos do Antigo Testamento* e *mar Morto, Manuscritos (Rolos) do*. As diferenças são anotadas ao longo da exposição. Sobre os vss. 48-51, os críticos supõem que o autor original teria suprido somente parte do vs. 48 e o vs. 51, e o restante seria uma adição de editores subsequentes.

O *bronze* era o material usado no lado de fora do templo; mas, dentro do templo, o *ouro* predominava.

7.48

וַיַּעַשׂ שְׁלֹמֹה אֵת כָּל־הַכֵּלִים אֲשֶׁר בֵּית יְהוָה אֵת מִזְבַּח הַזָּהָב וְאֶת־הַשֻּׁלְחָן אֲשֶׁר עָלָיו לֶחֶם הַפָּנִים זָהָב׃

O altar de ouro. Ver no *Dicionário* o verbete intitulado *Altar de Incenso* quanto a detalhes e simbolismos. Sobre o altar de incenso original, ver Êx 30.1-11. Os críticos supõem que o altar de incenso pertencesse a um período pós-exílico, quando veio à existência o ritual mais elaborado. Se isso não corresponde à verdade, então, muito provavelmente, devemos entender que o altar de incenso do tempo de Moisés não foi o mesmo que terminou no templo, mas um novo altar de incenso, parecido com o primeiro, foi manufaturado. O texto sagrado diz: Salomão "fez" esses objetos para seu templo, e não os trouxe de Gibeom, onde o tabernáculo estava. Quanto a detalhes, ver o artigo.

"O incenso era queimado pela manhã e à tardinha. Os chifres do altar deveriam ser tocados com o sangue da oferta pelo pecado (ver Lv 4.17,18), oferecido pelos sacerdotes e pelo povo. A oferta de incenso, portanto, pressupunha um sacrifício já efetuado, e uma expiação já realizada pelo pecado" (Ellicott, *in loc.*).

O *texto de Luciano*, na primeira porção do vs. 48, diz: "E Salomão *pôs* os vasos na casa do Senhor", mas o restante assemelha-se ao texto massorético. O texto de Luciano, ao substituir *fez* por *pôs*, parece querer dizer que os objetos mencionados foram trazidos do tabernáculo e tornaram-se parte do templo, eliminando a necessidade de manufatura. A Septuaginta é igual ao texto de Luciano. John Gill comentou aqui que todos os objetos do templo foram *confeccionados* de novo, excetuando a arca da aliança, o propiciatório e os querubins.

O altar do incenso foi feito de cedro, mas recoberto de *ouro*, pelo que veio a tornar-se conhecido como o *altar de ouro*. Ver 1Rs 6.20.

A mesa de ouro. "Isso inclui todas as *dez* mesas (2Cr 4.8), que foram dispostas, cinco à mão direita e cinco à mão esquerda. Os judeus explicam que isso não significa o lado direito e o lado esquerdo do templo e, sim, o lado direito e o lado esquerdo da 'mesa de Moisés' (a mesa original). E, visto que essa mesa ficava no lado norte do tabernáculo, as outras também deveriam ter sido postas ali. Ver Êx 40.22. O fato de que havia mais mesas no templo do que no tabernáculo pode denotar a maior provisão da Igreja cristã da qual o templo era uma figura, que estava então sob a dispensação legal" (John Gill, *in loc.*). O mesmo autor inglês alerta-nos para o fato de que o templo era um lugar de adoração muito mais elaborado (mais complexo) do que o tabernáculo de Moisés. Tinha mais vasos e mais equipamento.

Os pães da proposição. Ver no *Dicionário* o artigo com esse título, quanto a detalhes. Os pães eram postos sobre as mesas de ouro, como uma espécie de oferenda. Ver 1Sm 21.6 quanto ao rito que era um costume muito antigo e generalizado entre os povos. Na teologia dos hebreus, o rito veio a ser um *reconhecimento* da contínua dependência de Israel a Deus quanto a todas as provisões da vida, incluindo o alimento diário. Os críticos, entretanto, veem nas descrições do texto atual condições correspondentes aos tempos pós-exílicos. Cf. Lv 24.5-9.

■ **7.49**

וְאֶת־הַמְּנֹרוֹת חָמֵשׁ מִיָּמִין וְחָמֵשׁ מִשְּׂמֹאול לִפְנֵי הַדְּבִיר זָהָב סָגוּר וְהַפֶּרַח וְהַנֵּרֹת וְהַמֶּלְקַחַיִם זָהָב׃

Os castiçais. O tabernáculo contava com apenas um candeeiro, mas o templo dispunha de *dez*. Todos eles foram colocados na nave principal, ou seja, no Lugar Santo, no lado *norte*, ou seja, no lado *esquerdo*, que dava para a parte fronteiriça do templo cuja fachada estava voltada para o oriente. Ver 1Rs 6.2 quanto à ilustração da planta baixa do templo, que nos ajuda a visualizar a posição dos objetos.

Ver no *Dicionário* os artigos chamados *Candeeiro de Ouro* e *Menorah*, para detalhes e significados, incluindo os simbolismos. "Os castiçais eram simples, cada qual sendo uma haste que repousava sobre uma base, com uma pequena lâmpada no alto, onde ficavam o azeite e o pavio, e não devem ser confundidos com o candeeiro descrito em Êx 25.31-40" (*Oxford Annotated Bible*, comentando sobre os vss. 48-50 deste capítulo).

Os castiçais não foram postos no lado direito e esquerdo (sul e norte) do templo, mas no lado direito e esquerdo do candeeiro de Moisés, que ficava no lado sul do tabernáculo (Êx 40.24). "Esses castiçais denotam o maior grau de luz espiritual na Igreja de Cristo, sob a dispensação do evangelho, do que sob a lei" (John Gill, *in loc.*). Uma vez mais vemos a maior complexidade do templo, quando posto em confronto com o tabernáculo. Minha ilustração em 1Rs 6.2 põe esses castiçais no lado direito e esquerdo do próprio templo. Ver também Jr 52.19 e 2Cr 4.7,20. Os críticos supõem que *dez* fosse o número original de candeeiros no tabernáculo, mas que o candeeiro único e mais elaborado realmente pertencia ao segundo templo, e não ao primeiro nem ao tabernáculo.

Diante do Santo dos Santos. Ou seja, na parte mais interior do templo. Os castiçais foram postos diante do Santo dos Santos, mas no salão principal ou Lugar Santo.

As lâmpadas e as espevitadeiras. Esses objetos também foram feitos de ouro. Figuras de flores decoravam os castiçais, tal como se dava com o candeeiro de Moisés. Informações dadas por vários autores judeus dizem que havia *sete flores* em cada castiçal, ou seja, um total de setenta flores. As tenazes *espevitadeiras* eram usadas para tirar os pavios do azeite e pô-los nos castiçais. Cf. Êx 25.31,37,38. As espevitadeiras também eram empregadas para limpar os pavios do carvão formado na queima.

■ **7.50**

וְהַסִּפּוֹת וְהַמְזַמְּרוֹת וְהַמִּזְרָקוֹת וְהַכַּפּוֹת וְהַמַּחְתּוֹת זָהָב סָגוּר וְהַפֹּתוֹת לְדַלְתוֹת הַבַּיִת הַפְּנִימִי לְקֹדֶשׁ הַקֳּדָשִׁים לְדַלְתֵי הַבַּיִת לַהֵיכָל זָהָב׃ פ

Os artigos aqui mencionados têm paralelo em Êx 25.31-38, onde ofereço notas expositivas. Todos esses artigos eram feitos de ouro, o que falava sobre a preciosidade do culto sagrado.

As taças. Ou seja, os vasos onde era guardado o azeite. Ver Êx 25.33.

As espevitadeiras. Os instrumentos usados para tirar o carvão dos pavios. No hebraico, essa palavra deriva-se de uma raiz que significa "podar" (ver Is 2.5; Mq 4.3). Ver Êx 25.38.

As bacias. Os receptáculos para recolher o sangue que estivesse sendo usado nas cerimônias de aspersão. Havia nada menos de cem bacias (2Cr 4.8). Ver Êx 25.3.

Os recipientes para incenso. Travessas ou pratos onde o incenso era transportado, depois de ser tirado do altar. Ver Êx 25.29.

Os braseiros. Receptáculos usados para o transporte de brasas acesas, de um altar para outro lugar, e sobre os quais o incenso era queimado.

As dobradiças. Tinham de ser de ouro e estavam disponíveis para qualquer porta em que se fizessem necessárias. A casa interior (o Lugar Santo), bem como o santuário interior (o Santo dos Santos), possuía dobradiças.

■ **7.51**

וַתִּשְׁלַם כָּל־הַמְּלָאכָה אֲשֶׁר עָשָׂה הַמֶּלֶךְ שְׁלֹמֹה בֵּית יְהוָה וַיָּבֵא שְׁלֹמֹה אֶת־קָדְשֵׁי דָּוִד אָבִיו אֶת־הַכֶּסֶף וְאֶת־הַזָּהָב וְאֶת־הַכֵּלִים נָתַן בְּאֹצְרוֹת בֵּית יְהוָה׃ פ

Embora *Davi* não tivesse recebido licença para realmente edificar o templo, reuniu material para a construção, e este versículo lista parte do material. Consultar 2Sm 8.11 e 1Cr 22.14 e 29.1-9.

Os tesouros da casa do Senhor. Provavelmente estão em foco as salas do templo na estrutura circundante (ver 1Rs 6.5,6). Estão em pauta *lugares*, e não preciosidades ali guardadas.

As tradições judaicas afirmam que, devido ao amor que tinha pelo Senhor, Davi doou todas as contribuições dentre seus recursos pessoais. Essas mesmas tradições asseveram que foram necessários *quatro anos* para que ele reunisse todo o material. Estão principalmente em foco os vasos dos metais nobres (prata e ouro) que foram usados para serviço e ritual. Naturalmente, quase tudo quanto Davi dedicou para ser usado na adoração e no ritual foi obtido como despojos de guerra. Riquezas e honras vêm da parte do Senhor, e o homem espiritual dedica essas coisas a ele, o que representa a essência do trecho de 1Cr 29.12,14.

Salomão, a despeito de toda a sua sabedoria e riquezas, não foi um homem realmente independente. Ele precisou da ajuda e dos recursos de outros homens, a saber, de seu pai, que já havia morrido.

O desejo que se cumpre agrada a alma.

Provérbios 13.19

Pode alguém desejar demais daquilo que é bom?

Shakespeare

Nenhum acúmulo de conhecimento atingível por um homem é capaz de elevá-lo acima da necessidade de ajuda.

Samuel Johnson

O dinheiro fala!

Provérbio popular do século XVII

Nenhum homem é uma ilha, inteira em si mesma.
Cada homem é um pedaço do continente,
Uma parte do todo principal.

John Donne

CAPÍTULO OITO

Continuamos, neste capítulo, a extensa seção do livro que trata das atividades arquitetônicas de Salomão. Ver a introdução a 1Rs 5.1. O presente capítulo aborda a dedicação do templo, por parte de Salomão. O rei havia trabalhado arduamente nessa construção e havia embelezado prodigamente o templo. O projeto foi levado a bom termo em alegria e triunfo.

"Depois que todos os móveis, utensílios e acessórios tinham sido feitos e colocados em suas respectivas posições (1Rs 6; 7.13-51), Salomão convocou o povo para a instalação da arca da aliança e para a dedicação do templo. Todos os chefes das tribos e as famílias tiveram participação especial na cerimônia e, para isso, receberam convites especiais. As festividades ocorreram no mês de *etanim* (a festa dos tabernáculos, setembro-outubro; ver Lv 23.33-36)... Anteriormente, a arca repousara no tabernáculo que Davi havia erguido (ver 2Sm 6.17), no monte Sião, a porção sudoeste de Jerusalém, chamada Cidade de Davi (cf. 2Sm 5.7)" (Thomas L. Constable, na introdução a este capítulo oitavo).

Fontes Materiais. Ao que tudo indica, os materiais apresentados neste capítulo representam os esforços de compiladores. Os vss. 1-13 contêm várias glosas e aparecem na Septuaginta como um texto muito mais breve, o que pode estar mais próximo do texto hebraico original do que aquilo que foi preservado no texto massorético que temos atualmente. Ver no *Dicionário* o artigo chamado *Massora (Massorah); Texto Massorético.* Talvez os vss. 14-61 tenham sido retirados da fonte informativa *D.* Ver sobre as fontes informativas *J.E.D.P.(S.)* no *Dicionário.* Os vss. 44-61 quase certamente derivam-se de uma fonte informativa pré-exílica, enquanto outras partes do material parecem refletir uma época pós-exílica, quando o segundo templo já estava de pé.

A *arca* foi, finalmente, colocada em seu lar permanente, um edifício lindíssimo, e não uma mera tenda. Este foi o ato final da realização.

A ARCA FINALMENTE NO SEU LAR (8.1-13)

A arca havia vagueado no deserto, juntamente com Israel, tendo sido posta na tenda (tabernáculo) para repousar ali por algum tempo. Havia sido guardada em Silo, mas os filisteus a tomaram e a levaram para a terra deles, através de Ebenézer. A arca esteve temporariamente nas cidades filisteias de Afeque, Asdode, Gate e Ecrom. Ao ser devolvida ao território de Israel, foi trazida para Bete-Semes e, finalmente, para Quiriate-Jearim. Em seguida, foi transportada para Gibeom, onde ficou até que Davi a levou para o tabernáculo temporário levantado em Jerusalém (ver 2Sm 6.17). Então, terminada a construção do templo definitivo, Salomão transferiu-a do tabernáculo de Davi e deu-lhe um lugar de honra no templo. Ela ficaria no templo até a época em que os babilônios a tomariam para o cativeiro (597 a.C.); talvez a tenham destruído. Seja como for, a arca caiu no esquecimento. As tradições de *Menahot* 27b, e de Josefo, *Guerras,* V.5, informam que não havia arca no segundo templo. Ver o artigo geral sobre *Arca da Aliança,* no *Dicionário.*

8.1

אָז יַקְהֵל שְׁלֹמֹה אֶת־זִקְנֵי יִשְׂרָאֵל אֶת־כָּל־רָאשֵׁי הַמַּטּוֹת נְשִׂיאֵי הָאָבוֹת לִבְנֵי יִשְׂרָאֵל אֶל־הַמֶּלֶךְ שְׁלֹמֹה יְרוּשָׁלִָם לְהַעֲלוֹת אֶת־אֲרוֹן בְּרִית־יְהוָה מֵעִיר דָּוִד הִיא צִיּוֹן׃

A *Septuaginta* exibe aqui um texto mais breve, que deixa de mencionar os *chefes das tribos* e os *líderes das casas dos pais.* Esse texto, muito provavelmente, é o texto original, pois o texto hebraico mais recente, preservado no texto massorético, sofreu algumas adições de editores posteriores. Ver a introdução a este capítulo, sob o título *Fontes Materiais,* no que diz respeito a detalhes.

Quanto às *vagueações da arca,* ver a introdução a este capítulo oitavo, em seu último parágrafo. Davi a havia trazido de Gibeom para o tabernáculo provisório em Jerusalém (ver 2Sm 6.17). Por conseguinte, o que Salomão fez foi tirar a arca daquela tenda e colocá-la no templo, transportando-a de um local da cidade para outro.

A *dedicação* do templo requereu que a arca da aliança fosse posta em seu lugar apropriado, no Santo dos Santos. Ver a *planta baixa* do templo, no artigo chamado *Templo de Jerusalém,* no *Dicionário.* Salomão convocou os representantes apropriados de Israel para a cerimônia, e eles primeiramente participaram do transporte da arca, do tabernáculo de Davi para o templo de Salomão.

Cidade de Davi. Cf. 2Sm 5.7. Em vista estava o monte Sião, na parte sudeste de Jerusalém. Davi havia capturado ali a fortaleza dos jebuseus e o monte Sião. Dali por diante, o lugar inteiro foi chamado de "cidade de Davi", embora fosse apenas uma pequena porção do que se tornou Jerusalém. Belém também era chamada de "cidade de Davi" por ter sido o local de seu nascimento (ver Lc 2.4).

Sião. Quanto a plenas informações, ver o artigo com esse nome no *Dicionário.*

O fim do homem é a ação – e não o pensamento.

Thomas Carlyle

Davi teve um sonho e agiu com base nesse sonho até onde pôde, reunindo material de construção (1Rs 7.51); mas foi Salomão quem, durante um período de sete anos e meio, trabalhou com afinco para levar à realidade o sonho de seu pai.

"No ano *13,* depois que o templo foi construído, Salomão também terminou de construir sua própria casa, tendo gasto vinte anos completos em ambos os projetos — sete anos e meio no templo, e treze ou doze anos e meio em sua própria casa" (*Anais* de Usher). Ver as notas sobre 1Rs 6.38 e 7.1 quanto a detalhes atinentes ao programa de edificações de Salomão.

8.2

וַיִּקָּהֲלוּ אֶל־הַמֶּלֶךְ שְׁלֹמֹה כָּל־אִישׁ יִשְׂרָאֵל בְּיֶרַח הָאֵתָנִים בֶּחָג הוּא הַחֹדֶשׁ הַשְּׁבִיעִי׃

Na ocasião da festa. Está em vista a *festa dos tabernáculos,* celebrada no *sétimo mês* do ano eclesiástico dos judeus. "O mês era *etanim* ou *tisri,* que ocorria no outono (setembro-outubro). A dedicação do templo, por conseguinte, foi adiada por onze meses (6.38), a fim de tornar-se parte da festividade outonal, o ponto alto religioso do ano" (*Oxford Annotated Bible,* comentando sobre este versículo). Ver no *Dicionário* o artigo intitulado *Tabernáculos, Festa dos,* quanto aos detalhes. Ver também ali o artigo *Festas (Festividades) Judaicas.*

Etanim era o mês em que os riachos estavam circundados por flores, devido às chuvas próprias da estação. Em seguida, vinha a seca do verão, quando todas as correntes de águas se esgotavam. Esse mês era o primeiro do ano pré-exílico e começava com a lua da colheita. No entanto, quanto ao calendário pós-exílico, era o *sétimo* mês, e o fato de que ele é chamado de sétimo, no texto presente, sugere uma compilação pós-exílica do livro.

Os *tabernáculos,* chamados *sukkoth* (tendas), eram observados durante a lua cheia, no décimo quinto dia do mês de tisri. Ver no *Dicionário* o artigo *Calendário Judaico.* Josefo (*Antiq.* viii.4.1) informa que os tabernáculos se tornaram a festividade religiosa mais importante do ano, e assim Salomão, embora tendo terminado o templo alguns meses antes, esperou por essa festa como o tempo apropriado para a dedicação do templo. Ver no *Dicionário* o artigo chamado *Templo de Jerusalém.* A festa dos tabernáculos era a mais jubilosa das festas anuais, porquanto comemorava a colheita dos frutos da terra e também fazia o povo de Israel lembrar como, no deserto, havia habitado em tendas (ver Lv 23.33-44). Agora, porém, o povo de Israel estava seguro em sua própria terra, e suas vagueações haviam terminado. Além disso, o templo (a casa permanente) tinha tomado o lugar antes ocupado pelo tabernáculo (a tenda das perambulações).

8.3

וַיָּבֹאוּ כֹּל זִקְנֵי יִשְׂרָאֵל וַיִּשְׂאוּ הַכֹּהֲנִים אֶת־הָאָרוֹן׃

Os *representantes* do povo, os anciãos e os sacerdotes tomaram a arca de seu lugar, no monte Sião, do tabernáculo provisório levantado por Davi, e transportaram-na para o templo. Coube aos levitas fazer o trabalho do transporte (ver Dt 31.25), mas outros acompanharam o cortejo. Os levitas, que também eram sacerdotes (que se ocupavam dos ritos do tabernáculo), desempenharam essa tarefa. Nem todos os levitas eram sacerdotes, muitos dos quais estavam envolvidos em trabalhos manuais, e não nos próprios ritos religiosos. Os levitas que não eram sacerdotes, pois, não participaram do transporte da arca. Todos os sacerdotes eram levitas, mas nem todos os levitas eram sacerdotes. Ver Js 3.15; 6.4; 2Sm 15.29. A arca era transportada por meio de longas varas (vs. 8), postas nos lugares apropriados, a fim de que nenhum homem tocasse a arca enquanto ela estivesse sendo transportada. Os levitas transportavam os vasos do tabernáculo, mas somente os sacerdotes podiam transportar a arca propriamente dita.

8.4

וַיַּעֲלוּ אֶת־אֲרוֹן יְהוָה וְאֶת־אֹהֶל מוֹעֵד וְאֶת־כָּל־כְּלֵי הַקֹּדֶשׁ אֲשֶׁר בָּאֹהֶל וַיַּעֲלוּ אֹתָם הַכֹּהֲנִים וְהַלְוִיִּם׃

Os levitas, ajudando os sacerdotes, tinham por incumbência carregar os vasos (instrumentos de serviço) do tabernáculo. O templo tinha muitas novas construções e instrumentos de serviço, conforme 1Rs 7 certamente demonstra. Mas alguns dos antigos instrumentos também foram trazidos para servir no templo. Entretanto, a única certeza que podemos ter quanto à *antiguidade* dos objetos é com respeito à própria arca da aliança, pois todas as demais coisas foram feitas novas, mais ricas e de uma forma mais técnica. Por isso é que disse Thomas L. Constable, *in loc.*: "Ao que parece, o tabernáculo e seus utensílios foram postos de lado. A única peça do mobiliário no templo que não era novo era a *arca*". Mas Constable falava sobre as peças do mobiliário. Este versículo sugere fortemente que os instrumentos de serviço foram transferidos do tabernáculo para o templo.

John Gill enumerou o candelabro, as mesas dos pães da proposição e o altar de incenso; mas, segundo sabemos, esses itens agora eram novos. Ellicott supunha que os móveis antigos e os instrumentos tivessem sido guardados como relíquias sagradas, não sendo mais usados no novo ritual. Talvez o trecho de 2Macabeus 2.4-6 subentenda a verdade contida nessa ideia. Nesse caso, os móveis e os instrumentos foram *transportados* para o templo, mas não para serem usados, pois foram substituídos por novos. Adam Clarke, entretanto, pensava que, para impedir a idolatria, os antigos instrumentos e os móveis foram *destruídos*. Na verdade, não possuímos nenhuma informação segura sobre essa questão.

O céu nunca ajuda o homem que não age.

Sófocles

8.5

וְהַמֶּ֣לֶךְ שְׁלֹמֹ֗ה וְכָל־עֲדַ֤ת יִשְׂרָאֵל֙ הַנּוֹעָדִ֣ים עָלָ֔יו אִתּ֖וֹ לִפְנֵ֣י הָאָר֑וֹן מְזַבְּחִים֙ צֹ֣אן וּבָקָ֔ר אֲשֶׁ֧ר לֹֽא־יִסָּפְר֛וּ וְלֹ֥א יִמָּנ֖וּ מֵרֹֽב׃

Sacrifícios de expiação e de ação de graças foram feitos como acompanhamentos apropriados da instituição dos ritos do templo, incluindo a colocação da arca no Santo dos Santos. Tantos foram os sacrifícios que o autor sagrado confessou a impossibilidade de relembrá-los ou de fazer-lhes o registro, uma típica hipérbole oriental; mas podemos ter certeza de que foram *muitos*. Os animais sacrificados estavam entre as várias espécies aceitas, pois somente alguns poucos tipos de animais eram permitidos nesses ritos. Ver os *cinco* tipos de animais que podiam ser oferecidos nos sacrifícios, em Lv 1.14-16. Todo esse ritual de sangue fez parte da *adoração*, conforme afirma o presente versículo. Tudo isso é estranho para a nossa mente, embora fosse essencial para a mente dos hebreus. A epístola aos Hebreus, no Novo Testamento, descreve como Cristo, mediante o seu próprio sacrifício, anulou todo o antigo ritual e o sistema de sacrifícios de animais. Hb 9 é uma declaração clássica sobre esse assunto.

8.6

וַיָּבִ֣אוּ הַ֠כֹּהֲנִים אֶת־אֲר֨וֹן בְּרִית־יְהוָ֧ה אֶל־מְקוֹמ֛וֹ אֶל־דְּבִ֥יר הַבַּ֖יִת אֶל־קֹ֣דֶשׁ הַקֳּדָשִׁ֑ים אֶל־תַּ֖חַת כַּנְפֵ֥י הַכְּרוּבִֽים׃

No santuário mais interior do templo, no Santo dos Santos. Mediante esse acúmulo de referências ao mesmo lugar, cada qual se referindo a alguma coisa diferente, o autor sagrado diz-nos que a arca da aliança finalmente chegou à sua residência permanente, pois os dias de sua perambulação tinham terminado. A arca ficaria ali por mais de quatrocentos anos, mas então seria ou destruída ou transportada pelos babilônios, durante o cativeiro da Babilônia. Ver no *Dicionário* o artigo chamado *Cativeiros*. Isso haveria de ocorrer em 597 a.C. Não existia arca no segundo templo. Ver sobre a introdução a este capítulo, sob o título *A Arca Finalmente no seu Lar*, quanto aos detalhes.

Descrições. A arca da aliança foi posta: 1. "em seu próprio lugar", pois ficar vagueando não era destino apropriado. E assim chegou ao lugar que só ela poderia ocupar, de maior honra no templo, onde a presença de Deus se manifestaria quando as expiações fossem feitas. 2. A arca foi posta no lugar de revelação e de comunhão com Yahweh, onde o sumo sacerdote podia receber as suas mensagens. Ver no *Dicionário* o artigo chamado *Oráculos*. 3. Finalmente, a arca chegou ao Santo dos Santos, o *santuário interior,* em distinção à nave principal, o Lugar Santo.

Debaixo das asas dos querubins. Quando o sumo sacerdote entrava no Santo dos Santos, ele se deparava com duas imagens gigantescas de querubins, com as asas estendidas e tocando também nas paredes laterais do Santo dos Santos. Ver sobre as descrições em 1Rs 6.23. Os querubins do tabernáculo de Moisés não estão em pauta aqui. Novas imagens, muito maiores do que essas, foram feitas.

8.7

כִּ֤י הַכְּרוּבִים֙ פֹּרְשִׂ֣ים כְּנָפַ֔יִם אֶל־מְק֖וֹם הָאָר֑וֹן וַיָּסֹ֧כּוּ הַכְּרֻבִ֛ים עַל־הָאָר֖וֹן וְעַל־בַּדָּ֥יו מִלְמָֽעְלָה׃

Os *querubins* assumiam a posição de guardiães da arca. Ver as descrições em 1Rs 6.23 ss. Parece que, se alguém conseguisse entrar no Santo dos Santos, não poderia ver a arca, mas somente duas imensas imagens angelicais. Apenas muito próximo, seria possível ver a arca, aninhada, por assim dizer, entre os dois anjos gigantescos.

8.8

וַֽיַּאֲרִכוּ֮ הַבַּדִּים֒ וַיֵּרָאוּ֩ רָאשֵׁ֨י הַבַּדִּ֤ים מִן־הַקֹּ֙דֶשׁ֙ עַל־פְּנֵ֣י הַדְּבִ֔יר וְלֹ֥א יֵרָא֖וּ הַח֑וּצָה וַיִּֽהְיוּ־שָׁ֔ם עַ֖ד הַיּ֥וֹם הַזֶּֽה׃

No tempo da peregrinação pelo deserto, as varas não podiam ser tiradas de seu devido lugar. A qualquer momento, uma ordem de marcha poderia ter lugar; e, se assim viesse a acontecer, o transporte poderia ser feito rapidamente. Mas agora, desde que a arca da aliança passara a descansar em seu lugar próprio e permanente, as varas foram removidas. Ver Êx 25.13-15 quanto à proibição concernente à remoção das varas. Todavia, o texto hebraico pode ser compreendido de modo diferente. Pode significar que as varas foram deixadas em seu lugar, para satisfazer ao antigo mandamento. Ou então, conforme John Gill, as varas foram puxadas apenas um pouco, para se tornarem visíveis. Ninguém poderia vê-las pelo lado de fora, mas, no Lugar Santo, isso era possível. A visão relembraria acerca das perambulações de Israel, mas agora essa pessoa seria relembrada do estado de permanência da arca.

Até ao dia de hoje. Uma indicação de tempo. Quando essa informação foi registrada, o templo ainda permanecia de pé, por isso ao menos essa *porção* do livro de 1Reis foi escrita antes do cativeiro babilônico em 597 a.C. Quanto ao problema da época da escrita de 1Reis, ver a introdução, sob a seção *V. Data*. O trecho de 2Rs 25.27-30 demonstra que parte do livro (1 e 2Reis formavam uma unidade) foi escrita após o cativeiro babilônico. Essa compilação final naturalmente incluía materiais mais antigos, escritos havia muito tempo.

8.9

אֵ֚ין בָּֽאָר֔וֹן רַ֗ק שְׁנֵי֙ לֻח֣וֹת הָאֲבָנִ֔ים אֲשֶׁ֨ר הִנִּ֥חַ שָׁ֛ם מֹשֶׁ֖ה בְּחֹרֵ֑ב אֲשֶׁ֨ר כָּרַ֤ת יְהוָה֙ עִם־בְּנֵ֣י יִשְׂרָאֵ֔ל בְּצֵאתָ֖ם מֵאֶ֥רֶץ מִצְרָֽיִם׃

O Conteúdo. A arca continha somente as duas tábuas de pedra da lei, que Moisés havia posto ali dentro. "Elas serviam para lembrar que a nação ainda estava sob as bênçãos e as responsabilidades do Pacto Mosaico. O pote de maná e a vara de Arão, que tinha florescido, não estavam mais presentes, mas somente as tábuas de pedra da lei (ver Hb 9.4). Talvez tenham sido removidas pelos filisteus ou por algum outro adversário de Israel. Ou talvez esses objetos tenham ficado na frente do tabernáculo, e não dentro da arca (ver Êx 16.33,34; Nm 17.10), adicionados à arca em algum tempo posterior ao de Salomão, e então, finalmente, perdidos" (Thomas L. Constable, *in loc.*). Quanto a informações completas sobre o conteúdo da arca, ver a exposição sobre Hb 9.4, no *Novo Testamento Interpretado*. Cf. o paralelo em 2Cr 5.10.

Provavelmente a verdade da questão seja que várias outras coisas, como o vaso de maná (ver Êx 16.33,34), a vara de Arão (ver Nm 17.10) e a cópia da lei (ver Dt 31.24-26) não tivessem sido postas dentro, mas ao lado da arca. Em contraste, as tábuas da lei tiveram de ser guardadas no interior da arca, devido à ordem direta dada por Yahweh. Ver Êx 25.16 e 40.20. Como é óbvio, a questão inteira é controversa, especialmente levando-se em conta a afirmativa de Hb 9.4.

Quando o Senhor fez aliança com os filhos de Israel. Ver no *Dicionário* o artigo chamado *Pactos*. E ver Êx 19.25; 20.1—24.11 e 24.12—31.18 quanto ao *Pacto Mosaico*. Quanto a notas abundantes sobre esse pacto, ver a introdução ao capítulo 19 de Êxodo. O grande elemento isolado desse pacto foi a instituição da *lei*. O sinal do pacto era a guarda do sábado. Ver Êx 31.13 ss. e também Êx 16.23 e 20.8. Ver no *Dicionário* sobre os *Dez Mandamentos*. A guarda da lei foi proposta para dar *vida,* o que, na linguagem legal, apontava para uma longa vida física, e não para a vida eterna. O aspecto de eternidade tornou-se parte da teologia hebraica posterior, e não se originou com Moisés. Quanto às propriedades doadoras da vida pela guarda da lei, ver Dt 4.1; 5.33; Ez 20.11. A lei fazia Israel distinguir-se entre as nações (ver Dt 4.4-8).

■ 8.10

וַיְהִי בְּצֵאת הַכֹּהֲנִים מִן־הַקֹּדֶשׁ וְהֶעָנָן מָלֵא אֶת־בֵּית יְהוָה׃

As Manifestações Divinas. Este versículo provavelmente nos conclama a pensar sobre a glória *shekinah*. Ver no *Dicionário* o artigo denominado *Shekinah*. A presença de Yahweh encheu o templo, com os raios de luz irradiando-se do Santo dos Santos. Acreditava-se que a nuvem envolvia a presença de Deus, tornando possível aos homens suportar essa manifestação. Compare com isso a coluna de nuvem que conduziu a nação de Israel (ver Êx 14.19,20). Ver também Êx 33.9 quanto a outra manifestação. Relatos similares são dados no tocante ao templo em épocas posteriores. Ver Is 6.4; Ez 1.27. Quanto a detalhes abundantes, ver o artigo intitulado *Shekinah*. A manifestação visível estava dizendo a Israel que Yahweh aprovava o que Salomão havia feito. Deus aprovava o templo, sua habitação, e a sua presença haveria de continuar beneficiando a Israel, tal como tinha feito no tempo de Moisés, durante as vagueações pelo deserto. Comparar com o trecho paralelo de 2Cr 5.11-13, que fala sobre os cultos musicais e os rituais que acompanhavam a cena. Naquele texto, o júbilo e o louvor antecederam a manifestação da luz e da nuvem.

■ 8.11

וְלֹא־יָכְלוּ הַכֹּהֲנִים לַעֲמֹד לְשָׁרֵת מִפְּנֵי הֶעָנָן כִּי־מָלֵא כְבוֹד־יְהוָה אֶת־בֵּית יְהוָה׃ פ

O poder e a glória de Yahweh fizeram-se de tal maneira presentes que o ministério dos sacerdotes foi interrompido temporariamente. Deus ficara oculto pela nuvem, por causa da tremenda majestade de sua presença, mas sua glória é suficiente até quando lança medo no coração dos homens. "Um riacho brilhante e glorioso saiu da nuvem e espalhou-se por toda a casa, e então se abrigou no Santo dos Santos como fizera no tabernáculo (ver Êx 40.34). Cf. com Ez 43.2,4,5" (John Gill, *in loc.*).

"A nuvem, símbolo da glória da presença divina, parece ter enchido não somente o Santo dos Santos, mas também o templo inteiro, o átrio... e com isso Salomão compreendeu que Deus havia honrado o lugar com a sua presença, e adotando-o como sua habitação" (Adam Clarke, *in loc.*).

Compare a história da transfiguração de Jesus (ver Lc 9.34,35), que representa um avanço neotestamentário de como Deus se manifesta entre os homens, por meio de seu Filho. Ver Jo 1.18.

■ 8.12,13

אָז אָמַר שְׁלֹמֹה יְהוָה אָמַר לִשְׁכֹּן בָּעֲרָפֶל׃
בָּנֹה בָנִיתִי בֵּית זְבֻל לָךְ מָכוֹן לְשִׁבְתְּךָ עוֹלָמִים׃

Os vss. 12 e 13 eram, originalmente, um antigo cântico que a Septuaginta informa ter sido extraído do livro de Jashar (o "reto"). Essa canção foi incorporada na história da dedicação do templo. A presença divina inspirou os homens à poesia. Salomão, observando tudo quanto tinha acontecido, ficou comovido até a alma e expressou sua apreciação. Ele havia trabalhado arduamente e seu labor fora recompensado de maneira inesperada. Ele tinha trabalhado, e não apenas falado.

A ação nem sempre traz a felicidade;
Mas não há felicidade sem ação.

Benjamin Disraeli

Os atos de um homem são somente a representação de seu credo.

Ralph Waldo Emerson

Salomão acreditava que a presença divina poderia ter-se manifestado por causa de Israel naquele momento sagrado, e ele não estava desapontado. A espessa nuvem pesada era um testemunho do poder divino, de sua presença e *aprovação*. Ver Êx 20.18; Dt 4.11 quanto à nuvem espessa na qual Deus habita. "A arca, que era o sinal visível da presença do Senhor no meio do povo, estava posta no santuário (no hebraico, *debhir*), em completas trevas; Salomão havia construído um lugar de trevas espessas e impenetráveis nas quais Deus poderia, de acordo com a ideia da época, habitar felizmente" (Norman H. Snaith, *in loc.*).

"G. A. Johnston Ross costumava dizer a seus estudantes do Seminário Teológico União que o *alvo primário* de todo culto religioso é ajudar o adorador a tornar-se consciente da presença de Deus. Instruções religiosas e exortações morais ficam abaixo do alvo, que é sentir a proximidade do Senhor. O propósito da casa de reuniões é o encontro com Deus" (Ralph W. Sockman, *in loc.*).

James Russell Lowell, que se tornou grande expositor da Palavra de Deus, diz-nos que Ralph Waldo Emerson proferiu um discurso em Harvard, em 1867, que ele teve o privilégio de ouvir. Ele observou: "O discurso de Emerson... não começou em lugar nenhum e não terminou em parte alguma, e, contudo, como sempre se dava com aquele homem divino, fazia você sentir que algo belo se passara pelo caminho — algo mais belo do que qualquer outra coisa, como o surgimento e o desaparecimento das estrelas". Portanto, a presença de Deus ultrapassa a nossa lógica, perturba-nos, repreende nossa pequenez e leva-nos a gritar: "Glória a Deus nas alturas".

O ministro é aquele que deve sentir a presença de Deus. Somente então Deus pode guiar a mente das pessoas para pensar os pensamentos divinos, e assim mover-se na direção espiritual correta.

A Nuvem da Presença de Deus. Comparar Êx 19.9; 34.5; Lv 16.2; Dt 4.11 e 31.15. "Salomão tinha procurado refletir a magnificência de Yahweh no templo" (Thomas L. Constable, *in loc.*). O Targum diz aqui: "O Senhor agrada-se em fazer sua shekinah ou majestade divina habitar em Jerusalém". Ver no *Dicionário* o verbete chamado *Shekinah*.

■ 8.14

וַיַּסֵּב הַמֶּלֶךְ אֶת־פָּנָיו וַיְבָרֶךְ אֵת כָּל־קְהַל יִשְׂרָאֵל וְכָל־קְהַל יִשְׂרָאֵל עֹמֵד׃

Voltou então o seu rosto. O rosto de Salomão brilhava com a glória de Yahweh, e ele se voltou na direção da congregação presente para o singular evento de dedicação do templo e descanso da arca em seu lar permanente. Foi assim que Salomão, em nome de Yahweh e em concordância com a sua autoridade, abençoou os israelitas. Foram momentos de grande exultação que nenhum dos presentes jamais esqueceu, e a história teria sido narrada por muitas e muitas vezes, por aqueles que dela foram testemunhas. Salomão, impulsionado pela emoção do momento, foi inspirado a relatar ao povo o pano de fundo histórico, como seu pai, Davi, pôs em seu coração o desejo de construir o templo, mas não viveu o suficiente para ver essa glória. Não obstante, eles estavam ali para ver a glória e o poder de Deus. Nenhum dos ouvintes haveria de jamais esquecer o discurso de Salomão, bem como o fato de que estava ali para ver e ouvir tudo quanto acontecera naquele dia. Grandes momentos de triunfo não ocorrem com frequência, mas quando surgem produzem dias inesquecíveis sobre os quais nunca mais deixamos de falar.

As *palavras de bênçãos* proferidas por Salomão não ficaram registradas, mas devem ter sido similares às proferidas pelos sacerdotes, conforme lemos em Nm 6.24-26. Salomão desempenhou temporariamente o papel de sumo sacerdote. Comparar a conduta e as palavras de

Moisés, em Êx 39.43, e as de Davi, em 2Sm 6.18. Ver o trecho paralelo em 2Cr 6.13, onde Salomão é retratado de pé sobre uma tribuna de bronze, com 2,29 metros de altura, a proferir seu discurso.

■ 8.15

וַיֹּאמֶר בָּרוּךְ יְהוָה אֱלֹהֵי יִשְׂרָאֵל אֲשֶׁר דִּבֶּר בְּפִיו
אֵת דָּוִד אָבִי וּבְיָדוֹ מִלֵּא לֵאמֹר׃

Davi foi o primeiro homem inspirado pelo Espírito a edificar um templo. Ver a história em 2Sm 7. Não fazia parte de sua missão realizar a tarefa, mas ele reuniu material de construção para isso (ver 1Rs 7.51). Havia inspiração divina nas ideias e intenções de Davi. Mas seu filho é quem realizaria o trabalho de construção, substituindo as perambulações da arca no tabernáculo por um descanso permanente na prosperidade do templo, o lugar centralizado da adoração de Israel.

"O registro dessa promessa aparece em 2Sm 7.5-16 e 1Cr 17.4-14. Aqui o material é livremente citado com alguma variação, até onde diz respeito ao templo. É notável que, ao fazer a citação, Davi, *por duas vezes* (ver 1Cr 22.8; 28.3), adiciona a *razão* instrutiva de ser-lhe proibido construir o templo. Diferentemente de Salomão, o Pacífico, Davi havia "derramado sangue em abundância e feito grandes guerras" (Ellicott, *in loc.*). Naturalmente, havia a razão toda-poderosa que devemos compreender, o senso de *missão*. Não fazia parte da missão de Davi construir o templo. Mas essa tarefa foi um dos principais elementos da missão de Salomão.

■ 8.16

מִן־הַיּוֹם אֲשֶׁר הוֹצֵאתִי אֶת־עַמִּי אֶת־יִשְׂרָאֵל מִמִּצְרַיִם
לֹא־בָחַרְתִּי בְעִיר מִכֹּל שִׁבְטֵי יִשְׂרָאֵל לִבְנוֹת בַּיִת
לִהְיוֹת שְׁמִי שָׁם וָאֶבְחַר בְּדָוִד לִהְיוֹת עַל־עַמִּי
יִשְׂרָאֵל׃

Moisés tirou Israel do Egito, e logo em seguida o povo deu início às perambulações de quarenta anos. Naqueles dias, ninguém pensava em Jerusalém ou em qualquer outra cidade, como o local de centralização do culto religioso, nem na construção de um grande santuário para efeito dessa centralização, o *templo*. Durante quinhentos anos, o tabernáculo serviu como centro da adoração, mas havia vários santuários, como os de Betel e Hebrom. O próprio tabernáculo mudava de lugar para lugar. Ver sobre isso na introdução a este capítulo, no último parágrafo, sob o título *A Arca Finalmente no seu Lar*. Portanto, enquanto Israel esteve, pelo menos até certo ponto, unido ao tabernáculo e seu culto, a verdadeira centralização da adoração teve de esperar pela casa permanente, o templo. Foi ali que Yahweh preferiu manifestar a sua presença. Davi foi inspirado pelo Espírito de Deus a produzir a ideia, mas foi atribuído a Salomão *realizá-la*. Uma das razões que fizeram Davi ser escolhido rei foi tornar possível a unificação em Jerusalém. Ele precisou derrotar oito adversários para livrar Israel das guerras internas. Ver 2Sm 10.19 quanto a isso. Assim, as condições foram preparadas para o templo. Tinha de haver paz e prosperidade, e esses elementos floresceram com Salomão, o construtor.

O meu nome. O nome de Yahweh, o nome divino, aquele que tornava Israel um povo distintivo, através de sua lei (ver Dt 4.4-8). O termo "nome" é uma circunlocução reverente para "eu", ou para algum nome divino, o nome impronunciável de Yahweh ou Elohim. Ver no *Dicionário* o artigo chamado *Deus, Nomes Bíblicos de*. No Novo Testamento as expressões "reino dos céus" (Mt 5.3) ou "reino de Deus" (Lc 6.20) são maneiras de evitar a pronunciação do nome divino. A palavra "nome" ocorre no discurso de Salomão por catorze vezes (ver 1Rs 8.16-20,29,33,35,41-44,48). O templo deveria ser um lugar da revelação do nome de Deus. Ver outras ideias no vs. 29 deste capítulo.

■ 8.17

וַיְהִי עִם־לְבַב דָּוִד אָבִי לִבְנוֹת בַּיִת לְשֵׁם יְהוָה
אֱלֹהֵי יִשְׂרָאֵל׃

Estava no coração de Davi (em seu ser interior, em sua alma, em seu intelecto) edificar o templo, e isso foi motivado pelo Espírito de Deus. Portanto, Davi foi separado, tornando-se uma figura distintiva, longe do êxodo, o único inspirado a edificar a Casa especial do Senhor.

Ver 2Sm 8.3. "sua mente inclinava-se para isso; seu coração estava fixo sobre essa ideia; ele havia tomado uma resolução" (John Gill, *in loc.*). A arca da aliança descansara temporariamente em Gilgal, Silo, Quiriate-Jearim e Sião, mas Davi desejava que a arca encontrasse seu lar no templo. Primeiramente veio a ideia; depois, o ideal; e, finalmente, a sua realização, um processo inspirado que requereu esforço de equipe para produzir efeito.

Para cada *ato nobre,* havia primeiramente uma *nobre intenção,* e o céu ajuda o homem que *age*.

■ 8.18

וַיֹּאמֶר יְהוָה אֶל־דָּוִד אָבִי יַעַן אֲשֶׁר הָיָה עִם־לְבָבְךָ
לִבְנוֹת בַּיִת לִשְׁמִי הֱטִיבֹתָ כִּי הָיָה עִם־לְבָבֶךָ׃

Yahweh falava através de seu profeta, Natã, conforme somos informados em 2Sm 7.4. Yahweh deu instruções a Natã, *depois* que Davi explicou, pela primeira vez, suas esperanças acerca do templo. Foi Davi, inspirado pela mente divina, quem tomou a iniciativa a respeito do templo, e Yahweh, através do profeta Natã, demonstrou sua aprovação. A esperança era boa; a ideia era boa; o ideal era bom — a aprovação divina acerca do projeto estava presente desde o início. Mas o *ato* da construção caberia a Salomão.

■ 8.19

רַק אַתָּה לֹא תִבְנֶה הַבָּיִת כִּי אִם־בִּנְךָ הַיֹּצֵא
מֵחֲלָצֶיךָ הוּא־יִבְנֶה הַבַּיִת לִשְׁמִי׃

Davi agiu corretamente ao ter bons pensamentos. Boas intenções podem ser algo nobre, que inspira outras pessoas a agir. Os complexos industriais empregam funcionários especializados em pensar. Eles recebem polpudos salários para pensar corretamente acerca de quais produtos são necessários e de como produzi-los. Esses funcionários são os "tanques de pensar", homens que produzem boas ideias. Outros transformam essas ideias em obras concretas. Einstein foi um grande *pensador original. Outros* homens davam soluções aos problemas especiais que eram assim criados, especialmente os relacionados à matemática complexa. Existe o que se chama de *criatividade.* Edison dizia que a maioria de suas ideias inventivas provinha dos céus. Ele as experimentava para testar sua validade e aplicação. Assim também, neste caso, Davi foi o pensador. A ideia foi dele. Outros produziriam a realidade. Davi teve um nobre pensamento sobre um projeto divino. Yahweh estava envolvido naquilo, e assim sua bênção e seu poder foram assegurados a Davi. Davi agiu o máximo que pôde, reunindo o material para a construção (ver 1Rs 7.51). Mas sua grande contribuição foi a ideia original. Ver 2Sm 7.5,12,13 quanto à parte de Salomão, sob a forma de profecia. *Idealmente,* temos *tanto* o pensamento *quanto* o poder para levá-lo à sua realização. Oh, Senhor, concede-nos tal graça!

■ 8.20

וַיָּקֶם יְהוָה אֶת־דְּבָרוֹ אֲשֶׁר דִּבֵּר וָאָקֻם תַּחַת דָּוִד
אָבִי וָאֵשֵׁב עַל־כִּסֵּא יִשְׂרָאֵל כַּאֲשֶׁר דִּבֶּר יְהוָה
וָאֶבְנֶה הַבַּיִת לְשֵׁם יְהוָה אֱלֹהֵי יִשְׂרָאֵל׃

A promessa de Yahweh foi registrada em 2Sm 7.4 ss. A parte dessa promessa que fala especificamente do papel de Salomão acha-se nos vss. 12 ss. Finalmente, houve o cumprimento da promessa divina. A construção do templo levou sete anos e meio para materializar-se (ver 1Rs 6.37). Cerca de 38 anos se passaram desde que a promessa divina fora feita.

A Davi foi dada a alegria de ver o filho no trono, como seu sucessor, mas ele não viu o templo terminado. Em sua imaginação, contudo, ele viu a obra completada. A promessa feita "a Davi foi pontualmente cumprida. Ele tinha um filho que o sucedeu no trono, e esse filho edificou a casa do Senhor" (John Gill, *in loc.*).

■ 8.21

וָאָשִׂם שָׁם מָקוֹם לָאָרוֹן אֲשֶׁר־שָׁם בְּרִית יְהוָה אֲשֶׁר
כָּרַת עִם־אֲבֹתֵינוּ בְּהוֹצִיאוֹ אֹתָם מֵאֶרֶץ מִצְרָיִם׃ ס

As tábuas da aliança. A expressão aqui tem um sentido geral, provavelmente levando em consideração tanto o *Pacto Abraâmico* (ver notas em Gn 15.18) quanto o *Pacto Mosaico* (ver notas de introdução a Êx 19). Ver também sobre o *Pacto Palestínico*, na introdução a Dt 29. O estabelecimento da linhagem de Davi como a linhagem real foi uma parte necessária da história de Israel. *Uma* realização dessa linhagem foi a edificação do templo de Jerusalém. Mas aqui é mencionado *especificamente o pacto da lei*, visto que são citadas as duas tábuas de pedra originais que foram guardadas na arca e davam testemunho contínuo do Pacto Mosaico. A lei era a principal provisão desse pacto, e a guarda do sábado era seu sinal. Tradições posteriores também falavam sobre a urna de ouro que continha o maná, bem como a vara de Arão que havia brotado (ver Êx 16.33; Nm 17.10 e Hb 9.4). A referência do presente versículo representa a tradição mais antiga. Ver comentários adicionais sobre a questão nas notas expositivas do vs. 8.

A ORAÇÃO DE SALOMÃO (8.22-53)

1. Salomão primeiramente agradeceu porque Deus guardara sua promessa (e sua aliança), tendo levantado um herdeiro que governasse no lugar de Davi (vss. 23,24). Quanto ao *Pacto Davídico*, ver 2Sm 7.4.
2. Em seguida, Salomão orou para que a promessa tivesse aplicação eterna, condicionada ao cumprimento da conduta exigida pela lei (vss. 25,26).
3. Sempre haveria necessidade de expiação e perdão, e o templo serviria a esse propósito. Salomão rogou que isso expressasse a verdade dos fatos.
4. Vários assuntos e necessidades de intercessão preenchem o restante da oração. Haveria dificuldades entre os homens que deveriam ser resolvidas (vss. 31,32); haveria derrotas na guerra (vss. 33,34); haveria períodos de seca (vss. 35,36); haveria pragas (vss. 37-40); estrangeiros deveriam ser tratados com bondade e justiça, para que o povo de Israel não fosse amaldiçoado (vss. 41-43); e Israel precisaria de vitórias na guerra (vss. 44,45). A conclusão leva em conta o eventual exílio, tendo sido provavelmente uma adição feita por um editor pós-exílico, de cerca de 550 a.C.

Salomão começou a sua oração com adoração e terminou-a com várias petições. Alguns estudiosos contam nada menos de *nove* petições distintas. Yahweh foi o alvo dessas orações. Deus é aquele que tem o poder de dar todas as coisas necessárias para a vida e a existência.

8.22

וַיַּעֲמֹד שְׁלֹמֹה לִפְנֵי מִזְבַּח יְהוָה נֶגֶד כָּל־קְהַל יִשְׂרָאֵל וַיִּפְרֹשׂ כַּפָּיו הַשָּׁמָיִם׃

Ver no *Dicionário* o artigo chamado *Oração* e, nas notas introdutórias à presente seção, ver a natureza da oração de Salomão. Ver também o artigo chamado *Intercessão*.

Há muitas posturas para a oração. *Ficar de pé* era uma das favoritas entre os hebreus, sendo uma boa postura para a pessoa manter-se desperta e alerta. Ficar andando para lá e para cá é uma boa prática, e parece ajudar o espírito, acrescentando poder à oração. Deitar-se de costas e orar quase sempre deixa sonolento aquele que ora. Salomão, pois, levantou-se diante do altar, provavelmente *o altar dos holocaustos* que havia no átrio do templo, onde o povo costumava reunir-se. 2Cr 6.13 conta que ele se pôs de pé sobre uma balaustrada de bronze, com 5 côvados de comprimento, 5 côvados de largura e 3 côvados de altura, o que lhe proporcionou uma boa plataforma ou púlpito, de onde ele podia ser visto e ouvido. Os representantes de Israel estavam ali, e a casta sacerdotal acompanhava atentamente. Ele levantou as mãos ao céu e fez um apelo direto a Yahweh, de quem fluía todo o poder. Elevar ou espalhar as palmas das mãos para o alto era um gesto que os gregos e os romanos usavam em suas orações (Homero, *Ilíada*, 3, s. 275; 6. vs. 30), e os hebreus, como é óbvio, tinham uma prática similar. Cf. Sl 141.2 e 1Tm 2.8.

> Vós, lâmpadas do céu, disse ele,
> e ergueu as mãos ao céu,
> tu, venerável céu, poderes invioláveis!
>
> Virgílio, *Eneida*, livro ii. vs. 153

8.23

וַיֹּאמַר יְהוָה אֱלֹהֵי יִשְׂרָאֵל אֵין־כָּמוֹךָ אֱלֹהִים בַּשָּׁמַיִם מִמַּעַל וְעַל־הָאָרֶץ מִתָּחַת שֹׁמֵר הַבְּרִית וְהַחֶסֶד לַעֲבָדֶיךָ הַהֹלְכִים לְפָנֶיךָ בְּכָל־לִבָּם׃

Ó Senhor Deus de Israel. *Yahweh-Elohim*, o Deus eterno e Todo-poderoso, foi o alvo da oração de Salomão. Ver no *Dicionário* o artigo chamado *Deus, Nomes Bíblicos de*.

Em cima nos céus. Os antigos imaginavam os deuses (Deus) como "lá em cima", em algum céu, mais alto no espaço que a terra. O vocabulário moderno transporta essa maneira de pensar para as nossas expressões. Mas sabemos que o *céu* é uma dimensão e um tipo de existência, e não algum lugar *acima*. Ver no *Dicionário* o artigo chamado *Céu*. Comparar Gn 11.4, onde há notas adicionais sobre essa ideia.

Henoteísmo ou Monoteísmo? Salomão sabia que não existem deuses comparáveis a Elohim (Yahweh), quer em um céu acima e distante, quer na terra. Isso soa como o henoteísmo, ou seja, existiriam muitos deuses, mas nosso Deus seria o único Deus *para nós*. Na época em que a presente passagem foi escrita, o monoteísmo estava firmemente estabelecido na teologia hebreia. Portanto, a declaração de Salomão não implica que houvesse, realmente, outros deuses. Ver no *Dicionário* o artigo chamado *Deus*, o qual revisa os muitos conceitos de Deus. Ver também o artigo chamado *Monoteísmo*.

A aliança. Uma referência geral que pode incluir o *Pacto Abraâmico* (ver Gn 15.18); o *Pacto Noaico* (introdução a Êx 7); e o *Pacto Palestínico* (introdução a Dt 29). Qualquer pacto que Deus tenha feito com Israel era seguro, porquanto Yahweh-Elohim é um Deus que observa seus acordos com os homens.

A Parte Humana. O homem também tem um papel a desempenhar, como obedecer à lei, que é a essência do Pacto Mosaico. O homem deve andar ou conduzir-se de maneira digna. Ver no *Dicionário* o artigo intitulado *Andar*. Esse andar deve ser feito com toda a sinceridade, isto é, de "todo o coração", conforme destaca o versículo. Naturalmente, o *amor* é a base de tal andar (ver Dt 6.5). Ver o contexto no qual o presente versículo se engasta. Ver no *Dicionário* o artigo chamado *Amor*, quanto a amplas ideias e ilustrações.

Deus "cumpre as promessas através das quais opera sua misericórdia e bondade, e ele é fiel para com os que *andam* na sua presença, em seus caminhos, de acordo com a sua palavra, em sinceridade e retidão de coração" (John Gill, *in loc.*).

Cf. Dt 7.9; Ne 1.5 e Dn 9.4, e ver sobre o segundo mandamento, em Êx 20.6. Ver também, no *Dicionário*, o artigo chamado *Dez Mandamentos*.

8.24

אֲשֶׁר שָׁמַרְתָּ לְעַבְדְּךָ דָּוִד אָבִי אֵת אֲשֶׁר־דִּבַּרְתָּ לּוֹ וַתְּדַבֵּר בְּפִיךָ וּבְיָדְךָ מִלֵּאתָ כַּיּוֹם הַזֶּה׃

Este versículo repete o que vimos nos vss. 17-20, especialmente no vs. 20. O que Yahweh fizera por Davi tornou-se um ponto especial de *louvor*, dentro da oração de Salomão. "Da parte de Deus (o pacto) envolvia uma fidelidade que coisa alguma jamais seria capaz de destruir, bem como a misericórdia e o perdão, que sempre pareciam ser algo necessário, por causa da contínua apostasia de Israel" (Norman H. Snaith, *in loc.*).

Cf. isso com a promessa original feita a Davi, em 2Sm 7.13. Todas as promessas divinas foram guardadas. Salomão tomou o trono de Davi e assim estabeleceu a sua linhagem como a linhagem real. Em seguida, Salomão erigiu o templo, cumprindo assim o sonho de Davi. O templo, agora, estava terminado (vs. 15).

8.25

וְעַתָּה יְהוָה אֱלֹהֵי יִשְׂרָאֵל שְׁמֹר לְעַבְדְּךָ דָוִד אָבִי אֵת אֲשֶׁר דִּבַּרְתָּ לּוֹ לֵאמֹר לֹא־יִכָּרֵת לְךָ אִישׁ מִלְּפָנַי יֹשֵׁב עַל־כִּסֵּא יִשְׂרָאֵל רַק אִם־יִשְׁמְרוּ בָנֶיךָ אֶת־דַּרְכָּם לָלֶכֶת לְפָנַי כַּאֲשֶׁר הָלַכְתָּ לְפָנָי׃

Não te faltará sucessor diante de mim. *Uma Realeza Permanente*. A linhagem de Davi continuaria eternamente. Israel sempre teria um descendente de Davi como rei. No plano humano, isso dependia da *obediência* à lei, e foi por essa razão que a promessa falhou, *exceto* pelo fato de que, no plano divino, Cristo, o Filho de Davi, tem reinado eterno. *Nesse sentido,* a promessa divina não falhou.

Menos de quinhentos anos mais tarde, porém, os babilônios levariam Judá para o cativeiro; e antes disso, em 722, Israel seria levado para a Assíria, para nunca retornar em números apreciáveis. Isso significa que a fidelidade não teve continuação, e o reino sem fim também fracassou. Ver no *Dicionário* o artigo chamado *Cativeiros.* Ver 2Sm 7.12-16 quanto às promessas originais, e cf. Sl 89.28-37. Ver também Jr 31.36; 33.30-36. Somente Cristo, o Filho maior de Davi (ver Mt 1.1; 9.27; Rm 1.3), foi capaz de dar vida a tal promessa. No homem, essa vida morreu. Mas em Cristo, ela voltou à vida.

Em Davi (e em alguns filhos dele) está idealizado o rei perfeito, em concordância com os padrões de Deuteronômio e da lei. Ver sobre 1Rs 15.11. Ver também Dt 17.14 ss., quanto às instruções sobre o *rei ideal.* Ver no *Dicionário* os verbetes intitulados *Rei, Realeza* e *Reino de Deus (dos Céus).*

■ 8.26

וְעַתָּה אֱלֹהֵי יִשְׂרָאֵל יֵאָמֶן נָא דְּבָרְיךָ אֲשֶׁר דִּבַּרְתָּ לְעַבְדְּךָ דָוִד אָבִי׃

Salomão Precisava de Cumprimentos Adicionais. Ele já tinha visto suceder grandes coisas. Davi tivera a ideia do templo e recolhera materiais para a construção. Salomão havia substituído Davi, seu pai, no trono de Israel, mas ainda havia muito terreno a percorrer. O futuro estendia-se indefinidamente, e Salomão esperava uma continuidade eterna, bem como o cumprimento contínuo das promessas divinas. Portanto, Salomão procurava a bênção e o poder de Yahweh para todas as gerações futuras. Ele precisava da presença de Yahweh no templo que havia sido levantado (vs. 27), ou tudo se perderia. Somente o poder divino poderia cumprir todas as promessas de Deus.

No entanto, os cativeiros já se esgueiravam. Além disso, havia o destino e as estranhas operações da vontade divina, que surpreendem a muitos homens. A Igreja tomaria o lugar de Israel, e o eterno reino de Cristo eliminaria o reino de Israel.

Durante a *Segunda Guerra Mundial,* tropas britânicas foram acuadas em Dunquerque (1940). Mas conseguiram escapar através do canal da Mancha, para chegar em segurança às ilhas britânicas. E muitos pregadores da época clamaram: "Deus está do nosso lado", na hipótese de que havia sido aplicado aos alemães um golpe sério. Não muito tempo depois, entretanto, dois navios de guerra britânicos foram postos a pique pelos japoneses, os quais, súbita e inesperadamente, saíram da cobertura de uma nuvem. E assim dizemos: "Onde estava Deus, e do lado de quem agia?" Israel, por semelhante modo, haveria de atravessar tragédias incompreensíveis, e o plano a longo prazo pertenceria aos gentios! Deus opera de maneira misteriosa para realizar suas maravilhas.

> Deus move-se de maneiras misteriosas
> Para realizar suas maravilhas;
> ele implanta seus pés no mar,
> E caminha em meio ao temporal.
>
> William Cowper

■ 8.27

כִּי הַאֻמְנָם יֵשֵׁב אֱלֹהִים עַל־הָאָרֶץ הִנֵּה הַשָּׁמַיִם וּשְׁמֵי הַשָּׁמַיִם לֹא יְכַלְכְּלוּךָ אַף כִּי־הַבַּיִת הַזֶּה אֲשֶׁר בָּנִיתִי׃

A grandeza de Deus falou a Salomão a respeito de sua *onipresença.* Nenhum templo ou lugar sagrado poderia contê-la. Ver no *Dicionário* o artigo intitulado *Onipresença.*

> Cuja habitação é a Luz de sóis que se põem,
> E o oceano redondo e o ar vivo,
> E o céu azul, e na mente do homem;
> Um movimento e um espírito que impulsionam
> Todas as coisas pensantes, todos os objetos de todo pensamento,
> E que rolam através de todas as coisas.
>
> Wordsworth

No entanto, uma fagulha do Infinito torna-se finita na alma do homem, e lugares como o templo e a Igreja tornam isso real. Em Cristo, o homem transforma-se no templo do Espírito (ver Ef 2.20-22; 1Co 6.19).

"O próprio céu é a sua moradia (cf. com os vss. 38 e 49; Sl 11.4 e Hc 2.20). Sem embargo, em sua majestade, ele está interessado nas orações de seu povo" (Thomas L. Constable, *in loc.*). Isso reflete o *teísmo,* em lugar do *deísmo.* A primeira dessas posições ensina a existência e a presença da força criativa pessoal, a fim de recompensar e punir. A segunda admite que uma força criativa, pessoal ou impessoal, abandonou sua criação e a submeteu ao domínio das leis naturais, não exercendo nenhum papel ativo para o bem ou o mal. Ver sobre ambos os termos no *Dicionário.*

"Salomão ficou boquiaberto diante da imensidão, da dignidade e da grandeza do Ser divino, mas especialmente diante de sua condescendência para com todos os homens... Como poderia Deus habitar em tal lugar e na companhia de tais criaturas?" (Adam Clarke, *in loc.*).

E até o céu dos céus. Esse é o "céu superior", conforme interpreta a *Revised Standard Version.* Salomão usou uma frase que revela grandeza, mas, à nossa semelhança, ele realmente não sabia expressar onde e sob quais condições Deus vive e age. Cf. Dt 10.14 e seu paralelo, 2Cr 6.18. É altamente improvável que Salomão tenha imaginado alguma coisa como os *sete* céus (um pouco da teologia hebraica posterior), e que Deus habitava no sétimo céu. Mas ele pode ter tido alguma noção sobre a *pluralidade* dos céus. No artigo intitulado *Céu,* quarto ponto, considero esse conceito. Ver 2Co 12.2 quanto ao *terceiro céu* do apóstolo Paulo. Detalhes completos são oferecidos a respeito no *Novo Testamento Interpretado.* Todas as descrições sobre o "céu" são meras tentativas, defectivas e falhas. Provavelmente, algumas das coisas que dizemos sobre o céu são verdadeiras. Parte de nossa compreensão, pelo menos, está correta.

■ 8.28

וּפָנִיתָ אֶל־תְּפִלַּת עַבְדְּךָ וְאֶל־תְּחִנָּתוֹ יְהוָה אֱלֹהָי לִשְׁמֹעַ אֶל־הָרִנָּה וְאֶל־הַתְּפִלָּה אֲשֶׁר עַבְדְּךָ מִתְפַּלֵּל לְפָנֶיךָ הַיּוֹם׃

Atenta, pois, para a oração de teu servo. O elevadíssimo Deus, tão misterioso em seu Ser, tão oculto em seu lugar de habitação, ainda assim respeita os homens e suas orações. Isso fala fortemente na linguagem do *teísmo,* e não em termos do *deísmo* (ver no *Dicionário* os artigos assim chamados). Ver também o artigo chamado *Oração.* Deus, embora misterioso e imenso, pode ser atingido e tocado, e inspirado à ação através de nossas orações! Assim devemos orar e esperar pela intervenção divina, quando elas se fazem necessárias. Deus pode responder às nossas orações, e realmente responde; por esse motivo, Salomão fez todos esses pedidos que os versículos seguintes contêm.

> Espírito de Deus, desce sobre o meu coração
> Desmama-o da terra, move-te por todos os seus movimentos;
> Inclina-te diante de minha fraqueza, poderoso como tu és,
> E faze-me amar-te conforme devo.
>
> George Croly

Nesse mesmo hino, o compositor requer que Deus lhe ensine "a paciência da oração não respondida". Temos fé para acreditar que o desígnio divino atinge até mesmo esse ponto, embora não compreendamos. Num domingo da década de 70, em um culto religioso particular em minha casa, cantamos esse hino, e as palavras concernentes à *oração sem resposta* me feriram. Por tanto tempo, eu vinha procurando uma espécie de solução miraculosa para a publicação do *Novo Testamento Interpretado.* Não muito depois, os milagres começaram a acontecer. Atualmente, esse comentário já está na sétima edição! Quanto ao presente e quanto ao futuro, oh, Senhor, concede-nos tal graça!

■ 8.29

לִהְיוֹת עֵינֶךָ פְתֻחוֹת אֶל־הַבַּיִת הַזֶּה לַיְלָה וָיוֹם אֶל־הַמָּקוֹם אֲשֶׁר אָמַרְתָּ יִהְיֶה שְׁמִי שָׁם לִשְׁמֹעַ אֶל־הַתְּפִלָּה אֲשֶׁר יִתְפַּלֵּל עַבְדְּךָ אֶל־הַמָּקוֹם הַזֶּה׃

O Deus incomensurável prometeu manifestar-se no templo, embora o céu inteiro não seja capaz de contê-lo. O cumprimento dessa promessa foi um pedido especial da oração de Salomão: que o Deus imenso condescendesse em pôr a sua presença de modo especial no templo, com vistas ao benefício de Israel. Este versículo reitera essencialmente o vs. 16, onde são oferecidas notas expositivas adicionais.

Note-se novamente o uso da palavra "nome", a vaga designação que permitiu que o autor piedoso evitasse proferir os nomes divinos. "Nome" ocorre na oração de Salomão por catorze vezes. Ver as notas expositivas sobre o vs. 16. Havia uma antiga superstição de que o conhecimento do nome de um deus ou de outro poder espiritual dava ao homem poder sobre tal ser, através do qual ele poderia obter as coisas que quisesse, "mediante aquele poder do alto". Deus, pois, ocultava seu nome, para que ninguém tivesse ascendência sobre ele. Mas não há certeza alguma de que Salomão participasse dessa antiga superstição. Por outra parte, somente o Nome associado ao Santo dos Santos tinha poder para abençoar a Israel. Pode haver um indício de que antigos santuários, como os de Betel e Gibeom, tinham perdido o poder, agora que a adoração fora centralizada no templo de Jerusalém. A providência de Deus se manifestara de maneira especial em relação ao templo. Ver no *Dicionário* o artigo chamado *Providência de Deus*. Naturalmente, em Cristo, o poder *agora* está centralizado. O dia antigo passou. Um novo dia, com um novo Poder, está presente. Ver Rm 3.25; 1Jo 2.2; Hb 4.16. Ele é o novo Nome.

8.30

וְשָׁמַעְתָּ אֶל־תְּחִנַּת עַבְדְּךָ וְעַמְּךָ יִשְׂרָאֵל אֲשֶׁר יִתְפַּלְלוּ אֶל־הַמָּקוֹם הַזֶּה וְאַתָּה תִּשְׁמַע אֶל־מְקוֹם שִׁבְתְּךָ אֶל־הַשָּׁמַיִם וְשָׁמַעְתָּ וְסָלָחְתָּ׃

Todo o povo de Israel agora se voltava para o templo como o santuário sagrado especial onde as orações seriam ouvidas e respondidas. De maneira correspondente, Deus, em seu mais elevado céu, ouviria essas orações. E, visto que Israel nunca deixou de falhar e pecar, sempre haveria necessidade do perdão divino, e uma petição constante aos céus. O templo era o lugar dos ritos de *expiação* que ocultavam tais pecados. Isso precisava ser eficaz, ou Israel falharia e cairia diante dos seus inimigos, internos e externos. Ver no *Dicionário* os artigos intitulados *Pecado; Expiação* e *Perdão*.

Salomão acreditava que o templo ofereceria o remédio para todos os pecados e falhas de Israel e, na qualidade de uma casa de oração, daria ampla oportunidade para Israel proteger-se contra qualquer forma de destruição ou fracasso. Na Igreja do Novo Testamento, porém, Jesus provê o caminho superior para os crentes, o novo templo.

> *Acheguemo-nos, portanto, confiadamente,*
> *junto ao trono da graça,*
> *a fim de recebermos misericórdia*
> *e acharmos graça para socorro em ocasião oportuna.*
> Hebreus 4.16

O tema do perdão dos pecados prossegue nos versículos que se seguem. Isso era necessário para a justiça apropriada dentro de Israel quando houvesse alguma disputa; para evitar a derrota em batalhas diversas; para evitar as secas, pragas e enfermidades, bem como toda forma de calamidade. Naturalmente, há o *Problema do Mal* (ver a respeito no *Dicionário*), de *males naturais* que sobrevêm aos homens (como enfermidades, dilúvios, incêndios, terremotos e morte) e de *males morais* (que os homens infligem uns aos outros). Isso não pode ser explicado somente à base do pecado e da punição, conforme o artigo citado ilustra amplamente. Algumas vezes, é o homem bom que sofre a tragédia, enquanto os ímpios continuam, felizes, a desfrutar vida e boa saúde. Por que existem esses sofrimentos, é um dos problemas teológicos e filosóficos que nos deixam mais perplexos. Procuro oferecer alguma explicação sobre esse mistério naquele meu artigo. Salomão não foi além do "problema do pecado" em sua oração. Mas existem *outros* problemas relativos aos sofrimentos.

8.31,32

אֵת אֲשֶׁר יֶחֱטָא אִישׁ לְרֵעֵהוּ וְנָשָׁא־בוֹ אָלָה לְהַאֲלֹתוֹ וּבָא אָלָה לִפְנֵי מִזְבַּחֲךָ בַּבַּיִת הַזֶּה׃

וְאַתָּה תִּשְׁמַע הַשָּׁמַיִם וְעָשִׂיתָ וְשָׁפַטְתָּ אֶת־עֲבָדֶיךָ לְהַרְשִׁיעַ רָשָׁע לָתֵת דַּרְכּוֹ בְּרֹאשׁוֹ וּלְהַצְדִּיק צַדִּיק לָתֶת לוֹ כְּצִדְקָתוֹ׃ ס

Se alguém pecar contra o seu próximo. Regular a conduta de Israel era algo que requeria sabedoria. Haveria entre os israelitas conflitos causados por injustiças. Um irmão pecaria contra outro, semeando assim a confusão. Haveria quebra de juramentos, o que sempre foi considerado sério em Israel. Ver no *Dicionário* o artigo chamado *Juramentos e Votos*. Até mesmo juramentos feitos no templo não seriam respeitados, ou juramentos falsos seriam proferidos. Se essas coisas ficassem sem perdão, sem correção, sobreviria o julgamento divino. Um homem acusaria a outro quando não houvesse evidência conclusiva, ou evidência para provar quem estava com a razão, ou caso alguma ofensa genuína fosse cometida. Nesse caso, seria necessário apelar "ao céu", para que houvesse sabedoria capaz de endireitar tais confusões. Casos seriam apresentados a Salomão, o qual teria de empregar a famosa sabedoria dada por Deus para solucioná-los. Por isso, Salomão fez uma pausa, ali mesmo, na ocasião da dedicação do templo, pedindo que lhe fosse dado saber como decidir casos difíceis.

"Ao indivíduo acusado foi permitido chegar-se diante do altar de Deus, com o propósito de expurgar-se através de juramento pessoal. Salomão pediu que Deus não permitisse juramentos falsos, mas antes, que lhe fosse dada sabedoria para desvendar a verdade, a fim de que homens ímpios fossem condenados e punidos, e os justos fossem justificados" (Adam Clarke, *in loc.*). Ver Êx 22.7 e seu contexto, quanto ao juramento de expurgo.

Cf. o julgamento por meio de algum teste, em Nm 5.14-30. Certas medidas de salvaguarda foram providas para decidir casos quando houvesse ausência de evidências. Salomão pensou viver em um mundo moral, no qual a maldade cometida seria castigada com a calamidade, ao passo que todo ato justo seria recompensado com a prosperidade. E ele queria fazer tudo quanto pudesse para impedir que os ímpios prosperassem. "Em tempos corruptos, os homens vinham jurar defronte do altar, ver Mt 23.20. Os pagãos costumavam jurar em seus templos e defronte de seus deuses, em seus altares, nos quais tocavam, quando juravam, para emprestar maior sanção ao juramento" (John Gill, *in loc.*, referindo-se a Cornel, *Nep. Vit. Dion.* 1. 10. cap. 8).

8.33,34

בְּהִנָּגֵף עַמְּךָ יִשְׂרָאֵל לִפְנֵי אוֹיֵב אֲשֶׁר יֶחֶטְאוּ־לָךְ וְשָׁבוּ אֵלֶיךָ וְהוֹדוּ אֶת־שְׁמֶךָ וְהִתְפַּלְלוּ וְהִתְחַנְּנוּ אֵלֶיךָ בַּבַּיִת הַזֶּה׃

וְאַתָּה תִּשְׁמַע הַשָּׁמַיִם וְסָלַחְתָּ לְחַטַּאת עַמְּךָ יִשְׂרָאֵל וַהֲשֵׁבֹתָם אֶל־הָאֲדָמָה אֲשֶׁר נָתַתָּ לַאֲבוֹתָם׃ ס

Pecado e Calamidade. Israel tinha um "registro passado errado", conforme dizem modernamente alguns. O curso palmilhado sempre fora assinalado por uma falha contínua e pela calamidade que se seguiu às falhas. Salomão antecipou que essa horrenda situação haveria de prosseguir. Israel sempre teria de arrepender-se de seus pecados quando a destruição começasse; e Yahweh sempre ouviria as orações de arrependimento, perdoando-os e restaurando-os. Salomão não tinha o discernimento profético para ver que:

1. Somente Davi, seu pai, e ele, reinariam sobre um *reino unido* de Israel, e muito em breve Israel seria dividido em nações separadas — norte (Israel) e sul (Judá) — por causa de contenções e ciúmes estúpidos. O pecado produziria maior confusão do que Salomão jamais teria imaginado.

2. Em 722 a.C., os assírios invadiriam o reino do norte (Israel) e levariam seus habitantes para o cativeiro, e assim as tribos do norte seriam obliteradas até hoje.

3. Em 597 a.C., os babilônios invadiriam o sul (Judá) e levariam essa parte de Israel para o cativeiro. Após setenta anos, um remanescente retornaria, mas a glória de Israel seria obscurecida.

4. Após uma breve restauração sob o governo dos Macabeus, Israel sofreria sua grande *diáspora*, isto é, o povo seria espalhado pelas nações europeias por meio dos atos de Adriano, a começar em 132 d.C.

Somente nos tempos modernos Israel seria restaurado à Palestina. Esse foi o resultado do pecado em funcionamento. Naturalmente, havia mais na questão do que somente isso. Há também a vontade e o propósito de Deus que operam de maneira estranha, inteiramente à parte do pecado e do arrependimento. Não obstante, é correto associar o pecado à calamidade, mesmo que a calamidade ocorra por outras razões, e até em resultado do *caos*. Mas acima e além da calamidade há o propósito de Deus, que finalmente fará seu plano fluir, a despeito do homem. O desígnio divino sempre beneficiará o homem, por causa da graça e do amor de Deus. Ver o artigo *Problema do Mal* no *Dicionário*, onde oferecemos algumas fontes que dão origem a calamidades, e comentário sobre como devemos ter fé para confiar que Deus está ali, a despeito das agonias. A *derrota militar* era grandemente temida pelos povos antigos, porque não havia misericórdia para com os conquistados. Sem dúvida, o pecado entrava nesse componente da derrota militar.

Ver Lv 26.17,32,33 e Dt 28.25 quanto às bênçãos e maldições da lei. Cf. Sl 40.9-11; 44.1-3,9-17; 89.42-46. "Com sua característica seriedade, Salomão olhou de volta de sua prosperidade pacífica para o passado tempestuoso, e dali aprendeu a orar quanto ao futuro" (Ellicott, *in loc.*).

■ 8.35

בְּהֵעָצֵר שָׁמַיִם וְלֹא־יִהְיֶה מָטָר כִּי יֶחֶטְאוּ־לָךְ וְהִתְפַּלְלוּ אֶל־הַמָּקוֹם הַזֶּה וְהוֹדוּ אֶת־שְׁמֶךָ וּמֵחַטָּאתָם יְשׁוּבוּן כִּי תַעֲנֵם:

Antes de construir grandes represas, os homens dependiam essencialmente das chuvas próprias da estação. Se essas chuvas faltassem, ocorreria a seca, e a morte em massa seguiria de perto. Até hoje, a despeito de nossas grandes represas, uma seca prolongada produz confusão. Recentemente (1994), no Estado de São Paulo, enfrentamos uma seca de quatro meses. Mais quatro meses de seca, e as condições poderiam tornar-se calamitosas (visto que toda a vida depende da água), independentemente de nossas provisões modernas.

"A falta de chuvas sempre foi uma ameaça em caso de pecado, e sempre foi também o efeito do pecado (ver Lv 26.19,20; Dt 28.23,24)... Sua aflição teve por intuito fazê-los reconhecer o pecado e dele arrepender-se" (John Gill, *in loc.*). Ver no *Dicionário* os artigos intitulados *Água; Chuva; Chuvas Anteriores e Posteriores* e *Arrependimento*.

"Deus recusa-se a enviar as primeiras e as últimas chuvas, de modo que chega em vão o tempo determinado da colheita, mas não há nem safra nem colheita" (Adam Clarke, *in loc.*).

■ 8.36

וְאַתָּה תִּשְׁמַע הַשָּׁמַיִם וְסָלַחְתָּ לְחַטַּאת עֲבָדֶיךָ וְעַמְּךָ יִשְׂרָאֵל כִּי תוֹרֵם אֶת־הַדֶּרֶךְ הַטּוֹבָה אֲשֶׁר יֵלְכוּ־בָהּ וְנָתַתָּה מָטָר עַל־אַרְצְךָ אֲשֶׁר־נָתַתָּה לְעַמְּךָ לְנַחֲלָה: ס

Yahweh ouviria as orações deles e enviaria as chuvas apropriadas, em dependência a um arrependimento autêntico que removesse a causa da seca. "A preocupação com a chuva talvez possa ser vista em Zc 14.16,17, e a tragédia da falta de chuvas em Jr 8.20. A Mishnah e Taanith descrevem *cerimônias* que eram realizadas para assegurar a chegada das chuvas próprias da estação, se ao menos elas se demorassem após o final da festa (Snaith, *Jewish New Year Festival*, págs. 64, 174-176). As *condições* para o *dom divino* da chuva dependiam da vontade de Deus. Essa insistência sobre a soberania de Deus é essencial para compreender a eficácia dos atos rituais" (Norman H. Snaith, *in loc.*).

Cf. Sl 94.12 e 2Cr 6.37. Ver também Tg 5.18 e, no caso de Elias, 1Rs 18.42,45. De certa feita ouvi um sermão sobre o tema da "nuvenzinha" que surgiu para o lado do mar, a qual se multiplicou e, finalmente, trouxe chuvas suficientes para pôr fim à seca em Israel, porque *Elias orou*. O pregador perguntou: Que teria acontecido se Elias tivesse parado de orar quando viu a pequena nuvem? A nuvem era insignificante por si mesma. Grandes coisas tinham de ocorrer, mas as chuvas caíram porque Elias continuou a orar. As orações da maioria das pessoas são tão fracas que nem fariam aparecer a nuvem. Ver no *Dicionário* o artigo chamado *Oração*.

■ 8.37

רָעָב כִּי־יִהְיֶה בָאָרֶץ דֶּבֶר כִּי־יִהְיֶה שִׁדָּפוֹן יֵרָקוֹן אַרְבֶּה חָסִיל כִּי יִהְיֶה כִּי יָצַר־לוֹ אֹיְבוֹ בְּאֶרֶץ שְׁעָרָיו כָּל־נֶגַע כָּל־מַחֲלָה:

A fome pode resultar da seca (vss. 35,36); mas há outras causas como as enfermidades, as pragas que destroem as safras, e os gafanhotos e as lagartas que tudo devoram.

Um filósofo grego queixou-se dos "abusos *da natureza*". Tantas são as maneiras pelas quais eles podem atacar-nos: tempestades, calor, frio, seca, insetos, terremotos! A fé dos hebreus via a mão de Deus operando em todos esses *abusos*, e atribuía ao pecado a sua ocorrência. Para os deístas, as leis naturais operam de modo imperfeito, e o homem está naturalmente sujeito aos abusos da natureza; Deus não é a causa dessas coisas nem remove a fé deísta; o homem permanece sofrendo e esperando por algo melhor. Mas a fé teísta ensina que há um Deus pessoal que pode e realmente controla os abusos da natureza, e também que a fé pode mostrar-se eficaz no caso desses abusos. Ver no *Dicionário* os artigos *Teísmo* e *Deísmo*. Ver também o detalhado e descritivo artigo *Praga de Gafanhotos*, quanto a uma vívida descrição de um dos abusos da natureza. Nos artigos *Praga* e *Pragas do Egito*, o leitor encontrará outras ilustrações e informações. Cf. o presente versículo com Jl 1.4; Lv 26.25,26; Dt 28.22-24,38-42.

Larvas. Está em pauta a lagarta em seu estado larvário. Desde o começo, a lagarta é devastadora.

As *doenças dos vegetais* eram motivo de grande consternação, porquanto os povos antigos não tinham proteção contra elas, nem sabiam controlá-las. Por isso, uma vez iniciadas, elas destruíam completamente as plantações. Tais coisas ensinam o quão dependentes são os homens de Deus. Apesar de toda a ciência e tecnologia, o homem permanece muito *dependente*, o que é um atributo da natureza humana. Somente Deus é independente. Ver no *Dicionário* o verbete chamado *Atributos de Deus*.

■ 8.38,39

כָּל־תְּפִלָּה כָל־תְּחִנָּה אֲשֶׁר תִהְיֶה לְכָל־הָאָדָם לְכֹל עַמְּךָ יִשְׂרָאֵל אֲשֶׁר יֵדְעוּן אִישׁ נֶגַע לְבָבוֹ וּפָרַשׂ כַּפָּיו אֶל־הַבַּיִת הַזֶּה:

וְאַתָּה תִּשְׁמַע הַשָּׁמַיִם מְכוֹן שִׁבְתֶּךָ וְסָלַחְתָּ וְעָשִׂיתָ וְנָתַתָּ לָאִישׁ כְּכָל־דְּרָכָיו אֲשֶׁר תֵּדַע אֶת־לְבָבוֹ כִּי־אַתָּה יָדַעְתָּ לְבַדְּךָ אֶת־לְבַב כָּל־בְּנֵי הָאָדָם:

Toda oração, e súplica, que qualquer homem. Muitas pessoas necessitadas viriam ao templo a fim de orar. Cada uma delas teria sua própria "aflição", sua própria "ferida no coração" (o homem interior, o homem essencial). Haveria muitas necessidades *individuais* que requereriam a atenção de Yahweh. Salomão, pois, orou para que essas necessidades fossem satisfeitas pela graça e misericórdia divina. Os problemas individuais seriam, na maioria dos casos, resultantes de pecados individuais, de tal modo que o pecado individual e a calamidade continuariam caminhando juntos. Assim, pois, o vs. 39 traz novamente à nossa atenção a necessidade da expiação pelo pecado. O templo era o lugar apropriado para oferecer expiação, e a misericórdia de Deus estaria esperando cada caso individual. No perdão, os ferimentos poderiam ser curados. Além disso, Yahweh conhecia cada coração, seu pecado e necessidade, de modo que nenhum caso jamais estaria fora de seu conhecimento e de seu poder de curar. Toda necessidade humana traz o divino, pois ninguém vive exclusivamente para si próprio, assim como ninguém vive somente para os outros. "Ninguém vive para si mesmo apenas, e o destino humano não pode ser tratado apenas no plano deste mundo" (Norman H. Snaith, *in loc.*).

Todo pecado está, originalmente, no coração, e nele tem a sua fonte. Todo homem bom é levado a observar, confessar e lamentar seus pecados (Sl 51.4,5; 2Cr 6.29).

Aqui novamente temos o gesto da oração intensa, tal como no vs.

22: o rosto voltado para cima, os braços estendidos, as mãos voltadas na direção do céu.

Já que lhe conheces o coração. Quanto a como Deus conhece o coração dos homens, cf. Sl 11.4; 139.2-4; Jr 17.9,10. Há um atributo especial da divindade, um aspecto da *onisciência* (ver a esse respeito no *Dicionário*).

■ 8.40

לְמַעַן יִרָאוּךָ כָּל־הַיָּמִים אֲשֶׁר־הֵם חַיִּים עַל־פְּנֵי הָאֲדָמָה אֲשֶׁר נָתַתָּה לַאֲבֹתֵינוּ:

O temor do Senhor é o princípio da sabedoria.
Provérbios 9.10

Ver no *Dicionário* o artigo detalhado sobre *Temor*, especialmente o primeiro ponto, *O Temor de Deus*. Cf. Is 8.13; Jr 32.39; Pv 8.13; Jó 28.28; Sl 111.10; 2Co 7.11. A *terra*, que era a fonte de todas as riquezas e de todo o bem-estar, foi dada por Yahweh, conforme ilustramos graficamente no livro de Josué. O Deus da misericórdia que dá tão liberalmente aos homens dispõe-se favoravelmente para com aqueles que o temem, e perdoa-lhes os pecados, com a restauração consequente que faz parte desse favor. "Removendo suas aflições e conferindo-lhes a sua bênção, particularmente no perdão de seus pecados. Ver Sl 130.4; Os 3.5. A sua boa terra os inspirava ao arrependimento, porquanto é a bondade de Deus que nos conduz ao arrependimento (ver Rm 2.4). O registro histórico demonstrava que Israel contava com um Deus perdoador, e assim, enquanto estivesse vivendo em sua terra, poderia esperar que as bênçãos divinas fluíssem.

"A oração de Salomão dificilmente faz parte da doutrina do perdão revelado na morte expiatória de Cristo. Não obstante, retém as marcas da escola divina: arrependimento, reparação e reconciliação" (Ralph W. Sockman, *in loc.*). Ver no *Dicionário* os artigos chamados *Expiação; Arrependimento* e *Reconciliação*.

■ 8.41

וְגַם אֶל־הַנָּכְרִי אֲשֶׁר לֹא־מֵעַמְּךָ יִשְׂרָאֵל הוּא וּבָא מֵאֶרֶץ רְחוֹקָה לְמַעַן שְׁמֶךָ:

Também ao estrangeiro. O estrangeiro, aqui, não é apenas um negociante que entrava em Israel para fazer comércio e ganhar alguma coisa. O versículo diz especialmente que ele veio ali "por causa do nome de Yahweh", ou seja, como um convertido à fé dos hebreus. Ver no *Dicionário* o artigo intitulado *Prosélito, Proselitismo*. Esse tipo de estrangeiro, residente permanente e hebreu por fé religiosa, embora não por ascendência racial, tinha quase os mesmos direitos de um cidadão. Ele usaria o templo e seus ritos religiosos, fazendo ali suas orações, tendo seus pecados perdoados e sua vida orientada por Yahweh, tal e qual um hebreu nativo. Muitos estrangeiros, naturalmente, casariam com mulheres hebreias e assim seriam integrados à sociedade hebreia. Nos dias de Salomão, quando havia prosperidade material generalizada, e o próprio rei era conhecido por sua grande sabedoria, era natural que muitos estrangeiros preferissem viver em Israel, onde eram absorvidos. A história da rainha de Sabá é uma indicação desse poder de atração.

Os livros de Rute e Jonas refletem certo aspecto do sentimento dos hebreus relativamente aos estrangeiros. Estes eram sempre bem acolhidos em Israel, embora isso tenha falhado em determinadas ocasiões, quando o nacionalismo ia alto. Cf. Dt 23.3-5 e Ne 13.1-3, onde estrangeiros aparecem como quem sofria por causa do exclusivismo e do ódio. Josefo (*Antiq*. VIII.4.3) fez uso da presente passagem em sua ansiedade por elogiar o povo diante dos romanos e tentar receber melhor tratamento da parte deles. Ele tentou mostrar que os judeus não eram hostis nem odiadores da raça humana, conforme eram acusados. Mas Tácito (*Hist*. V.5) disse: "Para com o restante da raça humana, os judeus nutrem um ódio mal-humorado e inveterado". A legislação mosaica de Dt 10.18,19 era observada em algumas ocasiões, mas não sempre. Essa legislação ordenava um tratamento justo e misericordioso para com os estrangeiros, mas havia muitos lapsos e, ocasionalmente, a lei era simplesmente ignorada. Ver Lv 12.18.

■ 8.42

כִּי יִשְׁמְעוּן אֶת־שִׁמְךָ הַגָּדוֹל וְאֶת־יָדְךָ הַחֲזָקָה וּזְרֹעֲךָ הַנְּטוּיָה וּבָא וְהִתְפַּלֵּל אֶל־הַבַּיִת הַזֶּה:

(Porque ouvirão do teu grande nome...). Eis aí o poder de atração de Yahweh. O dinheiro também fascinava os estrangeiros, mas acima e além disso, havia o poder divino que exercia influência sobre a alma dos homens. Haveria peregrinos comerciais, mas também peregrinos espirituais viriam a Israel, especialmente no tempo de Salomão. Cf. este versículo com o poder de atração universal de Cristo (ver Jo 12.32). Ver sobre *Missão Universal do Logos*, na *Enciclopédia de Bíblia, Teologia e Filosofia*. O templo seria um local de concentração para todas as raças, tal como, em Cristo, de uma maneira mais ampla, a Igreja, que é o novo templo, recolhe homens de todos os lugares. O progresso histórico da fé espiritual, portanto, contribuiu para a *unidade universal*, e esse princípio é, de fato, a grande *diretriz* do destino humano. Ver na *Enciclopédia de Bíblia, Teologia e Filosofia* o artigo chamado *Restauração*, e ver no *Dicionário* sobre *Mistério da Vontade de Deus*. Em Cristo temos alguém que é "maior do que Salomão", de modo que os efeitos de sua vida, morte e ressurreição podem ser tidos como realmente universais.

Da tua mão poderosa. A poderosa mão divina que se estende por toda parte e pode fazer qualquer coisa. Essa era a mão que trazia estrangeiros até o território de Israel, e fazia coisas que os admirava profundamente. Além disso, havia o seu "grande nome", um termo usado por catorze vezes na oração de Salomão. Quanto a isso, ver as notas expositivas no vs. 16.

Mão. Palavra usada regularmente para denotar autoridade, poder e controle (ver Js 8.20).

Do teu braço estendido. Ver Dt 4.34. Denota universalidade de aplicação. Nada está fora do interesse, do controle e da ação de Deus. Todos os homens se beneficiam disso, sem importar a sua raça.

■ 8.43

אַתָּה תִּשְׁמַע הַשָּׁמַיִם מְכוֹן שִׁבְתֶּךָ וְעָשִׂיתָ כְּכֹל אֲשֶׁר־יִקְרָא אֵלֶיךָ הַנָּכְרִי לְמַעַן יֵדְעוּן כָּל־עַמֵּי הָאָרֶץ אֶת־שְׁמֶךָ לְיִרְאָה אֹתְךָ כְּעַמְּךָ יִשְׂרָאֵל וְלָדַעַת כִּי־שִׁמְךָ נִקְרָא עַל־הַבַּיִת הַזֶּה אֲשֶׁר בָּנִיתִי:

Ouve tu nos céus. Este versículo é similar a todo versículo que conclui uma petição específica. Em primeiro lugar, a necessidade é apresentada; então vem a súplica a Yahweh e a necessidade de tomar a ação apropriada, primeiramente em perdão, depois em bênção. Cf. os vss. 32,34,36,38,39. Se Yahweh não tomasse nas mãos o caso dos estrangeiros, eles estariam perdidos. Temos neste passo bíblico uma "antecipação tácita do futuro ajuntamento de todas as nações para desfrutar as bênçãos que foram, desde o princípio, expressamente destinadas a 'todas as famílias' da terra" (Ellicott, *in loc.*). Essa citação de Ellicott refere-se ao *Pacto Abraâmico* e à sua provisão universal. Ver Gn 15.18 quanto a plenas informações sobre esse pacto. "Parece que Salomão teve conhecimento do chamado dos gentios e o desejou" (John Gill, *in loc.*).

■ 8.44

כִּי־יֵצֵא עַמְּךָ לַמִּלְחָמָה עַל־אֹיְבוֹ בַּדֶּרֶךְ אֲשֶׁר תִּשְׁלָחֵם וְהִתְפַּלְלוּ אֶל־יְהוָה דֶּרֶךְ הָעִיר אֲשֶׁר בָּחַרְתָּ בָּהּ וְהַבַּיִת אֲשֶׁר־בָּנִתִי לִשְׁמֶךָ:

Quando o teu povo sair à guerra. Este versículo leva-nos de volta ao tema do vs. 33: o perigo sempre presente de ataques por parte de inimigos; o maléfico poder da guerra; a destruição efetuada pela espada. As nações antigas podiam sucumbir rapidamente diante de um inimigo poderoso. Algumas vezes, uma única batalha podia determinar a vitória ou a derrota. Estamos falando acerca de nações com populações relativamente pequenas e territórios limitados. De outras vezes, Israel tomava a iniciativa, como quando derrotou seus inimigos (ver as notas expositivas sobre 2Sm 10.19). Nessas ocasiões, Yahweh estava presente para guiar, fortalecer e prover estratagemas. De outras vezes, a arca era transportada ao campo de batalha para assegurar a vitória, porque essa caixa sagrada testemunhava a presença de Yahweh com o exército israelita. Ver sobre 1Sm 4.3 quanto à questão. Os inimigos de Israel eram sempre hostis e cruéis. Somente o poder divino poderia preservar a identidade da nação israelita. Foi assim que os assírios, em breve tempo, obliteraram as dez tribos do norte (Israel), em cerca de 722 a.C. E os babilônios, em 597 a.C., levaram Judá, o reino do sul, para o cativeiro. Mas um remanescente acabou voltando, e assim foi iniciada uma nova nação. Os romanos (em cerca de 132 d.C.), porém, espalharam Israel por todo o mundo então conhecido, e isso só foi revertido em nosso século (1948), quando Israel foi restaurado como nação, em seu próprio território. Esses acontecimentos históricos ilustram as razões da preocupação de Salomão com os possíveis adversários da nação.

Os críticos supõem que os vss. 44 e 45, na realidade, foram escritos durante os dias do exílio babilônico, pelo que parecem tão dolorosos. Em caso contrário, então Salomão conseguiu antecipar essa dor. Ver o vs. 47 que põe o contexto dentro de uma circunstância de *cativeiro*.

■ 8.45

וְשָׁמַעְתָּ הַשָּׁמַיִם אֶת־תְּפִלָּתָם וְאֶת־תְּחִנָּתָם וְעָשִׂיתָ מִשְׁפָּטָם:

Ellicott observou a similaridade entre o presente versículo e especialmente o vs. 47, com as lamentações de Daniel (9.4-15), quando o cativeiro babilônico chegava ao fim. O Targum, em seu comentário sobre o atual versículo, invoca a Deus, pedindo justiça e vingança contra inimigos que queriam prejudicar a nação de Israel.

■ 8.46,47

כִּי יֶחֶטְאוּ־לָךְ כִּי אֵין אָדָם אֲשֶׁר לֹא־יֶחֱטָא וְאָנַפְתָּ בָם וּנְתַתָּם לִפְנֵי אוֹיֵב וְשָׁבוּם שֹׁבֵיהֶם אֶל־אֶרֶץ הָאוֹיֵב רְחוֹקָה אוֹ קְרוֹבָה:

וְהֵשִׁיבוּ אֶל־לִבָּם בָּאָרֶץ אֲשֶׁר נִשְׁבּוּ־שָׁם וְשָׁבוּ וְהִתְחַנְּנוּ אֵלֶיךָ בְּאֶרֶץ שֹׁבֵיהֶם לֵאמֹר חָטָאנוּ וְהֶעֱוִינוּ רָשָׁעְנוּ:

Estes dois versículos são, definitivamente, versículos próprios do *cativeiro*. Alguns estudiosos supõem que Salomão, mediante discernimento profético, previu os cativeiros assírio e babilônico (ver o *Dicionário* quanto a detalhes completos). Os críticos, porém, supõem que esses versículos tenham sido acrescentados por algum editor durante ou após o cativeiro babilônico. A esperança da *restauração* só teria sentido em relação aos cativeiros. Não houve esperança alguma no caso do cativeiro assírio. Tal como em Dn 8.4-15, o mesmo acontece aqui. O *pecado* foi a causa do cativeiro. O remédio era o *arrependimento*.

Conceitos de pecado são ilustrados nas três palavras ou expressões do vs. 47: "pecamos", "perversamente procedemos" e "cometemos iniquidade". Três ideias estão presentes no original hebraico, a saber:

1. *Pecamos*. No hebraico, *hata*, "errar o alvo". Cf. Pv 19.2. Em Jz 20.16 a palavra é usada para pedras lançadas mediante uma funda sem errar um fio de cabelo. O pecado consiste em apontar incorretamente, errar o alvo, desviar-se do caminho certo.
2. *Perversamente procedemos, awah*. Esta palavra significa *iniquidade*, ação agravada, perversidade, perversidade deliberada, em contraste com o "errar o alvo" da primeira expressão. Os homens praticam males *abertos,* que não resultam de ausência de conhecimento ou de fraqueza.
3. *Cometemos iniquidade, rasha*. Esta palavra é usada para indicar membros colocados irregularmente no corpo, e a ideia, no tocante ao pecado, é de atos estúpidos, propositados, coisas anormais que os homens fazem, negócios distorcidos e crueldades. O pecado nunca segue um caminho reto, mas, sim, o caminho de homens pervertidos. Não se conforma ao que é certo e verdadeiro. Ver o artigo geral sobre *Pecado* no *Dicionário*. "... essa expressão inclui *todos* os pecados, com todos os agravantes que eles contêm" (John Gill, *in loc.*).

■ 8.48

וְשָׁבוּ אֵלֶיךָ בְּכָל־לְבָבָם וּבְכָל־נַפְשָׁם בְּאֶרֶץ אֹיְבֵיהֶם אֲשֶׁר־שָׁבוּ אֹתָם וְהִתְפַּלְלוּ אֵלֶיךָ דֶּרֶךְ אַרְצָם אֲשֶׁר נָתַתָּה לַאֲבוֹתָם הָעִיר אֲשֶׁר בָּחַרְתָּ וְהַבַּיִת אֲשֶׁר־בָּנִיתִי לִשְׁמֶךָ:

A *reversão* do cativeiro babilônico quase certamente é o tema deste versículo, o que significa que um editor esteve em ação, fazendo retoques finais na obra escrita. Mas outros estudiosos insistem no discernimento *profético* de Salomão quanto à questão do cativeiro. Ou então preferem um meio-termo: Salomão proferiu palavras similares, mais tarde embelezadas por um editor posterior. Visto que foram pecados agravados (ver os três *termos* para o pecado, no versículo anterior) que causaram o cativeiro, assim também o arrependimento e a mudança de conduta seriam suficientes para reverter o cativeiro. O texto não leva em conta as misteriosas operações da vontade de Deus, que ultrapassam a "questão do pecado", nem o complexo e misterioso *problema do mal* (ver a esse respeito no *Dicionário*). Grandes eventos na vida de indivíduos e nações não dependem somente de eles pecarem ou não pecarem. Outros fatores também contam. Mas essa ideia era essencial para a teologia da época. Ver os comentários sobre os vss. 33 e 34. Ver também o vs. 26 deste capítulo, onde outras ideias foram apresentadas.

De todo o seu coração e de toda a sua alma. Um arrependimento eficaz precisa ser "inteiro e completo" (Norman W. Sockman, *in loc.*). A *Revised Standard Version* sugere "com todos os seus pensamentos e poderes emocionais", o que, por certo, deve estar envolvido em qualquer verdadeiro arrependimento. Ver no *Dicionário* o artigo chamado *Idolatria*.

■ 8.49

וְשָׁמַעְתָּ הַשָּׁמַיִם מְכוֹן שִׁבְתְּךָ אֶת־תְּפִלָּתָם וְאֶת־תְּחִנָּתָם וְעָשִׂיתָ מִשְׁפָּטָם:

Uma vez mais, o mal temido é rebatido por uma *conclusão:* Yahweh estaria presente para ouvir orações contritas de arrependimento, pois o arrependimento reverte os maus eventos. Há em Deus misericórdia e amor suficiente para solucionar todo desastre e tragédia. Cf. os vss. 32,34,36,38 e 39 quanto ao poder de mudar as situações das orações de arrependimento.

E faze-lhes justiça. Israel queria sobreviver como nação; queria cumprir seus deveres como um povo pactuado com Deus; Israel queria cumprir seu nobre destino e ser um novo destino dos povos pagãos (ver Dt 4.4-8), mas o pecado havia feito confundido as coisas. Sem embargo, a *causa* não estava perdida. Seria defendida pelo poder divino, e a salvação seria o resultado da intervenção divina. A ideia de *causa* por provavelmente inclui a questão das injustiças sofridas por Israel no cativeiro. Uma vingança apropriada seria administrada. Os babilônios não estariam por cima para sempre. O fim deles já podia ser avistado. Israel haveria de viver mais do que a Babilônia. E foi isso que aconteceu. Ver o vs. 59 quanto a outras notas expositivas sobre a *causa* de Israel.

■ 8.50

וְסָלַחְתָּ לְעַמְּךָ אֲשֶׁר חָטְאוּ־לָךְ וּלְכָל־פִּשְׁעֵיהֶם אֲשֶׁר פָּשְׁעוּ־בָךְ וּנְתַתָּם לְרַחֲמִים לִפְנֵי שֹׁבֵיהֶם וְרִחֲמוּם:

O pedido de perdão, no tocante ao cativeiro, é expresso com maior amplitude que nos outros casos, como a tentativa para escapar da guerra e da seca, e para haver justiça em favor dos estrangeiros, através do arrependimento. Como é óbvio, o cativeiro seria uma grande calamidade, a perda da identidade nacional, algo mais sério do que as coisas relativamente secundárias mencionadas anteriormente. Salomão, pois, permaneceu firme em sua teoria do *pecado-calamidade,* ignorando outras causas possíveis de retrocesso, conforme comentado nos vss. 26,33,34. Ele também se apegou à sua teoria do arrependimento como solução para algum problema grave, ignorando que o *destino* pode produzir perdas permanentes, até onde diz respeito a este plano terreno. Há coisas que somente o céu é capaz de curar.

Algumas vezes, o destino produz grandes vitórias para nós, a despeito de nossos pecados e fraquezas, e isso está alicerçado sobre o desígnio de Deus, de sua misericórdia e amor, que são sempre abundantes. *Poucas* coisas que recebemos realmente *merecemos*.

Pecado. Ver no vs. 47 as três palavras ou expressões usadas por Salomão para indicar o pecado. Esta palavra corresponde ao primeiro desses termos (no hebraico, *hata*) e indica "errar o alvo", "desviar", "errar o verdadeiro caminho".

As suas transgressões. No hebraico, *pesha,* que fala deliberadamente de *rebelião,* da violação de leis conhecidas, como os mandamentos e regulamentos mosaicos. Quanto à *lei,* ver os vários artigos a respeito. *Transgredir* já é "revoltar-se". Is 53.6 fala do homem a desviar-se "pelo caminho", tendo abandonado a trilha de Yahweh. A rebeldia sempre inclui a *deslealdade,* portanto a lealdade a Deus impediria tal desvio.

O cativeiro assírio, da nação do norte (Israel), foi fatal e definitivo. Em sua visão profética, Salomão esperava que o cativeiro babilônico (Judá) fosse revertido mediante o arrependimento. No *cativeiro,* Salomão pediu que Yahweh tivesse compaixão de Israel, na esperança de que eles suportassem a prova. Mas essa compaixão também os haveria de livrar da terra onde estivessem cativos.

■ **8.51**

כִּי־עַמְּךָ וְנַחֲלָתְךָ הֵם אֲשֶׁר הוֹצֵאתָ מִמִּצְרַיִם מִתּוֹךְ כּוּר הַבַּרְזֶל׃

Porque é o teu povo e a tua herança. *A Argumentação de Salomão.* Em certo sentido, o fato de que Yahweh haveria de livrar o *seu povo* indicava que ele agiria em benefício próprio, porquanto *aquele* povo estava destinado a propagar a fé do yahwismo por toda a terra, como seu instrumento especial. Além disso, a *história especial* do povo de Israel estava envolvida. Há séculos o Senhor liderara seu povo para fora do Egito, protegendo-o nas perambulações pelo deserto, dando-lhes a Terra Prometida como herança, e agora lhes concedia o templo, para promover a fé hebreia, incluindo a lei mosaica e o ritual que faziam dos israelitas um povo distinto. Quanto ao livramento do Egito, que é um tema muito repetido na Bíblia, ver as notas em Dt 4.20. Esse tema aparece no livro de Deuteronômio por mais de vinte vezes. Ver também o quão distinto é o povo de Israel nas notas expositivas sobre Dt 4.4-8. Uma nação separada haveria de promover os princípios de Yahweh, o único verdadeiro Deus e, assim sendo, um instrumento universal para o avanço dos homens na espiritualidade. Ver o vs. 16 do presente capítulo.

Estamos falando em homens que se fazem a si mesmos. John Jacob Astor, por exemplo, filho de um carniceiro alemão, iniciou sua carreira como vendedor de bolos na cidade de Nova Iorque. Em seguida, tornou-se um bem-sucedido negociante de couros. Com seu dinheiro, comprou uma propriedade em Manhattan, distrito de Nova Iorque. Em 1929, sua fortuna tinha alcançado a fantástica soma de quinhentos milhões de dólares. *Ele* fez isso, dizemos, mas os únicos projetos que permanecem para sempre são os que Deus estabelece. Damos crédito a *instrumentos* que trabalham arduamente, mas o favor divino é o elemento necessário para qualquer sucesso verdadeiro. E o que é verdadeiro para indivíduos também é verdadeiro para nações. Yahweh precisava proteger Israel, ou essa nação seria reduzida a nada. Israel era uma nação escolhida e distinta, mas o pecado produzira o caos. E só o arrependimento poderia levar à restauração. Ver Dt 7.6 e 32.9 e suas notas expositivas.

Pactos em Ação. Israel era um povo em aliança com Deus, mas era papel de Yahweh dar a eles o sucesso. Ver sobre *Pacto Abraâmico* em Gn 15.18; *Pacto Mosaico* na introdução a Êx 19; *Pacto Palestínico* na introdução a Dt 29.

Do meio do forno de ferro. O cativeiro de Israel no Egito incluía trabalho realmente forçado, com a fabricação obrigatória de certo número de tijolos, a imposição de transportar pesadas cargas, pouco descanso e muito trabalho árduo. Ver Dt 4.20.

■ **8.52**

לִהְיוֹת עֵינֶיךָ פְתֻחוֹת אֶל־תְּחִנַּת עַבְדְּךָ וְאֶל־תְּחִנַּת עַמְּךָ יִשְׂרָאֵל לִשְׁמֹעַ אֲלֵיהֶם בְּכֹל קָרְאָם אֵלֶיךָ׃

A fim de os ouvires em tudo quanto clamarem a ti. *A Misericórdia Divina Livraria o Povo de Israel.* Yahweh veria a aflição do povo de Israel na Babilônia. Jerusalém estaria em ruínas e o templo de Salomão estaria destruído! Um novo templo seria construído. Yahweh não deixaria seu povo desolado, caso eles o buscassem. Ele estaria esperando e observando.

A fim de os ouvires. O apelo para que Yahweh *ouvisse* é repetido por treze vezes nessa oração de Salomão, e o apelo em favor do *perdão* é reiterado por seis vezes.

> Eis que nos portais ele está esperando e observando,
> Vigiando por ti e por mim.
> ...
> Voltai para casa, voltai para casa,
> Vós que estais cansados, voltai para casa.
> Intensa e ternamente Jesus está chamando,
> Ó pecador, volta para casa.
>
> Will L. Thompson

Assiste-nos, ó Deus e Salvador nosso,
pela glória do teu nome;
livra-nos e perdoa-nos os pecados,
por amor do teu nome.
Por que diriam as nações:
Onde está o seu Deus?

Salmo 79.9,10

Cf. este versículo com Dt 4.7. Ver também Dn 9.19 e Ez 20.9,14,22 quanto a sentimentos semelhantes. Cf. a declaração feita pelo Senhor Jesus em Jo 12.28; e ver também Ef 1.6,12,14 e 1Co 10.31.

■ **8.53**

כִּי־אַתָּה הִבְדַּלְתָּם לְךָ לְנַחֲלָה מִכֹּל עַמֵּי הָאָרֶץ כַּאֲשֶׁר דִּבַּרְתָּ בְּיַד מֹשֶׁה עַבְדֶּךָ בְּהוֹצִיאֲךָ אֶת־אֲבֹתֵינוּ מִמִּצְרַיִם אֲדֹנָי יְהוִה׃ פ

tu... os separaste dentre todos os povos da terra. O caráter *ímpar* de Israel foi uma das bases do apelo de Salomão. Ver Dt 4.4-8 quanto ao caráter *distintivo* de Israel. O autor sacro reforça aqui as ideias do vs. 51, onde há comentários detalhados. Somente Israel era um povo em aliança com Deus. "A reivindicação especial era a sua escolha especial e inteiramente desmerecida do povo israelita. Os escritores deuteronômicos enfatizaram continuamente essa ideia. Cf. Dt 7.7,8; 9.4,5 e 23.5. A crença em uma *escolha* especial pode ser encontrada em toda a Bíblia. De fato, a Bíblia foi escrita com esse motivo fundamental em vista. A ênfase dos profetas é sempre que a escolha se deveu totalmente ao amor livre e incondicional de Deus, ou seja, independentemente dos merecimentos de Israel... A ideia de Israel como nação separada de todas as demais está articulada em Am 3.2... E tornou-se rigorosamente exclusivista durante o período pós-exílico" (Norman H. Snaith, *in loc.*).

Isso, naturalmente, sublinha o problema da relação entre a predestinação divina e o livre-arbítrio humano. Ambas as doutrinas são ensinadas nas Escrituras e, em Cristo, qualquer indivíduo que assim quiser poderá aceitar a oferta de salvação. As duas doutrinas põem-se lado a lado nas Escrituras, sem nenhuma tentativa de reconciliação, e as tentativas humanas de reconciliá-las só têm produzido muita confusão na Igreja, em todos os séculos. Assim, o ódio tem sido gerado onde o amor deveria estar reinando. Ver no *Dicionário* os seguintes artigos, que nos ajudam a entender melhor o assunto: *Eleição; Predestinação (e Livre-arbítrio).*

Para tua herança. Quanto a Israel como herança de Yahweh, cf. Êx 34.9; Dt 4.20 e 9.26,29. Israel era a possessão especial de Yahweh, o seu tesouro, o depositário de suas bênçãos, o seu instrumento para o crescimento na espiritualidade.

■ **8.54**

וַיְהִי כְּכַלּוֹת שְׁלֹמֹה לְהִתְפַּלֵּל אֶל־יְהוָה אֵת כָּל־הַתְּפִלָּה וְהַתְּחִנָּה הַזֹּאת קָם מִלִּפְנֵי מִזְבַּח יְהוָה מִכְּרֹעַ עַל־בִּרְכָּיו וְכַפָּיו פְּרֻשׂוֹת הַשָּׁמָיִם׃

Tendo Salomão acabado de fazer ao Senhor toda esta oração. Parece que Salomão se pusera de pé para orar, e depois se ajoelhara, o tempo todo com as mãos estendidas para o céu, fazendo um apelo intenso a Yahweh pelo bem de Israel. Ele era o rei na *época áurea* de Israel e esperava (inutilmente) que, de alguma maneira, essa bênção e glória continuassem, com toda a sua prosperidade, livres do caos produzido pelo pecado.

No vs. 22 vimos Salomão colocar-se de pé para começar a orar. Ele esteve de pé e depois se ajoelhou. Esse mesmo vs. 22 também se refere às mãos estendidas de Salomão, sem dúvida com as palmas para cima. Ficar de pé era a postura comum para alguém orar. Pôr-se de joelhos era um prática menos frequente, e também menos mencionada nas Escrituras. Snaith informa-nos que isso aparece em somente sete referências do Antigo Testamento, mas não as oferece. Eis essas sete referências: aqui e Jz 7.5,6; 1Rs 19.18; 2Cr 6.13; Sl 95.6 e Dn 6.10. Cf. 1Rs 19.18.

Tipologia. Em seu ato de oração, Salomão foi tipo de Cristo, o qual ora (intercede) intensamente por seu povo, a Igreja (ver Ap 8.3,4). Ver no *Dicionário* o artigo chamado *Intercessão,* quanto a detalhes completos.

Estando de joelhos. Em atitude de humildade, e nessa postura ele terminou sua oração. Ele se ajoelhou na "tribuna de bronze" (ver 2Cr 6.13).

A BÊNÇÃO DE SALOMÃO (8.55-61)

8.55

וַיַּעֲמֹד וַיְבָרֶךְ אֵת כָּל־קְהַל יִשְׂרָאֵל קוֹל גָּדוֹל לֵאמֹר׃

Pôs-se em pé. A postura comum para os que oravam era colocar-se em pé, com os braços estendidos e as palmas das mãos voltadas para o céu. Ver os vss. 22 e 54 deste capítulo. A bênção era pronunciada em *voz alta,* para que toda a multidão pudesse ouvir, e a fim de que Yahweh observasse quão intensa era a pronunciação da bênção.

Abençoou a toda a congregação. *Salomão terminou sua oração e pôs-se em pé,* abençoando então o povo reunido, à semelhança do que faria o sumo sacerdote. Ele ansiava que a antiga promessa de Deus não caísse por terra, mas, antes, tivesse um cumprimento glorioso. Para tanto, era mister que Yahweh ouvisse as orações do povo israelita, curasse seus ferimentos, conferisse a eles orientação especial e óbvia, e os ajudasse a guardar a lei de Moisés, que era a base de toda bênção e prosperidade. Somente assim poderia haver uma vida longa e próspera (ver Dt 4.1; 5.16; 22.6,7 e 25.15). Ver também Ez 20.11.

A bênção da congregação era dever do sumo sacerdote e, algumas vezes, até dos simples sacerdotes (ver Nm 6.23-27), mas também era um direito que cabia aos reis de Israel.

8.56

בָּרוּךְ יְהוָה אֲשֶׁר נָתַן מְנוּחָה לְעַמּוֹ יִשְׂרָאֵל כְּכֹל אֲשֶׁר דִּבֵּר לֹא־נָפַל דָּבָר אֶחָד מִכֹּל דְּבָרוֹ הַטּוֹב אֲשֶׁר דִּבֶּר בְּיַד מֹשֶׁה עַבְדּוֹ׃

A história de Israel demonstrava o poder e a graça de Deus, e esperava-se que isso continuasse no futuro, trazendo os mesmos benefícios. A *fidelidade* de Yahweh no cumprimento das suas promessas é um tema frequente do Antigo Testamento e enfatizado no Novo Testamento em Hb 11.13. As promessas divinas estavam explicadas pelos vários *pactos*: o *Pacto Abraâmico* (ver as notas expositivas em Gn 15.18); o *Pacto Mosaico* (anotado na introdução a Êx 19); o *Pacto Palestínico* (anotado na introdução a Dt 29); e o *Pacto Davídico* (em 2Sm 7.4). Nesses pactos estão contidas as promessas vitais de Deus ao seu povo. Ver também Js 23.14 e ainda Êx 33.14, quanto à promessa do *descanso.* Quanto ao descanso na terra da Palestina como um lugar de herança, ver Dt 12.9,10.

Davi havia derrotado oito nações inimigas, o que possibilitou a Salomão expandir e embelezar o reino. Ver as notas expositivas em 2Sm 10.19 sobre as vitórias de Davi.

8.57

יְהִי יְהוָה אֱלֹהֵינוּ עִמָּנוּ כַּאֲשֶׁר הָיָה עִם־אֲבֹתֵינוּ אַל־יַעַזְבֵנוּ וְאַל־יִטְּשֵׁנוּ׃

O Senhor nosso Deus. *Yahweh-Elohim* foi o objeto da oração de Salomão, bem como o poder divino que faria ter cumprimento as promessas de Deus. Sem o poder divino, tudo estaria perdido. Ele é o Deus eterno e Todo-poderoso, conforme indicam as palavras hebraicas. Ver no *Dicionário* o artigo chamado *Deus, Nomes Bíblicos de.* Da mesma maneira que o grande poder de Deus estivera com os patriarcas, e também com Israel, ao ser esse povo tirado da servidão no Egito e introduzido na Terra Prometida, assim também Salomão agora requeria que o mesmo poder estivesse continuamente com os filhos de Israel.

Fonte tu de toda bênção,
Vem o canto me inspirar:
Dons de Deus, que nunca cessam,
Quero em alto som louvar.
Oh! ensina o novo canto
Dos remidos lá dos céus
Ao teu servo e ao povo santo
Para te louvarmos, bom Deus!

Cá meu "Ebenézer" ergo,
Pois Jesus me socorreu;
E, por sua graça, espero
Transportar-me para o céu.
Eu, perdido, procurou-me,
Longe do meu Deus, sem luz;
Maculado e vil, lavou-me
Com seu sangue o bom Jesus.

Robert Robinson

Oh, Senhor, concede-nos tal graça! Quanto ao *Ebenézer,* ver no *Dicionário.* E quanto a notas expositivas adicionais, ver 1Sm 7.12.

Os *antepassados* patriarcais dos israelitas não haviam sido abandonados por Yahweh. Se o tivessem sido, Salomão não estaria ali dedicando o templo e pronunciando uma bênção sobre todo o povo de Israel. Portanto, naquele dia, Israel não seria abandonado pelo poder divino, pois, do contrário, não haveria grande futuro. Cf. Js 1.5. Ademais, os *pactos* requeriam continuidade de poder e de bênçãos.

8.58

לְהַטּוֹת לְבָבֵנוּ אֵלָיו לָלֶכֶת בְּכָל־דְּרָכָיו וְלִשְׁמֹר מִצְוֺתָיו וְחֻקָּיו וּמִשְׁפָּטָיו אֲשֶׁר צִוָּה אֶת־אֲבֹתֵינוּ׃

A fonte originária de todas as bênçãos divinas era a observância da lei mosaica. Encontramos aqui, novamente, a tríplice designação da lei: mandamentos, estatutos e preceitos. Anotei sobre essa tríplice designação em Dt 6.1. A guarda da lei significava longa e abençoada vida (ver Dt 4.1; 5.16,33; 22.6,7; 25.15). Salomão havia trabalhado por sete anos e meio para construir o templo (6.38), algo que teve o propósito específico de ajudar o povo a centralizar sua adoração em Jerusalém. E essa adoração girava em torno da legislação mosaica e suas muitas leis e cerimônias. Portanto, a própria existência do templo era um testemunho da importância de observar a lei.

Para andarmos em todos os seus caminhos. A lei deveria ser conhecida e observada. Isso significava que o povo de Israel tinha de *andar* nela, ou seja, toda a sua conduta deveria ser governada pela lei. Quanto à metáfora do ato de *andar,* ver esse termo no *Dicionário.* Os *pais* tinham recebido a lei. Era o padrão deles e deveria ser o padrão de conduta ideal no caso dos filhos. Teria de haver *continuidade* nessa maneira de andar, caso Israel tivesse de sobreviver como instrumento especial de Deus, servindo à espiritualidade em um mundo tenebroso.

Cumprir a vontade de Deus, mediante a obediência, é algo que vem do *coração,* ou seja, vem de inclinar o coração para as coisas espirituais. Certamente temos aí a obra do Espírito, pois, do contrário, o programa divino haverá de entrar em colapso. O versículo fala sobre a livre escolha humana. O homem tem um coração (um homem interior, mente e vontade) para encontrar-se com o que é divino. Deus tem também sua parte a cumprir. Ele aceita e acentua os nobres desejos do homem. Assim, combinam-se o humano com o divino. Ver no *Dicionário* o verbete intitulado *Predestinação (e Livre-arbítrio)* quanto a uma ilustração da cooperação da vontade humana com a vontade divina.

Cf. o vs. 61, onde as ideias do presente versículo são enfatizadas e embelezadas.

■ 8.59

וְיִהְיוּ דְבָרַי אֵלֶּה אֲשֶׁר הִתְחַנַּנְתִּי לִפְנֵי יְהוָה קְרֹבִים
אֶל־יְהוָה אֱלֹהֵינוּ יוֹמָם וָלָיְלָה לַעֲשׂוֹת ׀ מִשְׁפַּט עַבְדּוֹ
וּמִשְׁפַּט עַמּוֹ יִשְׂרָאֵל דְּבַר־יוֹם בְּיוֹמוֹ׃

A Oração Foi Boa e Intensa. As bênçãos também seriam boas e intensas. Mas nenhuma coisa nem outra seria algo se Yahweh-Elohim não ouvisse *diariamente* e não emprestasse aos filhos de Israel o seu poder. A súplica precisava aproximar-se do coração de Deus. Então Deus tinha de continuar a manter a causa de Israel dia após dia, conforme as necessidades. De outra sorte, nada de especial aconteceria na Palestina, e as promessas dos pactos (ver as notas expositivas sobre o vs. 56) seriam reduzidas a nada.

Quanto à *causa de Israel,* ver as notas sobre o vs. 49. A causa de Israel era a causa do Pacto Abraâmico; também do Pacto Mosaico; também do Pacto Palestínico; e, finalmente, também do Pacto Davídico. Quanto aos lugares onde esses pactos figuram na Bíblia, ver os comentários sobre o vs. 56. A causa era, antes de tudo, de Deus; então era de Israel, conforme os propósitos de Deus operassem através daquela nação. A causa de Israel, pois, teria maior fruição em Cristo, o Messias, o Filho maior de Abraão e de Davi. Em Jesus Cristo, pois, temos o *novo pacto* e a universalização de todas as promessas divinas, visando o benefício de todos os homens. Ver na *Enciclopédia de Bíblia, Teologia e Filosofia* o verbete denominado *Novo Testamento;* e no *Dicionário* o artigo geral chamado *Pactos*. Parte da causa deveria continuar na linha davídica (8.25). O Messias foi o verdadeiro cumprimento da promessa envolvida nesse propósito.

■ 8.60

לְמַעַן דַּעַת כָּל־עַמֵּי הָאָרֶץ כִּי יְהוָה הוּא הָאֱלֹהִים
אֵין עוֹד׃

Para que todos os povos da terra saibam. *O destino de Israel era abençoar, e não amaldiçoar.* Se Israel fosse exaltado e sua casa promovida, então todas as nações da terra se beneficiariam. Isso fazia parte integral do Pacto Abraâmico. O conhecimento de Yahweh por toda a terra traria somente benefícios. Naturalmente, no cristianismo, isso se cumpriu com muito maior extensão que nos dias do Antigo Testamento. Então, nas eras do porvir, o trabalho será absolutamente universal, conforme somos informados em Ef 1.9,10. Ver sobre *Mistério da Vontade de Deus* no *Dicionário,* e ver sobre *Missão Universal do Logos* na *Enciclopédia de Bíblia, Teologia e Filosofia*. O Antigo Testamento demonstrava alguma previsão quanto a coisas bem maiores no futuro, para o benefício de todos os povos de todos os tempos. Os povos seriam unificados sob o único verdadeiro Deus, Yahweh (*monoteísmo,* ver no *Dicionário*), mas isso não é meramente uma doutrina. O único Deus tenciona que todos os homens se tornem *unos,* o que corresponde ao mistério de sua vontade. O poder de Deus haverá de afetar todos os homens, afinal, visando-lhes o *bem,* e isso significa *redenção* e *restauração*. Ver na *Enciclopédia de Bíblia, Teologia e Filosofia* sobre esses temas. O Antigo Testamento tinha *algum* discernimento quanto a coisas futuras. Por certo o vs. 60 fala mais do que do conhecimento de Deus, dentro do contexto monoteísta. Ver Is 11.9, que certamente demonstra isso.

Adições. Neste ponto, o trecho paralelo de 2Cr 6.41,42 tem algumas notáveis adições à história.

■ 8.61

וְהָיָה לְבַבְכֶם שָׁלֵם עִם יְהוָה אֱלֹהֵינוּ לָלֶכֶת בְּחֻקָּיו
וְלִשְׁמֹר מִצְוֹתָיו כַּיּוֹם הַזֶּה׃

Este versículo é uma repetição do vs. 58, ao mencionar o *coração,* que deve ser favoravelmente inclinado para Deus; e o *andar,* que deve estar em consonância com a lei. "Sede sinceros em vossa fé; sede irrepreensíveis em vossa conduta" (Adam Clarke, *in loc.*). "Sinceros em seu *amor* para com ele; unidos em sua *adoração* a ele; e constantes em sua *obediência* a ele" (John Gill, *in loc.*).

Adição. O trecho paralelo de 2Cr 7.1 adiciona a questão do fogo que desceu do céu e uma reiteração do fenômeno da nuvem. Cf. o vs. 11 deste capítulo com Êx 40.34,35 e Lv 9.23,24. O fogo consumiu os sacrifícios e testemunhou a aprovação de Yahweh a tudo quanto aconteceu naquele dia.

SACRIFÍCIOS ELABORADOS E A FESTA (8.62-66)

A *parte coroadora* da cerimônia foi o grande número de sacrifícios oferecidos e a festa e o regozijo que se seguiram. Não foi coisa de somenos que o *templo* tivesse sido terminado, que suas cerimônias e sacrifícios tivessem começado, e que a adoração estivesse finalmente centralizada em Jerusalém.

■ 8.62,63

וְהַמֶּלֶךְ וְכָל־יִשְׂרָאֵל עִמּוֹ זֹבְחִים זֶבַח לִפְנֵי יְהוָה׃

וַיִּזְבַּח שְׁלֹמֹה אֵת זֶבַח הַשְּׁלָמִים אֲשֶׁר זָבַח לַיהוָה
בָּקָר עֶשְׂרִים וּשְׁנַיִם אֶלֶף וְצֹאן מֵאָה וְעֶשְׂרִים אָלֶף
וַיַּחְנְכוּ אֶת־בֵּית יְהוָה הַמֶּלֶךְ וְכָל־בְּנֵי יִשְׂרָאֵל׃

Ficamos assombrados diante do gigantesco número de animais que foram sacrificados. Snaith usa aqui a palavra "enorme", mas até mesmo essa palavra é apenas um eufemismo do que estava acontecendo. O número de 22 mil bois e 120 mil ovelhas parece demais para acreditar! A Septuaginta omite toda referência à matança de ovelhas, e isso pode ter estado em harmonia com a padronização do texto massorético. Ver no *Dicionário* o artigo chamado *Texto Massorético (Massorah)*. Naturalmente, foram sacrificadas ovelhas, já que elas estavam entre os cinco tipos de animais que podiam ser oferecidos (ver as notas em Lv 1.14-16). Mas 120 mil ovelhas parece ser um equívoco numérico, ou um exagero da parte de um editor posterior. Josefo diz-nos que havia doze mil ovelhas. Como é óbvio, isso é mais razoável do que o número que aparece no texto massorético, e Josefo sempre se mostra bastante exato com os números. Ver sobre *Sacrifícios e Ofertas* no *Dicionário*.

Diante do Senhor. Os sacrifícios dos hebreus eram atividades comunitárias, e Yahweh era o participante (invisível) mais distinguido. A parte que cabia a Deus eram as ofertas de *gordura* e *sangue*. Quanto às leis sobre a gordura e o sangue, ver as notas em Lv 3.17. Os sacrifícios foram feitos com vistas à expiação e para agradar a Yahweh. Em seguida, os sacerdotes teriam suas oito porções para comer (ver Lv 6.26; 7.28-38; Nm 18.8; Dt 12.17,18). E o restante da carne era para consumo da multidão, de modo que uma festa comunitária tornou-se parte dos sacrifícios. Foi uma jubilosa ocasião. Ver o artigo geral chamado *Sacrifícios e Ofertas*.

Os sacrifícios e a festividade que se seguiram foram uma conclusão apropriada para a dedicação do templo. Tendo sido feito isso, os sacerdotes podiam entrar, com a aprovação do Senhor, e então dar início aos rituais e sacrifícios diários e a tudo o que compunha o culto da fé dos hebreus.

Céstio, o governador romano, certa ocasião, ofereceu 265 mil ovelhas, e esse caso é referido para consubstanciar os números gigantescos que figuram no vs. 63. Mas pode-se dizer facilmente que o número também foi um grande exagero (ver Josefo, *Guerras,* 1.6, cap. 9, seção 3). Naturalmente, a festa durava catorze dias e, sem dúvida, grande número de animais foi sacrificado.

■ 8.64

בַּיּוֹם הַהוּא קִדַּשׁ הַמֶּלֶךְ אֶת־תּוֹךְ הֶחָצֵר אֲשֶׁר לִפְנֵי
בֵית־יְהוָה כִּי־עָשָׂה שָׁם אֶת־הָעֹלָה וְאֶת־הַמִּנְחָה וְאֵת
חֶלְבֵי הַשְּׁלָמִים כִּי־מִזְבַּח הַנְּחֹשֶׁת אֲשֶׁר לִפְנֵי יְהוָה
קָטֹן מֵהָכִיל אֶת־הָעֹלָה וְאֶת־הַמִּנְחָה וְאֶת־חֶלְבֵי
הַשְּׁלָמִים׃

Quanto aos tipos de ofertas que faziam parte do sistema sacrificial dos hebreus, ver o seguinte:
- *Holocaustos:* Lv 1.3-17; 6.9-13.
- *Ofertas de cereais:* Lv 2.1-16; 6.14-18.
- *Ofertas pelo pecado:* Lv 4.1-35; 6.25,30.
- *Ofertas pela transgressão:* Lv 5.1-13; 6.1-7; 7.1-7.
- *Consagrações:* Lv 6.19-23.
- *Sacrifícios de ofertas pacíficas:* Lv 3.1-17; 7.11-33.

Ver Lv 7.37, que faz uma recapitulação das oferendas em um único versículo, mas sem oferecer repetição acerca dos detalhes.

O altar de bronze. Essa é a primeira vez, em todo o Antigo Testamento, em que o altar dos holocaustos é chamado "de bronze". Quanto ao *Altar de Bronze,* ver Êx 27.1 e o artigo geral no *Dicionário* intitulado *Altar,* sobretudo a seção IV.

8.65

וַיַּעַשׂ שְׁלֹמֹה בָעֵת־הַהִיא אֶת־הֶחָג וְכָל־יִשְׂרָאֵל עִמּוֹ קָהָל גָּדוֹל מִלְּבוֹא חֲמָת עַד־נַחַל מִצְרַיִם לִפְנֵי יְהוָה אֱלֹהֵינוּ שִׁבְעַת יָמִים וְשִׁבְעַת יָמִים אַרְבָּעָה עָשָׂר יוֹם׃

Catorze dias de festividades e comemorações acompanharam os sacrifícios. A festa espalhou-se por toda a nação de Israel, não sendo efetuada somente em Jerusalém, mas se estendeu de Hamate até o rio do Egito. Isso assinala a extensão da Terra Santa, de norte a sul. A entrada de Hamate é o passo entre o monte Hermom e o Líbano, que ficava ao norte do mar da Galileia, cuja latitude era 33º 30', a mesma tanto de Sidom quanto de Damasco. O rio do Egito (wadi el-Arish) aqui referido não é o Nilo, conforme ocorre em algumas passagens. Ver, por exemplo, Gn 15.18, onde o rio Nilo (o rio do Egito) foi originalmente assinalado, no Pacto Abraâmico, como a fronteira sudoeste ideal de Israel. A terra próxima ao ribeiro do Egito (chamado neste versículo de "rio do Egito") nunca foi possuída por Israel e, em um sentido secundário, o ribeiro do Egito veio a ser conhecido como essa fronteira. Sob o título *Ribeiro do Egito,* no *Dicionário,* dou informações sobre o rio do Egito que aparece neste versículo. Ver no *Dicionário* o artigo intitulado *Hamate, Entrada de.*

O autor não se importou em mencionar a fronteira entre leste e oeste. A fronteira ocidental era o mar Mediterrâneo, mas a fronteira oriental não foi fixada, sendo referida por certo número de cidades que havia ali e dando apenas uma ideia geral do território, sem nenhum delineamento específico.

Por sete dias. Em lugar de dizer simplesmente *catorze,* o autor nos fornece *dois setes,* por ser esse o número divino, sagrado. Ver no *Dicionário* o verbete chamado *Número (Numeral, Numerologia).*

"Sete era o número sagrado em todas as áreas sujeitas à influência mesopotâmica" (Norman H. Snaith). John Gill (*in loc.*) explica que a primeira série de sete dias indicava as cerimônias de dedicação do templo, e a segunda série de sete dias apontava para a festividade em geral, que é a informação que o Targum nos dá sobre a questão. A Septuaginta, porém, menciona somente um total de sete dias. Cf. 2Cr 7.9. O texto diz-nos que o povo foi despedido no dia 23 do mês, um dia após o término da festa dos tabernáculos. Portanto, a dedicação começou no sétimo dia do mês, a festividade começou no dia 15, e tudo terminou quando se iniciou a festa regular dos tabernáculos. O dia da expiação era o décimo, de modo que o autor chegou ali na sua observação geral. Ver no *Dicionário* o artigo chamado *Dia da Expiação.* O mês envolvido foi *tisri.*

8.66

בַּיּוֹם הַשְּׁמִינִי שִׁלַּח אֶת־הָעָם וַיְבָרֲכוּ אֶת־הַמֶּלֶךְ וַיֵּלְכוּ לְאָהֳלֵיהֶם שְׂמֵחִים וְטוֹבֵי לֵב עַל כָּל־הַטּוֹבָה אֲשֶׁר עָשָׂה יְהוָה לְדָוִד עַבְדּוֹ וּלְיִשְׂרָאֵל עַמּוֹ׃

No oitavo dia. Ou seja, o dia seguinte à segunda série de sete dias, o vigésimo terceiro dia do mês de tisri. Ver as notas sobre o versículo anterior, quanto a detalhes e sobre como isso se relacionava a vários sacrifícios, festas e festividades do período. O oitavo dia era o dia seguinte à celebração usual da festa dos tabernáculos, um paralelo à dedicação do templo e às festas que se seguiram, totalizando catorze dias, duas séries de sete dias cada. Ver 2Cr 7.10.

Então se foram às suas tendas. Esta declaração é anacrônica, porque, a essa altura da história, Israel já contava com casas fixas e tinham cessado as perambulações durante as quais vivia em tendas. Mas sabemos o que o autor sagrado quis dizer: o povo voltou às suas casas, uma vez terminadas as festividades. O Targum diz aqui "às suas cidades".

Terminadas as Festividades. O povo regozijou-se; grande coisa tinha acontecido, um fato importante na história de Israel. O magnificente templo de Salomão havia sido dedicado a Yahweh, e o culto religioso tinha-se centralizado em Jerusalém. Eles atribuíram tudo isso à *bondade de Yahweh* e agradeceram-lhe por tudo quanto ele tinha feito em favor de Davi (o texto presente) e por seu filho, Salomão (o trecho paralelo, 2Cr 7.10). O acontecimento todo, entretanto, foi em favor "de Israel", conforme deixa claro o presente versículo. O sonho de Davi (ver 2Sm 7) se tinha realizado; Salomão havia recebido poder para executar o trabalho; e todo o povo de Israel se beneficiou. E, reconhecendo a significativa realização de Salomão, o povo "abençoou-o" conforme ele mesmo os havia abençoado recentemente, na oração de dedicação do templo (ver os vss. 54-61). Em outras palavras, Salomão recebeu um devido *reconhecimento* pelo que tinha feito.

Ó Capitão, meu Capitão, nossa temível viagem terminou,
O navio atravessou cada escolho,
O prêmio que almejávamos foi conquistado,
O posto está próximo, já ouço os sinos,
O povo todo exulta.

Walt Whitman

CAPÍTULO NOVE

PROSPERIDADE E ESPLENDOR DE SALOMÃO (9.1—10.29)

Salomão foi o rei de Israel em sua época áurea. Foi sua energia, previsão e sabedoria que deram a Israel os melhores dias, na paz e na prosperidade, ainda unindo o povo de Israel como nação. Davi, pai de Salomão, mediante incansáveis vitórias militares, libertara o povo de Israel de seus adversários (ver 2Sm 10.19) e entregara um reino unido a seu filho, com todas as condições necessárias para extraordinária prosperidade.

O esplendor de Salomão foi prefaciado, neste capítulo, pelo registro de sua *segunda visão,* na qual Yahweh aproximou-se e deu-lhe instruções sobre como ele seria um rei bem-sucedido e levaria Israel ao máximo de sua glória. sua primeira visão foi-lhe conferida em Gibeom. Ver 1Rs 3.5. Cf. 2Cr 7.12. A experiência de Salomão alerta-nos para o fato de que a espiritualidade deve consistir em mais do que instruções religiosas e exortações morais. Precisamos entrar em contato com a presença divina. Outras coisas, embora sejam contribuições valiosas e coisas necessárias, ficam aquém do alvo. Todo culto religioso tem o propósito de ajudar o adorador a tornar-se cônscio da presença de Deus. Precisamos do toque místico em nossa vida, do grande poder energizador de Deus, do qual só pode resultar espiritualidade ainda maior. Ver no *Dicionário* os artigos chamados *Desenvolvimento Espiritual, Meios do* e *Misticismo.*

No contexto do Antigo Testamento (incluindo este capítulo), *todo o sucesso* condicionava-se à obediência à lei mosaica, um tema que se repete por várias e várias vezes. 1Rs 8.43-61 enfatiza fortemente o mesmo tema, e agora nós o encontramos de novo. Em nossa mentalidade neotestamentária, sentimos a ausência do Espírito em boa parte da instrução legalista, mas não devemos esquecer que, afinal, a *lei* era o que tornava Israel um povo distinto. Quanto a esse tema, ver Dt 4.4-8. A lei era tida como doadora de *vida,* bem como de todas as bênçãos nela contidas (ver Dt 4.1; 5.33; Ez 20.11).

9.1,2

וַיְהִי כְּכַלּוֹת שְׁלֹמֹה לִבְנוֹת אֶת־בֵּית־יְהוָה וְאֶת־בֵּית הַמֶּלֶךְ וְאֵת כָּל־חֵשֶׁק שְׁלֹמֹה אֲשֶׁר חָפֵץ לַעֲשׂוֹת׃ פ

וַיֵּרָא יְהוָה אֶל־שְׁלֹמֹה שֵׁנִית כַּאֲשֶׁר נִרְאָה אֵלָיו בְּגִבְעוֹן׃

Tendo acabado Salomão de edificar a casa do Senhor. Foram necessários sete anos e meio para Salomão edificar o templo (1Rs 6.38) e então outros treze anos para Salomão edificar seu próprio palácio magnificente (1Rs 7.1). Portanto, foram vinte anos de trabalho árduo no esforçado programa de edificações, o qual, sem dúvida, incluiu mais do que o templo e o palácio real. Salomão pôs-se a embelezar a própria nação. Em seguida, efetuou elaboradas cerimônias de dedicação e sacrifícios de animais (capítulo 8). Tendo feito tudo quanto tinha resolvido, Salomão descansou. Foi durante esse período que Yahweh apareceu pela *segunda vez,* dando-lhe outra significativa experiência mística. Quanto à primeira ocasião, ver 1Rs 3.5. Precisamos do toque místico, sobre o qual comentei na introdução ao presente capítulo, de modo que não repito os detalhes aqui. É significativo que as elevadas experiências místicas de Salomão lhe tenham sido dadas em períodos de descanso. As atividades cansativas usualmente não conduzem a elevadas experiências espirituais, embora sejam parte necessária da vida e úteis na *produção*. No entanto, experiências espirituais elevadas em tempos de descanso, meditação e reflexão também são necessárias para nosso bem-estar espiritual. O homem espiritual saudável não é apenas um produtor. Ele também precisa ter encontros com a presença divina para alimentar sua alma.

Oh, espalhai as notícias ao redor, por onde quer que o homem possa ser encontrado; onde quer que o coração humano abunde. Que a língua de todo crente proclame o som jubiloso: o Consolador chegou.

F. Bottome

■ 9.3

וַיֹּאמֶר יְהוָה אֵלָיו שָׁמַעְתִּי אֶת־תְּפִלָּתְךָ וְאֶת־תְּחִנָּתְךָ אֲשֶׁר הִתְחַנַּנְתָּה לְפָנַי הִקְדַּשְׁתִּי אֶת־הַבַּיִת הַזֶּה אֲשֶׁר בָּנִתָה לָשׂוּם־שְׁמִי שָׁם עַד־עוֹלָם וְהָיוּ עֵינַי וְלִבִּי שָׁם כָּל־הַיָּמִים׃

Yahweh viu todo aquele labor e a dedicação elaborada do templo; ele aprovou os sacrifícios feitos; a sua presença agora estava garantida pelo templo. Haveria ali poder e graça abundantes e para todos. Seus olhos estavam postos sobre Israel para *abençoá-lo*; seu *coração* estava com o povo para beneficiá-lo. No entanto, tudo isso estava condicionado à lei, conforme demonstram os versículos seguintes.

O Targum menciona, especificamente, a glória *shekinah* que ali brilhava. Ver no *Dicionário* sobre *Shekinah*. A providência divina agia em favor do povo de Israel. Ver no *Dicionário* o artigo chamado *Providência de Deus*. "... tudo era promessa e encorajamento" (Ellicott, *in loc.*). Mas, dentro de pouco tempo, Salomão cairia em pecado, e o povo cairia juntamente com ele. Quão brevemente o pecado lançou confusão e arruinou imediatamente após a dedicação do templo as condições esplêndidas que existiam. "Infelizmente, o rei caiu, e a nação seguiu o seu exemplo!" (Adam Clarke, *in loc.*).

■ 9.4

וְאַתָּה אִם־תֵּלֵךְ לְפָנַי כַּאֲשֶׁר הָלַךְ דָּוִד אָבִיךָ בְּתָם־לֵבָב וּבְיֹשֶׁר לַעֲשׂוֹת כְּכֹל אֲשֶׁר צִוִּיתִיךָ חֻקַּי וּמִשְׁפָּטַי תִּשְׁמֹר׃

A obediência à lei era a condição para uma bênção contínua. Cf. com 1Rs 8.43-61. Ver a introdução ao capítulo quanto a detalhes, que não repito neste ponto, incluindo várias referências a notas dadas em outros lugares. A palavra de ordem definida era: "Confiai e obedecei, pois não há outro caminho".

Davi, Homem Exemplar. Davi cometeu horrendos equívocos e crimes inexplicáveis. Mas, de maneira geral, seguia nos calcanhares de Yahweh e respeitava e obedecia à sua lei. Ele era um rei que tinha cumprido a sua missão. Salomão também tinha uma missão a cumprir, e a obediência à lei mosaica, em um *andar* diário, era a condição para seu sucesso. Ver no *Dicionário* sobre a metáfora do *Andar*.

Aqui a lei é referida mediante dois termos: estatutos e ordenanças. Cf. a tríplice designação da lei em Dt 6.1, que é essencialmente repetida e também anotada em 1Rs 8.58. Ver também no vs. 61 daquele capítulo.

Estatutos. As muitas leis, a começar pelos Dez Mandamentos; o corpo inteiro da lei que governava todo fato da vida.

Juízos. Os ritos e cerimônias que acompanhavam os mandamentos, que governavam o *modus operandi* do culto religioso.

O *coração* de Salomão tinha de estar em sua vida espiritual, tal como estivera o coração de Davi, a despeito de seus muitos lapsos. Quanto a Davi como homem "segundo o coração de Deus", ver 1Sm 13.14.

■ 9.5

וַהֲקִמֹתִי אֶת־כִּסֵּא מַמְלַכְתְּךָ עַל־יִשְׂרָאֵל לְעֹלָם כַּאֲשֶׁר דִּבַּרְתִּי עַל־דָּוִד אָבִיךָ לֵאמֹר לֹא־יִכָּרֵת לְךָ אִישׁ מֵעַל כִּסֵּא יִשְׂרָאֵל׃

A promessa sobre a perpetuidade do trono davídico (ver 2Sm 7.12,13; Sl 132.11,12 e 1Rs 8.25) dependia da obediência apropriada à lei. Naturalmente, no Messias, essa promessa cumpriu-se eternamente, conforme afirmam as notas nos versículos mencionados, mas sobre a terra a linhagem de Davi fracassou há muito tempo.

"A dinastia davídica, embora interrompida durante séculos, a começar com o cativeiro babilônico, será restaurada pelo Messias quando ele se sentar no trono de Davi, durante o milênio (Sl 89.30-37)" (Thomas L. Constable, *in loc.*). Naturalmente, muitos intérpretes pensam que esse cumprimento seria espiritual, e não literal e visível sobre a terra. Ver no *Dicionário* o verbete denominado *Reino de Deus*.

■ 9.6

אִם־שׁוֹב תְּשֻׁבוּן אַתֶּם וּבְנֵיכֶם מֵאַחֲרַי וְלֹא תִשְׁמְרוּ מִצְוֹתַי חֻקֹּתַי אֲשֶׁר נָתַתִּי לִפְנֵיכֶם וַהֲלַכְתֶּם וַעֲבַדְתֶּם אֱלֹהִים אֲחֵרִים וְהִשְׁתַּחֲוִיתֶם לָהֶם׃

Se vós e vossos filhos... vos apartardes de mim. O afastamento de Israel de Yahweh resultaria na temida prática da *idolatria* (ver a respeito no *Dicionário*). Com isso, as promessas falhariam e sobreviria o juízo, finalmente sob a forma do cativeiro babilônico (vs. 7). Esse é precisamente o mesmo tema que encontramos em 1Rs 8.46,47, onde os detalhes sobre a questão são dados. Se Israel voltasse suas costas a Yahweh, ele, por sua vez, voltaria as costas para os israelitas e os entregaria nas mãos dos babilônios, a fim de serem castigados. O próprio Salomão caiu no pecado da idolatria, mediante a má influência de suas esposas pagãs, e Israel o seguiu nesse erro. seu magnificente templo acabou jazendo em ruínas, e os inimigos de Israel puseram-se a *zombar* do povo de Israel.

Naturalmente, há mais coisas no destino e nas misteriosas operações divinas do que diz a filosofia sobre o pecado-calamidade. Há destinos a serem cumpridos; há movimentos históricos que devem acontecer; há o problema do mal que ataca os homens a fim de curá-los de todas as suas maldades. Mas essas considerações não fazem parte da teologia dos capítulos 8 e 9, que põe tudo em um mesmo nível: a *teoria do pecado-calamidade*. Essa é uma verdade temível, mas não exprime toda a verdade sobre o destino dos indivíduos e das nações.

■ 9.7

וְהִכְרַתִּי אֶת־יִשְׂרָאֵל מֵעַל פְּנֵי הָאֲדָמָה אֲשֶׁר נָתַתִּי לָהֶם וְאֶת־הַבַּיִת אֲשֶׁר הִקְדַּשְׁתִּי לִשְׁמִי אֲשַׁלַּח מֵעַל פָּנָי וְהָיָה יִשְׂרָאֵל לְמָשָׁל וְלִשְׁנִינָה בְּכָל־הָעַמִּים׃

A calamidade resultante do pecado seriam os cativeiros: o assírio, em 722 a.C., que levou cativa a nação do norte (Israel) para nunca mais retornar, e o babilônico, em 597 a.C., que levou a nação do sul (Judá), da qual retornou um remanescente. Particularmente está em vista aqui o cativeiro babilônico. Este versículo é paralelo a 1Rs 8.46,47, onde ofereço as notas expositivas. Ver também no *Dicionário* o artigo chamado *Cativeiros*. Os críticos supõem que passagens como essas não sejam declarações proféticas (de Salomão ou Yahweh), mas, sim, observações históricas feitas por algum editor posterior que já tinha conhecimento dos cativeiros, os quais já haviam acontecido. Conforme diz o trecho paralelo de 2Cr 7.20, Israel seria arrancado "da minha terra que vos dei". O povo, antes glorificado, exaltado e distintivo, passaria a ser motivo de zombaria por parte de outros povos, a ponto de a estupidez e a miséria de Israel se tornarem *proverbiais* e referidas em declarações sarcásticas e candentes. "... judeus incrédulos, teimosos e de dura cerviz são palavras até hoje em uso comum" (Adam Clarke, *in loc.*). Eles se esqueceram de Yahweh; rejeitaram o seu próprio Messias; o templo deles foi destruído; eles foram dispersados por toda a face da terra.

> Todas as coisas vos atraiçoam,
> A vós que me traístes.
>
> Francis Thompson

9.8

וְהַבַּיִת הַזֶּה יִהְיֶה עֶלְיוֹן כָּל־עֹבֵר עָלָיו יִשֹּׁם וְשָׁרָק וְאָמְרוּ עַל־מֶה עָשָׂה יְהוָה כָּכָה לָאָרֶץ הַזֹּאת וְלַבַּיִת הַזֶּה:

Agora tão exaltada. Assim diz o texto massorético. Ver no *Dicionário* os artigos chamados *Massora (Massorah); Texto Massorético*. Esse é o verdadeiro texto do trecho paralelo de 2Cr 7.21. Mas as versões do latim antigo e do siríaco provavelmente preservam o texto hebraico original: "se tornará um montão de ruínas". Os editores do texto massorético não aguentariam deixar este lamentável texto sem modificação. Devemos lembrar que o texto massorético é bastante tardio, harmonizado. E algumas vezes as versões, sobretudo a Septuaginta, retêm textos que representam melhor o texto hebraico original. Os chamados manuscritos do mar Morto demonstram abundantemente esse fato. Alguns desses antiquíssimos manuscritos, em alguns lugares, concordam com a Septuaginta, em contraste com o texto massorético. Ver no *Dicionário* o artigo chamado *Manuscritos (Rolos) do mar Morto*.

A Lição Moral. Nenhuma grande espiritualidade ou sucesso *do passado* serve de garantia para o sucesso ou o bem-estar do futuro. Salomão, a despeito de toda a sua magnificência, *caiu* na idolatria e pôs fim à época áurea de Israel.

> Aquele, pois, que pensa estar em pé,
> veja que não caia.
>
> 1Coríntios 10.12

"A desobediência para com Deus torna-nos traidores para com Deus. Salomão teria de aprender essa lição mediante o caminho mais difícil" (Ralph W. Sockman, *in loc.*).

Certa vez, o povo de Israel olhou para o elevado templo (55,20 metros no ápice da torre, 2Cr 3.4) e quedou-se admirado. Mas, uma vez que o templo ficou arruinado, o mesmo povo olhou para os escombros e ficou "pasmado", assobiando de zombaria diante das ruínas e perguntando por qual motivo Yahweh havia permitido tamanha destruição em sua própria casa. O texto hebraico diz literalmente, "assobiando de pasmo". O assobio continua, até hoje, a ser um sinal para exprimir surpresa ou admiração. E quando os pagãos assobiassem diante das ruínas do templo, fá-lo-iam movidos pelo ridículo surpreendido. A Vulgata adiciona aqui uma glosa explicativa: "Esta causa servirá de exemplo". "Sua magnificência e suas ruínas seriam igualmente conspícuas, pois uma cidade edificada em uma colina não pode ser escondida" (Ellicott, *in loc.*).

9.9

וְאָמְרוּ עַל אֲשֶׁר עָזְבוּ אֶת־יְהוָה אֱלֹהֵיהֶם אֲשֶׁר הוֹצִיא אֶת־אֲבֹתָם מֵאֶרֶץ מִצְרַיִם וַיַּחֲזִקוּ בֵּאלֹהִים אֲחֵרִים וַיִּשְׁתַּחֲוּוּ לָהֶם וַיַּעַבְדֻם עַל־כֵּן הֵבִיא יְהוָה עֲלֵיהֶם אֵת כָּל־הָרָעָה הַזֹּאת: פ

Responder-se-lhe-á. Eles abandonaram Yahweh; e Yahweh os abandonou. Eles se voltaram para os ídolos, e a corrupção deles os corrompeu. Eles confiaram em outros deuses, e esses deuses os aniquilaram. Adoraram a outros deuses, e esses deuses os degradaram. Mereceram o mal que Yahweh trouxe contra eles, e tornaram-se um *exemplo* do que sucede a povos depravados. Reis posteriores desviaram Israel para a idolatria, e foi Salomão quem deu início a todo o processo (1Rs 11.4-8). Salomão pôs a nação de Israel na vereda que a levaria ao cativeiro, em menos de trezentos anos (o cativeiro assírio) e em menos de quinhentos anos (o cativeiro babilônico). Judá teve a mesma triste sorte. Ver no *Dicionário* o verbete chamado *Idolatria*. Mas o retorno de um remanescente, para começar tudo de novo, foi um sinal da misericórdia e do amor de Yahweh, que vence a todo o mal (ver Jr 16.14,15; 23.7,8).

A Saída do Egito. Este evento é usado com frequência, no Antigo Testamento, a fim de demonstrar o poder e o favor de Deus para com Israel. Uma grande nação foi feita dos escravos que, durante séculos, estiveram cativos no Egito. Somente o poder divino poderia ter realizado esse feito. Moisés foi o instrumento, o homem do momento, para aquele período da história israelita. A expressão "tirou da terra do Egito" aparece por mais de vinte vezes no livro de Deuteronômio. Ver Dt 4.20 quanto às notas expositivas. Ver também 1Rs 6.1; 8.9,16,21,51,53.

INFORMAÇÕES SOBRE A MAGNIFICÊNCIA E A SABEDORIA DE SALOMÃO (9.10—10.29)

Em 1Rs 11 temos a informação desanimadora sobre os pecados e as falhas de Salomão, que produziram o cumprimento das temíveis profecias de Yahweh (ver os comentários nos vss. 6-9). Porém, antes que nos apresente esse material, o autor se detém nesta longa seção para descrever o esplendor da corte de Salomão. Ele foi rei durante a *época áurea* de Israel, quem impulsionou toda a engrenagem. Isso não aconteceu por mero acidente. Ver a introdução ao presente capítulo quanto aos detalhes sobre a questão, os quais não repito aqui.

O Trabalho dos Editores. A seção à nossa frente consiste em uma série de narrativas bastante desconexas. A ordem das narrativas, na Septuaginta, é diferente, e isso subentende que o texto hebraico original não era exatamente como vemos, hoje, no texto massorético. Ver no *Dicionário* os artigos chamados *Massora (Massorah); Texto Massorético*. Ver também *Manuscritos (Rolos) do mar Morto*. A Septuaginta e, ocasionalmente, outras versões aparentemente retêm alguns textos que são mais próximos do original hebraico do que o chamado texto massorético, que é um texto posterior, harmonizado. Os textos dos manuscritos do mar Morto demonstram a veracidade dessa assertiva, pois ocasionalmente se põem ao lado da Septuaginta contra o texto hebraico conhecido hoje. Portanto, apesar de não podermos substituir o texto massorético pela Septuaginta, devemos ter sempre isso em mente quando aparecem variações. Ver no *Dicionário* sobre *Septuaginta*. A maioria dos críticos supõe que, no tocante à presente seção, a ordem que figura na Septuaginta seja preferível ao texto massorético. De qualquer maneira, esta seção registra mais sobre as atividades de Salomão como construtor, o trabalho forçado imposto a muitos, a venda de 23 cidades da Galileia a Hirão, de Tiro, as atividades marítimas de Salomão (sob cujo reinado se deu a única oportunidade de Israel tornar-se uma potência marítima), seus negócios em ultramar, a visita da rainha de Sabá e outros detalhes que procuram impressionar-nos com a sabedoria, as riquezas e o esplendor do reinado salomônico.

9.10

וַיְהִי מִקְצֵה עֶשְׂרִים שָׁנָה אֲשֶׁר־בָּנָה שְׁלֹמֹה אֶת־שְׁנֵי הַבָּתִּים אֶת־בֵּית יְהוָה וְאֶת־בֵּית הַמֶּלֶךְ:

Salomão levara vinte anos para construir o templo e o palácio real, o que ficamos sabendo em 1Rs 6.38 e 7.1, e o autor sacro, nesta altura da narrativa, lembra-nos disso a fim de introduzir outros feitos gloriosos do monarca. Além disso, sabemos (e somos agora relembrados) que muito do material de construção fora fornecido por Hirão, rei de Tiro. Salomão teve de saldar a dívida assumida, e o texto à nossa frente diz como esse pagamento foi efetuado.

9.11

חִירָם מֶלֶךְ־צֹר נִשָּׂא אֶת־שְׁלֹמֹה בַּעֲצֵי אֲרָזִים וּבַעֲצֵי בְרוֹשִׁים וּבַזָּהָב לְכָל־חֶפְצוֹ אָז יִתֵּן הַמֶּלֶךְ שְׁלֹמֹה לְחִירָם עֶשְׂרִים עִיר בְּאֶרֶץ הַגָּלִיל:

A Contribuição de Hirão, Rei de Tiro. Ver o trecho de 1Rs 5.9 ss. quanto à contribuição de Hirão ao templo requisitada por Salomão através de carta e de um mensageiro. O vs. 14 deste capítulo diz-nos quanto ouro foi enviado por Hirão a Salomão. Parece que Salomão, por causa de suas abundantes atividades como construtor, andou falto de dinheiro e precisou pagar suas dívidas através de propriedades. Salomão mostrou-se aparentemente generoso ao dar ao rei de Tiro vinte cidades da Galileia, mas Hirão ficou um tanto desapontado ao inspecioná-las (vs. 12). Não somos informados, porém, sobre *como* ou mesmo *se* Salomão suplementou o que já havia dado ao rei de Tiro. Supomos que Hirão simplesmente tenha feito um mau negócio com essas cidades, mas disso não resultou nenhuma guerra.

Porventura, Salomão realmente deu as cidades? Talvez o acordo fosse que Hirão poderia usá-las para efeitos agrícolas, para negociar ou comerciar. O fato é que essas cidades não foram adicionadas aos domínios tírios. 2Cr 8.2 diz que Hirão devolveu as cidades a Israel. Alguns estudiosos supõem tratar-se de cidades pagãs que nunca haviam sido incorporadas à nação de Israel, de modo que estavam livres para serem dadas. 2Cr 8.2 indica uma reversão na transação original, mas ficamos com a impressão de que Hirão fez um mau negócio que nunca foi corrigido. Esse negócio injusto, sem dúvida, foi um dos fatores que conduziram ao início da escorregadela de Salomão para a idolatria e à degradação que poria Israel na vereda do cativeiro. Salomão maltratou assim o antigo amigo de Davi, Hirão, que também ansiava ser amigo de Salomão (ver 1Rs 5.1 ss.).

■ **9.12**

וַיֵּצֵא חִירָם מִצֹּר לִרְאוֹת אֶת־הֶעָרִים אֲשֶׁר נָתַן־לוֹ שְׁלֹמֹה וְלֹא יָשְׁרוּ בְּעֵינָיו׃

Com o coração apertado, Hirão viu as cidades degradadas e suas inúteis terras adjacentes. Ele fizera uma má barganha. Salomão, o *sábio,* havia usado sua sabedoria para enganar Hirão. Ele sabia muito bem o estado de miséria em que se encontravam aquelas vinte cidades. Ele atirara no colo de Hirão aquelas cidades inúteis, e disso poderia ter resultado uma guerra. Não há nenhum registro histórico de *reparação.* Não é de admirar, pois, que Hirão, por fim, e provavelmente não muito depois, simplesmente tenha devolvido as cidades a Salomão, o qual as edificou para habitação de israelitas (2Cr 8.2). As porções ocidentais da Galileia jaziam próximo às fronteiras com Tiro e teriam valido muito para Hirão, se tivessem de fato algum valor. As cidades precisaram ser *reconstruídas,* mas Hirão não estava interessado em fechar um negócio como aquele. Ele simplesmente rejeitou o negócio, a despeito do prejuízo que isso representou para ele. Provavelmente em razão de sua amizade por Davi (ver 1Rs 5.1), Hirão dispôs-se a esquecer o mais rapidamente possível todo o incidente. Mas podemos estar certos de que Hirão não continuou negociando com Salomão, a partir daquela data. Hirão não declarou guerra, mas também não se mostrou amigo íntimo de Salomão, depois disso. Salomão fizera um mau negócio. Em algum ponto, em algum tempo, ele teria de pagar pelo que fizera. Ver no *Dicionário* o artigo intitulado *Lei Moral da Colheita segundo a Semeadura.*

■ **9.13**

וַיֹּאמֶר מָה הֶעָרִים הָאֵלֶּה אֲשֶׁר־נָתַתָּה לִּי אָחִי וַיִּקְרָא לָהֶם אֶרֶץ כָּבוּל עַד הַיּוֹם הַזֶּה׃ פ

Que cidades são estas que me deste, irmão meu? Essas foram as sarcásticas palavras de Hirão a Salomão. Hirão não declarou guerra a Salomão, nem lhe cobrou reparações, mas não aceitou livremente a oferta. Ele falou palavras amargas, por causa do logro de Salomão. E Hirão chamou todo aquele território e suas cidades de *Cabul.* Ninguém sabe com certeza qual é a derivação dessa palavra, mas popularmente ela queria dizer "como nada". Josefo (*Antiq.* VIII.5.3) sugeriu "desagradável". Hoje em dia, diríamos: "Salomão, tu me deste lixo". Ver no *Dicionário* o artigo chamado *Cabul,* que oferece algumas outras explicações.

"Aquelas cidades são a mesma Decápolis, em Mt 4.35, assim chamadas porque eram as dez cidades estabelecidas naquele território" (John Gill, *in loc.*). Ver na *Enciclopédia de Bíblia, Teologia e Filosofia* o verbete chamado *Decápolis.*

■ **9.14**

וַיִּשְׁלַח חִירָם לַמֶּלֶךְ מֵאָה וְעֶשְׂרִים כִּכַּר זָהָב׃

Cento e vinte talentos de ouro. O mau negócio feito por Hirão foi ainda mais enfatizado pelo fato de que, além da nobre quantidade de madeira cedida (ver 1Rs 5.9), ele também havia dado considerável quantidade de *ouro.*

Alguns estudiosos calculam que o valor do ouro foi de meio milhão de dólares, porém não há como comparar o peso antigo do ouro. Ver no *Dicionário* o artigo chamado *Pesos e Medidas.* Ver também, no *Dicionário,* o artigo chamado *Dinheiro.*

Conforme diz certa expressão moderna, Salomão "arrancou a pele" de Hirão. Esta soma em dinheiro equivalia a cerca da sexta parte de toda a renda anual de Salomão (1Rs 10.14), e assim Hirão deu a Salomão altíssima quantia para os projetos de construção, e aprendeu que, quando o dinheiro está em jogo, não se pode confiar nem mesmo em certos *amigos.*

■ **9.15**

וְזֶה דְבַר־הַמַּס אֲשֶׁר־הֶעֱלָה הַמֶּלֶךְ שְׁלֹמֹה לִבְנוֹת אֶת־בֵּית יְהוָה וְאֶת־בֵּיתוֹ וְאֶת־הַמִּלּוֹא וְאֵת חוֹמַת יְרוּשָׁלָיִם וְאֶת־חָצֹר וְאֶת־מְגִדּוֹ וְאֶת־גָּזֶר׃

Labor Forçado. Salomão era glorioso, mas não tão glorioso assim. Ele agiu mal nos negócios com Hirão, e escravizou pessoas livres, obrigando-as a um labor forçado. Portanto, ele reduziu o custo do trabalho às expensas de seres humanos. Atos como esses só poderiam prejudicá-lo. Salomão se voltaria finalmente à idolatria, por causa da má influência de suas muitas esposas estrangeiras. Israel já estava trilhando a vereda para o cativeiro.

Milo. Aprendemos que práticas de trabalho duvidosas tinham sido empregadas para edificar o templo e o palácio de Salomão. Outros projetos também foram construídos, como, em Milo, fortificações na antiga cidade jebusita, agora transformada em Jerusalém. Aparentemente, tratava-se de uma *torre* (com fortificações adjacentes), de frente para o lado norte da cidade, que até então estava essencialmente desprotegido. Era uma fortaleza bem conhecida, originalmente construída por Davi (ver 2Sm 32.5 e 1Cr 11.8) e depois melhorada por Salomão (ver 1Rs 9.15; 11.27). Milo tornou-se parte proeminente das fortificações de Ezequias (ver 2Cr 32.5). Aparentemente a arqueologia tem desenterrado trabalhos com tijolos que pertenciam a essa fortificação.

Quanto a uma menção anterior ao trabalho forçado de Salomão, ver 1Rs 5.13, para maiores detalhes. Ver 1Rs 5.14 ss. quanto a mais informações sobre a força-tarefa envolvida e sobre como a questão foi efetuada.

Além das coisas mencionadas anteriormente, temos agora a informação de que os projetos de Salomão incluíam uma muralha em torno de Jerusalém, bem como a construção, a reedificação e o embelezamento de três cidades — Hazor, Megido e Gezer —, fortalezas estratégicas que recebem artigos separados no *Dicionário.* Hazor ficava ao norte do mar da Galileia; Megido protegia o vale de Jezreel, que percorria a direção leste-oeste, no centro do território de Israel; e Gezer oferecia defesa à parte ocidental de Judá. Isso posto, Israel foi militarmente fortificado, e não apenas embelezado esteticamente. Apesar dos abusos, aquela foi a *época áurea* de Israel.

■ **9.16**

פַּרְעֹה מֶלֶךְ־מִצְרַיִם עָלָה וַיִּלְכֹּד אֶת־גֶּזֶר וַיִּשְׂרְפָהּ בָּאֵשׁ וְאֶת־הַכְּנַעֲנִי הַיֹּשֵׁב בָּעִיר הָרָג וַיִּתְּנָהּ שִׁלֻּחִים לְבִתּוֹ אֵשֶׁת שְׁלֹמֹה׃

O Faraó receou dar à filha (que se casou com Salomão) um pequeno dote. Portanto, enviou tropas a Gezer para matar alguns habitantes, escravizar outros e tomar as mulheres para os haréns do Egito, e acabou dando a cidade inteira à sua filha. Foi assim que Salomão "herdou" o lugar, ao qual fortaleceu e fortificou militarmente.

Josué tinha tomado originalmente a cidade dos cananeus (ver Js 10.33; 11.12), que se tornou parte da tribo de Efraim. Aparentemente, os cananeus a reconquistaram e formaram a cena para o "presente" do Faraó à filha.

9.17

וַיִּ֤בֶן שְׁלֹמֹה֙ אֶת־גֶּ֔זֶר וְאֶת־בֵּ֥ית חֹרֹ֖ן תַּחְתּֽוֹן׃

Edificou. Com esta palavra, o autor sagrado provavelmente indicou fortificações militares, mas certamente houve algum embelezamento e restauração em Gezer e Bete-Horom, a Baixa (ver 2Cr 8.5). Esses dois lugares foram fortificados por Salomão, conforme demonstra a referência. Este versículo identifica definitivamente o trabalho de Salomão como militar. Ver o artigo relativo a *Bete-Horom,* quanto a informações sobre ambos os lugares com esse nome.

9.18

וְאֶֽת־בַּעֲלָ֛ת וְאֶת־תָּמָ֥ר בַּמִּדְבָּ֖ר בָּאָֽרֶץ׃

Outros lugares fortificados por Salomão foram *Baalate* e *Tamar,* que aparecem em artigos no *Dicionário.* Em lugar de *Baalate,* ver *Balá* 4 e 5. Esse lugar ficava na tribo de Dã. Tamar (Tadmor; o artigo recebe esse outro nome) mais tarde foi chamada de *Palmira* e ficava localizada em uma rota de caravanas entre Damasco e o rio Eufrates, a nordeste de Israel. Palmira situava-se em uma fértil planície circundada por um deserto estéril, com o rio Eufrates a leste. A arqueologia tem feito muito para iluminar o local. Afinal, essa cidade tornou-se um glorioso lugar, de acordo com os antigos padrões, mas de forma alguma era assim nos dias de Salomão. *Tadmor* é uma soletração (e pronúncia) local *variante de Tamar,* que significa palmeira. Josefo diz-nos que ela ficava no deserto acima da Síria, um dia de viagem do Eufrates, e seis dias de viagem para quem partia da Babilônia. Ver 2Cr 9.4 quanto à fundação dessa cidade. Alcançou o auge de seu esplendor nos tempos greco-romanos, e imensas ruínas testificam sua antiga grandeza. A potência militar de Salomão, pois, chegou bastante ao norte, embora ele não tenha anexado muitos territórios naquela direção. Alguns intérpretes supõem que ele realmente tenha anexado terras ao norte até o rio Eufrates, mas esse ponto é debatido.

9.19

וְאֵ֣ת כָּל־עָרֵ֣י הַֽמִּסְכְּנוֹת֩ אֲשֶׁ֨ר הָי֜וּ לִשְׁלֹמֹ֗ה וְאֵת֙ עָרֵ֣י הָרֶ֔כֶב וְאֵ֖ת עָרֵ֣י הַפָּרָשִׁ֑ים וְאֵ֣ת ׀ חֵ֣שֶׁק שְׁלֹמֹ֗ה אֲשֶׁ֣ר חָשַׁק֩ לִבְנ֨וֹת בִּירוּשָׁלִַ֤ם וּבַלְּבָנוֹן֙ וּבְכֹ֖ל אֶ֥רֶץ מֶמְשַׁלְתּֽוֹ׃

Grande número de cidades foi construído, reconstruído, fortificado e embelezado, como parte dos programas de construção de Salomão, que incluíam os seguintes propósitos:

1. *Cidades-armazéns.* Espalhadas por todo o território de Israel, eram cidades fortificadas nas quais Salomão guardava excedentes de alimentos para qualquer emergência que pudesse resultar de seca ou outros eventos imprevisíveis. Cf. 2Cr 8.4. Essa referência limita as cidades a uma das áreas geográficas da Síria.
2. *Cidades para carros de combate e cavaleiros,* ou seja, para os implementos de guerra. Salomão abandonou o conceito de um exército fraco, composto somente por infantaria, e fez seu exército como o de seus vizinhos, com carros de combate, muitos cavalos e máquinas de guerra. Nenhum inimigo poderia atacar naquele momento, tão fortalecido estava Israel. Salomão tinha catorze mil carros de combate e doze mil cavaleiros. seu planejamento militar adquiriu grande sofisticação, fazendo violento contraste com o antigo caráter militar relativamente fraco de Israel.

9.20

כָּל־הָ֠עָם הַנּוֹתָ֨ר מִן־הָאֱמֹרִ֜י הַחִתִּ֤י הַפְּרִזִּי֙ הַחִוִּ֣י וְהַיְבוּסִ֔י אֲשֶׁ֛ר לֹֽא־מִבְּנֵ֥י יִשְׂרָאֵ֖ל הֵֽמָּה׃

A guerra santa (ver as notas expositivas a respeito em Dt 7.1-5 e 20.10-18) requeria a obliteração dos inimigos internos de Israel, das *sete* nações que ocupavam o território (ver Êx 33.2 e Dt 7.1). Esse tipo de guerra era chamada *santa* porque os povos eram sujeitados ao banimento, isto é, transformavam-se em holocaustos oferecidos a Yahweh e, por isso, tinham de ser totalmente consumidos a fogo. Os sete povos mencionados em Dt 7.1 incluíam todos os citados no presente versículo, mas dois ficaram de fora, a saber, os *girgaseus* e os *cananeus.* Os primeiros provavelmente não existiam mais, e os últimos, o autor sagrado não achou necessário referir.

9.21

בְּנֵיהֶ֗ם אֲשֶׁ֨ר נֹתְר֤וּ אַחֲרֵיהֶם֙ בָּאָ֔רֶץ אֲשֶׁ֧ר לֹֽא־יָכְל֛וּ בְּנֵ֥י יִשְׂרָאֵ֖ל לְהַֽחֲרִימָ֑ם וַיַּעֲלֵ֤ם שְׁלֹמֹה֙ לְמַס־עֹבֵ֔ד עַ֖ד הַיּ֥וֹם הַזֶּֽה׃

Nem Josué nem Davi foram bem-sucedidos no aniquilamento dos povos inimigos. Davi havia sujeitado ou destruído oito povos (ver as notas a respeito em 2Sm 10.19). Aqueles aos quais não destruiu, Davi confinou, e assim foi capaz de entregar a seu filho, Salomão, um país em paz, pois as guerras, pelo menos por enquanto, haviam terminado.

Salomão, observando os "estrangeiros" entre Israel, submeteu alguns a tributos, e muitos à escravidão. Usou-os como trabalhadores baratos para seu programa de construções. E até o tempo em que o autor sagrado registrou essas palavras (talvez não muito antes do cativeiro babilônico), eles continuavam escravizados.

Os quais os filhos de Israel não puderam destruir. "Destruir" vem do termo hebraico *herem,* que significa "submeter a banimento". Isso significava *destruir totalmente,* sem poupar mulheres nem crianças, e até os animais eram considerados indignos de servir como sacrifícios ou como parte da alimentação. Era uma política de *terra arrasada.* Está em foco a *guerra santa,* conforme se vê no vs. 20. Ver também sobre a palavra hebraica *herem* em Js 6.17.

9.22

וּמִבְּנֵי֙ יִשְׂרָאֵ֔ל לֹֽא־נָתַ֥ן שְׁלֹמֹ֖ה עָ֑בֶד כִּי־הֵ֞ם אַנְשֵׁ֣י הַמִּלְחָמָ֗ה וַעֲבָדָיו֙ וְשָׂרָ֣יו וְשָׁלִשָׁ֔יו וְשָׂרֵ֥י רִכְבּ֖וֹ וּפָרָשָֽׁיו׃ ס

A lei mosaica permitia a escravização temporária de hebreus por parte de hebreus, com o propósito de saldar dívidas. O homem assim escravizado poderia redimir-se, ou outrem poderia fazê-lo; e o ano do jubileu traria liberdade a todos os envolvidos. Salomão, entretanto, não escravizou outros israelitas, mas empregou-os como supervisores, generais ou militares. Houve grande trabalho por causa dos programas de construção e do fortalecimento militar (vs. 19). Praticamente ninguém ficou sem função. Cada indivíduo tinha sua própria fazenda e um meio de subsistência particular, ou então participava da maciça força pública de servos. Ver Lv 25.39,40 quanto à escravização temporária dos hebreus, o que, em teoria, tinha o caráter de alugar servos, mas na prática as coisas eram geralmente muito piores.

9.23

אֵ֣לֶּה ׀ שָׂרֵ֣י הַנִּצָּבִ֗ים אֲשֶׁ֤ר עַל־הַמְּלָאכָה֙ לִשְׁלֹמֹ֔ה חֲמִשִּׁ֖ים וַחֲמֵ֣שׁ מֵא֑וֹת הָרֹדִ֣ים בָּעָ֔ם הָעֹשִׂ֖ים בַּמְּלָאכָֽה׃

Os oficiais de Salomão eram 550. E abaixo deles, quem sabe quantos oficiais secundários haveria? Eles eram os *supervisores* dos principais instrumentos de ação. O trecho paralelo de 2Cr 8.10 fala em somente 250 homens, e não podemos ter certeza alguma quanto a essa diferença. Os expositores judeus dizem que esses 250 eram os oficiais de mais alta categoria; além deles havia outros trezentos, de menor categoria (pelo que seriam 550 ao todo); e outros 3.trezentos, que eram os subchefes (ver 1Rs 5.16). Outra explicação é que havia 250 em Jerusalém, no templo, e outros trezentos espalhados por todo o território de Israel. Não há como comprovar a exatidão dessas teorias, nem é importante fazê-lo. Não parece que os números dados aqui incluíssem oficiais do exército, mas a referência exclusiva era aos oficiais ocupados no projeto de construção de Salomão.

A FILHA DO FARAÓ FIXA RESIDÊNCIA (9.24)

9.24

אַ֣ךְ בַּת־פַּרְעֹ֗ה עָֽלְתָה֙ מֵעִ֣יר דָּוִ֔ד אֶל־בֵּיתָ֖הּ אֲשֶׁ֣ר בָּֽנָה־לָ֑הּ אָ֖ז בָּנָ֥ה אֶת־הַמִּלּֽוֹא׃

A bela jovem era a principal esposa de Salomão e rainha-mãe de Israel. José recebeu esposa dentre os egípcios, um povo camita. Ela era filha de um sacerdote egípcio (ver Gn 41.50). Talvez tivesse sido um tipo da Igreja, pois Cristo também tomou uma Noiva gentílica (embora não com exclusividade). Em tempos posteriores, casamentos mistos de israelitas com pagãos não eram mais permitidos. Ver Êx 34.15 e Dt 7.3,4. Mas se uma mulher estrangeira se convertesse à fé hebreia, então poderia ser tomada como esposa, e, na verdade, mulheres feitas prisioneiras de guerra, dentre os pagãos, eram distribuídas entre haréns em Israel. Presumimos que Salomão não ignorava essa lei. A filha do Faraó deve ter ao menos "concordado" ou "consentido" em ser chamada de hebreia quanto a questões religiosas. Mas sem dúvida ela trouxe um sincretismo que violava a lei mosaica. Afinal, as muitas esposas estrangeiras de Salomão acabariam por conduzi-lo à idolatria, e Israel o seguiria, trilhando a vereda que levaria aos cativeiros. Ver sobre essa palavra no *Dicionário*.

Essa esposa muito favorecida tinha seu lugar especial, um palácio exclusivo. Ela não ficou encerrada nos apartamentos na casa de Salomão, onde moravam suas outras incontáveis esposas. A menção de *Milo*, neste ponto, pode sugerir que a casa da filha do Faraó ficava perto daquela outra, mas talvez o autor só nos tenha dado uma nota cronológica. Primeiramente Salomão ergueu o palácio de sua esposa favorita; em seguida, construiu *Milo* (ver as notas no vs. 15 deste capítulo sobre esse lugar).

Brigham Young, um dos primeiros líderes da Igreja Mórmon, que levou os pioneiros mórmons para o oeste, até Salt Lake City, era polígamo e tinha mais de trinta esposas. Essa forma de casamento afetava talvez 5% dos primeiros mórmons, e não somente era permitida, mas também encorajada para os *qualificados*, que cuidassem devidamente das mulheres, assumindo toda a responsabilidade. Seja como for, conta-se a história de que, apesar de Brigham Young ter todas aquelas esposas, havia uma a quem ele realmente amava e para a qual ele construiu uma casa separada. *As outras eram conservadas em apartamentos coletivos*, os quais até hoje podem ser vistos nessa cidade.

Cf. 2Cr 8.11. Esse versículo implica que a mulher, na qualidade de egípcia, não podia ficar na cidade de Davi (Jerusalém), porque ali estavam as coisas mais santas de Israel, que não deveriam ser tocadas por ela. Parece que a mulher egípcia não havia aceitado de todo o coração a fé dos hebreus e não podia viver em certos lugares. Casar-se com ela foi algo que manteve Salomão em paz com o Egito, mas não contribuiu muito para a pureza da fé hebreia.

A Septuaginta põe essa notícia (ver 1Rs 9.24) no vs.9 e também no fim da longa interpolação após 1Rs 2.35. Portanto, há um pouco de *tradições flutuantes*.

SACRIFÍCIOS OFERECIDOS POR SALOMÃO (9.25)

■ 9.25

וְהֶעֱלָה שְׁלֹמֹה שָׁלֹשׁ פְּעָמִים בַּשָּׁנָה עֹלוֹת וּשְׁלָמִים עַל־הַמִּזְבֵּחַ אֲשֶׁר בָּנָה לַיהוָה וְהַקְטֵיר אִתּוֹ אֲשֶׁר לִפְנֵי יְהוָה וְשִׁלַּם אֶת־הַבָּיִת׃

Independentemente de suas falhas, Salomão tinha uma fé sincera que ele seguia conforme os moldes da lei. *Três vezes* ao ano ele oferecia sacrifícios e cumpria as cerimônias apropriadas. Provavelmente, essas eram as festas da colheita do período pré-exílico: a festa dos pães asmos (a festa da colheita da cevada); a festa das semanas (a festa da semana da colheita do trigo); e a festa do recolhimento dos frutos (a vindima e os frutos de outono). A festa dos pães asmos tinha sido incorporada à páscoa; a festa da colheita do trigo era também chamada Pentecoste; e a festa do recolhimento dos frutos também era chamada Festa dos Tabernáculos. Ver no *Dicionário* o artigo *Festas (Festividades) Judaicas*, quanto a detalhes. A essas outras festas também são dados artigos separados. O trecho de Êx 23.14-16 deve ser consultado quanto ao pano de fundo histórico. Em todas as três festividades havia peregrinações e dois tipos de sacrifícios, os *holocaustos* e as *ofertas pacíficas (de cereais)*, que proviam alimentos para os peregrinos. A queima do incenso sobre o altar de incenso (chamado em conexão ao templo de Salomão de *altar de ouro*) foi um costume dos tempos pós-exílicos, e isso talvez sirva para identificar este versículo como uma adição bastante tardia, feita por um editor posterior. Ver no *Dicionário* o artigo chamado *Altar de Incenso*. Ver Lv 7.37, onde listo e discuto os vários tipos de oferendas. É evidente que Salomão tomou parte nas cerimônias, mas ter-lhe-ia sido impossível usurpar a posição do sumo sacerdote. Evidências extraídas de fontes literárias indicam que aos *reis* se permitia realizar ritos reservados aos sacerdotes, algo que foi posteriormente proibido.

NEGÓCIOS MARÍTIMOS DE SALOMÃO (9.26-28)

■ 9.26

וָאֳנִי עָשָׂה הַמֶּלֶךְ שְׁלֹמֹה בְּעֶצְיוֹן־גֶּבֶר אֲשֶׁר אֶת־אֵלוֹת עַל־שְׂפַת יַם־סוּף בְּאֶרֶץ אֱדוֹם׃

Embora Israel estivesse à beira-mar (o Mediterrâneo), não era um povo marítimo. Salomão, pois, esforçou-se para que Israel se tornasse um poder marítimo, mas, passada a sua época, isso caiu em desuso. Não havia homens de ciências que pudessem navegar pelos oceanos, portanto ele tinha de depender dos fenícios, os quais eram bastante experientes nessa área. A primeira aventura marítima de Salomão foi uma corrida de Eziom-Geber (perto de Elate) no mar Vermelho (terra de Edom) para Ofir (cuja localização é disputada). Depois dessa viagem inicial, três viagens anuais eram feitas com propósitos comerciais.

Para maiores esclarecimentos, ver no *Dicionário* os nomes próprios deste versículo: *Eziom-Geber, Elate* e *Ofir*. Salomão estabeleceu um porto no golfo de Ácaba, braço noroeste do mar Vermelho. Dali, os navios de Israel aventuravam-se para a parte sudoeste da Arábia (1Rs 10.11; Jó 22.24 e 28.26), onde Ofir presumivelmente se localizava. A viagem total, de ida e volta, era de menos de 3.duzentos quilômetros; mas, pelos padrões de Israel, essa era uma grande jornada marítima.

■ 9.27

וַיִּשְׁלַח חִירָם בָּאֳנִי אֶת־עֲבָדָיו אַנְשֵׁי אֳנִיּוֹת יֹדְעֵי הַיָּם עִם עַבְדֵי שְׁלֹמֹה׃

Hirão, rei de Tiro, havia contribuído com madeiras nobres do Líbano e com ouro, para os projetos de construção salomônicos, especialmente o templo de Jerusalém. Salomão, entretanto, enganou-o no negócio, dando-lhe, por sua vez, 23 cidades inúteis da Galileia. Ver a história em 1Rs 9.11-14. Hirão era um homem paciente e não declarou guerra por causa do incidente. Hirão fora um bom amigo de Davi e esperava sê-lo também de Salomão. Não sabemos dizer, entretanto, se essa aventura marítima ocorreu depois do ardil de Salomão. Ver no *Dicionário* o verbete chamado *Hirão*, quanto a detalhes.

Os fenícios eram conhecidos por suas habilidades na navegação, e suas instruções foram encontradas na América do Norte e na América do Sul (perto de Manaus, há penedos rochosos, à beira do rio Negro, com inscrições que muitos estudiosos acreditam ser de escrita fenícia), o que demonstra quão longe chegavam em seus navios seguros. Ver no *Dicionário* o artigo chamado *Fenícia*.

■ 9.28

וַיָּבֹאוּ אוֹפִירָה וַיִּקְחוּ מִשָּׁם זָהָב אַרְבַּע־מֵאוֹת וְעֶשְׂרִים כִּכָּר וַיָּבִאוּ אֶל־הַמֶּלֶךְ שְׁלֹמֹה׃ פ

Chegaram a Ofir. A localização desta colônia fenícia é disputada, e o que tem sido dito a respeito está contido no artigo chamado *Ofir*, no *Dicionário*. Ofir significa "rico", "gordo". Salomão trocava seu precioso cobre, extraído da Arabá, a fim de adquirir produtos de Ofir (ver 1Rs 9.26-28; 22.48; 1Cr 8.17,18; 19.10). Salomão gostava de itens estrangeiros exóticos, de forma que atravessava o mar para negociá-los, fazendo de El-Dorado (Ofir) um de seus pontos de parada. Ver em 1Rs 10.14-19 sobre como Salomão usava o ouro que obtinha naquele lugar. Josefo (*Antiq.* 8.6,4) fala dos negócios que Salomão efetuava com a Índia, mas não sabemos quão exata é essa notícia, nem se Ofir ficava ou não na Índia.

Quatrocentos e vinte talentos de ouro. Uma única viagem produziu essa quantidade de ouro, através de negociações e muita manipulação, com a troca de artigos, provavelmente, em sua parte, de cobre por ouro. O trecho paralelo de 2Cr 8.18 diz 450 talentos de ouro, e não há maneira segura de reconciliar esses números, embora os intérpretes tentem fazê-lo.

1Rs 10.23 diz-nos que Salomão excedia em muito a todos os outros reis da época quanto à sabedoria e à riqueza, e seus negócios marítimos contribuíram para torná-lo um homem riquíssimo. Os vss. 14-29 deste capítulo ilustram o abundante esplendor de Salomão.

Quanto aos *talentos,* ver no *Dicionário* o artigo sobre *Pesos e Medidas,* em sua seção VII. Ver especialmente a porção IV.A. O *talento* era um peso, mas não há como calcular seu antigo poder de compra em comparação com os padrões modernos. O peso referido neste versículo—420 talentos — equivalia a 16 toneladas, o que era uma grande quantidade em ouro.

CAPÍTULO DEZ

Esta seção, 1Rs 9.1—10.29, ilustra o esplendor de Salomão, o rei de Israel em sua época áurea. Parte desse esplendor devia-se à extraordinária sabedoria salomônica, que é agora ilustrada com a história da visita da rainha de Sabá. Ver as notas de introdução a 1Rs 9.1.

Para ter uma glória tão grande, Salomão precisou cobrar pesados impostos de seu próprio povo, especialmente da porção norte do país (Israel). Ele pôs aquelas tribos em sujeição a um *jugo pesadíssimo* (1Rs 12.4), quase como se elas constituíssem um país estrangeiro. Os elevados impostos foram uma das causas, de fato, a principal causa que levou as tribos do norte a revoltar-se contra o filho de Salomão, Reoboão, levando a nação a finalmente dividir-se em duas: Israel, a porção norte, e Judá, a porção sul. Um elevado preço, afinal, foi pago pelos excessos de Salomão. Ver 1Rs 12.1-20.

Yahweh havia dado a Salomão uma sabedoria extraordinária, conforme vimos em 1Rs 3.1-15 e 4.29-34. Estiveram envolvidas na questão experiências místicas tais como a aparição de Yahweh em um sonho.

1Rs 4.34 assegura-nos que governantes e sábios de todo o mundo vinham a Israel para conhecer o esplendoroso reino de Salomão e ouvir a sua sabedoria. Cf. 1Rs 3.16-18, quando Salomão exerceu sabedoria especial no caso das duas prostitutas e do filho de uma delas que escapara com vida. Agora houve outro teste, que envolveu outra mulher, mas desta vez uma *rainha.* Ver no *Dicionário* os artigos chamados *Sabá* e *Rainha de Sabá.*

Sabá é o moderno Iêmen (não a Etiópia), na Arábia, a cerca de 1.930 quilômetros de Jerusalém, para o sul. Sabá talvez tenha sido a terra dos sabeus (Jó 1.15; Ez 23.42; Jl 3.8). As expedições comerciais enviadas por Salomão ao Oriente, por via marítima (ver 1Rs 9.26-28), provavelmente espalharam sua fama por aqueles lugares relativamente distantes.

As versões portuguesas variam entre Seba e Saba (e algumas acentuam a última sílaba, Sabá).

VISITA DA RAINHA DE SABÁ (10.1-13)

■ 10.1

וּמַלְכַּת־שְׁבָא שֹׁמַעַת אֶת־שֵׁמַע שְׁלֹמֹה לְשֵׁם יְהוָה
וַתָּבֹא לְנַסֹּתוֹ בְּחִידוֹת׃

Esta narrativa tem por finalidade ilustrar a extraordinária sabedoria de Salomão, que se tornara conhecida até em um lugar tão distante quanto o sul da Arábia. Salomão e essa rainha, pois, tornaram-se proeminentes nas lendas antigas. Os árabes chamavam-na de *Bilkis,* e ela, presumivelmente, foi o exemplo de uma mulher muito sábia. Nas lendas etíopes, porém, o nome dela aparece como Madeda. Seja como for, Sabá era um centro de negócios para a parte sudoeste da Arábia e, na época de Salomão, controlava as rotas de caravanas por terra.

Veio prová-lo com perguntas difíceis. Algumas versões dizem aqui "enigmas". Cf. o *enigma* de Sansão, em Jz 14.12,14,18. Josefo (*Antiq.* 5.3) disse que Hirão e Salomão se entregaram a um contexto de espirituosidade. Os árabes têm a reputação de gostar de passar o tempo tentando solucionar questões difíceis e enigmas.

Salomão havia orado para que a glória do templo fizesse com que "todos os povos da terra conheçam o teu nome, para te temerem" (1Rs 8.43), e a reputação de glória e sabedoria de Salomão desempenhou a sua parte na resposta a essa oração.

As lendas árabes preservadas no Alcorão enumeram uma lista de perguntas e quebra-cabeças propostos pela rainha de Sabá a Salomão, mas eles parecem infantis demais para terem ocupado a atenção de Salomão. Provavelmente as perguntas teológico-filosóficas do livro de Jó são o tipo de coisas que lhe foram propostas.

Tipologia. Talvez a rainha de Sabá, uma rainha gentia, represente a Igreja que busca a sabedoria de Cristo. Ver Is 11.10; Jo 12.20 e Mt 12.42.

■ 10.2

וַתָּבֹא יְרוּשָׁלְַמָה בְּחַיִל כָּבֵד מְאֹד גְּמַלִּים נֹשְׂאִים
בְּשָׂמִים וְזָהָב רַב־מְאֹד וְאֶבֶן יְקָרָה וַתָּבֹא אֶל־שְׁלֹמֹה
וַתְּדַבֵּר אֵלָיו אֵת כָּל־אֲשֶׁר הָיָה עִם־לְבָבָהּ׃

E lhe expôs tudo quanto trazia em sua mente. A rainha de Sabá chegou carregada com toda espécie de suprimentos e ricos presentes, os quais ofereceu a Salomão. Ela haveria de permanecer em Israel por algum tempo. No antigo Oriente Próximo não se realizava nenhuma visita sem o oferecimento de presentes. A rainha, pois, entrou de forma imponente em Jerusalém. Ela queria atenção, e o rei de Israel ficou impressionado com sua grande caravana de camelos e todos os presentes que ela havia trazido. Assim sendo, Salomão não estava com pressa e dedicou à rainha todo o tempo necessário para que ela admirasse seus magníficos edifícios, formulasse perguntas difíceis e provasse de sua sabedoria. Naturalmente, surgiram lendas em torno dessas circunstâncias, incluindo a de que Salomão a tomou como uma de suas esposas, do que teriam resultado hebreus de raça negra. Mas, como dissemos anteriormente, Sabá não é a Etiópia (um país cujos habitantes pertencem à raça negra), e sim o moderno Iêmen (na Arábia). Josefo vinculava a rainha de Sabá à Etiópia (ver *Antiq.* II.x.2; VII.vi.5,6), mas essa opinião simplesmente não está correta.

Os valiosos *presentes* oferecidos pela rainha de Sabá consistiram em especiarias, ouro e pedras preciosas. A rainha não se mostrou mulher de mão fechada. Provavelmente ela também tinha interesses comerciais e ansiava por estabelecer negócios com Salomão. As especiarias da Arábia eram famosas e cobiçadas como artigos do comércio antigo. Ver Ez 27.22 quanto ao tráfico entre Sabá e Tiro. Ver também Is 60.6 e Jr 6.20. Plínio (*Hist. Natural* xii.cap. 17; liv.xxxvii.cap.6) fala sobre as diversas riquezas que havia naquela região, tais quais especiarias, madeiras odoríferas, ouro, prata, pedras preciosas etc.

■ 10.3

וַיַּגֶּד־לָהּ שְׁלֹמֹה אֶת־כָּל־דְּבָרֶיהָ לֹא־הָיָה דָּבָר
נֶעְלָם מִן־הַמֶּלֶךְ אֲשֶׁר לֹא הִגִּיד לָהּ׃

Satisfação Absoluta. A rainha trouxe consigo uma lista de perguntas difíceis, algumas das quais abordavam as questões da vida e da morte, e as respostas de Salomão foram satisfatórias em todos os sentidos. A rainha de Sabá era conhecida como mulher dotada de grande sabedoria, mas ficou admirada com o que ouviu. Ali estava um homem divinamente inspirado, e ela tivera a felicidade de conhecê-lo.

"Não houve coisa alguma, por mais estranha e difícil que fosse, que ele não compreendesse e à qual deixasse de oferecer soluções claras, cristalinas" (John Gill, *in loc.*).

■ 10.4,5

וַתֵּרֶא מַלְכַּת־שְׁבָא אֵת כָּל־חָכְמַת שְׁלֹמֹה וְהַבַּיִת
אֲשֶׁר בָּנָה׃

וּמַאֲכַל שֻׁלְחָנוֹ וּמוֹשַׁב עֲבָדָיו וּמַעֲמַד מְשָׁרְתָו
וּמַלְבֻּשֵׁיהֶם וּמַשְׁקָיו וְעֹלָתוֹ אֲשֶׁר יַעֲלֶה בֵּית יְהוָה
וְלֹא־הָיָה בָהּ עוֹד רוּחַ׃

Vendo, pois, a rainha de Sabá. Ela foi testemunha ocular das excelências da corte salomônica. A rainha de Sabá ficou convencida das grandes riquezas materiais e do poder de Salomão; ela contemplou o templo magnificente que ele tinha erigido e o seu próprio luxuoso palácio; ela o ouviu dar claras respostas às perguntas mais difíceis; ela se sentou à mesa de Salomão, observou seus muitos servos indo e vindo, e apreciou todos os acepipes em sua mesa, itens importados que somente os mais ricos podiam dar-se ao luxo de obter; ela observou as vestes suntuosas de seus ministros e viu que eram todos pessoas distintas e altamente preparadas para seus respectivos ofícios; ela viu e caminhou pela *subida,* os degraus que Salomão construíra do seu palácio ao templo, tão técnica e curiosamente traçados; ela reconheceu quão espiritual ele era, sempre envolvido nos sacrifícios devidamente prescritos de sua fé. Assim sendo, a rainha de Sabá perdeu o fôlego, e seu espírito a deixou. Era como se ela tivesse entrado no paraíso e visto e ouvido coisas que não podiam ser expressas pela linguagem humana.

Talvez ela tenha tentado competir com Salomão na questão da sabedoria, mas suas tentativas davam dó. Talvez ela não tivesse apelado para Yahweh, a fonte de tudo quanto distinguia Salomão, mas sabia que havia algo de sobrenatural na maneira como ele prosperara e se tornara um homem que conhecia virtualmente tudo. Talvez algo da esperança expressa em 1Rs 8.60 se tenha cumprido nesse caso: "Para que todos os povos da terra saibam que o Senhor é Deus, e que não há outro".

■ 10.6

וַתֹּאמֶר אֶל־הַמֶּלֶךְ אֱמֶת הָיָה הַדָּבָר אֲשֶׁר שָׁמַעְתִּי
בְּאַרְצִי עַל־דְּבָרֶיךָ וְעַל־חָכְמָתֶךָ:

Foi verdade a palavra que a teu respeito ouvi na minha terra. *Uma Exclamação de Admiração!* A rainha de Sabá estava admirada por descobrir que tudo quanto lhe fora dito a respeito de Salomão era a pura *verdade.* Usualmente o ouvir dizer exagera as coisas, mas, neste caso, qualquer notícia dada sobre Salomão ficava aquém da realidade dos fatos.

"Originalmente cética, a rainha admitiu que a sabedoria e as riquezas de Salomão... em muito excediam àquilo que lhe tinha sido dito. Embora fosse uma rainha pagã, ela se dispôs a dar ao Senhor crédito por ter conferido a Israel um rei em quem ela se deleitava" (Thomas L. Constable, *in loc.*). Até mesmo homens ignorantes e vis algumas vezes conseguem acumular grandes riquezas e poder. Mas nada havia de ignorante e de vil em Salomão. As riquezas mentais dele estavam à altura de suas riquezas materiais.

Os vss. 6-9 são um paralelo do trecho de 2Cr 9.5-8, com quase o mesmo fraseado, tornando-se assim claro que o relato veio de algum documento contemporâneo, embora posto naquele livro algum tempo depois.

■ 10.7

וְלֹא־הֶאֱמַנְתִּי לַדְּבָרִים עַד אֲשֶׁר־בָּאתִי וַתִּרְאֶינָה
עֵינַי וְהִנֵּה לֹא־הֻגַּד־לִי הַחֵצִי הוֹסַפְתָּ חָכְמָה וָטוֹב
אֶל־הַשְּׁמוּעָה אֲשֶׁר שָׁמָעְתִּי:

Eu, contudo, não cria naquelas palavras, até que vim. O caso da rainha de Sabá foi um caso típico de "ver para crer". Quando viu, ela compreendeu que nem a metade da realidade de Salomão lhe havia sido contada. Isso me faz lembrar das palavras de Heródoto sobre o Egito. Ele afirmou que o Egito era uma maravilha tão grande que só poderia compreendê-la quem fosse e visse em pessoa. "... os dotes mentais de Salomão e a magnificência externa de sua corte excediam o que se dizia a respeito. Na verdade, ultrapassavam a capacidade de expressão. Eram tão grandes que as reportagens não podiam ser ditas através de hipérboles, e nem podiam aproximar-se da realidade dos fatos" (John Gill, *in loc.*). Havia algo de sobre-humano em toda aquela magnificência (vs. 9).

Atualmente, grandes riquezas são sempre encaradas com suspeição, e isso usualmente com razão. Algo de desonesto se passou para fazer a maioria dos homens ricos serem o que são. Em contraste, a prosperidade de Salomão foi reconhecida como dada por Deus, de tal modo que ele poderia abundar em toda boa obra. Os hebreus admiravam as riquezas materiais, pois acreditavam que elas demonstravam o favor de Deus. Por isso, era um quebra-cabeça para eles que os *ímpios* pudessem prosperar (ver Jr 12.1).

O paraíso é uma habitação prometida aos fiéis.

Maomé, o *Alcorão*

Os deuses teceram de tal modo
o fio dos coitados dos mortais
Que eles devem viver em meio às dores.

Homero, *Ilíada*

■ 10.8

אַשְׁרֵי אֲנָשֶׁיךָ אַשְׁרֵי עֲבָדֶיךָ אֵלֶּה הָעֹמְדִים לְפָנֶיךָ
תָּמִיד הַשֹּׁמְעִים אֶת־חָכְמָתֶךָ:

Felizes as Tuas Esposas! É bom casar-se com um homem justo, rico e sábio, mesmo quando há outras esposas com quem competir. Era melhor ser uma dentre as muitas esposas de um marido como Salomão, do que ser a única esposa de algum agricultor que ganhasse a vida suando em bicas a cada dia. Felizes eram todos os seus servos, pois, embora tivessem de trabalhar arduamente, eram ricamente recompensados. Israel estava em sua época áurea, e Salomão era o homem do momento. Os próprios servos braçais de Salomão tinham melhor passadio do que os trabalhadores diários que fossem servos de outros. Eles veriam o grande homem todos os dias, ouviriam suas palavras de sabedoria e participariam, embora humildemente, de suas riquezas. Naturalmente, chegou o tempo em que a porção norte da nação (Israel) se cansou de toda aquela grandeza, sustentada por eles. Os impostos eram elevadíssimos, pois a parte norte da nação de Israel pagava a maior parte das contas da corte de Salomão. Estouraria em breve uma *revolta,* devida, em parte, aos riquíssimos programas de construção de Salomão. Ver 1Rs 12.1-20 quanto às razões da revolta que separou as partes norte (Israel) e sul (Judá) daquela nação até certo ponto unida. Elevadas cobranças de impostos estavam entre essas razões. Salomão impusera à parte norte da nação um jugo pesadíssimo (vs. 4). Reoboão, filho e sucessor de Salomão, rejeitou o apelo de Jeroboão quanto a um tratamento mais justo.

■ 10.9

יְהִי יְהוָה אֱלֹהֶיךָ בָּרוּךְ אֲשֶׁר חָפֵץ בְּךָ לְתִתְּךָ
עַל־כִּסֵּא יִשְׂרָאֵל בְּאַהֲבַת יְהוָה אֶת־יִשְׂרָאֵל לְעֹלָם
וַיְשִׂימְךָ לְמֶלֶךְ לַעֲשׂוֹת מִשְׁפָּט וּצְדָקָה:

Bendito seja o Senhor teu Deus. *A Contribuição Divina ao Sucesso de Salomão é Reconhecida.* É impossível explicar Salomão sem reconhecer que Yahweh fizera grandes coisas por ele e, através dele, por Israel. Foi assim que a rainha de Sabá descobriu a *verdadeira razão* do sucesso de Salomão e de Israel, durante o seu reinado. Foi assim que ela "abençoou ao Senhor" (Yahweh), reconhecendo tudo quanto ele havia feito. Isso não significa, entretanto, que ela se tenha convertido à fé dos hebreus, que tenha casado com Salomão e se tornado a mãe dos "hebreus negros", conforme dizia uma tradição posterior. No começo de sua carreira como rei, Salomão fizera uma boa escolha. Quando Yahweh lhe ofereceu o que ele quisesse, ele escolheu a sabedoria, e assim acabou obtendo todas as coisas. Ver a história contada em 1Rs 3.1-15. Esse foi o *segredo* que acabou descoberto pela rainha de Sabá.

A glória de Yahweh avultou na mente da rainha de Sabá, quando ela viu essa glória rebrilhando na pessoa de Salomão, e ela ansiou por expressar sua admiração. Mas a *obediência* a Yahweh era a condição de toda aquela glória, conforme aprendemos em 1Rs 9.1-9.

Salomão preferiu não ter uma vida repleta de prazeres, honrarias e glória, mas lembrou-se de que lhe competia fazer *justiça* em favor do povo de Israel. Ele não deveria tornar-se um tirano. Não obstante, o *jugo* a que ele submetera Israel, a fim de obter sua grandeza (ver 1Rs 12.4), fizera ao menos da porção norte de Israel uma espécie de nação estrangeira sujeita a pagar tributos. Salomão exagerou na cobrança de impostos, e Israel, mais tarde, pagou por esse abuso. O reino unido de Davi dividiu-se em porções norte (Israel) e sul (Judá). Dessa forma, a nação inteira de Israel agora caminhava pela vereda dos cativeiros. Ver Sl 72.1,2 quanto ao governo e à justiça apropriada.

■ 10.10

וַתִּתֵּן לַמֶּלֶךְ מֵאָה וְעֶשְׂרִים כִּכַּר זָהָב וּבְשָׂמִים
הַרְבֵּה מְאֹד וְאֶבֶן יְקָרָה לֹא־בָא כַבֹּשֶׂם הַהוּא עוֹד
לָרֹב אֲשֶׁר־נָתְנָה מַלְכַּת־שְׁבָא לַמֶּלֶךְ שְׁלֹמֹה:

Deu ela ao rei... ouro, e muitíssimas especiarias, e pedras preciosas. Este versículo dá-nos conta de que a rainha de Sabá ofereceu riquíssimos presentes a Salomão (ver também o vs. 2 e suas notas expositivas). Aqui somos informados sobre a quantidade de ouro com que ela presenteou a Salomão, a saber, 120 talentos. Isso é cerca de quatro toneladas e meia! Não há como calcular o poder de compra de tanto ouro, mas é óbvio que foi um tesouro incrível. Compare-se isso com o vs. 14, que fala da renda de Salomão em um único ano, 25 toneladas de ouro, sem contar os muitos outros presentes de grande valor. Quanto ao *talento,* ver no *Dicionário* o artigo intitulado *Pesos e Medidas,* em sua seção VII, especialmente na sua porção IV/A. O talento era um peso, e não uma moeda, que foi invenção posterior a Salomão.

A rainha de Sabá deu assim, a Salomão, o máximo que estava ao seu alcance, tipificando sábia dedicação e serviço fiel:

> Dá ao Mestre o que tens de melhor!
> Dá-lhe da força de tua juventude.
> ...
> Dá ao Mestre o que tens de melhor!
> Coisa alguma é digna de seu amor.
> ...
> Jesus deu-nos o exemplo,
> ele foi ousado, jovem e bravo.
>
> Sra. Charles Barnard

A rainha de Sabá trouxe os melhores produtos de sua terra, as especiarias e as pedras preciosas. As especiarias foram dadas em prodigiosas quantidades e, como é óbvio, compunham um pequeno tesouro em si mesmas e ocupariam seu lugar entre os bens importados por Salomão. Foi assim que Salomão, o homem riquíssimo, tornou-se ainda mais rico, ao passo que os homens pobres e labutadores da parte norte do país ficaram mais pobres, nem que seja falando apenas comparativamente.

Cf. 1Rs 9.14. A rainha de Sabá ofertou a Salomão a mesma quantidade de ouro que Hirão lhe havia enviado para ajudar na construção do templo e do palácio.

Josefo (*Antiq.* 1.8, cap. 6, sec. 5) diz-nos que a planta balsâmica, que dera fama à nação de Judá mais tarde, foi originalmente trazida por essa rainha, como um de seus presentes. A planta foi então cultivada no territorio da tribo de Judá e tornou-se um importante produto de comércio.

HIRÃO NOVAMENTE (10.11,12)

■ 10.11,12

וְגַם אֳנִי חִירָם אֲשֶׁר־נָשָׂא זָהָב מֵאוֹפִיר הֵבִיא מֵאֹפִיר
עֲצֵי אַלְמֻגִּים הַרְבֵּה מְאֹד וְאֶבֶן יְקָרָה׃

וַיַּעַשׂ הַמֶּלֶךְ אֶת־עֲצֵי הָאַלְמֻגִּים מִסְעָד לְבֵית־יְהוָה
וּלְבֵית הַמֶּלֶךְ וְכִנֹּרוֹת וּנְבָלִים לַשָּׁרִים לֹא בָא־כֵן
עֲצֵי אַלְמֻגִּים וְלֹא נִרְאָה עַד הַיּוֹם הַזֶּה׃

Falar sobre os produtos que a rainha de Sabá trouxe para Salomão, juntamente sobre o ouro, fez a mente do autor sagrado retornar ao grande benfeitor, Hirão. Portanto, o autor nos forneceu uma notícia geral. Navios de Ofir traziam imensas quantidades de ouro para Salomão, e isso se tornou um benefício regular de seu recém-formado comércio marítimo. Ver 1Rs 9.2-28, onde já tivemos essa informação. Além do ouro, Hirão foi, durante algum tempo, uma fonte fornecedora de madeiras nobres. Já ouvimos falar sobre o cipreste (um tipo de pinheiro) e o cedro (ver 1Rs 5.10). Agora ficamos sabendo sobre a madeira de sândalo, usada nas colunas do templo e para fazer vários instrumentos musicais. O sândalo, de cor vermelho brilhante, é uma madeira pesada e de grão fino, ideal para construção de móveis decorativos, para trabalhos de entalhe e fabricação de instrumentos musicais. Josefo (*Antiq.* VIII.7.1), entretanto, identificava essa madeira como um tipo de pinho de cor branca, com propriedades resplandecentes. Talvez esteja em foco a espécie *Sabtalum album,* da Índia, uma madeira odorífera usada para perfumar templos e residências, embora isso pareça menos provável, a despeito do voto de alguns intérpretes em seu favor. Alguns estudiosos simplesmente supõem que os pinhos e os cedros sejam referidos com nomes diferentes, mas isso também não se apoia em evidências.

Seja como for, Hirão ajudou Salomão em seus projetos de construção, e estes se tornaram incomparáveis.

Josefo (*Antiq.* 1.8. cap. 3, sec. 8) diz-nos que Hirão enviou a Salomão quatrocentos mil árvores da madeira de sândalo, mas sem dúvida isso é um exagero. Seja como for, essa árvore, posteriormente, não foi enviada a Israel ou, pelo menos, não na qualidade do envio original. O item tornou-se raro, se é que chegou a ser conhecido em todo o território de Israel. Essa notícia quase certamente quer dizer que não devemos pensar aqui no cedro que dificilmente desapareceria do mercado internacional.

Instrumentos Musicais. Ver o artigo do *Dicionário* chamado *Música, Instrumentos Musicais.*

■ 10.13

וְהַמֶּלֶךְ שְׁלֹמֹה נָתַן לְמַלְכַּת־שְׁבָא אֶת־כָּל־חֶפְצָהּ
אֲשֶׁר שָׁאָלָה מִלְּבַד אֲשֶׁר נָתַן־לָהּ כְּיַד הַמֶּלֶךְ שְׁלֹמֹה
וַתֵּפֶן וַתֵּלֶךְ לְאַרְצָהּ הִיא וַעֲבָדֶיהָ׃ ס

Salomão mostrou-se recíproco, dando à rainha de Sabá grandes tesouros a fim de igualar-se, de alguma forma, com os presentes que ela trouxera. Era costume dos antigos monarcas orientais trocar presentes, na ocasião das visitas a outros estados. O autor sagrado deixou a questão um tanto vaga, mas revelou que a rainha de Sabá pôde *escolher* algumas das coisas que se tornaram seus presentes. Isso, sem dúvida, foi agradável à *mulher,* que assim pôde fazer compras, selecionando o que queria levar para casa. Podemos ter certeza de que a rainha árabe partiu como uma mulher feliz.

DETALHES MISCELÂNEOS SOBRE A GRANDEZA DE SALOMÃO (10.14-29)

O autor já nos havia mais do que impressionado sobre a sabedoria, as riquezas materiais, o poder e os projetos de construção resplendente de Salomão. Não obstante, precisou resguardar-se de descrever outras coisas. De fato, quando falava sobre Salomão, era difícil parar, porque sempre havia algo mais para mencionar. O autor estava descrevendo um *grande fenômeno* em Israel, algo que nunca tinha sido visto, nem seria visto jamais. Ele estava falando sobre a *época áurea* de Israel.

"Estes versículos contêm detalhes miscelâneos, sem dúvida extraídos da biografia de Salomão, tudo para demonstrar que Deus mais do que cumpriu as promessas que tinha feito ao jovem rei" (Norman H. Snaith, *in loc.*). Quanto às *promessas divinas,* ver 1Rs 3.1-15. "Esta seção sumaria as riquezas de Salomão" (Thomas L. Constable, *in loc.*).

■ 10.14

וַיְהִי מִשְׁקַל הַזָּהָב אֲשֶׁר־בָּא לִשְׁלֹמֹה בְּשָׁנָה אֶחָת שֵׁשׁ
מֵאוֹת שִׁשִּׁים וָשֵׁשׁ כִּכַּר זָהָב׃

Ouro Novamente! Havia Tanto Ouro! Ver 1Rs 9.14: ouro de Hirão (ver 1Rs 10.10); ouro da rainha de Sabá (1Rs 10.14); ouro que chegava a Salomão vindo de todos os lugares. O rei tinha ouro em quantidades excessivas. A cada ano importava (e talvez parte lhe fosse presenteada) nada menos do que 666 talentos. Isso equivalia a 25 toneladas de ouro, ou seja, 25 mil quilogramas. Quanto ao *talento,* ver no *Dicionário* o artigo chamado *Pesos e Medidas,* seção VII. Uma de minhas fontes informativas dá o valor do talento como dezesseis milhões de dólares, mas é inútil fazer tais comparações, visto que não podemos saber como os pesos envolvidos se comparam a nosso *poder de compra,* que é a verdadeira medida do valor das coisas. Além disso tudo, Salomão impunha *tributo* a outros povos, o que, sem dúvida, incluía algum ouro.

A Revolta Vindoura. A fim de custear seu luxuoso programa de construções, Salomão impôs um "pesado encargo", sob a forma de impostos, sobre a parte norte do país, a qual, finalmente, revoltou-se, provocando a divisão do reino. Assim sendo, Salomão pagou por seus excessos. Ver em 1Rs 12.1-20 a revolta da porção do norte da nação contra o filho de Salomão, Reoboão.

O ouro de Salomão haveria, finalmente, de deslustrar-se. O Antigo Testamento empresta maior descrição ao reinado de Salomão que ao de qualquer outro rei. Com ele há inúmeras lições a serem aprendidas, algumas boas e outras más. Havia uma proibição divina acerca da *multiplicação do ouro* (ver Dt 17.17), mas Salomão ignorou isso.

■ 10.15

לְבַד֙ מֵאַנְשֵׁ֣י הַתָּרִ֔ים וּמִסְחַ֖ר הָרֹכְלִ֑ים וְכָל־מַלְכֵ֥י הָעֶ֖רֶב וּפַח֥וֹת הָאָֽרֶץ׃

O comércio desenvolveu-se notavelmente sob Salomão. Somente em seu tempo experimentou-se o comércio marítimo, e mesmo então Salomão precisou dos marinheiros de Hirão para fazer andar seus navios (ver 1Rs 9.26-28). Israel nunca mostrou ser bom nas ciências, nas artes e na arquitetura. Quanto a essas coisas, havia pesada dependência a poderes estrangeiros. O próprio templo foi edificado com o concurso dos operários especializados de Hirão (ver 1Rs 5.6,18; 7.13 ss.). Mas Salomão era dotado de tremendo talento como negociante, e o comércio o enriqueceu além de toda imaginação. Ele *negociava* com a Arábia inteira, provavelmente com a ajuda da rainha de Sabá e, em parte, também negociava com a própria rainha. As *especiarias* eram um item importante desse comércio, conforme sugerimos em 1Rs 10.2,10.

Todos os reis da Arábia. Reis independentes com os quais Salomão comerciava.

Governadores da terra. Provavelmente estão em pauta os *príncipes vassalos,* os quais Salomão sujeitara a tributo. Esses governadores tinham autoridade para governar em suas áreas, mas eram obrigados a pagar a Salomão por sua independência relativa. Alguns estudiosos supõem que estejam em foco os oficiais administrativos de Salomão (ver 1Rs 4.7-19), mas o contexto trata de estrangeiros. Além disso, a palavra hebraica aqui traduzida por "governadores" é um vocábulo emprestado do assírio e significa "vice-reis".

■ 10.16

וַיַּ֨עַשׂ הַמֶּ֤לֶךְ שְׁלֹמֹה֙ מָאתַ֣יִם צִנָּ֔ה זָהָ֖ב שָׁח֑וּט שֵׁשׁ־מֵא֣וֹת זָהָ֔ב יַעֲלֶ֖ה עַל־הַצִּנָּ֥ה הָאֶחָֽת׃

Duzentos paveses de ouro batido. O luxo de Salomão estendia-se a embelezar com uma cobertura de ouro até o equipamento militar. Os escudos aqui referidos tinham um formato oblongo e eram feitos para proteger o corpo inteiro do soldado, à semelhança do *scutum* dos romanos. Embora talvez fossem usados em tempos de guerra, esses escudos serviam essencialmente para ocasiões memoriais e eram empregados pela guarda pessoal do rei (cf. 1Rs 14.26-28). Um escudo pesava cerca de nove quilogramas e requeria cerca de 3,4 quilogramas de ouro para ser recoberto. Ver o paralelo em 2Cr 12.11. Para batalhas sérias, eram usados escudos de bronze.

Seiscentos siclos de ouro. Ver no *Dicionário* o artigo *Pesos e Medidas,* IV.C, seção VII. Ver também Êx 30.13 e Lv 27.25 quanto a esse peso (medida, dinheiro). Cf. Ez 45.12.

■ 10.17

וּשְׁלֹשׁ־מֵא֤וֹת מָֽגִנִּים֙ זָהָ֣ב שָׁח֔וּט שְׁלֹ֤שֶׁת מָנִים֙ זָהָ֔ב יַעֲלֶ֖ה עַל־הַמָּגֵ֣ן הָאֶחָ֑ת וַיִּתְּנֵ֣ם הַמֶּ֔לֶךְ בֵּ֖ית יַ֥עַר הַלְּבָנֽוֹן׃ פ

Fez também trezentos escudos de ouro batido. Esses escudos, menores que os paveses, também foram feitos de ouro batido e três *minas* de ouro eram usadas no embelezamento de cada escudo, sob a forma de cobertura. Três minas equivaliam a 1,7 quilograma de ouro. Talvez esses escudos menores fossem exibidos em paradas e ostentações reais de ocasiões especiais, e não fossem usados na guerra, pois o ouro é um metal mole que dificilmente poderia substituir o bronze em campo de batalha. Ver sobre a *mina* no artigo *Pesos e Medidas,* IV.B.

"... escudos para demonstrações, e não para serem usados na guerra" (John Gill, *in loc.*).

■ 10.18

וַיַּ֧עַשׂ הַמֶּ֛לֶךְ כִּסֵּא־שֵׁ֖ן גָּד֑וֹל וַיְצַפֵּ֖הוּ זָהָ֥ב מוּפָֽז׃

Um grande trono de marfim. O *trono de Salomão* deveria ultrapassar em luxo ao trono de todos os reis orientais, de forma que foi feito de marfim, caríssimo, e recoberto de ouro "puríssimo". Era nesse trono que Salomão se assentava para julgar o povo. Os reis tinham o ofício de juízes-em-chefe, uma função dos juízes antes da instituição da realeza. Esses antigos juízes desempenhavam algumas funções dos reis posteriores.

Marfim. Ver a respeito desse material no *Dicionário*. Tratava-se de um item importado, trazido de Társis (vs. 22). A única outra notícia que temos sobre o marfim no tocante aos reis do Antigo Testamento, é sobre a *casa de marfim* do rei Acabe (1Rs 22.39). Ver sobre os palácios de marfim, em Sl 45.8. Ver também Ez 27.15. Os tírios recebiam marfim de Dedã, na Arábia, embora sua fonte original fosse, provavelmente, a Índia. Aparentemente eles negociavam o marfim tanto com a África como com a Índia. A arqueologia tem encontrado outros tronos de marfim, recobertos de ouro, em lugares como o Egito e a Assíria. Quanto a maiores detalhes, ver o artigo referido anteriormente.

Não nos é dito aqui onde Salomão tinha a sua corte de justiça. Essa informação já nos havia sido dada em 1Rs 7.7 ss. Ele tinha um pórtico de julgamento, onde estava o seu trono. Ver a referência sobre o que se sabe desse local especial de julgamento.

■ 10.19

שֵׁ֣שׁ מַעֲל֣וֹת לַכִּסֵּ֗ה וְרֹאשׁ־עָגֹ֤ל לַכִּסֵּה֙ מֵאַחֲרָ֔יו וְיָד֥וֹת מִזֶּ֛ה וּמִזֶּ֖ה אֶל־מְק֣וֹם הַשָּׁ֑בֶת וּשְׁנַ֣יִם אֲרָי֔וֹת עֹמְדִ֖ים אֵ֥צֶל הַיָּדֽוֹת׃

O trono tinha seis degraus. Seis degraus subiam para o trono magnificente de Salomão. Não somos informados sobre o material de que esses degraus eram feitos, mas o "mais fino mármore" é uma boa conjectura. O paralelo de 2Cr 9.18 enfatiza a grande altura do trono.

"O trono tinha o espaldar arredondado, na forma de uma de nossas cadeiras com dois braços, de espaldar arredondado. Esse trono ou cadeira de Estado estava posto sobre uma plataforma, e para subir até ele havia seis degraus. O que chamamos de braços no hebraico é *yadoth*, "mãos", e estavam fixos em ambos os lados" (Adam Clarke, *in loc.*). É provável que os "braços" servissem para descanso para os braços, no trono.

Dois leões junto aos braços. Esses animais esculpidos provavelmente funcionavam como suportes para os braços. Eram símbolos da tribo de Judá de Salomão e indicavam seu poder. "... os quais não eram apenas ornamentos, mas para o apoio dos braços, e expressavam majestade, coragem indômita e a resolução de fazer a justiça. Falavam sobre o perigo a que as pessoas se expunham, se quisessem perverter a justiça... Salomão era um tipo de Cristo, o leão da tribo de Judá" (John Gill, *in loc.*).

■ 10.20

וּשְׁנֵ֧ים עָשָׂ֣ר אֲרָיִ֗ים עֹמְדִ֥ים שָׁ֛ם עַל־שֵׁ֥שׁ הַֽמַּעֲל֖וֹת מִזֶּ֣ה וּמִזֶּ֑ה לֹֽא־נַעֲשָׂ֥ה כֵ֖ן לְכָל־מַמְלָכֽוֹת׃

Também doze leões estavam ali sobre os seis degraus. Havia um leão em cada extremidade dos seis degraus. O indivíduo que subisse até onde estava o trono de Salomão tinha de passar entre os doze leões. Eram figuras extraordinárias. Nenhum reino tinha nada semelhante a isso. Esses animais simbolizavam poder e glória, e provavelmente seu número representava as *doze tribos de Israel*. Simbolicamente, pois, Salomão unia todo o Israel em seu reinado de justiça. Não obstante, seu abuso ao gastar tanto dinheiro e submeter a parte norte do país a tão pesada cobrança de impostos (ver 1Rs 12.4) foi um dos fatores que, finalmente, separaram o reino do norte (Israel) do reino do sul (Judá). Ver 1Rs 12.1-20 quanto à revolta que terminou na divisão da nação de Israel em duas seções.

Os *egípcios* punham leões debaixo do trono de Orus (*Hori Apoll. Hierogl.* 1.1, ca. 17), e a arqueologia tem demonstrado que o leão era um antigo motivo oriental nas pinturas e na arquitetura.

10.21

וְכֹל כְּלֵי מַשְׁקֵה הַמֶּלֶךְ שְׁלֹמֹה זָהָב וְכֹל כְּלֵי בֵּית־יַעַר הַלְּבָנוֹן זָהָב סָגוּר אֵין כֶּסֶף לֹא נֶחְשָׁב בִּימֵי שְׁלֹמֹה לִמְאוּמָה׃

Não havia nelas prata. Salomão era tão rico que a *prata*, embora um metal igualmente nobre, era virtualmente destituída de valor em Israel naquele período. Salomão era tão rico que até seus vasos de beber eram feitos de ouro! Não havia copos de vidro no palácio de Salomão. *Todos os vasos* da casa do bosque do Líbano eram de ouro. Quanto ao palácio real, ver 1Rs 7.2-6. Ver o vs. 14 do presente capítulo quanto à imensa quantidade de ouro que Salomão adquiriu em um único ano, cerca de cinquenta mil libras, ou seja, aproximadamente 25 toneladas! "... de ouro. Não somente em seu palácio em Jerusalém era usado o ouro, mas também em sua *casa de campo*, a alguma distância" (John Gill, *in loc.*).

10.22

כִּי אֳנִי תַרְשִׁישׁ לַמֶּלֶךְ בַּיָּם עִם אֳנִי חִירָם אַחַת לְשָׁלֹשׁ שָׁנִים תָּבוֹא אֳנִי תַרְשִׁישׁ נֹשְׂאֵת זָהָב וָכֶסֶף שֶׁנְהַבִּים וְקֹפִים וְתֻכִּיִּים׃

Ouro e prata, marfim, bugios e pavões. *Itens de Luxo Importados mediante o Comércio Marítimo.* Vimos anteriormente que Salomão encabeçava um negócio de comércio marítimo, com a ajuda de experientes marinheiros fenícios. Ver 1Rs 9.26 ss. Israel tinha seu território à beira-mar, mas os israelitas não eram voltados para o oceano. Visto que tinham pequeno conhecimento das ciências, tais como a matemática, de que tanto carecem as viagens marítimas, isso os punha em violento contraste com os fenícios, os quais, em suas viagens, segundo confirmam as inscrições fenícias, chegaram à América do Norte e à América do Sul. Hirão tinha sido um bom amigo de Davi e prestou muitos favores a Salomão. Ver no *Dicionário* o artigo intitulado *Hirão,* quanto a essa crônica histórica. Assim sendo, entre os seus muitos favores, Hirão ajudara Salomão a enriquecer mais e mais, através do comércio marítimo. Salomão desenvolveu uma frota de grandes navios de comércio que viajavam de três em três anos a Társis, provavelmente *Tartessos*, à beira do rio Guadalquivir, na Espanha, onde havia uma colônia fenícia, tornando-se mais tarde um local geográfico com muitos judeus (ver a história de Jonas, que se dirigiu a Társis quando fugia de Deus). É uma curiosidade histórica que os fenícios também deram aos hebreus, por empréstimo, seu alfabeto. Dos fenícios, o alfabeto passou para os gregos; dos gregos, para os romanos; e, através do latim, para a maioria das línguas modernas europeias. Ver no *Dicionário* o artigo chamado *Alfabeto*, na seção VI. Ver também o verbete chamado *Társis*, quanto a detalhes sobre esse local.

Importações de Artigos de Luxo. As viagens a Társis trouxeram maior quantidade de ouro, de prata, de marfim e até de animais exóticos, como o bugio e o pavão. Em lugar de pavão, algumas traduções, talvez mais corretamente, dizem *babuínos*. Seja como for, não é provável que tais animais fossem postos em jardins zoológicos, mas, antes, indivíduos ricos talvez os guardassem como bichos de estimação, em suas casas, espantando assim os curiosos vizinhos com sua *classe* de animais exóticos.

Naturalmente, não era a próxima Társis que produzia esses animais. Antes, Társis era um posto comercial, um depósito de itens vindos de todos os lugares do mundo então conhecido. A África e a Índia eram fontes comuns de animais exóticos e de marfim. Algumas das presas de elefantes eram bastante grandes. Vertomannus (*Navigat.* 1.6, cap. 22) afirmou ter visto uma dessas presas que pesava cerca de 150 quilos. Mas é possível que essa notícia seja uma história de pescador. Na época de Salomão havia um número abundante de elefantes tanto na Índia quando na África, de modo que o suprimento de marfim não conhecia limites. Tanto Virgílio quanto Horácio relatam o intenso comércio que existia em seus tempos respectivos. Estrabão (ver *Geogr.* 1.15, parte 480) fala do grande número de bugios e macacos presentes nos lugares sobre os quais ele escreveu, pelo que não havia limites quanto ao número de animais que podiam ser capturados e exportados. Vartomannus cita o grande número de pavões visto em certas regiões da Índia. Alexandre, imperador grego, ficou tão impressionado com esses pássaros nobres que baixou um decreto proibindo que se abatessem essas aves. Eliano (*De Animal.* 1.11, cap. 33) referiu-se ao grande número de pavões que havia na Índia durante os seus dias. Os fenícios, naturalmente, conheciam perfeitamente os animais existentes nos vários lugares e os comerciavam. Salomão, pois, foi arrastado a esse tipo de comércio e assim importou criaturas exóticas para o deserto palestínico. Ver no *Dicionário* o verbete chamado *Pavão*.

10.23

וַיִּגְדַּל הַמֶּלֶךְ שְׁלֹמֹה מִכֹּל מַלְכֵי הָאָרֶץ לְעֹשֶׁר וּלְחָכְמָה׃

Nenhum monarca da época podia comparar-se a Salomão, e nenhum rei de Israel, depois dele, gozou esplendor comparável ao dele. Salomão reinou em Israel durante sua época áurea. Ultrapassou em riquezas e em sabedoria a qualquer outro monarca, e essa, usualmente, é uma estranha combinação. Os homens ricos raramente são sábios, exceto sobre como fazer mais dinheiro. Mas quando Salomão fez sua boa escolha, no princípio do reinado, foi-lhe dada a sabedoria que ele havia escolhido, e tudo mais, além dela. Ver 1Rs 3.1-15 quanto a essa crônica bíblica.

Um Tipo de Cristo. Ao exceder a todos em *sabedoria,* Salomão tornou-se um tipo de Cristo, o qual foi feito sabedoria para nós (ver 1Co 1.30). Ver também Ef 3.8 e Cl 2.3. Ver no *Dicionário* o artigo chamado *Sabedoria*.

10.24

וְכָל־הָאָרֶץ מְבַקְשִׁים אֶת־פְּנֵי שְׁלֹמֹה לִשְׁמֹעַ אֶת־חָכְמָתוֹ אֲשֶׁר־נָתַן אֱלֹהִים בְּלִבּוֹ׃

Todo o mundo. Uma hipérbole oriental, visto que a terra inteira e seus habitantes eram desconhecidos de Salomão e do autor desse livro. Portanto, devemos entender aqui o mundo mediterrâneo, o Oriente Próximo e Médio e talvez um pouco mais além. À semelhança da rainha de Sabá, outros reis sábios e nobres procuraram Salomão para testá-lo com suas perguntas e ver, por si mesmos, quão grande e sábio ele era. Quanto à história da rainha de Sabá, ver 1Rs 10.1 ss. Havia algo de *divino* em Salomão, e homens vinham para comprová-lo. Não obstante, a despeito de toda a sua sabedoria, em breve Salomão cairia na apostasia, e o seu reino (no tempo do filho dele, Reoboão) seria dividido, em parte devido a seus gastos excessivos e ao tolo emprego do dinheiro (ver 1Rs 12.1-20).

Os visitantes, naturalmente, continuavam a trazer aqueles tremendos e caríssimos presentes, intermináveis ofertas de ouro, pedras preciosas e especiarias, e grandes quantidades daquela agora quase inútil prata, apequenada em seu valor pela imensa quantidade de ouro.

A sabedoria, que Deus lhe pusera no coração. Salomão era tão sábio que aqueles que tinham oportunidade de ouvi-lo compreendiam quão grande e divina era a sua sabedoria, conforme afirmam as Escrituras (ver 1Rs 3.12). Salomão era um fenômeno divino.

10.25

וְהֵמָּה מְבִאִים אִישׁ מִנְחָתוֹ כְּלֵי כֶסֶף וּכְלֵי זָהָב וּשְׂלָמוֹת וְנֶשֶׁק וּבְשָׂמִים סוּסִים וּפְרָדִים דְּבַר־שָׁנָה בְּשָׁנָה׃ ס

Cada um trazia o seu presente. *Presentes Intermináveis; Riquezas Materiais Intermináveis.* Toda espécie de presentes era trazida, à semelhança do que fizera a rainha de Sabá: ouro; prata; objetos feitos de prata; roupas finas; caros implementos de guerra; especiarias; cavalos e mulas. E esses presentes continuavam sendo dados o ano inteiro, provavelmente indicando que alguns ricos e nobres faziam visitas anuais a Salomão, além dos que apareciam pela primeira vez. Era uma espécie de exploração do *turismo*, à medida que Salomão era o motivo das visitas, e não a corte real ou o Estado de Israel. Naturalmente, havia o templo e os outros edifícios de luxo de Salomão, que arrancavam dos visitantes exclamações de admiração. Era a "época áurea" de Israel, e podemos ter certeza de que ninguém visitava a corte real sem levar algum presente riquíssimo dos produtos de seu país. Não fazê-lo seria contrário aos costumes orientais.

Tipologia. Todos os reis e pessoas comuns caíam diante de Salomão, admirados diante de sua pessoa. Nisso, Salomão foi um tipo de Cristo, o Rei dos reis. Ver Sl 72 e Ap 17.4 e 19.16.

10.26

וַיֶּאֱסֹף שְׁלֹמֹה רֶכֶב וּפָרָשִׁים וַיְהִי־לוֹ אֶלֶף וְאַרְבַּע־מֵאוֹת רֶכֶב וּשְׁנֵים־עָשָׂר אֶלֶף פָּרָשִׁים וַיַּנְחֵם בְּעָרֵי הָרֶכֶב וְעִם־הַמֶּלֶךְ בִּירוּשָׁלָ͏ִם׃

As melhorias militares de Salomão também demonstravam suas riquezas. O exército de Israel sempre fora composto, essencialmente, de infantaria, sendo admirável que eles pudessem agir como agiram. Salomão, porém, não quis arriscar-se com os inimigos. Ele fez de seu exército uma força de carros de combate e de cavalos. Por isso é que ele tinha 1.quatrocentos carros de combate e doze mil cavaleiros. Cf. 1Rs 4.26 quanto a outro dado sobre esta questão. Havia quarenta mil estábulos para os cavalos. Ver 1Rs 19.19 quanto às *cidades de carruagens*. Josefo informou-nos que metade dos carros de combate de Salomão estava estacionada em Jerusalém, e a outra metade ficava nas outras cidades (*Antiq*. 1.8, cap. 2, sec. 4).

10.27

וַיִּתֵּן הַמֶּלֶךְ אֶת־הַכֶּסֶף בִּירוּשָׁלַ͏ִם כָּאֲבָנִים וְאֵת הָאֲרָזִים נָתַן כַּשִּׁקְמִים אֲשֶׁר־בַּשְּׁפֵלָה לָרֹב׃

Prata como pedras. A prata perdeu o seu valor, com todo aquele ouro que se derramava sobre o país (ver o vs. 14 quanto ao suprimento anual de ouro). A prata, um metal igualmente precioso, não tinha mais valor do que o interminável número de pedras que jaziam espalhadas pelo deserto da Palestina. E os nobres cedros que eram importados tornaram-se tão comuns como os *sicômoros*, as abundantes figueiras nativas da Palestina. Não está em foco a figueira que pertence ao mesmo gênero do bordo. A madeira da figueira é leve e porosa e não tinha grande utilidade senão para fazer caixões mortuários baratos, embora a fruta fosse gostosa e boa. A figueira também servia como fonte de sombra, pelo que era estimada nas regiões quentes da Palestina. Ver no *Dicionário* os artigos chamados *Sicômoro, Cedro* e *Figueira*. Ver também sobre a *Sefelá*, em Js 10.10, as *campinas* da Palestina.

10.28

וּמוֹצָא הַסּוּסִים אֲשֶׁר לִשְׁלֹמֹה מִמִּצְרָיִם וּמִקְוֵה סֹחֲרֵי הַמֶּלֶךְ יִקְחוּ מִקְוֵה בִּמְחִיר׃

Cavalos e *linho* eram parte importante das importações de Salomão. Os primeiros serviam nas forças armadas, e o segundo no fabrico de vestes caras. Ver o vs. 26 quanto aos cavalos. Ver no *Dicionário* os artigos chamados *Linho* e *Cavalo*.

Em lugar de *linho*, algumas traduções têm um nome locativo, *Coa*, um dos lugares de onde Salomão recebia cavalos. Esse local ficava nas planícies da Cilícia. A Vulgata diz "Coa", o que seguem algumas versões portuguesas.

Egito. O termo aqui vem de uma palavra hebraica que alguns identificam com *Mucri*, no norte da Síria, mas os eruditos diferem quanto a esse ponto.

A proibição de multiplicar cavalos foi absolutamente ignorada por Salomão, enquanto este edificava uma poderosa força militar que nenhum poder estrangeiro haveria de ousar submeter a teste. Quanto a essa proibição, ver Dt 17.16. Yahweh queria que o exército de Israel fosse constituído pela infantaria. Dessa maneira, a vitória em batalha só poderia ser explicada pela intervenção divina, e isso manteria Israel olhando para Yahweh como sua fonte de ajuda.

10.29

וַתַּעֲלֶה וַתֵּצֵא מֶרְכָּבָה מִמִּצְרַיִם בְּשֵׁשׁ מֵאוֹת כֶּסֶף וְסוּס בַּחֲמִשִּׁים וּמֵאָה וְכֵן לְכָל־מַלְכֵי הַחִתִּים וּלְמַלְכֵי אֲרָם בְּיָדָם יֹצִאוּ׃ פ

O *Egito* era a grande fonte produtora de cavalos. Os egípcios negociavam essa mercadoria com várias outras nações, conforme ilustra o presente versículo. Além disso, no Egito, fabricavam-se carros de combate para exportação. Foi assim que Salomão pôde obter esses itens militares sem manufaturá-los pessoalmente. Salomão possuía o dinheiro, e o Egito tinha as mercadorias, de modo que se estabeleceu um comércio ativo com benefícios mútuos.

Seiscentos siclos de prata. Este era o preço de um carro de combate. Quanto ao *siclo*, ver o artigo chamado *Dinheiro*, II, no *Dicionário;* e ver também sobre *Pesos e Medidas*, IV.C, seção VII. O *siclo* era um peso, e cada carro de combate custava cerca de 6,8 quilogramas de prata.

Cento e cinquenta (siclos de prata) eram o preço de um cavalo, ou seja, cerca de 1,7 quilo de prata. Não há como avaliar quanto esse tanto de prata podia comprar e, assim, traduzi-lo para moedas modernas é inútil. Mas é claro que o Egito estava obtendo muito dinheiro ao negociar esses itens, tendo Israel, os heteus e os sírios como compradores.

E os exportavam para todos os reis. Nossa versão portuguesa acompanha a *Revised Standard Version*. Salomão evidentemente tinha o monopólio da distribuição dos carros de combate e dos cavalos, e obtinha uma comissão sobre cada item exportado para os países mencionados — os heteus e os sírios.

CAPÍTULO ONZE

A APOSTASIA SALOMÔNICA (11.1-43)

O autor sagrado esforçou-se ao máximo para informar-nos sobre como Salomão se tornou rico e poderoso, internacionalmente conhecido por sua abundância e sabedoria. De fato, ele se tornou, por assim dizer, uma atração turística (ver 1Rs 10.1 ss., 24). Na verdade, Salomão exagerou na questão financeira, e essa foi uma das causas da revolta final da porção norte de Israel (ver 1Rs 12.1-20). Salomão impusera pesadas taxas à parte norte do país para sustentar seu fantástico estilo de vida (ver 1Rs 12.4). Além disso, sua esposa favorita (e havia mil dessas esposas!) era uma princesa egípcia, para quem ele edificara uma casa especial (1Rs 9.24). Embora talvez se tenha nominalmente convertido à fé hebreia, ela exerceu, sem dúvida alguma, um poder de atração que levou Salomão a uma fé sincretista, desencadeando sua queda na idolatria. Outrossim, todas suas outras incontáveis esposas o influenciavam para o pecado da idolatria.

Por um lado, Salomão foi um modelo de rei, e suas riquezas mostravam que a bênção e a aprovação de Deus estavam sobre ele. Mas havia também outro lado do homem que assim foi formado. O autor sacro reservou para o final da história essa descrição e condensou os vários aspectos da queda de Salomão de modo que formasse uma simples narrativa, longa, verdadeira, mas sem dúvida *condensada*. Temos assim um longo tempo durante o qual Salomão foi o rei ideal, mas, já perto do fim, seu reino caiu em desagregação.

"A fraqueza interna do reinado de Salomão, que até este ponto só tinha ficado subentendida, aparece em plena visão neste capítulo" (Thomas L. Constable, *in loc.*).

11.1

וְהַמֶּלֶךְ שְׁלֹמֹה אָהַב נָשִׁים נָכְרִיּוֹת רַבּוֹת וְאֶת־בַּת־פַּרְעֹה מוֹאֲבִיּוֹת עַמֳּנִיּוֹת אֲדֹמִיֹּת צֵדְנִיֹּת חִתִּיֹּת׃

Ora além da filha de Faraó. A princesa egípcia era a mais gloriosa das mulheres "estrangeiras" de Salomão, mas havia muitas outras esposas. Como a maioria dos animais machos, aos quais chamamos humanos, a variedade de raças o atraía, de modo que ele tinha uma ampla seleção de mulheres, vindas de todos os lugares: moabitas, amonitas, edomitas, sidônias e heteias. Presumivelmente, elas se converteram à fé hebreia a fim de legitimar os casamentos. Ou então, é possível que Salomão nem ao menos se importasse de dar um espetáculo. Ele simplesmente quebrou todas as leis que proibiam casamentos mistos de israelitas com mulheres estrangeiras. Ver Dt 7.3,4. Desde o começo foi predito que tais casamentos mistos corromperiam o coração dos israelitas, e isso, sem dúvida, aconteceu com Salomão. Embora a *poligamia* (ver a respeito no *Dicionário*) fosse aprovada na época, e não somente em Israel, havia uma proibição contra a insensata multiplicação de esposas (ver Dt 17.17). Em outras palavras, até uma coisa boa pode tornar-se inconveniente se usada com excesso, e Salomão, acima de todos os homens, foi culpado desse pecado. É anacrônico reprovar a poligamia por si mesma. Tal condenação certamente teria sido estranha para Abraão, Jacó ou Davi. Foi o abuso da prática que foi condenado. Cf. o presente texto com Êx 34.12-16; Dt 7.3,4; Ed 9.2,11,12 e Ne 13.23-29.

11.2

מִן־הַגּוֹיִם אֲשֶׁר אָמַר־יְהוָה אֶל־בְּנֵי יִשְׂרָאֵל לֹא־תָבֹאוּ בָהֶם וְהֵם לֹא־יָבֹאוּ בָכֶם אָכֵן יַטּוּ אֶת־לְבַבְכֶם אַחֲרֵי אֱלֹהֵיהֶם בָּהֶם דָּבַק שְׁלֹמֹה לְאַהֲבָה׃

Pois vos perverteriam o coração, para seguirdes os seus deuses. A *calamidade* seria o resultado da quebra das leis contra os casamentos mistos. Ver no *Dicionário* o artigo geral chamado *Matrimônio*. "O crime dos casamentos de Salomão é claramente demonstrado aqui. Não foi tanto por se casar com a filha do Faraó, mas, antes, por ter desposado mulheres com quem o casamento misto havia sido proibido pela lei deuteronômica (ver Êx 34.16; Dt 7.3,4)" (Norman H. Snaith, *in loc.*).

"Vemos aqui que o poder cria o orgulho; o orgulho gera a arrogância; a arrogância é filha do esquecimento de Deus. A sensualidade de Salomão levou a uma lascívia absurda. Essa foi a sequência de seu esplendor" (Ralph W. Sockman, *in loc.*).

"A poligamia foi levada a efeito por Salomão em tal grau que correspondia à magnificência de seu reino" (Ellicott, *in loc.*). Nos países do Oriente Próximo e Médio, um harém dava uma medida do prestígio e, quanto mais poderoso e rico era um homem, mais esposas possuía. A norma de exagero nos casamentos também deveu-se, sem dúvida, às muitas alianças políticas. Era um bom negócio casar-se com a filha de um inimigo potencial. Laços de família mantinham baixas as chamas da guerra. Atualmente, os ricos e poderosos têm sua própria forma de poligamia, isto é, casam-se e divorciam-se seguidas vezes; além disso, há o quase confiado mecanismo de manter amantes. As coisas não mudaram muito; somente o *modus operandi* da coisa é diferente.

A idolatria foi o principal adversário do abusivo Salomão, o abismo exato no qual ele mergulhou. Ver sobre esse assunto no *Dicionário*.

11.3

וַיְהִי־לוֹ נָשִׁים שָׂרוֹת שְׁבַע מֵאוֹת וּפִלַגְשִׁים שְׁלֹשׁ מֵאוֹת וַיַּטּוּ נָשָׁיו אֶת־לִבּוֹ׃

Setecentas mulheres, princesas, e trezentas concubinas. Porventura o texto indica que todas as setecentos *esposas* eram princesas? Embora o fraseado do versículo possa apoiar essa ideia, é provável que o autor sagrado simplesmente quisesse dizer que, entre as setecentas esposas, muitas eram princesas. Ademais, havia trezentas esposas secundárias, ou seja, *concubinas* (ver a respeito no *Dicionário*). Os costumes permitiam a mudança constante de concubinas sem praticamente nenhuma confusão, e é possível que o número de trezentas concubinas fosse alterado constantemente, de modo que não eram sempre as mesmas mulheres que continuavam fazendo parte desse total.

Alguns intérpretes, perplexos diante do número de mil esposas, duvidam da exatidão da cifra. Mas Norman H. Snaith (*in loc.*) está correto ao dizer: "Não há por que duvidar da exatidão desses números". No Oriente Próximo e Médio, o harém era simplesmente um adjunto da magnificência de alguém e, quanto mais magnificente fosse o homem, maior era o adjunto. Cf. Et 2.14. Josefo apoia a exatidão desse número, como também o faz a Septuaginta.

Adam Clarke oferece uma citação que supõe que Salomão nem ao menos visse algumas dessas esposas e concubinas, quanto menos fizesse sexo com elas. Certa ocasião ouvi um pregador dizer que o grande número de mulheres era meramente *decorativo*. Mas os relatórios sexuais de hoje dizem-nos que algumas prostitutas conseguem ter mil homens por ano, e grande parte delas alcança esse número em três anos. Portanto, é perfeitamente possível que Salomão tivesse tantas mulheres para propósitos sexuais, e não somente para enfeitar o seu harém.

O *monstro do sexo* fica mais faminto conforme o número de vítimas que devora, e a satisfação é uma ficção. Salomão, pois, era devorado diariamente por esse monstro.

11.4

וַיְהִי לְעֵת זִקְנַת שְׁלֹמֹה נָשָׁיו הִטּוּ אֶת־לְבָבוֹ אַחֲרֵי אֱלֹהִים אֲחֵרִים וְלֹא־הָיָה לְבָבוֹ שָׁלֵם עִם־יְהוָה אֱלֹהָיו כִּלְבַב דָּוִיד אָבִיו׃

Sendo já velho. O *jovem Salomão* conseguiu aguentar toda essa atividade sexual e, ao mesmo tempo, devotar-se a Yahweh. Mas conforme foi envelhecendo, começou a abandonar qualquer pretensão de devoção. Que o coração de Salomão não era *perfeito* no tocante ao yahwismo e às suas demandas, sem dúvida, é uma declaração sem nenhum exagero. Davi, embora fosse polígamo e sangrento homem de guerra, tinha um coração (relativamente) perfeito. Ver sobre Davi, homem segundo o coração de Deus, em 1Sm 13.14. Mas Salomão, em seus muitos excessos de dinheiro, poder, fama e sexo, não foi capaz de preservar o que seu pai fez. Ele insultou a Yahweh-Elohim, o eterno e Todo-poderoso Deus. Ver no *Dicionário* o artigo chamado *Deus, Nomes Bíblicos de*. Apesar de todos os seus erros, Davi não caiu na idolatria.

"Chegando ao final de seu reinado, Salomão já se aproximava dos 60 anos de idade, pois Reoboão, seu filho e sucessor, tinha 41 anos de idade quando começou a reinar (1Rs 14.21)" (John Gill, *in loc.*). Assim sendo, enquanto homens mais idosos vão ficando mais e mais sábios, Salomão, ao envelhecer, perdeu seu senso de propriedade e maculou a sabedoria que Deus lhe dera.

Não deveríamos lançar a culpa pelos problemas de Salomão sobre a alegada debilidade e senilidade. Antes, sua inclinação para o ecletismo saiu de seu controle, e suas esposas continuaram a rasgá-lo em pedaços. O que não deveria ter acontecido a um sábio ocorreu de forma prodigiosa. Isso, naturalmente, é uma advertência para todos.

Aquele, pois, que pensa estar em pé, veja que não caia.
1Coríntios 10.12

11.5

וַיֵּלֶךְ שְׁלֹמֹה אַחֲרֵי עַשְׁתֹּרֶת אֱלֹהֵי צִדֹנִים וְאַחֲרֵי מִלְכֹּם שִׁקֻּץ עַמֹּנִים׃

Astarote, deusa dos sidônios. Ver no *Dicionário* quanto aos detalhes. Ela era uma vil deusa do sexo, também conhecida largamente no mundo antigo como Istar e Astarte. Na Síria, ela aparecia como a consorte feminina do deus Baal. Era deusa da fertilidade e sua adoração envolvia orgias sexuais e deboche, bem como a adoração às estrelas. Os costumes variavam de acordo com a localização geográfica, mas ela representava uma abominação para os hebreus. Ver 2Rs 23.13. É um fato curioso que, nas moedas de Sidom, Astarote era retratada de pé na proa de uma galera, inclinada para a frente com o braço direito estendido. Dessa maneira, ela se tornou o protótipo de todas as figuras de proa dos navios veleiros. Que Salomão tivesse caído nesse ardil de Astarote, é quase impossível acreditar. Somente uma significativa desintegração da sua personalidade permitiria tal coisa.

Milcom, abominação dos amonitas. Ver o *Dicionário* quanto a detalhes. Esta palavra significa *rei* e com as vogais alteradas (a escrita hebraica continha somente consoantes) tornava-se *melek*, palavra hebraica que também significa "rei". Possivelmente era uma variedade do nome *Moleque* (vs. 7). Temos em vista aqui a adoração daquele deus conforme era efetuada no culto dos amonitas. O culto variava segundo a área geográfica. Ver Lv 18.21 e Am 1.13.

Os autores judaicos mostram-se bondosos para com Salomão, afirmando que o seu problema fora permitir às esposas continuar com os costumes no tocante a seus deuses, mas ele mesmo não participava disso. Parece, contudo, que o crime de Salomão ia muito além da mera permissividade. Havia também alguma prática aberta. O texto diz que Salomão "seguiu" esses deuses. Ele chegou a demonstrar entusiasmo pelas práticas sincretistas. Ver 1Rs 11.7 e 33 e 2Rs 23.13.

11.6

וַיַּ֧עַשׂ שְׁלֹמֹ֛ה הָרַ֖ע בְּעֵינֵ֣י יְהוָ֑ה וְלֹ֥א מִלֵּ֛א אַחֲרֵ֥י יְהוָ֖ה כְּדָוִ֥ד אָבִֽיו׃ ס

O que era mau perante o Senhor. A degradação de Salomão levou-o a uma idolatria ativa, e não somente a uma atitude permissiva mediante a qual suas esposas continuaram a adorar deuses pagãos. O presente versículo certamente prova isso.

Yahweh viu o caminho de Salomão e ficou desagradado diante disso. A calamidade sobreviria a Israel. O país já estava na estrada dos *cativeiros* (ver a respeito no *Dicionário*). A parte norte do país (Israel) se separaria do sul (Judá), e a nação permaneceria dividida até o cativeiro assírio (722 a.C.), que levou as dez tribos do norte. Nenhum remanescente haveria de retornar. Entretanto, do cativeiro babilônico (597 a.C.), voltaria um remanescente, e Israel começaria de novo, tendo nas tribos de *Judá* e *Benjamim* as únicas fontes de população. Por essa razão, todos os hebreus atuais são chamados *judeus*. Mas a síndrome do pecado-calamidade continuaria perseguindo Israel até o fim. Salomão cumpriu sua parte para fazer essa síndrome entrar em ação.

11.7

אָ֣ז יִבְנֶ֤ה שְׁלֹמֹה֙ בָּמָ֔ה לִכְמוֹשׁ֙ שִׁקֻּ֣ץ מוֹאָ֔ב בָּהָ֕ר אֲשֶׁ֖ר עַל־פְּנֵ֣י יְרוּשָׁלָ֑͏ִם וּלְמֹ֕לֶךְ שִׁקֻּ֖ץ בְּנֵ֥י עַמּֽוֹן׃

Edificou Salomão um santuário a Camos, abominação de Moabe. Salomão, o construtor, infelizmente pôs seus talentos e seu *dinheiro* a serviço de deuses pagãos, edificando santuários nos lugares altos e plantando bosques sagrados, práticas idólatras comuns na sua época. Ver no *Dicionário* o artigo chamado *Lugares Altos*.

Camos. Algumas versões portuguesas dizem aqui *Quemós*. Apresento no *Dicionário* o artigo sobre essa divindade moabita, sob o título *Camos*. Ver o artigo quanto a detalhes que não apresento aqui.

O monte fronteiro a Jerusalém. A palavra "fronteiro", aqui usada, significa "a leste". Salomão edificou santuários para os deuses de Moabe e Amom no monte das Oliveiras, a leste da cidade de Jerusalém. É quase inacreditável que Salomão tivesse trazido a adoração pagã até as portas de Jerusalém, quase defronte de seu amado templo, para cuja construção ele trabalhara tão arduamente. Esse ato mostra até que ponto Salomão havia decaído no decurso dos anos. A desintegração, tanto física quanto espiritual, é sempre um processo lento que termina na calamidade. "Precisamos de padrões *fixos* em meio a nossos ideais vagos" (Ralph W. Sockman, *in loc.*). Foi assim que Salomão, procurando equilibrar o yahwismo com o paganismo (idolatria), terminou alcançando um resultado lamentável. "O que busca o reino de Deus terá, primeiramente, de resolver alguns problemas, mas o que busca o reino de Deus em segundo lugar, nada terá senão problemas" (Henry Drummond).

Moloque, abominação dos filhos de Amom. O nome desse deus amonita também aparece, em outras versões portuguesas, sob a forma de Moleque. Ver no *Dicionário* sob o título *Moleque (Moloque)* quanto a maiores detalhes. Está em vista o mesmo deus chamado "Milcom", no vs. 5 deste capítulo, onde ofereço notas adicionais.

11.8

וְכֵ֣ן עָשָׂ֔ה לְכָל־נָשָׁ֖יו הַנָּכְרִיּ֑וֹת מַקְטִיר֥וֹת וּֽמְזַבְּח֖וֹת לֵאלֹהֵיהֶֽן׃

As muitíssimas esposas de Salomão mostravam-se ativas em seus rituais religiosos, sem ocultar coisa alguma, nem cerimônias nem regras, praticando a mais direta idolatria que envolvia a tudo e a todos. Toda espécie de deus era honrado, todos os tipos de rituais eram postos em prática, e isso porque Salomão tinha toda espécie de esposas estrangeiras. A situação saiu completamente de seu controle.

"Isso nos mostra que os *melhores* e *mais sábios* homens, quando deixados sozinhos, podem ser os piores e praticar as coisas mais tolas. Nada pode ser mais insensato do que a adoração de tão horríveis deidades" (John Gill, *in loc.*).

11.9

וַיִּתְאַנַּ֥ף יְהוָ֖ה בִּשְׁלֹמֹ֑ה כִּֽי־נָטָ֣ה לְבָב֗וֹ מֵעִ֤ם יְהוָה֙ אֱלֹהֵ֣י יִשְׂרָאֵ֔ל הַנִּרְאָ֥ה אֵלָ֖יו פַּעֲמָֽיִם׃

O Terceiro Aparecimento do Senhor a Salomão. As tolices que Salomão estava promovendo naturalmente chegariam à atenção de Yahweh, que observava cada ato e ouvia cada palavra, além de ler cada pensamento. Por *duas vezes* antes, o Senhor havia aparecido a Salomão, mas sob circunstâncias mais propícias. Ver 1Rs 3.5 e 9.2. A *primeira* vez ocorreu quando lhe foi dado o dom divino da sabedoria. A *segunda* vez foi por ocasião da dedicação do templo. Agora, nessa *terceira* vez, Salomão já estava relativamente velho, e o objetivo de Yahweh era pôr fim à vergonhosa idolatria de seu servo.

O Senhor se indignou contra Salomão. Ver no *Dicionário* o artigo intitulado *Ira de Deus*. Falar sobre Deus como irado ou a exibir quaisquer outras emoções humanas é um reflexo do *antropomorfismo* e do *antropopatismo*. Em outras palavras, atribuímos a Deus as nossas próprias características e emoções. Nosso dilema humano nos força a usar tais termos e ideias, a fim de descrevermos aquilo que, de outra maneira, é essencialmente indescritível. Não sabemos dizer até onde tais descrições correspondem a Deus. O *teísmo* (ver no *Dicionário*) do Antigo Testamento depende essencialmente tanto do antropomorfismo como do antropopatismo. Ambos os termos são explicados com detalhes no *Dicionário*. Verdadeiramente, Deus é o *Mysterium Fascinosum* e também o *Mysterium Tremendum*. Ver sobre ambas as expressões no *Dicionário*. Ver ali também o artigo geral chamado *Deus*.

Seja como for, o trecho de 1Rs 9.13 contém a condenação de Salomão. Embora estivessem ocorrendo muitas situações drásticas, por causa da apostasia de Salomão, *o pior de todos os acontecimentos* seria a divisão do reino em duas nações, a do norte (Israel) e a do sul (Judá), com o resultado de que larga porção do reino unido passaria para uma linhagem não davídica. Então viriam os cativeiros: o assírio, que poria fim às dez tribos do norte (722 a.C.); e o babilônico, que levaria o sul (Judá) para a Babilônia, de onde um remanescente voltaria, depois de setenta anos, para dar continuidade à nação de Israel. Ver sobre *Cativeiros* no *Dicionário*; e ver também sobre os dois cativeiros, em artigos distintos.

A coisa mais dramática que aconteceu, devido ao pecado de idolatria de Salomão, foi a mudança de atitude de Yahweh para com o rei e para com o seu reino. Somente o mal poderia resultar de tal pecado.

"Alguns pecados são como uma erupção na pele, rebentando tal qual um ataque de sarampo, que surge da noite para o dia. Mas os sete pecados mortais, conforme lista a teologia tradicional, sugerem uma lenta decadência, e não um ataque súbito" (Ralph W. Sockman, *in loc.*). Ver na *Enciclopédia de Bíblia, Teologia e Filosofia* sobre *Sete Pecados Mortais*.

"Um vício é um vício, sem importar quem o cometa" (Adam Clarke, *in loc.*). Portanto, Salomão não foi desculpado, por causa de seu registro histórico favorável. Salomão, homem tão sábio, deveria ter sido capaz de escapar da armadilha na qual caiu.

11.10

וְצִוָּ֤ה אֵלָיו֙ עַל־הַדָּבָ֣ר הַזֶּ֔ה לְבִ֨לְתִּי־לֶ֔כֶת אַחֲרֵ֖י אֱלֹהִ֣ים אֲחֵרִ֑ים וְלֹ֣א שָׁמַ֔ר אֵ֥ת אֲשֶׁר־צִוָּ֖ה יְהוָֽה׃ פ

E ... lhe tinha ordenado que não seguisse a outros deuses. *O Mandamento contra a Idolatria Era Claríssimo.* Salomão havia sido avisado. Ver 1Rs 9.5-7. A continuação da linhagem de Davi dependeria da observância de *toda* a legislação mosaica e, em particular, do mandamento (o segundo dos dez) que proibia a idolatria. Ver no *Dicionário* o artigo intitulado *Dez Mandamentos*. O primeiro dos mandamentos era contra o politeísmo. Salomão, pois, também desobedeceu a essa ordem. seu sistema religioso sincretista chegara a reconhecer outros deuses. Agravaram-se seus pecados (e consequentemente sua punição) porque ele pecara contra a luz que possuía, em contraste com suas esposas e vizinhos pagãos. Esses ainda tinham alguma desculpa; mas Salomão não tinha desculpa alguma.

A isso devemos comparar o caso dos líderes religiosos de Israel, no tempo de Jesus: "Em verdade vos digo que publicanos e meretrizes vos precedem no reino de Deus" (Mt 21.31).

11.11

וַיֹּ֤אמֶר יְהוָה֙ לִשְׁלֹמֹ֔ה יַ֚עַן אֲשֶׁ֣ר הָֽיְתָה־זֹּ֣את עִמָּ֔ךְ וְלֹ֤א
שָׁמַ֙רְתָּ֙ בְּרִיתִ֣י וְחֻקֹּתַ֔י אֲשֶׁ֥ר צִוִּ֖יתִי עָלֶ֑יךָ קָרֹ֨עַ אֶקְרַ֤ע
אֶת־הַמַּמְלָכָה֙ מֵֽעָלֶ֔יךָ וּנְתַתִּ֖יהָ לְעַבְדֶּֽךָ׃

Não guardaste a minha aliança. Israel era um povo que estava em aliança de pacto com Yahweh. Os pactos eram inter-relacionados. Provavelmente está em vista o *Pacto Mosaico*, anotado na introdução a Êx 19. Ver também o *Pacto Abraâmico*, nas notas sobre Gn 15.18; o *Pacto Palestínico* na introdução a Dt 29; e o *Pacto Davídico* em 2Sm 7.4. Ver no *Dicionário* o artigo chamado *Pactos*. O Pacto Mosaico tinha como âmago os *Dez Mandamentos* (ver a respeito no *Dicionário*). O segundo desses mandamentos condena, especificamente, a idolatria, a principal ofensa de Salomão. Era lei que tornava Israel um povo distinto (ver Dt 4.4-8), e, ao agir como um pagão, Salomão havia erradicado a lei, trazendo a idolatria à porta do templo de Jerusalém.

Tirarei de ti este reino. A perpetuidade da linhagem davídica no trono era uma promessa especial conferida a Salomão e também uma das provisões do Pacto Davídico. Ver 1Rs 9.5 quanto às notas expositivas. Os erros de Salomão, entretanto, foram a causa da divisão do reino davídico em dois, o norte (Israel) e o sul (Judá). A tribo de Benjamim, por esse tempo, havia sido absorvida pela tribo de Judá. Isso pavimentaria o caminho para eventos ainda mais drásticos, como os dois cativeiros: o assírio, em 722 a.C., que pôs fim ao reino do norte, para sempre; e o babilônico, em 597 a.C., com a destruição do templo e a demolição geral de Jerusalém. Um remanescente retornaria depois de setenta anos do cativeiro babilônico, para continuar a história israelita, mas a glória de Israel terminaria para sempre. Essa glória voltará, duplicada, no milênio, pois Jerusalém será a capital do mundo durante aqueles mil anos futuros.

O *agente* da divisão de Israel em duas nações seria Jeroboão, um dos oficiais de Salomão (ver o trecho de 1Rs 11.26,28). Reoboão, filho de Salomão, ficaria somente com duas tribos (Judá e Benjamim, esta última absorvida por Judá). Judá era a tribo mais poderosa de todas, é verdade, mas apenas um fragmento do reino unido de Israel.

11.12

אַךְ־בְּיָמֶ֖יךָ לֹ֣א אֶעֱשֶׂ֑נָּה לְמַ֖עַן דָּוִ֣ד אָבִ֑יךָ מִיַּ֥ד בִּנְךָ֖
אֶקְרָעֶֽנָּה׃

Contudo não o farei nos teus dias. A divisão do reino de Israel não ocorreria nos dias de Salomão, porquanto Yahweh respeitava a memória de Davi e suas contribuições. Não seria estético o filho de Davi perder o reino unido. Antes, Reoboão, que ainda começaria a governar no Israel, em breve enfrentaria a revolta da porção norte do país (ver 1Rs 12.1-20) e perderia as dez tribos do norte. Uma das razões para a revolta foi a insensatez de Salomão com o dinheiro. Ele sujeitara as dez tribos do norte a um *pesado jugo*. Essa parte do país fora pesadamente submetida a impostos para ajudar a sustentar o fantástico estilo de vida de Salomão e seu extravagante projeto de construções. O peso tornara-se insuportável para as tribos do norte. Em sua arrogância, Reoboão recusou-se a aliviar a carga e terminou sofrendo uma perda irreparável.

Davi tivera méritos distintivos e também as promessas divinas que não podiam ser quebradas (ver 2Sm 7.12,13). Deus havia demonstrado grande longanimidade para com a casa de Davi. E continuou a abençoar Judá. A síndrome do pecado-calamidade havia funcionado de novo. Ver Sl 73.18-20; os ímpios chegaram a um mau fim, afinal, conforme garante o Salmo.

11.13

רַ֣ק אֶת־כָּל־הַמַּמְלָכָה֙ לֹ֣א אֶקְרָ֔ע שֵׁ֥בֶט אֶחָ֖ד אֶתֵּ֣ן
לִבְנֶ֑ךָ לְמַ֙עַן֙ דָּוִ֣ד עַבְדִּ֔י וּלְמַ֥עַן יְרוּשָׁלִַ֖ם אֲשֶׁ֥ר
בָּחָֽרְתִּי׃

A *rasgadura do reino* não seria absoluta. A casa de Davi continuaria no poder. O sul consistiria em uma única tribo, Judá, porque Benjamim, sempre fraca, tinha sido absorvida por Judá e não era mais uma tribo funcional separada. A tribo de Judá, pois, seria separada por causa de Davi e por causa de Jerusalém, a capital e o lugar central de adoração, com seu ainda magnificente templo. Yahweh havia escolhido Davi e Jerusalém. Ele manteria a casa de Davi viva, por causa de suas escolhas. O cativeiro às mãos dos babilônios, porém, poria fim a essa preservação. Mas no Messias a casa de Davi seria renovada espiritualmente, se não mesmo literalmente, em um sentido *terreno*. Alguns acreditam que o milênio produzirá um novo reino em Israel, tendo o Messias como rei literal, mas a maioria dos intérpretes vê isso sob um prisma espiritual, e não literal. O reino milenar será do Messias, e será davídico. Ver no *Dicionário* o verbete chamado *Milênio*.

Ver o capítulo 20 do livro de Juízes quanto ao quase desaparecimento da tribo de Benjamim.

AS DUAS REVOLTAS (11.14-25)

A REVOLTA DE HADADE (11.14-22)

Davi havia derrotado os oito povos adversários de Israel, possibilitando a seu filho, Salomão, governar Israel em um período de grande prosperidade material e paz. Mas a idolatria de Salomão maculou essa circunstância ideal. Ver 2Sm 10.19 quanto à liberação das realizações de Davi. Portanto, durante o governo de Salomão houve *duas revoltas*. Hadade, de Edom, e um dos vassalos de Hadadezer (ver 2Sm 10.19) tinham estabelecido reinos independentes. As duas revoltas abalaram seriamente o poder de Salomão e o fluxo dos recursos econômicos, embora tivessem obtido sucesso apenas parcial.

"Hadade era um príncipe de Edom, um dos antigos inimigos de Israel, que ficava a sudeste do território de Israel. Quando Davi guerreava contra Edom, Hadade, que era então ainda um menino, escapou para o Egito. Ele fugiu de Midiã, um reino ao sul de Edom e a leste do moderno golfo de Ácaba, até Parã, uma área da península do Sinai, entre Midiã e o Egito. O Faraó o acolheu e lhe deu uma cunhada em casamento" (Thomas L. Constable, *in loc.*). Portanto, isso armou o palco para Hadade agir posteriormente, assediando a Salomão por causa de seus pecados. Hadade buscou vingar-se da casa de Davi. Quanto a detalhes, ver o ponto 6 do artigo *Hadade* no *Dicionário*.

11.14

וַיָּ֨קֶם יְהוָ֤ה שָׂטָן֙ לִשְׁלֹמֹ֔ה אֵ֖ת הֲדַ֣ד הָאֲדֹמִ֑י מִזֶּ֧רַע
הַמֶּ֛לֶךְ ה֖וּא בֶּאֱדֽוֹם׃

Yahweh foi a força impulsionadora por trás das revoltas, com a intenção de castigar Salomão por seus pecados e excessos. Sem esse incentivo divino, *Hadade*, muito provavelmente, não teria coragem de atacar um território sobre o qual Salomão governava, a despeito do grande ódio que nutria por Davi e sua casa real, que haviam destruído o seu país e o tinham enviado ao exílio, quando ele era ainda menino. Faz parte do teísmo bíblico que Deus é o poder por trás das nações e de seus atos, e que uma nação pode ser usada para assediar a outra, como punição apropriada por alguma infração. Ver no *Dicionário* o artigo chamado *Teísmo*. "... Ele o castigou com a vara de homens, conforme disse que faria... a revolta perturbando sua idade madura. Ver 2Sm 7.14" (John Gill, *in loc.*).

Este era da linhagem real de Edom. Isto é, filho ou neto do rei a quem Davi havia derrotado. Ver a introdução à presente seção. "O Hadade aqui mencionado parece ter sido o último descendente da linhagem real, tendo escapado sozinho, quando criança, da matança de seus parentes e de seu povo" (Ellicott, *in loc.*).

11.15

וַיְהִ֗י בִּֽהְי֤וֹת דָּוִד֙ אֶת־אֱד֔וֹם בַּעֲל֕וֹת יוֹאָ֖ב שַׂ֣ר הַצָּבָ֑א
לְקַבֵּ֖ר אֶת־הַחֲלָלִ֑ים וַיַּ֥ךְ כָּל־זָכָ֖ר בֶּאֱדֽוֹם׃

Feriu a todos os varões em Edom. Davi e seu general selvático, *Joabe*, tinham matado a todos os membros do sexo masculino em Edom, com exceção do menino Hadade, que escapou da matança doentia. Ver 2Sm 8.14 quanto à narrativa a respeito. As palavras "todos os varões" são tomadas como um exagero, porquanto falam de uma matança local e não nacional. Pelo menos, todos os membros masculinos da linhagem real foram mortos, tendo escapado somente o menino Hadade. Joabe precisou de seis meses para cumprir sua tarefa sanguinária (ver o versículo seguinte).

A sepultar os mortos. Ou seja, Joabe foi ao campo de batalha para sepultar os mortos de Israel. Era um antigo costume, em todos os países do Oriente Próximo e Médio, oferecer aos mortos um sepultamento honroso, e considerava-se blasfêmia deixar de cumprir esse costume, mostrando-se alguém negligente quanto à questão. O Targum comenta aqui: "tomar os despojos dos mortos", em lugar de sepultá-los, mas por certo esse comentário não exprime a realidade dos fatos. As tradições gregas atribuem a Hércules o crédito de ordenar o sepultamento decente dos mortos, ao que nenhum grego desobedeceria (Eliano, *Var. Hist.* 12, cap. 27). Josefo diz que estava em concordância com a lei de Moisés sepultar os mortos (*Antiq.* 1.4, cap. 8, sec. 24). Mas não sabemos qual a autoridade dele quanto a essa sua declaração. Ver Dt 21.23 e Gn 23.4, que podem ser referências bíblicas em apoio a tal argumento. Ver no *Dicionário* o artigo chamado *Sepultamento, Costumes de*.

■ 11.16

כִּי שֵׁשֶׁת חֳדָשִׁים יָשַׁב־שָׁם יוֹאָב וְכָל־יִשְׂרָאֵל
עַד־הִכְרִית כָּל־זָכָר בֶּאֱדוֹם׃

Os Sangrentos Seis Meses. Joabe cometera genocídio. Ele saíra para matar todo varão em Edom. Sem dúvida, alguns conseguiram livrar-se, ocultando-se em vários esconderijos ou fugindo para o interior. Poucos, entretanto, escaparam aos ataques sistemáticos de Joabe, que agia impulsionado por um grande ódio. Era coisa séria irar àquele homem selvagem. Porém, apesar de todos os seus esforços, os edomitas aumentaram de novo em número e tornaram-se um povo poderoso, tiveram seu próprio rei e revoltaram-se novamente contra Judá (ver 2Rs 8.20-22).

■ 11.17

וַיִּבְרַח אֲדַד הוּא וַאֲנָשִׁים אֲדֹמִיִּים מֵעַבְדֵי אָבִיו אִתּוֹ
לָבוֹא מִצְרָיִם וַהֲדַד נַעַר קָטָן׃

Hadade, porém, fugiu. O menino Hadade estava entre os sobreviventes da matança. Ele fugiu para o Egito, com alguns poucos oficiais e servos de seu pai. Tudo aconteceu quando Hadade era ainda uma criança. Enquanto Joabe *sepultava* os mortos, um corpo vivo, o menino, conseguiu escapar em segurança para o Egito.

■ 11.18

וַיָּקֻמוּ מִמִּדְיָן וַיָּבֹאוּ פָּארָן וַיִּקְחוּ אֲנָשִׁים עִמָּם מִפָּארָן
וַיָּבֹאוּ מִצְרַיִם אֶל־פַּרְעֹה מֶלֶךְ־מִצְרַיִם וַיִּתֶּן־לוֹ בַיִת
וְלֶחֶם אָמַר לוֹ וְאֶרֶץ נָתַן לוֹ׃

A rota seguida pelos sobreviventes é descrita. Ver os nomes próprios no *Dicionário*. Edom ficava diretamente a leste da parte mais ao norte do Egito. A viagem foi, sem dúvida, de cerca de 320 quilômetros, contudo a maior parte dessa distância era coberta por um estéril deserto, de modo que a fuga não foi nada fácil. A dinastia que naquela época governava no Baixo Egito era a XXIª dinastia, ou dinastia Tanita. Provavelmente, considerando-se os muitos anos que já se haviam passado, o Faraó que então imperava não era mais aquele que dera a filha em casamento a Salomão (ver 1Rs 7.8).

O *Faraó,* rei do Egito, teve pena do menino Hadade e de seus guardiães, e providenciou-lhe uma casa para morar e as necessidades básicas da vida. Deu também aos edomitas alguma terra, porquanto eles seriam residentes permanentes no Egito.

■ 11.19

וַיִּמְצָא הֲדַד חֵן בְּעֵינֵי פַרְעֹה מְאֹד וַיִּתֶּן־לוֹ אִשָּׁה
אֶת־אֲחוֹת אִשְׁתּוֹ אֲחוֹת תַּחְפְּנֵיס הַגְּבִירָה׃

O menino Hadade cresceu e tornou-se adulto, trazendo o título de sua linhagem familiar. O Faraó o favoreceu, a ponto de dar-lhe, por mulher, uma irmã de sua esposa, ou seja, a cunhada do rei do Egito. O fato de uma mulher de tamanha importância na família real ter-lhe sido oferecida revela o quanto Hadade agradara ao rei egípcio. *Tafnes* era o nome da esposa do Faraó e, naturalmente, ela era apenas uma das muitas esposas de seu grande harém. O vocábulo "rainha" aqui usado significa "primeira-dama", sendo possível que, no contexto, ela fosse a principal dama do harém, ou a rainha-mãe, a principal esposa. Mas a rainha-mãe poderia ser uma pessoa diferente da principal esposa, a qual era a líder e supervisora do harém, e talvez essa esteja aqui em pauta. Bate-Seba, a esposa de Davi, era tanto a rainha-mãe quanto a principal dama do harém (ver 1Rs 2.19). Ver 1Rs 5.13 quanto à remoção da mãe do rei Asa, de Judá, dessa elevada posição. "Parece que os reis do Egito estavam acostumados a casar suas favoritas com grandes personagens. Ver Gn 41.45" (John Gill, *in loc.*).

■ 11.20

וַתֵּלֶד לוֹ אֲחוֹת תַּחְפְּנֵיס אֵת גְּנֻבַת בְּנוֹ וַתִּגְמְלֵהוּ
תַחְפְּנֵס בְּתוֹךְ בֵּית פַּרְעֹה וַיְהִי גְנֻבַת בֵּית פַּרְעֹה
בְּתוֹךְ בְּנֵי פַרְעֹה׃

Tafnes. Quanto ao que se sabe e é conjecturado sobre esta mulher, ver o *Dicionário*. O nome não se encontra nas inscrições ou nos monumentos egípcios, mas não há por que duvidar da historicidade de sua pessoa.

Genubate. Quanto ao pouco que se sabe sobre esse filho de Hadade, ver o *Dicionário*. Tafnes cuidou da criança e a desmamou na casa do Faraó. Mas Genubate era apenas um dentre muitos filhos de muitas mulheres que tinham apartamentos separados no grande harém do Faraó. Não obstante, não foi pouca coisa Hadade ter sido criado como parte da família real.

Criou. Sem dúvida alguma, está em foco uma cerimônia ou uma espécie de festa costumeira (ver Gn 20.18), que marcava a admissão de uma criança na família real do Egito.

■ 11.21

וַהֲדַד שָׁמַע בְּמִצְרַיִם כִּי־שָׁכַב דָּוִד עִם־אֲבֹתָיו
וְכִי־מֵת יוֹאָב שַׂר־הַצָּבָא וַיֹּאמֶר הֲדַד אֶל־פַּרְעֹה
שַׁלְּחֵנִי וְאֵלֵךְ אֶל־אַרְצִי׃

Deixa-me voltar para a minha terra. Hadade fez o pedido ao saber das boas-novas sobre a morte de Davi e de Joabe. O arqui-inimigo havia morrido, e outro tanto acontecera a seu brutal general, Joabe. Isso indicava novas condições em Israel e Edom. Hadade foi assim inspirado a ser o herói edomita e salvador nacional. Isso fazia parte de sonhos seus que não se cumpririam, mas tais esforços deixariam Salomão miserável, diminuído em seus poderes e em suas riquezas. Hadade conseguiu fazer o *mal* contra Salomão, e isso justificou seus esforços, embora estes não tivessem produzido tudo quanto ele esperara (ver o vs. 25). O autor sacro não relata os detalhes da história. Talvez ele mesmo não estivesse familiarizado com a questão, senão através de alguns poucos relatos em registros fragmentados.

■ 11.22

וַיֹּאמֶר לוֹ פַרְעֹה כִּי מָה־אַתָּה חָסֵר עִמִּי וְהִנְּךָ מְבַקֵּשׁ
לָלֶכֶת אֶל־אַרְצֶךָ וַיֹּאמֶר לֹא כִּי שַׁלֵּחַ תְּשַׁלְּחֵנִי׃

Faraó não ficou satisfeito com o pedido de Hadade para ir à guerra em Edom. Em primeiro lugar, ele tinha favorecido o homem com muitos presentes, uma esposa da família real, terras etc., e agora parecia que Hadade não lhe era grato o suficiente. Ademais, ele tinha alianças com Israel e não queria que Hadade perturbasse a paz. Mas Hadade insistiu e evidentemente obteve a permissão do Faraó, visto que foi e conseguiu praticar o mal que intentava contra Salomão (ver o vs. 25). É provável que o Faraó tenha feito Salomão saber que *ele* não estava envolvido nos esforços de Hadade, de maneira que esse homem foi tratado como um rebelde local, e não como um representante do rei do Egito.

Josefo diz-nos que o Faraó inicialmente negou permissão a Hadade, mas que, quando Salomão declinou com a passagem dos anos, o pedido lhe foi outorgado. Josefo também ajuntou a isso que Hadade e Rezom se tornaram aliados e atacaram Salomão em uníssono. Mas a guerra deles foi transferida para a Síria, visto que Edom era fortemente guarnecida de tropas israelitas, e não era um lugar favorável para guerrear contra Salomão (*Antiq.* viii.6.6). Talvez o vs. 25 sugira a verdade da menção destes dois homens juntos. Edom, portanto, foi deixada sem revolta alguma, mas a Síria tornou-se independente. Somente nos dias de Josafá foi que Edom se revoltou (ver 2Cr 20).

A REVOLTA DE REZOM (11.23-25)

■ 11.23

וַיָּקֶם אֱלֹהִים לוֹ שָׂטָן אֶת־רְזוֹן בֶּן־אֶלְיָדָע אֲשֶׁר בָּרַח
מֵאֵת הֲדַדְעֶזֶר מֶלֶךְ־צוֹבָה אֲדֹנָיו׃

Alguns estudiosos creem que a história de Rezom é uma espécie de repetição da história concernente a Hadade. Os nomes Edom e Aram (que são muito parecidos na escrita hebraica) teriam dado origem à dupla narrativa sobre a mesma história. Josefo fez distinção entre as duas revoltas e explicou que Hadade, falhando na tentativa de causar a guerra em Edom, foi para Aram com vistas a ajudar Rezom em sua revolta local. Ver o último parágrafo das notas expositivas sobre o versículo anterior. Seja como for, o autor sacro deixa-nos hesitantes por falta de detalhes, contentando-se em informar-nos que Hadade e Rezom foram capazes de fazer *mal* a Salomão. Ele também atribuiu toda a questão das revoltas à punição de Yahweh contra Salomão, por causa de sua idolatria e dos seus excessos. Quanto a detalhes, ver os nomes próprios no *Dicionário*.

Zobá. Esse é um reino que ficava ao sul de Damasco (ver 2Sm 8.3-6). Rezom recusou-se a submeter-se a seu senhor, Hadadezer, e pôs-se a vagabundear como um agente livre, vendo a tribulação que ele poderia despertar. Finalmente, foi capaz de estabelecer-se como um rei e fundou o poderoso reino de Arão-Damasco (Síria). Por longo tempo, a duração desse reino fez Israel lamentar-se. Acabe conseguiu uma vitória, mas até mesmo essa foi apenas temporária (ver 1Rs 20.23,24).

■ 11.24

וַיִּקְבֹּץ עָלָיו אֲנָשִׁים וַיְהִי שַׂר־גְּדוּד בַּהֲרֹג דָּוִד אֹתָם
וַיֵּלְכוּ דַמֶּשֶׂק וַיֵּשְׁבוּ בָהּ וַיִּמְלְכוּ בְּדַמָּשֶׂק׃

Este versículo mostra-nos que Rezom agiu mais ou menos conforme fizera Davi, antes de obter o poder em Israel. Ele dispunha de um bando de guerrilheiros e, através de poucas vitórias significativas, finalmente entrou no poder. Ver no *Dicionário* sobre *Damasco*, quanto à sua história, e sobre os reis de Arã, em um gráfico que aparece nas notas sobre o versículo seguinte. Davi (e Israel) tornaram-se ferozes inimigos de Rezom e de seu reino e, como guerra sempre gera guerra, eles nunca se cansaram da matança. Davi foi quem iniciou a luta matando soldados inimigos em Zobá, de onde Rezom fugiu e foi estabelecer-se em Damasco. Ali, Rezom sobreviveu e tornou-se poderoso.

REIS DE HARÃ (SÍRIA, EM 1 E 2REIS)

Reis	Datas	Referências Bíblicas
Rezom (Heziom)	c. 940-915 a.C.	1Reis 11.23,25; 15.18
Tabrimom	c. 915-900	1Reis 15.18
Ben-Hadade I	c. 900-860	1Reis 15.18,20
Ben-Hadade II	c. 860-841	1Reis 20; 2Reis 6.24; 8.7,9
Hazael	c. 841-801	1Reis 19.15,17; 2Reis 8; 9.14,15; 10.32; 12.17,18; 13.3,22,24
Ben-Hadade III	c. 801	2Reis 13.3,24,25
Rezim	c. 732	2Reis 15.37; 16.5,6,9 (cf. Is 7.1,4,8; 8.6; 9.11)

(gráfico adaptado de Thomas L. Constable, *in loc.*)

■ 11.25

וַיְהִי שָׂטָן לְיִשְׂרָאֵל כָּל־יְמֵי שְׁלֹמֹה וְאֶת־הָרָעָה אֲשֶׁר
הֲדָד וַיָּקָץ בְּיִשְׂרָאֵל וַיִּמְלֹךְ עַל־אֲרָם׃ פ

Como se fossem agentes de Yahweh, os dois rebeldes foram capazes de prejudicar a Salomão, dando-lhe muitas noites mal dormidas e diminuindo, até certo ponto, suas riquezas e seu poder. Este versículo indica uma longa série de ataques e escaramuças, pelas quais Salomão foi lesado pelo reino da Síria durante longo tempo. Os dois rebeldes odiavam Israel, devido às matanças anteriores, e pela suprema arrogância da época áurea liderada por Salomão, o líder de todos os excessos.

HISTÓRIA INICIAL DE JEROBOÃO (11.26-40)

Quanto a notas expositivas completas sobre *Jeroboão,* ver o artigo sobre ele no *Dicionário.* Ele foi o instrumento da divisão do reino unido em duas porções: o norte (Israel, dez tribos) e o sul (Judá, duas tribos). Yahweh havia predito que a idolatria de Salomão seria punida especificamente pela divisão do reino. Somente as tribos de Judá e Benjamim seriam retidas por seu filho Reoboão, através de quem seria obtida a perpetuidade da linhagem real de Davi. Mas isso só teria fim por ocasião do cativeiro babilônico, que ocorreu em cerca de 597 a.C. Ver no *Dicionário* o verbete chamado *Cativeiros.*

Portanto, temos aqui em plena operação a síndrome do pecado-calamidade que Salomão provocou por seus atos tolos e por seus excessos, sobretudo por causa da idolatria, da qual ele participou ativamente. Ver 1Rs 11.7,8. A terceira visita de Yahweh a Salomão não foi pacífica (ver 1Rs 11.9 ss.); antes, foi o agente do pronunciamento de juízo divino. Os julgamentos divinos com frequência têm agentes humanos, e Jeroboão foi o homem com esse propósito no caso da linhagem salomônica, a qual precisava sofrer uma grande perda.

Os vss. 26-40 atuam como uma espécie de prólogo da história. 1Rs 12.1-20 conta-nos, especificamente, acerca da revolta e das suas razões. 1Rs 12.4 menciona o *pesado jugo* que Salomão havia imposto sobre a parte norte de sua nação, a fim de perpetuar seu extravagante estilo de vida. 1Rs 12.24 mostra-nos que Salomão havia deixado a Jeroboão o encargo de suas turmas de trabalho forçado, e o vs. 28 deste capítulo conta-nos como aquele homem se tornara um membro de confiança entre os oficiais de Salomão. A revolta se deu com a ajuda do profeta Aías, que era um agente de Yahweh para ajudar Jeroboão a rasgar o reino em duas partes (vss. 29 ss.).

■ 11.26

וְיָרָבְעָם בֶּן־נְבָט אֶפְרָתִי מִן־הַצְּרֵדָה וְשֵׁם אִמּוֹ
צְרוּעָה אִשָּׁה אַלְמָנָה עֶבֶד לִשְׁלֹמֹה וַיָּרֶם יָד בַּמֶּלֶךְ׃

Quanto ao que se sabe a respeito dos parentes próximos de Jeroboão, ver os artigos, no *Dicionário,* sobre os nomes que figuram neste versículo. O oficial Jeroboão era servo de Salomão, a princípio um chefe da turma de trabalhos forçados (ver 1Rs 12.24). Pessoa industriosa, cresceu rapidamente e estava destinado a tornar-se o rei da porção norte da nação, que se chamaria Israel (as dez tribos).

Efraimita. Jeroboão era nativo de Efraim, a principal das tribos da região norte. Havia motivos econômicos para essa revolta, conforme demonstra o capítulo 12 de 1Reis. Mas o impulso de Yahweh estava por trás de tudo, a fim de punir Salomão por sua idolatria. Por assim dizer, Yahweh começaria com Jeroboão, que presumivelmente andaria no caminho do rei ideal da lei de Moisés (ver 1Rs 11.38).

■ 11.27,28

וְזֶה הַדָּבָר אֲשֶׁר־הֵרִים יָד בַּמֶּלֶךְ שְׁלֹמֹה בָּנָה
אֶת־הַמִּלּוֹא סָגַר אֶת־פֶּרֶץ עִיר דָּוִד אָבִיו׃

וְהָאִישׁ יָרָבְעָם גִּבּוֹר חָיִל וַיַּרְא שְׁלֹמֹה אֶת־הַנַּעַר
כִּי־עֹשֵׂה מְלָאכָה הוּא וַיַּפְקֵד אֹתוֹ לְכָל־סֵבֶל בֵּית
יוֹסֵף׃ ס

Salomão estava edificando a Milo. Ver 1Rs 9.15,24. "Pelo contexto, aprendemos que Jeroboão, quando ainda era jovem, foi empregado por Salomão como superintendente dos aprimoramentos e edificações em *Milo,* e ali se distinguira por sua indústria e boa conduta, atraindo a atenção geral e induzindo Salomão a colocá-lo sobre os trabalhadores forçados na obra que pertencia às tribos de Efraim e Manassés, chamadas aqui *casa de José,* visto que Efraim e Manassés eram filhos de José que vieram a encabeçar tribos de Israel. A princípio, parece que Salomão não empregou nenhum dos israelitas em seus conchavos, mas é provável que, à medida que se profanou, também se tornou tirânico e opressor. Durante os trabalhos em Milo, Jeroboão mudou sua conduta, e nessa época foram plantadas as sementes da traição. Homem esperto e empreendedor, Jeroboão sabia muito bem como valer-se do descontentamento geral" (Adam Clarke, *in loc.*).

É provável que Jeroboão, um "poderoso homem de valor", também fosse um bom soldado, de modo que a guerra o agradava, e ele a empregaria sempre que necessário fosse.

"Em resultado de seu bom trabalho, Salomão o promoveu sobre toda a turma de trabalhos forçados das tribos de Efraim e Manassés (a casa de José)" (Thomas L. Constable, *in loc.*). O mesmo historiador assim observou um fenômeno humano comum: o homem bom elevou-se naturalmente acima dos outros e logo achou-se em posição de autoridade. Mas, não demoraria muito, e esse bom se tornaria bom demais para o gosto de Salomão, transformando-se em rei das dez tribos do norte.

"Ou ele seria um príncipe ou governador deputado sobre eles (a casa de José); ou ele coletaria os impostos do rei da parte deles, ou as rendas daquela parte do país. Ver Pv 22.26" (John Gill, *in loc.*).

■ 11.29

וַיְהִי בָּעֵת הַהִיא וְיָרָבְעָם יָצָא מִירוּשָׁלִָם וַיִּמְצָא אֹתוֹ אֲחִיָּה הַשִּׁילֹנִי הַנָּבִיא בַּדֶּרֶךְ וְהוּא מִתְכַּסֶּה בְּשַׂלְמָה חֲדָשָׁה וּשְׁנֵיהֶם לְבַדָּם בַּשָּׂדֶה:

A Causa Divina. O autor sagrado teve o cuidado de registrar o encontro do profeta Aías com Jeroboão. Embora houvesse causas humanas (econômicas e de relações públicas), conforme ilustra com detalhes o capítulo 12, a *causa primária* da divisão do reino de Israel em duas porções — norte e sul—foi o julgamento divino. A idolatria de Salomão precisava ser tratada com severidade, e a casa de Davi sofreria um grande recuo. Entrementes, a estrela de Jeroboão se elevava, enquanto caía a estrela de Salomão, bem como a estrela do reino de Israel, porquanto agora o país já estava na vereda do cativeiro. Ver no *Dicionário* o artigo chamado *Cativeiros.*

A revolta, sem dúvida alguma, teve o forte apoio da casa de Eli, que havia favorecido a Saul. Posteriormente, o profeta tornou-se amargamente hostil a Jeroboão, mas isso não faria a nação de Israel recuperar a sua unidade. Ver no *Dicionário* o artigo chamado *Aías,* no primeiro ponto, quanto a detalhes. Anos mais tarde, Aías anunciou a queda de Jeroboão (ver 1Rs 11.29-40 e 14.2-18). Jeroboão, afinal, conduziu a nação do norte (Israel) à idolatria, e assim ficou sujeito à ira do profeta e de Yahweh, com resultados desastrosos.

■ 11.30

וַיִּתְפֹּשׂ אֲחִיָּה בַּשַּׂלְמָה הַחֲדָשָׁה אֲשֶׁר עָלָיו וַיִּקְרָעֶהָ שְׁנֵים עָשָׂר קְרָעִים:

E isso se tornou em pecado. Os dois bezerros colocados por Jeroboão, um em Betel e outro em Dã, constituíram pecado. O profeta Aías teve uma conversa particular com Jeroboão, em um campo. Ele tinha vestido uma veste nova para o encontro, porque essa veste haveria de tornar-se uma vívida lição objetiva. De súbito, o profeta tirou a veste nova e rasgou-a em doze pedaços, sem dúvida diante dos olhos assustados do futuro rei. Os doze pedaços representavam as doze tribos de Israel, que até ali tinham estado unidas, tal como, antes da rasgadura, havia só uma peça de fazenda. Alguns intérpretes pensam que a veste pertencia ao próprio Jeroboão, mas as melhores traduções parecem indicar que ela era mesmo propriedade do profeta.

Doze. Esse sempre foi o número tradicional das tribos de Israel, e pelo momento o profeta Aías ignorou o fato de a tribo de Benjamim ter sido absorvida pela tribo de Judá, de maneira que, na realidade, havia somente *uma* tribo no sul. Ver 1Rs 11.13.

■ 11.31

וַיֹּאמֶר לְיָרָבְעָם קַח־לְךָ עֲשָׂרָה קְרָעִים כִּי כֹה אָמַר יְהוָה אֱלֹהֵי יִשְׂרָאֵל הִנְנִי קֹרֵעַ אֶת־הַמַּמְלָכָה מִיַּד שְׁלֹמֹה וְנָתַתִּי לְךָ אֵת עֲשָׂרָה הַשְּׁבָטִים:

Jeroboão recebeu dez pedaços das vestes rasgadas, simbolizando as dez tribos do norte que passaram a chamar-se Israel, em contraste com Judá (a parte sul). Vieram à existência *duas nações,* onde antes havia somente uma, o reino unido.

Yahweh-Elohim, o Deus Todo-poderoso e Eterno tinha ordenado a divisão do reino unido e também a entrega de dez das tribos a Jeroboão, que se tornou assim o agente da divisão. No entanto, à semelhança de Salomão, Jeroboão começaria bem e terminaria mal (e com o mesmo antigo inimigo, a *idolatria).* Ver no *Dicionário* o artigo chamado *Jeroboão,* quanto a maiores detalhes. E ver também, ali, o verbete intitulado *Deus, Nomes Bíblicos de.*

A *incumbência* dada pelo profeta segue, com todos os detalhes, o que lemos no livro de Deuteronômio, tal como sucedera na incumbência de Yahweh a Salomão (ver 1Rs 3.14 e 9.1-9). A lei de Moisés é que tornava Israel um povo distinto (ver Dt 4.4-8). A forma como Israel tratasse a legislação mosaica é que seria uma bênção ou um desastre.

■ 11.32

וְהַשֵּׁבֶט הָאֶחָד יִהְיֶה־לּוֹ לְמַעַן עַבְדִּי דָוִד וּלְמַעַן יְרוּשָׁלִַם הָעִיר אֲשֶׁר בָּחַרְתִּי בָהּ מִכֹּל שִׁבְטֵי יִשְׂרָאֵל:

Uma tribo, ou seja, Judá (que já havia absorvido Benjamim, a outra tribo do sul), permaneceria com a linhagem de Salomão, retida por seu filho, Reobão. Isso foi uma concessão de Yahweh, por amor a Davi, a fim de que o nome do primeiro rei de Israel não desaparecesse da memória dos homens. Jerusalém e o templo magnificente permaneceriam com a nação do sul e com a linhagem real davídica. Quanto aos detalhes, ver os vss. 12 e 13 do presente capítulo, que são virtualmente iguais ao vs. 32.

■ 11.33

יַעַן אֲשֶׁר עֲזָבוּנִי וַיִּשְׁתַּחֲווּ לְעַשְׁתֹּרֶת אֱלֹהֵי צִדֹנִין לִכְמוֹשׁ אֱלֹהֵי מוֹאָב וּלְמִלְכֹּם אֱלֹהֵי בְנֵי־עַמּוֹן וְלֹא־הָלְכוּ בִדְרָכַי לַעֲשׂוֹת הַיָּשָׁר בְּעֵינַי וְחֻקֹּתַי וּמִשְׁפָּטַי כְּדָוִד אָבִיו:

A idolatria foi a causa principal da queda de Salomão, bem como a *razão divina* pela qual se dividiu em dois o reino de Israel. O autor sagrado ignora as causas econômicas e sociais que ele comenta no capítulo 12. O presente versículo dá-nos a informação sobre os tipos de idolatria, bem como sobre os deuses pagãos envolvidos, conforme vimos na exposição dos vss. 5-7. O resultado dessa idolatria foi que Salomão abandonou a lei de Yahweh e esqueceu seus *estatutos* e *preceitos.* Quanto à *tríplice* designação da lei, que inclui esses dois termos, ver Dt 6.1. Salomão, que havia começado sua carreira como rei de modo tão bom, abandonara o andar do rei ideal de Israel. Ver no *Dicionário* o verbete chamado *Andar.*

> ... as várias leis de Deus, relacionadas especialmente
> à adoração religiosa e das quais Davi foi
> estrito observador. Salomão, portanto,
> dispondo de tal exemplo,
> era ainda mais digno de condenação.
>
> John Gill, *in loc.*

■ 11.34

וְלֹא־אֶקַּח אֶת־כָּל־הַמַּמְלָכָה מִיָּדוֹ כִּי נָשִׂיא אֲשִׁתֶנּוּ כֹּל יְמֵי חַיָּיו לְמַעַן דָּוִד עַבְדִּי אֲשֶׁר בָּחַרְתִּי אֹתוֹ אֲשֶׁר שָׁמַר מִצְוֹתַי וְחֻקֹּתָי:

O julgamento de Salomão, porém, não lhe sobreviria em seu próprio tempo, pelo menos não a coisa principal, isto é, a divisão do reino. Mas seu filho Reobão seria atingido. Enquanto Salomão viveu, governou sobre todo o Israel. Quando ele morreu, a divisão não demorou a ocorrer. Vimos isso nas notas sobre o vs. 12 deste capítulo.

O texto ilustra que ninguém vive sozinho; nenhum ser humano vive separado dos outros. O que um homem faz inevitavelmente envolve outras pessoas.

> Nenhum homem é uma ilha, inteira por si mesma.
> Todo homem é um pedaço do continente,
> uma parte do principal.
>
> John Donne

■ 11.35

וְלָקַחְתִּי הַמְּלוּכָה מִיַּד בְּנוֹ וּנְתַתִּיהָ לְּךָ אֵת עֲשֶׂרֶת הַשְּׁבָטִים׃

A *parte de Israel* que passaria para as mãos de Jeroboão, as *dez tribos*, seria tirada das mãos do filho de Salomão, chamado Roboão (ver sobre ele no *Dicionário*). Há um artigo sobre Reoboão, uma forma do nome Roboão, nas versões portuguesas. Esse homem, ao receber uma delegação da parte norte do país, mostrou-se *arrogante* e recusou-se a ouvir as queixas. Antes, fez a situação já miserável do norte tornar-se ainda mais insuportável, e logo a profecia da divisão do reino de Israel era uma realidade. Ver a história em 1Rs 12.1-20.

As dez tribos. Simbolizadas por dez dos doze pedaços em que a roupa do profeta fora rasgada (ver o vs. 30). Ver os seguimos artigos no *Dicionário*, onde ofereço consideráveis detalhes: *Reino de Judá* e *Rei, Realeza*. Este último artigo apresenta um gráfico dos reis de Israel e Judá. E também fornece comparações dos reis das nações relacionadas à história de Israel. Ver também os artigos intitulados *Israel, História de* e *Israel, Reino de*.

■ 11.36

וְלִבְנוֹ אֶתֵּן שֵׁבֶט־אֶחָד לְמַעַן הֱיוֹת־נִיר לְדָוִיד־עַבְדִּי כָּל־הַיָּמִים לְפָנַי בִּירוּשָׁלִַם הָעִיר אֲשֶׁר בָּחַרְתִּי לִי לָשׂוּם שְׁמִי שָׁם׃

E a seu filho. Isto é, Roboão (Reoboão) continuaria a linhagem real em Jerusalém, que permaneceria no sul e abrigaria o templo até o cativeiro babilônico (cerca de 597 a.C.), quando seria destruída e testemunharia o desaparecimento da linhagem davídica. Assim sendo, Yahweh permitiu que essa linhagem continuasse ainda por alguns séculos, mas o reino do sul representava um reino bem limitado, uma sombra da época áurea de Israel, sob o governo de Salomão.

Uma lâmpada. Jerusalém, a cidade dourada, continuaria a brilhar; a tribo de Judá (que já havia absorvido a tribo de Benjamim) e o templo continuariam a brilhar, como a lâmpada de Yahweh. Isso serviria de lembrete da obediência de Davi; uma recompensa à sua linhagem por causa dele. No que consistia a *lâmpada*: Jerusalém, Judá e a dinastia de Davi; e, profeticamente, o Messias.

A casa de Davi tornou-se uma lâmpada perpétua, e o bem-estar das duas nações (norte, Israel, e sul, Judá) dependia do brilho dessa lâmpada, porque onde ela estivesse, ali também Yahweh estaria. A vida e o vigor de uma nação (de acordo com a crença popular) dependiam da vida e do vigor de seu rei. Comparar isso com 1Rs 15.4; 2Sm 21.17; 2Rs 8.19. Davi, nessa luz, ainda vivia.

"A referência à *lâmpada* foi anteriormente explicada pela analogia da luz que continuava a queimar nos lares pobres da Palestina, na crença de que, quando essa lâmpada se apagasse, outro tanto aconteceria à família" (Norman H. Snaith, *in loc.*).

"Tal como uma lâmpada era mantida a queimar perpetuamente em uma tenda ou casa, Judá seria testemunho perpétuo do fato de que Deus escolhera a Davi, que era da tribo de Judá" (Thomas L. Constable, *in loc.*).

> *A tua vida será atada no feixe dos que vivem com o Senhor teu Deus.*
>
> 1Samuel 25.29

> A vida é um caminho atado em feixes,
> e o crescimento dá-se sempre no sentido da expansão
> e da mistura de relacionamentos
>
> Ralph W. Sockman, *in loc.*

Assim sendo, na luz de Davi, Judá tinha vida, porquanto a vida dele estava atada no mesmo feixe que o da vida daquela tribo. Ver sobre o *Pacto Davídico* nas notas expositivas de 2Sm 7.4.

■ 11.37

וְאֹתְךָ אֶקַּח וּמָלַכְתָּ בְּכֹל אֲשֶׁר־תְּאַוֶּה נַפְשֶׁךָ וְהָיִיתָ מֶּלֶךְ עַל־יִשְׂרָאֵל׃

Jeroboão, em contraste com Roboão, deveria receber as dez tribos, e isso mais do que cumpriria todos os desejos de seu coração, porquanto ele nunca havia pensado em tornar-se rei de Israel, embora o Israel que ele recebera fosse uma versão reduzida do reino unido. Com o passar do tempo, e especialmente após essa visão dada por Yahweh, ele se tornou ambicioso *pelo* reino. Yahweh garantiu que seu grande desejo lhe seria concedido.

■ 11.38

וְהָיָה אִם־תִּשְׁמַע אֶת־כָּל־אֲשֶׁר אֲצַוֶּךָ וְהָלַכְתָּ בִדְרָכַי וְעָשִׂיתָ הַיָּשָׁר בְּעֵינַי לִשְׁמוֹר חֻקּוֹתַי וּמִצְוֹתַי כַּאֲשֶׁר עָשָׂה דָּוִד עַבְדִּי וְהָיִיתִי עִמָּךְ וּבָנִיתִי לְךָ בַיִת־נֶאֱמָן כַּאֲשֶׁר בָּנִיתִי לְדָוִד וְנָתַתִּי לְךָ אֶת־יִשְׂרָאֵל׃

As mesmas regras que haviam sido aplicadas a outros reis, quanto ao sucesso deles, aplicar-se-iam também a Jeroboão, e estavam todas envolvidas na observância da lei mosaica. Cf. o *caso de Davi*, que agradou a Yahweh como um homem conforme o coração de Deus (ver 1Sm 13.14). Cf. também o *caso de Salomão* (1Rs 3.14 e 9.4,5). Ver sobre o *rei ideal*, em Dt 17.14 ss.

"É notório que a promessa condicional de estabelecer a linhagem de Jeroboão (vs. 38) era similar à promessa incondicional de estabelecer a linhagem de Davi. Infelizmente, Jeroboão não deu o devido valor a essa promessa, mas, antes, a perdeu" (Thomas L. Constable, *in loc.*). Afinal, Jeroboão também cairia na idolatria, tal como ocorrera com Salomão. Ver 1Rs 14.9,10. Em Jeroboão, pois, repetiu-se a síndrome do pecado-calamidade.

Ver no *Dicionário* o artigo chamado *Andar,* bem como a tríplice designação da lei, em Dt 6.1. Duas das três designações aparecem neste versículo.

■ 11.39

וַאעַנֶּה אֶת־זֶרַע דָּוִד לְמַעַן זֹאת אַךְ לֹא כָל־הַיָּמִים׃ ס

Afligirei a descendência de Davi. *A linhagem de Davi* seria afligida por causa dos excessos e da idolatria de Salomão, mas não de modo permanente. Em Judá, sua linhagem teria prosseguimento e então, a longa distância, o Rei Messias, um Filho distante de Davi, estabeleceria seu reino eterno. O juízo divino seria severo o bastante para produzir os bons resultados tencionados; e é dessa maneira que operam os juízos divinos. Esses castigos afligem e tomam vingança, mas também *curam* através da severidade, tal como no caso do julgamento dos homens perdidos. Ver no *Dicionário* o verbete intitulado *Julgamento de Deus dos Homens Perdidos*. Ver Lc 1.32,33 quanto ao reino interminável do Messias. Cf. Ez 37.19,24. Jarchi diz aqui: "Quando o Messias voltar, o reino será restaurado à casa de Davi".

■ 11.40

וַיְבַקֵּשׁ שְׁלֹמֹה לְהָמִית אֶת־יָרָבְעָם וַיָּקָם יָרָבְעָם וַיִּבְרַח מִצְרַיִם אֶל־שִׁישַׁק מֶלֶךְ־מִצְרַיִם וַיְהִי בְמִצְרַיִם עַד־מוֹת שְׁלֹמֹה׃

Salomão procurou matar a Jeroboão. *Salomão* transformou-se em um assassino potencial. Ele quis abafar a ameaça aniquilando a competição. Tinha o poder de caçar Jeroboão e cumprir seus maus desígnios, de maneira que Jeroboão fugiu para o Egito, onde estaria em segurança, refugiando-se junto a *Sisaque* (ver no *Dicionário* sobre esse rei do Egito, onde damos os detalhes). Sisaque foi o fundador da XXII[a] dinastia egípcia. Mas alguns falam na XIV[a] dinastia. Diversos de seus sucessores, menos importantes do que ele, também usavam esse nome. Ofereço um artigo detalhado sobre ele, pelo que não dou essa informação neste ponto. Ele invadiu Judá no quinto ano do reinado de Roboão (ver 1Rs 14.25). Nos anos subsequentes, Jeroboão e Sisaque tiveram laços políticos estreitos.

A MORTE DE SALOMÃO (11.41-43)

■ 11.41

וְיֶ֛תֶר דִּבְרֵ֥י שְׁלֹמֹ֖ה וְכָל־אֲשֶׁ֣ר עָשָׂ֑ה וְחָכְמָת֑וֹ
הֲלֽוֹא־הֵ֣ם כְּתוּבִ֔ים עַל־סֵ֖פֶר דִּבְרֵ֥י שְׁלֹמֹֽה׃

Livro da história de Salomão. Este livro não existe na atualidade, mas supomos que certas porções tenham sido incorporadas em 1Reis, de modo que parte dele conhecemos através daquela fonte originária. Entendemos também que muitas coisas poderiam ter sido ditas a respeito de Salomão, tanto boas quanto más, mas o autor sagrado não as incluiu no escopo de seu livro. O que ele escreveu, contudo, é a parte essencial da história do terceiro rei de Israel. Através do que foi escrito, compreendemos o significado da vida e da morte de Salomão. Vemos, pois, nesse livro, o bom e o mau exemplo dados por Salomão.

Livros Perdidos. Quanto a outros versículos que mencionam livros perdidos dos hebreus, ver 1Rs 14.19,20; 2Cr 9.29; 12.15; 26.22 e 32.32. Ver no *Dicionário* o detalhado artigo chamado *Livros Perdidos da Bíblia*. Ver igualmente sobre *Livro (Livros),* para maiores detalhes sobre os livros perdidos, e ainda o verbete intitulado *Cânon do Antigo Testamento*.

■ 11.42

וְהַיָּמִ֗ים אֲשֶׁ֨ר מָלַ֤ךְ שְׁלֹמֹה֙ בִּיר֣וּשָׁלִַ֔ם עַל־כָּל־יִשְׂרָאֵ֑ל
אַרְבָּעִ֖ים שָׁנָֽה׃

Foi de quarenta anos o tempo que reinou Salomão. Salomão, pois, reinou pelo mesmo número de anos que Davi (ver 1Rs 2.11). Quanto à interessante questão do número quarenta e suas ocorrências na Bíblia, ver o artigo assim chamado no *Dicionário*. O reinado de Salomão durou, aproximadamente, de 971 a 931 a.C. Ele teve tempo suficiente para florescer e declinar, que é a mesma antiga história aplicada à maioria das pessoas. O homem sábio verá e copiará o seu bom exemplo, e tentará evitar o seu mau exemplo. Acima de todos os homens, ele foi aquele que, mediante seu exemplo, nos ensinou a seguinte verdade:

Aquele, pois, que pensa estar em pé, veja que não caia.
1Coríntios 10.12

Salomão recebeu todas as vantagens. Ele teve uma sabedoria que o próprio Deus lhe conferiu. Teve riquezas e um poder inimagináveis. No entanto, tentações comuns, como a idolatria, enviaram-no à apostasia. Além disso, ele foi um homem sensual acima de todos os homens sensuais, pois tinha setecentas esposas e trezentas concubinas, e elas lhe serviram de ardil. Foi um homem que perdeu o controle e pôs o povo de Israel na vereda da divisão (o norte, Israel, dividiu-se da parte sul, Judá). Isso, por sua vez, colocou a nação do norte, Israel, na vereda do cativeiro assírio, ao passo que a nação do sul, Judá, foi posta na vereda do cativeiro babilônico. Ver no *Dicionário* o artigo chamado *Cativeiros*. O pecado é algo tanto individual quanto coletivo. Ninguém peca sozinho, e isso foi certamente verdadeiro no caso de Salomão. Quando Salomão caiu, arrastou na queda toda a nação de Israel.

■ 11.43

וַיִּשְׁכַּ֨ב שְׁלֹמֹ֜ה עִם־אֲבֹתָ֗יו וַיִּקָּבֵר֙ בְּעִ֣יר דָּוִ֣ד אָבִ֔יו
וַיִּמְלֹ֛ךְ רְחַבְעָ֥ם בְּנ֖וֹ תַּחְתָּֽיו׃ ס

Descansou com seus pais. O original hebraico e várias versões dizem aqui "dormiu com seus pais". Essa é uma expressão comum do Antigo Testamento (um eufemismo) para o ato de "morrer". Forneço notas a respeito em 1Rs 1.21. Originalmente, não havia na expressão o menor indício de que a alma sobreviveria à morte biológica, como se ir para a companhia dos pais significasse algum pós-túmulo consciente. Ver também Dt 31.16. Não desenvolvo o tema aqui, o que é feito com detalhes especialmente 1Rs 1.21. Para alguns críticos, as únicas referências indisputadas no Antigo Testamento acerca da alma que sobrevive ante a morte são Is 26.19 e Dn 12.2. Mas sem dúvida há outras referências quase tão seguras quanto essas. Ver no *Dicionário* o artigo chamado *Alma*, especialmente a seção IV.7.

Foi sepultado na cidade de seu pai Davi. Ou seja, Sião (e não Belém, que também era assim chamada). Ver 1Rs 2.10 quanto a detalhes sobre esta expressão. Davi tinha feito de Jerusalém a sua capital e também unificara a adoração no templo. Por isso, Jerusalém foi chamada de cidade de Davi.

A Idade de Salomão. Não somos informados sobre a idade de Salomão quando ele morreu, de forma que há variadas conjecturas a respeito. Em um extremo, Josefo (*Antiq.* 1.8, cap. 7, sec. 8) diz-nos que Salomão viveu até considerável idade, morrendo aos 94 anos, depois de um reinado de oito décadas. Por outra parte, alguns supõem que ele tenha vivido até os 58 anos, começando a reinar aos 18 e governando por quatro décadas. "Quando consideramos os excessos nos quais ele viveu, e as paixões criminosas em que deve ter-se envolvido, entre suas mil mulheres, sua idolatria e uma adoração impura, essa vida (58 anos) foi tão longa quanto ele poderia razoavelmente esperar" (Adam Clarke, *in loc.*).

"O homem mais bem qualificado para viver com sucesso preferiu não fazê-lo. O sucesso na vida, aos olhos de Deus, não vem automaticamente com a posse da sabedoria, mas com a aplicação da sabedoria à própria vida. O sucesso espiritual depende não apenas de *discernimento,* mas também de *escolhas*" (Thomas L. Constable, *in loc.*).

Salomão Arrependeu-se? Alguns intérpretes supõem que Salomão não se tenha arrependido de sua idolatria e de seus fracassos, mas tenha morrido como homem de coração endurecido. Outros encontram evidências de que ele se arrependeu e foi restaurado ao yahwismo. Talvez a declaração final em Ec 1.13,14 possa ser usada em apoio a essa teoria, *se* é que podemos atribuir o livro de Eclesiastes à autoria salomônica. A *misericórdia* divina não se apartaria da casa de Davi, e aí se poderia incluir a ideia de que Salomão se arrependeu para seu próprio bem, e por causa da linhagem real (ver 2Sm 7.14,15). Ele foi um escritor inspirado de parte do Antigo Testamento, e isso favorece a sua restauração final a Deus. Seja como for, não há por que supor que a missão de Cristo ao hades não tenha recolhido Salomão ao seu redil (ver 1Pe 3.18—4.6). Ver na *Enciclopédia de Bíblia, Teologia e Filosofia* o artigo chamado *Descida de Cristo ao Hades*. Enquanto Cristo salvava a outros nessa missão de misericórdia (o "evangelho foi pregado aos mortos", 1Pe 4.6), certamente Salomão não foi deixado de fora, *se* ele passou algum tempo naquele lugar lamentável, por causa de seus muitos fracassos e de sua idolatria.

Roboão (Reoboão) tomou o lugar de Salomão como rei, e o capítulo 12 descreve o seu reinado. Foi nos dias de Roboão que ocorreu a divisão entre o norte (Israel) e o sul (Judá) do reino unido de Salomão. Isso, como sabemos, aconteceu devido à idolatria de Salomão (1Rs 11.11,12). Mas Roboão, por causa de sua arrogância e falta de diplomacia, também contribuiu para a divisão, conforme lemos, com detalhes, no capítulo seguinte. Ver sobre *Roboão* no *Dicionário*.

A Morte Nivela Todas as Coisas (Claudiano). Nunca isso foi mais verdadeiro do que no caso de Salomão. Toda a sua magnificência terminou de súbito. Mas a vida é vitoriosa sobre a morte, afinal.

CAPÍTULO DOZE

REINADOS COMPARATIVOS DE REIS EM ISRAEL E JUDÁ (12.1—17.41)

ROBOÃO — JOSAFÁ (12.1—22.54)

O CISMA. OS DOIS REINOS (12.1—14.31)

Davi foi o rei poderoso de Israel que aniquilou ou confinou os inimigos de Israel, e deu a seu filho, Salomão, a oportunidade de ter paz, prosperidade e glória sem paralelos. Ver 2Sm 10.19 quanto às vitórias de Davi sobre *oito* nações distintas adversárias. Salomão, filho de Davi, foi rei de Israel em sua época áurea. sua queda na idolatria atraiu, como punição de Yahweh, a divisão do reino unido de Israel (ver 1Rs 11.11,12).

Roboão e *Jeroboão* foram os reis envolvidos na divisão do reino (o norte, composto por dez tribos, que passou às mãos de Jeroboão; e o sul, composto por Judá e Benjamim, que ficou com Roboão). Todo o Israel, pois, foi posto na vereda para um julgamento ainda maior, os cativeiros: o *assírio*, que levou as dez tribos do norte em 722 a.C., e do qual ninguém voltou; e o *babilônico*, que levou Judá em 597 a.C., e do qual voltou um remanescente. Ver no *Dicionário* o artigo chamado *Cativeiros*.

A *história de Israel* tornou-se assim a história da colheita do tufão, a síndrome do pecado-calamidade com toda a sua força, que se vinha acumulando desde os tempos de Salomão, com alguns períodos de recuperação entremeados.

A região norte de Israel tinha uma longa história de antagonismo com a região sul. Judá, a maior e mais poderosa de todas as tribos, dominava a nação de Israel. As tribos do norte tinham-se separado momentaneamente do sul, durante o reinado de Davi (ver 2Sm 19.41—20.22). Temporariamente, o cisma foi curado. Logo no começo de seu reinado, Roboão recusou-se a aliviar o *pesado jugo* que Salomão havia imposto às dez tribos do norte (1Rs 12.4), e o cisma tornou-se inevitável. Assim sendo, se houve uma razão devida ao juízo divino, houve também razões socioeconômicas, conforme nos é explicado no capítulo 12. E, acima de tudo, havia o *destino,* dirigido por Deus, que operava questões estranhas e inexplicáveis, não sujeitas ao nosso raciocínio. De alguma maneira, esse cisma era necessário, mas algumas das razões para isso não eram completamente claras.

Ver no *Dicionário* o artigo chamado *Rei, Realeza,* que contém um gráfico ilustrativo sobre os reis de Israel e de Judá, comparados com os reinos circunvizinhos.

■ 12.1

וַיֵּלֶךְ רְחַבְעָם שְׁכֶם כִּי שְׁכֶם בָּא כָל־יִשְׂרָאֵל לְהַמְלִיךְ אֹתוֹ׃

Foi Roboão a Siquém. Esta cidade (ver no *Dicionário*) foi a cena da inauguração e da unção de Roboão como rei. Era a antiga capital do norte e o tradicional local para unção dos reis em Israel. Havia ali uma famosa árvore sagrada, que foi venerada por longo tempo. Ali Abraão adorou a Yahweh, na Terra Prometida (ver Gn 12.6). Ali Jacó ergueu um altar (ver Gn 33.18-20). E ali José foi sepultado (ver Jz 9.1-5). Tornou-se essa cidade o centro das atividades efraimitas nos dias de Josué. Da mesma maneira, Hebrom era o centro relativo à porção sul do país.

"Esse local sagrado agora relembrava aos israelitas seu destino divinamente revelado, como nação, tanto quanto a fidelidade de Deus" (Thomas L. Constable, *in loc.*).

■ 12.2

וַיְהִי כִּשְׁמֹעַ יָרָבְעָם בֶּן־נְבָט וְהוּא עוֹדֶנּוּ בְמִצְרַיִם אֲשֶׁר בָּרַח מִפְּנֵי הַמֶּלֶךְ שְׁלֹמֹה וַיֵּשֶׁב יָרָבְעָם בְּמִצְרָיִם׃

Tendo Jeroboão. Jeroboão havia fugido para o Egito, quando Salomão procurava assassiná-lo (ver 1Rs 11.40). A revolta já estava a caminho, e a profecia de Yahweh acerca do cisma do reino unido já estava em operação (ver 1Rs 11.11,12). Agora, entretanto, Salomão estava morto, e isso abria novas perspectivas. Talvez Roboão, filho de Salomão, não fosse um homem desarrazoado e realmente anulasse as medidas opressoras de Salomão, como a dos trabalhos forçados e a dos pesados impostos sobre a parte norte da nação (vs. 4). Mas Jeroboão encontraria um homem arrogante e desarrazoado. Ele não tinha nada da nobreza de seu avô, Davi, e nenhuma da sabedoria de seu pai, Salomão. Comparar isso com o trecho paralelo de 2Cr 10.2.

■ 12.3

וַיִּשְׁלְחוּ וַיִּקְרְאוּ־לוֹ וַיָּבֹאוּ יָרָבְעָם וְכָל־קְהַל יִשְׂרָאֵל וַיְדַבְּרוּ אֶל־רְחַבְעָם לֵאמֹר׃

É provável que, durante as festividades que assinalavam a coroação, quando todos já estavam alegres e o vinho fluía livremente, Jeroboão e os outros líderes do norte tenham convocado Roboão para tratar das reformas que aliviariam o peso imposto às tribos do norte. Jeroboão deixou claro que os principais líderes, os anciãos, os militares, os oficiais etc. da região norte do país estavam todos presentes. Ele não haveria de tomar toda aquela responsabilidade sobre si mesmo. Jeroboão serviu de porta-voz, mas tinha toda a força das dez tribos do norte por trás dele. Sabia do intuito de Yahweh de dividir o reino e de torná-lo o rei da parte norte da nação, mas apesar disso fez o que foi possível para manter unido o reino. Ver 1Rs 11.29 ss. quanto à mensagem do profeta Aías, que tinha informado Jeroboão acerca das intenções de Yahweh.

■ 12.4

אָבִיךָ הִקְשָׁה אֶת־עֻלֵּנוּ וְאַתָּה עַתָּה הָקֵל מֵעֲבֹדַת אָבִיךָ הַקָּשָׁה וּמֵעֻלּוֹ הַכָּבֵד אֲשֶׁר־נָתַן עָלֵינוּ וְנַעַבְדֶךָּ׃

As palavras-chaves para descrever o tratamento duro de Salomão foram "dura servidão" e "pesado jugo". Provavelmente essas expressões falavam sobre o trabalho forçado que havia reduzido praticamente a totalidade das tribos do norte à posição de meros escravos; e, em segundo lugar, os pesados impostos que desperdiçavam os labores dessas tribos, outra forma de opressão. Somente aqui a palavra "jugo" foi usada para descrever o que acontecia aos cidadãos hebreus. Em todos os outros lugares o termo é usado para a subjugação de nações estrangeiras. "A princípio, supõe-se que Salomão não tenha empregado nenhum israelita em seu jugo. Depois, quando ele esqueceu o Deus da compaixão, parece tê-los usado como escravos, tendo assim revivido a escravidão egípcia" (Adam Clarke, *in loc.*). Ver 1Rs 9.20-22 quanto à força de trabalhos forçados (as práticas escravocratas) que, a princípio, só era aplicável aos não hebreus vencidos por Israel.

A disposição de servir foi expressa pelos delegados, mas sob condições mais humanas e com a promessa de lealdade ao novo rei.

■ 12.5,6

וַיֹּאמֶר אֲלֵיהֶם לְכוּ עֹד שְׁלֹשָׁה יָמִים וְשׁוּבוּ אֵלָי וַיֵּלְכוּ הָעָם׃

וַיִּוָּעַץ הַמֶּלֶךְ רְחַבְעָם אֶת־הַזְּקֵנִים אֲשֶׁר־הָיוּ עֹמְדִים אֶת־פְּנֵי שְׁלֹמֹה אָבִיו בִּהְיֹתוֹ חַי לֵאמֹר אֵיךְ אַתֶּם נוֹעָצִים לְהָשִׁיב אֶת־הָעָם־הַזֶּה דָּבָר׃

Tomou o rei Roboão conselho. *A Consulta.* Roboão ainda nada decidira sobre a questão. Assim sendo, solicitou *três dias* para considerar a questão e, nesse prazo, consultou seus sábios, conselheiros, oficiais, anciãos, os subchefes da nação, de várias profissões e ofícios. Provavelmente havia obras públicas em andamento que Salomão não terminara, e elas eram agora responsabilidade de seu filho, Roboão. Os custos do trabalho eram elevados, e muitas pessoas eram necessárias nesse tipo de trabalho. As tribos do norte eram vitais para tal programa, pois elas sempre haviam carregado a parte maior do peso. Havia, pois, muita coisa em jogo para o novo rei. Provavelmente, ele queria tolamente manter a grandeza de seu pai e terminou tomando más decisões por causa de maus motivos.

O rei Roboão consultou dois grupos: os homens antigos que conheceram e serviram a Salomão (vs. 7); e os homens novos que cresceram com Roboão, um bando de jovens cruéis, gananciosos e extremamente ambiciosos, que deram a ele um conselho desastroso (vs. 8).

■ 12.7,8

וַיְדַבֵּר אֵלָיו לֵאמֹר אִם־הַיּוֹם תִּהְיֶה־עֶבֶד לָעָם הַזֶּה וַעֲבַדְתָּם וַעֲנִיתָם וְדִבַּרְתָּ אֲלֵיהֶם דְּבָרִים טוֹבִים וְהָיוּ לְךָ עֲבָדִים כָּל־הַיָּמִים׃

וַיַּעֲזֹב אֶת־עֲצַת הַזְּקֵנִים אֲשֶׁר יְעָצֻהוּ וַיִּוָּעַץ אֶת־הַיְלָדִים אֲשֶׁר גָּדְלוּ אִתּוֹ אֲשֶׁר הָעֹמְדִים לְפָנָיו׃

O Bom Conselho. Os homens de mais idade, que tinham servido durante o reinado de Salomão, recomendaram um tratamento mais justo e humano, com o alívio das tribos do norte, o que poderia torná-los súditos leais. "Condescende diante deles; conduze-te de maneira humilde... agrada-os e serve-os" (John Gill, *in loc.*). Tal conduta haveria de conquistá-los como amigos e súditos leais, de modo que ele não deveria antagonizá-los e levá-los à revolta.

O Mau Conselho. Os jovens, que tinham crescido em companhia de Roboão e nada conheciam da sabedoria salomônica, eram arrogantes e gananciosos, cruéis e destituídos de coração. E eles também se mostraram convincentes, porquanto contra todo o bom senso foi com eles que Roboão acabou concordando. Esses jovens eram nobres mimados, filhos de oficiais e chefes, que sempre tiveram tudo em abundância e não compreendiam a agonia do povo comum. O rei estava com cerca de 40 anos de idade na época (ver 1Rs 14.21) e deveria ter tido sabedoria suficiente para perceber as falácias dos jovens. Os vss. 9-11 contêm o terrível conselho que os mais jovens deram ao rei. O próprio rei era, ao mesmo tempo, estúpido e arrogante, embora estivesse acostumado a ouvir palavras de sabedoria.

12.9-11

וַיֹּאמֶר אֲלֵיהֶם מָה אַתֶּם נוֹעָצִים וְנָשִׁיב דָּבָר אֶת־הָעָם הַזֶּה אֲשֶׁר דִּבְּרוּ אֵלַי לֵאמֹר הָקֵל מִן־הָעֹל אֲשֶׁר־נָתַן אָבִיךָ עָלֵינוּ:

וַיְדַבְּרוּ אֵלָיו הַיְלָדִים אֲשֶׁר גָּדְלוּ אִתּוֹ לֵאמֹר כֹּה־תֹאמַר לָעָם הַזֶּה אֲשֶׁר דִּבְּרוּ אֵלֶיךָ לֵאמֹר אָבִיךָ הִכְבִּיד אֶת־עֻלֵּנוּ וְאַתָּה הָקֵל מֵעָלֵינוּ כֹּה תְּדַבֵּר אֲלֵיהֶם קָטָנִּי עָבָה מִמָּתְנֵי אָבִי:

וְעַתָּה אָבִי הֶעְמִיס עֲלֵיכֶם עֹל כָּבֵד וַאֲנִי אוֹסִיף עַל־עֻלְּכֶם אָבִי יִסַּר אֶתְכֶם בַּשּׁוֹטִים וַאֲנִי אֲיַסֵּר אֶתְכֶם בָּעַקְרַבִּים:

Elementos dos Maus Conselhos:

1. *Vs. 9*. Enquanto as tribos do norte queriam medidas que aliviassem o *pesado jugo* que Salomão lhes impusera, de modo geral, esse jugo se tornaria ainda mais pesado que antes. Cf. com o vs. 4 deste capítulo, cujas notas também se aplicam aqui. A ganância aumentaria; o trabalho forçado aumentaria; a cobrança de impostos aumentaria.
2. *Vs. 10*. O peso *aumentado* se tornaria esmagador e totalmente debilitador. O *dedo mínimo* de Roboão ficaria mais grosso que a *cintura* de Salomão. O pesado jugo de Salomão se tornaria leve em comparação com o jugo muito mais pesado do novo rei.

   Era costume educar o herdeiro do trono junto com os jovens nobres do reino. O intuito era estimular o novo rei a ultrapassar os outros jovens privilegiados. Ademais, essa seria uma oportunidade de saber quais contemporâneos ele deveria escolher para ajudá-lo: futuros ministros, auxiliares, chefes etc. Israel, ao que tudo indica, também seguia esse costume, mas no caso de Roboão e de seus amigos não havia muita sabedoria no grupo.
3. *Vs. 11*. O *jugo já pesado* seria aumentado tanto que se tornaria virtualmente insuportável. Por quê? Para escravizar de modo absoluto, de forma que os servos se tornassem escravos que produzissem um trabalho barato, o que seria bom para as ambições de Roboão, mas muito ruim para o próprio povo de Israel.

Nos grupos de trabalho forçado, Salomão usava o chicote para certificar que nenhum homem teria um minuto sequer de descanso. Sob o novo rei, esses *chicotes* se tornariam *escorpiões*. Provavelmente está em pauta o tipo de chicote que os romanos usavam, equipado com uma ponta de metal posta a intervalos, para adicionar dor e injúria às chibatadas. Tal chicote era chamado de "escorpião" por ser capaz de ferroar suas vítimas. Vários intérpretes antigos descreveram de forma diferente o tipo de chicote que poderia ser chamado de "escorpião", mas a expressão, na verdade, é uma metáfora para indicar um *tratamento cruel* para os escravos, incluindo espancamentos brutais, sem especificar algum tipo especial de chicote que porventura fosse usado.

12.12

וַיָּבוֹא יָרָבְעָם וְכָל־הָעָם אֶל־רְחַבְעָם בַּיּוֹם הַשְּׁלִישִׁי כַּאֲשֶׁר דִּבֶּר הַמֶּלֶךְ לֵאמֹר שׁוּבוּ אֵלַי בַּיּוֹם הַשְּׁלִישִׁי:

Ao terceiro dia. Depois de três dias (ver o vs. 5), Jeroboão, o porta-voz das tribos do norte, acompanhado pelos anciãos e chefes, retornou para ouvir a decisão de Roboão quanto à possibilidade de aliviar o jugo pesado (vs. 4) que Salomão havia imposto às tribos do norte. É bem provável que Jeroboão não esperasse grande coisa, visto que já havia sido informado pelo profeta Aías que logo ocorreria um cisma no reino, e ele seria o rei das dez tribos do norte (ver 1Rs 11.29 ss.). Por outra parte, algumas vezes os videntes e profetas erram ou interpretam mal os seus símbolos, e as coisas podem correr de maneiras simplesmente inesperadas. Seja como for, Jeroboão veio para saber a resposta. Ele tinha feito a parte que lhe cabia, discursando em favor das tribos do norte. Fez o que estava a seu alcance. O resto, entregara nas mãos do *destino*.

12.13

וַיַּעַן הַמֶּלֶךְ אֶת־הָעָם קָשָׁה וַיַּעֲזֹב אֶת־עֲצַת הַזְּקֵנִים אֲשֶׁר יְעָצֻהוּ:

Desprezara o conselho que os anciãos lhe haviam dado. Roboão rejeitou os conselhos corretos que os homens de mais idade haviam dado. E fez isso deliberadamente, influenciado por seu próprio coração endurecido e pelo conselho dos jovens nobres, que nada conheciam sobre as dores do povo.

"De maneira brutal, ele lhes falou com palavras duras, em meio a severas ameaças, todas inspiradas para demonstrar tal espírito por seus jovens conselheiros" (John Gill, *in loc.*).

Porventura Yahweh endureceu o coração de Roboão, conforme fizera com o Faraó (ver Êx 7.13)? Ver também 1Rs 15.15. Lembre-se o leitor de que o Faraó também endureceu o próprio coração (ver Êx 8.32), o que significa que o divino e o humano trabalharam na direção do mesmo alvo. No caso do Faraó, foi necessário que seu coração se endurecesse daquela forma para que houvesse uma luta entre Yahweh e o Egito, através da qual o poder e a glória de Yahweh seriam exibidos. No caso de Roboão, entretanto, o endurecimento, tanto divino quanto humano, foi necessário para dividir o reino e punir a idolatria apóstata de Salomão. Esse evento foi *necessário*, assim como o endurecimento de seu coração. Poderia esse acontecimento ter sido impedido? Podemos responder com um *sim*, em razão da sabedoria de Roboão e do arrependimento de seu pai, com o abandono dos abusos. Nisso, o *livre-arbítrio* (ver a respeito no *Dicionário*) poderia ter entrado em ação. Não obstante, provavelmente é correto supor que o *destino* também estivesse envolvido, pois o reino tinha de ser dividido. Nesse caso, a vontade de Deus, inescrutável para nós, entrou em operação, visando um propósito maior. Israel tinha de cair a fim de que a Igreja pudesse surgir, e a divisão do reino em dois contribuiu de alguma forma para isso. Israel, porém, será restaurado, embora através de outra operação da vontade divina (ver Rm 11.26,27).

12.14

וַיְדַבֵּר אֲלֵיהֶם כַּעֲצַת הַיְלָדִים לֵאמֹר אָבִי הִכְבִּיד אֶת־עֻלְּכֶם וַאֲנִי אֹסִיף עַל־עֻלְּכֶם אָבִי יִסַּר אֶתְכֶם בַּשּׁוֹטִים וַאֲנִי אֲיַסֵּר אֶתְכֶם בָּעַקְרַבִּים:

Este versículo meramente repete o mau conselho dado pelos jovens a Roboão, sobre o qual já vimos nas notas dos vss. 10 e 11. O novo rei, provavelmente, pensou que estivesse fazendo uma grande coisa ao proferir essas palavras idiotas. "Em vez de dar ouvidos ao povo, ele preferiu colocar em primeiro plano os seus próprios interesses" (Thomas L. Constable, *in loc.*).

É característico da juventude mostrar-se radical e entusiasmada por qualquer causa, boa ou má, precipitada, rápida nas ações, mas sem moderação ou reflexão anterior. Roboão, pois, foi traído por sua tola juventude. Os jovens *pensam* que os homens de idade são uns tolos. Os homens de idade *sabem* que os jovens são tolos.

Ninguém despreze a tua mocidade; pelo contrário, torna-te padrão dos fiéis, na palavra, no procedimento, no amor, na fé, na pureza.

1Timóteo 4.12

■ 12.15

וְלֹא־שָׁמַע הַמֶּלֶךְ אֶל־הָעָם כִּי־הָיְתָה סִבָּה מֵעִם יְהוָה לְמַעַן הָקִים אֶת־דְּבָרוֹ אֲשֶׁר דִּבֶּר יְהוָה בְּיַד אֲחִיָּה הַשִּׁילֹנִי אֶל־יָרָבְעָם בֶּן־נְבָט׃

Porque este acontecimento vinha do Senhor. Deus endureceu o coração de Roboão, e por isso ele tomou uma decisão aparentemente má. De acordo com os padrões humanos, assim aconteceu, mas a idolatria de Salomão tinha de ser punida (ver 1Rs 11.11,12). Isso significa que o reino unido de Israel precisava ser dividido. Discuto sobre os problemas teológicos envolvidos, com conjecturas, nas notas sobre o vs. 13, terceiro parágrafo, de maneira que não repito aqui o material. Este versículo fala sobre a "mudança" que deveria ocorrer pelo ditame da vontade de Yahweh. A *Revised Standard Version* fala sobre a "mudança dos acontecimentos", por motivo da intervenção divina. Além da punição pelos pecados de Salomão, a *mudança* também fazia parte da tradição profética. O profeta Aías já havia previsto o futuro, fixado pelo *destino* dirigido por Deus e pelas inescrutáveis operações da vontade divina. Ver 1Rs 11.33 ss. Jeroboão precisava tornar-se rei das tribos do norte (ver 1Rs 11.37), pelo que Roboão tinha de tomar uma decisão aparentemente tola. Assim, o que era divino e o que era humano operaram juntos na questão. Deus usa o livre-arbítrio humano, sem destruí-lo, embora não saibamos dizer *como* isso acontece. Ver no *Dicionário* o artigo denominado *Predestinação (e Livre-arbítrio)* quanto a maiores detalhes sobre esse tema. Ver os artigos sobre *Predestinação* e *Livre-arbítrio*, na *Enciclopédia de Bíblia, Teologia e Filosofia*.

Ellicott, comentando (*in loc.*) sobre o problema da predestinação no tocante ao livre-arbítrio, diz: "As Santas Escrituras... simplesmente reconhecem ambos os poderes como *reais*, sem fazer nenhuma tentativa, ou mesmo sugestão, de harmonizá-los". Se pudéssemos explicar todos os pontos teológicos e harmonizar todas as ideias aparentemente paradoxais, teríamos então uma *humanologia*, e não uma *teologia*. As teologias sistemáticas reduzem rigidamente a teologia à humanologia. Por isso têm sido criados muitos sistemas *diferentes*, todos afirmando estarem baseados nas Escrituras, e mais baseados que outros sistemas. A arrogância sempre faz parte da atividade sistematizadora, por exemplo, de alguém *pertencer* a uma denominação, em distinção a outras. A *ilusão* é sempre a diretriz seguida, ou seja, a crença naquilo que não é a verdade. Ver no *Dicionário* o artigo chamado *Providência de Deus*.

■ 12.16

וַיַּרְא כָּל־יִשְׂרָאֵל כִּי לֹא־שָׁמַע הַמֶּלֶךְ אֲלֵיהֶם וַיָּשִׁבוּ הָעָם אֶת־הַמֶּלֶךְ דָּבָר לֵאמֹר מַה־לָּנוּ חֵלֶק בְּדָוִד וְלֹא־נַחֲלָה בְּבֶן־יִשַׁי לְאֹהָלֶיךָ יִשְׂרָאֵל עַתָּה רְאֵה בֵיתְךָ דָּוִד וַיֵּלֶךְ יִשְׂרָאֵל לְאֹהָלָיו׃

A casa real de Davi foi prontamente rejeitada pelos representantes das dez tribos do norte. Eles formariam uma nova casa real, a casa de Jeroboão, que seria um governo mais são. As tribos do norte tinham uma longa história de antagonismos, e já haviam rejeitado o governo de Davi (ver 2Sm 19.41—20.22). Fora com relutância que a parte norte do país aceitara, finalmente, o reinado de Davi. Além disso, havia o temor da guerra civil e de outras confusões. Agora, através da resposta tola dada por Roboão, antigos antagonismos rebentaram sob a forma de rebelião e cisma. Duas nações surgiram onde antes havia uma única. Ver o artigo do *Dicionário* intitulado *Rei, Realeza*, quanto a uma lista dos reis dessas duas nações, Israel e Judá, em comparação a potências estrangeiras.

Não há para nós heranças no filho de Jessé! Cf. 2Sm 20.1, que contém elementos quase idênticos. O antigo espírito de contenção e rebelião de súbito se renovou. Mas, naquele caso, Davi conseguiu corrigir as atitudes populares. Roboão, porém, não seria capaz de duplicar o feito de seu avô, nem mesmo tentou fazê-lo. Pairou uma ameaça de *guerra civil*, que por fim foi evitada (ver 1Rs 12.21-24). Para tanto, porém, foi mister uma intervenção divina. A divisão foi necessária, mas não a guerra civil. A vontade divina impediu isso.

Às vossas tendas, ó Israel! Em outras palavras, os representantes das tribos do norte "voltaram para suas casas". Não há nessas palavras nenhuma indicação de preparação para a guerra. Nos dias das perambulações pelo deserto, a população vivia em *tendas*. Embora agora contassem com casas que lhes serviam de residências fixas, estas continuavam, ocasionalmente, a ser chamadas de "tendas". Cf. 2Sm 20.1.

Cuida agora da tua casa, ó Davi! Em outras palavras: "Agora tens teu próprio reino. Esqueça-te da parte norte, que não mais te pertence. tu perdeste as dez tribos!" Roboão, em sua arrogância, havia garantido para si mesmo um pequeno reino, a saber, a tribo isolada de Judá, que já havia absorvido as tribos de Simeão e Benjamim. Que Davi cuidasse daquele lugar miserável. De súbito, Roboão perdera a grandeza de Salomão e encerrara para sempre a época áurea de Israel. E o próprio Salomão era a *causa* desse lamentável estado de coisas (ver 1Rs 11.11,12). "A ameaça ditatorial de Roboão alienou os súditos que sofriam. Ali eles secionaram e quebraram a unidade das doze tribos" (Thomas L. Constable, *in loc.*).

■ 12.17

וּבְנֵי יִשְׂרָאֵל הַיֹּשְׁבִים בְּעָרֵי יְהוּדָה וַיִּמְלֹךְ עֲלֵיהֶם רְחַבְעָם׃ פ

Quanto aos filhos de Israel. Os nortistas que tinham vindo residir em Judá decidiram permanecer onde estavam e suportar a Roboão como rei. Este versículo não aparece na Septuaginta, mas sua base é 2Cr 11.16, sendo possível que tenha sido acrescentado aqui por algum editor posterior, a bem da harmonização com o trecho paralelo. Todavia, em 2Crônicas, a ideia é outra; trata das pessoas que deixaram o norte, por causa da adoração idólatra que ali havia sido instalada, para viver no sul. Eles queriam viver no sul por causa da adoração centralizada no templo de Jerusalém. Essa fé religiosa parecia-lhes mais importante do que acompanhar o cisma nortista, por mais justo que tenha sido esse cisma. O movimento para o sul, da parte de algumas pessoas, ocorreu quando Jeroboão expulsou os sacerdotes levíticos e criou um sacerdócio todo seu. Ademais, ele já havia entrado nos estágios iniciais da idolatria (ver 2Cr 11.15). Assim, o povo fugiu dali e submeteu-se ao governo de Roboão, a fim de conservar as antigas formas religiosas do yahwismo. Assim sendo, quando a poeira assentou, houve algumas mudanças de residência. Mas, na maior parte, o norte continuou o norte, e o sul continuou o sul.

■ 12.18

וַיִּשְׁלַח הַמֶּלֶךְ רְחַבְעָם אֶת־אֲדֹרָם אֲשֶׁר עַל־הַמַּס וַיִּרְגְּמוּ כָל־יִשְׂרָאֵל בּוֹ אֶבֶן וַיָּמֹת וְהַמֶּלֶךְ רְחַבְעָם הִתְאַמֵּץ לַעֲלוֹת בַּמֶּרְכָּבָה לָנוּס יְרוּשָׁלָםִ׃

Adorão, superintendente dos que trabalhavam forçados. Esse homem é mencionado aqui e em 2Sm 20.24. Formas variantes de seu nome são Adonirão e Hadorão. Era um dos oficiais de Salomão, e então passou a ser um dos oficiais de Roboão, encarregado do trabalho forçado e do tributo. Ao que tudo indica, o rei Roboão o tinha acompanhado, ou então não estava distante, porque, quando Adorão foi apedrejado, o rei precisou fugir para permanecer vivo. Parece que Roboão enviou Adorão como embaixador ao norte, talvez para tentar endireitar as coisas. Ou, o que é menos provável, para tentar continuar recebendo tributos das dez tribos do norte. Seja como for, Roboão continuava agindo como um tolo, tomando más decisões. Adorão era odiado de forma especial, e dificilmente era o homem certo para atuar como embaixador. E tentar obter mais tributos das tribos do norte era outro absurdo. O resultado foi que os homens do norte, sem fazer nenhuma pergunta, simplesmente apedrejaram o pobre homem até a morte. Ver no *Dicionário* o verbete chamado *Apedrejamento*.

Josefo ajunta que a missão de Adorão era de reconciliação e de um esperado diálogo (*Antiq*. 1.8, cap. 8, sec. 3). Mas Adam Clarke (*in loc.*), supõe que o objetivo dele era de recolher os impostos regulares. Não há como solucionar essa questão. "A visão do homem que fora o capataz da opressão naturalmente despertou a multidão a uma nova explosão de fúria, do que resultou o assassinato deste, e talvez até ameaças a seu senhor, o qual teve de fugir apressadamente para Jerusalém" (Ellicott, *in loc.*).

■ **12.19**

וַיִּפְשְׁעוּ יִשְׂרָאֵל בְּבֵית דָּוִד עַד הַיּוֹם הַזֶּה: ס

O assassinato de Adorão foi outro acontecimento decisivo que confirmou a divisão do reino de Israel. As coisas tinham evoluído para além da possibilidade de reparo e, quando o autor sagrado escreveu este livro, a divisão continuava. Naturalmente, isso implica uma data pré-exílica, pelo menos quanto à seção à nossa frente, enquanto outras partes, com toda a probabilidade, foram adicionadas após os *cativeiros* (ver a respeito no *Dicionário*). O cativeiro assírio pôs fim às dez tribos, do norte. Até então, as duas nações continuaram a existir, frequentemente em antagonismo.

■ **12.20**

וַיְהִי כִּשְׁמֹעַ כָּל־יִשְׂרָאֵל כִּי־שָׁב יָרָבְעָם וַיִּשְׁלְחוּ וַיִּקְרְאוּ אֹתוֹ אֶל־הָעֵדָה וַיַּמְלִיכוּ אֹתוֹ עַל־כָּל־יִשְׂרָאֵל לֹא הָיָה אַחֲרֵי בֵית־דָּוִד זוּלָתִי שֵׁבֶט־יְהוּדָה לְבַדּוֹ:

Tendo ouvido todo o Israel que Jeroboão tinha voltado. O norte como um todo, exceto os poucos que migraram para o sul, por razões religiosas (ver o vs. 17), concordou em fazer de Jeroboão o novo rei. Não houve quem discordasse, nem houve tentativas de rebelião. Por consentimento unânime, Jeroboão foi reconhecido como o homem do momento, cumprindo assim a profecia de *Aías* (ver 1Rs 11.35-37). O versículo sugere uma coroação formal, visto que Jeroboão foi chamado para tomar parte em uma assembleia formal. Essa assembleia provavelmente ocorreu em *Siquém* (ver 1Rs 12.1 e suas notas expositivas).

Senão somente a tribo de Judá. Essa foi a tribo que permaneceu com Roboão, concordando com a expressão "uma tribo" de 1Rs 11.13,32 e 36. Mas a Septuaginta adiciona aqui a tribo de *Benjamim*, porque o número tradicional das tribos era de doze. Não obstante, Benjamim havia sido absorvido por Judá, tendo deixado de existir como uma tribo separada e funcional, pelo que, de fato, só havia *uma* tribo no sul. Juízes 20 fala da quase aniquilação da tribo de Benjamim e, daquele tempo em diante, ela nunca foi uma tribo poderosa. O vs. 21 retém, contudo, a tribo de Benjamim. Havia uma distinção territorial, mas não uma distinção real, entre Judá e Benjamim.

Jeroboão fez de Siquém a sua capital (ver o vs. 25). Ele se tornou o *rei de Israel*, título que, para os nortistas, sem dúvida indicava que ele era "o único rei de Israel", fazendo de Roboão um dissidente e um rei falso, que tinha seu pequeno reino para o sul.

■ **12.21**

וַיָּבֹאוּ רְחַבְעָם יְרוּשָׁלִַם וַיַּקְהֵל אֶת־כָּל־בֵּית יְהוּדָה וְאֶת־שֵׁבֶט בִּנְיָמִן מֵאָה וּשְׁמֹנִים אֶלֶף בָּחוּר עֹשֵׂה מִלְחָמָה לְהִלָּחֵם עִם־בֵּית יִשְׂרָאֵל לְהָשִׁיב אֶת־הַמְּלוּכָה לִרְחַבְעָם בֶּן־שְׁלֹמֹה: פ

Vindo, pois, Roboão a Jerusalém. *Ameaças de Guerra Civil.* Reduzido a duas tribos (Judá e Benjamim), onde Benjamim quase nem era mais uma tribo (ver a última seção nas notas sobre o versículo anterior), Roboão tentou ser um "herói nacional" e reuniu um exército. Ele conseguiu ajuntar 180 mil guerreiros, entre os quais havia alguns realmente valentes. Isso significava que poderia haver muito derramamento de sangue, em que irmão mataria a irmão, outra das loucuras de Roboão. A maioria dos políticos toma boas e más decisões, mas Roboão, até este ponto da narrativa bíblica, só tomara péssimas decisões. Ele ia de um desastre para outro. A época áurea de Israel havia definitivamente terminado.

O propósito de Roboão era reunificar Israel, o que ele poderia ter conseguido tratando com mais humanidade as dez tribos do norte (ver 1Rs 12.4). Tendo perdido essa oportunidade, ele decidiu apelar para a guerra e para a matança, a fim de realizar o seu propósito.

■ **12.22,23**

וַיְהִי דְּבַר הָאֱלֹהִים אֶל־שְׁמַעְיָה אִישׁ־הָאֱלֹהִים לֵאמֹר:

אֱמֹר אֶל־רְחַבְעָם בֶּן־שְׁלֹמֹה מֶלֶךְ יְהוּדָה וְאֶל־כָּל־בֵּית יְהוּדָה וּבִנְיָמִין וְיֶתֶר הָעָם לֵאמֹר:

Porém veio a palavra do Senhor a Semaías. *Nova Intervenção Divina.* Roboão, com os maduros soldados do exército de Salomão, simplesmente poderia ter apanhado o homem, Jeroboão, em um momento fora de guarda, derrotando-o no campo de batalha. Mas a vontade de Deus era *a divisão* (1Rs 11.11,12,30 ss.), uma medida necessária em punição à idolatria de Salomão. Além disso, Jeroboão tinha de ser o rei das tribos do norte (ver 1Rs 11.37). Estava sendo preparado um *destino* que não era inteiramente compreendido. Mas a vontade e o poder de Yahweh controlavam a situação. Ver as notas sobre os vss. 13 e 15 quanto a uma discussão mais detalhada a respeito.

Foi assim que o profeta *Semaías* (ver no *Dicionário*) foi levantado. A ele foi concedido o poder de impedir a guerra civil. Deus é aqui, no original hebraico, *Elohim*, o Todo-poderoso. seu poder é reconhecido no fato de ter impedido a guerra civil. Ver no *Dicionário* o verbete chamado *Deus, Nomes Bíblicos de*.

Não estamos informados sobre como a palavra de Deus veio a Semaías. Provavelmente isso ocorreu em alguma visão noturna, um sonho incomum. Ver no *Dicionário* os artigos chamados *Sonhos, Visão (Visões)* e *Misticismo*. A fé dos hebreus sempre incluiu a ideia de intervenções divinas por meio de iluminação especial, através de algum profeta ou homem santo. A experiência humana atesta essa possibilidade, embora, em algumas seções da Igreja atual, a questão seja exagerada e, algumas vezes, trivializada. Há muitas vozes estranhas que nada têm a ver com o Espírito de Deus e, além disso, há capacidades psíquicas naturais que podem imitar o que é verdadeiramente espiritual. Não obstante, a realidade espiritual faz-se presente, manifestando-se ocasionalmente.

E ao resto do povo. O profeta *Semaías* tinha uma mensagem destinada às duas tribos que se tinham tornado o *remanescente* de Israel. O Espírito de Deus prepararia os corações para acolher a mensagem. Pelo menos por uma vez, Roboão tomou uma boa decisão. Alguns intérpretes insistem que a palavra aqui traduzida por "remanescente", em algumas versões, deveria ser simplesmente "resto" (ou seja, aqueles além dos que foram especificamente mencionados). A palavra formal, *remanescente*, parece ocorrer, pela primeira vez, em Is 7.3 e 10.21-23. Não obstante, Judá era, na ocasião, somente o remanescente de um reino, um dos *pedaços* da veste rasgada do profeta Aías (ver 1Rs 11.30).

■ **12.24**

כֹּה אָמַר יְהוָה לֹא־תַעֲלוּ וְלֹא־תִלָּחֲמוּן עִם־אֲחֵיכֶם בְּנֵי־יִשְׂרָאֵל שׁוּבוּ אִישׁ לְבֵיתוֹ כִּי מֵאִתִּי נִהְיָה הַדָּבָר הַזֶּה וַיִּשְׁמְעוּ אֶת־דְּבַר יְהוָה וַיָּשֻׁבוּ לָלֶכֶת כִּדְבַר יְהוָה: ס

Assim diz o Senhor. O Espírito de Deus fez aqueles corações duros e violentos ouvirem a voz do profeta Semaías, deitando fora as armas e esquecendo-se da guerra civil. Não era bom fazer guerra contra *irmãos*, o que Israel (o norte) era para Judá (o sul). Por conseguinte, temos aqui um caso de *intervenção divina* para deter a loucura humana. Por muitas vezes, Deus oculta-se nas sombras, para observar o que faremos com nossos dons e oportunidades. Ocasionalmente, porém, as coisas tornam-se demais para nós. Em seguida, o poder divino invade a cena e provê uma intervenção divina que nos impede de cair e nos permite cumprir os propósitos que nos tiverem sido destinados. Oh, Senhor, concede-nos tal graça! Ver no *Dicionário* o artigo chamado *Providência de Deus*. A mão interventora de Deus é uma realidade. Isso reflete o *teísmo* (ver a respeito no *Dicionário*), em contraste com o *deísmo* (que também aparece como um artigo do *Dicionário*). O Criador faz-se presente para intervir, para abençoar, para punir e para dirigir. Ele não está divorciado do universo (conforme afirma o deísmo), nem deixou as coisas criadas nas mãos das leis naturais apenas.

JEROBOÃO CONSOLIDA SEU REINO E TOMA PROVIDÊNCIAS ACERCA DE JERUSALÉM (12.25-33)

■ 12.25

וַיִּ֨בֶן יָרָבְעָ֤ם אֶת־שְׁכֶם֙ בְּהַ֣ר אֶפְרַ֔יִם וַיֵּ֖שֶׁב בָּ֑הּ וַיֵּצֵ֣א מִשָּׁ֔ם וַיִּ֖בֶן אֶת־פְּנוּאֵֽל׃

A capital das dez tribos do norte era Siquém. Foi uma boa escolha, embora nada no plano divino pudesse ter substituído Jerusalém, que se tornara o lugar centralizado de governo e de fé religiosa. Coisa alguma poderia substituir o templo de Jerusalém, mas em breve Jeroboão, mergulhado na idolatria, inventaria seu próprio sacerdócio e seu próprio sistema de adoração (vss. 28 e 29). Ele não queria que peregrinos do norte fossem a Jerusalém.

Região montanhosa de Efraim. Ver a respeito no *Dicionário*.
Penuel. Ver a respeito no *Dicionário*. Ver também Gn 32.30,31 e Jz 8.8,17.

"Jeroboão fez de Siquém sua capital, tomando assim plenas vantagens das antigas tradições do lugar como centro da história do norte de Israel. *Penuel* ficava às margens do ribeiro de Jaboque, na parte leste do rio Jordão e na mesma latitude de Siquém. Dominava a estrada para o oriente, saindo do vale do rio Jordão, a rota favorita dos invasores nômades (ver Jz 8.8). Penuel, pois, foi assim edificada como uma defesa avançada para Siquém" (Norman H. Snaith, *in loc.*).

Jeroboão fez tudo quanto pôde para impedir que os israelitas do norte visitassem Judá, porque era ali que o templo estava. Desde o princípio, ele havia desobedecido à voz de Yahweh, que o tinha chamado para ser o rei do norte (ver 1Rs 11.38). Como todos os reis, ele deveria *andar* em estrita obediência à lei mosaica. Assim, com a mesma facilidade com que se desfez do jugo da casa de Salomão, também seguiu em seu próprio caminho idólatra. Ver o primeiro versículo deste capítulo quanto a notas expositivas sobre *Siquém*, e ver a respeito especialmente o *Dicionário*.

■ 12.26

וַיֹּ֥אמֶר יָרָבְעָ֖ם בְּלִבּ֑וֹ עַתָּ֛ה תָּשׁ֥וּב הַמַּמְלָכָ֖ה לְבֵ֥ית דָּוִֽד׃

Agora tornará o reino para a casa de Davi. *Temor*. Jerusalém era a cidade dourada. O templo magnífico de Salomão achava-se ali e ali havia sido centralizada a adoração do povo de Israel. O povo da parte norte da nação tinha feito peregrinações regulares ao lugar, por ocasião das festividades anuais. Muitos deles queriam continuar essa prática, e muitos simplesmente abandonaram Jeroboão e seu reino, tornando-se parte da cultura e da adoração que se tinha desenvolvido em Jerusalém. Isso posto, Jeroboão tomou medidas (por mais estúpidas que fossem) para impedir um retorno em massa para Jerusalém. Os nomes Davi e Salomão eram grandes na mente do povo. Muitas pessoas aguentaram Roboão a fim de continuar nos caminhos antigos. Era até mesmo possível que rebeldes tentassem unificar novamente o norte e o sul e iniciar tribulações para Jeroboão em seu próprio reino nortista. Os conflitos civis seriam o resultado. É significativo que a principal coisa que ele tinha de fazer era dar ao povo nortista de Israel uma nova fé religiosa. Esse era o elemento principal da cultura dos hebreus, que sempre foram fanáticos religiosos. Alguém já observou como os brasileiros tratam superficialmente a sua fé religiosa. Em outras palavras, as massas populares, que são nominalmente católicas, na realidade não se envolvem muito. Em contraste, existem os católicos mexicanos, que são realmente *devotos*. Os hebreus sempre foram muito *devotos*, mesmo quando a religiosidade deles se misturava com práticas duvidosas, contrárias à legislação mosaica. Os hebreus do norte, pois, iriam se ajustar a condições econômicas inferiores, mas precisavam de uma fé religiosa que satisfizesse sua busca de devoção.

■ 12.27

אִֽם־יַעֲלֶ֣ה ׀ הָעָ֣ם הַזֶּ֗ה לַעֲשׂ֨וֹת זְבָחִ֤ים בְּבֵית־יְהוָה֙ בִּיר֣וּשָׁלִַ֔ם וְ֠שָׁב לֵ֣ב הָעָ֤ם הַזֶּה֙ אֶל־אֲדֹ֣נֵיהֶ֔ם אֶל־רְחַבְעָ֖ם מֶ֣לֶךְ יְהוּדָ֑ה וַהֲרָגֻ֕נִי וְשָׁ֖בוּ אֶל־רְחַבְעָ֥ם מֶֽלֶךְ־יְהוּדָֽה׃

Se este povo subir para fazer sacrifícios na casa do Senhor. Estando em Jerusalém, a capital dourada, a participação em cerimônias no templo magnífico seria um poder capaz de modificar o coração do povo. Eles perderiam interesse na divisão e no reinado de Jeroboão e retornariam a Roboão, não porque nele houvesse alguma coisa de especial, mas porque Judá era um lugar religioso especial. Eles haveriam de querer estar onde dominasse a *fé antiga*. O resultado natural dessa tendência seria uma luta para livrar-se de Jeroboão, ao qual sacrificariam. Roboão poderia até obter sucesso em fazer Israel voltar a fazer parte do império unido de Israel, se Jeroboão e seus discursos eloquentes fossem anulados.

Três vezes por ano, a legislação mosaica requeria que todos os varões hebreus fizessem peregrinações a Jerusalém, a saber, por ocasião das três festividades: a páscoa; a festa das semanas (o Pentecoste) e a festa das tendas (tabernáculos). Jeroboão poderia ordenar que seu exército impedisse a viagem dos habitantes da porção norte a Jerusalém, para as três festas obrigatórias. Mas ele preferiu fazer outra coisa: a *substituição*, que impediria que a maior parte de seu povo peregrinasse a Judá. Sem dúvida, porém, muita gente do norte fazia essa peregrinação, a despeito do desprazer de Jeroboão.

■ 12.28

וַיִּוָּעַ֣ץ הַמֶּ֔לֶךְ וַיַּ֕עַשׂ שְׁנֵ֖י עֶגְלֵ֣י זָהָ֑ב וַיֹּ֣אמֶר אֲלֵהֶ֗ם רַב־לָכֶם֙ מֵעֲל֣וֹת יְרוּשָׁלִַ֔ם הִנֵּ֤ה אֱלֹהֶ֙יךָ֙ יִשְׂרָאֵ֔ל אֲשֶׁ֥ר הֶעֱל֖וּךָ מֵאֶ֥רֶץ מִצְרָֽיִם׃

Fez dois bezerros de ouro. Jeroboão certificou-se de que os anciãos, os chefes, os cabeças tribais etc. estavam ao seu lado na momentosa decisão de fazer o norte cair tão abruptamente na idolatria. É admirável que eles tenham concordado com a intenção do rei. Assim, foram feitos dois bezerros de ouro. Um deles foi posto em Betel, e o outro em Dã, áreas adequadamente distanciadas nas quais o povo de todas as dez tribos do norte pudesse chegar com facilidade. Ver as notas expositivas sobre o vs. 29. Alguns supõem que a adoração não fosse, realmente, aos dois bezerros dourados, mas a Yahweh, cuja imagem ficaria no alto de um pedestal, apoiada sobre os dois bois de ouro. Se esse era, realmente, o caso, então Jeroboão instituiu um *sincretismo*, que apontava na direção da idolatria, mas ainda não consistia em idolatria absoluta. Porém, o simples fraseado do texto é contra essa suposição. Antes, parece que, desde o princípio, Jeroboão inaugurou a mais desavergonhada idolatria. Naturalmente, as referências arqueológicas e literárias ilustram a ideia do pedestal posto sobre dois bois.

Comparações. Cf. o ridículo ato de Jeroboão com o ato igualmente ridículo de Arão e de seu boi dourado, em Êx 32.1 ss. Jeroboão chegou a repetir a estúpida ordem de Arão para que o povo adorasse aos bezerros, pois, afinal, aqueles eram os *deuses* que os tinham tirado do Egito (ver Êx 32.4). Naturalmente, o boi era um objeto de adoração no Egito e em outros lugares do Oriente. Ver sobre *Ápis*, o deus-boi egípcio, no *Dicionário*. Ver o artigo geral sobre a *Idolatria*, que assumia formas múltiplas. Em Dt 33.17 temos uma curiosa declaração que afirma que José era o "primogênito de seu boi", e podemos supor que, em certa época, até mesmo em Israel, o boi fosse um símbolo divino. Ver Gn 49.24. Seja como for, o boi era um importante símbolo religioso nas religiões síria e cananeia, e não apenas no Egito. Ver Dt 8.19; 13.6,7 sobre a advertências contra essas coisas tolas. Ver Os 8.5,6 e 13.2,3 quanto a uma contínua adoração ao boi. Esse animal era uma espécie de símbolo de poder e reprodução, e assim era um animal preparado para ser misturado nos "símbolos divinos" e na idolatria.

Naturalmente, essa ação de Jeroboão foi um ato religioso para promover seu separatismo político. Ele não estava realmente interessado na "religiosidade". Pretendia meramente solidificar seu reino e substituir a religião de Judá por sua própria variedade religiosa, como uma medida para manter o povo em casa e sujeito.

12.29

וַיָּ֧שֶׂם אֶת־הָאֶחָ֛ד בְּבֵֽית־אֵ֖ל וְאֶת־הָאֶחָ֥ד נָתַ֖ן בְּדָֽן׃

Ver no *Dicionário* acerca de *Betel* e *Dã*. Os dois lugares estavam separados por uma distância de cerca de 160 quilômetros. Dã ficava no extremo norte, e Betel no extremo sul de Israel. Isso facilitava as cerimônias de adoração e permitia a todo o Israel pronto acesso a esses dois santuários. Jeroboão suponha que, se ele *facilitasse* essa adoração, seria possível *substituir* Jerusalém e seu templo. Betel, naturalmente, era um antigo lugar santo. Meu artigo sobre essa cidade ilustra isso. Dã, em contraste, era apenas um bom lugar "ao sul", uma localização conveniente para um *novo santuário*.

"A idolatria de Salomão havia preparado o povo para as abominações de Jeroboão!" (Adam Clarke, *in loc.*).

12.30

וַיְהִ֛י הַדָּבָ֥ר הַזֶּ֖ה לְחַטָּ֑את וַיֵּלְכ֥וּ הָעָ֛ם לִפְנֵ֥י הָאֶחָ֖ד עַד־דָּֽן׃

Cada um para adorar o bezerro. Neste versículo, a versão de Luciano menciona tanto Betel quanto Dã, repetindo a informação do versículo anterior. A *Revised Standard Version* segue essa versão. Nossa versão portuguesa, no entanto, segue o texto massorético e fala somente sobre Dã. A versão de Luciano parece ser a correção de um texto mais difícil para um texto mais fácil. Não sabemos dizer por que o autor sacro não repetiu aqui o nome de Betel, mas é provável que se trate apenas de um esquecimento, sem nenhum propósito oculto. Ver sobre o texto massorético no artigo intitulado *Massora (Massorah) Texto Massorético*, no *Dicionário*. Ver também *Manuscritos do Antigo Testamento*, seção VII.

Dois santuários principais, portanto, permitiam que a parte norte da nação exibisse seu impulso devocional, sem ter de fazer as três viagens anuais a Jerusalém (ver o vs. 27). Jeroboão fez bom uso da *conveniência* para servir às suas finalidades políticas.

12.31

וַיַּ֖עַשׂ אֶת־בֵּ֣ית בָּמ֑וֹת וַיַּ֤עַשׂ כֹּֽהֲנִים֙ מִקְצ֣וֹת הָעָ֔ם אֲשֶׁ֥ר לֹֽא־הָי֖וּ מִבְּנֵ֥י לֵוִֽי׃

Outras provisões para a adoração foram o uso de lugares altos e bosques de árvores em locais elevados. Ali, sem dúvida, desenvolveram-se muitos santuários secundários e em breve Jeroboão contava com grande pluralidade de adorações, em lugar da adoração monista de Jerusalém e seu templo. Ver no *Dicionário* o artigo chamado *Lugares Altos*, quanto a detalhes sobre as formas de adoração.

Em seguida, Jeroboão instituiu um sacerdócio "popular e democrático". Pessoas comuns foram transformadas em sacerdotes, embora não fossem levitas. A legislação mosaica só permitia que descendentes de Arão, da linhagem de Levi, fossem sacerdotes; ao passo que a tribo geral de Levi tornou-se uma casta sacerdotal, e não mais uma tribo. Ver no *Dicionário* o artigo chamado *Sacerdotes e Levitas*, quanto a completas explicações. Isso foi simplesmente ignorado, e uma prática inteiramente nova tomou seu lugar. Em tempos bem antigos, não levitas (por exemplo, chefes de família), também eram sacerdotes. Mas com a vinda da lei mosaica houve restrições. Ver Êx 6.18,20 e 28.1. Os levitas tomavam conta de todos os aspectos do serviço sagrado, incluindo trabalho manual. Dentre eles, eram ordenados sacerdotes que se ocupavam diretamente dos rituais divinos e dos sacrifícios. Jeroboão recusou-se a continuar essa tradição e despediu os sacerdotes levíticos, os quais então migraram para Judá (2Cr 11.14).

12.32

וַיַּ֣עַשׂ יָרָבְעָ֣ם ׀ חָ֡ג בַּחֹ֣דֶשׁ הַשְּׁמִינִ֣י בַּחֲמִשָּֽׁה־עָשָׂ֣ר י֡וֹם לַחֹ֣דֶשׁ כֶּחָ֣ג ׀ אֲשֶׁ֣ר בִּֽיהוּדָה֮ וַיַּ֣עַל עַל־הַמִּזְבֵּחַ֒ כֵּ֤ן עָשָׂה֙ בְּבֵֽית־אֵ֔ל לְזַבֵּ֖חַ לָעֲגָלִ֑ים אֲשֶׁר־עָשָׂ֑ה וְהֶעֱמִיד֙ בְּבֵ֣ית אֵ֔ל אֶת־כֹּהֲנֵ֥י הַבָּמ֖וֹת אֲשֶׁ֥ר עָשָֽׂה׃

Ainda Outras Provisões. Jeroboão tanto duplicou como foi além das formas religiosas do judaísmo mosaico. Inaugurou uma festa nova para substituir a festa dos tabernáculos. Ele datou essa festa substituta um mês depois da festa de Judá. "A festividade de Israel era efetuada em Betel, no oitavo mês (outubro-novembro), exatamente um mês depois da de Judá, um mês que o próprio Jeroboão escolheu. Sacerdotes, sacrifícios e um altar foram todos providos para tornar a festividade de Israel tão boa quanto a de Judá, senão melhor. Mas a festa de Israel foi traçada por Jeroboão, ao passo que a de Judá fora decretada por Deus. Jeroboão deu o exemplo para o povo; subiu pessoalmente ao altar, em Betel, para apresentar oferendas" (Thomas L. Constable, *in loc.*).

A ocasião dessa festividade era a colheita da safra, e o adiamento de Jeroboão para a festa devia-se à diferença de condições climáticas, porquanto a colheita era efetuada mais tarde nas tribos do norte.

"A diferença de clima entre as várias regiões do país pode ser julgada pelo fato de que a colheita do trigo na Palestina se estende de abril, no vale do Jordão, e na planície marítima, até tão tarde quanto junho, em certas partes da região montanhosa" (Norman H. Snaith, *in loc.*).

Por conseguinte, a mudança de data não era devida à perversidade de Jeroboão, mas a condições climáticas e ao tempo da colheita. Mas adorar bezerros em Betel e em Dã, isso já foi devido à perversidade do rei.

12.33

וַיַּ֜עַל עַֽל־הַמִּזְבֵּ֣חַ ׀ אֲשֶׁר־עָשָׂ֣ה בְּבֵֽית־אֵ֗ל בַּחֲמִשָּׁ֨ה עָשָׂ֥ר יוֹם֙ בַּחֹ֣דֶשׁ הַשְּׁמִינִ֔י בַּחֹ֖דֶשׁ אֲשֶׁר־בָּדָ֣א מִלִּבֹּ֑ו וַיַּ֤עַשׂ חָג֙ לִבְנֵ֣י יִשְׂרָאֵ֔ל וַיַּ֥עַל עַל־הַמִּזְבֵּ֖חַ לְהַקְטִֽיר׃ פ

Parece que Jeroboão funcionou como *sumo sacerdote*, algo terminantemente proibido pela legislação mosaica. Somente um descendente direto de Arão podia cumprir essa missão. Ver no *Dicionário* o artigo chamado *Sumo Sacerdote*. Foi assim que um homem se tornou rei e sumo sacerdote, tomando nas próprias mãos todo o poder civil e religioso. Mas a perversão não perduraria por longo tempo. O cativeiro assírio varreria tudo isso para o esquecimento. Ver no *Dicionário* o artigo chamado *Cativeiros*.

Escolhido a seu bel-prazer. Jeroboão seguia o tempo da colheita, mas a ideia de substituir a festa mosaica em Jerusalém foi um ato arrogante, de satisfação pessoal, por motivo de conveniência e de razões políticas.

"... todo culto de conveniência torna-se um pecado, separando a alma do verdadeiro Deus" (Ralph W. Sockman, *in loc.*).

"A festa dos tabernáculos tinha sido determinada por Deus, mas o tempo de sua observância fora traçado pelo próprio Jeroboão, que alterou o tempo do sétimo mês (tisri, setembro-outubro) para o oitavo mês (marchesvan, outubro-novembro)" (John Gill, *in loc.*). Além disso, ele tinha seu próprio lugar, em substituição a Jerusalém.

Subiu para queimar incenso. O sentido pré-exílico da palavra hebraica aqui usada é "sacrificar", e não "queimar incenso", um significado que essa palavra assumiu depois do cativeiro. Portanto, neste texto, a tradução deveria ser "para sacrificar".

CAPÍTULO TREZE

O HOMEM DE DEUS DE JUDÁ (13.1-34)

Provavelmente temos aqui material que se deriva das notas de um compilador, o qual, segundo os críticos, teria escrito em cerca de 610 a.C. A história relatada no presente capítulo conta como esse homem de Deus repreendeu Jeroboão por seu falso culto, quando ele estava cumprindo seu papel de falso sumo sacerdote. O profeta precisou endireitar as coisas. Ocorreram milagres, que foram contados por toda parte, e assim as palavras do profeta foram *autenticadas*, o que, *algumas vezes*, é a razão pela qual certos milagres acontecem.

Alguns críticos supõem que essa história seja uma espécie de duplicação do que aconteceu nos dias de Amós, registrado ali em 9.1-9, mas inserido aqui para criar drama. Porém, não há razão para supormos que uma situação não pudesse ter acontecido por duas vezes. Seja como for, a história é contada para mostrar que Jeroboão tinha recebido plena advertência acerca de sua apostasia, e que o julgamento contra ele já estava a caminho.

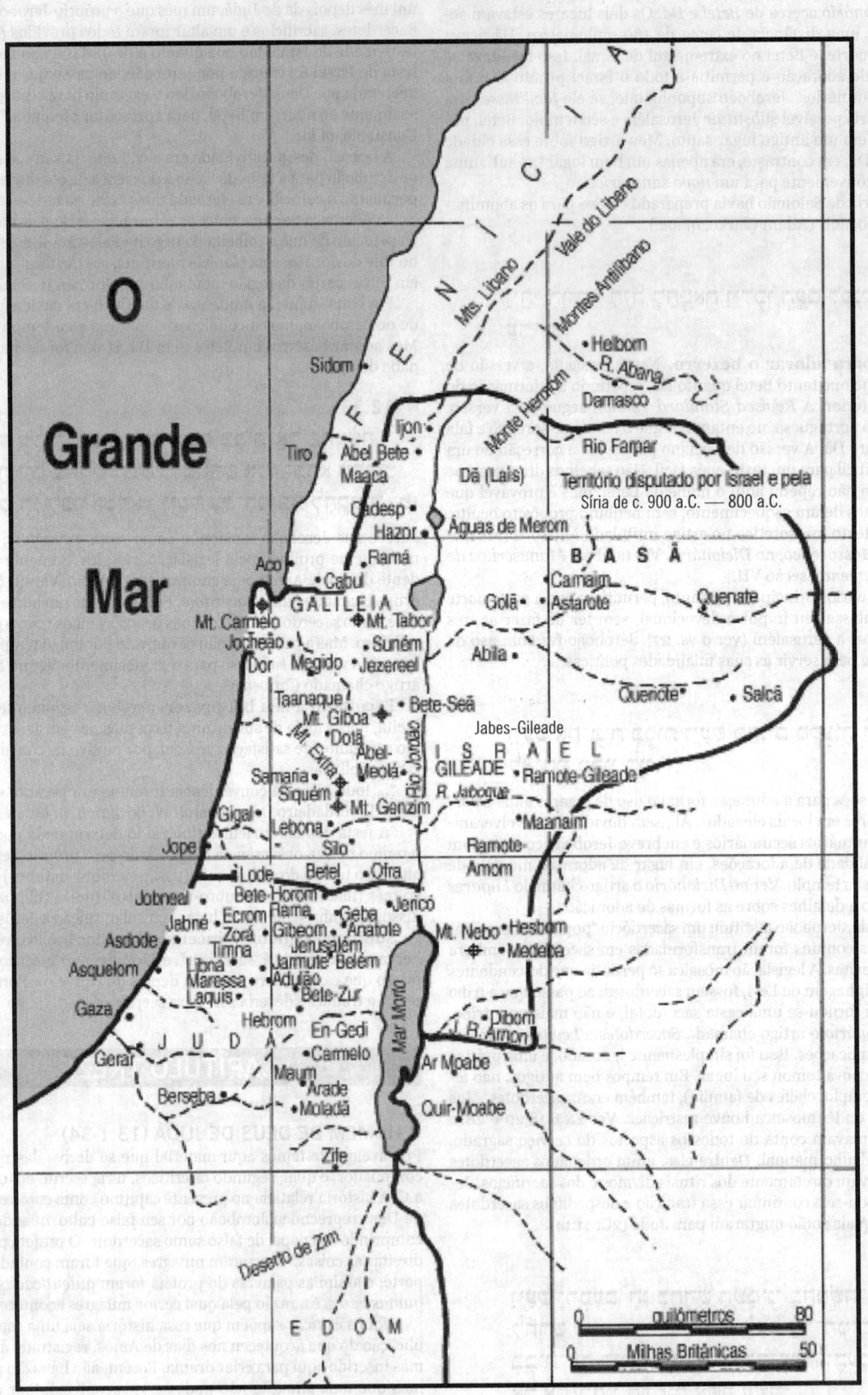

13.1

וְהִנֵּה ׀ אִישׁ אֱלֹהִים בָּא מִיהוּדָה בִּדְבַר יְהוָה אֶל־בֵּית־אֵל וְיָרָבְעָם עֹמֵד עַל־הַמִּזְבֵּחַ לְהַקְטִיר׃

Um homem de Deus. O nome do profeta não nos é fornecido, mas seus *atos* foram claros. Ele profetizou a destruição tanto do altar como de seus sacerdotes, e deu os sinais do braço paralisado de Jeroboão, da derrubada do altar e das cinzas espalhadas. O braço de Jeroboão foi restaurado pela simples misericórdia divina, mas a lição foi muito vívida e não seria mais esquecida. Jeroboão fora avisado, mas ignorou o aviso e continuou em sua apostasia. Josias (vs. 2) haveria de demolir aquele altar. O cativeiro assírio demoliria todas as dez tribos do norte.

Josefo chamou esse profeta de *Jadom* (*Antiq.* 1.8, cap. 9, sec. 1), mas não sabemos dizer se isso está historicamente correto. As autoridades judaicas supõem que *Ido* foi esse homem. Ver sobre ele no *Dicionário*. Ninguém sabe, contudo, quem realmente era esse homem. Alguns fazem de Jadom (de Josefo) e Ido a mesma pessoa. E existem outras conjecturas igualmente inúteis. Mas a profecia do homem de Deus foi certa e não havia nela conjectura alguma. Quanto à possível identificação de *Ido*, ver 2Cr 9.29 e 13.22.

13.2

וַיִּקְרָא עַל־הַמִּזְבֵּחַ בִּדְבַר יְהוָה וַיֹּאמֶר מִזְבֵּחַ מִזְבֵּחַ כֹּה אָמַר יְהוָה הִנֵּה־בֵן נוֹלָד לְבֵית־דָּוִד יֹאשִׁיָּהוּ שְׁמוֹ וְזָבַח עָלֶיךָ אֶת־כֹּהֲנֵי הַבָּמוֹת הַמַּקְטִרִים עָלֶיךָ וְעַצְמוֹת אָדָם יִשְׂרְפוּ עָלֶיךָ׃

Por ordem do Senhor. Ou seja, em consonância com uma comissão da parte de Yahweh, pela sua autoridade e, provavelmente, por sua ordem direta, como uma visão ou um sonho. O *altar herege* era uma cena de sacrilégio, mas se tornaria a cena dos poderes destrutivos de Josias, que agiria em nome de Yahweh. Os ossos dos sacerdotes seriam exumados por Josias e seriam queimados sobre o altar, onde Jeroboão tinha oferecido seus sacrifícios espúrios. "O costume de queimar ossos humanos sobre um altar tinha como objetivo contaminar qualquer local sagrado *e torná-lo impróprio para qualquer propósito sagrado*" (Norman H. Snaith, *in loc.*). Josias, a quem o profeta previra, não apareceria senão trezentos anos mais tarde, pois ele reinou em Judá de 640 a 609 a.C. O trecho de 2Rs 23.15-20 mostra-nos como essa profecia se cumpriu. Os críticos, naturalmente, supõem que o relato foi escrito como história, e não como profecia, mas posto em sua atual posição para emprestar-lhe aspecto profético. Alguns estudiosos, contudo, que supõem que essa passagem seja verdadeiramente profética, também creem que o nome Josias tenha sido adicionado depois que a predição teve cumprimento.

Casa de Davi. Naturalmente, Josias fazia parte da linhagem de Davi. Ver o artigo sobre ele no *Dicionário*. Que um rei da "oposição" seria usado para pôr fim a uma adoração apóstata, foi apenas um toque de justiça. Ele queimou os bosques dos lugares altos e reduziu a pó o santuário.

> Embora os moinhos de Deus moam lentamente,
> Eles moem excessivamente fino.
>
> Henry W. Longfellow

13.3

וְנָתַן בַּיּוֹם הַהוּא מוֹפֵת לֵאמֹר זֶה הַמּוֹפֵת אֲשֶׁר דִּבֶּר יְהוָה הִנֵּה הַמִּזְבֵּחַ נִקְרָע וְנִשְׁפַּךְ הַדֶּשֶׁן אֲשֶׁר־עָלָיו׃

Deu naquele mesmo dia um sinal. Foi dado um *sinal* de que aquela profecia era verdadeira, vinda diretamente de Yahweh. O sinal talvez tenha sido a *destruição total* do altar apóstata. O próprio altar seria despedaçado, suas cinzas seriam totalmente espalhadas, o que significa que a destruição seria tão completa que o altar não poderia conter nem cinzas, quanto mais sacrifícios. A completa abolição da idolatria já estava a caminho, pelos instrumentos da vontade divina. Talvez o *sinal* queira dizer que a rachadura e a desintegração do altar ocorreram por alguma espécie de *milagre*, e não pelo ataque de homens que tentaram destruí-lo a machadadas. Mas 2Rs 23.15 não parece mostrar que algo de sobrenatural estivesse em operação. Espera-se provavelmente que vejamos o *sinal* na exatidão com que a profecia se cumpriu. Ou, então, quanto ao sinal, deveríamos examinar o versículo seguinte a este, a súbita e miraculosa paralisia do braço de Jeroboão. O vs. 5, entretanto, define o sinal como a destruição miraculosa do altar ocorrida *naquele exato momento*. Nesse caso, Jeroboão deve tê-lo reconstruído.

13.4

וַיְהִי כִשְׁמֹעַ הַמֶּלֶךְ אֶת־דְּבַר אִישׁ־הָאֱלֹהִים אֲשֶׁר קָרָא עַל־הַמִּזְבֵּחַ בְּבֵית־אֵל וַיִּשְׁלַח יָרָבְעָם אֶת־יָדוֹ מֵעַל הַמִּזְבֵּחַ לֵאמֹר תִּפְשֻׂהוּ וַתִּיבַשׁ יָדוֹ אֲשֶׁר שָׁלַח עָלָיו וְלֹא יָכֹל לַהֲשִׁיבָהּ אֵלָיו׃

Enraivecido com o que o profeta tinha dito, Jeroboão estendeu seu *braço desafiador*, ao mesmo tempo que ordenava que o barulhento homem, que o estava incomodando, fosse preso. Mas de súbito, o braço desafiador foi completamente paralisado e tornou-se inútil. O original hebraico diz "ressecou-se", o que muitos intérpretes pensam ser uma forma de paralisia. Talvez, conforme afirmou John Gill (*in loc.*), os nervos e os músculos se tenham *ressecado*. O braço ficou tão inútil e sem forças que Jeroboão nem ao menos pôde recolhê-lo de sua posição esticada.

13.5

וְהַמִּזְבֵּחַ נִקְרָע וַיִּשָּׁפֵךְ הַדֶּשֶׁן מִן־הַמִּזְבֵּחַ כַּמּוֹפֵת אֲשֶׁר נָתַן אִישׁ הָאֱלֹהִים בִּדְבַר יְהוָה׃

O altar se fendeu, e a cinza se derramou do altar. Este versículo quase certamente fala do que aconteceu naquele momento, e não do que aconteceu nos dias de Josias, trezentos anos depois. Nesse caso, 2Rs 23.15-20 descreve a destruição do altar reconstruído. O sinal (vs. 3) dado "no mesmo dia", foi a súbita destruição do altar. Posteriormente, Josias transformou aquele lugar "sagrado" em profano, queimando sobre ele ossos de indivíduos mortos. Os críticos, entretanto, veem aqui um *relato duplo*, uma única história contada por mais de uma vez, com propósitos variados.

13.6

וַיַּעַן הַמֶּלֶךְ וַיֹּאמֶר אֶל־אִישׁ הָאֱלֹהִים חַל־נָא אֶת־פְּנֵי יְהוָה אֱלֹהֶיךָ וְהִתְפַּלֵּל בַּעֲדִי וְתָשֹׁב יָדִי אֵלָי וַיְחַל אִישׁ־הָאֱלֹהִים אֶת־פְּנֵי יְהוָה וַתָּשָׁב יַד־הַמֶּלֶךְ אֵלָיו וַתְּהִי כְּבָרִאשֹׁנָה׃

Uma Restauração Desmerecida. Em sua tirada, Jeroboão obteve o que merecia. Mas a oração do profeta, que operou através da misericórdia divina, restaurou o braço dele. É assim que funciona a graça e a misericórdia de Deus. O original hebraico diz: "torna doce a face do Senhor", a fim de reverter seu castigo. Temos aqui um forte *antropomorfismo* (ver a respeito no *Dicionário*), que apresenta Yahweh como uma carranca ao dispensar sua ira, a qual paralisou o braço de Jeroboão. Se agora o rosto de Deus parecesse *doce*, isso significaria que o milagre havia sido revertido.

"É impossível alguém falar de forma inteligente sobre um Deus pessoal, exceto em termos emprestados da experiência humana" (Norman H. Snaith, *in loc.*). Isso é verdade, naturalmente, mas sem dúvida essa linguagem antropomórfica com frequência nos afasta da verdadeira compreensão da verdadeira natureza de Deus, que é muito mais do que um mero super-homem. Tais considerações não devem desviar nossa mente de uma das grandes lições deste texto: a misericórdia de Deus.

> Vem, cada alma oprimida pelo pecado,
> Há misericórdia no Senhor.
> E por certo ele dará a vós descanso,
> Se confiardes em sua Palavra.
>
> J. H. Stockton

Senhor teu Deus. Jeroboão não disse "meu Deus", porquanto estava muito distanciado de Deus, devido à sua apostasia e rebeldia.

E a mão do rei se lhe recolheu. "Não devolvendo mal por mal, mas mostrando ter um espírito perdoador. Embora o rei tivesse estendido a mão contra ele, ele agora elevava suas mãos para curá-lo" (John Gill, *in loc.*).

> *As misericórdias do Senhor são a causa de não sermos consumidos, porque as suas misericórdias não têm fim.*
>
> Lamentações 3.22

■ 13.7

וַיְדַבֵּר הַמֶּלֶךְ אֶל־אִישׁ הָאֱלֹהִים בֹּאָה־אִתִּי הַבַּיְתָה וּסְעָדָה וְאֶתְּנָה לְךָ מַתָּת:

O Convite. Os milagres primeiramente assustaram a Jeroboão, e então aqueceram o seu coração. Ele estava tratando com o grande e único Deus, o Deus de poder, de milagres e de misericórdia. Portanto, o profeta, agente do poder e da misericórdia de Deus, recebeu o convite de compartilhar uma refeição de agradecimento na companhia do rei. Jeroboão também prometeu ao profeta alguma espécie de recompensa. Ele não permitiria que a ocasião passasse sem expressar a sua gratidão. Naquele momento, podemos estar certos, o rei estava sendo sincero. Ele se aproximara do Fogo Central. A hospitalidade no Oriente Próximo e Médio era um costume sagrado e, naquele momento, ninguém a merecia mais do que o profeta de Yahweh. Isso pode ser comparado com o convite de Naamã a Eliseu (ver 2Rs 5.15). Adam Clarke (*in loc.*) provavelmente está errado ao supor que Jeroboão estivesse tentando transformar o profeta em um de seus sacerdotes, dando-lhe um bom salário pelos serviços prestados. Essa ideia superenfatiza a conivência do rei. Jeroboão simplesmente estava feliz por ter o braço funcionando bem de novo, e queria expressar a sua gratidão.

É possível que Jeroboão quisesse reter o profeta por algum tempo, a fim de aproveitar-se de suas orações e de seus poderes para garantir que o milagre de cura fosse permanente *e também* que nenhuma outra calamidade lhe sobreviesse.

REOBOÃO, O DESTRUIDOR IRRACIONAL

O Confronto

Foi convocada uma assembleia nacional para confirmar a subida de Reoboão ao trono. Esta assembleia, formada por anciões que representavam o povo, exigiu do novo rei o alívio das pesadas cargas impostas pelo governo de Salomão. Reoboão respondeu à assembleia com a famosa frase:

> *Meu pai fez pesado o vosso jugo, porém eu ainda o agravarei; meu pai vos castigou com açoites, eu, porém, vos castigarei com escorpiões.*
>
> 1Reis 12.14

O povo reagiu com um "Às vossas tendas, ó Israel! Cuida agora de tua casa, ó Davi!"
Foi assim que Israel (as dez tribos) se tornou uma nação separada de Judá (as duas tribos). Esta divisão nunca foi revertida. Judá, depois do cativeiro babilônico, como o novo Israel, continuou a história do povo hebraico-judaico.

■ 13.8

וַיֹּאמֶר אִישׁ הָאֱלֹהִים אֶל־הַמֶּלֶךְ אִם־תִּתֶּן־לִי אֶת־חֲצִי בֵיתֶךָ לֹא אָבֹא עִמָּךְ וְלֹא־אֹכַל לֶחֶם וְלֹא אֶשְׁתֶּה־מַּיִם בַּמָּקוֹם הַזֶּה:

Ainda que me desses metade da tua casa. *Uma Recusa Terminante.* Jeroboão tinha-se posto na posição de inimigo de Yahweh, e o profeta não haveria de desculpar seus atos por participar daquela refeição de ação de graça com o rei. Ademais, ele de forma alguma queria tratados ou negócios com o rei apostatado. Não aceitaria sua "recompensa", para não ficar devendo coisa alguma em qualquer grau. Nem permitiria que se espalhasse a notícia de que um profeta de Yahweh tivera uma refeição com Jeroboão, dando a impressão de que aquele rei havia ganhado o favor de Yahweh, o Deus eterno, ao mesmo tempo que encabeçava um falso sistema religioso em Dã e Betel. Finalmente, o profeta não queria demorar-se naquele lugar idólatra, a fim de não se contaminar. Nenhuma recompensa, por grande que fosse, seduziria o profeta a permanecer, nem mesmo no palácio de Jeroboão. Talvez por "casa" devamos entender o reino ou as propriedades do rei.

■ 13.9

כִּי־כֵן צִוָּה אֹתִי בִּדְבַר יְהוָה לֵאמֹר לֹא־תֹאכַל לֶחֶם וְלֹא תִשְׁתֶּה־מָּיִם וְלֹא תָשׁוּב בַּדֶּרֶךְ אֲשֶׁר הָלָכְתָּ:

Yahweh havia dado ao profeta uma clara e enfática advertência para não se misturar com coisa alguma relativa ao norte, nem mesmo comer com um rei. De fato, ele não poderia comer ou beber água naquele lugar, nem mesmo privadamente, por temor de ser contaminado. Era preciso dar uma lição clara de modo que todos quantos o observassem tivessem certeza de que ele desaprovava, de maneira absoluta, o culto idólatra que campeava naquele lugar.

No *Oriente,* comer com outrem era um ato comum para firmar amizade ou uma aliança. O profeta, pois, não queria ter nenhuma amizade com Jeroboão, e muito menos ainda estabelecer um pacto com ele. Ele não queria dar a impressão de ser amigo do rei ou de estar estabelecendo um acordo com ele.

O profeta não haveria de querer ter comunhão com um idólatra, e especialmente com o sumo sacerdote do sistema idólatra do norte, Israel.

ele teria de tomar *um caminho diferente* a fim de voltar para casa. Ver o próximo versículo quanto a esse elemento.

"ele precisava desaparecer rapidamente, como o mensageiro de Elias a Jeú (ver 2Rs 9.3,10), quando seu trabalho estivesse terminado" (Ellicott, *in loc.*).

■ 13.10

וַיֵּלֶךְ בְּדֶרֶךְ אַחֵר וְלֹא־שָׁב בַּדֶּרֶךְ אֲשֶׁר בָּא בָהּ אֶל־בֵּית־אֵל: פ

E se foi por outro caminho. O profeta apressou-se e começou a voltar por uma rota diferente da que usara para chegar a Betel. Isso fazia parte das instruções de Yahweh (ver o versículo anterior). Talvez fosse uma medida de segurança. Poderia haver alguns homens irados e assassinos esperando pela sua volta, que o quisessem matar como um oponente desprezado do sul. Mas em breve, por causa do convite de outro profeta, ele morreria, porquanto desobedeceria às instruções de Yahweh (ver os vss. 21 ss.).

■ 13.11

וְנָבִיא אֶחָד זָקֵן יֹשֵׁב בְּבֵית־אֵל וַיָּבוֹא בְנוֹ וַיְסַפֶּר־לוֹ אֶת־כָּל־הַמַּעֲשֶׂה אֲשֶׁר־עָשָׂה אִישׁ־הָאֱלֹהִים הַיּוֹם בְּבֵית־אֵל אֶת־הַדְּבָרִים אֲשֶׁר דִּבֶּר אֶל־הַמֶּלֶךְ וַיְסַפְּרוּם לַאֲבִיהֶם:

Betel era um santuário sagrado, e assim tinha sido por um tempo longínquo. Ver o artigo sobre *Betel,* no *Dicionário,* quanto a detalhes. Portanto, não era surpresa que houvesse um profeta honrado ali que não tinha fugido para o sul, juntamente com os levitas e sacerdotes (ver 2Cr 11.14). Naturalmente, o velho profeta talvez não fosse tão honrado assim. Estou conjecturando que o *homem idoso* simplesmente não tinha coragem para fugir para Jerusalém. Ele sempre vivera em Betel e estava por demais idoso e cansado para fazer a mudança simplesmente porque o norte se dividira do sul e tinha um rei apostatado. A morte viria em breve, e o homem esperava, com paciência e em paz.

Seja como for, os filhos do idoso profeta de Betel foram testemunhas (ou foram informados) dos acontecimentos no altar de Jeroboão e ansiaram comunicar isso ao antigo profeta. O idoso homem demonstrou muito interesse em ter a companhia de homens tão notáveis e poderosos (espiritualmente).

Thomas L. Constable (*in loc.*) tem um curioso comentário: "A idade avançada, algumas vezes, tende por tornar a pessoa preguiçosa e complacente", justificando a permanência do profeta em Betel. Mas o homem de idade avançada sabe que o verdadeiro problema é a ausência de energias que vão diminuindo com a idade, furtando do idoso não somente a força mental e física, mas também a sua *coragem*. O idoso profeta de Betel, pois, não teve coragem de mudar-se para Jerusalém.

O Targum e Josefo (*Antiq.* 1.8, cap. 9, sec. 1) fazem desse pobre idoso um falso profeta, mas isso é um julgamento muito severo. No outro extremo, temos Kimchi, que faz desse homem *Mica*, ideia que outras autoridades judaicas aceitam. Mas não há como testar essa teoria. Existem outras conjecturas sobre a sua identidade, todas elas inúteis.

■ 13.12,13

וַיְדַבֵּר אֲלֵהֶם אֲבִיהֶם אֵי־זֶה הַדֶּרֶךְ הָלָךְ וַיִּרְאוּ בָנָיו אֶת־הַדֶּרֶךְ אֲשֶׁר הָלַךְ אִישׁ הָאֱלֹהִים אֲשֶׁר־בָּא מִיהוּדָה׃

וַיֹּאמֶר אֶל־בָּנָיו חִבְשׁוּ־לִי הַחֲמוֹר וַיַּחְבְּשׁוּ־לוֹ הַחֲמוֹר וַיִּרְכַּב עָלָיו׃

Os filhos tinham visto o caminho que ele havia tomado, e isso tornou possível para o idoso profeta tomar seu asno, prepará-lo e pôr-se a caminho após o homem de Judá. Alguns intérpretes veem razões sinistras e vis nesse ato, mas isso é tolice. O velho homem simplesmente queria ter alguma *comunhão*. Na apostatada parte norte da nação, não havia muitos homens espirituais com quem ele pudesse comparar notas, ter conversas espirituais, trocar ideias e contar as glórias do passado.

Visto que o homem de Deus de Judá estava a pé, seria fácil para o outro profeta alcançá-lo, montado em seu jumento. E assim, ansiosamente, ele se foi, olhando para cá e para lá, esperando garantir a amizade do notável profeta que tivera coragem de enfrentar e derrotar o próprio monarca.

■ 13.14

וַיֵּלֶךְ אַחֲרֵי אִישׁ הָאֱלֹהִים וַיִּמְצָאֵהוּ יֹשֵׁב תַּחַת הָאֵלָה וַיֹּאמֶר אֵלָיו הַאַתָּה אִישׁ־הָאֱלֹהִים אֲשֶׁר־בָּאתָ מִיהוּדָה וַיֹּאמֶר אָנִי׃

E foi após o homem de Deus. *Para seu deleite*, o idoso homem logo encontrou o profeta mais jovem, sentado debaixo de um carvalho, aproveitando a sombra e descansando por algum tempo. Ele perguntou se ele era o profeta que havia causado tanta confusão em Betel, e foi informado de que era. O homem não havia comido ou bebido coisa alguma, e suas energias estavam no fim. Não há no texto nenhum indício de que a árvore era um carvalho sagrado, como o de Abraão, em Manre (ver notas expositivas em Gn 13.18). Os santuários sagrados eram estabelecidos nos carvalhos, havendo algum valor místico nessa árvore, segundo o povo pensava. Cf. o carvalho de Siquém (ver Gn 35.4,8; Js 24.26; Jz 9.6); o de Ofra (Jz 6.11) e a palmeira de Débora (Jz 4.5).

Ver no *Dicionário* o artigo chamado *Carvalho*, que dá alguns detalhes surpreendentes sobre o prestígio dos carvalhos em relação à adoração sagrada, até mesmo fora da cultura hebreia. Ver também o artigo chamado *Carvalho dos Adivinhadores*.

■ 13.15

וַיֹּאמֶר אֵלָיו לֵךְ אִתִּי הַבָּיְתָה וֶאֱכֹל לָחֶם׃

Outro Convite. O profeta idoso duplicou o convite que já tinha sido feito por Jeroboão. As notas expositivas dos vss. 7 e 8 também se aplicam aqui. Yahweh havia proibido o profeta de comer e beber naquele lugar onde imperava a idolatria, quanto mais de ter comunicação ali com alguém e demorar-se em sua viagem de volta para casa (ver o vs. 9). O convite, como é evidente, foi feito de todo o coração, sincera e inocentemente, mas mesmo assim não poderia ter sido aceito. Era muito mais importante obedecer a Yahweh do que desfrutar a comunhão e o alimento de outro profeta.

■ 13.16,17

וַיֹּאמֶר לֹא אוּכַל לָשׁוּב אִתָּךְ וְלָבוֹא אִתָּךְ וְלֹא־אֹכַל לֶחֶם וְלֹא־אֶשְׁתֶּה אִתְּךָ מַיִם בַּמָּקוֹם הַזֶּה׃

כִּי־דָבָר אֵלַי בִּדְבַר יְהוָה לֹא־תֹאכַל לֶחֶם וְלֹא־תִשְׁתֶּה שָׁם מָיִם לֹא־תָשׁוּב לָלֶכֶת בַּדֶּרֶךְ אֲשֶׁר־הָלַכְתָּ בָּהּ׃

Outra Recusa. No começo, o profeta de Judá mostrou-se adamantino em sua recusa de aceitar o convite. Ele, sob nenhuma circunstância, ou para agradar seja lá quem fosse, desobedeceria às ordens de Yahweh. Esse mandamento lhe fora dado clara e severamente (vs. 9), não deixando dúvidas nem espaço para interpretação alternativa. Nem mesmo grandes recompensas, como a metade da casa do rei, poderiam dissuadi-lo de sair de Betel.

■ 13.18

וַיֹּאמֶר לוֹ גַּם־אֲנִי נָבִיא כָּמוֹךָ וּמַלְאָךְ דִּבֶּר אֵלַי בִּדְבַר יְהוָה לֵאמֹר הֲשִׁבֵהוּ אִתְּךָ אֶל־בֵּיתֶךָ וְיֹאכַל לֶחֶם וְיֵשְׁתְּ מָיִם כִּחֵשׁ לוֹ׃

Porém mentiu-lhe. Em sua necessidade fanática de ter comunhão com o profeta de Judá, o profeta mais idoso continuou insistindo e afirmando ser ele também um profeta, e ter recebido uma visita angelical que o instruíra a levar o profeta de Judá até sua casa. Além disso, o anjo (disse o profeta mais idoso) era um mensageiro do próprio Yahweh. Infelizmente, essa conversa complicou tudo. O pobre homem de Judá deixou-se convencer e acabou morrendo por haver desobedecido tolamente ao mandamento de Yahweh.

A Pergunta. Como devemos entender essa questão relativa ao anjo? O profeta mais idoso mentiu? Seria ele sincero, mas estaria enganado?

Interpretações:

1. O profeta mais idoso, em sua ânsia de convencer o profeta mais jovem a seguir em sua companhia, simplesmente mentiu. Houvesse ou não motivos sinistros, sua conversa sobre o anjo era mentirosa. Nenhum anjo de Yahweh viera para contradizer as ordens claras que o profeta de Judá havia recebido da parte de Deus.

"O homem de Deus, que resistira aos convites do rei, cedeu diante da *sedução* de um colega profeta. Ele era forte bastante em sua força de vontade, mas fraco em sua percepção espiritual" (Ralph W. Sockman, *in loc.*).

A conversa do profeta idoso sobre o anjo foi "um artifício e um estratagema para persuadir o homem de Deus a retornar com ele, a fim de desfrutar sua companhia e uma conversa com ele" (John Gill, *in loc.*).

2. Ou então um verdadeiro anjo de Yahweh foi enviado para testar a determinação e a fidelidade do outro profeta. Seria algo semelhante à ordem de Deus para Abraão sacrificar o filho, mesmo não havendo nenhuma intenção verdadeira de que ele praticasse o sacrifício humano. Também podemos ilustrar com o caso de Jó, a quem Deus testou. Ele soube ser testado, sem *cair*. Nesse caso, o profeta de Judá deveria ter *repelido* o convite, mesmo que o convite estivesse apoiado por algum agente divino.

3. Ou então o profeta mais idoso estava equivocado. Ele teria recebido o que *pensara* ser um agente divino. Ele *produzira* alguma forma que lhe transmitira uma mensagem, mas era o seu próprio poder psíquico interior que tinha produzido a visão, a qual, por isso mesmo, era *subjetiva*, e não objetiva. Caros leitores, isso acontece o tempo todo com pessoas que, algumas vezes, têm visões genuínas. Em muitas ocasiões, elas, sendo psiquicamente sensíveis, produzem visões da própria lavra, algo semelhante à função dos sonhos, que é, essencialmente, um cumprimento de desejo. Assim sendo, se algumas pessoas têm sonhos que cumprem seus próprios desejos subjetivos, assim também outras podem produzir visões por meio do cumprimento de desejo. É um fato conhecido dos que investigam os fenômenos psíquicos, que *algumas pessoas* podem produzir *sonhos estando acordadas*, isto é, imagens que veem quando não estão dormindo. A advertência aos místicos é esta: a primeira coisa

que você deve fazer é *duvidar* de sua visão. Um ser humano é capaz de notáveis manifestações psíquicas, totalmente *naturais*. Algumas drogas, bem como as sugestões hipnóticas, também produzem falsas visões.

Creio que o profeta mais idoso produziu sua própria visão de um anjo, completada com sua falsa mensagem. Ele seduziu a si próprio quanto à questão, embora não de maneira maligna. Ele não queria prejudicar o profeta de Judá. Tão somente superestimou seus próprios poderes, e não foi capaz de distinguir o natural do sobrenatural. Em sua ansiedade por dispor da companhia do outro profeta, produziu, convenientemente, sua própria manifestação angelical e foi enganado por sua capacidade psíquica interior. Nada de sobrenatural aconteceu então, apesar de sua fé em contrário.

Outro fenômeno interessante é a capacidade de produzir, por meio da telepatia, imagens dos pensamentos de outras pessoas. Isso quer dizer que algumas pessoas podem *ver* o que outras estão pensando, ter visões com aquilo que estiverem percebendo, e não meramente compreender os pensamentos das outras pessoas. Temos muito que aprender acerca dessas manifestações, e erramos por atribuir ao diabo ou a Deus a maior parte dos fenômenos psíquicos. A *maior parte* desses fenômenos pertence à ordem *natural* das coisas. Algumas dessas coisas são divinas; outras são demoníacas. O homem, por ter um espírito, recebe toda espécie de manifestações espirituais, embora elas sejam naturais. *Algumas vezes*, porém, Deus está presente.

■ 13.19

וַיֵּשֶׁב אִתּוֹ וַיֹּאכַל לֶחֶם בְּבֵיתוֹ וַיֵּשְׁתְּ מָיִם:

O Que Foi Estritamente Proibido, Acabou Sendo Feito. O profeta de Judá ficou convencido diante daquela conversa sobre o anjo. Ele deve ter pensado que Yahweh mudara de ideia, ou, pelo menos, fizera uma *exceção* à proibição geral, permitindo-lhe comer na companhia de *outro profeta,* embora não na companhia de um rei. O espírito apóstata da parte norte da nação não havia prevalecido sobre os dois profetas. Eles simplesmente incorreram em erros de julgamento. Não obstante, o profeta de Judá incorrera em um erro fatal. O leão, em breve, haveria de tirar-lhe a vida (vs. 24). Na verdade, ele obteve uma horrenda colheita em face de seu equívoco, a despeito de tudo ter feito na inocência, ou assim ele pensava.

■ 13.20

וַיְהִי הֵם יֹשְׁבִים אֶל־הַשֻּׁלְחָן פ וַיְהִי דְּבַר־יְהוָה אֶל־הַנָּבִיא אֲשֶׁר הֱשִׁיבוֹ:

Veio a palavra do Senhor ao profeta que o tinha feito voltar. De modo surpreendente, o idoso profeta de Betel de repente recebeu uma visão da parte de Yahweh. Isso ocorreu quando eles ainda estavam comendo à mesa. O profeta de Judá havia desobedecido a um claro mandamento divino e em breve morreria por causa disso. Ele não teria uma morte pacífica e depois um sepultamento decente com seus pais. Ele teria uma morte inesperada e violenta. Infelizmente, o profeta de Judá foi sepultado na apóstata Betel (vs. 29)!

"É talvez a característica mais terrível da história que a sentença divina foi pronunciada (tal como no caso de Balaão) involuntariamente, através dos próprios lábios que, mediante a falsidade, haviam enganado o profeta de Judá, desviando-o da vereda certa, e na própria mesa da hospitalidade traiçoeira" (Ellicott, *in loc.*).

■ 13.21

וַיִּקְרָא אֶל־אִישׁ הָאֱלֹהִים אֲשֶׁר־בָּא מִיהוּדָה לֵאמֹר כֹּה אָמַר יְהוָה יַעַן כִּי מָרִיתָ פִּי יְהוָה וְלֹא שָׁמַרְתָּ אֶת־הַמִּצְוָה אֲשֶׁר צִוְּךָ יְהוָה אֱלֹהֶיךָ:

Porquanto foste rebelde à palavra do Senhor. *A ordem divina fora dada severa e claramente:* sob circunstância alguma o profeta de Judá deveria comer com alguma pessoa da apóstata Betel, nem rei, nem súdito, nem profeta (vs. 9). Mas o profeta de mais idade o convencera de que um anjo de Yahweh lhe havia transmitido uma mudança na mente divina. Com base na força dessa "revelação", o profeta agiu contra um mandamento claro. Yahweh-Elohim, o Deus Eterno e Todo-poderoso, repreendeu o profeta e pronunciou contra ele uma maldição.

Invisível e sem voz, a justiça seguiu seus passos...
Bem de perto, invisível, ela vê e sabe bem
A quem deve ferir.

Ésquilo

■ 13.22

וַתָּשָׁב וַתֹּאכַל לֶחֶם וַתֵּשְׁתְּ מַיִם בַּמָּקוֹם אֲשֶׁר דִּבֶּר אֵלֶיךָ אַל־תֹּאכַל לֶחֶם וְאַל־תֵּשְׁתְּ מָיִם לֹא־תָבוֹא נִבְלָתְךָ אֶל־קֶבֶר אֲבֹתֶיךָ:

O local (Betel) tinha sido amaldiçoado por Deus, e nenhum de seus habitantes deveria ser honrado com a presença do profeta de Judá. Isso poderia ser interpretado como uma aprovação à idolatria que dominava o lugar. O profeta de Judá era dotado de imensa força de vontade, mas era fraco quanto à percepção espiritual, e não foi capaz de perceber o ardil que lhe armara o outro profeta. O *castigo* foi que ele não chegaria vivo em casa, a fim de, finalmente, morrer em paz, recebendo um sepultamento honroso ao lado dos pais. Antes, teria uma morte violenta e seria sepultado em Betel! ele dormiria com os pais, mas não seria sepultado com eles. Ver as notas expositivas em 1Rs 1.21 sobre o ato de dormir com os pais.

Aquele profeta tinha ainda outras obras para completar, outras coisas para realizar. seu erro roubou-lhe tudo isso, uma situação verdadeiramente triste.

■ 13.23

וַיְהִי אַחֲרֵי אָכְלוֹ לֶחֶם וְאַחֲרֵי שְׁתוֹתוֹ וַיַּחֲבָשׁ־לוֹ הַחֲמוֹר לַנָּבִיא אֲשֶׁר הֱשִׁיבוֹ:

A terrível profecia fora dita, de modo tão surpreendente e espontâneo, e então a refeição chegou à conclusão. O profeta de Judá, ato contínuo, apressou-se a deixar aquele lugar. O profeta mais idoso já lhe havia preparado o caminho, albardando o jumento, sem dúvida fornecendo provisões apropriadas e dizendo: "Agradecido, irmão, pela sua visita agradável! Volte em breve!"

Somente neste versículo o *homem de Deus* de Judá foi chamado de "profeta", embora já se tivesse tornado óbvio que ele era um profeta. Alguns veem nisso uma omissão propositada, por parte do autor, que tinha consciência da existência de *profetas falsos*. Mas um homem de Deus é um homem de Deus (e, presumivelmente, um verdadeiro profeta). Essa interpretação, contudo, é um refinamento desnecessário, porquanto, se isso é uma verdade, por que o homem teria sido chamado de "profeta" neste vs. 23?

■ 13.24

וַיֵּלֶךְ וַיִּמְצָאֵהוּ אַרְיֵה בַּדֶּרֶךְ וַיְמִיתֵהוּ וַתְּהִי נִבְלָתוֹ מֻשְׁלֶכֶת בַּדֶּרֶךְ וְהַחֲמוֹר עֹמֵד אֶצְלָהּ וְהָאַרְיֵה עֹמֵד אֵצֶל הַנְּבֵלָה:

Um leão o encontrou no caminho, e o matou. O *coitado* que tinha vindo de Judá não tinha ainda caminhado muito, quando um feroz leão o encontrou e prontamente o matou. O leão não o comeu nem atacou o jumento. Estava ali somente para matar o profeta, por impulso de Yahweh, o qual controla tanto os animais quanto os homens. "Leões eram animais comuns no início da história da Palestina e, novamente, depois que a parte norte do país perdeu sua população, após as conquistas assírias (ver 2Rs 17.26)" (Norman H. Snaith, *in loc.*). Ver no *Dicionário* o artigo chamado *Leão*. Mas, quando as florestas desapareceram em Israel, desapareceram igualmente os leões.

Temos a *curiosa cena* do pobre jumento ali de pé, ao lado de seu senhor mutilado, e o leão também nas proximidades. Passantes comunicaram o estranho fato ao profeta mais idoso, que recolheu o cadáver e cuidou do sepultamento. John Gill (*in loc.*) viu o leão como um *guardião* que não permitia que outros animais comessem o corpo, porquanto àquele corpo morto deveria ser dado um sepultamento decente. O leão continuaria presente até que chegasse o agente do sepultamento, o outro profeta.

13.25

וְהִנֵּ֨ה אֲנָשִׁ֜ים עֹבְרִ֗ים וַיִּרְא֤וּ אֶת־הַנְּבֵלָה֙ מֻשְׁלֶ֣כֶת בַּדֶּ֔רֶךְ וְאֶת־הָ֣אַרְיֵ֔ה עֹמֵ֖ד אֵ֣צֶל הַנְּבֵלָ֑ה וַיָּבֹ֙אוּ֙ וַיְדַבְּר֣וּ בָעִ֔יר אֲשֶׁ֛ר הַנָּבִ֥יא הַזָּקֵ֖ן יֹשֵׁ֥ב בָּֽהּ׃

Eis que os homens passaram. Os circunstantes observaram a estranha cena do leão e do jumento, ambos ao lado do corpo caído e mutilado do profeta de Judá. O leão estava guardando o corpo, até que chegasse a pessoa que faria o sepultamento. O fato foi comunicado ao profeta mais velho, que vivia em Betel. O leão rugia para os passantes, mas não fez nenhum novo ataque. Ele cumprira o seu dever por aquele dia.

13.26

וַיִּשְׁמַ֣ע הַנָּבִיא֮ אֲשֶׁ֣ר הֱשִׁיב֣וֹ מִן־הַדֶּרֶךְ֒ וַיֹּ֙אמֶר֙ אִ֣ישׁ הָאֱלֹהִ֣ים ה֔וּא אֲשֶׁ֥ר מָרָ֖ה אֶת־פִּ֣י יְהוָ֑ה וַֽיִּתְּנֵ֨הוּ יְהוָ֜ה לָאַרְיֵ֗ה וַֽיִּשְׁבְּרֵ֙הוּ֙ וַיְמִתֵ֔הוּ כִּדְבַ֥ר יְהוָ֖ה אֲשֶׁ֥ר דִּבֶּר־לֽוֹ׃

Segundo a palavra que o Senhor lhe havia dito. *A razão da tragédia era perfeitamente clara.* O profeta mais idoso tinha ouvido a advertência de Yahweh da boca do homem de Deus (vs. 16), e ele mesmo proferira uma profecia-maldição contra o homem (vs. 21). Não havia dúvidas: o leão era o instrumento da ira do Senhor. O profeta de Judá tinha sido "desobediente" à palavra do Senhor, e o profeta de mais idade, para sua eterna vergonha, fora o instrumento do seu erro, de fato, a causa principal do seu desvio. Seja como for, o profeta mais idoso viu claramente o pecado do profeta de Judá, mas não proferiu uma única palavra acerca de seu próprio pecado, algo comum entre os homens, até mesmo os que se consideram espirituais. O homem de mais idade deveria ter sido um *vigia* na noite, em Betel. Deveria ter avisado sobre todos os resultados drásticos das infrações contra a palavra de Yahweh. Mas tornou-se um instrumento da morte. "Guarda, a que hora estamos da noite? Guarda, a que horas?" (Is 21.11).

13.27

וַיְדַבֵּ֤ר אֶל־בָּנָיו֙ לֵאמֹ֔ר חִבְשׁוּ־לִ֖י אֶֽת־הַחֲמ֑וֹר וַֽיַּחֲבֹֽשׁוּ׃

Tendo ouvido as terríveis notícias da morte do homem de Deus de Judá, ele ordenou a seus filhos que preparassem a jornada. Eles albardaram o jumento, e lá se foi o profeta mais idoso ver a cena sangrenta. Ele esperava estar equivocado. Alguma *outra* pobre alma teria sido morta pelo leão. Em seu coração, entretanto, sabia que encontraria o homem de Deus de Judá morto na estrada.

13.28

וַיֵּ֗לֶךְ וַיִּמְצָ֤א אֶת־נִבְלָתוֹ֙ מֻשְׁלֶ֣כֶת בַּדֶּ֔רֶךְ וַחֲמוֹר֙ וְהָ֣אַרְיֵ֔ה עֹמְדִ֖ים אֵ֣צֶל הַנְּבֵלָ֑ה לֹֽא־אָכַ֤ל הָֽאַרְיֵה֙ אֶת־הַנְּבֵלָ֔ה וְלֹ֥א שָׁבַ֖ר אֶֽת־הַחֲמֽוֹר׃

Não tendo caminhado muito para longe de Betel, descobriu o que já sabia interiormente. Ali estava o corpo mutilado do outro profeta, e o leão continuava guardando o cadáver. O jumento do homem de Deus também estava ali, sem ser molestado. Era uma cena estranha. O leão não atacara o profeta de mais idade, porque ele estava destinado a morrer de alguma outra maneira. O leão, vendo o homem de mais idade aproximar-se, entendeu que sua missão estava terminada e simplesmente desapareceu no bosque próximo. O autor sagrado impressiona-nos com o fato de que Yahweh exerce controle sobre todas as coisas, um sinal característico do *teísmo* (ver no *Dicionário*). Deus é a *causa* de tudo. Ele tanto é transcendente quanto é imanente. É sempre um poder com o qual temos de contar, que intervém na história humana: ele recompensa e pune. Ver no *Dicionário* os artigos chamados *Providência de Deus* e *Ira de Deus*. Ver também o verbete chamado *Deus*, quanto aos conceitos, atributos e provas da sua existência.

"O leão permaneceu ali até que chegou o profeta e cuidou do cadáver, o que mostra a providência singular de Deus; e, embora o homem tivesse sido castigado com um julgamento temporal por causa de sua ofensa, não obstante ele era querido de Deus, e até o seu cadáver era precioso aos seus olhos" (John Gill, *in loc.*).

"Quão evidente foi a mão de Deus em toda essa história" (Adam Clarke, *in loc.*).

13.29

וַיִּשָּׂ֨א הַנָּבִ֜יא אֶת־נִבְלַ֧ת אִישׁ־הָאֱלֹהִ֛ים וַיַּנִּחֵ֥הוּ אֶֽל־הַחֲמ֖וֹר וַיְשִׁיבֵ֑הוּ וַיָּבֹ֗א אֶל־עִיר֙ הַנָּבִ֣יא הַזָּקֵ֔ן לִסְפֹּ֖ד וּלְקָבְרֽוֹ׃

O profeta mais idoso pôs o cadáver do outro profeta em seu jumento ou, talvez, no outro jumento que estava por perto, e voltou à cidade, lamentando-se enquanto avançava. Ele teve tempo de pensar sobre os seus próprios pecados, e sem dúvida o fez, em espírito de arrependimento.

13.30

וַיַּנַּ֥ח אֶת־נִבְלָת֖וֹ בְּקִבְר֑וֹ וַיִּסְפְּד֥וּ עָלָ֖יו ה֥וֹי אָחִֽי׃

O profeta de mais idade honrou o profeta de Judá, sepultando-o em seu próprio sepulcro. Seus filhos haveriam de sepultá-lo no mesmo sepulcro, conforme adiciona o versículo seguinte. As lamentações apropriadas foram feitas em honra do homem que havia morrido, e foi-lhe dado um sepultamento decente em Betel, a apostatada capital da região norte do reino unido.

Ver no *Dicionário* o artigo chamado *Sepultamento, Costumes de*. Assim o profeta de Judá tinha morrido violenta e desgraçadamente, mas seu espírito voou para Deus, gloriosamente, pois essa é a misericórdia, a graça e o poder de Deus. Ver no *Dicionário* o verbete chamado *Alma*, e na *Enciclopédia de Bíblia, Teologia e Filosofia* o artigo chamado *Imortalidade*.

Ah! irmão meu! O sepultamento tornou-se amargo devido ao fato de que um homem de Deus havia caído em Israel, e o profeta de mais idade fora a principal causa de sua queda. Eles eram irmãos porque ambos eram hebreus, mas também eram colegas profetas, uma espécie excelente de fraternidade. Cf. Jr 22.18.

Há aqui um "... toque de remorso e compaixão pessoal pela vítima do ato traiçoeiro" (Ellicott, *in loc.*).

13.31

וַיְהִ֗י אַחֲרֵי֙ קָבְר֣וֹ אֹת֔וֹ וַיֹּ֤אמֶר אֶל־בָּנָיו֙ לֵאמֹ֔ר בְּמוֹתִ֕י וּקְבַרְתֶּ֣ם אֹתִ֔י בַּקֶּ֕בֶר אֲשֶׁ֛ר אִ֥ישׁ הָאֱלֹהִ֖ים קָב֣וּר בּ֑וֹ אֵ֚צֶל עַצְמֹתָ֔יו הַנִּ֖יחוּ אֶת־עַצְמֹתָֽי׃

Dois Profetas em um Único Sepulcro. O profeta mais idoso quis ser sepultado no mesmo sepulcro em que havia sido sepultado o profeta de Judá, o que certamente fala de solidariedade e remorso por aquilo que tinha ocorrido. O homem de mais idade, pois, quis honrar o mais jovem, através desse ato.

Uma Curiosidade Histórica. Quando Josias (cerca de trezentos anos mais tarde) demoliu o altar de Betel e queimou os ossos do homem morto que ali havia, a fim de torná-lo inútil para ser usado em qualquer profanação, ele poupou os ossos do profeta de Judá e, ao assim fazer, também deixou os ossos do profeta de mais idade (chamado "de Samaria" no texto). Ver 2Rs 23.16-18. É óbvio que os filhos daquele homem obedeceram à ordem de sepultar o seu corpo com os ossos do homem de Deus de Judá, cumprindo assim o seu pedido.

13.32

כִּי֩ הָיֹ֨ה יִהְיֶ֜ה הַדָּבָ֗ר אֲשֶׁ֤ר קָרָא֙ בִּדְבַ֣ר יְהוָ֔ה עַל־הַמִּזְבֵּ֖חַ אֲשֶׁ֣ר בְּבֵֽית־אֵ֑ל וְעַ֥ל כָּל־בָּתֵּ֛י הַבָּמ֖וֹת אֲשֶׁ֥ר בְּעָרֵ֥י שֹׁמְרֽוֹן׃ פ

Supomos aqui que o profeta de Judá tinha *proferido* uma dura condenação contra Betel, seus falsos sacerdotes, seu falso sumo sacerdote (Jeroboão), e também contra sua idolatria e todo o arranjo religioso que havia sido estabelecido em Betel. A substância dessa profecia é dada aqui, e o autor convida-nos a supor que a profecia já havia sido proferida antes. O que foi predito ficou exatamente registrado em 2Rs 23.16 ss. A profecia foi dada cerca de trezentos anos antes de seu cumprimento! Naturalmente, os críticos supõem que a questão toda tenha sido registrada como história, e não como profecia, injetada no presente texto *como se* tivesse sido prevista. Mas sabemos que algumas pessoas têm um tremendo poder profético, e todas as pessoas, nos seus sonhos, constantemente preveem o próprio futuro. Ver no *Dicionário* o artigo chamado *Sonhos*, bem como o artigo geral chamado *Profecia, Profetas e o Dom da Profecia*.

A idolatria de Jeroboão foi muito extensa. Além de suas capitais religiosas, Dã e Betel, ele tinha lugares altos, bosques e santuários em várias partes de Israel. O reino de Deus, chamado de *Samaria* em tempos posteriores, neste ponto é um anacronismo, o reflexo de uma compilação posterior, ou então o reflexo de algum material que foi adicionado posteriormente por algum editor. Cf. Is 7.9. Ver no *Dicionário* o artigo chamado *Samaria*. A totalidade do reino do norte de Israel foi chamada de Samaria devido à circunstância de que aquela cidade, *Samaria*, tornou-se a principal cidade e a capital do reino do norte. Ela foi fundada em cerca de 875 a.C., cerca de cem anos depois do tempo retratado na história narrada neste capítulo.

PERSISTÊNCIA DE JEROBOÃO NA IDOLATRIA (13.33,34)

■ 13.33

אַחַר הַדָּבָר הַזֶּה לֹא־שָׁב יָרָבְעָם מִדַּרְכּוֹ הָרָעָה וַיָּשָׁב וַיַּעַשׂ מִקְצוֹת הָעָם כֹּהֲנֵי בָמוֹת הֶחָפֵץ יְמַלֵּא אֶת־יָדוֹ וִיהִי כֹּהֲנֵי בָמוֹת׃

A *persistência* é considerada entre nós uma *virtude*; mas, quando a persistência é no mal, então temos um *vício estúpido*. Jeroboão, pois, tornou-se um exemplo de homem estúpido e viciado. Ele tivera contato pessoal com o profeta *Aías* (ver 1Rs 11.29 ss.) e recebera instruções claras sobre como agir quando fosse o futuro rei do norte, ou Israel. Ele tinha visto pessoalmente as maravilhas do homem de Deus de Judá (ver 1Rs 13.1 ss.) e também os milagres realizados (seu braço foi miraculosa e subitamente paralisado, e então restaurado miraculosa e subitamente). Mas coisa alguma impressionava o cérebro daquele homem rebelde. Ele fez de pessoas comuns sacerdotes ilegítimos, ignorando a regra de que somente levitas, descendentes diretos de Arão, poderiam exercer o sacerdócio. O autor repete a informação que já havia sido dada em 1Rs 12.31, cujas notas expositivas devem ser consultadas. A estupidez final foi quando ele se nomeou sumo sacerdote, conforme vimos em 1Rs 13.1. Somente um filho direto de Arão poderia ser sumo sacerdote. Jeroboão adicionou presunção à sua estupidez. Os sacerdotes levíticos foram despedidos e fugiram para Judá, o reino do sul. Ver 2Cr 11.14. Se privilégios adicionais haveriam de aumentar a responsabilidade dele, Jeroboão abandonou toda a noção disso e prosseguiu em seu caminho rebelde. "... o aspecto mais sério de sua apostasia foi a total desconsideração para com a vontade de Deus, conforme expressa na lei de Moisés. Disso resultou a sua queda e destruição" (Thomas L. Constable, *in loc.*).

■ 13.34

וַיְהִי בַּדָּבָר הַזֶּה לְחַטַּאת בֵּית יָרָבְעָם וּלְהַכְחִיד וּלְהַשְׁמִיד מֵעַל פְּנֵי הָאֲדָמָה׃ פ

Havia um grave pecado na apostasia de Jeroboão, e isso significava que haveria também grande destruição. sua casa seria cortada da face da terra. De fato, a nação do norte havia começado muito mal, por ser um reino separado que havia caído em pior depravação que o reino do pobre rei Roboão, da nação do sul, Judá.

O pronunciamento do profeta Aías (ver 1Rs 14.9-11) preenche os detalhes. O cumprimento dessas mortíferas profecias é registrado em 1Rs 15.25-30.

"Aquelas abominações eram por demais flagrantes e insultuosas à majestade divina para serem permitidas em sua continuação. Por conseguinte, a casa de Jeroboão foi cortada e destruída da face da terra" (Adam Clarke, *in loc.*).

CAPÍTULO CATORZE

A IRA DE YAHWEH FERE O FILHO DE JEROBOÃO (14.1-18)

Acabamos de ver (1Rs 13.33,34) que terríveis calamidades sobreviriam, obliterando completamente a dinastia de Jeroboão em face de sua declarada idolatria. A ira de Yahweh começou ferindo um filho amado do rei. *Abias* (ver sobre ele no *Dicionário*) seria a primeira vítima da rebelião de Jeroboão, segundo a vontade de Yahweh.

Jeroboão precisava de ajuda, e sua mente apelou imediatamente para Aías, o profeta que o tinha comissionado como rei das dez tribos do norte (ver 1Rs 11.29). Ele era um homem poderoso e espiritual, e Jeroboão esperava que ele restaurasse seu filho. Ele mesmo tinha presenciado um milagre quanto ao seu braço, primeiramente paralisado e depois restaurado, por um profeta de Judá cujo nome não é dado (ver 1Rs 13.4,6). Portanto, Jeroboão esperava que agora houvesse outro milagre misericordioso. Ele enviou sua esposa, disfarçada, ao agora idoso Aías, sem dúvida esperando alguma espécie de assistência divina através de Aías. Mas, ajudado por Yahweh, o quase cego Aías reconheceu a esposa de Jeroboão. Portanto, ele não proferiu nenhuma palavra de consolo, nem realizou milagre algum. O menino morreu.

A morte de crianças pequenas constitui grande consternação e um quebra-cabeça para teólogos e filósofos. Por que Deus parece precipitar-se? Por que crianças pequenas têm de sofrer e morrer? Por que não lhes podem ser dadas missões decentes para cumprir, e um pouco de felicidade em seu caminho? Essas crianças estão seguras, ou seja, suas almas são salvas, por causa de sua pouca idade? Ver o artigo do *Dicionário* intitulado *Infantes, Morte e Salvação dos*, quanto ao que pode ser dito sobre o assunto, e quanto à minha opinião pessoal.

A história presente pode ser confrontada com a morte do filho de Davi com Bate-Seba, em 2Sm 12. Ver as notas introdutórias a 2Sm 11.2, quanto às *três lições teológicas* que podem ser aprendidas com a morte de crianças. Ver também 2Sm 12.18 quanto a ideias adicionais. Além disso, ver 2Sm 12.23, perto do último parágrafo, quanto à doutrina da *idade da responsabilidade*, que, segundo se presume, salvaria a alma de crianças pequenas que morrem. Ver no *Dicionário* o verbete chamado *Problema do Mal*.

■ 14.1

בָּעֵת הַהִיא חָלָה אֲבִיָּה בֶן־יָרָבְעָם׃

Abias, filho de Jeroboão. Ver sobre ele no *Dicionário*. Quanto à consternação e aos problemas teológicos envolvidos na morte de crianças, ver as notas de introdução ao presente capítulo e também as várias notas expositivas e artigos referidos. Ver no *Dicionário* o verbete intitulado *Enfermidades da Bíblia*.

"Jeroboão recebeu a última advertência divina, por causa de seu pecado, através da enfermidade de seu filho. Em sua grande aflição, o rei réprobo voltou-se de seus sacerdotes mercenários e de seus falsos profetas para o homem de Deus, Aías" (Ralph W. Sockman, *in loc.*).

"Esse foi apenas um prelúdio das misérias que sobreviveram à casa de Jeroboão, mas revelou-se outro aviso de misericórdia, cuja intenção era fazer o rei abandonar sua idolatria e iniquidade" (Adam Clarke, *in loc.*).

Notemos que Roboão também tinha um filho de nome *Abias* (ver 1Rs 15.1), uma curiosa coincidência, mas provavelmente não mais do que isso.

■ 14.2

וַיֹּאמֶר יָרָבְעָם לְאִשְׁתּוֹ קוּמִי נָא וְהִשְׁתַּנִּית וְלֹא יֵדְעוּ כִּי־אַתִּי אֵשֶׁת יָרָבְעָם וְהָלַכְתְּ שִׁלֹה הִנֵּה־שָׁם אֲחִיָּה הַנָּבִיא הוּא־דִבֶּר עָלַי לְמֶלֶךְ עַל־הָעָם הַזֶּה׃

Eis que lá está o profeta Aías. Quanto a *Aías*, ver o *Dicionário*. O profeta havia comissionado Jeroboão para que fosse o rei das dez tribos do norte (ver 1Rs 11.29 ss.). Essa comissão incluía o mandamento para que Jeroboão *andasse* em toda a lei de Moisés, o que era condição para um reinado bem-sucedido. Jeroboão, porém, abandonou essa condição em tempo surpreendentemente curto. Mas agora, quando o filho estava em tremenda necessidade, Jeroboão não se voltou para seus profetas e falsos sacerdotes. Antes, voltou-se para um verdadeiro homem de Deus. Recentemente, ele tinha visto o milagre feito por outro profeta de Judá (cujo nome não foi fornecido), e por isso procurou ajuda nos profetas de Judá. Ele não estava interessado simplesmente em saber o que aconteceria a seu filho. Queria uma *cura* para a criança, tal como ele mesmo já havia sido curado, *apesar* de sua idolatria. Ele queria outra cura, a despeito de seus graves pecados. Nada há no texto que sugira que Jeroboão contemplasse uma mudança de vida para si mesmo.

A Esposa de Jeroboão se Disfarça. Jeroboão não esperava que o profeta abençoasse ao rei ou a seu filho, *sabedor* de quem eles eram. Ele esperava que Aías dissesse: "Vai, teu filho está curado", sem que o profeta soubesse que o menino curado era filho do rei rebelde. Jeroboão sabia que trilhava por um caminho errado; tencionava continuar no erro; mas esperava receber a cura de seu filho, embora prosseguisse no erro. Algumas vezes há milagres de misericórdia que ignoram tudo. De fato, nem todos os milagres são merecidos. Mas quantos deles são merecidos? Assim sendo, Jeroboão enviou sua esposa *disfarçada*. Ela foi repleta de esperança e amor pelo filho, confiando na misericórdia de Yahweh por meio de seu instrumento, o profeta Aías. Provavelmente, outra razão desse disfarce era que Jeroboão não queria que *o povo* visse a rainha-mãe consultar um profeta *em Judá*, quando ele mesmo havia rejeitado os profetas, os sacerdotes e o culto oficial efetuado em Jerusalém.

Silo. Ver a respeito desse local no *Dicionário*. Era outro importante santuário de Israel (agora território da nação do sul, Judá), onde a arca havia sido guardada por muitos anos. O profeta Aías viera residir nessa cidade. O local havia sofrido destruição por causa da corrupção do sacerdócio, nas pessoas de Eli e seus filhos. Depois disso, as Escrituras pouco dizem sobre Silo.

■ 14.3

וְלָקַחַתְּ בְּיָדֵךְ עֲשָׂרָה לֶחֶם וְנִקֻּדִים וּבַקְבֻּק דְּבַשׁ וּבָאת אֵלָיו הוּא יַגִּיד לָךְ מַה־יִּהְיֶה לַנָּעַר

Leva contigo dez pães, bolos, e uma botija de mel. *Um Presente*. Ao serem visitados, dignitários civis ou religiosos recebiam presentes que demonstravam alta estima. O presente referido neste versículo, apenas algo para comer, embora não fosse muita coisa, também não era de se desprezar. O presente como que dizia: "Estou aqui em paz. Reconheço teu poder e autoridade. Por favor, ajuda-me".

Botija. Um vaso de gargalo fino, assim chamado devido ao barulho gorgolejante que fazia quando se derramava de dentro dele algum líquido. No hebraico, *bagbag*, uma palavra inventada para imitar aquele som.

"Ninguém consultava um profeta sem trazer algo em sua mão" (Adam Clarke, *in loc.*). Ver 1Sm 9.7,8.

Conhecimento Anterior. Jeroboão queria saber o que aconteceria ao filho. O conhecimento anterior é um fato, uma habilidade comum da mente humana, sem nenhuma ajuda diabólica ou divina. Naturalmente, existe o conhecimento anterior divino e diabólico. Ver na *Enciclopédia de Bíblia, Teologia e Filosofia* o artigo chamado *Precognição*. Ver no *Dicionário* o artigo *Profecia, Profetas e o Dom da Profecia*. Evidentemente, Jeroboão esperava que o profeta Aías realizasse um milagre em favor de seu filho, se necessário fosse, tal como ele, sem merecê-lo, havia recebido um milagre de cura, mediante a pura misericórdia e graça divina (ver 1Rs 13.1 ss.).

■ 14.4

וַתַּעַשׂ כֵּן אֵשֶׁת יָרָבְעָם וַתָּקָם וַתֵּלֶךְ שִׁלֹה וַתָּבֹא בֵּית אֲחִיָּה וַאֲחִיָּהוּ לֹא־יָכֹל לִרְאוֹת כִּי קָמוּ עֵינָיו מִשֵּׂיבוֹ: ס

Em um sentido verdadeiro, o disfarce não era necessário para enganar o profeta, embora fosse necessário para enganar o povo, que observaria a cena e comentaria o fato de que Jeroboão estava consultando um profeta da nação do sul. Aías estava cego, ou quase cego, e sem a ajuda divina não reconheceria ninguém, a não ser talvez pelo timbre de voz.

Metáfora. Os ímpios gostam de disfarçar-se para ocultar seu verdadeiro caráter. A impiedade cobre-se com as trevas, mas a luz revela a verdadeira natureza das coisas. Aías, porém, tinha uma luz que vinha de Yahweh. Ele não seria enganado pelo ardil.

■ 14.5

וַיהוָה אָמַר אֶל־אֲחִיָּהוּ הִנֵּה אֵשֶׁת יָרָבְעָם בָּאָה לִדְרֹשׁ דָּבָר מֵעִמְּךָ אֶל־בְּנָהּ כִּי־חֹלֶה הוּא כָּזֹה וְכָזֶה תְּדַבֵּר אֵלֶיהָ וִיהִי כְבֹאָהּ וְהִיא מִתְנַכֵּרָה:

Yahweh informou o profeta sobre a identidade da mulher que o estava visitando, provavelmente mediante alguma voz interior, inspiração mental ou visão. Além dessa revelação, Yahweh também instruiu Aías sobre exatamente o que ele deveria dizer à mulher (vss. 7-11). Como o recado era longo demais para o autor concentrar em um único versículo, e depois repeti-lo, ele escreveu somente: "Assim e assim lhe falarás".

■ 14.6

וַיְהִי כִשְׁמֹעַ אֲחִיָּהוּ אֶת־קוֹל רַגְלֶיהָ בָּאָה בַפֶּתַח וַיֹּאמֶר בֹּאִי אֵשֶׁת יָרָבְעָם לָמָּה זֶּה אַתְּ מִתְנַכֵּרָה וְאָנֹכִי שָׁלוּחַ אֵלַיִךְ קָשָׁה:

Estou encarregado de te dizer duras novas. Aías não perdeu tempo para dar o seu recado nem demonstrou misericórdia. Ao ouvir os passos da mulher, à porta, ele a identificou, repreendeu-a pelo disfarce e deu-lhe a entender que ela receberia uma mensagem *pesada*. A mensagem estava relacionada, em primeiro lugar, ao filho dela, que haveria de morrer. Mas o profeta também falou sobre as grandes calamidades que sobreviriam a Jeroboão e à sua casa, por causa da flagrante idolatria que ele promovia na região norte.

"O idoso e velho vidente não poupou palavras ao denunciar os pecados de Jeroboão e ao predizer a morte de seu filho. Ele repetiu a inevitável verdade de que os pecados dos pais são visitados em sua prole. Porventura, Aías pensava que a morte do filho faria o coração do pai voltar-se para Deus? Algumas vezes é preciso uma grande calamidade para efetuar uma conversão. Não há registro de que o coração de Jeroboão tenha sido suavizado pela morte do filho" (Ralph W. Sockman, *in loc.*).

Tal declaração, entretanto, dificilmente abordaria a questão do *destino da criança*; o destino de uma alma eterna é algo precioso para Deus. Nem seriam abordadas as declarações das Escrituras que dizem que cada homem morrerá por *seus próprios pecados*, e não por causa de pecados alheios. Ver Dt 24.16, quanto à notas sobre a questão. Contrastar essa declaração com aquela que afirma que os pecados dos pais são visitados nos filhos. Ver Êx 20.5; Nm 16.31-33; Dt 5.9; Js 7.24,25; 2Sm 21.1-9. "Essa lei modificava a antiga crença de que a culpa afetava todo o grupo social, especialmente uma família" (*Oxford Annotated Bible*, comentando sobre Dt 24.16).

Enfrentamos complexos problemas teológicos diante da morte de crianças pequenas, e reviso essa questão na introdução ao presente capítulo, onde também dou outras informações, com referências a artigos que abordam os problemas atinentes. Ver Ez 18.20 quanto à *responsabilidade* de cada indivíduo diante de Deus. Há mistérios que cercam essas questões, e simplesmente lançar a culpa sobre o pecado do(s) pai(s) é uma resposta simplista.

■ 14.7

לְכִי אִמְרִי לְיָרָבְעָם כֹּה־אָמַר יְהוָה אֱלֹהֵי יִשְׂרָאֵל יַעַן אֲשֶׁר הֲרִימֹתִיךָ מִתּוֹךְ הָעָם וָאֶתֶּנְךָ נָגִיד עַל עַמִּי יִשְׂרָאֵל:

A Diatribe do Profeta. A mensagem de Aías continha somente más notícias e tragédia. Falava sobre a síndrome do pecado-calamidade em que Jeroboão havia sido apanhado. A mensagem foi dirigida a Jeroboão e partira de Yahweh. Esse Yahweh (o Eterno) era também Elohim (o Todo-poderoso), e não havia como escapar do seu poder que se manifestaria em julgamento.

Exaltado. Jeroboão recebera sua posição como rei do norte, através do poder de Yahweh-Elohim. Fora feito príncipe entre o povo, homem dotado de poder e das promessas divinas. Mas ele também havia sido advertido de que a condição para o sucesso seria andar segundo a lei mosaica (ver 1Rs 11.38). No capítulo 11 desse livro, é o "Eu" divino quem fala. O "Eu" (Yahweh) fora o agente da exaltação de Jeroboão. Ele não possuía poder que não lhe tivesse sido divinamente concedido. Aías era o agente através de quem a mensagem fora dada (ver 1Rs 11.29 ss.). Jeroboão, naturalmente, lembraria bem de tudo quanto tinha acontecido. Ele sabia que havia sido enfaticamente advertido contra trilhar a vereda da rebeldia, pela qual ele havia optado. Portanto, ele não tinha desculpas e não podia esperar nenhuma misericórdia.

■ 14.8

וָאֶקְרַע אֶת־הַמַּמְלָכָה מִבֵּית דָּוִד וָאֶתְּנֶהָ לָךְ
וְלֹא־הָיִיתָ כְּעַבְדִּי דָוִד אֲשֶׁר שָׁמַר מִצְוֹתַי
וַאֲשֶׁר־הָלַךְ אַחֲרַי בְּכָל־לְבָבוֹ לַעֲשׂוֹת רַק
הַיָּשָׁר בְּעֵינָי:

Yahweh tinha feito algo de admirável: ele rasgou o reino de Davi, a quem tinha prometido uma casa eterna. Ele preservou para a linha de Davi somente *uma tribo* (Judá, que já havia absorvido Benjamim). O restante do reino unido, a parte norte da nação (Israel), havia sido dado a Jeroboão, e esperava-se que ele vivesse de acordo com o seu privilégio.

Jeroboão, porém, não estava vivendo à altura do privilégio que lhe havia sido conferido. Ele não agia como Davi, nem seguia a piedade mosaica. Apesar das grandes falhas de Davi, ele não fez *uma coisa:* ele se isentou da abominação, a *idolatria.* Salomão havia caído nessa armadilha. Jeroboão também caiu no mesmo ardil (1Rs 14.21 ss.). A nação de Israel, em suas porções norte e sul, estava assim posta na estrada para o cativeiro. Primeiro foi o cativeiro assírio, que levou a parte norte (722 a.C.), e então houve o cativeiro babilônico, que levou a parte sul (597 a.C.). Ver no *Dicionário* o verbete chamado *Cativeiros.* Ver também sobre *Davi,* um homem segundo o coração de Deus, em 1Sm 13.14. Até mesmo em seu período depravado, Davi preservou as formas religiosas mosaicas e, então, através do arrependimento, foi restaurado.

■ 14.9

וַתָּרַע לַעֲשׂוֹת מִכֹּל אֲשֶׁר־הָיוּ לְפָנֶיךָ וַתֵּלֶךְ
וַתַּעֲשֶׂה־לְּךָ אֱלֹהִים אֲחֵרִים וּמַסֵּכוֹת לְהַכְעִיסֵנִי
וְאֹתִי הִשְׁלַכְתָּ אַחֲרֵי גַוֶּךָ: ס

Franca Idolatria. A palavra relativa ao norte foi, antes de tudo, o "sincretismo". O yahwismo foi *misturado* com formas idólatras. Em seguida franca idolatria tomou conta de tudo. Ver no *Dicionário* o artigo intitulado *Idolatria,* onde se veem as formas variegadas que ela assume. Jeroboão havia quebrado o primeiro e o segundo mandamento da maneira mais vergonhosa. Ver sobre os *Dez Mandamentos* no *Dicionário.* Ver 1Rs 12.28-33 quanto à instituição formal da idolatria por Jeroboão. O trecho de 1Rs 13.1 mostra-nos que o próprio Jeroboão, contra toda a razão e contra toda a lei, tornou-se o sumo sacerdote de seu culto. Ato contínuo, ele instalou sacerdotes não levíticos encarregados das cerimônias (12.31), e os sacerdotes de Deus fugiram para o sul (ver 2Cr 11.14). Ou seja, Jeroboão esforçou-se ao máximo para fazer o pior possível.

Ira. Os homens atribuem a Deus seus próprios atributos (*antropomorfismo,* ver a respeito no *Dicionário*). Os homens atribuem a Deus suas próprias emoções (*antropopatismo,* ver também no *Dicionário*). Ao tentar descrever a Deus, os homens são apanhados na armadilha egocêntrica e só conseguem falar dele por meio de seu próprio entendimento e experiências. Isso nos fornece uma visão *distorcida* de Deus, mas muito difícil de evitar. Ver no *Dicionário* o artigo chamado *Ira de Deus.*

Não há razão para duvidarmos que o autor do livro bíblico à nossa frente pensasse sobre a ira divina da mesma maneira que pensava sobre a ira humana. Por conseguinte, é um refinamento exagerado (do ponto de vista do autor sacro) falar de uma "atitude fixa para com o pecado e de pecadores que não se arrependem" (Norman H. Snaith, *in loc.*). De acordo com a compreensão do Antigo Testamento, a ira é uma emoção súbita e apaixonada que toma conta de Yahweh. E aí temos o antropopatismo. Seja como for, temos aqui ilustrada a síndrome do pecado-calamidade. Deus é um Deus de julgamento, e não nos deveríamos esquecer disso nas refinadas discussões a respeito da *ira* de Deus. Todavia, seus julgamentos são remediadores, e não apenas retributivos. Eles visam curar, mesmo no caso dos perdidos. Ver no *Dicionário* o artigo denominado *Julgamento de Deus dos Homens Perdidos,* onde essa questão é discutida.

E me viraste as costas. Estas palavras referem-se à idolatria. Cf. Ez 23.35. Referem-se à negligência quanto à lei de Deus (ver Ne 9.26). Referem-se à negação voluntariosa de Deus, acompanhada pela *substituição* por alguma outra coisa. Referem-se a uma violenta rejeição.

Yahweh foi jogado para trás das costas de Jeroboão. "... como alguém indigno de consideração... O Targum fala sobre a adoração, que Jeroboão negligenciou e pela qual não se interessou" (John Gill, *in loc.*).

■ 14.10

לָכֵן הִנְנִי מֵבִיא רָעָה אֶל־בֵּית יָרָבְעָם וְהִכְרַתִּי
לְיָרָבְעָם מַשְׁתִּין בְּקִיר עָצוּר וְעָזוּב בְּיִשְׂרָאֵל וּבִעַרְתִּי
אַחֲרֵי בֵית־יָרָבְעָם כַּאֲשֶׁר יְבַעֵר הַגָּלָל עַד־תֻּמּוֹ:

Assim o escravo como o livre. Ou seja, todos os homens, de qualquer classe e posição social, juntos, seriam lançados fora e obliterados pelo julgamento de Yahweh.

Até que de todo ela se acabe. O profeta falava sobre a casa de Jeroboão. Esse rei poderia ter sido o cabeça de uma longa dinastia, com uma longa sucessão de reis, passando de pai para filho. Isso fazia parte da promessa de Davi (ver 1Rs 11.38). Ele poderia ter tido uma casa *firme* e poderosa, tal como fora prometido a Davi (o que, em certo grau, continua, e, no Messias, continuará para sempre). Em outras palavras, Jeroboão poderia ter sido um homem de caráter quase davídico na história de Israel. No entanto, ele lançou tudo isso fora e caminhou por uma vereda diferente, que o conduziu à destruição.

Todo varão seria cortado da casa de Jeroboão, o que excluiria herdeiros do sexo masculino para o trono ou para qualquer outra coisa. Os indivíduos do sexo masculino são aqui referidos por uma expressão bastante vulgar, no hebraico, "que urinam contra uma parede", algo que as mulheres dificilmente podem fazer. Os tradutores da *Revised Standard Version* encheram-se de pejo e traduziram a expressão por "todo macho". Nossa versão portuguesa diz "todo homem". Por que os homens costumam urinar contra uma parede? Porque dessa maneira o líquido não respinga, e essa é a razão pela qual um cão urina contra uma árvore ou uma cerca. Quanto a essa expressão vulgar, ver também 1Sm 25.22 (onde forneço notas expositivas adicionais); 1Rs 16.11; 21.21; 2Rs 9.8.

O autor sacro continua usando expressões vulgares e diz que a linhagem de Jeroboão terminaria como "esterco", algo desagradável, inútil, a ser lançado fora, a ser sepultado, a ser esquecido. A casa de Jeroboão era como a imundícia que poluía o país, um *excremento espiritual.* Somente preservando as declarações originais do autor sacro (evitando os eufemismos), poderemos compreender a *indignação* que a sua mensagem encerrava. O autor sagrado falou de modo vulgar sobre uma situação espiritual vulgar.

Consumação pelo Fogo. A ira de Deus agiria como se fosse o fogo, consumindo a casa de Jeroboão, tal como um fazendeiro, para livrar-se do esterco, toca fogo em tudo. A *Revised Standard Version* usa a ideia do *fogo,* que outras traduções esquecem. Cf. 2Rs 9.37 e Sl 83.10.

■ 14.11

הַמֵּת לְיָרָבְעָם בָּעִיר יֹאכְלוּ הַכְּלָבִים וְהַמֵּת בַּשָּׂדֶה
יֹאכְלוּ עוֹף הַשָּׁמָיִם כִּי יְהוָה דִּבֵּר:

Os que pertencessem à casa de Jeroboão sofreriam morte vergonhosa. Os que morressem na cidade seriam comidos pelos cães e por animais imundos e nojentos, que vagueavam pelas ruas comendo lixo. E os que morressem no interior seriam comidos pelas aves de rapina, pelas águias e pelos urubus, criaturas repugnantes que comem cadáveres putrefactos. "... comidos por cães e aves, uma terrível desgraça na mente dos semitas. (Essa também seria a sorte da família de Baasa, 1Rs 14.6, e de Acabe, 1Rs 21.25)" (Thomas L. Constable, *in loc.*). "O escritor, que escreveu por volta de seiscentos a.C., sabia quão passageira seria a casa (dinastia) de Jeroboão (1Rs 15.25-30) e como todo o reino do norte caiu, em 722 a.C. (vs. 15), e tenta explicar esses eventos sombrios em termos da apostasia religiosa (vss. 9 e 16)" (*Oxford Annotated Bible*, sobre os vss. 1-16).

Os gregos tinham imensa necessidade de sepultar de maneira decente um cadáver, pois supunham que, se alguém não fosse sepultado, sua alma poderia não chegar com segurança ao mundo dos espíritos. Na cultura hebraica, era sinal de bênção final um homem morto ser sepultado juntamente com seus pais. Somente eventos *caóticos* poderiam impedir o cumprimento desse ideal.

■ 14.12

וְאַתְּ קוּמִי לְכִי לְבֵיתֵךְ בְּבֹאָה רַגְלַיִךְ הָעִירָה וּמֵת הַיָּלֶד׃

tu, pois, dispõe-te, e vai para tua casa. *A esposa de Jeroboão*, pois, foi comissionada a levar a profecia de condenação a curto prazo, pois o menino morreria assim que ela chegasse à cidade; e a condenação a longo prazo seria a destruição total da casa de Jeroboão. Algumas vezes, a misericórdia divina alivia uma situação, como foi o milagre da cura do braço de Jeroboão, que ocorreu mediante a pura graça de Deus (ver 1Rs 13.11 ss.). Mas de outras vezes a paciência do Senhor esgota-se e, então, acontecem coisas terríveis que poderiam ter sido evitadas pelo arrependimento.

A esposa de Jeroboão chegaria a Tirza (vs. 17), onde ele, ao que tudo indica, tinha seu palácio e seu quartel-general. Uma mensagem sinistra seria transmitida ao rei. Mas coisa alguma modificaria a conduta do réprobo.

■ 14.13

וְסָפְדוּ־לוֹ כָל־יִשְׂרָאֵל וְקָבְרוּ אֹתוֹ כִּי־זֶה לְבַדּוֹ יָבֹא לְיָרָבְעָם אֶל־קָבֶר יַעַן נִמְצָא־בוֹ דָּבָר טוֹב אֶל־יְהוָה אֱלֹהֵי יִשְׂרָאֵל בְּבֵית יָרָבְעָם׃

Todo o Israel o pranteará. *Uma Mensagem Assustadora e Patética.* Jeroboão e seus seguidores eram tão corruptos que a única pessoa inocente no país (o filho de Jeroboão) seria *recompensada* por um sepultamento decente e pacífico. Chegaria o dia em que o restante da apóstata família de Jeroboão nem ao menos isso teria.

"Nadabe, filho de Jeroboão, que o sucedeu no trono, teve uma morte violenta, e esse foi o fim da dinastia de Jeroboão (15.28)" (Norman H. Snaith, *in loc.*). Alguns autores judeus fazem esse filho de Jeroboão, que morreu e foi sepultado, ser uma criança de mais idade (ou um jovem) que removeu os guardas que impediam os israelitas de ir às festas do Senhor, em Jerusalém, e afirmam que jovem que havia agradado a Yahweh, tendo sido recompensado com uma morte prematura e um sepultamento decente. Essa interpretação, porém, é altamente fantasiosa e não contém nenhuma verdade (assim diz o *Talmude Bab. Moed. Katon.* vol. 28.2).

Uma morte prematura, na opinião de alguns, é "a bênção suprema" (conforme disse Ellicott, *in loc.*). Mas é preciso muita fé para acreditar nisso. Perguntamos por que Deus estaria com tanta pressa. Por que a criança não poderia ter vivido para cumprir um nobre destino? Não haveria lugar para ela no mundo? Isso nos faz retornar aos mistérios que circundam as mortes infantis. Ver a introdução ao presente capítulo quanto a notas expositivas sobre isso, e referências a outras fontes de informação.

■ 14.14

וְהֵקִים יְהוָה לוֹ מֶלֶךְ עַל־יִשְׂרָאֵל אֲשֶׁר יַכְרִית אֶת־בֵּית יָרָבְעָם זֶה הַיּוֹם וּמֶה גַּם־עָתָּה׃

O Senhor... suscitará para si um rei sobre Israel. A referência aqui é a Baasa (ver 1Rs 15.17-29). Aquele rei, Jeroboão, que poderia ter desfrutado uma longa dinastia e ter sido uma espécie de segundo Davi, perdeu tudo por uma idolatria rebelde. Por isso, a dinastia dele se estendeu a apenas um filho, que sofreu de morte violenta (ver 1Rs 15.28). Baasa, juntamente com esse rei, filho de Jeroboão, destruiu toda a sua família. seu filho reinou somente por dois anos. O mal estava oculto, e o mal atacou.

Que digo eu? Há de ser já. Um pequeno e confuso trecho no hebraico tem dado lugar a variadas traduções e ideias. A *Revised Standard Version* diz aqui "de hoje por diante". Em outras palavras, a maldição já entrara em operação; a destruição já estava começando, e em breve terminaria sua obra terrível. O Targum diz que a casa de Jeroboão seria cortada "hoje, e de agora por diante". A Septuaginta, porém, diz: "Quê? Agora mesmo", com o que concorda a versão portuguesa. Ellicott sugeriu: "Naquele dia; mas que direi?"

■ 14.15

וְהִכָּה יְהוָה אֶת־יִשְׂרָאֵל כַּאֲשֶׁר יָנוּד הַקָּנֶה בַּמַּיִם וְנָתַשׁ אֶת־יִשְׂרָאֵל מֵעַל הָאֲדָמָה הַטּוֹבָה הַזֹּאת אֲשֶׁר נָתַן לַאֲבוֹתֵיהֶם וְזֵרָם מֵעֵבֶר לַנָּהָר יַעַן אֲשֶׁר עָשׂוּ אֶת־אֲשֵׁרֵיהֶם מַכְעִיסִים אֶת־יְהוָה׃

Arrancará a Israel desta boa terra. *Destruições preliminares e tribulações* floresceriam, finalmente, no cativeiro assírio (722 a.C.), que levaria a nação de Israel para além do "rio Eufrates". As *raízes* de Israel, portanto, seriam arrancadas; e os filhos do reino do norte seriam espalhados em um país estrangeiro para nunca mais retornar. Os críticos supõem que este versículo tenha sido escrito como história, após o cativeiro. Mas os estudiosos conservadores, porém, veem-no como uma predição divina. Seja como for, o evento estava determinado, fora profetizado e realmente aconteceu. Ver no *Dicionário* o verbete intitulado *Cativeiros*. Ver também especialmente o verbete intitulado *Cativeiro Assírio*.

Fez os seus postes-ídolos. Estes objetos eram usados nas construções idólatras. Colunas de pedra (*maccebehah*) eram postas em torno de colunas de madeira. Os *postes-ídolos* estavam sempre associados a divindades femininas e aos cultos de fertilidade. Quando os postes-ídolos acompanhavam as colunas de pedra, a deidade adorada com Astarte era seu consorte, Baal (ver Jr 3.9). Ver sobre *Astarote, Astarte*, no *Dicionário*. Os críticos também falam sobre uma deusa, chamada *Aserá*, que poderia ter sido aqui referida. Essa figura foi mencionada nos tabletes de Tell el-Amarna (século XIV a.C.) e também nos tabletes de Ras Shamra (séculos XV e XVI a.C.). Seu nome algumas vezes aparecia como "a Senhora Aserah do mar" (*rbt 'Ashrt ym*). As referências antigas confundem Astarote com Aserá, e as referências posteriores levam avante essa dificuldade. O que é claro é que a *idolatria* (de tipos variegados) estava na raiz do cativeiro de Israel e de seus sofrimentos. Era a antiga síndrome do pecado-calamidade em operação.

Quanto aos *postes-ídolos*, ver o vs. 23 e 1Rs 16.33. Esses postes-ídolos algumas vezes eram esculpidos com figuras-símbolos da adoração a que pertenciam. Ver no *Dicionário* o artigo chamado *Tel El-Amarna*; e na *Enciclopédia de Bíblia, Teologia e Filosofia* o artigo chamado *Ras Shamra*.

■ 14.16

וְיִתֵּן אֶת־יִשְׂרָאֵל בִּגְלַל חַטֹּאות יָרָבְעָם אֲשֶׁר חָטָא וַאֲשֶׁר הֶחֱטִיא אֶת־יִשְׂרָאֵל׃

Por causa dos pecados que Jeroboão cometeu. *Jeroboão, o Pecador.* Ele pecou gravemente e fez com que outros seguissem seu mau exemplo. Por isso, Deus destinou Israel à destruição e ao cativeiro. Quando ele poderia ter sido um influente poder construtivo, durante várias gerações, e seu nome ter sido chamado de *bendito*, ele se tornou uma maldição para si mesmo, para seus familiares e para todo o povo de Israel. "ele plantou Israel não no solo firme da palavra de Deus, mas nas águas inconstantes da idolatria, pelo que, a exemplo do papiro egípcio, Israel foi sacudido" (Thomas L. Constable, *in loc.*).

■ 14.17

וַתָּקָם אֵשֶׁת יָרָבְעָם וַתֵּלֶךְ וַתָּבֹא תִרְצָתָה הִיא בָּאָה בְסַף־הַבַּיִת וְהַנַּעַר מֵת׃

Então a mulher de Jeroboão se levantou. A diatribe do profeta tinha terminado, deixando a esposa de Jeroboão fora de si e aterrorizada. Ela voltou imediatamente a *Tirza* (ver a respeito no *Dicionário*), onde Jeroboão, evidentemente, tinha construído seu palácio, seu quartel-general e sua capital. Ou talvez ele simplesmente mantivesse ali uma residência, uma casa de campo. Tirza era uma ex-cidade real dos cananeus, que ficava na parte norte do monte Efraim, um lugar conhecido por sua beleza (ver Ct 6.4).

Tirza continuou sendo o local da residência real, até o tempo em que Onri construiu Samaria, no sétimo ano de seu reinado (ver 1Rs 16.24).

Jeroboão se mudara de Siquém para Tirza, que ficava a poucos quilômetros para o nordeste. Foi ali que ele sofreu seu primeiro terrível castigo. Ver 1Rs 12.25. Parece, pois, que a primeira capital da nação do norte, Israel, ficava em Siquém. Daí foi transferida para Tirza e, finalmente, para Samaria.

A Morte da Criança. Assim que a mãe da criança pisou no limiar da casa, a criança morreu, cumprindo a primeira parte da terrível profecia, prova de que maiores calamidades logo se seguiriam.

■ 14.18

וַיִּקְבְּרוּ אֹתוֹ וַיִּסְפְּדוּ־לוֹ כָּל־יִשְׂרָאֵל כִּדְבַר יְהוָה
אֲשֶׁר דִּבֶּר בְּיַד־עַבְדּוֹ אֲחִיָּהוּ הַנָּבִיא׃

Sepultaram-no, e todo o Israel o pranteou. Em consonância com a profecia de Aías, o filho de Jeroboão morreu em paz, foi devidamente pranteado e recebeu um sepultamento decente. Mas outros membros da família não teriam um sepultamento decente; antes, seriam comidos por cães e aves de rapina.

Quanto a problemas teológicos e filosóficos associados à morte de crianças, ver a introdução a este capítulo, onde também dou referências a fontes de outras informações. Ver especialmente, no *Dicionário,* o verbete intitulado *Infantes, Morte e Salvação dos.*

■ 14.19

וְיֶתֶר דִּבְרֵי יָרָבְעָם אֲשֶׁר נִלְחַם וַאֲשֶׁר מָלָךְ הִנָּם
כְּתוּבִים עַל־סֵפֶר דִּבְרֵי הַיָּמִים לְמַלְכֵי יִשְׂרָאֵל׃

No livro da história dos reis de Israel. Essa foi uma das fontes informativas que o autor de 1 e 2Reis usou para escrever seus livros. Estamos tratando aqui com livros históricos, diários e comentários da corte. A começar por Jeroboão, os eventos dos dezoito reis da nação do norte, Israel, dentre um total de vinte, estão registrados naquele livro, tendo sido vertidos para os livros de 1 e 2Reis, do Antigo Testamento. E uma anotação similar a esta do presente versículo continua informando-nos sobre a obra que serviu de fonte informativa. Tibni (ver 1Rs 16.21,22) e Oseias (2Rs 17.1-6) não são declarados como descritos naquela obra, embora provavelmente o tivessem sido. Por semelhante modo, os eventos de catorze dos dezenove reis de Judá que aparecem em 1 e 2Reis foram registrados no livro em pauta. Os livros mencionados eram documentos históricos, fontes de livros canônicos, embora eles mesmos não tenham sido canônicos. Ver no *Dicionário* os artigos *Livro (Livros)* e *Livros Perdidos da Bíblia.* Ver as notas sobre 1Rs 11.41, último parágrafo, para maiores detalhes. Ver também sobre *Cânon do Antigo Testamento.*

■ 14.20

וְהַיָּמִים אֲשֶׁר מָלַךְ יָרָבְעָם עֶשְׂרִים וּשְׁתַּיִם שָׁנָה
וַיִּשְׁכַּב עִם־אֲבֹתָיו וַיִּמְלֹךְ נָדָב בְּנוֹ תַּחְתָּיו׃ פ

Foi de 22 anos o tempo que reinou Jeroboão. A despeito de suas dificuldades e da condenação proferida contra ele, Jeroboão conseguiu reinar por ainda 22 anos. Então "dormiu com seus pais". Quanto a essa expressão, ver as notas expositivas em 1Rs 1.21. Jeroboão sobreviveu a Roboão por cinco anos e viveu até o segundo ano do reinado do neto de Roboão, Asa, que foi rei de Judá.

Nadabe. Filho de Jeroboão, foi o único outro membro da sua dinastia. Então as profecias amargas e destruidoras tiveram cumprimento. Ver sobre *Nadabe* no *Dicionário.* Nadabe reinou por apenas dois anos (cerca de 913-911 a.C.). Ver 1Rs 15.25-31. Ver o artigo geral intitulado *Rei, Realeza,* quanto aos reis de Israel e Judá, bem como o gráfico que os lista e os compara aos reis circunvizinhos.

"Jeroboão deve ter sido um homem poderoso por ter separado Israel de Judá e governado Israel por tanto tempo. Mas faltava-lhe a devoção ao Senhor que poderia ter feito dele um grande e bem-sucedido rei" (Thomas L. Constable, *in loc.*).

CARACTERÍSTICAS DO REINADO DE ROBOÃO DE JUDÁ (14.21-24)

O autor sagrado contou, através de paralelos, as histórias dos reis de Israel e Judá. Ele não deu primeiro os detalhes sobre os reis de Israel, para depois citar os pormenores sobre os reis de Judá. Antes, tentou manter relatos cronológicos. Por esta altura, ele já havia contado as crônicas relativas ao primeiro rei da nação do norte, Israel, chamado Jeroboão. Agora ele volta sua atenção para Roboão, o primeiro rei a governar somente sobre a nação sul, Judá. Ver no *Dicionário* o artigo chamado *Roboão,* quanto a completos detalhes sobre esse homem.

A história de Roboão, do ponto de vista espiritual, é um relato de apostasia e abominações. É admirável que ele tenha feito no sul as mesmas coisas que Jeroboão efetuou no norte, e simultaneamente. O modo de vida de Davi fora completamente abandonado, e a idolatria de Salomão foi seguida e até aumentada. À semelhança de Jeroboão, Roboão parece ter iniciado com um sincretismo do yahwismo, nos cultos de Canaã, mas as coisas ficaram tão deturpadas que pouco restou do yahwismo no final.

■ 14.21

וּרְחַבְעָם בֶּן־שְׁלֹמֹה מָלַךְ בִּיהוּדָה בֶּן־אַרְבָּעִים
וְאַחַת שָׁנָה רְחַבְעָם בְּמָלְכוֹ וּשְׁבַע עֶשְׂרֵה שָׁנָה מָלַךְ
בִּירוּשָׁלִַם הָעִיר אֲשֶׁר־בָּחַר יְהוָה לָשׂוּם אֶת־שְׁמוֹ שָׁם
מִכֹּל שִׁבְטֵי יִשְׂרָאֵל וְשֵׁם אִמּוֹ נַעֲמָה הָעַמֹּנִית׃

Roboão, filho de Salomão. Provavelmente ele tentou continuar a glória da época áurea de Israel, mas seus erros no começo do reinado, de opressão contra a população da parte norte do país (capítulo 12), logo fizeram as dez tribos do norte separar-se e tornar-se uma nação independente. Assim sendo, ele perdeu seu trabalho forçado barato e grande parte de seus recursos. Dessa maneira, Roboão tornou-se um pequeno rei, que governava uma única tribo, Judá, a qual já havia absorvido a tribo de Benjamim. Roboão começou a reinar quando tinha 41 anos de idade. Incluindo os anos em que governou enquanto o império unido de Israel ainda existia, reinou por dezessete anos em Jerusalém, a cidade que fora escolhida por Davi como capital, o lugar onde Yahweh havia escolhido pôr o seu nome, e onde Salomão havia edificado o templo magnificente. Esse templo foi construído com vistas a centralizar a adoração do povo de Israel, o que continuou por breve tempo. Então ocorreu o cisma entre nação do norte, Israel, e a nação do sul, Judá, e Jeroboão estabeleceu seus próprios centros religiosos em Dã e Betel, fundando seu próprio sacerdócio e tornando-se o sumo sacerdote desse culto. Portanto, o templo não continuou a centralizar a religião em Israel. Ver 1Rs 12.29 ss. quanto ao ato divisivo de Jeroboão; e ver 1Rs 13.1, quando ele se proclamou sumo sacerdote de sua própria forma de religião.

Naamá. Ver sobre essa mulher no *Dicionário.* Amonita, era uma dentre as muitíssimas esposas de Salomão e tornou-se mãe de Roboão, o primeiro rei de Judá depois do cisma. Ver no *Dicionário* o artigo chamado *Amom (Amonitas).* Salomão tinha mulheres de praticamente todas as raças (ver 1Rs 11.1).

Durante três anos, Roboão agiu corretamente. Mas então as coisas degringolaram. Ele adorou deuses estrangeiros, estabeleceu ídolos e, de forma geral, desempenhou o papel de um insensato (ver 2Cr 11.17 e 12.1).

A principal esposa de Salomão, a virtual rainha-mãe, filha do Faraó (ver 1Rs 11.1), mediante um truque da sorte, não foi a escolhida para encabeçar a linhagem dos reis de Judá no tempo de Roboão.

■ 14.22

וַיַּעַשׂ יְהוּדָה הָרַע בְּעֵינֵי יְהוָה וַיְקַנְאוּ אֹתוֹ מִכֹּל אֲשֶׁר
עָשׂוּ אֲבֹתָם בְּחַטֹּאתָם אֲשֶׁר חָטָאוּ׃

Fez Judá o que era mau perante o Senhor. Tendo agido corretamente por três anos (ver 2Cr 11.17), Roboão caiu na mais desgraçada idolatria, sem dúvida encorajado pelo mau exemplo da última parte da vida de Salomão. E juntamente com ele, todo o Judá caiu; e assim tanto o norte como o sul tornaram-se pútridos. O ciúme de Yahweh, pois, foi despertado. Ver Yahweh como um Deus *zeloso* em Dt 4.24; 5.9; 6.15; 32.16,21. Essa adjetivo vem de uma raiz que se refere à *cor* que aparece no rosto de alguém diante de uma emoção violenta. A palavra árabe correspondente parece significar "ficar intensamente vermelho ou negro com uma tintura". Naturalmente, temos aqui a metáfora da relação entre marido e mulher, onde Yahweh é retratado como um marido irado, cujo ciúme faz corar seu rosto quando observa o amante de sua esposa (a idolatria). A idolatria é assim retratada como adultério, uma metáfora muito comum no Antigo Testamento. O livro de Oseias está alicerçado sobre essa metáfora.

O quadro, naturalmente, é extremamente antropomórfico. Ver no *Dicionário* o artigo chamado *Antropomorfismo*. Os homens conferem a Deus seus próprios atributos e sua própria natureza, fazendo de Deus um super-homem. O sentido da passagem também é antropopatístico. Ver no *Dicionário* o verbete intitulado *Antropopatismo*. O homem atribui a Deus suas próprias emoções. Em seu dilema egocêntrico, tem de descrever Deus em termos humanos que concordem com sua própria experiência. O resultado desse esquema, obviamente, não é uma visão muito elevada de Deus, cuja natureza permanece essencialmente misteriosa. Ver no *Dicionário* os artigos chamados *Mysterium Fascinosum* e *Mysterium Tremendum*.

Mais do que fizeram os seus pais. Os pais, os fundadores da nação, eram levados de roldão, ocasionalmente misturando-se em graves pecados, inclusive a idolatria. Salomão deixara uma péssimo exemplo nos últimos anos de vida. Mas o que aconteceu nos dias de Roboão pôs em eclipse tudo quanto ocorrera na época de Salomão.

■ 14.23

וַיִּבְנוּ גַם־הֵמָּה לָהֶם בָּמוֹת וּמַצֵּבוֹת וַאֲשֵׁרִים עַל
כָּל־גִּבְעָה גְבֹהָה וְתַחַת כָּל־עֵץ רַעֲנָן׃

A *idolatria* era (é) sempre muito imaginativa, manifestando-se de todas as maneiras e modos. Havia os *Lugares Altos* (ver a respeito no *Dicionário*), com seus bosques e imagens. Havia os *postes-ídolos* (ver o vs. 15), postes sagrados agrupados em torno de colunas de pedras. Havia tanta idolatria no tempo de Roboão que dificilmente haveria uma colina que não tivesse ídolos pagãos. Lembro a experiência de Paulo, em Atenas, segundo At 17.16. Aquele lugar estava "cheio de ídolos". Heródoto (*Clio,* sive, 1.1, cap. 131) e Xenofonte (*Cyro.* 1.8. cap. 45) contam-nos acerca dos costumes pagãos para decorar os lugares altos e as colinas com equipamento idólatra. Montanhas e colinas estão "lá em cima", lugares apropriados para aproximar-se dos deuses.

As *coisas descritas* neste versículo eram típicas do *modus operandi* dos cultos cananeus. Portanto, Israel caiu no caminho do paganismo, embora eles tenham sido aniquilados e confinados, e tenham perdido seu poderio militar. Seus cultos religiosos conseguiram sobreviver e florescer, corrompendo Israel, no norte e no sul. Ver no *Dicionário* o artigo intitulado *Coluna*.

■ 14.24

וְגַם־קָדֵשׁ הָיָה בָאָרֶץ עָשׂוּ כְּכֹל הַתּוֹעֲבֹת הַגּוֹיִם אֲשֶׁר
הוֹרִישׁ יְהוָה מִפְּנֵי בְּנֵי יִשְׂרָאֵל׃ פ

Prostitutos-cultuais. Ou seja, sodomitas, homossexuais masculinos. Ver no *Dicionário* os verbetes *Sodomia* e *Sodomitas*. Mas a *Revised Standard Version* e a nossa versão portuguesa provavelmente estão certas ao usar aqui "prostitutos cultuais", visto que o homossexualismo em pauta deveria ser entendido como parte das práticas idólatras. Prostitutos de ambos os sexos serviam nos templos pagãos, ganhando dinheiro e servindo de outras maneiras aos deuses que honravam. Essa era uma prática comum em muitas nações orientais, e não somente entre os cananeus.

Tipos de Prostitutos Sagrados:

1. Os *qadishtu*, prostitutos do sexo masculino que ficavam nos templos e prestavam toda forma de serviço, mas especialmente dedicavam o que ganhavam ao bem da comunidade dos sacerdotes.
2. As *ishtaritus*, prostitutas que trabalhavam nos templos e tinham uma conexão especial com o culto de Istar, derivando dela seu nome. Esses dois tipos de prostituição eram uma praga antes do exílio.
3. Além disso, havia os *freelancers*, homens ou mulheres que trabalhavam em qualquer lugar por certo preço e não se identificavam com algum deus ou deusa particular.

O homossexualismo era punido com a morte (Lv 18.22,29 e 20.13).

"O primeiro efeito do contato de Judá com os cananeus foi a perda da referência. A santidade da vida foi esquecida. Quando um povo começa a deixar de olhar para cima, para as coisas sagradas lá do alto, começa a olhar *para baixo*" (Ralph W. Sockman). Esse terrível olhar para baixo levou Judá a voltar-se para algo tão vil quanto a prostituição sagrada.

Uma das razões pelas quais Yahweh tinha expelido as *sete nações* da Palestina (através das vitórias de Israel sobre elas) foi essa prostituição sagrada e, naturalmente, outras práticas idólatras das quais elas se ocupavam. Ver Êx 33.2 e Dt 7.1 quanto a essas nações. Ver Lv 18.

A INVASÃO DE SISAQUE (14.25-28)

Ver sobre *Sisaque* no *Dicionário*. Ele foi o primeiro monarca da XII[a] dinastia, um instrumento divinamente escolhido para punir Judá por seus males crescentes, alguns dos quais o autor tinha acabado de mencionar. Esse Faraó invadiu tanto a parte sul quanto a parte norte da nação de Israel, mas inscrições que aparecem nas paredes do templo de Amom, em Carnaque, mostram que Judá foi a parte do povo de Israel que mais sofreu. Sisaque reinou por volta de 950 a.C., mas alguns dão uma data tão tardia quanto 940-920 a.C. Ver o artigo sobre ele, quanto a abundantes detalhes que não repito aqui.

■ 14.25,26

וַיְהִי בַּשָּׁנָה הַחֲמִישִׁית לַמֶּלֶךְ רְחַבְעָם עָלָה שׁוּשַׁק
מֶלֶךְ־מִצְרַיִם עַל־יְרוּשָׁלִָם׃

וַיִּקַּח אֶת־אֹצְרוֹת בֵּית־יְהוָה וְאֶת־אוֹצְרוֹת בֵּית הַמֶּלֶךְ
וְאֶת־הַכֹּל לָקָח וַיִּקַּח אֶת־כָּל־מָגִנֵּי הַזָּהָב אֲשֶׁר עָשָׂה
שְׁלֹמֹה׃

A invasão de Sisaque foi realmente perturbadora, mas apenas uma sombra do que aconteceria à parte norte da nação de Israel no cativeiro assírio, ou do que aconteceria à parte sul da nação por ocasião do cativeiro babilônico. Ver os artigos sobre ambos os cativeiros no *Dicionário*. Sisaque causou muita tribulação e aflição, mas estava essencialmente atrás de despojos. Portanto, o autor sagrado disse-nos exatamente o que aquele homem louco levou de Judá. Ele tomou os tesouros do templo, que vivia cheio de ouro, e furtou trezentos escudos dourados que Salomão tinha feito (ver 1Rs 10.16,17). A época áurea de Salomão estava definitivamente terminada. As riquezas do sul estavam diminuindo. As defesas contra as potências estrangeiras, que Salomão havia recebido de Davi e chegou a aprimorar, foram severamente testadas. Ver sobre 1Rs 11.40 quanto a outras notas sobre *Sisaque*. Ele havia respeitado Salomão, mas Roboão era como lixo para ele.

Esse foi o primeiro dos Faraós a ser referido pelo nome, na Bíblia. O corpo com máscara de ouro de Sisaque foi descoberto intacto em sua câmara mortuária em Tanis (1938-1939). Em Carnaque (antiga Tebas) uma inscrição de seus triunfos foi uma significativa descoberta arqueológica. As inscrições demonstram que cativos dessas invasões foram levados para o Egito; mas ele não esvaziou a Terra Prometida, conforme fizeram os assírios e os babilônios.

■ 14.27

וַיַּעַשׂ הַמֶּלֶךְ רְחַבְעָם תַּחְתָּם מָגִנֵּי נְחֹשֶׁת וְהִפְקִיד
עַל־יַד שָׂרֵי הָרָצִים הַשֹּׁמְרִים פֶּתַח בֵּית הַמֶּלֶךְ׃

A *ostentação* de Judá foi reduzida. Os quinhentos escudos recobertos de ouro que a guarda de elite de Salomão carregava em suas paradas estavam agora no Egito, aumentando as riquezas do rei Sisaque. Em lugar dos preciosos escudos de ouro, Roboão foi forçado a usar escudos de bronze. O fluxo de ouro havia parado em Judá (ver 1Rs 10.14 quanto à grande extensão de ouro que chegava em Judá, no tempo de Salomão).

Israel não havia sofrido nenhum ataque sério de inimigos estrangeiros desde os dias de Saul. Agora todo o Israel estava em verdadeiro declínio. Contudo, Israel era forte demais para ser subjugado. Se esse foi o propósito de Sisaque, ele falhou. Mas a estrela de Israel estava começando a pôr-se atrás do horizonte.

14.28

וַיְהִ֛י מִדֵּי־בֹ֥א הַמֶּ֖לֶךְ בֵּ֣ית יְהוָ֑ה יִשָּׂאוּם֙ הָרָצִ֔ים
וֶהֱשִׁיב֖וּם אֶל־תָּ֥א הָרָצִֽים׃

Na casa do Senhor. Isto é, no templo. Roboão o visitava ocasionalmente, porquanto, na época, ele ainda mantinha sua religião sincrética e não havia abandonado o yahwismo definitivamente. E em qualquer ocasião em que entrasse no templo, ia com sua guarda, em um espetáculo pomposo. E eles transportavam seus brilhantes escudos de bronze, não de ouro, mas ainda resplendentes. Após a partida do rei, os escudos eram guardados em um depósito apropriado, próximo ao templo. Salomão guardava os trezentos escudos dourados (ver 1Rs 10.17) em sua casa do bosque do Líbano (ver 1Rs 10.16,17).

É provável que o número de escudos fosse trezentos, tal como tinha sido o número dos escudos de ouro (ver 1Rs 10.17), e esse número correspondia ao número da guarda de elite, um escudo para cada homem. O trecho de 1Rs 10.16,17 diz-nos que o total de escudos de ouro era de quinhentos, duzentos deles maiores e trezentos menores. Talvez quinhentos escudos sejam o número do presente versículo e, nesse caso, a guarda pessoal também seria de quinhentos homens.

A MORTE DE ROBOÃO (14.29-31)

14.29

וְיֶ֛תֶר דִּבְרֵ֥י רְחַבְעָ֖ם וְכָל־אֲשֶׁ֣ר עָשָׂ֑ה הֲלֹא־הֵ֣מָּה
כְתוּבִ֗ים עַל־סֵ֛פֶר דִּבְרֵ֥י הַיָּמִ֖ים לְמַלְכֵ֥י יְהוּדָֽה׃

Este versículo é virtualmente igual ao vs. 19, onde as notas devem ser consultadas. O atualmente desaparecido *Livro das Crônicas dos Reis de Israel* é novamente mencionado, algo comentado no vs. citado. Cf. 2Cr 12.15, sobre outras obras perdidas que tratam de Roboão. 2Cr 11.5-10 fala de quinze cidades que ele fortificou a oeste de Jerusalém, com vistas a melhorar as defesas do país, provavelmente depois que Sisaque causou a tribulação das invasões.

14.30

וּמִלְחָמָ֨ה הָיְתָ֧ה בֵין־רְחַבְעָ֛ם וּבֵ֥ין יָרָבְעָ֖ם
כָּל־הַיָּמִֽים׃

Houve guerra entre Roboão e Jeroboão. Jeroboão e Roboão estavam em guerra contínua, e provavelmente esta guerra indica conflitos de fronteira. Nenhum deles ganhava coisa alguma com isso, mas muitas vidas se perderam por causa da insensatez deles. Roboão havia sido proibido por Yahweh de invadir o norte, e obedeceu a esse mandamento (ver 1Rs 12.24).

Não existe nenhum registro bíblico quanto às guerras aqui mencionadas, e devemos supor que, do ponto de vista militar, nada muito significativo tenha ocorrido. Mas quando vidas se perdem sem razão alguma, isso é um negócio sério.

14.31

וַיִּשְׁכַּ֨ב רְחַבְעָ֜ם עִם־אֲבֹתָ֗יו וַיִּקָּבֵ֤ר עִם־אֲבֹתָיו֙ בְּעִ֣יר
דָּוִ֔ד וְשֵׁ֣ם אִמּ֔וֹ נַעֲמָ֖ה הָעַמֹּנִ֑ית וַיִּמְלֹ֛ךְ אֲבִיָּ֥ם בְּנ֖וֹ
תַּחְתָּֽיו׃ פ

Descansou com seus pais. Quanto a esta expressão e suas implicações, ver 1Rs 1.21. Ver também 1Rs 11.43 quanto a outros comentários.

Na cidade de Davi. Está em pauta Jerusalém, e não Belém, que também é chamada "cidade de Davi" em outros trechos das Escrituras. Ver 1Rs 11.43 quanto aos detalhes, os quais não repito aqui. Ver também em 1Rs 2.10 notas expositivas adicionais.

Naamá. O nome da mãe de Roboão é repetido. Ver as notas expositivas em 1Rs 14.21, bem como o artigo sobre ela no *Dicionário*.

Roboão reinou de cerca de 934 a.C. a 917 a.C. Os críticos diferem um tanto sobre isso. O fato foi que ele reinou por dezessete anos. Ele tinha 41 anos de idade quando começou a reinar e morreu aos 58 anos de idade. Ver a nota cronológica que nos dá essa informação, em 2Cr 12.13.

Roboão era um homem que (por ser filho de Salomão) tinha herdado um grande reino, mas rapidamente o dissipou, por suas más decisões. Ele não foi capaz de sustentar a época áurea que seu pai havia instituído em Israel, mas manteve sua escandalosa idolatria.

CAPÍTULO QUINZE

O autor sagrado habilidosamente seguiu seu plano de fornecer relatos paralelos e cronológicos dos reinados de Israel (o norte) e Judá (o sul) do antigo império dividido de Israel. Ele não deu primeiro a história dos reis do norte, para em seguida dar a história dos reis do sul. Ele primeiramente relatou a história de Jeroboão (o norte) e a de Roboão (o sul). Agora passa a contar-nos a história de *Abias, filho de Roboão*, o segundo rei de Judá. E em 1Rs 15.17 ele nos levará de volta à parte norte da nação.

Ver no *Dicionário* o artigo detalhado chamado *Rei, Realeza*, que inclui um gráfico com listas de todos os reis de Israel (do norte) e de Judá (do sul) e compara seu tempo com o reinado de reis circunvizinhos.

Uma Curiosa Coincidência. O filho de Roboão, Abias, tinha o mesmo nome do filho mais jovem de Jeroboão, que morreu cedo (1Rs 14.1 ss.). A calamidade estava chegando, e o pobre menino escapou do terror morrendo prematuramente, enquanto outros membros da família de Jeroboão foram comidos por cães e aves de rapina, tendo-lhes sido negado um sepultamento decente (ver 1Rs 14.11,13). Mas há uma variante textual na qual o nome desse filho de Roboão é escrito de maneira levemente diferente. Ver o primeiro versículo deste capítulo.

"Este capítulo e o próximo são trabalhos do compilador deuteronômico original, de cerca de 610 a.C., que incluiu vários extratos de suas fontes informativas analíticas dos reis de Israel e Judá, entretecendo-os em seu esquema didático geral" (Norman H. Snaith, *in loc.*). Ver uma fonte informativa que ele usou, mencionada em 1Rs 14.19: o *Livro das Crônicas dos Reis de Israel*. Ver também o vs. 29 daquele capítulo; as notas expositivas fazem referências a outros livros perdidos durante o período do Antigo Testamento.

15.1

וּבִשְׁנַת֙ שְׁמֹנֶ֣ה עֶשְׂרֵ֔ה לַמֶּ֖לֶךְ יָרָבְעָ֣ם בֶּן־נְבָ֑ט מָלַ֥ךְ
אֲבִיָּ֖ם עַל־יְהוּדָֽה׃

A História Comparada. O autor apresenta histórias cronológicas paralelas que retratam o que aconteceu aos reis do norte (Israel) e do sul (Judá). Ver meus comentários na introdução a este capítulo. Em consonância com esse plano, ele passa agora a relatar a história do segundo rei de Judá (Abias), até o tempo do reinado de Jeroboão, no norte. Quando Jeroboão já havia governado por dezoito de seus 22 anos de reinado (ver 1Rs 14.20), começou a reinar o segundo rei de Judá. Portanto, ele reinou por quatro anos antes da morte de Jeroboão.

Abias. Assim prefere a maioria das versões, embora haja versões portuguesas que digam Abião (conforme se vê no hebraico, em 2Cr 13). O nome era o mesmo que o do filho de Jeroboão que morreu cedo (14.1 ss.), mas o texto massorético diz Abião em 1Rs 15. Talvez tenhamos um erro primitivo no próprio texto original do Antigo Testamento, o qual escribas subsequentes alteraram. Meu artigo no *Dicionário* sobre o homem diz *Abias*, ponto sexto. A forma variante é discutida nesse artigo. Ver também o artigo chamado *Massora (Massorah); Texto Massorético*. Esse é o texto hebraico padronizado do Antigo Testamento. A descoberta dos manuscritos do mar Morto revelou um texto hebraico bem mais primitivo que o do texto massorético, e tem demonstrado que, algumas vezes, as versões (especialmente a Septuaginta) preservaram alguns textos mais antigos do que o massorético. Ver também no *Dicionário* o verbete chamado *Manuscritos (Rolos) do mar Morto*.

"O reinado de três anos de Abias, em Judá (913-911 a.C.) esteve dentro do reinado de Jeroboão (931-910 a.C.)" (Thomas L. Constable, *in loc.*).

15.2

שָׁלֹ֣שׁ שָׁנִ֔ים מָלַ֖ךְ בִּירוּשָׁלִָ֑ם וְשֵׁ֣ם אִמּ֔וֹ מַעֲכָ֖ה
בַּת־אֲבִישָׁלֽוֹם׃

Três anos reinou em Jerusalém. Esta era a cidade de Davi (ver 1Rs 2.10 e 11.43). Ele teve um reinado breve, mas tempestuoso; efetuou guerras inúteis. Ver o artigo sobre ele, que fornece maiores detalhes.

Maaca. Ver no *Dicionário* o artigo sobre ela. Há certa dificuldade com respeito à identidade de sua mãe, visto que o trecho paralelo — 2Cr 13.2 — diz que ela se chamava Micaía, filha de Uriel. Comento sobre essa aparente discrepância no artigo sobre *Abias*, no segundo parágrafo. Várias sugestões têm sido oferecidas para prover harmonia, mas todas são questionáveis. A polêmica, contudo, não se reveste de grande importância. Os conservadores tentam uma harmonia a qualquer preço, mesmo à custa da honestidade, e os críticos buscam discrepâncias em apoio às suas atitudes céticas. Mas quando ocorrem verdadeiras discrepâncias, isso nada é contra a fé religiosa. Somente os *homens* falam em livros *perfeitos*. Coisa alguma nas Escrituras nos força a acreditar nisso. Somente Deus é perfeito, e qualquer outra forma de perfeição é apenas uma forma de *idolatria*.

O vs. 13 deste capítulo mostra que Maaca era ativa na promoção da idolatria, de modo que a maldição da síndrome do pecado-calamidade continuava em Judá.

■ 15.3

וַיֵּלֶךְ בְּכָל־חַטֹּאות אָבִיו אֲשֶׁר־עָשָׂה לְפָנָיו וְלֹא־הָיָה לְבָבוֹ שָׁלֵם עִם־יְהוָה אֱלֹהָיו כִּלְבַב דָּוִד אָבִיו:

Andou em todos os pecados que seu pai havia cometido antes dele. *Os Pecados dos Pais.* Esses pecados começaram com Salomão e sua idolatria (ver 1Rs 11.6 ss.) e continuaram com Roboão (14.22). Abias não tinha profundidade nem imaginação. Infelizmente continuou com aquilo que sempre produz destruição. Todos esses três reis (Salomão, Roboão e Abias) negligenciaram o exemplo puro de Davi, que dera início à dinastia. Embora tivesse praticado grandes males, Davi nunca se misturou com a idolatria, que corrompeu e debilitou todo o país. Certamente foi um exagero o autor dizer aqui que o coração de Davi era *perfeito*, a menos que se queira levantar um único *ponto*, a questão da idolatria. Quanto a Davi como homem "segundo o próprio coração de Deus", ver as notas expositivas de 1Sm 13.14. Até mesmo no caso de Jeroboão, o exemplo de Davi foi citado como um exemplo a ser seguido (ver 1Rs 11.38). Ele foi o *rei ideal* de Israel, se pudermos *esquecer*, por alguns momentos, os grandes erros que cometeu.

■ 15.4

כִּי לְמַעַן דָּוִד נָתַן יְהוָה אֱלֹהָיו לוֹ נִיר בִּירוּשָׁלָ͏ִם לְהָקִים אֶת־בְּנוֹ אַחֲרָיו וּלְהַעֲמִיד אֶת־יְרוּשָׁלָ͏ִם:

Uma lâmpada em Jerusalém. A luz dessa lâmpada iluminava Jerusalém. "Lâmpada é uma maneira pitoresca de descrever um ou mais sucessores que haveriam de dispersar toda espécie de trevas; a figura abarca toda a dinastia davídica (ver sobre 1Rs 11.36; 2Sm 21.17; 2Rs 8.19)" (Thomas L. Constable, *in loc.*). Naturalmente, pelo poder profético, o Messias era o principal dessa dinastia, sendo ele mesmo uma grande luz ou lâmpada que espanta as trevas.

Em 1Rs 11.36 sugeri uma grande metáfora no tocante à *lâmpada*, que indica Jerusalém, Judá, a dinastia de Davi e o Messias como o cumprimento de toda a luz ideal. Ver no *Dicionário* o artigo chamado *Luz, Metáfora da*. O Targum, em comentário sobre esta passagem, diz "um reino, esplêndido e glorioso", em alusão à lâmpada.

A Davi foi prometido que sua dinastia não falharia (ver 2Sm 7.12-16). Ela caiu por ocasião do cativeiro babilônico (ver a respeito no *Dicionário*), mas no Messias essa promessa tem continuação eterna. Ver sobre o *Pacto Davídico* nas notas expositivas de 2Sm 7.4.

■ 15.5

אֲשֶׁר עָשָׂה דָוִד אֶת־הַיָּשָׁר בְּעֵינֵי יְהוָה וְלֹא־סָר מִכֹּל אֲשֶׁר־צִוָּהוּ כֹּל יְמֵי חַיָּיו רַק בִּדְבַר אוּרִיָּה הַחִתִּי:

Porquanto Davi fez o que era reto perante o Senhor. Davi cometeu seus próprios erros. O mais grave foi o adultério com Bate-Seba e o subsequente assassinato de Urias, o marido dela. O autor sacro não deixou de citar esse pecado, embora seu intuito fosse dar-nos um quadro brilhante de Davi como o *rei ideal*. Davi, realmente, teve suas quedas e fracassos, mas nunca caiu na idolatria que espalhou a destruição, segundo a síndrome do pecado-calamidade. Alguns eruditos, porém, supõem que a menção ao mais grave pecado de Davi tenha sido uma adição posterior feita por algum escriba. E isso bem pode exprimir a verdade, pois a Septuaginta omite qualquer menção a esse pecado, sugerindo que um texto hebraico mais antigo não o continha. Algumas vezes, a Septuaginta retinha textos mais antigos que aqueles que chegaram até nós através do texto massorético, por terem sido traduzidos de manuscritos mais antigos. Ver 2Sm 11 e 12, quanto à horrenda história desses pecados mais graves de Davi. Ver no *Dicionário* os artigos *Septuaginta* e *Manuscritos do Antigo Testamento*.

■ 15.6

וּמִלְחָמָה הָיְתָה בֵין־רְחַבְעָם וּבֵין יָרָבְעָם כָּל־יְמֵי חַיָּיו:

Comparar este versículo com 1Rs 14.30, que é virtualmente igual. Não sabemos por que o autor sacro mencionou de novo Jeroboão e Roboão. Talvez ele quisesse fazer-nos compreender que Abias, na qualidade de filho de Roboão, continuou com insensatas escaramuças de fronteiras, visto sabermos que nenhuma guerra importante se deu. A Septuaginta deixa de lado este versículo, e isso talvez represente o manuscrito hebraico original, que sofreu uma adição neste ponto, por parte de algum escriba posterior. Alguns manuscritos da Vulgata substituem Roboão por Abias, e as versões siríaca e árabe dizem: "Abias, o filho de Roboão". A representação mais provável do original é a Septuaginta. Por outra parte, aquela versão pode ter omitido especificamente a adição por ser ela uma inútil repetição de 1Rs 14.30.

Guerra civil. Não há intrigas tão amargas como as que envolvem famílias. Similaridades e associações parecem prover razões para a inimizade.

O conflito entre os dois reinos hebreus constitui uma história sórdida.

O cronista, porém, deixou claro que essa trágica hostilidade se deveu à impiedade.

Ralph W. Sockman, *in loc.*

■ 15.7

וְיֶתֶר דִּבְרֵי אֲבִיָּם וְכָל־אֲשֶׁר עָשָׂה הֲלוֹא־הֵם כְּתוּבִים עַל־סֵפֶר דִּבְרֵי הַיָּמִים לְמַלְכֵי יְהוּדָה וּמִלְחָמָה הָיְתָה בֵין אֲבִיָּם וּבֵין יָרָבְעָם:

Este versículo é virtualmente idêntico a 1Rs 14.19,29, cujas notas também se aplicam aqui. Em foco, naqueles versículos, estão Jeroboão (vs. 19) e Roboão (vs. 29). O atualmente desconhecido *Livro das Crônicas dos Reis de Judá*, uma das fontes informativas do autor sagrado, também merece comentários ali. Temos o intercâmbio entre *Israel* e *Judá*, mas presumimos que o mesmo livro contivesse as narrativas dos reis de ambas as nações. Ou talvez estejam em pauta dois livros, algo menos provável, contudo. Ver o trecho paralelo de 2Cr 13.22, que menciona obras que serviram de fontes informativas ou, menos provavelmente, identificam Ido como o autor do livro aqui mencionado.

Também houve guerra entre Abias e Jeroboão. Tal como houve guerra entre Jeroboão e Roboão (ver 1Rs 14.30). 2Cr 13.3,17 registra um desses incidentes, e provavelmente ocorreram alguns entrechoques de fronteiras. Caíram quinhentos mil israelitas, aparentemente em alguns dias das batalhas mencionados no trecho paralelo. E assim a matança teve prosseguimento, desta vez de irmãos contra irmãos.

■ 15.8

וַיִּשְׁכַּב אֲבִיָּם עִם־אֲבֹתָיו וַיִּקְבְּרוּ אֹתוֹ בְּעִיר דָּוִד וַיִּמְלֹךְ אָסָא בְנוֹ תַּחְתָּיו: פ

Abias descansou com seus pais. Ver 1Rs 1.21 e 1Rs 11.43 quanto a outros comentários.

Cidade de Davi. Ou seja, Jerusalém, e não Belém, a qual, em alguns trechos bíblicos, também é chamada assim. Ver 1Rs 11.43 para detalhes que não reitero aqui. Ver também 1Rs 2.10 quanto a notas expositivas adicionais.

Sem dúvida, Abias foi sepultado no sepulcro de seus pais, seus ancestrais reais, Davi, Salomão e Roboão. Não somos informados quanto à idade de Abias, nem qual era a idade dele no início do reinado. A julgar pelo fato de que ele reinou somente três anos (ver 1Rs 15.2), provavelmente ele era relativamente jovem ao morrer. Presume-se que ele tenha morrido de alguma enfermidade, já que não há nenhuma referência a morte violenta.

Abias obteve grande vitória sobre Jeroboão (ver 2Cr 13.1-20); imitou os pecados de seus pais (ver 1Rs 15.3); e teve catorze esposas, mediante as quais gerou 22 filhos e dezesseis filhas (ver 2Cr 13.21). Foi substituído no trono por *Asa*, seu filho (ver 2Cr 14.1), cuja história se apresenta a seguir no relato de 1Reis.

Quarenta por Cento do Antigo Testamento. Tendo completado a exposição de 1Rs 15.8, levei minha exposição do Antigo Testamento à marca dos 40%. O Antigo Testamento tem 23.148 versículos, e até este ponto já comentei sobre 9.259 versículos. Agradeço a Deus pela força espiritual, mental e física, bem como pelos recursos financeiros que têm sido providos para levar o labor a este ponto, e agradecerei por eles pelo restante do caminho a ser percorrido.

ASA, REI DE JUDÁ (15.9-24)

A História Comparada. O autor sagrado apresentou paralelos cronológicos da história dos reis do norte (Israel) e do sul (Judá). Ver os comentários sobre esse método na introdução ao presente capítulo. Em harmonia com esse plano, ele agora relata a história do *terceiro* rei de Judá, *Asa*. Ele voltará a mencionar um rei do norte em 1Rs 15.27. Ver no *Dicionário* o artigo chamado *Rei, Realeza*, que lista os reis do norte e do sul, comparando-se com reis de países circunvizinhos.

"O compilador deuteronômico introduz a narrativa sobre o reinado de Asa com sua fórmula costumeira. Ele faz um julgamento inteiramente favorável a esse rei, a despeito do fato de Asa não se ter desvencilhado dos santuários locais (1Rs 15.14), de acordo com o padrão *perfeito* de um rei bom exigido pelas reformas deuteronômicas posteriores. Asa, por certo, foi um grande reformador, anulando os abusos nos cultos do templo de Jerusalém decorrentes da assimilação dos cultos cananeus" (Norman H. Snaith, *in loc.*). Ver no *Dicionário* o artigo chamado *J.E.D.P.(S.)*, quanto à teoria das fontes múltiplas do Pentateuco. Essas fontes informativas, de acordo com os críticos, podem ser percebidas em várias porções do Antigo Testamento, e não somente no Pentateuco. Ver no *Dicionário* o artigo chamado *Asa*, quanto à vida e aos atos desse rei.

15.9

וּבִשְׁנַת עֶשְׂרִים לְיָרָבְעָם מֶלֶךְ יִשְׂרָאֵל מָלַךְ אָסָא מֶלֶךְ יְהוּדָה׃

Jeroboão governou por 22 anos (ver 1Rs 14.20). No vigésimo ano de seu reinado, subiu ao trono o terceiro rei de Judá, Asa. Por todo o seu relato, o autor coloca em paralelo cronológico a narrativa sobre os reis de Israel (o norte) e de Judá (o sul). Ver a introdução a este capítulo. Os intérpretes variam nas declarações sobre as datas de governo dos reis, mas a sugestão de cerca de 911-870 a.C. (41 anos) é provavelmente exata. O reinado de Jeroboão terminou por volta de 910 a.C., se não nesse ano. Mas alguns lhe dão uma data de governo até 904 a.C.

15.10

וְאַרְבָּעִים וְאַחַת שָׁנָה מָלַךְ בִּירוּשָׁלָ͏ִם וְשֵׁם אִמּוֹ מַעֲכָה בַּת־אֲבִישָׁלוֹם׃

Asa foi um bom rei, se ignorarmos o seu lapso de não ter destruído os *lugares altos* (ver a respeito no *Dicionário*), conforme diz o vs. 14, em seus 41 anos de reinado.

Sua mãe Maaca, filha de Absalão. Temos a mesma notícia a respeito do rei Abias (vs. 2). Para explicar isso, é preciso dizer que "mãe" aqui significa "avó", e supor que, provavelmente, ele tenha sido criado por aquela mulher. Nesse caso, coisa alguma é dita sobre sua mãe *biológica*. Maaca promoveu a idolatria, e o fato de que Asa se tornou homem tão favorável a Yahweh, a despeito disso, é muito para seu crédito. Ver o vs. 13.

Se Asa tivesse sido criado por sua mãe biológica, talvez ele nem fosse mencionado, visto que a verdadeira rainha-mãe era Maaca, a qual, é de presumir-se, dominava tudo.

15.11

וַיַּעַשׂ אָסָא הַיָּשָׁר בְּעֵינֵי יְהוָה כְּדָוִד אָבִיו׃

Asa fez o que era reto perante o Senhor. Ou seja, ele teve um *andar* segundo os ditames da lei mosaica. Ver o mandamento dado a Salomão (ver 1Rs 9.4), que o desconsiderou, caindo na idolatria e desobedecendo descaradamente ao primeiro e ao segundo mandamento (ver 1Rs 11.3 ss.). Ver no *Dicionário* o artigo chamado *Dez Mandamentos*. Jeroboão recebeu instruções similares (ver 1Rs 11.38), mas logo ignorou o mandato divino (ver 1Rs 12.28). Roboão, por igual modo, caiu na idolatria (ver 1Rs 14.22 ss.), tal como aconteceu a seu filho, Abias (1Rs 15.3 ss.). Isso significa que Asa dispunha, em sua maior parte, de maus exemplos e de uma mãe (ou avó) idólatra (ver 1Rs 15.13). Apesar disso, ele fez essencialmente o que era reto, embora não tivesse removido os centros de adoração pagã dos *lugares altos* (ver a respeito no *Dicionário*). Ver também o vs. 14 deste capítulo.

Davi era o rei *ideal* porquanto nunca caiu na idolatria, embora tenha cometido outros pecados graves. Ver os comentários sobre o vs. 5 deste capítulo.

15.12

וַיַּעֲבֵר הַקְּדֵשִׁים מִן־הָאָרֶץ וַיָּסַר אֶת־כָּל־הַגִּלֻּלִים אֲשֶׁר עָשׂוּ אֲבֹתָיו׃

Tirou da terra os prostitutos-cultuais. Em algumas versões, eles são chamados de sodomitas, mas devemos aqui entender os homossexuais que faziam parte dos cultos pagãos, cujo mau exemplo Israel tinha, finalmente, seguido. Ver 1Rs 14.24 quanto a notas expositivas completas sobre essa questão. Roboão permitira que tal perversão entrasse no culto religioso de Israel, e talvez até a tenha promovido, desavergonhadamente. Na última referência citada, discuti os três tipos de prostituição cultual. O mal sempre tem suas variedades.

Asa, pois, obliterou a prostituição sagrada, e talvez tenha combatido, de modo geral, toda espécie de homossexualismo. Ver Dt 23.17 contra os prostitutos-cultuais. Ver no *Dicionário* o verbete chamado *Sodomita*. Naquele trecho bíblico, o homossexualismo está sujeito à punição capital (ver Lv 18.22,29; 20.13).

Todos os ídolos foram destruídos, e o yahwismo foi restaurado. Asa não somente eliminou os prostitutos-cultuais; suprimiu toda a idolatria, que é adultério espiritual, excetuando as manifestações pagãs nos lugares altos.

O paralelo em 2Cr 14.1 ss. é mais completo na informação sobre Asa. Ele reinou por dez anos, e foi provavelmente durante a segunda parte de seu reinado que ele instituiu suas reformas. Asa também teve suas guerras, as quais não são mencionadas no presente capítulo.

15.13

וְגַם אֶת־מַעֲכָה אִמּוֹ וַיְסִרֶהָ מִגְּבִירָה אֲשֶׁר־עָשְׂתָה מִפְלֶצֶת לָאֲשֵׁרָה וַיִּכְרֹת אָסָא אֶת־מִפְלַצְתָּהּ וַיִּשְׂרֹף בְּנַחַל קִדְרוֹן׃

E até a Maaca, sua mãe. Ver sobre ela no *Dicionário* e no segundo versículo deste capítulo. Ela era avó de Asa, mas provavelmente agiu como rainha-mãe e reteve grande autoridade em Israel. Por causa de sua idolatria, Asa a removeu do ofício de rainha-mãe. Com isso ela caiu em desgraça e perdeu toda a autoridade. Ela havia mandado fazer um ídolo especial para o centro de seu culto, mas Asa o destruiu.

Essa imagem. Esta última palavra vem de um vocábulo hebraico que significa "tremer". A mesma palavra acha-se no paralelo de 2Cr 15.16. A Vulgata faz dessa imagem um símbolo fálico, de modo que talvez esteja em pauta alguma espécie de culto da fertilidade. Outras versões, porém, dizem, "a Aserá" (ver 1Rs 14.15), o que concorda com o original hebraico. Mas permanece em dúvida exatamente o tipo de idolatria promovido por Maaca. Ver sobre os *postes-ídolos* em 1Rs 14.15. Se são as colunas sagradas que estão em vista, foram elas que

Asa queimou perto do ribeiro do *Cedrom* (ver a respeito no *Dicionário*), a leste de Jerusalém. O fato de ele ter queimado publicamente o ídolo ou ídolos de sua avó deve ter chamado a atenção de toda a população de Judá. Asa promoveu um movimento de "volta à Bíblia".

De Asa em diante, o ribeiro do Cedrom tornou-se o lugar "oficial" para queimar todos os objetos de culto idólatra.

15.14

וְהַבָּמוֹת לֹא־סָרוּ רַק לְבַב־אָסָא הָיָה שָׁלֵם עִם־יְהוָה כָּל־יָמָיו׃

Os altos, porém, não foram tirados. *Uma Falha de Asa.* Não somos informados por qual razão Asa não fez um trabalho completo de limpeza da idolatria, sob todas as suas formas. Ele deixou intactos os lugares altos e seus bosques, pontos favoritos dos cultos idólatras, cheios de todas as espécies de ídolos. Talvez os poderes por trás dos lugares altos fossem de natureza tal que nada, senão a guerra civil, pudesse destruí-los, e Asa não quis envolver-se em derramamentos de sangue. A infração de Asa, portanto, significou apenas que a adoração centralizada em Jerusalém foi debilitada. Mas essa ideia não passa de uma conjectura. Provavelmente o autor sacro estava dizendo que as reformas religiosas de Asa, embora bem-sucedidas e positivas em um sentido geral, foram defeituosas por terem sido incompletas. Ele poderia ter feito mais, mas não o fez por razões que desconhecemos.

A Lição Moral. O que aconteceu a Asa é típico da vida da maioria das pessoas, até mesmo de pessoas boas. Ele fez o que era certo e fez o que era errado. Ele deixou certas coisas por fazer, mas continuou a promover sua vida espiritual.

15.15

וַיָּבֵא אֶת־קָדְשֵׁי אָבִיו וְקָדְשׁוֹ בֵּית יְהוָה כֶּסֶף וְזָהָב וְכֵלִים׃

Trouxe à casa do Senhor as cousas consagradas por seu pai. *Asa promoveu o yahwismo* e tentou estabelecer costumes certos novamente, em Jerusalém, o lugar central do culto. Em sua guerra contra Jeroboão, Abias tomou despojos, parte dos quais provavelmente foi dedicada a suportar o sacerdócio e o culto no templo, mediante o ato de Asa. Ver 2Cr 13.16,17.

Ver 2Cr 15.9-17 quanto a outros atos de Asa, que não foram registrados em 1Reis. O Pacto Mosaico foi renovado, mas essa renovação não perduraria por muito tempo. O zelo religioso tem uma maneira de cair na indiferença e então transformar-se em pecado aberto. Ver sobre o *Pacto Mosaico* na introdução a Êx 19.

GUERRA CIVIL. ASA CONTRA BAASA, REI DE ISRAEL (15.16-22)

Desde o cisma que separou o norte (Israel) do sul (Judá), houve guerras intermitentes entre os dois reinos. Baasa ganhou forças suficientes para fazer a maré virar em favor do reino do norte, Israel. Ele construiu uma fortaleza perto o bastante da própria Jerusalém, e sem dúvida tinha planos de reunificar os dois reinos, embora segundo condições ditadas pelo norte. Asa teve a ideia de fazer o rei da Síria, em Damasco, lançar um ataque contra Baasa. Isso funcionou bem, salvando Judá e restaurando as coisas para impor um empate forçado.

15.16

וּמִלְחָמָה הָיְתָה בֵּין אָסָא וּבֵין בַּעְשָׁא מֶלֶךְ־יִשְׂרָאֵל כָּל־יְמֵיהֶם׃

A guerra civil ameaçou o sul, e Baasa obteve uma vantagem temporária. Este versículo indica uma guerra prolongada que teve muitas vicissitudes. Ver a introdução a esta seção. Baasa morreu muitos anos antes de Asa, mas enquanto esteve vivo certificou-se que o rei de Judá tivesse pouco descanso.

Baasa. Rei de Israel entre 909 e 886 a.C. Ver o artigo sobre ele quanto aos detalhes. Ver também o verbete intitulado *Rei, Realeza*, que lista os reis de Israel e Judá e dá um gráfico comparativo relacionado a dois dos poderes estrangeiros. Ele foi o rei de Israel que impôs julgamentos divinos sobre a casa de Jeroboão. Baasa, mediante muitos assassinatos, tomou posse do trono do norte (ver 1Rs 15.29,30). O vs. 23 deste capítulo diz-nos que Baasa reinou do terceiro ao vigésimo sétimo ano do reinado de Asa, no sul. 2Cr 14.16 diz-nos que Asa teve paz nos primeiros dez anos de governo, após os quais começaram as guerras.

"Não houve guerra franca até o trigésimo sexto ano de Asa, quando Baasa começou a edificar Ramá, para que ele pudesse impedir toda a comunicação entre Israel e Judá. Ver 2Cr 15.19 e 16.1. Mas isso não concorda com o que é afirmado em 1Rs 16.8,9, que Elá, filho e sucessor de Baasa, foi morto por Zinri, no vigésimo sétimo ano do reinado de Asa. Os cronologistas esforçam-se por reconciliar isso, dizendo que os anos deveriam ser contados não a partir do começo do reinado de Asa, mas da separação entre os reinos de Israel e Judá" (Adam Clarke, *in loc.*).

15.17

וַיַּעַל בַּעְשָׁא מֶלֶךְ־יִשְׂרָאֵל עַל־יְהוּדָה וַיִּבֶן אֶת־הָרָמָה לְבִלְתִּי תֵּת יֹצֵא וָבָא לְאָסָא מֶלֶךְ יְהוּדָה׃

E edificou a Ramá. Ver sobre essa cidade no *Dicionário*. Baasa tentou cortar toda a comunicação entre o norte e o sul, o que, provavelmente, fazia parte de um plano mestre para finalmente derrotar e absorver Judá, produzindo assim uma unificação forçada. Ramá ficava a apenas duas horas de marcha a partir de Jerusalém, e parece ter assinalado o ponto até o qual o poder do norte havia chegado. Isso nos mostra quão fraco Judá se tornou militarmente. Aparentemente, Asa não fizera nenhuma tentativa para impedir a construção de Ramá, provavelmente pensando ser uma tarefa inútil. Baasa, pois, estava no domínio; ele controlava todo o tráfico entre o norte e o sul, e fazia planos para terminar com Asa na primeira oportunidade que se lhe oferecesse. Parecia ser a época áurea de Baasa, o que realmente teria acontecido se a Síria não tivesse intervindo em favor de Judá.

15.18

וַיִּקַּח אָסָא אֶת־כָּל־הַכֶּסֶף וְהַזָּהָב הַנּוֹתָרִים בְּאוֹצְרוֹת בֵּית־יְהוָה וְאֶת־אוֹצְרוֹת בֵּית מֶלֶךְ וַיִּתְּנֵם בְּיַד־עֲבָדָיו וַיִּשְׁלָחֵם הַמֶּלֶךְ אָסָא אֶל־בֶּן־הֲדַד בֶּן־טַבְרִמֹּן בֶּן־חֶזְיוֹן מֶלֶךְ אֲרָם הַיֹּשֵׁב בְּדַמֶּשֶׂק לֵאמֹר׃

Então Asa tomou toda a prata e ouro restantes. *A Peita.* Para salvar Judá, Asa esvaziou os tesouros do templo e provavelmente alguns outros fundos pertencentes ao público, e apresentou os objetos valiosos (ouro, prata, joias e outros tesouros etc.) a Ben-Hadade, filho de Tabrimom, filho de Heziom, rei da Síria em Damasco. Ver todos os nomes próprios no *Dicionário,* quanto a maiores detalhes. Foi assim que, com grande sacrifício, Asa libertou o sul, mas precisou apelar a uma potência estrangeira para fazer o trabalho.

Alguns estudiosos identificam esse Ben-Hadade com o homem que atendia pelo mesmo nome em 1Rs 20.1, mas 1Rs 20.34 mostra-se contrário a essa opinião. *Hadade* é o nome do "alto deus da atmosfera" nos tabletes de Ras Shamra. Ver sobre eles no *Dicionário*. Em algumas regiões, o deus era identificado com Baal. O nome tornava-se o nome da família real, mas a palavra hebraica *ben* não subentende (tal como acontecia no Egito) a crença de que o rei era filho (em algum sentido literal) do deus daquele mesmo nome. Seja como for, o nome parece ter-se tornado geral e popular, tendo perdido suas implicações originais.

O nome do pai do homem contém uma referência a *Rimom*, outra divindade, a saber, o deus assírio da tempestade, *Ramanu*. Esse deus é igualado a Hadade em Zc 12.11. O sincretismo idólatra estava em operação.

Heziom (avô de Ben-Hadade) pode ter sido o mesmo Rezom, de 1Rs 11.23,24, que fundou o reino em Damasco. Mas os eruditos não têm muita certeza quanto à identificação, embora a Septuaginta pareça apoiá-la. Os escritores judeus fazem de Heziom o avô de Ben-Hadade e identificam-no com Rezom.

A Síria conseguira tornar-se independente de Salomão e crescera em poder. Asa tomou vantagem dessa condição para fortalecer a causa de Judá, embora a alto preço. Formar confederações era contrário aos princípios de Moisés, mas algumas vezes esse expediente tornou-se um imperativo de sobrevivência. Ver Is 30.1-17.

15.19

בְּרִית֙ בֵּינִ֣י וּבֵינֶ֔ךָ בֵּ֥ין אָבִ֖י וּבֵ֣ין אָבִ֑יךָ הִנֵּ֨ה שָׁלַ֤חְתִּֽי לְךָ֙ שֹׁ֣חַד כֶּ֣סֶף וְזָהָ֔ב לֵ֣ךְ הָפֵ֗רָה אֶת־בְּרִֽיתְךָ֙ אֶת־בַּעְשָׁ֣א מֶֽלֶךְ־יִשְׂרָאֵ֔ל וְיַעֲלֶ֖ה מֵעָלָֽי׃

Haja aliança entre mim e ti. *Pactos.* Tanto a nação do norte (Israel) quanto a nação do sul (Judá) fizeram pactos com a Síria, e isso começou antes dos dias de Asa. Salomão e Rezom estavam vinculados por meio de pactos, embora fossem de fato adversários (ver 1Rs 11.25); mas talvez o filho de Rezom tenha estabelecido alguma espécie de pacto com Judá. Baasa tinha um pacto com a Síria, mas por meio de um suborno Asa fez o rei sírio quebrar esse pacto e atacar o norte. John Gill (*in loc.*) mostrou-se muito infeliz com Asa; primeiramente, por ter tirado todo o dinheiro guardado no templo; em segundo lugar, por ter usado um suborno; em terceiro lugar, por ter feito um pacto com uma potência pagã. Por meio de tais atos, Asa demonstrou "grande desconfiança para com o Senhor", o verdadeiro poder capaz de ajudar. 2Cr 16.7 diz que um *vidente* repreendeu a Asa, por causa das alianças por ele firmadas.

15.20

וַיִּשְׁמַ֨ע בֶּן־הֲדַ֜ד אֶל־הַמֶּ֣לֶךְ אָסָ֗א וַיִּשְׁלַ֞ח אֶת־שָׂרֵ֤י הַחֲיָלִים֙ אֲשֶׁר־ל֔וֹ עַל־עָרֵ֖י יִשְׂרָאֵ֑ל וַיַּךְ֙ אֶת־עִיּ֣וֹן וְאֶת־דָּ֔ן וְאֵ֖ת אָבֵ֣ל בֵּֽית־מַעֲכָ֑ה וְאֵת֙ כָּל־כִּנְר֔וֹת עַ֖ל כָּל־אֶ֥רֶץ נַפְתָּלִֽי׃

Os vários objetos dos ataques desfechados por Ben-Hadade recebem artigos no *Dicionário*. Visto que a peleja foi levada ao território de Israel, Baasa não conseguiu manter sua ofensiva no sul. Foi assim que Israel teve de suportar amargo desapontamento; Judá conquistou sua liberdade e Ben-Hadade obteve o dinheiro. As cidades atacadas ficavam perto da fronteira com a Síria. As cidades nomeadas situavam-se próximo de *Quinerete*, isto é, o mar da Galileia. Ver no *Dicionário* o artigo chamado *Quinerete*, e note o leitor as variantes na soletração do nome, nas versões portuguesas. Visto que Dã se transformara em um importante centro de adoração (e, presumivelmente de governo), por parte de Jeroboão, supomos que a força de Israel tenha sido maior naquela área. Ben-Hadade, desse modo, atacou o coração de Israel, ou, pelo menos, um órgão vital da nação do norte. Ver 1Rs 12.29.

A mesma porção de Israel foi posteriormente atacada pelos exércitos assírios, antes do cativeiro (ver 2Rs 15.29). A planície fértil invadida é conhecida atualmente como *el-Ghuwer*.

15.21

וַיְהִי֙ כִּשְׁמֹ֣עַ בַּעְשָׁ֔א וַיֶּחְדַּ֕ל מִבְּנ֖וֹת אֶת־הָֽרָמָ֑ה וַיֵּ֖שֶׁב בְּתִרְצָֽה׃

E ficou em Tirza. *A Retirada para Tirza.* Baasa não tinha forças para continuar a expandir-se perto de Jerusalém e, ao mesmo tempo, levar a efeito uma guerra em seu próprio território, contra os sírios. Por causa disso, desistiu de seu projeto em Ramá (ver o vs. 17) e abandonou a área em torno de Jerusalém. Essa foi uma grande vitória para Judá, mas custou a maior parte dos tesouros do templo, a fim de pagar pela ajuda de Ben-Hadade (vs. 18).

Tirza (ver a respeito no *Dicionário*) ficava cerca de 56 quilômetros ao norte de Jerusalém, no território de Manassés, ou seja, bem perto da fronteira com o reino do norte. Essa cidade era a capital da nação de Israel na época (1Rs 14.17). Tirza continuou a ser residência real até o tempo em que Onri construiu Samaria e a tornou sua capital (ver 1Rs 16.24).

O que Baasa certamente temia era que Ben-Hadade, rei da Síria, também atacasse a *sua* capital, e por isso deixou de perturbar a capital de Judá. Portanto, ele obteve grande dose de seu próprio remédio.

15.22

וְהַמֶּ֤לֶךְ אָסָא֙ הִשְׁמִ֣יעַ אֶת־כָּל־יְהוּדָ֔ה אֵ֖ין נָקִ֑י וַיִּשְׂא֞וּ אֶת־אַבְנֵ֤י הָֽרָמָה֙ וְאֶת־עֵצֶ֔יהָ אֲשֶׁ֥ר בָּנָ֖ה בַּעְשָׁ֑א וַיִּ֤בֶן בָּם֙ הַמֶּ֣לֶךְ אָסָ֔א אֶת־גֶּ֥בַע בִּנְיָמִ֖ן וְאֶת־הַמִּצְפָּֽה׃

As pedras de Ramá. Ramá foi completamente desmantelada, e para tanto Asa usou trabalho forçado, provavelmente envolvendo tanto hebreus quanto estrangeiros, incluindo escravos regulares para edificar Geba. As pedras e a madeira que formavam a fortaleza de Ramá foram transferidas de Benjamim para Geba, que foi transformada em uma fortaleza protetora de Judá. Ver sobre *Geba* no *Dicionário*. Ficava somente cerca de 16 quilômetros ao norte de Jerusalém e atuava como posto avançado protetor contra invasões vindas do norte.

Todas as *isenções* da guerra e das construções foram anuladas quando Asa precisou fortificar o interior. "Quando as fronteiras precisam ser fortalecidas contra um inimigo, cessam todas as isenções" (Adam Clarke, *in loc.*).

15.23,24

וְיֶ֣תֶר כָּל־דִּבְרֵֽי־אָ֠סָא וְכָל־גְּב֨וּרָת֜וֹ וְכָל־אֲשֶׁ֣ר עָשָׂ֗ה וְהֶֽעָרִים֙ אֲשֶׁ֣ר בָּנָ֔ה הֲלֹֽא־הֵ֣מָּה כְתוּבִ֗ים עַל־סֵ֛פֶר דִּבְרֵ֥י הַיָּמִ֖ים לְמַלְכֵ֣י יְהוּדָ֑ה רַ֚ק לְעֵ֣ת זִקְנָת֔וֹ חָלָ֖ה אֶת־רַגְלָֽיו׃

וַיִּשְׁכַּ֤ב אָסָא֙ עִם־אֲבֹתָ֔יו וַיִּקָּבֵר֙ עִם־אֲבֹתָ֔יו בְּעִ֖יר דָּוִ֣ד אָבִ֑יו וַיִּמְלֹ֛ךְ יְהוֹשָׁפָ֥ט בְּנ֖וֹ תַּחְתָּֽיו׃ פ

O obituário costumeiro foi uma vez mais reproduzido pelo autor sacro. Recomendo ao leitor que examine os comentários atinentes nos trechos de 1Rs 2.10; 11.43 e 14.31. Os reis de Judá eram sepultados na *cidade de Davi*, isto é, Jerusalém, e não Belém, a qual, algumas vezes, também era chamada desse modo. Ver 1Rs 11.43.

Livro da história dos reis de Judá. Quanto a esse antigo livro perdido, que serviu como uma das fontes informativas do autor sagrado, ver 1Rs 14.19, que dá completos detalhes juntamente com referências a outros livros perdidos do período do Antigo Testamento.

Em idade avançada Asa sofreu com problemas nos pés, algo que lhe deve ter sido realmente constrangedor, a ponto de obter atenção especial da parte do autor sagrado. Ver 2Cr 16.12 quanto a isso.

Josafá. Algumas versões portuguesas também grafam seu nome como "Jeosafá". Talvez por causa da saúde periclitante de seu pai, esse filho reinou como coregente com ele durante os últimos anos de sua vida (873-870 a.C.). Quando Asa morreu, Acabe (874-853 a.C.) estava reinando na nação do norte, Israel. Ver no *Dicionário* o artigo chamado *Rei, Realeza* quanto a uma lista dos reis do norte e do sul, e isso comparado a reis pagãos contemporâneos dos territórios circunvizinhos. Ver também sobre o *Reino de Judá*, quanto a breves descrições sobre todos os reis.

Ver 2Cr 16 quanto a outros detalhes sobre o reinado de Asa. 2Cr 16.10 demonstra abusos do homem cujo registro estava longe de ser perfeito, embora fosse melhor que o de muitos outros monarcas. Ele reinou durante 41 anos (ver 2Cr 16.13) e foi sepultado com todas as honras.

Josafá primeiramente reinou como coregente com seu pai; e, depois, sozinho. Ver sobre ele no *Dicionário*. O autor sagrado passa agora a descrever vários reis de Israel, e só volta a Josafá em 1Rs 22.41.

NADABE, REI DE ISRAEL (15.25-32)

Histórias Comparadas. O autor sagrado não nos dá simplesmente listas dos reis de Judá, com descrições de seus reinos, para então listar os reis de Israel, com descrições de seus respectivos governos. Antes, ele conta as histórias em ordem cronológica aproximada, oferecendo os *reinados paralelos* no norte e no sul. O autor acabara de mencionar *Josafá*, de Judá (ver 1Rs 15.24), mas só nos contará sobre o seu reinado em 1Rs 22.41. Antes disso, descreve vários reis do norte.

15.25

וַיָּדָב בֶּן־יָרָבְעָם מָלַךְ עַל־יִשְׂרָאֵל בִּשְׁנַת שְׁתַּיִם
לְאָסָא מֶלֶךְ יְהוּדָה וַיִּמְלֹךְ עַל־יִשְׂרָאֵל שְׁנָתָיִם׃

Nadabe, filho de Jeroboão. Ver no *Dicionário* o artigo detalhado sobre *Nadabe*. Ver também o verbete chamado *Israel, Reino de*, quanto a breves descrições sobre todos os reis do norte. Ver ainda o artigo chamado *Rei, Realeza*, que lista os reis do norte e do sul, e os compara, em um gráfico, com os reis pagãos de territórios circunvizinhos.

A história de Jeroboão é narrada nos capítulos 12—14 de 1Reis. seu filho, Nadabe, teve um reinado breve e foi assassinado por um usurpador (Baasa), cumprindo assim as profecias de condenação da casa e da dinastia de Jeroboão (1Rs 14.10,11). Ele subiu ao trono quando Asa reinava em Judá, em seu segundo ano, e governou por somente dois anos.

"Se uma família inteira desaparecesse, não restaria nenhum vingador do sangue, e o assassino ficaria livre. Essa matança geral era o procedimento regular e acontecia em todas essas ocasiões (cf. 2Rs 10.17)" (Normal H. Snaith, *in loc.*).

Nadabe, naturalmente, era irmão do filho de Jeroboão que morreu quando criança, Abias. Mas não sabemos dizer se Nadabe era mais velho ou mais novo que Abias. Ver o capítulo 14 quanto à história de Abias. Ele reinou em cerca de 910-909 a.C.

15.26

וַיַּעַשׂ הָרַע בְּעֵינֵי יְהוָה וַיֵּלֶךְ בְּדֶרֶךְ אָבִיו וּבְחַטָּאתוֹ
אֲשֶׁר הֶחֱטִיא אֶת־יִשְׂרָאֵל׃

Nadabe seguiu o *mau exemplo* deixado por seu pai, Jeroboão. Ele foi estritamente mau e não fingiu reformar Israel, ao qual Jeroboão havia mergulhado na idolatria. Em contraste, *Asa*, rei do sul, efetuou algumas reformas significativas ao tentar desfazer os males praticados por Salomão, Roboão e Abias. No entanto, a nação do norte, Israel, não estava interessada em movimentos de reforma, e, falando genericamente, teve uma história pior que a do sul, no tocante às invasões do paganismo que prejudicavam o yahwismo. O rei sempre arrastava após si o povo, pelo que quando o rei era culpado de corrupção a nação inteira acabava corrupta. Ver Mt 23.15 e a exposição desse versículo no *Novo Testamento Interpretado*, quanto ao mal de ser a causa para o pecado de outros. Ver na *Enciclopédia de Bíblia, Teologia e Filosofia* o verbete chamado *Exemplo*. Os exemplos podem ser bons ou maus, mas são sempre poderosos. O sistema idólatra, com centros principais em Dã e Betel, continuou.

15.27

וַיִּקְשֹׁר עָלָיו בַּעְשָׁא בֶן־אֲחִיָּה לְבֵית יִשָּׂשכָר וַיַּכֵּהוּ
בַעְשָׁא בְּגִבְּתוֹן אֲשֶׁר לַפְּלִשְׁתִּים וְנָדָב וְכָל־יִשְׂרָאֵל
צָרִים עַל־גִּבְּתוֹן׃

Conspirou contra ele Baasa. Ver sobre *Baasa* no *Dicionário*; ver também sobre ele nos artigos *Israel, Reino de* e *Rei, Realeza*. O autor sagrado já nos havia apresentado esse usurpador, embora sem relatar a história de como ele se tornara rei de Israel. *Agora*, porém, ele nos conta o incidente. Ver em 1Rs 15.17 ss. o que já foi dito sobre esse homem, suas guerras contra Judá, sua fortificação de Ramá, bem próxima de Jerusalém, a guerra contra Ben-Hadade que o levou a retirar as forças da região de Jerusalém.

Baasa conspirou contra o rei Nadabe, filho de Jeroboão, e o matou, tornando-se assim o primeiro rei-usurpador de Israel.

Nadabe e seus exércitos estavam atacando a cidade filisteia de *Gibetom* (ver no *Dicionário* quanto a maiores detalhes). Baasa tirou vantagem da situação para cometer seu assassinato privado, mas isso foi resultado de uma conspiração, e não a reação selvagem de um momento.

As *carcaças de Nadabe*, de seus apoiadores e de toda a sua família foram deixadas no campo para serem comidas pelas aves de rapina, ou na cidade para serem devoradas pelos cães (1Rs 14.11,13). Nenhum sepultamento decente lhes foi conferido (ver 1Rs 14.13,14).

"É evidente que Israel não capturou essa cidade (cf. 1Rs 16.15-17). Talvez o cerco tenha terminado quando Nadabe foi morto. seu assassino, Baasa, tornou-se o próximo rei de Israel (ver 1Rs 15.33—16.7)" (Thomas L. Constable, *in loc.*).

15.28

וַיְמִתֵהוּ בַעְשָׁא בִּשְׁנַת שָׁלֹשׁ לְאָסָא מֶלֶךְ יְהוּדָה
וַיִּמְלֹךְ תַּחְתָּיו׃

O autor, sem jamais esquecer seu plano de dar relatos paralelos em ordem cronológica (tanto quanto possível), dos reinados do norte e do sul, diz exatamente como Nadabe se relacionava à nação do sul. Nadabe começou a reinar no terceiro ano de Asa como rei de Judá.

15.29

וַיְהִי כְמָלְכוֹ הִכָּה אֶת־כָּל־בֵּית יָרָבְעָם לֹא־הִשְׁאִיר
כָּל־נְשָׁמָה לְיָרָבְעָם עַד־הִשְׁמִדוֹ כִּדְבַר יְהוָה אֲשֶׁר
דִּבֶּר בְּיַד־עַבְדּוֹ אֲחִיָּה הַשִּׁילֹנִי׃

A Matança. O profeta Aías havia predito que as coisas terminariam muito ruins para a família de Jeroboão, por causa da idolatria que ele havia promovido na nação do norte. Ver 1Rs 14.7-11. Com o máximo de exatidão, tudo quanto foi predito se cumpriu; e o usurpador, Baasa, foi o instrumento divino para essa tarefa horrível. Não nos é dito aqui que os membros da família tenham recebido sepultamento decente; todos foram consumidos pelos cães e pelas aves de rapina; e isso fazia parte do drama.

Jeroboão e sua família colheram o que haviam semeado. Ver no *Dicionário* o verbete chamado *Lei Moral da Colheita segundo a Semeadura*.

A Responsabilidade de Baasa. "O pecado, mesmo quando cumpre o plano de Deus, nem por isso é menos pecado. Sobre Baasa nada sabemos, exceto a sua tentativa sobre a independência de Judá e seu fracasso (ver os vss. 16-22)" (Ellicott, *in loc.*).

Problema Teológico. Deus transforma a ira do homem em louvor. Ele usa o livre-arbítrio humano sem destruí-lo, embora não saibamos dizer como isso acontece. Judas Iscariotes teve de trair a Jesus, mas isso não o tornou um homem inocente. Ele já era culpado antes de ter cometido *aquele* pecado. Ver no *Dicionário* os artigos chamados *Predestinação* e *Livre-arbítrio*.

15.30

עַל־חַטֹּאות יָרָבְעָם אֲשֶׁר חָטָא וַאֲשֶׁר הֶחֱטִיא
אֶת־יִשְׂרָאֵל בְּכַעְסוֹ אֲשֶׁר הִכְעִיס אֶת־יְהוָה אֱלֹהֵי
יִשְׂרָאֵל׃

A causa do terrível fim da dinastia e da família de Jeroboão foi, especificamente, o pecado da idolatria, sobre o qual o profeta Aías havia alertado o futuro rei de Israel. Ver 1Rs 11.38. Imediatamente, ele rompeu a fé em Yahweh e levou seus bezerros de ouro para serem adorados em Dã e Betel (ver 1Rs 12.28,29). Ele tinha pressa de ser corrupto, corrompendo a todo o Israel.

O autor sacro enfatiza a corrupção de todo o reino do norte, e aponta para Jeroboão como a principal causa disso. A corrupção coletiva produziria um julgamento coletivo. Ver no *Dicionário* o verbete chamado *Cativeiro Assírio*. Cf. 1Rs 16.19.

O juiz seria *Yahweh-Elohim, o Deus Eterno e Todo-poderoso*, que observa e julga os homens na verdade e na justiça. Ver no *Dicionário* o artigo chamado *Deus, Nomes Bíblicos de*. O fato de Deus criar, intervir e punir é a essência da doutrina do *teísmo* (ver no *Dicionário*).

15.31

וְיֶתֶר דִּבְרֵי נָדָב וְכָל־אֲשֶׁר עָשָׂה הֲלֹא־הֵם כְּתוּבִים
עַל־סֵפֶר דִּבְרֵי הַיָּמִים לְמַלְכֵי יִשְׂרָאֵל׃

Um Obituário Abreviado. Somos aqui meramente lembrados que o autor sagrado usou como fonte o *Livro da História dos Reis de Israel*, que dava alguns detalhes, os quais sem dúvida ele preferiu deixar de fora de seu relato. O livro mencionado está atualmente perdido, excetuando as porções que foram incorporadas aos livros canônicos do Antigo Testamento. Ver as notas expositivas sobre 1Rs 14.19

quanto a esse e outros livros perdidos, relativos ao tempo do Antigo Testamento, mas que não fazem parte do cânon sagrado. Ver também 1Rs 11.41, último parágrafo.

■ 15.32

וּמִלְחָמָה הָיְתָה בֵּין אָסָא וּבֵין בַּעְשָׁא מֶלֶךְ־יִשְׂרָאֵל כָּל־יְמֵיהֶם׃ פ

Uma Contínua Guerra Civil. Este versículo é uma duplicação exata de 1Rs 15.16, onde ofereço as notas expositivas.

■ 15.33

בִּשְׁנַת שָׁלֹשׁ לְאָסָא מֶלֶךְ יְהוּדָה מָלַךְ בַּעְשָׁא בֶן־אֲחִיָּה עַל־כָּל־יִשְׂרָאֵל בְּתִרְצָה עֶשְׂרִים וְאַרְבַּע שָׁנָה׃

Nadabe começou a reinar no segundo ano de Asa, e *Baasa* no terceiro, de modo que o autor continua aqui a lembrar-nos que ele estava escrevendo uma história comparada, apresentando paralela e cronologicamente (sempre que possível) os relatos a respeito dos reis de Israel e de Judá.

Tirza foi feita capital do reino do norte. Ver 1Rs 15.21. Essa cidade continuou sendo a capital de Israel até que Onri construiu Samaria e moveu o centro das atividades políticas para esse novo local (ver 1Rs 16.24). Ver a história completa de *Tirza* no *Dicionário*. Onri haveria de reinar por 24 anos, e nesse tempo causaria muita confusão.

■ 15.34

וַיַּעַשׂ הָרַע בְּעֵינֵי יְהוָה וַיֵּלֶךְ בְּדֶרֶךְ יָרָבְעָם וּבְחַטָּאתוֹ אֲשֶׁר הֶחֱטִיא אֶת־יִשְׂרָאֵל׃ ס

Baasa não matou Nadabe a fim de fazer reformas em Israel, anulando o mal da dinastia de Jeroboão (que consistiu somente no próprio Jeroboão e em seu filho, Nadabe). Ele foi o instrumento divino para pôr fim às iniquidades de Jeroboão, mas não para instituir reformas. Ele nada aprendeu, no entanto, do fato de ter sido um instrumento divino. Uma vez que a nação se viu livre das loucuras de Jeroboão, Baasa continuou a promover sua própria variedade de loucuras, e assim Israel permaneceu em trevas. Sem dúvida continuou a adoração aos bezerros, em Dã e Betel (ver 1Rs 12.28,29), bem como os tipos gerais de idolatria que Jeroboão havia instituído. "... não foi por não gostar da idolatria, mas por malícia e ambição que ele matou a família de Jeroboão" (John Gill, *in loc.*).

"Os ímpios seguiram os passos dos ímpios, e tornaram-se ainda mais ímpios. O pecado reúne forças mediante o exercício e a idade" (Adam Clarke, *in loc.*).

CAPÍTULO DEZESSEIS

Este capítulo dá prosseguimento à história de Baasa, rei usurpador de Israel, a qual se iniciou em 1Rs 15.27, onde ofereço algumas notas de introdução. Ver no *Dicionário* o artigo detalhado, chamado *Baasa,* para informações completas. Ver também os artigos intitulados *Israel, Reino de* e *Rei, Realeza* quanto a listas e comentários dos reis de Israel e Judá.

A palavra do Senhor veio a Jeú. *Yahweh falou*. Essa expressão doravante torna-se uma expressão comum em 1Reis (cf. com 1Rs 17.8). Isso ensina o *teísmo* (ver a respeito no *Dicionário*). Deus intervém na história. Ele não abandonou a sua criação; ele recompensa e pune, guia, faz-se presente, vê e avalia todas as coisas. Jeú, o profeta, deve ser distinguido de Jeú, um dos reis de Israel (que reinou de 841 a 814 a.C.).

■ 16.1

וַיְהִי דְבַר־יְהוָה אֶל־יֵהוּא בֶן־חֲנָנִי עַל־בַּעְשָׁא לֵאמֹר׃

"*Jeú,* filho de Hanani, é mencionado pelo cronista como o responsável por uma história que foi 'inserida no livro dos reis de Israel' (2Cr 20.34). De acordo com 2Cr 19.2, ele também repreendeu a Josafá, após a morte de Acabe, em 852 a.C. Isso ocorreu cinquenta anos mais tarde" (Norman H. Snaith, *in loc.*).

A palavra do Senhor. Uma expressão que assinala as intervenções de Deus na história dos reis e agora começa a ser frequentemente usada no livro de 1Reis. O Pentateuco está repleto das palavras "Yahweh falou" (ver Lv 1.1; 4.11 quanto ao significado). Agora o cronista começou uma prática similar para introduzir questões importantes em sua narrativa.

O pai de Jeú, Hanani, pode ter sido ou não o profeta que advertiu o rei Asa de Judá (2Cr 16.7-9). Ver sobre *Jeú (filho de Hanani)* e também sobre *Hanani* (segundo ponto) no *Dicionário*.

Contra Baasa. Nada tendo aprendido sobre o trágico julgamento de Jeroboão, Baasa estava, ao mesmo tempo, tratando com o temível Yahweh, que em breve o faria terminar seus dias da mesma maneira que ocorrera a Jeroboão.

■ 16.2

יַעַן אֲשֶׁר הֲרִימֹתִיךָ מִן־הֶעָפָר וָאֶתֶּנְךָ נָגִיד עַל עַמִּי יִשְׂרָאֵל וַתֵּלֶךְ בְּדֶרֶךְ יָרָבְעָם וַתַּחֲטִא אֶת־עַמִּי יִשְׂרָאֵל לְהַכְעִיסֵנִי בְּחַטֹּאתָם׃

O Raio Fumarento. Yahweh falou através de seu profeta. A inspiração divina pode ocorrer subitamente, como se houvesse intrusões de Deus nos acontecimentos comuns. Ou pode ser resultado do tempo e da preparação. Certa vez, Daniel Webster (opondo-se a um senador chamado Hayne) falou por quatro horas, defendendo a constituição dos Estados Unidos da América. seu discurso de repreensão, eloquente e espontâneo, foi como que inspirado. Ele confessou aos amigos, mais tarde, que havia apanhado um *raio fumarento*, lançando-o contra o senador. O mesmo aconteceu ao profeta Jeú, que lançou contra o rei o seu raio fumarento. Ver no *Dicionário* os artigos intitulados *Inspiração* e *Revelação*.

Baasa, à semelhança de Jeroboão, tinha sido tirado do pó, pelo poder de Yahweh, e feito rei de Israel. A mão divina estava em todos esses acontecimentos, a despeito das circunstâncias pecaminosas. Eventos adversos foram usados com vistas ao bem. Ver sobre 1Rs 15.29, último parágrafo, quanto aos problemas teológicos envolvidos. Baasa tinha todas as vantagens. Ele tinha seu lugar na tradição profética, mas desviou-se da vereda do rei ideal, segundo os ditames da lei mosaica. A idolatria foi mantida na nação do norte, Israel, e o país não estava melhor, por ter Baasa como monarca, do que estava quando Jeroboão reinava. Baasa foi um grande pecador e fez Israel experimentar novamente o que se lê em 1Rs 15.26.

■ 16.3

הִנְנִי מַבְעִיר אַחֲרֵי בַעְשָׁא וְאַחֲרֵי בֵיתוֹ וְנָתַתִּי אֶת־בֵּיתְךָ כְּבֵית יָרָבְעָם בֶּן־נְבָט׃

O futuro de Baasa foi descrito com quase as mesmas palavras acerca do julgamento de Jeroboão (ver 1Rs 14.7,10,11). E as mesmas palavras foram usadas novamente em relação ao ímpio rei Acabe (ver 1Rs 21.24). A apostasia era tão profunda no norte que somente o cativeiro assírio foi capaz de cuidar dela. Israel nunca retornou desse cativeiro. Ver no *Dicionário* o verbete chamado *Cativeiro Assírio*.

"Não pode haver conhecimento verdadeiro das coisas finais, ou seja, de Deus e do homem, do dever e do destino, que não tenha nascido da preocupação aperfeiçoada pela dedicação" (John A. Mackay, em *A Preface to Christian Theology*).

O único interesse de Baasa era continuar as corrupções de Jeroboão. Princípios mais elevados não o atraíam. Ele poderia ter encabeçado uma dinastia que perdurasse e restaurasse Israel. Longe disso, porém, ele preferiu uma vereda que levou à destruição ele mesmo e toda a sua família.

■ 16.4

הַמֵּת לְבַעְשָׁא בָּעִיר יֹאכְלוּ הַכְּלָבִים וְהַמֵּת לוֹ בַּשָּׂדֶה יֹאכְלוּ עוֹף הַשָּׁמָיִם׃

Este versículo virtualmente duplica a terrível advertência a Jeroboão, quanto aos cães e às aves de rapina que comeriam a sua posteridade.

GRÁFICO HISTÓRICO COMPARATIVO
Os Reis de Israel e Judá
Comparações com Síria, Babilônia, Egito, Assíria, Pérsia e Grécia

ISRAEL		SÍRIA	BABILÔNIA	EGITO	ASSÍRIA	PÉRSIA	GRÉCIA
Era dos Juízes (1300-1070)							
O Reino Unido			Nabusumilibar	21ª. Dinastia	Assurnasirpal (1051-1033)		Invasões tribais
Saul (1070-1010)							
Davi (1010-960)							
Salomão (960-935)		Hirão de Tiro (980-936)		Esmendes	Salmaneser II (1032-1021)		Idade homérica
O Reino Dividido	**930 a.C.**				Assurrabi II (1014-974)		Tribos distintas
ISRAEL (Norte)	JUDÁ (Sul)						
As dez tribos	As Duas Tribos						
Jeroboão (931-910)	Reoboão (931-915)	Ben-Hadade I de Damasco	Dinastia das Terras do mar	Sisaque I (935-914)	Tiglate-Pileser (969-936)		Dialetos gregos
Nabade (910-908)	Abias (915-911)						
Baasa (908-886)	Asa (911-869)				Adabe-Narai II (911-891)		País não unificado
(mudança de dinastia)							
Elá (886-884)							
Zinri (7 dias de 885)							
(mudança de dinastia)							
Tibni (884)							
Onri em Samaria (884-870)	Jeorão como regente (848-834)		Nabuapaldina (885-852)		Assurnasirpal II (883-859)		
Acabe (Elias) (870-848)	Acazias (835-834) Atalia (834-828)						
Jorão (846-836)		Batalhas de Carcar (853)					
(mudança de dinastia)							
Jéu (834-806)	Joás (828-789)	Hazael de Damasco			Salmaneser III (858-824)		
Jeocaz (806-790)	Amazias (789-761)						
Jeoás (790-775) (Isaías)	Azarias (761-710) (Uzias)	Fundação de Cartago (814)			Abade-Nirari III (810-783)		Fundação de Atenas
Jeroboão II (775-746)	Jotão (710-705)		Pianqui	Pianqui (751-730)			A unificação do país - passos iniciais
Zacarias (746-745)	Jeoacaz (705-setecentos)		Mardukapaldina (721-711)				
Salum (745)				Taarge (689-664) Núbio			
Menaem (745-738)	Ezequias (setecentos-687)		Samasumuquim (668-648)				
Pecaías (738-737)	Manassés (687-642)			Psamético (663-610)			
Peca (737-732)	Anon (642-640)		Nabucodonosor II (605-562)	Neco (610-595)	Sargão II (721-705)	Ciro I	
Oseias (732-724)	Josias (640-609)						
QUEDA DE SAMARIA (722)	Jeocaz (609)		DESTRUIÇÃO DA BABILÔNIA (539)		Assurbanipal (668-631)		
	Jeoaquim (609-598)						
	Joiaquim (597)				DESTRUIÇÃO DA ASSÍRIA	Ciro II (559-530)	
	Zedequias (597-587)						
	QUEDA DE JERUSALÉM (587)						

Ver 1Rs 14.11 quanto a notas expositivas que também se aplicam aqui. Baasa tinha visto as trágicas profecias realmente acontecerem através de sua agência. *Ele* fora o homem que extinguira a casa de Jeroboão, um instrumento divino para isso. Apesar disso, ele mesmo nada aprendeu da lição. Ver 1Rs 15.27 ss. quanto ao julgamento da casa de Jeroboão, encabeçado pelo próprio Baasa.

Lições Morais. Não basta alguém ser um instrumento do Espírito. Nós mesmos temos de dedicar-nos à causa do Senhor e ser transformados pelo Espírito, se esperamos cumprir nosso destino. É perfeitamente possível alguém ser instrumento de Deus, em certas ocasiões, sem perceber o destino que lhe foi preparado.

■ 16.5

וְיֶ֨תֶר דִּבְרֵ֤י בַעְשָׁא֙ וַאֲשֶׁ֣ר עָשָׂ֔ה וּגְבוּרָת֑וֹ הֲלֹא־הֵ֣ם
כְּתוּבִ֗ים עַל־סֵ֛פֶר דִּבְרֵ֥י הַיָּמִ֖ים לְמַלְכֵ֥י יִשְׂרָאֵֽל׃

O autor aplica aqui, uma vez mais, a maneira padronizada de terminar o relato de um rei e seus atos, mencionando novamente uma de suas fontes informativas, o *Livro da História dos Reis de Israel*. Quanto a detalhes sobre essa fórmula, ver as notas em 1Rs 11.41 (último parágrafo) e 14.19. Cf. 1Rs 15.31.

■ 16.6

וַיִּשְׁכַּ֤ב בַּעְשָׁא֙ עִם־אֲבֹתָ֔יו וַיִּקָּבֵ֖ר בְּתִרְצָ֑ה וַיִּמְלֹ֛ךְ
אֵלָ֥ה בְנ֖וֹ תַּחְתָּֽיו׃

O autor sacro repete aqui, uma vez mais, a *notícia de obituário* padronizado. Ver 1Rs 1.21 quanto às notas expositivas e seus elementos. Cf. 1Rs 2.10; 14.20,31; 15.8,24; 16.6,28; 22.40,50.

Baasa foi sepultado em Tirza, que ele transformara em sua capital. Ver 15.21. Esse local permaneceu como a capital de Israel até que Onri construiu Samaria e mudou o centro de poder para lá (ver 1Rs 16.24). Baasa reinou por 24 anos (ver 1Rs 15.33).

Elá. Este homem, filho de Baasa, subiu ao trono, mas essa dinastia teria curta duração. Ver no *Dicionário* sobre *Elá*, quanto ao que se sabe a respeito dele.

ELÁ, REI DE ISRAEL (16.7-14)

Relatos Paralelos e Cronológicos sobre os Reis. O plano do autor sacro foi apresentar a história dos reis de Israel e de Judá em relatos paralelos, indo de um para outro, segundo uma ordem cronológica aproximada. Ele não listou todos os reis de Israel e os seus reinados, nem todos os reis de Judá e os seus reinados. Antes, escreveu de forma alternativa, indo e vindo do norte para o sul.

Pelo presente, o autor descrevia alguns reis do norte e falava sobre o reinado de Elá, filho de Baasa. Somente em 1Rs 22.41 ele retornaria a Judá. No meio disso, temos a longa história de Acabe e Elias.

■ 16.7

וְגַ֨ם בְּיַד־יֵה֣וּא בֶן־חֲנָ֣נִי הַנָּבִיא֮ דְּבַר־יְהוָ֣ה הָיָה֒
אֶל־בַּעְשָׁ֜א וְאֶל־בֵּית֗וֹ וְעַ֤ל כָּל־הָֽרָעָה֙ אֲשֶׁר־עָשָׂ֣ה
בְּעֵינֵ֣י יְהוָ֗ה לְהַכְעִיסוֹ֙ בְּמַעֲשֵׂ֣ה יָדָ֔יו לִהְי֖וֹת כְּבֵ֣ית
יָרָבְעָ֑ם וְעַ֥ל אֲשֶׁר־הִכָּ֖ה אֹתֽוֹ׃ פ

O autor sagrado lembra-nos aqui da temível profecia que Jeú proferiu contra Baasa e sua casa. Ver 1Rs 16.1-4 quanto a essa mensagem. Este versículo apresenta um sumário de eventos passados, incluindo a matança da casa de Jeroboão, por Baasa, a fim de obter o poder real. sua mensagem foi: "Vede o que aconteceu a Jeroboão. A mesma coisa está reservada para ti, pois andaste nos caminhos idólatras daquele rei mau. O julgamento está à porta". O vs. 3 duplica 1Rs 15.29, o primeiro aplicando-se a Jeroboão e o segundo aplicando-se a Baasa e sua casa. Em breve, Elá haveria de colher as amargas consequências.

Baasa é aqui considerado culpado por haver cometido assassinato, embora tivesse sido o instrumento divino exatamente para fazer isso. Quanto ao *problema teológico* aqui envolvido, ver as notas sobre 1Rs 15.29, último parágrafo. O mal precisava vir, mas ai daquele por intermédio de quem ele viria (ver Mt 26.24).

A Vulgata Latina faz com que a pessoa aqui morta fosse não Jeroboão, mas, sim, Jeú, o profeta, morto *por* Jeroboão. E alguns estudiosos seguem essa informação. Provavelmente está em foco, porém, a morte de Jeroboão. Este versículo é meramente um sumário das terríveis profecias, e não serve de instrumento para relatar o assassinato do profeta.

■ 16.8

בִּשְׁנַ֨ת עֶשְׂרִ֤ים וָשֵׁשׁ֙ שָׁנָ֔ה לְאָסָ֖א מֶ֣לֶךְ יְהוּדָ֑ה מָלַ֡ךְ
אֵלָ֣ה בֶן־בַּעְשָׁ֧א עַל־יִשְׂרָאֵ֛ל בְּתִרְצָ֖ה שְׁנָתָֽיִם׃

Em consonância com seu plano de dar relatos paralelos dos reis do norte, seguidos pelos reis do sul, o autor agora conta que *Elá*, filho de Baasa, começou a reinar no sexto ano do rei Asa, rei de Judá. Ele também fez de Tirza a sua capital (ver 1Rs 15.21). Somente nos dias de Onri a capital foi movida para Samaria, que aquele rei construíra e fortificara com esse propósito. Ver 1Rs 16.24. Ver a introdução a 1Rs 15, quanto à maneira de apresentação paralela do autor sagrado. Ver também a introdução à presente seção, justamente antes do vs. 7. Ver sobre Elá no *Dicionário,* quanto ao que se sabe sobre ele. Ele morreu no vigésimo sétimo ano de Asa, mas permaneceu no trono por apenas dois anos, e então foi assassinado.

■ 16.9

וַיִּקְשֹׁ֤ר עָלָיו֙ עַבְדּ֣וֹ זִמְרִ֔י שַׂ֖ר מַחֲצִ֣ית הָרָ֑כֶב וְה֣וּא
בְתִרְצָ֗ה שֹׁתֶ֣ה שִׁכּ֔וֹר בֵּ֗ית אַרְצָ֛א אֲשֶׁ֥ר עַל־הַבַּ֖יִת
בְּתִרְצָֽה׃

O breve reinado de Elá nada tem de magnificente para ser dito. A única coisa de que somos informados é que ele foi assassinado quando estava bêbado! Elá foi morto por um comandante militar "de confiança", que tinha autoridade sobre a metade de seus carros de combate. Ver *no Dicionário* o artigo chamado *Zimri (Zinri).*

Elá e Arsa (seu mordomo) estavam, evidentemente, celebrando uma festa de bebedeira, e Zinri os surpreendeu com violência e cumpriu a profecia de condenação que tinha sido feita contra a casa de Baasa (ver 1Rs 16.1-4,7). Nada sabemos a respeito de *Arsa,* exceto o que é dito no presente versículo. O Targum faz esse Arsa ser o nome de um templo pagão, e não de um ser humano, o que não é uma ideia muito provável.

■ 16.10

וַיָּבֹ֤א זִמְרִי֙ וַיַּכֵּ֣הוּ וַיְמִיתֵ֔הוּ בִּשְׁנַ֛ת עֶשְׂרִ֥ים וָשֶׁ֖בַע
לְאָסָ֣א מֶ֣לֶךְ יְהוּדָ֑ה וַיִּמְלֹ֖ךְ תַּחְתָּֽיו׃

Um Trabalho Completo. Zinri sabia que, se deixasse sobreviventes, eles estariam prontos para vingar-se, em consonância com a lei do *Vingador do Sangue* (ver a respeito no *Dicionário*). Ele não deixou viva uma única pessoa da casa de Baasa que pudesse caçá-lo e tentar suas habilidades na matança. Ao agir assim, ele cumpriu, de modo absoluto, a temida profecia de Jeú contra a casa de Jeroboão (ver 1Rs 16.1-4,7). Não restou nenhum *goel,* ou seja, executor ou vingador. O nome de Jeroboão não seria perpetuado em Israel. Ver no *Dicionário* o artigo chamado *Goel (Remidor).*

O nome de Zinri tornou-se proverbial para indicar uma pessoa que é traidora consumada (ver 2Rs 9.31).

O autor sagrado apresenta uma nota cronológica para mostrar quão *breve* foi o reinado de Elá. Ele começou a reinar no ano 26 do governo de Asa (vs. 8), mas já estava morto no ano seguinte (vs. 10).

Zinri, pois, tornou-se o quinto rei de Israel (885 a.C.). Ver o artigo sobre ele no *Dicionário.* Mas imediatamente uma revolta sob a direção de Onri fez Zinri suicidar-se, pelo que ele governou somente *sete dias* (vs. 15). Ele tinha feito cálculos muito errados. Teria sido melhor se tivesse permanecido como general dos carros de combate.

■ 16.11

וַיְהִ֨י בְמָלְכ֜וֹ כְּשִׁבְתּ֣וֹ עַל־כִּסְא֗וֹ הִכָּה֙ אֶת־כָּל־בֵּ֣ית
בַּעְשָׁ֔א לֹֽא־הִשְׁאִ֥יר ל֛וֹ מַשְׁתִּ֥ין בְּקִ֖יר וְגֹאֲלָ֥יו וְרֵעֵֽהוּ׃

Matanças Imediatas. Zinri não se arriscou a ter algum membro da família de Baasa para buscar vingança. Ele matou todos os membros masculinos da família, ou seja, cada pessoa que *urinava contra uma parede,* conforme diz o texto hebraico, expressão que várias traduções e versões evitam como extremamente vulgar. Ver a explicação sobre essa expressão em 1Sm 25.22,34; 1Rs 14.10 e 21.21. Essa era uma maneira padronizada de dizer "varão". Não sei dizer por que os tradutores se enchem aqui de pejo e deixam de traduzir literalmente a expressão. Afinal, em meio a toda aquela matança, por que uma expressão como essa nos faria franzir as sobrancelhas? O que foi dito aqui sobre a casa de Baasa também foi dito, em 1Rs 14.10, sobre a casa de Jeroboão e sobre todos os membros masculinos de sua casa.

Nem dos seus amigos. A matança efetuada por Zinri foi tão completa que levou em seu horrendo escopo até os amigos de Elá, sem dúvida incluindo os principais comandantes militares que poderiam tentar a vingança. Foi assim que se cumpriram exatamente as profecias de Jeú (ver 1Rs 16.1-3,7).

■ **16.12**

וַיַּשְׁמֵד זִמְרִי אֵת כָּל־בֵּית בַּעְשָׁא כִּדְבַר יְהוָה אֲשֶׁר
דִּבֶּר אֶל־בַּעְשָׁא בְּיַד יֵהוּא הַנָּבִיא׃

O autor encontrou a causa da matança nos pecados da casa de Baasa, que seu filho Elá tinha perpetuado. As profecias de Jeú (1Rs 16.1-3,7) cumpriram-se com precisão. Uma vez mais a antiga síndrome do pecado-calamidade reclamara suas vítimas. Zinri, agora um assassino em larga escala, cometeria suicídio (para evitar ser morto) no espaço de uma breve semana.

■ **16.13**

אֶל כָּל־חַטֹּאות בַּעְשָׁא וְחַטֹּאות אֵלָה בְנוֹ אֲשֶׁר חָטְאוּ
וַאֲשֶׁר הֶחֱטִיאוּ אֶת־יִשְׂרָאֵל לְהַכְעִיס אֶת־יְהוָה אֱלֹהֵי
יִשְׂרָאֵל בְּהַבְלֵיהֶם׃

Razões Morais. O autor sacro tomou um ponto de vista moralista e espiritual dos acontecimentos, incluindo os eventos violentos. Baasa e Elá tinham *cometido violência* contra Israel, com seus cultos idólatras e rituais pagãos, e assim tiveram de sofrer, eles mesmos, de *violência.* Ver no *Dicionário* o artigo denominado *Lei Moral da Colheita segundo a Semeadura.* O Deus que é Criador também recompensa e castiga, intervindo na história humana (o que reflete o *teísmo;* ver a respeito no *Dicionário*).

Com os seus ídolos. No hebraico temos aqui, em lugar de "ídolos", a palavra *hebelim,* "inutilidades", "vaidades", porquanto os ídolos nada sabem e nada fazem. De fato, eles nada são. Quanto a fazer *Israel pecar,* ver 1Rs 15.26. Cf. também com 1Rs 16.3 e 21.22.

■ **16.14**

וְיֶתֶר דִּבְרֵי אֵלָה וְכָל־אֲשֶׁר עָשָׂה הֲלוֹא־הֵם כְּתוּבִים
עַל־סֵפֶר דִּבְרֵי הַיָּמִים לְמַלְכֵי יִשְׂרָאֵל׃ פ

Uma vez mais, temos uma costumeira nota do autor sagrado que assinala o fim do governo de um rei qualquer. Novamente o autor menciona uma das obras que lhe serviram de fonte informativa, o *Livro da História dos Reis de Israel.* O presente versículo duplica virtualmente o vs. 5 deste mesmo capítulo. Cf. com 1Rs 14.19, onde ofereço notas expositivas completas. A vida de Elá foi especialmente triste. Nada de notável é dito a respeito. Ele se *distinguiu* apenas por ter sido assassinado quando estava embriagado.

ZINRI COMETE SUICÍDIO; GUERRA CIVIL (6.15-22)

O nome de Zinri tornou-se proverbial para indicar atos de traição extraordinários (ver 2Rs 9.31). Ele tinha uma boa posição como general de carros de combate e autoridade sobre metade das forças armadas. No entanto, desejava cada vez mais poder e tirou vantagem de um momento em que Elá estava embriagado para assassiná-lo. Então acrescentou, a seus muitos outros assassínios, a matança de toda a família de Elá e até de seus amigos. Mas, o exército, em geral, não haveria de engolir pacificamente tamanha traição, e Onri, o principal comandante-em-chefe, seria o instrumento divino para reduzir o reinado de Zinri a apenas sete dias (vs. 15). Seguiu-se então uma guerra civil, fazendo *Tibni* revoltar-se contra *Onri.* Tibni, ao que tudo indica, apoiava a dinastia de Baasa e a teria defendido, embora não fosse membro da família. A guerra civil haveria de perdurar por quatro anos, mas Onri finalmente prevaleceu. A *essência* daqueles tempos era a violência, a idolatria, ocasionalmente uma reforma, e haréns, no caso dos ricos e poderosos.

■ **16.15**

בִּשְׁנַת עֶשְׂרִים וָשֶׁבַע שָׁנָה לְאָסָא מֶלֶךְ יְהוּדָה מָלַךְ
זִמְרִי שִׁבְעַת יָמִים בְּתִרְצָה וְהָעָם חֹנִים עַל־גִּבְּתוֹן
אֲשֶׁר לַפְּלִשְׁתִּים׃

Zinri começou a reinar no vigésimo sétimo ano do governo de Asa, rei de Judá. Somente no trigésimo primeiro ano, Onri subiu ao trono de Israel. Portanto, julgamos por isso que a guerra civil durou cerca de *quatro* anos. Ver as notas de introdução à presente seção, anteriormente.

Reinou Zinri sete dias em Tirza. Zinri, cujo nome tornou-se proverbial para indicar uma traição incomum (ver 2Rs 9.31), só reinou em Israel por sete dias. O avanço de Onri (com suas intenções assassinas) levou Zinri ao suicídio. Assim, a síndrome do pecado-calamidade escreveu outro capítulo no livro das loucuras humanas.

O povo estava acampado contra Gibetom, que era dos filisteus. Sempre houve e sempre haverá guerras e rumores de guerras. O exército de Israel estava em Gibetom, lutando contra os filisteus, mas Zinri estava em Tirza, matando o rei de Israel. Aquele foi um notável ato de traição, devido ao qual Zinri jamais foi esquecido. Talvez a batalha fosse considerada fácil, já que nem todos os homens foram convocados para participar da guerra. Gibetom tinha sido assediada nos dias de Nadabe (ver 1Rs 15.27) e estava novamente sob ataque. Ali Baasa matara a Nadabe, filho de Jeroboão, pavimentando o caminho para tornar-se rei. O vs. 27 deste capítulo indica grande resistência por parte dos filisteus, naquele lugar, o que exigiu vários cercos da cidade por parte do exército de Israel.

■ **16.16**

וַיִּשְׁמַע הָעָם הַחֹנִים לֵאמֹר קָשַׁר זִמְרִי וְגַם הִכָּה
אֶת־הַמֶּלֶךְ וַיַּמְלִכוּ כָל־יִשְׂרָאֵל אֶת־עָמְרִי שַׂר־צָבָא
עַל־יִשְׂרָאֵל בַּיּוֹם הַהוּא בַּמַּחֲנֶה׃

Constituiu rei sobre Israel a Onri, comandante do exército. *Elá Estava Morto.* Israel estava sem rei, e não restou família real para dela escolher um novo rei. Assim o chefe do exército, Onri, foi proclamado novo rei. Ver sobre ele no *Dicionário.* Em breve haveria uma revolução, encabeçada por Tibni, e isso daria a Israel dois reis simultâneos e uma longa guerra civil (que duraria por quatro anos) para resolver a disputa.

Ver no *Dicionário* os artigos intitulados *Rei, Realeza* e *Israel, Reino de,* quanto a uma lista e comentários de todos os reis de Israel. Onri reinou cerca de 886 até 875 a.C., um total de doze anos. Ao que tudo indica, foi um governador capaz, mas também um recordista na maldade em Israel, e esse não era um pequeno feito naquele lugar.

"Mediante uma curiosa coincidência (cf. 1Rs 15.27), a dinastia de Baasa tinha sido fundada no campo diante daquela mesma cidade, Gibetom. A conspiração de Zinri parece ter sido premeditada, sem provisão ou apoio adequado, visto que Tirza foi conquistada imediatamente" (Ellicott, *in loc.*).

"... tal como o exército romano declarou seu general, Vespasiano, imperador de Roma, assim se deu no caso de vários outros imperadores romanos" (John Gill, *in loc.*).

■ **16.17**

וַיַּעֲלֶה עָמְרִי וְכָל־יִשְׂרָאֵל עִמּוֹ מִגִּבְּתוֹן וַיָּצֻרוּ
עַל־תִּרְצָה׃

A Guerra Civil Começou Imediatamente. As horas de Zinri pareciam contadas. Tibni prevaleceria por longo tempo, mas Zinri foi um militar perseguido pelo destino, cuja sorte logo terminou. O exército apoiou Onri, e isso foi um fator decisivo na guerra civil.

A marcha de Gibetom a Tirza era de cerca de 58 quilômetros na direção sudeste. Zinri, surpreendido fora de guarda pela súbita invasão, não teve tempo de conseguir apoio.

16.18

וַיְהִ֞י כִּרְא֤וֹת זִמְרִי֙ כִּֽי־נִלְכְּדָ֣ה הָעִ֔יר וַיָּבֹ֖א אֶל־אַרְמ֣וֹן
בֵּית־הַמֶּ֑לֶךְ וַיִּשְׂרֹ֧ף עָלָ֛יו אֶת־בֵּֽית־מֶ֖לֶךְ בָּאֵ֥שׁ וַיָּמֹֽת׃

Não foi preciso Onri gastar muito tempo para tomar a cidade, e Zinri, vendo que tudo estava perdido, incendiou sua casa, fugiu e miseravelmente suicidou-se. Kimchi asseverou que foi Onri quem tocou fogo no lugar, mas isso parece contrário ao texto que temos à nossa frente. John Gill, entretanto, afirmou que este versículo *pode* ser interpretado dessa forma. Ver na *Enciclopédia de Bíblia, Teologia e Filosofia* o verbete chamado *Suicídio*.

16.19

עַל־חַטֹּאתָיו֙ אֲשֶׁ֣ר חָטָ֔א לַעֲשׂ֥וֹת הָרַ֖ע בְּעֵינֵ֣י יְהוָ֑ה
לָלֶ֙כֶת֙ בְּדֶ֣רֶךְ יָרָבְעָ֔ם וּבְחַטָּאתוֹ֙ אֲשֶׁ֣ר עָשָׂ֔ה לְהַחֲטִ֖יא
אֶת־יִשְׂרָאֵֽל׃

A antiga síndrome do pecado-calamidade acabou envolvendo também a Zinri. Ele matou a muitos e foi forçado a tirar a própria vida. Ver no *Dicionário* o artigo chamado *Homicídio*.

A lei da colheita segundo a semeadura funciona rápida ou lentamente; no caso de Zinri, funcionou muito rapidamente. Ver no *Dicionário* o verbete intitulado *Lei Moral da Colheita segundo a Semeadura*. Somos informados de que Zinri foi idólatra ativo, imitando o infame Jeroboão. Por conseguinte, ele tinha muitos pecados a pagar, antes mesmo de ter assassinado a Elá. Jeroboão pecara e fizera Israel pecar, mas Zinri participou desses pecados. Pecar e levar outros a pecar é um pecado duplamente condenável e merece tratamento especialmente duro da parte do Senhor.

O autor sacro enfatizou que uma maldição pairava por todo o reino do norte, Israel. Houve grandes pecados coletivos, especialmente a idolatria coletiva, que requeria um julgamento geral da parte de Deus. Foi esse o sentido do *cativeiro assírio* (ver a respeito no *Dicionário*). Cf. 1Rs 15.30, onde também é dito que Jeroboão foi a causa dos pecados de Israel.

16.20

וְיֶ֛תֶר דִּבְרֵ֥י זִמְרִ֖י וְקִשְׁר֣וֹ אֲשֶׁ֣ר קָשָׁ֑ר הֲלֹֽא־הֵ֣ם
כְּתוּבִ֗ים עַל־סֵ֛פֶר דִּבְרֵ֥י הַיָּמִ֖ים לְמַלְכֵ֥י יִשְׂרָאֵֽל׃ פ

Quanto aos mais atos de Zinri. Temos aqui a nota usual que encerra a história de um rei cuja vida pudemos acompanhar no relato de 1Reis. Este versículo virtualmente duplica 1Rs 16.5 e 14, onde as notas expositivas são oferecidas. Ver 1Rs 14.19 quanto a outras notas. Temos novamente uma menção ao *Livro da História dos Reis de Israel*, que foi usado pelo autor sagrado como uma de suas fontes informativas, o que é comentado em 1Rs 14.19.

A vida de Zinri como "rei" foi especialmente ridícula. Ele reinou por apenas sete dias. seu governo começou com um assassinato e terminou com o suicídio, um horrendo preço pelos seus pecados.

ONRI, REI DE ISRAEL (1Rs 16.21-28)

Ver sobre *Onri* no *Dicionário,* quanto a um sumário sobre a sua vida e os seus atos. Ele foi um governante capaz, mas também um príncipe do mal. Esteve envolvido em longa guerra civil contra seu rival, Tibni, mas acabou sendo o vencedor. Nenhuma informação é dada sobre esse rival, quem foi e o que fez, mas supomos que Tibni tenha sido um militar pronto e ansioso para deixar-se envolver na violência. Quanto à duração da guerra civil, comparar 1Rs 16.15 com 1Rs 16.23. Durante os seis primeiros anos de governo, Onri reinou em Tirza, seguindo o exemplo deixado por seus antecessores. Mas foi Onri quem edificou a cidade de Samaria e transferiu a capital do reino do norte, Israel, para aquela cidade. E ali continuou a capital de Israel até o cativeiro assírio, que assinalou o fim absoluto do reino do norte. Ver o artigo sobre *Onri,* quanto ao restante da história.

16.21

אָ֣ז יֵחָלֵ֞ק הָעָ֤ם יִשְׂרָאֵל֙ לַחֵ֔צִי חֲצִ֤י הָעָם֙ הָיָ֣ה אַחֲרֵ֣י
תִבְנִ֤י בֶן־גִּינַת֙ לְהַמְלִיכ֔וֹ וְהַחֲצִ֖י אַחֲרֵ֥י עָמְרִֽי׃

A guerra civil não envolveu as nações de Israel e Judá, mas na nação do norte, Israel, houve dois reis rivais que se combateram. Israel, a nação do norte, foi dividida mais ou menos em duas partes iguais, e, se não fosse por isso, a guerra civil não teria perdurado por quatro anos (ou *seis anos,* conforme dizem alguns estudiosos). Nenhuma informação é dada sobre *Tibni* (ver sobre ele no *Dicionário*), exceto o nome de seu pai, que era uma pessoa desconhecida. Presume-se que ele tenha sido oficial do exército, como Zinri e Onri, que sondava as águas para ver se obteria uma promoção a fim de tornar-se rei de Israel. Desde o começo das hostilidades, Tibni contou com o apoio de parte do exército, soldados e oficiais que não queriam Onri como rei. Portanto, a matança começou e continuou por longo tempo.

Datas. Governante parcial, *Onri* (884-880 a.C.). Governante único (880-874 a.C.). Governante parcial, *Tibni* (884-880 a.C.). Ele perdeu na guerra civil e nunca se tornou governante único. Os eruditos dão datas variadas. Ver no *Dicionário* o artigo chamado *Rei, Realeza,* quanto a uma lista e detalhes dos reis de Judá e de Israel, e um gráfico comparativo com os governantes circunvizinhos de nações pagãs. Ver também sobre *Israel, Reino de*.

16.22

וַיֶּחֱזַ֤ק הָעָם֙ אֲשֶׁ֣ר אַחֲרֵ֣י עָמְרִ֔י אֶת־הָעָ֕ם אֲשֶׁ֣ר אַחֲרֵ֥י
תִבְנִ֣י בֶן־גִּינַ֑ת וַיָּ֣מָת תִּבְנִ֔י וַיִּמְלֹ֖ךְ עָמְרִֽי׃ פ

O autor sacro passa por cima dos quatro anos de lutas pelo poder, dando-nos um relatório bem abreviado: Onri venceu; Tibni morreu (provavelmente executado, juntamente com toda a sua família). A Septuaginta, mas não o texto massorético nem a nossa versão portuguesa, apresenta uma adição no final do vs. 22: "Tibni morreu, e Jorão também, que era seu irmão, ao mesmo tempo, e Onri reinou em lugar de Tibni". Não sabemos dizer por que o irmão de Tibni é mencionado aqui. O mais provável, porém, é que Jorão tenha sido uma espécie de conselheiro militar do irmão, por isso sua morte chamou a atenção de todos, merecendo ser mencionada. Uma vez que Tibni foi executado, Onri uniu o reino do norte inteiro, Israel, sob a sua liderança. Cf. 1Rs 16.5 e 23 quanto à duração da guerra civil que envolveu Onri e Tibni.

O REINO DO NORTE UNIDO SOB ONRI (16.23-28)

Com a morte de Tibni em batalha, ou com sua execução, Onri tornou-se o rei único da nação de Israel (880-874 a.C.). Terminara a massa sangrenta da guerra civil. Onri seria um rei capaz, mas também um idólatra desavergonhado e um corruptor das boas maneiras. Ver o artigo no *Dicionário* sobre *Onri,* quanto a detalhes. À semelhança de Salomão, o homem tinha um ambicioso programa arquitetônico. Ele construiu a cidade de Samaria e mudou a capital do país para aquele lugar (ver o vs. 24). Tirza fora a capital da nação do norte por um longo tempo, pelo que essa foi uma grande mudança. Durante os primeiros seis anos de seu reinado, Onri permaneceu em Tirza. Ele construiu a nova capital em uma colina, conferindo-lhe melhores defesas. Os arqueólogos descobriram evidências que demonstram que operários especializados ajudaram a construir a nova capital. Ver no *Dicionário* o artigo chamado *Samaria*. Os anais do rei assírio Salmaneser II mencionam Onri em sua grandeza. Os reis assírios continuaram a referir-se a Israel como "terra da casa de Onri", até chegar o tempo do cativeiro. A nação do norte, Israel, tornou-se uma província do império assírio, mas o povo do norte foi levado para a própria Assíria e ali espalhou-se. Nenhum remanescente voltou a Israel.

16.23

בִּשְׁנַ֨ת שְׁלֹשִׁ֤ים וְאַחַת֙ שָׁנָ֔ה לְאָסָ֖א מֶ֣לֶךְ יְהוּדָ֑ה מָלַ֣ךְ
עָמְרִ֤י עַל־יִשְׂרָאֵל֙ שְׁתֵּ֣ים עֶשְׂרֵ֣ה שָׁנָ֔ה בְּתִרְצָ֖ה מָלַ֥ךְ
שֵׁשׁ־שָׁנִֽים׃

No ano trinta e um de Asa. O autor sagrado apresentava *relatos paralelos* dos reis de Judá e de Israel, e em ordem cronológica aproximada. Quanto a notas expositivas sobre esse método, ver a introdução ao capítulo 15. Tendo em mente o *modus operandi,* o autor sacro informa-nos que Onri, como rei único, começou a reinar no trigésimo primeiro ano do reinado de Asa, rei de Judá. Somente em 1Rs 22.41 o autor volta a falar sobre um rei de Judá.

Durante *seis anos,* Onri governou a nação do norte na antiga capital, Tirza. Durante todo esse período, ou parte dele, Tibni esteve revoltado contra Onri. Finalmente, porém, Onri prevaleceu (ver o vs. 22), tendo governado por um total de doze anos, incluindo seu tempo como governante único.

A *pedra moabita* (II.4-8) nos fornece informações adicionais sobre Onri, descrevendo principalmente seu sucesso na guerra contra os vizinhos de Israel, incluindo Moabe. Ver no *Dicionário* o verbete intitulado *Pedra Moabita*. Os anais do rei assírio Salmaneser II também dão informações adicionais mencionadas na introdução a este versículo.

Tirza foi capital da época de Jeroboão em diante, até que Onri edificou Samaria em uma colina. Ver 1Rs 14.17; 15.21,33; 16.6,8,9.

No vigésimo sétimo ano do governo de Asa, Onri assumiu o papel de governante parcial de Israel (vs. 10); no ano trigésimo primeiro do governo de Asa, Onri passou a ser governante único da nação de Israel.

■ 16.24

וַיִּקֶן אֶת־הָהָר שֹׁמְרוֹן מֵאֵת שֶׁמֶר בְּכִכְּרַיִם כָּסֶף
וַיִּבֶן אֶת־הָהָר וַיִּקְרָא אֶת־שֵׁם הָעִיר אֲשֶׁר בָּנָה עַל
שֶׁם־שֶׁמֶר אֲדֹנֵי הָהָר שֹׁמְרוֹן:

Dois talentos de prata. Ou seja, cerca de 68 quilos de prata, uma considerável quantia, mas não muito por um bom terreno, sobre o qual a capital da nação seria edificada. Ver no *Dicionário* sobre *Pesos e Medidas*.

E o fortificou. "A construção de Samaria mostrou discernimento político, comparável à sabedoria de Davi ao fazer de Jerusalém sua capital. A cidade de Samaria estava no alto de uma colina, cerca de 100 metros acima da planície circundante, uma posição extremamente forte para a guerra, naqueles dias... A referência aos 'estatutos de Onri', em Mq 6.16, serve de outro testemunho da grandeza do homem, visto que esse versículo foi escrito considerável tempo após a morte de Onri" (Norman H. Snaith, *in loc.*).

Samaria, nome oriundo de Semer, dono do monte. Onri procurava um lugar para uma capital melhor e mais defensiva, o qual ele pudesse construir e embelezar, à semelhança do que fizera Salomão. Onri escolheu uma colina, o que facilitaria a defesa da cidade. A colina, contudo, já tinha um proprietário, chamado *Semer,* a saber, *Shomeron,* o nome hebraico do lugar. Esse nome significa "vigia" (ver no *Dicionário* o artigo intitulado *Semer*). Tudo quanto sabemos sobre Semer é o que lemos neste versículo. O homem deve ter sido um súdito fiel, pois, de outra maneira, Onri simplesmente o teria matado, juntamente com todos os seus familiares, para tomar-lhe as terras.

Ver sobre *Samaria,* no *Dicionário,* quanto a detalhes completos sobre o lugar e sua história. Ficava situada 65 quilômetros ao norte de Jerusalém, e 32 quilômetros ao norte de Tirza.

Samaria continuou como capital da nação do norte, Israel, até o cativeiro assírio, que representou o fim das dez tribos do norte.

■ 16.25

וַיַּעֲשֶׂה עָמְרִי הָרַע בְּעֵינֵי יְהוָה וַיָּרַע מִכֹּל אֲשֶׁר
לְפָנָיו:

Fez Onri o que era mau perante o Senhor. *O Príncipe do Mal.* Onri começou sua carreira como militar; tornou-se rival de Tibni, em luta pelo poder no norte. Obteve vitória na guerra civil; mostrou-se hábil construtor e político esperto. Mas também foi um príncipe do mal. Ele deu continuidade, com ainda mais ênfase, à idolatria que Jeroboão tinha imposto sobre a nação do norte, Israel. Onri não somente perpetuou a adoração aos bezerros de Jeroboão, mas também expediu editos e decretos obrigando os súditos a participar dessas corrupções, proibindo-os também de subir a Jerusalém para adorar no templo. Ver Mq 6.16 e as notas ali existentes. O filho mais notável de Onri, Acabe, casou com a péssima Jezabel, sobre a qual qualquer criança da Escola Dominical está informada. Lembramos de Onri como o homem que baixou decretos favorecendo a idolatria, o que o classificava como o principal pecador de sua geração.

Onri foi o mais forte dos governantes de Israel, nação do norte, desde os tempos de Jeroboão. Infelizmente, contudo, foi igualmente poderoso na depravação. Ele se envolveu em uma endurecida e sem esperança apostasia.

■ 16.26

וַיֵּלֶךְ בְּכָל־דֶּרֶךְ יָרָבְעָם בֶּן־נְבָט וּבְחַטֹּאתָיו אֲשֶׁר
הֶחֱטִיא אֶת־יִשְׂרָאֵל לְהַכְעִיס אֶת־יְהוָה אֱלֹהֵי יִשְׂרָאֵל
בְּהַבְלֵיהֶם:

Andou em todos os caminhos de Jeroboão. *Pelo lado moral e espiritual,* Onri fez de Jeroboão exemplo. Ele não poderia ter escolhido pior modelo. Continuou a proibir peregrinações às três festividades anuais em Jerusalém e a adoração no templo. Expediu decretos ameaçadores contra essas práticas e reforçou a idolatria no país.

A *força do exemplo* é algo muito poderoso, sem importar se o exemplo é positivo ou negativo. Ver na *Enciclopédia de Bíblia, Teologia e Filosofia* o verbete chamado *Exemplo*. Um pai deve a seu filho *três coisas:* exemplo, exemplo, exemplo.

O autor sagrado passa de leve sobre a política e sobre as realizações civis e militares de Onri. Aprendemos a respeito dessas coisas nos registros seculares dos inimigos de Israel (Moabe e Assíria). Ver sobre eles nas notas expositivas dos vss. 22 e 23 deste capítulo. O autor sacro preferiu demorar-se sobre os pecados de Onri. Para ele, o que acontecia no terreno moral e espiritual foi o verdadeiro teste de seu caráter. Nessas áreas, ele foi o *pior* dos reis de Israel e, para Onri, ser o pior entre os maus parecia coisa fácil. Ele foi o fundador da *quarta dinastia* de Israel e transmitiu seu mau exemplo ao infame filho, Acabe.

■ 16.27

וְיֶתֶר דִּבְרֵי עָמְרִי אֲשֶׁר עָשָׂה וּגְבוּרָתוֹ אֲשֶׁר עָשָׂה
הֲלֹא־הֵם כְּתוּבִים עַל־סֵפֶר דִּבְרֵי הַיָּמִים לְמַלְכֵי
יִשְׂרָאֵל:

Quanto aos mais atos de Onri. Este versículo apresenta a nota costumeira com a qual o autor sagrado punha fim às histórias dos reis. É idêntica às de 1Rs 16.5,14,20, cujas notas expositivas também se aplicam aqui. A começar por Jeroboão, dezoito dos vinte reis de Israel já teriam tido suas histórias registradas no *Livro dos Reis de Israel,* uma das fontes informativas do autor sagrado. Ver as notas sobre 1Rs 14.19 quanto a maiores detalhes. Ver também 11.41 (último parágrafo) e 15.31.

■ 16.28

וַיִּשְׁכַּב עָמְרִי עִם־אֲבֹתָיו וַיִּקָּבֵר בְּשֹׁמְרוֹן וַיִּמְלֹךְ
אַחְאָב בְּנוֹ תַּחְתָּיו: פ

Onri descansou com seus pais. Temos aqui a costumeira nota de obituário que o autor usa para encerrar as histórias dos reis, agora aplicada a Onri. Ver as notas expositivas sobre o vs. 6. Ver também 1Rs 1.21 quanto a notas sobre outros elementos. Cf. 1Rs 2.10; 14.20,31; 15.8,24; 16.6,8,28 e 22.40,50.

Acabe, seu filho, reinou em seu lugar. Algumas vezes há um filho verdadeiramente grande de um pai verdadeiramente grande. Mas Acabe foi um filho verdadeiramente mau de um pai verdadeiramente mau (ver o vs. 30). O que já era mau se tornaria ainda pior. Acabe encontraria novas maneiras de praticar iniquidades, e se casaria com aquela horrenda mulher estrangeira, Jezabel. Elias, porém, haveria de enfrentá-los e, finalmente, prevaleceria.

A *história de Acabe* foi longamente contada, estendendo-se a 1Rs 22.40, onde, finalmente, o autor sagrado volta a descrever um rei de Judá.

ACABE, REI DE ISRAEL (16.29—22.40)

ELIAS, O PROFETA (16.29-34)

A notícia formal de subida ao trono é constituída pelos vss. 29,30. Então ocorre a inevitável notícia de obituário, em 1Rs 22.39,40. Entre essas duas notas, temos a longa história dos atos miseráveis de Acabe, e de como Elias, o profeta, se opôs a ele e à sua incrivelmente ímpia esposa, Jezabel. Os nomes Acabe e Jezabel tornaram-se proverbiais quanto à corrupção desarrazoada e à estúpida violência dos homens.

16.29

וְאַחְאָב בֶּן־עָמְרִי מָלַךְ עַל־יִשְׂרָאֵל בִּשְׁנַת שְׁלֹשִׁים וּשְׁמֹנֶה שָׁנָה לְאָסָא מֶלֶךְ יְהוּדָה וַיִּמְלֹךְ אַחְאָב בֶּן־עָמְרִי עַל־יִשְׂרָאֵל בְּשֹׁמְרוֹן עֶשְׂרִים וּשְׁתַּיִם שָׁנָה׃

Relatos Paralelos e Cronológicos dos Reis. O plano do autor foi apresentar as histórias dos reis de Israel e Judá em relatos paralelos, indo de um reino para outro, segundo uma ordem cronológica aproximada. Ele não listou todos os reis de Israel para descrevê-los, passando depois aos reis de Judá e sua descrição. Antes, alternava entre o norte e o sul. Acabe agora ocupa a sua atenção, e o autor só retornará a outro rei de Judá em 1Rs 22.41.

Em consonância com seu método de relatórios paralelos, somos agora informados de que Acabe começou a reinar em Israel quando Asa, rei de Judá, estava em seu trigésimo oitavo ano de governo. O ímpio rei Acabe ainda teria muitos anos para dar vazão às suas corrupções, reinando por nada menos de 22 anos. Onri tinha feito Samaria capital de Israel (ver 1Rs 16.24), e seu filho, Acabe, preservou o lugar como capital. De fato, Samaria continuou sendo a principal cidade da nação do norte, Israel, até o cativeiro assírio, em 722 a.C. Jeroboão também reinou por 22 anos (ver 1Rs 14.20).

Datas. O governo de Acabe foi de cerca de 874 a.C. a 853 a.C. Mas os eruditos variam um pouco no tocante a essas datas. Ver no *Dicionário* o verbete *Acabe,* onde há detalhes completos sobre sua vida e seus atos.

16.30

וַיַּעַשׂ אַחְאָב בֶּן־עָמְרִי הָרַע בְּעֵינֵי יְהוָה מִכֹּל אֲשֶׁר לְפָנָיו׃

Estabelecendo o Recorde. À primeira vista, ninguém conseguiria ultrapassar a impiedade de Onri (vs. 25), mas de alguma maneira Acabe realizou o feito. Ele trouxe um virtual dilúvio de pecados, e seus maus feitos foram complicados e destacados pelo fato de que Elias, o profeta, homem de Deus, foi levantado para opor-se a ele. Contudo, ao invés de fazer o que Elias dizia, Acabe perseguiu esse homem e, não fora a graça de Deus, o teria executado. Acabe também levou Israel a mergulhar em uma idolatria cada vez mais profunda, como tinha feito seu pai (ver o vs. 19). De fato, sob a liderança de Acabe, Israel tornou-se apenas mais uma nação pagã e idólatra, com alguns poucos protestantes escondendo-se no meio da tempestade.

"Quanto à larga escala social, o pecado com frequência tem os aspectos de um dilúvio. Maus pensamentos e práticas continuam caindo como uma chuva negra nas colinas da mente humana... E as represas da restrição cedem caminho" (Ralph W. Sockman, *in loc.*).

16.31

וַיְהִי הֲנָקֵל לֶכְתּוֹ בְּחַטֹּאות יָרָבְעָם בֶּן־נְבָט וַיִּקַּח אִשָּׁה אֶת־אִיזֶבֶל בַּת־אֶתְבַּעַל מֶלֶךְ צִידֹנִים וַיֵּלֶךְ וַיַּעֲבֹד אֶת־הַבַּעַל וַיִּשְׁתַּחוּ לוֹ׃

E foi, serviu a Baal, e o adorou. *Acabe Levou a Idolatria a Sério.* Ele continuou a promover a apostasia, incluindo a adoração aos bezerros promovida por Jeroboão (ver 1Rs 12.28,39). Mas essa idolatria era pouca para Acabe, pelo que iniciou práticas idólatras ainda mais pesadas. Casou-se com a escandalosa Jezabel, filha de Etbaal, rei dos sidônios, e começou a praticar a adoração a Baal. Com isso, Acabe fez Israel mergulhar no mais profundo paganismo, sem nenhuma pretensão de preservar o yahwismo.

Etbaal era um rei-sacerdote pagão; e o casamento de Acabe com a filha dele, Jezabel, jamais seria aprovado pela lei mosaica. Josefo (*Contra Apion*, I.18.8) chamou o pai de Jezabel de Itobal I. De acordo com Josefo, ele era sacerdote de Astarte. Com a idade de 36 anos, assassinou o fratricida Feles, e então reinou por 32 anos. Segundo Josefo, a neta desse homem fugiu do reino e edificou Cartago, ao norte da África. Jezabel tinha especial zelo pelo culto de Tiro, um reflexo do treinamento doméstico recebido de seu pai, o qual, além de ser rei, era também sumo sacerdote desse culto. Jezabel, pois, mostrava-se devota e patriota, defendendo os costumes e o culto de sua nação. Israel era um lugar estrangeiro para Jezabel, e ela transformou Israel em um lugar estrangeiro para Yahweh.

Quanto a detalhes, ver no *Dicionário* os artigos chamados *Jezabel, Etbaal* e *Sidom.* Também chamamos os sidônios de *fenícios,* título que merece um artigo separado no *Dicionário.* Tiro era a capital dos fenícios. Tanto Tiro quanto Sidom pertenciam a um único rei.

"Jezabel não era apenas mais uma mulher idólatra; era uma mulher de moral imunda e foi transformada em emblema da prostituta de Roma (Ap 2.20)" (John Gill, *in loc.*).

"O casamento de Acabe com Jezabel foi, evidentemente, o ponto fatal na vida de um homem que era fisicamente corajoso e talvez até um hábil governante, mas moralmente fraco" (Ellicott, *in loc.*). Mas, sob nenhuma circunstância, Jezabel permitiu que ele fizesse o que era direito. Ela dominava Acabe de modo absoluto.

16.32

וַיָּקֶם מִזְבֵּחַ לַבַּעַל בֵּית הַבַּעַל אֲשֶׁר בָּנָה בְּשֹׁמְרוֹן׃

Uma Idolatria Ativa. Sem dúvida foi Jezabel quem encorajou Acabe a erigir um altar para Baal, ali mesmo, em Samaria, a capital do reino do norte, Israel. Mas podemos ter certeza de que ele era um homem mau por sua própria iniciativa. Ele foi infectado por um zelo corrompido. Nem mesmo fingia estar seguindo as formas de adoração tradicionais próprias do yahwismo.

"O deus de Jezabel era Baal-Melcarte, o deus tutelar de Tiro, cuja adoração foi parcialmente assimilada pela de Baal dos textos de Ras Shamra, e que, em anos posteriores, foi identificado com Hércules (2Macabeus 4.19)" (Normal H. Snaith, *in loc.*). Quanto a detalhes, ver no *Dicionário* o verbete chamado *Baal (Baalismo)* e, depois desse artigo, várias combinações com Baal, como *Baal-Berite, Baal-Gade,* quanto a coisas que foram nomeadas com base nessa divindade. Até mesmo nomes em Israel incorporavam essa expressão, conforme demonstra a lista de artigos.

O termo *Baal* significa "Senhor", a tradução normal que é dada a *Yahweh,* embora este nome divino signifique o *Eterno.* Dessa maneira, *o Senhor* foi substituído por um mero *senhor.* A maior parte dos cultos cananeus tinha alguma forma de culto a Baal, em mistura com outros cultos, perfazendo uma horrenda salada de iniquidade.

Levantou um altar a Baal. Não devemos compreender aqui um altar construído ao ar livre. Acabe edificou um *templo,* e nele instalou um altar pagão com seus horríveis ritos.

16.33

וַיַּעַשׂ אַחְאָב אֶת־הָאֲשֵׁרָה וַיּוֹסֶף אַחְאָב לַעֲשׂוֹת לְהַכְעִיס אֶת־יְהוָה אֱלֹהֵי יִשְׂרָאֵל מִכֹּל מַלְכֵי יִשְׂרָאֵל אֲשֶׁר הָיוּ לְפָנָיו׃

Também Acabe fez um poste-ídolo. *Acabe incorporou a adoração típica dos lugares altos* (ver a respeito no *Dicionário*) e seus bosques. Mas a maioria dos eruditos vê aqui os postes sagrados, os *postes-ídolos* (ver 1Rs 14.15,23; 15.13, quanto a notas expositivas). Esses postes-ídolos eram, provavelmente, símbolos fálicos, e isso implica cultos de fertilidade de alguma espécie. Eram postos, de pé, em torno dos altares sagrados.

Os *postes-ídolos* usualmente continham imagens esculpidas, provavelmente em sua maioria divindades femininas usadas nos cultos de fertilidade. Na adoração a Baal, os postes-ídolos faziam com que os participantes do culto relembrassem suas consortes femininas, sua "esposa" ou "esposas".

O culto de Acabe provocava ira à Yahweh-Elohim, isto é, ao Deus Eterno e Todo-poderoso. A expressão *ira* era aplicada a Deus como exemplo de *antropomorfismo* e *antropopatismo.* Os homens conferem a Deus seus próprios atributos e emoções, formando uma representação dele bastante fraca e parcial. Ver no *Dicionário* sobre os dois termos. Ver também os artigos chamados *Mysterium Fascinorum* e *Mysterium Tremendum,* quanto à natureza transcendental de Deus e ao mistério que o circunda. Os homens precisam recorrer a suas próprias experiências para descrever as coisas, incluindo o Ser divino. As experiências místicas comunicam à alma uma mensagem superior acerca de Deus, mas elas são com frequência inefáveis e não levam à formação de conceitos. Ver no *Dicionário* o verbete intitulado *Misticismo*.

A *ira de Yahweh* preparava uma resposta a essas ações. A vida de Acabe teria um horrendo desfecho. Em sua suprema maldade, ele ultrapassou a todos os outros reis de Israel, incluindo seu pai, Onri, embora isso fosse quase impossível. Acabe, pois, fez o impossível. Ver 1Rs 16.25 quanto ao fato de que Onri, até aquele tempo, fora o pior rei de Israel. E o filho de Onri, tendo tão bom professor, ultrapassou o pai e desceu a iniquidades ainda mais profundas.

"suas idolatrias eram mais abertas e mais desavergonhadas; sem nenhuma desculpa; sem nenhum fingimento; e foram também mais numerosas" (John Gill, *in loc.*).

■ 16.34

בְּיָמָיו בָּנָה חִיאֵל בֵּית הָאֱלִי אֶת־יְרִיחֹה בַּאֲבִירָם
בְּכֹרוֹ יִסְּדָהּ וּבִשְׂגוּב צְעִירוֹ הִצִּיב דְּלָתֶיהָ כִּדְבַר
יְהוָה אֲשֶׁר דִּבֶּר בְּיַד יְהוֹשֻׁעַ בִּן־נוּן: ס

Desobediência e Tragédia. A cidade de *Jericó* havia sido destruída por Josué, quando Israel entrou na Terra Prometida. Um decreto divino proibia sua reconstrução, especialmente diante do fato de que ela havia sido assolada por intervenção divina. Uma *maldição* foi imposta a qualquer um que ousasse reedificar a cidade. Ver Js 6.26. Essa maldição incluía a ameaça de que o construtor perderia *dois filhos*. Como esses filhos se perderiam, não ficou explicado; apenas sabemos que isso seria um julgamento contra o rebelde que ignorasse o decreto. Hiel, o homem rebelde, perdeu o primogênito e também o filho mais novo. Alguns eruditos supõem que Hiel tenha sacrificado os dois filhos sobre o altar de Baal, o cúmulo da blasfêmia. Ou talvez um ato trágico de sorte os tenha atingido, algum acidente ou enfermidade, de modo que morreram prematuramente, por causa da insensatez do pai.

Por que o autor mencionou tal evento neste ponto de seu relato?
1. Por ter sido um *muito notável cumprimento* da profecia dada no tempo de Josué, e o autor sagrado não pôde deixar a questão fora de sua narrativa. A profecia teve cumprimento cerca de setecentos anos após haver sido proferida!
2. Por ter sido um dos notáveis exemplos de *grande iniquidade*, em que Acabe era especialista. Hiel, pois, desempenhou seu papel ao agravar os males dos dias de Acabe.
3. Porque o autor sacro estava aproximando-se, em seu relato, do *cativeiro assírio,* e convém que relembremos todos os atos terríveis ocorridos na nação do norte, Israel, que tornaram possível aquele acontecimento.

Sepultamentos sob Alicerces. Isso era feito em honra a divindades pagãs e devido a uma crassa superstição. As pessoas eram sepultadas nos alicerces de edifícios para, presumivelmente, dar maior sustentação às construções, aumentando também a bênção divina por causa desses sacrifícios supremos. É possível que os dois filhos de Hiel tenham sido submetidos a tal abuso. As descobertas arqueológicas ilustram esse costume, como no caso dos três esqueletos encontrados nos alicerces de Bezer. Um dos esqueletos era de um jovem, e os dois outros de homens mais velhos. (R. A. S. Macalister, *The Excavation of Gezer*). Parte dessa superstição era que as almas de tais pessoas se tornavam guardas do portão da cidade, provendo-lhe proteção. Grande é a depravação do coração humano, que é cheio de toda espécie de vãs imaginações!

Ver no *Dicionário* o artigo chamado *Jericó*. Reconstruída, Jericó continuou a ter uma história subsequente importante, por longo tempo, e até hoje existe.

CAPÍTULO DEZESSETE

A ALIMENTAÇÃO MIRACULOSA DE ELIAS (17.1-24)

De súbito, Elias é apresentado aos leitores. Contra os costumes dos hebreus, nenhuma genealogia de Elias foi dada, o que também aconteceu no caso de Jó. Alguns críticos pensam que tais personagens (sem nenhum registro genealógico) eram fictícias, de histórias românticas. Mas não há razão para duvidarmos da existência real do grande profeta Elias, sobre quem toda a tradição hebreia fala e confirma. Parte de sua missão foi fazer oposição ao terrível rei Acabe e à mais terrível ainda rainha Jezabel. Ele teria de cumprir uma tarefa difícil, *sozinho,* embora houvesse sete mil homens que não tinham dobrado os joelhos diante de Baal. Mas esses estavam escondidos, temendo por suas vidas (ver 1Rs 19.18).

Ver no *Dicionário* o artigo detalhado chamado *Milagres*. Elias não poderia ter cumprido sua missão sem o concurso poderoso dos milagres que ocorriam ocasionalmente em sua vida, em momentos de crise.

Parte da história de Elias envolveu aqueles normalmente vorazes e comilões corvos que tomaram sobre si mesmos a tarefa de alimentar o profeta. Esse foi um acontecimento miraculoso! Houve ainda outros milagres associados à vida de *Elias*. Ver no *Dicionário* o artigo sobre *Elias,* quanto a detalhes completos.

Elias foi o instrumento de Yahweh para tentar fazer a nação de Israel voltar-se para o yahwismo e assim evitar o cativeiro assírio, que já se aproximava. Desastres intermediários também aconteceriam e a síndrome do pecado-calamidade continuaria a dominar a história de Israel. A história de Elias, vinculada à de Acabe, é a narrativa mais longa do livro de 1Reis.

■ 17.1

וַיֹּאמֶר אֵלִיָּהוּ הַתִּשְׁבִּי מִתֹּשָׁבֵי גִלְעָד אֶל־אַחְאָב
חַי־יְהוָה אֱלֹהֵי יִשְׂרָאֵל אֲשֶׁר עָמַדְתִּי לְפָנָיו
אִם־יִהְיֶה הַשָּׁנִים הָאֵלֶּה טַל וּמָטָר כִּי אִם־לְפִי
דְבָרִי: ס

Então Elias, o tesbita. O nome desse profeta é composto por dois nomes divinos: *El* e *Yah*. O primeiro significa "poder"; e o segundo é uma abreviação de Yahweh (o Deus eterno). Obtém-se assim a ideia de Deus Eterno e Todo-poderoso. Deus era a força por trás de Elias, bem como o mentor de sua missão. O próprio nome de Elias era uma espécie de proclamação de sua mensagem. sua tarefa era restaurar o yahwismo e pôr fim à adoração a Baal. Ver no *Dicionário* o artigo chamado *Deus, Nomes Bíblicos de*.

Tesbita. Essa referência poderia ser a uma cidade em Naftali (Tobias 1.2), conforme a indicação do texto massorético. Ver no *Dicionário* o verbete chamado *Massora (Massorah); Texto Massorético*. A maioria dos eruditos, porém, segue aqui a Septuaginta, que faz o lugar pertencer a Gileade. Quanto a detalhes, ver no *Dicionário* o artigo chamado *Tisbe*. Mas ninguém tem mesmo certeza de onde se localizava essa cidade.

Conspícua por sua ausência é a genealogia de Elias, tão importante para os hebreus. Ver os comentários sobre isso na introdução ao presente capítulo.

A Seca. A seca é uma das armas de Yahweh para punir um povo desviado. A natureza volta-se contra os homens rebeldes. Yahweh-Elohim proclamava, através de seu profeta, que o castigo da seca já estava a caminho e perduraria por três anos (1Rs 18.1), tempo suficiente para espalhar uma fome generalizada, enfermidades e morte. Ver no *Dicionário* o artigo chamado *Seca*.

Josefo (*Antiq.* VIII.13.2) informa-nos que Menandro falou de um ano inteiro de seca no tempo de Etbaal, pai de Jezabel, mas, supostamente, as orações daquele homem trouxeram novamente a chuva. Bem pelo contrário, eram as orações de Elias que tinham esse poder. Portanto, as orações de Elias fizeram as chuvas cessar e, três anos e meio mais tarde, trouxeram-nas de volta. Ver no *Dicionário* o verbete chamado *Oração*.

■ 17.2,3

וַיְהִי דְבַר־יְהוָה אֵלָיו לֵאמֹר:

לֵךְ מִזֶּה וּפָנִיתָ לְךָ קֵדְמָה וְנִסְתַּרְתָּ בְּנַחַל כְּרִית אֲשֶׁר
עַל־פְּנֵי הַיַּרְדֵּן:

Elias foi inspirado pelo Ser divino, provavelmente por meio de sonhos, visões e voz direta. Nessa inspiração, ele recebeu a *palavra* de

Yahweh, a qual ele deveria transmitir a outros. Ver no *Dicionário* os verbetes chamados *Inspiração; Revelação; Sonhos;* e *Visão (Visões)*. Ver também sobre *Misticismo*, aquele toque divino em nossa vida, através do Espírito de Deus. A primeira mensagem dada foi pessoal: Elias teve de ocultar-se porque Acabe e Jezabel tentariam executá-lo, por causa de sua *maldição*, na profecia sobre a seca. Durante esse período de fuga, Elias aprenderia algumas lições vitais sobre a proteção e o poder de Yahweh. Essas lições seriam importantes em sua continuidade como profeta e para o seu sucesso em sua missão.

Torrente de Querite. As tradições equiparam essa torrente com o wadi el-Kelt, o tradicional vale de Acor, próximo a Jericó, mas o texto do Antigo Testamento coloca-a definitivamente a leste do rio Jordão. Ver sobre o termo no *Dicionário*, quanto a uma discussão a respeito. Talvez esteja em foco o wadi Yabis, mas na verdade não há como obter certeza de sua localização.

Elias começaria a ser caçado como um animal (ver 1Rs 18.10). Era necessário tempo para planejar o ataque contra o baalismo. Ver no *Dicionário* o artigo chamado *Baal (Baalismo)*.

■ **17.4**

וְהָיָה מֵהַנַּחַל תִּשְׁתֶּה וְאֶת־הָעֹרְבִים צִוִּיתִי לְכַלְכֶּלְךָ שָׁם:

Provisão Alimentar para o Profeta. A torrente de Querite forneceria água para Elias, e os corvos trariam todos os dias o seu suprimento alimentar. A torrente era natural, mas notoriamente corvos vorazes não haveriam de querer compartilhar alimento com o profeta, a menos que fossem especificamente orientados por Yahweh. Portanto, esse aspecto da questão envolvia uma intervenção divina. Ver no *Dicionário* o verbete chamado *Providência de Deus*.

"Existe alguém também presente, o qual é 'poderoso para fazer infinitamente mais do que tudo quanto pedimos ou pensamos, conforme o seu poder que opera em nós" (Ef 3.20). O Deus vivo, em seu universo vivo, tem alcance de atividade acima da nossa, mais ou menos como as nuanças das cores excedem o alcance da nossa visão. Mas nossos olhos podem entrever as cores do espectro" (Ralph W. Sockman, *in loc.*).

Modificações Racionalistas. Os que têm muita dificuldade em acreditar que corvos alimentariam alguém além deles mesmos, transformam-nos em comerciantes árabes, lendo aqui, no original hebraico, *arabhim*, em lugar de *orebhim*. Mas essa mudança não é apoiada pelo hebraico nem pela própria narrativa bíblica. Há uma série inteira de histórias maravilhosas contadas sobre Elias e seus poderes. Os corvos são apenas o início.

■ **17.5,6**

וַיֵּלֶךְ וַיַּעַשׂ כִּדְבַר יְהוָה וַיֵּלֶךְ וַיֵּשֶׁב בְּנַחַל כְּרִית אֲשֶׁר עַל־פְּנֵי הַיַּרְדֵּן:

וְהָעֹרְבִים מְבִיאִים לוֹ לֶחֶם וּבָשָׂר בַּבֹּקֶר וְלֶחֶם וּבָשָׂר בָּעָרֶב וּמִן־הַנַּחַל יִשְׁתֶּה:

Elias fez o que Yahweh lhe ordenara diretamente, obedecendo ao mandamento do vs. 3. E os corvos fizeram o que Yahweh lhes ordenara, oferecendo suprimento alimentar suficiente para o profeta, o que é antecipado no vs. 4. Os detalhes dados na exposição dos vss. 3-4, assim sendo, aplicam-se também aos vss. 5-6.

ele tinha alimentos para o desjejum e para a ceia, as duas principais refeições então em uso. As tradições judaicas (ver *Talmude Bab. Sanhedrin*, fol. 113.1), pitorescamente, mas sem dúvida de forma insensata, dizem-nos que os corvos furtavam pão e carne da mesa de Acabe e traziam para Elias! Mas alguns falam que o alimento vinha da mesa de Josafá, ou das mesas daqueles sete mil homens piedosos que estavam escondidos. Se essas aves de rapina traziam carniça, esperamos que fosse fresca!

Ver no *Dicionário* o artigo intitulado *Milagres* quanto a uma defesa da ideia de que isso realmente pode acontecer. Isso não significa que tudo quanto é chamado de miraculoso realmente o é, ou que a fraude não pode entrar no quadro para confundir as coisas.

Os corvos chegam a negligenciar seus filhotes (ver Jó 38.41), mostrando-se desavergonhados e excessivamente gananciosos com o alimento disponível. Naquela ocasião, porém, mostraram-se altruístas. Aconteceu algo muito incomum.

O *corvo*, de acordo com a legislação mosaica, era uma ave imunda, imprópria para transportar alimentos (os quais seriam contaminados pelo toque do pássaro). Mas, no caso de Elias, o milagre de Yahweh ignorava tais refinamentos da lei cerimonial.

Thomas L. Constable (*in loc.*) sugeriu que os corvos traziam uma dieta boa e variegada: frutinhas, castanhas e ovos. Mas não diz onde eles obtinham o pão. Eles devem ter tirado o pão da mesa de alguém. Talvez devamos entender "pão" no lugar "alimentos" gerais, o que é perfeitamente possível.

■ **17.7**

וַיְהִי מִקֵּץ יָמִים וַיִּיבַשׁ הַנָּחַל כִּי לֹא־הָיָה גֶשֶׁם בָּאָרֶץ: ס

Passados dias, a torrente secou. *O Fim do Suprimento de Água.* A torrente era um *wadi*, palavra árabe que indica uma corrente de água que só é ativada em tempos chuvosos e quando a neve se derrete. Mas quando chegava a estação seca, o wadi se secava. Foi isso o que aconteceu no caso presente. O fim daquele suprimento exigia, pois, uma mudança. Algumas vezes é o que sucede em nossa vida. Há o fim de uma coisa para que haja o começo de outra. John Dewey (o filósofo pragmático, que foi o professor de um de meus professores) falava em finalidades como *instrumentais*. Os *fins* tornam-se começos de novas manifestações. Não existem, realmente, coisas como fins. Os fins são apenas instrumentos de novos empreendimentos, de novos estágios. A torrente secou, fazendo o profeta mudar-se para outro lugar. Oh, Senhor, conceda-nos tal graça!

A seca foi a causa do esvaziamento da torrente. Aquilo foi um mal, mas poderia operar o bem. Todos os julgamentos divinos são remediadores, até mesmo para os perdidos. Ver no *Dicionário* o verbete intitulado *Julgamento de Deus dos Homens Perdidos*.

Através da maneira incomum de nutrir fisicamente o profeta, Deus também estava nutrindo a fé de Elias, para feitos posteriores de força espiritual. Ele também haveria de miraculosamente prover alimentos para outras pessoas, conforme a história continua a contar-nos. Foi assim que Yahweh preparava o profeta para o grande espetáculo do monte Carmelo.

A seca serviu de testemunho divino contra homens ímpios e sua idolatria (ver Dt 11.16,17).

■ **17.8,9**

וַיְהִי דְבַר־יְהוָה אֵלָיו לֵאמֹר:

קוּם לֵךְ צָרְפַתָה אֲשֶׁר לְצִידוֹן וְיָשַׁבְתָּ שָׁם הִנֵּה צִוִּיתִי שָׁם אִשָּׁה אַלְמָנָה לְכַלְכְּלֶךָ:

A *primeira etapa* foi eliminada pela falta de água. Portanto, houve uma nova etapa pela qual Elias deveria caminhar. Novamente veio a Elias a palavra do Senhor, conferindo-lhe orientação exata e específica. Cf. o vs. 2. Um dos milagres deveria ser seguido por outro, porquanto Elias caminhava no Espírito. Havia uma *pessoa especial* esperando por ele em um *lugar especial*. A circunstância proveria novos suprimentos, tanto para essa pessoa quanto para o profeta, e o total seria controlado pelo poder de Deus.

Vai a Sarepta. Ver no *Dicionário* acerca desse lugar, onde o poder de Deus haveria de manifestar-se. Esse local é comumente identificado com a aldeia moderna de Sarafand, cerca de 14,5 quilômetros ao sul de Sidom, na costa do mar Mediterrâneo. Isso pôs Elias em território estrangeiro, onde ele estaria em segurança e poderia formular o plano em oposição a Acabe e à sua horrenda esposa, Jezabel. Sarepta fazia parte das terras do pai de Jezabel (1Rs 16.31). Cf. Lc 4.26. Jerônimo diz-nos que o lugar ficava em uma estrada que corria ao longo da costa marítima, de Tiro a Sidom.

Uma mulher viúva. As viúvas geralmente não se encontram em boa situação financeira, e isso era especialmente verdadeiro naqueles tempos antigos. Portanto, Yahweh colocou Elias em circunstâncias desesperadoras, nas quais, do ponto de vista humano, não poderia haver suprimento para ele e para a viúva. Em meio à necessidade, Yahweh providenciaria a *abundância*. A viúva sustentaria o profeta, mas, na verdade, Deus haveria de suprir o necessário para eles, por meio de outro milagre, tal como o dos corvos. A seca, que estancara as fontes de água, trouxera a fome. O alimento era agora escasso, mas o suprimento divino trazia abundância, a despeito das circunstâncias tão adversas. A fome estendera-se até Sidom, mas a graça de Deus seria abundante até mesmo ali.

■ 17.10-12

וַיָּקָם וַיֵּלֶךְ צָרְפַתָה וַיָּבֹא אֶל־פֶּתַח הָעִיר וְהִנֵּה־שָׁם
אִשָּׁה אַלְמָנָה מְקֹשֶׁשֶׁת עֵצִים וַיִּקְרָא אֵלֶיהָ וַיֹּאמַר
קְחִי־נָא לִי מְעַט־מַיִם בַּכְּלִי וְאֶשְׁתֶּה:

וַתֵּלֶךְ לָקַחַת וַיִּקְרָא אֵלֶיהָ וַיֹּאמַר לִקְחִי־נָא לִי
פַּת־לֶחֶם בְּיָדֵךְ:

וַתֹּאמֶר חַי־יְהוָה אֱלֹהֶיךָ אִם־יֶשׁ־לִי מָעוֹג כִּי
אִם־מְלֹא כַף־קֶמַח בַּכַּד וּמְעַט־שֶׁמֶן בַּצַּפָּחַת
וְהִנְנִי מְקֹשֶׁשֶׁת שְׁנַיִם עֵצִים וּבָאתִי וַעֲשִׂיתִיהוּ לִי
וְלִבְנִי וַאֲכַלְנֻהוּ וָמָתְנוּ:

Coincidência? Haverá tal coisa como a sorte? Ver no *Dicionário* o artigo detalhado chamado *Sorte*.

Elias foi para Sarepta, e bem no *portão da cidade* encontrou a viúva que juntava gravetos para fazer fogo para cozinhar. Elias, pois, fez sua primeira exigência. Ele queria água, e isso ela foi capaz de prover-lhe. Quando ela estava indo buscar água, ele a chamou para pedir-lhe pão (vs. 11). Ora, *isso* ela não tinha. Bem, ela não tinha nem pães nem bolos, mas tinha um pouco de farinha de trigo e de azeite, os quais guardava em uma botija. Isso era o suficiente para preparar um único bolo, e o profeta exigiu que ela o servisse primeiro.

As Necessidades da Viúva Eram Grandes. Ela tinha um filho pequeno, cuja sobrevivência dependia de sua energia e engenhosidade. As coisas chegaram a tal ponto que a viúva imaginou ser aquela a sua *última refeição*. Eles comeriam aquilo e morreriam (ver o vs. 12). Um milagre estava prestes a aliviar seu desespero, e a viúva aprenderia uma grande lição espiritual de toda aquela experiência.

Tão certo como vive o Senhor teu Deus. A viúva reconheceu Elias como um israelita, e assim afirmou, no nome de Yahweh-Elohim (o Deus Eterno e Todo-poderoso) que ela estava, verdadeiramente, em condição de desespero, e não poderia ajudá-lo muito. Alguns pensam que ela, sendo fenícia, seguia a fé dos hebreus, mas isso parece ser um exagero do texto. Seja como for, para ela Yahweh estava vivo, era um "Deus" digno de ser seguido e de quem ela poderia depender.

■ 17.13

וַיֹּאמֶר אֵלֶיהָ אֵלִיָּהוּ אַל־תִּירְאִי בֹּאִי עֲשִׂי כִדְבָרֵךְ אַךְ
עֲשִׂי־לִי מִשָּׁם עֻגָה קְטַנָּה בָרִאשֹׁנָה וְהוֹצֵאתְ לִי וְלָךְ
וְלִבְנֵךְ תַּעֲשִׂי בָּאַחֲרֹנָה: ס

Mas primeiro faze dele para mim um bolo pequeno. *Esperando Demais?* O filho da viúva já estava quase moribundo de fome, mas o profeta exigiu sua refeição *em primeiro lugar!* Certamente isso era esperar demais. Mas com Elias havia um grande poder que daria solução a toda a situação, de maneira miraculosa. A viúva precisava de um milagre naquele momento. Ela era um vaso escolhido para participar daquela manifestação divina e tinha de aprender a confiar naquele cujo nome ela havia usado (talvez) levianamente. Isso abriria uma nova vida para ela. Abrão deixou seu lar paterno e dirigiu-se a um país desconhecido. Ele receberia um novo nome, mas não sabia onde este lhe seria dado. Foi preciso *fé* para atirar-se à aventura. Assim também a viúva precisou de fé para ouvir Elias e obedecer aos seus mandamentos. A mulher estava sendo testada para valer. Ela teve de passar no teste, para que o poder divino descesse sobre ela.

Certamente tudo isso submetia a teste a fé da viúva de uma maneira extraordinária. Dar a um estranho o que seu filho faminto estava precisando requeria graça especial. Parece ser algo demais para esperar.

■ 17.14

כִּי כֹה אָמַר יְהוָה אֱלֹהֵי יִשְׂרָאֵל כַּד הַקֶּמַח לֹא
תִכְלָה וְצַפַּחַת הַשֶּׁמֶן לֹא תֶחְסָר עַד יוֹם תֵּת־יְהוָה
גֶּשֶׁם עַל־פְּנֵי הָאֲדָמָה:

Porque assim diz o Senhor Deus de Israel. *A Promessa Divina.* A promessa feita pelo Senhor foi maior que os temores e as necessidades da viúva. Por trás dessa promessa, dando-lhe *eficácia*, estava o Deus Vivo, aquele *Yahweh-Elohim* por quem a mulher havia jurado (ver vs. 12). Elias disse que Yahweh "tinha falado", pelo que presumimos que ele tenha recebido naquele momento algum tipo de mensagem franca ou intuitiva, e soubesse que as coisas funcionariam corretamente, conforme o Senhor havia dito.

Algo Estupendo. O azeite e a farinha de trigo foram usados por muitas e muitas vezes. Mas quando a viúva procurava na botija por mais farinha e azeite, sempre havia a mesma quantidade. Isso pode ser comparado ao milagre da multiplicação dos pães e dos peixes (Mt 14). Esse milagre prosseguiria enquanto não houvesse chuva ou suprimento alimentar natural para a viúva. *Em outras palavras, perduraria enquanto ela dele precisasse.* Este foi um exemplo notável da *Providência de Deus* (ver a respeito no *Dicionário*) e também uma prova do *teísmo* (ver também no *Dicionário*). Deus é um Deus pessoal que não somente criou, mas também está presente na criação, recompensando, punindo e intervindo na história.

■ 17.15

וַתֵּלֶךְ וַתַּעֲשֶׂה כִּדְבַר אֵלִיָּהוּ וַתֹּאכַל הוא וָהִיא
וּבֵיתָהּ יָמִים:

Foi ela, e fez segundo a palavra de Elias. *O Grande Ato de Fé.* A mulher acreditou na afirmação do profeta de Deus. Em primeiro lugar, ela o serviu, e eis que o milagre continuou operando. Ela, seu filho e Elias tinham abundância de alimentos. É maravilhoso quando os milagres continuam ocorrendo!

Muitos dias. Talvez por um ou dois anos. A fome, incansável, continuava. Mas o suprimento de farinha de trigo e azeite também tinha prosseguimento.

> Deus move-se de maneiras misteriosas
> Para realizar suas maravilhas.
>
> William Cowper

Jesus disse: "Portanto, não vos inquieteis com o dia de amanhã" (Mt 6.34), mas dificilmente alguém aceitaria esse conselho. Vemos um milagre e logo caímos na incredulidade, porque outro milagre, que esperamos, demora a ocorrer. Precisamos da visão mais longa sobre o Reino de Deus, sendo ele a fonte de toda a nossa saúde e riqueza. "Um milagre é um evento que a compreensão humana ainda não atingiu. Não é a interrupção de uma lei, mas a operação de uma lei que a razão humana ainda não explorou" (Ralph W. Sockman, *in loc.*). Ver no *Dicionário* o verbete chamado *Milagres*.

■ 17.16

כַּד הַקֶּמַח לֹא כָלָתָה וְצַפַּחַת הַשֶּׁמֶן לֹא חָסֵר כִּדְבַר
יְהוָה אֲשֶׁר דִּבֶּר בְּיַד אֵלִיָּהוּ: פ

Da panela a farinha não se acabou, e da botija o azeite não faltou. *Perpetuidade.* Mais e mais da farinha foi sendo usada; por muitas e muitas vezes o azeite foi sendo usado; e por muitas e muitas vezes ambos foram multiplicados miraculosamente. Esse milagre tornou-se uma *rotina*, acredite se puder. Mas não devemos esquecer que estamos falando de *Elias*, que vivia com um pé no outro mundo, onde toda a espécie de eventos estupendos poderia acontecer. Há poucas pessoas que pertencem a essa categoria, espalhadas pela história humana. *A palavra de Yahweh* estava operando em Elias. O que ele dizia acontecia.

Uma de minhas fontes informativas conta a história de um ministro que precisava desesperadamente de mil dólares. Portanto, pôs-se a orar. No dia seguinte, chegou pelo correio um cheque na importância exata de mil dólares. Coisas assim nos deixam admirados, mas isso era rotineiro para Elias. Nós, naturalmente, devemo-nos resguardar contra uma fé religiosa de "imediato retorno". Queremos as coisas "agora mesmo", e assim duvidamos do poder da oração quando ela não é instantaneamente respondida. Precisamos de uma visão espiritual de longa perspectiva. Há uma vida espiritual diária a ser vivida. Milagres acontecem ocasionalmente, quando necessário. De outro modo, seríamos forçados a resolver os nossos próprios problemas.

"Esperamos por retornos rápidos da religião, e mostramo-nos impacientes com investimentos a longo termo. Aqueles que jogam com Deus usualmente perdem a fé, ou então começam a negociar com dinheiro falsificado. Mas as almas devotas põem sua energia em empreendimentos piedosos e em um serviço sacrificial, buscando orientação. Elas nunca se sentem enganadas no fim" (Ralph W. Sockman, *in loc.*)".

"... o grande poder de Deus, operando um milagre contínuo, tal como os pães e os peixes que foram *multiplicados,* enquanto os discípulos comiam." (ver Mt 14.19,20. John Gill, *in loc.*).

O NOVO JULGAMENTO (17.17-24)

■ **17.17**

וַיְהִי אַחַר הַדְּבָרִים הָאֵלֶּה חָלָה בֶּן־הָאִשָּׁה בַּעֲלַת הַבָּיִת וַיְהִי חָלְיוֹ חָזָק מְאֹד עַד אֲשֶׁר לֹא־נוֹתְרָה־בּוֹ נְשָׁמָה׃

As Coisas Corriam Bem. A mulher, seu filho e Elias estavam bem alimentados, no meio da seca e da fome. Mas então aconteceu inesperada calamidade. O filho da viúva ficou muito doente e morreu. O poder de Deus seria suficiente para essa nova crise? Creio que a fé de Elias não se abalou. O Deus que fora suficiente para a primeira crise seria suficiente também para a segunda. O poder miraculoso opera de todas as maneiras. Ver no *Dicionário* o verbete intitulado *Milagres.*

Qualquer pai ou mãe sabe o que significa agonizar ao lado do leito de um filho doente. Alguns sabem o que é ver uma preciosa criança falecer! Oh, Senhor, livra-nos de tal calamidade! A viúva observou quando o estado de saúde de seu filho pequeno piorou. Viu-o morrer. Onde estava Yahweh? Ver no *Dicionário* o artigo chamado *Problema do Mal,* que aborda a questão de por que os homens sofrem, e por que sofrem da maneira como sofrem.

Morte de Crianças. Teólogos e filósofos ficam perplexos diante da morte infantil. Por que Deus se mostra tão precipitado? Por que a criança que morreu não teve tempo de viver e cumprir uma missão? Por que todo aquele sofrimento? Que dizer sobre a alma da criança pequena que morre? Quanto a algumas respostas a essas indagações, ver o artigo no *Dicionário* chamado *Infantes, Morte e Salvação dos.* E ver também as notas na introdução a 2Sm 11.2. *Três* problemas teológicos são comentados: 1. o problema do mal; 2. a morte de crianças; 3. que dizer sobre a alma de tais crianças? Essas notas expositivas fornecem muito material ilustrativo sobre o presente texto.

As tradições judaicas fazem dessa mulher a mãe de Jonas, o menino referido no texto (*Pirke Eliezer,* cap. 33), mas isso é provavelmente uma fantasia.

■ **17.18**

וַתֹּאמֶר אֶל־אֵלִיָּהוּ מַה־לִּי וָלָךְ אִישׁ הָאֱלֹהִים בָּאתָ אֵלַי לְהַזְכִּיר אֶת־עֲוֹנִי וּלְהָמִית אֶת־בְּנִי׃

Em sua agonia, a mulher entristeceu-se porque o profeta tinha achado o caminho para a sua casa. Por que ela teve de alimentá-lo? Por que ele não continuou seu caminho, sem nunca se ter encontrado com ela? Era claro para ela que Elias havia trazido consigo o onisciente Yahweh, o qual havia descoberto algum "pecado secreto", que causara a morte da criança. Talvez a mulher tivesse algum pecado particular oculto. Ou talvez quisesse dizer que Yahweh (estando presente com Elias) descobrira algum pecado do qual ela não tinha consciência, e, desgostoso, enviara punição através da morte da criança.

Vieste a mim para trazeres à memória a minha iniquidade, e matares a meu filho? A expressão hebraica por trás dessas palavras fala em *interferência* indesejável, ou seja, uma "interferência externa" que deveria ter-se ocupado de seus próprios negócios, em lugar de envolver-se na vida alheia.

"Tão primitiva ideia de Deus, como alguém que esteja procurando pecados inconscientes ou há muito esquecidos, fervoroso no trato de estritas penalidades, está longe de ser morta hoje em dia" (Norman H. Snaith, *in loc.*). Cf. Jo 9.2,3.

"É principalmente em tempos de adversidade que consideramos devidamente nosso estado moral; as aflições externas com frequência produzem profunda sondagem do coração" (Adam Clarke, *in loc.*).

Deus, porém, não é um déspota cheio de caprichos. seu amor domina tudo, e até seus julgamentos são dedos da sua mão amorosa. Ver sobre *Amor* no *Dicionário.* Até mesmo o julgamento dos perdidos tem por intenção curar e restaurar (embora não torná-los eleitos). Ver no *Dicionário* os artigos *Julgamento de Deus dos Homens Perdidos* e *Mistério da Vontade de Deus.*

■ **17.19**

וַיֹּאמֶר אֵלֶיהָ תְּנִי־לִי אֶת־בְּנֵךְ וַיִּקָּחֵהוּ מֵחֵיקָהּ וַיַּעֲלֵהוּ אֶל־הָעֲלִיָּה אֲשֶׁר־הוּא יֹשֵׁב שָׁם וַיַּשְׁכִּבֵהוּ עַל־מִטָּתוֹ׃

A Restauração. Os vss. 19 ss. relatam a história dramática de uma ressurreição. A história tem algumas (poucas) histórias válidas de ressurreições. É verdade que um homem morto algumas vezes pode voltar à vida, ou porque ainda não é chegado o seu tempo, ou por causa da intervenção direta de Deus. Ver na *Enciclopédia de Bíblia, Teologia e Filosofia* o artigo chamado *Experiências Perto da Morte.*

Este é o mundo de meu Pai,
Oh, que eu nunca me esqueça
Que o erro pareça por tantas vezes tão forte,
Deus continua sendo o governante.
    De um hino de Maltbie D. Babcock

E o levou para cima, ao quarto. Ou seja, para o andar de cima, que ficava perto do telhado, a parte mais fresca da casa. Provavelmente, uma escada externa conduzia ao aposento. Talvez fosse ali o dormitório do profeta, e seria ali que Yahweh interviria e restauraria a vida do menino.

"... ou ele o carregou para cima, para estar sozinho e gozar de maior liberdade de ação, tanto em suas expressões como em seus gestos" (John Gill, *in loc.*).

■ **17.20**

וַיִּקְרָא אֶל־יְהוָה וַיֹּאמַר יְהוָה אֱלֹהָי הֲגַם עַל־הָאַלְמָנָה אֲשֶׁר־אֲנִי מִתְגּוֹרֵר עִמָּהּ הֲרֵעוֹתָ לְהָמִית אֶת־בְּנָהּ׃

Então clamou ao Senhor, e disse. *Visto que a viúva se tinha mostrado tão boa hospedeira,* Elias queixou-se sobre a calamidade que a abatera. Na verdade, ela deveria ter sido *recompensada* por tudo quanto tinha feito, e não (aparentemente) julgada por causa de algum pecado secreto que tivesse cometido. "Elias considerava a morte do menino um ato de injustiça arbitrária da parte de Deus. *Isso acontecera à viúva* que Deus mesmo havia escolhido para alimentar o profeta, durante a longa seca e fome subsequente. A mulher havia sofrido ansiedade suficiente na aflição geral; a despeito disso, Yahweh tinha adicionado essa visitação desastrosa extra" (Norman H. Snaith, *in loc.*).

Esse comentador provavelmente está correto ao supor que a arbitrariedade (e não a justiça e o amor) deveria ser atribuída ao poder divino, pelo menos em certas ocasiões. Mas as pessoas continuam a pensar dessa forma. Parece haver grande caos em operação, e os homens atribuem isso à ausência de Deus ou à sua arbitrariedade. Ver na *Enciclopédia de Bíblia, Teologia e Filosofia* o artigo chamado *Caos.* Acontece assim que os homens lutam com o *Problema do Mal* (comentado no *Dicionário*). Havia um propósito em toda a questão. Um milagre reverteria imediatamente aquela miserável situação. Mas é difícil quando nenhum milagre ocorre, e os homens permanecem em agonia. Nesses momentos, podemos até perder a fé. Mas a fé retorna no caso do homem espiritual. Deixar de exercer fé por algum tempo não oblitera a realidade do amor e do interesse de Deus.

17.21

וַיִּתְמֹדֵד עַל־הַיֶּלֶד שָׁלֹשׁ פְּעָמִים וַיִּקְרָא אֶל־יְהוָה וַיֹּאמַר יְהוָה אֱלֹהָי תָּשָׁב נָא נֶפֶשׁ־הַיֶּלֶד הַזֶּה עַל־קִרְבּוֹ׃

E estendendo-se três vezes sobre o menino. Talvez Elias pensasse que o contato de um corpo vivo com o corpo morto poderia de alguma forma reavivar o morto. Ou talvez esse tenha sido um gesto de desespero. Havia nisso poder. Elias estava tentando transmitir o poder ao corpo morto do menino.

Três vezes. O número "três", tal como o número "sete", era considerado dotado de poder especial nos ritos mágico-religiosos (cf. 1Rs 8.65). Mas Elias não era mágico. Ele tinha consigo o poder de Yahweh e estava tentando fazer esse poder mover-se, por isso repetiu o ato por três vezes.

A Septuaginta diz "respirou sobre a criança" (como que para dar-lhe respiração artificial), em vez de "estendeu-se sobre o menino". Mas o texto massorético sem dúvida está correto aqui. A técnica de estender-se sobre o corpo morto também é mencionada em 2Rs 4.34,35 e At 20.10. Quanto ao texto massorético, ver no *Dicionário* o artigo *Massora (Massorah); Texto Massorético*.

A alma. No hebraico, *nephesh,* palavra que, no Antigo Testamento, não significa uma alma imortal guardada no corpo como se este fosse o seu veículo. Entretanto, no hebraico posterior, a palavra passou a apontar a doutrina da imortalidade da alma, dentro da teologia dos hebreus. Essa doutrina *começou* a fazer parte da teologia do Antigo Testamento nos Salmos e profetas, embora possa haver indícios no Pentateuco. Quanto às referências bíblicas à *alma,* ver sobre *Alma,* no *Dicionário,* seção IV.7. Os críticos severos supõem que haja somente *duas referências* indisputadas à sobrevivência da alma (ou a uma existência futura após a morte), no Antigo Testamento, a saber, Is 26.19 e Dn 12.2. Mas essa limitação é por demais estrita. O artigo que acaba de ser mencionado mostra vários outros trechos que são referências legítimas.

Ver na *Enciclopédia de Bíblia, Teologia e Filosofia* o verbete intitulado *Imortalidade,* onde são apresentados artigos de diferentes pontos de vista.

"A persistência na oração é um requisito fundamental para quem quiser obter resposta às suas petições (ver Mt 7.7,8; Lc 11.5-13). A persistência mostrou-se eficaz nesse caso" (Thomas L. Constable, *in loc.*).

17.22

וַיִּשְׁמַע יְהוָה בְּקוֹל אֵלִיָּהוּ וַתָּשָׁב נֶפֶשׁ־הַיֶּלֶד עַל־קִרְבּוֹ וַיֶּחִי׃

Yahweh, que tinha o poder de enviar a alma de volta ao corpo do menino e, assim, ressuscitá-lo, ouviu a oração do profeta e imediatamente lhe concedeu a petição. Isso solucionou a questão, como sempre ocorre quando há intervenção divina. Esta é a primeira ocorrência registrada de uma ressurreição nas páginas da Bíblia. Ver no *Dicionário* os verbetes chamados *Ressurreição* e *Ressurreição de Jesus*.

17.23

וַיִּקַּח אֵלִיָּהוּ אֶת־הַיֶּלֶד וַיֹּרִדֵהוּ מִן־הָעֲלִיָּה הַבַּיְתָה וַיִּתְּנֵהוּ לְאִמּוֹ וַיֹּאמֶר אֵלִיָּהוּ רְאִי חַי בְּנֵךְ׃

Vê, teu filho vive. *A Entrada Triunfal.* Um grande milagre foi efetuado por Yahweh, e seu instrumento, o profeta, ansiava por mostrar o menino redivivo à mãe, para que todas as ansiedades e tristezas cessassem. A visão de um menino *vivo,* que tinha morrido recentemente, porquanto estivera *gravemente doente,* deve ter sido espantosa. "... o que, sem dúvida, foi para a mãe uma grande surpresa, uma maravilhosa instância do poder e da bondade divina, o que o apóstolo deve ter respeitado (ver Hb 11.35)" (John Gill, *in loc.*).

Oh, à graça quão grande devedor,
Sou forçado diariamente a ser!
E espero, pelo teu bom prazer,
Chegar em segurança, em casa.

Robert Robinson

17.24

וַתֹּאמֶר הָאִשָּׁה אֶל־אֵלִיָּהוּ זֶה יָדַעְתִּי כִּי אִישׁ אֱלֹהִים אָתָּה וּדְבַר־יְהוָה בְּפִיךָ אֱמֶת׃ פ

A Afirmação. Todos os temores e tristezas da mulher tinham passado. E a viúva exclamou, em alta e alegre voz: "Nisto conheço agora que tu és homem de Deus". Talvez ela tivesse duvidado disso antes, mas a experiência é sempre mais forte que qualquer argumento, e ela teve uma notável experiência sobre o poder de Deus.

"Esse incidente mostrou à viúva e a outras pessoas que o poder do Senhor como verdadeiro Deus contrastava grandemente com a impotência de Baal" (Thomas L. Constable, *in loc.*).

A posição de Elias como verdadeiro profeta também foi confirmada, pois ele foi agente do milagre. Os milagres são, com frequência, modos de autenticação. Por certo ninguém se equiparou a Jesus, naquilo que ele disse e realizou.

"Nessas palavras, acompanhamos a vitória final da fé, produzida pela misericórdia coroadora da restauração de seu filho" (Ellicott, *in loc.*).

Cf. os estágios do crescimento da fé, no caso do homem nobre de Cafarnaum, em Jo 4.47,50,53.

"Alguns argumentam que o menino realmente não havia morrido e, portanto, nenhum milagre ocorreu. Mas isso ultrapassa o ponto. O *autor* sacro tinha por intuito retratar um Deus poderoso e um profeta digno (cf. 2Rs 4.32-37 e At 20.9-12)" (*Oxford Reference Bible,* comentando sobre este vs. 24).

Toda a tua ansiedade, todo o teu cuidado,
Traze-os ao Propiciatório. Deixa-os ali.
Nunca haverá carga que ele não possa suportar.
Nunca haverá amigo como Jesus.

Tenente-coronel E. H. Joy

CAPÍTULO DEZOITO

ELIAS NO MONTE CARMELO (18.1-46)

Continua neste capítulo a história de um dos mais notáveis profetas do Antigo Testamento (iniciada no capítulo 17). Ele havia experimentado o divino; o seu poder miraculoso. Ele fora testemunha ocular de grandes e poderosas coisas. Agora estava pronto para iniciar uma nova missão. Novamente a palavra de Yahweh veio a ele e, novamente, para dirigi-lo a uma nova fase de sua missão. Ele estava prestes a enfrentar uma tarefa difícil, mas obteria sucesso absoluto. Afinal de contas, os profetas de Baal representavam uma causa perdida, mas Elias representava o Deus vivo. A vida de Elias corria perigo, mas haveria graça para sua proteção. Jezabel já havia matado muitos profetas (e, sem dúvida, muitos sacerdotes) em Israel, e Elias estava em sua lista de vítimas. Em meio à confusão e à violência, Elias iria diretamente ao palácio de Acabe chamar-lhe a atenção por causa dos pecados reais. Não fora o poder de Yahweh, isso significaria morte certa. Obadias tentou convencer Elias a esquecer tudo isso, mas Yahweh o enviou ali. Ele, pois, tinha uma missão difícil a realizar, mas seria um adversário mais do que à altura de todos os profetas de Baal juntos.

"*Essa história popular* do conflito entre Elias e os profetas de Baal é ao mesmo tempo excitante e extremamente significativa na história de Israel. A primeira porção dessa narrativa (vs. 16-24) esclarece a *razão* para o encontro dramático" (Thomas L. Constable, *in loc.*).

18.1

וַיְהִי יָמִים רַבִּים וּדְבַר־יְהוָה הָיָה אֶל־אֵלִיָּהוּ בַּשָּׁנָה הַשְּׁלִישִׁית לֵאמֹר לֵךְ הֵרָאֵה אֶל־אַחְאָב וְאֶתְּנָה מָטָר עַל־פְּנֵי הָאֲדָמָה׃

Veio a palavra do Senhor a Elias. Novamente Elias recebeu uma mensagem inspirada, e isso por meio de sonho, visão ou experiência mística de alguma espécie. Ele foi conduzido a um novo lugar e a uma nova fase de sua missão. Cf. este versículo com as outras duas ocorrências desta expressão, cujas notas também se aplicam aqui: 1Rs 17.2 e 8. Ele já havia enfrentado Acabe e os pecados dele (1Rs 17.1), tendo predito os três anos de seca que trariam a fome. Correndo perigo de morte, Elias fugiu, foi alimentado pelos corvos e então mudou-se para Sarepta, para a casa da viúva, por ocasião da segunda mensagem de Yahweh. Agora chegara a ocasião de voltar a Samaria e enfrentar Acabe novamente.

No terceiro ano. Isto é, o terceiro ano da seca predita, e, com base nessa referência, ficamos sabendo por quanto tempo durou tal circunstância. Só que agora era propósito de Yahweh permitir que as chuvas retornassem à Palestina. Antes disso, porém, Elias precisaria ter seu espetáculo contra Baal e seus profetas.

Tg 5.17 diz-nos que o tempo exato da seca (e da fome) foram "três anos e seis meses".

■ **18.2**

וַיֵּלֶךְ אֵלִיָּהוּ לְהֵרָאוֹת אֶל־אַחְאָב וְהָרָעָב חָזָק בְּשֹׁמְרוֹן:

Partiu, pois, Elias a apresentar-se a Acabe. *Elias*, em perigo de morte, obedeceu à palavra de Yahweh e seguiu diretamente para o encontro com Acabe e a confrontação com os profetas de Baal. Somente a graça de Deus poderia poupá-lo da ira de Jezabel.

A fome "era extrema em Samaria", ou melhor, conforme diz literalmente o hebraico, "segurava firmemente a terra". Ou seja, era uma fome feroz, devastadora, e a cidade de Samaria não ficara isenta da calamidade. A mesma palavra é usada na história sobre os cabelos de Absalão, ao ser apanhado pelos ramos das árvores do bosque (ver 2Sm 18.9). O ódio estava no coração de Acabe, porquanto, em sua estupidez, ele pensava que Elias era a *causa* de tamanha calamidade. Ele nunca parou para perceber que a idolatria era causa da drástica ação de Yahweh.

■ **18.3**

וַיִּקְרָא אַחְאָב אֶל־עֹבַדְיָהוּ אֲשֶׁר עַל־הַבָּיִת וְעֹבַדְיָהוּ הָיָה יָרֵא אֶת־יְהוָה מְאֹד:

Obadias, o mordomo. Ver no *Dicionário* o artigo chamado *Obadias (Pessoas)*. Ele era um ministro ou oficial de alta patente, um camareiro ou mordomo do palácio, durante o governo de Acabe (870-850 a.C.). Secretamente, aderira ao yahwismo e ocultara cem profetas do Senhor, salvando-os de morrer pela espada aguçada de Jezabel (vs. 4). Com dor no coração, ele observava, a cada dia, as corrupções e os graves pecados da corte de Acabe. Mantinha-se quieto para salvar a sua vida, mas secretamente fazia o que podia em favor dos profetas de Yahweh.

Obadias temia muito ao Senhor. Santo temor, verdadeiro temor, e não somente respeito e piedade. A expressão significa que Obadias era, genuinamente, uma pessoa espiritual, segundo as tradições da legislação mosaica. Quanto a detalhes, ver no *Dicionário* o verbete chamado *Temor*. As tradições *judaicas* fazem desse Obadias o mesmo profeta que escreveu o pequeno livro com esse nome (*Talmude Bab. Sanh.* fol. 39.2), mas isso não é provável.

■ **18.4**

וַיְהִי בְּהַכְרִית אִיזֶבֶל אֵת נְבִיאֵי יְהוָה וַיִּקַּח עֹבַדְיָהוּ מֵאָה נְבִאִים וַיַּחְבִּיאֵם חֲמִשִּׁים אִישׁ בַּמְּעָרָה וְכִלְכְּלָם לֶחֶם וָמָיִם:

Quando Jezabel exterminava os profetas do Senhor. A *terrível Jezabel* matara quase todos os profetas e sacerdotes de Yahweh, fechara as escolas dos profetas, transformara o país inteiro em um gigantesco e desgraçado templo pagão, entronizando o deus da morte, Baal. Poucas histórias são mais trágicas que a de Jezabel. seu nome tornou-se proverbial para indicar uma mulher muito ímpia e violenta. Ver o artigo sobre ela no *Dicionário*, e ver na *Enciclopédia de Bíblia, Teologia e Filosofia* o verbete intitulado *Jezabel, no Novo Testamento* (Ap 2.26). No Novo Testamento, seu nome é usado para falar daquela corruptora de boas maneiras e de boas ideias, que tinha autoridade sobre uma das sete igrejas do Apocalipse.

Os profetas. Ou seja, os grupos de profetas vinculados aos vários santuários (ver 2Rs 2.3,5). Alguns deles percorriam o país, transmitindo visões e mensagens (ver 1Sm 10.5-13). Se havia profetas na nação do norte, Israel, podemos ter certeza de que eles também estavam sendo perseguidos e exterminados por Jezabel.

De alguma maneira, que não foi explicada pelo autor sagrado, Obadias conseguiu salvar cem profetas do Senhor. Eles ficaram escondidos em cavernas e, de alguma maneira, também não explicada, era-lhes servido um suprimento alimentar. Duas grandes cavernas os confinavam, cinquenta em uma e cinquenta em outra. Israel tem cavernas capazes disso. Ver 1Sm 22.1. 1Rs 19.18 fala de sete mil homens fiéis que ainda restavam em Israel, a maioria dos quais, com certeza, permanecia escondida. O culto de Jezabel era uma *religião imposta*, e quem não a aceitasse era despachado.

■ **18.5**

וַיֹּאמֶר אַחְאָב אֶל־עֹבַדְיָהוּ לֵךְ בָּאָרֶץ אֶל־כָּל־מַעְיְנֵי הַמַּיִם וְאֶל כָּל־הַנְּחָלִים אוּלַי נִמְצָא חָצִיר וּנְחַיֶּה סוּס וָפֶרֶד וְלוֹא נַכְרִית מֵהַבְּהֵמָה:

O palácio real, que havia sido suprido com todas as coisas necessárias à subsistência (enquanto o povo pobre simplesmente morria de inanição), começava a sofrer de falta de víveres. Por isso Obadias foi comissionado pelo rei a encontrar fontes de água (riachos, fontes, poços) que não houvessem ainda secado. A água proveria a grama necessária para os cavalos e para alguma agricultura. Talvez "lá fora" Obadias encontrasse um oásis que pudesse fornecer algum suprimento alimentar. Acabe esperava alcançar um milagre por meio de Obadias, depositando todas as suas esperanças naquele homem, quando a esperança quase desaparecera. O vs. 2 deste capítulo enfatiza a *severidade* da fome. O vs. 1 mostra que Yahweh não permitiria que a fome continuasse por muito mais tempo, embora Acabe não soubesse disso.

■ **18.6**

וַיְחַלְּקוּ לָהֶם אֶת־הָאָרֶץ לַעֲבָר־בָּהּ אַחְאָב הָלַךְ בְּדֶרֶךְ אֶחָד לְבַדּוֹ וְעֹבַדְיָהוּ הָלַךְ בְּדֶרֶךְ־אֶחָד לְבַדּוֹ:

O *próprio Acabe* estava à procura de água, sem dúvida na companhia de atendentes. Ele buscou numa direção, e Obadias (com talvez alguns auxiliares) em outra. Eles seguiam algum plano que dividia o território em distritos, e pesquisavam sistematicamente a terra, por todos os lados. Muitos de seus cavalos e mulas já tinham morrido, a despeito das riquezas do rei. Mas ele temia que o restante dos animais acabasse morrendo, e sua primeira preocupação era salvar os animais. Provavelmente, sua própria mesa era adequadamente suprida. O povo estava morrendo como moscas, mas isso pouco ou nada importava a Acabe.

Uma Lição Moral. Em sua hora de necessidade, Acabe buscara a ajuda de um homem *fiel* (Obadias). No entanto, ele continuava a ser a *causa* da *calamidade*, com sua ridícula idolatria. Os homens maus deixam-se enganar, acreditando não serem tão maus assim.

■ **18.7**

וַיְהִי עֹבַדְיָהוּ בַּדֶּרֶךְ וְהִנֵּה אֵלִיָּהוּ לִקְרָאתוֹ וַיַּכִּרֵהוּ וַיִּפֹּל עַל־פָּנָיו וַיֹּאמֶר הַאַתָּה זֶה אֲדֹנִי אֵלִיָּהוּ:

Estando Obadias já de caminho. *Obadias efetuava a sua missão*, procurando algum sinal de água. Subitamente, encontrou-se com Elias e ficou sabendo qual era a *sua* missão. Isso assustou terrivelmente a Obadias. Para ele, Elias estava morto. É perfeitamente possível que Obadias tivesse visto Elias quando este denunciou, no princípio da seca, a Acabe (ver 1Rs 17.1). Eles talvez se conhecessem mutuamente. Fosse como fosse, o fato é que ele reconheceu Elias e ficou bastante surpreso. Ele se prostrou na presença do profeta, pois sabia quão grande homem de Deus era Elias, mesmo que Acabe não o reconhecesse. Mas ele teve dúvidas se o homem era mesmo Elias, pelo que pediu confirmação do fato, e a recebeu (vs. 8).

Obediente a Deus, Elias estava a caminho de topar com Acabe, próximo a Samaria. Os dois não se encontraram por mero acaso.

Ver na *Enciclopédia de Bíblia, Teologia e Filosofia* o artigo chamado *Chance*.

■ 18.8

וַיֹּאמֶר לוֹ אֲנִי לֵךְ אֱמֹר לַאדֹנֶיךָ הִנֵּה אֵלִיָּהוּ׃

Elias sabia quem era Obadias e, muito provavelmente, a posição que ele ocupava na corte de Acabe. Elias sabia que Obadias tinha acesso ao rei, e assim lhe pediu que ajudasse a anunciar ao ímpio rei que ele em breve apareceria no palácio para falar com o rei. Para tanto era preciso coragem. Jezabel o estaria esperando.

> Com frequência, o teste da coragem
> não é morrer, mas viver.
>
> Vittorio Alfieri

> A coragem é a virtude que defende
> a causa do direito.
>
> Cícero

> A mais forte, mais generosa e mais orgulhosa
> de todas as virtudes é a verdadeira coragem.
>
> Michel de Montaigne

■ 18.9

וַיֹּאמֶר מֶה חָטָאתִי כִּי־אַתָּה נֹתֵן אֶת־עַבְדְּךָ בְּיַד־אַחְאָב לַהֲמִיתֵנִי׃

Em que pequei...? Obadias temeu que sua conversa (e aparente associação) com o fora da lei Elias lhe custaria a vida. Ele seria "culpado por associação" e talvez os outros descobrissem que, no íntimo, ele defendia a causa de Elias. Em outras palavras, ele não queria comprometer-se com a questão. Queria apenas continuar procurando água. Ele se mostrou tão covarde quanto Elias se mostrou corajoso.

> Ver o que é correto e não fazê-lo
> é falta de coragem.
>
> Confúcio

> O covarde chama a si
> mesmo de cauteloso.
>
> Publilius Syrus

Parte do temor de Obadias era que, afinal, Elias não aparecesse para o encontro arranjado com Acabe. Esse homem e sua horrenda esposa queriam *muitíssimo* pôr as mãos em Elias e já o haviam procurado por todos os lados. Se ele escapasse novamente, e as esperanças que Obadias levantara de que finalmente ele seria apanhado fossem despedaçadas, então Obadias estaria sujeito à execução. Ver o vs. 12. Isso era *parte* do temor de Obadias, mas, principalmente, ele não queria envolver-se, nem queria que ninguém descobrisse que ele havia escondido aqueles cem profetas. Obadias estava em uma posição realmente precária. Ele queria manter distância de Elias.

Obadias sentia que não merecia ser colocado naquela circunstância perigosa. Qual *pecado* teria causado tamanha má sorte, pela qual ele seria, finalmente, executado?

■ 18.10

חַי יְהוָה אֱלֹהֶיךָ אִם־יֶשׁ־גּוֹי וּמַמְלָכָה אֲשֶׁר לֹא־שָׁלַח אֲדֹנִי שָׁם לְבַקֶּשְׁךָ וְאָמְרוּ אָיִן וְהִשְׁבִּיעַ אֶת־הַמַּמְלָכָה וְאֶת־הַגּוֹי כִּי לֹא יִמְצָאֶכָּה׃

A Grande Busca. Acabe tinha procurado intensamente Elias por todo o Israel; até mesmo fora do país, de fato, em todas as nações e reinos (certamente um exagero oriental). Ele havia requerido que o povo (e até os chefes de governo) jurasse que Elias não estava escondido em suas terras. O que aconteceu, provavelmente, foi que Acabe enviou delegados aos países com os quais tinha aliança. Fosse como fosse, sua busca tinha sido longa e completa, mas não produzira resultado algum! Entrementes, Elias não estava tão distante assim, mas em Sarepta; pela graça de Deus, contudo, não fora achado na casa da viúva, e os vizinhos mantiveram a boca fechada a respeito.

■ 18.11

וְעַתָּה אַתָּה אֹמֵר לֵךְ אֱמֹר לַאדֹנֶיךָ הִנֵּה אֵלִיָּהוּ׃

A grande busca tinha terminado, mas então, como que num golpe de sorte, de súbito Obadias se encontrara com Elias. Certamente isso pareceria suspeito. Obadias teria de dar muitas explicações. Ele simplesmente não queria envolver-se nas negociações. Se arranjasse o encontro, talvez Elias não aparecesse (vs. 12); viria a público a história de que ele tinha escondido cem profetas de Yahweh (vs. 13). O rei Acabe ordenaria que ele fosse executado *imediatamente*. Apesar de seus temores, Obadias arranjou o encontro (vs. 16) e conseguiu escapar à execução. *A maior parte de nossos temores* não tem fundamento.

■ 18.12

וְהָיָה אֲנִי אֵלֵךְ מֵאִתָּךְ וְרוּחַ יְהוָה יִשָּׂאֲךָ עַל אֲשֶׁר לֹא־אֵדָע וּבָאתִי לְהַגִּיד לְאַחְאָב וְלֹא יִמְצָאֲךָ וַהֲרָגָנִי וְעַבְדְּךָ יָרֵא אֶת־יְהוָה מִנְּעֻרָי׃

Transporte Divino. Elias era um homem incomum, cheio de surpresas e notáveis milagres. Embora Obadias tivesse conseguido o encontro entre Elias e Acabe, era possível que, de súbito, o Espírito de Deus transportasse Elias para outro lugar. Isso significa que o encontro não ocorreria, e Obadias seria executado por ter despertado falsas esperanças. Ver os comentários sobre *essa* razão do temor de Obadias no vs. 9. Quanto ao *transporte divino,* ver também 2Rs 2.16 e At 8.39.

Injustiça. Obadias achava que sua execução seria injusta, porque, desde a juventude, ele tinha seguido Yahweh e o padrão mosaico de culto. E continuava honrando Yahweh em segredo. Para aliviar os temores, Elias jurou que não desapareceria, mas se encontraria com Acabe no mesmo dia (vs. 15). O encontro entre Elias e Acabe parece ter acontecido fora de Samaria, e não na corte do rei (vs. 16).

■ 18.13

הֲלֹא־הֻגַּד לַאדֹנִי אֵת אֲשֶׁר־עָשִׂיתִי בַּהֲרֹג אִיזֶבֶל אֵת נְבִיאֵי יְהוָה וָאַחְבִּא מִנְּבִיאֵי יְהוָה מֵאָה אִישׁ חֲמִשִּׁים חֲמִשִּׁים אִישׁ בַּמְּעָרָה וָאֲכַלְכְּלֵם לֶחֶם וָמָיִם׃

O Segredo. Embora servindo como alto oficial da corte, Obadias conseguira ocultar o fato de que havia protegido cem profetas de Yahweh, enquanto Jezabel exterminava toda a classe de profetas no território de Israel. Obadias, pois, tinha uma vida dupla e, até aquele ponto, foi capaz de manter seus atos bem equilibrados. Esse equilíbrio seria perdido com o súbito aparecimento de Elias, o que poderia resultar na sua execução. Os cem profetas de Yahweh estavam escondidos em duas cavernas, sobre o que já falamos no vs. 4. Obadias também efetuara a magnificente tarefa de alimentar aqueles cem profetas, provavelmente furtando porções da própria mesa real.

A *calamidade* da seca e da fome tinha sido, sem dúvida alguma, atribuída a Elias e a outros profetas de Yahweh, e esse foi um dos motivos das perseguições feitas por Jezabel. Por outro lado, Acabe não queria rivais para seu bichinho de estimação, Baal. Ver no vs. 17 como Acabe culpou Elias pelas dificuldades que o povo de Israel estava enfrentando.

■ 18.14

וְעַתָּה אַתָּה אֹמֵר לֵךְ אֱמֹר לַאדֹנֶיךָ הִנֵּה אֵלִיָּהוּ וַהֲרָגָנִי׃ ס

O Apelo. Considerando todas as coisas e ouvindo todos os argumentos, Elias deveria esquecer sua conversa com Acabe, e isso livraria Obadias do perigo. Este versículo parece olhar de volta para o vs. 12. Elias desapareceria por transporte divino, e Obadias seria executado por ter contado histórias falsas ou por levantar falsas expectações.

18.15

וַיֹּאמֶר אֵלִיָּהוּ חַי יְהוָה צְבָאוֹת אֲשֶׁר עָמַדְתִּי לְפָנָיו כִּי הַיּוֹם אֵרָאֶה אֵלָיו׃

O Juramento. Elias fez um juramento por Yahweh, o Deus vivo. Tão certo quanto ele era o verdadeiro Deus vivo, o que era fato para ambas as personagens, com idêntica certeza Elias estaria presente quando Acabe chegasse. Yahweh havia comissionado a Elias uma mensagem que ele cumpriria. A mensagem deveria ser entregue pessoalmente a Acabe. Ver no *Dicionário* o artigo chamado *Juramentos*.

O Senhor dos Exércitos. Ver 1Sm 17.45. Yahweh é o cabeça de todos os *exércitos*, ou seja, o comandante supremo de todo poder em Israel. Era apenas natural que os povos antigos atribuíssem a seus deuses posições de poder nos negócios humanos, incluindo a liderança sobre os exércitos e sobre as forças que davam vitória nas batalhas. Talvez, originalmente, esses *exércitos* fossem os do céu, mas gradualmente os exércitos terrenos foram referidos como comandados por Deus. Eis por que havia "guerras santas". Deus enviava os soldados para matar, e os que morriam eram considerados sacrifícios oferecidos a Yahweh. Ver as notas expositivas sobre a *guerra santa* em Dt 7.1-5 e 20.10-18. Ver 2Rs 2.12 quanto ao aspecto celestial do nome. Elias tinha à sua disposição os anjos do céu para ajudá-lo, mas Yahweh era o *comandante*. No hebraico, a expressão é *Yahweh Cebhaoth*. Ver no *Dicionário* o artigo intitulado *Deus, Nomes Bíblicos de*, quanto a outros detalhes.

Perante cuja face estou. Isto é, Elias, como profeta especial de Yahweh, tinha a responsabilidade perante ele de cumprir tudo quanto lhe fora ordenado. Elias era responsável diante de Yahweh, e não diante de Obadias, e isso significava que o encontro com Acabe certamente ocorreria. Obadias, portanto, não seria executado por ter levantado falsas esperanças. O muito procurado profeta de repente estaria na presença do rei, e talvez fosse preso e executado.

Os argumentos de Elias eram irretorquíveis, e assim Obadias providenciou o tremendo encontro. Mesmo que Elias não contasse com o poder de Deus, a circunstância era ridícula.

18.16

וַיֵּלֶךְ עֹבַדְיָהוּ לִקְרַאת אַחְאָב וַיַּגֶּד־לוֹ וַיֵּלֶךְ אַחְאָב לִקְרַאת אֵלִיָּהוּ׃

Obadias voltou, mudou de curso e conseguiu alcançar Acabe, que estava "lá fora", procurando água para os seus animais, a fim de que eles não morressem (ver 1Rs 18.5,6). E Obadias deu a Acabe as felizes novas de que Elias tinha sido encontrado e queria conversar com o próprio rei. Aquela, sem dúvida, foi uma *oportunidade de ouro*. Elias não era a pessoa que estava perturbando Israel, que atraíra seca e fome, conforme o rei dizia? (ver 1Rs 18.1,2). O rei, pois, poria fim a toda essa ação do profeta.

A Septuaginta adiciona aqui um pouco de colorido, dizendo que Acabe "correu" ao encontro de Elias. Ele ansiava por aquele encontro. Não queria perder a inesperada oportunidade de livrar-se de tudo quanto Elias representava.

18.17

וַיְהִי כִּרְאוֹת אַחְאָב אֶת־אֵלִיָּהוּ וַיֹּאמֶר אַחְאָב אֵלָיו הַאַתָּה זֶה עֹכֵר יִשְׂרָאֵל׃

Perturbadores Divinos. Acabe era o monarca apostatado que tinha provocado a síndrome do pecado-calamidade; e, no entanto, em sua cegueira e estupidez, lançava a culpa sobre o profeta. Naturalmente, Elias havia predito a seca (ver 1Rs 18.2), mas ele não era a causa da catástrofe. Yahweh era a causa. Se Elias, porventura, tivesse sido executado, calamidades de toda espécie continuariam a cair sobre Israel, devido à sua idolatria. O cativeiro assírio colocaria fim a toda aquela triste confusão, e Elias não precisaria estar presente para que isso acontecesse. O cativeiro assírio estava a cerca de duzentos anos de distância, mas já era inevitável, pois Israel nunca conseguiu libertar-se de sua própria apostasia.

"*Por duas vezes*, Elias é saudado como tendo vindo para criar dificuldades (ver 1Rs 17.18; 21.20). Um profeta de Deus é sempre um perturbador da paz mundial. Ele vem para dar paz, mas não como o mundo a dá (ver Jo 14.27). Um dos melhores tributos que já foram pagos a um moderno pregador profético foi feito por um leigo, que disse: "ele sempre me faz sentir desconfortável". Um profeta é sempre tão perturbador para o pecador como o é o calor para quem esteja tremendo de frio. Há um estágio nesse processo de enregelamento (assim nos dizem) em que seria *confortável* mergulhar mais ainda no entorpecimento fatal, em vez de receber aplicação do calor... O profeta de Cristo perturba o conforto da complacência... Além disso, ele parece ser um perturbador da ordem porquanto desperta os homens para responsabilidades adicionais... Mas Cristo faz os homens *descansarem* sob o seu *jugo* (Mt 11.28,29)" (Ralph W. Sockman, *in loc.*).

18.18

וַיֹּאמֶר לֹא עָכַרְתִּי אֶת־יִשְׂרָאֵל כִּי אִם־אַתָּה וּבֵית אָבִיךָ בַּעֲזָבְכֶם אֶת־מִצְוֹת יְהוָה וַתֵּלֶךְ אַחֲרֵי הַבְּעָלִים׃

Eu não tenho perturbado a Israel, mas tu e a casa de teu pai. Esta foi a resposta dada por Elias ao rei Acabe, pois havia corrupção em Israel fazia muito tempo, e esta somente havia crescido. Jeroboão tinha sido um rei idólatra, seguindo assim a liderança do "sábio" Salomão. Onri fora um mestre do mal (1Rs 16.25). Mas Acabe era o verdadeiro príncipe do mal e contava com a ajuda da horrenda Jezabel (ver 1Rs 16.18). Esses fatos eram óbvios, exceto para o estúpido Acabe, que estava totalmente entorpecido pela sua apostasia.

Os Baalins. Ou seja, aplicações locais do culto a Baal, os deuses locais da fertilidade que eram adorados por toda a parte, em santuários construídos para esse fim. "Eram todas essas manifestações locais do grande deus-céu Baal, o qual controlava as condições atmosféricas e, portanto, o deus que dava ou retinha a fertilidade" (Norman H. Snaith, *in loc.*). Ver no *Dicionário* o artigo chamado *Baal (Baalismo)*, quanto aos detalhes.

Alguns estudiosos pensam que os Baalins eram aspectos da adoração às estrelas, na qual o sol, a lua e as estrelas eram objetos de culto. Talvez isso fizesse parte da adoração a Baal, mas os deuses da fertilidade parecem ter sido a referência primária aqui. A palavra é ampla o bastante para falar da idolatria em geral, em qualquer forma que ocorresse em Israel. Era por esse motivo que Yahweh tinha retido a chuva, causando seca e fome. Ver no *Dicionário* o artigo chamado *Idolatria*. Acabe promovera franca idolatria, cujo resultado natural foi a calamidade.

18.19

וְעַתָּה שְׁלַח קְבֹץ אֵלַי אֶת־כָּל־יִשְׂרָאֵל אֶל־הַר הַכַּרְמֶל וְאֶת־נְבִיאֵי הַבַּעַל אַרְבַּע מֵאוֹת וַחֲמִשִּׁים וּנְבִיאֵי הָאֲשֵׁרָה אַרְבַּע מֵאוֹת אֹכְלֵי שֻׁלְחַן אִיזָבֶל׃

O Desafio. Elias, com sua coragem divinamente inspirada, desafiou Baal e *todos* os seus profetas a um teste. Isso pode ter parecido uma questão injusta, mas, afinal, Baal era uma questão morta, e Yahweh era o verdadeiro Deus vivo (vs. 15), de modo que o desequilíbrio era favorável a Elias. Baal dispunha de um total de 450 profetas que cuidavam dos santuários nas aldeias e serviam à família real. Mas também contava com outros quatrocentos profetas que cuidavam dos postes-ídolos, postos ao redor dos altares com imagens gravadas, os quais, de fato, eram símbolos fálicos. Quanto a explicações completas sobre esses postes-ídolos, ver 1Rs 14.15, com notas adicionais em 1Rs 15.13. Algumas versões e traduções fazem este versículo aplicar-se aos bosques que havia nos *Lugares Altos* (ver a respeito no *Dicionário*). Mas os eruditos modernos preferem promover a outra ideia. Sem dúvida, também estava envolvida a ideia da adoração à deidade feminina, *Astarte*. Ver também sobre a *Aserah*, em 1Rs 14.15, que pode estar em foco. Aserah era a consorte de Baal.

No monte Carmelo. Ver no *Dicionário* o artigo intitulado *Carmelo*, quanto a detalhes completos. O Carmelo consistia em uma serra de montes que dá frente para o mar Mediterrâneo a noroeste, e para a planície de Esdrelom, a sudeste. *Carmelo* significa *Terra Jardim*, e o monte foi assim nomeado pelo fato de que a porção sul da serra era uma faixa de terras férteis. O lugar dos feitos de Elias usualmente é identificado com El-Muhraka, ou seja, "lugar de queima", uma plataforma imediatamente abaixo do cume do Carmelo. O local tradicional da matança dos profetas de Baal é o Tell el-Qassis (cômoro dos sacerdotes).

Que comem da mesa de Jezabel. Jezabel era uma boa e generosa idólatra, assegurando-se que "seus" profetas tivessem muito que comer e vivessem em relativo luxo. A família real sustentava aqueles homens que tinham assim liberdade de atender ao culto a Baal, com suas muitas ramificações e manifestações locais. Eram, por assim dizer, ministros de "tempo integral" e andavam atarefados o dia todo no culto a Baal.

■ 18.20

וַיִּשְׁלַח אַחְאָב בְּכָל־בְּנֵי יִשְׂרָאֵל וַיִּקְבֹּץ אֶת־הַנְּבִיאִים אֶל־הַר הַכַּרְמֶל׃

A Grande Reunião. Acabe, como é óbvio, era crente em seu falso culto. Ele pensava que Yahweh era uma fraude, e que Baal era o verdadeiro Senhor. Portanto, ele não hesitou em reunir todos os sacerdotes para demonstrar isso na presença de Elias, diminuir a importância de tudo aquilo e terminar a festividade com a execução do profeta do Senhor. Seria um grande espetáculo, e Acabe ansiava por armar o palco. Ele estava estupidamente seguro de sua vitória. Vieram somente os 450 profetas de Baal (vs. 22), provavelmente porque esse número já era excessivo, pelo menos até onde dizia respeito a Acabe, a fim de derrotar o arrogante Elias. Os profetas dos postes-ídolos, adoradores de Aserah, permaneceram em suas casas. Acabe tinha à disposição uma vantagem tremenda, ou assim imaginava.

■ 18.21

וַיִּגַּשׁ אֵלִיָּהוּ אֶל־כָּל־הָעָם וַיֹּאמֶר עַד־מָתַי אַתֶּם פֹּסְחִים עַל־שְׁתֵּי הַסְּעִפִּים אִם־יְהוָה הָאֱלֹהִים לְכוּ אַחֲרָיו וְאִם־הַבַּעַל לְכוּ אַחֲרָיו וְלֹא־עָנוּ הָעָם אֹתוֹ דָּבָר׃

Ainda existia algum respeito em Israel por Yahweh. Havia sete mil homens que se recusavam, absolutamente, a dobrar os joelhos diante de Baal (ver 1Rs 19.18), mas eles estavam escondidos para salvar a vida. E havia muita gente que não conseguia resolver-se: seguir a antiga religião de Yahweh ou identificar-se com a nova fé em Baal.

O Asno de Buridan. Jean Buridan inventou uma parábola para falar da dificuldade de tomar uma decisão quando somos forçados a escolher entre duas alternativas igualmente boas (ou más). Ele aplicou isso a *ideias* filosóficas, a como escolher a melhor entre duas proposições igualmente prováveis. O filósofo invocou que imaginássemos um asno colocado entre dois montes igualmente atrativos de feno. O pobre animal olhava ora para um montículo, ora para o outro. Eram ambos muito atrativos e de aparência deliciosa, mas o animal não conseguia resolver-se. Finalmente, ele morreu de fome, por não poder decidir sobre qual dos dois montículos de feno escolher. Israel, pois, era como o asno de Buridan. Elias, portanto, invocou o povo a tomar uma decisão.

Até quando coxeareis entre dois pensamentos? A *King James Version* diz "coxeareis" (ficareis estacionários entre as duas possibilidades); a *Revised Standard Version* diz "saltareis". O povo de Israel estava aleijado por causa de sua hesitação. O hebraico diz, originalmente, "saltareis"; mas, nesse caso, o sentido poderia ser "pular". Israel pulava entre Yahweh e Baal. O quadro é o de um homem que pula sobre uma perna, e depois sobre a outra, em vez de andar com deliberação. Nesse caso, em lugar de *pensamentos,* deveríamos ler *pernas.* A palavra hebraica corresponde aos ramos das árvores (ver Is 17.6) que se subdividem aos pares, e essa poderia ser uma metáfora acerca das pernas humanas.

Apesar de ser difícil determinar qual metáfora o profeta Elias usou, o seu significado é claro: havia em Israel a urgente necessidade de o povo escolher entre Yahweh e Baal. A síndrome do *pecado-calamidade* continuaria perseguindo os indecisos que não conseguiam livrar-se da idolatria.

■ 18.22

וַיֹּאמֶר אֵלִיָּהוּ אֶל־הָעָם אֲנִי נוֹתַרְתִּי נָבִיא לַיהוָה לְבַדִּי וּנְבִיאֵי הַבַּעַל אַרְבַּע־מֵאוֹת וַחֲמִשִּׁים אִישׁ׃

O Contexto Desigual. Elias estava sozinho no monte. Ele sabia que havia cem profetas escondidos por Obadias (1Rs 18.13), mas não tinha conhecimento dos sete mil homens fiéis que viviam ocultos para salvar a própria vida (1Rs 19.18). Portanto, embora houvesse outros adoradores de Yahweh em outros lugares, "no monte" Elias estava sozinho. Ele fazia tremendo contraste com os 450 profetas de Baal, todos olhando ferozmente para o solitário profeta do Senhor. A declaração de Elias, naturalmente, foi exagerada, porquanto ele se proclamou o *único* profeta remanescente de Yahweh. Talvez ele duvidasse da autenticidade dos cem profetas que Obadias tinha escondido e sustentava. Talvez pensasse que profetas ocultos tinham perdido o direito ao ofício profético.

■ 18.23,24

וְיִתְּנוּ־לָנוּ שְׁנַיִם פָּרִים וְיִבְחֲרוּ לָהֶם הַפָּר הָאֶחָד וִינַתְּחֻהוּ וְיָשִׂימוּ עַל־הָעֵצִים וְאֵשׁ לֹא יָשִׂימוּ וַאֲנִי אֶעֱשֶׂה אֶת־הַפָּר הָאֶחָד וְנָתַתִּי עַל־הָעֵצִים וְאֵשׁ לֹא אָשִׂים׃

וּקְרָאתֶם בְּשֵׁם אֱלֹהֵיכֶם וַאֲנִי אֶקְרָא בְשֵׁם־יְהוָה וְהָיָה הָאֱלֹהִים אֲשֶׁר־יַעֲנֶה בָאֵשׁ הוּא הָאֱלֹהִים וַיַּעַן כָּל־הָעָם וַיֹּאמְרוּ טוֹב הַדָּבָר׃

Dois novilhos. Foram preparados para serem sacrificados, cortados e postos sobre dois altares, o que proveria um *modus operandi* para testar a situação. Um sacrifício seria para Yahweh; o outro seria para Baal. Porventura Yahweh reagiria ao sacrifício e queimaria a oferenda mediante fogo enviado do céu? E Baal, faria o mesmo? Baal era considerado o deus do céu. Se fosse verdadeiramente isso e estivesse vivo, interessado no bem-estar de seu povo e de seu culto, não seria demais para ele enviar um corisco e queimar o sacrifício. Ele controlava ou não as condições atmosféricas? Yahweh, por outra parte, era o tradicional Deus de Israel, operador de milagres, que lhes dera as terras e a vida. Teria ele o poder de enviar seu corisco e consumir o sacrifício?

Presumivelmente, aquele que fosse o verdadeiro Deus enviaria a chuva e poria fim à seca. Baal era o deus que, alegadamente, controlava as condições atmosféricas. Por que ele teria permitido que seus adoradores sofressem tão grande seca e fome?

O Deus que Responde por meio do Fogo. Há uma lição moral em toda essa situação. Deus é um Deus de poder e de mudanças súbitas. Ele é um Deus de intervenção. Isso é o *teísmo.* Ver a respeito no *Dicionário.*

Outra Lição Moral. Nas questões morais, a estrada do meio nem sempre é a correta. Os homens espirituais devem ser homens de convicções inarredáveis. Todo rei dividido contra si mesmo deve cair (ver Mt 12.25).

Um Sinal do Céu. Israel estava acostumado com tais coisas e ansiava vê-las. Portanto, Elias apelou para o condicionamento religioso dos israelitas. Cf. Lv 9.24; 1Cr 21.26; 2Cr 7.1. Jesus criticou o desejo excessivo de ver sinais (ver Mt 12.38,39; e 16.1-4).

O povo que se tinha reunido para ver o grande espetáculo (e podemos ter certeza de que havia ali grande multidão) concordou em aceitar o desafio. Yahweh venceu, mas a idolatria prosseguiu em Israel. Essa é uma das dificuldades com os sinais. Quando eles ocorrem (se é que ocorrem), ainda assim não tomamos nenhuma decisão, ou continuamos em nossos antigos caminhos.

■ 18.25

וַיֹּאמֶר אֵלִיָּהוּ לִנְבִיאֵי הַבַּעַל בַּחֲרוּ לָכֶם הַפָּר הָאֶחָד וַעֲשׂוּ רִאשֹׁנָה כִּי אַתֶּם הָרַבִּים וְקִרְאוּ בְּשֵׁם אֱלֹהֵיכֶם וְאֵשׁ לֹא תָשִׂימוּ׃

Disse Elias aos profetas de Baal. Os sacerdotes de Baal tiveram a oportunidade de fazer seu próprio sacrifício. Só não podiam tocar fogo nele. Isso eliminou qualquer tipo de fraude. Elias poderia colocar algum material explosivo por baixo do "seu" sacrifício. Mas não poderia fazer isso *se* não soubesse qual dos bois seria reservado para o seu sacrifício. Elias não era nenhum mágico capaz de tocar fogo sobre um depósito de material explosivo arranjado sobre o altar. Ele era o homem que daria um sinal divino genuíno.

■ 18.26

וַיִּקְחוּ אֶת־הַפָּר אֲשֶׁר־נָתַן לָהֶם וַיַּעֲשׂוּ וַיִּקְרְאוּ
בְשֵׁם־הַבַּעַל מֵהַבֹּקֶר וְעַד־הַצָּהֳרַיִם לֵאמֹר הַבַּעַל
עֲנֵנוּ וְאֵין קוֹל וְאֵין עֹנֶה וַיְפַסְּחוּ עַל־הַמִּזְבֵּחַ אֲשֶׁר
עָשָׂה׃

Tomaram o novilho que lhes fora dado. Os sacerdotes de Baal deram início ao seu ato. Eles tinham plena confiança no que estavam fazendo. Eram *crentes* em sua fé religiosa. Também eram persistentes e clamaram a Baal desde a manhã até o meio-dia. Eles não desistiram. Mas todos os seus esforços foram inúteis.

Uma Lição Moral. Algumas vezes a chamada *fé* consiste em acreditarmos em algo que não exprime a verdade dos fatos. Esse era o tipo de fé que os sacerdotes de Baal tinham; e esse tipo de fé é uma praga para a vida religiosa, pois aprisiona a mente dos homens.

O Targum diz-nos que os sacerdotes de Baal agiram como um bando de desequilibrados, supondo que o grande ruído fosse um sinal de devoção e poder. Mas não houve resposta da parte do céu; não houve fogo; não houve sinal. Apesar disso, eles continuaram capengando ao redor do altar, como maníacos. Coisa alguma aconteceu.

E, manquejando, se movimentavam. A *Revised Standard Version* diz assim, o que pode estar correto, visto que estavam praticando uma dança sacerdotal, um rito. Os sacerdotes cercavam o altar, dobrando o corpo ao meio, saltando e manquejando, passando por toda forma de contorção corporal. Mas a dança engraçada não tinha nenhum poder de mudar as coisas.

"... frenesi, no qual as religiões orientais se deleitam até hoje" (Ellicott, *in loc.*). Mas há frenesi até mesmo em certas reuniões cristãs. Será isso correto?

■ 18.27

וַיְהִי בַצָּהֳרַיִם וַיְהַתֵּל בָּהֶם אֵלִיָּהוּ וַיֹּאמֶר קִרְאוּ
בְקוֹל־גָּדוֹל כִּי־אֱלֹהִים הוּא כִּי שִׂיחַ וְכִי־שִׂיג לוֹ
וְכִי־דֶרֶךְ לוֹ אוּלַי יָשֵׁן הוּא וְיִקָץ׃

A dança selvagem dos sacerdotes de Baal já ia pelo meio, sem que nenhuma manifestação ocorresse, e Elias foi então inspirado a zombar dos sacerdotes-dançarinos. Baal talvez estivesse conversando com outros deuses ou com uma de suas esposas, e por isso não ouvia todo o ruído que seus sacerdotes faziam; ou talvez estivesse viajando, e portanto não disponível. Quem sabe se um ruído maior ainda não o despertaria e o provocaria à ação. Foi assim que as zombarias de Elias se tornaram sarcásticas, desdenhosas. Era a amarga ironia do completo desprezo. Cf. isso com o tratamento *mais gentil* de Paulo para com os pagãos de Atenas (ver At 17.22,23).

A Septuaginta diz aqui que talvez Baal estivesse "ocupado em algum negócio". Homero (*Ilíada* 1.423) fala do sono dos deuses que usualmente ocorreria logo depois do meio-dia (o caso do presente versículo). Mas Yahweh nem dorme nem dormita (ver Sl 121.4). Portanto, expressões antropomórficas e antropopáticas são aqui usadas para descrever a divindade. Ver no *Dicionário* os verbetes chamados *Antropomorfismo* e *Antropopatismo,* sobre como os homens conferem a Deus (ou aos deuses) os seus próprios atributos e emoções.

■ 18.28

וַיִּקְרְאוּ בְּקוֹל גָּדוֹל וַיִּתְגֹּדְדוּ כְּמִשְׁפָּטָם בַּחֲרָבוֹת
וּבָרְמָחִים עַד־שְׁפָךְ־דָּם עֲלֵיהֶם׃

E se retalhavam com facas e com lancetas. Eles adicionaram a *automutilação* aos gritos, esperando com isso atrair a atenção de Baal. Tal ato era contra a legislação mosaica. Ver no *Dicionário* o artigo chamado *Mutilação,* quanto a detalhes. E, no entanto, essa era uma prática comum nos cultos pagãos. As evidências literárias demonstram que o derramamento de sangue, fosse do ofertante, fosse de outras pessoas, era parte habitual da adoração e dos sacrifícios sírios. A palavra siríaca 'ethkashshaph pode significar tanto

"golpear-se" como "fazer súplicas", visto que os dois atos estavam intimamente associados. Muitos escritores pagãos falam sobre o costume dos golpes como parte do culto religioso (Kipping, *Ant. Roman.* 1.1 cap. 10, pág. 202; Tertul. *Apolog.* cap. 9). Eles mostravam a estupidez da fé religiosa através do absurdo de seus atos. "... os pobres tolos" (Adam Clarke, *in loc.*).

■ 18.29

וַיְהִי כַּעֲבֹר הַצָּהֳרַיִם וַיִּתְנַבְּאוּ עַד לַעֲלוֹת הַמִּנְחָה
וְאֵין־קוֹל וְאֵין־עֹנֶה וְאֵין קָשֶׁב׃

Passado o meio-dia. Nossa versão portuguesa, juntamente com a *King James Version*, logo depois do começo deste versículo, diz que eles "profetizavam". Mas a *Revised Standard Version* diz que eles "deliravam". O original hebraico diz "atuar como um profeta", e isso pode significar "profetizar" ou passar pelas danças e gritos de frenesi que eram típicos dos sacerdotes e profetas pagãos. "Esse frenesi profético e esse êxtase eram característicos da profecia antiga (ver 1Sm 18.10; 2Rs 9.11; Jr 29.26). Tinham origem cananeia. A dança delirante na qual eles se chicoteavam ou se golpeavam com facas era nativa da Palestina e dos cultos misteriosos por todo o mundo mediterrâneo" (Norman H. Snaith, *in loc.*).

Mas nenhum poder divino ouvia, nenhum poder divino se importava com aquele frenesi e loucura. Nenhuma resposta foi dada àqueles homens iludidos. Finalmente, um silêncio polar abateu-se sobre eles. Os espectadores observavam a tudo com desgosto.

Até que a oferta de manjares se oferecesse. Provavelmente às 15 horas (ver o vs. 36). A palavra "tardinha", que aparece em algumas versões portuguesas, foi suprida pelos tradutores. O horário tradicional da oração vespertina era a nona hora, ou seja, a contar das seis da manhã às 15 horas. Ver no *Dicionário* o artigo denominado *Vigílias*.

■ 18.30

וַיֹּאמֶר אֵלִיָּהוּ לְכָל־הָעָם גְּשׁוּ אֵלַי וַיִּגְּשׁוּ כָל־הָעָם
אֵלָיו וַיְרַפֵּא אֶת־מִזְבַּח יְהוָה הֶהָרוּס׃

Então Elias disse a todo o povo. *Chegara a Vez de Elias.* O profeta do Senhor tinha preparado seu altar cuidadosa e elaboradamente, à plena vista de todos os espectadores, aos quais ele pediu que se aproximassem e observassem. Não houve fraude, nem truque, nem obra mágica que pudesse fazer alguma coisa surpreendente (mas ilusória). Devemos compreender que no monte Carmelo havia um altar sagrado que havia sido quebrado pelos pagãos e, assim, caíra em desuso. Elias, pois, "reparou" esse altar. Provavelmente tratava-se apenas de um montão de pedras que tinham sido derrubadas e espalhadas. Mas o profeta as pôs de volta em seus lugares. As tradições judaicas diziam que esse altar foi originalmente erigido por Saul. Ver 1Sm 15.12. Em tempos posteriores, os romanos erigiram ali um altar, onde Vespasiano foi consultar (Tácito, *Hist.* lib. ii., cap. 78).

■ 18.31

וַיִּקַּח אֵלִיָּהוּ שְׁתֵּים עֶשְׂרֵה אֲבָנִים כְּמִסְפַּר שִׁבְטֵי
בְנֵי־יַעֲקֹב אֲשֶׁר הָיָה דְבַר־יְהוָה אֵלָיו לֵאמֹר יִשְׂרָאֵל
יִהְיֶה שְׁמֶךָ׃

Tomou doze pedras. O autor sacro quer que compreendamos que Elias tomou *doze* das pedras originais do altar e as colocou de volta no lugar, e com elas reconstruiu o altar. Para o profeta, Israel ainda era formado por doze tribos, tal como acontecera no império unificado de Israel. Por meio desse ato, Elias queria dizer que Yahweh continuava sendo o Deus de todo o Israel, as nações do norte (Israel) e do sul (Judá). Cf. Gn 32.28. Ver no *Dicionário* o artigo chamado *Tribo (Tribos) de Israel*.

■ 18.32

וַיִּבְנֶה אֶת־הָאֲבָנִים מִזְבֵּחַ בְּשֵׁם יְהוָה וַיַּעַשׂ תְּעָלָה
כְּבֵית סָאתַיִם זֶרַע סָבִיב לַמִּזְבֵּחַ׃

Com aquelas pedras edificou o altar em nome do Senhor. Isso representou a restauração do antigo altar, porque foram empregadas as mesmas pedras. Elias teve o cuidado de esclarecer que ele estava edificando aquele altar no nome de *Yahweh*, o objeto de sua adoração, lealdade e serviço.

Depois fez um rego em redor do altar. Esse rego era de tamanho suficiente para conter duas *medidas* de sementes. "Medidas", aqui, é a palavra hebraica *seah*, o equivalente a cerca de doze litros. Provavelmente devemos entender que o rego do outro lado do altar poderia conter o mesmo tanto. Ver o artigo *Pesos e Medidas* no *Dicionário*. Contudo, as opiniões variam quanto à capacidade de uma "medida". A água que Elias lançaria sobre o altar escorreu e encheu os regos (ver o vs. 35). Ter água ali não ajudava muito, caso alguém quisesse que o fogo consumisse o sacrifício, e isso autenticava a realidade do acontecimento miraculoso.

■ 18.33,34

וַיַּעֲרֹךְ אֶת־הָעֵצִים וַיְנַתַּח אֶת־הַפָּר וַיָּשֶׂם עַל־הָעֵצִים׃

וַיֹּאמֶר מִלְאוּ אַרְבָּעָה כַדִּים מַיִם וְיִצְקוּ עַל־הָעֹלָה וְעַל־הָעֵצִים וַיֹּאמֶר שְׁנוּ וַיִּשְׁנוּ וַיֹּאמֶר שַׁלֵּשׁוּ וַיְשַׁלֵּשׁוּ׃

Então armou a lenha. A lenha era necessária para que houvesse uma oferta queimada, pelo que ela foi cortada e disposta apropriadamente. O novilho foi cortado em pedaços e colocado sobre a lenha. Então quatro cântaros de água foram derramados sobre o conjunto. Os pedaços do animal e a lenha ficaram, assim, ensopados. Isso foi feito uma *segunda* e, depois, uma *terceira* vez (ver o vs. 34). Elias chegou a exagerar com a água. O altar e o rego preparados transformaram-se numa pequena lagoa, com o sacrifício e a madeira projetando-se acima dela, completamente encharcados de água. Elias sabia que a água não haveria de impedir o fogo que Yahweh estava prestes a fazer cair sobre o altar e consumir tudo.

Esperando a Chuva. Além do fato dramático de que o fogo faria evaporar toda a água, provando assim a autenticidade do milagre, também foi um símbolo do desejo de Elias pela *chuva*. De fato, foi um *pedido* pela chuva, a fim de que terminassem a seca e a fome. A operação foi repetida por *três vezes* para garantir a eficácia. Cf. 1Rs 17.21 quanto ao significado do número *três*. Ver também no *Dicionário* o verbete chamado *Número (Numeral, Numerologia)*. O profeta Elias fez o "retorno das chuvas", que aconteceria não muito depois dessa cena, outra prova de que Yahweh era o verdadeiro Deus de Israel.

O monte Carmelo tinha uma fonte perene que nunca se secava, mesmo nos tempos da seca mais severa, e sem dúvida foi dessa fonte que Elias tirou a água, conforme afirmou Josefo.

■ 18.35

וַיֵּלְכוּ הַמַּיִם סָבִיב לַמִּזְבֵּחַ וְגַם אֶת־הַתְּעָלָה מִלֵּא־מָיִם׃

A água corria ao redor do altar. *A água encheu* os regos cavados por Elias (vs. 32). Com isso a mensagem estava sendo proclamada: "Este altar não pode pegar fogo exceto por intervenção divina. As chuvas também não poderão cair exceto pela intervenção divina. Yahweh é o Deus da intervenção. Volta a ele, ó Israel". O poder divino haveria de manifestar-se ou não. Todos *veriam* a resposta divina. Se ela acontecesse, os espectadores reconheceriam que o verdadeiro Deus tinha dado a resposta. Nenhum ser humano poderia fazer aquele altar tão encharcado de água queimar o sacrifício.

■ 18.36

וַיְהִי בַּעֲלוֹת הַמִּנְחָה וַיִּגַּשׁ אֵלִיָּהוּ הַנָּבִיא וַיֹּאמַר יְהוָה אֱלֹהֵי אַבְרָהָם יִצְחָק וְיִשְׂרָאֵל הַיּוֹם יִוָּדַע כִּי־אַתָּה אֱלֹהִים בְּיִשְׂרָאֵל וַאֲנִי עַבְדֶּךָ וּבִדְבָרְךָ עָשִׂיתִי אֵת כָּל־הַדְּבָרִים הָאֵלֶּה׃

Simplicidade Contrastada ao Frenesi. Certamente temos uma importante lição aqui. Se existe o *poder divino*, então não precisamos cair em estado frenético para fazer esse poder funcionar. Se esse frenesi for necessário, pode-se suspeitar que quem atraiu o poder não foi o divino, mas sim o poder *humano*, não bem compreendido, ou então um poder extra-humano (mas não divino). Existem muitos poderes e muita gente que atraem esses poderes e os chamam de poderes divinos. Elias ofereceu uma oração simples e direta. Algumas vezes, a *ostentação* é confundida com uma espiritualidade superior.

O objeto da petição de Elias foi Yahweh-Elohim, o Deus Eterno e Todo-poderoso, que era o Deus do pai da nação, Abraão, bem como dos patriarcas Isaque e Jacó, seus descendentes diretos. Elias orou ao Deus do pacto, que pusera Israel no mapa, para começo de conversa. Ver Gn 15.18 quanto ao *Pacto Abraâmico*. Quanto à fórmula dos *nomes múltiplos* (Abraão, Isaque e Jacó), cf. Gn 46.1; 48.15; Êx 3.6,16; 4.5; Nm 32.11; Dt 1.8; 2Rs 12.23; 2Cr 30.6; Jr 33.26; Mt 22.32; At 3.13. Ao mencionar os patriarcas, o profeta identificou a nação de Israel com as antigas tradições e pactos. Foi em nome *desse* Deus que Elias realizou o feito daquele dia, na esperança de que os idólatras vissem a luz e retornassem aos antigos caminhos da nação. Deus é um só; Israel deveria ter um Deus, em lugar de promover a idolatria com seu interminável panteão de deuses. Ver no *Dicionário* o artigo chamado *Monoteísmo*.

■ 18.37

עֲנֵנִי יְהוָה עֲנֵנִי וְיֵדְעוּ הָעָם הַזֶּה כִּי־אַתָּה יְהוָה הָאֱלֹהִים וְאַתָּה הֲסִבֹּתָ אֶת־לִבָּם אֲחֹרַנִּית׃

Para que este povo saiba que tu, Senhor, és Deus. *Ouve-me, ó Deus! Convence Este Povo!* Esta foi a petição de Elias. Ele era um profeta *de* Deus, em *favor* do povo. Se o coração deles tivesse de ser atraído para os antigos caminhos, somente Yahweh poderia permiti-lo. Os esforços e os desejos humanos só tinham contribuído para levar o povo da nação do norte, Israel, à apostasia.

O Targum, aqui, tem uma paráfrase iluminadora: "Recebe a minha oração, ó Senhor, acerca do fogo, e recebe a minha oração acerca da chuva", a qual mostra que o autor sagrado compreendeu que a oração inteira era um pedido pela chuva, e não meramente uma demonstração espetacular de poder, enviando fogo para consumir tudo quanto havia sobre o altar.

As palavras do profeta tinham por desígnio demonstrar aos circunstantes que tudo fora feito em sua capacidade de servo de Deus (cf. 1Rs 17.1 e 18.15).

■ 18.38

וַתִּפֹּל אֵשׁ־יְהוָה וַתֹּאכַל אֶת־הָעֹלָה וְאֶת־הָעֵצִים וְאֶת־הָאֲבָנִים וְאֶת־הֶעָפָר וְאֶת־הַמַּיִם אֲשֶׁר־בַּתְּעָלָה לִחֵכָה׃

Então caiu fogo do Senhor. A despeito de a oração de Elias ter sido tão simples e sem ruído e frenesi. Há nisso, por certo, uma lição preciosa para alguns segmentos da Igreja cristã, que dependem tanto de cultos caracterizados pelo frenesi a fim de atrair o "Espírito". E não é um bom argumento dizer que Elias não precisava de ruído, mas nós precisamos. O ruído pode imitar a intensidade, e a intensidade pode existir juntamente com o frenesi.

O fogo foi eficaz e consumiu tudo: o sacrifício, a lenha, a poeira que havia sobre o altar, a água que estava nas trincheiras e sobre o próprio altar. A água evaporou-se e foi transformada em nada. O fogo, como é claro, deve ser considerado algo *sobrenatural*. O fogo e a luz são associados à aparição de Yahweh. É inútil tentar encontrar alguma explicação física e natural para o milagre. Milagres simplesmente acontecem, ocasionalmente, com algum propósito em mira. Ver no *Dicionário* o verbete intitulado *Milagres*, como demonstração disso. Se os hebreus acreditavam que o relâmpago e os trovões procediam de Deus, essa não era toda a crença deles. Também criam em manifestações extraordinárias, e o acontecimento presente foi uma dessas manifestações. Nenhum relâmpago natural poderia ter feito o que foi aqui descrito, e é tolice falar em coincidência, como: "Por pura coincidência um relâmpago caiu sobre o altar naquele exato instante". Também é insensatez falar de "coincidências significativas". Deus esteve presente no acontecimento, mas foi um acontecimento natural. Pelo contrário, há ocasiões em que exibições divinas são providas pela graça e pelo poder de Deus. Os homens espirituais reconhecem quando isso acontece. Os críticos terão de aprender sobre esses acontecimentos, mais cedo ou mais tarde.

No entanto, "Elias era apenas uma voz que conclamava os homens a 'preparar o caminho do Senhor'" (Ellicott, *in loc.*). Elias deve ter parecido um grande homem naquele dia. Mas foi Yahweh quem realizou todo o milagre.

■ 18.39

וַיַּרְא כָּל־הָעָם וַיִּפְּלוּ עַל־פְּנֵיהֶם וַיֹּאמְרוּ יְהוָה הוּא הָאֱלֹהִים יְהוָה הוּא הָאֱלֹהִים׃

O Senhor é Deus! O Senhor é Deus! Tendo visto a cena incrível, o povo pôs-se a berrar: "Yahweh é Deus. Yahweh é o Deus de Israel". E prostrou-se de joelhos diante do espantoso espetáculo. Cf. o que aconteceu à inauguração dos sacrifícios no tabernáculo (ver Lv 9.24). Elias tinha provado a sua contenção e vencido o desafio, mas Israel continuaria marchando na direção da apostasia, até que o cativeiro assírio levasse toda a nação do norte (o que ocorreu em 722 a.C.). Mas tinha sido provida uma ampla *oportunidade*, e isso é que é importante.

■ 18.40

וַיֹּאמֶר אֵלִיָּהוּ לָהֶם תִּפְשׂוּ אֶת־נְבִיאֵי הַבַּעַל אִישׁ אַל־יִמָּלֵט מֵהֶם וַיִּתְפְּשׂוּם וַיּוֹרִדֵם אֵלִיָּהוּ אֶל־נַחַל קִישׁוֹן וַיִּשְׁחָטֵם שָׁם׃

E ali os matou. *A Grande Matança*. Os espectadores agora estavam favoráveis a Elias, que os usou para matar a todos os profetas e sacerdotes de Baal reunidos naquele lugar. Assim iniciou-se um movimento de reforma, que, contudo, não iria longe nem demoraria muito. Mas pelo menos uma última oportunidade havia sido dada, e isso era deveras importante.

Os infelizes homens que tinham falhado e sido lançados na desgraça por Elias foram levados ao ribeiro de Quisom e ali executados. O sangue deles fluiu para o ribeiro, e todo o movimento em favor de Baal se reduziu a nada.

"... Eles perderam a vida diante da lei que dizia que os idólatras deveriam ser mortos" (Adam Clarke, *in loc.*). Ver todo o capítulo 13 do livro de Deuteronômio, cheio de leis contra os falsos profetas, os falsos sonhadores e os idólatras, exigindo execução para todos os que pervertessem o caminho de Yahweh. Feito isso, a chuva não demorou a cair sobre a Palestina (ver o versículo seguinte).

■ 18.41

וַיֹּאמֶר אֵלִיָּהוּ לְאַחְאָב עֲלֵה אֱכֹל וּשְׁתֵה כִּי־קוֹל הֲמוֹן הַגָּשֶׁם׃

A Causa da Seca Foi Removida Simbolicamente. Digo simbolicamente porque ainda restavam muitos santuários pagãos espalhados por todo o território de Israel, e continuava havendo sacerdotes de Baal ativos por todo o país. Quatrocentos outros profetas de Baal não tinham participado do calamitoso acontecimento (ver o vs. 19). Esses quatrocentos profetas de Baal estavam seguros em seus altares e bosques. Mas Elias havia acabado com mais da metade dos profetas de Baal em uma única ocasião. Por isso, as chuvas caíram com abundância, algumas horas depois daquela cena.

Sobe, come e bebe. Elias convidou Acabe a celebrar com comida e bebida, esquecendo a seca e a fome, porquanto Yahweh havia removido a maldição contra a nação de Israel. É costumeiro comemorar com uma boa refeição na companhia de amigos. Essa parte faltou; mas, fosse como fosse, o convite para a celebração foi feito.

A chuva já vinha a distância, rugindo com grande força. A palavra hebraica aqui usada é a que expressa as pesadas chuvas sazonais (ver Ed 10.9).

O dilúvio que se seguiu à consumação do sacrifício representou as primeiras chuvas em três anos e meio. Foram as chamadas *primeiras chuvas* do outono. Ver no *Dicionário* os artigos chamados Chuva e Chuvas Anteriores e Posteriores.

A *chuva* que caiu foi a prova final de que Yahweh era o Deus de Israel. Ele tinha respondido à petição de seu profeta, Elias, ao mesmo tempo que Baal nada fez quando seus sacerdotes e profetas dançaram e rezaram freneticamente o dia inteiro.

Adam Clarke pensa que o rei e o profeta Elias estavam agora em bons termos, pelo que compartilharam juntos de uma festa. Presume-se que Acabe tenha consentido diante da matança dos profetas de Baal. Mas essa interpretação é inteiramente liberal.

■ 18.42

וַיַּעֲלֶה אַחְאָב לֶאֱכֹל וְלִשְׁתּוֹת וְאֵלִיָּהוּ עָלָה אֶל־רֹאשׁ הַכַּרְמֶל וַיִּגְהַר אַרְצָה וַיָּשֶׂם פָּנָיו בֵּין בִּרְכָּיו׃

Subiu Acabe a comer e a beber. Acabe comeu e expressou a sua alegria, mas Elias subiu ao topo do monte Carmelo, fez uma *fervorosa oração*, a fim de certificar-se de que o ruído da chuva (ver o vs. 41) significava que logo choveria no monte Carmelo e por toda a Palestina, para que todos contemplassem a vitória de Yahweh. Elias quase tinha a vitória. De fato, ele já a havia anunciado. Agora queria garantir que a vitória seria completa e abundante, e para tanto utilizou seu poder na oração. E isso funcionou, pois a vontade de Yahweh concordava com o que estava sucedendo. Ver no *Dicionário* o verbete chamado *Oração*.

Encurvado para a terra, meteu o rosto entre os joelhos. "ele se ajoelhou e então se inclinou com a cabeça em terra, de tal modo que, enquanto seu rosto estava entre os joelhos, sua testa tocava no solo" (Adam Clarke, *in loc.*). Tal postura provava a intensidade de seu espírito de oração.

Muito pode, por sua eficácia, a súplica do justo.

Tiago 5.16

Elias era homem semelhante a nós, sujeito aos mesmos sentimentos, e orou com instância para que não chovesse sobre a terra, e por três anos e seis meses não choveu. E orou de novo e o céu deu chuva, e a terra fez germinar seus frutos.

Tiago 5.17,18

■ 18.43

וַיֹּאמֶר אֶל־נַעֲרוֹ עֲלֵה־נָא הַבֵּט דֶּרֶךְ־יָם וַיַּעַל וַיַּבֵּט וַיֹּאמֶר אֵין מְאוּמָה וַיֹּאמֶר שֻׁב שֶׁבַע פְּעָמִים׃

Olha para a banda do mar. Esta foi a ordem que Elias deu a seu servo. Elias fizera fervorosa oração e esperava ansiosamente por uma espécie de indicação de que ela seria respondida. Portanto, enviou seu servo para que olhasse na direção do mar Mediterrâneo, em busca de algum sinal de chuva. O rapaz foi e nada viu. Elias enviou o servo por *sete* vezes, o número do poder divino e da graça. Mas, mesmo na sexta vez, ele nada viu. Ver no *Dicionário* o verbete intitulado *Número (Numeral, Numerologia)* quanto a um estudo geral sobre os números na Bíblia, em particular o sentido do número *sete*.

Quão humana é essa cena. Continuamos buscando e esperando sinais e indicações que nos digam se nossas orações foram ouvidas e respondidas.

Ensina-me a sentir que estás sempre próximo,
Ensina-me as lutas que a alma tem de suportar,
Averiguar a dúvida que se ergue, o suspiro rebelde;
Ensina-me a paciência da oração sem resposta.

George Croly

As orações de Elias continuavam sem resposta. Ele e Acabe tinham ouvido o rugir de chuvas distintas, e isso significava que, sem dúvida, logo a vitória estaria em suas mãos. O servo de Elias voltou a examinar o mar por seis vezes, mas nada viu. O profeta Elias, contudo, não desistiu. Ele se mostrou *persistente* em suas orações, aceitando plenamente as condições referidas em Tg 5.16.

Pedi, e dar-se-vos-á;
Buscai e achareis;
Batei e abrir-se-vos-á.

Mateus 7.7

Quanto a uma parábola de Jesus que ilustra a persistência na oração, ver Lc 11.5-13.

Na *sétima* vez em que o servo de Elias foi observar do alto do monte, eis que havia uma pequena nuvem (cf. 8.65). O sacrifício e as orações pedindo chuvas mostraram-se eficazes, de modo que todo devoto de Yahweh ficou satisfeito e todo cético ficou convencido do poder de Yahweh.

■ 18.44

וַיְהִי֙ בַּשְּׁבִעִ֔ית וַיֹּ֗אמֶר הִנֵּה־עָ֛ב קְטַנָּ֥ה כְּכַף־אִ֖ישׁ עֹלָ֣ה מִיָּ֑ם וַיֹּ֗אמֶר עֲלֵ֞ה אֱמֹ֤ר אֶל־אַחְאָב֙ אֱסֹ֣ר וָרֵ֔ד וְלֹ֥א יַעַצָרְכָ֖ה הַגָּֽשֶׁם׃

À sétima vez disse. Na sétima observação do mar, depois de toda a fervorosa súplica de Elias, subitamente apareceu uma *pequena nuvem*. A nuvem era pequena, mas carregava uma *grande promessa*. Era o começo da inevitável vitória, por causa da presença de Yahweh. Oh, Senhor, concede-nos tal graça!

> Chuvas de bênçãos teremos —
> É a promessa de Deus.
> Tempos benditos veremos,
> Chuvas de bênçãos dos céus.
>
> Salomão L. Ginsburg

Com alegria, Elias reconheceu que uma grande chuva estava chegando. Isso foi prometido através da pequena chuva, e era inevitável. Portanto, ele disse ao servo que saísse antes que as estradas e veredas ficassem intransitáveis. O servo foi enviado a Acabe a fim de avisar-lhe que saísse de onde estava e fosse para Jezreel (vs. 45), porque, se não fizesse isso bem depressa, as estradas ficariam intransitáveis.

Ninguém, naquele momento, teria desobedecido a uma ordem de Elias. Ele disse que uma chuva pesada estava para cair, e todos reconheceram o fato. Saíram de onde estavam com o máximo de urgência.

Eficácia. A oração repetida e o sétimo exame revelaram a existência de uma pequena nuvem. E a pequena nuvem produziu uma poderosa chuva. Era a graça interventora de Deus.

■ 18.45

וַיְהִ֣י ׀ עַד־כֹּ֣ה וְעַד־כֹּ֗ה וְהַשָּׁמַ֙יִם֙ הִֽתְקַדְּרוּ֙ עָבִ֣ים וָר֔וּחַ וַיְהִ֖י גֶּ֣שֶׁם גָּד֑וֹל וַיִּרְכַּ֥ב אַחְאָ֖ב וַיֵּ֥לֶךְ יִזְרְעֶֽאלָה׃

Acabe subiu ao carro. Acabe gostaria de já ter chegado em casa, em Samaria; mas teve de parar em Jezreel, porque a tempestade o pegou no caminho. Ali ele tinha uma residência de verão. Esse lugar ficava a meio caminho entre o monte Carmelo e Samaria. sua viagem para Jezreel levou-o uns 32 quilômetros a sudeste do território de Issacar. Ele deixou a viagem para Samaria para outro dia. Ver no *Dicionário* o artigo chamado *Jezreel* quanto a detalhes.

A pequena nuvem aumentara até tornar-se uma maciça nuvem escura que cobriu o céu inteiro, e logo caiu uma chuva que nenhuma testemunha jamais esqueceu.

■ 18.46

וְיַד־יְהוָ֗ה הָֽיְתָה֙ אֶל־אֵ֣לִיָּ֔הוּ וַיְשַׁנֵּ֖ס מָתְנָ֑יו וַיָּ֙רָץ֙ לִפְנֵ֣י אַחְאָ֔ב עַד־בֹּאֲכָ֖ה יִזְרְעֶֽאלָה׃

A mão do Senhor. Expressão metafórica que indica "o poder de Deus". Ocasionalmente, Deus estende para baixo a sua poderosa mão e rola para longe os mares de nossas perturbações. Isso é uma intervenção divina, sem importar se essas ocasiões são específicas e espetaculares, ou constantes e calmas como a vida cotidiana. O homem espiritual sabe dessas coisas.

Um Milagre Constante. Tão cheio de poder estava Elias, da parte de Yahweh, tão aumentadas tinham sido as suas forças físicas, que ele pôde ultrapassar Acabe até Jezreel! Elias, o homem de Deus, foi capaz de correr mais do que os cavalos, naquela maratona de 32 quilômetros. Imagine-se a surpresa de Acabe quando ele chegou em Jezreel e descobriu que Elias já havia chegado!

Por que Elias Fez Isso? Por que Elias correu para Jezreel como fez? A resposta é simples. Ele estava transbordante de alegria.

Quando obtemos uma grande resposta às nossas orações, uma grande vitória, sentimos que podemos saltar até a lua. O homem espiritual reconhece essas coisas. Elias foi até Jezreel para anunciar sobre como Yahweh tinha feito grandes coisas. Ele era um mensageiro da alegria. Naturalmente, esperava que tal acontecimento ajudasse a reverter a apostasia de Israel.

Lição Moral. Há uma força divinamente concedida e um suprimento para aqueles que oram. Grandes vitórias nos são outorgadas, ocasionalmente. E esses são dias grandiosos.

CAPÍTULO DEZENOVE

ELIAS EM HOREBE (19.1-21)

Elias acabara de conseguir grande vitória e notáveis respostas às suas orações (capítulo 18). Seu prestígio subira muito na terra. Acabe imediatamente contou a Jezabel quão grandes coisas Elias havia feito, não esquecendo a matança dos 450 profetas e sacerdotes de Baal. Essa informação lançou Jezabel a um ataque de fúria, e ela jurou vingar-se. Isso colocou em desespero o coração de Elias; e assim a história nos prova exatamente o que Tiago disse séculos mais tarde: "Elias era homem semelhante a nós, sujeito aos mesmos sentimentos..." (Tg 5.17).

"A reação se estabeleceu, e Elias, ameaçado por Jezabel, perdeu a coragem e, atravessando o território de Judá, fugiu para o sul, onde acabou dormindo em total exaustão. Foi despertado por um anjo que lhe serviu alimento sobrenatural, na força do qual ele continuou sua longa caminhada até Horebe, o antigo lugar da fé no deserto. Ali Elias ouviu a voz de Deus e recebeu novo encorajamento, e aceitou de Deus uma nova norma que ele passou a pôr em prática" (Norman H. Snaith, *in loc.*).

■ 19.1,2

וַיַּגֵּ֤ד אַחְאָב֙ לְאִיזֶ֔בֶל אֵ֛ת כָּל־אֲשֶׁ֥ר עָשָׂ֖ה אֵלִיָּ֑הוּ וְאֵ֨ת כָּל־אֲשֶׁ֥ר הָרַ֛ג אֶת־כָּל־הַנְּבִיאִ֖ים בֶּחָֽרֶב׃

וַתִּשְׁלַ֤ח אִיזֶ֙בֶל֙ מַלְאָ֔ךְ אֶל־אֵלִיָּ֖הוּ לֵאמֹ֑ר כֹּֽה־יַעֲשׂ֤וּן אֱלֹהִים֙ וְכֹ֣ה יוֹסִפ֔וּן כִּֽי־כָעֵ֤ת מָחָר֙ אָשִׂ֣ים אֶֽת־נַפְשְׁךָ֔ כְּנֶ֖פֶשׁ אַחַ֥ד מֵהֶֽם׃

Acabe fez saber a Jezabel tudo quanto Elias havia feito. *Informações completas* foram dadas a Jezabel acerca dos acontecimentos notáveis (e miraculosos) do monte Carmelo (ver o capítulo 18). Acabe havia sido derrotado pela força espiritual de Elias, mas sua ousada e escandalosa esposa, Jezabel, imediatamente assumiu a ofensiva e fez o homem de Deus fugir. Jezabel prometeu fazer a Elias o mesmo que ele fizera aos sacerdotes de Baal (ver 1Rs 18.40). Jezabel prometeu que Elias estaria morto no espaço de 24 horas, e ela tinha poder para cumprir a ameaça. Elias, pois, deixou Jezreel tão ligeiro como havia ali entrado. Os críticos censuram o homem de Deus por ter medo de uma mulher, quando não temera os 450 profetas de Baal! Por outra parte, Jezabel não era uma mulher ordinária. Era o diabo de saias. Não havia um só homem em Israel que pudesse resistir à vontade dela. O país inteiro estava escravizado àquela mulher ímpia, uma autêntica princesa da iniquidade, a principal agente dos poderes malignos. *Elias* sabia disso. Portanto, partiu, lutando para continuar vivo. Uma de minhas fontes informativas afirma que foi *notável* que a ameaça de Jezabel tenha aterrorizado Elias. Por outra parte, ninguém teria recebido tal ameaça sem terror. Além disso, todos temos nossos dias ruins e de calmaria; todos temos períodos de lapso, na esperança de reconstituir nossas forças algum outro dia.

■ 19.3

וַיַּ֗רְא וַיָּ֙קָם֙ וַיֵּ֣לֶךְ אֶל־נַפְשׁ֔וֹ וַיָּבֹ֖א בְּאֵ֣ר שֶׁ֑בַע אֲשֶׁ֣ר לִֽיהוּדָ֔ה וַיַּנַּ֥ח אֶת־נַעֲר֖וֹ שָֽׁם׃

Temendo, pois, Elias, levantou-se. Elias partiu de Jezreel imediatamente. Ele sabia que os assassinos pagos por Jezabel estariam procurando por toda parte; e então perguntariam em que direção ele tinha seguido. Assim sendo, ele se apressou por chegar a *Berseba*, que era o extremo sul da antiga nação unida, profundamente encravada no território de Judá. Talvez ficasse 160 quilômetros ao sul de Jezreel. Elias não queria arriscar-se. Ele caminhou rápido e ligeiro. Chegando a Berseba, deixou ali seu servo e continuou caminhando pelo deserto por mais um dia (vs. 4).

"*As consequências de valor*... Como certos generais, tais quais Hanibal, Frederico, o Grande, e Washington nunca se sentiram mais ameaçados do que após um triunfo, assim também algumas vezes as pessoas nunca estão tão vulneráveis como no dia seguinte a uma vitória... Elias estava passando por tempos difíceis, experimentados por todos os idealistas ao descobrir que não existem vitórias permanentes" (Ralph W. Sockman, *in loc.*). Ver no *Dicionário* o verbete denominado *Berseba*. Proverbialmente, esse era o extremo sul de Israel. Ver também as notas expositivas em 1Sm 3.20.

■ 19.4

וְהוּא־הָלַךְ בַּמִּדְבָּר דֶּרֶךְ יוֹם וַיָּבֹא וַיֵּשֶׁב תַּחַת רֹתֶם אֶחָת וַיִּשְׁאַל אֶת־נַפְשׁוֹ לָמוּת וַיֹּאמֶר רַב עַתָּה יְהוָה קַח נַפְשִׁי כִּי־לֹא־טוֹב אָנֹכִי מֵאֲבֹתָי:

ele mesmo, porém, se foi ao deserto. Agora Elias estava em segurança, mas muito desencorajado. Seus feitos grandiosos e o óbvio poder manifestado por Yahweh no monte Carmelo nada tinham operado de visível em Israel, exceto o fato de que Baal, pelo menos temporariamente, perdera 450 profetas (ver 1Rs 18.40).

No deserto, cansado e sedento, o profeta sentou-se por um pouco à sombra de um zimbro (ver a respeito no *Dicionário*). Esse arbusto era comum nos desertos da Judeia, atingindo cerca de 3 metros de altura. Bloqueava fracamente a luz do sol, mas era melhor do que nada.

O *Desejo de Morrer*. Elias tinha caído em profunda depressão e agora desejava morrer. Estava cheio de queixumes e resmungos. Ele vira grandes coisas, mas elas foram reduzidas a quase nada, de uma perspectiva prática. Houvera grande pirotecnia, mas nenhuma mudança entre o povo. Yahweh lhe dera vida, mas agora Elias pedia que Yahweh a tirasse. Seus pais já tinham morrido, e Elias queria reunir-se a eles.

Elias estava em uma atitude "de caverna", na qual a maioria dos homens afunda ocasionalmente. Tanto seu coração quanto sua mente se tinham escondido, e não somente seu corpo. Ele era prisioneiro de suas emoções negativas, e seu desespero o amarrava como uma corrente de ferro. Ele não estava cantando conforme faria o salmista: "Trouxe-me para um lugar espaçoso; livrou-me, porque ele se agradou de mim" (Sl 18.19). Sua mente estava presa na pequenez da situação que o tinha vencido. Mas ainda havia grandes vitórias a serem atingidas *lá fora*.

Um idoso ministro anualmente dedicava à astronomia um sermão, sempre com o cuidado de passar à congregação as mais recentes informações. Um jovem assistente criticou-o por causa desse ritual, perguntando-lhe por que fazia isso todos os anos. Ele respondeu: "Naturalmente, não tem nenhuma utilidade, mas amplia grandemente a minha ideia de Deus" (Williard L. Sperry, *Yes, But...*). Elias sabia tudo sobre a grandeza de Deus, mas por um momento a esquecera. Logo, porém, o Espírito estaria movimentando-se sobre ele, para fazê-lo lembrar dessa grandeza para sempre. Ele havia esquecido temporariamente as lições aprendidas em Querite, em Sarepta e no monte Carmelo.

■ 19.5

וַיִּשְׁכַּב וַיִּישַׁן תַּחַת רֹתֶם אֶחָד וְהִנֵּה־זֶה מַלְאָךְ נֹגֵעַ בּוֹ וַיֹּאמֶר לוֹ קוּם אֱכוֹל:

Eis que um anjo o tocou. Em pouco tempo, o próprio Yahweh estaria dando uma notável exibição de força, e, principalmente, haveria aquela pequena voz ciciante que lhe daria encorajamento e força (vss. 13 ss.). Elias continuou a viver na dimensão divina e, à semelhança de Sansão, em breve recuperaria as forças. Mas em primeiro lugar ele tinha de cuidar de sua força física, mediante a alimentação. A presença divina cuidaria então do resto. Deus tinha para Elias uma mensagem encorajadora, a previsão do que aconteceria em breve, e um poder espiritual renovado.

Ver no *Dicionário* o artigo chamado *Anjo* quanto ao que se sabe e se especula sobre esses seres celestes.

"O Senhor estava tão indisposto a conceder o pedido de Elias de que lhe fosse tirada a vida, que fez provisões para preservá-la; tão cuidadoso era para com ele que providenciou um anjo para protegê-lo e guiá-lo" (John Gill, *in loc.*).

Não são todos eles espíritos ministradores enviados para serviço, a favor dos que hão de herdar a salvação?
Hebreus 1.14

■ 19.6

וַיַּבֵּט וְהִנֵּה מְרַאֲשֹׁתָיו עֻגַת רְצָפִים וְצַפַּחַת מָיִם וַיֹּאכַל וַיֵּשְׁתְּ וַיָּשָׁב וַיִּשְׁכָּב:

Comeu, bebeu, e tornou a dormir. O anjo fez o papel que os corvos desempenharam em outra ocasião. Houve um miraculoso suprimento alimentar que era um símbolo de toda a provisão divina e de todo o poder que se seguiriam. Elias comeu e bebeu, e tornou a dormir, pois seu espírito ainda não estava revivificado. "Moisés e os israelitas tinham viajado por aquele deserto durante quarenta anos, sustentados pelo maná que Deus fornecera, e tinham aprendido lições sobre seus cuidados fiéis e sua provisão. Agora Elias atravessaria o mesmo deserto durante quarenta dias e quarenta noites, sustentado pelo pão de Deus, e aprenderia as mesmas lições" (Thomas L. Constable, *in loc.*).

"Há um toque patético na descrição sobre o profeta, cansado e descoroçoado, sem se importar se comera o suficiente, e satisfeito, depois que a refeição fora consumida, em esquecer de si mesmo novamente, e dormir" (Ellicott, *in loc.*).

■ 19.7

וַיָּשָׁב מַלְאַךְ יְהוָה שֵׁנִית וַיִּגַּע־בּוֹ וַיֹּאמֶר קוּם אֱכֹל כִּי רַב מִמְּךָ הַדָּרֶךְ:

Voltou segunda vez o anjo do Senhor. As curas físicas com frequência requerem tempo, com uma aplicação demorada de medicamentos. As curas espirituais podem tomar várias sessões de imposição de mãos para que, finalmente, alcancem eficácia. As curas da alma e da mente também podem levar algum tempo. Deus é o Deus da segunda chance; ele é o Deus do segundo toque. O anjo, pois, persistiu. E tocou em Elias de novo, alimentou-o novamente; e, dessa vez, fê-lo levantar-se sobre os próprios pés. Ele tinha uma longa viagem a fazer pelo deserto das perambulações de Israel e precisava de forças apropriadas para isso.

■ 19.8

וַיָּקָם וַיֹּאכַל וַיִּשְׁתֶּה וַיֵּלֶךְ בְּכֹחַ הָאֲכִילָה הַהִיא אַרְבָּעִים יוֹם וְאַרְבָּעִים לַיְלָה עַד הַר הָאֱלֹהִים חֹרֵב:

Caminhou quarenta dias e quarenta noites. *Quarenta* é um número significativo na Bíblia. É o número dos testes, e há nas Escrituras vários incidentes que o envolvem. Ver no *Dicionário* o verbete chamado *Quarenta* quanto a ilustrações a respeito. A viagem de Elias, das vizinhanças de Berseba até o monte Horebe, foi de cerca de 250 quilômetros na direção sul. Talvez Horebe fosse um pico do monte *Sinai* (ver a respeito no *Dicionário*) ou, pelo menos, uma elevação na mesma serra montanhosa. Alguns estudiosos, porém, supõem que esse nome designe o sistema inteiro do qual o Sinai era apenas parte. Ver no *Dicionário* o artigo chamado *Horebe*, quanto a detalhes. Não seriam necessários quarenta dias para completar a viagem, pelo que podemos supor que o profeta estivesse fazendo paradas ao longo do caminho, e isso não somente para descansar, mas também para recarregar as baterias espirituais. Ele seria sustentado por um poder miraculoso, *como se* o alimento que lhe fora servido pelo anjo tivesse esse poder por tanto tempo. Talvez se tratasse apenas de uma intervenção divina direta em seu benefício, a qual lhe emprestaria forças físicas mesmo que ele não recebesse novo alimento, um fenômeno conhecido nas experiências místicas. Ocasionalmente ouvimos falar em casos semelhantes. Quando esses casos são investigados, alguns revelam-se fraudes, e outros são reconhecidos como autênticos.

Seja como for, o profeta Elias aproximava-se de um local sagrado na história de Israel. O artigo citado anteriormente explica essa questão com detalhes, pelo que não repito aqui as informações. Elias seria libertado de seu *espírito amargo* e obteria novamente poder espiritual.

Cf. o jejum de quarenta dias de Moisés, quando ele recebeu a lei (ver Dt 9.9), bem como o jejum de quarenta dias de Jesus, quando ele foi submetido a teste e fortalecido pela ministração dos anjos (ver Mt 4.2).

■ 19.9

וַיָּבֹא־שָׁם אֶל־הַמְּעָרָה וַיָּלֶן שָׁם וְהִנֵּה דְבַר־יְהוָה אֵלָיו וַיֹּאמֶר לוֹ מַה־לְּךָ פֹה אֵלִיָּהוּ׃

Ali entrou numa caverna. *De Volta à Experiência da Caverna.* Elias ainda não estava curado espiritual e psicologicamente. Ele procurou uma caverna perto de Horebe (Sinai) para nela ocultar-se. Foi ali que Yahweh lhe transmitiu a sua *palavra*. Elias, pois, ouviu uma voz, teve uma visão e passou por alguma espécie de experiência mística. Ver no *Dicionário* o verbete denominado *Misticismo*.

"*Que Fazes Aqui, Elias?* A construção da frase é similar, em parte, à que figura em 1Rs 17.18, na qual a pessoa endereçada é considerada fora de sua província, onde não tinha negócio algum para fazer" (Norman H. Snaith, *in loc.*).

Uma *caverna* era, dificilmente, um lugar onde o profeta Elias deveria estar. Ali ele continuaria a nutrir os seus temores. Ele precisava ser tirado da caverna, ou a causa estaria perdida. Há nisso uma *lição moral*. Quantos de nós não nos ocultamos em nossas cavernas psicológicas, temendo sair e lutar por nossa missão!

■ 19.10

וַיֹּאמֶר קַנֹּא קִנֵּאתִי לַיהוָה אֱלֹהֵי צְבָאוֹת כִּי־עָזְבוּ בְרִיתְךָ בְּנֵי יִשְׂרָאֵל אֶת־מִזְבְּחֹתֶיךָ הָרָסוּ וְאֶת־נְבִיאֶיךָ הָרְגוּ בֶחָרֶב וָאִוָּתֵר אֲנִי לְבַדִּי וַיְבַקְשׁוּ אֶת־נַפְשִׁי לְקַחְתָּהּ׃

Tenho sido zeloso pelo Senhor. Deus é um Deus de ciúmes (ver Dt 4.24; 5.9; 6.15; 32.6,21). Elias, como representante de Deus, também zelava pelo yahwismo, por seu culto e por suas expressões tradicionais. Por isso mesmo odiava o baalismo e opunha-se ferozmente a esse culto. Entrementes, virtualmente todo o povo de Israel havia abandonado seus fundamentos e se tornado não melhor do que os pagãos. O rei Acabe e sua horrenda esposa Jezabel eram promotores desavergonhados do culto a Baal. A coisa inteira estava podre, de alto a baixo. Os profetas de Yahweh tinham sido mortos, ou estavam escondidos (ver 1Rs 18.4). Obadias conseguir salvar cem desses profetas, escondendo-os em cavernas, conforme nos mostra a referência. Elias, pois, esqueceu, pelo menos momentaneamente, que ainda havia aqueles cem profetas restantes. Naturalmente, eles estavam ocultos em suas cavernas, mas isso não fazia nenhuma diferença prática. Elias também desconhecia os outros sete mil profetas (ver o vs. 18), e saber disso provavelmente não faria grande diferença em seu estado psicológico.

ele tinha sido muito zeloso pelo Senhor, mas o próprio Senhor não se mostrara zeloso para com ele, permitindo que aquela rebelião aberta prevalecesse, a matança de seus profetas, a destruição de seu culto. Até parecia que Yahweh havia abandonado, desgostoso, toda a massa triste, não se importando mais com o seu profeta.

■ 19.11

וַיֹּאמֶר צֵא וְעָמַדְתָּ בָהָר לִפְנֵי יְהוָה וְהִנֵּה יְהוָה עֹבֵר וְרוּחַ גְּדוֹלָה וְחָזָק מְפָרֵק הָרִים וּמְשַׁבֵּר סְלָעִים לִפְנֵי יְהוָה לֹא בָרוּחַ יְהוָה וְאַחַר הָרוּחַ רַעַשׁ לֹא בָרַעַשׁ יְהוָה׃

Disse-lhe Deus: Sai, e põe-te neste monte perante o Senhor. Elias saiu da caverna e chegou ao lugar sagrado onde Moisés havia recebido a lei. À semelhança de Moisés, ali Elias passou por experiências poderosas. Yahweh aproximou-se, e a aparição produziu um vento aterrorizante que rasgou os montes e quebrou em pedaços as rochas. Algo divino é obviamente indicado *como* o vento. No entanto, Yahweh não estava *no vento*, embora o tivesse causado. E, então, de súbito, um terremoto atingiu a área. Aquilo que o vento não despedaçara, o terremoto destruiu. Foi uma manifestação aterrorizante; mas Yahweh também não estava no terremoto, embora o tivesse causado. Compare as descrições deste versículo com as que expõem as experiências de Moisés no mesmo lugar (Êx 19.16-18). "... houve espetacular demonstração do poder de Deus" (Thomas L. Constable, *in loc.*).

■ 19.12

וְאַחַר הָרַעַשׁ אֵשׁ לֹא בָאֵשׁ יְהוָה וְאַחַר הָאֵשׁ קוֹל דְּמָמָה דַקָּה׃

Um fogo. Um grande incêndio seguiu-se ao terremoto. Foi aterrorizante, mas Yahweh também não estava no fogo, embora o tivesse causado. O Targum atribui todos esses acontecimentos à presença de anjos que produziram os diversos fenômenos, e isso corresponde à ministração dos anjos quando a lei foi dada (ver Gl 3.19).

Um cicio tranquilo e suave. O hebraico diz, literalmente, "um som de gentil silêncio" (cf. Jó 4.16). O silêncio tinha algo para dizer. "O escritor sacro pensava em silêncio melancólico, que, ainda assim, podia ser ouvido. O vento, o terremoto e o fogo foram os precursores da presença divina... Esses fenômenos são os que acompanham as teofanias regulares no Antigo Testamento (ver Êx 10.16,18; Sl 18.7-15)" (Norman H. Snaith, *in loc.*).

Uma Lição Moral. A presença divina não podia ser encontrada no grande ruído e no despedaçar das rochas. Também não estava no estremecimento do solo. Mas estava naquele silêncio. Algumas vezes, a ostentação e o barulho imitam a espiritualidade.

"... uma voz, não rouca, mas gentil, mais como um cicio do que como um rugido; algumas vezes suave, fácil e musical. O Targum fala das vozes que louvam a Deus em silêncio... O evangelho é uma voz gentil de amor, graça, misericórdia e paz. Se a lei foi acompanhada por relâmpagos e terremotos (ver Hb 12.18; Êx 19.18)... Bem-aventurados os que ouvem a voz tranquila do evangelho" (John Gill, *in loc.*).

Não por força nem por poder, mas pelo meu Espírito, diz o Senhor dos Exércitos.

Zacarias 4.6

■ 19.13

וַיְהִי כִּשְׁמֹעַ אֵלִיָּהוּ וַיָּלֶט פָּנָיו בְּאַדַּרְתּוֹ וַיֵּצֵא וַיַּעֲמֹד פֶּתַח הַמְּעָרָה וְהִנֵּה אֵלָיו קוֹל וַיֹּאמֶר מַה־לְּךָ פֹה אֵלִיָּהוּ׃

Ouvindo-o Elias. Elias ouviu a voz e soube que estava na presença do Ser divino. Cobriu o rosto com a sua manta, como que para proteger-se da presença divina e demonstrar respeito. Elias saiu e prostrou-se à entrada da caverna, esperando ouvir mais. Estando ali, a voz tornou a ouvir-se: "Que fazes aqui, Elias?" (repetindo a interrogação do vs. 9, e com os mesmos propósitos). Moisés havia ocultado o rosto na presença da sarça ardente, porque temia olhar para Deus (ver Êx 3.6). A pergunta feita por Yahweh provocou a mesma resposta que tinha arrancado antes do profeta (cf. os vss. 10 e 14). O anjo falara no vs. 9; e Yahweh falou aqui pessoalmente.

"Entre os asiáticos, encobrir o rosto é sinal de respeito, da mesma forma que descobrir a cabeça é sinal de respeito para os europeus" (Adam Clarke, *in loc.*).

■ 19.14

וַיֹּאמֶר קַנֹּא קִנֵּאתִי לַיהוָה אֱלֹהֵי צְבָאוֹת כִּי־עָזְבוּ בְרִיתְךָ בְּנֵי יִשְׂרָאֵל אֶת־מִזְבְּחֹתֶיךָ הָרָסוּ וְאֶת־נְבִיאֶיךָ הָרְגוּ בֶחָרֶב וָאִוָּתֵר אֲנִי לְבַדִּי וַיְבַקְשׁוּ אֶת־נַפְשִׁי לְקַחְתָּהּ׃ ס

Este versículo é igual ao vs. 10, cujas notas expositivas também se aplicam aqui. O vs. 10 encerra a resposta dada pelo anjo que veio tocar Elias. Este versículo é a resposta de Yahweh que apareceu em meio ao silêncio. A mensagem dada a Elias foi uma mensagem de destruição. A casa de Acabe e sua idolatria seriam aniquiladas pela espada. A *destruição* viria de várias direções, conforme indicam os versículos seguintes.

■ **19.15**

וַיֹּאמֶר יְהוָה אֵלָיו לֵךְ שׁוּב לְדַרְכְּךָ מִדְבַּרָה דַמָּשֶׂק וּבָאתָ וּמָשַׁחְתָּ אֶת־חֲזָאֵל לְמֶלֶךְ עַל־אֲרָם׃

Vai, volta ao teu caminho para o deserto de Damasco. A Elias foi ordenado que voltasse a Damasco, que ficava cerca de 640 quilômetros ao norte. seu propósito nessa ida a Damasco seria ungir Hazael (ver no *Dicionário*) como rei da Síria. Ele se tornaria um agente "estrangeiro" para castigar a Israel. O que Hazael não destruísse em Israel, Jeú (rei de Israel) aniquilaria (vs. 17). Jeú seria um agente do *próprio país* para livrar a terra da casa e da idolatria de Acabe. Somente uma tremenda violência poderia corrigir aquela situação terrivelmente corrupta.

"Na sequência, *Elias* seria o responsável pela unção de Jeú (ver 2Rs 9.1-6) e também por incitar Hazael a assassinar seu senhor e usurpar o trono do rei sírio de Damasco (ver 2Rs 8.7-15)" (Norman H. Snaith, *in loc.*).

Mandamentos de Deus para Elias partir: cf. 1Rs 17.3,9; 18.1; 21.18; 2Rs 1.3,15.

As Três Unções: a de Hazael, a de Jeú e a de Eliseu, que seria o sucessor de Elias. Essas unções produziriam mudanças drásticas em Israel. Ver no *Dicionário* o artigo chamado *Unção*.

Não há registro de que Elias tenha ido a Damasco. Portanto, podemos supor que Eliseu foi no lugar dele, e assim completou a missão de Elias, atuando como companheiro de tarefas.

■ **19.16**

וְאֵת יֵהוּא בֶן־נִמְשִׁי תִּמְשַׁח לְמֶלֶךְ עַל־יִשְׂרָאֵל וְאֶת־אֱלִישָׁע בֶּן־שָׁפָט מֵאָבֵל מְחוֹלָה תִּמְשַׁח לְנָבִיא תַּחְתֶּיךָ׃

A Jeú, filho de Ninsi. Ver no *Dicionário* o artigo sobre *Jeú*. Jeú removeria Acabe do trono com violência, indo a Jezreel para matar aquele homem, sua horrenda esposa Jezabel e toda a casa deles. Jeú era uma máquina exterminadora. Mas a despeito de seus esforços, nem toda a idolatria foi removida de Israel. Aquele homem violento acabou sofrendo uma morte violenta. Jeú foi o décimo rei da nação do norte, Israel. Ver no *Dicionário* o artigo chamado *Israel, Reino de*, no qual os reis de Israel são listados e descritos brevemente. Ver também o verbete intitulado *Rei, Realeza*, que oferece um gráfico dos reis de Israel e Judá, comparando-os cronologicamente com os reis dos territórios circunvizinhos.

Jeú foi ungido rei de Israel por Eliseu, e não por Elias (ver 2Rs 9.1-6), porquanto Eliseu foi o sucessor de Elias e ficou com sua manta (ver 1Rs 19.19). Não nos é contado sobre a unção de Eliseu, mas presumimos que isso tenha feito parte da cena quando ele assumiu o lugar de Elias.

■ **19.17**

וְהָיָה הַנִּמְלָט מֵחֶרֶב חֲזָאֵל יָמִית יֵהוּא וְהַנִּמְלָט מֵחֶרֶב יֵהוּא יָמִית אֱלִישָׁע׃

Aniquilamento Total. O inimigo estrangeiro, Hazael, desferiria contra Israel um golpe devastador. Jeú entraria em cena para exterminar o que restasse. A antiga síndrome do pecado-calamidade funcionaria de novo. Os homens jamais aprendem com a história. Ver 2Rs 10.32,33 quanto à primeira matança, e ver 2Rs 9.24,33 e 10.1-11 quanto à segunda. Outros registros de extraordinária violência aparecem no Antigo Testamento no tocante a *Jeú*, e o artigo no *Dicionário* conta tudo.

■ **19.18**

וְהִשְׁאַרְתִּי בְיִשְׂרָאֵל שִׁבְעַת אֲלָפִים כָּל־הַבִּרְכַּיִם אֲשֶׁר לֹא־כָרְעוּ לַבַּעַל וְכָל־הַפֶּה אֲשֶׁר לֹא־נָשַׁק לוֹ׃

Também conservei em Israel sete mil. O remanescente fiel de Israel consistia naqueles sete mil homens, embora eles estivessem escondidos e se mantivessem quietos para salvar a própria vida. Contudo, serviriam de núcleo de um movimento de reforma que restauraria a sanidade a Israel. Naturalmente, isso aconteceu, mas seus efeitos não perduraram por longo tempo. A antiga síndrome do pecado-calamidade logo voltou e permaneceu poderosa até o cativeiro assírio (ver a respeito no *Dicionário*), quando o norte, Israel, deixou de existir como nação.

O texto hebraico está no futuro: "Também conservarei em Israel sete mil". E essa declaração pode indicar que, sem importar quão terrível fosse a apostasia, sempre haveria alguns "poucos fiéis" para começar tudo de novo. Cf. Is 10.20 e 11.11-16. Se o presente deve ser incluído nessa promessa, então Elias foi repreendido por pensar que estava *sozinho* (ver o vs. 14). As coisas estavam terríveis, mas não tão ruins quanto ele pensava.

Toda boca que o não beijou. O beijo de respeito sempre fez parte da idolatria. Ver Plínio (*Hist. Nat.* lib. xxviii. cap. 2). As imagens nojentas eram beijadas pelos adeptos de diversos cultos. Cf. Os 13.2. Os árabes, em nossos dias, beijam a pedra sagrada (a Caaba), em Meca. Os italianos e visitantes beijam os pés da imagem que representa Pedro, em Roma. As imagens locais, bem como as que são guardadas em casa, são objetos feitos para serem beijados.

A Restauração de Israel. Que o povo de Israel será finalmente restaurado é um ensino do Novo Testamento, em Rm 11.2-4,26,27. É nesse trecho que Paulo usa a ilustração do remanescente que não se prostrou diante de Baal para mostrar que nunca deixaria de haver judeus que se convertessem. Ver no *Dicionário* o artigo chamado *Restauração de Israel*, quanto a detalhes sobre esse assunto.

■ **19.19**

וַיֵּלֶךְ מִשָּׁם וַיִּמְצָא אֶת־אֱלִישָׁע בֶּן־שָׁפָט וְהוּא חֹרֵשׁ שְׁנֵים־עָשָׂר צְמָדִים לְפָנָיו וְהוּא בִּשְׁנֵים הֶעָשָׂר וַיַּעֲבֹר אֵלִיָּהוּ אֵלָיו וַיַּשְׁלֵךְ אַדַּרְתּוֹ אֵלָיו׃

Partiu, pois, Elias dali e achou a Eliseu. Ver no *Dicionário* o artigo sobre *Eliseu*, quanto a descrições completas. Elias nunca faria a viagem para o norte, para Damasco (vs. 15). Seu tempo de partida deste mundo estava próximo. Ele precisava de um substituto, um sucessor. A hora exigia um homem dotado de grande poder espiritual, pelo que Eliseu foi ungido (embora isso não seja dito especificamente; ver no *Dicionário* o artigo chamado *Unção*). Ver o vs. 16 quanto à intenção. Além disso, Eliseu recebeu a manta de Elias, sinal de seu oficio. Eliseu estava no campo arando com doze juntas de bois; mas seus dias como agricultor estavam terminando. Ele foi chamado para uma missão superior em um momento crítico da história de Israel.

E lançou o seu manto sobre ele. O manto de Elias era feito de peles de animais recobertas de pelos. Usualmente era empregado o couro de cabra, com os pelos pelo lado de fora. Esse manto era parte distintiva das vestes de um profeta e o identificava como um vidente. Ver 2Rs 1.8; Mt 3.4; Zc 13.4. Acreditava-se que o poder espiritual era transferido ao profeta por meio do seu manto (ver 2Rs 2.13,14). Naturalmente, pensamos que isso era um ato meramente simbólico, mas nos tempos antigos as mantas dos profetas eram consideradas seriamente objetos de poder. O ato com a manta também era usado para adotar uma criança, pelo que, simbolicamente, Eliseu se tornou filho de Elias, que seguiria para a grandeza espiritual.

■ **19.20**

וַיַּעֲזֹב אֶת־הַבָּקָר וַיָּרָץ אַחֲרֵי אֵלִיָּהוּ וַיֹּאמֶר אֶשְּׁקָה־נָּא לְאָבִי וּלְאִמִּי וְאֵלְכָה אַחֲרֶיךָ וַיֹּאמֶר לוֹ לֵךְ שׁוּב כִּי מֶה־עָשִׂיתִי לָךְ׃

Então deixou este os bois. Eliseu partiu prontamente, tal como os discípulos de Jesus abandonaram suas redes de pescar e puseram-se a segui-lo (ver Mt 4.20). As pessoas que conheceram grandes gigantes espirituais confirmam o fato de que a chamada deles é tão impelidora que é apenas natural segui-los, deixando para trás sua vida antiga, sem muita reflexão ou hesitação. Ver na *Enciclopédia de Bíblia, Teologia e Filosofia* o verbete chamado *Sathya Sai Baba*, quanto a um caso moderno dessa espécie de coisa.

A Breve Demora. Eliseu estava disposto a seguir com Elias, mas primeiramente quis ir à sua casa despedir-se de seu pai e de sua mãe.

Essa petição lhe foi concedida. Eliseu imediatamente organizou suas coisas, teve sua triste cena de "despedida" e, ato contínuo, reuniu-se a Elias na nova vida. Certa feita, Jesus recebeu petição semelhante de um de seus discípulos potenciais, mas não a concedeu. Ver Lc 9.61,62. Provavelmente o Senhor sabia que um retorno à casa significaria uma permanência definitiva ali. Faltava ao homem o poder da resolução, mas esse não foi o caso de Eliseu. Ademais, havia um destino a ser cumprido no caso de Eliseu, enquanto o discípulo potencial de Jesus estava entusiasmado por breve momento, e não tinha nenhum destino a cumprir com Jesus, naquela oportunidade.

Já sabes o que fiz contigo. Essa é a tradução de uma expressão idiomática hebraica que tem deixado os intérpretes perplexos. Talvez signifique algo como "Faz como quiseres"; ou então, "Que tenho feito para deter-te?" (Thomas L. Constable, *in loc.*). Adam Clarke conjecturou o seguinte: "tua chamada não partiu de mim, mas de Deus; a ele, e não a mim, tens a responsabilidade de usar e abusar desse direito". Isso teria reforçado a determinação de Eliseu, visto que sua missão era divina.

■ **19.21**

וַיָּ֨שָׁב מֵאַחֲרָ֜יו וַיִּקַּ֣ח אֶת־צֶ֧מֶד הַבָּקָ֣ר וַיִּזְבָּחֵ֗הוּ וּבִכְלִ֤י הַבָּקָר֙ בִּשְּׁלָ֣ם הַבָּשָׂ֔ר וַיִּתֵּ֥ן לָעָ֖ם וַיֹּאכֵ֑לוּ וַיָּ֗קָם וַיֵּ֛לֶךְ אַחֲרֵ֥י אֵלִיָּ֖הוּ וַיְשָׁרְתֵֽהוּ׃ פ

Tendo chegado em casa, Eliseu preparou uma refeição que pode ter envolvido um sacrifício sagrado; ele usou as partes de madeira dos aparelhos dos bois como combustível; assim comungou com seus familiares e consolou aos que iria deixar para trás. "Os agricultores e outros reuniram-se para celebrar a ocasião e Eliseu ofereceu uma festa para expressar a eles sua alegria por ter sido chamado... Em seguida, Eliseu se levantou, abdicando de seu emprego mundano e das riquezas que herdaria; deixou seus pais e seus amigos, e passou a seguir o profeta" (John Gill, *in loc.*).

E o servia. Eliseu tornou-se servo e aprendiz de Elias. Ele tinha servido bem à sua família. Agora seria fiel e útil ao antigo profeta e, em breve, tomaria o seu lugar.

Eliseu doravante andaria no que é divino. Ele tinha um excelente professor e aprenderia grandes e profundas verdades, e testemunharia poderosos sinais. sua vida sofrera uma reviravolta completa porque ele fora escolhido para ser um instrumento especial de poder, naquela hora de crise. O relato subsequente demonstra que ele cumpriu bem a sua missão, com todas as suas forças, e assim deu um exemplo a todos os que se seguiriam.

CAPÍTULO VINTE

ACABE E OS SÍRIOS (20.1-43)

Yahweh predissera que Acabe, cuja estrela estava em queda, teria inimigos externos e internos (ver 1Rs 19.15 ss.). Hazael, que mataria o rei da Síria (Ben-Hadade II) e usurparia o trono, seria o principal agente estrangeiro de sofrimentos para o apóstata Acabe e para a apostatada nação de Israel, a nação do norte.

Houve guerras quase contínuas entre Israel e a Síria. Agora a maré haveria de virar em favor dos estrangeiros do norte. Estava em jogo a própria continuação da existência do reino do norte, Israel. Acabe obteve duas vitórias e assim livrou-se de tornar-se rei vassalo da Síria. Mas a guerra e o derramamento de sangue não estavam terminados. Hazael continuava esperando cumprir sua missão no palco da violência. Ele agiria de melhor maneira que fizera *Ben-Hadade* (ver sobre ele no *Dicionário*). Ver também ali o verbete *Ben-Hadade II*, quanto à história daquele tempo posterior.

Este capítulo descreve a primeira batalha, dentre as *três* que serão relatadas acerca de como Acabe foi atacado pelos sírios e, finalmente, perdeu a guerra. Ver 1Rs 20.26-43 e 22.1-38.

■ **20.1**

וּבֶן־הֲדַ֣ד מֶֽלֶךְ־אֲרָ֗ם קָבַץ֙ אֶת־כָּל־חֵיל֔וֹ וּשְׁלֹשִׁ֥ים וּשְׁנַ֖יִם מֶ֣לֶךְ אִתּ֑וֹ וְס֣וּס וָרָ֔כֶב וַיַּ֕עַל וַיָּ֥צַר עַל־שֹׁמְר֖וֹן וַיִּלָּ֥חֶם בָּֽהּ׃

Ben-Hadade, rei da Síria. Ver detalhes sobre ele no *Dicionário*. Ele seria um látego para Acabe, pois continuaria a síndrome do pecado-calamidade até que o norte fosse obliterado da face da terra pelo cativeiro assírio (ver a respeito no *Dicionário*).

A Aliança. Uma situação quase impossível se desenvolveu quando o rei da Síria fez uma aliança com 32 reis vassalos (governantes de pequenas cidades-estados), que se juntariam a ele no ataque a Acabe. Eles se atiraram contra Samaria, a capital da nação do norte, com muitos cavalos e carros de combate. Yahweh, porém, não permitiria que Acabe caísse por enquanto, tornando-se mero rei vassalo da Síria. Ele teria de combater e ganhar, a fim de lutar ainda outro dia e perder. sua punição viria lentamente e através de muitas *vicissitudes violentas*.

Alguns anos antes, o rei Asa (de Judá) fez com que o rei da Síria atacasse Baasa (1Rs 15.18,20; 20.34). Mas as alianças nunca perduravam quando um dos lados achava conveniente ignorá-las. Além disso, o norte, Israel, era uma nação separada, e nenhuma aliança feita com o sul prosperaria.

O vs. 34 parece dizer que o Ben-Hadade que figura neste texto era filho de um rei sírio que obtivera vitória contra Onri. O título, Ben-Hadade, uma designação real, era herdado.

■ **20.2,3**

וַיִּשְׁלַ֧ח מַלְאָכִ֛ים אֶל־אַחְאָ֥ב מֶֽלֶךְ־יִשְׂרָאֵ֖ל הָעִֽירָה׃

וַיֹּ֣אמֶר ל֗וֹ כֹּ֚ה אָמַ֣ר בֶּן־הֲדַ֔ד כַּסְפְּךָ֥ וּזְהָבְךָ֖ לִֽי־ה֑וּא וְנָשֶׁ֧יךָ וּבָנֶ֛יךָ הַטּוֹבִ֖ים לִֽי־הֵֽם׃

A Ameaça e a Exigência. O poder de Ben-Hadade era avassalador. Era óbvio que ele venceria Acabe e o reino do norte, Israel. Portanto, ele generosamente não atacaria, se a nação de Israel simplesmente desistisse e se tornasse província vassala da Síria. De fato, Israel se tornaria escravo da Síria, onde as esposas e os filhos dos israelitas seriam dispostos conforme o rei sírio desejasse, e onde todas as possessões materiais se tornariam dele. A exigência foi arrogante e grandemente exagerada. O rei sírio queria uma *rendição incondicional*. Ele recusava condições de qualquer espécie. Havia muita coisa em jogo para Acabe. Ele tinha cerca de setenta filhos (ver 2Rs 10.1), e quem sabe quantas esposas! Perderia tudo e seria submetido à grande humilhação. Além disso, no fim de tudo, seria executado, como era a prática comum nos tempos antigos. Os antigos reis não desapareciam simplesmente; eram executados.

■ **20.4-6**

וַיַּ֤עַן מֶֽלֶךְ־יִשְׂרָאֵל֙ וַיֹּ֔אמֶר כִּדְבָרְךָ֖ אֲדֹנִ֣י הַמֶּ֑לֶךְ לְךָ֥ אֲנִ֖י וְכָל־אֲשֶׁר־לִֽי׃

וַיָּשֻׁ֙בוּ֙ הַמַּלְאָכִ֔ים וַיֹּ֣אמְר֔וּ כֹּֽה־אָמַ֥ר בֶּן־הֲדַ֖ד לֵאמֹ֑ר כִּֽי־שָׁלַ֤חְתִּי אֵלֶ֙יךָ֙ לֵאמֹ֔ר כַּסְפְּךָ֧ וּזְהָבְךָ֛ וְנָשֶׁ֥יךָ וּבָנֶ֖יךָ לִ֥י תִתֵּֽן׃

כִּ֣י ׀ אִם־כָּעֵ֣ת מָחָ֗ר אֶשְׁלַ֤ח אֶת־עֲבָדַי֙ אֵלֶ֔יךָ וְחִפְּשׂוּ֙ אֶת־בֵּ֣יתְךָ֔ וְאֵ֖ת בָּתֵּ֣י עֲבָדֶ֑יךָ וְהָיָה֙ כָּל־מַחְמַ֣ד עֵינֶ֔יךָ יָשִׂ֥ימוּ בְיָדָ֖ם וְלָקָֽחוּ׃

No começo, desesperado, Acabe concordou em tornar-se rei vassalo de Ben-Hadade. Mas Ben-Hadade jamais se satisfazia. Ele agora queria humilhar Acabe e sua família! Enviaria mensageiros e faria uma busca no palácio (e, sem dúvida, nos lares dos ricos) para certificar-se de que todos os bens de valor fossem levados para a Síria (vs. 6). Não haveria complacência. As pobres mulheres e as crianças seriam sujeitadas a violência e abusos. As esposas seriam enviadas para os haréns da Síria, e as crianças seriam subjugadas a trabalho escravo. Os vss. 4 e 5 falam de rendição completa; o vs. 6 fala em humilhação completa. Acabe não seria dono de coisa alguma, nem mesmo de seu orgulho próprio. A princípio, Ben-Hadade mostrou-se liberal, não realizando a parte que implicava humilhação. Mas ao ver quão fraco era Acabe, resolveu humilhá-lo. Afinal, já tinham acontecido muitas guerras, e a Síria havia sido humilhada por Israel. Agora chegara a vez de Israel sofrer desgraça. Ben-Hadade estava a ponto de pilhar Israel, e não meramente reduzi-lo a um estado vassalo.

"É evidente que Ben-Hadade tencionava saquear a cidade inteira e, depois de ter tomado os tesouros reais, as esposas e os filhos do rei, entregar a totalidade à pilhagem por parte de seus soldados" (Adam Clarke, *in loc.*).

■ 20.7

וַיִּקְרָא מֶלֶךְ־יִשְׂרָאֵל לְכָל־זִקְנֵי הָאָרֶץ וַיֹּאמֶר דְּעוּ־נָא
וּרְאוּ כִּי רָעָה זֶה מְבַקֵּשׁ כִּי־שָׁלַח אֵלַי לְנָשַׁי וּלְבָנַי
וּלְכַסְפִּי וְלִזְהָבִי וְלֹא מָנַעְתִּי מִמֶּנּוּ׃

Então o rei de Israel chamou a todos os anciãos da sua terra. *O Retorno à Sanidade.* De súbito, Acabe viu que nenhuma guerra haveria de reduzi-lo a condição tão vil como se ele concordasse com os termos desarrazoados e arrogantes do rei da Síria. Portanto, ele chamou os *anciãos* de sua terra (oficiais militares, sacerdotes, chefes de tribos, homens idosos e veneráveis) para aconselhar-se. Acabe repetiu diante deles todas as terríveis ameaças e exigências de Ben-Hadade, e imediatamente eles entenderam o quadro. O propósito de Acabe era despertá-los para a ira e a ação. A guerra, da noite para o dia, passara a ser uma alternativa viável, a despeito do poder esmagador da Síria.

Os Anciãos. Ver Êx 3.16; 12.21; 24.1; Dt 27.1; 31.9; Js 7.6; 2Sm 5.3; 1Rs 8.3. Ver também Nm 11.24,25 quanto à nomeação de setenta anciãos especiais. Cada tribo e cada aldeia tinha seu corpo secundário de anciãos, os deputados dos grandes anciãos. Ver 1Sm 30.26; Dt 19.12 e 21.3. A autoridade dos anciãos podia ser desfeita pela autoridade do rei, mas ter o apoio deles era importante em qualquer programa de defesa nacional.

■ 20.8

וַיֹּאמְרוּ אֵלָיו כָּל־הַזְּקֵנִים וְכָל־הָעָם אַל־תִּשְׁמַע וְלוֹא תֹאבֶה׃

Não lhe dês ouvidos, nem o consintas. Os anciãos concordaram que era impossível aceitar os termos impostos por Ben-Hadade. Mas também se mostraram bastante cautelosos. Pelo menos Acabe ainda estava disposto a aceitar as primeiras exigências. Israel se tornaria um estado vassalo da Síria. Mas o rei não permitiria o saque nem a humilhação. Podemos ter certeza de que os anciãos do país o aconselharam segundo essa linha.

■ 20.9

וַיֹּאמֶר לְמַלְאֲכֵי בֶן־הֲדַד אִמְרוּ לַאדֹנִי הַמֶּלֶךְ כֹּל
אֲשֶׁר־שָׁלַחְתָּ אֶל־עַבְדְּךָ בָרִאשֹׁנָה אֶעֱשֶׂה וְהַדָּבָר
הַזֶּה לֹא אוּכַל לַעֲשׂוֹת וַיֵּלְכוּ הַמַּלְאָכִים וַיְשִׁבֻהוּ דָּבָר׃

Pelo que disse aos mensageiros de Ben-Hadade. Os mensageiros foram enviados de volta a Ben-Hadade para comunicar a decisão de Israel. Foi uma decisão acovardada, que permitia a escravidão, sem nenhuma oposição, mas rejeitava a humilhação e o saque. Em outras palavras, o que fora dito no vs. 3 foi aceito; mas não o que fora dito no vs. 6.

■ 20.10

וַיִּשְׁלַח אֵלָיו בֶּן־הֲדַד וַיֹּאמֶר כֹּה־יַעֲשׂוּן לִי
אֱלֹהִים וְכֹה יוֹסִפוּ אִם־יִשְׂפֹּק עֲפַר שֹׁמְרוֹן
לִשְׁעָלִים לְכָל־הָעָם אֲשֶׁר בְּרַגְלָי׃

Ben-Hadade tornou a enviar mensageiros, dizendo. *Ben-Hadade Ficou Enraivecido!* ele não permitiria que Acabe ditasse as normas! Enviaria terrores tais contra Samaria que o lugar seria transformado em *poeira.* E haveria *tantos soldados sírios* para saquear e matar, que não haveria poeira suficiente para cada soldado tomar uma mão cheia de volta para a Síria. "... se cada soldado tomasse um punhado de poeira das ruínas de Samaria, não haveria suficiente para eles todos, o que foi uma linguagem exagerada e hiperbólica, falada em sua ira e fúria" (John Gill, *in loc.*).

"O historiador, com um toque de escárnio, pintou Ben-Hadade como um luxurioso e insolente boca grande. Ele recebeu essa mensagem durante uma festa, na qual estava embriagado... e ordenou aos servos que atacassem imediatamente" (Ellicott, *in loc.*).

Em vez de pagar tributo e ser saqueada, Samaria seria totalmente destruída, conforme pensava Ben-Hadade. Mas a vitória nem sempre pertence aos mais fortes.

■ 20.11

וַיַּעַן מֶלֶךְ־יִשְׂרָאֵל וַיֹּאמֶר דַּבְּרוּ אַל־יִתְהַלֵּל חֹגֵר כִּמְפַתֵּחַ׃

"... em outras palavras, aquele que se prepara para a batalha, que não deposite as suas armas, como se já tivesse obtido a vitória. Nenhum homem se considere vitorioso antes de a batalha terminar e de a vitória ser conquistada. Os eventos da guerra são incertos; a batalha nem sempre é ganha pelo mais forte" (John Gill, *in loc.*) O original hebraico tem apenas três palavras, sujeitadas a diversas interpretações, mas o que John Gill afirmou antes nos dá a essência do que foi dito. As palavras, muito provavelmente, eram uma declaração proverbial espirituosa.

■ 20.12

וַיְהִי כִּשְׁמֹעַ אֶת־הַדָּבָר הַזֶּה וְהוּא שֹׁתֶה הוּא
וְהַמְּלָכִים בַּסֻּכּוֹת וַיֹּאמֶר אֶל־עֲבָדָיו שִׂימוּ וַיָּשִׂימוּ עַל־הָעִיר׃

Ponde-vos de prontidão. *Ben-Hadade Estava Embriagado.* Mas ainda teve bom senso suficiente para ordenar que as forças sírias se aprontassem para obedecer-lhe imediatamente, tendo enviado seus oficiais para prepararem o caminho. As negociações entre a Síria e Israel estavam completamente rompidas. O rei da Síria havia apostado alto demais, Israel não estava disposto a pagar o preço da *paz* oferecida por Ben-Hadade.

Embora fosse apenas meio-dia (vs. 16), aqueles homens ímpios e maus já estavam bêbados, o que sugere que, com frequência, eles se entregavam ao deboche. Parece que o rei da Síria fizera preparativos apressados, o que beneficiava a nação de Israel. Os sírios tinham-se preparado às pressas, mas isso não significava despreparo.

■ 20.13

וְהִנֵּה נָבִיא אֶחָד נִגַּשׁ אֶל־אַחְאָב מֶלֶךְ־יִשְׂרָאֵל וַיֹּאמֶר
כֹּה אָמַר יְהוָה הֲרָאִיתָ אֵת כָּל־הֶהָמוֹן הַגָּדוֹל הַזֶּה
הִנְנִי נֹתְנוֹ בְיָדְךָ הַיּוֹם וְיָדַעְתָּ כִּי־אֲנִי יְהוָה׃

Uma Revelação Surpreendente. Um profeta, cujo nome não foi dado, chegou e assegurou a Acabe, pela palavra do Deus de Israel, a saber, Yahweh, que Israel obteria notável e surpreendente vitória sobre o exército esmagador da Síria. Sem dúvida, Israel estava angustiado. Mas Yahweh, em sua misericórdia, aliviou essa ansiedade assegurando-lhes a vitória e dando-lhes algumas ideias de quando e como dirigir a batalha. A razão dessa misericórdia era, novamente, mostrar que *Yahweh* era o Deus deles. Era também outra advertência para abandonarem de vez a idolatria. Não muita coisa fora feita nessa direção, desde a vitória de Elias sobre os sacerdotes de Baal, no monte Carmelo (capítulo 18). Deus é o Deus da segunda oportunidade.

Procurando preencher os hiatos, os autores judeus especulam sobre a identidade do profeta, mas não há como descobri-la, nem isso é importante. Há inúmeras pessoas sem nome, lá fora, cumprindo seus deveres e suas missões, cuja identidade não é conhecida. Podemos estar certos de que esse profeta não foi nem Elias nem Eliseu, pois, nesse caso, seus nomes teriam sido registrados.

■ 20.14

וַיֹּאמֶר אַחְאָב בְּמִי וַיֹּאמֶר כֹּה־אָמַר יְהוָה בְּנַעֲרֵי שָׂרֵי
הַמְּדִינוֹת וַיֹּאמֶר מִי־יֶאְסֹר הַמִּלְחָמָה וַיֹּאמֶר אָתָּה׃

Acabe tinha uma dúvida vital. *Por meio de quem* essa vitória seria obtida? Em outras palavras, quais *agentes humanos* seriam os instrumentos de Yahweh para produzir a vitória? A resposta foi que os *jovens oficiais* dos governantes de todas as províncias perfariam uma boa força de combate, e o próprio Acabe seria o general do exército. Nenhum homem se levantou para ser rei, que não fosse homem de guerra, pelo que podemos supor seguramente que Acabe saberia o que fazer, como liderar, planejar e combater. Além disso, com a mente acesa pelos insultos de Ben-Hadade, teria sua disposição aguçada e sua vontade fortalecida.

■ 20.15

וַיִּפְקֹד אֶת־נַעֲרֵי שָׂרֵי הַמְּדִינוֹת וַיִּהְיוּ מָאתַיִם שְׁנַיִם וּשְׁלֹשִׁים וְאַחֲרֵיהֶם פָּקַד אֶת־כָּל־הָעָם כָּל־בְּנֵי יִשְׂרָאֵל שִׁבְעַת אֲלָפִים׃

Chefes das províncias. A palavra "províncias" vem do vocábulo persa que significa "distritos". É usada por quatro vezes neste capítulo, e muito raramente em outros capítulos. A palavra era de origem nortista e, visto que o inimigo vinha do norte, era natural usá-la na narrativa. No siríaco e no árabe essa palavra veio a significar "cidade" e tomou a forma de '*el-Medina*' (vindo de *mehinoth*).

Os *oficiais* teriam a tarefa de juntar um exército com os melhores homens disponíveis. A eles seriam dados poder e sabedoria especial. Haveria um elemento divino na batalha, e isso é que faria a diferença.

Os oficiais das províncias formavam um total de 232 homens que agiriam como líderes do exército, e alguns fariam o papel de generais. Eles reuniram um pequeno exército de sete mil homens realmente preparados e dispostos a ir à batalha contra uma força avassaladora. Também obtemos a ideia de que muitos nada queriam com a questão. Visto que o número era idêntico ao número dos homens fiéis que não se tinham inclinado diante de Baal (1Rs 19.18), alguns estudiosos concluem que o exército consistia nesses homens, mas isso dificilmente é possível. Pois o autor, de outro modo, por certo teria informado sobre tal fenômeno. Josefo afirma, em seus comentários sobre o versículo seguinte, que a vitória começou a ser obtida ao meio-dia, quando o inimigo foi apanhado de surpresa, desarmado e despreparado para a batalha.

■ 20.16

וַיֵּצְאוּ בַּצָּהֳרָיִם וּבֶן־הֲדַד שֹׁתֶה שִׁכּוֹר בַּסֻּכּוֹת הוּא וְהַמְּלָכִים שְׁלֹשִׁים־וּשְׁנַיִם מֶלֶךְ עֹזֵר אֹתוֹ׃

Saíram ao meio-dia. Era o máximo do calor do dia. O exército sírio estava despreparado para um ataque de surpresa. Nenhum líder do exército sírio imaginaria que Israel sairia para lutar naquele horário de calor máximo. Muitos líderes sírios estavam embriagados. Os generais sírios tinham tomado parte no festim e na bebedeira (vs. 12). A coisa inteira era uma massa confusa.

"Até hoje, pouco se faz no meio do dia, no Oriente Próximo, porque as condições atmosféricas são extremamente quentes" (Thomas L. Constable, *in loc.*).

■ 20.17,18

וַיֵּצְאוּ נַעֲרֵי שָׂרֵי הַמְּדִינוֹת בָּרִאשֹׁנָה וַיִּשְׁלַח בֶּן־הֲדַד וַיַּגִּידוּ לוֹ לֵאמֹר אֲנָשִׁים יָצְאוּ מִשֹּׁמְרוֹן׃

וַיֹּאמֶר אִם־לְשָׁלוֹם יָצָאוּ תִּפְשׂוּם חַיִּים וְאִם לְמִלְחָמָה יָצָאוּ חַיִּים תִּפְשׂוּם׃

Temos aqui a *vanguarda* do exército, formada por tropas de elite, os oficiais dos governadores dos vários distritos de Israel. Esses oficiais surgiram de repente na cena. Ben-Hadade foi avisado da aproximação, mas ele não sabia se eles vinham para lutar ou para oferecer novas negociações de paz. Sem importar o propósito deles, entretanto, o rei da Síria quis capturá-los vivos (vs. 18). Mediante tortura, obteria toda a informação possível a respeito das intenções de Israel. Além disso, ele seriam imediatamente transformados em escravos e, então, o país inteiro seria sujeitado à servidão.

■ 20.19,20

וְאֵלֶּה יָצְאוּ מִן־הָעִיר נַעֲרֵי שָׂרֵי הַמְּדִינוֹת וְהַחַיִל אֲשֶׁר אַחֲרֵיהֶם׃

וַיַּכּוּ אִישׁ אִישׁוֹ וַיָּנֻסוּ אֲרָם וַיִּרְדְּפֵם יִשְׂרָאֵל וַיִּמָּלֵט בֶּן־הֲדַד מֶלֶךְ אֲרָם עַל־סוּס וּפָרָשִׁים׃

A *vanguarda* do exército israelita apareceu primeiro e, então, seguiu-se o próprio exército. O autor sagrado fornece poucos detalhes, mas assegura que todo homem de Israel obteve sucesso e fez pelo menos uma vítima. A batalha foi rápida e fácil, porque Yahweh a conduzia. O próprio Ben-Hadade esteve presente, para assistir ao *esporte*, que, de súbito, se transformou em pesadelo. Consternado, porém, ele precisou fugir para salvar a própria vida. O que saíra errado? Aquele homem mau e sua turma tinham debochado em sua festividade, e agora formavam um exército lamentável. Além disso, Yahweh olhara ferozmente para eles, retirando-lhes toda a força, do pouco que restara após o primeiro encontro.

O *plano de ataque*, ao que tudo indica, pertencia às tropas de elite, os comandos que atacariam súbita e ferozmente. Isso lançou os sírios na confusão. Então seguiram-se os sete mil homens que encontraram os sírios já aterrorizados, fáceis de matar. "O plano teve sucesso além das mais selvagens esperanças de Acabe" (Norman H. Snaith, *in loc.*).

■ 20.21

וַיֵּצֵא מֶלֶךְ יִשְׂרָאֵל וַיַּךְ אֶת־הַסּוּס וְאֶת־הָרָכֶב וְהִכָּה בַאֲרָם מַכָּה גְדוֹלָה׃

Os sírios já estavam aterrorizados pelos comandos de Israel, pelo que, quando o exército de Israel (os sete mil homens) ocupou a cena, os sírios eram vítimas fáceis. Os israelitas formavam apenas uma infantaria, mas logo dominaram a cavalaria de Ben-Hadade. O resultado foi *grande matança*. E os que tomaram parte na batalha sabiam que tinha ocorrido uma intervenção divina. O verdadeiro general do exército de Israel era Yahweh, o Senhor dos Exércitos. Os autores judeus *embelezam* a narrativa dizendo como as forças de Israel saquearam o acampamento do exército de Ben-Hadade, tomando coisas preciosas, instrumentos de guerra, cavalos, carros de combate, e fazendo muitos prisioneiros.

■ 20.22

וַיִּגַּשׁ הַנָּבִיא אֶל־מֶלֶךְ יִשְׂרָאֵל וַיֹּאמֶר לוֹ לֵךְ הִתְחַזַּק וְדַע וּרְאֵה אֵת אֲשֶׁר־תַּעֲשֶׂה כִּי לִתְשׁוּבַת הַשָּׁנָה מֶלֶךְ אֲרָם עֹלֶה עָלֶיךָ׃ ס

O mesmo profeta cujo nome não foi citado, o qual dera as instruções apropriadas para conduzir a guerra, informou a Acabe que Ben-Hadade não desistiria. Ele voltaria na primavera seguinte. Dessa vez, Acabe precisaria de disposições cuidadosas e completas, porque o rei sírio, na *próxima vez*, estaria preparado e furioso.

Sem dúvida alguma, devemos supor aqui que a instrução dada pelo profeta, acerca da *preparação*, incluiu sermões contra a idolatria, a raiz dos problemas de Israel. Posteriormente, através de Hazael (outro homem guerreiro da Síria), Israel sofreria séria derrota, e isso seria um castigo motivado pelo pecado (ver 1Rs 19.15-17). Yahweh, enquanto isso, deu a Acabe a oportunidade de arrepender-se e evitar assim o desastre que se aproxima. O fato de que esse desastre veio sem empecilhos mostrou que Acabe podia ser bom na guerra, mas era ruim quanto a qualquer tipo de espiritualidade. Acabe obtivera duas grandes vitórias, mas não aprendera com elas.

Daqui a um ano. Isto é, na "primavera" (conforme se lê na *Revised Standard Version*), depois do inverno, quando o tempo seria propício para guerrear. "Na primavera do ano, quando os reis saem à guerra, ver 2Sm 11.1" (John Gill, *in loc.*).

■ 20.23

וְעַבְדֵי מֶלֶךְ־אֲרָם אָמְרוּ אֵלָיו אֱלֹהֵי הָרִים אֱלֹהֵיהֶם עַל־כֵּן חָזְקוּ מִמֶּנּוּ וְאוּלָם נִלָּחֵם אִתָּם בַּמִּישׁוֹר אִם־לֹא נֶחֱזַק מֵהֶם׃

Entrementes, o derrotado Ben-Hadade, lambendo suas feridas, aconselhava-se com seus anciãos e generais sobre como reverter a humilhante derrota. Foi-lhe sugerido, pois, que a causa de toda aquela derrota seria o fato de que os deuses das colinas (os de Israel) tinham lutado por Israel, ao passo que os deuses das planícies (os deuses dos sírios) certamente teriam dado aos sírios a vitória se eles tivessem permanecido longe das colinas, confinando a batalha às planícies. Naturalmente, essa era uma vantagem definitiva para o exército com carros de combate (como era o caso do exército sírio), ao passo que Israel tinha um exército que consistia, essencialmente, em infantaria, que podia movimentar-se melhor nas colinas. Era costume os povos antigos lançarem a culpa de tudo sobre os deuses. Os sírios tinham caído no erro de subestimar os deuses de Israel. Na próxima vez, os sírios teriam mais cuidado, e *os deuses da Síria obteriam a vantagem*.

Devemos lembrar que a adoração idólatra de Israel era efetuada em parte nos *lugares altos* (ver a respeito no *Dicionário*). Samaria era um lugar montanhoso, pelo que esse lugar estava envolvido com os deuses das *colinas e dos bosques*. O próprio Yahweh costumava ser adorado nas colinas e nos bosques, mas a figura aqui é, definitivamente, do domínio da idolatria e do politeísmo que Israel havia adotado desavergonhadamente.

Tipos de Deuses. Havia tantos tipos de deuses quanto lugares para edificar altares. Neméstio era o deus dos bosques (ver Ovídio, *Fast.* 1.3). Collina era a deusa das colinas, e Vallina, a deusa dos vales (D. Herbert, de *Relig. Gent.* cap. 1, par. 198). Júpiter, por sua vez, era o deus das montanhas, e Pan era o deus dos campos (*Sophoclis Oed. Tyr.* vers. 1110). O monte Olimpo era o lar dos deuses. A variedade da idolatria pagã era ilimitada. Ver sobre a *Idolatria* no *Dicionário*.

■ 20.24

וְאֶת־הַדָּבָר הַזֶּה עֲשֵׂה הָסֵר הַמְּלָכִים אִישׁ מִמְּקֹמוֹ וְשִׂים פַּחוֹת תַּחְתֵּיהֶם׃

Os reis vassalos da Síria, das cidades-estados circunvizinhas, tinham-se saído mal na guerra, e os conselheiros do rei sírio recomendaram que eles fossem substituídos por homens de habilidade militar comprovada. Isso seria mais útil do que obter a ajuda dos deuses dos vales e das planícies. Esses capitães ou generais seriam escolhidos dentre os sírios. O rei deixaria de depender de alianças sem respaldo militar autêntico.

■ 20.25

וְאַתָּה תִמְנֶה־לְךָ חַיִל כַּחַיִל הַנֹּפֵל מֵאוֹתָךְ וְסוּס כַּסּוּס וְרֶכֶב כָּרֶכֶב וְנִלָּחֲמָה אוֹתָם בַּמִּישׁוֹר אִם־לֹא נֶחֱזַק מֵהֶם וַיִּשְׁמַע לְקֹלָם וַיַּעַשׂ כֵּן׃ פ

A Duplicação do Exército Perdido. Toda perda em homens, cavalos ou carros de combate seria cuidadosamente substituída, a fim de que houvesse um novo exército, de igual força ao primeiro. Dessa vez, porém, ninguém estaria embriagado, nem haveria ataques de surpresa por parte do inimigo. E, então, a planície se tornaria a cena da batalha, onde os deuses da planície se deleitariam em prestar ajuda aos sírios contra os deuses das montanhas dos israelitas. Nas planícies a cavalaria teria nítida vantagem, ao passo que Israel contava somente com seu exército de infantes. Cf. Jz 1.19. Dessa maneira, a vitória parecia garantida. Mas os sírios esqueceram-se de Yahweh.

■ 20.26

וַיְהִי לִתְשׁוּבַת הַשָּׁנָה וַיִּפְקֹד בֶּן־הֲדַד אֶת־אֲרָם וַיַּעַל אֲפֵקָה לַמִּלְחָמָה עִם־יִשְׂרָאֵל׃

Ben-Hadade passou revistas aos sírios. Ben-Hadade estava de volta aos campos de batalha. Tinha chegado de novo a primavera (vs. 22). Ben-Hadade, pois, contou os homens para certificar-se de que estava preparado para a batalha. Os reis do Oriente Próximo também saíam a guerrear no outono, *terminada* a colheita, quando havia abundância de alimentos (ver Jz 6.4; 1Sm 23.1; 2Sm 17.19). Muitos homens de guerra estariam trabalhando na colheita, e só poderiam guerrear terminada a colheita. Coisa alguma faltava nos preparativos de Ben-Hadade. Ele se vingaria e reduziria a cidade de Samaria a poeira. Como já dissemos, porém, ele se esqueceu de Yahweh.

Subiu a Afeque. Ver no *Dicionário* sobre essa localidade. Os eruditos sugerem várias localizações: na parte norte da planície de Sarom, a cerca de treze quilômetros do mar e a 24 quilômetros de Samaria, para o noroeste. Entretanto, é possível que fosse um lugar ainda não identificado, na planície de Esdrelom. Seja como for, era um local de planícies, algo considerado essencial para o sucesso da batalha (vs. 23). No *Dicionário* há quatro entradas sob o título *Afeque*.

■ 20.27

וּבְנֵי יִשְׂרָאֵל הָתְפָּקְדוּ וְכָלְכְּלוּ וַיֵּלְכוּ לִקְרָאתָם וַיַּחֲנוּ בְנֵי־יִשְׂרָאֵל נֶגְדָּם כִּשְׁנֵי חֲשִׂפֵי עִזִּים וַאֲרָם מִלְאוּ אֶת־הָאָרֶץ׃

Entrementes, o exército de Israel havia feito os seus preparativos, incluindo a enumeração dos soldados. Nenhuma vitória jamais pôs fim às guerras, e guerras renovadas requeriam mais vitórias, para serem obtidos breves períodos de paz. Esse ciclo continuaria enquanto Israel existisse. Mas foi o cativeiro assírio que pôs fim, para sempre, na nação do norte, Israel.

Números Desiguais. Do ponto de vista numérico, Israel estava, realmente, em grande desvantagem. Todas as forças de Israel pareciam apenas dois pequenos rebanhos de cabras, mas os sírios enchiam a planície inteira. Talvez Israel tivesse esperado nas colinas, mas, quando nada aconteceu, foi forçado a entrar na planície, pois, de outro modo, não teria havido batalha. Os sírios tinham mais de cem mil homens, somente infantes (vs. 29), ao passo que presumimos que Israel tivesse pouco mais de sete mil homens (vs. 15).

■ 20.28

וַיִּגַּשׁ אִישׁ הָאֱלֹהִים וַיֹּאמֶר אֶל־מֶלֶךְ יִשְׂרָאֵל וַיֹּאמֶר כֹּה־אָמַר יְהוָה יַעַן אֲשֶׁר אָמְרוּ אֲרָם אֱלֹהֵי הָרִים יְהוָה וְלֹא־אֱלֹהֵי עֲמָקִים הוּא וְנָתַתִּי אֶת־כָּל־הֶהָמוֹן הַגָּדוֹל הַזֶּה בְּיָדֶךָ וִידַעְתֶּם כִּי־אֲנִי יְהוָה׃

Outro profeta não identificado de repente apareceu em cena e dirigiu a palavra diretamente a Acabe. Yahweh ficara ofendido com as palavras dos sírios de que, na primeira batalha, os deuses das montanhas tinham dado a Israel a vitória sobre os sírios, cujos deuses eram especialistas das planícies. Mas notemos aqui como os *deuses* dos israelitas agora se tornaram um único Deus, a saber, *Yahweh-Elohim*, ou seja, o Deus Eterno e Todo-poderoso. Ver no *Dicionário* o artigo chamado *Deus, Nomes Bíblicos de*. O profeta corrigiu o politeísmo dos sírios *e* dos israelitas, relembrando a Acabe que só existe um Deus, o Yahweh tradicional da fé dos hebreus. Ele entregara a Israel a vitória na batalha e haveria de esmagar os idólatras que continuavam a dar a seus deuses o crédito por todas as coisas, quando esses deuses nada eram. Cf. o vs. 23, cujo comentário se aplica também aqui. Os sírios estavam prestes a serem castigados por causa de sua blasfêmia politeísta contra Yahweh, e Israel estava prestes a ver, *uma vez mais*, que somente Yahweh é Deus. Mas essa lição nunca foi aprendida, afinal.

Todas as nações temerão o nome do Senhor,
e todos os reis da terra a sua glória.

Salmo 102.15

"Deus ressentiu-se da blasfêmia dos sírios e estava determinado a puni-los. Eles seriam derrotados de maneira tal que ficaria demonstrado que o poder de Deus estava presente em *toda parte*, e que a multidão dos inimigos era como nada para ele" (Adam Clarke, *in loc*).

■ 20.29

וַיַּחֲנוּ אֵלֶּה נֹכַח אֵלֶּה שִׁבְעַת יָמִים וַיְהִי בַּיּוֹם הַשְּׁבִיעִי וַתִּקְרַב הַמִּלְחָמָה וַיַּכּוּ בְנֵי־יִשְׂרָאֵל אֶת־אֲרָם מֵאָה־אֶלֶף רַגְלִי בְּיוֹם אֶחָד׃

Sete dias estiveram. *Foram Sete Dias de Tensão*. Durante esses sete dias, nada aconteceu. Cada exército permaneceu em seu próprio acampamento, lançando desafios contra o outro, mas sem sair do lugar. Talvez Israel permanecesse nas colinas, e a Síria nos vales. Ou talvez Israel se tenha mostrado corajoso o bastante para acampar bem na planície, desafiando o inimigo e seus deuses das planícies.

Finalmente, no sétimo dia, começou a batalha. Esse era o número sagrado, propício a Israel. Ver no *Dicionário* o artigo chamado *Número (Numeral; Numerologia).* O autor sagrado nos poupa os detalhes dizendo que Israel atacou de forma tão feroz e determinada que cem mil infantes sírios foram mortos, o que significa que o número total do exército sírio era ainda maior do que isso. Naturalmente, talvez Israel tenha conseguido liquidar, comparativamente, quase todos eles. O vs. 30 fala em mais 27 mil mortos entre os sírios.

Mas coisa alguma é dita sobre as *espertas estratégias* que tornaram possível essa esmagadora vitória, embora devamos entender que algo de divino tenha acontecido: Yahweh guardara sua promessa e amaldiçoara a oposição. "A mão do Senhor esteve visível em toda a questão" (John Gill, *in loc.*).

■ **20.30**

וַיָּנֻסוּ הַנּוֹתָרִים ׀ אֲפֵקָה אֶל־הָעִיר וַתִּפֹּל הַחוֹמָה
עַל־עֶשְׂרִים וְשִׁבְעָה אֶלֶף אִישׁ הַנּוֹתָרִים וּבֶן־הֲדַד
נָס וַיָּבֹא אֶל־הָעִיר חֶדֶר בְּחָדֶר: ס

Os sobreviventes sírios fugiram para a cidade chamada *Afeque* (ver o vs. 26). Mas, quando estavam entrando na cidade, a muralha caiu sobre eles, matando mais 27 mil. Os críticos desconsideram essa nota e supõem que se outros 27 mil sírios foram mortos, isso se deu durante a batalha pelo domínio da cidade. Talvez o autor sacro tenha falado *metaforicamente*. Muitos intérpretes permanecem com a declaração literal. Se essa declaração for mantida, então teremos de dizer novamente: "Houve algo de divino em todo esse acontecimento". Alguma forma de milagre foi efetuada por Yahweh. Os intérpretes judeus falam em ventos violentos ou em um terremoto que teria causado a destruição das muralhas, e colocam Yahweh atrás desses ventos ou desse terremoto.

Entrementes, *Ben-Hadade* refugiou-se dentro da cidade e ocultou-se em alguma casa, na câmara interior. Pelo momento, ele esperava salvar apenas uma vida — a *sua*. Ben-Hadade fora reduzido a nada. sua arrogância desaparecera. Ele teria de apelar para a misericórdia de Israel a fim de sobreviver àquela situação, e isso seria certamente humilhante, para dizermos o mínimo.

■ **20.31**

וַיֹּאמְרוּ אֵלָיו עֲבָדָיו הִנֵּה־נָא שָׁמַעְנוּ כִּי מַלְכֵי בֵּית
יִשְׂרָאֵל כִּי־מַלְכֵי חֶסֶד הֵם נָשִׂימָה נָּא שַׂקִּים בְּמָתְנֵינוּ
וַחֲבָלִים בְּרֹאשֵׁנוּ וְנֵצֵא אֶל־מֶלֶךְ יִשְׂרָאֵל אוּלַי יְחַיֶּה
אֶת־נַפְשֶׁךָ:

Ben-Hadade e alguns de seus conselheiros, que tinham conseguido ocultar-se na cidade, tiveram de tomar novos conselhos, dessa vez com vistas à mera sobrevivência, em lugar de garantir a vitória na guerra. Eles dependiam da esperança de que a reputação misericordiosa do rei de Israel fosse verdadeira. Os rumores assim diziam, e eles esperavam que fossem corretos. Portanto, o plano foi que o rei da Síria se vestisse de cilício e pusesse *cordas em redor da cabeça,* como sinal de humilhação e súplica pela misericórdia. Não dispomos de nenhuma outra referência literária sobre as cordas na cabeça, pelo que só podemos imaginar o que isso significaria. Soldados franceses foram render-se ao rei Eduardo III, da Inglaterra (1346), com cordas ao redor do pescoço. Talvez algo semelhante a isso esteja em pauta aqui. A *corda* é algo que amarra, e amarrar-se com cordas significa cativeiro, bem como *sujeição* dos fracos aos fortes, pelo que é provável que esse simbolismo estivesse em foco na questão. Ver no *Dicionário* o verbete intitulado *Pano de Saco.*

■ **20.32**

וַיַּחְגְּרוּ שַׂקִּים בְּמָתְנֵיהֶם וַחֲבָלִים בְּרָאשֵׁיהֶם וַיָּבֹאוּ
אֶל־מֶלֶךְ יִשְׂרָאֵל וַיֹּאמְרוּ עַבְדְּךָ בֶן־הֲדַד אָמַר
תְּחִי־נָא נַפְשִׁי וַיֹּאמֶר הַעוֹדֶנּוּ חַי אָחִי הוּא:

Ben-Hadade saiu de seu esconderijo em uma condição de dar pena. Todas as suas esperanças e planos tinham sido esmagados. seu poder desaparecera. Ele só pedia para ser poupado. Não estava preparado para morrer. Estava vestido com aquelas roupas humilhantes de cilício, com cordas em redor da cabeça, para mostrar a *sinceridade* de seu apelo. Um homem perto da morte pode ficar muito humilde e sincero. Ele fazia toda espécie de promessas (vs. 34) na esperança de conseguir uma barganha em troca de sua vida. O que não dará um homem pela sua vida? (ver Mc 8.37).

A Incrível Declaração. Acabe, o tolo, longe de executar Ben-Hadade, chamou-o de seu *irmão,* e até já havia feito outros saberem que o deixaria ir-se livre. Por outro lado, talvez o velho Acabe não fosse tão tolo como poderia parecer. Havia uma força ainda maior que a Síria, mais ao norte, ou seja, a Assíria. Portanto, era possível que Acabe tivesse sido sábio o bastante para perceber em Ben-Hadade um aliado valioso uma vez que os assírios começassem a dirigir-se para o sul. Por conseguinte, seu ato de misericórdia provavelmente foi calculado, que forçou Ben-Hadade a fazer uma aliança de defesa contra os *assírios.* Perceba o leitor as vicissitudes da vida! Ben-Hadade, até há pouco, fora um amargo e arrogante *inimigo* do povo de Israel. Na derrota, tornou-se *escravo* de Acabe. Mas Acabe não queria ter outro escravo, pelo que transformou o ex-inimigo em um *irmão.*

■ **20.33**

וְהָאֲנָשִׁים יְנַחֲשׁוּ וַיְמַהֲרוּ וַיַּחְלְטוּ הֲמִמֶּנּוּ וַיֹּאמְרוּ
אָחִיךָ בֶן־הֲדַד וַיֹּאמֶר בֹּאוּ קָחֻהוּ וַיֵּצֵא אֵלָיו בֶּן־הֲדַד
וַיַּעֲלֵהוּ עַל־הַמֶּרְכָּבָה:

Acabe tinha lançado um raio de esperança ao chamar Ben-Hadade de "irmão". Seus auxiliares esperavam ver alguma espécie de presságio que aliviaria os temores da execução. Quando ouviram Acabe chamar Ben-Hadade de "irmão", tomaram isso como o sinal que estavam esperando. Alegraram-se muito, pois, afinal, o fato de Ben-Hadade ficar em liberdade significaria também a liberdade *deles.* Ben-Hadade saiu de sua câmara interior, tomou seu carro de combate e chamou Acabe para juntar-se a ele. Eles tinham importantes negócios para discutir.

■ **20.34**

וַיֹּאמֶר אֵלָיו הֶעָרִים אֲשֶׁר־לָקַח־אָבִי מֵאֵת אָבִיךָ
אָשִׁיב וְחוּצוֹת תָּשִׂים לְךָ בְדַמֶּשֶׂק כַּאֲשֶׁר־שָׂם אָבִי
בְּשֹׁמְרוֹן וַאֲנִי בַּבְּרִית אֲשַׁלְּחֶךָּ וַיִּכְרָת־לוֹ בְרִית
וַיְשַׁלְּחֵהוּ: ס

As cidades que meu pai tomou a teu pai eu as restituirei. Meus amigos, em qualquer situação de arrependimento, a *restituição* é um aspecto importante. Não nos basta dizer: "Errei". Até onde for possível, temos de corrigir os danos que nossos atos errados tiverem causado. Abordo este importe princípio moral no artigo do *Dicionário* denominado *Reparação (Restituição).*

Ben-Hadade, vendo a misericórdia de Acabe, de súbito percebeu quão erroneamente tinha agido. suas opressões de súbito passaram a oprimir a sua mente. Ele tinha tomado muitas terras do rei de Israel, Onri. Várias cidades que pertenciam a Israel haviam caído sob seu controle. Todas essas cidades ele agora devolveria. Ademais, abriria Damasco para Israel comerciar, permitindo que bazares fossem armados ali, bem como pontos de vendas, isto é, praças para negociar. Acabe faria dinheiro por ter sido bondoso e não ter exigido seu quilo de carne. Note o leitor o quanto o humilhado Ben-Hadade, que até recentemente se preparava para saquear Israel (ver 1Rs 20.3 ss.), agora permitia que Israel ganhasse dinheiro na capital da Síria!

O Pacto. Acabe permitiu que Ben-Hadade retornasse a Damasco, por causa de suas promessas de restauração e de ter feito uma aliança com ele. Não somos informados sobre o que foi incluído nessa aliança, mas uma defesa comum contra os assírios deve ter feito parte do acordo.

"Três anos mais tarde (853 a.C.), Acabe e Ben-Hadade tiveram de enfrentar o inimigo comum, a Assíria, liderada pelo poderoso rei Salmaneser III (859-824 a.C.), e repeliram exércitos perto do rio Orontes, em Arã... Essa batalha não é historiada nas Escrituras, mas é mencionada em um registro atualmente no Museu Britânico" (Thomas L. Constable, *in loc.*). Esse autor baseou-se em informes tomados do livro *Ancient Near Eastern Texts, Relating to the Old Testament,* de James B. Pritchard, editor, Princenton.

O vs. 42 mostra-nos que Yahweh desagradou-se diante do fato de que Ben-Hadade não foi morto. O mal sobreviria porque Israel tomou uma providência pela metade. A história seguinte (vss. 35-43) conta-nos como outro profeta, cujo nome não foi revelado, repreendeu Acabe e previu o desastre.

O ESTRANHO CASO DO PROFETA FERIDO (20.35-43)

À primeira vista, poderíamos pensar que o profeta aqui envolvido tivesse uma consciência má e quisesse cometer suicídio. Mas, sem coragem de fazê-lo, teve de depender de outrem para que a ação ocorresse. Porém, ao ler a história inteira, encontramos algo completamente diferente. O profeta queria ser *ferido* para obter acesso à presença de Acabe como um *soldado ferido*, e assim entregar sua mensagem de repreensão e predição de desastre porquanto Acabe deixara de tirar a vida de Ben-Hadade. Era dever de Acabe pressionar sua vantagem contra a Síria e fazer guerra santa. Em lugar disso, porém, ele terminou estabelecendo um pacto com o inimigo, ao chamá-lo de "irmão" (vss. 32 e 33). Além desse erro, ele não quis libertar-se da idolatria, e acabou assassinado por Jeú, o qual, afinal, viria a tornar-se rei de Israel. Para além de Jeú, entretanto, havia o *cativeiro assírio* (ver no *Dicionário*), e isso seria o fim definitivo de Israel, a nação do norte.

■ 20.35

וְאִישׁ אֶחָד מִבְּנֵי הַנְּבִיאִים אָמַר אֶל־רֵעֵהוּ בִּדְבַר
יְהוָה הַכֵּינִי נָא וַיְמָאֵן הָאִישׁ לְהַכֹּתוֹ:

Temos aqui um outro profeta cujo nome não é dado, membro de uma das escolas de profetas, a maioria dos quais estava escondida, porque Jezabel estava matando sistematicamente os profetas. Esse profeta havia recebido uma visão ou alguma forma de comunicação da parte de Yahweh (vs. 36), que lhe dava uma estratégia mediante a qual ele poderia obter acesso ao rei Acabe e entregar-lhe sua mensagem e predição melancólica (ver a introdução a esta seção). A estratégia consistia em ser ele *ferido*, e tornar-se assim capaz de apresentar-se ao rei como soldado ferido. Acabe veria o "pobre homem", pararia o seu carro de combate e escutaria o que ele tivesse a dizer. Para surpresa do monarca, o soldado ferido se transformaria de repente em um profeta de Yahweh, proferindo contra ele a triste sorte decretada pelo Senhor.

O homem não teve coragem de ferir-se a si mesmo. Por conseguinte, pediu que um vizinho o fizesse. O profeta olharia para o outro lado quando o homem o golpeasse. Mas àquele também faltou coragem. Talvez fosse outro profeta, e ele não haveria de ferir o próprio companheiro. Presumimos que o homem a ser ferido tenha contado ao amigo *por que* precisava ser ferido. Caso contrário, certamente seria difícil entender por que o amigo seria morto por um leão por não ter obedecido à ordem (vs. 36).

■ 20.36

וַיֹּאמֶר לוֹ יַעַן אֲשֶׁר לֹא־שָׁמַעְתָּ בְּקוֹל יְהוָה הִנְּךָ
הוֹלֵךְ מֵאִתִּי וְהִכְּךָ הָאַרְיֵה וַיֵּלֶךְ מֵאֶצְלוֹ וַיִּמְצָאֵהוּ
הָאַרְיֵה וַיַּכֵּהוּ:

Um Tratamento Drástico. O pobre homem que não quis ferir ao próximo foi condenado a ser atacado e morto por um leão, porque a palavra específica da parte de Yahweh lhe tinha sido transmitida, mas não obedecida. Tratava-se de uma ordem. Era seu *dever* ferir o profeta; mas, quando ele desobedeceu, selou a sua condenação.

■ 20.37

וַיִּמְצָא אִישׁ אַחֵר וַיֹּאמֶר הַכֵּינִי נָא וַיַּכֵּהוּ הָאִישׁ הַכֵּה
וּפָצֹעַ:

Outro homem foi encontrado para feri-lo. Esse homem, sem dúvida, tendo ouvido o que acontecera ao primeiro, que se negara a ferir o profeta, imediatamente obedeceu, atacando-o e ferindo-o. Mas não nos é dito que tipo de ferimento ele infligiu ao profeta. O ferido foi deixado com seu ferimento, muito grave, a fim de atrair a atenção de Acabe como um "soldado ferido".

A lei mosaica proibia *mutilações* (ver no *Dicionário*), mas isso quando elas eram feitas para propósitos idolátricos, pelo que o caso presente não era coberto pela lei mosaica.

■ 20.38

וַיֵּלֶךְ הַנָּבִיא וַיַּעֲמֹד לַמֶּלֶךְ עַל־הַדָּרֶךְ וַיִּתְחַפֵּשׂ
בָּאֲפֵר עַל־עֵינָיו:

Além de seu ferimento óbvio (sem importar no que ele consistisse), o profeta também se desfigurou com sujeira e cinzas, pelo que sua aparência ficou realmente terrível. Então pôs-se à beira da estrada, por onde sabia que o rei passaria. O palco ficou assim armado, a fim de que a temível mensagem de repreensão e destruição fosse pronunciada contra o rei. Sem os seus disfarces, o rei o reconheceria como um profeta (vs. 41), o que subentende que, em algum momento, os dois já se tivessem encontrado.

Uma venda. Esta é a tradução do termo hebraico *aphad*, que é uma emenda conjecturada. O hebraico do texto é *apher*, poeira, sujeira. O Targum diz um "véu". Vários eruditos preferem essa emenda, pensando que uma venda seria um disfarce melhor do que sujeira ou cinza.

■ 20.39,40

וַיְהִי הַמֶּלֶךְ עֹבֵר וְהוּא צָעַק אֶל־הַמֶּלֶךְ וַיֹּאמֶר
עַבְדְּךָ יָצָא בְקֶרֶב־הַמִּלְחָמָה וְהִנֵּה־אִישׁ סָר וַיָּבֵא
אֵלַי אִישׁ וַיֹּאמֶר שְׁמֹר אֶת־הָאִישׁ הַזֶּה אִם־הִפָּקֵד
יִפָּקֵד וְהָיְתָה נַפְשְׁךָ תַּחַת נַפְשׁוֹ אוֹ כִכַּר־כֶּסֶף
תִּשְׁקוֹל:

וַיְהִי עַבְדְּךָ עֹשֵׂה הֵנָּה וָהֵנָּה וְהוּא אֵינֶנּוּ וַיֹּאמֶר אֵלָיו
מֶלֶךְ־יִשְׂרָאֵל כֵּן מִשְׁפָּטֶךָ אַתָּה חָרָצְתָּ:

O rei estava passando e o profeta, disfarçado de soldado ferido, clamou. O disfarce funcionou bem. O rei parou seu carro e deu atenção ao homem. O profeta contou uma longa e detalhada história a fim de conseguir conversar com o rei. Ele estivera em uma batalha e fora ferido; no decurso da batalha um soldado inimigo lhe fora entregue cativo, mas esse escapou. Agora, ele era um soldado ferido e muito preocupado, porque permitira que o inimigo fugisse. Isso poderia custar-lhe a vida, porquanto falhara em seu dever. Ou, quando muito, poderia ser-lhe cobrada a multa de um talento de prata, isto é, cerca de 34 quilogramas, quantia bastante elevada para quem ganhava o baixo soldo de um soldado. Ver no *Dicionário* o artigo chamado *Pesos e Medidas*. Tais histórias ilustrativas iluminam as páginas do Antigo Testamento.

A *parábola* realmente falava sobre Acabe, que tivera seu cativo nas mãos (o rei da Síria), mas lhe permitira escapar. Acabe acabaria sendo morto por causa de seu lapso, em lugar de pagar uma multa. Ele pagaria seu erro com a própria vida.

O "soldado ferido" havia deixado de guardar o seu depósito; ele estivera ocupado com outras coisas e permitira que seu prisioneiro escapasse. Acabe proferiu então julgamento sobre o soldado descuidado, dizendo que seria exatamente conforme o soldado ferido havia imaginado: ele teria de pagar por seu erro com a própria vida, ou teria de pagar a multa (vs. 39). Acabe, crente de estar fazendo justiça no caso do soldado "ferido", proferiu a própria sentença, concordando em fazer justiça na questão.

■ 20.41

וַיְמַהֵר וַיָּסַר אֶת־הָאֲפֵר מֵעַל עֵינָיו וַיַּכֵּר אֹתוֹ מֶלֶךְ
יִשְׂרָאֵל כִּי מֵהַנְּבִאִים הוּא:

E tirou a venda de sobre os seus olhos. *De súbito*, o "soldado ferido" removeu a venda de sobre os olhos, ou a poeira e as cinzas, ou o pedaço de pano que usara para cobrir o rosto (ver o vs. 38 quanto à variante textual). Tirada a venda, Acabe imediatamente reconheceu o homem como um profeta do Senhor, provavelmente porque já o tinha visto antes. Vários intérpretes, pois, identificam esse profeta com o citado no vs. 13, que tinha proferido palavras de vitória quando Acabe se defrontara com Ben-Hadade. Ver também o vs. 22.

20.42

וַיֹּאמֶר אֵלָיו כֹּה אָמַר יְהוָה יַעַן שִׁלַּחְתָּ
אֶת־אִישׁ־חֶרְמִי מִיָּד וְהָיְתָה נַפְשְׁךָ תַּחַת
נַפְשׁוֹ וְעַמְּךָ תַּחַת עַמּוֹ:

Total Destruição. Devemos entender que Yahweh havia ordenado que se fizesse *guerra santa* contra os sírios e seu rei, Ben-Hadade. Nas guerras santas, nenhum cativo de guerra era tomado, e nenhuma vida, humana ou animal, era poupada. A totalidade das vidas era oferecida a Yahweh como oferta queimada. Ver Dt 7.1-5 e 20.10-18 quanto a notas completas sobre esse tipo de guerra. Embora fosse verdade que a maldição original havia sido proferida contra as *sete nações* cananeias que habitavam a Palestina, as quais Israel deveria expulsar (quanto a essas nações, ver a lista em Êx 33.2 e Dt 7.1), e isso não incluía a Síria, devemos entender que uma ordem específica fora dada por Yahweh para que se fizesse à Síria conforme fora feito àquelas sete nações. Ou, pelo menos, houve a ordem de que Ben-Hadade fosse morto. Em lugar disso, Acabe havia tratado muito bem a Ben-Hadade e até o chamara de "irmão". E também entrou em acordo com ele, o que era estritamente proibido (ver os vss. 32-35). Por isso, Acabe havia perdido o direito à própria vida, em consonância com a parábola que tinha sido proferida, "a tua vida responderá pela vida dele" (vs. 39).

Acabe imaginara que Ben-Hadade, *vivo*, seria capaz de ajudá-lo na invasão dos assírios. Ele calculara muito mal, de acordo com a estimativa do profeta. De fato, *Hazael*, um militar sírio de confiança, estava esperando fora do palco das ações militares. Em breve Hazael entraria em cena e assassinaria a Ben-Hadade, tornando-se ele mesmo o rei. Ver 1Rs 19.15 ss. Quanto à predição do profeta e o cumprimento da profecia a respeito desse acontecimento, ver 2Rs 8.7-15. Acabe também morreria de morte violenta, e dentro de pouco tempo (ver 1Rs 22.34-36).

20.43

וַיֵּלֶךְ מֶלֶךְ־יִשְׂרָאֵל עַל־בֵּיתוֹ סַר וְזָעֵף וַיָּבֹא
שֹׁמְרוֹנָה: פ

Acabe esteve mais relacionado com aqueles profetas e suas predições do que jamais desejara. Portanto, ele foi para casa, carregando em sua mente o peso da temível profecia. Ele sabia em seu coração que, algum dia, morreria de morte violenta, tal e qual havia sido predito. Talvez até mesmo um arrependimento naquele instante teria cancelado sua dívida diante do Senhor. Mas Acabe continuava muito ocupado em fazer o mal e efetuar guerras para importar-se com uma questão como arrependimento. Quanto à sorte de Acabe, ver 1Rs 22.34-36.

"Acabe retornou entristecido a Samaria, por causa dessa profecia, e irado (cf. 1Rs 21.4) tanto contra si mesmo como contra o profeta de Deus" (Thomas L. Constable, *in loc.*). O Targum diz: "ele estava perturbado e entristecido... não por causa do pecado que havia cometido, mas por causa do castigo que fora proferido" (John Gill, *in loc.*).

CAPÍTULO VINTE E UM

O VINHEDO DE NABOTE (21.1-29)

A Iniquidade de Acabe e Jezabel. *A essência* da história é a seguinte: Acabe queria comprar o terreno adjacente a seu palácio, em Jezreel, sem dúvida com propósitos de edificar alguma coisa. Ele queria tornar-se mais glorioso. Embelezaria o lugar com um belo jardim e talvez alguma plantação. No entanto, Nabote recusou-se a vender a terra que era sua herança ancestral. Acabe voltou para casa para lamentar-se e adoeceu a tal ponto que nem ao menos comia. Jezabel, sua esposa, perguntou-lhe a causa de toda aquela melancolia. Quando ela soube o motivo da tristeza de Acabe, simplesmente ordenou que Nabote fosse executado com base em uma falsa acusação, a de ter blasfemado contra Deus e contra o rei. Acabe então tomou conta das terras. Elias ouviu a história e proferiu uma maldição contra Acabe e sua família. As coisas haveriam de terminar mal para eles. Haveria desastre e morte no seu caminho. Acabe humilhou-se diante de Yahweh, pelo que o julgamento contra a sua casa foi adiado por uma geração, mas isso não impediu que Acabe tivesse um fim violento, o que também sucedeu no caso de Jezabel.

21.1

וַיְהִי אַחַר הַדְּבָרִים הָאֵלֶּה כֶּרֶם הָיָה לְנָבוֹת
הַיִּזְרְעֵאלִי אֲשֶׁר בְּיִזְרְעֶאל אֵצֶל הֵיכַל אַחְאָב מֶלֶךְ
שֹׁמְרוֹן:

Sucedeu depois disto. O incidente ocorreu algum tempo depois dos eventos registrados no capítulo 20. A Septuaginta apresenta-nos a mesma ordem. O incidente mostrou que Acabe, bem como Jezabel, em nada tinha mudado. Portanto, as temíveis profecias contra Acabe dadas no capítulo 20 por certo ocorreriam.

Nabote, o jezreelita. Ver sobre ele no *Dicionário*. Nabote tinha uma pequena vinha localizada no terreno de sua família. Mas ele não haveria de vender a herança de sua família nem que fosse para agradar o rei, nem para conseguir uma vinha maior e melhor. Acabe teria de tolerá-lo ali, ao lado do palácio real de Jezreel. Acabe aceitou essa *derrota* e foi para casa lamentar-se entristecido. Mas Jezabel não suportaria a arrogância de Nabote. Antes, Nabote seria um homem morto. Nabote estava dentro de *seus direitos*, mas Jezabel tinha o poder, e, de acordo com alguns, "o poder é direito".

21.2

וַיְדַבֵּר אַחְאָב אֶל־נָבוֹת לֵאמֹר תְּנָה־לִּי אֶת־
כַּרְמְךָ וִיהִי־לִי לְגַן־יָרָק כִּי הוּא קָרוֹב אֵצֶל
בֵּיתִי וְאֶתְּנָה לְךָ תַּחְתָּיו כֶּרֶם טוֹב מִמֶּנּוּ אִם טוֹב
בְּעֵינֶיךָ אֶתְּנָה־לְךָ כֶסֶף מְחִיר זֶה:

Razões Estéticas. O rei Acabe, pelo menos por enquanto, estava livre da guerra. Ele tinha derrotado os sírios (capítulo 20) quando estes tinham muito maior número de homens de guerra, mas só ganhou a guerra devido à ajuda de Yahweh. Portanto, ali estava ele, em sua residência de verão, a desfrutar de uma vida amena. Então teve a ideia de embelezar sua propriedade. seu palácio era um lugar suntuoso, mas pareceria melhor ainda se contasse com um jardim adjacente. A dificuldade, porém, foi que Nabote era o proprietário das terras vizinhas ao palácio, e isso impedia a aventura estética de Acabe. Ver a introdução a este capítulo quanto a um *sumário* da história.

Acabe Mostrou-se Generoso. Ele ofereceu a Nabote uma vinha muito melhor em troca da sua. Mas Nabote estava impedido (pela lei) de vender sua propriedade, visto ser sua herança ancestral, que deveria passar adiante a seus descendentes. As leis, contudo, podem ser violadas e mudadas de acordo com a vontade dos políticos, usualmente em troca de alguma vantagem pessoal.

Kimchi informa-nos que era costumeiro às pessoas mais ricas ocupar-se de pequenos projetos agrícolas, próximo de suas casas, a fim de embelezá-las, além de dar-lhes um suprimento de verduras frescas.

Acabe ofereceu uma vinha melhor, ou *dinheiro*, se Nabote assim preferisse; mas esse homem não queria fazer nenhum tipo de negócio. Isso lhe custaria a própria vida. A oferta de Acabe, pois, foi "cortês e liberal" (Ellicott, *in loc.*). Mas era contrária à herança dos hebreus. Ver o vs. 3 deste capítulo.

21.3

וַיֹּאמֶר נָבוֹת אֶל־אַחְאָב חָלִילָה לִּי מֵיהוָה מִתִּתִּי
אֶת־נַחֲלַת אֲבֹתַי לָךְ:

Yahweh não toleraria tal transação, pois, afinal de contas, sua lei, dada através de Moisés, proibia esse tipo de negociação. Ver Lv 25.13-28 e Nm 36.7. Nabote era homem de razoáveis riquezas financeiras e estava contente com o que possuía. Ademais, queria obedecer à lei mosaica. De acordo com a lei, seu terreno poderia ser temporariamente alienado, para mais tarde ser redimido. Havia preceitos que governavam as negociações de terras. Mas Acabe, como é óbvio, queria ter a terra de forma permanente. Aquelas terras *precisavam* ser *dele*.

21.4

וַיָּבֹא אַחְאָב אֶל־בֵּיתוֹ סַר וְזָעֵף עַל־הַדָּבָר
אֲשֶׁר־דִּבֶּר אֵלָיו נָבוֹת הַיִּזְרְעֵאלִי וַיֹּאמֶר לֹא־
אֶתֵּן לְךָ אֶת־נַחֲלַת אֲבוֹתָי וַיִּשְׁכַּב עַל־מִטָּתוֹ
וַיַּסֵּב אֶת־פָּנָיו וְלֹא־אָכַל לָחֶם׃

Então Acabe veio desgostoso e indignado para sua casa. O arrogante Nabote havia negado ao "pobre rei" o seu brinquedo. Desgostoso, o rei voltou para casa e deitou-se, tremendamente amuado. Usualmente sendo um bom garfo, dispondo de todas as espécies de acepipes importados, ele parou de comer totalmente. E ficou deitado em sua cama, adoentado e desapontado. "Pobre alma! ele era senhor sobre dez doze avos da terra, e, no entanto, sentia-se miserável porque não podia obter a vinha de um homem pobre!... Toda privação e cruz faz uma alma imunda sentir-se infeliz" (Adam Clarke, *in loc.*).

O descontentamento de Acabe terminaria em um *crime* franco. O grande rei Acabe agia como uma criança, mas Jezabel seria a executora.

21.5

וַתָּבֹא אֵלָיו אִיזֶבֶל אִשְׁתּוֹ וַתְּדַבֵּר אֵלָיו מַה־זֶּה רוּחֲךָ
סָרָה וְאֵינְךָ אֹכֵל לָחֶם׃

A solícita *Jezabel* inquiriu a razão do mau humor de Acabe. Por que ele estava de rosto voltado para a parede? Por que não queria comer coisa alguma? Quem teria morrido? Ela corrigiria qualquer coisa errada por meio da violência, que era sua marca registrada.

21.6

וַיְדַבֵּר אֵלֶיהָ כִּי־אֲדַבֵּר אֶל־נָבוֹת הַיִּזְרְעֵאלִי
וָאֹמַר לוֹ תְּנָה־לִּי אֶת־כַּרְמְךָ בְּכֶסֶף אוֹ אִם־חָפֵץ
אַתָּה אֶתְּנָה־לְךָ כֶרֶם תַּחְתָּיו וַיֹּאמֶר לֹא־אֶתֵּן לְךָ
אֶת־כַּרְמִי׃

ele lhe respondeu. *Acabe Conta a História a Jezabel.* Este versículo repete o que já foi visto nos vss. 1-3, cujas notas expositivas também se aplicam aqui. O que Acabe deixou de lado, em seu relato, foi que era *ilegal* vender as heranças ancestrais sob a forma de terras, mas nem isso teria feito diferença para Jezabel.

21.7

וַתֹּאמֶר אֵלָיו אִיזֶבֶל אִשְׁתּוֹ אַתָּה עַתָּה תַּעֲשֶׂה מְלוּכָה
עַל־יִשְׂרָאֵל קוּם אֱכָל־לֶחֶם וְיִטַב לִבֶּךָ אֲנִי אֶתֵּן לְךָ
אֶת־כֶּרֶם נָבוֹת הַיִּזְרְעֵאלִי׃

A horrenda Jezabel lembrou ao marido, Acabe: "tu és o rei". E isso também apontava para o ilimitado poder dela, e a coragem de usar esse poder para qualquer tipo de proveito pessoal. *Crimes* são coisas que as pessoas de *menor envergadura* cometem, porquanto um homem grande demais para ser punido não é um criminoso, conforme sempre têm pensado os políticos. As palavras de Jezabel "Eu te darei a vinha de Nabote" significavam que os dias de vida do pobre homem estavam contados. Jezabel não era impedida de nada pela moralidade convencional ou pela moralidade mosaica. Ela era a sua própria lei, visto que "o poder é direito". Acabe estava disposto a trocar a vinha de Nabote por uma vinha melhor, ou a oferecer-lhe dinheiro. Jezabel, porém, simplesmente haveria de atravessar Nabote com uma espada.

"Acabe servia apenas para ter desejos e debater-se diante deles. É reservado a espíritos mais ousados agir pelo bem ou pelo mal" (Ellicott, *in loc.*). Jezabel usou "a linguagem do despotismo e da tirania" (Adam Clarke, *in loc.*).

"Negócios? A humanidade é o meu negócio!... caridade, misericórdia, paciência e benevolência são todas meus negócios" (Dickens, *Christmas Carol*, com adaptações). Mas Jezabel só reconhecia seus próprios vícios, destruidores como eles eram. Que significava mais um assassinato para ela?

Aqueles que não têm dores,
Raramente pensam que a dor é sentida.

Samuel Johnson

21.8

וַתִּכְתֹּב סְפָרִים בְּשֵׁם אַחְאָב וַתַּחְתֹּם בְּחֹתָמוֹ וַתִּשְׁלַח
הַסְּפָרִים אֶל־הַזְּקֵנִים וְאֶל־הַחֹרִים אֲשֶׁר בְּעִירוֹ
הַיֹּשְׁבִים אֶת־נָבוֹת׃

Então escreveu cartas em nome de Acabe. *Traiçoeira* é a palavra que descreve a iníqua Jezabel, que enviou cartas, com o selo do rei, como se elas tivessem sido escritas por Acabe. Ela fez os nobres e os anciãos de Israel acusarem falsamente a Nabote, do que resultou a sua morte. Naturalmente, ela poderia ter escrito essas cartas em seu próprio nome, e idêntico resultado seria alcançado. Temos de lembrar que praticamente ninguém era inocente, naquele tempo, em Israel. Uma profunda corrupção havia tomado conta de todos, e isso como que implorava aos assírios que descessem e varressem a todos da face da terra.

Aos anciãos. Ver as notas expositivas sobre 1Rs 20.7 quanto a este termo e suas aplicações.

E aos nobres. Membros da família real ou homens especialmente veneráveis. Provavelmente este termo também incluía os *ricos*, os dotados de poder e influência, inteiramente à parte da moralidade. A palavra hebraica correspondente, *horim*, significa "nascido livre", mas com frequência também indica aqueles de *posição social superior*.

21.9

וַתִּכְתֹּב בַּסְּפָרִים לֵאמֹר קִרְאוּ־צוֹם וְהוֹשִׁיבוּ
אֶת־נָבוֹת בְּרֹאשׁ הָעָם׃

Apregoai um jejum, e trazei a Nabote para a frente do povo. Nabote deveria ser zombeteiramente exaltado e louvado. Ele era um homem bom, e o público reconheceria isso. Muitas pessoas estariam presentes para honrá-lo, mas ao lado dele haveria dois patifes que, de repente, acusariam o bom homem de blasfêmia contra o rei e contra *Elohim* (o Deus de Israel, ou, talvez os *deuses*, conforme a palavra hebraica pode ser traduzida). Seja como for, a acusação, nunca ouvida nem provada em tribunal, resultaria em sua execução (vs. 13). Bastava que duas testemunhas testificassem contra uma pessoa para que as acusações tomassem um aspecto legal. Os dois patifes "cumpriram" a exigência legal. Ver Dt 17.6,7. Quanto a uma interpretação alternativa, ver a seguir.

O texto hebraico original aceita outra interpretação. Em lugar da ideia de *exaltação, a colocação de Nabote à frente do povo* pode significar "seja submetido a julgamento". Mas, quer ele fosse exaltado, quer fosse submetido a julgamento, o pobre Nabote seria atraiçoado e executado por crimes que não tinha cometido. Disse John Gill (*in loc.*): "...trazei-o ao tribunal e julgai-o. Talvez em seus tribunais de juízo houvesse lugares mais elevados, acima da cabeça das pessoas, onde os criminosos acusados costumavam pôr-se de pé, quando estavam sendo julgados, a fim de que pudessem ser vistos e ouvidos por todos".

Um jejum. Jezabel fingiu que Israel estava enfrentando os pecados de Nabote. Jejuns eram decretados em tempos de emergência nacional. Yahweh estaria prestes a punir um povo desviado. Era necessário um arrependimento em massa, e pecados secretos tinham de vir à luz. Algumas poucas execuções avivariam tais questões, e isso aliviaria a ira divina. O jejum alegadamente prepararia o povo para aproximar-se da deidade. A presença divina revelaria *por que* o país enfrentava o perigo. Um jejum de *sete* dias era comum nos sepultamentos, em lamentação pelos mortos (ver 1Sm 31.13), de modo que um jejum era com frequência associado à morte, e quase sempre ao pecado. Nas religiões modernas, essa não é a razão principal para que haja jejum. Ver no *Dicionário* o artigo chamado *Jejum*, no tocante a esse "exercício espiritual".

21.10

וְהוֹשִׁיבוּ שְׁנַיִם אֲנָשִׁים בְּנֵי־בְלִיַּעַל נֶגְדּוֹ וִיעִדֻהוּ
לֵאמֹר בֵּרַכְתָּ אֱלֹהִים וָמֶלֶךְ וְהוֹצִיאֻהוּ וְסִקְלֻהוּ וָיָמֹת׃

Dois homens malignos. Nossa versão portuguesa provavelmente mostra-se correta ao fazer do nome Belial um adjetivo que significa "homens malignos". Ver o *Dicionário* quanto ao termo. Esta nova versão portuguesa concorda com a *Revised Standard Version*. Somente mais tarde a palavra hebraica veio a significar um nome para Satanás, visto que essa doutrina só se desenvolveu no judaísmo posterior. Eram essenciais *duas testemunhas*, de acordo com a lei antiga (ver Dt 17.6; 19.15; Nm 35.30; Mt 26.60). Isso deixava a questão aberta para a injustiça, porquanto não seria difícil conseguir duas "testemunhas" que concordassem em levantar uma acusação qualquer contra alguém inocente. É admirável que o testemunho tenha sido aceito, e não tenha havido nenhum julgamento como estamos acostumados a ver hoje em dia.

"... Eles eram uns coitados inúteis, que tinham lançado fora o jugo da lei, visto que *belial* significa criaturas abandonadas e *sem lei*, que não têm consciência de coisa alguma" (John Gill, *in loc.*).

Blasfêmia. Falar coisas pesadas e perversas contra Deus e o rei, esse foi o alegado "crime" de Nabote. Entrementes, a abominável e idólatra Jezabel saiu livre de qualquer punição, embora ela fosse um caso público e escandaloso de alguém que deveria ser executado de acordo com os padrões da legislação mosaica. Ver no *Dicionário* o verbete chamado *Idolatria*. Esse era um crime passível de execução e uma violação direta do segundo mandamento (Êx 20.4). Ver Dt 17.2-5 quanto à pena de morte (por apedrejamento), que era o castigo contra esse crime.

A blasfêmia era punida com o apedrejamento, conforme aprendemos em Lv 24.16 e Dt 13.9,10. Ver no *Dicionário* o artigo chamado *Apedrejamento*. A palavra hebraica aqui usada e traduzida como "blasfêmia" usualmente significa "abençoar", mas em um uso eufemístico significa também "amaldiçoar".

■ 21.11

וַיַּעֲשׂוּ אַנְשֵׁי עִירוֹ הַזְּקֵנִים וְהַחֹרִים אֲשֶׁר הַיֹּשְׁבִים בְּעִירוֹ כַּאֲשֶׁר שָׁלְחָה אֲלֵיהֶם אִיזָבֶל כַּאֲשֶׁר כָּתוּב בַּסְּפָרִים אֲשֶׁר שָׁלְחָה אֲלֵיהֶם׃

Este versículo oferece um *sumário* do que já foi lido no vs. 8, exceto pelo fato de que aquilo que ali fora *determinado* por Jezabel é aqui estupidamente *obedecido* pelos anciãos e nobres. É óbvio que os líderes de Jezreel temiam mais a Jezabel do que a Deus. Provavelmente ela teria mandado executar qualquer um que se recusasse a cumprir suas ordens, pois, afinal, isso seria blasfemar da rainha-mãe.

"Os cuidados tomados na invenção do plano, e a pronta aquiescência dos governantes da cidade para obedecer às ordens da rainha são características das formas mais vis do despotismo oriental organizado... sempre inclinado ao assassinato, de acordo com alguma alegada lei" (Ellicott, *in loc.*).

■ 21.12

קִרְאוּ צוֹם וְהוֹשִׁיבוּ אֶת־נָבוֹת בְּרֹאשׁ הָעָם׃

Apregoaram um jejum. O jejum que Jezabel tinha ordenado foi proclamado e efetuado. Ver o vs. 9 deste capítulo, cujas notas detalhadas também têm aplicação aqui. O pobre Nabote foi zombeteiramente exaltado ou então foi "levado a julgamento", como a palavra hebraica pode indicar. Isso também foi anotado no vs. 9. Josefo fornece-nos outra ideia: Nabote foi posto em um lugar alto no tribunal, por ser homem de nascimento ilustre (*Antiq.* 1.3, cap. 13, sec. 8).

■ 21.13

וַיָּבֹאוּ שְׁנֵי הָאֲנָשִׁים בְּנֵי־בְלִיַּעַל וַיֵּשְׁבוּ נֶגְדּוֹ וַיְעִדֻהוּ אַנְשֵׁי הַבְּלִיַּעַל אֶת־נָבוֹת נֶגֶד הָעָם לֵאמֹר בֵּרַךְ נָבוֹת אֱלֹהִים וָמֶלֶךְ וַיֹּצִאֻהוּ מִחוּץ לָעִיר וַיִּסְקְלֻהוּ בָאֲבָנִים וַיָּמֹת׃

Os dois homens vis apresentaram acusações de *blasfêmia* contra Deus e contra o rei, o suposto representante de Deus. Isso reitera a informação que já comentei no vs. 10. Mas agora temos de adicionar o *final*. Nabote foi imediatamente levado para fora e apedrejado até a morte, o modo de execução requerido para os blasfemadores (ver Lv 24.16 e Dt 13.9,10).

Para fora da cidade. Porque um cadáver poluiria cerimonialmente a cidade e nenhuma adoração formal poderia ser efetuada. Portanto, um assassinato foi cometido, mas os assassinos tiveram cuidado acerca da poluição cerimonial! Ver no *Dicionário* o artigo chamado *Limpo e Imundo*.

2Rs 9.26 quase certamente declara que toda a família de Nabote foi morta, se não naquela ocasião, pelo menos em outra oportunidade. Portanto, vários assassinatos foram cometidos contra uma família inteira de pessoas inocentes.

■ 21.14

וַיִּשְׁלְחוּ אֶל־אִיזֶבֶל לֵאמֹר סֻקַּל נָבוֹת וַיָּמֹת׃

As "boas-novas" foram imediatamente dadas a Jezabel. Ela haveria de querer receber notícias, assim que o feito ousado tivesse sido consumado. Os assassinos não haveriam de querer enfrentar a ira da rainha, e agiram imediatamente para remover qualquer possibilidade de erro. Concluído o mal, eles teriam de enfrentar a Deus, mas isso não seria naquele dia, pelo que eles tentaram esquecer o fato. Ver no *Dicionário* o artigo chamado *Lei Moral da Colheita segundo a Semeadura*.

Os homens são capazes de toda espécie de iniquidade.

Joseph Conrad

Toda iniquidade é pequena em comparação com a iniquidade de uma mulher.

Eclesiástico 25.19

Ninguém está ao meu lado; ninguém participa comigo. Estou sendo cruelmente usada. Ninguém sente a minha dor.

Jane Austen

■ 21.15

וַיְהִי כִּשְׁמֹעַ אִיזֶבֶל כִּי־סֻקַּל נָבוֹת וַיָּמֹת וַתֹּאמֶר אִיזֶבֶל אֶל־אַחְאָב קוּם רֵשׁ אֶת־כֶּרֶם נָבוֹת הַיִּזְרְעֵאלִי אֲשֶׁר מֵאֵן לָתֶת־לְךָ בְכֶסֶף כִּי אֵין נָבוֹת חַי כִּי־מֵת׃

As *boas-novas* foram comunicadas a Acabe. Agora ele tinha um brinquedo com o qual brincar, a saber, a vinha de Nabote. Não fora Acabe quem inventara o plano para assassinar Nabote, mas ele estava ansioso por tirar vantagem dos resultados desse plano, e assim tornou-se cúmplice de sua mulher, Jezabel. O infantil e velho rei levantou-se de seu "leito de enfermidade" e imediatamente foi até o terreno de Nabote para preparar ali um jardim (vs. 2). 2Rs 9.26 mostra-nos que os filhos de Nabote também foram executados, e isso só serviu para complicar a questão inteira, a saber, acarretando a morte violenta de Jezabel e Acabe. O dia do castigo deles estava próximo.

■ 21.16

וַיְהִי כִּשְׁמֹעַ אַחְאָב כִּי מֵת נָבוֹת וַיָּקָם אַחְאָב לָרֶדֶת אֶל־כֶּרֶם נָבוֹת הַיִּזְרְעֵאלִי לְרִשְׁתּוֹ׃ ס

Josefo (*Antiq.* VIII.13.8) diz-nos que "Acabe alegrou-se diante do que tinha sido feito e levantou-se imediatamente do leito onde tinha jazido". Acabe tinha menos força de vontade e má imaginação que Jezabel, mas era, igualmente, constituído de consciência. A Septuaginta, por outra parte, pinta Acabe como entristecido pela execução, mencionando que ele "rasgou suas roupas e vestiu-se de cilício". É possível que essas vestes rasgadas impliquem a verdade dos fatos, e que o texto massorético removeu essa porção, pensando exaltar demais ao ímpio Acabe. Quanto ao texto massorético, ver no *Dicionário* o artigo chamado *Massora* (*Massorah*); *Texto Massorético*. Até o cruel Acabe poderia ter ficado temporariamente chocado por causa daquele assassinato. Mesmo sua mente embrutecida poderia ter compreendido, naquele momento, a grande injustiça que fora cometida.

Jezreel ficava a cerca de 26 quilômetros de Samaria, de modo que Acabe fez uma pequena viagem para dar outra olhada em "suas terras", que se tornariam o "seu jardim" para embelezar sua residência de verão. John Gill (*in loc.*) imaginou que ele tenha ido até lá em meio a grande pompa e glória, sendo acompanhado por altos oficiais para celebrar a feliz ocasião.

A INTERVENÇÃO E A RETALIAÇÃO DE ELIAS (21.17-29)

Acabe e Jezabel tinham semeado o vento e logo colheriam o tufão (ver Os 8.7). O sangue de Nabote e de seus filhos (ver a história anterior) seria vingado.

> *Em vindo o vosso terror como a tempestade, em vindo a vossa perdição como o redemoinho, quando vos chegar o aperto e a angústia.*
>
> Provérbios 1.27

"A dinastia de Onri, pai de Acabe, seria desmantelada, tal como aconteceu à família de Nabote, e pelas mesmas razões. Nenhuma dessas linhagens reais fora fiel aos ideais deuteronômicos" (Norman H. Snaith, *in loc.*).

"Novamente, Deus escolheu Elias para levar uma mensagem de julgamento a Acabe, que estava, naquele momento, na vinha de Nabote. Deus transmitiu a Elias o que ele deveria dizer (vs. 19)" (Thomas L. Constable). A abominável e ímpia Jezabel tinha cometido o duplo crime de assassinato e confisco ilegal de uma herança familiar. Acabe foi o cúmplice declarado desses crimes e sofreria sorte igualmente horrível.

■ 21.17,18

וַיְהִי דְּבַר־יְהוָה אֶל־אֵלִיָּהוּ הַתִּשְׁבִּי לֵאמֹר׃

קוּם רֵד לִקְרַאת אַחְאָב מֶלֶךְ־יִשְׂרָאֵל אֲשֶׁר בְּשֹׁמְרוֹן הִנֵּה בְּכֶרֶם נָבוֹת אֲשֶׁר־יָרַד שָׁם לְרִשְׁתּוֹ׃

A palavra do Senhor (Yahweh) veio novamente a Elias. Ele teve uma visão, um sonho incomum, ouviu uma voz direta ou, de outra maneira qualquer, esteve em comunicação com o Ser divino. Ver no *Dicionário* os artigos denominados *Sonhos*; *Visão (Visões)* e *Misticismo*. Cf. 1Rs 18.1, a primeira ocasião em que a palavra do Senhor veio a Elias, ordenando-lhe proferir julgamento contra Acabe.

A localização de Acabe foi dada a Elias. Naquele exato instante, Acabe estava tomando posse da vinha de Nabote, que ele tinha obtido através de assassinato. Elias haveria de "apanhá-lo com a mão na botija", porquanto estaria tomando posse ilegal de uma herança de família. O versículo à nossa frente parece indicar a localização da vinha em Samaria, mas Nabote era de Jezreel, e podemos supor que sua vinha estivesse ali. Acabe tinha uma residência de verão naquele lugar. É possível que a declaração feita pelo autor, neste versículo, tenha sido um equívoco. Acabe tinha palácios em dois lugares, porém o mais provável é que a vinha ficasse perto de Jezreel e a herança da família de Nabote também estivesse nessa última cidade.

Elias desceu no dia seguinte após as matanças (ver 2Rs 9.26).

■ 21.19

וְדִבַּרְתָּ אֵלָיו לֵאמֹר כֹּה אָמַר יְהוָה הֲרָצַחְתָּ וְגַם־יָרָשְׁתָּ וְדִבַּרְתָּ אֵלָיו לֵאמֹר כֹּה אָמַר יְהוָה בִּמְקוֹם אֲשֶׁר לָקְקוּ הַכְּלָבִים אֶת־דַּם נָבוֹת יָלֹקּוּ הַכְּלָבִים אֶת־דָּמְךָ גַּם־אָתָּה׃

A mensagem a ser transmitida foi direta e brutal. Acabe era um homem morto. Além disso, morreria em desgraça. No próprio lugar onde os cães tinham vindo lamber o sangue de Nabote, também lamberiam o sangue de Acabe, e dessa forma a *Lei Moral da Colheita segundo a Semeadura* (ver a respeito no *Dicionário*) teria exato cumprimento. Essa foi a *Lex Talionis* divina (ver no *Dicionário*), isto é, uma punição em termos iguais, como olho por olho e dente por dente.

A profecia não se cumpriu em termos exatos, mas, sim, quanto à sua *essência*, conforme salientou John Gill (*in loc.*): "... a profecia teve cumprimento em seus filhos, que eram sua carne e seu sangue (ver 2Rs 9.26), porquanto o castigo foi adiado em seus dias e transferido para os seus filhos (ver o vs. 29). Os cães, entretanto, lamberam-lhe o sangue, embora não no mesmo local (ver 1Rs 22.8)". O arrependimento de Acabe alterou, até certo ponto, o cumprimento final da profecia, conforme vemos no vs. 29.

"É inútil procurarmos um cumprimento literal dessa predição. Esta teria sido assim cumprida, mas a humilhação de Acabe induziu um Deus misericordioso a dizer: 'Não trarei este mal nos seus dias, mas nos dias de seu filho o trarei sobre a sua casa' (vs. 29)" (Adam Clarke, *in loc.*). Os cães lamberam o sangue de Nabote em Jezreel, e o de Acabe perto de Samaria.

"Quando os cães lambiam o sangue de alguém, isso indicava uma morte desgraçada, especialmente no caso de um rei, cujo corpo normalmente seria guardado e sepultado com grande respeito" (Thomas L. Constable, *in loc.*).

■ 21.20

וַיֹּאמֶר אַחְאָב אֶל־אֵלִיָּהוּ הַמְצָאתַנִי אֹיְבִי וַיֹּאמֶר מָצָאתִי יַעַן הִתְמַכֶּרְךָ לַעֲשׂוֹת הָרַע בְּעֵינֵי יְהוָה׃

Acabe vendeu-se por um miserável terreno. Mostrou assim que não era homem de grande valor. Elias foi chamado por ele de "inimigo", mas na verdade, o próprio Acabe era o único grande inimigo de Acabe. Elias encontrou aquele homem ímpio na vinha do assassinado Nabote. Em breve os pecados de Acabe também o encontrariam. Ele chegara a um mau fim.

"*Vendendo a própria alma*. O curso mau de Acabe pareceu ter chegado ao nadir na morte de Nabote... Sua grande ganância, sua flexibilidade nas mãos da inescrupulosa Jezabel, sua permissão da acusação trombeteada contra Nabote e seu papel de cúmplice na execução daquele homem inocente constituem um capítulo de *negridão* sem remissão. Elias veio a ele como um inimigo. Para uma consciência culpada, o profeta de Deus sempre parece um inimigo... Acabe vendera a alma pelo preço da vinha de seu próximo... podemos perder gradualmente a possessão de nossa alma, lançando-a em uma hipoteca" (Ralph W. Sockman, *in loc.*).

"Ver uma forma similar de fala, em Rm 7.14. Acabe havia-se entregado totalmente ao serviço do pecado. Satanás se tornara seu senhor absoluto, e Acabe se tornara seu escravo exclusivo" (Adam Clarke, *in loc.*). O rei de Israel se tornara *escravo* do mal. sua vida se tornara caracterizada pela oportunidade perdida e pela perversão. Ele era homem de baixo caráter que cedia facilmente diante da tentação para o mal.

> A oportunidade faz o ladrão.
>
> Provérbio do século XIII

■ 21.21

הִנְנִי מֵבִי אֵלֶיךָ רָעָה וּבִעַרְתִּי אַחֲרֶיךָ וְהִכְרַתִּי לְאַחְאָב מַשְׁתִּין בְּקִיר וְעָצוּר וְעָזוּב בְּיִשְׂרָאֵל׃

A Retaliação. Não havia como Acabe escapar de uma sorte horrenda. Seus crimes eram grandes demais para serem esquecidos. Até mesmo o arrependimento (que finalmente veio) só poderia mitigar algumas circunstâncias do temível julgamento. O desastre consumiria a ele e aos seus descendentes. sua dinastia chegaria ao fim. seu nome seria gravado, para sempre, no livro da vergonha. Ele não teria descendentes do *sexo masculino*, isto é, que "urinassem contra uma parede". Quanto a notas expositivas sobre essa declaração vulgar, usada com frequência pelo autor sagrado, ver 1Rs 14.10, bem como as notas expositivas adicionais em 1Sm 25.22.

A família de Acabe era muito numerosa. Ele tinha setenta filhos. Mas nenhum deles sobreviveria. Ver 2Rs 10.1 quanto ao número incomum dos filhos de Acabe.

■ 21.22

וְנָתַתִּי אֶת־בֵּיתְךָ כְּבֵית יָרָבְעָם בֶּן־נְבָט וּכְבֵית בַּעְשָׁא בֶן־אֲחִיָּה אֶל־הַכַּעַס אֲשֶׁר הִכְעַסְתָּ וַתַּחֲטִא אֶת־יִשְׂרָאֵל׃

Os dois predecessores de Acabe (Jeroboão e Baasa) foram totalmente destruídos com suas casas inteiras (ver 1Rs 15.9; 16.11), e essa seria, igualmente, a sorte de Acabe. Ver 2Rs 9.9; 10.11 quanto ao cumprimento dessa profecia. Acabe foi um grande pecador, que fez o povo de Israel *pecar*. Quanto a essa expressão, ver 1Rs 15.26. Cf. com 1Rs 16.3,13.

21.23

וְגַם־לְאִיזֶ֙בֶל֙ דִּבֶּ֣ר יְהוָ֣ה לֵאמֹ֑ר הַכְּלָבִ֛ים יֹאכְל֥וּ אֶת־אִיזֶ֖בֶל בְּחֵ֥ל יִזְרְעֶֽאל׃

Parte especial da profecia de condenação seria o fim daquela mulher desgraçada, Jezabel. Ver 2Rs 9.30,33,36 quanto ao cumprimento da profecia. Cães selvagens viviam no lixo das cidades e vagueavam em matilhas. Eles eram animais perigosos, como nossas modernas variedades de cães. Nem Acabe nem Jezabel receberiam sepultamentos honrosos. Cf. 1Rs 14.11 e 16.4.

"As carcaças de hindus pobres e de pessoas que receberam punição pública são lançadas nos rios e, flutuando até as margens, são devoradas pelos cães, pelos abutres e pelas aves de rapina" (Adam Clarke, *in loc.*).

21.24

הַמֵּ֤ת לְאַחְאָב֙ בָּעִ֔יר יֹאכְל֖וּ הַכְּלָבִ֑ים וְהַמֵּת֙ בַּשָּׂדֶ֔ה יֹאכְל֖וּ ע֥וֹף הַשָּׁמָֽיִם׃

sua casa inteira sofreria morte violenta, e aos mortos seria negado um sepultamento decente, sendo eles comidos pelos cães e pelas aves de rapina. Ela foi uma profecia de *desgraça total*, visto ser importante para os hebreus receber sepultamento decente com as devidas honrarias. Cf. 1Rs 14.11 e 16.4.

Spinoza demonstrou coragem ao recusar a cadeira de filosofia na Universidade de Heldelberg, porquanto ele pensava que as pressões para a *conformidade* que ali receberia impediriam sua independência de pensamento. Ele queria ensinar o que pensava ser correto, a fim de influenciar favoravelmente a outras pessoas. No entanto, influências adversas podem transformar uma pessoa naquilo que ela não é, para sua desvantagem e para desvantagem dos que estão ao seu redor. Na presença de algumas pessoas, é impossível sermos "nossas melhores personalidades". Foi assim que Acabe e Jezabel corromperam a nação de Israel, e seus terríveis destinos foram bem merecidos.

21.25

רַ֚ק לֹֽא־הָיָ֣ה כְאַחְאָ֔ב אֲשֶׁ֣ר הִתְמַכֵּ֔ר לַעֲשׂ֥וֹת הָרַ֖ע בְּעֵינֵ֣י יְהוָ֑ה אֲשֶׁר־הֵסַ֥תָּה אֹת֖וֹ אִיזֶ֥בֶל אִשְׁתּֽוֹ׃

Que se vendeu. Já tínhamos encontrado essa expressão no vs. 20, cujas notas explicativas também se aplicam aqui. Para piorar ainda mais as coisas (como se ele precisasse de alguma ajuda), a abominável Jezabel estava ali para agitar suas inclinações mais vis e ajudá-lo a praticar violência contra os inocentes e a corromper as boas maneiras de toda uma nação. O casal era formado de *almas gêmeas* em prol da iniquidade. Eles eram a equipe do diabo. Ela despertou Acabe para "... a idolatria, a vingança e o assassinato. Além disso, Acabe era um escravo da vontade *dela*... um cativo do pecado, entregando-se a princípios do mal" (John Gill, *in loc.*).

As histórias dos reinos orientais estão cheias de intrigas femininas, mas não houve intrigas que parecessem tão monstruosas como as de Jezabel, a princesa do mal, a virtual irmã de Satanás. "Uma boa esposa vem do Senhor. Uma má esposa vem do mal. Jezabel foi esse tipo de esposa e tem tido muitas sucessoras na história da humanidade" (Adam Clarke, *in loc.*).

21.26

וַיַּתְעֵ֣ב מְאֹ֔ד לָלֶ֖כֶת אַחֲרֵ֣י הַגִּלֻּלִ֑ים כְּכֹל֙ אֲשֶׁ֣ר עָשׂ֣וּ הָאֱמֹרִ֔י אֲשֶׁר֙ הוֹרִ֣ישׁ יְהוָ֔ה מִפְּנֵ֖י בְּנֵ֥י יִשְׂרָאֵֽל׃ ס

Yahweh aniquilou os habitantes primitivos da Palestina por causa de sua idolatria e dos pecados que, naturalmente, acompanham esse pecado. Israel fez *guerra santa* contra eles (ver as explicações acerca disso em Dt 7.1-5; 20.10-18). No entanto, uma vez na Terra Prometida, Israel adotou estupidamente os cultos idólatras que tinham corrompido os povos que ali habitaram. Isso tornou inevitável que a síndrome do pecado-calamidade se apossasse de Israel. A nação do norte seria aniquilada no *cativeiro assírio* (ver a respeito no *Dicionário*) e simplesmente deixaria de existir como nação independente.

Segundo tudo o que fizeram os amorreus. Os amorreus eram apenas uma dentre as *sete* nações expulsas da Terra Prometida (ver a lista em Êx 33.3 e Dt 7.1). Mas "amorreus", neste trecho bíblico, representam *todos* os grupos étnicos e as tribos que ocupavam a Palestina, antes da chegada de Israel. Ver Gn 15.16 quanto a esse mesmo uso: "... amorreus ... aqui representam todas as demais nações" (John Gill, *in loc.*). Ver no *Dicionário* o artigo chamado *Amorreus*, quanto a maiores detalhes. "... inomináveis abominações estavam sempre vinculadas à adoração idólatra" (Ellicott, *in loc.*). Cf. Js 10.12,13, sobre como os amorreus foram expulsos da Terra Prometida.

21.27

וַיְהִי֩ כִשְׁמֹ֨עַ אַחְאָ֜ב אֶת־הַדְּבָרִ֣ים הָאֵ֗לֶּה וַיִּקְרַ֤ע בְּגָדָיו֙ וַיָּֽשֶׂם־שַׂ֣ק עַל־בְּשָׂר֔וֹ וַיָּצ֖וֹם וַיִּשְׁכַּ֣ב בַּשָּׂ֑ק וַיְהַלֵּ֖ךְ אַֽט׃ ס

Arrependimento. Acabe demonstrou todos os sinais de verdadeiro arrependimento, com as vestes rasgadas, o uso do cilício e o jejum. Ver no *Dicionário* os seguintes artigos: *Vestimentas, Rasgar das; Pano de Saco; Jejum.* Quanto ao jejum, ver 1Rs 21.9,12. Nos tempos modernos, esse ato tornou-se um exercício espiritual que tem alguma eficácia na iluminação e solução de problemas. No vs. 16 deste capítulo, a Septuaginta mostra Acabe a fazer a mesma coisa, consternado diante da morte de Nabote. Seja como for, não há por que duvidarmos da sinceridade desse arrependimento. Por outro lado, coisa alguma poderia desfazer toda a destruição e o caos que Acabe tinha causado. Em algum tempo ele teria de pagar pelo que fez, de acordo com a *Lei Moral da Colheita segundo a Semeadura* (ver no *Dicionário*). O arrependimento de Acabe salvou-o pessoalmente de alguma desgraça maior. Mas, depois de sua morte na desgraça, sua família foi aniquilada por Jeú. Ver o vs. 29. Ver no *Dicionário* o verbete chamado *Arrependimento.*

Referências. Quanto ao uso do cilício, ver Gn 37.34; 1Rs 20.31,32; Ed 4.1; Ne 9.1; Dn 9.3; quanto a rasgar as próprias roupas, ver Ed 4.1; Jó 1.20; quanto ao jejum, ver Ne 9.1; Dn 9.3.

21.28,29

וַיְהִי֙ דְּבַר־יְהוָ֔ה אֶל־אֵלִיָּ֥הוּ הַתִּשְׁבִּ֖י לֵאמֹֽר׃
הֲֽרָאִ֔יתָ כִּֽי־נִכְנַ֥ע אַחְאָ֖ב מִלְּפָנָ֑י יַ֜עַן כִּֽי־נִכְנַ֣ע מִפָּנַ֗י לֹֽא־אָבִ֤יא הָֽרָעָה֙ בְּיָמָ֔יו בִּימֵ֣י בְנ֔וֹ אָבִ֥יא הָרָעָ֖ה עַל־בֵּיתֽוֹ׃

Veio a palavra do Senhor a Elias. Uma vez mais, veio a palavra do Senhor a Elias, prestando-lhe orientações e informações. Ele teve uma visão, ouviu uma voz, teve um sonho espiritual especial ou passou por alguma outra experiência mística. Ver no *Dicionário* o artigo chamado *Misticismo*, e cf. 1Reis 18.1 e 21.17, onde temos outras comunicações divinas dadas a Elias. Ver no *Dicionário* os artigos intitulados *Sonhos* e *Visão (Visões).*

Certa medida de misericórdia (vs. 29) foi estendida a Acabe, por causa de seu anterior arrependimento. Embora ele mesmo tivesse de morrer uma morte miserável, sem receber um sepultamento honroso (e outro tanto sucederia no caso de Jezabel), ele não viveria para ver Jeú aniquilar seus setenta filhos (ver 2Rs 10.1), bem como o resto de sua numerosa casa. Acabe foi sepultado em Samaria (ver 1Rs 22.37), mas coisa alguma é dita sobre a pompa do sepultamento. Jezabel foi consumida essencialmente pelos cães, de modo que somente seu crânio, seus pés e as palmas de suas mãos foram encontrados para sepultar (ver 2Rs 9.34,35).

A *história judaica* glorificou o arrependimento de Acabe, dizendo-nos que ele reverteu completamente a sua idolatria, voltou a Yahweh, observou jejuns, orava pela manhã e à noite e estudou a lei pelo resto de seus dias (Pirke Eliezer, cap. 45). Mas esses embelezamentos são fantasiosos.

CAPÍTULO 22

A ÚLTIMA BATALHA DE ACABE (22.1-40)

A crônica da vida de Acabe caracteriza-se pela violência, pela corrupção e pelas desgraças. Mas tudo isso tinha de chegar ao fim de alguma maneira. Ele foi um homem que viveu à espada e morreria à espada (ver Mt 26.52). A *Lei Moral da Colheita segundo a Semeadura* (ver no *Dicionário*) não permitiria a Acabe escapar facilmente. Já se aproximava uma punição exata, terrível, como tinham sido os seus crimes. seu arrependimento (ver 1Rs 21.27-29) permitiria certa medida de misericórdia. Pelo menos ele não viveria para ver Jeú aniquilar seus setenta filhos (ver 2Rs 10.1), bem como o resto de seus parentes e servos.

A História Deste Capítulo. Ben-Hadade, rei da Síria, prometera restaurar territórios e cidades que a Síria havia conquistado e que antes tinham pertencido a Israel (ver 1Rs 20.34). Aparentemente, parte desse território potencialmente restaurado foi Ramote-Gileade. Foi em vista disso que Acabe (rei de Israel) e Josafá (rei de Judá) reuniram forças para tentar readquirir os territórios perdidos. Vários profetas de Israel "predisseram" a vitória e o sucesso da empreitada. Mas Micaías sempre previa desastre. Micaías foi consultado quanto ao projeto militar e, novamente, lançou uma profecia condenatória. De fato, ele previu a morte de Acabe como parte da derrota de Israel. Acabe, pois, tomou toda precaução possível para impedir isso, exceto pelo fato de que não ficou em casa. Ele não usou sua armadura especial que o identificava como rei, mas entregou-a para que Josafá a vestisse. E Acabe vestiu-se como um soldado qualquer. Mas a sorte derrubou todos os seus disfarces. Um arqueiro despediu um dardo ao acaso, o qual se encravou no corpo de Acabe. A sorte mostrou ser cruel. O homem estava morto. Por outra parte, o próprio Acabe cultivara *seu* triste fim.

Na Septuaginta e na versão de Luciano, o capítulo 22 aparece logo depois do capítulo 20. Essas versões põem o capítulo 21 após o capítulo 19. É difícil dizer qual foi a ordem original dos capítulos. Nossas traduções seguem o texto massorético. Ver no *Dicionário* o artigo chamado *Massora (Massorah); Texto Massorético.*

■ 22.1

וַיֵּשְׁבוּ שָׁלֹשׁ שָׁנִים אֵין מִלְחָמָה בֵּין אֲרָם וּבֵין יִשְׂרָאֵל: פ

Três anos se passaram sem haver guerra. Isso não foi nenhum recorde, mas todo esse tempo sem matar e sem ser morto foi realmente incomum. Acabe havia conseguido obter duas vitórias significativas sobre Ben-Hadade, rei da Síria, mediante a intervenção direta de Yahweh. Ver a história dessas vitórias em 1Rs 20. Humilhado, o rei da Síria (visto que sua vida havia sido poupada) concordara em devolver territórios que os sírios tinham confiscado de Israel (ver 1Rs 20.34). Podemos presumir que nem todas as promessas de Ben-Hadade foram cumpridas. Portanto, Israel e Judá combinaram forças na tentativa de reocupar a cidade de *Ramote-Gileade.* Ver a introdução ao presente capítulo. Josefo diz-nos que Ramote-Gileade foi tomada pelos sírios de Onri, pai de Acabe (*Antiq.* VIII.15.3).

Pelo momento, a ameaça de Assíria havia passado. Acabe e Ben-Hadade tinham juntado forças e derrotado o exército assírio na batalha de Qarqar. Falo sobre isso nos comentários sobre 1Rs 20.34. As Escrituras não dão nenhuma informação sobre essa batalha. O exército assírio, porém, voltaria mais forte do que nunca, e o cativeiro seria uma realidade que poria fim a Israel (a nação do norte) como país independente. Isso, porém, não aconteceria no tempo de Acabe. Portanto, desassossegado e sem ter guerreado por três anos, Acabe resolveu atacar seu aliado recente, Ben-Hadade. É patente, pois, que os antigos reis de Israel, bem como os de territórios circunvizinhos, gostavam de matar e ser mortos. Esse era, de fato, o principal esporte da época. Acabe, pois, retornou ao seu jogo de guerra, e induziu o rei de Judá a cooperar com ele. Naquela época, Judá não era muito mais que um estado vassalo do reino do norte, Israel. A nova guerra começou em cerca de 853 a.C.

■ 22.2

וַיְהִי בַּשָּׁנָה הַשְּׁלִישִׁית וַיֵּרֶד יְהוֹשָׁפָט מֶלֶךְ־יְהוּדָה אֶל־מֶלֶךְ יִשְׂרָאֵל:

Porém no terceiro ano. No terceiro ano as coisas voltaram à violência de sempre. Josafá, rei de Judá, veio ver o rei de Israel. Eles haveriam de planejar juntos a nova guerra. O rei de Judá não era muito mais do que um rei vassalo de Acabe, pelo que teria de deixar nas mãos deste a direção da guerra. A Septuaginta diz-nos que Acabe forçou Josafá a vestir a sua armadura (vs. 30), de maneira que, se alguém quisesse matar um rei, mataria o rei de Judá, e não o de Israel. Mas um dardo lançado ao acaso por um soldado sírio arruinou todo esse plano. O texto massorético diz, no vs. 30, "tuas vestes", referindo-se às roupas que Josafá vestiria, vestimentas e armaduras do rei. Mas a Septuaginta mais provavelmente está com a razão ao dizer "minhas vestes", indicando as roupas de Acabe. Isso deixa evidenciada a sujeição do rei de Judá ao rei de Israel. Quando me refiro ao texto massorético, aponto para o texto hebraico padronizado. Ver sobre isso no artigo do *Dicionário* chamado *Massora (Massorah); Texto Massorético.*

Josafá. Ver o artigo detalhado sobre ele no *Dicionário*. Neste versículo, o autor sacro volta a dizer algo sobre a nação do sul (Judá) e suas atividades. Ele deixara de falar sobre Judá no final do capítulo 15 de 1Reis, a fim de relatar longamente as histórias referentes a Elias e Acabe. Ver no *Dicionário* o artigo chamado *Reino de Judá* quanto a uma lista e descrições dos reis de Judá. Mas a história de Josafá propriamente dita começa em 1Rs 22.41 e estende-se até 1Rs 22.51.

O plano do autor sagrado foi dar *relatos paralelos*, descrevendo os reis de Israel e Judá, em ordem cronológica aproximada, indo de Israel para Judá, de acordo com o tempo envolvido. Ele não contou primeiro a história de todos os reis de Israel, para depois apresentar a história dos reis de Judá. Quanto a esse plano de *relatos paralelos*, ver as notas expositivas sobre 1Rs 16.29.

■ 22.3

וַיֹּאמֶר מֶלֶךְ־יִשְׂרָאֵל אֶל־עֲבָדָיו הַיְדַעְתֶּם כִּי־לָנוּ רָמֹת גִּלְעָד וַאֲנַחְנוּ מַחְשִׁים מִקַּחַת אֹתָהּ מִיַּד מֶלֶךְ אֲרָם:

Acabe estava infeliz diante das promessas não cumpridas que Ben-Hadade tinha feito (ver 1Rs 20.34). Nem todos os territórios e cidades tinham sido devolvidos a Israel, incluindo a cidade de Ramote-Gileade. Não guerrear por três anos deixou seu espírito inquieto. Foi assim que ele se aconselhou com os oficiais e anciãos de sua nação e decidiu tomar Ramote-Gileade à força. Esse lugar tinha sido uma cidade de refúgio, localizada além do Jordão, com relativa importância. Ver sobre isso no *Dicionário*.

"A derrota e a morte de Acabe foram subsequentemente vingadas por Jorão, que tomou a cidade e a reteve, a despeito de todos os ataques do inimigo (2Rs 9.1-14)" (Ellicott, *in loc.*). Acabe declarou guerra para que tivessem cumprimento as profecias contra ele (ver 1Rs 21.21 ss.).

■ 22.4

וַיֹּאמֶר אֶל־יְהוֹשָׁפָט הֲתֵלֵךְ אִתִּי לַמִּלְחָמָה רָמֹת גִּלְעָד וַיֹּאמֶר יְהוֹשָׁפָט אֶל־מֶלֶךְ יִשְׂרָאֵל כָּמוֹנִי כָמוֹךָ כְּעַמִּי כְעַמֶּךָ כְּסוּסַי כְּסוּסֶיךָ:

Então perguntou a Josafá. Ver as notas expositivas sobre o vs. 2, e o artigo sobre Josafá no *Dicionário*. Embora fosse rei de Judá, ele havia sido reduzido à posição de virtual vassalo de Acabe e haveria de ajudá-lo na guerra que envolveu a cidade de Ramote-Gileade.

Unidos em Todas as Coisas. Josafá demonstrou sua absoluta sujeição a Acabe ao proferir que os exércitos do norte e do sul eram um só, que seus bens eram um só, e que seus propósitos eram um só. Os cavalos eram cavalos que puxaram carros de combate. Israel e Judá poriam em campo uma cavalaria, e não meramente a força de combate de infantes, que era como os israelitas e judaítas usualmente combatiam. A palavra hebraica envolvida dá-nos essa informação, por não falar meramente de "cavalos de montar".

Havia alianças por matrimônio entre Acabe e Josafá (ver 2Cr 18.1; 2Rs 8.18). Portanto, foi fácil a aliança entre os dois reis. Essa união, entretanto, ofendeu a Yahweh, porquanto Israel se transformara apenas em outra nação pagã e idólatra (ver 2Cr 19.1-3). Embora tenhamos visto Acabe *arrepender-se* (ver 1Rs 21.27 ss.), isso não significa que toda a nação de Israel também se tivesse arrependido. Jezabel continuava firmemente no comando do país.

22.5,6

וַיֹּאמֶר יְהוֹשָׁפָט אֶל־מֶלֶךְ יִשְׂרָאֵל דְּרָשׁ־נָא כַיּוֹם אֶת־דְּבַר יְהוָה׃

וַיִּקְבֹּץ מֶלֶךְ־יִשְׂרָאֵל אֶת־הַנְּבִיאִים כְּאַרְבַּע מֵאוֹת אִישׁ וַיֹּאמֶר אֲלֵהֶם הַאֵלֵךְ עַל־רָמֹת גִּלְעָד לַמִּלְחָמָה אִם־אֶחְדָּל וַיֹּאמְרוּ עֲלֵה וְיִתֵּן אֲדֹנָי בְּיַד הַמֶּלֶךְ׃

Consulta primeiro a palavra do Senhor. O oráculo foi consultado acerca do sucesso na batalha por Ramote-Gileade. Yahweh era supostamente honrado por aqueles que davam a "boa" resposta. Uma escola de quatrocentos profetas foi consultada. Não parece que esses fossem profetas de Baal. Seja como for, eles eram apostatados e deram ao rei a resposta que ele queria ouvir. Disseram mentiras, pois Acabe em breve perderia a própria vida. Josafá sentiu no coração que havia algo de errado na consulta e assim procurou um "profeta do Senhor" (vs. 7). Alguns estudiosos, porém, insistem que esses quatrocentos profetas eram os de Aserá ou Baal, que não haviam sido mortos no monte Carmelo (ver 1Rs 18.19), mas não é provável que eles tinham sido aceitos por Josafá, e muito menos que se tenham convertido ao yahwismo. Talvez eles tivessem seu quartel-general em Betel, o antigo santuário sagrado, porquanto não centralizavam sua adoração no templo de Jerusalém.

22.7,8

וַיֹּאמֶר יְהוֹשָׁפָט הַאֵין פֹּה נָבִיא לַיהוָה עוֹד וְנִדְרְשָׁה מֵאוֹתוֹ׃

וַיֹּאמֶר מֶלֶךְ־יִשְׂרָאֵל אֶל־יְהוֹשָׁפָט עוֹד אִישׁ־אֶחָד לִדְרֹשׁ אֶת־יְהוָה מֵאֹתוֹ וַאֲנִי שְׂנֵאתִיו כִּי לֹא־יִתְנַבֵּא עָלַי טוֹב כִּי אִם־רָע מִיכָיְהוּ בֶן־יִמְלָה וַיֹּאמֶר יְהוֹשָׁפָט אַל־יֹאמַר הַמֶּלֶךְ כֵּן׃

Josafá, dotado de maior discernimento que Acabe, sentiu que o parecer dos quatrocentos profetas (apostatados) de Israel era falso. Portanto, quis consultar outro profeta que tivesse a reputação de ser santo e exato, e seguisse a Yahweh e não a Baal. Acabe, pois, conhecia a *Micaías* (ver sobre ele no *Dicionário*), que tinha considerável reputação como profeta. Mas Acabe o odiava, porque Micaías vivia predizendo condenação e falando sobre o pecado. Apesar das objeções de Acabe, Josafá insistiu, e Micaías foi consultado. Micaías parecia-se muito, nas atitudes, com Elias. Eram ambos inimigos de Acabe e de seu reino apóstata. Josefo diz que Micaías era o profeta referido em 1Rs 20.35-45, mas não há como provar isso. Se estiveram envolvidos dois profetas, então ambos fizeram as mesmas melancólicas predições sobre a sorte de Acabe. E assim Acabe preferiu dar crédito aos quatrocentos profetas, que sempre davam profecias fulgurantes de vitória. Algumas vezes, porém, a fé consiste em crermos em algo que não é a verdade; e aqui temos uma dessas ocasiões.

Disse Josafá: Não fale o rei assim. Josafá queria que Acabe se livrasse de seu ódio por Micaías e se mostrasse razoável. O profeta de Yahweh deveria ser respeitado e consultado, e Acabe finalmente consentiu com isso.

22.9

וַיִּקְרָא מֶלֶךְ יִשְׂרָאֵל אֶל־סָרִיס אֶחָד וַיֹּאמֶר מַהֲרָה מִיכָיְהוּ בֶן־יִמְלָה׃

Acabe despachou um oficial para alcançar *Micaías*, a fim de que a consulta profética pudesse ser realizada. Micaías, sem dúvida, morava em algum lugar de Samaria, porquanto não demorou a responder à convocação. Entretanto, os vss. 26 e 27 talvez indiquem que Micaías foi tirado da prisão, a fim de profetizar, e, dada a profecia de condenação, ele voltou a ser encarcerado. Seja como for, seu conselho profético não foi seguido, pelo que Acabe marchou para a batalha e para a morte, porque estava preso ao destino.

22.10

וּמֶלֶךְ יִשְׂרָאֵל וִיהוֹשָׁפָט מֶלֶךְ־יְהוּדָה יֹשְׁבִים אִישׁ עַל־כִּסְאוֹ מְלֻבָּשִׁים בְּגָדִים בְּגֹרֶן פֶּתַח שַׁעַר שֹׁמְרוֹן וְכָל־הַנְּבִיאִים מִתְנַבְּאִים לִפְנֵיהֶם׃

Foi uma Ocasião Solene. Acabe e Josafá estavam em seus tronos improvisados, no portão da cidade, esperando a chegada de Micaías. Entrementes, os falsos profetas continuavam a proferir mentiras, caindo em transe, dançando ao derredor e fazendo declarações absurdas. Os dois reis vestiam-se em pompa e esplendor, com seus trajes reais, mas a causa deles era uma causa de morte. Eram os últimos momentos de glória de Acabe. O resto seria desastre e sofrimento. O portão da cidade era um lugar costumeiro de comércio e transação da lei, bem como de assembleias públicas. E também podia ser um lugar secundário onde um rei fazia suas assembleias, já que ele possuía seu próprio palácio onde usualmente se desenrolavam as reuniões do tribunal. Ver no *Dicionário* o artigo chamado *Portão*.

22.11

וַיַּעַשׂ לוֹ צִדְקִיָּה בֶן־כְּנַעֲנָה קַרְנֵי בַרְזֶל וַיֹּאמֶר כֹּה־אָמַר יְהוָה בְּאֵלֶּה תְּנַגַּח אֶת־אֲרָם עַד־כַּלֹּתָם׃

Zedequias, filho de Quenaaná. *O Ridículo Zedequias.* Ele era um dos profetas apostatados e iludidos. sua fé por certo consistia em crer em algo que não era verdade. Ele chegou a ponto de construir chifres de ferro, imitando os chifres de um touro, e de predizer que Israel, à semelhança de um touro, haveria de chifrar os sírios e limpá-los completamente do mapa. De fato, os sírios, de acordo com a fábula constituída por ele, seriam inteiramente "consumidos".

Uma *ilusão* consiste em ver ou ouvir algo que realmente não existe. As pseudovisões pertencem a essa classe, e são formas de enfermidade mental. Certas coisas são, realmente, "vistas", mas apenas como projeções da mente. O pobre Zedequias foi vítima disso. Na psiquiatria, uma ilusão consiste em uma crença falsa, especialmente sobre si mesmo (a pessoa imagina-se uma grande figura religiosa ou política), e assim, mostrando-se persistente nessa crença, a paranoia ou demência se estabelece. É até mesmo possível que o pobre "profeta" estivesse sofrendo dessa forma de ilusão radical. Por isso apresentava seu caso com tamanha convicção e, sem dúvida, acreditava no que dizia. Mas a sinceridade não o salvou de estar laborando em terrível erro.

Abardinel supunha que o "profeta" tivesse em vista a bênção de José (ver Dt 33.17), em que aquele patriarca foi comparado a um touro com chifres, e esses chifres seriam as multidões de Manassés e Efraim. Acabe era da tribo de José e governava Efraim e Manassés. Talvez tenhamos aqui, portanto, a descrição de uma *parábola* "inventada pelo profeta", e não uma visão que ele tivesse "visto". Por outra parte, ele mesmo dera a *Yahweh* o crédito naquele instante, e isso sugere que estamos aqui tratando com uma pseudovisão, e não com uma parábola.

22.12

וְכָל־הַנְּבִאִים נִבְּאִים כֵּן לֵאמֹר עֲלֵה רָמֹת גִּלְעָד וְהַצְלַח וְנָתַן יְהוָה בְּיַד הַמֶּלֶךְ׃

Os *outros profetas* mostravam-se ridiculamente alucinados e enganados. Eles insistiam em falar sobre as mesmas falsas profecias, sem dúvida, através de grande variedade de pseudovisões que produziram no local, exatamente para aquela ocasião. Há um misticismo autêntico, e há um misticismo falso. Ver no *Dicionário* o verbete intitulado *Misticismo*. Não podemos depender nem mesmo do verdadeiro misticismo, como se fosse esse o *único* modo de conhecer a vontade de Deus e ocupar-nos da vida espiritual. Precisamos usar nosso intelecto; precisamos das boas obras; precisamos viver conforme a lei do amor. Ver no *Dicionário* o artigo chamado *Desenvolvimento Espiritual, Meios do*, quanto a maiores detalhes sobre a questão.

Os profetas repetiram o que tinham dito (ver o vs. 6) e assim venceram a influência de Micaías e de sua profecia autêntica. O próprio

Josafá engoliu o ardil. Os planos para a luta por Ramote-Gileade foram consolidados e postos em ação.

Cf. o presente versículo com Mt 7.21-23. Nem todo o que diz estar profetizando em nome do Senhor realmente o está fazendo. Alguns "profetas" são obreiros de iniquidade. Os profetas mencionados neste texto falavam como se inspirados por Yahweh. Mas eles mentiam, pois estavam alucinados e iludidos. O vs. 21 mostra-nos que um *espírito*, um agente de Yahweh, levou aqueles profetas a dizer o que disseram, a fim de que Acabe não evitasse seu temido destino.

■ 22.13

וְהַמַּלְאָ֞ךְ אֲשֶׁר־הָלַ֣ךְ ׀ לִקְרֹ֣א מִיכָ֗יְהוּ דִּבֶּ֤ר אֵלָיו֙
לֵאמֹ֔ר הִנֵּה־נָ֞א דִּבְרֵ֧י הַנְּבִיאִ֛ים פֶּֽה־אֶחָ֥ד ט֖וֹב
אֶל־הַמֶּ֑לֶךְ יְהִי־נָ֣א דְבָרְךָ֗ כִּדְבַ֛ר אַחַ֥ד מֵהֶ֖ם
וְדִבַּ֥רְתָּ טּֽוֹב׃

O mensageiro que fora chamar a Micaías. Esse homem estava interessado no bem-estar de Israel, e isso requeria (conforme ele pensava) vitória sobre os sírios. Nem bem Micaías havia sido chamado, e o mensageiro imediatamente expressou a *esperança* de que o profeta dissesse a mesma coisa que os outros "quatrocentos profetas" diziam. Isso permitiria que Acabe e Josafá prosseguissem com seus planos, na confiança de que Yahweh lhes concederia uma vitória fácil. O mensageiro, pois, tinha sua própria definição de *bem*. A apostatada nação do norte tinha de ser abençoada, a despeito de suas apostasias, e, nesse caso, o julgamento divino certamente era *mau*. Ele esperava uma boa palavra: "Israel prosperará em batalha, a despeito de sua idolatria". No entanto, Elias já havia predito que Hazael administraria uma estonteante derrota contra Israel (ver 1Rs 19.17). Agora, havia chegado o momento desse acontecimento. E Acabe, cegamente, aproximava-se de sua hora fatal.

> A Justiça, invisível e muda, lhe segue os passos,
> Ferindo sua vereda, à direita e à esquerda.
> ...
> A Justiça sabe muito bem a quem deve ferir.
>
> Ésquilo

"Que noção poderiam ter aqueles homens de uma profecia, quando supunham estar no poder do profeta modelar a sua predição conforme desejasse e fazer as coisas acontecerem conforme ele predissera?" (Adam Clarke, *in loc.*). Ellicott, *in loc.*, lança a culpa de toda aquela confusão sobre as superstições da época. No Novo Testamento lemos sobre o pobre Simão, o Mago, que pensou que os apóstolos eram tão grandes que podiam conferir, a quem quisessem, qualquer dom espiritual, e que isso podia *ser comprado a dinheiro!* (Ver At 8.9 ss.).

■ 22.14

וַיֹּ֖אמֶר מִיכָ֑יְהוּ חַי־יְהוָ֗ה כִּ֠י אֶת־אֲשֶׁ֨ר יֹאמַ֧ר יְהוָ֛ה
אֵלַ֖י אֹת֥וֹ אֲדַבֵּֽר׃

O Yahweh vivo, o Deus eterno, não operou segundo as ideias insensatas daqueles falsos profetas. Antes, Deus deu uma verdadeira palavra; suas profecias dependiam de sua própria vontade, e seu profeta era apenas o mensageiro da palavra divina. Essa palavra pode agradar ou fazer desmaiar. Fosse como fosse, seria *verdadeira*. Micaías jurava por esse tipo de Deus. Ver no *Dicionário* o artigo chamado *Juramentos*. Um profeta autêntico predizia aquilo que realmente aconteceria. Ele declararia essa palavra, sem importar quão desagradável fosse.

"... falarei verdadeira e fielmente, nada retendo, nada adicionando, sem importar se a palavra é boa ou má, se é agradável ou desagradável" (John Gill, *in loc.*). O profeta, como é evidente, não sabia, naquele momento, no que consistiria a profecia, mas conhecendo bem todas as coisas relativas a Israel e a Acabe e sua apostasia, ele pode ter imaginado que coisa alguma de bom poderia ser dita a respeito deles.

"À semelhança de Elias, Micaías estava preparado para ficar sozinho" (Thomas L. Constable, *in loc*).

■ 22.15,16

וַיָּבוֹא֙ אֶל־הַמֶּ֔לֶךְ וַיֹּ֨אמֶר הַמֶּ֜לֶךְ אֵלָ֗יו מִיכָ֨יְהוּ֙ הֲנֵלֵ֜ךְ
אֶל־רָמֹ֥ת גִּלְעָ֛ד לַמִּלְחָמָ֖ה אִם־נֶחְדָּ֑ל וַיֹּ֣אמֶר אֵלָ֗יו
עֲלֵ֤ה וְהַצְלַח֙ וְנָתַ֣ן יְהוָ֔ה בְּיַ֖ד הַמֶּֽלֶךְ׃

וַיֹּ֤אמֶר אֵלָיו֙ הַמֶּ֔לֶךְ עַד־כַּמֶּ֥ה פְעָמִ֖ים אֲנִ֣י מַשְׁבִּעֶ֑ךָ
אֲ֠שֶׁר לֹֽא־תְדַבֵּ֥ר אֵלַ֛י רַק־אֱמֶ֖ת בְּשֵׁ֥ם יְהוָֽה׃

Quase imediatamente Micaías chegou e apareceu defronte dos dois reis, Acabe e Josafá, pomposamente sentados nos tronos improvisados no portão da cidade de Samaria. Micaías parecia olhar desdenhosamente para aqueles falsos profetas que dançavam, gritavam e profetizavam falsamente. Ele não precisava passar por aquelas contorções para proferir uma palavra *verdadeira*, ao passo que eles precisavam de tudo aquilo para proferir uma palavra *falsa*.

Ironia. Acabe queria ouvir que Israel obteria grande vitória, e assim, Israel e Judá *prosperariam* em seus planos. Dessa forma Micaías disse ironicamente: "Vai adiante com os teus planos. Prosperarás". Mas Acabe percebeu a zombaria no tom de voz de Micaías e fê-lo jurar que diria somente a verdade (vs. 16). A zombaria de Micaías foi tão grande que ele chegou a dizer que *Yahweh* lhe dera aquela mensagem de esperança, de que entregaria os sírios nas mãos de Israel. Mas Acabe sabia que Yahweh não havia dito tal coisa; sabia que as coisas se incendiariam; sabia, em seu coração, que sua hora tinha chegado. Há estudos que demonstram que todas as pessoas sabem, com pelo menos um ano de antecedência, que vão morrer, e muitos têm sonhos de pré-conhecimento que insistem em dizer-lhes isso. Isso é verdade até mesmo no caso de jovens saudáveis, mas que enfrentarão algum acidente fatal. Acabe sabia, mas continuou tentando fazer os profetas dizer-lhes o que não era verdade. sua esperança recusava-se a findar-se. Acabe fez Micaías jurar que diria a verdade. Ele realmente queria saber. Por outro lado, contudo, não queria realmente saber.

"Micaías foi um verdadeiro discípulo de Elias, devido ao tom desafiador de sua voz, por meio de que tomou as declarações dos profetas falsos e deles zombou... Ele se mostrou zombeteiro contra Acabe e seus profetas" (Ellicott, *in loc.*).

Quantas vezes te conjurarei...? Naquela ocasião, ou em outras, o profeta havia zombado de Acabe com seu pequeno jogo de imitar os falsos profetas.

■ 22.17

וַיֹּ֗אמֶר רָאִ֤יתִי אֶת־כָּל־יִשְׂרָאֵל֙ נְפֹצִ֣ים אֶל־הֶהָרִ֔ים
כַּצֹּ֕אן אֲשֶׁ֥ר אֵין־לָהֶ֖ם רֹעֶ֑ה וַיֹּ֤אמֶר יְהוָה֙ לֹֽא־אֲדֹנִ֣ים
לָאֵ֔לֶּה יָשׁ֥וּבוּ אִישׁ־לְבֵית֖וֹ בְּשָׁלֽוֹם׃

Vi todo Israel disperso pelos montes. Israel ficaria sem pastor (Acabe seria morto e não haveria líder para o exército disperso de Israel). Soldados mortos pelo chão; soldados agonizantes; outros caminhando ao redor, estonteados; confusão total; perda total; derrota total. Essas eram as coisas que Micaías viu quando Yahweh inspirou a sua mente. "... o exército de Israel seria derrotado, disperso e fugiria, alguns em uma direção, outros em outra" (John Gill, *in loc.*). Alguns poucos miseráveis conseguiriam retornar para casa.

"O oráculo compunha-se da costumeira forma rítmica e poética, seguindo a métrica de dois mais dois. Micaías, pois, falou o verdadeiro oráculo, estando sob juramento a Yahweh. Ele não podia fazer outra coisa além de dizer exatamente o que acreditava ser a verdade" (Norman H. Snaith, *in loc.*).

Terminara o sarcasmo do profeta. Ele entregou com simplicidade sua pesada e devastadora mensagem. Ele não precisou de transes nem de danças.

■ 22.18

וַיֹּ֛אמֶר מֶֽלֶךְ־יִשְׂרָאֵ֖ל אֶל־יְהוֹשָׁפָ֑ט הֲלוֹא֙ אָמַ֣רְתִּי
אֵלֶ֔יךָ לֽוֹא־יִתְנַבֵּ֥א עָלַ֛י ט֖וֹב כִּ֥י אִם־רָֽע׃

Acabe não pôde resistir àquela antiga resposta: "Eu bem que lhe havia dito". A *verdade* não lhe interessava. O que Acabe queria ouvir era uma palavra boa da parte do profeta, mesmo que fosse uma *mentira*.

Mas Acabe sabia em seu coração que Micaías tinha razão, porém não queria que a verdade fosse transmitida à sua mente consciente. Ninguém quer ser cortado no vergel da vida, nem o ímpio Acabe o queria. Porém, ele mesmo havia cultivado seu fim violento. Talvez três anos antes seu fim inglório já houvesse sido anunciado, e Hazael estava prestes a surgir nos palcos da história. Acabe teria de enfrentar a cortina final no palco de sua vida. Ver 1Rs 19.17. Hazael em breve haveria de assassinar Ben-Hadade e, então, na guerra contra ele, Acabe seria morto por uma flecha disparada ao acaso.

■ 22.19,20

וַיֹּ֕אמֶר לָכֵ֕ן שְׁמַ֖ע דְּבַר־יְהוָ֑ה רָאִ֤יתִי אֶת־יְהוָה֙ יֹשֵׁ֣ב עַל־כִּסְא֔וֹ וְכָל־צְבָ֤א הַשָּׁמַ֙יִם֙ עֹמֵ֣ד עָלָ֔יו מִימִינ֖וֹ וּמִשְּׂמֹאלֽוֹ׃

וַיֹּ֣אמֶר יְהוָ֗ה מִ֤י יְפַתֶּה֙ אֶת־אַחְאָ֔ב וְיַ֕עַל וְיִפֹּ֖ל בְּרָמֹ֣ת גִּלְעָ֑ד וַיֹּ֤אמֶר זֶה֙ בְּכֹ֔ה וְזֶ֥ה אֹמֵ֖ר בְּכֹֽה׃

A Visão da Sorte Determinada. Micaías havia tido uma visão espetacular que garantia que, a despeito de qualquer ação tomada ou de qualquer circunstância, Acabe não conseguiria escapar à sua sorte melancólica. Micaías viu Yahweh em seu trono, rodeado pelos exércitos do céu. Ele procurava por um *espírito* (vs. 21) que realizasse uma missão especial. Essa missão consistia em persuadir Acabe a subir a Ramote-Gileade para ali encontrar seu temível destino. Nenhuma circunstância ou desculpa poderia interferir.

Yahweh foi apresentado na visão como um Rei em um trono, com seus exércitos a rodeá-lo. Isso é *antropomorfismo* (ver a respeito no *Dicionário*). Somos forçados a descrever Deus nos termos de nossa própria experiência e características, conferindo ao Ser divino atributos e atos humanos. Naturalmente, tais descrições são meramente simbólicas e parciais. A natureza real de Deus permanece um mistério. Ver no *Dicionário* os artigos denominados *Mysterium Fascinosum e Mysterium Tremendum*.

"*A visão simbólica* de Micaías, que, naturalmente, relembra a bem conhecida descrição existente em Jó 1.6-12 da conversa entre Satanás e o Senhor, deve ser considerada um símbolo e nada mais. Josefo omitiu o texto presente de seus comentários... O símbolo foi extraído de uma corte real, em que o rei procurava conselho contra os seus inimigos" (Ellicott, *in loc.*).

Na verdade, Deus não precisa tomar conselho com seus anjos, e o fato de que assim aconteceu, segundo se vê neste versículo, dá prosseguimento ao antropomorfismo. Por outra parte, os anjos são seus agentes (ver Hb 1.14). Deus, pois, buscava um agente especial para obrigar Acabe a encontrar a sua sorte. O mais admirável foi que Deus estava prestes a usar um *espírito mentiroso*.

■ 22.21

וַיֵּצֵ֣א הָר֗וּחַ וַֽיַּעֲמֹד֙ לִפְנֵ֣י יְהוָ֔ה וַיֹּ֖אמֶר אֲנִ֣י אֲפַתֶּ֑נּוּ וַיֹּ֧אמֶר יְהוָ֛ה אֵלָ֖יו בַּמָּֽה׃

Então saiu um espírito. No hebraico, *ruwach*, a saber, "respiração" ou "vento". Mas essa palavra veio a significar, entre os seres imateriais, um "espírito", neste caso, um ser da ordem dos anjos. Ver no *Dicionário* sobre *Anjos*. Os anjos são retratados como auxiliares e exércitos de Deus, e instrumentos especiais de sua vontade, por delegação. Eles são enviados para missões em favor de Deus. O Pentateuco não tem nenhum versículo claro em prol da existência e sobrevivência do espírito humano, doutrina que veio à existência na teologia dos hebreus somente nos livros dos Salmos e dos profetas. Mas desde cedo há uma doutrina dos anjos, que o artigo citado demonstra. Visto que o espírito referido no próximo versículo é chamado de *espírito mentiroso* (vs. 22), alguns estudiosos pensam tratar-se de um *demônio*. Mas isso parece ser contrário à teologia dos hebreus da época, ou seja, um anacronismo. Ver sobre o versículo seguinte quanto a esse problema.

■ 22.22

וַיֹּ֗אמֶר אֵצֵא֙ וְהָיִ֙יתִי֙ ר֣וּחַ שֶׁ֔קֶר בְּפִ֖י כָּל־נְבִיאָ֑יו וַיֹּ֗אמֶר תְּפַתֶּה֙ וְגַם־תּוּכָ֔ל צֵ֖א וַעֲשֵׂה־כֵֽן׃

Serei espírito mentiroso. Isso cria um "problema teológico". Alguns intérpretes falam do espírito como *demoníaco,* supondo que ele tenha recebido *permissão* para ir até Acabe dizer-lhe mentiras através de seus falsos profetas, ou que de fato ocorre no caso de todos os falsos profetas, sendo o demônio a sua inspiração, tal como o Espírito de Deus inspira os verdadeiros profetas. Mas essa linha de argumento obviamente é *anacrônica*. A antiga teologia dos hebreus não hesitava em falar sobre os anjos como enviados em missões de engano, se essa fosse uma boa causa. O texto afirma claramente que Yahweh procurou tal servo para que obedecesse à sua vontade, e a sua vontade era *enganar* Acabe. Isso faz o Todo-poderoso misturar-se com o engano; isso, porém, caros leitores, reflete a teologia aceitável para os hebreus da época. Mediante um ato satânico, Jó foi levado a sofrer e a perder tudo, excetuando a própria vida, e Deus ficou de lado, observando o ato. Essa cena dificilmente concorda com a teologia cristã mais iluminada e com nossa melhor visão do Ser supremo e divino. Os deuses gregos apareciam como enganadores e corruptores das boas maneiras. Também eram deuses da sorte e da vingança. Não nos admiraríamos se alguns desses mesmos elementos fizessem parte da muito antiga teologia dos hebreus.

A verdade da questão foi que o *espírito* era de um dos anjos de Yahweh, e não um demônio; e esse espírito foi enviado em uma missão de engano, porque isso era necessário para garantir o mau fim de Acabe. Cf. Jr 20.7. Ali Yahweh alegadamente enganou um bom profeta. Jeremias *pensou* que havia sido enganado por Deus; sua teologia incluía essa possibilidade. Cf. 2Ts 2.11,12, onde temos algo similar em Paulo. Satanás precisará contar com seu grande auxiliar terreno, o anticristo, e isso aparece como parte da vontade divina. Neste ponto, caímos no antigo problema de como a predestinação se relaciona ao livre-arbítrio humano. Ver no *Dicionário* o artigo chamado *Predestinação (e Livre-arbítrio)*, onde a questão é examinada. Os críticos supõem que tenhamos uma resposta em 1Jo 4.1, onde (segundo eles supõem) poderíamos obter a ideia de que certos espíritos malignos não estão sob o controle de Deus. Mas isso dificilmente nos ajuda neste ponto, mesmo que reflita uma verdade. O espírito do texto presente, sem dúvida, estava sujeito à vontade de Yahweh e foi encarregado de uma missão divina.

John Gill (*in loc.*) tem um curioso comentário sobre este texto: "Os espíritos malignos *gostam* de ser empregados para prejudicar os homens". Os comentadores judeus faziam desse o espírito humano de *Nabote*, que procurava vingar-se de Acabe. O espiritismo aceita tais explanações, mas a teologia cristã moderna reluta em acreditar em tais doutrinas, fazendo todos os espíritos malignos pertencerem à ordem dos demônios. O *Talmude Bab. Sanh.* fl. 89.1; 102.2 e o Targum de passagens como esta apresentam o espírito humano como um demônio potencial, o que era a teologia comum até o século V d.C., quando Crisóstomo influenciou a Igreja a pensar de todos os demônios como pertencentes à ordem dos anjos caídos. Logicamente, ver tal doutrina no texto *presente* também é um anacronismo, pois tal ideia só passou a fazer parte da teologia posterior dos hebreus.

Por que Acabe Não Creu em Micaías? O texto à nossa frente nos explica por que as profecias de Micaías não foram aceitas por Acabe, embora fossem verdadeiras. O *espírito* estava presente, sussurrando aos ouvidos deles que as profecias dos quatrocentos profetas eram verdadeiras e que Acabe deveria ir a Ramote-Gileade: devemos prosperar; devemos obter a vitória; devemos cobrir-nos de glória. Tudo isso era um *engano necessário*, a fim de que Acabe se encontrasse com sua sorte terrível. Foi por isso que as falsidades do espírito derrotaram qualquer são manuseio da verdade, conforme dizia Micaías.

■ 22.23

וְעַתָּ֗ה הִנֵּ֨ה נָתַ֤ן יְהוָה֙ ר֣וּחַ שֶׁ֔קֶר בְּפִ֖י כָּל־נְבִיאֶ֣יךָ אֵ֑לֶּה וַֽיהוָ֔ה דִּבֶּ֥ר עָלֶ֖יךָ רָעָֽה׃

O *espírito mentiroso* não somente convenceu a Acabe, mas a todos os seus falsos profetas. Todos eles promoveriam o engano, selando assim o mau fim de Acabe e sua morte em batalha. Novamente, os intérpretes insistem aqui na presença de demônios como inspiradores da idolatria e do falso culto religioso, tal como o Espírito de Deus inspira os *seus* profetas. Porém, devemos lembrar que essa doutrina aqui é um anacronismo, conforme expliquei longamente nos comentários sobre o vs. 21. Não devemos cristianizar o texto.

A Vontade de Yahweh. Notemos como a vontade ativa e diretiva de Yahweh operou neste caso. Ele *enviou* o espírito mentiroso a caminho, encarregando-o de fazer um bom trabalho de engano. Não há nenhum indício de um ato divino *permissivo*, conforme insistem em afirmar os intérpretes. Mesmo que demônios estivessem ativamente envolvidos na descrição, vemos Yahweh ativamente encorajando, até mesmo exigindo, que eles fossem e enganassem, o que não concorda com uma teologia cristã mais iluminada. Naturalmente, passagens como Jo 13.27 envolvem o problema do mal sendo usado para fazer o bem. Deus usa o livre-arbítrio humano sem destruí-lo, embora não saibamos dizer *como* isso pode acontecer.

Fraqueza quanto a Causas Secundárias. Os teólogos históricos observam a fraqueza da teologia dos hebreus quanto às *causas secundárias*. Portanto, qualquer tipo de mal e de desgraça pode ser atribuído à *operação de Deus*, enquanto tais coisas *deveriam* ser atribuídas a agentes maus e secundários. O calvinismo radical também falha quanto a essa mesma fraqueza, atribuindo *todas as coisas* à vontade de Deus e ignorando o fato de que há muitas coisas más que acontecem devido a uma variedade de causas más e secundárias. Se Deus é a *única* causa, então ele é a causa tanto do bem quanto do mal. Meus leitores, existem outras causas, entre elas o perverso livre-arbítrio dos seres humanos. Ver no *Dicionário* o verbete intitulado *Livre-arbítrio*.

■ **22.24**

וַיִּגַּשׁ צִדְקִיָּהוּ בֶן־כְּנַעֲנָה וַיַּכֶּה אֶת־מִיכָיְהוּ עַל־הַלֶּחִי וַיֹּאמֶר אֵי־זֶה עָבַר רוּחַ־יְהוָה מֵאִתִּי לְדַבֵּר אוֹתָךְ׃

Zedequias... deu uma bofetada em Micaías, e disse. O ignorante Zedequias, um dos falsos profetas enganado pelo ardil do espírito mentiroso, deu um passo à frente e esbofeteou Micaías, declarando, sarcasticamente, que o espírito mentiroso tinha passado dele para Micaías e era a causa de *suas* falsas profecias. Em outras palavras, é como se ele tivesse dito: "tu, Micaías, é quem está com o espírito mentiroso, a inspirar-te no que acabas de dizer. Por outra parte, eu e o restante dos profetas estamos aqui dizendo a Acabe a verdade".

"Uma bofetada no rosto era um grande insulto (cf. Jó 16.10; Lm 3.30 e Mq 5.1), maior do que é hoje em dia. O falso profeta, inocente ou inconsciente de sua falsidade, afirmou que não tinha inventado a sua profecia, mas que a tinha recebido do Senhor" (Thomas L. Constable, *in loc.*). Nisso vemos quão *enganado* ele estava. O espírito mentiroso havia cumprido bem a sua tarefa. Ver o vs. 11 quanto a outros atos de Zedequias, naquela ocasião.

O Espírito do Senhor. A maioria das traduções retém o "E" maiúsculo na palavra "Espírito", fazendo assim a referência ser ao Espírito Santo, o qual, afinal, na teologia, assumiu a posição da Terceira Pessoa da Trindade. Neste caso, Zedequias estava dizendo que *ele* era inspirado pelo Espírito de Yahweh, e não por algum alegado espírito mentiroso. E também negou que o mesmo Espírito Santo pudesse ter saído dele para ir para Micaías, a fim de inspirar uma profecia contraditória. Se, porém, retivermos o "e" minúsculo na palavra "espírito", continuará então em vista o espírito mentiroso, que teria sido chamado "de Yahweh". Nesse caso, a interpretação dada no primeiro parágrafo é a correta. Ver no *Dicionário* o artigo *Espírito de Deus*.

■ **22.25**

וַיֹּאמֶר מִיכָיְהוּ הִנְּךָ רֹאֶה בַּיּוֹם הַהוּא אֲשֶׁר תָּבֹא חֶדֶר בְּחֶדֶר לְהֵחָבֵה׃

Quando entrares de câmara em câmara. Micaías continuou *insistindo* em suas profecias melancólicas, e viu, naquele momento, como Zedequias teria de fugir, escondendo-se de casa em casa, para não perecer juntamente com o exército derrotado de Israel. Então, aquele profeta saberia, de forma convincente, quem era o profeta a quem o Espírito de Yahweh tinha inspirado. Sem dúvidas, ele ficaria surpreendido diante dessa revelação. O engodo próprio é algo terrível, e não há ilusão maior do que essa. Ver os comentários no vs. 11, sobre *ilusão* e sobre *equívoco*. É possível que o profeta falso tenha acompanhado Acabe à batalha, querendo ser uma força positiva em benefício do rei na linha de batalha. Mas, diante da total derrota do exército, ele teria fugido para a cidade e tentado ocultar-se. Ou, então, permanecido no campo de batalha, as terríveis notícias da calamidade puseram-no em fuga. Não há registro de como esse acontecimento ocorreu, mas supomos que Micaías tenha dito a verdade. Portanto, não sabemos qual foi a sorte final de Zedequias.

■ **22.26,27**

וַיֹּאמֶר מֶלֶךְ יִשְׂרָאֵל קַח אֶת־מִיכָיְהוּ וַהֲשִׁיבֵהוּ אֶל־אָמֹן שַׂר־הָעִיר וְאֶל־יוֹאָשׁ בֶּן־הַמֶּלֶךְ׃

וְאָמַרְתָּ כֹּה אָמַר הַמֶּלֶךְ שִׂימוּ אֶת־זֶה בֵּית הַכֶּלֶא וְהַאֲכִילֻהוּ לֶחֶם לַחַץ וּמַיִם לַחַץ עַד בֹּאִי בְשָׁלוֹם׃

Devolvei-o a Amom, governador da cidade. Ver no *Dicionário* os nomes próprios que aparecem nestes dois versículos. Amom era o prefeito da cidade, seu principal líder político, diretamente responsável diante de Acabe, o rei do reino do norte.

Joás. Este talvez fosse um filho literal e biológico de Acabe, mas o termo pode ter sido empregado como o *título* de um elevado oficial. Ver 2Cr 28.7; Jr 36.26 e 38.6. Seja como for, o fato foi que Acabe encarregou do aprisionamento de Micaías a dois de seus mais elevados oficiais em Samaria, para *garantir* que o pobre homem, de fato, terminasse seus dias na prisão. 2Rs 10.1 dá a entender que filhos de Acabe foram feitos governantes no reino.

Ao profeta Micaías deveria ser dada "escassez de pão e de água" (John Gill, *in loc.*). Portanto, Micaías seria tratado de forma *aflitiva*. sua vida seria miserável. Ele pagaria o preço de sua insolência e não teria mais oportunidade de profetizar ou circular em público.

"Cf. Is 30.20. Temos aqui uma ordem de tratamento severo, bem como de um passadio à máquina... Sobre a sorte de Micaías nada sabemos. Mas é difícil supor que seu ousado e desafiador testemunho pudesse escapar à pena de morte, quando a queda de Acabe deu azo ao reavivamento das violências de Jezabel (Ellicott, *in loc.*).

■ **22.28**

וַיֹּאמֶר מִיכָיְהוּ אִם־שׁוֹב תָּשׁוּב בְּשָׁלוֹם לֹא־דִבֶּר יְהוָה בִּי וַיֹּאמֶר שִׁמְעוּ עַמִּים כֻּלָּם׃

Se voltares em paz, não falou o Senhor. A prova de que Micaías mentira seria o retorno em segurança de Acabe a Samaria. Mas se o rei morresse no campo de batalha, então esse seria um testemunho da verdade da palavra predita pelo profeta. Foi por isso que Micaías chamou a todos para que ouvissem suas palavras e fossem testemunhas do que ele havia dito naquele dia.

As palavras "Ouvi isto, vós, todos os povos!" não se acham na Septuaginta e provavelmente são uma adição do texto massorético, tomada por empréstimo de Mq 1.2. Isso foi inserido por causa da falsa crença de que o Micaías do presente texto deveria ser identificado com o profeta Miqueias, autor do livro do Antigo Testamento assim intitulado. Quanto a informes sobre o texto hebraico padronizado (texto massorético), ver no *Dicionário* o verbete denominado *Massora (Massorah)*; *Texto Massorético*. Os chamados Manuscritos do mar Morto têm demonstrado que, algumas vezes, as versões, especialmente a Septuaginta, possuem textos mais antigos (e originais) do que os representados pelo texto hebraico padronizado que conhecemos hoje em dia. Ver no *Dicionário* o artigo chamado *mar Morto, Manuscritos (Rolos) do*.

■ **22.29**

וַיַּעַל מֶלֶךְ־יִשְׂרָאֵל וִיהוֹשָׁפָט מֶלֶךְ־יְהוּדָה רָמֹת גִּלְעָד׃

Cegamente, tanto Acabe quanto Josafá seguiram para a triste sorte que lhes esperava em Ramote-Gileade. O espírito mentiroso havia feito um bom trabalho (ver 1Rs 22.21,22). Acabe tomou precauções para disfarçar-se (vs. 30), pelo que não seria morto *como um rei*, dando a algum sírio causa de jactância: "Matei o rei de Israel". Uma flecha atirada ao acaso estava destinada a encerrar a triste história de Acabe. Aos olhos de Yahweh, a flecha já chispava no ar.

22.30

וַיֹּאמֶר מֶלֶךְ־יִשְׂרָאֵל אֶל־יְהוֹשָׁפָט הִתְחַפֵּשׂ וָבֹא
בַמִּלְחָמָה וְאַתָּה לְבַשׁ בְּגָדֶיךָ וַיִּתְחַפֵּשׂ מֶלֶךְ יִשְׂרָאֵל
וַיָּבוֹא בַּמִּלְחָמָה׃

Eu me disfarçarei, e entrarei na peleja. *Um Disfarce Inútil.* O pobre Josafá teve de vestir a armadura de Acabe, a fim de que, se algum homem quisesse matar o rei de Israel (para assim obter maior glória), seria o rei de Judá que morreria, e não o rei de Israel. Josafá, como vassalo virtual de Acabe, não pôde recusar-se à troca, e teve de correr o risco. Ironicamente, o rei de Judá sobreviveu, mas não o rei de Israel. Coisa alguma seria capaz de alterar esse destino. Acabe foi ao campo de batalha como um soldado regular; mas seria contado entre as baixas, tal como a profecia de Micaías havia afirmado (ver 1Rs 22.17).

Alguns intérpretes pensam que os trajes reais eram usados até mesmo nas batalhas. Mas parece estar em foco aqui uma *armadura distintiva*, que diferenciava o rei de um soldado comum.

A precaução de Acabe estava baseada sobre o conhecimento, em seu coração, de que Micaías tinha dito a verdade. Ele estava prestes a morrer, e assim apelou para uma medida infeliz (o disfarce), na tentativa de anular o que era *inevitável*.

22.31

וּמֶלֶךְ אֲרָם צִוָּה אֶת־שָׂרֵי הָרֶכֶב אֲשֶׁר־לוֹ שְׁלֹשִׁים
וּשְׁנַיִם לֵאמֹר לֹא תִּלָּחֲמוּ אֶת־קָטֹן וְאֶת־גָּדוֹל כִּי אִם־
אֶת־מֶלֶךְ יִשְׂרָאֵל לְבַדּוֹ׃

Mas somente contra o rei de Israel. A ordem de matar o rei foi dada aos 32 capitães de carros de combate do exército sírio. Naturalmente, eles teriam de combater contra o exército de Israel, tanto generais quanto oficiais, e também soldados infantes, mas o alvo *prioritário* seria o rei de Israel. Este versículo leva-nos a supor que Acabe era um soldado renomado, homem de valor e violência, um grande matador, habilidoso nas questões da guerra. Ele era o marechal da força armada, e sua morte desmoralizaria o exército de Israel. Se a "luz" de Israel fosse apagada, todo o Israel cairia juntamente com ela. Ver 2Sm 21.17. O bem-estar de uma nação era identificado com o bem-estar de seu rei (cf. 1Rs 11.36). Nas guerras antigas, com frequência uma única batalha ou algumas poucas batalhas determinavam o resultado final, ocasionalmente em um único dia.

Acabe estava quebrando seu acordo com Ben-Hadade, porque, em primeiro lugar, esse homem não observou sua aliança, retendo para si mesmo certas cidades que deveriam ter sido entregues a Israel, tais como Ramote-Gileade. Portanto, naturalmente, como vingança, Acabe era um objeto especial de ódio. Ver 1Rs 20.34.

22.32

וַיְהִי כִּרְאוֹת שָׂרֵי הָרֶכֶב אֶת־יְהוֹשָׁפָט וְהֵמָּה אָמְרוּ
אַךְ מֶלֶךְ־יִשְׂרָאֵל הוּא וַיָּסֻרוּ עָלָיו לְהִלָּחֵם וַיִּזְעַק
יְהוֹשָׁפָט׃

Josafá. O rei de Judá estava disfarçado na armadura especial de Acabe e, conforme havia sido antecipado, isso atraiu a atenção do exército sírio. Os capitães sírios saíram atrás de Josafá, ao passo que Acabe foi ignorado, por estar vestido como um soldado comum (ver o vs. 30). E Josafá, vendo que corria perigo mortal, gritou de terror. A Septuaginta dá aqui um texto diferente do nosso: "Eles o rodearam". Assim diz o texto paralelo de 2Cr 18.31. A diferença nas palavras hebraicas para "a ele se dirigiram" e "eles o rodearem" é muito pequena. Este poderia ser outro lugar onde a Septuaginta preserva o texto original contra o texto hebraico padronizado (o texto massorético). Ver no *Dicionário* o artigo chamado *Massora (Massorah)*; *Texto Massorético*.

Não sabemos dizer por que Josafá gritou. Talvez tenha sido para dizer aos sírios atacantes que ele não era o homem que buscavam. Ou talvez ele tenha invocado Yahweh para salvá-lo daquela ocasião. O trecho paralelo (2Cr 18.31) diz-nos que Yahweh o ajudou. Não era aquele o dia de sua morte. Ele tinha um destino a cumprir, em contraste com Acabe, cuja vida seria cortada dentro em pouco.

22.33

וַיְהִי כִּרְאוֹת שָׂרֵי הָרֶכֶב כִּי־לֹא־מֶלֶךְ יִשְׂרָאֵל הוּא
וַיָּשׁוּבוּ מֵאַחֲרָיו׃

Deixaram de o perseguir. *Os Capitães Sírios Descobriram o Ardil.* O homem a quem estavam perseguindo não era Acabe. Provavelmente eles já tinham visto Acabe por mais de uma ocasião. Portanto, chegando mais perto, reconheceram que era outro que estava vestindo a armadura especial de Acabe, mas o homem não era o rei de Israel. Por conseguinte, deixaram de lado o pobre rei Josafá e dirigiram sua atenção para outro lado.

22.34

וְאִישׁ מָשַׁךְ בַּקֶּשֶׁת לְתֻמּוֹ וַיַּכֶּה אֶת־מֶלֶךְ יִשְׂרָאֵל
בֵּין הַדְּבָקִים וּבֵין הַשִּׁרְיָן וַיֹּאמֶר לְרַכָּבוֹ הֲפֹךְ יָדְךָ
וְהוֹצִיאֵנִי מִן־הַמַּחֲנֶה כִּי הָחֳלֵיתִי׃

Feriu o rei de Israel por entre as juntas de sua armadura. *De Súbito, Acabe Foi Ferido.* Um arqueiro sírio atirou uma flecha ao acaso, e aconteceu que a flecha atingiu o rei de Israel. Tudo pareceu uma terrível demonstração de má sorte, mas, na realidade, não houve no acontecido nenhum acaso. Ver na *Enciclopédia de Bíblia, Teologia e Filosofia* o verbete chamado *Chance.* Até meros acidentes podem servir de advertências psíquicas de que há algum problema, pecado ou erro em uma vida humana. Embora o *caos* se faça presente neste mundo, até mesmo ele é instrutivo. A criação foi sujeitada à *futilidade* para fazer com que o homem, finalmente, busque Deus como seu refúgio (ver Rm 8.20, bem como as notas expositivas sobre esse versículo no *Novo Testamento Interpretado*). Não obstante, apesar do caos, um grande desígnio opera em tudo, desde os objetos físicos inanimados até a vida dos homens.

O Senhor firma os passos do homem,
e no seu caminho se compraz.

Salmo 37.23

Tenho um encontro com a Morte, em alguma barricada disputada.

Alan Seeger

A morte tem mil portas para deixar sair a vida. Descobrirei uma delas.

Philip Massinger

Onde quer que estejas, a morte te alcançará, embora estejas em torres elevadas.

O Alcorão

Tão pouco tempo atrás, Acabe estava, por assim dizer, em sua torre elevada, sentado no trono em vestes reais resplendentes (ver 1Rs 22.10), mas a morte o encontrou, e uma das suas portas se abriu para deixar escapar-lhe a vida. A profecia de sua iminente morte violenta foi cumprida por uma flecha atirada ao acaso. Micaías havia falado uma palavra *eficaz*, a qual venceu todos os obstáculos que Acabe, em seu desespero, pusera no caminho. Ver 1Rs 22.17.

Por entre as juntas da sua armadura. Se a flecha tivesse atingido um centímetro ou dois para a esquerda ou para a direita, teria sido detida. Mas naquele dia não haveria nenhum *se* que salvasse a vida de Acabe. A flecha atingiu exatamente o lugar onde não havia nenhuma proteção e provavelmente lhe atravessou o abdome. A Vulgata Latina diz que a flecha feriu Acabe entre os pulmões e o estômago.

Mesmo em sua agonia, Acabe continuava interessado no resultado da batalha, pelo que ordenou que fosse removido da confusão para não se saber que ele tinha caído no chão. Isso teria desencorajado o exército e conferido vitória aos sírios.

22.35

וַתַּעֲלֶה הַמִּלְחָמָה בַּיּוֹם הַהוּא וְהַמֶּלֶךְ הָיָה מָעֳמָד
בַּמֶּרְכָּבָה נֹכַח אֲרָם וַיָּמָת בָּעֶרֶב וַיִּצֶק דַּם־הַמַּכָּה
אֶל־חֵיק הָרָכֶב׃

Acabe estava fora de ação, moribundo, mas a batalha prosseguiu por todo o dia. Muitos outros espíritos humanos foram-se para o mundo de luz. Acabe agonizou e continuou vivo até a noitinha, provavelmente vítima de uma hemorragia. O sangue verteu e molhou todo o chão do carro de combate, e isso em abundância tal que escorreu para o chão. O rei de Israel foi mantido apoiado, para dar a impressão de que tudo estava bem e para que não fosse proclamada a palavra de que ele fora ferido e estava moribundo. Portanto, seu exército continuou lutando como se nada tivesse acontecido. Assim sendo, apesar de não estar no meio da batalha, ele aparentemente estava em um lugar onde podia presenciá-la. Acabe combinava força física e coragem com um moralidade débil, uma característica bastante comum em alguns chamados grandes homens.

■ 22.36

וַיַּעֲבֹר הָרִנָּה בַּמַּחֲנֶה כְּבֹא הַשֶּׁמֶשׁ לֵאמֹר אִישׁ אֶל־עִירוֹ וְאִישׁ אֶל־אַרְצוֹ:

Ao pôr do sol. Terminado o dia, terminou a frenética luta e matança, e ouviu-se um grito de ordem de que cada homem retornasse à sua cidade e ao seu país. Em outras palavras, para Israel, a guerra estava terminada, visto que, por aquela hora, tinha-se espalhado a notícia de que o rei de Israel, Acabe, estava morto. Nada havia que restasse para combater, e assim Israel simplesmente abandonou o esforço. "Visto que seu pastor e senhor estava morto, cumprindo assim a visão de Micaías (vs. 17), foi baixada a ordem para cessar o combate" (John Gill, *in loc.*). O resultado da batalha foi que Ramote-Gileade permaneceu nas mãos dos sírios. Haveria outras guerras que resultariam na troca de territórios, mas pelo menos por algum tempo uma paz vergonhosa desceu sobre Israel.

■ 22.37

וַיָּמָת הַמֶּלֶךְ וַיָּבוֹא שֹׁמְרוֹן וַיִּקְבְּרוּ אֶת־הַמֶּלֶךְ בְּשֹׁמְרוֹן:

Morto o rei levaram-no a Samaria. Esta cidade era a capital do reino do norte, Israel. Nada nos é dito sobre cerimônias pomposas. É possível que somente a lamentação tivesse assinalado o rito de sepultamento. Acabe precisou morrer, e isso estupidamente, por uma flecha atirada ao acaso. Mas ele havia cultivado sua sorte miserável. Ele foi sepultado em Samaria, onde seu pai, Onri, também estava enterrado (ver 1Rs 16.28). Se Acabe não se tivesse arrependido, não teria tido nenhuma espécie de sepultamento (ver 1Rs 21.27-29). Mas seu arrependimento alterou algumas coisas relativas às profecias sobre ele, mas não a sua *essência*. Ver as notas expositivas sobre 1Rs 21.19, onde comentamos sobre o cumprimento parcial das temíveis profecias contra Acabe. Ele não viveu o suficiente para ver a derrota completa de Israel às mãos de Hazael, que mataria Ben-Hadade e, então, derrotaria definitivamente a Israel. Os filhos de Acabe, porém, ainda veriam o cumprimento cabal das tristes profecias concernentes a Israel.

■ 22.38

וַיִּשְׁטֹף אֶת־הָרֶכֶב עַל בְּרֵכַת שֹׁמְרוֹן וַיָּלֹקּוּ הַכְּלָבִים אֶת־דָּמוֹ וְהַזֹּנוֹת רָחָצוּ כִּדְבַר יְהוָה אֲשֶׁר דִּבֵּר:

Uma Horrível Tarefa. A alguém foi dada a desagradável ordem de lavar o carro de combate que fora inundado com o sangue de Acabe. A água que foi usada nessa lavagem escorreu no solo, e naturalmente, continha elevada quantidade de sangue. Chegaram cães que começaram a lamber o sangue. Elias havia predito que os cães fariam isso (ver 1Rs 21.19), exatamente no lugar onde o sangue de Nabote fora lambido pelos cães. Portanto, a retribuição operou à maneira da *Lex Talionis* (ver no *Dicionário*).

A armadura de soldado de Acabe bem como suas armas estavam completamente sujas de sangue e também tiveram de ser lavadas. Após toda essa lavagem, o carro de combate estava "limpo" e pronto para ser usado em mais matanças.

As prostitutas banharam-se nestas águas. As versões da Vulgata latina e siríaca dizem aqui " armadura", mas as versões em geral traduzem essas palavras de várias maneiras. O vocábulo hebraico significa "prostitutas" (conforme dizem a *Revised Standard Version* e nossa versão portuguesa). Mas o Targum, a Vulgata e o siríaco preferem a palavra "armadura", conforme o aramaico e a palavra rabínica empregada no texto. Mas se seguirmos estritamente o texto massorético, teremos de compreender aqui "prostitutas". Isso significaria que o poço onde o carro de combate de Acabe foi lavado era um local em que mulheres de baixa moral estavam acostumadas a banhar-se. Quanto ao texto *massorético*, ver no *Dicionário* o verbete chamado *Massora (Massorah); Texto Massorético*. A Septuaginta fala em "prostitutas"; e, com base nessa autoridade, acrescentada à do antigo texto massorético, supomos que é assim que o texto deva ser entendido. "O cão e a prostituta são (respectivamente) os tipos simbólicos da imundícia animal e humana" (Ellicott, *in loc.*).

■ 22.39

וְיֶתֶר דִּבְרֵי אַחְאָב וְכָל־אֲשֶׁר עָשָׂה וּבֵית הַשֵּׁן אֲשֶׁר בָּנָה וְכָל־הֶעָרִים אֲשֶׁר בָּנָה הֲלוֹא־הֵם כְּתוּבִים עַל־סֵפֶר דִּבְרֵי הַיָּמִים לְמַלְכֵי יִשְׂרָאֵל:

O autor sagrado completou a história da mesma maneira que fez quanto aos reis anteriores. Quanto ao *Livro da História dos Reis de Israel* (uma das fontes informativas do autor sagrado), ver sobre os *Livros Perdidos*, em 1Rs 14.19. Ver também 1Rs 11.41 quanto a outros detalhes, e também, no *Dicionário*, o artigo denominado *Livros Perdidos da Bíblia*. Comparar com isso as notas similares sobre Tibni (1Rs 16.21,22) e Oseias (1Rs 17.1-6), os quais, contudo, não são especificamente mencionados no *Livro da História dos Reis de Israel* que o autor sagrado usou como fonte informativa. O livro bíblico desse nome não está em pauta aqui.

Acabe foi uma espécie de Salomão em miniatura, pois a seu crédito foram lançados alguns importantes projetos de edificação. Entre eles contam-se a sua casa de marfim, o seu palácio e a reconstrução ou fortificação (e talvez até a construção original) de várias cidades. Ele fez mais do que simplesmente levantar ídolos e iniciar guerras, embora não retiremos essas ideias das narrativas anteriores. O palácio de Acabe sobreviveu para além de sua época, e pessoas ricas de tempos posteriores o imitaram (ver Am 3.15). O manuscrito A da Septuaginta faz referência às habilidades de Acabe como construtor, em Jr 22.15. Reis posteriores tentaram igualar-se aos programas de construção de Acabe.

■ 22.40

וַיִּשְׁכַּב אַחְאָב עִם־אֲבֹתָיו וַיִּמְלֹךְ אֲחַזְיָהוּ בְנוֹ תַּחְתָּיו: פ

Este versículo repete, palavra por palavra, a nota que o autor sacro dá acerca de todos os reis. Quanto à questão de mortos recentes irem dormir com seus pais, ver as notas em 1Rs 1.21.

Nada nos é dito quanto à idade de Acabe; mas supomos que ele tenha morrido relativamente jovem. A síndrome do pecado-calamidade o apanhou ainda cedo na vida. Ele reinou, em termos gerais, de 870 a 848 a.C. Teve suas realizações, vencendo a maioria de seus embates militares, através de suas próprias habilidades ou da misericórdia de Yahweh. Efetuou significativo programa de construções, mas falhou no campo moral e espiritual, e sua vida foi cortada em julgamento divino, por causa dessas falhas.

JOSAFÁ, REI DE JUDÁ (22.41-51)

Josafá nos foi apresentado em 1Rs 22.2, onde o vemos aliado a Acabe no plano de reconquistar Ramote-Gileade dos sírios. Acabe acabou morrendo naquela batalha, mas *Josafá* sobreviveu para cumprir um destino maior. Quanto a um sumário de sua história, ver o artigo sobre ele no *Dicionário*.

A partir deste trecho da história, a atenção do autor sagrado volta-se de novo para *Judá*. Ele apresentou *relatos paralelos* dos reis de Israel e Judá, indo de um reino para outro em uma ordem cronológica aproximada. Quanto a notas completas sobre esse método de apresentação, ver 1Rs 16.29. Ele interrompeu qualquer informação sobre Judá, no fim do capítulo 15, a fim de dar-nos relatos sobre a casa de Onri (pai de Acabe), contando as narrativas sobre Acabe e Elias. Agora o autor volta a Judá, tendo devotado considerável tempo e espaço aos acontecimentos do reino de Israel.

Grande parte do que o autor disse sobre Josafá já foi descrito no relato de suas associações com Acabe, rei de Israel. Seguem-se alguns poucos detalhes, incluindo o fato de que Edom era vassalo de Judá. Josafá, rei de Judá, também obteve elevadas notas quanto à sua espiritualidade, chegando a produzir algumas reformas que Asa não havia efetuado. suas tentativas no campo comercial com países estrangeiros (em imitação a Salomão) não obtiveram bom sucesso, pois, de fato, terminaram em desastre e naufrágio.

22.41

וִיהוֹשָׁפָט֙ בֶּן־אָסָ֔א מָלַ֖ךְ עַל־יְהוּדָ֑ה בִּשְׁנַ֣ת אַרְבַּ֔ע לְאַחְאָ֖ב מֶ֥לֶךְ יִשְׂרָאֵֽל׃

E Josafá, filho de Asa. Ver vários artigos no *Dicionário*: *Josafá*; *Reino de Judá* e *Rei, Realeza*. Asa, pai de Josafá, tinha sido um bom rei, do ponto de vista espiritual, tendo eliminado a maior parte das práticas idólatras de Judá. O novo rei levou ainda mais adiante essas reformas (ver 1Rs 22.43 e ss.). Esses dois homens seguiram o bom exemplo de Davi, o qual, embora tendo cometido grandes erros, jamais flertou com a idolatria.

No quarto ano de Acabe, rei de Israel. Continuando sua prática de dar narrativas paralelas dos reis de Israel e Judá, e saltando de uns para outros, segundo uma ordem cronológica aproximada, o autor sagrado agora diz que Josafá começou a reinar no quarto ano de Acabe, rei de Israel. Acabe reinou em cerca de 870 a 848 a.C., o que significa que ele e Josafá governaram simultaneamente por dezoito anos. Quanto ao relato paralelo do autor, como seu modo de apresentação, ver as notas sobre 1Rs 16.29.

Josafá começou a reinar como corregente por causa da má saúde de seu pai (ver 1Rs 15.23), e essa circunstância continuou por três anos, até que Asa morreu. O único outro caso de corregência foi o de Salomão com Davi, e isso por um tempo muito breve.

22.42

יְהוֹשָׁפָ֗ט בֶּן־שְׁלֹשִׁ֤ים וְחָמֵשׁ֙ שָׁנָה֙ בְּמָלְכ֔וֹ וְעֶשְׂרִ֧ים וְחָמֵ֛שׁ שָׁנָ֖ה מָלַ֣ךְ בִּירוּשָׁלִָ֑ם וְשֵׁ֣ם אִמּ֔וֹ עֲזוּבָ֖ה בַּת־שִׁלְחִֽי׃

Era Josafá da idade de trinta e cinco anos. Josafá reinou por 25 anos, de cerca de 873 a 848 a.C., (os eruditos diferem um pouco no tocante a isso). Ele viveu um total de cerca de sessenta anos. O nome de sua mãe era *Azuba*. Quanto ao que se sabe a respeito, ver o verbete sobre ela no *Dicionário*.

A capital continuou sendo Jerusalém, onde Davi tinha posto a arca e onde Salomão tinha edificado o magnífico templo, esperando ali centralizar a vida política e religiosa de Israel.

Josafá foi um dos *oito* bons reis de Judá. Essa bondade era julgada de acordo com sua vida espiritual, e não por suas realizações seculares e militares. Ver o artigo do *Dicionário* intitulado *Reino de Judá*, quanto a uma lista e um sumário dos reis de Judá.

22.43

וַיֵּ֗לֶךְ בְּכָל־דֶּ֛רֶךְ אָסָ֥א אָבִ֖יו לֹא־סָ֣ר מִמֶּ֑נּוּ לַעֲשׂ֥וֹת הַיָּשָׁ֖ר בְּעֵינֵ֣י יְהוָ֑ה אַ֚ךְ הַבָּמ֣וֹת לֹא־סָ֔רוּ ע֥וֹד הָעָ֛ם מְזַבְּחִ֥ים וּֽמְקַטְּרִ֖ים בַּבָּמֽוֹת׃

Ele andou em todos os caminhos de seu pai Asa. Isso significa que ele seguiu o exemplo do *rei ideal*, Davi (ver 1Rs 15.11). Davi, embora culpado de crimes hediondos, nunca se afastou de Yahweh para cair em ritos pagãos e idólatras. O autor sagrado do livro de 1Reis estava mais interessado nesse aspecto dos reis do que em qualquer outro, pelo que um *bom rei* era aquele que seguisse a legislação mosaica, e não aquele que realizasse um magnífico programa de edificações ou fosse bem-sucedido na guerra. Josafá, naturalmente, continuou a dinastia de Davi, pelo que se esperava que ele preservasse as tradições familiares, e não somente a fé dos hebreus. O Messias procederia dessa linhagem. Ver sobre o *pacto Davídico* nas notas em 2Sm 7.4.

22.44

וַיַּשְׁלֵ֧ם יְהוֹשָׁפָ֛ט עִם־מֶ֥לֶךְ יִשְׂרָאֵֽל׃

Uma Reforma Defeituosa. O rei Josafá não foi capaz de limpar os santuários nos *Lugares Altos* (ver a respeito no *Dicionário*), que sempre tenderam à idolatria. Supomos que o yahwismo fosse promovido nesses santuários, mas eles feriam o ideal da adoração centralizada no templo de Jerusalém. Além disso, provavelmente havia algum ecletismo envolvido na adoração nas colinas, a despeito das boas intenções do rei de Judá.

Uma Contradição? 2Cr 17.6 diz-nos que Josafá removeu os lugares altos e seu culto, mas 1Rs 22.43 e 2Cr 20.33 indicam que ele não o fez. Talvez Josafá os tenha removido, e, talvez, o povo os tenha reconstruído. Outros reis de Judá que removeram lugares altos foram: Asa (1Rs 15.11); Joás (2Rs 12.3); Amazias (2Rs 15.4); Azarias (2Rs 15.4); e Jotão (2Rs 15.35). Ezequias (2Rs 18.4) removeu-os, mas eles foram reconstruídos por Manassés (2Rs 21.3). E Josias, novamente, demoliu-os (1Rs 23.8,13,15,19).

Alguns eruditos tentam reconciliar a aparente contradição supondo que houvesse *duas espécies* de lugares altos: os dedicados a Yahweh e os dedicados a cultos pagãos, incluindo o culto a *Aserá* (ver 1Rs 14.15; e os *postes-ídolos* da mesma referência). Mas esse tipo de reconciliação certamente deixa muito a desejar.

22.45

וְיֶ֨תֶר דִּבְרֵ֧י יְהוֹשָׁפָ֛ט וּגְבוּרָת֥וֹ אֲשֶׁר־עָשָׂ֖ה וַאֲשֶׁ֣ר נִלְחָ֑ם הֲלֹא־הֵ֣ם כְּתוּבִ֗ים עַל־סֵ֛פֶר דִּבְרֵ֥י הַיָּמִ֖ים לְמַלְכֵ֥י יְהוּדָֽה׃

Já pudemos ver como Acabe, rei de Israel, e Josafá, rei de Judá, lutaram juntos contra os sírios em Ramote-Gileade (capítulo 21) e como Acabe perdeu ali a própria vida. É provável que, na época, Josafá fosse, essencialmente, um vassalo de Acabe. Ver sobre 1Rs 22.4,30. Josafá também manteve boas relações com o filho de Acabe, Acazias, de modo que houve um bom período de paz entre as nações do norte e do sul, Israel e Judá, respectivamente.

22.46

וְיֶ֨תֶר הַקָּדֵ֜שׁ אֲשֶׁ֣ר נִשְׁאַ֗ר בִּימֵ֛י אָסָ֥א אָבִ֖יו בִּעֵ֥ר מִן־הָאָֽרֶץ׃

Após tão curta descrição do reinado de Josafá, o autor nos deu a nota típica que ele costumava empregar para terminar as descrições dos reis. Ver as notas completas sobre esse modo de encerrar as descrições, em 1Rs 22.39, e também em 1Rs 11.41 e 14.19, quanto a outros detalhes. Ver no *Dicionário* o verbete sobre *Livros Perdidos da Bíblia*.

Josafá demonstrou *poder* e lutou com sucesso nas guerras, aparentemente referindo-se a coisas que não ficaram registradas em parte alguma das Escrituras. Entretanto, temos uma longa descrição do reinado desse homem e de suas muitas atividades, em 2Cr 17, 19 e 20. Josafá também teve *grandes riquezas* e honrarias (ver 2Cr 18.1).

22.47

וּמֶ֥לֶךְ אֵ֛ין בֶּאֱד֖וֹם נִצָּ֥ב מֶֽלֶךְ׃

Embora *Josafá* não tenha livrado seu território dos lugares altos, removeu o que ainda restava dos prostitutos religiosos masculinos, que se ocupavam principalmente de atos homossexuais para obter dinheiro para os cultos e templos pagãos. Asa tinha feito esforços nessa direção e obtivera sucesso parcial. Ver 1Rs 15.12, onde dou mais detalhes sobre essa particularidade do antigo paganismo. Ver as notas em 1Rs 14.24 quanto aos *três tipos* de prostitutos cultuais. O mal sempre tem suas *variedades*. Asa e Josafá fizeram guerra contra a constituição cultual, incluindo a variedade masculina e também (sem dúvida) o homossexualismo em geral. Esse crime foi punido com a morte (Lv 18.22,29; 20.13). Os cultos de Vênus, Baal, Astarte e vários outros cultos cananeus tinham seus prostitutos cultuais parcialmente em honra a deuses e deusas da fertilidade, e para angariar fundos para os cultos e templos.

22.48

יְהוֹשָׁפָ֡ט עָשָׂה֩ אֳנִיּ֨וֹת תַּרְשִׁ֜ישׁ לָלֶ֧כֶת אוֹפִ֛ירָה לַזָּהָ֖ב וְלֹ֣א הָלָ֑ךְ כִּֽי־נִשְׁבְּר֥וּ אֳנִיּ֖וֹת בְּעֶצְי֥וֹן גָּֽבֶר׃

Este breve versículo informa-nos que, nos dias de Josafá, Edom era vassalo de Judá, governado por um deputado enviado pelo rei. O autor sagrado quis dar a entender que o rei de Judá era homem poderoso. Ele exerceu influência para fora de suas próprias fronteiras.

A Septuaginta omite os vss. 47-50, exceto no códex A. Mas mesmo naquele códex não há nenhuma menção de como Edom se sujeitava a Josafá. Alguns críticos atribuem a nota a um editor posterior e duvidam de sua autenticidade. Isso poderia significar que não havia nenhum *rei nativo*; porém, o texto diz definitivamente que houve um "deputado" (da parte de Josafá) que governava o lugar. Alguns eruditos "reconstituem" o texto e fazem o deputado referir-se aos navios que o rei usou no comércio com países estrangeiros. O deputado estava encarregado desse empreendimento. Mas essa é uma maneira duvidosa de explicar as coisas.

O autor fala-nos acerca do deputado do rei porque o lugar onde o rei tinha estacionado sua marinha ficava no território de Edom, a saber, em Eziom-Geber (vs. 49). Devemos supor que, se Edom tivesse tido seu próprio rei, ele não teria permitido que seu território fosse assim usado.

Davi tinha reduzido Edom à vassalagem (ver 2Sm 8.14), e isso, ao que tudo indica, continuou na época de Josafá. Mais tarde, provavelmente no tempo do filho de Josafá (ver 2Rs 8.20), os edomitas se revoltaram.

■ 22.49

אָ֣ז אָמַ֞ר אֲחַזְיָ֤הוּ בֶן־אַחְאָב֙ אֶל־יְה֣וֹשָׁפָ֔ט יֵלְכ֧וּ עֲבָדַ֛י עִם־עֲבָדֶ֖יךָ בָּאֳנִיּ֑וֹת וְלֹ֥א אָבָ֖ה יְהוֹשָׁפָֽט׃

Josafá, imitando Salomão, tentou promover o comércio marítimo. Ele estava atrás do ouro de Ofir. Mas seu empreendimento não foi bem-sucedido, terminando em naufrágio em Eziom-Geber (ver a respeito no *Dicionário*). Israel era uma nação que vivia à beira-mar, mas não era uma nação de marinheiros. O próprio Salomão teve de tomar por empréstimo a tecnologia dos fenícios para efetuar suas aventuras marítimas. Israel não possuía a ciência e a matemática necessária para a navegação, nem tinha tecnologia suficiente para construir navios que pudessem afrontar mar alto. Cf. 2Cr 20.36, que nos diz que Josafá se aliou a Acazias (rei de Israel), a fim de atirar-se a esse empreendimento. Ver também 1Rs 9.26 ss. e 10.22, quanto ao empreendimento marítimo de Salomão. Aqueles versículos contêm todos os elementos deste versículo, e a exposição foi oferecida ali. Salomão adquiriu muitas riquezas adicionais devido às suas aventuras marítimas, mas Josafá só encontrou desastre e desapontamento.

Devemos entender que Judá quebrou a sociedade com o rei de Israel no tocante às suas aventuras marítimas. Caso contrário, este versículo é uma contradição com 2Cr 20.36. Entretanto, o vs. 37 mostra-nos que Eliezer, o profeta, repreendeu a Josafá por causa de sua aliança com o rei de Israel, e predisse os desastres marítimos que, realmente, ocorreram. É possível que, após isso ter acontecido, Josafá tenha rompido suas alianças com Acazias, e, quando procurado para *renovar* a aliança, recusou-se a fazê-lo. Essa interpretação é uma conjectura que explica *razoavelmente* a contradição, mas não de maneira absoluta. Nem é importante explicar tais contradições, mesmo quando elas são reais. A fé religiosa não depende de questões tão triviais.

■ 22.50

וַיִּשְׁכַּ֤ב יְהֽוֹשָׁפָט֙ עִם־אֲבֹתָ֔יו וַיִּקָּבֵר֙ עִם־אֲבֹתָ֔יו בְּעִ֖יר דָּוִ֣ד אָבִ֑יו וַיִּמְלֹ֛ךְ יְהוֹרָ֥ם בְּנ֖וֹ תַּחְתָּֽיו׃ ס

Josafá descansou com seus pais. A nota comum de obituário (desta vez em relação a Josafá) é novamente empregada para encerrar a história de um rei. O autor usou essas notas padronizadas em relação a todos os reis. Comentei sobre essa nota em 1Rs 16.28. E acrescentei detalhes sobre a teologia envolvida na declaração em 1Rs 1.21.

Foi sepultado na cidade de Davi. Isto é, Jerusalém, a capital de Davi, o lugar que ele tomou dos jebuseus, e não Belém, embora esta cidade também seja algumas vezes chamada assim. Em sucessão, Davi, Salomão, Reoboão, Abias e Asa reinaram ali.

Jeorão. Ver no *Dicionário* notas a respeito. O autor não se demorou para relatar-nos os acontecimentos que cercaram a vida de Jeorão. Mas haveria de voltar a ele (ver 2Rs 1.17; 3.1; 8.16-19; 2Cr 21). Primeiramente, o autor sacro voltou aos reis de Israel, para falar sobre o filho de Acabe e seu reino (vss. 51-53). Incrivelmente, Jeorão casou-se com Atalia, filha de Acabe e Jezabel. Seguiram-se calamidades, incluindo o retorno da idolatria a Judá. Jeorão começou a reinar quando estava com 32 anos de idade e reinou por dez anos.

ACAZIAS, FILHO DE ACABE, CONTINUA A MÁ TRADIÇÃO (22.52-54)

Quanto a notas completas sobre *Acazias*, ver o artigo sobre ele no *Dicionário*. Seria difícil para um filho de Acabe fazer qualquer coisa que não fosse má. Ele foi o oitavo rei de Israel e reinou por somente dois anos (cerca de 853-852 a.C.). Ver no *Dicionário* o artigo chamado *Israel, Reino de*, quanto a uma lista e uma breve descrição dos reis do norte. Ver também *Rei, Realeza*, quanto a um gráfico que compara os reis do norte e do sul e menciona os reis de reinados circunvizinhos.

Relatos Paralelos. O oitavo rei de Israel começou a reinar quando Josafá, rei de Judá, estava no décimo sétimo ano de seu governo. O autor sacro provê relatos paralelos, saltando para Israel e depois para Judá, e voltando novamente a Israel, em uma ordem cronológica aproximada. Quanto a notas sobre esse método de apresentação, ver 1Rs 16.29. A história de Acazias continua no primeiro capítulo de 2Reis. Os dois livros, 1 e 2Reis, eram, originalmente (na Bíblia hebraica), um único livro. O autor sagrado voltará a Judá em 2Rs 8.16.

■ 22.51

אֲחַזְיָ֣הוּ בֶן־אַחְאָ֗ב מָלַ֤ךְ עַל־יִשְׂרָאֵל֙ בְּשֹׁ֣מְר֔וֹן בִּשְׁנַת֙ שְׁבַ֣ע עֶשְׂרֵ֔ה לִיהוֹשָׁפָ֖ט מֶ֣לֶךְ יְהוּדָ֑ה וַיִּמְלֹ֥ךְ עַל־יִשְׂרָאֵ֖ל שְׁנָתָֽיִם׃

Acazias, filho de Acabe. Acabe, o pai do novo rei de *Israel*, tinha deixado terrível exemplo de mal, e Acazias seguiu-o com facilidade. Há três coisas que um pai deve a seu filho: exemplo; exemplo; exemplo. E, naturalmente, entendemos que isso significa *bom exemplo*. A certa altura de sua vida, Acabe se arrependera, mas não houve longos efeitos disso em Israel (ver 1Rs 21.27 ss.). Foi predito (naquele texto) que o desastre sobreviria à casa de Acabe, assim aconteceu, até que todos foram obliterados e outra linhagem se iniciou.

■ 22.52

וַיַּ֥עַשׂ הָרַ֖ע בְּעֵינֵ֣י יְהוָ֑ה וַיֵּ֗לֶךְ בְּדֶ֤רֶךְ אָבִיו֙ וּבְדֶ֣רֶךְ אִמּ֔וֹ וּבְדֶ֙רֶךְ֙ יָרָבְעָ֣ם בֶּן־נְבָ֔ט אֲשֶׁ֥ר הֶחֱטִ֖יא אֶת־יִשְׂרָאֵֽל׃

Mãe. Embora não tenha sido chamada por seu nome, devemos compreender a horrenda *Jezabel*, a princesa de todo o mal. Quem poderia ser bom com uma mãe como aquela? Naquele tempo, Jezabel continuava viva e promovendo cultos pagãos, especialmente os dedicados a Baal e Astarte, as divindades de suas cidades nativas de Tiro e Sidom, as capitais da Fenícia. O pobre homem já nasceu corrompido.

Jeroboão havia iniciado o temível processo de idolatria em Israel e dera início à síndrome do pecado-calamidade. Ele se caracterizou pela expressão "aquele que fez Israel pecar", ou seja, corrompeu a si mesmo e à nação inteira sobre a qual exerceu autoridade. Acabe também fez Israel pecar (ver 1Rs 21.22). Ver 1Rs 15.26 quanto à expressão, e cf. 1Rs 16.3.10. Acazias, pois, seguiu firme nessa infeliz trilha.

■ 22.53

וַיַּעֲבֹד֙ אֶת־הַבַּ֔עַל וַיִּֽשְׁתַּחֲוֶ֖ה ל֑וֹ וַיַּכְעֵ֖ס אֶת־יְהוָ֑ה אֱלֹהֵ֣י יִשְׂרָאֵ֔ל כְּכֹ֥ל אֲשֶׁר־עָשָׂ֖ה אָבִֽיו׃

Ele serviu a Baal, e o adorou. Acazias fez da idolatria uma *especialidade*, tal e qual sua mãe lhe ensinara. Baal era seu principal objeto de adoração. Ver no *Dicionário* o verbete chamado *Baal (Baalismo)*. Isso serviu somente para provocar a *ira* de Yahweh. Temos aqui uma forma de *antropomorfismo e antropopatismo* (ver sobre essas palavras no *Dicionário*), atribuindo características e emoções humanas a Deus. Ver no *Dicionário* o artigo chamado *Ira de Deus*.

Acazias logo seria colhido por um acidente fatal, conforme relata o primeiro capítulo de 2Reis. A síndrome do pecado-calamidade apanhou-o cedo na vida. Uma breve vida foi desperdiçada na degradação.

"A idolatria de Baal reiniciou seu lugar lado a lado com a mais antiga idolatria de Jeroboão (ver 2Rs 1.2), a adoração do Baalzebube cananeu" (Ellicott, *in loc.*). O pecado tem suas variedades. Ver no *Dicionário* o artigo chamado *Idolatria*.

É com essa *nota amarga* que termina o livro de 1Reis, e o primeiro capítulo de 2Reis dá prosseguimento à história de Acazias.

Anotações

Anotações

Anotações

Anotações

Anotações

Anotações

Anotações

Anotações

Anotações

Anotações

Anotações

Sua opinião é importante para nós. Por gentileza envie seus comentários pelo *e-mail* editorial@hagnos.com.br

Visite nosso *site*: www.hagnos.com.br

Esta obra foi composta na fonte Georgia 8/9,6 e impressa na Imprensa da Fé.
São Paulo, Brasil.
Outono de 2018.